sm
DICCIONARIOS

DICCIONARIOS

sm

Clave

DICCIONARIO DE USO DEL ESPAÑOL ACTUAL

PROYECTO EDITORIAL Y DIRECCIÓN
Concepción Maldonado González

ASESORAMIENTO Y REVISIÓN
Humberto Hernández Hernández

COORDINACIÓN EDITORIAL
Nieves Almarza Acedo

REDACCIÓN
Nieves Almarza Acedo
María Luisa Álvarez Rubio
Jesús Arellano Luis
Esmeralda Arroyo Casasola
Mireia Casaus Armentano
Rafael Díaz Ayala
María Luisa Escribano Ortega
Isabel Fernández-Velilla Sáenz
Inés García García
Teresa Gutiérrez Carreras
Juan Antonio de las Heras Fernández
Ascensión Millán Moral
Elena Molinero Pinto
Cristina Olmeda Nicolás
Eva Ortega Parra
Javier Rambaud Cabello
Laura Rivero Lynch
Miriam Rivero Ortiz
Manuel Rodríguez Alonso
Juan Pablo Rodríguez García de Cortázar
Daniel Rodríguez Siles
Vicente Simarro Núñez-Arenas
María Isabel Toribio Tortosa

REVISIÓN CIENTÍFICA
Francisco Javier Almarza Acedo
Carlos Albert Bernal
Justino Apilánez
Carlos Arroyo Zapatero
Javier Calbet
Esther Carrión
Gaspar Castaño Mediavilla
José Manuel Eizaguirre
Eulalia Gómez Pajares
Carlos González
Juan de Isasa
Teodoro Larriba
María Luisa López Molina
José Manuel Luengo Méndez
Francisco J. M. Pignatelli Díaz
José Vicente Martín Rodríguez
Milagros Merino
Juan Antonio Pérez-Chao Romero
Elena Pérez Mínguez
José Manuel Pérez Pérez
Joaquín Maldonado Pignatelli
Fernando Rambaud Pérez
Rodrigo Rivero
Rafael Rivero Ortiz
José Sánchez de Ocaña Sans
Miguel Soto Martín

GESTIÓN DE LA BASE DE DATOS
Antonio del Saz / Luis Relaño

CUBIERTA Y DISEÑO
Alfonso Ruano / Julio Sánchez

Primera edición: abril 1997
Quinta edición (aumentada y actualizada): septiembre 2002
Octava edición (aumentada y actualizada): marzo 2006

CENTRO INTEGRAL DE ATENCIÓN AL CLIENTE
TEL. 902 12 13 23 FAX 902 24 12 22
clientes@grupo-sm.com
www.grupo-sm.com

Para más información fuera de España:
Grupo Editorial SM Internacional
Impresores, 15 - Urb. Prado del Espino
28660 Boadilla del Monte, (Madrid) – España
Teléfono +34 91 4228800
Fax +34 91 4226109
E-mail internacional@grupo-sm.com

ISBN: 84-675-0920-1 - Depósito legal: M-18.698-2006
Impreso en España - *Printed in Spain*
Rotapapel S.L. Móstoles (Madrid)

Índice

2 Puntuación

3 División de palabras

4 Uso de las mayúsculas

5 Escritura de números

6 Abreviaturas y símbolos

Prólogo

(por Gabriel García Márquez)

Tenía cinco años cuando mi abuelo el coronel me llevó a conocer los animales de un circo que estaba de paso en Aracataca. El que más me llamó la atención fue una especie de caballo maltrecho y desolado con una expresión de madre espantosa. «Es un camello», me dijo el abuelo. Alguien que estaba cerca le salió al paso. «Perdón, coronel –le dijo–. Es un dromedario». Puedo imaginarme ahora cómo debió sentirse el abuelo de que alguien lo hubiera corregido en presencia del nieto, pero lo superó con una pregunta digna:

–¿Cuál es la diferencia?

–No la sé –le dijo el otro–, pero este es un dromedario.

El abuelo no era un hombre culto, ni pretendía serlo, pues a los catorce años se había escapado de la clase para irse a tirar tiros en una de las incontables guerras civiles del Caribe, y nunca volvió a la escuela. Pero toda su vida fue consciente de sus vacíos, y tenía una avidez de conocimientos inmediatos que compensaban de sobra sus defectos.

Aquella tarde del circo volvió abatido a la casa y me llevó a su sobria oficina con un escritorio de cortina, un ventilador y un librero con un solo libro enorme. Lo consultó con una atención infantil, asimiló las informaciones y comparó los dibujos, y entonces supo él y supe yo para siempre la diferencia entre un dromedario y un camello. Al final me puso el mamotreto en el regazo y me dijo:

–Este libro no solo lo sabe todo, sino que es el único que nunca se equivoca.

Era el diccionario de la lengua, sabe Dios cuál y de cuándo, muy viejo y ya a punto de desencuadernarse. Tenía en el lomo un Atlas colosal, en cuyos hombros se asentaba la bóveda del universo. «Esto quiere decir –dijo mi abuelo– que los diccionarios tienen que sostener el mundo». Yo no sabía leer ni escribir, pero podía imaginarme cuánta razón tenía el coronel si eran casi dos mil páginas grandes, abigarradas y con dibujos preciosos. En la iglesia me había asombrado el tamaño del misal, pero el diccionario era más grande. Fue como asomarme al mundo entero por primera vez.

–¿Cuántas palabras habrá? –pregunté.

–Todas –dijo el abuelo.

La verdad es que en ese momento yo no necesitaba de las palabras, porque lograba expresar con dibujos todo lo que me impresionaba. A los cuatro años dibujé al mago Richardine, que le cortaba la cabeza a su mujer y se la volvía a pegar, como lo habíamos visto la noche anterior en el teatro. Una secuencia gráfica que empezaba con la decapitación a serrucho, seguía con la exhibición triunfal de la cabeza ensangrentada, y terminaba con la mujer, que agradecía los aplausos con la cabeza otra vez en su puesto. Las historietas gráficas estaban ya inventadas pero las conocí más tarde en el suplemento en colores de los periódicos dominicales. Entonces empecé a inventar historias dibujadas sin diálogos, porque aún no sabía escribir. Sin embargo, la noche en que conocí el diccionario se me despertó tal curiosidad por las palabras, que aprendí a leer más pronto de lo previsto. Así fue mi primer contacto con el que había de ser el libro fundamental en mi destino de escritor.

Un gran maestro de música ha dicho que no es humano imponer a nadie el castigo diario de los ejercicios de piano, sino que este debe tenerse en la casa para que los niños jueguen con él. Es lo que me sucedió con el diccionario de la lengua. Nunca lo vi como un libro de estudio, gordo y sabio, sino como un juguete para toda la vida. Sobre todo desde que se me ocurrió buscar la palabra *amarillo*, que estaba descrita de este modo simple: *del color del limón*. Quedé en las tinieblas, pues en las Américas el limón es de color verde. El desconcierto aumentó cuando leí en el *Romancero Gitano* de Federico García Lorca estos versos inolvidables: *En la mitad del camino cortó limones redondos y los fue tirando al agua hasta que la puso de oro*. Con los años, el diccionario de la Real Academia –aunque mantuvo la referencia del limón– hizo el remiendo correspondiente: *del color del oro*. Solo a los veintitantos años, cuando fui a Europa, descubrí que allí, en efecto, los limones son amarillos. Pero entonces había hecho ya un fascinante rastreo del tercer color del espectro solar a través de otros diccionarios del presente y del pasado. El Larousse y el Vox –como el de la Academia de 1780– se sirvieron también de las referencias del limón y del oro, pero solo María Moliner hizo en 1976 la precisión implícita de que el color amarillo no es el de todo el limón sino solo el de su cáscara. Pero también ella había sacrificado la poesía del Diccionario de Autoridades, que fue el primero de la Academia en 1726, y que describió el amarillo con un candor lírico: *Color que imita el del oro cuando es subido, y a la flor de la retama cuando es bajo y amortiguado*. Todos los diccionarios juntos, por supuesto, no le daban a los tobillos al más antiguo, compuesto en 1611 por don Sebastián de Covarrubias, que había ido más lejos que ninguno en propiedad e inspiración para identificar el amarillo: *Entre las colores se tiene por la mas infelice, por ser la de la muerte y de la larga y peligrosa enfermedad, y la color de los enamorados*.

Estos escrutinios indiscretos me llevaron a comprender que los diccionarios rupestres intentaban atrapar una dimensión de las palabras que era esencial para el buen escribir: su significado subjetivo. Nadie lo sabe tanto como los niños hasta los cinco años y los escritores hasta los cien. Los sabores, los sonidos y los olores son los ejemplos más fáciles. Hace muchos años me despertó a media noche la voz de un cordero amarrado en el patio, que balaba en un tono metálico de una regularidad inclemente. Uno de mis hermanos menores, deslumbrado por la simetría del lamento, dijo en la oscuridad: «Parece un faro». Una tisana hecha con hierbas viejas tenía el sabor inconfundible de una procesión de Viernes Santo. Cuando al Che Guevara le dieron a probar la primera gaseosa que se hizo en Cuba para sustituir el refresco del *Cuba Libre*, dijo sin vacilar ante las cámaras de televisión: «Sabe a cucaracha». Más tarde, en privado, fue más explícito: «Sabe a mierda». ¿Cuántas veces hemos tomado un café que sabe a ventana, un pan que sabe a baúl, un arroz que sabe a solapa y una sopa que sabe a máquina de coser? Un amigo probó en un restaurante unos espléndidos riñones al jerez, y dijo, suspirando: «¡Sabe a mujer!». En un ardiente verano de Roma tomé un helado que no me dejó la menor duda: sabía a Mozart.

Creo que este género de asociaciones tiene mucho que ver con las diferencias entre un buen novelista y otro que no lo es. En cada palabra, en cada frase, en el simple énfasis de una réplica puede haber una segunda intención secreta que solo el autor conoce. Su validez tendrá que ser distinta de acuerdo con quien la lea y según su tiempo y su lugar. Cada escritor escribe como puede, pues lo más difícil de este oficio azaroso no es solo el buen manejo de sus instrumentos, sino la cantidad de corazón que se entregue en el único método inventado hasta ahora para escribir, que es poner una letra después de la otra.

Para resolver estos problemas de la poesía, por supuesto, no existen diccionarios, pero deberían existir. Creo que doña María Moliner, la inolvidable, lo tuvo muy en cuenta cuando se hizo una promesa con muy pocos precedentes: escribir sola, en su casa, con su propia mano, el diccionario de uso del español. Lo escribió en las horas que le dejaba libre su empleo de bibliotecaria y el que ella consideraba su verdadero oficio: remendar calcetines. Lo que quería en el fondo era agarrar al vuelo todas las palabras desde que nacían. «Sobre todo las que encuentro en los periódicos –según dijo en una entrevista–, porque allí viene el idioma vivo, el que se está usando, las palabras que tienen que inventarse al momento.» En realidad, lo que esa mujer de fábula había emprendido era una carrera de velocidad y resistencia contra la vida. Es decir: una empresa infinita, porque las palabras no las hacen los académicos en las academias, sino la gente en la calle. Los autores de los diccionarios las capturan casi siempre demasiado tarde, las embalsaman por orden alfabético, y en muchos casos cuando ya no significan lo que pensaron sus inventores.

En realidad, todo diccionario de la lengua empieza a desactualizarse desde antes de ser publicado, y por muchos esfuerzos que hagan sus autores no logran alcanzar las palabras en su carrera hacia el olvido. Pero María Moliner demostró al menos que la empresa era menos frustrante con los diccionarios de uso. O sea, los que no esperan que las palabras les lleguen a la oficina, sino que salen a buscarlas, como es el caso de este diccionario nuevo que me ha llegado a las manos todavía oloroso a madera de pino y tinta fresca.

Y cuyo destino podría ser menos efímero que el de tantos otros, si se descubre a tiempo que no hay nada más útil y noble que los diccionarios para que jueguen los niños desde los cinco años. Y también, con un poco de suerte, los buenos escritores hasta los cien.

96

GABRIEL GARCÍA MÁRQUEZ

Presentación

En 1997, Ediciones SM presentaba a la sociedad una obra lexicográfica que prometía ser distinta a las ya existentes, sin ceder por ello un ápice de rigor y de exhaustividad: *Clave. Diccionario de uso del español actual.*

Nueve años después, podemos afirmar que el éxito de *Clave* consiste en que proporciona toda la información necesaria para conocer, no solo el significado de una palabra, sino también sus peculiaridades de uso. En *Clave* se matizan y explican las diferencias de significado que existen entre palabras que el hablante a menudo confunde en su uso oral y escrito del idioma. Y todas las dudas de uso de una palabra quedan resueltas en notas de pronunciación, ortografía, morfología, sintaxis, semántica y uso.

Pero el valor más destacado de *Clave* es su actualidad. Las palabras y expresiones que recoge son palabras y expresiones vivas, de uso diario en los medios de comunicación.

Con el paso del tiempo, surgen en la lengua nuevas palabras y acepciones, que deben ser recogidas para que el diccionario mantenga su actualidad. En esta nueva edición de *Clave*, se ha llevado a cabo una renovación y una actualización profundas del léxico recogido en la edición anterior:

- Se han introducido palabras y acepciones nuevas, utilizadas de forma más o menos habitual en los últimos años en los medios de comunicación y en el habla cotidiana de todo el mundo hispánico: palabras del mundo de las nuevas tecnologías (*bluetooth, blog, spam, chateo, wi-fi*, etc.), palabras relacionadas con el factor económico (*euribor*, *joint venture, ibex, merchandising*, etc.), vocablos propios de distintas culturas, en un mundo cada vez más global (*chador, sushi, mulá,* etc.).
- Se han incluido en el corpus las siglas de uso habitual en la lengua, siempre que no sean nombres propios de instituciones o de organismos (*ETT, CPU, ONG*, *SMS*, *TDT*, etc.).
- Y se han actualizado las definiciones de todas aquellas palabras que designan realidades que en los últimos años han sufrido transformaciones (todo el léxico relacionado con las monedas europeas, cambios en el sistema educativo, etc.).

Además de estos cambios, motivados por la necesidad de actualizar el léxico, el diccionario *Clave* se ha renovado para adaptarse a los nuevos criterios académicos, tras la publicación de las últimas obras de la Real Academia Española.

Por todo lo anterior, en Ediciones SM confiamos en haber conseguido que este diccionario *Clave* siga siendo, nueve años después de su primera edición, uno de esos diccionarios de uso de los que García Márquez dice que «no esperan que las palabras les lleguen a la oficina, sino que salen a buscarlas».

Ediciones SM

La variedad y la unidad del español en este diccionario

Humberto Hernández
(*Universidad de La Laguna*)

LA VARIEDAD Y LA UNIDAD DEL ESPAÑOL

La primera cuestión que hay que plantearse antes de emprender la tarea de elaboración de un diccionario es la de determinar cuál es el grupo de usuarios a los que la obra se destina. Así se ha procedido con este diccionario, que aspira a convertirse en un instrumento de consulta útil para quienes consideran nuestra lengua como el mayor legado de nuestros antepasados, merecedora de un respeto y una valoración similares al de su larga tradición cultural y a su incuestionable papel de nexo entre pueblos muy diversos.

No ha sido tarea fácil elaborar un diccionario para un sector tan amplio de destinatarios, pues, a pesar de ser probablemente el español la menos diversificada de las grandes lenguas de cultura, no existe un único «español de España» extendido uniformemente por todo el territorio, y la pretendida homogeneidad del español americano es solo una falacia.

Quizás por esta razón los diccionarios se han limitado hasta ahora a dar cuenta únicamente de las variedades mejor conocidas y más prestigiadas históricamente, por más que estas estuvieran reducidas a espacios geográficos muy localizados y el número de sus usuarios en clara minoría en relación con los de otras modalidades.

Somos conscientes de todas las limitaciones; sin embargo, estas no pueden constituir un obstáculo insalvable que prive a un amplio sector de usuarios de un repertorio que les ofrezca la norma viva y actual convenientemente documentada del español con la suficiente información –ortográfica, ortológica, gramatical, semántica y pragmática– para entender y producir enunciados orales y textos escritos con la garantía del buen uso.

LA NORMA CASTELLANA Y LA NORMA MERIDIONAL

Este diccionario otorga pleno reconocimiento a las dos grandes normas lingüísticas del español: **la norma castellana** (la del centro-norte peninsular) y **la norma meridional** (la del sur peninsular, Canarias e Hispanoamérica). La primera, caracterizada fundamentalmente por la existencia de la oposición *s/θ* en el plano fonológico y la distinción *vosotros/ustedes* en el morfológico; la segunda, por la ausencia de estas oposiciones, ausencias que dan lugar al fenómeno del *seseo*, a la ampliación semántica del pronombre *ustedes* (plural de *tú* y de *usted*), al uso de *vos* en lugar de *tú* (fenómeno muy extendido en Hispanoamérica y que se conoce con el nombre de *voseo)* y a otros hechos gramaticales que lleva aparejados la ausencia de *vosotros*.

• Diferencias fonológicas

Veamos a continuación las principales **diferencias de los sistemas fonológicos** de las dos normas del español:

– Además de la realización aspirada del fonema /x/ (representado en la escritura por las letras *j* y *ge, i*), la diferente división silábica del grupo consonántico *-tl-* ([a-tlas] en Canarias e Hispanoamérica, frente a [at-las] en el español peninsular) y la frecuente aspiración de la *-s* final de sílaba, el rasgo más sobresaliente de la modalidad meridional es la ausencia del fonema interdental fricativo sordo /θ/, origen del *seseo*, hecho que también conlleva, por lo general, una diferencia articulatoria: [s] predorsodental en la zona meridional frente a [s] apicoalveolar en la castellana.

– Debe tenerse en cuenta que el *seseo* –fenómeno ortológico reconocido como propio de la norma culta meridional– afecta a la relación entre fonemas y grafías, y, así, son dos los fonemas (/s/ y /θ/) que en el español del centro-norte peninsular se asocian con las grafías *s*, *z* y *c*, mientras que es solo uno (el fonema /s/) el que corresponde a esas tres grafías en el español meridional:

ESPAÑOL CASTELLANO		ESPAÑOL MERIDIONAL	
fonema	**grafía**	**fonema**	**grafía**
/s/ →	s	/s/ →	s
/θ/ →	z	/s/ →	z
/θ/ →	$c^{e,i}$	/s/ →	$c^{e,i}$

• Diferencias morfosintácticas

Las principales características morfosintácticas de ambas modalidades se observan en sus sistemas pronominales:

ESPAÑOL CASTELLANO	ESPAÑOL MERIDIONAL
yo	yo
tú / usted	tú-vos / usted
él, ella	él, ella
nosotros, tras	nosotros, tras
vosotros, tras / ustedes	_____ / ustedes
ellos, ellas	ellos, ellas

La diferencia fundamental, como señalábamos, se produce por la ausencia de *vosotros* (plural de *tú*) en la modalidad meridional, por lo que *ustedes* se convierte en plural de *tú* y plural de *usted*:

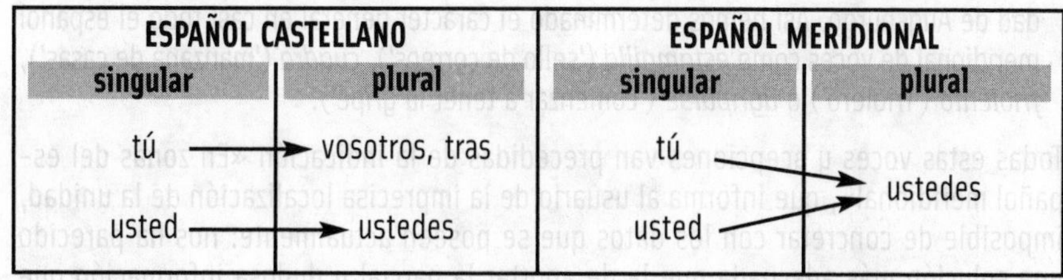

Obviamente, el pronombre *ustedes* se combina con la desinencia de tercera persona del plural (*ustedes cant-**an***), y desaparecen del español meridional las desinencias de segunda persona del plural (*cant-**áis**, ten-**éis**, part-**ís***). El pronombre *vos*, que se usa en lugar de ***tú*** en parte del español americano, se asocia normalmente con las desinencias *-**ás***, *-**és*** e *-**ís*** (por ejemplo, *vos cant**ás***, *vos ten**és*** y *vos part**ís***).

• Diferencias léxicas

Existe en esta modalidad una gran variación léxica, aunque también se observa un buen número de coincidencias. Estas indudables semejanzas entre las hablas del sur peninsular, Canarias e Hispanoamérica nos autorizan a utilizar de manera genérica el rótulo de *español meridional* (también se le ha denominado *español atlántico*) para todo este complejo dialectal.

Es preciso dejar constancia de un hecho con frecuencia criticado y que constituye una de las grandes deficiencias de los diccionarios generales del español. Dada la ausencia de trabajos dialectales de muchas de las áreas del idioma, resulta prácticamente imposible determinar los usos exclusivos de la modalidad castellana o del **español peninsular**; estamos convencidos de que debería marcarse esta característica si hubiera datos suficientes para hacerlo de forma rigurosa, aunque el defecto puede resultar atenuado si tenemos en cuenta que esta modalidad, de menor importancia cuantitativa, es poseedora de un amplio reconocimiento y prestigio en todo el mundo hispánico por conocidas razones históricas y culturales.

Las **peculiaridades del español meridional**, en cambio, quedan reflejadas siempre en este diccionario. Para seleccionar las más de dos mil voces y acepciones características de esta modalidad se han barajado los siguientes criterios:

- Que la voz o acepción tuviera un frecuente uso escrito en publicaciones periódicas y obras literarias de autores de este ámbito lingüístico.
- Que hubiera coincidencia entre distintas variedades de este español meridional (entre el español de Canarias, por ejemplo, y el de varios países hispanoamericanos; así, *botar* en el sentido de 'tirar, echar o arrojar' se usa en el español de Canarias, en el de Argentina, Chile, Colombia, Ecuador, Guatemala, México, Nicaragua, Puerto Rico, Santo Domingo y Venezuela).
- Que tuvieran un uso generalizado en zonas del español meridional de gran peso demográfico (México, Argentina, Colombia, Perú, Venezuela, Chile, Cuba...). Para esta selección hemos cotejado diferentes diccionarios de americanismos de reconocida solvencia, sobre todo los publicados dentro del proyecto *Nuevo Diccionario de Americanismos* que dirigen los profesores Günther Haensch y Reinhold Werner, de la Universi-

dad de Augsburgo. Así hemos determinado el carácter general en casi todo el español meridional de voces como *estampilla* ('sello de correos'), *cuadra* ('manzana de casas'), *friolento* ('friolero') o *agriparse* ('comenzar a tener la gripe').

Todas estas voces y acepciones van precedidas de la indicación «En zonas del español meridional», que informa al usuario de la imprecisa localización de la unidad, imposible de concretar con los datos que se poseen actualmente: nos ha parecido una solución más adecuada que la de aportar la parcial y dudosa información que proporcionan otros muchos diccionarios.

Conscientes de todas las dificultades con que nos encontraríamos, iniciamos la elaboración de este diccionario, que ya es patrimonio de los usuarios del idioma que deseen consultarlo. Hemos intentado contrarrestar todas esas posibles deficiencias con un trabajo honesto y riguroso. Confiamos en que nuestro esfuerzo haya valido la pena.

Características de *Clave*

DICCIONARIO

ORDEN ALFABÉTICO

- Sigue el **orden alfabético universal**: la *ch* se incluye dentro de la *c*, la *ll* dentro de la *l*, y la *rr* dentro de la *r*.
- El **espacio en blanco** y otros signos no alfabetizables, como el **guión**, no cuentan para la ordenación alfabética (la locución *a posteriori* se encuentra entre los lemas *apostema* y *apostilla*; la palabra *cash-flow* está entre *cash and carry* y *casi*).
- Los **lemas sin tilde** aparecen siempre antes que los lemas con tilde. Los artículos *futbol*, *chofer* y *video* (formas utilizadas en América Latina) preceden a los artículos *fútbol*, *chófer* y *vídeo*, respectivamente; del mismo modo, *parque* o *mama* preceden a *parqué* o *mamá*. Los **lemas en mayúsculas** van después de los escritos en minúsculas (*ave* va antes de *AVE*).
- Si una palabra tiene **diferentes formas**, se puede buscar por cualquiera de ellas. Por ejemplo: *psicología/sicología; translúcido/traslúcido; mayonesa/mahonesa*. La palabra menos usual (*sicología, traslúcido, mahonesa*) remite a la más usual (*psicología, translúcido, mayonesa*).
- Las **locuciones** se incluyen en el artículo de su primera palabra fuerte, según el siguiente orden de prioridad: sustantivo, verbo, adjetivo, pronombre, adverbio. Así, por ejemplo, la locución *no dar un palo al agua* aparece definida en *palo* y no en *dar*. Si la palabra fuerte no funciona en la lengua independientemente, la locución irá bajo un lema formado por dicha palabra (la locución *a nado* está en el artículo *nado*).
  - Las locuciones aparecen **al final** del artículo y por **orden alfabético**.
  - En los casos de **locuciones latinas y extranjeras**, se incluyen por orden alfabético y el lema del artículo está formado por la locución entera, ordenada por la primera palabra (la locución *in albis* va entre los lemas *inalámbrico* e *inalcanzable*).

SELECCIÓN DEL CORPUS

- Se incluyen las palabras más usuales en el **léxico del español actual**. Se han desechado los términos y los usos anticuados. Se incluyen numerosos **neologismos** empleados asiduamente en la lengua diaria y en los medios de comunicación (*SMS*, *tuning*, *probiótico*, *metrosexual*). Los extranjerismos que no están adaptados ortográficamente al español, se registran en este diccionario si son de uso frecuente y se remite a una palabra española equivalente cuando es posible, o se indica en las notas alguna cuestión sobre su uso. El hablante debe decidir si usarlos o no, o si escribirlos de alguna manera diferenciadora (en cursiva o entre comillas, por ejemplo).

- Contiene un gran número de **americanismos** (*aeromoza*, *agriparse*, *empanizar*, *molestoso*). La definición en todos ellos va precedida de la marca *En zonas del español meridional.*

- Las **locuciones** están definidas como combinaciones fijas de palabras que forman un solo elemento oracional cuyo significado no es siempre el de la suma de los significados de sus miembros (*con las manos en la masa*, *a priori*, *comer con los ojos*, *currículum vítae*).

  Las locuciones no llevan indicación gramatical, porque ya en la propia definición se ve si están definidas como verbos, sustantivos, adjetivos, etc.

- Se recogen las **siglas** (*TIC*, *DVD*, *USB*) más utilizadas en la lengua española actual, excepto las que son nombres propios, que se encuentran en los apéndices finales (*BOE*, *DGT*, *EMT*).

- Se incluyen de forma exhaustiva los **prefijos** (*re-*, *in-*, *pre-*) y **sufijos** (*-ble*, *-mente*, *-logía*) más productivos del español. Dicha inclusión ha permitido no introducir en el corpus las palabras derivadas o compuestas cuyo significado es fácilmente deducible de la suma del significado de sus partes.

- No se incluyen refranes ni dichos.

CATEGORÍA GRAMATICAL

- En caso de que en un mismo artículo existan acepciones con diferente categoría gramatical, se ha seguido, salvo escasas excepciones, un orden fijo para facilitar la búsqueda de las distintas acepciones. La **ordenación de las acepciones** se ha establecido según el siguiente criterio gramatical:

  – adjetivo

  – adjetivo/sustantivo

  – sustantivo: común, ambiguo, masculino, masculino plural, femenino, femenino plural

  – verbo; verbo pronominal

  – adverbio

  – conjunción

  – preposición

  – interjección

  Y dentro de cada una de esas categorías, se ha seguido el criterio de frecuencia de uso (con excepción de las acepciones consideradas vulgarismos malsonantes, siempre colocadas al final del artículo).

- Las **palabras homónimas** se han incluido como acepciones distintas dentro de un mismo artículo. Por ejemplo, en el lema *banco* se encuentra la acepción de «asiento», y la de «organismo que comercia con dinero», aunque etimológicamente proceden de voces distintas.

- Los **sustantivos femeninos** (*pata*) se encuentran dentro de su correspondiente forma en masculino y femenino (*pato, ta*), aunque, para facilitar su búsqueda, en el sustantivo femenino (*pata*) aparece una remisión al artículo en el que se encuentra (*pato, ta*).

REGISTROS DE USO

Con los **registros de uso** se ha acotado y concretado la utilización de las palabras que tienen un valor determinado. Los valores *anticuado* (*ant.*), *coloquial* (*col.*), *eufemístico* (*euf.*), *argot* (*arg.*), *poético* (*poét.*), *despectivo* (*desp.*), *vulgar* (*vulg.*) y *vulgar malsonante* (*vulg. malson.*) aparecen en aquellas acepciones cuyo registro de uso es restringido.

DEFINICIONES

- Son **claras y precisas**, para facilitar la comprensión de las palabras. No contienen remisiones innecesarias, sino que cada artículo se concibe como una entidad independiente que contiene toda la información necesaria para la correcta comprensión del término.
- Han sido redactadas según unos **modelos tipo**, lo que da una gran coherencia interna al cuerpo del diccionario (véanse, por ejemplo, las unidades de medida, los instrumentos musicales, los cargos y las profesiones, etc.).
- La llamada *ley de la sinonimia*, principio unánimemente aceptado en lexicografía, exige que la **definición pueda sustituir siempre al término definido**. Este problema se ha resuelto en la definición de verbos y adjetivos con la fórmula *Referido a...*

  En el caso de los adjetivos, en ese contorno se explicita el tipo de sustantivo al que dicho adjetivo puede acompañar (ejemplo: *salvaje* no significa lo mismo referido a un animal, a una planta o a un terreno).

  En el caso de los verbos, la fórmula permite extraer el sujeto, el complemento directo o el complemento preposicional regido (ejemplo: existen diferencias apreciables entre *alimentar a un ser vivo*, *alimentar el fuego* o *alimentar un sentimiento*).

REMISIONES

Las remisiones de uno a otro artículo se han reducido básicamente a los casos de términos que presentan dos formas gráficas parecidas, al caso de los vulgarismos, o a los extranjerismos que tienen un equivalente en español.

SINÓNIMOS

Se recogen los principales sinónimos del español actual, que van a continuación de la acepción que les corresponde.

EJEMPLOS

Hay abundantes ejemplos para entender los diferentes usos de una misma palabra. Dichos ejemplos ayudan a la comprensión de las definiciones y facilitan el uso de la palabra en las diferentes acepciones. Por ejemplo, en el caso de los verbos, se explicitan sus diferentes usos como transitivo, intransitivo o pronominal. En ocasiones, los ejemplos no son oraciones completas, sino que son sintagmas que reflejan las construcciones más habituales de las palabras.

NOTAS

La inclusión de notas de etimología, pronunciación, ortografía, morfología, sintaxis, semántica y uso permite completar la información gramatical que, de forma implícita, impregna todo el diccionario. Así, por ejemplo, las notas de **etimología** explican la procedencia de una palabra siempre que no se trate de palabras derivadas o compuestas de otra palabra castellana; las notas de **pronunciación** resultan imprescindibles en la explicación de extranjerismos recientemente incorporados a nuestro idioma; las de **ortografía** resultan muy indicadas para llamar la atención sobre la existencia de palabras homófonas o sobre particularidades ortográficas de una palabra; las de **morfología** aportan una completa información sobre la flexión nominal y verbal; las de **sintaxis** ayudan al uso codificador del lenguaje, informando, por ejemplo, de los regímenes de construcción verbal; las de **semántica** avisan sobre posibles confusiones y matizaciones diferenciadoras del significado; y en todas ellas, pero especialmente en las de **uso**, se aclaran diversas cuestiones relativas a los enfoques prescriptivo y descriptivo en el tratamiento del lenguaje.

APÉNDICES

- Los apéndices explican, de forma clara y esquemática, las cuestiones que plantean más dudas en la expresión oral y escrita:
  - **Acentuación:** ofrece las reglas generales de acentuación y las reglas para acentuar correctamente diptongos, hiatos, monosílabos...
  - **Puntuación**: es un resumen que aclara el uso del punto, la coma, los dos puntos, los paréntesis...
  - **División de palabras**: se dan las reglas para la división de palabras al final de renglón.
  - **Uso de las mayúsculas**: aclara cuándo es necesario utilizar las mayúsculas y cuándo es incorrecto.

– **Escritura de números**: incluye una lista con los números arábigos, romanos, cardinales, ordinales, fraccionarios y multiplicativos, así como una explicación de su uso.

– **Abreviaturas y símbolos**: contiene una lista con las principales abreviaturas y los símbolos más usuales, acompañada de una explicación de su formación y su uso.

– **Siglas y acrónimos**: ofrece una lista de las siglas y acrónimos de uso actual, complementada con una explicación sobre su composición y su uso.

– **Topónimos**: explica cómo se utilizan los topónimos y ofrece un listado de los topónimos oficiales de España en castellano y en las lenguas autonómicas.

– **Modelos de conjugación verbal**: es un conjunto de cuadros verbales con los modelos regulares e irregulares de la conjugación española. Desde el cuerpo del diccionario se remite a estos modelos verbales.

Ejemplos de uso

Lema

internauta s.com. Persona que utiliza una red mundial de comunicación: *Los internautas se comunican a través de las autopistas de la información.* □ ETIMOL. De *internet* y *nauta* (navegante).

Neologismos y extranjerismos.

bullying (ing.) s.m. Acoso, físico o psicológico, realizado por uno o varios alumnos hacia otro de manera continuada: *La mejor manera de acabar con el bullying es hablar del problema con los profesores o con los padres.* □ PRON. [búlin]. □ USO Su uso es innecesario y puede sustituirse por *acoso escolar*.

guampa s.f. En zonas del español meridional, cuerno: *Encontró unas guampas de vaca en el campo.*

Americanismos.

Prefijos y sufijos

tele- **1** Elemento compositivo prefijo que significa 'a distancia': *telecomunicación, telecontrol, teledirigido, telescopio.* **2** Elemento compositivo prefijo que significa 'de televisión': *telefilme, teleteatro, telenovela, teleadicto.* □ ETIMOL. Del griego *tēle* (lejos).

Para poder formar nuevas palabras.

-aina **1** Sufijo que indica conjunto: *azotaina.* **2** Sufijo que tiene un valor despectivo: *tontaina.*

Categoría gramatical

reconfortante adj.inv./s.m. Que reconforta o hace recuperar las fuerzas o los ánimos perdidos.

Con indicación de cambio de categoría gramatical.

Definición

suite s.f. **1** En música, selección de fragmentos de ballets, de óperas o de otras composiciones extensas, generalmente para su interpretación en concierto. **2** En un hotel, conjunto de varias habitaciones intercomunicadas que forman una unidad. □ ETIMOL. 1. En la acepción 1, es un galicismo. 2. En la acepción 2, es un anglicismo. □ PRON. [suít].

Con «pistas» que ayudan a encontrar con rapidez el significado que se busca.

Ejemplos

ablandar v. **1** Poner blando o hacer perder la dureza: *Tengo que ablandar los zapatos nuevos para que no me hagan rozadura. Si metes el arroz en agua se ablandará.* **2** Referido a una persona, hacer que ceda en una postura intransigente o que se suavice su enojo: *Nuestro buen comportamiento posterior lo ablandó y nos perdonó. Por fin se ablandó y cedió en su intransigente postura.* □ SINÓN. *emblandecer.*

Para explicar el uso de las palabras.

Registros de uso

melífero, ra adj. *poét.* Que lleva o que tiene miel. □ ETIMOL. Del latín *mellifer* (que produce miel).

Para aclarar contextos de uso: *coloquial, vulgar, poético*, etc.

vesania s.f. Locura furiosa. □ ETIMOL. Del latín *vesania.* □ USO Su uso es característico del lenguaje culto.

Sinónimos	**garrota** s.f. **1** Palo grueso y fuerte que puede manejarse como un bastón: *Es más cómodo andar por el monte si se lleva una garrota.* ☐ SINÓN. *garrote.* **2** Bastón cuyo extremo superior es curvo: *Recuerdo a mi abuelo siempre apoyado en su garrota.* ☐ SINÓN. *cachava, cachavo, cayado.*	**En cada acepción.**
Locuciones	**balde** s.m. **1** Barreño o cubo: *Llenó el balde de agua y se puso a limpiar el suelo de la cocina. Echa el balde por la borda y súbelo con agua.* **2** ‖ **de balde;** sin precio de ningún tipo: *Este viaje me ha salido de balde, porque me han invitado a todo.* ‖ **en balde;** inútilmente o en vano: *Hice un viaje en balde porque no me recibió.* ☐ ETIMOL. Del árabe *batil* (vano, inútil, sin valor).	**Al final del artículo y por orden alfabético.**
Notas gramaticales y notas de uso	**babia** ‖ **estar en Babia;** *col.* Estar distraído o ajeno a lo que sucede alrededor: *En clase está siempre en Babia y nunca se entera de nada.* ☐ ETIMOL. Por alusión al aislado territorio de Babia en la montaña leonesa.	**De etimología.**
	spamming (ing.) s.m. Envío masivo de correos electrónicos con información publicitaria. ☐ PRON. [espámin].	**De pronunciación.**
	africanizar v. Dar o adquirir características que se consideran propias de lo africano: *Este escultor ha africanizado mucho su estilo desde que vive en Guinea.* ☐ ORTOGR. La *z* se cambia en *c* delante de *e* →CAZAR.	**De ortografía.**
	macro s.f. En informática, conjunto de comandos que se pueden ejecutar de una vez y consecutivamente con solo hacer una referencia: *El uso de macros elimina la realización de tareas repetitivas.* ☐ MORF. Es la forma abreviada y usual de *macroinstrucción* o de *macrofunción.*	**De morfología.**
	iraní (pl. *iraníes, iranís*) adj.inv./s.com. De Irán o relacionado con este país asiático.	
	amoral adj.inv. Que no tiene ni sentido ni propósito moral: *Una conducta amoral es la que no se rige por los principios del bien y del mal.* ☐ ETIMOL. De *a-* (privación) y *moral.* ☐ SEM. Dist. de *inmoral* (que se opone a la moral).	**De semántica.**
	mofarse v.prnl. Burlarse con desprecio: *Se mofa de los que son más débiles que ella.* ☐ ETIMOL. De origen expresivo. ☐ SINT. Constr. *mofarse* DE *algo.*	**De sintaxis.**
	abrazo s.m. Gesto de rodear con los brazos, generalmente como saludo o como señal de cariño: *Se dieron un cordial abrazo.* ☐ USO La expresión *un abrazo* se usa mucho como fórmula de despedida: *Terminó diciendo: 'Hasta mañana, un abrazo'.*	**De uso.**

Abreviaturas y símbolos

ABREVIATURAS

a.C.	antes de Cristo	jap.	japonés
adj.	adjetivo	lat.	latín
adj.inv.	adjetivo invariable	m.	masculino
adj./s.	adjetivo/sustantivo	MORF.	morfología
adv.	adverbio	n.	neutro
al.	alemán	nep.	nepalí
ant.	antiguo	nor.	noruego
ár.	árabe	numer.	numeral
arg.	argot	ORTOGR.	ortografía
art.determ.	artículo determinado	part.	participio
art.indeterm.	artículo indeterminado	pers.	personal
cat.	catalán	pl.	plural
ch.	chino	*poét.*	poético
col.	coloquial	pol.	polaco
comp.	comparativo	port.	portugués
conj.	conjunción	poses.	posesivo
constr.	construcción	prep.	preposición
cor.	coreano	prnl.	pronominal
d.C.	después de Cristo	pron.	pronombre
demos.	demostrativo	PRON.	pronunciación
desp.	despectivo	relat.	relativo
dist.	distinto	rum.	rumano
eusk.	euskera	rus.	ruso
esp.	especialmente	s.	sustantivo
ETIMOL.	etimología	s.amb.	sustantivo ambiguo
euf.	eufemístico	sánscr.	sánscrito
exclam.	exclamativo	s.com.	sustantivo común
f.	femenino	SEM.	semántica
form.	formal	serb.	serbocroata
fr.	francés	s.f.	sustantivo femenino
gall.	gallego	SINÓN.	sinónimo
gr.	griego	SINT.	sintaxis
haw.	hawaiano	s.m.	sustantivo masculino
hebr.	hebreo	suaj.	suajili
hind.	hindi	suec.	sueco
hol.	holandés	superlat.	superlativo
húng.	húngaro	tb.	también
indef.	indefinido	v.	verbo
ing.	inglés	val.	valenciano
interj.	interjección	v.prnl.	verbo pronominal
interrog.	interrogativo	*vulg.*	vulgar
irreg.	irregular	*vulg.malson.*	vulgar malsonante
it.	italiano		

SÍMBOLOS

→	Remisión a otra palabra.
□	Nota gramatical.
▫	Sinónimo.
▮	Separación de distintas categorías gramaticales en un mismo artículo del diccionario.
‖	Locución.
[ ]	Pronunciación.
*	Incorrección. / Sin documentación escrita (en notas de etimología).
>	Se debe sustituir el término que precede a este signo por el término que lo sigue.
(gris) marengo	Se puede prescindir de lo incluido entre paréntesis.
gótico {flamígero/florido}	Se puede elegir cualquier elemento de los encerrados entre llaves.

A a

a ▮ s.f. **1** Primera letra del abecedario. ▮ prep. **2** Indica la dirección que se lleva o el término al que se encamina: *Voy a la oficina.* **3** Indica el lugar o tiempo en los que sucede algo: *Te espero a la salida del cine.* **4** Indica la situación de algo: *Pon los garbanzos a remojo.* **5** Indica el intervalo de lugar o de tiempo que media entre una cosa y otra: *La mesa mide dos metros de un extremo al otro.* **6** Indica el modo en el que se hace algo: *No me hables a voces.* **7** Indica el precio de algo: *¿A cuánto están los boquerones hoy?* **8** Indica distribución o cuenta proporcional: *Tocamos a seis euros cada uno.* **9** Indica comparación o contraposición entre dos personas o cosas: *De este coche a este otro solo hay diferencia en el precio.* **10** Introduce el complemento directo de persona y el complemento indirecto: *En la oración 'Veo a tu hermano', el complemento directo va precedido por 'a'.* ☐ ETIMOL. Las acepciones 2-10, del latín *ad* (a, hacia). ☐ PRON. La acepción 1 representa el sonido vocálico central y de abertura máxima. ☐ ORTOGR. Dist. de *ha* (del verbo *haber*) y de *ah* (interjección). ☐ MORF. 1. En la acepción 1, incorr. **el a > la a.* 2. En la acepción 1, su plural es *aes.* ☐ SINT. 1. Forma parte de muchas perífrasis: *Vamos a abrir tu regalo.* 2. Es régimen preposicional de muchos verbos, sustantivos y adjetivos: *Debes ser fiel a tus principios.*

a- Prefijo que indica negación o privación: *asimétrico, amoral, anormalidad.* ☐ ETIMOL. Del griego *a.* ☐ ORTOGR. Ante palabra que empieza por vocal adopta la forma *an-*: *analfabeto.*

-a Sufijo que indica acción y efecto: *toma, poda.*

ababol s.m. **1** Planta anual que tiene flores generalmente de color rojo intenso, semilla negruzca y savia lechosa. ☐ SINÓN. *amapola.* **2** Flor de esta planta. ☐ SINÓN. *amapola.* ☐ ETIMOL. Del árabe hispánico *happapáwr[a]*, y este del latín *papaver*, con influencia del árabe *habb* (semillas).

ab absurdo (lat.) ‖ Por reducción al absurdo: *En una demostración ab absurdo, se hace evidente la verdad de una proposición por la falsedad o imposibilidad de la contraria.*

abacá s.m. **1** Planta de unos tres metros de altura, cuyo fruto no se pudre, que tiene un tronco del que se saca una fibra textil: *El abacá es frecuente en Filipinas y otros países de Oceanía.* **2** Fibra que extrae de esta planta. **3** Tejido hecho con esta fibra. ☐ ETIMOL. De origen tagalo.

abacería s.f. Establecimiento en el que se venden legumbres secas, salazones y otros productos: *Siempre compra el bacalao en la abacería de su barrio.*

abacero, ra s. Propietario o encargado de una abacería: *La abacera me vendió un litro de vinagre.* ☐ ETIMOL. De *haba,* porque el abacero vendía, sobre todo, habas.

abacial adj.inv. Del abad, de la abadesa, de la abadía o relacionado con ellos: *Alcanzó la dignidad abacial a los cincuenta años.*

ábaco s.m. **1** Instrumento formado generalmente por un cuadro de madera atravesado por diez cuerdas o alambres paralelos, con diez bolas móviles cada uno, que sirve para realizar cálculos aritméticos: *En el billar francés el ábaco se usa para anotar las carambolas.* **2** En arquitectura, parte superior del capitel de una columna sobre el que se asienta el arquitrabe: *El ábaco suele ser cuadrado con sus lados generalmente cóncavos.* ☐ ETIMOL. Del latín *abacus.*

abad s.m. **1** Superior de un monasterio de hombres, con categoría de abadía: *Es abad del monasterio desde hace muchos años.* **2** Superior eclesiástico de algunas colegiatas: *No sé quién es el actual abad de la colegiata de mi pueblo.* ☐ ETIMOL. Del latín *abbas*, y este del arameo *abba* (padre). ☐ SEM. Dist. de *abate* (clérigo extranjero).

abadejo s.m. Pez marino comestible, de gran tamaño, cuerpo alargado y cilíndrico, y cabeza muy grande: *El abadejo vive en bancos, en mares fríos.* ☐ SINÓN. *bacalao.* ☐ MORF. Es un sustantivo epiceno: *el abadejo {macho/hembra}.*

abadengo, ga adj. De la dignidad o de la jurisdicción del abad, o relacionado con ellos: *tierras abadengas.*

abadesa s.f. Superiora de algunas comunidades religiosas: *La madre abadesa hizo llamar a las novicias.* ☐ ETIMOL. Del latín *abatissa.*

abadía s.f. **1** Iglesia o monasterio gobernados por un abad o por una abadesa: *Es superior de una abadía benedictina.* **2** Territorio en el que un abad o una abadesa ejercen su jurisdicción: *Los monjes tienen parte de la abadía arrendada a unos campesinos.* ☐ ETIMOL. Del latín *abbatia.*

ab aeterno (lat.) ‖ Desde muy antiguo o desde la eternidad: *No intentes cambiar esa costumbre porque está arraigada ab aeterno.*

abajeño, ña adj./s. En zonas del español meridional, de las costas y tierras bajas, o relacionado con ellas: *Me establecí en tierras abajeñas.* ☐ SINÓN. *abajino.*

abajino, na adj./s. →**abajeño.**

abajo ▮ adv. **1** Hacia un lugar o una parte inferior: *La canoa iba río abajo empujada por la corriente.* **2** En un lugar, parte o posición más bajos o inferiores: *Tiene una bodega abajo, en el sótano.* ▮ interj. **3** Expresión que se usa para manifestar protesta y desaprobación: *¡Abajo, fuera, que se vayan!* ☐ SINT. Incorr. *La miró de arriba {*a abajo > abajo}.*

abalanzarse v.prnl. Lanzarse o arrojarse hacia algo: *El leopardo se abalanzó sobre su presa.* ☐ ORTOGR. La *z* se cambia en *c* delante de *e* →CAZAR.

abalaustrado, da (tb. *balaustrado, da*) adj. Con forma de balaustre: *columnas abalaustradas.* □ SINÓN. *balaustral.*

abalaustrar v. Poner balaustres o pequeñas columnas verticales que forman las barandillas y los antepechos: *Han abalaustrado la escalera central del edificio.*

abalear v. En zonas del español meridional, disparar con balas o herir a balazos: *Lo abalearon por negarse a entregar el dinero.*

abalizamiento s.m. →**balizamiento.**

abalizar v. →**balizar.** □ ORTOGR. La *z* se cambia en *c* delante de *e* →CAZAR.

abalón s.m. En zonas del español meridional, oreja marina.

abalorio s.m. **1** Cuenta o bolita de vidrio perforada, que sirve para hacer collares o adornos: *Ha cosido una tira de abalorios en el jersey.* **2** Collar o adorno de poco valor: *No te pongas tantos abalorios, que vas a parecer un payaso.* □ ETIMOL. Del árabe *al-ballauri* (lo cristalino).

abanderado, da s. **1** En un desfile y en otros actos públicos, persona que lleva la bandera: *En el desfile, el abanderado marchaba entre la banda de música y la primera sección de su compañía.* **2** Portavoz, representante o defensor de una causa, de un movimiento o de una organización: *Es un abanderado de la lucha contra la marginación de los pobres.* **3** En zonas del español meridional, juez de línea.

abanderamiento s.m. **1** Matriculación o registro de una embarcación de nacionalidad extranjera bajo la bandera de un Estado: *El abanderamiento del barco se realizó en la fecha prevista.* **2** Representación o defensa de una causa, de un movimiento o de una organización: *El abanderamiento de los derechos humanos ha marcado la vida de ese filósofo.*

abanderar v. **1** Referido a una embarcación de nacionalidad extranjera, matricularlo o registrarlo bajo la bandera de un Estado: *Abanderaron el buque bajo pabellón griego.* **2** Referido esp. a un movimiento o a una causa, defenderlos o ponerse al frente de ellos: *El conocido escritor abanderaba un movimiento en favor de la libertad.*

abandonado, da adj. **1** Sucio, sin asear o sin preparar: *La casa estaba muy abandonada, llena de polvo y suciedad.* **2** Despreocupado, descuidado o dejado: *Es muy abandonado para las cosas de casa, pero no para las de su trabajo.*

abandonar ▌v. **1** Dejar solo o sin amparo ni atención: *Abandonó al niño en la puerta del orfanato.* **2** Apoyar o reclinar con dejadez o con negligencia: *Suavemente abandonó su cabeza sobre mi hombro. Llegó tan cansado que se abandonó en el sofá y no se molestó en contestar al teléfono.* **3** Referido a algo que se había emprendido, dejarlo o renunciar a seguir haciéndolo: *Abandonó sus estudios cuando estaba a punto de terminarlos. El corredor abandonó en la segunda vuelta.* **4** Referido a un lugar, dejarlo o no volver a frecuentarlo: *Abandonó la reunión muy enfadada.* ▌prnl. **5** Descuidar los intereses o las obligaciones: *Desde que te has abandonado, tu negocio va de mal en peor.* **6** Descuidar el aseo y la compostura: *Después de aquel disgusto se abandonó y ahora es una ruina física.* **7** Desanimarse o rendirse a los contratiempos o a las adversidades: *No te abandones y lucha contra tu enfermedad.* □ ETIMOL. Del francés *abandonner*, y este de *laisser à bandon* (dejar en poder de alguien).

abandonismo s.m. Tendencia a abandonar sin lucha algo que se posee o algo a lo que se tiene derecho.

abandonista adj.inv./s.com. Del abandonismo, que lo implica o relacionado con él: *una actitud abandonista.*

abandono s.m. **1** Desamparo o falta de atención: *Le echaron en cara el abandono en que tenía a sus hijos.* **2** Alejamiento de un lugar: *El abandono del hogar hace perder la custodia de los hijos.* **3** Renuncia a continuar algo que se había emprendido: *Después de los años se arrepentía del abandono de los estudios.* **4** Dejadez en el aseo o en la compostura: *Tu abandono te hace parecer un pordiosero.*

abanicar v. Dar aire moviendo algo de un lado a otro, esp. un abanico: *Mi abanico es tan grande que cuando me doy aire me abanico yo, y abanico a los de detrás.* □ ORTOGR. La *c* se cambia en *qu* antes de *e* →SACAR.

abanico s.m. **1** Instrumento que sirve para dar aire cuando se mueve. **2** Lo que tiene una forma semejante a la de este instrumento. **3** Serie o conjunto de posibilidades entre las que se puede elegir: *De esta clase de coches hay en el mercado un amplio abanico de modelos.* □ ETIMOL. De *abano* (abanico), y este de *abanar* (abanicar).

abaniqueo s.m. Movimiento que se hace al usar el abanico: *El abaniqueo de esa mujer es muy garboso.*

abaniquería s.f. Taller o tienda en los que se hacen o se venden abanicos: *En esta abaniquería fabrican los abanicos de forma artesanal.*

abaniquero, ra s. Persona que hace o que vende abanicos: *La abaniquera vende muchos más artículos en verano.*

abano s.m. Aparato con forma de abanico que se cuelga del techo y que sirve para producir aire: *En la cabaña había un abano para combatir el calor tropical.* □ ETIMOL. Del antiguo *abanar* (abanicar). □ ORTOGR. Dist. de *habano.*

abanto, ta ▌adj. **1** Aturdido, temeroso y torpe: *un toro abanto.* ▌s.m. **2** Ave rapaz parecida al buitre, pero de menor tamaño, que tiene el plumaje blanquecino, la cabeza y el cuello cubiertos de plumas, y el pico amarillo. □ SINÓN. *alimoche.* □ ETIMOL. De origen incierto. □ MORF. En la acepción 2, es un sustantivo epiceno: *el abanto {macho/hembra}.*

abaratamiento s.m. Disminución o bajada de precio: *El abaratamiento de los costos de producción es objetivo prioritario en esta empresa.*

abaratar v. Hacer más barato: *En las rebajas las tiendas abaratan el precio de los productos.* □ SINÓN. *desencarecer.*

abarbechar v. →**barbechar.**

abarca s.f. →**albarca.**

abarcable adj.inv. Que se puede abarcar.

abarcador, -a adj./s. Que abarca.

abarcar v. **1** Ceñir con los brazos o con las manos: *El tronco de este árbol es tan grueso que no lo puedo abarcar.* **2** Comprender, contener o encerrar en sí: *Este término municipal abarca varios pueblos. Este libro de historia abarca la época contemporánea.* **3** Dominar o alcanzar con la vista: *Su finca era tan grande que no se podía abarcar entera.* **4** Referido esp. a muchos asuntos o a muchos negocios, ocuparse de ellos a la vez: *No quieras abarcar tanto porque luego no vas a poder con todo el trabajo.* ☐ ETIMOL. Del latín **abbracchicare* (abrazar). ☐ ORTOGR. La *c* se cambia en *qu* delante de *e* →SACAR.

abaritonado, da adj. Referido a una voz o a un instrumento, que tienen un sonido de timbre parecido al de la voz del barítono: *Su profesor de canto le dijo que tenía una voz abaritonada.*

abarloar (tb. *barloar*) v. Referido a un barco, colocarlo de costado, en contacto con otro barco o con el muelle: *Abarloaron el barco en una maniobra sin fallos.* ☐ ETIMOL. De *barloa* (cable para sujetar un buque a otro o al muelle).

abarquero, -a s. Persona que se dedica a la fabricación o a la venta de albarcas.

abarquillado, da adj. Con forma de barquillo: *La pastelera dio una forma abarquillada a la masa.*

abarquillamiento s.m. Adopción de la forma de barquillo: *El abarquillamiento de la chapa se realiza haciéndola pasar por unos rodillos especiales.*

abarquillar v. Referido esp. a algo delgado o en forma de lámina, enrollarlo, combarlo o darle forma de barquillo: *Siempre baraja las cartas abarquillándolas. La tabla de madera se abarquilló por la humedad.*

abarraganamiento s.m. Convivencia de dos personas que mantienen relaciones sexuales sin estar casadas entre sí. ☐ SINÓN. *amancebamiento.*

abarraganarse v. Referido a dos personas, empezar a vivir juntas y a mantener relaciones sexuales sin estar casadas entre sí. ☐ SINÓN. *amancebarse, juntarse, ajuntarse.*

abarrajar v. *col.* Referido a un objeto, romperlo contra una superficie: *Abarrajó el vaso contra el piso y se marchó sin decir nada.* ☐ ORTOGR. Conserva la *j* en toda la conjugación.

abarrancado, da adj. Con barrancos: *un terreno abarrancado.*

abarrancar ▮ v. **1** Referido a una embarcación, encallar en un obstáculo que la hace detenerse: *El barco se abarrancó en un banco de arena.* ☐ SINÓN. *varar.* **2** Referido a una zona o a un terreno, formar barrancos en ellos la erosión o la acción de los elementos: *Las fuertes y pertinaces lluvias abarrancaron ligeramente la zona.* ▮ prnl. **3** Meterse en un problema del que es difícil salir: *Me dijo que si yo sola me había abarrancado, yo sola debía resolver el asunto.* ☐ ORTOGR. La *c* se cambia en *qu* delante de *e* →SACAR.

abarrocado, da s.m. Con rasgos barrocos o con muchos adornos.

abarrocamiento s.m. Tendencia al adorno exagerado o al barroquismo.

abarrotamiento s.m. Ocupación excesiva de un lugar: *Con esa medida se pretende evitar el abarrotamiento de las salas de espera.*

abarrotar v. Referido a un espacio, llenarlo por completo: *La gente abarrotaba el salón de actos.* ☐ ETIMOL. De *barrote*, porque *abarrotar* significó *sujetar la carga en un buque llenando los huecos con barrotes primero, y más adelante con los artículos más pequeños, para que no se moviera.* ☐ SEM. No debe emplearse con el significado de 'apiñarse' o 'agolparse': *Los invitados {*se abarrotaron > se agolparon} a la entrada del local.*

abarrotería s.f. En zonas del español meridional, tienda de comestibles.

abarrotes s.m.pl. En zonas del español meridional, comestibles: *tienda de abarrotes.* ☐ ETIMOL. De *abarrotar.*

abasí (pl. *abasíes, abasís*) adj.inv./s.com. Descendiente de Abu-l-Abbás (quien destronó a los califas omeyas de Damasco en el siglo VIII) o relacionado con esta dinastía: *Durante el reinado de la dinastía abasí, Bagdad fue un importante foco cultural.* ☐ SINÓN. *abasida.* ☐ ETIMOL. Del árabe *abbasi.*

abasida adj.inv./s.com. →**abasí.**

abastar v. →**abastecer.**

abastecedor, -a adj./s. Que abastece: *industria abastecedora.*

abastecer v. Referido a algo que resulta necesario, esp. a víveres, suministrarlo o proveer de ello: *El Mercado Central abastece de fruta a toda la ciudad. La ciudad se abastece del agua de los pantanos de la comarca.* ☐ SINÓN. *aprovisionar, abastar.* ☐ ETIMOL. Del antiguo *basto* (abastecido). ☐ MORF. Irreg. →PARECER. ☐ SINT. Constr. *abastecer* DE *algo.*

abastecimiento s.m. Suministro o entrega de lo que resulta necesario, esp. víveres: *Mi empresa es la principal industria abastecedora de material electrónico en aquel país.* ☐ SINÓN. *aprovisionamiento.*

abastero s.m. En zonas del español meridional, persona que compra reses vivas para matarlas y venderlas para el consumo público.

abastionar v. Fortificar con bastiones: *Abastionaron la ciudadela para resistir el ataque de los enemigos.*

abasto s.m. **1** Provisión de víveres y de otros artículos de primera necesidad: *En el mercado de abastos los precios no son caros.* **2** En zonas del español meridional, tienda de comestibles y de artículos generales. **3** ‖ **dar abasto;** bastar o ser suficiente: *Yo sola no doy abasto para atender el negocio.* ☐ ETIMOL. Del antiguo *abastar* (ser bastante, abastecer). ☐ ORTOGR. Incorr. **a basto, *a abasto.* ☐ SINT. *Dar abasto* se usa más en expresiones interrogativas y negativas.

abatanado s.m. Golpeteo de un paño en el batán para desengrasarlo y darle el cuerpo adecuado: *En el abatanado de un paño se usa jabón.*

abatanar (tb. *batanar*) v. Referido a un paño, batirlo o golpearlo en el batán para desengrasarlo y darle el cuerpo correspondiente: *Al abatanar el paño, este toma un aspecto fibroso y compacto.*

abatatar v. En zonas del español meridional, turbar o acobardar: *El día de la audición, me abataté y decidí no presentarme.* ☐ ETIMOL. De *batata.*

abate s.m. Clérigo extranjero, esp. francés o italiano, o clérigo español que ha vivido mucho tiempo en Francia o Italia (países europeos): *En esta novela del siglo XVIII uno de los personajes es un abate francés.* ☐ ETIMOL. Del italiano *abate.* ☐ SEM. Dist. de *abad* (superior eclesiástico).

abatible adj.inv. Referido a un objeto, que se puede abatir o pasar de la posición vertical a la horizontal girando sobre un eje: *Los asientos del coche son abatibles y puedes tumbarte si quieres.*

abatido, da adj. **1** Referido a una persona, que está desanimada o deprimida: *No estés tan abatido y anímate.* **2** Referido a un objeto, inclinado o tumbado: *Vuelve a levantar los asientos abatidos.* **3** Derribado o caído: *Han localizado uno de los aviones abatidos.*

abatimiento s.m. **1** Desaliento o pérdida del ánimo, de las fuerzas o del vigor: *Aunque fracasó, pronto superó su abatimiento.* **2** Inclinación o giro de algo que estaba vertical: *El abatimiento del asiento trasero permite ampliar el maletero.* **3** Derribo o derrocamiento de algo: *Perteneció a uno de los partidos que lucharon para conseguir el abatimiento de la dictadura.*

abatir v. **1** Derribar, derrocar o echar por tierra: *Los cazadores abatieron a tiros a la presa.* **2** Referido a algo que estaba vertical, inclinarlo, tumbarlo o ponerlo tendido: *Si quieres dormir un poco, puedes abatir el respaldo del asiento.* **3** Desalentar o hacer perder el ánimo, las fuerzas o el vigor: *No hay que dejarse abatir por las desgracias. Se abatió al conocer la mala noticia.* ☐ ETIMOL. Del latín *abbatuere.*

abazón s.m. Cada una de las bolsas que tienen algunos roedores y monos dentro de la boca para almacenar alimentos antes de masticarlos.

abbevillense adj.inv./s.m. Referido a una cultura prehistórica, que se desarrolló durante el paleolítico inferior, es anterior al achelense, y se caracteriza por su industria de piedra de sílex tallada por las dos caras: *Durante la cultura abbevillense se hicieron por primera vez hachas de doble cara.*

abdicación s.f. Renuncia voluntaria a un cargo, a una dignidad o a un derecho, en favor de otra persona: *Desde su abdicación, no ha vuelto a aparecer en ningún acto público.*

abdicar v. Referido esp. a un cargo o a una dignidad, cederlos o renunciar a ellos: *El rey abdicó el trono en la persona de su hijo.* ☐ ETIMOL. Del latín *abdicare*, y este de *dicare* (proclamar solemnemente). ☐ ORTOGR. La *c* se cambia en *qu* delante de *e* →SACAR. ☐ SINT. Es siempre transitivo: **abdicar a la corona* > *abdicar la corona.*

abdomen s.m. **1** En el cuerpo humano o en el de otros mamíferos, parte comprendida entre el tórax y la pelvis, en la que se sitúa la mayor parte de los aparatos digestivo y reproductor: *El estómago está situado en el abdomen.* ☐ SINÓN. *tripa, vientre, barriga.* **2** Conjunto de vísceras que está contenido en esta parte del cuerpo: *La radiografía aclaró la causa de su dolor de abdomen.* ☐ SINÓN. *vientre, barriga.* **3** En un artrópodo, último segmento de su cuerpo: *El abdomen de un insecto es posterior al tórax.* ☐ ETIMOL. Del latín *abdomen.*

abdominal ▮ adj.inv. **1** Del abdomen o relacionado con esta parte del cuerpo: *músculos abdominales.* ▮ s.amb.pl. **2** En gimnasia, ejercicios que se realizan para fortalecer los músculos del abdomen: *hacer abdominales; un banco de abdominales.*

abducción s.f. **1** Movimiento por el que una parte del cuerpo se aleja del eje del mismo: *Para rehabilitar el codo le mandaron hacer ejercicios de abducción del brazo.* **2** Secuestro, esp. de una persona, generalmente para utilizarla como objeto de estudio. ☐ ETIMOL. Del latín *abductio* (acción de separar o de llevarse algo). ☐ ORTOGR. Dist. de *aducción.*

abducir v. Referido esp. a una persona, secuestrarla, generalmente para utilizarla como objeto de estudio: *Dice que los extraterrestres lo abdujeron y lo retuvieron durante tres días.* ☐ MORF. Irreg. →CONDUCIR. ☐ SEM. Dist. de *aducir* (alegar).

abductor adj./s.m. →**músculo abductor.**

abecé s.m. **1** *col.* Abecedario: *Comprender eso es tan fácil como aprender el abecé.* **2** Principios elementales de una ciencia o de un oficio: *Este libro es el abecé de la química y es muy fácil de entender.* ☐ ETIMOL. De *a*, *b* y *c*, que son las primeras letras del abecedario.

abecedario s.m. **1** Serie ordenada de las letras de un idioma: *En el abecedario español, la 'a' y la 'z' son la primera y la última letras.* ☐ SINÓN. *alfabeto.* **2** Libro o cartel con estas letras, que se utiliza para enseñar a leer: *Aprendió a leer con el abecedario ilustrado que le compramos.* ☐ ETIMOL. Del latín *abecedarium.*

abecerrado, da adj. Con las características de un becerro: *un toro abecerrado.*

abedul s.m. **1** Árbol de corteza lisa y plateada, y hojas pequeñas, puntiagudas y con el borde aserrado, que abunda en los bosques europeos: *De la corteza del abedul se extrae una sustancia que se usa en el tratamiento de algunas enfermedades urinarias y cutáneas.* **2** Madera de este árbol: *El abedul se usa en carpintería.* ☐ ETIMOL. Del latín *betulla.*

abedular s.m. Lugar poblado de abedules.

abeja s.f. **1** Insecto de color oscuro y con el cuerpo cubierto de vello, que vive en colonias que producen principalmente cera y miel: *Cuando una abeja te pica, te deja clavado su aguijón y ella muere.* **2** ‖ **abeja obrera;** la estéril que se encarga de las tareas de la colmena y de recolectar la miel: *Las* *abejas obreras son de menor tamaño que la reina.* □ ETIMOL. Del latín *apicula* (abejita).

abejaruco s.m. Pájaro que tiene las alas puntiagudas y largas, el pico también largo y algo curvo, y el plumaje de vistosos colores: *El abejaruco suele anidar cerca del agua.* □ ETIMOL. De *abeja*, porque el abejaruco se alimenta de abejas. □ MORF. Es un sustantivo epiceno: *el abejaruco {macho/hembra}.*

abejeo s.m. **1** Movimiento y sonido producidos por un enjambre de abejas: *Sé que por aquí está la colmena porque oigo el abejeo.* **2** Movimiento y sonido parecidos a los producidos por un enjambre de abejas: *En la entrada del cine solo se veía el abejeo de periodistas y fotógrafos.*

abejón s.m. →**abejorro.** □ MORF. Es un sustantivo epiceno: *el abejón {macho/hembra}.*

abejorro s.m. Insecto que tiene el cuerpo velloso y que zumba mucho al volar: *El abejorro vive en enjambres poco numerosos.* □ SINÓN. *abejón.* □ MORF. Es un sustantivo epiceno: *el abejorro {macho/hembra}.*

abellotado, da adj. Con forma de bellota: *Esa chica lleva unos pendientes abellotados.*

abelmosco s.m. Planta herbácea de tallo peludo y hojas acorazonadas, cuya semilla es de olor intenso y se emplea en medicina y perfumería. □ SINÓN. *algalia.* □ ETIMOL. Del árabe *abbu lmusk* (semilla de almizcle).

abencerraje s.com. En el antiguo reino musulmán de Granada, miembro de la familia que fue famosa en el siglo XV por su rivalidad con los cegríes: *La guerra entre los abencerrajes y los cegríes debilitó el reino de Granada.*

aberenjenado, da adj. Con la forma o el color de la berenjena: *Me regalaron un globo aberenjenado.*

aberración s.f. **1** Acción o comportamiento perversos o que se desvían o apartan de lo que se considera lícito: *El genocidio es una aberración.* **2** Error grave del entendimiento o de la razón: *Este razonamiento que acabas de hacer es una aberración.* **3** En óptica, imperfección de un sistema óptico que causa deformaciones en las imágenes: *La aberración puede ser debida al distinto grado de refracción de cada color del que está compuesta la luz blanca.* □ ETIMOL. Del latín *aberratio* (desviación, distracción).

aberrante adj.inv. Que se desvía o se aparta de lo que se considera normal o usual: *El informe psiquiátrico decía que el acusado presentaba un comportamiento aberrante.*

aberri eguna (eusk.) s.m. || Día de la fiesta nacional vasca: *El Aberri Eguna se celebra el Domingo de Resurrección.* □ USO Se usa más como nombre propio.

abertura s.f. **1** En una superficie, hendidura o espacio libre que no llega a dividirla en dos. **2** En un telescopio, en un objetivo o en otro aparato óptico, diámetro útil por el que pasa un haz de luz: *¿Cuál es la abertura del diafragma de esta cámara fotográfica?* **3** Separación de las partes de algo, de modo que su interior quede descubierto. **4** Amplitud o ensanchamiento de los órganos articulatorios para que pase el aire al emitir un sonido. □ ETIMOL. Del latín *apertura.* □ ORTOGR. Dist. de *obertura.* □ SEM. Su uso con el significado de 'inauguración' o 'comienzo' en lugar de *apertura* es incorrecto: *La {*abertura > apertura} del curso fue muy solemne.*

abertzale (eusk.) adj.inv./s.com. →**aberzale.** □ PRON. [aberchále].

abertzalismo s.m. Movimiento político y social caracterizado por la defensa más o menos radical del nacionalismo vasco: *El abertzalismo más radical puede llegar a admitir la violencia como forma para conseguir sus peticiones.* □ PRON. [aberchalísmo].

aberzale adj.inv./s.com. Del movimiento político y social caracterizado por la defensa más o menos radical del nacionalismo vasco, o relacionado con él: *Un grupo de aberzales pedía la independencia de su autonomía.* □ ETIMOL. Del euskera *abertzale* (patriota). □ PRON. Se usa más la pronunciación del euskera [aberchále]. □ USO Es innecesario el uso del término euskera *abertzale.*

abesugado, da adj. Referido esp. a los ojos o a la mirada, con las características de los de un besugo: *una mirada abesugada.*

abetal (tb. *abetar*) s.m. Terreno poblado de abetos: *El abetal ardió el verano pasado en un incendio.*

abetar s.m. →**abetal.**

abeto s.m. Árbol que produce resina, de gran altura, con copa cónica de ramas horizontales, hojas con forma de aguja y fruto en piña casi cilíndrico, propio de zonas de montaña: *En Navidad adornamos el abeto con guirnaldas y luces de colores.* □ SINÓN. *pinabete.* □ ETIMOL. Del latín *abies.*

abetunado, da adj. Con las características del betún: *Es tan moreno que su piel parece abetunada.*

abiertamente adv. Con claridad, francamente o sin reserva: *Le habló abiertamente para que supiera a qué atenerse.*

abierto, ta ▮ **1** part. irreg. de **abrir.** ▮ adj. **2** Referido esp. al campo, sin cercados o sin obstáculos que impidan la visión o el paso: *Nos alejamos de la ciudad, ansiosos por llegar al campo abierto para corretear.* **3** Sincero o franco: *A la hora de opinar, siempre es muy abierto y dice lo que piensa.* **4** Evidente, claro o que no presenta ninguna duda: *Esto ya es una guerra abierta entre los dos países.* **5** Comprensivo, tolerante o dispuesto a acoger nuevas ideas: *Es una persona abierta a las reformas.* **6** Referido esp. a una persona, que tiene facilidad para relacionarse con los demás y es espontánea y comunicativa: *En seguida haces amigos porque eres muy abierto.* **7** Que admite varias posibilidades o que no está decidido: *una novela con un final abierto; un partido de fútbol todavía abierto.* **8** Referido a un sonido, que se articula dejando una abertura para que entre el aire. ▮ s.m. **9** En deporte, competición para todas las categorías de participantes: *Se ha celebrado el abierto de golf de nuestra ciudad.* □ SINÓN. *open.* **10** || **en abierto;** Referido a una emisión televisiva, sin codificar: *retransmitir un partido en abierto.* ☐ MORF. En la acepción 1, incorr. **abrido.*

abietáceo, a ▮ adj./s.f. **1** Referido a una planta, que es arbórea y muy ramificada, tiene las hojas perennes estrechas o en forma de agujas, las flores unisexuales y las semillas en piña: *El abeto es un árbol abietáceo.* ▮ s.f.pl. **2** En botánica, familia de estas plantas, perteneciente a la clase de las coníferas: *El cedro pertenece a las abietáceas.* ☐ ETIMOL. Del latín *Abies,* que es el nombre de un género de plantas.

abigarrado, da adj. Amontonado, mal combinado o mezclado sin orden ni concierto: *Llevaba una blusa de colores abigarrados que resultaba muy chocante.* ☐ ETIMOL. Del francés *bigarré.*

abigarramiento s.m. **1** Combinación desordenada y chillona de colores: *El abigarramiento de su vestido llamaba la atención.* **2** Conjunto desordenado y heterogéneo: *Ese libro ofrece un abigarramiento de ideas muy poco claras.*

abigarrar ▮ v. **1** Aplicar una mala combinación de colores: *Esa diseñadora abigarra los tejidos de sus trajes.* ▮ prnl. **2** Referido a cosas desordenadas o heterogéneas, amontonarse o apretujarse: *Una multitud de seguidores se abigarraba a la entrada del camerino.* ☐ ETIMOL. Del francés *bigarrer.* ☐ SEM. Dist. de *abarrotar* (llenar por completo).

abigeato s.m. En zonas del español meridional, hurto de ganado: *Han detenido a una banda que se dedicaba al abigeato y al hurto de equipos agropecuarios.* ☐ SINÓN. *abigeo.* ☐ ETIMOL. Del latín *abigeatus.*

abigeo s.m. **1** En zonas del español meridional, ladrón de ganado: *Declaró que conocía a los abigeos.* **2** →**abigeato.** ☐ ETIMOL. Del latín *abigeus.*

ab initio (lat.) ‖ Desde el principio o desde tiempos muy remotos: *El ser humano busca la verdad ab initio.* ☐ SEM. No debe emplearse como sinónimo de *al principio* ni *a priori.*

abintestato s.m. Procedimiento judicial para adjudicar los bienes y la herencia de una persona que ha muerto sin haber hecho testamento válido: *Como la abuela no hizo testamento antes de morir, hemos iniciado un abintestato para poder recibir su herencia.* ☐ ETIMOL. De *ab intestato* (sin testar). ☐ ORTOGR. Dist. de *ab intestato.*

ab intestato (lat.) ‖ Sin testamento: *Los familiares del anciano que murió ab intestato llegaron a un acuerdo para repartir la herencia.* ☐ ORTOGR. Dist. de *abintestato.*

abioceno s.m. Componente inanimado del medio ambiente.

abiogénesis (pl. *abiogénesis*) s.f. Teoría según la cual los seres vivos pueden crearse a partir de la materia inorgánica: *La abiogénesis es la teoría de la generación espontánea.* ☐ ETIMOL. De *a-* (negación), *bio-* (vida) y el griego *-génesis* (generación).

abiota s.f. En un ecosistema, conjunto de los componentes inanimados, como los factores climáticos, geológicos o hidrológicos.

abiótico, ca adj. **1** En biología, que no permite la vida: *El exceso de radiaciones puede transformar esta zona en un medio abiótico.* **2** En biología, que no tiene vida, en oposición a ser vivo: *La temperatura, la luz y la calidad del aire son algunos de los factores abióticos que caracterizan el medio ambiente.*

abisagrar v. Clavar o fijar bisagras: *Abisagraron todas las puertas en menos de una hora.*

abisal adj.inv. **1** Referido a un fondo marino, que está por debajo de los dos mil metros: *zona abisal.* **2** De esta zona marina: *peces abisales.* ☐ ETIMOL. Del latín *abyssus* (abismo).

abiselar v. →**biselar.**

abisinio, nia adj./s. De Abisinia (zona del noreste africano que corresponde a la actual Etiopía), o relacionado con ella.

abismado, da adj. Referido a una persona o a su expresión, ensimismada o muy concentrada: *Me miró con expresión abismada sin enterarse de mi pregunta.*

abismal adj.inv. **1** Del abismo: *una profundidad abismal.* ☐ SINÓN. *abismático.* **2** Muy profundo o muy difícil de averiguar o de conocer a fondo: *diferencias abismales.* ☐ SINÓN. *abismático.*

abismar ▮ v. **1** Hundir en un abismo: *Las penas lo abismaron en una depresión.* **2** Confundir, abatir o causar gran sorpresa: *La audacia del proyecto abismó a la junta organizadora.* ▮ prnl. **3** Meterse de lleno en algo: *Cuando se abisma en la lectura, nada puede distraer su atención.*

abismático, ca adj. →**abismal.**

abismo s.m. **1** Profundidad muy grande y peligrosa: *Miré al abismo desde el acantilado y me dio miedo.* **2** Diferencia muy grande: *Entre nuestras ideas hay un abismo.* **3** Lo que es insondable, incomprensible o inmenso: *Su mente es un abismo para mí.* **4** *poét.* Infierno: *Al final de los tiempos, los malvados serán condenados al abismo.* ☐ ETIMOL. Del latín *abyssus,* y este del griego *ábyssos* (sin fondo).

abisopelágico, ca adj. Referido a una zona marina, que tiene una profundidad entre dos mil quinientos y cinco mil metros: *Los seres vivos que habitan en la zona abisopelágica soportan grandes presiones.*

abizcochado, da adj. Con las características del bizcocho: *Los pasteles abizcochados son los que más me gustan.*

abjuración s.f. Renuncia solemne, y a veces pública, a una creencia o a un compromiso: *La abjuración de sus principios le produjo una crisis emocional.*

abjurar v. Referido a una creencia o un compromiso, renegar o desdecirse de ellos, de forma solemne y a veces pública: *El rey visigodo Recaredo abjuró del arrianismo y se convirtió al catolicismo en el año 587.* ☐ ETIMOL. Del latín *abiurare* (negar con juramento). ☐ SINT. Constr. *abjurar* DE *algo.*

ablación s.f. Operación quirúrgica para extirpar un órgano o una parte del cuerpo: *El cáncer estaba tan extendido que tuvieron que proceder a la abla-*

ción de la mama. □ ETIMOL. Del latín *ablatio*, y este de *auferre* (llevarse algo). □ ORTOGR. Dist. de *ablución*.

ablandabrevas (pl. *ablandabrevas*) s.com. *col. desp.* Persona inútil y pusilánime.

ablandador, -a adj./s. Que ablanda.

ablandamiento s.m. **1** Disminución o pérdida de la dureza: *El calor produjo el ablandamiento del material plástico.* **2** Disminución del enfado o de las exigencias de alguien: *No confío en su ablandamiento porque cuando da una orden es inflexible.*

ablandar v. **1** Poner blando o hacer perder la dureza: *Tengo que ablandar los zapatos nuevos para que no me hagan rozadura. Si metes el arroz en agua se ablandará.* **2** Referido a una persona, hacer que ceda en una postura intransigente o que se suavice su enojo: *Nuestro buen comportamiento posterior lo ablandó y nos perdonó. Por fin se ablandó y cedió en su intransigente postura.* □ SINÓN. *emblandecer.*

ablande s.m. En zonas del español meridional, rodaje de un vehículo: *Mi auto nuevo está aún en ablande.*

ablativo s.m. **1** →**caso ablativo. 2** || **ablativo absoluto;** en una oración, expresión no vinculada gramaticalmente con el resto, que se compone generalmente de dos nombres con preposición, o de un nombre o pronombre acompañados de adjetivo, participio o gerundio: *En la oración 'Dicho esto, pasamos al segundo punto', 'dicho esto' es un ejemplo de ablativo absoluto.* □ ETIMOL. Del latín *ablativus* (relativo al hecho de llevarse algo).

ablentar v. Referido a un cereal, echarlo al viento, generalmente para separar el grano de la paja. □ SINÓN. *aventar.* □ ETIMOL. Del latín *eventilare.*

ablución s.f. **1** En algunas religiones, purificación ritual por medio del agua. **2** Hecho de lavar o lavarse. □ SINÓN. *lavatorio.* □ ETIMOL. Del latín *ablutio*, y este de *abluere* (sacar algo lavando). □ ORTOGR. Dist. de *ablación*.

ablusado, da adj. Referido a una prenda de vestir, ancha y holgada como una blusa: *Tiene mucha gracia al andar y le sientan bien las prendas ablusadas.*

ablusar v. Referido a una prenda de vestir, colocarla de forma que quede ajustada a la cintura pero muy poco ceñida al cuerpo: *Me gusta ponerme este vestido con un cinturón para poder ablusármelo.*

abnegación s.f. Sacrificio que alguien hace por algo, renunciando voluntariamente a pasiones, deseos o intereses propios: *La admiro por su abnegación en el cuidado de los enfermos.* □ ETIMOL. Del latín *abnegatio sui* (negación de uno mismo).

abnegado, da adj. Que tiene o manifiesta abnegación: *Es una mujer abnegada y muy generosa, que nunca piensa en sí misma.*

abnegarse v.prnl. Referido a una persona, sacrificarse por algo, renunciando voluntariamente a deseos, pasiones o intereses propios: *Si pretendes conseguir tus metas, debes abnegarte.* □ ORTOGR. Aparece una *u* después de la *g* cuando le sigue *e*. □ MORF. Irreg. →REGAR.

abobado, da adj. Que parece bobo: *Ese joven abobado es mucho más inteligente de lo que crees.*

abobamiento s.m. **1** Entorpecimiento de la inteligencia o del entendimiento: *Tengo un abobamiento increíble hoy y no hago nada bien.* **2** Admiración o embeleso producidos en una persona: *Su abobamiento hace que no se dé cuenta de lo que pasa a su alrededor.*

abobar v. **1** Volver bobo: *A veces pienso que con los años me he abobado.* **2** Referido a una persona, entretenerla o mantenerla admirada o perpleja: *Los dibujos animados lo aboban.* □ SINÓN. *embobar.*

abocado, da ▌adj. **1** Que es conducido inevitablemente a algo: *abocado al fracaso.* ▌adj./s.m. **2** Referido al vino, que contiene una mezcla de vino seco y dulce: *un vino abocado.* □ SINÓN. *embocado.* □ ETIMOL. De *abocar* (verter el contenido de un recipiente). □ SINT. 1. Constr. de la acepción 1: *abocado* A *algo.* 2. La acepción 1 se usa más con los verbos *estar, hallarse, quedar* o equivalentes.

abocamiento s.m. Hecho de abocar o de abocarse.

abocar ▌v. **1** Desembocar o ir a parar: *Esa situación abocará seguramente en un problema.* **2** Referido esp. a una persona, hacerla ir a parar a una situación: *Ese problema te abocará a aceptar lo que te proponen.* **3** Referido al contenido de un recipiente, verterlo en otro: *Abocamos el vino acercando las bocas de los dos recipientes y no derramamos ni una gota.* **4** En náutica, referido a una embarcación, empezar a entrar en un puerto, en un canal o en un estrecho: *El barco se abocaba en el canal a poca velocidad.* ▌prnl. **5** En zonas del español meridional, dedicarse: *Me aboqué de lleno al nuevo trabajo.* □ ETIMOL. De *boca*. □ ORTOGR. 1. La *c* se cambia en *qu* delante de *e* →SACAR. 2. Dist. de *avocar*.

abocetado, da adj. **1** Referido esp. a una pintura, que parece un boceto: *Sus dibujos son abocetados e infantiles.* **2** Relacionado con un boceto o semejante a él: *Tengo un recuerdo abocetado de aquellas vacaciones.*

abocetar v. **1** Referido a una obra artística, hacer un boceto de ella o darle carácter de boceto: *Aquel pintor solía abocetar las figuras a lápiz.* **2** Insinuar o apuntar vagamente: *Están abocetando el nuevo plan energético, que no se llevará a cabo hasta dentro de dos años.*

abochornado, da adj. Con bochorno o vergüenza: *Un agente del orden regañó a un abochornado individuo.*

abochornante adj.inv. Que produce bochorno o vergüenza.

abochornar v. Producir un sentimiento de vergüenza: *Me abochornó oírle hablar de esa manera tan escandalosa. No tiene sentido del ridículo y no se abochorna por nada.* □ SINÓN. *avergonzar.*

abocinado, da adj. Con forma cónica como la de una bocina.

abocinar v. **1** Ensanchar en un extremo o dar una forma cónica como la de una bocina: *Para pronunciar la 'u' tienes que abocinar los labios.* **2** *col.* Caer de bruces: *Resbaló y se abocinó contra el bordillo.*

abofetear v. **1** Dar una o más bofetadas: *Se dejó llevar por su enfado y lo abofeteó en público.* **2** Ultrajar u ofender gravemente con palabras o acciones: *Esa mirada cargada de odio me abofeteó.* □ ETIMOL. Del antiguo *bofete* (bofetada).

abogacía s.f. **1** Profesión del abogado: *Ahora es juez, pero ha ejercido la abogacía durante quince años.* **2** Conjunto de abogados que ejerce la profesión: *El Consejo General de la Abogacía ha organizado un congreso extraordinario.*

abogado, da s. **1** Persona legalmente autorizada para defender a sus clientes en los juicios o aconsejarlos sobre cuestiones legales: *Consultaré a mi abogada para hacer la declaración de la renta.* □ SINÓN. *letrado.* **2** Intercesor o mediador: *Es abogado de causas perdidas y siempre se pone de parte del débil.* **3** ‖ **abogado del diablo;** *col.* Persona que contradice algo o que pone reparos: *Hice de abogado del diablo y me opuse a la compra de aquella empresa.* □ ETIMOL. Del latín *advocatus*, y este de *advocare* (convocar o llamar a alguien como defensor). □ USO En la acepción 1, el masculino también se usa para designar el femenino: *Mi tía es abogado.*

abogar v. Interceder, mediar o hablar en favor de alguien: *Es una buena amiga, que abogó por mí cuando me calumniaron.* □ ORTOGR. La *g* se cambia en *gu* delante de *e* →PAGAR. □ SINT. Constr. *abogar* POR *alguien.*

abolengo s.m. Ascendencia ilustre o distinción que da a una persona el descender de una familia noble y antigua: *Se casó con un muchacho de abolengo, emparentado con un duque.* □ ETIMOL. De *abuelo.*

abolición s.f. Anulación o suspensión, mediante una disposición legal, de una ley o de una costumbre: *La abolición de la pena de muerte está recogida en la Constitución Española.*

abolicionismo s.m. Doctrina que defiende la abolición de una ley o una costumbre, esp. de la esclavitud: *En la guerra de Secesión norteamericana, el Norte era partidario del abolicionismo.*

abolicionista adj.inv./s.com. Partidario o seguidor del abolicionismo: *El movimiento abolicionista surgió con el pensamiento ilustrado y liberal.*

abolir v. Referido esp. a una ley o una costumbre, anularla o suspenderla mediante una disposición legal: *En 1873 España abolió la esclavitud en Puerto Rico.* □ ETIMOL. Del latín *abolere.* □ MORF. Verbo defectivo: solo se usan las formas que presentan *i* en su desinencia →ABOLIR.

abollado, da adj. **1** Con abolladuras: *Tiene un coche con la puerta trasera muy abollada.* **2** *col.* En zonas del español meridional, referido a una persona, que está en mala situación económica.

abolladura s.f. Hundimiento de una superficie al apretarla o golpearla: *La puerta del coche está llena de abolladuras.* □ SINÓN. *abollón.*

abollar v. Referido a una superficie, hundirla al apretarla o golpearla: *Le dieron un golpe al coche por detrás y lo abollaron.* □ ETIMOL. Del latín *bulla* (burbuja, bola). □ ORTOGR. Dist. de *aboyar.*

abollón s.m. Hundimiento de una superficie al apretarla o golpearla: *Las latas tienen abollones porque las han descargado sin ningún cuidado.* □ SINÓN. *abolladura.*

abollonar v. Adornar formando bultos esféricos: *Abollonó el borde de la mesa con clavos de cabeza gruesa.*

abolsarse v.prnl. Tomar forma ahuecada como la de una bolsa: *La pintura del techo se abolsó por la humedad.*

abombado, da ▮ adj. **1** Curvado y convexo con forma redondeada: *Tienes una frente grande y abombada.* ▮ adj./s. **2** *desp.* En zonas del español meridional, referido a una persona, tonto o bobo.

abombamiento s.m. Hecho de curvar hacia afuera o dando forma convexa: *La humedad ha causado el abombamiento de la madera.*

abombar v. Curvar hacia afuera o dando forma convexa: *La humedad abombó la madera. El plástico se abombó porque estaba cerca de la lumbre.* □ ETIMOL. De *bomba* (proyectil esférico).

abominable adj.inv. Que produce horror o que es digno de ser abominado: *De niños, nos asustaba la historia del 'Abominable Hombre de las Nieves'.*

abominación s.f. **1** Horror o aborrecimiento: *Es una abominación que se cometan crímenes.* **2** Condena y maldición de algo que se considera malo o perjudicial: *Lanzó su abominación en presencia de todos.*

abominar v. **1** Aborrecer, sentir horror o tener mucho odio: *Abomina los animales con toda su alma.* **2** Maldecir y condenar algo que se considera malo o perjudicial: *Abomina de quienes piensan que no hizo lo que debía hacer.* □ ETIMOL. Del latín *abominare.* □ SINT. Constr. de la acepción 2: *abominar* DE *algo.*

abonable adj.inv. Que puede ser abonado.

abonado, da ▮ s. **1** Persona que ha pagado para recibir un servicio de modo continuado o asistir a un espectáculo un número determinado de veces. ▮ s.m. **2** Hecho de abonar.

abonador, -a ▮ adj. **1** Que abona. ▮ s.f. **2** Máquina que sirve para abonar los campos de cultivo.

abonadora s.f. Véase **abonador, -a**.

abonanzar v. Calmarse la tormenta o mejorar el tiempo: *Tras el temporal, abonanzó y salió el sol.* □ ETIMOL. De *bonanza.* □ ORTOGR. La *z* se cambia en *c* delante de *e* →CAZAR. □ MORF. Es unipersonal.

abonar v. **1** Referido a algo que se debe, darlo o satisfacerlo: *Nos abonó la mitad de la deuda.* □ SINÓN. *pagar.* **2** Comprar un abono o lote de entradas para recibir un servicio o asistir a un espectáculo: *Aboné a mi hijo mayor a todos los partidos de la temporada. Se abonó a todos los conciertos del mes.* **3** Acreditar o dar garantía de algo: *Te abona un pasado intachable.* **4** Referido a un terreno, echarle materias fertilizantes para que dé más frutos: *Abonaron el huerto con estiércol.* □ ETIMOL. Las acepciones 1, 3 y 4, del latín *bonus* (bueno). La acepción 2, del francés *abonner*.

abondo adv. *poét.* En abundancia: *Todavía llueve abondo en mis recuerdos infantiles.* ☐ ETIMOL. Del latín *abunde* (en abundancia).

abono s.m. **1** Pago de una cantidad: *El abono de este recibo se realizó el pasado mes.* **2** Lote de entradas que se compran conjuntamente y que permiten el uso periódico o limitado de un servicio o de una instalación, o la asistencia a una serie predeterminada de espectáculos: *Tiene un abono para ir todos los sábados a la piscina.* **3** Documento que acredita el derecho a usar un servicio o una instalación o a asistir a unos espectáculos: *Si compras el abono de transportes mensual, te sale más barato viajar en autobús, metro y tren.* **4** Materia fertilizante que se echa en un terreno para que dé más frutos: *Este abono huele muy mal, pero con él se obtienen resultados sorprendentes.* **5** || **abono verde;** fertilizante formado por restos de cultivos que se incorporan a la tierra para mejorarla. ☐ ORTOGR. Dist. de *bono*.

aboral adj.inv. En zoología, referido a una parte de un animal, que se encuentra en el extremo biológicamente opuesto a la boca.

abordable adj.inv. Que se puede abordar.

abordaje s.m. Choque, roce o encuentro de una embarcación con otra, esp. con intención de atacarla o de combatir contra ella: *El capitán gritó: «¡Al abordaje, mis valientes!», y los piratas saltaron al otro barco para pelear.*

abordar v. **1** Referido a una embarcación, chocar, rozar o encontrarse con otra, de manera fortuita o con un determinado fin: *Un barco pirata abordó a las naves para saquearlas.* **2** Referido a una persona, acercarse a ella para proponerle algo o para tratar algún asunto: *Me abordó en un pasillo y me pidió que la votara como presidenta.* **3** Empezar a ocuparse de un asunto, esp. si plantea dificultades: *En la reunión se abordará el problema del nuevo aparcamiento.* **4** En zonas del español meridional, referido a un vehículo, subir a él: *Los pasajeros abordaron el autobús.* ☐ ETIMOL. De *bordo* (costado exterior de las naves). ☐ SINT. Constr. de la acepción 1: *abordar una nave {A/CON} otra.*

aborigen ▮ adj.inv. **1** Originario del lugar en que vive: *Es una especie animal aborigen de Australia.* ▮ adj.inv./s.com. **2** Que es el primitivo poblador de un país: *Los aborígenes de esas tierras eran de origen semítico.* ☐ ETIMOL. Del latín *aborigines* (los que están desde el origen). ☐ ORTOGR. Dist. de *ab origine.* ☐ MORF. Como sustantivo se usa más en plural.

ab origine (lat.) || Desde el principio: *Esa relación se planteó mal ab origine.* ☐ PRON. [ab orígine]. ☐ ORTOGR. Dist. de *aborigen.*

aborrascarse v.prnl. Referido al tiempo atmosférico, ponerse borrascoso: *A última hora del día, el tiempo se aborrascó y empezó la tormenta.* ☐ SINÓN. *emborrascarse.*

aborrecedor, -a adj./s. Que aborrece.

aborrecer v. **1** Referido a una persona o a una cosa, sentir aversión o repugnancia hacia ellas, de forma que el impulso natural sea alejarse o desear su desaparición: *Aborrecí las lentejas el día que me sentaron mal.* ☐ SINÓN. *detestar.* **2** Referido a un animal, esp. un ave, abandonar el nido, los huevos o las crías: *La gallina aborreció sus polluelos.* ☐ ETIMOL. Del latín *abhorrescere* (tener aversión). ☐ MORF. Irreg. →PARECER.

aborrecible adj.inv. Digno de ser aborrecido.

aborrecimiento s.m. Aversión o repugnancia hacia algo, que impulsa a alejarse de ello o a desear su desaparición: *Siento aborrecimiento ante esos comentarios tan malintencionados.*

aborregado, da adj. **1** Referido esp. a una nube, que tiene la forma de la lana de las ovejas. **2** Referido esp. al cielo, que tiene nubes con esta forma. **3** Referido esp. a una persona, que tiene las características que se consideran propias de un borrego, como la mansedumbre y el gregarismo.

aborregamiento s.m. Pérdida de ideas e iniciativas individuales en favor de otras generalizadas.

aborregarse v.prnl. **1** Referido a una persona, volverse vulgar o perder las ideas, opiniones e iniciativas propias: *Antes era muy independiente, pero desde que entró en la secta se ha aborregado totalmente.* **2** Referido al cielo, cubrirse de nubes blancas y redondas: *Al atardecer, el cielo se aborregó y la puesta de sol fue preciosa.* ☐ ORTOGR. La *g* se cambia en *gu* delante de *e* →PAGAR. ☐ SINT. Se usa también como verbo transitivo: *Ver tanta televisión aborrega a la gente.*

abortar v. **1** Expulsar el feto antes de que pueda vivir fuera de la madre. **2** Referido a una empresa o a un proyecto, hacerlo fracasar o malograrse: *El servicio de espionaje logró abortar la rebelión.* **3** Referido a un proceso, interrumpirlo o detenerlo: *He tenido que abortar la copia de un fichero.* ☐ ETIMOL. Del latín *abortare*, y este de *aboriri* (perecer).

abortero, ra s. *desp.* Persona que practica abortos.

abortismo s.m. Actitud que defiende la despenalización del aborto voluntario.

abortista ▮ adj.inv. **1** Del aborto o relacionado con él: *prácticas abortistas.* ▮ adj.inv./s.com. **2** Referido a una persona, que es partidaria de la despenalización del aborto voluntario.

abortivo, va adj./s.m. Que puede hacer abortar: *Este médico fue acusado de prácticas abortivas cuando en España estaban penalizadas.*

aborto s.m. **1** Expulsión del feto antes de que pueda vivir fuera de la madre: *No fue un aborto provocado, sino natural.* **2** Ser o cosa abortada: *El perro encontró un aborto en un contenedor de basura.* **3** *col. desp.* Persona o cosa deforme o monstruosa.

abotagamiento s.m. →**abotargamiento.**

abotagarse v.prnl. →**abotargarse.** ☐ ETIMOL. Del antiguo *buétago* (bofe, pulmón).

abotargamiento s.m. **1** Atontamiento o entorpecimiento de la mente. ☐ SINÓN. *abotagamiento.* **2** Hinchazón del cuerpo o de una de sus partes, generalmente por una enfermedad. □ SINÓN. *abotagamiento*.

abotargar ▌v. **1** *col.* Atontar o entorpecer el entendimiento: *Tanto calor me ha abotargado.* ▌prnl. **2** Referido al cuerpo o a una de sus partes, hincharse o inflarse, generalmente por una enfermedad: *Si estoy mucho rato de pie se me abotargan las piernas.* □ ETIMOL. De *botarga* (vestido muy amplio). □ ORTOGR. Como pronominal, se admite también *abotagarse*.

abotinado, da adj. Referido esp. a un zapato, que ciñe los tobillos o que tiene forma de botín: *En invierno uso zapatos abotinados porque abrigan más.*

abotonador s.m. Instrumento que sirve para abotonar.

abotonadura s.f. →**botonadura.**

abotonar v. Referido a una prenda de vestir, cerrarla o ajustarla metiendo los botones en los ojales: *Me abotoné mal la camisa y me quedó un pico más largo que otro. Mi hermano pequeño todavía no sabe abotonarse él solo.*

abovedado, da adj. Curvo o arqueado: *El claustro del monasterio es abovedado.*

abovedar v. Cubrir con una bóveda: *Abovedaron las naves de la iglesia.*

ab ovo (lat.) || Desde el origen o desde un momento muy remoto.

aboyar v. **1** Poner boyas: *Aboyaron la zona donde había escollos para que los barcos no chocasen con ellos.* **2** Referido a un objeto, flotar en el agua: *Restos del barco naufragado aboyaban en la mar embravecida.* □ ORTOGR. Dist. de *abollar*.

abra s.f. Bahía pequeña: *Los piratas anclaron su barco en un abra que nadie más conocía.* □ ETIMOL. Del francés *havre* (puerto de mar). □ MORF. Por ser un sustantivo femenino que empieza por *a* tónica o acentuada, va precedido de *el*, *un*, *algún*, *ningún* y de las formas femeninas del resto de los determinantes.

abracadabra s.m. Expresión que usan, esp. los magos, para indicar que algo va a aparecer: *Cuando el mago dijo abracadabra, del bastón salió una paloma.*

abracadabrante adj.inv. *col.* Muy sorprendente o desconcertante: *Contaba unos relatos tan abracadabrantes que era imposible no prestarle atención.*

abrasador, -a adj. Que abrasa: *calor abrasador.* □ SINÓN. *abrasante*.

abrasamiento s.m. **1** Reducción o conversión de algo en brasa: *El incendio produjo el abrasamiento total de miles de hectáreas de terreno.* **2** Sensación que produce una pasión o una preocupación intensas: *La ausencia de noticias le causaba un abrasamiento insoportable.*

abrasante adj.inv. →**abrasador.**

abrasar v. **1** Estar muy caliente, hasta el extremo de quemar o molestar: *El café está que abrasa.* **2** Hacer sentir mucho calor: *Este sol tan fuerte me abrasa.* **3** Quemar hasta reducir a brasas: *El incendio abrasó la cabaña. La arboleda se abrasó.* **4** Destruir o deteriorar por exceso de calor o de acidez: *La lejía abrasó las sábanas.* **5** Referido a una planta, secarla el calor o el frío: *Las heladas han abrasado los geranios. Las rosas se han abrasado.* **6** Referido a una persona, consumirla una pasión o una preocupación: *Lo abrasan los celos. Se abrasaba de amor por ella.* □ SINT. Constr. de la acepción 6 como pronominal: *abrasarse* {DE/EN} *algo*.

abrasímetro s.m. Instrumento que sirve para medir la resistencia de los metales a la abrasión.

abrasión s.f. **1** Desgaste por rozamiento o fricción: *El roce continuo produjo la abrasión de las piezas de la máquina.* **2** En medicina, lesión superficial o irritación de la piel o las mucosas producida por una quemadura o un traumatismo: *El accidente no le causó lesiones profundas, sino solo ligeras abrasiones en la cara.* □ ETIMOL. Del latín *abrasio*.

abrasivo, va adj. De la abrasión o relacionado con ella: *No te toques los ojos después de haber manejado este líquido tan abrasivo, porque puede producirte una grave irritación.*

abraxas (pl. *abraxas*) ▌s.m. **1** En el gnosticismo, palabra simbólica que es la expresión del curso del Sol en los 365 días del año y representa a la divinidad. ▌s.f. **2** Piedra que lleva grabada la palabra *abraxas* y que era un talismán para los gnósticos. □ ETIMOL. Del griego *ábraxas*, cuyas letras suman el número 365.

abrazadera s.f. Pieza, generalmente de metal, que sirve para sujetar o ceñir algo: *Compró una abrazadera para unir la manguera a la boca del grifo.*

abrazador, -a adj./s. Que abraza, rodea o ciñe: *Esta planta se caracteriza por tener hojas abrazadoras.*

abrazar v. **1** Rodear con los brazos en señal de saludo o cariño: *Abrazó emocionado a su padre. Se abrazaron al despedirse.* **2** Rodear con los brazos: *El pedestal de la estatua era tan grande que no pude abrazarlo. Era un árbol tan robusto que, aunque los dos se abrazaron a su tronco, no lograron abarcarlo.* **3** Referido a un asunto, tomarlo una persona a su cargo: *Abrazó entusiasmada el nuevo proyecto.* **4** Referido a una idea o a una doctrina, seguirlas o adherirse a ellas: *Abjuró del arrianismo y abrazó el catolicismo.* □ ORTOGR. La *z* se cambia en *c* delante de *e* →CAZAR.

abrazo s.m. Gesto de rodear con los brazos, generalmente como saludo o como señal de cariño: *Se dieron un cordial abrazo.* □ USO La expresión *un abrazo* se usa mucho como fórmula de despedida: *Terminó diciendo: 'Hasta mañana, un abrazo'.*

abreboca s.m. *col.* Aperitivo: *Tomamos un abreboca antes de la cena.*

abrebotellas (pl. *abrebotellas*) s.m. Utensilio que se utiliza para quitar la chapa de las botellas: *En ese bar tienen los abrebotellas colgados del mostrador con cintas.* □ SINÓN. *abridor*.

abrecartas (pl. *abrecartas*) s.m. Utensilio parecido a un cuchillo que se utiliza para abrir los sobres: *Me han regalado un abrecartas precioso con el puño de nácar.*

abrecoches (pl. *abrecoches*) s.m. Persona que abre la puerta de los automóviles a sus ocupantes, generalmente a cambio de una propina: *En la entrada de los hoteles de lujo suele haber un abrecoches.*

abrefácil adj.inv./s.m. Referido esp. a un envase, que se puede abrir fácilmente con la mano, sin la utilización de ningún instrumento: *Menos mal que estas latas son abrefácil, porque se me olvidó el abrelatas.*

ábrego s.m. Viento del sudoeste: *El ábrego es un viento húmedo y de suave temperatura.* □ ETIMOL. Del latín *Africus* (viento del Sur o africano).

abrelatas (pl. *abrelatas*) s.m. Utensilio de metal que se utiliza para abrir las latas de conservas: *Que no se te olvide llevar el abrelatas a la excursión.* □ SINÓN. *abridor.*

abrevadero s.m. Lugar en el que bebe el ganado: *Aquel vado del río era el abrevadero de la manada.* □ SINÓN. *bebedero.*

abrevar v. **1** Referido al ganado, darle de beber: *Ese pastor abreva su rebaño en la poza que hay a las afueras del pueblo.* **2** Beber, esp. el ganado: *Antes de subir al monte las vacas abrevaron. El rebaño abrevó en la fuente.* □ ETIMOL. Del latín *abbiberare*, y este de *bibere* (el beber).

abreviación s.f. Disminución de la duración o del espacio de algo: *La abreviación del programa provocó las protestas del público asistente.* □ SINÓN. *abreviamiento.* □ SEM. Dist. de *abreviatura* (reducción de una palabra).

abreviado, da adj. Escaso o más corto de lo normal: *Te haré un resumen abreviado, para que no te aburras.*

abreviador, -a adj./s.m. Que abrevia o compendia: *Desde que instalaron un mecanismo abreviador de los procesos, se gana mucho tiempo en esa cadena de producción.*

abreviamiento s.m. →**abreviación.**

abreviar v. **1** Reducir o hacer más corto o más breve el tiempo o el espacio: *Abreviaron la reunión para poder estar en casa a la hora del partido.* **2** Acelerar o aumentar la velocidad: *Abrevia, o llegaremos tarde.* □ ETIMOL. Del latín *abbreviare.* □ ORTOGR. La *i* nunca lleva tilde.

abreviatura s.f. **1** Representación de una palabra en la escritura con solo una o varias de sus letras: *La abreviatura de 'doctor' es 'dr.' y 'c.', la de 'calle'.* **2** Palabra así reducida: *En las primeras hojas del diccionario está la lista de abreviaturas utilizadas.* □ SEM. Dist. de *abreviación* y *abreviamiento* (disminución de la duración de algo).

abridero, ra adj. Referido esp. a un fruto, que se abre fácilmente: *unos piñones abrideros.*

abridor, -a ❚ adj. **1** Que abre. ❚ s.m. **2** Utensilio de metal que se utiliza para abrir las latas de conservas: *Se nos olvidó llevar un abridor a la excursión, y apenas comimos.* □ SINÓN. *abrelatas.* **3** Utensilio que se utiliza para quitar la chapa de las botellas: *Aunque no teníamos abridor, pudimos destapar la botella con una navaja.* □ SINÓN. *abrebotellas.*

abrigadero s.m. Lugar defendido de los vientos. □ SINÓN. *abrigo.*

abrigado, da adj. **1** Que está protegido del frío: *un lugar abrigado.* **2** Que protege del frío: *ropa abrigada.*

abrigador, -a adj. Que abriga mucho: *una capa abrigadora.*

abrigar v. **1** Proteger o resguardar del frío: *Este jersey abriga mucho. Los guantes sirven para abrigar las manos. Esta cueva nos servirá para abrigarnos del frío.* **2** Proteger, ayudar o amparar: *Sus amigos lo abrigaron después de su fracaso.* **3** Referido esp. a ideas o a deseos, tenerlos o albergarlos: *Abriga grandes proyectos para la empresa. Abriga esperanzas de ganar el premio.* □ ETIMOL. Del latín *apricare* (calentar con el calor del sol). □ ORTOGR. La *g* se cambia en *gu* delante de *e* →PAGAR. □ SINT. Constr. de las acepciones 1 y 2: *abrigarse* DE *algo.*

abrigo s.m. **1** Prenda de vestir larga y con mangas, que se pone sobre las demás y que sirve para abrigar: *Ponte el abrigo antes de salir a la calle, que hace frío.* **2** Defensa contra el frío: *Esta manta te será de mucho abrigo.* **3** Lo que sirve para abrigar: *Esta capa tan gruesa es un buen abrigo para el invierno.* **4** Lugar defendido de los vientos: *Los alpinistas buscaban un abrigo para protegerse de la tormenta.* □ SINÓN. *abrigadero.* **5** Protección, ayuda o amparo: *El abrigo de tu familia nos ayudó a superar la crisis.* **6** ‖ **de abrigo;** temible, de cuidado o de consideración: *No quiero que vayas con esos chicos porque son de abrigo.*

abril ❚ s.m. **1** Cuarto mes del año, entre marzo y mayo. ❚ pl. **2** Años de edad de una persona joven: *Solo tiene quince abriles.* □ ETIMOL. Del latín *aprilis.*

abrileño, ña adj. Propio del mes de abril: *Aunque aún no es primavera, hace un tiempo abrileño.*

abrillantado, da adj. En zonas del español meridional, referido a una fruta, escarchada: *En Argentina, comí fruta abrillantada por Navidad.*

abrillantador, -a ❚ adj. **1** Que abrillanta. ❚ s.m. **2** Producto que se usa para abrillantar o dar brillo: *Cuando friego el suelo pongo en el agua un poco de abrillantador.*

abrillantamiento s.m. Operación que consiste en dar brillo a una superficie: *La casa aún no está lista porque falta el abrillantamiento de los suelos.*

abrillantar v. Dar brillo: *Abrillantaron el suelo con un producto especial.*

abrir ❚ v. **1** Referido a una puerta, a una ventana o a algo con puertas, separar sus hojas del marco, de manera que dejen descubierto el vano y permitan el paso: *Abre la ventana para que entre un poco de aire.* **2** Referido a un cerrojo o a otro mecanismo de cierre, descorrerlo o accionarlo de modo que deje de asegurar la puerta: *Para que se abra el pestillo, gíralo hacia la derecha. La llave está oxidada y no abre bien.* **3** Referido a un recinto o a un receptáculo, retirar lo que lo incomunica con el exterior o dejar al descubierto su interior: *Abre el costurero y saca las tijeras.* **4** Referido a una abertura o a un conducto, hacerlos o practicarlos: *Ten cuidado al abrir los ojales, no vayas a rasgar demasiado la tela. Se abrió un socavón en la calle a causa de las lluvias.* **5** Referido a partes del cuerpo, separar una de otra, de modo que quede un espacio entre ellas: *Se le abrieron los ojos de asombro.* **6** Referido a algo que está entero o cerrado, rajarlo, rasgarlo o dividirlo: *Abrió la sandía y me dio un trozo. Cuando ya parecía cicatrizada, se le volvió a abrir la herida.* **7** Referido esp. a una carta o a un sobre, despegarlos o romperlos por alguna parte de manera que pueda verse o sacarse su contenido: *Nunca abras una carta que no venga a tu nombre.* **8** Referido a un libro o a un objeto semejante, separar parte de sus hojas del resto, de manera que se puedan ver dos de sus páginas interiores: *Abre el periódico por la sección de deportes. Al caerse el libro, se abrió y se le doblaron varias páginas.* **9** Referido a un cajón, tirar de él hacia afuera sin sacarlo del todo: *Al abrir el cajón me enganché el vestido. Tenía la mesa tan desnivelada que el cajón se abría solo.* **10** Referido a algo encogido o plegado, extenderlo, desplegarlo o separar sus partes: *Cuando el pavo real abrió la cola, nos admiramos de su vistosidad. El abanico no se abre porque tiene una varilla rota.* **11** Referido a una lista o a un conjunto ordenado, ocupar el primer lugar en ellos: *El abanderado abre el desfile.* **12** Referido a algunos signos de puntuación, escribirlos delante del enunciado que delimitan: *En español es una falta abrir el signo de interrogación y no cerrarlo. Las comillas se abren al principio de la cita.* **13** Referido a la llave o al dispositivo que regulan el paso de un fluido por un conducto, ponerlos de modo que permitan la salida o la circulación de dicho fluido: *Para que salga el agua con más fuerza, abre más el grifo.* **14** Referido a un local donde se desarrolla una actividad, comenzar en el ejercicio de esta o dar inicio a sus tareas: *Van a abrir una cafetería en el instituto. La academia abre solo por las mañanas.* **15** Referido esp. a una convocatoria o a un concurso, declarar iniciado el plazo para poder participar en ellos: *Mañana abren la matrícula en el instituto. Nada más abrirse el concurso, se inscribieron cientos de aspirantes.* **16** Referido a una cuenta bancaria, entregar en el banco el dinero requerido a nombre de un titular y realizar los trámites necesarios para que este pueda disponer de ella: *La pareja abrió una cuenta corriente a nombre de los dos.* **17** Referido a las ganas de comer, excitarlas o producirlas: *El ejercicio abre el apetito. Cuando vi aquellos manjares, se me abrieron unas ganas de comer incontenibles.* **18** Referido a un programa informático, iniciarlo o comenzarlo: *Tienes que abrir la hoja de cálculo para poder hacer la tabla.* **19** Comenzar, inaugurar o dar por iniciado: *El Rey abrirá el nuevo curso en un acto solemne.* **20** Facilitar el paso o dejarlo libre: *Cuando termine la manifestación, volverán a abrir la calle al tráfico.* **21** Presentar u ofrecer: *Las palabras del médico abrieron nuevas esperanzas en los familiares. Ante sus ojos se abría un futuro prometedor.* **22** Separar, extender o apartar dejando espacios: *El capitán mandó abrirse al pelotón para cubrir una zona más amplia. El delantero se abría hacia la banda para desmarcarse.* **23** En un juego de cartas, referido a un jugador, hacer la primera apuesta o envite: *Abrió con cien monedas y nadie se atrevió a aceptarle la apuesta.* **24** Referido a una flor cerrada o a sus pétalos, separarse estos unos de otros extendiéndose desde el botón o capullo: *Algunas flores abren cuando les da la luz. El rosal tiene una rosa a punto de abrirse.* **25** Referido al cielo o al tiempo atmosférico, despejar, serenarse o empezar a clarear: *Si deja de llover y abre, daremos un paseo. Empezaron a alejarse los nubarrones y se abrió el cielo.* ▌prnl. **26** Tomar una curva arrimándose al lado exterior y menos curvado: *El coche se abrió demasiado en la curva y se salió de la carretera.* **27** Mostrarse comunicativo o adoptar una actitud favorable: *El conflicto se acabaría si ambas partes se abriesen a la negociación.* **28** *col.* Marcharse: *Me abro, que tengo prisa.* □ ETIMOL. Del latín *aperire.* □ MORF. Irreg.: Su participio es *abierto.*

abrochador s.m. →**abrochadora.**

abrochadora s.f. En zonas del español meridional, grapadora: *Compré una abrochadora para la oficina.* □ SINÓN. *abrochador.*

abrochar v. **1** Cerrar o unir con botones o con algo semejante: *Abróchate el abrigo, que hace frío. Abróchense los cinturones de seguridad, por favor.* **2** En zonas del español meridional, grapar: *Abroché los papeles para que no se perdieran.*

abrogación s.f. Abolición de una ley, de un código o de un escrito semejante: *La abrogación de aquella ley tan anticuada fue bien acogida por los ciudadanos.* □ PRON. [ab·rogación].

abrogar v. Referido esp. a una ley, abolirla: *Varios partidos han propuesto que se abrogue la ley de extranjería.* □ ETIMOL. Del latín *abrogare* (abrogar una ley, despojar a alguien de sus funciones). □ PRON. [ab·rogár]. □ ORTOGR. 1. Dist. de *arrogar.* 2. La *g* se cambia en *gu* delante de *e* →PAGAR.

abrogativo, va adj. →**abrogatorio.** □ PRON. [ab·rogativo].

abrogatorio, ria adj. Que sirve para abrogar. □ SINÓN. *abrogativo.* □ PRON. [ab·rogatorio].

abrojal s.m. Terreno poblado de abrojos: *Si no cuidas el sembrado, se convertirá en un abrojal.*

abrojo s.m. Planta de tallos largos y rastreros, que tiene hojas compuestas, flores amarillas, y el fruto esférico y espinoso: *Los abrojos son perjudiciales para los sembrados.* □ ETIMOL. Del latín *¡aperi oculos!* (¡abre los ojos!), que se usaba para advertir al que se acercaba a un terreno cubierto de abrojos.

abroncar v. **1** Reprender o regañar ásperamente: *El jefe nos abroncó por llegar tarde.* **2** Reprobar o mostrar disconformidad mediante murmullos, ruidos o gritos: *El público abroncó al artista por su pésima actuación.* □ SINÓN. *abuchear.* □ ORTOGR. La *c* se cambia en *qu* delante de *e* →SACAR.

abroquelarse v.prnl. Defenderse o refugiarse física o moralmente: *Se abroqueló en su idea y no hubo forma de hacer que cambiara de opinión.*

abrótano (tb. *brótano*) s.m. Planta herbácea, de hojas sencillas, muy finas y blanquecinas, que se cultiva en los jardines por sus flores de olor agradable: *El abrótano es originario de los países orientales.* □ SINÓN. *boja, botonera, santolina.* □ ETIMOL. Del latín *abrotonum*.

abrumación s.f. Agobio causado por exceso de halagos, de atenciones o de burlas.

abrumador, -a adj. **1** Que abruma: *Me recibieron con abrumadores halagos.* □ SINÓN. *abrumante.* **2** Total, aplastante o completo: *Ganó por abrumadora mayoría.* □ SINÓN. *abrumante.*

abrumante adj.inv. →**abrumador.**

abrumar ▌v. **1** Agobiar por exceso de halagos, de atenciones o de burlas: *Tantas atenciones me abruman y no sé que decir.* **2** Agobiar con un gran peso que causa molestia: *Tanta responsabilidad me abruma.* ▌prnl. **3** Referido esp. al cielo, llenarse de bruma: *Por las mañanas, el cielo de por aquí se abruma un poco.* □ ETIMOL. De *bruma*, variante de *broma* (carcoma de los buques), porque los barcos comidos de broma eran muy pesados.

abrupto, ta adj. **1** Referido esp. a un terreno, que es escarpado, de difícil acceso o con una gran pendiente: *un sendero abrupto.* **2** Áspero, rudo o sin educación: *un carácter abrupto.* □ ETIMOL. Del latín *abruptus*, y este de *abrumpere* (cortar violentamente).

ABS s.m. En un vehículo, sistema de freno que impide que las ruedas se bloqueen: *Los coches con frenos ABS son más seguros, porque el conductor no pierde el control del coche al frenar bruscamente.* □ ETIMOL. Es la sigla del inglés *Anti-lock Braking System* (sistema de freno antibloqueo). □ SINT. Se usa mucho en aposición, pospuesto a un sustantivo: *sistema ABS*.

absceso s.m. Acumulación localizada de pus en un tejido orgánico: *Se clavó una espina y se le ha formado un absceso.* □ ETIMOL. Del latín *abscessus* (tumor). □ PRON. Incorr. *[abcéso]. □ ORTOGR. Dist. de *acceso*.

abscisa s.f. En matemáticas, en un sistema de coordenadas, línea o eje horizontales: *La abscisa se representa con la letra 'x'.* □ ETIMOL. Del latín *abscissa linea*, y este de *abscindere* (cortar, separar).

abscóndito, ta adj. *poét.* Misterioso, secreto o escondido.

absenta s.f. Bebida alcohólica elaborada con ajenjo y con otras hierbas aromáticas: *La absenta tiene un efecto muy violento sobre el sistema nervioso.* □ SINÓN. *ajenjo.* □ ETIMOL. Del catalán *absenta*.

absentismo s.m. Ausencia deliberada del puesto de trabajo: *absentismo laboral.* □ ETIMOL. Del inglés *absenteeism*, y este del latín *absens* (ausente).

absentista ▌adj.inv. **1** Del absentismo o relacionado con esta ausencia laboral: *una conducta absentista.* ▌adj.inv./s.com. **2** Que practica el absentismo: *La empresa expedientará a los absentistas.*

absidal adj.inv. Con forma de ábside: *capillas absidales.*

ábside s.m. En una iglesia, parte abovedada y generalmente semicircular que sobresale de la fachada posterior: *El ábside es un elemento característico de las iglesias románicas y góticas.* □ ETIMOL. Del latín *absis* (bóveda). □ ORTOGR. Dist. de *ápside*.

absidiola s.f. →**absidiolo.**

absidiolo s.m. En una iglesia, capilla generalmente semicircular que sobresale en la parte exterior del ábside: *La ceremonia tuvo lugar en uno de los absidiolos de la catedral.* □ SINÓN. *absidiola.*

absintio s.m. Planta perenne con abundantes ramas y hojas vellosas de color verde claro, que tiene propiedades medicinales. □ SINÓN. *ajenjo.* □ ETIMOL. Del latín *absinthium*.

absolución s.f. **1** Declaración de un acusado como libre de culpa: *En el juicio el abogado solicitó la libre absolución del acusado.* **2** Perdón de los pecados de un penitente en el sacramento de la confesión: *Tras oírlo en confesión, el sacerdote dio la absolución al penitente.* □ ETIMOL. Del latín *absolutio*.

absolutismo s.m. Sistema de gobierno que se caracteriza por la reunión de todos los poderes en una persona o en un cuerpo: *En la Europa del siglo XVII, el absolutismo era la forma normal de gobierno.*

absolutista ▌adj.inv. **1** Del absolutismo o relacionado con este sistema de gobierno: *principios absolutistas.* ▌adj.inv./s.com. **2** Que sigue o que defiende el absolutismo: *un rey absolutista.*

absolutización s.f. Hecho de hacer absoluto o de dar una importancia absoluta.

absolutizar v. Hacer absoluto o dar una importancia absoluta: *No debes absolutizar tus problemas y no valorar los de los demás.* □ ORTOGR. La *z* se cambia en *c* delante de *e* →CAZAR.

absoluto, ta adj. **1** Que es ilimitado o que carece de restricciones: *poder absoluto.* **2** Total o completo: *Goza de mi absoluta confianza.* **3** Que excluye toda relación o comparación: *El adjetivo 'listísimo' es un ejemplo del llamado 'superlativo absoluto', que expresa el grado máximo sin establecer ninguna comparación.* **4** ‖ **en absoluto;** de ningún modo: *Le dije que en absoluto me iba a dejar engañar por sus mentiras.* □ ETIMOL. Del latín *absolutus* (sin limitaciones). □ MORF. No admite grados: incorr. **más absoluto*.

absolutorio, ria adj. Que absuelve: *una sentencia absolutoria.*

absolver v. **1** Referido a un acusado de un delito, declararlo libre de culpa: *El juez lo absolvió de la acusación de asesinato.* **2** Referido a un penitente, perdonarle los pecados el sacerdote en el sacramento de la confesión: *El sacerdote dijo: «Yo te absuelvo en el nombre del Padre, del Hijo y del Espíritu Santo».* □ ETIMOL. Del latín *absolvere*, y este de *solvere* (soltar, desatar). □ ORTOGR. Dist. de *absorber* y de *adsorber*. □ MORF. Irreg.: 1. Su participio es *absuelto*. 2. →VOLVER. □ SINT. Constr. *absolver* DE *algo*.

absorbencia s.f. Propiedad de un cuerpo sólido de poder atraer y retener fluidos en su interior: *Las esponjas naturales tienen un alto grado de absorbencia.*

absorbente adj.inv. **1** Que absorbe: *un material absorbente.* **2** Que es muy dominante o que trata de imponer su voluntad: *una persona muy absorbente.*

absorbeolores (pl. *absorbeolores*) adj.inv. Que absorbe los malos olores: *un ambientador absorbeolores.*

absorber v. **1** Referido esp. a un cuerpo líquido o gaseoso, atraerlo un cuerpo sólido, de modo que penetre en él: *La aspiradora absorbe bien el polvo. Esta crema hidratante se absorbe muy fácilmente.* □ SINÓN. *chupar.* **2** Referido esp. a entidades políticas o comerciales, ser incorporadas a otras: *Las multinacionales están absorbiendo a la pequeña y mediana empresa.* **3** Referido a una persona, atraer o cautivar su atención: *Las relaciones sociales la absorben por completo.* **4** En física, referido a una radiación, captarla el cuerpo al que atraviesa: *Este aparato sirve para medir aproximadamente la dosis de radiación recibida y absorbida por un cuerpo.* □ ETIMOL. Del latín *absorbere.* □ ORTOGR. Dist. de *absolver* y de *adsorber.*

absorciometría s.f. En medicina, técnica radiológica para medir la densidad de los huesos.

absorciómetro s.m. Instrumento que sirve para medir la cantidad de una sustancia que ha sido absorbida por otra.

absorción s.f. **1** Atracción que un cuerpo sólido ejerce sobre un líquido o un gas, de forma que este penetre en aquel: *El extractor está estropeado y la absorción de humos es escasa.* **2** Incorporación de una entidad política o comercial a otra, generalmente más importante: *Esta empresa desea la absorción de varias empresas de menor importancia del sector.* **3** En física, captación de una radiación por parte de un cuerpo al que esta atraviesa: *La capacidad de absorción varía según la naturaleza de los cuerpos.* □ ORTOGR. Dist. de *adsorción.*

absorto, ta adj. **1** Concentrado o entregado totalmente a una actividad, esp. a la meditación o a la lectura: *Está absorto en la lectura del periódico y no oye el timbre.* **2** Admirado, asombrado o pasmado: *Quedó absorto ante tanta belleza.*

abstemio, mia adj./s. Que nunca toma bebidas alcohólicas: *Abandonó la bebida y ahora es un abstemio riguroso.* □ ETIMOL. Del latín *abstemius.*

abstención s.f. Renuncia voluntaria a hacer algo, esp. a votar: *El índice de abstención en las votaciones ha sido muy alto.*

abstencionismo s.m. Tendencia a abstenerse en alguna actividad, esp. en política: *La falta de confianza en los partidos políticos favorece el abstencionismo.*

abstencionista ▌ adj.inv. **1** Del abstencionismo o relacionado con esta tendencia: *una actitud abstencionista.* ▌ adj.inv./s.com. **2** Que practica la abstención.

abstenerse v.prnl. **1** Privarse de algo: *La médica le ha recomendado que se abstenga de fumar.* **2** No participar en algo a lo que se tiene derecho: *Varios diputados se abstuvieron en la votación.* □ ETIMOL. Del latín *abstinere.* □ MORF. Irreg. →TENER. □ SINT. Constr. de la acepción 1: *abstenerse* DE *hacer algo.*

abstinencia s.f. **1** Renuncia a tomar determinados alimentos o bebidas, esp. si es en cumplimiento de un precepto religioso o moral: *La abstinencia de comer carne ciertos días al año es un precepto de la iglesia católica.* **2** Actitud que consiste en renunciar a satisfacer un deseo, esp. si es en cumplimiento de un precepto religioso o moral: *Llama la atención por su moderación y abstinencia.*

abstinencial adj.inv. De la abstinencia o relacionado con ella: *síndrome abstinencial.*

abstracción s.f. **1** Separación de las cualidades de algo por medio de una operación intelectual, para poder considerarlas aisladamente: *capacidad de abstracción.* **2** Idea abstracta o separada de la realidad: *Sus ideas económicas son abstracciones que no se apoyan en datos objetivos.* **3** Concentración total en algo: *Sin abstracción es imposible que te concentres en la elaboración del proyecto.*

abstraccionismo s.m. Tendencia a la abstracción.

abstraccionista adj.inv. Que tiene tendencia a la abstracción.

abstracto, ta adj. **1** Que significa alguna cualidad, con exclusión del sujeto que la posee: *La belleza es un concepto abstracto.* **2** Referido a un tipo de arte, que no representa con fidelidad cosas concretas, sino que resalta algunas de sus características o de sus cualidades: *El cubismo fue un estilo precursor del arte abstracto.* **3** Que sigue o que practica este tipo de arte: *Los pintores abstractos reducen los objetos a formas, signos o colores.* **4** ‖ **en abstracto;** separando el sujeto de la cualidad que posee: *Trató el tema en abstracto, sin referirse a nada en concreto.*

abstraer ▌ v. **1** Referido a las cualidades esenciales de algo, separarlas por medio de una operación intelectual para considerarlas aisladamente: *Supo prescindir de lo anecdótico y abstraer las ideas centrales del libro.* ▌ prnl. **2** Dejar de atender a lo que está alrededor, para entregarse completamente a la consideración de lo que se tiene en el pensamiento: *Si no consigues abstraerte del ruido de la calle, no lograrás estudiar bien.* □ ETIMOL. Del latín *abstrahere.* □ MORF. Irreg. →TRAER. □ SINT. Constr. de la acepción 2: *abstraerse* DE *algo.* □ SEM. En la acepción 2, dist. de *sustraerse* (de una obligación).

abstraído, da adj. Ensimismado o absorto en algo: *Está tan abstraído en sus cosas que no se ha dado cuenta de nada.*

abstruso, sa adj. Muy difícil de entender: *La idea es buena, pero ha sido expuesta de forma abstrusa y complicada.* □ ETIMOL. Del latín *abstrusus* (oculto).

absuelto, ta part. irreg. de **absolver.** ☐ MORF. Incorr. **absolvido.*

absurdez s.f. **1** *col.* Absurdidad. **2** *col.* Hecho o dicho absurdos.

absurdidad s.f. **1** Conjunto de características que se consideran propias de lo absurdo. **2** →**absurdo.**

absurdo, da ▌adj. **1** Contrario u opuesto a la razón, o sin sentido: *Nadie apoyará una teoría tan absurda, basada en elucubraciones.* **2** Extravagante o chocante: *Me parece absurdo que lleves abrigo en verano.* ▌s.m. **3** Hecho o dicho irracional o sin sentido: *Sus disculpas son un absurdo y no hay quien las entienda.* ☐ SINÓN. *absurdidad.* ☐ ETIMOL. Del latín *absurdus.*

abubilla s.f. Pájaro que tiene el pico largo y algo curvado, el plumaje del cuerpo, rojizo, y el de las alas y la cola, negro con franjas blancas, y un penacho de plumas en la cabeza que puede abrir como un abanico: *La abubilla es un pájaro muy vistoso que se alimenta de insectos.* ☐ ETIMOL. Del latín **upupella*, y este de *upupa* (abubilla). ☐ MORF. Es un sustantivo epiceno: *la abubilla {macho/hembra}.*

abuchear v. Reprobar o mostrar disconformidad mediante murmullos, ruidos o gritos: *Los aficionados abuchearon a los jugadores por su mal juego.* ☐ SINÓN. *abroncar.* ☐ ETIMOL. De *ahuchear*, y este de *huchear* (gritar, lanzar los perros en la cacería dando voces).

abucheo s.m. Demostración de disconformidad o de enfado mediante murmullos, ruidos o gritos: *El conferenciante fue despedido con un gran abucheo.*

abuelastro, tra s. **1** Respecto de una persona, segundo y sucesivos maridos de su abuela o segunda y sucesivas esposas de su abuelo: *Mi abuelo enviudó, y la mujer con la que se ha vuelto a casar es mi abuelastra.* **2** Respecto de una persona, padre o madre de su padrastro o de su madrastra: *Poco después de que mi madre volviera a casarse me presentaron a mis abuelastros.*

abuelo, la ▌s. **1** Respecto de una persona, padre o madre de su padre o de su madre: *Mi abuelo materno vive con nosotros.* **2** *col.* Persona anciana: *En los pueblos, los abuelos se sientan al sol en la plaza.* ▌s.m.pl. **3** Respecto de una persona, padres de su padre o de su madre, o de ambos: *Mis abuelos celebran mañana sus bodas de oro.* **4** Antepasados de los que se desciende: *Nuestros abuelos se instalaron en estas tierras hace trescientos años.* **5** ‖ **no tener abuela;** *col.* Expresión que se usa para censurar al que se alaba mucho: *¡Ese chico no tiene abuela, siempre está diciendo lo bueno que es!* ☐ ETIMOL *Abuela*, del latín *aviola* (abuelita). *Abuelo*, de *abuela.*

abuhardillado, da adj. **1** Que tiene buhardillas: *Vive en un chalé abuhardillado.* **2** Con forma de buhardilla: *El desván de la mansión era abuhardillado, con el techo más alto por un lado que por el otro.*

abulense adj.inv./s.com. De Ávila o relacionado con esta provincia española o con su capital: *Santa Teresa de Jesús era abulense.* ☐ SINÓN. *avilés.*

abulia s.f. Falta de voluntad o de energía: *Sus amigos critican su abulia y su falta de iniciativa.* ☐ ETIMOL. Del griego *abulía*, y este de *a-* (negación) y *bulé* (voluntad).

abúlico, ca ▌adj. **1** Que es propio de la abulia: *Tiene un temperamento abúlico y es incapaz de tomar decisiones.* ▌adj./s. **2** Que tiene abulia o poca voluntad o energía: *Es una persona muy abúlica y se pasa el día en el sofá.*

abullonar v. Referido esp. a una tela, adornarla con pliegues de forma esférica: *La modista me ha abullonado las mangas de la blusa de fiesta.* ☐ ETIMOL. De *bullón* (plegado de las telas).

abulón s.m. Molusco marino americano de cuerpo ovalado y carne blanca y muy apreciada, que vive adherido a las rocas.

abultado, da adj. Grueso, grande o voluminoso.

abultamiento s.m. Bulto, hinchazón o prominencia: *Al notarse un abultamiento en el pie, fue al médico.*

abultar v. **1** Aumentar el bulto o el volumen: *El viento abultaba las velas del barco.* **2** Aumentar la cantidad, la intensidad o el grado: *Abultó sus aventuras del verano para impresionar a sus amigos.* **3** Hacer bulto u ocupar más espacio del normal: *Quítate el abrigo, que con él puesto abultas demasiado.*

abundamiento s.m. **1** *ant.* →**abundancia. 2** ‖ **a mayor abundamiento;** además o con mayor razón: *Tu novela es buena y, a mayor abundamiento, añadiría que ganará el premio.*

abundancia s.f. **1** Gran cantidad: *En esta región, hay abundancia de árboles frutales.* **2** Prosperidad y buena situación económica: *En las épocas de abundancia ahorra para las épocas de escasez.* **3** ‖ **en la abundancia;** con mucho dinero o en una buena posición económica: *Esa familia nada en la abundancia y no se priva de nada.* ☐ SINT. *En la abundancia* se usa más con los verbos *nadar*, *vivir* o equivalentes.

abundante adj.inv. **1** Que abunda en algo: *Es un lugar abundante en agua.* **2** Cuantioso o en gran abundancia: *Este río tiene un caudal muy abundante.* ☐ SINT. Constr. de la acepción 1: *abundante* EN *algo.*

abundar v. **1** Haber en gran cantidad: *En este libro abundaban las erratas.* **2** Referido a una idea o a una opinión, apoyarlas o insistir en ellas: *Abundo en la opinión de que es necesario un cambio en la dirección del partido.* ☐ ETIMOL. Del latín *abundare* (salirse las ondas, rebosar). ☐ SINT. Constr. de la acepción 2: *abundar* EN *algo.*

abundoso, sa adj. *poét.* Abundante.

abuñolado, da (tb. *abuñuelado, da*) adj. Con forma de buñuelo: *Me tomé un pastelito abuñolado que estaba riquísimo.*

abuñuelado, da adj. →**abuñolado.**

abur interj. *col.* →**agur.**

aburguesamiento s.m. Adopción de las características que se consideran propias de la burguesía: *Opina que el apego a la propiedad privada es un síntoma de aburguesamiento.* □ USO Tiene un matiz despectivo.

aburguesar v. Dar las características que se consideran propias de la burguesía: *La buena vida terminó por aburguesar a los que presumían de progresistas. Se aburguesó y olvidó sus ideas reformadoras.* □ USO Tiene un matiz despectivo.

aburrición s.f. *col.* Aburrimiento.

aburrido, da adj. Que produce aburrimiento: *Empecé a leer un libro tan aburrido que no lo terminé.*

aburridora s.f. En zonas del español meridional, regañina.

aburrimiento s.m. Cansancio o fastidio producidos por falta de entretenimiento, de diversión o de estímulo: *Siempre se queja de que su trabajo es un aburrimiento.*

aburrir v. **1** Producir o experimentar cansancio o fastidio por efecto de una falta de entretenimiento, de diversión o de estímulo: *Será una gran película, pero a mí consiguió aburrirme. Nos aburrimos tanto que aquello no parecía una fiesta.* **2** Molestar, fastidiar o producir una sensación de hartazgo, generalmente debido a la insistencia: *Me gusta el dulce, pero comerlo todos los días aburre.* □ ETIMOL. Del latín *abhorrere* (tener aversión a algo).

abusador, -a adj./s. *col.* En zonas del español meridional, abusón.

abusar v. **1** Usar mal, de forma indebida o excesiva: *No conviene abusar de la bebida.* **2** Referido a una persona, forzarla a mantener una relación sexual: *Después de golpearla brutalmente, abusó de ella en un descampado.* □ SINT. Constr. *abusar* DE *algo.*

abusivo, va adj. Que implica abuso: *unos precios abusivos.*

abuso s.m. **1** Uso indebido, injusto o excesivo de algo: *El abuso de sal en las comidas es malo para la salud.* **2** Relación sexual mantenida con alguien en contra de su voluntad: *Le puso una denuncia por abusos deshonestos.* □ ETIMOL. Del latín *abusus.*

abusón, -a adj./s. *col.* Referido a una persona, que se aprovecha frecuentemente de una situación en beneficio propio: *Eres una abusona porque no me dejas hacer nada a mí.*

abyección s.f. Bajeza o acción vil y despreciable: *No entiendo cómo pudo cometer tal abyección.*

abyecto, ta adj. Despreciable, vil o rastrero: *Es el ser más abyecto y ruin que conozco.* □ ETIMOL. Del latín *abiectus* (bajo, humilde).

acá adv. **1** En o hacia esta posición o lugar: *Ven acá y siéntate a mi lado.* **2** Ahora o en el momento presente: *Desde entonces acá no lo he vuelto a ver.* **3** || **de acá para allá;** de un lugar para otro: *He estado todo el día de acá para allá, y estoy agotada.* □ ETIMOL. Del latín *eccum hac* (he aquí). □ SINT. Incorr. *Han pasado muchas cosas desde entonces {*a acá > acá}.*

acabado s.m. Último retoque o remate que se da a algo: *Aunque es una marca barata, los acabados de estas prendas son perfectos.*

acabar v. **1** Llegar al fin o alcanzar el punto final: *No me gusta cómo acaba la película. Las entradas para el concierto se acabaron enseguida.* **2** Dar fin o poner término: *Cuando acabes el jersey, préstamelo.* **3** Apurar o consumir hasta el fin: *Acaba la cerveza, que nos vamos. Se ha acabado el tiempo del que disponías y no me has contestado.* **4** Rematar con esmero: *Tienes que acabar un poco la estatua y limar los bordes rugosos.* □ SINÓN. *terminar.* **5** || **acabar con** algo; destruirlo o aniquilarlo: *Acabó con la vida del pistolero de un balazo. Los comentarios de la profesora acabaron con mis esperanzas de aprobar el examen.* || **acabar en** algo; tenerlo como fin o en un extremo: *Las espadas acaban en punta. La comida acabó en baile.* || **san se acabó;** *col.* →**sanseacabó.** □ ETIMOL. De *cabo* (extremo), porque *acabar* es hacer algo hasta el cabo. □ SINT. 1. La perífrasis *acabar + de + infinitivo* indica que la acción expresada por este ha ocurrido poco antes: *Acabo de llegar y ya me estás gritando.* 2. La perífrasis *no acabar + de + infinitivo* indica la imposibilidad de conseguir lo que este expresa: *Explícamelo otra vez, porque no acabo de entenderlo.*

acabáramos interj. *col.* Expresión que se usa para indicar que por fin se ha llegado a una conclusión o se ha conseguido algo: *¡Acabáramos!, ¿conque era eso lo que tanto te preocupaba?*

acabose || **ser** algo **el acabose;** *col.* Ser el colmo o ser un desastre: *La barbaridad que dijo ya fue el acabose.*

acachetar v. Referido a un toro, rematarlo con el cachetero: *Un mozo de la cuadrilla tuvo que acachetar al toro.* □ SINÓN. *apuntillar.*

acacia s.f. **1** Árbol o arbusto que puede tener espinas en sus ramas, y que se caracteriza por tener las hojas compuestas, divididas en pequeñas hojuelas, las flores blancas y olorosas y el fruto en vaina: *Las jirafas se alimentan de los brotes de las acacias de la sabana.* **2** Madera de este árbol: *La acacia es bastante dura.* □ ETIMOL. Del latín *acacia.*

academia s.f. **1** Sociedad o agrupación científica, artística o literaria formada por las personas más destacadas en una ciencia o un arte, y dedicadas a su estudio y difusión: *La Real Academia de la Historia publicó un estudio sobre la Armada Invencible.* **2** Lugar en que se reúnen: *Están arreglando el tejado de la Real Academia Española y los académicos no han podido reunirse.* **3** Establecimiento que se dedica a la enseñanza de un arte, técnica, profesión o materia: *Se ha apuntado a una academia de inglés para mejorar sus conocimientos de ese idioma.* □ ETIMOL. Del latín *Academia*, que era la escuela de filosofía platónica, y este del griego *Akadémeia*, que era el jardín de Academos, donde enseñaba Platón.

academicismo s.m. Observación o cumplimiento rigurosos de las normas académicas: *Esta pintora* *se caracteriza por su academicismo y su rechazo a las nuevas tendencias.*

academicista ▮ adj.inv. **1** Del academicismo o relacionado con esta tendencia: *planteamientos academicistas.* ▮ adj.inv./s.com. **2** Que practica el academicismo: *una pintora academicista.*

académico, ca ▮ adj. **1** De una academia, relacionado con ella, o con sus características: *Los trabajos académicos para la elaboración de un nuevo diccionario van muy adelantados.* **2** Relacionado con los centros oficiales de enseñanza: *Para solicitar la beca necesitas presentar el expediente académico.* **3** Referido a una obra de arte o a su autor, que observan las normas clásicas: *El estilo de este escritor es totalmente académico, es decir, es cuidado, solemne y tradicional.* ▮ s. **4** Persona que forma parte de una academia o sociedad: *Este escritor es académico de la Real Academia Española.*

acadio, dia ▮ adj./s. **1** De Akkad (antiguo reino mesopotámico), o relacionado con él: *La cultura acadia tenía muchos elementos tomados de la sumeria.* ▮ s.m. **2** Lengua semítica de este reino: *El acadio era considerado lengua culta y religiosa hasta principios de la era cristiana.*

acaecer ▮ v. **1** Referido a un hecho, producirse, realizarse u ocurrir: *La catástrofe acaeció de madrugada.* □ SINÓN. *acontecer, suceder.* ▮ s.m. **2** →**acaecimiento.** □ ETIMOL. Del latín **accadiscere*, y este de **accadere*, por *accidere* (ocurrir). □ MORF. 1. Verbo defectivo: Solo se usa en las terceras personas de cada tiempo, y en las formas no personales (infinitivo, gerundio y participio). 2. Irreg. →PARECER.

acaecimiento s.m. Producción de un suceso o de un acontecimiento: *El acaecimiento de aquella desgracia cambió su vida.* □ SINÓN. *acaecer.*

acáis s.m.pl. *arg.* Ojos. □ ETIMOL. De origen gitano.

acalambrar v. Producir o tener un calambre: *El esfuerzo me acalambró las piernas. Dejó de nadar porque se acalambró.*

acalefo ▮ adj./s.m. **1** Referido a un animal marino, que carece de esqueleto y tiene un ciclo vital en el que predomina la fase de medusa: *En los mares actuales abundan los acalefos.* □ SINÓN. *escifozoo.* ▮ s.m.pl. **2** En zoología, clase de estos animales, perteneciente al grupo de los celentéreos: *Las medusas que pertenecen a los acalefos tienen los tentáculos en los bordes de la umbela.* □ SINÓN. *escifozoo.*

acallar v. **1** Hacer callar: *La conferenciante acalló los aplausos con un gesto y continuó hablando.* **2** Calmar, aplacar o sosegar: *Todas esas explicaciones son solo un intento de acallar tu conciencia.* □ SEM. Dist. de *callar* (dejar de hablar).

acalorado, da adj. Pasional, enérgico y vehemente: *Discutían de una forma tan acalorada que tuve que decirles que no gritaran tanto.*

acaloramiento s.m. **1** Ardor o calor muy fuerte: *Me senté al lado de la estufa y sentí tal acaloramiento que me tuve que cambiar de sitio.* **2** Pasión, vehemencia o excitación con que se discute algo: *Discutían con tanto acaloramiento que casi llegan a las manos.*

acalorar ▮ v. **1** Dar o tener calor: *Llevar estos pesados muebles por toda la casa acalora a cualquiera. Con tanto ejercicio me he acalorado.* ▮ prnl. **2** Excitarse en una conversación o en una disputa: *No te acalores y habla con tranquilidad.*

acamaya s.f. En zonas del español meridional, langostino. □ ETIMOL. Del náhuatl *acatl* (caña) y *mayatl* (escarabajo). □ MORF. Es un sustantivo epiceno: *la acamaya {macho/hembra}.*

acampada s.f. **1** Hecho de acampar: *ir de acampada.* **2** Instalación en un lugar al aire libre para vivir temporalmente en él, generalmente en tiendas de campaña o en caravanas.

acampanado, da adj. Con forma de campana o más ancho por la parte inferior que por la superior: *Llevaba unos pantalones acampanados muy pasados de moda.*

acampanar v. Dar forma de campana o hacer que sea más ancho por la parte inferior que por la superior: *He acampanado mi falda y ahora tiene mucho más vuelo.*

acampante ▮ adj.inv. **1** Que acampa. ▮ s.com. **2** En zonas del español meridional, campista.

acampar v. Detenerse en un lugar al aire libre para vivir temporalmente en él, generalmente alojándose en tiendas de campaña o en caravanas: *Está prohibido acampar en este paraje.* □ ETIMOL. Del italiano *accampare.*

acampedo s.amb. *col.* Acampada en la que se consumen bebidas alcohólicas con la intención de emborracharse: *Me propusieron ir de acampedo, pero no me atrae nada la idea.* □ ETIMOL. De *acampada* y *pedo* (borrachera).

ácana s.f. **1** Árbol americano cuyo tronco tiene una madera fuerte y compacta: *La madera de ácana se usa mucho en construcción.* **2** Madera de este árbol.

acanalado, da adj. **1** Con forma de canal o alargado y abarquillado: *Ha cubierto el tejado de su chalé con tejas acanaladas.* **2** Con forma de estría o con estrías: *Estas columnas tienen el fuste acanalado.*

acanaladura s.f. Canal o estría: *una vasija con acanaladuras.* □ ETIMOL. De *acanalar.*

acanalar v. **1** Hacer canales o estrías: *Acanalaron el río para facilitar el regadío de los sembrados.* **2** Dar forma de canal o de teja, alargada y abarquillada: *El alfarero acanalaba los bordes de los jarrones que hacía.*

acanallado, da adj. Que tiene los defectos propios de un canalla.

acanallar v. Referido a una persona, envilecerla o hacerle adoptar las costumbres o el comportamiento propios de un canalla: *Las malas compañías lo acanallaron.* □ SINÓN. *encanallar.*

acantilado, da ▮ adj. **1** Referido a un fondo marino, que forma escalones: *La costa acantilada hacía difícil el atraque de las embarcaciones en ella.* ▮ adj./s.m. **2** Referido a un terreno, esp. a la costa marina, que está cortado casi verticalmente y es generalmente alto y con rocas: *Desde el faro se veían las olas chocando con fuerza contra las paredes de los acantilados.* ☐ ETIMOL. De *cantil* (cortadura vertical en un terreno, especialmente en la costa).

acantilar v. **1** Referido a una embarcación, vararla en un cantil o lugar costero o marítimo con forma de escalón: *El buque se acantiló por una mala maniobra.* **2** Referido a un fondo marino, dragarlo para que quede formando escalones: *Sacaron gran cantidad de piedras cuando acantilaron esa zona de la costa.*

acanto s.m. Planta herbácea perenne, con hojas largas, rizadas y espinosas, y flores blancas: *La decoración del capitel corintio imita las hojas de acanto.* ☐ ETIMOL. Del latín *acanthus*, y este del griego *ákantha* (espina).

acantonamiento s.m. **1** Distribución y alojamiento de las tropas militares en diversos poblados o poblaciones: *Ordenaron el acantonamiento de las tropas en las afueras de la ciudad.* **2** Lugar en el que hay tropas distribuidas y alojadas: *El enemigo atacó por sorpresa el acantonamiento.* ☐ SINÓN. *cantón.*

acantonar v. Referido a las tropas militares, distribuirlas y alojarlas en diversos poblados o poblaciones: *El coronel ordenó acantonar las tropas en los pueblos más cercanos a la frontera. Las tropas se acantonaron cerca de la capital en espera de nuevas órdenes.* ☐ ETIMOL. De *cantón* (sitio de tropas acantonadas).

acantopterigio, gia ▮ adj./s. **1** Referido a un pez, que se caracteriza por tener esqueleto óseo y aletas con radios espinosos sin articulaciones: *El atún y el pez espada son peces acantopterigios.* ▮ s.m.pl. **2** En zoología, suborden de estos peces: *Los acantopterigios suelen ser peces marinos.* ☐ ETIMOL. Del griego *ákantha* (espina), y *pterýgion* (aleta).

acaparador, -a adj./s. Que acapara: *¡No seas acaparador y deja algo de tarta para los demás!*

acaparamiento s.m. **1** Adquisición o retención de una mercancía en cantidad superior a la normal, en previsión de su escasez o de su encarecimiento: *Hizo acaparamiento de víveres para la acampada y al final sobró casi la mitad de ellos.* **2** Monopolio, apropiación u obtención de algo por completo o en gran parte: *Los vecinos se quejaban del acaparamiento de la piscina por parte de los niños.*

acaparar v. **1** Referido esp. a una mercancía, adquirirla o retenerla en cantidad superior a la normal en previsión de su escasez o de su encarecimiento: *Ante el anuncio de la huelga de supermercados, la gente acaparó los productos de primera necesidad.* **2** Absorber, monopolizar o apropiarse por completo o en gran parte: *La noticia de la dimisión del presidente ha acaparado la atención de la nación en el día de hoy.* ☐ ETIMOL. Del francés *accaparer*, y este del italiano *accaparrare* (comprar dejando algo como señal).

acápite s.m. En zonas del español meridional, párrafo: *Los acápites terminan en punto y aparte.* ☐ ETIMOL. Del latín *a capite* (desde la cabeza), frase con la que se indicaba que una parte del texto debía empezar en la cabeza del renglón.

acaponado, da adj. Que parece propio de un capón u hombre castrado: *una voz aconponada.*

a cappella (it.) ‖ Cantado sin acompañamiento instrumental: *Cantaron dos temas a cappella.* ☐ PRON. [a capéla].

acaracolado, da adj. Con forma de caracol: *Un rizo acaracolado caía sobre su frente.*

acaramelado, da adj. **1** De color marrón rojizo como el del caramelo que se hace solo con azúcar: *un tono acaramelado.* **2** *desp.* Afectado y empalagoso: *una voz acaramelada.* **3** Con excesivas muestras de cariño: *En el parque había dos enamorados muy acaramelados.*

acaramelar ▮ v. **1** Bañar en caramelo líquido o en azúcar fundido: *Para hacer almendras garrapiñadas hay que acaramelarlas.* ☐ SINÓN. *caramelizar.* ▮ prnl. **2** Referido a dos enamorados, darse muestras mutuas de cariño: *Los novios se acaramelaron en un banco del parque.*

acardenalar ▮ v. **1** Referido a una persona, producirle cardenales o moratones: *Le acardenalaron la espalda a golpes.* ▮ prnl. **2** Aparecer manchas de color cárdeno o amoratado en la piel: *Fue al dermatólogo porque se le habían acardenalado los brazos.*

acariciador, -a adj. Que acaricia o que parece que acaricia: *una voz acariciadora.* ☐ SINÓN. *acariciante.*

acariciante adj. →**acariciador.**

acariciar v. **1** Hacer caricias o rozar suavemente con la mano: *¿Puedo acariciar a tu perro?* **2** Referido a una cosa, tocarla o rozarla suavemente otra: *Las olas acariciaban la orilla.* **3** Referido a un proyecto o a una idea, pensar en su consecución o en su ejecución: *Acariciaba la idea de ganar la carrera.* ☐ ORTOGR. La *i* nunca lleva tilde.

acaricida adj.inv./s.m. Referido a una sustancia o a un producto, que sirve para matar arácnidos acáridos. ☐ ETIMOL. De *ácaro* y *-cida* (que mata).

acárido, da ▮ adj./s. **1** Referido a un animal arácnido, que se caracteriza por no tener separación apreciable entre el cefalotórax y el abdomen, por tener una respiración traqueal o cutánea y por vivir generalmente como parásito de otro animal o de un vegetal: *La garrapata es un animal acárido.* ☐ SINÓN. *ácaro.* ▮ s.m.pl. **2** En zoología, orden de estos arácnidos, perteneciente al tipo de los artrópodos: *Algunas especies que pertenecen a los acáridos pueden transmitir enfermedades.*

acariñar v. En zonas del español meridional, acariciar: *Acariñaba a su bebito con mucha dulzura.*

ácaro s.m. Arácnido que no tiene separación apreciable entre el cefalotórax y el abdomen, por tener una respiración traqueal o cutánea y por vivir generalmente como parásito de otro animal o de un vegetal: *Muchas personas tienen alergia a los ácaros del polvo.* ☐ SINÓN. *acárido.* ☐ ETIMOL. Del latín *acarus.*

acarrear v. **1** Transportar o llevar de un lugar a otro: *Entre todos acarrearon el pesado baúl.* **2** Referido esp. a un daño, ocasionarlo, producirlo o traerlo consigo: *El cargo de directora solo le ha acarreado desgracias.* □ ETIMOL. De *carro*.

acarreo s.m. Transporte o traslado de un lugar a otro.

acartonar ▮ v. **1** Poner como el cartón: *El exceso de sol le acartonó la piel y parecía mucho mayor de lo que era.* ▮ prnl. **2** Referido a una persona de edad avanzada, quedarse enjuta o muy delgada: *El abuelo se acartonó terriblemente a causa de la enfermedad.* □ SINÓN. *apergaminarse*.

acaso adv. **1** Quizá, tal vez o posiblemente: *Acaso vaya mañana. ¿Acaso crees que no me doy cuenta?* **2** ‖ **por si acaso;** por si ocurre o llega a ocurrir algo: *Dime a qué hora es el concierto por si acaso puedo ir.* ‖ **si acaso;** si por casualidad: *Si acaso la ves, dale recuerdos de mi parte.* □ ETIMOL. De *caso* (casualidad). □ ORTOGR. Dist. de *ocaso*.

acastañado, da adj. De color semejante al castaño o con tonalidades castañas.

acatamiento s.m. Aceptación de una orden, de una ley o de una autoridad con sumisión: *Exigió el acatamiento inmediato de sus reglas.*

acatar v. Referido esp. a una orden, a una ley o a una autoridad, aceptarlas con sumisión: *Acataron la decisión del árbitro aunque no estaban de acuerdo con ella.* □ ETIMOL. Del antiguo *catar* (mirar).

acatarrarse v.prnl. Contraer catarro en las vías respiratorias: *Con el frío que hacía, salió en camiseta y se ha acatarrado.*

acatólico, ca adj. Que no profesa la religión católica.

acaudalado, da adj. Que tiene mucho caudal o muchos bienes: *Ha hecho un negocio millonario con una de las familias más acaudaladas de la ciudad.*

acaudalar v. Reunir en gran cantidad o en abundancia: *Se fue a América y allí acaudaló una inmensa fortuna.*

acaudillamiento s.m. Dirección o mando que ejerce un jefe o un líder.

acaudillar v. Mandar, dirigir o guiar como cabeza o jefe: *El coronel acaudillaba las tropas que conquistaron la última plaza rebelde.*

acceder v. **1** Referido esp. a una petición o a un deseo, consentir en ellos o mostrarse de acuerdo o favorable a ellos: *Cuando le dije que no se lo diría a nadie, accedió a contarme su secreto.* **2** Referido a un lugar, tener acceso, paso o entrada a él: *Esta llave permite acceder a todas las habitaciones del hotel. Por esa puerta se accede a la sala.* **3** Referido a una situación o a un grado superiores, alcanzarlos o tener acceso a ellos: *Por fin ha accedido a un puesto de responsabilidad en su trabajo.* □ ETIMOL. Del latín *accedere* (acercarse). □ SINT. 1. Constr. *acceder* A *algo*. 2. Su uso como transitivo, generalmente en pasiva, es incorrecto: *Estas son las páginas web {*que han sido accedidas > a las que se ha accedido} hoy.*

accesibilidad s.f. Posibilidad de acceder a algo.

accesible adj.inv. **1** Que tiene acceso o entrada: *Están de obras para hacer más accesible esa parte del edificio.* **2** De acceso o trato fáciles: *Aunque sea una persona famosa y ocupada, es muy accesible y te ayudará en lo que pueda.* **3** De fácil comprensión o que puede ser entendido: *Sus clases son accesibles para todos.* □ SEM. Dist. de *asequible* (fácil de conseguir o de alcanzar).

accésit (pl. *accésit*) s.m. En un concurso literario, artístico o científico, recompensa inmediatamente inferior al premio: *Con aquel cuento consiguió un accésit en el concurso literario convocado por el Ayuntamiento.* □ ETIMOL. Del latín *accesit* (se acercó). □ PRON. Incorr. *[áccesit].

acceso s.m. **1** Llegada o acercamiento a algo: *El acceso a aquella parte de la cueva era casi imposible.* **2** Lugar por el que se llega o se entra a un sitio: *Los accesos a la ciudad quedaron colapsados por el tráfico.* **3** Posibilidad de tratar a alguien o de alcanzar algo: *Tiene acceso a toda la información secreta.* **4** Ataque o aparición repentina y muy fuerte de un estado físico o moral: *un acceso de tos.* □ ETIMOL. Del latín *accessus*. □ ORTOGR. Dist. de *absceso*. □ SINT. Constr. de las acepciones 1, 2 y 3: *acceso* A *algo*. □ SEM. No debe emplearse con el significado de 'visita' o 'entrada': *{*Los accesos > Las visitas} son una buena medida de la popularidad de una página web.*

accesorio, ria ▮ adj. **1** Secundario, que depende de lo principal o que no forma parte esencial o natural: *detalles accesorios.* ▮ s.m. **2** Utensilio u objeto auxiliar o de adorno: *Trabajo en una tienda de accesorios de automóvil.* □ MORF. En la acepción 2, se usa más en plural.

accidentado, da ▮ adj. **1** Referido esp. a un terreno, abrupto, montañoso o con desniveles e irregularidades: *un terreno accidentado.* **2** Agitado, turbado, difícil o con incidentes: *una reunión accidentada.* ▮ adj./s. **3** Referido a una persona, que ha sido víctima de un accidente: *Condujeron a los accidentados al hospital.* □ ETIMOL. La acepción 1, del francés *accidenté*. Las acepciones 2 y 3, de *accidente*.

accidental adj.inv. **1** Secundario, no esencial o no principal: *un dato accidental.* **2** Casual, fortuito o no habitual: *Me enteré de la noticia de forma totalmente accidental.* **3** Referido a un cargo, que se desempeña con carácter provisional: *director accidental.*

accidentalidad s.f. **1** Menor importancia o falta de fundamento: *Lo que no me convence de esa teoría es su accidentalidad.* **2** Casualidad o imprevisto: *La accidentalidad de aquella muerte estaba clara para el policía que se encargaba del caso.*

accidentar ▮ v. **1** Producir un accidente o provocar un incidente: *Sus salidas de tono accidentaron la reunión familiar.* ▮ prnl. **2** Sufrir un accidente: *Se accidentaron porque conducían demasiado deprisa.*

accidente s.m. **1** Suceso o hecho inesperados de los que involuntariamente resulta un daño para una persona o para una cosa: *La falta de visibili-*

dad en esa curva es causa de muchos accidentes de tráfico. **2** Lo que sucede de forma imprevista y que altera el orden natural de las cosas: *Fue un accidente contarte los secretos del proyecto, porque solo quería darte una idea.* **3** Calidad, estado o lo que aparece en alguna cosa sin ser parte de su esencia o naturaleza: *En la filosofía de Aristóteles, el concepto de accidente se opone al de sustancia.* **4** Elemento que configura el relieve de un terreno: *La geografía física estudia los ríos, las montañas y otros accidentes geográficos.* **5** || **accidente (gramatical);** en morfología, en una palabra variable, modificación que sufre en su forma para expresar diversas categorías gramaticales: *En español los accidentes gramaticales del nombre son género y número.* ☐ ETIMOL. Del latín *accidens*, y este de *accidere* (caer encima). ☐ SEM. Dist. de *incidente* (disputa o pelea entre dos o más personas).

acción s.f. **1** Lo que se hace o se realiza: *Premiaron su buena acción. No te creía capaz de una acción tan vil.* **2** Influencia, impresión o efecto producidos por un agente sobre algo: *La acción de la erosión modela el paisaje.* **3** En una obra dramática o en un relato, sucesión de hechos que constituyen su argumento: *La acción de esa película transcurre en la selva.* **4** *col.* Posibilidad o facultad de hacer algo: *Necesitan gente de acción que pueda resolver los problemas que se presenten.* **5** Actividad, movimiento o dinamismo: *Dejemos de hablar y pasemos a la acción.* **6** En economía, cada una de las partes en que se divide el capital de una sociedad anónima: *Esta empresa cuenta con más de diez millones de acciones.* **7** Título o documento que acredita y representa el valor de cada una de estas partes: *Compró acciones de su empresa y ganó una fortuna gracias a ellas.* **8** En derecho, facultad legal que se tiene para pedir alguna cosa en juicio: *La acción penal se inicia mediante denuncia o querella.* **9** En derecho, puesta en práctica de esta facultad: *Como el inquilino no quería marcharse de la casa, la propietaria inició las acciones legales oportunas.* **10** Representación o montaje teatral breves, generalmente de carácter innovador: *La exposición incluye cine, acciones y ciclos de conferencias.* **11** En publicidad, actividad de promoción de menor nivel que una campaña y que se dirige generalmente a grupos concretos de consumidores: *La campaña publicitaria se ha centrado en diversas acciones promocionales.* **12** || **acción directa;** empleo de la violencia alabado por algunos grupos sociales, con fines políticos o económicos: *Todos aquellos atentados fueron realizados por grupos que defendían la acción directa.* ☐ ETIMOL. Las acepciones 1-5, 8-11, del latín *actio*. Las acepciones 6 y 7, por influencia del francés *action* y del holandés *aktie*. ☐ USO En el lenguaje cinematográfico, se usa para advertir a actores y técnicos que comienza una toma: *'¡Luces!, ¡cámara!, ¡acción!', dijo la directora con el megáfono.*

accionable adj.inv. Que se puede accionar: *Esta cerradura tiene un dispositivo que solo es accionable desde el interior.*

accionamiento s.m. Puesta en marcha de un mecanismo o de una parte de él: *El accionamiento a distancia de esa maquinaria supone un gran avance tecnológico.*

accionar v. **1** Referido a un mecanismo o a una parte de él, ponerlos en marcha o hacerlos funcionar: *Accionó el televisor con el mando a distancia.* **2** Hacer gestos o movimientos para expresar algo o para dar mayor énfasis y expresividad a lo dicho: *Esa actriz acciona tanto que se nota mucho que está actuando.*

accionariado s.m. Conjunto de accionistas o personas que poseen acciones de una sociedad anónima.

accionarial adj.inv. De las acciones de una empresa, o relacionado con ellas: *bonificación accionarial.*

accionario, ria adj. De las acciones de una sociedad anónima o relacionado con ellas.

accionista s.com. Persona que tiene acciones de una sociedad anónima: *Los accionistas tuvieron una reunión extraordinaria para decidir el futuro de la compañía.*

accisa s.f. Impuesto especial sobre determinado producto: *La Hacienda Pública ha impuesto accisas sobre el tabaco, el alcohol y los derivados del petróleo.*

ace (ing.) s.m. En tenis, tanto directo de saque: *Con este ace, la tenista se anota este juego.* ☐ PRON. [éis]. ☐ USO Su uso es innecesario y se puede sustituir por *saque ganador*.

acebal s.m. →**acebeda.**

acebeda s.m. Terreno poblado de acebos. ☐ SINÓN. *acebal.*

acebiño s.m. Variedad de acebo muy alto y fuerte: *El acebiño es propio de las islas Canarias.*

acebo s.m. **1** Árbol silvestre de hojas perennes, de color verde oscuro, brillantes y con bordes espinosos, que tiene flores blancas y frutos en forma de bolitas rojas: *El acebo se utiliza como adorno en Navidad.* **2** Madera de este árbol: *El acebo es blanco, flexible, duro y compacto y se usa mucho en ebanistería.* ☐ ETIMOL. Del latín *acifolium* o **acifum*, que son variantes vulgares de *aquifolium*.

acebuchal s.m. Terreno poblado de acebuches.

acebuche s.m. **1** Olivo propio de zonas áridas, que tiene menos ramas que el cultivado y da como fruto la acebuchina: *El acebuche tiene una gran resistencia al viento y a las grandes variaciones de temperatura.* ☐ SINÓN. *olivo silvestre.* **2** Madera de este árbol: *Tengo dos sillas de acebuche.* ☐ ETIMOL. Del árabe *az-zanbuy*.

acebuchina s.f. Fruto del acebuche, parecido a la aceituna pero de peor calidad: *Las acebuchinas son más pequeñas y menos carnosas que las aceitunas.*

acechador, -a adj./s. Que acecha. ☐ SINÓN. *acechante.*

acechante adj.inv. →**acechador.**

acechanza s.f. Vigilancia o persecución cautelosas que se hacen con un propósito determinado: *Los sospechosos no se dieron cuenta de la acechanza de la policía.* □ SEM. Dist. de *asechanza* (engaño para perjudicar).

acechar v. Vigilar o aguardar cautelosamente con algún propósito: *La acechaba desde la esquina de su casa para poder hablar con ella.* □ SINÓN. *avizorar.* □ ETIMOL. Del latín *assectari* (seguir).

acecho s.m. **1** Vigilancia, observación o espera cautelosas con algún propósito: *La actriz sufrió el acecho de los periodistas que pretendían entrevistarla.* **2** || **{al/en} acecho;** observando a escondidas y con cuidado: *El centinela estaba al acecho, para avisar de cualquier peligro.*

acecinar (tb. *cecinar*) v. Referido esp. a la carne, salarla y ponerla al humo y al aire para su conservación: *En algunas zonas se acecina carne de vaca.*

acedar ▌v. **1** Poner agrio: *Este vino se ha acedado tanto que parece vinagre.* ▌prnl. **2** Referido a una planta, ponerse amarilla y estropearse por un exceso de humedad o de acidez del medio en el que viven: *Regué demasiado las plantas y se me acedaron todas.* □ ETIMOL. Del antiguo *acedo* (ácido).

acedera s.f. Planta herbácea perenne, de sabor ácido, que se usa generalmente como condimento: *Suele poner un poco de acedera en las ensaladas.* □ SINÓN. *vinagrera.* □ ETIMOL. Del latín *acetaria*, y este de *acetum* (vinagre).

acedía s.f. Pez marino comestible, parecido al lenguado y que vive en los fondos arenosos del Atlántico y del Mediterráneo.

acedo, da adj. *poét.* Ácido.

acefalia s.f. **1** Falta de cabeza o de una parte de ella. **2** Falta de dirigente o de jefe.

acéfalo, la adj. Sin cabeza o sin parte considerable de ella: *La almeja es un molusco acéfalo.* □ ETIMOL. Del latín *acephalus*, y este del griego *a-* (negación) y *kephalé* (cabeza).

aceitar v. Untar o bañar con aceite: *Hay que aceitar el molde antes de echar la masa para que no se pegue en el horno.*

aceite s.m. **1** Líquido graso combustible, de origen vegetal, animal, mineral o sintético, que no se disuelve en el agua y que se usa en la alimentación y en procesos industriales: *aceite de oliva.* **2** || **perder aceite;** *col. desp.* Referido a una persona, ser homosexual. □ ETIMOL. Del árabe *az-zait* (el jugo de la oliva).

aceitera s.f. Véase **aceitero, ra.**

aceitero, ra ▌adj. **1** Del aceite o relacionado con este líquido graso: *industria aceitera.* ▌s. **2** Persona que se dedica a la fabricación o venta de aceite. ▌s.f. **3** Pequeño recipiente o vasija que sirve para conservar aceite. □ SINÓN. *alcuza.* ▌s.f.pl. **4** Pieza que se usa para el servicio de mesa y que consta de dos o más recipientes destinados a contener el aceite, el vinagre y a veces también otros condimentos. □ SINÓN. *vinagreras.*

aceitoso, sa adj. **1** Que tiene mucho aceite: *La ensalada estaba demasiado aceitosa para mi gusto.* **2** Que tiene aceite: *El óleo es una pintura aceitosa.* □ SINÓN. *oleaginoso, oleoso.* **3** Que es graso y espeso como el aceite: *Esta salsa tiene un aspecto aceitoso.* □ SINÓN. *oleaginoso, oleoso.*

aceituna s.f. **1** Fruto del olivo, del que se extrae aceite, es de forma ovalada, color verde y tiene un hueso grande y duro que encierra la semilla: *¿Te apetecen unas aceitunas de aperitivo?* □ SINÓN. *oliva.* **2** || **aceituna de verdeo;** la que se recoge verde y se consume como fruto después de aliñarla. || **aceituna manzanilla;** la de pequeño tamaño y color verde claro: *La aceituna manzanilla suele consumirse rellena de anchoa.* □ ETIMOL. Del árabe *az-zaituna* (la oliva).

aceitunada s.f. Véase **aceitunado, da.**

aceitunado, da ▌adj. **1** Del color de la aceituna: *piel aceitunada.* ▌s.f. **2** Cosecha de aceituna: *La aceitunada de este año ha sido escasa y de mala calidad.*

aceitunero, ra s. Persona que recoge, transporta o vende aceitunas, esp. si esta es su profesión: *Muchos aceituneros que trabajan en esta zona son temporeros.*

aceituní (pl. *aceituníes, aceitunís*) s.m. Tela lujosa que se usaba en la Edad Media. □ ETIMOL. Del árabe *azzaytuní*, gentilicio de *Zaytun*, adaptación del nombre de la ciudad china de *Tsö-Thung*.

aceituno s.m. Árbol de tronco corto, grueso y retorcido, copa ancha y abundantes ramas, hojas persistentes elípticas, estrechas y puntiagudas, verdes por el haz y blanquecinas por el envés, flores blancas pequeñas, y cuyo fruto es la aceituna: *Mis padres vendieron todos los aceitunos que tenían en el pueblo.* □ SINÓN. *olivera, olivo.*

aceleración s.f. **1** Aumento de la velocidad. □ SINÓN. *aceleramiento.* **2** En física, incremento o aumento de la velocidad en la unidad de tiempo. □ SINÓN. *aceleramiento.* □ ETIMOL. Del latín *accelerationis.* □ USO En la acepción 1, es innecesario el uso del galicismo *reprise.*

acelerado, da adj. **1** *col.* Referido esp. a una persona, que esta muy impaciente, muy nerviosa o muy activa: *Hoy pareces un poco acelerado.* **2** Que ocurre o se desarrolla a un ritmo mayor de lo que se considera normal: *No me gustaría tener una vida tan acelerada como la tuya.* **3** Referido esp. a un curso educativo, que se imparte de forma intensiva: *un curso acelerado de inglés.*

acelerador, -a ▌adj. **1** Que acelera: *Este nuevo tratamiento está indicado para procesos aceleradores del envejecimiento de la piel.* ▌s.m. **2** En algunos vehículos, mecanismo que regula la entrada de la mezcla explosiva en la cámara de combustión y que permite acelerar más o menos el número de revoluciones del motor: *El acelerador de esta moto está en el mango derecho del manillar.* **3** || **acelerador (de partículas);** en física, aparato que se utiliza para acelerar partículas atómicas cargadas eléctricamente: *En el acelerador, las partículas pueden alcanzar velocidades próximas a la de la luz.*

aceleramiento s.m. →**aceleración.**

acelerante adj.inv./s.m. Que acelera.

acelerar ▮ v. **1** Dar mayor velocidad o aumentar la velocidad: *Si quieres acelerar el trabajo, tendrás que contratar más personal.* **2** Referido a un vehículo o a su motor, accionar su acelerador para que se mueva con mayor velocidad: *Si pisas tanto el acelerador, aceleras el coche demasiado. Nunca hay que acelerar al entrar en una curva.* ▮ prnl. **3** Ponerse nervioso o apurarse: *Aunque tiene mil cosas que hacer, nunca se acelera y siempre le da tiempo a todo.* □ ETIMOL. Del latín *accelerare* (apresurar).

acelerómetro s.m. Instrumento que sirve para medir los cambios de velocidad: *Este nuevo prototipo de automóvil lleva tres acelerómetros para estudiar la velocidad que puede alcanzar.* □ ETIMOL. De *aceleración* y *-metro* (medidor).

acelerón s.m. Aceleración brusca e intensa a la que se somete un motor: *Como sigas dando esos acelerones al coche, se va a recalentar el motor.*

acelga s.f. Planta herbácea de hojas grandes, anchas y lisas, con el nervio central blanco y muy desarrollado: *Hoy he comido acelgas rehogadas con jamón.* □ ETIMOL. Del árabe *as-silga.*

acémila s.f. **1** Mula o mulo que se utiliza para llevar cargas: *Se dirigió al mercado a vender las verduras que transportaba a lomos de su acémila.* **2** *desp.* Persona ruda y de poco entendimiento: *Es muy exagerado y dice que en su clase hay muchas acémilas.* □ SINÓN. *asno.* □ ETIMOL. Del árabe *az-zamila* (la bestia de carga).

acemilería s.f. Lugar donde se tienen las acémilas y sus aparejos.

acemilero s.m. Hombre que cuida o conduce acémilas.

acendrado, da (tb. *cendrado, da*) adj. *poét.* Puro o sin mancha ni defecto: *Es una mujer de acendradas virtudes.*

acendramiento s.m. *poét.* Depuración, purificación o limpieza de cualquier mancha o defecto.

acendrar (tb. *cendrar*) v. *poét.* Depurar, purificar o dejar sin mancha ni defecto: *Acendró al máximo la formación cultural de sus hijos.* □ ETIMOL. De *cendrar*, y este del antiguo *cendra* (pasta de ceniza de huesos que se usaba para pulir el oro y la plata).

acento s.m. **1** Pronunciación destacada de una sílaba de la palabra, distinguiéndola de las demás por su mayor intensidad, por su alargamiento o por un tono más alto: *'Café' es una palabra aguda, porque lleva el acento en la última sílaba.* **2** Signo ortográfico con el que se marca la vocal de la sílaba tónica o acentuada, según los criterios marcados por las normas de acentuación: *El acento sirve para diferenciar significados de palabras con la misma forma, como el sustantivo 'té' del pronombre 'te'.* □ SINÓN. *tilde.* **3** Pronunciación especial de una lengua, característica del habla de una determinada zona geográfica o de una persona concreta: *un acento extranjero.* **4** Importancia o relieve especial que se conceden a algo: *En la reunión se puso especial acento en la necesidad de un acuerdo.* **5** En música, énfasis o intensidad que se da a una nota o acorde en relación a otros que están próximos: *El acento del compás de tres por cuatro recae en el primer tiempo.* **6** ‖ **acento agudo;** el que tiene forma de rayita oblicua que baja de derecha a izquierda: *En el español actual solo se usa el acento agudo, como en 'jamón', 'árbol' y 'éxtasis'.* ‖ **acento circunflejo;** el que tiene forma de ángulo con su vértice en la parte superior: *La palabra francesa 'fenêtre' tiene acento circunflejo.* ‖ **acento de intensidad;** el que consiste en un mayor esfuerzo al expulsar el aire: *El acento español es un acento de intensidad.* ‖ **acento grave;** el que tiene forma de rayita oblicua que baja de izquierda a derecha: *La palabra catalana 'català' tiene acento grave.* □ ETIMOL. Del latín *accentus*, y este de *canere* (cantar).

acentuación s.f. **1** Realce de la pronunciación de una sílaba, distinguiéndola de las demás: *El español tiende a la acentuación de las palabras en la penúltima sílaba.* **2** Escritura o colocación del acento ortográfico: *Hicimos un dictado para practicar la acentuación.* **3** Realce, aumento o intensificación: *La acentuación de su mal genio fue progresiva y se debió a su mala salud.*

acentual adj.inv. Del acento gramatical o relacionado con él.

acentuar v. **1** Destacar la pronunciación de una sílaba, distinguiéndola de las demás por su mayor intensidad, su alargamiento o su tono más alto: *Este francés habla bastante bien el español, pero no sabe acentuarlo.* **2** Escribir o poner acento ortográfico: *Es preceptivo acentuar también las mayúsculas.* **3** Pronunciar o expresar poniendo especial énfasis: *Cuando dijo que no estaba interesada, acentuó el 'no' para que no hubiera duda de su negativa.* □ SINÓN. *recalcar, subrayar.* **4** Resaltar, destacar, realzar o intensificar: *Este silencio acentúa las tensiones que hay entre nosotros. Las arrugas del rostro se acentúan con el paso del tiempo.* □ ORTOGR. La *u* lleva tilde en los presentes, excepto en las personas *nosotros* y *vosotros* →ACTUAR.

aceña s.f. Molino de harina situado en el cauce de un río: *Ya quedan muy pocas aceñas en esta región.* □ ETIMOL. Del árabe *as-siña* (la rueda hidráulica).

-áceo, -ácea Sufijo que indica pertenencia o semejanza: *opiáceo, grisácea.* □ ETIMOL. Del latín *-aceus.*

acepción s.f. Cada uno de los significados o sentidos que tiene una palabra o frase según el contexto en los que se usen: *En este diccionario, las acepciones de las palabras están separadas por números.* □ ETIMOL. Del latín *acceptio.*

aceptabilidad s.f. Capacidad para ser aceptado o admitido: *La aceptabilidad de esas propuestas es dudosa.*

aceptable adj.inv. Digno de ser aceptado: *Tu propuesta me parece aceptable, pero la decisión final no depende de mí.*

aceptación s.f. **1** Recibimiento de forma voluntaria de algo que se ofrece o se da: *Me comunicó por carta la aceptación de mis disculpas.* **2** Aprobación o consideración de algo como bueno o válido:

La firma de este contrato significa la aceptación de las normas en él escritas. **3** Buena acogida o éxito: *Ese modelo de coche ha tenido mucha aceptación.* **4** Obligación, por escrito, de pagar una letra de cambio o una orden de pago: *La aceptación de letras de cambio se suspendió cuando la empresa se declaró en quiebra.*

aceptar v. **1** Referido a algo que se ofrece o se encarga, recibirlo voluntariamente: *Aceptó mi regalo.* **2** Aprobar o dar por bueno: *Aceptó mi cambio de planes sin rechistar. No se aceptó su propuesta porque no reunía los requisitos necesarios.* ☐ SINÓN. *admitir.* **3** Referido a una letra o a una orden de pago, obligarse por escrito a su pago: *Hemos aceptado letras por valor de varios miles de euros.* **4** Soportar o tolerar con entereza o con paciencia: *Es difícil aceptar la muerte sin rebelarse.* ☐ ETIMOL. Del latín *acceptare* (recibir).

aceptor s.m. Sustancia, átomo o partícula que intervienen en una reacción aceptando electrones para formar compuestos. ☐ ETIMOL. Del latín *acceptor.*

acequia s.f. Zanja o canal pequeño por donde se conduce el agua para diversos usos, generalmente para el riego: *En esta región, las acequias son el principal sistema de regadío.* ☐ ETIMOL. Del árabe *as-saqiya* (la que da de beber).

acequión s.m. En zonas del español meridional, arroyo.

acera s.f. **1** En una calle, cada uno de sus dos lados, generalmente más elevados que la calzada, y destinados para el paso de los peatones. **2** Hilera de casas que hay en cada uno de los lados de una calle: *¿En qué acera vives tú?* **3** ‖ **ser** alguien **de la {acera de enfrente/otra acera};** *col. desp.* Ser homosexual. ☐ ETIMOL. Del latín *faciaria,* y este de *facies* (cara). ☐ ORTOGR. Dist. de *cera.*

aceráceo, a ▌ adj./s.f. **1** Referido a una planta, que tiene dos cotiledones, hojas opuestas, flores con pétalos dispuestos de forma simétrica, con fruto carnoso y savia azucarada: *El arce es una acerácea.* ▌ s.f.pl. **2** En botánica, familia de estas plantas, perteneciente a la clase de las dicotiledóneas: *Las aceráceas son frecuentes en países de clima templado o frío.* ☐ ETIMOL. Del latín *acer* (arce).

acerado, da adj. **1** De acero o con sus características: *un metal acerado.* **2** Incisivo, duro o hiriente: *un comentario acerado.*

acerar v. **1** Referido esp. al hierro, darle las propiedades del acero: *una instalación para acerar hierro.* **2** Poner aceras: *Están acerando las calles del nuevo barrio.*

acerbo, ba adj. **1** Cruel o desapacible: *críticas acerbas.* **2** Referido esp. a un vino, que presenta más acidez de la normal. ☐ ETIMOL. Del latín *acerbus* (áspero y agrio). ☐ ORTOGR. Dist. de *acervo.*

acerca ‖ **acerca de** algo; sobre ello o en relación con ello: *Ha escrito un libro acerca de la Revolución Francesa.* ☐ ETIMOL. Del latín *ad circa.* ☐ SEM. Dist. de *acerca* del verbo *acercar.*

acercamiento s.m. Colocación en una posición más cercana: *El acercamiento que se produjo entre sindicatos y patronal fue resaltado en todos los periódicos.*

acercar v. **1** Poner más cerca o a menor distancia: *Acércame el teléfono, por favor. Nos acercamos a la fecha fijada.* **2** Aproximar o poner de acuerdo: *Después de una hora de discusión, conseguimos acercar nuestras ideas.*

acerería s.f. →**acería.**

acería s.f. Fábrica de acero: *Las acerías se han visto directamente afectadas por la reconversión industrial.* ☐ SINÓN. *acerería.*

acerico s.m. Bolsita de tela rellena de un material blando que se usa para clavar en ella alfileres y agujas: *Hoy en día, los sastres y modistas usan más los imanes que los acericos tradicionales.* ☐ ETIMOL. De **hazero* (almohada).

acerista s.com. Persona que se dedica profesionalmente a la fabricación o producción de acero.

acero s.m. **1** Aleación de hierro y una pequeña proporción de carbono: *acero inoxidable.* **2** Arma blanca, esp. la espada: *Los espadachines desenvainaron sus aceros.* **3** ‖ **de acero;** duro, fuerte y muy resistente: *nervios de acero.* ☐ ETIMOL. Del latín *aciarium,* y este de *acies* (filo).

acerola s.f. Fruto del acerolo: *Las acerolas son redondas, rojas o amarillas, y tienen dentro tres huesos muy pequeños y muy juntos.* ☐ ETIMOL. Del árabe *az-za'rura* (el níspero).

acerolo s.m. Árbol de ramas espinosas, flores blancas y fruto agridulce, típico de los bosques mediterráneos: *El acerolo ha sido considerado emblema de la esperanza.*

acérrimo, ma adj. **1** Que es intransigente o extremado, o que muestra fortaleza y decisión: *enemigos acérrimos.* **2** superlat. irreg. de **acre.**

acertado, da adj. Correcto o adecuado: *Tienes tres respuestas acertadas y dos erróneas. Has elegido la opción más acertada.*

acertante adj.inv./s.com. Que acierta: *El único acertante en la lotería primitiva se llevó un premio de varios miles de euros.*

acertar v. **1** Referido a algo dudoso, ignorado u oculto, dar con ello: *Nunca acierto los jeroglíficos de esta revista.* **2** Dar en el punto a que se dirige algo: *Disparó y acertó justo en el centro de la diana.* **3** Hacer lo más adecuado: *Acertó al elegir estudiar esa carrera.* **4** Seguido de 'a' y de infinitivo, suceder por casualidad lo indicado por el infinitivo: *Acertó a pasar por allí.* **5** ‖ **acertar con** algo; encontrarlo después de haberlo estado buscando: *Acerté con su domicilio sin preguntar a nadie.* ☐ ETIMOL. Del latín *ad* (a) y *certum* (cosa cierta). ☐ MORF. Irreg. →PENSAR.

acertijo s.m. **1** Pasatiempo o juego que consiste en hallar la solución de un enigma o en encontrar el sentido oculto de una frase: *¿Sabes la solución del acertijo 'Oro parece, plata no es'?* ☐ SINÓN. *adivinanza.* **2** Afirmación o sentencia problemáticas o difíciles de entender.

acervo s.m. Conjunto de bienes o de valores: *acervo cultural.* □ ETIMOL. Del latín *acervus.* □ ORTOGR. Dist. de *acerbo.*

acetaldehído s.m. Líquido incoloro, muy volátil, de olor desagradable, que se oxida fácilmente en contacto con el oxígeno: *El acetaldehído es resultante de la oxidación del alcohol etílico.*

acetato s.m. **1** Sal formada por ácido acético y una base: *acetato sódico; acetato de polivinilo.* **2** Material fabricado a partir de esta sal: *una película de acetato; un chándal de acetato.* □ ETIMOL. Del latín *acetum* (vinagre).

acetazolamida s.f. Polvo de color blanco o amarillento que se emplea como diurético en los casos de retención de líquidos o en las afecciones cardíacas: *La doctora me recetó un medicamento con acetazolamida porque retengo mucho los líquidos y tengo problemas con la orina.*

acético, ca adj. **1** Del vinagre, de sus derivados o relacionado con ellos: *la fermentación acética.* **2** Referido a un ácido, que se produce por oxidación del alcohol y es un buen disolvente orgánico. □ ETIMOL. Del latín *acetum* (vinagre).

acetilcolina s.f. Compuesto químico que actúa en la transmisión de impulsos nerviosos: *La acetilcolina es liberada por las terminaciones nerviosas del sistema nervioso.*

acetileno s.m. Gas incoloro, inflamable y tóxico, producido por la acción del agua sobre el carburo de calcio: *El acetileno al arder produce una llama muy luminosa y por eso ha sido muy utilizado para el alumbrado.* □ ETIMOL. De *acetilo* (radical correspondiente al ácido acético).

acetilo s.m. Radical químico que forma parte del ácido acético. □ ETIMOL. Del latín *acetum* (vinagre).

acetilsalicílico adj. Referido a un ácido, que es un derivado del ácido salicílico combinado con ácido acético y que se utiliza en medicamentos contra la fiebre, el dolor o la inflamación: *La aspirina contiene ácido acetilsalicílico.*

acetona s.f. Líquido incoloro e inflamable, que se emplea en la industria como disolvente de grasas, lacas y otros compuestos orgánicos, y que se genera también en el organismo humano como consecuencia de ciertas enfermedades: *Siempre me quito el esmalte de uñas con un algodón empapado de acetona.* □ ETIMOL. Del antiguo *aceto* (vinagre).

acezar v. Respirar trabajosamente o con dificultad, generalmente a causa del cansancio: *Llegó y se echó, acezando por el esfuerzo.* □ SINÓN. *jadear.* □ ORTOGR. La *z* se cambia en *c* delante de *e* →CAZAR.

achabacanar v. Hacer chabacano o grosero y de mal gusto: *El ambiente de esos suburbios achabacanaban a sus habitantes. Desde que se junta con esa gente se ha achabacanado mucho.*

achacar v. Referido esp. a una culpa o a un delito, atribuírselos a alguien: *Achacó el fracaso a la falta de planificación.* □ ETIMOL. Del árabe *'atsákkà* (acusar).

achacoso, sa adj. Que padece achaques o enfermedades habituales y generalmente de poca importancia, esp. a causa de la edad avanzada.

achaflanar v. Referido a una esquina, darle forma de chaflán achatándola: *Al achaflanar las esquinas de las casas han creado pequeñas placitas en cada cruce de calles.*

achampanado, da (tb. *achampañado, da*) adj. Referido a una bebida, que imita el champán: *un vino achampanado.*

achampañado, da adj. →**achampanado.**

achantar ▮ v. **1** Acobardar, confundir o causar miedo: *A mí no me achanta nadie si creo que tengo razón.* ▮ prnl. **2** Callarse por cobardía o por resignación: *En las discusiones se achanta y nunca interviene.* □ ETIMOL. De *chantar* (decir algo sin reparos).

achaparrado, da adj. Grueso o extenso y de poca altura. □ SINÓN. *chaparrudo.* □ ETIMOL. De *chaparro.*

achaparrarse v.prnl. **1** Referido a un árbol, tomar forma de chaparro al no crecer lo que es normal: *La rotura de la yema del eje principal ha hecho que este árbol se haya achaparrado.* **2** Adquirir una configuración baja y gruesa en el desarrollo: *Este hombre siempre fue bajito, pero terminó de achaparrarse en su vejez.*

achaque s.m. Indisposición o enfermedad habituales y generalmente de poca importancia, esp. las que son propias de la vejez: *El abuelo está bien, con sus achaques de siempre, pero muy animado.* □ ETIMOL. Del árabe *as-saka'* (la queja, la enfermedad).

acharar v. Avergonzar, aturdir o turbar: *Me achara mucho que me mires fijamente.* □ ETIMOL. Del caló *jacharar* (calentar), influido por *azarar.*

achares s.m.pl. *col.* Celos: *dar achares a alguien.* □ ETIMOL. Del caló *jachare* (quemazón).

acharolado, da adj. Parecido al charol: *Llevaba unos zapatos acharolados.*

acharolar v. →**charolar.**

achatamiento s.m. Aplastamiento o transformación en algo más plano o que sobresalga menos en relación con otra cosa de la misma especie o clase: *El achatamiento del globo terráqueo por los polos es producido por el movimiento de rotación.*

achatar v. Poner chato o hacer que algo sea más plano o que sobresalga menos en relación con otra cosa de la misma especie o clase: *Al hacerle el retrato le acható un poco la nariz. Con el golpe se acható el morro del coche.*

achatarrar v. Referido esp. a un coche, convertirlo en chatarra: *El periódico dice que son tantos los vehículos que se achatarran al año que sus residuos suponen un problema.*

achelense adj.inv./s.m. Referido a una cultura prehistórica, que se desarrolló durante el paleolítico inferior, es anterior al musteriense, y se caracteriza por su industria de la piedra, en la que destacan los utensilios muy tallados por las dos caras de forma simétrica: *Los hombres del achelense fabricaban hachas con cantos de sílex tallados.*

achicador, -a ▌ adj./s. **1** Que achica. ▌ s.m. **2** Instrumento que sirve para achicar el agua.

achicamiento s.m. **1** Disminución de la dimensión, la duración o la estimación de algo: *La bruja le advirtió que quien bebiera esa pócima experimentaría un rápido achicamiento.* **2** Extracción de agua acumulada en un lugar, esp. en una embarcación: *Entre todos los marineros consiguieron el achicamiento del agua del buque.* □ SINÓN. *achique.*

achicar v. **1** Referido al tamaño, la dimensión o la duración de algo, disminuirlos o hacerlos menores: *Achicaron el comedor para ampliar el cuarto de estar. El jersey se achicó al lavarlo en la lavadora.* **2** Referido esp. a una embarcación, extraer el agua de ella: *Achicaron la barca con cubos para evitar que se hundiera.* **3** Humillar o acobardar: *Lo achicó saber que sería comprobado todo lo que dijese. Al ver que nadie me apoyaba, me achiqué y decidí callarme.* **4** Hacer de menos o rebajar la estimación de algo: *Los grandes logros de su hermano mayor achican aún más sus pequeñas victorias. No te achiques por lo que te digan y ten más confianza en ti mismo.* □ ORTOGR. La *c* se cambia en *qu* delante de *e* →SACAR.

achicharradero s.m. *col.* Lugar en el que hace mucho calor: *Este patio en verano es un achicharradero.*

achicharramiento s.m. *col.* Calentamiento excesivo de algo hasta quemarlo.

achicharrar ▌ v. **1** Referido a un alimento, freírlo, tostarlo o asarlo hasta que tome sabor a quemado: *Saca las chuletas de la sartén porque las vas a achicharrar. Se le olvidó apagar el horno y la tarta se achicharró.* **2** Calentar demasiado: *El sol del mediodía achicharra. Las plantas se han achicharrado con tanto calor.* ▌ prnl. **3** Sentir un calor excesivo o quemarse por la acción de un agente exterior: *Como estés tanto tiempo al sol, te achicharrarás.* □ ETIMOL. Del antiguo *chicharrar* (abrasar).

achicharre s.m. *col.* Calor sofocante.

achichincle s.com. *col. desp.* En zonas del español meridional, persona que ayuda en un trabajo a otra de cargo o preparación superior. □ ETIMOL. Del náhuatl *atl* (agua) y *chichiqui* (el que chupa), porque así se les llamaba a los que transportaban el agua que salía de las minas.

achicopalarse v.prnl. *col.* En zonas del español meridional, acobardarse: *Cuando le presenté a mi amiga, se achicopaló y no pudo ni hablar.*

achicoria (tb. *chicoria*) s.f. **1** Planta herbácea de hojas recortadas, ásperas y comestibles: *Las hojas de achicoria se pueden consumir crudas en ensalada.* **2** Bebida que se obtiene por la infusión de la raíz tostada de esta planta, y que se utiliza como sucedáneo del café. □ ETIMOL. Del latín *cichoria.*

achiguar ▌ v. **1** En zonas del español meridional, combar o arquear: *Con la lluvia la madera se achiguó.* ▌ prnl. **2** *col.* En zonas del español meridional, referido a una persona, echar barriga. □ ORTOGR. 1. La *u* lleva diéresis cuando le sigue *e*. 2. La *u* permanece siempre átona →AVERIGUAR.

achinado, da ▌ adj. **1** Con facciones o rasgos parecidos a los de los chinos: *ojos achinados.* ▌ adj./s. **2** En zonas del español meridional, con facciones o rasgos mestizos.

achinar v. Referido esp. a los ojos, entrecerrarlos o ponerlos oblicuos: *Achinó los ojos para ver el letrero desde lejos. Cuando sonríes se te achinan los ojos.*

achingatado, da adj. *col.* En zonas del español meridional, referido a una persona, que se comporta de manera agresiva.

achiote (tb. *achote*) s.m. **1** Árbol americano de poca altura, con flores rojas y olorosas: *El fruto del achiote contiene muchas semillas.* **2** Tinte rojizo que se extrae de las semillas de este árbol: *Los indios empleaban antiguamente el achiote para teñirse el cuerpo.*

achipilado, da adj./s. *col.* En zonas del español meridional, que está muy mimado.

achique s.m. **1** Extracción del agua acumulada en un lugar, esp. en una embarcación: *Tuvieron que usar bombas para el achique del sótano inundado.* □ SINÓN. *achicamiento.* **2** En fútbol, movimiento de la defensa hacia adelante para provocar el fuera de juego del equipo contrario: *La táctica del achique debe su nombre a César Menotti.*

achis interj. *col.* En zonas del español meridional, expresión que se usa para manifestar extrañeza, sorpresa, admiración o disgusto.

achispar v. Referido a una persona, ponerla casi ebria o borracha: *El vino lo achispó y no paró de hablar en toda la noche. Se achispó con una copa de anís y empezó a reírse por todo.* □ SINÓN. *enchispar.*

-acho, -acha Sufijo con valor despectivo: *libracho, ricacha.* □ ETIMOL. Del latín *-aceus.*

achocolatado, da adj. Con el color del chocolate o con otras características propias de este: *una pasta achocolatada.*

acholado, da adj. En zonas del español meridional, que tiene la piel del mismo color que la de los mestizos: *Las personas acholadas tienen la tez oscura.*

acholar v. *col.* En zonas del español meridional, avergonzar. □ ETIMOL. De *cholo.*

achote s.m. →**achiote.**

achubascarse v.prnl. Referido esp. al cielo, llenarse de nubes que traen aguaceros con viento: *Si el cielo se achubasca más, no salimos.* □ ORTOGR. La *c* se cambia en *qu* delante de *e* →SACAR.

achuchado, da adj. **1** *col.* Con poco dinero: *Este mes andamos muy achuchados.* **2** Difícil, duro o que plantea problemas: *una vida muy achuchada.*

achuchar v. **1** *col.* Acariciar o abrazar cariñosamente: *El padre achuchaba con alegría a la niña para que se riera. Una pareja se achuchaba en la parada del autobús.* **2** *col.* Atosigar o apremiar: *Siempre tengo que achucharte para que termines a tiempo.* □ ETIMOL. De origen expresivo.

achucharrar v. **1** En zonas del español meridional, aplastar o apretujar. **2** En zonas del español meridional, acobardar o desanimar. ☐ MORF. Se usa más como pronominal.

achuchón s.m. **1** Empujón o golpe leve que se da a alguien: *El autobús iba tan lleno que tuve que soportar los achuchones de la gente que quería salir.* **2** Caricia o abrazo cariñoso: *No des tantos achuchones al niño porque lo vas a hacer llorar.*

achucuyar v. En zonas del español meridional, acobardar o desanimar. ☐ MORF. Se usa más como pronominal.

achulado, da adj. *col.* Que tiene aire o modales de chulo.

achulapado, da adj. Con aire o modales de chulapo: *Desde que vive en la zona más castiza de Madrid habla con tono achulapado.*

achulaparse v.prnl. Adquirir modales o maneras de chulapo: *Muchos personajes de los sainetes de Arniches son señoritos que se achulapan.*

achularse v.prnl. Adquirir modales o maneras de chulo: *Desde que se ha ido a vivir a ese barrio se ha achulado.*

achunchar v. En zonas del español meridional, avergonzar. ☐ MORF. Se usa más como pronominal.

achura s.f. En zonas del español meridional, asadura de una res. ☐ MORF. Se usa más en plural.

achurar v. *col.* En zonas del español meridional, herir o matar a cuchilladas: *Nadie sabe quién achuró a mi compadre.*

aciago, ga adj. Referido a un período de tiempo, infeliz, nefasto o que presagia desgracias: *un día aciago.* ☐ ETIMOL. Del latín *aegyptiacus dies*, que en la Edad Media se decía de los días del año considerados peligrosos.

aciano s.m. Planta de tallo erguido y ramoso con grandes flores de color rojo, blanco o azul claro: *Este gel para bebés está hecho con extracto de aciano.* ☐ ETIMOL. Del latín *cyanus* y este del griego *kyanós* (azul).

acíbar s.m. **1** Planta perenne de hojas alargadas y carnosas que arrancan de la parte baja del tallo y de las que se extrae un jugo muy amargo y parecido a la resina, que se usa en medicina: *El tallo del acíbar termina en una espiga de flores rojas, blancas o amarillas.* ☐ SINÓN. *aloe, sábila.* **2** *poét.* Amargura o sensación de disgusto: *Se queja de los acíbares de su vida.* ☐ ETIMOL. Del árabe *as-sibar* o *as-sibr* (el jugo del áloe).

acibarado, da adj. *poét.* Triste, desazonado o amargo: *Espero que tu acibarada existencia sea espléndida a partir de ahora.*

acibarar v. *poét.* Entristecer, desazonar o amargar: *Tu historia acibara mi alegría.*

acicaladura s.f. →**acicalamiento.**

acicalamiento s.m. Aseo y arreglo cuidadosos: *Por las mañanas necesita media hora para su acicalamiento.* ☐ SINÓN. *acicaladura.*

acicalar v. Asear y arreglar con cuidado: *Acicaló a los niños para ir a ver a los abuelos. Tardó una hora en acicalarse para la fiesta.* ☐ ETIMOL. Del árabe *as-siqal* (el pulimento).

acicate s.m. Lo que resulta gratificante e impulsa a hacer o a desear algo: *Sus éxitos suponen un acicate para mí.* ☐ SINÓN. *incentivo.* ☐ ETIMOL. Del árabe *as-sawkat* (los aguijones, las espinas).

acicatear v. Incitar o estimular: *Los muchachos iban corriendo y unos a otros se acicateaban.*

acícula s.f. Hoja de las coníferas, con forma de aguja.

acicular adj.inv. Con forma de aguja o semejante a ella: *El pino tiene hojas aciculares.* ☐ ETIMOL. Del latín *acicula* (aguja pequeña).

acid (ing.) adj.inv. **1** Del acid house o relacionado con este tipo de música: *música acid.* **2** ‖ **acid (house);** estilo de música que se caracteriza por el uso de los sintetizadores y las nuevas tecnologías con un efecto psicodélico o hipnótico. ‖ **acid jazz;** estilo de música que mezcla ritmos de sintetizador con improvisaciones de jazz. ‖ **acid rock;** estilo de música que mezcla ritmos de rock con efectos psicodélicos. ☐ PRON. [ácid], [ácid háus] con *h* aspirada, [ácid yas] y [ácid roc].

acidez s.f. **1** Sabor ácido: *Al hacer tomate frito, se pone un poquito de azúcar para quitarle la acidez.* **2** Desagrado o aspereza en el trato: *La acidez con que le hablaba demostraba su antipatía hacia ella.* **3** En los aceites y en otras sustancias, cantidad de ácidos libres: *Este aceite tiene una acidez de un grado.* **4** ‖ **acidez de estómago;** sensación de quemazón y malestar en el estómago, producida por el exceso de ácidos en el jugo gástrico.

acidia s.f. *poét.* Pereza. ☐ ETIMOL. Del latín *acidia*, y este del griego *akedía* (negligencia).

acidificación s.f. Proceso químico por el que se acidifica un componente: *Uno de los problemas ecológicos actuales es la acidificación de los suelos.*

acidificar v. En química, referido esp. a un componente, hacerlo ácido: *Los residuos vertidos acidificaron las aguas del río y murieron muchos peces.* ☐ ORTOGR. La *c* se cambia en *qu* delante de *e* →SACAR.

ácido, da ▮ adj. **1** De sabor amargo, parecido al del vinagre o al del limón: *Estas naranjas están muy ácidas.* **2** Desagradable, malhumorado o áspero en el trato: *una crítica ácida.* **3** En química, referido a una sustancia, que tiene las propiedades de un ácido: *una solución ácida.* **4** Del tipo de música llamada *acid house* o relacionado con ella: *La música ácida utiliza los sintetizadores para crear un ritmo psicodélico e hipnótico.* ▮ s.m. **5** Sustancia química que puede formar sales combinándose con algún óxido metálico u otra base de distinta especie: *El azufre forma distintos tipos de ácidos, como el sulfhídrico, el sulfúrico o el sulfuroso.* **6** *col.* En el lenguaje de la droga, variedad de una droga de fuertes efectos alucinógenos. ☐ ETIMOL. Del latín *acidus*. La acepción 4, del inglés *acid* (ácido).

acidófilo, la adj. Referido esp. a una bacteria, que ayuda a restituir la flora intestinal afectada por enfermedades o antibióticos: *En el yogur hay bacterias acidófilas.*

acidosis (pl. *acidosis*) s.f. Estado patológico producido por exceso de ácidos en la sangre y en los tejidos orgánicos: *La acidosis aparece en la fase final de algunas enfermedades, como la diabetes.*

acidulante adj.inv./s.m. Referido a una sustancia, que se añade a algunos alimentos para que sean más ácidos o más agrios: *El ácido cítrico se usa como acidulante.*

acidular v. Referido esp. a una sustancia, ponerla ligeramente ácida: *Con un poco de limón puedes acidular la crema.*

acierto s.m. **1** Solución correcta entre varias posibilidades: *En la quiniela nunca he tenido más de diez aciertos.* **2** Habilidad, tino o destreza en lo que se hace: *Su acierto al dar en el blanco fue aplaudido por todos.* **3** Lo que tiene éxito o resultado adecuado: *Fue un acierto invitarlos a venir con nosotras.*

ácimo (tb. *ázimo*) adj. →**pan ácimo.** ☐ ETIMOL. Del latín *azymus*, y este del griego *ázymos*.

acimut (tb. *azimut*) (pl. *acimuts, acimutes*) s.m. En astronomía, ángulo formado por el plano vertical de un astro y el plano meridiano del punto de observación: *Como esta figura es un ángulo, el acimut se puede medir con un cuadrante.* ☐ ETIMOL. Del árabe *as-sumut*, que es el plural de *as-samt* (la dirección).

acinesia s.f. En medicina, falta, pérdida o suspensión del movimiento: *La acinesia puede estar causada por una lesión cerebral.* ☐ ETIMOL. Del griego *akinesía* (inmovilidad). ☐ PRON. Incorr. *[akinésia].

acitara s.f. Muro pequeño que se pone en los puentes para evitar caídas: *El chaval cayó al río al intentar pasar el puente subido a la acitara.* ☐ ETIMOL. Del árabe *as-sitara* (el velo).

acitrón s.m. Calabaza azucarada y confitada: *El acitrón es un ingrediente habitual en la preparación de postres mejicanos.* ☐ ETIMOL. De *citrón* (limón).

acivilar v. *poét.* Envilecer. ☐ ETIMOL. De *civil* en el antiguo sentido de *grosero o vil*.

aclamación s.f. **1** Acogida de una persona con voces o aplausos de aprobación o entusiasmo por parte de una multitud: *Los jugadores se retiraron entre las aclamaciones del público.* **2** ‖ **por aclamación;** por unanimidad o con el consentimiento de todos: *El Parlamento manifestó con un aplauso que aprobaba la propuesta por aclamación.*

aclamar v. **1** Referido a una persona, darle voces o aplausos de aprobación o entusiasmo una multitud: *Los manifestantes aclamaron a sus líderes.* **2** Referido a un cargo o un honor, otorgarlo a una persona por unanimidad: *El pastor baptista fue aclamado líder del partido.* ☐ ETIMOL. Del latín *acclamare*.

aclamídeo, a adj. Referido a una flor, que no tiene cáliz ni corola: *El sauce es tiene flores aclamídeas.* ☐ ETIMOL. De *a-* (privación) y el griego *khlamýs* (clámide).

aclaración s.f. **1** Explicación o puesta en claro: *Exijo una aclaración de tu comportamiento.* **2** En un escrito, nota o comentario: *Las aclaraciones finales de este capítulo nos fueron muy útiles.*

aclarado s.m. Limpieza con agua de algo que está enjabonado: *Avísame cuando la lavadora esté en el aclarado, porque tengo que echar el suavizante.*

aclarar ▌v. **1** Quitar oscuridad o hacer más claro: *Estoy rubia porque uso un champú que aclara el pelo. La ropa blanca se aclara si la lavas con lejía.* **2** Quitar espesor o densidad: *Si la salsa ha quedado muy espesa, aclárala con un poco de agua. La pintura se aclara con aguarrás.* **3** Poner en claro o explicar: *Aclaró mis dudas con mucha amabilidad.* ☐ SINÓN. *despejar.* **4** Referido a algo que está enjabonado, quitarle el jabón con agua: *Esta lavadora no aclara bien la ropa. No puedo salir del baño hasta que no me aclare la cabeza.* **5** Referido a la voz, hacerla más perceptible: *Antes de empezar el recital, hizo gárgaras para aclarar la voz.* **6** Referido al tiempo atmosférico, mejorar o quedar despejado de nubes o de niebla: *Si esta noche no aclara, no podremos salir al campo.* **7** Amanecer o empezar la claridad del día: *Ya está aclarando y pronto saldrá el sol.* ▌prnl. **8** *col.* Poner en claro las propias ideas: *Estoy hecho un lío sobre este asunto, y necesito aclararme.* ☐ ETIMOL. Del latín *acclarare*.

aclaratorio, ria adj. Que aclara, explica o hace más fácil de entender: *comentarios aclaratorios.*

aclimatación s.f. Adaptación a un nuevo clima, ambiente o actividad: *Es muy difícil conseguir la aclimatación de plantas tropicales en los países nórdicos.*

aclimatar v. Adaptar a un nuevo clima, ambiente o actividad: *Esta planta se ha aclimatado muy bien al calor.* ☐ ETIMOL. Del francés *acclimater*. ☐ MORF. Se usa más como pronominal. ☐ SEM. Dist. de *climatizar* (acondicionar la temperatura).

acmé s.amb. En una enfermedad, período de mayor intensidad: *el acmé de la varicela.* ☐ ETIMOL. Del griego *akmé* (punta). ☐ PRON. Incorr. *[ácme].

acné s.m. Enfermedad de la piel que se caracteriza por la inflamación de las glándulas sebáceas y la aparición de espinillas y granos, generalmente en la cara y en la espalda: *El acné es típico de la adolescencia.* ☐ ETIMOL. Del griego *akmé* (punta).

acneico, ca adj. Del acné o relacionado con él: *piel acneica.*

-aco, -aca **1** Sufijo que indica origen, procedencia o patria: *austriaco, polaca.* **2** Sufijo que indica relación: *cardíaco, policíaca.* **3** Sufijo que tiene un valor despectivo: *pajarraco, tiparraca.* ☐ ETIMOL. Del latín *-acus*.

acobardamiento s.m. Sentimiento de miedo o de pérdida del ánimo y del valor.

acobardar v. Asustar, atemorizar o hacer perder el ánimo y el valor: *Nos acobardaron las dificultades. Se acobardó ante tantos problemas.*

acocarse v.prnl. Referido a un fruto, criar gusanos: *Tiré algunas manzanas porque se acocaron.* ☐ ETIMOL. Del latín *coccum*. ☐ ORTOGR. La *c* se cambia en *qu* delante de *e* →SACAR.

acocil s.m. Crustáceo americano de agua dulce, parecido al camarón, pero de color grisáceo. ☐ ETI-

MOL. Del náhuatl *acuitzilli.* □ MORF. Es un sustantivo epiceno: *el acocil {macho/hembra}.*

acocote s.m. Calabaza hueca y agujereada por ambos extremos, que se utiliza para extraer por succión el aguamiel de los magueyes. □ ETIMOL. Del náhuatl *acocohtli*, y este de *atl* (agua) y *cocotli* (esófago).

acodar ▌v. **1** Doblar en forma de codo: *Acodó el tubo para la salida de humos y lo adaptó a la pared.* **2** Referido esp. a un tallo de una planta, doblarlo y meterlo bajo tierra sin separarlo del tronco o del tallo principal, para que eche raíces la parte enterrada y forme una nueva planta: *No todas las plantas permiten acodar sus tallos.* ▌prnl. **3** Apoyarse en los codos: *Se acodó en la barandilla, sujetándose la cabeza y mirando al infinito.*

acodo s.m. Operación de acodar una planta: *Cuando esta planta crezca, puedes conseguir otras nuevas por acodo de sus tallos.*

acogedor, -a adj. Agradable, cómodo, tranquilo o amistoso, esp. referido a un entorno: *un lugar acogedor.*

acoger ▌v. **1** Referido a una persona, recibirla y aceptar su trato: *Lo acogió en su propia casa.* **2** Dar protección, refugio o amparo: *Este centro acoge a los que no tienen hogar.* **3** Admitir, aceptar o aprobar: *Acogieron la propuesta con gran entusiasmo.* ▌prnl. **4** Referido a una persona, exigir para sí un derecho concedido por una ley, una norma o una costumbre: *Se acogió a la ley de servicio civil que sustituye al servicio militar.* **5** Valerse de algún pretexto para disimular o disfrazar algo: *Se acoge a la idea de que a mí no me conviene hacerlo.* □ ETIMOL. Del latín **accoligere*, y este de *colligere* (recoger). □ ORTOGR. La *g* se cambia en *j* delante de *a, o* →COGER. □ SINT. 1. Constr. de la acepción 1: *acoger EN un lugar.* 2. Constr. como pronominal: *acogerse A algo.*

acogida s.f. Véase **acogido, da.**

acogido, da ▌s. **1** Persona a quien se admite y mantiene en un establecimiento de beneficencia: *En este orfanato hay más de trescientos acogidos.* □ SINÓN. *asilado.* **2** Persona que busca refugio fuera de su país de origen, generalmente porque huye de una guerra, de una catástrofe o de una persecución política. ▌s.f. **3** Recibimiento u hospitalidad que ofrece una persona o un lugar: *Nos dispensaron una acogida muy cariñosa.* □ SINÓN. *acogimiento.* **4** Admisión, aceptación o aprobación: *Nunca supuse que el proyecto tuviese tan buena acogida.* □ SINÓN. *acogimiento.*

acogimiento s.m. **1** Recibimiento u hospitalidad que ofrece una persona o un lugar: *No esperábamos tan espléndido acogimiento en este pueblo.* □ SINÓN. *acogida.* **2** Admisión, aceptación o aprobación: *El programa tuvo un acogimiento mejor del previsto.* □ SINÓN. *acogida.*

acogotar v. Vencer, intimidar, dominar de forma tiránica: *Lo acogotaron con amenazas y chantajes.*

acojonante adj.inv. *vulg.malson.* →**impresionante.**

acojonar v. **1** *vulg.malson.* →**acobardar. 2** *vulg.malson.* →**impresionar.**

acojone s.m. *vulg.malson.* Miedo o impresión fuertes.

acojono s.m. *vulg.malson.* Miedo o impresión fuertes.

acolchado s.m. **1** Colocación de lana, algodón u otro material blando entre dos telas que después se cosen unidas: *el acolchado de una tela.* **2** Revestimiento de algo con un material blando: *El acolchado de la cuna evita que el bebé se haga daño si se golpea contra los barrotes.* □ SINÓN. *capitoné.*

acolchar v. **1** Poner lana, algodón u otras materias blandas entre dos telas que después se unen: *Voy a acolchar estas telas con guata para hacer una bolsa.* □ SINÓN. *almohadillar.* **2** Revestir con un material blando: *He acolchado el despacho para aislarlo de ruidos.*

acolchonar v. *col.* Referido a una situación, hacer que esta sea más fácil o llevadera: *Cuando le des la mala noticia intenta acolchonar un poco la situación.*

acólito s.m. **1** En la iglesia católica, seglar facultado para servir al sacerdote en el altar y administrar la eucaristía de forma extraordinaria: *Es un acólito, no un simple monaguillo.* **2** *desp.* Persona que acompaña o sigue a otra y depende de ella: *Nadie se puede acercar a él, porque siempre va rodeado de sus acólitos.* □ ETIMOL. Del latín *acolytus*, y este del griego *akóluthos* (el que va por el mismo camino).

acomedirse v.prnl. En zonas del español meridional, ofrecerse para hacer algo. □ ETIMOL. De *comedirse.* □ MORF. Irreg. →PEDIR.

acometer v. **1** Atacar con fuerza o de forma impetuosa: *El perro acometió a los que atacaban a su amo.* **2** Referido esp. al sueño o a una enfermedad, venir o dar repentinamente: *Me acometió una fiebre altísima que me postró en la cama.* □ SINÓN. *atacar.* **3** Referido a una acción, emprenderla, decidirse a hacerla o empezar a ejecutarla: *Acometieron la ejecución del proyecto con entusiasmo.* □ ETIMOL. Del antiguo *cometer* (embestir).

acometida s.f. **1** Ataque fuerte y violento: *la acometida del toro.* □ SINÓN. *acometimiento.* **2** Instalación por la que se deriva hacia un edificio un fluido que circula por una conducción principal: *la acometida de la luz.*

acometimiento s.m. →**acometida.**

acometividad s.f. **1** Tendencia a acometer o a atacar: *La acometividad de los toros de esta ganadería está suficientemente probada.* □ SINÓN. *agresividad.* **2** Decisión para emprender una tarea y hacer frente a sus dificultades: *La acometividad es decisiva para triunfar en este negocio.* □ SINÓN. *agresividad.*

acomodación s.f. **1** Colocación en el sitio que corresponde: *La acomodación de los invitados a la mesa llevó bastante tiempo.* **2** Adaptación del ojo para que la visión no se altere cuando varía la distancia o la luz del objeto que se mira: *acomodación visual.*

acomodadizo, za adj. Que se acomoda fácilmente a todo: *Se ha adaptado bien a su nueva situación porque tiene un carácter acomodadizo.* □ SINÓN. *acomodaticio.*

acomodado, da adj. Que tiene muchos medios económicos: *una familia acomodada.*

acomodador, -a ▮ adj./s. **1** Que acomoda o dispone convenientemente: *Más que decorador, me gusta ser acomodador de espacios.* ▮ s. **2** En algunos lugares públicos, esp. en cines y teatros, persona que se dedica profesionalmente a indicar a los asistentes los asientos que deben ocupar: *El acomodador me mostró con la linterna mi butaca.*

acomodar ▮ v. **1** Colocar en el lugar que corresponde: *El sobrecargo del avión nos acomodó en nuestros asientos. Se acomodó en la butaca y se dispuso a leer la novela.* **2** Disponer o arreglar convenientemente: *Acomódate el pelo, que con el aire te has despeinado.* **3** Amoldar o armonizar a una norma: *Tenemos que acomodar los impresos a la nueva norma. Estas disposiciones no se acomodan a lo que dice la ley.* **4** Concertar o conciliar: *Con esta propuesta el director intenta acomodar a las dos partes en disputa.* **5** Agradar o ser conveniente: *Hazlo como te acomode.* ▮ prnl. **6** Conformarse o avenirse a algo: *Hay que saber acomodarse a lo que se tiene.* □ ETIMOL. Del latín *accommodare*, y este de *accommodus* (ajustado). □ SINT. Constr. de la acepción 6: *acomodarse* A *algo.*

acomodaticio, cia adj. Que se acomoda fácilmente a todo: *una persona acomodaticia.* □ SINÓN. *acomodadizo.*

acomodo s.m. **1** Hecho de acomodar o acomodarse. **2** Alojamiento o lugar en el que se vive: *Busco acomodo para esta noche.*

acompañamiento s.m. **1** Conjunto de personas que van acompañando a alguien. □ SINÓN. *comitiva.* **2** Conjunto de alimentos que complementan el plato principal: *De segundo comí un filete con unas patatas de acompañamiento.* **3** En una composición musical, soporte o complemento armónico de la melodía principal, por medio de instrumentos o de voces: *La soprano cantó con un acompañamiento de piano.* **4** En música, provisión de este soporte o de un fondo musical a una voz solista, a un instrumento o a un coro: *El acompañamiento a un cantante solista suele correr a cargo de un pianista.*

acompañante adj.inv./s.com. Que acompaña: *Se presentó a la cena con varios acompañantes de última hora.*

acompañar v. **1** Referido a una persona, ir con ella o hacerle compañía: *¿Me acompañas al instituto?* **2** Referido a una persona, tener algo, esp. una cualidad: *Es antipático y encima la voz no lo acompaña.* **3** Referido a una persona, participar de sus sentimientos: *Te acompaño en el sentimiento por la muerte de tu padre.* **4** Coincidir o existir simultáneamente: *El buen tiempo nos acompañó durante todo el viaje.* **5** Juntar, agregar o agrupar formando un conjunto: *Me gusta acompañar las comidas con un poco de vino. Para que sea válido el impreso, debe acompañarse de una fotocopia del carné de identidad.* **6** En música, referido esp. a un solista, proveerlo de un acompañamiento o fondo musical: *El pianista acompañó muy bien a la cantante. Los cantaores flamencos suelen acompañarse con una guitarra.* □ ETIMOL. De *compaña* (compañía). □ SINT. Constr. de la acepción 6: *acompañar(se)* {AL/DE} *un instrumento.*

acompasado, da adj. Que acostumbra a hablar o a moverse de forma pausada o rítmica: *un ritmo acompasado.*

acompasar (tb. *compasar*) v. Referido a una cosa, adaptarla a otra: *Acompasaron sus movimientos a la música.* □ ETIMOL. De *compás.*

acomplejado, da adj./s. Referido a una persona, que tiene algún complejo psíquico.

acomplejar v. Causar o sentir una inhibición o un complejo psíquico: *Me acompleja con sus comentarios y sus aires de suficiencia. No te acomplejes por ser el más bajo de la clase, ya crecerás.* □ ORTOGR. Conserva la *j* en toda la conjugación.

aconchabarse v.prnl. → **conchabarse.**

acondicionador, -a ▮ adj. **1** Que acondiciona, prepara o pone las condiciones adecuadas: *una máquina acondicionadora.* ▮ s.m. **2** Aparato para acondicionar o climatizar un espacio: *un acondicionador de aire.* **3** Producto cosmético para el cabello que se usa después del lavado, y que sirve para facilitar el peinado.

acondicionamiento s.m. Preparación adecuada de algo: *El acondicionamiento de la nueva vivienda se realizó en el plazo previsto.*

acondicionar v. **1** Preparar adecuadamente o poner en las condiciones adecuadas: *Han acondicionado el desván y lo usan como biblioteca.* **2** Referido a un espacio cerrado, darle las condiciones de temperatura, humedad del aire o presión necesarias para la salud o para la comodidad de quienes lo ocupan: *Acondicionaron el museo para proteger los cuadros del calor y de la humedad.* □ SINÓN. *climatizar.*

aconfesional adj.inv. Que no pertenece a ninguna confesión religiosa: *España es un estado aconfesional.*

aconfesionalidad s.f. Falta de confesionalidad: *la aconfesionalidad de un Estado.*

acongojar v. **1** Entristecer, afligir o apenar: *La enfermedad de su hijo la ha acongojado. Cuando nos contó su desgracia nos acongojamos.* **2** Causar o sentir preocupación o temor: *Lo acongojaba pensar que era muy tarde y que su hijo no había llegado. Cuando vi que venían hacia mí los atracadores, me acongojé.* □ ORTOGR. Conserva la *j* en toda la conjugación.

acónito s.m. **1** Planta de hojas palmeadas y flores amarillas o azules en racimo, que resulta venenosa cuando la semilla ha madurado: *El acónito crece en lugares húmedos y sombreados.* **2** Sustancia venenosa que se extrae del tubérculo de esta planta: *El* *acónito tiene algunos usos medicinales.* □ ETIMOL. Del griego *akóniton*.

aconsejable adj.inv. Que se puede aconsejar: *No es aconsejable que fumes.*

aconsejado, da adj. **1** Prudente o reflexivo: *una persona aconsejada.* **2** || **mal aconsejado;** imprudente o temerario.

aconsejar ▌v. **1** Dar un consejo: *No sé qué hacer y vengo a que me aconsejes.* **2** Recomendar o proponer: *Me aconsejó que me quedara en casa aquella noche.* ▌prnl. **3** Pedir consejo: *Se aconsejaron con varios entendidos antes de invertir su dinero.* □ ORTOGR. Conserva la *j* en toda la conjugación.

aconsonantar v. Referido esp. a un verso o a una palabra, rimar o hacerlos rimar con otros con rima consonante: *Normalmente, los versos de un terceto aconsonantan el primero con el tercero y queda libre el segundo.* □ MORF. Se usa más en infinitivo y como participio.

aconstitucional adj.inv. Que carece de constitucionalidad o conformidad con la Constitución.

acontecer v. Referido a un hecho, producirse, realizarse u ocurrir: *En aquella época aconteció una terrible desgracia.* □ SINÓN. *acaecer, suceder.* □ ETIMOL. Del latín **contingere* (suceder). □ MORF. 1. Verbo defectivo: Solo se usa en las terceras personas de cada tiempo, y en las formas no personales (infinitivo, gerundio y participio). 2. Irreg. →PARECER.

acontecimiento s.m. Hecho o suceso, esp. si son importantes: *Aquella fiesta fue un acontecimiento en la vida social de la pequeña ciudad.*

a contrario sensu (lat.) || En sentido contrario. □ PRON. [a contrário sénsu]. □ SINT. Incorr. *una interpretación de la ley {*contrario sensu > a contrario sensu}.*

acopiar v. Referido esp. a granos o a provisiones, acumularlos o reunirlos en gran cantidad: *Acopiaron gran cantidad de trigo para el invierno.* □ ORTOGR. La *i* nunca lleva tilde.

acopie s.m. En zonas del español meridional, acopio o acumulación.

acopio s.m. Acumulación o reunión de gran cantidad de algo: *Hicieron acopio de provisiones para la larga travesía.* □ ETIMOL. De *copia* (abundancia).

acoplado, da ▌adj./s. **1** *col.* Referido a una persona, que se une a otra u otras sin haber sido invitada: *Siempre va de acoplado a las excursiones.* ▌s.m. **2** En zonas del español meridional, remolque.

acoplamiento s.m. **1** Unión y ajuste de dos cosas dispares, o de una pieza con otra o en el sitio que le corresponde: *La avería se produjo por un acoplamiento defectuoso de las piezas del motor.* **2** Unión sexual entre animales. **3** Interferencia entre dos sistemas acústicos electrónicos que impide una perfecta audición: *El concierto no se oía bien por problemas de acoplamiento.*

acoplar ▌v. **1** Referido a dos cosas dispares, unirlas y ajustarlas: *Acoplaremos nuestros horarios de trabajo para poder poner en común los proyectos.* **2** Referido a una pieza, unirla y ajustarla a otra, o al sitio en el que debe colocarse: *Ya hemos acoplado las piezas del mueble y solo falta atornillarlas.* **3** Adaptar a un nuevo uso o a una nueva situación: *Si vas a vivir al extranjero, debes acoplar tus costumbres a las de tu nuevo país. Se sabe acoplar muy bien a todas las situaciones. Este matrimonio se ha acoplado muy bien.* ▌prnl. **4** Referido a los animales, unirse sexualmente: *Las ballenas se acoplan cerca de la superficie del agua.* **5** *col.* Referido a una persona, unirse a otra u otras sin haber sido invitada: *Es un caradura, siempre se acopla a nuestras fiestas.* **6** Referido a dos sistemas acústicos electrónicos, producir interferencias que impiden una perfecta audición: *El micrófono y los altavoces se han acoplado y se ha oído un pitido muy molesto.* □ ETIMOL. Del latín *copulare* (juntar).

acoquinamiento s.m. Acobardamiento o debilitación del ánimo.

acoquinar v. *col.* Acobardar o debilitar los ánimos: *Un proyecto tan peligroso acoquina a cualquiera. Se acoquinó ante los graves problemas que se le plantearon.* □ ETIMOL. Del francés *acoquiner* (acostumbrar a un hábito degradante; acurrucarse). □ ORTOGR. Dist. de *apoquinar*.

acorazado, da ▌adj. **1** Protegido con un revestimiento de planchas de acero o de hierro: *En la cámara acorazada de un banco es donde se guardan sus fondos.* ▌s.m. **2** Barco de guerra blindado, de gran tamaño y tonelaje: *La aviación enemiga hundió dos de los tres acorazados.*

acorazar v. Referido esp. a un buque de guerra o a una fortificación, protegerlos con un revestimiento de planchas de acero o de hierro: *Acorazaron los buques para hacerlos más resistentes a los ataques enemigos.* □ ETIMOL. De *coraza*.

acorazonado, da adj. Con forma de corazón o semejante a él: *Algunos árboles tienen hojas acorazonadas.* □ SINÓN. *cordiforme.*

acorchamiento s.m. **1** Adquisición de alguna de las características propias del corcho: *El acorchamiento de la fruta se produjo a causa de la helada.* **2** Insensibilidad de una parte del cuerpo: *Tengo una sensación de acorchamiento en la mejilla, a causa de la anestesia que me ha puesto el dentista.*

acorchar v. **1** Revestir de corcho: *Hemos acorchado las paredes para aislar del ruido la habitación.* **2** Volver fofo o adquirir la textura del corcho: *El calor acorchó la fruta y la dejó insípida. La madera se ha acorchado y está seca.*

acordar ▌v. **1** Referido a una decisión, llegar a ella de común acuerdo: *El consejo de ministros acordó retrasar la reunión.* **2** Determinar o deliberar individualmente: *Aunque no me apetecía, acordé pedirle el favor.* ▌prnl. **3** Recordar o traer a la memoria: *No me acuerdo de cómo se llama.* □ ETIMOL. Del latín **accordare* (poner de acuerdo). □ MORF. Irreg. →CONTAR. □ SINT. Constr. de la acepción 3: *acordarse* DE *algo.* □ SEM. Expresiones como *acordarse de la familia de alguien* se usan como fórmulas de insulto: *Cuando me dijo que no me pensaba pagar, me acordé de toda su familia.*

acorde ▌adj.inv. **1** Conforme o de la misma opinión: *Todos se mostraron acordes con las medidas.* **2** Igual, correspondiente o en consonancia: *Viste acorde con los tiempos.* ▌s.m. **3** En música, conjunto de tres o más notas combinadas de forma armónica y tocadas simultáneamente: *Está aprendiendo a tocar la guitarra y ya sabe algunos acordes.* □ SINT. Constr. de la acepción 1: *acorde* CON *algo.*

acordeón s.m. **1** Instrumento musical de viento, formado por un fuelle con sus extremos cerrados por dos cajas y un juego de botones en cada una de ellas, o bien solo uno en la caja de la mano izquierda y un teclado de piano y otras llaves para seleccionar registros en la de la mano derecha. **2** Lo que tiene una forma semejante a la de este instrumento. □ ETIMOL. Del alemán *Accordion*, y este de *Akkord* (acorde musical).

acordeonista s.com. Músico que toca el acordeón: *El acordeonista interpretó un tango.*

acordonamiento s.m. Cerco de un lugar para incomunicarlo e impedir el acceso de la gente: *Los bomberos procedieron al acordonamiento de la zona en la que se hallaba el edificio incendiado.*

acordonar v. Referido a un lugar, cercarlo para incomunicarlo e impedir el acceso de la gente: *La policía acordonó la zona del crimen en espera de la llegada del forense.*

acorralamiento s.m. Reclusión dentro de unos límites, impidiendo la salida: *Los guardas del zoo consiguieron el acorralamiento del león que se había escapado.*

acorralar v. **1** Encerrar dentro de unos límites, impidiendo la salida: *La policía ha acorralado al ladrón en un piso del edificio.* **2** Confundir o dejar sorprendido y sin saber qué responder: *Acorralaron al entrevistado con preguntas que no se esperaba.* □ ETIMOL. De *corral.*

acortamiento s.m. Disminución de la longitud, la duración o la cantidad de algo: *'Cine' es resultado del acortamiento de la palabra 'cinematógrafo'.*

acortar v. **1** Disminuir la longitud, la duración o la cantidad: *Me voy a acortar este vestido por encima de las rodillas. Según se acerca el invierno, se acortan los días.* **2** Referido a un camino, hacerlo más corto: *Si vamos por aquí acortaremos y conseguiremos llegar a tiempo. Yendo por ese atajo se acorta.*

acosar v. **1** Perseguir sin dar tregua o descanso: *El león acosó a su presa hasta derribarla.* **2** Importunar o molestar con continuas peticiones: *Los periodistas la acosaban con preguntas.* □ ETIMOL. Del latín *accursare.

acose s.m. En zonas del español meridional, acoso.

acoso s.m. **1** Persecución sin tregua ni descanso: *Los ladrones no resistieron el acoso de la policía.* **2** Molestia causada por la insistencia de alguien: *Tuvo que soportar el acoso de los curiosos.* **3** ‖ **acoso y derribo;** conjunto de acciones continuadas que tienen como finalidad dejar a alguien sin escapatoria: *La campaña de acoso y derribo contra el Gobierno se inició hace ya varios meses.*

acostar ▌v. **1** Referido a una persona, echarla o tenderla, esp. en la cama, para que duerma o descanse: *Cuando se desmayó, la llevaron a la cama y la acostaron. Se acuesta temprano porque tiene que madrugar.* ▌prnl. **2** Referido a una persona, mantener relaciones sexuales con otra: *Aseguró que nunca se habían acostado juntos.* □ ETIMOL. De *costa* (costilla, costado). □ MORF. Irreg. →CONTAR. □ SINT. Constr. de la acepción 2: *acostarse* CON *alguien.*

acostumbrado, da adj. Habitual o usual: *Para solicitar un préstamo hay que contestar a las acostumbradas preguntas sobre tu nómina.*

acostumbrar v. **1** Adquirir o hacer adquirir una costumbre o un hábito: *Acostumbró a su hermano a llamar a la puerta antes de entrar. Me acostumbré rápidamente a mi nueva situación.* **2** Tener una costumbre o un hábito: *Acostumbra a madrugar incluso los días de fiesta.* □ SINT. Constr. *acostumbrar* A *algo.*

acotación s.f. **1** Limitación o reducción: *El Gobierno ha acordado la acotación de las importaciones de productos agrarios.* **2** Reserva del uso y del aprovechamiento de un terreno mediante la colocación de determinadas marcas: *Se hizo la acotación de las zonas de recreo.* □ SINÓN. *acotamiento.* **3** Anotación de las cotas en un plano. **4** Apunte o escritura de notas en el margen de un texto, esp. para explicarlo o para aclararlo. **5** En una obra teatral, nota que explica la acción o los movimientos de los personajes.

acotado s.m. Lugar cerrado por mandato de la ley o de alguna ordenanza. □ SINÓN. *vedado.*

acotamiento s.m. **1** Reserva del uso y del aprovechamiento de un terreno mediante la colocación de determinadas marcas: *Solicitó al Ayuntamiento que le permitiera realizar el acotamiento de sus terrenos.* □ SINÓN. *acotación.* **2** En zonas del español meridional, arcén: *Se ponchó una llanta del auto y nos tuvimos que parar en el acotamiento para cambiarla.*

acotar v. **1** Limitar o reducir: *Debes acotar el tema de tu trabajo porque me parece demasiado amplio.* **2** Referido a un terreno, reservar su uso y su aprovechamiento marcándolo generalmente con cotos o mojones: *Han acotado el terreno que van a dedicar a zona de caza.* **3** Referido a un plano, ponerle números que indican la longitud, la distancia o la altura de un punto: *Los topógrafos acotaban el plano de la zona, anotando en cada punto su altura sobre el nivel del mar.* **4** Referido a un texto, ponerle notas al margen, esp. para explicarlo o aclararlo: *En esa editorial acotan los textos de divulgación con las definiciones de las palabras menos usuales.* □ ETIMOL. Las acepciones 1, 2 y 4, de *coto* (terreno acotado, límite). La acepción 3, de *cota* (número que indica la altura en los planos).

acotejar ▌v. **1** En zonas del español meridional, arreglar o acomodar: *Acotejó los platos.* ▌prnl. **2** En zonas del español meridional, ponerse de acuerdo: *Dis-*

cuten mucho, y no se acotejan en el precio. □ ORTOGR. Conserva la *j* en toda la conjugación.

acracia s.f. Doctrina que defiende la supresión de toda autoridad.

ácrata adj.inv./s.com. Que sigue o que defiende la supresión de toda autoridad: *Es una ácrata y dice que la autoridad aliena al individuo.* □ ETIMOL. De *a-* (negación) y la terminación de *demócrata.* □ MORF. Cuando es un sustantivo femenino, pese a empezar por *a* tónica o acentuada, va siempre precedido de las formas femeninas de los determinantes. □ SEM. Dist. de *anarquista* (partidario de la abolición del Estado y de toda forma de gobierno).

acre ▮ adj.inv. **1** De olor o sabor picante y áspero: *El ajo tiene un olor acre que no me gusta.* **2** Referido al carácter o a la forma de hablar, desagradable o desapacible: *Sus respuestas son siempre acres y ofensivas.* ▮ s.m. **3** En el sistema anglosajón, unidad de superficie que equivale aproximadamente a 40,47 áreas. □ ETIMOL. Las acepciones 1 y 2, del latín *acer* (agudo, penetrante). La acepción 3, del inglés *acre.* □ MORF. Como adjetivo: el superlativo es *acérrimo.*

acrecentamiento s.m. Aumento del tamaño, de la cantidad o de la intensidad de algo.

acrecentar v. Hacer mayor en tamaño, en cantidad o en intensidad: *Con estas inversiones ha logrado acrecentar fabulosamente su fortuna. Cada día se acrecentaba su amor hacia ellos.* □ SINÓN. *aumentar.* □ ETIMOL. Del antiguo *crecentar.* □ MORF. Irreg. →PENSAR.

acrecer v. Hacer mayor o aumentar: *La simple idea de las vacaciones acrecía su buen humor.* □ ETIMOL. Del latín *accrescere.* □ MORF. Irreg. →PARECER.

acreditación s.f. Certificación de que una persona posee las facultades necesarias para desempeñar un determinado cargo, mediante un documento: *Los guardias solicitaron mi acreditación como periodista.*

acreditado, da adj. Que tiene buen crédito o buena reputación: *una persona muy acreditada.*

acreditar v. **1** Hacer digno de crédito o probar la certeza: *Acreditó la verdad de su testimonio presentando varios testigos.* **2** Dar o lograr fama o reputación: *El número de compradores acredita este producto. Se acreditaron como los mejores en su especialidad.* **3** Referido a algo con determinada apariencia, asegurar que es lo que parece: *Este documento acredita la autenticidad de esta obra de arte.* **4** Referido a una persona, asegurar un documento que posee las facultades necesarias para desempeñar un cargo: *Este carné me acredita como el delegado de la empresa.* □ ETIMOL. De *crédito.*

acreditativo, va adj. Que acredita o prueba algo: *Carecía de documentos acreditativos que demostraran quién era.*

acreedor, -a adj./s. **1** Que tiene derecho a que se le pague una deuda: *Como debe mucho dinero, le persiguen los acreedores.* **2** Que tiene mérito suficiente para obtener algo: *Por su dedicación al trabajo se ha hecho acreedor a un ascenso.* □ ETIMOL. Del antiguo *acreer* (prestar). □ SINT. Constr. de la acepción 2: *acreedor A algo.* □ SEM. Dist. de *merecedor* (digno de recibir un premio o un castigo).

acrescente adj.inv. Referido esp. al cáliz o a la corola de una planta, que siguen creciendo después de haber sido fecundada la flor.

acribillar v. **1** Hacer muchos agujeros, heridas o picaduras: *Lo acribillaron a balazos. Me están acribillando los mosquitos.* **2** *col.* Molestar insistentemente: *La entrevistadora nos acribilló a preguntas.* □ ETIMOL. Del latín *cribellare* (cribar).

acrilamida s.f. Compuesto químico orgánico que se emplea generalmente en la fabricación de papel y en la obtención de colorantes: *Según apuntan algunos estudios, la acrilamida es un posible carcinógeno.*

acrilán s.m. Fibra textil sintética, muy resistente a disolventes y a algunos ácidos, y que se emplea mucho en la fabricación de tapetes y alfombras. □ ETIMOL. Extensión del nombre de una marca comercial.

acrílico, ca adj. Referido a una fibra o a un material plástico, que se obtienen por una reacción química de un ácido que procede de la glicerina, o de sus derivados: *pintura acrílica.*

acrimonia s.f. Mordacidad o brusquedad en las palabras o en el carácter: *Sus críticas estaban llenas de acrimonia.* □ SINÓN. *acritud.* □ ETIMOL. Del latín *acrimonia.*

acriollado, da adj. Con las características propias de los criollos: *Su habla acriollada indica que lleva mucho tiempo viviendo en América.*

acriollarse v.prnl. Referido a un extranjero, adaptarse a las costumbres del país hispanoamericano en el que vive: *Es normal acriollarse después de llevar viviendo tantos años en Argentina.*

acrisolado, da adj. Referido a una cualidad humana, que resulta mejorada después de haber sido puesta a prueba: *una honradez acrisolada.*

acrisolar (tb. *crisolar*) v. **1** Referido a algunos metales, purificarlos o depurarlos por medio del fuego en el crisol: *Acrisolaron la pepita de oro para saber su valor real.* **2** Referido esp. a la verdad o a una virtud, aclararlas o probarlas: *Acrisoló su valentía en más de una ocasión.*

acristalado, da adj. Referido a un lugar, esp. a una puerta o a una ventana, que tiene cristales: *una puerta acristalada.*

acristalamiento s.m. Colocación de cristales en un lugar: *Trabajo en una empresa especializada en el acristalamiento de terrazas.*

acristalar (tb. *encristalar*) v. Referido a un lugar, esp. a una puerta o a una ventana, colocarles cristales: *Han acristalado la galería.*

acristianar v. *col.* →**cristianar.**

acritud s.f. Mordacidad o brusquedad en las palabras o en el carácter: *Criticaba todo con acritud.* □ SINÓN. *acrimonia.* □ ETIMOL. Del latín *acritudo.*

acrobacia s.f. **1** Ejercicio gimnástico o deportivo difícil de realizar, que se hace como espectáculo público y que consiste principalmente en hacer equilibrios en el aire. **2** Maniobra o ejercicio espectaculares que hace un avión en el aire. **3** Lo que se hace con gran habilidad a pesar de su dificultad o de su complicación: *Tuve que hacer acrobacias para poder llegar a fin de mes con un sueldo tan pequeño.* □ PRON. Incorr. *[acrobacía]. □ SINT. En la acepción 3, se usa más en la expresión *hacer acrobacias.*

acróbata s.com. Persona que se dedica profesionalmente a la realización de acrobacias o ejercicios difíciles y arriesgados como espectáculo público: *Es una acróbata muy buena en la cuerda floja y en el trapecio.* □ ETIMOL. Del francés *acrobate*, y este del griego *akróbatos* (que anda sobre las puntas de los pies).

acrobático, ca adj. De la acrobacia, del acróbata o relacionado con ellos: *ejercicios acrobáticos.*

acrofobia s.f. Temor anormal y angustioso a las alturas: *No puede asomarse a la terraza del quinto piso porque padece acrofobia.* □ ETIMOL. Del griego *ákra* (punta, cima) y *-fobia* (aversión).

acromático, ca adj. Referido a un cristal o a un sistema óptico, que pueden transmitir la luz blanca sin descomponerla en sus colores constituyentes: *una lente acromática.* □ ETIMOL. Del griego *akhrómatos* (sin color).

acromatismo s.m. Cualidad de un cristal o de un sistema óptico que puede transmitir la luz blanca sin descomponerla en sus colores constituyentes.

acromatopsia s.f. Incapacidad para percibir los colores. □ ETIMOL. De *a-* (falta) y el griego *khróma* (color) y *ópsis* (vista).

acromegalia s.f. En medicina, enfermedad debida a una alteración en la glándula hipófisis, y que se caracteriza fundamentalmente por un desarrollo excesivo de las extremidades: *La acromegalia se debe a un aumento anormal de la producción de una hormona en la glándula hipófisis.* □ ETIMOL. Del griego *ákra* (punta, cima) y *megále* (grande).

acromion s.m. Parte alta del omóplato, con la que se articula la clavícula. □ ETIMOL. Del griego *akrómion.*

acrónico, ca adj. **1** *poét.* →**ácrono. 2** Referido a un astro, que sale o se pone a la caída del Sol. □ ETIMOL. Del griego *akhrónykhos* (vespertino).

acronimia s.f. Procedimiento de formación de palabras que consiste en la sustitución de un grupo de palabras por una abreviatura formada por sus letras o sílabas iniciales: *'Renfe' se ha formado por acronimia a partir de 'Red Nacional de Ferrocarriles Españoles'.*

acrónimo s.m. **1** Sigla que tiene una pronunciación silábica normal, sin deletrearla: *'AVE' es el acrónimo de 'Alta Velocidad Española'.* **2** Término formado por la unión de diversos elementos de dos o más palabras: *La palabra 'Insalud' es un acrónimo de 'INstituto Nacional de la SALUD'.* **3** Palabra formada a partir de una sigla que se ha lexicalizado y que ha adquirido categoría gramatical: *'Ovni' es el acrónimo de 'Objeto Volador No Identificado'.* □ ETIMOL. Del griego *ákros* (extremidad) y *ónoma* (nombre). □ ORTOGR. 1. Se escriben sin separación por blancos ni por puntos, salvo que formen parte de un texto en mayúsculas: *REUNIÓN DEL A.M.P.A. A LAS 11.* 2. *Si se escriben con todas las letras mayúsculas, no deben llevar tilde (CIA)*; si ya se han incorporado al léxico común, se escriben con minúsculas y, si lo requieren según las normas ortográficas, con tilde o con mayúscula inicial (*módem, Imserso*). 3. Si ya se han incorporado al léxico común, pueden dividirse con guión de final de línea. □ MORF. Si se han incorporado al léxico común, el plural se forman siguiendo las reglas generales de su formación en español: *ovnis, radares.*

ácrono, na adj. *poét.* Intemporal o fuera del tiempo. □ SINÓN. *acrónico.* □ ETIMOL. Del griego *ákhronos.*

acrópolis (pl. *acrópolis*) s.f. En las antiguas ciudades griegas, parte más alta y fortificada: *Cuando estuvimos en Atenas, visitamos la acrópolis y los palacios y templos que en ella se conservan.* □ ETIMOL. Del griego *akrópolis*, y este de *ákros* (alto) y *pólis* (ciudad).

acróstico, ca adj./s.m. Referido a una composición poética, que está formada por versos cuyas letras iniciales, medias o finales, leídas verticalmente, constituyen una palabra o una frase: *El texto de 'La Celestina' va precedido de un acróstico en el que se lee el nombre de su autor, Fernando de Rojas, su lugar de nacimiento y el título de la obra.* □ ETIMOL. Del francés *acrostiche*, y este del griego *ákros* (extremo) y *stíkhos* (verso).

acrotera s.f. En arquitectura, pedestal o adorno que remata los ángulos de los frontones: *Sobre la acrotera de la fachada principal del templo, había una bella estatua de la diosa Minerva.* □ ETIMOL. Del latín *acroteria*, y este del griego *akrotérion* (extremidad). □ PRON. Incorr. *[acrótera].

acta s.f. **1** Relación escrita de lo sucedido, tratado o acordado en una reunión o en una junta: *Ya se han publicado las actas del III Congreso de Numismática.* **2** Certificación o constancia oficiales de un hecho: *Una vez que el profesor ha firmado las actas, es muy difícil poder cambiar la nota de un alumno.* **3** Certificación o documento en los que consta el resultado de la elección de una persona para un cargo: *Presentó en el Congreso su acta de diputado.* **4** ‖ **levantar acta;** extenderla o escribirla: *La juez mandó levantar acta de lo sucedido.* □ ETIMOL. Del latín *acta* (cosas hechas). □ MORF. Por ser un sustantivo femenino que empieza por *a* tónica o acentuada, va precedido de *el, un, algún, ningún* y de las formas femeninas del resto de los determinantes.

actinia s.f. Organismo marino en forma de pólipo, con el cuerpo blando, contráctil y de colores vivos, y que tiene una serie de tentáculos alrededor del orificio que le sirve de boca: *Con los tentáculos extendidos, las actinias parecen flores.* □ SINÓN. *anémona de mar.* □ ETIMOL. Del griego *aktís* (radio).

actínido ▮ adj./s.m. **1** Referido a un elemento químico, que tiene un número atómico comprendido entre el 89 y el 103, ambos inclusive: *El curio es un actínido artificial.* ▮ s.m.pl. **2** Grupo formado por estos elementos químicos: *El estudio de algunos elementos de los actínidos condujo a la fabricación de la bomba atómica.*

actinio s.m. Elemento químico, metálico y sólido, de número atómico 89, que es de color plateado, radiactivo y escaso: *El actinio se encuentra en algunos compuestos de uranio.* ☐ ETIMOL. Del griego *aktís* (rayo). ☐ ORTOGR. Su símbolo químico es *Ac.*

actinomorfo, fa adj. Referido esp. a un órgano vegetal, que tiene simetría radial respecto a un eje: *La rosa tiene verticilo actinomorfo.* ☐ ETIMOL. Del griego *aktís* (radio) y *morfo-* (forma).

actitud s.f. **1** Comportamiento o estado de ánimo que se manifiesta exteriormente: *Con esa actitud no conseguirás nada.* **2** Postura o gesto del cuerpo, esp. cuando expresa algo: *El perro me gruñó en actitud amenazadora.* ☐ ETIMOL. Del italiano *attitudine* (postura, actitud). ☐ ORTOGR. Dist. de *aptitud.* ☐ SINT. Constr. *actitud ANTE algo.*

actitudinal adj.inv. De la actitud o relacionado con ella: *contenidos actitudinales.*

activación s.f. **1** Aceleración o aumento de la intensidad o de la rapidez de algo: *Su objetivo político es la activación de las conversaciones de paz.* **2** Puesta en funcionamiento de un mecanismo: *la activación de una alarma.*

activador, -a adj./s. Que activa, acelera o aviva.

activar v. **1** Avivar, acelerar o aumentar la intensidad o la rapidez de algo: *Las declaraciones del ministro activaron la marcha de las negociaciones. Echaron más carbón a la caldera para que la locomotora se activase.* **2** Referido a un mecanismo, ponerlo en funcionamiento: *Activaron la bomba uniendo dos de los cables. El mecanismo de arranque del coche se activa mediante la llave de contacto.* **3** En física, referido a una sustancia, hacerla radiactiva: *Activaron la sustancia bombardeándola con fotones.*

actividad s.f. **1** Conjunto de trabajos o tareas propios de una persona o de una entidad: *La actividad de esta empresa se centra en la exportación.* **2** Capacidad de actuar o de tener un efecto, esp. si es eficaz: *El calentamiento de la atmósfera es consecuencia de la actividad solar.* **3** ‖ **en actividad;** en acción: *El volcán ha entrado en actividad.*

activismo s.m. Actitud que defiende la importancia de la acción, esp. en política, frente a la discusión teórica: *Movidos por su activismo, algunos miembros del partido ya han empezado a repartir propaganda durante el congreso.*

activista s.com. Miembro que en una asociación o en un partido interviene activamente o practica la acción directa: *Los activistas intervinieron en la violenta campaña de propaganda de su grupo político.*

activo, va ▮ adj. **1** Que actúa o que tiene la posibilidad de actuar: *Es miembro activo de la asociación de vecinos del barrio.* **2** Diligente, eficaz o con gran capacidad de acción: *Es una mujer tan activa que no sabe estar sin hacer nada.* **3** Que produce efecto rápidamente: *Le dieron un medicamento muy activo para bajarle pronto la fiebre.* **4** En gramática, que expresa que el sujeto realiza la acción del verbo: *'Comer' es el infinitivo en la voz activa de este verbo y 'ser comido', el infinitivo en la voz pasiva.* **5** Referido esp. a una sustancia, que tiene capacidad para emitir energía o para provocar una acción física o química: *El cloro es un elemento químico muy activo.* ▮ s.m. **6** Conjunto de bienes que posee una persona o una entidad: *Esta sociedad cuenta en su activo con varios paquetes de acciones en bolsa.* ‖ **en activo;** referido esp. a un funcionario, que está trabajando o prestando servicio: *Todavía está en activo, porque le falta un mes para jubilarse.* ‖ **por activa y por pasiva;** *col.* De todos los modos: *Ya lo hemos intentado por activa y por pasiva, y seguimos sin encontrar la solución.* ☐ ETIMOL. Del latín *activus.*

acto s.m. **1** Hecho o acción: *Cada uno es responsable de sus actos.* **2** Acontecimiento público o solemne: *acto de apertura.* **3** En una obra teatral o escénica, cada una de las partes principales en que están divididas: *una comedia en tres actos.* **4** En derecho, disposición legal: *La firma de un contrato es un acto jurídico, y la toma de posesión de un funcionario es un acto administrativo.* **5** ‖ **acto fallido;** En psicología, olvido, lapsus o pérdida de un objeto. ‖ **acto seguido;** inmediatamente después: *Nos dio todas sus razones para abandonar el proyecto y, acto seguido, se fue.* ‖ **acto sexual;** unión sexual de los animales superiores, esp. del hombre y la mujer. ☐ SINÓN. *coito.* ‖ **en el acto;** en seguida o inmediatamente: *La policía acudió en el acto al lugar del accidente.* ‖ **hacer acto de presencia; 1** Presentarse o estar presente en un lugar: *La directora hizo acto de presencia en la reunión.* **2** Asistir brevemente y por simple formalidad a una reunión o ceremonia: *Su familia solo hizo acto de presencia al final de la fiesta.* ☐ ETIMOL. Del latín *actus,* y este de *agere* (obrar). ☐ ORTOGR. Dist. de *apto.*

actor, -a ▮ s. **1** Persona que actúa como demandante o acusadora en un juicio: *Mi hermana es actora en este juicio porque ha interpuesto la demanda contra el acusado.* ▮ s.m. **2** Persona que representa un papel en el teatro, en el cine, en la radio o en la televisión: *Este actor trabajaba antes en un programa de radio.* ☐ SINÓN. *comediante, cómico.* **3** ‖ **actor de reparto;** el que habitualmente representa papeles secundarios y no actúa como protagonista. ☐ ETIMOL. Del latín *actor.* ☐ MORF. En la acepción 2, su femenino es *actriz*; incorr. **la actora.* ☐ SEM. *Actora* es distinto de *actriz* (mujer que representa un papel). ☐ USO En la acepción 2, es innecesario el uso del anglicismo *performer.*

actoral adj.inv. De los actores o relacionado con ellos.

actriz s.f. de **actor.** ☐ ETIMOL. Del latín *actrix.* ☐ SEM. Dist. de *actora* (mujer que actúa como demandante o acusadora en un juicio).

actuación s.f. **1** Realización de actos libres y conscientes, o de actos propios de la naturaleza de una persona o de una cosa: *Su actuación nos dejó en evidencia.* **2** Interpretación de un papel, esp. en una obra teatral o cinematográfica: *Su actuación en la película como hombre de negocios fue brillante.*

actual adj.inv. **1** Que existe, sucede o se usa en el momento en que se habla: *el momento actual.* **2** Que está de moda o que tiene actualidad: *un diseño actual.* ☐ ETIMOL. Del latín *actualis* (activo, práctico).

actualidad s.f. **1** Tiempo presente: *En la actualidad, los medios de comunicación desempeñan un importante papel en la sociedad.* **2** Lo que atrae y ocupa la atención de la gente en un determinado momento: *Cuando leo el periódico siempre voy directamente a las noticias de actualidad nacional.*

actualización s.f. **1** Adaptación al momento de que se habla o puesta al día de algo que se ha quedado atrasado: *Un médico necesita la actualización continua de sus conocimientos.* **2** Puesta de moda o de actualidad: *Con la edición de esta antología se busca la actualización de las viejas glorias de nuestras letras.* **3** En lingüística, proceso mediante el cual los elementos de la lengua adquieren una significación y una función reales en el habla: *La palabra 'casa' está en mi memoria, pero si la coloco en la oración 'La casa es bonita', realizo su actualización.*

actualizador, -a ▮ adj. **1** Que actualiza. ▮ adj./s.m. **2** En lingüística, que permite actualizar un elemento de la lengua o hacer que este adquiera una significación y una función reales en el habla: *Los artículos y los demostrativos son actualizadores.*

actualizar v. **1** Referido esp. a algo que se ha quedado atrasado, hacerlo actual o ponerlo al día: *Debes actualizar esos datos porque son de hace diez años. Esta es una edición adaptada para niños y se ha actualizado el lenguaje.* **2** Poner de moda o de actualidad: *Esta película actualiza a ese olvidado actor.* **3** En lingüística, referido a un elemento de la lengua, hacer que adquiera una significación y una función reales en el habla: *Al actualizar el sustantivo 'coche' mediante el posesivo 'mi', dicho sustantivo pasa a aludir a un coche concreto.* ☐ ORTOGR. La *z* se cambia en *c* delante de *e* →CAZAR.

actuante adj.inv. Que actúa.

actuar v. **1** Obrar o realizar actos libres y conscientes: *En esa ocasión actuó con acierto.* **2** Referido a una persona o a una cosa, realizar actos propios de su naturaleza: *Los médicos actuaron con rapidez y salvaron la vida del enfermo.* **3** Interpretar un papel, esp. en una obra teatral o cinematográfica: *En esta obra de teatro actúa mi actor favorito.* **4** Trabajar en un espectáculo público: *En aquel concierto no actuó ningún cantante famoso.* **5** Producir un determinado efecto sobre algo: *Esta enfermedad actúa sobre el organismo anulándole las defensas.* ☐ ETIMOL. Las acepciones 1, 2 y 5, de *acto*. Las acepciones 3 y 4, del inglés *to act.* ☐ ORTOGR. La *u* lleva tilde en los presentes, excepto en las personas *nosotros* y *vosotros* →ACTUAR.

actuarial adj.inv. Del actuario de seguros o relacionado con las funciones de esta persona: *Todas las funciones actuariales de esta compañía de seguros son llevadas por personas muy competentes.*

actuario, ria s. **1** Auxiliar judicial que da fe en los autos procesales: *Para llevar a término el proceso, es necesaria la presencia de un actuario.* **2** ‖ **actuario (de seguros);** persona especializada en los cálculos matemáticos y en los conocimientos estadísticos, jurídicos y financieros relacionados con pensiones y compañías de seguros: *La actuaria facilitó las primas que este año debían pagar los asegurados a su compañía.* ☐ ETIMOL. Del latín *actuarius* (fácil de mover).

acuacultura s.f. En zonas del español meridional, acuicultura.

acuaplaning s.m. →**aquaplaning.**

acuaplano s.m. Barco diseñado con una forma especial que le permite deslizarse sobre el agua a gran velocidad: *Navegar en un acuaplano debe de ser apasionante para los amantes de la velocidad.*

acuarela s.f. **1** Técnica pictórica que se caracteriza por la utilización de colores diluidos en agua: *La acuarela permite captar muy bien la luz de los paisajes.* **2** Pintura sobre papel o cartón realizada con esta técnica: *Hay una exposición de acuarelas de un famoso pintor impresionista.* **3** Sustancia con la que se realiza esta pintura: *Mi caja de acuarelas tiene doce colores.* ☐ ETIMOL. Del italiano *acquarella.*

acuarelista s.com. Pintor de acuarelas.

acuarelístico, ca adj. De la acuarela o relacionado con ella.

acuario ▮ adj.inv./s.com. **1** Referido a una persona, que ha nacido entre el 21 de enero y el 18 de febrero aproximadamente. ▮ s.m. **2** Recipiente acondicionado para mantener vivos plantas o animales acuáticos: *En mi acuario tengo varios peces y una culebrilla.* **3** Lugar destinado a la exhibición de animales acuáticos vivos: *El acuario fue lo que más me gustó del zoo.* ☐ ETIMOL. La acepción 1, del latín *Aquarius* (undécimo signo zodiacal). Las acepciones 2 y 3, del latín *aquarium.* ☐ USO Es innecesario el uso del latinismo *aquarium.*

acuartelamiento s.m. **1** Reunión o permanencia de la tropa en el cuartel, preparada para la realización de una actividad o para la intervención en caso de alteraciones: *Ante los rumores de un golpe de Estado, el general ordenó el acuartelamiento de las tropas.* **2** Lugar en el que se acuartela la tropa: *Los soldados se retiraron a su acuartelamiento.*

acuartelar v. Referido a la tropa, reunirla o hacer que permanezca en el cuartel preparada para la realización de una actividad o para la intervención en caso de alteraciones: *Ante la importancia de la catástrofe natural, se ordenó acuartelar la tropa para su posible participación en las tareas de ayuda.*

acuático, ca adj. **1** Del agua o relacionado con esta sustancia líquida: *deporte acuático.* □ SINÓN. *acuátil.* **2** Que vive en el agua. □ SINÓN. *acuátil.* □ ETIMOL. Del latín *aquaticus*.

acuátil adj.inv. →**acuático.**

acuatizaje s.m. Descenso de un hidroavión hasta posarse sobre el agua.

acuatizar v. Referido a un hidroavión, posarse en el agua: *El hidroavión de rescate acuatizó en el lago para recoger a los buzos.* □ ETIMOL. De *acuático* y la terminación de *aterrizar*. □ ORTOGR. La *z* se cambia en *c* delante de *e* →CAZAR.

acuchillado s.m. Operación que consiste en raspar y alisar los suelos de madera para después barnizarlos o encerarlos.

acuchillador, -a ▮ s. **1** Persona que se dedica profesionalmente a acuchillar pisos de madera: *He pedido presupuesto a varios acuchilladores.* ▮ s.f. **2** Máquina que sirve para acuchillar superficies de madera: *Han comprado un modelo de acuchilladora que apenas hace ruido.*

acuchilladora s.f. Véase **acuchillador, -a**.

acuchillamiento s.m. Herida o muerte ocasionadas con un arma blanca, esp. con un cuchillo.

acuchillar v. **1** Herir o matar con un arma blanca, esp. con un cuchillo: *Fue acuchillado por un desconocido. Desde su casa vio cómo dos hombres se acuchillaban en una pelea.* **2** Referido a una superficie de madera, alisarla con una cuchilla o con otra herramienta adecuada: *Hemos acuchillado el parqué del salón.*

acucia s.f. *poét.* Afán o anhelo.

acuciante adj.inv. Que acucia, urge o inquieta: *una necesidad acuciante.*

acuciar v. **1** Referido a una persona, estimularla o impulsarla para que se dé prisa en realizar algo: *El jefe no dejó de acuciarme para que terminara las facturas cuanto antes.* **2** Inquietar o disgustar: *Aquel silencio tan sospechoso me acuciaba.* □ ETIMOL. Del latín **acutiare*, y este de *acutus* (agudo). □ ORTOGR. La *i* nunca lleva tilde.

acucioso, sa adj. **1** Diligente, solícito o presuroso: *un acucioso entusiasmo.* **2** Motivado por un deseo vehemente: *Tienes un acucioso gusto por la música.*

acuclillarse v.prnl. Ponerse en cuclillas o doblar el cuerpo de forma que las nalgas se acerquen al suelo o a los talones: *Se acuclilló para buscar un libro en el estante más bajo de la librería.*

acudiente s.com. En zonas del español meridional, tutor: *Los acudientes son los responsables de la educación de los estudiantes.*

acudir v. **1** Ir a un lugar por conveniencia o por haber sido llamado: *Acudieron en su ayuda al oír los gritos.* **2** Ir con frecuencia a algún lugar: *Acudía a clases nocturnas al salir del trabajo.* **3** Referido a algo inmaterial, presentarse o sobrevenir: *Las imágenes del accidente acudían a mi mente cada vez que pasaba por aquel lugar.* **4** Referido esp. a una persona, recurrir a ella o valerse de su ayuda para algún fin: *Acudieron a la directora del centro para protestar por el trato recibido.* □ ETIMOL. Del antiguo *recudir* (concurrir a un lugar), por influencia de *acorrer* (acudir). □ SEM. Dist. de *concurrir* (se refiere a varias personas).

acueducto s.m. Conducto artificial por el que va el agua a un lugar determinado, esp. referido al que se construye para abastecer de agua una ciudad: *El acueducto de Segovia fue construido por los romanos.* □ ETIMOL. Del latín *aquaeductus* (conducto de agua).

acuerdo s.m. **1** Decisión tomada en común por dos o más personas o entidades: *Después de varias horas de discusión llegaron a un acuerdo.* **2** Decisión tomada por una sola persona: *Mi acuerdo es votar en contra de ese proyecto.* **3** ‖ **acuerdo marco;** el que tiene un carácter muy general, y que, posteriormente, puede implicar otras decisiones o aspectos más específicos. ‖ **de acuerdo; 1** Conforme o con la misma opinión: *Nunca estás de acuerdo conmigo.* **2** Expresión que se usa para indicar asentimiento o conformidad: *Cuando le pregunté si se venía con nosotros contestó: «De acuerdo».* □ SEM. Dist. de *consenso* (consentimiento).

acúfeno (tb. *acufeno*) s.m. Sensacion auditiva anormal que solo tiene el sujeto que la siente.

acui- Elemento compositivo prefijo que significa 'agua': *acuícola, acuicultura, acuífero.* □ ETIMOL. Del latín *aqua* (agua).

acuícola ▮ adj.inv. **1** De la pesca, de su cultivo y comercialización, o relacionado con ellos: *una empresa acuícola.* ▮ adj.inv./s.com. **2** Referido a un animal o a una planta, que vive en el agua. □ ETIMOL. Del latín *aqua* (agua) y *-cola* (relación).

acuicultivo s.m. Cultivo de especies acuáticas, animales o vegetales, con importancia económica. □ ETIMOL. Del latín *aqua* (agua) y *cultivo*.

acuicultor, -a s. Persona que se dedica a la acuicultura.

acuicultura s.f. Técnica de cultivo de especies vegetales y animales acuáticas: *La acuicultura permite la cría de mariscos en viveros.* □ ETIMOL. Del latín *aqua* (agua) y *-cultura* (cultivo).

acuidad s.f. *poét.* Agudeza.

acuífero, ra ▮ adj. **1** Referido esp. a un conducto o a un tejido de un organismo, que tiene o lleva sustancias líquidas, generalmente agua: *un tejido acuífero.* ▮ adj./s.m. **2** En geología, referido esp. a una capa o a una zona del terreno, que contiene agua: *Los acuíferos se encuentran en terrenos impermeables.* □ ETIMOL. Del latín *aqua* (agua) y *-fero* (que lleva).

acuitar v. Afligir, apenar, o poner en cuita o en apuro: *El silencio de su amada lo acuitaba.*

acular v. Referido a un animal o a un vehículo, hacer que quede arrimado por detrás a alguna parte: *Acularon el carro a la puerta trasera para descargar la mercancía.* □ ETIMOL. De *culo*.

acullá adv. *poét.* A la parte opuesta del que habla: *Acá nos batimos en duelo con quien daña nuestra honra, y acullá tengo oído que se hace de la misma manera.* □ ETIMOL. Del latín *eccum illac* (he allá). □ USO Su uso es característico del lenguaje escrito.

aculturación s.f. Adopción por parte de un grupo humano de los elementos culturales de otro, de forma que desaparecen las costumbres originales esenciales: *Muchos pueblos indígenas sufrieron en el siglo XIX un proceso de aculturación a causa de la influencia europea.*

acultural adj.inv. Sin lo que se considera cultura o ajeno a ella.

acumen s.m. *poét.* Inteligencia o ingenio. □ ETIMOL. Del latín *acumen*.

acuminado, da adj. Que va disminuyendo hasta terminar en punta: *hojas acuminadas, condiloma acuminado.* □ ETIMOL. Del latín *acuminatus*.

acumulable adj.inv. Que puede acumularse.

acumulación s.f. Reunión y amontonamiento de algo, esp. si se hace en gran cantidad: *Con este filtro evitarás la acumulación de suciedad en los conductos de la máquina.*

acumulador, -a ▌adj. **1** Que acumula. ▌s.m. **2** Generador de corriente eléctrica, que utiliza la energía liberada en una reacción química reversible, y que puede recargarse haciéndole pasar una corriente en sentido contrario al de la descarga: *Las baterías de los coches son acumuladores.*

acumular v. Juntar y amontonar, esp. si se hace en gran cantidad: *Acumularon una gran riqueza. El trabajo atrasado se le acumulaba encima de la mesa.* □ ETIMOL. Del latín *accumulare* (amontonar).

acumulativo, va adj. Que actúa por acumulación o que resulta de ella: *Esta cuenta corriente concede intereses acumulativos.*

acúmulo s.m. En algunas especialidades científicas, acumulación: *un acúmulo de grasa.*

acunar v. Referido a un niño, mecerlo en la cuna o en los brazos: *El bebé empezaba a llorar en cuanto dejaban de acunarlo.*

acuñación s.f. **1** Fabricación de moneda. **2** Estampación de relieves en una pieza metálica, esp. en una moneda o en una medalla, por medio de troqueles o cuños: *la acuñación de una medalla.* **3** Creación o formación de una expresión o de un concepto, esp. cuando logran difusión o permanencia: *Para la acuñación de nuevos términos científicos se sigue recurriendo a raíces grecolatinas.*

acuñar v. **1** Referido a una moneda, fabricarla: *Ya no se acuñan monedas de oro y plata para el uso normal.* □ SINÓN. *monedar.* **2** Referido esp. a una moneda o a una medalla, estamparles los relieves por medio de troqueles o cuños: *Actualmente se acuñan las monedas de forma mecánica.* □ SINÓN. *troquelar.* **3** Referido esp. a una expresión o a un concepto, crearlos o darles forma, esp. cuando logran difusión o permanencia: *Parece que fue Azorín quien acuñó la expresión 'Generación del 98' para referirse al grupo que supuestamente forman Unamuno, Machado y otros escritores.* **4** Poner cuñas: *Después de montar la estantería, la acuñaron para asegurar su estabilidad.* □ ETIMOL. Las acepciones 1-3, de *cuño*. La acepción 4, de *cuña*. □ SEM. No debe emplearse con el significado de 'acumular': *{*Acuñó > Acumuló} una gran fortuna.*

acuosidad s.f. **1** Abundancia de agua. **2** Presencia de alguna de las características del agua: *La acuosidad de este líquido hace que su punto de congelación se acerque al del agua.* **3** Abundancia de jugo en una fruta: *Me gustan las frutas de verano por su acuosidad.*

acuoso, sa adj. **1** Que tiene mucha agua. **2** De agua o relacionado con ella: *una sustancia acuosa.* **3** Parecido al agua o que tiene alguna de sus características: *una consistencia acuosa.* **4** Referido a una fruta, que tiene mucho jugo: *una fruta acuosa.* □ ETIMOL. Del latín *aquosus*.

acupuntor, -a ▌adj. **1** De la acupuntura o relacionado con esta técnica curativa: *técnicas acupuntoras.* ▌s. **2** Persona que se dedica a la acupuntura, esp. si esta es su profesión. □ SINÓN. *acupunturista.*

acupuntura s.f. Técnica curativa de origen oriental que consiste en clavar una o más agujas en determinados puntos del cuerpo humano para curar ciertas enfermedades: *Los chinos y los japoneses emplean la acupuntura desde la Antigüedad.* □ ETIMOL. Del latín *acus* (aguja) y *punctura* (punzada).

acupunturista s.com. →**acupuntor.**

acurrucarse v.prnl. Encogerse para resguardarse del frío o por otro motivo: *Se acurrucó junto a su padre y se quedó dormida.* □ ETIMOL. De origen incierto. □ ORTOGR. La *c* se cambia en *qu* delante de *e* →SACAR.

acusación s.f. **1** Atribución a una persona de un delito, una culpa o una falta: *Sobre ellos cayó la acusación del secuestro de la joven.* **2** En derecho, persona o grupo de personas encargadas de demostrar en un juicio la culpabilidad de alguien: *La acusación fue más hábil que la defensa.* **3** Documento o discurso en el que se afirma la culpabilidad de alguien: *La juez pidió silencio en la sala para leer la acusación.*

acusado, da ▌adj. **1** Que destaca y se percibe fácilmente: *Tiene una acusada tendencia a la fantasía.* ▌s. **2** Persona a la que se acusa: *El acusado se declaró inocente ante el juez.*

acusador, -a adj./s. Que acusa: *Me dí cuenta de su mirada acusadora. Ayer tuvo lugar en el juzgado el careo entre el acusado y su acusador.*

acusar v. **1** Referido a una persona, atribuirle un delito, una culpa o una falta: *Tu compañero te acusó de haber robado ese dinero. Me acuso de todos mis pecados.* **2** Reflejar o manifestar como efecto o consecuencia de algo: *En el segundo tiempo, los jugadores acusaron el esfuerzo realizado y fallaron varios goles.* **3** Manifestar, descubrir o hacer evidente: *Su nerviosismo acusa su falta de práctica en estas cosas.* **4** Referido al recibo de algo, esp. de una carta o de un documento, notificarlo o hacerlo constar: *Ya he acusado recibo del paquete que me enviaron.* □ ETIMOL. Del latín *accusare*, y este de *causa* (causa). □ SINT. Constr. de la acepción 1: *acusar* DE *algo.*

acusativo s.m. →**caso acusativo.** □ ETIMOL. Del latín *accusativus.*

acusatorio, ria adj. De la acusación o relacionado con ella: *El acto acusatorio realizado por el ministerio fiscal presentaba varias irregularidades de forma.*

acuse || **acuse de recibo;** notificación o comunicación de que se ha recibido algo: *una carta con acuse de recibo.*

acusica adj.inv./s.com. *col.* →**acusón.**

acusón, -a adj./s. *col.* Referido a una persona, que denuncia o acusa, esp. si lo hace en secreto y cautelosamente. □ SINÓN. *delator, acusica.*

acústica s.f. Véase **acústico, ca.**

acústico, ca ▌adj. **1** Del órgano del oído o relacionado con él: *el nervio acústico.* **2** De la acústica o relacionado con esta parte de la física: *un aislamiento acústico.* **3** Que favorece la producción o la propagación del sonido: *un aparato acústico.* ▌s.f. **4** Parte de la física que trata de la producción, la propagación, la recepción y el control del sonido. **5** Conjunto de las características sonoras de un local: *La acústica del nuevo auditorio es muy buena.* □ ETIMOL. Del griego *akustikós*, y este de *akúo* (oigo).

acutángulo adj. →**triángulo acutángulo.** □ ETIMOL. Del latín *acutus* (agudo) y *angulus* (ángulo).

-ada 1 Sufijo que indica golpe: *pedrada, campanada.* **2** Sufijo que indica conjunto: *muchachada, vacada.* **3** Sufijo que indica abundancia: *riada, chubascada.* **4** Sufijo que indica ingrediente: *naranjada, mariscada.* **5** Sufijo que indica contenido: *cucharada, palada.* **6** Sufijo que indica acción: *payasada, gamberrada.*

adagio s.m. **1** Sentencia o frase breves, de origen popular y que expresan una observación o un principio generalmente de carácter moral: *No siempre es cierto el adagio 'Más vale tarde que nunca'.* **2** En música, aire o velocidad lentos con que se ejecutan una composición o un pasaje: *El adagio es un aire más lento que el andante y más rápido que el largo.* **3** En música, composición o pasaje que se ejecutan con este aire: *En el concierto interpretaron el adagio de Albinoni.* □ ETIMOL. La acepción 1, del latín *adagium*. Las acepciones 2 y 3, del italiano *adagio.* □ PRON. En las acepciones 2 y 3, se usa mucho la pronunciación del italiano [adáyo].

adalid s.m. Guía o persona que destaca en un partido, corporación o escuela: *Esa mujer es el adalid de las nuevas corrientes pedagógicas.* □ ETIMOL. Del árabe *ad-dalil* (el guía).

adamantino, na adj. *poét.* Diamantino: *Los rayos de sol iluminaban el valle con un brillo adamantino.* □ ETIMOL. Del latín *adamantinus.*

adamascado, da (tb. *damascado, da*) adj. Referido esp. a una tela, que es parecida al damasco por ser una tela de un solo color con dibujos entretejidos con hilos brillantes: *Para la fiesta se hizo un vestido con tela adamascada.*

adamascar v. Referido a una tela, tejerla de un solo color con dibujos hechos con hilos brillantes como el damasco: *Los orientales eran especialistas en adamascar tejidos.*

adámico, ca adj. →**adánico.**

adamsita s.f. Compuesto químico que irrita la piel y los conductos respiratorios, y que suele ser usado como arma química: *Los efectos de la adamsita pueden producir irritación de la piel y de los ojos, dolor de pecho y náuseas.*

adán s.m. *col.* Hombre sucio o descuidado en su aspecto externo: *ir hecho un adán.* □ ETIMOL. Por alusión a Adán, primer hombre según la Biblia.

adánico, ca (tb. *adámico, ca*) adj. De Adán (primer hombre según la Biblia) o relacionado con él: *un paraíso adánico.*

adaptabilidad s.f. **1** Capacidad de un objeto para acomodarse o ajustarse a otro: *Eligió un mueble de módulos por su gran adaptabilidad al espacio de la habitación.* **2** Capacidad para acostumbrarse a una situación: *Esta planta se caracteriza por su adaptabilidad a todo tipo de ambientes.* **3** Capacidad que algo tiene para desempeñar funciones distintas de aquellas para las que fue creado: *La adaptabilidad de esta aparato permite darle distintos usos.*

adaptable adj.inv. Que se puede adaptar: *Esta novela es fácilmente adaptable al cine.*

adaptación s.f. **1** Adquisición de lo necesario para acostumbrarse o amoldarse a situaciones distintas: *Su adaptación a la vida de la ciudad fue muy rápida.* **2** Proceso por el que un ser vivo se acomoda al medio en que vive: *Algunas especies se extinguieron porque no lograron su adaptación a los cambios del medio ambiente.* **3** Acomodación o ajuste de un objeto a otro: *La elasticidad de esta prenda permite una perfecta adaptación a la forma del cuerpo.* **4** Transformación de un objeto o de un mecanismo para que desempeñe funciones distintas de aquellas para las que fue construido: *Muchos antiguos teatros han sufrido una adaptación que los ha convertido en salas de cine.* **5** Modificación de una creación intelectual, esp. de una obra científica, literaria o musical, para darle una forma diferente de la original: *Encargué la adaptación de esta novela para que pueda representarse en un teatro.*

adaptador, -a ▌adj. **1** Que adapta. ▌s.m. **2** Dispositivo o aparato que sirve para acoplar elementos de distinto tamaño o forma, o que tienen diferente finalidad: *Necesito un adaptador, porque esta clavija es más gruesa que los agujeros del enchufe.*

adaptar ▌v. **1** Referido a un objeto, acomodarlo o ajustarlo a otro: *Tienes que adaptar el largo de las mangas a la medida de tus brazos. Estas zapatillas son de un material muy flexible y se adaptan muy bien al pie.* **2** Referido a un objeto o a un mecanismo, hacer que desempeñe funciones distintas de aquellas para las que fue construido: *Van a adaptar el local para convertirlo en una sala de fiestas.* **3** Referido esp. a una obra científica, literaria o musical, darles una forma diferente de la original, o modificarlas para que puedan difundirse por un medio y entre un público distintos de aquellos para los que fueron concebidas: *La propia autora va a adaptar* *su novela al cine.* ▮ prnl. **4** Referido esp. a una persona, acostumbrarse o amoldarse a situaciones distintas: *Si quieres seguir con nosotros, tendrás que adaptarte a nuestro ritmo de vida.* □ ETIMOL. Del latín *adaptare* (hacer apto para alguna ocupación). □ ORTOGR. Dist. de *adoptar.*

adarga s.f. Escudo de cuero con forma ovalada o de corazón: *El soldado se protegió con la adarga.* □ ETIMOL. Del árabe *ad-daraqa* (el escudo de piel).

adarme s.m. Cantidad mínima de algo: *Si tuvieras un adarme de orgullo no habrías reaccionado así.* □ ETIMOL. Del árabe *ad-dirham* (la dracma, octava parte de la onza). □ ORTOGR. Dist. de *adarve.*

adarve s.m. **1** Camino situado en lo alto de un terraplén, detrás de un parapeto o defensa: *Desde el adarve, los centinelas vigilaban los movimientos de tropas enemigas.* **2** Camino situado en lo alto de una muralla, detrás de las almenas: *El centinela del adarve fue sorprendido cuando los atacantes escalaron la muralla.* □ ETIMOL. Del árabe *ad-darb* (el camino estrecho, el desfiladero). □ ORTOGR. Dist. de *adarme.*

ad calendas graecas (lat.) ‖ En un plazo de tiempo que nunca ha de cumplirse: *A este ritmo, terminaremos el trabajo ad calendas graecas.* □ ETIMOL. Esta frase significa *en las calendas griegas* y alude a un futuro imposible, ya que los griegos no fechaban con calendas.

addenda (lat.) s.f. →**adenda.**

adecentar v. Poner limpio y ordenado: *A ver si adecentas un poco tu mesa de trabajo. Voy a adecentarme para salir a comprar.*

adecuación s.f. Adaptación entre dos cosas: *Hay una perfecta adecuación entre sus ideas y sus acciones.*

adecuado, da adj. Que es apropiado o que cumple las características oportunas para el fin al que se destina: *Se puso un traje adecuado para la ceremonia.*

adecuar v. Referido a una cosa, adaptarla o acomodarla a otra: *Adecuó sus explicaciones a la edad de los alumnos.* □ ETIMOL. Del latín *adaequare* (igualar). □ ORTOGR. La *u* puede llevar tilde en los presentes, excepto en las personas *nosotros* y *vosotros* →ACTUAR, o no llevarla nunca.

adefesio s.m. **1** *col.* Persona o cosa muy fea, ridícula o extravagante: *ir hecho un adefesio.* **2** *col.* Prenda de vestir o adorno ridículo y extravagante: *Lleva unos adefesios que son para troncharse.* □ ETIMOL. De *ad Ephesios* (a los habitantes de Éfeso), epístola en la que san Pablo alude a lo absurdo de predicar en esta ciudad donde él estuvo a punto de ser martirizado por la plebe.

adehesar v. Transformar en dehesa algún terreno: *Este bosque de encinas se adehesó para que el ganado pudiera pastar.*

adelantado, da ▮ adj. **1** Referido esp. a una persona, que destaca pronto por su talento en alguna actividad: *Fue una niña muy adelantada para aprender a leer.* □ SINÓN. *precoz.* **2** Que es excelente o que lleva ventaja: *Es una obra adelantada a la mentalidad de la época.* ▮ s.m. **3** Antiguo cargo de gobernador político y militar de una provincia fronteriza. **4** ‖ **por adelantado;** anticipadamente o con antelación a que algo se realice: *Tuve que pagar por adelantado.*

adelantamiento s.m. **1** Movimiento de ida hacia adelante en el espacio o en el tiempo: *No me enteré del adelantamiento del concierto y llegué cuando ya había empezado.* **2** Superación que un vehículo hace de otro que va más lento que él: *Los adelantamientos en una curva cerrada son muy peligrosos por la falta de visibilidad.*

adelantar ▮ v. **1** Mover o llevar hacia adelante: *Adelantó el sofá para colocar bien el armario. Se adelantó unos pasos para saludarme.* **2** Referido a un reloj, correr hacia adelante sus agujas: *He adelantado el reloj cinco minutos para ver si así llego puntual.* **3** Referido a algo que está delante, sobrepasarlo o dejarlo atrás: *Salieron después que nosotros, pero nos adelantaron por el camino. Me adelanté unos metros para hacerles una foto.* **4** Referido a algo que todavía no ha sucedido, hacer que ocurra antes de lo señalado o de lo previsto: *Adelantamos la salida para no encontrar atasco.* □ SINÓN. *anticipar.* **5** Referido a dinero, darlo o entregarlo antes de la fecha normal o señalada: *Mis padres me han adelantado el dinero, pero se lo iré devolviendo poco a poco.* □ SINÓN. *anticipar.* **6** Referido a una noticia, darla antes de lo previsto: *Un informativo adelantó las noticias más importantes del telediario.* □ SINÓN. *anticipar, avanzar.* **7** Progresar, avanzar o pasar a un estado mejor: *Las obras han adelantado mucho en este mes.* **8** Referido a un reloj, ir más deprisa de lo que debe y señalar una hora que todavía no ha llegado: *Tendré que llevar el reloj a arreglar, porque adelanta diez minutos cada día.* ▮ prnl. **9** Ocurrir antes del tiempo señalado o previsto: *Este año las lluvias se han adelantado.* □ SINÓN. *anticipar.* **10** Referido a una persona, ejecutar una acción antes que otra: *Se adelantó a la bajada de la Bolsa y vendió sus acciones en el momento justo.* □ SINÓN. *anticipar.*

adelante ▮ adv. **1** Más allá en el tiempo o en el espacio: *Pienso seguir adelante con mis proyectos.* ▮ interj. **2** Expresión que se usa para indicar que se puede entrar en el sitio en el que está la persona que habla: *Cuando llamé a la puerta una voz dijo: «¡Adelante!».* **3** Expresión que se usa para animar a hacer algo: *¡Adelante, sigue trabajando en eso!* **4** ‖ **en adelante;** a partir de este momento: *De hoy en adelante me tendrás informado de todo lo que hagas.* ‖ **más adelante;** después en el espacio o en el tiempo: *Más adelante hay una gasolinera.* □ USO En la acepción 1, en la lengua coloquial se usa mucho la forma *alante.*

adelanto s.m. **1** Adelantamiento temporal a lo señalado o a lo previsto: *El adelanto de las noticias se debe a la retransmisión en directo del partido de fútbol.* □ SINÓN. *anticipación, anticipo.* **2** Dinero anticipado: *Con el adelanto de mi sueldo, he podido pagar el alquiler.* □ SINÓN. *anticipo.* **3** Avance, mejora o progreso: *¿Has oído hablar de los últimos adelantos en maquinaria agrícola?*

adelfa s.f. **1** Arbusto de hojas persistentes y de flores grandes, en grupos y de variados colores, que se utiliza como planta ornamental y cuya savia es venenosa: *Las adelfas son propias de la zona mediterránea.* **2** Flor de esta planta. □ ETIMOL. Del árabe *ad-difla.*

adelgazamiento s.m. Pérdida de peso o de grosor: *un régimen de adelgazamiento.*

adelgazante adj.inv./s.m. Que sirve para adelgazar: *Mi vecino está tomando adelgazantes porque dice que está muy gordo.*

adelgazar v. Disminuir el peso o el grosor: *Has adelgazado mucho desde la última vez que te vi. Esta crema adelgaza los muslos.* □ ETIMOL. Del latín **delicatiare* (afinar). □ ORTOGR. La *z* se cambia en *c* delante de *e* →CAZAR.

ademán ▮ s.m. **1** Gesto o actitud que indica un estado de ánimo: *Hizo ademán de atacarlo, pero logró controlarse.* ▮ pl. **2** Gestos y comportamiento externo de una persona que indican su buena o mala educación: *Sus ademanes son muy toscos.* □ SINÓN. *modales.* □ ETIMOL. De origen incierto.

además adv. **1** Por añadidura o por si fuera poco: *No puedo ir y, además, no me apetece.* **2** ‖ **además de;** sin contar con o aparte de: *Tiene una fuerte personalidad, además de un gran sentido del humor.*

adenda s.f. Apéndice o conjunto de notas que se ponen al final de un libro o de un escrito. □ ETIMOL. Del latín *addenda* (lo que se ha de añadir). □ ORTOGR. Se usa también *addenda.*

adenina s.f. Base nitrogenada que forma parte de los ácidos ribonucleico y desoxirribonucleico, y de algunas enzimas: *La adenina, la guanina, la citosina, la timina y el uracilo son las cinco bases nitrogenadas que forman los ácidos nucleicos.*

adenitis (pl. *adenitis*) s.f. Inflamación de los ganglios linfáticos: *La adenitis se manifiesta con un aumento de tamaño del ganglio afectado.* □ ETIMOL. Del griego *adén* (glándula) e *-itis* (inflamación).

adenoide s.f. Masa o tejido que forma los ganglios: *Aquella doctora dio en la facultad unas conferencias sobre los ganglios y la adenoide.* □ ETIMOL. Del griego *adén* (glándula) y *-oide* (semejanza).

adenología s.f. Parte de la medicina que estudia y trata las glándulas: *El doctor que está tratando a mi padre es un experto en adenología.* □ ETIMOL. Del griego *adén* (glándula) y *-logía* (estudio).

adenoma s.m. Tumor del tejido glandular y generalmente benigno: *A mi amiga le han detectado un adenoma en la glándula tiroides.* □ ETIMOL. Del griego *adén* (glándula) y *-oma* (tumor).

adenomegalia s.f. En medicina, aumento de volumen de los ganglios linfáticos.

adenopatía s.f. Enfermedad de las glándulas, esp. de los ganglios linfáticos: *Muchos enfermos de esta sala del hospital padecen adenopatía.* □ ETIMOL. Del griego *adén* (glándula) y *-patía* (enfermedad).

adenovirus (pl. *adenovirus*) s.m. Virus que produce procesos catarrales y febriles y otras enfermedades respiratorias: *Las enfermedades producidas por adenovirus no suelen ser muy graves.*

adensar v. Hacer más denso: *Adensó el chocolate añadiendo harina. En el interior del bosque se adensaba la vegetación.* □ ETIMOL. Del latín *addensare.*

adentrarse v.prnl. Internarse o penetrar hacia el interior: *El barco se adentró en el mar.*

adentro ▮ adv. **1** A la parte interior o en el interior: *Pasad adentro, que fuera ya hace demasiado frío.* ▮ interj. **2** Expresión que se usa para indicar a una persona que entre en alguna parte: *¡Adentro, que yo sujeto la puerta mientras pasáis!* □ SINT. Incorr. *Pasa {*a adentro > adentro}.*

adentros s.m.pl. Pensamientos o sentimientos interiores de una persona: *Se repitió para sus adentros que nunca más volvería a hacerlo.*

adepto, ta adj./s. Partidario o seguidor de una persona, de una idea o de un movimiento: *Esta secta cuenta con más de dos mil adeptos. Los adeptos a nuestra causa son cada vez más numerosos.* □ ETIMOL. Del latín *adeptus* (adquirido), y este de *adipisci* (alcanzar). □ ORTOGR. Dist. de *adicto.* □ SINT. Constr. *adepto {A/DE} algo.*

aderezar v. **1** Referido a un alimento, condimentarlo o sazonarlo, generalmente con sal, aceite o especias: *Por favor, adereza la ensalada.* □ SINÓN. *aliñar.* **2** Arreglar con adornos: *Aderezó su discurso con comentarios humorísticos.* □ SINÓN. *aliñar.* □ ETIMOL. Del latín **directiare* (dirigir). □ ORTOGR. La *z* se cambia en *c* delante de *e* →CAZAR.

aderezo s.m. **1** Preparación de los alimentos generalmente con sal, aceite o especias: *Del aderezo de la ensalada siempre se encarga él.* **2** Condimento o conjunto de ingredientes con los que se da sabor a una comida: *Prefiero el limón al vinagre como aderezo en las ensaladas.* **3** Arreglo hecho con adornos: *Habrá un premio para el mejor aderezo navideño de un escaparate.* **4** Conjunto de dichos adornos: *Los aderezos de los caballos andaluces son famosos por su belleza.*

adeudar v. **1** Referido a una cantidad de dinero, deberla: *Ese cliente nos adeuda más de 30 euros.* **2** Referido a una cantidad de dinero, anotarla en el debe de una cuenta: *Me adeudaron la factura de teléfono en mi cuenta corriente.*

adeudo s.m. En economía, pago que debe hacerse con dinero, o anotación que se hace al debe de una cuenta: *Tengo un adeudo en el banco que no sé a qué factura puede corresponder.* □ SINÓN. *cargo.*

adherencia s.f. **1** Unión de dos superficies: *La adherencia de estos neumáticos al asfalto es francamente buena.* **2** Capacidad para que se produzca esta unión: *Este pegamento está seco y ha perdido su adherencia.* **3** Materia o parte añadida: *El casco de la barca tenía muchas adherencias de algas.* □ SEM. Dist. de *adhesión* (unión a una idea u opinión).

adherente ▌adj.inv. **1** Que adhiere o se adhiere. ▌s.m. **2** Sustancia que sirve para unir dos superficies: *Compré un adherente para pegar la escayola.*

adherir ▌v. **1** Pegar o unir con una sustancia aglutinante: *Adherí la pegatina al plástico de la carpeta. Este papel no se adhiere al cristal.* ▌prnl. **2** Estar de acuerdo con una idea u opinión: *Me adhiero plenamente a lo que acabas de decir.* ☐ ETIMOL. Del latín *adhaerere* (estar adherido). ☐ MORF. Irreg. →SENTIR. ☐ SINT. Constr. *adherirse A algo.*

adhesión s.f. Unión a una idea u opinión, y defensa que se hace de ellas: *Declaró su adhesión incondicional a las ideas democráticas.* ☐ SEM. Dist. de *adherencia* (unión de dos superficies; capacidad para que se unan; parte añadida).

adhesividad s.f. Capacidad de algo para pegarse o unirse a otra superficie: *La adhesividad de estas pegatinas es muy buena.*

adhesivo, va ▌adj. **1** Que adhiere o que se pega: *plástico adhesivo.* ▌s.m. **2** Objeto, esp. de papel, que puede ser adherido a una superficie por ir dotado de una sustancia pegajosa.

ad hoc (lat.) ‖ Adecuado o dispuesto para un fin: *Es una medida ad hoc y no admite discusión.*

ad hóminem ‖ Referido esp. a un argumento, que se funda en las opiniones o actos de la misma persona a quien se dirige: *Un razonamiento ad hóminem consiste en confundir al adversario oponiéndole sus propias palabras o sus propios actos.* ☐ ETIMOL. Del latín *ad hominem.*

ad honórem ‖ De forma honoraria: *Ha sido nombrado presidente ad honórem.* ☐ ETIMOL. Del latín *ad honorem.*

adiabático, ca adj. En física, referido a la transformación de un sistema, que se produce sin que haya intercambio de energía con el exterior: *El calentamiento del aire al ser comprimido es una transformación adiabática.*

adicción s.f. **1** Dependencia física o psíquica de alguna droga, ocasionada por el consumo reiterado de esta. ☐ SINÓN. *drogadicción.* **2** Dependencia psíquica de una actividad: *adicción al juego; adicción al trabajo.* ☐ ETIMOL. Del latín *addictionis.* ☐ ORTOGR. Dist. de *adición.*

adición s.f. **1** Unión de dos cosas o incorporación de una cosa a otra: *La parte norte del palacio es una adición reciente.* **2** Lo que se añade en una obra o en un escrito: *Las adiciones que puso al final del libro son muy acertadas.* **3** En matemáticas, operación mediante la cual se reúnen en una sola varias cantidades homogéneas: *La adición es la operación aritmética más sencilla.* ☐ SINÓN. *suma.* **4** En zonas del español meridional, cuenta o factura: *En el restaurante pedí la adición para pagar y poder partir.* ☐ ETIMOL. Del latín *additio*, y este de *addere* (añadir). ☐ ORTOGR. Dist. de *adicción.*

adicional adj.inv. Añadido o unido a algo: *Hay un artículo adicional que regula la vigencia de esta ley.*

adicionar v. Añadir o poner adiciones: *Muchos productos químicos son adicionados a los alimentos en conserva para evitar que se estropeen.*

adictivo, va adj. Que crea dependencia física o psíquica si se consume habitualmente: *sustancias adictivas.* ☐ ORTOGR. Dist. de *aditivo.*

adicto, ta adj./s. **1** Partidario o seguidor de algo: *Solo hay una minoría adicta a las propuestas de reforma.* **2** Referido a una persona, que tiene una dependencia física o psíquica de alguna droga o de alguna actividad: *Este es un centro de rehabilitación para los menores de doce años adictos a las drogas. Es un adicto al trabajo y está teniendo problemas en su vida familiar.* ☐ ETIMOL. Del latín *addictus.*

adiestramiento s.m. Enseñanza o preparación para desempeñar una determinada actividad, esp. física: *adiestramiento de animales.*

adiestrar v. Enseñar o preparar para desempeñar una determinada actividad, esp. física: *Los jóvenes caballeros medievales eran adiestrados en el uso de la espada. Se adiestró en el manejo del ordenador con la ayuda de algunos manuales.* ☐ ETIMOL. De *diestro* (que está a mano derecha).

adinerado, da adj. Que tiene mucho dinero: *Su familia es una de las más adineradas de la ciudad.*

adinerarse v.prnl. Hacerse rico: *Su familia se adineró con negocios en la construcción.*

ad infinítum ‖ Hasta lo infinito: *Podríamos seguir discutiendo este tema ad infinítum.* ☐ ETIMOL. Del latín *ad infinitum.*

adintelado, da adj. Referido a un arco, que tiene forma recta o de dintel: *arcos adintelados.*

ad interim (lat.) ‖ De manera temporal o provisional: *Ocupó el cargo ad interim, mientras el titular estaba dado de baja.* ☐ PRON. [ad ínterim].

adiós ▌s.m. **1** Despedida: *Llegó el momento del adiós.* ▌interj. **2** Expresión que se usa como señal de despedida: *Se despidió diciendo: «¡Adiós, hasta mañana!».* ☐ SINÓN. *agur.* **3** Expresión que se usa para indicar disgusto o decepción: *¡Adiós! Ya he vuelto a pinchar.* ☐ ETIMOL. Por acortamiento de *a Dios vayáis* o *a Dios quedad.*

adiposidad s.f. **1** Conjunto de características de la grasa: *la adiposidad de un tejido.* **2** Acumulación excesiva de grasa en el cuerpo: *La adiposidad puede ser generalizada o localizada.*

adiposis (pl. *adiposis*) s.f. Gordura excesiva: *Tiene una lesión de columna, agravada por la adiposis.* ☐ SINÓN. *obesidad.*

adiposo, sa adj. Formado por grasa o que la contiene, esp. referido a un tejido orgánico: *tejido adiposo.* ☐ ETIMOL. Del latín *adeps* (grasa).

adipsia s.f. Falta de sed por un largo tiempo: *La adipsia suele ser síntoma de alguna enfermedad.* ☐ ETIMOL. Del griego *a-* (privación) y *dípsa* (sed).

aditamento s.m. **1** Lo que se añade a algo: *Siempre viste de forma sencilla, sin aditamentos ni adornos.* **2** En algunas escuelas lingüísticas, función sintáctica de complemento circunstancial: *En la oración 'Comí allí', 'allí' es un aditamento que precisa el lugar donde se realiza la acción.* ☐ ETIMOL. Del latín *additamentum.*

aditivo, va ▮ adj. **1** Que puede o debe añadirse: *La industria de la alimentación utiliza sustancias aditivas autorizadas por la ley.* ▮ s.m. **2** Sustancia que se añade a otra para darle cualidades de las que carece o para mejorar las que posee: *Este zumo es totalmente natural y no lleva aditivos.* □ ETIMOL. Del latín *additivus* (añadido). □ ORTOGR. Dist. de *adictivo*.

adivinación s.f. Predicción o descubrimiento de algo por arte de magia, por conjeturas o por azar: *Dicen que esta pitonisa es una experta en prácticas de adivinación.*

adivinanza s.f. Pasatiempo o juego que consiste en hallar la solución de un enigma o en encontrar el sentido oculto de una frase: *La respuesta a la adivinanza 'Blanco por dentro, verde por fuera, si quieres que te lo diga, espera' es 'pera'.* □ SINÓN. *acertijo.*

adivinar v. **1** Referido al futuro o a algo oculto o ignorado, predecirlo o descubrirlo por arte de magia: *No me conocía de nada, pero adivinó cuál era mi problema.* **2** Referido a algo oculto o ignorado, descubrirlo por conjeturas o intuiciones: *Adivina quién ha venido a verte.* **3** Referido esp. a un enigma, acertar lo que quiere decir: *No me digas la solución; deja que la adivine yo sola.* **4** Vislumbrar, distinguir o ver a lo lejos: *Adivinó un jabalí entre los matojos.* □ ETIMOL. Del latín *addivinare*.

adivinatorio, ria adj. De la adivinación, con adivinación o que la contiene: *artes adivinatorias.*

a divinis (lat.) || Apartado de las cosas divinas: *La cesación a divinis es la suspensión canónica de los divinos oficios en una iglesia profanada.*

adivino, na s. Persona que adivina o que predice el futuro: *Es un adivino de mucho prestigio, visitado por muchos famosos.*

adjetivación s.f. **1** Calificación o aplicación de adjetivos que se hace de algo: *Es incapaz de describir los hechos con neutralidad y prescindiendo de adjetivaciones subjetivas.* **2** Conjunto de adjetivos o modo de adjetivar propios y peculiares de un autor, de un estilo o de una época: *La adjetivación barroca se caracteriza por su desmedida abundancia y por su gran riqueza de matices coloristas.* **3** En lingüística, concesión del valor o de la función del adjetivo a otra parte de la oración: *La expresión 'hombre orquesta' es un ejemplo de adjetivación del sustantivo 'orquesta'.*

adjetival adj.inv. Del adjetivo o relacionado con él: *Una característica adjetival es la flexión de género y número.*

adjetivar v. **1** Calificar o aplicar adjetivos: *Nadie tiene por qué adjetivar mi comportamiento ni de bueno, ni de malo, ni de nada.* **2** En lingüística, referido esp. a una palabra o a una parte de la oración no adjetivas, darles valor o función de adjetivo: *Un sustantivo se puede adjetivar aplicándole un cuantificador, como en la expresión 'muy hombre'.*

adjetivo, va ▮ adj. **1** En gramática, que funciona como un adjetivo: *En 'Juan estaba de mal humor', 'de mal humor' es una locución adjetiva que equivale a 'malhumorado'.* **2** Del adjetivo o relacionado con él: *La función adjetiva más importante es la de atributo del sustantivo, como en 'pies grandes' o 'buena gente'.* ▮ s.m. **3** En gramática, parte de la oración que califica o determina al sustantivo, expresando cualidades o propiedades de este y concordando con él en género y número: *'Ágil' es un adjetivo invariable en género.* □ ETIMOL. Del latín *adiectivus* (que se añade).

adjudicación s.f. Declaración de que algo pertenece a alguien: *La adjudicación de contratos a dedo es algo que debe terminar.*

adjudicar ▮ v. **1** Referido a algo a lo que se aspiraba, concedérselo a alguien, generalmente tras haber competido con otros: *El director de subasta adjudicó el cuadro al comprador que pujó más alto.* ▮ prnl. **2** Apropiarse o apoderarse: *No te adjudiques todo lo que no tiene dueño.* **3** En algunas competiciones, ganar o hacerse con la victoria: *¿Qué equipo crees que se adjudicará la Liga este año?* □ ETIMOL. Del latín *adiudicare*. □ ORTOGR. La *c* se cambia en *qu* delante de *e* →SACAR.

adjudicatario, ria adj./s. Persona o entidad a quienes se concede algo, esp. una obra o un servicio público: *una empresa adjudicataria.*

adjunción s.f. Unión de dos bienes que pertenecen a distintos propietarios, para formar un único bien que tenga la capacidad de ser dividido de nuevo: *Esta tarde vienen al despacho dos clientes para realizar una adjunción.*

adjuntar v. Unir, añadir o agregar a lo que se envía: *Adjuntamos a la carta folletos informativos.*

adjuntía s.f. Plaza de profesor, que generalmente estaba ligada a una cátedra o a un departamento.

adjunto, ta ▮ adj. **1** Que está unido o va con otra cosa: *un folleto adjunto.* ▮ adj./s. **2** Que ayuda a otro en un cargo o trabajo de responsabilidad: *Es directora adjunta del Departamento de Personal.* ▮ s.m. **3** En gramática, palabra que funciona como complemento de otra sin que entre ellas exista nexo alguno: *En 'casa blanca', 'blanca' es un adjunto del sustantivo 'casa'.* **4** Denominación que en algunas escuelas lingüísticas recibe la función sintáctica de complemento circunstancial: *En 'Acudió puntualmente a la reunión', 'puntualmente' es un adjunto del verbo 'acudió'.* □ ETIMOL. Del latín *adiunctum*. □ USO 1. Se usa como adverbio de modo con el significado de 'juntamente': *Adjunto le enviamos una muestra de nuestras novedades.* 2. En la acepción 2, es innecesario el uso del anglicismo *assistant*.

adlátere (tb. *a látere*) s.com. Persona que parece inseparable de otra a la que está subordinada: *Siempre aparece rodeada por sus adláteres.* □ ETIMOL. Del latín *a latere*, por confusión entre las preposiciones latinas *ab*, *a* y *ad*. □ USO Tiene un matiz despectivo.

ad lib || Referido a la ropa, que es informal, está hecha con tejidos naturales y se caracteriza por ser cómoda y por tener generalmente colores claros: *moda ad lib.* □ ETIMOL. Del latín *ad libitum* (a voluntad).

ad líbitum || Libremente, a voluntad o a gusto: *En esta partitura, el acompañamiento de violín se puede interpretar ad líbitum.* □ ETIMOL. Del latín *ad libitum*.

ad limina (lat.) || Referido esp. a una visita, que es realizada por un obispo cada cinco años: *El obispo de Calahorra hizo la visita ad limina al Vaticano.* □ PRON. [ad límina].

ad lítteram || Al pie de la letra, literalmente: *El artículo es una reproducción ad lítteram de varios pasajes de este libro.* □ ETIMOL. Del latín *ad litteram*.

adminículo s.m. Cosa pequeña y sencilla que sirve de ayuda para algo: *El dedal es un adminículo de las costureras.* □ ETIMOL. Del latín *adminiculum* (puntal, ayuda).

administración s.f. **1** Gobierno o dirección de una comunidad: *La mala administración de la empresa llevó a la ruina a sus propietarios.* **2** Organización de los bienes económicos y disposición de cómo deben usarse: *Un grupo de padres se hizo cargo de la administración del colegio.* **3** Aplicación de un medicamento: *Mi médica no es partidaria de la administración de calmantes a niños tan pequeños.* **4** Acción por la cual se confiere un sacramento: *La administración de la extremaunción se llevó a cabo varias horas antes de su fallecimiento.* **5** Dosificación o graduación de algo para que dure más tiempo: *Una buena administración de las fuerzas te ayudará a aguantar hasta el final.* **6** Suministro o distribución: *Esta asociación se encarga de la administración de fondos para diversas actividades socioculturales.* **7** Oficina desde la que se lleva a cabo la organización y la gestión económica de una comunidad: *Para cobrar esa factura, tiene que pasar por administración antes de las 12.* **8** En algunos países, esp. en Estados Unidos (país americano), equipo de gobierno que actúa bajo un presidente: *En la administración del actual presidente muchas mujeres tienen cargos de gobierno.* **9** || **administración de loterías;** lugar en el que se pueden comprar billetes de lotería y cobrar los premios. || **administración (pública);** conjunto de instituciones y organismos que ejecutan y aseguran el cumplimiento de las leyes y la buena marcha de los servicios públicos, de acuerdo con las instrucciones de un gobierno: *Los órganos de la Administración del Estado son creados, regidos y coordinados de acuerdo con la ley.* □ USO Las acepciones 1 y 8 se usan más como nombre propio.

administrado, da adj./s. Que está bajo la jurisdicción de una autoridad administrativa: *Los administrados tienen deberes que cumplir en su relación con la Administración, pero también tienen derechos.*

administrador, -a ▮ adj./s. **1** Que administra. ▮ s. **2** Persona que se dedica a administrar bienes que no son suyos: *La comunidad de vecinos ha nombrado una nueva administradora.*

administrar v. **1** Referido a una comunidad, gobernarla, dirigirla o ejercer autoridad sobre ella: *La nueva directora administra muy bien el colegio.* **2** Referido esp. a bienes económicos, organizarlos o disponer su utilización: *En casa soy yo quien se encarga de administrar los dos sueldos.* **3** Referido a un medicamento, aplicarlo o hacerlo tomar: *El médico me administró un calmante para el dolor.* **4** Referido a un sacramento, darlo o conferirlo: *El sacerdote administró el bautismo al recién nacido.* **5** Referido a algo de lo que se hace uso, dosificarlo o graduarlo para que dure más tiempo: *El ciclista supo administrar sus fuerzas y así consiguió ganar la etapa en los kilómetros finales. Se administró bien el dinero para irse de vacaciones.* **6** Suministrar, proporcionar o distribuir: *La empresa administró entre sus trabajadores fondos para ayuda a la formación.* □ ETIMOL. Del latín *administrare* (servir). □ SEM. Solo debe usarse con el significado de 'dar' cuando se aplique a medicamentos o sacramentos: *Le {*administró > dio} una bofetada.*

administrativista adj.inv./s.com. Referido esp. a un abogado, que está especializado en asuntos de derecho administrativo: *Mi tío es uno de los mejores abogados administrativistas de la ciudad.*

administrativo, va ▮ adj. **1** De la administración o relacionado con ella: *medidas administrativas.* ▮ s. **2** Persona que trabaja en las tareas de administración de una empresa o institución pública: *Los administrativos deben tener conocimientos de contabilidad.*

admirabilísimo, ma superlat. irreg. de **admirable**. □ MORF. Incorr. **admirablísimo*.

admirable adj.inv. Que produce admiración o sorpresa: *Tiene un sentido del humor admirable.* □ MORF. Su superlativo es *admirabilísimo*.

admiración s.f. **1** Valoración muy positiva de algo, que se considera bueno por sus cualidades: *digno de admiración.* **2** Sorpresa o extrañeza: *Se fue sin despedirse, ante la admiración de todos nosotros.* **3** En ortografía, signo gráfico de puntuación que se coloca al principio y, en posición invertida, al final de una expresión exclamativa: *La admiración se representa con los signos ¡ !* □ SINÓN. *exclamación*. □ ORTOGR. No debe omitirse el signo inicial de una admiración.

admirador, -a ▮ adj./s. **1** Que admira o valora mucho: *Soy una gran admiradora de las obras de este pintor.* ▮ s. **2** Fiel seguidor de una persona: *Ese actor tiene más admiradoras que admiradores.*

admirar v. **1** Estimar o valorar en mucho: *Los admiro por su valor.* **2** Producir o causar sorpresa o extrañeza: *Me admira que tengas tan poca vergüenza. Se admiraron de nuestra forma de trabajar.* **3** Contemplar con placer o con especial agrado: *Pasé un buen rato admirando aquel cuadro.* □ ETIMOL. Del latín *admirari*.

admirativo, va adj. Que muestra admiración o asombro: *tono admirativo.*

admisibilidad s.f. Capacidad de ser admitido: *Pongo en duda la admisibilidad de ese supuesto.*

admisible adj.inv. Que puede admitirse: *Sus propuestas son perfectamente admisibles.*

admisión s.f. Aceptación, recibimiento o entrada de algo: *plazo de admisión.*

admitir v. **1** Recibir o dar entrada: *En este local no se admite la entrada a menores de dieciocho años.* **2** Aprobar o dar por bueno: *Admito lo que dices, pero no estoy de acuerdo.* ☐ SINÓN. *aceptar.* **3** Permitir, tolerar o sufrir: *No sé admitir las críticas que me hacen.* ☐ ETIMOL. Del latín *admittere.*

admonición s.f. **1** Advertencia muy severa que se hace a alguien: *Mi primo recibió una admonición de la empresa antes de que lo despidieran.* ☐ SINÓN. *amonestación, amonestamiento.* **2** Censura o riña suaves: *El jugador recibió varias admoniciones de su entrenador, pero no hizo caso de ellas.* ☐ SINÓN. *reconvención.* ☐ ETIMOL. Del latín *admonitio.*

admonitorio, ria adj. Que amonesta o que tiene carácter de grave advertencia: *El presidente del club le mandó una nota admonitoria por no haber pagado las cuotas.*

ADN (pl. *ADN*) s.m. Sustancia química que constituye el material genético de las células y se encuentra fundamentalmente en el núcleo de estas. ☐ ETIMOL. Es la sigla de *ácido desoxirribonucleico.*

ad naturam (lat.) ‖ Conforme a la naturaleza: *Todas estas normas de comportamiento son claramente ad naturam.* ☐ PRON. [ad natúram].

ad náuseam ‖ Hasta la náusea o hasta producir disgusto: *Esta película de muertes sangrientas es asquerosa ad náuseam.* ☐ ETIMOL. Del latín *ad nauseam.*

ad normam (lat.) ‖ Según la norma o según el reglamento: *Tu trabajo implica mucha responsabilidad y debes hacerlo todo ad normam.* ☐ PRON. [ad nórmam].

ad nútum ‖ A voluntad: *Propongo que cada uno lo haga ad nútum.* ☐ ETIMOL. Del latín *ad nutum.*

-ado 1 Sufijo que indica tiempo: *reinado, noviciado.* **2** Sufijo que indica lugar: *principado, consulado.* **3** Sufijo que indica dignidad o título: *vizcondado, episcopado.* **4** Sufijo que indica conjunto: *alcantarillado, enrejado.* **5** Sufijo que indica acción y efecto: *aclarado, alisado.*

-ado, -ada 1 Sufijo que indica relación o semejanza: *lanceolado, tornasolada.* **2** Sufijo que indica presencia de algo: *dentado, sexuada.*

adobar v. Referido a un alimento, esp. a la carne, ponerlo en adobo para que se conserve: *Si no comemos hoy el lomo de cerdo, lo adobaré para que no se estropee.* ☐ ETIMOL. Del francés antiguo *adober* (armar caballero, preparar).

adobe s.m. Masa de barro y paja, moldeada en forma de ladrillo y secada al aire, que se emplea como material de construcción en paredes o muros: *Hoy día en España, el adobe ha sido sustituido por el ladrillo.* ☐ ETIMOL. Del árabe *at-tub* (el ladrillo).

adobo s.m. Salsa hecha con aceite, vinagre, especias y otros ingredientes, usada para conservar los alimentos: *He comprado carne en adobo para la cena.*

adocenado, da adj. *desp.* Que es excesivamente corriente y vulgar: *En ese grupo nadie destaca porque están todos adocenados.*

adocenar v. *desp.* Volver excesivamente corriente y vulgar: *La apatía de mi prima la adocenó con el paso del tiempo.*

adoctrinador, -a adj. Que adoctrina. ☐ SINÓN. *Los más antiguos en el partido cumplían una importante labor adoctrinadora entre los más jóvenes.*

adoctrinamiento s.m. Enseñanza de los principios de una doctrina o de una ideología, para intentar inculcar determinadas ideas o creencias: *Déjate de adoctrinamientos inútiles y demuestra con los hechos lo que quieres enseñar a los demás.*

adoctrinar (tb. *doctrinar*) v. **1** Referido a una persona, enseñarle los principios de una doctrina o de una ideología, inculcándole determinadas ideas o creencias: *No me intentes adoctrinar; conozco bien esa secta, y no estoy en absoluto de acuerdo con sus principios.* **2** Referido a una persona, decirle lo que debe hacer o cómo debe comportarse: *El jefe de la banda adoctrinó muy bien a sus secuaces para que no estropeasen su coartada ante la policía.*

ad oculos (lat.) ‖ Ante la vista: *No me creí lo que me decía hasta que no lo tuve ad oculos.* ☐ PRON. [ad óculos].

adolecer v. **1** Referido a una enfermedad, padecerla o sufrirla: *Adolece de jaqueca desde muy joven.* **2** Referido a un defecto, tenerlo o poseerlo: *Esa empresa adolece de graves irregularidades.* ☐ ETIMOL. De *doler.* ☐ MORF. Irreg. →PARECER. ☐ SINT. Constr. *adolecer* DE *algo.* ☐ SEM. No debe emplearse con el significado de 'carecer': *{*Adolece > Carece} de inteligencia.*

adolescencia s.f. Período de la vida de una persona, desde la pubertad hasta el completo desarrollo del organismo: *La adolescencia es una edad difícil caracterizada por fuertes cambios biológicos y psicológicos.*

adolescente adj.inv./s.com. Referido a una persona, que está en la adolescencia: *Es profesora de instituto y da clase a adolescentes.* ☐ ETIMOL. Del latín *adolescens* (hombre joven). ☐ USO Es innecesario el uso del anglicismo *teenager.*

adolorido, da adj. En zonas del español meridional, dolorido: *Como no estoy acostumbrado a hacer gimnasia, tengo todo el cuerpo adolorido.*

adonde adv.relat. Designa el lugar hacia el que algo se dirige: *Aquel castillo es adonde vamos.* ☐ ORTOGR. Dist. de *adónde.* ☐ SINT. Su uso con verbos de reposo está anticuado en la lengua actual: *Estoy adonde tu tía.* ☐ SEM. *Donde* tiene el mismo significado que *adonde.*

adónde adv. A qué lugar: *¿Adónde vais?* ☐ ORTOGR. 1. Dist. de *adonde.* 2. Se puede utilizar también la grafía *a dónde.* ☐ SEM. *Dónde* se usa con el mismo significado que *adónde.*

adondequiera adv. A cualquier parte: *Te seguiré adondequiera que vayas.* ☐ ORTOGR. Incorr. **a dondequiera.*

adonis (pl. *adonis*) s.m. Joven de gran belleza física: *Ese actor no es ningún adonis.* ☐ ETIMOL. Por alusión a Adonis, personaje mitológico de gran belleza.

adopción s.f. **1** Acto jurídico por el que una persona se hace cargo legalmente de otra y la toma como hijo propio, sin que sea hijo biológico: *la adopción de un niño.* **2** Toma de una decisión o de un acuerdo tras una discusión previa: *la adopción de una medida.* **3** Adquisición o consideración como propio: *Aunque nació en Alemania, es español de adopción.*

adoptar v. **1** Referido a una persona, hacerse cargo legalmente de ella como hijo propio, sin que sea hijo biológico: *Como no podíamos tener hijos, hemos adoptado uno.* **2** Referido a ideas o costumbres ajenas, hacerlas propias: *Los dos han adoptado el mismo punto de vista sobre la cuestión.* **3** Referido a una decisión o a un acuerdo, tomarlos tras una discusión previa: *El Gobierno ha adoptado nuevas medidas contra el paro.* **4** Adquirir, tomar o considerar como propio: *No adoptes esa actitud tan crítica.* ☐ ETIMOL. Del latín *adoptare*, y este de *ad* y *optare* (desear). ☐ ORTOGR. Dist. de *adaptar*.

adoptivo, va adj. **1** Que adopta: *padre adoptivo.* **2** Que es adoptado: *hija adoptiva.*

adoquín s.m. **1** Bloque de piedra labrada de forma rectangular que se usa para pavimentar las calles: *En el pueblo, las calles están hechas con adoquines.* **2** *col.* Persona muy torpe intelectualmente: *Eres un adoquín y no entiendes nada de lo que te digo.* ☐ ETIMOL. Del árabe *ad-dukkan* (la piedra escuadrada).

adoquinado s.m. **1** Suelo revestido o cubierto con adoquines: *El adoquinado de esta calle está deteriorado.* **2** Revestimiento de adoquines: *Han comenzado las obras de adoquinado.*

adoquinar v. Revestir el suelo de una calle con adoquines de piedra: *Hace años, las carreteras se adoquinaban, no se asfaltaban.*

adorable adj.inv. Que inspira admiración, simpatía y cariño, por sus cualidades positivas: *Es una mujer adorable.*

adoración s.f. **1** Culto que se da a algo que es o se considera divino: *El día seis de enero se celebra la fiesta de la adoración de los Reyes Magos al Niño Jesús.* **2** Amor muy profundo: *Siente adoración por su familia.*

adorar v. **1** Referido a lo que es o se considera divino, darle culto: *En esa tribu adoraban a la Luna.* **2** Amar extremadamente: *Adora a su hija.* **3** Considerar agradable o apetecible: *Adoro tomar un buen café después de la comida.* ☐ ETIMOL. Del latín *adorare*.

adoratorio s.m. En algunas culturas americanas prehispánicas, templo o lugar dedicado al culto de ídolos o de seres considerados divinos.

adoratriz s.f. Religiosa de la orden de las Esclavas del Santísimo Sacramento (congregación fundada con el fin de adorar el cuerpo de Jesucristo consagrado, y de educar y rehabilitar a mujeres jóvenes): *En esa calle hay un convento de adoratrices.*

adormecer ▮ v. **1** Dormir o causar sueño: *Estar al sol en la playa adormece a cualquiera. El bebé se adormeció cantándole una nana.* **2** Calmar, sosegar o hacer disminuir la fuerza, la sensibilidad o el efecto: *Toma un medicamento que adormece los sentidos.* ▮ prnl. **3** Empezar a sentir sueño: *Después de comer se sienta en el sofá y enseguida se adormece.* ☐ ETIMOL. Del latín *addormiscere.* ☐ MORF. Irreg. →PARECER.

adormecimiento s.m. **1** Producción o sensación de sueño: *Uno de los efectos habituales de los calmantes es el adormecimiento.* **2** Disminución de la fuerza, de la sensibilidad o del efecto de algo: *Sólo sus nietos consiguen un relativo adormecimiento de su pena.*

adormidera (tb. *dormidera*) s.f. **1** Planta herbácea de origen oriental, de hojas abrazadoras azuladas, flores grandes, blancas o rojas, y fruto en forma de cápsula: *En muchos sitios las plantaciones de adormideras están prohibidas.* **2** Fruto de esta planta: *De las adormideras se extrae el opio.* ☐ ETIMOL. Del antiguo *adormir* (adormecer), por las propiedades narcóticas de la adormidera.

adormilarse (tb. *adormitarse*) v.prnl. Dormirse a medias: *El niño se adormiló en mis brazos mientras lo mecía.*

adormitarse v.prnl. →**adormilarse.**

adornar v. **1** Poner adornos para embellecer: *Si la fiesta es en el salón, habrá que adornarlo. Cuéntame la historia, pero no la adornes con detalles. En fiestas, las calles se adornan con luces de colores y banderines.* ☐ SINÓN. *ornamentar, ornar.* **2** Servir de adorno: *Las flores adornan mucho en una casa.* ☐ SINÓN. *ornar.* **3** Referido esp. a una persona, dotarla de cualidades positivas: *La naturaleza lo adornó con una gran inteligencia.* ☐ SINÓN. *ornar.* **4** Referido esp. a una cualidad positiva, estar presente en una persona: *Son muchas las virtudes que lo adornan.* ☐ ETIMOL. Del latín *adornare*.

adornista s.com. Persona que se dedica a la realización o a la colocación de adornos, esp. en edificios, dependencias y escaparates: *Un adornista se encargó de engalanar el hotel para las fiestas navideñas.*

adorno s.m. **1** Lo que se pone para embellecer, realzar el atractivo o mejorar el aspecto. **2** ‖ **de adorno;** sin una función útil o sin realizar una labor efectiva: *Tiene ahí unos trastos viejos de adorno, hasta que se decida a tirarlos.* ☐ USO *De adorno* tiene un matiz humorístico.

adosado, da adj./s.m. Referido a una vivienda, esp. a un chalé, que está construida contigua o pegada a otras por sus lados o por su parte de atrás: *Los chalés adosados reúnen las ventajas de una casa independiente sin la desventaja de estar aislados.*

adosar v. Colocar una cosa unida a otra, esp. por los lados o por detrás: *El granjero adosó el granero a la casa.* ☐ ETIMOL. Del francés *adosser*.

adquirente adj.inv./s.com. Que adquiere: *los adquirentes potenciales de un nuevo producto.*

adquirir v. **1** Coger, lograr o conseguir: *Adquirió la costumbre de madrugar siendo aún muy pequeño. Ha adquirido una gran cultura viajando.* □ SINÓN. *cobrar.* **2** Referido a algo que no es propio, hacerse dueño de ello a cambio de dinero: *¡Adquiera dos camisas al precio de una!* □ SINÓN. *comprar.* □ ETIMOL. Del latín *acquirere*, y este de *quaerere* (buscar, inquirir, pedir). □ MORF. Irreg. →ADQUIRIR.

adquisición s.f. **1** Obtención o compra de algo: *Este mueble es de adquisición reciente.* **2** Lo que se adquiere, se compra o se obtiene: *Este coche es la mejor adquisición que he hecho en mi vida.* **3** Persona cuyos servicios o cuya ayuda se consideran valiosos: *El nuevo abogado es una adquisición y ya ha ganado varios juicios para la empresa.*

adquisidor, -a adj./s. Que adquiere: *No sé qué hice para ser adquisidor de su confianza.*

adquisitivo, va adj. Que sirve para adquirir: *poder adquisitivo.*

adrede adv. A propósito o intencionadamente: *Sé que te he hecho una faena, pero te prometo que no ha sido adrede.* □ SINÓN. *aposta.* □ ETIMOL. De origen incierto.

adrenal adj.inv. De la glándula suprarrenal o relacionado con ella: *La médula de la glándula adrenal segrega la adrenalina y la noradrenalina.* □ ETIMOL. Del latín *ad* (junto a) y *renalis* (renal).

adrenalina s.f. **1** Hormona segregada por las glándulas suprarrenales, que aumenta la presión sanguínea y estimula el sistema nervioso central: *La tensión nerviosa hace que aumente la producción de adrenalina en el organismo.* **2** Excitación, nerviosismo o exceso de tensión acumulada: *Hacer deporte me ayuda a descargar adrenalina.* □ ETIMOL. De *adrenal.*

adrenalínico, ca **1** adj. De la adrenalina o relacionado con esta hormona: *una descarga adrenalínica.* **2** *col.* Que estimula la secreción de adrenalina: *un deporte adrenalínico.*

adriático, ca adj. Del mar Adriático (parte del mar Mediterráneo, situado en el golfo de la ciudad italiana de Venecia), o relacionado con él: *Venecia está en la costa adriática. Hicimos un crucero por aguas adriáticas.*

adscribir v. **1** Referido a una persona, destinarla a un empleo, servicio o fin determinados: *Cuando aprobó las oposiciones, lo adscribieron a un instituto de su localidad.* **2** Atribuir o contar entre lo que corresponde a alguien: *Adscribieron el caso al juzgado de delitos monetarios.* □ ETIMOL. Del latín *adscribere.* □ MORF. Su participio es *adscrito.*

adscripción s.f. **1** Destino de una persona a un empleo, a un servicio o a un fin determinados. **2** Atribución que se hace a una persona: *El notario cuidará de que la adscripción de la herencia se haga al legítimo heredero.*

adscrito, ta part. irreg. de **adscribir**. □ MORF. Incorr. **adscribido.*

ad sensum (lat.) ‖ Según el sentido y sin atender a las concordancias gramaticales: *En la frase 'Una multitud de chiquillos subieron las escaleras' se produce una concordancia ad sensum entre el sujeto y el verbo.* □ PRON. [ad sénsum].

ADSL (ing.) s.m. En informática, sistema digital de transmisión de datos a gran velocidad, que utiliza el cable de la línea telefónica convencional: *La línea ADSL permite utilizar internet sin interrumpir el servicio telefónico.* □ ETIMOL. Es la sigla del inglés *Asymmetric Digital Subscriber Line* (línea asimétrica digital de abonado). □ SINT. Se usa mucho en aposición, pospuesto a un sustantivo: *línea ADSL; conexión ADSL.*

adsorber v. En física, referido a un cuerpo líquido o gaseoso, atraerlo un cuerpo sólido, de modo que retenga en su superficie sus moléculas o iones: *El carbón activo adsorbe ciertos gases tóxicos.* □ ETIMOL. Del latín *ad* y *sorbere* (sorber). □ ORTOGR. Dist. de *absolver* y de *absorber.*

adsorción s.f. Atracción que un cuerpo sólido ejerce sobre un líquido o un gas, de forma que retenga en su superficie sus moléculas o iones: *La adsorción puede ser de naturaleza física o química.* □ ORTOGR. Dist. de *absorción.*

adstrato s.m. Lengua o dialecto que influye sobre otra lengua o dialecto vecinos a ella: *El árabe fue adstrato del español.*

aduana s.f. Oficina pública, que suele estar situada en las costas y fronteras de algunos países para controlar y revisar las mercancías que entran y salen de él y cobrar los derechos correspondientes: *En la aduana nos preguntaron si teníamos algo que declarar.* □ ETIMOL. Del árabe *ad-diwana* (el registro).

aduanal adj.inv. En zonas del español meridional, de la aduana o relacionado con ella.

aduanero, ra ▌adj. **1** De la aduana o relacionado con ella: *En la frontera entre estos dos países hay varios puestos aduaneros.* ▌s. **2** Persona empleada en una aduana: *Los aduaneros del aeropuerto revisaron nuestras maletas.*

aducción s.f. Movimiento por el que una parte del cuerpo se acerca al eje del mismo: *Bajar los brazos es un ejercicio de aducción.* □ ORTOGR. Dist. de *abducción.*

aducir v. Referido esp. a una prueba o a un argumento, presentarlos o alegarlos para demostrar algo o convencer de ello: *Se declara inocente y aduce que no estaba allí cuando ocurrieron los hechos.* □ ETIMOL. Del latín *adducere* (conducir a alguna parte). □ MORF. Irreg. →CONDUCIR. □ SEM. Dist. de *abducir* (secuestrar).

aductor adj./s.m. →**músculo aductor.**

adueñarse v.prnl. **1** Referido a una persona, hacerse dueño o apropiarse: *Se adueñaron de cosas que no les correspondían legalmente.* **2** Referido esp. a un sentimiento o a una sensación, apoderarse o hacerse dominante: *Al conocer tan grata noticia, el optimismo se adueñó de nosotros.* □ SINT. Constr. *adueñarse* DE *algo.*

adujarse v.prnl. Encogerse para acomodarse en poco espacio: *Me adujé para dormir en un rincón del camarote.* □ ORTOGR. Conserva la *j* en toda la conjugación.

adulación s.f. Manifestación intencionada y desmedida de lo que se cree que puede agradar a una persona: *La adulación me parece una actitud servil.*

adulador, -a adj./s. Que adula: *No seas tan adulador y déjate de prodigar halagos a todo el mundo.* □ SINÓN. *cobista.*

adular v. Referido a una persona, decirle o hacerle de manera intencionada y generalmente desmedida lo que se cree que puede agradarle: *No pienses que adulándome tan descaradamente vas a conseguir lo que pretendes.* □ SINÓN. *lisonjear.* □ ETIMOL. Del latín *adulari.*

adulatorio, ria adj. De la adulación o relacionado con ella: *palabras adulatorias.*

adulteración s.f. **1** Corrupción o alteración de la calidad de algo, hechas generalmente añadiendo sustancias extrañas: *La adulteración del vino fue descubierta en un control de calidad.* **2** Alteración de la verdad de algo: *La oposición acusa al Gobierno de una adulteración de los datos reales.*

adulterar v. **1** Corromper o alterar la calidad, generalmente añadiendo sustancias extrañas: *Los traficantes de droga adulteraron una importante cantidad de heroína.* **2** Falsear o alterar la verdad: *El autor del informe adulteró los hechos interesadamente.* □ ETIMOL. Del latín *adulterare* (alterar, falsificar, deshonrar).

adulterino, na ▮ adj. **1** Del adulterio o relacionado con este tipo de relación sexual: *relaciones adulterinas.* ▮ adj./s. **2** Que procede del adulterio: *un hijo adulterino.*

adulterio s.m. Relación sexual mantenida voluntariamente con una persona distinta de aquella con la que se está legalmente casado: *Cuando descubrió que su marido estaba cometiendo adulterio, inició los trámites legales de la separación.*

adúltero, ra ▮ adj. **1** Del adulterio o de la persona que mantiene esta relación sexual: *A todos sorprendió el comportamiento adúltero de una mujer tan aparentemente enamorada de su marido.* ▮ adj./s. **2** Que mantiene una relación de adulterio: *En la demanda de divorcio, acusaba a su cónyuge de ser un adúltero.* □ ETIMOL. Del latín *adulter* (que comete adulterio).

adultez s.f. **1** Grado de cierta perfección o madurez que se alcanza generalmente con la experiencia: *Me sorprendió la adultez y sensatez de su respuesta.* **2** Período de la vida de una persona en el que ha alcanzado su mayor grado de crecimiento y desarrollo, tanto físico como psicológico: *Cuando tomó aquella decisión, demostró que había alcanzado la adultez.*

adulto, ta ▮ adj. **1** Que ha llegado a cierto grado de perfección, de madurez o de experiencia: *Después de varios años de transición, se puede decir ya que tenemos una democracia adulta.* **2** Referido a un animal, que ha alcanzado la plena capacidad reproductora: *En cuanto llega la época de celo, los machos adultos buscan una hembra con la que aparearse.* ▮ adj./s. **3** Referido a una persona, que ha llegado a su mayor grado de crecimiento y desarrollo, tanto físico como psicológico: *La película contiene escenas duras que la hacen recomendable solo para adultos.* □ ETIMOL. Del latín *adultus*, y este de *adolescere* (crecer).

adustez s.f. **1** Carácter huraño o poco amable: *Tu adustez no invita precisamente a acercarse a ti.* **2** Sequedad, aspereza o aridez: *La adustez del terreno lo hace poco apto para el cultivo.*

adusto, ta adj. **1** Referido a una persona o a su carácter, que es huraño, poco amable y desagradable en el trato: *modales adustos.* **2** Seco, áspero o árido: *tierra adusta.* □ ETIMOL. Del latín *adustus*, y este de *adurere* (chamuscar).

advenedizo, za adj./s. Referido a una persona, que se introduce en un grupo social o llega a ocupar una posición que, en opinión de los que ya estaban allí, no le corresponde por su condición o por sus méritos: *El nuevo jefe de sección es un advenedizo nombrado por recomendación.* □ ETIMOL. Del latín **adveniticius*, en vez de *adventicius* (extraño).

advenimiento s.m. Llegada o venida, esp. si es esperada y solemne: *Con el advenimiento de la democracia muchos exiliados volvieron al país.* □ ORTOGR. Dist. de *avenimiento.*

advenir v. Llegar, venir o sobrevenir: *Aquel año advino la guerra.* □ ETIMOL. Del latín *advenire.* □ MORF. Irreg. →VENIR. □ USO Su uso es característico del lenguaje culto.

adventicio, cia adj. Extraño o que sucede de manera accidental, no natural o impropia: *Los casos adventicios no pueden explicarse con una regla general.* □ ETIMOL. Del latín *adventicius* (advenedizo, extraño).

adventismo s.m. Doctrina religiosa protestante, según la cual Cristo volverá de nuevo a la Tierra y reinará visiblemente sobre ella: *El adventismo está muy extendido en los Estados Unidos de América.* □ ETIMOL. Del latín *adventus* (llegada).

adventista ▮ adj.inv. **1** Del adventismo o relacionado con esta doctrina religiosa: *iglesia adventista.* ▮ s.com. **2** Miembro de la comunidad religiosa que defiende o sigue el adventismo.

adverar v. En derecho, referido esp. a un documento, certificarlo o darlo por auténtico: *El notario adveró las escrituras del edificio.* □ ETIMOL. Del latín *adverare.*

adverbial adj.inv. **1** Del adverbio o relacionado con él: *El sufijo '-mente' añade un valor adverbial de modo a la palabra a la que se une.* **2** Que funciona como un adverbio: *una locución adverbial.*

adverbialización s.f. En lingüística, concesión del valor o de la función del adverbio a otra parte de la oración: *En la expresión 'Todos trabajamos duro', se ha producido una adverbialización del adjetivo duro.*

adverbializar v. En lingüística, referido a una parte de la oración, darle valor o función de adverbio: *Cuan-*

do dices 'Habla claro', estás adverbializando el adjetivo 'claro'. □ ORTOGR. La *z* se cambia en *c* delante de *e* →CAZAR.

adverbio s.m. En gramática, parte invariable de la oración cuya función consiste en modificar la significación de un verbo, de un adjetivo, de otro adverbio o de toda una oración: *'Ahí' es adverbio de lugar, 'poco', de cantidad, 'hoy', de tiempo y 'suavemente', de modo.* □ ETIMOL. Del latín *adverbium*.

adversario, ria ▌s. **1** Persona contraria o enemiga: *En aquel combate se enfrentó a su peor adversario.* ▌s.m. **2** Conjunto formado por personas contrarias o enemigas: *En el próximo partido, nuestro equipo se medirá con un difícil adversario.* □ ETIMOL. Del latín *adversarius*.

adversativo, va adj. En gramática, que implica o expresa oposición o contrariedad de sentido: *una oración adversativa.*

adversidad s.f. **1** Carácter contrario, desfavorable u opuesto que presenta algo: *La adversidad del clima desaconsejaba hacerse a la mar.* **2** Suerte contraria o desfavorable: *Luchó por sobreponerse a la adversidad.* **3** Situación desgraciada: *Pasó por todo tipo de adversidades hasta llegar a ser lo que hoy es.*

adverso, sa adj. Contrario, desfavorable u opuesto a lo que se desea o se pretende: *un resultado adverso.* □ ETIMOL. Del latín *adversus*.

advertencia s.f. Noticia o información que se dan a alguien, esp. para avisarlo sobre algo: *Lo que le ha ocurrido a tu hermano es una advertencia para que tú tengas más cuidado.*

advertido, da adj. Capaz, experimentado, sagaz y prudente: *Es persona advertida y dudo que caiga en ese engaño tan simple.*

advertir v. **1** Hacer notar, hacer saber o llamar la atención sobre algo: *Advertí a mi hermano de que llovía.* **2** Aconsejar, prevenir o avisar con un ligero tono de amenaza: *Te lo advierto, como no llegues puntual, me voy sin ti.* **3** Darse cuenta, notar o reparar: *Advirtió que se había olvidado las llaves cuando ya era tarde para ir a buscarlas.* □ ETIMOL. Del latín *advertere* (dirigir hacia, notar). □ MORF. Irreg. →SENTIR. □ SINT. Constr. de la acepción 1: *advertir* A *alguien* DE *algo.*

adviento s.m. En el cristianismo, tiempo que comprende las cuatro semanas que preceden al día de Navidad: *Durante el adviento, los cristianos se preparan para celebrar el nacimiento de Jesucristo.* □ ETIMOL. Del latín *adventus* (llegada).

advocación s.f. **1** Nombre del santo bajo cuya protección se encuentra un lugar de culto religioso: *Esta ermita está bajo la advocación de san Frutos.* **2** Cada uno de los nombres con que se da culto a la Virgen: *Es muy devoto de la Virgen en su advocación de Nuestra Señora de la Esperanza.* □ ETIMOL. Del latín *advocatio* (acción de llamar como protector o abogado).

adware (ing.) s.m. Programa informático que contiene información ajena al funcionamiento, generalmente publicitaria y que ayuda a su financiación. □ PRON. [ádgüer].

adyacencia s.f. Contigüidad o proximidad física: *La adyacencia de esas dos calles no está clara en este plano.*

adyacente ▌adj.inv. **1** Contiguo, inmediato o situado en las proximidades: *Vive en una de las calles adyacentes a esta.* ▌adj.inv./s.m. **2** En gramática, referido a un elemento lingüístico que completa el significado del núcleo de un sintagma: *En el sintagma nominal 'perro blanco', el adjetivo 'blanco' es el adyacente.* □ ETIMOL. Del latín *adiacens*, y este de *adiacere* (estar echado al lado).

adyuvante adj.inv. Que ayuda: *Estos antibióticos llevan una sustancia adyuvante para que el organismo los asimile mejor.* □ ETIMOL. Del latín *adiuvans*. □ USO Su uso es característico del lenguaje culto.

aeda s.m. →**aedo**.

aedo s.m. En la antigua Grecia, poeta o cantor de poemas épicos: *Los aedos solían cantar acompañándose de la lira.* □ SINÓN. *aeda.* □ ETIMOL. Del francés *aède*, y este del griego *aoidós* (cantor).

aereación s.f. **1** Entrada de aire en un lugar o renovación del que hay. **2** En química, introducción de aire en el agua potable. **3** En medicina, acción del aire atmosférico en el tratamiento de algunas enfermedades.

aéreo, a adj. **1** Del aire, con sus características o relacionado con él: *el espacio aéreo.* **2** Que se realiza o se desarrolla en el aire, desde el aire o a través de él: *una fotografía aérea.* **3** De la aviación o relacionado con ella: *un ataque aéreo.* **4** Referido a un organismo o a una de sus partes, que viven en contacto directo con el aire atmosférico: *Algunas plantas tienen raíces aéreas.* □ ETIMOL. Del latín *aereus*. □ MORF. Cuando se antepone a otra palabra para formar compuestos, adopta la forma *aero-*.

aero- **1** Elemento compositivo prefijo que significa 'aire': *aerofobia, aerómetro.* **2** Elemento compositivo prefijo que significa 'aéreo': *aeronaval, aeronavegación.* □ ETIMOL. Del griego *aero-*.

aeróbic (tb. *aerobic*) s.m. Tipo de gimnasia que se practica con acompañamiento de música y que se basa en el control del ritmo respiratorio: *Practico aeróbic con música moderna.* □ ETIMOL. Del inglés *aerobics*.

aeróbico, ca adj. **1** Del aerobio o relacionado con este microorganismo que necesita oxígeno para vivir. **2** Referido a un esfuerzo muscular, que consume oxígeno: *ejercicios aeróbicos.*

aerobio, bia adj./s.m. En biología, que necesita oxígeno para desarrollarse: *Los organismos aerobios utilizan oxígeno en su metabolismo.* □ ETIMOL. De *aero-* (aire) y *-bio* (vida). □ SEM. Dist. de *anaerobio* (que es capaz de vivir sin oxígeno).

aerobismo s.m. En zonas del español meridional, ejercicio físico que consiste en correr a ritmo moderado y constante.

aerobox s.m. Tipo de gimnasia que combina el aeróbic con alguna técnica de boxeo.

aerobús s.m. Avión comercial europeo, con capacidad para un gran número de pasajeros, y que se usa para trayectos de corta y media distancia: *El aerobús se utiliza mucho en puentes aéreos y líneas de gran demanda.* □ ETIMOL. Del inglés *airbus*. Extensión del nombre de una marca comercial. □ USO Es innecesario el uso del anglicismo *airbus*.

aeroclub s.m. Sociedad recreativa interesada por el deporte aéreo: *En ese aeroclub se dan clases de paracaidismo, vuelo sin motor y formación de pilotos de aviación civil.* □ ETIMOL. De *aero-* (aéreo) y *club*. □ USO Se usan los plurales *aeroclubs* y *aeroclubes*.

aerodeslizador s.m. Vehículo que se desliza sobre un colchón de aire: *Los aerodeslizadores pueden circular por cualquier superficie.*

aerodeslizante adj.inv. Referido a un vehículo, que se desliza sobre un colchón de aire: *Los vehículos aerodeslizantes generan ellos mismos el aire del colchón.*

aerodinámica s.f. Véase **aerodinámico, ca**.

aerodinámico, ca ▌adj. **1** De la aerodinámica o relacionado con esta parte de la física mecánica: *pruebas aerodinámicas.* **2** Referido esp. a un vehículo, que tiene una forma adecuada para reducir la resistencia del aire: *un diseño aerodinámico.* ▌s.f. **3** Parte de la física mecánica que estudia las propiedades y el comportamiento del aire y de otros gases en movimiento.

aeródromo s.m. Terreno provisto de las pistas y de las instalaciones necesarias para el despegue y el aterrizaje de aviones. □ ETIMOL. De *aero-* (aire) y *-dromo* (lugar).

aeroespacial adj.inv. De la aviación, de la navegación aérea, o relacionado con ellas: *El siglo XX es el siglo de la revolución aeroespacial.*

aerofagia s.f. En medicina, toma de aire de manera espasmódica o por contracciones musculares involuntarias, y que suele ser síntoma de trastornos nerviosos: *La aerofagia suele producir dolorosas molestias intestinales.* □ ETIMOL. De *aero-* (aire) y *-fagia* (comer).

aerofaro s.m. En un aeropuerto, luz potente que sirve para orientar a los aviones en vuelo y facilitar su aterrizaje en condiciones de poca visibilidad: *En los días de niebla, la luz de los aerofaros es necesaria para poder aterrizar.* □ ETIMOL. De *aero-* (aéreo) y *faro*.

aerofobia s.f. Temor enfermizo al viento, producido por una enfermedad nerviosa: *Mi primo tiene aerofobia y le da mucho miedo volar.* □ ETIMOL. De *aero-* (aire) y *-fobia* (aversión).

aerófobo, ba adj. Que padece aerofobia o temor enfermizo al aire: *Mi primo es aerófobo y no soporta ir en avión.*

aerofotografía s.f. Fotografía tomada desde un vehículo aéreo: *Nos mostraron unas aerofotografías del terreno tomadas desde un helicóptero.* □ ETIMOL. De *aero-* (aéreo) y *fotografía*.

aerogel s.m. Cuerpo sólido muy poroso que se forma a partir de un gel: *El aerogel se forma mediante la sustitución del líquido de un cuerpo por un gas.*

aerogenerador s.m. Generador de energía eléctrica que es accionado por el viento: *Los aerogeneradores están diseñados para aprovechar la fuerza del viento.* □ ETIMOL. De *aero-* (aéreo) y *generador*.

aerógeno, na adj. Referido a un microorganismo, que se transmite por el aire.

aerografía s.f. Arte o técnica que consiste en la aplicación de pintura de forma pulverizada mediante la utilización de una pistola de aire comprimido: *La aerografía se aplica en fotografías y artes decorativas.* □ ETIMOL. De *aero-* (aire) y *-grafía* (representación gráfica).

aerógrafo s.m. Aparato de aire comprimido, que se usa generalmente en fotografía y en artes decorativas para aplicar pintura de forma pulverizada: *Los aerógrafos suelen tener forma de pistola.*

aerograma s.m. Carta en un papel especial, que se pliega sin sobre y se envía por correo aéreo.

aerolínea s.f. Compañía o empresa de transporte aéreo. □ ETIMOL. Del inglés *airline*. □ MORF. En plural tiene el mismo significado que en singular.

aerolito s.m. Fragmento de un cuerpo sólido procedente del espacio exterior y que cae sobre la Tierra, que está formado por material rocoso, compuesto de silicatos minerales: *Los aerolitos son un tipo de meteorito.* □ ETIMOL. De *aero-* (aire) y *-lito* (piedra).

aerología s.f. Ciencia que estudia la atmósfera libre, que está situada por encima de los 3 000 metros.

aerológico, ca adj. De la aerología o relacionado con esta ciencia.

aerómetro s.m. Instrumento que sirve para medir la densidad del aire y de otros gases: *Los aerómetros son instrumentos de gran tamaño.* □ ETIMOL. De *aero-* (aéreo) y *-metro* (medidor). □ SEM. Dist. de *areómetro* (instrumento para medir la densidad de los líquidos).

aeromodelismo s.m. Actividad deportiva o recreativa consistente en construir, a pequeña escala, modelos de aviones de forma que puedan volar. □ ETIMOL. De *aero-* (aire) y modelo.

aeromodelista ▌adj.inv. **1** Del aeromodelismo o relacionado con esta actividad deportiva: *Aprendió a hacer maquetas de aviones en una asociación aeromodelista.* ▌adj.inv./s.com. **2** Referido a una persona, que practica el aeromodelismo: *Fui con un amigo aeromodelista a probar su nuevo modelo de avión.*

aeromodelo s.m. Avión de tamaño reducido, construido para practicar el aeromodelismo o para hacer vuelos deportivos o experimentales: *Han construido un aeromodelo para probar la resistencia en vuelo del nuevo material.*

aeromotor s.m. Motor accionado por aire en movimiento: *Un aeromotor permite transformar la energía de movimiento del viento en otros tipos de energía.* □ ETIMOL. De *aero-* (aéreo) y *motor*.

aeromoza s.f. En zonas del español meridional, azafata de aviación: *Mi prima es aeromoza en las líneas aéreas chilenas.*

aeronauta s.com. Piloto o tripulante de una aeronave: *El personal de vuelo de la compañía está formado por expertos aeronautas.* □ ETIMOL. De *aero-* (aéreo) y *nauta* (navegante).

aeronáutica s.f. Véase **aeronáutico, ca.**

aeronáutico, ca ▌adj. **1** De la aeronáutica o relacionado con esta ciencia: *ingeniero aeronáutico.* ▌s.f. **2** Ciencia de la navegación aérea: *La aeronáutica estudia todo lo relativo al diseño, a la fabricación y al manejo de aeronaves.* **3** Conjunto de medios destinados al transporte aéreo: *La aeronáutica civil de este país está más modernizada que la militar.*

aeronaval adj.inv. Referido esp. a operaciones o a efectivos militares, de la aviación y de la marina conjuntamente: *El ataque aeronaval sobre los buques enemigos resultó decisivo en la batalla.*

aeronave s.f. Vehículo capaz de navegar por el aire: *Un globo es una aeronave que se desplaza en el aire impulsada por este.* □ ETIMOL. De *aero-* (aire) y *nave.*

aeronavegación s.f. Navegación aérea: *La aeronavegación y el tráfico aéreo están regulados internacionalmente.* □ ETIMOL. De *aero-* (aéreo) y *navegación.*

aeropirata s.m. Persona que secuestra un avión y que obliga a la tripulación a conducirlo a un lugar distinto de su punto de destino: *Ayer hablaron en las noticias del aeropirata que secuestró un avión que volaba hacia Turquía.* □ ETIMOL. De *aero-* (aéreo) y *pirata.*

aeroplano s.m. Vehículo volador, con alas, y generalmente propulsado por uno o más motores: *Viajar en aeroplano suele ser más rápido que hacerlo en tren.* □ SINÓN. *avión.* □ ETIMOL. Del francés *aéroplane.*

aeroportuario, ria adj. Del aeropuerto o relacionado con él: *Desde la torre de control se dirige y vigila el tráfico aeroportuario.*

aeropuerto s.m. Terreno provisto de pistas para el despegue y el aterrizaje de aviones, y dotado de instalaciones y servicios destinados al tráfico aéreo: *Mi avión llegará a la zona de vuelos internacionales del aeropuerto.* □ ETIMOL. De *aero-* (aire) y *puerto.*

aerosol s.m. **1** Suspensión de partículas de un líquido o de un sólido en un gas: *La dimensión de las partículas de los aerosoles es ultramicroscópica.* **2** Líquido que, almacenado bajo presión, puede lanzarse al exterior en pequeñas partículas en esta suspensión: *Este medicamento se presenta en aerosol, en pomada o en pastillas.* **3** Recipiente o envase que contiene este líquido: *No conviene arrojar los aerosoles al fuego, aunque estén vacíos.* □ ETIMOL. Del francés *aérosol* y este de *aero-* (aire) y *sol*, acortamiento de *solution* (disolución). □ USO Es innecesario el uso del anglicismo *spray* y de la forma castellanizada *espray.*

aerosolterapia s.f. Tratamiento de las enfermedades mediante aerosoles de agua termal micronizada.

aerostación s.f. Navegación aérea por medio de aerostatos: *Vimos una exhibición de aerostación en la que participaban globos y dirigibles.* □ ETIMOL. De *aero-* (aéreo) y el latín *statio* (el acto de estar firme).

aerostática s.f. Véase **aerostático, ca.**

aerostático, ca ▌adj. **1** De la aerostática o relacionado con esta parte de la física mecánica: *principios aerostáticos.* ▌s.f. **2** Parte de la física mecánica que estudia el equilibrio de los gases y de los cuerpos sumergidos en ellos, cuando están sometidos a la acción de la gravedad exclusivamente: *La ley fundamental de la aerostática se basa en el principio de Arquímedes.* □ ETIMOL. De *aero-* (aéreo) y *-statica* (equilibrio).

aerostato (tb. *aeróstato*) s.m. Aeronave provista de uno o más recipientes llenos de un gas más ligero que el aire, que le permiten flotar y elevarse en este: *Los globos y los dirigibles son aerostatos.* □ ETIMOL. De *aero-* (aire) y del griego *statós* (parado, en equilibrio).

aerotaxi s.m. Avión pequeño que se alquila para uso privado: *Muchos ejecutivos de grandes empresas viajan en aerotaxi.* □ ETIMOL. De *aero-* (aéreo) y *taxi.*

aeroterapia s.f. Tratamiento de algunas enfermedades por medio del aire contenido en unos aparatos especiales: *En algunas afecciones pulmonares es necesario el uso de la aeroterapia.* □ ETIMOL. De *aero-* (aire) y *-terapia* (curación).

aeroterrestre adj.inv. Referido esp. a operaciones o a efectivos militares, de las fuerzas aéreas y terrestres combinadas: *En una unidad aeroterrestre hay soldados de los Ejércitos de Tierra y Aire.* □ ETIMOL. De *aero-* (aéreo) y *terrestre.*

aerotransportar v. Transportar por vía aérea: *Las unidades de intervención inmediata suelen aerotransportar a sus tropas.* □ ETIMOL. De *aero-* (aéreo) y *transportar.*

aerotransporte s.m. Transporte que se realiza por vía aérea: *Mañana se llevará a cabo el aerotransporte de las medicinas recogidas en una misión de ayuda humanitaria.*

aerotrén s.m. Vehículo que se desplaza a gran velocidad por una vía especial, deslizándose sobre un colchón de aire: *Proyectan comunicar las dos ciudades más importantes del país con un aerotrén.* □ ETIMOL. De *aero-* (aéreo) y *tren.*

aeroturbina s.f. Turbina que se pone en funcionamiento por la acción del viento: *Las aeroturbinas aprovechan la fuerza del viento para poner en marcha los aerogeneradores.* □ ETIMOL. De *aero-* (aire) y *turbina.*

aerovía s.f. Ruta aérea establecida para el tráfico de los aviones: *En verano hay tanto tráfico aéreo que las aerovías se saturan.* □ ETIMOL. De *aero-* (aéreo) y *vía.*

afabilidad s.f. Agrado y amabilidad en el trato y en la conversación con los demás: *Entre sus cualidades, destacan la afabilidad y el don de gentes.*

afabilísimo, ma superlat. irreg. de **afable**. □ MORF. Incorr. **afablísimo*.

afable adj.inv. Agradable, afectuoso y amable en el trato y en la conversación con los demás: *Es tan afable que hace sentirse a gusto a cualquiera, aunque sea un desconocido.* □ ETIMOL. Del latín *affabilis* (a quien se puede hablar). □ MORF. Su superlativo es *afabilísimo*.

afamado, da adj. Famoso o muy conocido: *una escritora afamada.*

afamar v. Hacer famoso, generalmente por algo positivo: *¡Quién te habría dicho cuando eras un don nadie que te afamarías de esta manera!*

afán s.m. **1** Empeño o interés y esfuerzo que se ponen en lo que se hace: *Trabaja con tanto afán que parece que le va la vida en el trabajo.* **2** Deseo muy fuerte: *Siempre tuvo afán de riqueza. No siente ningún afán por mejorar.* **3** Fatiga, apuro, penalidad o exceso de trabajo o de esfuerzo: *No merece la pena pasar tantos afanes para tan escasa recompensa.* **4** En zonas del español meridional, prisa: *No me entretengas, que estoy con afán.* □ MORF. En la acepción 3, se usa más en plural.

afanador, -a s. En zonas del español meridional, persona que se encarga de la limpieza en un edificio público: *Trabajo de afanador en un hospital.*

afanar ▌v. **1** *col.* Robar o estafar, esp. si se hace utilizando la maña y sin violencia: *Mucho me temo que me han afanado la cartera en el autobús.* ▌prnl. **2** Esforzarse mucho en una actividad o para conseguir un propósito: *Los anfitriones se afanaban y desvivían para que todos los invitados se sintiesen a gusto.* □ ETIMOL. Del latín **affanare*.

afanoso, sa adj. **1** Que da mucho trabajo o supone un gran esfuerzo: *Antes de que se inventase la lavadora, lavar resultaba muy afanoso.* **2** Que se afana o esfuerza mucho: *Por lo afanoso que es, merece conseguir lo que se proponga.*

afarolado, da adj. **1** Con forma parecida a la de un farol: *manga afarolada.* **2** En tauromaquia, referido a un pase, que se ejecuta pasándose el torero la muleta o la capa por encima de la cabeza. □ ETIMOL. De *farol*.

afasia s.f. Pérdida total o parcial de la capacidad de hablar o de comprender el lenguaje, producida por una lesión cerebral: *Sufre de afasia desde que tuvo aquel accidente de coche.* □ ETIMOL. Del griego *aphasía* (imposibilidad de hablar).

afásico, ca ▌adj. **1** De la afasia o propio de esta incapacidad: *Un fuerte golpe en la cabeza puede causar trastornos afásicos.* ▌adj./s. **2** Referido a una persona, que padece afasia.

afeamiento s.m. **1** Pérdida de la belleza o aumento de la fealdad de algo: *Esos enormes carteles publicitarios solo contribuyen al afeamiento del casco viejo de la ciudad.* **2** Reproche o crítica que se hace de algo censurándolo: *A nadie le agrada un afeamiento público de su comportamiento.*

afear v. Hacer o poner feo: *El acné te afea mucho.*

afección s.f. Enfermedad o alteración patológica: *una afección pulmonar.* □ ETIMOL. Del latín *affectio*.

afectable adj.inv. Que se impresiona fácilmente: *Es tan afectable, que cualquier cosa le produce honda preocupación.*

afectación s.f. Excesivo cuidado o falta de sencillez y de naturalidad en la forma de hablar o de comportarse: *hablar con afectación.*

afectado, da adj. **1** Que tiene afectación o carece de sencillez y naturalidad: *Esa actriz es muy afectada actuando.* **2** Aparente o fingido: *Algún día se descubrirá que tanta modestia y timidez eran solo humildad afectada.*

afectar v. **1** Referido esp. a la forma de hablar o de comportarse, poner demasiado cuidado en ello, de manera que se pierda sencillez y naturalidad: *No me gusta que afectes tus modales cuando hablas conmigo.* **2** Referido esp. a algo que no es cierto, darlo a entender, simularlo o aparentarlo: *Afectó tranquilidad, pero en su interior no podía con los nervios.* □ SINÓN. *fingir.* **3** Referido a una persona, impresionarla, causando en ella alguna sensación o emoción: *Me afectó mucho la muerte de su madre.* **4** Concernir, incumbir o corresponder: *La nueva ley no afecta a los que ya están admitidos.* □ SINÓN. *atañer.* **5** Alterar o producir cambios: *La temperatura es un factor que afecta a la conservación de los alimentos.* **6** Perjudicar o influir desfavorablemente: *La crisis del petróleo afectó a la economía de muchos países.* **7** Referido a un órgano o a un grupo de seres vivos, dañarlos o poder dañarlos una enfermedad o una plaga: *Algunas enfermedades infecciosas afectan solo a las personas, aunque las transmitan los animales.* □ ETIMOL. Del latín *affectare*, frecuentativo de *afficere* (disponer, preparar).

afectividad s.f. Conjunto de las emociones y afectos de una persona: *Según los psicólogos, el fracaso escolar se debe muchas veces a trastornos de la afectividad.*

afectivo, va adj. **1** Del afecto o relacionado con este sentimiento: *Hay reacciones afectivas que escapan a nuestro control.* **2** De la sensibilidad o relacionado con ella: *Un programa educativo debe atender tanto al desarrollo intelectual del niño como al afectivo.*

afecto, ta ▌adj. **1** Inclinado, aficionado o partidario: *Los políticos afectos al anterior régimen no ven con buenos ojos al actual gobierno.* ▌s.m. **2** Sentimiento de cariño y estima: *En solo unos días le tomé bastante afecto.* **3** Sentimiento fuerte o pasión del ánimo: *Ira, odio y amor son algunos de los afectos que puede experimentar una persona.* □ ETIMOL. La acepción 1, del latín *affectus*, y este de *afficere* (poner en cierto estado). Las acepciones 2 y 3, del latín *affectus* (estado de ánimo). □ SINT. Constr. como adjetivo: *afecto A algo.* □ USO En la acepción 1, se usa mucho el superlativo *afectísimo* como fórmula de despedida en cartas y documentos formales: *La carta terminaba con un 'Suyo afectísimo' y estaba firmada por el director.*

afectuosidad s.f. Amabilidad y cariño en el trato: *Siempre nos recibe con mucha afectuosidad.*

afectuoso, sa adj. Amable y cariñoso en el trato: *Se despidieron con un afectuoso saludo.* ☐ ETIMOL. Del latín *affectuosus.*

afeitada s.f. En zonas del español meridional, afeitado: *Después de la afeitada, me doy colonia.*

afeitado s.m. **1** Corte a ras de piel del pelo del cuerpo, esp. del de la cara: *En las barberías, el afeitado suele ir acompañado de un masaje facial.* **2** En tauromaquia, corte de los extremos de los cuernos de un toro, para disminuir su peligrosidad al torearlo: *El reglamento taurino prohíbe expresamente el afeitado de los toros.*

afeitadora s.f. Máquina eléctrica que sirve para afeitar: *He regalado a mi padre una afeitadora último modelo que apura muchísimo.*

afeitar v. **1** Referido a una parte del cuerpo, cortarle a ras de piel el pelo que hay en ella: *A este actor le afeitaron la cabeza por exigencias del guión. Mi hermano se afeita todos los días.* ☐ SINÓN. *rasurar.* **2** En tauromaquia, referido a un toro, cortarle los extremos de los cuernos para que resulte menos peligroso al torearlo: *El ganadero fue multado por afeitar al quinto toro de la tarde.* ☐ ETIMOL. Del latín *affectare* (arreglar).

afeite s.m. *ant.* →**cosmético.**

afelio s.m. Punto en el que un planeta o un astro se hallan más distantes del Sol: *La Tierra está en su afelio en torno al 3 de julio.* ☐ ETIMOL. Del griego *apò* (desde, alejándose de) y *hélios* (sol).

afelpar v. **1** Referido a una tela, darle aspecto de felpa o de terciopelo al trabajarla: *Después de tejida la tela, la afelpan por una de sus caras.* **2** Recubrir o forrar con felpa: *Para hacer el cojín, primero se rellena el forro de guata y luego se afelpa.*

afeminación s.f. →**afeminamiento.**

afeminado, da adj./s.m. Con características consideradas tradicionalmente propias de las mujeres: *La voz tan afeminada que tiene contrasta con su aspecto varonil.*

afeminamiento s.m. Adopción por parte de un hombre de características físicas o psicológicas que tradicionalmente se consideran propias de las mujeres: *Un hombre tiene perfecto derecho a llorar y a mostrarse emotivo sin que se vea en ello un rasgo de afeminamiento.* ☐ SINÓN. *afeminación.*

afeminar v. Referido a un hombre, hacer que adopte las características que tradicionalmente se consideran propias de las mujeres: *Trabajar siempre entre mujeres ha afeminado sus gestos y reacciones. Dicen que se afeminó por ser el único chico entre tantas hermanas.* ☐ ETIMOL. Del latín *effeminare.*

aferente adj.inv. **1** Que lleva o conduce: *No salía combustible porque los conductos aferentes estaban obstruidos.* **2** En anatomía, referido a una formación o a un conducto, que transporta sangre, sustancias orgánicas o impulsos energéticos desde una parte del organismo a otra considerada central respecto de ella: *La sangre llega a los órganos por las arterias aferentes.* **3** En anatomía, referido a un estímulo o a una sustancia, que se transmiten de esta manera: *Los estímulos aferentes llevan la información recogida en la periferia del organismo.* ☐ ETIMOL. Del latín *afferens.* ☐ SEM. En las acepciones 2 y 3, dist. de *eferente* (que transmite o se transmite desde una parte a otra periférica).

aféresis (pl. *aféresis*) s.f. Supresión de uno o de varios sonidos al principio de una palabra: *Decir 'cera' en lugar de 'acera' es un ejemplo de aféresis.* ☐ ETIMOL. Del griego *aphàiresis* (acción de llevarse).

aferramiento s.m. **1** Acción de coger o agarrar con fuerza: *Impresionaba aquel aferramiento del niño a la mano de su padre y aquella mirada aterrorizada.* **2** Insistencia o mantenimiento obstinados en una opinión o en un propósito: *Rompe con ese aferramiento a ideas desfasadas y procura modernizarte.*

aferrar ▮ v. **1** Coger o agarrar con mucha fuerza: *Aferró el bolso con las dos manos para que no se lo quitasen. Se aferró a la barandilla para no caer.* ▮ prnl. **2** Insistir o mantenerse obstinadamente en una opinión o en un propósito: *Me parece suicida aferrarse a un plan que se sabe fracasado de antemano.* ☐ ETIMOL. Del catalán *aferrar* (agarrar). ☐ SINT. Constr. de la acepción 2: *aferrarse* A *algo.*

affaire (fr.) s.m. Asunto, negocio o caso ilícito o escandaloso: *El affaire de contrabando de drogas en el que se vio implicado hundió su carrera como diplomático.* ☐ PRON. [afér].

afgani s.m. Unidad monetaria afgana.

afgano, na adj./s. De Afganistán o relacionado con este país asiático.

AFI s.m. Alfabeto internacional especial que se utiliza para escribir una palabra tal y como se pronuncia. ☐ ETIMOL. Es el acrónimo de *alfabeto fonético internacional.*

afianzadora s.f. En zonas del español meridional, aseguradora.

afianzamiento s.m. **1** Afirmación de algo para darle mayor firmeza y seguridad: *el afianzamiento de un edificio.* **2** Consolidación o adquisición de mayor seguridad: *el afianzamiento de una empresa.*

afianzar v. **1** Afirmar, asegurar o sostener para mantener firme y seguro: *Afianzó las contraventanas con unos maderos.* **2** Hacer firme, consolidar o adquirir mayor seguridad: *Tu reacción me afianza en la opinión de que me estás ocultando algo. Con esta nueva victoria, nuestro equipo se afianza en el primer puesto de la liga.* ☐ ORTOGR. La *z* se cambia en *c* delante de *e* →CAZAR. ☐ SINT. Constr. de la acepción 2: *afianzar a alguien* EN *algo.*

afiche s.m. En zonas del español meridional, cartel o póster: *Al finalizar la campaña electoral, las paredes estaban cubiertas de afiches.* ☐ ETIMOL. Del francés *affiche.*

afición s.f. **1** Gusto o interés que se sienten por algo: *Tiene una gran afición al fútbol.* **2** Conjunto de personas que asisten con asiduidad a un espectáculo, esp. a un deporte o a la fiesta de los toros, y que sienten gran interés por él: *La afición recibió al torero con fuertes aplausos.* □ ETIMOL. Del latín *affectio* (afección). □ SINT. Constr. *afición* A *algo.* □ USO En la acepción 1, es innecesario el uso del anglicismo *hobby*.

aficionado, da adj./s. **1** Que practica un deporte o cualquier otra actividad por pasatiempo, sin tenerla como profesión ni cobrar por ella: *Pese a ser un aficionado, ese atleta hizo mejor tiempo que los profesionales en la carrera de obstáculos.* **2** Que siente afición, gusto o interés por un espectáculo y que asiste frecuentemente a él: *Los aficionados abuchearon al árbitro por no haber señalado un penalti.* □ USO En la acepción 1, es innecesario el uso del galicismo *amateur*.

aficionar v. Hacer sentir gusto o interés por algo: *Es conveniente aficionar a los niños a la lectura desde pequeños. Me aficioné a jugar al tenis durante un verano y ahora juego todos los días.* □ SINT. Constr. *aficionar* A *algo.*

afijación s.f. Formación de palabras nuevas por medio de afijos: *La afijación de la palabra 'flor' supone la creación de palabras como 'florecer', 'floral' y 'aflorar'.*

afijo, ja adj./s.m. En lingüística, referido a un morfema, que se une a una palabra o a una raíz para formar derivados o palabras compuestas: *El afijo '-ción' se une a verbos para formar su sustantivo correspondiente, como 'actuar' y 'actuación'.* □ ETIMOL. Del latín *affixus*.

afilado, da ▌adj. **1** Con la punta muy fina: *unos dientes afilados.* **2** Con el filo muy cortante: *unas tijeras poco afiladas.* **3** Hiriente o mordaz: *unos comentarios afilados.* ▌s.m. **4** Hecho de sacarle filo o punta a algo, o de hacerlo más delgado o agudo.

afilador, -a ▌adj. **1** Que afila: *una piedra afiladora.* ▌s. **2** Persona que se dedica profesionalmente a afilar instrumentos cortantes: *El afilador se anuncia por las calles tocando una especie de flauta de sonido muy agudo.* ▌s.m. **3** Instrumento o aparato que sirve para afilar, esp. cuchillos o tijeras. **4** En zonas del español meridional, sacapuntas.

afilalápices (pl. *afilalápices*) s.m. Instrumento o aparato que sirve para sacar punta a los lápices: *En mi oficina hay un afilalápices eléctrico.* □ SINÓN. *sacapuntas.*

afilamiento s.m. Adelgazamiento de la cara, la nariz o los dedos: *Noté que estaba enfermo al ver el afilamiento de su cara.*

afilar ▌v. **1** Referido a un objeto, sacarle filo o punta, o hacerlo más delgado o agudo: *Tengo que afilar los cuchillos de la cocina, porque cortan muy mal.* ▌prnl. **2** Referido esp. a la cara, a la nariz o a los dedos, adelgazar o hacerse más delgados: *Con la enfermedad se le afiló mucho la cara.*

afiliación s.f. Ingreso en una corporación o en una sociedad como miembro de ella: *Nadie conocía su afiliación a aquella sociedad secreta.*

afiliado, da adj./s. Que es miembro de una corporación o de una sociedad: *Los afiliados a ese partido suman varios miles de personas.*

afiliar v. Referido a una persona, incluirla como miembro de una corporación o de una sociedad: *El presidente del partido en el poder afilió a toda su familia a su partido. Se afilió al sindicato para defender sus intereses económicos.* □ ETIMOL. Del latín **affiliare*. □ ORTOGR. La *i* nunca lleva tilde. □ SINT. Constr. *afiliarse* A *algo.*

afiligranado, da adj. **1** De la filigrana o parecido a ella: *un broche afiligranado.* **2** Pequeño, muy fino y delicado: *facciones afiligranadas.*

afiligranar v. **1** Hacer filigrana o trabajar hilos de oro y plata, uniéndolos con perfección y delicadeza: *Mi hermana afiligrana el oro y la plata con gran destreza.* **2** Embellecer con primor y con esmero: *Para recibir a sus invitados afiligranó la casa y preparó una gran cena.*

afilón s.m. Cilindro de acero, que puede estar provisto de mango, y que se usa para afilar las cuchillas: *El carnicero estuvo afilando todos los cuchillos con el afilón.* □ SINÓN. *chaira.* □ ETIMOL. De *afilar*.

afín adj.inv. Próximo, parecido, semejante o que tiene algo en común: *ideas afines.* □ ETIMOL. Del latín *affinis* (limítrofe, emparentado).

afinación s.f. Preparación de un instrumento musical para que suene en el tono justo con arreglo a un diapasón o para que suene acorde con otro instrumento: *La afinación de una guitarra se realiza apretando o aflojando las clavijas que tensan sus cuerdas.*

afinador, -a ▌adj. **1** Que afina: *un aparato afinador.* ▌s. **2** Persona que se dedica profesionalmente a la afinación de instrumentos musicales: *Tenemos que llamar al afinador, porque el piano está empezando a sonar mal.* ▌s.m. **3** Llave o martillo que sirven para afinar algunos instrumentos musicales de cuerda: *El técnico iba pulsando cada tecla y ajustando con el afinador su clavija correspondiente.* □ SINÓN. *templador.*

afinar v. **1** Mejorar, perfeccionar, precisar o rematar: *Estos ejercicios son para afinar la puntería.* **2** Referido a un instrumento musical, ponerlo en el tono justo con arreglo a un diapasón, o templarlo para que suene acorde con otro instrumento: *Antes de empezar el concierto, los músicos de la orquesta afinan sus instrumentos.* **3** Hacer fino, delicado o delgado: *Desde que dejé el baloncesto, se me han afinado mucho los dedos.* □ ETIMOL. De *fino*.

afincar v. Establecer la residencia en un lugar: *Los negocios lo afincaron en nuestra ciudad. Después de haber viajado por todo el mundo, decidió afincarse en su ciudad de nacimiento.* □ ETIMOL. Del antiguo *fincar* (quedar, permanecer).

afinidad s.f. Proximidad, analogía, semejanza o parecido. □ ETIMOL. Del latín *affinitas*.

afirmación s.f. **1** Declaración de que algo es verdad: *A pesar de tus afirmaciones, no te creo.* □ SINÓN. *aserción.* **2** Expresión o gesto que sirven para afirmar o decir que sí: *Contestó con una afirmación tajante.*

afirmar ▌v. **1** Asegurar, decir que es verdad o dar por cierto: *Cuando le preguntamos si vendría, nos lo afirmó con la cabeza.* **2** Poner firme, dar firmeza o fijar de forma segura: *Con dos escarpias en lugar de una sola, afirmarás mejor ese cuadro tan grande.* ▌prnl. **3** Ratificarse en lo dicho: *Me afirmo en mi opinión, y no podréis hacerme cambiar de idea.* □ ETIMOL. Del latín *affirmare* (consolidar). □ SINT. Constr. de la acepción 3: *afirmarse* EN *algo.*

afirmativo, va adj. Que contiene o expresa afirmación o que da por cierto algo: *En español el orden general de las oraciones afirmativas es sujeto, verbo y complementos.*

aflamencado, da adj. Con las características que se consideran propias del flamenco: *Canta con un estilo aflamencado.*

aflautado, da adj. De sonido parecido al de la flauta: *Este silbato tiene un sonido aflautado.*

aflautar v. Referido a una voz o a un sonido, volverlos más agudos: *Aflautó la voz para imitar la forma de hablar de aquella mujer. El sonido de esa película tan antigua se había aflautado con el paso del tiempo.* □ ETIMOL. De *flauta.*

aflicción s.f. Gran tristeza o sufrimiento: *La muerte de su padre le produjo una tremenda aflicción.* □ SINÓN. *afligimiento.* □ ETIMOL. Del latín *afflictio.*

aflictivo, va adj. Que aflige o causa gran tristeza.

afligimiento s.m. →**aflicción.**

afligir v. Causar gran tristeza o sufrimiento: *Tan terrible noticia nos ha afligido profundamente. Se afligió mucho al enterarse de tu despido.* □ ETIMOL. Del latín *affligere* (golpear contra algo, abatir). □ ORTOGR. La *g* se cambia en *j* delante de *a, o* →DIRIGIR.

aflojamiento s.m. Disminución de la tensión, la presión o la tirantez: *El aflojamiento de los cables obligó a tensarlos de nuevo.*

aflojar v. **1** Disminuir la tensión, la presión o la tirantez: *Aflójale el nudo de la corbata e incorpóralo para que no se ahogue. Parece que las tensiones en el grupo se han aflojado un poco.* **2** *col.* Referido esp. al dinero, entregarlo o darlo: *Si todos aflojamos seis euros podemos comprar el regalo que ella quiere.* **3** Perder fuerza o intensidad: *El corredor aflojó en los últimos metros y perdió la carrera.* □ ORTOGR. Conserva la *j* en toda la conjugación.

afloramiento s.m. Aparición de algo en la superficie, esp. un mineral o una masa rocosa.

aflorar v. **1** Referido esp. a una masa mineral o a un líquido, asomar a la superficie del terreno: *Una corriente de agua subterránea aflora en esta zona y forma un manantial.* **2** Referido a algo oculto o en desarrollo, surgir o aparecer: *Cuando afloraron los primeros síntomas, ya era tarde para atajar la enfermedad.* □ SINT. Su uso como transitivo es incorrecto aunque está muy extendido: *Están {*aflorando > haciendo aflorar} dinero negro.*

afluencia s.f. **1** Concurrencia o aparición en gran número en un lugar determinado: *La afluencia de público hizo que los organizadores de la exposición la prorrogaran una semana más.* □ SINÓN. *aflujo.* **2** Abundancia, gran cantidad o gran número: *No sé a qué se debe esta afluencia de gente.* □ SINÓN. *aflujo.* **3** Facilidad en el hablar: *Pronunció su primer discurso en público con una afluencia que sorprendió a todos.* □ SINÓN. *facundia.*

afluente ▌adj.inv. **1** Que afluye. ▌s.m. **2** Arroyo o río secundario que desembocan en otro principal: *El río Sil es un afluente del Miño.*

afluir v. Acudir en abundancia o concurrir en gran número a un lugar determinado: *Sentía tal vergüenza que notó cómo la sangre le afluía con fuerza a la cara.* □ ETIMOL. Del latín *affluere.* □ ORTOGR. Dist. de *efluir.* □ MORF. Irreg. →HUIR. □ SINT. Constr. *afluir* A *algo.*

aflujo s.m. **1** Concurrencia o aparición de algo en gran número en un lugar determinado: *aflujo de capital extranjero.* □ SINÓN. *afluencia.* **2** Abundancia, gran cantidad o gran número: *aflujo de ideas.* □ SINÓN. *afluencia.* **3** En medicina, llegada de una mayor cantidad de líquido orgánico a una determinada área del organismo: *aflujo de sangre.* □ ETIMOL. Del latín *affluxus.* □ SEM. En la acepción 3, dist. de *flujo* (secreción de un líquido al exterior del cuerpo).

afofarse v.prnl. Ponerse fofo, esponjoso y con poca consistencia: *Como hace tiempo que no hago deporte, los músculos se me están afofando.*

afonía s.f. Falta o pérdida de la voz, debida a una incapacidad o dificultad en el uso de las cuerdas vocales: *Se pasaron toda la excursión cantando a voz en grito, y al día siguiente tenían todos afonía.* □ ETIMOL. Del griego *aphonía.*

afónico, ca adj. Que ha perdido total o parcialmente la voz, como consecuencia de una incapacidad o dificultad en el uso de las cuerdas vocales: *En su primer año como profesor, se quedó afónico varias veces.*

aforado, da adj./s. Que goza de fuero y se rige por normas jurídicas especiales.

aforar v. **1** Referido a un recipiente, a un local o a un caudal de agua, calcular su capacidad: *Hemos aforado el auditorio, y creemos que no es suficiente para albergar a todos los asistentes al acto.* **2** Referido a una mercancía o a un género almacenados, calcular su cantidad y su valor: *En este almacén aforan las existencias todas las semanas.* **3** Conceder un fuero u otorgar privilegios: *El Rey decidió aforar aquella región por su situación de zona fronteriza.* □ ETIMOL. De *foro.* □ MORF. Irreg. en la acepción 3 →CONTAR.

aforismo s.m. Sentencia breve que resume algún conocimiento esencial o una reflexión filosófica: *'En el término medio está la virtud' es un aforismo popular.* □ ETIMOL. Del griego *aphorismós* (definición).

aforístico, ca adj. Del aforismo o relacionado con esta sentencia breve: *Los pensamientos aforísticos abundaron en los tratados médicos de la Edad Media.*

aforo s.m. Capacidad total de las localidades de un local destinado a espectáculos públicos: *El aforo de este teatro es de 500 localidades.* □ SEM. Su uso con el significado de 'público asistente' es incorrecto aunque está muy extendido: *Cerraron las puertas del estadio por un exceso de {*aforo > público}.*

a fortiori (lat.) ‖ Con mayor razón: *Lo que estás diciendo me sirve para reafirmarme, a fortiori, en mis ideas.*

afortunado, da adj. **1** Que tiene fortuna o buena suerte: *Eres una persona afortunada por haber salido ilesa de aquel accidente.* □ SINÓN. *agraciado.* **2** Que es resultado de la buena suerte: *Encontrarnos en aquella fiesta fue una afortunada coincidencia.* **3** Acertado, oportuno o atinado: *Hacer esta excursión ha sido una idea muy afortunada.*

afrancesado, da ▌adj. **1** Que imita a los franceses: *En muchos escritores españoles del siglo XVIII, se nota un estilo afrancesado.* ▌adj./s. **2** Partidario de los franceses, referido esp. a los españoles durante la Guerra de la Independencia española: *Liberales y absolutistas combatieron contra los afrancesados partidarios de José I Bonaparte.*

afrancesamiento s.m. Difusión o adopción de las características que se consideran propias de lo francés: *El afrancesamiento de sus costumbres es consecuencia de los muchos años que ha vivido en París.*

afrancesar ▌v. **1** Dar o adquirir las características que se consideran propias de lo francés: *Aunque afranceses tu forma de hablar, nunca podrás pasar por un auténtico francés.* ▌prnl. **2** Volverse afrancesado o partidario de los franceses: *Durante la Guerra de la Independencia española, muchos aristócratas se afrancesaron para poder conservar sus privilegios.*

afrecho s.m. Cáscara desmenuzada del grano de los cereales: *El pan integral lleva afrecho.* □ SINÓN. *salvado.* □ ETIMOL. Del latín *affractum* (quebrantado).

afrenta s.f. Ofensa, hecho o dicho que molestan o humillan: *Nunca pensé que ibas a considerar mi actitud como una afrenta personal.*

afrentar v. Ofender, humillar o insultar gravemente: *Me afrentó al acusarme de cobarde delante de mis hombres.* □ ETIMOL. Del latín *frons* (frente).

africado, da adj. En lingüística, referido a un sonido consonántico, que se articula en dos momentos sucesivos, uno oclusivo y otro fricativo, pero sin cambiar el lugar de articulación: *En la palabra 'coche', la 'ch' es un sonido africado.* □ ETIMOL. Del latín *fricare* (fregar, frotar).

africanidad s.f. Conjunto de características que se consideran propias de lo africano.

africanismo s.m. Influencia de las culturas africanas en otros pueblos.

africanista s.com. Persona especializada en el estudio de la cultura y de los temas africanos: *Este africanista estudia la colonización y la influencia de los países europeos en los países africanos.*

africanizar v. Dar o adquirir características que se consideran propias de lo africano: *Este escultor ha africanizado mucho su estilo desde que vive en Guinea.* □ ORTOGR. La *z* se cambia en *c* delante de *e* →CAZAR.

africano, na adj./s. De África (uno de los cinco continentes) o relacionado con ella.

afrikáans s.m. Variedad del neerlandés que se habla en la República de Sudáfrica (país africano) y en otros países africanos del sur: *El afrikáans es lengua oficial de la República de Suráfrica junto con el inglés, y de Namibia junto con el bantú.* □ ETIMOL. Del holandés *Afrikaans.*

afrikáner (pl. *afrikáneres*) adj.inv./s.com. Referido a una persona, que desciende de los colonos holandeses de la República de Sudáfrica (país africano): *La población afrikáner está formada por los descendientes de los bóers.* □ SEM. Dist. de *bóer* (antiguo habitante blanco del sur africano, descendiente de los colonos holandeses).

afro adj.inv. De los usos y costumbres africanos o con características de estos: *Lleva un peinado afro, de rizos muy pequeños.* □ ETIMOL. Del latín *afer.*

afro- Elemento compositivo prefijo que significa 'africano': *afroasiático.* □ ETIMOL. Del latín *afer.*

afroamericano, na ▌adj. **1** De los habitantes americanos procedentes del continente africano: *cultura afroamericana.* ▌s. **2** Habitante americano que procede del continente africano.

afroasiático, ca adj. De África y Asia (dos de los cinco continentes), o relacionado con ellos.

afrobeat (ing.) s.m. Estilo de música que combina el jazz y el funk con cantos tradicionales africanos. □ PRON. [afrobit].

afrocubano, na adj. De los habitantes de Cuba (isla americana) procedentes del continente africano.

afrodisíaco, ca (tb. *afrodisiaco, ca*) adj./s.m. Que excita o provoca el deseo sexual: *El polvo de cuerno de rinoceronte tiene fama de ser un afrodisíaco.* □ ETIMOL. Del griego *aphrodisiakós*, y este de *Afrodite*, que es la diosa griega de la belleza y del amor.

afrontamiento s.m. Aceptación de una situación difícil para intentar solucionarla: *El afrontamiento de las deudas que le había dejado su padre acabó con toda su fortuna.*

afrontar v. Referido a una situación difícil, plantarle cara o hacerle frente: *Afrontó el peligro con gran valor.* □ ETIMOL. Del latín *frons* (frente).

afropop s.m. Estilo de música que combina el pop con ritmos africanos.

afrorock s.m. Estilo de música que combina el rock con ritmos africanos.

afrutado, da adj. Con olor o sabor a frutas: *Este gel de baño destaca por sus notas florales y afrutadas.*

afta s.f. Úlcera pequeña y blanquecina, que se forma generalmente en la boca: *En la época de dentición, a algunos niños les salen aftas en la boca.* □ ETIMOL. Del griego *áphtha.*

after s.m. →**afterhours.**

afterhours (ing.) (tb. *after hours, after-hours*) adj./s.m. Referido a una discoteca, que abre por la mañana. ☐ PRON. [afteráuers].

aftershave (ing.) (tb. *after shave, after-shave*) s.m. Loción para después del afeitado. ☐ PRON. [afterchéiv], con *ch* suave. ☐ USO Su uso es innecesario.

aftersun s.m. Crema hidratante para después de tomar el sol. ☐ ETIMOL. Extensión del nombre de una marca comercial. ☐ PRON. [aftersán]. ☐ USO Su uso es innecesario.

aftosa adj./s.f. →**fiebre aftosa.**

aftoso, sa ▌adj. **1** Que padece aftas: *un enfermo aftoso.* **2** De las aftas o relacionado con ellas. ▌s.f. **3** →**fiebre aftosa.**

afuera ▌adv. **1** A la parte exterior o en el exterior: *Vamos afuera a tomar el aire. Hay mucha gente afuera.* ▌interj. **2** Expresión que se usa para ordenar a alguien retirarse de un lugar: *¡Afuera! ¿Es que no me vais a dejar tranquilo ni un momento?* ☐ SINÓN. *fuera.* ☐ ETIMOL. De *a* (preposición) y *fuera.* ☐ SINT. Incorr. *Vamos {*a afuera > afuera}.*

afueras s.f.pl. Alrededores de una población: *El almacén de esta fábrica está en las afueras de la ciudad.* ☐ ETIMOL. De *a* (preposición) y el antiguo *fueras*, y este del latín *foras* (afuera).

afuereño, ña adj./s. En zonas del español meridional, forastero. ☐ SINÓN. *afuerino.*

afuerino, na adj./s. →**afuereño.**

agá s.m. Persona que ostenta cierto título honorífico en algunos países de Oriente Próximo (área geográfica que incluye los países asiáticos más al oeste): *El agá Jan es el imán de los musulmanes ismaelitas.* ☐ ETIMOL. Del turco *aga* (jefe, dueño, señor). ☐ ORTOGR. Se usa también *aga.*

agachado, da adj. *col.* En zonas del español meridional, tímido o apocado: *No seas agachado y lucha por tus derechos.*

agachar ▌v. **1** Referido esp. a la cabeza, inclinarla o bajarla: *No agaches la cabeza y mírame a los ojos.* ▌prnl. **2** Encoger el cuerpo, doblando hacia abajo la cintura o las piernas: *Se agachó para coger lo que se le había caído.* ☐ ETIMOL. De origen incierto.

agachón, -a adj./s. En zonas del español meridional, cobarde.

agalactia s.f. Incapacidad para segregar leche después del parto. ☐ ETIMOL. De *a-* y el griego *galaktikós* (lechoso).

agalla ▌s.f. **1** En algunos animales acuáticos, cada una de las branquias que tienen en aberturas naturales, a ambos lados y en el arranque de la cabeza. **2** Parte que crece de forma anormal en algunos árboles y arbustos por las picaduras de ciertos insectos: *Las agallas del roble son redondas y de color marrón.* ▌pl. **3** *col.* Valentía, determinación, arrojo o valor: *¿A que no tienes agallas para decírselo a la cara?* ☐ ETIMOL. La acepción 2, del latín *galla.* Las acepciones 1 y 3, de origen incierto. ☐ SINT. La acepción 3 se usa mucho en la expresión *tener agallas.*

agalludo, da adj. **1** *col.* En zonas del español meridional, valiente o atrevido. **2** En zonas del español meridional, ambicioso o avaro.

ágape s.m. Comida a la que asisten muchas personas y en la que se celebra algún acontecimiento: *Celebraron su ascenso con un ágape.* ☐ SINÓN. *banquete.* ☐ ETIMOL. Del latín *agape* (amor, amistad, comida fraternal de los cristianos primitivos).

agapornis (pl. *agapornis*) adj.inv./s.m. Pájaro doméstico de la familia de los loros, de colores muy vistosos. ☐ MORF. Es un sustantivo epiceno: *el agapornis {macho/hembra}.*

agarbanzado, da adj. **1** De color parecido al del garbanzo o de aspecto semejante. **2** *desp.* Referido esp. a un estilo literario o a una costumbre, vulgar o de poco mérito: *El estilo agarbanzado de ese novelista explica su escaso éxito entre el público.*

agareno, na adj./s. **1** Descendiente de Agar (mujer de Abraham): *Ismael, hijo de Agar, fue el padre del pueblo agareno.* **2** Que tiene como religión el islamismo: *Los creyentes agarenos se descalzan al entrar en la mezquita.* ☐ SINÓN. *musulmán.*

agarrada s.f. Véase **agarrado, da.**

agarraderas s.f.pl. *col.* Favor o influencia con los que una persona cuenta para conseguir sus fines: *No lo echan del trabajo porque tiene muy buenas agarraderas.*

agarradero s.m. **1** Asa o mango que sirven para coger o cogerse a algo: *Tengo que poner un agarradero en la bañera para no resbalarme.* **2** *col.* Recurso o excusa con los que se cuenta para conseguir algo: *Su sordera es su agarradero para no participar en las conversaciones que le aburren.*

agarrado, da ▌adj. **1** *col.* Referido a un baile, que se baila en pareja y enlazados estrechamente: *Durante la fiesta, salí a la terraza cuando empezaron los bailes agarrados.* ▌adj./s. **2** *col.* Que intenta gastar lo menos posible, hasta resultar miserable y mezquino: *No seas tan agarrado y páganos una ronda.* ☐ SINÓN. *tacaño.* ▌s.f. **3** *col.* Altercado, riña o discusión fuerte: *No se hablan desde que tuvieron aquella agarrada.*

agarrador, -a ▌adj. **1** Que agarra. ▌s.m. **2** Utensilio que sirve para agarrar o agarrarse: *Estos cajones tienen agarradores de porcelana.* **3** Paño acolchado que se utiliza en la cocina para agarrar recipientes que han estado en el fuego: *Cuando saques la bandeja del horno, utiliza el agarrador para no quemarte.*

agarrar ▌v. **1** Tomar o coger fuertemente, esp. si es con la mano: *Agarró el paquete para que no se lo quitaran. La niña se agarró a las faldas de su madre.* **2** Asir, coger o prender: *El árbitro me señaló falta personal por agarrar a un jugador contrario.* **3** *col.* Referido esp. a una enfermedad o a un estado de ánimo, contraerlos, adquirirlos o alcanzarlos: *Pasé mucho frío en el campo y agarré un catarro impresionante.* ☐ SINÓN. *coger.* **4** Sorprender o coger desprevenido: *Lo agarraron robando la caja fuerte.* **5** *col.* Obtener o conseguir: *Agarró un buen pellizco en la lotería y se ha cambiado de casa.* **6**

Referido a una planta, prender, enraizar o arraigar: *Trasplantamos el pino de la maceta al jardín, y agarró muy bien.* ▮ prnl. **7** Referido a un guiso, adherirse al recipiente en que se hace por haberse quemado: *Se me han agarrado un poco las lentejas y por eso saben a quemado.* □ SINÓN. *pegarse.* **8** *col.* Referido esp. a una enfermedad, apoderarse fuertemente de una persona: *Se me ha agarrado el resfriado al pecho y no paro de toser.* **9** *col.* Discutir hasta llegar a la agresión física: *Los dos gamberros se agarraron y tuvo que separarlos la policía.* **10** Tomar como pretexto o disculpa: *Se agarra a que está débil y no hace nada.* **11** ‖ **agárrate;** *col.* Expresión que se usa para preparar al interlocutor a recibir una sorpresa: *Y entonces me dijo, agárrate, que no se arrepentía de habernos echado de su casa.* □ ETIMOL. De *garra.*

agarre s.m. **1** Sujeción de algo: *Unos buenos neumáticos dan una sensación de agarre absoluto a la carretera.* **2** Localización de una enfermedad en una persona: *El agarre de ese resfriado al pecho me ha hecho pasar un invierno bastante malo.* **3** Enraizamiento de una planta: *Las plantas que trasplantamos tuvieron un buen agarre y ninguna se murió.* **4** Adhesión de un guiso al recipiente en que se ha cocinado por haberse quemado: *El agarre de un guiso le da a la comida un sabor imposible de eliminar.*

agarrón s.m. Acción de agarrar y tirar con fuerza: *El árbitro castigó con falta el agarrón del defensa al delantero.*

agarrotamiento s.m. Rigidez, imposibilidad o dificultad de movimiento: *Después del duro entrenamiento, hicimos unos ejercicios para evitar el agarrotamiento de los músculos.*

agarrotar v. Referido esp. a un miembro del cuerpo, dejarlo rígido o inmóvil: *El miedo le agarrotó las piernas, y fue incapaz de huir. Se me habían agarrotado las manos por el frío y no podía mover los dedos.* □ ETIMOL. De *garrote.*

agasajar v. Referido a una persona, tratarla con atención, con amabilidad, con consideración y con afecto: *Nos agasajaron con una extraordinaria comida.* □ ETIMOL. Del germánico *gasalho* (compañero). □ ORTOGR. Conserva la *j* en toda la conjugación.

agasajo s.m. Trato atento y amable, marcado por la consideración y el afecto: *Estoy encantada, porque no esperaba tantos agasajos de vuestra parte.*

ágata s.f. Variedad del cuarzo, dura, translúcida y con franjas o capas de varios colores, muy utilizada en joyería: *Las ágatas se utilizan en joyería.* □ ETIMOL. Del latín *achates.* □ MORF. Por ser un sustantivo femenino que empieza por *a* tónica o acentuada, va precedido de *el, un, algún, ningún* y de las formas femeninas del resto de los determinantes.

agave s.amb. En zonas del español meridional, pita. □ ETIMOL. Del griego *agave* (admirable).

agavillador, -a ▮ s. **1** Persona que hace gavillas: *Los agavilladores preparan el trigo para guardarlo en los graneros.* ▮ s.f. **2** Máquina que sirve para segar la mies y para formar gavillas.

agavilladora s.f. Véase **agavillador, -a**.

agavillar v. Hacer gavillas o formar grupos de ramas atadas por el centro: *Emplearon máquinas especiales para agavillar la paja.* □ SINÓN. *engavillar.*

agazaparse v.prnl. **1** Esconderse u ocultarse: *Los niños se agazaparon detrás de la valla para que el dueño de la casa no viera quién había roto el cristal.* **2** Agacharse encogiendo el cuerpo contra la tierra: *El felino se agazapó antes de saltar sobre su presa.* □ ETIMOL. De *gazapo* (cría del conejo), porque se oculta en el terreno.

agencia s.f. **1** Empresa destinada a gestionar asuntos ajenos o a ofrecer al público determinados servicios: *Siempre reservo los hoteles y los billetes de avión en la misma agencia de viajes.* **2** Sucursal u oficina que representa a la empresa de la que depende, y que lleva los asuntos y negocios de esta en el lugar en el que se encuentra situada: *Este banco tiene varias agencias repartidas por toda la ciudad.* **3** ‖ **agencia mayorista;** la que vende sus productos a otras agencias más pequeñas: *La agencia en la que trabajo siempre solicita los viajes a la misma agencia mayorista.*

agenciar v. *col.* Procurar o conseguir con maña y con rapidez: *Nos agenció billetes a todos nada más pedírselos. Me han avisado de que tengo una fiesta esta noche y tengo que agenciarme un disfraz a propósito.* □ ORTOGR. La *i* nunca lleva tilde.

agenda s.f. **1** Libro o cuaderno en el que se anota lo que se tiene que hacer para no olvidarlo. **2** Conjunto de asuntos que han de tratarse en una reunión o de las actividades sucesivas que se han de realizar: *¿Qué orden ocupa esta cuestión en la agenda de hoy?* □ ETIMOL. Del latín *agenda* (cosas que se deben hacer).

agenesia s.f. En medicina, desarrollo defectuoso: *Un caso de agenesia es, por ejemplo, cuando no existe alguno de los dientes.* □ ETIMOL. Del griego *agenesía*, de *-a* (privación) y *gennáo* (yo engendro).

agente ▮ adj.inv./s.m. **1** Que realiza o ejecuta la acción de algo: *En las oraciones en voz activa el sujeto agente realiza la acción del verbo.* ▮ s.com. **2** Persona que tiene a su cargo una agencia o empresa destinada a gestionar asuntos ajenos o prestar determinados servicios: *El periodista concertó una entrevista con la actriz a través del agente de esta. Vendió sus acciones cuando se lo aconsejó su agente financiero y consiguió una fortuna.* **3** Persona que se dedica profesionalmente a velar por la seguridad pública o por el cumplimiento de las leyes u ordenanzas: *Dos agentes de policía llevaron al sospechoso a la comisaría.* ▮ s.m. **4** Lo que produce un efecto: *En el Gran Cañón del Colorado el agua ha sido el agente de la erosión que ha actuado con mayor fuerza. En muchos periódicos se alude a los sindicatos con la expresión 'agentes sociales'.* **5** ‖ **(agente) comercial;** el que se dedica profesionalmente a la gestión de operaciones de venta, por cuenta ajena y mediante comisión, ateniéndose a las condiciones estipuladas por la empresa en cuya representación actúa: *La empresa tuvo una reunión con sus agentes comerciales para presentarles los nuevos productos que lanzaba al mercado.* || **agente secreto;** el que aparentemente no trabaja como tal: *Todos creían que era fontanero pero, en realidad, era un agente secreto.* || **agente doble;** *euf.* Espía: *Cuando se descubrió que en realidad era un agente doble, fue expulsado del país.* □ ETIMOL. Del latín *agens* (el que hace). □ USO El uso de *trader* en lugar de *agente comercial* es un anglicismo innecesario.

aggiornamento (it.) s.m. Puesta al día o actualización: *Tras el Concilio Vaticano II se denominó aggiornamento a la renovación de la iglesia católica de acuerdo con el mundo moderno.* □ PRON. [ayiornaménto].

agigantado, da adj. De dimensiones gigantescas o extraordinarias: *a pasos agigantados.*

agigantar v. Dar o adquirir dimensiones gigantescas o excesivamente grandes: *La poción mágica agigantaba a todo aquel que la probase.* □ ETIMOL. De *gigante*.

ágil adj.inv. **1** Que se mueve con agilidad o con soltura: *una persona ágil.* **2** Que tiene soltura o viveza: *una prosa ágil.* □ ETIMOL. Del latín *agilis*.

agilidad s.f. Facilidad para realizar algo con soltura y viveza: *La gimnasia es muy buena para adquirir agilidad de movimientos.*

agilipollar v. *vulg.malson.* →**atontar.**

agilitar v. En zonas del español meridional, agilizar. □ ETIMOL. Del latín *agilitas* (agilidad).

agilización s.f. Aumento de la rapidez de un proceso: *La agilización de los pedidos ha hecho ganar mucho tiempo a la empresa.*

agilizar v. Referido esp. al desarrollo de un proceso, hacerlo más ágil o dar mayor rapidez a su realización: *Si queremos cumplir los plazos previstos debemos agilizar el ritmo de trabajo.* □ ORTOGR. La *z* se cambia en *c* delante de *e* →CAZAR.

agio s.m. Beneficio que se obtiene al especular de manera fraudulenta y sin riesgo: *El agio es un tipo de especulación propia de altos funcionarios sin escrúpulos.* □ ETIMOL. Del italiano *aggio*.

agiotaje s.m. Especulación fraudulenta y sin riesgo que se realiza con moneda o valores de Bolsa, y basada en la divulgación de información confidencial o privilegiada: *El agiotaje suele basarse en datos conocidos solo por la persona que especula.* □ ETIMOL. Del francés *agiotage*.

agiotista adj.inv./s.com. Que practica el agiotaje o especulación fraudulenta y sin riesgo.

agitación s.f. **1** Movimiento fuerte y repetido, esp. el que se hace para disolver o para mezclar algo: *En el prospecto se recomienda la agitación del preparado antes de tomarlo.* **2** Inquietud, turbación o nerviosismo muy fuertes: *El acusado contestó preso de una gran agitación.* **3** Descontento social o político: *La agitación de los últimos meses desembocó en una huelga general que paralizó al país.*

agitado, da adj. **1** Referido a la respiración o al pulso, que son más rápidos de lo normal. **2** Que se desarrolla con mucha actividad o con falta de tranquilidad: *unas vacaciones muy agitadas.*

agitador, -a ▮ adj./s. **1** Que agita. ▮ s. **2** Persona que agita los ánimos o que provoca conflictos de carácter político o social: *En la asamblea se infiltraron varios agitadores con el fin de provocar altercados.*

agitanar v. Dar las características que se consideran propias de lo gitano: *Se tiñó el pelo de moreno para agitanar su aspecto.*

agitar v. **1** Mover repetida y violentamente: *Me agitó para despertarme. Las cortinas se agitaban al viento.* **2** Referido al contenido de un recipiente, revolverlo para disolverlo o para mezclar sus componentes: *Antes de tomar el jarabe hay que agitar bien el frasco.* **3** Inquietar, turbar o poner nervioso: *La noticia del accidente nos agitó mucho. Me agité cuando vi que era muy tarde y no habías vuelto.* **4** Provocar la inquietud o el descontento sociales o políticos: *Las declaraciones de los políticos han agitado a la población.* □ ETIMOL. Del latín *agitare*, frecuentativo de *agere* (mover).

aglomeración s.f. Reunión o amontonamiento de algo, generalmente en abundancia y de forma desordenada: *Se produjo una aglomeración de público en la entrada del teatro.*

aglomerado s.m. Material compacto elaborado a partir de fragmentos de determinadas sustancias prensados o unidos: *El tablero de la mesa es de aglomerado.*

aglomerante ▮ adj.inv. **1** Que aglomera. ▮ s.m. **2** Material capaz de unir fragmentos o partículas de una o de varias sustancias por métodos exclusivamente físicos: *El barro y la cola son dos aglomerantes.*

aglomerar v. Reunir, juntar o amontonar, generalmente en abundancia y de forma desordenada: *El cantante aglomeró a un gran número de seguidores. Los aficionados se aglomeraron a las puertas del estadio.* □ ETIMOL. Del latín *agglomerare* (juntar), y este de *glomus* (ovillo).

aglutinación s.f. Unión o adhesión muy fuertes: *El nuevo líder del partido consiguió la aglutinación de todas las tendencias a su alrededor.*

aglutinador, -a adj. →**aglutinante.**

aglutinante ▮ adj.inv. **1** Que aglutina: *Me da la impresión de que eres tú el factor aglutinante entre la gente de ese grupo.* □ SINÓN. *aglutinador.* ▮ s.m. **2** En una pintura o en un barniz, sustancia en la que se diluyen los pigmentos: *Los aglutinantes hacen que, al solidificarse la pintura, los colores tomen mayor consistencia.*

aglutinar v. **1** Unir, juntar o pegar con fuerza hasta formar una unidad: *Esta asociación aglutina a otras más pequeñas, que buscan un mismo fin.* . **2** Referido a varios fragmentos que tienen la misma o distinta naturaleza, unirlos por medio de sustancias viscosas: *Al aglutinar los sólidos en suspensiones acuosas conseguimos que se precipiten.* **3** Referido a una persona, reunir o congregar en torno a sí: *En esa casa, la hermana mayor aglutina a toda la familia.* □ ETIMOL. Del latín *agglutinare* (pegar, adherir).

agnosticismo s.m. Doctrina filosófica que declara inaccesible a la razón humana el conocimiento de lo absoluto y de todo aquello que no pueda ser alcanzado por la experiencia: *El agnosticismo no niega la existencia de Dios, sino que se reconoce incapaz de alcanzar su conocimiento.* □ ORTOGR. Dist. de *gnosticismo.* □ SEM. Dist. de *ateísmo* (que niega la existencia de Dios).

agnóstico, ca ▮ adj. **1** Del agnosticismo o relacionado con esta doctrina filosófica: *La doctrina agnóstica tuvo mucho auge en el siglo XIX.* ▮ adj./s. **2** Que sigue o que defiende el agnosticismo: *Se declara agnóstico, y procura no plantearse nunca cuestiones que no puedan ser abordadas por la experiencia.* □ ETIMOL. Del griego *agnostikós* (el que declara no saber). □ ORTOGR. Dist. de *gnóstico.* □ SEM. Dist. de *ateo* (que niega la existencia de Dios).

agnus (pl. *agnus*) s.m. →**agnusdéi.**

agnusdéi (pl. *agnusdéis*) s.m. **1** En la religión católica, oración que comienza con las palabras 'Cordero de Dios, que quitas el pecado del mundo': *El agnusdéi se reza antes de la comunión.* □ SINÓN. *agnus.* **2** Representación de san Juan Bautista cuando era niño con una cruz y un cordero que representa a Jesucristo: *Este agnusdéi está bendecido por el Papa.* □ SINÓN. *agnus.* □ ETIMOL. Del latín *Agnus Dei* (Cordero de Dios).

agobiante adj.inv. Que agobia: *No puedo soportar este calor tan agobiante.*

agobiar v. Molestar, deprimir o causar un gran sufrimiento: *Nunca se agobia por muchas cosas que tenga que hacer.* □ ETIMOL. Del latín *gibbus* (giba), porque el antiguo *agobiar* que significaba *estar cargado de espaldas*, pasó a significar *agachar la cabeza*, y más tarde a *abrumarla con el peso.* □ ORTOGR. La *i* nunca lleva tilde.

agobio s.m. **1** Sensación de angustia o de cansancio, esp. si están producidas por algo a lo que hay que hacer frente: *Tantas preguntas me causan agobio.* **2** Lo que causa esta sensación: *Los deberes para hacer en casa son un agobio en vacaciones.*

-agogia (tb. *-agogía*) Elemento compositivo sufijo que significa 'conducción' o 'dirección': *pedagogía, demagogia.*

-agogo, -agoga Elemento compositivo sufijo que significa 'guía' o 'conductor': *demagogo, pedagoga.*

agolpamiento s.m. Llegada o acumulación repentinas de algo: *A la salida del teatro se produjo tal agolpamiento de gente que el tráfico quedó colapsado.*

agolparse v.prnl. **1** Referido a un conjunto de personas, juntarse de golpe en un lugar: *Los periodistas se agolpaban a la puerta del teatro.* **2** Referido esp. a las lágrimas o a las penas, venir juntas y de golpe: *Estos días se me agolpan los problemas.*

agonía s.f. **1** Estado inmediatamente anterior a la muerte: *La agonía del enfermo fue breve.* **2** Pena o sufrimiento angustiosos: *Estas tensiones familiares no hacen más que causar mi agonía.* □ ETIMOL. Del latín *agonia*, y este del griego *agonía* (lucha, angustia).

agonías (pl. *agonías*) s.com. *col.* Persona muy pesimista: *Eres un agonías, y así nunca vas a disfrutar de nada.*

agónico, ca adj. **1** De la agonía, con sus características o relacionado con este estado: *estado agónico.* **2** De la lucha o relacionado con ella: *De este deporte me gustan las características agónicas que tiene.* □ ETIMOL. Del latín *agonicus*, y este del griego *agonikós.*

agonista ▮ adj.inv./s.m. **1** Referido a un compuesto químico, que incrementa la actividad de otro: *una sustancia agonista.* ▮ adj.inv./s.com. **2** En una obra literaria, personaje enfrentado a otro u otros. ▮ s.com. **3** Persona que lucha. □ SINÓN. *luchador.* □ ETIMOL. Del latín *agonista.*

agonizante adj.inv. Que agoniza: *Aquel paciente se encontraba en un estado agonizante.*

agonizar v. **1** Estar en los momentos finales de la vida: *El soldado agonizaba en la trinchera.* **2** Estar a punto de terminarse o extinguirse: *El fuego, sin leña, agonizaba en la chimenea.* **3** Sufrir angustiosamente: *La familia del industrial secuestrado agoniza por la falta de noticias esperanzadoras.* □ ORTOGR. La *z* se cambia en *c* delante de *e* →CAZAR.

ágora s.f. En la antigua Grecia, plaza pública: *El ágora era el centro de la vida política y comercial.* □ ETIMOL. Del griego *agorá* (reunión, plaza pública). □ MORF. Por ser un sustantivo femenino que empieza por *a* tónica o acentuada, va precedido de *el, un, algún, ningún* y de las formas femeninas del resto de los determinantes.

agorafobia s.f. Temor anormal y angustioso a los espacios abiertos: *No puedo ni pisar la calle porque padezco agorafobia.* □ ETIMOL. Del griego *ágora* (plaza pública) y *-fobia* (aversión).

agorar v. Referido a algo generalmente desagradable, predecirlo o anunciarlo: *El adivino le agoró un año venidero lleno de desgracias.* □ ETIMOL. Del latín *augurare* (hacer augurios). □ MORF. Irreg. →AGORAR.

agorero, ra adj./s. Que predice males y desgracias: *Es un agorero y todo el día está hablando de posibles desgracias.*

agorgojarse v.prnl. Referido a una semilla, criar gorgojos: *Tuvimos que tirar el paquete de arroz porque se agorgojó.* □ ORTOGR. Conserva la *j* en toda la conjugación.

agostado, da ▮ adj. **1** Referido a una planta, que está seca o mustia por exceso de calor: *Con esta sequía no hay quien pueda reavivar las agostadas plantas de los jardines.* **2** Referido esp. a una persona, que está ya consumida o debilitada: *Nunca seremos como esas agostadas parejas que no tienen nada que decirse.* ▮ s.m. **3** Operación de cavar las viñas.

agostar v. **1** Referido a las plantas, secarlas o abrasarlas el excesivo calor: *La falta de riego ha agostado los claveles.* **2** Referido a las cualidades de una persona, consumirlas o debilitarlas: *Los sufrimientos* *agostaron su belleza.* **3** Referido a la tierra, ararla o cavarla en el mes de agosto para quitar las malas hierbas: *Los agircultores ya han empezado a agostar los campos.* ☐ ETIMOL. De *agosto*, por ser un mes de mucho calor.

agosteño, ña adj. Del mes de agosto o relacionado con él: *El calor agosteño suele ser muy intenso en algunas regiones.*

agosto s.m. **1** Octavo mes del año, entre julio y septiembre. **2** ‖ **hacer** alguien **su agosto;** *col.* Hacer un buen negocio, aprovechando una ocasión oportuna: *En época de carnaval, los vendedores de disfraces hacen su agosto.* ☐ ETIMOL. Del latín *Augustus*, en memoria del emperador Octavio Augusto.

agotador, -a adj. Que agota o cansa: *Este ritmo de trabajo es agotador.*

agotamiento s.m. **1** Consumición o gasto completos: *El agotamiento de las provisiones se produjo antes de lo previsto.* **2** Cansancio muy grande: *Sufrió una lesión muscular a causa del agotamiento.*

agotar v. **1** Gastar o consumir completamente: *Los invitados agotaron las bebidas. No he podido comprar el libro que me dijiste porque la edición se ha agotado.* **2** Cansar mucho o extenuar: *El calor me agota. Se agotó de tanto subir y bajar escaleras.* ☐ ETIMOL. Del latín **eguttare* (secar hasta la última gota).

agraciado, da adj. **1** Agradable o atractivo físicamente: *Es una mujer muy agraciada, con una cara muy expresiva.* **2** Que tiene fortuna o buena suerte: *No te puedes quejar, porque eres una persona muy agraciada en la vida.* ☐ SINÓN. *afortunado.*

agraciar v. **1** Referido esp. a una gracia o a un favor, darlos o concederlos: *El conde nos agració con su visita. Varios empleados fueron agraciados con el premio gordo de la lotería.* **2** Referido a una persona, favorecerla o hacerla más agradable: *Ese traje le agracia la figura.* ☐ ETIMOL. De *gracia*. ☐ ORTOGR. La *i* nunca lleva tilde. ☐ MORF. En la acepción 1, se usa más como participio.

agradabilísimo, ma superlat. irreg. de **agradable.** ☐ MORF. Incorr. **agradablísimo*.

agradable adj.inv. **1** Que produce agrado o satisfacción: *He pasado una tarde muy agradable con vosotros.* **2** Referido a una persona, que es amable en el trato: *Su abuela es una viejecita muy agradable.* ☐ MORF. Su superlativo es *agradabilísimo*.

agradar v. Complacer, gustar o producir agrado: *La comida nos agradó mucho. Me agrada mucho que confíes en él.* ☐ ETIMOL. De *grado* (voluntad, gusto).

agradecer v. **1** Dar las gracias o mostrar gratitud: *Le agradeció sus consejos con una sonrisa. Te agradecería que te fueras.* **2** Corresponder a las atenciones y cuidados recibidos: *Deja de fumar y los pulmones te lo agradecerán.* ☐ ETIMOL. De *grado* (voluntad, gusto). ☐ MORF. Irreg. →PARECER.

agradecido, da adj. **1** Que tiende a mostrar agradecimiento: *una persona agradecida.* **2** Que responde positivamente a los cuidados y atenciones recibidas: *Los claveles son unas plantas muy agradecidas y apenas necesitan cuidados.*

agradecimiento s.m. Muestra de gratitud por un favor o un beneficio recibidos: *Le regalaron una placa en agradecimiento a los servicios prestados.*

agrado s.m. **1** Placer, satisfacción o gusto: *No es una persona de mi agrado.* **2** Simpatía o modo agradable de tratar a las personas: *Siempre nos han tratado con agrado.*

agrafia (tb. *agrafía*) s.f. Incapacidad total o parcial de expresar las ideas por escrito: *Su agrafia es consecuencia de una lesión cerebral.* ☐ ETIMOL. De *a-* (negación) y el griego *grápho* (yo escribo).

ágrafo, fa adj. Que no sabe o no puede escribir.

agramatical adj.inv. Que no respeta las reglas de la gramática: *'*La niña rubio juegan' es una oración agramatical.*

agramaticalidad s.f. Característica de la oración que se forma sin respetar las reglas de la gramática: *La agramaticalidad de la secuencia '*Nosotros quiero pan' es evidente.*

agrandamiento s.m. Aumento del tamaño de algo: *El agrandamiento de la habitación solo puede realizarse cerrando la terraza y tirando ese tabique.*

agrandar v. Hacer más grande: *No me gusta agrandar la importancia de las cosas. Cuando tiramos el tabique, la cocina se agrandó.*

agrario, ria adj. Del campo o relacionado con él: *La agricultura y la ganadería son actividades agrarias.* ☐ ETIMOL. Del latín *agrarius*, y este de *ager* (campo). ☐ SEM. Dist. de *agrícola* (de la agricultura o relacionado con ella).

agrarismo s.m. **1** Movimiento que defiende los intereses de los agricultores: *El agrarismo tuvo un gran desarrollo en Galicia a comienzos del siglo XX.* **2** Doctrina de este movimiento: *El agrarismo de nuestro grupo político está fuera de duda.*

agravamiento s.m. Aumento de la gravedad o de la importancia de algo: *El agravamiento de su enfermedad nos tiene muy preocupados.*

agravante ▮ adj.inv./s.amb. **1** Que agrava la intensidad de algo o aumenta su gravedad: *Llevamos un mes sin calefacción, con el agravante de que hemos pedido repetidas veces que la arreglaran.* ▮ s.f. **2** →**circunstancia agravante.**

agravar v. Aumentar la gravedad o importancia: *Su total falta de escrúpulos agrava la falta que cometió. La enfermedad se agravó con la edad.* ☐ ETIMOL. Del latín *aggravare*, y este de *gravare* (gravar). ☐ ORTOGR. Dist. de *gravar*.

agravatorio, ria adj. Que agrava: *Su violenta reacción actuó como factor agravatorio de la situación.*

agraviar v. Cometer un agravio: *Me agravió llamándome 'ladrón'.* ☐ ETIMOL. Del latín **aggraviare* (agravar, agraviar). ☐ ORTOGR. La *i* nunca lleva tilde.

agravio s.m. **1** Ofensa o insulto muy graves contra la honra o dignidad de alguien: *No te lo tomes como un agravio, porque lo hizo sin mala intención.* **2**

Perjuicio que se hace a alguien en sus derechos o en sus intereses: *El abogado consideró que la sentencia del juez era un agravio para los intereses de su cliente.*

agraz ▮ adj.inv. **1** Molesto o desagradable. ▮ s.m. **2** Uva que aún no está madura y zumo que se obtiene de ella: *El mosto es más dulce que el agraz.* **3** || **en agraz;** en preparación o antes de tiempo: *Aunque es un muchacho muy dispuesto, todavía está en agraz.* ☐ ETIMOL. Del antiguo *agro* (agrio), y este del latín *acris*, por *acer* (agudo, penetrante).

agredir v. Cometer una agresión: *Me agredieron por la espalda.* ☐ ETIMOL. Del latín *aggredi* (dirigirse a alguien, atacarlo).

agregación s.f. Unión o adición de algo a un todo.

agregado, da s. **1** Funcionario diplomático encargado de asuntos de su especialidad: *un agregado comercial.* **2** || **(profesor) agregado;** el de instituto que está destinado a una cátedra o a un departamento, y que posee una categoría inmediatamente inferior a la de catedrático: *Trabaja de agregada en el departamento de Física.*

agregaduría s.f. **1** Cargo de agregado: *La agregaduría cultural de esta embajada será ocupada por un escritor famoso.* **2** Oficina de un agregado diplomático: *Nos citó en la agregaduría para hablar del tema.*

agregar v. **1** Unir o añadir a un todo: *Para que la masa quede jugosa, agrégale un poco de leche. Al ver lo que ocurría, nos agregamos a los manifestantes.* **2** Añadir a lo que ya estaba hecho o dicho: *'Y de postre, una naranja', agregó.* ☐ ETIMOL. Del latín *aggregare* (juntar, asociar). ☐ ORTOGR. La *g* se cambia en *gu* delante de *e* →PAGAR. ☐ SINT. Constr. *agregar(se)* A *algo.*

agremiar v. Reunir en un gremio: *En la Edad Media los artesanos se agremiaban según sus profesiones.* ☐ ORTOGR. La *i* nunca lleva tilde.

agresión s.f. **1** Ataque violento, esp. para matar o para herir a alguien: *Fue víctima de una agresión cuando salía de su casa.* **2** Acción que se opone a los derechos de otra persona: *Me dijo que consideraba una agresión contra su salud que la gente fumara en el autobús.* **3** Ataque militar, generalmente repentino e inesperado, que viola los derechos del país atacado: *La agresión del ejército enemigo fue unánimemente condenada.* ☐ ETIMOL. Del latín *aggressio.*

agresividad s.f. **1** Tendencia a acometer o a atacar: *Los perros que no poseen agresividad no sirven como perros guardianes.* ☐ SINÓN. *acometividad.* **2** Decisión para emprender una tarea y hacer frente a sus dificultades: *La agresividad es una característica muy valorada en los ejecutivos.* ☐ SINÓN. *acometividad.*

agresivo, va adj. **1** Que actúa o tiende a actuar con agresividad: *una persona agresiva.* **2** Que actúa con decisión y dinamismo: *un vendedor agresivo.* **3** Que daña o que perjudica: *producto agresivo para el medio ambiente.*

agresor, -a adj./s. Que comete una agresión o que provoca una riña o una pelea: *El agresor lo atacó con un cuchillo.*

agreste adj.inv. Referido a un terreno, que no está cultivado o que está lleno de maleza: *La abundancia de vegetación dificultaba el paso por aquel paraje tan agreste.* ☐ ETIMOL. Del latín *agrestis* (del campo).

agri- Elemento compositivo prefijo que significa 'campo': *agrimensura, agrimensor, agricultura.* ☐ ETIMOL. Del latín *agri* (del campo).

agriar v. Poner agrio: *Las penas te están agriando el carácter. La leche se ha agriado por el calor.* ☐ ORTOGR. La *i* puede llevar tilde en los presentes, excepto en las personas *nosotros* y *vosotros* →GUIAR, o no llevarla nunca.

agrícola adj.inv. De la agricultura o relacionado con esta actividad: *Algunos bancos conceden créditos agrícolas.* ☐ ETIMOL. Del latín *agricola.* ☐ SEM. Dist. de *agrario* (del campo o relacionado con él).

agricultor, -a s. Persona que se dedica al cultivo de la tierra: *Procede de una familia de agricultores.*

agricultura s.f. **1** Actividad económica consistente en cultivar la tierra con el fin de obtener productos para el consumo animal o humano: *Los habitantes de este pueblo viven de la agricultura.* **2** Arte o técnica que se utilizan en dicho cultivo: *La agricultura moderna está muy mecanizada.* ☐ ETIMOL. Del latín *agricultura.*

agridulce adj.inv. Que tiene mezcla de sabor agrio y dulce: *Las salsas agridulces son una especialidad de la cocina china.*

agrietamiento s.m. Aparición o formación de grietas: *El agrietamiento del puente a los dos meses de su construcción supuso un escándalo.*

agrietar v. Abrir grietas o hendiduras: *La lluvia agrietó la pintura de la fachada. El cuero de buena calidad no suele agrietarse.*

agrimensor, -a s. Persona especializada en la medición de las tierras: *La profesión de agrimensor existía ya en época romana.*

agrimensura s.f. Arte y técnica de medir las tierras: *En agrimensura se triangulan los terrenos para medir su superficie más fácilmente.* ☐ ETIMOL. Del latín *agrimensura*, y este de *ager* (campo) y *metiri* (medir).

agringado, da adj. En zonas del español meridional, con las costumbres o el aspecto propios de un gringo.

agringarse v.prnl. En zonas del español meridional, adoptar las costumbres o el aspecto propios de un gringo: *Se agringó cuando viajó al extranjero.* ☐ ORTOGR. La segunda *g* se cambia en *gu* delante de *e* →PAGAR.

agrio, gria ▮ adj. **1** Que produce una sensación de acidez en el olfato o en el gusto: *un sabor agrio.* **2** Que se ha agriado: *La leche está agria y hay que tirarla.* **3** Que resulta áspero o desagradable: *un carácter agrio.* ▮ s.m.pl. **4** Conjunto de frutas de sabor agridulce, esp. naranjas y limones: *La producción de agrios en Valencia es muy elevada.* ☐

ETIMOL. Del antiguo *agro* (de sabor ácido), por influencia de *agriar*.

agriparse v.prnl. En zonas del español meridional, comenzar a tener la gripe: *Ayer salí cuando estaba lloviendo y me agripé.*

agrisado, da adj. De color gris o con tonalidades grises.

agrisar v. Dar o tomar un color gris: *La suciedad ha agrisado las paredes.*

agro s.m. *poét.* Campo de labranza.

agro- Elemento compositivo prefijo que significa 'campo': *agrología, agroquímica.* ☐ ETIMOL. Del latín *ager* (campo).

agroalimentación s.f. Producción o comercialización de productos agroalimentarios: *Mi empresa se dedica a la agroalimentación y está especializada en la producción de aceite de oliva.* ☐ ETIMOL. De *agro-* (campo) y *alimentación*.

agroalimentario, ria adj. De los alimentos agrícolas que no sufren transformaciones industriales: *La industria agroalimentaria absorbe una gran parte de la producción agrícola nacional.*

agroambiental adj.inv. Que afecta a la agricultura y al medio ambiente al mismo tiempo: *El Ministerio va a poner en marcha un plan de medidas agroambientales para los próximos cinco años.* ☐ ETIMOL. De *agro-* (campo) y *ambiental*.

agrocheque s.m. Talonario compuesto por siete cheques con los que se puede pernoctar en diferentes casas rurales a un precio reducido: *El agrocheque te da derecho a elegir entre más de cien casas rurales en las que te hacen un buen descuento.*

agroecología s.f. Agricultura que utiliza principios ecológicos en el estudio, diseño y control de los sistemas agrícolas. ☐ ETIMOL. De *agro-* (campo) y *ecología*.

agroforestal adj.inv. De las plantaciones agrícolas y forestales o relacionado con ellas: *En el Ayuntamiento de mi pueblo están elaborando un censo agroforestal muy detallado.* ☐ ETIMOL. De *agro-* (campo) y *forestal*.

agrogenética s.f. Parte de la genética que estudia las plantas que tienen un interés agrícola. ☐ ETIMOL. De *agro-* (campo) y *genética*.

agroindustrial adj.inv. De la industria derivada de las actividades agrarias, o relacionado con ella. ☐ ETIMOL. De *agro-* (campo) e *industrial*.

agrología s.f. Parte de la agronomía que estudia las relaciones entre el suelo y la vegetación. ☐ ETIMOL. Del latín *ager* (campo) y *-logía* (estudio).

agromonetario s.m. Conjunto de los recursos monetarios generados por la agricultura: *Debido a las buenas cosechas, este año han aumentado los agromonetarios.* ☐ ETIMOL. De *agro-* (campo) y *monetario*.

agrónica s.f. Ciencia que se ocupa de la aplicación de nuevas tecnologías para la mejora de la producción agrícola: *La agrónica intenta mejorar la producción de la tierra a través de medios electrónicos.*

agronomía s.f. Conjunto de conocimientos referentes al cultivo de la tierra: *La agronomía se apoya en otras ciencias, como las matemáticas, la química o la geografía.*

agronómico, ca adj. De la agronomía o relacionado con este conjunto de conocimientos: *Estos estudios agronómicos están encaminados a conseguir un mayor rendimiento del suelo cultivado.*

agrónomo, ma adj./s. Referido a una persona, que practica la agronomía: *Mi prima es ingeniera agrónoma.* ☐ ETIMOL. Del griego *agrónomos*, y este de *ágros* (campo), y *némo* (yo divido).

agropecuario, ria adj. De la agricultura y la ganadería, o relacionado con ellas: *industria agropecuaria.* ☐ ETIMOL. De *agro-* (campo) y *pecuario* (relacionado con el ganado).

agropop s.m. Música pop española que está relacionada con el mundo rural: *El agropop se relaciona con la España más rural a través del contenido de sus letras.* ☐ ETIMOL. De *agro-* (campo) y *pop*.

agroquímica s.f. Véase **agroquímico, ca**.

agroquímico, ca ▌adj. **1** De la agroquímica o relacionado con esta rama de la química: *industria agroquímica; productos agroquímicos.* ▌s.m. **2** Producto químico que se puede aplicar en la agricultura. ▌s.f. **3** Rama de la química que estudia la utilización de productos químicos en la agricultura y el uso industrial de productos orgánicos. ☐ ETIMOL. De *agro-* (campo) y *químico*.

agrótica s.f. Conjunto de técnicas y medios informáticos que se emplean en la agricultura: *En este país africano intentan aplicar técnicas de la agrótica que mejoren la producción agrícola.*

agroturismo s.m. Turismo que se realiza en zonas rurales: *El próximo verano queremos hacer agroturismo en un caserío de la montaña.*

agrumar v. Hacer que se formen grumos: *Cuando se me agruma una salsa, la paso por la batidora.*

agrupación s.f. **1** Reunión de elementos que generalmente tienen una característica común. **2** Conjunto de personas o de organismos que se agrupan o asocian para un fin común: *una agrupación de vecinos.*

agrupamiento s.m. Reunión de elementos formando grupos: *El agrupamiento de los músicos en las orquestas se hace según el instrumento que tocan.*

agrupar v. **1** Reunir o juntar formando grupos: *Los niños se agruparon en torno al profesor.* **2** Constituir una agrupación o una asociación: *Esa asociación agrupa a los artesanos de la madera.*

agrura s.f. Sabor agrio o ácido: *La agrura de los limones es refrescante.* ☐ ETIMOL. Del antiguo *agro* (ácido).

agua ▌s.f. **1** Sustancia líquida, insípida, inodora, incolora cuando se encuentra en pequeñas cantidades y azulada o verdosa si se halla en abundancia, que forma parte de los organismos vivos y que es el componente más abundante en la superficie terrestre: *La fórmula del agua es H_2O. Si tienes sed, bebe agua. Esta agua no es potable.* **2** Líquido que resulta de la disolución de sustancias obtenidas de plantas, flores o frutos, y que se suele usar en medicina o en perfumería: *El agua de lavanda es la colonia que más me gusta. El agua de azahar es una bebida que se usa como calmante.* **3** Vertiente de un tejado: *Tiene una casa con el tejado de dos aguas. Mi casa tiene las aguas orientadas hacia el Sur.* ▮ pl. **4** Ondulaciones o brillos, esp. en una tela, en una piedra preciosa o en una madera: *Me gusta este mármol por las aguas que tiene.* **5** Manantial mineromedicinal: *Las aguas de esta región alivian el reumatismo.* **6** Zona marina más o menos cercana a una costa: *El pesquero fue detenido en aguas jurisdiccionales francesas.* ▮ interj. **7** *arg.* Expresión que se usa para avisar de la llegada de policía a un lugar en el que se está haciendo algo ilegal: *Un chaval gritó «¡Agua!» e, inmediatamente, desaparecieron todos los vendedores ambulantes.* **8** || **agua corriente;** la potable que sale de los grifos de las casas: *Les han cortado el agua corriente por falta de pago.* || **agua de borrajas;** *col.* Lo que se considera de poca o de ninguna importancia, o ha quedado reducido a nada: *Las promesas electorales han quedado en agua de borrajas.* || **(agua de) Colonia;** perfume compuesto de agua, alcohol y sustancias aromáticas. ☐ SINÓN. *colonia.* || **(agua de) Seltz;** la potable con gas, natural o preparada artificialmente. ☐ SINÓN. *seltz.* || **agua {dura/gorda};** en química, la que tiene en disolución gran cantidad de sales: *El agua dura contiene mucho carbonato cálcico.* || **agua fuerte; 1** Ácido nítrico poco diluido: *El agua fuerte es muy corrosiva y disuelve muchos metales.* **2** Técnica de grabado basada en la acción de este ácido nítrico sobre las partes de una plancha metálica que no han sido tratadas previamente con un barniz: *En el agua fuerte el artista dibuja sobre la capa de barniz con una punta acerada hasta dejar descubierta la superficie metálica.* || **agua mineral;** la de manantial que lleva en disolución sustancias minerales. || **agua nieve;** →**aguanieve.** || **agua oxigenada;** compuesto químico líquido, incoloro, soluble en agua y en alcohol, que tiene propiedades desinfectantes: *La fórmula del agua oxigenada es H_2O_2.* || **agua pesada;** la que está compuesta por deuterio en lugar de hidrógeno simple: *El agua pesada se utiliza en los reactores nucleares.* || **(agua) tónica;** bebida gaseosa de sabor amargo, y que contiene quinina. || **agua va;** expresión que se usaba para avisar a los que pasaban por la calle de que se iban a arrojar excrementos o desechos. || **aguas bravas;** Deporte que consiste en descender por los rápidos de los ríos con una balsa neumática: *Este verano hicimos aguas bravas en el Sella.* || **aguas continentales;** masas líquidas de agua dulce procedentes de la lluvia, que forman los ríos y los lagos: *Suiza es un país con un volumen importante de aguas continentales.* || **aguas mayores;** *euf.* Excremento humano. || **aguas menores;** *euf.* Orina humana. || **al agua patos;** *col.* Expresión que indica la intención de meterse en el agua: *Todos se metieron en el río al grito de 'Al agua patos'.* || **bailarle el agua** a alguien; *col.* Adularlo para resultarle agradable: *De poco va a servirte que me bailes el agua porque no pienso recomendarte.* || **como agua de mayo;** *col.* Muy deseado o muy bien recibido: *Este dinero a fin de mes me viene como agua de mayo.* || **con el agua al cuello;** *col.* En una situación apurada o en peligro: *Hasta que acabemos de pagar la casa, estaremos con el agua al cuello y no podremos permitirnos lujos.* || **cubrir aguas;** en arquitectura, acabar de cubrir un edificio para preservarlo de la lluvia. || **dar el agua;** *arg.* Avisar de la llegada de policía al lugar en el que se está haciendo algo ilegal: *En la esquina había una chica para dar el agua a sus compinches.* || **entre dos aguas;** sentirse indeciso o tener dudas ante una decisión: *Estoy entre dos aguas y no sé si aceptar este trabajo o no.* || **hacer agua; 1** Referido a una embarcación, tener grietas o roturas por las que esta empieza a penetrar: *Tras chocar contra los arrecifes el barco hizo agua.* **2** Referido a un asunto, empezar a ir mal: *Este proyecto hace agua por todas partes y no te lo van a aceptar.* || **más claro que el agua;** muy manifiesto o patente: *Todo el mundo sabía que el negocio iba a fracasar, porque estaba más claro que el agua.* || **romper aguas;** romperse la bolsa que envuelve el feto y derramarse el líquido que contiene, antes del parto: *Cuando una mujer rompe aguas, el parto es inminente.* || **ser agua pasada;** haber perdido su importancia: *Aquella jugarreta ya es agua pasada, y no te guardo ningún rencor.* || **tomar las aguas;** estar en un balneario para hacer una cura con estas aguas: *Va todos los años unos días al balneario para tomar las aguas.* ☐ ETIMOL. 1. Del latín *aqua.* 2. La expresión *agua de Colonia* por alusión a la ciudad alemana de Colonia de la que es típica. ☐ MORF. Por ser un sustantivo femenino que empieza por *a* tónica o acentuada, va precedido de *el, un, algún, ningún* y de las formas femeninas del resto de los determinantes.

aguacate s.m. **1** Árbol americano con grandes hojas elípticas, alternas y siempre verdes, flores pequeñas en espiga y fruto comestible: *El aguacate es propio de las zonas cálidas de América.* **2** Fruto de este árbol, que tiene la corteza verde y una sola semilla de gran tamaño: *La pulpa del aguacate es verde y mantecosa.*

aguacero s.m. Lluvia repentina, abundante y de poca duración: *Venimos empapados porque nos pilló un aguacero por el camino.*

aguacha s.f. *vulg.* En zonas del español meridional, llovizna.

aguacharse v.prnl. En zonas del español meridional, referido a un animal, amansarse o acostumbrarse a un lugar.

aguachento, ta adj. **1** En zonas del español meridional, referido a la fruta o a otro alimento, que están insípidos porque tienen mucha agua. **2** En zonas del español meridional, que está mezclado con agua. ☐ ETIMOL. De *aguacha.*

aguachinar v. Referido a un alimento, estropearlo por exceso de agua: *Le has añadido tanta agua al caldo que has aguachinado la sopa.*

aguachirle s.f. Bebida o alimento líquido sin fuerza ni sustancia, esp. por estar muy aguado: *Los licores de mala calidad suelen ser pura aguachirle.* □ PRON. Incorr. *[aguachírli], *[aguachírri]. □ MORF. Por ser un sustantivo femenino compuesto cuyo primer componente empieza por *a* tónica o acentuada, está muy extendido el uso de los determinantes *el*, *un*, *algún* y *ningún*.

aguada s.f. Véase **aguado, da**.

aguaderas s.f.pl. Armazón que se coloca sobre las caballerías para transportar cántaros o barriles: *Las aguaderas pueden estar hechas de madera, esparto, mimbre u otro material semejante.*

aguadero s.m. Lugar al que acostumbran a ir algunos animales del campo para beber: *Este estanque es un aguadero de palomas.*

aguadilla s.f. *col.* →**ahogadilla.**

aguado, da ▌adj. **1** Mezclado con más agua de la necesaria: *una bebida aguada.* ▌s.f. **2** Técnica pictórica que se caracteriza por el empleo de colores que se diluyen en agua sola o en agua mezclada con goma arábiga, miel u otras sustancias, y que son más espesos y más opacos que los de la acuarela: *La aguada se utiliza sobre todo para pintar sobre papel o sobre cartón.* □ SINÓN. *gouache.* **3** Diseño o pintura realizados con esta técnica: *En la exposición había algunas aguadas de pintores famosos.* **4** Lugar para proveerse de agua potable: *Llevó las reses hasta la aguada para que bebieran.* **5** Provisión de agua potable que lleva una embarcación: *Tuvieron que racionar la aguada para que durase hasta llegar a tierra.*

aguador, -a s. **1** Persona que se dedica a transportar o vender agua. **2** *arg.* Persona que avisa de la llegada de policía al lugar en el que se está haciendo algo ilegal.

aguaducho s.m. Puesto en el que se vende agua y otras bebidas: *En la playa hay un aguaducho que siempre tiene bebidas frescas.* □ ETIMOL. Del latín *aquaeductus* (conducto de agua).

aguafiestas (pl. *aguafiestas*) s.com. Persona que estropea o interrumpe una diversión: *Cuando lo estábamos pasando mejor llegó el aguafiestas de tu hermano para decirnos que ya debíamos volver a casa.*

aguafuerte (pl. *aguafuertes*) s.amb. **1** Lámina obtenida mediante la técnica del agua fuerte, que consiste en la acción del ácido nítrico sobre las partes de una plancha metálica que no han sido tratadas previamente con un barniz: *Con un aguafuerte se pueden hacer múltiples estampaciones.* **2** Estampa hecha con esta lámina: *Tengo en la pared una reproducción de uno de los aguafuertes de Goya.* □ MORF. Se usa más como masculino.

aguafuertista s.com. Persona que realiza grabados con la técnica del aguafuerte: *Francisco de Goya se encuentra entre los aguafuertistas más célebres.*

aguaitar v. En zonas del español meridional, acechar o mirar: *Aguaité por la ventana y no había nadie.*

aguaje s.m. Palmera americana de tallo leñoso, recto y sin ramas, y coronada por una copa de grandes hojas.

aguamala s.f. Animal marino celentéreo en una fase de su ciclo biológico en la que la forma del cuerpo es semejante a una sombrilla con varios tentáculos. □ SINÓN. *medusa.*

aguamanil s.m. **1** Jarro con pico que contiene agua para lavar las manos: *Llenó el aguamanil con agua perfumada.* □ SINÓN. *aguamanos.* **2** Palangana o recipiente que se usa para lavarse las manos: *Los lavabos han sustituido a los antiguos aguamaniles.* **3** Soporte en el que se colocan la palangana y otros utensilios para el aseo personal. □ SINÓN. *palanganero.* □ ETIMOL. Del latín *aquaemanile.*

aguamanos (pl. *aguamanos*) s.m. Jarro con pico que contiene agua para lavar las manos: *Echó agua en la palangana con el aguamanos.* □ SINÓN. *aguamanil.* □ ETIMOL. De la expresión *dar o pedir agua a las manos.*

aguamarina s.f. Mineral muy duro, transparente, de color parecido al del agua del mar, y muy apreciado en joyería: *La aguamarina es una variedad de berilo.* □ ORTOGR. Dist. de *agua marina.* □ MORF. Por ser un sustantivo femenino compuesto cuyo primer componente empieza por *a* tónica o acentuada, está muy extendido el uso de los determinantes *el*, *un*, *algún* y *ningún*.

aguamiel s.f. **1** Bebida hecha con agua y miel. □ SINÓN. *hidromel, hidromiel.* **2** Bebida americana que se extrae del maguey. □ MORF. Por ser un sustantivo femenino compuesto cuyo primer componente empieza por *a* tónica o acentuada, va precedido de las formas masculinas *el*, *un*, *algún*, *ningún* y por las formas femeninas del resto de los determinantes.

aguanieve (tb. *agua nieve*) (pl. *aguanieves*) s.f. Agua de lluvia mezclada con nieve: *Esta mañana ha caído un poco de aguanieve.* □ MORF. Por ser un sustantivo femenino compuesto cuyo primer componente empieza por *a* tónica o acentuada, está muy extendido el uso de los determinantes *el*, *un*, *algún* y *ningún*.

aguanoso, sa adj. Lleno de agua o demasiado húmedo: *un terreno aguanoso.*

aguantaderas s.f.pl. *col.* Paciencia, tolerancia o capacidad para resistir algo: *Mi vecino es muy pesado y hay que tener buenas aguantaderas para tratar con él.* □ SINÓN. *aguante.*

aguantar ▌v. **1** Sostener o sujetar sin dejar caer: *Estas vigas aguantan el peso de todo el edificio. ¿Me aguantas el bolso un momento, por favor?* **2** Referido a algo molesto o desagradable, soportarlo o tolerarlo: *Te aguanté el mal humor porque sé que estás pasando por una situación difícil.* **3** Referido esp. a un deseo o impulso, reprimirlos, contenerlos o no dejar que se manifiesten: *Aguantó las lágrimas para que nadie lo viera llorar. Aguanta un poco, que ya nos vamos. Se aguantó las ganas de marcharse y continuó en la reunión.* **4** Referido esp. a algo en movimiento, contenerlo, frenarlo o resistirlo: *El jugador no pudo aguantar al contrario, que consiguió meter el gol.* ▌ prnl. **5** Conformarse con algo y aceptarlo aunque no responda a nuestros deseos: *Si no te gusta, te aguantas.* □ ETIMOL. Del italiano *agguantare* (coger, detener, resistir).

aguante s.m. **1** Fuerza o vigor para resistir o sostener algo: *Esa estantería no tiene aguante para tanto peso.* **2** Paciencia, tolerancia o capacidad para resistir algo: *Reconozco que no tengo ningún aguante y que pierdo la paciencia enseguida.* □ SINÓN. *aguantaderas.*

aguar ▌ v. **1** Referido a una bebida o a un alimento líquido, mezclarlo con agua, esp. si se hace de manera indebida: *Los clientes protestaron porque el tabernero aguaba el vino.* **2** Referido esp. a una situación alegre o divertida, interrumpirla o echarla a perder: *Si no quieres aguarme la fiesta, prométeme que vendrás. La cena se aguó cuando aquellos dos hombres empezaron a discutir.* ▌ prnl. **3** Llenarse de agua: *Al saber la noticia no pude evitar que se me aguaran los ojos.* □ ORTOGR. 1. La *u* lleva diéresis cuando le sigue *e*. 2. La *u* permanece siempre átona →AVERIGUAR.

aguardar v. **1** Referido a algo, esperar su llegada o su realización: *Te aguardo en el portal. Aguarda a que te avisen.* **2** Referido a un período de tiempo, dejarlo pasar antes de realizar algo: *Aguardó unos minutos antes de empezar a hablar.* **3** Referido a un suceso, tener que ocurrirle a alguien en un futuro: *Yo sé que te aguarda la felicidad que te mereces.* □ ETIMOL. De *guardar* (esperar).

aguardentero, ra ▌ adj. **1** Del aguardiente o relacionado con su producción: *producción aguardentera.* ▌ s. **2** Persona que se dedica a producir o vender aguardiente. □ MORF. Incorr. **aguardientero.*

aguardentoso, sa adj. Referido a la voz, áspera, ronca y desagradable: *Ayer salió de juerga y hoy se levantó con la voz aguardentosa.*

aguardiente s.m. Bebida alcohólica que se obtiene por destilación del vino, frutas y otras sustancias: *El aguardiente de caña se obtiene de la destilación de la caña de azúcar.* □ ETIMOL. De *agua* y *ardiente.*

aguarrás (pl. *aguarrases*) s.m. Aceite que se obtiene de la trementina, que se evapora con facilidad y que se utiliza principalmente como disolvente: *Se quitó las manchas de pintura con aguarrás.* □ ETIMOL. Del latín *aqua* (agua) y *rasis* (la pez).

aguas interj. *col.* En zonas del español meridional, expresión que se usa como aviso o como señal de advertencia: *¡Aguas, no sea bruto, que casi me tira!*

aguatero, ra s. En zonas del español meridional, aguador: *Los aguateros salieron de mañana.*

aguatinta s.f. **1** Variedad de la técnica del grabado al agua fuerte que consiste en granular la plancha de metal con una capa de resina para conseguir impresiones entintadas en lugar de líneas: *Para hacer algunos de sus grabados Goya utilizó las técnicas del aguatinta y del aguafuerte.* **2** Estampa hecha con esta técnica: *Compré en una subasta dos aguatintas más para mi colección.* □ ETIMOL. Del italiano *acqua tinta* (agua teñida). □ MORF. Por ser un sustantivo femenino compuesto cuyo primer componente empieza por *a* tónica o acentuada, está muy extendido el uso de los determinantes *el*, *un*, *algún* y *ningún.*

aguazal s.m. Lugar bajo en el que se estanca el agua de lluvia: *Cuando llueve, las depresiones del terreno se convierten en aguazales.*

agudeza s.f. **1** Delgadez en la punta o en el filo: *Estos cuchillos cortan muy bien por su agudeza.* **2** Rapidez y viveza de la inteligencia: *La entrevistada respondió con gran agudeza.* **3** Intensidad de un mal o de un dolor: *La agudeza del dolor le hacía encogerse.* **4** Perspicacia y rapidez del sentido de la vista, del oído o del olfato para percibir las sensaciones con detalle o con perfección: *Los delfines tienen gran agudeza auditiva.* **5** Dicho inteligente o ingenioso: *Fue un diálogo muy ameno, lleno de agudezas y chispazos de ingenio.*

agudización s.f. **1** Transformación en agudo: *la agudización de un dolor.* **2** Aumento de la gravedad de algo, esp. de una enfermedad: *la agudización de una enfermedad.*

agudizar ▌ v. **1** Hacer agudo: *La necesidad agudiza la inteligencia.* ▌ prnl. **2** Referido esp. a una enfermedad, empeorar o aumentar su gravedad: *El asma se me agudiza en primavera.* □ ORTOGR. La *z* se cambia en *c* delante de *e* →CAZAR.

agudo, da ▌ adj. **1** Que termina en punta o que tiene el borde muy afilado: *La cornisa termina en unos salientes agudos.* **2** Ingenioso, rápido y vivo en la inteligencia: *Hizo varias observaciones muy agudas sobre la situación.* **3** Gracioso u oportuno: *El texto está cuajado de agudas expresiones que hacen sonreír al lector.* **4** Referido a una sensación, esp. de dolor, que es muy intensa y penetrante: *Sintió un agudo dolor en el costado.* **5** Referido al sentido de la vista, del oído o del olfato, que es perspicaz y rápido en percibir las sensaciones con detalle o perfección: *Los perros suelen tener un olfato muy agudo.* **6** Referido a una enfermedad, que es grave y de corta duración: *El médico me dijo que tenía que operarme de urgencia porque tenía una apendicitis aguda.* **7** Referido a una palabra, que lleva el acento en la última sílaba: *'Mamá' y 'presumir' son palabras agudas, aunque solo lleve tilde la primera.* □ SINÓN. *oxítono.* **8** Referido a un verso, que termina en palabra acentuada en la última sílaba: *En métrica, al contar las sílabas de un verso agudo, se cuenta una más de las que tiene realmente.* □ SINÓN. *oxítono.* ▌ adj./s. **9** Referido a un sonido, a una voz, o a un tono musical, que tiene una frecuencia de vibraciones grande: *Las mujeres suelen tener la voz más aguda que los hombres.* □ ETIMOL. Del latín *acutus*, y este de *acuere* (aguzar).

agüería s.f. En zonas del español meridional, agüero.

agüero s.m. **1** Procedimiento de adivinación basado principalmente en la interpretación supersticiosa de determinadas señales, como el canto o el vuelo de las aves: *Muchos pueblos antiguos se ser-*

vían de los agüeros para predecir el futuro. □ SINÓN. *auspicio.* **2** Presagio o señal de algo futuro: *Dicen que romper un espejo es un mal agüero.* □ ETIMOL. Del latín *augurium.*

aguerrido, da adj. Valiente o esforzado: *El príncipe era un joven apuesto y aguerrido.*

aguerrir v. Referido a los soldados sin preparación militar, acostumbrarlos a los peligros de la guerra: *Los combates aguerrirán a los nuevos soldados.* □ ETIMOL. Quizá del francés *aguerrir.* □ MORF. 1. Verbo defectivo: solo se usan las formas que presentan *i* en su desinencia →ABOLIR. 2. Se usa más en infinitivo y como participio.

aguijada s.f. Vara larga con una punta de hierro en uno de los extremos que se usa para picar a los bueyes y a otros animales: *El labrador picó a los bueyes con la aguijada para que siguieran arando.* □ ETIMOL. Del latín *aculeata*, y este de *aculeus* (punta, aguijón).

aguijar v. **1** Referido a un buey o a otro animal, picarlos para que anden más deprisa, esp. si se hace con la aguijada: *El labrador aguijó a los bueyes para que aceleraran el paso.* □ SINÓN. *aguijonear.* **2** Referido a un buey o a otro animal, avivarlos o estimularlos, esp. si se hace con la voz: *Mi abuelo me enseñó a aguijar a las mulas con la voz.* **3** Animar o incitar a hacer algo: *Mis padres siempre me aguijaban con premios.* □ SINÓN. *aguzar, estimular.* **4** Acelerar el paso: *Aguija, que aún nos queda mucho para llegar.* □ ORTOGR. Conserva la *j* en toda la conjugación.

aguijón s.m. **1** En un escorpión y en algunos insectos, órgano que aparece en el extremo de su abdomen en forma de púa y generalmente con veneno: *Las abejas pican e inoculan su veneno con el aguijón.* **2** Lo que estimula o incita a hacer algo: *Las ganancias son el mejor aguijón para los comerciantes.* □ SINÓN. *estímulo.* □ ETIMOL. Del latín *aquileo.*

aguijonazo s.m. **1** Punzada o herida producidas por un aguijón: *Las avispas me han llenado el brazo de aguijonazos.* **2** Burla o reproche hiriente: *Sus aguijonazos resultaron ofensivos y fuera de tono.*

aguijonear v. **1** Picar con el aguijón: *Las abejas mueren poco después de aguijonear a su víctima.* **2** Incitar, estimular o causar inquietud o tormento: *Los aguijonea un deseo desmedido de riquezas.* **3** Referido a un buey o a otro animal, picarlos para que anden más deprisa, esp. si se hace con la aguijada: *En aquella aldea vimos cómo una mujer aguijoneaba a una mula para que tirara con más fuerza del carro.* □ SINÓN. *aguijar.*

águila s.f. **1** Ave rapaz diurna que tiene el pico fuerte y curvado en la punta, vista muy aguda, fuertes músculos, vuelo muy rápido y garras muy desarrolladas. **2** Persona de mucha viveza, capacidad y rapidez de ingenio o de inteligencia: *Es un águila para los negocios.* **3** || **águila imperial;** la de color casi negro y con la cola de forma cuadrada. || **águila real;** la que tiene un tamaño menor, la cola de forma cuadrada y es de color leonado. □ ETIMOL. Del latín *aquila.* □ MORF. 1. Por ser un sustantivo femenino que empieza por *a* tónica o acentuada, va precedido de *el, un, algún, ningún* y de las formas femeninas del resto de los determinantes. 2. En la acepción 1, es un sustantivo epiceno: *el águila {macho/hembra}.*

aguileño, ña adj. **1** Del águila o con alguna de las características que se consideran propias de este animal: *La nariz aguileña es larga y curva hacia abajo.* **2** Referido al rostro, que es largo y delgado. □ ETIMOL. De *águila*, por la forma de su pico.

aguilera s.f. Peña alta en la que hacen su nido las águilas: *En aquellos riscos, hay varias aguileras.*

aguilillo, lla adj./s. En zonas del español meridional, referido a un caballo, que es muy veloz: *En la hacienda montábamos unos aguilillos que eran la envidia de todos.*

aguilucho s.m. **1** Cría del águila: *Hemos visto un nido con tres aguiluchos.* **2** Ave rapaz diurna de tamaño menor que el águila, que tiene fuertes garras, cabeza robusta, pico fuerte con forma de gancho, cola y alas alargadas: *Los aguiluchos suelen anidar en el suelo.* □ MORF. Es un sustantivo epiceno: *el aguilucho {macho/hembra}.*

aguinaldo s.m. Regalo que se da en Navidad (período de tiempo en el que se celebra el nacimiento de Cristo): *¿Le has dado ya el aguinaldo al cartero?* □ ETIMOL. Quizá del latín *hoc in anno* (en este año), refrán de las canciones populares de Año Nuevo.

agüista s.com. Persona que asiste a un balneario para tomar aguas medicinales: *Antes de que se quemara el balneario, el pueblo estaba lleno de agüistas que acudían a tomar las aguas.*

agüita s.f. En zonas del español meridional, infusión de hierbas: *En Chile tomé agüita de menta.*

agüitado, da adj./s. *col.* En zonas del español meridional, infeliz o desgraciado.

agüitar v. En zonas del español meridional, afligir o apenar: *El silencio de su amada lo agüitaba.*

aguja s.f. **1** Barrita, generalmente metálica, con un extremo terminado en punta y con un ojo o agujero en el otro por el que se pasa el hilo, que se usa para coser: *Necesito hilo y aguja para coser este botón.* **2** Tubo metálico de pequeño diámetro, que tiene un extremo cortado en diagonal y el otro provisto de un casquillo para adaptarlo a una jeringuilla, y que sirve para inyectar sustancias en el organismo: *Cuando me hacen un análisis de sangre nunca miro cómo me clavan la aguja.* **3** Varilla delgada, generalmente larga y con un extremo puntiagudo, que sirve para distintos usos: *La sombra de la aguja del reloj de sol indica la hora.* **4** En un reloj o en otro instrumento de precisión, varilla delgada y alargada que marca una medida: *A las seis, las agujas del reloj forman una línea vertical.* □ SINÓN. *manecilla.* **5** En un tocadiscos, especie de púa o punzón que recorre los surcos de los discos musicales y reproduce las vibraciones inscritas en ellos: *Para limpiar la aguja del tocadiscos venden unos cepillos especiales.* **6** En las vías del tren, cada uno de los dos raíles móviles que sirven para que los trenes y tranvías vayan por una de las vías que concurren en un punto: *Las agujas no funcionaron y el tren rápido embistió al tren estacionado en la vía 1.* **7** En una torre o en el techo de una iglesia, remate estrecho y alto con figura piramidal: *Las torres de las catedrales góticas terminan en agujas.* **8** Hoja de algunas plantas coníferas, esp. de los pinos, con forma larga y delgada: *El suelo del bosque estaba cubierto de agujas.* **9** Pastel largo y estrecho relleno de carne, pescado o dulce: *A media mañana me he tomado una aguja de bonito.* **10** Costillas que corresponden al cuarto delantero del animal: *Cómprame en la carnicería un kilo de agujas de ternera.* **11** Gas carbónico que retiene un vino y que produce burbujas al ser descorchado: *Es muy frecuente que los vinos jóvenes tengan aguja.* **12** Pez marino, con el cuerpo largo y delgado y la cabeza en forma de cono. **13** ‖ **aguja (de {bitácora/marear})** o **aguja magnética;** en náutica, brújula. ‖ **aguja de gancho;** la que mide unos veinte centímetros de largo, con uno de sus extremos más delgado y terminado en gancho, y que se usa para hacer labores de punto. □ SINÓN. *ganchillo.* ‖ **aguja (de media);** la que mide más de veinte centímetros de largo y sirve para hacer medias y otras labores de punto. ‖ **{buscar/encontrar} una aguja en un pajar;** hacer algo muy difícil o imposible: *Intentar encontrar a tu hermano entre esta multitud es como buscar una aguja en un pajar.* □ ETIMOL. Del latín **acucula* (agujita). □ MORF. En la acepción 10, en plural tiene el mismo significado que en singular.

agujerear v. Hacer uno o más agujeros: *Agujereo los folios para archivarlos.*

agujero s.m. **1** Abertura más o menos redondeada sobre una superficie: *Tengo un agujero en el calcetín.* **2** Deuda o pérdida injustificada de dinero, esp. en una empresa o entidad: *El premio de la lotería me servirá para tapar algunos agujeros.* **3** *col.* Vivienda o lugar que proporciona abrigo y protección: *Se ha encerrado en su agujero y lleva dos semanas sin ver a nadie.* **4** ‖ **agujero negro;** cuerpo celeste invisible de gran masa que, según la teoría de la relatividad, absorbe por completo cualquier materia o energía situada en su campo gravitatorio: *Los agujeros negros son estrellas en su última fase de evolución.* □ ETIMOL. De *aguja*, porque primero significó *perforación de oreja*, y más tarde *perforación pequeña*.

agujeta ▌s.f. **1** En zonas del español meridional, cordón: *Me amarré las agujetas de los zapatos.* ▌pl. **2** Dolores musculares que se sienten después de realizar un ejercicio físico no habitual: *Ayer fui al gimnasio y hoy tengo unas agujetas terribles.*

agur (tb. *abur*) interj. *col.* Expresión que se usa como señal de despedida: *Al despedirse me dijo: «¡Agur!».* □ SINÓN. *adiós.* □ ETIMOL. Del euskera *agur*, y este del latín *augurium* (agüero).

agusanamiento s.m. Aparición de gusanos: *La falta de condiciones higiénicas produjo el agusanamiento de la herida de la vaca.*

agusanarse v.prnl. Criar gusanos: *La fruta lleva tanto tiempo en la despensa que se ha agusanado.*

agustinianismo s.m. Doctrina teológica de san Agustín (filósofo y teólogo cristiano de la segunda mitad del siglo IV y principios del V): *El agustinianismo tuvo una gran influencia durante la Edad Media.* □ SINÓN. *agustinismo.*

agustiniano, na adj. De san Agustín (filósofo y teólogo cristiano de la segunda mitad del siglo IV y principios del V), de su doctrina o de su obra: *pensamiento agustiniano.*

agustinismo s.m. →**agustinianismo.**

agustino, na adj./s. Referido a un religioso, que pertenece a la orden inspirada en la doctrina de san Agustín (obispo, doctor y padre de la iglesia latina de mediados del siglo IV y principios del V): *Muchos agustinos se dedican a la evangelización y a la enseñanza.*

agutí (pl. *agutíes, agutís*) s.m. Mamífero roedor que mide unos cincuenta centímetros, y que tiene las patas largas, la cola corta, las orejas pequeñas y el pelaje largo: *El agutí vive en América Central y en América del Sur.* □ MORF. Es un sustantivo epiceno: *el agutí {macho/hembra}.*

aguzamiento s.m. Mejora del entendimiento o de algún sentido para que perciban con más detalle o perfección: *Los múltiples ejercicios con instrumentos musicales le ayudaron a conseguir el aguzamiento del oído.*

aguzanieves (pl. *aguzanieves*) s.f. Pájaro de color grisáceo, con el vientre blanco y con el cuello, el pecho, las alas y la cola negros, que vive en lugares húmedos y que se alimenta de insectos: *La aguzanieves abunda en España durante el invierno.* □ SINÓN. *andarríos.* □ ETIMOL. De *auze de nieves* (pájaro de nieves), porque anda por la nieve. □ MORF. Es un sustantivo epiceno: *la aguzanieves {macho/hembra}.*

aguzar v. **1** Referido al entendimiento o a un sentido, quitarle la torpeza o forzarlo para que preste más atención o perciba las sensaciones con más detalle o perfección: *Agucé la vista, pero estaba demasiado oscuro y no vi nada.* **2** Animar o incitar a hacer algo: *Aguzó mis ganas de verla cuando me dijo que me había traído un regalo.* □ SINÓN. *estimular, aguijar.* □ ETIMOL. Del latín **acutiare*, y este de *acutus* (agudo). □ ORTOGR. La *z* se cambia en *c* delante de *e* →CAZAR.

ah interj. Expresión que se usa para mostrar algún sentimiento, esp. pena, admiración o sorpresa: *¡Ah!, ¿es que no vienes con nosotros? ¡Ah, qué pena!* □ ORTOGR. Dist. de *ha* (del verbo *haber*) y de *a* (preposición).

ahechar v. Referido al trigo o a otra semilla, cribarlos o limpiarlos de impurezas por medio de una criba: *Ahecharon el trigo para separar el grano de la paja.* □ ETIMOL. Del latín *affectare* (arreglar).

aherrojamiento s.m. Opresión o dominio sobre algo: *El país no conseguirá un desarrollo real hasta que la economía no se libre del aherrojamiento de la inflación.*

aherrojar v. **1** Sujetar o aprisionar con hierros: *Los piratas aherrojaron con cadenas a sus prisioneros.* **2** Oprimir o dominar: *El miedo aherrojó al acusado mientras esperaba la sentencia del juez.* ☐ ORTOGR. 1. Dist. de *arrojar*. 2. Conserva la *j* en toda la conjugación.

aherrumbrarse v.prnl. Cubrirse de herrumbre o de orín: *Tengo que pintar la verja antes de que se aherrumbre.*

ahí adv. **1** En esta posición o lugar, o a esa posición o lugar: *Si nos ponemos ahí, veremos mejor. Vamos por ahí, que es más corto. Ahí no estoy de acuerdo contigo.* **2** ‖ **ahí mismo;** muy cerca: *Vivo ahí mismo, a dos minutos de aquí.* ‖ **de ahí;** por eso: *Apenas come; de ahí que esté tan delgado.* ‖ **o por ahí;** poco más o menos o aproximadamente: *Me costó treinta euros o por ahí.* ‖ **por ahí;** por un lugar no lejano o indeterminado: *Se habrá entretenido por ahí con algún amigo.* ☐ ETIMOL. De *a* (preposición) y el antiguo *hi* (en tal lugar, ahí). ☐ ORTOGR. Dist. de *hay* (del verbo *haber*) y de *ay*. ☐ SINT. Incorr. *Mira {*a ahí > ahí}.* ☐ USO Su uso para designar personas se considera un vulgarismo: *{*Ahí > Ese señor} le informará sobre eso.*

ahidalgado, da adj. Con las características que se consideran propias de un hidalgo.

ahijado, da s. Respecto de los padrinos, persona que es representada o asistida por ellos en determinados actos: *Durante el bautizo la madrina sostenía a su ahijado.* ☐ ETIMOL. Del latín *affiliatus*.

ahijar v. **1** Referido a una persona, adoptarla o hacerse cargo legalmente de ella como si fuera hijo propio, sin que sea hijo biológico: *Han ahijado a dos niños abandonados.* **2** Referido a una planta, echar brotes nuevos: *Tienes que podar el arbusto para que en primavera ahíje con fuerza.* ☐ ORTOGR. 1. Conserva la *j* en toda la conjugación. 2. La *i* lleva tilde en los presentes, excepto en las personas *nosotros* y *vosotros* →GUIAR.

ahilarse v.prnl. **1** Referido a una planta, crecer muy débil y alargada por falta de luz: *Este patio es tan oscuro que todas las plantas se me están ahilando.* **2** Referido a una persona, debilitarse o enflaquecer: *Se niega a comer y se está ahilando por momentos.* ☐ ORTOGR. La *i* lleva tilde en los presentes, excepto en las personas *nosotros* y *vosotros* →GUIAR.

ahincar ▌v. **1** Fijar, clavar: *ahincar los ojos en alguien.* ▌prnl. **2** Esforzarse o afanarse: *ahincarse en la búsqueda de una solución.* ☐ ETIMOL. De *hincar*. ☐ ORTOGR. La *c* se cambia en *qu* delante de *e* →SACAR.

ahínco s.m. Esfuerzo o empeño con que se hace o solicita algo: *trabajar con ahínco.*

ahíto, ta adj. **1** Saciado o lleno, esp. de comida: *Estoy ahíto de comida. La noticia me dejó ahíto de alegría.* **2** Harto, cansado o fastidiado: *Ahíto de esperar, se marchó.* ☐ ETIMOL. Del latín *infictus*, y este de *infigere* (clavar o hundir en algo).

ahogadero s.m. Cuerda o correa que ciñe el pescuezo de una caballería: *El ahogadero es una parte de la cabezada.*

ahogadilla s.f. Broma que consiste en zambullir a una persona, manteniendo su cabeza sumergida durante unos instantes: *En muchas piscinas está prohibido hacer ahogadillas.* ☐ SINÓN. *aguadilla.*

ahogado, da adj. Referido a la respiración o a un sonido, que se emiten con dificultad: *Con voz ahogada por la pena, me pidió que la ayudara.*

ahogamiento s.m. Privación de la vida impidiendo respirar a la víctima.

ahogar v. **1** Referido a una persona o a un animal, quitarles la vida impidiéndoles respirar: *Ahogó a la víctima estrangulándola con sus propias manos. Aunque era un experto nadador, sufrió un calambre y se ahogó en el mar.* **2** Referido a una planta o a una semilla, dañarlas por el exceso de agua, por juntarlas demasiado o por la acción de alguna planta nociva: *Ahogó los rosales por regarlos demasiado.* **3** Referido al fuego, apagarlo o sofocarlo tapándolo con materias que dificultan su combustión: *Si pones troncos tan gordos vas a ahogar el fuego.* **4** Referido a algunos vehículos o a su motor, inundar el carburador con exceso de combustible: *Has ahogado el coche y ahora no hay quien lo arranque.* **5** Reprimir, extinguir, apagar o evitar el desarrollo normal: *Intentó ahogar sus penas en el alcohol.* **6** Oprimir, acongojar, fatigar o producir una sensación de ahogo: *El cuello de esta camisa me aprieta tanto que me está ahogando. ¡Me ahogo con este calor!* ☐ ETIMOL. Del latín *offocare* (sofocar, ahogar), y este de *fauces* (garganta). ☐ ORTOGR. La *g* se cambia en *gu* delante de *e* →PAGAR.

ahogo s.m. **1** Dificultad para respirar: *El asma produce ahogo.* **2** Sentimiento de disgusto, pena o congoja: *Cuando murió mi padre, sólo sentí ahogo y soledad.*

ahojar v. Referido al ganado, comer las hojas tiernas de los árboles: *La falta de pastos ha hecho que el ganado empiece a ahojar para alimentarse.* ☐ SINÓN. *ramonear.* ☐ ORTOGR. Dist. de *aojar*.

ahondamiento s.m. **1** Aumento de la hondura o profundidad de algo: *El ahondamiento del pozo ha sido muy laborioso porque el terreno es muy duro.* **2** Investigación o estudio profundos o detallados: *El ahondamiento en ese campo de la física traerá nuevos descubrimientos científicos.*

ahondar v. **1** Hacer más hondo o más profundo: *El paso del tiempo ha ahondado nuestras diferencias.* **2** Referido a un asunto, profundizar en él: *Tienes que aprender a ahondar en las personas, y a no quedarte en su superficie.* ☐ ETIMOL. De *hondo*. ☐ SINT. Constr. de la acepción 2: *ahondar EN algo.*

ahora ▌adv. **1** En este momento o en el tiempo actual: *No puedo ir ahora. Ahora que lo dices, sí que me acuerdo. En mi pueblo antes nevaba más que ahora.* **2** En un momento anterior pero muy cercano al presente: *Esta mañana no lo sabía, me lo han dicho ahora.* **3** En un momento futuro pero muy cercano al presente: *Ahora cuando llegue nos lo contará todo.* ▌conj. **4** Enlace gramatical coordinante con valor adversativo: *Está en casa, ahora, como si no estuviese, porque no nos hablamos.* **5**

|| **ahora bien;** enlace gramatical coordinante con valor adversativo: *Yo te ayudo, ahora bien, no creas que lo haré yo todo.* || **ahora mismo;** en este preciso momento: *No me hagas esperar y ven aquí ahora mismo.* □ ETIMOL. Del latín *hac hora* (en esta hora). □ SINT. Incorr. *de entonces* [*a ahora > ahora*].

ahorcamiento s.m. Privación de la vida suspendiendo a la víctima de una cuerda que aprieta el cuello e impide respirar.

ahorcar v. **1** Referido a una persona o a un animal, quitarles la vida haciendo que su cuerpo quede suspendido de una cuerda que les aprieta el cuello y les impide respirar: *Ahorcaron al ladrón de caballos al amanecer. Un preso se ahorcó en su celda.* □ SINÓN. *colgar.* **2** Referido a una profesión o a una actividad, abandonarlas o dejarlas: *Ahorcó los estudios y se dedicó a viajar.* □ SINÓN. *colgar.*

ahorita adv. *col.* Ahora mismo o inmediatamente: *Ahorita voy a comprar el pan.* □ ETIMOL. Diminutivo de *ahora.*

ahormar v. **1** Ajustar o adaptar a una horma o molde: *He llevado las botas al zapatero para que me las ahorme, porque me aprietan mucho.* **2** Hacer entrar en razón: *Espero que las multas te ahormen y aprendas a respetar las señales de tráfico.* **3** En tauromaquia, referido a un toro, hacer que se coloque en la posición adecuada para darle la estocada: *El torero ahormó al toro ayudándose de la muleta.* □ ORTOGR. Dist. de *ahornar.*

ahornar v. →**hornear.** □ ORTOGR. Dist. de *ahormar.*

ahorquillado, da adj. Con forma de horquilla: *La alondra tiene la cola ahorquillada.*

ahorquillar v. **1** Dar forma de horquilla: *Si quieres ahorquillar esta vara, haz que uno de sus extremos termine en dos puntas.* **2** Referido a una planta, afianzar sus ramas con horquillas para que no se rompan: *Hemos ahorquillado el naranjo para que no se le rompan las ramas por el peso de la fruta.*

ahorrador, -a adj./s. Que ahorra: *Muchos pequeños ahorradores invierten en Bolsa.*

ahorrar v. **1** Referido a una cantidad de dinero, guardarla para el futuro: *Cada mes ahorra un tercio del sueldo y lo mete en una cuenta corriente. Si no ahorras no podrás irte de viaje.* **2** Evitar un gasto o un consumo mayores: *Si vamos por el atajo, ahorraremos tiempo.* **3** Referido a algo que resulta desagradable, evitarlo o librarse de ello: *Ahórrame tus comentarios, por favor. Si quieres ahorrarte la visita, llama y di que estás enfermo.* □ ETIMOL. Del antiguo *horro* (libre de nacimiento, exento), porque antiguamente significó *librar de un trabajo, pena o pago.*

ahorrativo, va adj. **1** Del ahorro, que lo implica o relacionado con él: *El esfuerzo ahorrativo de la población ha sido enorme.* **2** Que ahorra o que gasta poco: *una persona ahorrativa.*

ahorro s.m. **1** Gasto o consumo menores: *ahorro de energía.* **2** Lo que se ahorra: *gastarse los ahorros.* □ MORF. En la acepción 2, se usa más en plural.

ahoy adv. *col.* En zonas del español meridional, hoy: *¡Apúrate, que ahoy andamos muy atrasados!*

ahuate s.m. En zonas del español meridional, espina que tienen algunas plantas, esp. la caña de azúcar y el maíz. □ ETIMOL. Del náhuatl *ahuatl* (espina).

ahuautle s.m. Comida mexicana que consiste en huevas secas de algunos mosquitos que viven en las orillas de las lagunas. □ ETIMOL. Del náhuatl *atl* (agua) y *huautli* (mosquito).

ahuecado s.m. Esponjamiento de lo que estaba compacto o apretado: *A la novia le hicieron un peinado que consistía en un ahuecado muy llamativo.*

ahuecar ▮ v. **1** Poner hueco o cóncavo: *Ahueca las manos y beberás mejor de la fuente.* **2** Referido a algo que estaba apretado, mullirlo o hacerlo menos compacto: *¿Me ayudas a ahuecar la lana del colchón?* **3** Referido esp. a la voz, darle un tono más grave del habitual: *Cuando este actor ahueca la voz resulta muy poco natural.* **4** *col.* Marcharse: *Ahueca y no vuelvas por aquí.* ▮ prnl. **5** *col.* Llenarse de orgullo y soberbia: *Espero que con este premio no te ahueques demasiado.* □ ORTOGR. La *c* se cambia en *qu* delante de *e* →SACAR.

ahuehuete s.m. Árbol americano de gran tamaño, de corteza oscura y blanda, que crece generalmente cerca de los ríos, y puede llegar a vivir varios siglos.□ ETIMOL. Del náhuatl *atl* (agua) y *huehue* (viejo, antiguo).

ahuesado, da adj. De color blanco amarillento, como el del hueso: *El papel oficial de esta empresa es de color ahuesado.*

ahuevado, da adj. De forma ovalada, como la del huevo.

ahuevar v. Dar forma de huevo: *No te sientes sobre el balón porque lo puedes ahuevar.*

ahuizote s.m. En zonas del español meridional, persona molesta.

ahumado, da ▮ adj. **1** Referido a un cuerpo transparente, que tiene color oscuro sin haber sido sometido a la acción del humo: *cristales ahumados.* ▮ s.m. **2** Sometimiento de un alimento a la acción del humo, como método de conservación o para darle sabor: *En el pueblo, el ahumado de los chorizos se hace en la chimenea.* ▮ s.m.pl. **3** Conjunto de alimentos, esp. pescados, conservados por la acción del humo: *Comimos canapés de ahumados.*

ahumar v. **1** Llenar de humo: *La chimenea no tira bien y ahúma toda la sala.* **2** Referido a un alimento, someterlo a la acción del humo para su conservación o para darle ese sabor: *La industria de ahumar pescados es una de las principales fuentes de riqueza de ese país.* **3** Ennegrecer por el humo: *El fuego ahumó las paredes. La casa se ahumó en el incendio.* □ ETIMOL. Del latín **affumare.* □ ORTOGR. La *u* lleva tilde en los presentes, excepto en las personas *nosotros* y *vosotros* →ACTUAR.

ahusado, da adj. Con forma redondeada, alargada y más estrecha en los extremos, como la de un huso. □ SINÓN. *fusiforme.*

ahuyentador, -a ▮ adj. **1** Que ahuyenta. ▮ s.m. **2** Aparato electrónico que sirve para ahuyentar pequeños animales: *Con los ultrasonidos que lanza el ahuyentador se evitaron las plagas de ratones en los jardines públicos.*

ahuyentar v. **1** Referido a una persona o a un animal, hacerlos huir o no dejar que se acerquen: *Con sus gritos ahuyentó a los ladrones.* **2** Referido a algo que aflige o entristece, desecharlo o apartarlo: *Ahuyentó su tristeza y se dispuso a pasar un buen rato.* □ ETIMOL. De *huir*.

-aico, -aica Sufijo que indica pertenencia, origen o relación: *pirenaico, algebraico, incaica.* □ ETIMOL. Del latín *-aicus*.

aikido s.m. Arte marcial de origen japonés, que se utiliza para la defensa personal y que consiste en utilizar la energía del propio atacante para vencerlo: *El aikido no se utiliza para atacar, sino para defenderse.* □ ETIMOL. Del japonés *aikido*.

aikidoka (jap.) s.com. Persona que practica el aikido: *El aikidoka realiza todos sus movimientos desde el centro vital, que se halla debajo del ombligo, y donde se encuentra todo el equilibrio del cuerpo.*

ailanto s.m. Árbol de gran altura, con hojas compuestas, flores de color blanco amarillento y frutos de color rojizo: *El ailanto abunda en los jardines de las ciudades del sur de Europa.* □ ETIMOL. De origen malayo.

aimara ▮ adj.inv./s.com. **1** De un pueblo indio que habita en la región del Titicaca (lago suramericano) o relacionado con él: *Los aimaras viven en el altiplano andino.* ▮ s.m. **2** Lengua indígena de este pueblo: *Un tercio de la población boliviana habla el aimara.* □ PRON. Está muy extendida la pronunciación [aimará].

-aina 1 Sufijo que indica conjunto: *azotaina.* **2** Sufijo que tiene un valor despectivo: *tontaina.*

aindiado, da adj. Con las facciones o rasgos que se consideran propios de los indios: *Gran parte de esta población hispanoamericana es de rasgos aindiados.*

airado, da adj. Muy enfadado o con ira: *No sé por qué me hablas en un tono tan airado.*

airar v. Irritar o producir ira: *Aquel decreto airó a la población, que se manifestó violentamente en contra. Se airó con nosotros y empezó a gritarnos.* □ ETIMOL. De *ira*. □ ORTOGR. La *i* lleva tilde, excepto en las personas *nosotros* y *vosotros* →GUIAR.

airbag s.m. En un automóvil, dispositivo de seguridad que consiste en una bolsa que se infla de aire en caso de colisión violenta: *El airbag salvó la vida del conductor.* □ ETIMOL. Del inglés *air bag*. □ PRON. [airbág] o [érbag]. □ USO Se usan los plurales *airbags* y *airbag*.

airbus s.m. →**aerobús.** □ ETIMOL. Extensión del nombre de una marca comercial.

aire ▮ s.m. **1** Mezcla de gases que forma la atmósfera terrestre: *El aire está formado fundamentalmente por oxígeno y nitrógeno.* **2** Viento, o esta mezcla de gases en movimiento: *Hoy hace mucho aire.* **3** Atmósfera terrestre: *Los aviones vuelan por el aire.* **4** Parecido o semejanza con alguien: *Todos los hermanos tienen un aire a la madre.* **5** Conjunto de características o estilo particulares de algo: *tener un aire misterioso.* **6** Vanidad, soberbia o pretensión que se manifiestan frente a los demás: *No soporto el aire que te das últimamente.* **7** Ambiente o circunstancias que rodean un acontecimiento: *Esas ideas están en el aire. El descontento se respira en el aire.* **8** Garbo, brío o gracia en la forma de hacer algo: *Se nota que es modelo profesional por el aire que tiene al caminar.* **9** En música, grado de rapidez o de lentitud con que se ejecutan una composición o un pasaje: *El pianista tocaba aquella pieza con un aire tan lento que parecía un adagio en lugar de un alegro.* **10** *col.* Ataque de parálisis: *Le ha dado un aire y ya no puede moverse.* **11** Música que acompaña a una composición destinada a ser cantada y compuesta generalmente en verso: *Te voy a tocar a la guitarra un aire popular de mi tierra.* □ SINÓN. *canción.* ▮ pl. **12** Lo que viene de fuera y suele ser innovador: *Este pintor ha traído aires de libertad a la pintura.* ▮ interj. **13** Expresión que se usa para indicar a alguien que se vaya o que se dedique a sus tareas: *¡Aire, y que no vuelva a verte por aquí!* **14** ‖ **a {mi/tu/...} aire;** con estilo propio: *Yo visto a mi aire y no me importa lo que digan los demás.* ‖ **aire acondicionado;** instalación que permite regular la temperatura de un local o de un espacio cerrado. ‖ **aire comprimido;** el que ha sido sometido a presión y cuyo volumen se ha reducido. ‖ **aire de familia;** conjunto de características comunes: *Esas esculturas tienen un aire de familia porque son de artistas de la misma escuela.* ‖ **al aire;** al desnudo o sin cubrir. ‖ **al aire libre;** fuera de un local, o sin techado ni resguardo. ‖ **{cambiar/mudar} de aires;** marcharse o cambiar de residencia, generalmente por motivos de trabajo o de salud: *Para tranquilizarte te vendría bien cambiar de aires una temporada.* ‖ **en el aire; 1** *col.* En suspenso o inseguro: *La película deja en el aire si se casan o no.* **2** En emisión: *Todo tiene que estar preparado antes de que el programa esté en el aire.* □ SINÓN. *en antena.* ‖ **tomar el aire;** pasear por un lugar descubierto: *Sal a tomar el aire, a ver si así te despejas.* □ ETIMOL. Del latín *aer*. □ MORF. En las acepciones 3 y 6, se usa más en plural. □ SINT. 1. La acepción 6 se usa más en la expresión *darse aire* o *darse aires*. 2. La acepción 10 se usa más en la expresión *dar un aire*. 3. *En el aire* se usa más con los verbos *dejar*, *estar* y *quedar*.

aireación s.f. Ventilación o exposición a la acción del aire: *Estas nuevas botas de montaña tienen como características más importantes una transpiración y una aireación excepcionales.*

aireamiento s.m. Divulgación de una noticia que hasta entonces era desconocida: *Fue destituido de su cargo por el aireamiento de asuntos internos de la empresa.*

airear v. **1** Ventilar o poner al aire: *Abrió la ventana para airear la habitación. Salgo a airearme* *un rato, porque aquí me muero de calor.* **2** Divulgar o dar publicidad: *Una revista ha aireado la crisis matrimonial de esa actriz.*

airén s.f. Uva blanca de acidez dulce y piel de grosor medio: *La airén es la uva blanca más utilizada en la elaboración de vinos manchegos.* □ SINT. Se usa mucho en aposición, pospuesto a un sustantivo: *uva airén.*

aireo s.m. Exposición de algo a la acción del aire: *El aireo de la ropa es conveniente para que pierda el mal olor.*

air mail (ing.) s.m. ‖ Correo aéreo. □ PRON. [érmeil]. □ USO Su uso es innecesario.

airón s.m. Penacho o adorno de plumas que se lleva en la cabeza o en una prenda de la cabeza. □ ETIMOL. Del francés antiguo *hairon.*

airoso, sa adj. **1** Garboso, gallardo o con gracia. **2** Que termina una empresa con éxito: *Salió airoso de los exámenes.* **3** Referido al tiempo o a un lugar, con mucho viento: *un día airoso.* □ SINT. La acepción 2 se usa más con los verbos *quedar* y *salir.*

aislacionismo s.m. Tendencia política que defiende el aislamiento o la no intervención de un país en asuntos extranjeros: *El aislacionismo evita intervenir en guerras en el extranjero.* □ ETIMOL. Del inglés *isolationism.*

aislacionista ▮ adj.inv. **1** Del aislacionismo o relacionado con esta tendencia política: *política aislacionista.* ▮ adj.inv./s.com. **2** Que sigue o que practica el aislacionismo: *países aislacionistas.*

aislado, da adj. Excepcional, único o individual: *Son brotes aislados de violencia, sin que se haya llegado todavía a una situación de guerra abierta.*

aislamiento s.m. **1** Separación de algo, dejándolo solo: *El aislamiento geográfico de algunos pueblos se solucionaría con una buena carretera.* **2** Incomunicación o desamparo en las relaciones: *Se retiró al campo en busca del aislamiento que necesita para escribir.* **3** Protección contra la propagación de determinadas formas de energía: *El aislamiento térmico del local es deficiente y hace mucho frío dentro.*

aislante ▮ adj.inv./s.com. **1** Que aísla: *material aislante.* ▮ s.m. **2** Cuerpo que impide el paso de la energía eléctrica o de la térmica. **3** Colchoneta muy delgada que aísla del frío y que se utiliza esp. al aire libre o en una tienda de campaña. □ SINÓN. *esterilla.*

aislar v. **1** Dejar solo y separado: *La destilación es un método para aislar algunas sustancias químicas.* **2** Referido a una persona, incomunicarla o apartarla del trato con los demás: *Han aislado a varios presos acusados de promover disturbios.* **3** Referido a algo cerrado, protegerlo para evitar que haya intercambio de temperatura a través de sus paredes o que sea permeable al sonido: *Han obligado a aislar las discotecas mediante paredes especiales para que los ruidos no molesten a los vecinos.* □ ETIMOL. De *isla.* □ ORTOGR. La *i* lleva tilde en los presentes, excepto en las personas *nosotros* y *vosotros* →GUIAR.

aizcolari s.m. Deportista que practica el deporte de cortar el mayor número posible de troncos con un hacha en un determinado período de tiempo: *Los aizcolaris suelen ser vascos.* □ ETIMOL. Del euskera *aitzkolari.*

ajá interj. *col.* Expresión que se usa para indicar aprobación, satisfacción o sorpresa: *¡Ajá, así es como hay que hacerlo!*

ajada s.f. Véase **ajado, da.**

ajado, da ▮ adj. **1** Desgastado o deteriorado. ▮ s.f. **2** Salsa hecha con ajos machacados, pan, agua y sal.

ajajá interj. *col.* →**ajá.**

ajar v. **1** Referido esp. a una persona o a una flor, hacer que pierdan su lozanía o su frescura: *El calor ha ajado las flores.* **2** Desgastar o deteriorar, esp. por el tiempo o el uso: *Deja de manosear el libro, que lo vas a ajar.* □ ETIMOL. Del antiguo *ahojar* (ajar, romper). □ ORTOGR. Conserva la *j* en toda la conjugación.

ajardinamiento s.m. **1** Conversión de un terreno en jardín: *Han contratado a una empresa para el ajardinamiento del patio.* **2** Construcción de jardines: *Han empezado el ajardinamiento de la urbanización.*

ajardinar v. **1** Referido a un terreno o a una zona, convertirlos en jardín: *Hemos ajardinado el patio trasero de la casa.* **2** Referido a un terreno o a una zona, dotarlos de jardines: *El alcalde quiere ajardinar la zona sur de la ciudad.*

-aje **1** Sufijo que indica acción y efecto: *aterrizaje, cronometraje.* **2** Sufijo que indica lugar: *hospedaje, pupilaje.* **3** Sufijo que indica conjunto: *ramaje, cordaje.*

ajedrecista s.com. Persona entendida en ajedrez o que es aficionada a este juego: *Para lograr ser una de las mejores ajedrecistas del mundo ha tenido que practicar mucho.*

ajedrecístico, ca adj. Del ajedrez o relacionado con este juego: *un torneo ajedrecístico.*

ajedrez s.m. **1** Juego que se practica entre dos contrincantes, sobre un tablero a cuadros blancos y negros y con dieciséis fichas para cada jugador, y en el que gana el jugador que consigue dar jaque mate al adversario: *Todos los años participo en un torneo de ajedrez que se organiza en el instituto.* **2** Conjunto de piezas y tablero que se utilizan en este juego: *Un ajedrez consta de dos reyes, dos reinas, cuatro alfiles, cuatro caballos, cuatro torres y dieciséis peones.* □ ETIMOL. Del árabe *as-satrany,* y este del sánscrito *chaturanga* (juego que consta de cuatro cuerpos de ejército o filas: peones, caballos, roques o carros y elefantes).

ajedrezado, da adj. Que forma cuadros de dos colores alternados, al estilo de los de un tablero de ajedrez: *He comprado una colcha ajedrezada.*

ajenidad s.f. Característica de lo ajeno o de lo que está lejano en el tiempo o en el espacio: *La obra de esta escritora está impregnada de un sentimiento de ajenidad con respecto al ambiente en el que vivía.* □ PRON. Incorr. *[ajeneidad].

ajenjo s.m. **1** Planta perenne con abundantes ramas y hojas vellosas de color verde claro, que tiene propiedades medicinales: *Las hojas del ajenjo son amargas y aromáticas.* □ SINÓN. *absintio.* **2** Bebida alcohólica elaborada con esta planta y con otras hierbas aromáticas: *El ajenjo es una bebida con una graduación alcohólica muy elevada.* □ SINÓN. *absenta.* □ ETIMOL. Del latín *absinthium.*

ajeno, na adj. **1** Que pertenece o corresponde a otro: *No debes desear los bienes ajenos.* **2** Impropio o extraño a alguien: *Es ajeno a su carácter comportarse tan irresponsablemente.* **3** Que no tiene conocimiento de algo: *Está tranquilo porque está ajeno a lo que se trama a su alrededor.* **4** Distante, lejano o apartado de algo: *No debes permanecer ajeno a los problemas de tu familia.* □ ETIMOL. Del latín *alienus*, y este de *alius* (otro). □ SINT. Constr. de las acepciones 2, 3 y 4: *ajeno* A *algo.*

ajerezado, da adj./s.m. Referido esp. al vino, que se parece al jerez: *De aperitivo tomaré un vino ajerezado.*

ajero, ra s. Persona que se dedica a vender ajos: *Hace mucho que el ajero no viene al pueblo.*

ajete s.m. Ajo tierno, que aún no tiene cabeza: *¿Has probado el revuelto de ajetes con gambas?*

ajetreado, da adj. Con mucha actividad o movimiento a causa de un trabajo o una obligación: *Andas siempre ajetreada haciendo cosas.* □ ETIMOL. De *ajetrear*, y este del antiguo *hetría* (enredo, confusión).

ajetrearse v.prnl. Fatigarse o cansarse mucho con un trabajo o con una obligación: *Si te organizases mejor, no te ajetrearías tanto.* □ ETIMOL. De *ajetrear*, y este del antiguo *hetría* (enredo, confusión).

ajetreo s.m. Gran actividad o movimiento de gente en un lugar: *En la oficina llevamos unos días de mucho ajetreo.*

ají (pl. *ajíes, ajís*) s.m. Tipo de pimiento americano: *El ají picante se usa mucho para condimentar.*

ajiaceite (tb. *ajoaceite*) s.m. Salsa hecha con ajos machacados y aceite. □ SINÓN. *alioli.*

ajiaco s.m. Sopa espesa hecha con carne, verduras y otros condimentos: *El ajiaco es un guiso popular muy extendido en América.*

ajillo ‖ **al ajillo;** referido a un alimento, preparado con una salsa hecha con aceite, ajo y otros ingredientes: *Pidieron gambas al ajillo.*

ajimez s.m. Ventana arqueada, dividida en el centro por una columna: *Este palacio gótico cuenta con varios ajimeces.* □ ETIMOL. Del árabe *as-sammis* (lo expuesto al sol).

ajo ▮ s.m. **1** Planta de hojas estrechas y largas, flores blancas y bulbo redondo, comestible y de olor fuerte. **2** Cada uno de los dientes o partes en que está dividido el bulbo de esta planta. **3** *arg.* En el lenguaje de la droga, dosis de ácido alucinógeno. ▮ interj. **4** Expresión con la que se estimula a hablar a los bebés: *La madre le decía al bebé: «¡Ajo, ajo!».* **5** ‖ **ajo blanco;** gazpacho elaborado con pan, almendras crudas, sal, aceite y vinagre. ‖ **ajo y agua;** *col.* Expresión que se usa para indicar resignación: *Pues si no te gusta, ajo y agua.* ‖ **estar en el ajo;** *col.* Estar al corriente o enterado: *No hace falta que me lo expliquéis, porque estoy en el ajo.* □ ETIMOL. 1. Las acepciones 1 y 2, del latín *alium.* 2. La acepción 4, de origen expresivo. 3. La expresión *ajo y agua*, por acortamiento eufemístico de *a joderse y a aguantarse.*

-ajo, -aja **1** Sufijo que indica menor tamaño: *pequeñajo, migaja.* **2** Sufijo con valor despectivo: *sombrajo.* □ ETIMOL. Del latín *-aculus.*

ajoaceite s.m. →**ajiaceite.**

ajoarriero ‖ **(al) ajoarriero;** referido esp. al bacalao, que está guisado con ajo, aceite y huevos: *Me sirvieron el bacalao al ajoarriero en una cazuelita de barro.*

ajolote s.m. **1** Larva de un anfibio americano, que tiene branquias externas muy largas, cuatro extremidades y cola larga, y que mantiene mucho tiempo su forma larvaria. **2** En zonas del español meridional, renacuajo. □ ETIMOL. Del náhuatl *axolotl.*

ajonjolí (pl. *ajonjolíes, ajonjolís*) s.m. **1** Planta herbácea de flores acampanadas, cuyo fruto contiene numerosas semillas amarillentas, muy usadas como alimento y para la obtención de aceite: *El ajonjolí se cultiva en Asia y en África.* □ SINÓN. *sésamo.* **2** Semilla de esta planta: *harina de ajonjolí.* □ SINÓN. *sésamo.* **3** Guiso de bacalao condimentado con ajos y otros ingredientes. □ ETIMOL. Del árabe *al-yulyulan* (el coriandro, el sésamo).

ajorca s.f. Aro grueso que sirve para adornar el brazo, la muñeca, la pierna o el tobillo: *Adornadas con cascabeles, las ajorcas sirven para marcar el ritmo en algunos bailes populares.* □ ETIMOL. Del árabe *as-surka* (el brazalete).

ajúa interj. En zonas del español meridional, expresión que se usa para manifestar alegría: *¡Ajúa!, conseguimos que nos prestaran el coche.*

ajuar s.m. **1** Conjunto de muebles y objetos, esp. ropa de casa, que tradicionalmente aportaba la mujer al casarse: *No pienso pasarme toda la vida preparando mi ajuar; si llega el momento, ya compraremos lo que nos haga falta.* **2** Conjunto de ropas, muebles y otros objetos necesarios en una casa: *Era tal la pobreza de aquella familia que su ajuar cabía en dos cajas de cartón.* **3** En zonas del español meridional, canastilla del recién nacido: *Ya tengo preparado el ajuar del bebito.* □ ETIMOL. Del árabe *as-suwar* (los muebles del menaje).

ajuarar v. Referido esp. a una casa, ponerle los muebles y otros enseres: *Ajuararemos la casa cuando vivamos en ella.*

ajudiado, da adj. Con las características que se consideran propias de los judíos: *El caballete tan pronunciado de su nariz le hace tener un aspecto muy ajudiado.* □ ORTOGR. Se escribe sin tilde.

ajuglarado, da adj. Del juglar o con las características que se consideran propias de él: *una composición ajuglarada.*

ajuntar ▮ v. **1** *vulg.* →**juntar.** **2** *col.* Ser amigo: *Ya no te ajunto.* ▮ prnl. **3** *vulg.* Referido a una persona, vivir con otra con la que mantiene relaciones sexuales sin estar casada con ella: *Se ajuntó con esa mujer hace más de veinte años.* □ SINÓN. *amancebarse.* □ USO El uso de la acepción 2 es característico del lenguaje infantil.

ajustable adj.inv. Que se puede ajustar: *sábanas ajustables.*

ajustado, da adj. Justo, ceñido o proporcionado: *Esos artículos ya están muy ajustados de precio y no le puedo hacer ningún descuento más.*

ajustador, -a ▌adj./s. **1** Que ajusta. ▌s. **2** Persona que se dedica profesionalmente a adaptar piezas mecánicas de metal y amoldarlas al sitio en que han de ir colocadas: *Mi abuelo trabajaba como ajustador en un taller.* ▌s.m. **3** En zonas del español meridional, sujetador: *Compré varios ajustadores muy lindos.* □ MORF. En la acepción 3, en plural tiene el mismo significado que en singular.

ajustamiento s.m. Ajuste o unión entre lo que encaja o se adapta: *El ajustamiento de la pieza que estaba suelta dará estabilidad al soporte.*

ajustar v. **1** Encajar de forma precisa: *Este tapón no es de esta botella, porque no ajusta. ¿Has ajustado bien los tornillos?* **2** Hacer que quede justo o apretado: *Ajusté la cintura con un cordón. Le metí a la falda para que me ajuste más.* **3** Acomodar o conformar hasta eliminar las discrepancias: *Intento ajustar sus intereses a los míos para no discutir. Es fácil convivir con él porque se ajusta a todo.* **4** Referido a un precio, concertarlo: *Ya hemos ajustado el presupuesto con los pintores.* **5** Referido a una cuenta, hallar el balance final entre ingresos y gastos: *En el banco se ajusta la caja todos los días antes de cerrar.*

ajuste s.m. **1** Unión de dos cosas que encajan perfectamente entre sí: *un ajuste de piezas.* **2** Adaptación que termina en la eliminación de discrepancias o diferencias: *Consiguió un ajuste de las voluntades opuestas.* **3** Concertación o acuerdo, esp. sobre un precio: *un ajuste de precios.* **4** En economía, corrección de una magnitud: *un ajuste económico.* **5** || **ajuste de cuentas;** acto por el que una persona se toma la justicia por su mano o se venga de otra.

ajusticiado, da s. Persona que ha muerto al aplicársele la pena de muerte: *En aquella película de vaqueros los ajusticiados morían en la horca.*

ajusticiamiento s.m. Cumplimiento o aplicación de una sentencia de muerte: *Aquella madrugada tuvo lugar el ajusticiamiento de varios condenados a muerte.*

ajusticiar v. Referido a una persona, darle muerte en cumplimiento de una condena: *Lo ajusticiaron al amanecer.* □ SINÓN. *ejecutar.* □ ETIMOL. De *justicia.* □ ORTOGR. La *i* nunca lleva tilde.

al Contracción de la preposición *a* y del artículo determinado *el*: *¿Vienes al cine? Llegó al atardecer. Vi al padre de tu amiga en misa.* □ ORTOGR. 1. Incorr. *[*a el > al] cine.* 2. Esta contracción no se produce cuando el artículo forma parte de un nombre propio: *Este cuadro se atribuye a El Greco.* □ SINT. Seguida de infinitivo, indica valor temporal: *¿Qué hicisteis al salir del cine?*

-al 1 Sufijo que indica relación o pertenencia: *arbitral, primaveral.* **2** Sufijo que indica lugar: *maizal, arenal.* □ ETIMOL. Del latín *-alis.*

ala ▌s.f. **1** En el cuerpo de algunos animales, esp. de las aves y de los insectos, cada uno de los órganos o apéndices pares que utilizan para volar. **2** En un avión, cada una de las partes planas que se extienden en los laterales del aparato y que sirven para sostenerlo en el aire. **3** En un edificio, parte lateral. **4** En un ejército desplegado en orden de batalla, tropa situada en cada uno de sus extremos. **5** En algunos deportes de equipo, extremo o lateral: *El entrenador me dijo que jugase de ala izquierda.* **6** En un tejado, parte inferior que sobresale fuera de la pared y sirve para desviar las aguas de lluvia: *Intentó resguardarse de la lluvia bajo el ala del tejado.* □ SINÓN. *alar, alero.* **7** En un sombrero, parte inferior que rodea la copa y sobresale de ella: *Nos saludó tocando el ala de su sombrero.* **8** En la nariz, reborde situado en la parte inferior, a ambos lados del tabique nasal: *Con el resfriado, se te están pelando las alas de la nariz.* □ SINÓN. *aleta.* **9** En un partido, una organización o una asamblea, cada una de las diversas tendencias, esp. las extremistas: *El ala derecha del partido no se entendía con el ala izquierda.* ▌pl. **10** Atrevimiento u osadía con que una persona actúa según su voluntad: *Ya va siendo hora de que alguien les corte las alas.* **11** || **ahuecar el ala;** *col.* Irse o marcharse. || **ala delta;** aparato compuesto por un trozo de tela especial y un armazón de metal y madera, de forma triangular y que permite volar planeando en el aire a una persona que se arroja desde un lugar alto. || **dar alas;** *col.* Referido a una persona, animarla o estimularla: *La felicitación de la profesora me ha dado alas para seguir estudiando.* || **del ala;** *col.* Precedido de una expresión que indica dinero, se usa para enfatizar dicha cantidad: *Me costó mil del ala.* || **tocado del ala;** *col.* Chiflado, con poco juicio o un poco loco: *Tu hermano está tocado del ala, ¿no?* □ ETIMOL. Del latín *ala.* □ MORF. Por ser un sustantivo femenino que empieza por *a* tónica o acentuada, va precedido de *el, un, algún, ningún* y de las formas femeninas del resto de los determinantes.

alá interj. →**hala.**

alabancero, ra adj./s. Referido a una persona, que lisonjea, elogia o adula en exceso: *Desde que este deportista fue medalla de oro en las olimpiadas, está rodeado de un grupo de alabanceros que no hacen más que adularlo.*

alabanza s.f. **1** Elogio, reconocimiento o muestra de aprobación o admiración: *La obra obtuvo una alabanza unánime por parte de la crítica.* **2** Expresión o conjunto de expresiones con las que se alaba: *Su discurso despertó muchas alabanzas entre los oyentes.*

alabar ▌v. **1** Elogiar, reconocer o dar muestras de admiración: *La alabó en público diciendo que gracias a ella el proyecto había salido adelante.* □ SI-

NÓN. *loar.* ▮ prnl. **2** Jactarse, presumir o sentir satisfacción u orgullo: *Se alababa de que todo hubiera salido bien.* □ ETIMOL. Del latín *alapari* (jactarse).

alabarda s.f. Arma antigua formada por un asta larga terminada en una punta de hierro, y con una cuchilla transversal con uno de los lados en forma de media luna: *El arma oficial de la guardia suiza vaticana es la alabarda.* □ ETIMOL. Del germánico *helmbarte*, y este de *helm* (empuñadura), y *barte* (hacha).

alabardero s.m. Soldado armado con alabarda: *Tradicionalmente, los alabarderos daban guardia de honor a los reyes de España.*

alabastrino, na adj. De alabastro o con sus características: *Aquella dama era una mujer muy pálida, de tez alabastrina.*

alabastro s.m. Piedra caliza, blanca, no muy dura, translúcida y parecida al mármol, que se usa en la fabricación de objetos de arte o en elementos de decoración arquitectónica: *En el Museo Arqueológico hay muchos vasos y estatuillas de alabastro.* □ ETIMOL. Del latín *alabaster*.

álabe s.m. Paleta curva de una rueda hidráulica o de una turbina: *La turbina gira gracias a los álabes.* □ ETIMOL. De origen incierto. □ ORTOGR. Dist. de *alabe* (del verbo *alabar*).

alabear v. Curvar, combar o dar forma curva: *La humedad ha alabeado la puerta y ahora no cierra bien.*

alabeo s.m. **1** Forma curva de un cuerpo o de una superficie, esp. si es de madera: *El alabeo que presenta este tablón es la causa de que sea tan barato.* **2** Movimiento de un avión al girar sobre su eje longitudinal: *El alabeo de un avión puede ser realizado por los alerones.*

alacena s.f. Especie de armario con puerta y estanterías, hecho generalmente en el hueco de una pared, habitualmente en la cocina o en el comedor, y usado para guardar alimentos y menaje de cocina: *El azúcar está en el tercer estante de la alacena.* □ ETIMOL. Del árabe *al-jazana* (el armario).

alaciarse v.prnl. En zonas del español meridional, ponerse lacio: *Se me alació el cabello.*

alacrán s.m. **1** Animal arácnido que tiene el abdomen prolongado en una cola dividida en segmentos y terminada en un aguijón venenoso en forma de gancho: *La picadura del alacrán es muy peligrosa.* □ SINÓN. *escorpión.* **2** Persona malintencionada, esp. al hablar de los demás: *Mi compañera es un alacrán que pincha siempre donde sabe que duele.* □ ETIMOL. Del árabe *al-'aqrab* (el escorpión). □ MORF. En la acepción 1, es un sustantivo epiceno: *el alacrán {macho/hembra}.*

alado, da adj. Que tiene alas: *Pegaso es una figura mitológica que se representa con la forma de un caballo alado.*

alagar v. Inundar o llenar de lagos o charcos: *Las lluvias de estos días alagaron toda la finca.* □ ORTOGR. 1. Dist. de *halagar.* 2. La *g* se cambia en *gu* delante de *e* →PAGAR.

alagartado, da adj./s. En zonas del español meridional, tacaño.

alalá s.m. Canto popular propio de algunas regiones del norte español: *El alalá forma parte de la tradición folclórica gallega.*

alalia s.f. En medicina, pérdida del lenguaje producida por una lesión neurológica o por una afección de los órganos fonadores: *Esta doctora es una especialista en el tratamiento de alalias.* □ ETIMOL. Del griego *alalía* (mudez).

álalo, la adj./s. En medicina, que padece alalia o pérdida del lenguaje: *Los álalos pueden recuperarse con un tratamiento adecuado.* □ MORF. Cuando es un sustantivo femenino, pese a empezar por *a* tónica o acentuada, va siempre precedido de las formas femeninas de los determinantes.

alamar s.m. En una prenda de vestir, esp. un vestido o una capa, ojal o presilla con botón que se cose a la orilla y sirve como broche de cierre o como adorno: *Esa trenca tiene alamares de pasamanería.* □ ETIMOL. De origen incierto.

alambicado, da adj. Agudo, ingenioso o muy penetrante: *Siempre nos sorprende con sus soluciones alambicadas.* □ SINÓN. *sutil.*

alambicamiento s.m. Complicación planteada por algo excesivamente sutil o perspicaz: *No era necesario tanto alambicamiento para explicar una cosa tan sencilla.*

alambicar v. Complicar mucho, por un exceso de sutileza y perspicacia: *Alambicas tanto tus razonamientos que es difícil entenderte.* □ ORTOGR. La *c* se cambia en *qu* delante de *e* →SACAR.

alambique s.m. Aparato que sirve para destilar líquidos por medio del calor, y que está formado por una caldera, donde hierven los líquidos, y un tubo o serpentín donde se condensan los vapores: *Para fabricar aguardiente de orujo es necesario usar el alambique.* □ SINÓN. *alquitara.* □ ETIMOL. Del árabe *al-inbiq*.

alambrada s.f. Véase **alambrado, da**.

alambrado, da ▮ adj. **1** Rodeado con una red de alambre: *No se puede entrar en los terrenos alambrados.* ▮ s.m. **2** Hecho de alambrar: *El alambrado de la huerta nos llevó toda la mañana.* **3** Red de alambre: *He comprado cinco metros de alambrado.* ▮ s.f. **4** Cerco hecho con alambres sujetos con postes: *Los límites de la finca están señalados con una alambrada.* **5** Red de alambre que sirve como protección de algo, esp. la que es gruesa, está llena de pinchos y es empleada por un ejército para impedir el paso: *Las tropas enemigas atravesaron las alambradas y ganaron la batalla.*

alambrar v. Referido a un terreno, rodearlo o cercarlo con alambre: *Tenemos que alambrar estas tierras para que se distingan bien las lindes.*

alambre s.m. Hilo flexible y delgado de metal: *En el circo algunos equilibristas caminan sobre un alambre tensado que está situado por encima de la pista.* □ ETIMOL. Del latín *aeramen* (bronce, objeto de bronce).

alambrera s.f. Red de alambre que sirve como protección de algo: *El brasero tiene una alambrera para que no metas los pies en él.*

alambrista adj.inv./s.com. Equilibrista que camina sobre un alambre tenso y colocado a cierta altura del suelo: *Las acrobacias de los alambristas dejaron anonadados a todos los niños que había en el circo.*

alameda s.f. **1** Terreno poblado de álamos: *La alameda que hay al lado del río se pone preciosa en otoño.* **2** Paseo con árboles: *Todas las mañanas leo el periódico al sol, en un banco de la alameda.*

álamo s.m. Árbol propio de lugares húmedos, que tiene un crecimiento bastante rápido, las hojas anchas con largos peciolos y una madera muy estimada por su resistencia al agua: *Los álamos son de hoja caduca.* □ ETIMOL. Quizá del latín *alnus* (álamo), por influencia de *ulmus* (olmo).

alancear v. →**lancear.**

alano, na adj./s. **1** De un antiguo pueblo germánico que, en unión con otros, invadió la península Ibérica en el siglo V: *Se dice que el pueblo alano era nómada y tenía costumbres rudas y salvajes.* **2** Referido a un perro, de la raza que se caracteriza por ser corpulenta y fuerte, y tener la cabeza grande, las orejas caídas, el hocico romo, la cola larga, y el pelo corto y suave: *Los alanos eran perros de caza mayor.*

alante adv. *col.* →**adelante.**

alantoides (pl. *alantoides*) s.m. En un embrión de un mamífero, de un ave o de un reptil, envoltura llena de líquido, que se encuentra entre el amnios y el corion: *En los mamíferos, el alantoides colabora en la formación de la placenta.* □ ETIMOL. Del griego *allantoeidés* (en forma de salchichón).

alar s.m. En un tejado, parte inferior que sobresale fuera de la pared y sirve para desviar las aguas de lluvia: *Gracias a los alares, las paredes no tienen humedad.* □ SINÓN. *ala, alero.* □ ORTOGR. Dist. de *halar.*

alarde s.m. Ostentación o presentación llamativa o presuntuosa que hace una persona de algo que tiene: *un alarde de valor.*

alardear v. Hacer alarde u ostentación: *Le gusta alardear de sus riquezas.* □ SINT. Constr. *alardear* DE *algo.*

alargadera s.f. Pieza o dispositivo que se adapta a algo para alargarlo, esp. referido al cable que sirve para unir un aparato eléctrico con un enchufe: *Cuando plancho necesito una alargadera, porque el cable es muy corto y no llega al único enchufe que hay en la cocina.*

alargado, da adj. Más largo que ancho: *Las barras de pan son alargadas.*

alargador, -a ▌adj. **1** Que alarga. ▌s.m. **2** Pieza, dispositivo o instrumento que sirve para alargar: *Necesito un alargador para que este cable llegue al radiador.*

alargamiento s.m. Aumento de la longitud, de la extensión o de la duración de algo: *Esta falda es muy corta y no tiene posibilidad de alargamiento.*

alargar v. **1** Dar mayor longitud: *Hemos alargado el camino de entrada justo hasta la puerta de la casa.* **2** Dilatar, ensanchar o dar mayor extensión: *Alarga el paso, si quieres que lleguemos a tiempo.* **3** Prolongar o hacer durar más tiempo: *Nos han alargado la jornada una hora de trabajo. ¡Cómo se alargan los días en verano!* **4** Estirar o extender: *Para cogerlo solo tienes que alargar el brazo.* **5** Referido a algo que no está al alcance de alguien, dárselo o acercárselo: *¿Me alargas una taza de café, por favor?* □ ORTOGR. La *g* se cambia en *gu* delante de *e* →PAGAR.

alarido s.m. Grito muy fuerte y agudo, esp. el provocado por un gran dolor o por una gran pena: *Al ver un fantasma en la habitación, dio un alarido desgarrador. Los alaridos de dolor se oían por todo el hospital.* □ ETIMOL. De origen incierto.

alarife s.m. *ant.* →**albañil.** □ ETIMOL. Del árabe *al-'arif* (el maestro, el entendido, el oficial).

alarma s.f. **1** Aviso o señal que advierte sobre la inminente llegada de un peligro: *El soldado dio la voz de alarma cuando vio que el enemigo se disponía a atacar.* **2** Cualquier dispositivo que avisa de algo mediante luces o sonidos: *La alarma de este despertador es muy estridente.* **3** Susto, sobresalto o pérdida de tranquilidad, esp. los provocados por la proximidad de un mal o un peligro: *Hay que evitar que cunda la alarma entre la población.* □ ETIMOL. De *¡al arma!*, grito para poner una fuerza en disposición de combate.

alarmante adj.inv. Que alarma o inquieta: *He leído un alarmante estudio sobre los peligros de la tala indiscriminada de árboles.* □ SEM. Dist. de *alarmista* (que se alarma).

alarmar v. **1** Dar la alarma o avisar sobre la inminente llegada de un peligro: *La sirena alarmó a la población, que corrió hacia los refugios antiaéreos.* **2** Asustar, sobresaltar o hacer perder la tranquilidad: *No me alarmes con tus comentarios pesimistas. Se alarmó al ver las caras de preocupación de los médicos.*

alarmismo s.m. Tendencia a propagar todo tipo de noticias referentes a la proximidad de un peligro, sea imaginario o real: *La prensa sensacionalista suele caracterizarse por un marcado alarmismo.*

alarmista adj.inv./s.com. Referido a una persona, inclinada a propagar todo tipo de noticias referentes a la proximidad de un peligro, sea imaginario o real: *No seas tan alarmista, que cualquiera que te oiga pensará que el fin del mundo está cerca.* □ SEM. Dist. de *alarmante* (referido a cosas).

alaska malamute s.m. ‖ →**perro Alaska malamute.**

a látere ‖ →**adlátere.** □ ETIMOL. Del latín *a latere.* □ ORTOGR. Incorr. **alátere.* □ MORF. Es de género común: *el a látere, la a látere.*

alauí (pl. *alauíes, alauís*) adj.inv. De la dinastía que reina actualmente en Marruecos o relacionado con ella: *El monarca alauí ofreció una recepción en palacio.* □ SINÓN. *alauita.* □ SEM. No debe emplearse con el significado de 'marroquí': *Los ciudadanos {*alauíes > marroquíes} piden reformas sociales.*

alauita adj.inv. →**alauí.**

alavés, -a adj./s. De Álava o relacionado con esta provincia española: *El territorio alavés no tiene salida al mar.*

alavesista adj.inv./s.com. Del Deportivo Alavés (club de fútbol alavés) o relacionado con él.

alazán, -a adj./s. Referido esp. a un caballo, con pelo de color canela: *Iba montado en un bonito alazán.* ☐ ETIMOL. Del árabe *al-az'ar* (el rojizo).

alazo s.m. Golpe dado con el ala: *El águila daba alazos en la trampa intentando escapar.*

alba s.f. Véase **albo, ba.**

albaca s.f. →**albahaca.**

albacea s.com. Persona encargada de hacer cumplir la última voluntad de un difunto y de custodiar sus bienes hasta repartirlos entre los herederos: *Nombró albacea a su abogado.* ☐ ETIMOL. Del árabe *al-wasiyya* (el testamento, la disposición testamentaria).

albacetense adj.inv./s.com. →**albaceteño.**

albaceteño, ña adj./s. De Albacete o relacionado con esta provincia española o con su capital: *Los cuchillos albaceteños son de gran calidad.* ☐ SINÓN. *albacetense.*

albahaca (tb. *albaca*) s.f. Planta herbácea muy aromática, de flores blancas y hojas muy verdes, que se cultiva en los jardines: *La albahaca se usó con fines medicinales. Si le echas albahaca a la carne quedará mucho más sabrosa.* ☐ ETIMOL. Del árabe *al-habaqa.*

albal s.m. Papel de aluminio que se usa generalmente para envolver y conservar alimentos. ☐ ETIMOL. Extensión del nombre de una marca comercial. ☐ SINT. Se usa en aposición, pospuesto a un sustantivo: *papel albal.*

albanés, -a adj./s. De Albania o relacionado con este país europeo: *La capital albanesa es Tirana.*

albanokosovar adj.inv./s.com. Referido a una persona de origen albanés, que vive en Kósovo (provincia serbia), o que ha nacido allí.

albañal (tb. *albañar*) s.m. Canal o conducto por el que van las aguas sucias procedentes de usos domésticos o industriales: *El río está muy contaminado porque en él desembocan los albañales del pueblo.* ☐ ETIMOL. Del árabe *al-balla'a* (la cloaca).

albañar s.m. →**albañal.**

albañil, -a s. Persona que se dedica profesionalmente a la realización de obras de construcción en las que se emplean ladrillos, piedras, cal, arena, yeso, cemento y otros materiales semejantes: *Como es albañil, se ha ido construyendo su propia casa en los ratos libres.* ☐ ETIMOL. Del antiguo *albañí.*

albañilería s.f. **1** Arte o técnica de realizar obras de construcción en las que se emplean ladrillos, piedras, cal, arena, yeso, cemento y otros materiales semejantes: *Si yo supiera albañilería, haría unas cuantas reformas en esta casa y la pondría a mi gusto.* **2** Obra o trabajo hechos según esta técnica: *Cuando esté acabada toda la albañilería de la casa, podrá venir por fin el pintor.*

albar adj.inv. Referido esp. a algunas plantas, de color blanquecino: *pino albar.* ☐ ETIMOL. De *albo.*

albarán s.m. Papel que firma una persona como prueba de que ha recibido la mercancía que en él se detalla: *En un albarán no suele figurar el precio de las mercancías.* ☐ ETIMOL. Del árabe *al-bara'* (el papel o documento de libertad o exención).

albarca (tb. *abarca*) s.f. Calzado que cubre solo la planta del pie, con un reborde alrededor, y que se sujeta con cuerdas o con correas al empeine o al tobillo: *Llevaba unas albarcas de cuero típicas de la región.* ☐ ETIMOL. De origen incierto.

albarda s.f. Aparejo formado por dos piezas como almohadas rellenas, que se pone sobre el lomo de las caballerías para que no les lastime la carga: *La albarda se sujeta por el vientre por medio de una cincha.* ☐ ETIMOL. Del árabe *al-barda'a.*

albardar v. →**enalbardar.**

albardear v. **1** En zonas del español meridional, referido a un caballo, domarlo. **2** En zonas del español meridional, molestar o fastidiar.

albardilla s.f. Silla de montar que se usa para domar potros: *Iba a empezar a domar al potro y por eso le colocó la albardilla.*

albardón s.m. Silla de montar con los bordes de delante y de detrás más altos que los de las sillas normales: *El albardón es la silla de montar típica de los vaqueros.*

albaricoque s.m. **1** Árbol frutal, de ramas sin espinas, de hojas acorazonadas y de flores blancas: *La madera del albaricoque se emplea mucho en ebanistería.* ☐ SINÓN. *albaricoquero.* **2** Fruto de este árbol, dulce y jugoso, de color amarillo anaranjado, redondo y con un surco, de piel aterciopelada y con un hueso liso: *El albaricoque es una fruta de verano.* ☐ ETIMOL. Del árabe *al-barquq* o *al-birquq.*

albaricoquero s.m. →**albaricoque.**

albariño s.m. Vino blanco gallego, de poca graduación, y de sabor ácido y muy ligero: *El albariño es buen acompañante para mariscos.*

albatros (pl. *albatros*) s.m. **1** Ave marina de gran tamaño, de plumaje blanco, con las alas muy largas y estrechas y el pico en forma de gancho: *El gran tamaño de sus alas permite a los albatros mantenerse mucho tiempo en el aire sin apenas moverlas.* **2** En golf, jugada en la que se logra meter la pelota en el hoyo con tres golpes menos de los fijados en su par. ☐ ETIMOL. Del inglés *albatross* o *algatross* y este del español *alcatraz* (especie de pelícano). ☐ MORF. En la acepción 1, es un sustantivo epiceno: *el albatros {macho / hembra}.*

albayalde s.m. Colorante sólido de color blanco que está hecho con plomo y se usa en pintura: *Los pintores deben manejar con cuidado el albayalde porque es nocivo para la salud.* ☐ ETIMOL. Del árabe *al-bayad* (la blancura).

albedo s.m. En física, porcentaje de radiación luminosa o electromagnética que refleja una superficie. ☐ ETIMOL. Del latín *albedo* (blancura).

albedrío s.m. **1** Capacidad de actuación que tiene el ser humano, basada en la reflexión y en la libertad de elección: *libre albedrío.* **2** Capricho, gusto o voluntad de alguien: *Siempre hace las cosas según su albedrío.* □ ETIMOL. Del latín *arbitrium*, y este de *arbiter* (árbitro). □ USO La acepción 1 se usa más en la expresión *libre albedrío.*

albéitar s.m. *ant.* →**veterinario.** □ ETIMOL. Del árabe *al-baitar*, este del griego *hippiatrós*, y este de *híppos* (caballo) e *iatrós* (médico).

alberca s.f. **1** Depósito artificial para almacenar agua, generalmente utilizada para el riego: *En la huerta tenemos una alberca.* **2** En zonas del español meridional, piscina: *Nadamos todos los domingos en la alberca.* □ ETIMOL. Del árabe *al-birka* (el estanque).

alberchigal s.m. Terreno plantado de albérchigos: *A lo lejos se veía un alberchigal.*

albérchigo s.m. **1** Árbol frutal, variedad del melocotonero: *Se está secando el albérchigo de la huerta.* □ SINÓN. *alberchiguero.* **2** Fruta de este árbol, redondeada, de color amarillo anaranjado, dulce y jugosa, con hueso, y muy parecida al melocotón: *Me gustan más los albérchigos que los melocotones.* □ ETIMOL. Del mozárabe *al-bérchigo.*

alberchiguero s.m. Árbol frutal, variedad del melocotonero: *En el huerto de mis abuelos hemos plantado un alberchiguero.* □ SINÓN. *albérchigo.*

albergar v. **1** Dar o tomar albergue u hospedaje: *Este edificio alberga a más de mil personas. Durante el viaje nos albergaremos en posadas y pensiones, porque resultan más baratas que los hoteles.* **2** Encerrar, contener o llevar dentro: *Este texto alberga un significado más amplio de lo que parece a simple vista.* **3** Referido a una idea o a un sentimiento, guardarlos en la mente o en el corazón: *Nunca imaginé que albergaras tales propósitos de venganza.* □ ETIMOL. Del gótico **haribaírgon* (alojar una tropa). □ ORTOGR. La *g* se cambia en *gu* delante de *e* →PAGAR.

albergue s.m. **1** Lugar que sirve de resguardo, de cobijo, de alojamiento o de vivienda temporal: *Aquella cueva era el albergue de una fiera.* **2** Alojamiento o cobijo que se dan o que se toman: *Nos ofrecieron albergue en su casa.* **3** Establecimiento público en el que se atiende al turismo durante estancias cortas: *albergue juvenil.* **4** Establecimiento benéfico en el que se aloja provisionalmente a personas necesitadas: *Esta comunidad de religiosas lleva un albergue para ancianos.* **5** Ayuda y protección: *En aquellos momentos tan difíciles, solo encontré albergue en mi familia.*

alberguista adj.inv./s.com. Referido esp. a una persona joven, que se aloja en albergues juveniles cuando viaja: *El carné de alberguista te permite alojarte en albergues juveniles de muchos países por poco dinero.*

albero s.m. **1** Tierra para jardines y para plazas de toros: *Han traído dos camiones de albero para los paseos del jardín botánico.* **2** En una plaza de toros, ruedo: *Cuando el toro salió al albero, el torero lo esperaba.* □ ETIMOL. Del latín *albarius*, y este de *albus* (blanco).

albiceleste adj.inv./s.com. De cualquier equipo cuya camiseta tenga los colores blanco y azul, o relacionado con él.

albigense adj.inv./s.m. De una secta religiosa surgida durante los siglos XII y XIII, que rechazaba la divinidad de Jesucristo y que era contraria a la jerarquía eclesiástica: *La secta albigense tomó su nombre de Albi, ciudad francesa.*

albinegro, gra adj./s. *col.* De cualquier equipo deportivo cuya camiseta tenga los colores blanco y negro, o relacionado con él. □ SINÓN. *blanquinegro.*

albinismo s.m. Ausencia congénita de pigmentación en un ser vivo, por lo que es de un color muy claro o carece del color natural que caracteriza a su especie, variedad o raza: *Un cuervo blanco es un ejemplo típico de albinismo.*

albino, na adj./s. Referido esp. a una persona o a un animal, que carecen de pigmentación en la piel y en el pelo, por lo que son de un color muy claro o no tienen el color natural que caracteriza a su especie, variedad o raza: *Los albinos tienen el pelo y la piel muy blancos y los ojos muy claros.* □ ETIMOL. De *albo* (blanco).

albivioleta adj.inv./s.com. Del Real Valladolid (club de fútbol) o relacionado con él: *Muchos aficionados albivioletas viajarán a Madrid para ver a su equipo jugar la final.*

albo, ba ▌adj. **1** *poét.* Blanco: *Nieves albas cubrían la arrogante cabeza de la montaña.* ▌s.f. **2** Momento inicial del día, en que aparece la primera luz antes de salir el Sol: *Saldremos de viaje al alba.* □ SINÓN. *amanecer, madrugada, amanecida.* **3** Primera luz del día, antes de salir el Sol: *Vimos el alba desde la playa.* **4** Prenda blanca, larga hasta los pies, utilizada por los sacerdotes católicos en algunas ceremonias religiosas: *El alba simboliza la limpieza de alma.* **5** ‖ **{quebrar/rayar/romper} el alba;** empezar a aparecer la luz del día: *Son las cinco de la mañana y ya está rayando el alba.* □ ETIMOL. Del latín *albus* (blanco). □ MORF. 1. Por ser un sustantivo femenino que empieza por *a* tónica o acentuada, va precedido de *el, un, algún, ningún* y de las formas femeninas del resto de los determinantes. 2. Cuando se antepone a otra palabra para formar compuestos, adopta la forma *albi-*.

albóndiga (tb. *almóndiga*) s.f. Bola hecha de carne o de pescado picados, mezclados con pan rallado o harina, huevo y especias, que se come frita o guisada y rehogada con una salsa: *A mi abuelo le gustan mucho las albóndigas porque están blanditas.* □ SINÓN. *albondiguilla.* □ ETIMOL. Del árabe *al-bunduga* (la avellana, la bolita del tamaño de la avellana).

albondiguilla s.f. **1** →**albóndiga.** **2** Pelotilla de moco seco: *¿Cuántas veces te he dicho que es de pésima educación hacer albondiguillas?*

albor s.m. **1** Comienzo o principio de algo: *Eso ocurrió en los albores del reinado de Felipe II.* **2** Blancura perfecta: *Me sorprendió mucho el albor que te-*

nían las sábanas de aquel hotel. □ SINÓN. *albura.* □ ETIMOL. Del latín *albor.* □ ORTOGR. Dist. de *alcor.* □ MORF. Se usa más en plural.

alborada s.f. **1** Tiempo o momento en el que amanece: *La verbena duró hasta la alborada.* **2** Composición poética o musical destinada a cantar el alba o la mañana: *Las alboradas trovadorescas solían girar en torno al tema de la separación de los amantes al amanecer.*

alboreá s.f. →**alboreada.**

alboreada s.f. Cante popular de los gitanos andaluces. □ SINÓN. *alboreá.*

alborear v. Amanecer o aparecer en el horizonte la primera luz del día: *Salieron de viaje al alborear el día.* □ ETIMOL. Del latín *albor* (luz del alba). □ MORF. Verbo unipersonal: se usa solo en tercera persona del singular y en las formas no personales (infinitivo, gerundio y participio).

alboreo s.m. Aparición en el horizonte de la primera luz del día: *El alboreo trajo las primeras luces de la mañana.*

albornoz s.m. Prenda de vestir, larga y con cinturón, hecha con una tela como la de las toallas, y que se utiliza para secarse después del baño: *Mi albornoz es azul y con capucha.* □ ETIMOL. Del árabe *al-burnus* (el capuchón).

alborotadizo, za adj. Que se alborota e inquieta con facilidad: *Ya sabes que es muy alborotadizo, así que espera a que estéis solos para darle la noticia.*

alborotado, da adj. **1** Revuelto, enmarañado o desordenado. **2** Inquieto, revoltoso, desobediente o poco dócil: *La gente está muy alborotada en estas fiestas.* **3** Que actúa irreflexivamente y con precipitación: *No seas tan alborotado y piénsalo bien antes de decidirte.*

alborotador, -a adj./s. Que alborota: *Tengo un grupo de alborotadores en mi clase y no paran de hablar mientras estoy explicando.*

alborotar v. **1** Inquietar, perturbar o causar tumulto o agitación: *La amenaza de inundaciones alborotó a todo el pueblo. Los alumnos se alborotaron cuando el profesor dijo las notas de los exámenes.* **2** Desordenar o alterar el orden normal: *El viento alborotaba sus cabellos.* **3** Referido al mar, agitarlo o levantar sus olas: *El temporal alborotó el mar y los barcos permanecieron amarrados en el puerto. No salimos a navegar porque el mar se alborotó.* □ SINÓN. *encrespar.* □ ETIMOL. Quizá del latín *volutare* (agitar), con un cruce con *alborozar.* □ ORTOGR. Dist. de *alborozar.*

alboroto s.m. **1** Tumulto, inquietud, revuelta o agitación: *¡Menudo alboroto se organizó cuando el árbitro pitó penalti en el último minuto!* **2** Vocerío o ruido considerable producido por una o más personas: *El alboroto de la calle no me deja dormir.* **3** Desorden muy grande: *¡Qué alboroto tienes en tu habitación, con todo tirado por el suelo!* □ ORTOGR. Dist. de *alborozo.*

alborozar v. Producir una alegría, un placer o un regocijo extraordinarios: *La concesión del primer premio los alborozó. Siempre que nos ve se alboroza porque nos quiere.* □ ORTOGR. 1. Dist. de *alborotar.* 2. La *z* se cambia en *c* delante de *e* →CAZAR.

alborozo s.m. Alegría, placer o regocijo extraordinarios: *La liberación del secuestrado llenó de alborozo a su familia.* □ ETIMOL. Del árabe *al-buruz* (la parada o desfile militar). □ ORTOGR. Dist. de *alboroto.*

albricias interj. Expresión que se utiliza para indicar que se siente una alegría muy grande: *¡Albricias, por fin han acabado las obras de la casa!* □ ETIMOL. Del árabe *al-bisara* (la buena nueva). □ SEM. No debe emplearse con el significado de 'enhorabuena' o 'felicidades': *¡{*Albricias/Felicidades} por tu ascenso!*

albufera s.f. Laguna situada en el litoral, de agua ligeramente salada, formada por la entrada de agua del mar en una zona baja arenosa que luego ha quedado separada de este por un banco o masa de arena: *En la albufera de Valencia se cultiva arroz.* □ ETIMOL. Del árabe *al-buhaira* (la laguna, el mar pequeño).

álbum (pl. *álbumes*) s.m. **1** Libro o cuaderno en cuyas hojas se guardan o se coleccionan fotografías, composiciones artísticas, sellos u objetos similares: *¿Me dejas ver tu álbum de sellos?* **2** Carpeta o estuche que contiene uno o más discos fonográficos: *La canción que te gusta viene en el segundo disco del álbum de ese grupo.* □ ETIMOL. Del francés *album* y este del latín *album* (encerado blanco).

albumen s.m. Tejido que rodea el embrión de algunas plantas y que le sirve de alimento cuando la semilla germina: *El albumen sirve de reserva alimenticia a las plantas en la primera fase de su desarrollo.* □ ETIMOL. Del latín *albumen* (clara de huevo).

albúmina s.f. Proteína natural, vegetal o animal, muy rica en azufre y soluble en agua: *La clara de huevo contiene una gran cantidad de albúmina.* □ ETIMOL. Del francés *albumine.* □ ORTOGR. Dist. de *alúmina.*

albuminoideo, a adj. Referido a una sustancia, que presenta en disolución acuosa el aspecto y las propiedades de la clara de huevo o de otros cuerpos ricos en albúmina o en proteínas: *El líquido sinovial es una sustancia albuminoidea.*

albuminoso, sa adj. Que contiene albúmina: *La sangre, la leche y los jugos vegetales son sustancias albuminosas.*

albuminuria s.f. Presencia de albúmina en la orina: *La albuminuria suele ser síntoma de un mal funcionamiento renal.* □ ETIMOL. Del latín *albumen* y del griego *ûron* (orina).

albur s.m. Suerte o azar a los que se fía el resultado de un asunto: *No dejes al albur la solución de ese problema.* □ ETIMOL. De origen incierto.

albura s.f. **1** Blancura perfecta: *La albura de las sábanas tendidas al sol casi me deslumbra.* □ SINÓN. *albor.* **2** Capa blanda y de color blanquecino que se encuentra debajo de la corteza de los árboles: *La savia bruta circula por la albura.*

alcabala s.f. **1** Antiguo impuesto o tributo indirecto que tenía que pagar el vendedor de algo. **2** En zonas del español meridional, control de policía: *Las alcabalas se suelen ubicar a las entradas y salidas de las poblaciones.* □ ETIMOL. Del árabe *al-qabala* (el contrato, el impuesto concertado con el fisco).

alcachofa s.f. **1** Planta perenne, de raíz con forma de huso, tallo estriado y abundante en ramas, con hojas algo espinosas y con inflorescencias comestibles, en forma de piña: *La alcachofa es una hortaliza.* □ SINÓN. *alcaucí, alcaucil.* **2** Inflorescencia de esta planta. □ SINÓN. *alcaucí, alcaucil.* **3** Panecillo que se parece a la figura de esta inflorescencia. **4** Pieza redondeada y llena de agujeros por donde sale el agua de forma dispersa, como en la ducha o en las regaderas. **5** *col.* En televisión o en radio, micrófono. □ ETIMOL. Del árabe *al-jarsuf.*

alcahuete, ta s. **1** Persona que busca para otra alguien con quien mantener una relación amorosa o sexual, o que actúa como intermediario en una de estas relaciones. □ SINÓN. *celestino, tercero.* **2** Persona a la que le gusta contar chismes de otras. □ ETIMOL. Del árabe *al-qawwad* (el conductor, el intermediario). □ SEM. Dist. de *cacahuete* (un tipo de fruto seco).

alcahuetear v. Hacer de alcahuete o actuar de intermediario en un asunto amoroso o sexual: *No sé cómo consientes que tu amigo alcahuetee entre tú y ella.*

alcahuetería s.f. Actividad propia de un alcahuete: *A pesar de tus alcahueterías, no conseguirás que salga con tu amiga.* □ SINÓN. *tercería.*

alcaide s.m. **1** Director de una prisión: *La película trataba de la fuga de unos presos de la cárcel, que tomaban al alcaide como rehén.* **2** En la Edad Media, hombre que tenía a su cargo la guarda y la defensa de un castillo o fortaleza: *Desde el puente levadizo, los caballeros solicitaron ver al alcaide del castillo.* □ ETIMOL. Del árabe *al-qa'id* (el general, el que conduce las tropas). □ USO Ambas acepciones se consideran anticuadas, aunque la 1 ha vuelto a cobrar actualidad a partir de los doblajes de películas estadounidenses.

alcaldada s.f. Acción imprudente o poco considerada cometida por un alcalde o por cualquier otra persona que abuse de su autoridad: *Concederles a tus primos una licencia municipal sin cumplir ningún requisito ha sido una alcaldada.*

alcalde s.m. **1** Persona que preside el Ayuntamiento de un término municipal y que está encargada de ejecutar los acuerdos de este y de cuidar de todo lo relativo al buen orden de su territorio: *El alcalde ha dictado un bando sobre el orden, la higiene y la limpieza del pueblo. El médico del pueblo ha sido elegido alcalde por segunda vez.* **2** Juez que administraba justicia en algún pueblo y que presidía al mismo tiempo el concejo: *Llevaron al ladrón ante el alcalde para que este decidiera qué habían de hacer con él.* □ ETIMOL. Del árabe *al-qadi* (el juez). □ MORF. Su femenino es *alcaldesa.* □ SEM. Dist. de *edil* (concejal).

alcaldesa s.f. de **alcalde**.

alcaldía s.f. **1** Cargo de alcalde: *Su madre ha desempeñado la alcaldía de su pueblo durante ocho años.* **2** Lugar de trabajo u oficinas de un alcalde: *Ha ido a la alcaldía a empadronarse.* **3** Territorio o distrito que corresponden a la jurisdicción de un alcalde: *No puedo ordenar que se coloque ahí un semáforo porque esa zona ya no pertenece a nuestra alcaldía.*

alcalescencia s.f. Alteración que sufre una sustancia que se vuelve alcalina: *La alcalescencia de la saliva es un síntoma de la enfermedad del escorbuto.*

álcali s.m. Hidróxido metálico que, por ser muy soluble en el agua, puede actuar como base energética: *El álcali se obtiene al hacer reaccionar el agua con algunos óxidos o metales.* □ ETIMOL. Del árabe *al-qali* (la sosa o cenizas de plantas alcalinas).

alcalinidad s.f. En química, carácter alcalino: *Las disoluciones acuosas de sosa cáustica tienen una alcalinidad muy elevada.*

alcalinizar v. Referido a una sustancia, comunicarle propiedades alcalinas: *Hemos alcalinizado esta sustancia y su pH es ahora 10.* □ ORTOGR. La *z* se cambia en *c* delante de *e* →CAZAR.

alcalino, na adj. De álcali o que contiene un hidróxido metálico: *Las tierras alcalinas no son buenas para la agricultura.*

alcaloide s.m. Compuesto orgánico nitrogenado, generalmente de origen vegetal, que suele producir efectos tóxicos, y que se utiliza como medicina o como droga: *La nicotina y la cocaína son dos alcaloides.*

alcance s.m. **1** Distancia a la que llega la acción o los efectos de algo: *Esto queda fuera del alcance de nuestra vista.* **2** Significación, trascendencia o consecuencia graves. **3** Inteligencia o talento de una persona: *Es hombre de pocos alcances.* **4** Capacidad o posibilidad de coger o de lograr algo: *Hay que de dejar las medicinas fuera del alcance de los niños.* **5** Choque leve de dos vehículos. **6** Repercusión o eco que adquiere un hecho: *El alcance de la campaña publicitaria ha sobrepasado todos los límites.* □ ETIMOL. De *alcanzar.* □ MORF. En la acepción 3, se usa más en plural.

alcancía s.f. **1** Vasija, generalmente de barro, cerrada y con una sola ranura estrecha por la que se mete dinero para guardarlo y ahorrar, porque no se puede vaciar si no es rompiéndola: *Rompió la alcancía para sacar el dinero que tenía.* **2** En zonas del español meridional, cepillo para limosnas: *En la iglesia, la alcancía estaba protegida por un candado.* □ ETIMOL. Del árabe *al-kanziyya* (la caja propia para atesorar).

alcándara s.f. Percha o vara gruesa y muy larga en las que se posaban las aves de cetrería o se colgaba la ropa: *El halcón esperaba posado en la alcándara a que le quitasen el capuchón de los ojos.* □ ETIMOL. Del árabe *al-kandara* (la percha en la que se posa el halcón).

alcanfor s.m. Sustancia sólida, blanca, con un olor penetrante, de fácil evaporación, que se obtiene de las ramas y raíces de un árbol, y que tiene aplicaciones médicas e industriales: *Mete unas bolas de alcanfor en el armario para que la ropa no se apolille.* □ ETIMOL. Del árabe *al-kafur*.

alcanforado, da adj. Compuesto o mezclado con alcanfor: *Las pomadas alcanforadas se utilizan mucho en medicina.*

alcanforar v. Componer o mezclar con alcanfor: *Algunas pomadas se suelen alcanforar.*

alcanforero s.m. Árbol con hojas ovaladas, flores pequeñas y fruto en baya, y de cuyas ramas y raíces se extrae el alcanfor por destilación: *El alcanforero se cría en algunos países de Oriente.*

alcantarilla s.f. **1** Conducto artificial subterráneo construido para recoger y dar paso al agua de lluvia y a las aguas residuales de las poblaciones: *En las alcantarillas suele haber ratas.* **2** Boca de este conducto: *Se me cayó un anillo por la alcantarilla.* □ ETIMOL. Diminutivo del antiguo *alcántara* (caja de un telar), y este del árabe *al-qantara* (el dique, el puente, el acueducto).

alcantarillado s.m. **1** Conjunto de alcantarillas: *el alcantarillado de una ciudad.* **2** Construcción de alcantarillas: *Ya han comenzado las obras de alcantarillado.*

alcantarillar v. Construir o poner alcantarillas: *Van a alcantarillar todos los pueblos de la comunidad.*

alcanzado, da adj. **1** Escaso o necesitado: *Vamos alcanzados de hora para coger el tren.* **2** Que tiene deudas o debe dinero: *Los juegos de azar lo dejaron alcanzado.*

alcanzar v. **1** Llegar a juntarse con lo que está más adelantado en el tiempo o en el espacio: *Echó a correr y lo alcanzó al final de la calle.* **2** Obtener, conseguir o llegar a coger: *Con este triunfo alcanza el título de campeón.* **3** Referido a algo que se busca o se solicita, lograrlo, conseguirlo o llegar a poseerlo: *Por fin alcanzó la estabilidad sentimental que necesitaba.* **4** Referido a un objeto, cogerlo alargando la mano: *Alcánzame la caja que está en lo alto del armario, por favor.* **5** Referido a una persona, llegar a igualar a otra en algún rasgo, característica o situación: *Ha crecido tanto que ya ha alcanzado a su padre.* **6** Entender o comprender: *No alcanzo los motivos de su enfado.* **7** Ser suficiente: *Mi sueldo no alcanza para caprichos.* **8** Referido esp. a un hecho, afectar, influir o llegar en su ámbito de acción: *Las restricciones de agua no alcanzan a esta región.* **9** Referido a un arma, llegar su tiro a una determinada distancia: *Este rifle no alcanza una distancia muy larga.* **10** ‖ **alcanzársele** algo a alguien; llegar a entenderlo: *Por más que lo pienso, no se me alcanza por qué se enfadó.* □ ETIMOL. Del antiguo *encalzar* (perseguir, alcanzar), con cambio de prefijo. □ ORTOGR. La *z* se cambia en *c* delante de *e* →CAZAR. □ SINT. 1. La perífrasis *alcanzar* + *a* + *infinitivo* indica la consecución o el logro de la acción expresada por dicho infinitivo: *Hay tanto ruido que no alcanzo a oír lo que dicen.* 2. *Alcanzársele algo a alguien* se usa más en expresiones negativas.

alcaparra s.f. **1** Mata con muchas ramas, de tallos rastreros y espinosos, flores blancas y grandes, y cuyo fruto es el alcaparrón: *El fruto y los brotes de la alcaparra suelen usarse como condimento.* **2** Botón floral o capullo de esta planta: *El salmón ahumado se suele servir acompañado de huevo duro y alcaparras.* □ ETIMOL. Del latín *capparis*, con el artículo árabe *al*.

alcaparrón s.m. Fruto de la alcaparra que consiste en una baya carnosa con forma parecida a un higo pequeño: *El alcaparrón se consume conservado en vinagre.*

alcaraván s.m. Ave de color pardo que tiene las patas largas y amarillas, pico relativamente corto y grandes ojos amarillos: *El alcaraván habita en terrenos descubiertos, pedregosos o arenosos.* □ ETIMOL. Del árabe *al-karawan*. □ MORF. Es un sustantivo epiceno: *el alcaraván {macho/hembra}*.

alcarraza s.f. Vasija de arcilla porosa y poco cocida que deja salir cierta porción de agua que al evaporarse enfría la que está dentro: *El agua de la alcarraza siempre está muy fresca.* □ ETIMOL. Del árabe *al-karraz* (jarra de cuello estrecho).

alcarreño, ña adj./s. De la Alcarria o relacionado con esta comarca de Castilla-La Mancha (comunidad autónoma): *La miel alcarreña es de muy buena calidad.*

alcatifa s.f. Alfombra o tapete muy finos: *Las alcatifas de Persia y Turquía son de excelente calidad.* □ ETIMOL. Del árabe *al-qatifa* (el terciopelo).

alcatraz s.m. **1** Ave marina que tiene el pelaje blanco, el pico largo y las alas apuntadas y con los extremos de color negro: *El alcatraz es propio de los mares templados.* **2** Planta con una bráctea blanca en forma de cono que rodea una columna de pequeñas flores amarillas: *El pintor mexicano Diego Rivera pintó muchos alcatraces.* □ ETIMOL. La acepción 1, quizá del árabe *al-gattas* (especie de águila marina). □ MORF. En la acepción 1, es un sustantivo epiceno: *el alcatraz {macho/hembra}*.

alcaucí (pl. *alcaucíes, alcaucís*) s.m. →**alcaucil.**

alcaucil (tb. *alcaucí*) s.m. **1** Planta perenne, de raíz con forma de huso, tallo estriado y abundante en ramas, con hojas algo espinosas y con inflorescencias comestibles en forma de piña: *He plantado alcauciles en la huerta.* □ SINÓN. *alcachofa.* **2** Inflorescencia de esta planta: *Hoy hemos comido alcauciles rellenos.* □ SINÓN. *alcachofa.* □ ETIMOL. Del mozárabe *al caucil*, y este del latín **capitiellum* (cabecita).

alcaudón s.m. Pájaro carnívoro que tiene una punta a modo de diente en el extremo de la mandíbula superior, el plumaje ceniciento, el pico robusto y curvado, y las alas y la cola negras con manchas blancas: *El alcaudón forma despensa con sus presas clavándolas en los espinos.* □ ETIMOL. De origen incierto.

alcayata s.f. Clavo en forma de ele mayúscula, que se utiliza para colgar cosas: *El trapo de secar los cacharros está colgado de una alcayata.* ☐ SINÓN. *escarpia.* ☐ ETIMOL. Del mozárabe *al-cayata*, y este del latín *caia* (cayado).

alcazaba s.f. Recinto fortificado situado dentro de una población amurallada y utilizado como refugio de la tropa: *Los árabes construyeron muchas alcazabas en Andalucía.* ☐ ETIMOL. Del árabe *al-qasaba* (el fortín).

alcázar s.m. **1** Recinto fortificado, esp. si está amurallado como un castillo: *Los sitiados en el alcázar resistieron el ataque enemigo.* ☐ SINÓN. *fortaleza.* **2** Casa real o habitación del príncipe: *Visité el alcázar y paseé por sus jardines.* ☐ ETIMOL. Del árabe *al-qasr*, y este del latín *castrum* (castillo).

alce s.m. Mamífero rumiante parecido al ciervo pero con mayor corpulencia, que tiene el cuello corto, cabeza grande, hocico muy grande, pelaje oscuro, y unos cuernos muy desarrollados en forma de pala, con los bordes muy recortados: *Los enemigos naturales de los alces son los lobos y los osos.* ☐ SINÓN. *anta.* ☐ ETIMOL. Del latín *alce.* ☐ MORF. Es un sustantivo epiceno: *el alce {macho/hembra}.*

alcista ▌adj.inv. **1** Del alza de los valores, esp. en la bolsa o en los precios, o relacionado con ella: *tendencia alcista.* ▌s.com. **2** Persona que especula sobre el alza de valores en bolsa.

alcoba s.f. En una casa, cuarto destinado a dormir: *Esta cama es demasiado grande para tu alcoba.* ☐ SINÓN. *dormitorio.* ☐ ETIMOL. Del árabe *al-qubba* (la cúpula, la bóveda, el gabinete).

alcohol s.m. **1** Compuesto orgánico derivado de un hidrocarburo, por sustitución de uno o varios de sus átomos de hidrógeno por un grupo -OH: *Los nombres de los alcoholes se forman añadiendo la terminación '-ol' al nombre del hidrocarburo del que se derivan.* **2** Bebida que contiene este hidrocarburo: *Tiene el hígado destrozado por abusar del alcohol.* **3** ‖ **alcohol (etílico);** Hidrocarburo líquido, incoloro y soluble en agua, que se utiliza como disolvente y que es el componente fundamental de las bebidas alcohólicas: *El alcohol etílico se obtiene por la destilación del vino y de otros productos de fermentación.* ☐ SINÓN. *etanol.* ☐ ETIMOL. Del árabe *al-kuhl* (el colirio).

alcoholemia s.f. Presencia de alcohol en la sangre, esp. si excede o sobrepasa lo normal: *prueba de alcoholemia.* ☐ ETIMOL. De *alcohol* y *-emia* (sangre). ☐ SEM. Dist. de *colemia* (presencia de bilis en la sangre).

alcoholera s.f. Véase **alcoholero, ra**.

alcoholero, ra ▌adj. **1** De la producción y el comercio del alcohol, o relacionado con ellos: *industria alcoholera.* ▌s.f. **2** Fábrica en la que se produce alcohol.

alcohólico, ca ▌adj. **1** Del alcohol, que lo contiene o que está producido por él: *bebida alcohólica.* ▌adj./s. **2** Que padece la enfermedad del alcoholismo debido al abuso frecuente de bebidas alcohólicas: *una persona alcohólica.*

alcoholímetro s.m. Dispositivo o aparato que sirve para medir la cantidad de alcohol presente en el aire espirado por una persona: *El policía pidió al conductor que soplara en el alcoholímetro para saber si estaba bajo los efectos del alcohol.* ☐ SINÓN. *alcohómetro.* ☐ ETIMOL. De *alcohol* y *-metro* (medidor).

alcoholismo s.m. **1** Abuso de bebidas alcohólicas: *El alcoholismo puede degenerar en una enfermedad.* **2** Enfermedad producida por este abuso: *El alcoholismo crónico produce trastornos graves.*

alcoholización s.f. Adquisición de la enfermedad del alcoholismo por el abuso frecuente de bebidas alcohólicas: *Cuando fue consciente de su progresiva alcoholización decidió seguir un tratamiento médico.*

alcoholizarse v.prnl. Adquirir la enfermedad del alcoholismo por el abuso frecuente de bebidas alcohólicas: *Por beber una cerveza de vez en cuando no te vas a alcoholizar.* ☐ ORTOGR. La *z* se cambia en *c* delante de *e* →CAZAR.

alcohómetro s.m. Dispositivo o aparato que sirve para medir la cantidad de alcohol presente en el aire espirado por una persona: *El sábado por la noche me paró la policía y me hizo soplar por el alcohómetro.* ☐ SINÓN. *alcoholímetro.*

alcor s.m. Colina o elevación poco pronunciada del terreno, menor que un monte: *Hemos dado un paseo hasta los alcores que hay al sur del pueblo.* ☐ ETIMOL. Del árabe *al-qur* (los collados). ☐ ORTOGR. Dist. de *albor*.

alcornocal s.m. Terreno poblado de alcornoques: *La producción de corcho ha disminuido este año porque se quemaron los alocornocales.*

alcornoque ▌adj.inv./s.m. **1** Ignorante, grosero, o con poca inteligencia: *Eres un alcornoque y siempre lo entiendes todo al revés.* ▌s.m. **2** Árbol de hoja perenne, con el tronco retorcido, la copa muy extensa, las flores poco visibles, el fruto en forma de bellota, y una madera muy dura de cuya corteza se obtiene corcho: *En las dehesas de Extremadura hay muchos alcornoques.* ☐ ETIMOL. Del artículo árabe *al*, el latín *quernus* (encina), y el sufijo hispánico *occus*.

alcorque s.m. Hoyo que se hace al pie de una planta para retener el agua de lluvia o de riego: *Cavé unos alcorques alrededor de los frutales.*

alcorza s.f. Pasta blanca, hecha de azúcar y almidón, con que se cubren algunos dulces y pasteles: *¿Me pone media docena de esos pasteles cubiertos de alcorza, por favor?* ☐ ETIMOL. Del árabe *al-qursa* (la torta redonda y plana).

alcotán s.m. Ave rapaz diurna, migratoria y parecida al halcón, que tiene las plumas de las piernas y de la cola de color rojo: *El alcotán sólo se encuentra en Europa durante el verano.* ☐ ETIMOL. Del árabe *al-qatam* (el gavilán). ☐ MORF. Es un sustantivo epiceno: *el alcotán {macho/hembra}.*

alcotana s.f. Herramienta de albañilería que termina por uno de sus extremos en forma de azuela, y por el otro, en forma de hacha o de piqueta: *Las alcotanas suelen tener el mango de madera.*

alcurnia s.f. Conjunto de antepasados y descendientes de una persona, esp. si son nobles: *En su educación exquisita se nota que es una persona de alcurnia.* □ ETIMOL. Del árabe *al-kunya* (el sobrenombre).

alcuza s.f. Pequeño recipiente o vasija que sirve para conservar aceite: *Alcánzame la alcuza, que voy a aliñar la ensalada.* □ SINÓN. *aceitera.* □ ETIMOL. Del árabe *al-kuza* (la vasija).

alcuzcuz s.m. →**cuscús.** □ ETIMOL. Del árabe *al-kuskus.*

aldaba s.f. Pieza metálica, esp. de hierro o de bronce, que se pone en una puerta para llamar golpeando con ella: *La aldaba de la puerta de mi casa tiene la forma de una mano.* □ ETIMOL. Del árabe *ad-dabba* (el picaporte, el cerrojo).

aldabilla s.f. Pieza de hierro con forma de gancho que se engancha en una anilla metálica fija, y que sirve para cerrar puertas, ventanas, cajas y otros objetos: *La puerta de este armario se cierra con una aldabilla.*

aldabonazo s.m. **1** Golpe dado con la aldaba. **2** *col.* Aviso o llamada de atención: *La subida del petróleo fue el primer aldabonazo de la crisis económica.*

aldea s.f. Pueblo con muy pocos vecinos y generalmente sin jurisdicción propia: *Veranea en una aldea perdida entre montañas.* □ ETIMOL. Del árabe *ad-day'a* (la finca rústica, el cortijo).

aldeanismo s.m. *desp.* Falta de amplitud intelectual o espiritual, propia de algunas sociedades muy reducidas y aisladas: *Han criticado el aldeanismo del pueblo porque no quiere relacionarse con los de la capital.*

aldeano, na ▮ adj. **1** Rústico, sin educación o sin refinamiento: *Con esos modales aldeanos asustas a todas las jovencitas.* ▮ adj./s. **2** De una aldea o relacionado con ella: *Una simpática aldeana nos indicó el camino para llegar al monasterio.* □ USO La acepción 1 tiene un matiz despectivo.

aldehído s.m. Compuesto químico orgánico procedente de la oxidación de determinados alcoholes: *Los aldehídos se utilizan en las industrias plásticas y en la desinfección.* □ ETIMOL. De *alcohol* y *dehydrogenatum* (alcohol sin hidrógeno).

aldohexosa s.f. Monosacárido de seis átomos de carbono con un grupo aldehído: *La glucosa es una aldohexosa.* □ ETIMOL. De *aldehído* y *hexa-* (seis).

aldopentosa s.f. Monosacárido de cinco átomos de carbono con un grupo aldehído: *La ribosa es una aldopentosa.* □ ETIMOL. De *aldehído* y *penta-* (cinco).

ale ▮ adj./s.f. **1** Referido a la cerveza, que es de sabor afrutado y de rápida fermentación, y cuyo proceso de elaboración está caracterizado por las altas temperaturas y por el hecho de que la levadura quede en la superficie de la cuba. ▮ interj. **2** →**hala.** □ ETIMOL. La acepción 1, del inglés *ale*. La acepción 2, de origen expresivo. □ PRON. En la acepción 1 se pronuncia [éil].

aleación s.f. Producto homogéneo de propiedades metálicas, compuesto de dos o más elementos, uno de los cuales debe ser un metal: *El acero es una aleación de hierro y carbono.*

alear v. Referido a un metal, mezclarlo con otro, o con otros elementos, fundiéndolos: *Para alear los metales se necesitan temperaturas muy altas.* □ ETIMOL. Del francés antiguo *aleiier*, y este del latín *alligare* (atar).

aleatorio, ria adj. Que depende de la suerte o del azar: *La selección de los concursantes se hizo de forma aleatoria, sacando los nombres de una bolsa.* □ ETIMOL. Del latín *aleatorius* (propio del juego de dados). □ SEM. Su uso con el significado de 'dudoso' o 'discutible' es incorrecto: *El resultado de este estudio me parece muy {*aleatorio > discutible}.*

alebrestarse v.prnl. *col.* En zonas del español meridional, alborotarse o ponerse nervioso: *Se alebrestó con el alcohol.*

aleccionador, -a adj. Que alecciona: *Lo que le pasó fue algo aleccionador para todos.*

aleccionamiento s.m. Instrucción, enseñanza o comunicación de un conocimiento, de una habilidad o de una experiencia para que otro los aprenda: *El aleccionamiento de sus discípulos duró varios años, pero valió la pena.*

aleccionar v. Referido a una persona, instruirla o comunicarle un conocimiento, una habilidad o una experiencia: *Me aleccionó sobre lo que iba a encontrarme a mi llegada.* □ ETIMOL. De *lección*.

aledaño, ña ▮ adj. **1** Referido esp. a un terreno, contiguo o inmediato a otro: *Los solares aledaños al edificio tienen un gran valor.* ▮ s.m.pl. **2** Terrenos que lindan con un pueblo, con otro campo o tierra, o con un lugar cualquiera, y que se consideran como parte accesoria de ellos: *Los aledaños del palacio también eran muy bonitos.* □ ETIMOL. De la locución *al lado*.

álef s.m. Primera letra del alefato o serie de las consonantes hebreas: *El álef da nombre al alefato.* □ USO Es innecesario el uso del término hebreo *aleph*.

alefato s.m. **1** Serie ordenada de las consonantes hebreas: *El alefato empieza por la letra 'álef'.* **2** →**alifato.**

alegación s.f. **1** Presentación de algo, esp. de un mérito, un argumento o una razón, como prueba, excusa o justificación: *La alegación de su estado de salud no sirvió para que lo eximieran de realizar su trabajo.* **2** Argumento, discurso o razonamiento en favor o en contra de algo: *Sus alegaciones de inocencia no me convencen.* □ SINÓN. *alegato.*

alegar v. Referido esp. a un mérito, un argumento o una razón, presentarlos como prueba, excusa o justificación de algo: *Cuando le reprocharon su actitud, alegó que no lo había hecho a propósito.* □ ETIMOL. Del latín *allegare.* □ ORTOGR. La *g* se cambia en *gu* delante de *e* →PAGAR.

alegato s.m. Argumento, discurso o razonamiento en favor o en contra de algo: *La juez desestimó el alegato de la defensa.* □ SINÓN. *alegación.*

alegatorio, ria adj. De la alegación o relacionado con ella: *un escrito alegatorio.*

alegoría s.f. **1** Ficción en virtud de la cual una cosa representa o significa otra diferente, generalmente una idea abstracta: *En la introducción a sus 'Milagros', Berceo hace una alegoría basada en la imagen del Paraíso como un prado y en la que las fuentes son una metáfora de los evangelios y las aves de los santos.* **2** Composición literaria o artística, cuyo sentido se basa en una ficción de este tipo y tiene generalmente un carácter didáctico o moralizante: *La 'Divina Comedia' de Dante es una alegoría de la vida del ser humano.* □ ETIMOL. Del latín *allegoria.*

alegórico, ca adj. De la alegoría, con alegoría, o relacionado con ella: *El arte medieval utiliza frecuentemente imágenes alegóricas para explicar temas religiosos.*

alegorismo s.m. Presencia de alegorías en un texto, y significado que encierran: *El alegorismo de esta obra ofrece varias interpretaciones.*

alegorización s.f. Interpretación alegórica o concesión de un sentido alegórico: *La alegorización del texto permite ver en la nave que atraviesa el mar tempestuoso una imagen de la vida del ser humano en la tierra.*

alegorizar v. Interpretar alegóricamente o dar un sentido alegórico: *Las espinas de la rosa son alegorizadas por este autor para hablar del amor.* □ ORTOGR. La *z* se cambia en *c* delante de *e* →CAZAR.

alegrar ▌v. **1** Causar o sentir alegría: *Me alegra saber que te va todo tan bien. Se alegró mucho de verme.* **2** Referido a algo inanimado, avivarlo o darle nuevo esplendor: *Estas cortinas alegran mucho la habitación.* ▌prnl. **3** *col.* Achisparse debido al consumo de bebidas alcohólicas: *Nunca bebo alcohol porque enseguida me alegro.*

alegre adj.inv. **1** Que siente, que muestra o que produce alegría: *Hoy te veo muy alegre. El triunfo de un amigo es siempre una noticia alegre.* **2** Que tiene inclinación a sentir o a manifestar alegría: *Son una gente muy alegre y te lo pasarás bien con ellos.* **3** Que transcurre o se desarrolla con alegría: *Hoy ha sido un día muy alegre.* **4** Referido a un color, que es vivo: *El payaso llevaba una corbata de colores muy alegres.* **5** *col.* Animado o excitado por haber tomado bebidas alcohólicas: *Después de tantas copas estábamos todos un poco alegres.* **6** *col.* Que no cumple lo que se considera moralmente aceptable, esp. en el terreno sexual: *Tienen fama de ser gente de vida alegre.* **7** Que se hace sin pensar o de modo irreflexivo: *No hagas comentarios alegres si no sabes de qué va el asunto.* □ ETIMOL. Del latín **alicer* (vivo, animado), por *alacer.*

alegreto s.m. **1** En música, aire o velocidad no excesivamente rápidos con que se ejecutan una composición o un pasaje: *El alegreto es menos vivo que el alegro.* **2** En música, composición o pasaje que se ejecutan con este aire: *El movimiento final de la sonata es un alegreto.* □ ETIMOL. Del italiano *allegretto.*

alegría ▌s.f. **1** Sentimiento grato y de gozo, producido generalmente por un motivo placentero y que suele manifestarse exteriormente: *Cuando nació su hijo sintió una gran alegría.* **2** Lo que produce este sentimiento: *Esta tarta es una alegría para la vista.* **3** Irresponsabilidad, ligereza o falta de reflexión: *Un asunto tan delicado como este no se puede tomar con tanta alegría.* ▌pl. **4** Cante andaluz de música muy viva y graciosa: *Las alegrías tienen una estructura parecida a la jota.* **5** Baile que se ejecuta al compás de este cante: *En la feria se arrancaron a bailar por alegrías.*

alegro s.m. **1** En música, aire o velocidad moderadamente rápidos con que se ejecutan una composición o un pasaje: *El alegro es más rápido que el moderato y más lento que el presto.* **2** En música, composición o pasaje que se ejecutan con este aire: *El primer movimiento del concierto era un alegro.* □ ETIMOL. Del italiano *allegro.* □ USO En círculos especializados se usa mucho el italianismo *allegro.*

alejado, da adj. Que está lejos o distante.

alejamiento s.m. Distanciamiento o colocación de algo lejos o más lejos de lo que estaba: *Las discusiones por el reparto de la herencia provocaron un alejamiento entre los hermanos.*

alejandrino, na ▌adj. **1** De Alejandro Magno (emperador macedonio del siglo IV a. C.): *El imperio alejandrino se extendió por parte de Asia y África.* ▌adj./s. **2** De Alejandría (ciudad egipcia) o relacionado con ella: *El puerto de los alejandrinos fue centro del comercio entre Europa, Arabia y la India.* ▌s.m. **3** →**verso alejandrino.** □ ETIMOL. Del latín *Alexandrinus.*

alejar v. **1** Distanciar, poner lejos, o poner más lejos: *Alejó la ropa del fuego. No te alejes mucho de aquí, no vayas a perderte.* **2** Ahuyentar o hacer huir: *El clavo pinchado en limón aleja a las moscas.* □ ORTOGR. Conserva la *j* en toda la conjugación.

alelado, da adj. Lelo o tonto: *¡Reacciona, hombre, que estás alelado!*

alelamiento s.m. Atontamiento o perturbación del entendimiento: *De tanto ver la televisión tengo un alelamiento increíble.*

alelar v. Poner lelo o tonto: *Tal avalancha de datos me aleló un poco. Piensa en lo que haces, que te alelas por cualquier cosa.*

alelí (pl. *alelíes, alelís*) s.m. →**alhelí.**

alélico, ca adj. De los genes alelomorfos o relacionado con ellos.

alelo s.m. Cada uno de los genes que rigen un carácter y que se encuentran en cromosomas homólogos: *Si los dos genes de la pareja de alelos manifiestan de la misma manera el carácter que rigen, el individuo es homozigótico para ese carácter.* □ ETIMOL. Por acortamiento de *alelomorfo.*

alelomorfo, fa adj. Referido a un gen, que rige un carácter y que se encuentra en cromosomas homólogos: *Los alelos son genes alelomorfos.* □ ETIMOL. Del griego *allélon* (uno a otro) y *-morfo* (forma).

aleluya ▮ s.amb. **1** En la liturgia católica, canto religioso que se usa para expresar alegría, esp. en la época de Pascua: *Cuando terminó la boda, el organista interpretó el Aleluya de Haendel.* ▮ s.f. **2** Cada uno de los dibujos que, formando una serie, contiene un pliego de papel, con la explicación de un asunto, generalmente en versos pareados: *Valle-Inclán era muy aficionado a las aleluyas que relataban crímenes famosos.* **3** *col.* Versos prosaicos y de poca calidad, con una rima poco elaborada: *Te he compuesto unas aleluyas por tu cumpleaños.* ▮ interj. **4** Expresión que se usa para indicar alegría: *¡Aleluya! He encontrado el libro.* □ ETIMOL. Del hebreo *hallelu Yah* (alabad al Señor), palabras con que empiezan varios salmos.

alemán, -a ▮ adj./s. **1** De Alemania o relacionado con este país europeo. □ SINÓN. *germano, germánico, tudesco.* ▮ s.m. **2** Lengua germánica de este y otros países: *En Austria y en parte de Suiza se habla alemán.* □ ETIMOL. Del francés *allemand.* □ MORF. Cuando se antepone a una palabra para formar compuestos, adopta la forma *germano-*.

alendronato s.m. Medicamento que se utiliza en el tratamiento de la osteoporosis.

alentador, -a adj. Que alienta o anima.

alentar ▮ v. **1** Dar ánimos o infundir aliento o vigor: *El público alentaba a su equipo con aplausos.* **2** Referido esp. a un sentimiento, mantenerlo vivo: *Alienta la ilusión de conocer México.* ▮ prnl. **3** En zonas del español meridional, convalecer: *Fui a visitarla a la clínica mientras se alentaba.* □ ETIMOL. Del latín **alenitare*, en vez de **anhelitare*, y este de *anhelare* (respirar, alentar). □ MORF. Irreg. →PENSAR.

aleonado, da adj. →**leonado.**

aleph (hebr.) s.m. →**álef.** □ PRON. [álef].

alerce s.m. **1** Árbol alto y esbelto, parecido al pino, de ramas abiertas y hojas blandas y caducas en forma de aguja, que es propio de las zonas frías: *El alerce común tiene la copa en forma de cono.* **2** Madera de este árbol. □ ETIMOL. Del árabe *al-arz* (el cedro).

alergénico, ca adj. Que produce alergia: *una sustancia alergénica.* □ SINÓN. *alergógeno.*

alérgeno s.m. Sustancia que, introducida en el organismo, provoca una reacción alérgica: *La médica me inoculó varios alérgenos para ver cuál me producía reacción y averiguar a qué tengo alergia.* □ ETIMOL. De *alergia* y del griego *gennáo* (yo engendro).

alergia s.f. Conjunto de fenómenos de carácter respiratorio, nervioso o eruptivo que se producen en el organismo como una reacción negativa o de rechazo ante ciertas sustancias: *No sabían que tenía alergia a la penicilina, y estuvo a punto de morir cuando el médico le recetó un antibiótico.* □ ETIMOL. Del griego *allós* (extraño) y *ergón* (actividad), por la actividad que se produce en el organismo cuando se pone en contacto con sustancias extrañas.

alérgico, ca ▮ adj. **1** De la alergia, con alergia o relacionado con ella: *una reacción alérgica.* ▮ adj./s. **2** Que padece alergia: *Soy alérgica a la clara de huevo.*

alergista adj.inv./s.com. →**alergólogo.**

alergógeno, na adj. Que produce alergia: *un polen alergógeno.* □ SINÓN. *alergénico.*

alergología s.f. Parte de la medicina que estudia las alergias y su tratamiento: *Este médico es un especialista en alergología.*

alergólogo, ga s. Médico especialista en el tratamiento de las alergias: *El alergólogo me hará unos análisis porque tengo asma y no sé la causa.* □ SINÓN. *alergista.*

alero s.m. **1** En un tejado, parte inferior que sobresale fuera de la pared y sirve para desviar las aguas de lluvia. □ SINÓN. *ala, alar.* **2** En baloncesto, jugador que ocupa el lado derecho o izquierdo de la cancha: *Los aleros suelen ser muy veloces en los contraataques.* □ ETIMOL. De *ala.*

alerón s.m. **1** En un avión, cada una de las piezas móviles articuladas que hay en el borde posterior de las alas y que sirve para hacer variar su inclinación y para facilitar otras maniobras. **2** En un coche, especie de aleta colocada en la parte posterior de la carrocería. **3** *col.* Sobaco: *¡A ver si te duchas, que te huelen los alerones!* □ ETIMOL. Del francés *aileron* (ala pequeña).

alerta ▮ adj.inv. **1** Atento o pendiente: *Me escuchaban con oídos alertas todo lo que les decía.* ▮ s.f. **2** Estado o situación de vigilancia y atención: *Estamos en alerta aérea ante la amenaza de un bombardeo enemigo.* ▮ adv. **3** En espera atenta de algo: *Hay que estar alerta ante posibles contratiempos.* **4** ‖ **alerta roja;** situación límite: *Con esta sequía ya hay varios pueblos en alerta roja.* □ ETIMOL. Del italiano *all'erta*, que se usaba para llamar a los soldados a levantarse y ponerse en guardia en caso de ataque. □ SINT. La acepción 3 se usa más con los verbos *estar, poner, vivir* o equivalentes. □ USO Se usa como aviso o señal de advertencia: *¡Alerta! Se acerca el momento decisivo.*

alertar v. Poner en alerta o avisar de una amenaza o de un peligro: *Nadie me alertó sobre las consecuencias que podría tener mi actuación.*

-ales Sufijo con valor humorístico: *rubiales, frescales.*

aleta s.f. **1** En un animal vertebrado acuático, cada uno de los apéndices que utiliza para nadar y cambiar de dirección en el agua. **2** Calzado con la forma de este apéndice, que usan las personas para impulsarse en el agua al nadar o bucear. **3** En la nariz, reborde situado en la parte inferior, a ambos lados del tabique nasal: *Con el esfuerzo movía las aletas de la nariz al respirar.* □ SINÓN. *ala.* **4** En algunos vehículos, pieza curva que está situada sobre cada una de sus ruedas para evitar las salpicaduras: *El coche tiene abollada una de las aletas delanteras.* □ SINÓN. *guardabarros, salvabarros.*

aletargado, da adj. Que tiene sueño, modorra o pesadez de ánimo.

aletargamiento s.m. **1** Letargo, inmovilización o reposo de algunos animales que tiene lugar en determinada época del año: *El aletargamiento de los osos se produce en invierno.* **2** Estado de somnolencia o modorra en las personas: *He dejado de tomar esas pastillas porque me producían aletargamiento.*

aletargar v. **1** Referido a un animal, producirle letargo y hacer que permanezca durante algún tiempo en inactividad y en reposo absolutos: *El frío aletarga a los reptiles. Los osos se aletargan en invierno.* **2** Referido a una persona, producirle sueño, modorra o pesadez de ánimo: *Este vino aletarga a cualquiera. No me gusta comer mucho porque luego me aletargo.* □ ORTOGR. La *g* se cambia en *gu* delante de *e* →PAGAR.

aletazo s.m. Golpe dado con un ala o con una aleta: *Los peces daban fuertes aletazos al sacarlos del agua.*

aletear v. **1** Referido a un ave, mover repetidamente las alas sin llegar a echar a volar: *Ante la presencia del gato, el jilguero aleteó nervioso en la jaula.* **2** Referido a un pez, mover repetidamente las aletas cuando está fuera del agua: *La trucha que pescamos aleteó un rato antes de morir.* **3** Referido a una persona, mover los brazos hacia arriba y hacia abajo, como las aves mueven las alas: *El niño aleteó jugando a ser un águila.*

aleteo s.m. Movimiento repetido de las alas, de las aletas o de algo parecido: *La gaviota intentaba asustarnos con sus aleteos para que no nos acercásemos al nido.*

aleve adj.inv. →**alevoso.** □ ETIMOL. De origen incierto. □ ORTOGR. Dist. de *leve*.

alevín ▌adj.inv./s.com. **1** Referido a un deportista, que, por edad, pertenece a la categoría posterior a la de benjamín y anterior a la de infantil: *Pertenece a un equipo de alevines.* ▌s.m. **2** Cría de ciertos peces que se suelen utilizar para repoblar ríos, lagos o estanques: *Está prohibido pescar alevines.* **3** Persona joven que empieza en una actividad o profesión: *Aunque todavía es un alevín en esto, demuestra tener una gran preparación.* □ ETIMOL. Del francés *alevin*, y este del latín *allevare* (criar).

alevosía s.f. **1** En derecho, circunstancia de haberse asegurado el que comete un delito de que no hay peligro para él al cometerlo: *La alevosía se considera una circunstancia agravante.* **2** Traición o deslealtad: *No le perdonaré nunca su alevosía.*

alevoso, sa ▌adj. **1** Referido a un delito, que ha sido cometido con alevosía: *Fue un crimen alevoso, y como tal, fue condenado.* ▌adj./s. **2** Referido a una persona, que comete alevosía: *Los soldados alevosos serán juzgados pronto.* □ SINÓN. *aleve.* □ ETIMOL. Del antiguo *aleve* (alevosía).

aleya s.f. Versículo del Corán (libro sagrado del islamismo): *En la mezquita se leyeron varias aleyas.* □ ETIMOL. Del árabe *al-aya.*

alfa s.f. **1** En el alfabeto griego clásico, nombre de la primera letra: *La grafía de alfa es α.* **2** ‖ **alfa y omega;** principio y fin. □ ETIMOL. Del griego *álpha.* □ MORF. Por ser un sustantivo femenino que empieza por *a* tónica o acentuada, va precedido de *el, un, algún, ningún* y de las formas femeninas del resto de los determinantes.

alfabético, ca adj. Del alfabeto o relacionado con él: *orden alfabético.*

alfabetización s.f. **1** Enseñanza de la lectura y la escritura, esp. a personas adultas: *En las naciones en vías de desarrollo son muy necesarias las campañas de alfabetización.* **2** Ordenación por orden alfabético: *La alfabetización de las listas es muy rápida con este programa informático de tratamiento de textos.*

alfabetizar v. **1** Enseñar a leer y a escribir: *El Gobierno ha elaborado un programa especial para alfabetizar a la población adulta.* **2** Ordenar alfabéticamente: *Si no alfabetizas esa lista, tardarás mucho en encontrar los datos que se te pidan.* □ ORTOGR. La *z* se cambia en *c* delante de *e* →CAZAR. □ SEM. La acepción 1 se usa referida esp. a personas adultas.

alfabeto s.m. **1** Serie ordenada de las letras de un idioma. □ SINÓN. *abecedario.* **2** Sistema de signos empleados para transcribir un sistema de comunicación: *En el alfabeto de los sordomudos cada letra viene representada por una determinada posición de los dedos y de la mano.* □ ETIMOL. Del latín *alphabetum*, y este de *álpha* y *beta*, las dos primeras letras griegas.

alfaguara s.f. Manantial muy abundante: *En las alfaguaras, el agua surge con violencia.* □ ETIMOL. Del árabe *al-fawwara* (el surtidor, la tromba de agua).

alfajeme s.m. *ant.* →**barbero.** □ ETIMOL. De árabe *al-hayyam* (el sangrador, el que pone ventosas).

alfajor s.m. Dulce hecho con una pasta de almendras, nueces, miel, pan rallado y tostado u otros ingredientes: *En Navidad solemos tomar polvorones y alfajores.* □ ETIMOL. Del árabe *al-hasu* (el relleno).

alfalfa s.f. Planta leguminosa que se cultiva para forraje o alimento del ganado: *La flor de la alfalfa es de color violeta o azulado.* □ ETIMOL. Del árabe *al-fasfasa.*

alfalfal s.m. →**alfalfar.**

alfalfar (tb. *alfalfal*) s.m. Terreno plantado de alfalfa.

alfanje s.m. Arma blanca parecida al sable, pero más ancha y de forma curvada, con filo solo por un lado excepto en la punta, donde es de doble filo: *Cuando florece la alfalfa, los alfalfares son de color violeta.* □ ETIMOL. Del árabe *al-janyar* (el puñal).

alfanumérico, ca adj. Que está formado por letras y números: *En programación de ordenadores se usan mucho las variables de tipo alfanumérico.*

alfanúmero s.m. Serie de letras y números combinados: *La clave para entrar en el sistema informático es un alfanúmero.* □ ETIMOL. De *alfabeto* y *número.*

alfaque s.m. Banco de arena, esp. en la desembocadura de un río: *En los alfaques de Tortosa, en la desembocadura del Ebro, han encallado muchos* *barcos.* □ ETIMOL. Del árabe *al-jaqq* (la quebrada, la grieta en la tierra).

alfaquí (pl. *alfaquíes, alfaquís*) s.m. Sabio o doctor de la ley coránica: *El alfaquí es un experto conocedor del Corán.* □ ETIMOL. Del árabe *al-faqih* (el jurisconsulto).

alfar s.m. Taller del alfarero: *Visitamos un alfar y el alfarero nos explicó todo el proceso de fabricación de las piezas de arcilla.* □ ETIMOL. Del árabe *al-fajjar* (la arcilla, la alfarería).

alfarería s.f. **1** Arte y técnica de fabricar vasijas u otros objetos de barro: *Asiste a clases de alfarería los sábados por la mañana.* **2** Lugar en el que se fabrican o venden estos objetos: *He comprado este botijo en la alfarería de la plaza.*

alfarero, ra s. Persona que se dedica profesionalmente a la fabricación de vasijas u otros objetos de barro: *Los alfareros usan el torno para dar forma a la arcilla.* □ SINÓN. *cantarero.*

alfayate s.m. *ant.* →**sastre.** □ ETIMOL. Del árabe *al-jayyat* (el que cose).

alféizar s.m. Parte del muro que constituye el reborde de una ventana, esp. su parte inferior: *Tiene el alféizar de la ventana lleno de macetas.* □ ETIMOL. De origen incierto.

alfeñique s.m. *col.* Persona con una constitución física débil y delicada: *Después de su enfermedad se quedó hecho un alfeñique.* □ ETIMOL. Del árabe *al-fanid* (el azúcar).

alferecía s.f. En el ejército, cargo de alférez: *La alferecía es el grado inferior de la escala de los oficiales en el ejército español.*

alférez s.com. **1** En el ejército, persona cuyo empleo militar es superior al de subteniente e inferior al del teniente: *El alférez fue felicitado por su capitán ante la perfección de los ejercicios de tiro realizados por los reclutas a su cargo.* **2** || **alférez de fragata;** en la Armada, persona cuyo empleo militar es equivalente al de alférez del Ejército de Tierra: *El empleo superior a alférez de fragata es alférez de navío.* || **alférez de navío;** en la Armada, persona cuyo empleo militar es equivalente al de teniente del Ejército de Tierra: *El empleo militar inmediatamente superior al de alférez de navío es el de teniente de navío.* □ ETIMOL. Del árabe *al-faris* (el jinete).

alfil s.m. En el juego del ajedrez, pieza que se mueve en diagonal pudiendo recorrer de una vez todas las casillas libres: *Me comió la torre con el alfil, y después me dio jaque mate.* □ ETIMOL. Del árabe *al-fil* (el elefante), porque los alfiles representaban una de las cuatro armas del ejército de la India, las tropas montadas en elefantes.

alfiler s.m. **1** Barrita delgada de metal, terminada en punta por uno de sus lados y en una bolita o cabeza por el otro, que se usa generalmente para unir o prender cosas ligeras. **2** Joya con esta forma, que se prende en la ropa como adorno o para sujetar exteriormente algo. **3** Pinza para tender la ropa. **4** || **alfiler de {gancho/seguridad};** en zonas del español meridional, imperdible. || **con alfileres;** *col.* Con poca consistencia o con poca firmeza material o moral: *Llevo la lección prendida con alfileres.* || **no caber un alfiler;** *col.* Referido a un lugar, estar muy lleno: *En la discoteca no cabía un alfiler.* □ ETIMOL. Del árabe *al-jilal* (lo que se entremete).

alfilerazo s.m. Pinchazo dado con un alfiler: *Para abrirse paso entre la multitud, unos gamberros empezaron a dar alfilerazos a los que tenían delante.*

alfiletero s.m. Estuche en forma de tubo que sirve para guardar alfileres y agujas: *Mi abuela tenía un alfiletero de madera precioso.*

alfiz s.m. Elemento decorativo característico de la arquitectura musulmana, que enmarca un arco: *El alfiz puede arrancar desde el suelo.* □ ETIMOL. Del árabe *al-ifriz* (el ornamento arquitectónico).

alfolí (pl. *alfolíes, alfolís*) s.m. Lugar en el que se guarda y almacena el grano o la sal: *La humedad de las paredes del alfolí echó a perder toda la cosecha.* □ ETIMOL. Del árabe *al-hury* (el hórreo, el granero público).

alfombra s.f. **1** Tejido que se pone en el suelo como adorno o para evitar el frío. **2** Lo que cubre el suelo de una forma regular: *Una alfombra de nieve cubría el jardín.* **3** En zonas del español meridional, moqueta: *Esa esquina de la alfombra está despegada del piso.* □ ETIMOL. Del árabe *al-jumbra* (la esterilla de hoja de palmera).

alfombrado s.m. Conjunto de alfombras: *Todo el alfombrado de la casa es persa.*

alfombrar v. **1** Referido al suelo, cubrirlo con una alfombra: *Hemos alfombrado el salón.* **2** Referido al suelo, cubrirlo con algo a manera de alfombra: *Alfombraron con flores las calles por las que pasaba la procesión.*

alfombrilla s.f. **1** Alfombra pequeña, de diversos materiales y formas, que tiene diferentes usos: *la alfombrilla de la entrada; la alfombrilla de un coche; las alfombrillas del baño.* **2** Superficie que sirve para que se deslice con facilidad el ratón de un ordenador. □ USO En la acepción 2, es innecesario el uso del anglicismo *pad.*

alfombrista s.com. Persona que se dedica profesionalmente a hacer, a arreglar o a vender alfombras: *Los alfombristas orientales tienen fama mundial.*

alfonsí (pl. *alfonsíes, alfonsís*) adj.inv. →**alfonsino.** □ SEM. Se usa referido esp. a lo relativo a Alfonso X el Sabio frente a *alfonsino,* que tiene un carácter más general.

alfonsino, na adj./s. De cualquiera de los reyes españoles que se llamaron Alfonso, o relacionado con ellos: *En el siglo XIII, la corte alfonsina fue el centro cultural y artístico español.* □ SINÓN. *alfonsí.*

alforfón s.m. **1** Planta herbácea con tallos nudosos, hojas grandes y acorazonadas, flores blancas y fruto negruzco. **2** Semilla de esta planta: *En algunas comarcas de España se hace pan de alforfón.* □ ETIMOL. Del árabe *al-furfur* (el euforbio, el trigo sarraceno).

alforja s.f. Tira de tela fuerte o de otro material que termina en una bolsa en cada uno de sus extremos, y sirve para llevar cosas al hombro o a lomos de las caballerías: *Colocó las alforjas llenas de comida a lomos de su asno.* □ ETIMOL. Del árabe *al-jurya* (la talega pendiente del arzón de la silla). □ MORF. Se usa más en plural.

alforza s.f. En una tela, esp. en una prenda de vestir, jareta cosida con un pespunte paralelo, y que generalmente sirve de adorno: *Como me quedaba largo el vestido, le hice una alforza para acortarlo.* □ SINÓN. *lorza.* □ ETIMOL. Del árabe *al-jurza* (la costura) o de *al-juzza* (el corte).

alfoz s.m. Conjunto de pueblos que forman una misma jurisdicción: *El alfoz de Lara estaba formado por los pueblos dependientes del conde de Salas.* □ ETIMOL. Del árabe *al-hawz* (el distrito, el pago).

alga s.f. Planta que carece de tejidos diferenciados, está provista generalmente de clorofila, y vive y se desarrolla en el agua: *Con la marea baja la playa quedó cubierta de algas.* □ ETIMOL. Del latín *alga.* □ MORF. Por ser un sustantivo femenino que empieza por *a* tónica o acentuada, va precedido de *el, un, algún, ningún* y de las formas femeninas del resto de los determinantes.

algalia s.f. **1** Sustancia muy olorosa usada en perfumería, que se extrae de una planta del mismo nombre o de una bolsa que tiene cerca del ano la civeta. **2** Planta herbácea de tallo peludo y hojas acorazonadas, cuya semilla es de olor intenso y se emplea en medicina y perfumería. □ SINÓN. *abelmosco.* □ ETIMOL. Del árabe *al-galiya* (el perfume del almizcle con ámbar).

algara s.f. *ant.* →**algarada.** □ ETIMOL. Del árabe *al-gara* (la incursión de guerra).

algarabía s.f. Griterío confuso y molesto producido por personas que hablan al mismo tiempo: *¿Qué pasa aquí, que hay tanta algarabía?* □ ETIMOL. Del árabe *al-'arabyya* (la lengua árabe).

algarabiado, da adj./s. Que habla la lengua árabe: *Un leonés algarabiado hizo de traductor ante el caudillo árabe.*

algarada s.f. **1** Vocerío grande causado en un desorden o disturbio callejero por un grupo de gente: *La manifestación silenciosa terminó en una algarada callejera.* **2** Ataque o incursión violenta de una tropa de caballería para el saqueo del territorio enemigo: *En la Castilla medieval eran muy temidas las algaradas árabes.* □ ETIMOL. De *algara* (incursión en tierra enemiga). □ ORTOGR. Dist. de *algazara.*

algarroba s.f. **1** Planta leguminosa cuyas semillas se usan como alimento para algunos animales: *La algarroba es del mismo género que el haba.* □ SINÓN. *arveja.* **2** Fruto del algarrobo: *Aunque la algarroba es comestible para las personas, suele utilizarse como alimento para el ganado.* □ ETIMOL. Del árabe *al-jarruba* (el algarrobo).

algarrobo s.m. Árbol siempre verde, propio de las regiones marítimas templadas y cuyo fruto es la algarroba: *El algarrobo florece en otoño y en invierno y es originario de Oriente.*

algazara s.f. Vocerío o griterío que suelen expresar alegría, y que están producidos generalmente por muchas voces: *Celebraron su triunfo con una impresionante algazara.* □ ETIMOL. Del árabe *al-gazara* (la locuacidad, el murmullo, el ruido). □ ORTOGR. Dist. de *algarada.*

álgebra s.f. Parte de las matemáticas que estudia las operaciones que se generalizan mediante el uso de números, letras y signos: *La resolución de ecuaciones es la parte del álgebra que más me gusta.* □ ETIMOL. Del árabe *al-yabra* (la reducción). □ MORF. Por ser un sustantivo femenino que empieza por *a* tónica o acentuada, va precedido de *el, un, algún, ningún* y de las formas femeninas del resto de los determinantes.

algebraico, ca adj. Del álgebra o relacionado con esta parte de las matemáticas: *En el examen nos cayeron dos problemas de cálculo algebraico.*

-algia Elemento compositivo sufijo que significa 'dolor': *neuralgia, lumbalgia.* □ ETIMOL. Del griego *-algía.*

álgido, da adj. **1** Referido esp. a un momento o a un período, que es crítico o culminante en el desarrollo de un proceso: *El momento álgido de la reunión coincidió con la noticia de la dimisión del director.* **2** Muy frío: *Las temperaturas del clima polar son realmente álgidas.* □ ETIMOL. Del latín *algidus*, y este de *algere* (tener frío). □ MORF. No admite grados; incorr. **más álgido.*

algo ▌pron.indef. **1** Designa una cosa, sin decir exactamente qué es: *Tenemos que hacer algo, aunque no sé qué. ¿Por qué no comes algo?* **2** Cantidad indeterminada: *¿Me prestas algo de dinero?* ▌adv. **3** Un poco, no completamente o en pequeña cantidad o medida: *Estoy algo cansada, pero no es nada.* **4** ‖ **algo así;** aproximadamente, poco más o menos: *Se apellida Picol o algo así.* ‖ **algo es algo;** expresión que se utiliza para indicar que no se debe despreciar nada, por pequeño o insignificante que sea: *Me tocó solo el último premio, pero algo es algo.* ‖ **darle algo a** alguien; sobrevenirle una indisposición repentina: *No trabajes tanto, que te va a dar algo.* ‖ **por algo;** por algún motivo en concreto, aunque sea desconocido: *Si se ha enfadado, por algo será.* □ ETIMOL. Del latín *aliquod.* □ MORF. No tiene plural.

algodón s.m. **1** Planta de hojas alternas y con cinco lóbulos, flores amarillas con manchas encarnadas, y cuyo fruto contiene las semillas envueltas en una borra o pelusa larga y blanca: *una plantación de algodón.* **2** Esta borra o pelusa que envuelve las semillas: *la recolección del algodón.* **3** Esta borra, limpia y esterilizada: *Tengo que comprar algodón en la farmacia.* **4** Trozo de este material que se usa en medicina y en cosmética: *Necesito un algodón para limpiar la herida.* **5** Tejido o tela hechos con hilo de este material: *El algodón es muy fresco para el verano.* **6** ‖ **algodón dulce;** dulce hecho con azúcar, y de aspecto parecido al del algodón. ‖ **entre algodones;** con muchos cuidados o con delicadeza:

Estás criando al niño entre algodones. □ ETIMOL. Del árabe *al-qutn*.

algodonal s.m. Terreno plantado de plantas de algodón: *Los algodonales norteamericanos son unos de los más importantes en la producción mundial.*

algodonero, ra ▮ adj. **1** Del algodón o relacionado con esta planta: *industria algodonera.* ▮ s. **2** Persona que se dedica profesionalmente al cultivo o al comercio del algodón.

algodonoso, sa adj. Con las características que se consideran propias del algodón: *Las nubes algodonosas sobre cielo azul son características de los días claros.*

algonquino, na adj./s. De las tribus de indios norteamericanos que constituían un grupo por sus características comunes: *Las lenguas algonquinas fueron estudiadas por Bloomfield a principios del siglo XX.*

algoritmia s.f. Ciencia que estudia el cálculo aritmético y algebraico: *La algoritmia es una asignatura que estudié en informática.*

algorítmico, ca adj. Del algoritmo o relacionado con este concepto matemático: *Para hallar la solución de ese problema tienes que usar un procedimiento algorítmico.*

algoritmo s.m. **1** Conjunto ordenado de operaciones sistemáticas que permiten hallar la solución de un problema: *La multiplicación* 2×3 *se resuelve aplicando el algoritmo de las sumas sucesivas:* $2 + 2 + 2$. **2** Método y sistema de signos que sirven para expresar conceptos matemáticos: $ax + b = 0$ *es un algoritmo.* □ ETIMOL. Del árabe *al-Jwarizmi*, sobrenombre del matemático Mohámed ben Musa.

algoterapia s.f. Tratamiento terapéutico que se basa en la utilización de diferentes tipos de algas.

alguacil s.m. **1** Oficial del ayuntamiento que ejecuta los mandatos del alcalde: *El alguacil coloca los avisos, ordena el correo y vigila algunos lugares.* **2** En una corrida de toros, agente que está a las órdenes del presidente: *El alguacil estaba atento a las indicaciones del presidente.* □ ETIMOL. Del árabe *al-wazir* (el ministro). □ MORF. Se admite también el femenino *alguacila*.

alguacila s.f. de **alguacil**.

alguacililllo s.m. En una corrida de toros, cada uno de los dos alguaciles que abren el paseíllo a caballo, reciben del presidente las llaves del toril y entregan a los toreros las orejas y el rabo del toro cuando los han obtenido como trofeos: *El alguacililllo abrazó al torero cuando le entregó las dos orejas.*

alguien ▮ pron.indef. **1** Designa a una o varias personas, sin decir exactamente quiénes son: *Te ha llamado alguien, pero no ha dicho su nombre. ¿Lo sabe alguien más, o es un secreto entre tú y yo?* ▮ s.m. **2** *col.* Persona de cierta importancia: *Se cree alguien, y en realidad es un cero a la izquierda.* □ ETIMOL. Del acusativo latino *aliquem* (algún, alguien). □ MORF. Como pronombre no tiene diferenciación de género. □ SINT. La acepción 2 se usa más con los verbos *ser* y *creerse*.

algún indef. →**alguno.** □ MORF. 1. Apócope de *alguno* ante sustantivo masculino singular. 2. Se usa ante sustantivo femenino que empieza por *a* o por *ha* tónicas o acentuadas.

alguno, na indef. **1** Indica que la persona o cosa designadas son una cualquiera e indeterminada de entre varias: *¿Tienes algún amigo que se llame Anacleto? Vinieron algunos, pero no todos.* **2** Indica una medida indeterminada: *Ya han llegado al pueblo algunas cigüeñas. Dice que tiene treinta años, pero yo creo que se quita algunos.* □ ETIMOL. Del latín *aliquis* (alguien) y *unus* (uno). □ MORF. Como adjetivo masculino se usa la forma apocopada *algún* cuando precede a un sustantivo determinándolo. □ SEM. En frases negativas, pospuesto a un sustantivo, equivale a *ninguno* antepuesto: *No hay duda alguna de que me ama.*

alhaja s.f. **1** Objeto de adorno personal, hecho con piedras y metales preciosos. □ SINÓN. *joya.* **2** Lo que es de gran valía o tiene excelentes cualidades: *Cuida bien este libro antiguo, porque es una auténtica alhaja.* □ SINÓN. *joya.* □ ETIMOL. Del árabe *al-haya* (la cosa necesaria, el utensilio).

alharaca s.f. Demostración muy exagerada de algún sentimiento: *No entiendo tantas alharacas por una cosa tan tonta.* □ ETIMOL. Del árabe *al-haraka* (el movimiento). □ MORF. Se usa más en plural.

alhelí (tb. *alelí*) (pl. *alhelíes, alhelís*) s.m. **1** Planta de flores olorosas que se cultiva para adorno: *Los alhelíes eran ya cultivados en la antigua Grecia.* **2** Flor de esta planta: *Los alhelíes pueden ser de varios colores.* □ ETIMOL. Del árabe *al-jairi*.

alheña s.f. **1** Arbusto de hojas lisas, brillantes y con forma ovalada, que tiene las flores blancas y pequeñas y el fruto negro y redondeado: *La alheña se usa para formar setos en parques y jardines.* □ SINÓN. *aligustre, ligustro.* **2** Flor de este arbusto: *Las alheñas son olorosas.* **3** Polvillo que se obtiene al machacar las hojas de este arbusto después de secarlas al aire: *La alheña se usa para teñir.* □ ETIMOL. Del árabe *al-hinna'* (el ligustro). □ USO En la acepción 3, es innecesario el uso del arabismo *henna*.

alhóndiga s.f. Edificio público en el que se comerciaba con trigo y con otros cereales: *Las alhóndigas eran los antiguos mercados de granos.* □ ETIMOL. Del árabe *al-funduqa* (la posada, la alhóndiga).

aliáceo, a adj. Del ajo, con sus características, o relacionado con él: *Esta planta tiene un olor aliáceo.* □ ETIMOL. Del latín *alium* (ajo).

aliado, da adj./s. Referido esp. a un país, que se alió contra Alemania (país europeo) durante las guerras mundiales: *Los aliados vencieron en las dos guerras mundiales.*

aliadófilo, la ▮ adj. **1** De los partidarios de las tropas aliadas durante las guerras mundiales o relacionado con ellos: *Las ideas aliadófilas fueron perseguidas por el nazismo.* ▮ adj./s. **2** Que sigue o que defiende a los partidarios de las naciones que se aliaron contra Alemania (país europeo) durante las guerras mundiales: *Los aliadófilos no dudaron* *en prestar su ayuda para lograr el fin del nazismo.* □ ETIMOL. De *aliado* y *-filo* (amigo).

aliaga s.f. →**aulaga.** □ ETIMOL. De origen incierto.

aliancista adj.inv./s.com. Que forma parte de una alianza política o que es partidario de ella: *Los aliancistas del partido estaban de acuerdo con hacer pactos con otros partidos.*

alianza s.f. **1** Unión de personas o de colectividades para lograr algún fin común: *Estas reuniones han logrado crear una alianza entre nuestros dos países.* **2** Pacto o acuerdo entre las partes interesadas: *Los partidos en la oposición formaron alianza para las elecciones.* **3** Anillo de boda.

aliar v. Referido esp. a una persona, unirla con otra para alcanzar un fin común: *Este tratado alía a varios países de la zona. Todos los propietarios se aliaron para defender sus intereses.* □ ETIMOL. Del francés *allier* (juntar, aliar). □ ORTOGR. La *i* lleva tilde en los presentes, excepto en las personas *nosotros* y *vosotros* →GUIAR.

alias ▮ s.m. **1** Apodo o sobrenombre de una persona: *Hasta hoy no he sabido que su alias era 'Conejo'.* ▮ adv. **2** Por otro nombre o por apodo: *Han detenido a J. M. L., alias 'Pecholobo'.* □ ETIMOL. Del latín *alias* (de otro modo). □ MORF. En la acepción 1, su plural es *alias*.

alicaído, da adj. *col.* Muy débil, triste o desanimado: *No sé qué le pasará, pero está muy alicaída.* □ SINÓN. *aliquebrado.*

alicantino, na adj./s. De Alicante o relacionado con esta provincia española o con su capital: *El turrón alicantino tiene mucha fama.*

alicatado s.m. Revestimiento de azulejos: *El albañil todavía no me ha dado el presupuesto del alicatado del baño.*

alicatar v. Revestir o cubrir con azulejos: *Hemos alicatado la cocina con azulejos azules.* □ ETIMOL. Del árabe *al-qata'ra* (la pieza, la cortadura).

alicate s.m. Herramienta de metal compuesta de dos brazos curvados, que sirve para sujetar o cortar cosas delgadas: *Los alicates son parecidos a las tenazas, pero, además, sirven para cortar.* □ ETIMOL. Del árabe *al-liqat* (la tenaza). □ MORF. En plural tiene el mismo significado que en singular.

aliciente s.m. Atractivo, incentivo o estímulo que hace desear o hacer algo: *Para mí es un aliciente saber que tú también vas.* □ ETIMOL. Del latín *alliciens* (que atrae).

alicorto, ta adj. **1** Referido a un ave, que tiene las alas cortas o cortadas. **2** Referido a una persona, que tiene poca imaginación o escasas aspiraciones.

alícuota adj.inv. **1** Proporcional, o según una proporción: *Todos debemos asumir nuestra parte alícuota de responsabilidad.* **2** Referido a la parte de un todo, que está contenida un número exacto de veces en este: *Una parte alícuota respecto de 4 es 2.* □ ETIMOL. Del latín *aliquotus*, y este de *aliquot* (algunos, cierto número).

alien (ing.) adj.inv./s.com. →**alienígena.**

alienación s.f. **1** Pérdida de la propia identidad de una persona cuando adopta una actitud distinta a la que en ella resultaría natural: *La influencia de la televisión provoca en algunas personas un grado de alienación alarmante.* **2** En psiquiatría, pérdida, temporal o permanente, de la razón o la propia conciencia: *Las drogas lo habían dejado en un estado de alienación.* □ ORTOGR. Dist. de *alineación*.

alienante adj.inv. Que produce alienación: *No dejo ver a mis hijos ese tipo de programas televisivos porque creo que son alienantes.*

alienar v. **1** Producir alienación o la pérdida de la propia identidad: *Este trabajo me aliena porque no va con mi forma de ser.* **2** Referido a una persona, sacarla fuera de sí o trastornarle la razón o los sentidos: *La pasión deportiva lo aliena. No te dejes alienar por la ira.* □ SINÓN. *enajenar.* □ ETIMOL. Del latín *alienare*. □ ORTOGR. Dist. de *alinear*.

alienígena adj.inv./s.com. Que procede de otro planeta: *En esta novela de ciencia ficción, los alienígenas invaden la Tierra.* □ SINÓN. *extraterrestre.* □ ETIMOL. Del latín *alienigena*, y este de *alienus* (ajeno) y *genere* (engendrar, nacer). □ USO Es innecesario el uso del anglicismo *alien*.

alienista adj.inv./s.com. Psiquiatra o médico que se dedica al estudio y curación de las enfermedades mentales: *Mi prima trabaja como alienista en un psiquiátrico.*

aliento s.m. **1** Aire que sale de la boca al respirar: *Después de comer ajo, el aliento huele muy mal.* □ SINÓN. *hálito.* **2** Respiración, o aire que se respira: *He corrido tanto que ahora me falta el aliento.* **3** Vigor, energía o fuerza interior: *Está trabajando con mucho aliento.* **4** Inspiración, estímulo o apoyo: *Te he llamado para que me des aliento.* □ ETIMOL. Del latín **alenitus*, en vez de *anhelitus*.

alifafe s.m. Achaque o enfermedad generalmente leve: *Sigue con los alifafes de siempre, pero el médico ha dicho que no nos preocupemos.* □ ETIMOL. Del árabe *an-nafaj* (la hinchazón).

alifático, ca adj. Referido a un compuesto químico orgánico, que tiene una estructura molecular de cadena abierta: *&Referido a un compuesto químico orgánico,& que tiene una estructura molecular de cadena abierta.*

alifato (tb. *alefato*) s.m. Serie ordenada de las consonantes árabes, según un orden tradicional: *Los textos escritos en alifato no suelen llevar escritas las vocales.* □ ETIMOL. De *alif* (primera letra del alfabeto árabe).

aligátor (pl. *aligátores*) s.m. Reptil anfibio y carnívoro parecido al cocodrilo pero de menor tamaño y con el hocico más corto y redondeado, que habita fundamentalmente en los ríos y pantanos americanos: *El aligátor puede llegar a medir hasta cuatro metros de longitud.* □ SINÓN. *caimán.* □ ETIMOL. Del francés *alligator*, este del inglés *alligator*, y este del español *lagarto.* □ MORF. Es un sustantivo epiceno: *el aligátor {macho/hembra}.*

aligeramiento s.m. Disminución del peso o de la carga de algo: *El aligeramiento de la carga es necesario para que el barco pueda navegar con seguridad.*

aligerar v. **1** Hacer ligero o menos pesado: *Aligeraron el coche quitándole parte de la carga que llevaba.* **2** Hacer más moderado o más fácil de soportar: *Todos deseamos que nos aligeren los impuestos.* **3** Acelerar o aumentar la velocidad: *Aligera el paso, que está empezando a llover. Aligera, o no llegaremos nunca.*

alígero, ra adj. **1** *poét.* Que tiene alas: *Bellos seres alígeros surcaban los aires.* **2** *poét.* Muy rápido, veloz y ligero: *El alígero mensajero llevó a feliz término su importante misión.* □ ETIMOL. Del latín *aliger*, y este de *ala* (ala) y *gerere* (llevar).

aligustre s.m. Arbusto de hojas lisas, brillantes y de forma ovalada, que tiene las flores blancas y pequeñas y el fruto negro y redondeado: *Los aligustres pueden medir unos dos metros de altura.* □ SINÓN. *alheña, ligustro.* □ PRON. Incorr. *[alibústre].

alijar v. **1** Referido a la mercancía de una embarcación, descargarla: *Mientras unos alijábamos el pescado del barco, otros lo llevaban a la lonja.* **2** Referido a artículos de contrabando, transbordarlos de una embarcación a otra o desembarcarlos en tierra: *Estuvieron toda la noche alijando tabaco ilegal en la playa.* □ ETIMOL. Del francés *alléger* (aligerar). □ ORTOGR. Conserva la *j* en toda la conjugación.

alijo s.m. Conjunto de productos de contrabando: *Fueron detenidos en la frontera, cuando intentaban introducir ilegalmente un alijo de tabaco.*

alimaña s.f. **1** Animal que resulta perjudicial para la caza menor: *El zorro es considerado una alimaña.* **2** *col.* Persona despreciable o malvada. □ ETIMOL. Del latín *animalia* (bestias).

alimentación s.f. **1** Suministro de alimentos a un ser vivo: *Yo me encargaré de la alimentación del cachorro.* **2** Conjunto de lo que sirve de alimento: *una alimentación equilibrada.* **3** Suministro de lo necesario para que un mecanismo funcione: *Se ha estropeado la fuente de alimentación del ordenador y no funciona.* **4** Mantenimiento o sostén de algo que consume energía: *Falta madera para la alimentación del fuego.* **5** Fomento de algo, esp. de un determinado sentimiento: *Con eso solo consigue la alimentación enfermiza de su odio.*

alimentador, -a ▮ adj./s. **1** Que alimenta. ▮ s.m. **2** Parte de una máquina que da la energía necesaria para su funcionamiento: *Una batería eléctrica se puede utilizar como alimentador.*

alimentar v. **1** Referido a un ser vivo, proporcionarle alimento: *Un buen filete te alimentaría más que todas esas guarrerías. Las plantas se alimentan por las raíces.* **2** Referido esp. a un mecanismo, proporcionarle lo que necesita para seguir funcionando: *Esta batería alimenta todo el circuito. Este motor se alimenta con gasolina.* **3** Referido esp. al fuego, servir para mantenerlo o para sostenerlo: *Los troncos alimentan la hoguera.* **4** Referido esp. a un sentimiento, avivarlo o fomentarlo: *No alimentes mi desesperación con tu pesimismo.*

alimentario, ria adj. De la alimentación o relacionado con ella: *industria alimentaria.* □ SEM. Dist. de *alimenticio* (que alimenta).

alimenticio, cia adj. Que alimenta: *El caldo de gallina es muy alimenticio.* □ SEM. Dist. de *alimentario* (de la alimentación).

alimento s.m. **1** Lo que toman las personas y los animales para subsistir: *Ningún animal puede vivir sin alimentos.* □ SINÓN. *comida.* **2** Lo que sirve a los seres vivos o a sus células para nutrirlos y mantenerlos con vida: *Las plantas absorben su alimento a través de las raíces.* **3** Lo que sirve para mantener la existencia de algo: *Los escándalos son el alimento de las revistas sensacionalistas.* **4** ‖ **alimento balanceado;** en zonas del español meridional, pienso compuesto. ‖ **alimento funcional;** el que contiene componentes con efecto selectivo sobre alguna función del organismo y que aporta beneficios para la salud, por encima de su valor nutricional: *He leído que los alimentos funcionales pueden ser un complemento, pero no curan ni previenen enfermedades por sí solos.* □ ETIMOL. Del latín *alimentum*, y este de *alere* (alimentar).

alimoche s.m. Ave rapaz parecida al buitre, pero de menor tamaño, que tiene el plumaje blanquecino, la cabeza y el cuello cubiertos de plumas, y el pico amarillo: *En estas peñas anidan buitres y algún alimoche.* □ SINÓN. *abanto.* □ MORF. Es un sustantivo epiceno: *el alimoche {macho/hembra}.*

alimón ‖ **al alimón;** En colaboración o conjuntamente: *Este trabajo lo hemos hecho los dos al alimón.* □ ETIMOL. De *alalimón*, comienzo del estribillo que se cantaba en un juego de muchachos.

alindamiento s.m. Colocación de las líneas o bordes que delimitan un terreno: *El alindamiento de la finca se realizó ante notario.*

alindar v. Referido a un terreno, poner o colocar líneas que lo delimiten: *Debemos alindar bien esta tierra, si no queremos que sus límites se confundan con los de las tierras vecinas.*

alineación s.f. **1** Colocación en línea recta: *Los soldados desfilaron en perfecta alineación.* □ SINÓN. *alineamiento.* **2** Inclusión de un jugador en un equipo deportivo para disputar un determinado encuentro: *La alineación del delantero titular es dudosa, porque está lesionado.* □ SINÓN. *alineamiento.* **3** Conjunto de jugadores que forman un equipo deportivo para un determinado partido, ordenados según su puesto o su función: *El entrenador todavía no ha decidido la alineación del domingo.* **4** Unión o relación con una tendencia política o ideológica: *Tras la crisis económica, se produjo la alineación de los países europeos con Estados Unidos.* □ SINÓN. *alineamiento.* □ ORTOGR. Dist. de *alienación*.

alineamiento s.m. →**alineación.**

alinear ▮ v. **1** Poner en línea recta: *La profesora alineó a sus alumnos antes de entrar en el comedor. Los soldados se alinearon delante de la bandera.* **2** Referido a un jugador, incluirlo en un equipo deportivo para un determinado partido: *El entrenador ha alineado a varios jugadores reservas.* ▮ prnl. **3** Relacionarse o asociarse con una tendencia, esp. política o ideológica: *Los países europeos se alinearon con Estados Unidos.* □ PRON. Aunque la pronunciación correcta es la que acentúa la *e* [alinéo, alinéas...], está muy extendida la pronunciación [alíneo, alíneas...], por influencia de la palabra *línea*. □ ORTOGR. Dist. de *alienar*.

aliñar v. **1** Referido a un alimento, condimentarlo o sazonarlo, generalmente con sal, aceite o especias: *Las ensaladas suelen aliñarse con sal, aceite y vinagre.* □ SINÓN. *aderezar*. **2** Arreglar con adornos: *Aliñó la historia con algunas anécdotas no del todo ciertas.* □ SINÓN. *aderezar*. □ ETIMOL. Del latín *ad*, y *lineare* (poner en línea, en orden).

aliño s.m. **1** Condimentación de un alimento con sal y otros ingredientes: *No me gusta el aliño que le has hecho a este guiso.* **2** Conjunto de ingredientes con los que se aliña un alimento: *Cuando tengas preparado el aliño, échaselo a las lentejas.* **3** Arreglo y aseo, esp. en la forma de vestir de las personas: *Cuida un poco tu aliño, que pareces un pordiosero.*

alioli s.m. Salsa hecha con ajos machacados y aceite. □ SINÓN. *ajiaceite, ajoaceite.* □ ETIMOL. Del catalán *all* (ajo) y *oli* (aceite).

alípede adj.inv. *poét.* →**alípedo.**

alípedo, da adj. *poét.* Con alas en los pies: *En la mitología romana, Mercurio se representaba como una figura alípeda.* □ SINÓN. *alípede.* □ ETIMOL. Del latín *alipes*, y este de *ala* (ala) y *pes* (pie).

aliquebrado, da adj. *col.* Muy débil, triste o desanimado: *Pasé unos días mustia y aliquebrada, sin ganas de nada.* □ SINÓN. *alicaído.*

aliquebrar v. Quebrar las alas: *Hoy me siento triste y desanimado, como un pájaro al que hubiesen aliquebrado privándolo de libertad.* □ MORF. Irreg. →PENSAR.

alirón interj. **1** Expresión que se usa para indicar alegría por una victoria deportiva: *El público cantaba: «¡Alirón! ¡Alirón! Nuestro equipo es campeón».* **2** ‖ **{cantar/entonar} el alirón;** celebrar que un equipo ha quedado el primero en una competición deportiva: *Aunque el campeonato todavía no ha terminado, llevamos tanta ventaja que ya podemos entonar el alirón.* □ ETIMOL. De la primera palabra de un himno deportivo.

alisado s.m. →**alisamiento.**

alisal s.m. →**alisar.**

alisamiento s.m. Hecho de poner liso: *Después de asfaltar la carretera, la apisonadora se encarga del alisamiento del firme.* □ SINÓN. *alisado.*

alisar ▌s.m. **1** Terreno poblado de alisos: *A la salida del pueblo hay un alisar por el que me gusta pasear.* □ SINÓN. *aliseda.* ▌v. **2** Poner liso: *No he planchado bien la camisa, pero al menos la he alisado un poco.* **3** Referido al pelo, ponerlo liso pasando el peine o la mano: *Se miró en el espejo y se alisó un poco el pelo.* □ ORTOGR. En la acepción 1, se admite también *alisal*.

aliseda s.f. Terreno poblado de alisos: *A la orilla del río hay una aliseda muy frondosa.* □ SINÓN. *alisar.*

alisios s.m.pl. →**vientos alisios.**

aliso s.m. **1** Árbol de copa redonda, hojas ligeramente viscosas, flores blancas y frutos pequeños y rojizos. **2** Madera de este árbol: *El aliso se usa en la construcción de instrumentos musicales.* □ ETIMOL. De origen incierto.

alistamiento s.m. Inscripción en la lista de nuevos soldados pertenecientes al ejército.

alistar ▌v. **1** Referido a una persona, inscribirla o anotarla en una lista: *Ya me he alistado para el viaje de fin de curso.* **2** En zonas del español meridional, preparar: *Me alisté para salir de viaje.* ▌prnl. **3** Enrolarse en el ejército: *Se alistó como voluntario.* □ ETIMOL. De *lista*.

aliteración s.f. Figura retórica que consiste en la repetición de una serie de sonidos semejantes en una palabra o en un enunciado: *Es famosa la aliteración en 's' de los versos de Garcilaso 'En el silencio solo se escuchaba / un susurro de abejas que sonaba'.* □ ETIMOL. Del latín *ad* (a), y *littera* (letra).

aliviadero s.m. En un embalse, en una canalización o en otro tipo de depósito, vertedero o desagüe de aguas sobrantes, que evita su desbordamiento: *Esos agujeros debajo del grifo del lavabo son aliviaderos.* □ SINÓN. *escorrentía.*

aliviar ▌v. **1** Aligerar o hacer menos pesado: *Deberías aliviar un poco la carga de esa estantería, si no quieres que se venga abajo.* **2** Referido esp. a una persona, quitarle la carga o el peso anímico que soporta: *Me alivia mucho saber que me comprendes.* **3** Referido esp. a una enfermedad o a un padecimiento, disminuirlos, suavizarlos o hacerlos menos fuertes: *Intentar aliviar las penas con la bebida es un error.* **4** Referido al cuerpo o a uno de sus órganos, descargarlos de elementos superfluos: *Los laxantes ayudan a aliviar el vientre.* **5** Darse prisa en algo: *Como no alivies, no llegarás a tiempo.* ▌prnl. **6** Mejorar o sanar de una enfermedad: *Se va aliviando de la gripe.* □ ETIMOL. Del latín *alleviare* (aligerar). □ ORTOGR. La *i* nunca lleva tilde.

alivio s.m. **1** Aligeramiento o disminución de la carga o del peso que se soportan, esp. si son de carácter anímico: *Es un alivio saber que no fue mía la culpa.* **2** Disminución de la intensidad de una enfermedad o de un padecimiento: *Sus nietos son el mejor alivio para su soledad.* **3** Disminución del rigor en las señales externas de duelo, esp. en el color de la ropa, una vez transcurrido el tiempo de luto riguroso: *Hasta que no pasaron dos años desde la muerte de su padre, no empezó a vestirse de alivio.*

alizarina s.f. Colorante obtenido de la raíz de la rubia, y que se usa generalmente para teñir tejidos.

aljaba s.f. Especie de caja, generalmente en forma de tubo, provista de una cuerda o de una correa para colgársela al hombro, y que sirve para llevar flechas: *Los arqueros cogieron flechas de sus aljabas y empezaron a disparar.* □ SINÓN. *carcaj.* □ ETIMOL. Del árabe *al-ya'ba*.

aljama s.f. **1** Edificio destinado al culto judío. □ SINÓN. *sinagoga.* **2** Edificio destinado al culto musulmán. □ SINÓN. *mezquita.* **3** Barrio habitado por judíos o por musulmanes: *Algunas aljamas judías tenían sinagoga, escuela y baños públicos.* □ ETIMOL. Las acepciones 1 y 3, del árabe *al-yama'a* (la congregación). La acepción 2, del árabe *al-yami'* (la mezquita con sermón los viernes).

aljamía s.f. **1** En la Edad Media, entre moriscos o musulmanes, lengua romance peninsular: *El califa pidió un intérprete para poder entender la aljamía del prisionero castellano.* **2** Texto en castellano, transcrito con caracteres árabes o hebreos: *Los primeros textos escritos en aljamía son del siglo XII.* □ ETIMOL. Del árabe *al-'ayamiyya* (la lengua extranjera, no árabe).

aljamiado, da adj. Referido a un texto en castellano, que está en castellano pero transcrito con caracteres árabes: *Las jarchas medievales son un ejemplo de literatura aljamiada.*

aljez s.m. Mineral de yeso. □ ETIMOL. Del árabe *algiss.*

aljibe s.m. **1** Depósito, generalmente subterráneo, donde se recoge y almacena el agua de lluvia o la que se lleva de algún río o manantial. **2** Depósito destinado al transporte de un líquido: *Utilizan un camión aljibe para regar las calles.* □ ETIMOL. Del árabe *al-yubb* (el pozo). □ SINT. En la acepción 2, se usa en aposición, pospuesto a un sustantivo: *buque aljibe.*

aljófar s.m. Perla pequeña y de forma irregular, o conjunto de ellas: *En el siglo XIX, los collares de aljófar eran muy apreciados.* □ ETIMOL. Del árabe *al-ŷawhar* (la perla).

aljofifa s.m. Pedazo de paño basto y generalmente de lana que se usa para fregar el suelo: *En mi pueblo, todavía friegan el suelo con aljofifa.* □ ETIMOL. Del árabe *al-yaffafa* (lo que enjuga).

allá adv. **1** En o hacia aquel lugar o posición: *Vivo allá lejos. Allá va tu hermano con la moto.* **2** En un tiempo pasado: *Allá en los años veinte, el charlestón era el baile de moda.* **3** Seguido de un pronombre personal, indica una actitud desinteresada del hablante hacia algo que considera que no le atañe: *Allá él con sus mentiras, yo no voy a preocuparme por eso.* **4** || **el más allá;** lo que hay después de la muerte: *Distintas religiones afirman la existencia de una vida en el más allá.* || **no muy allá;** no excesivamente bien, o no muy bueno: *Todavía no estoy muy allá de la gripe. La comida de ese restaurante no es muy allá, pero el lugar es muy agradable.* || **y lo de más allá;** expresión que se utiliza para dar por concluida la enumeración de una serie indefinida de algo: *Dijo que yo era esto, aquello y lo de más allá.* □ ETIMOL. Del latín *illac* (por allá). □ SINT. Incorr. *Vamos (*a allá > allá).*

allanamiento s.m. **1** Conversión de algo, esp. de un terreno, en llano o en plano. **2** Eliminación de los obstáculos de un camino o de un lugar de paso, de forma que queden transitables. **3** Superación o vencimiento de una dificultad o de un inconveniente: *Su asesoramiento hizo posible el allanamiento de todos los problemas.* **4** Entrada que se hace en una casa ajena, contra la voluntad de su dueño: *allanamiento de morada.* **5** En zonas del español meridional, registro policial: *Los carabineros realizaron varios allanamientos.*

allanar v. **1** Poner llano o plano: *Las apisonadoras allanaron el terreno antes de asfaltarlo.* □ SINÓN. *aplanar.* **2** Referido esp. a un camino, dejarlo libre de obstáculos y transitable: *Los hermanos mayores suelen allanar el camino a los más pequeños en sus relaciones con los padres.* **3** Referido a una dificultad o a un inconveniente, superarlos, vencerlos o solucionarlos: *Los años y la experiencia ayudan a allanar los problemas.* **4** Referido a una casa ajena, entrar en ella contra la voluntad de su dueño: *Los detuvieron por allanar el domicilio del magistrado.*

allegado, da adj./s. Referido a una persona, que tiene con otra una relación cercana o estrecha de parentesco, amistad, confianza o trato: *Al entierro solo acudieron los familiares más allegados.*

allegar ▌v. **1** Recoger, reunir o juntar: *Cuanto más dinero alleguemos en la colecta, a más necesidades podremos atender.* **2** Arrimar, acercar o poner junto a otra cosa: *Allega la silla a la mesa, por favor.* ▌prnl. **3** Adherirse o mostrarse de acuerdo con una decisión o con una idea: *Aunque no podré asistir a la reunión, me allego a todo lo que decidáis.* □ ETIMOL. Del latín *applicare* (acercar). □ ORTOGR. La *g* se cambia en *gu* delante de *e* →PAGAR. □ SINT. Constr. de la acepción 3: *allegarse* A *algo.*

allegro (it.) s.m. →**alegro.** □ PRON. [alégro].

allende prep. Más allá de, o en la parte de allá de: *Allende los mares, siempre es posible la aventura.* □ ETIMOL. Del latín *illinc* (de allí). □ USO Su uso es característico del lenguaje literario.

allí adv. **1** En o a aquel lugar o posición: *Voy allí, a la vuelta de la esquina. Te voy a buscar y estaré allí a las cinco.* **2** Entonces, en un período de tiempo alejado o en tal ocasión: *El público empezó a arrojar objetos al campo, y allí se terminó el partido.* □ ETIMOL. Del latín *illic.* □ SINT. Incorr. *Vamos (*a allí > allí).*

all right (ing.) || Expresión que se usa para indicar asentimiento o conformidad. □ PRON. [olráit], con *r* suave. □ USO Su uso es innecesario y puede sustituirse por *de acuerdo.*

all-star (ing.) s.com. Deportista de élite que destaca en un deporte. □ PRON. [olstár].

alma s.f. **1** En una persona, parte espiritual e inmortal, capaz de entender, querer y sentir, y que, junto con el cuerpo, constituye su esencia humana: *El sacerdote rogó una oración por el alma del difunto.* **2** Viveza, interés o energía en lo que se hace: *Lo intentó con toda su alma y lo consiguió.* **3** Lo que anima, da fuerza y aliento, o actúa como impulsor: *Con ese carácter tan abierto y divertido, es el alma de todas las fiestas.* **4** Persona considerada como individuo, esp. como habitante de una población: *La gente fue emigrando hasta que no quedó un alma en la aldea.* **5** || **alma de Dios;** persona muy bondadosa y sencilla. || **alma en pena; 1** La que padece en el purgatorio o anda errante entre los vivos sin encontrar reposo definitivo. **2** Persona que anda sola, triste y melancólica. || **caérsele** a alguien **el alma a los pies;** *col.* Abatirse o desanimarse como consecuencia de una decepción, por no ser la realidad como se esperaba o deseaba: *Cuando me enteré de que me había mentido, se me cayó el alma a los pies.* || **como alma que lleva el diablo;** *col.* Referido esp. a la forma de irse, con gran velocidad y con precipitación o nerviosismo: *Cuando vi en qué antro me había metido, salí de allí como alma que lleva el diablo.* || **con el alma en un hilo;** *col.* Preocupado o nervioso por temor de algún riesgo o problema: *Hasta que no sepa los resultados de los análisis, estoy con el alma en un hilo.* || **{dar/entregar} el alma (a Dios);** *euf.* morir. || **en el alma;** referido a la forma de experimentar o de expresar un sentimiento, entrañable o profundamente: *Te agradezco en el alma que estés conmigo en momentos tan difíciles.* || **llegar al alma** o **tocar en el alma;** afectar con gran intensidad: *Aquel detalle tan amable que tuviste conmigo me llegó al alma.* || **llevar en el alma** a alguien; *col.* Quererlo entrañablemente: *Sabes que te llevo siempre en el alma.* || **partir el alma;** causar gran dolor, tristeza o sufrimiento: *Me parte el alma verte llorar así.* □ ETIMOL. Del latín *anima* (aire, aliento, alma). □ MORF. Por ser un sustantivo femenino que empieza por *a* tónica o acentuada, va precedido de *el*, *un*, *algún*, *ningún* y de las formas femeninas del resto de los determinantes. □ USO En expresiones como *alma mía* o *mi alma*, se usa como apelativo: *Es que ya no puedo vivir sin ti, alma mía.*

almacén s.m. **1** Local donde se guardan o depositan mercancías: *Tenemos que ordenar el almacén, porque ya no sabemos qué hay allí guardado.* **2** Local o establecimiento donde se venden productos, generalmente al por mayor: *Han abierto un almacén de zapatos al lado de casa.* **3** En zonas del español meridional, tienda de comestibles: *Compré pan y lentejas en el almacén de la esquina.* **4** || **grandes almacenes;** establecimiento de grandes dimensiones, dividido en secciones, y en el que se venden al por menor productos de todo tipo: *Lo bueno de los grandes almacenes es que puedes comprar de todo en el mismo sitio.* □ ETIMOL. Del árabe *al-majzan* (el depósito).

almacenaje s.m. →**almacenamiento.**

almacenamiento s.m. **1** Acción de guardar o de poner en un almacén: *Para el almacenamiento de grano, se utilizan lugares secos.* □ SINÓN. *almacenaje.* **2** Reunión o conservación de cosas en gran cantidad: *Los embalses permiten el almacenamiento de agua.* □ SINÓN. *almacenaje.* **3** En informática, introducción de datos o de información en el disco de un ordenador o en la unidad adecuada para almacenarlos. □ SINÓN. *almacenaje.*

almacenar v. **1** Guardar o poner en un almacén: *La tienda cuenta con un local para almacenar mercancías que luego se irán poniendo a la venta.* **2** Reunir o guardar en gran cantidad: *Durante el verano, las hormigas almacenan comida para el invierno.* **3** En informática, referido a un dato o a una información, introducirlos en el disco de un ordenador o en su unidad de almacenamiento: *Una vez que hayas almacenado todos los datos, podrás dar órdenes al ordenador para que los analice.*

almacenista s.com. Propietario de un almacén o persona que se dedica profesionalmente a la venta de mercancías en un almacén: *Las tiendas suelen comprar sus productos al por mayor a los almacenistas.*

almáciga s.f. **1** Lugar en el que se siembran semillas para trasplantar las plantas cuando nazcan: *Las almácigas son terrenos fértiles, muy soleados y protegidos contra el viento.* □ SINÓN. *semillero, plantario.* **2** Resina clara, amarillenta y aromática, que se obtiene de una variedad de lentisco: *La almáciga se usa para barnices en odontología.* □ ETIMOL. La acepción 1, de origen incierto. La acepción 2, del árabe *al-mastika*, y este del griego *mastíkhe.*

almádena s.f. Mazo de hierro con un mango largo, que sirve para partir piedras: *Estuve a punto de sufrir un accidente cuando se me rompió el mango de la almádena.* □ ETIMOL. Del árabe *al-mi'dana* (el instrumento para piedras).

almadía s.f. →**armadía.** □ ETIMOL. Del árabe *al-ma'diya* (la barca que sirve para que pasen hombres y animales).

almadraba s.f. **1** Pesca de atunes: *Muchos pueblos pesqueros de esta zona viven de la almadraba.* **2** Red o cerco de redes que se utilizan en esa pesca: *Los pescadores revisan y remiendan sus almadrabas antes de salir de nuevo a faenar.* □ ETIMOL. Del árabe *al-madraba* (el golpeadero).

almadreña s.f. Calzado de madera de una sola pieza, propio de los campesinos: *En muchas regiones húmedas, los campesinos siguen utilizando almadreñas.* □ SINÓN. *madreña, zueco.* □ ETIMOL. Del artículo árabe *al*, y *madreña.*

almagra s.f. →**almagre.**

almagre s.m. Óxido de hierro, de color rojo, más o menos arcilloso: *El almagre se usa mucho en pintura para obtener colores rojizos.* □ SINÓN. *almagra.* □ ETIMOL. Del árabe *al-magra* (la tierra roja).

alma máter (pl. *alma máter*) s.f. || Lo que anima o actúa como impulsor o fuente de vitalidad de algo: *La directora de la orquesta es su verdadera alma máter.* □ ETIMOL. Del latín *alma mater* (madre nutricia). □ MORF. Incorr. *{*el > la} alma máter.*

almanaque s.m. Registro de los días del año distribuidos en meses y semanas, con indicaciones sobre las festividades y otras informaciones de tipo astronómico: *Todos los días por la mañana, arranco del almanaque la hoja del día anterior.* □ SINÓN. *calendario.* □ ETIMOL. Del árabe *al-manaj*, y este del latín *manachus* (círculo de los meses).

almazara s.f. Molino o fábrica donde se extrae aceite de las aceitunas: *Descargaron las aceitunas en la almazara para triturarlas con la prensa.* □ ETIMOL. Del árabe *al-ma'sara* (el lugar de exprimir).

almeja s.f. **1** Molusco marino de carne comestible, que vive encerrado en una concha de forma ovalada y en aguas poco profundas. **2** *vulg.malson.* →**vulva.** □ ETIMOL. De origen incierto.

almena s.f. En las antiguas fortalezas, cada uno de los prismas que, separados entre sí por un espacio, rematan sus muros: *Los defensores del castillo se protegían de las flechas enemigas refugiándose tras las almenas.* □ ETIMOL. Del artículo árabe *al*, y el latín *minae* (almenas).

almenara s.f. **1** Fuego que se encendía en las atalayas y otros sitios elevados, para avisar de algún peligro: *El vigía encendió una almenara para prevenir a la población del desembarco pirata.* **2** Soporte en el que se colocaban teas encendidas para alumbrar algún lugar: *Las almenaras solían ser de hierro.* □ ETIMOL. Del árabe *al-manara* (el lugar de la luz).

almendra s.f. **1** Fruto del almendro, de forma ovalada y con una cáscara dura que recubre la semilla. **2** Semilla de este fruto, comestible y muy sabrosa: *Nos pusieron almendras y otros frutos secos de aperitivo.* **3** Semilla de cualquier fruto con hueso. □ ETIMOL. Del latín *amygdala*.

almendrado, da ▌adj. **1** Con forma semejante a la de una almendra. ▌s.m. **2** Dulce hecho con almendras, harina y miel o azúcar. **3** Helado que está cubierto de chocolate con almendras.

almendrero s.m. **1** →**almendro.** **2** Plato o recipiente en el que se sirven las almendras: *Pon las almendras en ese almendrero de cristal y sácalas a la mesa.*

almendro s.m. Árbol de hasta ocho metros de altura, de madera muy dura, flores blancas o rosáceas, y cuyo fruto es la almendra: *Los almendros florecen en enero o febrero.* □ SINÓN. *almendrero.* □ ETIMOL. Del latín *amygdalus*.

almendruco s.m. Fruto del almendro que aún no ha madurado del todo: *Los almendrucos tienen una cubierta verde por encima de la cáscara.*

almeriense adj.inv./s.com. De Almería o relacionado con esta provincia española o con su capital: *Cuando viajé por Andalucía conocí la costa almeriense.*

almez s.m. Árbol de la familia de las ulmáceas, con tronco derecho, copa ancha y hojas lanceoladas y dentadas de color verde oscuro: *En este parque hay muchos almeces de más de doce metros de altura.*

almiar s.m. Pajar descubierto, con un palo en el centro alrededor del cual se van amontonando la paja o el heno: *Antes, en verano se veían muchos almiares en las eras.* □ ETIMOL. Del árabe *al-* y del latín *metalis*, de *meta* (haces de paja).

almíbar s.m. Líquido dulce que se obtiene cociendo agua con azúcar hasta que la mezcla adquiere consistencia de jarabe: *melocotón en almíbar.* □ ETIMOL. Del árabe *al-maiba*.

almibarado, da adj. Referido a una persona o a su forma de hablar, que son excesivamente dulces, amables y complacientes: *Preferiría que fueses menos almibarado y más directo cuando hablas conmigo.*

almibarar v. **1** Bañar o cubrir con almíbar: *Voy a almibarar estas peras, para que no se estropeen.* **2** Referido a algo que se dice a alguien, suavizarlo extremadamente para ganarse la voluntad de esa persona: *No almibares tanto tus palabras y háblame claro y con franqueza.*

almidón s.m. Hidrato de carbono que se encuentra como sustancia de reserva en casi todos los vegetales, esp. en las semillas de los cereales: *El arroz contiene mucho almidón.* □ ETIMOL. Del artículo árabe *al*, y el latín *amylum*.

almidonado, da ▌adj. **1** Referido esp. a un tejido, planchado con almidón: *una camisa almidonada.* **2** *col.* Referido esp. a una persona, que viste con mucho acicalamiento: *una persona almidonada.* ▌s.m. **3** Aplicación de almidón sobre una prenda: *el almidonado de la ropa.*

almidonar v. Referido a una ropa, mojarla en agua con almidón para que quede tiesa y con más consistencia: *Antes era muy normal almidonar los cuellos de las camisas.*

almimbar s.m. Púlpito de una mezquita: *El imán dirige la oración de los fieles desde el almimbar.* □ SINÓN. *mimbar.* □ ETIMOL. Del árabe *almimbar* (el púlpito). □ SEM. Dist. de *alminar* (torre de una mezquita).

alminar s.m. En una mezquita, torre desde la que el almuédano convoca a los musulmanes a la oración: *La Giralda de Sevilla, hoy torre campanario de la catedral, era el alminar de la antigua mezquita.* □ SINÓN. *minarete.* □ ETIMOL. Del árabe *al-manar* (el faro). □ SEM. Dist. de *almimbar* (púlpito de una mezquita).

almirantazgo s.m. **1** En la Armada, empleo, cargo o dignidad del almirante: *Históricamente, el almirantazgo tuvo gran importancia.* **2** Alto tribunal o consejo de la Armada: *En algunos países, el almirantazgo resuelve los asuntos relacionados con la Marina.*

almirante s.com. **1** En la Armada, persona cuyo empleo militar es superior al de vicealmirante e inferior al de capitán general. **2** En la Armada, categoría militar superior a la de jefe: *Almirante es la categoría formada por contraalmirante, vicealmirante, almirante y capitán general.* □ ETIMOL. Del antiguo *amirate*, y este del árabe *amir* (jefe).

almirez s.m. Recipiente semejante a un vaso, pequeño y de metal, que sirve para machacar o moler en él algunas sustancias: *Coge el almirez y machácame unos ajos.* □ ETIMOL. Del árabe *al-mihras* (el instrumento para machacar). □ MORF. Incorr. su uso como femenino: {*la > el} almirez. □ SEM. Dist. de *mortero* (de cualquier tamaño y material).

almizclado, da adj. Con olor a almizcle: *Este nuevo perfume tiene un aroma floral y almizclado.*

almizcle s.m. Sustancia grasa y de olor muy intenso, que segregan ciertas glándulas de algunos mamíferos: *El almizcle es muy utilizado en cosmética y perfumería.* □ ETIMOL. Del árabe *al-misk*.

almizcleño, ña adj. Que huele a almizcle: *Los perfumes almizcleños suelen ser muy fuertes y tardan mucho en desaparecer.*

almizclero s.m. Mamífero rumiante, parecido a un ciervo, sin cuernos y con una glándula en su vientre que segrega almizcle: *El almizclero vive en las montañas de Asia central.* □ MORF. Es un sustantivo epiceno: *el almizclero {macho/hembra}.*

almogávar s.m. En la época medieval, soldado esp. preparado para atacar por sorpresa y adentrarse en tierras enemigas: *Los almogávares fueron muy empleados por la Corona de Aragón a finales del siglo XIII y principios del XIV.* □ ETIMOL. Del árabe *al-mugawir* (el que hace algaras).

almohada s.f. **1** Pieza de tela rellena de un material blando y mullido, que sirve para apoyar en ella la cabeza, esp. en la cama: *La enfermera mulló la almohada al enfermo, para que estuviese más cómodo.* **2** Funda de tela en la que se mete esta pieza: *Quiero un juego de sábanas con dos almohadas pequeñas en vez de una grande.* □ SINÓN. *almohadón.* **3** || **consultar** algo **con la almohada;** *col.* Tomarse todo el tiempo necesario para pensar sobre ello y decidir con tranquilidad: *Le he dicho que mañana le daré la respuesta definitiva, porque antes tengo que consultarlo con la almohada.* □ ETIMOL. Del árabe *al-mujadda* (el lugar en que se apoya la mejilla).

almohadazo s.m. Golpe dado con una almohada: *Empezaron a pelearse a almohadazos y se soltaron las plumas de las almohadas.*

almohade adj.inv./s.com. De una antigua dinastía musulmana que reinó en el norte de África (uno de los cinco continentes) y en el sur de España durante los siglos XII y XIII, o relacionado con ella: *Los almohades fueron derrotados en la batalla de las Navas de Tolosa en 1212.* □ ETIMOL. Del árabe *al-muwahhid* (el monoteísta, el unificador).

almohadilla s.f. **1** Cojín pequeño que se coloca sobre un asiento duro para estar más cómodo sentado, generalmente en un espectáculo público. **2** En algunos animales, masa de tejido con fibras y grasa que se encuentra en las puntas de las falanges o en la planta del pie y que los protege de golpes y de roces: *Levántele la pata al perro, que le voy a quitar la espina que tiene clavada en la almohadilla.* **3** En algunos objetos, parte, generalmente acolchada, que sirve como apoyo o como protección para evitar un daño o una rozadura: *Estas gafas me hacen daño porque se me clavan las almohadillas en la nariz.* **4** Signo gráfico formado por dos líneas paralelas cortadas por otras dos: *El signo # es una almohadilla.* **5** En zonas del español meridional, acerico: *Clavó los alfileres en la almohadilla.* **6** En zonas del español meridional, tampón de tinta: *Entinté el sello en la almohadilla.*

almohadillado, da adj./s.m. En arquitectura, con sillares que sobresalen por tener los bordes labrados de forma oblicua: *La fachada almohadillada es un elemento decorativo en algunos edificios renacentistas.*

almohadillar v. **1** Poner lana, algodón u otras materias blandas entre dos telas que después se cosen unidas: *He almohadillado los agarradores de la cocina para que sean más resistentes.* □ SINÓN. *acolchar.* **2** En arquitectura, labrar los sillares para que sobresalgan, por medio del corte oblicuo de sus bordes: *En el Renacimiento se almohadillaban las fachadas con fines ornamentales.*

almohadillazo s.m. Golpe dado con una almohadilla, esp. el que se da arrojándola: *Cuando anuló el gol, el árbitro recibió varios almohadillazos.*

almohadillero, ra s. Persona que se dedica a alquilar almohadillas a los asistentes a ciertos espectáculos: *Los domingos trabajo de almohadillero en el estadio de fútbol.*

almohadón s.m. **1** Pieza de tela, generalmente de forma cuadrada, rellena de un material blando y mullido, que sirve para sentarse encima, recostarse o apoyar los pies en él: *¿Quieres un almohadón para la espalda?* **2** Funda de tela en la que se mete la almohada: *Al meter las sábanas en la lavadora, se me ha olvidado meter también el almohadón.* □ SINÓN. *almohada.*

almohaza s.f. Utensilio formado por una chapa de hierro con varias filas de dientes, que se utiliza para limpiar las caballerías. □ ETIMOL. Del árabe *almuhassa.*

almohazar v. Referido a una caballería, limpiarla con la almohaza: *Después de montar, almohazó a su yegua.* □ ORTOGR. La *z* se cambia en *c* delante de *e* →CAZAR.

almóndiga s.f. →**albóndiga.**

almoneda s.f. **1** Venta de objetos en subasta pública, esp. si son objetos usados y que se anuncian a bajo precio: *Las almonedas tienen su origen en la venta del botín que conseguían los soldados.* **2** Establecimiento en el que se realiza este tipo de venta: *En las almonedas suelen entender mucho de antigüedades.* □ ETIMOL. Del árabe *al-munada* (el pregón).

almorávide adj.inv./s.com. De una antigua dinastía musulmana, de origen bereber, que dominó el norte de África (uno de los cinco continentes) y gran parte de la península Ibérica durante el siglo XI y parte del XII: *En el siglo XI, los almorávides invadieron y dominaron toda la España árabe.* □ ETIMOL. Del árabe *al-murabit* (el religioso en una rábida, que era una fortaleza militar religiosa).

almorrana s.f. Pequeño tumor sanguíneo que se forma en el ano o en la parte final del recto por una excesiva dilatación de las venas en esa zona: *Ha ido al médico porque padece de almorranas.* □ SINÓN. *hemorroide.* □ ETIMOL. Del latín **haemorrheuma*, y este del griego *hâima* (sangre) y *rhêuma* (flujo).

almorrón s.m. Pequeño montículo de tierra que se levanta en terrenos cultivados y se destina a diversos usos: *El puesto de caza se hallaba camuflado en un almorrón.* □ SINÓN. *caballón.*

almorta s.f. **1** Planta herbácea con el tallo ramoso, hojas en forma de punta de lanza, flores moradas y blancas y cuyo fruto es una legumbre: *La almorta es una planta originaria de España.* ☐ SINÓN. *guija, muela, tito.* **2** Fruto o semilla de esta planta: *La harina de almorta puede producir parálisis en las piernas, por lo que se ha declarado que no es apta para el consumo humano.* ☐ SINÓN. *guija, muela, tito.*

almorzar v. Tomar el almuerzo o tomar como almuerzo: *A media mañana hacemos una parada en el trabajo para almorzar. He almorzado sopa de primero y pescado de segundo.* ☐ ORTOGR. La *z* se cambia en *c* delante de *e*. ☐ MORF. Irreg. →FORZAR.

almuecín s.m. →**almuédano.** ☐ ETIMOL. Quizá del francés *muezzin*.

almuédano s.m. Musulmán que, desde el alminar o torre de la mezquita, convoca en voz alta a los fieles musulmanes para que acudan a la oración: *En el atardecer, se oyó la voz del almuédano.* ☐ SINÓN. *muecín, almuecín.* ☐ ETIMOL. Del árabe *al-mu'addin* (el que llama a la oración).

almuercería s.f. En zonas del español meridional, establecimiento donde se preparan y se sirven comidas, y que se encuentra generalmente en un mercado o en la calle.

almuercero, ra s. En zonas del español meridional, persona que atiende una almuercería o que trabaja en ella.

almuerzo s.m. **1** Comida principal del día, que se hace a mediodía. **2** Comida, generalmente ligera, que se hace a media mañana o al comenzar el día. **3** Alimento que se toma en estas comidas: *Después de tomar el almuerzo se echa la siesta.* ☐ ETIMOL. Del latín **admordium*, y este de *admordere* (morder ligeramente).

almunia s.f. Lugar cercado en el que se cultivan alimentos o se crían animales: *Toda la familia trabaja en la almunia cuidando las hortalizas.* ☐ ETIMOL. Del árabe *al-munya* (el huerto, la granja).

aló interj. En zonas del español meridional, expresión utilizada al contestar una llamada telefónica, para indicar que se está preparado para escuchar: *Siempre que atiende el teléfono dice: «¡Aló!».* ☐ ETIMOL. Del francés *hallô*.

alocado, da ▌ adj. **1** Inquieto, precipitado o atolondrado: *No sé cómo aguantas ese ritmo de vida tan alocado.* ▌ adj./s. **2** Que se comporta o actúa con poco juicio, de forma insensata o muy precipitada: *No seas tan alocada y piensa bien lo que vas a hacer.*

alocar v. Aturdir, hacer perder el aplomo o la seguridad y la sensatez en la forma de obrar: *Mi hermana pequeña se aloca cuando se van mis padres de vacaciones.* ☐ ORTOGR. La *c* se cambia en *qu* antes de *e* →SACAR.

alóctono, na adj. Que ha nacido o se ha originado fuera del lugar en el que vive o en el que se encuentra.

alocución s.f. Discurso o razonamiento generalmente breve, que dirige un superior a sus subordinados, o que pronuncia una persona con autoridad: *La alocución del presidente del Gobierno fue retransmitida en directo por radio y televisión.* ☐ ETIMOL. Del latín *allocutio*, y este de *alloqui* (dirigir la palabra, hablar en público). ☐ ORTOGR. Dist. de *elocución* y de *locución*.

aloe (tb. *áloe*) s.m. Planta perenne de hojas alargadas y carnosas que arrancan de la parte baja del tallo y de las que se extrae un jugo muy amargo y parecido a la resina, que se usa en medicina: *El aloe se usa mucho en medicina por sus propiedades laxantes.* ☐ SINÓN. *acíbar, sábila.* ☐ ETIMOL. Del latín *aloe*.

alófono s.m. Cada una de las variantes de pronunciación de un fonema, según los sonidos contiguos y la posición que ocupe en la palabra: *La 'n' gutural de 'manga' y la 'n' dental de 'santo' son alófonos del fonema /n/.* ☐ ETIMOL. Del griego *állos* (otro) y *-fono* (sonido).

alógeno, na adj./s. De origen distinto al de la población autóctona de un país: *Los conflictos sociales empezaron por los enfrentamientos entre la población autóctona y algunos grupos alógenos.* ☐ ORTOGR. Dist. de *halógeno*.

aloinjerto s.m. En medicina, implantación de tejido de un donante en una parte lesionada de un paciente, para que se produzca una unión orgánica: *aloinjerto arterial.*

aloinmunización s.f. Inmunización conseguida con un antígeno procedente de otro individuo de la misma especie.

alojamiento s.m. **1** Instalación de una persona en un lugar que toma como vivienda, generalmente de forma temporal: *El alojamiento de los refugiados en el campamento es provisional.* **2** Lugar en el que se alojan una o varias personas, o en el que está algo: *¿Has encontrado alojamiento para esta noche?*

alojar v. **1** Dar o tomar alojamiento, esp. si es de forma temporal: *Los organizadores del congreso alojaron a los asistentes en varios hoteles de la ciudad. Me alojo en un hotel a pocos metros de aquí.* ☐ SINÓN. *hospedar.* **2** Referido a una cosa, meterla o meterse dentro de otra: *No consiguió alojar el clavo en el agujero adecuado. La bala se le alojó en el cerebro.* ☐ ETIMOL. Del provenzal *alotjar*. ☐ ORTOGR. Conserva la *j* en toda la conjugación.

alomorfo s.m. En gramática, cada una de las variantes de un mismo morfema en función de un contexto y de un significado idénticos: *En español, los alomorfos del morfema plural en el sustantivo son '-s', '-es' y 'Ø', como en 'coche-s', 'flor-es' y 'crisis'.*

alón, -a ▌ adj. **1** En zonas del español meridional, referido esp. a un sombrero, que tiene el ala grande: *Me gusta llevar sombreros alones.* ▌ s.m. **2** Ala entera de ave, a la que se le han quitado las plumas: *Lo que más me gusta del pavo son los alones.*

alondra s.f. Pájaro con la cola en forma de horquilla, el vientre blancuzco y el resto del cuerpo de color pardo con manchas oscuras, que tiene una pequeña cresta en la cabeza, y emite un canto muy agradable: *La alondra es un ave migratoria.* ☐ ETIMOL. Del latín *alaudula* (alondra pequeña). ☐

MORF. Es un sustantivo epiceno: *la alondra {macho/hembra}*.

alópata adj.inv./s.com. Que emplea la alopatía como método curativo de una enfermedad: *En el congreso de médicos al que asistí, los alópatas defendieron su postura frente a los homeópatas.*

alopatía s.f. Método curativo que consiste en administrar al enfermo sustancias que en un individuo sano producen síntomas contrarios a los de la enfermedad que se intenta curar: *La alopatía no se opone necesariamente a la homeopatía.* ☐ ETIMOL. Del griego *allopátheia*, y este de *állos* (otro) y *páthos* (sufrimiento).

alopático, ca adj. De la alopatía o relacionado con ella.

alopecia s.f. Caída o pérdida del pelo: *La alopecia puede estar causada por una enfermedad de la piel.* ☐ ETIMOL. Del latín *alopecia*, este del griego *alopekía*, y este de *alópex* (zorra), porque este animal pierde el pelo con frecuencia.

alopécico, ca adj. Que padece alopecia o caída del pelo: *Con este tratamiento de vitaminas dejarás de estar alopécico.*

alopurinol s.m. Sustancia química que se utiliza para que disminuya el ácido úrico de un organismo.

aloque s.m. Vino tinto claro, esp. si su color es resultado de haberle añadido vino blanco. ☐ ETIMOL. Del árabe *jaluqi* (perfume azafranado).

alotropía s.f. Existencia de una molécula o de un compuesto químico en dos o más formas diferentes, cristalinas o moleculares: *La alotropía de una sustancia obedece a la distinta agrupación de los átomos que constituyen sus moléculas.* ☐ ETIMOL. Del griego *állos* (otro, diferente) y *trópos* (mutación, cambio).

alotrópico, ca adj. De la alotropía o relacionado con este fenómeno químico: *Las moléculas de fósforo o de azufre son alotrópicas.*

alpaca s.f. **1** Aleación de color, brillo y dureza muy parecidos a los de la plata, que generalmente se obtiene mezclando cinc, cobre y níquel. **2** Tela brillante de algodón: *En verano, los trajes de alpaca resultan muy frescos.* **3** Animal mamífero rumiante, muy parecido a la llama, pero de menor tamaño, que tiene el pelo largo y ondulado y que se cría para aprovechar su carne y su pelo: *Las alpacas son propias de América del Sur.* **4** Pelo de este animal: *La alpaca es más brillante que la lana de oveja.* **5** Paño o tela hecho con este pelo: *Llevaba un abrigo de alpaca negro.* ☐ ETIMOL. De origen incierto. ☐ MORF. En la acepción 3, es un sustantivo epiceno: *la alpaca {macho/hembra}*.

alpargata s.f. Calzado de lona, con suela de esparto, de cáñamo o de goma, que a veces se sujeta al pie con unas cintas que se atan al tobillo: *Las alpargatas son un calzado muy fresco para el verano.* ☐ ETIMOL. Del árabe *al-pargat*, plural de *al-parga* (la abarca).

alpargatería s.f. Establecimiento en el que se hacen o se venden alpargatas.

alpargatero, ra s. Persona que se dedica profesionalmente a la fabricación o a la venta de alpargatas.

alpende (tb. *alpendre*) s.m. Lugar cubierto de forma ligera o tosca que sirve para resguardarse de la intemperie: *Dejó el tractor aparcado en el alpende.* ☐ SINÓN. *cobertizo.* ☐ ETIMOL. Del latín *appendere* (colgar).

alpendre s.m. →**alpende.**

alpestre adj.inv. Referido a una planta, que vive a gran altitud: *flora alpestre.*

alpinismo s.m. Deporte que consiste en escalar montañas elevadas. ☐ ETIMOL. De *alpino*. ☐ SEM. Dist. de *montañismo* (deporte que consiste en hacer marchas a través de las montañas).

alpinista ▌adj.inv. **1** Del alpinismo o relacionado con él: *club alpinista.* ▌s.com. **2** Persona que practica el alpinismo o que es aficionada a este deporte.

alpino, na adj. **1** De los Alpes (cordillera europea), o de otra montaña muy elevada: *cordillera alpina.* **2** Del alpinismo o relacionado con este deporte: *deportes alpinos.* **3** Referido a una región geográfica, que se caracteriza por tener una fauna y una flora semejantes a las de la cordillera de los Alpes: *La cabra montés y la marmota son especies animales propias de las regiones alpinas.* **4** En geología, del movimiento orogénico producido durante la era terciaria o cenozoica: *El plegamiento alpino dio lugar a las grandes cordilleras actuales.*

alpiste s.m. **1** Cereal con pequeñas espigas de tres flores y con semillas menudas, que se utiliza generalmente como forraje o alimento del ganado. **2** Grano de este cereal que se utiliza como alimento de pájaros: *¿Le has dado ya el alpiste al canario?* **3** *col.* Bebida alcohólica. ☐ ETIMOL. Del mozárabe *al-pist*, este del latín *pistum*, y este de *pinseve* (desmenuzar), porque el alpiste es un cereal con semillas muy pequeñas.

alquería s.f. Casa de labranza, granja o conjunto de estas casas alejadas de una población: *Los graneros y las cuadras de la alquería necesitan una reforma.* ☐ ETIMOL. Del árabe *al-qarya* (el poblado pequeño). ☐ ORTOGR. Dist. de *arquería*.

alquibla s.f. Lugar orientado a la Meca (ciudad de Arabia Saudí, capital espiritual del mundo islámico), hacia donde los musulmanes dirigen la vista cuando rezan: *En una mezquita nunca verás a un musulmán rezando de espaldas a la alquibla.* ☐ ETIMOL. Del árabe *al-quibla* (el punto del horizonte que se tiene enfrente, el mediodía).

alquilar v. Referido a algo que se va a usar, darlo o tomarlo durante cierto tiempo, a cambio del pago de una cantidad determinada de dinero: *En esta empresa alquilan coches.* ☐ SEM. Se usa esp. referido a viviendas, coches, muebles y animales, frente a *arrendar*, que se prefiere para tierras, negocios o tiendas y servicios públicos.

alquiler s.m. **1** Uso, durante cierto tiempo, de algo que es propiedad ajena, a cambio del pago de una cantidad de dinero fijada de antemano: *Este coche no es mío, solo lo tengo en alquiler.* **2** Precio en que se alquila algo o que se paga por usar durante cierto tiempo algo que es ajeno: *Este mes me han subido el alquiler de la casa.* **3** || **de alquiler;** que se alquila y que está destinado a ser alquilado: *El chaqué del padrino es de alquiler.* ☐ ETIMOL. Del árabe *al-kirá* (el arriendo y su precio).

alquimia s.f. Conjunto de doctrinas y de experimentos, generalmente de carácter oculto o secreto, sobre las propiedades y transformaciones de la materia, que fueron el precedente de la actual ciencia química: *La alquimia pretendía encontrar la llamada 'piedra filosofal', que convirtiese en oro todo lo que tocara.* ☐ ETIMOL. Del árabe *al-kimiyá* (la química).

alquimista adj.inv./s.com. Que practicaba la alquimia o el conjunto de doctrinas y de experimentos sobre las propiedades y las transformaciones de la materia: *Los alquimistas intentaban convertir los metales en oro.*

alquitara s.f. Aparato que sirve para destilar líquidos por medio del calor, y que está formado por una caldera, donde hierven los líquidos, y un tubo o serpentín donde se condensan los vapores: *Tengo una alquitara en casa y con ella fabrico aguardiente casero.* ☐ SINÓN. *alambique.* ☐ ETIMOL. Del árabe *al-qattara* (el alambique).

alquitrán s.m. Producto viscoso de color negro, que se obtiene por destilación del petróleo, de la madera, del carbón o de otros materiales orgánicos: *Están asfaltando las calles con una capa de alquitrán.* ☐ SINÓN. *brea líquida.* ☐ ETIMOL. Del árabe *al-qitran* (la brea).

alquitranado s.m. Revestimiento de alguna cosa con alquitrán: *El alquitranado de la calzada del barrio durará dos semanas.*

alquitranar v. Untar o cubrir con alquitrán: *Los tejados de las casas y los cascos de los barcos de madera se alquitranan para hacerlos impermeables al agua.*

alrededor ▮ s.m. **1** Territorio que rodea un lugar o una población: *Se está construyendo un chalé en los alrededores de su pueblo.* ☐ SINÓN. *contorno.* ▮ adv. **2** Con un movimiento circular, o rodeando un punto central: *Miró alrededor, pero no vio a nadie.* **3** || **alrededor de;** referido a una cantidad, poco más o menos o aproximadamente: *Llegué a casa alrededor de las doce.* ☐ ETIMOL. Del antiguo *al derredor.* ☐ ORTOGR. En la acepción 2, se admite también *al rededor* o *en rededor.* ☐ MORF. En la acepción 1, se usa más en plural.

alta s.f. Véase **alto, ta.**

altaico, ca adj. De los montes Altai (sistema montañoso asiático) o relacionado con ellos: *La región altaica está situada entre la antigua Unión Soviética, Mongolia y China.*

altamente adv. En gran manera, en extremo o perfectamente: *Es una persona altamente cualificada para este puesto.*

altanería s.f. Orgullo que produce el creerse en una posición superior a la de los demás, lo que provoca un trato despectivo y desconsiderado hacia ellos.

altanero, ra adj. Orgulloso o que se cree superior, por lo que trata de forma despectiva y desconsiderada a los demás: *Nos lanzó una mirada altanera y llena de soberbia.* ☐ ETIMOL. De *alto.*

altar s.m. **1** En el cristianismo, mesa consagrada en la que el sacerdote celebra la misa. ☐ SINÓN. *ara.* **2** Conjunto formado por esta mesa, la base en la que está y todo lo que hay en ella. **3** Lugar elevado en el que se celebran ritos religiosos, como sacrificios u ofrendas: *Los judíos construyeron un altar al becerro de oro.* ☐ SINÓN. *ara.* **4** || **elevar a los altares;** canonizar. || **llevar al altar** a alguien; *col.* Casarse con él. ☐ ETIMOL. Del latín *altar.*

altavoz s.m. Aparato que transforma en ondas acústicas las ondas eléctricas, y que sirve para amplificar el sonido: *Aunque estábamos muy lejos del conferenciante, el sonido nos llegaba perfectamente a través de los altavoces.*

alterabilidad s.f. Posibilidad de alterarse o de sufrir una alteración: *Me preocupa la alterabilidad de carácter que tienes estos días.*

alterable adj.inv. Que se puede alterar: *Eres una persona nerviosa y muy alterable.*

alteración s.f. **1** Cambio que afecta a la forma o la esencia de algo: *Tu trabajo estaba bien, pero he incluido algunas alteraciones en la redacción.* **2** Pérdida de la tranquilidad y de la calma: *Me produjo una gran alteración recibir carta tuya.* **3** Descomposición, deterioro o daño, esp. los sufridos por una sustancia: *La rápida alteración de algunos alimentos en verano es un peligro para la salud pública.* **4** En música, signo que se emplea para modificar el sonido de una nota: *Los bemoles y sostenidos son dos tipos de alteración musical.*

alterar v. **1** Cambiar la esencia o la forma: *Por mí, no alteréis vuestros planes.* **2** Trastornar, perturbar o hacer perder la tranquilidad y la calma: *Esa noticia nos ha alterado mucho, porque no nos esperábamos algo así. No vale la pena alterarse tanto por esa tontería.* **3** Enojar, excitar o enfadar: *Tiene un gran control de sí mismo y no hay nada, ni nadie que lo altere. Hoy se altera por cualquier cosa, así que ten cuidado con lo que le dices.* **4** Estropear, dañar, descomponer o deteriorar: *El calor altera los alimentos.* ☐ ETIMOL. Del latín *alterare*, y este de *alter* (otro).

altercado s.m. Discusión o disputa fuertes, apasionadas o violentas.

altercar v. Disputar o discutir con obstinación, apasionamiento o terquedad: *No alterques con ellos por un asunto de tan poca importancia.* ☐ ETIMOL. Del latín *altercari*, y este de *alter* (otro). ☐ ORTOGR. La *c* se cambia en *qu* delante de *e* →SACAR.

álter ego s.m. ||**1** Persona en la que otra tiene total confianza: *Es mi mejor colaborador y mi álter ego.* **2** Identidad ficticia a través de la que se manifiesta una persona: *El autor expresaba sus opiniones a través de su álter ego en la novela.* ☐ ETIMOL. Del latín *alter ego* (otro yo).

alteridad s.f. Capacidad de ser otro: *En filosofía, la alteridad se opone a la identidad.* □ SINÓN. *otredad.* □ ETIMOL. Del latín *alteritas*.

alternador s.m. Máquina generadora de corriente eléctrica alterna: *El alternador del automóvil suministra corriente a los sistemas eléctricos del vehículo.*

alternancia s.f. Sucesión en el espacio o en el tiempo de forma recíproca o repetida: *La característica principal de ese período es la alternancia pacífica de los partidos en el poder.*

alternante adj.inv. Que alterna: *Mañana habrá nubes alternantes con claros y sol.*

alternar v. **1** Combinar o variar siguiendo un orden sucesivo: *Muchos alumnos del turno de noche alternan el estudio con el trabajo.* **2** Distribuir por turnos sucesivos: *Debemos alternar las tareas de la casa para que no trabaje yo solo.* **3** Sucederse en el espacio o en el tiempo recíproca o repetidamente: *Mañana alternarán las nubes y los claros en todo el norte peninsular. Los días de mucho trabajo se alternan con los que no tengo nada que hacer.* **4** Hacer vida social o tener trato: *Le gusta mucho alternar con personas mayores que él.* **5** En algunas salas de fiestas o locales similares, referido a una persona, tratar, hablar o ser amable con los clientes para animarlos a hacer gasto en el local en su compañía: *Muchas camareras alternan con los clientes porque se llevan un porcentaje del dinero que estos se gastan en consumiciones.* □ ETIMOL. Del latín *alternare*, y este de *alternus* (alterno).

alternativa s.f. Véase **alternativo, va.**

alternativo, va ▌adj. **1** Que sucede, se hace o se dice alternándose y de forma sucesiva: *un orden alternativo.* □ SINÓN. *alterno.* **2** Que puede sustituir a otra cosa con la misma función o semejante: *un camino alternativo.* ▌adj./s. **3** Que se ofrece como otra opción y, generalmente, en oposición a los valores tradicionales o establecidos: *cine alternativo; medicina alternativa.* ▌s.f. **4** Opción o posibilidad de elegir entre dos o más cosas: *O venía a verte o te enfadabas, así que no me has dejado alternativa.* **5** Cada una de estas opciones entre las que se puede elegir: *Creo que tomé la alternativa acertada cuando acepté su propuesta.* **6** En tauromaquia, ceremonia en la que un torero da a un novillero el derecho a matar toros y no solo novillos: *En la corrida de hoy, este novillero tomará la alternativa.* □ SINT. La acepción 6 se usa más con los verbos *dar* y *tomar*.

alterne s.m. **1** Trato o amistad superficial con otras personas, esp. cuando tiene lugar en locales públicos. **2** Relación y trato superficial que, en ciertas salas de fiestas o locales similares, mantienen con los clientes personas contratadas por la propia empresa, para animarles a hacer gasto en su compañía o para hacerles más agradable la estancia: *Las chicas de alterne charlan con los clientes y se dejan invitar a beber.*

alterno, na adj. **1** Que sucede, se hace o se dice alternándose y de forma sucesiva: *Las intervenciones alternas de los dos participantes en el coloquio permitieron ver ambas visiones enfrentadas y respondidas.* □ SINÓN. *alternativo.* **2** Que se sucede en el tiempo o en el espacio de forma repetida y discontinua: *Trabajo en días alternos: lunes, miércoles y viernes.*

alteza s.f. **1** En España, tratamiento honorífico que corresponde a los príncipes e infantes: *Su Alteza Real el Príncipe de Asturias inauguró la exposición.* **2** Excelencia o superioridad: *la alteza de sus acciones.* □ ETIMOL. De *alto*. □ USO En la acepción 1, se usa más en la expresión *{Su / Vuestra} Alteza {Real / Imperial}*.

altibajos s.m.pl. **1** *col.* En una sucesión de acontecimientos o de estados, cambio, generalmente brusco, que alterna con otros de signo contrario: *Es una persona desequilibrada y con muchos altibajos de carácter.* **2** *col.* Desigualdad de un terreno, esp. si alterna con otras de diferentes alturas: *El camino se nos hizo cansado con tantos altibajos.*

altillo s.m. **1** Armario construido en el hueco de un techo rebajado, en la parte alta de una pared, o sobre otro armario. **2** Habitación situada en lo alto de una casa. **3** →**entreplanta.** □ ETIMOL. Diminutivo de *alto*.

altimetría s.f. Parte de la topografía que se ocupa de la medición de las alturas de los terrenos: *Gracias a la altimetría, se confeccionan mapas con las altitudes de las desigualdades de un terreno.* □ ETIMOL. De *alto* y *-metría* (medición).

altímetro s.m. Instrumento que sirve para medir la altitud del punto en que está situado, respecto de otro de referencia, generalmente el nivel del mar: *El altímetro de los aviones mide la altitud a la que vuelan estos.* □ ETIMOL. De *alto* y *-metro* (medidor).

altiplanicie s.f. Meseta de altura elevada y de gran extensión: *La altiplanicie de los Andes bolivianos tiene una altura media de 3 500 metros.* □ SINÓN. *altiplano.* □ ETIMOL. De *alto* y *planicie*.

altiplano s.m. →**altiplanicie.** □ ETIMOL. De *alto* y *plano*.

altisonancia s.f. Abundancia excesiva de términos muy sonoros en el lenguaje o en el estilo: *La altisonancia de los versos del himno está en consonancia con su carácter solemne.*

altisonante adj.inv. Referido esp. al lenguaje o al estilo de un escritor, que son excesivamente elevados y están llenos de términos muy sonoros: *Te entenderá mejor si empleas un lenguaje sencillo y te olvidas de discursos altisonantes y rebuscados.* □ SINÓN. *altísono.* □ ETIMOL. De *altísono*, por influencia de *altitonante*.

altísono, na adj. →**altisonante.** □ ETIMOL. Del latín *altisonus*.

altitonante adj.inv. *poét.* Que truena desde lo alto: *Júpiter altitonante.*

altitud s.f. Elevación o distancia de un punto respecto del nivel del mar: *El avión volaba a 10 000 pies de altitud.* □ ETIMOL. Del latín *altitudo*.

altivez s.f. ☐ SINÓN. *altiveza.* Orgullo o actitud de soberbia, generalmente acompañados de desprecio hacia los demás: *Su altivez y malos modos le han creado muchos enemigos.*

altiveza s.f. →**altivez.**

altivo, va adj. Orgulloso o soberbio y generalmente despectivo con los demás: *Él se muestra siempre muy altivo y no se rebaja a hablar con cualquiera.* ☐ ETIMOL. De *alto.*

alto ▮ adv. **1** En un lugar o parte elevados o superiores: *Se siente orgullosa de que sus dos hijos hayan llegado tan alto en sus trabajos.* **2** En un tono de voz fuerte y sonoro: *No hables tan alto.* ▮ interj. **3** Expresión que se usa para exigir a alguien que se detenga o que suspenda lo que está haciendo o diciendo. **4** ‖ **{dar/echar} el alto** a alguien; darle la orden de detenerse, esp. un miembro de las fuerzas del orden: *El centinela dio el alto a un desconocido que se acercaba y le pidió que se identificara.* ‖ **en alto;** a cierta distancia del suelo: *Sujétalo en alto un momento y con cuidado de que no arrastre.* ☐ ETIMOL. Las acepciones 1 y 2, del latín *altus.* La acepción 3, del alemán *halt,* y este de *halten* (detenerse).

alto, ta ▮ adj. **1** Que tiene más altura o elevación de lo que se considera normal: *Los rascacielos son edificios muy altos.* **2** Que tiene un valor o una intensidad superiores a los normales: *He llamado al médico porque tienes la fiebre muy alta.* **3** Que está en un lugar o que ocupa una posición superiores: *deporte de alta montaña; alto cargo.* **4** Elevado, noble o excelente: *Acabó la carrera brillantemente y con notas altas.* **5** Difícil de alcanzar, de comprender o de ejecutar: *Se ha puesto metas muy altas y ambiciosas en la vida.* **6** Referido a una parte de un río, que está cercana a su nacimiento: *En el curso alto del río, las aguas están más claras.* **7** Referido a una corriente de agua, que está muy crecida: *Con las últimas lluvias, el río viene muy alto.* **8** Referido al mar, que está muy alborotado y con gran oleaje: *Hoy hay mar alta en el estrecho de Alborán, con olas de varios metros.* **9** Referido a una cantidad o a un precio, que son elevados, cuantiosos o caros: *No lo compré porque me pedían una suma demasiado alta para mí.* **10** Referido al calzado, que tiene tacón de mayor altura de lo que se considera normal: *Nunca uso zapato alto.* **11** Referido a una época o a un período históricos, que son los más lejanos respecto del tiempo actual: *la Alta Edad Media.* **12** Referido a un período de tiempo, que es muy avanzado y cercano ya a su fin: *Estoy muerto de sueño, porque me acosté a altas horas de la madrugada.* **13** Referido esp. a un sonido, a una voz o a un tono musical, que son agudos o tienen una frecuencia de vibraciones grande: *Mi voz es muy grave y no llego bien a las notas altas.* **14** Referido a un delito o a una ofensa, que son enormes o muy graves: *Los sublevados serán juzgados por alta traición.* ▮ s.m. **15** En un cuerpo, dimensión perpendicular a su base y considerada por encima de esta, desde la parte inferior hasta la superior: *La casa mide diez metros de alto.* ☐ SINÓN. *altura.* **16** Detención, interrupción o parada, generalmente de corta duración, que se hace en la marcha o en una actividad: *Hicimos un alto en el camino para comer.* **17** En el campo, elevación del terreno: *El pastor vigilaba a las ovejas desde un alto.* **18** →**contralto.** ▮ s.m.pl. **19** En un edificio, piso o conjunto de pisos más elevados: *En la casa del pueblo, utilizaban los altos para colgar los jamones y chorizos y dejarlos secar.* ▮ s.f. **20** Inscripción o ingreso en un cuerpo, en una profesión o en una asociación legalmente reconocida: *El alta en la Seguridad Social es un requisito para cobrar una pensión cuando te jubiles.* **21** Documento que acredita esta inscripción: *Hasta que te entreguen el carné, puedes entrar enseñando el alta.* **22** Declaración que un médico hace a un enfermo, reconociéndolo oficialmente curado: *No esperes el alta mientras tengas esa fiebre.* **23** ‖ **alto el fuego;** cese momentáneo o definitivo de las acciones militares en un enfrentamiento bélico. ‖ **{causar/ser} alta;** entrar a formar parte de un cuerpo o de una asociación, o volver a ellos después de haber sido baja: *En cuanto apruebes la oposición y firmes unos papeles, serás alta en el cuerpo de profesores de enseñanza.* ‖ **dar {de/el} alta;** referido a una persona que ha estado enferma, declararla curada un médico: *No me darán el alta hasta que mi médica no vea los resultados de los últimos análisis.* ‖ **darse de alta;** inscribirse como miembro en un cuerpo, en una profesión o en una asociación: *Si quieres ejercer como abogada, tienes que darte de alta en el colegio profesional de tu ciudad.* ‖ **lo alto; 1** La parte superior o más elevada: *Tiraron sus gorros a lo alto en señal de júbilo.* **2** El cielo: *Todos mirábamos a lo alto, embobados con las acrobacias del avión.* ‖ **por todo lo alto;** *col.* A lo grande o con esplendor y todo tipo de lujos: *Celebró su cumpleaños por todo lo alto y sin reparar en gastos.* ☐ ETIMOL. Del latín *altus.* ☐ MORF. 1. Cuando se antepone a otra palabra para formar compuestos, adopta la forma *alti-.* 2. El comparativo de superioridad *superior* solo se usa cuando *alto* tiene el sentido de 'situado encima' o de 'notable, de mucha entidad'. 3. En las acepciones 20, 21 y 22, por ser un sustantivo femenino que empieza por *a* tónica o acentuada, va precedido de *el, un, algún, ningún* y de las formas femeninas del resto de los determinantes.

altoaragonés, -a ▮ adj./s. **1** Del Alto Aragón (región aragonesa) o relacionado con él. ▮ s.m. **2** Dialecto que se habla en esta región aragonesa y en otros territorios.

altoparlante s.m. En zonas del español meridional, altavoz: *Se oía música a través de los altoparlantes.* ☐ ETIMOL. Del italiano *altoparlante.*

altorrelieve (tb. *alto relieve*) s.m. Relieve escultórico cuyas figuras sobresalen del plano más de la mitad de su bulto: *Un altorrelieve permite dar mayor sensación de profundidad y perspectiva que un bajorrelieve.*

altozano s.m. Cerro o monte de poca altura que se eleva sobre un terreno llano: *La ermita del pueblo* *fue construida en un altozano.* □ ETIMOL. De *ante* (delante) por cruce con *alto*, y *ostium* (puerta).

altramuz s.m. **1** Planta herbácea anual con hojas compuestas, flores blancas y fruto en vaina: *El altramuz se emplea generalmente como alimento para el ganado.* **2** Semilla de esta planta, en forma de grano achatado, que resulta comestible una vez que se le ha quitado el amargor poniéndola en remojo en agua con sal: *En los puestos de las ferias suelen vender altramuces, pipas, caramelos y otras chucherías de este tipo.* □ SINÓN. *chocho.* □ ETIMOL. Del árabe *al-turmus.*

altruismo s.m. Afán de procurar el bien ajeno, incluso a costa del propio interés: *Se hizo médico por altruismo y dedicó su vida a ayudar a los necesitados.* □ ETIMOL. Del francés *altruisme.*

altruista adj.inv./s.com. Que tiene o muestra altruismo: *institución altruista; motivos altruistas.* □ ORTOGR. Incorr. **altruísta.*

altura ▌ s.f. **1** Elevación o distancia de un cuerpo respecto a la tierra o a otra superficie de referencia: *El helicóptero sobrevolaba la ciudad a poca altura.* **2** En un cuerpo, dimensión perpendicular a su base y considerada por encima de esta, desde la parte inferior hasta la superior: *La altura de esa torre es impresionante.* □ SINÓN. *alto.* **3** En geometría, en una figura plana o en un cuerpo, segmento o longitud de la perpendicular trazada desde un vértice al lado o a la cara opuestos: *Para hallar el área de un rectángulo, multiplica su base por su altura.* **4** Cima de un monte o de otra elevación del terreno: *Hoy iniciaremos la escalada a una de las mayores alturas de la zona.* **5** Lugar o puesto elevados: *No subió con nosotros porque las alturas le producen vértigo.* **6** Altitud o distancia de un punto de la tierra respecto del nivel del mar: *Nevará en alturas superiores a los mil metros.* **7** Mérito, calidad o valía: *A las competiciones internacionales solo llegan atletas de altura demostrada.* **8** Elevación, excelencia o carácter sublime desde un punto de vista moral: *Aquel gesto puso de manifiesto su dignidad y su altura moral.* **9** Cualidad de los sonidos que depende de su frecuencia o número de vibraciones por segundo y que permite ordenarlos de graves a agudos: *Los sonidos de altura muy elevada resultan estridentes para el oído humano.* □ SINÓN. *tono.* **10** Navegación o pesca que se hacen en alta mar, lejos de las costas: *Los pilotos expertos en navegación de altura saben guiarse en alta mar por la observación de los astros.* ▌ pl. **11** Lugar en el que, según la tradición cristiana, se goza de la presencia de Dios: *Los ángeles dijeron: «¡Gloria a Dios en las alturas, y en la tierra, paz!».* □ SINÓN. *cielo, paraíso.* **12** ‖ **a estas alturas;** en este período de tiempo, cuando las cosas ya han llegado a este punto: *Si a estas alturas no me han dicho nada, ya no me lo van a decir.* ‖ **a la altura de** algo; **1** Referido esp. a un lugar, aproximadamente allí o en sus inmediaciones: *El accidente ocurrió a la altura del kilómetro 300 de la carretera nacional.* **2** A su mismo nivel o a tono con ello: *Por mucho que lo intente, nunca lograré estar a su altura.* □ ORTOGR. En la acepción 3, su símbolo es *h*, por tanto, se escribe sin punto. □ SINT. *A la altura de* se usa más con los verbos *estar*, *poner*, *quedar* o equivalentes.

alubia s.f. **1** Planta leguminosa, con tallos delgados, hojas grandes compuestas y acorazonadas, flores blancas y fruto en vainas de color verde y aplastadas, que terminan en dos puntas: *Las alubias se cultivan en huertas enredadas a unos palos para que crezcan hacia arriba.* □ SINÓN. *judía.* **2** Fruto de esta planta, que es comestible: *Las alubias verdes son las verduras que más me gustan.* □ SINÓN. *judía.* **3** Semilla de este fruto, que tiene forma de riñón: *La fabada se hace con alubias.* □ SINÓN. *judía.* □ ETIMOL. Del árabe *al-lubiya* (la judía).

alucinación s.f. **1** Visión o sensación imaginarias, creadas por la mente sin previa percepción de los sentidos: *La fiebre le hizo tener terribles alucinaciones.* **2** Padecimiento de estas visiones o sensaciones: *En algunos casos de drogadicción, después del período de alucinación se produce una fuerte depresión.* **3** Sorpresa, deslumbramiento o producción de asombro: *La alucinación de los que te escuchaban se reflejaba en sus ojos.* **4** Ofuscamiento, engaño o seducción que se consiguen haciendo que se tome una cosa por otra: *Ese tipo te tiene sumida en tal estado de alucinación y desconcierto que puede manejarte como quiera.*

alucinado, da ▌ adj. **1** Trastornado o ido: *El golpe lo dejó alucinado por unos momentos.* ▌ adj./s. **2** Que cree cosas irreales o fantasiosas: *Esa secta fue fundada por un alucinado con gran poder de convicción.*

alucinante adj.inv. Asombroso o impresionante.

alucinar v. **1** Padecer alucinaciones: *La droga te hace alucinar y perder el control de ti mismo.* **2** Sorprender, deslumbrar, o producir o experimentar asombro: *Me alucina que seas capaz de pensar eso de mí. No dejo de alucinarme cuando te veo desenvolverte con esa soltura.* **3** Ofuscar, engañar o seducir haciendo que se tome una cosa por otra: *No te dejes alucinar por la palabrería de ese donjuán.* **4** *col.* Equivocarse o desvariar: *Si piensas eso de mí, tú alucinas.* □ ETIMOL. Del latín *alucinari.* □ SINT. 1. En la acepción 2, está muy extendido su uso como intransitivo: *Aluciné al verlo.*

alucine s.m. **1** *col.* Asombro o impresión: *Tienes un coche que es un alucine, tío.* **2** ‖ **de alucine;** *col.* Asombroso o impresionante: *Te has pillado unas zapatillas de alucine.*

alucinógeno, na adj./s.m. Referido esp. a una droga, que produce alucinaciones: *El consumo de alucinógenos puede llevar a una persona a la locura.* □ ETIMOL. Del francés *hallucinogène.*

alud s.m. **1** Gran masa de nieve que se desprende de una montaña y cae con violencia y estrépito. □ SINÓN. *avalancha.* **2** Gran cantidad de algo que llega con fuerza: *Esta semana nos ha llegado un alud de trabajo.* □ SINÓN. *avalancha.* □ ETIMOL. De origen prerromano.

aluda s.f. Véase **aludo, da.**

aludido, da || **darse por aludido;** interpretar que se es el destinatario de una alusión o referencia, y reaccionar en consecuencia: *No te des por aludida, que no estoy hablando de ti.*

aludir v. **1** Hacer referencia sin nombrar expresamente: *En su discurso aludió a varias personas que no logré identificar.* **2** Referirse o mencionar, generalmente de manera breve y de pasada: *La oradora aludió también a las causas del fenómeno, pero centró su discurso en las consecuencias.* ☐ ETIMOL. Del latín *alludere* (bromear, juguetear con alguien). ☐ SINT. Constr. *aludir* A *algo.*

aludo, da ▌ adj. **1** Que tiene las alas grandes. ▌ s.f. **2** Hormiga con alas: *Las aludas suelen hacer sus hormigueros en época de lluvia.*

alumbrado, da ▌ adj./s. **1** Partidario o seguidor del movimiento religioso español del siglo XVI llamado *iluminismo.* ☐ SINÓN. *iluminado.* ▌ s.m. **2** Conjunto de luces que sirven para alumbrar un lugar: *El alumbrado de la autopista se enciende automáticamente.* ☐ MORF. En la acepción 1, se usa más en plural.

alumbramiento s.m. **1** Emisión o dotación de luz y claridad: *Han puesto bombillas más potentes para un mejor alumbramiento de la sala.* **2** Parto o nacimiento de un niño: *El feliz alumbramiento tuvo lugar en la maternidad del hospital central.* **3** Creación o producción, generalmente de una obra del entendimiento: *Los lectores esperan el alumbramiento de otra novela del genial escritor.* **4** En medicina, expulsión de la placenta y de las membranas después del parto: *Las fases del parto son: dilatación, expulsión y alumbramiento.* **5** Clarificación o explicación y facilitación de la comprensión o del conocimiento.

alumbrar v. **1** Dar luz o llenar de luz y claridad: *Varios tubos fluorescentes alumbran el local. Las velas dan un ambiente agradable, pero alumbran poco. El vigilante nocturno se alumbra con una linterna.* **2** Referido a un lugar, poner luz o luces en él: *El Ayuntamiento destinará fondos para alcantarillar y alumbrar las calles de las afueras.* **3** Parir o dar a luz: *Alumbró un hermoso niño de cuatro kilos de peso.* **4** Sacar a la luz, crear o dar existencia: *El genio de Cervantes alumbró una de las grandes producciones literarias de todos los tiempos.* ☐ ETIMOL. De *lumbre.*

alumbre s.m. Sulfato de aluminio y potasio, que se encuentra en ciertas rocas y tierras, y de las cuales se extrae por disolución y cristalización: *El alumbre se emplea para depurar y aclarar aguas turbias.* ☐ ETIMOL. Del latín *alumen.*

alúmina s.f. Óxido de aluminio que se encuentra en la naturaleza en estado puro o cristalizado, generalmente formando arcillas y feldespatos: *La alúmina se encuentra en piedras preciosas como el rubí.* ☐ ETIMOL. Del latín *alumen* (alumbre). ☐ ORTOGR. Dist. de *albúmina.*

aluminio s.m. Elemento químico, semimetálico y sólido, de número atómico 13, de brillo plateado, muy ligero y fácilmente deformable, que es buen conductor del calor y de la electricidad, e inoxidable: *El aluminio es muy abundante en la corteza terrestre. Hemos cambiado las ventanas de madera por otras de aluminio.* ☐ ETIMOL. Del inglés *aluminium*, y este del latín *alumen.* ☐ ORTOGR. Su símbolo químico es *Al.*

aluminosis (pl. *aluminosis*) s.f. Alteración de algunos hormigones en los que se ha empleado cemento aluminoso, que conlleva su degradación y pérdida de resistencia: *Los edificios afectados por aluminosis deberán ser rehabilitados o derribados para evitar riesgos.*

aluminoso, sa adj. Con alúmina o con las características de este óxido de aluminio: *Algunos cementos aluminosos son desaconsejables para la construcción de edificios.*

alumnado s.m. Conjunto de los alumnos o estudiantes de un centro docente.

alumno, na s. Persona que estudia bajo la orientación de otra o que recibe sus enseñanzas: *Muchos alumnos universitarios estudian con beca.* ☐ ETIMOL. Del latín *alumnus* (persona criada por otra), y este de *alere* (alimentar).

alunado, da adj. Referido a una persona, que tiene cambios bruscos de carácter o sufre ataques de locura: *Dicen que tiene un carácter imprevisible y que es un poco alunado.* ☐ SINÓN. *lunático.*

alunarado, da adj. **1** Referido a una res, que tiene el pelaje con grandes manchas redondas. **2** Con dibujos de lunares: *Los trajes de sevillana suelen ser alunarados.*

alunarse v.prnl. En zonas del español meridional, enfadarse o disgustarse: *Se alunó con su mejor amigo.*

alunicero, ra adj./s. Que practica el método de robo del alunizaje: *un ladrón alunicero.*

alunizaje s.m. **1** Descenso de una nave espacial hasta posarse sobre la superficie lunar. **2** Método de robo que consiste en empotrar un vehículo contra la luna de un escaparate para romperla y desvalijar el establecimiento.

alunizar v. Referido a una nave espacial o a uno de sus tripulantes, posarse sobre la superficie lunar: *El cohete alunizó en el lugar previsto.* ☐ ORTOGR. La *z* se cambia en *c* delante de *e* →CAZAR. ☐ SEM. Dist. de *aterrizar* (posarse en tierra).

alusión s.f. Referencia o mención que se hacen de algo sin nombrarlo expresamente o de manera breve y de pasada: *Al principio del libro hay algunas alusiones al momento histórico que atravesaba el país.* ☐ ETIMOL. Del latín *allusio* (retozo, juego). ☐ ORTOGR. Dist. de *elisión* y de *elusión.*

alusivo, va adj. Que alude o hace referencia, generalmente de manera breve o indirecta: *Por alguna afirmación que hizo alusiva a su marido, deduzco que no se llevan muy bien.* ☐ ORTOGR. Dist. de *elusivo.* ☐ SINT. Constr. *alusivo* A *algo.*

aluvial adj.inv. Referido esp. a un terreno o a un sedimento, que se han formado por el arrastre de partículas debido a fuertes lluvias o a grandes crecidas de agua: *Los depósitos aluviales suelen ser muy fértiles.* ☐ ETIMOL. Del latín *alluvies* (aluvión). ☐ SEM.

Dist. de *coluvial* (que cae por efecto de la gravedad).

aluvión s.m. **1** Crecida, inundación o corriente violenta de agua, que se producen repentinamente: *Las fuertes lluvias produjeron aluviones que inundaron toda la cosecha.* **2** Gran cantidad de cosas o de personas que se agolpan de pronto: *un aluvión de felicitaciones.* **3** Sedimento o depósito de materiales arrastrados por las lluvias o por las corrientes: *Los deltas de los ríos están formados por aluviones.* □ SEM. Dist. de *coluvión* (materiales acumulados al pie de una vertiente).

álveo s.m. Cauce de un río o de un arroyo. □ ETIMOL. Del latín *alveus*.

alveolado, da adj. Con forma de alveolo o que tiene alveolos: *Las hojas de las plantas pueden tener la superficie alveolada en su estructura microscópica.*

alveolar ▮ adj.inv. **1** De los alveolos o relacionado con estas cavidades orgánicas: *cavidades alveolares.* **2** En lingüística, referido a un sonido, que se pronuncia apoyando la punta de la lengua en la protuberancia de los alveolos de los dientes incisivos superiores: *En español, los sonidos consonánticos [n], [l] y [r] son alveolares.* ▮ s.f. **3** Letra que representa este sonido: *La 'n' es una alveolar.*

alveolo (tb. *alvéolo*) s.m. **1** En la mandíbula de un vertebrado, cavidad en la que está inserto cada diente: *Los alveolos de los dientes están situados en los huesos maxilares.* **2** En el sistema respiratorio pulmonar, pequeña fosa semiesférica en que termina cada una de las últimas ramificaciones de los bronquiolos: *Las paredes de los alveolos pulmonares están cubiertas por capilares sanguíneos.* **3** En un panal de abejas o de otros insectos, casilla, en forma de hexágono: *Las abejas hacen los alveolos de las colmenas con cera.* □ SINÓN. *celda, celdilla.* □ ETIMOL. Del latín *alveolus* (hueco pequeño).

alverja s.f. En zonas del español meridional, guisante: *La alverja posee zarcillos trepadores.* □ ETIMOL. Del latín *ervilia* (planta semejante a los yeros y a los garbanzos).

alza s.f. **1** Elevación, subida o movimiento ascendente: *Solo se producirá un alza en la economía si crece la confianza entre los inversores.* **2** Aumento del valor de algo: *alza de los precios.* **3** En un calzado, pieza o trozo de suela que se le coloca para darle mayor anchura o altura. **4** ‖ **en alza;** aumentando el valor o la estimación: *La experiencia y la buena formación son hoy valores en alza.* □ MORF. Por ser un sustantivo femenino que empieza por *a* tónica o acentuada, va precedido de *el, un, algún, ningún* y de las formas femeninas del resto de los determinantes. □ SINT. *En alza* se usa más con los verbos *ir, estar* o equivalentes.

alzacuello s.m. Tira suelta de tela endurecida o de material rígido, que se ciñe al cuello y que es propia del traje de los eclesiásticos. □ SINÓN. *sobrecuello.* □ ETIMOL. Del francés *hausse-col* (pieza de la armadura que protegía la base del cuello). □ MORF. Incorr. *el {*alzacuellos > alzacuello}*, aunque este uso está muy extendido.

alzada s.f. Véase **alzado, da.**

alzado, da ▮ adj. **1** Referido a un precio o a una cantidad, que se fija en determinada cuantía, esp. si no ha habido una evaluación o un cálculo detallado previos: *Los autores de un libro pueden ir a porcentaje sobre los derechos de autor o a suma alzada.* ▮ s.m. **2** En arquitectura y en geometría, dibujo o representación gráfica de un edificio o de otro cuerpo en su proyección vertical y sin considerar la perspectiva: *La arquitecta me enseñó los planos del alzado de la casa para que viese cómo iba a ser la fachada.* ▮ s.f. **3** Altura de un caballo y de otros cuadrúpedos, medida desde el talón hasta la cruz o parte alta del lomo: *Los burros tienen menor alzada que los caballos.*

alzamiento s.m. **1** Rebelión o levantamiento contra el poder establecido. **2** Elevación o movimiento de abajo hacia arriba: *alzamiento de pesos.*

alzar ▮ v. **1** Mover de abajo hacia arriba: *Alzó la mano en señal de protesta.* □ SINÓN. *levantar.* **2** Referido a un precio, elevarlo o subirlo: *Los comerciantes afirman que la escasez de existencias los obliga a alzar los precios.* **3** Referido a la voz, esforzarla o emitirla con vigor: *No alces tanto la voz, que nos van a oír.* **4** Referido esp. a una edificación o a un monumento, hacerlos o construirlos: *En la plaza están alzando una estatua que inmortalizará al fundador de la ciudad.* □ SINÓN. *levantar.* **5** Levantar o poner derecho o en vertical: *Alza esa silla que se ha caído. Cayó y nadie lo ayudó a alzarse del suelo.* **6** Fundar, crear o instituir: *Con trabajo y tesón, alzaron todo un imperio comercial.* **7** Rebelar o levantar contra el poder establecido: *El cabecilla que alzó a los rebeldes fue detenido y encarcelado. La guerrilla se alzó contra el Gobierno.* **8** Referido a la caza, hacer que salga del sitio en el que estaba: *Los ojeadores iban delante de los cazadores alzando la caza.* **9** Referido esp. a una pena o a un castigo, hacer que terminen o ponerles fin: *Sus súplicas conmovieron a los jueces y consiguieron que le alzaran la sanción impuesta.* ▮ prnl. **10** Levantarse o sobresalir en una superficie: *Los rascacielos se alzan sobre el resto de los edificios.* **11** ‖ **alzarse con** algo; arrebatarlo o apoderarse de ello, generalmente de manera injusta: *El equipo local se alzó con la victoria.* □ ETIMOL. Del latín **altiare*, y este de *altus* (alto). □ ORTOGR. La *z* se cambia en *c* delante de *e* →CAZAR.

alzheimer s.m. →**enfermedad de Alzheimer.** □ ETIMOL. Por alusión a A. Alzheimer (psiquiatra alemán). □ PRON. [alsáimer] o [alzéimer].

AM (pl. *AM*) s.f. **1** Emisión de radiodifusión que se realiza por medio de ondas hertzianas comprendidas en una banda de 530 a 1 600 kilohercios: *Esta emisora solo emite en AM.* □ SINÓN. *onda media.* **2** En un aparato de radio, posibilidad de captar esta emisión: *Mi radio tiene AM.* □ ETIMOL. Es la sigla del inglés *Amplitude Modulation* (modulación de amplitud).

ama s.f. Véase **amo, ma.**

amá s.f. *col.* En zonas del español meridional, madre.

amabilidad s.f. **1** Agrado, complacencia y afecto en el trato con los demás: *La amabilidad con que trata a todo el mundo la ha hecho ser muy querida.* **2** Hecho o dicho amables: *Tiene tantas amabilidades conmigo que no sé cómo agradecérselas.* □ ETIMOL. Del latín *amabilitas.*

amabilísimo, ma superlat. irreg. de **amable.** □ MORF. Incorr. **amablísimo.*

amable adj.inv. **1** Agradable, complaciente y afectuoso en el trato con los demás: *Agradeció aquellas amables palabras de bienvenida.* **2** Digno de ser amado: *A un jefe le resulta difícil hacerse amable para sus subordinados.* □ MORF. Su superlativo es *amabilísimo.*

amacharse v.prnl. *col.* En zonas del español meridional, obstinarse: *Le dijimos que regresara con nosotros pero se amachó y se quedó en la fiesta.*

amado, da s. Persona amada: *La mayoría de los poemas de Garcilaso de la Vega están dedicados a su amada.* □ USO Su uso es característico del lenguaje literario.

amador, -a adj./s. Que ama. □ ETIMOL. Del latín *amator.*

amadrinamiento s.m. **1** Actuación como madrina de otra persona, al recibir esta ciertos sacramentos o algún honor: *En la ceremonia de admisión del nuevo académico, este agradeció a la presidenta su amadrinamiento.* **2** Patrocinio o actuación como protectora que una mujer hace de otra persona o de una iniciativa para que triunfen: *Solicitaron a la Reina su amadrinamiento del proyecto humanitario.*

amadrinar v. **1** Referido a una persona, asistirla como madrina suya una mujer, al recibir aquella ciertos sacramentos o algún honor: *Fue su madre quien la amadrinó el día de su boda.* **2** Referido esp. a una persona o a una iniciativa, patrocinarlas o actuar como protectora suya una mujer para que triunfen: *Tiene ese cargo porque lo amadrina la principal accionista de la empresa.*

amaestrado, da adj. Referido esp. a un animal, que ha sido domado o adiestrado.

amaestramiento s.m. Doma de un animal, enseñándole generalmente a hacer ciertas habilidades: *Es un especialista en el amaestramiento de perros guía para invidentes.*

amaestrar v. Referido a un animal, domarlo y enseñarle a hacer ciertas habilidades: *Estoy amaestrando a mi perro para que salude dando la pata.* □ ETIMOL. De *maestro.*

amagar ▮ v. **1** Referido esp. a un golpe o a una acción, mostrar con algún movimiento o gesto la intención de hacerlos, sin llegar a ello: *Un buen regateador tiene que saber amagar al contrario.* **2** Referido a algo que se considera negativo, sobrevenir o estar a punto de ocurrir: *El ambiente amaga tormenta.* ▮ prnl. **3** *col.* Esconderse u ocultarse: *La liebre se amagó detrás de una roca.* □ ETIMOL. De origen incierto. □ ORTOGR. La *g* se cambia en *gu* delante de *e* →PAGAR.

amago s.m. **1** Acción de mostrar con algún movimiento o gesto la intención de hacer algo, sin llegar a hacerlo realmente: *Aunque hubo un amago de pelea por su parte, todo quedó en palabras.* **2** Señal o indicio de algo que no llega a realizarse o a ocurrir: *amago de infarto.*

amainar v. Perder fuerza o intensidad: *El barco zarpó en cuanto amainó el temporal.* □ ETIMOL. Del catalán *amainar.*

amalgama s.f. Unión o mezcla de elementos de naturaleza distinta o contraria: *En este fichero hay una amalgama de datos que no sé cómo clasificar.* □ ETIMOL. Del latín *amalgama.*

amalgamación s.f. Aleación del mercurio con otro u otros metales, para producir una amalgama: *La amalgamación es un método de extraer metales nobles.*

amalgamar v. Referido a elementos de naturaleza distinta, unirlos o mezclarlos: *En este colage el artista amalgama materiales muy distintos.*

amamantamiento s.m. Alimentación de los hijos o de las crías de los animales mamíferos con la leche producida por una hembra.

amamantar v. Dar de mamar: *La perra amamanta a sus cachorros.*

amancebamiento s.m. Convivencia de dos personas que mantienen relaciones sexuales sin estar casadas entre sí. □ SINÓN. *abarraganamiento.*

amancebarse v.prnl. Referido a dos personas, empezar a vivir juntas y a mantener relaciones sexuales sin estar casadas entre sí: *El conde jamás perdonó que su hija se amancebara con el lacayo.* □ SINÓN. *juntarse, ajuntarse, abarraganarse.* □ ETIMOL. De *manceba.* □ MORF. Se usa más como participio. □ SINT. Constr. *amancebarse* CON *alguien.*

amanecer ▮ s.m. **1** Momento inicial del día, en que aparece la primera luz antes de salir el Sol: *El amanecer en el mar es un espectáculo impresionante.* □ SINÓN. *alba, amanecida, madrugada.* ▮ v. **2** Empezar a aparecer la luz del día: *En verano amanece antes que en invierno.* **3** Llegar o estar en un lugar o en una situación determinados al aparecer la luz del día: *Me dormí durante el viaje y amanecí en París.* □ ETIMOL. Del latín *manescere.* □ MORF. 1. En la acepción 2, es verbo unipersonal. 2. Irreg. →PARECER.

amanecida s.f. Momento inicial del día, en que aparece la primera luz antes de salir el sol: *Esperaron a la amanecida para continuar el viaje.* □ SINÓN. *alba, amanecer, madrugada.*

amanerado, da ▮ adj. **1** Que tiene amaneramiento o falta de espontaneidad. ▮ adj./s. **2** Referido a un hombre, que adopta las características físicas y psicológicas que tradicionalmente se consideran propias de las mujeres.

amaneramiento s.m. **1** Falta de naturalidad, espontaneidad o variedad, esp. en el estilo o en una actividad artística: *Los críticos de arte atacaron duramente el amaneramiento de los cuadros expues-*

tos. **2** Adopción por parte de un hombre de las características físicas y psicológicas que tradicionalmente se consideran propias de las mujeres: *El amaneramiento de sus gestos contrasta mucho con su aspecto varonil.*

amanerar ▌v. **1** Referido esp. al estilo, volverlo poco natural y privarlo de la espontaneidad: *Este pintor empezó a amanerar su estilo para parecerse a los grandes maestros del siglo XVII.* ▌prnl. **2** Referido a un hombre, adoptar las características físicas y psicológicas que tradicionalmente se consideran propias de las mujeres: *El hecho de vivir siempre rodeado de mujeres te hizo amanerarte.* □ ETIMOL. De *manera.*

amanita s.f. Seta que se caracteriza por tener un anillo en el pie debajo del sombrero y por sus esporas blancas, y que es comestible o venenosa según la especie: *Hay que conocer muy bien las setas para no confundir las comestibles con las amanitas venenosas.*

amansamiento s.m. **1** Dominio de un animal para hacerlo manso o para domesticarlo. **2** Apaciguamiento o eliminación de la violencia o de la brusquedad de algo: *La edad suele traer consigo un amansamiento del carácter.*

amansar v. **1** Referido a un animal, hacerlo manso o domesticarlo: *Se dice que la música amansa a las fieras.* **2** Sosegar, apaciguar o eliminar la violencia y la brusquedad: *La edad le ha amansado el carácter. El potro se amansó con las palmadas y las palabras del jinete.*

amante ▌adj.inv. **1** Que ama. ▌s.com. **2** Persona que mantiene una relación amorosa y sexual con otra sin estar casada con ella.

amanuense s.com. Persona que se dedica profesionalmente a escribir a mano, bien copiando o poniendo en limpio escritos ajenos, o bien escribiendo lo que se le dicta: *Muchos de los amanuenses medievales fueron religiosos.* □ ETIMOL. Del latín *amanuensis* (secretario).

amañar ▌v. **1** Preparar o disponer con engaño o artificio, generalmente para obtener algún beneficio: *Amañaron el sorteo para ser ellos los ganadores.* ▌prnl. **2** Darse maña o habilidad para hacer algo: *Se amaña muy bien para estudiar y trabajar al mismo tiempo.* □ ETIMOL. De *maña.*

amaño s.m. Treta o artificio para realizar o para conseguir algo, esp. cuando no es justo o merecido: *Sus amaños le permitieron salir airoso de aquella situación.* □ MORF. Se usa más en plural.

amapa s.f. Árbol americano de corteza amarillenta y frutos en drupa, cuya madera es muy apreciada.

amapola s.f. **1** Planta anual que tiene flores generalmente de color rojo intenso, semilla negruzca y savia lechosa. □ SINÓN. *ababol.* **2** Flor de esta planta. □ SINÓN. *ababol.* □ ETIMOL. De *ababol.*

amar v. Sentir amor hacia algo: *No siempre es fácil amar a los demás. Ama la música clásica desde niña. Se aman desde que eran niños.* □ ETIMOL. Del latín *amare.*

amaraje s.m. Descenso de un hidroavión o de un vehículo espacial hasta posarse sobre el agua: *El hidroavión hizo un amaraje de emergencia en medio del lago.* □ SINÓN. *amerizaje.*

amaranto ▌adj.inv./s.m. **1** De color carmesí o granate muy vivo: *El color amaranto resulta muy elegante.* ▌s.m. **2** Planta herbácea de tallo grueso y ramoso, hojas alargadas, flores carmesíes, blancas o amarillas, pequeñas y en espiga, y frutos con muchas semillas negras y relucientes: *El amaranto se cultiva en los jardines como planta decorativa.* □ ETIMOL. Del latín *amarantus.*

amarar v. Referido esp. a un hidroavión, posarse en el agua: *El hidroavión amaró en un mar alborotado.* □ SINÓN. *amerizar.* □ ETIMOL. De *mar.*

amarfilado, da adj. Que se parece al marfil: *color amarfilado.*

amargado, da adj./s. Referido a una persona, que guarda algún resentimiento, esp. por un fracaso, por una frustración o por un disgusto: *Aquel desengaño amoroso lo convirtió en un amargado.*

amargar ▌v. **1** Referido esp. a un alimento, tener sabor o gusto amargo: *Algunos pepinos amargan un poco.* **2** Causar aflicción o disgusto: *Tantos fracasos lo amargaron.* ▌prnl. **3** Sentir resentimiento, esp. por un fracaso, una frustración o un disgusto: *Ten cuidado con lo que le dices porque se amarga por cualquier cosa.* □ ORTOGR. La *g* se cambia en *gu* delante de *e* →PAGAR.

amargo, ga adj. **1** De sabor fuerte y desagradable al paladar, como la hiel: *No comas las almendras de ese árbol porque son amargas.* **2** Que causa disgusto o sufrimiento: *A menudo, la verdad es amarga.* **3** Que muestra disgusto o sufrimiento: *Reconoció su fracaso con palabras amargas.* **4** Referido esp. a una persona, que es desagradable o áspera en el trato: *Me da miedo tratar con él porque tiene un carácter muy amargo y se enoja por nada.* □ ETIMOL. Del latín *amarus.*

amargor s.m. **1** Sabor o gusto amargo: *El amargor de las berenjenas se quita poniéndolas a remojar en agua con sal.* **2** Disgusto, tristeza o sufrimiento, esp. si están producidos por rencor o desengaño: *El amargor con que nos habla es propio de una persona muy resentida.* □ SINÓN. *amargura.*

amargura s.f. Disgusto, tristeza o sufrimiento, esp. si están producidos por rencor o desengaño: *Aquella traición le produjo una gran amargura.* □ SINÓN. *amargor.*

amariconado, da adj. *vulg. desp.* →**afeminado.**

amariconar v. *vulg. desp.* →**afeminar.**

amarillear v. Tomar un color amarillo: *En otoño amarillean las hojas de los árboles.*

amarillento, ta adj. De color semejante al amarillo o con tonalidades amarillas: *La enfermedad dio a su cara un tono amarillento.*

amarillez s.f. Propiedad de ser o de parecer de color amarillo: *La amarillez de la piel humana suele ser síntoma de una enfermedad del hígado.*

amarillismo s.m. Sensacionalismo o tendencia a presentar los aspectos más llamativos de una noticia o de un suceso para producir gran sensación o emoción: *El amarillismo que últimamente caracteriza a este periódico tiene como principal objetivo aumentar el número de ventas.*

amarillista adj.inv. Referido esp. a la prensa, que es amarilla o sensacionalista: *La prensa amarillista recibe muchas críticas, pero tiene un gran volumen de ventas.*

amarillo, lla ▌adj. **1** Referido a la prensa, que se caracteriza por su sensacionalismo o tendencia a presentar los aspectos más llamativos de una noticia o de un suceso: *la prensa amarilla; un periodista amarillo.* **2** Referido a una persona, que pertenece a la población caracterizada por tener los ojos rasgados y el tono de la piel amarillento: *Los chinos y los japoneses forman parte de la población amarilla.* ▌adj./s.m. **3** Del color del limón maduro o del oro: *El amarillo es el tercer color del arco iris.* ☐ ETIMOL. Del latín *amarellus* (amarillento, pálido), y este de *amarus* (amargo).

amarilloso, sa adj. En zonas del español meridional, amarillento: *Estoy enfermo y tengo la piel amarillosa.*

amariposado, da adj. **1** Con forma de mariposa: *La corola de las flores del garbanzo es amariposada.* **2** *col.* →**afeminado.**

amaro s.m. Planta herbácea de olor nauseabundo, cuyas hojas se usan para curar las úlceras: *El curandero le cubrió la herida con hojas de amaro.* ☐ SINÓN. *bácara.* ☐ ETIMOL. Del latín *marum.*

amarra s.f. Cuerda o cable con que se asegura una embarcación a un punto fijo, bien en el lugar en el que da fondo, o bien en el puerto: *La fuerza del viento rompió las amarras, y el barco se alejó mar adentro.* ☐ MORF. Se usa más en plural.

amarraco s.m. **1** En el juego del mus, tanteo de cinco puntos: *Estábamos a falta de un amarraco para ganar la partida.* **2** En el juego del mus, ficha u objeto que vale cinco puntos: *Unos cuantos garbanzos nos servirán de amarracos.* ☐ ETIMOL. Del euskera *amarreco*, y este de *amarr* (diez).

amarradero s.m. Poste o lugar donde se amarra algo, esp. una embarcación: *A orillas del lago hay un pequeño amarradero.*

amarraje s.m. Impuesto que se paga por el amarre de las naves en un puerto: *El amarraje depende del tiempo que el barco permanezca en puerto.*

amarrar v. **1** Atar y asegurar con cuerdas, maromas, cadenas u otro instrumento semejante: *Le amarraron las manos y los pies con una cuerda.* **2** Sujetar o retener: *Haz lo posible para amarrar ese negocio y que no se te vaya de las manos.* **3** Referido a una embarcación, sujetarla en el puerto o en un fondeadero por medio de anclas y cadenas o cables: *Echaron el ancla y prepararon las maromas para amarrar la embarcación.* ☐ ETIMOL. Del francés *amarrer.*

amarre s.m. Sujeción de algo, esp. de una embarcación, con cuerdas, cadenas, anclas u otro instrumento semejante.

amarrete, ta adj. *col. desp.* En zonas del español meridional, tacaño: *Tiene mucha plata, pero es muy amarrete.*

amarrón, -a adj./s. *col. desp.* Referido a una persona, que no se arriesga, por temor a perder: *Es muy amarrona y, por mucho que le digas que es un negocio seguro, no invertirá ni un céntimo.*

amarronado, da adj. De color semejante al marrón o con tonalidades marrones.

amartelado, da adj. Que exterioriza mucho las muestras de cariño.

amartelamiento s.m. Manifestación de cariño hacia alguien, esp. si se hace de manera excesiva.

amartelarse v.prnl. Referido a dos personas, ponerse muy cariñosas o dar muestras de cariño: *Los novios se amartelaron en el banco de la plaza sin importarles lo que pasara a su alrededor.* ☐ ETIMOL. De *martelo* (celos). ☐ MORF. Se usa más como participio.

amartillar v. Referido a un arma de fuego, ponerla en disposición de disparar: *El cazador amartilló su escopeta y esperó a que saliera la liebre.*

amasable adj.inv. Que se puede amasar.

amasadora s.f. Máquina que sirve para amasar: *La amasadora de la pastelería consiste en un perol y dos brazos que se mueven al tiempo.*

amasar v. **1** Referido a una sustancia, hacer una masa con ella mezclándola con otros elementos y con algún líquido: *Para hacer pan hay que amasar harina, agua y levadura.* **2** Referido esp. al dinero o a los bienes, reunirlos o acumularlos: *Los negocios le permitieron amasar una gran fortuna.*

amasijo s.m. *col.* Mezcla desordenada de elementos diferentes: *Tienes que ordenar el amasijo de ideas que bullen por tu cabeza.*

amateur (fr.) adj.inv./s.com. Que practica un deporte o cualquier otra actividad por pasatiempo, sin tenerla como profesión ni cobrar por ella: *Yo juego en un equipo de baloncesto amateur.* ☐ PRON. [amatér]. ☐ USO Su uso es innecesario y puede sustituirse por *aficionado* o *no profesional.*

amateurismo s.m. Práctica de un deporte o de cualquier otra actividad como pasatiempo, sin que sea una profesión y sin cobrar por ella: *El amateurismo en el deporte se está extendiendo entre la población joven.*

amatista s.f. Cuarzo transparente, de color violeta, que se usa en joyería como piedra preciosa. ☐ ETIMOL. Del latín *amethystus*, y este del griego *améthystos* (que no está borracho), porque se creía que esta piedra preservaba de la embriaguez.

amatorio, ria adj. Del amor o relacionado con este sentimiento: *poesía amatoria.*

amaxofobia s.f. Temor enfermizo a viajar en un medio de transporte en el que no hay una salida de emergencia al alcance.

amazacotado, da adj. Pesado, duro, o compuesto de forma maciza o compacta: *Los colchones de lana hay que mullirlos para que no queden amazacotados.*

amazacotar v. Hacer demasiado denso, macizo o pesado: *No eches más harina a la masa porque la vas a amazacotar.*

amazona s.f. **1** Mujer que monta a caballo: *Las amazonas del circo hacen ejercicios acrobáticos sobre los caballos.* **2** En la mitología griega, mujer guerrera: *Según la leyenda, las amazonas excluían de su sociedad a los hombres, con los que solo contaban para la generación.* □ ETIMOL. Del latín *Amazon* y este del griego *Amazón.* □ MORF. En la acepción 1, su masculino es *jinete.* □ SEM. Dist. de *jineta* (animal carnicero).

amazónico, ca adj. Del río suramericano Amazonas, o de los territorios situados en sus orillas: *selva amazónica.*

ambages s.m.pl. Rodeos de palabras para decir algo: *No seas cobarde, y dime lo que piensas sin ambages.* □ ETIMOL. Del latín *ambages* (rodeos, sinuosidades).

ámbar ▌adj.inv./s.m. **1** De color amarillo anaranjado: *Cuando yo pasé el semáforo aún estaba ámbar.* ▌s.m. **2** Resina fósil, de color amarillo, muy ligera, dura y quebradiza, que arde fácilmente desprendiendo un buen olor, y que se usa para fabricar collares, boquillas de fumar y otros objetos: *Siempre han sido muy famosos los yacimientos de ámbar del mar Báltico.* □ ETIMOL. Del árabe *'anbar* (cachalote, ámbar gris que se forma en el intestino del cachalote).

ambarino, na adj. Del ámbar o relacionado con él: *He barnizado las puertas de un tono ambarino.*

ambicia s.f. En zonas del español meridional, ambición.

ambición s.f. Deseo intenso de conseguir algo, esp. poder, riquezas o fama: *Mi mayor ambición es ser feliz en la vida.* □ ETIMOL. Del latín *ambitio.*

ambicionar v. Desear con ardor o entusiasmo: *Lo único que ambiciona es poder dar a sus hijos el cariño que ella no tuvo.*

ambicioso, sa ▌adj. **1** Referido esp. a una obra o a un proyecto, que son de gran envergadura o manifiestan ambición: *plan ambicioso.* ▌adj./s. **2** Que tiene o manifiesta ambición o un deseo intenso de conseguir algo: *una persona muy ambiciosa.*

ambidextro, tra adj./s. →**ambidiestro.**

ambidiestro, tra (tb. *ambidextro, tra*) adj./s. Que usa con la misma habilidad la mano derecha que la izquierda: *Juega muy bien al tenis porque es ambidiestro. Los ambidiestros no tienen problemas para manejarse si se rompen un brazo.* □ ETIMOL. Del latín *ambidexter.*

ambient (ing.) adj.inv./s.m. Referido a una música, que es electrónica y se caracteriza por los sonidos repetitivos y relajantes.

ambientación s.f. **1** Aportación de los rasgos necesarios para sugerir el marco histórico o social en el que se desarrolla la acción de una obra de ficción: *La ambientación de esta obra en el siglo XVII se consiguió a partir de pequeños detalles.* **2** Preparación de un lugar para que ofrezca el ambiente adecuado: *Todos sugerimos ideas para la ambientación del salón para la fiesta.* **3** Adaptación de una persona a un medio desconocido: *La ambientación a nuevas situaciones no me cuesta ningún esfuerzo.*

ambientador, -a ▌adj. **1** Que produce un ambiente agradable. ▌s. **2** Persona que se encarga de la ambientación en una obra de radio, de cine o de televisión. ▌s.m. **3** Sustancia que se utiliza para perfumar el ambiente o para eliminar los malos olores. **4** Envase o recipiente que contiene esta sustancia.

ambiental adj.inv. Del ambiente o relacionado con él: *música ambiental.*

ambientalismo s.m. **1** →**ecologismo. 2** Rama del ecologismo que estudia la degradación de los ecosistemas provocada por las actividades humanas. □ USO En la acepción 1, es un anglicismo innecesario.

ambientalista adj.inv./s.com. **1** →**ecologista. 2** Que estudia la degradación de los ecosistemas provocada por las actividades humanas. □ USO En la acepción 1, es un anglicismo innecesario.

ambientar ▌v. **1** Referido a una obra de ficción, aportarle los rasgos necesarios para sugerir el marco histórico o social en el que se desarrolla la acción: *Los coreógrafos ambientaron el baile en un barrio pesquero.* **2** Referido a un lugar, proporcionarle el ambiente adecuado, esp. mediante la decoración o las luces adecuadas: *Ambientó la casa con velas para dar un toque romántico a la cena.* ▌prnl. **3** Referido a una persona, adaptarse o acostumbrarse a un medio desconocido o a una nueva situación: *Todavía no me he ambientado a esta ciudad.*

ambiente s.m. **1** Aire o atmósfera: *Abre la ventana, porque el ambiente está muy cargado.* **2** Conjunto de condiciones o circunstancias, esp. de carácter social, físico o económico, que rodean o caracterizan un lugar, una colectividad o una época: *Las bibliotecas ofrecen un ambiente silencioso y propicio para el estudio.* **3** Situación agradable o condiciones propicias o favorables para algo: *En verano este pueblo tiene mucho más ambiente que en invierno.* **4** Conjunto de características típicas de un determinado marco histórico o social: *La novela refleja el ambiente de la España rural de principios de siglo.* **5** Grupo o sector social: *En los ambientes médicos ese laboratorio no goza de prestigio.* **6** Colectivo de los homosexuales: *un bar de ambiente.* □ ETIMOL. Del latín *ambiens* (que rodea).

ambigú (pl. *ambigúes, ambigús*) s.m. **1** Comida en la que todos los alimentos están dispuestos a la vez para que los comensales, de pie, elijan lo que prefieran: *Celebraron el cumpleaños ofreciendo un ambigú a sus amigos.* □ SINÓN. *bufé.* **2** En un local destinado a espectáculos públicos, lugar donde se sirve esa comida: *La empresa del teatro les invita a visitar el ambigú en el descanso.* □ SINÓN. *bufé.* □ ETIMOL. Del francés *ambigu.*

ambigüedad s.f. **1** Posibilidad de que algo sea entendido de varios modos o de que admita distintas interpretaciones: *El lenguaje publicitario utiliza mucho la ambigüedad.* **2** Incertidumbre, duda o indefinición de las actitudes o de las opiniones: *Dada la ambigüedad de la situación, no me es posible apoyar a ninguno de los dos bandos.*

ambiguo, gua adj. **1** Que puede entenderse de varios modos o admitir distintas interpretaciones: *una respuesta ambigua.* **2** Incierto, dudoso o sin tener definidas claramente actitudes u opiniones: *una persona ambigua.* □ ETIMOL. Del latín *ambiguus*, y este de *ambigere* (estar en discusión).

ámbito s.m. Espacio comprendido dentro de unos límites determinados: *Eso queda fuera del ámbito de mis posibilidades.* □ ETIMOL. Del latín *ambitus*.

ambivalencia s.f. **1** Posibilidad de interpretar algo de dos formas opuestas: *La ambivalencia de sus palabras nos impidió saber si realmente estaba a favor o en contra de la propuesta.* **2** Estado de ánimo caracterizado por la coexistencia de dos emociones o sentimientos opuestos: *La ambivalencia de mis sentimientos me hace debatirme entre el amor y el odio.*

ambivalente adj.inv. **1** Que puede interpretarse de dos formas opuestas: *unas declaraciones ambivalentes.* **2** Que manifiesta la coexistencia de dos emociones o sentimientos opuestos: *Mi actitud hacia ellos es ambivalente y tan pronto me inspiran desprecio como compasión.*

ambliope adj.inv. Referido a una persona, que tiene debilidad o disminución de la vista, sin lesión orgánica del ojo: *Esta oftalmóloga es especialista en el tratamiento de pacientes ambliopes.* □ ETIMOL. Del griego *amblyopós* (con la vista débil).

ambliopía s.f. Debilidad o disminución de la vista, sin lesión orgánica del ojo: *El oftalmólogo me detectó una ambliopía.*

ambón s.m. En una iglesia, cada uno de los dos púlpitos que están a ambos lados del altar mayor: *Antiguamente los sacerdotes predicaban desde el ambón.* □ ETIMOL. Del latín *ambo*, y este del griego *ámbon*.

ambos, bas indef. pl. El uno y el otro, o los dos: *Ambos hermanos son muy deportistas. Uno es más práctico y el otro más decorativo, pero me gustan ambos.* □ ETIMOL. Del latín *ambo*. □ MORF. Cuando se antepone a una palabra para formar compuestos, adopta la forma *ambi-*. □ SINT. **Ambos dos* es una expresión redundante e incorrecta, aunque está muy extendida. □ SEM. Dist. de *sendos* (respecto de dos o más, uno para cada uno). □ USO El uso de *ambos a dos* es característico del lenguaje literario.

-ambre Sufijo que indica conjunto o abundancia: *pelambre, enjambre.*

ambrosía s.f. En la mitología grecolatina, manjar o alimento de los dioses: *Los dioses del Olimpo se alimentaban de néctar y ambrosía.* □ ETIMOL. Del griego *ambrosía*, y este de *ámbrotos* (inmortal).

ambulacral adj.inv. Del ambulacro, o relacionado con este: *Los pies ambulacrales de la estrella de mar son sus órganos de locomoción.*

ambulacro s.m. Apéndice eréctil y con forma de pequeño tubo que sale por los orificios del esqueleto de los animales equinodermos. □ ETIMOL. Del latín *ambulacrum* (paseo).

ambulancia s.f. Vehículo destinado al transporte de enfermos y heridos: *Las ambulancias llevan una sirena y una luz ámbar para abrirse paso entre los coches.*

ambulantaje s.m. En zonas del español meridional, venta ambulante.

ambulante adj.inv. Que va de un lugar a otro sin tener asiento fijo, o que realiza una actividad yendo de un lugar a otro: *un vendedor ambulante.* □ ETIMOL. Del latín *ambulans* (que anda).

ambulatorio, ria ▮ adj. **1** Referido esp. a un tratamiento médico, que no precisa la permanencia en un hospital: *un centro especializado en cirugía menor ambulatoria.* ▮ s.m. **2** Establecimiento médico dependiente del sistema de sanidad pública, en el que se presta asistencia médica y farmacéutica a personas que no están internadas en él: *En este ambulatorio hay médicos de casi todas las especialidades.*

ameba (tb. *amiba*) s.f. Organismo microscópico unicelular que se mueve mediante pseudópodos y se reproduce mediante escisión: *Las amebas son protozoos.* □ ETIMOL. Del griego *amoibé* (cambio, transformación).

amedrentar v. Atemorizar o hacer sentir miedo: *Me amedrentó con su actitud violenta. Al verle sacar la pistola, me amedrenté.* □ ETIMOL. De origen incierto. □ SEM. Dist. de *amenazar*.

amelga s.f. Cada una de las franjas de tierra en que se divide el terreno para sembrarlo uniformemente: *Antes de echar la simiente, hay que dividir el terreno en amelgas.* □ ETIMOL. De origen incierto.

amelgar v. Hacer surcos en un campo para sembrarlo: *Amelgaron la tierra con el arado.* □ ORTOGR. La *g* se cambia en *gu* delante de *e* →PAGAR.

amelocotonado, da adj. Parecido al melocotón o que tiene alguna de sus características.

amelonado, da adj. Con forma de melón.

amembrillado, da adj. Parecido al membrillo o que tiene alguna de sus características.

amén interj. **1** Expresión que se dice al final de las oraciones y que significa 'así sea': *Los fieles contestaron a la oración del sacerdote diciendo: «Amén».* **2** Expresión que se usa para indicar conformidad o deseo de que se cumpla lo que se ha dicho previamente: *'Amén' fue lo único que contestó cuando le aseguraron que todo se arreglaría.* **3** ‖ **amén de;** además de: *Ha escrito varios libros de poesía, amén de dos o tres novelas.* ‖ **decir amén a** algo; *col.* Asentir a ello o aprobarlo: *No le quedará más remedio que decir amén a lo que le propongamos.* □ ETIMOL. Del hebreo *amen* (ciertamente).

-amen Sufijo que indica conjunto: *velamen, pelamen.* □ ETIMOL. Del latín *-amen*.

amenaza s.f. **1** Advertencia o anuncio del mal que se le quiere hacer a alguien: *Tus amenazas no me dan miedo.* **2** Advertencia o anuncio de algo malo o desagradable que va a ocurrir en un futuro próximo: *La degradación del medio ambiente es una* *amenaza para la humanidad.* □ ETIMOL. Del latín *minacia.*

amenazador, -a adj./s. Que amenaza o que supone un peligro: *mirada amenazadora.* □ SINÓN. *amenazante.*

amenazante adj.inv. →**amenazador.**

amenazar v. **1** Referido a una persona, darle a entender con actos o con palabras que se le quiere hacer algún mal: *Un desconocido nos amenazó de muerte por teléfono.* **2** Referido a algo malo o desagradable, anunciarlo, presagiarlo o dar indicios de que va a ocurrir en un futuro próximo: *El cielo amenaza lluvia.* □ ORTOGR. La *z* se cambia en *c* delante de *e* →CAZAR. □ SEM. Dist. de *amedrentar.*

amenguar v. →**menguar.** □ ETIMOL. De *mengua.* □ ORTOGR. 1. La *u* lleva diéresis cuando le sigue *e.* 2. La *u* permanece siempre átona →AVERIGUAR.

amenidad s.f. Capacidad para resultar agradable o alegre, o para entretener de forma tranquila y placentera: *La amenidad de esta obra de teatro es la causa de su éxito.*

amenizar v. Hacer ameno o entretenido: *Amenizó su conferencia con anécdotas muy agradables.* □ ORTOGR. La *z* se cambia en *c* delante de *e* →CAZAR.

ameno, na adj. Agradable, alegre o que entretiene de forma tranquila y placentera: *Es muy ameno hablando y a su lado las horas se pasan sin sentir.* □ ETIMOL. Del latín *amoenus.*

amenorrea s.f. Enfermedad que consiste en la supresión de la menstruación: *La amenorrea puede obedecer a causas infecciosas.* □ ETIMOL. Del griego *a* (negación), *men* (mes), y *rhéo* (yo fluyo).

amerengado, da adj. Parecido al merengue o que tiene alguna de sus características: *La tarta estaba cubierta por una crema amerengada.*

americana s.f. Véase **americano, na.**

americanada s.f. *desp.* Lo que refleja los rasgos típicos estadounidenses.

americanidad s.f. Conjunto de características que se consideran propias de lo americano. □ PRON. Incorr. *[americaneidad].

americanismo s.m. **1** En lingüística, palabra, significado o construcción sintáctica de alguna lengua indígena americana o del español de algún país americano, esp. los empleados en otra lengua: *Las palabras 'patata', 'cacao' y 'cacique' son americanismos.* **2** Admiración o simpatía por todo lo americano.

americanista ▌adj.inv. **1** Relacionado con lo que es propiamente americano: *tendencias americanistas.* ▌s.com. **2** Persona que estudia las lenguas y culturas americanas.

americanización s.f. Difusión o adopción de las características que se consideran propias de lo americano: *En los últimos años, por la influencia de los Estados Unidos, se ha producido una americanización de muchas costumbres europeas.*

americanizar v. Dar o adquirir características que se consideran propias de lo americano: *Los muchos años pasados en Chile lo americanizaron.* □ ORTOGR. La *z* se cambia en *c* delante de *e* →CAZAR.

americano, na ▌adj./s. **1** De América (uno de los cinco continentes), o relacionado con ella: *Colombia y Canadá son países americanos.* **2** →**estadounidense.** ▌s.f. **3** Chaqueta con solapas y botones que cubre hasta más abajo de la cadera y que no forma parte de un traje: *La americana es una prenda de vestir que actualmente usan hombres y mujeres.*

american way of life (ing.) s.m. ‖ Conjunto de características que tradicionalmente se han considerado propias de la forma de vida estadounidense, como el liberalismo y la competitividad. □ PRON. [américan uéi of láif].

americio s.m. Elemento químico, metálico y artificial, de número atómico 95, que pertenece al grupo de las tierras raras y es de color blanco: *El americio se obtiene bombardeando el plutonio con neutrones.* □ ETIMOL. De *América,* donde se descubrió. □ ORTOGR. Su símbolo químico es *Am.*

amerindio, dia adj. De los indios americanos o relacionado con ellos: *Algunas poblaciones amerindias están en peligro de extinción.* □ ETIMOL. Del inglés *Amerindian.*

ameritar v. **1** En zonas del español meridional, merecer: *Ameritó el premio.* **2** En zonas del español meridional, exigir o necesitar: *La reanudación de las clases amerita una serie de acciones fáciles de llevar a cabo.*

amerizaje s.m. Descenso de un hidroavión o de una nave espacial hasta posarse en el mar: *El amerizaje de la nave espacial tuvo lugar a la hora prevista.* □ SINÓN. *amaraje.* □ ETIMOL. Del francés *amerrisage.*

amerizar v. Referido esp. a un hidroavión, posarse en el mar: *El hidroavión amerizó en mitad del océano para rescatar a los náufragos.* □ SINÓN. *amarar.* □ ORTOGR. La *z* se cambia en *c* delante de *e* →CAZAR.

amestizado, da adj. Con características que se consideran propias de los mestizos.

ametrallador, -a ▌adj. **1** Que dispara automáticamente y a gran velocidad: *fusil ametrallador.* ▌s.f. **2** Arma de fuego automática, habitualmente apoyada sobre un trípode, que dispara ráfagas a gran velocidad.

ametralladora s.f. Véase **ametrallador, -a.**

ametrallamiento s.m. Ataque realizado al disparar repetidamente armas ametralladoras: *El ametrallamiento del barco pesquero por parte del barco guardacostas provocó un enfrentamiento diplomático entre los dos países.*

ametrallar v. **1** Disparar metralla o disparar con armas ametralladoras: *Los asesinos ametrallaron a sus víctimas.* **2** Referido a una persona, asediarla con una ráfaga de preguntas o fotografías: *Llegó el presidente, y los fotógrafos lo ametrallaron con sus cámaras.* □ ETIMOL. De *metralla.*

amétrope adj.inv./s.com. Referido a una persona, que padece ametropía: *Algunos amétropes deben usar gafas.*

ametropía s.f. Defecto ocular que impide que se formen correctamente las imágenes en la retina: *La* *ametropía se debe fundamentalmente a un defecto en la longitud del eje ocular.* □ ETIMOL. Del griego *ámetros* (irregular) y *óps* (vista).

amianto s.m. Mineral incombustible y aislante, que se presenta en fibras finas, flexibles y suaves al tacto: *Con el amianto se fabrican tejidos incombustibles, como los que se utilizan en los trajes de los bomberos o de los pilotos de carreras.* □ ETIMOL. Del latín *amiantus*.

amiba s.f. →**ameba.**

amibiasis (pl. *amibiasis*) s.f. Inflamación intestinal causada por una ameba que provoca diarrea y exceso de gases intestinales.

amicísimo, ma superlat. irreg. de **amigo**.

amida s.f. Compuesto químico orgánico que resulta de sustituir en el amoniaco o en sus derivados un átomo de hidrógeno por un radical ácido orgánico: *Las amidas contienen el radical -$CONH_2$.*

amielado, da adj. De la miel o con sus características: *La melaza del ron tiene un toque amielado.*

amigabilidad s.f. **1** Disposición o actitud natural para hacer amistades. **2** En informática, facilidad de uso que ofrecen algunos programas al usuario no especializado: *Este programa me ha resultado muy sencillo de utilizar por su amigabilidad.*

amigable adj.inv. **1** Que manifiesta amistad. **2** Referido a un programa informático, que no resulta demasiado complicado para un usuario no especializado.

amigar v. Unir en amistad: *Los dos hermanos se amigaron después de llevar varios años sin hablarse.* □ ORTOGR. La *g* se cambia en *gu* delante de *e* →PAGAR.

amígdala s.f. Cada uno de los dos órganos formados por la reunión de numerosos nódulos linfáticos, situados entre los pilares del velo del paladar: *Las amígdalas tienen forma de almendra.* □ ETIMOL. Del latín *amygdala*, forma culta de *almendra*, porque las amígdalas tienen esta forma. □ SEM. Dist. de *angina* (inflamación de las amígdalas y de las zonas próximas).

amigdalitis (pl. *amigdalitis*) s.f. Inflamación de las amígdalas: *Cuando tengo amigdalitis, me duele mucho la garganta y me sube la fiebre.* □ ETIMOL. De *amígdala* e *-itis* (inflamación).

amigo, ga ▌adj. **1** Que siente gusto por algo o que es aficionado a ello: *No soy muy amiga de madrugar.* ▌adj./s. **2** Que tiene una relación de amistad o de afecto y confianza con otra persona: *Somos amigos desde la infancia.* ▌s. **3** *col.* Amante: *Me presentó a su amigo y me dijo que pronto se casarían.* **4** ‖ **falsos amigos;** par de términos de distintas lenguas, y cuyo significado es distinto pese a tener forma parecida: *La palabra inglesa 'sensible' y la española 'sensible' son falsos amigos porque la primera significa 'sensato'.* □ ETIMOL. Del latín *amicus*. □ MORF. Sus superlativos son *amiguísimo* y *amicísimo*. □ SEM. *Amigo personal* es una expresión redundante e incorrecta, aunque está muy extendida. □ USO Se usa como apelativo: *Oiga, amigo, ¿cuánto vale esta mesa?*

amigote, ta s. *col.* Compañero de juergas y diversiones: *Siempre está de parranda con sus amigotes.* □ USO Tiene un matiz despectivo.

amiguero, ra adj. En zonas del español meridional, que entabla amistades fácilmente: *Muchos lo consideran una persona amiguera y simpática.*

amiguete s.m. *col.* Persona conocida con la que se mantiene una relación de amistad poco profunda: *¿No tienes ningún amiguete en el Ayuntamiento que me pueda arreglar estos papeleos?*

amiguismo s.m. *desp.* Tendencia a favorecer a los amigos en perjuicio del derecho de terceras personas, esp. en la concesión de un trabajo o de un cargo, si tienen méritos inferiores a los de otros aspirantes: *El amiguismo es un desprestigio para toda la sociedad.*

amilanamiento s.m. Intimidación, desánimo o falta de valor.

amilanar v. Intimidar, desanimar o causar miedo: *Los últimos fracasos lo amilanaron. No te dejes amilanar por sus amenazas.* □ ETIMOL. De *milano*, por el pánico que causan las aves de rapiña.

amina s.f. Compuesto químico orgánico derivado del amoniaco, al sustituir sus átomos de hidrógeno por radicales orgánicos: *La amina es soluble en agua.*

amino s.m. Radical químico formado por un átomo de nitrógeno y dos de hidrógeno: *Los aminos son grupos -NH_2.*

aminoácido s.m. Compuesto químico orgánico que tiene al mismo tiempo carácter de ácido y de amino: *Algunos aminoácidos son componentes básicos de las proteínas.*

aminoración s.f. Disminución o reducción del tamaño, la cantidad o la intensidad de algo. □ SINÓN. *minoración.*

aminorar (tb. *minorar*) v. Disminuir, menguar o hacer menor en tamaño, cantidad o intensidad: *En las curvas hay que aminorar la velocidad. Dicen que la pena se aminora con el paso del tiempo.* □ ETIMOL. Del latín *minorare*.

amish adj.inv./s.com. Que pertenece a un grupo religioso escindido de los menonitas, que sigue la doctrina de Jakob Amman (obispo suizo del siglo XVII) en la que se rechazan los avances tecnológicos.

amistad ▌s.f. **1** Relación personal desinteresada, que nace y se fortalece con el trato y está basada en un sentimiento recíproco de cariño y simpatía: *No son novios, entre ellos solo existe una buena amistad.* ▌pl. **2** Personas con las que se tiene esta relación: *Tenía muchas amistades.* □ ETIMOL. Del latín **amicitas*, por *amicitia* (amistad).

amistar v. En zonas del español meridional, hacer las paces o reconciliarse: *Dile que quiero amistar con él.*

amistoso, sa adj. **1** De amistad o con sus características: *un consejo amistoso.* **2** Referido a una competición deportiva, que no está incluida en ningún campeonato: *un partido amistoso.*

amito s.m. Prenda de lienzo blanco que se puede poner el sacerdote sobre la espalda y los hombros, debajo del alba: *El sacerdote se puso el amito en la sacristía.* □ ETIMOL. Del latín *amictus*, y este de *amicare* (cubrir).

amitosis (pl. *amitosis*) s.f. En biología, división del núcleo celular en dos partes sin que haya cambios importantes en la estructura nuclear: *En la amitosis, si el citoplasma se divide da lugar a dos células hija, y si no se divide da lugar a una célula con dos núcleos.* □ ETIMOL. De *a-* (negación) y *mitosis*.

ammonites (pl. *ammonites*) s.m. →**amonites.**

amnesia s.f. Pérdida total o parcial de la memoria: *Tras el accidente sufrió una amnesia pasajera que le impedía recordar incluso su nombre.* □ ETIMOL. Del griego *amnesía*, y este de *a-* (privación) y *mnésis* (recuerdo, memoria). □ SEM. Dist. de *dismnesia* (debilidad de la memoria).

amnésico, ca ▌adj. **1** De la amnesia o relacionado con la pérdida de memoria: *un proceso amnésico.* ▌adj./s. **2** Que padece amnesia: *un enfermo amnésico.*

amniocentesis (pl. *amniocentesis*) s.f. Análisis que se hace del líquido amniótico para diagnosticar el estado del feto: *El médico recomendó a la embarazada hacerse una amniocentesis porque tenía más de cuarenta años.*

amnios (pl. *amnios*) s.m. En el embrión de un mamífero, de un ave o de un reptil, envoltura más interna llena de líquido, que tiene forma de saco cerrado: *El amnios se origina a partir de un repliegue, que poco a poco va desarrollándose hasta rodear al embrión.* □ ETIMOL. Del griego *amneiós* (vasija para la sangre de los sacrificios).

amnioscopia s.f. Observación de la bolsa amniótica con el amnioscopio.

amnioscopio s.m. Instrumento que se utiliza para realizar una exploración de la bolsa amniótica: *El amnioscopio se introduce por el canal cervical para observar el feto.*

amniótico, ca adj. Del amnios o relacionado con esta envoltura del embrión: *líquido amniótico.*

amnistía s.f. Perdón total decretado por el Gobierno y que se concede a todo el que cumple una pena por haber realizado determinado tipo de actos, generalmente políticos: *El candidato a la presidencia del Gobierno incluyó en su programa electoral la amnistía general a todos los presos políticos.* □ ETIMOL. Del griego *amnestía* (olvido). □ SEM. Dist. de *indulto* (perdón total o parcial de la pena legal impuesta a alguien en particular).

amnistiar v. Conceder amnistía: *El nuevo Gobierno ha prometido amnistiar a los insumisos.* □ ORTOGR. La *i* final de la raíz lleva tilde en los presentes, excepto en las personas *nosotros* y *vosotros* →GUIAR.

amo, ma ▌s. **1** Persona que es dueña de algo: *Los perros son siempre fieles a sus amos.* **2** Persona que tiene uno o más criados a su servicio: *Las amas de las antiguas mansiones romanas tenían varias esclavas a su servicio.* **3** Persona que tiene mucha autoridad o gran influencia en otras: *El líder de la secta es el amo de las voluntades de los adeptos.* ▌s.f. **4** Criada principal que gobierna una casa: *El ama del párroco le hizo una tarta el día de su cumpleaños.* **5** ‖ **amo de casa;** persona que se ocupa de las labores domésticas del hogar: *Mi madre es ama de casa.* ‖ **ama de {cría/leche};** mujer que amamanta a un niño sin ser suyo: *Antiguamente era muy normal contratar a un ama de cría cuando la madre no tenía suficiente leche para el bebé.* □ SINÓN. *nodriza, madre de leche.* ‖ **ama de llaves;** criada encargada de llevar la economía doméstica de una casa que no es la suya, a cambio de un sueldo: *En las antiguas mansiones, las amas de llaves se ocupaban de todos los asuntos internos para el buen funcionamiento de una casa.* □ ETIMOL. *Ama*, del latín *amma* (nodriza) que pasó a ser *dueña de la casa*, y *amo*, de *ama*. □ MORF. *Ama*, por ser un sustantivo femenino que empieza por *a* tónica o acentuada, va precedido de *el*, *un*, *algún*, *ningún* y de las formas femeninas del resto de los determinantes.

amoblamiento s.m. En zonas del español meridional, mobiliario: *El amoblamiento de la oficina es totalmente nuevo.*

amoblar v. →**amueblar.** □ MORF. Irreg. →CONTAR.

amodorramiento s.m. Adormecimiento o sopor que no llega al sueño total: *Con el calor me entra tanto amodorramiento que se me quitan las ganas de estudiar.*

amodorrar v. Causar modorra o adormecimiento: *Este calor tan sofocante amodorra a cualquiera. Después de comer siempre me amodorro en el sillón.*

amohinamiento s.m. Enojo, disgusto o entristecimiento.

amohinarse v.prnl. Sentir enojo, disgusto o tristeza: *Se amohína si ve que las cosas no le salen como él quiere.* □ ETIMOL. De *mohíno*. □ ORTOGR. La *i* lleva tilde en los presentes, excepto en las personas *nosotros* y *vosotros* →GUIAR.

amojamamiento s.m. Delgadez o escasez de carnes.

amojamar ▌v. **1** Referido al atún, salarlo y secarlo al aire, al sol o al humo, convirtiéndolo en mojama: *Mi abuela sabe amojamar muy bien el atún.* ▌prnl. **2** Referido a una persona, quedarse muy delgada, por la vejez o por otras causas: *Con esta enfermedad se está amojamando día a día.*

amojonamiento s.m. Colocación de mojones o señales para marcar los límites de un terreno: *La alcaldesa ha ordenado el amojonamiento de los terrenos de uso comunal.*

amojonar v. Referido a un terreno, ponerle mojones o señales para marcar sus límites: *Amojonó sus campos y los separó de las tierras vecinas.*

amoladón, -a adj. En zonas del español meridional, que está enfermo, triste o sin recursos.

amoladora s.f. Aparato que se utiliza para afilar instrumentos cortantes.

amolar v. *col.* Molestar o fastidiar con insistencia: *No me amueles, y no me digas eso ni en broma.* □

ETIMOL. De *muela* (la del molino). ☐ MORF. Irreg. →CONTAR. ☐ SEM. Dist. de *amuelar* (recoger y colocar el trigo).

amoldamiento s.m. **1** Adaptación de un objeto a un molde: *El amoldamiento de estas figuras es muy difícil porque están hechas de un material muy duro.* **2** Adaptación a un fin, a una circunstancia o a una norma: *El amoldamiento al nuevo trabajo le está costando mucho esfuerzo. Se fijó un plazo para realizar el amoldamiento de las piezas a la normativa comunitaria.*

amoldar ▌ v. **1** Adaptar a un fin, a una circunstancia o a una norma: *Estoy dispuesta a amoldar mis intereses al bienestar general. Es inteligente y se amolda bien a las situaciones nuevas.* ▌ prnl. **2** Referido a un objeto, ajustarse o adaptarse a un molde: *Estos guantes se amoldan perfectamente a mis manos.* ☐ ETIMOL. De *molde*.

amonal s.m. Explosivo compuesto de aluminio en polvo, nitrato amónico y otros componentes químicos: *El atentado se produjo con dos cargas de amonal.*

amonarse v.prnl. *col.* Emborracharse: *Cuando se amona, empieza a decir tonterías.* ☐ ETIMOL. De *mona* (borrachera).

amondongado, da adj. *col.* Gordo, tosco o mal formado. ☐ ETIMOL. De *mondongo*. ☐ USO Tiene un matiz despectivo.

amonedar v. Referido a una moneda, fabricarla con metal: *Este año se han amonedado unas monedas conmemorativas del V centenario del descubrimiento de América.* ☐ SINÓN. *monetizar.*

amonestación s.f. **1** Advertencia muy severa que se hace a alguien: *En el fútbol, el árbitro señala la primera amonestación con tarjeta amarilla, y la segunda, con tarjeta roja.* ☐ SINÓN. *admonición, amonestamiento.* **2** En la iglesia católica, publicación de los nombres de las personas que se van a casar para que, si alguien conoce algún impedimento, lo denuncie: *El sacerdote nos ha dicho que el domingo pondrá en la puerta de la iglesia nuestras amonestaciones.*

amonestamiento s.m. →**amonestación.**

amonestar v. **1** Referido a una persona, reprenderla o decirle con severidad que no debe volver a hacer lo que ha hecho porque es una falta grave: *La tutora ha amonestado a toda la clase por el mal comportamiento demostrado durante la visita al museo.* **2** En algunos deportes, sacar tarjeta a un jugador: *El árbitro amonestó al defensa por haber dado una patada al delantero del equipo contrario.* ☐ ETIMOL. Del latín *admonere*, por influencia de *molestare*.

amoniacal adj.inv. Del amoniaco o relacionado con este gas: *Los vapores amoniacales tienen un olor muy penetrante.*

amoniaco (tb. *amoníaco*) s.m. **1** Gas incoloro compuesto de nitrógeno e hidrógeno, de olor penetrante y desagradable, muy soluble en agua: *El amoniaco es un producto básico en la industria química.* **2** Compuesto químico formado por este gas disuelto en agua y muy usado en artículos de limpieza y en abonos: *Los peines se limpian muy bien dejándolos un rato en agua con un poco de amoniaco.* ☐ ETIMOL. De *goma amoníaca*, este del latín *ammoniacus* y este del griego *Ammoniakós* (del país de Ammón), porque esta goma se traía de Libia, donde había un célebre templo de Ammón.

amónico, ca adj. Del amonio o relacionado con este radical químico: *El nitrato amónico es muy utilizado en la fabricación de explosivos.*

amonio s.m. Radical químico compuesto de un átomo de nitrógeno y cuatro de hidrógeno: *La abreviatura que se usa en química para representar el amonio es NH_4.* ☐ ETIMOL. De *Ammón*, porque en Libia, de donde procedía este compuesto, había un templo dedicado a este dios.

amonites (pl. *amonites*) s.m. Molusco fósil de la clase de los cefalópodos, que existió en la era secundaria y que tenía una concha externa en espiral. ☐ ETIMOL. Por alusión a Ammón, nombre de Júpiter representado con cuernos de carnero. ☐ ORTOGR. Se usa también *ammonites*.

amontillado adj./s.m. Referido a un vino blanco, que tiene un sabor parecido al del vino de Montilla (ciudad cordobesa): *Como aperitivo tomamos un amontillado.*

amontonamiento s.m. Acumulación o reunión desordenada de algo: *En ese amontonamiento de papeles es imposible que encuentres el que buscas.*

amontonar ▌ v. **1** Poner en montón o juntar de modo desordenado: *Amontonó los juguetes extendidos por la habitación en un rincón. La gente se amontonó en los pasillos del estadio.* ▌ prnl. **2** Referido esp. a sucesos o ideas, producirse o desarrollarse muchos en poco tiempo: *Las informaciones se amontonaron y hubo que distinguir las ciertas de las dudosas.*

amor s.m. **1** Sentimiento de afecto, cariño y solidaridad que una persona siente hacia otra y que se manifiesta generalmente en desear su compañía, alegrarse con lo que considera bueno para ella y sufrir con lo que considera malo: *Creo que el amor de madre es el más desinteresado.* **2** Sentimiento de afecto y cariño, unido a una atracción sexual: *El amor de Romeo y Julieta ha quedado como prototipo del amor desgraciado.* **3** Persona amada: *Mi mujer es mi único amor.* **4** Afición o inclinación apasionada que una persona siente hacia algo: *Su amor a la verdad está fuera de toda duda.* **5** Esmero o cuidado con el que se realiza algo: *Me dijo que el truco para cocinar bien es hacerlo con amor.* **6** ‖ **al amor de;** junto a: *Se sentaron al amor de la lumbre.* ‖ **amor libre;** el que rechaza el matrimonio y cualquier otra concepción basada en el establecimiento de parejas fijas o cerradas: *Los defensores del amor libre no exigen fidelidad a su pareja.* ‖ **amor platónico;** el que idealiza a la persona amada, sin establecer con ella ninguna relación sexual: *Ya sé que está casado, pero lo nuestro es un amor platónico.* ‖ **amor propio;** el que siente una persona por sí misma y le hace desear quedar bien ante sí misma y ante los demás: *No es inteligente,* *pero llegará lejos porque es muy trabajador y tiene mucho amor propio.* || **de mil amores;** con mucho gusto: *Te acompaño de mil amores.* || **en amor y compaña;** *col.* En amistad y buena compañía: *Aquí estamos todos, en amor y compaña.* || **hacer el amor; 1** Realizar el acto sexual: *Es famosa la escena en la que los dos protagonistas hacen el amor.* **2** Galantear y cortejar una persona a otra para intentar conseguir su amor: *El romance cuenta cómo el galán hacía el amor a su dama esperándola todos los días bajo su ventana.* || **por amor al arte;** *col.* De forma gratuita o sin cobrar nada: *Las noches que voy a casa de mi hermano a cuidar a los niños lo hago por amor al arte.* ☐ SINÓN. *gratis et amore.* || **por amor de Dios; 1** Expresión que se usa para pedir algo humildemente y por caridad: *¡Deme una limosnita, por amor de Dios!* **2** Expresión que se usa para indicar sorpresa, protesta o indignación: *¡Por amor de Dios! ¿Es que nunca vas a reaccionar?* ☐ ETIMOL. Del latín *amor.*

amoral adj.inv. Que no tiene ni sentido ni propósito moral: *Una conducta amoral es la que no se rige por los principios del bien y del mal.* ☐ ETIMOL. De *a-* (privación) y *moral.* ☐ SEM. Dist. de *inmoral* (que se opone a la moral).

amoralidad s.f. Falta de sentido o de propósito morales: *Tu total falta de principios es la causa de tu amoralidad.*

amoratado, da adj. De color semejante al morado o con tonalidades moradas: *Al día siguiente de caerse de la bicicleta, tenía toda la rodilla amoratada.*

amoratarse v.prnl. Ponerse de color morado: *La pierna se me amoratό por el golpe.*

amorcillo s.m. En pintura y escultura, niño desnudo, con alas y con un arco y flechas, que representa al dios mitológico del amor: *La fuente del jardín está adornada con dos amorcillos con una venda en los ojos.*

amordazamiento s.m. Colocación de una mordaza o de un objeto que tape la boca.

amordazar v. **1** Poner una mordaza o un objeto para tapar la boca: *Los secuestradores amordazaron a la víctima para que no pudiera pedir auxilio.* **2** Coaccionar o impedir hablar libremente: *No te dejes amordazar por el miedo y di lo que piensas.* ☐ ORTOGR. La *z* se cambia en *c* delante de *e* →CAZAR.

amorfo, fa adj. **1** Que no tiene una forma propia. **2** *col. desp.* Que no tiene personalidad y carácter propios: *No seas amorfo y toma tus propias decisiones.* ☐ ETIMOL. Del griego *ámorphos*, y este de *a-* (negación) y *morphé* (forma).

amorío s.m. Relación amorosa superficial y poco duradera: *¿Te has enterado del último amorío de ese actor?* ☐ MORF. Se usa más en plural. ☐ USO Tiene un matiz despectivo.

amoroso, sa adj. **1** Del amor o relacionado con él: *poesía amorosa.* **2** Que siente amor o que lo manifiesta: *Me escribió una carta amorosa.*

amorrar ▮ v. **1** *col.* Referido a una persona, bajar o inclinar la cabeza, esp. si se obstina en no hablar: *Se amorró en cuanto la vio entrar.* **2** Referido a una embarcación, hundir la proa: *Con la mar de fondo, el pesquero amorraba dificultando la faena.* ▮ prnl. **3** Poner los labios o los morros sobre algo o aproximarlos mucho a ello: *Se amorró al caño de la fuente para beber.*

amortajador, -a s. Persona que se dedica profesionalmente a amortajar.

amortajamiento s.m. Colocación de la mortaja o vestidura con que se va a enterrar a un difunto.

amortajar v. Referido a un difunto, ponerle la mortaja o vestidura con la que se le va a enterrar: *Amortajaron al niño con una túnica blanca.* ☐ ORTOGR. Conserva la *j* en toda la conjugación.

amortecer v. Referido a la fuerza, la intensidad o la violencia de algo, disminuirlas, moderarlas o hacerlas más suaves: *Esa medicina amortece el dolor.* ☐ SINÓN. *amortiguar.* ☐ MORF. Irreg. →PARECER.

amortecimiento s.m. Disminución o moderación de la fuerza, la intensidad o la violencia de algo.

amortiguación s.f. **1** Disminución o moderación de la fuerza, la intensidad o la violencia de algo: *la amortiguación de una caída.* ☐ SINÓN. *amortiguamiento.* **2** En un aparato mecánico, esp. en un vehículo, sistema o mecanismo que sirve para compensar y disminuir el efecto de choques, sacudidas o movimientos bruscos: *Los camiones tienen una amortiguación más dura que los turismos.*

amortiguado, da adj. Con la intensidad, la fuerza o la violencia disminuidas o suavizadas: *Me gustan los colores amortiguados del paisaje en un día con niebla.*

amortiguador, -a ▮ adj. **1** Que amortigua. ▮ s.m. **2** En un vehículo, mecanismo o dispositivo de amortiguación cilíndrico que contiene aire o un líquido: *En el taller me han dicho que el coche necesita unos amortiguadores nuevos.*

amortiguamiento s.m. →**amortiguación.**

amortiguar v. Referido a la fuerza, la intensidad o la violencia de algo, disminuirlas, moderarlas o hacerlas más suaves: *El parachoques amortiguó el golpe que nos dieron en el coche por detrás.* ☐ SINÓN. *amortecer.* ☐ ETIMOL. Del latín *mortificare* (amortiguar, mortificar). ☐ ORTOGR. 1. La *u* lleva diéresis cuando le sigue *e*. 2. La *u* permanece siempre átona →AVERIGUAR.

amortizable adj.inv. Que se puede amortizar: *Ese proyecto no es amortizable porque requiere una inversión demasiado grande.*

amortización s.f. **1** Pago total o parcial de una deuda. **2** Recuperación de los fondos invertidos en una empresa, por la obtención de unos beneficios que superan el desembolso inicial: *Si sois ocho de familia, está asegurada la rápida amortización de lo que ha costado la lavadora.*

amortizar v. **1** Referido a una deuda, pagarla total o parcialmente: *En dos años amortizaré el precio del coche. Este crédito se amortiza a muy bajo interés.* **2** Referido a los fondos invertidos en una empresa, recuperarlos o compensarlos, por la obtención de unos beneficios que superan el desembolso inicial:

En esta oficina se hacen tantas fotocopias que, al mes de haber comprado la fotocopiadora, ya la habíamos amortizado. □ ETIMOL. Del latín *admortizare*. □ ORTOGR. La *z* se cambia en *c* delante de *e* →CAZAR.

amosal s.m. Explosivo basado en componentes químicos: *El amosal es muy utilizado en atentados terroristas.*

amoscarse v.prnl. *col.* Enfadarse: *Se amoscó porque le dimos un plantón de media hora.* □ ETIMOL. De *mosca*, porque cuando alguien se amosca, responde como si le hubiera picado una mosca. □ ORTOGR. La *c* se cambia en *qu* delante de *e* →SACAR.

amotinado, da adj./s. Que participa en un motín: *Los amotinados tomaron como rehén al capitán del barco.*

amotinamiento s.m. Alzamiento en motín, o levantamiento violento de un grupo de personas contra una autoridad establecida: *Esta madrugada se ha producido un amotinamiento de los presos en la cárcel.*

amotinar v. Referido a un grupo de personas, alzarlas en motín o provocar su levantamiento violento contra una autoridad establecida: *Las voces del líder amotinaron a la población. Los presos se amotinaron y no querían volver a sus celdas.* □ ETIMOL. Del francés *mutiner*.

amour fou (fr.) s.m. ‖ Amor loco: *En aquel cortometraje, el tema principal era el amour fou entre la pareja protagonista.* □ PRON. [amúr fu]. □ USO Su uso es innecesario.

amovible adj.inv. **1** Referido a una persona, que puede ser relevada del cargo o del empleo que ocupa: *Ningún funcionario es totalmente amovible.* **2** Referido a un cargo o a un empleo, que no tiene que ser desempeñado por una persona en particular.

amoxicilina s.f. Penicilina semisintética de acción bactericida: *La doctora me ha recetado unos comprimidos para la faringitis que contienen amoxicilina.*

AMPA s.f. Colectivo de madres y padres de los alumnos de un centro educativo: *Mañana habrá una reunión del AMPA.* □ SINÓN. *APA*. □ ETIMOL. Es el acrónimo de *asociación de madres y padres de alumnos*. □ MORF. Por ser un sustantivo femenino que empieza por *a* tónica o acentuada, va precedido de *el*, *un*, *algún*, *ningún* y de las formas femeninas del resto de los determinantes.

amparar ▮ v. **1** Proteger, favorecer o ayudar: *Que Dios te ampare.* ▮ prnl. **2** Referido a una persona, valerse de algo como defensa o protección: *En la película, el asesino se ampara en el secreto de confesión del sacerdote para hacer creer que este ha sido el culpable del crimen.* □ ETIMOL. Del latín **anteparare* (prevenir).

amparo s.m. **1** Ayuda o protección que el más fuerte proporciona al más débil y desvalido: *Este pintor vive bajo el amparo de un matrimonio millonario amante del arte.* **2** Defensa o protección que algo proporciona a alguien: *Los ladrones actuaron al amparo de la oscuridad de la noche.* **3** Lo que ampara: *Mi hijo es mi único amparo.*

ampere s.m. →**amperio.** □ ORTOGR. Es la denominación internacional del *amperio*.

amperímetro s.m. Aparato que sirve para medir la intensidad de una corriente eléctrica: *Existen varios tipos de amperímetro, y su uso depende del circuito eléctrico en que se instalen.* □ ETIMOL. De *amperio* y *-metro* (medidor).

amperio s.m. En el Sistema Internacional, unidad de intensidad de corriente eléctrica: *Cuando la tensión de un voltio origina una corriente eléctrica a través de una resistencia de un ohmio, la intensidad de dicha corriente es de un amperio.* □ SINÓN. *ampere*. □ ETIMOL. De *Ampère*, matemático y físico francés. □ ORTOGR. Su símbolo es *A*, por tanto, se escribe sin punto.

ampicilina s.f. Penicilina semisintética de amplio espectro: *La ampicilina se utiliza como antibiótico.*

ampliación s.f. **1** Aumento del tamaño o la duración de algo: *la ampliación de un negocio.* **2** Cosa ampliada, esp. una fotografía, un plano o un texto: *Si compras esta marca de carrete, al revelarlo te regalan una ampliación de la foto que tú elijas.*

ampliadora s.f. Aparato que sirve para ampliar imágenes.

ampliar v. Referido al tamaño o la duración de algo, aumentarlos, extenderlos o hacerlos más grandes: *Hemos ampliado esta foto porque estamos muy guapos. El plazo de matrícula se ha ampliado hasta el próximo mes.* □ ETIMOL. Del latín *ampliare*. □ ORTOGR. La *i* lleva tilde en los presentes, excepto en las personas *nosotros* y *vosotros* →GUIAR.

amplificación s.f. Aumento de la intensidad de algún fenómeno físico, esp. del sonido: *Estos altavoces producen una buena amplificación del sonido.*

amplificador, -a ▮ adj./s. **1** Que amplifica. ▮ s.m. **2** Aparato o conjunto de aparatos que aumentan la amplitud o la intensidad de un fenómeno físico, utilizando energía externa: *un amplificador acústico.*

amplificar v. Referido a la intensidad de un fenómeno físico, esp. el sonido, aumentarla por procedimientos técnicos: *Este aparato amplifica el sonido.* □ ETIMOL. Del latín *amplificare*. □ ORTOGR. La *c* se cambia en *qu* delante de *e* →SACAR.

amplio, plia adj. **1** Extenso o con espacio libre: *una habitación amplia.* **2** Holgado o no ceñido: *un vestido amplio.* **3** No restringido o no limitado: *Ganaron por amplia mayoría.* □ ETIMOL. Del antiguo *amplo*, por influencia de *ampliar*.

amplitud s.f. **1** Extensión u holgura: *Lo que más me gusta de esta chaqueta es su amplitud.* **2** Capacidad de comprensión intelectual o moral: *amplitud de miras.* **3** En física, espacio que recorre un cuerpo oscilante al pasar de una posición extrema a la otra: *amplitud de onda.*

ampolla s.f. **1** En la piel, levantamiento de la epidermis que forma una especie de bolsa llena de un líquido acuoso: *Estuve todo el día con los zapatos nuevos y me han salido ampollas en los pies.* □ SI-

SINÓN. *vejiga.* **2** Tubo de cristal cerrado herméticamente, en forma alargada, que se estrecha en uno o en los dos extremos y suele contener una medicina líquida: *ampollas de vitaminas.* □ ETIMOL. Del latín *ampulla* (botellita).

ampolleta s.f. En zonas del español meridional, bombilla: *La ampolleta del farol estaba rota.*

ampulosidad s.f. Exceso de adorno o falta de naturalidad o sencillez, esp. al hablar o al escribir: *Habla con ampulosidad, pero no dice nada interesante.*

ampuloso, sa adj. Referido esp. al lenguaje o al estilo, hinchado, redundante, o falto de sencillez y naturalidad: *Utilizas un lenguaje ampuloso porque das más importancia a las palabras que a las ideas que expresan.* □ ETIMOL. Del latín *ampullosus* (hinchado como una vejiga).

amputación s.f. Separación de un miembro del cuerpo, generalmente por medio de una operación quirúrgica: *El herido sufrió la amputación de dos dedos de la mano derecha.*

amputar v. Referido a un miembro del cuerpo, cortarlo y separarlo enteramente de él, generalmente por medio de una operación quirúrgica: *Después del accidente, le tuvieron que amputar las dos piernas.* □ ETIMOL. Del latín *amputare* (podar, cortar).

amueblar v. Poner muebles o equipar con muebles: *Estamos amueblando la casa, pero todavía nos falta el comedor.* □ SINÓN. *amoblar.*

amuelar v. Referido al trigo limpio, recogerlo de la era y disponerlo en montones en forma de cono: *En nuestro último viaje, tuvimos ocasión de ver cómo amuelaban el trigo.* □ SEM. Dist. de *amolar* (fastidiar).

amuermar v. *col.* Causar aburrimiento, malestar o sueño: *Ese tipo amuerma a cualquiera. Después de cenar me amuermo.*

amulatado, da adj. Con características que se consideran propias de los mulatos.

amuleto s.m. Objeto que una persona lleva siempre consigo porque le atribuye supersticiosamente el poder mágico de atraer la buena suerte y de alejar la desgracia: *Si quieres, te presto este amuleto para que te dé suerte.* □ ETIMOL. Del latín *amuletum.*

amura s.f. En una embarcación, parte de los costados donde estos se estrechan entre sí para formar la proa: *El torpedo hizo blanco en la amura derecha de la fragata.* □ ETIMOL. De *amurar* (sujetar los vértices de las velas a un costado del buque).

amurallado, da adj. Cercado con un muro o con una muralla: *Ávila es una ciudad amurallada.*

amurallar v. Referido a un terreno, rodearlo con un muro o con una muralla: *En la Edad Media era frecuente amurallar las ciudades para protegerlas de los ataques enemigos.*

amustiar v. →**mustiar.** □ ETIMOL. De *mustio.* □ ORTOGR. La *i* nunca lleva tilde.

an- →**a-.** □ ETIMOL. Del griego *an-.* □ MORF. Es la forma que adopta el prefijo *a-* cuando se antepone a palabras que empiezan por vocal: *analfabeto, anaerobio, anisopétalo.*

-án, -ana Sufijo que indica origen o patria: *alemán, catalana.*

ana- 1 Prefijo que significa 'contra': *anacrónico.* **2** Prefijo que significa 'de nuevo': *anabaptista.* □ ETIMOL. Del griego *ana-.*

anabaptismo s.m. Doctrina religiosa protestante que no admite el bautismo de los niños antes del uso de razón: *El anabaptismo nació en Alemania en el siglo XVI.*

anabaptista adj.inv./s.com. Que defiende o sigue el anabaptismo: *Los anabaptistas rechazan la validez del bautismo recibido sin tener uso de razón.* □ ETIMOL. Del griego *anabaptízo* (yo bautizo de nuevo).

anabólico, ca adj. Del anabolismo o relacionado con este conjunto de procesos metabólicos: *En los procesos anabólicos hay consumo de energía.*

anabolismo s.m. En biología, conjunto de procesos metabólicos a partir de los cuales se sintetizan moléculas complejas partiendo de otras más simples: *El anabolismo es la fase constructora del metabolismo.* □ SINÓN. *asimilación.* □ ETIMOL. Del griego *anabole* (altura, ascensión), porque el anabolismo tiene que ver con la creación de moléculas a partir de otras.

anabolizante adj.inv./s.m. Referido a una sustancia, que se utiliza para aumentar la intensidad de los procesos anabólicos del organismo: *Algunos atletas, a pesar de las prohibiciones, toman anabolizantes para favorecer el desarrollo muscular.*

anacarado, da adj. →**nacarado.**

anacardo s.m. **1** Árbol tropical de flores pequeñas que tiene un fruto comestible: *El fruto de los anacardos tiene aplicaciones medicinales.* **2** Fruto de este árbol: *Me gustan mucho los anacardos de la India y los pistachos.* □ ETIMOL. Del latín *anacardus* y este del griego *onokárdion* (corazón de asno), porque el fruto tiene forma de corazón.

anacoluto s.m. Falta de coherencia en la construcción sintáctica de los elementos de una oración: *La oración 'Yo... me gusta más este' encierra un anacoluto.* □ ETIMOL. Del latín *anacoluthon*, y este del griego *anakólouthos* (que no sigue, inconsecuente).

anaconda s.f. Serpiente acuática de gran tamaño, no venenosa, característica de los ríos suramericanos: *Las anacondas matan a sus presas por estrangulamiento.* □ ETIMOL. Del inglés *anaconda.* □ MORF. Es un sustantivo epiceno: *la anaconda {macho/hembra}.*

anacoreta s.com. Persona que vive en un lugar solitario y que está entregada por entero a la meditación religiosa y a la penitencia: *En los primeros tiempos del cristianismo, los anacoretas se retiraban a vivir al desierto.* □ ETIMOL. Del latín *anachoreta*, este del griego *anakhorétes*, y este de *anakhoréo* (me retiro).

anacreóntica s.f. Véase **anacreóntico, ca.**

anacreóntico, ca ▮ adj. **1** Propio de Anacreonte (poeta griego del siglo VI a. C.) o con características de sus obras: *estilo anacreóntico.* ▮ adj./s.f. **2** Referido a una composición poética, que es de carácter lírico y trata de temas ligeros, esp. de los placeres sensuales: *La forma habitual de la anacreóntica en español es el romance.*

anacrónico, ca adj. **1** Que atribuye erróneamente a una época lo que corresponde a otra: *datos anacrónicos.* **2** Que pertenece a una época pasada: *Hoy resulta anacrónico viajar en diligencia.*

anacronismo s.m. **1** Error que consiste en atribuir a una época lo que corresponde a otra: *La película está llena de anacronismos, porque en esa época no existían todavía los automóviles, ni la gente iba vestida de esa manera.* **2** Lo que es propio de una época pasada: *Vivir sin luz eléctrica es un anacronismo hoy en día.* □ ETIMOL. Del griego *anakhronismós* (acto de poner algo fuera del tiempo correspondiente).

ánade s.amb. Ave palmípeda, de pico aplanado más ancho en la punta que en la base, cuello corto y patas pequeñas adaptadas para nadar: *Los ánades hacen sus nidos en las orillas de los ríos.* □ SINÓN. *pato, curro.* □ ETIMOL. Del latín *anas.* □ MORF. 1. Se usa más como masculino. 2. Cuando es un sustantivo femenino, pese a empezar por *a* tónica o acentuada, va siempre precedido de las formas femeninas de los determinantes.

anadiplosis (pl. *anadiplosis*) s.f. Figura retórica consistente en la repetición consecutiva de una palabra o de una parte de la frase, esp. al final de un verso o de un grupo sintáctico y al comienzo del siguiente: *En 'Y tú te irás. Te irás sin avisarme' hay un caso de anadiplosis.* □ SINÓN. *reduplicación.*

anádromo, ma adj./s. Referido esp. a un pez, que vive en el mar y emigra, para desovar, a ríos o a lugares menos profundos: *El salmón es una especie anádroma.* □ ETIMOL. Del griego *anadrómos.*

anaeróbico, ca adj. Que se desarrolla con escasa cantidad de oxígeno o sin él: *Algunos ejercicios físicos muy intensos causan procesos anaeróbicos musculares.*

anaerobio, bia adj./s.m. En biología, referido esp. a un microorganismo, que es capaz de vivir sin oxígeno: *Los organismos anaerobios utilizan compuestos químicos para obtener energía a partir de los nutrientes.* □ ETIMOL. De *an-* (privación) y *aerobio.* □ ORTOGR. Incorr. **anerobio.* □ SEM. Dist. de *aerobio* (que necesita oxígeno para vivir).

anafase s.f. Tercera fase de la división celular de la mitosis o de la meiosis: *En la anafase de la mitosis, los cromosomas se dividen longitudinalmente en dos mitades que van hacia los polos de la célula.* □ SEM. Dist. de *profase* (primera fase), de *metafase* (segunda fase) y de *telofase* (fase final).

anafe s.m. →**anafre.**

anafiláctico, ca adj. De la anafilaxia o relacionado con esta sensibilidad exagerada del organismo: *El asma puede aparecer en algunos procesos anafilácticos.*

anafilaxia s.f. Sensibilidad exagerada del organismo ante determinadas sustancias orgánicas cuando le son administradas por segunda vez: *La alergia al polen es un tipo de anafilaxia.* □ SINÓN. *anafilaxis.* □ ETIMOL. Del latín *anaphylaxis.*

anafilaxis (pl. *anafilaxis*) s.f. →**anafilaxia.**

anáfora s.f. **1** En gramática, tipo de deixis por el que una palabra hace referencia a una parte ya enunciada del discurso: *En la oración 'A mi hermano le gusta todo', el pronombre 'le' es una anáfora de 'a mi hermano'.* **2** Figura retórica que consiste en repetir una palabra al principio de cada frase: *La anáfora tiene un efecto enfático.* □ ETIMOL. Del latín *anaphora,* y este del griego *anáphorá* (repetición).

anafórico, ca adj. De la anáfora, con anáforas o relacionado con este tipo de deixis o con esta figura retórica: *En la oración 'La leche la tomo siempre fría', 'la' es un pronombre anafórico que hace referencia a 'la leche'.*

anafre (tb. *anafe*) s.m. Hornillo, generalmente portátil: *La letra de un famoso villancico dice 'Hacia Belén va una burra, cargada de chocolate, lleva su chocolatera, su molinillo y su anafre'.* □ ETIMOL. Del árabe *an-nafil* (horno portátil de barro cocido).

anafrodisíaco, ca (tb. *anafrodisiaco, ca*) adj./s.m. Que disminuye el deseo sexual: *El bromuro es un anafrodisiaco.*

anagnórisis (pl. *anagnórisis*) s.f. En una obra teatral o narrativa, esp. en el teatro clásico, reconocimiento de la verdadera identidad de un personaje: *Un ejemplo de anagnórisis es el del 'Edipo' de Sófocles, cuando el protagonista descubre que se ha casado con su madre y que ha matado a su padre sin conocer su identidad.* □ ETIMOL. Del griego *anagnórisis* (acción de reconocer).

anagrama s.m. **1** Símbolo o emblema, esp. el constituido por letras: *El anagrama de su empresa es 'TEG', que son las iniciales de su nombre y sus dos apellidos.* **2** Palabra o sentencia que resulta de cambiar de lugar los sonidos o letras de otra palabra o de otra sentencia: *'Belisa' es anagrama de Isabel".* □ ETIMOL. Del latín *anagramma.*

anal ▮ adj.inv. **1** Del ano o relacionado con este orificio: *esfínter anal.* ▮ s.m.pl. **2** Libro en el que se recogen los acontecimientos más importantes ocurridos cada año: *No se recuerda un suceso similar a esa invasión en los anales de la historia del país.* □ SINÓN. *fastos.* **3** Publicación periódica en la que se recogen noticias y artículos sobre un campo concreto de la cultura, de la ciencia o de la técnica: *¿Han salido ya los anales de la Sociedad Cultural?* **4** *col.* Historia de algo: *En los anales del ciclismo es célebre aquella victoria.* □ ETIMOL. La acepción 1, de *ano.* Las acepciones 2-4, del latín *annalis,* y este de *annus* (año).

analepsis (pl. *analepsis*) s.f. En literatura, secuencia o pasaje que suponen una vuelta atrás en el tiempo del relato y que se intercalan en la acción rompiendo su desarrollo lineal: *En narratología se denomina analepsis al flash-back.*

analfabetismo s.m. **1** Falta de la instrucción elemental en un país: *La tasa de analfabetismo de esos países es muy elevada.* **2** Desconocimiento de la lectura y la escritura: *Tenía un trabajo en el que el analfabetismo no le suponía un problema.*

analfabeto, ta adj./s. **1** Referido a una persona, que no sabe leer ni escribir: *El número de analfabetos en este país ha disminuido en los últimos años.* ☐ SINÓN. *iletrado.* **2** Referido a una persona, que no tiene cultura: *Ante personas tan cultas y eruditas como vosotros me siento analfabeta. No voy a discutir si es una obra de arte o no con un analfabeto como tú.* ☐ SINÓN. *iletrado.* ☐ ETIMOL. Del latín *analphabetus.*

analgesia s.f. Falta o supresión de toda sensación dolorosa: *La analgesia, a diferencia de la anestesia, no elimina las otras formas de la sensibilidad.* ☐ ETIMOL. Del griego *analgesía,* y este de *an-* (privación) y *álgos* (dolor).

analgésico, ca ▮ adj. **1** De la analgesia o relacionado con la falta o supresión de dolor: *un estado analgésico.* ☐ SINÓN. *antiálgico.* ▮ s.m. **2** Medicamento que alivia o quita el dolor. ☐ SINÓN. *antiálgico.*

análisis (pl. *análisis*) s.m. **1** División y separación de las partes que forman un todo para llegar a conocer sus principios o elementos: *capacidad de análisis.* **2** Examen que se hace de una obra, de un escrito o cualquier otro objeto de estudio intelectual: *Hizo un análisis muy acertado de la situación económica actual.* **3** En gramática, examen de los componentes del discurso y de sus respectivas propiedades y funciones: *análisis sintáctico.* **4** Parte de las matemáticas que resuelve problemas por medio del álgebra: *El análisis comprende cualquier problema de matemáticas que no sea geométrico.* **5** ‖ **análisis (clínico); 1** Examen cualitativo y cuantitativo de ciertos componentes o sustancias del organismo, siguiendo métodos especializados, para llegar a un diagnóstico: *análisis de sangre.* ☐ SINÓN. *analítica.* **2** Resultado de este examen: *Fui a recoger los análisis antes de ir al médico.* ☐ ETIMOL. Del griego *análysis* (disolución de un conjunto en sus partes).

analista s.com. **1** Persona que se dedica profesionalmente a hacer análisis químicos o médicos: *Mi médico de cabecera me mandó a la analista para que me hiciera un análisis de orina.* **2** Persona que se dedica profesionalmente al análisis de problemas informáticos: *Los analistas diseñan los programas, y los programadores los desarrollan.* **3** Persona que sigue y analiza de manera habitual los acontecimientos relacionados con un campo de la vida social o cultural: *analista financiero.*

analítica s.f. Véase **analítico, ca.**

analítico, ca ▮ adj. **1** Del análisis o relacionado él: *método analítico.* **2** Que utiliza el análisis como método: *un estudio analítico; una persona analítica.* ▮ s.f. **3** Examen cualitativo y cuantitativo de ciertos componentes o sustancias del organismo, siguiendo métodos especializados, para llegar a un diagnóstico: *Estamos esperando a que el médico nos informe sobre los resultados de la analítica.* ☐ SINÓN. *análisis clínico.*

analizador, -a adj./s. Que analiza.

analizar v. Referido a algo que se quiere conocer a fondo, hacer un análisis o un examen de sus partes: *Debes analizar a fondo la situación.* ☐ ETIMOL. Del francés *analyser.* ☐ ORTOGR. La *z* se cambia en *c* delante de *e* →CAZAR.

analogía s.f. Relación de semejanza o de parecido entre dos o más cosas distintas. ☐ ETIMOL. Del griego *analogía* (proporción, semejanza).

analógico, ca adj. **1** Que tiene analogía o semejanza con algo: *Su comportamiento de hoy ha sido analógico al de días anteriores.* ☐ SINÓN. *análogo.* **2** Que utiliza o contiene información que está representada en forma continua por un número infinito de valores: *telefonía analógica; reloj analógico; control de temperaturas analógico.*

análogo, ga adj. **1** Que tiene analogía o semejanza con algo: *Los dos hermanos tienen reacciones análogas.* ☐ SINÓN. *analógico.* **2** En un ser vivo, referido a una parte del cuerpo o a un órgano, que pueden adoptar un aspecto semejante a los de otros por cumplir la misma función: *Las alas de las aves y las aletas de los peces son órganos análogos.* ☐ SINT. Constr. *análogo* A *algo.*

anamnesis (pl. *anamnesis*) s.f. Parte del historial clínico de un paciente que reúne los datos personales, hereditarios y familiares del enfermo. ☐ ETIMOL. Del griego *anamnésis* (recuerdo).

ananá s.m. →**ananás.**

ananás (tb. *ananá*) (pl. *ananás*) s.m. **1** Planta americana con hojas rígidas de bordes espinosos y terminadas en punta aguda, flores de color morado y fruto comestible: *El ananás es originario de Brasil.* ☐ SINÓN. *piña.* **2** Fruto de esta planta, de gran tamaño y forma cónica, con una pulpa dulce y carnosa de color amarillento, y terminado en una corona de hojas: *Ha puesto ananás en la macedonia y ha quedado riquísima.* ☐ SINÓN. *piña.* ☐ ETIMOL. Del portugués *ananás,* y este del guaraní *naná.*

anapesto s.m. En métrica grecolatina, pie formado por dos sílabas breves seguidas de otra larga: *El anapesto fue utilizado en los cantos militares dorios.* ☐ ETIMOL. Del latín *anapaestus,* este del griego *anápaistos,* y este de *anà* (hacia atrás, por la posición del acento métrico, opuesta a la que tiene el dáctilo) y *paío* (herir, golpear).

anaplasia s.f. En medicina, pérdida de las características propias de una célula, que adquiere un aspecto parecido al embrionario o inmaduro: *Algunas células cancerosas pueden presentar anaplasia.* ☐ ETIMOL. Del griego *anáplasis* (acción de rehacer).

anaptixis (pl. *anaptixis*) s.f. En gramática, aparición de una vocal entre dos consonantes, cuando una de ellas es líquida o nasal: *Decir 'corónica' en vez de 'crónica' es un ejemplo de anaptixis.* ☐ ETIMOL. Del griego *anáptixis* (epéntesis).

anaquel s.m. En un armario o en una estantería, tabla horizontal sobre la que se colocan las cosas: *Los* *anaqueles de la biblioteca están repletos de libros.* ☐ SINÓN. *balda, estante.* ☐ ETIMOL. Del árabe *an-naqqal* (el que lleva o portea).

anaranjado, da (tb. *naranjado, da*) adj./s.m. Del color que resulta de mezclar rojo y amarillo. ☐ SINÓN. *naranja.*

anarco adj.inv./s.com. *col.* →**anarquista.** ☐ ETIMOL. Quizá del francés *anarcho.*

anarco- Elemento compositivo prefijo que significa 'anarquismo': *anarcosindicalismo.*

anarcoide s.com. *col. desp.* →**anarquista.**

anarcosindicalismo s.m. Movimiento sindical de carácter revolucionario y de orientación anarquista: *El anarcosindicalismo defiende la huelga general como medio de presión contra el poder.*

anarcosindicalista ▌adj.inv. **1** Del anarcosindicalismo o relacionado con este movimiento sindical: *un postulado anarcosindicalista.* ▌adj.inv./s.com. **2** Partidario o seguidor del anarcosindicalismo.

anarquía s.f. **1** →**anarquismo. 2** Desconcierto, desorganización, incoherencia o barullo por ausencia de una autoridad: *Cuando no están sus padres, en su casa reina la anarquía.* ☐ ETIMOL. Del griego *anarkhía*, y este de *ánarkhos* (sin jefe).

anárquico, ca ▌adj. **1** De la anarquía, que la implica o relacionado con ella: *Su despacho era un conjunto anárquico de muebles y libros tirados por el suelo.* ▌adj./s. **2** Partidario o defensor del anarquismo o de la anarquía: *Esos anárquicos siempre están en contra del Gobierno.* ☐ SINÓN. *anarquista.*

anarquismo s.m. **1** Doctrina que se basa en la abolición de toda forma de Estado o de autoridad, y en la exaltación de la libertad del individuo: *Para el anarquismo, el Estado es la fuente de la opresión que sufre el individuo.* ☐ SINÓN. *anarquía.* **2** Movimiento político formado por los partidarios de esta doctrina: *El anarquismo tuvo muchos partidarios en la España del siglo XIX.*

anarquista ▌adj.inv. **1** De la anarquía, del anarquismo o relacionado con estas doctrinas: *teoría anarquista.* ▌s.com. **2** Partidario o defensor del anarquismo o de la anarquía. ☐ SINÓN. *anárquico.* ☐ SEM. Dist. de *ácrata* (partidario de la supresión de toda autoridad). ☐ USO En la lengua coloquial se usa mucho la forma *anarco.*

anarquizar v. Causar la anarquía o promoverla: *La propaganda y la escuela son los medios preferidos por los anarquistas para anarquizar la sociedad.* ☐ ORTOGR. La *z* se cambia en *c* delante de *e* →CAZAR.

anasarca s.f. En medicina, edema generalizado en el tejido celular subcutáneo, acompañado de acumulación de líquido seroso en las cavidades orgánicas. ☐ ETIMOL. Del latín medieval *anasarcha.*

anastilosis (pl. *anastilosis*) s.f. Procedimiento de reconstrucción de obras de arte: *Para la restauración de algunas estructuras mayas se recurrió a la anastilosis.*

anástrofe s.f. Inversión o alteración violentas del orden de las palabras de una oración: *Decir 'Del árbol yo manzanas como' es un ejemplo de anástrofe.* ☐ ETIMOL. Del latín *anastrophe*, este del griego *anastrophé*, y este de *anastrépho* (invierto).

anatema s.amb. En la iglesia católica, exclusión a la que la jerarquía eclesiástica somete a un fiel, apartándolo de su comunidad y del derecho a recibir los sacramentos: *Recibió el anatema por sus manifestaciones heréticas.* ☐ SINÓN. *excomunión.* ☐ ETIMOL. Del latín *anathema*, y este del griego *anáthema* (objeto consagrado, exvoto).

anatematizar v. **1** En la iglesia católica, referido a una persona, imponerle la jerarquía eclesiástica el anatema o excomunión: *Las autoridades eclesiásticas lo han anatematizado por hereje.* ☐ SINÓN. *anatemizar.* **2** Reprobar, maldecir o condenar: *En su discurso anatematizó las acciones del Gobierno.* ☐ SINÓN. *anatemizar.* ☐ ORTOGR. La *z* se cambia en *c* delante de *e* →CAZAR.

anatemizar v. →**anatematizar.**

a nativitate (lat.) ‖ De nacimiento: *Tiene un carácter difícil a nativitate.*

anatomía s.f. Ciencia que estudia la forma, la estructura y las relaciones de las distintas partes del cuerpo de los seres vivos: *En clase de anatomía hemos estudiado los músculos del cuerpo humano.* ☐ ETIMOL. Del latín *anatomia*, y este del griego *anatémno* (yo corto de arriba abajo).

anatómico, ca adj. **1** De la anatomía o relacionado con esta ciencia o con su objeto de estudio: *descripción anatómica.* **2** Referido a un objeto, que ha sido construido para adaptarse perfectamente al cuerpo humano o a alguna de sus partes: *asiento anatómico.*

anatomista s.com. Persona que se dedica al estudio de la anatomía, esp. si esta es su profesión: *Para ser un buen cirujano hay que ser un experto anatomista.*

anca s.f. **1** Cada una de las dos mitades laterales de la parte posterior de algunos animales: *ancas de rana.* **2** Grupa de las caballerías: *El jinete golpeaba con la fusta las ancas del caballo.* ☐ ETIMOL. Del germánico **hanca.* ☐ MORF. Por ser un sustantivo femenino que empieza por *a* tónica o acentuada, va precedido de *el*, *un*, *algún*, *ningún* y de las formas femeninas del resto de los determinantes.

ancestral adj.inv. **1** De los ancestros o antepasados, o relacionado con ellos: *El miedo a la oscuridad es algo ancestral en los seres humanos.* **2** Tradicional, de origen remoto o muy antiguo: *costumbres ancestrales.* ☐ ETIMOL. Del francés *ancestral.*

ancestro s.m. Persona de la que se desciende: *Nuestros ancestros llegaron a estas tierras hace miles de años.* ☐ SINÓN. *antecesor, antepasado, predecesor.* ☐ MORF. Se usa más en plural.

ancheta s.f. En zonas del español meridional, mercancía pequeña u objeto cualquiera, esp. si no se recuerda su nombre.

anchetero, ra s. *col.* En zonas del español meridional, persona que vende anchetas o mercancías pequeñas.

ancho, cha ▌adj. **1** Que tiene más anchura o mide más horizontalmente de lo que es necesario o habitual: *Los pantalones de campana son muy anchos por abajo.* **2** Amplio, espacioso o con más espacio del necesario: *Cuando solo vamos tres en el coche, el que va en el asiento de atrás va muy ancho.* **3** Orgulloso, satisfecho, ufano y contento: *No entiendo que no tenga ni idea del examen y esté tan ancho.* ▮ s.m. **4** En una superficie plana, dimensión menor: *Para rematar el borde del mantel necesito cinta de un ancho de dos centímetros.* ☐ SINÓN. *anchura.* **5** En una superficie, dimensión considerada de derecha a izquierda o de izquierda a derecha: *Mide el ancho de la pared para ver si cabe este cuadro.* ☐ SINÓN. *anchura.* **6** En un objeto de tres dimensiones, distancia entre los dos extremos vistos de frente: *Las tres dimensiones de un objeto son el ancho, la altura y la longitud.* ☐ SINÓN. *anchura.* **7** || **ancho de banda;** Medida de la cantidad de información que puede transmitirse en un tiempo determinado: *Cuanto mayor sea el ancho de banda de tu línea de conexión, mayor rapidez tendrás en la transmisión.* || **a {mis/tus...} anchas;** *col.* Con total libertad, con comodidad o sin sentirse cohibido: *Aunque apenas nos conoce, cuando viene a casa está a sus anchas.* ☐ ETIMOL. Del latín *amplus*.

anchoa (tb. *anchova*) s.f. Boquerón curado en salmuera o agua con sal: *De aperitivo tomamos unas aceitunas rellenas de anchoa.* ☐ ETIMOL. Del latín **apiuva*, y este de *apua*.

anchorman (ing.) s. En televisión o en radio, persona que actúa de enlace entre las diferentes partes de un programa, o que mantiene contactos con personas situadas fuera del estudio: *El anchorman del programa de fútbol hizo una conexión con el estadio.* ☐ PRON. [áncorman].

anchova s.f. →**anchoa.**

anchoveta s.f. Tipo de anchoa o boquerón americano: *En Perú se comen unas anchovetas muy ricas.*

anchura s.f. **1** En una superficie plana, dimensión menor: *Cada carril de esta carretera tiene una anchura de tres metros.* ☐ SINÓN. *ancho.* **2** En una superficie, dimensión considerada de derecha a izquierda, o de izquierda a derecha: *Compara la anchura de esta camiseta con la de una talla menor para ver la diferencia.* ☐ SINÓN. *ancho.* **3** En un objeto de tres dimensiones, distancia entre los dos extremos vistos de frente: *¿Has medido la anchura del armario para ver si cabe en esta pared?* ☐ SINÓN. *ancho.*

anchuroso, sa adj. Muy ancho o muy espacioso: *La recepción se celebró en un anchuroso salón de baile.*

ancianidad s.f. **1** Último período de la vida natural de una persona: *Vivió su ancianidad rodeada del cariño de sus hijos y nietos.* **2** Estado o condición de la persona que tiene mucha edad o muchos años: *A pesar de su ancianidad, mostraba una claridad de ideas impresionante.*

anciano, na adj./s. Referido a una persona, que tiene muchos años: *Cuando conduzcas, nunca muestres prisa cuando un anciano está cruzando la carretera.* ☐ ETIMOL. Del latín *antianus* (viejo).

ancila s.f. Esclava, sierva o criada. ☐ ETIMOL. Del latín *ancilla*.

ancilar adj.inv. De la ancila o relacionado con ella.

ancla s.f. **1** Objeto de hierro en forma de arpón o de anzuelo con dos ganchos que, pendiente de una cadena o de un cable, se arroja al fondo del mar para fondear la embarcación: *Si el fondo del mar es muy arenoso, el ancla no se aferra y no puede sujetar el barco.* **2** || **levar anclas;** sacarlas del fondo del mar para que el barco quede libre y pueda empezar su navegación: *Si ya están todos los tripulantes a bordo, podemos levar anclas.* ☐ ETIMOL. Del latín *ancora*. ☐ MORF. Por ser un sustantivo femenino que empieza por *a* tónica o acentuada, va precedido de *el*, *un*, *algún*, *ningún* y de las formas femeninas del resto de los determinantes.

anclaje s.m. **1** Colocación del ancla en el fondo del mar, de modo que la embarcación quede sujeta. **2** Cantidad de dinero que debe pagar una embarcación por detenerse en un puerto: *El capitán del barco fondeó fuera del puerto para no tener que pagar el anclaje.* **3** Conjunto de elementos destinados a sujetar algo firmemente al suelo: *El anclaje de los cimientos de un edificio es fundamental para su resistencia.*

anclar ▮ v. **1** Referido a una embarcación, sujetar las anclas al fondo del mar: *Los pescadores anclaron sus barcos en el puerto y echaron las redes al mar.* **2** Sujetar firmemente al suelo o a otro lugar: *Hay que anclar de nuevo el columpio en el jardín porque se mueve mucho un lateral.* ▮ prnl. **3** Aferrarse o agarrarse con tenacidad a una idea o a una actitud: *Se ha anclado en el pasado y no siente ningún interés por el presente.*

-anco, -anca Sufijo con valor despectivo: *cojitranco, potranca.*

áncora s.f. *poét.* Ancla. ☐ ETIMOL. Del latín *ancora*. ☐ MORF. Por ser un sustantivo femenino que empieza por *a* tónica o acentuada, va precedido de *el*, *un*, *algún*, *ningún* y de las formas femeninas del resto de los determinantes.

ancrod s.m. Fármaco con un poderoso efecto anticoagulante, que se obtiene a partir del veneno de una serpiente.

anda interj. **1** Expresión que se usa para indicar extrañeza, sorpresa, admiración o disgusto. **2** Seguida de una petición, expresión que se usa para enfatizarla: *¡Anda, papá, cómpramelo!* ☐ PRON. En la lengua coloquial, está muy extendida la pronunciación [andá]. ☐ USO En el lenguaje coloquial, combinada con otras expresiones, se usa mucho para indicar desprecio, burla o rechazo (*¡Anda ya!*, *¡Anda y que te zurzan!*), o para indicar sorpresa (*¡Anda la osa!*, *¡Anda mi madre!*).

andadas || **volver a las andadas;** *col.* Reincidir o volver a caer en un vicio o en una mala costumbre: *Me prometiste que no volverías a mentir, pero ya veo que has vuelto a las andadas.*

andadera s.f. Véase **andadero, ra**.

andadero, ra ▮ adj. **1** Referido esp. a un terreno, con características que permiten que se pueda andar fácilmente por él: *Este sendero, aunque algo empinado, es muy andadero.* ▮ s.f. **2** Aparato que se utiliza para enseñar o para ayudar a andar: *Si no le quitáis las andaderas a este niño, nunca aprenderá a andar solo.* ☐ SINÓN. *andador.* ☐ MORF. En la acepción 2, se usa más en plural.

andado s.m. En zonas del español meridional, forma de andar: *¡Qué andado tan airoso tiene!*

andador, -a ▮ adj./s. **1** Que anda mucho o con rapidez. ▮ s.m. **2** Aparato que se utiliza para enseñar o para ayudar a andar: *Después de su caída, la anciana anda muy despacito y apoyada en el andador.* ☐ SINÓN. *andadera.*

andadura s.f. Movimiento o avance: *En nuestra andadura hacia la colaboración entre los dos países, la firma de este acuerdo ha sido un paso importante.*

ándale interj. **1** En zonas del español meridional, seguida de una petición, expresión que se usa para enfatizarla: *¡Ándale, acompáñame, no seas malo!* **2** Expresión que se usa para manifestar sorpresa, admiración o disgusto: *Le pregunté que si era esto lo que había perdido y me contestó feliz: «¡Ándale eso mismo!».*

andalucismo s.m. **1** En lingüística, palabra, significado o construcción sintáctica característicos del dialecto andaluz: *La palabra 'malaje' es un andalucismo incorporado al español.* **2** Nacionalismo andaluz o defensa de lo que se considera propio o característico de la comunidad autónoma andaluza: *El andalucismo de este partido político tiene claros fines electorales.*

andalucista adj.inv./s.com. Partidario o seguidor de todo lo andaluz o del andalucismo o nacionalismo andaluz.

andalusí (pl. *andalusíes, andalusís*) adj.inv./s.com. De Al Ándalus (nombre que los árabes daban a la España musulmana en la época medieval), o relacionado con ella: *Los cristianos nacidos en al Ándalus no eran andalusíes, porque no tenían la religión musulmana.*

andaluz, -a adj./s. De Andalucía (comunidad autónoma), o relacionado con ella: *El habla andaluza tiene unos rasgos fonéticos y léxicos característicos.*

andamiada s.f. →**andamiaje.**

andamiaje s.m. **1** Conjunto de andamios: *el andamiaje de una obra.* ☐ SINÓN. *andamiada.* **2** Conjunto de fundamentos o de bases sobre los que algo se apoya: *El andamiaje de su teoría es inobjetable.*

andamiar v. Poner andamios o armazones en una obra: *Han andamiado la fachada para pintarla.* ☐ ORTOGR. La *i* nunca lleva tilde.

andamio s.m. Armazón metálico o de tablones que se pone pegado a una obra en construcción o en reparación, y que sirve para subirse en él y poder llegar a las partes más altas: *La fachada está cubierta con andamios porque la están pintando.* ☐ ETIMOL. De *andar.*

andana s.f. **1** En una embarcación, batería de cañones puestos en línea: *El barco pirata tenía dos andanas en cada costado.* **2** En una bodega, hilera de barricas alineadas en las naves de crianza. ☐ ETIMOL. De *andar.*

andanada s.f. **1** En una plaza de toros, localidad cubierta y con gradas, situada en la parte más alta de la plaza: *La andanada del siete no dejaba de protestar.* **2** Conjunto de disparos hechos al mismo tiempo por todos los cañones del costado de un barco: *El barco pirata disparó una andanada contra el navío enemigo.*

andando interj. Expresión que se usa para indicar que se inicia la marcha o para dar prisa: *Ya solo queda esta habitación por arreglar, así que, andando, que entre todos acabamos pronto.*

andante ▮ adj.inv. **1** Que anda. ▮ s.m. **2** En música, aire o velocidad tranquilos con que se ejecutan una composición o un pasaje: *El andante es un aire más rápido que el adagio y más lento que el moderato.* **3** En música, composición o pasaje que se ejecutan con este aire: *No me canso de escuchar el andante de esta sonata.* ☐ ETIMOL. Del italiano *andante.*

andantino s.m. **1** En música, aire o velocidad algo más vivo que el andante con que se ejecutan una composición o un pasaje: *El andantino es algo menos rápido que el alegreto.* **2** En música, composición o pasaje que se ejecutan con este aire: *Me gusta mucho el andantino de este concierto.* ☐ ETIMOL. Del italiano *andantino.*

andanza s.f. Recorrido, lleno de aventuras y de peripecias, que se hace por distintos lugares: *Son famosas las andanzas de ese pirata por los Mares del Sur.*

andar ▮ s.m. **1** Movimiento o avance: *Con el andar del tiempo, te irás haciendo más juicioso.* **2** Forma en la que se realiza este movimiento: *Es una persona muy tranquila y de andar pausado.* ▮ v. **3** Ir de un lugar a otro dando pasos: *¿Has venido andando o en coche?* ☐ SINÓN. *caminar.* **4** Moverse de un lugar a otro: *Los barcos andan por el agua.* **5** Referido a un mecanismo, funcionar: *El reloj se me ha estropeado y no anda.* ☐ SINÓN. *marchar.* **6** Estar, encontrarse o hallarse en una situación determinada: *¿Cómo andas de tu gripe?* **7** Haber o existir: *Es raro que a estas horas ande tanta gente en la calle.* **8** Obrar, proceder o comportarse de un modo determinado: *No me gusta que andes con rodeos.* **9** *col.* Revolver o tocar con las manos: *¿Quién ha andado en mi armario?* **10** Referido al tiempo, pasar o correr: *A partir de cierta edad, parece que los años anden más deprisa.* **11** Referido a un espacio, recorrerlo o atravesarlo: *He andado todo el edificio hasta encontrarte.* **12** En zonas del español meridional, llevar: *Ella andaba un sombrero verde.* **13** ‖ **todo se andará;** *col.* Expresión que se usa para calmar la impaciencia de alguien: *No te preocupes más por eso, que todo se andará.* ☐ ETIMOL. Del latín **amlare*, en vez de *ambulare* (pasear, caminar). ☐ MORF. 1. En la acepción 2, en plural tiene el mismo significado que en singular. 2. Irreg. →ANDAR. ☐ SINT. 1. Constr. de la acepción 9: *andar* EN *algo.* 2. La perífrasis *andar + gerundio* indica que se está realizando la acción expresada por este:

No sé si lo encontrarás, porque anda cazando en el monte.

andariego, ga adj./s. Que anda mucho, esp. si lo hace porque le gusta: *Es muy andariega, y casi nunca coge el autobús para ir a los sitios. Los andariegos del grupo prefirieron ir de excursión a quedarse en el hotel.* ☐ SINÓN. *andarín.*

andarín, -a adj./s. →**andariego.**

andarivel s.m. **1** Cuerda gruesa que se coloca entre las dos orillas de una corriente de agua y que sirve para que una embarcación pequeña pueda atravesarla, al ir tirando de esa cuerda los tripulantes: *Con el andarivel, no hacen falta los remos para cruzar el río en barcaza.* **2** En una embarcación, cuerda gruesa que se usa principalmente como pasamanos: *La escalera para subir a la cubierta superior tiene unos andariveles laterales muy resistentes.* **3** Sistema compuesto por un cesto que cuelga de unas argollas, y que corre por una cuerda gruesa fija, que sirve para transportar carga salvando un río o una hondonada: *Los alpinistas atravesaron el precipicio en un andarivel.* **4** En zonas del español meridional, calle de una pista o piscina: *Venció el nadador del andarivel número 3.* **5** En zonas del español meridional, carril de una carretera: *Circulo siempre por el andarivel de la derecha.* ☐ ETIMOL. Del catalán *andarivell*, y este del italiano *andarivello* (nombre de varios cabos que se usan en navegación).

andarríos (pl. *andarríos*) s.m. Pájaro de color grisáceo, con el vientre blanco y con el cuello, el pecho, las alas y la cola negros, que vive en lugares húmedos y que se alimenta de insectos. ☐ SINÓN. *aguzanieves.* ☐ ETIMOL. De *andar* y *ríos*. ☐ MORF. Es un sustantivo epiceno: *el andarríos {macho/hembra}.*

andas s.f.pl. Tablero con dos barras paralelas horizontales que sirve para transportar una carga a hombros de personas: *Las andas son muy utilizadas para llevar en procesión imágenes religiosas.* ☐ ETIMOL. Del latín *amites* (varas de las andas).

andén s.m. **1** En una estación de tren o de autobús, acera situada al borde de las vías o de la calzada, en la que los pasajeros esperan las llegadas y salidas de los trenes y autobuses. **2** En un puerto de mar, parte del muelle en la que trabajan las personas encargadas del embarque o desembarque de las mercancías. **3** En zonas del español meridional, acera de la calle: *El andén de mi calle es muy angosto.* **4** En zonas del español meridional, bancal: *Los campesinos cultivaban los andenes en los cerros.* ☐ ETIMOL. Del latín *indago* (cerco). ☐ MORF. En la acepción 4, se usa más en plural.

andinismo s.m. En zonas del español meridional, montañismo: *Cuando estuve en Chile, practiqué el andinismo.* ☐ ETIMOL. De *andino*.

andinista s.com. En zonas del español meridional, montañero.

andino, na adj. De los Andes (cordillera montañosa suramericana), o relacionado con ellos: *La llama es un animal andino. Chile es un país andino.*

andoba (tb. *andóbal*) s.com. *desp.* Persona cuya identidad se ignora o no se quiere decir: *A mí ese andoba no me cae nada bien.* ☐ SINÓN. *individuo.* ☐ ETIMOL. De origen gitano.

andóbal s.com. *desp.* →**andoba.**

andorga s.f. *col.* Vientre. ☐ ETIMOL. De origen incierto.

andorrano, na adj./s. De Andorra o relacionado con este país europeo.

andrajo s.m. **1** Prenda de vestir vieja, rota o sucia: *¿No te da vergüenza ir vestido con esos andrajos?* **2** Trozo desgarrado de ropa muy usado y muy viejo: *Llevaba un viejo abrigo lleno de andrajos.* ☐ SINÓN. *harapo.* ☐ ETIMOL. De origen incierto.

andrajoso, sa ▮ adj. **1** Referido esp. a una prenda de vestir, que está vieja, rota o sucia: *un abrigo andrajoso.* ▮ adj./s. **2** Que está cubierto o vestido con andrajos: *una persona andrajosa.*

-andria Elemento compositivo sufijo que significa 'hombre': *poliandria.*

andro- 1 Elemento compositivo prefijo que significa 'varón': *androfobia, androcracia.* **2** Elemento compositivo prefijo que significa 'masculino': *androceo, andrógeno.* ☐ ETIMOL. Del griego *andrós* (hombre).

androcéntrico, ca adj. Del androcentrismo o relacionado con él.

androcentrismo s.m. Visión del mundo y de las relaciones sociales derivada de la consideración del hombre como el elemento más importante.

androceo s.m. En una flor, conjunto de estambres o parte masculina: *El polen se produce en el androceo de una flor.* ☐ ETIMOL. De *andro-* (varón) y la terminación de *gineceo*.

androcracia s.f. Predominio o mayor autoridad del hombre en una sociedad o en un grupo: *La androcracia marcó la organización social de varias sociedades.* ☐ ETIMOL. De *andro-* (varón) y *-cracia* (poder).

androfobia s.f. Aversión o rechazo obsesivos hacia los hombres: *Deberías consultar con un psiquiatra para superar esa androfobia.* ☐ ETIMOL. De *andro-* (varón) y *-fobia* (aversión).

andrófobo, ba adj./s. Que siente un terror enfermizo hacia el sexo masculino.

andrógeno s.m. Hormona sexual masculina responsable de la aparición de los caracteres sexuales secundarios: *Los andrógenos se elaboran fundamentalmente en los testículos.* ☐ ETIMOL. De *andro-* (varón), y *-geno* (que produce).

androginia s.f. Selección de una conducta masculina o de una femenina según las circunstancias: *Su androginia está muy pensada porque le gusta llevar la ambigüedad a todo lo que hace.*

andrógino, na adj./s. Referido a una persona, que tiene rasgos externos que no corresponden exactamente con los propios de su sexo: *Ese cantante es andrógino porque tiene rasgos femeninos.* ☐ ETIMOL. Del griego *andrógynos*, y este de *anér* (varón) y *gyné* (mujer).

androide s.m. Robot con figura humana: *En una película de ciencia ficción, androides venidos de otra galaxia invadían la Tierra.* □ ETIMOL. Del latín *androides.*

andrología s.f. Parte de la medicina que estudia la fertilidad y la esterilidad masculinas: *Gracias a los avances de la andrología hoy pueden remediarse muchos casos de esterilidad en el hombre.* □ ETIMOL. De *andro-* (varón) y *-logía* (estudio).

andrológico, ca adj. De la andrología o relacionado con esta parte de la medicina: *En este nuevo centro andrológico se investiga sobre la inseminación artificial.*

andrólogo, ga adj./s. Que es especialista en la parte de la medicina que se ocupa del estudio de la fertilidad y esterilidad del hombre: *Mi hermano tiene problemas para tener hijos y le han recomendado que vaya a un andrólogo.*

andrómina s.f. Mentira o embuste que se dice para engañar a alguien. □ ETIMOL. Quizá del griego *Andrómeda*, cuya historia mitológica se tomó como prototipo de lo fabuloso. □ USO Se usa más en plural.

andropausia s.f. Período de la vida de un varón en el que se produce una disminución de la capacidad sexual a causa de la edad: *La andropausia es un fenómeno natural que se da en el hombre de edad avanzada.* □ SINÓN. *viripausia.* □ ETIMOL. De *andro-* (varón) y el griego *pâusis* (cesación).

andurrial s.m. Lugar apartado y alejado de los caminos: *No vayáis por esos andurriales, porque os podéis perder.* □ ETIMOL. De origen incierto. □ MORF. Se usa más en plural.

anea s.f. →**enea.** □ ETIMOL. Del árabe *al-na'ya* (la flauta).

aneblarse v.prnl. →**anieblarse.** □ ETIMOL. Del latín *ad* (a) y *nebulare.* □ MORF. 1. Es unipersonal. 2. Irreg. →PENSAR.

anécdota s.f. **1** Suceso curioso y poco conocido que se cuenta para ejemplificar algo o como entretenimiento: *Mi padre siempre cuenta anécdotas muy divertidas de su juventud.* **2** Suceso poco importante o poco habitual: *Que hoy haya llegado tarde a clase es una anécdota, porque siempre soy puntual.* □ ETIMOL. Del griego *anékdota* (cosas inéditas).

anecdotario s.m. Conjunto de anécdotas: *Estoy leyendo un anecdotario de personajes famosos.*

anecdótico, ca adj. De la anécdota o relacionado con este relato o con este suceso: *Esta biografía es muy amena, y está llena de datos anecdóticos sobre el personaje.*

anegadizo, za adj. Que se anega o se inunda fácilmente: *La urbanización estaba construida sobre terrenos anegadizos, y siempre que llovía había inundaciones.*

anegamiento s.m. Inundación de un terreno: *El anegamiento de los sembrados produjo terribles pérdidas económicas en la comarca.*

anegar ▮ v. **1** Referido a un lugar, cubrirlo de agua: *Las fuertes lluvias anegaron los campos. La tromba de agua ha hecho que la comarca se anegase.* □ SINÓN. *inundar.* ▮ prnl. **2** Referido a una persona, llorar abundantemente: *Estaba tan abatida que se anegaba en lágrimas.* □ ETIMOL. Del latín *enecare* (matar). □ ORTOGR. La *g* se cambia en *gu* delante de *e* →PAGAR.

anejar v. →**anexar.** □ ORTOGR. Conserva la *j* en toda la conjugación.

anejo, ja (tb. *anexo, xa*) ▮ adj./s. **1** Unido a otro, del que depende o con el que tiene una estrecha relación: *Nos recibieron en un despacho anejo a la oficina principal.* ▮ s.m. **2** Libro que se edita como complemento de una revista: *El artículo que te interesa está en un anejo de la revista de este mes.* □ ETIMOL. Del latín *annexus* (añadido).

anélido, da ▮ adj./s.m. **1** Referido a un animal, que tiene el cuerpo alargado y casi cilíndrico, formado por segmentos en forma de anillos, y que suele vivir en el agua o en lugares húmedos: *La lombriz de tierra es un anélido.* ▮ s.m.pl. **2** En zoología, tipo de estos animales, perteneciente al reino de los metazoos: *Algunos animales que pertenecen a los anélidos, como la sanguijuela, viven parásitos a otros seres vivos.* □ ETIMOL. Del francés *annélide.*

anemia s.f. Disminución de la sangre total circulante, del número de glóbulos rojos o de la cantidad de hemoglobina: *La anemia se caracteriza por la palidez de la piel y por una gran debilidad.* □ ETIMOL. Del griego *anaimía* (falta de sangre).

anémico, ca ▮ adj. **1** De la anemia o relacionado con esta anormalidad de la sangre: *síntomas anémicos.* ▮ adj./s. **2** Que padece anemia: *persona anémica.*

anemo- Elemento compositivo prefijo que significa 'viento': *anemografía, anemómetro.* □ ETIMOL. Del griego *ánemos* (viento).

anemografía s.f. Parte de la meteorología que describe los vientos: *Un experto en anemografía dijo que los vientos de la zona no eran buenos para practicar el parapente.* □ ETIMOL. De *anemo-* (viento) y *-grafía* (descripción).

anemometría s.f. Parte de la meteorología que enseña a medir la fuerza o la velocidad del viento: *La anemometría es de gran utilidad para la aviación.*

anemómetro s.m. Instrumento que sirve para medir la velocidad o la intensidad del viento: *Este anemómetro giratorio consta de varias cazuelillas unidas a un aspa.* □ ETIMOL. De *anemo-* (viento) y *-metro* (medidor).

anémona (tb. *anemona, anemone*) s.f. **1** Planta herbácea con tallo subterráneo en forma de rizoma, pocas hojas en los tallos y flores vistosas generalmente con seis pétalos: *Hay varias especies de anémonas, con flores de colores distintos.* **2** Flor de esta planta. **3** ‖ **anémona de mar;** organismo marino en forma de pólipo, con el cuerpo blando, contráctil y de colores vivos, y que tiene una serie de tentáculos alrededor del orificio que le sirve de boca: *Las anémonas de mar viven fijas en las rocas.* □ SINÓN. *actinia.* □ ETIMOL. Del latín *anemone.*

anemone s.f. →**anémona.**

anemoscopio s.m. Aparato que sirve para indicar los cambios en la dirección del viento: *La veleta es un tipo de anemoscopio.* ☐ ETIMOL. De *anemo-* (viento) y *-scopio* (instrumento para ver).

anencefalia s.f. Falta del normal desarrollo del encéfalo: *La anencefalia puede ser una malformación congénita.*

-áneo, -ánea Sufijo que indica relación o pertenencia: *momentáneo, instantánea.* ☐ ETIMOL. Del latín *-aneus.*

anergia s.f. En medicina, falta de respuesta del sistema inmunológico al estímulo de un antígeno específico.

anestesia s.f. **1** Privación total o parcial de la sensibilidad de forma temporal por medio de una sustancia anestésica: *anestesia general.* **2** Sustancia que produce esta pérdida de la sensibilidad: *Le administraron anestesia antes de operarlo.* **3** || **(anestesia) epidural;** la que se inyecta en la zona lumbar, en el espacio que rodea la médula espinal: *La anestesia epidural se suele emplear en los partos, para anestesiar la mitad inferior del cuerpo, desde la cintura hasta las rodillas.* ☐ ETIMOL. Del griego *anaisthesía* (insensibilidad).

anestesiar v. Privar parcial o totalmente de la sensibilidad de forma temporal por medio de la anestesia: *Me anestesiaron para que no sintiera ningún dolor.* ☐ ORTOGR. La *i* nunca lleva tilde.

anestésico, ca ▮ adj. **1** De la anestesia o relacionado con ella: *técnicas anestésicas.* ▮ adj./s.m. **2** Que produce o causa anestesia: *El cloroformo es un anestésico.*

anestesiología s.f. Parte de la medicina que estudia la anestesia y su utilización: *La cirugía depende muy estrechamente de la anestesiología.*

anestesiólogo, ga s. Persona especializada en anestesia: *Contrataron al mejor anestesiólogo para que interviniera en la operación.* ☐ SINÓN. *anestesista.*

anestesista adj.inv./s.com. Referido a una persona, que está especializada en anestesia: *La anestesista vigilaba las constantes vitales del paciente que estaba siendo operado.* ☐ SINÓN. *anestesiólogo.*

aneurisma s.amb. En medicina, dilatación anormal de una parte del sistema vascular: *En las zonas de aneurismas hay un mayor riesgo de roturas vasculares.* ☐ ETIMOL. Del griego *aneúrysma* (dilatación).

anexar (tb. *anejar*) v. Referido a una cosa, incorporarla o unirla a otra haciendo que dependa de esta: *He anexado una cláusula al contrato. El país vencedor se anexó varios territorios del país vencido.*

anexión s.f. Incorporación o unión de una cosa a otra, de la que depende: *La anexión de las regiones fronterizas por medio de la ocupación militar fue la chispa que encendió la guerra entre los dos países.* ☐ ETIMOL. Del latín *annexio.*

anexionar v. Referido esp. a un territorio, anexarlo o incorporarlo a otro: *El tratado de paz permitió al principado anexionar una región fronteriza muy próspera.*

anexionismo s.m. Tendencia política que favorece y que defiende la anexión de territorios: *El anexionismo ha sido el comienzo de muchas guerras a lo largo de la historia.*

anexionista adj.inv./s.com. Que sigue o que defiende el anexionismo: *Los anexionistas pangermánicos ocasionaron la Segunda Guerra Mundial al ocupar Checoslovaquia y Polonia.*

anexitis (pl. *anexitis*) s.f. Inflamación de los órganos y tejidos que rodean el útero.

anexo, xa adj./s. →**anejo.** ☐ ETIMOL. Del latín *annexus* (unido).

anfeta s.f. *arg.* →**anfetamina.**

anfetamina s.f. Medicamento que estimula el sistema nervioso central y que aumenta el rendimiento físico e intelectual: *El consumo de anfetaminas crea adicción.* ☐ ETIMOL. Del inglés *amphetamine* o del francés *amphétamine.* ☐ MORF. En la lengua coloquial se usa mucho la forma abreviada *anfeta.*

anfi- **1** Elemento compositivo prefijo que significa 'alrededor': *anfiteatro.* **2** Elemento compositivo prefijo que significa 'doble': *anfibio.* ☐ ETIMOL. Del griego *amphi-.*

anfibio, bia ▮ adj. **1** Referido esp. a un vehículo, que puede desplazarse tanto en el agua como en la tierra: *El ejército cuenta con modernos camiones anfibios.* ▮ adj./s. **2** Referido a un animal o a una planta, que puede vivir indistintamente en el agua o sobre tierra: *El sapo es un anfibio.* ▮ adj./s.m. **3** Referido a un vertebrado, que no tiene ni pelo ni plumas, es de sangre fría, necesita un medio acuático o muy húmedo para nacer y vivir, y cuando es larva tiene características muy diferentes a las del adulto: *La salamandra es un animal anfibio. Los anfibios en estado adulto respiran por medio de pulmones.* ☐ SINÓN. *batracio.* ▮ s.m.pl. **4** En zoología, clase de estos vertebrados, perteneciente al tipo de los cordados: *Algunas especies que pertenecen a los anfibios carecen de extremidades y recuerdan a las lombrices.* ☐ ETIMOL. De *anfi-* (dos) y el griego *bíos* (vida).

anfíbol s.m. Silicato de calcio, magnesio y otros metales, que generalmente es de color verde o negro y que tiene un brillo nacarado: *El amianto es un anfíbol, que se usa como aislante térmico.* ☐ ETIMOL. Del francés *amphibole.*

anfibología s.f. **1** Doble sentido de una palabra o de una frase: *En la oración '¡Menudo pico tienes!' hay una anfibología, porque se puede interpretar de varias, formas, según el significado de 'pico'.* **2** Figura retórica consistente en emplear intencionadamente palabras o expresiones de doble sentido: *El uso de anfibologías contribuye a dotar de ambigüedad al texto.* ☐ ETIMOL. Del latín *amphibologia,* y este del griego *amphibolía* (ambigüedad).

anfibológico, ca adj. De la anfibología, con anfibologías o relacionado con ella: *'El burro de tu hermano' es un enunciado anfibológico.*

anfioxo s.m. Animal marino de pequeño tamaño y con el cuerpo parecido al de los peces, que vive enterrado en la arena: *Los anfioxos son unos de los cordados más primitivos.*

anfipróstilo adj. Referido a un edificio, que tiene un pórtico con columnas en dos de sus fachadas: *Los templos clásicos anfipróstilos tienen los pórticos en sus lados menores.* □ ETIMOL. De *anfi-* (dos) y el griego *próstylos* (próstilo).

anfiteatro s.m. **1** Edificio de forma ovalada o circular, con gradas para el público, que estaba destinado a determinados espectáculos, esp. a los combates de gladiadores o de fieras. **2** Local generalmente de forma semicircular y con gradas en el que suelen realizarse actividades docentes. **3** En un cine, en un teatro y en otros locales, parte alta de la sala que tiene los asientos en gradas: *Las entradas de anfiteatro suelen ser más baratas que las de butaca de patio.* □ ETIMOL. De *anfi-* (alrededor) y el latín *theatrum* (teatro).

anfitrión, -a ▮ s. **1** Referido a una persona, que tiene invitados en su casa. **2** Referido a una persona o a una entidad, que recibe invitados en su país o en su sede habitual: *El país anfitrión organizó una gala para recibir a los países invitados.* ▮ s.m. **3** En una red informática, ordenador al que están conectados otros. □ ETIMOL. Por alusión a Anfitrión, rey de Tebas que era muy espléndido en sus banquetes. □ SINT. En la acepción 2, se usa en aposición, pospuesto a un sustantivo: *La selección anfitriona ganó el partido por goleada.*

ánfora s.f. Vasija alta, estrecha y terminada en punta, de cuello largo y con dos asas: *Las ánforas fueron muy usadas por los griegos y los romanos para conservar y transportar alimentos.* □ ETIMOL. Del latín *amphora*, y este del griego *amphoréus* (cántaro de dos asas). □ MORF. Por ser un sustantivo femenino que empieza por *a* tónica o acentuada, va precedido de *el, un, algún, ningún* y de las formas femeninas del resto de los determinantes.

anfótero, ra adj. Referido a una molécula o a un compuesto químico, que puede reaccionar como ácido o como base según el medio en el que se encuentre: *El bicarbonato cálcico es un compuesto anfótero.* □ ETIMOL. Del griego *amphóteros* (el uno y el otro).

anfractuosidad s.f. Desigualdad o irregularidad de una superficie: *La anfractuosidad del terreno dificulta el trazado de carreteras.* □ ORTOGR. Dist. de *infructuosidad.*

anfractuoso, sa adj. Que presenta irregularidades o que es desigual o sinuoso: *terreno anfractuoso.* □ ETIMOL. Del latín *anfractuosus* (lleno de vueltas o rodeos). □ ORTOGR. Dist. de *infructuoso.*

angarillas s.f.pl. Armazón formado por dos barras paralelas unidas por una tabla transversal, que sirve para transportar algo a mano: *Llevaban los sacos de cemento en unas angarillas.* □ ETIMOL. Del latín *angaria* (acarreo).

ángel s.m. **1** En algunas religiones, espíritu celestial puro creado por Dios para que le sirva y haga de mediador entre Él y las personas: *En el arte cristiano, se representa a los ángeles como niños o jóvenes con alas.* **2** Persona que tiene las características que se consideran propias de estos espíritus: *Esta mujer es un ángel, siempre pendiente de los demás.* **3** Gracia, simpatía o encanto: *Esta bailarina tiene ángel.* **4** ‖ **ángel {caído/de las tinieblas/malo};** diablo: *Los ángeles caídos fueron desterrados de la cercanía de Dios por su rebeldía.* ‖ **ángel {custodio/de la guarda};** el destinado por Dios a cada persona para que la proteja: *Gracias a mi ángel de la guarda pude salvarme de aquel accidente.* ‖ **como los ángeles;** muy bien: *Este tenor canta como los ángeles.* □ ETIMOL. Del latín *angelus*, y este del griego *ángelos* (mensajero).

angelical adj.inv. **1** De los ángeles o relacionado con estos espíritus celestiales: *En el cuadro aparecía un coro angelical entonando himnos en el cielo.* □ SINÓN. *angélico.* **2** Con las características que se consideran propias de los ángeles: *Es una persona angelical.* □ SINÓN. *angélico.*

angélico, ca adj. →**angelical.**

angelote s.m. *col.* Figura grande de ángel que se coloca generalmente en los retablos: *En aquella iglesia han puesto dos angelotes de escayola a ambos lados del retablo.*

ángelus (pl. *ángelus*) s.m. Oración que recuerda el misterio de la encarnación del hijo de Dios, y que comienza con las palabras *El ángel del Señor anunció a María*: *El ángelus se reza tres veces al día: al amanecer, a mediodía y al atardecer.* □ ETIMOL. Del latín *Angelus Domini* (el ángel del Señor).

angina s.f. **1** Inflamación de las amígdalas y de las zonas próximas a estas: *Tiene anginas, y siente mucho dolor al tragar.* **2** ‖ **angina de pecho;** conjunto de síntomas causados por un fallo en la circulación arterial del corazón, que se caracteriza por un dolor muy grande en el pecho y el brazo izquierdo, y por una fuerte sensación de ahogo: *Los dolores agudos en el pecho son característicos de una angina de pecho.* □ ETIMOL. Del latín *angina*, y este de *angere* (sofocar). □ MORF. En la acepción 1, se usa más en plural. □ SEM. 1. Dist. de *amígdala* (cada uno de los dos nódulos linfáticos situados en la base de los pilares del paladar). 2. El uso de *angina de pecho* para designar la enfermedad caracterizada por estos síntomas es incorrecto, aunque está muy extendido: incorr. **morir de una angina de pecho.*

angiogénesis (pl. *angiogénesis*) s.f. Formación de vasos sanguíneos.

angiografía s.f. Imagen de los vasos sanguíneos, esp. la obtenida por rayos X: *Para hacer una angiografía se suele inyectar un contraste en el aparato circulatorio.* □ ETIMOL. Del griego *angêion* (vaso) y *-grafía* (representación gráfica).

angiograma s.m. Radiografía de los vasos sanguíneos: *En este angiograma se ve muy bien la lesión de la arteria aorta.* □ ETIMOL. Del griego *angêion* (vaso) y *-grama* (representación).

angiología s.f. Parte de la medicina que estudia el aparato circulatorio y sus enfermedades: *La angiología estudia las venas, las arterias y los vasos linfáticos.* □ ETIMOL. Del griego *angêion* (vaso) y *-logía* (estudio).

angiólogo, ga s. Médico especialista en angiología: *Esta angióloga ha presentado un estudio sobre las causas del infarto de miocardio.*

angioma s.f. Tumor benigno formado por una acumulación de pequeños vasos sanguíneos: *Los angiomas se ven como manchas rojizas en la piel.* ☐ ETIMOL. Del griego *angêion* (vaso) y *-oma* (tumor).

angiospermo, ma ▌adj./s.f. **1** Referido a una planta, que tiene flores con órganos femeninos y masculinos, y las semillas protegidas en el interior del fruto: *La judía y el melocotonero son angiospermas.* ▌s.f.pl. **2** En botánica, división de estas plantas, perteneciente al reino de las metafitas: *El almendro y el guisante pertenecen a las angiospermas.* ☐ ETIMOL. Del latín *Angiospermae*.

anglicanismo s.m. Conjunto de doctrinas de la religión reformada predominante en Inglaterra (región británica): *El anglicanismo surgió tras la ruptura del rey Enrique VIII de Inglaterra con el Papa.*

anglicano, na ▌adj. **1** Del anglicanismo o relacionado con este conjunto de doctrinas religiosas: *iglesia anglicana.* ▌adj./s. **2** Que profesa el anglicanismo: *La máxima autoridad religiosa para los anglicanos es el rey o la reina.* ☐ ETIMOL. Del latín *anglicanus*.

anglicismo s.m. En lingüística, palabra, significado o construcción sintáctica del inglés empleados en otra lengua: *La palabra 'beicon' es un anglicismo ('bacon') que ha sido adoptado por el español como palabra de uso común.* ☐ SINÓN. *inglesismo*.

anglicista adj.inv. Del anglicismo o relacionado con él: *Este artículo tiene una mala traducción porque está lleno de construcciones sintácticas anglicistas.* ☐ ETIMOL. De *ánglico* (de Inglaterra).

anglo adj.inv./s.com. En zonas del español meridional, norteamericano: *Tengo amigos anglos.*

anglo, gla adj./s. De un antiguo pueblo germánico que se estableció en los siglos V y VI en Inglaterra (región británica), o relacionado con él: *Anglos y sajones emigraron de Germania a las islas británicas, huyendo de la invasión gala que los empujaba.* ☐ ETIMOL. Del latín *Anglus*.

anglo- Elemento compositivo prefijo que significa 'inglés': *angloamericano, anglohablante, anglófilo.*

angloamericano, na adj. **1** De los ingleses y de los estadounidenses, o con elementos propios de ambos: *A las personas nacidas en América que descienden de ingleses se les denomina angloamericanos.* **2** Referido a una persona, que ha nacido en América y es de origen inglés: *En América del Norte predominan las comunidades angloamericanas y en América del Sur, las hispanoamericanas.*

anglocanadiense adj.inv./s.com. Canadiense de ascendencia o de lengua inglesas: *Anglocanadienses y francocanadienses forman parte de la población de Canadá.*

anglofilia s.f. Admiración y simpatía por todo lo inglés. ☐ ETIMOL. De *anglo-* (inglés) y *-filia* (afición, gusto, amor).

anglófilo, la adj./s. Que siente gran admiración y simpatía por todo lo inglés.

anglofobia s.f. Antipatía por todo lo inglés. ☐ ETIMOL. De *anglo-* (inglés) y *-fobia* (aversión).

anglófobo, ba adj./s. Que siente gran antipatía por todo lo inglés: *Aunque un inglés te haya timado, no tienes por qué ser anglófobo.*

anglófono, na adj./s. De habla inglesa: *Australia es un país anglófono.* ☐ ETIMOL. Del francés *anglophone*.

anglohablante adj.inv./s.com. Que tiene como lengua materna u oficial el inglés, o que habla esta lengua: *Los anglohablantes son cada vez más numerosos en el mundo.* ☐ ETIMOL. De *anglo-* (inglés) y *hablante*.

anglomanía s.f. *col.* Gusto y afición exagerados por todo lo inglés: *Su anglomanía hace que use muchas palabras inglesas al hablar.* ☐ ETIMOL. De *anglo-* (inglés) y *-manía* (afición desmedida).

anglosajón, -a adj./s. **1** De los pueblos germanos que en el siglo V invadieron Inglaterra (región británica), o relacionado con ellos: *Los pueblos anglosajones se impusieron a la antigua población celta que habitaba Gran Bretaña.* **2** De origen inglés o que habla esta lengua: *Estados Unidos de América es una nación anglosajona.*

angoleño, ña adj./s. De Angola o relacionado con este país africano.

angora s.f. Lana que se obtiene a partir del pelo de un conejo originario de Angora (antiguo nombre de Ankara, la actual capital turca): *Me he comprado un jersey de angora.*

angorina s.f. Fibra textil que imita a la angora: *Los jerséis de angorina no me gustan, porque sueltan mucho pelo, y te dejan toda la ropa llena de pelusas.*

angostar v. Estrechar o reducir: *Ya han comenzado las obras para angostar la calzada.* ☐ ETIMOL. Del latín *angustare*.

angosto, ta adj. Muy estrecho o de reducidas dimensiones: *El sendero era angosto, y apenas cabían dos personas a la vez.* ☐ ETIMOL. Del latín *angustus*.

angostura s.f. **1** Falta de anchura o gran estrechez, esp. en un terreno o en un paso: *La angostura del camino no permitía que pasase el coche.* **2** Bebida amarga que se extrae de la corteza de una planta, y que se usa en la elaboración de algunos cócteles: *Para hacer este cóctel se necesitan unas gotas de angostura.*

angstrom s.m. Unidad de longitud que equivale a la diezmillonésima parte de un milímetro: *El angstrom es una unidad muy utilizada para la medida de los microorganismos.* ☐ ETIMOL. Por alusión a A. J. Angstrom, físico sueco. ☐ ORTOGR. Su símbolo es Å, por tanto, se escribe sin punto.

anguila s.f. Pez comestible de cuerpo alargado y cilíndrico, que carece de aletas abdominales y que vive en los ríos pero se reproduce en el mar: *Las anguilas son muy resbaladizas.* ☐ ETIMOL. Del latín *anguilla*. ☐ MORF. Es un sustantivo epiceno: *la anguila {macho/hembra}.*

angula s.f. Cría de la anguila: *Las angulas son muy apreciadas como comida.* ☐ ETIMOL. Del euskera *angula.* ☐ MORF. Es un sustantivo epiceno: *la angula {macho/hembra}.*

angular adj.inv. **1** Del ángulo o relacionado con él: *La suma de los valores angulares de un triángulo es de 180º.* **2** Con forma de ángulo: *Todas las esquinas tienen forma angular.* **3** || **(gran) angular;** objetivo fotográfico de corta distancia de foco y con capacidad de cubrir un ángulo visual de 70º a 180º: *Solo podrás fotografiar este panorama al completo si usas un gran angular.*

ángulo s.m. **1** Figura geométrica formada en una superficie por dos líneas rectas que parten de un mismo punto, o, en el espacio, por dos superficies que parten de una misma línea: *Los ángulos se miden en grados.* **2** Espacio formado por el encuentro de dos líneas o de dos superficies: *En un ángulo de la sala habían colocado un gran jarrón de porcelana china. En muchos libros antiguos, los ángulos de las cubiertas iban reforzados con un material más resistente.* **3** Punto de vista u opinión desde el que se puede considerar algo: *Si lo miras desde ese ángulo verás que no existe ningún problema.* **4** || **ángulo agudo;** el que mide menos de noventa grados: *La letra 'V' tiene forma de ángulo agudo.* || **ángulo complementario;** el que le falta a otro para sumar noventa grados: *El ángulo complementario de un ángulo de 30º es otro de 60º.* ☐ SINÓN. *complemento.* || **ángulo cóncavo;** el que mide más de ciento ochenta grados: *Un ángulo cóncavo comprende en sí la prolongación de los lados de dos semirrectas que parten de un mismo punto.* || **ángulo convexo;** el que mide menos de ciento ochenta grados: *Un ángulo convexo no comprende en sí la prolongación de los lados de dos semirrectas que parten de un mismo punto.* || **(ángulo) diedro;** cada una de las dos porciones del espacio limitadas por dos semiplanos que parten de una misma recta: *Los dos semiplanos de un ángulo diedro se llaman 'caras'.* || **ángulo {llano/plano};** el que mide ciento ochenta grados y está formado por dos líneas contenidas en el mismo plano: *Los lados del ángulo plano son consecutivos.* || **ángulo muerto;** el que queda fuera del campo visual: *Al mirar por el espejo retrovisor, siempre hay un ángulo muerto que no se ve.* || **ángulo obtuso;** el que mide más de noventa grados y menos de ciento ochenta grados: *El ángulo obtuso es más abierto que el recto.* || **ángulo recto;** el que mide noventa grados: *El ángulo recto está formado por dos líneas o planos que se cortan perpendicularmente.* || **ángulo suplementario;** el que le falta a otro para sumar ciento ochenta grados: *El ángulo suplementario de un ángulo agudo de cuarenta grados es otro obtuso de ciento cuarenta grados.* ☐ SINÓN. *suplemento.* || **ángulos adyacentes;** los consecutivos que tienen un lado común, y los lados no comunes formando parte de una misma recta: *Los dos ángulos suplementarios que se unen para formar uno llano son ángulos adyacentes.* || **ángulos consecutivos;** los que tienen el vértice y un lado común y no está uno comprendido en el otro: *El ángulo A, de 80º, es la suma de los ángulos consecutivos B y C, de 50º y 30º respectivamente.* || **ángulos opuestos por el vértice;** los que tienen el vértice común y los lados de cada uno en prolongación de los del otro: *Las líneas de estos dos ángulos opuestos por el vértice tienen forma de aspa.* ☐ ETIMOL. Del latín *angulus* (rincón).

angulosidad s.f. **1** Existencia de ángulos o esquinas: *la angulosidad de unas facciones.* **2** Parte angulosa: *Disimularon las angulosidades de la habitación con adornos.* ☐ MORF. En la acepción 2, se usa más en plural.

anguloso, sa adj. Que tiene ángulos o esquinas muy marcados: *Las facciones de su cara son muy angulosas porque está muy delgado.*

angurria s.f. **1** *col.* En zonas del español meridional, avidez o codicia. **2** *col.* En zonas del español meridional, hambre.

angurriento, ta adj. **1** *col.* En zonas del español meridional, codicioso o avaricioso. **2** *col.* En zonas del español meridional, hambriento.

angustia s.f. **1** Sentimiento de intranquilidad y sufrimiento ante una situación de peligro, amenaza o incertidumbre: *Todo el pueblo vive con angustia el rescate de los niños perdidos en las montañas.* **2** Sofoco o sensación de opresión en la región torácica o abdominal: *Fue al médico porque sentía una angustia en el pecho.* ☐ ETIMOL. Del latín *angustia* (estrechez, situación crítica).

angustiar v. Causar angustia o sentimiento de intranquilidad o sufrimiento: *Me angustia pensar en la muerte. No te angusties por esa tontería.* ☐ ORTOGR. La *i* nunca lleva tilde.

angustioso, sa adj. **1** Que produce angustia: *Una espera tan larga es angustiosa.* **2** Con mucha angustia: *Pasamos unos días angustiosos hasta que se solucionó nuestro problema.*

anhelante adj.inv. **1** Referido a la respiración, que es fatigosa y agitada: *¿Qué te pasa que respiras de esa forma tan anhelante?* **2** Que desea algo con mucha intensidad o que muestra intenso deseo: *unas palabras anhelantes.*

anhelar v. Desear intensamente: *Lo que más anhelo en este momento es encontrar un trabajo.* ☐ ETIMOL. Del latín *anhelare* (respirar con dificultad).

anhelo s.m. Deseo intenso de conseguir algo: *Vive con el anhelo de llegar a ser alguien famoso.* ☐ SINÓN. *ansia.*

anheloso, sa adj. Que tiene o siente anhelo: *Estoy anhelosa por saber el resultado del examen que hice ayer.*

anhídrido s.m. **1** Compuesto químico formado por la combinación del oxígeno con un elemento no metálico y que, al reaccionar con el agua, produce un ácido: *El anhídrido sulfúrico es óxido de azufre que, al combinarse con el agua, produce el ácido sulfúrico.* **2** || **anhídrido carbónico;** gas más pesado que el aire, inodoro, incoloro, que no se puede quemar, y que se produce en las combustiones y en algunas fermentaciones por la combinación del carbono con el oxígeno: *Las plantas respiran oxígeno y expulsan anhídrido carbónico.* □ ETIMOL. De *anhidro* (sin agua) y la terminación de *ácido.*

anidación s.f. → **anidamiento.**

anidamiento s.m. Fabricación de un nido o establecimiento del ave en él: *En algunas especies de aves el macho alimenta a la hembra durante el anidamiento.* □ SINÓN. *anidación.*

anidar v. **1** Referido a un ave, hacer su nido o vivir en él: *Las cigüeñas han anidado en la torre de la iglesia.* **2** Referido esp. a un sentimiento, hallarse en una persona: *En su corazón nunca anidó la envidia.*

anidólico, ca adj. Que no forma ninguna imagen: *óptica anidólica.* □ ETIMOL. De *an-* (negación) e *ídolo* (imagen).

anieblarse v.prnl. Cubrirse de niebla: *Cuando las montañas empezaron a anieblarse, los excursionistas iniciaron el descenso.* □ SINÓN. *aneblarse.* □ MORF. Es unipersonal.

anilina s.f. Sustancia líquida y aceitosa, muy tóxica, que se obtiene a partir del benceno y que es muy utilizada en la industria: *La anilina se utiliza en la fabricación de colorantes.* □ ETIMOL. Del alemán *Anilin*, y este del portugués *anil* (añil).

anilla ▮ s.f. **1** Pieza en forma de circunferencia hecha de un material duro que sirve para sujetar o para colgar algo. **2** Pieza de metal o de plástico, de forma cilíndrica, que se pone en las patas de las aves para marcarlas y estudiar su comportamiento. ▮ pl. **3** En gimnasia, aparato que consta de dos aros que cuelgan de unas cuerdas sujetas al techo, y en el que los gimnastas realizan sus ejercicios: *El gimnasta obtuvo una buena puntuación en los ejercicios de anillas.*

anillado, da adj. Que tiene uno o varios anillos: *La lombriz de tierra tiene el cuerpo anillado.*

anillamiento s.m. Colocación de anillos o anillas, esp. cuando se realiza en las patas de las aves, para marcarlas y poder estudiarlas: *El anillamiento de aves se lleva a cabo para conocer sus pautas de comportamiento en libertad.*

anillar v. **1** Sujetar con anillos o con anillas: *He anillado todas las hojas sueltas para que no se me pierdan.* **2** Referido esp. a un ave, ponerle una anilla en la pata para marcarla y poder estudiar alguna de sus características: *El ornitólogo anilló a la cigüeña para estudiar sus desplazamientos migratorios.*

anillo s.m. **1** Aro pequeño, esp. el que se lleva en los dedos de la mano: *Le ha regalado una alianza de oro como anillo de compromiso.* **2** Lo que tiene la forma de este aro: *El anillo inguinal se encuentra en la zona de unión entre la cavidad abdominal y el muslo y a través de él pasan numerosos vasos sanguíneos.* **3** En zoología, cada uno de los segmentos en que se divide el cuerpo de los gusanos y de los animales artrópodos: *El cuerpo de las orugas está dividido en anillos.* **4** En botánica, cada uno de los círculos leñosos concéntricos que forman el tronco de un árbol: *Contando los anillos del tronco de un árbol podemos saber cuántos años tiene.* **5** En arquitectura, moldura que rodea a un cuerpo cilíndrico: *El fuste de la columna estaba rodeado por varios anillos.* **6** En astronomía, formación celeste de forma circular que rodea a algunos planetas: *El planeta Saturno está rodeado por tres grandes anillos.* **7** ‖ **caérsele los anillos** a alguien; *col.* Sentirse rebajado o humillado respecto de su posición social o jerárquica: *Aunque seas el jefe, no se te van a caer los anillos por hacer tú mismo las fotocopias.* ‖ **como anillo al dedo;** muy oportuno, conveniente o adecuado: *Esta paga extraordinaria me viene como anillo al dedo.* □ ETIMOL. Del latín *anellus* (anillo pequeño). □ SINT. 1. *Caérsele los anillos a alguien* se usa más en expresiones negativas. 2. *Como anillo al dedo* se usa más con los verbos *venir*, *caer* o equivalentes.

ánima ▮ s.f. **1** Alma de una persona, esp. la que pena antes de ir a la gloria: *las ánimas del purgatorio.* ▮ pl. **2** Toque de campanas en las iglesias con el que se invita a los fieles a rogar por las almas del purgatorio: *Las ánimas se tocan al anochecer.* **3** Hora en que se hace este toque de campanas: *El testigo ha declarado que el asesinato tuvo lugar a las ánimas.* □ ETIMOL. Del latín *anima* (aire, aliento, alma). □ MORF. Por ser un sustantivo femenino que empieza por *a* tónica o acentuada, va precedido de *el*, *un*, *algún*, *ningún* y de las formas femeninas del resto de los determinantes.

animación s.f. **1** Comunicación de una mayor actividad, intensidad y movimiento: *Una orquesta se encarga de la animación de las fiestas.* **2** Viveza y expresión en las acciones, en las palabras o en los movimientos: *Su animación de estos días se debe a que ha recibido buenas noticias.* **3** Concurrencia de gente o gran actividad: *A estas horas siempre hay mucha animación en la plaza.* **4** Técnica cinematográfica que permite dotar de movimiento a los dibujos o a las imágenes fijas: *La animación consiste principalmente en pasar a gran velocidad una serie de imágenes.* **5** Conjunto de técnicas destinadas a impulsar la participación de una persona en una determinada actividad y en el desarrollo sociocultural del grupo de que forman parte: *Se dedica a tareas de animación cultural en centros de la tercera edad.* □ ETIMOL. Del latín *animatio.*

animado, da adj. **1** Que tiene vida: *Las plantas son seres animados.* **2** Alegre o divertido: *Fue una fiesta muy animada.* **3** Concurrido o con mucha gente: *A estas horas las calles están muy animadas.*

animador, -a ▮ adj./s. **1** Que anima. ▮ s. **2** Persona que presenta y ameniza un espectáculo: *El animador de este programa también canta y hace actuaciones humorísticas.* **3** Persona que se dedica profesionalmente a impulsar la participación en una determinada actividad, o el desarrollo sociocultural de un grupo: *La animadora cultural organiza las actividades de ocio y tiempo libre.* **4** Persona que se dedica a la animación o técnica cinematográfica que permite dotar de movimiento a los dibujos o a las imágenes fijas: *Este canal de televisión va a contratar a nuevos animadores.*

animadversión s.f. Sentimiento de aversión, odio o antipatía hacia alguien: *No puede disimular la animadversión que siente hacia mí.* □ ETIMOL. Del latín *animadversio* (atención, amonestación) con influencia de *aversión* y *animosidad.*

animal ▮ adj.inv. **1** Del animal o relacionado con este ser vivo: *Los zoólogos estudian el comportamiento animal.* **2** De la parte sensitiva de un ser vivo o relacionado con ella: *La parte animal del ser humano se contrapone a su parte racional.* ▮ adj.inv./s.com. **3** Referido a una persona, que no tiene educación, es ignorante y que muestra un comportamiento instintivo. **4** Referido a una persona, que destaca por su saber, su inteligencia, su fuerza o su corpulencia: *¡Qué animal, derribó la puerta de un solo golpe!* ▮ s.m. **5** Ser vivo capaz de moverse por sí mismo, esp. si es irracional: *En el zoo se pueden ver muchos animales. El ser humano es el único animal racional.* □ ETIMOL. Las acepciones 1-2, del latín *animal.* Las acepciones 3-5, del latín *animalis.*

animalada s.f. *col.* Dicho o hecho estúpido, poco acertado o brutal. □ SINÓN. *barbaridad.*

animalidad s.f. Lo que se considera propio de los animales.

animalización s.m. Adquisición del comportamiento propio de un animal irracional: *Es probable que un niño perdido en la selva, si sobrevive, sufra un proceso de animalización.*

animalizar v. Embrutecer o tener un comportamiento propio de un animal irracional: *Las personas que viven durante muchos años aisladas pueden animalizar sus comportamientos.* □ ORTOGR. La *z* se cambia en *c* delante de *e* →CAZAR.

animar ▮ v. **1** Referido a una persona, darle vigor o energía moral: *El público animaba a su equipo.* **2** Impulsar a hacer algo: *Me animó a que aceptara aquella oferta de trabajo. Se animó a venir con nosotros.* **3** Comunicar una mayor actividad, intensidad y movimiento: *Un humorista se encargó de animar la velada. La reunión se animó bastante cuando empezamos a hablar de política.* **4** Referido a algo inanimado, dotarlo de movimiento: *Al pasar estas imágenes a gran velocidad se consigue animar los dibujos.* ▮ prnl. **5** Sentir alegría, energía y disposición para hacer algo: *Anímate, porque no ganas nada con estar triste.* □ ETIMOL. Del latín *animare.* □ SINT. Constr. de la acepción 2: *animar* A *algo.*

animatronic (ing.) s.m. Máquina que imita el aspecto y los movimientos de un ser vivo: *El dinosaurio de esa película era un animatronic.* □ PRON. [animatrónic]. □ SINT. Se usa mucho en aposición pospuesto a un sustantivo: *técnica animatronic.*

animatrónico, ca adj. Referido a una máquina, que imita el aspecto y los movimientos de un ser vivo: *Rodaron la película con un oso animatrónico.*

anímico, ca adj. De los sentimientos y los afectos de una persona: *estado anímico.*

animismo s.m. **1** Creencia que considera que todos los objetos de la naturaleza tienen vida y poderes: *El animismo es característico de muchas culturas tradicionales africanas y asiáticas.* **2** Creencia en la existencia de espíritus que animan los objetos: *El animismo era la característica más destacada de aquella tribu.* □ ETIMOL. De *ánima.*

animista ▮ adj.inv. **1** Del animismo o relacionado con él: *creencias animistas.* ▮ adj.inv./s.com. **2** Seguidor del animismo.

ánimo ▮ s.m. **1** Parte espiritual del ser humano que constituye el principio de su actividad: *Es una persona de ánimo decidido.* **2** Valor, esfuerzo o energía con que se acomete algo: *Me da muchos ánimos saber que me ayudarás.* □ SINÓN. *animosidad.* **3** Intención o voluntad: *No lo dije con ánimo de ofender.* ▮ interj. **4** Expresión que se usa para estimular a una persona o para infundirle aliento o vigor. **5** ‖ **hacerse el ánimo a** algo; formarse una idea de algo y acostumbrarse a ello: *Desde que trabajo he tenido que hacerme el ánimo a madrugar todos los días.* □ ETIMOL. Del latín *animus.*

animosidad s.f. **1** Sentimiento de hostilidad, antipatía o aversión hacia alguien: *Sus palabras reflejan su gran animosidad hacia todos nosotros.* **2** Valor, esfuerzo o energía con que se acomete algo: *Acomete cada uno de sus trabajos con una animosidad asombrosa.* □ SINÓN. *ánimo.* □ ETIMOL. Del latín *animositas.*

animoso, sa adj. Que tiene ánimo o valor: *carácter animoso.* □ ETIMOL. Del latín *animosus.*

aniñado, da adj. Con las características que se consideran propias de un niño, esp. referido a un rasgo físico: *Tiene la cara muy aniñada y parece más joven de lo que es.*

aniñarse v.prnl. Adquirir o adoptar rasgos o comportamientos propios de un niño: *Como siempre vas con gente mucho más pequeña que tú, te estás aniñando cada vez más.*

anión s.m. Ion con carga eléctrica negativa: *El polo positivo de las pilas atrae a los aniones.* □ ETIMOL. Del inglés o del francés *anion.*

aniquilación s.f. **1** Destrucción total de algo o reducción a la nada: *El veneno consiguió la aniquilación de las ratas.* □ SINÓN. *aniquilamiento.* **2** Deterioro o empeoramiento del estado o de la condición de algo: *Esa vida tan desordenada que llevas supone la aniquilación de tu salud.* □ SINÓN. *aniquilamiento.* **3** Pérdida del ánimo de una persona: *Le insultaron y le echaron en cara todos sus fallos hasta conseguir su completa aniquilación.* □ SINÓN. *aniquilamiento.*

aniquilamiento s.m. →**aniquilación.**

aniquilar v. **1** Destruir por completo o reducir a la nada: *Las tropas aniquilaron al ejército enemigo en una dura batalla.* **2** Deteriorar o consumir mucho: *El alcohol aniquila la salud de las personas.* **3** Referido a una persona, hacerle perder el ánimo: *Esas respuestas tan tajantes me aniquilaron.* □ ETIMOL. Del latín *annichilare.*

anís s.m. **1** Planta con tallo abundante en ramas, flores blancas y semillas pequeñas y aromáticas: *El anís se cultiva por sus semillas.* □ SINÓN. *matalahúva.* **2** Semilla de esta planta: *El anís se utiliza* *a veces para preparar dulces y licores.* □ SINÓN. *matalahúva.* **3** Aguardiente fabricado con esta semilla: *Después de comer me tomé una copita de anís.* □ SINÓN. *anisado.* **4** Golosina hecha con el grano de anís cubierto por un baño de azúcar: *A los niños les encantan los anises.* □ ETIMOL. Del francés *anis* o del catalán *anís.* □ SEM. En la acepción 3, dist. de *anisete* (licor fabricado con aguardiente, azúcar y anís).

anisado, da ▌adj. **1** Que contiene anís o aroma de anís: *un licor anisado.* ▌s.m. **2** Aguardiente fabricado con la semilla del anís: *Tomamos una copita de anisado y unos pasteles.* □ SINÓN. *anís.* □ SEM. En la acepción 2, dist. de *anisete* (licor fabricado con aguardiente, azúcar y anís).

anisakis (pl. *anisakis*) s.m. Parásito nematodo cuyas larvas se encuentran en algunos pescados: *Las personas alérgicas al anisakis deben tener cuidado cuando coman pescado, sobre todo si está crudo, como los boquerones en vinagre o los pescados marinados y ahumados.*

anisar v. Referido a un alimento, echarle anís o aroma de anís: *Siempre anisa las rosquillas para que queden más sabrosas.*

anisete s.m. Licor fabricado con aguardiente, azúcar y anís: *El anisete suele tener un sabor más dulce y suave que el anís.* □ ETIMOL. Del francés *anisette.* □ SEM. Dist. de *anís* y *anisado* (aguardiente fabricado con la semilla del anís).

anisocitosis (pl. *anisocitosis*) s.f. Desigualdad en el tamaño de los glóbulos rojos: *Cantidades excesivas de hemoglobina producen la anisocitosis.* □ ETIMOL. Del griego *ánisos* (desigual), *kýtos* (célula) y *-osis* (enfermedad).

anisopétalo, la adj. Referido a una flor o a su corola, que tiene los pétalos desiguales: *Las orquídeas son flores anisopétalas.* □ ETIMOL. Del griego *ánisos* (desigual) y *pétalon* (hoja).

anisosilábico, ca adj. Del anisosilabismo o con sus características: *En la poesía moderna son frecuentes las composiciones de versos anisosilábicos y no sujetos a un esquema métrico fijo.* □ ETIMOL. Del griego *ánisos* (desigual) y *silábico.*

anisosilabismo s.m. Desigualdad en el número de sílabas, esp. entre dos versos: *Los versos de los poemas juglarescos suelen tener como característica el anisosilabismo.*

anisotropía s.f. En física, cualidad de un sistema o de un cuerpo que no es isótropo o que presenta propiedades que varían según la dirección en que se midan: *Algunos cristales presentan anisotropía en alguna de sus propiedades.*

anisótropo, pa adj. Que presenta anisotropía o propiedades variables según la dirección en que se midan: *Este cristal es anisótropo porque su conductividad es distinta según la dirección de medida.* □ ETIMOL. De *an-* (negación) e *isótropo.*

aniversario s.m. **1** Día en el que se cumplen años de un determinado suceso: *Hoy celebran el décimo aniversario de su boda.* **2** Celebración con que se conmemora este día: *Todos los nietos llegaron al aniversario del abuelo cargados de regalos.* □ ETIMOL. Del latín *anniversarius* (que se repite cada año).

annus horribilis (lat.) s.m. ‖ Año horrible: *Aquel destacado personaje de la vida pública declaró que había sido un annus horribilis para él.* □ PRON. [ánus horríbilis].

annus mirabilis (lat.) s.m. ‖ Año admirable: *En las declaraciones que hizo a la prensa, afirmó que aquel año había sido para ella un annus mirabilis.* □ PRON. [ánus mirábilis].

ano s.m. Orificio en que termina el tubo digestivo de muchos animales, y por el que se expulsan los excrementos: *Los supositorios se introducen por el ano.* □ ETIMOL. Del latín *anus* (anillo).

-ano Sufijo que significa 'hidrocarburo saturado': *metano, propano.*

-ano, -ana **1** Sufijo que indica relación o pertenencia: *luterano, urbana.* **2** Sufijo que indica procedencia o patria: *africano, boliviano, zamorana, italiana.* □ ETIMOL. Del latín *-anus.*

anoche adv. En la noche de ayer: *Te llamé anoche antes de acostarme. Anoche volví a las dos de la mañana.* □ ETIMOL. Del latín *ad noctem.* □ USO El uso de la expresión *ayer noche* con el significado de 'anoche' es un galicismo innecesario.

anochecer ▌s.m. **1** Tiempo en el que empieza a faltar la luz del día y se hace de noche. □ SINÓN. *anochecida.* ▌v. **2** Empezar a faltar la luz del día: *En invierno anochece antes que en verano.* **3** Llegar o estar en un lugar o en una situación determinados al empezar la noche: *Salimos de viaje por la tarde y anochecimos en Burgos.* □ MORF. 1. En la acepción 2, es verbo unipersonal. 2. Irreg. →PARECER.

anochecida s.f. Tiempo en el que empieza a faltar la luz del día y se hace de noche: *Este cuadro refleja muy bien la luz de la anochecida.* □ SINÓN. *anochecer.*

anochecido adv. Al empezar la noche: *Llegamos a casa anochecido.*

anodino, na adj. Insignificante, que tiene poca importancia o que no presenta ningún interés: *Es un ser anodino que siempre pasa desapercibido.* □ ETIMOL. Del griego *anódynos* (que no causa dolor).

ánodo s.m. Electrodo positivo: *En una pila, el ánodo está marcado con el signo +.* □ ETIMOL. Del griego *ánodos* (camino ascendente).

anofeles (pl. *anofeles*) adj./s.m. Referido a un mosquito, que se caracteriza por ser transmisor de algunas enfermedades: *La hembra del anofeles inocula el microorganismo causante de la malaria cuando pica para alimentarse.* □ ETIMOL. Del griego *anophelés* (inútil, dañino). □ PRON. Aunque la pronunciación correcta es [anoféles], está muy extendida [anófeles]. □ MORF. Es un sustantivo epiceno: *el anofeles {macho/hembra}.*

anomalía s.f. Irregularidad o desviación de lo que se considera normal o regular: *¿Has observado alguna anomalía en su actitud?*

anomalístico, ca adj. De la anomalía o relacionado con ella.
anómalo, la adj. Irregular, extraño o que se desvía de lo que se considera normal: *un comportamiento anómalo.* ☐ ETIMOL. Del latín *anomalus*, y este del griego *anómalos* (irregular).
anón s.m. **1** Árbol tropical con la corteza oscura y con flores amarillentas y de mal olor. ☐ SINÓN. *anona.* **2** Fruto de este árbol, comestible, de forma acorazonada y pulpa blanquecina dulce y mantecosa, con numerosas pepitas negras: *El anón es parecido a la chirimoya.* ☐ SINÓN. *anona.*
anona s.f. →**anón.**
anonadación s.f.→**anonadamiento.**
anonadamiento s.m. Producción de desconcierto o de una gran sorpresa. ☐ SINÓN. *anonadación.*
anonadar v. Referido a una persona, dejarla desconcertada o causarle gran sorpresa: *Lo que me dijo me anonadó.* ☐ ETIMOL. Del antiguo *nonada* (nadería, cosa nula).
anonimato s.m. **1** Condición de la obra literaria o artística que no lleva el nombre de su autor: *El anonimato de esa pintura ha dado lugar a múltiples conjeturas en torno a la personalidad de su autor.* **2** Condición de la persona o del autor de algo cuyos nombres no son conocidos: *Prefiere viajar en el anonimato para no tener que hacer declaraciones a los periodistas.* ☐ ETIMOL. Del francés *anonymat.*
anónimo, ma ▮ adj. **1** Referido a una persona autora de algo, de nombre desconocido: *un admirador anónimo.* ▮ adj./s. **2** Referido a una obra literaria o artística, que no lleva el nombre de su autor, o que es de autor desconocido: *'El Lazarillo de Tormes' es una obra anónima.* ▮ s.m. **3** Carta o escrito sin firmar en el que, generalmente, se expresa una amenaza o se dice algo ofensivo o desagradable: *Recibí varios anónimos con amenazas de muerte.* **4** Secreto de la persona que oculta su nombre: *Decidió escudarse en el anónimo para seguir obsequiando a su dama sin ser conocido.* ☐ ETIMOL. Del griego *anónymos*, y este de *an-* (negación) y *ónoma* (nombre).
anorak s.m. Prenda de vestir parecida a una chaqueta, hecha de tela impermeable, y que generalmente lleva capucha: *El anorak es una prenda muy utilizada por los esquiadores.* ☐ ETIMOL. Del francés *anorak.* ☐ USO Se usan los plurales *anoraks* y *anorak.*
anorexia s.f. Pérdida del apetito, generalmente producida por causas psíquicas: *Dejó de comer porque quería adelgazar, y la han tenido que hospitalizar porque sufre anorexia.* ☐ ETIMOL. Del griego *anorexía* (inapetencia), y este de *an-* (negación) y *órexis* (deseo).
anoréxico, ca adj./s. Que padece anorexia o pérdida del apetito: *Las mujeres tienen mayor tendencia a ser anoréxicas que los hombres.*
anormal ▮ adj.inv. **1** Que es distinto de lo habitual o acostumbrado, o que accidentalmente se halla fuera de su estado natural o de las condiciones que le son propias: *una situación anormal.* ▮ s.com. **2** *desp.* Persona cuyo desarrollo físico o intelectual es inferior al que corresponde a su edad. ☐ ETIMOL. Del francés *anormal.* ☐ USO Se usa como insulto.
anormalidad s.f. Diferencia respecto a lo habitual o acostumbrado, o situación accidental fuera del estado natural que algo tiene o de las condiciones que le son propias: *La situación económica del país atraviesa una etapa de anormalidad.* ☐ USO Su uso referido al desarrollo físico o intelectual es despectivo.
anotación s.f. **1** Toma por escrito de un dato. **2** Adición de notas, explicaciones o de comentarios a un texto escrito: *Me dejó un libro lleno de anotaciones a lápiz.*
anotar ▮ v. **1** Referido esp. a un dato, tomar nota de ello por escrito: *Anotó en su agenda la fecha de la reunión.* ☐ SINÓN. *apuntar.* **2** Referido esp. a un texto escrito, ponerle notas o añadirle una explicación o un comentario: *La editora de esta obra medieval la ha anotado con múltiples datos alusivos al lenguaje y a las costumbres de la época.* **3** En deporte, marcar tantos: *Nuestro equipo anotó al comenzar el segundo tiempo.* ▮ prnl. **4** Referido esp. a un triunfo o a un fracaso, obtenerlos: *El equipo se anotó una nueva victoria esta temporada.* ☐ ETIMOL. Del latín *annotare.*
anoticiar ▮ v. **1** En zonas del español meridional, informar. ▮ prnl. **2** En zonas del español meridional, enterarse de algo.
anovelado, da adj. Que tiene alguna de las características propias de la novela: *un estilo anovelado.*
anovulación s.f. Falta de ovulación durante el ciclo menstrual: *La anovulación puede deberse a alteraciones psíquicas.* ☐ ETIMOL. De *an-* (negación) y *ovulación.*
anovulatorio, ria ▮ adj. **1** Sin ovulación: *ciclo anovulatorio.* ▮ adj./s.m. **2** Referido a un medicamento, que impide la ovulación durante el ciclo menstrual: *Los anovulatorios se suelen utilizar como método anticonceptivo.* ☐ ETIMOL. De *an-* (negación) y *ovulatorio.*
anoxia s.f. Falta de oxígeno en la sangre o en los tejidos corporales: *una anoxia cerebral.*
anquilosamiento s.m. **1** Disminución o pérdida de la movilidad en una articulación: *La artrosis le produjo el anquilosamiento de los dedos de las manos.* **2** Detención del progreso o de la evolución de algo: *El anquilosamiento profesional conlleva la inadaptación a las nuevas situaciones sociales.*
anquilosar ▮ v. **1** Producir una disminución o pérdida de la movilidad: *El reumatismo puede anquilosar las articulaciones.* ▮ prnl. **2** Detenerse el progreso o la evolución de algo: *Aquellas leyes se anquilosaron porque nadie las adaptó a los nuevos tiempos.* ☐ ETIMOL. De *anquilosis* (imposibilidad de movimiento en una articulación).
anquilosaurio s.m. Reptil del grupo de los dinosaurios que existió en la era secundaria y que estaba dotado de una coraza: *Los anquilosaurios eran de baja estatura y tenían el cuerpo protegido por una especie de armadura flexible.*

anquilosis (pl. *anquilosis*) s.f. Disminución de movimiento o imposibilidad total para ello en una articulación normalmente móvil: *El accidente de tráfico le ha dejado como secuela una anquilosis en la rodilla derecha.* □ ETIMOL. Del griego *ankýlosis*, y este de *ankýlos* (encorvado).

ánsar s.m. Ave palmípeda con la parte superior del cuerpo de color ceniciento, los bordes de las alas y de las plumas más claros y la parte inferior blanca, que se alimenta de vegetales y vive en zonas pantanosas: *Los ánsares, cuando vuelan en grupo, adoptan la formación en 'V'.* □ SINÓN. *ganso, oca.* □ ETIMOL. Del latín *anser*. □ MORF. Es un sustantivo epiceno: *el ánsar {macho/hembra}*.

anseático, ca adj. →**hanseático.**

ansia s.f. **1** Deseo intenso: *El ansia de aventuras le llevó a viajar por todo el mundo.* □ SINÓN. *anhelo.* **2** Angustia o fatiga que causa inquietud o agitación: *El ansia de saberse rechazado no lo dejaba dormir.* □ ETIMOL. Del latín *anxia*. □ MORF. Por ser un sustantivo femenino que empieza por *a* tónica o acentuada, va precedido de *el, un, algún, ningún* y de las formas femeninas del resto de los determinantes.

ansiar v. Desear intensamente: *Ansiaba verse libre de todas esas obligaciones.* □ ORTOGR. La *i* lleva tilde en los presentes, excepto en las personas *nosotros* y *vosotros* →GUIAR.

ansiedad s.f. **1** Estado de agitación o inquietud: *La noticia le produjo tal ansiedad que fue incapaz de probar bocado en todo el día.* **2** Estado de angustia que suele acompañar a muchas enfermedades y que no permite el sosiego de la persona que la padece: *La doctora me recetó unos medicamentos para que me calmaran la ansiedad.*

ansiolítico, ca adj./s.m. Referido a un medicamento, que sirve para calmar la ansiedad: *Los ansiolíticos, así como los barbitúricos, pueden crear dependencia si no se toman con precaución.* □ ETIMOL. De *ansia* y el griego *lytikós* (que relaja).

ansioso, sa adj. Que siente ansia: *Estoy ansiosa por saber cómo termina el libro.* □ ETIMOL. Del latín *anxiosus*.

anta s.f. Mamífero rumiante parecido al ciervo pero con mayor corpulencia, que tiene el cuello corto, cabeza grande, hocico muy grande, pelaje oscuro, y unos cuernos muy desarrollados en forma de pala, con los bordes muy recortados: *De la piel curtida de las antas se obtiene el ante.* □ SINÓN. *alce.* □ ETIMOL. De *ante*. □ MORF. 1. Por ser un sustantivo femenino que empieza por *a* tónica o acentuada, va precedido de *el, un, algún, ningún* y de las formas femeninas del resto de los determinantes. 2. Es un sustantivo epiceno: *el anta {macho/hembra}*.

antagónico, ca adj. Que tiene o que manifiesta antagonismo u oposición, esp. en doctrinas y en opiniones: *posturas antagónicas.*

antagonismo s.m. **1** Rivalidad u oposición, esp. en doctrinas y en opiniones. **2** Oposición mutua o acción opuesta: *Existe antagonismo entre un músculo flexor y uno extensor.* □ ETIMOL. Del francés *antagonisme*.

antagonista adj.inv./s.com. Que se opone a algo o que actúa en sentido contrario: *En muchas películas, el antagonista es un ser malvado y sin escrúpulos.* □ ETIMOL. Del latín *antagonista*, y este del griego *antagonistés* (el que lucha contra alguien).

antagonizar v. Referido esp. a un fármaco, oponerse a otro o tener una acción contraria a la de otro: *La acción bactericida de algunas penicilinas puede ser antagonizada por algunos antibióticos.* □ ORTOGR. La *z* se cambia en *c* delante de *e* →CAZAR.

antaño adv. En un tiempo pasado: *Antaño se viajaba en diligencia.* □ ETIMOL. Del latín *ante annum* (un año antes, hace un año). □ SEM. Dist. de *hogaño* (en este año o en esta época).

antañón, -a adj. Muy viejo: *una tradición antañona.*

antártico, ca adj. Del polo Sur o de las regiones que lo rodean, o relacionado con ellos: *Estos días soplan vientos antárticos muy fríos.* □ ETIMOL. Del latín *antarcticus*, y este del griego *antartikós* (opuesto al ártico). □ SEM. Dist. de *ártico* (del polo Norte).

ante ▮ s.m. **1** Piel de algunos animales, esp. la del alce, curtida y preparada: *unos zapatos de ante.* ▮ prep. **2** En presencia de: *Estamos ante una situación muy difícil de resolver.* **3** En comparación de, o respecto de: *Ante lo que pudiera parecerte en un primer momento, no fue tan sencillo.* □ ETIMOL. La acepción 1, del árabe *lamt*. Las acepciones 2 y 3, del latín *ante* (delante de).

ante- **1** Elemento compositivo prefijo que indica anterioridad en el tiempo: *anteayer, antedicho, antevíspera, anteguerra.* **2** Elemento compositivo prefijo que indica anterioridad en el espacio: *antecámara, anteponer, antesala, antealtar.* □ ETIMOL. Del latín *ante-*.

antealtar s.m. Espacio contiguo al altar: *En la ceremonia de aquella boda, el sacerdote colocó a los novios en el antealtar.*

anteanoche (tb. *antes de anoche*) adv. Anteayer por la noche: *Anteanoche estuvimos en el teatro.* □ ETIMOL. Del latín *ante noctem*.

anteayer (tb. *antes de ayer*) adv. En el día inmediatamente anterior a ayer: *Si hoy es viernes, anteayer fue miércoles.* □ ETIMOL. Del latín *ante* y *heri*.

antebrazo s.m. En el cuerpo de una persona, parte del brazo que está entre el codo y la muñeca: *Los huesos del antebrazo son el cúbito y el radio.* □ ETIMOL. De *ante-* (delante) y *brazo*.

antecámara s.f. Habitación situada delante de la sala principal de una casa o delante de la cámara o habitación en la que se recibe: *La antecámara del palacio estaba lujosamente adornada.*

antecedente ▮ adj.inv. **1** Que antecede. ▮ s.m. **2** Lo que ha ocurrido antes, y condiciona lo que ocurre después: *Me explicó todos los antecedentes para que pudiera entender la situación actual.* □ SINÓN. *precedente.* **3** En gramática, primero de los términos de una correlación gramatical: *En la comparación 'Es tan bueno como grande', 'tan bueno' es el antecedente.* **4** En gramática, expresión a la que hace referencia un pronombre relativo: *En la oración 'Ese es el coche que me gusta', el antecedente del pronombre relativo 'que' es 'el coche'.* **5** ‖ **estar en antecedentes;** estar enterado de las circunstancias previas a un asunto: *¿Estás en antecedentes de lo que pasa, o quieres que te lo cuente?* ‖ **poner en antecedentes;** informar de las circunstancias previas a un asunto: *Llegué con la película empezada, pero mi madre me puso en antecedentes de lo que había ocurrido y pude acabar de verla sin problemas.*

anteceder v. Ir delante en el tiempo o en el espacio: *La 'b' antecede a la 'c' en el orden alfabético.* ☐ SINÓN. *preceder.* ☐ ETIMOL. Del latín *antecedere.*

antecesor, -a ▌ s. **1** Persona que ha desempeñado un cargo, trabajo o dignidad antes de la que lo ejerce ahora: *La nueva directora general tuvo palabras de elogio para sus antecesores.* ☐ SINÓN. *predecesor.* ▌ s.m. **2** Persona de la que se desciende: *Entre mis antecesores hay varios personajes ilustres.* ☐ SINÓN. *ancestro, antepasado, predecesor.* ☐ ETIMOL. Del latín *antecessor.* ☐ MORF. En la acepción 2, se usa más en plural.

antecocina s.f. Habitación contigua a la cocina y comunicada con ella: *Solemos comer en la antecocina.* ☐ USO Se usa también *office.*

antedicho, cha adj. Que ha sido dicho o nombrado con anterioridad: *Dejémonos de discusiones y centrémonos en buscar una solución al problema antedicho.* ☐ SINÓN. *sobredicho.* ☐ ETIMOL. De *antedecir* (predecir).

ante díem ‖ En el día precedente o anterior: *Se ha enviado una citación ante díem a todos los miembros de la asociación.* ☐ ETIMOL. Del latín *ante diem.*

antediluviano, na adj. **1** Anterior al diluvio universal: *la era antediluviana.* **2** *col.* Muy antiguo: *Tiene un coche antediluviano.* ☐ ETIMOL. De *ante-* (antes) y *diluviano* (del diluvio universal). ☐ MORF. Incorr. **antidiluviano.*

antefirma s.f. **1** Fórmula de cortesía que corresponde a una persona o a una corporación y que se pone antes de la firma en el escrito que se les dirige: *La antefirma de la carta era 'Sinceramente suyo'.* **2** Texto en el que constan el empleo, la dignidad o la representación de la persona que firma un documento, y que aparece delante de su firma: *En la antefirma hizo constar todos sus títulos nobiliarios.*

anteguerra s.f. Período inmediatamente anterior a una guerra: *En la clase de hoy hablaremos de los acontecimientos de la anteguerra en los países de la antigua Yugoslavia.*

antelación s.f. Anticipación temporal con la que sucede una cosa respecto a otra: *Si vienes el martes, avísame con dos días de antelación.* ☐ ETIMOL. Del latín medieval *antelatio* (acción de *anteponer*).

antemano ‖ **de antemano;** con anticipación o con anterioridad: *Te avisé porque yo sabía de antemano lo que iba a pasar.* ☐ ETIMOL. De *ante-* (delante) y *mano.*

ante merídiem ‖ Antes del mediodía: *La reunión tuvo lugar a las nueve ante merídiem.* ☐ ETIMOL. Del latín *ante meridiem.* ☐ USO Se usa mucho la abreviatura *a.m.* Su uso es característico del lenguaje técnico o formal.

antena s.f. **1** Dispositivo por el que se reciben o emiten ondas electromagnéticas: *una antena de televisión.* **2** En un artrópodo, cada uno de los apéndices articulados que tiene en la cabeza: *Los insectos tienen dos antenas y los crustáceos, cuatro.* **3** *col.* Atención para escuchar conversaciones ajenas: *Siempre está con la antena puesta y sabe todo lo que pasa en el edificio.* **4** ‖ **en antena;** en emisión: *Ese programa ha sido un éxito y ya lleva tres años en antena.* ☐ ETIMOL. Del latín *antema.*

antenado, da s. →**entenado.** ☐ ETIMOL. Del latín *ante natus* (nacido antes).

antenista s.com. Persona que se dedica profesionalmente a la instalación, reparación o conservación de antenas receptoras: *Después de la tormenta, tuvimos que llamar al antenista porque la televisión no se veía bien.*

antenoche adv. En zonas del español meridional, anteanoche: *Antenoche llegué tarde a casa, pero anoche fui puntual.*

antenombre s.m. Nombre o calificativo que se pone delante del nombre propio: *'Señor', 'santa' o 'fray' son antenombres.*

anteojeras s.f.pl. Piezas de cuero que tapan los lados de los ojos de las caballerías para hacer que miren siempre hacia adelante: *Los caballos del desfile llevaban anteojeras para que no se distrajesen con el público.*

anteojería s.f. Parte de la óptica especializada en la fabricación de lentes.

anteojo ▌ s.m. **1** Cilindro que tiene un sistema de lentes en su interior que aumentan las imágenes de los objetos: *Guiñó el ojo izquierdo, y miró por el anteojo con el derecho.* ▌ pl. **2** Gafas o lentes: *Mi abuelo llevaba unos anteojos de cristales redondos y de montura dorada.* **3** Aparato formado por dos tubos que contienen en su interior una combinación de lentes, y que sirve para mirar por los dos ojos y ver ampliados los objetos lejanos: *Siempre que va de excursión lleva los anteojos para observar a las aves.* ☐ SINÓN. *gemelos.* ☐ ETIMOL. De *antojo.*

antepalco s.m. En un local destinado a espectáculos públicos, espacio o cuarto pequeño que da entrada a un palco: *Dejaron los abrigos en el antepalco para estar más cómodos durante la representación de la obra.*

antepasado, da ▌ adj. **1** Inmediatamente anterior a un tiempo ya pasado: *Los vi hace casi diez días, porque quedé con ellos la semana antepasada.* ▌ s. **2** Persona de la que se desciende: *Una antepasada mía se casó con un príncipe indio.* ☐ SINÓN.

ancestro, antecesor, predecesor. □ MORF. 1. La acepción 2 se usa más en plural.

antepecho s.m. **1** Parte baja de una ventana, formada por una plancha de piedra o cemento, que sirve para apoyarse y evitar caídas: *Apoyó los codos en el antepecho de la ventana, y estuvo un rato viendo pasar gente por la calle.* **2** Muro pequeño o barandilla que se pone en un lugar alto para poder asomarse a él sin peligro de caer: *Me apoyé en el antepecho del pozo para ver si tenía agua.*

antepenúltimo, ma adj./s. Inmediatamente anterior al penúltimo: *Octubre es el antepenúltimo mes del año.*

anteponer v. Preferir, dar más importancia o estimar más: *Siempre antepuso sus apetencias a sus obligaciones.* □ ETIMOL. Del latín *anteponere.* □ MORF. Irreg.: 1. Su participio es *antepuesto.* 2. →PONER. □ SINT. Constr. *anteponer una cosa* A *otra.*

anteportada s.f. En un libro impreso, hoja que precede a la portada y en la que solo suele ponerse el título de la obra: *En la anteportada no aparece nunca el nombre del autor.* □ SINÓN. *portadilla.*

anteposición s.f. Preferencia o mayor importancia que se da a una cosa sobre otra: *La anteposición de la amistad al interés es algo noble.*

anteproyecto s.m. Redacción provisional de una ley o del proyecto de una obra, a partir de la cual se elabora la redacción definitiva: *El anteproyecto de ley de la reforma educativa se hará público la próxima semana.*

antepuesto, ta part. irreg. de **anteponer.** □ MORF. Incorr. **anteponido.*

antera s.f. En una flor, parte del estambre en cuyo interior está el polen: *Las anteras suelen estar divididas en dos mitades alargadas.* □ SINÓN. *borlilla.* □ ETIMOL. Del griego *antherá*, y este de *ánthos* (flor).

anterior adj.inv. Que está delante en el espacio o el tiempo: *Se bajó en la estación anterior a la mía. La noche anterior al viaje no pude dormir.* □ ETIMOL. Del latín *anterior.* □ SINT. Constr. *anterior* A *algo.*

anterioridad s.f. Existencia temporal anterior de una cosa con respecto a otra: *Las noticias me llegaron con anterioridad a tu llamada.*

anterozoide s.m. En algunas plantas, gameto masculino: *Los granos de polen contienen dos anterozoides.*

antes adv. **1** En un lugar o en un tiempo anteriores: *Llegó antes que yo. El restaurante está un poco antes del cruce.* **2** ‖ **antes bien;** enlace gramatical coordinante con valor adversativo: *No me molestó, antes bien, me hizo gracia.* ‖ **antes de anoche;** →**anteanoche.** ‖ **antes de ayer;** →**anteayer.** □ ETIMOL. De *ante* (preposición) y la *-s* de *tras.*

antesala s.f. **1** Habitación que precede a una sala y que está contigua a ella. **2** Situación inmediatamente anterior a otra: *Esta mala forma de trabajar es la antesala del fracaso.*

antetítulo s.m. En un texto periodístico, titular secundario que precede al principal: *En el antetítulo de esta entrevista se cita una frase dicha por el entrevistado.*

antevíspera s.f. Día inmediatamente anterior a la víspera de algo: *La antevíspera del domingo es el viernes.*

anti- **1** Prefijo que significa 'oposición': *anticlerical, antinatural, anticonstitucional.* **2** Prefijo que significa 'protección contra': *antigás, antiniebla, antirrobo.* **3** Prefijo que significa 'prevención contra': *anticoncepción, anticorrosivo, anticoagulante, antideslizante.* **4** Prefijo que significa 'lucha contra': *antidisturbios, antipirético, antidepresivo, anticatarral.* □ ETIMOL. Del griego *anti-.*

antiabortismo s.m. Actitud que está en contra de la despenalización del aborto voluntario.

antiabortista adj.inv./s.com. Que se opone al aborto.

antiaborto adj.inv. **1** Opuesto al aborto: *una ley antiaborto.* **2** Que evita el aborto: *un medicamento antiaborto.*

antiacademicista adj.inv. Contrario a las normas académicas: *El arte de las vanguardias suele ser antiacademicista.*

antiácido s.m. Sustancia que neutraliza, elimina o debilita la acidez gástrica o de estómago: *El bicarbonato sódico es un antiácido.*

antiacné (pl. *antiacné*) adj.inv. Que previene o cura el acné: *una crema antiacné.*

antiadherente adj.inv. Que impide la adherencia: *una sartén antiadherente.*

antiaéreo, a adj. De la defensa contra aviones militares o relacionado con ella: *la artillería antiaérea.*

antialérgico, ca adj. Que previene la alergia o que la combate: *En primavera siempre me pongo inyecciones antialérgicas.*

antialgas (pl. *antialgas*) adj.inv./s.m. Que evita que se formen algas en el agua, esp. en las piscinas: *un líquido antialgas.*

antiálgico, ca ▌adj. **1** De la analgesia o relacionado con la falta o supresión de dolor. □ SINÓN. *analgésico.* ▌s.m. **2** Medicamento que alivia o quita el dolor. □ SINÓN. *analgésico.*

antiamericanismo s.m. Actitud de rechazo hacia lo americano.

antiandrógeno s.m. Producto que previene o reduce la aparición de los caracteres sexuales secundarios masculinos: *Leí en una revista que los hombres que quieren cambiar de sexo toman antiandrógenos.*

antiapartheid (pl. *antiapartheid*) adj.inv. Que se opone al movimiento segregacionista del apartheid. □ PRON. [antiaparhéid], con *h* aspirada.

antiarrugas (pl. *antiarrugas*) adj.inv. Que reduce la aparición de arrugas: *una crema antiarrugas; el sistema antiarrugas de una lavadora.*

antiasmático, ca adj./s.m. Que previene o combate el asma: *Muchas personas alérgicas al polen toman medicamentos antiasmáticos en primavera.*

antiatómico, ca adj. **1** Que se opone al uso de armas atómicas: *una política antiatómica.* **2** Que protege de las armas atómicas o de sus radiaciones: *un refugio antiatómico.*

antibaby (ing.) adj.inv./s.m. Referido esp. a un medicamento que impide el embarazo: *píldora antibaby.* ☐ PRON. [antibéibi]. ☐ USO Su uso es innecesario.

antibacteriano, na adj./s. Referido a un medicamento, que destruye las bacterias o impide su desarrollo: *El antibacteriano más eficaz para el tratamiento de esta enfermedad es la penicilina.*

antibalas (pl. *antibalas*) adj.inv. Que protege de los disparos de las armas de fuego: *un chaleco antibalas.*

antibelicista adj.inv. Que se opone a la guerra.

antibiograma s.m. Prueba para determinar la sensibilidad de un microorganismo a los antibióticos: *Después de recetarme varios antibióticos que no me hicieron efecto, me hicieron un antibiograma para encontrar el que más me convenía.* ☐ ETIMOL. De *antibiótico* y *-grama* (gráfico).

antibiosis (pl. *antibiosis*) s.f. Asociación de oposición entre dos o más organismos, por la cual uno de ellos resulta perjudicado: *El efecto que producen algunos hongos sobre determinadas bacterias es un caso de antibiosis.* ☐ ETIMOL. De *anti-* (lucha contra) y el griego *bíosis* (acción de vivir).

antibioterapia s.f. Tratamiento de las enfermedades mediante la administración de sustancias antibióticas: *La antibioterapia ha evitado muchas muertes en los últimos años, pero debe hacerse siempre bajo control médico.* ☐ ETIMOL. De *antibiótico* y *-terapia* (tratamiento).

antibiótico, ca adj./s.m. Referido a una sustancia química, que es capaz de impedir el desarrollo de ciertos microorganismos causantes de enfermedades, o de producir la muerte de estos: *Los antibióticos pueden ser naturales o sintéticos.* ☐ ETIMOL. Del francés *antibiotique.*

antibrillos (pl. *antibrillos*) adj.inv. Que impide la aparición de brillos: *un maquillaje antibrillos.*

anticadencia s.f. En fonética, elevación de la línea final de entonación de una oración: *La entonación de las oraciones interrogativas totales en español se caracteriza por la anticadencia final.*

anticalcáreo, a adj. Que evita la formación de cal: *el sistema anticalcáreo de una plancha.*

anticancerígeno, na adj. → **anticanceroso.**

anticanceroso, sa adj. Que combate el cáncer: *un tratamiento anticanceroso.* ☐ SINÓN. *anticancerígeno.*

anticarro (pl. *anticarro*) adj.inv. Que defiende contra carros de combate: *una granada anticarro.*

anticaspa (pl. *anticaspa*) adj.inv. Que combate la caspa: *un champú anticaspa.*

anticatarral adj.inv./s.m. Que previene el catarro o que lo combate: *una vacuna anticatarral.*

anticelulítico, ca adj. Que previene la celulitis o que la combate: *un masaje anticelulítico; una crema anticelulítica.*

anticiclón s.m. Zona de alta presión atmosférica, que suele provocar un tiempo despejado: *Cuando se forma un anticiclón en las islas Azores, en España solemos tener tiempo soleado.* ☐ ETIMOL. Del inglés o del francés *anticyclone.*

anticiclónico, ca adj. Del anticiclón o relacionado con esta zona de alta presión atmosférica: *Continúa en toda la península la situación anticiclónica, por lo que seguiremos teniendo sol y buenas temperaturas.*

anticipación s.f. Adelantamiento temporal a lo señalado o a lo previsto: *Ganaron el partido por su capacidad de anticipación a las jugadas del equipo contrario.* ☐ SINÓN. *adelanto, anticipo.*

anticipado || **por anticipado;** con antelación, o con adelanto en el tiempo: *pagar por anticipado.*

anticipar ▮ v. **1** Referido a algo que todavía no ha sucedido, hacer que ocurra antes del tiempo señalado o previsto: *La profesora ha anticipado la fecha del examen.* ☐ SINÓN. *adelantar.* **2** Referido a dinero, darlo o entregarlo antes de la fecha normal o señalada: *Le anticiparon una paga para que liquidara sus deudas.* ☐ SINÓN. *adelantar.* **3** Referido a una noticia, darla antes de lo previsto: *Te anticipo que voy a votar en contra de tu proposición.* ☐ SINÓN. *avanzar, adelantar.* ▮ prnl. **4** Ocurrir antes del tiempo señalado o previsto: *Este año el frío del invierno se ha anticipado.* ☐ SINÓN. *adelantar.* **5** Referido a una persona, ejecutar una acción antes que otra: *Los jugadores locales se anticiparon en todas las jugadas a los del equipo visitante.* ☐ SINÓN. *adelantar.* ☐ ETIMOL. Del latín *anticipare.*

anticipatorio, ria adj. Que anticipa o tiene la posibilidad de anticipar.

anticipo s.m. **1** Adelantamiento temporal a lo señalado o a lo previsto: *Y lo que te he dicho es solo un anticipo de lo que vas a tener que oír.* ☐ SINÓN. *anticipación, adelanto.* **2** Dinero anticipado: *pedir un anticipo.* ☐ SINÓN. *adelanto.*

anticlerical ▮ adj.inv. **1** Que es contrario al clero: *El protagonista de esta novela es muy anticlerical y lanza fuertes acusaciones contra los sacerdotes y los obispos.* ▮ adj.inv./s.com. **2** Que se opone al clericalismo o a la influencia excesiva del clero en los asuntos políticos: *Sus propuestas eran marcadamente anticlericales y desfavorables hacia aquel sacerdote.*

anticlericalismo s.m. **1** Postura contraria al clericalismo: *El anticlericalismo considera esencial la no intervención del clero en asuntos temporales.* **2** Oposición y hostilidad al clero y a sus directrices.

anticlímax (pl. *anticlímax*) s.m. **1** En retórica, disposición de palabras o de frases en el discurso de forma que se suceden en una gradación descendente de sus significados: *Las palabras de un poema de Machado 'Así voy yo, borracho melancólico, / guitarrista lunático, poeta, / y pobre hombre en sueños...' son un ejemplo de anticlímax.* **2** Momento en el que desciende o se relaja la tensión después del clímax o punto culminante. ☐ ETIMOL. De *anti-* (oposición) y *clímax.*

anticlinal adj.inv./s.m. Referido a un plegamiento del terreno, que tiene forma convexa: *Los pliegues anticlinales tienen forma de 'A' o de 'V' invertida.* ☐

ETIMOL. Del griego *antiklínein* (inclinar en sentido contrario). ☐ SEM. Dist. de *monoclinal* (con estratos paralelos) y de *sinclinal* (que tiene forma cóncava).

anticoagulante adj.inv./s.m. Que previene o que combate la coagulación: *Después de sufrir una trombosis el médico me recetó anticoagulantes.*

anticolinérgico, ca adj./s.m. Referido a un fármaco, que bloquea los impulsos en las fibras parasimpáticas: *Este nuevo fármaco contiene anticolinérgicos.*

anticolonialista adj.inv./s.com. Contrario al colonialismo.

anticomunista adj.inv./s.com. Contrario al comunismo: *Las tesis capitalistas suelen ser anticomunistas.*

anticoncepción s.f. Conjunto de métodos utilizados para impedir el embarazo: *La anticoncepción es una medida de control de natalidad.* ☐ SINÓN. *contraconcepción, contracepción.*

anticonceptivo, va adj./s.m. Que impide el embarazo: *El preservativo es un método anticonceptivo.* ☐ SINÓN. *contraconceptivo, contraceptivo.*

anticongelante ▮ adj.inv. **1** Que impide la congelación. ▮ s.m. **2** Sustancia que impide la congelación del agua que refrigera un motor: *En invierno, conviene echar anticongelante al agua del radiador del coche.*

anticonstitucional adj.inv. Que es contrario a la Constitución o ley fundamental de un Estado. ☐ SEM. Dist. de *inconstitucional* (no conforme a la Constitución).

anticonstitucionalidad s.f. Oposición a la Constitución o ley fundamental de un Estado.

anticonvencional adj.inv. Contrario a lo convencional: *un artista anticonvencional.*

anticorrosivo, va adj. Referido esp. a una sustancia, que impide la corrosión: *pintura anticorrosiva.*

anticristo s.m. En el cristianismo, ser maligno que vendrá antes de la segunda venida de Jesucristo para apartar a los cristianos de su fe: *El anticristo aparece en el texto bíblico de san Juan.* ☐ ETIMOL. Del latín *Antichristus*, y este del griego *Antíkhristos* (contrario a Cristo).

anticuado, da adj. Que está en desuso desde hace tiempo, está pasado de moda o es propio de otra época: *Aunque están nuevos, no uso estos zapatos porque se han quedado muy anticuados.*

anticuario, ria s. Persona que conoce muy bien los objetos antiguos, esp. los que tienen valor artístico, y se dedica a coleccionarlos o a comerciar con ellos: *Conozco una anticuaria que compra todo tipo de abanicos del siglo XVIII.* ☐ ETIMOL. Del latín *antiquarius.*

anticuarse v.prnl. Hacerse anticuado o pasarse de moda: *Las teorías de estos investigadores se han anticuado con el paso de los años.* ☐ ETIMOL. Del latín *antiquare.* ☐ ORTOGR. La *u* lleva tilde en los presentes, excepto en las personas *nosotros* y *vosotros* →ACTUAR.

anticucho s.m. Comida que consiste en trozos de carne o vísceras ensartados y asados: *Cuando estuve en Perú, comí anticuchos.*

anticuerpo s.m. **1** En un organismo animal, sustancia que algunas células elaboran como reacción ante un antígeno o sustancia capaz de activar el sistema inmunitario: *Los anticuerpos que se producen cuando se tiene sarampión se conservan toda la vida e impiden volver a tener esta enfermedad.* **2** ‖ **anticuerpo monoclonal;** el que es específico frente a un único antígeno. ☐ ETIMOL. Del alemán *Antikörper.*

anticultura s.f. Conjunto de actitudes y comportamientos contrarios a lo que se considera cultura.

antidemocrático, ca adj. Que se opone a la democracia.

antideportivo, va adj. Que carece de deportividad: *un comportamiento antideportivo.*

antidepresivo, va adj./s.m. Referido a un medicamento, que previene o combate las depresiones: *El psiquiatra le recetó un antidepresivo.*

antiderrame (pl. *antiderrame*) adj.inv. Que impide el derramamiento de un líquido: *un vaso antiderrame para bebés.*

antideslizante adj.inv. Que evita que algo se deslice o patine: *Esos neumáticos han sido diseñados con franjas antideslizantes.*

antidetonante adj.inv./s.m. Referido a una sustancia, que se añade al combustible de los motores para retardar o evitar la detonación: *Algunos antidetonantes que se añaden a la gasolina producen contaminación ambiental.*

antidiabético, ca adj./s.m. Referido a un medicamento, que combate la diabetes.

antidisturbios (pl. *antidisturbios*) adj.inv./s.com. Que se utiliza para acabar con los disturbios o alteraciones del orden y de la paz: *policía antidisturbios.*

antidopaje adj.inv. Que persigue o castiga la administración de sustancias estimulantes en el deporte: *control antidopaje.* ☐ USO Es innecesario el uso del anglicismo *antidoping.*

antidoping (ing.) adj.inv. →**antidopaje.** ☐ PRON. [antidópin].

antídoto s.m. **1** Medicamento o sustancia que anulan la acción de un veneno: *Cuando le picó la víbora le inyectaron rápidamente el antídoto.* ☐ SINÓN. *contraveneno.* **2** Lo que sirve para remediar un mal: *La risa es el mejor antídoto contra las preocupaciones.* ☐ ETIMOL. Del latín *antidotum*, este del griego *antídoton*, y este de *didónai* (lo que se da en contra de algo).

antidroga (pl. *antidroga*) adj.inv. Que se opone al consumo y al tráfico de droga: *la lucha antidroga.*

antieconómico, ca adj. Que no favorece la buena administración económica.

antiedad adj.inv. Que evita o retrasa el envejecimiento de la piel: *una crema antiedad.*

antiemético, ca adj./s.m. En medicina, referido a una sustancia, que impide o contiene el vómito: *El médico me ha recetado un antiemético, porque llevo* *una temporada devolviendo todo lo que como.* □ ETIMOL. De *anti-* (oposición) y *emético* (vomitivo).

antier adv. *col.* Anteayer. □ ETIMOL. Del latín *ante heri.*

antiespasmódico, ca adj./s.m. Que calma los espasmos o contracciones involuntarios de los músculos: *Cuando le dio el ataque de epilepsia le administraron un antiespasmódico muy fuerte.*

antiestático, ca adj./s.m. Que impide la formación de electricidad estática: *Los antiestáticos son muy utilizados en la fabricación de productos textiles, plásticos o de papel.*

antiestético, ca adj. Que se opone a la estética.

antiestrés (pl. *antiestrés*) adj.inv. Que previene o cura el estrés: *Mi madre opina que el mejor sistema antiestrés es irse de vacaciones.*

antifaz s.m. **1** Pieza con agujeros para los ojos, con la que una persona se cubre la zona de la cara que rodea a estos: *El héroe enmascarado llevaba un antifaz para que nadie lo reconociera.* **2** Pieza u objeto con los que se cubren los ojos para evitar que reciban la luz: *Duerme con un antifaz, porque le molesta la luz.* □ ETIMOL. De *ante* (delante) y *faz.*

antifebril adj.inv./s.m. Referido a un medicamento, que quita la fiebre. □ SINÓN. *antipirético.*

antífona s.f. Texto breve que se canta o se reza antes y después de los salmos y de los cánticos en las horas canónicas: *Las antífonas suelen estar tomadas de la Biblia. Un coro de música gregoriana entonó las antífonas.* □ ETIMOL. Del latín *antiphona* (canto alternativo).

antífrasis (pl. *antífrasis*) s.f. Figura retórica consistente en expresar o en designar algo con palabras que significan lo contrario de lo que se da a entender, generalmente mediante una entonación irónica: *Empleaste una antífrasis cuando, ante aquella afirmación disparatada, exclamaste irónicamente: «¡Inteligente observación!».* □ ETIMOL. Del griego *antíphrasis*, y este de *antí* (contra) y *phrásis* (expresión, alocución).

antifúngico, ca adj. Que destruye los hongos: *Este medicamento tiene propiedades antifúngicas.*

antigás (pl. *antigás*) adj.inv. Referido a una máscara o a una careta, que protege de los gases que son tóxicos o venenosos: *Los bomberos van equipados con caretas antigás.*

antígeno s.m. Sustancia química que, al ser introducida en un organismo animal, provoca que este reaccione contra ella produciendo otra sustancia llamada *anticuerpo*: *Las vacunas introducen en el organismo un antígeno para que el cuerpo forme sus propios anticuerpos y esté preparado para una posible invasión del microbio causante de esa enfermedad.* □ ETIMOL. Del francés *antigène.*

antiglobalización ▌adj.inv./s.com. **1** Que se opone a la globalización de los mercados y de las empresas cuando se hace con fines puramente económicos: *En este comunicado antiglobalización se incide en la necesidad de prever y evitar los efectos negativos de la globalización económica.* ▌s.f. **2** Movimiento social contrario a la globalización de los mercados y de las empresas cuando se hace con fines puramente económicos: *La antiglobalización trata de alertar sobre el peligro del aumento de la diferencia en el grado de desarrollo entre unos países y otros.*

antigoteo adj.inv. Que evita el goteo o la caída de un líquido: *una cafetera con sistema antigoteo.*

antigrasa adj.inv. Que elimina la grasa: *champú antigrasa.*

antigripal adj.inv./s.m. Que combate la gripe: *un medicamento antigripal.*

antigualla s.f. *desp.* Lo que es muy antiguo o está pasado de moda. □ ETIMOL. De *antiguo*, a imitación del italiano *anticaglia.* □ PRON. Incorr. *[anticuálla].

antiguamente adv. Hace mucho tiempo, en el pasado o en un tiempo remoto: *Antiguamente la gente viajaba en diligencia.*

antiguano, na adj./s. De Antigua y Barbuda, o relacionado con este país caribeño.

antigüedad ▌s.f. **1** Existencia desde hace mucho tiempo: *La antigüedad de este cuadro ronda en torno a los 300 años.* **2** Tiempo transcurrido desde el día en el que se obtiene un empleo: *Tiene 20 años de antigüedad en la empresa.* **3** Tiempo antiguo, pasado o remoto: *En la antigüedad te habrían encarcelado por responder así a un superior.* **4** Período histórico correspondiente a la época antigua de los pueblos situados en torno al mar Mediterráneo, esp. los griegos y los latinos: *El arte de la Antigüedad clásica sirvió de modelo a los artistas del Renacimiento.* ▌pl. **5** Monumentos u objetos artísticos antiguos o de épocas pasadas: *Encontré esta lámpara en una tienda de antigüedades.* □ SEM. En la acepción 4, dist. de *edad antigua* (período histórico que comprende desde la aparición de la escritura hasta el fin del Imperio Romano). □ USO En las acepciones 3 y 4, se usa mucho como nombre propio.

antiguo, gua ▌adj. **1** Que existe desde hace mucho tiempo: *Vive en una mansión antigua, construida a fines del siglo pasado.* **2** Que existió o sucedió hace mucho tiempo: *Nunca habla de su antiguo novio.* **3** Referido a una persona, que lleva mucho tiempo en un empleo, en una profesión o en un ejercicio: *El teniente más antiguo de los tres que estaban allí tomó el mando de la sección.* ▌adj./s. **4** Que resulta anticuado o pasado de moda: *Tiene unas ideas muy antiguas acerca del papel de la mujer en la sociedad.* ▌s.m.pl. **5** Conjunto de las personas que vivieron en épocas remotas: *Los antiguos creían que el Sol giraba alrededor de la Tierra.* **6** ‖ **a la antigua;** según costumbres o usos de tiempos o épocas pasadas: *Siempre cocina a la antigua, en horno de leña y sin usar olla a presión.* □ ETIMOL. Del latín *antiquus.* □ MORF. Su superlativo es *antiquísimo.* □ SEM. La acepción 2 no siempre coincide con el significado de *ex*: *un antiguo profesor* es distinto que un *ex profesor.*

antihemorrágico, ca adj./s.m. Referido a un medicamento, que favorece la coagulación y previene o detiene las hemorragias.

antihéroe s.m. En una obra de ficción, personaje que desempeña el papel principal o protagonista propio del héroe, pero que está revestido de cualidades negativas o contrarias a las que tradicionalmente se adjudican a este: *El pícaro de las novelas picarescas es un antihéroe.*

antihiático, ca adj. Que evita o deshace el hiato vocálico.

antihigiénico, ca adj. Que es contrario a las normas de la higiene: *Es una costumbre antihigiénica que el ganado viva en la planta baja de algunas viviendas.*

antihistamínico, ca adj./s.m. Referido a una sustancia, que combate los procesos alérgicos o los efectos de la histamina en el organismo: *Cuando tengo alergia, me tomo un antihistamínico que me recetó mi alergóloga.*

antiimperialista adj.inv./s.com. Que se opone al imperialismo: *Una organización antiimperialista promueve la manifestación en contra de la intervención de las grandes potencias económicas.*

antiincendios (pl. *antiincendios*) adj.inv./s.com. Que evita o apaga incendios.

antiinflamatorio, ria adj./s.m. Que elimina o disminuye la inflamación de alguna parte del organismo: *Cuando me torcí el tobillo, la traumatóloga me recetó un antiinflamatorio.*

antillano, na adj./s. De las Antillas o relacionado con este archipiélago americano.

antilluvia (pl. *antilluvia*) adj.inv. **1** Que protege de la lluvia: *una funda antilluvia para la moto.* **2** Que repele el agua de la lluvia: *un parabrisas con tratamiento antilluvia.*

antílope s.m. Animal mamífero rumiante, con cuernos largos y patas altas y delgadas, muy rápido al correr, y que vive en rebaños: *La gacela es un tipo de antílope.* □ ETIMOL. Del francés *antilope*, y este del inglés *antelope*, que tomaron los viajeros ingleses del latín *antilops* (animal fabuloso). □ MORF. Es un sustantivo epiceno: *el antílope {macho/hembra}.*

antimateria s.f. Materia formada por antipartículas o partículas elementales de magnitudes opuestas a las de la materia: *La antimateria se aniquila en contacto con la materia.*

antimicótico, ca adj./s.m. Referido a un medicamento, que combate las infecciones producidas por hongos.

antimisil adj.inv./s.m. Que está destinado a destruir misiles o a desviarlos de su trayectoria.

antimonio s.m. Elemento químico semimetálico y sólido, de número atómico 51, duro, de color blanco azulado y brillante, muy frágil y fácilmente convertible en polvo: *El antimonio se usa en aleación con el plomo y el estaño para fabricar caracteres de imprenta.* □ ETIMOL. Del latín *antimonium.* □ ORTOGR. Su símbolo químico es *Sb.*

antinatura (pl. *antinatura*) adj.inv. Que está contra las leyes de la naturaleza o del ser humano, esp. contra las leyes morales: *una costumbre antinatura.* □ SINÓN. *contra natura.*

antinatural adj.inv. Que es contrario a las leyes de la naturaleza: *Que un padre intente hacer daño a su hijo es algo antinatural.*

antiniebla (pl. *antiniebla*) adj.inv. Referido a un faro o a una luz, que permiten ver en la niebla: *faros antiniebla.*

antinomia s.f. Contradicción u oposición entre dos preceptos legales o entre dos principios racionales: *Las antinomias legales se eliminan aplicando el principio de que toda ley deroga la anterior.* □ ETIMOL. Del latín *antinomia*, y este del griego *antinomía* (contradicción en las leyes).

antinómico, ca adj. Que implica antinomia o contradicción entre dos preceptos legales o dos principios racionales: *Hay que evitar redactar leyes que contengan artículos antinómicos.*

antinuclear adj.inv. **1** Que se opone al uso de la energía nuclear: *una asociación antinuclear.* **2** Que protege de las armas nucleares: *refugio antinuclear.*

antioxidante adj.inv./s.m. **1** Que evita la formación de óxidos: *El minio se puede emplear en pintura y como antioxidante.* **2** Referido a una sustancia, que impide la oxidación: *una crema facial antioxidante; un alimento antioxidante.*

antipapa s.m. Hombre que actúa ilegítimamente como Papa, y aspira a ser reconocido como tal: *Clemente VII fue el antipapa que provocó el cisma de Occidente.*

antipara s.f. Biombo que se pone delante de algo para ocultarlo a la vista. □ ETIMOL. De *ante* y *parar.* □ ORTOGR. Dist. de *antiparras.*

antiparasitario, ria adj./s.m. **1** Que previene o combate los parásitos: *Muchos perros llevan un collar antiparasitario para no coger pulgas o garrapatas.* **2** →**antiparásito.**

antiparásito adj.inv./s.m. Que evita las interferencias sonoras o visuales que dificultan la recepción de programas de radio y televisión: *Es posible que si colocamos un dispositivo antiparásito se oiga mejor esta emisora de radio.*

antiparras s.f.pl. *col.* Gafas. □ ETIMOL. De *ante* (preposición) y *parar.* □ ORTOGR. Dist. de *antipara.* □ MORF. Incorr. **antiparra.* □ USO Tiene un matiz humorístico o despectivo.

antipartícula s.f. Partícula elemental que tiene la misma masa que la partícula correspondiente y otras magnitudes características opuestas a ella, de forma que la unión de ambas produce su aniquilación y liberación de energía: *Las antipartículas se consiguen en laboratorio.*

antipatía s.f. Sentimiento de desagrado o disgusto que algo provoca: *Siento una gran antipatía hacia él. Su antipatía por los gatos puede estar relacionada con la alergia que le producen.* □ ETIMOL. Del griego *antipátheia.*

antipático, ca adj. Que produce un sentimiento de antipatía o desagrado: *No seas antipática con él* *y trátalo de forma agradable. Esta camisa es muy antipática porque se plancha muy mal.*

antipatriótico, ca adj. Contrario al patriotismo: *No me taches de tener ideas antipatrióticas sólo porque me gusta más el aceite de oliva griego que el nacional.*

antiperistáltico, ca adj. Referido esp. al movimiento de los intestinos, que se produce en el sentido contrario al del avance normal, debido a contracciones sucesivas: *El vómito se produce por movimientos antiperistálticos.*

antipersona adj.inv. Referido a un artefacto explosivo, que está preparado para hacer explosión al ser pisado y que suele colocarse enterrado o camuflado: *Las minas antipersona causan estragos entre la población civil.* □ SINÓN. *antipersonal.*

antipersonal adj.inv. →**antipersona.**

antipirético, ca adj./s.m. Referido a un medicamento, que quita la fiebre: *La aspirina es un antipirético.* □ SINÓN. *antifebril.* □ ETIMOL. De *anti-* (contra), y del griego *pyretós* (fiebre). □ SEM. Dist. de *apirético* (relacionado con la ausencia de fiebre).

antipirina s.f. Sustancia orgánica que se usa en medicina para quitar la fiebre o el dolor: *La antipirina se usaba como tratamiento local en algunas enfermedades.* □ ETIMOL. De *anti-* (contra) y el griego *pýrinos* (ardiente).

antípoda ▮ s.com. **1** Respecto de un habitante de la Tierra, otro que reside en un punto opuesto: *Los antípodas de los españoles son los habitantes de Nueva Zelanda.* ▮ s.m.pl. **2** *col.* Lo que se contrapone totalmente a algo: *Lo que yo le pedí son los antípodas de lo que me trajo.* **3** ‖ **en {los/las} antípodas;** en un punto radicalmente opuesto: *Sus ideas políticas están en las antípodas de las mías.* □ ETIMOL. Del griego *antípodes.* □ MORF. Se usa más en plural.

antipolen adj.inv. Referido esp. a un filtro, que impide el paso del polen que hay en el aire: *En mi aparato de aire acondicionado tengo un filtro antipolen.*

antipolilla adj.inv. Que evita que se forme polilla.

antipolio (pl. *antipolio*) adj.inv./s.f. Que previene la poliomielitis: *una vacuna antipolio.*

antiprotón s.m. Antipartícula del protón: *El antiprotón tiene la misma masa que el protón.*

antipsicótico, ca adj. Que combate las psicosis: *Hoy se cuenta con medicamentos antipsicóticos para tratar algunas enfermedades mentales.*

antiquísimo, ma superlat. irreg. de **antiguo.** □ MORF. Incorr. **antigüísimo.*

antirrábico, ca adj. Referido a un medicamento, que combate la enfermedad de la rabia: *La veterinaria administró a mi perro una vacuna antirrábica.*

antirracista adj.inv./s.com. Contrario al racismo.

antirreglamentario, ria adj. Que va contra el reglamento: *una posición antirreglamentaria.*

antirretroviral adj.inv./s.m. Referido a una sustancia química, que impide el desarrollo de los retrovirus, o que produce la muerte de estos.

antirrobo adj.inv./s.m. Referido a un sistema o a un dispositivo, que protege contra los robos: *una alarma antirrobo.* □ MORF. Como adjetivo es invariable en número.

antisemita adj.inv./s.com. Que sigue o que defiende el antisemitismo: *El movimiento nazi era marcadamente antisemita.*

antisemitismo s.m. Doctrina o tendencia que se caracteriza por la enemistad hacia los judíos y hacia todo lo relacionado con su mundo o su cultura: *El antisemitismo causó millones de muertes entre los judíos durante la Segunda Guerra Mundial.*

antisepsia s.f. Método para combatir o prevenir las infecciones mediante la destrucción de los microbios que las producen: *La antisepsia utiliza principalmente sustancias químicas.*

antiséptico, ca adj./s.m. Que previene o combate las infecciones, destruyendo los microbios que las causan: *El agua oxigenada es un buen antiséptico.* □ ETIMOL. Del inglés *antiseptic,* y este de *anti-* (contra), y del griego *septikós* (que engendra la putrefacción).

antisida (pl. *antisida*) adj.inv. Que previene o combate el sida: *Se abrió un nuevo centro de investigación antisida.*

antisísmico, ca adj. Referido esp. a una construcción, que está fabricada para intentar paliar las consecuencias de un movimiento sísmico: *Mediante este nuevo simulador sísmico, los expertos podrán mejorar las técnicas de construcción antisísmica de edificios.*

antisocial adj.inv./s.com. Contrario a la sociedad o al orden social establecido: *La asesina era una psicópata con un carácter marcadamente antisocial.*

antisolar adj.inv. Que evita los efectos nocivos de los rayos del sol: *Esta crema antisolar protege del sol las pieles muy claras.*

antisubmarino (pl. *antisubmarino*) adj.inv. Que sirve para defenderse del ataque de un submarino: *El Gobierno dotará a la Armada de varias fragatas antisubmarino.*

antisudoral adj.inv./s.m. Referido a una sustancia, que reduce o elimina el sudor excesivo: *una sustancia antisudoral.* □ SEM. Dist. de *desodorante* (que elimina el mal olor corporal producido por el sudor).

antitanque (pl. *antitanque*) adj.inv. Referido a armas y proyectiles, que destruyen tanques de guerra y otros vehículos semejantes: *La guerrilla colocó en la carretera varias minas antitanque.*

antitérmico, ca ▮ adj. **1** Que aísla del calor. ▮ adj./s.m. **2** Referido a un medicamento, que es eficaz contra la fiebre.

antiterrorismo s.m. **1** Oposición y rechazo hacia el terrorismo. **2** Conjunto de medidas y de acciones dirigidas a eliminar el terrorismo. □ SINT. Se usa mucho en aposición, pospuesto a un sustantivo: *un experto antiterrorismo.*

antiterrorista adj.inv./s.com. **1** Contrario al terrorismo: *una manifestación antiterrorista.* **2** Que combate el terrorismo.

antítesis (pl. *antítesis*) s.f. **1** Lo que es totalmente opuesto a otra cosa: *Lo que dices es la antítesis de lo que pienso.* **2** Figura retórica consistente en contraponer una frase o una palabra a otra de significación contraria: *La frase de santa Teresa 'Vivo sin vivir en mí' es un ejemplo de antítesis.* □ ETIMOL. Del griego *antíthesis*, y este de *anti-* (contra) y *thésis* (posición).

antitetánica s.f. Véase **antitetánico, ca**.

antitetánico, ca ▌adj. **1** Que previene o cura la enfermedad del tétanos. ▌s.f. **2** Vacuna del tétanos: *Me hice una herida y me pusieron la antitetánica.*

antitético, ca adj. Que expresa o implica antítesis u oposición: *'Frío' y 'calor' son conceptos antitéticos.* □ ETIMOL. Del griego *antithetikós*.

antitoxina s.f. Anticuerpo elaborado por el organismo para defenderlo de los efectos de una determinada toxina: *Las antitoxinas son un medio de defensa del organismo contra ciertas agresiones.*

antitranspirante adj.inv. Que disminuye la transpiración corporal: *No todos los desodorantes son antitranspirantes, algunos solo quitan el mal olor.*

antitumoral adj.inv. Que previene o combate los tumores: *Tras la operación le pusieron un tratamiento antitumoral.*

antitusígeno, na adj./s.m. Referido a un medicamento, que quita la tos: *El médico me recetó un jarabe antitusígeno.*

antivaho (pl. *antivaho*) adj.inv. Que evita que se forme vaho: *una esponja antivaho.*

antivioladores (pl. *antivioladores*) adj.inv. Que sirve para ahuyentar a los violadores: *Mi hermana siempre lleva en el bolso un silbato antivioladores.*

antiviolencia s.f. **1** Oposición y rechazo hacia la violencia. **2** Conjunto de medidas y de acciones dirigidas a acabar con la violencia. □ SINT. Se usa mucho en aposición, pospuesto a un sustantivo: *un manifiesto antiviolencia; una ley antiviolencia.*

antiviral adj.inv./s.m. Que combate los virus: *Mi doctora me ha recomendado que me ponga una vacuna antiviral contra la gripe.* □ SINÓN. *antivírico.*

antivírico, ca adj./s.m. →**antiviral.**

antivirus (pl. *antivirus*) adj.inv./s.m. Referido a un programa informático, que detecta la presencia de virus y los anula: *He instalado un programa antivirus en mi ordenador.* □ SINÓN. *cazavirus.*

antojadizo, za adj. Que tiene antojos o deseos intensos y pasajeros con frecuencia: *No seas antojadizo, y deja de pedir todo lo que veas.*

antojarse v.prnl. **1** Presentarse de forma repentina e injustificada como objeto de deseo intenso: *A las tres de la mañana se le antojó comer una fabada.* **2** Presentarse como probable o sospechoso: *¿No se te antoja que aquí pasa algo raro?* □ ORTOGR. Conserva la *j* en toda la conjugación. □ SINT. El uso de **antojarse de algo* es incorrecto, aunque está muy extendido: **me antojé de un dulce* > *se me antojó un dulce.*

antojitos s.m.pl. Fritos típicos de la cocina mexicana, esp. los que se sirven con salsa y como aperitivo.

antojo s.m. **1** Deseo vivo, intenso y pasajero de algo. **2** Lunar o mancha que tienen en la piel algunas personas y que tradicionalmente se atribuye a caprichos no satisfechos por sus madres durante el embarazo: *Tiene un antojo negro en el brazo.* □ ETIMOL. Del latín *ante oculum* (delante del ojo).

antología s.f. **1** Colección de fragmentos selectos de obras artísticas o de alguna actividad: *una antología de poesía.* **2** ‖ **de antología;** extraordinario o digno de ser destacado: *Metió un gol de antología.* □ ETIMOL. Del griego *anthología*, y este de *ánthos* (flor), y *légo* (yo cojo, recojo), porque en las antologías se recogen las flores, es decir, lo mejor de algo. □ ORTOGR. Dist. de *ontología*.

antológico, ca adj. Digno de ser destacado en una antología: *Tuvo una actuación antológica cuando salió en tu defensa.* □ ORTOGR. Dist. de *ontológico.*

antólogo, ga s. Persona que prepara una antología, seleccionando lo que debe aparecer incluido en ella: *La antóloga que realizó la selección de los poemas incluidos en el libro es catedrática en la universidad.*

antonimia s.f. En lingüística, oposición o contrariedad de significados entre palabras: *Los adjetivos 'grande' y 'pequeño' presentan una relación de antonimia.*

antónimo, ma adj./s.m. Referido a una palabra, de significado opuesto o contrario a otra: *El antónimo de 'vida' es 'muerte'.* □ SINÓN. *contrario.* □ ETIMOL. Quizá del francés *antonyme*, y este de *anti-* (contra), y de la terminación de *sinónimo*.

antonomasia s.f. **1** Figura retórica que consiste en la sustitución de un nombre propio por su apelativo o la sustitución del apelativo por el nombre propio: *Cuando decimos 'El Apóstol' para referirnos a san Pablo, hacemos una antonomasia.* **2** ‖ **por antonomasia;** expresión que se utiliza para indicar que el nombre común con que se designa a una persona o un objeto les corresponde a estos con más propiedad que a las otras personas o a los otros objetos a los que también se les puede aplicar: *Agosto es el mes de vacaciones por antonomasia.* □ ETIMOL. Del griego *antonomasía*, y este de *antí* (en lugar de) y *ónoma* (nombre), porque la antonomasia consiste en emplear el apelativo en lugar del nombre.

antonomástico, ca adj. De la antonomasia o relacionado con esta figura retórica: *'El Mesías' es un término antonomástico para designar a Jesucristo.*

antorcha s.f. **1** Trozo de madera o de otro material inflamable, de forma y tamaño apropiados para llevarlo en la mano, al cual se prende fuego en su extremo superior, y que se utiliza para alumbrar. **2** En una videocámara, bombilla que ilumina cuando se hacen grabaciones nocturnas. **3** ‖ **recoger la antorcha;** continuar una labor ya empezada: *Las nuevas generaciones recogerán la antorcha y segui-*

rán luchando por la conservación de la naturaleza. □ ETIMOL. Quizá del provenzal antiguo *antorcha*.

antozoo ▌ adj./s.m. **1** Referido a un animal marino, que en estado adulto no presenta nunca la forma de medusa, y vive fijo en el fondo del mar en forma de pólipo: *Los corales son antozoos que viven en colonias numerosísimas y tienen un esqueleto común calizo.* ▌ s.m.pl. **2** En zoología, clase de estos animales, perteneciente al tipo de los celentéreos: *Las madréporas pertenecen a los antozoos.* □ ETIMOL. Del griego *ánthos* (flor) y *zôion* (animal).

antracita s.f. Carbón mineral, de color negro intenso, que arde con dificultad, sin desprender humo ni dejar hollín: *La antracita se utiliza como combustible industrial.* □ ETIMOL. Del latín *anthracites*.

ántrax (pl. *ántrax*) s.m. **1** Inflamación del tejido cutáneo, generalmente causada por una bacteria, y consistente en la aparición de forúnculos llenos de pus: *El ántrax es muy doloroso.* **2** ‖ **ántrax maligno;** Enfermedad infecciosa grave, causada por una bacteria, que padecen algunos animales, generalmente el ganado, y que puede ser transmitida a las personas. □ SINÓN. *carbunco, carbunclo.* □ ETIMOL. Del latín *anthrax*, y este del griego *ánthrax* (carbón, ántrax).

antro s.m. **1** Establecimiento público de mal aspecto o reputación: *Aquel bar era un antro donde se reunían los traficantes de droga.* **2** Local, lugar o vivienda sucio, pobre o en malas condiciones. □ ETIMOL. Del latín *antrum* (cueva).

antropo- Elemento compositivo prefijo que significa 'hombre' o 'ser humano': *antropocentrismo, antropoide, antropófago.* □ ETIMOL. Del griego *ánthropos* (hombre, persona).

-ántropo, -ántropa Elemento compositivo sufijo que significa 'ser humano': *misántropo, filántropa.* □ ETIMOL. Del griego *ánthropo-* (hombre, persona).

antropocéntrico, ca adj. Del antropocentrismo o relacionado con esta doctrina filosófica: *Las concepciones antropocéntricas buscan explicar el universo y sus componentes en función del ser humano.*

antropocentrismo s.m. Doctrina o concepción filosófica que considera al ser humano como el centro o el elemento más importante de todo lo que existe en el mundo: *El Renacimiento se caracteriza por su antropocentrismo.* □ ETIMOL. De *antropo-* (hombre, persona) y *centro*.

antropofagia s.f. Costumbre alimentaria de comer las personas carne humana: *La antropofagia era practicada como un rito por algunas tribus primitivas.* □ SEM. Dist. de *canibalismo* (aplicable también a la costumbre de comer los animales carne de su misma especie).

antropófago, ga adj./s. Referido a una persona, que come carne humana: *Las tribus antropófagas creían que, al comer la carne de sus enemigos, adquirían su valor y su fuerza.* □ SINÓN. *caníbal.* □ ETIMOL. De *antropo* (hombre) y el griego *éphagon* (yo comí).

antropogénico, ca adj. Generado por el ser humano: *Hay metano tanto de origen natural como antropogénico.*

antropografía s.f. Parte de la antropología que estudia y describe las distintas poblaciones humanas y sus variedades: *La antropografía estudia la situación geográfica de las distintas sociedades humanas.* □ ETIMOL. De *antropo-* (persona) y *-grafía* (descripción).

antropográfico, ca adj. De la antropografía o relacionado con esta parte de la antropología: *Un estudio antropográfico ha demostrado que esas dos tribus tan lejanas geográficamente tienen un origen común.*

antropoide adj.inv./s.com. Referido a un animal, esp. a un mono, que tiene forma parecida a la del ser humano: *En los antropoides la vista está muy desarrollada y el olfato, muy reducido.* □ ETIMOL. Del griego *anthropeidés*.

antropología s.f. Ciencia que estudia el ser humano en sus aspectos físicos, sociales y culturales: *La antropología utiliza datos que le proporcionan otras ciencias como la biología, la geografía, la historia y la arqueología.* □ ETIMOL. De *antropo-* (hombre) y *-logía* (ciencia).

antropológico, ca adj. De la antropología o relacionado con esta ciencia: *un estudio antropológico.*

antropólogo, ga s. Persona que se dedica profesionalmente al estudio del ser humano en sus aspectos físicos, sociales y culturales, o que está especializada en antropología: *Los antropólogos están examinando los restos humanos hallados en las excavaciones de esa zona.*

antropómetra s.com. Persona especializada en antropometría o en el estudio de las proporciones y medidas del cuerpo humano: *La policía cuenta con una antropómetra experta en la identificación de delincuentes.*

antropometría s.f. Estudio de las proporciones y medidas del cuerpo humano: *La antropometría es muy necesaria en el estudio comparativo de las distintas poblaciones.* □ ETIMOL. De *antropo-* (persona) y *-metría* (medición).

antropométrico, ca adj. De la antropometría o relacionado con este estudio de las proporciones y medidas del cuerpo humano: *un estudio antropométrico.*

antropomórfico, ca adj. Del antropomorfismo o relacionado con esta tendencia: *Las mitologías eran frecuentemente antropomórficas.* □ SEM. Dist. de *antropomorfo* (con forma humana).

antropomorfismo s.m. Tendencia a atribuir rasgos y cualidades humanas a las divinidades o las cosas: *El antropomorfismo caracteriza la mitología clásica, de forma que los dioses se conciben a semejanza del ser humano.*

antropomorfo, fa adj. Que tiene forma humana: *una representación antropomorfa.* □ ETIMOL. Del griego *anthrópomorphos*, y este de *ánthropos* (hombre, persona) y *morphé* (forma). □ SEM. Dist. de *antropomórfico* (del antropomorfismo o relacionado con este conjunto de creencias o de doctrinas).

antroponimia s.f. Estudio de los nombres propios de persona: *En un libro de antroponimia he encon-*

trado que 'Crisóstomo' es un nombre de origen griego que significa 'boca de oro'. ☐ ETIMOL. De *antropo* (persona) y el griego *ónoma* (nombre).

antropónimo s.m. Nombre propio de persona: *'Juan' y 'María' son dos antropónimos.* ☐ ETIMOL. De *antroponimia* (estudio del origen de los nombres de persona), y de la terminación de *sinónimo*.

antropopiteco s.m. Antropoide fósil que los defensores de la teoría evolucionista de las especies consideraban el eslabón de unión entre los monos antropomorfos y el ser humano: *Los restos del antropopiteco fueron descubiertos en la isla de Java.* ☐ SINÓN. *pitecántropo.* ☐ ETIMOL. Del francés *anthropopithèque*.

antropozoico, ca adj. En geología, de la era cuaternaria, quinta de la historia de la Tierra, o relacionado con ella: *En estos terrenos antropozoicos se han encontrado restos humanos.* ☐ SINÓN. *cuaternario, neozoico.* ☐ ETIMOL. De *antropo-* (hombre) y el griego *zôion* (animal).

antruejo s.m. Conjunto de los tres días que preceden a la cuaresma: *En antruejo siempre hay luna nueva.* ☐ SINÓN. *carnaval, carnestolendas.* ☐ ETIMOL. Del latín **introitulus*, y este de *introitus* (entrada de la cuaresma).

anual adj.inv. **1** Que sucede o se repite cada año: *Ya le han dado el alta, pero tiene que hacerse una revisión anual.* **2** Que dura un año: *Ha sido presentado el programa anual de explotación agraria.* ☐ ETIMOL. Del latín *annualis*.

anualidad s.f. **1** Cantidad de dinero que se paga regularmente cada año: *Estoy devolviendo el préstamo en anualidades de seis mil euros.* **2** Repetición de algo cada año: *La anualidad de la publicación de esta revista no satisface a sus lectores, que piden que se publique mensualmente.*

anualizar v. Referir un cálculo a todo un año: *Estuve en el banco para que anualizaran los intereses de mi cuenta.* ☐ ORTOGR. La *z* se cambia en *c* delante de *e* →CAZAR.

anuario s.m. Libro que se publica cada año con toda la información referente a una determinada materia, y que sirve como guía a las personas que trabajan en ese campo o están interesadas en él: *En el anuario editado por el gremio de editores están recogidos los congresos y ferias que se celebrarán este año en todo el mundo.* ☐ ETIMOL. Del francés *annuaire*.

anubado, da adj. →**anubarrado.**

anubarrado, da adj. Nublado o cubierto de nubes: *Si mañana amanece anubarrado, no iremos de excursión.* ☐ SINÓN. *anubado.*

anublar v. →**nublar.**

anudadura s.f. →**anudamiento.**

anudamiento s.m. Realización de uno o más nudos, o unión de algo mediante nudos. ☐ SINÓN. *anudadura.*

anudar v. Hacer uno o más nudos, o unir mediante nudos: *Anudó la cuerda para poder escalar por ella más fácilmente. Se agachó para anudarse los cordones de los zapatos.*

anuencia s.f. Permiso para la realización de algo: *El festejo se celebró con la anuencia de las autoridades.* ☐ SINÓN. *consentimiento.* ☐ ETIMOL. Del latín *annuentia*.

anuente adj.inv. Que consiente o permite algo: *una actitud anuente.*

anulación s.f. **1** Hecho de invalidar algo, declarándolo nulo o haciendo que deje de ser válido o de tener efecto: *La anulación de los matrimonios católicos la decide un tribunal eclesiástico.* **2** Apocamiento o incapacitación de alguien: *No hay razón que justifique la anulación que sientes ante tus superiores.*

anular ▌adj.inv. **1** Del anillo, con forma de anillo o relacionado con él: *La bóveda anular es cilíndrica y se apoya sobre dos muros circulares y concéntricos.* ▌s.m. **2** →**dedo anular.** ▌v. **3** Dar por nulo o dejar sin fuerza o sin efecto: *He anulado mi cita de esta tarde porque no me encuentro bien.* **4** Referido a una persona, incapacitarla, desautorizarla, apocarla o hacerle perder su valor o poder: *El sólido marcaje realizado por el defensa anuló por completo al delantero del otro equipo. No te anules ante ellos, aunque te ridiculicen, porque tú eres capaz de hacerlo mejor que ellos.* ☐ ETIMOL. Las acepciones 1 y 2, del latín *anularis*. Las acepciones 3 y 4, del latín *annullare*.

anunciación s.f. Anuncio, esp. referido al que el arcángel san Gabriel hizo a la Virgen María comunicándole que iba a ser la madre de Jesucristo sin dejar de ser virgen: *El tema de la anunciación ha sido muy recurrente en la pintura religiosa.* ☐ USO Se usa más como nombre propio.

anunciador, -a adj./s. Que anuncia: *una empresa anunciadora.* ☐ SINÓN. *anunciante.*

anunciante adj.inv./s.com. Que anuncia: *un cartel anunciante.* ☐ SINÓN. *anunciador.*

anunciar v. **1** Hacer saber, proclamar, avisar o publicar: *En la radio han anunciado lluvias para los próximos días.* **2** Hacer o dar publicidad con fines comerciales: *Las grandes compañías comerciales anuncian sus productos en la prensa, la radio y la televisión.* **3** Referido a algo que sucederá en el futuro, dar señal o indicio de ello: *Las nubes anuncian lluvia.* ☐ SINÓN. *pronosticar.* **4** Referido a una persona, hacer saber su nombre a otra: *El mayordomo nos anunció al dueño de la casa.* ☐ ETIMOL. Del latín *annuntiare*. ☐ ORTOGR. La *i* nunca lleva tilde.

anuncio s.m. **1** Comunicación, proclamación o aviso por los que se hace saber algo: *El anuncio de su boda nos sorprendió a todos.* **2** Conjunto de palabras o de signos que se usan para dar publicidad a algo: *En los descansos de las películas en la tele hay muchos anuncios.* **3** Señal que permite hacer juicios probables o adivinar algo que sucederá en un futuro: *Esas nubes son anuncio de tormenta.* ☐ SINÓN. *pronóstico.* **4** ‖ **anuncio por palabras;** el que se incluye en una sección de la prensa y se paga en función del número de palabras que contiene: *Encontré piso en la sección de anuncios por palabras del periódico.*

anuria s.f. Cese total de la secreción, producción o expulsión de orina: *La anuria suele ser síntoma de una enfermedad renal.* ☐ ETIMOL. Del griego *an-* (privación) y *ûron* (orina).

anuro, ra ▮ adj./s.m. **1** Referido a un anfibio, que en la edad adulta tiene cuatro extremidades, las dos posteriores adaptadas para el salto, y que carece de cola: *La rana y el sapo son anuros.* ▮ s.m.pl. **2** En zoología, orden de estos anfibios: *Los animales que pertenecen a los anuros pierden la cola durante la metamorfosis.* ☐ ETIMOL. Del griego *an-* (privación) y *urá* (cola).

anverso s.m. **1** En una moneda o en una medalla, lado o superficie principales: *En los anversos de las monedas suele aparecer el busto de algún personaje ilustre.* **2** En una hoja de papel, cara por la que se empieza a escribir: *El anverso del folio llevaba un dibujo, y el reverso, una explicación de ese dibujo.* ☐ ETIMOL. Del francés *envers* (reverso). ☐ SEM. En la acepción 1, cuando se refiere a una moneda, es sinónimo de *cara*.

-anza **1** Sufijo que indica acción y efecto: *enseñanza, tardanza.* **2** Sufijo que indica cualidad: *templanza.* ☐ ETIMOL. Del latín *-antia*.

anzuelo s.m. **1** Gancho curvo, generalmente pequeño y metálico, con una punta muy afilada, que sirve para pescar. **2** Lo que sirve para atraer, esp. si es con engaño o trampa: *La policía dejó un coche abierto como anzuelo para pescar al ladrón de coches.* **3** ‖ **{picar/tragar} el anzuelo** alguien; caer en la trampa que le ha sido preparada: *Piqué el anzuelo y me engañaron vilmente.* ☐ ETIMOL. Del latín **hamiceolus* (anzuelito).

añada s.f. Cosecha de un año, esp. de vino: *Tengo varias botellas de vino de la añada de 1964.*

añadido s.m. **1** Añadidura o parte con la que se completa o aumenta algo, esp. una obra o un escrito. **2** Postizo o pelo que se usa en algunos peinados o para suplir la falta o escasez de cabello: *En la peluquería me hicieron un moño con un añadido en forma de trenza.*

añadidura ‖ **por añadidura;** además, encima o de propina: *No solo no aprueba sino que, por añadidura, es el que peor se porta en clase.*

añadir v. Referido a una cosa, agregarla, incorporarla o unirla a otra, para completarla o aumentarla: *Añade un poco más de harina a la masa para que no quede tan suelta.* ☐ ETIMOL. Del latín **innadere*, y este de *addere* (añadir).

añafil s.m. Trompeta recta y larga utilizada por los músicos moriscos: *El añafil es un instrumento musical árabe que se usó en Castilla.* ☐ ETIMOL. Del árabe *an-nafir* (la trompeta).

añagaza s.f. Engaño o treta ingeniosa pensada y preparada con gran astucia: *Con aquella añagaza consiguió sacarnos la información que quería.* ☐ ETIMOL. De origen incierto.

añejarse v.prnl. Referido esp. al vino o a algunos alimentos, alterarse sus características con el paso del tiempo: *Esa botella de vino lleva guardada tanto tiempo que se ha añejado.* ☐ ORTOGR. Conserva la *j* en toda la conjugación.

añejo, ja adj. **1** Que tiene un año o más: *un vino añejo.* **2** *col.* Que tiene mucho tiempo: *Siempre me das las mismas excusas, y ya me suenan añejas.* **3** Referido al vino, criado en barricas o botellas, al menos durante tres años. ☐ ETIMOL. Del latín *anniculus* (que tiene un año).

añicos s.m.pl. Pedazos o trozos pequeños en los que se divide algo al romperse: *Si no la llevas con cuidado, vas a hacer añicos la cristalería.* ☐ ETIMOL. De origen incierto.

añil adj.inv./s.m. De color azul intenso con tonalidades violetas: *El añil es el sexto color del arco iris.* ☐ ETIMOL. Del árabe *an-ni* (la planta del índigo).

año ▮ s.m. **1** Período de doce meses, contado a partir del día 1 de enero o de un día cualquiera: *Yo nací en el año 1963. Hoy hace un año que murió mi abuela.* **2** Tiempo que tarda la Tierra en recorrer su órbita alrededor del Sol: *El año terrestre dura aproximadamente 365 días.* ▮ pl. **3** Edad o tiempo vivido: *¿No te da vergüenza hacer esas chiquillerías a tus años?* **4** Día en el que se celebra el aniversario del nacimiento de una persona: *¿Cuándo haces los años?* **5** ‖ **año {académico/escolar};** período de duración de un curso. ‖ **(año) bisiesto;** el que, cada cuatro años, tiene un día más en el mes de febrero. ‖ **año de gracia;** el de la era cristiana, que empieza a contarse después del nacimiento de Cristo: *En el año de gracia de 1812 fue promulgada la Constitución de Cádiz.* ‖ **año {de jubileo/santo/jubilar};** aquel en el que el Papa concede indulgencias a los fieles que visiten determinados santuarios: *El año santo de Santiago se celebra cuando el 25 de julio cae en domingo.* ‖ **año (de) luz;** distancia que recorre la luz en el vacío durante un período de doce meses: *El año luz es la unidad de longitud utilizada para medir las distancias astronómicas.* ‖ **año {eclesiástico/litúrgico};** el que señala las solemnidades de la iglesia católica y empieza a partir del primer domingo de adviento. ‖ **año nuevo;** el que está a punto de comenzar o el que acaba de comenzar. ‖ **año sabático;** el que se toma de descanso, esp. el concedido a los profesores universitarios para que lo dediquen a la investigación. ‖ **año viejo;** último día del año. ‖ **entrado en años;** de edad avanzada. ‖ **estar de buen año;** *col.* Estar gordo y saludable: *Cuando vuelvo de veraneo, siempre me dice que estoy de buen año.* ‖ **perder año;** *col.* Referido a un estudiante, suspender varias asignaturas de un curso académico y tener que repetirlo: *Ese alumno es el mayor de la clase porque ha perdido año dos veces.* ☐ ETIMOL. Del latín *annus.* ☐ SEM. Expresiones como *año de la nana, año de la polca* y semejantes se usan para indicar época remota: *Todo el mundo lo miraba porque llevaba un traje del año de la polca.*

añojo, ja ▮ s. **1** Becerro o cordero de un año cumplido: *La carne de añojo es más roja que la de lechal.* ▮ s.m. **2** Carne de este becerro para uso comestible: *¿Me pone un kilo de añojo, por favor?* □ ETIMOL. Del latín *annuculus* (de un año).

añoranza s.f. Nostalgia de algo querido cuando no se tiene, está ausente o se ha perdido: *Siento añoranza por aquellos veranos que pasábamos juntos cuando éramos pequeños.*

añorar v. Referido a algo querido, recordarlo con pena cuando no se tiene, está ausente o se ha perdido: *Añora mucho su pueblo y no se acostumbra a la vida de la ciudad.* □ ETIMOL. Del catalán *enyorar*, y este del latín *ignorare* (ignorar, no saber dónde está alguno).

añoso, sa adj. Referido esp. a un árbol, que tiene muchos años.

aojar v. Transmitir mala suerte con la mirada: *Mi tío, que es muy supersticioso, dice que le han aojado la cosecha.* □ ORTOGR. Dist. de *ahojar*.

aoristo s.m. Forma verbal del griego: *El aoristo suele traducirse como un pretérito perfecto simple.* □ ETIMOL. Del griego *aóristos* (ilimitado, indefinido).

aorta s.f. Arteria principal del aparato circulatorio de algunos animales, que parte del corazón y que, a través de sus ramificaciones, lleva la sangre oxigenada a todo el cuerpo: *En el cuerpo humano, la aorta sale del ventrículo izquierdo del corazón.* □ ETIMOL. Del griego *aorte*, y este de *aéiro* (yo elevo).

aórtico, ca adj. De la aorta o relacionado con esta arteria: *La enfermedad hizo disminuir el diámetro aórtico del paciente.*

aortitis (pl. *aortitis*) s.f. Inflamación de la aorta: *La aortitis suele darse en enfermos de arterioesclerosis de edad avanzada.* □ ETIMOL. De *aorta* e *-itis* (inflamación).

aovado, da adj. Con forma de huevo: *Las uvas de moscatel son aovadas.* □ SINÓN. *ovoide, ovoideo, oviforme.*

aovar (tb. *ovar*) v. Referido a un ave o a otro animal, poner huevos: *Los gorriones aovan en nidos.*

aovillarse v.prnl. →**ovillarse.**

APA s.f. Colectivo de padres y madres de los alumnos de un centro educativo: *El APA se reunirá mañana en el colegio.* □ SINÓN. *AMPA.* □ ETIMOL. Es el acrónimo de *asociación de padres de alumnos.* □ MORF. Por ser un sustantivo femenino que empieza por *a* tónica o acentuada, va precedido de *el, un, algún, ningún* y de las formas femeninas del resto de los determinantes.

apá s.m. *col.* En zonas del español meridional, papá.

apabullamiento s.m. Desconcierto, confusión o intimidación que siente una persona ante la fuerza o la superioridad de otra: *¡Menudo apabullamiento sentí el otro día cuando todos empezaron a criticar mi trabajo!* □ SINÓN. *apabullo.*

apabullante adj.inv. *col.* Que apabulla o intimida por su fuerza o por su superioridad: *una derrota apabullante.*

apabullar v. *col.* Referido a una persona, confundirla o intimidarla mediante la fuerza o mostrando superioridad sobre ella: *Me apabulló con sus argumentos y no supe qué contestar.* □ SINÓN. *aplastar.* □ ETIMOL. De origen incierto.

apabullo s.m. →**apabullamiento.**

apacentar v. Referido al ganado, llevarlo a pastar, y cuidarlo mientras pace: *Los pastores apacientan sus rebaños.* □ MORF. Irreg. →PENSAR.

apache adj.inv./s.com. De un pueblo indígena americano, nómada, que habitaba al sur del actual territorio estadounidense, o relacionado con él.

apachurrar v. →**espachurrar.**

apacibilidad s.f. **1** Mansedumbre, dulzura y serenidad en la forma de ser o en el trato: *Envidio la apacibilidad de tu carácter y lo agradable que resulta tratar contigo.* **2** Benignidad, tranquilidad y falta de brusquedad, esp. las del tiempo atmosférico: *Ese pueblo es ideal para recuperarte de tu enfermedad por la apacibilidad de su clima.*

apacibilísimo, ma superlat. irreg. de **apacible.** □ MORF. Incorr. **apaciblísimo.*

apacible adj.inv. **1** Referido a una persona, mansa, dulce y agradable en el trato o en la forma de ser: *un carácter apacible.* **2** Referido al tiempo atmosférico, bueno, tranquilo o agradable: *Hace un día muy apacible.* □ ETIMOL. Del antiguo *aplacible*, y este de *aplacer* (agradar). □ MORF. Su superlativo es *apacibilísimo.*

apaciguamiento s.m. Restablecimiento de la paz, del sosiego y de la calma entre personas o cosas que están alborotadas, enfadadas o en desacuerdo.

apaciguar v. Poner en paz, sosegar, aquietar o restablecer la calma: *Sus palabras no lograron apaciguar a la multitud. No hablaré contigo hasta que no te apacigües y seas capaz de conversar como una persona.* □ ETIMOL. Del latín *pacificare.* □ ORTOGR. 1. La *u* lleva diéresis cuando le sigue *e*. 2. La *u* permanece siempre átona →AVERIGUAR.

apadrinamiento s.m. **1** Actuación como padrino de otra persona, al recibir esta ciertos sacramentos o algún honor: *El director del centro accedió al apadrinamiento de nuestra promoción en la ceremonia de entrega de títulos.* **2** Patrocinio o actuación como protector hacia una persona o hacia una iniciativa para que triunfen: *Debes tu éxito al apadrinamiento que el jefe hizo de tus propuestas.*

apadrinar v. **1** Referido a una persona, asistirla o actuar como padrino suyo al recibir ella ciertos sacramentos o algún honor: *En el bautizo, apadrinaron al niño sus abuelos maternos.* **2** Referido esp. a una persona o a una iniciativa, patrocinarlas o actuar como protector suyo para que triunfen: *El proyecto de investigación no salió adelante porque no encontramos quien lo apadrinara.*

apagadizo, za adj. Referido a una materia, que arde con dificultad: *La madera húmeda es apagadiza.*

apagado, da adj. **1** Desconectado o sin funcionar: *No hagas ruido y no enciendas las luces apagadas, por favor.* **2** De genio o carácter apocado, muy sosegado, sin animación ni vitalidad: *Con lo gracioso y animado que eres tú, no me explico cómo tu hermano puede ser tan apagado y soso.* **3** Referido al brillo o al color, poco vivo o intenso: *Este color tan apagado no te favorece.*

apagafuegos (pl. *apagafuegos*) adj.inv./s. Que sirve para solucionar rápidamente un problema.

apagamiento s.m. **1** Extinción o disminución de la fuerza o de la intensidad de algo, hasta llegar incluso a desaparecer: *Tuvieron que venir bomberos de la ciudad cercana para conseguir el apagamiento del fuego del bosque.* **2** Falta de animación y vitalidad en el carácter: *Su apagamiento de estos días obedece al gran número de problemas que le agobian.*

apagar v. **1** Referido a un fuego o a una luz, extinguirlos o hacer que terminen: *Apagó las velas de la tarta con un solo soplido.* **2** Referido a un aparato eléctrico, interrumpir su funcionamiento desconectándolo de su fuente de energía: *Apaga la televisión, que vamos a comer.* **3** Referido esp. a un sentimiento o a una pasión, aplacarlos, extinguirlos o hacer que terminen o desaparezcan: *Dicen que el tiempo apaga las penas.* **4** Referido a un color vivo, rebajarlo o templar el tono de la luz: *¿Por qué no apagas un poco ese amarillo tan chillón?* **5** ‖ **apaga y vámonos;** *col.* Expresión que se usa para indicar que algo ha terminado o para mostrar desacuerdo ante algo que se considera absurdo, disparatado o escandaloso: *Si que estudies o no depende de lo que te diga tu horóscopo, apaga y vámonos.* ☐ ETIMOL. Del latín *pacare* (calmar, mitigar). ☐ ORTOGR. La *g* se cambia en *gu* delante de *e* →PAGAR.

apagavelas (pl. *apagavelas*) s.m. Instrumento formado por una caperuza de metal y un palo largo, que sirve para apagar las velas que están colocadas en un lugar alto. ☐ SINÓN. *matacandelas.*

apagón s.m. Interrupción inesperada y repentina del suministro de energía eléctrica: *En casa siempre tenemos velas para cuando haya un apagón.*

apaisado, da adj. Que en su posición normal es más ancho que alto: *un cuaderno apaisado.*

apaisar v. Colocar una figura rectangular de forma apaisada, de modo que sea más ancha que alta: *Tenéis que apaisar la hoja para que os quepa todo el esquema.*

apalabrar v. Concertar o comprometerse de palabra, sin que quede constancia por escrito: *Cuando fui a pagar la estantería me cobraron más de lo que habíamos apalabrado.*

apalancamiento s.m. **1** Movimiento o abertura de algo por medio de una palanca o barra rígida que se apoya sobre un punto y sobre la que se hace fuerza. **2** *col.* Inactividad o falta de ganas de hacer algo.

apalancar ▌v. **1** Mover haciendo fuerza con una palanca o barra rígida que se apoya sobre un punto y sobre la que se hace fuerza: *Perdí las llaves del arcón, y tuve que apalancar la tapa para poder abrirlo.* ▌prnl. **2** *col.* Acomodarse en un sitio y permanecer inactivo en él: *No te apalanques en el sillón, y acompáñame a comprar unas cosas.* **3** *arg.* Esconder: *Apalanca esas joyas antes de que te pille la poli.* ☐ ORTOGR. La *c* se cambia en *qu* delante de *e* →SACAR.

apalcuachar v. *col.* En zonas del español meridional, golpear: *Aunque le dije que no lo hiciera, apalcuachó al perro con la escoba.*

apaleamiento s.m. Conjunto de golpes que se dan con un palo o con algo semejante: *Fue detenido y acusado del apaleamiento de un muchacho.*

apalear v. **1** Dar golpes o sacudir con un palo o con algo semejante: *Unos desconocidos lo apalearon cuando volvía a casa.* **2** Referido al grano, lanzarlo al viento con la pala para limpiarlo: *En mi pueblo muchos vecinos se reúnen en la era para apalear el grano.*

apaleo s.m. Lanzamiento al viento del grano con la pala para limpiarlo: *El apaleo se realiza en las eras, antes de almacenar el grano.*

apalizar v. *col.* Dar una paliza o golpear. ☐ ORTOGR. La *z* se cambia en *c* delante de *e* →CAZAR.

apandar v. *col.* Referido a algo ajeno, cogerlo, atraparlo o guardarlo con intención de quedárselo: *Cuando trabajó en el supermercado, siempre apandaba algo antes de marcharse.* ☐ ETIMOL. De *pando* (encorvado), por influencia de *apañar.*

apantallar v. **1** Proteger o aislar con una pantalla o lámina: *apantallar una la avenida para aislar a los vecinos del ruido.* **2** En zonas del español meridional, impresionar. **3** En zonas del español meridional, ostentar.

apantanar v. Referido a un terreno, llenarlo de agua hasta dejarlo inundado: *Las últimas lluvias han apantanado la región.*

apantle s.m. En zonas del español meridional, acequia. ☐ ETIMOL. Del náhuatl *atl* y *pantli.*

apañado, da adj. **1** Hábil o mañoso para hacer algo: *Me arregló la radio una prima mía que es muy apañada para la electrónica.* **2** ‖ **{estar/ir} apañado; 1** *col.* Estar equivocado o falsamente confiado en algo: *¡Estás apañada si crees que te voy a suplicar ayuda!* **2** *col.* Estar en una situación difícil: *Como adelanten el día del examen, voy apañado.*

apañar ▌v. **1** Arreglar, asear, acicalar o adornar: *Apañó la casa antes de que llegaran las visitas.* **2** *col.* Amañar, solucionar o remediar con habilidad o con intención de salir del apuro: *Vinieron a cenar sin avisarme, pero apañamos una cena para todos en un momento. ¿Qué tal te apañas con ese sueldo?* **3** *col.* Coger: *Los ladrones apañaron todas las joyas y huyeron por la ventana.* **4** Referido a algo que está roto, remendarlo o componerlo: *Dale el juguete roto a papá, que seguro que te lo apaña para que sigas jugando.* ▌prnl. **5** *col.* Darse buena maña para hacer algo: *Acaban de tener gemelos, pero entre los dos se apañan de maravilla para atenderlos.* **6** ‖ **apañárselas;** *col.* Encontrar el modo de solucionar uno mismo un problema o de salir adelante en la vida: *¿Cómo te las apañas para estudiar y trabajar a la vez?* ☐ ETIMOL. De origen incierto.

apaño s.m. **1** Arreglo, compostura, remiendo, esp. si se hacen con habilidad o para salir del apuro:

Hicieron un apaño con los de la prensa, y evitaron que el escándalo se hiciera público. **2** *col. desp.* Relación amorosa o sexual considerada ilícita por la sociedad. □ SINÓN. *lío.*

apapachar v. En zonas del español meridional, acariciar: *Mi abuelo me apapachaba cuando me sentía triste.*

apapacho s.m. En zonas del español meridional, caricia. □ MORF. Se usa más en plural.

aparador s.m. **1** Mueble en el que se guarda todo lo necesario para el servicio de la mesa: *En el aparador están la vajilla, la cristalería y la cubertería.* **2** En zonas del español meridional, escaparate: *En el aparador de la tienda de la esquina tienen cosas muy lindas.*

aparato s.m. **1** Conjunto de piezas o elementos diseñados para funcionar conjuntamente con una finalidad práctica determinada: *¿Cuánto vale un aparato de aire acondicionado?* **2** Circunstancia o señal que precede o acompaña a algo: *Hubo una tormenta con gran aparato de truenos y relámpagos.* **3** Pompa, ostentación o conjunto de circunstancias cuya presencia da mayor importancia y vistosidad a algo: *No me gustan las ceremonias con tanto aparato protocolario.* **4** Conjunto de personas que deciden la política de un partido o de un gobierno: *Al congreso asistió todo el aparato del partido político en el poder.* **5** En biología, conjunto de órganos que realizan una misma función fisiológica: *El aparato circulatorio del ser humano está formado fundamentalmente por el corazón, las venas y las arterias.* **6** En gimnasia, dispositivo que se utiliza como base para realizar los distintos ejercicios: *De la gimnasia con aparatos, el salto de potro es el que me parece más espectacular.* **7** *col.* Teléfono: *Ponte al aparato, que quieren hablar contigo.* □ ETIMOL. Del latín *apparatus.* □ SEM. Se usa mucho como palabra comodín para designar de manera imprecisa un objeto.

aparatosidad s.f. Exageración o vistosidad excesiva con que algo se realiza: *Afortunadamente, y pese a la aparatosidad del accidente, no se produjeron víctimas.*

aparatoso, sa adj. Exagerado, complicado u ostentoso.

aparca s.com. *col.* →**aparcacoches.**

aparcacoches (pl. *aparcacoches*) s.com. En un establecimiento público, persona que se encarga de aparcar los coches de los clientes. □ MORF. En la lengua coloquial se usa también la forma abreviada *aparca.*

aparcamiento s.m. **1** Lugar destinado a aparcar los vehículos. **2** Colocación de un vehículo en un lugar para dejarlo allí parado durante cierto tiempo: *En el examen de conducir me suspendieron por lo mal que hice el aparcamiento del coche.* **3** ‖ **aparcamiento disuasorio;** zona para aparcar vehículos que está cerca de un intercambiador. □ USO En la acepción 1, es innecesario el uso del anglicismo *parking.*

aparcar v. **1** Referido a un vehículo, colocarlo en un lugar y dejarlo allí parado durante cierto tiempo: *Me pusieron una multa por aparcar en la acera.* **2** *col.* Referido a un proyecto o a una decisión, aplazarlos, posponerlos o abandonarlos hasta encontrar un momento más oportuno para llevarlos a cabo: *Los artículos conflictivos del proyecto de ley fueron aparcados, y se empezó a trabajar en aquellos sobre los que existía consenso.* □ ETIMOL. De *parque.* □ ORTOGR. La *c* se cambia en *qu* delante de *e* →SACAR.

aparcería s.f. Contrato por el que el propietario de unas tierras o unas instalaciones agrícolas o ganaderas deja que otra persona las explote a cambio de una parte de las ganancias o de los frutos producidos: *Tiene muchas fincas, pero todas en régimen de aparcería.*

aparcero, ra s. Persona que, bajo un contrato de aparcería, explota unas tierras o unas instalaciones agrícolas o ganaderas que no le pertenecen, a cambio de dar a su propietario una parte de los beneficios que obtenga. □ ETIMOL. Del latín *partiarius* (partícipe).

apareamiento s.m. Unión sexual de dos animales de distinto sexo para procurar su reproducción: *Durante la época de apareamiento, la conducta de los animales sufre cambios.*

aparear v. Referido a un animal, juntarlo con otro de distinto sexo para que se reproduzcan: *El ganadero apareó la vaca con el semental. Muchos animales se aparean en primavera.* □ ETIMOL. De *par.*

aparecer v. **1** Manifestarse o dejarse ver, generalmente causando sorpresa, admiración o desconcierto: *Apareció en casa sin avisar a la hora de cenar. Dice que el día de su aniversario se le apareció su difunto marido.* **2** Referido a algo oculto o desconocido, mostrarse o dejarse ver: *Ya han aparecido los primeros síntomas de la enfermedad.* **3** Referido a algo perdido, ser encontrado o hallado: *¿Ha aparecido ya tu cartera?* □ ETIMOL. Del latín *apparescere.* □ MORF. Irreg. →PARECER.

aparecido, da s. Fantasma de un muerto que se presenta ante los vivos: *Muchas películas de miedo cuentan historias de aparecidos.*

aparejado, da adj. Inherente, inseparable o inevitable: *Esa falta lleva aparejada una dura sanción.* □ SINT. Se usa más con los verbos *traer, llevar* o equivalentes.

aparejador, -a s. Persona que se dedica profesionalmente a la realización de diversas tareas técnicas en el campo de la construcción: *Los aparejadores son los encargados de que se realice el proyecto diseñado por el arquitecto.* □ SINÓN. *arquitecto técnico.* □ USO El masculino también se usa para designar el femenino: *Mi madre es aparejador.*

aparejar v. **1** Preparar o disponer lo necesario: *El caballero aparejó sus armas antes de iniciar el combate.* **2** Referido a una caballería, ponerle el aparejo o los arreos necesarios para montarla o cargarla: *Tengo que aparejar la mula para cargarla con lo que voy a llevar a vender al mercado.* □ ETIMOL.

De *parejo.* ☐ ORTOGR. 1. Dist. de *emparejar.* 2. Conserva la *j* en toda la conjugación.

aparejo ▮ s.m. **1** Preparación o disposición de lo necesario: *El aparejo de las herramientas le llevó bastante tiempo.* **2** Elemento necesario para montar o cargar una caballería: *El jinete estaba muy incómodo porque los aparejos de su caballo estaban mal colocados.* **3** Conjunto formado por los palos, las velas, las jarcias y las vergas de un barco: *La tempestad estropeó el aparejo del buque.* **4** En una construcción, forma en la que quedan colocados los diversos materiales, esp. los ladrillos y sillares: *En la arquitectura mudéjar es muy usual el aparejo toledano, que alterna hiladas de ladrillos con mampostería.* ▮ pl. **5** Materiales y elementos necesarios para hacer algo o para desempeñar un oficio: *¿Tienes ya preparados los aparejos de pesca?* ☐ ETIMOL. De *par.*

aparentar v. **1** Referido a una cualidad o a algo que no se posee, dar a entender que sí se poseen: *Aunque aparenta estar de buen humor, yo sé que está enfadado. Se pasa el día aparentando, pero todos sabemos que está en la ruina.* ☐ SINÓN. *aparienciar.* **2** Tener el aspecto que corresponde a determinada edad: *Aunque debe de ser mayor, aparenta treinta años.* ☐ SINÓN. *aparienciar.*

aparente adj.inv. **1** Que parece real o verdadero, pero no lo es: *Su indiferencia es solo aparente.* **2** Que está a la vista: *Se enfadó sin motivo aparente.* **3** *col.* Que tiene buen aspecto, y resulta atractivo: *Es un muchacho muy aparente.* ☐ ETIMOL. Del latín *apparens,* y este de *apparere* (aparecer).

aparición s.f. **1** Presentación o manifestación ante la vista de algo que estaba oculto o era desconocido: *Su aparición vestido de payaso nos dejó a todos sorprendidos.* **2** Visión de un ser sobrenatural o fantástico: *Las apariciones de la Virgen María en Lourdes convirtieron ese pueblo francés en lugar de peregrinación.* **3** Fantasma o espíritu de un muerto que se presenta ante los vivos: *Vino aterrorizado y diciendo que había visto una aparición.* ☐ ETIMOL. Del latín *apparitio.*

apariencia s.f. **1** Aspecto externo: *No se debe juzgar a las personas por su apariencia.* **2** Lo que parece algo que no es: *No te fíes de ella, porque su bondad es pura apariencia.* ☐ ETIMOL. Del latín *apparentia.*

apariencial adj.inv. De la apariencia o relacionado con ella.

aparienciar v. →**aparentar.**

apartadero s.m. **1** Lugar que sirve para poder apartar en él algún vehículo y dejar así el paso libre en la vía principal: *La carretera que sube a esa montaña es muy estrecha y tiene apartaderos para cuando se juntan dos coches en sentido contrario.* **2** Lugar en el que se aparta a unos toros de otros para meterlos en unos cajones y trasladarlos a la plaza.

apartado, da ▮ adj. **1** Que está separado o alejado: *Vive en una aldea apartada y con muy malas comunicaciones.* ▮ s.m. **2** Servicio de correos por el que se alquila al cliente una casilla o buzón en donde se deposita su correspondencia: *El apartado de correos es muy útil para las personas que no tienen residencia fija.* **3** Número que identifica esta casilla situada en una oficina de correos: *Debes enviarle las cartas al apartado 333 de Valencia.* **4** Parte de un escrito que trata por separado de un determinado tema: *El apartado dedicado al sustantivo es la parte más interesante de ese estudio gramatical.*

apartahotel s.m. →**apartotel.**

apartamento s.m. Vivienda de pequeñas dimensiones, que consta de una o dos habitaciones, con una cocina y un cuarto de baño pequeños, y que generalmente está situada en un edificio en el que hay otras similares. ☐ ETIMOL. Del italiano *appartamento.* ☐ SEM. Dist. de *departamento* (parte o sección de algo).

apartamiento s.m. Separación de algo del lugar en el que estaba: *Declaró que su apartamiento de la actividad empresarial es temporal.*

apartar v. **1** Separar, dividir o poner en un lugar apartado: *He apartado las fichas blancas de las negras. Aparta un poco de tarta para los que lleguen después.* **2** Retirar o poner en un lugar más alejado: *Apártate de ahí. Se apartó a un lado para dejarme pasar.* **3** Referido a algo, quitarlo del lugar en el que estaba: *Aparté la vista del cuadro, porque no me gustó nada.* ☐ ETIMOL. De *parte.* ☐ SINT. Constr. *apartar una cosa* DE *otra.*

aparte ▮ adj.inv. **1** Que es distinto y diferente a los demás, y resalta por su singularidad: *Este autor es un novelista aparte, con un estilo muy original.* ▮ s.m. **2** En una representación teatral, lo que cualquier personaje dice hablando para sí o con algún otro personaje, de forma que se supone que los demás personajes no lo han oído, aunque los espectadores sí: *Los apartes teatrales informan al espectador de los pensamientos de los personajes.* **3** Lo que se dice a una persona sin que lo oigan los demás: *En un aparte me contó todo el problema.* ▮ adv. **4** En otro lugar o en otra situación: *Colocó las mantas aparte.* **5** Por separado, o sin ir o sin estar junto al resto: *Los de su grupo llegaron aparte.* **6** ‖ **aparte de;** además de o sin contar con: *Aparte de ese pequeño fallo técnico, todo ha salido muy bien.*

apartheid (ing.) s.m. Segregación racial, legislada y promovida por la minoría blanca, que sufrían las personas de color en la República de Sudáfrica (país africano): *Ese líder surafricano ha luchado toda su vida contra el apartheid.* ☐ PRON. [aparhéid], con *h* aspirada. ☐ USO Su uso es innecesario y puede sustituirse por *segregación racial.*

aparthotel (ing.) s.m. →**apartotel.**

apartosuite s.f. Apartamento de lujo con varias habitaciones, que cuenta con los servicios centrales propios de un hotel. ☐ PRON. [apartosuít].

apartotel s.m. Apartamento que cuenta con los servicios y comodidades centrales propios de un hotel. ☐ ETIMOL. Del inglés *aparthotel.* ☐ ORTOGR. Se usa también *aparthotel* y *apartahotel.*

aparvar v. Hacer parva o disponer la mies en la era para trillarla y recogerla en montones una vez trillada: *Aparvaron el trigo en la era, extendiéndolo para poder separar el grano de la paja.*

apasionado, da adj./s. **1** Poseído de una pasión: *Son dos amantes apasionados.* **2** Partidario o seguidor de algo: *Los apasionados del jazz tienen una cita esta noche en una famosa sala barcelonesa.*

apasionamiento s.m. **1** Excitación de una pasión: *Discutieron con gran apasionamiento.* **2** Sentimiento de gran interés, afición o entusiasmo hacia algo: *El apasionamiento con que lleva a cabo su trabajo es digno de elogio.*

apasionante adj.inv. Que capta mucho la atención o que es muy interesante: *un relato apasionante.*

apasionar ▌v. **1** Excitar o causar pasiones: *La música me apasiona.* ▌prnl. **2** Sentir un gran interés, afición o entusiasmo hacia algo: *Cuando me apasiono con una novela, no puedo parar hasta terminarla.* □ SINT. Constr. de la acepción 2: *apasionarse {POR/CON} algo.*

apatía s.f. Falta de actividad, de interés o de entusiasmo, que se manifiesta en dejadez o indiferencia ante todo: *Su apatía le impide ilusionarse por nada.* □ ETIMOL. Del griego *apátheia* (falta de sentimiento).

apático, ca adj. Que siente o muestra apatía o falta de actividad, de interés o de entusiasmo.

apátrida adj.inv./s.com. Referido a una persona, que no tiene nacionalidad: *A los apátridas ningún Estado los reconoce como ciudadanos.* □ ETIMOL. Del griego *apatris* (sin patria), y este de *a-* (negación), y *patrís* (patria).

apeadero s.m. Estación de tren, de poca importancia, donde solo suben o bajan viajeros: *En los apeaderos no se cargan ni se descargan mercancías.*

apear v. **1** Descender o hacer descender de un medio de transporte: *Apeó al pequeño, que quedó en manos de su padre, y prosiguió el viaje. ¿Se va a apear usted en la próxima parada?* □ SINÓN. *bajar.* **2** *col.* Referido a una persona, disuadirla de sus opiniones, ideas, creencias y suposiciones: *Es una cabezota y no se apea de sus ideas aunque le demuestres que está equivocada.* □ ETIMOL. Del latín *ad*, y el latín *pes* (pie). □ SINT. Constr. *apearse DE algo.*

apechar v. *col.* →**apechugar.** □ ETIMOL. De *pecho.* □ SINT. Constr. *apechar CON algo.*

apechugar v. *col.* Cargar con algo que resulta desagradable: *Te dirá que no lo hace, pero después apechugará.* □ SINÓN. *apencar, apechar.* □ ETIMOL. De *pechuga.* □ ORTOGR. La *g* se cambia en *gu* delante de *e* →PAGAR. □ SINT. Constr. *apechugar CON algo.*

apedreamiento s.m. **1** Lanzamiento de piedras contra algo: *El apedreamiento de los cristales de las casas demuestra una total falta de civismo.* **2** Muerte a pedradas.

apedrear v. **1** Tirar o arrojar piedras: *Los castigaron por apedrear a un perro vagabundo, que salió huyendo.* **2** Matar a pedradas: *Antiguamente, en algunas culturas se apedreaba a las mujeres adúlteras.* □ SINÓN. *lapidar.*

apegarse v.prnl. Tomar apego o cariño: *Cada día se apega más a esta ciudad.* □ ORTOGR. La *g* se cambia en *gu* delante de *e* →PAGAR. □ SINT. Constr. *apegarse A algo.*

apego s.m. Cariño, afecto o estimación hacia algo: *Tiene mucho apego a la vieja casa donde nació.*

apelación s.f. **1** En derecho, presentación ante un juez o ante un tribunal de justicia de una petición para que se modifique o anule una sentencia que se considera injusta y que fue dictada por un juez o por un tribunal de categoría inferior: *La sentencia es firme y no es posible su apelación.* **2** Llamada o mención a algo en cuya autoridad o criterio se confía para solucionar un asunto: *La directora hizo una apelación a nuestro sentido del deber.*

apelado, da adj./s. En derecho, que ha obtenido una sentencia favorable contra la cual ha apelado su contrario: *Al salir del juzgado, el apelado declaró que estaba seguro de que volvería a ganar el recurso.*

apelambrar v. Referido a una piel animal, meterla en agua y cal viva para que pierdan el pelo: *Algunas pieles se apelambran para la fabricación de prendas de vestir.*

apelar v. **1** En derecho, presentar ante un juez o ante un tribunal la petición de que se modifique o anule una sentencia que se considera injusta y que fue dictada por un juez o por un tribunal de categoría inferior: *El demandado apeló contra la decisión de la juez.* **2** Recurrir a algo en cuya autoridad o criterio se confía para solucionar un asunto: *Apeló a la buena voluntad de todos para poder salir adelante.* □ ETIMOL. Del latín *appellare* (dirigir la palabra, llamar). □ SINT. 1. Constr. de la acepción 1: *apelar {CONTRA/DE} algo.* 2. Constr. de la acepción 2: *apelar A algo.* 3. En la acepción 1, su uso como transitivo es incorrecto, aunque está muy extendido: *apelaron {*la sentencia > contra la sentencia}.*

apelativo, va ▌adj./s.m. **1** Que sirve para llamar o para calificar: *Los vocativos son un ejemplo de la función apelativa del lenguaje. Cuando se dirige a ella siempre la llama con un apelativo cariñoso.* ▌s.m. **2** →**nombre apelativo.**

apellidar ▌v. **1** Llamar, nombrar o dar un mote o un sobrenombre: *Felipe II fue apellidado 'el Prudente'.* ▌prnl. **2** Tener un determinado apellido: *Se apellida Rodríguez.* □ ETIMOL. Del latín *apellitare* (llamar repetidamente).

apellido s.m. Nombre que sirve para designar a los miembros de una familia y que se transmite de padres a hijos: *En España los padres pueden elegir el orden de los apellidos de sus hijos.*

apelmazarse v.prnl. Referido a algo que debe ser esponjoso, hacerse más compacto, más pegajoso o más duro de lo conveniente: *Mueve la lana del colchón para que no se apelmace.* □ ETIMOL. Del antiguo *pelmazo* (cosa apretada). □ ORTOGR. La *z* se cambia en *c* delante de *e* →CAZAR.

apelotonar v. Aglomerar, amontonar o formar grupos desordenados: *Apelotonó todos los trastos en una esquina del patio, para después quemarlos. Cuando abrieron las puertas, los espectadores se apelotonaban a la entrada del teatro.* □ MORF. Se usa más como pronominal.

apenar v. **1** Causar pena o tristeza: *Nos apenó mucho la noticia de su muerte.* **2** En zonas del español meridional, avergonzar: *Me apena cuando empieza a hablar de mis problemas ante todo el mundo.*

apenas ▮ adv. **1** Difícilmente, casi no, o tan solo: *Apenas nos alcanza el dinero para llegar a fin de mes. Apenas si me escuchó cinco minutos.* **2** Escasamente o tan solo: *Apenas hace ocho días que trabaja con nosotros.* ▮ conj. **3** Enlace gramatical subordinante con valor temporal: *Apenas me vio, me abrazó.* □ SINT. En la acepción 1, *apenas si* se usa con el mismo significado que *apenas*.

apencar v. *col.* Cargar con algo que resulta desagradable: *No estoy dispuesta a apencar con este trabajo yo sola.* □ SINÓN. *apechar, apechugar.* □ ETIMOL. De *penca.* □ ORTOGR. 1. Se usa también *pencar.* 2. La *c* se cambia en *qu* delante de *e* →SACAR. □ SINT. Constr. *apencar* CON *algo.*

apendejarse v.prnl. **1** *col.* En zonas del español meridional, atontarse o volverse bobo. **2** *col.* En zonas del español meridional, acobardarse. □ ORTOGR. Conserva la *j* en toda la conjugación.

apéndice s.m. **1** Cosa accesoria que se adjunta o se añade a otra de la que forma parte: *Al final del diccionario hay unos apéndices muy útiles.* **2** En el cuerpo animal, parte unida o contigua a otra principal: *La nariz es el apéndice nasal.* **3** || **apéndice ({cecal/vermicular});** en anatomía, prolongación delgada y hueca, que está al final del intestino ciego: *Le han operado y le han quitado el apéndice.* || **(apéndice) xifoides;** en anatomía, prolongación cartilaginosa que está al final del esternón: *El apéndice xifoides tiene forma de punta de espada.* □ ETIMOL. Del latín *appendix*, y este de *appendere* (colgar de algo). □ SEM. En la acepción 2, no debe emplearse como sinónimo de *apendicitis* (inflamación del apéndice cecal o vermicular): *Operaron al niño porque tenía {*apéndice > apendicitis}.*

apendicitis (pl. *apendicitis*) s.f. Inflamación del apéndice que está al final del intestino ciego: *La fiebre, los vómitos y un intenso dolor a la derecha del estómago son los síntomas típicos de la apendicitis.* □ ETIMOL. De *apéndice*, e *-itis* (inflamación).

apeo s.m. En arquitectura, sujeción provisional de una construcción por medio de armazones o de maderos: *Tras el apeo de la planta superior, se empezó a reparar el muro de carga.*

apepsia s.f. En medicina, falta de capacidad para digerir correctamente: *Sufro de apepsia, y tengo que seguir un régimen especial.* □ ETIMOL. Del griego *apepsía*, y este de *ápeptos* (no cocido).

apercibimiento s.m. Amonestación o aviso que se da a alguien haciéndole saber cuáles serán las consecuencias de sus actos si sigue actuando de determinada forma: *Tras un apercibimiento fue sancionado con 15 días sin empleo y sin sueldo.*

apercibir v. **1** Referido a una persona, amonestarla o hacerle saber cuáles serán las consecuencias de sus actos si sigue actuando de determinada manera: *Mi jefa me apercibió de que sería sancionado si volvía a llegar tarde al trabajo.* **2** Advertir o prevenir: *La agencia apercibió a sus clientes de que en la estación de esquí había escasa nieve.* □ ETIMOL. Del latín *percipere* (percibir). □ SINT. Constr. *apercibirse* DE *algo.*

apergaminarse v.prnl. Ponerse como el pergamino, esp. referido a las personas que al llegar a cierta edad se quedan muy enjutas o muy delgadas: *El paso del tiempo apergaminó su rostro.* □ SINÓN. *acartonarse.*

apergoyado, da s. En zonas del español meridional, que está sometido o apresado por alguien o por algo.

aperitivo s.m. **1** Bebida y comida ligeras que se toman antes de las comidas: *Hemos quedado en un bar a tomar el aperitivo, pero luego cada uno comerá en su casa.* **2** Porción de comida que se sirve de forma gratuita y acompañando a una bebida: *En este bar, cuando pedimos la bebida, siempre nos ponen aperitivo.* □ ETIMOL. Del latín *aperitivus.* □ USO Es innecesario el uso del anglicismo *snack.*

apero s.m. **1** Instrumento que se usa para un oficio, esp. para la labranza: *La pala y el rastrillo son aperos de labranza.* **2** En zonas del español meridional, montura de una caballería: *Montaba siempre con un lujoso apero.* □ ETIMOL. Del latín **apparium* (útil, aparejo). □ MORF. Se usa más en plural.

aperrear v. *col.* Referido a una persona, fatigarla mucho o causarle muchas molestias: *No lo aperrees con tantos encargos.*

apersonarse v.prnl. →**personarse.**

apertrechar v. En zonas del español meridional, pertrechar.

apertura s.f. **1** Acción de abrir lo que estaba cerrado, pegado o plegado: *La apertura del paquete bomba activó el mecanismo.* **2** Comienzo o inauguración de un proceso, de una actividad o de un plazo: *Para realizar la apertura de una cuenta bancaria, te piden el carné de identidad.* **3** Acto o ceremonia con que se produce o se resalta oficialmente este comienzo o inauguración: *A la apertura del nuevo curso académico están invitadas destacadas personalidades.* **4** Actitud de tolerancia hacia lo nuevo o hacia las ideas ajenas: *Tiene una gran apertura de ideas y es muy transigente en cuestiones políticas.* **5** En el juego del ajedrez, combinación de jugadas con que se inicia una partida: *Elegir bien la apertura puede decidir la partida.* **6** Colocación de un signo de puntuación delante del enunciado que delimita: *La apertura de comillas es obligada para hacer una cita literal.* □ ETIMOL. Del latín *apertura.* □ SEM. Su uso con el significado de 'lo que está abierto' en lugar de *abertura* es incorrecto: *La {*apertura > abertura} que había en la pared.*

aperturar v. En el lenguaje bancario, referido a una cuenta, abrirla: *El cajero me explicó lo que tenía que hacer para aperturar una cuenta corriente.* □ USO Su uso es innecesario y puede sustituirse por *abrir*.

aperturismo s.m. Actitud favorable, comprensiva o transigente, esp. la que se mantiene frente a ideas o a actitudes distintas a las propias: *La reunión de los dirigentes del partido en el poder estuvo marcada por el aperturismo.*

aperturista ▮ adj.inv. **1** Del aperturismo ideológico o relacionado con él: *El proceso de democratización fue posible gracias a la postura aperturista del jefe del Estado.* ▮ adj.inv./s.com. **2** Que defiende o sigue el aperturismo ideológico: *sector aperturista.*

apesadumbrar v. Afligir o causar pesadumbre: *Les apesadumbra saber que su hijo les ha mentido. Se apesadumbró al conocer la noticia.* □ MORF. Se usa más como pronominal.

apestado, da adj./s. **1** Que padece la enfermedad de la peste: *un hospital para apestados.* **2** *desp.* Persona despreciada por la mayoría: *un apestado político.*

apestar v. **1** Dar muy mal olor: *Estas basuras apestan. Me estás apestando con el humo del puro.* **2** Producir o contagiar la enfermedad de la peste: *Las ratas apestaron a los habitantes de la ciudad. Se apestó en la ciudad en la que estuvo de vacaciones.* **3** || **estar apestado de** algo; *col.* Estar lleno de ello: *El mercado está apestado de gente.*

apestoso, sa adj. **1** Que da muy mal olor: *un líquido apestoso.* **2** Que fastidia o que causa aburrimiento: *una persona apestosa.*

apétalo, la adj. Referido a una flor, que no tiene pétalos: *La flor del trigo es apétala.* □ ETIMOL. Del griego *apétalos*, y este de *a-* (privación) y *pétalon* (hoja).

apetecer v. **1** Gustar o resultar agradable o interesante: *¿No te apetece que vayamos al cine?* **2** Desear o anhelar: *Solo apetece dinero y honores.* □ ETIMOL. Del latín *appetere*. □ MORF. Irreg. →PARECER.

apetecible adj.inv. Digno de ser apetecido: *El plan es apetecible pero tengo que estudiar.*

apetencia s.f. Inclinación natural que tiene una persona a desear algo.

apetito s.m. **1** Ganas de comer. **2** Inclinación o instinto que lleva a las personas a satisfacer sus deseos o necesidades: *Lleva una vida desordenada, pendiente solo de satisfacer sus apetitos.* □ ETIMOL. Del latín *appetitus*.

apetitoso, sa adj. **1** Que excita el apetito o el deseo: *Esta tarta tiene un aspecto muy apetitoso.* **2** Que gusta o que tiene buen sabor: *Nos invitó a comer un apetitoso cocido.*

apex (pl. *apex*) s.f. →**tarifa apex.** □ PRON. [ápex].

apezonado, da adj. Con forma de pezón: *Las tetinas del biberón tienen forma apezonada.*

API (ing.) s.m. Conjunto de convenciones de programación que definen cómo se crea una aplicación. □ ETIMOL. Es el acrónimo del inglés *Application Program Interface* (interfaz para programas de aplicación).

apiadar ▮ v. **1** Inspirar piedad: *La narración de aquella desgracia apiadó hasta a las personas más insensibles.* ▮ prnl. **2** Tener piedad: *Apiádate de ellos y no los trates con tanta dureza.* □ MORF. Se usa más como pronominal. □ SINT. Constr. como pronominal: *apiadarse* DE *algo.*

apianar v. Referido a la voz o a un sonido, disminuir sensiblemente su intensidad: *Al final de la composición, el sonido del violín se iba apianando hasta hacerse casi imperceptible.*

apical ▮ adj.inv./s.f. **1** En lingüística, referido a un sonido consonántico, que se articula con la intervención activa del ápice de la lengua, en contacto con los dientes, los alveolos o el paladar: *La 'l' de la palabra 'luna' es un sonido apical.* ▮ s.f. **2** Letra que representa este sonido: *La 't' es apical.* □ ETIMOL. De *ápice*. □ MORF. Cuando se antepone a una palabra para formar compuestos, adopta la forma *apico-*.

apicararse v.prnl. Adquirir la forma de ser y las costumbres propias de un pícaro: *Se apicaró por su continua vida en la calle cuando era niño.*

ápice s.m. **1** Punta o extremo superior de algo: *Para pronunciar la 'n' española, hay que colocar el ápice de la lengua en la cara posterior interna de los alveolos.* **2** Parte muy pequeña: *No tiene ni un ápice de honradez.* □ ETIMOL. Del latín *apex*.

apicectomía s.f. Corte de la punta de la raíz de una pieza dental.

apicoalveolar adj.inv./s.f. En lingüística, referido a un sonido consonántico, que se articula con la intervención activa del ápice de la lengua, en contacto con los alveolos: *La 'l' de la palabra 'malo' es un sonido apicoalveolar.* □ ETIMOL. Del latín *apex* (ápice, punta) y *alveolar*.

apícola adj.inv. De la apicultura o relacionado con la cría de las abejas para el aprovechamiento de sus productos: *la producción apícola.* □ ETIMOL. Del latín *apis* (abeja) y *colere* (cultivar). □ SEM. Dist. de *avícola* (de la cría de las aves).

apicultor, -a s. Persona que se dedica a la apicultura o cría de abejas. □ SEM. Dist. de *avicultor* (persona que se dedica a la avicultura o cría de aves).

apicultura s.f. Arte o técnica de criar abejas para aprovechar sus productos, esp. la miel y la cera. □ ETIMOL. Del latín *apis* (abeja) y *-cultura* (cultivo). □ SEM. Dist. de *avicultura* (técnica de la cría de aves).

apilable ▮ adj.inv. **1** Que se puede apilar: *sillas apilables.* ▮ s.m. **2** Mueble que está formado por varias partes que se colocan unas sobre otras o unas al lado de otras: *En mi salón hemos puesto un apilable que puede distribuirse de diferentes formas.*

apilamiento s.m. Amontonamiento de cosas formando una pila o montón.

apilar v. Amontonar o colocar formando una pila o montón: *Apiló la leña en el cobertizo.*

apimplarse v.prnl. *col.* Emborracharse ligeramente: *Como no tiene costumbre de tomar cerveza, se bebe unas cañas y se apimpla en seguida.*

apiñamiento s.m. Reunión o colocación muy apretada de personas o cosas: *Se produjo un apiñamiento de alumnos a la salida de clase.*

apiñar v. Referido a personas o cosas, juntarlas o reunirlas apretadamente: *Los participantes se apiñaban en la línea de salida.* □ ETIMOL. De *piña.*

apio s.m. Planta herbácea de color verde de la que se comen los tallos y las hojas. □ ETIMOL. Del latín *apium.*

apiolar v. **1** Referido a presas de caza menor, atarlas de dos en dos para poder colgarlas y llevarlas con facilidad: *El cazador apioló los conejos por las patas y se los colgó del cinturón.* **2** *col.* Referido a una persona, prenderla, detenerla o privarla de libertad: *Los apiolaron cuando intentaban forzar la caja fuerte del banco.* **3** *col.* Matar: *El delincuente declaró que él no había apiolado a aquel taxista.* □ ETIMOL. De *pihuela* (grillete).

apiparse v.prnl. *col.* Atracarse o hartarse, esp. de bebida: *Se apipó y tuvimos que llevarlo a su casa en coche.* □ ETIMOL. De *pipa* (tonel).

apiporrarse v.prnl. *col.* Comer y beber hasta hartarse: *Se apiporraron de dulces y pasteles.*

apirético, ca adj. En medicina, de la apirexia o relacionado con la ausencia de fiebre: *El paludismo es una enfermedad que se caracteriza por los intervalos apiréticos.* □ SEM. Dist. de *antipirético* (que quita la fiebre).

apirexia s.f. En medicina, ausencia de fiebre, esp. en el intervalo que hay entre dos accesos de fiebre intermitente: *La apirexia es característica de algunas enfermedades tropicales.* □ ETIMOL. Del griego *apyrexía*, y este de *a-* (privación) y *pyretikós* (febril).

apisonado s.m. →**apisonamiento.**

apisonadora s.f. **1** Máquina que consta de unos rodillos pesados y que se utiliza para apretar y allanar el suelo: *Han traído la apisonadora para las obras de construcción de la nueva carretera.* **2** *col.* Persona que vence rápida y totalmente cualquier oposición: *No tendrá en cuenta tus reparos, porque es una auténtica apisonadora.*

apisonamiento s.m. Allanamiento del suelo con una apisonadora: *El apisonamiento del terreno eliminó los desniveles.* □ SINÓN. *apisonado.*

apisonar v. Referido al suelo, apretarlo y allanarlo con una apisonadora: *Antes de asfaltar la carretera, es necesario apisonar bien el pavimento.*

apitoxina s.f. Secreción glandular venenosa que la abeja utiliza para defenderse.

apizarrado, da adj. De color negro azulado, como el de la pizarra.

aplacamiento s.m. Aminoración o disminución del enfado de alguien o de la fuerza de algo: *Fue imposible lograr el aplacamiento de su ira. Para mañana está previsto un ligero aplacamiento del temporal.*

aplacar v. Referido a la fuerza de algo, amansarla, mitigarla o hacerla más suave y soportable: *Parece que ya se va aplacando la fuerza del viento. Se aplacó cuando le dije que pagaría todos los desperfectos.* □ ETIMOL. Del latín *placare.* □ ORTOGR. La *c* se cambia en *qu* delante de *e* →SACAR.

aplanado, da adj. Plano o liso.

aplanadora s.f. En zonas del español meridional, apisonadora: *Las aplanadoras se usan en la construcción de vías públicas.*

aplanamiento s.m. **1** Conversión de una superficie desigual en una superficie plana: *El aplanamiento de esos montones de tierra permitirá dejar el jardín totalmente liso.* **2** Pérdida de la capacidad de reacción o del vigor y la energía: *Es extraño el aplanamiento que tiene estos días, porque siempre es muy animada.*

aplanar v. **1** Poner plano o llano: *Han aplanado el camino de tierra para que la gente no tropiece.* □ SINÓN. *allanar.* **2** *col.* Dejar a alguien sin capacidad de reacción o sin vigor ni energía: *Este calor aplana a cualquiera.* □ ETIMOL. De *plano.*

aplanchar v. En zonas del español meridional, planchar.

aplasia s.f. En medicina, desarrollo defectuoso de un órgano o de un tejido, generalmente de carácter congénito: *Tiene una aplasia de la médula ósea caracterizada por la disminución de los hematíes, leucocitos y plaquetas.*

aplastamiento s.m. **1** Disminución del grosor de algo como consecuencia de haberlo comprimido o golpeado hasta deformarlo o destruirlo: *Como consecuencia del accidente sufre el aplastamiento de una vértebra.* **2** Derrota total y definitiva: *El ejército tardó varios días en llevar a cabo el aplastamiento de la rebelión.*

aplastante adj.inv. Que es abrumador o definitivo, y que no se puede rebatir o discutir: *La victoria del equipo local ha sido aplastante.*

aplastar v. **1** Referido a un objeto, disminuir su grosor o su espesor comprimiéndolo o golpeándolo, hasta llegar a deformarlo o destruirlo: *No pongas el hierro encima de las cajas de cartón, porque las vas a aplastar.* **2** Referido a una persona, confundirla o intimidarla mediante la fuerza o mostrando superioridad sobre ella: *El exceso de responsabilidad me aplasta.* □ SINÓN. *apabullar.* **3** Derrotar o vencer por completo: *El ejército aplastó la rebelión.* □ ETIMOL. Quizá de origen expresivo.

aplatanamiento s.m. Falta de energía para emprender cualquier actividad física o mental, esp. por influencia del ambiente o del clima: *Después de comer siempre me entra un aplatanamiento espantoso y no soy capaz de hacer nada.*

aplatanar v. Hacer perder o disminuir actividad mental o física, generalmente por influencia del ambiente o del clima: *Después de comer siempre me aplatano.*

aplaudidor adj.inv./s.com. Que aplaude mucho: *El público de esta sala es siempre muy aplaudidor.*

aplaudir v. **1** Juntar repetidamente las palmas de las manos para que resuenen en señal de aprobación o de entusiasmo: *El público aplaudió a los ac-*

tores. **2** Alabar con palabras o de otra manera: *Aplaudo tu decisión de seguir estudiando.* □ ETIMOL. Del latín *applaudere*, y este de *plauder* (golpear, aplaudir).

aplauso s.m. **1** Señal de aprobación o de alegría, que consiste en juntar repetidamente las palmas de las manos para que resuenen: *El cantante fue recibido con fuertes aplausos.* **2** Alabanza, elogio o reconocimiento: *Su actitud merece todo mi aplauso.* **3** || **aplauso cerrado;** el unánime y ruidoso: *La conferenciante gustó mucho y recibió un aplauso cerrado.*

aplazamiento s.m. Retraso de la realización de algo: *El aplazamiento del concierto a causa de la lluvia provocó las protestas del público asistente.*

aplazar v. **1** Referido a la realización de algo, retrasarla o dejarla para más tarde: *La reunión de esta tarde ha sido aplazada al martes que viene.* □ SINÓN. *diferir.* **2** En zonas del español meridional, poner un suspenso: *Aplazó a casi la mitad de sus alumnos.* □ ETIMOL. De *plazo.* □ ORTOGR. La *z* se cambia en *c* delante de *e* →CAZAR.

aplebeyar v. Dar las características que se consideran propias de lo plebeyo: *Desde que dejó el palacio aplebeyó sus costumbres.*

aplicabilidad s.f. Posibilidad de ser aplicado: *un método de trabajo que destaca por su aplicabilidad y eficacia.*

aplicable adj.inv. Que se puede o se debe aplicar: *Estos medicamentos en los que se está investigando, pronto serán aplicables a diversas enfermedades.*

aplicación s.f. **1** Colocación de una cosa sobre otra o en contacto con ella: *La aplicación de la pomada sobre la herida evitó la infección.* **2** Empleo o puesta en práctica con un determinado objetivo: *Han inventado un nuevo producto químico con muchas aplicaciones en la industria.* **3** Destino, adjudicación o asignación: *La aplicación de los distintos papeles a los miembros del grupo se realizó en la primera reunión.* **4** Referencia de un caso general a un caso particular: *La aplicación de la teoría a la práctica no siempre es fácil de realizar.* **5** Esfuerzo e interés que se ponen en la realización de algo, esp. el estudio: *Estudia con mucha aplicación.* **6** Lo que se añade a algo para protegerlo, completarlo o adornarlo: *Las puertas del mueble tenían hermosas aplicaciones de bronce.* **7** En matemáticas, operación por la que a cada elemento de un conjunto se le hace corresponder un solo elemento de otro conjunto: *Las aplicaciones de los conjuntos se representan gráficamente con flechas.* **8** En informática, cada uno de los programas que, una vez ejecutados, permiten trabajar con el ordenador: *Las hojas de cálculo y las bases de datos son aplicaciones.* □ USO En la acepción 6, se usa también *aplique.*

aplicado, da adj. **1** Que pone esfuerzo, interés y asiduidad en la realización de algo, esp. en el estudio: *un alumno muy aplicado en literatura.* **2** Referido a una ciencia o a una disciplina, que se centra en la aplicación práctica de sus conocimientos y doctrinas: *La lingüística aplicada se ocupa de los problemas de la enseñanza de idiomas.*

aplicar ▌v. **1** Poner sobre algo o en contacto con ello: *Aplicaron una gasa a la herida.* **2** Emplear o poner en práctica con un determinado objetivo: *Aplica bien los criterios que vayas a seguir.* **3** Destinar, adjudicar o asignar: *Aplicamos esta misa por el eterno descanso de nuestro hermano.* **4** Referido a un caso general, referirlo a un caso particular: *Para resolver este problema de física, tenéis que aplicar la teoría que estudiamos ayer.* ▌prnl. **5** Poner mucho interés en la realización de cualquier tipo de trabajo, esp. en el estudio: *Si no te aplicas más, vas a suspender.* □ ETIMOL. Del latín *applicar* (arrimar). □ ORTOGR. La *c* se cambia en *qu* delante de *e* →SACAR. □ SINT. Constr. de la acepción 1: *aplicar A algo.*

aplique s.m. **1** Lámpara de luz eléctrica que se fija en una pared: *Hemos puesto un aplique a cada lado del espejo del pasillo.* **2** →**aplicación.** **3** Cualquier pieza del decorado teatral, excepto el telón, los bastidores y las bambalinas: *El director de teatro exigió el cambio de algunos apliques.* □ ETIMOL. Del francés *applique.*

aplomado, da adj. **1** Con aplomo o serenidad: *una persona aplomada.* **2** De color gris azulado, como el del plomo. □ SINÓN. *plomizo.*

aplomar ▌v. **1** En construcción, referido a una pared, comprobar con la plomada si es vertical: *Los albañiles deben aplomar todas las paredes que construyen a medida que las van levantando.* ▌prnl. **2** Referido a una persona, cobrar aplomo: *De joven era nervioso, pero con el tiempo se aplomó.* □ ETIMOL. De *plomo.*

aplomo s.m. Seriedad, serenidad o seguridad que manifiesta una persona en sus actuaciones: *Contestó con mucho aplomo a las preguntas de los periodistas.*

apnea s.f. **1** Interrupción o suspensión temporal de la respiración: *Durante el sueño, son frecuentes los episodios de apnea.* **2** || **en apnea;** Referido a una forma de bucear, sin botellas de aire comprimido: *buceo en apnea; submarinismo en apnea.* □ ETIMOL. Del griego *ápnoia.*

apocado, da adj. Excesivamente tímido y acobardado: *Es un muchacho muy apocado, sin ninguna confianza en sí mismo.*

apocalipsis (pl. *apocalipsis*) s.m. Fin del mundo: *Una guerra nuclear supondría el apocalipsis.* □ ETIMOL. Del latín *apocalypsis*, por alusión al Apocalipsis, libro bíblico que relata los acontecimientos que tendrán lugar en el fin del mundo.

apocalíptico, ca adj. **1** Del Apocalipsis (libro bíblico que relata los acontecimientos que tendrán lugar en el fin del mundo) o relacionado con él: *los textos apocalípticos.* **2** Terrible porque implica devastación o exterminio: *una visión apocalítica del futuro.*

apocamiento s.m. Actitud excesivamente tímida y acobardada.

apocar v. Referido a una persona, acobardarla, cohibirla o hacer que se comporte con excesiva timidez o cortedad de ánimo: *Se apocó ante la superioridad de su jefe y no supo qué contestar.* □ ORTOGR. La *c* se cambia en *qu* delante de *e*.

apocopar v. Referido a una palabra, suprimirle o eliminarle uno o varios de los sonidos finales: *La palabra 'algún' es resultado de apocopar 'alguno'.*

apócope s.f. Supresión o eliminación de uno o varios sonidos finales de una palabra: *'Buen' y 'san' son apócopes de 'bueno' y 'santo', respectivamente.* □ ETIMOL. Del griego *apokópe* (amputación). □ MORF. Incorr. su uso como masculino: *'San' es {*el / la} apócope de 'santo'.*

apócrifo, fa adj. **1** Falso, supuesto o fingido: *un autor apócrifo.* **2** Referido a un libro de materia sagrada, que se atribuye a un autor sagrado, pero que no está incluido en el catálogo de los libros reconocidos por la Iglesia como inspirados: *La Iglesia considera que los llamados 'evangelios apócrifos' no fueron inspirados directamente por Dios.* □ ETIMOL. Del griego *apókryphos* (secreto, oculto).

apodar v. Dar o poner un apodo o un mote: *Se llama 'Luis', pero lo apodan 'Artillero'.* □ ETIMOL. Del latín *apputare* (acomodar, ajustar).

apoderado, da s. Persona que tiene poderes o autorización legal de otra para representarla y actuar en su nombre: *Todos los toreros tienen un apoderado que les contrata las corridas.* □ USO Su uso es característico del lenguaje legal y taurino.

apoderamiento s.m. **1** Representación que una persona ejerce de otra: *Este torero ha encargado su apoderamiento a un banderillero retirado.* **2** Apropiación de algo, habitualmente por la fuerza o ilegalmente: *El apoderamiento de las tierras del Lejano Oeste por parte de los colonos desencadenó la guerra con los indios.*

apoderar ▮ v. **1** Referido a una persona, tener poder y autorización de otra para representarla: *El padre es un torero retirado que ahora apodera a su hijo.* ▮ prnl. **2** Hacerse dueño de algo, generalmente por la fuerza o ilegalmente: *El ejército vencedor se apoderó de todas las armas y provisiones de los vencidos.* **3** Referido a un sentimiento, llenar por completo o dominar: *La emoción se apoderó de él y no fue capaz de contener las lágrimas.* □ SINT. Constr. como pronominal: *apoderarse* DE *algo.*

apodíctico, ca adj. En lógica, referido a un juicio, que enuncia algo como absolutamente necesario o absolutamente imposible: *'Un todo es necesariamente mayor que sus partes' es un juicio apodíctico.* □ ETIMOL. Del latín *apodicticus*, este del griego *apodeiktikós*, y este de *apodéiknymi* (yo muestro).

apodo s.m. Nombre que se da a una persona en sustitución del propio y que suele aludir a alguna condición o característica suyas. □ SINÓN. *mote.* □ ORTOGR. Dist. de *ápodo.*

ápodo, da adj. Referido a un animal, que carece de pies o de extremidades: *Las culebras son animales ápodos.* □ ETIMOL. Del griego *apús*, y este de *a-* (privación) y *pús* (pie). □ ORTOGR. Dist. de *apodo.*

apódosis (pl. *apódosis*) s.f. En gramática, en una oración subordinada condicional, parte que indica el resultado o la consecuencia de que se cumpla la condición: *En la oración 'Si estudias, aprobarás', 'si estudias' es la prótasis o condición y 'aprobarás' es la apódosis.* □ ETIMOL. Del griego *apódosis*, y este de *apodídomi* (yo restituyo).

apófisis (pl. *apófisis*) s.f. **1** En anatomía, parte saliente de un hueso que sirve para su articulación con otro hueso o para la inserción de un músculo: *Las vértebras tienen apófisis espinosas.* **2** ‖ **(apófisis) coracoides;** la del omóplato, situada en la parte más prominente del hombro. □ ETIMOL. Del griego *apóphysis* (retoño). □ SEM. Dist. de *epífisis* (parte final de los huesos largos, que permite su crecimiento).

apofonía s.f. En lingüística, alternancia de vocales en palabras de una misma raíz: *Un ejemplo de apofonía es la alternancia vocálica 'e / ie' y 'o / ue' del presente de muchos verbos en español, como en 'temblar / tiemblo', 'volar / vuelo'.* □ ETIMOL. Del griego *apó* (lejos de) y *phoné* (sonido).

apogeo s.m. En un proceso, momento o situación de mayor grandeza o intensidad. □ ETIMOL. Del griego *apógeios* (que viene de la tierra).

apógrafo s.m. Copia de un escrito original: *En la Edad Media, los monjes amanuenses realizaron numerosos apógrafos de manuscritos originales que se conservaban en las bibliotecas de sus monasterios.* □ ETIMOL. Del griego *apógraphos* (transcrito).

apolillado, da adj. **1** Con polillas: *una manta apolillada.* **2** *col.* Viejo, anticuado o pasado de moda: *unas ideas apolilladas.*

apolilladura s.f. Agujero que la polilla hace en la ropa y en otros materiales: *Al llegar el invierno, saqué el abrigo del armario y estaba lleno de apolilladuras.*

apolillarse v.prnl. **1** Referido esp. a la ropa, estropearse o deteriorarse por efecto de la polilla: *He puesto bolitas de alcanfor en el armario para que no se apolille la ropa.* **2** Quedarse anticuado o no cambiar: *Hace tanto tiempo que no leo que se me están apolillando las ideas.*

apolíneo, a adj. Referido esp. a un hombre, de gran belleza física. □ ETIMOL. De *Apolo*, dios griego de la música, la poesía y la luz, representado por un joven de gran belleza.

apoliticismo s.m. Actitud que se caracteriza por la falta de participación o de interés en la política: *El apoliticismo de algunos grupos sociales es perjudicial para la buena marcha de la sociedad.* □ MORF. Incorr. **apolitismo.*

apolítico, ca adj. Que no participa en la política ni muestra interés por ella.

apolo s.m. Hombre muy guapo: *Ese actor es un apolo.* □ ETIMOL. Por alusión a Apolo, dios griego de la música, la poesía y la luz representado como un joven de gran belleza.

apologeta s.com. Persona que se dedica al estudio de la apologética o que está especializada en esta parte de la teología. □ SEM. Dist. de *apologista* (persona que hace apología de algo).

apologética s.f. Véase **apologético, ca.**

apologético, ca ▮ adj. **1** De la apología o relacionado con ella: *El carácter apologético de su discurso fue muy comentado en la prensa.* ▮ s.f. **2** Parte de la teología que estudia lo relativo a la verdad de los dogmas de la religión católica. □ SEM. En la acepción 1, dist. de *apológico* (del apólogo).

apología s.f. Escrito o discurso que defiende o alaba algo: *Ante los ataques de la prensa, el ministro hizo una apología de su proyecto.* □ ETIMOL. Del griego *apología* (defensa).

apológico, ca adj. Del apólogo o relacionado con esta composición breve de carácter didáctico: *Los relatos apológicos contienen moralejas.* □ SEM. Dist. de *apologético* (de la apología).

apologista s.com. Persona que hace apología de algo o que lo defiende. □ SEM. Dist. de *apologeta* (persona que estudia la apologética).

apólogo s.m. Composición literaria de carácter narrativo, generalmente breve, cuyos personajes pueden ser seres inanimados o irracionales personificados, y en la que se desarrolla una ficción alegórica con la que se pretende dar una enseñanza útil o moral, frecuentemente sintetizada en una moraleja final: *Dentro de la literatura medieval, destacan los apólogos de Don Juan Manuel contenidos en 'El Conde Lucanor'.* □ ETIMOL. Del latín *apologus*, y este del griego *apólogos* (fábula).

apoltronamiento s.m. **1** Instalación muy cómoda de una persona en un asiento: *Ese apoltronamiento es señal de que te vas a echar una siesta en el sofá, ¿no?* **2** Holgazanería, pereza y falta de cambios, esp. en el trabajo: *Su apoltronamiento le impide estar al día en su profesión.*

apoltronarse v.prnl. **1** Sentarse muy cómodamente: *Se apoltronó en el sofá y se quedó dormido.* **2** Llevar una vida holgazana, comodona o muy sedentaria: *Se ha apoltronado en su trabajo, y ya no tiene ningún interés por aprender cosas nuevas.*

apoplejía s.f. Parada brusca y más o menos completa de la actividad cerebral, que no afecta a la respiración ni a la circulación de la sangre: *La apoplejía puede ser debida a hemorragia, embolia o trombosis de una arteria del cerebro.* □ ETIMOL. Del latín *apoplexia*, este del griego *apoplexia*, y este de *apoplésso* (yo dejo estupefacto, yo derribo).

apopléjico, ca (tb. *apoplético, ca*) ▮ adj. **1** De la apoplejía o relacionado con ella: *El estado apopléjico se caracteriza por la ausencia de sensibilidad y de movimiento consciente.* ▮ adj./s. **2** Que padece apoplejía.

apoplético, ca adj./s. →**apopléjico.**

apoptosis (pl. *apoptosis*) s.f. Proceso biológico en el que la célula muere y desaparece de forma programada desde el interior de ella misma.

apoquinar v. *col.* Pagar, generalmente a disgusto, lo que corresponde: *Apoquina lo que me debes y deja ya de protestar.* □ ORTOGR. Dist. de *acoquinar*.

aporía s.f. En filosofía, dificultad lógica insuperable que se presenta en un razonamiento: *Fueron famosas las aporías del filósofo griego Zenón de Elea.* □ ETIMOL. Del griego *aporía* (dificultad de pasar).

aporofobia s.f. Tendencia o actitud de desprecio y rechazo hacia individuos que no tienen recursos económicos. □ ETIMOL. Del griego *apóros* (sin recursos) y *-fobia* (aversión).

aporreado, da adj. Pobre, mísero o con privaciones y dificultades: *Lleva una vida aporreada porque tiene muy mala suerte.* □ SINÓN. *arrastrado*.

aporreamiento s.m. →**aporreo.**

aporrear v. Golpear repetidamente y con violencia, esp. si es con una porra: *Como el timbre no funcionaba, aporreó la puerta con los puños.*

aporreo s.m. Serie de golpes repetidos y violentos, esp. si se dan con una porra: *Me despertó el aporreo de los vecinos en la puerta de al lado.* □ SINÓN. *aporreamiento*.

aportación s.f. **1** Contribución o entrega de lo necesario o lo conveniente: *La aportación de tu experiencia profesional es fundamental en el éxito de este proyecto.* **2** Lo que se aporta: *La aportación económica que han hecho al proyecto es superior a treinta mil euros.* □ SINÓN. *aporte*.

a porta gaiola (port.) ‖ En tauromaquia, modo de recibir el torero al toro frente a la puerta del toril, generalmente de rodillas y con una larga cambiada: *El público aplaudió cuando el torero recibió al toro a porta gaiola.*

aportar v. **1** Referido a algo necesario o conveniente, proporcionarlo o darlo: *A mí este trabajo me aporta muchas satisfacciones.* **2** En derecho, referido a bienes o valores, llevar alguien la parte que le corresponde a la sociedad a la que pertenece: *¿Qué bienes aporta cada cónyuge al matrimonio?* □ ETIMOL. Del latín *apportare*, y este de *ad* (a) y *portare* (llevar).

aporte s.m. **1** Lo que se aporta: *El aporte de bienes al matrimonio ha sido el mismo por parte de los dos cónyuges.* □ SINÓN. *aportación*. **2** Ayuda, participación o contribución: *Si desayunas leche con cereales enriquecidos, tendrás el aporte de energía necesario.* **3** En geografía, depósito de materiales efectuado por el viento, un río o un glaciar: *El aporte fluvial de materiales en este cauce está siendo excavado por un grupo de arqueólogos.*

aportillar v. **1** Referido a un muro, romperlo para poder entrar por la abertura que se produzca: *Los guerreros aportillaron los muros y entraron en la fortaleza.* **2** Referido a algo duro y compacto, romperlo, abrirlo o descomponerlo: *La figura se aportilló por el calor.* □ ETIMOL. De *portillo*.

aposentamiento s.m. Alojamiento o instalación provisional de alguien en un lugar.

aposentar ▮ v. **1** Dar habitación y hospedaje: *Aposentó al conde en su propia casa.* ▮ prnl. **2** *col.* Sentarse o acomodarse: *Tu amigo llegó y se aposentó en mi sillón favorito.* □ ETIMOL. Del latín *ad* (a) y *pausans*, y este de *pausare* (posar).

aposento s.m. **1** Habitación o cuarto de una casa. **2** Hospedaje o alojamiento en el que alguien se instala, generalmente de forma temporal: *Buscamos aposento en una pensión barata pero limpia.* □ SEM. En la acepción 1, se usa referido esp. a las habitaciones de viviendas grandes y lujosas.

aposición s.f. En gramática, construcción en la que un sintagma va yuxtapuesto a otro de su misma categoría gramatical, respecto al cual ejerce una función explicativa o determinativa: *En 'María, tu hermana, es mi mejor amiga', 'tu hermana' funciona como aposición de 'María'.* □ ETIMOL. Del latín *appositio*.

apositivo, va adj. En gramática, de la aposición o relacionado con ella: *una construcción apositiva.*

apósito s.m. En medicina, remedio para la curación de una lesión o de una herida, que está impregnado con sustancias curativas y se aplica exteriormente sujeto con una venda: *Antes de colocarle el apósito sobre la herida, se la desinfectaron bien.*

aposta (tb. *a posta*) adv. A propósito o intencionadamente: *¡Cómo te iba a pisar aposta, malpensada!* □ SINÓN. *adrede.* □ ETIMOL. Del latín *apposita ratione*.

apostante adj.inv./s.com. Que apuesta: *De todos los apostantes, solo tres han acertado.*

apostar v. **1** Referido a algo que se fija de antemano, acordar entre dos o más personas que lo pagará o lo hará la que no acierte o no tenga razón en algo que se plantea y que es motivo de discusión: *Apostaron una comida a ver quién llegaba antes a la meta.* **2** Referido a una cantidad de dinero, arriesgarla para poder participar en el juego que consiste en acertar el resultado de algo, de forma que, si se acierta, se recibe una cantidad de dinero mucho mayor: *Esta semana he apostado seis euros a las quinielas.* **3** Depositar la confianza en algo, esp. en una persona o en una idea que implica cierto riesgo: *Dice que ha apostado por mí para el puesto de dirección.* **4** Referido esp. a una persona, colocarla en un lugar para que cumpla un determinado objetivo: *El general apostó a sus tropas en lugares estratégicos. Los cazadores se apostaron tras unas rocas.* □ ETIMOL. Las acepciones 1-3, del latín *appositum*, y este de *apponere* (colocar). La acepción 4, del italiano *posta* (lugar del caballo en el establo). □ MORF. En las acepciones 1, 2 y 3, es irreg.: la *o* diptonga en *ue* en los presentes, excepto en las personas *nosotros* y *vosotros* →CONTAR. □ SINT. 1. Constr. de las acepciones 1 y 2: *apostar* A *algo*. 2. Constr. de la acepción 3: *apostar POR algo*. □ SEM. La acepción 3 no debe emplearse con el significado de 'ser partidario, decidirse u optar': *Este partido {*apuesta por/es partidario de} un ejército profesional.*

apostasía s.f. Abandono o negación expresa de unas ideas o de unas creencias, esp. las de la fe cristiana: *La apostasía del catolicismo supone la excomunión.*

apóstata s.com. Persona que apostata de sus ideas o de sus creencias, o las abandona o niega expresamente: *Esos apóstatas negaron la fe que habían recibido en el bautismo.* □ ETIMOL. Del griego *apostátes*, y este de *aphístamai* (me alejo). □ SEM. Dist. de *hereje* (que se aparta de los dogmas).

apostatar v. Referido esp. a unas creencias, renegar de ellas o negarlas expresamente: *Apostató del catolicismo.* □ SINT. Constr. *apostatar* DE *algo*.

apostema (tb. *postema*) s.f. Absceso o acumulación de pus que supura. □ ETIMOL. Del latín *apostema*, y este del griego *apóstema* (alejamiento, absceso).

a posteriori (lat.) || **1** Una vez conocido el asunto del que se trata: *Dijo que la lana era de mala calidad a posteriori, cuando vio que al lavarla se había estropeado.* **2** Que va del efecto a la causa o de las propiedades a la esencia: *Observando las cosas se llega a un conocimiento a posteriori.*

apostilla s.f. Anotación o comentario que explica o completa un texto: *En los márgenes aparecen apostillas que explican la relación de lo que dice el texto con la biografía del autor.* □ ETIMOL. Del latín *postilla*, y este quizá por contracción de *post illa* (después de aquellas cosas).

apostillar v. Referido a un texto, ponerle apostillas: *Cuando dije que no quería su ayuda, mi socio apostilló: «Ni la quieres, ni la necesitas».*

apóstol s.m. **1** Cada uno de los doce discípulos que Jesucristo eligió para que predicaran y extendieran el Evangelio. **2** Evangelizador o predicador: *San Francisco Javier es el apóstol de las Indias.* **3** Persona que defiende, enseña y propaga unas ideas o creencias: *Soy apóstol de la no violencia.* □ ETIMOL. Del latín *apostolus*, y este del griego *apóstolos* (enviado). □ MORF. Incorr. el femenino **la apóstol.*

apostolado s.m. **1** Enseñanza y propagación del Evangelio: *La labor de apostolado no es exclusiva de los misioneros.* **2** Campaña de propaganda a favor de unas ideas o creencias, o en defensa de una causa que se considera justa: *La labor de apostolado a favor de la no violencia fue una característica en la vida de Gandhi.*

apostólico, ca adj. **1** De los apóstoles o relacionado con ellos: *mensaje apostólico.* **2** Que procede del Papa o de su autoridad: *el nuncio apostólico.* **3** Referido a la Iglesia, que procede en cuanto a su origen y a su doctrina de los apóstoles: *La iglesia católica se define a sí misma como apostólica.*

apostrofar v. Invocar o llamar a alguien en un tono emocionado: *Ante tanta desgracia apostrofó al Destino diciendo: «¡Oh, Fortuna caprichosa! ¿Qué otros castigos me tenéis preparados?».*

apóstrofe s.amb. Figura retórica consistente en dirigir la palabra en tono emocionado a una persona o cosa personificada, generalmente utilizando la segunda persona e interrumpiendo el hilo del discurso: *Tenemos un ejemplo de apóstrofe en el verso de Espronceda 'Para y óyeme, oh Sol, yo te saludo'.* □ ETIMOL. Del latín *apostrophe*, y este del griego *apostrophé* (acción de apartarse). □ ORTOGR. Dist. de *apóstrofo*.

apóstrofo s.m. En ortografía, signo gráfico que se emplea para indicar la elisión de una letra o de una cifra: *Un ejemplo de uso del apóstrofo en francés se da en el artículo determinado singular cuando el* *sustantivo al que acompaña empieza por vocal: 'l'enfant < l(e) enfant', 'l'eau < l(a) eau'.* □ ETIMOL. Del griego *apóstrophos* (que se aparta). □ ORTOGR. Dist. de *apóstrofe.* □ USO Por influencia del inglés, se usa mucho en la indicación de un año: *'96 (1996).*

apostura s.f. Elegancia y gallardía de una persona, esp. en sus gestos y movimientos.

apoteca s.f. *ant.* →**botica.** □ ETIMOL. Del griego *apothéka* (depósito, almacén).

apotegma s.f. Frase breve y sentenciosa, muy conocida, que se atribuye a un personaje célebre: *El apotegma 'Sangre, sudor y lágrimas' es de Churchill.* □ ETIMOL. Del griego *apóphthegma*, y este de *apophthéngomai* (yo declaro, yo enuncio una sentencia). □ ORTOGR. Dist. de *apotema.*

apotema s.f. Línea perpendicular trazada desde el centro de un polígono regular a cualquiera de sus lados: *La apotema de este pentágono une su centro con el punto medio de uno de sus lados.* □ ETIMOL. Del griego *apotíthemi* (deponer, bajar). □ ORTOGR. Dist. de *apotegma.*

apoteósico, ca (tb. *apoteótico, ca*) adj. **1** Que recibe la aprobación y el aplauso generales: *un éxito apoteósico.* **2** Excelente o deslumbrante, por ser el momento culminante de algo: *un final apoteósico.*

apoteosis (pl. *apoteosis*) s.f. Culminación brillante de algo, esp. de un espectáculo: *Este año está viviendo la apoteosis de su triunfo como deportista.* □ ETIMOL. Del griego *apothéosis* (endiosamiento).

apoteótico, ca adj. →**apoteósico.**

apoyabrazos (pl. *apoyabrazos*) s.m. Pieza que sirve para reposar o apoyar en ella el brazo. □ SINÓN. *reposabrazos.*

apoyacabezas (pl. *apoyacabezas*) s.m. Pieza o parte superior de un asiento que sirven para reposar o apoyar en ellas la cabeza. □ SINÓN. *reposacabezas.*

apoyamuñecas (pl. *apoyamuñecas*) s.m. Pieza que se acopla al teclado de un ordenador y para apoyar en ella las muñecas y evitar lesiones. □ SINÓN. *reposamuñecas.*

apoyar v. **1** Referido esp. a una cosa, hacer que descanse sobre otra, de modo que esta sostenga a aquella: *Apoyó la bicicleta en la pared. Apóyate en mí, si ves que te cansas.* **2** Referido esp. a una opinión o una doctrina, basarlas o fundarlas en datos o razones que las justifiquen: *Apoyo mis propuestas en datos concretos. ¿En qué te apoyas para decir eso?* **3** Referido a una opinión o una doctrina, confirmarlas o reforzarlas: *Lo que acabas de decir apoya mi teoría.* **4** Referido a una persona o a una empresa, favorecerlas, patrocinarlas o ayudarlas a conseguir lo que se proponen: *Mis padres me apoyan en todo lo que hago.* □ ETIMOL. Del italiano *appoggiare.*

apoyatura s.f. **1** →**apoyo. 2** En música, nota cuyo valor se toma del signo siguiente para no alterar la duración del compás: *La apoyatura es una nota de adorno.* □ ETIMOL. Del italiano *appoggiatura.*

apoyo s.m. **1** Lo que sirve para sujetar o sostener algo y evitar que se caiga: *Estos pilares son el apoyo de todo el edificio.* □ SINÓN. *apoyatura.* **2** Lo que justifica, prueba o confirma una idea, opinión o doctrina: *Un montaje de diapositivas sirvió de apoyo a la conferencia.* □ SINÓN. *apoyatura.* **3** Ayuda y protección: *Sé que siempre tendré el apoyo de mi familia.* □ SINÓN. *apoyatura.*

applet (ing.) s.m. Aplicación informática escrita en lenguaje java, que se difunde a través de la red y se ejecuta en el navegador del usuario. □ PRON. [áplet].

apreciable adj.inv. Que merece ser apreciado y estimado. □ SEM. No debe emplearse con el significado de 'considerable' (anglicismo): *Ha habido una {*apreciable > considerable} cantidad de errores.*

apreciación s.f. **1** Valoración que alguien hace de algo, objetiva o subjetivamente. **2** Captación, por los sentidos o por la inteligencia, de las cosas o de sus cualidades: *Desde esta distancia solo es posible la apreciación de una ligera silueta.*

apreciado, da adj. Querido o muy valorado.

apreciar v. **1** Referido a algo, reconocer y valorar su mérito: *Veo que sabes apreciar un buen libro. Aprecio mucho lo que estás haciendo por mí.* **2** Referido a una persona, sentir cariño o estima hacia ella: *Te aprecio porque eres sincera conmigo.* **3** Referido a las cosas y sus cualidades, captarlas por los sentidos o por la inteligencia: *Aprecio cierta ironía en tus palabras.* **4** Referido a una moneda, aumentar su valor o cotización: *El euro se apreció un dos por ciento en la última semana frente al dólar.* □ ETIMOL. Del latín *appretiare.* □ ORTOGR. La *i* nunca lleva tilde. □ MORF. En la acepción 4, se usa más como pronominal.

apreciativo, va adj. De la apreciación o valoración de algo: *un cálculo apreciativo.*

aprecio s.m. **1** Cariño o estima que se siente por alguien a quien se atribuyen determinadas cualidades. **2** Reconocimiento y valoración positiva del mérito o la importancia de algo: *Pensé que le encantaría el regalo, pero no le hizo ningún aprecio.*

aprehender v. **1** Referido a una persona, apresarla, detenerla o privarla de libertad: *Los ladrones fueron aprehendidos horas después del robo.* **2** Referido esp. a un botín, capturarlo o apropiarse de él: *La policía ha aprehendido un alijo de droga.* **3** Referido a una idea o a un conocimiento, asimilarlos o comprenderlos: *No consiguió aprehender las explicaciones del profesor.* □ ETIMOL. Del latín *apprehendere.* □ ORTOGR. Dist. de *aprender.*

aprehensión s.f. **1** Apresamiento o detención de alguien: *La policía llevó a cabo la aprehensión de un comando terrorista.* **2** Captura de un botín o de una mercancía de contrabando: *La noticia de la aprehensión de varios barcos de contrabando causó sensación en el pueblo.* **3** Asimilación o comprensión de una idea o de un conocimiento: *La aprehensión de esa explicación me ha resultado muy difícil.* □ ORTOGR. Dist. de *aprensión.*

aprehensivo, va adj. Capaz de aprehender o asimilar una idea o un conocimiento: *Se le dan muy bien las matemáticas porque tiene mucha capacidad aprehensiva.* □ ORTOGR. Dist. de *aprensivo.*

apremiante adj.inv. Que urge o apremia: *Es apremiante que terminemos cuanto antes este trabajo.*

apremiar v. **1** Referido a una persona, meterle prisa u obligarla con fuerza o con autoridad a que haga algo con rapidez: *No la apremies tanto, y déjala trabajar a su ritmo. Debemos terminar de una vez la elaboración del anuario porque el tiempo apremia.* **2** Urgir o ser necesaria o conveniente la inmediata ejecución de algo: *Me apremia saber si he aprobado o no.* □ ETIMOL. Del latín *premere* (apretar, oprimir). □ ORTOGR. La *i* nunca lleva tilde.

apremio s.m. Prisa o presión ejercida para que alguien haga algo con rapidez: *Con tanto apremio me van a volver loco.*

aprender v. **1** Referido a un conocimiento, adquirirlo por medio del estudio o de la experiencia: *Con este método es muy fácil aprender a escribir a máquina. Tengo que aprenderme esta lección para mañana.* **2** Fijar en la memoria: *Tu número de teléfono es muy fácil de aprender. Apréndete esta contraseña y dila cuando te la pidan.* □ ETIMOL. Del latín *apprehendere.* □ ORTOGR. Dist. de *aprehender.*

aprendiente adj.inv./s.com. Que recibe enseñanza.

aprendiz, -a s. Persona que aprende un arte o un oficio manual: *Es aprendiz de albañil.*

aprendizaje s.m. Adquisición de unos conocimientos, esp. en un arte o en un oficio: *En el aprendizaje de una lengua extranjera resulta más difícil la expresión que la comprensión.*

aprensión s.f. **1** Escrúpulo o recelo que se sienten hacia algo, esp. por miedo a contagiarse de una enfermedad o a recibir algún daño. **2** Temor infundado: *Aquí no hay nadie, solo son aprensiones tuyas.* □ ETIMOL. Del latín *apprehensio.* □ ORTOGR. Dist. de *aprehensión.*

aprensivo, va adj./s. Que siente un miedo excesivo a contagiarse de alguna enfermedad o a sufrir algún daño, o una excesiva preocupación por sus dolencias: *Mi prima es muy aprensiva y nunca deja que nadie beba de su mismo vaso.* □ ORTOGR. Dist. de *aprehensivo.*

apresamiento s.m. Captura o fuerte sujeción: *El apresamiento de los falsificadores fue un éxito policial.*

apresar v. **1** Coger fuertemente con las garras o los colmillos: *Los galgos apresaron a la liebre con los dientes.* **2** Encerrar o poner en prisión: *La policía ha conseguido apresar al asesino más buscado del país.* **3** Atar o sujetar con fuerza, privando de libertad de movimiento: *El tigre fue apresado con unas redes.* □ SINÓN. *aprisionar.* **4** Referido a una embarcación, tomarla por la fuerza: *Una patrullera marroquí ha apresado a un pesquero español por faenar en sus aguas jurisdiccionales.* □ ETIMOL. Del latín *apprensare.*

après ski (fr.) s.m. ‖ Tiempo que se pasa en una estación de esquí después de esquiar y conjunto de actividades de entretenimiento que se pueden realizar en ese tiempo: *botas de après ski.* □ PRON. [apreskí]. □ USO Su uso es innecesario.

après soleil (fr.) s.m. ‖ Crema hidratante para después de tomar el sol. □ PRON. [apré soléil]. □ USO Su uso es innecesario.

aprestar v. **1** Preparar o disponer con lo necesario: *Se aprestaba a comer cuando le llamaron por teléfono.* **2** Referido a un tejido, prepararlo con ciertas sustancias para que tenga más consistencia y quede más rígido: *He aprestado la camisa con almidón.* □ ETIMOL. Del latín *praestus.* □ SINT. Constr. *aprestarse* A *hacer algo.*

apresto s.m. Preparación de un tejido para que tenga una mayor consistencia o una mayor rigidez: *Una forma sencilla de hacer un buen apresto es planchar las telas con agua y almidón.*

apresurado, da adj. Que muestra o que tiene prisa: *Caminaba apresurada porque llegaba tarde.*

apresuramiento s.m. Prisa por hacer algo cuanto antes: *Si trabajases con menos apresuramiento, no te equivocarías tan a menudo.*

apresurar ▌ v. **1** Imprimir velocidad: *Apresuró el paso para llegar antes a casa.* ▌ prnl. **2** Darse prisa: *Apresúrate, o llegaremos tarde.* □ ETIMOL. Del antiguo *presura* (aprieto, congoja), y este del latín *pressura* (acción de apretar).

apretado, da adj. **1** Difícil, peligroso o arriesgado: *En las situaciones apretadas demuestra siempre una gran serenidad.* **2** Lleno de obligaciones, actividades o trabajos: *una jornada muy apretada.* **3** Ajustado, estrecho o con poco margen: *un resultado muy apretado.*

apretar v. **1** Oprimir o ejercer presión: *Apretó los dientes con fuerza para contener su rabia.* **2** Venir demasiado ajustada una prenda de vestir: *He engordado, y los pantalones me aprietan.* **3** Apiñar, comprimir o juntar estrechamente: *Aprieta bien las cosas de la maleta para que quepa todo. Si nos apretamos, cabe uno más en el coche.* **4** Acosar con ruegos, con razones o con amenazas: *Si lo aprietas un poco, conseguirás que te conceda una entrevista.* **5** Referido a algo que sirve para estrechar, tirar de ello para que ejerza una mayor presión: *Aprieta bien los cordones de los zapatos antes de anudarlos.* **6** Referido a algo que tiene rosca, enroscarlo con fuerza hasta el tope: *¿Has apretado bien los tornillos?* **7** Actuar o darse con mayor intensidad que la normal: *Si apretáis un poco a final de curso, aprobaréis todas las asignaturas. En diciembre el frío aprieta.* □ ETIMOL. Del latín *appectorare* (estrechar contra el pecho). □ MORF. Irreg. →PENSAR.

apretón s.m. **1** Presión fuerte y rápida que se ejerce sobre algo: *un apretón de manos.* **2** Falta de espacio causada por el exceso de gente: *Los carteristas roban en el autobús aprovechando los apretones de las horas punta.* **3** *col.* Movimiento violento de los intestinos que produce una necesidad repentina e incontenible de defecar: *dar un apretón.*

apretujamiento s.m. **1** *col.* Presión fuerte o reiterada que se ejerce sobre algo: *El apretujamiento de los papeles antes del discurso era un síntoma de su nerviosismo.* **2** *col.* Amontonamiento de varias personas en un espacio muy reducido: *¡Qué apretujamiento había hoy en el metro!*

apretujar ▮ v. **1** *col.* Apretar con fuerza o repetidas veces: *No apretujes tanto al gatito, que lo vas a asfixiar.* ▮ prnl. **2** *col.* Referido a varias personas, amontonarse en un lugar demasiado pequeño: *Si nos apretujamos un poco, cabremos los cuatro en el sofá.* □ ORTOGR. Conserva la *j* en toda la conjugación.

apretujón s.m. *col.* Presión fuerte o reiterada que se ejerce sobre algo, esp. sobre una persona: *Cuando el autobús va lleno, todo son apretujones y codazos.*

apretura s.f. **1** Opresión causada por el exceso de gente que hay en un sitio: *No me gusta comprar en rebajas, por las apreturas que hay en todas las tiendas.* **2** Falta o escasez de algo, esp. de alimentos: *Con el aumento de sueldo, se terminarán las apreturas a fin de mes.* **3** Apuro o situación difícil de resolver: *¡Menudas apreturas pasé cuando estuve a punto de caerme del tejado!* □ SINÓN. *aprieto.*

aprieto s.m. Apuro o situación difícil de resolver: *No veas los aprietos que pasé cuando me perdí en la montaña. No me pidas este favor porque me pones en un aprieto.* □ SINÓN. *apretura.* □ ETIMOL. De *apretar.*

a priori (lat.) ‖ **1** Antes de examinar el asunto del que se trata: *A priori no me parece un mal negocio, pero déjame un tiempo para analizarlo.* **2** Que va de la causa al efecto o de la esencia a las propiedades: *Muchas demostraciones matemáticas son demostraciones a priori.*

apriorismo s.m. Método en el que se emplea sistemáticamente el razonamiento a priori: *El apriorismo de Kant sostiene que todo conocimiento comienza con la experiencia, pero no todo él proviene de la experiencia.*

apriorístico, ca adj. Del apriorismo o relacionado con este método de razonamiento: *Las demostraciones matemáticas son generalmente apriorísticas.*

aprisa (tb. *a prisa*) adv. Con mucha rapidez: *Lo hizo aprisa y terminó pronto.* □ SINÓN. *deprisa.*

aprisco s.m. Lugar en el que los pastores recogen el rebaño para resguardarlo del frío o de la intemperie: *Por las noches el pastor recoge sus ovejas en el aprisco con la ayuda de sus perros.* □ ETIMOL. De *apriscar* (recoger el ganado).

aprisionamiento s.m. Sujeción de algo con fuerza, de forma que no pueda moverse.

aprisionar v. Atar o sujetar con fuerza, privando de libertad de movimiento: *Me aprisionó entre sus brazos y no me dejaba escapar.* □ SINÓN. *apresar.*

aproar v. Referido a una embarcación, dirigir su proa hacia un lugar determinado: *Los barcos aproaban hacia el puerto.*

aprobación s.f. Aceptación de algo que se da por bueno o que se considera válido: *Su propuesta mereció la aprobación de todos los asistentes.*

aprobado s.m. Calificación académica mínima que indica que se ha superado el nivel exigido: *No me conformo con un simple aprobado.* □ SINÓN. *suficiente.*

aprobar v. **1** Dar por válido, bueno o suficiente: *No apruebo tu decisión de abandonar los estudios.* **2** Referido esp. a un examen, obtener la certificación de que se poseen los conocimientos mínimos exigidos: *He aprobado literatura con notable.* □ ETIMOL. Del latín *approbare.* □ MORF. Irreg. →CONTAR.

aprobatorio, ria adj. Que aprueba o que implica aprobación: *palabras aprobatorias.*

aprontar v. **1** Preparar algo con rapidez: *En un momento aprontó todo lo necesario para el viaje y se vino con nosotros.* **2** Entregar lo antes posible, esp. referido al dinero: *Los socios del club deben aprontar un suplemento para pagar las recientes reformas.* □ ETIMOL. De *pronto.*

apropiación s.f. Adquisición de algo como propio, esp. si es de forma indebida: *La apropiación de ese dinero te va a traer problemas con la ley.*

apropiado, da adj. Que cumple las características adecuadas para el fin al que se destina: *Ese traje es muy apropiado para esta fiesta.*

apropiar ▮ v. **1** Acomodar o adaptar correctamente: *Intenta siempre apropiar tu comportamiento a las circunstancias.* ▮ prnl. **2** Referido a algo ajeno, hacerse dueño de ello: *Se le acusa de haberse apropiado de dinero que no le pertenecía.* □ ETIMOL. Del latín *appropiare.* □ ORTOGR. La *i* nunca lleva tilde.

apropincuarse v.prnl. Acercarse: *Apropíncuate, que así tendremos menos frío.* □ ETIMOL. Del latín *appropinquere*, y este de *ad* (a) y *propinquus* (cercano). □ ORTOGR. La *u* nunca lleva tilde. □ USO Tiene un matiz humorístico.

apropósito s.m. Obra de teatro muy breve, que se escribe sobre un asunto determinado: *En el entreacto se representó un apropósito de tema castizo.* □ ORTOGR. Dist. de *a propósito.*

aprovechable adj.inv. Que se puede aprovechar.

aprovechado, da ▮ adj. **1** Que saca provecho de todo, incluso de lo que otros suelen desperdiciar: *Es muy aprovechado y con las sobras de la comida hará una sopa para cenar.* **2** Que es aplicado o que pone interés en lo que hace: *Los alumnos más aprovechados de la clase no necesitarán hacer examen final.* ▮ adj./s. **3** Que saca beneficio de las circunstancias favorables, generalmente sin escrúpulos o a costa de los demás: *Tiene fama de ser un aprovechado y de mirar siempre en su propio beneficio.*

aprovechamiento s.m. Obtención de un beneficio o de un provecho: *aprovechamiento forestal; estudiar con aprovechamiento.*

aprovechar ▮ v. **1** Emplear útilmente o sacar el máximo rendimiento: *He aprovechado el hueso del jamón para hacer un caldo. Ahora que tienes dinero, aprovecha y vete de viaje.* **2** Avanzar en el aprendizaje de una materia: *¿Habéis aprovechado en clase de matemáticas?* **3** Servir de provecho: *¿Te aprovecharon los apuntes que te dejé?* ▮ prnl. **4** Sacar provecho, esp. con astucia o con engaños: *Se aprovechó de mi inocencia y me timó.* **5** *col.* Propasarse sexualmente: *Al verla tan borracha, intentó* *aprovecharse de ella.* ☐ SINT. 1. Constr. de la acepción 2: *aprovechar EN algo.* 2. Constr. de las acepciones 4 y 5: *aprovecharse DE algo.*

aprovechón, -a adj./s. *col.* Aprovechado o que saca beneficio de las circunstancias favorables.

aprovisionamiento s.m. Suministro o entrega de lo que resulta necesario, esp. víveres: *El aprovisionamiento de alimentos a las víctimas del terremoto se realizó gracias a la ayuda internacional recibida.* ☐ SINÓN. *abastecimiento.*

aprovisionar v. Referido a algo que resulta necesario, esp. a víveres, suministrarlo o proveer de ello: *Esta empresa aprovisiona de pan a varios restaurantes. Se aprovisionaron de comida para toda la semana.* ☐ SINÓN. *abastecer, abastar.* ☐ SINT. Constr. *aprovisionar DE algo.*

aproximación s.f. **1** Acercamiento o colocación en una posición más próxima: *Se espera una aproximación de posturas entre Gobierno y sindicatos.* **2** En la lotería nacional, cada uno de los premios que se conceden a los números anterior y posterior de los primeros premios de un sorteo. **3** En matemáticas, diferencia admisible entre un valor obtenido en una medición o cálculo y el valor exacto desconocido: *Esto se ha medido con una aproximación de tres decimales.*

aproximado, da adj. →**aproximativo.**

aproximar v. Acercar, arrimar o poner más cerca: *Aproxima la silla a la pared, por favor. Aproxímate para que pueda verte bien.*

aproximativo, va adj. Que se aproxima o que se acerca más o menos a lo exacto: *un cálculo aproximativo.* ☐ SINÓN. *aproximado.*

ápside s.m. Cada uno de los dos extremos del eje mayor de la órbita de un planeta: *La línea de los ápsides une los puntos de mayor y menor proximidad al Sol de un planeta.* ☐ ETIMOL. Del griego *apsís*, y este de *ápto* (enlazo). ☐ ORTOGR. Dist. de *ábside.* ☐ USO Se usa más en plural.

áptero, ra adj. **1** Que no tiene alas: *La mayoría de las hormigas son ápteras.* **2** Referido a un templo antiguo, que carece de pórticos con columnas en sus fachadas laterales: *En esas ruinas hubo un templo áptero.* ☐ ETIMOL. Del griego *ápteros*, y este de *a-* (privación) y *pterón* (ala).

aptitud s.f. Capacidad para llevar a cabo una tarea o para realizar bien una función determinada: *Desde niña demostró aptitud para la pintura.* ☐ ETIMOL. Del latín *aptitudo.* ☐ ORTOGR. Dist. de *actitud.* ☐ SINT. Constr. *aptitud PARA algo.*

aptitudinal adj.inv. De la aptitud o relacionado con ella.

apto, ta adj. Que es apropiado o idóneo para un determinado fin: *Esta película no es apta para menores de trece años.* ☐ ETIMOL. Del latín *aptus.* ☐ ORTOGR. Dist. de *acto.*

apud (lat.) prep. En la obra de, o en el libro de: *La expresión 'apud Covarrubias' quiere decir 'en la obra de Covarrubias'.* ☐ PRON. [ápud].

apuesta s.f. Véase **apuesto, ta.**

apuesto, ta ▮ adj. **1** Que resulta elegante y de buena presencia. ▮ s.f. **2** Acuerdo entre dos o más personas según el cual la persona que acierte o tenga razón en el motivo de discusión recibirá de los perdedores el premio fijado de antemano: *Hicieron una apuesta a ver quién corría más rápido.* **3** Gasto de una cantidad de dinero para poder participar en un juego, en el que, si se gana, se recibe una cantidad superior a la apostada: *juegos de apuestas.* **4** Lo que se arriesga en estos acuerdos o en estos juegos: *Tú eres testigo de que la apuesta en la carrera es una cena.* **5** Depósito de la confianza en algo que implica cierto riesgo: *La apuesta por la innovación de esta empresa ha sido muy alabada en círculos especializados.* ☐ ETIMOL. La acepción 1, del latín *appositus*, y este de *apponere* (colocar). Las acepciones 2-5, de *apostar.*

apunarse v.prnl. En zonas del español meridional, provocar puna o mal de montaña, o sufrirlo: *Me apuné en la subida.*

apuntación s.f. →**apuntamiento.**

apuntado, da adj. Con los extremos terminados en punta: *Los arcos ojivales son arcos apuntados.*

apuntador, -a ▮ adj./s. **1** Que apunta. ▮ s. **2** En el teatro, persona que permanece oculta a los espectadores y que en voz baja recuerda a los actores lo que deben decir en escena: *En los antiguos teatros, el apuntador se ocultaba del público en la concha del escenario.*

apuntalamiento s.m. Colocación de puntales: *Ante el estado de ruina del edificio, la arquitecta municipal ordenó su apuntalamiento.*

apuntalar v. **1** Colocar puntales, esp. para reforzar o para evitar un derrumbe: *Habrá que apuntalar las paredes que estén a punto de caerse.* **2** Referido esp. a una opinión, sostenerla: *Mi abuela apuntala sus razonamientos con refranes.*

apuntamiento s.m. **1** Colocación de un arma en la dirección del objetivo o del blanco: *El general ordenó el apuntamiento de los cañones hacia las murallas.* ☐ SINÓN. *apuntación.* **2** Anotación de algo por escrito: *La encargada hizo el apuntamiento de la mercancía que se descargó del camión.* ☐ SINÓN. *apuntación.*

apuntar ▮ v. **1** Señalar o estar dirigido hacia un lugar determinado: *La brújula apunta al Norte.* **2** Referido a un arma, colocarla o dirigirla en la dirección del objetivo o del blanco deseado: *El cazador apuntó cuidadosamente el rifle a la cabeza del jabalí. Has fallado el tiro porque no has apuntado bien.* **3** Señalar, indicar o llamar la atención: *La profesora me apuntó la posibilidad de solicitar una beca.* **4** Pretender, ambicionar o desear fervientemente: *Esta chica no se conforma con cualquier puesto, sino que es ambiciosa y apunta a lo más alto.* **5** Referido a una persona, inscribirla en una lista o en un registro, o hacerla miembro de una agrupación o de una sociedad: *Me apuntaron para participar en un concurso sin que yo lo supiera. Cuando se habla de hacer algo, es la primera en apuntarse.* **6** Referido a un dato, tomar nota de ello por escrito: *Si me llama alguien cuando no estoy, apúntame el recado.* □ SINÓN. *anotar.* **7** Referido a un tema, insinuarlo o tocarlo ligeramente: *En la primera clase el profesor apuntó los temas que formaban parte del trimestre.* **8** En el teatro, referido a un texto, recordárselo a los actores el apuntador: *Este actor se distrae a menudo y hay que apuntarle el texto, porque se le olvida.* **9** Referido esp. a algo que se ha olvidado, sugerírselo a alguien para que lo recuerde o para que lo corrija: *Mi compañero me apuntó la segunda pregunta del examen.* **10** Empezar a manifestarse o a aparecer: *Apuntaba el día cuando llegamos a nuestro destino.* ▮ prnl. **11** Referido a un éxito o a un tanto, atribuírselo o conseguirlo: *Con esta victoria nos hemos apuntado un éxito sin precedente.* □ ETIMOL. De *punta.*

apunte ▮ s.m. **1** Nota breve que se toma por escrito, esp. si es para recordar algo. **2** Dibujo rápido que se hace del natural: *Como no me hacía idea de la distribución de la casa, el arquitecto cogió un lápiz y me hizo un apunte.* **3** En el teatro, texto escrito del que se sirve el apuntador: *Si la apuntadora está enferma, que lea el apunte alguno de los actores.* ▮ pl. **4** Resumen de la explicación del profesor tomada por escrito por los alumnos: *¿Me dejas fotocopiar tus apuntes de historia?*

apuntillar v. **1** Referido a un toro, rematarlo con la puntilla: *Después de dar la estocada, el torero se retiró para que un mozo de su cuadrilla apuntillara al toro.* □ SINÓN. *acachetar.* **2** *col.* Rematar, acabar de estropear o dar el golpe definitivo: *Estábamos en una situación económica muy mala, pero aquellas deudas nos apuntillaron.*

apuñalamiento s.m. Ataque a una persona dándole puñaladas.

apuñalar v. Dar puñaladas: *Lo apuñalaron para robarle la cartera.*

apurado, da adj. **1** Que carece de dinero y de lo que resulta necesario: *Siempre llego a fin de mes muy apurado.* **2** Que presenta cierta dificultad o que resulta angustioso: *La tormenta de nieve nos hizo vivir una situación apurada en la montaña el verano pasado.*

apurar ▮ v. **1** Acabar o llevar hasta el último extremo: *Apuró toda el agua del vaso.* **2** Agotar o aprovechar al máximo: *Apuró hasta el último día de las vacaciones para volver a su casa.* **3** Apremiar o meter prisa: *Apura, o llegaremos tarde.* **4** Molestar, enfadar o hacer perder la paciencia: *Cualquier cosa te apura y te pone nervioso.* ▮ prnl. **5** Afligirse, preocuparse o perder la calma: *No te apures, que todo tiene solución y ya encontraremos la forma de salir de esta.* □ ETIMOL. De *puro.*

apuro s.m. **1** Gran escasez de algo, esp. de dinero: *La herencia nos ha sacado de apuros.* **2** Conflicto, aprieto o situación difícil: *Tienes que ayudarme, porque estoy en un apuro.* **3** Vergüenza o reparo que se sienten por algo: *¡Qué apuro pasé el otro día cuando me di cuenta de que había salido a la calle en zapatillas!* **4** En zonas del español meridional, prisa: *¡Qué tiempos aquellos en los que nadie tenía apuro!*

aquagym s.m. Tipo de gimnasia que se hace en una piscina: *En mi gimnasio, se puede hacer aquagym en la piscina.* □ PRON. [acuayín].

aquaplaning s.m. **1** Efecto que se produce cuando hay tanta agua sobre el pavimento que impide la adherencia de las ruedas al suelo: *Los pilotos condujeron a escasa velocidad para evitar los peligrosos efectos del aquaplaning.* **2** Deporte consistente en deslizarse sobre el agua a la mayor velocidad posible: *En las costas de California se practica mucho el aquaplaning.* □ ETIMOL. La acepción 1, del francés *aquaplaning.* La acepción 2, del inglés *aqua-planning.* □ PRON. [acuaplánin].

aquarium s.m. →**acuario.**

aquejar v. Referido esp. a una enfermedad, afectar o causar daño: *Al pobre hombre lo aquejan todos los males.* □ ETIMOL. De *quejar.* □ ORTOGR. Conserva la *j* en toda la conjugación.

aquel, aquella (pl. *aquellos, aquellas*) ▮ demost. **1** Designa lo que está más lejos, en el espacio o en el tiempo, de la persona que habla y de la persona que escucha: *Aquel año llovió mucho. Este de aquí es mi coche y aquel de allí es el de mi hermana.* **2** Designa un término del discurso que se nombró en primer lugar: *Tiene un amigo y dos amigas, pero aquel chico vive fuera de su ciudad. Pidió ayuda a Luis y a Pedro, pero aquel se la negó.* ▮ s.m. **3** Cualidad imprecisa o indeterminada: *Es una persona con mucho aquel, cautivadora y atractiva.* □ ETIMOL. Del latín *eccum* (he aquí) e *ille, illa* (aquel, aquella). □ ORTOGR. Como pronombre demostrativo debe llevar tilde para diferenciarlo del adjetivo cuando pueda haber ambigüedad: *Veo a aquel médico (estoy viendo a un médico concreto)*, frente a *Veo a aquél médico (veo que puede llegar a ser médico).* □ USO Como demostrativo, pospuesto a un sustantivo precedido del artículo determinado, suele tener un matiz despectivo: *¿Volviste a ver al hombre aquel?*

aquelarre s.m. Reunión nocturna de brujos y brujas: *La tradición afirma que el demonio acude a los aquelarres bajo la forma de un macho cabrío.* □ ETIMOL. Del euskera *akelarre* (prado del macho cabrío).

aquella demos. f. de **aquel.**

aquello pron.demost. Designa objetos o situaciones lejanos, señalándolos sin nombrarlos: *Me gustaba aquello de salir a pasear por el campo. Aquello es lo que más recuerdo de él.* □ ORTOGR. Nunca lleva tilde. □ MORF. No tiene plural.

aquellos demos. pl. de **aquel.**

aqueménida adj.inv./s.com. →**aqueménide.**

aqueménide adj.inv./s.com. De la antigua dinastía persa que reinó hasta la conquista de Alejandro Magno (emperador macedonio del s. IV a. C.), o relacionado con ella: *Darío III fue el emperador aqueménide vencido por Alejandro Magno.* □ SINÓN. *aqueménida.* □ ETIMOL. Por alusión al legendario Aquemenes, del s. VII a. C.

aquende adv. *poét.* Más acá de, o en la parte de acá de. □ ETIMOL. Del latín *eccum inde.* □ USO Su uso es característico del lenguaje literario.

aquenio s.m. En botánica, fruto seco, con una sola semilla en su interior rodeada por una envoltura externa no soldada a ella: *El fruto del girasol es un aquenio.* □ ETIMOL. Del latín *achaenium*, y este del griego *kháino* (me abro).

aqueo, a adj./s. De un pueblo de la antigua Grecia o relacionado con él: *Los soldados aqueos lucharon contra los troyanos.*

aquerenciarse v.prnl. Referido a un animal, acostumbrarse a un lugar: *El perro vagabundo que recogimos se ha aquerenciado muy bien a nuestra casa.*

aqueste, ta (pl. *aquestos, aquestas*) demost. *ant.* →**este.** □ ETIMOL. Del latín *eccumiste.*

aquesto pron.demost. *ant.* →**esto.**

aquí adv. **1** En esta posición o lugar o a esta posición o lugar: *¿Vives aquí? Ven aquí. Aquí reside el principal problema.* **2** Ahora, en este momento o entonces: *De aquí en adelante no quiero oír hablar más del asunto.* **3** ‖ **aquí y allá;** en varios lugares sin precisar: *Hemos estado aquí y allá, mirando escaparates.* ‖ **de aquí para allá;** de un lugar a otro: *Llevo toda la mañana de aquí para allá, sin parar ni un momento.* ‖ **de aquí te espero;** *col.* Muy grande o muy importante: *Tuvimos una discusión de aquí te espero.* □ ETIMOL. Del latín *eccum hic.* □ SINT. Incorr. *Ven {*a aquí > aquí}.* □ USO 1. En el lenguaje coloquial se usa como fórmula de presentación de una persona a otra: *Aquí Juan, mi hermano.* 2. Su uso para designar personas se considera un vulgarismo: *{*Aquí > Este hombre} me lo contó todo.*

aquiescencia s.f. Consentimiento en la realización de algo o aceptación de lo propuesto por alguien: *Lo hice con la aquiescencia de mis padres.* □ ETIMOL. Del latín *acquiescere* (entregarse al reposo, consentir calladamente).

aquiescente adj.inv. Que consiente o que autoriza algo: *Es un padre demasiado aquiescente con los caprichos de sus hijos.*

aquietamiento s.m. Apaciguamiento de lo que estaba agitado o nervioso: *¿Cómo has conseguido el aquietamiento de los ánimos en una situación tan violenta?*

aquietar v. Tranquilizar, sosegar o restablecer la calma: *Las caricias de su ama aquietaron al perro. Después de la discusión, los ánimos se aquietaron.*

aquifoliáceo, a ▮ adj./s.f. **1** Referido a un árbol o a un arbusto, que es de hoja perenne, sencilla y con el haz duro y brillante, inflorescencias pequeñas y blancas generalmente agrupadas, y fruto con poca carne y varias semillas: *El acebo es un arbusto aquifoliáceo.* ▮ s.f.pl. **2** En botánica, familia de estas plantas, perteneciente a la clase de las angiospermas dicotiledóneas: *Las aquifoliáceas son propias de países de clima templado.* □ ETIMOL. Del latín *aquifolium* (nombre de una especie de plantas).

aquilatamiento s.m. Examen cuidadoso para fijar el mérito o valor de algo: *El aquilatamiento de las cualidades de los distintos candidatos es necesario para poder elegir al más adecuado.*

aquilatar v. Examinar en profundidad y calibrar: *Debemos aquilatar lo que hacemos en esta situación tan comprometida.* □ ETIMOL. De *quilate.*

aquilino, na adj. *poét.* Aguileño: *un rostro aquilino.* □ ETIMOL. Del latín *aquilinus.*

aquillado, da adj. **1** Con forma de quilla: *Las figuras aquilladas son afiladas y salientes.* **2** Referido a un embarcación, que tiene mucha quilla: *Los barcos aquillados son muy alargados.*

aquilón s.m. Viento que sopla o que viene del Norte: *El aquilón es un viento frío.* □ SINÓN. *norte.* □ ETIMOL. Del latín *aquilo.*

ar interj. En el ejército, expresión que se usa para indicar que hay que cumplir inmediatamente la orden dada: *¡Descanso, ar!*

-ar **1** Sufijo que indica cualidad: *angular, espectacular.* **2** Sufijo que indica relación o pertenencia: *familiar.* **3** Sufijo que indica abundancia: *lodazar, pinar.* □ ETIMOL. Del latín *-aris.*

ara ▮ s.f. **1** Lugar elevado en el que se celebran ritos religiosos. □ SINÓN. *altar.* **2** En el cristianismo, mesa consagrada en la que el sacerdote celebra la misa. □ SINÓN. *altar.* ▮ s.m. **3** Ave que emite sonidos melodiosos o similares al habla: *El periquito es un ara.* **4** ‖ **en aras de** algo; en su beneficio o en su honor: *Renunció a parte de su herencia en aras de la armonía familiar.* □ ETIMOL. Del latín *ara* (altar). □ MORF. Por ser un sustantivo femenino que empieza por *a* tónica o acentuada, va precedido de *el, un, algún, ningún* y de las formas femeninas del resto de los determinantes.

árabe ▮ adj.inv./s.com. **1** De Arabia (península del sudoeste asiático) o relacionado con ella: *El pueblo árabe ha sido tradicionalmente nómada.* □ SINÓN. *arábigo.* **2** De los pueblos de lengua árabe o relacionado con ellos: *Los marroquíes y los argelinos son árabes.* ▮ s.m. **3** Lengua semítica de estos pueblos. □ MORF. Cuando es un sustantivo femenino, pese a empezar por *a* tónica o acentuada, va siempre precedido de las formas femeninas de los determinantes. □ SEM. Dist. de *islámico* y *musulmán* (referente a la religión).

arabesco s.m. Adorno pintado o labrado, compuesto de figuras geométricas y de motivos vegetales entrelazados de forma muy variada y complicada, característico de la arquitectura árabe: *Los arabescos son característicos de la decoración árabe.* □ ETIMOL. Del italiano *arabesco*, y este de *arabo* (árabe), porque los arabescos son adornos característicos del arte musulmán, que no admite representaciones humanas ni animales.

arábigo, ga adj. →**árabe.**

arabismo s.m. En lingüística, palabra, significado o construcción del árabe empleados en otra lengua: *Las palabras 'alcohol' y 'aceite' son arabismos del español.*

arabista s.com. Persona especializada en el estudio de la lengua y de la cultura árabes: *Hoy da una conferencia en la facultad un famoso arabista.*

arabización s.f. Difusión o adopción de las características que se consideran propias de lo árabe: *Durante el dominio árabe en España, la arabización fue mucho mayor en el sur que en el norte.*

arabizar v. Dar características que se consideran propias de lo árabe: *La expansión árabe de los siglos VII y VIII arabizó a los pueblos del Mediterráneo.* □ ORTOGR. La *z* se cambia en *c* delante de e →CAZAR.

arácnido, da ▮ adj./s.m. **1** Referido a un animal invertebrado, que se caracteriza por tener cuatro pares de patas y el cuerpo dividido en cefalotórax y abdomen: *Las arañas, los escorpiones y las garrapatas son arácnidos.* ▮ s.m.pl. **2** En zoología, clase de estos animales perteneciente al tipo de los artrópodos: *Los animales que pertenecen a los arácnidos son terrestres.* □ ETIMOL. Del griego *arákhne* (araña).

aracnoides (pl. *aracnoides*) s.f. En anatomía, la intermedia de las tres meninges o membranas que envuelven y protegen el cerebro y la médula espinal: *El líquido cefalorraquídeo circula por el espacio que existe entre la aracnoides y la más interna de las meninges.* □ ETIMOL. Del griego *arakhnoeidés*, y este de *arákhne* (tela de araña) y *êidos* (forma).

arado s.m. Instrumento empleado en agricultura para labrar la tierra abriendo surcos en ella: *Una yunta de bueyes tiraba del arado.* □ ETIMOL. Del latín *aratrum*.

arador, -a adj./s. **1** Que ara. **2** || **arador de la sarna;** ácaro de pequeño tamaño, parásito de las personas, que produce la enfermedad de la sarna: *El arador de la sarna vive bajo la piel humana, en galerías que excava la hembra.* □ MORF. *Arador de la sarna* es epiceno: *el arador de la sarna {macho/hembra}*.

aradura s.f. Trabajo de arar un campo: *La aradura de estas tierras ha sido muy laboriosa.*

aragonés, -a ▮ adj./s. **1** De Aragón (comunidad autónoma), o relacionado con ella: *una jota aragonesa.* □ SINÓN. *maño.* **2** Del antiguo reino de Aragón o relacionado con él: *Los aragoneses se independizaron del reino de Navarra en el siglo XI.* ▮ s.m. **3** Dialecto romance que se habla en esta comunidad autónoma y en otros territorios: *El aragonés ha perdido mucho terreno en favor del castellano.*

aragonesismo s.m. En lingüística, palabra, significado o construcción sintáctica característicos del aragonés: *Después de vivir diez años en Zaragoza, usas muchos aragonesismos al hablar castellano.*

aragonito s.m. Cristal mineral de carbonato cálcico: *El aragonito es un mineral que posee brillo nacarado y cuando es puro, es incoloro.* □ ETIMOL. De *Aragón*, donde se encontró este mineral, y la terminación de *granito* y otros minerales.

araguato, ta ▮ adj. **1** En zonas del español meridional, referido a un animal, que tiene el pelo rubio oscuro. ▮ s.m. **2** Mono americano aullador y de pelaje rubio oscuro.

arameo, a ▮ adj./s. **1** De un pueblo bíblico que habitó en el antiguo país de Aram (territorio asiático que se corresponde aproximadamente con el actual norte sirio), o relacionado con él. ▮ s.m. **2** Lengua semítica de este y de otros pueblos. **3** || **jurar en arameo;** *col.* Maldecir o decir frases malsonantes: *Cuando le dijeron que no, empezó a jurar en arameo.*

aramida s.f. Polímero sintético, ligero y muy resistente, que se emplea en la fabricación de tejidos y plásticos: *En la fabricación de algunos esquís se emplea la aramida para disminuir las vibraciones.*

arancel s.m. Impuesto o tarifa oficial que se ha de pagar por algunos derechos, esp. por importar productos extranjeros: *Al pasar la aduana, no declararon las compras que habían hecho para no pagar aranceles.* □ ETIMOL. De origen incierto.

arancelario, ria adj. Del arancel o relacionado con este impuesto: *Para importar este producto hay que pagar los impuestos arancelarios correspondientes.*

arándano s.m. **1** Planta de hojas aserradas y alternas, y flores solitarias de color blanco verdoso o rosado, cuyo fruto es redondeado de color negruzco o azulado: *El arándano tiene forma de un pequeño arbusto.* □ SINÓN. *ráspano, mirtilo.* **2** Fruto comestible de esta planta: *mermelada de arándanos.* □ SINÓN. *ráspano, mirtilo.* □ ETIMOL. De origen incierto.

arandela s.f. **1** Pieza plana, fina, y generalmente circular, con un orificio en el centro, que se usa para mejorar la fijación entre dos piezas o para disminuir el roce entre ellas: *Con una arandela la tuerca y el tornillo quedarán más ajustados.* **2** Pieza con una forma semejante a la anterior. □ ETIMOL. Del francés *rondelle*, diminutivo de *rond* (redondo).

araña s.f. **1** Animal invertebrado con cuatro pares de patas y el cuerpo dividido en cefalotórax y abdomen, que tiene unos órganos en la parte posterior de su cuerpo con los que produce la sustancia que, en forma de red, le sirve para cazar sus presas y para ir de un lugar a otro: *La araña no es un insecto sino un artrópodo.* **2** Lámpara de techo, con varios brazos, de los que cuelgan abundantes piezas de cristal de distintas formas y tamaños. □ ETIMOL. Del latín *aranea* (telaraña, araña). □ MORF. En la acepción 1, es un sustantivo epiceno: *la araña {macho/hembra}*.

arañar v. **1** Herir superficialmente rasgando la piel, con las uñas o con algo punzante: *El gato me arañó en la cara. Al caerse se arañó todas las rodillas.* **2** Referido a una superficie lisa y dura, rayarla superficialmente: *Al aparcar el coche en el garaje le he arañado la puerta izquierda.* **3** *col.* Referido a algo que resulta necesario para un fin, hacerse poco a poco con ello, recolectándolo de distintos sitios y en pequeñas cantidades: *Ha ido arañando dinero de* *aquí y de allá hasta ahorrar lo suficiente para el viaje de fin de curso.*

arañazo s.m. **1** Herida superficial hecha en la piel con las uñas o con un objeto punzante: *Cuando me metí entre las zarzas me hice varios arañazos.* **2** Raya alargada y superficial hecha en un material liso y duro: *Los empleados de la mudanza me hicieron un arañazo en el piano al sacarlo por la ventana.*

arañil adj.inv. De la araña o relacionado con ella: *Algunas picaduras arañiles son muy venenosas.*

arañuelo s.m. Larva o gusano de algunos insectos parásitos de las plantas cultivadas: *Todos los ciruelos de la huerta están plagados de arañuelos.*

arao s.m. Ave de pico puntiagudo, cuello corto y alas estrechas: *El arao cría en colonias en los salientes y acantilados del Atlántico norte.*

arápara s.f. Avispa americana de cuerpo rojo o naranja, cuya picadura es muy venenosa. □ MORF. Es un sustantivo epiceno: *la arápara {macho/hembra}.*

arar v. Hacer surcos en la tierra para sembrarla después: *Hasta que no aremos el campo no podemos sembrarlo.* □ SINÓN. *labrar.* □ ETIMOL. Del latín *arare.*

ararteko (eusk.) s.m. Defensor del pueblo en el País Vasco (comunidad autónoma): *El Ararteko vela por que la Administración autonómica vasca respete los derechos y libertades de los ciudadanos.* □ USO Se usa más como nombre propio.

araucano, na ▮ adj./s. **1** De un pueblo indio que en la época de la conquista española habitaba la región centro-sur de Chile (país suramericano) o relacionado con él: *Los araucanos conocían el tabaco.* □ SINÓN. *mapuche.* ▮ s.m. **2** Lengua de este pueblo indio: *El araucano es una lengua indígena que comprende varios dialectos.* □ SINÓN. *mapuche.*

araucaria s.f. Árbol americano de hojas rígidas y verdes, flores poco visibles y fruto que contiene una almendra dulce muy alimenticia: *La araucaria procede de la región chilena del Arauco.* □ ETIMOL. De *Arauco*, que es la región chilena donde nace la araucaria.

arbitraje s.m. **1** Ejercicio de las funciones propias de un árbitro en una competición deportiva, haciendo que se cumpla el reglamento: *Me dedico al arbitraje desde hace muchos años.* **2** Intervención de una persona o entidad en la resolución pacífica de algún conflicto surgido entre dos o más personas o entidades, mediante el acuerdo establecido entre ellas de acatar lo que decida esta tercera: *El arbitraje de la diplomacia vaticana solucionó el conflicto fronterizo entre Chile y Argentina.*

arbitral adj.inv. Del árbitro o relacionado con él: *Los errores arbitrales provocaron la indignación de los jugadores de los dos equipos.*

arbitrar v. **1** Referido a una competición deportiva, hacer de árbitro, cuidando de que se cumpla el reglamento: *¿Quién va a arbitrar el partido del domingo?* **2** Referido a un conflicto entre varias partes, resolverlo otra persona ajena a dicho conflicto: *Las dos partes en litigio se comprometieron a acatar las soluciones de la persona que arbitrara el conflicto.* □ ETIMOL. Del latín *arbitrare.*

arbitrariedad s.f. **1** Forma de actuar basada solo en la voluntad o en el capricho y que no obedece a principios dictados por la razón, la lógica o las leyes: *actuar con arbitrariedad.* **2** Lo que resulta arbitrario, y es así no por naturaleza, sino por convención: *Una prueba de la arbitrariedad del signo lingüístico es la existencia de distintas palabras en las distintas lenguas para designar un mismo objeto: 'perro', en español, 'dog', en inglés, 'chien', en francés, etc.*

arbitrario, ria adj. **1** Que actúa basándose solo en la voluntad o en el capricho, y no sigue los principios dictados por la razón, la lógica o las leyes: *una designación arbitraria.* **2** Que es de una forma determinada por convención y no por su naturaleza: *El signo lingüístico es arbitrario porque entre la expresión y aquello a lo que alude no existe una relación de tipo natural.* □ ETIMOL. Del latín *arbitrarius.*

arbitrio s.m. **1** Capacidad o facultad de decisión o de tomar una resolución: *Somete ese problema a tu arbitrio, y no obres tan a la ligera.* **2** Voluntad o deseo que obedecen al capricho y no a la razón: *Si solo sigues tu arbitrio, acabarás arrepintiéndote de tus decisiones.* □ ETIMOL. Del latín *arbitrium.*

arbitrismo s.m. Propuesta de un plan disparatado o simple para solucionar algún problema, esp. un problema político.

arbitrista s.com. Persona que propone planes disparatados o simples para solucionar algún problema, esp. un problema político: *El gobierno dijo que los arbitristas de la oposición proponían soluciones poco realistas.*

árbitro, tra s. **1** En algunas competiciones deportivas, persona que hace que se cumpla el reglamento. **2** Persona designada como juez por dos partes que están en conflicto. **3** Persona que influye sobre las demás en algún asunto porque es considerada una autoridad en él: *Ese actor está considerado el árbitro de la elegancia.* **4** ‖ **cuarto árbitro;** *col.* En fútbol, auxiliar que se encarga de hacer cumplir el reglamento fuera del terreno de juego, y que está también como reserva: *El cuarto árbitro indicó que quedaban cuatro minutos de partido.* □ ETIMOL. Del latín *arbiter.* □ MORF. Cuando es un sustantivo femenino, pese a empezar por *a* tónica o acentuada, va siempre precedido de las formas femeninas de los determinantes: la *árbitra.*

árbol s.m. **1** Planta de tronco leñoso y elevado, que se abre en ramas a cierta altura del suelo, y cuyas hojas forman una copa de aspecto característico para cada especie. **2** En una embarcación, cada uno de los maderos largos y redondos que sirven para sostener las velas. □ SINÓN. *palo.* **3** En una máquina, barra fija o giratoria que sirve para sostener las piezas que giran o para transmitir la fuerza motriz de unas piezas a otras: *el árbol de leva.* **4** ‖ **árbol genealógico;** esquema o cuadro que muestra las relaciones de parentesco entre distintas generaciones de una misma familia. □ ETIMOL. Del latín *arbor*. □ MORF. Cuando se antepone a una palabra para formar compuestos, adopta la forma *arbori-*.

arbolado, da ▮ adj. **1** Referido a un lugar, que está poblado de árboles: *una zona arbolada.* ▮ s.m. **2** Conjunto de árboles: *el arbolado del bosque.*

arboladura s.f. Conjunto de palos que sostienen las velas en una embarcación: *La tempestad destrozó parte de la arboladura del velero.*

arbolar v. **1** Referido a una embarcación, ponerle los palos que sostienen las velas: *En ese astillero arbolaron nuestro yate.* **2** Referido esp. a una bandera o a un estandarte, levantarlos en alto: *En mi pueblo, los mozos arbolan los estandartes en las fiestas.* □ SINÓN. *enarbolar*. **3** Elevarse mucho las olas: *El mar se arboló y tuvimos que regresar a puerto.*

arboleda s.f. Terreno poblado de árboles: *A la salida del pueblo hay una arboleda que resulta muy fresca en verano.* □ ETIMOL. Del latín *arboreta*.

arbóreo, a adj. Del árbol, con sus características o relacionado con él: *masas arbóreas; porte arbóreo; forma arbórea.* □ ETIMOL. Del latín *arboreus*.

arborescencia s.f. Forma o estructura semejantes a las de un árbol: *La arborescencia de algunas plantas hace que se las confunda con árboles.*

arborescente adj.inv. Con las características propias de un árbol: *plantas arborescentes; estructura arborescente.*

arbori- Elemento compositivo prefijo que significa 'árbol': *arboricultura, arborícola, arboriforme.* □ ETIMOL. Del latín *arbor*.

arboricida adj.inv./s.com. Que destruye los árboles: *La lluvia ácida es arboricida.* □ ETIMOL. De *arbori-* (árbol) y *-cida* (que mata).

arboricidio s.m. Destrucción masiva de árboles: *La construcción del nuevo aparcamiento ha supuesto un auténtico arboricidio.*

arborícola adj.inv. Que vive en los árboles: *En esta región hay varias especies de monos arborícolas.* □ ETIMOL. De *arbori-* (árbol) y el latín *colere* (habitar).

arboricultor, -a s. Persona que se dedica a la arboricultura: *Hemos encargado a un arboricultor un estudio de los árboles de este terreno.*

arboricultura s.f. Arte y técnica de cultivar árboles: *En el curso de jardinería que estoy haciendo tenemos que aprender arboricultura.* □ ETIMOL. De *arbori-* (árbol) y *-cultura* (cultivo).

arboriforme adj.inv. Con forma de árbol: *Los corales son arboriformes.* □ ETIMOL. De *arbori-* (árbol) y el latín *forma* (figura).

arborización s.f. Forma parecida a la de las ramas de un árbol, que presentan algunos seres de forma natural: *La arborización es característica de la cristalización de algunos minerales.*

arborizar v. Plantar árboles en un terreno: *El Ayuntamiento tiene previsto arborizar los barrios periféricos de la ciudad.* □ ORTOGR. La *z* se cambia en *c* delante de *e* →CAZAR.

arbotante s.m. En un edificio, arco exterior que contrarresta el empuje de otro arco, de un muro o de una bóveda: *En las catedrales góticas se usaron mucho los arbotantes.* □ ETIMOL. Del francés *arc-boutant*.

arbustivo, va adj. Con las características de un arbusto: *Las jaras son plantas de naturaleza arbustiva.*

arbusto s.m. Planta perenne de tallo leñoso, y de ramas que se ramifican desde el suelo, que es de menor tamaño que un árbol: *La zarzamora, la azalea y la adelfa son arbustos.* □ ETIMOL. Del latín *arbustum* (bosquecillo).

arca ▮ s.f. **1** Caja generalmente de madera, con una tapa plana unida con bisagras por uno de sus lados y con cerraduras o candados en el opuesto: *El pirata enterró el arca del tesoro en una isla.* ▮ pl. **2** Lugar en el que se guarda el dinero que pertenece a una colectividad: *Estos nuevos fichajes han vaciado las arcas del club.* **3** ‖ **arca {de la alianza/del testamento};** según la Biblia, aquella en la que se guardaban las tablas de los mandamientos que Dios entregó a Moisés (profeta israelita): *Encontrar el arca de la alianza es el sueño de todos los arqueólogos.* ‖ **arca de Noé; 1** Según la Biblia, embarcación en la que se encerraron Noé, su familia y una pareja de cada especie animal para salvarse del Diluvio Universal. **2** Molusco marino que vive encerrado en una concha blanca con bandas amarillentas. □ ETIMOL. Del latín *arca*. □ ORTOGR. Dist. de *harca*. □ MORF. Por ser un sustantivo femenino que empieza por *a* tónica o acentuada, va precedido de *el, un, algún, ningún* y de las formas femeninas del resto de los determinantes.

arcabucear v. Disparar con un arcabuz: *En los siglos XVI y XVII, arcabuceaban a algunos reos condenados a muerte.*

arcabucero s.m. Soldado armado con un arcabuz: *En los ejércitos de los siglos XVI y XVII, los arcabuceros formaban parte de la infantería.*

arcabuz s.m. Antigua arma de fuego, parecida a un fusil, que se disparaba prendiendo la pólvora con una mecha móvil: *Los arcabuces no disparaban con mucha precisión.* □ ETIMOL. Del francés *arquebuse*.

arcabuzazo s.m. Disparo hecho con un arcabuz: *Cervantes fue herido de un arcabuzazo en la mano izquierda.*

arcada s.f. **1** Conjunto de arcos de una construcción: *Se resguardó de la lluvia bajo las arcadas de la plaza.* **2** En un puente, cada uno de los espacios abiertos que existen entre dos pilares: *El agua del río pasa por una de las arcadas del puente.* □ SINÓN. *ojo*. **3** Movimiento violento del estómago, que provoca ganas de vomitar: *Este olor me produce arcadas.*

arcaduz s.m. Caño por donde sale un chorro de agua. □ ETIMOL. Del árabe hispánico *alqadús*.

arcaico, ca ▮ adj. **1** Muy antiguo o anticuado: *Las pinturas arcaicas de las cuevas de Altamira impresionan por su sencillez.* **2** En geología, de la primera era de la historia de la Tierra o relacionado con ella: *El Macizo Galaico es arcaico.* ▮ s.m. **3** →**era**

arcaica. □ ETIMOL. Del griego *arkhaïkós*, y este de *arkhâios* (antiguo).

arcaísmo s.m. **1** Conservación o imitación de lo antiguo: *Es fácil ver que el arcaísmo de las pinturas de este pintor está inspirado en los primitivos flamencos.* **2** En lingüística, palabra, construcción o elemento lingüístico que, por su forma, por su significado o por ambas cosas, resultan anticuados respecto de un momento determinado: *Palabras como 'maguer' o 'apoteca', que significan respectivamente 'aunque' y 'botica', son hoy arcaísmos.* □ ETIMOL. Del griego *arkhaïsmós*.

arcaizante adj.inv. Que imita lo arcaico: *Esta escritora usa muchas construcciones lingüísticas arcaizantes.*

arcaizar v. Referido a una lengua, darle carácter arcaico empleando arcaísmos: *Para situar esta novela en el siglo XVI, el autor ha arcaizado el lenguaje.* □ ORTOGR. La *z* se cambia en *c* delante de *e*. →CAZAR.

arcángel s.m. En algunas religiones, ser o espíritu celestial de categoría superior a la de los ángeles: *El arcángel Gabriel anunció a María que iba a ser la madre de Dios.* □ ETIMOL. Del latín *archangelus*, este del griego *arkhángelos*, y este de *arkhós* (jefe) y *ángelos* (mensajero).

arcano s.m. **1** Secreto reservado o misterio difícil de conocer: *Solo el sumo sacerdote conocía los arcanos de la secta.* **2** || **arcano (mayor);** cada una de las veintidós cartas del tarot que tienen que interpretarse para predecir el porvenir. □ ETIMOL. Del latín *arcanus* (secreto, oculto).

arce s.m. Árbol de madera muy dura y salpicada de manchas, que tiene hojas sencillas y lobuladas, flores pequeñas, fruto seco y rodeado de una especie de ala, y que crece en las regiones de clima templado: *En la bandera de Canadá hay una hoja de arce roja.* □ ETIMOL. Del latín *acer*.

arcediano s.m. Eclesiástico que está al frente del cabildo o comunidad de eclesiásticos de una catedral: *El arcediano presidió la reunión del cabildo catedralicio.* □ SINÓN. *archidiácono.* □ ETIMOL. Del latín *archidiaconus*, y este del griego *arkhidiákonos* (jefe de los diáconos).

arcedo s.m. Terreno poblado de arces: *La abundancia de arcedos en esta región se explica por lo templado del clima.*

arcén s.m. En una carretera, cada uno de los dos márgenes o bordes laterales reservados para el uso de peatones o para el tránsito de determinados vehículos: *Detuvo el coche en el arcén para cambiar la rueda pinchada.* □ ETIMOL. Del latín *arger* (cerco).

archi- **1** Elemento compositivo prefijo que significa 'superioridad' o 'situación preeminente': *archiduque, archiducal, archicofrade.* **2** *col.* Elemento compositivo prefijo que significa 'muy': *archiconocido, archisabido.* □ ETIMOL. Del griego *arkhi-*, del verbo *árkho* (yo mando, soy jefe). □ MORF. Puede adoptar las formas *arci-* (*arcipreste*) o *arz-* (*arzobispo*).

archicofrade s.com. Persona que pertenece a una archicofradía: *Los archicofrades están haciendo ya todos los preparativos para la Semana Santa.*

archicofradía s.f. Cofradía que se distingue de otras por su mayor antigüedad o por sus mayores privilegios: *Esta archicofradía es la más antigua de todas las que participan en las procesiones de Semana Santa.*

archiconocido, da adj. Muy conocido o muy famoso.

archidiácono s.m. Eclesiástico que está al frente del cabildo o comunidad de eclesiásticos de una catedral: *Todos los diáconos se reunieron con el archidiácono en la sala capitular.* □ SINÓN. *arcediano.* □ ETIMOL. Del latín *archidiaconus*, y este del griego *archidiákonos*.

archidiócesis (pl. *archidiócesis*) s.f. Diócesis principal del conjunto que forma una provincia eclesiástica y que está dirigida por un arzobispo: *A la reunión con el arzobispo asistieron todos los obispos de la archidiócesis de Madrid.*

archiducado s.m. **1** Título de archiduque: *El archiducado de la casa de Austria es hereditario.* **2** Territorio sobre el que antiguamente un archiduque ejercía su autoridad: *Durante el reinado de Carlos I el archiducado constaba de los territorios austriacos y de los españoles.*

archiducal adj.inv. Del archiduque, del archiducado o relacionado con ellos: *los terrenos archiducales.*

archiduque s.m. Príncipe de la casa de Austria y de Baviera (antiguas dinastías nobiliarias): *El archiduque Carlos de Austria era pretendiente al trono de España cuando falleció Carlos II.* □ MORF. Su femenino es *archiduquesa*.

archiduquesa s.f. de **archiduque**.

archifonema s.m. En lingüística, conjunto de rasgos distintivos que son comunes a dos fonemas cuya oposición queda neutralizada en un determinado contexto: *Los fonemas /r/ y /rr/ en posición final de sílaba o de palabra se neutralizan en el archifonema /R/, y da igual pronunciar [amór] que [amórr].*

archilexema s.m. En lingüística, lexema o palabra cuyo significado es tan general que está incluido en los significados de otros lexemas más específicos: *'Asiento' es el archilexema de 'silla', 'sillón', 'butaca', 'mecedora' y otros.*

archimandrita s.m. En la Iglesia ortodoxa griega, eclesiástico superior de un monasterio: *El distintivo de los archimandritas es un velo negro que rodea el tocado con que se cubren la cabeza.* □ ETIMOL. Del latín *archimandrita*, este del griego *arkhimandrítes*, y este de *árkho* (yo mando) y *mándra* (establo, monasterio).

archipámpano s.m. *col.* Persona que ejerce un altísimo cargo imaginario: *Es el último mono de la oficina y, sin embargo, parece el archipámpano de las Indias.* □ USO Tiene un matiz humorístico.

archipiélago s.m. Conjunto de islas cercanas entre sí: *Son muchos los turistas que visitan cada año el archipiélago balear.* □ ETIMOL. Del italiano *arcipelago* (mar principal), y este del griego *árkho* (ser superior) y *pélagos* (mar).

archivador, -a ▌ adj./s. **1** Que archiva. ▌ s.m. **2** Mueble en el que se guardan documentos u otros objetos de una forma ordenada: *un archivador de cintas de vídeo.* **3** Carpeta que contiene varios apartados que sirven para guardar documentos de forma ordenada.

archivar v. **1** Referido a papeles o a documentos, guardarlos en un archivo ordenadamente: *He archivado los expedientes por orden alfabético.* **2** Referido a un asunto, darlo por finalizado: *La prensa no está dispuesta a archivar este asunto hasta que no queden aclaradas todas las responsabilidades.*

archivero, ra s. Persona encargada del mantenimiento y organización de un archivo: *Trabaja como archivera en el Archivo Histórico Nacional.* □ SINÓN. *archivista.*

archivista s.com. →**archivero.**

archivística s.f. Véase **archivístico, ca.**

archivístico, ca ▌ adj. **1** De los archivos o relacionado con estos documentos: *conocimientos archivísticos.* ▌ s.f. **2** Técnica usada en el mantenimiento y en la organización de un archivo: *La archivística se ocupa fundamentalmente de la restauración de documentos y de su catalogación.*

archivo s.m. **1** Conjunto de documentos que se producen en el ejercicio de una actividad o de una función: *Tiene un archivo muy completo de clientes.* **2** Lugar en el que se guardan de forma ordenada estos documentos: *En el Archivo Histórico Nacional se conservan antiguos documentos que ayudan a reconstruir y comprender mejor nuestra historia.* **3** En informática, conjunto de informaciones o de instrucciones grabadas como una sola unidad de almacenamiento que puede manejarse en bloque. □ SINÓN. *fichero.* □ ETIMOL. Del latín *archivum*, y este del griego *arkhêion* (residencia de los magistrados).

archivología s.f. Ciencia que estudia los archivos: *Una especialista en archivología está fechando los documentos del museo.*

archivológico, ca adj. De la archivología o relacionado con esta ciencia: *tratado archivológico.*

archivolta s.f. →**arquivolta.** □ ETIMOL. Del italiano *archivolto.*

arci- →**archi-.**

arcilla s.f. Roca formada a partir de depósitos de grano muy fino, compuesta básicamente por silicato de aluminio, que suele usarse en alfarería: *Los ladrillos son de arcilla.* □ ETIMOL. Del latín *argilla.*

arcilloso, sa adj. Que tiene arcilla o que la contiene en gran cantidad: *un terreno arcilloso.*

arciprestazgo s.m. **1** Cargo de arcipreste: *El arciprestazgo es un cargo nombrado por el obispo.* **2** Territorio asignado a un arcipreste para ejercer sus funciones: *Este arciprestazgo comprende cuatro parroquias.*

arcipreste s.m. **1** Sacerdote que, por nombramiento del obispo, realiza cierta dirección sobre varias parroquias de una misma zona: *Tras unos años como arcipreste, mi tío fue nombrado obispo de la ciudad.* **2** Antiguamente, sacerdote principal: *El autor del 'Libro de Buen Amor' era arcipreste de Hita.* □ ETIMOL. Del latín *archipresbyter*, y este del griego *arkhós* (jefe) y *presbýteros* (presbítero).

arco s.m. **1** Arma compuesta por una vara de un material elástico, sujeta por los dos extremos a una cuerda muy tensa, que sirve para disparar flechas: *El tiro con arco es un deporte olímpico.* **2** Vara delgada, curva o doblada en sus extremos, en los cuales se sujetan unas cerdas que se frotan contra las cuerdas de algunos instrumentos musicales para hacerlos sonar: *El violín se toca con un arco.* **3** En geometría, porción continua de una curva: *Si en una circunferencia marcas dos puntos, 'A' y 'B', obtendrás dos arcos, 'AB' y 'BA'.* **4** Lo que tiene esta forma: *el arco del pie.* **5** En arquitectura, construcción curva que se apoya en dos pilares o columnas y que cubre el vano o el hueco que queda entre ellos: *El arco típico de la arquitectura árabe tiene forma de herradura.* **6** En zonas del español meridional, portería: *El delantero puso en peligro el arco contrario.* **7** ‖ **arco abocinado;** aquel cuyo vano o hueco es más ancho por una cara de la pared que por la otra: *Los arcos abocinados son frecuentes en los castillos medievales.* ‖ **arco adintelado;** el que tiene forma recta. ‖ **arco {apuntado/ojival};** aquel cuya parte superior termina en un ángulo agudo: *Los arcos apuntados son característicos del estilo gótico.* ‖ **arco {cegado/ciego};** el que tiene tapiado el vano o hueco que cubre. ‖ **arco conopial;** el apuntado en cuya parte superior se unen dos curvas inversas a las de los arcos de los que parten: *Los arcos conopiales parecen cortinas recogidas.* ‖ **arco crucero;** el que une en diagonal los ángulos de una bóveda por arista: *Las aristas de los arcos cruceros de estas bóvedas hacen que el techo parezca lleno de equis de gran tamaño.* ‖ **arco de herradura;** el que mide más de media circunferencia: *El arco de herradura es característico de la arquitectura árabe.* ‖ **arco de medio punto;** el que tiene la forma de una semicircunferencia: *El arco de medio punto es característico de la arquitectura románica.* ‖ **arco {de triunfo/triunfal};** monumento arquitectónico compuesto por uno o varios arcos, adornado con esculturas, y construido en honor de algún héroe o para celebrar alguna victoria. ‖ **(arco) {fajón/perpiaño};** el que corta la bóveda en sentido transversal a su eje: *Los arcos fajones están adosados a la bóveda como refuerzo.* ‖ **(arco) formero;** cada uno de los que se desarrollan paralelos al eje longitudinal de una nave: *Los arcos formeros ponen en comunicación la nave principal con las laterales, cuando estas existen.* ‖ **(arco) iris;** banda de colores con esta forma, que aparece en el cielo cuando la luz del Sol se descompone al atravesar las gotas de agua. ‖ **arco peraltado;** el que tiene forma de una semicircunferencia y que continúa por cada uno de sus extremos con una línea recta: *Los arcos peraltados dan a los edificios una sensación de mayor altura.* ‖ **arco rebajado;** aquel que está constituido por una porción de circunferencia inferior a la mitad de la misma: *Los arcos rebajados han sido muy utilizados para rematar los vanos de las puertas.*

|| **arco voltaico;** en física, descarga eléctrica luminosa que se produce entre dos electrodos separados. ☐ ETIMOL. Del latín *arcus*. ☐ ORTOGR. La expresión *arco iris* se usa mucho con la forma *arcoíris*.

arcoíris (pl. *arcoíris*) s.m. →**(arco) iris.**

arcón s.m. Arca grande: *Guardaba todas las mantas en un arcón.*

arconte s.m. En la antigua Grecia, magistrado supremo encargado del gobierno en algunas ciudades estado: *El sistema aristocrático ateniense se basó en el gobierno de los arcontes.* ☐ ETIMOL. Del latín *archon*, este del griego *árkhon*, y este de *árkho* (yo gobierno).

ardentísimo, ma superlat. irreg. de **ardiente**.

arder v. **1** Estar en combustión o quemándose: *La casa empezó a arder y llamamos a los bomberos para que apagasen el incendio.* **2** Desprender mucho calor: *La sopa está ardiendo.* **3** Sentir un deseo o una pasión de forma violenta: *Ardía en deseos de abrazar a su hermano.* **4** En zonas del español meridional, escocer: *La herida me arde.* ☐ ETIMOL. Del latín *ardere*. ☐ SINT. Constr. de la acepción 3: *arder* EN *algo.*

ardid s.m. Lo que se hace con habilidad y astucia para conseguir algo, esp. para engañar a alguien. ☐ SINÓN. *treta*. ☐ ETIMOL. Del antiguo *ardido* (valiente).

ardiente adj.inv. **1** Que produce mucho calor o una sensación de ardor: *fiebre ardiente.* **2** Fogoso, apasionado o que manifiesta mucho entusiasmo: *Es una ardiente defensora de los derechos humanos.* **3** *poét.* Del color del fuego: *Al atardecer, nubes ardientes cubrieron el firmamento.* ☐ MORF. Su superlativo es *ardentísimo*.

ardilla s.f. Mamífero roedor que mide unos veinte centímetros de largo, tiene una cola grande y peluda, gran agilidad de movimientos, es muy inquieto y vive en los bosques. ☐ ETIMOL. Diminutivo del antiguo *harda*. ☐ MORF. Es un sustantivo epiceno: *la ardilla {macho/hembra}.*

ardimiento s.m. *poét.* Valentía, valor o atrevimiento: *Los valerosos guerreros defendieron el fuerte con ardimiento.*

ardite s.m. Lo que es insignificante o tiene poco valor: *Todas mis riquezas no valen un ardite al lado de sus altas cualidades.* ☐ ETIMOL. Del gascón *ardit*.

ardor s.m. **1** Excitación de los afectos o de las pasiones: *Se defendió con ardor de las acusaciones que le hicieron.* **2** Ansia o deseo intenso de algo: *Esperaba con ardor la llegada de su familia.* **3** Sensación de calor o de rubor en alguna parte del cuerpo: *Las comidas picantes me producen ardor de estómago.* **4** Calor intenso: *No soporto los ardores del mes de agosto.* ☐ ETIMOL. Del latín *ardor*.

ardoroso, sa adj. **1** Que tiene ardor: *manos ardorosas.* **2** Que tiene o manifiesta mucha fuerza, entusiasmo y pasión: *una ardorosa discusión.*

arduo, dua adj. Muy difícil: *un trabajo arduo.* ☐ ETIMOL. Del latín *arduus* (escarpado, difícil).

área s.f. **1** Territorio comprendido entre unos límites: *área de descanso de la autopista.* **2** Espacio en el que se produce un determinado fenómeno o que se distingue por una serie de características comunes de carácter geográfico o económico: *el área cultural hispana.* **3** Campo o esfera de acción en los que mejor se pueden mostrar la índole, la naturaleza o las calidades de algo: *el área de los negocios.* ☐ SINÓN. *territorio, terreno.* **4** Orden o serie de materias o de ideas de las que se trata: *El Ministerio prepara importantes proyectos en el área de Educación.* ☐ SINÓN. *terreno.* **5** Unidad de superficie que equivale a cien metros cuadrados. **6** En geometría, superficie comprendida dentro de un perímetro. **7** En algunos deportes, zona marcada delante de la meta y en la que las faltas cometidas dentro de ella son castigadas con sanciones especiales. **8** || **área de servicio;** en una autopista, lugar habilitado para el estacionamiento de los vehículos y en el que suele haber gasolinera, restaurante y otros servicios. || **área protegida;** parte de un territorio nacional declarada de importancia ecológica, social y cultural. ☐ SINÓN. *zona protegida.* ☐ ETIMOL. Del latín *area* (solar sin edificar, era). ☐ ORTOGR. En la acepción 5, su símbolo es *a*, por tanto, se escribe sin punto. ☐ MORF. Por ser un sustantivo femenino que empieza por *a* tónica o acentuada, va precedido de *el*, *un*, *algún*, *ningún* y de las formas femeninas del resto de los determinantes.

areca s.f. **1** Palmera de tronco ligeramente más delgado por la base que por la parte superior, con la corteza surcada por múltiples anillos: *La areca se utiliza en muchas plazas como planta decorativa.* **2** Fruto de esta planta: *La areca se utiliza en tintorería.*

arena s.f. **1** Conjunto de partículas separadas de las rocas y acumuladas en las orillas del mar, de los ríos, o en capas de terrenos: *Los niños hicieron un castillo de arena en la playa.* **2** Lugar en el que se desarrollan combates o luchas: *Los gladiadores romanos luchaban con los leones en la arena.* **3** En una plaza de toros, ruedo: *Cuando se abrió la puerta del toril saltó a la arena el primer toro de la tarde.* **4** || **arenas movedizas;** las húmedas y poco consistentes que no soportan pesos: *En una escena de la película, el protagonista muere ahogado en arenas movedizas.* ☐ ETIMOL. Del latín *arena*.

arenal s.m. Extensión grande de terreno arenoso: *Los arenales de estas costas hacen que sus playas sean muy apreciadas por los turistas.*

arenar v. →**enarenar.**

arenero s.m. **1** Mozo encargado de mantener en condiciones adecuadas la superficie de arena del ruedo durante la lidia. **2** Cajón de arena para que los niños jueguen.

arenga s.f. Discurso solemne y de tono elevado, esp. el que se pronuncia con el fin de enardecer o avivar los ánimos: *Antes de iniciarse la batalla, el general dirigió una arenga a sus soldados para transmitirles su entusiasmo.* ☐ ETIMOL. Quizá del gótico **harihrings* (reunión del ejército).

arengar v. Dirigir una arenga: *El general arengaba a sus soldados para infundirles valor.* □ ORTOGR. La *g* se cambia en *gu* delante de *e* →PAGAR.

arenilla s.f. **1** Arena muy fina. **2** Cálculo pequeño o acumulación anormal y más o menos compacta de sales y minerales, esp. el que se forma en la vejiga: *Tiene arenilla en la vejiga y su expulsión le está provocando dolores muy fuertes.*

arenisca s.f. Véase **arenisco, ca.**

arenisco, ca ▌adj. **1** Que tiene mezcla de arena. ▌s.f. **2** Roca sedimentaria formada por arena de cuarzo cuyos granos están unidos por un cemento o masa mineral: *La arenisca es muy utilizada en construcción.*

arenoso, sa adj. Que tiene arena o alguna de sus características: *terrenos arenosos.*

arenque s.m. Pez marino comestible, parecido a la sardina, que tiene el cuerpo comprimido, boca pequeña, color azulado por encima y plateado por el vientre, y que vive en aguas frías: *El arenque se puede consumir fresco, ahumado o en salazón.* □ ETIMOL. Del provenzal antiguo *arenc.* □ MORF. Es un sustantivo epiceno: *el arenque {macho/hembra}.*

areola (tb. *aréola, aureola*) s.f. **1** Zona rojiza que rodea una herida o un punto inflamado: *Cuando me vacunaron se me formó una areola alrededor del pinchazo.* **2** Círculo de color oscuro que rodea el pezón del pecho: *Durante el embarazo, las areolas mamarias adquieren un color más oscuro.* □ ETIMOL. Del latín *areola.*

areómetro s.m. Instrumento que sirve para medir la densidad relativa de los líquidos: *El areómetro se basa en la aplicación del principio de Arquímedes.* □ SINÓN. *densímetro.* □ ETIMOL. Del griego *araiós* (tenue) y *-metro* (medidor). □ SEM. Dist. de *aerómetro* (instrumento para medir la densidad del aire y de otros gases).

areopagita s.m. En la antigua Atenas, juez miembro del areópago o tribunal superior: *Los areopagitas eran célebres por su sabiduría.* □ ETIMOL. Del latín *areopagita*, y este del griego *areopagítes.* □ ORTOGR. Incorr. **aeropagita.*

areópago s.m. En la antigua Atenas, tribunal superior: *Los distintos gobernantes atenienses fueron reduciendo los poderes del areópago.* □ ETIMOL. Por alusión al Areópago, colina donde se reunía este tribunal. □ ORTOGR. Incorr. **aéropago.*

arepa s.f. Especie de pan de forma circular hecho con harina de maíz: *Comí unas arepas muy ricas en el restaurante venezolano.*

arete s.m. **1** Aro pequeño de metal que se lleva en las orejas como adorno. **2** En zonas del español meridional, pendiente que se introduce en el agujero de la oreja por medio de un arito: *Me regalaron unos aretes de esmeraldas.*

arévaco, ca adj./s. De un antiguo pueblo prerromano que habitaba una zona correspondiente a parte de las actuales provincias de Soria y de Segovia, o relacionado con él: *La ciudad arévaca más conocida fue Numancia.*

argamasa s.f. Masa formada por cal, arena y agua, que se usa en obras de albañilería: *Para construir una pared, los ladrillos se unen con argamasa.* □ ETIMOL. Quizá formada con el latín *massa* (masa).

argelino, na adj./s. De Argelia o relacionado con este país africano.

argentado, da adj. *poét.* Plateado: *En la noche resplandecía la luz argentada de la luna llena.*

argentar v. **1** Cubrir con un baño de plata: *Argentamos los anillos de graduación para que se vieran más bonitos.* **2** Dar un brillo parecido al de la plata: *La luna argentaba el agua del estanque.* □ ETIMOL. Del latín *argentare.*

argénteo, a adj. **1** De plata o con alguna de sus características: *un brillo argénteo.* **2** Bañado en plata: *una bandeja argéntea.*

argentífero, ra adj. Que contiene plata: *En esta región abundan las rocas argentíferas.* □ ETIMOL. Del latín *argentiferus*, y este de *argentum* (plata) y *ferre* (llevar).

argentinismo s.m. En lingüística, americanismo propio de la República Argentina (país americano): *El adjetivo 'macanudo' es un argentinismo.*

argentino, na ▌adj. **1** Referido a un sonido, que es claro y sonoro, como el que produce la plata: *La risa argentina de la muchacha se oía en toda la casa.* ▌adj./s. **2** De Argentina o relacionado con este país americano.

argento s.m. *poét.* Plata: *La blanca y brillante espuma del mar brillaba como el argento.* □ ETIMOL. Del latín *argentum* (plata).

arginina s.f. Aminoácido de las proteínas, necesario en la nutrición: *La arginina mejora la memoria.*

argivo, -a adj./s. De Argos o de la Argólida (ciudad y región griegas), o relacionado con ellos: *Homero, en sus poemas, llamó argivos a los griegos en general.* □ SINÓN. *argólico.*

argólico, -a adj./s. →**argivo.**

argolla s.f. **1** Aro grueso de metal que está fijo en un lugar y sirve para amarrar algo a él: *Amarró la barca a una argolla del puerto.* **2** En zonas del español meridional, alianza o anillo de boda: *Uso argolla desde que me casé.* □ ETIMOL. Del árabe *al-gulla* (el collar, las esposas).

argón s.m. Elemento químico no metálico y gaseoso, de número atómico 18, que se encuentra en el aire y en los gases volcánicos, y que es mal conductor del calor: *El argón es un gas noble que se utiliza en las lámparas fluorescentes y en la soldadura de metales.* □ ETIMOL. Del griego *argón* (inactivo), llamado así porque no entra en ninguna combinación química conocida. □ ORTOGR. Su símbolo químico es *Ar.*

argonauta s.m. En la mitología griega, cada uno de los héroes que, capitaneados por Jasón (héroe mitológico), se embarcaron en la nave Argos para ir en busca del vellocino de oro: *Heracles y Teseo son algunos de los argonautas.* □ ETIMOL. Del latín *argonauta*, y este del griego *argonaútes* (tripulación de la nave Argos).

argot (pl. *argots*) s.m. Variedad de lengua que usan entre sí las personas pertenecientes a un mismo grupo profesional o social: *argot juvenil.* □ SINÓN. *jerga.* □ ETIMOL. Del francés *argot.* □ MORF. Aunque su plural es *argotes*, se usa más *argots.* □ SEM. *Argot* se prefiere para el lenguaje de grupos sociales usado con intención de no ser entendidos por los demás o de diferenciarse de ellos, frente a *jerga,* que se aplica esp. al lenguaje de grupos profesionales. □ USO Es innecesario el uso del anglicismo *slang.*

argótico, ca adj. Del argot o relacionado con él: *lenguaje argótico.*

argucia s.f. Razonamiento o argumento falsos presentados con habilidad o astucia para hacerlos pasar por verdaderos: *Me convenció con argucias.*

argüende s.m. *col.* En zonas del español meridional, alboroto causado por una pelea o discusión. □ ETIMOL. De *argüir.*

argüir v. **1** Referido esp. a una prueba o a un argumento, presentarlos o alegarlos en favor o en contra de algo: *Arguye como excusa que a él nadie lo avisó. Los socios no dejaban de argüir en contra de la propuesta del presidente.* **2** Deducir como consecuencia natural o sacar en claro: *Por lo que me dices, arguyo que no estás de acuerdo conmigo.* □ ETIMOL. Del latín *arguere.* □ ORTOGR. La *ü* pierde la diéresis cuando le sigue *y.* □ MORF. Irreg. →ARGÜIR.

argumentación s.f. Aportación de razones o de argumentos en favor o en contra de algo: *Hizo una argumentación tan perfecta de su pensamiento que nadie pudo objetar nada.*

argumental adj.inv. Del argumento o relacionado con él: *La trama argumental de las comedias de enredo es muy complicada.*

argumentar v. Dar razones o argumentos en favor o en contra de algo: *Si no sabes argumentar el porqué de tu actitud, no pretendas que te comprendamos.*

argumentario s.m. Conjunto de argumentos: *un argumentario de ventas.*

argumento s.m. **1** Asunto o materia de que trata una obra, esp. si es una obra literaria o cinematográfica: *El argumento de la película está basado en hechos reales.* **2** Razonamiento usado para probar o demostrar algo, o para convencer a otro de lo que se afirma o se niega: *Me dio tantos argumentos que me convencí de que era mejor aplazar el viaje.* □ ETIMOL. Del latín *argumentum.*

aria s.f. Véase **ario, ria**.

-aria Sufijo que indica lugar: *funeraria.*

aridez s.f. **1** Sequedad o falta de humedad: *La ausencia de vegetación en esta zona se debe a la aridez de la tierra.* **2** Falta de amenidad o de capacidad de resultar agradable o de entretener: *Es tal la aridez de esta novela que nunca he conseguido terminarla.*

árido, da ▮ adj. **1** Seco y con poca humedad: *un terreno árido.* **2** Falto de amenidad o de capacidad para resultar agradable o para entretener: *un tema árido.* ▮ s.m.pl. **3** Granos, legumbres y otros frutos secos a los que se aplican medidas de capacidad: *La fanega y el celemín son unidades tradicionales de capacidad para medir áridos.* □ ETIMOL. Del latín *aridus.*

aries (pl. *aries*) adj.inv./s.com. Referido a una persona, que ha nacido entre el 21 de marzo y el 19 de abril aproximadamente. □ ETIMOL. De *Aries* (primer signo zodiacal).

ariete s.m. **1** Antigua máquina militar que se utilizaba para derribar puertas y murallas y que estaba formada por una viga larga y pesada reforzada en uno de sus extremos por una pieza de hierro o bronce, generalmente en forma de cabeza de carnero: *Los soldados derribaron la puerta del castillo con un ariete.* **2** En fútbol, delantero centro de un equipo: *La función principal del ariete es marcar goles.* □ ETIMOL. Del latín *aries* (carnero), por la semejanza entre la forma de usar el ariete y la forma de envestir del carnero.

ario, ria ▮ adj./s. **1** Que pertenece a un pueblo de estirpe nórdica que habitó la zona asiática central. ▮ s.f. **2** Composición musical para una sola voz con acompañamiento instrumental: *Lo que más me gustó de la ópera fue el aria que cantó la soprano.* □ ETIMOL. Del sánscrito *arya* (noble). □ MORF. En la acepción 2, por ser un sustantivo femenino que empieza por *a* tónica o acentuada, va precedido de *el, un, algún, ningún* y de las formas femeninas del resto de los determinantes.

-ario Sufijo que indica lugar: *balneario, campanario.* □ ETIMOL. Del latín *arius.*

-ario, -aria 1 Sufijo que indica relación: *rutinario, revolucionaria.* **2** Sufijo que indica profesión o actividad: *bibliotecario, empresaria, incendiaria.* □ ETIMOL. Del latín *-arius.*

arisco, ca adj. Difícil de tratar o poco amable: *No seas tan arisca y dame un beso, mujer.* □ ETIMOL. De origen incierto.

arista s.f. **1** Línea que resulta de la intersección o encuentro de dos superficies: *Las aristas de una pirámide son las rectas en las que se unen dos de sus caras.* **2** Filamento áspero de la cáscara que envuelve el grano de trigo y el de otras plantas gramíneas: *La arista es una de las características que se tienen en cuenta para identificar un grano de cereal.* **3** Dificultad que algo presenta: *Es imposible que lleguéis a un acuerdo si antes no limáis aristas.* □ ETIMOL. Del latín *arista* (arista de la espiga, espina del pescado).

aristocracia s.f. **1** Grupo social formado por las personas más notables de un Estado o por las que tienen un título de nobleza. **2** Grupo social que sobresale entre los demás por alguna circunstancia: *La aristocracia del deporte español asistió a la inauguración del campeonato.* □ ETIMOL. Del griego *aristokratía*, y este de *áristos* (el mejor) y *krátos* (fuerza).

aristócrata s.com. Miembro de la aristocracia o partidario de ella: *Se enorgullecía de ser uno de los pocos aristócratas que aún quedaban en su ciudad.*

aristocrático, ca adj. De la aristocracia o relacionado con ella: *Procede de una familia aristocrática.*

aristotélico, ca ▌ adj. **1** De Aristóteles (filósofo griego del siglo IV a. C.), o relacionado con él: *la doctrina aristotélica.* ▌ adj./s. **2** Que está de acuerdo con la doctrina de este filósofo. ☐ SINÓN. *peripatético.*

aristotelismo s.m. **1** Conjunto de las doctrinas de Aristóteles (filósofo griego del siglo IV a. C.): *El aristotelismo se opone a la teoría platónica de las ideas.* **2** Tendencia o escuela filosófica posterior a Aristóteles cuyo punto de partida es el pensamiento de este filósofo: *El aristotelismo medieval tiene como máximo representante a Tomás de Aquino.*

aritmética s.f. Véase **aritmético, ca.**

aritmético, ca ▌ adj. **1** De la aritmética o relacionado con esta parte de las matemáticas: *La suma y la resta son algunas de las operaciones aritméticas.* ▌ s. **2** Persona que se dedica profesionalmente al estudio de la aritmética o que está especializada en esta parte de las matemáticas: *Este mes se celebra un importante congreso de aritméticos.* ▌ s.f. **3** Parte de las matemáticas que estudia los números y las operaciones hechas con ellos: *La aritmética estudia las propiedades de las operaciones de cálculo.* ☐ ETIMOL. Del latín *arithmetica*, y este del griego *arithmetiké* (arte numérica).

aritmomancia s.f. Adivinación a través de los números.

arlequín s.m. Personaje cómico de teatro, procedente de la antigua comedia del arte italiana, que lleva una máscara negra y va vestido con un traje de cuadros o rombos de distintos colores: *En los carnavales se disfrazó de arlequín.* ☐ ETIMOL. Del italiano *arlecchino*, y este del francés antiguo *Herlequin* (nombre de un diablo).

arlequinesco, ca adj. Con características que se consideran propias de un arlequín.

arma ▌ s.f. **1** Instrumento o máquina que sirve para atacar o para defenderse: *La atracadora disparó su arma contra el policía.* **2** Defensa natural de que dispone un animal para atacar o para defenderse: *El arma del escorpión es su aguijón venenoso.* **3** Medio que sirve para conseguir algo: *Su inteligencia y su dedicación son sus únicas armas para triunfar en este trabajo.* **4** En una fuerza militar, cada uno de los grupos armados que se caracterizan por su peculiar organización, armamento, equipo y modalidad de combate: *El arma de artillería inició el combate.* ▌ pl. **5** Profesión militar: *El ideal del caballero renacentista era compaginar las armas y las letras.* **6** Tropas o ejércitos de un Estado: *Las armas del imperio se enfrentaron a los invasores hasta derrotarlos.* **7** En heráldica, superficie u objeto con forma de escudo defensivo donde se pintan las figuras o piezas que son distintivos de un reino, de una ciudad, de un linaje o de una persona: *Sobre la puerta principal de la muralla aparecen las armas de la ciudad.* ☐ SINÓN. *blasón, escudo de armas.* **8** ‖ **alzarse en armas;** sublevarse: *El ejército se alzó en armas cuando supo los resultados de las elecciones.* ‖ **arma blanca;** la que consta de una hoja de acero y hiere por el filo o por la punta: *La espada, el puñal y el sable son armas blancas.* ‖ **arma de {doble filo/dos filos};** lo que puede obrar en favor o en contra de lo que se pretende: *Hacer públicos esos datos es un arma de doble filo, porque podemos hundir a la competencia, pero también podemos hundirnos nosotros.* ‖ **arma de fuego;** la que utiliza una materia explosiva para realizar los disparos: *La pistola, la escopeta y el fusil son armas de fuego.* ‖ **pasar por las armas** a alguien; fusilarlo: *Al amanecer, pasaron por las armas a varios detenidos.* ‖ **presentar armas;** referido a la tropa, rendir honor militar poniendo el fusil frente al pecho con el disparador hacia fuera: *Al paso del embajador, los soldados presentaron armas.* ‖ **ser de armas tomar;** ser enérgico, decidido, o tener un carácter muy fuerte: *No creo que la engañen fácilmente porque es una mujer de armas tomar.* ‖ **velar las armas;** guardarlas sin perderlas de vista el que iba a ser armado caballero la noche anterior a este acto: *Don Quijote veló las armas en una venta.* ☐ ETIMOL. Del latín *arma* (armas). ☐ MORF. 1. Por ser un sustantivo femenino que empieza por *a* tónica o acentuada, va precedido de *el, un, algún, ningún* y de las formas femeninas del resto de los determinantes. 2. Las acepciones 2 y 3 se usan más en plural.

armada s.f. **1** Conjunto de las fuerzas navales de un Estado: *La Armada española renovará su flota.* **2** Conjunto de barcos de guerra que participan en una determinada misión bajo el mismo mando. ☐ SINÓN. *escuadra.* ☐ ETIMOL. Del latín *armata*, y este de *armatus* (armado). ☐ ORTOGR. En la acepción 1, se usa más como nombre propio. ☐ SEM. En la acepción 2, dist. de *marina* (conjunto de buques de una nación).

armadía (tb. *almadía*) s.f. Conjunto de maderos unidos unos con otros para poder ser transportados fácilmente por un río: *Los leñadores hacen armadías con los árboles talados y los transportan río abajo hasta el aserradero.* ☐ ETIMOL. De *almadía.*

armadillo s.m. Animal mamífero que tiene el cuerpo protegido por una coraza ósea cubierta de escamas córneas y móviles, y que puede enrollarse sobre sí mismo: *Los armadillos son propios de América del Sur.* ☐ MORF. Es un sustantivo epiceno: *el armadillo {macho/hembra}.*

armador, -a s. Persona que se dedica por su cuenta a la preparación y al equipamiento de embarcaciones: *Esta empresa naviera encarga siempre sus barcos al mismo armador.*

armadura s.f. **1** Especie de traje formado por piezas metálicas articuladas con el que se vestían los guerreros para protegerse en los combates. **2** Pieza o conjunto de piezas unidas que sirven para montar algo sobre ellas o para sostenerlo: *El tejado va montado sobre una armadura de maderos y tablas.* ☐ SINÓN. *armazón.* ☐ ETIMOL. Del latín *armatura.*

armamentismo s.m. Doctrina o actitud que defiende el incremento progresivo del número y de la calidad de las armas que posee un país: *Tras la Segunda Guerra Mundial, el armamentismo causó una política de bloques.*

armamentista ▮ adj.inv. **1** Relacionado con la industria de las armas de guerra: *producción armamentista.* ▮ adj.inv./s.com. **2** Partidario de la doctrina o de la actitud del armamentismo: *La política armamentista del Gobierno ha provocado las protestas de un amplio sector social.*

armamento s.m. **1** Conjunto de las armas y del material que están al servicio de un soldado, de un cuerpo militar o de un ejército: *armamento nuclear.* **2** Preparación y provisión de todo lo necesario para la guerra: *El armamento de las tropas se realizará inmediatamente.* □ ETIMOL. Del latín *armamentum.*

armañac s.m. Bebida alcohólica originaria de Armagnac (región francesa): *El armañac tiene un sabor parecido al del coñac.* □ ETIMOL. Del francés *armagnac.*

armar ▮ v. **1** Proporcionar armas: *Armaron a toda la población para poder hacer frente a los invasores. Los exploradores se armaron de machetes y rifles antes de entrar en la cueva.* **2** Preparar todo lo necesario para la guerra o para cualquier otra actividad: *El Gobierno decidió armar el ejército.* **3** Referido esp. a un mueble, juntar sus piezas y ajustarlas entre sí: *Tardaron solo diez minutos en armar la tienda de campaña.* **4** *col.* Referido esp. a una riña o a un escándalo, promoverlos, causarlos o formarlos: *No arméis tanto ruido. Con tanta gente en casa se armó un jaleo tremendo.* ▮ prnl. **5** Referido a una actitud, tomarla a fin de resistir alguna contrariedad: *Se armó de paciencia y se sentó a esperar su llamada.* **6** ‖ **armarla;** *col.* Provocar una riña o un alboroto: *Ayer me callé, pero esta noche pienso armarla en cuanto los vea.* □ SINT. Constr. de la acepción 5: *armarse* DE *algo.*

armario s.m. **1** Mueble con puertas que sirve para guardar la ropa y otros objetos: *El armario de mi habitación tiene cajones, estantes y perchas.* **2** ‖ **salir del armario;** Reconocer una persona públicamente su homosexualidad. □ ETIMOL. Del latín *armarium*, que antiguamente significaba *lugar donde se guardan las armas.*

armatoste s.m. Lo que resulta grande y de poca utilidad: *Las viejas máquinas de imprimir han pasado a ser hoy inútiles armatostes.* □ ETIMOL. Del catalán antiguo *armatost.*

armazón s.amb. Pieza o conjunto de piezas unidas que sirven para montar algo sobre ellas o para sostenerlo: *Las gradas para el público se han montado sobre un armazón de madera.* □ SINÓN. *armadura.*

armella s.f. Pieza en forma de anillo, generalmente metálica, que suele tener un clavo o un tornillo para fijarla: *Introduce el candado en la armella antes de echar la llave.* □ ETIMOL. Del latín *armilla* (aro).

armenio, nia ▮ adj./s. **1** De Armenia o relacionado con este país asiatico. **2** De esta antigua región asiática o relacionada con esta región. ▮ s.m. **3** Grupo de lenguas indoeuropeas de esta región: *Las primeras manifestaciones escritas del armenio son del siglo* XI.

armería s.f. Lugar en el que se guardan, se venden o se exhiben armas: *En la armería de palacio se conservan muchas armas antiguas.*

armero s.m. **1** Persona que se dedica a la fabricación, a la venta o al arreglo de armas: *El armero me arregló la escopeta de caza.* **2** Persona encargada de reparaciones sencillas de las armas almacenadas y de mantenerlas limpias: *Cada unidad militar dispone de su armero.* **3** Dispositivo o armazón en que se colocan las armas: *Al llegar al cuartel tras la instrucción, los soldados colocaron las armas en los armeros.*

armiño s.m. **1** Mamífero carnívoro, de piel muy suave, parda en verano y blanca en invierno, muy apreciada en peletería: *Cuando se irrita, el armiño expulsa una sustancia maloliente.* **2** Piel de este animal. □ ETIMOL. Del latín *armenius mus* (rata de Armenia), que se importó a Europa desde el mar Negro. □ MORF. En la acepción 1, es un sustantivo epiceno: *el armiño {macho/hembra}.*

armisticio s.m. Suspensión o cese de la lucha armada, pactado entre los bandos enfrentados: *firmar un armisticio.* □ ETIMOL. Del latín *armistitium*, y este de *arma* (armas) y *statio* (suspensión, detención). □ SEM. Dist. de *tregua* (suspensión temporal).

armonía (tb. *harmonía*) s.f. **1** Proporción y correspondencia adecuadas entre las partes de un todo: *La belleza de este cuadro deriva de la armonía de sus colores.* **2** Amistad y buena relación: *La armonía siempre reinó en este equipo de trabajo.* **3** Unión y combinación de sonidos simultáneos y diferentes, pero acordes entre sí: *La interpretación del coro fue elogiada por la perfecta armonía de sus voces.* **4** En música, arte o técnica de formar y enlazar acordes: *Es imposible que puedas poner acompañamiento a una melodía si no tienes nociones de armonía.* □ ETIMOL. Del griego *harmonía.*

armónica s.f. Véase **armónico, ca.**

armónico, ca (tb. *harmónico, ca*) ▮ adj. **1** De la armonía o relacionado con ella: *una composición armónica.* ▮ s.m. **2** En música, sonido que acompaña a otro fundamental y que se produce de forma natural por la resonancia de este: *La formación de los armónicos depende de la caja de resonancia del instrumento que produce el sonido.* ▮ s.f. **3** Instrumento musical de viento, en forma de cajita, provisto de una serie de ranuras con una o varias lengüetas metálicas cada una, y que se toca soplando o aspirando por estas ranuras. □ MORF. En la acepción 2, se usa más en plural.

armonio (tb. *armónium, harmonio*) s.m. Órgano pequeño, con la forma exterior de un piano, y al que se da aire por medio de un fuelle que se mueve con los pies: *El armonio suele sustituir al órgano en los conciertos que se celebran en iglesias pequeñas.*

armonioso, sa (tb. *harmonioso, sa*) adj. **1** Sonoro y agradable al oído: *El sonido del agua al caer sobre la fuente es muy armonioso.* **2** Que tiene armonía entre sus partes: *una relación armoniosa.*

armónium s.m. →**armonio.** □ ORTOGR. Incorr. **harmonium.*

armonización s.f. Creación de armonía o buena relación, o concesión de la correspondencia adecuada entre las partes de un todo o entre los elementos que deben contribuir a un mismo fin: *Sin una armonización de intereses y objetivos, es imposible realizar un buen trabajo conjunto.*

armonizar v. **1** Poner en armonía o en buena relación, o proporcionar la correspondencia adecuada entre las partes de un todo o entre los elementos que deben contribuir a un mismo fin: *La hermana mayor armonizaba los intereses de todos los miembros de la familia.* **2** Estar en armonía, o manifestarla: *Las cortinas armonizan perfectamente con el resto de la decoración.* □ ORTOGR. La *z* se cambia en *c* delante de *e* →CAZAR.

armys (pl. *armys*) s.m. Correa metálica del reloj: *Me han quitado tres eslabones del armys porque me quedaba grande el reloj.*

ARN (pl. *ARN*) s.m. Sustancia química que constituye el material genético de las células y que se encuentra fundamentalmente en el citoplasma de estas. □ ETIMOL. Es la sigla de *ácido ribonucleico.*

arnés (pl. *arneses*) ▌s.m. **1** Conjunto de armas de acero defensivas que se ajustaban al cuerpo asegurándolas con correas y hebillas. **2** Conjunto de correas que se ajustan a la cintura y a las piernas de una persona y que sirve como sistema de seguridad para realizar determinadas actividades: *Para escalar necesitas llevar un buen arnés.* ▌pl. **3** Guarniciones o conjunto de correas y otros objetos que se ponen a las caballerías para que tiren de un carruaje, para montarlas o para cargarlas. □ ETIMOL. Del francés antiguo *harneis.*

árnica s.f. **1** Planta herbácea perenne que tiene flores amarillas y olorosas, y que se usa en medicina: *Las flores y la raíz del árnica tienen un olor y un sabor fuertes que hacen estornudar.* **2** Tintura o sustancia que se obtiene de la flor y de la raíz de esta planta: *Aunque se emplea en medicina, en grandes dosis el árnica puede resultar venenosa.* **3** ‖ **pedir árnica;** pedir compasión de forma explícita o implícita, al sentirse inferior en algo: *Vino a mí pidiendo árnica y despertó mi compasión.* □ ETIMOL. Del latín *arnica.* □ PRON. Incorr. *[arníca]. □ MORF. Por ser un sustantivo femenino que empieza por *a* tónica o acentuada, va precedido de *el, un, algún, ningún* y de las formas femeninas del resto de los determinantes.

aro ▌s.m. **1** Pieza hecha con un material rígido, esp. metálico, con forma de circunferencia: *Las canastas de baloncesto están formadas por un tablero, un aro y una red.* **2** En zonas del español meridional, pendiente. ▌interj. **3** En zonas del español meridional, expresión que se usa para interrumpir al que canta o al que habla. **4** ‖ **{entrar/pasar} por el aro;** *col.* Ceder ante algo que no se quería: *Dijo que nunca se compraría un coche, pero ha pasado por el aro, como todos.* □ ETIMOL. De origen incierto.

aroma s.m. Perfume u olor muy agradable: *El aroma de las rosas se extendía por todo el jardín.* □ ETIMOL. Del latín *aroma.*

aromaterapia s.f. Tratamiento de las enfermedades mediante sustancias aromáticas: *La aromaterapia utiliza aceites extraídos de plantas.* □ SINÓN. *aromatoterapia.*

aromaticidad s.f. Conjunto de características propias de lo que es aromático o desprende un olor agradable: *La aromaticidad de la menta hace que sea muy apreciada en cocina.*

aromático, ca adj. **1** Que tiene aroma u olor agradable. **2** En química, referido a una molécula cíclica, que tiene una estabilidad superior a la de las estructuras de cadena abierta con igual número de enlaces múltiples.

aromatización s.f. Proceso por el que se da aroma a alguna cosa: *En la elaboración del vino es muy importante su aromatización.*

aromatizante adj.inv./s.m. Que da aroma u olor agradable: *Los alimentos preparados llevan sustancias conservantes y aromatizantes.*

aromatizar v. Dar aroma u olor agradable: *Aromatizó las sábanas con agua de colonia.* □ ORTOGR. La *z* se cambia en *c* delante de *e* →CAZAR.

aromatoterapia s.f. →**aromaterapia.**

arpa (tb. *harpa*) s.f. Instrumento musical de cuerda, de forma triangular, con cuerdas de distintas longitudes colocadas verticalmente y unidas por uno de sus extremos a la caja de resonancia, y que se tocan pulsándolas con los dedos de ambas manos: *El arpa empezó a ser más empleada como instrumento de orquesta a partir del siglo* XIX. □ ETIMOL. Del francés *harpe*, y este del germánico *harpa* (rastrillo). □ MORF. Por ser un sustantivo femenino que empieza por *a* tónica o acentuada, va precedido de *el, un, algún, ningún* y de las formas femeninas del resto de los determinantes.

arpegiar v. Hacer arpegios o tocar las notas de un acorde de manera sucesiva, en lugar de simultáneamente: *En la música barroca se arpegia más que en la renacentista.* □ ORTOGR. La *i* nunca lleva tilde.

arpegio s.m. Sucesión más o menos acelerada de los sonidos que, cuando se tocan simultáneamente, forman un acorde: *Los arpegios pueden ser ascendentes o descendentes.* □ ETIMOL. Del italiano *arpeggio*, y este de *arpeggiare* (tocar el arpa).

arpía (tb. *harpía*) s.f. **1** *col.* Persona mala o perversa: *No te fíes de ella, porque es una arpía.* **2** En la mitología griega, divinidad que se representaba con rostro de mujer y cuerpo de ave de rapiña con afiladas garras: *Las arpías eran raptoras de niños y de almas.* □ ETIMOL. Del latín *harpyia.*

arpillera (tb. *harpillera*) s.f. Tejido muy basto, generalmente de estopa, que se usa sobre todo para la fabricación de sacos y para embalar: *un saco de* *arpillera.* □ ETIMOL. De origen incierto. □ ORTOGR. Dist. de *aspillera.*

arpista s.com. Músico que toca el arpa: *La arpista de esta orquesta empezó a tocar el arpa cuando tenía seis años.*

arpón s.m. Instrumento de pesca formado por un mango largo de madera terminado en uno de sus extremos por una punta de hierro, que sirve para herir a la presa, y otras dos dirigidas hacia atrás, que impiden que la presa se suelte: *El arpón se utiliza para pescar peces de gran tamaño.* □ ETIMOL. Del francés *harpon,* y este de *harpe* (garra).

arponear v. Cazar o pescar con arpón: *Todos los pescadores estaban preparados para arponear a la ballena en cuanto emergiera a la superficie.*

arponero, ra s. Persona que caza o pesca con arpón: *Antiguamente, en la caza de la ballena, el arponero se acercaba al animal en un bote, acompañado por otros pescadores.*

arquear v. **1** Dar o adquirir forma de arco: *Al intentar arquear la vara de madera, la rompió. A muchos jinetes se les arquean las piernas.* □ SINÓN. *enarcar.* **2** Referido esp. a una embarcación, medir su capacidad.

arqueo s.m. **1** Hecho de tomar forma de arco: *El arqueo de estas tablas se debe a la humedad.* **2** En contabilidad, reconocimiento del dinero y de los documentos que existen en la caja de una casa, una oficina o una corporación: *En el cierre mensual, confeccionamos el arqueo correspondiente al mes de la fecha.* **3** Capacidad o volumen de una embarcación. □ ETIMOL. La acepción 1, de *arco.* La acepción 2, de *arca.*

arqueo- Elemento compositivo prefijo que significa 'antiguo': *arqueología, arqueozoología.* □ ETIMOL. Del griego *arkhâios* (antiguo).

arqueoastronomía s.f. Ciencia que estudia los conocimientos astronómicos que tenían las civilizaciones antiguas: *La arqueoastronomía se basa en el estudio de algunos monumentos que se conservan de las civilizaciones antiguas.* □ ETIMOL. De *arqueo-* (antiguo) y *astronomía.*

arqueolítico, ca adj. De la edad de piedra o relacionado con ella: *En las excavaciones se encontraron restos arqueolíticos.* □ ETIMOL. De *arqueo-* (antiguo) y *líthos* (piedra).

arqueología s.f. Ciencia que estudia las civilizaciones antiguas, generalmente a través de los restos que nos han llegado de ellas: *La arqueología nos permite conocer las manifestaciones artísticas de culturas hoy desaparecidas.* □ ETIMOL. Del griego *arkhaiología* (historia de lo antiguo), y este de *arkhâios* (antiguo) y *lógos* (tratado).

arqueológico, ca adj. De la arqueología o relacionado con esta ciencia: *En el museo arqueológico se conservan herramientas utilizadas por los hombres primitivos.*

arqueólogo, ga s. Persona que se dedica profesionalmente al estudio de la arqueología o que está especializada en esta ciencia: *Una arqueóloga está estudiando los yacimientos prehistóricos de la región.*

arqueozoología s.f. Parte de la arqueología que estudia principalmente los restos de animales en yacimientos de antiguas culturas: *La parte de la arqueología que más me gusta es la arqueozoología.* □ ETIMOL. De *arqueo-* (antiguo) y *zoología.*

arquería s.f. Serie de arcos: *El claustro de la catedral tiene una hermosa arquería románica.* □ ORTOGR. Dist. de *alquería.*

arquero, ra ▮ s. **1** Persona que practica el deporte del tiro con arco. ▮ s.m. **2** Soldado que peleaba con arco y flechas. **3** En zonas del español meridional, portero: *El arquero realizó una gran parada.*

arqueta s.f. **1** Arca o caja de pequeño tamaño, esp. la que está hecha con materiales nobles: *Las reliquias de la santa están guardadas en esta arqueta de plata.* **2** Recipiente o caja que recoge el agua: *Las aguas de los desagües van a parar a una arqueta.*

arquetípico, ca adj. Del arquetipo o relacionado con este modelo: *un ejemplo arquetípico.*

arquetipo s.m. Modelo o forma ideal que sirve de patrón o de ejemplo: *El arquetipo del cortesano renacentista está descrito en la obra 'El cortesano', de Baltasar de Castiglione.* □ ETIMOL. Del latín *archetypum,* y este del griego *arkhétypon* (modelo original).

-arquía Elemento compositivo sufijo que significa 'gobierno': *oligarquía, autarquía.*

arquidiócesis (pl. *arquidiócesis*) s.f. En zonas del español meridional, archidiócesis.

arquitecto, ta s. **1** Persona que se dedica profesionalmente a la realización de proyectos de edificios y a la construcción de estos: *El edificio diseñado por esa arquitecta ha sido galardonado con un premio internacional.* **2** ‖ **arquitecto técnico;** persona que se dedica profesionalmente a la realización de diversas tareas técnicas en el campo de la construcción: *El arquitecto técnico está capacitado para proyectar obras de pequeña envergadura.* □ SINÓN. *aparejador.* □ ETIMOL. Del latín *architectus,* este del griego *arkhitéktos,* y este de *árkho* (soy el primero) y *tékton* (obrero, carpintero). □ MORF. El femenino de *arquitecto técnico* es *arquitecta técnica.* □ USO En la acepción 1, el masculino también se usa para designar el femenino: *Mi compañera de piso es arquitecto.*

arquitectónico, ca adj. De la arquitectura o relacionado con este arte: *Esa iglesia es de una gran belleza arquitectónica.* □ SINÓN. *arquitectural.*

arquitectura s.f. **1** Arte o técnica de diseñar, de proyectar y de construir edificios: *Yo estudiaré arquitectura.* **2** Conjunto de edificios con una característica común: *La arquitectura árabe está plagada de arcos de herradura.*

arquitectural adj.inv. De la arquitectura o relacionado con este arte: *Las nuevas tendencias arquitecturales están representadas en este barrio de la ciudad.* □ SINÓN. *arquitectónico.*

arquitrabe s.m. En arquitectura, parte más baja del entablamento, la cual descansa o se apoya directamente sobre los capiteles de las columnas: *En el arte griego, el arquitrabe sustentaba el friso de los edificios.* □ ETIMOL. Del italiano *architrave* (viga o trabe maestra).

arquivolta (tb. *archivolta*) s.f. Conjunto de molduras o adornos exteriores que decoran la cara exterior de un arco arquitectónico a lo largo de toda su curva: *Las arquivoltas de la puerta principal de la catedral están decoradas con figuras geométricas.* □ ETIMOL. Del italiano *archivolto.*

arrabal (tb. *rabal*) s.m. Barrio o zona que está fuera del recinto de una población o a las afueras, esp. los habitados por una población de bajo nivel económico: *Tarda mucho en llegar al centro de la ciudad porque vive en los arrabales.* □ ETIMOL. Del árabe *ar-rabad* (el barrio de las afueras).

arrabalero, ra adj./s. **1** Habitante de un arrabal. **2** *col. desp.* Referido a una persona, que muestra mala educación.

arrabio s.m. Hierro fundido que constituye la materia prima de la industria del hierro y el acero: *El arrabio se obtiene en los altos hornos.*

arracimarse v.prnl. Unirse o juntarse en forma de racimo: *La gente se arracimaba delante de las taquillas para sacar sus entradas.* □ SINÓN. *enracimarse.*

arraigar ▌v. **1** Echar o criar raíces: *El árbol que trasplantamos se está secando porque no ha arraigado bien.* **2** Referido esp. a un sentimiento o a una costumbre, hacerlos muy firmes, consolidarlos o fijarlos con fuerza: *Aquella larga enfermedad arraigó en mí el hábito de la lectura.* ▌prnl. **3** Establecerse de manera permanente en un lugar, vinculándose con las personas y cosas de allí: *Vino a pasar unas vacaciones, pero acabó abriendo un taller y arraigándose aquí.* □ ETIMOL. Del latín *radicare.* □ ORTOGR. La *g* se cambia en *gu* delante de *e* →PAGAR.

arraigo s.m. Fijación de manera permanente o firme: *Esa costumbre tiene muy poco arraigo en nuestro pueblo.*

arramblar (tb. *arramplar*) v. Referido a algo que hay en un lugar, cogerlo y llevárselo con codicia: *Llegó el primero a la fiesta y arrambló con todo lo dulce.* □ ETIMOL. De *rambla.* □ SINT. Constr. *arramblar* CON *algo.*

arramplar v. *col.* →**arramblar.** □ SINT. Constr. *arramplar* CON *algo.*

arrancada s.f. **1** Partida o salida violenta de una persona o de un animal: *El toro tuvo una arrancada muy rápida, y cogió al banderillero.* **2** Comienzo del movimiento de una máquina o de un vehículo que se pone en marcha: *Cuando controles más el embrague y el acelerador, harás arrancadas más suaves.*

arrancamoños s.m. Fruto del cadillo, ovalado y con espinas. □ SINÓN. *cadillo.*

arrancar v. **1** Sacar de raíz o con violencia, o separar con fuerza: *Tengo que arrancar las malas hierbas del jardín.* **2** Quitar con violencia: *Me pone nervioso que me arranques las cosas de las manos, en lugar de pedírmelas.* **3** Obtener o conseguir con astucia, con esfuerzo o con violencia: *Los actores arrancaron grandes aplausos del público.* **4** Referido a una persona, separarla o apartarla con violencia o con astucia de algo, esp. de un vicio: *Están haciendo todo lo posible para arrancarlos de la droga.* **5** Referido a una máquina, iniciar su funcionamiento o su movimiento: *¡Corre, a ver si cogemos el autobús antes de que arranque!* **6** *col.* Partir o salir de algún sitio: *Lleva media hora diciendo que se va, pero no arranca.* **7** *col.* Empezar a hacer algo de forma inesperada: *Estábamos tan tranquilos, cuando arrancó a llorar, sin que supiéramos qué le ocurría.* **8** Provenir o tener origen: *Su enemistad arranca de un problema que tuvieron en el trabajo.* **9** En arquitectura, referido a un arco o a una bóveda, empezar su curvatura: *Esta bóveda arranca de las impostas.* □ ETIMOL. De origen incierto. □ ORTOGR. La *c* se cambia en *qu* antes de *e* →SACAR.

arranchar v. Quitar algo con violencia. □ ETIMOL. De *arrancar.*

arranque s.m. **1** Decisión o valentía para hacer algo: *Me falta arranque para lanzarme a realizar mi sueño dorado.* **2** Manifestación violenta y repentina de un sentimiento o de un estado de ánimo: *un arranque de celos.* **3** Dispositivo que pone en marcha el motor de una máquina, esp. el de un vehículo: *Tuve que llevar el coche al taller porque no le funcionaba el arranque.* **4** Comienzo, origen o principio de algo: *Muchos críticos consideran la poesía de Bécquer el arranque de la poesía moderna española.* **5** Ocurrencia ingeniosa o viva que alguien no se espera: *Me lo pasé muy bien en la cena, porque hubo gente con arranques muy graciosos.*

arrapiezo s.m. Niño pobre o de condición humilde: *En la novela picaresca abundan los arrapiezos.* □ USO Tiene un matiz despectivo.

arras s.f.pl. Conjunto de las trece monedas que los novios se entregan en la celebración de su matrimonio, como símbolo de los bienes que ambos van a compartir: *En la ceremonia del matrimonio el novio pasa las arras de sus manos a las de la novia.* □ ETIMOL. Del latín *arrae* (lo que se da en prenda de un contrato).

arrasamiento s.m. Destrucción total o por completo: *El ejército enemigo llevó a cabo el arrasamiento de la ciudad conquistada.*

arrasar ▌v. **1** Destruir por completo: *El terremoto arrasó la región.* **2** *col.* Triunfar de forma aplastante: *Este cantante ha arrasado en todas las ciudades en las que ha actuado en directo.* ▌v.prnl. **3** Referido a los ojos, llenarse de lágrimas: *Al oír la noticia, los ojos se le arrasaron en lágrimas.* □ ETIMOL. Del latín *radere* (afeitar).

arrastrado, da adj. Pobre, mísero o con privaciones y dificultades: *Llevo una vida tan arrastrada que estoy desesperado.* □ SINÓN. *aporreado.*

arrastrar ▌v. **1** Referido a un objeto, llevarlo por el suelo, tirando de ello: *No arrastres la silla, que vas a rayar el suelo.* **2** Referido a un objeto, llevarlo a ras del suelo o de otra superficie: *El rey avanzaba con paso majestuoso arrastrando su capa de armiño.* **3** Referido a una persona, impulsarla o llevarla a hacer algo una fuerza o un poder invisibles: *Lo arrastra la pasión por el juego.* **4** Referido a una persona, llevarla otra tras sí o atraer su voluntad: *Esta cantante arrastra a las masas.* **5** Traer o tener como consecuencia inevitable: *La dimisión del ministro arrastrará las dimisiones de otros altos cargos.* **6** Referido esp. a una desgracia, soportarla penosamente: *Esa familia arrastra desde hace años una grave situación económica.* **7** En algunos juegos de cartas, echar una carta que obliga a los demás jugadores a echar una carta del mismo palo: *Arrastro con oros.* ▌ prnl. **8** Ir de un sitio a otro desplazando el cuerpo de forma que roce el suelo: *Los soldados se arrastraron hacia las trincheras para esquivar las balas.* **9** Humillarse y rebajarse de forma vil para conseguir algo: *Me parece indigno que te arrastres así ante tu jefa para conseguir un ascenso.* ☐ ETIMOL. Del latín *rastrum* (rastrillo de labrador). ☐ ORTOGR. Dist. de *arrostrar.*

arrastre s.m. **1** Transporte de algo tirando de ello de forma que roce el suelo. **2** En algunos juegos de cartas, obligación de echar todos los jugadores una carta del mismo palo que la carta echada por el primer jugador. **3** En tauromaquia, acto de retirar de la plaza al toro muerto en la lidia. **4** En una pista de esquí, sistema de transporte utilizado por los esquiadores para ascender al inicio de una pista: *Esta estación ha mejorado mucho sus pistas y arrastres.* **5** ‖ **para el arrastre;** *col.* Muy cansado o en muy malas condiciones físicas o anímicas: *Después de una hora de natación estoy para el arrastre.*

arrayán s.m. Arbusto muy oloroso, con hojas de un verde muy intenso, flores blancas y frutos en bayas de color negro azulado, muy empleado en jardinería para formar setos: *Los arrayanes son propios de la zona mediterránea.* ☐ SINÓN. *mirto.* ☐ ETIMOL. Del árabe *al-raihan* (el aromático, el mirto).

arre (tb. *harre*) interj. Expresión que se usa para hacer que un animal de carga, esp. una caballería, empiece a andar, o para que lo haga con más rapidez: *El jinete gritaba: «¡Arre, caballo!».* ☐ ETIMOL. De origen expresivo.

arrea interj. *col.* Expresión que se usa para indicar extrañeza, sorpresa, admiración o disgusto: *¡Arrea, se nos ha olvidado la llave en casa!*

arrear v. **1** Referido esp. a una caballería, hacer que empiece a andar o que lo haga con más rapidez: *El cochero arreaba a los caballos de la diligencia para escapar de los indios.* **2** Darse mucha prisa: *Si no arreamos, no llegaremos a tiempo.* **3** Seguido de algunos sustantivos, realizar la acción expresada por estos: *Me arrearon una patada en la espinilla.* **4** Referido esp. a una caballería, ponerle los arreos o elementos necesarios para poder montarla o cargarla: *Mientras esperaba, le arrearon el corcel para salir de paseo por la feria.* ☐ ETIMOL. Las acepciones 1 y 2, de *arre.* Las acepciones 3 y 4, del latín **arredare* (proveer).

arrebañar v. *vulg.* →**rebañar.**

arrebatado, da adj. **1** Precipitado e impetuoso: *Cuando lo llamaron, salió arrebatado de la habitación.* **2** Enfadado, irritado o violento: *No me gustan las personas arrebatadas por cosas sin importancia.* **3** Referido al color de la cara, muy encendido: *Estaba toda arrebatada de vergüenza.*

arrebatador, -a adj./s. Que arrebata: *Con ese traje tan elegante estás arrebatador.*

arrebatamiento s.m. **1** Furor o enajenamiento causados por la violencia de un sentimiento o de una pasión, esp. de la ira: *Me lo dijo con tal arrebatamiento que me asustó.* ☐ SINÓN. *arrebato.* **2** En algunas religiones, estado en el que el alma alcanza una unión mística con Dios por medio de la contemplación y del amor: *Los místicos, al contemplar a Dios, sentían arrebatamiento.* ☐ SINÓN. *éxtasis, arrebato, arrobamiento, arrobo.* **3** Estado de la persona cautivada por visiones o sensaciones extremadamente bellas, agradables o placenteras: *Cuando le pediste el autógrafo se te notaba en la mirada el arrebatamiento.* ☐ SINÓN. *éxtasis, arrobamiento, arrobo.*

arrebatar ▌ v. **1** Quitar con violencia, con fuerza o con rapidez: *Unos ladrones le arrebataron la maleta.* **2** Conmover intensamente y producir una gran admiración: *Su sencillez nos arrebata a todos.* ▌ prnl. **3** Enfurecerse o dejarse llevar por una pasión, esp. por la ira: *Cada vez que le hablan de eso, se arrebata.* **4** Referido a un alimento, asarse o cocerse mal por exceso de fuego: *Se me ha arrebatado la carne: por fuera está quemada, y por dentro ha quedado cruda.* ☐ ETIMOL. De *rebato* (convocatoria de los vecinos de un lugar cuando había peligro).

arrebato s.m. **1** Furor producido por la violencia de un sentimiento o de una pasión, esp. de la ira: *un arrebato de locura.* ☐ SINÓN. *arrebatamiento.* **2** En algunas religiones, estado en el que el alma alcanza una unión mística con Dios por medio de la contemplación y del amor: *Los místicos a menudo sufren arrebatos cuando rezan.* ☐ SINÓN. *éxtasis, arrobamiento, arrebatamiento.*

arrebol s.m. **1** Color rojo que se ve en las nubes al amanecer o al anochecer por efecto de los rayos del Sol: *El horizonte se tiñó de un intenso arrebol.* **2** Color rojo semejante al de estas nubes en otros objetos y esp. en las mejillas: *Su cara se tiñó de arrebol al oír aquellos halagos.*

arrebolada s.f. Conjunto de nubes que adquieren color rojizo por los rayos de sol: *La arrebolada que se veía sobre las montañas era de una belleza impresionante.*

arrebolar v. Poner de color rojizo como el arrebol o el color de las nubes al amanecer y al atardecer: *Al verme, se le arreboló la cara.* ☐ ETIMOL. Quizá de **arruborar*, y este de *rubor.*

arrebujar v. **1** Referido a algo flexible, arrugarlo, doblarlo o amontonarlo sin ningún cuidado: *Sacó su ropa del armario y la arrebujó en la maleta.* **2** Referido a una persona, cubrirla muy bien con la ropa, arrimándola mucho al cuerpo: *La arrebujó en el* *mantón para que no pasara frío en la verbena. En invierno, me gusta arrebujarme entre las sábanas.* □ ETIMOL. De *reburujar* (tapar, cubrir). □ ORTOGR. Conserva la *j* en toda la conjugación.

arrecharse v.prnl. **1** *vulg.malson.* En zonas del español meridional, excitarse sexualmente. **2** *col.* En zonas del español meridional, enfurecerse: *Mi papá se arrechó porque no lo pagaban.*

arrecho, cha adj. **1** *vulg.malson.* En zonas del español meridional, excitado sexualmente. **2** *col.* En zonas del español meridional, furioso o iracundo: *Un público airado y arrecho los abucheó.* □ ETIMOL. Del latín *arrectus* (enderezado).

arrechucho s.m. *col.* Indisposición repentina, pasajera y de poca gravedad: *Nunca he tenido una enfermedad seria, solo algún que otro arrechucho.* □ ETIMOL. De origen incierto.

arreciar v. Hacerse cada vez más fuerte, más intenso, más duro o más violento: *Durante la noche arreció la tormenta.* □ ETIMOL. De *recio.* □ ORTOGR. La *i* nunca lleva tilde.

arrecife s.m. Conjunto de rocas o de bancos de coral que está en el fondo del mar y llega muy cerca de la superficie: *Los arrecifes son muy peligrosos para la navegación.* □ ETIMOL. Del árabe *ar-rasif* (la calzada).

arredramiento s.m. Temor o miedo que se intentan provocar: *Con todas esas amenazas no vais a conseguir mi arredramiento.*

arredrar v. Atemorizar, amedrentar o hacer sentir miedo o temor: *Las injurias y amenazas no conseguirán arredrarme. Cuando atacaron a su familia se arredró y decidió abandonar la investigación.* □ ETIMOL. Del latín *ad retro* (hacia atrás).

arreglado, da adj. Con orden y moderación: *En esta casa llevamos una vida muy arreglada.*

arreglador, -a ▌adj. **1** Que arregla. ▌s. **2** En zonas del español meridional, arreglista: *Trabajé de arreglador para una casa discográfica.*

arreglar ▌v. **1** Poner en orden, en regla o como es debido: *¿Has arreglado ya tus asuntos?* **2** Referido a algo que está estropeado o que va mal, componerlo o hacer que vuelva a funcionar: *Tengo que llevar la televisión a arreglar, porque no se ve bien.* **3** Asear, acicalar o hacer tener un aspecto limpio y bonito: *Arregla a los niños, que nos vamos de paseo.* **4** Referido a un problema, llegar a un acuerdo sobre lo que hay que hacer para resolverlo: *Arreglaron el asunto de la comida yendo al restaurante de debajo de casa.* **5** Referido a una comida, ponerle los condimentos necesarios para darle buen sabor: *Las ensaladas se suelen arreglar con sal, aceite y vinagre.* **6** *col.* Referido a una persona, castigarla o corregirla: *Si te pillo, te voy a arreglar, gamberro.* **7** Referido a una composición musical, adaptarla para que sea interpretada por voces o instrumentos para los que no fue escrita originariamente: *Esa canción no es suya, pero se la han arreglado muy bien y parece escrita pensando en su voz.* ▌prnl. **8** *col.* Referido a una persona, entablar relaciones amorosas con otra, esp. después de haber decidido terminarlas: *Mi hermano y su novia tuvieron una pelea tan gorda que lo dejaron, pero ayer hablaron y ya se han arreglado.* **9** ‖ **arreglárselas;** *col.* Encontrar el modo de solucionar un problema o de salir adelante en la vida: *Cuando todos lo abandonaron tuvo que aprender a arreglárselas solo.*

arreglista s.com. Persona que se dedica profesionalmente al arreglo de composiciones musicales, adaptándolas para que sean interpretadas por voces o instrumentos para los que no fueron escritas originariamente: *Una amiga mía trabaja de arreglista en una empresa discográfica.*

arreglo s.m. **1** Orden y buena disposición de algo que está colocado de la forma adecuada: *Da gusto ver el buen arreglo que siempre tiene esta casa.* **2** Reparación que se hace de algo que estaba estropeado para que vuelva a funcionar: *¿Cuánto te ha costado el arreglo del coche?* **3** Aseo y limpieza de algo de modo que tenga buen aspecto: *Mi hermano tarda muchísimo por las mañanas en su arreglo personal.* **4** Acuerdo al que se llega sobre lo que hay que hacer para solucionar un problema o resolver una situación: *Por fin han llegado a un arreglo y parece que han dejado de discutir.* **5** Preparación de una comida con los condimentos necesarios para darle buen sabor: *Al hacerles el arreglo, se me pegaron las lentejas.* **6** Transformación o adaptación de una composición musical para ser interpretada por voces o instrumentos para los que no fue escrita originariamente: *¿Has oído el arreglo que han hecho de nuestra canción preferida?* **7** ‖ **arreglo de cuentas;** venganza que realiza alguien que se toma la justicia por su mano: *La policía cree que este asesinato es fruto de un arreglo de cuentas entre bandas rivales.* ‖ **con arreglo a;** según, conforme a, o de acuerdo con: *Las obras se han realizado con arreglo a lo que marcan las leyes.*

arrejuntarse v.prnl. *vulg.* →**ajuntarse.**

arrellanarse v.prnl. Sentarse cómodamente en un asiento ocupando mucho sitio: *Cuando veo la tele me gusta arrellanarme en este sofá.* □ ETIMOL. De *rellano.*

arremangar v. *vulg.* →**remangar.** □ ORTOGR. La *g* se cambia en *gu* delante de *e* →PAGAR.

arremeter v. Acometer o atacar con ímpetu y fuerza: *En su discurso arremetió contra todos los que habían firmado el manifiesto.* □ ETIMOL. De *remeter.* □ SINT. Constr. *arremeter* CONTRA *algo.*

arremetida s.f. Acometida o ataque impetuoso, muy fuerte y violento: *La arremetida del toro pilló por sorpresa al picador.* □ SINÓN. *arremetimiento.*

arremetimiento s.m. →**arremetida.**

arremolinar ▌v. **1** Formar remolinos o moverse en giros rápidos: *El viento arremolinaba su cabello y le tapaba los ojos. Bajo el puente se arremolinan las aguas del río.* ▌prnl. **2** Amontonarse, apiñarse o reunirse de forma desordenada y apretada: *La multitud se arremolinaba a las puertas del estadio.* □ ETIMOL. De *remolino.*

arrempujar v. *vulg.* →**empujar.** □ ORTOGR. Conserva la *j* en toda la conjugación.

arrempujón s.m. *vulg.* →**empujón.**

arrendador, -a s. Persona que da o toma en arrendamiento o alquiler algo: *Los arrendadores del piso exigen a los inquilinos que se lo conserven en buen estado.*

arrendajo (tb. *rendajo*) s.m. Pájaro de color pardo, con manchas oscuras y rayas transversales azules en las plumas de las alas, que se alimenta de los frutos de los árboles y de los huevos de los nidos de otras aves, cuyos cantos imita: *El arrendajo abunda en Europa y habita en los bosques espesos.* ☐ ETIMOL. Del antiguo *arrendar* (imitar), porque su canto parece imitar la voz humana. ☐ MORF. Es un sustantivo epiceno: *el arrendajo {macho / hembra}.*

arrendamiento s.m. Cesión o adquisición de algo para usarlo durante cierto tiempo, a cambio del pago de una cantidad de dinero: *contrato de arrendamiento.* ☐ SINÓN. *arriendo, locación.*

arrendar v. **1** Referido a algo que se va a usar, cederlo, adquirirlo o tomarlo por un tiempo determinado a cambio de un precio: *Estos campesinos han arrendado la finca a sus dueños para cultivarla durante cinco años.* **2** En zonas del español meridional, alquilar: *Arrendé un departamento muy lindo.* ☐ ETIMOL. Del antiguo *renda* (renta). ☐ MORF. Irreg. →PENSAR. ☐ SEM. En la acepción 1, se usa esp. referido a tierras, negocios o tiendas y servicios públicos, frente a *alquilar*, que se prefiere para viviendas, coches, muebles y animales.

arrendatario, ria adj./s. Que recibe algo en arrendamiento o en alquiler: *empresa arrendataria.* ☐ SINÓN. *locatario.*

arrendaticio, cia adj. Del arrendamiento o relacionado con esta cesión o adquisición temporal de algo a cambio de un precio determinado: *Una condición arrendaticia es la de mantener el local en perfectas condiciones.*

arreos s.m.pl. **1** Conjunto de correas y de adornos de las caballerías de montar o de tiro: *El jinete puso los arreos a su caballo.* **2** Conjunto de cosas accesorias o menudas que pertenecen a otra o que se usan con ella: *Tráeme la blusa y los demás arreos de costura para que te cosa los botones.* ☐ ETIMOL. De *arrear* (poner adornos).

arrepanchigarse v.prnl. *col.* →**repanchigarse.** ☐ ORTOGR. La *g* se cambia en *gu* delante de *e* →PAGAR.

arrepentido, da adj./s. **1** Que se arrepiente: *Casi todos somos personas arrepentidas de hacer algo que era mejor no haberlo hecho.* **2** Que se arrepiente de sus delitos, y que se entrega a la policía, a la que revela lo que sabe: *Gracias a la confesión de un arrepentido, la policía consiguió interceptar un importante alijo de droga.*

arrepentimiento s.m. Pena o pesar que se siente por haber hecho algo: *Su arrepentimiento era sincero, y prometió remediar el mal que había causado.*

arrepentirse v.prnl. **1** Sentir una gran pena por haber hecho algo malo o por haber dejado de hacer algo: *Me arrepiento de todos mis pecados.* **2** Cambiar de opinión o no cumplir un compromiso: *Dijo que vendría con nosotros, pero después se arrepintió y se quedó en casa.* ☐ ETIMOL. Del latín *repaenitere.* ☐ MORF. Irreg. →SENTIR. ☐ SINT. Constr. *arrepentirse* DE *algo.*

arrestar v. Detener, hacer preso o dejar sin libertad: *La policía entró en aquel bar y arrestó a dos traficantes de droga.* ☐ ETIMOL. Del latín *restare* (quedar).

arresto s.m. **1** Detención, reclusión o privación de libertad provisionales: *El arresto del soldado se debe a que ha desobedecido una orden.* **2** Privación de libertad por un tiempo breve que un juez pone como castigo a alguien por haber cometido alguna falta o algún delito: *El acusado fue condenado a dos meses de arresto.* **3** Decisión, determinación y valor para hacer algo: *No sé cómo tienes arrestos para soportar eso.* **4** ‖ **arresto mayor;** pena de privación de libertad que puede durar desde un mes y un día hasta seis meses. ‖ **arresto menor;** pena de privación de libertad que tiene una duración de uno a treinta días. ☐ MORF. En la acepción 3, se usa más en plural.

arriada s.f. Bajada de una vela o una bandera que están izadas en lo alto: *La arriada de bandera tiene lugar al anochecer.* ☐ SINÓN. *arriado.*

arriado s.m. →**arriada.**

arrianismo s.m. Doctrina religiosa que consiste en la negación de la divinidad de Jesucristo al afirmar que solo era hijo adoptivo de Dios: *El arrianismo fue condenado como una herejía por la iglesia católica en el Concilio de Nicea, en el año 325.*

arriano, na ▮ adj. **1** Del arrianismo o relacionado con esta doctrina religiosa: *Los visigodos se convirtieron al credo arriano.* ▮ adj./s. **2** Que sigue o que defiende el arrianismo: *El rey visigodo Leovigildo era arriano.* ☐ ETIMOL. Por alusión a Arrio, heresiarca griego de los siglos III y IV.

arriar v. Referido esp. a una bandera o a una vela, bajarlas: *El capitán del barco ordenó arriar las velas.* ☐ ETIMOL. De *arrear* (arreglar). ☐ ORTOGR. La *i* lleva tilde en los presentes excepto en las personas *nosotros* y *vosotros* →GUIAR.

arriate s.m. Franja de terreno estrecha y preparada para tener plantas de adorno junto a las paredes de un jardín o de un patio: *El jardín estaba precioso, porque en cada arriate había plantadas flores de distinto color.* ☐ ETIMOL. Del árabe *ar-riyad* (los jardines).

arriba ▮ adv. **1** Hacia un lugar o parte superior: *Vamos arriba a recoger unas cosas y ahora bajamos. Están pescando río arriba.* **2** En un lugar, parte o posición más altas o superiores: *Vive en el piso de arriba. Ponlo arriba, en la estantería, para que no lo cojan los niños.* ▮ interj. **3** Expresión que se usa para manifestar aprobación, para dar ánimos o para indicar a alguien que se levante: *¡Arriba, muchachos, que la victoria ya es nuestra!* **4** ‖ **de arriba abajo; 1** Del principio al fin, o de un extremo a otro: *Antes de hacer nada, léete las instrucciones de arriba abajo para aprender a usarlo.* **2** Con desdén o con superioridad: *No soporto que* *alguien me mire de arriba abajo solo porque tiene más dinero que yo.* □ ETIMOL. Del latín *ad ripam* (a la orilla). □ SINT. Incorr. *Voy {*a arriba > arriba}. Me miró de arriba {*a abajo > abajo}.*

arribada s.f. Llegada de una embarcación a un puerto: *La arribada del pesquero se produjo al amanecer.* □ SINÓN. *arribaje.*

arribaje s.m. →**arribada.**

arribar v. Llegar a un sitio, esp. referido a una embarcación cuando llega a un puerto: *Hoy arribarán varios barcos de guerra.* □ ETIMOL. Del latín *ripa* (orilla). □ SINT. Constr. *arribar* A *puerto.*

arribismo s.m. Intento de conseguir una posición social más elevada, sin tener en cuenta si los medios empleados para ello son éticos o no: *El arribismo de esos políticos les hace olvidar que representan al pueblo.*

arribista s.com. Persona que aspira a conseguir una posición social más elevada sin tener en cuenta si los medios empleados para ello son éticos o no: *En el mundo laboral nunca faltan arribistas.* □ SINÓN. *trepador.* □ ETIMOL. Del francés *arriviste.*

arribo s.m. Aparición o entrada en un lugar: *El arribo de la comitiva presidencial al palacio se produjo a las tres de la tarde.* □ SINÓN. *llegada.*

arriendo s.m. **1** →**arrendamiento. 2** En zonas del español meridional, alquiler: *Encontré varios arriendos en la sección de avisos limitados del periódico.* □ SEM. En la acepción 1, es sinónimo de *locación.*

arriero s.m. Persona que lleva bestias de carga de un lugar a otro: *Antiguamente, se veía a muchos arrieros conduciendo mulas y asnos por los caminos.* □ ETIMOL. De *arre* (intejección).

arriesgado, da adj. **1** Aventurado, peligroso o que puede causar un daño: *deportes arriesgados.* **2** Temerario, imprudente o que se pone en peligro: *una persona arriesgada.*

arriesgar v. Poner en peligro o exponer a un riesgo: *Los bomberos arriesgan su vida para salvar la de otros. Si dejas esa nota, te arriesgas a que descubra que has sido tú.* □ ORTOGR. La *g* se cambia en *gu* delante de *e* →PAGAR.

arrimadero s.m. Lo que permite apoyarse en ello o acercarse a ello: *En los arrimaderos de esta pared colocamos los muebles.*

arrimar ▌v. **1** Referido a una cosa, acercarla o ponerla junto a otra: *Arrima la silla a la mesa. Los dos enamorados se arrimaban mientras bailaban juntos.* ▌prnl. **2** Buscar la protección o el apoyo de algo, o valerse de ellos: *Siempre se está arrimando a los que tienen poder.* **3** *desp.* Referido a una persona, vivir con otra con la que mantiene relaciones sexuales sin estar casada con ella: *Se rumorea que viven arrimados desde hace ya mucho tiempo.* □ SINÓN. *amancebarse.* **4** En tauromaquia, referido a un torero, torear en terreno próximo al toro: *El diestro estuvo muy valiente y se arrimó mucho.* □ ETIMOL. De origen incierto.

arrimo s.m. **1** Lo que sirve de apoyo para que algo no se caiga: *La pared es un buen arrimo para esa mesa que tiene la pata rota.* **2** ‖ **al arrimo de** algo; bajo su amparo o su protección: *Vive al arrimo de un pariente rico.*

arrinconado, da adj. **1** Que está alejado o apartado del centro: *¿Por qué habéis puesto la mesa tan arrinconada?* **2** Desatendido, abandonado u olvidado.

arrinconamiento s.m. **1** Colocación en un rincón o en un lugar apartado: *Me molesta el arrinconamiento de tantos trastos viejos.* **2** Abandono u olvido en que queda algo: *La jubilación nunca debe ser un arrinconamiento de profesionales valiosos.* **3** Acoso o persecución que sufre una persona hasta que no puede escapar ni retroceder más: *El arrinconamiento que sufrió la entrevistada por parte de los periodistas fue vergonzoso.*

arrinconar v. **1** Poner en un rincón o en un lugar apartado: *En casa, vamos arrinconando los trastos viejos en la buhardilla.* **2** Apartar, abandonar, desatender o dejar de lado: *Es una lástima que haya personas que arrinconan a sus padres cuando estos son ancianos.* □ SINÓN. *arrumbar.* **3** Referido a una persona, acosarla, perseguirla hasta que ya no pueda escapar ni retroceder más: *Me arrinconaron diciéndome lo que me pasaría si dejaba el club y tuve que quedarme.*

arriñonado, da adj. De forma de riñón: *Las judías blancas tienen un aspecto arriñonado.*

arriscado, da adj. Que está formado o lleno de riscos: *un terreno arriscado.*

arritmia s.f. Falta de ritmo o de regularidad en las contracciones del corazón: *Las arritmias se deben a problemas en el funcionamiento cardíaco.* □ ETIMOL. De *a-* (negación) y el griego *rythmós* (ritmo).

arrítmico, ca adj. **1** Que no tiene ritmo. **2** De la arritmia o relacionado con esta falta de ritmo o de regularidad en las contracciones del corazón: *un pulso arrítmico.*

arroba s.f. **1** Unidad de peso que equivale aproximadamente a 11,5 kilogramos: *Cuatro arrobas hacen un quintal.* **2** Unidad de capacidad para líquidos, de distinto peso según las provincias y los líquidos: *una arroba de vino.* **3** En internet, símbolo que forma parte de la dirección del correo electrónico de un usuario: *El signo @ es la arroba.* **4** ‖ **por arrobas;** *col.* A montones, o en abundancia: *Tienes gracia por arrobas.* □ ETIMOL. Del árabe *ar-ru'b* (la cuarta parte del quintal). □ USO 1. Es una medida tradicional española. 2. El símbolo de la arroba en internet (@), se usa mucho como recurso gráfico cuando no se quiere marcar el género gramatical en palabras que designan seres sexuados: *Este anuncio va dirigido a alumn@s y profesor@s.*

arrobamiento s.m. **1** En algunas religiones, estado en que el alma alcanza una unión mística con Dios por medio de la contemplación y del amor: *El arrobamiento es propio de la mística.* □ SINÓN. *éxtasis, arrebato, arrebatamiento, arrobo.* **2** Estado de la persona cautivada por visiones o sensaciones extremadamente bellas, agradables o placenteras: *Miraba a su hijo recién nacido con un arrobamiento* *enternecedor.* ☐ SINÓN. *éxtasis, arrebatamiento, arrobo.*

arrobar v. Producir o sentir una admiración o un placer tan grandes que hacen olvidarse de todo lo demás: *Su elegancia nos arrobó a todos. Se arrobó contemplando aquel paisaje tan maravilloso.* ☐ SINÓN. *embelesar, extasiar.* ☐ ETIMOL. De *robar*.

arrobo s.m. →**arrobamiento.**

arrocería s.f. Restaurante en el que se elaboran y se consumen distintos tipos de arroces.

arrocero, ra ▌adj. **1** Del arroz o relacionado con él: *un campo arrocero.* ▌s. **2** Persona que cultiva arroz, esp. si esta es su profesión.

arrodillar v. Poner con las piernas dobladas sobre el suelo y apoyadas en las rodillas: *Antes, arrodillaban a los niños como castigo. Se arrodilló para rezar.*

arrogación s.f. En derecho, adopción como hijo de una persona huérfana o emancipada: *Fueron a una abogada para tramitar la arrogación del hijo de unos amigos, fallecidos en accidente.*

arrogancia s.f. **1** Orgullo, soberbia o actitud de la persona que se cree superior a los demás. **2** Actitud valiente y decidida: *La arrogancia del príncipe enfureció al dragón.* ☐ ETIMOL. Del latín *arrogantia*.

arrogante adj.inv. **1** Orgulloso, soberbio o que se cree superior a los demás. **2** Valiente, animoso o decidido: *Un grupo de arrogantes caballeros hizo huir con sus espadas a los malhechores.*

arrogar ▌v. **1** En derecho, referido a una persona huérfana o emancipada, adoptarla como hijo: *El matrimonio decidió arrogar a sus sobrinos cuando estos se quedaron huérfanos.* ▌prnl. **2** Referido a algo inmaterial, atribuírselo o apropiarse de ello: *Se arroga la facultad de juzgar a los demás.* ☐ ETIMOL. Del latín *arrogare* (apropiarse). ☐ ORTOGR. 1. Dist. de *abrogar*. 2. La *g* se cambia en *gu* delante de *e* →PAGAR.

arrojadizo, za adj. Que se puede arrojar, tirar o lanzar: *arma arrojadiza.*

arrojado, da adj. Decidido, valiente, intrépido y atrevido: *un arrojado caballero.*

arrojar ▌v. **1** Referido a un objeto, darle impulso para soltarlo después, de modo que salga despedido con fuerza en una dirección: *Los niños arrojaban piedras al río.* ☐ SINÓN. *lanzar.* **2** Expulsar, despedir o hacer salir, esp. si se hace de manera violenta o despreciativa: *Lo arrojó de su casa y no quiso volver a saber nada de él.* ☐ SINÓN. *echar.* **3** Despedir de sí o emitir: *El volcán arrojaba gran cantidad de lava.* ☐ SINÓN. *echar.* **4** Dejar caer o introducir, esp. si se hace en el lugar apropiado: *Hay gente que en lugar de arrojar las bolsas de basura al contenedor las deja fuera, ensuciando la calle.* ☐ SINÓN. *echar.* **5** *col.* Referido a algo que está en el estómago, expulsarlo violentamente por la boca: *Hacía tanto calor que se mareó y arrojó todo lo que había comido. Si vas a arrojar, avísame y paro el coche.* ☐ SINÓN. *devolver, vomitar.* **6** Dar o presentar como resultado o como consecuencia: *Su gestión arrojaba un saldo positivo.* ▌prnl. **7** Ir o precipitarse violentamente de arriba abajo: *El capitán ordenó a sus soldados que se arrojaran al suelo.* **8** Ir o dirigirse con violencia contra algo: *Me arrojé en sus brazos y rompí a llorar.* ☐ ETIMOL. Del latín **rotulare* (rodar, echar a rodar). ☐ ORTOGR. 1. Dist. de *aherrojar*. 2. Conserva la *j* en toda la conjugación.

arrojo s.m. Decisión, valentía y atrevimiento de una persona que no se detiene ante el peligro: *Demostró un gran arrojo al enfrentarse a los tres atracadores.*

arrollador, -a adj. Que arrolla: *una victoria arrolladora; una alegría arrolladora.*

arrollamiento s.m. **1** Atropello o paso por encima de algo causándole daño: *Afortunadamente, el arrollamiento de varias personas por un autobús no produjo víctimas mortales.* **2** Dominación, superación o derrota completa: *Ya en el primer tiempo, nuestro equipo sufrió el arrollamiento del equipo contrario.* **3** Avasallamiento o actuación sin tener en cuenta las leyes o los derechos de los demás: *El arrollamiento de las opiniones de los que no piensan como tú forma parte de tu carácter.*

arrollar v. **1** Atropellar o pasar por encima causando daño: *Un camión arrolló a un coche que estaba aparcado.* **2** Dominar, vencer, superar o derrotar por completo: *Hemos conseguido un producto tan bueno que va a arrollar a sus competidores en el mercado.* **3** Comportarse sin tener en cuenta los derechos de los demás o sin respetar las leyes: *Todos somos iguales ante la Ley, y nadie tiene derecho a arrollar a los demás.* ☐ ETIMOL. Del latín *rotulus* (rodillo). ☐ ORTOGR. Dist. de *arroyar*.

arromanzar v. Traducir a una lengua romance, esp. al castellano: *En los inicios de la literatura castellana, se arromanzaron varios textos latinos.* ☐ ORTOGR. La *z* se cambia en *c* delante de *e* →CAZAR.

arropamiento s.m. **1** Colocación de ropa para abrigar o para proteger del frío. **2** Protección o ayuda: *Lo salvó el arropamiento de sus amigos.* **3** En tauromaquia, movimiento envolvente con que los cabestros se llevan el toro al corral.

arropar v. **1** Cubrir o abrigar con ropa: *La abuela arropó bien a su nieto en la cama. Arrópate bien con la manta, no vayas a coger frío.* **2** Proteger o ayudar: *Todos sus compañeros lo arroparon cuando tuvo problemas.* **3** En tauromaquia, referido al toro, rodearlo los cabestros para llevárselo de vuelta al corral: *Los cabestros no tardaron nada en arropar al toro y llevárselo del ruedo.*

arrope s.m. **1** Mosto cocido hasta que toma consistencia de jarabe, y al que se ha añadido trozos de alguna fruta: *En casa hacemos el arrope echándole trocitos de calabaza.* **2** Almíbar hecho con miel cocida. ☐ ETIMOL. Del árabe *ar-rurb* (el jugo de frutas cocido).

arrostrar v. Referido a una desgracia o a un peligro, hacerles frente con decisión y energía, sin dar muestras de cobardía: *Arrostraré todos los peligros con tal de conseguir tu amor.* ☐ ETIMOL. De *rostro*. ☐ ORTOGR. Dist. de *arrastrar*.

arroyada s.f. **1** Lugar por donde corre un arroyo o río pequeño: *Las arroyadas están preciosas en primavera.* **2** Crecida de un arroyo e inundación que provoca: *La arroyada de esta primavera produjo la inundación de nuestra huerta.* ☐ ORTOGR. Dist. de *arrollada* (del verbo *arrollar*).

arroyar v. Referido al agua de lluvia, formar arroyos: *La lluvia arroyó los campos.* ☐ ORTOGR. Dist. de *arrollar*.

arroyo s.m. **1** Río que lleva poco caudal. **2** Corriente de cualquier líquido: *Sus ojos eran un arroyo de lágrimas.* **3** *col.* Situación humilde o miserable: *Gracias a su esfuerzo y tesón consiguió salir del arroyo y tener una buena posición.* ☐ ETIMOL. De la voz hispánica *arrugia* (galería de mina). ☐ ORTOGR. Dist. de *arrollo* (del verbo *arrollar*).

arroz s.m. **1** Cereal que crece en lugares húmedos, y que produce un grano comestible, de forma oval y rico en almidón: *China es uno de los principales productores de arroz.* **2** Grano de este cereal: *La paella se hace con arroz.* ☐ ETIMOL. Del árabe *ar-ruz* o *ar-ruzz*.

arrozal s.m. Terreno sembrado de arroz: *Los arrozales son terrenos encharcados de agua.*

arruar v. Referido al jabalí, gruñir, cuando es herido o perseguido: *Oír arruar al jabalí es realmente impresionante.* ☐ ETIMOL. Quizá de origen onomatopéyico. ☐ ORTOGR. La *u* lleva tilde en los presentes, excepto en las personas *nosotros* y *vosotros* →ACTUAR.

arrufar v. Encoger o arrugar: *Arrufó la cara en un mohín de asco.*

arruga s.f. **1** Pliegue o surco que se forma en la piel, generalmente a consecuencia de la edad: *Mis abuelos tienen muchas arrugas en la cara.* **2** Pliegue o marca irregular que se forman en la ropa o en otro material delgado o flexible: *Tengo que planchar la camisa, porque está llena de arrugas.* ☐ ETIMOL. Del latín *ruga*.

arrugamiento s.m. **1** Formación o existencia de arrugas: *Si quieres evitar el arrugamiento de esa tela, lávala en agua fría.* **2** Acobardamiento ante una situación difícil o complicada: *Tu arrugamiento ante los problemas hace que te sea muy difícil superarlos.*

arrugar ▮ v. **1** Hacer arrugas: *El paso del tiempo le ha arrugado la cara. Si no guardas esas hojas en la carpeta, se te van a arrugar.* **2** Referido a la frente, al ceño o al entrecejo, fruncirlos en señal de enfado o disgusto: *Cuando le conté lo que había pasado, arrugó el ceño y no dijo nada.* ▮ prnl. **3** Acobardarse o carecer de coraje: *Se arrugó ante las críticas y ya ni fue capaz de hablar.* ☐ SINÓN. *encogerse.* ☐ ORTOGR. La *g* se cambia en *gu* delante de *e* →PAGAR.

arruinamiento s.m. **1** Pérdida de todo el dinero o de los bienes materiales: *Su arruinamiento se produjo por una mala administración.* **2** Destrucción o daño generalmente irreversibles: *La causa del arruinamiento de ese edificio fue el abandono.*

arruinar v. **1** Causar ruina: *Una inversión mal hecha ha arruinado a esa familia. Se arruinó a causa de su afición por el juego.* **2** Destruir u ocasionar un grave daño: *El tabaco y el alcohol te están arruinando la salud. La cosecha se arruinó debido a la pertinaz sequía.*

arrullar v. **1** Referido a un niño, hacer que se adormezca cantándole una canción o susurrándole palabras cariñosas: *Cogió en brazos al bebé y empezó a arrullarlo para que se durmiera.* **2** Referido a un sonido, adormecer o tranquilizar: *El sonido de las olas del mar me arrulla y enseguida me duermo.* **3** *col.* Referido a una persona, decir a otra palabras cariñosas y agradables: *Arrullaba a su novia tiernamente. Mientras bailaban abrazados, los novios se arrullaban.* **4** Referido a una paloma o una tórtola, atraer el macho su atención por medio de un canto grave y monótono: *En primavera, es muy fácil ver en los jardines cómo los palomos arrullan a las palomas.* ☐ ETIMOL. De origen onomatopéyico.

arrullo s.m. **1** Canción monótona y suave que se canta a un niño para dormirlo. **2** Palabras y susurros cariñosos que una persona dice a otra para intentar conseguir su amor. **3** Canto grave y monótono de las palomas y las tórtolas. **4** Susurro o ruido suave que adormece: *Me dormí oyendo el arrullo de las aguas del río.* **5** Manta pequeña para envolver a un bebé cuando se le coge en brazos.

arrumaco s.m. *col.* Demostración de cariño hecha con palabras o caricias: *Es una niña muy cariñosa, y se pasa el día haciendo arrumacos a su padre.* ☐ ETIMOL. Del dialectal *arremueco*, y este de *mueca*. ☐ MORF. Se usa más en plural.

arrumar v. En zonas del español meridional, amontonar: *Arrumé todos estos libros en la habitación.*

arrumbar v. **1** Poner en un lugar apartado algo viejo o inútil: *He arrumbado todos los muebles viejos en el trastero, porque me da pena tirarlos.* **2** Apartar, abandonar, desatender o dejar de lado: *Es inhumano arrumbar a los ancianos.* ☐ SINÓN. *arrinconar.* **3** Fijar o establecer el rumbo o dirección en que debe navegar un barco: *El capitán ordenó arrumbar a puerto.*

arrurruz s.m. Fécula o especie de harina comestible que se obtiene de algunas plantas: *El arrurruz se consume mucho en los países tropicales.* ☐ ETIMOL. Del inglés *arrow-root*.

arsa interj. Expresión que se usa para dar ánimo: *El guitarrista gritó a la bailaora: «¡arsa, mi niña!».*

arsenal s.m. **1** Almacén en el que se guardan armas, municiones y otros materiales de guerra: *La policía descubrió un piso que la banda terrorista usaba como arsenal.* **2** Conjunto de cosas útiles, esp. de datos o de noticias: *En su cabeza tiene un arsenal de fechas históricas.* ☐ ETIMOL. Del italiano *arsenale*.

arsénico s.m. Elemento químico semimetálico y sólido, de número atómico 33, de color gris o amarillo, cuyos ácidos son muy venenosos: *La policía descubrió que lo habían envenenado con arsénico.*

☐ ETIMOL. Del latín *arsenicum*. ☐ ORTOGR. Su símbolo químico es *As*.

art déco (fr.) s.m. ‖ Tendencia artística que surgió en torno a 1920, derivada del modernismo y caracterizada por el recargamiento y por el preciosismo en los objetos: *La escalera de hierro forjado y las vidrieras de este edificio son estilo art déco.* ☐ ETIMOL. Por acortamiento de *art décoratif* (arte decorativo). ☐ PRON. [art decó].

arte s. **1** Habilidad, disposición o aptitud para hacer algo: *Tiene mucho arte peinándose.* **2** Conjunto de conocimientos o de reglas para hacer bien algo: *Es un estratega experto en el arte militar.* **3** Actividad humana dedicada a la creación de cosas bellas mediante la fantasía o la imitación de la realidad: *La pintura, la música y la literatura son las artes que más me atraen.* **4** Astucia o maña para hacer algo: *Utilizó sus artes y consiguió las entradas para el concierto que necesitábamos.* **5** Utensilio que sirve para pescar: *La caña es un arte de pesca.* **6** ‖ **arte decorativa;** la pintura y la escultura, en cuanto que no crean obras independientes sino obras destinadas a hacer más bellos los edificios. ‖ **arte final;** última prueba que se hace de una obra impresa antes de encargar su reproducción: *Estamos corrigiendo el arte final de nuestros anuncios antes de encargar los fotolitos.* ‖ **arte liberal;** la que requiere fundamentalmente un esfuerzo intelectual: *El método de enseñanza en la Edad Media estaba basado en las siete artes liberales: gramática, dialéctica, retórica, aritmética, geometría, astronomía y música.* ‖ **artes gráficas;** actividad cuyas obras se realizan sobre papel o sobre una superficie plana: *La pintura, el dibujo, la fotografía y la imprenta son artes gráficas.* ‖ **artes marciales;** conjunto de antiguas técnicas de lucha orientales, que se practican como deporte: *El judo y el kárate son artes marciales.* ‖ **artes plásticas;** aquellas cuyas obras se captan fundamentalmente por la vista: *La arquitectura, la pintura y la escultura son las tres artes plásticas.* ‖ **bellas artes;** las que tienen por objeto expresar la belleza: *La pintura y la escultura son dos de las bellas artes que más me gustan.* ‖ **(como) por arte de magia;** de forma inexplicable: *Dejé aquí los pasteles y, como por arte de magia, cuando volví habían desaparecido.* ‖ **malas artes;** las que contienen engaños y se usan para conseguir algo: *Todos comentan que consiguió lo que quería utilizando sus malas artes.* ‖ **no tener arte ni parte** en algo; *col.* No tener nada que ver con ello: *A mí no me preguntes, porque yo en ese asunto no tengo arte ni parte.* ‖ **por arte de birlibirloque;** *col.* Por medios ocultos y extraordinarios: *Yo tenía mi dinero en el bolsillo y, por arte de birlibirloque, desapareció.* ‖ **séptimo arte;** →**cinematografía.** ☐ ETIMOL. Del latín *ars* (profesión, habilidad, arte). ☐ MORF. 1. Aunque es un sustantivo de género ambiguo, en singular se usa más como masculino y en plural, como femenino: *el arte, las artes.* 2. *Arte liberal* se usa más en plural. 3. *Arte final* se usa solo en masculino, y en plural tiene el mismo significado que en singular.

artefacto s.m. Máquina, aparato o dispositivo, esp. el que es de gran tamaño o el que resulta extraño o desconocido: *Los terroristas colocaron un artefacto explosivo en el coche de la víctima.* ☐ ETIMOL. Del latín *arte factus* (hecho con arte).

artejo s.m. En los artrópodos, cada una de las piezas que articuladas entre sí forman las extremidades: *En los cangrejos se ve muy bien que tienen las patas formadas por artejos.* ☐ ETIMOL. Del latín *articulus* (articulación). ☐ MORF. Se usa más en plural.

artemisa s.f. Planta aromática cuyas hojas, verdes por el haz y blanquecinas por el envés, tienen propiedades medicinales: *La artemisa puede llegar a medir un metro y medio de altura.* ☐ SINÓN. *artemisia.* ☐ ETIMOL. Del latín *artemisia*, este del griego *artemisía*, y este de *Ártemis* (diosa griega).

artemisia s.f. →**artemisa.**

arteria s.f. **1** En el sistema circulatorio, cada uno de los vasos o conductos por los que la sangre sale del corazón y llega a todas las partes del cuerpo: *La aorta es una arteria de grueso calibre que sale del ventrículo izquierdo del corazón.* **2** Calle principal, con mucho tráfico, en la que desembocan muchas otras calles: *El atasco colapsó las principales arterias de la ciudad.* **3** ‖ **(arteria) carótida;** la que sale a ambos lados del cuello y lleva la sangre oxigenada a la cabeza. ☐ ETIMOL. Del latín *arteria.* ☐ ORTOGR. Dist. de *artería.*

artería s.f. Astucia con que se intenta obtener algún beneficio: *No te fíes, porque siempre actúa con artería.* ☐ ETIMOL. De *artero.* ☐ ORTOGR. Dist. de *arteria.* ☐ USO Tiene un matiz despectivo.

arterial adj.inv. De las arterias o relacionado con estos vasos sanguíneos: *La sangre arterial lleva mucho más oxígeno que la venosa.*

arterioesclerosis (pl. *arterioesclerosis*) s.f. →**arteriosclerosis.** ☐ ORTOGR. Dist. de *ateroesclerosis.*

arteriografía s.f. Fotografía de las arterias obtenida por medio de rayos X. ☐ ETIMOL. Del griego *artéria* (arteria) y *-grafía.*

arteriola s.f. Arteria de pequeño diámetro: *Después de las arteriolas, el sistema vascular se continúa con los capilares sanguíneos.*

arteriopatía s.f. En medicina, enfermedad que afecta a las arterias.

arteriosclerósico, ca adj. →**arteriosclerótico.**

arteriosclerosis (tb. *arterioesclerosis*) (pl. *arteriosclerosis*) s.f. Aumento del grosor y endurecimiento de las paredes arteriales: *La arteriosclerosis es una patología degenerativa.* ☐ ETIMOL. Del griego *artería* (arteria) y *sklérosis* (endurecimiento). ☐ ORTOGR. Dist. de *aterosclerosis.*

arteriosclerótico, ca (tb. *arteriosclerósico, ca*) ▌ adj. **1** De la arteriosclerosis o relacionado con este problema arterial: *La pérdida de la elasticidad de las arterias es uno de los fenómenos arterioscleróticos.* ▌ adj./s. **2** Que padece este problema arterial: *Los arterioscleróticos suelen ser personas de edad avanzada.*

artero, ra adj. Que actúa con artería o con astucia para obtener algún beneficio: *No seas artero, y dime abiertamente qué quieres de mí.* □ ETIMOL. De *arte* (cautela, astucia). □ USO Tiene un matiz despectivo.

artesa s.f. Cajón de madera más estrecho por abajo que por arriba, que se usa fundamentalmente para amasar el pan: *Pon la harina y el agua en la artesa y amasa el pan.* □ ETIMOL. De origen incierto.

artesanado s.m. Oficio u ocupación del artesano: *El artesanado es muy importante en la economía de los países menos desarrollados.* □ ORTOGR. Dist. de *artesonado.*

artesanal adj.inv. →**artesano.**

artesanía s.f. **1** Arte o técnica que consiste en la fabricación de objetos a mano o sin ayuda de grandes máquinas: *La artesanía resulta cara al no poder competir con la fabricación en serie.* **2** Lo que se fabrica según este arte o esta técnica: *He ido a una exposición de artesanía popular de la zona.*

artesano, na ▮ adj. **1** De la artesanía o relacionado con este arte: *fabricación artesana.* □ SINÓN. *artesanal.* **▮** s. **2** Persona que fabrica objetos a mano o sin la ayuda de grandes máquinas, esp. si lo hace con un propósito artístico: *¿Has visto la exposición que los artesanos han organizado en la plaza?* **3** Persona que tenía un oficio manual: *Los artesanos tuvieron una gran importancia en la economía de las ciudades medievales.* □ ETIMOL. Del italiano *artigiano.*

artesón s.m. Elemento de construcción de forma poligonal, cóncavo y con adornos en el centro, que se dispone en serie para adornar techos y bóvedas: *Los florones que adornan los artesones de este techo son todos diferentes entre sí.* □ SINÓN. *casetón.* □ ETIMOL. De *artesa*, porque los artesones parecen artesas vistas desde fuera.

artesonado, da adj./s.m. Que está adornado con artesones: *bóveda artesonada.* □ ORTOGR. Dist. de *artesanado.*

ártico, ca adj. Del polo Norte o de los terrenos que lo rodean, o relacionado con ellos: *Las regiones árticas son muy frías.* □ ETIMOL. Del latín *arcticus*, este del griego *arktikós*, y este de *árktos* (oso, estrellas de la Osa Mayor y Menor, polo Norte). □ SEM. Dist. de *antártico* (del polo Sur).

articulación s.f. **1** Unión entre dos piezas rígidas que permite un cierto movimiento entre ellas: *La articulación de las piezas de esta mesa plegable nos permite montarla y desmontarla con gran facilidad.* **2** Unión de un hueso o de un órgano esquelético con otro: *Cuando va a cambiar el tiempo, le duelen las articulaciones.* **3** En fonética, posición y movimiento de los órganos de la voz para poder pronunciar un sonido: *En la articulación del sonido [f] intervienen el labio inferior y los dientes superiores.* **4** División ordenada y armónica de un todo en varias partes: *La articulación de este capítulo en varios apartados me está resultando bastante complicado.*

articulado, da ▮ adj. **1** Que tiene articulaciones: *En la época de mis bisabuelos, las muñecas no eran articuladas.* **▮** adj./s.m. **2** Referido a un animal, que posee un esqueleto externo formado por piezas que se articulan unas con otras: *Los artrópodos son animales articulados.*

articular ▮ adj.inv. **1** De las articulaciones óseas o relacionado con ellas: *He sufrido diversos trastornos articulares desde el accidente.* □ SINÓN. *articulatorio.* **▮** v. **2** Referido a dos piezas, unirlas de forma que mantengan cierta libertad de movimiento: *Si tienes todas las piezas para montar la silla, ahora solo tienes que articularlas. Quiero una mesa en la que las patas se articulen para poderla plegar.* **3** Referido a un sonido, pronunciarlo colocando los órganos de la voz correctamente: *Para articular bien el sonido [z] tienes que colocar la lengua entre los dientes.* **4** Referido a las partes de un todo, unirlas con armonía y de forma que queden ordenadas: *La profesora me dijo que había articulado muy bien las distintas partes de mi trabajo.*

articulatorio, ria adj. **1** De la articulación de los sonidos del lenguaje o relacionado con ella: *Los labios y la lengua son órganos articulatorios.* **2** →**articular.**

articulista s.com. Persona que escribe artículos para periódicos o para publicaciones semejantes: *El periódico busca un buen articulista para su edición semanal.*

artículo s.m. **1** Mercancía con la que se comercia: *Ha puesto una tienda en la que vende artículos de belleza.* **2** En gramática, parte de la oración que se antepone al nombre y que limita la extensión de su significado: *El artículo concuerda en género y en número con el sustantivo al que acompaña.* **3** En una publicación, esp. en un periódico, escrito que expone un tema concreto: *Los artículos de economía de este periódico los escriben conocidos economistas.* **4** En un tratado, en una ley, en un reglamento o en algo semejante, cada una de las disposiciones numeradas: *Tenemos que hacer un trabajo sobre algunos artículos de la Constitución.* **5** En un diccionario, cada una de las partes encabezada por una palabra: *Un artículo consta del lema y de las definiciones.* **6** ‖ **artículo de fondo;** el que se inserta en un lugar preferente del periódico, trata temas de actualidad según el criterio de este y generalmente no va firmado. ‖ **artículo {definido/determinado};** el que se antepone al nombre para indicar que el objeto al que se refiere es ya conocido por el hablante y por el oyente: *'El', 'la', 'los' y 'las' son formas del artículo determinado.* ‖ **artículo {indefinido/indeterminado};** el que se antepone a un nombre para indicar que el objeto al que se refiere no es conocido ni por el hablante ni por el oyente: *'Unos' y 'unas' son formas de plural del artículo indeterminado.* □ ETIMOL. Del latín *articulus* (articulación).

artífice s.com. Persona que causa o realiza algo: *¿Quién ha sido el artífice del éxito del proyecto?* □ SINÓN. *autor.* □ ETIMOL. Del latín *artifex*, y este de *ars* (arte) y *facere* (hacer).

artificial adj.inv. **1** Que está hecho por las personas y no existe de forma natural: *Prefiere pintar* *por la noche, aunque sea con luz artificial.* **2** No natural o falso: *La simpatía de ese chico me resultó un tanto artificial.*

artificialidad s.f. Falta de naturalidad: *Ese actor no me gusta porque actúa con demasiada artificialidad.*

artificiero s.m. **1** Persona especializada en el manejo de explosivos: *Los artificieros de la policía han desactivado una bomba.* **2** En el ejército, persona especializada en la clasificación, reconocimiento, conservación y manejo de proyectiles, cartuchos, espoletas y otros materiales explosivos: *El sargento artificiero vigilaba la colocación de espoletas en los proyectiles, llevada a cabo por los artilleros.*

artificio s.m. **1** Artefacto, máquina o aparato mecánico. **2** En una obra de arte, exceso de elaboración y falta de naturalidad: *Su estilo tiene demasiado artificio.* **3** Doblez o disimulo en la forma de actuar: *Déjate de artificios y habla con claridad.* □ ETIMOL. Del latín *artificium*, y este de *ars* (arte) y *facere* (hacer).

artificiosidad s.f. Carácter excesivamente técnico y elaborado y falto de naturalidad: *Sus poemas son muy rebuscados y pecan de un exceso de artificiosidad.*

artificioso, sa adj. **1** Que tiene disimulo o doblez: *Es una persona artificiosa que siempre dice lo contrario de lo que realmente opina.* **2** Falto de naturalidad: *Todavía no tiene soltura componiendo poemas y sus escritos resultan artificiosos.*

artillería s.f. **1** Arte y técnica de construir, conservar y usar las armas, las máquinas y las municiones de guerra: *Está estudiando en una academia de artillería.* **2** En una plaza militar, en un ejército o en un buque, conjunto de cañones, morteros y otras máquinas de guerra: *artillería antiaérea.* **3** En el Ejército de Tierra, cuerpo encargado de manejar estas máquinas: *regimiento de artillería.* **4** *col.* Esfuerzo o medio para lograr algún fin: *Utilizó toda su artillería para lograr que lo admitieran en el curso.* **5** En algunos deportes, esp. en el fútbol, conjunto de jugadores que forman el ataque del equipo: *El equipo local perdió porque falló su artillería.* □ ETIMOL. Del francés *artillerie*.

artillero, ra ▌adj. **1** De la artillería o relacionado con ella. ▌s.m. **2** Soldado o miembro del cuerpo de artillería. **3** Persona encargada de cargar y encender los explosivos: *Contrataron a varios artilleros para la demolición del edificio con explosivos.* **4** En algunos deportes, esp. en el fútbol, jugador que suele marcar muchos goles.

artilugio s.m. *desp.* Mecanismo o artefacto, esp. si resulta algo complicado: *Hace un año que se compró ese artilugio y todavía no sabe cómo funciona.*

artimaña s.f. *col.* Lo que se hace con habilidad y astucia para conseguir algo, esp. para engañar a alguien: *Ya te conocemos y no conseguirás nada con tus artimañas.* □ SINÓN. *treta.* □ ETIMOL. Quizá del latín *ars magica*, con influencia de *maña*.

artiodáctilo ▌adj./s.m. **1** Referido a un mamífero, que tiene un número par de dedos, de los cuales apoya por lo menos dos, que son simétricos: *La vaca y el elefante son artiodáctilos.* ▌s.m.pl. **2** En zoología, orden de estos animales: *Algunos animales que pertenecen a los artiodáctilos son rumiantes.* □ ETIMOL. Del griego *ártios* (par) y *-dáctilo* (dedo).

artista s.com. **1** Persona que se dedica a alguna de las bellas artes: *En esta galería de arte han expuesto famosos artistas.* **2** Persona que tiene la habilidad y la disposición necesarias para alguna de las bellas artes: *Desde pequeña se vio que tu hermana era una artista, porque tenía un buen oído musical.* **3** Persona que se dedica profesionalmente a actuar para un público: *En esta película actúa su artista de cine favorito.* **4** Persona que destaca o sobresale en alguna actividad: *Es un artista haciendo tortillas de patata.*

artisteo s.m. *col.* Conjunto de artistas: *En el mundo del artisteo es muy difícil mantenerse en lo más alto.*

artístico, ca adj. **1** De las artes, esp. de las bellas artes, o relacionado con ellas: *La riqueza artística de este país es enorme.* **2** Que está hecho con arte: *dibujo artístico.*

art nouveau (fr.) s.m. ‖ Tendencia artística de finales del siglo XIX y comienzos del XX, que afirma que el arte debe participar de los descubrimientos técnicos de la vida moderna: *El art nouveau en España se llamó 'modernismo'.* □ PRON. [art nuvó].

artralgia s.f. En medicina, dolor de las articulaciones. □ ETIMOL. Del griego *árthron* (articulación) y *-algia* (dolor).

artrítico, ca ▌adj. **1** De la artritis o relacionado con esta inflamación: *Su proceso artrítico le impedía mover los dedos.* ▌adj./s. **2** Que padece artritis: *A los pacientes artríticos les receto antiinflamatorios.* □ ETIMOL. Del latín *arthriticus*, y este del griego *arthritikós* (referente a las articulaciones).

artritis (pl. *artritis*) s.f. Inflamación de las articulaciones de los huesos: *La artritis es un proceso doloroso.* □ ETIMOL. Del griego *arthrîtis* (gota), y este de *árthron* (articulación) e *-itis* (inflamación). □ SEM. Dist. de *artrosis* (alteración degenerativa de las articulaciones).

artrología s.f. Parte de la anatomía que estudia las articulaciones: *En esta lección de artrología nos han descrito las articulaciones de los brazos.* □ ETIMOL. Del griego *árthron* (articulación) y *-logía* (estudio, ciencia). □ ORTOGR. Dist. de *astrología*.

artrópodo ▌adj./s.m. **1** Referido a un animal, que es invertebrado y tiene el cuerpo segmentado y provisto de apéndices articulados: *Las moscas son animales artrópodos.* ▌s.m.pl. **2** En zoología, tipo de estos animales, perteneciente al reino de los metazoos: *Los animales que pertenecen a los artrópodos pueden ser terrestres, acuáticos o voladores.* □ ETIMOL. Del griego *árthron* (articulación) y *-podo* (pie).

artroscopia s.f. En medicina, exploración visual del interior de una articulación mediante un endoscopio: *La esquiadora será sometida a una artroscopia* *en la rodilla para determinar la importancia de su lesión.*

artrosis (pl. *artrosis*) s.f. Alteración de las articulaciones de los huesos, de carácter degenerativo y no inflamatorio: *La artrosis puede producir deformaciones de las articulaciones.* ☐ SEM. Dist. de *artritis* (inflamación de las articulaciones).

artúrico, ca adj. Del rey Arturo (rey bretón legendario) o relacionado con él: *Hay todo un ciclo de literatura medieval conocido como ciclo artúrico.*

arúspice s.m. En la antigua Roma, sacerdote que examinaba las entrañas de las víctimas para adivinar el porvenir: *Los generales romanos consultaban a los arúspices antes de ir a las batallas.* ☐ ETIMOL. Del latín *haruspex*.

arveja s.f. **1** Planta leguminosa cuyas semillas se usan como alimento para algunos animales: *Las flores de la arveja pueden ser violetas o blancas.* ☐ SINÓN. *algarroba.* **2** En zonas del español meridional, guisante. ☐ ETIMOL. Del latín *ervilia* (planta parecida a los yeros y a los garbanzos).

arz- →**archi-**.

arzobispado s.m. **1** En el cristianismo, cargo de arzobispo: *El arzobispado es otorgado por el Papa.* **2** Territorio o distrito asignado a un arzobispo para ejercer sus funciones y su jurisdicción: *Este arzobispado comprende varias diócesis.* **3** Local o edificio en el que trabajan un arzobispo y sus ayudantes: *Fue al arzobispado a recoger unos papeles para la boda.*

arzobispal adj.inv. Del arzobispo o relacionado con él: *Cuando saludó al arzobispo besó el anillo arzobispal.*

arzobispo s.m. Obispo de una archidiócesis: *El arzobispo coordina el gobierno de varias diócesis.* ☐ ETIMOL. Del latín *archiepiscopus*.

arzón s.m. En una silla de montar, parte delantera o trasera: *Los arzones eran de cuero y tenían hermosos repujados.* ☐ ETIMOL. Del latín *arcio*, y este de *arcus* (arco), por su forma arqueada.

as s.m. **1** En la numeración de una baraja, naipe que lleva el número uno: *as de oros.* **2** En un dado, cara que tiene señalado un único punto. **3** Persona que destaca o sobresale mucho en una actividad: *Es un as del motociclismo.* **4** ‖ **as de guía;** nudo que tiene forma de anillo no corredizo en el extremo de un cabo, y que sirve para sujetar. ☐ ETIMOL. Del latín *as* (unidad monetaria fundamental de los romanos).

asa s.f. En algunos objetos, esp. en algunos recipientes, parte curva que sobresale y que sirve para asirlos: *Agarró las asas de la olla con un trapo para no quemarse.* ☐ ETIMOL. Del latín *ansa.* ☐ MORF. Por ser un sustantivo femenino que empieza por *a* tónica o acentuada, va precedido de *el*, *un*, *algún*, *ningún* y de las formas femeninas del resto de los determinantes.

a sacris (lat.) ‖ Apartado de las cosas sagradas o divinas: *Un sacerdote suspendido a sacris no puede ejercer ninguna de las funciones de su ministerio.* ☐ PRON. [a sácris].

asadero s.m. *col.* Lugar en el que hace mucho calor: *Con tanta calefacción, esta casa es un asadero.*

asado s.m. Carne cocinada por medio de la acción directa del fuego: *Puso una guarnición de patatas para acompañar el asado.*

asador s.m. **1** Restaurante especializado en asados: *En este asador asan la carne a la vista del público.* **2** Varilla puntiaguda en la que se ensarta y se pone al fuego lo que se va a asar: *Clavó los trozos de ternera en el asador y lo puso al fuego.* **3** Aparato o mecanismo que sirve para asar: *Al ir girando en el asador, el pollo se asa por todas partes igual.*

asadura s.f. **1** Conjunto de las entrañas de un animal: *Las asaduras de algunos animales son comestibles.* **2** Hígado y bofe o pulmón: *Mi perro come asaduras con arroz.* **3** Hígado de un animal, esp. del muerto para el consumo: *He comido asadura de cerdo con cebolla.* ☐ MORF. En la acepción 1, se usa más en plural.

asaetar v. →**asaetear.**

asaetear v. **1** Disparar saetas o herir con ellas: *San Sebastián murió asaeteado.* ☐ SINÓN. *asaetar.* **2** Causar disgusto o molestia repetidamente: *Me asaeteó toda la tarde con sus impertinentes preguntas.* ☐ SINÓN. *asaetar.*

asalariado, da s. Persona que recibe un salario por su trabajo: *La representante de los asalariados se reunió con la dirección para negociar los sueldos.*

asalariar v. Fijar un salario: *Me asalariaron para trabajar como celador.* ☐ ORTOGR. La *i* nunca lleva tilde.

asalmonado, da adj. **1** Referido a algunos pescados, esp. a la trucha, que tienen la carne parecida a la del salmón: *La trucha asalmonada tiene la carne de color rosado.* **2** De color rosado, como el del salmón: *Este año se llevan mucho las prendas asalmonadas.*

asaltante adj.inv./s.com. Que asalta: *Los asaltantes del banco se hicieron con un botín de varios miles de euros.*

asaltar v. **1** Referido esp. a una plaza militar, atacarla con ímpetu para entrar en ella: *El capitán asaltó con éxito las posiciones enemigas.* **2** Referido a una persona, abordarla repentinamente y por sorpresa: *Un alumno me asaltó en el pasillo para preguntarme su nota.* **3** Atacar por sorpresa o de forma violenta, esp. con la intención de robar: *Dos ladrones asaltaron el banco de la esquina.* **4** Sobrevenir o aparecer repentinamente en la mente: *Cuando salía de casa me asaltó la duda de si llevaba las llaves.*

asalto s.m. **1** Ataque impetuoso para tomar una plaza militar o una fortaleza enemigas. **2** Ataque por sorpresa o de forma violenta, esp. si es con intención de robar: *asalto a mano armada.* **3** En un combate de boxeo, cada una de las partes o tiempos en que este se divide. **4** Acercamiento repentino y por sorpresa: *Desde que es famosa, es víctima de los continuos asaltos de los periodistas.* ☐ ETIMOL. Del italiano *assalto*. ☐ USO En la acepción 3, es innecesario el uso del anglicismo *round*.

asamblea s.f. **1** Reunión de muchas personas convocadas para un fin determinado: *Los trabajadores decidirán en asamblea si van a la huelga.* **2** Cuerpo político y deliberante, esp. si no está dividido en dos cámaras: *El Congreso y el Senado son asambleas.* ☐ ETIMOL. Del francés *assemblée*, y este de *assembler* (juntar).

asambleario, ria adj. De una asamblea o relacionado con ella: *una decisión asamblearia.*

asambleísmo s.m. Tendencia excesiva a la celebración de asambleas: *El asambleísmo de mis compañeros de facultad hace que perdamos muchas clases.*

asambleísta s.com. Persona que forma parte de una asamblea: *Los asambleístas votaron al presidentede la comunidad.*

asar ▮ v. **1** Referido a un alimento, cocinarlo por medio de la acción directa del fuego: *En este horno tan potente, las manzanas se asan en pocos minutos.* ▮ prnl. **2** Sentir mucho calor o ardor: *Me he abrigado demasiado y ahora me aso.* ☐ ETIMOL. Del latín *assare*, y este de *assus* (asado, seco).

asaz adv. *poét.* Bastante: *¡Vive Dios, que sois asaz valiente, caballero!* ☐ ETIMOL. Del provenzal *assatz* (mucho, suficientemente).

asbesto s.m. Mineral semejante al amianto, que tiene estructura fibrosa y es inalterable al fuego: *El asbesto se utiliza como aislante térmico.* ☐ ETIMOL. Del griego *ásbestos* (inextinguible, que no se puede apagar).

ascáride s.f. En medicina, lombriz intestinal: *El niño está tomando un medicamento para desparasitarlo de las ascárides.* ☐ SINÓN. *áscaris.* ☐ ETIMOL. Del latín *ascaris.* ☐ MORF. Es un sustantivo epiceno: *la ascáride {macho/hembra}.*

áscaris (pl. *áscaris*) s.m. →**ascáride.**

ascendencia s.f. **1** Conjunto de ascendientes o antepasados de una persona. **2** Origen o procedencia: *Mi familia es de ascendencia alemana.* ☐ SEM. Dist. de *ascendiente* (influencia moral).

ascendente ▮ adj.inv. **1** Que asciende: *línea ascendente.* ▮ s.m. **2** Astro que se encuentra en el horizonte en el nacimiento de una persona y que sirve para hacer predicciones: *Aunque soy géminis, mi ascendente es tauro.*

ascender v. **1** Conceder o lograr un ascenso: *Ha ascendido a varios empleados porque llevaban muchos años en la empresa. Ascendió de capitán a comandante.* **2** Referido a una cuenta, valer o llegar a una cantidad determinada: *¿A cuánto asciende la cuenta del restaurante?* **3** Subir a un lugar, a un punto o a un grado más altos: *No se espera que las temperaturas asciendan en los próximos días.* ☐ ETIMOL. Del latín *ascendere* (subir). ☐ MORF. Irreg. →PERDER.

ascendiente ▮ adj.inv. **1** Que asciende. ▮ s.com. **2** Respecto de una persona, padre, madre o abuelos de los que desciende. ▮ s.m. **3** Fuerza o influencia morales: *Sus hermanos le piden su opinión porque tiene mucho ascendiente sobre ellos.* ☐ SEM. Dist. de *ascendencia* (origen o procedencia).

ascensión s.f. Subida a un lugar más alto: *Los escaladores comenzaron la ascensión de la montaña.* ☐ USO Referido a la subida de Cristo (hijo de Dios) a los cielos, se usa como nombre propio.

ascensional adj.inv. **1** Que produce una ascensión: *El cohete sube debido a una fuerza ascensional.* **2** Referido a un movimiento de un cuerpo, que tiene una dirección ascendente: *movimiento ascensional.*

ascenso s.m. **1** Paso a un lugar, a un punto o a un grado superiores o más altos: *Los ciclistas han iniciado el ascenso de la montaña.* ☐ SINÓN. *subida.* **2** Promoción a un cargo o a una dignidad mayores: *Me han prometido un ascenso en la empresa.*

ascensor s.m. Aparato que sirve para trasladar personas o mercancías de un piso a otro: *Nunca cojo el ascensor porque vivo en el primero.*

ascensorista s.com. Persona que se encarga del manejo del ascensor: *El ascensorista del hotel nos preguntó el piso al que íbamos.*

ascesis (pl. *ascesis*) s.f. Conjunto de reglas y de prácticas encaminadas a la liberación del espíritu y al logro de la virtud: *Si practicas la ascesis deberás renunciar a los bienes materiales.*

asceta s.com. Persona que lleva una vida ascética: *Es una asceta y no le gustan los lujos ni los excesos.* ☐ ETIMOL. Del latín *asceta*, y este del griego *asketés* (profesional, atleta).

ascética s.f. →**ascetismo.**

ascético, ca ▮ adj. **1** Referido a una persona, que se dedica fundamentalmente a la práctica y al ejercicio de la perfección espiritual: *Las personas ascéticas se exigen muchos sacrificios y privaciones.* **2** De esta práctica y ejercicio o relacionado con ellos: *vida ascética.* ▮ s.f. **3** →**ascetismo.**

ascetismo s.m. **1** Ejercicio y práctica para conseguir la perfección espiritual: *El ascetismo consiste en la renuncia voluntaria de los placeres y de las satisfacciones.* **2** Doctrina en que se basa la vida dedicada a este ejercicio: *Además del ascetismo cristiano, existen doctrinas semejantes en el budismo y en otras religiones.* ☐ SINÓN. *ascética.*

ASCII (ing.) s.m. En informática, sistema de codificación de caracteres que se utiliza en un ordenador, que asigna un número del 0 al 127 a cada uno de los caracteres recogidos en dicho sistema. ☐ ETIMOL. Es el acrónimo del inglés *American Standard Code of Information Interchange* (código uniforme para el intercambio de información). ☐ SINT. Se usa mucho en aposición, pospuesto a un sustantivo: *código ASCII.*

ascitis (pl. *ascitis*) s.f. Acumulación anormal de líquido seroso segregado por el peritoneo en el abdomen: *Tiene el vientre abultado debido a la ascitis.* ☐ ETIMOL. Del latín *ascites*, este del griego *askítes*, y este de *askós* (odre).

asco s.m. **1** Impresión desagradable causada por algo que provoca aversión: *Las babosas me dan asco.* **2** Lo que produce esta impresión: *Esta co-*

mida es un asco y no hay quien se la coma. **3** Alteración del estómago causada por algo que resulta muy desagradable, y que generalmente provoca náuseas o vómitos: *Durante su embarazo, los huevos fritos le daban asco.* □ SINÓN. *repugnancia.* **4** *col.* Lo que se considera mal hecho, de poca calidad o de poco valor: *Este dibujo es un asco y tendrás que repetirlo.* **5** || **hacer ascos** a algo; *col.* Despreciarlo o rechazarlo porque no gusta: *Necesito trabajar y no le haré ascos a ninguna oferta.* || **hecho un asco;** *col.* En muy malas condiciones físicas o psíquicas: *Esta enfermedad me ha dejado hecha un asco.* □ ETIMOL. Del antiguo *usgo* (repugnancia).

ascórbico adj. Referido a un ácido, que pertenece al grupo de las vitaminas solubles en agua y es necesario en la dieta humana: *El ácido ascórbico es la vitamina C.*

ascua s.f. **1** Trozo de una materia sólida y combustible que está incandescente y sin llama: *Para asar algo en la hoguera tiene que haber unas buenas ascuas.* **2** || **arrimar** alguien **el ascua a su sardina;** *col.* Aprovechar una ocasión en interés propio. || **{en/sobre} ascuas;** *col.* Inquieto o sobresaltado: *No me tengas en ascuas y cuéntame lo que sabes.* □ ETIMOL. De origen incierto. □ MORF. Por ser un sustantivo femenino que empieza por *a* tónica o acentuada, va precedido de *el, un, algún, ningún* y de las formas femeninas del resto de los determinantes. □ SINT. *{En/sobre} ascuas* se usa más con los verbos *estar, tener, poner* o equivalentes. □ SEM. Dist. de *brasa* (pedazo rojo e incandescente de leña o carbón).

asear v. Adornar o arreglar con cuidado y limpieza: *Aseó su cuarto antes de que llegaran las visitas. Aséate, que nos vamos de paseo.* □ ETIMOL. Del latín **assedeare* (poner las cosas en su sitio).

asechanza s.f. Engaño para perjudicar: *Con sus asechanzas consiguió que me despidieran del trabajo.* □ SINÓN. *insidia.* □ ETIMOL. De *asechar*, y este del latín *assectari* (ir al alcance de alguien). □ SEM. Dist. de *acechanza* (vigilancia u observación).

asediar v. **1** Referido a un lugar fortificado, cercarlo para impedir que los que están en él salgan o reciban socorro: *La ciudad fue asediada por los invasores durante varios meses.* **2** Importunar o molestar continuamente: *Los aficionados asediaban a la cantante pidiéndole autógrafos.* □ ORTOGR. La *i* nunca lleva tilde.

asedio s.m. **1** Cerco que se pone a una plaza o a un lugar fortificado para impedir la salida de los que están en él o la llegada de socorro. **2** Agobio que se sufre continuamente: *La actriz se quejaba del asedio al que la sometían los periodistas.* □ ETIMOL. Del latín *obsidium*.

asegurado, da s. Persona que ha contratado un seguro: *En caso de robo el asegurado recibe el importe de lo sustraído.*

asegurador, -a ▮ adj./s. **1** Que asegura. ▮ s. **2** Persona o empresa que aseguran riesgos ajenos: *Tengo que pagar a la aseguradora el seguro del coche de este año.*

aseguramiento s.m. **1** Fijación de algo para dejarlo firme y seguro: *Contrataron a un albañil para el aseguramiento del muro.* **2** Firma de un seguro para poner a cubierto algo: *Esta empresa me garantiza el aseguramiento de mi casa y de mi coche.*

asegurar v. **1** Dejar firme y seguro, o fijar sólidamente: *Aseguró las ventanas con un cerrojo.* **2** Dejar o quedar seguro de la realidad o certeza de algo: *El rehén servía para asegurar a los secuestradores la salida del país. No te preocupes, porque me he asegurado de que pagará.* **3** Referido a algo que se dice, afirmar su certeza: *Me aseguró que él no había sido.* **4** Referido a algo que puede correr algún riesgo, firmar un seguro para cubrirlo en caso de pérdida: *Aseguró su coche a todo riesgo.* □ SINT. 1. Constr. de la acepción 2 como pronominal: *asegurarse* DE *algo.* 2. Constr. de la acepción 3: *asegurar* QUE *algo.*

asemejar ▮ v. **1** Referido a una cosa, hacerla semejante a otra o representarla como tal: *Esos aires de grandeza lo asemejan a un dios.* ▮ prnl. **2** Parecerse o guardar semejanza: *El argumento de estas películas se asemeja bastante.* □ ETIMOL. Del latín *assimiliare.* □ ORTOGR. Conserva la *j* en toda la conjugación.

asenso s.m. Admisión de lo que otro ha propuesto o afirmado antes como cierto o conveniente: *Toda la comisión dio su asenso al nuevo proyecto.* □ SINÓN. *asentimiento.* □ ETIMOL. Del latín *assensus*.

asentaderas s.f.pl. *col.* Nalgas: *Posó sus asentaderas en el sillón.*

asentado, da adj. →**sentado.**

asentador, -a s. Persona que contrata víveres al por mayor para un mercado público: *Mi prima es asentadora de frutas y verduras y vende a establecimientos que lo hacen al por menor.*

asentamiento s.m. **1** Colocación de algo de forma que permanezca firme y seguro: *El asentamiento de los cimientos de un edificio es muy importante.* **2** Establecimiento de un pueblo o de una población en un lugar: *El asentamiento de los romanos en España produjo muchos cambios, como el del idioma.* **3** Lugar en el que se establece un pueblo: *Unos arqueólogos han descubierto un asentamiento griego en esta costa.* **4** Depósito de las partículas que están en suspensión en un líquido: *La corriente impedía el asentamiento de las partículas en el fondo del río.* **5** Tranquilización o estabilización: *La manzanilla favorece el asentamiento del estómago.* **6** En zonas del español meridional, rodaje de un motor: *Demoré un mes en hacer el asentamiento del nuevo motor.*

asentar ▮ v. **1** Colocar o poner de modo firme y seguro: *Continúan los trabajos para asentar los pilares del puente.* **2** Aplanar o alisar, esp. si se hace planchando o apisonando: *Asienta con la plancha las costuras de la falda.* **3** Apoyar o justificar: *Asentaba sus teorías sobre bases teóricas.* **4** Calmar o tranquilizar: *Si tienes el estómago revuelto, tómate algo para asentarlo.* **5** Referido a un golpe, darlo con violencia y acierto: *Se enfadó conmigo y me asentó* *una bofetada.* **6** Anotar por escrito: *Todo lo dicho en la reunión quedó asentado.* ▌prnl. **7** Referido esp. a un pueblo, situarse, establecerse o fundarse: *Los primitivos pobladores de esta ciudad eran nómadas que se asentaron en las orillas de este río.* **8** Referido a las partículas que están en suspensión en un líquido, depositarse o posarse en el fondo: *Antes de coger agua del río, deja que se asiente la arena que lleva.* □ ETIMOL. De *sentar.* □ MORF. Irreg. →PENSAR.

asentimiento s.m. Admisión de lo que otro ha propuesto o afirmado antes como cierto o conveniente: *Aunque no estaba muy de acuerdo, dio su asentimiento por complacerme.* □ SINÓN. *asenso.*

asentir v. Admitir como cierto o conveniente lo que otro ha propuesto o afirmado antes: *Le preguntamos si vendría con nosotros, y asintió.* □ ETIMOL. Del latín *assentire.* □ MORF. Irreg. →SENTIR.

aseo s.m. **1** Limpieza o adorno de algo: *aseo personal.* **2** →**cuarto de aseo.**

asépalo, la adj. Referido a una flor, que carece de sépalos: *Las flores asépalas no tienen cáliz.* □ ETIMOL. De *a-* (privación) y *sépalo.*

asepsia s.f. Ausencia de materia productora de descomposición, o de gérmenes que pueden producir infecciones o enfermedades: *En el quirófano debe existir una asepsia total.* □ ETIMOL. De *a-* (negación) y del griego *septós* (podrido).

aséptico, ca adj. **1** De la asepsia o relacionado con ella: *vendaje aséptico.* **2** Que no muestra ninguna emoción ni expresa sentimientos: *Contestó con palabras asépticas y llenas de frialdad.*

asequible adj.inv. Que se puede conseguir o alcanzar: *precio asequible.* □ ETIMOL. Del latín *assequi* (alcanzar). □ SEM. Dist. de *accesible* (que tiene acceso o entrada; que es de fácil trato; que es de fácil comprensión).

aserción s.f. Declaración de que algo es verdad: *El acusado mantuvo su aserción de que era inocente.* □ SINÓN. *afirmación.* □ ETIMOL. Del latín *assertio.*

aserradero s.m. Lugar en el que se sierra la madera u otra materia: *El camión descargó los troncos en el aserradero.*

aserrado, da adj. Con dientes parecidos a los de una sierra: *Algunos árboles tienen hojas aserradas.*

aserrador, -a (tb. *serrador, -a*) ▌adj. **1** Que sierra. ▌s. **2** Persona que se dedica profesionalmente a serrar: *Los aserradores están talando los árboles del bosque.* ▌s.f. **3** Máquina que sirve para serrar: *Las nuevas aserradoras son más rápidas y potentes.*

aserradora s.f. Véase **aserrador, -a.**

aserrar v. →**serrar.** □ MORF. Irreg. →PENSAR.

aserrería s.f. →**serrería.**

aserrín s.m. →**serrín.**

asertar v. →**aseverar.** □ USO Su uso es innecesario.

aserto s.m. Afirmación de la certeza de algo: *Escuchamos sus asertos y lo creímos.* □ ETIMOL. Del latín *assertum*, y este de *asserere* (afirmar).

asertórico adj. En filosofía, referido a un juicio, que se enuncia como real pero sin la idea de necesidad: *'Julio César conquistó la Galia' es un juicio asertórico.* □ SINÓN. *asertorio.* □ ETIMOL. Del latín *assertorius.*

asertorio adj. →**asertórico.**

asesar v. Adquirir juicio o sentido común: *Mi abuela siempre me decía que asesaría con los años.*

asesinar v. Referido a una persona, matarla con premeditación o con otras circunstancias agravantes: *Los secuestradores asesinaron a su víctima.*

asesinato s.m. Muerte que se da a una persona con premeditación, alevosía o cualquier otra circunstancia agravante: *Fue acusado de asesinato.* □ SEM. 1. Dist. de *homicidio* (muerte sin premeditación o sin otras circunstancias agravantes). 2. Dist. de *crimen* (hecho de herir o de matar).

asesino, na ▌adj. **1** *col.* Que puede producir un daño físico o moral: *mirada asesina.* ▌adj./s. **2** Que causa la muerte de alguien premeditadamente o con otras circunstancias agravantes: *Los asesinos fueron detenidos por la policía.* □ ETIMOL. Del árabe *hassasin* (los bebedores de hachís). □ SEM. Dist. de *homicida* (que mata sin premeditación o sin otras circunstancias agravantes).

asesor, -a adj./s. Que asesora, o que tiene entre sus funciones la de ilustrar o aconsejar: *una asesora fiscal.* □ ETIMOL. Del latín *assessor* (el que se sienta al lado).

asesoramiento s.m. Información sobre algo o consejo que se da acerca de ello: *Tu asesoramiento me fue muy útil para hacer la declaración de la renta.*

asesorar v. Aconsejar o informar sobre algo: *Hizo muy buenas inversiones porque lo asesoró un buen economista. Antes de emprender la acción judicial, se asesoró sobre los riesgos que corría.*

asesoría s.f. **1** Profesión de asesor: *Yo me ocupo de la asesoría fiscal de mi empresa.* **2** Oficina de un asesor: *En esta asesoría te dan información sobre todo tipo de temas jurídicos y laborales.*

asestar v. **1** Referido esp. a un golpe, descargarlo sobre algo: *Le asestaron una puñalada en la espalda.* **2** Referido esp. a la vista o la mirada, dirigirla hacia un punto determinado: *Me asestó una fría mirada de odio.* □ ETIMOL. Del latín *sextus* (blanco de puntería). □ MORF. Irreg. →PENSAR.

aseveración s.f. Afirmación de algo: *Esas aseveraciones debes probarlas con hechos.*

aseverar v. Afirmar o asegurar: *La arqueóloga aseveró que la jarra databa del siglo* V. □ ETIMOL. Del latín *asseverare* (hablar seriamente).

aseverativo, va adj. Que asevera o afirma: *una oración aseverativa.*

asexuado, da adj. Que carece de sexo o de caracteres sexuales externos bien definidos: *Ese adolescente tiene un aspecto asexuado.*

asexual adj.inv. Referido a un tipo de reproducción, que se realiza sin la intervención de los dos sexos: *La gemación es un tipo de reproducción asexual.* □ ETIMOL. De *a-* (negación) y el latín *sexus* (sexo).

asfaltado s.m. Revestimiento de alguna cosa con asfalto: *El ayuntamiento ha invertido mucho dinero en el asfaltado de las calles.*

asfaltar v. Referido al suelo, revestirlo o cubrirlo con asfalto: *Este año volverán a asfaltar la plaza del pueblo.*

asfáltico, ca adj. De asfalto: *tela asfáltica.*

asfalto s.m. **1** Sustancia de color negro que constituye la fracción más pesada del petróleo crudo: *El asfalto se mezcla con arena o con gravilla para pavimentar las calzadas.* **2** Lo que está hecho con este material, esp. referido a la carretera o al suelo de una ciudad: *Muchos automovilistas pierden la vida en el asfalto.* □ ETIMOL. Del latín *asphaltus.*

asfixia s.f. **1** Paro de la respiración o dificultad para realizarla: *La inhalación de gases tóxicos puede producir la asfixia.* **2** Sensación de agobio, esp. si está producida por el calor o por el enrarecimiento del aire: *Cuando todos se pusieron a fumar empecé a sentir asfixia.* **3** Impedimento o freno en el desarrollo de algo, producidos por la falta de lo necesario: *La falta de créditos produjo la asfixia del crecimiento económico.* □ ETIMOL. Del griego *asphyxía* (detención del pulso).

asfixiante adj.inv. Que asfixia: *un calor asfixiante.*

asfixiar v. Producir o sentir asfixia: *Este calor asfixia a cualquiera. La falta de inversiones asfixia al sector empresarial.* □ ORTOGR. 1. Incorr. **axfisiar.* 2. La *i* nunca lleva tilde.

ashkenazi adj.inv./s.com. →**asquenazí.** □ PRON. [askenázi].

así ▌adv. **1** De esta o de esa manera: *Fíjate bien, porque tienes que hacerlo así. Soy así, y no intentes cambiarme.* **2** Seguido de la preposición 'de' y de un adjetivo, tan: *Dice que pesa treinta kilos, pero no es posible que esté así de delgado.* ▌conj. **3** Enlace gramatical subordinante con valor consecutivo: *No ahorra y así no me extraña que le vayan mal las cosas.* **4** Enlace gramatical subordinante con valor concesivo: *No le volveré a hablar así me maten.* **5** Enlace gramatical con valor comparativo y que, combinado con *como*, se usa para coordinar: *La caridad exige un esfuerzo así a los pobres como a los ricos.* ▌interj. **6** Expresión que se usa para indicar un deseo fuerte de que suceda algo: *¡Así lloviera a cántaros!* **7** ‖ **así así;** *col.* Medianamente, regular: *Le pregunté que cómo se encontraba y me contestó que así así.* ‖ **así como;** enlace gramatical subordinante con valor comparativo: *Habló de la actividad de la empresa, así como de los beneficios obtenidos.* ‖ **así {como/que};** tan pronto como: *Así que lleguen, empezaremos a trabajar.* ‖ **así como así;** de cualquier manera o sin reflexionar: *No te puedes ir así como así, sin dar explicaciones.* ‖ **así (es) que** o **así pues;** enlace gramatical subordinante con valor consecutivo: *No estaba en casa, así que no pude darle tu recado.* ‖ **así mismo;** →**asimismo.** ‖ **así {o/que} asá;** *col.* De un modo o de otro: *Le da lo mismo hacerlo así que asá, lo que quiere es terminar pronto.* ‖ **así y todo;** *col.* A pesar de todo: *No me invitó, pero así y todo yo me presenté en su casa.* □ ETIMOL. Del latín *sic.* □ PRON. Está muy extendida la pronunciación [así o asao] de la expresión *así o asá.* □ SINT. Pospuesto a un sustantivo, se utiliza como adjetivo invariable con el significado de 'tal' o 'semejante': *Con gente así no se puede trabajar.* □ SEM. En expresiones interrogativas, *así que* se usa para expresar extrañeza o admiración: *¿Así que te casas?*

asiático, ca adj./s. De Asia (uno de los cinco continentes), o relacionado con ella.

asibilación s.f. En lingüística, desarrollo de un elemento fricativo sibilante, que puede ser alveolar o palatal, tras una consonante oclusiva o fricativa: *La asibilación es un caso particular de palatalización.*

asidero s.m. Lo que sirve de ayuda, de apoyo o de pretexto: *La familia es el único asidero ante una desgracia tan grande.*

asiduidad s.f. Frecuencia o constancia en la realización de algo: *Asiste a clase con asiduidad.*

asiduo, dua adj. Frecuente o constante: *Se ha convertido en un espectador asiduo a todas nuestras funciones.* □ ETIMOL. Del latín *assiduus.*

asiento s.m. **1** Objeto o lugar que se utiliza para sentarse. **2** En uno de estos objetos, parte sobre la que alguien se sienta: *La parte de la silla de montar donde se apoya el jinete es el asiento.* **3** Lugar en el que se sitúa algo, esp. un pueblo o un edificio: *La ciudad tiene su asiento en la falda de la montaña.* **4** Lugar que alguien tiene en un tribunal o en una junta: *Durante muchos años tuvo un asiento en el Tribunal de Cuentas.* **5** Pieza fija sobre la que descansa otra: *Unas columnas de hormigón son el asiento del edificio.* **6** Apunte o anotación que se hace para registrar algo: *En el libro de contabilidad aparecen todos los asientos del mes.* **7** Estabilidad o permanencia: *Esas teorías tienen poco asiento y pronto serán olvidadas.* **8** ‖ **tomar asiento; 1** Sentarse: *Tome asiento junto a mí, por favor.* **2** Establecerse en un lugar: *Se resistía a tomar asiento en aquella ciudad tan grande.* □ ETIMOL. De *asentar.*

asignación s.f. **1** Fijación o determinación de lo que corresponde o pertenece: *No estoy conforme con la asignación del trabajo que habéis establecido.* **2** Cantidad de dinero que se destina a algún fin: *Este departamento tiene una asignación anual de dos millones.*

asignar v. Referido a lo que corresponde o pertenece a algo, fijarlo o señalarlo: *Me asignaron la última habitación del pasillo.* □ ETIMOL. Del latín *assignare.*

asignatura s.f. **1** Cada una de las materias que se enseñan en un centro docente o que forman parte de un plan académico de estudios. **2** ‖ **asignatura de libre configuración;** la que se puede elegir de otra carrera universitaria dentro de un ciclo de estudios. ‖ **asignatura pendiente; 1** La que se suspende y se ha de recuperar en cursos sucesivos. **2** Tarea pendiente de resolución: *El problema del tráfico es la asignatura pendiente del actual alcalde.* □ ETIMOL. Del latín *assignatus* (signado). □ ORTOGR. Dist. de *signatura.*

asilado, da s. **1** Persona a quien se admite y mantiene en un establecimiento de beneficencia: *El dinero de la rifa es para los asilados de este centro.* □ SINÓN. *acogido.* **2** Persona que, por motivos políticos, encuentra asilo con protección oficial en un país distinto del suyo: *Los asilados encuentran protección en embajadas o en centros de inmunidad diplomática.*

asilar ▮ v. **1** Dar asilo: *España asila a muchos hispanoamericanos.* **2** Albergar en un asilo: *Cuando se quedó solo, se asiló para estar con más gente.* ▮ prnl. **3** Tomar asilo en un lugar: *A este político no le permitieron asilarse en ninguno de los países vecinos.*

asilo s.m. **1** Establecimiento benéfico en el que se recoge o asiste a personas necesitadas. **2** Lugar de refugio para los perseguidos: *Esta montaña fue el asilo de muchos bandoleros.* **3** Amparo o protección: *La peregrina buscó asilo en una pensión del pueblo.* **4** ‖ **asilo político;** protección que un Estado concede a los perseguidos políticos de otro. ☐ ETIMOL. Del latín *asylum*, y este del griego *ásylos* (inviolable).

asilvestrado, da adj. Que vive en las condiciones de un animal salvaje: *Los perros asilvestrados suelen ser perros abandonados por sus dueños.*

asilvestrar v. *col.* Hacer olvidar los buenos modales: *Estás consintiendo tantos caprichos a los niños que los vas a asilvestrar.*

asimetría s.f. Falta de simetría: *Muchos polígonos irregulares se caracterizan por su asimetría.* ☐ SEM. Dist. de *disimetría* (defecto de simetría).

asimétrico, ca ▮ adj. **1** Que no guarda simetría o que carece de ella: *Si doblas una figura plana asimétrica por su eje central, la parte derecha no coincide con la izquierda.* ▮ s.f.pl. **2** →**barras paralelas asimétricas.** ☐ SEM. Dist. de *disimétrico* (que tiene defecto en la simetría).

asimilación s.f. **1** Comprensión de lo que se aprende o incorporación a los conocimientos previos: *la asimilación de un concepto.* **2** En biología, conjunto de procesos metabólicos a partir de los cuales se sintetizan moléculas complejas partiendo de otras más simples: *La asimilación es una fase del metabolismo.* ☐ SINÓN. *anabolismo.* **3** Adaptación o aceptación de algo: *En los pueblos colonizados se suele dar una asimilación de las costumbres de los pueblos colonizadores.* **4** Concesión de los derechos u honores que tienen las personas de una carrera o profesión a las personas de otra carrera o profesión: *La asimilación de todos los funcionarios traerá problemas a la Administración.* **5** En fonética, fenómeno por el cual un sonido se transforma para igualarse con otro contiguo: *En la evolución del latín 'palumba' al español 'paloma', hay un caso de asimilación.*

asimilar ▮ v. **1** Referido a algo que se aprende, comprenderlo o incorporarlo a los conocimientos previos: *Los alumnos asimilan bien las explicaciones de su profesora.* **2** En biología, referido a una sustancia alimenticia, transformarla el organismo en sustancia propia: *Tiene problemas de nutrición porque no asimila bien las proteínas.* **3** Referido a una situación, aceptarla o adaptarse a ella: *Le costó asimilar su situación de jubilada.* **4** Referido a las personas de una carrera o profesión, concederles derechos u honores iguales a los que tienen las personas de otra carrera o profesión: *Queremos que nos asimilen al personal del departamento de informática. Si se asimilan las dos carreras, también habrá que igualar los años de estudio de ambas.* **5** En fonética, referido a un sonido, transformarlo aproximándolo a otro semejante que influye sobre él: *El cierre del diptongo 'ai' en 'ei' o en 'e' ocurre porque las dos vocales se asimilan mutuamente.* ▮ prnl. **6** Ser semejante o parecido: *Ese lejano grupo de casas se asimila a una montaña.* ☐ ETIMOL. Del latín *assimilare.* ☐ SINT. Constr. de la acepción 6: *asimilarse* A *algo.*

asimismo (tb. *así mismo*) adv. También: *Asimismo habló de otros temas.* ☐ ORTOGR. Dist. de *a sí mismo.*

asindético, ca adj. Del asíndeton, con asíndeton o relacionado con esta figura retórica: *Para presentar acciones rápidas y continuas, el autor ha recurrido a un estilo asindético.*

asíndeton (pl. *asíndeton*) s.m. Figura retórica consistente en omitir las conjunciones para dar viveza o energía a la expresión: *La oración 'El animal corría, paraba, saltaba, volvía a correr...' es un ejemplo de asíndeton.* ☐ ETIMOL. Del latín *asyndeton*, este del griego *asýndeton*, y este de *asýndetos* (desatado). ☐ SEM. Dist. de *polisíndeton* (empleo reiterado de conjunciones).

asintomático, ca adj. Que no muestra síntomas.

asir ▮ v. **1** Tomar o coger con la mano: *La niña asió a su madre de la falda. Se asió a la cuerda y empezó a columpiarse.* ▮ prnl. **2** Agarrarse con fuerza: *Le gusta asirse a sus recuerdos y desprecia el futuro.* ☐ ETIMOL. De *asa.* ☐ MORF. Irreg. →ASIR. ☐ SINT. Constr. como pronominal: *asirse* A *algo.*

asirio, ria ▮ adj./s. **1** De la antigua Asiria (región comprendida entre los valles de los ríos Tigris y Éufrates), o relacionado con ella: *En el arte asirio son frecuentes los bajorrelieves con escenas militares.* ▮ s.m. **2** Antigua lengua de esta región: *El asirio utilizaba una escritura de tipo cuneiforme.*

asistemático, ca adj. Que no es sistemático o que no se ajusta a un sistema: *El asirio utilizaba una escritura de tipo cuneiforme.*

asistencia ▮ s.f. **1** Concurrencia a un lugar y estancia en él: *Se ruega confirmen su asistencia al acto.* **2** Ayuda, cooperación o socorro: *asistencia médica.* **3** Conjunto de personas presentes en un acto: *El día del estreno hubo poca asistencia en el teatro.* **4** En algunos deportes de equipo, pase de balón de un jugador a otro de su mismo equipo que está en posición de marcar o anotar. ▮ pl. **5** Conjunto de personas que realizan las labores secundarias o de ayuda que requiere una actividad: *El delantero lesionado fue retirado en brazos de las asistencias.*

asistencial adj.inv. De la asistencia social o relacionado con ella: *servicios asistenciales.*

asistenta s.f. Mujer que realiza las labores domésticas de una casa sin vivir en ella, y que generalmente cobra por horas: *Los sábados viene una asistenta para hacer la limpieza general de la casa.*

asistente ▮ adj.inv. **1** Que asiste. ▮ s.com. **2** Persona que realiza labores de asistencia: *La directora llamó a su asistente para que la asesorara.* ▮ s.m. **3** Soldado destinado al servicio personal de un general, de un jefe o de un oficial. **4** En informática, programa que ayuda al usuario y le facilita las operaciones guiándolo a través de una serie de pantallas con diálogos. **5** || **asistente social;** persona legalmente autorizada para prestar ayuda a individuos o a grupos en asuntos relacionados con el bienestar social: *La asistente social gestiona las denuncias de las mujeres maltratadas.*

asistido, da adj. Que cuenta con algún tipo de ayuda adicional para facilitar un resultado determinado: *dirección asistida; reproducción asistida.*

asistir v. **1** Acudir a un lugar y estar presente en él: *Asiste todos los días a clase.* **2** Servir o atender: *Una azafata se encargó de asistir a la embajadora durante la recepción.* **3** Socorrer, favorecer o ayudar: *Ese centro público se dedica a asistir a los pobres.* **4** Referido a un enfermo, atenderlo y cuidarlo: *En el hospital asistieron a los heridos.* **5** Servir en una casa: *Cuando se quedó viuda se puso a asistir.* **6** Referido esp. a la razón o al derecho, estar de parte de una persona: *A todos los acusados les asiste el derecho a ser defendidos en un juicio.* ☐ ETIMOL. Del latín *assistere* (pararse junto a un lugar).

asma s.f. Enfermedad del sistema respiratorio caracterizada fundamentalmente por una respiración difícil y anhelosa, tos y sensación de ahogo: *El asma puede estar provocada por un proceso alérgico.* ☐ ETIMOL. Del latín *asthma*, y este del griego *âsthma* (jadeo). ☐ MORF. 1. Por ser un sustantivo femenino que empieza por *a* tónica o acentuada, va precedido de *el*, *un*, *algún*, *ningún* y de las formas femeninas del resto de los determinantes. 2. En círculos especializados se usa más como masculino.

asmático, ca ▮ adj. **1** Del asma o relacionado con esta enfermedad: *El paciente sufre un proceso asmático.* ▮ adj./s. **2** Que padece asma: *Su hijo es asmático y necesita muchos cuidados.*

asno, na ▮ s. **1** Mamífero cuadrúpedo, doméstico, más pequeño que el caballo, con largas orejas, pelo áspero y normalmente grisáceo, y que se suele emplear como montura o como animal de carga o de tiro: *Para hacer funcionar la noria se solía utilizar un asno que daba vueltas alrededor de ella.* ☐ SINÓN. *borrico, burro, jumento, pollino.* ▮ s.m. **2** Persona ruda y de corto entendimiento. ☐ SINÓN. *acémila.* ☐ ETIMOL. Del latín *asinus*.

asociación s.f. **1** Unión de personas o de objetos para un determinado fin: *Los directores están estudiando la posibilidad de asociación de ambas entidades.* **2** Establecimiento de una relación entre objetos o entre ideas: *asociación de ideas.* **3** Conjunto de los asociados para un determinado fin: *Toda la asociación se mostró de acuerdo con el nuevo proyecto de lucha antidroga.* **4** Entidad con estructura propia formada por este conjunto de asociados: *Las asociaciones de vecinos han conseguido muchas mejoras para sus barrios.*

asociacionismo s.m. Tendencia a crear asociaciones para defender intereses comunes: *El asociacionismo se enfrenta con las tendencias individualistas.*

asociado, da s. **1** Persona que forma parte de una asociación o compañía: *Los asociados decidieron apoyar el proyecto de ampliación de la empresa.* **2** || **(profesor) asociado;** el que trabaja fuera de la universidad y es contratado temporalmente por esta: *Lo ideal sería contratar como profesores asociados a profesionales destacados de cada actividad.*

asocial adj.inv. Que no se integra en la sociedad o no se vincula a ella: *comportamiento asocial.*

asociar v. **1** Referido a una persona o a un objeto, unirlos a otros para un determinado fin: *El padre asoció a su hija a la empresa familiar. Los trabajadores se asociaron para defender sus derechos.* **2** *col.* Relacionar: *El olor de este perfume lo asocio con una chica que conocí.* ☐ ETIMOL. Del latín *associare.* ☐ ORTOGR. La *i* nunca lleva tilde.

asociativo, va adj. Que asocia, que tiende a la asociación, o que resulta de ella: *Los elementos del sistema de una lengua forman distintos tipos de relaciones asociativas.*

asolación s.f. →**asolamiento.**

asolador, -a adj. Que asola o destruye: *Los efectos asoladores de la sequía han dejado en pésimas condiciones a muchas familias que vivían del campo.* ☐ SINÓN. *desolador.*

asolamiento s.m. Arrasamiento o destrucción de algo: *Las bombas produjeron el asolamiento de varios edificios.* ☐ SINÓN. *asolación.*

asolar v. **1** Arruinar, arrasar o destruir por completo: *Un terremoto asoló la zona norte del país.* ☐ SINÓN. *desolar.* **2** Referido al campo o a sus frutos, secarlos o echarlos a perder, esp. si es por la acción del calor: *El fuerte sol y los vientos cálidos asolan las cosechas. El campo se asoló con los calores del verano.* ☐ ETIMOL. La acepción 1, del latín *assolare* (derribar). La acepción 2, de *sol.* ☐ MORF. En la acepción 1: 1. Irreg. →CONTAR. 2. Se usa mucho como regular.

asolear ▮ v. **1** Exponer al sol durante un tiempo: *Conviene asolear la ropa que ha estado en sitio húmedo para que no se estropee.* ▮ prnl. **2** En zonas del español meridional, tomar el sol: *Mi hermano está todo el día asoleándose como lagartija.* ☐ ORTOGR. En la acepción 1, se admite también *solear*.

asomar v. **1** Empezar a mostrarse: *Te asoman las enaguas por debajo de la falda.* **2** Sacar o mostrar por una abertura o por detrás de algo: *Asomó la cabeza por la puerta para vernos marchar. Asómate a la ventana, que te voy a dar un recado.* ☐ ETIMOL. Del latín *summum* (el más alto).

asombrar v. Causar o sentir asombro: *Nos asombró con su facilidad de palabra. Me asombra ver que tengas tanta fuerza. Todos nos asombramos por lo ocurrido.* ☐ ETIMOL. De *sombra.* ☐ SINT. Constr. como pronominal: *asombrarse {DE/POR} algo.*

asombro s.m. **1** Gran admiración o sorpresa: *Ante el asombro de todos, empezó a brincar como un loco.* **2** Lo que es o resulta asombroso: *Todos se quedaron sin habla ante aquel asombro de inteligencia.*

asombroso, sa adj. Que causa asombro: *Tiene una memoria asombrosa. Me parece asombroso que todavía no sepas dónde vivo.*

asomo s.m. **1** Indicio o señal de algo: *En sus escritos se aprecia un cierto asomo de humor negro.* **2** || **ni por asomo;** de ningún modo.

asonada s.f. Reunión numerosa de personas para conseguir, mediante tumulto y violencia, algún fin, esp. si es de carácter político: *Una asonada popular exigió la dimisión del alcalde de la ciudad.* □ ETIMOL. Del antiguo *asonar* (juntar, reunir), y este del antiguo *de so uno* (juntamente).

asonancia s.f. En métrica, identidad de los sonidos vocálicos en la terminación de dos palabras, esp. si son finales de versos, a partir de su última vocal acentuada: *Cuando hay asonancia entre las palabras finales de dos versos, se dice que dichos versos tienen rima asonante.*

asonantar v. Referido esp. a un verso o a una palabra, rimar o hacerlos rimar con otros con rima asonante: *En la primera estrofa, el poeta asonanta 'amiga' con 'herida'.* □ MORF. Se usa más en infinitivo y como participio.

asonante adj.inv. Referido esp. a una palabra o a un verso, que guardan con otros asonancia o identidad de los sonidos vocálicos a partir de su última vocal acentuada: *rima asonante.*

asonar v. Hacer asonancia o sonar guardando correspondencia un sonido con otro: *El tercer verso de este poema asuena con el primero.* □ ETIMOL. Del latín *assonare* (responder al eco con un son). □ MORF. Irreg. →CONTAR.

asordar v. Ensordecer con ruido o con voces: *Me voy a asordar con el ruido de los coches de la calle.*

asorochar v. En zonas del español meridional, producir soroche o mal de montaña, o sufrirlo: *Nos asorochó la subida a la cumbre. El viajero se asorochó nada más bajar del avión.*

aspa s.f. **1** En un molino de viento, aparato exterior con figura de cruz o de 'X', en cuyos brazos se ponen unos lienzos que giran impulsados por el viento: *El movimiento de las aspas hace que gire la rueda del molino.* **2** Lo que tiene forma de 'X': *Marca la respuesta correcta con un aspa.* □ ETIMOL. Del alemán *haspa* (madeja). □ MORF. Por ser un sustantivo femenino que empieza por *a* tónica o acentuada, va precedido de *el*, *un*, *algún*, *ningún* y de las formas femeninas del resto de los determinantes.

aspado, da adj. Con forma de aspa: *Una asonada popular exigió la dimisión del alcalde de la ciudad.*

aspar || **que {me/te/le} aspen;** *col.* Expresión que indica desprecio o desinterés: *Si no quieres hacerme caso, anda y que te aspen.*

aspartamo s.m. Compuesto químico formado por dos aminoácidos naturales, que tiene un alto poder edulcorante.

aspaventar v. **1** Espantar o asustar: *Con su extraño comportamiento ha conseguido aspaventar a todos los vecinos.* **2** Hacer una demostración excesiva o exagerada de un sentimiento: *Estaba tan contenta que no paraba de aspaventar.* □ ETIMOL. Del italiano *spaventare.* □ MORF. Irreg. →PENSAR.

aspaviento s.m. Demostración excesiva o exagerada de un sentimiento: *Cuando le dije que le había tocado la lotería, empezó a hacer aspavientos por la emoción.* □ ETIMOL. Del italiano *spavento* (espanto). □ MORF. Se usa más en plural. □ SINT. Se usa más con el verbo *hacer.*

aspecto s.m. **1** Conjunto de características o de rasgos exteriores de algo: *¡Qué buen aspecto tiene este guiso!* **2** En lingüística, categoría gramatical que distingue en el verbo diferentes clases de acción: *Por el aspecto, la acción de un verbo puede presentarse como acabada o como en su transcurso.* **3** Cada una de las formas de ver, analizar o estudiar algo: *Para su investigación ha tenido en cuenta tres aspectos: ambiente, vida y tiempo.* □ ETIMOL. Del latín *aspectus* (acción de mirar, presencia, aspecto).

aspectual adj.inv. Del aspecto verbal o relacionado con esta categoría gramatical: *Entre 'comiste' y 'comías' hay una diferencia aspectual.*

aspereza s.f. **1** Falta de suavidad por tener la superficie desigual: *la aspereza de un material.* **2** Falta de amabilidad o de suavidad en el trato: *hablar con aspereza.* **3** Dureza o inclemencia del tiempo o del clima. **4** || **limar asperezas;** conciliar o vencer dificultades u opiniones contrapuestas: *Después de la discusión fueron a tomar algo para limar asperezas.*

asperger v. →**asperjar.** □ ETIMOL. Del latín *aspergere* (rociar). □ ORTOGR. La *g* se cambia en *j* delante de *a, o* →COGER.

aspergiliosis (pl. *aspergiliosis*) s.f. Infección pulmonar provocada por un hongo, que se puede diseminar a otros órganos y causar lesiones en la piel, en el oído, en los senos nasales y en los pulmones: *La aspergiliosis puede ser una enfermedad grave.*

aspergillus s.m. Microorganismo de la familia de los hongos que se suele encontrar en los conductos del aire acondicionado de los hospitales: *una infección por aspergillus.* □ PRON. [aspergílus].

asperjar (tb. *asperger*) v. **1** En algunas ceremonias de la religión católica, echar el sacerdote agua bendita con el hisopo sobre alguien o algo: *En la catedral, el sacerdote asperjó a sus feligreses.* □ SINÓN. *hisopar, hisopear.* **2** Regar con agua salpicando con gotas menudas: *Es mejor asperjar el césped que regarlo.*

áspero, ra adj. **1** Que no es suave al tacto por tener la superficie desigual: *piel áspera.* **2** Falto de amabilidad o de suavidad en el trato: *hablar con voz áspera.* **3** Referido esp. al tiempo o al clima, que son desapacibles o tempestuosos. □ ETIMOL. Del latín *asper.* □ MORF. Su superlativo es *aspérrimo.*

asperón s.m. Arenisca silícea o arcillosa, que se usa en construcción, para hacer piedras de afilar o para limpiar algunas superficies metálicas: *El asperón es de color rojizo.* □ ETIMOL. De *áspero.*

aspérrimo, ma superlat. irreg. de **áspero.**

aspersión s.f. Distribución de un líquido en gotas menudas: *riego por aspersión.* □ ETIMOL. Del latín *aspersio.*

aspersor s.m. Aparato o mecanismo que esparce un líquido a presión: *Instaló varios aspersores en su jardín para regar el césped.*

áspid s.m. Serpiente venenosa de color verde amarillento con manchas pardas y cuello extensible lateralmente: *Cleopatra murió por la mordedura de un áspid.* □ SINÓN. *áspide.* □ ETIMOL. Del latín *aspis.* □ PRON. Incorr. *[aspíd]. □ MORF. Es un sustantivo epiceno: *el áspid {macho/hembra}.*

áspide s.m. →**áspid.** □ PRON. Incorr. *[aspíde]. □ MORF. Es un sustantivo epiceno: *el áspide {macho/hembra}.*

aspillera s.f. En un muro, abertura larga y estrecha para disparar por ella: *Desde aquí se ven las aspilleras del muro norte del castillo.* □ ETIMOL. De origen incierto. □ ORTOGR. Dist. de *arpillera.*

aspiración s.f. **1** Introducción de aire o de otra sustancia gaseosa en los pulmones. **2** Pretensión o deseo de conseguir o de alcanzar algo: *Este trabajo colma mis aspiraciones profesionales.* **3** En fonética y fonología, sonido que se produce por el roce del aire espirado en la laringe o en la faringe: *La aspiración de la '-s' final de palabra es un rasgo dialectal del español.*

aspirador, -a ▮ adj./s. **1** Que aspira. ▮ s.f. **2** Electrodoméstico que sirve para limpiar mediante un sistema que aspira la basura: *Hay que cambiar la bolsa de la aspiradora porque ya no absorbe bien la suciedad.* □ MORF. En la acepción 2, se admite también como masculino.

aspiradora s.f. Véase **aspirador, -a.**

aspirante ▮ adj.inv. **1** Que aspira. ▮ adj.inv./s.com. **2** Que aspira a conseguir un empleo, distinción o título: *En esa guerra de sucesión había tres aspirantes al trono.*

aspirar v. **1** Referido al aire o a una sustancia gaseosa, introducirlos en los pulmones: *En el incendio aspiró gases tóxicos.* **2** Referido a un fluido o a una partícula, absorberlos mediante una baja presión: *Con este aparatito puedes aspirar las migas de la mesa.* **3** En fonética y fonología, referido a un sonido, pronunciarlo aspirado: *Es andaluz y aspira la 'h-' inicial.* **4** Pretender conseguir o alcanzar: *Aspira a ser un buen médico.* □ ETIMOL. Del latín *aspirare* (echar el aliento hacia algo). □ SINT. Constr. de la acepción 4: *aspirar* A *algo.*

aspirina s.f. Medicamento que se utiliza para combatir la fiebre, el dolor y la inflamación: *La aspirina tiene como único componente el ácido acetilsalicílico.* □ ETIMOL. Extensión del nombre de una marca comercial.

asquear v. Causar asco, repugnancia o fastidio: *Me asquea la mentira.*

asquenazí (pl. *asquenazíes, asquenazís*) adj.inv./s.com. Referido a un judío, que procede de la comunidad judía medieval alemana: *El asquenazí desciende de la comunidad judía alemana, a diferencia del sefardí, que desciende de la comunidad judía española.* □ USO Es innecesario el uso de *ashkenazi.*

asquerosidad s.f. **1** Conjunto de características de lo que es asqueroso. **2** Lo que causa asco.

asqueroso, sa adj./s. **1** Que tiene asco o es propenso a sentirlo: *No seas tan asquerosa y prueba esto, que es un auténtico manjar.* **2** Que causa asco: *Su habitación está asquerosa, toda sucia y llena de basura por el suelo.* □ ETIMOL. Del latín **escharosus* (lleno de costras). □ USO Se usa como insulto.

assistant (ing.) s. →**adjunto.** □ PRON. [asístant].

asta s.f. **1** En algunos animales, pieza ósea, generalmente puntiaguda y algo curva, que nace en la región frontal. □ SINÓN. *cuerno.* **2** Palo o mástil en el que se coloca una bandera: *La bandera se deja a media asta en señal de luto.* **3** Palo de un arma blanca larga: *El soldado cogió la lanza por el asta.* □ ETIMOL. Del latín *hasta* (palo de la lanza o pica). □ ORTOGR. Dist. de *hasta.* □ MORF. 1. Por ser un sustantivo femenino que empieza por *a* tónica o acentuada, va precedido de *un, algún, ningún* y de las formas femeninas del resto de los determinantes. 2. Cuando se antepone a una palabra para formar compuestos, adopta la forma *asti-: astifino.*

astado, da adj./s.m. Referido a un animal, que tiene astas o cuernos: *El ciervo es un animal astado.*

ástato s.m. Elemento químico, semimetálico y sólido, artificial, de número atómico 85, radiactivo, bastante volátil y soluble en agua: *El ástato existe en la naturaleza en muy pequeña proporción debido a su gran inestabilidad.* □ ETIMOL. Del griego *ástatos* (inestable). □ PRON. Aunque la pronunciación correcta es [ástato], en círculos especializados se usa más [astáto]. □ ORTOGR. Su símbolo químico es *At.*

astenia s.f. En medicina, falta o decaimiento de las fuerzas: *La astenia va muy unida a la debilidad.* □ ETIMOL. Del griego *asthéneia* (debilidad).

asténico, ca ▮ adj. **1** De la astenia o relacionado con ella. ▮ adj./s. **2** Que padece astenia: *Algunos asténicos carecen de fuerzas para andar.*

astenosfera s.f. Capa de la Tierra situada entre la litosfera y la mesosfera: *En la astenosfera, los materiales están a una temperatura cercana a su punto de fusión, lo que hace que parte de ellos estén fundidos.*

astenospermia s.f. Presencia mayoritaria de espermatozoides poco móviles en el líquido seminal: *Un hombre tiene astenospermia cuando más del sesenta por ciento de sus espermatozoides son poco móviles.*

asterisco s.m. En ortografía, signo gráfico que se utiliza para llamada de una nota o para otros usos convencionales: *El signo * es un asterisco.* □ ETIMOL. Del griego *asterískos* (estrellita).

asteroide s.m. Cada uno de los pequeños planetas cuyas órbitas se hallan entre las de Marte y Júpiter: *Los cuatro asteroides mayores son Ceres, Pa-*

llas, Juno y Vesta. ☐ ETIMOL. Del griego *asteroeidés* (de figura de estrella).

astifino adj. Referido a un toro, que tiene las astas o cuernos delgados y finos: *El torero fue cogido por un toro astifino.*

astigmático, ca adj. **1** Del astigmatismo o relacionado con este defecto: *Los cristales de sus gafas son distintos porque tiene un ojo con visión astigmática y el otro miope.* **2** Que padece astigmatismo: *No soporta las lentillas duras porque es astigmática.*

astigmatismo s.m. Defecto de la visión producido por una curvatura irregular de la córnea: *La oculista me dijo que padecía astigmatismo y que necesitaba gafas.* ☐ ETIMOL. De *a-* (negación) y el griego *stígma* (punto, pinta).

astil s.m. Mango, generalmente de madera, que tienen algunos instrumentos y herramientas: *Llevaba el hacha con el astil apoyado en el hombro.* ☐ ETIMOL. Del latín *hastile.* ☐ PRON. Incorr. *[ástil]. ☐ ORTOGR. Dist. de *mástil.*

astilla s.f. **1** Fragmento irregular que salta o queda de una materia, esp. de la madera: *Me clavé una astilla en el dedo cuando estuve cortando leña.* **2** *col.* Parte de un robo o de un soborno que corresponde a cada uno de los implicados. ☐ ETIMOL. Del latín *astella* (astillita).

astillar v. Hacer astillas: *Dio un golpe tan fuerte en la puerta que la astilló. El hueso no se fracturó, pero sí se astilló.*

astillero s.m. Lugar en el que se construyen y se reparan barcos: *En ese astillero están construyendo una nueva fragata para la Armada.* ☐ ETIMOL. De *astilla* (montón o almacén de maderas).

astilloso, sa adj. Que salta fácilmente en pedazos o que se rompe formando astillas: *El yeso es un mineral astilloso.*

astracán s.m. **1** Piel de cordero no nacido o recién nacido, muy fina y con el pelo rizado. **2** Tejido de lana o de pelo de cabra muy rizados. **3** Farsa teatral disparatada y chabacana. ☐ SINÓN. *astracanada.* ☐ ETIMOL. Las acepciones 1 y 2, del francés *astracan*, y este, del nombre de la ciudad rusa de *Astraján*, de donde se importó este tejido.

astracanada s.f. *col. desp.* Farsa teatral disparatada y chabacana. ☐ SINÓN. *astracán.*

astrágalo s.m. **1** En anatomía, hueso de la primera fila del tarso, que está articulado con la tibia y el peroné: *En el astrágalo se insertan muchos tendones.* ☐ SINÓN. *taba.* **2** En arquitectura, moldura en forma de anillo que se pone en la parte superior del fuste de una columna y que tiene decoración de cuentas: *El astrágalo es característico del orden jónico.* ☐ ETIMOL. Del latín *astragalus.*

astral adj.inv. De los astros o relacionado con ellos: *una carta astral.*

-astre Sufijo con valor despectivo: *pillastre.*

astreñir v. →**astringir.** ☐ MORF. Irreg. →CEÑIR.

astricción s.f. →**astringencia.**

astricto, ta part. irreg. de **astringir**.

astringencia s.f. Estrechamiento o contracción de un tejido orgánico producidos por alguna sustancia: *El arroz blanco hervido facilita la astringencia intestinal.* ☐ SINÓN. *astricción.*

astringente adj.inv./s.m. Referido a una sustancia o a algo que la contiene, que contrae los tejidos orgánicos: *El arroz es astringente.* ☐ ETIMOL. Del latín *adstringens*, y este de *adstringere* (estrechar).

astringir v. Estrechar o contraer un tejido orgánico: *El arroz blanco y hervido astringe.* ☐ SINÓN. *astreñir.* ☐ ETIMOL. Del latín *adstringere* (estrechar). ☐ ORTOGR. La *g* se cambia en *j* delante de *a, o* →DIRIGIR. ☐ MORF. Su participio es *astricto.*

astro s.m. **1** Cuerpo celeste que está en el firmamento. **2** Persona que sobresale en su profesión o que es muy popular, esp. referido a un artista o a un deportista: *Hoy juega en nuestra ciudad uno de los astros del baloncesto mundial.* ☐ SINÓN. *estrella.* ☐ ETIMOL. Del latín *astrum.*

astro- **1** Elemento compositivo prefijo que significa 'estrella': *astrología, astronáutica, astrodinámica.* **2** Elemento compositivo prefijo que significa 'espacio sideral': *astronauta, astronave.* ☐ ETIMOL. Del latín *astrum.*

-astro, -astra Sufijo con valor despectivo: *poetastro, medicastra.*

astrodinámica s.f. Parte de la astronomía que estudia el movimiento de los astros: *En un tratado de astrodinámica venían varios mapas con el movimiento de las estrellas.* ☐ ETIMOL. De *astro-* (estrella) y *dinámica.*

astrofísica s.f. Véase **astrofísico, ca.**

astrofísico, ca ▌adj. **1** De la astrofísica o relacionado con esta parte de la astronomía: *Para los viajes espaciales es imprescindible el conocimiento de los datos astrofísicos.* ▌s. **2** Persona que se dedica a los estudios astrofísicos: *Trabaja como astrofísica en un observatorio espacial.* ▌s.f. **3** Parte de la astronomía que estudia las propiedades, el origen y la evolución de los cuerpos celestes: *La luminosidad, tamaño, masa, temperatura y composición de un astro son estudiados por la astrofísica.* ☐ ETIMOL. De *astro-* (estrella) y *física.*

astrolabio s.m. Instrumento en el que estaba representada la esfera terrestre y que se usaba para observar y para determinar la posición y el movimiento de los astros: *El astrolabio servía para que los navegantes se orientasen.* ☐ ETIMOL. Del griego *astrolábion*, y este de *ástron* (astro) y *lambáno* (yo tomo la altura).

astrología s.f. **1** Estudio de la influencia que la posición y el movimiento de los astros tienen sobre las personas: *La astrología atribuye el carácter de las personas a la influencia de los astros sobre.* **2** ‖ **(astrología) judiciaria;** la que está orientada a la emisión de pronósticos. ☐ ORTOGR. Dist. de *artrología.* ☐ SEM. Dist. de *astronomía* (ciencia que estudia los astros).

astrológico, ca adj. De la astrología o relacionado con ella: *Un análisis astrológico determinaría* *qué astros influyen en el comportamiento de una persona.*

astrólogo, ga s. Persona que se dedica al estudio de la influencia de los astros en las personas o que está especializada en astrología: *Un astrólogo me hizo la carta astral.* □ ETIMOL. Del latín *astrolugus*, y este del griego *astrológos* (astrónomo). □ SEM. Dist. de *astrónomo* (estudia los astros y el universo).

astronauta s.com. Persona que tripula una nave espacial o que está entrenada para ello: *Los astronautas realizan un entrenamiento muy duro.* □ SINÓN. *cosmonauta.* □ ETIMOL. De *astro-* (espacio sideral) y *nauta* (navegante).

astronáutica s.f. Véase **astronáutico, ca.**

astronáutico, ca ▮ adj. **1** De la astronáutica o relacionado con esta ciencia o técnica. □ SINÓN. *cosmonáutico.* ▮ s.f. **2** Ciencia o técnica de navegar más allá de la atmósfera terrestre: *Los viajes espaciales han sido posibles gracias a los avances de la astronáutica.* □ SINÓN. *cosmonáutico.*

astronave s.f. Vehículo que puede navegar más allá de la atmósfera terrestre: *Están probando una astronave que puede llegar a Marte.* □ SINÓN. *cosmonave.* □ ETIMOL. De *astro-* (espacio sideral) y *nave.*

astronomía s.f. Ciencia que estudia todo lo relacionado con los astros, esp. las leyes de sus movimientos, la distribución y la interacción de la materia, y la energía en el universo: *La astronomía estudia la localización, el origen, la composición y los movimientos de los astros.* □ ETIMOL. Del latín *astronomia*, este del griego *astronomía*, y este de *ástron* (astro) y *némo* (reparto). □ SEM. Dist. de *astrología* (estudio de la influencia de los astros en las personas).

astronómico, ca adj. **1** De la astronomía o relacionado con esta ciencia: *observatorio astronómico.* **2** *col.* Referido esp. a una cantidad, que se considera desmesuradamente grande.

astrónomo, ma s. Persona que se dedica al estudio de la astronomía o que está especializada en esta ciencia: *Los astrónomos anuncian que el año próximo habrá tres eclipses de Luna.* □ SEM. Dist. de *astrólogo* (estudia la influencia de los astros en las personas).

astroso, sa adj. Desaseado, sucio o roto: *El mendigo llevaba un traje astroso, lleno de manchas y mugre.* □ ETIMOL. Del latín *astrosus* (desgraciado, el que tiene mala estrella), y este de *astrum* (astro).

astucia s.f. **1** Habilidad para engañar a alguien, para evitar un daño o para lograr un fin: *Su astucia evitó que aquellos timadores lo estafaran.* **2** Lo que se hace con habilidad para conseguir algo, esp. para engañar a alguien: *Eso que te ha contado es una astucia suya para no prestarte el dinero.* □ SINÓN. *treta.*

astur adj.inv./s.com. **1** De una antigua región española del norte del territorio peninsular: *Astúrica, que es la actual Astorga, era la capital astur.* **2** →**asturiano.**

asturcón, -a adj./s. Referido a un caballo, que es de una raza de pequeño tamaño y originaria de Asturias (comunidad autónoma y provincia): *Ahora quedan muy pocos asturcones.*

asturianismo s.m. **1** En lingüística, palabra, significado o construcción sintáctica característicos del asturiano: *Hacer los diminutivos en -iño es un asturianismo.* **2** Movimiento que defiende los valores históricos y culturales asturianos y generalmente es partidario de la autonomía política asturiana.

asturiano, na ▮ adj./s. **1** Del Principado de Asturias (comunidad autónoma), de la provincia de esta comunidad o relacionado con ellas: *fabada asturiana.* ▮ s.m. **2** Modalidad lingüística que se habla en Asturias: *El asturiano es una variedad del dialecto romance asturleonés.*

asturleonés s.m. Dialecto romance que nació en las zonas que actualmente corresponden a León y Asturias: *El asturleonés sufrió un gran retroceso ante el empuje del castellano.* □ SINÓN. *leonés.* □ ORTOGR. Se usa también *astur-leonés.*

astur-leonés s.m. →**asturleonés.**

astuto, ta adj. Con astucia o hábil para engañar a alguien, para evitar un daño o para lograr un fin: *Tradicionalmente se ha calificado al zorro como un animal muy astuto.* □ ETIMOL. Del latín *astutus.*

asueto s.m. Descanso o vacación breves: *Aprovechó su tarde de asueto para visitar a un amigo.* □ ETIMOL. Del latín *festum assuetum* (fiesta acostumbrada).

asumir v. **1** Referido a algo propio, aceptarlo o tomar plena conciencia de ello: *Se cree perfecta y no asume sus propias limitaciones.* **2** Referido esp. a una responsabilidad, tomarla por sí o sobre sí: *El comandante asumió el mando por la ausencia de su superior.* □ ETIMOL. Del latín *assumere.* □ SEM. Dist. de *presumir* (sospechar).

asunción s.f. **1** Aceptación o admisión para sí. **2** En la iglesia católica, subida a los cielos de la Virgen María. □ ETIMOL. Del latín *asumptio* (acto de asumir). □ SINT. Constr. de la acepción 1: *asunción* DE *algo.* □ SEM. En la acepción 1, dist. de *ascensión* (subida a un lugar más alto). □ USO La acepción 2 se usa más como nombre propio.

asunto s.m. **1** Materia de que se trata: *No puedo opinar porque no estoy enterada de este asunto.* **2** Tema o argumento de una obra de creación: *El asunto de ese cuadro es el nacimiento de la primavera.* **3** Negocio, ocupación o quehacer: *No me gusta que se entrometan en mis asuntos.* **4** Aventura amorosa que se quiere mantener en secreto por algún motivo: *Su comportamiento me hace pensar que tiene un asunto con alguien de su oficina.*

asurcado, da adj. Con surcos.

asustadizo, za adj. Que se asusta con facilidad.

asustar v. Causar o sentir susto, temor o desasosiego: *La tormenta asustó a los niños. ¿Te asusta pensar en el futuro?*

-ata **1** Sufijo que indica acción y efecto: *caminata, cabalgata.* **2** Sufijo que indica procedencia, origen o patria: *dálmata, gálata, croata.* **3** Sufijo que tiene un valor coloquial: *bocata, cubata.*

atabal s.m. Instrumento musical de percusión, parecido al tambor pero con la caja de resonancia metálica y semiesférica. □ SINÓN. *timbal.* □ ETIMOL. Del árabe *at-tabal* (el tímpano).

atacable adj.inv. Que puede ser atacado.

atacado, da adj. *col.* Que está muy nervioso o excitado: *Estoy atacada porque hace horas que estamos esperando.*

atacante adj.inv./s.com. Que ataca: *Hoy me ha tocado hacer de atacante en la clase de defensa personal.*

atacar v. **1** Embestir o lanzarse con ímpetu o con violencia: *El enemigo atacó de noche.* **2** Referido a una persona o a una idea, combatirlas, contradecirlas u oponerse a ellas: *Siempre atacas sus propuestas porque le tienes envidia.* **3** Referido esp. al sueño o a una enfermedad, venir o dar repentinamente: *Todos los años en otoño me ataca la gripe.* □ SINÓN. *acometer.* **4** Irritar, perjudicar o afectar de forma que hace daño: *Beber mucho alcohol es malo porque ataca al hígado.* **5** Referido a una sustancia, ejercer su acción sobre otra, combinándose con ella o variando su estado: *El salitre ataca a los metales y los corroe.* **6** Referido esp. a una nota o a una composición musicales, empezar a ejecutarlas: *La cantante tomó aire antes de atacar la nota final.* **7** En algunos deportes, llevar o tomar la iniciativa en el juego, esp. si es para obtener puntos o para ganar: *En baloncesto el equipo que tiene la posesión del balón es el que ataca.* □ ETIMOL. Del italiano *attaccare* (pegar, unir, acometer). □ ORTOGR. La *c* se cambia en *qu* delante de *e* →SACAR.

atadijo s.m. *col.* Lío o envoltorio pequeños y mal hechos: *Haz un atadijo con tus cosas, porque nos vamos ya mismo. Se enfadó, hizo un atadijo con sus libros y se fue.*

atado s.m. **1** Conjunto de cosas atadas: *un atado de ropa.* **2** En zonas del español meridional, paquete de cigarrillos: *Compré un atado de mi marca favorita.*

atadura s.f. **1** Lo que ata: *El detenido rompió sus ataduras en un descuido del policía y se escapó.* **2** Unión, enlace o vínculo: *Rompió sus ataduras familiares y desapareció sin dejar rastro.*

atafagar v. **1** Referido esp. a un olor fuerte, causar molestias al respirar: *El olor del autobús lleno de gente me atafaga.* **2** Molestar mucho a alguien con preguntas o con consejos: *Me atafaga con tantas sugerencias sobre cómo debo trabajar.* □ ORTOGR. La *g* se cambia en *gu* delante de *e* →PAGAR.

atajar v. **1** Tomar un atajo o ir por una senda por donde se abrevia el camino: *Si atajamos por aquí, llegaremos antes que ellos.* **2** Referido a una persona o a un animal que huyen, salirles al encuentro por algún atajo: *Los perros atajaron al ganado.* **3** Referido a una acción o a un proceso, cortarlos o interrumpirlos: *Los bomberos atajaron el fuego en unos minutos.* **4** Referido a una persona, interrumpirla cuando habla: *Si te viene a contar chismes, atájalo y verás cómo deja de incordiar.* □ ETIMOL. Del latín *taleare* (cortar, rajar). □ ORTOGR. Conserva la *j* en toda la conjugación.

atajo s.m. **1** Senda o lugar por donde se abrevia el camino: *No fuimos por la carretera, sino por un atajo.* **2** *desp.* Grupo o conjunto: *En esa panda son todos un atajo de cretinos.* □ SINÓN. *hatajo.* **3** Pequeño grupo de ganado: *La carga era transportada por un atajo de bueyes.*

atalajar v. Referido a un animal de tiro, ponerle el atalaje o las guarniciones y engancharlo a un carruaje: *El mozo atalajó los caballos porque era la hora de partir.* □ ORTOGR. Conserva la *j* en toda la conjugación.

atalaje s.m. Conjunto de guarniciones o aparejos que llevan los animales de carga: *Las bridas forman parte del atalaje.* □ ETIMOL. Del francés *attelage.*

atalaya s.f. Torre construida generalmente en un lugar elevado para vigilar desde ella una gran extensión de tierra o de mar y poder dar aviso de lo que se descubra: *Desde la atalaya de la costa se podían observar los movimientos de las naves enemigas.* □ ETIMOL. Del árabe *at-tala'i'* (los centinelas).

atañer v. Concernir, incumbir o corresponder: *Mis problemas no te atañen.* □ SINÓN. *afectar.* □ ETIMOL. Del latín *attangere* (llegar a tocar). □ ORTOGR. Dist. de *tañer.* □ MORF. 1. Verbo defectivo: solo se usa en las terceras personas de cada tiempo, y en las formas no personales (infinitivo, gerundio y participio). 2. Irreg. →TAÑER.

ataque s.m. **1** Acción violenta o impetuosa contra algo para apoderarse de ello o para causarle algún daño. **2** Acceso repentino ocasionado por una enfermedad o por un sentimiento extremo: *un ataque de tos.* **3** Hecho o dicho que suponen una crítica: *El Gobierno tuvo que sufrir los ataques de la oposición en contra de su política actual.* **4** En algunos deportes, posesión o toma de la iniciativa en el juego, esp. si es para obtener puntos o para ganar: *una jugada de ataque.*

atar v. **1** Unir o sujetar con cuerdas: *Lo ataron de pies y manos. Se ató el pelo en una trenza.* **2** Impedir o quitar el movimiento o la libertad de acción: *Apenas sale porque sus obligaciones profesionales lo atan mucho.* **3** Juntar o relacionar: *Ata los cabos sueltos y descubrirás el meollo de la cuestión.* **4** || **atar corto** a alguien; *col.* Reprimirlo o sujetarlo: *No lo ates tan corto y dale más libertad, que ya tiene dieciocho años.* □ ETIMOL. Del latín *aptare* (adaptar, sujetar).

atarantar v. En zonas del español meridional, aturdir: *Estaba tan nerviosa que me atoranté y me puse a decir tonterías.* □ ETIMOL. De *tarántula.*

ataraxia s.f. Ausencia de perturbación o alteración de ánimo: *Los filósofos estoicos consideraban que la educación debía proporcionar al ser humano la ataraxia.* □ SINÓN. *imperturbabilidad.* □ ETIMOL. Del griego *ataraxía* (imperturbabilidad).

atarazana s.f. Lugar en el que se construyen y reparan barcos de guerra: *En las antiguas atarazanas de la ciudad hay hoy un museo naval.* □ ETIMOL. Del árabe *dár-as-sána* (casa de fabricación).

atardecer ▌s.m. **1** Última parte de la tarde: *El atardecer se inicia cuando empieza a oscurecer y termina cuando se hace de noche.* ▌v. **2** Empezar a caer la tarde: *Regresamos a casa cuando atardecía.* □ MORF. 1. Verbo unipersonal: solo se usa en tercera persona y en las formas no personales (infinitivo, gerundio y participio). 2. Irreg. →PARECER.

atareado, da adj. Muy entregado a un trabajo o a una ocupación: *No puedo salir hoy porque estoy muy atareada acabando este informe para mañana.*

atarearse v.prnl. Referido a un trabajo o a una ocupación, entregarse mucho a ellos: *Todas las tardes se atareaba con el estudio y la meditación.* □ SINT. Constr. *atarearse {CON/EN} algo.*

atarugarse v.prnl. Atontarse o aturdirse: *Como estés todo el día tumbado y viendo la televisión te vas a atarugar.* □ ORTOGR. La *g* se cambia en *gu* delante de *e* →PAGAR.

atascaburras (pl. *atascaburras*) s.m. Comida elaborada con patatas cocidas y machacadas, aceite de oliva, bacalao y nueces: *El atascaburras es un plato de origen manchego, ideal para comer en días fríos.*

atascar ▌v. **1** Referido a un lugar, tapar u obstruir el paso por él: *No sale agua porque hay algo que atasca la manguera. La tubería se atascó.* □ SINÓN. *atrancar.* **2** Referido a un asunto, ponerle obstáculos para evitar que avance o prosiga: *Los intereses de los distintos partidos atascaron la negociación.* ▌prnl. **3** Quedarse detenido sin poder seguir, esp. como consecuencia de un obstáculo: *La llave se ha atascado y no gira.* □ SINÓN. *atollarse.* □ ETIMOL. De origen incierto. □ ORTOGR. La *c* se cambia en *qu* delante de *e* →SACAR.

atasco s.m. **1** Densidad alta del tráfico: *Todas las carreteras de acceso a la ciudad tienen atasco en las horas punta.* □ SINÓN. *embotellamiento.* **2** Obstrucción de un conducto: *En la cañería hay un atasco y el agua no corre.*

ataúd s.m. Caja, generalmente de madera, en la que se coloca un cadáver para enterrarlo: *Los nietos de la difunta pusieron el ataúd en el coche fúnebre.* □ SINÓN. *caja, féretro.* □ ETIMOL. Del árabe *at-tabut* (la caja, el arca).

ataurique s.m. Ornamentación vegetal muy estilizada característica del arte árabe: *El mihrab de la mezquita de Córdoba está decorado con atauriques.* □ ETIMOL. Del árabe *at-tawriq* (el adorno foliáceo).

ataviar v. Adornar, arreglar o vestir: *Se atavió con sus mejores galas para ir a la boda.* □ ORTOGR. La *i* lleva tilde en los presentes, excepto en las personas *nosotros* y *vosotros* →GUIAR.

atávico, ca adj. Que tiende a imitar o a mantener formas de vida o costumbres arcaicas: *Me sorprendieron sus ideas atávicas en contra de la liberación de la mujer.*

atavío s.m. **1** Vestido o atuendo, esp. si se apartan de lo que requiere la ocasión: *Llevaba un lujoso atavío que le hacía parecer un gran señor.* **2** Adorno o arreglo, generalmente provisionales: *Dos horas antes de la celebración comenzaron a colocar los atavíos.* □ ETIMOL. De origen incierto. □ MORF. Se usa más en plural.

atavismo s.m. **1** Inclinación a imitar o mantener formas de vida o costumbres arcaicas. **2** En biología, referido a un ser vivo, reaparición de caracteres propios de sus ascendientes más o menos remotos: *El color de piel moreno en su familia es un atavismo, porque algunos de sus antepasados eran indios.* □ ETIMOL. Del latín *atavus* (cuarto abuelo, antepasado).

ataxia s.f. **1** En medicina, irregularidad o trastorno de las funciones del sistema nervioso. **2** ‖ **ataxia (locomotriz);** la que se manifiesta por la dificultad o incapacidad para coordinar los movimientos musculares voluntarios. □ ETIMOL. Del griego *atacía.*

ate s.m. Dulce en pasta hecho a base de fruta cocida con agua y azúcar: *El ate es un dulce típico de muchas zonas de México.*

ateísmo s.m. Doctrina, opinión o actitud que niega la existencia de Dios: *Llegó al ateísmo a través del materialismo.* □ SEM. Dist. de *agnosticismo* (que declara inalcanzable para el entendimiento humano lo absoluto y lo sobrenatural).

atelana s.f. Pieza teatral breve, de carácter cómico, y que era propia del teatro latino: *Se representaron unas atelanas a cargo de una compañía de cómicos.* □ ETIMOL. Del latín *atellana fabulla*, porque en la ciudad de Atella había un célebre anfiteatro donde se representaban obras cómicas.

atelier (fr.) s.m. →**taller.**

atelocolágeno s.m. Colágeno de desarrollo incompleto: *El atelocolágeno se obtiene a partir de extractos de células de bovino.*

atemorizar v. Causar temor o miedo: *No atemorices a tu hermano pequeño hablándole de fantasmas. Se atemorizó con los gritos.* □ ORTOGR. La *z* se cambia en *c* delante de *e* →CAZAR.

atemperación s.f. Moderación de la fuerza, la intensidad o la gravedad de algo: *La atemperación de sus peticiones es algo digno de agradecimiento.*

atemperar v. Moderar, calmar o hacer más tibio: *Los años han atemperado su carácter.* □ SINÓN. *temperar.* □ ETIMOL. Del latín *temperare* (moderar, templar).

atemporal adj.inv. Que no hace referencia al tiempo: *un relato atemporal.*

atenazar v. **1** Sujetar fuertemente con tenazas o de forma parecida: *Atenazó uno de los hierros candentes de la chimenea. El pequeño atenazaba el muñeco llorando y sin querer soltarlo.* **2** Referido esp. a un sentimiento, paralizar o inmovilizar: *Se siente inseguro porque múltiples miedos lo atenazan.* □ ORTOGR. La *z* se cambia en *c* delante de *e* →CAZAR.

atención s.f. **1** Interés y aplicación voluntaria del entendimiento: *Presta atención, que empezamos a rodar.* **2** Cuidado o aplicación de algo: *En el am-*

bulatorio recibí atención primaria. **3** Demostración de respeto o de cortesía: *Tuvo muchas atenciones con todos nosotros.* **4** || **a la atención de** alguien; en un envío, para entregárselo a esa persona: *Enviamos la carta a la atención de la secretaria de dirección.* || **atención al cliente;** departamento de una empresa que permite a un usuario presentar sus demandas, generalmente por teléfono: *Llama a atención al cliente para que te solucionen el problema del móvil.* || **en atención a** algo; teniéndolo en cuenta o atendiendo a ello: *Consiguió el ascenso en atención a sus numerosos años de servicio.* || **llamar la atención; 1** Provocar o despertar interés, curiosidad o sorpresa: *Me llama la atención que una tarta de chocolate lleve naranja.* **2** Reprender o amonestar: *Les llamaron la atención por llegar tarde a clase.* ☐ ETIMOL. Del latín *attentionis.* ☐ USO Se usa como aviso o como señal de advertencia: *¡Atención!, cada uno a su puesto.*

atender v. **1** Poner atención o aplicar voluntariamente el entendimiento: *No atendió a las instrucciones de la azafata. Si no atiendes, no te enterarás.* **2** Referido a un deseo o un ruego, acogerlo favorablemente o satisfacerlo: *Atendieron mis protestas y me arreglaron el teléfono.* **3** Referido a una persona o a una cosa, cuidarla u ocuparse de ella: *Desde hace varios años, atiende el negocio personalmente.* **4** Considerar o tener en cuenta: *Se cambió de casa, atendiendo a sus necesidades.* **5** || **atender por;** referido esp. a un animal, llamarse: *La perra perdida atiende por 'Lys'.* ☐ ETIMOL. Del latín *attendere* (tender el oído hacia algo, poner atento el ánimo). ☐ MORF. Irreg. →PERDER.

ateneísta s.com. Socio de un ateneo: *Los ateneístas votarán el próximo viernes para elegir los cargos directivos.*

ateneo s.m. **1** Asociación cultural, generalmente científica, literaria y artística: *En el siglo XIX se fundaron ateneos en las principales ciudades españolas.* **2** Local en el que tiene su sede dicha asociación: *La biblioteca del Ateneo está abierta los fines de semana.* ☐ ETIMOL. Del latín *Athenaeum,* y este del griego *Athénaion* (templo de Minerva en Atenas).

atenerse v.prnl. Referido a una persona, ajustarse o someterse a algo: *Si te vas, atente a las consecuencias. Se atuvo a lo dicho anteriormente.* ☐ ETIMOL. Del latín *attinere.* ☐ MORF. Irreg. →TENER. ☐ SINT. Constr. *atenerse A algo.*

ateniense adj.inv./s.com. De Atenas (capital griega), o relacionado con ella.

atenorado, da adj. Referido a una voz o a un instrumento, que tienen un sonido de timbre parecido al de la voz de un tenor.

atentado s.m. **1** Agresión violenta contra la integridad física de algo: *El atentado contra el edificio de la embajada no causó víctimas.* **2** Ofensa o acción contraria a lo que se considera justo o inviolable: *Dijeron que la película era un atentado contra la moral y las buenas costumbres.* ☐ SINT. Constr. *atentado CONTRA algo.*

atentar v. Cometer un atentado: *Los terroristas atentaron contra la vida de un militar. Este espectáculo atenta contra el buen gusto.* ☐ ETIMOL. Del latín *attemptare.* ☐ SINT. Constr. *atentar CONTRA algo.*

atentatorio, ria adj. Que atenta contra alguien o algo.

atento, ta adj. **1** Con la atención fija en algo: *Debes estar atento a todas las explicaciones de la profesora.* **2** Amable, cortés y bien educado: *Este chico es muy atento, pero parece un poco falso.* ☐ SINT. Constr. de la acepción 1: *atento A algo.*

atenuación s.f. Disminución de la fuerza o la intensidad de algo: *Esos medicamentos no lo curaron, pero le produjeron la atenuación del dolor.*

atenuante ▮ adj.inv. **1** Que atenúa. ▮ s.f. **2** →**circunstancia atenuante.** ☐ MORF. Incorr. su uso como masculino, aunque está muy extendido.

atenuar v. Disminuir en fuerza o en intensidad: *Los calmantes atenúan el dolor. Cuando atardece, la luz solar se atenúa.* ☐ ORTOGR. La *u* lleva tilde en los presentes, excepto en las personas *nosotros* y *vosotros* →ACTUAR.

ateo, a adj./s. Que sigue o defiende el ateísmo: *Fue un joven muy religioso, pero en su madurez se hizo ateo.* ☐ ETIMOL. Del griego *átheos,* y este de *a-* (negación) y *theós* (Dios). ☐ SEM. Dist. de *agnóstico* (que ni afirma ni niega la existencia de Dios porque la considera inalcanzable para el entendimiento humano).

aterciopelado, da adj. Parecido al terciopelo o con la finura o suavidad propias de este tejido: *Su cutis aterciopelado es suave como el de un bebé.*

aterido, da adj. Paralizado, entumecido o rígido como consecuencia del frío: *Hacía tanto frío en la cima de la montaña que nos quedamos ateridos.* ☐ SEM. **Aterido de frío* es una expresión redundante e incorrecta, aunque está muy extendida.

aterir v. Paralizar, entumecer o quedar rígido como consecuencia del frío: *Los esquiadores se aterían en un refugio sin chimenea ni calefacción.* ☐ ETIMOL. De origen incierto. ☐ MORF. Verbo defectivo: solo se usan las formas que presentan *i* en su desinencia →ABOLIR, esp. el infinitivo y el participio. ☐ SEM. **Aterirse de frío* es una expresión redundante e incorrecta, aunque está muy extendida.

ateroesclerosis (pl. *ateroesclerosis*) s.f. →**aterosclerosis.** ☐ ORTOGR. Dist. de *arterioesclerosis.*

ateroma s.m. Acumulación de grasa en las paredes internas de las arterias: *Los ateromas pueden dar lugar a graves complicaciones en el sistema circulatorio.* ☐ ETIMOL. Del griego *athéra* (papilla) y *-oma* (tumor).

ateromatoso, sa adj. Del ateroma o relacionado con esta acumulación de grasa.

aterosclerosis (tb. *ateroesclerosis*) (pl. *aterosclerosis*) s.f. Endurecimiento patológico de los vasos sanguíneos, esp. de las arterias: *El aumento de colesterol en la sangre suele provocar la aterosclerosis.* ☐ ETIMOL. Del griego *athéra* (papilla) y *esclerosis.* ☐ ORTOGR. Dist. de *arteriosclerosis.*

aterrador, -a adj. Que aterra o aterroriza: *Tenía una expresión aterradora, que nos hizo temblar de miedo.*

aterrar v. Causar o sentir terror: *El incendio del monte aterró a los excursionistas. Me aterra pensar en las consecuencias que habría podido tener el accidente.* □ SINÓN. *aterrorizar.* □ ETIMOL. Del latín *terrere.*

aterrizaje s.m. Descenso de una aeronave hasta posarse en tierra firme.

aterrizar v. **1** Referido a una aeronave o a sus ocupantes, posarse en tierra firme o sobre una pista destinada a este fin: *Aunque el avión aterrizó a la hora prevista, tuve que esperar quince minutos en el aeropuerto para recoger mi maleta.* **2** *col.* Aparecer o presentarse en un lugar de forma inesperada: *Aterrizó en la fiesta medio dormido y con cara de despistado.* **3** *col.* Llegar y tomar los primeros contactos, generalmente con algo desconocido: *He estado de vacaciones y acabo de aterrizar.* □ ORTOGR. La *z* se cambia en *c* delante de *e* →CAZAR. □ SEM. Dist. de *alunizar* (posarse en la superficie lunar).

aterrorizar v. Causar o sentir terror: *La explosión aterrorizó a todo el barrio. Me aterroriza pensar que podías haber muerto en el accidente.* □ SINÓN. *aterrar.* □ ORTOGR. La *z* se cambia en *c* delante de *e* →CAZAR.

atesoramiento s.m. Retención de dinero o de riquezas, generalmente en un lugar secreto: *Ha dedicado su vida al atesoramiento de oro y joyas.*

atesorar v. **1** Referido a cosas de valor, reunirlas o guardarlas, generalmente en un lugar secreto: *No atesores tantas joyas y disfrútalas.* **2** Referido esp. a una cualidad, tenerla o poseerla: *Es una mujer que atesora grandes conocimientos.* □ ETIMOL. De *tesoro.*

atestado s.m. Documento oficial en el que se hace constar un hecho: *el atestado de un accidente.*

atestar v. Llenar por completo: *No cabe nada más, porque el maletero ya está atestado.* □ ETIMOL. Del antiguo adjetivo *tiesto* (tieso, duro), porque esta es la forma que tiene la superficie de lo que está atestado.

atestiguación s.f. Declaración como testigo: *No había nadie para realizar una atestiguación del accidente.* □ SINÓN. *atestiguamiento.*

atestiguamiento s.m. →**atestiguación.**

atestiguar v. **1** Afirmar o declarar como testigo: *Atestiguó que él lo había visto todo. Me han llamado para que atestigüe ante el juez.* □ SINÓN. *testificar.* **2** Referido a algo de lo que se duda, ofrecer indicios ciertos de ello: *Estas marcas atestiguan que alguien te ha pegado.* □ ETIMOL. Del latín *ad* (a) y *testificare.* □ ORTOGR. 1. La *u* lleva diéresis cuando le sigue *e.* 2. La *u* permanece siempre átona →AVERIGUAR.

atezar v. Poner moreno: *La vida al aire libre te ha atezado la cara.* □ ETIMOL. De *tez.* □ ORTOGR. La *z* se cambia en *c* delante de *e* →CAZAR.

atiborrar ▌ v. **1** Referido esp. a un recipiente, llenarlo por completo forzando su capacidad: *Cuando nos vamos de vacaciones, atiborramos el coche de bultos y maletas.* ▌ prnl. **2** Hartarse de comida: *Se atiborró de aperitivos y después no quería comer.* □ ETIMOL. De *atibar* (rellenar con tierra o escombros las excavaciones) y *borra* (desperdicio textil). □ PRON. Incorr. *[atiforrár].

ático, ca ▌ adj./s. **1** De Ática (región de la antigua Grecia), de Atenas (su ciudad principal) o relacionado con ellas: *Los áticos tuvieron su época de esplendor en el siglo V a. C.* ▌ s.m. **2** En un edificio, último piso, generalmente con el techo inclinado o más bajo que el de los pisos inferiores: *El ático es muy soleado y tiene unas bonitas vistas.*

-ático, -ática Sufijo que indica relación o pertenencia: *hepático, acuático.*

atigrado, da adj. Con manchas como las que tiene la piel del tigre.

-átil Sufijo que indica capacidad o posibilidad: *portátil, volátil.* □ ETIMOL. Del latín *-atilis.*

atildado, da adj. Pulcro, elegante o excesivamente arreglado: *Vaya donde vaya, su aspecto atildado llama siempre la atención.*

atildamiento s.m. Arreglo cuidadoso y, en general, excesivo: *Viste con atildamiento y mal gusto.*

atildar v. Referido esp. a una persona, arreglarla cuidadosamente y generalmente en exceso: *Atildó a los niños para asistir a la boda. Tarda horas en atildarse.* □ ETIMOL. De tilde.

atinar v. Acertar, dar en el blanco o encontrar lo que se busca: *Mete la mano en el cajón a ver si atinas a encontrar la llave. Con tus explicaciones, atiné con la tienda enseguida. No consiguió atinar con la solución.* □ ETIMOL. De *tino.* □ SINT. Constr. *atinar* A *hacer algo, atinar* CON *algo.*

atípico, ca adj. Que se sale de lo normal, de lo conocido o de lo habitual: *Es un joven atípico porque solo se relaciona con adultos.*

atiplar v. Referido esp. a una voz o un sonido, elevarlos hasta el tono de tiple o hacerlos más agudos: *El tenor atipló su voz para darle un tono burlón a su papel.*

atirantar v. Poner tirante: *Coloqué bien las varillas de la sombrilla para atirantar la tela.*

atisbar v. **1** Mirar atentamente y con cautela: *Desde el rincón atisbaba lo que ocurría en el salón.* □ SINÓN. *observar.* **2** Referido esp. a un objeto, verlo de forma tenue o confusa por la distancia o por la falta de luz: *En mitad de la noche, atisbamos al fin el refugio.* □ SINÓN. *vislumbrar.* **3** Referido a algo inmaterial, conocerlo ligeramente o conjeturarlo por leves indicios: *A veces me cuesta atisbar la solución de problemas bien sencillos.* □ SINÓN. *vislumbrar.* □ ETIMOL. De origen incierto.

atisbo s.m. Sospecha, indicio, o conjetura que se forma a partir de estos: *Hay que luchar mientras quede un atisbo de vida.* □ SINÓN. *vislumbre.*

atiza interj. *col.* Expresión que se usa para indicar extrañeza, sorpresa, admiración o disgusto: *¡Atiza,* *mira qué coche más aparatoso ha pasado! ¡Atiza, se me ha roto el pantalón!*

atizador, -a ▮ adj./s. **1** Que atiza. ▮ s.m. **2** Utensilio que se utiliza para atizar: *Avivaba el fuego del brasero con un atizador.*

atizar v. **1** Referido al fuego, removerlo o añadirle combustible para que arda más: *Atiza el fuego, que se va a apagar.* **2** Referido esp. a una discordia o a una pasión, avivarlas o hacerlas más intensas: *Unos comentarios hipócritas atizaron el odio que sentía.* **3** Referido esp. a un golpe, darlo o propinarlo: *Le atizó dos bofetadas y se fue tan tranquilo. Se atizó un golpe contra el pico del armario.* **4** *col.* Golpear o dar golpes: *Llegó tarde y su padre lo atizó de lo lindo.* □ ETIMOL. Del latín **attitiare* (mover como se hace con los tizones). □ ORTOGR. La *z* se cambia en *c* delante de *e* →CAZAR.

atlante s.m. Estatua con figura de hombre que se usa como columna y sostiene sobre su cabeza o sus hombros la parte baja de las cornisas: *En la arquitectura helenística se usan atlantes y cariátides.* □ SINÓN. *telamón.* □ ETIMOL. Del latín *atlantes.* □ SEM. Dist. de *cariátide* (con figura de mujer).

atlántico, ca adj. Del océano Atlántico (situado entre las costas americanas y las europeas y africanas), o relacionado con él: *Portugal ocupa gran parte del territorio atlántico de la península Ibérica.*

atlas (pl. *atlas*) s.m. **1** Libro formado por una colección de mapas, generalmente geográficos: *Si lo miras en el atlas verás que la península de Florida pertenece a los Estados Unidos.* **2** Libro basado en una colección de láminas descriptivas, generalmente explicadas, que tratan sobre un tema concreto: *un atlas de música.* **3** En anatomía, primera de las vértebras cervicales: *El atlas sostiene directamente la cabeza.* □ ETIMOL. De *Atlas* (gigante mitológico que llevaba el mundo sobre las espaldas).

atleta s.com. **1** Deportista que practica el atletismo: *Esa atleta fue la ganadora en la prueba de los mil metros.* **2** Persona fuerte, robusta y musculosa: *A pesar de sus sesenta años sigue siendo un atleta.* □ ETIMOL. Del latín *athleta.*

atlético, ca ▮ adj. **1** Del atletismo, de los atletas o relacionado con ellos: *una competición atlética; un cuerpo atlético.* **2** Fuerte y musculoso: *una complexión atlética.* ▮ adj./s. **3** Del Atlético de Madrid (club deportivo madrileño) o relacionado con él: *Un grupo de atléticos agitaba por la calle sus bufandas rojiblancas.*

atletismo s.m. Deporte o conjunto de prácticas basadas en la carrera, los saltos y los lanzamientos: *Las carreras de longitud y el lanzamiento de jabalina son pruebas de atletismo.*

atmósfera s.f. **1** Capa gaseosa que envuelve a un astro, esp. referido a la que envuelve a la Tierra: *La atmósfera terrestre está formada principalmente por nitrógeno y oxígeno.* **2** Ambiente que rodea a personas y cosas: *Esta película recrea muy bien la atmósfera de la época.* **3** En el Sistema Internacional, unidad de presión: *Una atmósfera es igual a la fuerza que ejerce por centímetro cuadrado una columna de mercurio de setenta y seis centímetros de altura.* □ ETIMOL. Del griego *atmós* (vapor) y *sphâira* (esfera). □ ORTOGR. En la acepción 3, su símbolo es *atm*, por tanto, se escribe sin punto. □ SEM. En la acepción 1, cuando se refiere a la masa de aire que rodea a la Tierra, es sinónimo de *cielo.*

atmosférico, ca adj. De la atmósfera o relacionado con ella: *la presión atmosférica.*

-ato 1 Sufijo que indica dignidad o cargo: *decanato, mariscalato.* **2** Sufijo que indica lugar: *sindicato, orfanato, virreinato.* **3** Sufijo que indica tiempo: *califato, mandato.* **4** Sufijo que indica acción y efecto: *asesinato.* **5** Sufijo que indica cría: *cervato, ballenato.* **6** Sufijo que indica cualidad: *mentecato, novata.* □ ETIMOL. Del latín *-atus.*

-ato, -ata 1 Sufijo que indica cualidad: *mentecato, novata.* **2** Sufijo que indica origen o procedencia: *maragato.* □ ETIMOL. Del latín *-atus.*

atocinar v. *col.* Aturdir, ofuscar o hacer perder el entendimiento: *Con este calor estoy completamente atocinada.*

atole s.m. Bebida espesa hecha con harina de maíz o de arroz y otros ingredientes: *atole de chocolate.*

atolladero s.m. **1** Lugar donde se producen atascos: *Tardamos mucho en llegar porque las calles eran un auténtico atolladero.* **2** Estorbo u obstáculo que impide el avance de algo: *Sin darme cuenta me he metido en un grave atolladero y no sé cómo salir de él.*

atollarse v.prnl. Quedarse detenido sin poder seguir, esp. como consecuencia de un obstáculo: *Me he atollado con el problema de matemáticas y no consigo solucionarlo. El coche se ha atollado en el barro y no puedo sacarlo de allí.* □ SINÓN. *atascarse.* □ ETIMOL. De *tollo* (atolladero).

atolón s.m. Isla coralina en forma de anillo, con una laguna interior que se comunica con el mar por medio de estrechos pasos: *En el océano Pacífico hay muchos atolones.* □ ETIMOL. De *atulo*, voz de las Maldivas.

atolondramiento s.m. Torpeza o falta de tranquilidad: *Si haces las cosas con atolondramiento te saldrán mal.*

atolondrar v. Causar aturdimiento: *Cállate ya porque con tus gritos me atolondras. No te atolondres y trabaja con calma si quieres hacerlo bien.* □ SINÓN. *atontar, atontolinar.* □ ETIMOL. De *tolondro* (aturdido).

atómico, ca adj. **1** Del átomo o relacionado con él: *energía atómica.* **2** Que emplea la energía que se encuentra almacenada en los núcleos de los átomos: *una explosión atómica.* □ SINÓN. *nuclear.* **3** *col.* Estupendo, muy bueno o espectacular.

atomismo s.m. Doctrina filosófica que explica la formación del mundo a partir de la combinación de partículas elementales o átomos: *El atomismo fue desarrollado por Demócrito y otros filósofos de la antigua Grecia.* □ ORTOGR. Dist. de *tomismo.*

atomista ▮ adj.inv. **1** Del atomismo o relacionado con esta doctrina filosófica: *la doctrina atomista.* ▮ adj.inv./s.com. **2** Que sigue o defiende el atomismo.

atomización s.f. División en partículas muy pequeñas: *Con el aspersor logramos la atomización del agua.*

atomizador, -a ▮ adj. **1** Que atomiza o pulveriza. ▮ s.m. **2** Aparato que sirve para aplicar líquidos pulverizándolos en partículas muy pequeñas: *una colonia con atomizador.*

atomizar v. Dividir en partes muy pequeñas: *Este aparato de riego del invernadero atomiza el agua formando una nube.* □ ETIMOL. De *átomo.* □ ORTOGR. La *z* se cambia en *c* delante de *e* →CAZAR.

átomo s.m. **1** Cantidad mínima de un elemento químico que tiene existencia propia: *El átomo está formado por un núcleo de protones y neutrones y una corteza de electrones.* **2** *col.* Porción o cantidad muy pequeñas: *No tiene ni un átomo de sentido común y hace demasiadas tonterías.* **3** ‖ **átomo gramo;** cantidad de un elemento químico que, expresada en gramos, coincide con su peso atómico: *El oxígeno tiene una masa de 16 átomos gramo.* □ ETIMOL. Del latín *atomus*, y este del griego *átomos* (indivisible). □ MORF. El plural de *átomo gramo* es *átomos gramo.*

atonal adj.inv. Referido esp. a una composición musical, que no tiene una tonalidad bien definida o que no se atiene a las leyes de la tonalidad: *La música atonal suele gustar solo a entendidos y a minorías.* □ ETIMOL. De *a-* (negación) y *tonal.*

atonalidad s.f. **1** En una composición musical, falta de una tonalidad bien definida: *Muchas obras de músicos vanguardistas se caracterizan por su atonalidad.* □ SINÓN. *atonalismo.* **2** En música, sistema de composición en el que no se usa ninguna tonalidad: *La atonalidad surgió en el siglo XX.* □ SINÓN. *atonalismo.*

atonalismo s.m. →**atonalidad.**

atonía s.f. **1** En medicina, falta de tono o de vigor en los tejidos, esp. en los contráctiles: *atonía muscular.* **2** Apatía o falta de energía: *Está deprimido y, por más que lo animemos, no sale de su atonía.*

atónico, ca adj. →**átono.**

atónito, ta adj. Muy sorprendido o espantado: *quedarse atónito.* □ ETIMOL. Del latín *attonitu* (herido del rayo, aturdido).

átono, na adj. Referido a una vocal, a una sílaba o a una palabra, que se pronuncian sin acento de intensidad: *La 'a' de la palabra 'anillo' es átona.* □ SINÓN. *atónico, inacentuado.* □ ETIMOL. De *a-* (privación) y el griego *tónos* (tono, acento).

atontamiento s.m. Aturdimiento o perturbación del entendimiento.

atontar v. **1** Causar aturdimiento: *El golpe me ha atontado y siento un ligero mareo. Cuando estoy mucho tiempo al sol, me atonto.* □ SINÓN. *atolondrar, atontolinar.* **2** Volver o volverse tonto: *Ver demasiada televisión atonta a los niños. Si no lees nada terminarás atontándote.* □ SINÓN. *entontecer, atontolinar.* □ ETIMOL. De *tonto.*

atontolinar v. *col.* →**atontar.**

atópico, ca adj. **1** Que no está relacionado con un lugar determinado: *eccema atópico.* **2** Referido a la piel, seca, sensible y fácilmente irritable: *El médico le dijo que tenía piel atópica.* **3** En medicina, persona que tiene este tipo de piel: *Su hija es atópica y tiene que aplicarle diariamente crema hidratante.*

atoramiento s.m. **1** Atasco u obstrucción que impide el paso: *el atoramiento de una cañería.* **2** Interrupción o atasco en una conversación: *Su atoramiento se debe a los nervios.*

atorar ▮ v. **1** Atascar u obstruir, impidiendo el paso: *La suciedad ha atorado el filtro del lavavajillas. El grifo se ha atorado y no sale agua.* ▮ prnl. **2** Cortarse o trabarse en la conversación: *Su timidez hace que se atore cuando hay mucha gente escuchándole.* □ ETIMOL. Del latín *obturare* (obstruir).

atormentar v. **1** Dar tormento para obtener una información: *Te atormentaremos hasta que confieses.* **2** Causar molestia o dolor físicos: *Este dolor de cabeza me está atormentando.* **3** Causar disgusto o enfado: *Los remordimientos me atormentan. Deja de atormentarte pensando que el accidente lo has provocado solamente tú.*

atornasolado, da adj. →**tornasolado.**

atornillador s.m. →**destornillador.**

atornillar v. **1** Referido a un tornillo, introducirlo haciéndolo girar alrededor de su eje: *Para atornillar un tornillo, hay que hacerlo girar a la derecha.* **2** Sujetar por medio de tornillos: *Atornillé las bisagras de la puerta porque estaban flojas.* **3** *col.* Referido a una persona, presionarla u obligarla a hacer algo: *No intentes atornillarme, porque solo conseguirás que me agobie.*

atorrante, ta adj./s. *col.* En zonas del español meridional, vago o perezoso: *Criticó mi trabajo y me dijo que era un atorrante.*

atortolarse v.prnl. Enamorarse tiernamente y de forma muy visible: *Se atortolaron nada más conocerse.*

atosigamiento s.m. **1** Presión que se hace para dar prisa a alguien: *El atosigamiento al que me sometía el jefe me ponía nervioso.* **2** Molestia o incordio producidos por exigencias continuas o por problemas: *Con tu atosigamiento vas a conseguir que me enfade y que no te dé lo que me pides.*

atosigar v. **1** Referido a una persona, presionarla metiéndole prisa para que haga algo: *No me atosigues, que mañana estará listo, como te prometí. Cuando tengo mucho trabajo, me atosigo y nada me sale bien.* **2** Inquietar o disgustar con exigencias o con preocupaciones: *Huyen de él porque siempre los atosiga con sus problemas. No te atosigues, porque todo tiene solución.* □ ETIMOL. Del latín *tussicare* (toser). □ ORTOGR. La *g* se cambia en *gu* delante de *e* →PAGAR.

atrabiliario, ria adj. *col.* Que tiene un genio violento: *Hay que tener cuidado con los tipos atrabiliarios porque en seguida se enfadan.* □ ETIMOL. Del antiguo *atrabilis* (bilis negra).

atracadero s.m. Lugar en el que pueden atracar o arrimarse a tierra las embarcaciones de pequeño tamaño: *Esa cala es un buen atracadero para el yate.*

atracador, -a s. Persona que atraca para robar: *Los atracadores se llevaron todo el dinero que había en la caja fuerte.*

atracar v. **1** Asaltar con la intención de robar: *Esta mañana, dos encapuchados han atracado la tienda de la esquina.* **2** *col.* Atiborrar o hartar de comida o de bebida: *En la fiesta nos atracaron de pasteles. Se ha atracado de frutos secos y ahora le duele el estómago.* **3** Referido a una embarcación, arrimarla o arrimarse a otra o a tierra: *El capitán atracó el barco y los pasajeros bajaron a tierra. Esta tarde han atracado dos petroleros en el puerto.* □ ETIMOL. De origen incierto. □ ORTOGR. La *c* se cambia en *qu* delante de *e* →SACAR. □ SINT. Constr. de la acepción 2: *atracar* DE *algo.*

atracción s.f. **1** Fuerza para atraer: *La Tierra ejerce atracción sobre la Luna.* **2** Interés o inclinación del ánimo: *Siente atracción por un chico de su clase.* **3** Lo que despierta este interés: *Con ese vestido, vas a ser la atracción de la noche.* **4** Espectáculo o diversión que se celebran en un mismo lugar o que forman parte de un programa: *He montado en todas las atracciones de la feria.*

atraco s.m. Asalto que se hace con la intención de robar.

atracón s.m. **1** *col.* Ingestión excesiva de comida o de bebida: *Me acabo de dar un atracón de chocolate.* **2** *col.* Exceso de una actividad: *No he estudiado en todo el trimestre y el día anterior al examen me tengo que dar el atracón.* □ SINT. Se usa más en la expresión *darse el atracón.*

atractivo, va ▌adj. **1** Que atrae: *El tema de la conferencia es muy atractivo.* **2** Que despierta interés y agrado: *Tiene una mirada atractiva.* ▌s.m. **3** Conjunto de cualidades que atraen la voluntad o el interés: *Es una persona encantadora y con mucho atractivo.*

atraer v. **1** Traer hacia sí: *Su soberbia le atrajo la antipatía de mucha gente. Con su buena acción se atrajo la simpatía de la gente.* **2** Referido a un cuerpo, acercar y retener a otro debido a sus propiedades físicas: *El imán atrae los objetos de hierro. Dos cargas eléctricas de distinto signo se atraen.* **3** Despertar interés: *No me atrae el tema de esta película.* □ ETIMOL. Del latín *attrahere.* □ MORF. Irreg. →TRAER.

atragantarse v.prnl. **1** Ahogarse con algo que se queda detenido en la garganta: *Si comes tan deprisa te vas a atragantar.* **2** Causar fastidio, enojo o antipatía: *Tu primo se me atragantó cuando oí lo que te había hecho.* □ SINÓN. *atravesarse.* □ ETIMOL. De *tragar.*

atrancar ▌v. **1** Referido a una puerta o a una ventana, asegurarlas por dentro mediante una tranca o un cerrojo: *Los habitantes del fuerte atrancaron la puerta para impedir que entraran los indios.* **2** Referido a un lugar, tapar u obstruir el paso por él: *La suciedad ha atrancado la tubería. Avisa al fontanero para que arregle el desagüe, porque se ha atrancado.* □ SINÓN. *atascar.* ▌prnl. **3** *col.* Atragantarse o cortarse al hablar o al leer: *Está aprendiendo a leer y se atranca con las palabras largas.* □ ETIMOL. De *tranca.* □ ORTOGR. La *c* se cambia en *qu* delante de *e* →SACAR.

atrapar v. **1** Referido a alguien que huye o que va delante, alcanzarlo o llegar a su altura: *El grupo atrapó al corredor que se había escapado.* **2** *col.* Agarrar o apresar: *El portero atrapó el balón.* **3** *col.* Referido a una enfermedad o a un estado de ánimo, contraerlos, adquirirlos o alcanzarlos: *La tormenta me pilló sin paraguas y he atrapado un buen resfriado.* □ SINÓN. *coger.* □ ETIMOL. Del francés *attraper* (coger en una trampa, alcanzar).

atraque s.m. **1** Acercamiento de una embarcación a otra o a tierra: *La maniobra de atraque del barco fue un éxito.* **2** Maniobra con la que se realiza este acercamiento: *El práctico del puerto dirigió el atraque del barco.*

atrás adv. **1** Hacia la parte que está o que queda a la espalda: *Si no vas más deprisa, te vas a quedar atrás. Se asustó y dio un salto atrás.* **2** En la zona posterior a aquella en la que se encuentra lo que se toma como referencia: *No lo puedes ver, porque está escondido atrás.* **3** En las últimas filas de un grupo de personas: *En el desfile, los más bajos iban atrás.* **4** En el fondo de un lugar: *Si te quedas tan atrás, no vas a ver nada.* **5** En un tiempo anterior o pasado: *Nuestros problemas quedaron atrás.* □ ETIMOL. De *tras.* □ SINT. Su uso seguido de un adjetivo posesivo es incorrecto: *Mira atrás {*tuyo > de ti} antes de moverte.*

atrasar ▌v. **1** Referido a un reloj, correr o desplazar hacia atrás sus agujas: *Me gastaron la broma de atrasarme el reloj, y no llegué a tiempo.* □ SINÓN. *retrasar.* **2** Referido a una acción, retrasarla en el tiempo: *Atrasó dos meses su boda.* □ SINÓN. *demorar, retardar.* **3** Referido a un reloj, ir más despacio de lo que debe y señalar una hora que ya ha pasado: *He llegado tarde porque mi reloj atrasa.* ▌prnl. **4** Progresar a un ritmo inferior al normal: *Se atrasó en los estudios, y tuvo que repetir curso.* **5** Llegar tarde: *El despertador no sonó y me atrasé media hora.* □ SINÓN. *retrasar.* □ ETIMOL. De *atrás.*

atraso ▌s.m. **1** Retraso de una acción en el tiempo: *El atraso en su nombramiento fue debido a causas burocráticas.* **2** Falta de desarrollo, o avance menor de lo normal: *un atraso en el crecimiento.* **3** Lo que se considera propio de un lugar con escaso desarrollo: *La falta de agua caliente es un atraso.* ▌pl. **4** Pagos que se deben: *Este mes me han abonado los atrasos.*

atravesado, da adj. Con mala intención o con mal carácter: *una persona atravesada.*

atravesar ▌v. **1** Referido a un objeto, cruzarlo de modo que pase de una parte a otra: *Atravesó un madero en la puerta para que nadie pudiera pasar.* **2** Referido a un lugar, recorrerlo desde una parte a otra: *Atravesamos el río a nado.* □ SINÓN. *cruzar, pasar.* **3** Referido a un cuerpo, penetrarlo de parte a parte: *La bala le atravesó el brazo.* **4** Referido a una situación, pasar por ella: *No le apetece ir a la fiesta porque atraviesa un mal momento.* **5** Referido a un objeto, pasarlo por encima de otro o estar puesto sobre él oblicuamente: *La modista atravesó unas cintas en el cuello del vestido.* ▮ prnl. **6** *col.* Causar fastidio, enojo o antipatía: *Ese chico se me ha atravesado y no lo puedo ni ver.* ☐ SINÓN. *atragantarse.* **7** Mezclarse en algún asunto ajeno: *Todo iba bien hasta que él se atravesó.* **8** Referido esp. a un objeto, ponerse en medio u obstaculizando el paso: *Se me ha atravesado una espina de pescado en la garganta.* ☐ ETIMOL. Del latín *transversare.* ☐ MORF. Irreg. →PENSAR. ☐ SINT. En la acepción 4, es incorrecto su uso como intransitivo con la preposición *por*, aunque está muy extendido: **atravieso por una crisis* > *atravieso una crisis.*

atrayente adj.inv. Que atrae: *Tiene una personalidad misteriosa y atrayente.*

atrazina s.f. Herbicida de color blanco, inoloro e inflamable, que se emplea para eliminar hierbas en diversos cultivos o en carreteras y líneas ferroviarias.: *Solo pueden rociar atrazina personas debidamente preparadas para ello.*

atresia s.f. En medicina, cierre de un orificio o conducto natural del organismo: *atresia intestinal.* ☐ ETIMOL. De *a-* (privación) y el griego *trêŝis* (perforación).

atreverse v.prnl. Referido a algo que resulta arriesgado, decidirse a hacerlo o a decirlo: *No me atrevo a decírtelo, porque te vas a enfadar.* ☐ ETIMOL. Del latín *tribuere sibi* (atribuirse la capacidad de hacer algo). ☐ SINT. Constr. *atreverse* A *algo.*

atrevido, da adj./s. Que se considera que falta al respeto debido: *Lleva un vestido de noche con un escote muy atrevido. Eres un atrevido por contestar así a tus superiores.*

atrevimiento s.m. **1** Falta de respeto: *¡Cuánto atrevimiento hay en tus palabras!* **2** Hecho o dicho que resultan atrevidos: *Me dijo que tutearlo había sido un atrevimiento por mi parte.*

atrezo s.m. Conjunto de enseres que se usan en la escena del teatro o en un plató: *La encargada del atrezo eligió los decorados para la obra de teatro.* ☐ SINÓN. *utilería.* ☐ ETIMOL. Del italiano *attrezzo.* ☐ ORTOGR. Se usa también *atrezzo.*

atrezzo s.m. →**atrezo.** ☐ PRON. Está muy extendida la pronunciación italiana [atrétso].

atribución s.f. **1** Adjudicación de un hecho o de una característica: *La atribución de esas palabras a Juan demuestra que no te cae bien.* **2** Asignación de un deber o de una función: *La atribución del puesto a Luis fue muy mal vista por el resto de la plantilla.* **3** Facultad o competencia que da el cargo que se ejerce: *No puedes decidir sin consultar antes, porque tu cargo no te da esta atribución.*

atribuir v. **1** Referido esp. a un hecho o a una característica, aplicarlos o adjudicarlos: *Le atribuyen mal carácter, pero solo es timidez.* **2** Referido esp. a un deber o a una función, señalarlos o asignarlos: *Me atribuyó funciones de gerente aunque solo soy el secretario.* ☐ ETIMOL. Del latín *attribuere.* ☐ MORF. Irreg. →HUIR.

atribulación s.f. →**tribulación.**

atribular v. Causar tribulaciones, penas o adversidades: *Me atribula pensar que ya no me quieres. Es muy nervioso y se atribula cuando tiene el más mínimo problema.* ☐ ETIMOL. Del latín *tribulare* (trillar, atormentar).

atributivo, va adj. En gramática, que funciona como atributo, que lo incluye, o que sirve para construirlo: *En 'las hojas blancas', el adjetivo 'blancas' es atributivo. Las oraciones atributivas son aquellas cuyo verbo es copulativo.*

atributo s.m. **1** Cada una de las propiedades o cualidades de algo: *El color blanco es uno de los atributos de la nieve.* **2** Lo que simboliza o representa algo: *El bastón de mando es el atributo de los alcaldes.* **3** En gramática, constituyente que identifica o cualifica al sujeto de un verbo copulativo: *En la oración 'Mi prima es rubia', 'rubia' es el atributo.* **4** En gramática, función del adjetivo cuando se coloca en posición inmediata al sustantivo de que depende: *En 'flor amarilla', 'amarilla' es un atributo.* ☐ ETIMOL. Del latín *attributus.*

atrición s.f. En el cristianismo, pesar que se siente por temor a las consecuencias de haber ofendido a Dios: *Sentía una gran atrición porque había cometido muchos actos crueles.* ☐ ETIMOL. Del latín *attritio.*

atrida adj.inv./s.com. Que desciende de Atreo (rey de Micenas en la antigua Grecia): *Agamenón y Menelao fueron dos de los más famosos atridas.*

atril s.m. Soporte en forma de plano inclinado que sirve para sostener papeles y leerlos con mayor comodidad: *La directora de la orquesta tenía la partitura sobre el atril.* ☐ ETIMOL. Del antiguo *latril*, este del latín *lectorile*, y este de *lector* (lector).

atrincar v. En zonas del español meridional, sujetar o atar: *¡Atrinca bien esos animales!* ☐ ORTOGR. La *c* se cambia en *qu* delante de *e* →SACAR.

atrincheramiento s.m. **1** Protección o amparo en trincheras o en otras defensas. **2** Conjunto de trincheras o de obras de defensa o de fortificación pasajeras. **3** Mantenimiento de una actitud o de una posición de forma tenaz: *Su atrincheramiento en ideas anticuadas era criticado por todos.*

atrincherar ▮ v. **1** Referido a una fortificación militar, fortificarla con trincheras o con otras defensas: *El general ordenó atrincherar la zona de resistencia elegida para el despliegue defensivo.* ▮ prnl. **2** Ponerse en las trincheras o refugiarse a cubierto del enemigo: *Los soldados se atrincheraron para evitar las balas enemigas.* **3** Mantenerse en una actitud o en una posición con una tenacidad exagerada: *Se atrincheró en su opinión y nadie fue capaz de convencerlo.*

atrio s.m. **1** En algunos edificios, espacio descubierto y porticado que hay en el interior: *En las casas romanas, en el atrio solía haber un estanque.* **2** En algunos templos, espacio limitado que está situado en la parte exterior, a la entrada, generalmente más alto que el suelo de la calle: *Los invitados espera-*

ban a los novios en el atrio de la iglesia. ☐ ETIMOL. Del latín *atrium*.

atrípedo, da adj. Referido a un animal, que tiene los pies negros. ☐ ETIMOL. Del latín *ater* (negro), y *pedis* (pie).

atrocidad s.f. **1** Crueldad muy grande: *Todos comentaban la atrocidad del asesinato.* **2** Lo que va más allá de lo razonable o de las normas, o se sale de los límites de lo ordinario o lícito: *Que pretendas recorrer mil kilómetros en un día me parece una atrocidad.* ☐ SINÓN. *disparate*. **3** *col.* Hecho o dicho muy necio o temerario: *No digas atrocidades, y piensa un poco antes de hablar.* **4** *col.* Insulto muy ofensivo: *Estaba tan enfadado que iba diciendo atrocidades por la calle.* ☐ SINT. En la lengua coloquial, *una atrocidad* se usa mucho como adverbio de cantidad con el significado de 'mucho': *Creo que trabaja una atrocidad.*

atrofia s.f. **1** En medicina, disminución del tamaño de un órgano o de un tejido orgánico que estaba completamente desarrollado y con un tamaño normal. **2** *col.* Falta de desarrollo, esp. si tiene efectos perjudiciales: *La atrofia en el desarrollo industrial de este país es evidente.* ☐ ETIMOL. Del griego *atrophía* (desnutrición). ☐ SEM. Dist. de *hipertrofia* (desarrollo excesivo).

atrofiar v. Producir atrofia o falta de desarrollo: *La falta de ejercicio atrofia los músculos. Si no usas la memoria, se te va a atrofiar.* ☐ ORTOGR. La *i* nunca lleva tilde. ☐ SEM. Dist. de *hipertrofiar* (aumentar excesivamente el volumen).

atronador, -a adj. Que atruena o produce un ruido molesto: *un ruido atronador.*

atronamiento s.m. Perturbación causada por un ruido muy grande: *El atronamiento que producen los aviones me da dolor de cabeza.*

atronar v. Perturbar con un ruido muy fuerte: *Los gritos de los vendedores callejeros atronaban la calle.* ☐ MORF. Irreg. →CONTAR.

atropellado, da adj. Rápido y precipitado.

atropellamiento s.m. →**atropello.**

atropellar ▮ v. **1** Referido a una persona o a un animal, chocar con ellos o pasarles por encima un vehículo, causándoles daños: *El coche que atropelló al peatón se dio a la fuga.* **2** Derribar o empujar violentamente: *¡No me atropelle, señora, que yo estaba antes que usted!* **3** Agraviar de palabra, por abuso de poder o de fuerza o mediante la violencia: *No me gusta que el jefe me atropelle y no me dé ocasión de explicarme.* ▮ prnl. **4** Apresurarse mucho, esp. al hablar o al actuar: *Se atropella cuando habla porque es muy nervioso.* ☐ ETIMOL. De origen incierto.

atropello s.m. **1** Choque violento de un vehículo con un peatón o con un animal: *Una ambulancia se dirigió al lugar del atropello.* ☐ SINÓN. *atropellamiento.* **2** Agravio o falta de respeto: *¡Esto es un atropello, no hay derecho a que nos quiten las tierras!* ☐ SINÓN. *atropellamiento.* **3** Apresuramiento o prisa, esp. al hablar o al actuar: *Si lo haces con atropello, todo te saldrá mal.* ☐ SINÓN. *atropellamiento.*

atropina s.f. Sustancia que se extrae de la belladona y que se usa en medicina, esp. para dilatar las pupilas: *El oculista me puso un colirio con atropina para examinarme el fondo del ojo.* ☐ ETIMOL. Del latín *atropa*, y este del griego *Átropos* (hombre de la Parca que cortaba el hilo de la vida), porque la atropina es venenosa.

atroz adj.inv. **1** Cruel o inhumano: *un crimen atroz.* **2** Enorme o desmesurado: *Hacía un frío atroz.* **3** Muy malo o de mala calidad: *La comida de este restaurante es atroz.* ☐ ETIMOL. Del latín *atrox*, y este de *ater* (negro).

ATS s.com. Persona que tiene el título de ayudante técnico sanitario y que se dedica profesionalmente a la asistencia de enfermos y heridos. ☐ ETIMOL. Es la sigla de *ayudante técnico sanitario*.

attaché (fr.) s.m. →**maletín.** ☐ PRON. [atachél].

attachment (ing.) s.m. Archivo que se envía adjunto en un correo electrónico: *un correo electrónico con attachment.* ☐ PRON. [atáchmen]. ☐ USO Su uso es innecesario y puede sustituirse por *archivo adjunto* o *fichero adjunto*.

atto- Elemento compositivo prefijo que significa 'trillonésima parte': *attofísica, attosegundo.* ☐ ETIMOL. Del noruego y danés *atten* (dieciocho). ☐ ORTOGR. Su símbolo es *a*-, y no se usa nunca aislado: *as* (attosegundo).

atuendo s.m. Conjunto de ropas que viste una persona: *Se presentó a la fiesta con un atuendo muy elegante.* ☐ ETIMOL. Del latín *attonitus* (asombrado), porque al principio se aplicó a la pompa estruendosa que ostentaba la majestad real.

atufar v. **1** *col.* Despedir mal olor: *¡Estas zapatillas atufan, qué asco!* **2** Trastornar por el tufo o gas que se desprende en algunas fermentaciones o en algunas combustiones: *El humo nos atufó y empezamos a toser.*

atún s.m. Pez marino comestible, de color azul por encima, gris plateado por debajo y de carne muy apreciada: *El atún se utiliza mucho para hacer conservas.* ☐ ETIMOL. Del árabe *at-tun* o *at-tunn*, y este del latín *thunnus*. ☐ MORF. Es un sustantivo epiceno: *el atún {macho/hembra}*.

atunero, ra ▮ adj. **1** Del atún o relacionado con este pez: *industria atunera.* ▮ adj./s.m. **2** Que se utiliza para la pesca del atún, esp. referido a una embarcación: *barcos atuneros.*

aturdimiento s.m. **1** Perturbación de los sentidos, esp. por un golpe o por un ruido muy grande: *El aturdimiento que le producía el ruido no le dejaba pensar.* **2** Perturbación del entendimiento, esp. por una mala noticia: *La noticia de la desgracia le causó un gran aturdimiento.* **3** Torpeza o falta de serenidad al actuar: *Su aturdimiento hizo que al fregar se le cayeran los platos.*

aturdir v. **1** Molestar o causar aturdimiento: *Ese ruido me aturde y no me deja pensar.* **2** Confundir o desconcertar: *Le gusta aturdirme con un montón* *de mentiras. Me aturdí cuando me diste la noticia.* □ ETIMOL. De *tordo* (pájaro atolondrado).

aturquesado, da adj. **1** De color azul muy oscuro: *Aquella noche el cielo estaba aturquesado.* **2** De color azul verdoso, como la turquesa: *unos ojos aturquesados.*

aturullamiento s.m. *col.* Torpeza o aturdimiento: *Su aturullamiento fue causado por un mareo.*

aturullar v. *col.* Referido a una persona, confundirla haciendo que no sepa qué decir o cómo hacer algo: *No me hables tan deprisa, que me aturullas. Con tantas cosas para hacer, me he aturullado y no sé por dónde empezar.* □ ETIMOL. De *turullo* (cuerno de pastor para llamar al ganado).

atusar v. Referido al pelo, alisarlo o arreglarlo, esp. con un peine o con la mano: *Atusaba su bigote mientras meditaba. Se atusó el cabello delante del espejo antes de salir.* □ ETIMOL. Del latín *attonsus* (trasquilado).

audacia s.f. Atrevimiento o valor para hacer o decir algo nuevo, arriesgado o peligroso: *Todo el mundo alabó la audacia del intrépido escalador.*

audaz adj.inv. Que tiene audacia o valor: *una persona audaz; un diseño audaz.* □ ETIMOL. Del latín *audax*, y este de *audere* (atreverse).

audible adj.inv. Que se puede oír: *Sus palabras apenas eran audibles.* □ SINÓN. *oíble.* □ ETIMOL. Del latín *audibilis.*

audición s.f. **1** Percepción de un sonido por medio del oído: *La audición de ultrasonidos es imposible para el oído humano.* **2** Concierto, recital o lectura que se hacen en público: *He conseguido varias entradas para una audición en la ópera.* **3** Prueba que hace un artista ante el director del espectáculo o ante el empresario: *La audición de ayer me salió bien y creo que me elegirán.*

audiencia s.f. **1** Acto de oír una autoridad a las personas que exponen, reclaman o solicitan algo: *El presidente concedió una audiencia a algunos representantes de los trabajadores.* **2** Lugar o edificio destinados a este fin: *Los periodistas esperaban en la puerta de la Audiencia la salida de uno de los testigos.* **3** Tribunal de justicia colegiado que entiende en los pleitos o en las causas de un territorio: *El recurso de apelación se vio en la Audiencia Provincial.* **4** Conjunto de oyentes que asisten a un acto: *La presentadora del espectáculo se dirigió a la audiencia.* □ SINÓN. *auditorio.* **5** Conjunto de personas que atienden a un programa de radio o de televisión a través de los respectivos aparatos: *La audiencia de este programa de televisión ha disminuido este mes.* □ ETIMOL. Del latín *audientia.*

audífono (tb. *audiófono*) s.m. Aparato para oír mejor: *Ha ido a una óptica a comprarse un audífono, porque no oye muy bien.*

audimetría s.f. Medición del índice de audiencia por medio de un audímetro acoplado al televisor: *Hemos encargado una audimetría para ver qué aceptación está teniendo el nuevo programa de entrevistas.*

audímetro s.m. **1** Instrumento que sirve para medir la sensibilidad del aparato auditivo: *Según los datos que dio el audímetro, estoy perdiendo agudeza auditiva.* **2** Aparato que se coloca en el receptor de radio o de televisión para medir el tiempo que están funcionando: *El audímetro permite establecer los índices de audiencia.* □ ORTOGR. En la acepción 1, se admite también *audiómetro.*

audio s.m. Técnica relacionada con la grabación, transmisión y reproducción de sonidos: *grabación en audio.*

audio- Elemento compositivo prefijo que significa 'sonido' u 'oído': *audiometría, audiograma, audiovisual.* □ ETIMOL. Del latín *audire* (oír). □ MORF. Puede adoptar la forma *audi-*: *audífono, audímetro.*

audiocasete s.f. Cajita de plástico que contiene una cinta magnética para el registro y reproducción del sonido: *He grabado la entrevista en una audiocasete.*

audiocinta s.f. ‖ **audiocinta (magnética);** En zonas del español meridional, casete.

audiófono s.m. →**audífono.**

audiograma s.m. Curva que representa la agudeza con que un individuo percibe un sonido: *En el audiograma se refleja que últimamente he perdido oído.*

audiolibro s.m. Casete que contiene la grabación de la lectura de una obra literaria: *Muchos actores importantes graban audiolibros de las novelas más representativas de la literatura.*

audiometría s.f. Prueba para medir la agudeza auditiva en relación con las distintas frecuencias sonoras: *He ido a hacerme una audiometría para ver si tengo algún problema de oído.*

audiómetro s.m. →**audímetro.**

audioprotésico, ca adj. De la audioprótesis o relacionado con este procedimiento de corrección de deficiencias del aparato auditivo: *una revisión audioprotésica.*

audioprótesis (pl. *audioprótesis*) s.f. **1** Corrección de deficiencias del aparato auditivo con audífonos u otras piezas artificiales: *Es una especialista en audioprótesis.* **2** Pieza o aparato que se utiliza para esta corrección: *Mi abuelo lleva una audioprótesis para oír mejor.*

audiotex s.m. Sistema de transmisión de textos orales por medios telefónicos: *Esta tarde hacen pública la adjudicación de las líneas de audiotex.*

audiovisual ▌adj.inv. **1** Que está relacionado con el oído y con la vista conjuntamente, esp. referido a un método de enseñanza: *técnicas audiovisuales.* ▌s.m. **2** Proyección de una película combinada con sonidos, que se utiliza generalmente con fines didácticos: *En el museo de ciencias nos pusieron un audiovisual sobre la vida de los insectos.*

auditar v. Referido esp. a una empresa o a una entidad, analizar su gestión o su contabilidad en determinado período para comprobar si refleja la realidad económica ocurrida en ella: *El Ministerio de Hacienda ha mandado a unos inspectores para auditar la empresa.* □ ETIMOL. Del inglés *to audite.*

auditivo, va adj. Del oído o relacionado con él: *el pabellón auditivo.*

auditor, -a adj./s. Que realiza la auditoría de una empresa: *El examen de la auditora sacó a la luz las deudas de la empresa.*

auditoría s.f. **1** Revisión de la contabilidad de una institución o empresa, realizada por especialistas ajenos a la misma: *La juez ordenó realizar una auditoría de la empresa.* **2** Profesión de auditor: *Dedicó su juventud al ejercicio de la auditoría.* **3** Lugar de trabajo del auditor: *Todos esos documentos los tienen archivados en la auditoría.*

auditorio s.m. **1** Conjunto de oyentes que asisten a un acto: *El auditorio en pie aplaudió al cantante.* □ SINÓN. *audiencia.* **2** Sala o lugar acondicionado para la celebración de actos públicos: *La conferencia tendrá lugar en el auditorio del museo.* □ ORTOGR. En la acepción 2, se admite también *auditórium.*

auditórium s.m. →**auditorio.** □ ETIMOL. Del latín *auditorium.*

auge s.m. **1** Momento de mayor elevación o intensidad de un proceso o de un estado. **2** ‖ **cobrar auge;** ganar importancia: *Sus teorías volvieron a cobrar auge cuando acabó la censura política.* □ ETIMOL. Del árabe *awy* (el punto más alto del cielo).

augur s.m. En la antigua Roma, sacerdote que practicaba oficialmente la adivinación a través de la observación de las aves y por otros signos: *Los augures solían basar sus adivinaciones en la forma en que las aves cantaban, volaban o comían.*

auguración s.f. Adivinación a través de la observación del comportamiento de las aves o de otros signos: *La auguración era frecuente en la antigua Roma.*

augurar v. Predecir o presagiar: *El vidente auguró grandes logros para este año.* □ ETIMOL. Del latín *augurare.*

augurio s.m. Señal, anuncio o indicio de algo futuro: *un buen augurio.*

augusto, ta adj. Que produce respeto y veneración: *La augusta asamblea de ancianos aprobaba las normas por las que se regía la tribu.* □ ETIMOL. Del latín *augustus.*

aula s.f. En un centro docente, sala en la que se imparte la enseñanza: *Las aulas deben tener una buena iluminación. El rector pronunciará su discurso en un aula de la facultad.* □ SINÓN. *clase.* □ ETIMOL. Del latín *aula* (patio, atrio). □ MORF. Por ser un sustantivo femenino que empieza por *a* tónica o acentuada, va precedido de *el, un, algún, ningún* y de las formas femeninas del resto de los determinantes.

aulaga s.f. Planta espinosa, con hojas lisas terminadas en púas y flores amarillas: *La aulaga es muy común en la zona mediterránea.* □ SINÓN. *aliaga.* □ ETIMOL. De origen incierto.

aulario s.m. Conjunto de aulas: *Van a construir un nuevo aulario junto a la facultad.*

áulico, ca adj. De la corte, del palacio, o relacionado con ellos: *un poeta áulico.* □ ETIMOL. Del griego *aulikós.* □ ORTOGR. Dist. de *áurico.*

aullador, -a adj. Que aúlla.

aullar v. Referido esp. al lobo o al perro, dar aullidos: *El perro aulló durante toda la noche.* □ ETIMOL. Del latín *ululare.* □ ORTOGR. La *u* lleva tilde en los presentes, excepto en las personas *nosotros* y *vosotros* →ACTUAR.

aullido s.m. **1** Voz triste y prolongada de algunos animales, esp. del lobo y del perro. □ SINÓN. *aúllo.* **2** Sonido semejante a esta voz: *En la sala solo se oían los aullidos de dolor del enfermo.* □ SINÓN. *aúllo.*

aúllo s.m. →**aullido.**

aumentar v. Hacer mayor en tamaño, en cantidad o en intensidad: *En la nueva edición aumentaron el número de páginas.* □ SINÓN. *acrecentar.*

aumentativo, va ▮ adj. **1** Que aumenta o que indica aumento: *Los sufijos '-ón' y '-azo' tienen un valor aumentativo.* ▮ s.m. **2** En gramática, palabra formada con un sufijo que indica aumento: *'Sueldazo' es el aumentativo de 'sueldo'.*

aumento s.m. **1** Crecimiento en tamaño, en cantidad, en calidad o en intensidad: *El aumento de las temperaturas continuará esta semana.* □ SINÓN. *incremento.* **2** Potencia amplificadora de un aparato óptico, esp. de una lente: *Este microscopio tiene muy poco aumento.* □ ETIMOL. Del latín *augmentum.*

aun ▮ adv. **1** Incluso o también: *Aun los más listos se equivocan a veces.* ▮ conj. **2** Enlace gramatical con valor concesivo: *Todas las personas son dignas de respeto, aun las que no piensan como nosotros.* □ SINÓN. *incluso.* **3** ‖ **aun cuando;** enlace gramatical coordinante con valor adversativo: *No iré aun cuando me apetezca muchísimo.* □ SINÓN. *aunque.* □ ETIMOL. Del latín *adhuc* (hasta ahora). □ ORTOGR. Dist. de *aún.*

aún adv. Hasta el momento en que se habla: *Aún no he salido de casa. Nadie me ha dicho aún si esto es verdad.* □ SINÓN. *todavía.* □ ETIMOL. Del latín *adhuc* (hasta ahora). □ ORTOGR. Dist. de *aun.*

aunar v. **1** Unir o armonizar para lograr un fin: *Aunaron sus fuerzas y consiguieron mover la piedra.* **2** Referido a dos o más cosas, hacer de ellas una sola o un todo: *Antes de empezar el trabajo debemos aunar los criterios que vamos a seguir.* □ SINÓN. *unificar.* □ ETIMOL. Del latín *adunare* (juntar). □ ORTOGR. La *u* lleva tilde en los presentes, excepto en las personas *nosotros* y *vosotros* →ACTUAR.

aunque conj. **1** Enlace gramatical subordinante con valor concesivo: *Aunque no me apetece, te acompañaré al cine.* □ SINÓN. *aun cuando, por más que, por mucho que, si bien.* **2** Enlace gramatical coordinante con valor adversativo: *Aprobé la física, aunque suspendí la lengua.* □ SINÓN. *aun cuando, por más que, por mucho que, si bien.* □ ETIMOL. De *aun que.*

aúpa interj. **1** Expresión que se usa para animar a alguien a levantarse o a levantar algo. **2** ‖ **de**

aúpa; **1** *col.* Grande o importante: *Tengo un catarro de aúpa.* **2** *col.* Peligroso, desagradable, o que ha de ser tratado con cautela: *Cuidado con ellos, que son de aúpa.*

au pair (fr.) s.com. || Persona extranjera que trabaja en una casa cuidando niños o realizando diversas tareas domésticas a cambio del alojamiento, la comida y un pequeño salario: *trabajar de au pair.* □ PRON. [opér], con *r* suave.

aupar v. **1** Referido esp. a un niño, levantarlo en brazos: *Mamá, aúpame, que no llego.* □ SINÓN. *upar.* **2** Ayudar a llegar a una posición más elevada e importante: *Los miembros de su partido lo auparon para que llegara a la jefatura.* □ ETIMOL. De *aúpa.* □ ORTOGR. La *u* lleva tilde en los presentes, excepto en las personas *nosotros* y *vosotros* →ACTUAR.

aura s.f. **1** Irradiación luminosa que algunas personas perciben alrededor de los cuerpos. **2** Sensación o impresión que algo produce: *A esa actriz siempre la rodea un aura de misterio.* □ ETIMOL. Del latín *aura* (brisa, viento). □ MORF. Por ser un sustantivo femenino que empieza por *a* tónica o acentuada, va precedido de *el, un, algún, ningún* y de las formas femeninas del resto de los determinantes.

aurea mediocritas (lat.) s.m. || Tópico literario que expresa la preferencia por una vida o una condición medias pero llenas de tranquilidad: *El motivo del aurea mediocritas aparece con frecuencia en la lírica renacentista.* □ ETIMOL. De *Aurea mediocritas* (dorada mediocridad) que es una expresión de una oda del poeta latino Horacio. □ PRON. [áurea mediócritas].

áureo, a adj. *poét.* De oro o con alguna de sus características: *El sol de la mañana iluminaba el halo áureo de sus cabellos.* □ ETIMOL. Del latín *aureus.* □ PRON. Incorr. *[auréo], *[aúreo].

aureola s.f. **1** Resplandor, disco o círculo luminoso que se representa detrás de la cabeza de las imágenes de los santos. □ SINÓN. *corona, halo.* **2** Admiración o fama que alguien alcanza: *Ha sabido rodearse de una aureola de sabio.* **3** →**areola.** □ ETIMOL. Del latín *aureola* (dorada).

aureolar v. Adornar como con una aureola: *Una bella diadema aureolaba su cabeza.*

áurico, ca adj. De oro: *un yacimiento áurico.* □ ORTOGR. Dist. de *áulico.*

aurícula s.f. **1** En el corazón de algunos animales, cada una de las dos cavidades de la parte anterior o superior del corazón, que reciben la sangre que transportan las venas: *Las aurículas se comunican con los ventrículos.* **2** En un molusco, cavidad o cavidades del corazón que reciben la sangre arterial: *Los moluscos pueden tener una, dos o cuatro aurículas.* **3** En un pez, cavidad de la parte anterior del corazón, que recibe sangre venosa: *Los peces tienen una única aurícula.* □ ETIMOL. Del latín *auricula.*

auricular ▮ adj.inv. **1** Del oído o relacionado con él: *el pabellón auricular.* **2** De las aurículas del corazón o relacionado con ellas: *las paredes auriculares del corazón.* ▮ s.m. **3** En un aparato destinado a recibir sonidos, esp. en el telefónico, parte o pieza con la que se oye y que se aplica al oído: *Dejé el auricular del teléfono sobre la mesa y fui a buscar un bolígrafo.*

auriculoterapia s.f. Tratamiento de enfermedades basado en la introducción de agujas en determinados lugares del pabellón auricular: *La auriculoterapia es un método terapéutico derivado de la acupuntura.*

aurífero, ra adj. Que lleva o contiene oro: *un arroyo aurífero.* □ ETIMOL. Del latín *aurifer,* de *aurum* (oro) y *ferre* (llevar).

auriga s.m. En la Antigüedad clásica, hombre que conducía los caballos de los carros en las carreras del circo. □ ETIMOL. Del latín *auriga* (cochero). □ PRON. Incorr. *[áuriga].

auriñaciense adj.inv./s.m. Referido a una cultura prehistórica, que se desarrolló durante el paleolítico superior, que es anterior al solutrense, y que se caracteriza por la aparición de incisiones geométricas sobre huesos y sobre marfil: *El hombre del auriñaciense cazaba principalmente caballos, rebecos y ciervos.*

aurora s.f. **1** Luz sonrosada y difusa que precede a la salida del Sol. **2** || **aurora polar;** fenómeno luminoso que se produce en las regiones polares y que se atribuye a descargas eléctricas del Sol: *La aurora polar recibe el nombre de 'aurora austral' en el hemisferio Sur, y el de 'aurora boreal' en el hemisferio Norte.* □ ETIMOL. Del latín *aurora.*

auscultación s.f. Exploración mediante el oído, y generalmente con la ayuda de instrumentos adecuados, de los sonidos producidos por los órganos en las cavidades del pecho o del abdomen: *La auscultación del paciente mostró que padecía una afección respiratoria.*

auscultar v. En medicina, explorar mediante el oído, y generalmente con la ayuda de instrumentos adecuados, los sonidos producidos por los órganos en las cavidades del pecho o del abdomen: *Te voy a auscultar el pecho porque estás tosiendo mucho.* □ ETIMOL. Del latín *auscultare.*

ausencia s.f. **1** Alejamiento o separación de una persona o de un lugar: *Nadie notó tu ausencia en la fiesta.* **2** Tiempo que dura este alejamiento: *Durante tu ausencia no ha ocurrido nada importante.* **3** Falta o privación de algo: *Lo más destacado de la jornada electoral ha sido la ausencia de incidentes.* **4** || **brillar** algo **por su ausencia;** *col.* No estar presente en el lugar en el que era de esperar: *Los buenos modales de ese muchacho brillan por su ausencia.*

ausentar ▮ v. **1** Hacer alejarse o desaparecer: *Sus palabras ausentaron mis temores.* ▮ prnl. **2** Alejarse o separarse: *El trabajo lo obligó a ausentarse de su familia. Se ausentó del trabajo durante tres horas.* □ SINT. Constr. como pronominal: *ausentarse* DE *algo.*

ausente ▮ adj.inv. **1** Distraído o ensimismado: *Yo le hablaba, pero él permanecía ausente y pensando en sus cosas.* ▮ adj.inv./s.com. **2** Separado de una persona o de un lugar, esp. referido al que está alejado de su residencia: *Mi padre está ausente, pero yo puedo atenderte.* □ ETIMOL. Del latín *absens*, y este de *abesse* (estar ausente).

ausentismo s.m. En zonas del español meridional, absentismo: *El pasado año aumentó el ausentismo laboral.*

auspiciar v. **1** Ofrecer ayuda o favorecer el desarrollo de algo: *La exposición ha sido auspiciada con fondos europeos.* **2** Predecir o adivinar: *Los augures romanos auspiciaban el futuro observando el vuelo de las aves.* □ ETIMOL. De *auspicio.* □ ORTOGR. La *i* nunca lleva tilde.

auspicio ▌s.m. **1** Procedimiento de adivinación basado principalmente en la interpretación supersticiosa de determinadas señales, como el canto o el vuelo de las aves: *El vidente se servía de la forma de las nubes para hacer sus auspicios.* □ SINÓN. *agüero.* **2** Protección o favor: *Consiguió ascender mientras estuvo bajo los auspicios de gente influyente.* ▌pl. **3** Señales favorables o adversas que parecen presagiar el resultado de algo: *Tiene muchas esperanzas en esta carrera porque empezó sus estudios con buenos auspicios.* □ ETIMOL. Del latín *auspicium* (observación de las aves).

austeridad s.f. **1** Severidad en el cumplimiento de las normas morales: *La austeridad de sus costumbres no le permite frecuentar sitios de moral dudosa.* **2** Sencillez, moderación o falta de adornos superfluos: *En sus relatos destaca la austeridad de su estilo.*

austero, ra adj. **1** Severo o estricto en el cumplimiento de las normas morales: *una vida austera.* **2** Sencillo, moderado, o sin adornos superfluos: *una decoración austera.* □ ETIMOL. Del latín *austerus* (áspero, severo).

austral ▌adj.inv. **1** En astronomía y geografía, del polo Sur, del hemisferio Sur, o relacionado con ellos: *El hemisferio austral está situado al sur del ecuador.* ▌s.m. **2** Antigua unidad monetaria argentina: *El austral fue la unidad monetaria argentina desde 1985 hasta 1992.*

australiano, na adj./s. De Australia o relacionado con este país de Oceanía (uno de los cinco continentes): *El canguro es un animal típico australiano.*

australopiteco s.m. Homínido fósil que vivió en el continente africano, que se considera una etapa intermedia entre los monos y el ser humano, y que se caracterizaba por su posición erguida: *Los australopitecos vivieron en el período pleistoceno, y eran capaces de tallar piedras, aunque de forma rudimentaria.*

austriaco, ca (tb. *austríaco, ca*) adj./s. De Austria o relacionado con este país europeo.

austro s.m. *poét.* Sur: *El velero puso rumbo hacia el Austro.* □ ETIMOL. Del latín *auster.* □ SINT. Se usa mucho en aposición, pospuesto a un sustantivo: *El viento austro empezó a soplar.* □ USO Referido al punto cardinal, se usa más como nombre propio.

autarquía s.f. **1** Política del Estado que pretende bastarse con sus propios recursos y evitar en lo posible las importaciones: *La autarquía es propia de economías escasamente desarrolladas o de regímenes dictatoriales.* **2** Estado o situación del que se basta a sí mismo: *Cada vez es más difícil que un país tenga autarquía.* □ SINÓN. *autosuficiencia.* □ ETIMOL. Del griego *autárkeia* (autosuficiencia), y este de *autós* (sí mismo) y *arkéo* (yo basto).

autárquico, ca adj. De la autarquía o relacionado con ella: *En épocas de crisis se tiende a una economía autárquica.*

autenticar v. **1** Autorizar o legalizar: *El gobierno autenticará próximamente todos esos contratos.* □ SINÓN. *autentificar.* **2** Acreditar o dar fe con autoridad legal de la verdad de un hecho o de un documento: *No se admiten documentos que no hayan sido autenticados por un notario.* □ ETIMOL. De *auténtico.* □ ORTOGR. La *c* se cambia en *qu* delante de *e* →SACAR.

autenticidad s.f. Certeza o carácter verdadero: *Esos documentos carecen de autenticidad.*

auténtico, ca adj. **1** Acreditado como cierto y verdadero: *perlas auténticas.* **2** Autorizado o legalizado: *una firma auténtica.* □ ETIMOL. Del latín *authenticus*, y este del griego *authentikós* (que tiene autoridad).

autentificar v. Autorizar o legalizar: *Esta ley autentifica los nuevos tipos de contratos laborales.* □ SINÓN. *autenticar.* □ ORTOGR. La *c* se cambia en *qu* delante de *e* →SACAR.

autillo s.m. Ave rapaz nocturna de pequeño tamaño, parecida al mochuelo, que tiene el plumaje de color pardo grisáceo y dos mechones de plumas parecidos a orejas a ambos lados de la cabeza: *El autillo se alimenta de insectos.* □ SINÓN. *zumaya.* □ ETIMOL. De origen incierto. □ MORF. Es un sustantivo epiceno: *el autillo {macho/hembra}.*

autismo s.m. **1** Retraimiento de una persona hacia su mundo interior con pérdida del contacto con la realidad exterior: *El autismo llevado a términos extremos pasa a ser un trastorno mental.* **2** Aislamiento o incomunicación: *Es necesario que abandones tu autismo y te incorpores de nuevo al grupo.* □ ETIMOL. Del griego *autós* (uno mismo).

autista adj.inv./s.com. Que padece autismo: *Los niños autistas son retraídos y no se comunican con los demás.*

autístico, ca adj. Del autismo o relacionado con este comportamiento: *Es un niño demasiado retraído y su profesora dice que tiene un comportamiento autístico.*

auto s.m. **1** En derecho, forma de resolución judicial, fundada, que decide cuestiones secundarias o parciales para las que no se requiere sentencia: *El juez ha dictado un auto de procesamiento contra el presunto estafador.* **2** En literatura, breve composición dramática, generalmente de tema religioso, en la que suelen intervenir personajes bíblicos o alegóricos: *El motivo de la Navidad y el de la Pasión de Cristo son los temas más frecuentes en los autos del* *siglo XVI.* **3** →**automóvil.** **4** || **auto de fe;** proclamación solemne y ejecución en público de las sentencias dictadas por el tribunal de la Inquisición (tribunal eclesiástico destinado a la persecución de las herejías): *Los autos de fe fueron muy frecuentes en España en los siglos XVI y XVII.* || **auto sacramental;** el que se hace para ensalzar el misterio de la eucaristía y utiliza como recursos esenciales la alegoría y el simbolismo: *La representación de autos sacramentales estuvo ligada en el siglo XVII a la festividad del Corpus Christi.* ☐ ETIMOL. Las acepciones 1, 2 y 4, de *acto.*

auto- 1 Elemento compositivo prefijo que significa 'uno mismo': *autobiografía, autorretrato, autocontrol, autodestrucción.* **2** Elemento compositivo prefijo que significa 'automóvil': *autobús, autoescuela, autopista, autorradio, autostop.* ☐ ETIMOL. Del griego *autós* (mismo), o de *automóvil.* ☐ SEM. El uso de *auto-* ante verbos con valor reflexivo es redundante, aunque está muy extendido: incorr. {**autodestruirse* > *destruirse*}, {**autoanalizarse* > *analizarse*}.

autoadherente adj.inv. Que se adhiere por sí solo: *cromos autoadherentes.*

autoafirmación s.f. Afirmación de los propios poderes y habilidades.

autoaprendizaje s.m. Aprendizaje que una persona realiza por sí misma, sin ayuda de un maestro: *Este curso de inglés por correspondencia se basa en el autoaprendizaje.*

autobar s.m. Máquina expendedora de bebida y comida: *¿Tienes monedas para el autobar?*

autobiografía s.f. Biografía de una persona escrita por ella misma. ☐ ETIMOL. De *auto-* (uno mismo) y *biografía.*

autobiográfico, ca adj. De la autobiografía o relacionado con ella: *un relato autobiográfico.*

autobomba s.m. Camión provisto de una cisterna para llevar agua y de una bomba para impulsar o elevar dicho líquido: *El camión que utilizan los bomberos es un autobomba.*

autobombo s.m. *col.* Elogio y alabanza exagerados de uno mismo: *No te des tanto autobombo, porque lo que has hecho no tiene ningún mérito.* ☐ SINT. Se usa mucho en la expresión *darse autobombo.* ☐ USO Tiene un matiz despectivo.

autobronceador, -a adj./s.m. Referido a un producto cosmético, que broncea la piel sin que sea necesario tomar el sol.

autobús s.m. **1** Vehículo de transporte público, generalmente urbano y de trayecto fijo, que tiene cabida para muchas personas: *En las grandes ciudades hay muchas líneas de autobuses.* **2** Vehículo para el transporte de personas, de gran capacidad, que generalmente realiza largos recorridos por carretera: *Iremos en autobús hasta el próximo pueblo, donde visitaremos el monasterio.* ☐ SINÓN. *autocar.* ☐ ETIMOL. Del francés *autobus.* ☐ MORF. En la lengua coloquial se usa mucho la forma abreviada *bus.*

autobusero, ra s. *col.* Conductor de autobuses.

autocar s.m. Vehículo para el transporte de personas, de gran capacidad, que generalmente realiza largos recorridos por carretera. ☐ SINÓN. *autobús.* ☐ ETIMOL. Del francés *autocar.* ☐ USO Es innecesario el uso del anglicismo *pullman.*

autocaravana s.f. Automóvil acondicionado para vivienda: *Mi madre se ha comprado una autocaravana para ir de veraneo.*

autocartera s.f. Conjunto de valores propios de una entidad que están en poder de ella misma: *La decisión de esta empresa de hacer una oferta pública de acciones, tiene por objeto eliminar parte de su autocartera.*

autocensura s.f. **1** Crítica o juicio negativo que se hace sobre obras o conductas propias. **2** Sometimiento a un límite que uno mismo se impone.

autocine s.m. Recinto al aire libre en el que se proyecta una película que se puede contemplar desde el interior de un automóvil. ☐ ETIMOL. De *auto-* (automóvil) y *cine.*

autoclave s.m. Aparato que se cierra herméticamente y en cuyo interior se alcanzan altas presiones y temperaturas muy elevadas: *El autoclave se utiliza sobre todo para esterilizar el material quirúrgico.* ☐ ETIMOL. De *auto-* (uno mismo) y *clave.*

autocomplacencia s.f. Satisfacción o agrado que siente una persona consigo misma.

autocomprobación s.f. Prueba o constatación que hace una persona por sí misma.

autoconfianza s.f. Seguridad que se tiene en uno mismo.

autocontrol s.m. Capacidad de control sobre uno mismo: *Mi hermana tiene bastante autocontrol y no se enfada con facilidad.* ☐ USO Es innecesario el uso del anglicismo *self-control.*

autocopiativo, va adj. Referido esp. a un impreso, que genera una copia al escribir sobre el original: *El impreso de solicitud es autocopiativo, y una de las hojas es para administración.*

autocracia s.f. Sistema de gobierno en el que una sola persona ejerce el poder sin limitación de autoridad: *Entre los siglos XVII y XIX, Rusia fue regida por una autocracia que estaba en manos de los zares.* ☐ ETIMOL. Del griego *autokráteia*, y este de *autós* (mismo) y *kratéo* (yo domino).

autócrata s.com. Persona que ejerce por sí sola una autoridad suprema: *En la Antigüedad fueron frecuentes los gobiernos de autócratas.*

autocrático, ca adj. De la autocracia, del autócrata, o relacionado con ellos: *un gobierno autocrático.*

autocrítica s.f. Véase **autocrítico, ca.**

autocrítico, ca ▮ adj. **1** De la autocrítica o relacionado con este juicio: *Nunca terminas tu obra porque eres demasiado autocrítico.* ▮ s.f. **2** Juicio crítico que se hace sobre obras o conductas propias: *Para hacer bien las cosas, conviene practicar un poco la autocrítica.*

autóctono, na adj./s. Que ha nacido o se ha originado en el mismo lugar en el que vive o en el que se encuentra: *población autóctona.* ☐ ETIMOL. Del latín *authochthon*, y este del griego *autókhthon* (indígena).

autocuración s.f. Curación sin intervención exterior.

autodefensa s.f. Protección de uno mismo frente a un daño o un peligro: *En mi barrio están dando un curso de autodefensa para mujeres.*

autodefinido s.m. Pasatiempo semejante al crucigrama en el que algunas casillas están rellenas con las claves que permiten rellenar las otras que están vacías: *Para entretenerme en el viaje me llevé una revista de autodefinidos.*

autodestrucción s.f. Destrucción de uno mismo: *La drogodependencia de mi primo le está llevando a la autodestrucción.*

autodestructivo, va adj. Que causa la propia destrucción: *un comportamiento autodestructivo.*

autodeterminación s.f. Decisión de los habitantes de un territorio sobre su futuro estatuto político: *el derecho de autodeterminación.*

autodeterminista adj.inv./s.com. Que defiende el derecho de autodeterminación: *Los militantes autodeterministas se manifestaron por la avenida.*

autodiagnóstico s.m. **1** Valoración que puede hacer uno mismo de algo, esp. de determinados síntomas de una enfermedad: *Este manual de medicina tiene varios test de autodiagnóstico de enfermedades.* **2** En un aparato mecánico o eléctrico, sistema que detecta posibles averías: *un coche con sistema de autodiagnóstico.*

autodidacta adj./s.com. Que se instruye por sí mismo, sin ayuda de maestro. ☐ ETIMOL. Del griego *autodídaktos.* ☐ MORF. Se admite también la forma *autodidacto.*

autodidactismo s.m. Capacidad para aprender algo por uno mismo, sin ayuda de maestro.

autodidacto, ta adj./s. →**autodidacta.**

autodisparador s.m. En una cámara fotográfica, dispositivo que sirve para hacer funcionar el obturador automático con retardo: *Preparaos para la foto, que me pongo con vosotros en cuanto pulse el autodisparador.*

autódromo s.m. Pista diseñada para realizar en ella ensayos y carreras de automóviles: *En el autódromo se hacen pruebas para saber qué velocidad máxima pueden alcanzar los coches.* ☐ ETIMOL. De *auto-* (automóvil) y *-dromo* (lugar).

autoedición s.f. Impresión o reproducción de una obra para su publicación por medio de técnicas informáticas individuales: *Con el avance informático se está favoreciendo cada vez más la autoedición.*

autoempleo s.m. Trabajo por cuenta propia: *Una de las medidas contra el paro es el autoempleo.*

autoescuela s.f. Centro en el que se enseña a conducir automóviles: *La autoescuela tramita los documentos necesarios para obtener el permiso de conducir.* ☐ ETIMOL. De *auto-* (automóvil) y *escuela.*

autoestima s.f. Aprecio, afecto o consideración que se tienen hacia uno mismo: *La autoestima es necesaria para mantener la confianza en uno mismo.*

autoestop (tb. *autostop*) s.m. Manera de viajar por carretera que consiste en pedir transporte gratuito a los automovilistas: *Ha viajado por toda Europa en autoestop.* ☐ ETIMOL. Del francés *auto-stop.*

autoestopista (tb. *autostopista*) adj.inv./s.com. Que practica el autoestop: *Cuando viajo solo en el coche, suelo recoger a algún autoestopista.*

autoevaluación s.f. Valoración que uno mismo hace de sus conocimientos, de su actitud o de su rendimiento.

autoexploración s.f. Reconocimiento o exploración realizados sobre uno mismo: *autoexploración mamaria.*

autoexposición s.f. Regulación automática del tiempo de exposición a la luz de un aparato fotográfico: *Me he comprado una cámara fotográfica con autoexposición programable.*

autofagia s.f. Proceso por el cual algunos seres vivos que no reciben una alimentación adecuada, se alimentan de sus reservas, perdiendo peso hasta límites compatibles con la vida: *La autofagia celular se suele dar en las fases de ayuno prolongado.* ☐ ETIMOL. De *auto-* (uno mismo) y *-fagia* (comer).

autofecundación s.f. Fecundación que se realiza por la unión de dos elementos de diferente sexo pertenecientes al mismo ser vivo: *Hay muy pocos casos de autofecundación en la naturaleza, y el de las tenias es uno.*

autofinanciación s.f. Financiación a partir de los propios beneficios.

autofoco s.m. →**autofocus.**

autofocus (tb. *autofoco*) (pl. *autofocus*) s.m. En una cámara fotográfica o en una cámara de vídeo, mecanismo de enfoque automático: *Como no sé mucho de fotografía, me he comprado una cámara con autofocus.* ☐ SINT. Se usa mucho en aposición, pospuesto a un sustantivo: *objetivo autofocus.*

autógeno, na adj. Referido a una soldadura de metales, que se hace fundiendo con un soplete las superficies que se van a unir, y sin añadir ninguna materia extraña: *Para la soldadura autógena se utiliza un soplete de oxígeno y acetileno.* ☐ ETIMOL. De *auto-* (uno mismo) y el griego *gennáo* (yo engendro).

autogestión s.f. **1** Sistema de organización de una empresa en el que los trabajadores participan activamente en las decisiones sobre su desarrollo o funcionamiento: *La autogestión permite que los trabajadores se integren más en la marcha de su empresa.* **2** Gobierno político y económico de una sociedad o de una comunidad por sí misma a través de un conjunto de órganos elegidos directamente por sus miembros: *El anarquismo propugna la autogestión como forma de gobierno.*

autogiro s.m. Tipo de avión provisto de una hélice delantera de eje horizontal que le permite despegar y avanzar, y otra en la parte superior de eje vertical que le sirve de sustentación y le permite aterrizar casi verticalmente: *El autogiro fue patentado por Juan de la Cierva en 1923.* ☐ ETIMOL. De *auto-* (mismo) y *giro.*

autogobierno s.m. Sistema de administración de un territorio autónomo: *Algunos grupos se manifes-*

taron para pedir mayor autogobierno en su Comunidad.

autogol s.m. Gol conseguido en propia meta: *El portero marcó un autogol que provocó el enfado de sus seguidores.*

autografiar v. Firmar un autógrafo: *El periodista dedicó varias horas a autografiar ejemplares de su nuevo libro.* □ ORTOGR. La *i* final de la raíz lleva tilde en los presentes, excepto en las personas *nosotros* y *vosotros* →GUIAR.

autógrafo, fa ▮ adj. **1** Que está escrito de mano de su mismo autor: *una carta autógrafa.* ▮ s.m. **2** Firma o dedicatoria de una persona famosa o importante: *una colección de autógrafos.* □ ETIMOL. Del latín *autographus*, este del griego *autógraphos*, y este de *autós* (uno mismo) y grápho (yo escribo).

autointoxicación s.f. Intoxicación del organismo causada por productos que él mismo elabora y que deberían haber sido eliminados: *El estreñimiento prolongado puede producir una autointoxicación.*

autoinyectable adj.inv./s.m. Referido esp. a un medicamento, que puede ser inyectado por el propio paciente: *insulina autoinyectable.*

autolavado s.m. **1** Establecimiento donde se lavan vehículos por medios automáticos. **2** Lavado de un vehículo por medios automáticos.

autolesión s.f. Daño corporal que se produce uno mismo.

autolimpiable adj.inv. Que se limpia por sí solo: *una lavadora con filtro autolimpiable.*

autólogo, ga adj. En medicina, referido a un trasplante o una donación, que procede de la misma persona que lo va a recibir: *Han puesto en marcha un plan de donación autóloga, es decir, los pacientes que van a ser operados donan su sangre antes de la operación.*

autómata ▮ s.com. **1** *col.* Persona que actúa maquinalmente o que se deja dirigir por otra: *El trabajo en cadena convierte a los trabajadores en autómatas que aprietan una tuerca sin pensar en lo que hacen.* □ SINÓN. *robot.* ▮ s.m. **2** Máquina o instrumento movido por un mecanismo interior, esp. si imita la figura y los movimientos de un ser animado: *En el siglo XVIII, un mecánico francés ideó un autómata que consistía en un pato que digería.* □ ETIMOL. Del griego *autómatos* (que se mueve por sí mismo).

automático, ca ▮ adj. **1** Que se hace sin pensar o de forma involuntaria: *un gesto automático.* **2** Que ocurre o se produce necesariamente cuando se dan determinadas circunstancias: *Si no se cumplen las condiciones del contrato, su anulación será automática.* ▮ adj./s. **3** Referido a un mecanismo o al proceso que este realiza, que funciona o se desarrolla total o parcialmente por sí solo: *La mayoría de las lavadoras actuales son automáticas.* ▮ s.m. **4** Cierre formado por dos piezas, una de las cuales tiene un saliente que encaja a presión en el entrante de la otra: *Súbete la cremallera de la falda y abróchate el automático.*

automatismo s.m. **1** Funcionamiento de un mecanismo o desarrollo de un proceso por sí solos: *El automatismo de muchos procesos industriales ha permitido reducir la mano de obra.* **2** Realización de movimientos o de actos de forma involuntaria: *Los movimientos de la respiración responden a un automatismo inconsciente.*

automatización s.f. **1** Aplicación de máquinas o de procedimientos automáticos a un proceso o a una industria: *la automatización de la industria.* **2** Transformación de un movimiento corporal o de una operación intelectual en un acto automático o involuntario: *Debes practicar estos ejercicios hasta que consigas la automatización de todos los movimientos.*

automatizar v. **1** Referido esp. a un proceso o a una industria, aplicar en ella máquinas o procedimientos automáticos: *La empresa quiere automatizar la fabricación de zapatos.* **2** Referido a un movimiento corporal o a una operación intelectual, convertirlos en automáticos o involuntarios: *La atleta ha automatizado todos los movimientos de la salida.* □ ORTOGR. La *z* se cambia en *c* delante de *e* →CAZAR.

automedicación s.f. Administración de medicamentos que uno se hace a sí mismo.

automedicarse v.prnl. Administrarse uno mismo medicinas: *Automedicarse puede ser peligroso para la salud.*

automercado s.m. En zonas del español meridional, supermercado: *Mi abuelo trabajó en un automercado.*

automoción s.f. **1** Estudio o descripción de las máquinas que se desplazan por la acción de un motor, esp. el estudio del automóvil: *Un experto en automoción me explicó el funcionamiento del motor de explosión.* **2** Sector de la industria relacionado con el automóvil: *Los nuevos modelos más amplios y potentes han revolucionado el mundo de la automoción.*

automotivación s.f. Motivación que una persona se propone a sí misma para le sirva de estímulo.

automotor, -a adj./s.m. Referido esp. a un vehículo de tracción mecánica, que se mueve sin la intervención directa de una acción externa: *un sistema automotor.* □ ETIMOL. De *auto-* (uno mismo) y *motor.* □ MORF. 1. Como adjetivo admite también la forma de femenino *automotriz.* 2. Como sustantivo se refiere solo a los vehículos de tracción mecánica.

automotriz adj. f. de **automotor**.

automóvil ▮ adj.inv./s.m. **1** Que se mueve por sí mismo: *un vehículo automóvil.* ▮ s.m. **2** Vehículo sobre ruedas impulsado por su propio motor, que circula por tierra sin necesidad de vías o carriles, que se destina al transporte de personas, y cuya capacidad no supera las nueve plazas: *la industria del automóvil.* □ SINÓN. *coche.* □ ETIMOL. De *auto-* (uno mismo) y *móvil.* □ MORF. En la lengua coloquial se usa mucho la forma abreviada *auto.*

automovilismo s.m. **1** Conjunto de conocimientos teóricos y prácticos relacionados con la construcción, el funcionamiento y el manejo de los automóviles: *Los avances de la mecánica contribuyen al desarrollo del automovilismo.* **2** Deporte que se practica con automóviles y en el que los participantes compiten en velocidad, en habilidad o en resistencia: *Las carreras de automovilismo más conocidas son las de 'Fórmula1'.*

automovilista s.com. Persona que conduce un automóvil: *Los automovilistas deben acatar las normas de circulación.*

automovilístico, ca adj. Del automovilismo o relacionado con él: *La crisis económica ha afectado también a la industria automovilística.*

autonomía s.f. **1** Estado o situación de la persona, del pueblo o de la entidad que goza de independencia en algunos aspectos, esp. en el terreno político: *Gracias a su autonomía, cada empresa filial puede tomar sus propias decisiones.* **2** Poder o facultad que tienen ciertas entidades territoriales integradas en otras superiores para regirse internamente mediante normas y órganos de gobierno propios: *Las regiones españolas disponen de autonomía.* **3** En España, entidad territorial que pertenece al ordenamiento constitucional del Estado y que dispone de este poder para ordenar su propia legislación, sus competencias ejecutivas, y para administrarse mediante sus propios representantes: *A partir de la Constitución de 1978 surgieron en España diecisiete autonomías.* □ SINÓN. *comunidad autónoma.* **4** Capacidad que tiene una máquina, esp. un vehículo, para funcionar sin recargar el combustible o la energía que utiliza: *Este avión tiene una autonomía de 3 000 km de vuelo.*

autonómico, ca adj. De la autonomía o relacionado con ella. □ SEM. Dist. de *autónomo* (que goza de autonomía).

autonomista adj.inv./s.com. Partidario o defensor de la autonomía política: *Los autonomistas desean la ampliación de los estatutos de autonomía de su región.*

autónomo, ma adj. **1** Que goza de autonomía: *una comunidad autónoma.* **2** Referido a una persona, que trabaja por cuenta propia: *un trabajador autónomo.* □ ETIMOL. Del griego *autónomos*, y este de *autós* (propio, mismo) y *nómos* (ley). □ SEM. Dist. de *autonómico* (de la autonomía o relacionado con ella).

autopalpación s.f. Palpación de uno mismo: *La autopalpación es importante para la detección de algunos tumores de mama.*

autoparlante s.m. En zonas del español meridional, altavoz: *Los autoparlantes sirven para amplificar el sonido.*

autopista s.f. **1** Carretera de circulación rápida, con calzadas de varios carriles para cada sentido y separadas entre sí por una mediana ancha, sin cruces a nivel, con pendientes limitadas y con curvas muy amplias. **2** || **autopista de información;** sistema o red que permiten poner en contacto, mediante un modem, una serie de ordenadores por todo el mundo: *Las autopistas de la información me permiten pedir información en una biblioteca de Londres para saber si tienen el libro que busco.* □ SINÓN. *infopista.* □ ETIMOL. De *auto-* (automóvil) y *pista.* □ SEM. Dist. de *autovía* (con entradas y salidas menos seguras).

autoplastia s.f. Restauración de las partes enfermas o lesionadas de un organismo mediante la implantación de injertos procedentes del mismo individuo: *La autoplastia reduce las posibilidades de rechazo del tejido injertado.* □ ETIMOL. De *auto-* (uno mismo) y el griego *plastós* (formado).

autopropulsado, da adj. Movido por autopropulsión: *Han lanzado al espacio una sonda autopropulsada.*

autopropulsión s.f. Desplazamiento de un objeto por la propia fuerza motriz: *Los cohetes son naves que se mueven por autopropulsión.*

autoprotección s.f. Protección de uno mismo: *Este año se han dictado nuevas medidas de autoprotección para prevenir posibles atentados.*

autopsia s.f. Examen anatómico de un cadáver: *La autopsia reveló que el fallecido había ingerido sustancias tóxicas.* □ SINÓN. *necropsia, necroscopia.* □ ETIMOL. Del griego *autopsía* (acción de ver con los propios ojos).

autopullman (ing.) s.m. Autocar con instalaciones de lujo: *El autopullman que nos llevó de vacaciones tenía televisión, vídeo, servicio y bar.* □ PRON. [autopúlman].

autor, -a s. **1** Persona que causa o realiza algo: *Las sustancias tóxicas de este producto han sido las autoras de la intoxicación.* □ SINÓN. *artífice.* **2** Persona que ha hecho una obra de creación artística: *La autora está muy satisfecha de sus poemas.* **3** En derecho, persona que comete un delito, fuerza o induce directamente a otras a ejecutarlo, o coopera en él con actos sin los cuales no se hubiera ejecutado: *El fiscal lo acusó de ser el autor de un delito de hurto.* □ ETIMOL. Del latín *auctor* (creador, instigador, promotor).

autoría s.f. Condición de autor: *La crítica todavía discute sobre la autoría de este cuadro.*

autoridad s.f. **1** Poder para gobernar o mandar sobre algo que está subordinado: *Tú no tienes autoridad para exigirme que haga nada.* **2** Persona o institución que tiene este poder: *autoridades administrativas.* **3** Carácter fuerte y dominante, esp. si es capaz de arrastrar la voluntad de otros: *Sabe hablar con autoridad y convicción.* **4** Crédito y fe que se da a algo en una determinada materia por su mérito o por su fama: *El estudio de Dámaso Alonso sobre la obra de Góngora goza de una autoridad indiscutible.* **5** Lo que goza de este crédito o de esta fama: *Esta historiadora es una autoridad en el tema de tenencia de tierras.* **6** Autor, texto o expresión que se citan para apoyar lo que se dice: *Su argumentación va acompañada de abundantes citas de autoridades.* □ ETIMOL. Del latín *auctoritas.*

autoritario, ria ▮ adj. **1** Que se funda o apoya exclusivamente en la autoridad: *un sistema político autoritario.* ▮ adj./s. **2** Que abusa de su autoridad o la impone: *Todos los empleados temen al jefe porque es muy autoritario.*

autoritarismo s.m. Abuso de la autoridad o existencia de sumisión total a ella: *Las dictaduras son formas de autoritarismo.*

autorización s.f. **1** Concesión de autoridad, facultad o derecho para hacer algo: *Si eres menor de edad, necesitas la autorización de tu padre para cobrar este dinero.* **2** Consentimiento para la realización de algo: *Su familia no le da autorización para casarse.*

autorizado, da adj. Digno de atención y respeto por sus cualidades o circunstancias: *Un crítico autorizado ha opinado que es una novela muy mala.*

autorizar v. **1** Dar autoridad, facultad o derecho para hacer algo: *Si tú no puedes ir a recoger el carné, autoriza a alguien para que lo haga.* **2** Permitir la realización de algo: *El sindicato no autoriza la huelga.* □ ORTOGR. La *z* se cambia en *c* delante de *e* →CAZAR.

autorradio s.m. Aparato de radio diseñado para ser colocado en un automóvil. □ USO Se usa también como sustantivo femenino.

autorrealización s.f. Logro de las aspiraciones personales, conseguido por el propio esfuerzo.

autorretrato s.m. Retrato de una persona hecho por ella misma: *Este cuadro es un autorretrato de Van Gogh.*

autorreverse s.m. Mecanismo de un casete que hace que la cinta vuelva a empezar cuando llega al final: *un radiocasete con autorreverse.*

autorreversible adj.inv. Referido esp. a un casete, que tiene un mecanismo que hace que la cinta vuelva a empezar cuando llega al final.

autoservicio s.m. **1** Sistema de venta por el que el cliente toma lo que le interesa y lo paga a la salida del establecimiento: *Antes te atendía el tendero, pero ahora es autoservicio y es más rápido.* **2** Establecimiento que utiliza este sistema: *Comimos en el autoservicio del aeropuerto.* □ ETIMOL. De *auto-* (uno mismo) y *servicio.* □ USO Es innecesario el uso de los anglicismos *cash and carry* y *self-service.*

autosoma s.m. Cromosoma no sexual: *El ser humano tiene 22 pares de autosomas y el par XX o XY de cromosomas sexuales.*

autosomopatía s.f. Enfermedad que afecta a los autosomas.

autostop s.m. →**autoestop.**

autostopista adj.inv./s.com. →**autoestopista.**

autosuficiencia s.f. Estado o situación del que se basta a sí mismo: *Su autosuficiencia le crea muchas enemistades.* □ SINÓN. *autarquía.* □ ETIMOL. De *auto-* (uno mismo) y *suficiencia.*

autosuficiente adj.inv. Que se basta a sí mismo: *No necesita a nadie porque es autosuficiente.*

autotransfusión s.f. Transfusión de sangre o de plasma sanguíneo en la que el donante y el receptor son la misma persona: *La autotransfusión consiste en la extracción y conservación de sangre de una persona para su posterior transfusión a esa misma persona.*

autotrasplante s.m. Trasplante en que el donante y el receptor son la misma persona: *El autotrasplante de médula ósea es una solución para los casos de incompatibilidad con otros donantes.*

autótrofo, fa adj. Referido a un organismo, que es capaz de elaborar su propia materia orgánica a partir de sustancias inorgánicas: *La mayoría de las plantas verdes son autótrofas.* □ ETIMOL. De *auto-* (uno mismo) y el griego *trophós* (alimenticio).

autovacuna s.f. Vacuna que se elabora a partir de sustancias obtenidas del mismo enfermo al que se le va a administrar: *Las autovacunas se emplean para tratar las alergias.*

autovía s.f. Carretera con calzadas separadas para cada sentido de la circulación, cuyas entradas y salidas no se someten a las exigencias de seguridad de la autopista: *Las curvas de una autovía pueden ser más numerosas y más cerradas que las de una autopista.* □ SEM. Dist. de *autopista* (con entradas y salidas más seguras).

autumnal adj.inv. *poét.* Otoñal: *Un sol autumnal doraba las veredas del jardín.* □ ETIMOL. Del latín *autumnalis.*

auxiliar ▮ adj.inv. **1** Que auxilia o que sirve de ayuda: *una mesa auxiliar.* ▮ adj.inv./s.com. **2** Referido a una persona, que ayuda o colabora en las funciones de otra como subordinada suya: *un auxiliar de laboratorio.* ▮ s.m. **3** →**verbo auxiliar.** ▮ v. **4** Dar o prestar auxilio o ayuda: *Necesito que me auxilies en esta situación tan difícil para mí.* **5** En el cristianismo, ayudar a morir en gracia de Dios: *Cuando vieron que el abuelo se moría, llamaron al párroco para que lo auxiliara.* **6** ‖ **auxiliar de vuelo;** persona que se dedica profesionalmente a atender a los pasajeros y a la tripulación de un avión: *Si tienes frío díselo al auxiliar de vuelo para que te traiga una manta.* ‖ **auxiliar técnico sanitario;** persona legalmente autorizada para asistir a los enfermos, siguiendo las instrucciones de un médico, y para realizar ciertas intervenciones de cirugía menor: *A los auxiliares técnicos sanitarios se los conoce normalmente como 'ATS'.*

auxilio s.m. **1** Ayuda, socorro, amparo o asistencia que se prestan: *pedir auxilio; denegación de auxilio.* **2** ‖ **primeros auxilios;** primera asistencia de urgencia que se presta a un accidentado. □ ETIMOL. Del latín *auxilium.* □ SEM. Se usa para solicitar ayuda urgente.

auxina s.f. Hormona vegetal responsable del crecimiento de las plantas. □ ETIMOL. Del francés *auxine.*

auyama s.f. Tipo de calabaza americana: *La auyama es comestible como dulce o como verdura.*

aval s.m. **1** Documento por el que una persona o entidad responde del pago de una deuda, del cumplimiento de una obligación o de la capacidad de ser solvente, o firma con la que se obliga a ello: *Para concederme el préstamo, el banco me ha pedido el aval de una persona solvente.* **2** Lo que respalda o garantiza la realidad o calidad de algo: *Su éxito en el trabajo anterior es su mejor aval.* □ ETIMOL. Del francés *aval.* □ SEM. Su uso como sinónimo de *avalista* para designar a la persona que da un aval está muy extendido.

avalador, -a adj./s. Que avala: *El nuevo candidato es el principal avalador de las tesis de su partido.*

avalancha s.f. **1** Gran masa de nieve que se desprende de una montaña y cae con violencia y estrépito. □ SINÓN. *alud.* **2** Gran cantidad de algo que llega con fuerza: *una avalancha de regalos.* □ SINÓN. *alud.*

avalar v. Garantizar por medio de un aval: *Me avalaron mis padres y el banco me concedió el préstamo.*

avalista s.com. Persona que, con su firma, garantiza el cumplimiento de una obligación contraída por otra persona: *Mi cuñada fue mi avalista cuando pedí el préstamo al banco para comprar la casa.*

avaluar v. →**valuar.** □ ORTOGR. La *u* lleva tilde en los presentes, excepto en las personas *nosotros* y *vosotros*.

avance s.m. **1** Movimiento y prolongación hacia adelante: *El ejército ha realizado un avance de dos kilómetros.* **2** Ida hacia adelante: *Continuad el avance hasta el río, mientras yo espero a los que andan más despacio.* **3** Adelanto, progreso o mejora: *Se notan tus avances en este trimestre, si sigues así aprobarás todo en junio.* **4** Lo que se presenta como adelanto o anticipo de algo: *Y esto es solo un avance de lo que pasó; ya te contaré más en el recreo.*

avant-garde (fr.) s.f. →**vanguardia.** □ PRON. [avántgard].

avant match (fr.) s.m. ‖ →**prepartido.** □ PRON. [aván mach], con *ch* suave.

avanzada s.f. Véase **avanzado, da.**

avanzadilla s.f. →**avanzada.**

avanzado, da ▮ adj. **1** Que está muy adelantado o próximo al final: *Me avisaron a una hora muy avanzada de la tarde.* ▮ adj./s. **2** Que se distingue por su audacia o por su carácter de novedad, o que aparece en primera línea o en primer término: *Para su edad es una chica muy avanzada.* ▮ s.f. **3** Fracción pequeña de tropa destacada del cuerpo principal para observar al enemigo y prevenir sorpresas: *El coronel envió una avanzada para que observara los movimientos enemigos.* □ SINÓN. *avanzadilla.* **4** Lo que se adelanta, se anticipa o aparece en primer término: *Ese sindicato fue durante mucho tiempo la avanzada de la lucha obrera.* □ SINÓN. *avanzadilla.* **5** En zonas del español meridional, vanguardia: *Este tipo de local es muy característico y de avanzada.*

avanzar v. **1** Adelantar, mover o prolongar hacia adelante: *El mando ordenó que sus tropas avanzaran las posiciones.* **2** Ir hacia adelante: *Las tropas avanzaron durante la noche y llegaron cerca de nuestro campamento.* **3** Referido al tiempo, transcurrir o acercarse a su fin: *La tarde avanza y aún no tenemos noticias de ellos.* **4** Adelantar, progresar o pasar a un estado mejor: *Desde que estuviste en Inglaterra has avanzado mucho en tu inglés.* **5** Referido a una noticia, darla antes de lo previsto: *La emisora avanzó el resultado de las elecciones antes de que acabara el escrutinio de los votos.* □ SINÓN. *adelantar, anticipar.* □ ETIMOL. Del latín **abantiare*, y este de *abante* (adelante). □ ORTOGR. La *z* se cambia en *c* delante de *e* →CAZAR.

avaricia s.f. **1** Afán excesivo de poseer y de adquirir riquezas para atesorarlas. **2** ‖ **con avaricia;** *col.* Con intensidad: *Este niño es malo con avaricia.* □ ETIMOL. Del latín *avaritia.*

avaricioso, sa adj./s. →**avaro.**

avariento, ta adj./s. →**avaro.**

avaro, ra adj./s. Que no quiere gastar, porque disfruta atesorando dinero y riquezas: *Se pasa la vida contando su dinero porque es un avaro.* □ SINÓN. *avaricioso, avariento.* □ ETIMOL. Del latín *avarus.*

avasallador, -a adj./s. Que avasalla: *No me gustan las personas avasalladoras que se imponen siempre a los demás.*

avasallamiento s.m. **1** Actuación o comportamiento que no tiene en cuenta los derechos de los demás: *Su avasallamiento hace que mucha gente lo considere un egoísta.* **2** Imposición o dominio con mucha diferencia: *El avasallamiento de esos pueblos por parte de los ejércitos imperiales presagiaba guerras futuras.*

avasallar v. **1** Actuar o comportarse sin tener en cuenta los derechos de los demás: *Ya sé que tienes razón, pero no avasalles.* **2** Imponerse o dominar con mucha diferencia: *La nueva colección de libros es un éxito y ha avasallado a la competencia.* □ ETIMOL. De *vasallo.*

avatar s.m. **1** Cambio, transformación o vicisitud: *los avatares de la vida.* **2** En la religión hindú, encarnación terrestre de algún dios. **3** Personalidad virtual que puede adoptar el usuario de un chat en internet. □ ETIMOL. Del sánscrito *avatara* (descenso). □ MORF. En la acepción 1, se usa más en plural.

ave ▮ s.f. **1** Animal vertebrado, ovíparo, de respiración pulmonar y sangre de temperatura constante, que tiene pico, el cuerpo cubierto de plumas, y dos patas y dos alas que, generalmente, le permiten volar: *Las palomas y las gallinas son aves.* ▮ pl. **2** En zoología, clase de estos animales, perteneciente a la superclase de los tetrápodos: *Algunas especies que pertenecen a las aves han perdido la capacidad de volar.* **3** ‖ **ave de paso;** *col.* Persona que se detiene poco en un sitio determinado: *Es un ave de paso y pronto cambiará otra vez de lugar de residencia.* ‖ **ave {de rapiña/rapaz};** la que es carnívora y tiene el pico y las uñas muy fuertes, encorvados y puntiagudos: *El águila y el buitre son aves de rapiña.* ‖ **ave fría;** →**avefría.** □ ETIMOL. Del latín *avis.* □ MORF. En la acepción 1, por ser un sustantivo femenino que empieza por *a* tónica o acentuada, va precedido de *el*, *un*, *algún*, *ningún* y de las formas femeninas del resto de los determinantes.

AVE (pl. *AVE*) s.m. Tren español que desarrolla una gran velocidad. □ ETIMOL. Es el acrónimo de *alta velocidad española*.

avecinar v. Acercar o aproximar: *Se avecina una borrasca.* □ ETIMOL. De *vecino*.

avecindamiento s.m. Establecimiento en una población como vecino: *Su avecindamiento en esta ciudad se produjo porque pidió el traslado en su trabajo.*

avecindarse v.prnl. Establecerse en una población como vecino: *Se avecindó en Barcelona cuando sacó la oposición.*

avecrem s.m. *col.* Condimento artificial que se elabora con sustancias deshidratadas: *Eché un avecrem a la sopa para que tuviera más sabor.* □ ETIMOL. Extensión del nombre de una marca comercial. □ PRON. [avecrém].

avefría (tb. *ave fría*) s.f. Ave zancuda de color verde oscuro en el dorso y blanco en el vientre, y con un moño en la cabeza de cinco o seis plumas que se encorvan en la punta: *La avefría vive cerca de estanques y de lagos y lagunas.* □ MORF. Es un sustantivo epiceno: *la avefría {macho/hembra}*.

avejentar v. Hacer parecer más viejo de lo que realmente se es por la edad: *Esos trajes tan serios que lleva lo avejenta.* □ SINÓN. *aviejar*.

avellana s.f. Fruto del avellano, comestible y muy sabroso, pequeño y de forma casi esférica, con una corteza dura, delgada y de color marrón: *Tomamos de aperitivo un jerez con avellanas.* □ ETIMOL. Del latín *abellana nux* (nuez de Abella, ciudad de Campania, donde abundaban).

avellanal s.m. →**avellanar.**

avellanar (tb. *avellanal*) s.m. Terreno poblado de avellanos. □ SINÓN. *avellaneda*.

avellaneda s.f. →**avellanar.**

avellanero, ra adj. De la avellana o relacionado con este fruto: *producción avellanera.*

avellano s.m. **1** Arbusto muy poblado de ramas, que tiene hojas anchas, aterciopeladas y aserradas, y cuyo fruto es la avellana: *Los avellanos son árboles de hoja caduca.* **2** Madera de este árbol: *El avellano se utiliza para hacer aros de pipas y barriles.*

avemaría s.f. **1** En el cristianismo, oración compuesta de las palabras con las que saludó el arcángel san Gabriel a la Virgen María, de las palabras que santa Isabel dijo a la Virgen cuando esta fue a visitarla y de algunas otras que añadió la iglesia católica: *El avemaría empieza con las palabras 'Dios te salve, María'.* **2** En un rosario, cada una de las cuentas pequeñas en la que se reza esta oración: *Me he olvidado de pasar el avemaría y creo que hemos rezado dos avemarías de más en este misterio.* □ ETIMOL. Del latín *ave* (voz empleada para saludar) y *María* (nombre de la virgen). □ MORF. Por ser un sustantivo femenino compuesto cuyo primer componente empieza por *a* tónica o acentuada, va precedido de *el*, *un*, *algún*, *ningún* y de las formas femeninas del resto de los determinantes.

avena s.f. **1** Cereal de cañas delgadas, con hojas lineales y con inflorescencias formadas por varias flores agrupadas en panojas. **2** Grano de este cereal: *copos de avena.* □ ETIMOL. Del latín *avena*.

avenar v. Referido a un terreno, dar salida a sus aguas subterráneas o a la excesiva humedad por medio de zanjas o cañerías: *Han avenado el prado porque este año ha llovido mucho.* □ ETIMOL. De *vena*.

avenencia s.f. Conformidad, acuerdo o unión: *Consiguió la avenencia sobre la nueva propuesta entre los que discutían.*

avenida s.f. **1** Vía ancha y generalmente con árboles a los lados: *Han colocado bancos de piedra a los lados de la avenida.* **2** Crecida violenta y súbita de un río o de un arroyo: *La avenida del río después de las tormentas arrastró varias barcas.* □ SINT. En la acepción 1, el nombre de la calle debe ir precedido por la preposición *de*, salvo si es un adjetivo: *avenida de Bruselas.*

avenimiento s.m. Reconciliación o puesta de acuerdo: *El tratado se firmó gracias al avenimiento de todas las partes.* □ ORTOGR. Dist. de *advenimiento*.

avenir ▮ v. **1** Concordar, reconciliar o poner de acuerdo: *Querían pleitear por los límites de sus tierras, pero el abogado consiguió avenirlos.* ▮ prnl. **2** Entenderse o llevarse bien: *Es una suerte que se avenga tan bien con tu familia.* **3** Ponerse de acuerdo: *Cada uno tenía su idea, pero se avinieron a trabajar juntos para el bien de la empresa.* **4** Conformarse o resignarse con algo: *Es tan bueno, que se aviene a todo y todo le parece bien.* □ ETIMOL. Del latín *advenire*, y este de *ad* (a) y *venire* (venir). □ MORF. Irreg. →VENIR. □ SINT. Constr. de las acepciones 2, 3 y 4: *avenirse* A *algo* CON *alguien*.

aventajado, da adj. Que aventaja, que sobresale o que destaca en algo: *un alumno aventajado.*

aventajar v. Superar, exceder, llevar o sacar ventaja en algo: *Según las encuestas, este candidato aventaja en votos al actual presidente.* □ ORTOGR. Conserva la *j* en toda la conjugación.

aventar v. **1** Referido a un cereal, echarlo al viento, generalmente para separar el grano de la paja: *Vamos a la era a aventar el trigo.* □ SINÓN. *ablentar*. **2** En zonas del español meridional, tirar o arrojar: *Me aventó la pelota.* **3** *col.* En zonas del español meridional, empujar con violencia: *Me aventaron y me caí.* □ ETIMOL. De *viento*. □ MORF. Irreg. →PENSAR.

aventón s.m. En zonas del español meridional, autoestop: *Viajé por toda la costa de aventón.*

aventura s.f. **1** Suceso o conjunto de sucesos extraños y variados: *Me gustan las películas de aventuras.* **2** Lo que es de resultado incierto o lo que presenta riesgos: *Invertir en ese negocio es una aventura.* **3** Relación amorosa o sexual pasajera: *Tuvo una aventura con él en el viaje de fin de estudios.* □ ETIMOL. Del latín *adventura* (cosas que han de suceder).

aventurado, da adj. Arriesgado, atrevido o inseguro: *Son afirmaciones aventuradas, sin una base sólida.*

aventurar v. **1** Arriesgar o poner en peligro: *Aventuró su fortuna en inversiones poco claras y se arruinó. Se aventuraron en la montaña a pesar de la tormenta de nieve.* **2** Referido a algo que se desconoce, decirlo o expresarlo: *Aventuró una explicación que no me convenció.*

aventurero, ra adj./s. **1** Aficionado a la aventura: *Es muy aventurera y ha viajado por todo el mundo.* **2** Referido a una persona, que se gana la vida por medios desconocidos: *Sus padres no querían que se casase con él porque era un aventurero.*

average (ing.) s.m. En deporte, promedio: *Este deportista aumentó su average.* □ PRON. [averách], con *ch* suave.

avergonzar ▮ v. **1** Producir un sentimiento de vergüenza: *Me avergüenza que hables a tu madre de esa manera.* □ SINÓN. *abochornar.* ▮ prnl. **2** Tener o sentir vergüenza: *Está arrepentido y se avergüenza de su pasado.* □ ORTOGR. La *g* se cambia en *gü* y la *z* en *c* delante de *e.* □ MORF. Irreg. →AVERGONZAR. □ SINT. Constr. *avergonzarse* DE *algo.*

avería s.f. Daño, fallo o rotura de un mecanismo, de un aparato o de un vehículo: *No sé qué avería tiene el coche, porque ni siquiera arranca el motor.* □ ETIMOL. De origen incierto.

averiar v. Producir una avería: *Se me averió el coche y tuve que llamar a la grúa.* □ ORTOGR. La *i* lleva tilde en los presentes, excepto en las personas *nosotros* y *vosotros* →GUIAR.

averiguación s.f. Indagación de la verdad hasta descubrirla.

averiguar v. Referido esp. a un asunto, indagar en él hasta descubrir la verdad: *La policía trata de averiguar todo lo relacionado con ese crimen.* □ ETIMOL. Del latín *verificare* (presentar como verdad). □ ORTOGR. 1. La *u* lleva diéresis cuando le sigue *e.* 2. La *u* permanece siempre átona →AVERIGUAR.

averiguata s.f. *col.* En zonas del español meridional, discusión violenta.

averno s.m. En mitología, lugar donde iban las almas de los muertos: *Pidió a los dioses que lo dejaran descender al averno para rescatar a su amada.* □ SINÓN. *infierno.* □ ETIMOL. Del latín *avernus.* □ USO Se usa mucho como nombre propio.

averroísmo s.m. Doctrina filosófica desarrollada por Averroes (filósofo árabe del siglo XII) y que defiende que el entendimiento agente es único, universal y común para todas las personas: *El averroísmo tuvo gran repercusión en Occidente durante el siglo XIII.*

averroísta adj.inv./s.com. Partidario o seguidor del averroísmo: *Las ideas de los averroístas tuvieron gran difusión en el Renacimiento.*

aversión s.f. Antipatía o repugnancia exageradas hacia algo: *Tiene verdadera aversión al pescado. Siento aversión por los insectos.* □ ETIMOL. Del latín *aversio,* y este de *avertere* (apartar).

avestruz s.m. Ave corredora, con el cuello muy largo, casi desnudo, patas largas y robustas, y el plumaje suelto y flexible, negro en el macho y blanco en la hembra: *Cuando el avestruz se siente en peligro, esconde la cabeza debajo de la tierra.* □ ETIMOL. De *ave* y el antiguo *estruz* (avestruz). □ MORF. 1. Es un sustantivo epiceno: *el avestruz {macho/hembra}.* 2. Incorr. su uso como femenino: {**las* > *los*} *avestruces.*

avezado, da adj. Referido a una persona, acostumbrada o habituada a algo: *Es una avezada investigadora.*

aviación s.f. **1** Sistema aéreo de desplazamiento y de transporte por medio de aviones: *Desde la Segunda Guerra Mundial la aviación se ha desarrollado mucho.* **2** Cuerpo militar que utiliza este sistema de desplazamiento para la guerra: *Está haciendo el servicio militar en aviación.* □ ETIMOL. Del francés *aviation.*

aviador, -a ▮ s. **1** Persona que gobierna un avión, esp. si está legalmente autorizada para ello. ▮ s.f. **2** Gorra sin visera y con orejeras.

aviadora s.f. Véase **aviador, -a**.

aviar ▮ adj.inv. **1** De las aves o relacionado con ellas: *producción aviar.* □ SINÓN. *aviario.* ▮ v. **2** Arreglar, disponer o componer: *Después de aviar la casa, sale al mercado y hace la compra.* **3** Preparar o disponer lo necesario para algo: *Tú, avía lo que necesitas para el viaje, que yo te lo meteré en la maleta.* **4** ‖ **estar aviado** alguien; *col.* Estar rodeado de dificultades y contratiempos: *Si no llegamos a tiempo estamos aviados, porque no hay otro tren hasta mañana.* □ ETIMOL. De *vía.* □ ORTOGR. Como verbo, la *i* lleva tilde en los presentes, excepto en las personas *nosotros* y *vosotros* →GUIAR.

aviario, ria adj. De las aves o relacionado con ellas. □ SINÓN. *aviar.*

avícola adj.inv. De la avicultura o relacionado con esta técnica de criar aves: *una granja avícola.* □ ETIMOL. Del latín *avis* (ave) y *colere* (cultivar). □ SEM. Dist. de *apícola* (de la cría de abejas).

avicultor, -a s. Persona que se dedica a la avicultura o cría de aves. □ SEM. Dist. de *apicultor* (persona que se dedica a la apicultura o cría de abejas).

avicultura s.f. Técnica para criar y fomentar la reproducción de las aves y para aprovechar sus productos: *La avicultura tiende a un aumento de la producción aviar.* □ ETIMOL. Del latín *avis* (ave) y *-cultura* (cultivo). □ SEM. Dist. de *apicultura* (técnica de la cría de abejas).

avidez s.f. Ansia o deseo muy fuertes e intensos de algo: *avidez de conocimientos; comer con avidez.*

ávido, da adj. Que siente ansia o un deseo muy fuertes e intensos de algo: *Es una persona siempre ávida de novedades.* □ ETIMOL. Del latín *avidus.*

aviejar v. Hacer parecer más viejo de lo que realmente se es por la edad: *La barba me avieja.* □ SINÓN. *avejentar.* □ ORTOGR. Conserva la *j* en toda la conjugación.

avieso, sa adj. Malo o de malas inclinaciones: *intenciones aviesas.* □ ETIMOL. Del latín *aversus* (desviado, torcido).

avifauna s.f. Conjunto de las aves de un país o de una región: *Esta ornitóloga conoce perfectamente la avifauna de la región.* □ ETIMOL. De *ave* y *fauna.*

avilés, -a adj./s. De Ávila o relacionado con esta provincia española o con su capital: *El río Tiétar baña las tierras avilesas.* □ SINÓN. *abulense.*

avillanado, da adj. Con las características que se consideran propias de un villano: *lenguaje avillanado.*

avillanamiento s.m. Adopción de las características que se consideran propias de un villano.

avillanar v. Hacer que alguien se comporte como un villano: *Aquellas personas con sus malas maneras y sus costumbres lo avillanaron.*

avinagrado, da adj. **1** Con las características propias del vinagre: *un sabor avinagrado.* **2** Con vinagre: *una ensalada avinagrada.* **3** *col.* Malhumorado o falto de amabilidad: *un carácter avinagrado.*

avinagrar ▮ v. **1** Referido esp. al vino, dar o adquirir la acidez u otras características propias del vinagre: *El calor excesivo ha avinagrado el licor. Dejaste tanto tiempo la botella abierta que el vino se avinagró.* **2** Añadir vinagre: *Has avinagrado demasiado la ensalada.* ▮ prnl. **3** Referido a una persona, volverse malhumorada o de mal carácter: *Desde que sufrió aquella desgracia, se avinagró y ahora es difícil tratar con él.*

avío ▮ s.m. **1** *col.* Arreglo, disposición o compostura: *Hizo el avío de la casa en dos horas, y así pudo salir al parque con los niños.* ▮ pl. **2** Utensilios necesarios para hacer algo. □ ETIMOL. De *aviar.*

avión s.m. **1** Vehículo volador, con alas y generalmente propulsado por uno o más motores: *Ese avión tiene capacidad para cien pasajeros.* □ SINÓN. *aeroplano.* **2** Pájaro de dorso negro y de vientre y patas blancos que generalmente anida en paredes y en pendientes rocosas abruptas: *El avión es parecido a la golondrina.* □ ETIMOL. Del francés *avion.* □ MORF. En la acepción 2, es un sustantivo epiceno: *el avión {macho/hembra}.* □ SINT. Incorr. (galicismo): *avión {*a > de} reacción.*

avioneta s.f. Avión pequeño y de poca potencia.

aviónica s.f. Conjunto de técnicas electrónicas aplicadas en aeronáutica: *Los nuevos modelos de aviones incorporan los últimos avances de la aviónica.* □ ETIMOL. Del inglés *avionics.*

avisado, da adj. Prudente, sagaz y sensato: *una persona avisada.*

avisador, -a adj./s. Que avisa: *La bocina es un avisador sonoro.*

avisar v. **1** Referido a un asunto, prevenir, advertir o informar de ello: *Avisa a tu padre de que la carretera está con nieve, por si va a venir en coche.* **2** Referido a un hecho, comunicarlo o dar noticia de ello: *Han llamado para avisar que ya está arreglado el televisor.* **3** Referido a una persona, llamarla para que preste algún servicio: *Hay que avisar al fontanero para que arregle el lavabo.* □ ETIMOL. Del francés *aviser* (instruir, avisar). □ SINT. Es transitivo con complemento directo de persona *(avisar* A *alguien* DE *algo)* o con complemento directo de cosa y complemento indirecto de persona *(avisar algo* A *alguien).*

aviso s.m. **1** Noticia o advertencia que se comunican a alguien: *La radio, en un aviso para navegantes, ha anunciado un fuerte temporal.* **2** Indicio, señal o muestra de algo: *Ese desmayo fue un aviso de que padecías anemia.* **3** Advertencia o consejo: *Lo que le ha pasado a tu hermana es un aviso para que tú tengas más cuidado.* **4** En tauromaquia, advertencia que hace el presidente al torero cuando este tarda más tiempo en matar que el prescrito por el reglamento: *El torero se puso nervioso al oír el segundo aviso.* **5** ‖ **{andar/estar} sobre aviso;** estar prevenido o ir con cuidado: *Menos mal que andaba sobre aviso, porque si no, me hubieran timado.* ‖ **avisos {clasificados/limitados};** en zonas del español meridional, anuncios por palabras: *Los avisos limitados son una sección del periódico.*

avispa s.f. Insecto parecido a la abeja, pero de cuerpo amarillo con listas negras, que está provisto de un aguijón con el que pica y que vive en sociedad: *Las picaduras de avispa son muy dolorosas.* □ ETIMOL. Del latín *vespa* (avispa), con la *a* de *abeja.*

avispado, da adj. Referido a una persona, que es viva, despierta o espabilada: *No la engañarás, porque es una niña muy avispada.*

avispar v. Referido a una persona, despertarla o espabilarla: *Los otros niños lo avisparon y ya no es tan tímido.* □ ETIMOL. De origen incierto.

avispero s.m. **1** Panal o nido de avispas. **2** *col.* Asunto enredado que ocasiona disgustos: *Si quieres vivir tranquilo, no metas tus narices en ese avispero.* **3** *col.* Aglomeración de personas o cosas inquietas y ruidosas: *La playa al mediodía es un avispero y prefiero no ir.*

avistamiento s.m. Localización con la vista de algo que está a mucha distancia.

avistar v. Ver desde lejos: *Avistaron la pequeña isla cuando navegaban con rumbo norte.*

avitaminosis (pl. *avitaminosis*) s.f. Carencia o escasez de vitaminas: *El médico le recetó un complejo vitamínico porque en el análisis le detectó una ligera avitaminosis.* □ ETIMOL. De *a-* (privación) y *vitamina.* □ SEM. Dist. de *hipervitaminosis* (exceso de vitaminas).

avituallamiento s.m. Abastecimiento de vituallas o víveres: *El avituallamiento de los ciclistas se efectuará en el kilómetro ochenta.*

avituallar v. Abastecer de vituallas o víveres: *El intendente se encarga, entre otras cosas, de avituallar a la tropa.*

avivamiento s.m. Aumento de la viveza, de la fuerza o de la intensidad: *El avivamiento del dolor se produjo cuando pasó el efecto del calmante.*

avivar v. **1** Animar, excitar o dar mayor viveza o intensidad: *Su llamada avivó mi deseo de verlo. La discusión se avivaba más y más.* **2** Referido al fuego, hacer que arda más: *Aviva el fuego, porque se está apagando.* □ ETIMOL. De *vivo*.

avizorar v. Vigilar o aguardar cautelosamente con algún propósito: *Eligió un buen lugar desde el que avizorar el horizonte.* □ SINÓN. *acechar.* □ ETIMOL. De *avizor* (el que acecha).

-avo, -ava Sufijo con valor partitivo: *doceava, onceavo.*

avocar v. En derecho, referido esp. a una autoridad, asumir una función que le corresponde a una autoridad inferior: *Ante la gravedad de la crisis, el Presidente avocó las funciones del Ministro de Sanidad.* □ ETIMOL. Del latín *advocare.* □ ORTOGR. 1. La *c* se cambia en *qu* delante de *e* →SACAR. 2. Dist. de *abocar.*

avutarda s.f. Ave zancuda de carrera rápida y vuelo pesado, de cuerpo grueso y rojizo con manchas negras, cuello delgado y largo, y alas pequeñas: *La avutarda es muy común en España.* □ ETIMOL. Del latín *avis tarda* (ave tarda), porque la avutarda tiene un vuelo muy pesado. □ MORF. Es un sustantivo epiceno: *la avutarda {macho/hembra}.*

axial adj.inv. Del eje o relacionado con él: *Una figura plana tiene simetría axial si existe una línea llamada eje que la divide en dos mitades simétricas.* □ SINÓN. *axil.* □ ETIMOL. Del francés *axial.*

axil adj.inv. →**axial.** □ ETIMOL. Del latín *axis* (eje).

axila s.f. Concavidad que forma el arranque del brazo con el cuerpo. □ SINÓN. *sobaco.* □ ETIMOL. Del latín *axilla.*

axilar adj.inv. De la axila o relacionado con ella.

axiología s.f. En filosofía, teoría de los valores, esp. de los éticos, los religiosos o los estéticos: *La axiología estudia la posibilidad de captación de valores como la verdad, la belleza o el bien.*

axiológico, ca adj. De la axiología o relacionado con esta teoría: *Esa filósofa ha publicado un estudio axiológico sobre el bien.*

axioma s.m. Proposición o enunciado básico tan claros y evidentes que se admiten sin necesidad de demostración: *'Dos cosas iguales a otra son iguales entre sí' es un axioma.* □ ETIMOL. Del griego *axíoma* (lo que parece justo).

axiomático, ca adj. Evidente o incuestionable: *Fue una discusión bizantina en la que se terminó dudando de una afirmación axiomática.*

axiote s.m. →**achiote.** □ ETIMOL. Del náhuatl *achiotl.* □ PRON. [achiote], con *ch* suave.

axis (pl. *axis*) s.m. En anatomía, segunda de las vértebras cervicales: *El movimiento de rotación de la cabeza se realiza mediante el axis.* □ ETIMOL. Del latín *axis* (eje).

axón s.m. Prolongación de una neurona, que generalmente termina en una ramificación y que está en contacto con otras células: *Los axones sirven para transmitir los impulsos nerviosos.* □ SINÓN. *cilindroeje, neurita.* □ ETIMOL. Del latín *axis* (eje).

axonométrico, ca adj. En geometría, que está dibujado o recreado en tres dimensiones.

ay ▌s.m. **1** *col.* Quejido o suspiro: *Se pasó toda la noche lanzando ayes de dolor.* ▌interj. **2** Expresión que se usa para indicar dolor, sorpresa, admiración o disgusto. □ ORTOGR. Dist. de *hay* (del verbo *haber*) y de *ahí.* □ MORF. En la acepción 1, su plural es *ayes.* □ SEM. Como interjección, en la lengua coloquial se usa mucho repetida, con un matiz intensivo: *¡Ayayay, qué mal me huele este asunto!*

ayacahuite s.m. Variedad de pino americano. □ ETIMOL. Del náhuatl *ayatl* (ayate) y *cahuitl* (tiempo).

ayate s.m. En zonas del español meridional, pieza de tela de ixtle. □ ETIMOL. Del náhuatl *ayatl.*

ayatolá (pl. *ayatolás*) s.m. Autoridad religiosa chiita, esp. en Irán (país asiático): *El ayatolá tiene autoridad en cuestiones de rito y de moral.* □ ETIMOL. Del árabe *aia* (signo) y *Allah* (Dios). □ PRON. Aunque la pronunciación correcta es [ayatolá], está muy extendida [ayatóla].

ayer ▌s.m. **1** Tiempo pasado: *Deja de idealizar el ayer y vive el presente.* ▌adv. **2** En el día inmediatamente anterior al de hoy: *Ayer fue lunes y hoy es martes.* **3** En un tiempo pasado: *Ayer era un chiquillo y hoy es todo un hombre.* □ ETIMOL. Del latín *ad heri.* □ USO El uso de la expresión *ayer {tarde/noche}* con el significado de 'ayer por la {tarde/noche}' es un galicismo innecesario.

ayllu s.m. Cada uno de los grupos en que se divide una comunidad indígena, cuyos componentes son generalmente de un mismo linaje: *En nuestro viaje a Perú, tuvimos ocasión de visitar una zona de ayllus.* □ PRON. [aíllu].

ayo, ya s. Persona encargada del cuidado o la educación de los niños o jóvenes de familias acomodadas: *El hijo del conde tenía que justificar las ausencias ante su ayo.* □ ORTOGR. *Aya* es dist. de *halla* (del verbo *hallar*) y de *haya.* □ MORF. *Aya*, por ser un sustantivo femenino que empieza por *a* tónica o acentuada, va precedido de *el, un, algún, ningún* y de las formas femeninas del resto de los determinantes.

ayuda s.f. **1** Cooperación o socorro: *Si veo que no sé hacerlo, te pediré ayuda.* **2** Lo que sirve para ayudar: *Los cincuenta millones de ayuda son insuficientes para los damnificados por el terremoto.* **3** Líquido que se introduce en el recto a través del ano, generalmente con fines terapéuticos o laxantes, o para facilitar una operación de diagnóstico: *Como nunca quiere tomar medicamentos, cuando está estreñido prefiere ponerse una ayuda.* □ SINÓN. *enema.* **4** Instrumento manual que se utiliza para aplicar este líquido: *La ayuda que hay en mi casa tiene forma de pera y es de color marrón.* □ SINÓN. *enema.*

ayudanta s.f. Mujer que realiza trabajos subalternos, generalmente manuales: *La sastra tiene una nueva ayudanta.*

ayudante ▌adj.inv. **1** Que ayuda. ▌s.com. **2** Persona que ayuda en un trabajo a otra, esp. si esta tiene un cargo o una preparación superior: *La doctora está fuera y hoy pasa consulta su ayudante.*

ayudar ▌v. **1** Prestar cooperación o socorrer: *Es buena persona y te ayudará en todo lo que pueda.*

Estas medidas ayudarán a vencer las dificultades económicas. ▮ prnl. **2** Valerse o servirse de algo: *Se ayudó de sus amistades para conseguir el puesto.* ☐ ETIMOL. Del latín *adiutare.* ☐ SINT. 1. Constr. de la acepción 1: *ayudar {A/EN} algo.* 2. Constr. de la acepción 2: *ayudarse* DE *algo.*

ayunar v. Abstenerse o privarse de comer o de beber total o parcialmente, esp. por motivos religiosos o de salud: *Ayuna los miércoles de ceniza.* ☐ ETIMOL. Del latín *ieiunare.*

ayuno, na ▮ adj. **1** Que no ha comido. ▮ s.m. **2** Privación total o parcial de comer o beber, esp. por motivos religiosos o de salud: *un día de ayuno voluntario.* **3** ‖ **en ayunas; 1** Sin haber desayunado: *Para operarlo debe estar en ayunas.* **2** Sin haber entendido algo: *Ellos hablaban de sus cosas, pero yo me quedé en ayunas.* ☐ SINT. *En ayunas* se usa más con los verbos *estar* y *quedar.*

ayuntamiento s.m. **1** Corporación compuesta por un alcalde y varios concejales que dirige y administra un término municipal: *El Ayuntamiento concedió la medalla de oro de la ciudad a uno de sus hijos más ilustres.* ☐ SINÓN. *cabildo, concejo, municipio.* **2** Edificio en el que tiene su sede esta corporación: *El ayuntamiento está en la Plaza Mayor.* ☐ SINÓN. *casa consistorial, concejo.* **3** ‖ **ayuntamiento (carnal);** coito. ☐ ETIMOL. Del latín *adiunctus* (junto). ☐ USO En la acepción 1, se usa más como nombre propio.

ayuntar v. *ant.* →**juntar.** ☐ ETIMOL. Del antiguo *ayunto* (junta, reunión).

ayurveda s.amb. Método terapéutico de origen indio que se basa en la consideración de que la falta de salud viene dada por el desequilibrio entre los cinco elementos que componen el cuerpo, que son el aire, el fuego, el agua, la tierra y el éter: *La ayurveda trata las enfermedades básicamente con remedios vegetales y minerales.* ☐ ETIMOL. Del sánscrito *ayur* (vida) y *veda* (conocimiento). ☐ SINT. Se usa mucho en aposición, pospuesto a un sustantivo: *medicina ayurveda.*

ayurvédico, ca adj. De la ayurveda o relacionado con este método terapéutico: *terapia ayurvédica.*

-az Sufijo que indica cualidad: *veraz, vivaz.*

azabachado, da adj. Del color negro del azabache o con su brillo: *Me enamoré de sus ojos azabachados y tristes.*

azabache s.m. Variedad del lignito de color negro brillante, dura y compacta, que se puede pulir y es muy usada en joyería: *Estos pendientes son de oro y azabache.* ☐ ETIMOL. Del árabe *as-sabay.*

azacanear v. Trabajar con afán: *Se azacaneó para gestionarlo todo personalmente.* ☐ MORF. Se usa mucho como pronominal.

azada s.f. Instrumento formado por una pala cuadrangular de extremo cortante encajada en un mango, que se utiliza para cavar y remover la tierra: *Cavó en su jardín con una azada.* ☐ ETIMOL. Del latín **asciata* (herramienta provista de una especie de hacha).

azadón s.m. Instrumento parecido a la azada, pero con la pala algo más curva y más larga que ancha, que se utiliza esp. para cavar en tierras duras o para cortar raíces delgadas: *Para arrancar aquellas raíces tan duras tuve que dejar la azada y coger el azadón.*

azafata s.f. **1** Persona que se dedica profesionalmente a atender a los pasajeros de un avión: *una azafata de vuelo.* **2** Persona que se dedica profesionalmente a ayudar y proporcionar informaciones al público que se encuentra en un lugar determinado: *una azafata de congresos; una azafata de tierra.* **3** En un programa de televisión, persona que ayuda al que presenta o atiende a los concursantes o al público: *La azafata se encargó de presentar a los concursantes.* **4** Antiguamente, criada encargada del servicio personal de la reina: *La azafata cuidaba los vestidos y las alhajas de la reina.* ☐ ETIMOL. De *azafate* (bandeja). ☐ MORF. En las acepciones 1, 2 y 3 se usa el masculino coloquial *azafato.*

azafate s.m. En zonas del español meridional, bandeja: *Sirvió el café en azafate de plata.* ☐ ETIMOL. Del árabe *as-safat* (la cesta, el canastillo).

azafato s.m. *col.* →**azafata.**

azafrán s.m. **1** Planta herbácea con tallo subterráneo en forma de tubérculo, hojas estrechas, flores lilas que se abren en estrella y estigma de color rojo anaranjado dividido en tres filamentos colgantes: *El azafrán procede de Oriente.* **2** Estigma seco de esta planta, muy usado como condimento: *La paella con azafrán tiene un color amarillento.* ☐ ETIMOL. Del árabe *az-za'faran.*

azafranado, da adj. Del color del azafrán: *Me he comprado una blusa azafranada.*

azahar s.m. Flor blanca, esp. la del naranjo y otros cítricos. ☐ ETIMOL. Del árabe *al-azhar* (las flores blancas). ☐ ORTOGR. Dist. de *azar.*

azalea s.f. Arbusto de hoja caduca y flores de color blanco, rojo o rosa, que se cultiva como planta ornamental: *Las azaleas son plantas de jardín, aunque pueden cultivarse en macetas.* ☐ ETIMOL. Del latín *azalea,* y este del griego *azaléos* (seco, árido).

azar s.m. **1** Casualidad o supuesta causa a la que se atribuyen los sucesos no debidos a una necesidad natural o a la intervención humana: *Conocernos fue puro azar, porque nuestras vidas eran totalmente distintas.* **2** Percance, riesgo o contratiempo imprevisto: *Si por cualquier azar no hemos llegado a las seis, os vais. Por azares de la vida, ahora vive en Moscú.* **3** ‖ **al azar;** sin reflexión, sin orden o sin motivo: *Cierra los ojos, señala en el mapa un punto al azar y nos dirigiremos hacia allí.* ☐ ETIMOL. Del árabe *az-zahr* (el dado para jugar). ☐ ORTOGR. Dist. de *azahar.*

azaramiento s.m. Inquietud, turbación o aturdimiento, esp. si producen vergüenza o rubor: *Es muy tímido y su azaramiento ha sido debido a que una chica le ha llamado guapo delante de todos.*

azarar v. Inquietar, turbar o aturdir hasta causar vergüenza o rubor: *Las miradas de los espectadores* *lo azaran. Se azaró al ver que se había descubierto su mentira.* □ ETIMOL. De *azorar*.

azarbe s.m. Canal adonde va a parar el agua sobrante de los riegos: *El azarbe estaba seco porque los campesinos habían dejado de regar las tierras.* □ ETIMOL. Del árabe *as-sarb* (la cloaca).

azaroso, sa adj. Con percances o riesgos: *un azaroso viaje.*

azatioprina s.f. Sustancia que se emplea para suprimir los anticuerpos y toda respuesta inmunitaria que elabora el organismo: *La azatioprina ayuda a evitar que se produzca el rechazo de los órganos trasplantados.*

azerbaiyano, na adj./s. De Azerbaiyán o relacionado con este país asiático. □ SINÓN. *azerí.*

azerí (pl. *azeríes, azerís*) adj.inv./s.com. De Azerbaiyán o relacionado con este país asiático. □ SINÓN. *azerbaiyano.*

-azgo 1 Sufijo que indica acción y efecto: *hallazgo, hartazgo.* **2** Sufijo que indica dignidad o cargo: *mayorazgo, almirantazgo.* **3** Sufijo que indica cualidad o situación: *liderazgo, noviazgo.* □ ETIMOL. Del antiguo *-adgo.*

ázimo (tb. *ácimo*) adj. →**pan ázimo.** □ ETIMOL. Del latín *azymus*, y este del griego *ázymos.*

azimut s.m. →**acimut.**

-azo Sufijo que indica golpe: *porrazo, cabezazo.*

-azo, -aza 1 Sufijo con valor aumentativo: *padrazo, manaza.* **2** Sufijo con valor despectivo: *aceitazo, grasaza.*

ázoe s.m. *ant.* →**nitrógeno.** □ ETIMOL. Quizá del francés *azote.*

azogar ▮ v. **1** Referido a un objeto, cubrirlo con azogue o mercurio: *Al azogar el cristal, se convierte en espejo.* ▮ prnl. **2** Intoxicarse por la absorción de los vapores de azogue o mercurio: *Se dieron cuenta de que se había azogado porque no dejaba de temblar.* **3** *col.* Turbarse o agitarse mucho: *Cuando tiene pesadillas se azoga.* □ ORTOGR. La *g* se cambia en *gu* delante de *e* →PAGAR.

azogue s.m. *col.* Mercurio: *El espejo está estropeado porque tiene cuarteado el azogue.* □ ETIMOL. Del árabe *az-za'uq* (el mercurio).

-azón Sufijo que indica acción y efecto con valor intensivo: *hinchazón, picazón.* □ ETIMOL. Del latín *-atio, -onis.*

azor s.m. Ave rapaz diurna, de cabeza pequeña, pico negro y curvado, dorso oscuro, vientre blanco con manchas negras y con una línea blanca por encima de los ojos, muy apreciada en la caza de cetrería: *El azor es más pequeño que el halcón.* □ ETIMOL. Del latín **acceptor.* □ MORF. Es un sustantivo epiceno: *el azor {macho/hembra}.*

azoramiento s.m. Inquietud, turbación o aturdimiento: *Las imágenes reflejaban el azoramiento del ganador cuando lo entrevistaron.*

azorar v. Inquietar, turbar o aturdir: *Se fue rápidamente a casa porque la multitud lo azora. Se azoró al ver que empezaba a llegar la gente y la comida no estaba lista.* □ ETIMOL. De *azor.*

azotaina s.f. *col.* Serie de azotes.

azotamiento s.m. Agresión a una persona, esp. con un azote.

azotar v. **1** Dar azotes: *El capitán mandó azotar a dos de los insurrectos.* **2** Producir daños o destrozos: *Hace dos años que la guerra azota esta tierra e impide que sus gentes vivan en paz.* **3** Referido esp. al viento o las olas, golpear repetida y violentamente: *Al salir, había ventisca y el aire me azotó la cara.*

azote s.m. **1** Instrumento, generalmente formado por cuerdas anudadas, que se utilizaba para azotar: *Golpeaba a sus esclavos con el azote.* **2** Golpe dado con este instrumento: *Le dieron cincuenta azotes como castigo por intentar huir.* **3** Golpe dado en las nalgas con la mano abierta: *Cuando se porta mal, su padre le da un par de azotes.* **4** Destrozo o calamidad: *La sequía es un azote para esta comarca.* **5** Choque repetido, esp. del viento o del agua: *El azote del viento derribó varios árboles.* □ ETIMOL. Del árabe *as-sut* (el látigo).

azotea s.f. **1** Cubierta llana de un edificio sobre la que se puede andar. **2** *col.* Cabeza humana: *Tú estás mal de la azotea si crees que ese tacaño te va a prestar dinero.* □ ETIMOL. Del árabe *as-sutaiha* (el terradillo).

azotehuela s.f. En zonas del español meridional, terraza o patio interior de una casa.

AZT s.m. Fármaco que se emplea para destruir o evitar la reproducción del virus del sida: *El AZT es un antirretroviral.* □ ETIMOL. Es el acrónimo de *Azidotimidina.*

azteca ▮ adj.inv./s.com. **1** De un antiguo pueblo indígena que dominó cultural y económicamente en el actual territorio mexicano entre los siglos XV y primer cuarto del XVI: *El imperio azteca terminó con la dominación española.* ▮ s.m. **2** Lengua indígena de este pueblo: *El azteca se sigue hablando hoy día.*

azúcar s.amb. **1** Sustancia sólida, generalmente de color blanco, de sabor muy dulce y que se extrae de la caña dulce, de la remolacha o de otros vegetales: *una cucharada de azúcar.* □ SINÓN. *sacarosa.* **2** Hidrato de carbono dulce, cristalizable y soluble en agua: *Los diabéticos tienen exceso de azúcar en la sangre.* **3** ‖ **azúcar de cortadillo;** la que se presenta en terrones: *Hay que comprar una caja de azúcar de cortadillo.* ‖ **azúcar glasé;** almíbar solidificado y muy brillante usado para recubrir pasteles y tartas: *Recubre las rosquillas con azúcar glasé.* ‖ **azúcar {glas/glaseada};** la molida que se usa en pastelería: *Espolvoreó el bizcocho con azúcar glas.* ‖ **azúcar impalpable;** en zonas del español meridional, azúcar glas. □ ETIMOL. Del árabe *as-sukkar.* □ MORF. En la acepción 1, en la lengua coloquial, se usa mucho con el artículo en masculino y el adjetivo en femenino: *el azúcar morena.*

azucarado, da adj. **1** Con azúcar, o dulce como el azúcar: *yogur azucarado.* **2** *col.* Dulce y meloso en las palabras: *Este escritor tiene un estilo azucarado que a veces resulta empalagoso.*

azucarar v. **1** Endulzar con azúcar: *Me gusta azucarar los zumos de naranja para que no estén* *agrios.* **2** Bañar con azúcar: *Azucaró el pastel y lo decoró con anises de colores.*

azucarera s.f. Véase **azucarero, ra**.

azucarero, ra ▮ adj. **1** Del azúcar o relacionado con esta sustancia: *la industria azucarera.* ▮ s.m. **2** Recipiente para guardar y servir el azúcar: *Pásame el azucarero, por favor, que mi café aún está amargo.* ▮ s.f. **3** Fábrica de azúcar. ☐ MORF. En la acepción 2, en zonas del español meridional, se usa como femenino.

azucarillo s.m. Terrón de azúcar: *¿Te pongo un azucarillo o prefieres dos?*

azucena s.f. **1** Planta herbácea de tallo largo, hojas largas, estrechas y brillantes, y grandes flores terminales muy olorosas, que se cultiva como planta ornamental: *Las variedades de la azucena se diferencian por el color de las flores.* **2** Flor de esta planta: *Las azucenas nacen en racimo.* ☐ ETIMOL. Del árabe *as-susana* (el lirio).

azud s.amb. **1** Noria de un río formada por una gran rueda sujeta por dos pilares, la cual da vueltas y saca el agua fuera movida por la fuerza de la corriente. **2** Presa pequeña en un río. ☐ ETIMOL. Del árabe hispánico *assúdd*, y este del árabe clásico *sudd*.

azuela s.f. Herramienta de carpintería compuesta por una plancha cortante y un mango corto con la que se desbasta o rebaja la madera: *El carpintero desbastó los tablones con una azuela.* ☐ ETIMOL. Del latín *asciola* (hachita).

azufaifa s.f. Fruto del azufaifo, parecido a una aceituna pero rojizo por fuera y amarillo por dentro: *Las azufaifas son dulces.* ☐ ETIMOL. Del árabe *az-zufaizafa*.

azufaifo s.m. Árbol parecido al magnolio, con espinas en las ramas y un fruto comestible de color rojizo: *Los azufaifos se cultivan mucho como planta ornamental.* ☐ SINÓN. *jinjolero.*

azufrar v. Referido esp. a una planta, echarle azufre, para preservarla de insectos o de gérmenes perjudiciales: *Azufró los rosales porque el año pasado se le estropearon todos.*

azufre s.m. Elemento químico, no metálico y sólido, de número atómico 16, quebradizo, insípido, de color amarillo y olor característico, muy utilizado para la obtención de ácido sulfúrico, la fabricación de sustancias plásticas y como insecticida: *El azufre se funde a temperatura poco elevada y arde con llama azul.* ☐ ETIMOL. Del latín *sulfur.* ☐ ORTOGR. Su símbolo químico es *S*.

azufrero, ra adj. De la explotación del azufre o relacionado con ella: *un yacimiento azufrero.*

azufroso, sa adj. Que contiene azufre: *El ácido sulfúrico es un compuesto azufroso.*

azul ▮ adj.inv./s.m. **1** Del color del cielo cuando está despejado: *El azul es el quinto color del arco iris y está situado entre el verde y el añil.* ▮ s.com. **2** *col.* En zonas del español meridional, guardia de seguridad de un banco o de una empresa. **3** ‖ **azul marino;** el oscuro, cercano al negro: *Los uniformes de los marineros son blancos y azul marino.* ☐ ETIMOL. Del árabe *lazurd*, en vez de *lazaward* (lapislázuli, azurita).

azulado, da adj. De color azul o con tonalidades azules.

azular v. Poner de color azul: *El pantalón vaquero destiñó y azuló toda la colada.*

azulear v. Mostrar color azul: *Los jóvenes miraban el mar que azuleaba a lo lejos.*

azulejo, ja ▮ adj. **1** En zonas del español meridional, azulado. ▮ s.m. **2** Pieza de arcilla cocida, de poco grosor y con una cara vidriada, que se utiliza para revestir superficies como decoración o como revestimiento impermeable: *Alicataron la cocina con azulejos blancos.* ☐ ETIMOL. Del árabe *az-zulaiy* (el ladrillito).

azulenco, ca adj. Semejante al azul o con tonalidades azules. ☐ SINÓN. *azulino.*

azulete s.m. Producto de limpieza de color añil que se usa para dar color azulado a la ropa blanca: *Las sábanas se quedan más bonitas cuando les pongo azulete.*

azulgrana adj.inv./s.com. *col.* De cualquier equipo cuya camiseta tenga los colores azul y rojo, o relacionado con él. ☐ USO Es innecesario el uso del catalanismo *blaugrana*.

azulino, na adj. Semejante al azul o con tonalidades azules. ☐ SINÓN. *azulenco.*

azulón, -a ▮ adj./s.m. **1** De color azul intenso. ▮ s. **2** Pato de gran tamaño, muy frecuente en lagos y albuferas.

azuloso, sa adj. En zonas del español meridional, azulado: *Tengo la cara azulosa del frío.*

azumbre s.amb. Unidad de capacidad que equivale aproximadamente a dos litros: *una azumbre de vino.* ☐ ETIMOL. Del árabe *at-tumn* (la octava parte de la cántara). ☐ MORF. Se usa más como femenino. ☐ USO Es una medida tradicional española.

azur adj.inv./s.m. En heráldica, color azul oscuro: *Este escudo tiene una franja azur.* ☐ ETIMOL. Del francés *azur*.

azurita s.f. Mineral de cobre, de color azul marino y de textura cristalina y fibrosa: *Hay yacimientos de azurita en Francia y en Bolivia.*

azuzar v. Referido a un animal, incitarlo, animarlo o irritarlo para que ataque o embista: *Azuzó a los perros contra el ladrón.* ☐ ETIMOL. De *¡sus!*, que se usa para infundir ánimo. ☐ ORTOGR. La *z* se cambia en *c* delante de *e* →CAZAR.

B b

b s.f. Segunda letra del abecedario. □ PRON. Representa el sonido consonántico bilabial sonoro.

B2B (ing.) s.m. Comercio electrónico entre empresas: *El B2B mueve cada vez mayores cantidades de comercio.* □ ETIMOL. Es la sigla del inglés *Business to Business* (de empresa a empresa).

B2C (ing.) s.m. Comercio electrónico minorista. □ ETIMOL. Es la sigla del inglés *Business to Consumer* (de la empresa al consumidor).

baba s.f. **1** Saliva que cae de la boca de una persona o de algunos animales mamíferos: *Límpiale la baba al niño.* **2** Líquido pegajoso que segregan algunos animales invertebrados o algunas plantas: *El caracol deja un hilillo de baba al desplazarse.* **3** || **caérsele la baba** a alguien; *col.* Experimentar gran satisfacción, placer y contento viendo u oyendo algo: *Se le cae la baba cuando habla de lo maravillosos que son sus hijos.* || **mala baba;** *col.* Mala intención o mal carácter. □ ETIMOL. Del latín *baba*, de origen expresivo.

babada s.f. En un animal cuadrúpedo, parte de las extremidades inferiores que está formada por la musculatura y los tendones que articulan el fémur con la tibia y la rótula: *Compró filetes de babada de vaca en la carnicería.* □ SINÓN. *babilla.*

babear v. **1** Echar baba: *Al finalizar la carrera, los caballos babeaban. Los bebés babean mucho.* **2** *col.* Experimentar gran satisfacción, placer y contento viendo u oyendo algo: *Siempre babea cuando habla de sus maravillosos hijos.*

babel s.amb. →**torre de Babel.**

babélico, ca adj. Confuso o difícil de entender: *un discurso babélico.* □ ETIMOL. De *Babel*, torre con la que los hombres quisieron alcanzar el cielo, provocando así que Dios los castigase con la confusión de lenguas.

babeo s.m. Expulsión de baba.

babero s.m. **1** Prenda de tela o de otra materia que se coloca sobre el pecho para no mancharse: *El bebé cerró la boca y la cucharada cayó sobre el babero.* **2** En algunos hábitos religiosos, pieza que se pone sobre el vestido cubriendo los hombros y el pecho, y que se ata en el cuello: *Esas monjas llevan grandes baberos blancos.*

babi s.m. *col.* Bata que se ponen los niños encima de la ropa para protegerla: *En ese colegio los niños de educación infantil usan babi.* □ ORTOGR. Incorr. **baby.*

babia || **estar en Babia;** *col.* Estar distraído o ajeno a lo que sucede alrededor: *En clase está siempre en Babia y nunca se entera de nada.* □ ETIMOL. Por alusión al aislado territorio de Babia en la montaña leonesa.

babieca adj.inv./s.com. *col. desp.* Bobo y de poco carácter. □ ETIMOL. De origen expresivo. □ USO Se usa como insulto.

babilla s.f. En un animal cuadrúpedo, parte de las extremidades inferiores que está formada por la musculatura y los tendones que articulan el fémur con la tibia y la rótula. □ SINÓN. *babada.*

babilónico, ca adj. **1** De Babilonia (antigua ciudad asiática, famosa por su fastuosidad) o relacionado con ella: *Los jardines babilónicos eran famosos por su belleza.* **2** Hecho con lujo y riqueza: *una mansión babilónica.*

babilonio, nia adj./s. De Babilonia (antigua ciudad asiática, famosa por su fastuosidad y por ser centro político del Antiguo Oriente, situada entre los ríos Tigris y Éufrates): *El pueblo babilonio aprovechó los conocimientos astronómicos y matemáticos para su agricultura.*

babirusa s.m. Cerdo salvaje, de mayor tamaño que el jabalí y con cuatro colmillos, dos de los cuales salen de la parte superior del hocico y están encorvados hacia atrás: *El babirusa vive en diversas islas indonesias.* □ ETIMOL. Del malayo *babi* (cerdo) y *rusa* (ciervo), por sus colmillos retorcidos, que se compararon a los cuernos de un ciervo. □ MORF. Es un sustantivo epiceno: *el babirusa {macho/hembra}.*

bable s.m. Modalidad lingüística que se habla en Asturias (comunidad autónoma y provincia): *Entre el bable oriental y el occidental hay grandes diferencias.*

babor s.m. En una embarcación, lado izquierdo, según se mira de popa a proa: *El capitán mandó girar a babor.* □ ETIMOL. Del francés *babord*, y este del holandés *bakboord*. □ SINT. Constr. *{A/POR} babor.* □ SEM. Dist. de *estribor* (lado derecho).

babosa s.f. Véase **baboso, sa.**

babosada s.f. *col. desp.* Hecho o dicho que se cree que pueden agradar a una persona, pero que resultan molestos o pesados.

babosear v. Mojar o llenar de baba: *Duerme con la boca abierta y siempre babosea la almohada.*

baboseo s.m. *col.* Molestia y pesadez de quien intenta agradar o conquistar a una persona.

baboso, sa ▌adj./s. **1** Que echa muchas babas. **2** *col.* Referido a una persona, que no tiene edad ni condiciones para lo que hace o dice: *La babosa esta no abulta nada y mira cómo me contesta.* **3** *col.* Que resulta molesto y pesado en sus intentos por agradar o por conquistar a alguien: *Lo malo no es que sea un baboso, sino que encima se cree gracioso.* **4** En zonas del español meridional, referido a una persona, que es simple o tonta. ▌s.m. **5** Pez marino de pequeño tamaño, cuerpo alargado y aplanado por los lados y recubierto de una sustancia pegajosa, hocico corto con labios carnosos y dientes largos y unidos, que puede pescarse con caña o con redes pequeñas: *Los babosos abundan en las costas mediterráneas.* □ SINÓN. *budión, doncella.* ▌s.f. **6** Molusco terrestre, alargado, sin concha o de concha rudimentaria, con una especie de ventosa en el vientre que le permite moverse, y que segrega en su marcha abundante baba: *La babosa es muy dañina en las huertas.* □ SINÓN. *limaco, limaza.*

babucha s.f. **1** Zapatilla ligera y sin tacón: *En un bazar oriental me compré unas babuchas de cuero con la punta hacia arriba.* **2** Zapatilla para estar en casa. □ ETIMOL. Del francés *babouche.*

babuchero s.m. En algunos edificios islámicos, lugar en el que se depositan las babuchas.

babuino s.m. Mono de mediano tamaño, con mandíbula saliente y grandes dientes caninos, de pelaje gris o pardo claro, con callosidades rojas en las nalgas, y que vive en las sabanas y en zonas semidesérticas africanas formando manadas, con una jerarquía social muy estricta. □ SINÓN. *papión.* □ ETIMOL. Del francés *babouine.* □ MORF. Es un sustantivo epiceno: *el babuino {macho/hembra}.*

baby (ing.) (pl. *babies*) ▮ adj.inv./s.com. **1** Referido a un producto, de tamaño inferior al que suele ser habitual: *Para cocinar esta receta necesito zanahorias babies.* ▮ s.com. **2** *col.* Respecto de una persona, compañero sentimental: *Mi hermana ha salido con su baby.* **3** Bebé o niño pequeño: *Cuando era un baby me encantaba jugar en el parque.* □ PRON. [béibi]. □ MORF. En la acepción 1, se usa mucho como invariable en número: *unos tomates baby.* □ USO En la lengua coloquial, se usa como apelativo: *Baby, pásame un cigarro.*

baby-sitter (ing.) s.com. →**canguro.** □ PRON. [béibi síter].

baca s.f. En un automóvil, soporte, generalmente en forma de parrilla, que se coloca sobre el techo y que sirve para llevar bultos. □ SINÓN. *portaequipajes.* □ ETIMOL. Quizá del francés *bâche.* □ ORTOGR. Dist. de *vaca.*

bacalada s.f. Bacalao abierto y curado.

bacaladera s.f. Véase **bacaladero, ra.**

bacaladero, ra ▮ adj. **1** Del bacalao, de su pesca o de su comercio: *El Atlántico Norte es una importante zona bacaladera.* ▮ s.m. **2** Barco preparado para la pesca del bacalao y para su conservación con vistas a su aprovechamiento industrial. ▮ s.f. **3** *col.* Aparato que sirve para registrar los servicios o compras que se pagan con una tarjeta de crédito.

bacaladilla s.f. Pez marino de pequeño tamaño, de color gris, cuerpo alargado y mandíbula prominente: *La bacaladilla es un pescado blanco.* □ MORF. Es un sustantivo epiceno: *la bacaladilla {macho/hembra}.*

bacalao s.m. **1** Pez marino comestible, de gran tamaño, cuerpo alargado y cilíndrico y cabeza muy grande: *El bacalao se puede consumir fresco o curado y en salazón.* □ SINÓN. *abadejo.* **2** →**bakalao.** **3** || **cortar el bacalao;** *col.* Mandar o decidir en un asunto o en un grupo: *En esta empresa es el subdirector el que corta el bacalao.* □ ETIMOL. De origen incierto. □ PRON. Incorr. *[bacaládo]. □ MORF. En la acepción 1, es un sustantivo epiceno: *el bacalao {macho/hembra}.*

bacán, -a ▮ adj. **1** *col.* En zonas del español meridional, elegante o de categoría: *un hotel bacán.* ▮ adj./s. **2** *col.* En zonas del español meridional, que vive sin privaciones y gozando de una buena posición social: *Vivía como un bacán.*

bacanal adj.inv./s.f. Referido a una fiesta, de carácter desenfrenado. □ ETIMOL. Del latín *bacchanalis,* y este de *Bacchus* (Baco), por alusión a las fiestas que se celebraban en honor de este dios romano, símbolo del vino y de la sensualidad. □ MORF. Como sustantivo se usa más en plural.

bacano, na adj. *col.* En zonas del español meridional, excelente o muy bueno: *Compré un carro bacano.*

bacanora s.m. Bebida alcohólica mexicana parecida al mezcal, que se obtiene de una variedad del maguey.

bacante s.f. En la antigua Roma, sacerdotisa que se dedicaba al culto de Baco (dios del vino y de la sensualidad) o mujer que participaba en las fiestas celebradas en honor de este: *Los poetas modernistas pusieron de moda la palabra bacante para referirse a las mujeres que gustaban de los placeres.* □ ETIMOL. Del latín *bacchans,* y este de *Bacchus* (Baco). □ ORTOGR. Dist. de *vacante.*

bacará s.m. Juego de cartas en que el banquero interviene contra los demás participantes y en el que gana aquel que, con dos cartas, se aproxime más a nueve puntos: *El bacará es un juego propio de casinos.* □ SINÓN. *bacarrá.* □ ETIMOL. Del francés *baccara.*

bácara s.f. Planta herbácea de olor nauseabundo, cuyas hojas se usan para curar las úlceras: *Las flores de la bácara son blancas con tonalidades moradas.* □ SINÓN. *amaro.* □ ETIMOL. Del griego *bákkaris.*

bacarrá s.m. →**bacará.**

bacenilla s.f. En zonas del español meridional, bacinilla u orinal: *Cuando en las casas no había agua corriente, era normal tener una bacenilla en las habitaciones.*

bacha s.f. **1** En zonas del español meridional, parte última que queda de los cigarros de marihuana. **2** || **dar bacha;** *col.* Dar azotes.

bache s.m. **1** En una vía pública, hoyo o desnivel que se forma por la acción de un agente externo: *Están arreglando la calzada y quitando los baches.* **2** En la atmósfera, corriente vertical de aire que causa el descenso repentino y momentáneo de un avión: *Me asusto cuando el avión se mueve tanto por los baches.* **3** Situación pasajera de decaimiento o postración: *Espero que supere este bache y vuelva a ser tan optimista como siempre.* □ ETIMOL. De origen incierto.

bachear v. Referido a una vía pública, arreglarla rellenando sus baches: *Van a bachear con asfalto las calles más céntricas.*

bacheo s.m. Reparación de una vía pública, que consiste en rellenar sus baches o sus desniveles.

bachicha s.f. *col.* En zonas del español meridional, colilla de cigarro.

bachiller s.com. **1** Persona que tiene el título académico de bachillerato: *Los bachilleres deben acreditar sus estudios con el título correspondiente.* **2** Antiguamente, persona que tenía un título universitario de primer grado: *Hasta el siglo XVII, muchos estudiantes abandonaban la universidad siendo bachilleres.* □ ETIMOL. Del francés *bachelier* (joven que aspira a ser caballero, bachiller). □ SEM. Dist. de *bachillerato* (grado académico).

bachillerato s.m. **1** Grado académico que se obtiene después de haber cursado la última etapa de la Educación Secundaria: *No tengo el bachillerato porque dejé de estudiar al terminar la enseñanza obligatoria.* **2** Conjunto de estudios necesarios para obtener este grado: *El bachillerato es voluntario.* □ SEM. Dist. de *bachiller* (persona con ese grado académico).

bacía s.f. Recipiente cóncavo de gran diámetro y poca profundidad, que sirve para contener líquidos, esp. referido al de metal que usaban los barberos para remojar las barbas: *Don Quijote llevaba en la cabeza una bacía porque creía que era el yelmo de un famoso caballero andante.* □ ETIMOL. De origen incierto.

bacilar adj.inv. De los bacilos o relacionado con ellos: *una infección bacilar.* □ ORTOGR. Dist. de *vacilar*.

baciliforme adj.inv. Con forma de bastón, como el bacilo: *un microorganismo baciliforme.*

bacillar s.m. Conjunto de parras sostenidas con un armazón: *Cogí un racimo de un bacillar.* □ SINÓN. *parral*.

bacilo s.m. Bacteria en forma de bastón: *Los bacilos pueden producir enfermedades como la tuberculosis.* □ ETIMOL. Del latín *bacillum* (bastoncito).

bacín s.m. Vasija alta y cilíndrica en la que se evacuaban los excrementos. □ ETIMOL. Del latín *bacchinon*.

bacinero, ra s. Persona que pide limosna para el culto religioso: *Como la iglesia necesitaba dinero, el bacinero recorrió todas las casas del pueblo.* □ ETIMOL. De *bacina* (vasija), porque los bacineros solían pedir limosna con una vasija pequeña.

bacinica s.f. →**bacinilla.**

bacinilla s.f. Recipiente, generalmente cilíndrico, que se usa para evacuar los excrementos. □ SINÓN. *bacinica*.

backbone (ing.) s.m. En informática, sistema de alta velocidad para la conexión entre redes: *En nuestra empresa, la central y sus filiales están interconectadas a través del backbone.* □ PRON. [bákboun].

backgammon (ing.) s.m. Juego de mesa que se practica entre dos jugadores, cada uno de los cuales debe mover sus fichas, blancas o negras, sobre un tablero dividido en veinticuatro casillas triangulares: *El backgammon se conocía ya en Mesopotamia y en la antigua Grecia.* □ PRON. [bacgámon].

background (ing.) s.m. **1** En una imagen, segundo plano: *En esta foto apareces en el background.* **2** Formación, preparación o instrucción: *Algunas obras teatrales requieren un cierto background cultural.* **3** Orígenes o antecedentes de una situación: *Para entender este problema, deberíamos conocer el background.* □ PRON. [bakgráund]. □ USO Su uso es innecesario y puede sustituirse, en la acepción 1, por *fondo*, *segundo plano* o *trasfondo*, en la acepción 2, por *formación* o *bagaje* y en la acepción 3, por *antecedentes*.

backoffice (ing.) s.m. →**intendencia.** □ PRON. [bakófis].

backstage (ing.) s.m. Espacio que está detrás de un escenario: *Los camerinos suelen estar en el backstage.* □ PRON. [bákesteich].

back-up (ing.) s.m. En informática, copia de seguridad: *Gracias al back-up, hemos podido recuperar los ficheros que habíamos borrado.* □ PRON. [bacáp]. □ USO Su uso es innecesario.

bacon (ing.) s.m. →**beicon.** □ PRON. [béicon].

baconiano, na adj. De Francis Bacon (filósofo inglés de los siglos XVI y XVII), de su doctrina, o relacionado con ellos: *En el sistema baconiano, la ciencia no tiene como fin el conocimiento teórico de la naturaleza sino el dominio de la misma.*

baconismo s.m. Doctrina filosófica de Francis Bacon (filósofo inglés de los siglos XVI y XVII), basada en el método inductivo: *El baconismo postula que el conocimiento procede de la experiencia.*

bacteria s.f. Organismo microscópico sin núcleo diferenciado, que se multiplica por división simple o por esporas: *Las bacterias son agentes de numerosas enfermedades infecciosas.* □ ETIMOL. Del griego *baktería* (bastón). □ MORF. Cuando se antepone a una palabra para formar compuestos, adopta la forma *bacteri-*.

bacteriano, na adj. De las bacterias o relacionado con ellas: *una infección bacteriana.*

bactericida adj.inv./s.m. Que mata las bacterias: *Las plantas se morirán si les echo este bactericida.*

bacteriología s.f. Parte de la biología que estudia las bacterias: *El movimiento de las bacterias y su forma es lo que más me interesa de la bacteriología.* □ ETIMOL. De *bacteria* y *-logía* (estudio, ciencia).

bacteriológico, ca adj. De la bacteriología: *un análisis bacteriológico.*

bacteriólogo, ga s. Persona que se dedica al estudio de las bacterias, esp. si esta es su profesión.

bacteriostático, ca adj./s.m. Referido a las bacterias, que impide su desarrollo o que detiene su actividad vital: *Los antibióticos bacteriostáticos inhiben la actividad vital de las bacterias.* □ ETIMOL. De *bacteria* y el griego *statikós* (que puede detener).

báculo s.m. **1** Bastón que se utiliza como apoyo al caminar y cuyo extremo superior es muy curvo: *Los peregrinos llevaban siempre un báculo.* **2** Lo que sirve de consuelo y apoyo: *Tú serás el báculo de mi vejez.* □ ETIMOL. Del latín *baculum* (bastón).

badajo s.m. En una campana o en un cencerro, pieza móvil que cuelga en su interior y que, al moverse, hace que suene. □ ETIMOL. Del latín **batuaculum*, y este de *battuere* (golpear, batir).

badajocense adj.inv./s.com. De Badajoz o relacionado con esta provincia española o con su capital. ☐ SINÓN. *pacense, badajoceño.*

badajoceño, ña adj./s. →**badajocense.**

badana ▮ s.com. **1** *col.* Persona despreocupada, vaga y perezosa: *Sus hijos son unos badanas y no quieren estudiar ni trabajar.* ▮ s.f. **2** Piel curtida de carnero o de oveja: *El interior de los zapatos está forrado de badana.* **3** En un sombrero, tira que se cose en el borde interior de la copa para evitar que esta se manche con el sudor: *Hay que cambiar la badana de este sombrero porque está ya muy sucia.* **4** ‖ **zurrar la badana;** *col.* Maltratar con golpes o de palabra. ☐ ETIMOL. Del árabe *bitana* (forro). ☐ MORF. En la acepción 1, se usa mucho la forma *badanas*, invariable en número.

badén s.m. **1** En una vía pública, cauce que se construye para que pueda pasar un corto caudal de agua. **2** En una calzada, desnivel que se hace de lado a lado como obstáculo, para que los conductores reduzcan la velocidad de sus vehículos: *En esta calle hay badenes cada cien metros, porque hay muchos colegios en la zona.* ☐ SINÓN. *resalto.* ☐ ETIMOL. Del árabe *batn* (cavidad, depresión del suelo). ☐ PRON. Incorr. *[báden].

badián s.m. Árbol oriental, cuyas semillas se utilizan en medicina y como condimento: *Las semillas del badián se conocen con el nombre de 'anís estrellado'.* ☐ SINÓN. *badiana.* ☐ ETIMOL. Del persa *badiyan* (anís).

badiana s.f. **1** →**badián. 2** Fruto de este árbol: *El anís estrellado es la semilla de la badiana.*

badil s.m. Utensilio de metal, semejante a una pala pequeña, que se usa para remover la lumbre en las chimeneas y braseros: *Removió las brasas con el badil para que ardiese mejor la leña.* ☐ SINÓN. *badila.* ☐ ETIMOL. Del latín *batillum.*

badila s.f. →**badil.**

bádminton s.m. Deporte que se practica con raquetas más pequeñas que en el tenis y con una pelota semiesférica con plumas: *El bádminton es originario de la India.* ☐ ETIMOL. Por alusión a Badminton, lugar británico donde se practicó por primera vez.

badulaque adj.inv./s.m. *col.* Tonto, necio, de poco juicio o de corto entendimiento. ☐ ETIMOL. De origen incierto. ☐ ORTOGR. Dist. de *balduque.*

baedeker (al.) s. Guía de viajes: *Compré un baedeker de la ciudad que iba a visitar.* ☐ PRON. [bedéker]. ☐ USO Su uso es innecesario y puede sustituirse por *guía turística.*

bafle s.m. En un equipo de alta fidelidad, caja que contiene uno o varios altavoces. ☐ SINÓN. *columna.* ☐ ETIMOL. Del inglés *baffle.*

bagá s.m. Árbol cubano de hojas elípticas y lustrosas, y de raíces muy porosas, cuyo fruto sirve de alimento al ganado: *Las raíces del bagá se usan como corcho en las redes de pesca.*

bagaje s.m. **1** Conjunto de cosas o de conocimientos que alguien posee: *bagaje cultural.* **2** Equipaje militar de una tropa o de un ejército en marcha: *Cargaron en el tren el bagaje militar.* ☐ ETIMOL. Del francés *bagage* (equipaje). ☐ ORTOGR. Incorr. *bagage.*

bagajero s.m. Hombre que conduce y cuida el bagaje militar.

bagatela s.f. Lo que tiene poca importancia o es de poco valor: *No pierdas el tiempo en bagatelas.* ☐ ETIMOL. Del italiano *bagattella* (juego de manos).

bagazo s.m. Residuo de los productos agrícolas que se exprimen para sacarles el jugo: *Para obtener vino se exprimen las uvas en prensas y luego se tira el bagazo.* ☐ ETIMOL. Quizá del portugués *bagaço* (orujo de la uva). ☐ ORTOGR. Dist. de *vagazo* (aumentativo de *vago*).

bag-lady (ing.) s.f. Mujer sin hogar que lleva todas sus pertenencias en una bolsa. ☐ PRON. [bag léidi].

bagre s.m. Pez sin escamas, con aletas de radios blandos y flexibles, de carne amarillenta y con pocas espinas: *El bagre es propio de los ríos americanos.* ☐ ETIMOL. De origen incierto. ☐ MORF. Es un sustantivo epiceno: *el bagre {macho/hembra}.*

baguette (fr.) s.f. Pan francés en barra larga, poco denso, que se usa para bocadillos. ☐ PRON. [baguét].

bah interj. Expresión que se usa para indicar incredulidad o desdén: *¡Bah, eso es mentira! ¡Bah!, esa película es un rollo.*

bahameño, ña adj./s. De Bahamas o relacionado con este país caribeño. ☐ SINÓN. *bahamés.*

bahamés, -a adj./s. De Bahamas o relacionado con este país caribeño. ☐ SINÓN. *bahameño.*

bahareque (tb. *bajareque*) s.m. En zonas del español meridional, pared hecha de cañas y tierra: *En algunos pueblos, las casas se hacen de bahareque.*

baharí (pl. *baharíes, baharís*) s.m. Ave rapaz diurna, de color gris azulado por encima, rojo oscuro con manchas por las partes inferiores, y pies rojos: *El baharí es una variedad del halcón peregrino.* ☐ ETIMOL. Del árabe *bahri* (del norte), porque los mejores baharís procedían del norte de Europa. ☐ MORF. Es un sustantivo epiceno: *el baharí {macho/hembra}.*

bahía s.f. Entrada del mar en la costa, mayor que la ensenada y generalmente menor que el golfo: *El barco fondeó en la bahía para evitar el temporal.* ☐ ETIMOL. Quizá del francés *baie.*

bahreiní (pl. *bahreiníes, bahreinís*) adj.inv./s.com. De Bahréin o relacionado con este país asiático. ☐ ORTOGR. Se usa también *bahriní.*

bahriní (pl. *bahriníes, bahrinís*) adj.inv./s.com. →**bahreiní.**

baht (pl. *bahts*) s.m. Unidad monetaria tailandesa.

baída s.f. →**bóveda baída.** ☐ ETIMOL. Del árabe *baida* (casco).

bailable ▮ adj.inv. **1** Referido a la música, que resulta fácil de bailar. ▮ s.m. **2** Danza que forma parte de un espectáculo: *Me han gustado mucho los bailables de esta ópera.*

bailador, -a ▮ adj./s. **1** Que baila. ▮ s. **2** Persona que se dedica profesionalmente a ejecutar bailes populares españoles, esp. andaluces.

bailaor, -a s. Persona que se dedica profesionalmente a bailar flamenco: *Hay buenos bailaores en este cuadro flamenco.*

bailar v. **1** Mover el cuerpo al ritmo de la música: *Estuvieron bailando toda la tarde. ¿Bailas conmigo una sevillana?* **2** Referido a algo insuficientemente sujeto o ajustado, moverse: *La falda me está ancha y me baila.* **3** Referido a un objeto, girar rápidamente en torno a su eje o hacerlo girar de este modo: *Mi peonza baila mejor que la tuya. Tu amiga sabe bailar las monedas.* **4** Hacer movimientos de índole nerviosa: *Deja ya de bailar o terminarás por ponerme nervioso a mí también.* **5** *col.* Referido a una idea, confundirla o no tenerla suficientemente fijada en la memoria: *Tienes que estudiar con más profundidad porque bailas los conceptos.* **6** *col.* Referido a una cifra o a una letra, alterar o confundir su orden: *Bailó la 'r' con la 's' y escribió 'mosra' en lugar de 'morsa'.* **7** *col.* Vacilar entre dos o más posibilidades antes que se sepa la que será definitiva: *Cuando faltaba por escrutar el dos por ciento de las papeletas, un escaño de diputado bailaba entre los conservadores y los progresistas.* **8** ‖ **que le quiten** a alguien **lo bailado;** *col.* Expresión que se usa para indicar que las contrariedades que puedan surgir no anulan el placer y las satisfacciones ya obtenidas: *Aunque me caía de sueño después de la fiesta, ¡que me quiten lo bailado!* ☐ ETIMOL. Quizá del provenzal *balar.*

bailarín, -a ▮ adj./s. **1** Referido a una persona, que baila, esp. si esta es su profesión. ▮ s.f. **2** Zapato de tacón muy bajo que tiene el escote redondeado: *Siempre uso bailarinas para ir al trabajo porque son unos zapatos muy cómodos.*

bailarina s.f. Véase **bailarín, -a.**

baile s.m. **1** Conjunto de movimientos que se hacen con el cuerpo al ritmo de la música: *Estamos ensayando el baile para la fiesta de fin de curso.* **2** Serie de movimientos que se ejecutan siguiendo una técnica y un ritmo musical establecidos: *El tango es un baile argentino.* **3** Reunión o fiesta en la que se juntan varias personas para bailar: *Esta noche habrá un baile en la plaza.* **4** Movimiento rítmico y acompasado: *El barco de juguete iba y venía con el baile de las olas.* **5** Movimiento de índole nerviosa: *Deja ya ese baile de piernas, que mueves todo el banco.* **6** *col.* Confusión o falta de fijación de ideas o de conocimientos: *Con el baile de fechas que tienes, no puedo aprobarte.* **7** *col.* Error que consiste en alterar el orden de cifras o de letras: *Escribió 58 en lugar de 85 y este baile de cifras hizo que las cuentas no cuadrasen.* **8** *col.* En una votación, indeterminación de un puesto entre varios candidatos, al estar muy igualados en el número de votos: *El baile de escaños causó nerviosismo entre los diputados.* **9** ‖ **baile de salón;** el que se baila en parejas, esp. en locales cerrados, siguiendo distintas técnicas según los distintos ritmos: *El vals y el pasodoble son bailes de salón.* ‖ **baile de San Vito;** *col.* Cierta enfermedad convulsiva: *A ver si te estás quieto de una vez, que parece que tienes el baile de San Vito.*

bailón, -a adj./s. Que disfruta bailando: *Es tan bailona que se pasaría horas y horas en una discoteca.*

bailongo, ga ▮ adj./s. **1** *col.* Referido a una persona, que disfruta mucho bailando. ▮ s.m. **2** *col.* Baile: *Esta noche iremos a un bailongo que han puesto en la plaza.*

bailotear v. *col.* Bailar sin gracia ni formalidad: *Estuvimos bailoteando toda la noche y nos reímos mucho.*

bailoteo s.m. Baile informal o poco académico: *Nos reímos mucho con el bailoteo de mi padre cuando tocaron un rock.*

baja s.f. Véase **bajo, ja.**

bajá (pl. *bajás*) s.m. En el antiguo imperio turco, persona que obtenía algún mandato superior: *Actualmente, bajá es solamente un título honorífico.* ☐ SINÓN. *pachá.* ☐ ETIMOL. Del árabe *basa.*

bajada s.f. **1** Descenso de algo en su posición, su inclinación, su intensidad, su cantidad o su valor: *la bajada del telón; una bajada de tensión; la bajada del precio.* **2** Camino que lleva hacia un lugar o hacia una posición inferiores: *No me atrevo a descender por esa bajada tan estrecha.* ☐ SINÓN. *descenso.* **3** Inclinación de un terreno: *La bajada de ese precipicio es impresionante.* ☐ SINÓN. *descenso.* **4** ‖ **bajada de aguas;** en un edificio, conjunto de cañerías que da salida al agua de lluvia. ‖ **bajada de bandera;** en un taxi, puesta en marcha del taxímetro cuando inicia una carrera: *La bajada de bandera tiene unas tarifas fijas.*

bajalato s.m. **1** Título de bajá: *En el antiguo imperio turco, el bajalato gozaba de gran prestigio.* **2** Antiguamente, territorio sobre el que un bajá ejercía su autoridad: *Su bajalato era uno de los más extensos del país.*

bajamar s.f. **1** Fin del movimiento de descenso de la marea: *En la bajamar, el agua se habrá alejado dos metros del sitio en el que estamos.* **2** Tiempo que dura el final del descenso de la marea: *Durante la bajamar se ven las rocas del fondo del acantilado.* ☐ SEM. Dist. de *marea baja* (descenso del nivel del mar).

bajante ▮ adj.inv. **1** Que baja. ▮ s.amb. **2** En una construcción, tubería vertical de desagüe: *Esta gotera se debe a la rotura de la bajante.*

bajar v. **1** Ir a un lugar o a una posición inferiores: *¡Bájate del árbol! Bajó de categoría por rendir poco. Siempre bajo las escaleras andando.* ☐ SINÓN. *descender.* **2** Poner en un lugar o en una posición inferiores: *Baja el baúl al sótano. No te bajes los pantalones.* **3** Descender o hacer descender de un medio de transporte: *Los bajaron del tren a empujones. No quiso bajarse del coche.* ☐ SINÓN. *apear.* **4** Inclinar hacia abajo: *Bajó la cabeza con vergüenza.* **5** Disminuir en intensidad, cantidad o valor: *Baja el volumen de la radio. Hoy baja el precio de la gasolina.* **6** En música, descender de un tono agudo a uno más grave: *Si educas la voz podrás bajar hasta los tonos más graves.* **7** En informática, transferir una información o un contenido de internet a un ordenador: *Todos los datos que necesité para el trabajo los bajé de una página web.* □ SINÓN. *descargar.* □ ETIMOL. Del latín **bassiare*, de *bassus* (bajo). □ ORTOGR. Conserva la *j* en toda la conjugación. □ SEM. **Bajar abajo* es una expresión redundante e incorrecta, aunque está muy extendida.

bajareque (tb. *bahareque*) s.m. En zonas del español meridional, pared hecha de cañas y tierra: *Cuando estuvimos en aquel pueblo de Colombia, vimos algunas casas hechas de bajareque.*

bajear v. Referido a un canto o a una melodía, acompañarla con las notas graves: *Tienes una voz grave ideal para bajear una canción.*

bajel s.m. *poét.* Barco: *Un bajel surcaba los mares en busca de tierras paradisíacas.* □ ETIMOL. Del catalán *vaixell.* □ SEM. Dist. de *batel* (barco pequeño).

bajero, ra adj. Que se usa o se pone debajo de algo: *una sábana bajera.*

bajeza s.f. **1** Acción indigna y despreciable en la que no se tienen en cuenta la moral ni la ética: *Traicionarme fue una bajeza y no se lo perdono.* **2** Falta de elevación moral: *La bajeza de sus acciones merece nuestras críticas.*

bajini || **por lo {bajini/bajinis};** *col.* Disimuladamente o en voz muy baja: *Me lo dijo por lo bajini, para que no lo oyeran los demás.*

bajío s.m. En el mar, elevación del fondo, generalmente arenosa: *El barco encalló en un bajío.* □ ETIMOL. De *bajo.*

bajista ▌adj.inv. **1** En economía, referido a un valor en la bolsa, con tendencia a disminuir su valor: *valores bajistas.* ▌s.com. **2** En economía, persona que vende acciones u otra clase de títulos cuando cree que van a caer los precios: *Los bajistas pueden provocar una caída de la bolsa.* **3** Músico que toca el bajo. □ SINÓN. *bajo.*

bajo ▌adv. **1** En un tono de voz suave: *Habla bajo que te pueden oír.* ▌prep. **2** Debajo de: *Menos mal que la tormenta nos cogió bajo techo. El Papa entró en las iglesias bajo palio.* **3** Con sumisión o sujeción a: *Los artistas actuaban bajo el mando de un experimentado director.* **4** || **por lo bajo; 1** Disimuladamente o en voz muy baja: *Te diré un secreto por lo bajo y sin que se entere nadie.* **2** Referido a un cálculo, estableciendo cuál es la mínima cantidad probable: *Calculando por lo bajo, creo que costará seis euros.* □ SINT. Como preposición: Incorr. *(*bajo > desde) el punto de vista.*

bajo, ja ▌adj. **1** Que tiene menos altura de la que se considera normal: *Al lado de un jugador de baloncesto pareces muy bajo. El cielo estaba cubierto por nubes bajas.* **2** Que tiene un valor o una intensidad inferiores a los normales: *En verano la presión atmosférica es más baja. Tienes que estudiar más porque tu nivel cultural es muy bajo.* **3** Inclinado o dirigido hacia abajo: *Siempre me habla con los ojos bajos.* **4** Que está en un lugar inferior o que ocupa una posición inferior: *La planta baja está destinada a locales comerciales.* **5** Referido a un terreno, que está a poca altura sobre el nivel del mar: *Las tierras bajas se inundan con mucha facilidad.* **6** Referido al oro o a la plata, que tiene mucha mezcla de otros metales: *El oro bajo es más barato que el de ley.* **7** Referido a una persona o a su comportamiento, que son despreciables en cualquier aspecto: *Su lenguaje es bajo y vulgar. Es una persona grosera que se deja llevar por sus bajas pasiones.* **8** Referido a una parte de un río, que está cercana a su desembocadura: *El curso bajo de los ríos es su parte más caudalosa.* **9** Referido a una época o a un período histórico, que son los más cercanos al tiempo actual: *La Baja Edad Media llega hasta el Renacimiento.* **10** Referido a un sonido, a una voz o a un tono musical, que tienen una frecuencia de vibraciones pequeña: *Su hermano tiene una voz baja, ronca y hueca.* □ SINÓN. *grave.* ▌s.m. **11** En un edificio, piso que está a la misma altura que la calle: *Tiene la tienda en un bajo.* **12** En una prenda de vestir, doblez inferior cosido hacia dentro: *Llevas descosido el bajo de los pantalones.* **13** Instrumento musical que produce el sonido más grave en la escala general: *El bajo marca el ritmo de las melodías.* **14** Músico que toca este instrumento: *Necesitamos un bajo para el grupo de rock.* □ SINÓN. *bajista.* **15** En música, persona cuyo registro de voz es el más grave de los de las voces humanas: *Soy bajo en el coro del colegio por la voz tan grave que tengo.* **16** →**contrabajo.** **17** En el mar o en aguas navegables, elevación del fondo, generalmente arenosa: *En este río solo se puede navegar con barcas porque tiene muchos bajos.* ▌s.m.pl. **18** En un vehículo, parte inferior externa de la carrocería, que forma el piso: *Golpeó los bajos del coche con las piedras del camino sin asfaltar.* ▌s.f. **19** Cese o abandono de una persona en un cuerpo, en una profesión o en una asociación legalmente reconocida: *En el partido se produjeron bajas y ahora tenemos pocos militantes.* **20** Documento que acredita y justifica el cese temporal en el trabajo, y en el que generalmente consta el reconocimiento oficial de enfermedad o accidente, hecho por un médico: *El médico le dio la baja y le mandó dos semanas de reposo.* **21** Muerte o desaparición en combate de una persona: *Las guerras producen muchas bajas entre la población.* **22** Disminución del precio o del valor de algo: *Continúa la baja de los precios del petróleo.* **23** || **baja (temporal);** la que se da a un trabajador por un período de tiempo y generalmente por motivos de enfermedad o de accidente: *Está de baja porque se rompió una pierna.* || **(bajo) continuo; 1** En música, línea de notas que no tiene pausas y sirve para la armonía de acompañamiento instrumental: *Los números que ves en esta partitura sirven de ayuda para tocar correctamente las partes del bajo continuo.* **2** Instrumento que puede tocar esta línea de notas: *Esta pieza musical es para dos oboes, fagot y continuo.* || **{causar/ser} baja;** dejar de pertenecer a una asociación: *Es baja en el colegio de aparejadores porque se ha hecho arquitecta.* || **dar de baja** a alguien; **1** Declararlo enfermo un médico:

En cuanto el médico te oiga toser, seguro que te da de baja. **2** Registrar que ha dejado de dedicarse a una actividad: *Tras una intensa búsqueda de los soldados desaparecidos, las autoridades militares los dieron de baja. Lo han dado de baja en el club porque no pagaba el abono mensual. Lo dieron de baja en la plantilla de la empresa por jubilación.* || **darse de baja;** dejar de pertenecer voluntariamente a un cuerpo, a una profesión o a una asociación: *Me di de baja en el gimnasio para inscribirme en la escuela de baile.* ☐ ETIMOL. Del latín *bassus* (gordo y poco alto). ☐ MORF. El comparativo de superioridad *inferior* y el superlativo irregular *ínfimo* solo se usan cuando *bajo* tiene el sentido de 'situado debajo' o de 'escaso, de poco valor'. ☐ SEM. En la acepción 12, dist. de *dobladillo* (en cualquier pieza de tela).

bajoaragonés, -a adj./s. Del Bajo Aragón o relacionado con esta región española.

bajón s.m. Disminución brusca e importante: *Después del verano dio un bajón en su rendimiento.* ☐ SINT. Se usa más con los verbos *dar, sufrir, tener* y *pegar*.

bajonazo s.m. En tauromaquia, estocada excesivamente baja: *Los bajonazos no se merecen la concesión de orejas.*

bajorrelieve (tb. *bajo relieve*) s.m. Relieve escultórico cuyas figuras sobresalen poco del plano: *Las monedas tienen figuras en bajorrelieve.*

bajura s.f. Falta de elevación: *Las marismas son tierras pantanosas por su bajura y su cercanía al mar.*

bakala adj.inv./s.com. *col.* →**bakaladero.**

bakaladero, ra ▮ adj. **1** *col.* De la música bakalao o relacionado con ella. ▮ adj./s. **2** *col.* Que sigue esta música o que es aficionado a ella. ☐ SINÓN. *fiestero.* ☐ MORF. En la lengua coloquial se usa mucho la forma abreviada *bakala*.

bakalao (tb. *bacalao*) s.m. Música de ritmo agresivo, repetitivo y machacón: *Vamos siempre a esa discoteca porque ponen bakalao.*

bala s.f. **1** Proyectil para armas de fuego, generalmente cilíndrico, plano por un extremo y terminado en punta por el otro, y hecho de plomo o de hierro: *Las balas para cañones antiguos eran redondas. Las balas de fusil y las de pistola son diferentes.* **2** Paquete grande atado y muy apretado, pero sin envoltura: *unas balas de algodón.* **3** En zonas del español meridional, bola de hierro que se lanza en algunas pruebas deportivas: *Para practicar el lanzamiento de bala hay que tener mucha fuerza.* **4** || **bala perdida;** *col.* Persona juerguista y de poco juicio: *De joven fue un bala perdida pero ahora es muy sensato.* || **bala rasa;** *col.* →**balarrasa.** || **como una bala;** *col.* Muy rápidamente o con mucha velocidad: *Resolvió todo como una bala, mucho antes que los demás.* ☐ ETIMOL. De origen incierto. ☐ MORF. *Bala rasa* y *bala perdida* son de género común: *el bala rasa, la bala rasa; el bala perdida, la bala perdida.*

balacear v. *col.* En zonas del español meridional, tirotear: *Ayer balacearon la casa de unas personas que conocemos.*

balacera s.f. En zonas del español meridional, tiroteo: *Después de aquella balacera, hubo varios muertos.*

balada s.f. **1** En literatura, poema de tema legendario o tradicional que se puede cantar con acompañamiento musical: *Los románticos alemanes escribieron baladas tristes.* **2** En música, composición de ritmo lento y tema intimista, esp. amoroso. ☐ ETIMOL. Del provenzal *balada*.

baladí (pl. *baladíes, baladís*) adj.inv. Que tiene poco valor, poca importancia o poco interés: *temas baladíes.* ☐ ETIMOL. Del árabe *baladi* (del propio país), porque los artículos del país han sido casi siempre de menor aprecio que los importados.

baladrón, -a (tb. *balandrón, -a*) adj./s. Que presume de valiente o de fuerte, sin serlo realmente: *No te preocupes de sus amenazas, porque es muy baladrón.* ☐ ETIMOL. Del latín *balatro* (término despectivo para aludir al que habla demasiado).

baladronada (tb. *balandronada*) s.f. Hecho o dicho propios de un baladrón o persona que presume de valiente sin serlo: *Que ese cobarde diga que es capaz de torear es una baladronada.* ☐ SINÓN. *blasonería, bravata.*

baladronear v. Presumir de valiente o de fuerte, sin serlo realmente: *Deja de baladronear y no digas que eres capaz de domar un potro salvaje.* ☐ ORTOGR. Incorr. **balandronear*.

bálago s.m. **1** En un cereal, paja larga que queda después de quitar la espiga: *El bálago del trigo sirve de alimento para los animales.* **2** Espuma sobrante en la fabricación del jabón. ☐ ETIMOL. De origen celta.

balaj s.m. →**balaje.** ☐ ETIMOL. Del árabe *balajs*, y este de *Balajsan* (territorio donde se encuentran estas piedras).

balaje s.m. Rubí de color morado: *Hay yacimientos de balaje en la región asiática del Turquestán.* ☐ SINÓN. *balaj.* ☐ ETIMOL. De *balaj*.

balalaica s.f. Instrumento musical de cuerda parecido a la guitarra pero con el cuerpo triangular y solo tres cuerdas: *La balalaica es un instrumento popular ruso.* ☐ ETIMOL. Del ruso *balalaika*.

balance s.m. **1** Revisión, generalmente periódica, del estado de las cuentas de una sociedad o de un negocio: *A final de mes hacemos balance para controlar las ganancias.* **2** Informe que muestra la situación patrimonial de una empresa o de un negocio en una fecha determinada: *el balance anual.* **3** Valoración de una situación: *Hizo balance de su vida y se sintió satisfecho.* ☐ ETIMOL. Del antiguo *balanzar* (contrapesar, balancear). ☐ SEM. No debe emplearse con el significado de 'resultado': *La catástrofe produjo un {*balance > resultado} de diez muertos.*

balancear v. **1** Mover de un lado a otro de forma alternativa y repetida: *Balancea la cuna para que no llore el niño. El barco se balanceaba entre las olas.* **2** En zonas del español meridional, poner en equilibrio, contrapesar: *Balanceé las cuatro ruedas del auto colocando en ellas pequeñas piezas de plomo.*

balanceo s.m. **1** Movimiento alternativo y repetido de un lado a otro: *el balanceo de un columpio.* **2** En zonas del español meridional, equilibrado, esp. el de las ruedas de un coche: *Me hicieron el balanceo de las ruedas del auto.*

balancín s.m. **1** Vara larga y delgada que usan los equilibristas para mantener el equilibrio sobre el alambre o la cuerda: *Un equilibrista sin balancín es como un ciego sin bastón.* **2** Columpio formado por una barra larga sujeta al suelo por un eje central, con asientos en cada extremo, y que sube y baja alternativamente. □ SINÓN. *subeibaja.* **3** Asiento cuyas patas se apoyan en dos arcos, de forma que puede balancearse hacia delante y hacia atrás: *Le he regalado a mi hijo un balancín con figura de caballito.* **4** Asiento colgante cubierto con un toldo.

balandra s.f. Embarcación pequeña de vela, con cubierta y un solo palo: *Las balandras navegan por zonas cercanas a la costa.* □ ETIMOL. Del francés *balandre.*

balandrán s.m. Vestidura de abrigo que llega casi hasta los pies, con una capa pequeña sobre los hombros: *Antiguamente, los eclesiásticos usaban balandranes.* □ ETIMOL. Del provenzal *balandran.*

balandrista s.com. Persona que gobierna un balandro.

balandro s.m. Barco de vela deportivo, pequeño y alargado, con cubierta y un solo palo: *Se rompió el mástil del balandro y abandonó la regata.*

balandrón, -a adj./s. →**baladrón.**

balandronada s.f. →**baladronada.**

balanitis (pl. *balanitis*) s.f. Inflamación del bálano o glande.

bálano (tb. *balano*) s.m. **1** En el órgano genital masculino, parte final de forma abultada: *El bálano es cónico y está recubierto por una especie de caperuza llamada 'prepucio'.* □ SINÓN. *glande.* **2** Crustáceo cirrópodo que vive adherido a las rocas de las costas. □ SINÓN. *bellota de mar.* □ ETIMOL. Del latín *balanus* (bellota).

balanza s.f. **1** Instrumento para medir masas o pesos: *El frutero ha puesto una balanza electrónica que calcula el importe además del peso.* **2** || **balanza {comercial/de comercio};** en economía, registro contable que recoge las importaciones y exportaciones de un país durante un período de tiempo determinado: *La balanza comercial es una parte de la balanza de pagos.* || **balanza de cruz;** la que tiene los platillos pendientes de los extremos de la barra: *El símbolo de la justicia es una mujer con los ojos vendados y con una balanza de cruz en la mano derecha.* || **balanza de pagos;** en economía, registro contable sistemático de las transacciones económicas ocurridas durante un período de tiempo determinado entre un país y el resto del mundo: *Si se liberaliza la entrada de capital exterior, mejorará el déficit de la balanza de pagos.* || **balanza de Roberval;** la que tiene los platillos libres encima de la barra principal, que descansa en un pie convenientemente dispuesto. || **inclinar la balanza;** hacer que un asunto sea favorable a alguien o a algo: *Los votos de los indecisos pueden inclinar la balanza a favor de uno de los dos candidatos. La balanza se inclinó del lado de los más desfavorecidos.* □ ETIMOL. Del latín **bilancia.* □ SEM. Dist. de *báscula* (instrumento para medir pesos, generalmente grandes, con una plataforma).

balar v. Referido esp. a una oveja, dar balidos o emitir su voz característica: *Los corderos balan cuando tienen hambre o miedo.* □ ETIMOL. Del latín *balare.*

balarrasa (tb. *bala rasa*) s.com. **1** *col.* Persona alocada y de poco juicio: *Su hijo es un balarrasa que arruinará enseguida el negocio familiar.* □ SINÓN. *tarambana.* **2** *col.* Aguardiente de mucha graduación. □ ETIMOL. De *bala* y *rasa.*

balastar v. Referido a un terreno, echarle una capa de grava para asentarlo: *Han alisado el terreno por donde pasará la vía del tren y lo están balastando.*

balasto (tb. *balastro*) s.m. Capa de grava que se echa para asentar y sujetar las traviesas de una vía férrea: *Las traviesas sobre las que se colocan los raíles se asientan en un capa de balasto.* □ ETIMOL. Del inglés *ballast.*

balastro s.m. →**balasto.**

balata s.f. En zonas del español meridional, zapata.

balau s.f. Árbol tropical cuya madera es muy utilizada en la fabricación de muebles: *Nuestros muebles de jardín son de madera de balau.*

balausta s.f. En botánica, fruto carnoso envuelto en una cubierta seca, con el interior dividido en cavidades irregulares y con gran cantidad de semillas: *La granada es un balausta.* □ ETIMOL. Del latín *balaustium* (flor del granado). □ PRON. Está muy extendida la pronunciación [balaústa]. □ ORTOGR. Dist. de *balaustra.*

balaustra s.f. Granado que tiene la flor doble y grande: *Las flores de la balaustra son de color muy vivo.* □ ETIMOL. Del latín *balaustium* (flor del granado). □ ORTOGR. Dist. de *balausta.* □ SEM. Dist. de *balaustre* (columna pequeña).

balaustrada s.f. Véase **balaustrado, da.**

balaustrado, da ▮ adj. **1** →**abalaustrado.** ▮ s.f. **2** Antepecho o barandilla formados por una serie de balaustres o columnas pequeñas: *Muchas casas antiguas tienen balaustradas de piedra en los balcones.* □ ORTOGR. Incorr. **balustrada.*

balaustral adj.inv. Con forma de balaustre: *un pilar balaustral.* □ SINÓN. *abalaustrado, balaustrado.*

balaustre (tb. *balaústre*) s.m. Columna pequeña con ensanchamientos y estrechamientos sucesivos y que, unida a otras por un pasamanos, forma barandillas y antepechos. □ ETIMOL. Del italiano *balaustro*, y este del latín *balaustium* (fruto del granado silvestre), porque se comparó el capitel del balaustre con una flor. □ SEM. Dist. de *balaustra* (variedad de granado).

balazo s.m. Disparo de bala hecho con arma de fuego: *El soldado recibió un balazo en el pecho.*

balboa s.m. Unidad monetaria panameña. □ ETIMOL. Por alusión al conquistador Núñez de Balboa.

balbucear v. Hablar con pronunciación entrecortada y vacilante: *Con los nervios, solo pude balbucear una tonta excusa.* □ SINÓN. *balbucir.*

balbuceo s.m. Pronunciación entrecortada y vacilante.

balbuciente adj.inv. Que comienza o que aún no está muy definido: *A los treinta años sentí la balbuciente necesidad de viajar por todo el mundo.*

balbucir v. Hablar con pronunciación entrecortada y vacilante: *Estaba tan emocionado que solo pudo balbucir unas palabras de agradecimiento.* □ SINÓN. *balbucear.* □ ETIMOL. Del latín *balbutire.* □ MORF. Verbo defectivo: en la primera persona del singular de los presentes se sustituye por las formas correspondientes del verbo *balbucear.*

balcánico, ca adj. De los Balcanes o relacionado con esta región del sudeste europeo: *Grecia, Albania y Bulgaria forman parte de las tierras balcánicas.*

balcanización s.f. **1** En política, referido a un país, proceso de fragmentación de sus territorios en Estados más pequeños: *La balcanización de un país puede dar lugar a una guerra civil.* **2** Cualquier proceso de división o separación de algo en varias partes: *El conferenciante criticó la balcanización de la literatura actual.* □ ETIMOL. Por alusión al proceso de fragmentación de la Península Balcánica.

balcanizar v. Referido a un país, fragmentar o dividir sus territorios en Estados más pequeños: *Si se balcaniza el sur del país, será más difícil gobernar.*

balcón s.m. **1** En un edificio, ventana abierta desde el suelo de la habitación, normalmente prolongada en el exterior y protegida con una barandilla o antepecho. **2** Barandilla que protege esta ventana: *En las fiestas de mi pueblo colgamos una bandera del balcón.* **3** En un terreno, lugar elevado y bien situado desde el que se ve una gran extensión: *En la subida al puerto hay un balcón desde el que se puede apreciar la profundidad del valle.* □ SINÓN. *miranda.* □ ETIMOL. Del italiano *balcone*, y este de *balco* (tablado).

balconada s.f. En un edificio, serie de balcones con una barandilla común.

balconaje s.m. En un edificio, conjunto de balcones: *Todo el balconaje de la casa tiene barandillas de hierro forjado.* □ SINÓN. *balconera.*

balconcillo s.m. **1** En una plaza de toros, localidad provista de barandilla y situada sobre la puerta o sobre la salida del toril. **2** En un teatro, galería situada delante de la primera fila de palcos y más baja.

balconera s.f. **1** →**balconaje. 2** Maceta grande y alargada que se cuelga en los balcones.

balda s.f. En un armario o en una estantería, tabla horizontal sobre la que se colocan las cosas. □ SINÓN. *anaquel, estante.*

baldaquín s.m. →**baldaquino.**

baldaquino s.m. **1** Adorno hecho con telas ricas que se coloca a modo de cubierta o de techo sobre un trono, un altar o una tumba: *Las camas reales suelen estar cubiertas con un baldaquino.* □ SINÓN. *baldaquín.* **2** En un altar, construcción que lo cubre a modo de techo, generalmente apoyada sobre cuatro columnas: *El baldaquino de la catedral romana de San Pedro es de bronce.* □ SINÓN. *baldaquín.* □ ETIMOL. Por alusión a Baldac, antiguo nombre de Bagdag, lugar de donde venía esta tela.

baldar v. Dejar tan agotado, maltrecho o dolorido que realizar cualquier movimiento suponga un gran esfuerzo: *Subir veinte pisos andando balda a cualquiera. Se baldó al mover el piano él solo.* □ ETIMOL. Del árabe *battala* (anular, inutilizar). □ ORTOGR. Dist. de *baldear.*

balde s.m. **1** Barreño o cubo: *Llenó el balde de agua y se puso a limpiar el suelo de la cocina. Echa el balde por la borda y súbelo con agua.* **2** || **de balde;** sin precio de ningún tipo: *Este viaje me ha salido de balde, porque me han invitado a todo.* || **en balde;** inútilmente o en vano: *Hice un viaje en balde porque no me recibió.* □ ETIMOL. Del árabe *batil* (vano, inútil, sin valor).

baldeadora s.f. Vehículo que sirve para limpiar y regar las calles.

baldear v. **1** Referido a un suelo o un pavimento, echarle agua con baldes para regarlo o limpiarlo: *Los marineros baldearon la cubierta del barco.* **2** Extraer con un balde el agua acumulada en un lugar: *Con la lluvia se inundó el garaje, y tuvimos que baldear más de una hora.* □ ORTOGR. Dist. de *baldar.*

baldeo s.m. **1** Lavado o riego de una superficie realizados con baldes de agua. **2** Extracción del agua acumulada en un lugar, por medio de baldes. **3** *arg.* Arma blanca. □ PRON. En la acepción 3, está muy extendida la pronunciación [bardéo].

baldés (pl. *baldés*) s.m. Piel curtida de oveja, muy fina, suave y blanda: *unos guantes de baldés.* □ ETIMOL. De origen incierto.

baldío, a ▮ adj. **1** Sin utilidad: *Mis esfuerzos para convencerla fueron baldíos.* ▮ adj./s. **2** Referido a un terreno, que no se cultiva o que no da ningún fruto: *Estos campos baldíos no tienen ni mala hierba.* □ ETIMOL. De *balde.*

baldón s.m. Acción o situación que hace a alguien despreciable o indigno de estimación y respeto: *Su mal comportamiento es un baldón para la familia.* □ ETIMOL. Del francés antiguo *bandon* (tratamiento arbitrario).

baldonar v. *poét.* Referido a una persona, hablar mal de ella en su presencia: *Me baldona delante de todos cada vez que me ve.* □ SINÓN. *baldonear.*

baldonear v. *poét.* →**baldonar.**

baldosa s.f. Pieza fina hecha con un material duro, de forma generalmente cuadrangular, que se usa para cubrir suelos: *El suelo de la cocina es de baldosas de mármol.* □ SINÓN. *loseta.* □ ETIMOL. De origen incierto.

baldosín s.m. Baldosa pequeña y más fina, generalmente esmaltada, que se emplea para cubrir paredes: *Los baldosines de la piscina son azules y brillantes.*

baldragas (pl. *baldragas*) s.m. *desp.* Hombre débil, flojo y sin energía. □ ETIMOL. De origen incierto.

balduque s.m. Cinta estrecha que se usa en las oficinas para atar documentos: *En el archivo municipal atan los legajos con balduques rojos.* □ ETIMOL. De *Bois-le-Duc* (nombre francés de la ciudad holandesa donde se tejían estas cintas). □ ORTOGR. Dist. de *badulaque*.

balea s.f. Escoba grande para barrer las eras: *Después de trillar, barrimos la era con unas baleas.* □ ETIMOL. Del céltico *balazn* (retama).

balear ▮ adj.inv./s.com. **1** De las islas Baleares (comunidad autónoma), o relacionado con ellas: *La ensaimada es un dulce típico balear.* ▮ s.m. **2** Variedad del catalán que se habla en estas islas. ▮ v. **3** En zonas del español meridional, matar a balazos o tirotear: *Lo balearon en la puerta de su casa.*

baleárico, ca adj. De las islas Baleares (comunidad autónoma), o relacionado con ellas: *Las playas baleáricas son pequeñas y de arena suave.* □ SINÓN. *balear*.

balénido ▮ adj./s. **1** Referido a un mamífero, que vive en el mar, es de gran tamaño y tiene unas láminas duras insertas en la mandíbula superior que sustituyen a los dientes y con las cuales retienen en la boca los pequeños animales que le sirven de alimento: *Los animales balénidos son de sangre caliente.* ▮ s.m.pl. **2** En zoología, familia de estos mamíferos: *Los balénidos comprenden tres especies de ballenas.* □ ETIMOL. Del latín *ballaena* (ballena).

baleo s.m. En zonas del español meridional, tiroteo.

balido s.m. Voz característica de la oveja y de otros animales. □ ORTOGR. Dist. de *valido*.

balilla s.m. **1** Miembro de la organización juvenil fascista fundada en Italia en 1918, esp. si tenía entre ocho y catorce años: *Los balillas eran la gran esperanza de Mussolini.* **2** *col.* Cierto coche utilitario familiar de poca cilindrada y poco consumo, fabricado por la casa italiana Fiat: *Los balillas fueron unos coches muy populares en la década de 1930.*

balín s.m. Bala de menor calibre que la ordinaria de fusil: *Un balín tiene un diámetro inferior a 6,35 mm.*

balinés, -a adj./s. De Bali o relacionado con esta isla indonesia.

balística s.f. Véase **balístico, ca**.

balístico, ca ▮ adj. **1** De la balística o relacionado con esta ciencia: *un estudio balístico.* ▮ s.f. **2** Ciencia que estudia la trayectoria, el alcance y los efectos de los proyectiles, esp. de los disparados por armas de fuego: *Una experta en balística demostró que el disparo se hizo a corta distancia.*

baliza s.f. **1** Señal fija o flotante, visual o sonora, que se coloca en un terreno o en el mar para advertir de un peligro o para marcar una zona, esp. un recorrido: *La pista de aterrizaje está señalada con balizas fosforescentes.* **2** En zonas del español meridional, señal con forma de triángulo, que se lleva en los automóviles por si hay una situación de emergencia. **3** En zonas del español meridional, luces intermitentes de avería de un automóvil. □ ETIMOL. Del portugués *baliza* (palo hincado en el fondo del mar o de un río para señalar el rumbo).

balizado s.m. →**balizamiento.**

balizamiento (tb. *abalizamiento*) s.m. Señalización de una zona con balizas, esp. de un lugar peligroso o de un recorrido: *El balizamiento de las obras es una medida de seguridad.* □ SINÓN. *balizado*.

balizar (tb. *abalizar*) v. Referido a un lugar, marcarlo con balizas o señales indicadoras: *Balizaron el socavón para evitar accidentes.* □ ORTOGR. La *z* se cambia en *c* delante de *e* →CAZAR.

ballena s.f. **1** Mamífero marino de gran tamaño, de color oscuro por el lomo y blanquecino por el vientre, con dos gruesas aletas laterales y una trasera horizontal, y con barbas en lugar de dientes: *La ballena es el mayor de los animales conocidos.* **2** Tira o varilla elástica o flexible: *Antiguamente los corsés se reforzaban con ballenas.* **3** ‖ **ballena jorobada;** mamífero marino de gran tamaño, con una elevación en el dorso, antes de la aleta dorsal, semejante a una joroba. □ SINÓN. *yubarta*. □ ETIMOL. Del latín *ballaena*. □ MORF. En la acepción 1, es un sustantivo epiceno: *la ballena {macho/hembra}*.

ballenato s.m. Cría de la ballena: *Los ballenatos pesan al nacer alrededor de 6 000 kilos.* □ ORTOGR. Dist. de *vallenato*. □ MORF. Es un sustantivo epiceno: *el ballenato {macho/hembra}*.

ballenero, ra ▮ adj. **1** De la ballena, de su pesca o relacionado con ellas: *Los mares polares son zonas balleneras.* ▮ s.m. **2** Barco preparado para la pesca o captura de ballenas.

ballesta s.f. **1** Arma portátil que se utiliza para disparar flechas u otros proyectiles y que consta de un arco y de un soporte o tablero perpendicular a él sobre el que se tensa: *La ballesta permite disparar con mayor precisión y fuerza que el arco.* **2** En un vehículo, esp. si es muy pesado, cada una de las láminas flexibles y superpuestas en las que descansa la carrocería y que se apoyan sobre los ejes de las ruedas para amortiguar golpes o sacudidas. □ ETIMOL. Del latín *ballista* (máquina de guerra que disparaba piedras).

ballestera s.f. En los muros de una fortificación o en el casco de una embarcación, tronera o abertura por la que se disparaba con ballesta: *La muralla era una construcción compacta, solo interrumpida por las ballesteras.*

ballestero s.m. **1** Antiguamente, hombre que usaba la ballesta, esp. si era soldado. **2** Antiguamente, hombre que se dedicaba al cuidado de las armas reales en palacio y a la asistencia de la realeza en las cacerías.

ballestrinque s.m. Nudo marinero que se forma dando dos vueltas de cabo de modo que los extremos de este quedan cruzados: *El marinero ató las amarras a un pilar con ballestrinques.* □ ETIMOL. Del catalán *ballestrinc*.

ballet (fr.) (pl. *ballets*) s.m. **1** Composición musical, generalmente de carácter orquestal, destinada a servir de acompañamiento a una danza escénica: *Lo más original de los ballets de Stravinski es su ritmo.* **2** Danza con la que se escenifica una historia al compás de esta música: *Estudia ballet en el conservatorio.* **3** Cuerpo o conjunto de bailarines que interpretan esta danza: *El que fuera primer bailarín del ballet nacional se convirtió en su director.* **4** Conjunto de esas composiciones o danzas con una característica común: *El ballet español incorpora elementos del flamenco.* □ PRON. [balé]. □ ORTOGR. Dist. de *valet*.

balneario s.m. **1** Establecimiento público donde se pueden tomar baños medicinales y en el cual suele darse hospedaje: *Para el reúma le recomendaron tomar baños en un balneario.* □ SINÓN. *baños.* **2** En zonas del español meridional, lugar turístico famoso por sus playas: *Punta del Este es un famoso balneario uruguayo.* □ ETIMOL. Del latín *balnearius* (relativo al baño). □ USO Es innecesario el uso del anglicismo *spa*.

balneoterapia s.f. Tratamiento medicinal por medio de baños, esp. si estos son de aguas con propiedades curativas: *La balneoterapia que le aplican consiste en sumergir las piernas en agua a una temperatura fija.* □ ETIMOL. Del latín *balneum* (baño) y *-terapia* (curación).

balompédico, ca adj. Del balompié o relacionado con este deporte: *En la jerga balompédica, al balón lo llaman el 'esférico'.* □ SINÓN. *futbolístico*.

balompié s.m. Deporte que se juega entre dos equipos de once jugadores y en el que estos intentan introducir un balón en la portería del equipo contrario sin tocarlo con las manos. □ SINÓN. *fútbol*.

balón s.m. **1** Pelota grande, esp. la que está hinchada con aire a presión o la que se utiliza en el fútbol y en otros deportes de equipo: *En el rugby se juega con un balón ovalado.* **2** Recipiente hecho de material flexible, generalmente esférico, y que se utiliza para contener gases: *En el cielo había un balón meteorológico para medir la fuerza del viento.* **3** || **balón medicinal;** el que está relleno de un material pesado y se utiliza para fortalecer los músculos: *Se entrenan con un balón medicinal para adquirir fuerza en los brazos.* || **echar balones fuera;** *col.* Tratar de evitar una respuesta clara: *En lugar de responder claramente a lo que se te preguntaba, no has hecho más que echar balones fuera.* □ ETIMOL. Del italiano *pallone*. □ ORTOGR. Dist. de *valón*.

balonazo s.m. Golpe dado con un balón: *De un balonazo rompieron dos cristales.*

baloncestista s.com. Persona que practica el baloncesto, esp. si esta es su profesión.

baloncestístico, ca adj. Del baloncesto o relacionado con este deporte: *Toda la afición baloncestística estará pendiente del concurso de mates.*

baloncesto s.m. Deporte que se juega entre dos equipos de cinco jugadores y en el que estos intentan introducir un balón en la canasta del equipo contrario ayudándose solo de las manos.

balonmanista ▮ adj.inv. **1** Del balonmano o relacionado con este deporte. ▮ s.com. **2** Persona que practica el balonmano, esp. si esta es su profesión.

balonmano s.m. Deporte que se juega entre dos equipos de siete jugadores y en el que estos intentan introducir un balón en la portería del equipo contrario ayudándose solo de las manos.

balonvolea s.m. Deporte que se juega entre dos equipos de seis jugadores y en el que estos intentan lanzar con las manos un balón por encima de una red que divide el terreno de juego, evitando que toque el suelo del campo propio y procurando que caiga en el del contrario. □ SINÓN. *voleibol*.

balotaje s.m. En zonas del español meridional, en algunos sistemas electorales, segunda vuelta que se realiza entre los dos candidatos más votados cuando ninguno de ellos ha logrado la mayoría necesaria. □ ETIMOL. Del francés *ballottage*.

balsa s.f. **1** Embarcación hecha de maderos o de troncos unidos entre sí formando una superficie plana. **2** Masa de agua que se deposita en un hueco de un terreno de manera natural o artificial. **3** || **balsa de aceite;** *col.* Lo que está en calma o sin tensiones, esp. referido a un lugar o a una situación: *Desde aquella discusión, sus relaciones no son precisamente una balsa de aceite.* □ ETIMOL. De origen incierto.

balsadera s.f. En la orilla de un río, lugar donde suele haber una balsa para cruzarlo: *Los turistas esperaban en el balsadera a que la balsa volviese de la otra orilla.* □ SINÓN. *balsadero*.

balsadero s.m. → **balsadera.**

balsámico, ca adj. Con bálsamo o con las propiedades aromáticas o curativas de este: *un caramelo balsámico.*

bálsamo s.m. **1** Medicamento líquido o cremoso, elaborado con sustancias aromáticas, que se aplica sobre la piel para aliviar heridas o enfermedades: *Los masajes con un bálsamo alivian los dolores musculares.* **2** Lo que sirve de consuelo o de alivio: *El apoyo de los amigos es un bálsamo en medio de tantas desgracias.* □ ETIMOL. Del latín *balsamum*.

balsero, ra ▮ adj./s. **1** Referido a una persona, que cruza un río u otra masa de agua en una balsa, esp. si es para entrar ilegalmente en un país: *Han recogido a unos balseros cuya barca se había hundido cerca de la costa.* ▮ s. **2** Persona que conduce una balsa: *El balsero ató la balsa a un árbol para que no se la llevara la corriente.*

báltico, ca adj./s. Del mar Báltico (situado al norte de Europa), o relacionado con él: *Suecia y Polonia son países bálticos.*

baluarte s.m. Lo que sirve para defender o mantener algo: *La juventud de una nación es el ba-*

luarte de su futuro. ☐ SINÓN. *bastión.* ☐ ETIMOL. Del francés antiguo *boloart*.

balumba s.f. Conjunto desordenado y excesivo: *La víspera del examen se encontró con una balumba de apuntes imposible de digerir.* ☐ ETIMOL. Del catalán *balum*, y este del latín *volumen*.

bamba s.f. **1** Composición musical de ritmo muy vivo y de origen suramericano: *La bamba es típica de países caribeños.* **2** Baile que se ejecuta al compás de esta música. **3** En pastelería, bollo redondeado, abierto horizontalmente por la mitad y relleno generalmente de nata, crema o trufa: *una bamba de nata.* **4** Zapatilla ligera, cerrada, de tela fina y suela de goma. ☐ ETIMOL. La acepción 4 es extensión del nombre de una marca comercial.

bambalear ▌v. **1** →**bambolear.** ▌prnl. **2** Referido a un objeto, no estar firme: *Esa mesa está coja y se bambalea.*

bambalina s.f. En el escenario de un teatro, cada una de las tiras de lienzo o de papel pintados que lo cruzan de lado a lado y forman la parte superior del decorado. ☐ ETIMOL. De *bambalear* (bambolear).

bambanear ▌v. **1** →**bambolear.** ▌prnl. **2** Referido a una persona, estar vacilante o perpleja: *Cuando lo obligué a elegir, se bambaneó un momento.*

bambarria adj.inv./s.com. *col. desp.* Bobo o poco inteligente. ☐ USO Se usa como insulto.

bambi s.m. *col.* Cervatillo. ☐ ETIMOL. Por alusión a un famoso cervatillo de dibujos animados con ese nombre.

bambolear (tb. *bambalear, bambanear, bambonear*) v. Mover a un lado y a otro sin cambiar de sitio: *Al andar se bambolea y parece que va a perder el equilibrio.* ☐ ETIMOL. De origen onomatopéyico. ☐ MORF. Se usa más como pronominal.

bamboleo (tb. *bamboneo*) s.m. Movimiento a un lado y a otro sin cambiar de sitio.

bambolla s.f. **1** *col.* Presunción infundada o falsa apariencia: *Presume de ser rico y culto, pero es todo pura bambolla.* **2** Lo que es fofo, abultado y se considera de poco valor: *Aquel saco de lana, más que un colchón, era una bambolla.* **3** En un líquido, pompa llena de aire o de gas, que se forma en su interior y sube a la superficie, donde estalla: *Al cocer el agua se formaron bambollas en el agua.* ☐ SINÓN. *burbuja.* ☐ ETIMOL. De origen onomatopéyico.

bambonear v. →**bambolear.** ☐ MORF. Se usa más como pronominal.

bamboneo s.m. →**bamboleo.**

bambú (pl. *bambúes, bambús*) s.m. Planta tropical herbácea cuyos tallos son largas cañas huecas, resistentes y flexibles, que se ramifican y de las que brotan hojas verdes y flores por su extremo más alto: *Las cañas de bambú se utilizan en la fabricación de muebles, cestos y otros objetos.* ☐ ETIMOL. Del portugués *bambu*.

banal adj.inv. Intrascendente, vulgar o sin importancia: *Sufre con preocupaciones banales y se olvida de lo trascendente.* ☐ ETIMOL. Del francés *banal*.

banalidad s.f. Intrascendencia, vulgaridad o falta de importancia: *Me fui porque no valía la pena quedarse a escuchar tantas banalidades.*

banana s.f. Fruto comestible del banano o platanero, de forma alargada y curva, y con una cáscara verde que amarillea cuando madura. ☐ SINÓN. *plátano.* ☐ ETIMOL. De origen incierto.

bananal (tb. *bananar*) s.m. Terreno plantado de bananos o plataneros. ☐ SINÓN. *platanal, platanar, platanera.*

bananar s.m. →**bananal.**

banana split (ing.) s.m. ‖ Postre elaborado con un plátano cortado a lo largo y tres bolas de helado, y adornado con nata por encima. ☐ PRON. [banána esplít].

bananero, ra ▌adj. **1** De las bananas o plátanos, o de su planta: *producción bananera.* ☐ SINÓN. *platanero.* ▌s.m. **2** Árbol tropical, con forma de palmera, de grandes hojas verdes, y cuyo fruto es la banana o el plátano: *El bananero puede alcanzar una altura de tres metros.* ☐ SINÓN. *banano, platanero.* ☐ SEM. En la acepción 2, dist. de *plátano* (árbol de sombra).

banano s.m. Árbol tropical, con forma de palmera, de grandes hojas verdes y cuyo fruto es la banana o el plátano: *Los bananos son propios de climas tropicales.* ☐ SINÓN. *bananero, platanero.* ☐ SEM. Dist. de *plátano* (árbol de sombra).

banasta s.f. Cesta grande.

banasto s.m. Cesta grande y redonda.

banca s.f. **1** En economía, actividad consistente en comerciar con dinero, esp. aceptándolo en depósito y prestándolo con intereses: *Ese economista trabaja en la banca.* **2** En economía, conjunto de los banqueros, los bancos y las personas que trabajan en ellos: *La banca irá a la huelga el próximo lunes.* **3** En un juego de azar, persona que dirige una partida: *La banca tiene ventaja sobre los demás jugadores.* **4** En zonas del español meridional, escaño: *Nuestro partido ganó sesenta bancas en las últimas elecciones.* **5** En zonas del español meridional, banquillo: *El entrenador estaba sentado en la banca.* ☐ ETIMOL. De *banco* (asiento).

bancada s.f. **1** En mecánica, base firme sobre la que se asienta una máquina: *Los mecánicos pusieron el motor en una bancada para desmontarlo.* **2** En una embarcación de remo, asiento de los remeros: *En cada bancada remaban cuatro galeotes.* **3** En zonas del español meridional, grupo parlamentario: *La bancada aplaudió a su representante.*

bancal s.m. **1** En un terreno en pendiente, rellano natural o artificial que se cultiva: *cultivo en bancales.* **2** En un terreno cultivable, cada una de las divisiones, generalmente rectangulares, que se hacen para distribuir el riego y los cultivos: *El campesino hizo un bancal para trigo y otro para cebada.*

bancario, ria ▌adj. **1** De la banca o de los bancos: *cheque bancario.* ▌s. **2** Persona que trabaja en la banca sin ser banquero. ☐ SEM. Dist. de *banquero* (propietario o directivo de un banco).

bancarrota s.f. **1** En economía, interrupción de la actividad comercial motivada por la imposibilidad de hacer frente a las deudas o a las obligaciones contraídas: *Aquella estafa llevó a la empresa a la bancarrota.* ☐ SINÓN. *quiebra.* **2** *col.* Situación económicamente desastrosa: *Querría comprarme varias cosas, pero estoy en bancarrota.* ☐ ETIMOL. Del italiano *bancarotta* (banco quebrado).

banco s.m. **1** Asiento largo y estrecho para varias personas: *Tomaba el sol sentado en un banco del parque.* **2** En economía, organismo que comercia con dinero, lo acepta en depósito y lo presta con intereses: *Según su orientación, un banco puede ser agrícola, hipotecario, industrial, comercial, etc.* **3** Local u oficina dependiente de ese organismo y donde se realizan operaciones bancarias: *Fui al banco para abrir una cuenta corriente.* **4** En carpintería o en otros oficios manuales, soporte o madero grueso que se utiliza como mesa de trabajo. **5** En aguas navegables, elevación prolongada del fondo, que impide o dificulta la navegación: *un banco de arena.* **6** Conjunto numeroso de peces que nadan juntos, esp. si son de la misma especie: *un banco bacaladero.* ☐ SINÓN. *cardume, cardumen.* **7** En medicina, establecimiento en el que se conservan órganos u otros elementos del cuerpo humano para su posterior utilización en trasplantes o en operaciones médicas: *banco de sangre.* **8** En geología, en un terreno, estrato o capa de materiales sedimentarios que tiene gran espesor. **9** En zonas del español meridional, banqueta o taburete. **10** || **banco azul;** en el Congreso y en el Senado, el reservado al Gobierno. || **banco de datos;** en informática, conjunto de datos relativos a un tema o a una materia organizado de manera que pueda ser consultado por los usuarios y estructurado generalmente en una base de datos. || **banco de hielo;** en el mar, gran extensión de agua congelada y de origen polar que flota en la superficie. || **banco de negocios;** el que está especializado en negocios de asesoramiento e inversión de grandes clientes, esp. de empresas. || **banco de niebla;** acumulación de niebla que impide o dificulta la visibilidad. ☐ ETIMOL. Del germánico *bank* (asiento). ☐ SEM. *Banco de datos* es dist. de *base de datos* (sistema que permite el almacenamiento estructurado de datos y su consulta). ☐ USO Es innecesario el uso de los anglicismos *data bank* y *merchant bank* en lugar de *banco de datos* y *banco de negocios*, respectivamente.

bancocracia s.f. Poder o influencia excesivos de la banca en la administración de un Estado: *Acusan al gobierno de aceptar sobornos y consentir una bancocracia encubierta.* ☐ ETIMOL. De *banco* y *-cracia* (dominio, poder).

banda s.f. **1** Conjunto de músicos que tocan instrumentos de viento y de percusión: *La banda municipal toca en el parque todos los domingos.* **2** Grupo organizado de delincuentes, esp. si está armado: *Una banda de ladrones asaltaba las gasolineras.* **3** Conjunto numeroso de animales de la misma especie que van juntos: *Las golondrinas emigran en bandas.* **4** Faja o cinta que se cruza sobre el pecho, desde un hombro hasta el costado opuesto, como insignia representativa de altos cargos o de distinciones: *El embajador vestía traje de gala y una banda azul.* **5** Tira larga y estrecha de un material delgado y flexible que sujeta algo: *Tenía las postales juntas con una banda de seda alrededor.* ☐ SINÓN. *faja.* **6** En un campo de deporte, zona contigua a la línea que delimita el terreno de juego por sus lados más largos: *El delantero avanzaba por la banda derecha burlando la defensa contraria.* **7** En una embarcación, cada uno de sus costados: *El nombre del barco se podía leer en una de sus bandas.* **8** Conjunto de partidarios o de seguidores de una persona o de una causa: *En el mitin habló el candidato rodeado de toda su banda.* **9** Referido a magnitudes o a valores, intervalo comprendido entre dos límites y dentro del cual pueden darse variaciones u oscilaciones: *Las temperaturas máximas se mantuvieron en una banda entre los 35 y los 40 grados.* **10** En zonas del español meridional, cinta transportadora. **11** || **banda {de sonido/sonora};** en cine y televisión, fondo musical de una película. ☐ SINÓN. *BSO.* || **cerrarse {a la/de/en} banda;** *col.* Mantener una opinión o una postura con obstinación y sin atender a razones. || **{coger/pillar} por banda** a alguien; *col.* Abordarlo para ajustarle las cuentas o para tratar un asunto, esp. si es en privado: *¡Como coja por banda al que ha hecho este destrozo, se va a enterar!* || **jugar a dos bandas;** actuar con la intención de quedar bien con varios interesados y de sacar el mayor provecho de cada uno de ellos. ☐ ETIMOL. Las acepciones 1-3 y 8, del gótico *bandwo* (signo, bandera). Las acepciones 4-6 y 9, del francés antiguo *bande* (faja, cinta).

bandada s.f. **1** Referido a aves, a insectos o a peces, conjunto numeroso de ejemplares de la misma especie que van juntos: *Las aves migratorias vuelan en bandadas.* ☐ SINÓN. *bando.* **2** *col.* Grupo numeroso o bullicioso de personas.

bandarra adj.inv./s.com. *col.* Referido a una persona, que es descarada y que actúa en contra de las normas sociales.

bandazo s.m. Movimiento violento o cambio de orientación brusco: *En medio de la tempestad, el pesquero dio un bandazo y estuvo a punto de volcar.* ☐ SINT. Se usa más con el verbo *dar*.

bandear ▮ v. **1** Mover o impulsar de una banda a la opuesta: *Un golpe de mar bandeó el equipaje del barco.* ▮ prnl. **2** Ingeniárselas para encontrar uno mismo la solución a un problema o la manera de salir adelante en la vida: *Vive solo pero se bandea muy bien.*

bandeau (fr.) s.m. **1** Banda horizontal que se pone como adorno en la parte superior de una cortina o de un estor para ocultar la barra de la que cuelgan. **2** En un peinado, parte del cabello que se aplasta sobre la sien. ☐ PRON. [bandó]. ☐ USO Se usa también la forma castellanizada *bandó*.

bandeja s.f. **1** Pieza plana, generalmente de amplia superficie y con un reborde, que se utiliza para poner, llevar o servir algo. **2** En un coche, pieza plana, horizontal y abatible, situada entre los asientos y el cristal traseros y que se usa para dejar cosas sobre ella. **3** En un objeto destinado a guardar cosas, pieza movible que se acopla en su interior y lo divide horizontalmente: *Su caja de herramientas tiene una bandeja superior para los tornillos y piezas pequeñas.* **4** || **en bandeja (de plata);** *col.* Referido a la forma de brindar una oportunidad a alguien, con grandes facilidades para que la aproveche. || **pasar la bandeja;** en una reunión de personas, pasar recogiendo sus donativos o limosnas. ☐ ETIMOL. Del portugués *bandeja*.

bandeo s.m. Movimiento oscilatorio, esp. si es desde una banda a la opuesta.

bandera s.f. **1** Trozo de tela con colores o dibujos simbólicos, generalmente de forma rectangular, que se sujeta por uno de sus lados a un palo o a una cuerda y que representa a una colectividad, esp. a una nación o a una región administrativa: *La bandera española es roja y amarilla y lleva en el centro el escudo nacional.* **2** Trozo de tela o de otro material semejante, generalmente llamativo o fácilmente visible, que se cuelga o se sujeta a un palo por uno de sus lados y que se utiliza como adorno, como marca indicadora o para hacer señales: *En una playa, la bandera roja indica peligro y la verde, mar en calma.* **3** Nacionalidad a la que pertenece una embarcación mercantil: *El dueño es francés, pero la bandera del barco es italiana.* **4** Causa o ideología que defiende una persona y con la que se identifica o se compromete: *En su vida tuvo dos banderas: el comunismo y el sindicalismo.* **5** En algunos cuerpos del ejército, unidad táctica equivalente al batallón: *una bandera paracaidista.* **6** || **arriar (la) bandera;** en un enfrentamiento armado, referido a un buque de guerra, rendirse. || **bandera azul;** en una playa, distintivo que indica que dicha playa cumple con todos los requisitos higiénicos y de salubridad. || **bandera {blanca/de (la) paz};** en un enfrentamiento armado, la de color blanco, que se muestra en alto como señal de rendición o para pedir una tregua o negociaciones. || **de bandera;** *col.* Extraordinario o excelente en su clase: *una persona de bandera.* || **en bandera;** En tipografía, hecho de alinear verticalmente solo por un lado las líneas de un texto impreso. || **hasta la bandera;** referido a un local, esp. si es público, completo o muy lleno. || **jurar (la) bandera;** jurar fidelidad a la patria ante la bandera que la representa, generalmente en un acto militar solemne. ☐ ETIMOL. De *banda* (signo, estandarte).

banderazo s.m. Señal hecha con una bandera, esp. la que hace el juez de una prueba deportiva: *En cuanto dieron el banderazo, los coches salieron disparados de la parrilla.*

bandería s.f. **1** Grupo de personas que defienden las mismas opiniones o ideas: *En la Castilla del siglo* XV *los nobles se agrupaban en distintas banderías.* **2** Antiguamente, grupo de personas armadas que llevaban a cabo actos de rebelión, de guerra o de pillaje: *En tiempos de crisis, los pueblos eran saqueados por banderías.*

banderilla s.f. **1** En tauromaquia, palo delgado y adornado, provisto de una punta o lengüeta de hierro en uno de sus extremos, que los toreros clavan en la cerviz del toro en una de las suertes del toreo. **2** Aperitivo que consta de porciones variadas ensartadas en un palillo y de sabor generalmente picante: *Me gustan las banderillas con pepinillo, cebolla, aceituna y un poco de guindilla.* ☐ ETIMOL. De *bandera*.

banderillazo s.m. *col.* En zonas del español meridional, sablazo.

banderillear v. En tauromaquia, poner banderillas: *La faena del matador empieza después de banderillear al toro.* ☐ SINÓN. *parear*.

banderillero s.m. En tauromaquia, torero que pone banderillas.

banderín s.m. **1** Bandera pequeña y generalmente triangular: *Antes del partido, los jugadores de los dos equipos se intercambiaron los banderines.* **2** || **banderín de enganche;** oficina destinada a la inscripción de voluntarios para el servicio militar: *Hoy iré al banderín de enganche para alistarme como voluntario.*

banderita s.f. En una recaudación benéfica, pequeña insignia con la que se obsequia a las personas que hacen donativos: *Di un donativo para el cáncer y me pusieron una banderita.*

banderola s.f. Bandera pequeña que se usa como señal. ☐ ETIMOL. Del catalán *banderola*.

bandidaje s.m. Presencia y actuación continuadas de bandidos: *El bandidaje tuvo aterrorizadas a algunas regiones españolas en el siglo* XIX. ☐ SINÓN. *bandolerismo*. ☐ MORF. Incorr. **bandidismo*.

bandido, da s. Salteador o ladrón que roba en caminos o en lugares despoblados y que generalmente forma parte de una banda. ☐ SINÓN. *bandolero*. ☐ ETIMOL. Del italiano *bandito*.

bando s.m. **1** Comunicado oficial de una autoridad, esp. si se lee en pregón o si se fija en lugares públicos: *La alcaldesa ha publicado un bando para informar sobre las condiciones de pago de la contribución.* **2** Grupo de personas que defienden las mismas opiniones o ideas: *La ciudad está dividida en dos bandos en cuanto a la construcción del nuevo estadio.* **3** Referido a aves, a insectos o a peces, conjunto numeroso de ejemplares de la misma especie que van juntos: *Cuando se oyó el disparo, un bando de palomas salió despavorido.* ☐ SINÓN. *bandada*. ☐ ETIMOL. La acepción 1, del francés *ban*. Las acepciones 2 y 3, del gótico *bandwo* (signo).

bandó s.m. →**bandeau.**

bandola s.f. →**bandolina.** ☐ ETIMOL. Del latín *pandura*, y este del griego *pandûra* (instrumento de tres cuerdas).

bandolera s.f. Véase **bandolero, ra.**

bandolerismo s.m. **1** Presencia y actuación continuadas de bandoleros. ☐ SINÓN. *bandidaje*. **2** Presencia y actuación continuadas de grupos armados o violentos: *Las desigualdades sociales son causa del bandolerismo en las grandes ciudades.*

bandolero, ra ▌s. **1** Salteador o ladrón que roba en caminos o en lugares despoblados y que generalmente forma parte de una banda: *José María 'el Tempranillo' fue un bandolero que actuaba en Sierra Morena.* □ SINÓN. *bandido.* ▌s.f. **2** Correa o cinta que se coloca alrededor del cuerpo cruzándola desde un hombro hasta la cadera opuesta, esp. la que se usa para llevar colgada un arma de fuego, un bolso o una cartera. **3** Bolso que se suele llevar cruzado desde un hombro hasta la cadera opuesta: *Tengo una bandolera de piel.* **4** ‖ **en bandolera;** cruzado desde un hombro hasta la cadera opuesta. □ ETIMOL. Del catalán *bandoler.* □ SINT. En la acepción 3, se usa mucho en aposición, pospuesto a un sustantivo: *una mochila bandolera.*

bandolín s.m. →**bandolina.**

bandolina s.f. Instrumento musical de cuerda, parecido a la guitarra pero con el cuerpo ovalado y con cuatro grupos de cuerdas: *La bandolina pertenece a la familia de los laúdes.* □ SINÓN. *bandola, bandolín.*

bandolinista s.com. Músico que toca la bandolina.

bandolón s.m. Instrumento musical de cuerda, parecido a la bandurria, pero del tamaño de la guitarra, con dieciocho cuerdas repartidas en seis grupos de tres, que se tocan con púa. □ ETIMOL. De *bandola.*

bandoneón s.m. Instrumento musical de viento, semejante a un acordeón pero con el cuerpo hexagonal o cuadrado: *El bandoneón es muy popular en Argentina.* □ ETIMOL. Del alemán *Bandoneon,* por alusión a su inventor H. Ban.

bandujo s.m. Embutido hecho con tripa rellena de carne picada: *Si vas a la charcutería compra bandujo, chorizo y morcilla.*

bandurria s.f. Instrumento musical de cuerda, parecido a la guitarra pero más pequeño y con el cuerpo en forma de triángulo con las esquinas redondeadas y seis cuerdas dobles que se tocan con púa: *La bandurria es típicamente española y los universitarios la tocan en las tunas.* □ ETIMOL. Del latín *pandurium* (especie de laúd de tres cuerdas).

bandurrista s.com. Músico que toca la bandurria.

bangiofíceo, a ▌adj./s.f. **1** Referido a un alga, que se caracteriza por ser de color rojo y tener el tallo sencillo. ▌s.f.pl. **2** En botánica, clase de estas algas perteneciente al tipo de las rodofíceas: *En algunas zonas las bangiofíceas se cultivan para el consumo humano.*

bangladeshí (pl. *bangladeshíes, bangladeshís*) adj.inv./s.com. De Bangladesh o relacionado con este país asiático.

baniano s.m. Comerciante hindú, generalmente sin residencia fija: *Los banianos suelen realizar sus actividades mercantiles en tierras persas o arábigas, y viajan en caravanas.*

banjo (tb. *banyo*) s.m. Instrumento musical de cuerda, con travesaño, parecido a la guitarra pero con el cuerpo circular construido con una piel tensa, el mango largo con clavijas, y un número de cuerdas variable entre cuatro y nueve: *El banjo es de origen africano.* □ ETIMOL. Del inglés *banjo.* □ PRON. Está muy extendida la pronunciación anglicista [bányo].

banner (ing.) s.m. En internet, anuncio publicitario que aparece en una página web, y que suele enlazar con el anunciante: *Un banner suele incluir sonido e imágenes en movimiento.* □ PRON. [báner]. □ USO Su uso es innecesario y puede sustituirse por *anuncio.*

banqueo s.m. En un terreno, separación en planos escalonados o bancales: *el banqueo de una ladera.*

banquero, ra s. Propietario o alto directivo de un banco o de una entidad bancaria. □ SEM. Dist. de *bancario* (que trabaja en la banca).

banqueta s.f. **1** Asiento sin respaldo, generalmente bajo, pequeño y sin brazos: *Si te vas a subir al armario, coge la banqueta y no la silla.* **2** En zonas del español meridional, acera: *La banqueta de mi calle es muy angosta.*

banquete s.m. **1** Comida a la que asisten muchas personas y en la que se celebra algún acontecimiento: *un banquete de boda.* □ SINÓN. *ágape.* **2** Comida muy buena y abundante. □ ETIMOL. Del francés *banquet,* y este del italiano *banchetto.*

banquetear v. Dar banquetes o asistir a ellos con frecuencia: *Le encanta banquetear porque en esas comidas conoce gente.*

banquillo s.m. **1** En un juicio, asiento que ocupa el acusado ante el juez o el tribunal: *el banquillo de los acusados.* **2** En un deporte, lugar situado fuera del terreno de juego y en el que se colocan los suplentes y los miembros de un equipo durante un partido: *En nuestro banquillo se sientan el entrenador, el masajista y tres suplentes.* **3** ‖ **chupar banquillo;** *col.* En una competición deportiva, estar sin jugar: *En el próximo partido dejaré de chupar banquillo porque voy a ser titular.* □ ETIMOL. Del diminutivo de *banco.*

banquina s.f. En zonas del español meridional, arcén: *El auto se detuvo en la banquina.*

banquisa s.f. En una región polar, hielo formado por la congelación de las aguas del mar: *El capitán del barco temía chocar con la banquisa.*

banquito s.m. En zonas del español meridional, banqueta: *Me senté en un banquito de madera.*

bantú (pl. *bantúes, bantús*) adj.inv./s.com. De un conjunto de pueblos indígenas del sur del continente africano: *El zulú es una lengua bantú.*

bantustán s.m. Cada uno de los territorios autónomos creados para las etnias negras por el gobierno en la República de Sudáfrica (país del sur africano).

banyo s.m. →**banjo.**

banzai (jap.) interj. Grito de combate y de saludo al emperador japonés: *Antes de entrar en combate, los soldados gritaron: «Banzai».* □ PRON. [banzái].

banzo s.m. En un armazón, cada uno de los largueros paralelos que sirven para afianzarlo: *Esta escalera de mano tiene dos banzos y cuatro peldaños.*

baña s.f. →**bañadero.**

bañadera s.f. **1** En zonas del español meridional, bañera: *Me di un baño de inmersión en la bañadera.* **2** En zonas del español meridional, palangana: *Llené de agua la bañadera y me lavé las manos.*

bañadero s.m. Charco al que acude para bañarse un animal de monte: *Las cabras y gatos monteses de la zona van a un bañadero que está en un paraje solitario.* ☐ SINÓN. *baña.*

bañador, -a ▮ adj./s. **1** Que baña. ▮ s.m. **2** Traje de baño.

bañar v. **1** Referido a un cuerpo o a una parte de él, sumergirlo o sumergirse en un líquido, esp. por limpieza o con un fin medicinal o de recreo: *¿Has bañado ya al bebé? Me gusta más bañarme en el mar que en la piscina.* **2** Referido a una superficie, cubrirla con una capa de otra sustancia: *Bañó el bizcocho con chocolate.* **3** Referido a un cuerpo, mojarlo totalmente o humedecerlo: *Al regar el rosal bañé al vecino, que leía en su jardín. Cuando le subió la fiebre se bañó en sudor.* **4** Referido a un terreno, tocarlo una superficie grande de agua, esp. el mar o un río: *Esa comarca es fértil porque la baña un río.* **5** Referido a la luz o al aire, dar de lleno en algo: *El sol entra por el ventanal y baña todo el salón.* ☐ ETIMOL. Del latín *balneare.*

bañera s.f. Pila en la que se mete una persona para lavarse o bañarse. ☐ SINÓN. *baño.*

bañista s.com. Persona que se baña en un lugar, esp. en un balneario o en una playa.

baño ▮ s.m. **1** Introducción de un cuerpo o de parte de él en un líquido o en otra sustancia, esp. por limpieza o con un fin medicinal o de recreo: *Me voy a dar un baño porque vengo sudando.* **2** Sustancia o vapor en los que se introduce un cuerpo: *Prepara un baño de plata muy concentrada para esos candelabros.* **3** Aplicación de un líquido sobre un cuerpo: *¡Vaya baño de agua me has dado con la manguera!* **4** Cubrimiento de una superficie con una capa de otra sustancia: *Con ese baño de cera el suelo quedará brillante.* **5** Pila en la que se mete una persona para lavarse o bañarse. ☐ SINÓN. *bañera.* **6** →**cuarto de baño.** **7** Sometimiento de un cuerpo a la acción prolongada o intensa de un agente físico: *baños de sol.* **8** Noción o conocimiento superficial de una ciencia: *Solo tenía un baño de cultura musical.* ☐ SINÓN. *barniz.* **9** Patio grande con aposentos pequeños alrededor en el que antiguamente los moros encerraban a los cautivos: *Cervantes relató sus experiencias en los baños de Argel.* **10** *col.* En un enfrentamiento, victoria clara de un adversario sobre el otro: *Dio un baño a los otros atletas y les sacó muchos metros de ventaja.* ☐ SINÓN. *revolcón.* ▮ pl. **11** Establecimiento público donde los clientes pueden bañarse en aguas medicinales y en el cual suele darse hospedaje. ☐ SINÓN. *balneario.* **12** ‖ **al baño (de) María;** referido al modo de calentar algo, introduciéndolo en una vasija que se sumerge en otra que contiene agua hirviendo. ‖ **baño de sangre;** matanza de un gran número de personas. ‖ **baño sauna;** en zonas del español meridional, sauna. ‖ **baño turco;** baño de vapor de agua o de otro líquido caliente, que se completa con masajes y duchas de agua fría y que se suele tomar para eliminar grasas y toxinas y para limpiar la piel. ‖ **hacer del baño;** en zonas del español meridional, defecar. ☐ ETIMOL. Del latín *balneum.* ☐ SEM. *Baño turco* es distinto de *sauna* (a partir de calor seco).

bao s.m. En una embarcación, pieza que une los costados y sustenta las cubiertas. ☐ ETIMOL. Del francés *bau.* ☐ ORTOGR. Dist. de *vaho.*

baobab (pl. *baobabs*) s.m. Árbol de la sabana africana, con tronco derecho y muy grueso, ramas largas horizontales, hojas palmeadas, flores grandes y blancas y frutos en forma de cápsula y carnosos de sabor un poco ácido: *El fruto del baobab se llama 'pan de mono'.*

baptismo s.m. Doctrina religiosa protestante según la cual el bautismo es por inmersión y solo lo reciben los adultos, previa profesión de fe y arrepentimiento: *El baptismo fue difundido en el siglo XVII especialmente entre los holandeses, ingleses y norteamericanos.* ☐ ETIMOL. Del latín *baptismus.* ☐ SEM. Dist. de *bautismo* (sacramento cristiano).

baptista ▮ adj.inv. **1** Del baptismo o relacionado con esta doctrina protestante: *la iglesia baptista.* ▮ adj.inv./s.com. **2** Que tiene como religión el baptismo. ☐ SEM. Dist. de *bautista* (persona que administra el sacramento del bautismo).

baptisterio (tb. *bautisterio*) s.m. **1** Edificio próximo a un templo, generalmente pequeño y de base redonda o en forma de polígono, en el que se administraba el sacramento del bautismo: *Es muy famoso el baptisterio de la catedral italiana de Florencia.* **2** Lugar en el que se halla la pila bautismal: *Esa catedral tiene el baptisterio en la nave derecha.* ☐ ETIMOL. Del griego *baptistérion.*

baqueano, na (tb. *baquiano, na*) s. En zonas del español meridional, guía: *El baqueano nos explicó todo el recorrido que hicimos por la ciudad.*

baquear v. Referido a una embarcación, navegar dejándose llevar por la corriente: *Cuando la barca dejó de baquear tuvimos que ponernos a remar.* ☐ ETIMOL. De *baque* (batacazo).

baquelita s.f. Resina sintética que no se disuelve en agua, muy resistente al calor y que se usa como aislante o en la fabricación de materias plásticas: *La baquelita se usa en la preparación de barnices.* ☐ ETIMOL. Por alusión a L. H. Baekeland, su descubridor.

baqueta s.f. **1** Palo delgado y largo que sirve para tocar un instrumento de percusión, esp. el tambor: *El tamborilero golpea su tambor con las dos baquetas.* **2** Vara delgada que se usa para limpiar el cañón de un arma de fuego o para meter y apretar la carga en él: *Las baquetas se usaban mucho en el siglo XVIII.* ☐ ETIMOL. Del italiano *bacchetta*, y este de *bacchio* (bastón). ☐ ORTOGR. Dist. de *vaqueta.* ☐ MORF. La acepción 1 se usa más en plural.

baquetazo ‖ **a baquetazos;** *col.* Referido al modo de comportarse con alguien, con desprecio y con severidad: *Algunas personas tratan a baquetazos a los demás y no respetan a nadie.*

baqueteado, da adj. Experimentado o avezado.

baquetear v. **1** Maltratar o causar mucha molestia y fatiga: *En la oficina me baquetean con órdenes y recados.* **2** Enseñar o hacer adquirir capacidad y experiencia en una actividad: *Su jefe lo baqueteó en el manejo de la maquinaria.*

baqueteo s.m. **1** Fatiga, molestia o sufrimiento: *El baqueteo de un viaje tan largo y tan pesado nos dejó agotados.* **2** Adquisición de capacidad y experiencia en una actividad: *Tras estos meses de baqueteo, pronto podrá desempeñar sin dificultad este cargo.*

baquiano, na (tb. *baqueano, na*) s. En zonas del español meridional, guía: *En aquel viaje por la selva nos acompañó un baquiano que conocía muy bien el terreno.*

báquico, ca adj. **1** De Baco (dios romano del vino y de la sensualidad), o relacionado con él: *los ritos báquicos.* **2** Relacionado con el vino o con la borrachera: *una fiesta báquica.* □ SINÓN. *dionisíaco.*

baquio s.m. En métrica grecolatina, pie compuesto de una sílaba breve seguida de dos largas. □ ETIMOL. Del latín *bacchius.*

bar s.m. **1** Establecimiento en el que se sirve comida y bebida que suele tomarse de pie en la barra: *Fuimos de bar en bar tomando raciones.* **2** En el Sistema Internacional, unidad de presión y tensión que equivale a 105 pascales: *El bar corresponde a un millón de dinas por centímetro cuadrado.* □ SINÓN. *baro.* **3** || **bar de copas;** establecimiento en el que se toman bebidas y se escucha música. □ ETIMOL. La acepción 1, del inglés *bar* (barra). □ ORTOGR. En la acepción 2, su símbolo es *bar*, por tanto, se escribe sin punto. □ SEM. En la acepción 2, dist. de *baria* (equivalente a una dina por centímetro cuadrado).

baraca s.f. Don divino, o suerte de una persona: *No tengo miedo a los proyectos nuevos porque mi baraca es positiva.* □ ETIMOL. Del árabe *baraca* (bendición, don carismático).

barahúnda (tb. *baraúnda*) s.f. Desorden, ruido o confusión muy grande: *Los atascos de coches provocan una verdadera barahúnda en las ciudades.* □ ETIMOL. De origen incierto. □ SEM. Dist. de *marabunta* (aglomeración de gente que produce mucho ruido).

baraja s.f. **1** Conjunto de naipes, dividido en cuatro palos, que se usa en algunos juegos de azar: *La baraja española tiene cuarenta y ocho cartas repartidas en oros, copas, espadas y bastos.* □ SINÓN. *naipes.* **2** || **romper la baraja;** *col.* Cancelar un pacto o un trato: *O nos ponemos todos de acuerdo o rompemos la baraja.*

barajada s.f. →**barajadura.**

barajadura s.f. **1** Referido a un conjunto de cartas, mezcla de unas con otras, alterando su orden varias veces: *¿A quién le toca la barajadura de esta partida?* □ SINÓN. *baraje, barajada.* **2** Referido a un conjunto de posibilidades, consideración de todas ellas antes de llegar a una decisión: *Estoy harto de oír siempre la misma barajadura de nombres.* □ SINÓN. *baraje, barajada.*

barajar (tb. *barajear*) v. **1** Referido a las cartas de una baraja, mezclarlas unas con otras y alterar su orden varias veces: *Baraja bien las cartas antes de repartirlas.* **2** Referido a un conjunto de posibilidades, considerar todas ellas antes de llegar a una decisión: *Estoy barajando varios títulos para mi libro. Para ese cargo se barajan los nombres de tres políticos.* **3** Referido a una serie de datos, emplearlos o manejarlos: *Barajas demasiados números y no te entiendo bien.* **4** Referido a riesgos o a dificultades, evitarlos con astucia y habilidad: *Tú sabes barajar bien los obstáculos y salir de ellos con habilidad.* □ ETIMOL. De origen incierto. □ ORTOGR. Conserva la *j* en toda la conjugación. □ SINT. En la acepción 2, se pueden *barajar* dos o más posibilidades, pero no una sola.

baraje s.m. →**barajadura.**

barajear v. →**barajar.**

baranda ▌s.com. **1** *col.* Jefe o persona con algún tipo de autoridad: *Si el baranda te dice cómo quiere las cosas, más vale que le hagas caso.* ▌s.f. **2** →**barandilla.** □ ETIMOL. De origen incierto.

barandal s.m. **1** Antepecho formado por balaustres o columnas pequeñas y por la barra horizontal que los sujeta: *No me da miedo asomarme a la terraza porque tiene barandal.* □ SINÓN. *baranda, barandilla.* **2** En una barandilla, barra alargada a la que se fijan los balaustres por su parte superior o inferior: *Ese balcón tiene un barandal de madera.* □ SINÓN. *pasamanos.*

barandilla s.f. **1** Antepecho formado por balaustres o columnas pequeñas y por la barra horizontal que los sujeta: *Pon en la terraza una barandilla alta para que los niños no se caigan al asomarse.* □ SINÓN. *baranda, barandal.* **2** En la bolsa, lugar destinado a los inversores y separado del lugar donde se negocian los valores. □ ETIMOL. Del diminutivo de *baranda.*

barandillero, ra s.com. *col.* En la bolsa, inversor que sigue la sesión desde la barandilla del salón de contratación.

barata s.f. Véase **barato, ta.**

baratear v. **1** Referido a una mercancía, venderla por un precio inferior al habitual: *Como quería traspasar la tienda, barateó todos los artículos.* **2** Regatear y discutir el precio de una mercancía para obtenerla más barata: *Después de mucho baratear compró el collar a mitad de precio.*

baratero, ra s.com. Vendedor de artículos que tienen un precio muy bajo.

baratija s.f. Cosa de poco valor.

baratillero, ra s. Persona que tiene un baratillo.

baratillo s.m. Lugar en el que se venden cosas a bajo precio: *Los vendedores ambulantes han montado un baratillo en la plaza.*

barato adv. Por poco dinero o a bajo precio: *Me gusta ese restaurante porque allí se come bien y barato.*

barato, ta ▌adj. **1** Referido a una mercancía, de precio bajo o inferior al habitual o al que se espera en relación con otra: *En las rebajas venden todo más barato.* **2** Que se logra con poco esfuerzo: *Si solo me necesitas cinco minutos, me sale barato ayudarte.* ▮ s.f. **3** En zonas del español meridional, cucaracha. ☐ ETIMOL. Las acepciones 1 y 2, del antiguo *baratar* (alterar el precio de algo para ganar dinero). La acepción 3, del latín *blatta.*

báratro s.m. *poét.* Infierno: *Penan las almas pecadoras en el báratro mientras resuenan en la noche eterna sus lamentos.* ☐ ETIMOL. Del latín *barathrum* (abismo).

baratura s.f. Precio bajo al que se ofrece una mercancía: *Esa tienda tiene muchos clientes por la baratura de los artículos.*

baraúnda s.f. →**barahúnda.**

barba ▮ s.f. **1** En la cara de una persona, pelo que nace debajo de la boca y en las mejillas. **2** En la cara de una persona, parte situada debajo de la boca: *Cuando se ríe le sale un hoyuelo en la barba.* **3** En algunos cetáceos, esp. en la ballena, cada una de las láminas duras y flexibles que tienen en su mandíbula superior. **4** En algunos animales, esp. en el ganado cabrío, mechón de pelos que cuelga de la mandíbula inferior: *Las cabras, las llamas y los chivos tienen barba.* **5** En algunas aves y reptiles, carnosidad colgante situada debajo de la garganta: *Los gallos y los pavos tienen barba.* ▮ pl. **6** Filamentos o desigualdades que quedan en los bordes de algunas cosas, esp. referido al papel. **7** En la pluma de un ave, filamentos delgados que salen a cada lado del eje central. **8** || **barba cerrada;** la que es muy poblada y fuerte. || **con toda la barba;** *col.* Referido a una persona, que actúa con todas las características o las cualidades que exige su condición: *Es un profesional con toda la barba.* || **en las barbas** de alguien; referido al modo de hacer algo, ante su vista o en su presencia: *Le robaron la cartera en sus propias barbas.* || **hacer la barba;** *col.* En zonas del español meridional, adular a una persona para obtener algo a cambio: *Éste se la pasa haciendo la barba a su jefe.* || **por barba;** *col.* Referido al modo de hacer un reparto, por persona o por cabeza: *La cena sale a veinte euros por barba.* || **subirse a las barbas** de alguien; *col.* Referido a una persona, faltarle al respeto o no obedecerla: *Se cree que por ser mayor de edad se puede subir a las barbas de sus padres.* ☐ ETIMOL. Del latín *barba* (pelo de la barba). ☐ MORF. Cuando se antepone a una palabra para formar compuestos, adopta la forma *barbi-*: *barbicano.*

barbacana s.f. En un muro, abertura generalmente vertical y estrecha a través de la cual se puede disparar: *Los soldados se situaron en las barbacanas y empezaron a disparar con los cañones.* ☐ ETIMOL. Del árabe *bab al-bāqara* (puerta de las vacas), porque la barbacana era una fortificación que protegía el recinto donde los sitiados guardaban el ganado destinado a la alimentación.

barbacoa (tb. *barbacuá*) s.f. **1** Parrilla que se usa para asar comida al aire libre: *Enciende el fuego en la barbacoa porque vamos a asar los chorizos.* **2** Comida a base de alimentos asados de este modo, esp. carne o pescado: *Celebramos mi cumpleaños con una barbacoa junto al río.* **3** En zonas del español meridional, carne asada en un hoyo que se abre en la tierra.

barbacuá s.f. →**barbacoa.**

barbadense adj.inv./s.com. De Barbados o relacionado con este país americano.

barbado, da adj./s. Que tiene barba: *Es joven pero barbado.*

barbar v. **1** Referido a un hombre, empezar a tener barbas: *Ese chico tan joven ya ha empezado a barbar, pero todavía no se afeita.* **2** Referido a una planta, echar raíces: *Esa planta está barbando y sus raíces están empezando a brotar.*

barbárico, ca adj. De los pueblos bárbaros o relacionado con ellos: *invasiones barbáricas.*

barbaridad s.f. **1** Hecho o dicho estúpido, poco acertado o brutal: *Conducir a tanta velocidad es una barbaridad.* ☐ SINÓN. *animalada.* **2** Crueldad o fiereza excesivas: *La barbaridad de las guerras hace que nadie las desee.* **3** || **una barbaridad; 1** *col.* Gran cantidad: *Hizo una barbaridad de fotografías.* **2** *col.* Muchísimo: *Comimos una barbaridad.*

barbarie s.f. **1** Estado de incultura y de atraso. **2** Actitud fiera, inhumana y cruel: *un acto de barbarie.*

barbarismo s.m. **1** En lingüística, extranjerismo empleado en una lengua sin haber sido totalmente incorporado a ella: *Los términos 'sport' y 'stand' son barbarismos en español.* **2** En gramática, incorrección lingüística que consiste en la alteración de la forma escrita o hablada de un vocablo o en el uso de vocablos impropios: *Decir 'haiga' en lugar de 'haya' es un barbarismo.* ☐ SEM. Dist. de *solecismo* (mal uso de una construcción o falta de sintaxis).

barbarizar v. **1** Referido a la lengua, adulterarla con el uso de barbarismos: *Un hablante barbariza su lengua si usa palabras, significados o expresiones de otra lengua.* **2** Decir barbaridades: *No me gusta cuando se pone a barbarizar y a contar disparates.* ☐ ORTOGR. La *z* se cambia en *c* delante de *e* →CAZAR.

bárbaro, ra ▮ adj. **1** Que no parece propio de una persona por su crueldad o su fiereza: *Aquella matanza fue algo bárbaro y horrible.* **2** Que tiene poca cultura o poca educación: *Son personas bárbaras y con muy malos modales.* **3** Que se comporta de modo resuelto e imprudente y no piensa lo que hace o dice: *No seas bárbaro y deja de saltarte los semáforos en rojo.* **4** De tamaño, cantidad o calidad mayores de lo normal: *Es una autopista bárbara y tiene cinco carriles.* ☐ SINÓN. *extraordinario.* ▮ adj./s. **5** De los pueblos del centro y del norte de Europa que invadieron el Imperio Romano en el siglo V y se extendieron por la mayor parte del continente: *La organización social de los bárbaros puso las bases del feudalismo occidental europeo.* ☐ ETIMOL. Del latín *barbarus*, y este del griego *bárbaros* (extranjero). ☐ SINT. En la lengua coloquial se usa también como adverbio de modo con el significado de 'muy bien': *Lo pasamos bárbaro y nos reímos mucho.*

barbear v. **1** Acercarse una cosa a la altura de otra: *Ese árbol barbea con el tejado, es decir, lo iguala casi en altura.* **2** En tauromaquia, referido a un toro, andar a lo largo de las tablas rozándolas con el hocico como si buscase la salida del ruedo: *El toro empezó a barbear y finalmente dobló y cayó muerto en la arena.*

barbechar (tb. *abarbechar*) v. **1** Referido a un terreno, ararlo para que descanse y reciba la acción de la lluvia o de otros agentes atmosféricos: *Después de esta cosecha barbecharemos la tierra.* **2** Referido a un terreno, ararlo y prepararlo para la siembra: *En mi pueblo todavía usan bueyes para barbechar los campos.*

barbecho s.m. **1** Sistema de cultivo que consiste en arar la tierra y en dejarla sin sembrar periódicamente para que descanse: *dejar la tierra en barbecho.* **2** Tierra de labor preparada con este sistema: *Los barbechos se aprovechan como pastos.* □ ETIMOL. Del latín *vervactum*, y este de *vervagere* (arar la tierra en primavera).

barbería s.f. Local en el que el barbero trabaja cortando y arreglando el pelo, la barba y el bigote: *Mi abuelo siempre iba a la misma barbería a afeitarse.*

barbero, ra ▌adj. **1** Que se utiliza para afeitar o para arreglar la barba: *una navaja barbera.* ▌s.m. **2** Persona que se dedica profesionalmente a cortar y arreglar el pelo, la barba y el bigote.

barbián, -a adj./s. *col.* Referido a una persona, con un carácter desenvuelto, desenfadado y algo atrevido: *Menudo barbián es tu hijo, que sabe todos los trucos para conseguir lo que quiere.* □ ETIMOL. Del gitano *barban* (aire, viento).

barbiblanco, ca adj. →**barbicano.**

barbicano, na adj. Con la barba blanca. □ SINÓN. *barbiblanco.*

barbihecho, cha adj. Recién afeitado: *Daba gusto verlo barbihecho y oliendo a colonia.*

barbilampiño, ña adj. Referido esp. a un hombre adulto, que tiene poca barba o que no tiene barba: *Los hombres barbilampiños tienen una cara infantil.* □ SEM. Dist. de *imberbe* (joven aún sin barba).

barbilindo adj./s.m. Referido a un hombre joven, que presume de guapo y de atractivo: *Era un galán barbilindo y presumido.* □ SINÓN. *barbilucio.*

barbilla s.f. En una persona, extremo saliente de la mandíbula inferior: *Cuando se ríe le sale un hoyuelo en la barbilla.* □ SINÓN. *mentón.*

barbilucio adj./s.m. Referido a un hombre joven, que presume de guapo y de atractivo. □ SINÓN. *barbilindo.* □ ETIMOL. De *barba* y *lucio* (terso).

barbiluengo, ga adj. Que tiene la barba larga: *Los sabios de los cuentos suelen ser ancianos barbiluengos.* □ ETIMOL. De *barba* y *luengo* (largo).

barbiponiente adj.inv. →**barbipungente.** □ ETIMOL. De *barbipungente*, y este del latín *barba* (barba) y *pungens* (punzante).

barbipungente adj.inv. Referido a un hombre joven, que empieza a salirle la barba. □ SINÓN. *barbiponiente.*

barbiquejo s.m. →**barboquejo.**

barbirrojo, ja adj. Con la barba roja. □ ORTOGR. Incorr. **barbirojo.*

barbirrucio, cia adj. Que tiene la barba mezclada de pelos negros y blancos: *Está empezando a encanecer y ahora es barbirrucio.* □ ORTOGR. Incorr. **barbirucio.*

barbitaheño, ña adj. Con la barba roja: *Mi padre es pelirrojo y barbitaheño.* □ ETIMOL. De *barba* y *taheño* (de pelo rojo).

barbitúrico s.m. Sustancia con propiedades hipnóticas y sedantes, derivada de un ácido orgánico cristalino: *Aunque no duermo bien, no quiero tomar barbitúricos.* □ ETIMOL. Del alemán *Barbitursäure* (ácido barbitúrico).

barbiturismo s.m. Intoxicación causada por el consumo de barbitúricos: *Un síntoma del barbiturismo es el sueño profundo.*

barbo s.m. Pez de agua dulce, comestible, con el lomo pardo verdoso y el vientre blanquecino, aletas de radios flexibles y hocico alargado con apéndices carnosos: *Los barbos, que se parecen a las carpas, tienen una carne poco sabrosa.* □ ETIMOL. Del latín *barbus*, y este de *barba*, así llamado por las barbillas que lo caracterizan. □ MORF. Es un sustantivo epiceno: *el barbo {macho/hembra}.*

barboquejo (tb. *barbuquejo, barbiquejo*) s.m. En una prenda para cubrir la cabeza, cinta que la sujeta por debajo de la barbilla: *Los sombreros de los picadores van sujetos a la barbilla por el barboquejo.*

barbotar v. →**barbotear.** □ ETIMOL. De origen onomatopéyico.

barbotear v. Hablar de un modo atropellado, apresurado y confuso: *Estaba tan enfadado que la recibió barboteando insultos. Deja de barbotear y habla más claro.* □ SINÓN. *barbullar, barbotar.* □ ETIMOL. De *barbotar.* □ SEM. Dist. de *balbucear* y *balbucir* (hablar o leer de modo vacilante).

barboteo s.m. Modo de hablar atropellado, apresurado y confuso.

barbotina s.m. Pasta cerámica líquida que se aplica a una vasija moldeada para grabar en ella decoración en relieve o para pegarle trozos de algo. □ ETIMOL. Del francés *barbotine.*

barbour s.m. Prenda de abrigo de tejido impermeable: *El barbour está cubierto de una cera que lo hace impermeable.* □ ETIMOL. Extensión del nombre de una marca comercial. □ PRON. [bárbur].

barbuda s.f. Véase **barbudo, da.**

barbudo, da ▌adj. **1** Que tiene mucha barba. ▌s.f. **2** Seta comestible con el pie alto y fino, y el sombrerillo de color blanco con aspecto sucio: *La barbuda crece en pastos muy abonados.* □ SINÓN. *matacandil.*

barbulla s.f. *col.* Griterío que se forma cuando varias personas hablan de modo atropellado, apresurado y confuso: *¡Menuda barbulla se montó en la calle con lo del robo!*

barbullar v. *col.* Hablar de un modo atropellado, apresurado y confuso: *Tranquilízate y deja de barbullar, que no te entiendo nada.* □ SINÓN. *barbotar, barbotear.* □ ETIMOL. De origen onomatopéyico. □ ORTOGR. Incorr. **barbollar.* □ SEM. Dist. de *balbucear* y *balbucir* (hablar o leer de modo vacilante).

barbullón, -a adj./s. *col.* Que habla de un modo atropellado, apresurado y confuso: *Sois unos barbullones y no os entiendo cuando habláis.*

barbuquejo s.m. →**barboquejo.**

barbusano s.m. **1** Árbol canario de tronco alto, de la familia del laurel: *El barbusano y el aguacate son de la misma familia.* **2** Madera de este árbol, duradera y dura: *El barbusano es una madera muy apreciada.*

barca s.f. **1** Embarcación pequeña que se usa para navegar, pescar o llevar mercancías, generalmente en un río o cerca de la costa: *una barca de remos.* □ SINÓN. *lancha.* **2** || **en la misma barca;** *col.* En idéntica relación con un determinado asunto: *Tú y yo estamos en la misma barca, así que no puedes desentenderte de esto.* □ ETIMOL. Del latín *barca.*

barcada s.f. Carga que lleva una barca en cada viaje.

barcaje s.m. Transporte de artículos y mercancías en una barca: *En el precio de los alimentos que traen de la isla, ya está incluido el barcaje.*

barcarola s.f. Composición musical instrumental o vocal, dulce y moderada, con un ritmo de seis por ocho o de doce por ocho: *La barcarola deriva de las canciones de los gondoleros de Venecia.* □ ETIMOL. Del italiano *barcarola* (canción del barquero).

barcaza s.f. Barca grande que se usa para transportar carga entre dos embarcaciones o desde una embarcación a tierra: *Una barcaza recogió a los pasajeros del velero hundido y los llevó a tierra.*

barcelonés, -a adj./s. De Barcelona o relacionado con esta provincia española o con su capital: *En la ciudad barcelonesa se celebraron las Olimpiadas en el año 1992.*

barcelonismo s.m. Afición por el Fútbol Club Barcelona (club deportivo catalán).

barcelonista adj.inv./s.com. Del Fútbol Club Barcelona (club deportivo catalán) o relacionado con él: *Los colores barcelonistas son el azul y el rojo.*

barceno, na adj. →**barcino.** □ PRON. Incorr. *[bárceno].

barcia s.f. Desperdicio que queda después de limpiar los cereales pasándolos por una criba: *En épocas de escasez, se puede usar la barcia como forraje para los animales.* □ ETIMOL. De origen incierto.

barcino, na (tb. *barceno, na*) adj. Referido a un toro, a una vaca o a un perro, que tiene el pelaje blanco y pardo. □ ETIMOL. De origen incierto.

barco s.m. **1** Embarcación cóncava que flota y puede transportar por el agua personas o cosas. **2** || **barco de vela;** el que tiene velas y se mueve impulsado por el viento. □ ETIMOL. De *barca.* □ SINT. Incorr. (galicismo): *barco {*a > de} vapor, barco {*a > de} vela.*

barda s.f. **1** En una valla o en una tapia, cubierta que la resguarda, generalmente hecha de paja o de ramas y asegurada con piedras o tierra: *Voy a poner una barda encima de la tapia de la huerta.* **2** En zonas del español meridional, muro que sirve para separar un terreno o una construcción de otros: *Vi cuando el perro se saltó la barda.* □ ORTOGR. En la acepción 1, se admite también *bardal.*

bardaguera s.f. Arbusto de la familia del álamo, con abundantes ramas flexibles y delgadas, hojas lanceoladas sencillas y alternas, y flores verdes: *Las ramas de la bardaguera se usan para hacer cestas.*

bardal s.m. →**barda.**

bardana s.f. **1** Planta compuesta con flores de color púrpura y con cáliz con pinchos, cuya raíz tiene propiedades medicinales. □ SINÓN. *lampazo.* **2** || **bardana menor;** planta compuesta con flores de color verde y fruto ovalado con espinas. □ SINÓN. *cadillo.* □ ETIMOL. Del francés *bardane.*

bardeo s.m. *arg.* Navaja.

bardo s.m. Poeta heroico o lírico, esp. entre los antiguos celtas: *Los bardos solían cantar las hazañas de los héroes guerreros.* □ ETIMOL. Del latín *bardus.*

baremar v. Valorar de acuerdo con un baremo: *El tribunal baremó los méritos de los candidatos.*

baremo s.m. **1** Escala de valores que se establece para evaluar o clasificar los elementos de un conjunto, de acuerdo con alguna de sus características: *El profesor calificó los exámenes siguiendo el baremo oficial.* **2** Libro o tabla de cuentas ajustadas: *El día treinta la contable revisará el baremo del mes.* □ ETIMOL. Por alusión a B. F. Barrême, matemático francés.

bareto s.m. *col.* Bar de poca calidad.

bargueño (tb. *vargueño*) s.m. Mueble de madera con muchos cajones y compartimentos: *El bargueño se utilizaba para guardar los documentos de la familia.* □ ETIMOL. Por alusión a la ciudad toledana de Bargas, en la que antiguamente se fabricaban.

barhidrómetro s.m. Instrumento para medir la presión que ejerce el agua a diversas profundidades: *El barhidrómetro es imprescindible en submarinismo.*

baria s.f. En el sistema cegesimal, unidad de presión que equivale aproximadamente a 0,1 pascal: *La baria equivale a una dina por centímetro cuadrado.* □ ETIMOL. Del griego *báros* (pesadez). □ SEM. Dist. de *bar* (equivalente a un millón de dinas por centímetro cuadrado).

baricéntrico, ca adj. Del baricentro o centro de gravedad: *En un problema de geometría me mandaron hallar las coordenadas baricéntricas de un triángulo.*

baricentro s.m. **1** En física, centro de gravedad de un cuerpo: *El baricentro de esta varilla metálica homogénea es el centro de la misma.* **2** En un triángulo geométrico, punto en el que se cortan sus medianas: *No recuerdo la fórmula para hallar el ba-*

ricentro del triángulo. ☐ ETIMOL. Del griego *barýis* (pesado) y *centro*.

barín, -a (rus.) s. En la antigua sociedad eslava, persona que pertenecía al grupo social de los hidalgos o de los señores.

bario s.m. Elemento químico, metálico y sólido, de número atómico 56, de color blanco amarillento, dúctil y difícil de fundir: *El bario se oxida fácilmente en contacto con el aire.* ☐ ETIMOL De *barita*, por haberse extraído de este mineral. ☐ ORTOGR. 1. Su símbolo químico es *Ba*. 2. Dist. de *vario*.

barisfera s.f. En la Tierra, núcleo central: *Es posible que la barisfera esté formada por hierro y otros metales.* ☐ SINÓN. *nife*. ☐ ETIMOL. Del griego *barýs* (pesado) y *spháira* (esfera).

barita s.f. Óxido de bario: *La barita se obtiene en los laboratorios en forma de polvo blanco.* ☐ ETIMOL. Del griego *barýs* (pesado).

baritina s.f. Mineral de color blanquecino, amarillento o verdoso, y brillo vítreo: *La baritina es un sulfato de bario.*

barítono s.m. En música, persona que tiene una voz de registro intermedio entre la de tenor y la de bajo. ☐ ETIMOL. Del latín *barytonus*, y este del griego *barýtonos* (de voz grave).

barján s.m. Duna que tiene forma de media luna: *Se perdió entre los barjanes del desierto.*

barloa s.f. Cable con el que una embarcación se sujeta a otra o al muelle cuando está colocada de costado. ☐ ETIMOL. Del francés *par lof*.

barloar v. →**abarloar.**

barloventear v. Referido a una embarcación, avanzar contra el viento, navegando de modo que la dirección de la quilla forme con la del viento el menor ángulo posible: *Como el viento era muy fuerte, el barco barloventeaba con dificultad.*

barlovento s.m. En el mar, lado o dirección por donde viene el viento: *Un barco se aproximaba por barlovento.* ☐ ETIMOL. De origen incierto. ☐ SEM. Dist. de *sotavento* (lado opuesto).

barman s.m. Persona que trabaja como camarero en la barra, esp. en un pub o en una discoteca. ☐ ETIMOL. Del inglés *barman*. ☐ USO Su uso es innecesario y puede sustituirse por *camarero*.

barn s.m. Unidad de medida de la superficie de choque en reacciones nucleares: *Un barn equivale a 10 metros.* ☐ ORTOGR. Su símbolo es *b*, por tanto, se escribe sin punto.

barnacla s.f. Ave marina palmípeda, parecida a un ganso, de plumaje negro, y a veces también blanco y castaño: *La barnacla habita en las costas europeas del norte.* ☐ ETIMOL. Del irlandés *barnacle* (percebe), porque se creyó que nacía de las conchas o mariscos marinos.

barniz s.m. **1** Producto líquido elaborado con resinas y que se extiende sobre la superficie de algunos objetos para abrillantarlos o protegerlos del aire y de la humedad: *una capa de barniz.* **2** Noción o conocimiento superficial de una ciencia: *En este curso solo nos darán un barniz de gestión empresarial.* ☐ SINÓN. *baño*. **3** || **barniz de uñas;** en zonas del español meridional, pintaúñas. ☐ ETIMOL. Del latín *veronix* (sandáraca o resina olorosa que con otras sustancias se ha empleado en la composición de barnices).

barnizado s.m. Operación de dar barniz. ☐ SINÓN. *barnizadura*.

barnizador, -a ▮ adj./s. **1** Que barniza. ▮ s. **2** Persona que se dedica profesionalmente a barnizar madera.

barnizadura s.f. →**barnizado.**

barnizar v. Dar barniz: *Hay que barnizar esta puerta porque está muy estropeada.* ☐ ORTOGR. La *z* se cambia en *c* delante de *e* →CAZAR.

baro s.m. →**bar.**

baro- Elemento compositivo prefijo que significa 'pesadez' o 'presión atmosférica': *baroscopio, barotraumatismo.* ☐ ETIMOL. Del griego *barós* (pesadez).

barógrafo s.m. Barómetro que registra en un cilindro giratorio las variaciones de la presión atmosférica: *En los últimos días, el barógrafo ha registrado grandes diferencias de presión.* ☐ ETIMOL. De *baro-* (pesadez) y *-grafo* (que describe).

barojiano, na adj. De Pío Baroja (escritor español de finales del siglo XIX y principios del XX), o con características de sus obras: *Escribes unos cuentos muy barojianos, por su realismo y su melancolía.*

barométrico, ca adj. Del barómetro: *Según los datos barométricos, se acerca una borrasca.*

barómetro s.m. **1** Instrumento que sirve para medir la presión atmosférica. **2** Señal que indica cuál es el estado de una situación: *La prensa es un buen barómetro de la opinión pública.* ☐ ETIMOL. Del griego *báros* (pesadez) y *metro* (medidor).

barón s.m. **1** Persona que tiene un título nobiliario inmediatamente inferior al de vizconde. **2** En un partido político, persona que tiene una posición importante y es candidata a puestos destacados: *El nuevo presidente autonómico es un joven barón del partido de la oposición.* ☐ ETIMOL. Del germánico *baro (hombre libre). ☐ ORTOGR. Dist. de *varón*. ☐ MORF. En la acepción 1, su femenino es *baronesa*.

baronesa s.f. de **barón.**

baronía s.f. **1** Título nobiliario de barón: *Como era el hijo mayor, heredó la baronía.* **2** Territorio sobre el que antiguamente un barón ejercía su autoridad: *Cinco pueblos formaban parte de la baronía.*

baroscopio s.m. Instrumento que se utiliza para mostrar la pérdida de peso de los cuerpos en el aire: *Comprobaron el principio de Arquímedes con un baroscopio.* ☐ ETIMOL. De *baro-* (pesadez) y *-scopio* (instrumento para ver).

barotraumatismo s.m. Traumatismo o lesión causada por una variación rápida de la presión: *Los submarinistas pueden sufrir barotraumatismos o accidentes de descompresión.*

barquero, ra s. Persona que conduce o guía una barca.

barqueta s.f. Bandeja de corcho blanco u otros materiales semejantes, que sirve para envasar productos.

barquilla s.f. En un globo aerostático, cesto en el que van los pasajeros.

barquillera s.f. Véase **barquillero, ra**.

barquillero, ra ▌s. **1** Persona que se dedica a la elaboración o a la venta de barquillos. ▌s.m. **2** Molde en el que se hacen los barquillos: *No eches tanta pasta en el barquillero.* ▌s.f. **3** Recipiente metálico en el que llevan su mercancía los vendedores de barquillos: *La tapa de la barquillera suele tener un mecanismo giratorio que marca el número de barquillos que te han tocado por tu dinero.*

barquillo s.m. Dulce que se hace con una pasta delgada de harina sin levadura, azúcar y esencia: *Lo que menos me gusta de los helados de cucurucho es el barquillo.*

barra s.f. **1** Pieza rígida, cilíndrica o prismática, y mucho más larga que gruesa: *una barra de hierro; una barra de hielo.* **2** Pieza alargada de pan: *Compré dos barras tiernas y tostaditas.* **3** En un establecimiento público, mostrador detrás del cual están los camareros y sobre el que se sirven consumiciones a los clientes: *Como no hay mesas libres, tomaremos el café en la barra.* **4** *col.* En un texto escrito, signo gráfico formado por una línea vertical u oblicua de derecha a izquierda, que se utiliza para separar: *En la fecha 31/3/2000, la barra separa el día, el mes y el año.* **5** En la costa o en la desembocadura de un río, acumulación larga y estrecha de arena en el fondo: *Esa barra puede ser peligrosa para la navegación.* **6** *col.* En zonas del español meridional, hinchada: *En estas competencias deportivas se ha reunido una gran barra.* **7** || **barra americana; 1** Bar en el que las bebidas son servidas por camareras que suelen ir provocativamente vestidas, conversan con los clientes y a menudo establecen relaciones de prostitución con ellos. **2** Encimera o mostrador que comunica la cocina con el salón o con el comedor. || **barra (de equilibrio);** en gimnasia, aparato formado por un travesaño de madera alargado, rectangular y estrecho, sostenido por patas fijas, sobre el que se suben las gimnastas para realizar sus ejercicios. || **barra de labios;** tubo pequeño, cilíndrico y alargado, con una sustancia sólida en su interior que sirve para pintarse los labios. □ SINÓN. *pintalabios.* || **barra (fija); 1** En gimnasia, aparato formado por un travesaño cilíndrico de acero, sostenido a cierta altura del suelo, y en el que los gimnastas realizan sus ejercicios sujetándose esp. con manos y piernas. **2** En gimnasia y en ballet, pieza horizontal, alargada y cilíndrica, sujeta a la pared, en la que los gimnastas o bailarines se apoyan para realizar sus ejercicios. || **barra libre;** posibilidad de consumir todas las bebidas que se deseen gratuitamente, previo pago de la entrada: *Como esa noche había barra libre en la discoteca, se cogió una borrachera increíble.* || **(barras) paralelas;** en gimnasia, aparato que consta de dos travesaños cilíndricos y paralelos, sostenidos a la misma altura del suelo, sobre el que los gimnastas realizan sus ejercicios sujetándose esp. con manos y piernas. || **(barras) paralelas asimétricas;** en gimnasia, aparato parecido al anterior, pero con los travesaños sostenidos a diferente altura del suelo. || **sin reparar en barras;** sin consideración ni miramientos: *No reparó en barras hasta que consiguió llegar a la cima del poder.* □ ETIMOL. De origen incierto. □ SINT. *Sin reparar en barras* se usa también con los verbos *mirar, pararse* y *tropezar*.

barrabás (pl. *barrabás*) s.m. *col.* Persona mala, traviesa o que comete maldades: *Seguro que lo ha roto el barrabás de mi hermano.* □ ETIMOL. Por alusión a Barrabás, malhechor que fue indultado en lugar de Jesucristo.

barrabasada s.f. *col.* Hecho o dicho malvado o necio.

barraca s.f. **1** Vivienda rústica construida con cañas, paja y adobe, de tejado con dos vertientes muy inclinadas, y que es propia de las zonas valenciana y murciana: *Vive en una barraca en la albufera valenciana.* **2** Casa pequeña construida toscamente y con materiales ligeros: *Mientras duren las excavaciones utilizad la barraca para dormir.* **3** || **barraca de feria;** construcción provisional desmontable que se destina a espectáculos y diversiones: *Una de las barracas de feria es una tómbola.* □ SINÓN. *caseta de feria.* □ ETIMOL. Del catalán *barraca*.

barracón s.m. Edificio rectangular, de un solo piso y sin muros de separación en su interior, construido esp. para albergar tropas: *Cada compañía militar se alojó en un barracón.*

barracuda s.f. Pez carnívoro de cuerpo muy alargado, hocico puntiagudo y mandíbula prominente con dientes en forma de puñal: *La barracuda mide más de dos metros y es un pez tan temible como el tiburón.* □ MORF. Es un sustantivo epiceno: *la barracuda {macho/hembra}*.

barragana s.f. *desp.* Mujer que convive y mantiene relaciones sexuales con un hombre sin estar casada con él: *Uno de los personajes de la novela 'Los pazos de Ulloa', de Emilia Pardo Bazán, tenía barragana.* □ ETIMOL. De origen incierto.

barraganería s.f. *ant.* →**amancebamiento.**

barranca s.f. →**barranco.**

barrancal s.f. Lugar en el que hay muchos barrancos.

barranco (tb. *barranca*) s.m. Depresión profunda del terreno, esp. si sus pendientes no están cortadas a pico. □ SINÓN. *barranquera.* □ ETIMOL. De origen incierto.

barranquera s.f. →**barranco.**

barranquismo s.m. Deporte que consiste en recorrer el fondo de un barranco o un cañón por el que discurre el cauce de un río.

barraquismo s.m. Abundancia de barracas o de construcciones toscas y poco consistentes.

barredero, ra adj. Que arrastra lo que encuentra a su paso: *Un viento barredero ha dejado los árboles sin hojas.*

barreduras s.f.pl. **1** Basura o conjunto de desperdicios que se barren: *Recogí las barreduras con un cogedor de plástico.* **2** Residuos que quedan como desecho de sustancias sueltas y menudas, esp. referido a granos y semillas: *Las barreduras del trigo se habían esparcido por el suelo del pajar.*

barreminas (pl. *barreminas*) s.m. Barco preparado para limpiar el mar de minas submarinas: *El submarino entró en la bahía detrás del barreminas.* □ SINÓN. *dragaminas.*

barrena s.f. **1** Herramienta formada por una barra metálica con la punta en espiral y que sirve para hacer agujeros en madera, metales y otros materiales duros: *El carpintero hizo los agujeros en las tablas con una barrena.* **2** || **entrar en barrena;** referido a un avión, empezar a descender verticalmente y en espiral, por faltarle la velocidad mínima indispensable para sostenerse en el aire: *Lo que más me gustó de los pilotos acrobáticos fue ver cómo entraban en barrena.* □ ETIMOL. De origen incierto. □ SINT. *Entrar en barrena* se usa también con los verbos *caer, descender* o equivalentes.

barrenado, da adj. *col.* Que está loco o que lo parece: *¡Hay que estar barrenado para ir en coche a esa velocidad!*

barrenador s.m. **1** Insecto coleóptero que barrena la madera y que se alimenta de la savia y de los hongos que se crían en las galerías: *El barrenador pertenece a la familia de los barrenillos.* **2** Molusco marino con aspecto de gusano y una concha muy pequeña que deja descubierta la mayor parte del cuerpo. □ SINÓN. *broma.* □ MORF. En la acepción 1, es un sustantivo epiceno: *el barrenador {macho/hembra}.*

barrenar v. Referido a un material duro, abrir agujeros en él con una barrena o con un barreno: *Los mineros barrenaron las paredes de la mina.*

barrendero, ra s. Persona que se dedica profesionalmente a barrer las calles.

barrenero s.m. Persona que se dedica profesionalmente a hacer barrenos en las minas o en lugares semejantes.

barrenillo s.m. **1** Insecto que excava galerías debajo de la corteza de los árboles: *El barrenillo hembra suele taladrar la corteza y el barrenillo macho la ayuda retirando los restos.* **2** Enfermedad que este insecto produce en los árboles: *Estos olmos tienen barrenillo.* □ MORF. En la acepción 1, es un sustantivo epiceno: *el barrenillo {macho/hembra}.*

barreno s.m. **1** Agujero relleno de un material explosivo, que se hace en una roca o en una obra de fábrica para volarlas. **2** Barrena grande usada esp. para hacer agujeros en rocas. **3** Explosivo con el que se rellena un agujero para realizar una voladura: *Coloca los barrenos con cuidado.*

barreña s.f. →**barreño.**

barreño s.m. Recipiente de uso doméstico más ancho que alto: *Se dio un baño de pies en un barreño.* □ SINÓN. *barreña.* □ ETIMOL. De *barro* (mezcla de tierra y agua).

barrer v. **1** Referido al suelo, limpiarlo o quitarle el polvo y la basura con una escoba o con un objeto semejante: *Barrió y fregó las escaleras de la casa. Después de comer, barrió las migas.* **2** Referido a un lugar, llevarse todo lo que hay en él o apoderarse de ello: *Los ladrones barrieron la casa y no dejaron ni una silla.* **3** Hacer desaparecer, arrollar o llevarse lo que se encuentra al paso: *Tu propuesta barrió todas las demás porque era la más coherente.* **4** Referido esp. a un texto, leerlo y extraer la información que interesa: *Tuve que barrer varios textos para obtener datos y cifras sobre el tema.* **5** || **barrer {hacia/para} {casa/dentro};** actuar por interés y con el fin de obtener algún beneficio personal: *Deja de barrer para dentro y preocúpate un poco por los demás.* □ ETIMOL. Del latín *verrere.*

barrera s.f. **1** En un lugar, valla que lo cerca o que obstaculiza el paso: *Han colocado barreras porque están arreglando la calle.* **2** Mecanismo formado por una barra sujeta por uno de los extremos y que, cuando está bajada, impide el paso: *El vigilante subió la barrera y el coche salió del aparcamiento.* **3** Hecho o circunstancia que constituyen un obstáculo: *La diferencia de edad no es ninguna barrera para su relación.* **4** En una plaza de toros, valla de madera que cerca el ruedo y lo separa de las gradas de los espectadores: *Al diestro le entró el pánico y saltó la barrera.* **5** En una plaza de toros, primera fila de asientos: *Hoy veremos muy bien la corrida porque he comprado localidades de barrera.* **6** En algunas competiciones deportivas, fila de jugadores que, uno al lado del otro, se colocan delante de su portería para protegerla de un lanzamiento contrario: *Los jugadores formaron la barrera siguiendo las instrucciones del portero.* **7** || **barrera del sonido;** límite en el que el foco emisor de un sonido se mueve a la velocidad a la que se propaga el sonido: *Cuando un avión rompe la barrera del sonido, se produce un ruido ensordecedor.*

barretina s.f. Gorro catalán de lana, en forma de manga cerrada por el extremo: *Los bailarines de sardana suelen llevar barretina.* □ ETIMOL. Del catalán *barretina.*

barriada s.f. **1** En un núcleo de población relativamente grande, cada una de las zonas en las que se divide: *Vive en la barriada más ruidosa de la ciudad.* □ SINÓN. *barrio.* **2** En un barrio, parte de él: *De tu barrio, la barriada que más me gusta es la que está al lado del parque.* **3** En zonas del español meridional, barrio de chabolas: *En Perú, a la barriada se le llama 'pueblo joven'.* □ SEM. Dist. de *distrito* (división administrativa).

barrial s.m. En zonas del español meridional, barrizal: *Toda aquella zona era un auténtico barrial.*

barrica s.f. **1** Tonel de tamaño mediano que se usa para contener líquidos, esp. vino: *En la bodega había dos barricas llenas de vino.* **2** || **barrica bordelesa;** tonel con una capacidad de 225 litros. □ ETIMOL. Del gascón *barrique.*

barricada s.f. Obstáculo que se levanta de manera improvisada amontonando distintos objetos para defenderse en un enfrentamiento o para impedir el paso: *Los manifestantes cortaron la calle con una barricada de coches volcados.* □ ETIMOL. Del francés *barricade.*

barrida s.f. En zonas del español meridional, barrido del suelo con la escoba: *Le di una buena barrida a la sala, porque está llena de polvo.*

barrido s.m. **1** Limpieza del suelo que se hace quitándole el polvo y la basura con una escoba o con un objeto semejante: *El barrido de la cocina me llevará cinco minutos.* **2** Acaparamiento o apropiación de todo lo que hay en un lugar: *¡Menudo barrido hizo la gente en el supermercado cuando se enteró de que iban a subir los precios!* **3** En cine, vídeo o televisión, recorrido horizontal que la cámara realiza enfocando desde un punto fijo: *El barrido de la cámara mostró uno por uno a los atletas en la línea de salida.* **4** Búsqueda intensa y completa de datos: *Haremos un barrido en la prensa diaria para conocer bien la situación.* **5** Proceso automático por el que se miden las diversas magnitudes de un sistema para controlarlas: *El piloto automático del avión hizo un barrido de la situación atmosférica.* ☐ SEM. En la acepción 3, dist. de *travelling* (recorrido que realiza la cámara moviéndose).

barriga s.f. **1** *col.* En el cuerpo humano o en el de otros mamíferos, parte comprendida entre el tórax y la pelvis, en la que se sitúa la mayor parte de los aparatos digestivo y reproductor: *El ombligo está en la barriga.* ☐ SINÓN. *tripa, vientre, abdomen.* **2** *col.* Conjunto de vísceras que está contenido en esta parte del cuerpo: *Tengo que hacerme una radiografía de la barriga.* ☐ SINÓN. *vientre, abdomen.* **3** *col.* En una persona, abultamiento que se forma en esa parte del cuerpo, esp. si es por acumulación de grasa: *Como sigas comiendo tanto, vas a tener una buena barriga.* ☐ SINÓN. *tripa.* **4** Parte abultada de algunas cosas, esp. de una vasija: *En ese cántaro cabe más que en este porque tiene la barriga más ancha.* ☐ SINÓN. *panza, vientre.* ☐ ETIMOL. Quizá de *barrica*.

barrigón, -a adj. →**barrigudo.**

barrigudo, da adj. Que tiene una gran barriga, esp. si es por acumulación de grasa: *Está embarazada de ocho meses y está ya muy barriguda.* ☐ SINÓN. *barrigón.*

barril s.m. **1** Tonel que sirve para contener y transportar líquidos: *Ya he encargado los barriles de cerveza.* **2** Unidad de capacidad que equivale a 158,982 litros de petróleo o de alguno de sus derivados: *Se rumorea que el barril de petróleo subirá un dólar.* **3** || **ser un barril de pólvora;** referido a una situación, ser muy conflictiva: *Ese debate es un barril de pólvora que puede estallar si nadie cede.* ☐ ETIMOL. De origen incierto.

barrila s.f. **1** *col.* Discusión o escándalo entre personas. **2** || **dar la barrila;** *col.* Decir o pedir algo reiteradamente hasta llegar a ser molesto y pesado: *Dio la barrila en su casa hasta que consiguió que le compraran un coche.*

barrilero s.m. Persona que fabrica o vende barriles.

barrilete s.m. **1** En un revólver, pieza cilíndrica y giratoria en la que se colocan las balas: *No metió con rapidez los cartuchos en el barrilete y el otro pistolero disparó antes.* **2** Cangrejo marino que tiene una pinza más grande que la otra. **3** En zonas del español meridional, cometa. ☐ ETIMOL. Del diminutivo de *barril*.

barrilla s.f. **1** Planta herbácea, de hojas estrechas y largas, que crece en terrenos salinos y de cuya ceniza se obtiene la sosa: *Las hojas de la barrilla son blanquecinas y sus flores, verduscas.* **2** Ceniza de esta planta: *La barrilla, muy rica en carbonato sódico, se empleaba para hacer jabón.*

barrillo s.m. En la cara de una persona, grano de color rojizo. ☐ SINÓN. *barro.*

barrio s.m. **1** En un núcleo de población relativamente grande, cada una de las zonas en las que se divide. ☐ SINÓN. *barriada.* **2** || **barrio bajo;** aquel en el que viven las clases sociales más pobres. || **barrio chino;** *col.* En algunas ciudades, esp. en las portuarias, aquel en el que se concentran locales destinados a la prostitución. || **el otro barrio;** *col.* Lo que hay después de la muerte: *Dice que los espíritus le hablan desde el otro barrio.* ☐ ETIMOL. Del árabe *barri* (exterior, propio de las afueras, arrabal). ☐ MORF. *Barrio bajo* se usa más en plural. ☐ SEM. En la acepción 1, dist. de *distrito* (división administrativa).

barriobajero, ra adj./s. **1** De los barrios bajos o relacionados con ellos: *zona barriobajera.* **2** Que resulta vulgar, ordinario o maleducado: *No puedo soportar sus modales barriobajeros.*

barritar v. Referido al elefante o al rinoceronte, dar barritos o emitir su voz característica: *Cuando se acercó el cazador, el elefante empezó a barritar.*

barrito s.m. **1** Voz o sonido característico del elefante o del rinoceronte. **2** En zonas del español meridional, espinilla. ☐ ETIMOL. La acepción 1, del latín *barritus*.

barrizal s.m. Terreno lleno de barro o lodo.

barro s.m. **1** Mezcla de tierra y agua: *Ponte las botas de plástico porque hay barro en la calle.* **2** Mezcla moldeable de agua y arcilla muy usada en alfarería y que, una vez cocida, se endurece: *Estoy aprendiendo a moldear el barro.* **3** Objeto hecho de esta mezcla: *Los barros que tengo en la estantería los compré en una tienda de artesanía.* **4** En la cara de una persona, grano de color rojizo: *Como le está rompiendo la barba, tiene muchos barros en la cara.* ☐ SINÓN. *barrillo.* **5** || **{en/por} el barro;** *col.* En una situación humillante, baja o despreciable: *Desde que se dio a la bebida, vive hundido en el barro.* ☐ ETIMOL. Las acepciones 1-3, de origen prerromano. La acepción 4, del latín *varus* (grano que sale en la piel). ☐ MORF. En la acepción 4, en zonas del español meridional, se usa mucho el diminutivo *barrito*.

barroco, ca ▮ adj. **1** Del Barroco o con rasgos propios de este estilo: *En la arquitectura barroca hay profusión de líneas curvas.* **2** Excesivamente adornado o complejo: *Aunque te gusten los muebles barrocos, yo los prefiero sobrios y de líneas rectas.* ▮ s.m. **3** Estilo artístico que triunfó en Europa (uno de los cinco continentes) en el siglo XVII y que se caracteriza por la complicación formal y la exuberancia ornamental: *La excesiva ornamentación del Barroco fue una reacción contra la sobriedad del estilo renacentista.* **4** Período histórico durante el que se desarrolló este estilo: *La decadencia política y económica de España comenzó en el Barroco.* ☐ ETIMOL. Del francés *baroque*, resultante de la fusión de *Barocco* (figura de silogismo tomada como prototipo del raciocinio formalista y absurdo) y el portugués *barrôco* (perla irregular). ☐ USO En las acepciones 3 y 4, se usa más como nombre propio.

barroquismo s.m. Tendencia a lo barroco, o manifestación de este estilo: *Estas frases largas y complejas son ejemplo del barroquismo de la novela.*

barroso, sa adj. **1** Referido a un terreno, que tiene barro o que favorece su formación: *tierras barrosas.* **2** De color rojizo como el barro: *El agua del río estaba barrosa porque había habido lluvias torrenciales.* **3** Referido a la cara de una persona, con granos de color rojizo.

barrote s.m. Barra gruesa: *los barrotes de una verja.*

barrujo s.m. Acumulación de las hojas secas de los pinos que suelen cubrir los pinares.

barruntamiento s.m. →**barrunto.**

barruntar v. Sospechar, presentir o prever por algún ligero indicio: *Por tu mirada, barrunto que estás enamorada.* ☐ ETIMOL. De origen incierto.

barrunte s.m. →**barrunto.**

barrunto s.m. **1** Sospecha, presentimiento o previsión de que algo va a suceder: *Tengo barruntos de que han discutido, aunque no estoy muy segura.* **2** Noticia o indicio: *Aunque la situación parece estancada, hay barruntos de que cambiará.* ☐ SINÓN. *barruntamiento.* ☐ ORTOGR. En la acepción 2, se admite también *barrunte.*

bartering (ing.) s.m. En marketing, intercambio de programas televisivos por espacios publicitarios: *Algunas empresas recurren al bartering para anunciarse en televisión, y patrocinan programas en vez de pagar con dinero.* ☐ PRON. [bárterin].

bartola ‖ **a la bartola;** *col.* De forma relajada o libre de toda preocupación: *Como es un holgazán, se pasa las tardes tumbado a la bartola.* ☐ ETIMOL. Por alusión a Bartolo, nombre genérico del prototipo de persona despreocupada y perezosa. ☐ SINT. Se usa más con los verbos *echarse, tenderse, tumbarse* o equivalentes.

bartolillo s.m. Pastel pequeño, generalmente de forma triangular, relleno de crema o de carne.

bártulos s.m.pl. Conjunto de cosas diversas de uso habitual, esp. en un trabajo o en una actividad: *Cogió sus bártulos de pesca y se fue al río.* ☐ ETIMOL. Por alusión a Bartolo, jurisconsulto italiano del siglo XIV.

barullero, ra adj./s. *col.* Referido a una persona, que hace las cosas sin orden y sin cuidado.

barullo s.m. *col.* Situación confusa producida por la falta de orden y de cuidado o por la alteración de lo que se considera habitual: *El barullo de la calle no me dejó dormir.* ☐ ETIMOL. Del portugués *barulho*, y este del latín *involucrum* (envoltorio).

basa s.f. En una columna, pieza inferior sobre la que se apoya el fuste: *La columna dórica no tiene basa y se apoya directamente sobre el suelo.*

basal adj.inv. En biología, referido a una actividad orgánica, que mantiene el grado mínimo o esencial para realizarse: *un nivel basal.*

basáltico, ca adj. De basalto o con características de este mineral: *rocas basálticas.*

basalto s.m. Roca volcánica de color negro o verdoso, muy dura, que procede de la fusión de materiales de las capas profundas del manto superior de la corteza terrestre: *El basalto se emplea como material de construcción.* ☐ ETIMOL. Del francés *basalte.*

basamento s.m. En una columna, conjunto formado por la basa y el plinto o pedestal: *De las columnas del antiguo templo solamente queda el basamento.*

basar v. Apoyar o fundamentar sobre una base: *Basaron su amistad en la confianza mutua. Me baso en la experiencia para justificar su teoría.* ☐ ORTOGR. Dist. de *vasar.* ☐ SINT. Constr. *basar(se) EN algo.*

basca s.f. **1** *col.* Grupo de personas, esp. si son amigas: *Los domingos salgo de copas con la basca del barrio.* **2** Malestar que se siente en el estómago cuando se quiere vomitar: *Ha comido tanto que ahora tiene bascas.* ☐ SINÓN. *náusea.* ☐ ETIMOL. De origen incierto. ☐ MORF. En la acepción 2, se usa más en plural.

bascosidad s.f. Inmundicia o suciedad.

báscula s.f. Instrumento que sirve para medir pesos y que consta de una plataforma sobre la que se coloca lo que se va a pesar: *Me pesé en la báscula de la farmacia.* ☐ ETIMOL. Del francés *bascule* (aparato que se balancea, báscula). ☐ SEM. Dist. de *balanza* (con un brazo y, generalmente, con dos platillos).

bascular v. **1** Referido a un objeto, efectuar movimientos de vaivén: *Cuando se le acaba la cuerda al reloj de pared, el péndulo deja de bascular.* **2** Referido a un estado, variar alternativamente: *Su estado de ánimo bascula entre el optimismo y la tristeza.* **3** Referido a la caja de un vehículo de carga, levantarse mecánicamente por uno de sus extremos para que la mercancía se deslice hacia fuera por su propio peso: *El volquete basculó y la arena fue cayendo al suelo.* **4** En deporte, referido a un jugador, desplazarse lateralmente de forma alternativa y continuada: *El jugador basculó por la banda intentando desmarcarse de su contrario.* ☐ ORTOGR. Dist. de *vascular.*

basculero s.m. Persona encargada de una báscula oficial: *En el aeropuerto, el basculero me dijo que mi equipaje sobrepasa el límite permitido.*

base ▮ s.com. **1** En baloncesto, jugador cuya función primordial es la de organizar el juego de su equipo: *Los bases suelen ser los jugadores más bajos del equipo.* ▮ s.f. **2** Apoyo o fundamento en que descansa algo: *La base de su éxito radica en su capa-*

cidad de trabajo. **3** En una figura geométrica, línea o superficie sobre la que parece que descansa, y línea o superficie paralelas a estas: *La base de un cilindro es un círculo.* **4** En matemáticas, en la potencia 'a^b', el término 'a': *En la potencia 5^3, el 5 es la base.* **5** En matemáticas, en el logaritmo '$\log_b a$', el número 'b': *En el logaritmo $\log_2 5$, 2 es la base.* **6** En un sistema de numeración matemática, número de unidades que constituyen la unidad colectiva del orden inmediatamente superior: *En el sistema de base diez, se necesitan diez unidades para formar otra del orden inmediato superior.* **7** En química, compuesto generalmente formado por un metal y por oxígeno e hidrógeno y que, combinado con un ácido, forma una sal: *La sosa es una base muy fuerte.* **8** En un campo de béisbol, cada una de las cuatro esquinas que intenta ocupar un jugador, mientras otro del equipo contrario la defiende: *El bateador corrió las cuatro bases y fue muy aplaudido.* **9** Lugar esp. preparado para una determinada actividad: *Los cazabombarderos repostaron y cargaron bombas en la base aérea.* **10** En topografía, punto que se fija sobre el terreno y que sirve de referencia para establecer otros puntos secundarios: *Para hacer el trazado de la carretera, primero fijaron las bases y luego otros hitos.* **11** Regleta en la que se pueden conectar dos o más enchufes: *He colocado una base para enchufar el ordenador, la impresora y un aparato de radio.* ▮ s.f.pl. **12** Normas o reglas que determinan cuáles son las condiciones en que se desarrollan un concurso, un sorteo o algo semejante: *Las bases de este sorteo están depositadas ante notario.* **13** ‖ **a base de;** tomando como base, fundamento o componente principal: *Se alimenta a base de filetes.* ‖ **a base de bien;** *col.* En gran cantidad: *Cenaron a base de bien.* ‖ **base de datos;** en informática, sistema que permite el almacenamiento de datos de manera estructurada y su consulta por parte de usuarios múltiples e independientes entre sí: *Este banco tiene una base de datos con información de todos sus clientes.* ‖ **base del cráneo;** en el cráneo, parte inferior, formada principalmente por los huesos occipital y temporales. ‖ **base imponible;** en un impuesto, suma de todos los rendimientos netos más la variación neta de patrimonio. ☐ ETIMOL. Del latín *basis.* ☐ SINT. 1. *A base de*, seguido de un adjetivo, es un vulgarismo: **a base de barato.* 2. Incorr. (anglicismo): **en base a > sobre la base de.* ☐ SEM. *Base de datos* es dist. de *banco de datos* (conjunto organizado de datos relativos a un tema). ☐ USO Es innecesario el uso del anglicismo *data base* en lugar de *base de datos.*

basic (ing.) s.m. **1** En informática, lenguaje de programación que se utiliza para crear aplicaciones de tipo general y que se caracteriza por su sencillez. **2** ‖ **visual basic;** en informática, aplicación que se utiliza para crear programas visuales en basic. ☐ ETIMOL. Es el acrónimo del inglés *Beginners All purpose Symbolic Instruction Code* (código general de símbolos para principiantes). ☐ PRON. [béisic] y [vísual béisic].

basicidad s.f. En química, conjunto de las características que hacen que una sustancia sea básica: *La basicidad es lo contrario a la acidez.*

básico, ca ▮ adj. **1** De la base o del fundamento de algo: *No estoy de acuerdo con los principios básicos de esta teoría.* **2** Indispensable o esencial: *El oxígeno es básico para la vida de los animales.* **3** Referido a un compuesto químico, que forma sales con los ácidos: *Los óxidos de metales alcalinos son básicos.* ▮ adj./s.m. **4** Referido esp. a un concierto, que se interpreta con instrumentos que no son eléctricos: *un concierto básico.* ☐ MORF. No admite grados; incorr. **más básico.* ☐ USO En la acepción 4, es innecesario el uso del anglicismo *unplugged.*

basílica s.f. **1** Iglesia notable por su antigüedad, tamaño o magnificencia, o por los privilegios de que goza: *La catedral de Zaragoza está enfrente de la basílica del Pilar.* **2** En arte, edificio religioso, generalmente cristiano y de planta rectangular dividida en tres o cinco naves separadas por columnas o pilares: *La nave central de las basílicas cristianas es más ancha que las laterales.* ☐ ETIMOL. Del latín *basilica* (especie de lonja), porque el cristianismo, cuando triunfó, aprovechó estos edificios para construir las iglesias.

basilical adj.inv. De la basílica o relacionado con ella: *La planta basilical suele ser de forma longitudinal.*

basilisco s.m. **1** Animal fabuloso que se representaba con cuerpo de serpiente y patas de ave. ☐ SINÓN. *régulo.* **2** ‖ **{estar/ponerse} hecho un basilisco;** *col.* Enfadarse mucho y mostrarlo claramente: *Cuando descubrió el engaño se puso hecho un basilisco.* ☐ ETIMOL. Del latín *basiluscus*, y este del griego *basilískos* (reyezuelo).

basket (ing.) s.m. →**basketball.** ☐ PRON. [básket].

basketball (ing.) s.m. En zonas del español meridional, baloncesto. ☐ SINÓN. *basket.* ☐ PRON. [básketbol].

basófilo s.m. Leucocito granular que puede digerir microorganismos.

básquet s.m. →**basquetbol.**

basquetbol s.m. En zonas del español meridional, baloncesto: *Mi mejor amiga es buena para el basquetbol.* ☐ SINÓN. *básquet.* ☐ ETIMOL. Del inglés *basketball.* ☐ PRON. Está muy extendida la pronunciación anglicista [básketbol].

basquiña s.f. Falda que llegaba hasta los pies, generalmente negra y con muchos pliegues. ☐ ETIMOL. Del portugués antiguo *vasquinha*, y este de *vasca* (falda de las mujeres vascas).

basset (fr.) adj.inv./s.m. Referido a un perro, de una raza que se caracteriza por tener cuerpo pequeño y patas cortas. ☐ PRON. [báset].

basta ▮ s.f. **1** Véase **basto, ta.** ▮ interj. **2** Expresión que se usa para poner término a una acción o a un discurso: *¡Basta, déjame en paz!*

bastante ▮ indef. **1** Suficiente o no poco: *No tengo bastante dinero para comprarlo. De tu casa a la mía hay bastantes kilómetros. Ya estamos bastantes, que no vengan más.* ▮ adv. **2** En una cantidad indefinida, pero suficiente: *No ha nevado bastante para poder ir a esquiar. Me gusta bastante, pero no tanto como para comprarlo.* **3** Más de lo necesario o de lo normal: *No voy a cenar porque he merendado bastante.* **4** Antepuesto a un adverbio, muy: *No puedes ir andando porque está bastante lejos.* □ MORF. En la acepción 1, es invariable en género.

bastantear v. Referido a un poder o a otro documento, declararlos suficientes para el fin con que han sido otorgados: *El notario bastanteará estos documentos para que luego no haya problemas legales.*

bastanteo s.m. **1** Declaración de que un poder o un documento bastan para el fin con que han sido otorgados: *En el bufete de abogados me dedico al bastanteo de documentos.* **2** Documento o sello con el que se hace constar esta declaración: *Es un requisito indispensable el presentar como documentación el bastanteo del abogado.*

bastar v. Ser suficiente: *Con este dinero basta para pagarlo todo. Me basto y me sobro para llevar yo solo el negocio.* □ ETIMOL. Del latín **bastare*, y este del griego *bastázo* (llevo, sostengo un peso). □ SINT. Constr. *bastar* CON *algo*.

bastarda adj./s.f. →**letra bastarda.**

bastardía s.f. **1** Condición del hijo nacido fuera del matrimonio: *Su bastardía le impidió heredar el trono.* **2** Hecho o dicho indignos de la naturaleza, el origen o el estado de una persona: *Su mal comportamiento con los demás es una bastardía impropia de una familia tan honrada como la suya.* □ USO Tiene un matiz despectivo.

bastardilla s.f. →**letra bastardilla.**

bastardo, da ▮ adj./s. **1** *desp.* Referido a una persona, que ha nacido fuera del matrimonio: *hijo bastardo.* □ SINÓN. *borde.* **2** *col. desp.* Que actúa con mala intención o sin nobleza. ▮ s.f. **3** →**letra bastarda.** □ ETIMOL. Del francés antiguo *bastart.* □ MORF. En la acepción 1, se usa como sustantivo referido solo a hijos. □ USO La acepción 2 se usa como insulto.

bastedad s.f. En un objeto, falta de calidad o de pulimento: *La bastedad de la lija permite pulir algunos materiales.* □ ORTOGR. Dist. de *vastedad.*

basteza s.f. En una persona, falta de educación, de delicadeza y de refinamiento: *La basteza de tu comentario ha hecho que tú mismo te sonrojes.*

bastidor s.m. **1** Armazón rectangular o en forma de aro que deja un hueco en su interior, constituido por un conjunto de listones unidos y que sirve para fijar o montar algo, esp. telas o vidrios: *Mi abuela bordaba en un bastidor de madera.* **2** Armazón metálico que soporta una estructura o un mecanismo, esp. referido al que sostiene la carrocería de un vehículo: *el bastidor del coche.* **3** En un teatro, lienzo pintado y sostenido por un armazón, que se sitúa a los lados y detrás del escenario y sirve como decorado. □ ETIMOL. Del antiguo *bastir* (construir, fabricar).

bastilla s.f. En un tejido, doblez que se le hace en los bordes y que se asegura provisionalmente con puntadas para que no se deshilache: *Haz una bastilla en la falda antes de cogerle el bajo.*

bastimento s.m. **1** Conjunto de provisiones para el abastecimiento de un grupo de personas, generalmente una ciudad o un ejército: *Un convoy llevó al campamento el bastimento necesario para todo el año.* **2** Construcción que flota y se desliza por el agua y que se usa como medio de transporte: *Los bastimentos más grandes atracan fuera del puerto.* □ SINÓN. *embarcación, nave.* □ ETIMOL. Del antiguo *bastir* (abastecer, construir).

bastión s.m. Lo que sirve para defender o mantener algo: *La ciudad fue un bastión contra la invasión extranjera.* □ SINÓN. *baluarte.* □ ETIMOL. Del italiano *bastione.*

basto, ta ▮ adj. **1** Sin refinar, de poca calidad o hecho con materiales de poco valor: *Tus muebles son baratos pero muy bastos.* ▮ adj./s. **2** Referido a una persona, sin educación, sin delicadeza y sin refinamiento: *Es un chico de andares bastos y desacompasados.* ▮ s.m. **3** En la baraja española, carta del palo que se representa con uno o varios garrotes, generalmente de color verde: *Sal con un basto pequeño como el cuatro o el cinco.* ▮ s.m.pl. **4** En la baraja española, palo que se representa con uno o varios garrotes, generalmente de color verde: *Tengo oros, copas y espadas, pero no bastos.* ▮ s.f. **5** En un colchón, costura o atadura que mantiene el relleno repartido y sujeto: *El colchón no tiene bastas y toda la lana está a los pies.* □ ETIMOL. Las acepciones 1 y 2, de *bastar*. Las acepciones 3 y 4, de *bastón*. La acepción 5, del germánico **bastjan* (zurcir). □ ORTOGR. Dist. de *vasto.* □ USO En la acepción 3, *un basto* designa cualquier carta de bastos y *el basto* designa al as.

bastón s.m. **1** Vara o palo que sirve de apoyo al caminar. **2** Distintivo simbólico que confiere autoridad civil o militar: *bastón de mando.* **3** En esquí, barra que se usa para apoyarse o impulsarse: *Los bastones salieron por los aires cuando me caí en la pista.* □ ETIMOL. Del latín *bastum* (palo).

bastonada s.f. →**bastonazo.**

bastonazo s.m. Golpe dado con un bastón: *El abuelo se enfadó y empezó a dar bastonazos en el suelo.* □ SINÓN. *bastonada.*

bastoncillo s.m. Palito de plástico con algodón en sus extremos que se usa en el aseo personal: *Dame los bastoncillos para limpiarle a la niña las orejas.*

bastonero, ra ▮ s. **1** En un baile colectivo, persona que designaba el lugar y el orden en que bailaban las parejas: *El bastonero siempre ponía en el centro a los mejores.* ▮ s.f. **2** Mueble para colocar paraguas y bastones: *Pon el paraguas en la bastonera del recibidor.*

basuco s.m. *arg.* En zonas del español meridional, droga derivada de la cocaína que se consume fumada.

basura s.f. **1** Conjunto de desperdicios y de cosas que no sirven y se tiran: *la bolsa de la basura.* **2** Lo que se considera de mala calidad, mal hecho o de poco valor: *Esa novela tan mal escrita es una basura.* **3** Persona con pocas cualidades y poco digna de aprecio. ☐ SINT. Se usa en aposición, pospuesto a un sustantivo: *televisión basura; trabajo basura.* ☐ ETIMOL. Del latín **versura* (acción de barrer).

basural s.m. En zonas del español meridional, basurero: *Aquella gente tan pobre vivía al lado del basural de la ciudad.*

basurero, ra ▮ s. **1** Persona que se dedica profesionalmente a la recogida de basura. ▮ s.m. **2** Lugar en el que se amontona la basura. **3** En zonas del español meridional, cubo de la basura: *En la cocina tenemos un basurero bastante grande.*

bat (ing.) s.m. En zonas del español meridional, bate: *Tengo un bat para jugar beisbol.*

bata s.f. **1** Prenda de vestir holgada y cómoda, que cubre desde el cuello hasta una altura variable de las piernas y que se usa para estar en casa: *En cuanto llego a casa me quito la ropa y me pongo la bata.* **2** Prenda de vestir cómoda y ligera que se pone sobre la ropa como medida de higiene o para protegerla de la suciedad: *Los que trabajan en este hospital llevan batas verdes.* ☐ ETIMOL. Quizá del árabe *batt* (vestido basto). **3** ‖ **bata de cola;** vestido de mujer, con volantes y cola, que se utiliza para el baile flamenco.

batacazo s.m. **1** Caída fuerte y ruidosa: *Pisé una cáscara de plátano y me di un batacazo.* **2** Fracaso grande e inesperado: *Baja de las nubes o te pegarás un batacazo.* ☐ SINT. Se usa más con los verbos *darse* y *pegarse*.

batahola (tb. *bataola*) s.f. *col.* Estrépito grande de voces, gritos y ruidos: *Armó una insoportable batahola porque no lo dejé salir.* ☐ ETIMOL. De *batayola* (barandilla que se coloca sobre las bordas de un buque), porque los soldados se colocaban detrás de ellas para pelear en los combates navales.

batalla s.f. **1** Combate entre dos ejércitos, dos armadas navales o dos aviaciones: *Ganar una batalla no es ganar la guerra.* **2** Enfrentamiento, lucha o conflicto entre dos o más personas: *Las dos bandas rivales se enzarzaron en una batalla con piedras.* **3** Lucha y contradicción anímicas que una persona vive en su interior: *Para él fue una dura batalla aceptar una pérdida tan grande.* **4** Relato de hechos esp. pasados en los que el narrador se presenta como protagonista absoluto: *Me sé tus batallitas de memoria.* **5** ‖ **batalla campal;** 1 La que se produce entre dos ejércitos completos, o la que se desarrolla en campo abierto: *Las batallas campales son muy sangrientas.* 2 Discusión o enfrentamiento violentos, esp. si toma parte mucha gente. ‖ **{dar/presentar} (la) batalla;** enfrentarse con decisión a un problema: *Este año el gobierno dará la batalla a la inflación.* ‖ **de batalla;** referido esp. a la ropa, que es de uso ordinario y no se trata con cuidado: *Para hacer limpieza en la casa me pongo mis pantalones de batalla.* ☐ SINÓN. *batallero.* ☐ ETIMOL. Del latín *battualia* (esgrima). ☐ MORF. En la acepción 4, se usa mucho el plural y el diminutivo *batallita.* ☐ SINT. Constr. *librar una batalla* CONTRA *algo.*

batallador, -a adj./s. **1** Que batalla: *La estatua de este parque está dedicada a un rey medieval muy batallador.* **2** Referido a una persona, que debate y argumenta con calor y vehemencia, generalmente para conseguir un propósito: *Durante toda la reunión fue muy batallador, hasta que consiguió convencernos.*

batallar v. **1** Pelear, combatir o luchar con armas: *Los caballeros medievales batallaban con el que ofendiera a su dama.* **2** Disputar, debatir o porfiar con calor y vehemencia, generalmente para conseguir un propósito: *Tuve que batallar mucho con mi suegro hasta que me aceptó en la familia.*

batallero, ra adj. Referido esp. a la ropa, que es de uso ordinario y no se trata con cuidado: *Hicimos la mudanza vestidos con ropa batallera.* ☐ SINÓN. *de batalla.*

batallón s.m. **1** En el ejército, esp. en infantería, unidad táctica con el mismo tipo de armas, compuesta de varias compañías: *Al mando de un batallón suele haber un comandante o un teniente coronel.* **2** Grupo de personas muy numeroso y ruidoso: *Un batallón de niños andaba por la feria.* ☐ ETIMOL. Del italiano *battaglione*.

batán s.m. Máquina compuesta por grandes rodillos o por gruesos mazos de madera, que se usa para limpiar, desengrasar y hacer compacto un tejido: *Los batanes hacen mucho ruido.* ☐ ETIMOL. De origen incierto.

batanar v. →**abatanar.**

batanear v. *col.* Referido a una persona, sacudirla o darle golpes: *Como no me obedezcas inmediatamente te bataneo de lo lindo.*

bataola s.f. →**batahola.**

batasuno, na adj./s. Que es miembro de Herri Batasuna (partido político vasco).

batata s.f. **1** Planta herbácea de tallo rastrero, hojas alternas de color verde oscuro, flores grandes y acampanadas de color blanco o púrpura, y con tubérculos comestibles muy parecidos a los de la patata. **2** Tubérculo de la raíz de esta planta: *La batata es más dulce y digestiva que la patata.* ☐ SEM. Dist. de *boniato* (una variedad de la batata).

batch (ing.) adj. En informática, referido esp. a un proceso, que tiene una serie de órdenes consecutivas que se ejecutan por lotes o de forma secuencial: *En un proceso batch las órdenes se ejecutan sin la intervención del usuario.* ☐ PRON. [bach]. ☐ USO Su uso es innecesario y puede sustituirse por la expresión *por lotes*.

bate s.m. En algunos deportes, esp. en el béisbol, bastón con el que se golpea la pelota, más estrecho en la empuñadura que en el extremo opuesto: *Para golpear bien la pelota, debes coger el bate con las dos manos.* ☐ ETIMOL. Del inglés *bat.* ☐ ORTOGR. Dist. de *vate*.

batea s.f. **1** Embarcación pequeña con forma de cajón, que se usa en ríos y puertos para el transporte de mercancías: *Llevan las cosas de una orilla a otra del río con una batea.* **2** Bandeja con el borde de poca altura, de madera pintada y adornada con pajas: *En el aparador tiene un juego de té en una batea.* **3** Construcción cuadrada, generalmente de madera, que se coloca en el mar para la cría de mejillones: *En esa ría gallega hay muchas bateas.* **4** En zonas del español meridional, recipiente para lavar la ropa o para otros usos domésticos: *Lavé la ropa en la batea.* □ ETIMOL. Del árabe *batiya* (palangana).

bateador, -a s. En béisbol, jugador encargado de darle a la pelota con el bate.

batear v. En béisbol, golpear la pelota con el bate: *Bateó muy alto y corrió las cuatro bases del campo.*

batel s.m. Embarcación pequeña, sin cubierta y con tablas atravesadas que sirven de asiento: *Llegamos al puerto en batel, porque el barco no pudo acercarse.* □ SINÓN. *bote, lancha.* □ ETIMOL. Del francés antiguo *batel.* □ SEM. Dist. de *bajel* (barco, en lenguaje poético).

bateo s.m. En béisbol, golpe dado a la pelota con un bate.

batera s.com. *col.* Batería: *el batera de un grupo de rock.*

batería ▮ s.com. **1** En un grupo de música, persona que toca los instrumentos de percusión montados sobre un mismo armazón: *El mejor del grupo es el batería.* ▮ s.f. **2** Conjunto de instrumentos musicales de percusión montados sobre un mismo armazón y tocados por un solo músico: *La batería marca el ritmo de la pieza musical.* **3** En el ejército, conjunto de piezas de artillería dispuestas para hacer fuego: *El sabotaje de la batería enemiga fue decisivo para ganar la batalla.* **4** En el ejército, unidad de tiro compuesta por cuatro o seis piezas de artillería, el material automóvil que las mueve y los mandos y artilleros que las dirigen y disparan: *El capitán dirigió muy bien su batería.* **5** En un teatro, fila de luces en la parte del escenario más próxima al público, que sustituye a las antiguas candilejas: *Los actores estaban deslumbrados por la batería y no veían al público.* **6** Serie o conjunto numeroso de cosas: *Me volvió loco con la batería de preguntas que me hizo.* **7** || **batería (de cocina);** conjunto de cacharros y de utensilios que sirven para cocinar. || **batería (eléctrica);** en física, aparato formado por una o varias pilas, que permite la acumulación de energía eléctrica y su posterior suministro: *Dejé encendidas las luces del coche y se agotó la batería.* || **en batería;** referido al modo de estacionar un vehículo, en paralelo respecto a los demás vehículos aparcados: *En las calles estrechas no se puede aparcar en batería.* □ ETIMOL. Del francés *batterie.*

batey (pl. *bateyes*) s.m. Zona de viviendas, almacenes, barracones y otras edificaciones próximas a las plantaciones de caña de azúcar: *Los bateyes son propios de las Antillas.* □ ETIMOL. De origen caribeño.

batial adj.inv. **1** Referido a una zona marina, que tiene una profundidad entre 200 y 2 500 metros. **2** De esta zona marina: *La fauna batial resiste grandes presiones.* □ ETIMOL. Del griego *bathýs* (hondo).

batiborrillo s.m. →**batiburrillo.**

batiburrillo (tb. *batiborrillo*) s.m. Mezcla desordenada de cosas o elementos dispares: *¡A ver si aclaras de una vez el batiburrillo de ideas que tienes en la cabeza!* □ SINÓN. *baturrillo.* □ ETIMOL. De *baturrillo* (revoltijo), por cruce con *zurriburri.*

batida s.f. **1** Registro o reconocimiento minucioso de un lugar: *Dieron una batida por la zona para encontrar a los niños perdidos.* **2** En caza mayor, registro ruidoso del terreno para hacer salir a los animales de sus escondites y que se dirijan al lugar donde están los cazadores. □ USO La acepción 1 se usa más en la expresión *dar una batida.*

batidera s.f. En construcción, herramienta formada por una hoja de hierro doblada en ángulo recto y un mango largo, que sirve para mezclar materiales: *Mezcló la cal y la arena con la batidera para hacer argamasa.*

batido s.m. **1** Mezcla batida de claras, yemas o huevos completos. **2** Bebida que se prepara triturando y mezclando con una batidora diversos ingredientes, esp. leche, fruta o helado: *un batido de fresa.*

batidor, -a ▮ adj. **1** Que bate: *un instrumento batidor.* ▮ s. **2** Persona que se adelanta a un grupo para reconocer y explorar el terreno: *El batidor nos dijo que no podríamos avanzar más por esa parte de la jungla.* **3** En caza, persona que lleva a cabo las batidas: *Gracias a la astucia del batidor cazamos muchas perdices.* ▮ s.m. **4** Utensilio, generalmente manual, que sirve para batir: *Tienes que cambiar este viejo batidor de alambre por una batidora eléctrica.* **5** Peine largo con las púas largas y separadas, que sirve para desenmarañar y limpiar el pelo, la lana o la seda: *Hay batidores con la mitad de las púas juntas y la otra mitad separadas.* ▮ s.f. **6** Electrodoméstico que sirve para triturar o batir productos alimenticios, por medio de aspas o cuchillas con movimiento giratorio: *Con la batidora, la mayonesa se hace en un momento.*

batidora s.f. Véase **batidor, -a.**

batiente ▮ adj.inv. **1** Que bate: *las olas batientes.* ▮ s.m. **2** En una puerta o en una ventana, parte movible que se abre y se cierra: *Con el viento, los batientes de la ventana golpean la pared.* □ SINÓN. *hoja.* **3** En una costa o en un dique, lugar en el que golpean las olas: *Vamos al batiente del acantilado para ver la espuma del agua.*

batifotómetro s.m. Instrumento que mide la energía luminosa en las profundidades del mar: *El batifotómetro es un tipo de fotómetro que se utiliza en oceanografía.*

batihoja s.m. Persona que reduce a láminas finísimas los metales, esp. el oro y la plata, a base de golpeteos: *Ese gran orfebre empezó trabajando de batihoja.* □ ETIMOL. De *batir* y *hoja.*

batik s.m. Arte y técnica para decorar tejidos, que consiste en dibujar con cera líquida un motivo y teñir después el paño para que, al extraer la cera, quede el dibujo de un color más claro: *El batik es una técnica de origen oriental.* □ ETIMOL. Del malayo *batik* (puntear, dibujar).

batimán s.m. **1** Movimiento rápido de brazos y manos con que se gesticula al hablar: *Cuando hablas, me pone nerviosa tanto batimán.* **2** En danza, movimiento en el que se alza una pierna llevándola rápidamente hacia la otra como para sacudirla. □ ETIMOL. Del francés *battement.*

batimetría s.f. Estudio de las profundidades de océanos, mares y grandes lagos para conocer su relieve y la distribución de su flora y de su fauna: *La batimetría estudia los fondos marinos y elabora mapas con los datos obtenidos.* □ SINÓN. *batometría.* □ ETIMOL. Del griego *bathýs* (hondo) y *-metría* (medición).

batimétrico, ca adj. De la batimetría o relacionado con este estudio: *Un método batimétrico para conocer la profundidad es el empleo de ultrasonidos.*

batímetro s.m. En oceanografía, instrumento que mide la profundidad de las aguas.

batín s.m. Bata que se ponen los hombres para estar en casa.

batintín s.m. Instrumento de percusión formado por un disco que, suspendido de un soporte, resuena fuertemente al ser golpeado por una maza: *El batintín es un instrumento de origen chino.* □ SINÓN. *gong, gongo.*

batipelágico, ca adj. **1** Referido a una zona marina, que tiene una profundidad superior a doscientos metros. **2** De esta zona marina: *la flora batipelágica.* □ ETIMOL. Del griego *bathýs* (profundo) y *pélagos* (mar).

batir ▮ v. **1** Referido a una sustancia, esp. si es líquida, mezclarla o agitarla hasta que se condense, se diluya o se licue: *La mantequilla se hace batiendo la leche.* **2** Referido a un récord, superarlo: *Este año no se ha batido la plusmarca en salto.* **3** Referido a un adversario, vencerlo o derrotarlo: *Esa nadadora batió a sus contrincantes tres años seguidos.* **4** Referido al sol, al aire o al agua, dar directamente en algún sitio: *Me relaja escuchar el sonido que hace la lluvia al batir los cristales.* **5** Referido a un terreno, explorarlo o registrarlo minuciosamente: *La policía batió las calles en busca de los atracadores.* **6** Mover de forma vigorosa, esp. si se hace ruido: *Escucha cómo se oye a los pájaros batir sus alas.* **7** En atletismo, en algunas pruebas de salto, impulsar el cuerpo apoyando en el suelo la pierna contraria a la que inicia el salto: *Los atletas de salto de altura tienen más fuerza en la pierna con la que baten.* ▮ prnl. **8** Referido a una persona, enfrentarse a otra en una pelea o en un combate, esp. por un desafío: *Los dos espadachines se batieron, pero ninguno resultó herido.* □ ETIMOL. Del latín *battuere.*

batiscafo s.m. Embarcación sumergible e independiente, que resiste grandes presiones y se usa para explorar las mayores profundidades acuáticas. □ ETIMOL. Del griego *bathýs* (hondo) y *skáphe* (bote). □ PRON. Incorr. *[batíscafo]. □ SEM. Dist. de *batisfera* (sin medios autónomos de propulsión).

batisfera s.f. Cámara esférica que se utiliza para la investigación de los fondos marinos que se sumerge mediante un cable y que no tiene medios propios de propulsión. □ SEM. Dist. de *batiscafo* (con medios autónomos de propulsión).

batista s.f. Tela muy fina de lino o de algodón: *un pañuelo de batista.* □ ETIMOL. Por alusión a Baptiste, primer fabricante de esta tela.

batitermógrafo s.m. En oceanografía, instrumento que mide y registra la temperatura del agua a diferentes profundidades: *El batitermógrafo demuestra que la temperatura del agua desciende cuando aumenta la profundidad.*

batofobia s.f. Temor anormal y angustioso a las profundidades. □ ETIMOL. Del griego *báthos* (profundidad) y *-fobia* (aversión).

batoideo, a ▮ adj./s. **1** Referido a un pez, que tiene el cuerpo aplanado y ancho, con grandes aletas laterales que parecen alas y que se unen a la cabeza: *Los peces batoideos viven sobre el fondo marino.* ▮ s.m.pl. **2** En zoología, suborden de estos peces, perteneciente a la subclase de los seláceos: *Las rayas y los torpedos pertenecen a los batoideos.*

batojar v. Referido a un árbol, mover con una vara sus ramas para que caigan los frutos: *Al batojar el olivo caen las aceitunas.* □ ETIMOL. Del latín **battuculare,* y este de *battuere* (batir). □ ORTOGR. Conserva la *j* en toda la conjugación.

batolito s.m. En geología, masa de roca volcánica formada a gran profundidad en el interior de la corteza terrestre, y que aflora a la superficie en grandes extensiones: *Los batolitos aumentan en extensión a medida que se profundiza.* □ ETIMOL. Del griego *bathýs* (hondo) y *-lito* (piedra).

batometría s.f. →**batimetría.** □ ETIMOL. Del griego *báthos* (profundidad) y *-metría* (medición).

batón s.m. En zonas del español meridional, bata: *Cuando estoy en casa siempre llevo un batón.*

batracio, cia ▮ adj./s.m. **1** Referido a un vertebrado, que no tiene ni pelo ni plumas, es de sangre fría, necesita un medio acuático o muy húmedo para nacer y vivir, y cuando es larva tiene características muy diferentes a las del adulto: *La temperatura corporal de un batracio depende del calor exterior.* □ SINÓN. *anfibio.* ▮ s.m.pl. **2** En zoología, grupo de estos vertebrados: *En clasificaciones antiguas los batracios eran una clase.* □ ETIMOL. Del griego *batrákheios* (relativo a la rana). □ ORTOGR. Incorr. **batráceo.*

batucada s.f. **1** Música de origen brasileño que se toca con tambores y otros instrumentos de percusión: *En el concierto de anoche tocaron una batucada.* **2** Conjunto de percusión que ejecuta esta música: *Varios amigos míos tocan en una batucada.*

batuecas || **estar en las Batuecas;** *col.* Estar distraído o ajeno a lo que sucede alrededor: *Pon más atención, porque hoy estás en las Batuecas y no te enteras de nada.* □ ETIMOL. Por alusión a la aislada comarca salmantina de las Batuecas.

baturrillo s.m. →**batiburrillo.** □ ETIMOL. De *batir* (mezclar, revolver).

baturro, rra ▮ adj. **1** De los campesinos aragoneses: *jotas baturras.* ▮ adj./s. **2** Referido a una persona aragonesa, del campo. □ SEM. Dist. de *maño* (aragonés, en lenguaje coloquial).

batuta s.f. **1** En música, palo corto y delgado que utiliza el director de una orquesta para indicar el ritmo, la dinámica y la expresión de la obra. **2** || **llevar la batuta;** *col.* Dirigir o mandar en una situación: *Ella es quien lleva la batuta y toma las decisiones en la familia.* □ ETIMOL. Del italiano *battuta* (compás).

batzoki (eusk.) s.m. Centro social de reunión del Partido Nacionalista Vasco (partido político vasco). □ PRON. [batsóki].

baudio s.m. En informática, unidad de velocidad de transmisión de datos que equivale a un bit por segundo en un canal binario: *Una impresora que trabaja a 300 baudios imprime 30 caracteres por segundo.* □ ETIMOL. Por alusión al inventor francés Baudot.

baúl s.m. **1** Caja grande rectangular, con una tapa arqueada que gira sobre bisagras: *En el desván hay un baúl con la ropa de la abuela.* □ SINÓN. *cofre.* **2** En zonas del español meridional, maletero o portaequipajes: *Guardé todo en el baúl del auto.* □ ETIMOL. Quizá del francés *bahut.*

bauprés s.m. En una embarcación de vela, palo grueso, horizontal pero ligeramente inclinado hacia arriba, que sobresale en la proa: *El palo más cercano a la proa se asegura en el bauprés.* □ ETIMOL. Quizá del francés *beaupré.*

bautismal adj.inv. Del bautismo o relacionado con él: *pila bautismal.*

bautismo s.m. **1** En el cristianismo, primero de los sacramentos, que convierte en cristiano a quien lo recibe y lo incorpora a la Iglesia: *Para ser cristiano es necesario recibir el bautismo.* **2** En el cristianismo, administración de este sacramento y ceremonia o fiesta con que se celebra: *Celebramos el bautismo de nuestro hijo a los quince días de su nacimiento.* □ SINÓN. *bautizo.* **3** || **bautismo de fuego;** primera vez que combate un soldado: *Muchos soldados mueren en su bautismo de fuego.* □ ETIMOL. Del griego *baptismós.* □ SEM. Dist. de *baptismo* (doctrina religiosa protestante).

bautista s.m. En el cristianismo, persona que administra el sacramento del bautismo. □ ETIMOL. Del griego *baptistés.* □ SEM. Dist. de *baptista* (del baptismo, doctrina religiosa protestante).

bautisterio s.m. →**baptisterio.**

bautizar v. **1** En el cristianismo, referido a una persona todavía no cristiana, administrarle el sacramento del bautismo: *El sacerdote bautizó al bebé echándole agua por la cabeza.* □ SINÓN. *cristianar.* **2** Dar nombre para distinguir o individualizar: *Bautizó el barco con mi nombre.* **3** *col.* Referido a una persona, ponerle un nombre distinto al que tiene, generalmente un apodo: *En el colegio bautizamos con motes a los profesores.* □ ETIMOL. Del latín *baptizare,* y este del griego *baptízo* (yo zambullo, bautizo). □ ORTOGR. La *z* se cambia en *c* delante de *e, i* →CAZAR.

bautizo s.m. En el cristianismo, administración del sacramento del bautismo y ceremonia o fiesta con que se celebra: *Mañana es el bautizo de mi sobrina. En el bautizo, el padrino invitó a todos a pasteles.* □ SINÓN. *bautismo.*

bauxita s.f. Mineral blando de color blanquecino, grisáceo o rojizo, constituido por hidróxidos y óxidos hidratados de aluminio y por una serie de impurezas como sílice e hidróxidos de hierro: *La bauxita es la fuente principal del aluminio.* □ ETIMOL. Por alusión a Les Baux, en Provenza, que son unas canteras de donde se extrajo este mineral.

bávaro, ra ▌adj./s. **1** De Baviera (región alemana), o relacionado con ella. ▌s.m. **2** →**pantalón bávaro.**

baya s.f. Véase **bayo, ya.**

bayadera s.f. Danzarina y cantante de la India (país del sur asiático): *Las danzas sagradas de las bayaderas forman parte del culto religioso.* □ ETIMOL. Del francés *bayadère,* y este del portugués *bailadeira* (bailarina).

bayanismo s.m. Doctrina religiosa precursora del jansenismo, predicada por Miguel Bayo (teólogo belga del siglo XVI), que sostiene que la justicia original y la inmortalidad son parte integral de la naturaleza humana: *El bayanismo tiene puntos comunes con el calvinismo y con el luteranismo.*

bayeta s.f. Paño que se usa para fregar, limpiar o secar una superficie. □ ETIMOL. Quizá del francés antiguo *baiette.*

bayo, ya ▌adj./s. **1** Referido esp. a un caballo o a su pelo, de color amarillento más o menos oscuro. ▌s.m. **2** Frijol de color amarillo claro. ▌s.f. **3** Fruto carnoso y jugoso con semillas rodeadas de pulpa: *La uva y el tomate son bayas.* □ ETIMOL. La acepción 1, del latín *badius.* La acepción 3, del francés *baie.* □ ORTOGR. En las acepciones 1 y 3, dist. de *valla* y de *vaya.*

bayón s.m. **1** Baile popular procedente de América del Sur: *El bayón tiene un ritmo alegre.* **2** Arbusto de ramas estriadas y angulosas con abundantes hojas duras que se caen cuando nacen otras, con flores amarillentas y fruto de color rojo: *El fruto del bayón madura en verano.* □ ETIMOL. La acepción 2, de *bodón* (espadaña).

bayonesa s.f. Pastel hecho con dos capas de hojaldre y relleno de cabello de ángel. □ SEM. Dist. de *mayonesa* (un tipo de salsa).

bayoneta s.f. Arma blanca de doble filo con forma de cuchillo, que se ajusta al cañón de un fusil y sobresale de su boca: *Los soldados usaron la bayoneta en la lucha cuerpo a cuerpo.* □ ETIMOL. Del francés *baïonnette,* y este de *Bayona,* donde se fabricó por primera vez. □ SINT. Se usa más con los verbos *armar, calar* y *cargar.*

bayonetazo s.m. Corte hecho con una bayoneta.

bayunco, ca adj. En zonas del español meridional, grosero o rústico.

baza s.f. **1** En una partida de cartas, conjunto de naipes que se utilizan en cada jugada y que se echan sobre la mesa: *El as gana esta baza.* **2** || **meter**

baza; *col.* Intervenir en una conversación o un asunto ajenos: *Te encanta meter baza aunque no tengas ni idea.* || **sacar baza;** obtener beneficio de un asunto: *Es muy hábil y siempre saca baza de todos sus negocios.* □ ETIMOL. De origen incierto.

bazar s.m. **1** Tienda en la que se venden objetos muy dispares. **2** En algunos países, esp. en los orientales, mercado público: *un bazar turco.* □ ETIMOL. Del persa *bazar* (mercado cubierto y con puertas).

bazo s.m. En el sistema circulatorio de un vertebrado, órgano de color rojo oscuro, situado a la izquierda del estómago, que produce glóbulos rojos y destruye los inservibles: *El bazo se puede extirpar porque otros órganos pueden desempeñar sus funciones.* □ ETIMOL. Del latín *badius* (rojizo), por el color de esta víscera.

bazofia s.f. Lo que se considera despreciable, desagradable o de mala calidad: *En ese bar solo sirven bazofia. No sé cómo te pudo gustar esa bazofia de película.* □ ETIMOL. Del italiano *bazzoffia.*

bazooka (ing.) s.m. →**bazuca.** □ USO Su uso es innecesario.

bazuca s.amb. Arma portátil que consiste en un tubo abierto en los dos extremos, que se apoya en el hombro y se usa para lanzar proyectiles, generalmente contra los carros de combate: *Los bazucas aparecieron en la Segunda Guerra Mundial.* □ SINÓN. *lanzagranadas.* □ ETIMOL. Del inglés *bazooka.* □ USO Es innecesario el uso del anglicismo *bazooka.*

b-boy (ing.) s.m. Seguidor del movimiento hip-hop. □ PRON. [bibói].

be s.f. **1** Nombre de la letra *b.* **2** || **be larga;** en zonas del español meridional, nombre de la letra *b*: *'Burro' se escribe con be larga, frente a 'vaso', que se escribe con ve corta.*

beagle (ing.) adj./s. Referido a un perro, de la raza que se caracteriza por tener cabeza grande, cuello largo con papada, orejas largas y caídas, y cola delgada y larga: *El beagle es parecido al sabueso.* □ PRON. [bíguel].

beat (ing.) ▌adj.inv./s.com. **1** →**beatnik.** ▌s.m. **2** En la música jazz, tiempo o unidad de medida: *El trompetista se saltó varios beat para acabar antes.* □ PRON. [bit].

beata s.f. Véase **beato, ta.**

beatería s.f. *desp.* Comportamiento que muestra una devoción religiosa o una virtud exageradas o falsas.

beaterio s.m. Casa en la que viven en comunidad las beatas. □ PRON. Incorr. *[beaterío].

beatificación s.f. En la iglesia católica, declaración oficial eclesiástica por la que el Papa reconoce que puede dársele culto a una persona y la propone como modelo de vida cristiana: *Después de la beatificación de nuestro fundador se ha iniciado el proceso de su santificación.*

beatificar v. En la iglesia católica, referido a una persona, declararla oficialmente el Papa como modelo de vida cristiana y digna de recibir culto: *No la beatificaron porque se demostró que sus milagros eran falsos.* □ ORTOGR. La *c* se cambia en *qu* delante de *e* →SACAR.

beatífico, ca adj. Referido a una persona o a su actitud, de carácter pacífico, sosegado y sereno: *un hombre beatífico.*

beatitud s.f. **1** En la iglesia católica, felicidad total de los que están en el cielo: *Alcanzar la beatitud es la máxima aspiración del católico.* **2** Serenidad y felicidad grandes: *Me sonrió con beatitud.*

beatnik (ing.) adj.inv./s.com. Que está relacionado con un movimiento juvenil contrario al conformismo burgués, a la sociedad de consumo y a algunos valores sociales tradicionalmente establecidos: *Las ideas beatnik triunfaron entre los jóvenes en la década de los sesenta.* □ PRON. [bítnik]. □ MORF. En la lengua coloquial se usa mucho la forma abreviada *beat.*

beato, ta ▌adj./s. **1** En la iglesia católica, referido a una persona, que ha sido declarada por el Papa modelo de vida cristiana y digna de recibir culto. **2** *col. desp.* Referido a una persona, que muestra una virtud o una devoción religiosa exageradas. ▌s.m. **3** Manuscrito ilustrado entre los siglos IX y XI con miniaturas mozárabes: *En la exposición de la catedral se podían ver varios beatos.* ▌s.f. **4** Mujer que vive en un convento y lleva hábito religioso, pero que no pertenece a la orden. □ ETIMOL. Las acepciones 1 y 2, del latín *beatus* (feliz). La acepción 3, por alusión a los 'Comentarios al Apocalipsis' realizados por el Beato de Liébana.

beatus ille (lat.) s.m. || Tópico literario que ensalza la vida sencilla y sosegada: *La 'Oda a la vida retirada' de Fray Luis de León desarrolla el tema del beatus ille.* □ ETIMOL. De *beatus ille qui procul negotiis...* (feliz aquel que, alejado de los negocios...) que es un verso del poeta latino Horacio. □ PRON. [beátus íle].

beauté (fr.) s.f. →**belleza.** □ PRON. [boté].

beautiful people (ing.) s.f. || Grupo de personas ricas, famosas y con éxito: *A la fiesta asistieron políticos, directivos, ejecutivos y, en general, toda la beautiful people.* □ PRON. [biútiful pípol]. □ USO Su uso es innecesario.

bebe, ba s. *col.* En zonas del español meridional, bebé o niño muy pequeño: *Mi amiga tuvo una bebita este verano.* □ MORF. Se usa mucho el diminutivo *bebito, bebita.*

bebé s.m. **1** Persona recién nacida o de pocos meses, que aún no anda. **2** Cría de un animal: *un bebé de foca.* **3** || **bebé probeta;** →**niño probeta.** □ ETIMOL. Del francés *bébé.*

bebedero s.m. **1** Recipiente en el que beben los pájaros y las aves domésticas. **2** Lugar en el que bebe el ganado: *Antes casi todas las fuentes tenían bebedero.* □ SINÓN. *abrevadero.* **3** En una vasija, pico saliente por donde se bebe o se vierte el contenido: *Tapa el bebedero del botijo para que no entren bichos.* **4** En zonas del español meridional, fuente para beber agua: *Cuando tengo sed, utilizo el bebedero del parque.*

bebedizo s.m. **1** Bebida a la que se atribuye la propiedad de despertar el amor de quien lo toma: *El que tome el bebedizo se enamorará al instante del primer ser que vea.* **2** Bebida hecha con veneno: *Antiguamente, se asesinaba a muchos reyes con bebedizos.* **3** Bebida medicinal: *Este bebedizo de menta es bueno para la garganta.*

bebedor, -a adj./s. Referido a una persona, que abusa de las bebidas alcohólicas.

beber v. **1** Referido a un líquido, tomarlo o ingerirlo: *Bebo porque tengo sed. ¿Quieres beber agua?* **2** Consumir bebidas alcohólicas: *Mi hermana la deportista no bebe.* **3** Levantar una copa u otro recipiente con bebida, para manifestar un deseo o festejar algo: *Bebamos a la salud de todos y por el nacimiento de tu hijo.* ☐ SINÓN. *brindar.* **4** Referido a conocimientos, ideas o cosas semejantes, obtenerlos o aprenderlos de algo o de alguien: *Todos sus conocimientos los ha bebido de su abuelo.* **5** Referido a palabras, escucharlas o leerlas con avidez: *Te admira tanto que bebe tus palabras. Le encanta leer y se bebe los libros.* **6** Referido al entendimiento, trastornarlo o confundirlo: *La tele le bebe el seso y los sentidos.* ☐ ETIMOL. Del latín *bibere.* ☐ SINT. Constr. de la acepción 4: *beber {DE/EN} algo.*

bebercio s.m. *col.* Bebida: *Voy a comprar bebercio para acompañar el bocadillo.*

bebestible adj.inv./s.m. *col.* Referido a un líquido, que se puede beber: *Este refresco no es bebestible porque está demasiado amargo.* ☐ USO Tiene un matiz humorístico.

bebible adj.inv. Referido a un líquido, que se puede beber, esp. si no resulta desagradable al paladar: *El agua de ese manantial no es bebible porque sabe a tierra.* ☐ SEM. Dist. de *potable* (que se puede beber sin peligro de que dañe).

bebida s.f. Véase **bebido, da.**

bebido, da ▮ adj./s. **1** Referido a una persona, que está borracha o casi borracha por los efectos del alcohol. ▮ s.f. **2** Líquido que se bebe o que se puede beber: *La leche es una bebida sana y nutritiva.* **3** Consumo habitual y excesivo de bebidas alcohólicas: *La bebida destrozó su vida.*

bebistrajo s.m. *col.* Bebida con mal aspecto, poco apetitosa o de poca calidad: *Ese té con tanta agua es un bebistrajo.*

bebop (ing.) s.m. Estilo de música de jazz de ritmo rápido y sincopado, con influencia afrocubana: *El bebop nació en Nueva York en la década de 1940.* ☐ PRON. [bibóp].

beca s.f. **1** Ayuda económica temporal que se concede a una persona para que complete sus estudios o para que realice una investigación o una obra: *He conseguido una beca para investigar los efectos del tabaco.* **2** Distintivo honorífico que llevan algunos colegiales como señal de su pertenencia a un determinado centro: *El último año que estudié en mi colegio nos impuso las becas el presidente de la fundación.* ☐ ETIMOL. De origen incierto.

becada s.f. Véase **becado, da.**

becado, da ▮ adj./s. **1** Que disfruta de una beca: *un alumno becado.* ☐ SINÓN. *becario.* ▮ s.f. **2** Ave del tamaño de una perdiz, que tiene el pico largo, recto y delgado, y el plumaje rojizo, y cuya carne es muy apreciada. ☐ SINÓN. *chochaperdiz, pitorra.* ☐ ETIMOL. La acepción 2, del catalán *becada.* ☐ MORF. En la acepción 2, es un sustantivo epiceno: *la becada {macho/hembra}.*

becar v. Conceder una beca o ayuda económica temporal: *Me han becado para estudiar ruso en Moscú.* ☐ ORTOGR. La *c* se cambia en *qu* delante de *e* →SACAR.

becario, ria s. Persona que disfruta de una beca o ayuda económica temporal. ☐ SINÓN. *becado.*

becerrada s.f. Espectáculo taurino en el que son toreados becerros.

becerril adj.inv. De los becerros o relacionado con estos animales.

becerrillo s.m. Piel de becerro curtida.

becerrista s.com. Persona que torea becerros: *Muchos toreros han sido antes becerristas.*

becerro, rra ▮ s. **1** Hijo del toro, desde que deja de mamar hasta que tiene dos años. ▮ s.m. **2** En tauromaquia, hijo del toro, de dos a tres años. ☐ SINÓN. *novillo.* **3** Piel curtida de ternero: *Los zapatos de becerro son muy resistentes.* ☐ ETIMOL. Quizá de **ibicirru,* del latín *ibex* (rebeco).

bechamel s.f. →**besamel.**

becquerel (pl. *becquerels*) s.m. En el Sistema Internacional, unidad de radiación que equivale a una desintegración nuclear por segundo. ☐ SINÓN. *becquerelio.* ☐ ETIMOL. Por alusión a A. H. Becquerel, físico francés. ☐ ORTOGR. Su símbolo es *Bq,* por tanto, se escribe sin punto.

becquerelio s.m. →**becquerel.**

becqueriano, na adj. De Gustavo Adolfo Bécquer (poeta romántico español del siglo XIX) o con características de sus obras.

becuadro s.m. En música, signo gráfico que se coloca delante de una nota o de un compás y que indica que la nota antes alterada por un sostenido o un bemol recobra su sonido natural: *El signo ♮ es un becuadro.* ☐ ETIMOL. De *b* y *cuadro,* porque la forma del becuadro es parecida a una *b* cuadrada.

bed and breakfast (ing.) s.m. ‖ Hotel pequeño que ofrece habitación y desayuno: *Cuando estuve en Inglaterra, me alojé en un bed and breakfast.* ☐ PRON. [bed and brékfast].

bedel, -a s. En un centro oficial, persona cuyo trabajo consiste en dar la información requerida, mantener el orden necesario, suministrar los materiales y realizar otros cometidos no especializados: *La bedela del instituto siempre avisa tarde el final de la clase. Pídele al bedel las fotocopias de las solicitudes.* ☐ ETIMOL. Del francés antiguo *bedel.* ☐ USO El masculino también se usa para designar el femenino: *Mi hermana es bedel de ese instituto.*

beduino, na adj./s. De los árabes nómadas de los desiertos del norte africano: *Los beduinos habitan en el norte de África, en la península arábiga y en*

Siria. □ ETIMOL. Del árabe *badawi* (el que vive en el desierto).

beeper s.m. →**buscapersonas.** □ ETIMOL. Extensión del nombre de una marca comercial. □ PRON. [bíper].

befa s.f. Véase **befo, fa**.

befar ▮ v. **1** Referido a un caballo, mover hacia los lados los belfos o labios: *El caballo befa intentando coger la cadena del freno.* ▮ prnl. **2** Referido a una persona, burlarse de forma insultante: *Se befa con crueldad de las miserias ajenas.* □ SINT. Constr. de la acepción 2: *befarse* DE *algo.*

befo, fa ▮ adj./s. **1** Que tiene los labios abultados. **2** →**belfo.** ▮ s.f. **3** Burla o broma grosera e insultante: *Hizo befa de mí y se rió con descaro de mi propuesta.* □ ETIMOL. La acepción 3, quizá del italiano *beffa.*

begardo, da s. Persona, esp. si es un religioso, que consideraba la pobreza como una de las mayores virtudes y que afirmaba que el alma no podía pecar y que no había que prestar obediencia a ninguna autoridad religiosa: *Los begardos fueron declarados herejes en el siglo* XIV *y algunos fueron quemados.* □ ETIMOL. Del francés *bégard.*

begonia s.f. **1** Planta ornamental de jardín, de tallos carnosos, hojas grandes dentadas, verdes por encima y rojizas por debajo, con flores pequeñas, blancas, rojas o rosadas: *La begonia es originaria de los países tropicales.* **2** Flor de esta planta: *Estas begonias están descoloridas porque no les ha dado casi el sol.* □ ETIMOL. Del francés *bégonia*, en honor de Bégon, intendente francés de Santo Domingo. □ ORTOGR. Dist. de *Begoña* (nombre propio de mujer).

begoniáceo, a ▮ adj./s.f. **1** Referido a una planta, que tiene dos cotiledones en su embrión, flores unisexuales con los pétalos separados, y el fruto en forma de cápsula: *La begonia es una begoniácea.* ▮ s.f.pl. **2** En botánica, familia de estas plantas, perteneciente a la clase de las dicotiledóneas: *Algunas plantas de las begoniáceas se usan como ornamentales.*

behaviorismo s.m. Teoría psicológica cuyo método se basa en la observación del comportamiento del objeto que se estudia ante un estímulo determinado: *El behaviorismo nace a principios del siglo* XX. □ SINÓN. *conductismo.* □ ETIMOL. Del inglés *behaviorism.* □ PRON. [behaviorísmo], con *h* aspirada.

behaviorista ▮ adj.inv. **1** Del behaviorismo o relacionado con esta teoría psicológica: *las teorías behavioristas.* □ SINÓN. *conductista.* ▮ adj.inv./s.com. **2** Que sigue o que defiende esta teoría psicológica: *Los behavioristas niegan la introspección como método científico.* □ SINÓN. *conductista.* □ PRON. [behaviorísta], con *h* aspirada.

behetría s.f. Antiguamente, población o señorío que elegía a su señor: *Las behetrías medievales eran poblaciones libres dueñas de sus tierras.* □ ETIMOL. Del latín *benefactoria*, y este de *benefactor* (bienhechor), porque las behetrías recibían como señor a quien más bien les hiciera.

beicon s.m. Tocino ahumado de cerdo con vetas de carne magra: *Hoy he desayunado huevos fritos con beicon.* □ ETIMOL. Del inglés *bacon.* □ USO Es innecesario el uso del anglicismo *bacon.*

beige (tb. *beis*) (fr.) adj.inv./s.m. De color marrón muy claro.

beis (pl. *beis*) adj.inv./s.m. →**beige.**

beisbol s.m. En zonas del español meridional, béisbol: *Mañana iré con mis amigos a ver el beisbol.*

béisbol s.m. Deporte que se juega entre dos equipos de nueve jugadores cada uno y en el que estos intentan recorrer el mayor número de veces los cuatro puestos o bases del terreno de juego en el intervalo en que la pelota, golpeada inicialmente con un bate, llega a una de las bases en la mano de un defensor: *El béisbol es un deporte típicamente norteamericano.* □ ETIMOL. Del inglés *baseball.*

bejeque s.m. Planta de hojas gruesas y aterciopeladas que se utiliza normalmente con fines decorativos: *El bejeque es una planta originaria de Canarias.*

bejucal s.m. Terreno poblado de bejucos: *Esta ciudad es un importante centro artesanal gracias a los bejucales que hay en la zona.*

bejuco s.m. Planta tropical, trepadora, y de tallos largos y delgados: *Hay diversos tipos de bejucos, con los que se fabrican muebles, bastones y tejidos.*

bel s.m. →**belio.** □ ORTOGR. Es la denominación internacional del *belio.*

belaruso, sa adj./s. De Bielorrusia o relacionado con este país europeo. □ SINÓN. *bielorruso.* □ PRON. Incorr. *[belarruso].

bel canto s.m. ‖ En ópera, técnica de canto caracterizada por su expresividad, por una dicción clara y ágil y por la abundancia de elementos de adorno. □ ETIMOL. Del italiano *bel canto.* □ SEM. No debe emplearse con el significado de 'ópera'.

belcebú (pl. *belcebúes, belcebús*) s.m. Persona malvada o que tiene mal genio. □ SINÓN. *diablo, demonio.* □ ETIMOL. Por alusión a Belcebú, uno de los nombres del demonio.

beldad s.f. **1** *poét.* Belleza o hermosura, esp. la de una mujer. **2** Mujer de belleza excepcional: *Todos los caballeros se enamoraban de aquella beldad.* □ ETIMOL. Del provenzal antiguo *beltat.*

beldar (tb. *bieldar*) v. Referido esp. a mieses y a legumbres, echarlas al viento con un bieldo para separar el grano de la paja: *El campesino beldó el trigo antes de llevar el grano al molino.* □ ETIMOL. Del latín *ventilare* (agitar en el aire). □ MORF. Irreg. →PENSAR.

belemnita s.f. →**belemnites.**

belemnites (pl. *belemnites*) s.m. En paleontología, fósil con forma cónica y estructura radiada, procedente del extremo de la concha de un cefalópodo que existió en la era secundaria: *Los belemnites eran moluscos abundantes en el mesozoico.* □ SINÓN. *belemnita.* □ ETIMOL. Del griego *bélemnon* (flecha).

belén s.m. **1** Representación con figuras del nacimiento de Jesucristo: *En Navidad montaremos un* *belén muy bonito.* □ SINÓN. *nacimiento, pesebre.* **2** Asunto problemático o que está expuesto a contratiempos: *No te metas en belenes por querer arreglar esto tú solo.* □ ETIMOL. La acepción 1, por alusión a la ciudad palestina de Belén, en la que se produjo este acontecimiento. La acepción 2, por la confusión que hay en las representaciones populares del Nacimiento de Jesús. □ MORF. En la acepción 2, se usa más en plural.

belenista s.com. Persona que se dedica a la construcción de belenes navideños.

beleño s.m. Planta herbácea, de flores amarillentas por encima y rojas por debajo, hojas grandes y dentadas, fruto en forma de cápsula, y que crece en terrenos pedregosos: *El beleño tiene propiedades venenosas y narcóticas.* □ ETIMOL. Quizá del latín *venenum* (veneno).

belesa s.f. Planta herbácea, de tallos rectos cubiertos de hojas y coronados por pequeñas flores purpúreas en forma de espiga, y que tiene propiedades narcóticas: *Antiguamente se hacían cataplasmas de belesa como remedio popular contra el lumbago.*

belfo (tb. *befo*) s.m. En un caballo o en otros animales, cada uno de sus labios: *La veterinaria levantó el belfo al caballo para verle la dentadura.* □ ETIMOL. Del latín *bifidus* (partido en dos). □ SEM. Dist. de *bezo* (labio grueso y abultado).

belga adj.inv./s.com. De Bélgica o relacionado con este país europeo.

beliceño, ña adj./s. De Belice o relacionado con este país americano.

belicismo s.m. Tendencia a provocar guerras o a participar en ellas.

belicista adj.inv./s.com. Partidario o defensor del belicismo: *una actitud belicista.* □ SEM. Dist. de *bélico* (de la guerra) y de *belicoso* (agresivo o inclinado a hacer la guerra).

bélico, ca adj. De la guerra o relacionado con ella: *un enfrentamiento bélico.* □ SINÓN. *guerrero.* □ ETIMOL. Del latín *bellicus*, y este de *bellum* (guerra). □ SEM. Dist. de *belicista* (partidario del belicismo) y de *belicoso* (agresivo o inclinado a hacer la guerra).

belicosidad s.f. Inclinación a hacer la guerra o a entrar en discusiones y peleas.

belicoso, sa adj. **1** Que es guerrero o que tiene inclinación a hacer la guerra: *Los bárbaros fueron pueblos muy belicosos.* **2** Referido a una persona, que es agresiva o inclinada a las discusiones y peleas: *Es imposible que una persona tan belicosa tenga amigos.* □ SEM. Dist. de *belicista* (partidario del belicismo) y de *bélico* (de la guerra).

beligerancia s.f. Participación en una guerra: *La beligerancia de un tercer país a su favor les dio la victoria.*

beligerante adj.inv./s.com. Referido a una colectividad, que participa en una guerra o en un enfrentamiento: *las naciones beligerantes.* □ ETIMOL. Del latín *belligerans*, y este de *bellum* (guerra) y *gerere* (hacer).

belígero, ra adj. *poét.* Guerrero: *Belígeras manos blandían espadas en el campo del honor.*

belio s.m. Unidad básica del nivel de intensidad sonora: *Un sonido superior a doce belios es insoportable para el oído humano.* □ SINÓN. *bel.* □ ETIMOL. Por alusión al físico Bell, inventor del teléfono. □ ORTOGR. Su símbolo es *B*, por tanto, se escribe sin punto.

bellaco, ca adj./s. Referido a una persona o a su comportamiento, malo y despreciable en cualquier aspecto: *¡Lucharé contra esos bellacos y vive Dios que lo haré!* □ ETIMOL. De origen incierto.

belladona s.f. Planta herbácea venenosa, con hojas alargadas simples y alternas, flores de color rojo violáceo y fruto carnoso, de la que se obtiene la atropina: *La belladona se usaba para dilatar la pupila y hacer los ojos más bonitos.* □ ETIMOL. Del italiano *belladonna* (mujer hermosa), por su supuesto uso como base de un cosmético.

bellaquería s.f. Hecho o dicho propios de un bellaco.

belle époque (fr.) s.m. || Período de la historia europea que se desarrolló desde 1870 hasta 1914, caracterizado por la ausencia de guerras, la expansión económica y las innovaciones técnicas, artísticas y literarias: *La belle époque acabó cuando comenzó la Primera Guerra Mundial.* □ PRON. [bel epóc].

belleza s.f. **1** Conjunto de cualidades que se perciben por la vista o el oído y producen un placer espiritual, intelectual o sensorial: *El ideal de belleza es distinto en cada época y en cada sociedad.* **2** Persona que destaca por su hermosura: *Ese chico es una belleza y terminará trabajando en el cine como galán.* □ USO Es innecesario el uso del galicismo *beauté*.

bello, lla adj. **1** Que produce un placer espiritual, intelectual o sensorial al ser percibidas sus cualidades por la vista o el oído: *Las puestas de sol veraniegas son muy bellas.* **2** Referido a una persona, que tiene cualidades morales que se consideran positivas: *Es una bella persona que te ayudará todo lo que pueda.* □ ETIMOL. Del latín *bellus* (bonito). □ ORTOGR. Dist. de *vello*.

bellota s.f. **1** Fruto de la encina, del roble y de árboles de este género, que tiene una cáscara de forma ovalada y color castaño claro que contiene una sola semilla: *Los cerdos que comen bellotas dan los mejores jamones.* **2** || **bellota de mar; →bálano.** □ ETIMOL. Del árabe *balluta* (encina).

beluga ▌s.m. **1** Tipo de caviar ruso: *El beluga se obtiene de un tipo de esturión blanco de los mares Caspio y Negro.* ▌s.f. **2** Mamífero marino de tamaño medio, sin aleta dorsal y con la piel blanca: *La beluga es un cetáceo que habita en los mares árticos.* □ MORF. En la acepción 2, es un sustantivo epiceno: *la beluga {macho/hembra}.*

belvedere (it.) s.m. Edificio o mirador desde los que se puede divisar un amplio panorama.

bemol ▌adj.inv./s.m. **1** En música, referido a una nota, que está alterada en un semitono por debajo de su sonido natural: *Interpretó una sonata en do bemol.* ▮ s.m. **2** En música, alteración o signo gráfico que, colocado delante de una nota, modifica su sonido bajándolo un semitono: *El signo ♭ es un bemol.* □ ETIMOL. Del latín *be molle* (b suave). □ USO *Bemoles* se usa mucho en la lengua coloquial como palabra comodín para formar locuciones eufemísticas: *tener bemoles* significa 'ser muy complicado o difícil'.

benceno s.m. En química, hidrocarburo líquido, incoloro, tóxico e inflamable, que se obtiene por destilación de alquitrán de hulla y se usa como disolvente: *El benceno es el hidrocarburo más característico.* □ SINÓN. *benzol.* □ ETIMOL. De *benzoe* (benjuí).

benchmark (ing.) s.m. En economía, título o tipo de referencia para seguir la evolución del mercado: *Estos bonos se consideran el benchmark para las variaciones de tipos de interés.* □ PRON. [bénchmark].

benchmarking (ing.) s.m. En informática, conjunto de pruebas que se hacen en un ordenador para determinar su velocidad y su fiabilidad: *El benchmarking que hemos realizado a estos nuevos ordenadores ha resultado muy positivo.* □ PRON. [benmárkin].

bencina s.f. En zonas del español meridional, gasolina: *Pronto bajará el precio de la bencina.* □ ETIMOL. De *benzoe* (benjuí).

bencinera s.f. En zonas del español meridional, gasolinera: *Mi abuelo trabaja en una bencinera.*

bencomia s.f. Arbusto de hoja perenne, con el tronco corto y quebradizo y las flores amarillentas o rosadas: *La bencomia es originaria de las islas Canarias.* □ ETIMOL. Por alusión al rey guanche Bencomo.

bendecir v. **1** En la iglesia católica, referido esp. a un sacerdote, pedir o invocar la protección divina, generalmente haciendo una cruz en el aire con la mano extendida: *El sacerdote bendijo a los fieles al acabar la misa.* **2** En la iglesia católica, referido a algo material, consagrarlo para el culto divino mediante una ceremonia: *La nueva capilla será bendecida esta tarde.* **3** Referido a una persona, desearle prosperidad y felicidad, y expresar este deseo con solemnidad: *Bendijo a sus hijos antes de que partieran.* **4** En la iglesia católica, referido a la Providencia divina, conceder bienes y protección: *Dios lo bendijo con unos hijos buenos e inteligentes.* **5** Referido a algo que se considera positivo, manifestar alegría o satisfacción por ello: *Bendigo el día en que naciste.* □ ETIMOL. Del latín *benedicere* (hablar bien de algo). □ MORF. Irreg.: 1. Tiene un participio regular (*bendecido*), que se usa más en la conjugación, y otro irregular (*bendito*), que se usa más como adjetivo. 2. →BENDECIR.

bendición s.f. **1** En la iglesia católica, invocación o petición de la protección divina, realizada generalmente por un sacerdote haciendo una cruz en el aire con la mano extendida: *La misa acaba con la bendición de los fieles.* **2** En la iglesia católica, consagración de algo material para el culto divino mediante una ceremonia: *El obispo realizará la bendición de la ermita.* **3** Deseo de prosperidad y felicidad para una persona: *El emisario partió con las bendiciones del rey para sus señores.* **4** En la iglesia católica, protección o ayuda divina: *Que la bendición de Dios descienda sobre vosotros.* **5** ‖ **ser una bendición (de Dios);** ser muy bueno, muy abundante, muy beneficioso o muy agradable: *Para mí los hijos son una bendición de Dios.*

bendito, ta ▮ **1** part. irreg. de **bendecir.** ▮ s. **2** Persona muy bondadosa e incapaz de hacer daño o de enfadarse: *Sabe que te estás aprovechando de ella pero es una bendita y se deja.* □ MORF. En la acepción 1, se usa más como adjetivo, frente al participio regular *bendecido*, que se usa más en la conjugación. □ USO La acepción 2 se usa mucho en la expresión *bendito de Dios.*

benedictine (fr.) s.m.→**benedictino.**

benedictino, na ▮ adj./s. **1** De la orden de San Benito (monje italiano que fundó dicha orden a principios del siglo VI), o relacionado con ella: *Los benedictinos son hoy los difusores del canto gregoriano.* □ SINÓN. *benito.* ▮ s.m. **2** Licor de hierbas aromáticas creado por un monje de la orden benedictina: *El benedictino se elaboró por primera vez en un monasterio francés.* □ USO En la acepción 2, es innecesario el uso del galicismo *benedictine.*

benefactor, -a adj./s. Que beneficia o ayuda: *Gran parte de lo que hoy eres se lo debes a tus benefactores.* □ SINÓN. *bienhechor.*

beneficencia s.f. **1** Ayuda desinteresada a los necesitados: *Dedicó la mayor parte de su vida y de su dinero a la beneficencia.* **2** Conjunto de instituciones que se dedican a esta actividad: *Los mendigos comen y duermen gracias a la beneficencia municipal.*

beneficiado s.m. En la Iglesia católica, persona que tiene un beneficio eclesiástico que no es curato ni prebenda: *El poeta Herrera fue un beneficiado de la parroquia de San Andrés de Sevilla.*

beneficiar ▮ v. **1** Resultar bueno o hacer bien: *Bajar el impuesto de lujo solo beneficia a los ricos. Las heladas no benefician al campo.* **2** En zonas del español meridional, referido a una res, descuartizarla para el consumo. ▮ prnl. **3** Obtener un provecho o un beneficio: *Se beneficia de sus conocimientos siempre que puede.* **4** *vulg. desp.* Referido a una persona, poseerla sexualmente: *No entiendo que tu máxima preocupación sea beneficiarte a todo el que se te cruce por delante.* □ ETIMOL. De *beneficio.* □ ORTOGR. La *i* nunca lleva tilde. □ SINT. 1. Constr. de la acepción 3: *beneficiarse* DE *algo.* 2. Constr. de la acepción 4: *beneficiarse* A *alguien.*

beneficiario, ria adj./s. Referido a una persona, que obtiene o recibe un beneficio: *El beneficiario de la póliza del seguro de vida es su hijo.*

beneficio s.m. **1** Provecho, utilidad o ganancia obtenidos: *Ese egoísta hace todo en su propio beneficio.* **2** ‖ **a beneficio de inventario; 1** Con reserva o cautela: *Sus últimas declaraciones hay que con-*

siderarlas a beneficio de inventario. **2** Despreocupadamente, a la ligera: *El entrenador acusa a los jugadores de tomarse los partidos a beneficio de inventario.* □ ETIMOL. Del latín *beneficium*, y este de *bene* (bien) y *facere* (hacer).

beneficioso, sa adj. Que es provechoso, útil o produce ganancias.

benéfico, ca adj. **1** De la beneficencia o relacionado con ella: *recaudación benéfica.* **2** Que proporciona provecho o bienestar: *Las últimas lluvias han resultado benéficas para los cultivos.* □ MORF. Su superlativo es *beneficentísimo*.

benemérito, ta adj. **1** Digno de gran estimación por los servicios que presta: *La benemérita institución de la Cruz Roja ha salvado muchas vidas.* **2** ‖ **la Benemérita;** la guardia civil española. □ ETIMOL. Del latín *bene meritus* (que se ha portado bien con alguien).

beneplácito s.m. **1** Aprobación clara y decidida: *No me contradigas porque tengo el beneplácito de todos.* **2** Complacencia y satisfacción absolutas: *El torero salió de la plaza a hombros y con el beneplácito de la afición.* □ ETIMOL. Del latín *bene placitus* (que ha gustado, que ha parecido bien), que era una nota que solía poner el superior a las propuestas de nombramiento.

benevolencia s.f. Buena voluntad, simpatía y comprensión hacia alguien.

benevolente adj.inv. →**benévolo.** □ MORF. Su superlativo es *benevolentísimo*.

benévolo, la adj. Referido a una persona o a su comportamiento, que tiene buena voluntad, simpatía y comprensión hacia los demás. □ SINÓN. *benevolente.* □ ETIMOL. Del latín *benevolus*, y este de *bene* (bien) y *velle* (querer).

bengala s.f. **1** Fuego de artificio formado por una varilla con pólvora en uno de sus extremos que, al arder, desprende chispas de colores y una luz muy viva. **2** →**luz de Bengala.** □ ETIMOL. La acepción 1, por alusión a Bengala, región india de donde se trajeron.

bengalí (pl. *bengalíes, bengalís*) ▮ adj.inv./s.com. **1** De Bengala (región asiática que se extiende por territorio indio y por Bangladesh), o relacionado con ella. ▮ s.m. **2** Lengua indoeuropea de Bangladesh (país asiático): *El bengalí deriva del sánscrito.*

benignidad s.f. **1** Carácter templado o apacible de las condiciones climáticas: *Muchos enfermos buscan la benignidad de este clima para aliviar sus dolores.* **2** Referido a una enfermedad o a un tumor, falta de gravedad o de malignidad: *Ya le han confirmado la benignidad del tumor.*

benigno, na adj. **1** Referido a las condiciones climáticas, de carácter templado o apacible: *una temperatura benigna.* **2** Referido a una enfermedad o a un tumor, que no reviste gravedad porque está localizado y no es de carácter maligno: *un tumor benigno.* □ ETIMOL. Del latín *benignus* (de buen natural), de *bene* (bien) y *gignere* (engendrar).

benimerín adj.inv./s.com. De la dinastía bereber que en los siglos XIII y XIV sustituyó a los almohades en el dominio del norte de África y de la España musulmana: *Guzmán el Bueno defendió Tarifa de los benimerines.* □ ETIMOL. Del árabe *Bani Marin* (los descendientes de Marin).

beninés, -a adj./s. De Benín o relacionado con este país africano.

benito, ta adj./s. De la orden de San Benito (monje italiano que fundó dicha orden a principios del siglo VI), o relacionado con ella: *La regla benita más importante complementa la vida de oración con el trabajo.* □ SINÓN. *benedictino.* □ ETIMOL. Del latín *benedictus*.

benjamín, -a ▮ adj./s. **1** Referido a un deportista, que, por edad, pertenece a la categoría más baja, anterior a la de alevín: *Los benjamines jugaron mejor que los juveniles.* ▮ s. **2** En una familia, hijo menor: *Como es el benjamín de la familia, sus padres y hermanos lo consienten demasiado.* **3** En un grupo, miembro más joven: *Aunque es la benjamina del equipo, juega muy bien.* □ ETIMOL. Por alusión al último hijo de Jacob y Raquel, según los textos bíblicos. □ MORF. En la acepción 1, *benjamín* es un adjetivo invariable en género.

benjamita adj.inv./s.com. De la tribu de Benjamín (personaje bíblico, hijo menor de Jacob), o relacionado con ella: *Jericó era la ciudad más conocida del territorio benjamita.*

benji (fr.) s.m. Actividad deportiva que consiste en lanzarse al vacío desde una gran altura, pero sujeto por los pies a una cuerda larga y elástica que impide llegar al suelo. □ PRON. [bényi].

benjuí (pl. *benjuíes, benjuís*) s.m. Bálsamo aromático que se obtiene de la corteza de algunos árboles tropicales: *El benjuí se usa en medicina, química y perfumería.* □ ETIMOL. Del árabe *laban yawi* (incienso de Java, donde se producía el más puro).

béntico, ca adj. En biología, referido a un animal o a una planta, que vive en contacto con el fondo del mar: *Los seres bénticos pueden transitoriamente separarse del fondo del mar y flotar y nadar en el agua.* □ ETIMOL. Del griego *bénthos* (profundidad).

bentónico, ca adj. Del bentos o relacionado con este grupo de seres que vive normalmente en contacto con el fondo del mar: *la región bentónica.*

bentos (pl. *bentos*) s.m. En biología, conjunto de organismos animales y vegetales que viven en contacto con el fondo del mar: *Los corales y las algas fijas forman parte del bentos.* □ ETIMOL. Del griego *bénthos* (fondo del mar).

benzocaína s.f. Anestésico local tipo éster, utilizado esp. para tratar alteraciones de la piel.

benzodiazepina s.f. Compuesto químico muy usado en farmacia por sus propiedades sedantes y relajantes: *Las benzodiazepinas pueden causar síndrome de abstinencia.*

benzol s.m. En química, hidrocarburo líquido, incoloro, tóxico e inflamable, que se obtiene por destilación de alquitrán de hulla y se usa como disolvente: *El benzol se emplea en la fabricación de colorantes.* □ SINÓN. *benceno.* □ ETIMOL. De *benzoe* (benjuí) y la terminación de *alcohol*.

beocio, cia ▌ adj. **1** *col.* Falto de inteligencia o de formación. ▌ adj./s. **2** De Beocia (región de Grecia) o relacionado con ella.

beodez s.f. Borrachera o pérdida de las capacidades físicas o mentales a causa del alcohol.

beodo, da adj./s. Que tiene disminuidas temporalmente las capacidades físicas o mentales a causa de un consumo excesivo de bebidas alcohólicas: *Está tan beodo que se le traba la lengua.* □ SINÓN. *borracho.* □ ETIMOL. Del latín *bibitus* (bebido).

beorí (pl. *beoríes, beorís*) s.m. Tapir americano: *El beorí es un animal de costumbres solitarias.*

berberecho s.m. Molusco comestible, de color blanco amarillento, con dos conchas iguales, estriadas y casi redondas, que vive enterrado en la arena: *Nos puso de aperitivo berberechos en vinagre.* □ ETIMOL. Quizá del griego *bérberi* (molusco donde se encuentra la perla).

berberisco, ca ▌ adj./s. **1** De Berbería (región del norte de África, comprendida entre el océano Atlántico y Egipto), o relacionado con ella: *Los berberiscos eran temidos como piratas en las costas mediterráneas.* □ SINÓN. *bereber, beréber.* ▌ s.m. **2** Lengua asiática de este pueblo: *El berberisco se habla en tierras argelinas y marroquíes.* □ SINÓN. *bereber, beréber.*

berbiquí (pl. *berbiquíes, berbiquís*) s.m. Herramienta que se usa para taladrar y que consta de una broca con un mango horizontal a ella que se hace girar: *El carpintero hizo un agujero en la pared con el berbiquí para colgar el cuadro.* □ ETIMOL. Del francés *vilebrequin.*

berceuse (fr.) s.f. En música, composición breve y de ritmo suave: *Una berceuse es una canción de cuna y puede ser para voz, piano u orquesta.* □ PRON. [bersés].

bereber (tb. *beréber*) ▌ adj.inv./s.com. **1** De Berbería (región del norte de África comprendida entre el océano Atlántico y Egipto), o relacionado con ella: *Los beréberes actuales habitan en las zonas montañosas y conservan su lengua.* □ SINÓN. *berberisco, berebere.* ▌ s.m. **2** Lengua asiática de este pueblo: *El bereber hoy es una lengua minoritaria.* □ SINÓN. *berberisco, berebere.*

berebere adj.inv./s.com. →**bereber.**

berengario, ria adj./s. Que defiende o practica las ideas de Berenguer de Tours (teólogo francés del siglo X), que negaba la presencia real de Jesucristo en la eucaristía. □ USO Se usa más como sustantivo masculino plural.

berenjena ▌ adj.inv./s.m. **1** De color morado: *una blusa berenjena.* ▌ s.f. **2** Planta herbácea, de tallo fuerte y erguido, hojas grandes y ovaladas cubiertas por pelos, y flores de color morado: *La berenjena necesita un suelo fresco y rico en sustancias nutritivas.* **3** Fruto de esta planta, de forma redondeada y alargada, con la piel muy fina de color morado, comestible y muy carnoso: *Estuvimos en la verbena y comimos berenjenas en vinagre.* **4** ‖ **berenjena {catalana/morada/moruna};** la que es casi cilíndrica y de color morado muy oscuro: *La berenjena catalana frita en rodajas rebozadas está muy buena.* □ ETIMOL. Del árabe *badinyana.*

berenjenal s.m. **1** Lugar plantado de berenjenas. **2** *col.* Asunto enredado y complicado, esp. si tiene difícil solución: *Te has metido en un berenjenal por querer quedar bien con todos.*

berenjenín s.m. Variedad de berenjena con el fruto casi cilíndrico y de color blanco o con rayas de color morado claro.

bergamota s.f. **1** Variedad de pera muy jugosa y aromática: *La bergamota es una pera redondeada y con el rabo muy largo.* **2** Variedad de lima muy aromática, de la cual se extrae una esencia usada en cosmética. □ ETIMOL. Del italiano *bergamotta.*

bergamote s.m. →**bergamoto.**

bergamoto s.m. **1** Variedad de peral que produce unas peras jugosas y aromáticas: *El fruto del bergamoto es la bergamota, que es una pera muy redondeada.* □ SINÓN. *bergamote.* **2** Variedad de limero que produce unas limas muy aromáticas: *El fruto del bergamoto es la bergamota, cuya esencia se utiliza en perfumería.* □ SINÓN. *bergamote.*

bergante s.m. Persona que actúa sin honradez o sin escrúpulos: *Ese bergante se aprovecha de lo que puede.* □ ETIMOL. Quizá del catalán *bergant* (individuo de una brigada de trabajo).

bergantín s.m. Embarcación de vela con dos palos y muy ligera: *Los bergantines comenzaron a usarse en el siglo XIV.* □ ETIMOL. Del francés *brigantin* o del catalán *berganti.*

beriberi s.m. Enfermedad debida a la falta de vitamina B y caracterizada por problemas cardíacos, rigidez dolorosa de los músculos y debilidad general: *El beriberi es una enfermedad de países cálidos causada por el consumo casi exclusivo de arroz descascarillado.* □ ETIMOL. Del cingalés *beri* (debilidad). □ ORTOGR. Incorr. **beri-beri.*

berilia s.f. Sustancia que aísla de la electricidad y es conductora del calor: *La berilia se usa como moderador en los reactores nucleares.*

berilio s.m. Elemento químico, metálico y sólido, de número atómico 4, blanco, fácilmente deformable y poco abundante en la naturaleza: *El berilio es parecido al aluminio y se usa generalmente en aleaciones con cobre.* □ ORTOGR. 1. Su símbolo químico es *Be*. 2. Dist. de *berilo.*

beriliosis (pl. *beriliosis*) s.f. Inflamación pulmonar crónica causada por la inhalación de polvo de óxido de berilio.

berilo s.m. Mineral muy duro, ligero y translúcido, de color azul, rosa, verde o amarillo, que cristaliza en el sistema hexagonal: *La esmeralda es una variedad de berilo.* □ ETIMOL. Del latín *beryllus.* □ ORTOGR. Dist. de *berilio.*

berkelio s.m. Elemento químico, metálico, artificial y radiactivo, de número atómico 97, que pertenece al grupo de tierras raras: *El berkelio se obtiene bombardeando el americio con iones de helio.* □ ETIMOL. De *Berkeley*, universidad de California, donde fue descubierto. □ ORTOGR. Su símbolo químico es *Bk.*

berlina s.f. **1** Antiguo coche de caballos, cerrado, con cuatro ruedas y con dos o cuatro asientos: *Las berlinas estuvieron de moda en el siglo XVIII.* ☐ SINÓN. *cupé.* **2** Automóvil utilitario, de cuatro o seis plazas, con cuatro ventanillas y cuatro puertas laterales: *El primer automóvil de mi abuelo era una berlina.* ☐ ETIMOL. Del francés *berline*, y este de *Berlín*, ciudad donde se construyeron estos coches.

berlinés, -a adj./s. De Berlín (capital alemana), o relacionado con ella: *La ciudad berlinesa estuvo dividida hasta 1989 en Berlín Este y Berlín Oeste.*

berma s.f. En zonas del español meridional, arcén: *Detuve mi auto en la berma.*

bermejo, ja adj. Rubio o rojizo. ☐ ETIMOL. Del latín *vermiculus* (gusanillo, cochinilla), que se usaba para producir el color grana.

bermejón, -a adj. De color bermejo o con tonalidades bermejas.

bermellón s.m. **1** Color rojo vivo. **2** Cinabrio en polvo, de color rojo vivo. ☐ SINT. En la acepción 1, se usa mucho en aposición, pospuesto a un sustantivo: *color bermellón.*

bermudas s.amb.pl. Pantalón que llega hasta las rodillas: *Me he cortado los vaqueros y me he hecho unas bermudas.* ☐ USO Se usa más como sustantivo femenino.

bermudeño, ña adj./s. De Bermudas o relacionado con estas islas caribeñas.

bernardina s.f. **1** *col.* Mentira con la que alguien finge valentías o cosas extraordinarias: *No hagas caso de sus bernardinas sobre la expedición a la jungla.* **2** En tauromaquia, pase que el torero da con la capa, sentado en el estribo de la plaza. ☐ ETIMOL. De origen incierto. ☐ MORF. En la acepción 1, se usa más en plural.

bernardo, da adj./s. **1** Referido a un monje o a una monja, que pertenece al cister (orden religiosa fundada por Roberto de Molesme en 1098 y cuyo principal difusor fue san Bernardo): *Los monjes bernardos lucharon en la II Cruzada en el siglo XII.* ☐ SINÓN. *cisterciense.* **2** ‖ **san bernardo;** →**perro San Bernardo.**

berode s.m. →**verode.**

berrea s.f. **1** Emisión de berridos: *En las noches de septiembre la berrea de los ciervos se oye por todo el bosque.* **2** Referido a algunos animales, esp. al ciervo, apareamiento o búsqueda instintiva de pareja para procrear: *Durante la berrea, el ciervo llama a la hembra con berridos estridentes.* ☐ SINÓN. *brama.*

berrear v. **1** Referido a un animal, esp. a un becerro, dar berridos o emitir su voz característica: *Los becerros berreaban llamando a su madre.* **2** Referido a una persona, esp. a un niño, llorar con fuerza dando gritos: *Berreaba en la cuna porque tenía hambre.* **3** Referido a una persona, gritar de forma estridente o hablar dando gritos: *Es un maleducado y no sabe discutir sin berrear.* **4** Cantar de un modo desentonado: *Deja de berrear, porque estás desafinando.* ☐ ETIMOL. Del latín *verres* (verraco), porque este animal tiene una voz muy fuerte.

berrendo, da adj./s.m. Referido a un toro, que tiene el pelaje blanco con manchas de distinto color. ☐ ETIMOL. Quizá del céltico **barrovindos* (blanco en un extremo). ☐ SINT. Se usa la constr. *berrendo* EN *un color* para indicar el color de las manchas.

berreo s.m. **1** Llanto fuerte y a gritos: *El bebé lleva toda la tarde llorando y me tiene harto con su berreo.* **2** Grito estridente o voz fuerte al hablar: *Imagínate los berreos de mi padre cuando dijeron que no retransmitían el partido.* ☐ SINÓN. *berrido.*

berrera s.f. Planta herbácea, de tallos cilíndricos y abundante en ramas, con hojas anchas y duras de color verde y flores blancas, que crece en las orillas y remansos de riachuelos: *La berrera necesita mucha humedad.* ☐ ORTOGR. Dist. de *berro.*

berrete s.m. *col.* Mancha en la cara, esp. la que queda alrededor de la boca después de haber comido algo: *Limpia al niño los berretes, que se ha puesto perdido de chocolate.* ☐ USO Se usa más en plural.

berrido s.m. **1** Voz característica del becerro, del ciervo o de otros animales. **2** Grito estridente o voz fuerte al hablar: *¿Qué pesadilla tenías, que te despertaste dando un berrido?* ☐ SINÓN. *berreo.* **3** Nota desentonada y desafinada: *Dice que canta cuando se ducha, pero solo da berridos.*

berrinche s.m. *col.* Disgusto o enfado que se manifiesta de modo claro y aparatoso. ☐ ETIMOL. Del latín *verres* (verraco), por lo rebelde de este animal. ☐ SINT. Se usa más con los verbos *coger*, *dar*, *llevarse* y *tener.*

berro s.m. Planta herbácea, de tallos rastreros, hojas verdes comestibles y flores blancas, que crece en terrenos con mucha agua: *El sabor picante de los berros crudos es muy agradable en ensalada.* ☐ ETIMOL. Del céltico *beruron.* ☐ ORTOGR. Dist. de *berrera.*

berrocal s.m. Terreno en el que hay berruecos o rocas de granito de forma redondeada.

berroqueña adj./s.f. →**piedra berroqueña.**

berroqueño, ña ▮ adj. **1** Fuerte o firme: *un carácter berroqueño.* ▮ s.f. **2** →**piedra berroqueña.**

berrueco s.m. Roca de granito de forma redondeada a causa de la erosión.

bertsolari (eusk.) s.m. →**versolari.**

berza s.f. **1** Planta herbácea comestible con un cogollo formado por hojas anchas y verdes con el nervio principal grueso, y flores pequeñas blancas o amarillas: *La berza es una verdura que sirve de alimento a las personas y a los animales.* ☐ SINÓN. *col.* **2** Variedad basta de col: *La berza es más dura que la col.* **3** *col.* Borrachera. **4** ‖ **ser la berza;** *col.* Ser indignante, intolerable o sorprendente. ☐ ETIMOL. Del latín *virdia* (cosas verdes, verdura).

berzal s.m. Terreno plantado de berzas.

berzas (pl. *berzas*) adj.inv./s.com. *col. desp.* →**berzotas.** ☐ USO Se usa como insulto.

berzotas (pl. *berzotas*) adj.inv./s.com. *col. desp.* Que tiene escasos conocimientos, poca habilidad mental y un comportamiento poco elegante. ☐ SINÓN. *berzas.* ☐ USO Se usa como insulto.

besalamano s.m. Comunicación breve redactada en tercera persona y sin firma, generalmente para un ofrecimiento o una invitación: *Un besalamano empieza con 'B.L.M. a' y sigue el nombre del destinatario y el asunto de que se trata.* □ SINÓN. *saluda.* □ SEM. Dist. de *besamanos* (acto oficial; saludo).

besamanos (pl. *besamanos*) s.m. **1** Recepción oficial o acto público en el que los reyes o las autoridades reciben el saludo de los asistentes en señal de adhesión y cortesía: *El día del santo del Rey tuvo lugar un besamanos en los jardines del palacio.* **2** Modo de saludar a una persona besándole la mano derecha o haciendo el gesto: *Antes se saludaba a las señoras con un besamanos.* **3** En la iglesia católica, acto en el que se besa la palma de la mano de un sacerdote después de decir su primera misa: *La madre del sacerdote fue la primera en asistir al besamanos.* □ SEM. Dist de *besalamano* (comunicación breve).

besamel (tb. *bechamel*) s.f. Salsa blanca y cremosa hecha con leche, harina y mantequilla o aceite: *Las croquetas se hacen con besamel.* □ SINÓN. *besamela.* □ ETIMOL. Del francés *béchamel.*

besamela s.f. →**besamel.**

besar v. **1** Oprimir o tocar con los labios juntos contrayéndolos y separándolos con una pequeña aspiración: *El niño besó a sus padres antes de irse a dormir. Se besaron y se fue cada uno a su casa.* **2** Hacer el gesto propio del beso, sin tocar con los labios: *Mis tías se besan acercando solo las mejillas.* **3** *col.* Referido a una cosa inanimada, tocar a otra: *Los panes se besaron en el horno y se deformaron. Colocó las copas en el estante besándose unas con otras.* **4** *col.* Chocar o encontrarse inesperadamente dándose un golpe: *Tropecé en el escalón y besé el suelo. Iban los dos distraídos y se besaron al doblar la esquina.* □ ETIMOL. Del latín *basiare.*

beso s.m. **1** Toque o presión que se hace con los labios juntos, contrayéndolos y separándolos con una pequeña aspiración: *Está tan contento que da besos a todo el mundo.* **2** Gesto que se hace besando el aire o la propia mano para ofrecérselo a alguien: *Tírale un beso a papá.* **3** || **beso de Judas;** demostración de cariño que esconde una traición. || **beso de paz;** el que se da como muestra de cariño y amistad. || **beso negro;** el que se da en el ano. || **comer(se) a besos** (a alguien)**;** *col.* Besar repetidamente y con vehemencia: *Cuando encontraron al pequeño, se lo comieron a besos.* □ ETIMOL. Del latín *basium.* □ SINT. La acepción 2 se usa más con los verbos *lanzar, soltar* y *tirar.* □ USO La expresión *un beso* se usa mucho como fórmula de despedida: *'Nos vemos mañana. Un beso' y colgó el teléfono.*

bestia ▮ adj.inv./s.com. **1** Referido a una persona, que se comporta de manera violenta y maleducada o que es desconsiderada y poco amable con los demás. **2** Referido a una persona, poco inteligente o con poca cultura. ▮ s.f. **3** Animal cuadrúpedo, esp. el doméstico de carga: *El burro es una bestia un poco tozuda.* **4** || **bestia {negra/parda};** **1** Persona que provoca odio o rechazo, esp. dentro de un grupo: *Es la bestia parda de la empresa y todos lo esquivan.* **2** Lo que supone una amenaza, una preocupación o algo difícil de superar: *Mañana nos enfrentamos a la bestia negra de la clasificación, porque todavía no ha sido derrotado en lo que llevamos de liga.* □ ETIMOL. Del latín *bestia.* □ USO La acepción 1 se usa como insulto.

bestiada s.f. **1** *col.* Hecho o dicho estúpido, poco acertado o brutal. □ SINÓN. *barbaridad.* **2** || **una bestiada; 1** *col.* Gran cantidad: *No pudimos entrar porque había una bestiada de gente.* **2** *col.* Muchísimo: *Está agotado porque madruga una bestiada.*

bestial adj.inv. **1** Referido a un hecho o un dicho, que no parecen propios de una persona por su crueldad o su irracionalidad: *Ese crimen fue algo bestial e inhumano.* □ SINÓN. *brutal.* **2** *col.* De tamaño, cantidad o calidad mayores de lo normal: *Es un edificio bestial con cien pisos y diez ascensores.* □ SINÓN. *extraordinario.* □ SINT. En la lengua coloquial se usa también como adverbio de modo con el significado de 'muy bien': *Lo pasamos bestial con tus chistes.*

bestialidad s.f. **1** *col.* Hecho o dicho estúpido, poco acertado o brutal. □ SINÓN. *barbaridad.* **2** Relación sexual de una persona con un animal. **3** || **una bestialidad; 1** *col.* Gran cantidad: *Volvió del viaje con una bestialidad de regalos.* **2** *col.* Muchísimo: *Quiero un vestido como el tuyo porque me gusta una bestialidad.*

bestialismo s.m. Atracción sexual que experimenta una persona hacia los animales. □ SINÓN. *zoofilia.*

bestializarse v.prnl. Referido a una persona, adoptar un comportamiento violento, desconsiderado y poco amable con los demás: *Vivió tanto tiempo solo en el monte que se bestializó.*

bestiario s.m. En literatura, esp. en la medieval, libro de fábulas protagonizadas por animales reales o fantásticos: *El unicornio aparece a menudo en los bestiarios.*

best seller (ing.) s.m. || Obra literaria de gran éxito y de mucha venta. □ PRON. [bestséler], con *t* suave. □ USO Su uso es innecesario y puede sustituirse por *superventas.*

besucar v. *col.* →**besuquear.** □ ORTOGR. La *c* se cambia en *qu* delante de *e* →SACAR.

besucón, -a adj./s. *col.* Referido a una persona, que da muchos besos.

besugo s.m. **1** Pez marino hermafrodita, de color gris rojizo con una mancha oscura a cada lado donde comienza la cabeza, ojos muy grandes y hocico corto: *La carne de besugo es blanca y sabrosa.* **2** *col.* Persona torpe y poco inteligente: *No te lo explico más porque eres un besugo.* □ ETIMOL. De origen incierto.

besuquear v. *col.* Dar besos de modo reiterado e insistente: *Me llenó de babas al besuquearme.* □ SINÓN. *besucar.*

besuqueo s.m. Muestra de afecto dando besos de modo reiterado e insistente.

beta ▮ s.f. **1** En el alfabeto griego clásico, nombre de la segunda letra: *La grafía de la beta es β. La beta se usa en matemáticas para nombrar ángulos y planos.* ▮ s.m. **2** Sistema de grabación y reproducción de imágenes para vídeo doméstico que emplea cintas de un tamaño específico y diferente al del VHS: *El beta fue uno de los primeros sistemas que apareció en el mercado.* ☐ ORTOGR. Dist. de *veta.* ☐ SINT. En la acepción 2, se usa más en aposición, pospuesto a un sustantivo: *vídeo beta.*

betabloqueador, -a adj./s.m. →**betabloqueante.**

betabloqueante adj.inv./s.m. Referido a un medicamento, que actúa, como relajante, sobre el sistema nervioso autónomo: *Los betabloqueantes se utilizan para el tratamiento de enfermedades cardíacas.* ☐ SINÓN. *betabloqueador.*

betacaroteno s.m. Compuesto químico de origen vegetal, de color rojo, anaranjado o amarillo, que se transforma en vitamina A en los animales: *La zanahoria, el tomate y la patata son ricos en betacaroteno.* ☐ SINÓN. *caroteno.*

betarraga s.f. En zonas del español meridional, remolacha: *Cuando estuvimos en Chile, comimos mucha betarraga.* ☐ ETIMOL. Del francés *betterave*, y este de *bette* (acelga) y *rave* (nabo).

beticismo s.m. Afición por el Real Betis Balompié (club deportivo andaluz).

bético, ca adj./s. **1** De la Bética (provincia romana que corresponde al actual territorio andaluz), o relacionado con ella: *El Guadalquivir es un río bético.* **2** Del Real Betis Balompié (club deportivo andaluz) o relacionado con él: *Los sevillanos aficionados al fútbol están divididos en béticos y sevillistas.*

betuláceo, a ▮ adj./s.f. **1** Referido a una planta, que es un árbol o un arbusto de hojas sencillas y alternas que caen en invierno, flores unisexuales de color verdoso, generalmente en forma de espiga colgante, y con un fruto seco en forma de nuez o con fruto alado: *El abedul es una betulácea.* ▮ s.f.pl. **2** En botánica, familia de estas plantas, perteneciente a la división de las angiospermas: *El fruto de las betuláceas puede ser alado para que el viento se lo lleve lejos del árbol.* ☐ ETIMOL. Del latín *betula* (abedul).

betuminoso, sa adj. →**bituminoso.**

betún s.m. **1** Crema para limpiar, dar color y abrillantar el calzado: *Los mejores betunes son los que tienen ceras naturales.* **2** En zonas del español meridional, crema mezclada con algún sabor, que se utiliza para cubrir los pasteles: *Para el cumpleaños de mi hijo, voy a preparar un pastel cubierto con betún de chocolate.* ☐ ETIMOL. Del latín *bitumen.*

betunero, ra s. Persona que se dedica profesionalmente a limpiar y a dar brillo a las botas y a los zapatos. ☐ SINÓN. *limpiabotas.*

bey (pl. *beyes*) s.m. En el antiguo imperio turco, gobernador de una ciudad o de una región: *El bey era un título inferior al de bajá.* ☐ ETIMOL. Del turco *bey* (título honorífico).

bezo s.m. **1** En la boca, labio grueso y abultado. **2** En una herida abierta, carne que se levanta en los bordes. ☐ ETIMOL. De origen incierto. ☐ SEM. En la acepción 1, dist. de *belfo* (labio del caballo).

bezote s.m. Adorno que se cuelgan en el labio inferior los indios de algunas tribus americanas.

bezudo, da adj. Referido a una persona, de labios gruesos y abultados.

bhutanés, -a (tb. *butanés*) adj./s. De Bhután o relacionado con este país asiático.

bi- Elemento compositivo prefijo que significa 'dos' o 'dos veces': *bicolor, bilateral, bimotor, bisexual, bipartidismo, bicóncavo, bianual, bienal, bimestral.* ☐ ETIMOL. Del latín *bi-*, por *bis.* ☐ MORF. Puede adoptar la forma *bis-* (*bisabuelo*) o *biz-* (*biznieto*).

bianual adj.inv. Que sucede dos veces al año. ☐ ETIMOL. De *bi-* (dos) y *anual.* ☐ SEM. Dist. de *bienal* (que sucede cada dos años o que dura dos años).

biatlón s.m. Carrera de esquí de fondo en la que se efectúa también una prueba de tiro al blanco con arma de fuego: *En el biatlón, los fallos en la prueba de tiro penalizan el tiempo final.* ☐ ETIMOL. De *bi-* (dos) y las terminaciones de *pentatlón* y *triatlón.*

biauricular adj.inv. De los dos oídos o relacionado con ellos: *sordera biauricular.* ☐ ETIMOL. De *bi-* (dos) y *auricular.*

biáxico, ca adj. Que tiene dos ejes: *Los cristales biáxicos tienen dos ejes ópticos.*

bibelot s.m. Objeto decorativo, pequeño y de poco valor, esp. las estatuillas con figura humana. ☐ ETIMOL. Del francés *bibelot.* ☐ USO Su uso es innecesario y puede sustituirse por *figurilla.*

biberón s.m. **1** Botella pequeña con tetina que sirve para alimentar artificialmente a los niños recién nacidos y a las crías de mamíferos. **2** Alimento que contiene esta botella y que se toma cada vez: *El bebé toma un biberón cada tres horas.* ☐ ETIMOL. Del francés *biberon*, y este del latín *bibere* (beber).

biblia s.f. **1** Libro o conjunto de ideas fundamentales para una persona o en una religión. **2** ‖ **la biblia (en verso);** *col.* Muchas cosas: *Hacía dos años que no nos veíamos y nos contamos la biblia en verso.* ☐ ETIMOL. La acepción 1, por alusión a la Biblia, libro sagrado de cristianos y judíos.

bíblico, ca adj. De la Biblia (Sagradas Escrituras o libro sagrado de cristianos y judíos, constituido por el Antiguo y el Nuevo Testamento).

biblio- Elemento compositivo prefijo que significa 'libro': *bibliofilia, bibliomanía, bibliógrafo, bibliografía.* ☐ ETIMOL. Del griego *biblíon.*

bibliobús s.m. Autobús acondicionado como biblioteca pública móvil para llegar a los núcleos de población que no tienen bibliotecas propias. ☐ ETIMOL. De *biblio-* (libro) y *bus.*

bibliofilia s.f. Afición a los libros, esp. a los raros, antiguos y curiosos: *La bibliofilia hace que algunas personas tengan auténticos tesoros en sus casas.* ☐ SEM. Dist. de *bibliomanía* (pasión por tener libros).

bibliófilo, la s. Persona aficionada a los libros, esp. a los que son únicos o raros, y que generalmente los colecciona y estudia. ☐ ETIMOL. De *biblio-* (libro) y *-filo* (aficionado). ☐ SEM. Dist. de *bibliómano* (que siente una pasión desmedida por tener libros).

bibliografía s.f. **1** Ciencia que estudia la historia del libro y de los manuscritos y describe sus elementos materiales y sus ediciones: *Un buen filólogo debe tener unos conocimientos básicos de bibliografía.* **2** Relación o catálogo de libros o escritos referentes a una materia determinada y ordenado según un determinado criterio: *La bibliografía consultada para la elaboración de un trabajo ocupa las páginas finales.* **3** Relación ordenada de libros y publicaciones de un mismo autor: *La bibliografía de esta escritora es muy larga aunque todavía es joven.* ☐ ETIMOL. De *biblio-* (libro) y *-grafía* (escritura). ☐ SEM. Dist. de *biografía* (historia de la vida de una persona) y de *bibliología* (estudio del libro en su aspecto técnico e histórico).

bibliográfico, ca adj. De la bibliografía o relacionado con ella: *Los ordenadores facilitan mucho los estudios bibliográficos.* ☐ SEM. Dist. de *biográfico* (de la vida de una persona).

bibliógrafo, fa s. Persona que se dedica al estudio, descripción y clasificación de los libros. ☐ SEM. Dist. de *biógrafo* (el que escribe la historia de la vida de una persona).

bibliología s.f. Ciencia que estudia el libro en su aspecto histórico y técnico. ☐ ETIMOL. De *biblio-* (libro) y *-logía* (ciencia). ☐ SEM. Dist. de *bibliografía* (historia del libro y de los manuscritos; catálogo de libros) y de *bibliotecología* (estudio de las bibliotecas).

bibliomancia (tb. *bibliomancía*) s.f. Adivinación a través de la interpretación de un pasaje de un libro abierto al azar: *La bibliomancia se realizaba especialmente con la Biblia.* ☐ ETIMOL. De *biblio-* (libro) y *-mancia* o *-mancía* (adivinación).

bibliomanía s.f. Pasión desmedida por tener y acumular libros. ☐ ETIMOL. De *biblio-* (libro) y *-manía* (afición desmedida). ☐ SEM. Dist. de *bibliofilia* (afición a los libros).

bibliómano, na s. Persona que siente una pasión desmedida por tener libros. ☐ SEM. Dist. de *bibliófilo* (aficionado a los libros).

bibliorato s.m. En zonas del español meridional, archivador: *Encima de mi escritorio hay gran cantidad de carpetas y biblioratos.*

biblioteca s.f. **1** Local en el que se conserva una colección organizada de libros y otros materiales para poder ser consultados, estudiados o leídos por los usuarios: *Una biblioteca debe estar administrada por personal especializado.* **2** Colección de libros, esp. si consta de un número considerable de ellos: *He ido comprando libros poco a poco y ya tengo una buena biblioteca.* **3** Mueble o estantería para colocar libros. ☐ SINÓN. *librería.* **4** Colección de libros con una característica común, generalmente el tema: *La biblioteca de arte de esa editorial es muy completa.* ☐ ETIMOL. Del latín *bibliotheca*, este del griego *bibliothéke*, y este de *biblíon* (libro) y théke (caja).

bibliotecario, ria s. Persona que se dedica al cuidado técnico y a la organización de una biblioteca o de uno de sus servicios o secciones.

bibliotecología s.f. Estudio de las bibliotecas en todos sus aspectos, esp. en lo relativo a los sistemas de ordenamiento y disposición de las publicaciones: *La bibliotecología investiga cómo utilizar racionalmente la información almacenada en las bibliotecas.* ☐ ETIMOL. De *biblioteca* y *-logía* (ciencia). ☐ SEM. Dist. de *biblioteconomía* (estudio de la organización y administración de una biblioteca).

bibliotecológico, ca adj. De la bibliotecología o relacionado con ella.

biblioteconomía s.f. Estudio de la organización y administración de una biblioteca: *La biblioteconomía intenta que las bibliotecas sean lo más útiles y cómodas posible.* ☐ ETIMOL. De *biblioteca* y del griego *némo* (yo distribuyo, administro). ☐ SEM. Dist. de *bibliotecología* (estudio de las bibliotecas en todos sus aspectos).

bibliotecónomo, ma s. Persona que se encarga de la selección, organización y administración de una biblioteca.

biblioterapia s.f. Método de tratamiento que se basa en la lectura de escritos recomendados por el especialista a través de los cuales el paciente puede comprender sus propios conflictos.

biblista s.com. Persona que se dedica al estudio de la Biblia: *Este biblista está especializado en el estudio de los Evangelios.*

bicameral adj.inv. En un sistema democrático, referido al poder legislativo, que está formado por dos cámaras de representantes: *La democracia española es bicameral porque tiene cámara de diputados y cámara de senadores.* ☐ ETIMOL. Del francés *bicaméral.*

bicameralismo s.m. Sistema parlamentario basado en dos cámaras de representantes.

bicarbonato s.m. **1** En química, sal ácida obtenida a partir del ácido carbónico. **2** || **bicarbonato (sódico);** el de color blanco, soluble en agua, que se usa en medicina y en la fabricación de alimentos y de bebidas efervescentes: *El bicarbonato es bueno para aliviar el ardor de estómago.* ☐ ETIMOL. De *bi-* (dos) y *carbonato.*

bicarpelado, da adj.→**bicarpelar.**

bicarpelar adj.inv. En botánica, referido a una flor, que tiene dos carpelos u órganos reproductores femeninos. ☐ SINÓN. *bicarpelado.*

bicéfalo, la adj. Con dos cabezas: *un monstruo bicéfalo.* ☐ ETIMOL. De *bi-* (dos) y el griego *kephalé* (cabeza).

bicelular adj.inv. En biología, que tiene dos células.

bicentenario s.m. Segundo centenario: *Se celebró el bicentenario de su nacimiento, ocurrido hace doscientos años.*

bíceps (pl. *bíceps*) adj. inv./s.m. →**músculo bíceps.** ☐ ETIMOL. Del latín *biceps* (de dos cabezas), y este de *bi-* (dos) y *caput* (cabeza). ☐ ORTOGR. Aunque es palabra llana terminada en *s*, debe llevar tilde.

bicha s.f. **1** En arte, figura de animal fantástico con cabeza de mujer o de águila, pecho femenino y alas, terminada en un tallo enroscado: *Se han encontrado bichas en los yacimientos arqueológicos íberos.* **2** *euf. col.* Culebra: *He visto una bicha meterse entre las piedras.* ☐ ETIMOL. Del latín *bestia* (bestia). ☐ USO El uso de la acepción 2 es frecuente entre personas supersticiosas para evitar términos como *culebra* o *serpiente*, que se consideran de mala suerte.

bicharraco, ca s. **1** *col. desp.* Bicho feo y repugnante: *Los sapos me parecen los bicharracos más feos que hay.* **2** *col. desp.* Persona fea o de miembros desproporcionados: *Ese tipo es un bicharraco de piernas largas y cabeza pequeña.*

bichero s.m. Palo largo con un gancho en la punta, que se usa generalmente para atracar una embarcación pequeña: *Desde la orilla enganchó la barca con el bichero para acercarla al muelle.* ☐ SINÓN. *croque.*

bicho ▌adj.inv./s.m. **1** *col.* Referido a una persona, esp. si tiene pocos años, que es muy traviesa e inquieta: *No te descuides, que esta niña es muy bicho.* ▌s.m. **2** *desp.* Animal, esp. el de tamaño pequeño y nombre desconocido: *Me has traído unas flores llenas de bichos.* **3** *col.* Animal, esp. el doméstico: *Su casa es un zoológico con todo tipo de bichos.* **4** En tauromaquia, toro de lidia. **5** Persona con malas intenciones: *Esa mujer es un bicho, así que ten cuidado.* **6** ‖ **bicho raro;** *col. desp.* Persona de carácter o de costumbres raros. ‖ **(todo) bicho viviente;** *col.* Expresión que se usa para indicar que no se exceptúa a nadie de lo que se dice: *No había bicho viviente por la calle.* ☐ ETIMOL. Del latín *bestius* (animal).

bichoco, ca adj. En zonas del español meridional, achacoso.

bichola s.f. *vulg. desp.* Véase **bicholo, la.**

bicholo, la ▌adj. **1** *col.* En zonas del español meridional, desnudo. ▌s.f. **2** *vulg. desp.* En zonas del español meridional, pene.

bici s.f. *col.* →**bicicleta.**

bicicleta s.f. Vehículo de dos ruedas iguales, con dos pedales que, por medio de una cadena, transmiten a la rueda trasera la fuerza producida por las piernas y la transforman en movimiento: *una bicicleta de carreras.* ☐ ETIMOL. Del francés *bicyclette.* ☐ MORF. En la lengua coloquial se usa mucho la forma abreviada *bici.*

biciclo s.m. Vehículo de dos ruedas desiguales, con dos pedales que transmiten directamente a la rueda delantera, mucho mayor, la fuerza producida por las piernas y la transforman en movimiento. ☐ ETIMOL. Del inglés *bicycle*, y este del latín *bi-* (dos) y el griego *kýklos* (círculo).

bicicross s.m. Modalidad de ciclismo que consiste en subir y bajar obstáculos con una bicicleta por un circuito preparado para ello: *En el bicicross no se puede tocar el suelo con los pies.*

bicitaxi s.m. Vehículo de alquiler con conductor, que está formado por una bicicleta que tiene enganchado en la parte de atrás un asiento con techo.

bicla s.f. *col.* En zonas del español meridional, bicicleta.

bicoca s.f. *col.* Lo que resulta rentable y ventajoso porque cuesta poco o es fácil de obtener: *Ese alquiler tan bajo es una bicoca.* ☐ ETIMOL. Del italiano *bicocca* (castillo edificado en una roca).

bicolor adj.inv. De dos colores.

bicóncavo, va adj. Referido a un cuerpo, esp. a una lente, que tiene dos superficies cóncavas opuestas: *Algunas lupas son lentes bicóncavas.*

biconvexo, xa adj. Referido a un cuerpo, esp. a una lente, que tiene dos superficies convexas opuestas: *Una lente biconvexa es más fina en el centro que en los extremos.*

bicorne adj.inv. Que tiene dos cuernos o dos puntas. ☐ ETIMOL. Del latín *bicornis.*

bicornio s.m. Sombrero con dos puntas o picos: *Los generales franceses del siglo XVIII usaban bicornios.* ☐ ETIMOL. De *bicorne.*

bicromía s.f. En imprenta, impresión o grabado en dos colores. ☐ ETIMOL. De *bi-* (dos) y el griego *khrôma* (color).

bicúspide ▌adj.inv. **1** Que tiene dos cúspides o remates puntiagudos: *Las muelas tienen raíces bicúspides.* ▌s.f. **2** →**válvula bicúspide.**

bidé s.m. Cubeta baja y ovalada con grifos y desagüe, destinada a la higiene íntima y sobre la que se sienta el que va a lavarse: *Este cuarto de baño es tan pequeño que no tiene bidé.* ☐ ETIMOL. Del francés *bidet* (caballito). ☐ ORTOGR. Incorr. **bidel.*

bidentado, da adj. En botánica, referido a una hoja, con el borde recortado en lóbulos pequeños, esp. si solo son dos.

bidente adj.inv. De dos dientes. ☐ ETIMOL. Del latín *bidens.* ☐ ORTOGR. Dist. de *vidente.*

bidimensional adj.inv. Con las dos dimensiones espaciales de altura y anchura: *Las fotografías son imágenes bidimensionales.*

bidireccional adj.inv. Que tiene dos direcciones.

bidón s.m. Recipiente generalmente cilíndrico y de hojalata, con tapa o cierre hermético, y que sirve para transportar líquidos. ☐ ETIMOL. Del francés *bidon.*

bidonville (fr.) s.m. En una ciudad, barrio de chabolas construidas con materiales de desecho: *El bidonville está habitado por los grupos más marginales de la sociedad.* ☐ PRON. [bidonvíl]. ☐ USO Su uso es innecesario y puede sustituirse por *barrio de chabolas.*

biela s.f. En una máquina, barra de un material resistente que une dos piezas móviles para transformar el movimiento de vaivén en uno de rotación, o viceversa: *Las ruedas de las locomotoras de vapor iban unidas por bielas.* ☐ ETIMOL. Del francés *bielle.*

bielda s.f. Instrumento de labranza que se usa para recoger o cargar la paja y que está formado por un palo largo y un travesaño provisto de seis o siete dientes atravesados por dos palos: *Es muy cansado* *recoger la paja con la bielda.* □ ETIMOL. De *beldar*. □ SEM. Dist. de *bieldo* (con cuatro dientes).

bieldar v. →**beldar.**

bieldo s.m. Instrumento de labranza que se usa para separar la paja del grano y que está formado por un palo largo y un travesaño con cuatro dientes sujeto a uno de sus extremos: *Coge el trigo con el bieldo y tíralo al aire para que el viento se lleve la paja.* □ ETIMOL. De *beldar*. □ SEM. Dist. de *bielda* (con seis o siete dientes).

bielorruso, sa ▮ adj./s. **1** De Bielorrusia o relacionado con este país europeo. □ SINÓN. *belaruso.* ▮ s.m. **2** Lengua eslava hablada en este país: *El bielorruso forma parte del grupo oriental de las lenguas eslavas.*

biempensante adj.inv./s.com. Con las ideas que tradicionalmente se consideran correctas: *la sociedad biempensante.*

bien ▮ adj.inv. **1** Distinguido o de posición social acomodada: *Son chicos bien y no se codean con gente de barrios obreros.* ▮ s.m. **2** Lo que es útil o conveniente o lo que proporciona bienestar o dicha: *Busca su bien y su comodidad sin pensar en los demás.* **3** En filosofía, aquello que se considera la perfección absoluta o que reúne en sí mismo todo lo moralmente bueno y perfecto: *Para un cristiano, Dios es el bien supremo y absoluto.* **4** Calificación académica que indica que se ha superado el nivel exigido: *El bien está entre el aprobado y el notable.* ▮ s.m.pl. **5** Conjunto de posesiones y riquezas: *Tiene muchos bienes en tierras.* ▮ adv. **6** Referido al estado de una persona, con salud o con aspecto saludable: *Ha pasado una depresión muy fuerte, pero ya está bien.* **7** Referido a la forma de hacer algo, sin dificultad o de manera correcta, acertada o conveniente: *Dice que sus nietos son perfectos porque todo lo hacen bien.* **8** Referido a la forma de terminar algo, conforme a lo previsto o deseado: *Nuestros planes salieron bien, sin sorpresas.* **9** Referido a la forma de abordar algo, con gusto o de buena gana: *Yo bien lo haría si pudiera.* **10** Antepuesto a un adjetivo, muy o bastante: *Repíteselo bien alto, que no te ha oído.* **11** Expresión que se usa para indicar asentimiento, conformidad o entendimiento: *¡Bien, no insistas más, vamos donde quieras!* **12** Expresión que se usa para indicar cálculo aproximado: *Bien habría cien personas en el salón.* ▮ conj. **13** Enlace gramatical con valor distributivo y que, repetido, se usa para coordinar: *Bien vienes, bien te quedas.* **14** || **bien que mal;** referido a la forma de conseguir algo, de una manera o de otra o venciendo las dificultades: *Bien que mal, acabaré este trabajo a tiempo.* || **bienes de equipo;** los que se utilizan en la producción de otros bienes: *Los útiles agrícolas, la maquinaria y los camiones forman parte de los bienes de equipo.* || **(bienes) gananciales;** los adquiridos durante el matrimonio por uno o por ambos cónyuges y que pertenecen a los dos: *Cuando se divorciaron, se repartieron el mobiliario y otros bienes gananciales.* || **bienes {inmuebles/raíces};** los que no pueden ser trasladados sin perder su naturaleza: *Los solares y las casas son bienes inmuebles.* || **bienes mostrencos;** los que carecen de dueño conocido: *Actualmente, la mayoría de los bienes mostrencos es de dominio público.* || **bienes muebles;** los que pueden ser trasladados sin perder su naturaleza: *Los coches y el mobiliario son bienes muebles.* || **(bienes) semovientes;** los que consisten en ganado: *Mi padre heredó los bienes semovientes de mi abuelo el ganadero.* || **de bien;** referido a una persona, que procede con honradez y rectitud, esp. en su trato con los demás: *Sus padres eran gente de bien en la que se podía confiar.* || **no bien;** enlace gramatical subordinante con valor temporal: *No bien apareció por la puerta, lo reconocimos.* □ SINÓN. *apenas.* || **si bien;** enlace gramatical coordinante con valor adversativo: *Aceptó la invitación, si bien hubiera preferido quedarse en casa.* □ SINÓN. *aunque.* || **y bien;** expresión que se utiliza para preguntar o para introducir una pregunta: *Y bien, ¿qué estábamos diciendo?* □ ETIMOL. Del latín *bene* (bien). □ MORF. 1. Como adjetivo es invariable en número. 2. Su comparativo de superioridad es *mejor*; incorr. **más bien*: *Yo lo hago todo {*más bien > mejor} que tú.* Dist. de *más bien* (enlace gramatical con valor adversativo). 3. Se combina con otras unidades léxicas como un prefijo, y a veces llega a formar con ellas una sola palabra: *bienintencionado, bienhechor*. 4. En la acepción 5, se usa también en singular. □ SINT. Como conjunción distributiva, puede ir precedido de la conjunción disyuntiva *o*: *Iré o bien hoy o bien mañana.* □ SEM. La acepción 12 suele tener un sentido intensificador: *Muy bien podrían caber aquí cinco litros.* □ USO 1. En las acepciones 9 y 12, se usa más antepuesto al verbo. 2. El uso de la locución *si bien* es característico del lenguaje escrito.

bienal ▮ adj.inv. **1** Que dura dos años: *Este festival bienal terminará, no el próximo enero, sino el siguiente.* **2** Que tiene lugar cada dos años: *Se acordó hacer una revisión bienal de los salarios.* ▮ s.f. **3** Exposición o manifestación cultural que tiene lugar cada dos años: *La bienal del libro se celebrará este año en París.* □ ETIMOL. Del latín *biennalis*. □ SEM. Dist. de *bienio* (período de dos años) y de *bianual* (que sucede dos veces al año).

bienandanza (tb. *buenandanza*) s.f. Felicidad, bienestar y buena suerte en la vida: *En aquella novela se hablaba de las venturas y bienandanzas de un caballero feudal.*

bienaventurado, da ▮ adj. **1** Referido a una persona, que es afortunada o dichosa. ▮ adj./s. **2** En la iglesia católica, referido a un difunto o a su alma, que está en el cielo y goza de la felicidad eterna.

bienaventuranza s.f. **1** En el cristianismo, cada una de las ocho sentencias que comienzan con la palabra *bienaventurados* y con las que Jesucristo explicó quiénes alcanzarán la gloria. **2** Goce eterno que disfrutan las almas en presencia de Dios: *La aspiración de un cristiano es alcanzar la bienaventuranza.* □ SINÓN. *cielo, gloria.*

bienestar s.m. **1** Estado acomodado y en el que las necesidades materiales están cubiertas: *El bienestar de las clases medias no es garantía de felicidad.* **2** Estado de una persona cuando se siente en buenas condiciones físicas y psíquicas: *Después de ayudar a aquel hombre sintió un hondo bienestar.*

biengranada s.f. Planta herbácea, aromática, de hojas verdosas ovaladas y flores rojas agrupadas en racimos, que se emplea como remedio casero contra catarros y vómitos de sangre: *En cuanto estornudo, mi abuela me prepara una infusión de biengranada.* ☐ ETIMOL. De *bien* y *granada*.

bienhablado, da adj. Que habla con educación y corrección: *Las personas bienhabladas no dicen tacos.*

bienhechor, -a adj./s. Que beneficia o ayuda: *El artista tuvo un bienhechor que costeó sus estudios.* ☐ SINÓN. *benefactor*.

bienintencionado, da (tb. *bien intencionado, da*) adj. Con buena intención: *Agradecí mucho sus bienintencionadas palabras.*

bienio s.m. **1** Período de tiempo de dos años: *Este contrato tendrá una duración de un bienio.* **2** Incremento económico que se obtiene sobre el sueldo o sobre el salario por cada dos años trabajados. ☐ ETIMOL. Del latín *biennium*. ☐ SEM. Dist. de *bienal* (manifestación cultural que tiene lugar cada dos años).

bienmandado, da (tb. *bien mandado, da*) adj. Que obedece con prontitud o de buena gana: *Mi abuela dice que yo soy un nieto muy bienmandado.*

bienmesabe s.m. **1** Dulce hecho con azúcar y con claras de huevo batidas, con el que se hacen los merengues: *El bienmesabe es blanco y tiene aspecto espumoso.* **2** Cazón adobado que se come frito: *En ese bar ponen unas tapas de bienmesabe riquísimas.*

bienoliente adj.inv. Que tiene o despide fragancia o un aroma agradable: *Daba gusto meterse entre aquellas sábanas limpias y bienolientes.* ☐ SINÓN. *fragante*. ☐ ORTOGR. Incorr. **bien oliente*.

bienquerencia s.f. Sentimiento de cariño y de buenos deseos hacia alguien: *La envidia y los celos están reñidos con la bienquerencia.*

bienquerer v. Sentir cariño y buenos deseos hacia alguien: *Sabes que eres bienquerido de todos.* ☐ MORF. Irreg.: 1. Tiene un participio regular (*bienquerido*), que se usa más en la conjugación, y otro irregular (*bienquisto*), que se usa más como adjetivo. 2. →QUERER.

bienquisto, ta adj. Referido a una persona, que es estimada y goza de buena opinión entre los demás: *El partido busca un candidato bienquisto de todos.* ☐ ETIMOL. De *bien* y *quisto*, participio antiguo de *querer*. ☐ SINT. Constr. *bienquisto {CON/DE/POR} alguien.*

bienvenida s.f. Véase **bienvenido, da**.

bienvenido, da ▌adj. **1** Que es recibido con agrado o que llega en momento oportuno: *En esa casa todo el mundo es bienvenido.* **2** Expresión que se usa para saludar a alguien y manifestarle la satisfacción que produce su llegada: *¡Bienvenidos a nuestro hotel!* ▌s.f. **3** Manifestación con la que se da a entender a alguien la satisfacción que produce su llegada: *Sus hijos fueron al aeropuerto a darle la bienvenida.*

bienvivir v. Vivir con desahogo económico o de forma honesta: *Con ese sueldo podrás bienvivir, pero nunca te harás millonario.*

bies s.m. **1** Tira de tela que está cortada oblicuamente a la dirección de los hilos y cosida en los bordes de otra tela como remate o como adorno: *Le puso un bies a la falda para que no se deshilachara.* **2** || **al bies;** referido a la manera de estar colocado algo, esp. un trozo de tela, oblicuamente o en diagonal: *Para que la falda tenga más vuelo, debes cortar la tela al bies.* ☐ ETIMOL. Del francés *biais* (sesgo).

bifase s.f. En electricidad, sistema formado por dos corrientes alternas iguales y desfasadas entre sí un cuarto de ciclo.

bifásico, ca adj. Referido a un sistema eléctrico, que tiene dos corrientes alternas iguales, procedentes del mismo generador, y cuyas fases se distancian entre sí un cuarto de ciclo: *Los voltajes en un sistema bifásico están desplazados 90 grados entre sí.* ☐ ETIMOL. De *bi-* (dos) y *fase*.

bife s.m. En zonas del español meridional, filete. ☐ ETIMOL. Del inglés *beefsteak*, y este de *beef* (buey) y *steak* (tajada).

bífero, ra adj. En botánica, referido a una planta, que fructifica dos veces al año: *La higuera es un árbol bífero, que produce primero brevas y después higos.* ☐ ETIMOL. Del latín *biferus*, y este de *bi-* (dos) y *ferre* (llevar).

bífido, da adj. En biología, referido a un órgano, que está dividido en dos partes o que se bifurca: *lengua bífida.* ☐ ETIMOL. Del latín *bifidus*, y este de *bi-* (dos) y *findere* (hender, partir).

bifidobacteria s.f. Organismo microscópico que tiene propiedades dietéticas.

bífidus (pl. *bífidus*) s.m. Bacilo con propiedades dietéticas: *un yogur con bífidus.*

bifilar ▌adj.inv. **1** Que está formado por dos hilos: *El técnico usó un cable bifilar para hacer la conexión.* ▌s.m. **2** En electricidad, sistema formado por dos conductores eléctricos paralelos y recorridos por corrientes de sentido opuesto: *La avería se produjo por un cortocircuito en el bifilar.*

bifloro, ra adj. En botánica, que tiene o encierra dos flores: *El tallo de esa planta termina en un pedúnculo bifloro.*

bifocal adj.inv. En óptica, referido esp. a una lente, que tiene dos focos o que permite enfocar a dos distancias distintas: *gafas bifocales.*

bifónico, ca adj. Que tiene sonido estereofónico.

bífora s.f. En arte, ventana coronada por un arco de medio punto y formada por dos vanos geminados: *Las bíforas son típicas de la arquitectura renacentista.* ☐ ETIMOL. Del latín *bifores* (de dos aberturas), de *bi-* (dos) y *fores* (puerta, abertura).

biforme adj.inv. Que tiene o puede tener dos formas: *Ésta es una mesa biforme porque es redonda u ovalada según los tableros que le coloques.*

bifosfonato s.m. Compuesto químico que se utiliza en el tratamiento y la prevención de la osteoporosis.

bifronte ▮ adj.inv. **1** Que presenta dos frentes o caras: *un arco bifronte.* ▮ s.m. **2** En arte, busto o estatua con dos cabezas que se dan la espalda y miran en sentidos opuestos.

bifurcación s.f. **1** División en dos ramales o brazos separados: *Los técnicos hicieron una bifurcación de la línea telefónica para llevarla a un barrio nuevo.* **2** Punto donde se produce esta división: *En la bifurcación, las señales te dirán por dónde seguir.*

bifurcarse v.prnl. Dividirse en dos ramales o brazos separados: *Al llegar al valle, el camino se bifurca en dos sendas.* ☐ ETIMOL. Del latín *bifurcus* (ahorquillado). ☐ ORTOGR. La *c* se cambia en *qu* delante de *e* →SACAR.

bigamia s.f. Estado de la persona que está casada con dos hombres o con dos mujeres al mismo tiempo.

bígamo, ma adj./s. Que se casa de nuevo mientras su anterior matrimonio aún tiene vigencia legal. ☐ ETIMOL. Del latín *bigamus* (casado con dos).

bigardía s.f. Burla o fingimiento: *La bigardía de los goliardos era causa de escándalo.*

bigardo, da ▮ adj. **1** Antiguamente, referido a un monje, que llevaba una vida licenciosa o desenfrenada: *El Arcipreste de Hita retrata a monjes bigardos dados a la bebida y a las mujeres.* ▮ s. **2** Persona muy corpulenta. ☐ ETIMOL. De *begardo* (hereje de los siglos XIII y XIV).

bígaro (tb. *bigarro*) s.m. Caracol de mar, de pequeño tamaño y concha oscura, que vive en los litorales y cuya carne es comestible: *El bígaro abunda en las costas cantábricas.* ☐ ETIMOL. De origen incierto.

bigarro s.m. →**bígaro.**

big bang (ing.) s.m. ‖ En astronomía, gran explosión de la que se originó el universo: *Según la teoría del big bang, el universo se originó hace 15 000 o 20 000 millones de años.*

big-beat (ing.) s.m. Estilo de música que combina el tecno, el rock y el hip-hop. ☐ PRON. [bigbít].

bigote s.m. **1** En la cara de una persona o de algunos animales, conjunto de pelos que nacen sobre el labio superior. **2** En la cara de una persona o de un animal, huella que deja sobre el labio superior lo que se ha bebido: *Límpiate el bigote que te ha dejado el helado.* ☐ SINÓN. *bigotera.* ☐ ETIMOL. De origen incierto. ☐ MORF. En plural tiene el mismo significado que en singular. ☐ USO Se usa mucho en la lengua coloquial como palabra comodín para formar expresiones eufemísticas: *de bigotes* significa 'muy grande o extraordinario'.

bigotera s.f. **1** En dibujo, compás de pequeñas dimensiones cuya abertura se regula con una rosca: *Con la bigotera se trazan círculos pequeños con mayor precisión que con el compás.* **2** En la cara de una persona o de un animal, huella que deja sobre el labio superior lo que se ha bebido: *Sé que has bebido chocolate por las bigoteras que tienes.* ☐ SINÓN. *bigote.* **3** Tira de tela que se coloca sobre el bigote para que no se descomponga o para darle la forma deseada: *Antiguamente, no era raro que los hombres usaran bigotera para dormir.* ☐ MORF. En la acepción 2, se usa más en plural.

bigotón, -a adj./s. *col.* En zonas del español meridional, bigotudo.

bigotudo, da adj./s. Referido a una persona, que tiene un bigote grande o llamativo.

bigudí (pl. *bigudíes, bigudís*) s.m. Pequeña pieza de peluquería, cilíndrica y más larga que ancha, sobre la que se enrolla un mechón de pelo para rizarlo: *Cuanto más tiempo tengas puestos los bigudíes, más te durarán los rizos.* ☐ ETIMOL. Del francés *bigoudi.*

bija s.f. Pasta hecha con bermellón y que se usaba como pintura.

bijouterie (fr.) s.f. **1** En zonas del español meridional, joyas de bisutería: *Me gusta mucho la bijouterie.* **2** En zonas del español meridional, tienda de bisutería: *Voy a la bijouterie para comprar un regalo.* ☐ PRON. [biyuterí].

biker (ing.) s. →**motero.** ☐ PRON. [báiker].

bikini s.m. →**biquini.** ☐ MORF. En zonas del español meridional se usa como femenino.

bilabiado, da adj. En botánica, referido al cáliz o a la corola de una planta, que tiene la parte superior dividida en dos, semejante a unos labios: *La salvia tiene flores bilabiadas.*

bilabial ▮ adj.inv. **1** En lingüística, referido a un sonido consonántico, que se articula juntando el labio inferior contra el superior: *En español, los sonidos bilabiales son [b], [p] y [m].* ▮ s.f. **2** Letra que representa este sonido: *La 'b' y la 'p' son dos bilabiales.* ☐ ETIMOL. De *bi-* (dos) y *labial.*

bilateral adj.inv. Referido a algo con dos lados o partes, con la intervención de ambos o que afecta a ambos: *un tratado bilateral.* ☐ ETIMOL. De *bi-* (dos) y *lateral.* ☐ SEM. Su uso con el significado de 'recíproco' es incorrecto, aunque está muy extendido.

bilbaíno, na adj./s. De Bilbao o relacionado con esta ciudad vizcaína.

biles s.m.pl. *col.* En zonas del español meridional, recibos o cuentas. ☐ ETIMOL. Del inglés *bill.*

biliar adj.inv. De la bilis o relacionado con este jugo del aparato digestivo: *vesícula biliar.* ☐ SINÓN. *biliario.*

biliario, ria adj. →**biliar.**

-bilidad Sufijo que indica cualidad: *amabilidad, sociabilidad.*

bilingüe adj.inv. **1** Referido a un hablante o a una comunidad de hablantes, que usa perfectamente dos lenguas. **2** Referido a un texto, que está escrito en dos idiomas: *diccionario bilingüe inglés/español.* ☐ ETIMOL. Del latín *bilinguis.*

bilingüismo s.m. **1** En una comunidad de hablantes, coexistencia de dos lenguas: *El bilingüismo de esta región es consecuencia de su pertenencia a dos Es-*

tados a lo largo de su historia. **2** Uso habitual de dos lenguas por una misma persona: *El bilingüismo es un fenómeno normal en hijos de emigrantes.* □ SEM. Dist. de *diglosia* (bilingüismo en el que una lengua goza de mayor prestigio que la otra).

bilioso, sa adj. **1** Que tiene exceso o predominio de bilis. **2** Referido al carácter de una persona, que es irritable y de mal genio: *Las personas de temperamento bilioso son insoportables.*

bilirrubina s.f. En medicina, sustancia que aparece en la bilis como pigmento y en la sangre como derivado de la hemoglobina.

bilis (pl. *bilis*) s.f. **1** En el sistema digestivo de algunos animales superiores, líquido viscoso de color verdoso o amarillento que es segregado por el hígado y que interviene en la digestión junto con el jugo pancreático. □ SINÓN. *hiel.* **2** Sentimiento de irritación o de amargura: *Cuando sale del trabajo, viene con tanta bilis que no hay quien le hable.* □ SINÓN. *hiel.* □ ETIMOL. Del latín *bilis.*

billa s.f. **1** En el juego del billar, jugada que consiste en meter una bola, después de haber chocado con otra, en una de las troneras o agujeros de las bandas: *En cuanto le llegó el turno, empezó a hacer billas y se acabó el juego.* **2** || **billa {limpia/perdida};** aquella en la que la bola que entra en la tronera es la del jugador: *Consigue pocas billas, pero las que entran son todas billas limpias.* || **billa sucia;** aquella en la que la bola que entra en la tronera no es la del jugador: *Se las da de gran jugador, pero solo ha conseguido una billa sucia, y por casualidad.* □ ETIMOL. Del francés *bille.* □ ORTOGR. Dist. de *villa.*

billar s.m. **1** Juego de salón que se practica sobre una mesa rectangular forrada de paño y rodeada de bandas elásticas, y que consiste en impulsar unas bolas de marfil con la punta de un taco, intentando hacerlas chocar con otras. **2** Local o establecimiento provisto de mesas para practicar este juego y, generalmente, otros juegos recreativos: *En los billares de la esquina se puede jugar al billar y también al futbolín.* □ ETIMOL. Del francés *billard.* □ MORF. En la acepción 2, se usa más en plural.

billarista s.com. Persona que juega al billar.

billarístico, ca adj. Del billar o relacionado con este juego: *En el campeonato billarístico se vieron carambolas sorprendentes.*

billetaje s.m. **1** En un espectáculo o en un servicio públicos, conjunto de billetes o de entradas que se ponen a la venta: *El billetaje para la función se agotó a las dos horas de abrir la ventanilla.* **2** *col.* Conjunto de dinero en billetes: *Sacó el billetaje y pagó al contado lo que debía.*

billete s.m. **1** En un espectáculo o en un servicio públicos, tarjeta o papel que se compra y que da derecho a entrar en ellos, a presenciarlos o a usarlos: *billete de avión.* **2** Papel impreso o grabado que emite generalmente el banco central de un país y que circula como dinero legal en efectivo. □ SINÓN. *billete de banco, papel moneda.* **3** En el juego de la lotería, número completo, dividido en décimos o en participaciones que se pueden vender por separado. □ ETIMOL. Del francés *billet.*

billetera s.f. Cartera de bolsillo que sirve para llevar billetes, tarjetas o documentos. □ SINÓN. *billetero.*

billetero s.m. →**billetera.** □ USO Se usa más para designar los monederos o carteras de mujer.

billetiza s.f. *col.* En zonas del español meridional, gran cantidad de dinero.

billón ▌ pron.numer. **1** Número 1 000 000 000 000: *Un billón es un millón de millones.* ▌ s.m. **2** Signo que representa este número: *Un billón es un uno seguido de doce ceros.* □ ETIMOL. Del francés *billion.* □ SINT. Va seguido de *de* cuando lo sigue el nombre de aquello que se numera (*un billón de euros*), pero no cuando lo siguen uno o más numerales (*un billón cien mil euros*). □ SEM. Su uso con el significado de 'mil millones' es un anglicismo innecesario, y debe sustituirse por *millardo.*

billonésimo, ma numer. **1** En una serie, que ocupa el lugar número un billón: *Si hubiera un billón de personas, seguro que el lento de tu primo llegaba el billonésimo.* **2** Referido a una parte, que constituye un todo junto con otras 999 999 999 999 iguales a ella: *Una billonésima parte de los beneficios empresariales fue destinada a donativos.*

bilocación s.f. Presencia de un ser en dos lugares distintos al mismo tiempo: *En el libro 'Juan Salvador Gaviota' la bilocación es el tema principal.*

bilocarse v.prnl. Referido a un ser, hallarse en dos lugares distintos al mismo tiempo: *El personaje de aquella película era capaz de bilocarse tantas veces como quería.* □ ETIMOL. De *bi-* (dos) y el latín *locare*, y este de *locus* (lugar).

bilocular adj.inv. En botánica, referido a un órgano o a un fruto, que tiene dos cavidades o compartimentos: *Algunos frutos en forma de cápsula son biloculares.*

bilogía s.f. Libro, esp. si es de carácter literario, que consta de dos partes: *Estoy leyendo una bilogía con una parte teórica y otra práctica.* □ ETIMOL. De *bi-* (dos) y *-logía* (estudio).

bimbollo s.m. Panecillo industrial de corteza blanda que se conserva fresco varios días: *Me encantan los bimbollos con jamón y mantequilla.* □ ETIMOL. Extensión del nombre de una marca comercial.

bimembre adj.inv. Que tiene dos miembros o dos partes: *La oración bimembre consta de sujeto y predicado.*

bimensual adj.inv. Que sucede dos veces al mes: *paga bimensual.* □ ETIMOL. De *bi-* (dos) y el latín *mensis* (mes). □ SEM. Dist. de *bimestral* (cada dos meses; que dura dos meses).

bimestral adj.inv. **1** Que tiene lugar cada dos meses: *El asesor hace visitas bimestrales a sus clientes, todos los meses pares.* □ SINÓN. *bimestre.* **2** Que dura dos meses: *El cursillo será bimestral, del 1 de octubre al 1 de diciembre.* □ SINÓN. *bimestre.* □ SEM. Dist. de *bimensual* (que sucede dos veces al mes).

bimestre ▮ adj.inv. **1** →**bimestral.** ▮ s.m. **2** Período de tiempo de dos meses: *El curso dura un bimestre, del 1 de enero al 1 de marzo.* □ ETIMOL. Del latín *bimestris*, y este de *bis* (dos) y *mensis* (mes).

bimotor s.m. Avión provisto de dos motores.

bina s.f. **1** Referido a una tierra de cultivo, segunda vez que se ara antes de sembrarla: *La bina suele realizarse en tiempo de sequía.* □ SINÓN. *binadura.* **2** Referido a una viña, segunda vez que se cava: *Contrató jornaleros para la bina de sus viñas.* □ SINÓN. *binadura.* □ ORTOGR. Dist. de *vina.*

binadura s.f. →**bina.**

binar v. **1** Referido a una tierra de cultivo, ararla por segunda vez antes de sembrarla: *Después de arada, binó la tierra para hacer surcos más profundos.* **2** Referido a una viña, cavarla por segunda vez: *Tengo que binar la viña para que arraiguen mejor las vides plantadas.* **3** Referido a un sacerdote, celebrar dos misas en un mismo día: *En verano solo se queda un cura en el pueblo y tiene que binar.* □ ETIMOL. Del latín *binus* (doble).

binario, ria adj. Que se compone de dos elementos: *En música, un compás binario tiene una parte fuerte y otra débil.* □ ETIMOL. Del latín *binarius.*

bingo ▮ s.m. **1** Juego de azar en el que cada jugador va tachando los números impresos en su cartón según van saliendo en el sorteo, y en el que gana el que antes los tache todos. **2** Establecimiento público en el que se organizan partidas de este juego: *En el bingo está prohibida la entrada a menores de edad.* **3** En ese juego, premio más alto que se da en una partida: *Con este bingo me compraré unas cuantas cosas.* ▮ interj. **4** Expresión que se usa para indicar que se ha acertado en algo: *¡Bingo!, ya hemos encontrado la avería.* □ ETIMOL. Del inglés *bingo.*

binguero, ra s. Aficionado al juego del bingo.

binocular ▮ adj.inv. **1** Referido a la visión, que se hace con los dos ojos simultáneamente: *Con los prismáticos tienes una visión binocular más amplia.* ▮ adj.inv./s.m. **2** Referido a un aparato óptico, que se emplea haciendo uso de los dos ojos simultáneamente: *un microscopio binocular.* ▮ s.m.pl. **3** Aparato óptico que consta de dos tubos provistos de lentes y que se usa para ver a distancia con los dos ojos: *Mi abuela llevaba binoculares al teatro para ver mejor la cara de los actores.* □ SEM. En la acepción 3, dist. de *prismáticos* y *gemelos* (un tipo de binoculares que amplían la imagen por medio de prismas).

binóculo s.m. Gafas sin patillas, que se sujetan solo sobre la nariz: *El binóculo se usaba mucho en el siglo XIX.* □ ETIMOL. Del latín *binus* (doble) y *oculus* (ojo).

binodo s.m. Tubo electrónico que consta de tres electrodos, un cátodo y dos ánodos y que se usa para rectificar ondas: *Un binodo equivale a un doble diodo.*

binomio s.m. **1** En matemáticas, expresión algebraica compuesta de dos términos que están unidos por el signo de la suma o por el de la resta: *La expresión 'a + b' es un binomio.* **2** Conjunto formado por dos personas, esp. si actúan en estrecha colaboración. □ ETIMOL. Del latín *binomium*, y este del griego *ek dýo onomáton* (de dos nombres).

bínubo, ba adj./s. Que se ha casado por segunda vez: *Ya estuvo casado antes, y ahora es bínubo.* □ ETIMOL. Del latín *binubus.* □ USO Se usa más como adjetivo.

binza s.f. **1** En una cebolla, piel delgada y delicada que la recubre: *Al pelar la cebolla se le quita la binza.* **2** En el huevo de un ave, piel delgada y delicada que recubre la parte interior de la cáscara: *Cuando pelas un huevo duro se ve muy bien la binza.* □ SINÓN. *fárfara.* **3** En un líquido en reposo, telilla que se forma en su superficie: *Cuando se enfrió el café con leche saqué la cuchara y se le quedó pegada una binza oscura.* □ ETIMOL. Del latín **vinctiare* (atar). □ ORTOGR. Dist. de *bizna.*

bio- **1** Elemento compositivo prefijo que significa 'vida': *biografía, biogénesis, biología.* **2** Elemento compositivo prefijo que indica relación con la vida o con los seres vivos: *biosfera, bioelectricidad, bioclimatología.* **3** Elemento compositivo prefijo que indica intervención o utilización de agentes exclusivamente naturales: *bioagricultura, biomedicina.* □ ETIMOL. Del griego *bíos* (vida).

-bio Elemento compositivo sufijo que significa 'vida': *microbio, anfibio.* □ ETIMOL. Del griego *bio-.*

bioaceite s.m. Aceite de origen orgánico, que puede servir de combustible: *El bioaceite podría convertirse en una alternativa al petróleo.*

bioactivo, va adj. Referido a un material, que es compatible con tejidos orgánicos: *Los dentistas utilizan material bioactivo para los implantes dentales.*

bioacústica s.f. Parte de la biología que estudia la relación entre los organismos vivos y el sonido: *La bioacústica ha demostrado que el ruido puede afectar al equilibrio psíquico.*

bioagricultura s.f. Modalidad de la agricultura en la que se respetan los ciclos naturales de las plantas y se prescinde de abonos artificiales o de otros productos químicos: *Los ecologistas defienden la bioagricultura como principio de una vida natural y sana.*

bioalcohol s.m. Alcohol de origen orgánico, que puede sevir de combustible: *El bioalcohol es un combustible alternativo.*

biobasura s.f. Basura de origen orgánico: *La biobasura puede utilizarse como abono o como fuente de energía básica por combustión.*

biobibliografía s.f. Referido a un escritor, estudio que contiene la historia de su vida en relación con sus libros y publicaciones: *Leyendo su biobibliografía supe que fue un autor precoz.*

biocatalizador s.m. En química, sustancia que acelera la velocidad de las reacciones químicas en los organismos vivos: *Los enzimas son los biocatalizadores por excelencia.*

biocenosis (pl. *biocenosis*) s.f. En biología, comunidad natural formada por las poblaciones vegetales y animales que viven en un biotopo o área determinados: *Una biocenosis y el medio que la rodea forman un ecosistema.* □ ETIMOL. De *bio-* (vida) y el griego *koinós* (común).

biochip s.m. Chip fabricado con material biológico.

biocida adj.inv./s.m. Referido a una sustancia química, que destruye algunos seres vivos o que detiene su desarrollo: *Los insecticidas y los herbicidas son dos tipos de biocidas.*

biociencia s.f. Corriente de investigación que estudia los fenómenos que afectan a la salud en relación con el mapa genético de los seres vivos.

biocinética s.f. Parte de la biología que estudia los cambios causados en el movimiento y las fuerzas necesarias para producir esos cambios: *En ese tratado de biocinética se analizan las fuerzas en los miembros de un atleta.*

bioclimático, ca adj. De la bioclimatología o relacionado con la interacción entre clima y seres vivos: *La construcción de algunas viviendas puede plantear problemas bioclimáticos.*

bioclimatización s.f. En un lugar cerrado, acondicionamiento de su clima o de su ambiente utilizando energía solar: *En el futuro, la bioclimatización hará que en las casas se use menos la calefacción.*

bioclimatología s.f. Estudio de las relaciones que hay entre el clima y los organismos vivos: *La bioclimatología ayuda a conocer el modo de supervivencia de las especies protegidas.*

biocombustible s.m. Combustible que no contamina: *El uso de biocombustibles en el transporte público ya es una realidad en algunos países desarrollados.*

biocompatible adj.inv. Referido esp. a una prótesis, que es compatible con el organismo humano: *Las prótesis actuales utilizan nuevos materiales biocompatibles.*

biodata s.f. Breve biografía de una persona centrada en su trayectoria profesional.

biodegradable adj.inv. Referido a una sustancia, que puede degradarse o descomponerse de manera natural, por la acción de agentes biológicos: *materiales biodegradables.* □ ETIMOL. De *bio-* (vida) y *degradable.*

biodegradación s.f. Degradación o descomposición natural de una sustancia por la acción de agentes biológicos.

biodegradar v. Referido a una sustancia, degradarla o descomponerla utilizando agentes biológicos: *Las lombrices son organismos muy adecuados para biodegradar desechos.*

biodeterminismo s.m. Concepción ideológica que tiende a subrayar el origen biológico de las desigualdades sociales: *El biodeterminismo puede llegar a tener connotaciones racistas.*

biodinámica s.f. Estudio de los efectos que las fuerzas que provocan o modifican un movimiento ejercen sobre los organismos vivos.

biodisponibilidad s.f. Capacidad de una sustancia, esp. un fármaco o un alimento, para incorporarse a un organismo: *un fármaco con alta biodisponibilidad llega activo rápidamente al torrente sanguíneo.*

biodiversidad s.f. Diversidad o variedad de especies vegetales y animales.

bioeconomía s.f. Ciencia que estudia la relación económica que hay entre las actividades tecnológicas y los recursos naturales.

bioelectricidad s.f. Estudio de los procesos eléctricos que tienen lugar en los seres vivos: *En bioelectricidad se estudia la transmisión del impulso nervioso a través de las neuronas.*

bioelectromagnetismo s.m. Fenómeno de las repercusiones y de los efectos nocivos de las radiaciones electromagnéticas que emiten algunos aparatos.

bioelemento s.m. Elemento químico necesario para el desarrollo normal de un organismo animal o vegetal: *El calcio es un bioelemento para los seres humanos.*

bioensayo s.m. En biología, método experimental para estudiar una sustancia observando su efecto en un organismo vivo: *En el laboratorio se realizó un bioensayo con ratones.*

bioequivalente adj.inv. Referido esp. a una sustancia, que es biológicamente equivalente a otra: *Los medicamentos genéricos y los de marca son fármacos bioequivalentes e igual de efectivos.*

bioestratigrafía s.f. **1** En geología, estudio de los estratos basado en los fósiles que estos contienen. **2** Disposición que presentan estos estratos: *En zonas con una bioestratigrafía muy variada se han encontrado fósiles muy distanciados.*

bioética s.f. Véase **bioético, ca.**

bioético, ca ▮ adj. **1** De la bioética o relacionado con esta ciencia: *La clonación humana es una de las cuestiones bioéticas más controvertidas.* ▮ s.f. **2** Ciencia que estudia los aspectos éticos de la medicina, de la biología y de las relaciones de las personas con los restantes seres vivos: *La bioética se encarga de combinar los avances de las tecnologías con los derechos humanos.*

biofacies (pl. *biofacies*) s.f. En paleontología, en un estrato, conjunto de caracteres representados por los fósiles que hay en él y que permiten deducir en qué condiciones ambientales y de sedimentación se formó.

biofertilizante s.m. Producto que contiene células vivas y se aplica a las semillas o al suelo para mejorar el rendimiento de los cultivos. □ SINÓN. *fertilizante biológico.*

biofísica s.f. Véase **biofísico, ca.**

biofísico, ca ▮ adj. **1** De la biofísica o relacionado con esta aplicación de la física. ▮ s. **2** Persona que se dedica a los estudios biofísicos. ▮ s.f. **3** Aplicación de los principios y métodos de la física al estudio de las estructuras de los organismos vivos y al estudio de los mecanismos de los fenómenos biológicos: *En biofísica se estudian los efectos de las* *fuerzas sobre los huesos y articulaciones.* □ ETIMOL. De *bio-* (vida) y *física*.

biogás s.m. Gas producido por el reciclado de residuos químicos o biológicos.

biogénesis (pl. *biogénesis*) s.f. **1** Origen y desarrollo de la vida: *Según el cristianismo, en el proceso de biogénesis hubo intervención divina.* **2** En biología, génesis o nacimiento de un organismo vivo a partir de otro: *La teoría de la biogénesis se opone a las teorías de la creación y de la generación espontánea.*

biogenética s.f. Véase **biogenético, ca.**

biogenético, ca ▌adj. **1** De la biogenética o relacionado con esta parte de la biología: *La investigación biogenética es un tema candente por sus implicaciones éticas.* ▌s.f. **2** Parte de la biología que estudia el origen y desarrollo de los organismos vivos: *La biogenética nos permite conocer el origen de ciertas enfermedades.*

biogeografía s.f. Parte de la biología que estudia la distribución geográfica de los seres vivos, atendiendo esp. a los factores que la determinan.

biografía s.f. Respecto de una persona, relato o historia de su vida. □ SEM. Dist. de *bibliografía* (relación o catálogo de libros).

biografiado, da s. Persona cuya vida es objeto de una biografía: *El biografiado denunció a su biógrafo por difamación.*

biografiar v. Referido a una persona, hacer su biografía, esp. si es por escrito: *Al biografiar a ese político descubrió muchos datos comprometedores.* □ ORTOGR. La segunda *i* lleva tilde en los presentes, excepto en las personas *nosotros* y *vosotros* →GUIAR.

biográfico, ca adj. De la biografía o relacionado con ella: *perfil biográfico.* □ SEM. Dist. de *bibliográfico* (de la bibliografía).

biógrafo, fa s. Persona que se dedica a hacer biografías, generalmente por escrito. □ ETIMOL. De *bio-* (vida) y *-grafo* (que escribe). □ SEM. Dist. de *bibliógrafo* (el que estudia, describe y clasifica los libros).

bioindicador s.m. Organismo vivo que se usa como indicador de algo, generalmente de contaminación: *Algunas bacterias se usan como bioindicadores para saber si las aguas de un río están contaminadas.*

bioinformática s.f. Informática aplicada a la biología.

bioingeniería s.f. Aplicación de los conocimientos de la ingeniería a la medicina o a la biología.

biología s.f. Ciencia que estudia a los seres vivos y los fenómenos vitales en todos sus aspectos: *La zoología y la botánica son ramas de la biología.* □ MORF. Cuando se antepone al nombre de una ciencia para formar compuestos, adopta la forma *bio-*: *biofísica, bioingeniería, biomecánica, bioquímica.*

biológico, ca adj. **1** De la biología o relacionado con esta ciencia. **2** Que utiliza agentes exclusivamente naturales: *agricultura biológica.*

biologismo s.m. Concepción o interpretación de la sociedad humana como un organismo vivo.

biólogo, ga s. Persona que se dedica al estudio de los seres vivos y de los fenómenos vitales, esp. si es licenciado en biología. □ ETIMOL. De *bio-* (vida) y *-logo* (estudioso).

bioluminiscencia s.f. Propiedad que tiene un organismo vivo para emitir luz.

bioluminiscente adj.inv. Referido a un organismo vivo, que tiene la propiedad de emitir luz: *Las luciérnagas son insectos bioluminiscentes.*

bioma s.m. En biología, comunidad de seres vivos que está definida por unos factores climáticos y geológicos, una vegetación y una fauna característicos: *La selva ecuatorial, la sabana y la tundra son biomas.*

biomasa s.f. En biología, suma total de la materia de los seres que viven en un lugar determinado, expresada generalmente en unidades de superficie o de volumen.

biombo s.m. Mueble formado por varias láminas rectangulares colocadas verticalmente y unidas mediante bisagras de forma que pueden plegarse. □ ETIMOL. Del portugués *biombo*, y este del japonés *byôbu*.

biomecánica s.f. Parte de la biofísica que estudia las fuerzas y las aceleraciones que actúan sobre los organismos vivos: *La biomecánica ha permitido un gran desarrollo de las prótesis.*

biomedicina s.f. Medicina clínica basada en los principios de las ciencias naturales: *La biomedicina se basa en ciencias como la biología, la biofísica o la bioquímica.*

biometría s.f. Aplicación de la estadística y de los modelos matemáticos al estudio de los fenómenos biológicos: *La biometría puede predecir la variación del número de individuos de una población.*

biométrico, ca adj. De la biometría o relacionado con ella: *La frecuencia en la aparición de un carácter es un factor biométrico.*

biomonitor s.m. Ser vivo que se usa para la detección precoz de la contaminación de un lugar: *Algunos moluscos o insectos son utilizados como biomonitores.* □ SINÓN. *biosensor*.

biónica s.f. Véase **biónico, ca.**

biónico, ca ▌adj. **1** De la biónica o relacionado con esta rama de la ingeniería: *Los nuevos dispositivos biónicos permiten crear algunas prótesis de alta tecnología.* ▌s.f. **2** En ingeniería, aplicación tecnológica del estudio de las funciones y estructuras biológicas a la creación de sistemas electrónicos: *El marcapasos es una aplicación de la biónica a la medicina.*

biopic s.m. Película que está basada en la biografía de una persona. □ ETIMOL. Del inglés *biographic picture* (película biográfica).

bioprótesis (pl. *bioprótesis*) s.f. Pieza de tejido animal destinada a sustituir una parte del cuerpo humano: *Una válvula cardíaca puede ser una bioprótesis.*

biopsia s.f. En medicina, extracción y análisis de tejidos, células o líquidos de un ser vivo, que se realiza para completar o confirmar un diagnóstico: *No sabrá si el tumor es o no maligno hasta que recoja los resultados de la biopsia.* □ ETIMOL. De *bio-* (vida) y el griego *óps* (vista).

bioquímica s.f. Véase **bioquímico, ca**.

bioquímico, ca ▮ adj. **1** De la bioquímica o relacionado con esta rama de la química: *un análisis bioquímico.* ▮ s. **2** Persona que se dedica a los estudios bioquímicos. ▮ s.f. **3** Rama de la química que estudia la constitución y las transformaciones químicas de los seres vivos.

biorremediación s.f. Parte de la biotecnología que está especializada en el uso de bacterias para descontaminar el medio ambiente.

biorritmo s.m. Variación cíclica en la actividad de los procesos vitales de una persona o de un animal: *Nunca he creído que los biorritmos influyan en la conducta y en los sentimientos de una persona.*

BIOS (ing.) s.amb. En informática, programa que controla las actividades de los componentes de un ordenador. □ ETIMOL. Es el acrónimo del inglés *Basic Input Output System* (sistema básico de entrada y salida).

biosensor s.m. Ser vivo que se usa para la detección precoz de la contaminación de un lugar: *Las algas pueden ser utilizadas como biosensores en estudios de contaminación acuática.* □ SINÓN. *biomonitor.*

biosfera s.f. Zona terrestre en la que existe la vida y que está constituida por la parte inferior de la atmósfera, la hidrosfera y la parte superior de la litosfera: *La luz, la temperatura y la cantidad de oxígeno, hidrógeno y agua son algunas de las características esenciales de la biosfera.* □ ETIMOL. De *bio-* (vida) y *esfera.*

biosíntesis (pl. *biosíntesis*) s.f. En biología, formación de sustancias en el interior de un ser vivo: *La biosíntesis es un proceso fundamental del metabolismo.*

biota s.f. **1** En biología, conjunto de la fauna y de la flora de una región: *La biota de una región está condicionada por su clima.* **2** Árbol americano de madera muy resistente, con hojas siempre verdes y fruto en piñas pequeñas y lisas: *La biota pertenece a la familia del ciprés.* □ SINÓN. *tuya.*

biotecnología s.f. Aplicación de conocimientos y avances biológicos a procesos tecnológicos o de interés industrial: *La biotecnología ha conseguido modificar genéticamente determinadas bacterias para que se alimenten de sustancias contaminantes y las eliminen.*

biotecnológico, ca adj. De la biotecnología o relacionado con esta aplicación de la biología.

bioterapia s.f. En medicina, tratamiento de las enfermedades a base de sustancias producidas por organismos vivos: *Los naturistas suelen estar a favor de la bioterapia.*

biótico, ca adj. De los seres vivos: *La contaminación deteriora el desarrollo de los factores bióticos de un ecosistema.* □ ETIMOL. Del griego *bíos* (vida).

biotina s.f. Complejo que forma parte de la vitamina B y que es fundamental en el metabolismo.

biotipo s.m. **1** En biología, animal o planta que se consideran representativos de su especie, variedad o raza por la perfección de los caracteres hereditarios que presentan. **2** En biología, grupo de individuos que poseen la misma composición de genes. **3** En psicología, tipo biológico que presenta una correlación entre su constitución física y sus reacciones psíquicas: *Para el griego Hipócrates, había biotipos cerebrales, musculares, linfáticos y biliosos.* □ ETIMOL. De *bio-* (vida) y el griego *týpos* (tipo).

biotita s.f. Silicato de hierro y magnesio, de color negro, marrón o verde oscuro, del que se pueden extraer láminas delgadas: *La biotita es uno de los minerales de los que se compone el granito.* □ ETIMOL. Por alusión a J.B. Biot, físico, matemático y astrónomo francés.

biotopo s.m. Área geográfica con unas condiciones determinadas, en la que vive una biocenosis o comunidad de especies animales y vegetales: *Un pantano es el biotopo de numerosas especies animales y vegetales.* □ ETIMOL. De *bio-* (vida) y el griego *tópos* (lugar). □ SEM. Dist. de *ecosistema* (sistema biológico formado por el biotopo y por la comunidad de especies que viven en él) y de *hábitat* (área en la que vive una determinada especie).

biotrituradora s.f. Máquina que hace compost a partir de los restos de la poda.

bióxido s.m. En química, combinación de un radical simple o compuesto con dos átomos de oxígeno: *Un óxido con dos átomos de oxígeno en su molécula es un bióxido.* □ ETIMOL. De *bi-* (dos) y *óxido.*

bíparo, ra adj. Referido a un animal o a una especie, que tiene dos crías en un solo parto: *Es frecuente que haya corzos bíparos.* □ ETIMOL. De *bi-* (dos) y *-paro* (que pare). □ SEM. Dist. de *uníparo* (que tiene una cría en cada parto) y de *multíparo* (que tiene varias crías en cada parto).

bipartición s.f. División en dos partes: *La bipartición de una célula es una de las fases de su desarrollo.*

bipartidismo s.m. Sistema político que se basa en la alternancia en el gobierno de dos partidos fuertes y mayoritarios: *En el bipartidismo se suele dar un juego de coaliciones con un tercer partido.*

bipartidista adj.inv. Del bipartidismo o relacionado con este sistema político: *un sistema bipartidista.*

bipartido, da adj. Que está dividido en dos partes: *Algunos árboles tienen hojas bipartidas.* □ ETIMOL. Del latín *bipartitus*, y este de *bis* (dos veces) y *partitus* (partido).

bipartito, ta adj. Que consta de dos partes, esp. referido a una negociación o a una reunión: *un pacto bipartito.*

bipear v. Enviar mensajes a través del buscapersonas: *Bipéame cuando hayas tomado una decisión.*

bipedación s.f. En una persona o en un animal, modo de andar con dos pies o dos patas: *La bipedación fue una etapa muy importante en la evolución del ser humano.* □ SINÓN. *bipedalismo.*

bipedalismo s.m. →**bipedación.**

bípedo, da adj./s.m. Referido a un animal, que tiene dos pies o dos patas. □ ETIMOL. Del latín *bipes*, y este de *bi-* (dos) y *pes* (pie).

bíper s.m. →**buscapersonas.**

bipinnado, da adj. →**hoja bipinnada.**

biplano s.m. Aeroplano con dos alas paralelas en cada costado: *Los biplanos ya no son de uso frecuente.*

biplaza adj.inv./s.m. Referido a un vehículo, de dos plazas: *Compró una pequeña avioneta biplaza.*

bipolar adj.inv. Que tiene dos polos o dos extremos opuestos: *Las pilas son baterías bipolares porque tienen un polo positivo y otro negativo.*

bipolaridad s.f. Propiedad de tener dos polos eléctricos o magnéticos opuestos: *La bipolaridad de las capas atmosféricas favorece el desarrollo de tormentas eléctricas.*

bipolarización s.f. Agrupación en dos bloques opuestos: *La bipolarización del electorado hace que los partidos minoritarios pierdan posibles electores.*

biquini (tb. *bikini*) s.m. Traje de baño femenino formado por un sujetador y una braga: *Usa biquini en vez de bañador para que le dé el sol en el estómago.* □ SINÓN. *dos piezas.* □ ETIMOL. De *Bikini*, atolón de las islas Marshall que se encuentran en el océano Pacífico. □ MORF. En zonas del español meridional se usa como femenino.

birdie (ing.) s.m. En golf, jugada en la que se logra meter la pelota en el hoyo con un golpe menos de los fijados en su par: *hacer un birdie.* □ PRON. [bérdi]. □ USO Su uso es innecesario y puede sustituirse por *uno bajo par* o *menos uno.*

birimbao s.m. Instrumento musical pequeño, en forma de herradura, con una lengüeta de acero en medio que se hace vibrar con el dedo: *El birimbao se sujeta con los dientes.* □ ETIMOL. De origen onomatopéyico.

birlar v. *col.* Quitar sin violencia y con astucia: *Me birlaron la cartera en el metro sin que me diera cuenta.* □ ETIMOL. Del antiguo *birlo* (bolo).

birlocha s.f. Juguete formado por un armazón ligero cubierto de tela, papel o plástico, que se suelta para que el viento la eleve y se mantiene sujeto con un cordel largo: *Cuando se levante viento iremos a volar las birlochas.* □ SINÓN. *cometa, pandorga.* □ ETIMOL. De *milocha* (cometa).

birlocho s.m. Coche de caballos ligero y descubierto, de cuatro ruedas, con cuatro asientos y abierto por los lados sin portezuelas: *Han puesto birlochos para pasear por el parque.* □ ETIMOL. Del italiano *biroccio* (carreta de dos ruedas).

birmano, na adj./s. De Birmania o relacionado con este país asiático, actualmente llamado *Myanmar.* □ SINÓN. *myanma.*

birome s.f. En zonas del español meridional, bolígrafo: *Mis amigos me regalaron una birome muy linda.* □ ETIMOL. Del inglés *biro*, y este del inventor húngaro Biro.

birr s.m. Unidad monetaria etíope.

birra (it.) s.f. *col.* Cerveza: *Camarero, ponga cuando pueda dos birras y unas aceitunitas.*

birreme adj.inv./s.m. Referido a una embarcación, con dos filas de remos a cada lado: *Los antiguos barcos birremes se usaban en las guerras.* □ ETIMOL. Del latín *biremis*, y este de *bis* (dos) y *remus* (remo).

birreta s.f. Gorro cuadrangular que usan los eclesiásticos, generalmente con una borla grande en la parte superior: *La birreta de los cardenales es roja, la de los obispos, morada y la de los demás, negra.* □ SINÓN. *birrete.*

birrete s.m. **1** Gorro con forma de prisma y una borla en la parte superior, que usan en actos oficiales doctores y catedráticos universitarios, magistrados, jueces y abogados: *El birrete universitario tiene la borla del color distintivo de la facultad.* **2** →**birreta.** □ ETIMOL. Del provenzal antiguo *birret*, y este del latín *birrus* (capote con capucha).

birria ▮ adj.inv./s.f. **1** *col. desp.* De mala calidad, mal hecho o de poco valor: *Ese libro es una birria que tiene incluso faltas de ortografía.* □ SINÓN. *birrioso.* ▮ s.com. **2** *col. desp.* Persona con pocas cualidades y poco digna de aprecio: *Con birrias como tú no quiero ninguna relación.* ▮ s.f. **3** En zonas del español meridional, carne de borrego o de chivo, cocida en barbacoa: *El domingo iremos a comer birria.*

birrioso, sa adj. *col.* De mala calidad, mal hecho o de poco valor. □ SINÓN. *birria.*

biruje s.m. *col.* →**biruji.**

biruji s.m. *col.* Viento helado: *Me helé al salir del agua porque soplaba un biruji que no veas.* □ SINÓN. *biruje.*

bis ▮ s.m. **1** En un concierto o en un recital, repetición de un fragmento o de una pieza fuera del programa, a petición del público. ▮ adv. **2** Indica repetición de lo que sigue o de lo que precede: *Debes cantar dos veces lo que está precedido de bis.* □ ETIMOL. Del latín *bis* (dos veces). □ ORTOGR. Dist. de *vis.*

bisabuelo, la ▮ s. **1** Respecto de una persona, padre o madre de su abuelo o de su abuela: *Mis dos bisabuelas viven todavía.* ▮ s.m.pl. **2** Respecto de una persona, padres de su abuelo, o de su abuela, o de los dos: *Mis bisabuelos se casaron hace sesenta años.* □ ETIMOL. De *bis-* (dos veces) y *abuelo.*

bisagra s.f. **1** Mecanismo de metal con dos piezas unidas por un eje común, que se fijan en dos superficies separadas para juntarlas permitiendo el giro de una sobre otra: *Engrasa las bisagras para que no chirríen cuando se abra la puerta.* **2** Elemento que sirve de punto de unión: *El delegado de la clase es la bisagra entre los profesores y los alumnos.* □ ETIMOL. De origen incierto. □ SINT. En la acepción 2, se usa en aposición, pospuesto a un sustantivo: *un partido político bisagra.*

bisar v. En un concierto o en un recital, referido a un fragmento o a una pieza, repetirlos fuera del programa, a petición del público: *La actuación gustó mu-*

cho y el grupo bisó dos canciones al final del concierto. □ ORTOGR. Dist. de *visar.*

bisbisar v. *col.* →**bisbisear.**

bisbisear v. *col.* Hablar en voz muy baja produciendo un murmullo: *Los oí bisbisear en la sala, pero no entendí qué decían.* □ SINÓN. *bisbisar, musitar.*

bisbiseo s.m. Murmullo suave que se produce al hablar en voz muy baja: *En la iglesia solo se oía el bisbiseo de los que rezaban.*

biscocho s.m. En zonas del español meridional, bizcocho: *Para merendar siempre tomo un vaso de leche y biscocho.*

biscote s.m. Rebanada de pan tostado, seca y dura, que se puede conservar mucho tiempo. □ ETIMOL. Del francés *biscotte*, y este del italiano *biscotto.*

biscuit (fr.) s.m. **1** →**galleta. 2** →**bizcocho.** □ PRON. [biscuít].

bisecar v. En geometría, referido a una figura, dividirla en dos partes iguales: *Si bisecamos un cuadrado por una diagonal, obtendremos dos triángulos.* □ ETIMOL. De *bi-* (dos) y el latín *secare* (cortar). □ ORTOGR. 1. Dist. de *disecar.* 2. La *c* se cambia en *qu* delante de *e* →SACAR.

bisección s.f. En geometría, división de una figura en dos partes iguales: *Con la bisección de un ángulo de 180 grados se obtienen dos ángulos rectos.* □ ORTOGR. Dist. de *disección.*

bisector, triz adj./s. En geometría, que divide en dos partes iguales, esp. referido a un plano o a una recta: *La línea bisectriz de un ángulo plano pasa por su vértice. El plano axial es el bisector de un ángulo diedro.*

bisel s.m. En algunas superficies, esp. en una lámina o en una plancha, corte oblicuo que se realiza en el borde: *Es un espejo sencillo, sin marco, solo con un bisel alrededor.* □ ETIMOL. Del francés antiguo *bisel.*

biselar (tb. *abiselar*) v. Referido a una lámina o a una plancha, hacer biseles o cortar el borde de forma oblicua: *Biseló el cristal para que no tuviera aristas.*

bisemanal adj.inv. **1** Que sucede o se repite dos veces por semana: *Esa publicación bisemanal aparece los lunes y los viernes.* **2** Que sucede o se repite cada dos semanas: *Estoy suscrito a una revista bisemanal, y la recibo dos veces al mes.* □ ETIMOL. De *bi-* (dos) y *semana.*

bisemanario s.m. Publicación que aparece cada dos semanas: *Este bisemanario sale los días 1 y 15 de cada mes.*

bisexual ▌adj.inv. **1** De la bisexualidad o relacionado con esta inclinación sexual. ▌adj.inv./s.com. **2** Referido a una persona, que siente atracción sexual por individuos de ambos sexos. □ ETIMOL. De *bi-* (dos) y el latín *sexus* (sexo).

bisexualidad s.f. **1** Atracción sexual por individuos de ambos sexos. **2** Práctica de relaciones sexuales con individuos de ambos sexos.

bisiesto s.m. →**año bisiesto.** □ ETIMOL. Del latín *bisextus* (día que en los años bisiestos se agregaba entre el 24 y el 25 de febrero).

bisilábico, ca adj. →**bisílabo.**

bisílabo, ba adj./s.m. De dos sílabas: *Lento / soplo / blando / dando / va es un fragmento con bisílabos de un poema de Zorrilla.* □ SINÓN. *disílabo, bisilábico.*

bismuto s.m. Elemento químico, metálico y sólido, de número atómico 83, de color gris rojizo brillante, muy frágil y fácil de fundir: *El bismuto se emplea en la fabricación de cierres de seguridad y en la industria farmacéutica.* □ ETIMOL. Del alemán *Wismut*, y este de *Wiese* (prado) y *muten* (aspirar), porque se extrajo por primera vez en Wiesen (los Prados) en Bohemia. □ ORTOGR. Su símbolo químico es *Bi.*

bisnes (pl. *bisnes*) s.m. *col.* Negocio: *Montó un bisnes con uno de sus amigos.* □ ETIMOL. Del inglés *business.*

bisnieto, ta (tb. *biznieto, ta*) s. Respecto de una persona, hijo o hija de su nieto o de su nieta: *Mi hija es la bisnieta de mi abuelo.* □ ETIMOL. De *bis-* (dos veces) y *nieto.*

biso s.m. Secreción en forma de filamentos que producen algunos moluscos: *El mejillón se fija a las rocas mediante el biso.* □ ETIMOL. Del griego *býssos* (lino de la India).

bisojo, ja adj./s. Referido a una persona, que padece estrabismo y tiene los ojos desviados respecto de su posición normal: *A este niño bisojo hay que llevarlo al oculista.* □ SINÓN. *bizco, estrábico, ojituerto.* □ ETIMOL. Del latín *versare* (volver) y *oculus* (ojo). □ SEM. Dist. de *tuerto* (sin visión en un ojo).

bisonte s.m. **1** Mamífero rumiante bóvido, de cuerpo grande, robusto y más elevado hacia la cabeza, con cuernos pequeños y separados, con barba y con la frente y el cuello cubiertos por una larga melena: *Los bisontes eran la base alimenticia de los indios de las praderas.* □ SINÓN. *bisonte americano, búfalo.* **2** ‖ **bisonte europeo;** el de menor altura pero más pesado y con el pelaje castaño rojizo: *Los últimos bisontes europeos están protegidos.* □ ETIMOL. Del latín *bison*, y este del griego *bíson* (toro salvaje). □ MORF. Es un sustantivo epiceno: *el bisonte {macho/hembra}.*

bisoñada s.f. *col.* Hecho o dicho propios de quien no tiene experiencia ni conocimiento suficiente: *Cuando lleves aquí más tiempo dejarás las bisoñadas.* □ SINÓN. *bisoñería.*

bisoñé s.m. Peluca que cubre solo la parte anterior de la cabeza: *Aunque lleva bisoñé, se nota que es calvo.* □ ETIMOL. Quizá del francés *besogneux* (necesitado), porque lo usaban quienes no podían pagarse una peluca entera.

bisoñería s.f. *col.* →**bisoñada.**

bisoñez s.f. *col.* Inexperiencia en una nueva profesión o en una actividad.

bisoño, ña adj./s. *col.* Referido a una persona, que no tiene experiencia o que es nueva en una profesión o en una actividad: *Sólo le falta práctica, porque es un conductor bisoño.* □ SINÓN. *novato.* □ ETIMOL. Del italiano *bisogno* (necesidad), aplicado por los italianos en el siglo XVI a los soldados españoles, por lo mal vestidos que iban.

bisté (pl. *bistés*) s.m. →**bistec.**

bistec (tb. *bisté*) (pl. *bistecs*) s.m. Filete o trozo de carne que se asa o se fríe: *Prefiero el bistec de vaca al de toro, porque es más tierno.* □ ETIMOL. Del inglés *beef-steak*, y este de *beef* (buey) y *steak* (tajada).

bistró s.m. →**bistrot.** □ ETIMOL. Del francés *bistro* o *bistrot*.

bistrot (fr.) (tb. *bistró*) s.m. Restaurante al estilo de las casas de comida francesas. □ PRON. [bistró].

bisturí (pl. *bisturíes, bisturís*) s.m. Instrumento de cirugía formado por una hoja larga, estrecha y cortante, y que se usa para hacer cortes precisos. □ ETIMOL. Del francés *bistouri*.

bisutería s.f. Joyería que no utiliza materiales preciosos, pero que generalmente los imita: *un anillo de bisutería.* □ ETIMOL. Del francés *bijouterie*.

bit (pl. *bites*) s.m. En informática, unidad mínima de almacenamiento de información: *Un bit solo puede tomar el valor 1 o el valor 0.* □ ETIMOL. Es el acrónimo del inglés *Binary Digit* (dígito binario). □ PRON. [bit]; incorr. *[báit]. □ SEM. Dist. de *byte* (ocho bites).

bita s.f. En náutica, poste que sirve para sujetar el barco al muelle. □ ETIMOL. Del francés *bitte*.

bitácora s.f. **1** En una embarcación, armario próximo al timón, en el que se coloca la brújula: *El capitán se acercó a la bitácora para comprobar el rumbo.* **2** Página de internet en la que una o varias personas escriben sus opiniones sobre algún tema y que suele actualizarse frecuentemente: *La profesora de mis hijos ha creado una bitácora de aula que actualizan todos los alumnos.* □ ETIMOL. Del francés *bitacle*, y este del latín *habitaculum* (vivienda). □ USO En la acepción 2, es innecesario el uso de los anglicismos *blog* o *weblog*.

bitensión s.f. Posibilidad de algunos aparatos eléctricos para funcionar indistintamente con dos tipos de tensión. □ SINT. Se usa en aposición, pospuesto a un sustantivo: *una locomotora bitensión*.

bíter s.m. Bebida alcohólica de color rojo y sabor amargo que se hace macerando en ginebra diversas plantas: *Tómate de aperitivo un bíter sin alcohol.* □ ETIMOL. Del holandés *bitter* (amargo). □ MORF. Se usa mucho como invariable en número: *los bíter*. □ USO Se usan los plurales *bíteres* y *bíter*.

bitoque s.m. Pieza de madera con la que se tapa la piquera o agujero de los toneles: *Quita el bitoque para que salga el vino del tonel.* □ ETIMOL. De origen incierto.

bituminoso, sa (tb. *betuminoso, sa*) adj. Que tiene betún o semejanza con él: *El asfalto de las calles es una sustancia bituminosa.*

biunívoco, ca adj. Referido esp. a una correspondencia matemática, que asocia cada uno de los elementos de un conjunto con uno, y solo uno, de los elementos del otro conjunto, y cada elemento de este último con uno, y solo uno, de los de aquel. □ ETIMOL. De *bi-* (dos) y *unívoco*.

bivalente adj.inv. En química, referido a un elemento, que tiene dos valencias o posibilidades de combinación con otros elementos: *El hierro es un elemento bivalente con valencias 2 y 3.*

bivalvo, va ▌adj./s.m. **1** Referido a un animal, que tiene dos valvas o piezas duras y móviles que encajan una en otra: *Los berberechos y las ostras tienen conchas bivalvas.* ▌s.m.pl. **2** En zoología, grupo de estos animales: *Las almejas pertenecen a los bivalvos.*

bivitelino, na adj. Referido a dos hermanos gemelos, que provienen de óvulos distintos. □ ETIMOL. De *bi-* (dos) y *vitelino*.

bixenón adj.inv. Referido a las luces o los faros de un coche, que giran siguiendo la dirección del coche.

bizantinismo s.m. **1** Afición a mantener discusiones complicadas y sin utilidad por ser demasiado sutiles: *Seguir discutiendo sobre esto, después de las tres horas que llevamos hablando de lo mismo, me parece un bizantinismo.* **2** Referido al arte y a la vida social, exceso de lujo o de adornos: *Aquel palacio de estilo barroco destacaba por el bizantinismo de su decoración.*

bizantino, na ▌adj. **1** Referido a una discusión, sin utilidad por ser demasiado complicada y sutil: *una discusión bizantina.* ▌adj./s. **2** De Bizancio (antigua colonia griega e imperio romano de Oriente), o relacionado con él: *arte bizantino.*

bizarría s.f. **1** Valor y decisión en la forma de actuar: *Habló con bizarría delante de sus enemigos y consiguió acobardarlos.* □ SINÓN. *gallardía.* **2** Actitud desinteresada, generosa y espléndida: *Con noble bizarría cedió sus ahorros.*

bizarro, rra adj. **1** Que actúa con valor, con ánimo y con decisión: *Era un capitán bizarro y altivo.* □ SINÓN. *gallardo, valiente.* **2** Referido a una persona, generosa y espléndida: *Tenía un espíritu bizarro, liberal y desprendido.* □ ETIMOL. Del italiano *bizzarro* (iracundo, furioso). □ SEM. No debe emplearse con el significado de 'extraño' o 'extravagante' (galicismo): *Siempre dice disparates y tiene ocurrencias {*bizarras > extravagantes}.*

bizcar v. →**bizquear.** □ ORTOGR. La *c* se cambia en *qu* delante de *e* →SACAR.

bizco, ca ▌adj. **1** Referido a la mirada o a un ojo, que están desviados de su trayectoria normal: *Me pone nervioso la gente de mirada bizca.* ▌adj./s. **2** Referido a una persona, que padece estrabismo y tiene los ojos desviados respecto de su posición normal: *Tiene una mirada peculiar porque es algo bizca.* □ SINÓN. *bisojo, estrábico, ojituerto.* □ ETIMOL. De origen incierto. □ SEM. Dist. de *tuerto* (sin visión en un ojo).

bizcochable adj.inv. *col. desp.* Referido esp. a una persona, que se acomoda al poder, esp. al político.

bizcochada s.f. Comida hecha con una mezcla de bizcochos y leche.

bizcochar v. Referido al pan, cocerlo dos veces para que se conserve mejor: *Bizcocharon el pan porque no querían que se estropeara.*

bizcochera s.f. Véase **bizcochero, ra.**

bizcochero, ra ▮ s. **1** Persona que se dedica a la fabricación o a la venta de bizcochos, esp. si esta es su profesión: *Cuando llegan las fiestas encargamos al bizcochero de mi pueblo un montón de bizcochos para toda la familia.* ▮ s.f. **2** Recipiente en el que se guardan bizcochos: *Es muy goloso y siempre anda metiendo la nariz en la bizcochera.*

bizcocho s.m. **1** Dulce elaborado con una masa cocida al horno y hecha de harina, huevos y azúcar: *La tarta de bizcocho con fresa es la que más me gusta.* **2** Pan sin levadura cocido dos veces para que se conserve más tiempo: *En los viajes largos, los barcos suelen llevar bizcocho en vez de pan blanco.* **3** Objeto de porcelana o de loza cocido una o dos veces y sin barnizar: *En este museo de artes decorativas destacan los bizcochos y las porcelanas chinas.* **4** ‖ **(bizcocho) borracho;** pastel con forma generalmente redondeada, emborrachado o empapado en almíbar. ‖ **bizcocho de soletilla;** el que es pequeño y con forma ovalada. □ ETIMOL. Del latín *bis coctus* (cocido dos veces). □ USO Es innecesario el uso del galicismo *biscuit*.

bizkaitarra (eusk.) adj.inv./s.com. →**vizcaitarra.**

bizma s.f. Preparado farmacéutico hecho con aguardiente, incienso, mirra y otros ingredientes, que se aplicaba sobre la piel para confortar a una persona. □ ETIMOL. Del latín *epithema*, este del griego *epíthema*, y este de *epitíthemi* (yo pongo encima). □ ORTOGR. Dist. de *bizna*.

bizna s.f. En una nuez, lámina que separa sus cuatro partes: *Cuando te comas la nuez quítale la bizna.* □ ORTOGR. Dist. de *binza* y de *bizma*.

biznaga s.f. Planta cactácea, de tallo corto, redondo y carnoso, sin hojas y de fruto comestible. □ ETIMOL. Del árabe hispánico **bissináqa*.

biznieto, ta s. →**bisnieto.**

bizquear (tb. *bizcar*) v. Referido a una persona, padecer estrabismo o simularlo desviando uno de sus ojos respecto de su posición normal: *Los que bizquean tienen los ojos torcidos.*

bizquera s.f. *col.* Desviación de un ojo respecto de su posición normal. □ SINÓN. *estrabismo*.

blackjack (ing.) s.m. →**veintiuna.** □ PRON. [blacyác].

blackout (ing.) s.m. Censura o bloqueo informativos: *Las autoridades impusieron un blackout total sobre un caso muy delicado.* □ PRON. [blácaut]. □ USO Su uso es innecesario y puede sustituirse por *censura informativa*.

blanca s.f. Véase **blanco, ca.**

blanco, ca ▮ adj. **1** De color más claro en relación con algo de la misma especie o clase, esp. referido al pan o al vino. ▮ adj./s.m. **2** Del color de la nieve o de la leche: *El blanco es el color de la luz solar sin descomponerse en los colores del espectro.* **3** Referido a una persona, que pertenece al grupo étnico caracterizado por el color pálido de su piel: *Los blancos son un grupo étnico minoritario en el continente africano.* ▮ s.m. **4** Objeto que se sitúa a cierta distancia y sobre el cual se dispara para ejercitarse en el tiro y en la puntería: *Puse como blanco unas cajas.* **5** Objetivo hacia el que se dirige un disparo o un lanzamiento. **6** Objetivo o fin al que se dirige un acto, un deseo o un pensamiento. **7** Hueco o espacio entre dos cosas: *Rellena todos los blancos de la hoja de solicitud.* **8** En un escrito, espacio que queda sin llenar: *Los blancos ayudan a aligerar la lectura de un texto.* ▮ s.f. **9** En música, nota que dura la mitad de una redonda y que se representa con un círculo no relleno y una barrita vertical pegada a uno de sus lados. **10** ‖ **en blanco; 1** Referido a un papel, sin escribir, sin imprimir o sin marcar. **2** Referido a un cheque, firmado por el titular de la cuenta bancaria pero sin haber escrito en él la cantidad de dinero correspondiente. ‖ **{estar/quedarse} en blanco;** no comprender lo que se oye o se lee y quedarse sin reaccionar o sin poder pensar: *Cuando estuvo delante del profesor, se quedó en blanco y no respondió.* ‖ **no tener (ni) blanca;** *col.* No tener dinero. ‖ **sin blanca;** *col.* Sin dinero: *Me he quedado sin blanca y estoy arruinado.* □ ETIMOL. Del germánico *blank* (brillante, blanco). □ MORF. Cuando se antepone a otra palabra para formar compuestos, adopta la forma *blanqui-*.

blancor s.m. →**blancura.**

blancura s.f. Propiedad de ser o de parecer de color blanco: *¡Qué blancura tienen esas sábanas recién limpias...!* □ SINÓN. *blancor*.

blancuzco, ca adj. De color semejante al blanco o de un blanco sucio.

blandengue ▮ adj.inv. **1** Referido a una materia, con blandura poco agradable: *Este pan de ayer está blandengue y correoso.* ▮ adj.inv./s.com. **2** Referido a una persona, muy débil física o anímicamente: *Es un blandengue y se queja al menor esfuerzo.* □ USO Tiene un matiz despectivo.

blandenguería s.f. Debilidad física o anímica de una persona: *Déjate ya de blandenguerías, y no llores más.*

blandir v. Referido esp. a un arma, moverla o agitarla haciéndola vibrar en el aire: *El general lo amenazó blandiendo la espada.* □ ETIMOL. Del francés *brandir*. □ MORF. Verbo defectivo: solo se usan las formas que presentan *i* en su desinencia →ABOLIR.

blando, da adj. **1** Referido a una materia, que se corta o se deforma con facilidad, esp. al presionarla: *El pan recién hecho está blando.* **2** Referido a una persona, esp. a su carácter, excesivamente benévolo o falto de energía y de severidad: *Como seas tan blando terminarán tomándote el pelo.* **3** Referido a una persona, esp. a su carácter, tranquilo, suave y apacible: *Su compañía es muy agradable por su carácter blando y su conversación amena.* **4** Suave y sin violencia: *Me dormí oyendo el blando murmullo de las olas.* **5** Referido a una persona, con poca capacidad para los esfuerzos físicos: *Con una persona tan blanda no se puede hacer deporte.* **6** Referido a una droga, que no produce adicción o que tiene efectos no demasiado peligrosos: *La marihuana y el hachís se consideran drogas blandas.* **7** En geología, referido a un mineral, que se puede rayar con facilidad: *El* *talco es el mineral más blando.* ☐ ETIMOL. Del latín *blandus* (tierno, lisonjero).

blandón s.m. **1** Vela cilíndrica y muy gruesa: *Delante del altar hay dos blandones encendidos durante todo el año.* **2** Candelero en el que se coloca este tipo de velas: *El blandón de cobre estaba casi cubierto por la cera derretida.* ☐ ETIMOL. Del catalán *brandó*.

blandura s.f. Propiedad de ser o de parecer blando.

blanqueado s.m. →**blanqueo.**

blanqueador, -a adj./s. Que blanquea: *un producto blanqueador.*

blanquear v. **1** Poner de color blanco: *La nieve blanqueó todo el valle.* ☐ SINÓN. *emblanquecer, blanquecer.* **2** Referido a una pared o a un techo, aplicarles una o varias capas de cal o de yeso blanco diluidos en agua: *En los pueblos del sur blanquean las casas con cal para que estén más frescas.* **3** Referido a un metal, esp. al oro y a la plata, limpiarlo y sacarle su color: *El platero blanqueó la bandeja de plata porque estaba grisácea.* ☐ SINÓN. *blanquecer.* **4** Referido a una materia orgánica, decolorarla mediante la supresión de las sustancias que le dan color: *La lana, la seda, el papel o la paja son materias que se blanquean.* **5** *col.* Referido al dinero conseguido por medios ilegales, hacerlo legal: *Un modo de blanquear dinero negro es la compra de inmuebles.* **6** Ser de color semejante al blanco, o ir adquiriendo este color: *Le ha dado tanto el sol a esa tela que ya empieza a blanquear.*

blanquecer v. **1** →**blanquear. 2** →**emblanquecer.** ☐ MORF. Irreg. →PARECER.

blanquecino, na adj. De color semejante al blanco o con tonalidades blancas.

blanqueo s.m. **1** Proceso mediante el que se da color blanco a algo: *el blanqueo de las paredes.* ☐ SINÓN. *emblanquecimiento, blanqueado.* **2** Decoloración de una materia orgánica mediante la supresión de las sustancias que le dan color: *El blanqueo de fibras como el algodón se realiza por medio de agentes químicos.* ☐ SINÓN. *blanqueado.* **3** Limpieza de un metal para sacarle su color. ☐ SINÓN. *blanqueado.* **4** *col.* Legalización de un dinero conseguido por medios ilegales. ☐ SINÓN. *blanqueado.*

blanquiazul adj.inv./s.com. *col.* De cualquier equipo cuya camiseta tenga los colores blanco y azul, o relacionado con él.

blanquillo, lla adj./s. Del Real Zaragoza (club de fútbol) o relacionado con él.

blanquinegro, gra adj./s. *col.* De cualquier equipo deportivo cuya camiseta tenga los colores blanco y negro, o relacionado con él. ☐ SINÓN. *albinegro.*

blanquirrojo, ja adj./s. *col.* De cualquier equipo cuya camiseta tenga los colores rojo y blanco, o relacionado con él. ☐ SINÓN. *rojiblanco.*

blanquita s.f. Mariposa diurna de color blanco y amarillo, cuya oruga es muy dañina para los cultivos de coles y de otras crucíferas: *La oruga de la blanquita es de color verde pálido.*

blanquiverde adj.inv./s.com. *col.* De cualquier equipo deportivo cuya camiseta tenga los colores blanco y verde, o relacionado con él. ☐ SINÓN. *verdiblanco.*

blanquivioleta adj.inv./s.com. *col.* Del Real Valladolid Club de Fútbol (club deportivo vallisoletano) o relacionado con él.

blanquizal (tb. *blanquizar*) s.m. Terreno en el que abunda la greda, que es un tipo de arcilla arenosa y generalmente de color blanco azulado: *La arcilla que abunda en el blanquizal se usa para quitar manchas.* ☐ SINÓN. *gredal.*

blanquizar s.m. →**blanquizal.**

blasfemar v. **1** Referido a algo o a alguien, ultrajarlo de palabra, esp. si se considera sagrado o digno de respeto: *Se puso furioso y empezó a blasfemar contra Dios y contra los santos.* **2** Decir blasfemias o maldecir: *Blasfemaba de los que lo habían injuriado y ofendido.* ☐ SINÓN. *renegar.* ☐ SINT. 1. Constr. de la acepción 1: *blasfemar* CONTRA *algo.* 2. Constr. de la acepción 2: *blasfemar* DE *algo.*

blasfematorio, ria adj. Que contiene blasfemia: *un libro blasfematorio.* ☐ SINÓN. *blasfemo.*

blasfemia s.f. **1** Palabra, significado o expresión ultrajantes contra lo que se considera sagrado, esp. contra Dios. **2** Palabra, significado o expresión que ultraja gravemente, esp. si es contra lo que se considera digno de respeto: *Es una blasfemia despreciar la obra de ese sabio.*

blasfemo, ma ▌ adj. **1** Que contiene blasfemia: *un libro blasfemo.* ☐ SINÓN. *blasfematorio.* ▌ adj./s. **2** Que dice blasfemias: *una persona blasfema.* ☐ ETIMOL. Del latín *blasphemus*.

blasón s.m. **1** En heráldica, superficie u objeto con forma de escudo defensivo donde se pintan las figuras o piezas que son distintivos de un reino, de una ciudad, de un linaje o de una persona: *el blasón familiar.* ☐ SINÓN. *armas, escudo de armas.* **2** En heráldica, en un escudo, cada una de estas figuras o piezas: *Los blasones de esa ciudad son un león y un castillo.* **3** Arte de explicar y describir los escudos de armas: *Al congreso de blasón asistieron muchos especialistas.* ☐ SINÓN. *heráldica.* **4** Honor o fama, esp. los adquiridos por la realización de acciones nobles o grandiosas: *Lleva con orgullo el blasón de hombre valeroso.* **5** ‖ **hacer blasón de** algo; hacer ostentación de ello con alabanza propia: *Siempre hace blasón de sus muchas tierras.* ☐ ETIMOL. Del francés *blason*.

blasonado, da adj. Referido a una persona, que es ilustre por sus blasones: *Es una persona blasonada y descendiente de la nobleza.*

blasonar v. Hacer ostentación de algo con alabanza propia: *Blasona de la gente rica que conoce, y no es para tanto.* ☐ ETIMOL. De *blasón*. ☐ SINT. Constr. *blasonar* DE *algo.*

blasonería s.f. Hecho o dicho propios de alguien que blasona o presume de valiente sin serlo: *Eso de que él solo se enfrentó a todo un ejército es pura blasonería.* ☐ SINÓN. *baladronada, balandronada, bravata.*

blasonista s.com. Persona especialista en el estudio de los blasones o escudos de armas: *Si quieres* *saber algo de tu linaje, consulta a ese blasonista, porque es un experto en heráldica.*

blastema s.m. En un embrión, masa de células indiferenciadas que puede desarrollarse y diferenciarse, y que da lugar a un órgano: *Un blastema produce cada órgano de un individuo adulto.* ☐ ETIMOL. Del griego *blástema* (germen, retoño).

blastocele s.m. En biología, cavidad de la segunda fase del desarrollo de un embrión: *El blastocele se forma por el desplazamiento de las células a la superficie de la blástula.* ☐ SINÓN. *blastocelo.* ☐ ETIMOL. Del griego *blastós* (germen) y *kôilos* (hueco).

blastocelo s.m. →**blastocele.**

blastocito s.m. En un metazoo, célula embrionaria que todavía no se ha diferenciado: *El blastocito aparece en las primeras fases de la formación de los animales pluricelulares.*

blastodermo s.m. En biología, masa de células que procede de la segmentación del óvulo fecundado y que da lugar a la blástula o segunda fase del desarrollo del embrión: *El blastodermo suele tener forma de disco o de membrana.* ☐ ETIMOL. Del griego *blastós* (germen) y *dérmos* (piel).

blastómero s.m. En biología, cada una de las células que componen la blástula o segunda fase del desarrollo de un embrión: *Los blastómeros son células indiferenciadas.* ☐ ETIMOL. Del griego *blastós* (germen) y *méros* (parte).

blástula s.f. En el desarrollo de un embrión, fase en la que se forma una esfera constituida por una sola capa de células indiferenciadas: *La blástula es posterior a la mórula y anterior a la gástrula.* ☐ ETIMOL. Del griego *blastós* (germen).

blaugrana (cat.) adj.inv./s.com. Del Fútbol Club Barcelona (club deportivo catalán) o relacionado con él. ☐ USO Su uso es innecesario y puede sustituirse por *azulgrana*.

blazer (ing.) s.f. Chaqueta generalmente hecha de franela y de un determinado color, como la usada por los miembros de un equipo deportivo o de una escuela. ☐ PRON. [bléiser]. ☐ USO Su uso es innecesario y puede sustituirse por *americana*.

-ble **1** Sufijo que indica capacidad o posibilidad: *separable, disponible, abatible.* **2** Sufijo que indica actitud o cualidad: *irritable, sensible, impasible.* ☐ ETIMOL. Del latín *-bilis*.

bledo || **un bledo**; *col.* muy poco o nada: *Me importa un bledo lo que diga y no cederé.* ☐ ETIMOL. Del latín *blitum.* ☐ SINT. Se usa más con los verbos *importar*, *valer* o equivalentes, y en expresiones negativas.

blefaritis (pl. *blefaritis*) s.f. Enfermedad que consiste en la inflamación aguda o crónica de los párpados: *Tenía blefaritis y no podía abrir los ojos.* ☐ ETIMOL. Del griego *blépharon* (párpado) e *-itis* (inflamación.

blefaroplastia s.f. En cirugía, operación que consiste en la restauración del párpado, o de parte de él, aproximándole la piel más cercana: *Cuando se quemó la cara le hicieron una blefaroplastia.* ☐ ETIMOL. Del griego *blépharon* (párpado) y *plastós*, adjetivo de *plasso* (yo formo).

blefaroptosis (pl. *blefaroptosis*) s.f. Caída del párpado superior debida a la parálisis o a la atrofia del músculo que lo eleva. ☐ ETIMOL. Del griego *blépharon* (párpado) y *ptôsis* (caída).

blefaróstato s.m. En medicina, instrumento que se usa para mantener separados los párpados al realizar una operación o una exploración de los ojos: *El cirujano le puso el blefaróstato en el párpado antes de empezar a operarle el ojo.*

blenda s.f. Sulfuro de cinc, que se encuentra en la naturaleza en cristales brillantes y cuyo color va del amarillo rojizo al pardo oscuro: *La blenda es un mineral del que se extrae el cinc.* ☐ ETIMOL. Del alemán *Blende*, y este de *blenden* (cegar, engañar), porque se parece a la galena, pero no produce plomo.

blended (ing.) adj./s.m. Referido al whisky, que se obtiene a partir de la mezcla de diferentes variedades de whisky de grano y malta. ☐ PRON. [blénded]. ☐ USO Su uso es innecesario y puede sustituirse por *whisky de mezcla*.

blenorragia s.f. Enfermedad infecciosa de transmisión sexual, que consiste en la inflamación de las vías urinarias y genitales, y que produce un flujo excesivo de moco genital. ☐ SINÓN. *purgación.* ☐ ETIMOL. Del griego *blénna* (mucosidad) y *-rragia* (flujo, derramamiento).

blenorrea s.f. En medicina, blenorragia crónica: *Le duelen frecuentemente los órganos genitales porque tiene blenorrea.* ☐ ETIMOL. Del griego *blénna* (mucosidad) y *-rrea* (flujo, emanación).

blindaje s.m. **1** Cubrimiento con planchas metálicas u otro material difícilmente penetrable, a fin de proteger un lugar, un objeto o lo que hay en su interior: *Esta empresa está especializada en el blindaje de cajas fuertes.* **2** Conjunto de materiales que se usan para proteger exteriormente un objeto o un lugar o lo que hay en su interior: *El blindaje de estos buques acorazados es muy sólido.* **3** Protección y vigilancia de una persona por razones de seguridad: *El blindaje de varios altos cargos ha sido necesario debido al clima de tensión que se vive en ese país.*

blindar v. Referido esp. a un vehículo o a una puerta, cubrirlos con planchas metálicas u otro material difícilmente penetrable para protegerlos o proteger lo que hay en su interior: *Ese coche militar está blindado contra las balas y el fuego.* ☐ ETIMOL. Del francés *blinder*, y este del alemán *blenden* (cegar).

blinis (pl. *blinis*) (fr.) s.m. Comida de origen ruso que consiste en una tortita gruesa que se sirve caliente y con caviar, con pescado ahumado o con otros ingredientes. ☐ PRON. [blínis]. ☐ ETIMOL. Del francés *blinis* y este del plural ruso *bliny*.

blíster (pl. *blísteres*) s.m. Envase para varios productos pequeños que está formado por un soporte de cartón sobre el que va pegada una lámina de plástico transparente con cavidades en las que se alojan los distintos artículos: *Hasta el momento de* *usarlas, las pilas se conservan mejor en el blíster.* □ ETIMOL. Del inglés *blisterpack*.

bloatware (ing.) s.m. Programa informático que ocupa mucho espacio en el ordenador en relación con el rendimiento que ofrece. □ PRON. [blótgüer].

bloc s.m. Conjunto de hojas de papel superpuestas, esp. si constituyen un cuaderno: *bloc de dibujo; bloc de notas.*

blocaje s.m. **1** En fútbol, parada de un balón por parte del portero, que lo coge con las manos protegiéndolo con el cuerpo: *Este portero está especializado en parar el balón con blocajes.* **2** →**bloqueo.**

blocao s.m. Fortificación militar de pequeño tamaño, desmontable y fácil de transportar y de armar: *Los blocaos se usan generalmente en terrenos montañosos.* □ ETIMOL. Del alemán *Blockhaus* (pequeña fortificación).

blocar v. **1** En fútbol, referido al balón, pararlo con las manos y sujetarlo con seguridad contra el cuerpo: *El balón iba con tanta fuerza que el portero no pudo blocarlo.* **2** En rugby, referido a un jugador, detenerlo o impedir que avance: *Se abalanzaron sobre él tres jugadores y lo blocaron sin que pudiera moverse.* **3** En boxeo, referido a un golpe, pararlo con los brazos o los codos: *No le rozó ni la cara porque blocó todos sus golpes.* □ ETIMOL. Del francés *bloquer*. □ ORTOGR. La *c* se cambia en *qu* delante de *e* →SACAR. □ USO Su uso es innecesario y puede sustituirse por *bloquear*, *detener* o *impedir el paso*.

bloco (port.) s.m. En los carnavales brasileños, conjunto de personas que desfila cantando y bailando al ritmo de instrumentos de percusión.

blofear v. **1** *col.* En zonas del español meridional, ser presuntuoso: *¡Deja de blofear y cuenta las cosas como son!* **2** *col.* En zonas del español meridional, en algunos juegos de cartas, jugar de farol.

blog (ing.) s.m. Página web en la que una o varias personas escriben sus opiniones sobre algún tema y que suele actualizarse frecuentemente: *Si te gusta esa escritora, visita su blog porque te encantará.* □ SINÓN. *weblog*. □ USO Su uso es innecesario y puede sustituirse por el término *bitácora*.

bloguero, ra ▮ adj. **1** De un blog o relacionado con él: *La actualidad política es un tema muy bloguero.* ▮ s. **2** Persona que tiene un blog: *La mayoría de los blogueros actualizan su página con frecuencia.*

blonda s.f. Véase **blondo, da.**

blondina s.f. Encaje de seda estrecho: *Adorné el escote del vestido con una tira de blondina.*

blondo, da ▮ adj. **1** *poét.* Rubio. ▮ s.f. **2** Encaje de seda: *una mantilla de blonda.* □ ETIMOL. La acepción 1, del francés *blond*. La acepción 2, del francés *blonde*, y este de *blond* (rubio), porque se hacían del color de la seda cruda.

bloody mary (ing.) s.m. ‖ Cóctel elaborado con vodka y zumo de tomate. □ ETIMOL. Por alusión a María Tudor, reina de Inglaterra, famosa por su persecución implacable contra los protestantes. □ PRON. [blódi méri].

bloomers (ing.) s.m.pl. En zonas del español meridional, braga: *Tengo que ir a comprar bloomers para mi hija.* □ PRON. [blúmers].

bloque s.m. **1** Trozo de piedra o de otro material, de grandes dimensiones y sin labrar: *Un escultor transforma cualquier bloque en una hermosa figura.* **2** Pieza con forma de paralelepípedo rectangular, esp. si es de materia dura: *un bloque de hormigón.* **3** En un núcleo de población, edificio grande que tiene varias viviendas de características parecidas: *Yo vivo en el último piso de este bloque.* **4** Conjunto compacto o coherente de cosas con alguna característica común: *Después de la Segunda Guerra Mundial el mundo se separó en dos bloques.* **5** Conjunto de hojas superpuestas y pegadas o sujetas por uno de sus lados de modo que puedan desprenderse fácilmente: *Anota la dirección en una hoja del bloque y arráncala.* □ ETIMOL. Del francés *bloc*.

bloquear v. **1** Referido a un lugar, impedir o interrumpir el paso o el movimiento a través de él: *La nevada ha bloqueado las carreteras.* **2** Referido a algo que se mueve, interrumpir su trayectoria para impedir que llegue a su destino: *El guardameta bloqueó el balón y no hubo gol.* **3** Referido a un mecanismo, frenar o impedir su funcionamiento: *Bloquea el coche con el freno de mano. Se bloqueó la cerradura porque está oxidada.* **4** Paralizar la capacidad de actuación o la capacidad mental: *Es fácil que los nervios bloqueen la mente. En situaciones de peligro me bloqueo y no reacciono.* **5** Referido a un proceso, impedir o frenar su desarrollo: *Un país puede bloquear las relaciones diplomáticas con otro como medida de presión.* **6** En economía, referido a una cantidad de dinero o un crédito, inmovilizarlos para evitar que pueda disponerse de ellos: *Han ordenado bloquear sus cuentas bancarias hasta que se acabe la investigación.* **7** Referido a la prestación de un servicio, impedir o interrumpir su funcionamiento por exceso de demanda: *Las muchas felicitaciones que se envían en navidades bloquean el correo. Las líneas se bloquean cuando hay muchas llamadas telefónicas.* □ ETIMOL. Del francés *bloquer* (hacer un bloque).

bloqueo s.m. **1** Interrupción del paso o del movimiento a través de un lugar: *El bloqueo del puente fue crucial para evitar el acceso al pueblo.* **2** Interrupción de la trayectoria de algo que se mueve para impedir que llegue a su destino: *El bloqueo del jugador impidió que anotara un tanto.* □ SINÓN. *blocaje*. **3** Obstrucción o entorpecimiento del funcionamiento de un mecanismo: *Esta barra enganchada al embrague del coche provoca el bloqueo del volante.* □ SINÓN. *blocaje*. **4** Paralización de la capacidad de actuación o de la capacidad mental: *bloqueo mental.* **5** Interrupción del desarrollo de un proceso, generalmente con un obstáculo: *bloqueo económico.* **6** Inmovilización de una cantidad de dinero o de un crédito para evitar que pueda disponerse de ellos: *el bloqueo de una cuenta bancaria.* **7** Referido a la prestación de un servicio, interrupción de su funcionamiento por exceso de demanda: *el bloqueo de una línea telefónica.*

blucher (ing.) s.m. Zapato de cordones, ancho y abierto, con costuras exteriores muy visibles. ☐ PRON. [blúcher].

bluebeat (ing.) s.m. Estilo musical surgido en la década de 1960 que mezcla elementos del blues y de músicas caribeñas. ☐ PRON. [blubít].

blue chip (ing.) s.m. || En economía, valor de mucho peso en el mercado, que corresponde a una empresa importante: *Ante la situación de inseguridad, los inversores han vuelto al blue chip.* ☐ PRON. [blu chip]. ☐ USO Su uso es innecesario y puede sustituirse por *acción de rentabilidad segura* o *valor puntero.*

bluegrass (ing.) s.m. Música country con influencia del jazz y el blues, que se interpreta con instrumentos de cuerda: *El bluegrass fue llevado a Norteamérica por los inmigrantes británicos.* ☐ PRON. [blugrás].

blue-jean (ing.) s.m. En zonas del español meridional, pantalón vaquero: *Siempre la ves con blue-jean aunque esté en una fiesta.* ☐ PRON. [blu-yin].

blues (ing.) (pl. *blues*) s.m. Música y canto melancólicos y lentos, propios del folclore negro norteamericano y surgidos a principios del siglo XIX: *El blues evolucionó de los cantos espirituales negros.* ☐ PRON. [blus].

bluetooth (ing.) s.m. Sistema que permite la conexión inalámbrica de distintos dispositivos. ☐ PRON. [blutúz]. ☐ SINT. Se usa mucho en aposición, pospuesto a un sustantivo: *sistema bluetooth; conexión bluetooth.*

bluff (ing.) s.m. *col.* Fanfarronada, engaño o camelo: *El nuevo producto no es más que un bluff muy bien vendido.* ☐ PRON. [bluf]. ☐ USO Su uso es innecesario y puede sustituirse por *engaño* o *camelo.*

blúmer (pl. *blúmers*) s.m. En zonas del español meridional, braga: *Siempre compro blúmers de algodón.* ☐ ETIMOL. Del inglés *bloomers.* ☐ MORF. En plural tiene el mismo significado que en singular.

blu-ray (ing.) s.m. Formato de DVD que tiene una mayor capacidad de almacenamiento y una mejor calidad de imagen: *El HD-DVD y el blu-ray son dos formatos de DVD.* ☐ ETIMOL. Del inglés *blue ray* (rayo azul), por el color azul del rayo láser que se utiliza en su lectura. ☐ PRON. [blú-réi].

blusa s.f. Prenda de vestir femenina, de tela fina, que cubre la parte superior del cuerpo, y generalmente es abierta por delante o por detrás y se cierra con botones: *En verano siempre lleva blusas sin mangas o de manga corta.* ☐ ETIMOL. Del francés *blouse.*

blusón s.m. Blusa larga y con mangas, muy holgada y suelta: *Cuando pinto con óleos me pongo encima un blusón viejo para no mancharme.*

bluyín (pl. *bluyines*) s.m. En zonas del español meridional, pantalón vaquero: *Guardó los pesos en un bolsillo del bluyín.* ☐ ETIMOL. Del inglés *blue-jean.* ☐ MORF. En plural tiene el mismo significado que en singular.

boa ▮ s.m. **1** Prenda de vestir en forma de serpiente, que se coloca como adorno alrededor del cuello y está hecha de plumas o de piel: *una boa de plumas.* ▮ s.f. **2** Serpiente americana no venenosa, de gran tamaño y fuerza, que tiene la piel con vistosos dibujos. ☐ ETIMOL. Del latín *boa* (serpiente acuática). ☐ MORF. En la acepción 2, es un sustantivo epiceno: *la boa {macho/hembra}.*

board (ing.) s.m. En una empresa, conjunto de directivos: *El board se ha reunido para discutir el futuro de la empresa.* ☐ PRON. [bord]. ☐ USO Su uso es innecesario y puede sustituirse por *consejo de dirección.*

boarder cross (ing.) s.m. Deporte en el que compiten cuatro personas y que consiste en descender por la nieve sobre una tabla lo más rápido posible. ☐ PRON. [bórder cros].

boardilla s.f. → **buhardilla.**

boatiné s.f. Tela acolchada con relleno de guata: *una bata de boatiné.*

boato s.m. Lucimiento y manifestación de grandeza en las formas exteriores: *una fiesta con mucho boato.* ☐ ETIMOL. Del latín *boatus* (grito ruidoso, mugido).

boat people (ing.) s. || Persona que intenta huir por mar de su país, por hallarse este en situación de guerra: *Los boat people que huían de Vietnam erraron por el mar de China intentando encontrar refugio político en otros países.* ☐ PRON. [bot pípol].

bobada s.f. **1** Hecho o dicho sin fundamento o sin base lógica: *¿Quieres dejar de hacer bobadas?* ☐ SINÓN. *bobería.* **2** *col.* Lo que se considera sin importancia o de poco valor: *Te he traído esta bobada a ver si te gusta.*

bobales (pl. *bobales*) s.com. **1** *col.* Que tiene poca inteligencia o entendimiento. **2** *col.* Que se admira por todo a causa de su gran ingenuidad.

bobalicón, -a adj./s. *col.* Muy bobo.

bobear v. **1** Hacer o decir bobadas: *Deja de bobear, que esto es un tema serio.* **2** Emplear el tiempo en cosas inútiles y vanas: *Haz algo que valga la pena en vez de bobear.*

bobería s.f. Hecho o dicho sin fundamento o sin base lógica: *¿Quieres dejar de decir boberías?* ☐ SINÓN. *bobada.*

bóbilis || **de bóbilis bóbilis;** *col.* Sin esfuerzo o sin merecimiento: *Tienes que estudiar, porque no vas a aprobar de bóbilis bóbilis.* ☐ ETIMOL. De *vobis vobis,* y este del latín *vobis* (para vosotros), expresión del que reparte dinero a otra gente.

bobina s.f. **1** Carrete que sirve para enrollar un material flexible, esp. hilo o alambre: *Si no tienes una bobina para enrollar el alambre, puede servirte un bolígrafo.* **2** Rollo de un material flexible, esp. hilo o alambre, generalmente montado sobre un soporte: *una bobina de hilo.* **3** En un circuito eléctrico, componente formado por un hilo conductor aislado y enrollado repetidamente, que sirve para crear y captar campos magnéticos. ☐ ETIMOL. Del francés *bobine* (carrete de hilo). ☐ ORTOGR. Dist. de *bovina.*

bobinado s.m. Hecho de enrollar un material flexible alrededor de una bobina o de un carrete.

bobinar v. Referido a un material flexible, enrollarlo, generalmente alrededor de una bobina o un carrete: *Bobina bien el cable para que no se hagan nudos.* □ SEM. Dist. de *rebobinar* (hacer que el material se desenrolle de una bobina y se enrolle en otra).

bobo, ba ▮ adj./s. **1** *desp.* Que tiene poca inteligencia o poco entendimiento: *Eso es tan fácil que lo puede hacer hasta el más bobo.* □ SINÓN. *tonto.* **2** *desp.* Que se admira por todo a causa de su gran ingenuidad: *Es tan bobo que se cree todo lo que le digo.* ▮ s.m. **3** En la comedia clásica, personaje que tiene el papel cómico: *El bobo se encargaba de hacer reír en los entremeses.* □ ETIMOL. Del latín *balbus* (tartamudo). □ USO En las acepciones 1 y 2 se usa como insulto.

bo-bo (ing.) s.com. Joven burgués que tiene estudios universitarios, una posición económica elevada y una ideología progresista. □ ETIMOL. De *bourgeois* (burgués) y *bohemian* (bohemio).

bobs (ing.) s.m. →**bobsleigh.**

bobsleigh (ing.) s.m. Deporte de invierno que consiste en deslizarse rápidamente por una pista de hielo de poca anchura sobre un trineo articulado: *Mientras practicaban el bobsleigh se dieron contra uno de los muros de la pista y casi volcaron.* □ SINÓN. *bobs.* □ PRON. [bóbsleig], con *g* suave.

bobtail (ing.) adj.inv./s. Referido a un perro, de la raza que se caracteriza por tener gran tamaño y el pelaje lanoso y generalmente blanco o gris. □ PRON. [bobtéil].

boca s.f. **1** En una persona o en un animal, entrada al aparato digestivo, generalmente situada en la parte inferior de la cabeza, y formada por una cavidad en la que suelen encontrarse los dientes y la lengua si existen: *Mastica bien la comida que tienes en la boca.* **2** Conjunto de los dos labios de la cara: *Límpiate la boca con la servilleta.* **3** En un lugar o en un objeto, abertura o agujero, esp. si comunica el interior con el exterior: *boca de metro.* **4** *col.* Persona o animal a los que se mantiene y se da de comer: *Tener un hijo supone una boca más en casa.* **5** En un crustáceo, pinza en que termina cada pata delantera: *Un cangrejo me enganchó con una de sus bocas.* **6** Referido a un vino, sabor o gusto: *Este vino tiene buena boca.* **7** Habla de una persona o vocabulario hablado: *Lo supe por boca de otros.* **8** En zonas del español meridional, tapa o porción de alimento que se toma como aperitivo. **9** ‖ **a boca (de) jarro;** →**a bocajarro.** ‖ **a pedir de boca;** tal y como se ha deseado: *Afortunadamente, todo nos salió a pedir de boca.* ‖ **abrir la boca;** *col.* Hablar: *¿Qué te pasa, que no has abierto la boca en toda la tarde?* ‖ **{abrir/hacer} boca;** *col.* Abrir el apetito con una pequeña cantidad de bebida o comida antes de otra comida más fuerte. ‖ **{andar/correr/ir} de boca en boca;** ser conocido públicamente o ser tema de conversación entre la gente: *La noticia corrió de boca en boca y ya lo saben todos.* ‖ **{andar/ir} en (la) boca de alguien;** ser objeto de murmuración: *Anda en boca de todos porque ha dejado los estudios a medias.* ‖ **boca a boca; 1** Modo de respiración artificial mediante el cual una persona introduce aire con su propia boca en la de la persona que no respira por sí misma. **2** Transmisión de un mensaje por vía oral. ‖ **boca abajo;** en posición invertida, o tendido sobre el vientre y con la cara hacia el suelo. ‖ **boca arriba;** en la posición normal o tendido sobre la espalda. ‖ **boca de lobo;** lugar muy oscuro. ‖ **boca de riego;** en un conducto de agua, abertura en la cual se enchufa una manga para regar. ‖ **boca del estómago;** en el cuerpo humano, parte central del epigastrio. ‖ **calentársele** a alguien **la boca;** hablar con desmesura o exacerbarse. ‖ **{callar/cerrar/coser} la boca;** *col.* Callar: *En cuanto le preguntas algo calla la boca.* ‖ **con la boca abierta;** *col.* Referido a una persona, embobado a causa de la sorpresa o la admiración: *No se lo podía creer y se quedó con la boca abierta.* □ SINÓN. *boquiabierto.* ‖ **con la boca {chica/pequeña};** *col.* Referido a un ofrecimiento, sin verdadero deseo de hacerlo: *No voy a su fiesta porque me invitó con la boca chica.* ‖ **de boca;** *col.* Con palabras pero sin ser verdad: *De boca haces muchas cosas pero luego lo olvidas.* ‖ **{enterarse/saber} {de/por} (la) boca de** alguien; llegar a conocer por habérselo oído a alguien: *Lo sé por boca de tu tío.* ‖ **hablar por boca de** otro; decir lo que otra persona ha dicho: *No me eches la culpa a mí, que yo hablo por boca de tu tío.* ‖ **hacérsele** a alguien **la boca agua;** *col.* Disfrutar al imaginar algo que se desea o que gusta, esp. si es comida o bebida. ‖ **irse de la boca** o **írsele la boca** a alguien; *col.* Hablar mucho y con imprudencia: *Te fuiste de la boca y ahora lo sabe todo.* ‖ **no caérsele** a alguien **de la boca** algo; decirlo o hablar de ello con frecuencia: *Se nota que te gustó el lugar porque no se te cae de la boca.* ‖ **poner en boca de** alguien; referido a un dicho, atribuírselo: *No pongas eso en boca de nadie porque es tu propia opinión.* ‖ **quitar** algo **de la boca** a alguien; *col.* Anticiparse a lo que otro iba a decir: *Iba a decir lo mismo, pero me lo has quitado de la boca.* ‖ **venirle** a alguien algo **a la boca;** *col.* Ocurrírsele y tener ganas de decirlo: *Siempre dice lo primero que se le viene a la boca.* □ ETIMOL. Del latín *bucca* (mejilla). □ ORTOGR. *Boca abajo* admite también la forma *bocabajo.* □ MORF. Cuando se antepone a una palabra para formar compuestos, adopta la forma *boqui-: boquiancho, boquiseco.* □ SINT. 1. Incorr. **boca a abajo, *boca a arriba* y **bocarriba.* 2. *Con la boca abierta* se usa más con los verbos *dejar, estar, quedarse* o equivalentes. 3. *Con la boca chica* se usa más con los verbos *decir, hablar, ofrecer, prometer* o equivalentes. □ SEM. *Boca abajo* es dist. de *cabeza abajo* (con la parte superior hacia abajo).

bocabajo adv. →**boca abajo.**

bocacalle s.f. **1** Entrada de una calle: *En las bocacalles suele haber un paso de cebra.* **2** Calle secundaria que da a otra: *Yo vivo en la tercera bocacalle de esta avenida.*

bocacaz s.m. En una presa, abertura para que salga parte del agua. □ ETIMOL. De *boca* y *caz* (canal).

bocadillería s.f. Establecimiento en el que se venden bocadillos.

bocadillo s.m. **1** Trozo de pan cortado a lo largo en dos partes, y relleno con algún alimento: *un bocadillo de chorizo.* **2** En un dibujo, texto enmarcado por una línea, que expresa lo que dice o piensa el personaje al que señala. □ SINÓN. *globo.* **3** En una representación teatral, interrupción breve del diálogo. □ ETIMOL. De *bocado.* □ SEM. En la acepción 1, dist. de *sándwich* (bocadillo con pan de molde). □ USO En la acepción 1, en la lengua coloquial se usa mucho la forma *bocata*.

bocadito s.m. Pastel pequeño relleno generalmente de nata o de crema.

bocado s.m. **1** Trozo de comida que se mete en la boca de una vez: *Para hacer bien la digestión debes masticar bien cada bocado.* **2** Cantidad pequeña de comida: *Tomaremos un bocado antes de ir al cine.* **3** Mordedura hecha con los dientes: *El perro me dio un bocado y me dejó una señal en el brazo.* **4** Trozo que se arranca con los dientes o violentamente: *Escupí el bocado de queso porque sabía mal.* **5** En un objeto, trozo que falta: *Este papel tiene un bocado porque se me cayó al suelo y lo pisé.* **6** Instrumento de hierro que se ajusta a la boca de un caballo para sujetarlo y dirigirlo: *La yegua se desbocó porque no le puse bien el bocado.* □ SINÓN. *freno.* **7** Parte de este instrumento que se mete en la boca: *El bocado le hizo una herida al caballo en la boca.* **8** || **bocado de Adán;** en una persona, abultamiento de la laringe en la parte anterior del cuello. □ SINÓN. *nuez.* || **buen bocado;** *col.* Lo que se considera bueno y ventajoso: *Ese empleo es un buen bocado que puede darte mucho dinero.*

bocajarro || **a bocajarro; 1** Referido al modo de disparar, desde muy cerca, esp. si es de frente: *Le disparó a bocajarro y sin pensárselo dos veces.* **2** Referido al modo de decir algo, de improviso o sin preparación: *Me lo preguntó a bocajarro y no supe qué contestar.* □ ORTOGR. Se admite también *a boca jarro.*

bocal adj.inv. →**bucal.** □ ORTOGR. Dist. de *vocal.*

bocallave (pl. *bocallaves*) s.f. En una cerradura, parte por la que se introduce la llave: *La llave entra en la bocallave pero no consigo girarla.*

bocamanga s.f. En la manga de una prenda de vestir, parte que queda sobre la muñeca, esp. por el interior o por el forro: *Los capitanes llevan tres estrellas en las bocamangas de su chaqueta.*

bocamina (pl. *bocaminas*) s.f. En una mina, abertura que sirve de entrada.

bocana s.f. En el mar, paso estrecho de entrada a una bahía: *Pasada la bocana, es ya mar abierto.* □ ETIMOL. De *boca.*

bocanada s.f. **1** Cantidad de líquido, de aire o de humo que se toma de una vez con la boca o se arroja de ella: *Si fumas, al menos no me eches las bocanadas de humo a la cara.* □ SINÓN. *buchada.* **2** Ráfaga repentina y breve de aire o de humo, que sale o entra de una vez: *Por la ventana entró una bocanada de aire fresco.* **3** *col.* Cantidad grande de gente que entra o sale: *Al terminar la película, salió del cine una bocanada de gente.* □ SEM. Dist. de *boqueada* (cada una de las veces que un moribundo abre la boca para respirar).

bocanegra s.m. Tiburón de pequeño tamaño, de color pardo grisáceo con grandes manchas irregulares, con cinco pares de aberturas branquiales, dos aletas dorsales, boca con el interior negro y dientes semejantes en las dos mandíbulas: *Los bocanegras son comunes en las aguas mediterráneas.* □ MORF. Es un sustantivo epiceno: *el bocanegra {macho/hembra}.*

bocarte s.m. Pez marino comestible, de cuerpo muy delgado, de color verdoso o azulado y vientre plateado, que se pesca en grandes cantidades, y se consume fresco o en salazón: *En el océano Atlántico hay grandes bancos de bocartes.* □ SINÓN. *boquerón.* □ MORF. Es un sustantivo epiceno: *el bocarte {macho/hembra}.*

bocata s.m. *col.* →**bocadillo.**

bocatería s.f. *col.* Bocadillería.

bocazas (pl. *bocazas*) s.com. *col.* Persona que habla más de lo que debe y generalmente en voz alta, o que dice tonterías o fanfarronadas. □ USO Se usa como insulto.

boccato di cardinale (it.) s.m. || Comida exquisita: *Nos pusieron unos aperitivos que eran un boccato di cardinale.* □ PRON. [bocáto di cardinále].

boccia s.m. Deporte paralímpico que consiste en lanzar bolas lo más cerca posible de una bola blanca que es la diana, y que se juega entre dos equipos, cada uno con seis bolas de un color.

bocel s.m. **1** En arquitectura, moldura convexa y lisa de sección semicircular: *La puerta principal estaba enfatizada por un bocel esculpido en piedra.* □ SINÓN. *toro.* **2** || **cuarto bocel;** el que tiene forma de un cuarto de cilindro. □ ETIMOL. Del francés antiguo *bossel.*

bocera s.f. Herida que se forma en las comisuras de los labios de una persona: *Me han salido boceras y me duele la boca al reírme.* □ SINÓN. *boquera.*

boceras (pl. *boceras*) s.com. →**voceras.**

bocetar v. **1** Dibujar un boceto o un apunte con los trazos generales, esp. referido a una pintura: *El dibujante boceta el personaje y el entintador le da el acabado.* **2** Proyectar o planificar: *En este proyecto urbanístico se bocetan las futuras redes de comunicaciones de la ciudad.*

boceto s.m. **1** En las artes decorativas, proyecto o apunte hecho solo con los trazos generales, esp. referido a una pintura: *Ya sé que no es un dibujo perfecto, pero es solo un boceto.* **2** Esquema o proyecto hecho solo con los rasgos o los datos principales: *Aún no he escrito el libro aunque ya tengo el boceto de la trama.* □ ETIMOL. Del italiano *bozzetto.* □ USO Es innecesario el uso del anglicismo *draft.*

bocezar v. Referido a un animal, esp. a un caballo, mover los labios hacia uno y otro lado: *La yegua bocezaba sin cesar porque le molestaba el bocado.*

□ ETIMOL. De *bozo.* □ ORTOGR. La *z* cambia en *c* delante de *e* →CAZAR.

bocha s.f. En la petanca y otros juegos, cada una de las bolas con las que los participantes tratan de acercarse a otra bola más pequeña: *Pierdes porque no tienes ninguna bocha cerca de la pequeña.* □ ETIMOL. Del italiano *boccia.*

boche s.m. *col.* En zonas del español meridional, follón. □ ETIMOL. De *bochinche.*

bochinche s.m. **1** Situación confusa, agitada y desordenada, esp. si va acompañada de un gran alboroto y tumulto: *Menudo bochinche se armó cuando la gente se dio cuenta de la estafa.* **2** Sorbo o trago.

bochorno s.m. **1** Calor excesivo y sofocante, esp. cuando va acompañado de bajas presiones: *Me agotan los días de bochorno en los que no sopla nada de aire.* **2** En verano, aire muy caliente: *Los peores días del verano son cuando hay bochorno.* □ SINÓN. *vulturno.* **3** En una persona, vergüenza y sonrojo que producen sensación de calor: *Sentí tal bochorno por su indiscreción que me fui sin que me vieran.* □ ETIMOL. Del latín *vulturnus* (viento del Sur). □ SEM. Dist. de *calígine* (niebla densa y oscura), de *calima* (bruma de épocas calurosas) y de *canícula* (período más caluroso del año).

bochornoso, sa adj. **1** Referido al tiempo atmosférico, muy caluroso y sofocante: *Era un día bochornoso y agobiante.* **2** Referido a una actitud o una situación, que produce vergüenza y sonrojo: *Confundir al novio con el abuelo fue un error bochornoso.* □ SEM. Dist. de *caliginoso* (nebuloso, oscuro y denso).

bocina s.f. **1** Aparato formado por una pieza en forma de embudo, una lengüeta vibratoria y una pera de goma, que sirve como avisador sonoro: *La señal de tráfico que prohíbe tocar el claxon es una bocina tachada.* **2** Pieza de forma cónica que sirve para amplificar o reforzar un sonido: *Las bocinas de algunos gramófonos eran enormes.* **3** Instrumento mecánico que sirve como avisador sonoro: *Cuando aprendió a conducir no hacía más que tocar la bocina.* **4** Instrumento musical de viento, de forma curva y con un sonido grave semejante al de la trompeta: *Antiguamente las bocinas se hacían con grandes caracolas marinas.* □ SINÓN. *cuerno.* **5** En zonas del español meridional, bafle. □ ETIMOL. Del latín *bucina* (cuerno de boyero).

bocinazo s.m. **1** Sonido fuerte producido por una bocina. **2** Grito fuerte para llamar la atención o para reprender a alguien. □ SINT. La acepción 2 se usa más con los verbos *dar, meter* y *pegar.*

bocio s.m. En medicina, aumento de la glándula tiroides que produce un abultamiento de la parte anterior y superior del cuello: *El bocio es una enfermedad que puede originarse por falta de yodo.* □ ETIMOL. Quizá del latín *bucius* (bubón).

bocoy (pl. *bocoyes*) s.m. Tonel grande que se usa como envase, esp. para transportar vino: *Los bocoyes suelen tener una capacidad de seiscientos litros.* □ ETIMOL. Del francés *boucaut* (odre, barril para materias secas).

boda s.f. **1** Ceremonia o acto en el que dos personas contraen matrimonio: *¿La boda será civil o religiosa?* □ SINÓN. *casamiento, nupcias.* **2** Fiesta con que se celebra este acto: *En mi boda hubo una enorme tarta helada.* **3** || **bodas de diamante;** referido a un acontecimiento importante, esp. un casamiento, sexagésimo aniversario. || **bodas de oro;** referido a un acontecimiento importante, esp. a un casamiento, quincuagésimo aniversario. || **bodas de plata;** referido a un acontecimiento importante, esp. a un casamiento, vigésimo quinto aniversario. || **bodas de platino;** referido a un acontecimiento importante, esp. a un casamiento, septuagésimo quinto aniversario. □ ETIMOL. Del latín *vota* (votos, promesas), porque los que se casan se prometen una serie de cosas. □ MORF. En plural tiene el mismo significado que en singular.

bodega s.f. **1** Lugar en el que se hace y se almacena el vino, generalmente en toneles: *En muchos lugares las bodegas están bajo tierra.* **2** Tienda en la que se venden vino y otros alcoholes. **3** En una embarcación, espacio interior por debajo de la cubierta inferior hasta la quilla. **4** Establecimiento en el que se fabrica vino, generalmente de forma industrial: *Esas bodegas producen al año miles de litros de moscatel.* **5** En zonas del español meridional, almacén o comercio pequeño. □ ETIMOL. Del latín *apotheca* (despensa), y este del griego *apothéke* (depósito).

bodegón s.m. **1** Cuadro o pintura en los que se representan seres inanimados y objetos cotidianos: *Pintó un bodegón con frutas y jarras.* □ SINÓN. *naturaleza muerta.* **2** Taberna o bodega.

bodeguero, ra s. Persona que tiene a su cargo una bodega.

bodhran s.m. Instrumento musical de percusión, parecido al pandero pero sin sonajas ni cascabeles: *El bodhran es un instrumento típico de la música celta.* □ PRON. [bódram].

bodijo s.m. *col. desp.* →**bodorrio.**

bodocal adj.inv. Referido esp. a una vid, que produce uvas negras de grano gordo y racimo largo: *Con las uvas de las vides bodocales se hace el vino tinto.* □ ETIMOL. De *bodoque.*

bodoque ▮ adj.inv./s.m. **1** *col.* Referido a una persona, sin inteligencia o sin sensibilidad. ▮ s.m. **2** En un tejido, adorno redondeado que se borda en relieve. □ ETIMOL. Del árabe *bunduq* (avellana, bolita). □ USO La acepción 1 se usa como insulto.

bodorrio s.m. *col. desp.* Boda que se considera de poco gusto. □ SINÓN. *bodijo.*

bodrio (tb. *brodio*) s.m. Cosa que se considera de muy mala calidad, muy mal hecha o de mal gusto. □ ETIMOL. Del latín *brodium* (caldo).

body (ing.) (pl. *bodys*) s.m. **1** Prenda de ropa interior de una sola pieza que cubre todo el cuerpo menos las extremidades: *Tengo un body de encaje con tirantes. Necesito dos bodys de manga corta para el bebé.* **2** || **body milk;** Cosmético en forma de crema líquida para el cuerpo. ☐ PRON. [bódi] y [bódi milk].

bodyboard (ing.) s.m. Surf que se practica tumbado y sobre una tabla más pequeña que la normal: *He visto un reportaje sobre el bodyboard que se practica en las playas de Tarifa.* ☐ PRON. [bodibórd]. ☐ USO Se usa también *boogy*.

bodybuilding (ing.) s.m. Tipo de gimnasia que desarrolla los músculos para cambiar el aspecto corporal. ☐ PRON. [bodibíldin].

bóer ▌adj.inv. **1** De los descendientes de los colonos holandeses del siglo XVII que habitaban en el sur africano, o relacionado con ellos: *El estado bóer tenía una actitud muy radical frente a los ingleses.* ▌adj.inv./s.com. **2** Referido a una persona, que habitaba en el sur africano y era descendiente de los colonos holandeses del siglo XVII: *Los colonizadores ingleses tuvieron enfrentamientos con los bóers en el siglo XIX.* ☐ ETIMOL. Del holandés *boer* (colono). ☐ SEM. Dist. de *afrikáner* (actual habitante blanco de Suráfrica, descendiente de los *bóers*).

bofe s.m. **1** Pulmón, esp. el de los animales muertos para el consumo. **2** ‖ **echar {el bofe/los bofes}**; *col.* Esforzarse, trabajar o cansarse excesivamente: *Corrió veinte kilómetros y llegó echando el bofe.* ☐ ETIMOL. De *bofar* (soplar). ☐ MORF. Se usa más en plural.

bofetada s.f. **1** Golpe dado en la cara con la mano abierta. ☐ SINÓN. *tortazo.* **2** *col.* Trompazo o golpe fuerte: *Las mayores bofetadas me las he dado esquiando.* **3** Desprecio o censura que causa humillación: *No aceptar mi regalo ha sido una bofetada que no me esperaba.* **4** ‖ **no tener** alguien **media bofetada;** ser débil o de pequeño tamaño: *Bah, mucho hablar, pero ese tipo no tiene ni media bofetada.* ☐ ETIMOL. Del antiguo *bofete*, y este de *bofar* (soplar). ☐ SINT. La acepción 2 se usa más con los verbos *darse* o *pegarse*.

bofetón s.m. Bofetada que se da con fuerza.

bofia s.f. *arg.* Policía.

boga ‖ **estar en boga;** estar de moda o de actualidad: *A principios de siglo estaban en boga las tertulias literarias.* ☐ ETIMOL. Del francés *vogue* (moda), y este de *voguer* (remar, navegar).

bogada s.f. Referido a una embarcación, espacio que avanza con cada impulso de los remos: *Con marea baja llegaremos a la isla de cuatro bogadas.*

bogar v. Mover los remos en el agua para impulsar una embarcación: *El marinero bogó con fuerza hasta alcanzar el puerto.* ☐ SINÓN. *remar.* ☐ ETIMOL. De origen incierto. ☐ SEM. Dist. de *navegar* (avanzar sobre el agua).

bogavante s.m. Crustáceo marino comestible, con cuerpo alargado y de gran tamaño, y cinco pares de patas con pinzas grandes y fuertes en el primer par: *El bogavante puede medir cincuenta centímetros.* ☐ SINÓN. *lobagante, lubigante.* ☐ MORF. Es un sustantivo epiceno: *el bogavante {macho/hembra}*.

bogey (ing.) s.m. En golf, jugada en la que se logra meter la pelota en el hoyo con un golpe más de los fijados en su par: *hacer un bogey.* ☐ PRON. [bógui]. ☐ USO Su uso es innecesario y puede sustituirse por *uno sobre par* o *más uno*.

bohardilla s.f. →**buhardilla.**

bohemio, mia adj./s. Referido a una persona, esp. a un artista, que lleva una vida informal y poco organizada, sin ajustarse a las convenciones sociales.

bohío (tb. *buhío*) s.m. Cabaña o casa rústica americana, sin ventanas, hecha esp. de caña, paja, ramas o madera: *Hay bohíos en las zonas cálidas americanas.*

bohordo s.m. **1** Lanza corta arrojadiza que se usaba en los antiguos juegos de caballería. **2** En algunas plantas, tallo herbáceo y sin hojas que sostiene las flores y el fruto: *El lirio y el narciso tienen bohordo.* ☐ ETIMOL. Del francés *bohort*.

bohrio s.m. Elemento químico radiactivo, de número atómico 107, que se obtiene mediante bombardeo iónico de elementos pesados. ☐ ETIMOL. Por alusión a N. Bohr, físico danés que vivió entre 1885 y 1962. ☐ ORTOGR. Su símbolo químico es *Bh*.

boicot (pl. *boicots*) s.m. Interrupción de algo, esp. de un acto, como medio de presión para conseguir algo. ☐ SINÓN. *boicoteo.* ☐ ETIMOL. Del inglés *boycott*, y este de Ch. Boycott, a quien se le hizo un boicot por primera vez.

boicotear v. Referido esp. a un acto, impedir o interrumpir su realización como medio de presión para conseguir algo: *Los manifestantes boicotearon el desfile militar para protestar contra las guerras.*

boicoteo s.m. →**boicot.**

boina s.f. Gorra sin visera, redonda y de una pieza. ☐ ETIMOL. Del euskera. ☐ PRON. Incorr. *[boína].

boiserie (fr.) s.f. Mueble hecho de madera, con las baldas pegadas a la pared. ☐ PRON. [buaserí].

boîte (fr.) s.f. →**sala de fiestas.** ☐ PRON. [buát].

boixos nois (cat.) s.m.pl. ‖ Grupo de hinchas radicales del Fútbol Club Barcelona (club deportivo catalán). ☐ PRON. [boísos nois].

boj (pl. *bojes*) s.m. **1** Arbusto de tallos derechos, con abundantes ramas, hojas perennes, menudas y brillantes, flores blanquecinas de fuerte olor y frutos en forma de cápsula: *El boj se utiliza en las regiones mediterráneas para montar setos.* ☐ SINÓN. *boje.* **2** Madera de este arbusto, amarillenta, dura y compacta. ☐ SINÓN. *boje.* ☐ ETIMOL. Del latín *buxus*.

boja s.f. Planta herbácea, de hojas sencillas, muy finas y blanquecinas, que se cultiva en los jardines por sus flores de olor agradable. ☐ SINÓN. *abrótano, brótano, botonera, santolina.* ☐ ETIMOL. Del catalán *botja*.

bojar v. Referido a una embarcación, navegar rodeando una costa saliente: *Bojamos por todo el golfo y seguimos por la ensenada.* ☐ ETIMOL. Quizá del catalán *vogir* (hacer girar, dar vueltas). ☐ ORTOGR. Conserva la *j* en toda la conjugación.

boje s.m. **1** →**boj. 2** En un vehículo articulado que circula sobre raíles, esp. en un tren, plataforma giratoria situada en sus dos extremos y formada por dos o tres pares de ruedas montadas sobre dos ejes paralelos: *El boje permite a los trenes tomar las cur-*

vas con suavidad. □ ETIMOL. La acepción 2, del inglés *boogie.*

bojedal s.m. Terreno poblado de bojes.

bojiganga s.f. Compañía ambulante de teatro, formada por seis o siete actores, que iba de pueblo en pueblo representando autos y comedias: *Don Quijote se encontró por el camino a una bojiganga, y se detuvo para ver a los actores.* □ ETIMOL. Del latín *vessica* (vejiga), porque *bojiganga* primero designó un personaje caracterizado por unas vejigas sujetas a la punta de un palo.

bol s.m. **1** Recipiente con forma de taza grande casi semiesférica y sin asas. □ SINÓN. *tazón.* **2** Red de pesca, muy larga y compuesta de un saco y dos bandas, de las cuales se tira desde tierra por medio de dos cabos muy largos. □ SINÓN. *jábega.* □ ETIMOL. La acepción 1, del inglés *bowl* (taza). La acepción 2, del latín *bolus.*

bola s.f. Véase **bolo, la.**

bolacha s.f. En zonas del español meridional, masa de caucho.

bolada s.f. En zonas del español meridional, mentira infundada.

bolado s.m. En zonas del español meridional, negocio o asunto.

bolamen s.m. *vulg.malson.* Testículos.

bolardo s.m. **1** En un puerto, pieza de hierro con la parte superior encorvada, que sirve para atar las amarras: *Cuando el barco se acercó al muelle, el marinero lanzó la amarra para atarla al bolardo.* **2** Poste de hierro clavado en el suelo, para impedir el aparcamiento de los coches. □ ETIMOL. Del inglés *bollard.*

bolazo s.m. Golpe dado con una bola.

bolchevique ▮ adj.inv. **1** Del bolchevismo: *ideas bolcheviques.* ▮ adj.inv./s.com. **2** Partidario del bolchevismo. □ ETIMOL. Del francés *bolchevique*, y este del ruso.

bolcheviquismo s.m. →**bolchevismo.**

bolchevismo s.m. **1** Teoría política, económica y social que triunfó en la Unión Soviética con la revolución de 1917, y que sostiene la necesidad de la revolución y se basa en la dictadura del proletariado y en el colectivismo: *El bolchevismo o comunismo ruso fue capitaneado por Lenin.* □ SINÓN. *bolcheviquismo.* **2** Sistema de gobierno soviético partidario de esta teoría: *El bolchevismo se basa en la presencia de un solo partido en el poder.* □ SINÓN. *bolcheviquismo.*

bolchevización s.f. Instauración del sistema político y económico comunista bolchevique: *La bolchevización implantó la colectividad de la propiedad y de los medios de producción en el este europeo.*

boldo s.m. **1** Árbol chileno de hoja perenne y aromática, flor blanca en racimos cortos, y fruto comestible. **2** Infusión hecha con las hojas de este árbol: *Si te duele el estómago, un boldo te sentará bien.*

boleadoras s.f.pl. Instrumento de caza que consta de dos o tres bolas hechas de una materia pesada, forradas de cuero y atadas fuertemente a sendas cuerdas, unidas por un cabo común: *El gaucho argentino lanzó las boleadoras a las patas del toro.*

bolear v. **1** En algunos juegos, lanzar la bola o la pelota: *Bolea alto y fuerte para que la pelota vaya lejos.* **2** En zonas del español meridional, referido al calzado, darle brillo con betún: *Antes de salir de casa, boleo mis zapatos.* □ ORTOGR. Dist. de *volear.*

bolera s.f. Véase **bolero, ra.**

bolero, ra ▮ adj./s. **1** *col.* Mentiroso: *¡Qué bolera eres y qué mentiras dices!* □ SINÓN. *trolero.* ▮ s. **2** En zonas del español meridional, limpiabotas: *Voy con el bolero de la esquina a que me limpie las botas.* **3** Persona que transporta drogas y se las introduce por la boca para ocultarlas en su estómago: *Han detenido a dos boleros en el aeropuerto.* ▮ s.m. **4** Canción de origen antillano, lenta, dulce y de tema generalmente sentimental: *Los boleros fueron muy populares en España en la década de 1950.* **5** Baile de pareja que se ejecuta al compás de esta música: *¿Nos ponemos románticos y bailamos un bolero?* **6** Composición musical española, de compás ternario y ritmo moderado: *El músico Ravel se inspiró en el ritmo del bolero para componer una obra orquestal muy famosa.* **7** Baile popular que se ejecuta al compás de esta música: *El bolero, inspirado en la seguidilla, se acompaña de guitarra, castañuelas y tamboril.* **8** Prenda de vestir con forma de chaqueta corta: *Mi madre tenía un bolero hasta la cintura y sin mangas.* ▮ s.f. **9** Establecimiento público destinado al ocio, en el que se practica el juego de los bolos: *Fuimos al bar de la bolera y después jugamos una partida en las pistas.* □ ETIMOL. Las acepciones 1, 2 y 8, de *bola.* Las acepciones 3-7, de origen incierto. □ USO En la acepción 8, es innecesario el uso del anglicismo *bowling.*

boleta s.f. **1** En zonas del español meridional, factura. **2** En zonas del español meridional, boleto de un sorteo. **3** En zonas del español meridional, nota o mensaje escrito. **4** En zonas del español meridional, boletín de calificaciones escolares. **5** ‖ **dar (la) boleta** a alguien; *col.* Romper el trato con alguien que molesta: *Le di la boleta y no volví a verlo en mi vida.* □ ETIMOL. Del italiano antiguo *bolletta* (salvoconducto).

boletería s.f. En zonas del español meridional, taquilla o ventanilla en la que se venden billetes de transporte o entradas.

boletero, ra adj./s. En zonas del español meridional, taquillero.

boletín s.m. **1** Publicación periódica informativa sobre un tema especializado: *Si lees el boletín oficial del Ayuntamiento, conocerás las nuevas disposiciones legales.* **2** En radio y televisión, espacio o programa en el que, a horas determinadas, se transmiten noticias de forma breve y concisa: *boletín informativo.* **3** Impreso que sirve para hacer una suscripción: *boletín de suscripción.* **4** Papel en el que se escriben las calificaciones de un estudiante: *Me alegré cuando vi que en el boletín no había ningún suspenso.* □ ETIMOL. Del italiano *bollettino.* □

USO En la acepción 1, es innecesario el uso del anglicismo *newsletter*.

boleto s.m. **1** En algunos juegos de azar, impreso que rellena el apostante con sus pronósticos: *El viernes es el último día para sellar el boleto de la quiniela.* **2** En un sorteo, papel que se compra y que acredita la participación en él: *He comprado dos boletos porque sortean un coche muy bonito.* **3** Seta que se caracteriza por tener poros en la parte baja de su sombrerillo y un pie grueso, y que es comestible o venenosa según la especie: *Algunos boletos son deliciosos y muy apreciados.* ☐ SINÓN. *boletus.* **4** En zonas del español meridional, billete para viajar o para asistir a algún espectáculo. ☐ ETIMOL. De *boleta*.

boletus s.m. →**boleto.**

boli s.m. *col.* →**bolígrafo.**

boliche s.m. **1** En el juego de la petanca, la bola más pequeña. ☐ SINÓN. *bolín.* **2** Juguete que consta de un palo terminado en punta por un extremo y con una cazoleta en el otro, y de una bola taladrada sujeta al medio del palo con un cordón: *Con el boliche se puede jugar recogiendo la bola con la cazoleta o ensartándola con la punta.* **3** Bola o canica. **4** En zonas del español meridional, local público en el que se consumen bebidas y comidas ligeras. **5** En zonas del español meridional, juego de los bolos. ☐ ETIMOL. Del catalán *bolitx* (red pequeña).

bólido s.m. Vehículo que puede correr a gran velocidad, esp. referido a un automóvil de carreras: *Los bólidos estaban alineados en la parrilla de salida.* ☐ ETIMOL. Del latín *bolis*, y este del griego *bolís* (objeto que se lanza).

bolígrafo s.m. Instrumento que sirve para escribir y que tiene en su interior un tubo de tinta con la que se impregna una bolita de acero que gira en la punta. ☐ ETIMOL. De *bola* y *-grafo* (que escribe). ☐ MORF. En la lengua coloquial se usa mucho la forma abreviada *boli*.

bolillo s.m. **1** Palo de madera, pequeño y redondeado, que se usa para hacer encajes y labores de pasamanería: *encaje de bolillos.* ☐ SINÓN. *majaderillo.* **2** En zonas del español meridional, bollo de pan: *Esta mañana desayuné un bolillo con mermelada.*

bolín s.m. En el juego de la petanca, la bola más pequeña: *Gané yo porque tiré las bolas muy cerca del bolín.* ☐ SINÓN. *boliche.*

bolina || **{ir/navegar} de bolina;** referido a una embarcación, navegar de modo que la quilla forme el menor ángulo posible con la dirección del viento: *Navegamos de bolina para ganar velocidad.* ☐ ETIMOL. Del inglés *bowline.*

bolinche s.m. En un mueble, adorno torneado o esférico que sirve de remate. ☐ SINÓN. *bolindre.* ☐ ETIMOL. De *bola*.

bolindre s.m. →**bolinche.**

bolinga adj.inv. *col.* Borracho: *Andaba por las calles bolinga y haciendo eses.*

bolita s.f. En zonas del español meridional, canica.

bolívar s.m. Unidad monetaria venezolana. ☐ ETIMOL. Por alusión a Simón Bolívar, que inició la independencia americana.

bolivariano, na adj. De Simón Bolívar (independentista hispanoamericano de los siglos XVIII y XIX) o relacionado con él.

bolivianismo s.m. En lingüística, americanismo propio de Bolivia (país americano): *Usar la palabra bombear con el significado de espiar es un bolivianismo.*

boliviano, na ▮ adj./s. **1** De Bolivia o relacionado con este país americano. ▮ s.m. **2** Unidad monetaria boliviana.

bollar v. **1** Referido a un tejido, ponerle un sello de plomo para indicar su origen: *Las piezas de tela se bollan en la fábrica antes de su distribución.* **2** Referido al metal o al cuero, labrarlo a martillo y a buril o cincel, de modo que en una de sus caras resulten figuras de relieve con forma de bollones o clavos de cabeza grande: *Bollé la chapa de metal y la adorné con un clavo de cabeza grande.*

bollera s.f. *vulg. desp.* →**lesbiana.**

bollería s.f. **1** Establecimiento en el que se elaboran o se venden bollos y otros productos hechos de harina. **2** Conjunto de bollos de diversas clases que se ofrecen para la venta o el consumo: *En esa pastelería tienen una bollería que es para chuparse los dedos.*

bollero, ra ▮ s. **1** Persona que se dedica a la elaboración o la venta de bollos, esp. si esta es su profesión. ▮ s.f. **2** *vulg. desp.*→**lesbiana.**

bollo s.m. **1** Panecillo o pastel esponjoso hecho con una masa de harina y agua cocida al horno: *Ese bollo está hecho con leche, huevos, manteca y azúcar.* **2** *col.* En un objeto duro, hundimiento o abultamiento producidos por un golpe o por una presión: *Tengo dos bollos en la puerta del coche a causa del accidente.* **3** *col.* Situación confusa, agitada o embarazosa, esp. si va acompañada de gran alboroto y tumulto: *Cuando se coló en la fila, todos protestaron y se montó un buen bollo.* ☐ SINÓN. *lío.* **4** Abultamiento redondeado producido por un golpe: *Se cayó y se hizo un bollo en la espinilla.* **5** *vulg. desp.*→**lesbiana.** ☐ ETIMOL. Del latín *bulla* (burbuja, bola).

bollón s.m. Clavo de cabeza grande que sirve de adorno: *Esa puerta tiene bollones dorados y plateados.*

bolo, la ▮ adj./s. **1** *col. desp.* Ignorante y poco hábil: *El muy bolo no hace nada a derechas.* **2** *col. desp* Toledano: *No llames bolos a tus primos toledanos, porque es ofensivo.* **3** En zonas del español meridional, borracho. ▮ s.m. **4** Pieza cilíndrica con la base plana, que se usa en un juego consistente en derribar dichas piezas con una bola que se les arroja rodando: *En esta jugada solo he derribado dos bolos.* **5** Representación de una compañía teatral en un lugar para aprovechar circunstancias económicas favorables: *Para aprovechar las fiestas locales, esta compañía hizo unos bolos en ese pueblo.* ▮ s.f. **6** Cuerpo esférico de cualquier materia: *En esa juguetería venden bolas de petanca y de billar.* **7** *col.* Mentira o rumor infundado: *No me cuentes más bolas, que ya no te creo.* **8** *col.* Bíceps: *Practica el* *culturismo y tiene dos buenas bolas en los brazos.* **9** En zonas del español meridional, dibujo con forma de lunar o mota: *Me gustan mucho las faldas con bolas.* ▌s.f.pl. **10** Juego infantil que se practica con esferas pequeñas hechas de un material duro, generalmente de vidrio o de barro: *Haremos un circuito en la arena y jugaremos a las bolas.* ☐ SINÓN. *canicas.* **11** *vulg.* →**testículos.** **12** || **a {mi/tu/...} bola;** *col.* Sin tener en cuenta los deseos e intereses de los demás: *Esa chica es incapaz de hacer un favor porque siempre va a su bola.* || **bolo alimenticio;** cantidad de alimento que se traga de una vez, masticada y mezclada con saliva. || **correr la bola;** *col.* Dar a conocer un rumor o divulgarlo: *¿Se puede saber quién ha corrido la bola de que me caso mañana?* || **dar bola; 1** en zonas del español meridional, prestar atención: *Deja de darle bola porque luego se pone muy pesado.* **2** en zonas del español meridional, limpiar el calzado: *Voy a darle bola a mis zapatos, porque están muy sucios.* **3** *arg.* Referido esp. a un preso, ponerla en libertad: *Dentro de diez días me dan bola y vuelvo a casa.* || **darse bola;** *col.* Marcharse: *Como no me gustaba el ambiente de la fiesta, me di bola enseguida.* || **en bolas;** *vulg.* Desnudo. || **hacer bolos;** *col.* Referido esp. a una compañía teatral, ir de gira: *Haremos bolos durante el verano por todo el norte de Europa.* || **hasta la bola; 1** *col.* En tauromaquia, referido a una estocada, con toda la espada dentro del cuerpo del animal. **2** Muy lleno: *El local estaba hasta la bola.* || **pasar** alguien **la bola;** *col.* Pasar la responsabilidad propia a otra persona: *A mí no me pases la bola, que el encargo te lo hicieron a ti.* || **sacar bola;** *col.* Contraer el bíceps doblando el brazo: *¡Mira cómo presume y saca bola delante de todos!* ☐ ETIMOL. La acepción 4, de *bola*. La acepción 6, del griego *bôlos* (terrón, bola). Las acepciones 7-11, del provenzal *bola*, y este del latín *bulla* (burbuja). ☐ SINT. *Ir a su bola* se usa también con los verbos *andar* o *estar*. ☐ SEM. 1. En la acepción 4, se usa el plural para designar ese juego: *Ayer jugamos a los bolos y gané yo.* 2. *Bola* no debe emplearse con el significado de 'pelota' (anglicismo): *Ese tenista devuelve muy bien las {*bolas > pelotas}.* ☐ USO 1. En las acepciones 1 y 2, se usa como insulto. 2. En la acepción 11, se usa mucho como palabra comodín en expresiones vulgares malsonantes.

boloñesa adj.inv./s.f. **1** Referido esp. a una salsa, preparada con carne picada y tomate frito: *salsa boloñesa.* **2** || **a la boloñesa;** con esta salsa: *macarrones a la boloñesa.* ☐ ETIMOL. Del italiano *bolognesa* (de Bolonia).

bolsa s.f. **1** Saco hecho de un material flexible, con o sin asas, que se usa para llevar o guardar algo: *Dame la bolsa de deportes para meter el chándal.* **2** Saco pequeño que antiguamente se usaba para llevar el dinero: *El caballero llevaba la bolsa escondida entre los pliegues de la capa.* **3** Cantidad de dinero: *Nadie sabe la bolsa que puede recibir ese boxeador si gana el combate.* **4** En economía, mercado público organizado y especializado en el que se efectúan las operaciones de compra y venta de los valores que cotizan en este mercado: *La crisis política hizo bajar la bolsa.* **5** En economía, establecimiento público donde se realizan estas operaciones de mercado: *Va todos los días a la bolsa pero nunca compra acciones.* **6** En biología, estructura orgánica en forma de saco que contiene un líquido o que protege un órgano: *Los calamares guardan la tinta en una bolsa.* **7** En una persona, piel floja debajo de los ojos: *Las bolsas y las ojeras te hacen más viejo.* **8** En un tejido, pliegue o arruga que se forma cuando resulta ancho o cuando está deformado o mal ajustado: *Has cosido mal la cinturilla de la falda y hace bolsas en la tripa.* **9** En un lugar, esp. en un terreno o en el interior de una conducción, acumulación espontánea de un fluido: *Al perforar en busca de petróleo han encontrado una bolsa de gas.* **10** || **bolsa de aseo;** la pequeña y cerrada, que sirve para guardar lo necesario para la higiene personal. || **bolsa de dormir;** en zonas del español meridional, saco de dormir. || **bolsa de estudios;** cantidad de dinero que se concede a una persona como ayuda para financiar sus estudios. || **bolsa de la compra;** conjunto de alimentos y productos que necesita diariamente una familia, esp. referido a su precio: *La bolsa de la compra es lo que más hace subir el presupuesto familiar.* ☐ SINÓN. *cesta de la compra.* || **bolsa de trabajo;** lista con las ofertas y demandas de empleo: *En esa página web tienen una bolsa de trabajo.* || **bolsa marsupial;** en la hembra de un mamífero marsupial, la que tiene en la parte delantera del cuerpo para llevar las crías hasta que completan su desarrollo. ☐ SINÓN. *marsupio.* || **bolsas de pobreza;** manifestaciones de marginación dentro de las grandes ciudades y en las zonas rurales de las economías avanzadas. ☐ ETIMOL. Del latín *bursa*, y este del griego *býrsa* (cuero, odre).

bolsillo s.m. **1** En una prenda de vestir, pieza de tela, generalmente en forma de bolsa o de saco, que se cose sobrepuesta o en su parte interior y que sirve para guardar objetos pequeños y usuales: *Llevo el pañuelo en el bolsillo del pantalón.* **2** Bolsa de mano, generalmente con una o dos asas y con cierre, que se usa para llevar diversos objetos de uso personal: *Mi madre se ha comprado un bolsillo negro de piel con un cierre dorado.* ☐ SINÓN. *bolso.* **3** Cantidad de dinero de una persona: *El viaje tendrás que pagártelo de tu bolsillo.* **4** || **{aflojar/rascarse} el bolsillo;** *col.* Dar dinero o pagar, esp. si se hace obligado o de mala gana: *No seas tacaña y afloja el bolsillo para invitarnos a una cerveza.* || **de bolsillo; 1** Que tiene el tamaño y la forma adecuados para que quepa en el bolsillo de una prenda de vestir: *Es un libro de bolsillo, pequeño y barato.* **2** De un tamaño menor de lo que se considera normal: *Tú estás loco si pretendes que quepamos todos en ese autobús de bolsillo...* || **meterse** a alguien **en el bolsillo;** *col.* Ganarse su simpatía y su apoyo: *Lo has conquistado con tu alegría y te lo has metido en el bolsillo.*

bolsista s.com. Persona que se dedica profesionalmente a la realización de operaciones de compra y venta de títulos o a la especulación con los valores de la bolsa.

bolso s.m. **1** Bolsa de mano, generalmente con una o dos asas y con cierre, que se usa para llevar diversos objetos de uso personal. ☐ SINÓN. *bolsillo.* **2** || **bolso de mano;** bolsa pequeña de viaje, con asas, y que se lleva consigo: *En los aeropuertos no hace falta facturar los bolsos de mano.*

boludo, da adj./s. *vulg.malson.* En zonas del español meridional, tonto. ☐ USO Se usa como insulto.

bomba s.f. **1** Artefacto explosivo provisto de un mecanismo que lo hace explotar en el momento conveniente: *A partir de la Segunda Guerra Mundial aumentó el poder destructivo de las bombas.* **2** Máquina que se usa para elevar un fluido e impulsarlo en una dirección determinada: *Esta bomba sube el agua desde el pozo hasta la casa.* **3** Noticia inesperada y sorprendente: *La disolución del equipo va a ser una bomba para la prensa.* ☐ SINÓN. *bombazo.* **4** En zonas del español meridional, gasolinera: *Cerca de una bomba no se debe fumar.* **5** En zonas del español meridional, globo: *Para la fiesta, adornamos todo el departamento con bombas.* **6** En zonas del español meridional, pompa o burbuja: *A mi hijo le encanta hacer bombas de jabón.* **7** En zonas del español meridional, copla de tono pícaro o amoroso: *Mira qué bomba me sé: «Antenoche fui a tu casa y me ladraron los perros, quise agarrar una piedra y se me embarraron los dedos».* **8** || **bomba atómica;** la que se basa en el gran poder explosivo de la energía liberada súbitamente por la escisión de los neutrones en los núcleos de material atómico como el plutonio o el uranio. || **bomba de cobalto;** aparato que se emplea en radioterapia y que se utiliza para radiar con un tipo de cobalto. || **bomba (neumática);** la que se usa para extraer o para comprimir aire: *Tengo una bomba para inflar las ruedas de la bicicleta.* || **bomba sucia;** la que está fabricada con material atómico y produce una fuerte radiación. || **bombita de luz;** en zonas del español meridional, bombilla. || **caer como una bomba;** *col.* Producir desconcierto, malestar o desagrado: *El picante me cae como una bomba.* || **pasarlo bomba;** *col.* Pasarlo muy bien y divertirse mucho: *En tu casa siempre lo pasamos bomba.* || **ser la bomba;** *col.* Ser increíble o extraordinario: *Este tío es la bomba: ahora dice que es mentira que el ser humano ha llegado a la Luna.* ☐ ETIMOL. Del latín *bombus* (zumbido). ☐ SINT. En la acepción 1, se usa en aposición, pospuesto a sustantivos como *carta* o *coche*, para indicar que estos son portadores de una bomba explosiva.

bombacha s.f. **1** En zonas del español meridional, pantalones bombachos: *En la Pampa muchos gauchos llevan bombachas.* **2** En zonas del español meridional, braga. ☐ ETIMOL. De *bomba*, por la forma esférica. ☐ MORF. En plural tienen el mismo significado que en singular.

bombacho s.m. →**pantalón bombacho.**

bombarda s.f. **1** Antigua pieza de artillería de gran calibre: *disparar una bombarda.* ☐ SINÓN. *lombarda.* **2** Antiguo instrumento musical de viento con la boquilla de caña, que se construía en distintos tamaños para dar una amplia gama de sonidos: *La bombarda es la antecesora del oboe.*

bombardear v. **1** Disparar bombas, esp. si se arrojan desde un avión: *Los aviones enemigos bombardearon la ciudad hasta el amanecer.* **2** Referido a un objetivo, hacer fuego violento y sostenido de artillería contra él: *Los cañones no dejaron de bombardear la ciudad cercada.* **3** *col.* Referido a una persona, asediarla o agobiarla con la petición reiterada de algo en muy corto espacio de tiempo: *Los periodistas me bombardearon con preguntas.* **4** En física, referido a un cuerpo, someterlo a la acción de ciertas radiaciones o partículas: *Si se bombardea un átomo con neutrones, se produce la escisión de su núcleo.* **5** *arg.* Referido a un lugar, llenarlo de pintadas o graffitis: *Esa panda se dedica a bombardear las paredes del barrio.*

bombardeo s.m. **1** Disparo de bombas contra un objetivo, esp. si se efectúa su lanzamiento desde un avión: *Esas ruinas son lo que queda de una ciudad destruida por un bombardeo.* **2** Fuego de artillería, violento y sostenido, contra un objetivo: *El bombardeo del fortín duró varios días y varias noches.* **3** Asedio o agobio producidos por la petición reiterada de algo en un corto espacio de tiempo: *Los testigos fueron sometidos a un bombardeo de preguntas.* **4** En física, sometimiento de un cuerpo a la acción de ciertas radiaciones o partículas: *Está investigando qué consecuencias tiene el bombardeo de ese tipo de átomo.*

bombardero s.m. Avión militar destinado a la acción ofensiva mediante el lanzamiento de bombas o de otros proyectiles contra un objetivo terrestre o naval: *La población se asustó al oír el motor de los bombarderos.*

bombardino s.m. Instrumento musical de viento y de metal, con sonido grave y potente, con el que se tocan fragmentos lentos: *El bombardino se usa como acompañamiento de instrumentos de viento y de percusión.*

bombasí (pl. *bombasíes, bombasís*) s.m. Tejido grueso de algodón, con pelo por una de sus dos caras: *El bombasí es un tejido tupido.* ☐ SINÓN. *fustal, fustán.* ☐ ETIMOL. Del catalán *bombasí.*

bombazo s.m. **1** Golpe, explosión o daño producidos por una bomba. **2** *col.* Noticia inesperada y sorprendente. ☐ SINÓN. *bomba.*

bombeable adj.inv. Que sirve para impulsar o elevar un fluido.

bombear v. **1** Referido a un fluido, elevarlo e impulsarlo en una dirección determinada: *El corazón bombea la sangre.* **2** Referido a un balón, lanzarlo por alto y suavemente haciendo que siga una trayectoria curva o parabólica: *Bombeó el balón y un compañero remató de cabeza.*

bombeo s.m. Elevación e impulso de un fluido en una dirección determinada. □ MORF. Incorr. **bombeamiento*.

bombero, ra s. **1** Persona que se dedica profesionalmente a la extinción de incendios y que presta ayuda en caso de siniestro. **2** En zonas del español meridional, vendedor en una gasolinera.

bómbice s.m. Gusano de seda: *Los bómbices se transforman en crisálida y después en mariposa.* □ ETIMOL. Del latín *bombyx*, y este del griego *bómbyx*.

bombilla s.f. **1** Aparato que sirve para iluminar y que consta de un globo de cristal cerrado herméticamente para mantener el vacío, en cuyo interior hay un filamento que se pone incandescente con el paso de la corriente eléctrica: *Hay que cambiar la bombilla de la lámpara porque se ha fundido.* **2** Tubo delgado que se usa para sorber el mate: *Me trajo una bombilla para tomar el mate.* □ ETIMOL. De *bomba*, por la forma esférica que tienen.

bombillo s.m. **1** En una cerradura de llave pequeña, mecanismo que mueve los cierres cuando se introduce y se gira la llave. □ SINÓN. *bombín.* **2** En zonas del español meridional, bombilla.

bombín s.m. **1** Sombrero de ala estrecha y copa baja, rígida y redondeada, hecho generalmente de fieltro: *El personaje de Charlot llevaba siempre bombín y bastón.* □ SINÓN. *sombrero hongo.* **2** En una cerradura de llave pequeña, mecanismo que mueve los cierres cuando se introduce y se gira la llave: *Al perder las llaves de casa, decidimos cambiar el bombín de la puerta.* □ SINÓN. *bombillo.* □ ETIMOL. En la acepción 1, de *bomba*, por la forma esférica que tienen.

bombo s.m. **1** Instrumento musical de percusión, más grande que el tambor, y que se toca sólo con una maza: *En esta banda de música, el que toca el bombo lo lleva colgado del pecho con unas correas.* **2** Músico que toca este instrumento: *Mi hermano era tambor en la banda del pueblo, pero ahora es el bombo.* **3** Caja esférica y giratoria de la que se extraen al azar bolas numeradas o papeletas en un sorteo: *Mueve bien las bolas del bombo, a ver si tengo suerte y sale mi número.* **4** Elogio exagerado con el que se ensalza a alguien o se anuncia algo: *Dio a conocer la noticia con mucho bombo.* **5** *col.* En una mujer, vientre abultado por un embarazo de varios meses: *Por el bombo que tiene, seguro que van a ser mellizos.* **6** Construcción semiesférica hecha de piedra, propia de la región castellano-manchega: *Cerca del pueblo de mi tío hay un bombo.* **7** || **a bombo y {platillo/platillos};** referido al modo de contar una noticia o un suceso, con mucha publicidad o propaganda: *Fue diciéndolo a bombo y platillo, y se enteró todo el pueblo.* || **dar bombo;** *col.* Elogiar de modo exagerado o dar mucha importancia: *No le des tanto bombo, porque lo que ha hecho no es nada del otro mundo.* || **hacer un bombo;** *vulg.* Dejar embarazada. □ ETIMOL. Del latín *bombus* (zumbido). □ SEM. No debe emplearse con el significado de 'pieza giratoria de algunas máquinas': *el {*bombo > tambor} de la lavadora.*

bombón s.m. **1** Dulce pequeño hecho de chocolate: *una caja de bombones.* **2** *col.* Persona muy atractiva físicamente. □ ETIMOL. Del francés *bonbon* (bueno, bueno).

bombona s.f. **1** Recipiente metálico muy resistente, de forma cilíndrica o acampanada y con cierre hermético, que se usa para contener líquidos muy volátiles y gases a presión: *una bombona de gas butano.* **2** Recipiente metálico, cilíndrico, de poca altura y con cierre hermético, que se usa en un hospital para guardar materiales esterilizados: *Antes de empezar la operación, trae al quirófano las bombonas con las gasas y las vendas.* □ ETIMOL. Del francés *bonbonne*.

bombonera s.f. Caja pequeña para guardar bombones.

bombonería s.f. Establecimiento público en el que se venden dulces, esp. los de chocolate.

bómper s.m. En zonas del español meridional, parachoques. □ ETIMOL. Del inglés *bumper*.

bonachón, -a adj./s. *col.* Referido a una persona, que cree con facilidad lo que se le dice y tiene un carácter tranquilo y amable.

bonachonería s.f. Carácter crédulo, tranquilo y amable.

bonaerense adj.inv./s.com. De Buenos Aires o relacionado con esta capital y provincia argentina: *En el territorio bonaerense predominan las formas llanas de la Pampa.*

bona fide (lat.) || Con buena intención o con honradez: *Fracasó, pero el trabajo lo hizo bona fide.*

bonancible adj.inv. Referido al mar, al clima o al viento, tranquilo, sereno y suave: *Vivo en una región de clima templado y bonancible.* □ ETIMOL. De *bonanza*.

bonanza s.f. Tiempo tranquilo o sereno en el mar: *El barco de vela avanzaba con suavidad porque había bonanza.* □ ETIMOL. Del latín **bonacia*, alteración de *malacia* (calma chicha). □ SINT. Se usa más con los verbos *haber* y *hacer*.

bonche s.m. En zonas del español meridional, gran cantidad de algo: *Mi amigo tiene un bonche de libros.*

bonchi adj.inv. En zonas del español meridional, referido esp. a una prenda de vestir o a una manta, que queda corta.

bondad s.f. **1** En una persona, inclinación natural a hacer el bien: *Su bondad es muy grande y siempre está dispuesto a ayudar.* **2** En una persona, dulzura, suavidad y amabilidad de carácter: *Me agrada estar con ella por su bondad y su dulzura.* **3** Facultad de ser bueno o de parecerlo: *La bondad del clima hace que pasemos en esa playa largas temporadas.* □ ETIMOL. Del latín *bonitas.* □ USO Es innecesario el uso del galicismo *bonhomía*.

bondadoso, sa adj. Lleno de bondad.

bone head (ing.) s.com. || Miembro de un grupo social juvenil y urbano, de comportamiento violento. □ PRON. [bóunhed], con *h* aspirada.

bonete s.m. **1** Gorro, generalmente de cuatro picos, que usaban los eclesiásticos y, antiguamente, también los colegiales y los graduados: *Mi abuela nos contaba que el cura de su pueblo llevaba bonete.* **2** En un rumiante, segunda de las cuatro cavidades en que se divide su estómago: *El alimento va al bonete después de pasar por la panza.* □ SINÓN. *redecilla.* **3** Gorro redondo, pequeño y sin ala, hecho de lana o de un material flexible. □ ETIMOL. Del francés *bonnet.*

bonetería s.f. En zonas del español meridional, establecimiento donde se vende ropa y artículos de costura.

bonetero, ra ▮ s. **1** Persona que hace o vende bonetes. ▮ s.m. **2** Arbusto ramoso de flores pequeñas y blanquecinas, y con frutos rojizos que pueden ser tóxicos: *El bonetero es muy frecuente en los jardines europeos y florece en verano.*

bongo s.m. En zonas del español meridional, canoa.

bongó s.m. Instrumento musical de percusión que consiste en un tubo de madera cubierto en su parte superior por una piel de cabra y descubierto en su parte inferior, y que se toca con los dedos o con las palmas de las manos: *El bongó es muy popular en algunas zonas caribeñas.* □ SINÓN. *tumbador.* □ PRON. Incorr. *[bóngo]. □ MORF. Se usa más en plural.

bonhomía s.f. →**bondad.** □ ETIMOL. Del francés *bonhomie.* □ USO Su uso es innecesario.

bonhotel (tb. *bonotel*) s.m. Vale que da derecho a determinados servicios hoteleros a cambio de una cantidad de dinero.

boni s.m. *col.* →**boniato.**

boniato s.m. **1** Planta herbácea de tallos rastreros con abundantes ramas, hojas alternas y lobuladas, flores en campanilla y tubérculos comestibles: *El boniato es una variedad de la batata.* **2** Tubérculo de la raíz de esta planta: *Los boniatos tienen sabor dulce.* **3** *col.* Billete de mil pesetas. □ ETIMOL. De origen incierto. □ ORTOGR. En las acepciones 1 y 2, se admite también *buniato.* □ MORF. En la acepción 3, se usa también la forma abreviada *boni.*

bonificación s.f. **1** Descuento en lo que se ha de pagar o aumento en lo que se ha de cobrar: *¿Si lo pago al contado me harán una bonificación en el precio? Recibí una buena bonificación por la tarde que me quedé trabajando.* **2** En algunas pruebas deportivas, descuento en el tiempo empleado: *El ciclista que llegue antes a la meta volante recibirá una bonificación de quince segundos.*

bonificar v. Conceder una cantidad para aumentarla a otra o para descontarla de ella: *Si pagas la multa antes de diez días te bonifican con doce euros.* □ ETIMOL. Del latín *bonus* (bueno) y *facere* (hacer). □ ORTOGR. La *c* se cambia en *qu* delante de *e* →SACAR. □ SINT. Constr. *bonificar* CON *algo.*

bonísimo, ma superlat. irreg. de **bueno.** □ MORF. Es la forma culta de *buenísimo.*

bonista s.com. En economía, tenedor o poseedor de bonos.

bonitera s.f. Véase **bonitero, ra.**

bonitero, ra ▮ adj. **1** Del bonito o relacionado con este pez: *industria bonitera.* ▮ adj./s.f. **2** Que se utiliza para la pesca del bonito, esp. referido a una embarcación. ▮ s. **3** Persona que se dedica a la pesca del bonito.

bonito, ta ▮ adj. **1** Que resulta agradable a la sensibilidad estética o artística: *Es un traje bonito y elegante. ¡Qué día tan bonito hace!* ▮ s.m. **2** Pez marino comestible, de color plateado en la parte inferior, y azul oscuro con cuatro franjas longitudinales en la superior: *El bonito es más pequeño que el atún.* □ ETIMOL. De *bueno.* En la acepción 2, quizá por el color dorado de los ojos y el color plateado del vientre. □ MORF. En la acepción 2, es un sustantivo epiceno: *el bonito {macho/hembra}.*

bono s.m. **1** Tarjeta o entrada de abono, que da derecho a utilizar un servicio durante un número determinado de veces: *Me dieron un bono para las comidas de toda la semana.* **2** Vale para canjear por dinero o por productos de primera necesidad: *Cuando fui a la tienda a cambiar la camisa me dieron un bono por su valor.* **3** En economía, título o documento de deuda a medio plazo, generalmente amortizable, al portador y con interés fijo y periódico, que representa una suma exigible a su vencimiento a la persona o entidad que lo emitió: *El Estado lanzará una emisión de bonos a tres años.* **4** ‖ **bono basura;** el que tiene un alto riesgo y, por tanto, da un alto interés. □ ETIMOL. Del francés *bon.* □ ORTOGR. Dist. de *abono.* □ MORF. El plural de *bono basura* es *bonos basura*; incorr. **bonos basuras.* □ SEM. No debe emplearse con el significado de *prima* (anglicismo): *Su jefe le ha dado {*un bono > una prima} por su excelente trabajo.*

bonobús s.m. Tarjeta de abono que da derecho a realizar un número determinado de viajes en un autobús. □ ETIMOL. De *bono* y la terminación de *autobús.*

bonoloto s.f. Juego público de azar cuyo premio máximo se obtiene cuando los seis números marcados en un boleto de cuarenta y nueve, coinciden con los elegidos por sorteo: *En la bonoloto de esta semana elegí seis números que no coincidieron ningún día con los números premiados.*

bonometro s.m. Tarjeta de abono que da derecho a realizar un número determinado de viajes en metro.

bonote s.m. Fibra que se extrae de la corteza de coco.

bonotel s.m. →**bonhotel.**

bonotrén s.m. Tarjeta de abono que da derecho a realizar un número determinado de viajes en tren.

bonsái (pl. *bonsáis*) s.m. Árbol enano que se cultiva en tiestos y al que se cortan brotes y raíces para evitar que crezca normalmente: *Los bonsáis son plantas ornamentales.* □ ETIMOL. Del japonés *bonsai.*

bonus (pl. *bonus*) s.m. Bonificación, ya sea como un descuento en un pago o como un sobresueldo: *Algunas empresas conceden bonus a sus vendedores más eficientes.*

bon vivant (fr.) s.m. || Persona que disfruta los placeres de la buena vida: *Es un bon vivant al que le gusta comer y beber bien.* □ PRON. [bon viván].

bonzo || **quemarse a lo bonzo;** rociarse el cuerpo con gasolina y prenderse fuego: *Se suicidó quemándose a lo bonzo en señal de protesta.*

boñiga s.f. Excremento del ganado vacuno o de otros animales. □ ETIMOL. Del latín **bunnica.* □ ORTOGR. Se usa también *moñiga.* □ SEM. Dist. de *boñigo* (cada porción de excremento del ganado vacuno).

boñigo s.m. Cada una de las porciones o piezas del excremento del ganado vacuno. □ ETIMOL. De *boñiga.* □ ORTOGR. Se usa también *moñigo.* □ SEM. Dist. de *boñiga* (excremento del ganado vacuno).

boogie-woogie (ing.) s.m. →**bugui-bugui.** □ PRON. [búgui búgui].

boogy s.m. →**bodyboard.** □ PRON. [búgui].

book (ing.) s.m. Álbum de fotografías que reflejan la trayectoria profesional de una persona: *Ese modelo siempre acude a las entrevistas de trabajo con su book.* □ PRON. [buk].

bookcrossing (ing.) s.m. Actividad que consiste en dejar un libro en un lugar público para que lo encuentre otro lector, que lo volverá dejar cuando lo lea para que pueda cogerlo otra persona. □ PRON. [bukcrósin].

bookmaker (ing.) s.com. Persona que actúa como intermediario en apuestas: *El bookmaker apostó todo el dinero de su cliente al caballo número siete.* □ PRON. [bukméiker].

bookmark (ing.) s.m. Lista de enlaces de internet. □ PRON. [búkmark].

boom (ing.) s.m. Auge o éxito inesperados y repentinos: *Cuando se produjo el boom turístico, el país empezó a prosperar económicamente.* □ PRON. [bum]. □ USO Su uso es innecesario y puede sustituirse por *auge* o *avance.*

boomerang (ing.) s.m. →**bumerán.** □ PRON. [bumerán].

boqueada s.m. **1** Cada una de las últimas veces que un moribundo abre la boca para respirar. **2** || **dar las boqueadas; 1** *col.* Estar muriéndose: *El pez recién pescado daba sus últimas boqueadas.* □ SINÓN. *boquear.* **2** *col.* Estar a punto de terminarse: *Las vacaciones están ya dando las boqueadas.* □ SINÓN. *boquear.* □ SEM. Dist. de *bocanada* (cantidad de aire que se toma de una vez con la boca).

boquear v. **1** Referido a una persona o a un animal, abrir la boca, esp. cuando está a punto de morir: *Cuando el enfermo empezó a boquear, el médico dijo que le quedaba poco tiempo de vida.* **2** *col.* Estar a punto de terminarse: *La fiesta estaba ya boqueando cuando llegué.* □ ETIMOL. De *boca.*

boquera s.f. Herida que se forma en las comisuras de los labios de una persona: *Me ha salido una boquera y apenas puedo abrir la boca.* □ SINÓN. *bocera.*

boquerel s.m. Manguera de los surtidores de las gasolineras: *No pude echar gasolina al coche porque el boquerel no funcionaba.*

boquerón, -a ▮ adj./s. **1** *col.* Referido a una persona, que no tiene dinero. ▮ s.m. **2** Pez marino comestible, de cuerpo muy delgado, de color verdoso o azulado y vientre plateado, que se pesca en grandes cantidades, y se consume fresco o en salazón: *Las anchoas son boquerones curados en salmuera.* □ SINÓN. *bocarte.* □ ETIMOL. La acepción 2, de *boca* porque el boquerón tiene la boca muy grande. □ MORF. En la acepción 2, es un sustantivo epiceno: *el boquerón {macho/hembra}.*

boquete s.m. **1** En una superficie, rotura o abertura irregulares: *Los ladrones hicieron un boquete en la puerta.* □ SINÓN. *brecha.* **2** Entrada estrecha a un lugar: *El boquete del túnel era muy pequeño y no pudimos pasar.* □ ETIMOL. De *boca.*

boquiabierto, ta adj. **1** Con la boca abierta. **2** Referido a una persona, embobado a causa de la sorpresa o de la admiración. □ SINT. Se usa más con los verbos *dejar, estar* y *quedarse.*

boquiancho, cha adj. De boca ancha.

boquifresco, ca adj. *col.* Referido a una persona, que dice verdades desagradables con sinceridad y franqueza.

boquilla s.f. **1** Tubo pequeño, generalmente provisto de un filtro, en uno de cuyos extremos se coloca un cigarro para fumarlo: *Las boquillas sirven para que pase menos nicotina a los pulmones.* **2** En un cigarro, parte que no se fuma y por la que se aspira el humo, formada por un tubo de cartulina relleno de una sustancia filtrante: *Cuando fumo cigarros sin boquilla me entra la tos.* **3** En una pipa, parte que se introduce en la boca: *La boquilla de esta pipa está ya muy gastada.* **4** En un cigarro puro, parte por la que se enciende: *Al dar una bocanada al puro, se vio brillar la boquilla en la oscuridad.* **5** En un instrumento musical de viento, pieza hueca que se adapta a su tubo y por la que se sopla para producir el sonido: *Le puso la boquilla al clarinete.* □ SINÓN. *embocadura.* **6** || **de boquilla;** referido esp. a la forma de hacer un ofrecimiento o una promesa, sin intención de cumplirlos: *Siempre me dice que me debe una invitación, pero lo dice de boquilla.* □ ETIMOL. De *boca.*

boquirroto, ta adj. *col.* Muy hablador.

boquirrubio, bia adj. Que dice lo que sabe sin necesidad ni comedimiento.

boquiseco, ca adj. Con la boca seca.

boquituerto, ta adj. Con la boca torcida.

borato s.m. En química, sal del ácido bórico, fusible y poco soluble, que se puede encontrar en la naturaleza formando minerales: *El borato más importante es el bórax.*

bórax (pl. *bórax*) s.m. Sal incolora y cristalina, compuesta de ácido bórico, sosa y agua, que se encuentra en el agua de algunos lagos o que se obtiene artificialmente: *El bórax se usa en medicina o como fundente en industria.* □ ETIMOL. Del árabe *bawraq* (nitro).

borbolla s.f. **1** Burbuja de aire que se forma en el interior del agua, esp. a causa de la lluvia. **2** →**borbotón.**

borbollar v. →**borbotar.**

borbollón s.m. →**borbotón.**

borbónico, ca ▮ adj. **1** De los Borbones (dinastía real que se inicia en Francia en 1589 y se extiende por Italia y España), o relacionado con ellos: *la dinastía borbónica.* ▮ adj./s. **2** Partidario de la dinastía borbónica o perteneciente a ella: *Los borbónicos defendían la vuelta de Alfonso XII a España.*

borborigmo s.m. En el intestino, ruido producido por el movimiento de los gases en su interior: *Cuando tengo hambre las tripas me hacen continuos borborigmos.* □ ETIMOL. Del griego *borborygmós.* □ ORTOGR. Incorr. **borborismo.*

borbotar v. Referido a un líquido, brotar o hervir con fuerza y haciendo ruido: *Desde el salón se oía borbotar el caldo del puchero en el fuego.* □ SINÓN. *borbollar, borbotear.* □ ETIMOL. Quizá de origen onomatopéyico.

borbotear v. →**borbotar.**

borboteo s.m. Salida o hervor impetuosos de un líquido: *Al oír el borboteo del agua, supe que ya había empezado a hervir.*

borbotón s.m. **1** En un líquido, burbuja que se forma en su interior y sube hasta su superficie cuando este brota con fuerza de un lugar o cuando hierve: *El agua forma borbotones al hervir. La sangre manaba de la herida a borbotones.* □ SINÓN. *borbolla, borbollón.* **2** || **a borbotones;** *col.* De forma acelerada, apresurada y atropellada: *Estaba nervioso y hablaba a borbotones.* □ ETIMOL. De *borbotar.*

borceguí (pl. *borceguíes, borceguís*) s.m. **1** Antiguo calzado abierto por delante, que llegaba más arriba del tobillo y que se ajustaba con cordones o correas: *Los griegos usaban borceguíes en las comedias.* **2** En algunos deportes, bota de un jugador: *Ese futbolista perdió el borceguí al dar la patada al balón.* □ ETIMOL. De origen incierto.

borda s.f. **1** En una embarcación, borde o parte más alta del costado, que termina a veces en una baranda o antepecho: *El pirata hizo saltar por la borda al prisionero por no querer acatar sus órdenes.* **2** Choza o cabaña propias de las regiones españolas del Norte: *En el Pirineo, las bordas albergaban a los pastores.* □ ETIMOL. De *borde* (orilla).

bordada s.f. Véase **bordado, da.**

bordado, da ▮ adj. **1** Adornado con cosidos en relieve: *una cortina bordada.* **2** Perfecto o estupendo: *¡Te ha salido bordado!* ▮ s.m. **3** Hecho de adornar un tejido u otra materia con cosidos en relieve: *El bordado es un arte popular y sus técnicas son de origen oriental.* **4** Adorno en relieve hecho con aguja e hilo sobre una superficie: *¡Qué bonito bordado!* □ SINÓN. *bordadura.* ▮ s.f. **5** En náutica, referido a una embarcación, camino que hace entre dos cambios de rumbo, mientras avanza a barlovento: *La bordada del barco turístico iba desde el puerto hasta el faro.*

bordador, -a s. Persona que se dedica a bordar, esp. si esta es su profesión.

bordadura s.f. →**bordado.**

bordar v. **1** Referido a un tejido, adornarlo con bordados: *He bordado un mantel.* **2** Referido a una figura, coser su forma en relieve: *Antes de bordar la flor, haz el dibujo sobre la tela.* **3** Referido a una acción, ejecutarla brillantemente: *La última canción la bordó, y todos aplaudimos a rabiar.* □ SINÓN. *clavar.* □ ETIMOL. Quizá del germánico **bruzdon.*

borde ▮ adj.inv./s.com. **1** *col.* Referido a una persona, con mal humor, mal carácter o malas intenciones: *El camarero era un borde y no nos hizo ni caso.* **2** *desp.* Referido a una persona, que ha nacido fuera del matrimonio: *El hijo del duque era un borde.* □ SINÓN. *bastardo.* ▮ s.m. **3** Línea o zona límite que señala la separación entre dos cosas o el fin de una de ellas: *No me asomo al borde del precipicio porque tengo vértigo.* **4** En un recipiente, orilla o contorno de la boca: *Llenó la vasija hasta el borde y casi se salió el agua.* **5** En una embarcación, lado o costado exterior: *El barco tenía un nombre pintado en el borde.* **6** || **al borde del abismo;** *col.* En un peligro muy grande: *Las drogas la pusieron al borde del abismo.* || **estar al borde de;** estar muy cerca de una situación: *Con tantas tensiones, estoy al borde del ataque de nervios.* □ ETIMOL. La acepción 1, del catalán *bord* (bastardo). Las acepciones 2, 3 y 4, del francés *bord.*

bordear v. **1** Referido a una superficie, ir por su borde o cerca de él: *Paseábamos bordeando el lago.* **2** Referido a un lugar o a un cuerpo, estar a lo largo de su borde: *Hay una valla que bordea el camino.* **3** Referido a una condición moral o intelectual, aproximarse a uno de sus grados o estados: *Siento una inquietud que bordea la locura.*

bordeaux (fr.) adj.inv./s.m. En zonas del español meridional, burdeos: *Me regalaron una camisa bordeaux.* □ PRON. [bordó].

bordelés, -a adj./s. De Burdeos o relacionado con esta región francesa: *un vino bordelés.* □ ETIMOL. Del francés antiguo *Bourdel* (Burdeos).

borderline (ing.) ▮ adj.inv./s.com. **1** →**límite.** ▮ s.f. **2** En psicología, frontera entre la normalidad y la deficiencia mental: *Se llama 'persona límite' a la que está en la borderline.* □ PRON. [bórderlain], con *r* suave.

bordillo s.m. **1** En una acera o en un andén, borde u orilla formados por una fila de piedras largas y estrechas, generalmente paralela a la pared. □ SINÓN. *encintado.* **2** En una calzada, borde saliente que sirve para separar un carril: *El bordillo del carril bus ha evitado muchos accidentes.*

bordo || **a bordo;** referido a una embarcación o a una aeronave, dentro de ella: *Ya están todos los equipajes a bordo.* □ ETIMOL. De *borde* (lado).

bordó adj.inv./s.m. En zonas del español meridional, burdeos: *El bordó no combina bien con el naranja.* □ ETIMOL. Del francés *bordeaux.*

bordón s.m. **1** Bastón largo y con la punta de hierro: *Agarró el bordón de peregrino y comenzó la andadura.* **2** En métrica, grupo de tres versos, generalmente de cinco y siete sílabas, con rima en los breves, que suele añadirse a una seguidilla y es característico de la lírica popular hispánica: *El bordón se puede interpretar con panderetas, flautas o triángulos.* **3** En algunos instrumentos de cuerda, cuerda gruesa de sonido grave. □ ETIMOL. Del latín *burdonis*.

bordonear v. **1** Pulsar el bordón de la guitarra: *No has bordoneado en el momento justo.* **2** Ir tocando el suelo con el bordón o bastón: *Ya oigo a tu abuelo bordonear en la acera.*

bordoneo s.m. Sonido grave de la guitarra.

boreal adj.inv. **1** Del viento norte: *El frío boreal se hizo sentir en las tierras nórdicas europeas.* **2** En astronomía y geografía, del septentrión o del norte: *El hemisferio boreal comprende el polo ártico y limita con el ecuador.* □ SINÓN. *septentrional.* □ ETIMOL. De *bóreas* (viento del Norte).

bóreas (pl. *bóreas*) s.m. *poét.* Viento del norte. □ ETIMOL. Del latín *boreas*.

borgoña s.m. Vino originario de Borgoña (región francesa): *Ese borgoña procede de los mejores viñedos del nordeste francés.*

boricado, da adj. Referido esp. a un preparado químico, que contiene ácido bórico: *Los mariscos no deben conservarse con productos boricados.*

bórico adj. Referido a un ácido, que es un compuesto de boro y cristaliza en forma de laminillas blancas: *El ácido bórico se utiliza como antiséptico.*

borla s.f. **1** Conjunto de hilos o de cordones reunidos y sujetos solo en uno de sus extremos, que se emplea como adorno: *Las cortinas están rematadas con unas borlas de forma cilíndrica.* **2** En el bonete de un graduado universitario, este conjunto de hilos, cosidos en su centro y esparcidos alrededor, que sirve como distintivo de cada facultad según su color: *Los birretes que usan doctores y licenciados en actos académicos llevan una borla.* **3** Bola para empolvarse la cara, hecha de un material suave: *Dame la borla de la polvera para maquillarme.* □ ETIMOL. De origen incierto.

borlilla s.f. En una flor, parte del estambre en cuyo interior está el polen: *La borlilla tiene forma de saquito doble o sencillo.* □ SINÓN. *antera.*

borlote s.m. **1** *col.* En zonas del español meridional, tumulto o revuelta. **2** *col.* En zonas del español meridional, vocerío o ruido grandes producidos por una o más personas.

borne s.m. **1** En electricidad, pieza de metal que se fija al extremo de un aparato y permite conectar a este cables conductores: *Limpia los dos bornes de la batería del coche porque no hacen bien la conexión.* **2** En electricidad, tornillo o varilla en el cual se sujeta el extremo de un conductor para conectar con un circuito el aparato en el que va montado: *El aparato no funcionaba porque el borne estaba roto y no hacía contacto con el circuito.* □ ETIMOL. Del francés *borne* (extremo, límite).

bornear v. **1** Dar forma ladeada o torcida: *Bornea esa lámina de metal para que quede como un cilindro.* **2** Referido a una columna, labrarla en contorno: *El arquitecto mandó bornear las columnas de la capilla.*

boro s.m. Elemento químico, semimetálico y sólido, de número atómico 5, de color pardo oscuro, que en la naturaleza solo se presenta combinado: *El boro se usa como antioxidante industrial.* □ ETIMOL. De *bórax* (sal compuesta de ácido bórico). □ ORTOGR. Su símbolo químico es *B*.

borona s.f. **1** Mijo o maíz: *La borona es de la misma familia que el trigo.* **2** En algunas zonas, pan de maíz: *Me encantan las rebanadas de borona.* **3** En zonas del español meridional, miga o migaja: *Me gusta tanto el pan que me como hasta las boronas.* □ ETIMOL. De origen prerromano.

borra s.f. **1** Parte de la lana más basta y corta: *Los esquiladores apartaron la borra de toda la lana que había en aquellos montones.* **2** Desperdicio textil basto y de mala calidad que queda en las operaciones de acabado de un tejido de lana o de algodón: *Tenía cojines y almohadones rellenos de borra de lana.* **3** Pelusa polvorienta que se suele formar entre los muebles, en una alfombra o en los bolsillos de una prenda de vestir: *Hace mucho que no barremos debajo de esa librería y seguro que está lleno de borra.* **4** Poso o sedimento de un líquido. □ ETIMOL. Del latín *burra*.

borrachera s.f. **1** Estado de pérdida de las capacidades físicas o mentales como consecuencia de un consumo de bebidas alcohólicas superior a lo que tolera el organismo: *Cogió tal borrachera de vino que estuvo a punto de perder el conocimiento.* **2** *col.* Estado de entusiasmo o exaltación grandes: *Tras la borrachera del éxito suele venir el decaimiento.* □ SINT. La acepción 1 se usa más con los verbos *agarrar*, *coger*, *pillar* o equivalentes.

borrachín, -a adj./s. Que tiene el hábito de tomar bebidas alcohólicas.

borracho, cha ▌adj. **1** Referido a un dulce, empapado en una bebida alcohólica o en almíbar: *La especialidad de esta pastelería son las tartas borrachas.* ▌adj./s. **2** Que tiene disminuidas temporalmente las capacidades físicas o mentales a causa de un consumo excesivo de bebidas alcohólicas: *Estaba borracha y se le trababa la lengua al hablar.* **3** Que se emborracha habitualmente: *Es un borracho y ha arruinado su vida.* ▌s.m. **4** →**bizcocho borracho.** □ ETIMOL. De *borracha* (bota de vino).

borrador, -a ▌adj./s. **1** Que borra. ▌s.m. **2** Utensilio que se usa para borrar lo escrito en una pizarra: *Siempre que uso el borrador me mancho la ropa de tiza.* **3** Utensilio hecho de caucho o goma elástica que se usa para borrar la tinta o el lápiz, esp. de un papel: *Este borrador no sirve para borrar la tinta del bolígrafo.* □ SINÓN. *goma de borrar.* **4** Esquema provisional de un escrito en el que se hacen las adiciones, supresiones o correcciones necesarias antes de redactar la copia definitiva: *Antes de pasar a limpio el borrador de la carta, tengo que corregir las faltas de ortografía.* **5** En pintura, primer apunte o croquis de un dibujo: *Ha hecho un borrador del paisaje con tres trazos en el papel.*

borradura s.f. Eliminación o desaparición de algo que está escrito o marcado en una superficie.

borraja s.f. Planta herbácea anual, cubierta de pelos ásperos, con tallo grueso y ramoso, hojas grandes, y flores blancas o azuladas en racimo: *Los tallos y las hojas de la borraja son comestibles.* □ ETIMOL. Quizá del catalán *borratja*.

borrajear (tb. *burrajear*) v. Escribir o hacer rayas en un papel por entretenimiento: *Borrajeé mi nombre de distintas formas. Siempre que hablo por teléfono borrajeo en el primer papel que pillo.* □ SINÓN. *borronear*.

borrajo s.m. **1** Brasa pequeña que queda debajo de la ceniza: *Ya se apagó el fuego, pero aún queda borrajo en la chimenea.* □ SINÓN. *rescoldo*. **2** Hojarasca de pino: *El suelo del pinar estaba cubierto de borrajo.* □ ETIMOL. De origen incierto.

borrar v. **1** Referido a algo gráfico, hacerlo desaparecer de la superficie en que está escrito o marcado: *Borra ese dibujo tan feo.* **2** Referido a una superficie, hacer desaparecer lo escrito o marcado en ella: *Me puse perdida de tiza al borrar la pizarra.* **3** Referido a un recuerdo, hacerlo desaparecer de la memoria: *Quiero borrar ese estúpido momento de mi vida. Esos años se han borrado de mi memoria.* **4** Referido a una persona, darla de baja: *Bórrame de la lista, porque ya no voy al viaje. Se borró del concurso porque no le gustaba el premio.* □ ETIMOL. De *borra*, probablemente porque se empleaba lana para borrar lo escrito.

borrasca s.f. **1** Perturbación atmosférica caracterizada por fuertes vientos, lluvias abundantes y un descenso de la presión atmosférica. □ SINÓN. *ciclón*. **2** Tormenta fuerte, esp. en el mar. **3** En un asunto o en un negocio, peligro o contratiempo que dificulta su buen desarrollo: *Estamos atravesando una borrasca en el negocio, pero saldremos adelante.* □ ETIMOL. Quizá del latín *borras*, en vez de *boreas* (viento del Norte).

borrascoso, sa adj. **1** De la borrasca o relacionado con esta perturbación atmosférica: *un tiempo borrascoso.* **2** Que causa borrascas o que es propenso a ellas: *Los litorales borrascosos son peligrosos para la navegación.* **3** Referido al estilo de vida, libertino y desordenado: *una vida borrascosa.* **4** Referido a una situación, de carácter agitado y violento: *La revolución industrial trajo cambios borrascosos en la sociedad europea del siglo XIX.*

borrego, ga ▮ adj./s. **1** *col.* Referido a una persona, que tiene poca voluntad o poca inteligencia y se deja llevar fácilmente. ▮ s. **2** Cordero o cordera que tiene uno o dos años. □ ETIMOL. Quizá de *borra*, por la lana tierna de que está cubierto.

borreguismo s.m. *desp.* Tendencia a seguir opiniones o actitudes ajenas sin tener un juicio crítico propio.

borricada s.f. **1** Conjunto de borricos. **2** *col.* Dicho o hecho estúpidos, poco acertados o brutales.

borrico, ca ▮ adj./s. **1** *col.* Referido a una persona, que es poco inteligente o de poca formación: *¡La muy borrica dice que 'boca' se escribe con 'v'!* **2** *col.* Referido a una persona, obstinada: *Es tan borrico que no hay quien le haga cambiar de opinión.* **3** *col.* Referido a una persona, de gran aguante, esp. en el trabajo: *Gracias a que es tan borrica pudo acabar el trabajo a tiempo.* ▮ s. **4** Mamífero cuadrúpedo, doméstico, más pequeño que el caballo, con largas orejas, pelo áspero y normalmente grisáceo, y que se suele emplear como montura o como animal de carga o de tiro: *Llevaba los aperos de labranza en un borrico.* □ SINÓN. *asno*. **5** ‖ **caer** alguien **de su borrico**; *col.* Darse cuenta de su error o reconocerlo: *No seas cabezota, debes caer de tu borrico y reconocer que te has equivocado.* □ ETIMOL. Del latín *burricus* (caballo pequeño).

borriquero, ra ▮ adj. **1** Del burro o relacionado con él. ▮ s. **2** Persona que guía y cuida de los borricos.

borriqueta s.f. →**borriquete.**

borriquete s.m. En carpintería, armazón o soporte en el que se apoya una madera: *Si quieres una mesa barata, háztela tú con un tablero y dos borriquetes.* □ SINÓN. *borriqueta*.

borroka (eusk.) adj.inv./s.com. Referido esp. a una persona, que practica la violencia callejera en el País Vasco (comunidad autónoma). □ SINÓN. *borrokista*.

borrokista adj.inv./s.com. Referido esp. a una persona, que practica la violencia callejera en el País Vasco (comunidad autónoma). □ SINÓN. *borroka*.

borrón s.m. **1** En un papel, mancha de tinta: *Debes ser más cuidadoso cuando dibujas porque haces muchos borrones.* **2** Acción o suceso indignos que disminuyen el valor de una persona o la buena opinión que de ella se tiene: *No tienes un solo borrón en tu historial.* **3** Falta o imperfección que quitan la gracia y el atractivo: *Aquel lapsus fue un borrón en su brillante discurso.* **4** ‖ **borrón y cuenta nueva**; *col.* Expresión que se usa para indicar que cuestiones pasadas han quedado ya olvidadas y disculpadas: *¿Por qué no haces borrón y cuenta nueva e intentas olvidar viejas rencillas?*

borronear v. **1** Escribir sin un tema ni un propósito determinados: *Cuando se aburre en el trabajo se dedica a borronear papeles.* **2** Escribir o hacer rayas en un papel por entretenimiento: *Le gusta borronear y llenar hojas con su firma.* □ SINÓN. *borrajear, burrajear*.

borrosidad s.f. Confusión, imprecisión o falta de claridad: *Veo la imagen con borrosidad.*

borroso, sa adj. Que no se distingue con claridad y resulta confuso o impreciso, esp. referido a una imagen: *una imagen borrosa.*

borsalino (it.) s.m. Sombrero blando de fieltro con ala estrecha: *El borsalino estuvo muy de moda en la década de 1930.*

borsch (rus.) s.f. Sopa hecha con jugo de remolacha: *En los países del este europeo se toma borsch frecuentemente.* □ USO Su uso es innecesario y puede sustituirse por *sopa de remolacha*.

boruca s.f. En zonas del español meridional, alboroto o tumulto. □ ETIMOL. Del euskera *buruka*.

boruga s.f. Requesón que se bate con azúcar una vez coagulada la leche: *En Cuba, la boruga se toma como refresco.*

borujo s.m. →**burujo.**

boscaje s.m. Bosque pequeño y espesamente poblado de árboles y arbustos.

boscoso, sa adj. Referido a un terreno, con muchos bosques: *una región boscosa.*

bosniaco, ca (tb. *bosníaco, ca*) adj./s. De Bosnia-Herzegovina o relacionado con este país europeo. □ SINÓN. *bosnio, bosnio-herzegovino.*

bosnio, nia adj./s. De Bosnia-Herzegovina o relacionado con este país europeo. □ SINÓN. *bosniaco, bosníaco, bosnio-herzegovino.*

bosnio-herzegovino, na adj./s. De Bosnia-Herzegovina o relacionado con este país europeo. □ SINÓN. *bosniaco, bosníaco, bosnio.*

bosque s.m. Terreno muy poblado de árboles, arbustos y matas. □ ETIMOL. De origen incierto.

bosquejar v. **1** Referido a una obra de creación, hacer un primer proyecto de modo provisional, con los elementos esenciales y sin mucha precisión: *Cuando hayas bosquejado el cuento, déjame que lo lea.* □ SINÓN. *esbozar.* **2** Referido esp. a una idea o a un plan, explicarlos brevemente y de un modo general y vago: *Bosquejó la situación económica sin extenderse en las cifras.* □ SINÓN. *esbozar.* □ ETIMOL. Del catalán *bosquejar* (desbastar). □ ORTOGR. Conserva la *j* en toda la conjugación.

bosquejo s.m. **1** Primer plan o proyecto, hecho de modo provisional, solo con los elementos esenciales y sin mucha precisión: *Nos enseñó el bosquejo del dibujo que iba a pintar.* □ SINÓN. *esbozo.* **2** Explicación breve, general y vaga, generalmente acerca de una idea o de un plan: *Adelantaron un bosquejo del proyecto, pero no entraron en detalles.* □ SINÓN. *esbozo.* □ USO Es innecesario el uso del anglicismo *sketch.*

bosquete s.m. Bosque artificial en un jardín o en una casa de campo.

bosquimán s.com. →**bosquimano.**

bosquimano, na ▮ adj./s. **1** De un pueblo de África meridional, al norte del Cabo (provincia de la República de Sudáfrica, país africano): *La tribu bosquimana se caracteriza por su baja estatura.* □ SINÓN. *bosquimán.* ▮ s.m. **2** Lengua africana de este pueblo: *El bosquimano es una lengua de la misma familia que el hotentote.* □ SINÓN. *bosquimán.* □ ETIMOL. Del afrikáans *boschjesaman* (hombre del bosque). □ PRON. Incorr. *[bosquímano].

bossa nova (port.) s.f. ‖ **1** Composición musical de origen brasileño que tiene el ritmo de la samba pero con variaciones: *La bossa nova es considerada por muchos el equivalente brasileño del jazz.* **2** Baile que se ejecuta al compás de esta música, con movimientos vivos: *La bossa nova es una danza alegre.* □ PRON. [bósa nóva].

bossing (ing.) s.m. Abuso de poder en el trabajo por parte de un jefe hacia su subordinado. □ PRON. [bósin]. □ USO Su uso es innecesario y puede sustituirse por *acoso laboral.*

bosta s.f. Excremento del ganado vacuno o del caballar. □ ETIMOL. Del gallegoportugués *bosta.*

bostezar v. Abrir la boca de modo involuntario, inspirando y espirando lenta y profundamente, a causa del sueño, el cansancio, el hambre o el aburrimiento: *Es una falta de educación bostezar sin taparse la boca con la mano.* □ ETIMOL. Quizá del latín *oscitare*, con una *b* añadida por influencia de *boca.* □ ORTOGR. La *z* se cambia en *c* delante de *e* →CAZAR.

bostezo s.m. Abertura involuntaria de la boca para respirar lenta y profundamente, causada por el sueño, el cansancio, el hambre o el aburrimiento.

bot s.m. Programa informático que permite realizar tareas automáticas en internet.

bota s.f. **1** Calzado que cubre el pie y parte de la pierna. **2** Recipiente pequeño para beber vino, hecho de cuero flexible y con forma de pera, con un tapón en la parte más estrecha por el que sale el líquido en un chorro fino. **3** Calzado deportivo que cubre el pie hasta por encima del tobillo: *Juego al baloncesto con botas porque me protegen más los tobillos.* **4** ‖ **ponerse las botas;** *col.* Conseguir un gran beneficio o disfrutar mucho: *Me puse las botas cuando me dijeron que podía coger todo lo que quisiera.* □ ETIMOL. Las acepciones 1, 3 y 4, de origen incierto. La acepción 2, del latín *buttis* (odre). □ MORF. En las acepciones 1 y 3, se usa más en plural.

botadura s.f. Lanzamiento de una embarcación al agua, esp. si está recién construida: *En las ceremonias de botadura se suele estrellar una botella de champán contra el casco de la embarcación.*

botafumeiro s.m. Incensario grande, esp. el de hierro que se cuelga del techo de la iglesia y se pone en movimiento por medio de un mecanismo: *El 25 de julio, día del santo patrón, vi funcionar el botafumeiro de la catedral de Santiago de Compostela.* □ ETIMOL. Por alusión al de la catedral gallega de Santiago de Compostela.

botalón s.m. Verga o palo que se coloca horizontalmente en el mástil y en el que se sujeta la vela. □ ETIMOL. De *botar.*

botana s.f. En zonas del español meridional, aperitivo: *Voy a preparar una botana para antes de la comida.*

botánica s.f. Véase **botánico, ca.**

botánico, ca ▮ adj. **1** De la botánica o relacionado con esta ciencia. ▮ s. **2** Persona que se dedica al estudio de los organismos vegetales, esp. si es licenciado en biología. ▮ s.m. **3** →**jardín botánico.** ▮ s.f. **4** Ciencia que estudia los organismos vegetales: *La botánica es lo que más me gusta dentro de las ciencias naturales.* **5** En zonas del español meridional, herbolario o establecimiento en el que se venden hierbas. □ ETIMOL. Del griego *botanikós*, y este de *botáne* (hierba).

botar v. **1** Referido a un cuerpo elástico, esp. a una pelota, saltar o salir despedido después de chocar contra el suelo o contra una superficie dura: *El balón botó con fuerza en la pared y cayó al suelo.* **2**

Referido a una persona o a un animal, dar saltos: *En la carrera de sacos, los participantes iban botando hasta la meta.* **3** *col.* Referido a una persona, manifestar o sentir gran nerviosismo, dolor o indignación: *Estoy que boto porque me han roto la guitarra.* **4** Referido a una pelota, lanzarla o dejarla caer contra una superficie, esp. contra el suelo, para que salte o suba: *No botes la pelota en casa, que vas a molestar a los vecinos de abajo.* **5** Referido a una embarcación, echarla al agua, esp. si está recién construida: *Ya han terminado el barco y mañana lo botan en el puerto.* **6** *col.* Echar fuera o arrojar con violencia de un lugar: *Cuando empezó a armar jaleo, los guardas lo botaron del local.* **7** En zonas del español meridional, tirar, echar o arrojar: *No me gusta que boten papeles al suelo.* **8** En zonas del español meridional, perder o extraviar: *Boté las llaves y ahora no puedo entrar a mi apartamento.* **9** →**reiniciar.** ☐ ETIMOL. Las acepciones 1-8, del francés antiguo *boter* (golpear, empujar). La acepción 9, del inglés *boot.* ☐ ORTOGR. Dist. de *votar.* ☐ USO El uso de la acepción 9 es un anglicismo innecesario.

botarate adj.inv./s.m. *col.* Referido a una persona, que tiene poco juicio y actúa de forma insensata y alocada. ☐ ETIMOL. Quizá de *boto* (necio) por cruce con el antiguo *patarata* (mentira, ridiculez).

botarel s.m. En arquitectura, pilar macizo que está adosado al muro y lo refuerza en los puntos en los que este soporta los mayores empujes: *De esa iglesia románica solo quedan en pie algunos botareles.* ☐ SINÓN. *contrafuerte.* ☐ ETIMOL. Del catalán *botarell*, y este de *botar* (empujar).

botarga s.f. Calzón ancho y largo que se usaba antiguamente: *El actor italiano de comedia se vestía con una blusa ajustada y una botarga roja.* ☐ ETIMOL. Del italiano *bottarga* (especie de caviar), porque era el apodo de un actor que usaba estos calzones.

botavante s.m. Palo largo con hierro en la punta que antiguamente usaban los marineros en los abordajes: *El grumete empujó al pirata con el botavante y lo tiró por la borda.* ☐ ETIMOL. De *botar* (arrojar) y *avante.*

botavara s.f. En un barco de vela, palo horizontal que, apoyado en el mástil, sujeta la vela cuadrilátera de popa: *Un cañonazo destrozó la botavara del barco pirata.*

bote s.m. **1** Recipiente generalmente cilíndrico, pequeño, más alto que ancho y con tapa, que se usa para guardar algo: *Abre el bote de guisantes con el abrelatas.* **2** Embarcación pequeña, sin cubierta y con unas tablas atravesadas que sirven de asiento: *Llevaron la mercancía al otro lado del puerto en unos botes de remos.* ☐ SINÓN. *batel, lancha.* **3** Salto que se da al botar o salir despedido después de chocar contra el suelo o contra una superficie dura: *La pelota dio un bote muy alto.* **4** *col.* En un establecimiento público, esp. en un bar, recipiente en el que se guardan las propinas para el fondo común: *Ese camarero siempre encesta las monedas en el bote.* **5** *col.* En un sorteo, premio que queda acumulado del sorteo anterior: *Como la semana pasada no hubo acertantes, esta semana hay un bote de muchos miles de euros.* **6** ‖ **a bote pronto;** *col.* Sin reflexionar: *Así, a bote pronto, no se me ocurrió qué decir.* ‖ **bote de basura;** en zonas del español meridional, cubo de la basura. ‖ **bote de humo;** el que lleva incorporado un mecanismo que, al accionarse, expele un humo que afecta a los ojos y a las vías respiratorias. ‖ **bote salvavidas;** el que está acondicionado para poder abandonar una embarcación grande en caso de necesidad. ‖ **bote sifónico;** mecanismo o dispositivo que permite que los objetos que caen en una tubería queden ahí retenidos y no se vayan con el agua. ‖ **chupar del bote;** *col.* Aprovecharse de una situación y obtener beneficios o ventajas sin dar nada a cambio: *Deja ya de chupar del bote y colabora tú también en esto.* ‖ **de bote en bote;** *col.* Referido a un lugar, completamente lleno de gente: *El bar está de bote en bote y no cabe ni un alfiler.* ‖ **tener** a alguien **en el bote;** *col.* Haberse ganado su apoyo o su confianza y tener la seguridad de contar con él para algo: *Los tengo en el bote y sé que me apoyarán en todo lo que emprenda.* ☐ ETIMOL. Las acepciones 1, 4 y 5, del catalán *pot* (bote, tarro). La acepción 2, del inglés antiguo *bat.* La acepción 3, de *botar. De bote en bote*, del francés *de bout en bout* (de extremo a extremo). ☐ MORF. Incorr. **bote sinfónico.*

botella s.f. **1** Vasija de cuello estrecho, generalmente alta, cilíndrica y de cristal, que se usa para meter un líquido. **2** Recipiente esp. preparado para contener un gas a presión. **3** ‖ **botella de Leiden;** en física, la que recibe y acumula electricidad, como si fuera un condensador, por medio de una varilla de cobre o de latón que atraviesa el corcho que la cierra: *La botella de Leiden fue el primer condensador que se inventó.* ☐ ETIMOL. Del francés *bouteille. Botella de Leiden*, por alusión a Leiden, ciudad holandesa donde se inventó.

botellazo s.m. Golpe dado con una botella.

botellero s.m. Soporte en el que se almacenan botellas.

botellín s.m. Botella pequeña, esp. la de cerveza.

botellón s.m. *col.* Reunión de gente que se hace al aire libre y en la que se consumen bebidas alcohólicas de forma generalizada. ☐ SINÓN. *botellona.*

botellona s.f. →**botellón.**

botellonero, ra s. Persona que participa en un botellón.

botica s.f. **1** Lugar en el que se elaboran y se venden medicinas: *Mi abuela me mandó a la botica a comprar agua oxigenada.* ☐ SINÓN. *farmacia.* **2** Conjunto de medicamentos que se suministran a una persona: *Médico y botica van incluidos en la asistencia médica de este viaje.* **3** ‖ **{haber/tener} de todo, como en botica;** *col.* Haber variedad de productos: *Tengo lo que pides, porque aquí hay de todo, como en botica.* ☐ ETIMOL. Del griego *apothéke* (depósito, almacén).

boticario, ria s. Persona que tiene a su cargo una botica y posee conocimientos sobre la preparación de medicamentos y las propiedades de las sustancias que se emplean en ellos, esp. si es licenciado en farmacia.

botija s.f. Recipiente de barro de tamaño mediano, redondo y con el cuello corto y estrecho, que se usa para guardar un líquido. □ ETIMOL. Del latín *butticula* (tonelito). □ ORTOGR. Dist. de *botijo*.

botijo s.m. Recipiente de barro con el vientre abultado, provisto de una boca y un pitón en la parte superior y un asa entre estos dos, que se usa esp. para mantener el agua fresca: *Hay que tener un poco de habilidad para beber por el botijo sin chupar del pitón.* □ ETIMOL. De *botija*. □ ORTOGR. Dist. de *botija*.

botillería s.f. En zonas del español meridional, tienda de bebidas.

botín s.m. **1** Calzado que cubre el tobillo y parte de la pierna: *Estos botines de cuero me hacen daño en un dedo.* **2** Calzado antiguo que se llevaba sobre los zapatos y cubría el tobillo y parte de la pierna: *Los botines solían ser de paño y se ajustaban a la pierna con correas o hebillas.* **3** Conjunto de objetos robados: *Los ladrones escaparon con un botín de varios miles de euros.* **4** Conjunto de armas y de bienes que el vencedor toma del enemigo vencido: *El ejército vencedor saqueó el pueblo y se llevó un buen botín.* □ ETIMOL. Las acepciones 1 y 2, de *bota* (calzado). Las acepciones 3 y 4, del francés *butin*.

botina s.f. Calzado que sobrepasa un poco el tobillo.

botiquín s.m. **1** Lugar o recipiente en el que se guardan los medicamentos y todo lo necesario para prestar los primeros auxilios médicos: *Me curaron en el botiquín las heridas que me hice cuando me caí de la bicicleta.* **2** Conjunto de los medicamentos indispensables o más necesarios: *El médico lleva en su maletín un botiquín completo.* □ ETIMOL. De *botica*. □ SEM. Dist. de *enfermería* (centro de asistencia médica).

boto s.m. Bota alta de una sola pieza que generalmente se usa para montar a caballo: *Ese jinete lleva unos botos negros con una franja marrón en la parte superior. Tengo unos botos de militar.* □ ORTOGR. Dist. de *voto*.

botón s.m. **1** En una prenda de vestir, pieza generalmente pequeña, dura y redonda, que sirve para abrocharla o como adorno: *Este botón es tan grande que no cabe por este ojal.* **2** En un aparato mecánico o eléctrico, pieza que desconecta o que pone en marcha alguno de sus mecanismos: *Si no aprietas el botón, el timbre no sonará y no te abrirán la puerta.* **3** En una planta, brote de aspecto escamoso, recién aparecido en el tallo y constituido por las hojas envueltas unas sobre otras, del cual nacerán las ramas, las hojas o las flores: *el botón de una flor.* □ SINÓN. *yema*. **4** En esgrima, chapa de hierro pequeña y redonda que se coloca en la punta de la espada o del florete para no herir al contrario: *Si este florín no hubiera tenido botón, seguramente te habría pinchado en el brazo.* **5** || **botón de muestra;** en un conjunto, parte que se toma como ejemplo de las características comunes a la totalidad: *Lo que te he contado es solo un botón de muestra de lo que es capaz de hacer.* □ ETIMOL. Del francés antiguo *boton*.

botonadura (tb. *abotonadura*) s.f. Juego de botones para una prenda de vestir: *Compró una botonadura dorada para el traje de noche.*

botonera s.f. Véase **botonero, ra.**

botonería s.f. **1** Establecimiento donde se fabrican o se venden botones. **2** En zonas del español meridional, botonadura.

botonero, ra ▮ s. **1** Persona que hace o vende botones. ▮ s.f. **2** Cuadro de mando con varias piezas que sirven para activar un mecanismo. **3** Planta herbácea, de hojas sencillas, muy finas y blanquecinas, que se cultiva en los jardines por sus flores de olor agradable. □ SINÓN. *abrótano, brótano, boja, santolina.*

botones (pl. *botones*) s.com. Persona que se dedica profesionalmente a hacer recados y encargos en un establecimiento, esp. en un hotel: *El botones del hotel nos subió las maletas a la habitación.* □ ETIMOL. De *botón*, por los que suele llevar en el uniforme.

botsuanés, -a adj.inv./s.com. →**botsuano.**

botsuano, na adj./s. De Botsuana o relacionado con este país africano. □ SINÓN. *botsuanés.*

bottom-bra s.m. Braga o calzoncillo con relleno, que moldea y aumenta el tamaño de los glúteos. □ ETIMOL. Extensión del nombre de una marca comercial. □ PRON. [bótom bra].

botulismo s.m. Intoxicación producida por la toxina de cierto bacilo existente en conservas o embutidos en malas condiciones: *El botulismo provoca trastornos nerviosos y gastrointestinales.* □ ETIMOL. Del latín *botulus* (embutido).

bou s.m. **1** Arte de pesca en la que una o dos embarcaciones tiran de una red arrastrándola por el fondo del mar: *En el bou las redes se llevan lo que encuentran a su paso.* **2** Barca que se emplea en este arte de pesca: *Nuestro bou tiene roto el casco, así que iremos a pescar en el vuestro.* □ ETIMOL. Del catalán *bou*.

boudoir (fr.) s.m. →**tocador.** □ PRON. [buduár].

boulder (ing.) s.m. Deporte que consiste en escalar pequeños bloques sin sujetarse con cuerdas. □ PRON. [búlder].

bouquet (fr.) s.m. →**buqué.** □ PRON. [buqué].

bourbon (ing.) s.m. Whisky hecho de maíz, centeno y cebada o solo de maíz: *El bourbon es de origen estadounidense.* □ PRON. [búrbon].

boutade (fr.) s.f. →**sandez.** □ PRON. [butád].

boutique (fr.) s.f. **1** Establecimiento público especializado en la venta de artículos de moda, esp. ropa de calidad: *Se viste en las boutiques más elegantes de la ciudad.* **2** Establecimiento público en el que se vende un tipo específico de artículos: *la boutique del pan.* □ PRON. [butíc].

bouzouki (gr.) s.m. Instrumento musical de cuerda, parecido a la mandolina pero con un mástil más largo: *El bouzouki es un instrumento típico griego.* □ PRON. [busúqui].

bóveda s.f. **1** En arquitectura, construcción o estructura arqueada con la que se cubre un espacio comprendido entre dos muros o entre varios pilares o columnas: *La nave principal de esa iglesia está cubierta por una bóveda.* **2** Lo que tiene forma de cubierta arqueada: *Esa campana tiene una bóveda muy ancha.* **3** En zonas del español meridional, panteón. **4** || **(bóveda) {baída/vaída};** la semiesférica cortada por cuatro planos verticales y paralelos entre sí dos a dos: *La bóveda baída se apoya en los vértices de un cuadrado.* || **bóveda celeste;** espacio en el que se mueven los astros y que, visto desde la Tierra, parece formar sobre ella una cubierta arqueada. □ SINÓN. *cielo, firmamento.* || **bóveda craneal;** parte interna y superior del cráneo: *La bóveda craneal protege el encéfalo.* || **bóveda de cañón;** la de superficie generalmente semicilíndrica, originada por el desplazamiento de un arco de medio punto a lo largo de un eje longitudinal: *Visitamos una pequeña iglesia prerrománica que tenía una bóveda de cañón.* || **bóveda de {crucería/nervada};** la que deriva de la bóveda por arista y refuerza sus aristas con nervios: *La bóveda de crucería es ligera y característica del arte gótico.* || **bóveda por arista;** la originada por el cruce perpendicular de dos bóvedas de cañón de igual sección: *La bóveda por arista, característica del arte románico, es muy pesada y exige contrafuertes y muros gruesos.* □ ETIMOL. Del latín **volvita*, y este de *volver* (dar vuelta). □ SEM. En la acepción 1, dist. de *cúpula* (bóveda semiesférica).

bovedilla s.f. Bóveda pequeña que cubre el espacio entre vigas contiguas: *Esa techumbre tiene bovedillas de ladrillo y yeso entre las vigas que la sostienen.*

bóvido, da ▮ adj./s. **1** Referido a un mamífero, que es rumiante y, tanto el macho como la hembra, tienen cuernos óseos permanentes, cubiertos por un estuche córneo: *Muchos bóvidos son animales de caza, como el búfalo.* ▮ s.m.pl. **2** En zoología, familia de estos mamíferos: *Los animales que pertenecen a los bóvidos son mamíferos.* □ ETIMOL. Del latín *bos* (buey). □ SEM. Dist. de *bovino* (tipo de bóvido).

bovino, na ▮ adj. **1** Del toro o de la vaca: *ganado bovino.* □ SINÓN. *boyuno.* ▮ adj./s. **2** Referido a un rumiante, que es de cuerpo grande y robusto, sin cuernos o con los cuernos lisos y encorvados hacia afuera, el hocico ancho y desnudo y la cola larga y con un mechón en el extremo: *El bisonte y el toro son animales bovinos.* ▮ s.m.pl. **3** En zoología, subfamilia de estos rumiantes, perteneciente a la familia de los bóvidos: *Las personas obtenemos de los bovinos carne y leche.* □ ETIMOL. Del latín *bovinus.* □ SEM. Dist. de *bóvido* (grupo al que pertenecen los bovinos).

bowling (ing.) s.m. →**bolera.** □ PRON. [bóulin], con *u* suave.

box (pl. *boxes*) s.m. **1** En una cuadra o en un hipódromo, compartimiento individual para cada caballo: *El caballo ganador está en el box número 3.* **2** En un circuito automovilístico, zona donde se instalan los servicios mecánicos de mantenimiento: *Tras sufrir el pinchazo, el piloto entró en los boxes a que le cambiaran la rueda.* **3** Compartimento o habitáculo individual: *El pinchadiscos pincha en su box.* **4** En un hospital, compartimento destinado para los enfermos de urgencia: *Nada más llegar al hospital me metieron en el box.* **5** En zonas del español meridional, boxeo. □ ETIMOL. Del inglés *box* (caja).

boxeador, -a s. Persona que practica el boxeo, esp. si esta es su profesión.

boxear v. Luchar a puñetazos, esp. si se hace siguiendo las normas del boxeo: *Ese chico boxea en la categoría de peso pluma.* □ ETIMOL. Del inglés *to box* (golpear).

boxeo s.m. Deporte en el que dos personas luchan a puñetazos con las manos protegidas con unos guantes especiales: *Un combate de boxeo se divide en varios asaltos.*

boxer (ing.) ▮ adj.inv./s. **1** Referido a un perro, de la raza que se caracteriza por tener cuerpo mediano, pecho ancho y fuerte, maxilar inferior prominente y pelo corto de color marrón. ▮ s.m. **2** Tipo de calzoncillo parecido a un pantalón corto. □ PRON. [bóxer].

bóxer (pl. *bóxeres*) s.m. Miembro de una sociedad secreta china que en 1900 era contraria a la presencia extranjera en el país: *La revuelta de los bóxeres se produjo en la capital china en 1900.* □ ETIMOL. Del inglés *boxer.*

boxístico, ca adj. Del boxeo o relacionado con este deporte.

box office (ing.) s.m. ||En un videoclub, buzón que se utiliza para devolver las películas. □ PRON. [box ófis].

boy (ing.) (pl. *boys*) s.m. Hombre que se dedica profesionalmente a desnudarse delante del público. □ PRON. [bói].

boya s.f. Cuerpo flotante que se sujeta al fondo del mar, de un río o de un lago y que sirve para señalar un sitio peligroso o el lugar donde hay un objeto sumergido: *Esa boya roja señala la zona de rocas.* □ ETIMOL. Del francés *bouée.*

boyada s.f. Manada de bueyes: *Se oían a lo lejos los mugidos de la boyada.*

boyal adj.inv. Del ganado vacuno o relacionado con él. □ ETIMOL. De *buey.*

boyante adj.inv. Que está en una situación de prosperidad, con fortuna o felicidad en aumento: *un negocio boyante.* □ ETIMOL. De *boyar* (flotar).

boyardo, da s. En la antigua Rusia, miembro de la nobleza feudal: *El poder de los boyardos disminuyó con la llegada de la monarquía autoritaria en el siglo XVI.*

boyera s.f. Véase **boyero, ra.**

boyeriza s.f. →**boyera.**

boyero, ra ▮ s. **1** Pastor de bueyes. ▮ s.f. **2** Corral en el que se guardan y recogen los bueyes. □ SINÓN. *boyeriza.*

boyete s.m. En zonas del español meridional, paquete.

boys (ing.) (pl. *boys*) s.m. Establecimiento público en el que se ofrecen espectáculos en los que un hombre se quita la ropa de forma sexualmente excitante. □ PRON. [bóis].

boy scout (ing.) s.m. ||→**scout.** □ PRON. [boi escáut].

boyuno, na (tb. *bueyuno, na*) adj. Del toro o de la vaca. □ SINÓN. *bovino*.

boza s.f. En náutica, cabo sujeto a la proa de una embarcación con el que se amarra a un lugar, esp. a un muelle o a otra embarcación: *El marinero agarró la boza que le lanzaban desde cubierta y la ató a un bolardo del muelle.* □ ETIMOL. De origen incierto.

bozal s.m. **1** Aparato que se pone alrededor de la boca de algunos animales, esp. de los perros, para que no muerdan: *Si vas al parque, debes ponerle el bozal al perro.* **2** Cesta pequeña que se pone alrededor de la boca de una bestia de labor, esp. de un caballo, para que no estropee un sembrado ni se pare a comer. □ ETIMOL. De *bozo*.

bozo s.m. En un joven, vello o pelillo suave que le empieza a nacer sobre el labio superior antes de la aparición del bigote: *Tu primo tiene el bozo propio de los quince años.* □ ETIMOL. Quizá de **bucciu*, y este del latín *bucca* (boca, mejilla).

braceada s.f. Movimiento amplio de brazos ejecutado con esfuerzo o con ímpetu: *El náufrago daba braceadas y sacudía la camisa al aire para llamar la atención de la avioneta de rescate.* □ SEM. Dist. de *brazada* (movimiento de brazos con que se impulsa el cuerpo en el agua).

braceaje s.m. **1** En el mar, profundidad que hay en un sitio determinado: *El braceaje se mide en brazas, desde la superficie del agua hasta el fondo.* □ SINÓN. *brazaje*. **2** En una casa de moneda, trabajo que se hace en ella: *El braceaje en la casa de la moneda aumentó cuando se acuñó la nueva moneda.* □ SINÓN. *brazaje*. □ ETIMOL. La acepción 1, de *braza*. La acepción 2, de *brazo*.

bracear v. **1** Mover los brazos repetidamente: *El náufrago braceó para que lo vieran desde la barca.* **2** Mover los brazos para avanzar en el agua al nadar: *Braceó hacia la isla luchando contra la corriente.* **3** Forcejear para soltarse de una sujeción: *Braceé con rabia, pero no pude soltarme porque me agarraban con fuerza.*

braceo s.m. Movimiento repetido de brazos: *No nadas mal, pero debes mejorar el braceo.*

bracero s.m. Jornalero que se dedica a un trabajo no especializado: *En la época de la recolección, los braceros trabajaban de sol a sol y cobraban su jornal por cada día de trabajo.* □ ETIMOL. De *brazo*.

bracilargo, ga adj. De brazos largos.

bracista s.com. Nadador que practica el estilo de braza.

bracmán s.m. →**brahmán.**

braco, ca adj./s. Referido a un perro, de la raza que se caracteriza por el pelo corto, blanco o castaño, la cabeza fina, las orejas grandes y caídas, las patas altas y la cola larga. □ ETIMOL. Quizá del italiano *bracco*.

bráctea s.f. En algunas plantas, hoja próxima a la flor, de distinta forma, consistencia y color que la hoja normal, a veces, muy coloreada: *Las espigas del maíz están envueltas en brácteas.* □ ETIMOL. Del latín *brattea* (hoja de metal).

bradicardia s.f. En medicina, ritmo cardíaco lento: *Casi no se le nota el pulso porque tiene bradicardia.* □ ETIMOL. Del griego *bradýs* (lento) y *-cardia* (corazón).

bradilalia s.f. En medicina, emisión de las palabras más lenta de lo normal: *La bradilalia suele ir asociada a enfermedades nerviosas.* □ ETIMOL. Del griego *bradýs* (lento) y *laléo* (yo hablo).

bradipepsia s.f. En medicina, digestión más lenta de lo normal: *Si tiene bradipepsia deberá tomar un medicamento que le ayude a digerir los alimentos.* □ ETIMOL. Del griego *bradypepsía*, y este de *bradýs* (lento) y *pérso* (yo digiero).

bradita s.f. Estrella fugaz que se mueve con lentitud: *Las braditas tienen poco brillo.* □ ETIMOL. Del griego *bradýs* (lento).

braga s.f. **1** Prenda de ropa interior femenina o infantil que cubre generalmente desde la cintura hasta la ingle. **2** *col.* Lo que se considera de poca calidad o de poco valor: *Esta película es una braga.* **3** Prenda de vestir que se coloca alrededor del cuello a modo de bufanda cerrada: *Cuando voy al monte, si no hace demasiado frío, me pongo una braga en lugar de un pasamontañas.* **4** || **en bragas;** *col.* No preparado para afrontar una determinada situación: *Fui al examen sin estudiar y el profesor me pilló en bragas.* || **hecho una braga;** *col.* Referido a una persona, en muy malas condiciones físicas o psíquicas. □ ETIMOL. Del latín *braca* (calzón). □ MORF. En la acepción 1, en plural tiene el mismo significado que en singular.

bragado, da adj. **1** *col.* Referido a una persona, enérgica, firme y decidida: *Son muy bragados y no se asustan por nada.* **2** Referido a una persona, con mala intención: *No debes fiarte de gente tan bragada y tan falsa.* **3** Referido esp. a un toro, que tiene la bragadura de un color distinto al del resto del cuerpo.

bragadura s.f. **1** En una prenda de vestir, parte que se corresponde con la entrepierna de una persona: *Todas las armaduras llevaban una protección especial en la bragadura.* **2** Entrepierna de un animal o de una persona.

bragapañal s.m. Pañal que se ajusta al cuerpo y queda como una braga: *Los bragapañales se ajustan con cintas adhesivas que se pueden pegar y despegar.*

bragazas (pl. *bragazas*) adj.inv./s.m. *col. desp.* Referido a un hombre, que se deja dominar con facilidad, esp. si es por su mujer. □ SINÓN. *calzonazos*.

braguero s.m. Aparato o vendaje que sirve para contener las hernias: *Si no te pones el braguero, la hernia te dolerá al andar.*

bragueta s.f. En un pantalón o en un calzón, abertura delantera: *Llevaba desabrochada la bragueta de los pantalones y se le veían los calzoncillos.*

braguetazo s.m. *col* Boda con una persona rica por interés exclusivamente económico.

braguetero, ra adj./s. *col.* Lujurioso o lascivo.

brahmán (tb. *bracmán, brahmín*) s.m. En la sociedad de la India (país asiático), miembro de la primera y más elevada de las cuatro castas en que esta se divide, y que vive dedicado fundamentalmente al sacerdocio y al estudio de los textos sagrados: *Los brahmanes procedían, según la tradición, de la boca del dios Brahma.*

brahmánico, ca adj. Del brahmanismo o relacionado con este sistema filosófico y religioso: *Los dioses máximos de la teología brahmánica son Brahma, Siva y Visnú.*

brahmanismo s.m. Sistema filosófico, religioso y social que se desarrolla en la India, basado en la concepción panteísta de la realidad y en la existencia del dios supremo Brahma como principio único de todo, en quien el ser humano debe integrarse tras un proceso de purificación en varias vidas: *Las fuentes antiguas del brahmanismo son los libros sagrados de los indios.*

brahmín s.m. →**brahmán.**

braille s.m. Sistema de lectura para ciegos basado en la representación de las letras por medio de la combinación de puntos en relieve: *El braille es un método de lectura basado en el sentido del tacto.* □ ETIMOL. Por alusión a Louis Braille, pedagogo francés de mediados del siglo XIX y creador del método. □ PRON. [bráile].

brainstorming (ing.) s.f. Reunión de personas que tiene como objetivo suscitar el mayor número de ideas originales en un mínimo de tiempo: *Necesitaban urgentemente un título para el nuevo proyecto y convocaron una brainstorming.* □ PRON. [breinstórmin], con la segunda *r* suave. □ USO Su uso es innecesario y puede sustituirse por *tormenta de ideas* o *lluvia de ideas.*

brama s.f. Referido a algunos animales, esp. al ciervo, apareamiento o búsqueda instintiva de pareja para procrear: *La brama hace que los ciervos luchen y se desafíen por la hembra.* □ SINÓN. *berrea.*

bramadera s.f. Tabla pequeña con un agujero y con una cuerda atada en él, y que, al ser agitada con fuerza en el aire, produce un sonido semejante al bramido: *Los pastores usan una bramadera para guiar al ganado.*

bramadero s.m. Lugar al que suelen acudir los ciervos y otros animales salvajes cuando están en celo.

bramante adj.inv./s.m. Referido a un cordel, que es delgado y resistente, y está hecho de cáñamo: *Ató el paquete de libros con bramante.* □ SINÓN. *tramilla.* □ ETIMOL. Por alusión a Brabante, provincia de los Países Bajos, famosa por sus manufacturas de cáñamo.

bramar v. **1** Referido esp. al toro o a la vaca, dar bramidos o emitir su voz característica: *El toro bramó al salir al ruedo.* **2** Referido a una persona, dar gritos fuertes y violentos para manifestar irritación, cólera o dolor: *Bramó de rabia porque todo le había salido mal.* **3** Referido al mar o al viento, hacer mucho ruido cuando están agitados: *El viento bramaba en aquella noche de invierno.* □ ETIMOL. Quizá del gótico **bramôn.*

bramido s.m. **1** Voz característica del toro, de la vaca y de otros animales salvajes: *Cuando la vaca se enganchó en la alambrada empezó a dar fuertes bramidos.* **2** Grito de una persona que manifiesta irritación y cólera grandes o un dolor muy fuerte: *Los dolores le hacían dar unos bramidos que se oían en toda la casa.* **3** Ruido grande y estruendoso producido cuando el mar o el viento están agitados: *Se oía el bramido del viento entre las ramas.*

brancada s.f. Red que se coloca atravesada en un río o en un brazo de mar para encerrar la pesca y poder cogerla a mano: *Echaron la brancada al río y varios pescadores se metieron en el agua para coger peces.* □ ETIMOL. Del latín *branca* (garra).

brandada s.f. Guiso hecho con bacalao, aceite, patatas, ajo machacado, leche y otros ingredientes: *El aspecto de la brandada es parecido al del puré.*

branding (ing.) s.m. Actividad comercial que consiste en reforzar los valores positivos de una marca. □ PRON. [brándin].

brandís s.m. Casaca grande que se ponía como prenda de abrigo sobre otra casaca: *El brandís se llevaba cruzado sobre el pecho y se abrochaba con botones.* □ ETIMOL. Del francés *brandebourgeois*, y este de *Brandebourg.*

brandy (ing.) s.m. Bebida alcohólica de graduación muy elevada, obtenida por la destilación del vino y parecida al coñac. □ PRON. [brándi]. □ SEM. Dist. de *coñá* y *coñac* (originario de la región francesa de Cognac).

branque s.m. En un barco, pieza gruesa y curva que forma la proa: *El color del branque de ese barco es distinto al de la quilla.* □ SINÓN. *roda.* □ ETIMOL. Del normando antiguo *brant* (proa).

branquia s.f. En algunos animales acuáticos, órgano respiratorio formado por láminas o filamentos, que puede ser externo o interno según los estadios o especies: *Las larvas de algunos anfibios tienen branquias solo temporales.* □ ETIMOL. Del latín *branchia.*

branquial adj.inv. De las branquias o relacionado con ellas: *respiración branquial.* □ SEM. Dist. de *braquial* (del brazo) y de *bronquial* (de los bronquios).

branquiópodo ▌adj./s.m. **1** Referido a un crustáceo, que tiene dos antenas para nadar y un gran número de patas laminares con apéndices branquiales: *Los branquiópodos viven sobre todo en charcas y pantanos.* ▌s.m.pl. **2** En zoología, subclase de estos crustáceos, perteneciente al tipo de los artrópodos: *Los animales que pertenecen a los branquiópodos son muy primitivos, pero abundan en la actualidad.* □ ORTOGR. Dist. de *braquiópodo.*

branquiosaurio s.m. Anfibio fósil con cuatro dedos en las manos y cinco en los pies, que vivió en la era secundaria: *En la ciudad alemana de Dresde se encontraron bastantes ejemplares de branquiosaurio.* □ ETIMOL. Del griego *bránkhion* (branquia) y *sâuros* (lagarto).

braña s.f. Pasto de verano que tiene agua: *En los montes asturianos abundan las brañas.* □ ETIMOL. Quizá del céltico **brakna* (lugar húmedo). □ SEM. Dist. de *breña* (terreno quebrado con maleza).

braquial adj.inv. En anatomía, del brazo o relacionado con esta parte del cuerpo: *el bíceps braquial.* □ ETIMOL. Del latín *bracchialis*, y este de *bracchium* (brazo). □ SEM. Dist. de *branquial* (de las branquias).

braquicefalia s.f. Forma redondeada del cráneo: *La braquicefalia es característica de algunos pueblos del norte de Europa.*

braquicéfalo, la ▮ adj. **1** Referido a un cráneo, que es casi redondo porque su diámetro mayor excede al menor en menos de un cuarto: *En estas excavaciones se ha encontrado el cráneo braquicéfalo de un primate.* ▮ adj./s. **2** Referido a una persona, con el cráneo de esta forma: *Los lapones y fineses suelen ser braquicéfalos.* □ ETIMOL. Del griego *brakhýs* (corto) y *-céfalo* (cabeza).

braquiópodo ▮ adj./s.m. **1** Referido a un animal marino, que tiene una concha con dos valvas, dos brazos tentaculares situados a derecha e izquierda de la boca, y vive aislado y fijo al fondo del mar: *En el cámbrico abundaron los braquiópodos.* ▮ s.m.pl. **2** En zoología, tipo de estos animales, perteneciente al reino de los metazoos: *Los animales que pertenecen a los braquiópodos son invertebrados.* □ ETIMOL. Del griego *brakhíon* (brazo) y *-podo* (pie). □ ORTOGR. Dist. de *branquiópodo*.

braquiuro ▮ adj./s.m. **1** Referido a un crustáceo, que es ancho, con el abdomen plano y recogido debajo del cefalotórax: *Los cangrejos de mar son animales braquiuros.* ▮ s.m.pl. **2** En zoología, suborden de estos crustáceos, perteneciente al tipo de los artrópodos: *Los crustáceos que pertenecen al grupo de los braquiuros tienen diez patas.* □ ETIMOL. Del griego *brakhýs* (corto) y *urá* (cola).

brasa s.f. **1** Pedazo de una materia sólida y combustible, esp. leña o carbón, cuando arde y se pone rojo e incandescente. **2** ‖ **a la brasa;** referido a un alimento, que se cocina sobre trozos incandescentes de leña o de carbón, directamente o con una parrilla. ‖ **dar la brasa;** *col.* Aburrir o importunar: *No me des más la brasa, porque ya me estoy cansando de oírte.* □ ETIMOL. De origen incierto. □ SEM. Dist. de *ascua* (brasa sin llama).

brasear v. Referido a un alimento, asarlo sobre brasas: *Braseó los chorizos en la parrilla.* □ ETIMOL. Del francés *braiser*.

brasero s.m. **1** Recipiente de metal, poco profundo y generalmente redondo, que se usa como calefacción y que funciona con brasas o con energía eléctrica: *Pon el brasero debajo de la mesa camilla.* **2** En zonas del español meridional, lugar en el que se enciende el fuego en algunas cocinas. □ ETIMOL. De *brasa*.

brasier (tb. *brassier*) s.m. En zonas del español meridional, sujetador. □ ETIMOL. Del francés *brassière*.

brasileño, ña adj./s. De Brasil o relacionado con este país americano.

brasilero, ra adj./s. En zonas del español meridional, brasileño.

brasmología s.f. Tratado que estudia las mareas: *La brasmología estudia el flujo y el reflujo del mar.* □ ETIMOL. Del griego *brásma* (agitación) y *-logía* (estudio).

brasserie (fr.) s.f. →**cervecería.** □ PRON. [braserí].

brassier (tb. *brasier*) s.m. En zonas del español meridional, sujetador. □ ETIMOL. Del francés *brassière*. □ PRON. [brasiér].

brava s.f. Véase **bravo, va.**

bravata s.f. **1** Amenaza hecha con arrogancia: *A mí no me asustan sus bravatas.* □ SINÓN. *bravura*. **2** Hecho o dicho propios de quien presume de valiente sin serlo: *Déjate de bravatas, que te conozco bien.* □ SINÓN. *baladronada, balandronada, blasonería*. □ ETIMOL. Del italiano *bravata*.

braveza s.f. **1** Valentía y capacidad para emprender acciones difíciles o peligrosas. □ SINÓN. *bravura*. **2** Carácter fiero y agresivo de un animal, esp. de un cuadrúpedo, debido a su falta de doma. □ SINÓN. *bravura*.

bravío, a adj. **1** Referido a un animal, que es salvaje y feroz, y no está domado o es difícil de domar. **2** Referido a un árbol o a una planta, que se cría sin cultivo en la selva o en el campo: *fresas bravías.* □ SINÓN. *silvestre*. **3** Referido a una persona, sin educación y sin cortesía. **4** Referido al mar, embravecido y encrespado. □ SINÓN. *bravo, bravoso*.

bravo interj. Expresión que se usa para indicar entusiasmo, aprobación o aplauso. □ ETIMOL. Del italiano *bravo* (bueno).

bravo, va ▮ adj. **1** Referido a una persona, valiente y capaz de emprender acciones difíciles o peligrosas: *Los bravos guerreros luchaban sin miedo a la muerte.* □ SINÓN. *bravoso*. **2** Referido a un animal, que actúa con fiereza: *Los toros bravos son peligrosos porque suelen embestir con los cuernos.* □ SINÓN. *bravoso*. **3** Referido al mar, embravecido y encrespado: *No debes salir a pescar con un mar tan bravo y con ese fuerte oleaje.* □ SINÓN. *bravío, bravoso*. **4** Referido a una persona, que está enfadada o que se enoja con facilidad: *Es un poco colérico y puede ponerse bravo y violento.* □ SINÓN. *bravoso*. **5** *col.* Que presume de valiente o de guapo sin serlo: *Es muy bravo, pero se asusta con una simple amenaza.* □ SINÓN. *bravoso*. **6** *col.* Poco afable en la conversación y en el trato con los demás: *Tiene unos amigos bravos y antipáticos.* □ SINÓN. *bravoso*. **7** Bueno o excelente: *¡Brava estocada la del diestro al toro!* □ SINÓN. *bravoso*. **8** *col.* Suntuoso, magnífico o costoso: *¡Bravo palacio el que se ha construido el conde!* □ SINÓN. *bravoso*. **9** Referido a un alimento, que lleva una salsa picante y rojiza:

unas patatas bravas. ▌adj./s.f. **10** Referido a una salsa, que es picante y de color rojizo: *una tortilla a la brava.* ▌s.f.pl. **11** Patatas fritas aderezadas con este tipo de salsa: *una ración de bravas.* **12** ‖ **por las bravas;** referido al modo de hacer algo, por la fuerza o por imposición: *¿Es que todo lo tienes que hacer por las bravas?* □ ETIMOL. Quizá del latín *barbarus* (bárbaro, fiero).

bravoso, sa adj. →**bravo.**

bravucón, -a adj./s. *col.* Que parece valiente pero no lo es.

bravuconada s.f. Hecho o dicho propios de un bravucón. □ SINÓN. *bravuconería.*

bravuconería s.f. →**bravuconada.**

bravura s.m. **1** Valentía y capacidad para emprender acciones difíciles o peligrosas: *Los exploradores alcanzaron su objetivo gracias a su bravura y su esfuerzo.* □ SINÓN. *braveza.* **2** Carácter fiero y agresivo de un animal, esp. de un cuadrúpedo, debido a su falta de doma: *Ese toro es un animal de gran bravura.* □ SINÓN. *braveza.* **3** Amenaza hecha con arrogancia: *Ni me creo sus bravuras ni me asusta con ellas.* □ SINÓN. *bravata.*

braza s.f. **1** En el sistema anglosajón, unidad de longitud que equivale aproximadamente a 1,8 metros: *La profundidad del fondo marino se suele medir en brazas.* **2** En natación, estilo que consiste en nadar boca abajo extendiendo y recogiendo los brazos y las piernas de forma simultánea y sin sacarlos del agua. □ ETIMOL. Del latín *bracchia*, plural de *bracchium* (brazo), por ser lo abarcado con los dos brazos extendidos.

brazada s.f. **1** Movimiento de brazos consistente en extenderlos y recogerlos, esp. si con ello se impulsa el cuerpo en el agua: *Llegó a la orilla de tres brazadas.* **2** Cantidad que se puede abarcar de una vez con los brazos, esp. si es de leña o de hierba: *El niño llevaba una brazada de leña muy grande y se le cayó.* □ ORTOGR. En la acepción 2, se admite también *brazado.* □ SEM. Dist. de *braceada* (movimiento amplio de brazos, hecho con esfuerzo).

brazado s.m. →**brazada.**

brazaje s.m. →**braceaje.**

brazal s.m. **1** Tira de tela que se ajusta por encima de la ropa en el brazo izquierdo, y que sirve de distintivo: *Llevaba un brazal negro en señal de luto.* □ SINÓN. *brazalete.* **2** En un escudo, asa para cogerlo y por la cual se metía el brazo izquierdo. □ SINÓN. *embrazadura.*

brazalete s.m. **1** Aro que se lleva como adorno en el brazo: *Le regaló un hermoso brazalete de oro.* **2** Tira de tela que se ajusta por encima de la ropa en el brazo izquierdo, y que sirve de distintivo: *Llevaba un brazalete negro sobre la manga en señal de duelo.* □ SINÓN. *brazal.* **3** En una armadura antigua, pieza que cubría el brazo. □ ETIMOL. Del francés *bracelet.*

brazo ▌s.m. **1** En el cuerpo de una persona, extremidad superior que va desde el hombro hasta la mano y que está situada a cada lado del tronco: *Cuando vio a su padre levantó los brazos y lo saludó.* **2** En la extremidad superior de una persona, parte que va desde el hombro hasta el codo: *En el codo se articulan el brazo y el antebrazo.* **3** Fuerza, poder o autoridad: *el brazo de la ley.* **4** En un animal cuadrúpedo, pata delantera. **5** En un asiento, pieza alargada situada a cada uno de sus lados y que sirve para apoyar el codo o el antebrazo. **6** En una cruz, cada una de las dos mitades del palo más corto. **7** En una lámpara o en un candelabro, cada una de las ramificaciones que salen del cuerpo central y que sirven para sostener las luces. **8** En una balanza, cada una de las dos mitades de la barra horizontal, en la que se apoyan o de la que cuelgan los platillos. **9** Pieza alargada y móvil de cuyos extremos uno está fijo y otro sobresale: *El brazo del tocadiscos sujeta la aguja.* ▌pl. **10** Mano de obra, esp. referido a jornaleros o braceros: *Aquí hacen falta brazos para la recolección de la uva.* **11** ‖ **a brazo partido;** referido esp. a una lucha, con todo el esfuerzo y la energía posibles: *Lucharon a brazo partido hasta que uno de ellos cayó muerto.* ‖ **brazo armado;** en un grupo político, rama violenta y partidaria del uso de las armas para conseguir sus objetivos. ‖ **brazo (de) gitano;** en pastelería, bizcocho formado por una capa delgada que se unta generalmente de crema o de nata y se enrolla sobre sí misma con forma de cilindro. ‖ **brazo de mar;** canal ancho y largo de agua de mar que se adentra en la tierra: *Me baño en el brazo de mar porque hay pocas olas y el agua está más caliente.* ‖ **con los brazos abiertos;** referido al modo de recibir a alguien, con agrado y con cariño: *Me recibieron con los brazos abiertos.* ‖ **cruzarse de brazos;** quedarse sin hacer nada o sin intervenir en un asunto. ‖ **hecho un brazo de mar;** *col.* Referido a una persona, muy acicalada y arreglada con elegancia. ‖ **no dar** alguien **su brazo a torcer;** *col.* Mantenerse firme en una opinión o en una decisión: *Es tan cabezota que jamás da su brazo a torcer.* ‖ **ser el brazo derecho** de alguien; ser la persona de más confianza o el colaborador más importante. □ ETIMOL. Del latín *bracchium.* □ MORF. Cuando se antepone a una palabra para formar compuestos, adopta la forma *braci-*: bracilargo.

brazuelo s.m. En las patas delanteras de un animal cuadrúpedo, parte que está entre el codillo y la rodilla: *Ese toro tiene una mancha blanca en el brazuelo izquierdo.*

brea s.f. **1** Sustancia viscosa de color rojo oscuro que se obtiene de varios árboles coníferos: *La brea se usa como pectoral y antiséptico.* **2** En marina, mezcla hecha con esta sustancia viscosa y oscura y con aceite, sebo y pez, que se usa para pintar los aparejos de una embarcación o para tapar las junturas del casco. **3** ‖ **brea (líquida);** producto viscoso de color negro, que se obtiene por destilación del petróleo, de la madera, del carbón o de otros materiales orgánicos: *Asfaltaron la carretera con una capa de brea líquida.* □ SINÓN. *alquitrán.* □ ETIMOL. Del antiguo *brear* (embrear).

break (ing.) ▌s.m. **1** En jazz, improvisación de un solista que interrumpe su composición momentáneamente: *Cuando empezó el break de ese gran saxofonista, el público vibró.* **2** En tenis, punto por el que un jugador gana un juego frente al saque del contrario: *Tras conseguir el break empezó a remontar el partido.* **3** →**breakdance.** **4** En un coche, carrocería propia del modelo familiar. **5** Descanso o pausa en el trabajo. ▌interj. **6** En boxeo, expresión que usa el árbitro para separar a los dos púgiles. ☐ PRON. [bréik]. ☐ USO En las acepciones 1 y 2, su uso es innecesario y puede sustituirse por *improvisación* y por *ruptura de servicio*, respectivamente.

breakbeat (ing.) s.m. Estilo de música electrónica con ritmos sincopados. ☐ PRON. [brekbít].

breakdance (ing.) s.m. Baile brusco con contorsiones y ejercicios acrobáticos que imita los movimientos de un autómata: *El breakdance nació en las calles de Nueva York en la década del 1970.* ☐ PRON. [bréikdans]. ☐ MORF. En la lengua coloquial se usa mucho la forma abreviada *break*.

brear v. **1** Maltratar o molestar insistentemente de palabra o de obra: *Los periodistas me brearon a preguntas.* **2** Untar con brea: *Hemos estado toda la tarde breando la barca.* **3** *col.* Referido a una persona, golpearla: *Unos gamberros me brearon a palos y no puedo ni moverme.* ☐ ETIMOL. Las acepciones 1 y 3, del latín *verberare* (azotar). La acepción 2, del provenzal *brea*. ☐ SINT. Constr. de las acepciones 1 y 3: *brear a alguien* A *algo*.

brebaje s.m. Bebida que tiene mal aspecto o mal sabor. ☐ ETIMOL. Del francés *breuvage*, y este del latín *bibere* (beber).

breca s.f. Variedad de pagel que tiene las aletas azuladas: *La breca es común en el mar Mediterráneo.* ☐ SINÓN. *breque.* ☐ ETIMOL. De origen incierto. ☐ MORF. Es un sustantivo epiceno: *la breca {macho/hembra}.*

brecha s.f. **1** Herida, esp. si es en la cabeza: *Se hizo una brecha en la frente.* **2** En una superficie, rotura o abertura irregulares: *La artillería abrió varias brechas en la fortaleza durante el asedio.* ☐ SINÓN. *boquete.* **3** En zonas del español meridional, camino abierto en la selva, o cualquier camino sin pavimentar: *Llegamos al rancho por una brecha que está a la izquierda de la carretera principal.* **4** ‖ **abrir brecha;** crear una posibilidad nueva: *Sus investigaciones van a abrir brecha en el campo de la medicina.* ‖ **estar en la brecha;** referido a una persona, estar siempre dispuesta o decidida a defender un interés o a cumplir con un deber: *No me voy de vacaciones porque los negocios me exigen estar en la brecha.* ☐ ETIMOL. Del francés *brèche*.

brécol s.m. Variedad de col común, con hojas de color verde oscuro que no se apiñan. ☐ SINÓN. *bróculi.* ☐ ETIMOL. Del italiano *broccoli*, y este de *brocco* (retoño). ☐ ORTOGR. Se usa también *brócoli*. ☐ USO Es innecesario el uso del italianismo *broccoli*.

brega (tb. *briega*) s.f. **1** Trabajo afanoso y ajetreado: *Venga, levántate, que hay que empezar la brega diaria.* **2** *col.* Enfrentamiento y lucha con alguien o con una dificultad o riesgo: *Los problemas convierten la vida en una brega continua.* **3** ‖ **andar a la brega;** trabajar con mucho afán: *En esta oficina siempre andamos a la brega.*

bregar v. **1** Trabajar mucho y afanosamente: *Cada día tengo que bregar con las tareas de la casa.* **2** Enfrentarse a una dificultad o a un riesgo y luchar para superarlo: *Tuvo que bregar con la oposición de sus padres para dedicarse al teatro.* ☐ ETIMOL. Del gótico *brikan* (golpear). ☐ ORTOGR. La *g* se cambia en *gu* delante de *e* →PAGAR. ☐ SINT. Constr. *bregar* CON *algo*.

brenca s.f. **1** En una acequia, poste o estaca que sujeta las compuertas: *La brenca se usa para que el agua suba hasta alcanzar un determinado nivel.* **2** En una planta, filamento, esp. si es el estigma del azafrán: *Las brencas del azafrán tienen un color rojizo.* ☐ ETIMOL. De origen prerromano.

brent (ing.) s.m. Tipo de petróleo de máxima calidad cuyo precio se toma como referencia para los precios de los crudos en Europa: *El brent se extrae del Mar del Norte.* ☐ PRON. [brent].

breña s.f. Terreno quebrado entre peñas y poblado de maleza. ☐ ETIMOL. De origen incierto. ☐ SEM. Dist. de *braña* (pasto de verano).

breñal (tb. *breñar*) s.m. Lugar en el que abundan las breñas. ☐ SINÓN. *fraga.*

breñar s.m. →**breñal.**

breque s.m. Variedad de pagel que tiene las aletas azuladas. ☐ SINÓN. *breca.* ☐ ETIMOL. Del inglés *bleak* (pez de río). ☐ MORF. Es un sustantivo epiceno: *el breque {macho/hembra}.*

bresaola (it.) s.f. Carne bovina finamente rebanada, que se come cruda y condimentada. ☐ PRON. [bresaóla].

bresca s.f. Panal de miel. ☐ ETIMOL. Del céltico **brisca*.

brescar v. Referido a una colmena, quitarle panales con miel: *Cuando bresqué la colmena dejé algunos panales para que las abejas pudiesen fabricar nueva miel.* ☐ SINÓN. *castrar, catar.* ☐ ORTOGR. La *c* se cambia en *qu* delante de *e* →SACAR.

brete ‖ **{estar/poner} en un brete;** estar o poner en un aprieto o en una dificultad que no se puede eludir: *Con esa pregunta me puso en un brete y no supe qué responder.* ☐ ETIMOL. Quizá del provenzal *bret* (trampa para coger pájaros).

bretel s.m. En zonas del español meridional, tirante de prendas femeninas.

bretón, -a ▌adj. **1** De las historias o narraciones del ciclo literario medieval del rey Arturo y de los Caballeros de la Tabla Redonda (personajes del siglo VI): *Los relatos bretones narraban hechos caballerescos y amorosos en verso y en prosa.* ▌adj./s. **2** De Bretaña (región del noroeste francés), o relacionado con ella: *La música bretona suele ser alegre.* ▌s.m. **3** Lengua céltica de esta región: *El bretón se habla en Francia.* ☐ SEM. Dist. de *británico* (de Gran Bretaña).

breva s.f. **1** Primer fruto que produce un tipo de higuera cada año: *Las brevas son más grandes que los higos.* **2** Cigarro puro que es poco consistente y aplastado: *No me gusta el olor del humo de las brevas.* **3** || **de higos a brevas;** *col.* Muy de tarde en tarde. || **no caerá esa breva;** *col.* Expresión con que se expresa la dificultad de conseguir algo que se desea vivamente: *Dice que nos tocará la lotería, pero no caerá esa breva.* □ ETIMOL. Del latín *bifera*, y este de *bifer* (que da fruto dos veces).

breval s.m. →**higuera breval.**

breve ▌ adj.inv. **1** De poca duración en el tiempo o de corta extensión. ▌ s.m. **2** Noticia de corta extensión publicada en columna o en bloque con otras semejantes: *la sección de breves de un periódico.* □ ETIMOL. Del latín *brevis.* □ SEM. 1. No debe emplearse con el significado de 'poco': *Lo resolvió en {*breves > pocos} minutos.* 2. *En breve* no debe emplearse con el significado de 'en resumen' (galicismo): *{*En breve > En resumen}, que no estoy de acuerdo.*

brevedad s.f. Corta extensión o corta duración de tiempo: *En sus últimos poemas solo habla de la brevedad de la vida.* □ SINT. Incorr. *{*a > con} la mayor brevedad.*

breviario s.m. Libro que contiene el rezo eclesiástico de todo el año. □ ETIMOL. Del latín *breviarium*, y este de *brevis* (breve).

brezal s.m. Terreno poblado de brezos: *El brezal está lleno de flores rojizas.*

brezo s.m. Arbusto con abundantes ramas de color blanquecino, raíces gruesas, hojas estrechas y flores blancas o rosadas en racimo con la corola acampanada y el cáliz persistente: *La madera de brezo es muy dura.* □ SINÓN. *urce.* □ ETIMOL. Del latín hispánico **broccius.*

briago, ga adj. En zonas del español meridional, borracho. □ ETIMOL. Del latín *ebriacus* (borracho).

brial s.m. **1** Antiguo vestido femenino de tela lujosa, que cubría hasta los pies. □ SINÓN. *guardapiés.* **2** Antiguo faldón de tela usado por los soldados, que cubría desde la cintura hasta encima de las rodillas: *Los guerreros medievales se ponían el brial debajo de la cota de malla.* □ SINÓN. *tonelete.* □ ETIMOL. Del provenzal antiguo *blial.* □ ORTOGR. Dist. de *grial.*

bribón, -a adj./s. Que no tiene honradez ni vergüenza. □ ETIMOL. De *briba* (vida holgazana del mendigo o del pícaro). □ USO Aplicado a niños tiene un matiz cariñoso.

bribonada s.f. Hecho o dicho propios de un bribón.

bricolaje s.m. Trabajo manual, no profesional, generalmente destinado al arreglo o a la decoración de una casa: *Si te gusta el bricolaje, podrás hacerte tus propios muebles.* □ ETIMOL. Del francés *bricolage.* □ ORTOGR. Incorr. **bricolage.* □ USO Es innecesario el uso del anglicismo *do-it-yourself.*

bricolajear v. *col.* Hacer trabajos manuales destinados al arreglo o decoración de una casa: *Esta silla la hice bricolajeando una tarde.*

brida s.f. **1** Referido a una caballería, conjunto formado por el freno, las correas que lo sujetan a la cabeza y las riendas: *Es tan buen jinete que monta a caballo sin necesidad de brida.* **2** Tira estrecha y circular que se utiliza en el extremo de tubos metálicos para acoplarlos a otros. □ ETIMOL. Del francés *bride.*

bridar v. Referido a un ave, atar las patas al cuerpo para cocinarla: *Hay que bridar el pavo para meterlo en el horno.*

bridge (ing.) s.m. Juego de cartas con la baraja francesa, que se practica entre dos parejas y está basado en la apuesta de las bazas que se considera que pueden hacerse: *El bridge es un juego inglés.* □ PRON. [brich], con *ch* suave.

brie (fr.) s.m. Queso elaborado con leche de vaca y recubierto por una fina capa de moho blanco, originario de Brie (región francesa). □ PRON. [bri].

briefing (ing.) s.m. **1** Informe o sumario de instrucciones para realizar una tarea: *La publicista a la que hemos encargado la campaña publicitaria nos entregará un briefing a finales de semana.* **2** Reunión para informar de algo o para dar unas breves instrucciones: *Antes de la asamblea hubo un briefing para tomar las últimas decisiones.* □ PRON. [brifin]. □ USO Su uso es innecesario y puede sustituirse por *informe* o *reunión informativa.*

briega s.f. →**brega.**

brigada ▌ s.com. **1** En el ejército, persona cuyo empleo militar es superior al de sargento primero e inferior al de subteniente: *Ese brigada, a pesar de ser un suboficial, realiza funciones de un teniente.* ▌ s.f. **2** En el ejército, gran unidad que consta de dos o tres regimientos o de cuatro a seis batallones de un arma determinada, y que es mandada por un general o un coronel. **3** Conjunto de personas reunidas para realizar un trabajo determinado: *una brigada de salvamento.* □ ETIMOL. Del francés *brigade*, y este del italiano *brigata* (grupo de personas que van juntas).

brigadier s.m. **1** En el antiguo ejército, persona cuyo empleo militar era inmediatamente superior al de coronel: *El brigadier equivalía al actual general de brigada.* **2** En la antigua Armada, persona cuyo empleo militar era inmediatamente superior al de capitán de navío: *Al antiguo brigadier se le llama ahora contraalmirante.* □ ETIMOL. Del francés *brigadier.* □ SEM. No debe emplearse con el significado de 'general de brigada del ejército actual' (anglicismo).

brigadista s.com. Persona que forma parte de una brigada política: *Los brigadistas de las Brigadas Internacionales participaron en la defensa de Madrid durante la Guerra Civil.*

brija s.f. *arg.* Pulsera o cadena de oro.

brik s.m. →**tetra brik.** □ ETIMOL. Procede del nombre de la marca comercial *Brik®.*

brillante ▌ adj.inv. **1** Que brilla. **2** Admirable o sobresaliente por el valor o por la calidad de sus características: *Sacó unas notas brillantes en el úl-*

timo curso de la carrera. ▮ s.m. **3** Diamante tallado por sus dos caras: *una pulsera de brillantes.*

brillanté (fr.) s.m. Tejido brillante y fino de algodón que cambia de tono según cómo incida la luz en él.

brillantez s.f. **1** Conjunto de rayos de luz propia o reflejada que despide algo: *Me cautivó la brillantez de aquellos diamantes.* □ SINÓN. *brillo.* **2** Gloria o lucimiento que hace sobresalir y destacar, y que despierta admiración: *Terminó la carrera con brillantez.* □ SINÓN. *brillo.*

brillantina s.f. Producto cosmético que se usa para dar brillo al cabello. □ SEM. Dist. de *gomina* (para fijar el cabello).

brillar v. **1** Despedir rayos de luz, propia o reflejada: *El Sol brilla en el firmamento.* **2** Sobresalir o destacar de manera que despierta admiración: *Su inteligencia y belleza brillan allá donde va.* **3** En zonas del español meridional, sacar brillo: *Hay que brillar todas las lámparas de la casa.* □ ETIMOL. Del italiano *brillare* (girar, brillar).

brillo s.m. **1** Conjunto de rayos de luz propia o reflejada que despide algo: *el brillo de unos ojos.* □ SINÓN. *brillantez.* **2** Gloria o lucimiento que hace sobresalir y destacar, y que despierta admiración: *el brillo de la popularidad.* □ SINÓN. *brillantez.*

brilloso, sa adj. En zonas del español meridional, brillante y resplandeciente.

brincar v. Saltar repentinamente impulsando el cuerpo hacia arriba: *Al ver sus buenas notas brincó de alegría.* □ ETIMOL. Del portugués *brincar* (jugar, retozar). □ ORTOGR. La *c* se cambia en *qu* delante de *e* →SACAR.

brinco s.m. **1** Salto repentino con el que alguien se impulsa hacia arriba: *¡Deja de dar brincos como una cabra loca!* **2** Movimiento inconsciente que alguien hace al sobresaltarse: *Cuando sonó el teléfono a la tres de la madrugada, pegó un brinco en la cama.*

brindar v. **1** Levantar una copa u otro recipiente con bebida, para manifestar un deseo o festejar algo: *Brindemos por todos nosotros.* □ SINÓN. *beber.* **2** Ofrecer por propia voluntad y sin esperar nada a cambio: *El Ayuntamiento brindó el teatro para representaciones benéficas. Se brindó a enseñarme la ciudad.* **3** En un espectáculo, esp. en tauromaquia, dedicar expresamente a alguien lo que se va a realizar: *El torero brindó el toro al público.* **4** Referido a una oportunidad, proporcionarla o hacer posible su disfrute o su aprovechamiento: *Las vacaciones me brindan la ocasión de leer.* □ SINT. Constr. de la acepción 2 como pronominal: *brindarse* A *hacer algo.*

brindis (pl. *brindis*) s.m. **1** Gesto de levantar, al ir a beber, una copa u otro recipiente semejante para manifestar un deseo o festejar algo. **2** Lo que se dice al brindar: *Es un gran orador, pero sus brindis son siempre demasiado extensos.* □ ETIMOL. Del alemán *ich bring dir's* (yo te lo ofrezco), que solía pronunciarse al brindar.

brinza s.f. →**brizna.**

brío s.m. **1** Fuerza con la que algo crece o se desarrolla o con la que se ejecuta una acción: *Irrumpió con brío en medio de la reunión.* □ SINÓN. *pujanza.* **2** Energía, firmeza y decisión con que se hace algo: *Si quieres aprobar, tendrás que estudiar con más brío.* **3** Garbo y energía: *No todos los actores caminan con ese brío.* **4** || **voto a bríos;** *ant.* Juramento que expresaba cólera (por sustitución eufemística de *voto a Dios,* que se pronunciaba [díos]): *¡Voto a bríos, que no haré tal cosa!* □ ETIMOL. Del céltico **brigos* (fuerza).

brioche (fr.) s.m. Bollo grande de forma redondeada, esponjoso y con frutas confitadas en el interior. □ PRON. [brióch], con *ch* suave.

briofito, ta ▮ adj./s. **1** Referido a una planta, que tiene falso tallo, falsas hojas y falsas raíces y que es propia de lugares húmedos: *El musgo es una briofita.* ▮ s.f.pl. **2** En botánica, división de estas plantas, perteneciente al reino de las metafitas: *Las plantas que pertenecen a las briofitas poseen clorofila.* □ ETIMOL. Del griego *brýon* (musgo) y *phytón* (planta).

brioso, sa adj. Con brío.

briozoo adj./s. Referido a un animal, que es invertebrado, de estructura anatómica sencilla, con aspecto de gusano, acuático y que forma colonias de aspecto musgoso con otros animales del mismo tipo: *Los briozoos recubren las rocas, las plantas y las conchas marinas.* □ ETIMOL. Del griego *brýon* (musgo) y *zôion* (animal).

briqué s.m. En zonas del español meridional, mechero. □ ETIMOL. Del francés *briquet.*

briqueta s.f. Conglomerado de carbón o de otra materia, generalmente con forma de ladrillo: *Encendió la chimenea con unas briquetas.* □ ETIMOL. Del francés *briquette.*

brisa s.f. **1** Viento suave: *Como corría la brisa, no notábamos tanto el calor.* **2** En las costas, corriente suave de aire que por el día va del mar a la tierra y por la noche, de la tierra al mar: *A las buganvillas les viene muy bien la brisa marina.* □ ETIMOL. De origen incierto.

brisca s.f. Juego de cartas en el que se reparten tres a cada jugador, una se deja boca arriba de triunfo, y gana el que consigue mayor número de puntos. □ ETIMOL. Del francés *brisque.*

briscado, da ▮ adj. **1** Referido a un hilo, que es de oro o plata, rizado y que se entreteje con seda: *El dibujo de la tela está hecho con hilo briscado.* ▮ s.m. **2** Labor que se hace con este hilo: *El briscado de la sábana tiene las iniciales de los nombres de los dueños de la casa.*

briscar v. Referido a un tejido, tejerlo o hacer labores en él con hilo briscado: *En este telar briscan las telas.* □ ETIMOL. Del antiguo *brescado* (bordado con canutillo de oro o plata).

británico, ca adj./s. Del Reino Unido de Gran Bretaña e Irlanda del Norte o relacionado con este país europeo. □ SEM. Dist. de *bretón* (de Bretaña) y de *inglés* (de Inglaterra).

britano, na adj./s. De la antigua Britania (nombre dado a Inglaterra por los griegos y romanos), o relacionado con ella: *Muchos libros de caballerías nos cuentan las hazañas de caballeros britanos. Los britanos conquistaron la Bretaña francesa.* □ SEM. Dist. de *bretón* (de Bretaña) y de *británico* (de Gran Bretaña).

brizna (tb. *brinza*) s.f. Filamento o hebra de algo, esp. de una planta: *briznas de hierba.*

briznoso, sa adj. Que tiene muchas briznas.

broa s.f. Entrada del mar en la tierra con muchos bancos de arena o con escollos: *Ningún barco se atreve a fondear en esta broa.* □ ETIMOL. De origen incierto.

broad banding (ing.) s.m. || Hecho de dar a algunos profesionales mejores remuneraciones que a sus superiores. □ PRON. [bróud bándin].

broadcast (ing.) s.m. Difusión de datos, esp. de sonido o imagen, a todos los dispositivos de una red informática. □ PRON. [bródcast].

broca s.f. En una máquina de taladrar, pieza que se coloca en la punta y que, al girar, hace los agujeros. □ ETIMOL. Del catalán *broca*.

brocado s.m. **1** Tela de seda que está entretejida con oro o plata: *Los hilos metálicos de los brocados forman dibujos.* **2** Tejido fuerte de seda, con dibujos de distinto color que el del fondo: *En la catedral hay un brocado con la imagen del santo patrón.* □ ETIMOL. Del italiano *broccato*.

brocal s.m. En un pozo, muro pequeño que rodea la boca para evitar que alguien caiga en él. □ ETIMOL. De *bocal*, y este de *boca*.

brocatel s.m. **1** →**mármol brocatel. 2** Tejido de cáñamo y seda con dibujos entretejidos en él. □ ETIMOL. Del catalán *brocatell*, y este de *brocat* (brocado).

broccoli (it.) s.m. →**brécol.** □ PRON. [brócoli].

brocha s.f. Utensilio formado por un conjunto de cerdas sujetas al extremo de un mango: *una brocha para pintar.* □ ETIMOL. Quizá del francés dialectal *brouche* (cepillo).

brochada s.f. Véase **brochado, da.**

brochado, da ▌ adj. **1** Referido a un tejido, que es de seda y tiene alguna labor de oro o plata hecha en relieve con el hilo retorcido o levantado. **▌** s.f. **2** Cada pasada que se da con la brocha. □ SINÓN. *brochazo.* □ ETIMOL. La acepción 1, del francés *brocher* (bordar). La acepción 2, de *brocha*.

brochazo s.m. Cada pasada que se da con la brocha. □ SINÓN. *brochada.*

broche s.m. **1** Cierre formado por dos piezas, una de las cuales engancha o encaja en la otra: *el broche de un collar.* **2** Joya que se lleva prendida en la ropa como adorno o para sujetar exteriormente algo: *Ponte este broche para alegrar un poco ese vestido.* **3** En zonas del español meridional, grapa. **4** En zonas del español meridional, pinza: *Para tender la ropa necesito broches.* **5** || **broche (de oro);** final feliz y brillante, esp. referido a un acto público: *El broche de oro del festival fue la actuación de la soprano.* □ ETIMOL. Del francés *broche* (joya, broche).

brocheta s.f. **1** Varilla en la que se ensartan trozos de alimentos, esp. de carne o pescado, para asarlos o cocinarlos a la parrilla: *Clavó en unas brochetas las perdices y en otras, el magro de cerdo.* **2** Comida que se guisa ensartada en estas varillas: *Comí una brocheta de rape y langostinos.* □ ORTOGR. En la acepción 1, se admite también *broqueta.*

brócoli s.m. →**brécol.** □ ETIMOL. Del italiano *broccoli*, y este de *brocco* (retoño).

bróculi s.m. Variedad de col común, con hojas de color verde oscuro que no se apiñan. □ SINÓN. *brécol.* □ ORTOGR. Se usa también *brócoli.* □ USO Es innecesario el uso del italianismo *broccoli.*

bróder s.m. En zonas del español meridional, hermano. □ ETIMOL. Del inglés *brother.*

brodio s.m. →**bodrio.**

broken English (ing.) s.m. || Modalidad lingüística basada en el inglés, que se habla en algunos países africanos. □ PRON. [bróuken ínglis].

broker (ing.) s. Agente financiero que se dedica a actuar como intermediario en operaciones económicas de compra y venta: *Trabaja de broker en la bolsa.* □ PRON. [bróker]. □ USO Su uso es innecesario y puede sustituirse por *agente financiero.*

brokerage (ing.) s.m. →**corretaje.** □ PRON. [bróukerich].

broma s.f. **1** Hecho o dicho con que alguien intenta reírse o hacer reír, sin mala intención: *No se creyó la broma de que le había tocado la lotería.* **2** Diversión, desenfado o falta de seriedad: *Hoy tengo ganas de broma.* **3** Hecho costoso o ingrato: *¿A cuánto asciende la broma?* **4** Molusco marino con aspecto de gusano y una concha muy pequeña que deja descubierta la mayor parte del cuerpo: *Antiguamente era frecuente que la madera de los barcos estuviera carcomida por la broma.* □ ETIMOL. Las acepciones 1-3, de *broma* (carcoma que hacía que la madera de los buques fuese mucho más pesada), por eso broma significó *cosa pesada*. La acepción 4, del griego *brôma* (caries). □ MORF. En la acepción 3, se usa también *barrenador.*

bromación s.f. Roedura de una superficie de madera.

bromato s.m. Sal de ácido brómico: *Algunos bromatos son alcalinos.*

bromatología s.m. Estudio de los alimentos y de su adecuada preparación y dosificación de acuerdo con principios científicos y económicos: *La bromatología estudia la composición química y la proporción de componentes nutritivos de los alimentos.* □ ETIMOL. Del griego *brôma* (alimento) y *-logía* (estudio, ciencia).

bromatológico, ca adj. De la bromatología o relacionado con este estudio de los alimentos.

bromatólogo, ga s. Persona que se dedica profesionalmente a la bromatología o estudio de los alimentos.

bromear v. Hacer uso de bromas o chanzas con intención de reírse o de hacer reír: *Bromeó con la estatura del jugador de baloncesto.*

bromeliáceo, a ▮ adj./s.f. **1** Referido a una planta, que es un arbusto y que tiene las hojas reunidas en la base, envainadoras, rígidas, dentadas y espinosas en el margen, las flores en racimo, espiga o panoja, y el fruto en cápsulas o bayas: *La piña americana es una bromeliácea.* ▮ s.f.pl. **2** En botánica, familia de estas plantas, perteneciente a la división de las angiospermas: *Las bromeliáceas son casi siempre parásitas.* □ ETIMOL. En honor del botánico sueco Bromel.

bromhídrico adj. Referido a un ácido, que es resultado de la disolución de bromuro de hidrógeno en agua: *El ácido bromhídrico es corrosivo.* □ ETIMOL. De *bromo* e *hidrógeno*.

brómico, ca adj. De bromo o del bromo: *El ácido brómico es un compuesto que se emplea como oxidante y como colorante.*

bromista adj.inv./s.com. Aficionado a hacer uso de bromas para reírse o hacer reír.

bromo s.m. Elemento químico, no metálico y líquido, de número atómico 35, de color rojo parduzco y olor fuerte y desagradable: *El bromo es venenoso.* □ ETIMOL. Del griego *brômos* (hedor), por el mal olor que despide. □ ORTOGR. Su símbolo químico es *Br*.

bromuro s.m. En química, combinación del bromo con un radical simple o compuesto: *bromuro de plata.*

bronca s.f. Véase **bronco, ca.**

bronce s.m. **1** Cuerpo metálico que resulta de la aleación del cobre con el estaño, de color amarillento rojizo y muy resistente. **2** Objeto artístico hecho con esta materia: *Vimos unos bronces prehistóricos en el museo.* **3** Medalla hecha con esta materia, que se otorga al tercer clasificado en una competición: *Me enseñó el bronce que había ganado en el campeonato.* □ ETIMOL. Quizá del italiano *bronzo*.

bronceado, da ▮ adj. **1** De color de bronce: *latón bronceado.* ▮ s.m. **2** Coloración morena de la piel, que se adquiere por la acción de los rayos del sol o de un agente artificial: *Para conseguir un buen bronceado hay que proteger la piel con una crema.*

bronceador, -a ▮ adj. **1** Que broncea: *una loción bronceadora.* ▮ s.m. **2** Producto cosmético que se extiende sobre la piel para broncearla: *Si vas a tomar el sol, es más conveniente que uses un protector solar que un bronceador sin protección.*

bronceadura s.f. Coloración semejante al bronce.

broncear v. Poner moreno: *El sol broncea más por la mañana que por la tarde. Mi tía se broncea en el salón de belleza con una lámpara de rayos ultravioletas.*

broncería s.f. Conjunto de piezas de bronce.

broncíneo, a adj. De bronce o con características de este metal: *un jarrón broncíneo.*

broncista s.com. Persona que se dedica a trabajar en bronce.

bronco, ca ▮ adj. **1** Referido a un sonido, que es áspero, ronco y desagradable: *una tos bronca.* **2** Referido a una superficie, sin pulir o desigual y escabrosa: *Los montañeros escalaban la ladera más bronca del monte.* **3** Referido a una persona, sin formación o de carácter y trato poco amables: *Una persona tan bronca nunca podrá trabajar de relaciones públicas.* ▮ s.f. **4** *col.* Discusión fuerte o enfrentamiento físico: *tener una bronca.* **5** Amonestación severa con la que se desaprueba lo dicho o hecho por alguien: *Me echaron una bronca por llegar tarde a casa.* **6** En un espectáculo público, manifestación colectiva y ruidosa de desaprobación: *El equipo visitante fue recibido con una gran bronca.* **7** *col.* En zonas del español meridional, rabia: *Lo que más bronca da es que no podamos hacer nada en esta situación.* □ ETIMOL. Quizá del latín **bruncus*.

broncodilatador, -a adj./s.m. Referido esp. a un medicamento, que sirve para dilatar los bronquios: *El médico me ha recetado un broncodilatador porque tengo asma y no respiro bien.*

broncoespasmo s.m. Contracción de los bronquios que puede dificultar el paso del aire al respirar, y que produce ruidos en forma de pitos.

broncografía s.f. En medicina, radiografía de la tráquea y los bronquios. □ ETIMOL. Del griego *brónkhos* (tráquea) y *-grafía* (representación gráfica).

bronconeumonía s.f. En medicina, infección que desde los bronquios se extiende a los pulmones: *Este invierno ha habido varios casos de bronconeumonía.* □ ETIMOL. Del griego *brónkhos* (tráquea) y *pneumonía* (pulmonía).

broncopatía s.f. Proceso patológico bronquial: *Si el médico te habló de broncopatía es que todavía no sabe qué afección bronquial padeces.* □ ETIMOL. Del griego *brónkhos* (tráquea) y *-patía* (enfermedad).

broncopulmonar adj.inv. En medicina, de los bronquios y los pulmones: *dolencias broncopulmonares.* □ ETIMOL. Del griego *brónkhos* (tráquea) y *pulmonar*.

broncorrea s.f. En medicina, secreción excesiva de moco procedente de las membranas mucosas bronquiales: *Tengo broncorrea y me duele el pecho.* □ ETIMOL. Del griego *brónkhos* (tráquea) y *-rrea* (flujo, emanación).

broncoscopia s.f. En medicina, exploración visual del interior de los bronquios mediante un broncoscopio. □ ETIMOL. Del griego *brónkhos* (tráquea) y *-scopia* (exploración).

broncoscopio s.m. En medicina, instrumento que se utiliza para la exploración visual del interior de los bronquios: *El broncoscopio se introduce por la boca o por las fosas nasales.*

bronquedad s.f. **1** *col.* Aspereza o carácter ronco y desagradable de un sonido: *No me gusta la bronquedad de la voz de ese pajarraco.* **2** Falta de pulimento o carácter desigual y escabroso de una superficie: *La bronquedad del terreno nos impidió seguir la marcha.* **3** *col.* Falta de formación o de amabilidad: *Esa persona de aspecto amargado es conocida por su bronquedad.* **4** Facilidad para quebrarse y falta de elasticidad de un metal: *Están haciendo pruebas para conocer la bronquedad de estos metales.*

bronquial adj.inv. De los bronquios o relacionado con ellos: *Le dijeron que si no dejaba de fumar acabaría padeciendo alguna enfermedad bronquial.* ☐ SEM. Dist. de *branquial* (de las branquias).

bronquiectasia s.f. En medicina, enfermedad que se produce a causa de la dilatación irreversible de uno o varios bronquios: *La bronquiectasia se caracteriza por una tos continua y abundantes flemas.*

bronquio s.m. En el sistema respiratorio pulmonar, cada uno de los conductos que se forman a partir de la tráquea, y sus ramificaciones sucesivas en los pulmones. ☐ ETIMOL. Del latín *bronchium*. ☐ MORF. 1. Se usa más en plural. 2. Cuando se antepone a una palabra para formar compuestos, adopta la forma *bronco-: broncopulmonar*.

bronquiolitis (pl. *bronquiolitis*) s.f. Enfermedad respiratoria aguda, causada por un virus que produce inflamación de los bronquiolos: *La bronquiolitis afecta generalmente a niños menores de dos años.*

bronquiolo (tb. *bronquíolo*) s.m. En el sistema respiratorio pulmonar, cada una de las ramificaciones finas y sin cartílago en que se subdividen los bronquios dentro de los pulmones: *Los bronquiolos llevan el oxígeno a los alveolos.* ☐ MORF. Se usa más en plural.

bronquítico, ca ▌adj. **1** De la bronquitis o relacionado con esta enfermedad: *síntomas bronquíticos.* ▌adj./s. **2** Referido a una persona, que padece bronquitis: *enfermos bronquíticos.*

bronquitis (pl. *bronquitis*) s.f. Inflamación de la mucosa bronquial. ☐ ETIMOL. De *bronquio* e *-itis* (inflamación).

brontología s.f. En meteorología, rama que estudia las tempestades. ☐ ETIMOL. Del griego *bronté* (trueno) y *-logía* (ciencia, estudio).

brontosaurio s.m. Reptil del grupo de los dinosaurios que existió en la era secundaria, era herbívoro, de cabeza pequeña y cuello muy largo, y que probablemente vivía en pantanos o lagunas: *El brontosaurio fue uno de los mayores animales terrestres de todos los tiempos.*

broquel s.m. **1** Escudo defensivo, esp. el de tamaño pequeño hecho de madera o de corcho. **2** Lo que sirve de defensa, amparo o protección: *Un padre es el mejor broquel para su hijo.* ☐ ETIMOL. Del francés antiguo *bocler*, y este de *bocle* (guarnición de metal que el escudo llevaba en su centro).

broqueta s.f. →**brocheta.**

brotadura s.f. Nacimiento de un brote.

brótano s.m. →**abrótano.**

brotar v. **1** Comenzar a nacer o a salir: *Las semillas que planté todavía no han brotado.* **2** Referido a una planta, echar hojas, tallos o flores: *Los rosales han brotado muy pronto este año.* **3** Referido a un líquido, manar o salir por una abertura: *Le brotó sangre de la herida.* **4** Referido a una enfermedad, manifestarse en la piel con granos u otras erupciones: *Le brotó la viruela.* **5** Nacer o empezar a manifestarse: *En su cabeza brotaban ideas descabelladas.*

brote s.m. **1** En una planta, tallo nuevo que empieza a desarrollarse: *Esta planta está empezando a echar brotes.* **2** Aparición o principio de algo que empieza a manifestarse: *Se produjeron nuevos brotes de violencia.* ☐ ETIMOL. Del gótico **brut*.

browser (ing.) s.m. →**navegador.** ☐ PRON. [bróuser].

broza s.f. **1** Maleza o ramas y hojas de plantas en los montes y los campos: *Hay que segar la broza de estos campos para evitar incendios en verano.* **2** Conjunto de desperdicios y suciedad que van quedando depositados en algún lugar: *La broza no dejaba pasar el agua por el desagüe.* ☐ ETIMOL. De origen incierto.

brozar v. →**bruzar.**

brozoso, sa adj. Que tiene mucha broza: *Los incendios se propagan con facilidad en los terrenos brozosos.*

brucelosis (pl. *brucelosis*) s.f. Enfermedad infecciosa transmitida a las personas por algunos animales y caracterizada por fiebres muy altas, cambios bruscos de temperatura, sudores abundantes y por su larga duración: *Su brucelosis ha sido causada por tomar sin hervir la leche de sus cabras.* ☐ SINÓN. *fiebre de Malta*.

bruces ‖ **darse de bruces con** algo; *col.* Encontrarse con ello de frente y de manera inesperada: *Al doblar la esquina de la calle, me di de bruces con él.* ‖ **de bruces;** tendido con la cara contra el suelo: *Cuando se cayó de bruces, se raspó la frente.* ☐ ETIMOL. De origen incierto.

brugo s.m. Larva de mariposa: *El brugo devora las hojas de las encinas.* ☐ ETIMOL. Del latín *bruchus* (especie de saltamontes sin alas).

bruja s.f. Véase **brujo, ja.**

brujear v. Hacer brujerías: *En esa película, el protagonista brujeaba cuando había luna llena.*

brujería s.f. **1** Conjunto de conocimientos y poderes mágicos o sobrenaturales propios de aquellos que han hecho un pacto con los espíritus: *un tratado sobre brujería.* **2** Lo que se realiza usando estos poderes: *El hechicero indio curó a su hijo con brujerías.*

brujeril adj.inv. *col.* Brujesco: *artes brujeriles.*

brujesco, ca adj. De los brujos y las brujas o de la brujería: *prácticas brujescas.* ☐ SINÓN. *brujeril, brujil.*

brujez s.f. En zonas del español meridional, escasez de dinero.

brujil adj.inv. *col.* Brujesco: *aspecto brujil.*

brujo, ja ▌adj. **1** Que atrae irresistiblemente: *No puedo olvidar la mirada de sus ojos brujos.* ☐ SINÓN. *hechicero.* ▌s. **2** Persona que practica los conocimientos y poderes sobrenaturales propios de los que han hecho un pacto con los espíritus: *El brujo de la tribu bailó una danza para invocar a los espíritus.* ▌s.f. **3** *col. desp.* Mujer fea y vieja o de aspecto repugnante. **4** *col. desp.* Mujer de malas intenciones y de mal carácter. ☐ ETIMOL. De origen incierto.

brújula s.f. **1** Instrumento que sirve para orientarse en la superficie terrestre y que está formado por una aguja con las propiedades del imán, que gira libremente sobre un eje y señala siempre el Norte magnético: *Como se llevó la brújula, no se perdió en el monte.* **2** En náutica, instrumento que consta de dos círculos concéntricos en los que se señala respectivamente el Norte y la orientación de la embarcación, y que sirve, confrontando ambas indicaciones, para conocer el rumbo que lleva la nave: *Se estropeó la brújula y el capitán del barco confundió el rumbo.* □ SINÓN. *compás, aguja de bitácora, aguja de marear, aguja magnética.* □ ETIMOL. Del italiano *bussola*, y este del latín *buxis* (caja).

brujulear v. *col.* Hacer gestiones con habilidad y por varios caminos hasta conseguir lo que se pretende: *Hasta que no ha conseguido ese trabajo, no ha parado de brujulear.*

brulote s.m. Barco cargado de materias inflamables que se dirigía contra los buques enemigos para incendiarlos: *Ante la proximidad del brulote, los marineros se tiraron al mar.* □ ETIMOL. Del francés *brûlot*, y este de *brûler* (quemar).

bruma s.f. Niebla poco densa, esp. la que se forma en el mar. □ ETIMOL. Del latín *bruma* (invierno).

brumal adj.inv. De la bruma o relacionado con ella.

brumoso, sa adj. **1** Con bruma: *un día brumoso.* **2** Confuso o difícil de entender: *Nos dio una explicación brumosa y poco concreta.*

brunch (ing.) s.m. Comida que se toma a media mañana en sustitución del desayuno y de la comida. □ PRON. [branch].

bruneano, na adj./s. De Brunéi o relacionado con este país asiático.

bruno, na ▮ adj. **1** *poét.* De color negro u oscuro: *pelo bruno.* ▮ s.m. **2** Árbol cuyo fruto es una ciruela negra y pequeña. **3** Fruto de este árbol. □ ETIMOL. La acepción 1, del germánico *brun* (moreno). Las acepciones 2 y 3, del latín *prunum* (ciruela). □ ORTOGR. En las acepciones 2 y 3, se admite también *bruño*.

bruñido s.m. Operación que consiste en dar brillo a una superficie, esp. si es metálica o de piedra: *Ya he acabado el bruñido del mármol.* □ SINÓN. *bruñidura, bruñimiento.*

bruñidor, -a ▮ adj./s. **1** Que bruñe. ▮ s.m. **2** Instrumento que sirve para bruñir: *Utilicé un estropajo metálico como bruñidor.*

bruñidura s.f. Operación que consiste en dar brillo a una superficie, esp. si es metálica o de piedra. □ SINÓN. *bruñido, bruñimiento.*

bruñimiento s.m. →**bruñidura.**

bruñir v. Referido esp. a una superficie metálica o de piedra, darle brillo: *He bruñido tanto estas bandejas metálicas, que parecen de plata aunque no lo son.* □ ETIMOL. Del provenzal antiguo *brunir.* □ MORF. Irreg. →PLAÑIR.

bruño s.m. →**bruno.** □ ETIMOL. Del latín **pruneum*, y este de *prunum* (ciruela).

brusco, ca ▮ adj. **1** De carácter poco amable o falto de suavidad: *No creo que debas darme una respuesta tan brusca. Aunque te resulte brusca, esa mujer tiene un corazón de oro.* **2** Referido a un movimiento, repentino y rápido: *No des unos frenazos tan bruscos, por favor.* ▮ s.m. **3** →**rusco.** □ ETIMOL. De origen incierto.

brusquedad s.f. **1** Carácter poco amable o falto de suavidad: *la brusquedad de una respuesta.* **2** Hecho o dicho con este carácter: *No tengo por qué soportar tus brusquedades.* **3** Rapidez y carácter repentino de un movimiento: *El coche giró con brusquedad.*

brut adj.inv./s.m. Referido esp. al champán o al cava, que es resultado de una primera elaboración y de un sabor muy seco, debido a que su contenido en azúcar es bajo: *El brut debe tener un contenido de azúcar menor al dos por ciento.* □ ETIMOL. Del francés *brut.* □ PRON. [brut].

brutal adj.inv. **1** Referido a un hecho o a un dicho, que no parecen propios de una persona por su crueldad o su irracionalidad: *un comportamiento brutal.* □ SINÓN. *bestial.* **2** *col.* De tamaño, cantidad o calidad mayores de lo normal: *La altura de esta torre es brutal.* □ SINÓN. *extraordinario.*

brutalidad s.f. **1** Violencia, descortesía o desconsideración: *actuar con brutalidad.* □ SINÓN. *bruteza.* **2** Hecho o dicho estúpido, poco acertado o brutal: *Puso cada brutalidad en el examen, que era imposible que aprobara.* □ SINÓN. *barbaridad, bruteza.*

bruteza s.f. **1** Tosquedad y falta de refinamiento o de adorno. **2** →**brutalidad.**

bruto, ta ▮ adj. **1** Que es tosco y está sin refinar: *un diamante bruto.* **2** Referido a una cantidad de dinero, que no ha sufrido los descuentos que le corresponden: *Gano veinte mil euros brutos al mes.* **3** Referido al peso de un objeto, que incluye el peso de dicho objeto y de lo que este contiene: *El peso bruto de este bote de judías es de un kilo, pero el neto es de 900 gramos.* ▮ adj./s. **4** Referido a una persona, sin inteligencia, sin cordura o sin formación: *No seas bruta y discurre un poquito.* **5** Referido a una persona, que se comporta de manera violenta y maleducada o que es desconsiderada y poco amable con los demás: *Hay que ser bruto para decirle esas burradas a la cara.* ▮ s.m. **6** Animal irracional, esp. cuadrúpedo: *Se llama 'noble bruto' al caballo.* □ ETIMOL. Del latín *brutus* (estúpido). □ USO En las acepciones 1, 2 y 3, se usa más la expresión *en bruto.*

bruza s.f. Cepillo redondeado, de cerdas muy espesas y fuertes, y que generalmente tiene una abrazadera para meter la mano: *El jinete cepillaba las crines del caballo con una bruza.* □ ETIMOL. Del francés *brusse* (cepillo).

bruzar (tb. *brozar*) v. Limpiar con una bruza o cepillo de cerdas muy fuertes y resistentes: *Bruzó los moldes de imprenta.* □ ORTOGR. La *z* se cambia en *c* delante de *e* →CAZAR.

BSO s.f. →**banda {de sonido/sonora}.** □ ETIMOL. Es la sigla de *banda sonora original*.

buba s.f. Tumor blando, generalmente doloroso y con pus, esp. el que sale en las ingles, las axilas y el cuello: *Tenía bubas en las ingles como consecuencia de una enfermedad venérea.* □ ETIMOL. De *bubón* (tumor voluminoso). □ MORF. Se usa más en plural.

búbalo, la s. Búfalo propio del norte de Asia: *Los búfalos domésticos mediterráneos proceden del búbalo.* □ ETIMOL. Del latín *bubalus*.

bubático, ca ▮ adj. **1** De las bubas o relacionado con ellas. ▮ adj./s. **2** Que padece bubas o tumores blandos. □ SINÓN. *bubónico, buboso.*

bubi adj.inv./s.com. De una tribu indígena de Malabo (isla que forma parte de Guinea Ecuatorial) o relacionado con ella.

bubón ▮ s.m. **1** Tumor voluminoso con pus: *El guerrero fue a ver al curandero porque le habían salido bubones en el cuerpo.* ▮ pl. **2** Tumores que salen a consecuencia de una enfermedad de transmisión sexual: *Padece la sífilis y tiene bubones.* □ ETIMOL. Del griego *bubón* (tumor en la ingle).

bubónico, ca ▮ adj. **1** Del bubón o relacionado con este tumor voluminoso: *peste bubónica.* ▮ adj./s. **2** Que padece bubas o tumores blandos. □ SINÓN. *bubático, buboso.*

buboso, sa adj./s. Que padece bubas o tumores blandos. □ SINÓN. *bubático, bubónico.*

buc s.m. Mueble de oficina que dispone de varios cajones: *Mi escritorio tiene un buc con tres cajones.* □ ETIMOL. Del inglés *book*.

bucal (tb. *bocal*) adj.inv. De la boca o relacionado con ella: *higiene bucal.*

bucanero s.m. Pirata que en los siglos XVII y XVIII saqueaba las posesiones españolas de tierras americanas: *Los bucaneros atacaban los cargamentos de oro y plata que iban de América a España.* □ ETIMOL. Del francés *boucanier*. □ SEM. Dist. de *corsario* (pirata que saqueaba con la autorización del Gobierno de su nación).

bucaral s.m. Terreno plantado de bucares.

bucare s.m. Árbol leguminoso, con copa espesa, hojas compuestas de hojuelas puntiagudas y truncadas en la base y flores blancas: *Los bucares se usan para dar sombra a las plantas de café y cacao.*

búcaro s.m. **1** Recipiente para poner flores. □ SINÓN. *florero.* **2** En algunas regiones, botijo. □ ETIMOL. Del latín *poculum* (copa).

buccinador s.m. Músculo que está situado en cada una de las mejillas entre el maxilar superior y el inferior: *Los buccinadores actúan al soplar o al silbar.*

buccino s.m. Caracol marino que tiene una concha pequeña y del que se extrae una tinta de color rojo. □ ETIMOL. Del latín *buccinum*.

buceador, -a adj./s. Que bucea.

bucear v. **1** Nadar o permanecer bajo el agua realizando alguna actividad: *Atravesó toda la piscina buceando.* **2** Investigar o explorar acerca de algún asunto: *El psiquiatra buceó en el pasado de su paciente intentando descubrir el origen de sus temores.* □ ETIMOL. De *buzo*.

buceo s.m. Permanencia bajo el agua, nadando o realizando alguna actividad.

buchada s.f. Cantidad de líquido, de aire o de humo que se toma de una vez con la boca o se arroja de ella: *Los peregrinos tomaron varias buchadas de agua de la fuente antes de continuar su camino.* □ SINÓN. *bocanada.*

buchante s.m. *arg.* Disparo dado con un arma de fuego.

bucharnó s.m. *arg.* Navajazo o puñalada.

buche s.m. **1** En las aves, ensanchamiento del esófago donde se reblandecen los alimentos: *Después del buche, los alimentos pasan al estómago.* □ SINÓN. *papo.* **2** En algunos animales cuadrúpedos, estómago. **3** *col.* En una persona, estómago: *Los pasteles que habían sobrado están en el buche de tu hermano.* **4** Cantidad de líquido que cabe en la boca: *un buche de agua.* □ ETIMOL. De origen expresivo.

buchón, -a adj. Referido a un palomo o paloma domésticos, que hinchan el buche de un modo excesivo: *Había tres palomos buchones en la azotea.*

bucle s.m. **1** En el cabello, rizo en forma de espiral. **2** En informática, serie de instrucciones de un programa que se ejecutan repetitivamente: *Un bucle continúa ejecutándose hasta que se cumple una condición de salida.* □ ETIMOL. Del francés *boucle* (hebilla, bucle).

buco s.m. *arg.* En el lenguaje de la droga, dosis que se inyecta.

bucodental adj.inv. De la boca y de los dientes o relacionado con ellos: *higiene bucodental.*

bucofaríngeo, a adj. Que pertenece a la boca y a la faringe, o relacionado con ellas.

bucólica s.f. Véase **bucólico, ca.**

bucólico, ca ▮ adj. **1** Referido a un género literario, esp. a la poesía, que idealiza la naturaleza, la vida pastoril y los sentimientos: *El tema amoroso es esencial en la poesía bucólica.* ▮ adj./s. **2** De este género literario o con sus características: *un personaje bucólico.* ▮ s.f. **3** Composición poética de este género. □ ETIMOL. Del latín *bucolicus* (pastoril).

bucolismo s.m. **1** Forma de expresión con rasgos propios del género bucólico: *La idealización del paisaje y de los pastores son claro ejemplo del bucolismo de esta obra.* **2** Tendencia a idealizar la naturaleza o a disfrutar de ella: *Su bucolismo le ha llevado a abandonar la ciudad y a trasladarse a vivir a una aldea.*

bucráneo s.m. Elemento decorativo que representa un cráneo de buey del que cuelgan guirnaldas y cintas: *Los bucráneos son característicos del arte romano y del renacentista.*

búdico, ca adj. Del budismo o relacionado con esta religión: *La imaginería búdica representa con frecuencia la figura de Buda.* ☐ SINÓN. *budista.*

budín s.m. En zonas del español meridional, pudin. ☐ ETIMOL. Del inglés *pudding*.

budinera s.f. Cazuela o molde en que se hace el budín o pudín.

budión s.m. Pez marino de pequeño tamaño, cuerpo alargado y aplanado por los lados y recubierto de una sustancia pegajosa, hocico corto con labios carnosos y dientes largos y unidos, que puede pescarse con caña o con redes pequeñas: *Los budiones a veces mordisquean los pies de los bañistas.* ☐ SINÓN. *baboso, doncella.* ☐ ETIMOL. De origen incierto. ☐ MORF. Es un sustantivo epiceno: *el budión {macho/hembra}.*

budismo s.m. Religión basada en la doctrina de Buda (reformador religioso indio del siglo VI a. C.), que considera el dolor como esencia del mundo y propone el conocimiento de sus causas y la forma de superarlo para entrar en un estado perfecto que es el nirvana: *El budismo propone la supresión del deseo para conseguir la superación del dolor.*

budista ▮ adj.inv. **1** Del budismo o relacionado con esta religión: *El yoga es una técnica budista de autocontrol del cuerpo y de la mente basada en la concentración.* ☐ SINÓN. *búdico.* ▮ adj.inv./s.com. **2** Que tiene como religión el budismo: *Los budistas siguen las enseñanzas de Buda.* ☐ ORTOGR. Dist. de *vuduista.*

buen adj. →**bueno.** ☐ MORF. Apócope de *bueno* ante sustantivo masculino singular.

buenamente adv. De la mejor manera, dentro de las posibilidades de cada uno: *Me ayuda como buenamente puede, pero no resulta suficiente.*

buenandanza s.f. →**bienandanza.**

buenas interj. *col.* Expresión que se utiliza como saludo. ☐ USO Equivale a *buenos días, buenas tardes* o *buenas noches.*

buenaventura (tb. *buena ventura*) s.f. Predicción del futuro, esp. por medio de la lectura de las líneas de la mano: *Me pidió que le enseñara la mano para decirme la buenaventura.* ☐ SINT. Se usa más con los verbos *decir, leer* o *contar.*

buenazo, za adj./s. *col.* Referido a una persona, bondadosa y pacífica.

bueno ▮ adv. **1** Expresión que se utiliza para indicar aprobación o conformidad: *Me preguntó si quería comer y le dije que bueno.* **2** Expresión con la que se indica que algo es suficiente y debe terminar: *Bueno, ya está bien.* ▮ interj. **3** Expresión con la que se indica sorpresa, agradable o desagradable.

bueno, na adj. **1** Que tiene las cualidades propias de su naturaleza o de su función: *Este jarabe es bueno porque quita la tos.* **2** Que es como conviene o gusta que sea: *No sé si te gusta pero yo creo que es una buena novela.* **3** Beneficioso, conveniente o útil: *Comer demasiado no es bueno.* **4** Referido a una persona, que tiene cualidades morales que se consideran positivas, esp. en su trato con los demás: *Es una buena persona y no dudará un momento en ayudarte.* **5** Con buena salud: *Tómate la medicina para ponerte bueno.* ☐ SINÓN. *sano.* **6** Referido a algo que se deteriora, que no está estropeado y se puede aprovechar: *Esta leche ya no está buena.* **7** Que sobrepasa lo normal en tamaño, cantidad o intensidad: *Le dio unos buenos azotes.* **8** ‖ **{a/por las} buenas;** de forma voluntaria y sin crear problemas: *O vienes tú por las buenas o te traigo yo por las malas.* ‖ **de buenas;** *col.* De buen humor y con una actitud complaciente: *Te lo doy porque me pillas de buenas.* ‖ **de buenas a primeras;** de repente y sin aviso: *Es muy inestable y de buenas a primeras se puso a llorar.* ‖ **estar bueno** alguien; *col.* Tener un cuerpo físicamente atractivo: *Este actor es guapísimo y está muy bueno.* ☐ ETIMOL. Del latín *bonus.* ☐ MORF. 1. Ante sustantivo masculino singular se usa la apócope *buen*. 2. Su comparativo de superioridad es *mejor*. 3. Sus superlativos son *buenísimo, bonísimo* y *óptimo.* ☐ USO En la acepción 7, se usa más antepuesto al nombre.

buey (pl. *bueyes*) s.m. **1** Toro castrado que se suele emplear como animal de tiro en las tareas del campo. **2** ‖ **buey (de mar);** crustáceo marino con cinco pares de patas, el primero con grandes pinzas, y un caparazón ovalado: *El buey de mar es parecido al centollo.* ‖ **buey marino;** mamífero herbívoro acuático, de unos cinco metros de largo, con cuerpo grueso y piel grisácea de gran espesor, labio superior muy desarrollado, extremidades anteriores transformadas en dos aletas y las posteriores unidas en una sola, y cuya carne y grasa son muy estimadas: *Los bueyes marinos son parecidos a las focas pero más grandes.* ☐ SINÓN. *manatí, vaca marina.* ☐ ETIMOL. Del latín *bos.* ☐ MORF. *Buey de mar* y *buey marino* son epicenos: *el buey de mar {macho/hembra}, el buey marino {macho/hembra}.*

bueyuno, na adj. →**boyuno.**

bufa s.f. Véase **bufo, fa.**

bufalino, na adj. De los búfalos o relacionado con ellos.

búfalo, la s. **1** Mamífero rumiante bóvido, de cuerpo robusto, cuernos largos y gruesos colocados muy atrás en el cráneo, frente abultada y pelaje escaso: *Las dos especies principales de búfalo son el búfalo africano y el búfalo asiático.* **2** Mamífero rumiante bóvido, de cuerpo grande, robusto y más elevado hacia la cabeza, con cuernos pequeños y separados, con barba y con la frente y el cuello cubiertos por una larga melena: *En Norteamérica está prohibida* *la caza de búfalos.* ☐ SINÓN. *bisonte americano.* ☐ ETIMOL. Del latín *bufalus.*

bufanda s.f. **1** Prenda de vestir que se coloca alrededor del cuello para protegerlo del frío, y que es mucho más larga que ancha: *una bufanda de lana.* **2** Cantidad de dinero que se paga como sobresueldo de forma ocasional. ☐ ETIMOL. Quizá del francés antiguo *bouffante.*

bufar v. **1** Referido a un animal, esp. al toro o al caballo, resoplar con fuerza y furor: *El toro bufaba en medio de la plaza.* **2** *col.* Referido a una persona, manifestar enfado o ira muy grandes: *Se fue bufando del taller porque no le habían arreglado el coche.* ☐ ETIMOL. De origen onomatopéyico.

bufé s.m. **1** Comida en la que todos los alimentos están dispuestos a la vez para que los comensales, de pie, elijan lo que prefieran: *Se ofreció un bufé a los asistentes a la recepción.* ☐ SINÓN. *ambigú.* **2** En un local destinado a espectáculos públicos, lugar donde se sirve esa comida: *Acércate al bufé y trae dos copas, por favor.* ☐ SINÓN. *ambigú.* **3** ‖ **bufé libre;** el que permite repetir cuantas veces se quiera por el mismo precio. ☐ ETIMOL. Del francés *buffet.* ☐ SEM. Dist. de *bufete* (despacho de abogados).

bufete s.m. Despacho en el que un abogado atiende a sus clientes: *Terminó la carrera de derecho y puso un bufete junto con otro abogado.* ☐ ETIMOL. Del francés *buffet* (aparador). ☐ SEM. Dist. de *bufé* (comida en la que cada uno se sirve a su gusto).

buffer (ing.) s.m. Memoria provisional de datos que actúa en relación con el ordenador y sus periféricos: *Nada más enviar los datos a la impresora seguí trabajando con el ordenador, porque la información se había almacenado en el buffer.* ☐ PRON. [báfer].

bufido s.m. **1** Referido a un animal, esp. al toro o al caballo, resoplido dado con fuerza y furor. **2** *col.* Referido a una persona, manifestación incontenible de enfado y de ira. ☐ ETIMOL. De *bufar.*

bufo, fa ▮ adj. **1** Referido a una representación teatral, esp. a una ópera, de carácter cómico y burlesco: *En el siglo XVIII estuvieron de moda las óperas bufas.* ▮ s.f. **2** Hecho o dicho con que se ridiculiza algo: *Todos hacían bufa de sus zapatos grandes y se reían.* ☐ ETIMOL. Del italiano *buffo* (cómico, que hace reír).

bufón, -a s. En la corte medieval y de los siglos XVII y XVIII, persona que se encargaba de hacer reír y divertir a los cortesanos: *Los bufones solían ser enanos o personas deformes.* ☐ ETIMOL. Del italiano *buffone.*

bufonada s.f. Hecho o dicho propios de un bufón. ☐ SINÓN. *bufonería.*

bufonería s.f. →**bufonada.**

bufonesco, ca adj. Del bufón o con sus características.

bug (ing.) s.m. En informática, error introducido en los elementos físicos de un equipo o en un programa. ☐ PRON. [bug].

buga s.m. *col.* Coche.

bugambilia s.f. En zonas del español meridional, buganvilla.

buganvilla s.f. Arbusto trepador de hoja perenne, con gran cantidad de ramas muy largas y con alguna espina, y con flores muy abundantes de color rojo o morado reunidas en grupos de tres: *El muro está cubierto por una buganvilla que en primavera se llena de flores.* ☐ ETIMOL. Por alusión a Bougainville, navegante francés que trajo esta planta al continente europeo. ☐ PRON. Incorr. *[bungavílla].

buggy (ing.) s.m. Automóvil con carrocería baja y neumáticos muy anchos, generalmente descapotable, apto para todo tipo de terrenos. ☐ PRON. [búgui].

bugle s.m. Instrumento musical de viento y de metal, formado por un largo tubo cónico arrollado de diversas maneras: *Los bugles se usaban en la Edad Media en las cacerías y hoy se usan en algunas bandas militares.* ☐ ETIMOL. Del francés *bugle*, este del inglés *bugle [horn]* (cuerno de caza), porque este instrumento musical se hacía con un cuerno de búfalo, y este del latín *buculus* (buey joven).

bugui-bugui s.m. **1** Música de ritmo muy rápido que se caracteriza por la repetición constante y fuerte de la parte grave contrarrestada por la melodía de la parte aguda: *El bugui-bugui deriva de la música negra norteamericana.* **2** Baile de movimientos muy rápidos que se ejecuta al compás de esta música. ☐ ETIMOL. Del inglés *boogie-woogie.* ☐ USO Es innecesario el uso del anglicismo *boogie-woogie.*

buharda s.f. →**buhardilla.** ☐ ETIMOL. De *buhar* (soplar).

buhardilla (tb. *boardilla, bohardilla, guardilla*) s.f. **1** En una casa, habitación más alta, inmediatamente bajo el tejado, que suele usarse para guardar objetos viejos o que ya no se usan. ☐ SINÓN. *desván, buharda.* **2** En el tejado de una casa, ventana saliente en forma de caseta que sirve para dar luz al desván o para salir al tejado. ☐ SINÓN. *buharda.*

buhedo s.m. Charca que se seca en verano. ☐ ETIMOL. Del latín *budetum*, y este de *buda* (espadaña).

buhío s.m. →**bohío.**

búho s.m. **1** Ave rapaz nocturna de vuelo silencioso, garras fuertes, cabeza de gran tamaño con llamativos penachos de plumas que parecen orejas, pico ganchudo y ojos grandes y redondos de color naranja, que vive en bosques y zonas inaccesibles: *Los búhos cazan al atardecer porque pueden ver en la oscuridad.* **2** *col.* Autobús urbano que circula durante toda la noche en sustitución del servicio normal. ☐ ETIMOL. Del latín *bufo.* ☐ MORF. En la acepción 1, es un sustantivo epiceno: *el búho {macho/hembra}.*

buhonería s.f. Mercancía de poco valor que llevan los buhoneros para venderla: *La Celestina iba de casa en casa con sus buhonerías.*

buhonero, ra s. Persona que va de casa en casa vendiendo mercancías de poco valor. ☐ ETIMOL. Del antiguo *buhón*.

buido, da adj. Con la punta aguda. ☐ ETIMOL. Del catalán *buit*.

building (ing.) s.m. Edificio de diseño moderno y grandes dimensiones. ☐ PRON. [bílding]. ☐ USO Su uso es innecesario.

buitre s.m. **1** Ave rapaz de gran tamaño, con cabeza y cuello sin plumas, enormes alas y cola corta, que se alimenta de animales muertos y anida en acantilados y árboles poco accesibles. **2** *col. desp.* Persona egoísta que aprovecha cualquier circunstancia para obtener beneficio. **3** || **buitre {común/leonado};** el que tiene el plumaje leonado, cola muy corta, oscura y cuadrada: *El buitre común es una especie protegida.* || **buitre {franciscano/monje/negro};** el que tiene el plumaje pardo oscuro, casi negro, y la cola más larga y en forma de cuña: *El buitre negro es de costumbres más solitarias que el buitre común.* ☐ ETIMOL. Del latín *vultur*. ☐ MORF. En la acepción 1, es un sustantivo epiceno: *el buitre {macho/hembra}.*

buitrear v. **1** *col.* Consumir o utilizar de forma gratuita lo que tiene otra persona: *Siempre que me ve me buitrea el tabaco.* ☐ SINÓN. *gorronear*. **2** Intentar aprovecharse de los demás: *¿Cuándo vas a dejar de buitrear con las chicas?*

buitreo s.m. *col. desp.* Aprovechamiento abusivo de una persona o de una cosa.

buitrera s.f. Véase **buitrero, ra.**

buitrero, ra ▌adj. **1** De los buitres o relacionado con ellos: *Los nidos buitreros están en lugares de difícil acceso.* ▌s. **2** Persona que caza buitres, esp. con cebo. ▌s.f. **3** Lugar en el que crían los buitres en colonias: *A lo lejos se distinguen las buitreras por las manchas de los excrementos.* **4** Lugar en el que se pone el cebo a los buitres: *Se marca a los buitres que van a la buitrera a comer el cebo para investigar sus costumbres.*

buitrón (tb. *butrón*) s.m. En pesca, red en forma de cilindro o de cono prolongado en cuya boca hay otro cono más pequeño dirigido hacia dentro, de manera que los peces que entran por este, pasan al grande y no pueden salir: *El buitrón se utiliza en la pesca de río, pero es una práctica ilegal.* ☐ ETIMOL. De *buitre*.

bujarrón adj./s.m. *col. desp.* Hombre homosexual. ☐ ETIMOL. Del latín *bulgarus* (búlgaro), que se usó como insulto porque eran considerados herejes, ya que pertenecían a la iglesia ortodoxa griega.

buje s.m. En una rueda, cilindro por el que pasa el eje: *El buje evita que se desgaste el interior de la rueda.* ☐ ETIMOL. Del latín *buxis* (cajita).

bujía s.f. **1** En algunos motores de explosión, pieza que produce una chispa eléctrica para encender el combustible: *El coche no arranca porque las bujías están mal.* **2** Vela de cera blanca, fabricada con esperma de ballena. **3** Candelero en el que se ponen estas velas. ☐ ETIMOL. De *Bujía*, ciudad africana de donde se traía la cera para las antiguas bujías (velas).

bula s.f. **1** En el catolicismo, documento autorizado y firmado por el Papa que trata de asuntos de fe o de interés general: *La bula daba derechos especiales a quien la tenía.* **2** || **tener bula;** *col.* Tener facilidades que no tienen otros para hacer o conseguir algo: *Es el mimado de la casa y tiene bula para llegar tarde.* ☐ ETIMOL. Del latín *bulla* (bola, sello de plomo que va pendiente de algunos documentos pontificios).

bulario s.m. Colección de bulas: *En el museo diocesano se expone un bulario del siglo XVI.*

bulbar adj.inv. En anatomía, del bulbo raquídeo: *La zona bulbar forma parte del sistema nervioso central.*

bulbo s.m. **1** En una planta, tallo subterráneo de forma redondeada, compuesto por una yema o brote en cuyas hojas se acumulan sustancias nutritivas de reserva: *El puerro y el ajo son bulbos, y de ellos nace una nueva planta.* **2** En anatomía, estructura de forma redondeada: *El bulbo piloso es el abultamiento que forma la raíz del pelo en el interior de la piel.* **3** || **bulbo raquídeo;** en el sistema nervioso central, parte ensanchada de la médula espinal, que se halla en la zona inferior y posterior de la cavidad craneal: *Por el bulbo raquídeo pasan las fibras nerviosas que van del encéfalo al tronco y a las extremidades.* ☐ ETIMOL. Del latín *bulbus*.

bulboso, sa adj. **1** Referido a una planta, que tiene bulbos: *Los tulipanes y las azucenas son plantas bulbosas.* **2** Con forma de bulbo.

bulería s.f. **1** Cante flamenco muy bullicioso y con ritmo ligero, que se acompaña con un intenso redoble de palmas y gritos de alegría: *Cualquier canción puede cantarse por bulerías.* **2** Baile que se ejecuta al compás de este cante.

bulero s.m. Persona que estaba autorizada para distribuir las bulas relacionadas con la Santa Cruzada y para recoger la limosna que daban los fieles: *Los buleros recogían fondos con los que se pagaban los gastos de la Santa Cruzada.*

bulevar s.m. Avenida o calle ancha con un paseo o un andén central, generalmente adornado con árboles o plantas: *En la parte central de muchos bulevares hay quioscos.* ☐ ETIMOL. Del francés *boulevard*.

búlgaro, ra ▌adj./s. **1** De Bulgaria o relacionado con este país europeo. ▌s.m. **2** Lengua eslava de este país y otras regiones: *El búlgaro es la lengua oficial de Bulgaria y se habla también en algunas zonas de Rumanía.*

bulimia s.f. En medicina, apetito patológico excesivo e insaciable: *La bulimia puede ser un síntoma de diabetes o de alguna lesión cerebral.* □ ETIMOL. Del griego *bulimía*, y este de *bûs* (buey) y *límos* (hambre).

bulímico, ca ▮ adj. **1** En medicina, de la bulimia o relacionado con esta hambre patológica: *El paciente sufría trastornos bulímicos hacía dos meses.* ▮ adj./s. **2** Referido a una persona, que tiene bulimia: *Los bulímicos no consiguen saciar su hambre cuando comen.*

bulín s.m. *col.* En zonas del español meridional, piso destinado a encuentros sexuales.

bulla s.f. **1** Ruido confuso causado por las voces y gritos que dan una o varias personas: *armar bulla.* **2** Aglomeración confusa de gente: *Me acerqué porque vi mucha bulla desde lejos.* □ SINÓN. *bullaje.* **3** Pelea, lucha o disputa: *buscar bulla.* □ ETIMOL. De *bullir.* □ SINT. La acepción 1 se usa más con los verbos *armar* y *meter.*

bullabesa s.f. Sopa de pescados y mariscos, condimentada con especias, vino y aceite, y que suele servirse con trozos de pan: *La bullabesa es un plato de origen francés, típico de la zona provenzal.* □ ETIMOL. Del francés *bouillabaisse.*

bullaje s.m. *col.* Aglomeración confusa de gente. □ SINÓN. *bulla.*

bullanga s.f. Jaleo, griterío y alboroto producidos por una aglomeración de gente.

bullanguero, ra adj./s. Aficionado a organizar alborotos y jaleos.

bullarengue s.m. **1** Polisón o prenda que llevaban las mujeres bajo la falda para abultarla por detrás: *En el siglo XIX las mujeres llevaban bullarengues.* **2** *col.* Culo.

bulldog (ing.) adj.inv./s. Referido a un perro, de la raza que se caracteriza por tener cabeza grande, cuerpo robusto, patas cortas, hocico aplanado y el labio superior caído sobre ambos lados: *El bulldog es un perro de presa.* □ PRON. [buldóg].

bulldozer (ing.) s.m. Máquina constituida por un tractor oruga que tiene en la parte delantera una sólida cuchilla de acero, recta o algo curva, y que sirve para nivelar terrenos: *Primero alisaron el camino con un bulldozer y después lo asfaltaron.* □ PRON. [buldózer].

bullebulle s.com. *col.* Persona inquieta, muy activa y entrometida: *Este niño es un bullebulle y no para en todo el día.*

bullicio s.m. **1** Ruido y rumor causados por la actividad de mucha gente: *En el interior del parque no se oía el bullicio de la ciudad.* **2** Situación confusa, agitada y desordenada, esp. si va acompañada de un gran alboroto y tumulto: *Con tanto bullicio no me puedo concentrar.* □ ETIMOL. Del latín *bullitio* (burbujeo).

bullicioso, sa adj. **1** Que causa bullicio, o que lo tiene: *Este bar es muy bullicioso y siempre está lleno de gente.* **2** Referido a una persona, que se mueve o alborota mucho: *una niña bulliciosa.*

bullir v. **1** Referido a un conjunto de personas, animales o cosas, moverse o agitarse de forma desordenada: *Después de la lluvia, las hormigas bullían alrededor del hormiguero.* **2** Referido a algo inmaterial, esp. ideas o proyectos, surgir abundantemente y mezclarse: *Me gusta el proyecto y ya tengo ideas bullendo en mi cabeza.* □ SINÓN. *ebullir.* **3** Referido a una persona, moverse mucho o tener mucha actividad: *Bullía en la sala de espera del dentista esperando que lo llamara.* **4** Referido a un líquido, moverse agitadamente y formando burbujas por efecto de la alta temperatura o de la fermentación: *El agua bulle a cien grados.* □ SINÓN. *hervir, ebullir.* **5** Referido a un líquido, agitarse de forma parecida a como lo hace el agua hirviendo: *El mar bullía con la tormenta.* □ ETIMOL. Del latín *bullire* (bullir, hervir), de *bulla* (burbuja). □ MORF. Irreg. →PLAÑIR.

bullón s.m. En un libro grande, esp. en los de coro, pieza de metal con forma de cabeza de clavo que sirve para adornar las cubiertas. □ ETIMOL. Del latín *bulla* (bola).

bullterrier (ing.) adj.inv./s. Referido a un perro, de la raza que se caracteriza por ser de pequeño tamaño, tener el pelaje corto y una gran fuerza: *La raza del bullterrier es un cruce de la del bulldog y la del terrier.* □ PRON. [bulterriér].

bullying (ing.) s.m. Acoso, físico o psicológico, realizado por uno o varios alumnos hacia otro de manera continuada: *La mejor manera de acabar con el bullying es hablar del problema con los profesores o con los padres.* □ PRON. [búlin]. □ USO Su uso es innecesario y puede sustituirse por *acoso escolar.*

bulo s.m. Noticia falsa que se difunde con algún fin, generalmente negativo: *Hicieron correr el bulo de que hace trampas, para que no jueguen con él.* □ ETIMOL. De origen incierto.

bulto s.m. **1** En una superficie, elevación o abultamiento: *El pañuelo te hace un bulto en el bolsillo.* **2** Cuerpo u objeto percibido de forma imprecisa: *En la oscuridad solo apreciamos dos bultos que corrían.* **3** Paquete, bolsa, maleta o cualquier otro equipaje: *Los bultos iban en la baca del autocar.* **4** ‖ **a bulto;** calculando aproximadamente, sin medir ni contar: *No lo he medido pero, a bulto, tiene más de dos metros.* ‖ **escurrir el bulto;** *col.* Eludir un trabajo, un riesgo o un compromiso. □ ETIMOL. Del latín *vultus* (rostro).

bululú (pl. *bululús, bululúes*) s.m. Actor de teatro que representaba una obra él solo: *El bululú fingía las voces de todos los personajes.* □ ETIMOL. De origen onomatopéyico.

bumerán (pl. *bumeranes*) s.m. Arma arrojadiza de madera dura y de forma curvada, que vuelve al lugar de partida cuando no da en el blanco: *El bumerán es un arma de origen australiano.* □ ETIMOL.

Del inglés *boomerang*. ☐ USO Es innecesario el uso del anglicismo *boomerang*.

buna s.f. Caucho sintético resistente al calor, al rozamiento y a los agentes naturales: *Muchos neumáticos están hechos de buna.* ☐ ETIMOL. Extensión del nombre de una marca comercial.

bungaló s.m. →**bungalow.**

bungalow (ing.) s.m. Casa de campo o de playa, esp. si es de una sola planta y de estructura arquitectónica sencilla. ☐ PRON. [bungalóu]. ☐ ORTOGR. Se usa también *bungaló.*

bungee jumping (ing.) s.m. ‖ Actividad deportiva que consiste en lanzarse al vacío sujeto con una cuerda larga y elástica que impide llegar al suelo. ☐ PRON. [búnyi yámpin].

buniato s.m. →**boniato.**

bunker (ing.) s.m. En golf, obstáculo artificial que consiste en una fosa con arena que dificulta el recorrido de la pelota. ☐ PRON. Se usa más la pronunciación anglicista [bánker].

búnker s.m. **1** Refugio blindado, generalmente subterráneo, para defenderse de los bombardeos: *Todavía queda algún búnker de la Segunda Guerra Mundial.* **2** Grupo político reaccionario: *Ese partido se mostró como un búnker y no quiso modificar ninguna de sus propuestas.* ☐ ETIMOL. Del alemán *Bunker*, y este del inglés *bunker* (carbonera de un barco).

bunkerización s.f. Hecho de mantener una posición inmovilista.

bunkerizar v. Mantener una posición inmovilista o autárquica: *Durante la guerra fría, algunos países se bunkerizaron.* ☐ ORTOGR. La *z* se cambia en *c* delante de *e* →CAZAR.

bunsen s.m.→**mechero de Bunsen.**

buñolería s.f. Establecimiento en el que se hacen o se venden buñuelos.

buñolero, ra s. Persona que se dedica a la fabricación o a la venta de buñuelos. ☐ SINÓN. *buñuelero.*

buñuelero, ra s. →**buñolero.**

buñueliano, na adj. De Luis Buñuel (director cinematográfico español del siglo XX) o relacionado con él.

buñuelo s.m. **1** Masa de harina, agua y, generalmente, otros ingredientes, que se fríe en pequeñas cantidades y resulta una bola hueca que puede rellenarse: *Hoy comemos buñuelos de bacalao.* **2** En zonas del español meridional, pan dulce de forma aplanada, hecho con harina y frito en aceite. **3** ‖ **buñuelo (de viento);** el que se rellena con algo dulce. ☐ ETIMOL. De origen incierto.

BUP s.m. En el antiguo sistema educativo español, nivel de educación secundaria no obligatoria: *Al terminar la EGB, continué mis estudios haciendo el BUP.* ☐ ETIMOL. Es el acrónimo de *bachillerato unificado polivalente.*

buque s.m. **1** Barco de grandes dimensiones, con una o varias cubiertas, esp. el utilizado para navegaciones de importancia: *un buque de guerra.* ☐ SINÓN. *navío.* **2** ‖ **buque de cabotaje;** el que navega entre puertos sin perder de vista la costa. ‖ **buque escuela;** en la Armada, el que sirve para que los guardiamarinas completen su formación militar. ‖ **buque insignia; 1** Aquel en el que va el jefe de una escuadra o de una división naval. **2** Persona o cosa representativas de un movimiento. ‖ **(buque) mercante;** el destinado al transporte de mercancías y pasajeros. ☐ ETIMOL. Del francés *buc* (casco).

buqué s.m. **1** Aroma de un vino, esp. si es de buena calidad: *Este vino tiene un suave buqué.* **2** Ramo de flores pequeño y compacto: *La novia llevaba un buqué de capullos de rosa.* ☐ ETIMOL. Del francés *bouquet.* ☐ USO Es innecesario el uso del galicismo *bouquet.*

burbuja s.f. **1** En un líquido, pompa llena de aire o de gas, que se forma en su interior y sube a la superficie, donde estalla. ☐ SINÓN. *bambolla.* **2** Espacio desinfectado y aislado del exterior para evitar cualquier posible contaminación: *Hay niños que nacen sin defensas y deben vivir en burbujas.* **3** En un dibujo, globo en el que se transcriben los pensamientos de los personajes: *Las burbujas de este cómic me aclaran lo que está pensando el protagonista en cada momento.* **4** En bolsa, situación anómala en la que se sobrevalora una entidad con respecto a su valor real: *Las burbujas financieras suelen dar lugar a recesiones.* ☐ ETIMOL. De **burbujar* (burbujear), y este del latín **bulbulliare.*

burbujear v. Referido a un líquido, formar burbujas: *El cava burbujeaba en la copa.*

burbujeo s.m. En un líquido, formación de burbujas y ruido que esto produce.

burdégano s.m. Animal estéril nacido del cruce de burra y caballo, con la cola muy poblada y el cuerpo desproporcionadamente grande en relación con las patas: *El burdégano es más fuerte y agresivo que el mulo.* ☐ ETIMOL. Del latín *burdus* (bastardo).

burdel s.m. Establecimiento público en el que se ejerce la prostitución: *Los burdeles suelen tener una luz roja a la entrada.* ☐ SINÓN. *prostíbulo.* ☐ ETIMOL. Del catalán o del provenzal *bordel.*

burdelesco, ca adj. *desp.* Referido a un dicho o a un hecho, con las características que se consideran propias del burdel.

burdeos (pl. *burdeos*) ▮ adj.inv./s.m. **1** De color granate oscuro. ▮ s.m. **2** Vino originario de la zona de Burdeos (ciudad del sudoeste francés): *Los burdeos más famosos son los tintos.*

burdo, da adj. Que no tiene delicadeza, finura ni sutileza: *unos modales burdos; una tela burda.* ☐ ETIMOL. De origen incierto.

burel s.m. En heráldica, en un escudo, franja horizontal que lo cruza por el centro y que ocupa la novena parte de su ancho: *En el burel del escudo había una inscripción grabada.* ☐ ETIMOL. Del francés antiguo *burel*.

bureo s.m. *col.* Diversión: *No digas que te aburres, porque en cuanto puedes te vas de bureo.* ☐ ETIMOL. Del francés *bureau* (oficina, comité).

bureta s.f. Instrumento de laboratorio consistente en un tubo de vidrio alargado y graduado, abierto por su extremo superior y provisto en el inferior de una llave que permite controlar la salida de líquido: *La bureta se utiliza para medir volúmenes y hacer análisis.* ☐ ETIMOL. Del francés *burette*.

burga s.f. Manantial de agua caliente: *Si vas a Orense, no dejes de visitar sus famosas burgas.* ☐ ETIMOL. Quizá del euskera *bero-ur-ga* (lugar de agua caliente).

burgalés, -a adj./s. De Burgos o relacionado con esta provincia española o con su capital: *La catedral burgalesa es una muestra del gótico español.*

burger (ing.) s.m. →**hamburguesería.** ☐ PRON. [búrguer].

burgo s.m. En la Edad Media, ciudad pequeña: *La actividad económica característica de un burgo era el comercio.* ☐ ETIMOL. Del latín *burgus*, y este del germánico *burgs* (ciudad pequeña).

burgomaestre s.m. En algunos países europeos, persona que preside un ayuntamiento con las competencias y límites que marca la ley: *Un burgomaestre alemán es el equivalente de un alcalde español.* ☐ ETIMOL. Del alemán *Bürgermeister* (alcalde).

burgués, -a adj./s. **1** En las edades Moderna y Contemporánea, de la burguesía o relacionado con ella: *Los burgueses forman la burguesía o clase media.* **2** En la sociedad actual, que tiende a la comodidad y a la estabilidad. **3** En la Edad Media, del burgo o relacionado con él: *Los burgueses eran mayoritariamente artesanos y comerciantes.*

burguesía s.f. Grupo social formado por las personas de posición acomodada: *Los banqueros y los comerciantes formaban parte de la burguesía medieval.* ☐ SINÓN. *clase media.*

buril s.m. Instrumento puntiagudo de acero que se utiliza para grabar metales. ☐ SINÓN. *punzón.* ☐ ETIMOL. Del catalán *burí*.

buriladura s.f. Grabado que se hace sobre metal con un buril.

burilar v. Grabar con buril: *El homenajeado recibió una placa en la que habían burilado su nombre.*

burka s.m. Prenda de vestir femenina que cubre el cuerpo de la cabeza a los pies y que tiene una rejilla de tela a la altura de los ojos para poder ver: *En un reportaje aparecían algunas mujeres afganas vestidas con burka.*

burkinés, -a adj./s. De Burkina Faso o relacionado con este país africano.

burla s.f. **1** Hecho o dicho con que una persona se ríe de algo o de alguien, esp. si es con intención de ridiculizarlo: *Se enfadó conmigo porque creyó que le estaba haciendo burla.* **2** Engaño que se hace a alguien abusando de su buena fe: *Su promesa de devolverme el préstamo fue una burla.* ☐ ETIMOL. De origen incierto.

burladero s.m. En una plaza de toros, valla situada delante de la barrera y tras la cual se refugia el torero para burlar al toro: *El torero esperó tras el burladero la salida del toro.*

burlador, -a ▌adj./s. **1** Que burla. ▌s.m. **2** Hombre libertino, que suele engañar y seducir a las mujeres y que presume de deshonrarlas: *Don Juan Tenorio quedó retratado como el más famoso de los burladores en la obra de Tirso de Molina 'El burlador de Sevilla'.*

burlanga s.com. *arg.* Persona que tima y roba, esp. por medio del juego.

burlar ▌v. **1** Referido a un peligro o a una amenaza, esquivarlos o eludirlos: *El forajido se disfrazó para burlar los controles policiales.* **2** Engañar o hacer creer algo falso premeditadamente: *Ese truhán burló al pueblo entero con sus aires de gran señor.* ▌prnl. **3** Hacer burla o poner en ridículo: *Se puso las manos en la cabeza, sacó la lengua y empezó a burlarse de todos.* ☐ SINT. Constr. de la acepción 3: *burlarse* DE *algo*.

burlesco, ca adj. Que hace reír o que manifiesta burla: *un gesto burlesco.*

burlete s.m. Tira de fieltro o de otro material flexible que se fija en los bordes de puertas y ventanas para cubrir rendijas e impedir que pase el aire por ellas: *Desde que pusimos burletes en las ventanas, no entra el frío de la calle.* ☐ ETIMOL. Del francés *bourrelet*, y este de *bourre* (borra).

burlón, -a ▌adj. **1** Con burla: *una sonrisa burlona.* ▌adj./s. **2** Referido a una persona, aficionada a hacer burlas o bromas.

burn-out (ing.) s.m. Estado psíquico caracterizado por un gran agotamiento mental y emocional provocado por el trabajo: *El burn-out o síndrome del profesional quemado puede generar un aumento de los enfrentamientos entre compañeros de trabajo.* ☐ PRON. [bárn-áut]. ☐ USO Su uso es innecesario y puede sustituirse por *agotamiento profesional*.

buró (pl. *burós*) s.m. **1** Escritorio con pequeños compartimentos en su parte superior y que se cierra levantando el tablero sobre el que se escribe o bajando una persiana que llega hasta este. **2** En zonas del español meridional, mesilla. ☐ ETIMOL. Del francés *bureau.* ☐ SEM. No debe emplearse con el significado de 'oficina' (galicismo): *{*El buró > la oficina} de prensa difundió la información.*

burocracia s.f. **1** Actividad administrativa, esp. la que se realiza en organismos públicos: *los trámites de la burocracia.* **2** Exceso de normas y de papeleo que complican o retrasan la resolución de un asunto: *Con tanta burocracia es imposible que cumplan ni un plazo previsto.* ☐ ETIMOL. Del francés *bu-*

reaucratie, y este de *bureau* (oficina) y el griego *krátos* (poder).

burócrata s.com. Persona que se dedica profesionalmente a la realización de tareas administrativas, esp. referido a empleados públicos.

burocratada s.f. *col. desp.* Acción que requiere un exceso de trámites burocráticos: *Llevo toda la mañana haciendo burocratadas para conseguir una beca de estudios.*

burocrático, ca adj. De la burocracia o de los burócratas: *trámites burocráticos.*

burocratismo s.m. Tendencia a conceder excesivo poder o influencia a la burocracia: *El burocratismo frena el funcionamiento de esta organización.*

burocratización s.f. Implantación de una organización burocrática, esp. si esta es excesiva.

burocratizar v. Dotar de una organización burocrática, esp. si esta es excesiva: *Han burocratizado tanto el Ayuntamiento que funciona sin tener en cuenta la opinión pública.* ☐ ORTOGR. La *z* se cambia en *c* delante de *e* →CAZAR.

burofax s.m. **1** Servicio de fax instalado en una oficina de correos. **2** Documento recibido mediante este servicio: *Acabo de leer el burofax.* ☐ USO Se usan los plurales *burofaxes* y *burofax*.

burótica s.f. Aplicación de los recursos y programas informáticos en el trabajo de oficina: *La burótica agiliza el trabajo en las empresas.* ☐ SINÓN. *ofimática*.

burra s.f. Véase **burro, rra**.

burraca s.f. *arg.* Prostituta.

burrada s.f. **1** *col.* Hecho o dicho estúpido, poco acertado o brutal. ☐ SINÓN. *barbaridad*. **2** || **una burrada; 1** *col.* Gran cantidad: *Comí una burrada de patatas fritas.* **2** *col.* Muchísimo: *Estuve todo el día andando y me cansé una burrada.*

burrajear v. →**borrajear.**

burrajo s.m. Estiércol seco de las caballerías: *En algunas partes de utiliza el burrajo como combustible para encender hogueras.* ☐ ETIMOL. De *borrajo*.

burriciego, ga adj./s. *col. desp.* Que ve mal.

burrito s.m. Comida mexicana hecha con una tortilla de harina que se enrolla y se rellena con queso y carne.

burro, rra ▮ adj./s. **1** *col. desp.* Poco inteligente o de poca formación. **2** *col. desp.* Que se comporta de manera violenta y maleducada o que es desconsiderado y poco amable con los demás. ☐ SINÓN. *bruto*. **3** *col. desp.* Que mantiene una actitud o unas ideas a pesar de cualquier razón en contra. ☐ SINÓN. *terco*. ▮ s. **4** Mamífero cuadrúpedo, doméstico, más pequeño que el caballo, con largas orejas, pelo áspero y normalmente grisáceo, y que se suele emplear como montura o como animal de carga o de tiro. ☐ SINÓN. *asno*. ▮ s.m. **5** Juego de cartas en el que el jugador que pierde recibe el nombre de 'burro'. **6** *arg.* En el lenguaje de la droga, heroína. **7** En zonas del español meridional, tabla para planchar la ropa. **8** *arg.* En zonas del español meridional, camello o persona que vende droga en pequeñas cantidades. ▮ s.f. **9** *col.* Motocicleta. **10** || **{apearse/bajarse} del burro;** *col.* Reconocer que no se tiene razón: *Es tan cabezota que no hay manera de que se apee del burro.* || **burro (de arranque);** en zonas del español meridional, motor de arranque: *El burro de mi auto se descompuso.* || **como un burro;** *col.* Muchísimo: *Trabaja como un burro.* || **no ver {dos/tres} en un burro;** *col.* ver mal o ser miope: *Con esta niebla, no veo tres en un burro.* || **vender la burra;** *col.* Convencer o camelar: *Me intentó vender la burra de que le hiciese yo el trabajo.* ☐ ETIMOL. Del vulgar *burrico* (borrico).

burrotaxi s.m. *col.* Burro que se alquila para hacer un recorrido, esp. si es de carácter turístico: *La excursión incluía un paseo en burrotaxi por el casco urbano.*

burruño s.m. *vulg.* →**gurruño.**

bursátil adj.inv. En economía, de la bolsa o de las operaciones que se realizan en ella: *mercados bursátiles.* ☐ ETIMOL. Del latín *bursa* (bolsa).

burucuyá s.f. En zonas del español meridional, pasionaria.

burujo (tb. *borujo*) s.m. Aglomeración que se forma al apretarse o al enredarse las partes de algo, esp. de una masa o de un hilo: *Con el pelo tan largo y tan rizado, se le forman unos burujos imposibles de desenredar.* ☐ ETIMOL. Del latín *voluclum*, en vez de *involucrum* (envoltorio).

burundanga s.f. **1** En zonas del español meridional, cosa inútil. **2** En zonas del español meridional, enredo o confusión.

burundés, -a adj./s. De Burundi o relacionado con este país africano. ☐ SINÓN. *burundiano*.

burundiano, na adj./s. De Burundi o relacionado con este país africano. ☐ SINÓN. *burundés*.

bus s.m. **1** →**autobús. 2** Conjunto de componentes de un ordenador que permiten la transmisión interna o externa de información: *El bus hace posible la comunicación del ordenador con sus periféricos.* ☐ SINÓN. *canal*. **3** || **(bus) vao;** en una carretera, carril por el que solo pueden circular autobuses o vehículos ocupados por un mínimo de dos personas. ☐ ETIMOL. En la expresión *bus vao*, *vao* es el acrónimo de *vehículo de alta ocupación*. ☐ SINT. *Bus vao* se usa normalmente como aposición de *carril*.

busca ▮ s.m. **1** *col.* →**buscapersonas.** ▮ s.f. **2** Lo que se hace para encontrar algo o a alguien: *una orden de busca y captura.* ☐ SINÓN. *búsqueda*.

buscador, -a ▮ adj./s. **1** Que busca: *un buscador de oro.* ▮ s.m. **2** Herramienta de internet que permite hacer búsquedas en la red informática: *Escribí 'arte precolombino' en el buscador y me localizó toda la información que necesitaba.*

buscapersonas (pl. *buscapersonas*) s.m. Pequeño aparato electrónico que transmite señales acústicas y que se utiliza para recibir mensajes a distancia: *El médico lleva un buscapersonas en el bolsillo para poder ser localizado en caso de urgencia.* □ SINÓN. *mensáfono.* □ MORF. En la lengua coloquial se usa mucho la forma abreviada *busca.* □ USO Es innecesario el uso del anglicismo *beeper* y de la forma castellanizada *bíper.*

buscapiés (pl. *buscapiés*) s.m. Cohete sin varilla que, cuando se enciende, corre en zigzag a ras de suelo.

buscapleitos (pl. *buscapleitos*) s.com. *col.* Persona que tiende a provocar discusiones o peleas. □ SINÓN. *buscarruidos, pleitista.*

buscar v. **1** Intentar encontrar: *Lleva meses buscando trabajo por toda la ciudad.* **2** Referido a una persona, meterse con ella o provocarla: *Esa insolente me está buscando, y un día se va a enterar de quién soy yo.* **3** || **buscársela;** *col.* Hacer algo con riesgo de recibir un castigo o un perjuicio: *Haciendo tantos novillos, se la está buscando.* □ ETIMOL. De origen incierto. □ ORTOGR. La *c* se cambia en *qu* delante de *e* →SACAR. □ SINT. Su uso seguido de infinitivo es un galicismo innecesario y puede sustituirse por una expresión como *pretender* o *tratar de*: *{*Busca > Pretende} llegar a ministro.*

buscarla s.f. Pájaro insectívoro, de pequeño tamaño, pico corto y color pardo, que vive entre juncos y maleza en zonas húmedas: *Las buscarlas son muy vivas y ágiles pero apenas vuelan.* □ MORF. Es un sustantivo epiceno: *la buscarla {macho/hembra}.*

buscarruidos (pl. *buscarruidos*) s.com. *col.* Persona que tiende a provocar discusiones o peleas. □ SINÓN. *buscapleitos, pleitista.* □ ORTOGR. Incorr. **buscaruidos.*

buscavidas (pl. *buscavidas*) s.com. *col.* Persona que sabe ingeniárselas para salir adelante en la vida.

buscón, -a ▌adj./s. **1** Que hace pequeños robos o estafas con distintas tretas o artimañas: *El buscón don Pablos es el protagonista de una novela de Quevedo.* ▌s.f. **2** *col.* Prostituta: *Por el barrio chino se pasean busconas en espera de algún cliente.*

buscona s.f. *col.* Véase **buscón, -a.**

buseta s.f. En zonas del español meridional, microbús.

buseto s.m. *col.* Autobús.

busilis (pl. *busilis*) s.m. **1** En un asunto, punto en el que radica su dificultad: *El busilis del problema está en la falta de datos para resolverlo.* **2** || **dar en el busilis** de un asunto; *col.* Entender o descubrir su dificultad: *Después de horas explicándole mi preocupación, dio en el busilis del problema.* □ ETIMOL. Del latín *in diebus illis* (en aquellos días), que alguien entendió mal y separó *in die bus illis*, y no sabía lo que significaba *bus illis.* □ SEM. Dist. de *quid* (razón o punto esencial de algo).

business (ing.) s.m. →**negocio.** □ PRON. [bísnes].

búsqueda s.f. Lo que se hace para encontrar algo o a alguien: *Los médicos trabajan en la búsqueda de una vacuna eficaz.* □ SINÓN. *busca.*

bustier (fr.) s.m. Prenda de vestir femenina ajustada, sin mangas y sin tirantes, que cubre el cuerpo desde las axilas hasta la cintura. □ PRON. [bustié].

busto s.m. **1** En arte, representación de la cabeza y de la parte superior del cuerpo de una persona: *A la entrada del colegio había un pedestal con un busto del fundador.* **2** En el cuerpo humano, parte comprendida entre el cuello y la cintura: *La anciana llevaba una pañoleta que le cubría la cabeza y el busto.* **3** En una mujer, senos: *Según la propaganda, ese sujetador realza el busto.* □ ETIMOL. Del latín *bustum* (sepultura, crematorio de cadáveres, monumento fúnebre).

bustrófedon (tb. *bustrofedon*) s.m. Modo de escribir consistente en trazar los renglones alternativamente de izquierda a derecha y de derecha a izquierda: *Se han encontrado inscripciones en griego arcaico escritas en bustrofedon.* □ ETIMOL. Del griego *bustrophedón* (arando en zigzag). □ PRON. Aunque la pronunciación correcta es [bustrofédon] o [bustrófedon], está muy extendida [bustrofedón].

butaca s.f. **1** Silla con brazos, generalmente mullida y con el respaldo algo inclinado hacia atrás. **2** En un local de espectáculos, localidad cómoda y situada en un lugar con buena visibilidad, esp. en la planta baja: *Desde las butacas de entresuelo se ve bien el escenario.* **3** En un espectáculo, entrada que da derecho a ocupar esta localidad: *Compramos dos butacas para el concierto de gala.* □ ETIMOL. De *putaka* (asiento), término de un dialecto de Venezuela.

butanero, ra s. Persona que se dedica profesionalmente al reparto y venta a domicilio de butano.

butanés, -a adj./s. →**bhutanés.**

butano ▌adj.inv. **1** De color naranja muy vivo. ▌s.m. **2** Hidrocarburo natural gaseoso, incoloro, fácil de transformar en líquido y que se usa como combustible doméstico e industrial: *una bombona de butano.* □ ETIMOL. Del latín *butyrum* y la terminación de *metano.*

butaque s.m. En zonas del español meridional, butaca.

buten || **de buten;** *vulg.* Muy bueno o muy bien: *Este disco suena de buten, colega.* □ SINÓN. *dabuten, dabuti.*

buteno s.m. Hidrocarburo gaseoso incoloro que se usa para fabricar alcoholes: *La fórmula del buteno es* C_4H_8.

butifarra s.f. Embutido de origen catalán, generalmente de carne de cerdo. □ ETIMOL. Del catalán *botifarra.*

butoh (jap.) s.m. Expresión artística de origen japonés que mezcla teatro y danza y que carece de hilo argumental: *Los bailarines de butoh suelen actuar desnudos o con el cuerpo pintado de blanco.* □

PRON. [butó]. ☐ SINT. Se usa en aposición, pospuesto a un sustantivo: *danza butoh.*

butrón s.m. **1** En un techo o en una pared, agujero hecho por los ladrones para robar: *el método del butrón.* **2** →**buitrón.**

butronero s.m. Persona que abre butrones o boquetes en techos o en paredes para robar.

buxáceo, a ▮ adj./s.f. **1** Referido a una planta, que es leñosa, de hojas perennes y con frutos en forma de cápsula: *Las buxáceas crecen en la región mediterránea, Asia central y las Antillas.* ▮ s.f.pl. **2** En botánica, familia de estas plantas, perteneciente a la división de las angiospermas: *Entre las buxáceas hay árboles y arbustos.* ☐ ETIMOL. De *Buxus* (nombre de un género de plantas).

buyout (ing.) s.m. Compra de los derechos artísticos o comerciales de una marca o un artista. ☐ PRON. [bai·áut].

buzamiento s.m. En geología, inclinación de un filón o de una capa del terreno: *Estudiamos una zona de pliegues abruptos con buzamientos muy pronunciados.*

buzar v. Referido a una capa del terreno, inclinarse en una dirección: *Los filones de la mina buzan al norte.* ☐ ETIMOL. Del latín **vortiare*, y este de *vortere* (volver).

buzo s.m. **1** Persona que se dedica a bucear o a realizar actividades bajo el agua, esp. si esta es su profesión: *Los buzos se sumergieron para reparar el barco.* **2** Prenda de vestir para niños pequeños que cubre todo el cuerpo: *Le puse el buzo a la niña porque hacía mucho frío.* **3** En zonas del español meridional, chándal. **4** En zonas del español meridional, sudadera. **5** En zonas del español meridional, jersey. **6** ‖ **ponerse buzo;** *col.* En zonas del español meridional, estar atento: *Ponte buzo, porque manejar por esta carretera es muy peligroso.* ☐ ETIMOL. Del portugués *búzio* (caracol que vive debajo del agua).

buzón s.m. **1** Caja o receptáculo provisto de una ranura por la que se echan cartas o escritos para que lleguen a su destinatario: *Si sales, ¿me echas esta carta al buzón?* **2** *col.* Boca grande. **3** ‖ **buzón de voz;** en telefonía, sistema que sirve para almacenar mensajes orales: *¿Oíste el mensaje que te dejé grabado en el buzón de voz?* ☐ ETIMOL. Del antiguo *bozón* (ariete).

buzoneador, -a s. Persona que trabaja distribuyendo propaganda en los buzones.

buzonear v. Depositar propaganda en los buzones para hacer publicidad de algo: *Mi amiga buzoneó por toda la ciudad para promocionar los artículos de su tienda.*

buzoneo s.m. Sistema de propaganda que consiste en depositar información en los buzones de las casas: *Hasta que encuentre otro trabajo, me dedicaré al buzoneo.*

bwana (suaj.) s. *col.* Amo: *Sí, bwana, haré lo que tú digas.* ☐ PRON. [buána]. ☐ USO Su uso tiene un matiz humorístico.

bypass (ing.) s.m. **1** En medicina, prótesis o pieza artificial o biológica que se coloca para establecer una comunicación entre dos puntos de una arteria en mal estado: *Lo han operado para colocarle un bypass.* **2** Enlace que une dos carreteras para facilitar el paso de vehículos de una a otra. ☐ PRON. [baipás].

byte (ing.) (pl. *bytes*) s.m. En informática, unidad de almacenamiento de información constituida por ocho bites: *La letra a se codifica en un ordenador con el byte '00110001'.* ☐ SINÓN. *octeto.* ☐ PRON. [báit]. ☐ ORTOGR. Su símbolo es *B*, por tanto, se escribe sin punto. ☐ SEM. Dist. de *bit* (unidad mínima de almacenamiento de información).

C c

c s.f. Tercera letra del abecedario. □ PRON. 1. Ante *e, i* representa el sonido consonántico interdental fricativo sordo, y se pronuncia como la *z*, aunque está muy extendida su pronunciación como [s]: *Cecilia* [sesília] →**seseo**. 2. Ante *a, o, u*, y formando parte de grupos consonánticos, representa el sonido consonántico velar oclusivo sordo y se pronuncia como la *k*: *can, cuco, crin* [kan, kúko, krin]. 3. Ante *h* representa el sonido consonántico palatal, africado y sordo: *cha, che, chi, cho, chu*. 4. En posición final de sílaba se pronuncia como una *k* suave: *rector, frac* [rektór, frak]. □ ORTOGR. 1. La grafía *ch* es indivisible al final de línea: incorr. **coc-he* > *co-che*. 2. La grafía mayúscula de *ch* es *Ch*; incorr. **CHile* > *Chile*.

ca interj. *col.* Expresión que se usa para indicar negación u oposición: *¡Ven aquí! -¡Ca, de eso nada!* □ SINÓN. *quia.* □ ETIMOL. De la expresión *¡qué ha de ser!* □ PRON. [ca] como apócope de *casa* o de *cada* es un vulgarismo. □ ORTOGR. Dist. de *ka*.

cabal adj.inv. **1** Que tiene juicio y honradez: *una chica cabal.* **2** Exacto o completo en su medida porque no sobra ni falta nada: *Tuvo su segundo hijo a los dos años cabales del primero.* **3** || **estar** alguien **en sus cabales;** tener normales sus facultades mentales: *Si estás en tus cabales, ¿por qué dices esas tonterías?* □ ETIMOL. De *cabo* (extremo). □ USO La acepción 3 se usa más en expresiones interrogativas y negativas.

cábala s.f. **1** En el judaísmo, conjunto de doctrinas que surgieron para explicar y fijar el sentido del Antiguo Testamento: *La cábala se transmitía por tradición oral.* **2** Conjetura o cálculo que se hace con datos incompletos o supuestos: *hacer cábalas.* □ ETIMOL. Del hebreo *qabbalah* (tradición). □ MORF. En la acepción 2, se usa más en plural.

cabalgada s.f. **1** Jornada larga a caballo, esp. si la realizan varias personas: *Los colonos del Oeste americano hacían duras cabalgadas.* **2** Tropa de jinetes que recorría el territorio enemigo: *La cabalgada estaba formada por los jinetes más valientes.*

cabalgadura s.f. Animal sobre el que se puede montar o llevar carga: *Su cabalgadura era un camello viejo.* □ SINÓN. *montura.*

cabalgamiento s.m. En geología, desplazamiento o corrimiento de unos terrenos sobre otros: *En las cordilleras son muy frecuentes los cabalgamientos de unos estratos sobre otros.*

cabalgar v. **1** Ir a caballo o sobre otra cabalgadura: *Para ser jockey hace falta cabalgar muy bien.* □ SINÓN. *montar.* **2** Referido esp. a un caballo, llevarlo como cabalgadura: *Siempre cabalgo este potro alazán.* □ SINÓN. *montar.* □ ETIMOL. Del latín *caballicare.* □ ORTOGR. La *g* se cambia en *gu* delante de *e* →PAGAR.

cabalgata s.f. Desfile de jinetes, carrozas, bandas de música y otras atracciones, que se organiza como festejo popular: *La cabalgata de los Reyes Magos y la de Carnaval son las más vistosas.* □ ETIMOL. Del italiano *cavalcata*, de *cavalcare* (cabalgar).

cabalista s.m. Persona que profesa la cábala: *El cabalista reveló lo que escondía el escrito.*

cabalístico, ca adj. **1** De sentido oculto o enigmático: *un concepto cabalístico.* **2** De la cábala o relacionado con este conjunto de doctrinas: *una interpretación cabalística.*

caballa s.f. Pez marino, de cabeza puntiaguda, de color azul metálico con franjas negras onduladas y costados y vientre plateados, cuya carne es comestible: *La caballa se come fresca o en conserva.* □ ETIMOL. De *caballo*, porque la caballa voladora da pequeños saltos sobre la superficie del mar. □ MORF. Es un sustantivo epiceno: *la caballa {macho/hembra}.* □ SEM. Dist. de *yegua* (hembra del caballo).

caballada s.f. Manada de caballos o de caballos y yeguas.

caballar adj.inv. Del caballo o que tiene semejanza o relación con él: *La peste equina afecta al ganado caballar.*

caballerango, ga s. En zonas del español meridional, que cuida caballos.

caballeresco, ca adj. **1** De la caballería medieval o relacionado con ella: *literatura caballeresca.* **2** Con características que se consideran propias de caballero: *un gesto caballeresco.*

caballerete s.m. *col.* Muchacho presumido en su forma de vestir o en su forma de actuar.

caballería s.f. **1** Animal doméstico, de la familia de los équidos, que se utiliza para transportar cargas o personas: *El caballo, las mulas y los asnos son caballerías.* **2** Arma del ejército formada por soldados a caballo o en vehículos motorizados: *La caballería de los ejércitos actuales tiene vehículos blindados y pocos caballos.* **3** Institución feudal de carácter militar cuyos miembros se comprometían a luchar para defender a su señor y sus dominios: *En la Edad Media, la caballería estaba formada por gente de la nobleza.* **4** || **caballería andante;** orden o profesión de los caballeros que recorrían el mundo en busca de aventuras para defender unos ideales de justicia y lealtad: *La caballería andante luchaba a favor del débil y ensalzaba el amor a la dama.* || **caballería ligera;** antigua modalidad de esta arma formada por soldados con caballos y armamento de poco peso: *La caballería ligera acudió en ayuda del fuerte cercado por los indios.*

caballeriza s.f. Véase **caballerizo, za**.

caballerizo, za ▮ s. **1** Persona encargada del cuidado y del mantenimiento de las cuadras. ▮ s.f. **2** Instalación o lugar cubierto preparado para la estancia de caballos y otras caballerías: *las caballerizas de un hipódromo.* □ SINÓN. *cuadra.*

caballero s.m. **1** Hombre cortés, generoso y de buena educación: *Si esto es un pacto entre caballeros, debes fiarte de mi palabra.* **2** Hombre adulto: *¿Dónde está el servicio de caballeros?* **3** Antiguamente, hidalgo o noble: *Para ser caballero hacía falta poder mantener un caballo.* **4** Hombre que pertenece a una orden de caballería: *Cuando se hizo caballero, empezaron sus andanzas en defensa de los desamparados.* **5** || **armar caballero** a alguien; declararlo miembro de una orden de caballería mediante una ceremonia: *El rey lo armó caballero tocándole con la espada en el hombro.* || **caballero andante;** héroe de los libros de caballería que recorría el mundo en busca de aventuras para defender unos ideales de justicia y lealtad. □ ETIMOL. Del latín *caballarius.* □ USO La acepción 2 se usa como tratamiento de cortesía.

caballerosidad s.f. Comportamiento o carácter cortés, generoso y noble, que se consideran propios de un caballero: *Demostró su caballerosidad al guardar el secreto.*

caballeroso, sa adj. Característico de un caballero por su cortesía, generosidad o nobleza.

caballete s.m. **1** Soporte con tres puntos de apoyo y que sirve para colocar algo en posición vertical o ligeramente inclinado hacia atrás: *Todavía tengo el cuadro en el caballete porque está sin terminar.* **2** Soporte formado por una pieza horizontal sostenida por pies: *Con una tabla grande y dos caballetes podemos montar una mesa.* **3** Elevación que suele tener la nariz en su parte media: *No se le caen las gafas porque tiene un caballete enorme.* **4** En un tejado, línea superior de la que arrancan dos vertientes: *Las tejas del caballete suelen ser redondeadas.* □ SINÓN. *mojinete.* □ ETIMOL. De *caballo.*

caballista s.com. Jinete hábil y que entiende de caballos.

caballitos s.m.pl. Atracción de feria formada por una plataforma giratoria sobre la que hay reproducciones a pequeña escala de animales y vehículos, en los que los niños se pueden montar: *Me monté en una jirafa que había en los caballitos.* □ SINÓN. *carrusel, tiovivo.*

caballo s.m. **1** Mamífero herbívoro, cuadrúpedo, de cuello largo y arqueado que, al igual que la cola, está poblado de largas y abundantes cerdas, fácilmente domesticable, y que se suele emplear como montura o como animal de carga o de tiro: *un caballo de carreras.* **2** En el juego del ajedrez, pieza que representa a este animal y que se mueve en forma de *L*: *El caballo es la única pieza que puede saltar por encima de las demás.* **3** En la baraja española, carta que representa a ese animal con su jinete: *El caballo puede ser de oros, copas, bastos o espadas.* **4** En gimnasia, aparato formado por cuatro patas y un cuerpo superior alargado y terminado en punta, en el que los gimnastas apoyan las manos para saltarlo: *El caballo es más difícil de saltar que el potro porque es más largo.* **5** *arg.* En el lenguaje de la droga, heroína. **6** || **a caballo;** entre dos cosas o épocas contiguas o participando de ambas: *Algunas narraciones están a caballo entre la poesía y la prosa.* || **a mata caballo;** →**a matacaballo.** || **caballito de mar;** pez marino que nada en posición vertical y tiene la cabeza semejante a la del caballo. □ SINÓN. *hipocampo.* || **caballito del diablo;** insecto parecido a la libélula pero de menor tamaño, de vuelo rápido, con cuatro alas estrechas, cuerpo cilíndrico muy fino y largo, que suele vivir junto a estanques y ríos. || **caballo de batalla;** punto principal o esp. conflictivo de un asunto, de una discusión o de un problema: *Acabar con el paro es el caballo de batalla de todo Gobierno.* || **caballo de vapor;** unidad de potencia que equivale aproximadamente a 745 vatios. □ ETIMOL. Del latín *caballus* (caballo castrado, caballo de trabajo). □ ORTOGR. El símbolo de *caballo de vapor* es *CV* o *hp*, por tanto, se escriben sin punto. □ MORF. 1. En la acepción 1, la hembra se designa con el femenino *yegua.* 2. *Caballito de mar* y *caballito del diablo* son epicenos: *el caballito de mar {macho/hembra}, el caballito del diablo {macho/hembra}.*

caballón s.m. Pequeño montículo de tierra que se levanta en terrenos cultivados y se destina a diversos usos. □ SINÓN. *almorrón.*

caballuno, na adj. Propio del caballo o con sus características.

cabaña s.f. **1** Vivienda pequeña y tosca hecha en el campo, que suele usarse como refugio: *una cabaña de pastores.* **2** Conjunto de cabezas de ganado de un mismo tipo o de una misma zona: *La cabaña asturiana estaba compuesta principalmente por ganado vacuno.* □ ETIMOL. Del latín *capanna* (choza).

cabaré s.m. Establecimiento público de diversión, generalmente nocturno, en el que se baila, se sirven bebidas y comidas y se ofrecen espectáculos de variedades: *Esta noche iremos a cenar a un cabaré y después bailaremos un poco.* □ ETIMOL. Del francés *cabaret.* □ ORTOGR. Es innecesario el uso del galicismo *cabaret.*

cabaret (fr.) s.m. →**cabaré.**

cabaretero, ra s. Persona que baila y canta en un espectáculo del cabaré.

cabás s.m. Maletín pequeño o caja con un asa en la parte superior: *Muchos estudiantes norteamericanos llevan su desayuno al colegio en un cabás.* □ ETIMOL. Del francés *cabas.*

cabe prep. *ant.* Junto a: *Yacía exhausto cabe el fuego.* □ ETIMOL. De *cabo* (orilla, borde). □ ORTOGR. Dist. de *cave* (del verbo *cavar*).

cabeceador, -a adj./s. Referido esp. al fútbol, que cabecea: *Es un gran cabeceador y ha metido ya siete goles con la cabeza.*

cabeceamiento s.m. →**cabeceo.**

cabecear v. **1** Mover la cabeza a un lado y a otro o de arriba abajo: *El caballo cabeceaba al andar.* **2** Dar cabezadas por efecto del sueño: *Vete a la cama y deja de cabecear en el sillón.* **3** Referido a un vehículo, moverse subiendo y bajando las partes delantera y trasera alternativamente: *El avión cabe-*

ceaba a causa de los baches de la atmósfera. **4** En fútbol, golpear el balón con la cabeza: *El defensa cabeceó con tanta fuerza que mandó el balón fuera del campo.*

cabeceo s.m. **1** Movimiento que se hace con la cabeza a un lado y a otro o de arriba abajo. ☐ SINÓN. *cabeceamiento.* **2** Inclinación brusca e involuntaria que se hace repetidamente por efecto del sueño. ☐ SINÓN. *cabeceamiento.* **3** Movimiento que hace un vehículo al subir y bajar las partes delantera y trasera alternativamente: *Las olas provocan el cabeceo del pesquero.* ☐ SINÓN. *cabeceamiento.*

cabecera s.f. Véase **cabecero, ra**.

cabecero, ra ▮ adj./s.f. **1** Que está delante, en primer lugar o al mando: *Tres ciclistas españoles eran el grupo cabecero de la carrera.* ▮ s.m. **2** En una cama, pieza que se pone en su extremo superior y que impide que se caigan las almohadas: *Cuando dormía me golpeé la cabeza con el cabecero.* ▮ s.f. **3** En una cama, extremo en el que se ponen las almohadas o en el que reposa la cabeza al dormir: *En la cabecera, sobre la almohada, tiene siempre un muñeco.* **4** En un lugar o en una mesa, parte principal o preferente, o asiento de honor: *Siempre sentamos a los invitados de honor en la cabecera de la mesa.* **5** En un escrito, parte inicial en la que suelen incluirse los datos generales relativos al mismo: *El nombre de esta joven actriz figura ya en la cabecera de reparto de varias películas.* **6** Principio o punto del que parte algo: *La cabecera de esta línea de autobús está en la plaza.* ☐ ETIMOL. De *cabeza.* ☐ USO 1. En la acepción 2, se usa también *cabecera.* 2. En la acepción 3, se usa también *cabecero.*

cabecilla s.com. Persona que está a la cabeza de un grupo o movimiento cultural, político o de otro tipo, esp. si es de carácter contestatario.

cabellera s.f. **1** Conjunto de cabellos, esp. si son largos: *una cabellera espesa.* **2** En un cometa, estela luminosa que rodea el núcleo.

cabello s.m. **1** En una persona, cada uno de los pelos que nacen en su cabeza: *Cada vez que me peino dejo el cepillo lleno de cabellos.* **2** Conjunto de estos pelos: *Tardé un buen rato en desenredarme el cabello.* ☐ SINÓN. *pelo.* **3** ‖ **cabello de ángel;** dulce hecho con calabaza y almíbar que recuerda al cabello por estar compuesto de filamentos finos y largos: *Me he comprado un bollo relleno de cabello de ángel.* ☐ ETIMOL. Del latín *capillus.*

cabelludo, da adj. Que tiene mucho cabello: *Cuando me lavo la cabeza, el pelo tarda en secárseme porque soy muy cabelludo.*

caber v. **1** Referido esp. a un objeto, poder contenerse en otro: *El cajón está tan lleno que no caben más cosas.* **2** Poder entrar: *Está tan gordo que no cabe por la puerta.* **3** Existir o ser posible: *No cabe la menor duda de que se ha ido.* **4** Tocar, corresponder: *Me cabe la satisfacción de ser yo el que te entregue el premio.* **5** ‖ **no caber** alguien **en sí;** estar o mostrarse muy contento o satisfecho: *Estaba tan orgulloso de haberlo conseguido que no cabía en sí de gozo.* ☐ ETIMOL. Del latín *capere* (asir, contener). ☐ MORF. Irreg. →CABER.

cabernet (fr.) ▮ s.f. **1** Uva negra, de piel gruesa y jugosa: *La cabernet es la variedad de uva negra más expandida por todo el mundo.* ▮ s.m. **2** Vino elaborado con esta uva: *Con la comida habrá un excelente cabernet.* ☐ PRON. [caberné]. ☐ SINT. Se usa mucho en aposición, pospuesto a un sustantivo: *uva cabernet.*

cabestrante (tb. *cabrestante*) s.m. Torno de eje vertical en el que se enrolla un cable o una cadena y que se usa para elevar un objeto pesado: *Al izar el ancla la cadena del cabestrante se rompió.*

cabestrillo s.m. Banda o armazón que se cuelga del cuello para sostener el brazo en flexión: *Lleva el brazo derecho en cabestrillo porque al caerse se lo lesionó.* ☐ ETIMOL. De *cabestro* (cuerda que se ata al cuello de las caballerías).

cabestro s.m. Buey manso que suele llevar cencerro y que sirve de guía a las reses bravas: *Soltaron los cabestros para llevar al toro de la plaza.* ☐ ETIMOL. Del latín *capistrum.*

cabeza s.f. **1** En una persona y en algunos animales, parte superior o anterior del cuerpo en la que se encuentran algunos órganos de los sentidos: *Los toros tienen cuernos en la cabeza.* **2** En una persona y en algunos mamíferos, parte que comprende desde la frente hasta el cuello, excluida la cara: *Como tenía piojos, le raparon la cabeza.* **3** En un reparto o en una distribución, persona: *En el reparto tocaron a tres por cabeza.* **4** Pensamiento, imaginación o capacidad intelectual humana: *Al verte me vino a la cabeza que te debo dinero.* **5** Animal cuadrúpedo de ciertas especies domésticas y de algunas salvajes: *Tenía un rebaño de doscientas cabezas.* ☐ SINÓN. *res.* **6** En algunos objetos, principio o parte extrema: *Nuestro equipo es cabeza de serie del torneo.* **7** Extremo abultado, generalmente opuesto a una punta: *La cabeza de los dientes es la parte blanca que vemos.* **8** En el corte de un libro, parte superior: *¿Cuántos centímetros dejo de margen en la cabeza?* **9** En una colectividad, persona que la dirige, preside o lidera: *La cabeza de la iglesia católica es el Papa.* **10** ‖ **{a la/en} cabeza;** delante, en primer lugar o al mando: *A la cabeza de la manifestación iban los líderes políticos.* ‖ **{andar/ir} de cabeza;** *col.* Estar muy ocupado o tener muchas preocupaciones: *Son pocos en el trabajo y andan siempre de cabeza.* ‖ **bajar la cabeza;** *col.* Obedecer sin réplica, humillarse o avergonzarse: *No estaba de acuerdo con la orden, pero bajó la cabeza y la acató.* ‖ **cabeza abajo;** con la parte superior hacia abajo: *Para hacer el pino hay que ponerse cabeza abajo.* ‖ **cabeza cuadrada;** *col.* Persona que solo actúa según normas o planes prefijados: *No puede entender ese mundo porque es una cabeza cuadrada.* ‖ **cabeza de ajo(s);** conjunto de los dientes o partes que forman el bulbo del ajo, esp. cuando todavía están unidos. ‖ **(cabeza de) chorlito;** *col.* Persona de poco juicio o despistada: *Como es una cabeza de chorlito, no piensa en las consecuencias de sus actos.* ‖ **cabeza (de familia);**

persona que figura como jefe de una familia a efectos legales: *En este apartado debe poner los datos del cabeza de familia.* || **cabeza de jabalí;** embutido hecho con trozos de la cabeza del jabalí. || **cabeza de partido;** en una demarcación territorial, población más importante de la que dependen judicialmente otras y en la que se encuentran los juzgados de primera instancia e instrucción: *Como mi pueblo es el más grande de los alrededores, es cabeza de partido.* || **cabeza de turco;** persona sobre la que se hace recaer una culpa compartida por varios: *Nada se supo de los que habían planeado el asesinato y el cabeza de turco fue el que apretó el gatillo.* □ SINÓN. *chivo expiatorio.* || **cabeza dura; 1** *col.* Persona torpe o que no tiene facilidad para entender las cosas: *Es una cabeza dura y ha repetido curso varias veces.* **2** *col.* Persona obstinada que mantiene una postura a pesar de cualquier razón en contra: *No hay quien convenza a esa cabeza dura.* || **cabeza hueca;** *col.* Persona irresponsable, vacía o sin sentido común: *¿Cómo se te ocurre hablar de temas tan serios con semejante cabeza hueca?* || **cabeza {lectora/reproductora};** en un aparato electrónico, dispositivo que sirve para leer, grabar o reproducir señales de una banda magnética: *La cabeza reproductora de mi radiocasete está sucia y no graba bien.* || **cabeza loca;** *col.* Persona que actúa de forma irresponsable o poco juiciosa: *Es una cabeza loca y solo piensa en divertirse.* || **cabeza rapada;** miembro de un grupo social juvenil y urbano de comportamiento violento y que se caracteriza por llevar el pelo muy corto: *Han detenido a varios cabezas rapadas que intentaban incendiar un coche.* □ SINÓN. *rapado.* || **calentarle** a alguien **la cabeza;** *col.* Molestarlo, cansarlo o preocuparlo con conversaciones pesadas e insistentes: *No me calientes más la cabeza y deja de protestar de una vez.* || **{calentarse/quebrarse/romperse} la cabeza;** *col.* Esforzarse o preocuparse mucho: *Me he roto la cabeza para dar con la solución de este problema.* || **con la cabeza alta;** con dignidad y sin avergonzarse: *Es una persona honrada y puede andar con la cabeza bien alta.* || **{cortar/rodar} cabezas;** *col.* Echar a alguien de un puesto: *Si este proyecto fracasa, rodarán cabezas.* || **de cabeza; 1** Con esta parte del cuerpo por delante: *Ya sé tirarme de cabeza a la piscina.* **2** Referido a la forma de actuar, con decisión y sin vacilar: *Se metió de cabeza en el negocio cuando supo que tú serías su jefe.* **3** Referido a la forma de dar información, de memoria: *No sé si estos son los nombres exactos de los organismos porque te los estoy dando de cabeza.* || **echar de cabeza;** *col.* En zonas del español meridional, denunciar o acusar: *Me echó de cabeza con el jefe por lo que había dicho.* || **escarmentar en cabeza ajena;** *col.* Extraer una enseñanza de los errores ajenos, esp. si sirve para evitar repetirlos: *Con el fracaso de mi vecino escarmenté en cabeza ajena y renuncio a continuar.* || **estar {mal/tocado} de la cabeza;** *col.* Estar trastornado o loco: *Para hacer esa tontería hay que estar mal de la cabeza.* || **levantar cabeza;** *col.* Salir de la pobreza o de una mala situación: *Lleva una época horrorosa y el pobre no levanta cabeza.* || **levantar la cabeza;** *col.* Resucitar: *Si mi difunto esposo levantara la cabeza, todo sería distinto.* || **llenar la cabeza de pájaros;** *col.* Infundir vanas esperanzas: *Le han llenado la cabeza de pájaros y está convencida que será una famosa cantante.* || **meter en la cabeza;** *col.* Hacer comprender: *No hay quien le meta en la cabeza que hay que respetar a los demás.* || **metérsele** algo **en la cabeza** a alguien; *col.* Obstinarse en ello: *Se le ha metido en la cabeza estudiar arquitectura.* || **perder la cabeza;** *col.* Perder la razón o volverse loco: *Entiendo que perdieras la cabeza por semejante belleza.* || **sentar (la) cabeza;** *col.* Hacerse juicioso y sensato: *Ya es hora de que sientes la cabeza y te busques un trabajo.* || **subirse a la cabeza;** *col.* Provocar un orgullo excesivo: *El dinero se le ha subido a la cabeza y ahora nos mira por encima del hombro.* || **tener {buena/mala} cabeza;** *col.* Tener buena o mala memoria: *Tengo muy mala cabeza para recordar los nombres de la gente.* || **tener la cabeza a pájaros;** *col.* Ser poco juicioso o estar distraído: *Tiene la cabeza a pájaros y no se da cuenta del mundo en que vive.* || **tener la cabeza en su sitio;** ser muy juicioso: *Me gusta mucho como habla porque es una persona que tiene la cabeza en su sitio.* || **traer de cabeza;** *col.* Alterar, aturdir o agobiar, esp. por un exceso de obligaciones o de preocupaciones: *Ese demonio de niño trae a sus padres de cabeza.* □ ETIMOL. Del latín *capitia*, por *caput.* □ SEM. *Cabeza abajo* es dist. de *boca abajo* (tendido sobre el vientre y con la cara hacia el suelo). □ USO Es innecesario el uso de los anglicismos *skin* y *skin head* en lugar de *cabeza rapada.*

cabezada s.f. **1** Inclinación brusca e involuntaria que se hace con la cabeza, esp. al quedarse dormido sin tenerla apoyada: *Yo sólo veo la tele entre cabezada y cabezada.* **2** *col.* Sueño breve y poco profundo: *Después de comer siempre me echo una cabezada.* **3** Golpe dado con la cabeza o recibido en ella: *Me duele la cabeza porque acabo de darme una cabezada con el armario.* □ SINÓN. *calabazada.* **4** Movimiento que hace una embarcación al subir y bajar sus partes delantera y trasera alternativamente: *Las cabezadas del barco mareaban a los pasajeros.* **5** Conjunto de correas que se pone en la cabeza a las caballerías y que sirve esp. para sujetar el bocado o freno: *La cabezada es uno de los arreos propios tanto de las caballerías de tiro como de las de montar.*

cabezal s.m. **1** En un aparato, pieza, generalmente móvil, colocada en uno de sus extremos: *En las maquinillas de afeitar desechables la hoja se coloca en el cabezal.* **2** En un magnetófono y otros aparatos semejantes, pieza que sirve para grabar, reproducir o borrar lo grabado en una cinta: *Limpié con alcohol el cabezal del magnetófono porque la cinta se oía muy mal.*

cabezazo s.m. Golpe dado con la cabeza.

cabezo s.m. **1** Elevación del terreno que está aislada y que tiene menor altura que el monte. **2** Cumbre de una montaña.

cabezón, -a ▮ adj. **1** Referido a una bebida alcohólica, que produce dolor de cabeza: *un vino cabezón.* ▮ adj./s. **2** *desp.* Terco o que mantiene una actitud o unas ideas a pesar de cualquier razón en contra: *una persona cabezona.* ☐ SINÓN. *cabezota, cabezudo.*

cabezonada s.f. *col.* Hecho o dicho propios de quien mantiene una actitud a pesar de cualquier razón en contra: *La cabezonada de salir bajo la lluvia le costó un buen resfriado.* ☐ SINÓN. *cabezonería.*

cabezonería s.f. *col.* →**cabezonada.**

cabezota adj.inv./s.com. *col.* →**cabezón.** ☐ USO Tiene un matiz despectivo.

cabezudo, da ▮ adj. **1** *desp.* →**cabezón.** ▮ s.m. **2** Figura grotesca con apariencia de enano que resulta de disfrazarse una persona con una enorme cabeza de cartón pintada con vivos colores: *Los gigantes y cabezudos son muy típicos en las fiestas populares.*

cabezuela s.f. En botánica, inflorescencia formada por un conjunto de flores sentadas o sostenidas por un pedúnculo muy corto, y que nacen en un receptáculo común. ☐ SINÓN. *capítulo.* ☐ ETIMOL. De *cabeza.*

cabida s.f. Capacidad o espacio para contener algo: *El cine tiene cabida para cien personas.* ☐ ETIMOL. De *caber.*

cabila s.f. Tribu de beduinos o de bereberes: *Las cabilas oponían gran resistencia a los soldados europeos.* ☐ PRON. Incorr. *[cábila]. ☐ ORTOGR. Dist. de *cavila* (del verbo *cavilar).*

cabildear v. *desp.* Procurar conseguir algo de una corporación o de un organismo mediante intrigas y artimañas: *El ambicioso joven cabildeó en el Ayuntamiento hasta lograr lo que quería.*

cabildeo s.m. *desp.* Intento de conseguir algo de una corporación o de un organismo mediante intrigas y artimañas.

cabildo s.m. **1** En una catedral o en una colegiata, comunidad de canónigos y eclesiásticos con voto en ella: *El cabildo de la catedral hizo una serie de propuestas al obispo.* **2** Corporación compuesta por un alcalde y varios concejales que dirige y administra un término municipal: *En la próxima reunión del cabildo se tratará del plan de remodelación urbanística.* ☐ SINÓN. *ayuntamiento, concejo, municipio.* **3** Junta celebrada por esta comunidad o por esta corporación: *En el último cabildo se presentaron los presupuestos anuales.* **4** Lugar donde se celebran estas juntas: *Cuando todos entraron en el cabildo, el encargado cerró la puerta.* **5** En Canarias, corporación que gobierna y administra los intereses comunes a los ayuntamientos de cada isla y los peculiares de esta: *El cabildo insular tiene su sede en Santa Cruz de Tenerife.* ☐ ETIMOL. Del latín *capitulum* (reunión de monjes o canónigos).

cabileño, ña adj./s. De las cabilas o relacionado con estas tribus de beduinos o de bereberes: *La zona cabileña fue un foco de insurrección contra los franceses.*

cabina s.f. **1** Cuarto o recinto pequeños y aislados donde se encuentran los mandos de un aparato o de una máquina o en cuyo interior se pueden realizar funciones que requieran concentración o intimidad: *la cabina de un avión.* **2** Caseta de reducidas dimensiones en cuyo interior hay un teléfono público: *una cabina telefónica.* **3** Recinto pequeño en el que viajan personas: *la cabina de un teleférico.* ☐ ETIMOL. Del francés *cabine.*

cabirol s.f. →**cabirón.**

cabirón (tb. *cabirol*) s.m. En una embarcación, pieza con forma de tambor, que sirve para recoger cabos, cuerdas y escotas.

cabizbajo, ja adj. Con la cabeza inclinada hacia abajo por tristeza, preocupación o vergüenza. ☐ ETIMOL. Del antiguo *cabecibajo.*

cable s.m. **1** Trenzado de cuerdas o hilos metálicos capaz de soportar grandes tensiones o pesos: *Se rompió el cable del ancla y la embarcación se fue a la deriva.* **2** Conductor eléctrico o conjunto de ellos generalmente recubierto de un material aislante: *Estos cables de la luz son más finos que los del teléfono.* **3** Telegrama o mensaje escrito transmitido por conductor eléctrico submarino: *Te envié un cable para que la noticia te llegara rápidamente.* **4** →**televisión por cable. 5** ‖ **cruzársele los cables** a alguien; *col.* Bloqueársele la mente, esp. si esto le lleva a actuar sin motivo lógico aparente: *Se me han cruzado los cables y ya no consigo entender el problema.* ‖ **{echar/lanzar/tender} un cable;** ayudar, esp. en una situación comprometida: *Gracias a que me tendió un cable pude salir de semejante situación.* ☐ ETIMOL. Quizá del latín *capulum* (cuerda). ☐ MORF. En la acepción 3, es la forma abreviada y usual de *cablegrama.*

cableado s.m. **1** Operación consistente en establecer conexiones eléctricas mediante cables: *Este electricista es experto en cableados.* **2** Conjunto de cables que forman parte de un sistema o de un aparato eléctrico: *Ya han traído el cableado para instalar el nuevo equipo informático.*

cablear v. **1** Referido a un dispositivo eléctrico, unir mediante cables sus diferentes partes: *Ese electricista nos cableó toda la instalación eléctrica.* **2** Instalar los cables de una instalación: *Han levantado la acera para cablear esta zona.*

cablegrafiar v. Referido esp. a una noticia, transmitirla por cable eléctrico submarino: *Nuestra corresponsal nos cablegrafía desde el otro lado del océano todo lo que ocurre.* ☐ ETIMOL. De *cable* y la terminación de *telegrafiar.* ☐ ORTOGR. La *i* de la raíz lleva tilde en los presentes, excepto en las personas *nosotros* y *vosotros* →GUIAR.

cablegrama s.m. →**cable.** ☐ ETIMOL. De *cable* y la terminación de *telegrama.*

cableoperador, -a s. Operador o empresa de comunicaciones por cable: *Se prevé un gran crecimiento de las cableoperadoras en los próximos años.*

cablista s.com. Persona que se dedica profesionalmente a la instalación de cables eléctricos o de comunicación.

cabo s.m. **1** En un objeto alargado, extremo o punta: *Para saltar a la cuerda hay que agarrar bien un cabo con cada mano.* **2** En un objeto alargado, resto que queda después de haber consumido la mayor parte: *Se alumbraban con un cabo de vela.* **3** Saliente o porción de terreno que penetra en el mar. **4** En un hilo, fibra o hebra que lo compone: *Es una lana muy resistente porque es de cuatro cabos.* **5** En el ejército, persona cuya categoría militar es superior a la de soldado e inferior a la de sargento. **6** En náutica, cuerda, esp. la que se utiliza en las maniobras: *No aseguró los cabos y se desgarró la vela por el viento.* **7** || **al cabo de;** después de: *Al cabo de varios días, decidí ir a verla.* || **atar cabos;** reunir y relacionar datos para sacar una conclusión: *Logró atar cabos y descubrió al asesino.* || **cabo suelto;** *col.* Circunstancia imprevista o que queda sin resolver: *El asesino no ha sido detenido porque en la investigación hay algunos cabos sueltos.* || **de cabo a {cabo/rabo};** *col.* De principio a fin sin omitir nada: *A pesar de que no me estaba gustando la novela, la leí de cabo a rabo.* || **estar al cabo de la calle;** *col.* Estar perfectamente enterado: *Cuando llegó con la noticia yo ya estaba al cabo de la calle y no me sorprendió.* || **llevar a cabo** algo; hacerlo o concluirlo: *Conseguí llevar a cabo mi proyecto y ha salido muy bien.* □ ETIMOL. Del latín *caput* (cabeza). □ SINT. *Atar cabos* se usa también con los verbos *juntar, recoger* y *unir*.

cabotaje s.m. Navegación o tráfico marítimo entre puertos, esp. entre los de una misma nación, que se hace sin perder de vista la costa. □ ETIMOL. Del francés *cabotage*.

caboverdiano, na adj./s. De Cabo Verde o relacionado con este país africano.

cabra s.f. **1** Mamífero rumiante doméstico, a veces con cuernos nudosos y vueltos hacia atrás, cuerpo cubierto de pelo áspero y muy ágil en lugares escarpados: *leche de cabra.* **2** || **cabra montés;** especie salvaje de cuerpo y cuernos mucho más grandes que la doméstica y que habita en zonas montañosas. || **como una cabra;** *col.* Muy loco: *Para vestirse de forma tan extravagante hay que estar como una cabra.* □ ETIMOL. Del latín *capra.* □ MORF. 1. Es un sustantivo epiceno: *la cabra {macho/hembra}*, aunque el macho se designa también con el sustantivo masculino *cabrón* y con la expresión *macho cabrío.* 2. Incorr. **cabra montesa.*

cabracho s.m. Pez marino comestible, de color rojizo jaspeado, boca grande y dientes pequeños, cuya cabeza, plana y ancha, tiene crestas y espinas: *Las espinas de la cabeza de los cabrachos son venenosas.* □ MORF. Es un sustantivo epiceno: *el cabracho {macho/hembra}.*

cabrahígo s.m. **1** Higuera silvestre. **2** Fruto de este árbol. □ ETIMOL. Del latín *caprificus*, de *caper* (cabrón) y *ficus* (higo), porque únicamente el ganado se come los cabrahígos.

cabrales (pl. *cabrales*) s.m. Queso de olor y sabor fuertes, elaborado con mezcla de leche de vaca, oveja y cabra, y curado en cuevas a baja temperatura, originario de Cabrales (comarca asturiana): *El cabrales es uno de los quesos españoles de sabor más fuerte.*

cabrear v. *col.* Enfadar o poner de mal humor: *No cabrees a tu madre y ponte a estudiar ya. Se cabreó porque nunca lo tomaban en serio.* □ ETIMOL. De *cabra*, por las rabietas típicas de estos animales. □ MORF. Se usa más como pronominal.

cabreo s.m. *col.* Enfado o enojo: *Como le dieron plantón, se cogió un buen cabreo.*

cabrerizo, za ▮ adj. **1** De la cabra o relacionado con ella: *la cabaña cabreriza.* □ SINÓN. *cabruno, caprino.* ▮ s. **2** →**cabrero.**

cabrero, ra s. Pastor de cabras. □ SINÓN. *cabrerizo.*

cabrestante s.m. →**cabestrante.** □ ETIMOL. De origen incierto.

cabria s.f. Aparato para levantar pesos formado por una polea generalmente suspendida del vértice superior de un armazón triangular: *La cabria puede ser accionada mecánica o manualmente.* □ ETIMOL. Del latín *caprea* (cabra montés), porque la cabria recuerda el aspecto de este animal cuando está erguido y con las patas abiertas.

cabrilla ▮ s.f. **1** Pez marino, de boca grande con muchos dientes, color rojizo o grisáceo, nadar lento y muy voraz, cuya carne es blanda e insípida. **2** En carpintería, trípode o soporte donde se apoyan los maderos grandes para aserrarlos o trabajarlos. ▮ pl. **3** Manchas que se forman en las piernas por estar mucho tiempo cerca del fuego. **4** Olas pequeñas y espumosas que se levantan en el mar cuando este empieza a agitarse: *las cabrillas del agua.* □ ETIMOL. De *cabra.* □ MORF. En la acepción 1, es un sustantivo epiceno: *la cabrilla {macho/hembra}.*

cabrillear v. **1** Referido al agua del mar, formar cabrillas o pequeñas olas espumosas: *Cuando se levantó viento, el agua empezó a cabrillear.* **2** Referido a la luz, reflejarse de forma temblorosa: *La luz de la luna cabrilleaba sobre la superficie del mar.* □ SINÓN. *rielar.*

cabrio s.m. En un tejado, madero que sostiene las tablas sobre las que se colocan las tejas: *La madera de los cabrios está podrida y, si nieva mucho, se caerá el tejado.* □ ETIMOL. Del latín **capreus*, y este de *caprea* (cabra montés), quizá porque solía ponerse la cabeza de este u otro animal en los extremos de los cabrios. □ ORTOGR. Dist. de *cabrío.*

cabrío, a adj. De las cabras o relacionado con ellas: *el ganado cabrío.* □ ORTOGR. Dist. de *cabrio.*

cabriola s.f. **1** En danza, salto que da el bailarín cruzando varias veces los pies en el aire: *Las cabriolas del primer bailarín del ballet son impresionantes.* □ SINÓN. *pirueta.* **2** Salto en que el caballo cocea mientras se mantiene en el aire: *Las cabriolas de los caballos andaluces son muy vistosas.* **3** Voltereta en el aire: *El jugador expresó su alegría después de marcar el gol con un par de cabriolas.* □ ETIMOL. Del italiano *capriola*, de *capriolo* (venado).

cabriolé s.m. **1** Coche de caballos ligero y descubierto, de dos o cuatro ruedas: *Los cabriolés son ahora piezas de museo.* **2** Automóvil descapotable. □ ETIMOL. Del francés *cabriolet*.

cabrita s.f. Véase **cabrito, ta**.

cabritada s.f. *col.* Acción mal intencionada: *No quiero volver a verte porque ya me has hecho varias cabritadas.*

cabritilla s.f. Piel curtida de cabrito o de otro mamífero pequeño: *guantes de cabritilla.*

cabrito, ta ▮ adj./s. **1** *euf. col.* Referido a una persona, que tiene mala intención o que juega malas pasadas: *No le pidas ayuda porque es un cabrito y te lo cobrará caro.* □ SINÓN. *cabrón.* ▮ s.m. **2** Cría de la cabra desde que nace hasta que deja de mamar: *El cabrito tiene una carne tierna muy apreciada.* □ SINÓN. *choto.* ▮ s.f. **3** En zonas del español meridional, palomita de maíz: *Me encantan las cabritas de maíz.* □ MORF. En la acepción 2, es un sustantivo epiceno: *el cabrito {macho/hembra}.* □ USO La acepción 1 se usa como insulto.

cabro s.m. *col.* En zonas del español meridional, chico o muchacho: *Conocí a ese cabro en La Paz, en Bolivia.*

cabrón, -a ▮ adj./s. **1** *vulg.malson.* Referido a una persona, que actúa con mala intención o que juega malas pasadas. □ SINÓN. *cabrito.* ▮ adj./s.m. **2** *vulg.malson.* Referido a un hombre, que está casado con una mujer adúltera, esp. si consiente el adulterio: *Este poema es una sátira sobre el marido cabrón.* ▮ s.m. **3** Macho de la cabra: *Los cabrones se distinguen de las cabras por los cuernos.* □ SINÓN. *macho cabrío.* □ ETIMOL. De *cabra.* □ USO En las acepciones 1 y 2 se usa como insulto.

cabronada s.f. **1** *vulg.malson.* Hecho que causa un perjuicio, esp. si es malintencionado. **2** *vulg.malson.* Lo que se debe hacer y que fastidia, molesta o causa gran incomodidad.

cabruno, na adj. De la cabra o relacionado con ella: *Los cuernos cabrunos son nudosos.* □ SINÓN. *cabrerizo, caprino.*

cabuya s.f. **1** En zonas del español meridional, pita: *La fibra de la cabuya se usa en la industria textil.* **2** En zonas del español meridional, cuerda: *Lo amarró fuertemente con una cabuya.*

caca s.f. *euf. col.* Mierda: *Hay que cambiar al bebé porque tiene caca otra vez.* □ ETIMOL. De origen expresivo, procedente del lenguaje infantil.

cacahuacintle s.m. Variedad del maíz, grande y de grano redondeado y blanco, y cáscara suave: *En México utilizan el cacahuacintle para hacer pozole.* □ ETIMOL. Del náhuatl *cacahuacintle.*

cacahuatal s.m. En zonas del español meridional, terreno plantado de cacahuetes.

cacahuate s.m. En zonas del español meridional, cacahuete.

cacahuete (pl. *cacahuetes*) s.m. **1** Planta de tallo rastrero, hojas alternas lobuladas, flores amarillas cuyos pedúnculos se alargan y se introducen en el suelo para que madure el fruto, el cual está compuesto de una cáscara dura y varias semillas, comestibles después de tostadas: *El cacahuete es una planta de origen americano.* □ SINÓN. *maní.* **2** Fruto de esta planta: *Llevé cacahuetes para echárselos a los monos del zoo.* □ SINÓN. *maní.* □ ETIMOL. Del náhuatl *cacahuatl.* □ ORTOGR. Incorr. **cacahués, *cacahuet, *alcahués.* □ MORF. Incorr. el pl. **cacahueses.* □ SEM. Dist. de *alcahuete* (intermediario en unas relaciones amorosas).

cacalote s.m. En zonas del español meridional, cuervo. □ ETIMOL. Del náhuatl *cacálotl.*

cacao s.m. **1** Árbol tropical, de hojas alternas, lisas y duras, flores blancas o amarillas, raíces muy desarrolladas y fruto en forma de baya que contiene muchas semillas que se usan como principal ingrediente del chocolate. **2** Semilla de este árbol: *cacao molido.* **3** Polvo soluble elaborado con estas semillas y azúcar, que da color y sabor a chocolate: *leche con cacao.* **4** Bebida, esp. leche, mezclada con este polvo: *Para desayunar me tomo un buen vaso de cacao.* **5** Sustancia grasa que se usa para hidratar los labios. **6** *col.* Situación confusa, agitada o embarazosa, esp. si ya acompañada de gran alboroto y tumulto: *Se armó un buen cacao esta mañana cuando cortaron el tráfico. Fue al examen con un verdadero cacao mental y suspendió.* □ SINÓN. *lío.* □ ETIMOL. Del náhuatl *cacahuatl.*

cacaotal s.m. Terreno poblado de cacaos.

cacarear v. **1** Referido al gallo o a la gallina, emitir su voz característica: *Las gallinas cacarean después de poner un huevo.* **2** *col.* Referido esp. a las cosas propias, alabarlas en exceso: *No deja de cacarear lo bueno que es su hijo.* □ ETIMOL. De origen onomatopéyico.

cacareo s.m. Voz característica del gallo o de la gallina.

cacariza s.f. Véase **cacarizo, za**.

cacarizo, za ▮ adj./s. **1** En zonas del español meridional, que tiene pequeñas cicatrices en el rostro en forma de orificios, producidos principalmente por la viruela o el acné. ▮ s.f. **2** *col.* Vaso para pulque, con la superficie cubierta de relieves redondos.

cácaro, ra s. En zonas del español meridional, persona que proyecta las películas en un cine. □ ETIMOL. De origen incierto.

cacas (pl. *cacas*) s.m. *col.* Culo.

cacatúa s.f. **1** Ave trepadora, de pico ancho, corto, y dentado en los bordes, mandíbula superior muy arqueada, plumaje de colores vistosos, con un penacho de plumas en la cabeza que puede abrir como un abanico, y que puede aprender a emitir algunas palabras: *La cacatúa es originaria de Oceanía.* **2** *col. desp.* Mujer fea, vieja y de aspecto estrafalario: *Tengo tal cacatúa por vecina, que miedo me da encontrármela.* □ ETIMOL. Del malayo *kakatw* (voz que imita su canto). □ MORF. En la acepción 1, es un sustantivo epiceno: *la cacatúa {macho/hembra}*.

cacaxtle s.m. **1** En zonas del español meridional, cajón de madera. **2** En zonas del español meridional, medida de volumen que equivale a la cantidad de mercancías que caben en este cajón. **3** En zonas del español meridional, esqueleto de algunos animales vertebrados. □ ETIMOL. Del náhuatl *cacaxtli*.

cacaxtli s.m. En zonas del español meridional, armazón de madera que sirve para cargar algo a cuestas. □ ETIMOL. Del náhuatl *cacaxtli*.

cacera s.f. Zanja o canal pequeño por donde se conduce el agua para regar. □ ETIMOL. De *caz*.

cacereño, ña adj./s. De Cáceres o relacionado con esta provincia española o con su capital: *El territorio cacereño limita con Portugal*.

cacería s.f. Expedición o excursión para cazar.

cacerola s.f. Recipiente de metal, cilíndrico, más ancho que hondo y con dos asas, que se utiliza para cocer o guisar. □ ETIMOL. Del francés *casserole*.

cacerolada s.f. Protesta, generalmente política o social, que se hace golpeando cacerolas o tapaderas: *Son famosas las caceroladas en contra de los dictadores*.

cacerolazo s.m. En zonas del español meridional, cacerolada.

caceta s.f. Cazo con mango corto y fondo taladrado en diversos sitios.

cacha s.f. **1** En un cuchillo, en una navaja o en algunas armas de fuego, pieza que cubre cada lado del mango o de la culata: *Tengo una navaja con las cachas de nácar*. **2** *col.* En una persona, parte exterior del muslo. □ ETIMOL. Quizá del latín *capula*, plural de *capulum* (empuñadura de la espada). □ MORF. Se usa más en plural.

cachaco, ca ▮ adj./s. **1** En zonas del español meridional, que tiene buenos modales o que es educado: *Es un joven cachaco y muy agradable*. **2** *col. desp.* En zonas del español meridional, elegante y bien vestido: *En el carro iban dos cachacos de la capital*. **▮** s.m. **3** *col. desp.* En zonas del español meridional, policía: *Un cachaco le sacó la pistola*.

cachada s.f. **1** En zonas del español meridional, cornada. **2** En zonas del español meridional, broma.

cachafaz adj.inv. En zonas del español meridional, que es pícaro o desvergonzado.

cachalote s.m. Mamífero marino de gran tamaño, con la cabeza grande y larga, boca dentada, aleta caudal horizontal, que vive en mares templados y tropicales y del que se obtiene gran cantidad de grasa: *El cachalote es un cetáceo parecido a la ballena*. □ MORF. Es un sustantivo epiceno: *el cachalote {macho/hembra}*.

cachama s.f. Pez de agua dulce, omnívoro, y que puede llegar a medir hasta cerca de un metro de longitud: *La cachama vive en la cuenca del Orinoco*.

cachamarín s.m. →**quechemarín**.

cachar v. **1** En zonas del español meridional, coger al vuelo: *Me lanzó las llaves y yo las caché*. **2** En zonas del español meridional, dar cornadas: *El toro cachó al torero*. **3** En zonas del español meridional, descubrir o sorprender: *¡Ya le cacharon hurtando autos!* □ ETIMOL. Del inglés *to catch*.

cacharpas s.f.pl. En zonas del español meridional, trastos: *Su habitación está llena de cacharpas*. □ ETIMOL. Del quechua *cacharpayani*.

cacharrazo s.m. *col.* Golpe violento y ruidoso, esp. el recibido en una caída o en un choque.

cacharrear v. *col.* Hacer pruebas para aprender el funcionamiento de algo: *Cacharrearé un poco con el ordenador*.

cacharreo s.m. *col.* Serie de pruebas que se hacen para aprender el funcionamiento de algo.

cacharrería s.f. Establecimiento comercial en el que se venden cacharros o recipientes toscos: *Compré los tiestos en una cacharrería de tu calle*.

cacharrero, ra s. Persona que se dedica profesionalmente a la venta de cacharros o recipientes toscos: *Al mercadillo de mi pueblo vienen varios cacharreros*. □ SEM. Dist. de *chatarrero* (persona que recoge, almacena o vende chatarra).

cacharrito ▮ s.m. **1** Atracción de feria que se monta generalmente en el mismo lugar o que forma parte de un programa: *He montado a las niñas en todos los cacharritos de la feria*. **2** pl. Juego infantil formado por varios utensilios de cocina en miniatura: *Recuerdo cuando lo que más me gustaba era jugar a los cacharritos*.

cacharro s.m. **1** Vasija, recipiente o utensilio usados en las cocinas: *los cacharros de la comida*. **2** Recipiente tosco. **3** *col. desp.* Aparato viejo, deteriorado o que funciona mal: *Ese coche es un cacharro*. □ ETIMOL. De *cacho* (cacharro, cazo, tiesto, vasija rota). □ SEM. Se usa mucho como palabra comodín para designar de manera imprecisa un objeto.

cachas (pl. *cachas*) adj.inv./s.com. *col.* Referido a una persona, que tiene un cuerpo fuerte, musculoso y moldeado: *Salgo con un cachas que conocí en el gimnasio*.

cachava s.f. Bastón cuyo extremo superior es curvo: *Mi abuelo tiene una cachava de madera de roble*. □ SINÓN. *cachavo, cayado, garrota*.

cachavo s.m. →**cachava**.

cachaza s.f. **1** *col.* Calma o despreocupación excesivas en la forma de actuar: *Como vayas con tal cachaza, vas a perder el tren*. □ SINÓN. *parsimonia*. **2** Aguardiente que se elabora a partir del azúcar de caña o de remolacha.

cachazudo, da adj./s. Que tiene cachaza o calma excesiva: *Más que tranquilo es cachazudo*.

caché (pl. *cachés*) s.m. **1** Cotización en el mercado del espectáculo: *El actor de moda tiene un caché altísimo*. **2** Refinamiento o distinción que dan un carácter distintivo: *Esa chica tiene mucho caché y todo el mundo se fija en ella*. **3** →**memoria caché**. □ ETIMOL. Del francés *cachet*. □ ORTOGR. Se usa también *cachet*. □ USO En las acepciones 1 y 2, su uso es innecesario y puede sustituirse por *cotización* o *toque de distinción*, respectivamente.

cachear v. Registrar palpando el cuerpo por encima de la ropa: *Los cachearon a todos para ver si llevaban armas escondidas.*

cachelos s.m.pl. Trozos de patata cocida que se sirven acompañando carne o pescado: *pulpo con cachelos.* ☐ ETIMOL. De *cacho* (trozo pequeño).

cachemarín s.m. →**quechemarín.**

cachemir s.m. **1** Tejido muy fino fabricado con pelo de cabra de Cachemira (región asiática que comprende parte de la India, China y Paquistán), o de lana merina: *Un jersey de cachemir es caro.* ☐ SINÓN. *cachemira, casimir.* **2** Tela con dibujos en forma ovalada y curvada en cuyo interior hay más dibujos de colores: *Como no me gustan los estampados, no me pongo nunca la camisa de cachemir.* ☐ SINÓN. *cachemira, casimir.*

cachemira s.f. →**cachemir.**

cacheo s.m. Registro palpando el cuerpo por encima de la ropa: *Durante el cacheo, el sospechoso permaneció quieto y con las piernas y los brazos separados.*

cachet (fr.) s.f. →**caché.** ☐ PRON. [caché]. ☐ USO Su uso es innecesario.

cachetada s.f. Golpe dado con la mano abierta, esp. en la cara o en las nalgas: *Como no me hagas caso te vas a ganar unas cachetadas.*

cachete s.m. **1** Golpe dado con los dedos de la mano, esp. en la cara o en las nalgas: *Como el niño no se estaba quieto, le dieron un par de cachetes.* **2** Carrillo, esp. si es abultado: *Se nota que hace frío porque tienes los cachetes colorados.* ☐ ETIMOL. Del latín *capulus* (puño).

cachetero s.m. **1** Puñal o cuchillo corto y agudo para despedazar las reses: *El cachetero se usa en el toreo para rematar al toro.* ☐ SINÓN. *puntilla.* **2** En tauromaquia, torero que remata al toro con este puñal: *El cachetero apuntilló al toro.* ☐ SINÓN. *puntillero.*

cachetudo, da adj. Que tiene abultados los cachetes o carrillos: *un bebé cachetudo.* ☐ SINÓN. *carrilludo.*

cachicán, -a ▌adj./s. **1** *col.* Que tiene astucia o destreza. ▌s. **2** Persona encargada de labrar y administrar una hacienda o finca. ☐ SINÓN. *capataz.*

cachifo, fa s. *col.* Muchacho o persona joven.

cachimba s.f. Utensilio para fumar, formado por un tubo terminado en una cazoleta o recipiente donde se echa el tabaco picado: *Siempre me imagino a los lobos de mar fumando en cachimba.* ☐ SINÓN. *pipa.* ☐ ETIMOL. Del portugués *cacimba*, y este de origen africano.

cachiporra s.f. Palo de una sola pieza con un extremo muy abultado: *Le golpearon la cabeza con una cachiporra.*

cachiporrazo s.m. **1** Golpe dado con una cachiporra o con otro objeto parecido. **2** Golpe fuerte o aparatoso, esp. el dado en un choque.

cachirulo s.m. Pañuelo que se ata alrededor de la cabeza en el traje masculino típico de la región aragonesa: *Todos los hombres bailaban la jota con sus cachirulos puestos.* ☐ SEM. Se usa mucho como palabra comodín para designar de manera imprecisa un objeto.

cachivache s.m. **1** Mueble o utensilio, esp. los de una casa y si están desordenados: *No hay cosa peor que ordenar todos los cachivaches de la cocina.* **2** *desp.* Trasto u objeto en desuso, viejo o inútil: *El trastero estaba lleno de cachivaches.* ☐ MORF. Se usa más en plural. ☐ SEM. Se usa mucho como palabra comodín para designar de manera imprecisa un objeto.

cacho s.m. **1** *col.* Pedazo o trozo pequeño: *un cacho de pan.* **2** En zonas del español meridional, cuerno: *los cachos de un toro.* **3** ‖ **pillar cacho; 1** *col.* Conseguir dinero o poder: *No creo que sea cierto que los políticos solo quieran gobernar para pillar cacho.* **2** *col.* Ligar con una persona: *Tú solo quieres ir a esa fiesta para ver si pillas cacho.* ‖ **ser un cacho de pan;** *col.* Ser muy bondadoso: *Como es un cacho de pan, cualquier favor que le pidas te lo hace.* ☐ ETIMOL. De origen incierto.

cachón s.m. Ola o chorro de agua que forman espuma cuando rompen o caen: *Al amanecer paseamos por la playa y observamos los cachones.* ☐ USO Se usa más en plural.

cachondearse v.prnl. **1** *col.* Burlarse o guasearse: *No te cachondees, porque lo mismo te podía haber pasado a ti.* **2** *vulg.* En zonas del español meridional, hacerse caricias. ☐ SINT. Constr. de la acepción 1: *cachondearse* DE *algo.*

cachondeo s.m. **1** *col.* Burla, guasa o juerga: *Se fueron de cachondeo y llegaron a las cinco de la mañana.* **2** *col.* Desorganización, desbarajuste o falta de seriedad: *Había tal cachondeo en la empresa que nadie sabía cuál era mi cometido.* **3** *vulg.* En zonas del español meridional, juego de caricias entre dos personas.

cachondo, da ▌adj. **1** *vulg.malson.* Excitado sexualmente. ▌adj./s. **2** *vulg.* Divertido y gracioso o burlón. **3** *vulg.* En zonas del español meridional, sexualmente atractivo.

cachopín, -a s. *col. desp.* En zonas del español meridional, español.

cachora s.f. *col.* Lagartija de color amarillo blanquecino, de aspecto casi transparente y que emite un ruido característico como si lanzara besos. ☐ MORF. Es un sustantivo epiceno: *la cachora {macho/hembra}.*

cachorro, rra s. **1** Perro de poco tiempo. **2** Cría de algunos mamíferos: *un cachorro de león.* **3** *col.* Joven perteneciente a una generación o a un grupo, que empieza a intervenir en la sociedad: *Los cachorros del partido organizaron un concierto solidario.* ☐ ETIMOL. Quizá del latín *catulus.*

cachucha s.f. En zonas del español meridional, gorra de visera: *Los jugadores de beisbol usan cachuchas.*

cachupín, -a s. *col. desp.* En zonas del español meridional, español. ☐ ETIMOL. Del diminutivo del portugués *cachopo* (niño).

cacica s.f. de **cacique.**

cacicada s.f. *desp.* Hecho o dicho arbitrarios que se consideran propios de un cacique: *La concesión de ese permiso es una cacicada.*

cacillo s.m. Cazo pequeño, generalmente de forma redondeada, que se usa para servir líquidos.

cacimba s.f. En zonas del español meridional, pozo pequeño. □ ETIMOL. De *cachimba.*

cacique s.m. **1** Gobernante o jefe de algunas tribus indias americanas: *Los conquistadores españoles respetaron inicialmente la autoridad de los caciques.* **2** *col. desp.* En un pueblo o en una comarca, persona influyente que interviene de forma abusiva en asuntos políticos o administrativos: *El alcalde solía ser uno de los caciques del lugar.* **3** *col. desp.* En una colectividad, persona que ejerce una autoridad o poder abusivos: *El cacique del partido siempre logra que se aprueben sus propuestas.* □ MORF. Su femenino es *cacica.*

caciquear v. *desp.* Intervenir en algo usando indebidamente la autoridad o la influencia que se tienen: *Esa mujer caciqueó durante meses hasta conseguir hacerse con las fincas colindantes.*

caciquil adj.inv. *desp.* Del cacique de un pueblo o comarca, o relacionado con él: *poder caciquil.*

caciquismo s.m. **1** Dominación o influencia del cacique de un pueblo o comarca: *El caciquismo tuvo gran importancia en la estructura política española en el siglo XIX y principios del XX.* **2** Intromisión o manipulación abusivas en un asunto por medio de la autoridad o de la influencia personales: *Hasta que no desaparezca el caciquismo, la empresa no funcionará.*

cacle s.m. En zonas del español meridional, calzado. □ ETIMOL. Del náhuatl *cactli* (zapato).

caco s.m. Ladrón que roba con habilidad: *Por la noche entraron unos cacos y nos desvalijaron la casa.* □ ETIMOL. Por alusión a Caco, personaje de la mitología grecolatina que robó a Hércules unos bueyes.

cacodemón s.m. Espíritu maligno: *Mi primo me contó que en una sesión de espiritismo los amenazó un cacodemón.*

cacofonía s.f. Efecto acústico desagradable que resulta de la mala combinación de los sonidos de las palabras: *En la frase 'En el tren te atragantaste al tomar té' se produce cacofonía.* □ ETIMOL. Del griego *kakophonía*, y este de *kakós* (malo) y *phoné* (sonido). □ SEM. Dist. de *eufonía* (efecto acústico agradable).

cacofónico, ca adj. Con cacofonía: *El sintagma 'tres tristes tigres' resulta cacofónico.*

cacografía s.f. Escritura ortográfica incorrecta: *'Taxi' escrito con 's' es una cacografía.* □ ETIMOL. Del griego *kakós* (malo) y *-grafía* (representación gráfica).

cacología s.f. En lingüística, expresión oral o escrita que, sin ser gramaticalmente incorrecta, no sigue la lógica o el buen uso: *'Salió con su bastón y sus niños' es una cacología porque es más lógico decir 'Salió con sus niños llevando su bastón'.* □ ETIMOL. Del griego *kakós* (malo) y *logía* (ciencia).

cacomixtle s.m. Mamífero americano, carnívoro, de color blanco y pardo, con orejas redondas, hocico puntiagudo y cola larga con anillos claros y oscuros alternados. □ ETIMOL. Del náhuatl *cacomiztli.* □ MORF. Es un sustantivo epiceno: *el cacomixtle {macho/hembra}.*

cacoquimia s.f. En medicina, estado de extrema desnutrición producido por algunas enfermedades: *Sufre cacoquimia a causa del cáncer.* □ SINÓN. *caquexia.* □ ETIMOL. Del griego *kakokhymía*, y este de *kakós* (malo) y *khymós* (jugo).

cactáceo, a ▌adj./s. **1** Referido a una planta, que tiene tallos gruesos, verdes y carnosos, con las hojas transformadas en espinas, y flores grandes, olorosas y de colores vivos: *El cactus y la chumbera son plantas cactáceas.* □ SINÓN. *cácteo.* ▌s.f.pl. **2** En botánica, familia de estas plantas, perteneciente a la clase de las dicotiledóneas: *Algunas plantas que pertenecen a las cactáceas almacenan agua en el interior de sus tallos.*

cácteo, a adj. →**cactáceo.**

cacto s.m. →**cactus.**

cactus (tb. *cacto*) (pl. *cactus*) s.m. Planta de tallo grueso, verde y carnoso, con flores amarillas, que puede almacenar agua y es originaria de México (país americano): *El cactus es propio de terrenos secos.* □ ETIMOL. Del griego *káktos* (cardo).

cacumen (pl. *cacúmenes*) s.m. *col.* Inteligencia y perspicacia, o gran capacidad de entendimiento: *¡Tiene tal cacumen que no se le escapa nada!* □ SINÓN. *pesquis.* □ ETIMOL. Del latín *cacumen* (cumbre).

cacuminal adj.inv. En lingüística, referido a un sonido consonántico, que se articula juntando el borde o la cara inferior de la punta de la lengua con los alveolos superiores o con el paladar: *La 'd' cacuminal es una característica del asturiano occidental.* □ ETIMOL. Del latín *cacumen* (cumbre).

CAD s.m. **1** Técnica informática, aplicada esp. al diseño, que permite a los usuarios simular situaciones próximas a la realidad. **2** Centro legal y público en el que se atiende a drogadictos y toxicómanos. □ ETIMOL. La acepción 1 es el acrónimo del inglés *Computer Aided Design* (diseño asistido por ordenador). La acepción 2 es el acrónimo de *Centro de Atención a Drogodependientes.*

cada indef. **1** Establece una correspondencia distributiva entre los miembros numerables de una serie y los miembros de otra: *Daban un regalo a cada niño.* **2** Designa un elemento de una serie individualizándolo: *Va a casa de su abuela cada martes.* **3** En expresiones generalmente elípticas, se usa para ponderar: *Estos niños arman cada jaleo...* □ ETIMOL. Del latín *cata*, y este del griego *katá* (desde lo alto de, durante, según). □ MORF. Invariable en género y en número.

cadalso s.m. Tablado que se levanta para ejecutar a un condenado a muerte: *Antiguamente los cadalsos se levantaban en las plazas públicas.* □ ETIMOL. Del provenzal *cadafalcs.*

cadáver s.m. **1** Cuerpo muerto o sin vida, esp. el de una persona. **2** ‖ **cadáver exquisito;** obra artística realizada entre varios autores, de forma que cada uno hace su parte sin saber lo que han hecho los demás. ☐ ETIMOL. Del latín *cadaver*.

cadavérico, ca adj. Del cadáver, relacionado con él, o con sus características: *aspecto cadavérico.*

cadaverina s.f. Sustancia que se produce en la degradación de las proteínas: *La cadaverina tiene un olor repugnante.*

cadavernia s.f. Gas tóxico, de olor desagradable, que se forma por la descomposición de material orgánico o que se encuentra en los productos de putrefacción del intestino.

cadena s.f. **1** Conjunto de eslabones o piezas, generalmente metálicas y en forma de anillo, enlazadas una a continuación de la otra: *una cadena de oro.* **2** Conjunto de piezas, generalmente metálicas, iguales y articuladas entre sí, que forman un circuito cerrado: *la cadena de una bicicleta.* **3** Sucesión de fenómenos, acontecimientos, hechos o cosas relacionados entre sí: *El recorte económico ha originado una cadena de protestas.* **4** Serie de personas enlazadas, generalmente cogiéndose de las manos, o relacionadas entre sí: *una cadena humana.* **5** Conjunto de establecimientos, instalaciones o construcciones del mismo tipo o con una misma función, organizados en sistema y pertenecientes a una sola empresa o sometidos a una sola dirección: *una cadena hotelera.* ☐ SINÓN. *red.* **6** Conjunto de emisoras que difunden una misma programación radiofónica o televisiva: *El partido lo televisará una cadena privada.* **7** Lo que supone una obligación o se considera una atadura: *Se queja de que los hijos son una cadena, aunque no podría vivir sin ellos.* **8** ‖ **cadena (de montaje);** conjunto de instalaciones y operaciones sucesivas por las que pasa un producto industrial en el proceso de fabricación y montaje y que están organizadas con el fin de reducir al mínimo el tiempo y el esfuerzo invertido en el trabajo. ‖ **cadena {de música/de sonido/musical};** equipo estereofónico compuesto por varios aparatos grabadores y reproductores de música, independientes pero adaptables entre sí. ‖ **cadena perpetua;** en derecho, pena máxima de privación de libertad. ☐ ETIMOL. Del latín *catena*.

cadencia s.f. **1** Sucesión regular o medida de sonidos o de movimientos: *Su elegancia queda patente en la cadencia de todos sus movimientos.* **2** En fonética, bajada de la línea final de entonación de una oración: *La cadencia es típica de las oraciones aseverativas.* ☐ ETIMOL. Del italiano *cadenza* (caída).

cadencioso, sa adj. Con cadencia: *un hablar cadencioso.*

cadeneta s.f. **1** Labor o punto en forma de cadena: *He hecho un bordado a cadeneta.* **2** Adorno con forma de cadena, hecho de tiras de papel de colores: *Los niños adornaron el techo de la sala de fiestas con cadenetas.*

cadera s.f. **1** En el cuerpo humano, cada una de las dos partes salientes formadas a los lados por los huesos superiores de la pelvis: *Tienen que operarla porque se ha roto la cadera.* **2** En un animal cuadrúpedo, parte lateral del anca: *Compré un kilo de cadera en la carnicería.* ☐ ETIMOL. Del latín *cathedra* (silla).

caderamen s.m. *col.* Caderas de una persona, esp. si son voluminosas.

cadete ▮ adj.inv./s.com. **1** Referido a un deportista, que, por edad, pertenece a la categoría posterior a la de infantil y anterior a la de juvenil: *un equipo de cadetes.* ▮ s.com. **2** Alumno de una academia militar. ☐ ETIMOL. Del francés *cadet* (joven noble que servía como voluntario).

cadi s.m. En golf, persona que lleva los palos del jugador: *Un cadi debe conocer las diferencias que hay entre un palo y otro.* ☐ ETIMOL. Del inglés *caddie.* ☐ ORTOGR. Dist. de *cadí*.

cadí (pl. *cadíes, cadís*) s.m. Juez musulmán que interviene en las causas civiles y religiosas: *Al desmembrarse el califato de Al Ándalus, hubo ciudades en las que los cadíes llegaron a ser verdaderos reyes.* ☐ ETIMOL. Del árabe *qadi* (juez). ☐ ORTOGR. Dist. de *cadi*.

cadillo s.m. **1** Planta compuesta con flores de color verde y fruto ovalado con espinas. ☐ SINÓN. *bardana menor.* **2** Fruto de esta planta. ☐ SINÓN. *arrancamoños.* ☐ ETIMOL. Del latín *catellus* (perrillo).

cadmio s.m. Elemento químico, metálico y sólido, de número atómico 48, de color blanco azulado, brillante y fácilmente deformable: *Con el cadmio se fabrican fusibles y sirve como antioxidante en capas protectoras.* ☐ ETIMOL. Del latín *cadmium.* ☐ ORTOGR. Su símbolo químico es *Cd*.

caducar v. **1** Perder validez o efectividad debido esp. al paso del tiempo: *El contrato caduca dentro de un mes.* **2** Referido esp. a un plazo, terminar o acabarse: *El plazo de matrícula caduca hoy.* **3** Referido a un producto que puede deteriorarse con el tiempo, estropearse o dejar de ser apto para el consumo: *Tira estas medicinas porque ya han caducado.* ☐ ETIMOL. De *caduco.* ☐ ORTOGR. La *c* se cambia en *qu* delante de *e* →SACAR.

caduceo s.m. Vara delgada y lisa en la que se entrelazan dos culebras, y que actualmente se utiliza como símbolo de la medicina y del comercio: *El dios mitológico Mercurio llevaba un caduceo que era el símbolo de la paz y la riqueza.* ☐ ETIMOL. Del latín *caduceus*.

caducidad s.f. **1** Pérdida o fin de la validez o de la efectividad debido esp. al paso del tiempo: *fecha de caducidad.* **2** Carácter de lo que es caduco o perecedero: *En el sermón resaltó la caducidad de los bienes terrenales.*

caducifolio, lia adj. Referido a un árbol, que pierde sus hojas anualmente: *El chopo es un árbol caducifolio, que pierde sus hojas en otoño.*

caduco, ca adj. **1** Perecedero, de poca duración o que se estropea en un plazo de tiempo no muy largo: *Los árboles de hoja caduca pierden sus hojas todos los años.* **2** *desp.* Referido a una persona, que es de edad muy avanzada y tiene por ello menguadas sus facultades: *Me parece una falta de respeto y de cariño que llames a tus padres viejos caducos.* **3** Sin vigencia o anticuado: *Sus valores están caducos y no tienen sentido en nuestros tiempos.* □ ETIMOL. Del latín *caducus* (que cae, perecedero).

caedizo, za adj. Que cae con facilidad: *las hojas caedizas.*

caer v. **1** Moverse de arriba abajo por la acción del propio peso: *La nieve caía suavemente.* **2** Perder el equilibrio hasta dar en el suelo o en algo firme que lo detenga: *Resbaló con una cáscara de plátano y cayó de espaldas. Se ha caído el jarrón y se ha hecho trizas.* **3** Desprenderse o separarse del lugar o del objeto a los que se estaba unido o adherido: *La fruta madura cae de los árboles. Se me cayó un botón de la camisa.* **4** Encontrarse inesperadamente o sin pensarlo en una desgracia o en un peligro: *Cayó en poder de sus enemigos.* **5** Venir a dar en una trampa o en un engaño: *El grupo de soldados cayó en una emboscada de la guerrilla.* **6** Incurrir en un error o cometer una falta: *Aunque me he propuesto mil veces no hablar de ello, siempre caigo en lo mismo.* **7** Ir a parar a un lugar o a una situación distintos de lo previsto: *Caí en un pueblo inmundo que ni aparecía en los mapas.* **8** Perder la posición, el cargo o el poder: *La revolución hizo caer al dictador.* **9** Desaparecer, dejar de ser o de existir, acabar o morir: *Cuando cayó la monarquía, el país se convirtió en una república.* **10** Descender o bajar mucho: *Los precios del petróleo volvieron a caer.* **11** Estar situado en un punto en el espacio o en el tiempo, o cerca de él: *¿Por dónde cae la estación?* **12** Sentar bien o mal: *Ese vestido te cae muy bien y te favorece mucho.* **13** Fracasar, ser vencido o ser conquistado: *En el primer examen cayó la mitad de la clase.* **14** Abalanzarse o echarse encima con rapidez: *Los niños cayeron sobre los pasteles y no dejaron ni uno.* **15** *col.* Llegar a entender, a comprender o a recordar: *Hasta varios días después, no caí en lo que quiso decir con aquellas palabras misteriosas.* **16** Tomar una determinada forma al colgar: *Las cortinas caen en pliegues.* **17** Seguido por un adjetivo, alcanzar el estado expresado por este: *Si no te cuidas, caerás enferma.* **18** Referido a un acontecimiento, sobrevenir o venir inesperadamente: *La desgracia ha caído sobre esa familia.* **19** Referido esp. a un premio o a una tarea, tocar o corresponder: *¿Cómo me ha podido caer a mí semejante tarea?* **20** Referido al Sol, al día o a la tarde, acercarse a su ocaso o a su fin: *Cuando el Sol cae, el cielo se tiñe de rojo.* **21** Referido a un vestido, tener el borde desnivelado hacia abajo: *Ese vestido cae por delante.* **22** ‖ **caer bajo;** referido a una persona, hacer algo indigno o despreciable: *Me has desilusionado porque nunca creí que pudieras caer tan bajo.* ‖ **caer {bien/mal} a alguien;** resultarle simpático o antipático: *No sé cómo ese cretino te puede caer bien.* ‖ **caerse de {culo/espaldas};** *col.* Asombrarse mucho: *Se cayó de espaldas cuando le dije que me iba a meter monja.* ‖ **dejar caer** algo; en una conversación, decir algo de pasada pero con intención: *Dejó caer que me engañabas, pero yo no me di por aludida.* ‖ **dejarse caer;** *col.* Presentarse de forma inesperada: *Si voy por tu pueblo, ya me dejaré caer por tu casa.* ‖ **estar al caer;** estar a punto de llegar o de ocurrir: *Las vacaciones están al caer.* □ ETIMOL. Del latín *cadere.* □ MORF. Irreg. →CAER. □ SINT. 1. Su uso como transitivo es incorrecto aunque está muy extendido: **no caigas eso* > *no tires eso.* 2. Constr. de las acepciones 4, 5, 6, 7 y 15: *caer* EN *algo.* 3. Constr. de la acepción 14: *caer* SOBRE *algo.*

café (pl. *cafés*) ▌adj.inv./s.m. **1** En zonas del español meridional, marrón: *Ese mueble está pintado de café.* ▌s.m. **2** Arbusto tropical, de hojas opuestas, lanceoladas, perennes y muy verdes, flores blancas y olorosas, y con el fruto en forma de baya de color rojo: *El café es un arbusto muy cultivado en América.* □ SINÓN. *cafeto.* **3** Semilla de este arbusto: *Antes de tostar el café se quita la cascarilla.* **4** Bebida de color oscuro y sabor amargo que se prepara con estas semillas tostadas y molidas: *No puedo tomar café porque me pone nervioso.* **5** Establecimiento público en el que se sirve esta infusión y otras bebidas: *el café de la esquina.* **6** ‖ **café americano;** el preparado con mucha agua. ‖ **(café) capuchino;** el mezclado con leche y espumoso. ‖ **(café) cortado;** el mezclado con muy poca leche. ‖ **(café) corto;** el que, en muy poca cantidad, está mezclado con leche. ‖ **café descafeinado;** el que no tiene cafeína o tiene muy poca. ‖ **café {griego/turco};** el que se hace con el agua y el polvo mezclados y se toma sin filtrar. ‖ **café irlandés;** el que se prepara con whisky y nata. ‖ **café torrefacto;** el que se tuesta con algo de azúcar. ‖ **café vienés;** el que se prepara con nata. ‖ **café-cantante;** aquel en el que se ofrecen actuaciones musicales en directo, esp. con canciones frívolas. ‖ **café-concierto;** aquel en el que se ofrecen actuaciones musicales en directo, esp. de cantautores o de música clásica. ‖ **café-teatro;** aquel en el que se representan obras teatrales breves. ‖ **mal café;** *col.* Mal humor: *Está de mal café porque le han puesto una multa.* □ ETIMOL. Del turco *qahwé.* □ MORF. 1. Incorr. el pl. **cafeses.* 2. En la acepción 4, se usa mucho el diminutivo coloquial *cafelito.* 3. En la acepción 5, se usa el diminutivo *cafetín.* □ USO Es innecesario el uso del galicismo *café negro* en lugar de *café solo.*

cafeína s.f. Sustancia de origen vegetal con propiedades estimulantes y que se obtiene de las semillas y de las hojas de plantas como el café, el té o el mate: *La cafeína se usa en medicina como estimulante del corazón.*

cafelito s.m. *col.* Café.

cafetal s.m. Terreno poblado de cafetos: *En Colombia hay muchos cafetales.*

cafetalero, ra adj./s. Que tiene cafetales: *Brasil es una nación cafetalera.*

cafetera s.f. Véase **cafetero, ra.**

cafetería s.f. Establecimiento donde se sirven café y otras bebidas y comidas.

cafetero, ra ▮ adj. **1** Del café o relacionado con él: *un país cafetero.* ▮ adj./s. **2** Referido a una persona, que es muy aficionada a tomar café: *Soy muy cafetera y a veces tomo cinco cafés al día.* ▮ s. **3** Persona que se dedica profesionalmente a la recolección o al comercio del café: *Muchos cafeteros son jornaleros temporales.* ▮ s.f. **4** Máquina o aparato para hacer café, o recipiente para servirlo: *una cafetera de acero inoxidable.* **5** *col.* Vehículo viejo y que no funciona bien: *Esta cafetera no arranca ni a la de tres.*

cafeto s.m. Arbusto tropical, de hojas opuestas, lanceoladas, perennes y muy verdes, flores blancas y olorosas, y con el fruto en forma de baya de color rojo. ☐ SINÓN. *café.*

cafiche s.m. *col.* En zonas del español meridional, chulo: *Esa desgraciada mujer se dejó la vida trabajando para un cafiche.*

caficultor, -a s. Persona que se dedica profesionalmente al cultivo del café. ☐ ETIMOL. De *café* y *-cultor* (que cultiva).

cáfila s.f. Conjunto de personas, animales o cosas, esp. si están en movimiento y unas tras otras: *Atravesé el desierto en una cáfila de tuaregs.* ☐ ETIMOL. Del árabe *qâfila* (caravana).

cafre adj.inv./s.com. *desp.* Muy bruto, violento o grosero: *Esta madrugada unos cafres rompieron tres árboles del jardín.* ☐ USO Se usa como insulto.

caftán s.m. Túnica, generalmente de seda y colores vivos, que cubre hasta la mitad de la pierna, con mangas cortas y abierta por delante: *El caftán es una vestimenta muy común en países musulmanes.* ☐ ETIMOL. Del árabe *qaftan* o del turco *kaftan* (especie de vestido).

cagada s.f. *vulg.* Véase **cagado, da.**

cagadero s.m. *vulg.* Lugar donde se caga. ☐ SINÓN. *cagatorio.*

cagado, da ▮ adj./s. **1** *vulg.* Cobarde, miedoso o poco valeroso: *No seas tan cagada, que este perro no muerde.* ▮ s.f. **2** *vulg.* Excremento que sale por el ano cada vez que se evacua el vientre: *una cagada de perro.* **3** *vulg.* Lo que se considera de mala calidad o de poco valor: *Ese cuadro es una cagada y no podrán venderlo tan caro.* ☐ ETIMOL. Las acepciones 2 y 3, del latín *cacata.*

cagajón s.m. Porción de excremento de una caballería. ☐ ETIMOL. De *cagar.*

cagalera s.f. *vulg.* →**diarrea.**

caganer (cat.) s.m. *col.* Figura popular de los belenes catalanes que consiste en un muchacho agachado defecando.

cagar ▮ v. **1** *vulg.* Expulsar excrementos por el ano: *¿Cómo voy a cagar en ese servicio tan guarro?* ▮ prnl. **2** *vulg.* Acobardarse o tener mucho miedo: *Al oír aquellos ruidos se cagó de miedo.* **3** ‖ **cagarla;** *vulg.* Cometer una equivocación muy difícil de solucionar: *Si el profesor te pilló con la chuleta, la has cagado, porque no vas a aprobar nunca.* ‖ **cagarse en** algo; *vulg.* Maldecirlo: *Estaba tan enfadada conmigo que se cagó en mi familia.* ☐ ETIMOL. Del latín *cacare.* ☐ ORTOGR. La *g* se cambia en *gu* delante de *e* →PAGAR. ☐ SINT. Constr. de la acepción 2: *cagarse* DE *algo.*

cagarruta s.f. Porción de excremento, generalmente esférico, de ganado menor y de otros animales: *cagarrutas de oveja.* ☐ ETIMOL. De *cagar.*

cagatintas (pl. *cagatintas*) s.com. *col. desp.* Oficinista.

cagatorio s.m. *vulg.* Lugar donde se caga. ☐ SINÓN. *cagadero.*

cagódromo s.m. *vulg.* →**retrete.**

cagón, -a adj./s. **1** *vulg.* Que caga con mucha frecuencia: *Esta niña es tan cagona que no gano para pañales.* **2** *col.* Cobarde y miedoso en extremo: *Es un cagón y no sale por la noche al bosque ni aunque le pagues.*

caguama s.f. **1** Tortuga marina de gran tamaño cuyos huevos son muy apreciados. **2** Material que se saca del caparazón de esta tortuga: *un peine de caguama.* ☐ MORF. En la acepción 1, es un sustantivo epiceno: *la caguama {macho/hembra}.*

cague s.m. *col.* Miedo.

cagueta adj.inv./s.com. *col.* Muy cobarde o miedoso.

caicaje s.m. *col.* En zonas del español meridional, fisonomía o aspecto de una persona.

caíd s.m. En algunos países musulmanes, especie de juez o gobernador: *El caíd era nombrado por el sultán.* ☐ ETIMOL. Del árabe *qa'id* (jefe).

caída s.f. Véase **caído, da.**

caído, da ▮ adj. **1** Referido a una parte del cuerpo, que está muy inclinada o más baja de lo normal: *Si tienes los hombros caídos, ponte hombreras.* ▮ adj./s. **2** Referido a una persona, que ha muerto en defensa de una causa: *Los caídos en las guerras se convierten en héroes nacionales.* ▮ s.f. **3** Movimiento que se hace de arriba abajo por la acción del propio peso: *Es agradable observar la caída de la nieve desde la ventana del refugio.* **4** Pérdida del equilibrio hasta dar en el suelo o en algo firme que lo detenga: *A consecuencia de una caída, se rompió un brazo.* **5** Desprendimiento o separación del lugar o del objeto a los que se estaba unido o adherido: *la caída del cabello.* **6** Encuentro inesperado en una desgracia, en un peligro, en una trampa o en una situación imprevista: *Desde su caída en desgracia, no hay forma de hacerlo reaccionar.* **7** Pérdida de la posición, del cargo o del poder: *la caída de un dictador.* **8** Desaparición, destrucción o extinción: *Muchos factores colaboraron en la caída del Imperio Romano.* **9** Descenso acentuado, bajada fuerte o inclinación brusca: *la caída del dólar.* **10** Fracaso, derrota o conquista: *La caída de la ciudad costó varios meses de asedio.* **11** Movimiento consistente en abalanzarse sobre algo o en echarse encima de ello con rapidez: *La caída del ejército sobre el grupo guerrillero ocasionó numerosas víctimas.* **12** Acción de incurrir en un error o de cometer una falta: *Si estás desintoxicándote del alcohol, no puedes permitirte tener una caída.* **13** Puesta del Sol o finalización del día o de la tarde: *la caída de la tarde.* **14** Manera de caer, colgar o plegarse una tela a causa de su peso: *una tela con caída.* **15** || **caída de la noche;** comienzo de la noche. || **caída de ojos;** forma de bajar los ojos o los párpados. || **caída libre; 1** La que experimenta un cuerpo sometido exclusivamente a la acción de la gravedad. **2** En paracaidismo deportivo, modalidad de salto en el que se retrasa voluntariamente la apertura del paracaídas.

caimán s.m. Reptil anfibio y carnívoro parecido al cocodrilo pero de menor tamaño y con el hocico más corto y redondeado, que habita fundamentalmente en los ríos y pantanos americanos: *Los dientes de la mandíbula inferior del caimán quedan dentro de la mandíbula superior cuando cierra la boca.* □ SINÓN. *aligátor.* □ ETIMOL. De origen incierto. □ MORF. Es un sustantivo epiceno: *el caimán {macho / hembra}.*

caín || **pasar las de Caín;** *col.* Sufrir grandes apuros o contratiempos: *Pasé las de Caín hasta que conseguí un trabajo.* □ ETIMOL. Por alusión a la historia bíblica de Caín.

cainismo s.m. Actitud vengativa hacia los familiares o amigos: *El cainismo de ese líder político destruyó su propio partido.*

cainita adj.inv./s.com. **1** Persona que reivindica a los rebeldes bíblicos: *Los cainitas defendieron la figura de Caín y de Judas.* **2** Referido a una persona o a su comportamiento, que adopta una actitud vengativa hacia los familiares o amigos: *Su comportamiento cainita lo ha convertido en una persona solitaria.*

caipiriña s.m. Cóctel elaborado con cachaza, azúcar moreno, lima, y mucho hielo.

cairel s.m. **1** Adorno a modo de fleco que cuelga de los extremos de algunos vestidos y complementos: *Tengo un sombrero con caireles de seda.* **2** Pieza de cristal de distintas formas y tamaños que adorna lámparas, candelabros u otros objetos: *Mira cómo centellean con la luz los caireles de la lámpara.* □ ETIMOL. Quizá del provenzal antiguo *cairel.*

caite s.m. En zonas del español meridional, sandalia de cuero. □ ETIMOL. Del náhuatl *cactli.*

caitear v. En zonas del español meridional, caminar. □ ETIMOL. De *caite.*

caja s.f. **1** Recipiente de distintas formas y materiales, generalmente con tapa, que sirve para guardar o transportar cosas: *Cuando llegó el camión de la mudanza, ya tenía todo metido en cajas.* **2** Receptáculo, generalmente de madera, en el que se coloca un cadáver para enterrarlo: *Llevaron la caja a hombros hasta el cementerio.* □ SINÓN. *ataúd, féretro.* **3** En un establecimiento, ventanilla o lugar donde se realizan pagos, cobros y entregas de dinero o semejantes: *Pasen por caja para abonar sus compras.* **4** En algunos instrumentos musicales de cuerda o de percusión, parte exterior de madera que los cubre y resguarda, o parte hueca en la que se produce la resonancia: *El violonchelo tiene una caja mayor que la del violín.* **5** Instrumento musical de percusión, de forma cilíndrica, hueco, cubierto por sus bases con una piel tensa, y que se toca con dos palillos. □ SINÓN. *tambor.* **6** Cubierta o armazón en los que se aloja algo: *Si abres la caja del reloj, entrará polvo y se estropeará.* **7** En artes gráficas, espacio de la página ocupado por la composición impresa y ajustada: *La caja de esta página queda demasiado cargada.* **8** || **caja alta;** letra mayúscula: *El título va en caja alta.* || **caja baja;** letra minúscula: *Este ejemplo va en caja baja y en cursiva.* || **caja {boba/tonta};** *col.* Televisión. || **caja (de ahorros);** entidad bancaria destinada esp. a guardar los ahorros de los particulares. || **caja de cambios;** mecanismo que permite el cambio de marcha en un automóvil. || **caja {de caudales/fuerte};** la que está hecha de un material resistente y se utiliza para guardar con seguridad dinero y objetos de valor. || **caja de música;** la que tiene un mecanismo que, al accionarse, hace que suene una melodía. || **caja de Pandora;** conjunto de problemas o males que una forma determinada de actuar puede causar: *Al decir aquella inconveniencia, abrió la caja de Pandora y desde entonces no hemos tenido más que problemas.* || **caja de reclutamiento;** organismo militar encargado de inscribir, clasificar y destinar a los reclutas. || **caja de resonancia; 1** Cavidad de algunos instrumentos musicales que amplifica y modula el sonido. **2** Institución, lugar o persona con una importancia que les permite recibir y difundir las noticias que conciernen a sus intereses o ámbito de acción: *Las universidades son cajas de resonancia de las inquietudes de los jóvenes de la sociedad.* || **caja negra;** en un avión, aparato que registra todos los datos e incidencias del vuelo. || **caja registradora;** la que se usa en un establecimiento comercial para señalar y sumar el importe de las ventas. || **{despedir/echar} con cajas destempladas;** *col.* Despedir con malos modos. || **hacer caja;** hacer recuento de los pagos e ingresos, generalmente al final de la jornada laboral. □ ETIMOL. Del latín *capsa.* □ MORF. El plural de *caja de ahorros* es *cajas de ahorros.*

cajero, ra s. **1** Persona que se dedica profesionalmente al control de la caja de una entidad comercial, de un banco o de establecimientos semejantes: *Estos recibos se pagan a la cajera que está en esa ventanilla.* **2** || **cajero (automático);** máquina informatizada que, por medio de una clave personal, permite efectuar operaciones bancarias inmediata y automáticamente: *Recogeré en el banco la tarjeta y la clave del cajero automático.*

cajeta s.f. **1** En zonas del español meridional, dulce de leche de cabra. **2** *vulg.malson.* En zonas del español meridional, vulva.

cajete s.m. En zonas del español meridional, cazuela o tazón de barro. □ ETIMOL. Del náhuatl *caxitl* (escudilla).

cajetilla ▮ adj.inv./s.com. **1** *col. desp.* En zonas del español meridional, presumido y afectado. **2** *col.* En zonas del español meridional, elegante, que vive con lujo y sin privaciones. ▮ s.f. **3** Paquete de cigarrillos o de picadura de tabaco: *En una cajetilla hay veinte cigarros.*

cajetín s.m. Cada uno de los compartimentos en que se divide el cajón donde se ordenan los tipos de imprenta: *En cada cajetín se coloca el molde de una letra o de un signo tipográfico.*

cajista s.com. Persona que se dedica profesionalmente a la composición de un texto para su impresión: *Estos errores tipográficos se deben al cajista.* ☐ ETIMOL. De *caja.*

cajón s.m. **1** En un mueble, receptáculo que se puede meter y sacar de un hueco en el que encaja: *el cajón de una mesa.* **2** En zonas del español meridional, ataúd. **3** En zonas del español meridional, plaza de aparcamiento. **4** ‖ **cajón de sastre;** *col.* Conjunto de cosas diversas y desordenadas o sitio donde están: *Esta página del periódico es un cajón de sastre y en ella se incluyen los artículos que no entran en un apartado concreto.* ‖ **ser de cajón;** *col.* Ser evidente o estar fuera de toda duda: *Si llueve, es de cajón que no iremos al campo.*

cajonera s.f. **1** En una mesa escolar, parte en la que se guardan los libros y otras cosas: *La cajonera del pupitre es muy pequeña y no caben todos los libros.* **2** Mueble formado exclusivamente por cajones o conjunto de cajones de un mueble: *Los manteles del altar están en la cajonera de la sacristía.*

cajuela s.f. En zonas del español meridional, maletero de un vehículo.

cajún adj.inv./s.m. De un grupo de pobladores franceses que se estableció en Louisiana (Estado estadounidense) en el siglo XVIII, o relacionado con él: *La comida cajún es muy picante.* ☐ ETIMOL. Del francés *cajun.*

cal s.f. **1** Sustancia de óxido de calcio, de color blanco, que, al contacto con el agua, se hidrata o se apaga, con desprendimiento de calor, y que se emplea principalmente en la fabricación de cementos: *La cal se obtiene de la piedra caliza sometida a más de ochocientos grados de temperatura.* **2** ‖ **cal viva;** la que no está mezclada con agua: *Ten cuidado con la cal viva porque te puedes quemar.* ‖ **cerrar a cal y canto;** cerrar totalmente: *Cuando se fue de vacaciones, cerró la casa a cal y canto.* ‖ **dar una de cal y otra de arena;** *col.* Alternar cosas distintas o contrarias: *No sé si le caigo bien o mal porque me da una de cal y otra de arena.* ☐ ETIMOL. Del latín *calx.*

cala s.f. **1** Entrante del mar en la costa más pequeño que la ensenada y generalmente rodeado de rocas: *Esta cala se cubre cuando hay marea alta.* **2** Corte que se hace en una fruta, esp. en un melón o en una sandía, para probarla: *El melón se me resbaló de las manos al hacer la cala.* ☐ SINÓN. *caladura.* **3** Trozo que se corta de una fruta para probarla: *Prueba esta cala de melón y dime si está dulce.* **4** Investigación en un campo del saber inexplorado o en un campo de estudio reducido: *En el artículo se hace una cala del teatro contemporáneo.* **5** Parte más baja en el interior de un buque. **6** Planta ornamental con una piña alargada de flores amarillas que sale del centro de una hoja blanca en forma de cucurucho. ☐ SINÓN. *lirio de agua.* **7** Flor de esta planta. ☐ SINÓN. *lirio de agua.* **8** *col.* Peseta: *La bolsa de pipas me ha costado cincuenta calas.* ☐ ETIMOL. La acepción 1, de origen incierto. Las acepciones 2-5, de *calar.* Las acepciones 6 y 7, del latín *Calla Aethiopica.*

calabacera s.f. Planta herbácea, de tallos rastreros muy largos y cubiertos de pelo áspero, hojas anchas y flores amarillas y cuyo fruto, generalmente grande y carnoso, es comestible: *La calabacera crece a ras de suelo.* ☐ SINÓN. *calabaza.*

calabacín s.m. Variedad de calabaza, cilíndrica, con la piel verde oscura y la carne blanca: *Como voy a hacer pisto para comer, tengo que comprar calabacines.*

calabaza s.f. **1** Planta herbácea, de tallos rastreros muy largos y cubiertos de pelo áspero, hojas anchas y flores amarillas y cuyo fruto, generalmente grande y carnoso, es comestible: *El fruto de una variedad de calabaza es anaranjado.* ☐ SINÓN. *calabacera.* **2** Fruto de esta planta: *El cabello de ángel se hace cociendo la pulpa de la calabaza.* **3** *col.* En el lenguaje estudiantil, suspenso: *Estudiaré en el verano porque tengo una calabaza en matemáticas.* **4** ‖ **dar calabazas;** *col.* Rechazar un ofrecimiento amoroso: *Juana me ha dado calabazas y estoy muy triste.* ☐ ETIMOL. De **calapaccia*, de origen prerromano.

calabazada s.f. *col.* Golpe dado con la cabeza o recibido en ella: *No calculé la altura de la puerta y ¡menuda calabazada me di al pasar!* ☐ SINÓN. *cabezada.*

calabazar s.m. Terreno plantado de calabazas.

calabazate s.m. Dulce de calabaza.

calabazazo s.m. **1** Golpe dado con una calabaza. **2** *col.* Golpe recibido en la cabeza.

calabobos (pl. *calabobos*) s.m. *col.* Llovizna muy fina y continua: *Creyó que no se iba a mojar, pero con este calabobos te calas hasta los huesos.*

calabozo s.m. **1** Celda de una cárcel o lugar destinado a encerrar a un preso o a un arrestado, esp. si está bajo condiciones de incomunicación: *El comisario encerró a los borrachos en los calabozos para que no causaran peleas y destrozos.* **2** Lugar, generalmente oscuro y subterráneo, donde se encerraba a los presos: *Bajé a los calabozos del castillo y eran tétricos.* ☐ ETIMOL. Del latín **calafodium*, de *fodere* (cavar).

calabriada s.f. Mezcla de cosas diversas, esp. de vinos: *Siempre bebo en las comidas una calabriada.*

calabrote s.m. Cuerda gruesa de nueve cordones trenzados de tres en tres: *Se aseguró la carga con dos calabrotes.* ☐ ETIMOL. Del antiguo *calabre* (maroma gruesa).

calada s.f. **1** Chupada que se da al fumar: *dar una calada.* **2** Introducción de un instrumento de pesca en el agua: *la calada de unas redes.* **3** Broma que consiste en sumergir la cabeza de una persona durante unos instantes.

caladero s.m. Lugar apropiado para calar o echar las redes de pesca: *un caladero de sardinas.*

calado s.m. **1** Labor o adorno que se hace en una superficie de modo que esta quede taladrada, agujereada o hueca, generalmente siguiendo un dibujo: *Tengo un mantel con un calado en forma de flor en el centro.* **2** Distancia entre la superficie del agua y el fondo: *El calado del puerto ha disminuido a causa de los sedimentos.* **3** En una embarcación, distancia entre el punto más bajo sumergido y la superficie del agua: *Los barcos de poco calado pueden navegar por el río.* **4** Parada brusca de un motor de explosión a causa de la falta de combustible, por estar frío o por otras razones: *El frecuente calado del coche me hizo pensar que tenía una avería.*

calador, -a adj. Que hace calados: *una máquina caladora.*

caladura s.f. **1** Corte que se hace en una fruta, esp. en un melón o en una sandía, para probarla: *Nunca compro un melón sin realizar antes la caladura.* ☐ SINÓN. *cala.* **2** *col.* Penetración de un líquido en un cuerpo: *Sécate o, con semejante caladura, cogerás un catarro.*

calafate s.m. Persona que se dedica a calafatear o tapar las junturas de una embarcación para que no entre agua, esp. si esta es su profesión. ☐ ETIMOL. Quizá del árabe *qalfat*.

calafateado s.m. Tapado de junturas, esp. las del casco de una embarcación con estopa y brea: *Si no está bien hecho el calafateado de la canoa, entrará agua.* ☐ SINÓN. *calafateo.*

calafateador, -a s. Persona que se dedica a calafatear o tapar junturas, esp. si esta es su profesión.

calafatear v. **1** Referido esp. al casco de una embarcación, tapar las junturas de sus maderas con estopa y brea para que no entre agua: *Mi abuelo me enseñó a calafatear las barcas.* **2** Tapar cualquier juntura: *Hay que calafatear el tejado antes del invierno.* ☐ ETIMOL. De *calafate*.

calafateo s.m. →**calafateado.**

calamar s.m. Molusco marino, con diez tentáculos alrededor de la cabeza provistos de ventosas, sin concha externa y con una interna, con el cuerpo en forma de huso provisto de dos aletas en su parte superior y que segrega un líquido negro con el que enturbia el agua para ocultarse cuando se siente perseguido: *Los calamares viven formando bancos.* ☐ ETIMOL. Del latín *calamarius*, y este de *calamus* (pluma de escribir), porque este molusco tiene una bolsita con tinta. ☐ MORF. Es un sustantivo epiceno: *el calamar {macho/hembra}.*

calambre s.m. **1** Contracción brusca, involuntaria y dolorosa de un músculo: *Tengo un calambre en la pierna y no puedo estirarla.* **2** Estremecimiento que se produce en el cuerpo por una descarga eléctrica de baja intensidad: *Toqué un cable pelado y me dio calambre.* ☐ ETIMOL. Del alemán *krampf*.

calambur s.m. Figura retórica consistente en alterar la agrupación de las sílabas de una o más palabras de modo que cambie totalmente su significado o su sentido: *'A este Lopico, lo pico es un calambur' del poeta Góngora.* ☐ ETIMOL. Del francés *calembour*.

calamidad s.f. **1** Desgracia, adversidad, infortunio o sufrimiento, esp. cuando afecta a muchas personas: *pasar calamidades.* **2** Persona a la que le ocurren todo tipo de desgracias por su torpeza o mala suerte: *ser una calamidad.* ☐ ETIMOL. Del latín *calamitas* (plaga, calamidad). ☐ MORF. En la acepción 1, se usa más en plural.

calamina s.f. **1** Silicato de cinc, de estructura cristalina rómbica y generalmente de color blanco o amarillento: *La calamina es un mineral del que se extrae el cinc.* **2** Cinc fundido: *La calamina alcanza una temperatura muy elevada.* **3** Aleación de cinc, plomo y estaño: *La calamina es muy resistente y moldeable.* **4** En zonas del español meridional, chapa ondulada que se usa en las construcciones de mala calidad. ☐ ETIMOL. Del latín *calamina.* ☐ ORTOGR. Dist. de *calamita*.

calamita s.f. Mineral de hierro muy pesado que tiene la propiedad de atraer determinados metales: *De la calamita se extrae hierro.* ☐ SINÓN. *magnetita.* ☐ ETIMOL. Del griego *kalamítes*. ☐ ORTOGR. Dist. de *calamina*.

calamite s.f. Sapo pequeño, verdoso y con una línea amarilla a lo largo del dorso: *Los calamites viven en los cañaverales.* ☐ ETIMOL. Del latín *calamites*, y este del griego *kalamítes* (el que pasa la vida en un tallo de trigo). ☐ MORF. Es un sustantivo epiceno: *la calamite {macho/hembra}.*

calamitoso, sa adj. **1** Que causa calamidades, que va acompañado de ellas o que es propio de ellas: *Llegó en un estado calamitoso, llorando, sucio y desarrapado.* **2** Infeliz, desdichado o que le ocurren calamidades por su torpeza o mala suerte: *un persona calamitosa.* ☐ ETIMOL. Del latín *calamitosus*.

cálamo s.m. **1** En la pluma de un ave, parte hueca de su eje central, que carece de filamentos laterales y que se inserta en la piel: *El cálamo se inserta en la piel y por eso al arrancar una pluma sale sangre.* ☐ SINÓN. *cañón.* **2** *poét.* Pluma para escribir: *Cuando me inspiro, el cálamo vuela sobre el papel.* **3** *poét.* Caña de una planta: *Descansemos entre los cálamos a la ribera del río.* ☐ ETIMOL. Del latín *calamus*.

calandra s.f. En algunos vehículos, rejilla frontal que sirve para que entre aire al ventilador: *Si tienes taponada la calandra del camión, el motor se calentará en exceso.* ☐ ETIMOL. Del francés *calandre*.

calandraco, ca adj./s. En zonas del español meridional, alocado y de poco juicio.

calandrar v. Referido a un tejido o al papel, pasarlos por una calandria para prensarlos y satinarlos: *Para que una tela quede lisa y brillante hay que calandrarla.*

calandria s.f. **1** Pájaro parecido a la alondra, de dorso pardusco, vientre blanquecino y una mancha negra en el cuello, alas anchas, pico fuerte y de color amarillo, y que anida en el suelo: *Las calandrias imitan fácilmente el canto de otros pájaros.* **2**

Máquina formada por cilindros giratorios que sirve para prensar y satinar tejidos o papel: *No hemos podido prensar el papel porque la calandria se ha roto.* □ ETIMOL. La acepción 1, del griego *khálandros*. La acepción 2, del francés *calandre*. □ MORF. Es un sustantivo epiceno: *la calandria {macho/hembra}*.

calaña s.f. *desp.* Clase, género o condición: *No quiero a mi lado gente de su calaña.* □ ETIMOL. Del antiguo *calaño* (semejante).

calañés s.m. →**sombrero calañés.**

cálao s.m. Ave trepadora con un gran pico amarillo anaranjado, un apéndice córneo sobre este, y el plumaje oscuro o negro: *El cálao habita en Filipinas, Indonesia y África.*

calapié s.m. Elemento supletorio del pedal de una bicicleta, que sirve para sujetar el pie: *Los calapiés me ayudan a pedalear con más fuerza.* □ SINÓN. *rastral.*

calar ▌v. **1** Referido a un líquido, penetrar en un cuerpo permeable: *El agua ha calado el techo y hay goteras. Llueve tan poco que no ha calado en la tierra.* **2** Referido a un cuerpo, permitir que un líquido penetre en él: *Esta tela cala y no te sirve para hacer una gabardina.* **3** Introducirse o penetrar: *Lo que dijo caló hondo en nosotros.* **4** *col.* Referido a una persona, adivinar su verdadero carácter, sus intenciones o sus pensamientos: *Me caló al instante y supo que estaba nervioso.* **5** *col.* Referido a una cuestión, comprender su razón o su sentido ocultos: *Cuando caló el tipo de negocio que era, quiso echarse atrás.* **6** Referido a una fruta, esp. a un melón o a una sandía, cortar un trozo para probarla: *Si hubiera calado el melón, me habría dado cuenta de que no está maduro.* **7** Referido a una tela o a un material en láminas, hacer calados en ellos: *Es muy bonito el mantel que ha calado tu abuela. Llevé el anillo de oro a un orfebre para que me lo calara.* **8** Referido a un instrumento de pesca, introducirlo en el agua para pescar: *Esos barcos se dirigen hacia alta mar para calar las redes.* **9** Referido a un sombrero, encajarlo bien en la cabeza: *Su padre le caló el gorro hasta las cejas. Se caló la gorra y salió a la calle.* **10** Referido a una bayoneta, colocarla o encajarla en el fusil: *El teniente ordenó calar las bayonetas.* ▌prnl. **11** Mojarse hasta que el agua llega al cuerpo a través de la ropa: *Como no llevaba paraguas, me calé hasta los huesos.* **12** Referido a un motor de explosión, pararse bruscamente por no llegarle el suficiente combustible, por estar frío o por otras causas: *A los novatos se les cala el coche cada dos por tres.* □ ETIMOL. Del latín *calare* (hacer bajar).

calasancio, cia adj./s. De las Escuelas Pías (orden religiosa fundada en 1597 por san José de Calasanz), o relacionado con ellas. □ SINÓN. *escolapio.*

calato, ta adj. *col.* En zonas del español meridional, desnudo: *Se bañó calato en el mar.*

calavera ▌s.m. **1** Hombre con poco sentido común o vicioso y juerguista: *Es un calavera y se gastará en poco tiempo el dinero que heredó.* ▌s.f. **2** Conjunto de huesos que forman la cabeza cuando permanecen unidos: *La bandera pirata tiene una calavera y dos tibias.* ▌s.f.pl. **3** En zonas del español meridional, verso ingenioso que, el día de los muertos, se le compone a un vivo, hablando de sus defectos como si ya estuviera muerto: *La costumbre de las calaveras comenzó en la época colonial.* □ ETIMOL. Del latín *calvaria* (cráneo). □ ORTOGR. Dist. de *carabela.*

calaverada s.f. *col.* Hecho que se considera propio de un hombre con poco sentido común o vicioso y juerguista: *La calaverada de irse de juerga un mes seguido le costó un disgusto.*

calcado, da ▌adj. **1** Idéntico o muy parecido: *Tienes la voz calcada a la de tu hermano.* ▌s.m. **2** Acción de copiar por contacto del original con el soporte al que se traslada: *el calcado de un dibujo.*

calcáneo s.m. Hueso del tarso, que en la especie humana forma el talón: *El calcáneo es el hueso más voluminoso del pie.* □ ETIMOL. Del latín *calcaneum* (talón). □ SEM. Dist. de *calcañal* (parte posterior de la planta del pie).

calcañal s.m. →**calcañar.**

calcañar (tb. *calcañal, carcañal*) s.m. Parte posterior de la planta del pie: *No apoyes la punta del pie antes que el calcañar.* □ ETIMOL. Del antiguo *calcaño*, y este del latín *calcaneum* (talón). □ SEM. Dist. de *calcáneo* (hueso del talón).

calcar v. **1** Sacar copia por contacto del original con el soporte al que se va a trasladar: *Calcó el dibujo en un cristal y luego lo coloreó.* **2** Imitar, copiar o reproducir fielmente: *Admira tanto a su hermana que calca todos sus gestos.* □ ETIMOL. Del latín *calcare* (pisar). □ ORTOGR. La *c* se cambia en *qu* delante de *e* →SACAR.

calcáreo, a adj. Que tiene cal: *unas aguas calcáreas.* □ ETIMOL. Del latín *calcarius.*

calce s.m. **1** Cuña que se pone entre el suelo y una rueda para evitar que esta se mueva, o debajo de un mueble, para evitar que cojee: *Ponle un calce a la rueda porque el coche está cuesta abajo.* □ SINÓN. *calza, calzo.* **2** En zonas del español meridional, pie de un documento legal: *Firmé al calce del contrato.* □ ETIMOL. Del latín *calcens* (zapato).

calcedonia s.f. Variedad del cuarzo, muy translúcida, de color generalmente azulado o pardo grisáceo, que se usa en ornamentación: *La ágata está formada por capas alternas de calcedonia y ópalo.* □ ETIMOL. Por alusión a la ciudad de Calcedonia, de donde procede esta piedra.

calcemia s.f. Presencia de calcio en la sangre: *La calcemia se regula mediante una hormona.* □ ETIMOL. De *calcio* y *-emia* (sangre).

calceta s.f. Tejido de punto que se hace a mano: *Mi abuela me enseñó a hacer calceta.* □ ETIMOL. De *calza* (media).

calcetar v. Hacer calceta o punto a mano: *Me encanta calcetar mientras veo la televisión.*

calcetín s.m. Prenda de vestir de punto que cubre el pie y la pierna sin llegar a la rodilla: *No me puse calcetines, y los zapatos me hicieron una rozadura.* □ ETIMOL. De *calceta* (media).

calchihuite s.m. Piedra parecida al jade, de color verde y brillante, que era muy apreciada por los aztecas y otros pueblos vecinos. ☐ ETIMOL. Del náhuatl *calchihuitl*.

cálcico, ca adj. Del calcio o relacionado con él: *Los compuestos cálcicos son abundantes en el esqueleto humano.*

calcificación s.f. Modificación o degeneración de un tejido orgánico por la asimilación o por la acumulación de sales de calcio: *Según crecemos, se produce la calcificación del tejido óseo.*

calcificar ▮ v. **1** Referido a un tejido orgánico, darle propiedades cálcicas mediante la asimilación de sales de calcio: *Estoy tomando jarabe de calcio para ayudar a calcificar correctamente los huesos.* ▮ prnl. **2** Referido a un tejido orgánico, modificarse o degenerar por la acumulación de sales de calcio: *En los años de crecimiento los huesos se calcifican.* ☐ ETIMOL. Del latín *calx* (cal) y *facere* (hacer). ☐ ORTOGR. La *c* se cambia en *qu* delante de *e* →SACAR.

calcímetro s.m. Instrumento que sirve para determinar la cantidad de cal que hay en un terreno: *El calcímetro funciona midiendo el volumen de anhídrido carbónico que desprende cierta cantidad de tierra bajo la acción de un ácido.* ☐ ETIMOL. Del latín *calx* (cal) y *-metro* (medidor).

calcinación s.f. Quema o sometimiento a altas temperaturas: *La calcinación de los cuerpos impedía su identificación.* ☐ SINÓN. *calcinamiento*.

calcinamiento s.m. →**calcinación.**

calcinar v. **1** Referido a un mineral o a otra materia, someterlos a altas temperaturas para que se desprendan las sustancias volátiles: *El carbón vegetal resulta de calcinar la madera. Al introducir las basuras en este horno, se calcinan.* **2** Quemar o abrasar por completo, de forma que quede una materia de color blanco: *Este sol tan fuerte ha calcinado las plantas del jardín.*

calcio s.m. Elemento químico, metálico y sólido, de número atómico 20, de color blanco, muy alterable al contacto con el aire o el agua, y muy abundante en la naturaleza: *El calcio se encuentra en la leche y las verduras.* ☐ ETIMOL. Del latín *calx* (cal). ☐ ORTOGR. Su símbolo químico es *Ca*.

calcita s.f. Carbonato cálcico, incoloro o de color blanco, y muy abundante en la naturaleza: *La calcita es un mineral blando y se exfolia fácilmente.* ☐ ETIMOL. De *calcio*.

calcitonina s.f. Hormona que regula la tasa de calcio en la sangre: *La calcitonina se utiliza mucho para tratar la osteoporosis.*

calco s.m. **1** Copia por contacto del original con el soporte al que se va a trasladar: *La profesora notó que mi dibujo era un calco.* **2** Imitación o reproducción idéntica o muy parecida: *Su forma de vestir es un calco de la de su amigo.* **3** En lingüística, adaptación de una palabra o una expresión extranjeras a una lengua, traduciendo su significado completo o el de cada uno de los elementos que las forman: *'Balonvolea' es un calco de la palabra inglesa 'volleyball'.*

calcografía s.f. **1** Arte o técnica de estampar imágenes por medio de planchas metálicas grabadas, esp. si son de cobre: *aprender calcografía.* **2** Reproducción obtenida mediante esta técnica: *enmarcar una calcografía.* ☐ ETIMOL. Del griego *khalkós* (cobre, bronce) y *-grafía* (representación gráfica).

calcolítico, ca ▮ adj. **1** Del calcolítico o relacionado con esta etapa prehistórica: *una cultura calcolítica.* ☐ SINÓN. *eneolítico*. ▮ adj./s.m. **2** Referido a una etapa del neolítico, que es la última de este período y que se caracteriza por el uso de útiles de piedra pulimentada, de cobre y de otros metales. ☐ SINÓN. *eneolítico*. ☐ ETIMOL. Del griego *khalkós* (cobre, bronce) y *lítico* (de la piedra).

calcomanía s.f. **1** Papel que lleva una imagen al revés preparada con una sustancia pegajosa para pasarla por contacto a otra superficie: *Tienes que mojar bien la calcomanía para que quede perfecta.* **2** Imagen trasladada por contacto de un papel a otra superficie: *Mi hermana lleva el brazo lleno de calcomanías.* ☐ ETIMOL. Del francés *décalcomanie*. ☐ ORTOGR. Incorr. **calcamonía*. ☐ USO Es innecesario el uso de los anglicismos *transfer* y *tattoo*.

calcopirita s.f. Sulfuro de hierro y cobre, de color amarillento y brillante: *La calcopirita es un mineral del que se extrae cobre.* ☐ ETIMOL. Del griego *khalkós* (cobre) y *pirita*.

calculable adj.inv. Que se puede calcular.

calculador, -a ▮ adj./s. **1** Que calcula. **2** Referido a una persona, que hace algo pensando solo en el interés material que puede reportarle: *una mujer calculadora.* ▮ s.f. **3** Aparato o máquina que realiza automáticamente y en pocos segundos operaciones matemáticas.

calculadora s.f. Véase **calculador, -a**.

calcular v. **1** Hacer cálculos: *Para calcular el área de un triángulo hay que saber cuánto miden la base y la altura.* **2** Considerar o reflexionar con cuidado y atención: *Calcula los pros y los contras antes de decidirte.*

cálculo s.m. **1** Conjunto de operaciones matemáticas que se hacen para hallar un resultado: *El problema del cálculo de la velocidad era el más difícil del examen.* **2** Parte de las matemáticas que estudia estas operaciones: *un cálculo aritmético.* **3** Juicio que se forma a partir de datos incompletos o aproximados: *Según mis cálculos, ese niño debe de ser mayor que tú. Tus cálculos han fallado y no ha ganado el equipo que decías.* **4** Acumulación anormal y más o menos compacta de sales y minerales que se forma en conductos y órganos huecos: *Sus cólicos se deben a los cálculos que tiene en el riñón.* ☐ SINÓN. *piedra*. ☐ ETIMOL. Del latín *calculus* (guijarro, piedra para enseñar a los niños a contar, cuenta).

caldario s.m. En una terma romana, sala destinada a los baños de vapor. ☐ ETIMOL. Del latín *caldarium* (caliente).

caldas s.f.pl. Baños de aguas minerales calientes: *caldas romanas.* ☐ SINÓN. *termas*. ☐ ETIMOL. Del latín *calda*.

caldeamiento s.m. Animación, excitación o pérdida de la tranquilidad: *El caldeamiento del ambiente se produjo con la salida a escena del cantante.*

caldear v. **1** Calentar suavemente, esp. un lugar cerrado: *Encendí la chimenea para caldear la sala. Con esta calefacción tan potente la casa se caldeará en un momento.* **2** Animar, excitar o hacer perder la tranquilidad: *La postura de los empresarios caldeó los ánimos de los trabajadores. Con la aparición de la policía el ambiente empezó a caldearse.* ☐ ETIMOL. Del latín *caldus* (caliente).

caldeo, a ▮ adj./s. **1** De Caldea (antigua región asiática), o relacionado con ella: *Los caldeos eran un pueblo de la antigua Mesopotamia.* ▮ s.m. **2** Antigua lengua semítica de esta región: *Tradujo el texto bíblico del caldeo.*

caldera s.f. **1** Recipiente metálico, cerrado o dotado de una fuente de calor, donde se calienta o se hace hervir el agua, esp. el empleado en sistemas de calefacción: *las calderas de un barco.* **2** Recipiente de metal, grande, con el fondo redondeado, que se utiliza para calentar o cocer algo: *Los pastores cocieron la comida en una caldera.* **3** ‖ **caldera de vapor;** aquella en la que se genera vapor como fuerza motriz de una máquina: *Los primeros trenes tenían calderas de vapor.* ☐ ETIMOL. Del latín *caldaria*, y este de *calidus* (caliente). ☐ SINT. Incorr. (galicismo): *caldera {*a > de} vapor.*

calderada s.f. **1** Cantidad que cabe en una caldera: *una calderada de cocido.* **2** Cantidad exagerada de una sustancia, esp. si es de comida: *No podré comer esta calderada de sopa.*

calderería s.f. **1** Establecimiento en el que se hacen o se venden calderas y calderos: *No sé si podrán arreglarme la caldera en esa calderería.* **2** Arte o técnica de fabricar calderas y calderos: *Mi amigo se dedica a la calderería por tradición familiar.* **3** En un establecimiento metalúrgico, sección en la que se cortan, se forjan y se unen barras y planchas de hierro o acero: *Lleva las planchas de acero a la calderería para forjarlas.*

calderero, ra s. Persona que se dedica profesionalmente al cuidado de una caldera.

caldereta s.f. **1** Guiso que se hace con carne de cordero o de cabrito: *La caldereta es uno de los platos típicos de Extremadura.* **2** Guiso que se hace con pescado o marisco, cebolla y pimiento: *Tienes que aliñar la caldereta con aceite y vinagre.*

calderilla s.f. Conjunto de monedas, esp. si son de poco valor: *Los billetes los llevo en la cartera y la calderilla, en un monedero.*

calderín s.m. Depósito pequeño que sirve de caldera.

caldero s.m. **1** Caldera pequeña o cubo de metal con una sola asa, esp. si se sujeta a cada lado con argollas: *Saca agua del pozo con este caldero.* **2** Comida elaborada con arroz, pescados y mariscos, similar a una paella, pero en la que cada uno de estos ingredientes se come por separado: *El caldero es un plato propio de la región de Murcia.* ☐ ETIMOL. Del latín *caldarium*.

calderón s.m. **1** En imprenta, signo gráfico que antiguamente señalaba un párrafo: *El signo ¶ es un calderón.* **2** En música, signo gráfico que se coloca sobre una nota o sobre un silencio y que indica que la duración de estos puede prolongarse a voluntad del intérprete: *El signo 𝄐 es un calderón.*

calderoniano, na adj. De Calderón de la Barca (escritor español del siglo XVII) o con características de sus obras: *'El Alcalde de Zalamea' es una de las obras más conocidas del teatro calderoniano.*

caldillo s.m. Salsa de algunos guisos: *Me gusta mucho mojar pan en el caldillo.*

caldo s.m. **1** Líquido que resulta de la cocción de algún alimento en agua: *el caldo del cocido.* **2** Jugo vegetal destinado a la alimentación y que se extrae directamente de un fruto, esp. el vino: *un caldo riojano.* **3** Líquido que resulta de aderezar una ensalada. **4** *col.* Gasolina. **5** ‖ **caldo de cultivo; 1** Líquido preparado para favorecer la reproducción de bacterias y otros microorganismos. 2 Conjunto de circunstancias que favorecen el desarrollo de algo que se considera perjudicial: *Con el paro, la crisis y la falta de ideales hay un buen caldo de cultivo para el racismo.* ‖ **caldo gallego;** guiso de verduras y carne de vaca y de cerdo. ‖ **poner a caldo** a alguien; *col.* Regañarlo o criticarlo acaloradamente, esp. si es con insultos: *Me puso a caldo porque no fui a esperarlo.* ☐ ETIMOL. Del latín *calidus* (caliente). ☐ MORF. En la acepción 2, se usa más en plural.

caldoso, sa adj. Con mucho caldo: *No me gustan las lentejas caldosas, sino espesitas.*

calé adj.inv./s.m. En el lenguaje gitano, gitano: *Los mejores cantaores de flamenco suelen ser calés.* ☐ SEM. Dist. de *caló* (lengua de los gitanos).

caledoniano, na adj. En geología, del movimiento orogénico producido en la era primaria o paleozoica: *El movimiento caledoniano afectó a zonas como Escocia o Escandinavia.* ☐ ETIMOL. De *Caledonia*, antigua región de Gran Bretaña.

calefacción s.f. **1** Sistema y conjunto de aparatos destinados a calentar un edificio o parte de él: *calefacción eléctrica.* **2** ‖ **calefacción central;** la que depende de un foco calorífico o de una caldera común para todo un edificio. ☐ ETIMOL. Del latín *calefactio*, y este de *calefacere* (calentar).

calefactable adj.inv. Que puede calentarse: *Los retrovisores exteriores de este coche son calefactables, por lo que nunca se mojan ni se empañan.*

calefactor, -a ▮ s. **1** Persona que se dedica profesionalmente a la instalación o a la reparación de aparatos de calefacción: *Hace días que avisamos a la compañía para que mandase un calefactor a arreglar la avería.* ▮ s.m. **2** Aparato de calefacción, esp. el que recoge el aire del ambiente y lo expulsa caliente: *Tengo un calefactor en el baño.*

calefón s.m. En zonas del español meridional, calentador o termosifón: *Se descompuso el calefón y no tengo agua caliente en la casa.*

caleidoscopio (tb. *calidoscopio*) s.m. Aparato formado por un tubo que tiene en su interior varios espejos inclinados y en un extremo del cual se ven imágenes de colores que varían al hacerlo girar: *Para ver las imágenes del caleidoscopio hay que mirar hacia la luz.* □ ETIMOL. Del griego *kalós* (hermoso), *êidos* (imagen) y *-scopio* (instrumento para ver).

calendario s.m. **1** Sistema de división del tiempo en períodos regulares de años, meses y días: *El calendario solar se basa en la rotación de la Tierra alrededor del Sol, y por eso el año tiene aproximadamente 365 días.* **2** Registro de los días del año distribuidos en meses y semanas, con indicaciones sobre las festividades y otras informaciones de tipo astronómico: *En este calendario los días festivos están marcados en rojo.* □ SINÓN. *almanaque.* **3** Distribución de determinadas actividades humanas a lo largo de un año: *Tenemos que preparar el calendario de actividades de este curso.* □ ETIMOL. Del latín *calendarium*.

calendarizar v. Referido a algo que hay que hacer, ponerle fecha y plazos de realización: *Calendarizaremos el proyecto antes de empezar a trabajar en él.* □ ORTOGR. La *z* se cambia en *c* delante de *e* →CAZAR.

calendas s.f.pl. **1** En el antiguo calendario romano y en el eclesiástico, el primer día de cada mes. **2** Tiempos pasados: *Siempre estás recordando historias de las calendas.* □ ETIMOL. Del latín *calendae*.

caléndula s.f. Planta herbácea de jardín cuya flor es una gran inflorescencia en cabezuela de color anaranjado o amarillento: *La caléndula se usaba en medicina como antiespasmódico.* □ ETIMOL. Del latín *calendula*, que es el nombre científico de esta planta.

calentador, -a ▮ adj. **1** Que calienta. ▮ s.m. **2** Recipiente o utensilio que sirve para calentar. **3** Electrodoméstico que sirve para calentar el agua corriente: *El calentador está estropeado y me he tenido que duchar con agua fría.* **4** Media de lana, sin pie, que sirve para mantener calientes las piernas: *Cuando hago gimnasia, me pongo unos calentadores para evitar tirones musculares.* □ SINÓN. *calientapiernas*.

calentamiento s.m. **1** Comunicación de calor haciendo que aumente la temperatura. **2** Entrenamiento que realiza un deportista para desentumecer los músculos y entrar en calor: *Antes de salir a jugar, hacen calentamientos en la banda.* **3** Aumento de la intensidad, la actividad o la fuerza: *Las medidas económicas del Gobierno produjeron un calentamiento de la economía.*

calentar v. **1** Comunicar calor haciendo aumentar la temperatura: *En otoño el sol calienta poco. La leche se calentó demasiado.* **2** Animar, excitar o exaltar: *La suspensión del partido terminó de calentar los ánimos. Estuvo metiéndose conmigo toda la tarde hasta que me calenté y lo mandé al infierno.* **3** *col.* Azotar o dar golpes: *Me calentó el culo con una zapatilla.* **4** *vulg.* Excitar sexualmente: *Se calienta con cualquier escena erótica.* **5** En deporte, hacer ejercicios suaves para desentumecer los músculos: *Si no caliento antes del partido, luego me dan tirones.* □ ETIMOL. De *caliente*. □ MORF. Irreg. →PENSAR.

calentísimo, ma superlat. irreg. de **caliente**. □ MORF. Incorr. **calientísimo*.

calentito s.m. *col.* Churro.

calentón, -a ▮ adj. **1** *col. desp.* Referido a una persona, que es propensa a sentir deseos sexuales. ▮ s.m. **2** Calentamiento rápido o breve: *Daré un calentón a la comida, que tengo prisa.* **3** *col.* Excitación sexual fuerte y repentina.

calentorro, -a ▮ adj. **1** *col.* Referido a una bebida, que debería estar fría y no lo está. ▮ adj./s. **2** *vulg.* Referido a una persona, que se excita sexualmente con facilidad.

calentura s.f. **1** Herida que sale en los labios: *Esta pomada es muy buena para las calenturas.* □ SINÓN. *pupa.* **2** Aumento anormal de la temperatura del cuerpo, que es síntoma de algún trastorno o enfermedad: *Me he puesto el termómetro y tengo calentura.* □ SINÓN. *fiebre.* **3** *col.* Excitación sexual.

calenturiento, ta adj. **1** Referido al pensamiento, excitado y muy vivo: *una imaginación calenturienta.* **2** Con indicios de calentura o fiebre: *una frente calenturienta.* **3** *col.* Que se excita sexualmente con facilidad: *una mente calenturienta.*

calera s.f. **1** Cantera de la que se saca piedra para hacer cal: *Esos hombres trabajaban en una calera.* **2** Horno en el que se calcina la piedra caliza: *La calera tiene una temperatura muy elevada.*

calesa s.f. Coche de caballos de dos o cuatro ruedas, abierto por delante y con capota: *Las calesas en el siglo XIX fueron muy usadas por las mujeres.* □ ETIMOL. Del francés *calèche*.

calesita s.f. En zonas del español meridional, tiovivo o carrusel: *Al niño le encanta dar vueltas en una calesita.*

caleta s.f. En una costa, cala pequeña.

caletre s.m. *col.* Inteligencia, talento o capacidad de entender con acierto: *Esta muchacha es muy lista y tiene mucho caletre.* □ ETIMOL. Del latín *character* (carácter, índole).

calibración s.f. Medición o reconocimiento del calibre de un arma de fuego, de un cuerpo cilíndrico, de un proyectil o de un alambre, u operación de darles el calibre conveniente: *La calibración de la bala indicará de qué arma procede.*

calibrador, -a ▮ adj. **1** Que se utiliza para calibrar. ▮ s.m. **2** Aparato que sirve para medir el calibre: *El calibrador de los proyectiles es una especie de tubo cilíndrico de bronce.*

calibrar v. **1** Referido esp. a un arma de fuego, a un proyectil o a un cuerpo cilíndrico, medir o reconocer su calibre o diámetro interior, o darle el calibre conveniente: *Lleva al laboratorio de balística las balas para que las calibren. Trabajo en una fábrica de armas, en la sección donde se calibran los cañones de los fusiles.* **2** Referido a un asunto, estudiarlo con detenimiento: *Antes de meternos en este negocio, calibraremos bien los riesgos.*

calibre s.m. **1** En un arma de fuego, diámetro interior del cañón: *El calibre de esta pistola es de nueve milímetros.* **2** En un cuerpo cilíndrico hueco, diámetro interior: *La tubería mide dos centímetros de calibre.* **3** Diámetro de un proyectil o de un alambre. **4** Tamaño, importancia o clase: *Ante un hecho de ese calibre nos vemos obligados a tomar medidas.* □ ETIMOL. Del francés *calibre.*

calicanto s.m. Obra o construcción de albañilería que se hace con piedras sin labrar o poco labradas, de distintos tamaños, colocadas unas sobre otras sin orden determinado, y unidas generalmente con argamasa o con cemento: *Muchas obras de arquitectura popular son de calicanto.* □ SINÓN. *mampostería.*

calicata s.f. En un terreno o en una construcción, exploración que se hace para determinar la naturaleza del subsuelo o los materiales que contiene: *Después de hacer la calicata del cauce del río comprobamos que había calizas.* □ ETIMOL. De *calar* y *catar.*

caliche s.m. **1** Piedra pequeña que queda en el barro y que se quema al cocerlo: *Este botijo no vale porque está lleno de caliches.* **2** Trozo de cal desprendido de una pared: *Arregla el techo porque me ha caído un caliche.* □ ETIMOL. De *cal.*

caliciforme adj.inv. Con forma de cáliz: *un receptáculo calilciforme.* □ ETIMOL. De *cáliz* y *-forme* (con forma).

calículo s.m. Conjunto de hojas en forma de cáliz que rodea al verdadero cáliz de una flor: *Los claveles tienen calículo.* □ ETIMOL. Del latín *caliculus* (cáliz pequeño).

calidad s.f. **1** Propiedad o conjunto de propiedades inherentes a una cosa, que la caracterizan y permiten valorarla respecto de otras de su misma especie: *Su gran calidad humana lo convierte en un ser entrañable.* **2** Superioridad, excelencia o conjunto de buenas cualidades: *La calidad del jamón de Jabugo es reconocida internacionalmente.* **3** ‖ **calidad de vida;** conjunto de condiciones que hacen la vida más agradable: *En mi nuevo trabajo pierdo dinero, pero gano en calidad de vida.* ‖ **de calidad;** muy bueno o que goza de gran estimación: *Es una tela de calidad.* ‖ **en calidad de;** con carácter de: *Iré al juicio en calidad de testigo.* □ ETIMOL. Del latín *qualitas.*

calidez s.f. **1** Amabilidad y afecto: *Nos recibió con mucha calidez.* **2** Referido al clima, calor o temperatura elevada.

cálido, da adj. **1** Que da calor: *un viento cálido.* **2** Afectuoso o acogedor: *un recibimiento cálido.* **3** Referido a un color, que tiene como base el rojo, el amarillo o la mezcla de ambos: *un tono cálido.* □ ETIMOL. Del latín *calidus* (caliente).

calidoscópico, ca adj. Del calidoscopio o relacionado con este aparato: *Esta novela refleja una visión fragmentada y calidoscópica de la vida.*

calidoscopio s.m. →**caleidoscopio.**

calientabiberones s.m. Aparato para calentar biberones o potitos.

calientabraguetas (pl. *calientabraguetas*) s.com. *vulg.malson. desp.* Persona que provoca deseo sexual en un hombre sin intención de satisfacerlo. □ USO Se usa como insulto.

calientacamas (pl. *calientacamas*) s.m. Aparato para calentar las sábanas de la cama: *No uso la bolsa de agua caliente porque me compré un calientacamas eléctrico.*

calientapiernas (pl. *calientapiernas*) s.m. Media de lana, sin pie, que sirve para mantener calientes las piernas. □ SINÓN. *calentador.*

calientapiés (pl. *calientapiés*) s.m. Aparato para calentar los pies. □ SINÓN. *calorífero.*

calientaplatos (pl. *calientaplatos*) s.m. Aparato que sirve para mantener calientes los platos cocinados: *Colocaron un calientaplatos en mitad de la mesa y pusieron encima el plato de carne para que no se enfriara.*

calientapollas (pl. *calientapollas*) s.com. *vulg.malson. desp.* Persona que provoca deseo sexual en un hombre sin intención de satisfacerlo. □ USO Se usa como insulto.

caliente ▮ adj.inv. **1** Con temperatura elevada: *No planches este vestido con la plancha muy caliente.* **2** Que proporciona calor y comodidad: *Tengo unos zapatos muy calientes para el invierno.* **3** *col.* Recién hecho o que acaba de suceder: *Traigo noticias calientes.* **4** Acalorado, vivo o apasionado: *Los ánimos estaban calientes y una tontería desencadenó la pelea.* **5** Conflictivo: *Será un invierno caliente por la crisis de Gobierno.* **6** *col.* Referido a una persona o a un animal, excitado sexualmente: *Ver un desnudo me pone caliente.* ▮ interj. **7** Expresión que se usa para indicar que alguien está a punto de encontrar algo que busca: *¡Caliente, caliente!, sigue preguntando.* **8** ‖ **en caliente;** de forma inmediata o sin dejar que pase el efecto de lo acaecido: *Si no lo hiciste en caliente, ya no merece la pena que te enfrentes a él.* □ ETIMOL. Del latín *calens* (que se ha calentado). □ MORF. Su superlativo es *calentísimo.*

califa s.m. Príncipe musulmán que, como sucesor de Mahoma, ejercía la potestad religiosa y civil: *Hubo califas en Asia, África y España.* □ ETIMOL. Del francés *khalife*, y este del árabe *jalifa* (sucesor, lugarteniente).

califal adj.inv. Del califa o relacionado con él: *arte califal.*

califato s.m. **1** Cargo del califa: *Solo accedían al califato los descendientes del profeta Mahoma.* **2** Tiempo durante el que un califa ejercía su cargo: *En el califato de Abderrahmán III, Córdoba alcanzó un gran desarrollo cultural.* **3** Territorio sobre el que un califa ejercía su autoridad: *El califato de Córdoba era más grande que la Andalucía actual.* **4** Período histórico en el que gobernaron califas: *El califato omeya de Córdoba comenzó con Abderrahmán III.*

calificación s.f. **1** Atribución de determinadas cualidades: *La calificación de mi actitud no te corresponde a ti.* **2** Valoración de la suficiencia o de la no suficiencia de los conocimientos, esp. de los académicos: *En junio saldrán las calificaciones finales.* **3** Procedimiento mediante el cual se otorga a un terreno una finalidad rústica o urbana: *Me ha sorprendido la calificación de estas tierras como terreno urbano.*

calificado, da adj. **1** Con autoridad y digno de respeto: *Siempre se fía de una opinión calificada de los expertos.* □ SINÓN. *cualificado.* **2** Que está esp. preparado para el desempeño de una actividad o de una profesión: *Se necesitan personas calificadas para este puesto.* □ SINÓN. *cualificado.* **3** Con todos los requisitos necesarios: *No me aceptaron la solicitud porque no estaba calificada.*

calificar v. **1** Atribuir determinadas cualidades: *Tu comportamiento se puede calificar de insolente. En gramática, se llama adjetivo calificativo a aquel que califica al sustantivo.* **2** Valorar el grado de suficiencia o de no suficiencia de los conocimientos académicos: *Calificó mi examen con un notable.* **3** Referido esp. a un terreno, otorgarle una finalidad rústica o urbana: *Esta finca está calificada como terreno rústico.* □ ETIMOL. Del latín *qualificare.* □ ORTOGR. La *c* se cambia en *qu* delante de *e* →SACAR. □ SINT. Constr. de la acepción 1: *calificar* DE *algo.*

calificativo, va adj./s.m. Que califica, esp. referido a una palabra o a una expresión: *'Grande' y 'bonita' son adjetivos calificativos. La elogiaron con calificativos sublimes.*

californio s.m. Elemento químico, metálico y artificial, de número atómico 98, radiactivo y que se obtiene bombardeando el curio con partículas alfa: *El californio se usa como generador de neutrones en las reacciones nucleares.* □ ETIMOL. De *California,* donde se descubrió. □ ORTOGR. Su símbolo químico es *Cf.*

cáliga s.f. En la antigua Roma, especie de sandalia que usaban los soldados: *Con las cáligas quedaban al descubierto los dedos y la mayor parte del pie.* □ ETIMOL. Del latín *caliga.*

calígine s.f. Niebla densa y oscura: *Amaneció con una calígine que no desapareció hasta el mediodía.* □ SEM. Dist. de *bochorno* (calor excesivo) y de *calima* (bruma de épocas calurosas).

caliginoso, sa adj. Oscuro, denso y con neblina: *un cielo caliginoso.* □ ETIMOL. Del latín *caliginosus.* □ SEM. Dist. de *bochornoso* (muy caluroso) y de *calimoso* (con calima).

caligrafía s.f. **1** Conjunto de rasgos que caracterizan la escritura de una persona o de un documento: *Por la caligrafía deduzco que la carta es de mi tío.* **2** Arte y técnica de escribir a mano con letra bien hecha según diferentes estilos. □ ETIMOL. Del griego *kalligraphía,* y este de *kállos* (belleza) y *grápho* (yo dibujo, escribo).

caligrafiar v. Escribir a mano con letra bien hecha: *Caligrafió dos páginas del libro de texto.* □ ORTOGR. La *i* final de la raíz lleva tilde en los presentes, excepto en las personas *nosotros* y *vosotros* →GUIAR.

caligráfico, ca adj. De la caligrafía o relacionado con ella: *un estudio caligráfico.*

calígrafo, fa s. **1** Persona que escribe a mano con letra bien hecha: *El manuscrito fue copiado por un excelente calígrafo.* **2** Persona que tiene especiales conocimientos de caligrafía: *Llevé la carta a un calígrafo para que la estudiara.* □ SEM. Dist. de *grafólogo* (persona que descubre las características psicológicas de otra a través de su letra).

caligrama s.m. Composición poética en la que, a través de la disposición tipográfica, se intenta representar el contenido del poema: *Es famoso un caligrama del poeta vanguardista Apollinaire, cuya escritura representa una fuente.* □ ETIMOL. Del francés *calligramme.*

calima (tb. *calina*) s.f. Bruma ligera de épocas calurosas formada por partículas en suspensión en el aire en calma: *Con la calima no se ve bien el horizonte.* □ ETIMOL. De *calina,* por influencia de *calma* (bochorno). □ SEM. Dist. de *bochorno* (calor excesivo), de *calígine* (niebla densa y oscura) y de *canícula* (período más caluroso del año).

calimoche s.m. →**calimocho.**

calimocho s.m. *col.* Bebida que se hace mezclando vino y refresco de cola. □ USO Se usa también *calimoche.*

calimoso, sa (tb. *calinoso, sa*) adj. Con calima o bruma ligera de épocas calurosas. □ SEM. Dist. de *caliginoso* (nebuloso, oscuro y denso).

calina s.f. →**calima.** □ ETIMOL. Del latín *caligo* (tinieblas, niebla).

calinoso, sa adj. →**calimoso.**

calipso s.m. **1** Composición musical en compás de cuatro por cuatro, propia de la isla caribeña de Trinidad: *Cuando viajé al Caribe, escuché por primera vez un calipso.* **2** Baile que se ejecuta al compás de esta música: *He aprendido a bailar el mambo, el calipso y el merengue.*

caliqueño ‖ **echar un caliqueño;** *vulg.* →**copular.**

calistenia s.m. Gimnasia que se hace para estar en forma y mejorar la agilidad y fuerza física del cuerpo. □ ETIMOL. Del inglés *callisthenics.*

cáliz s.m. **1** Recipiente sagrado, generalmente en forma de copa, que se utiliza para consagrar el vino en la misa: *El sacerdote levanta el cáliz al consagrar el vino.* **2** Conjunto de amarguras, aflicciones o trabajos: *Según la Biblia, Jesús pronunció estas palabras: «¡Padre, aparta de mí este cáliz!».* **3** En una flor, parte exterior formada por varias hojas, generalmente verdes, con las que se une al tallo: *En los capullos el cáliz recubre totalmente los pétalos.* □ ETIMOL. Del latín *calix* (copa). □ SINT. La acepción 2 se usa más con los verbos *apurar, beber* o equivalentes.

caliza s.f. Véase **calizo, za.**

calizo, za ▮ adj. **1** Que tiene cal: *rocas calizas; aguas calizas.* ▮ s.f. **2** Roca sedimentaria compuesta principalmente por carbonato cálcico, de color blanco y de la que se obtiene la cal: *El mármol es una caliza pura.*

calla interj. *col.* Expresión que se usa para indicar extrañeza, sorpresa, admiración o disgusto: *¡Calla, no me digas que hizo eso!*

callado, da adj. **1** Poco hablador y reservado. **2** *poét.* Silencioso o sin ruido: *una noche callada.* **3** || **dar la callada por respuesta;** *col.* No querer responder: *Cuando le pedí explicaciones, me dio la callada por respuesta.* □ ORTOGR. Dist. de *cayado.*

callampa s.f. **1** En zonas del español meridional, seta: *Encontré en el bosque muchas callampas silvestres.* **2** En zonas del español meridional, chabola: *En las afueras había toda una población de callampas.*

callandito adv. *col.* En silencio o en secreto: *Callandito, callandito, se fue quedando con todo.*

callar v. **1** Dejar de hablar o de hacer algún ruido o sonido: *Cuando el intruso se marchó, el perro calló.* **2** No hablar o no hacer ningún ruido o sonido: *Hace tanto calor que hasta los animales callan.* **3** No manifestar lo que se sabe o se siente: *Hay muchas ocasiones en que es más sensato callar.* **4** Referido a algo que se sabe o se siente, omitirlo o no decirlo: *No calles tus miedos.* □ ETIMOL. Del latín **callare* (bajar la voz), y este del griego *khaláo* (yo suelto, yo hago bajar). □ SINT. En la acepción 4, es incorrecto su uso con complemento directo de persona: **no me callarán > no me harán callar.* □ SEM. Dist. de *acallar* (hacer callar).

call center (ing.) s.m. || Centralita telefónica en la que se reciben llamadas para atender las demandas de los usuarios de un producto. □ PRON. [col sénter].

calle s.f. **1** En una población, vía pública entre dos filas de edificios o solares y que generalmente tiene separada la zona para los vehículos y la zona para los peatones: *No cruces la calle sin mirar.* **2** En una población, zona al aire libre: *Tuve que encerrarme a estudiar y he estado sin pisar la calle varios días.* **3** Camino o zona limitada por dos líneas o dos hileras de cosas paralelas entre sí: *Ganó la atleta que corría por la calle cinco.* **4** Conjunto de personas o parte mayoritaria de la sociedad: *Háblame con el lenguaje de la calle, sin palabras rebuscadas.* **5** || **calle ciega;** en zonas del español meridional, callejón sin salida. || **dejar en la calle** a alguien; *col.* Dejarlo sin medios de subsistencia: *Cerraron la fábrica y dejaron en la calle a varias personas.* || **echar por la calle de en medio;** *col.* Actuar con decisión y sin consideraciones o sin reparar en obstáculos: *Si decido algo, echo por la calle de en medio y lo hago a pesar de lo que sea.* || **echarse a la calle;** amotinarse o sublevarse: *En la Revolución Francesa el pueblo se echó a la calle.* || **en la calle;** en libertad: *Detuvieron al ladrón pero a los tres días estaba en la calle.* || **hacer la calle;** *col.* Buscar clientes en la calle una persona que se dedica a la prostitución. || **llevarse de calle** a alguien; *col.* Despertar irresistiblemente simpatía, admiración o amor en él: *Con esa gracia te llevas de calle a todos.* || **{llevar/traer} por la calle de la amargura;** proporcionar disgustos o preocupaciones: *Este chico me trae por la calle de la amargura con tanto silencio.* □ ETIMOL. Del latín *callis* (sendero). □ SINT. En la acepción 1, el nombre de la calle debe ir precedido por la preposición *de* salvo si es un adjetivo: *calle de Alcalá, calle Mayor.*

calleja s.f. Calle estrecha. □ SINÓN. *callejuela.* □ ETIMOL. Del latín *callicula.*

callejear v. Pasear o corretear por las calles sin dirección fija: *Me gusta callejear por ciudades desconocidas.*

callejeo s.m. Paseo por las calles sin dirección fija: *Anduve de callejeo viendo escaparates.*

callejero, ra ▮ adj. **1** De la calle o relacionado con ella: *un perro callejero.* ▮ s.m. **2** Guía de calles de una ciudad.

callejón s.m. **1** Calle o paso estrechos entre paredes. **2** En una plaza de toros, espacio comprendido entre la valla que separa el ruedo y la primera fila de asientos. □ SINÓN. *entrebarrera.* **3** || **callejón sin salida;** *col.* Asunto o problema muy difíciles de resolver: *Perdí mucho dinero y ahora estoy en un callejón sin salida.*

callejuela s.f. Calle estrecha. □ SINÓN. *calleja.*

callicida s.m. Sustancia que sirve para eliminar los callos o durezas que salen en algunas partes del cuerpo. □ ETIMOL. De *callo* y *-cida* (que mata).

callista s.com. Persona que se dedica profesionalmente al tratamiento de problemas de los pies, como callos y uñeros. □ SINÓN. *pedicuro.* □ SEM. Dist. de *podólogo* (médico especialista en podología).

callo ▮ s.m. **1** Dureza que por presión se forma en los pies, las manos y otras partes del cuerpo: *Cuando partí los troncos me salieron callos en las manos.* **2** *col.* Persona muy fea: *Ese chico será simpático, pero es un callo.* **3** Cicatriz que se forma tras soldarse los fragmentos de un hueso fracturado: *En la radiografía se ve muy bien el callo que me ha quedado en el codo.* ▮ pl. **4** Guiso hecho con trozos de estómago de carnero, ternera o vaca: *Echa guindilla a los callos porque me gustan más picantes.* **5** || **dar el callo;** *col.* Trabajar mucho o duramente. □ ETIMOL. Del latín *callum.* □ ORTOGR. Dist. de *cayo.*

callosidad s.f. Dureza menos profunda que el callo: *Tengo una callosidad en el dedo índice de tanto escribir.*

calloso, sa adj. Con callos: *unas manos callosas.*

callosotomía s.f. En medicina, operación quirúrgica que consiste en seccionar o dividir la parte del cerebro que une los dos hemisferios: *La cirujana practicó ayer una callosotomía al paciente.*

calma s.f. Véase **calmo, ma.**

calmado, da adj. **1** Sosegado, quieto o sin agitación. □ SINÓN. *tranquilo.* **2** Pacífico, sin nerviosismo o sin excitación. □ SINÓN. *tranquilo.*

calmante ▮ adj.inv. **1** Que calma: *una calmante suma.* ▮ s.m. **2** Medicamento que hace desaparecer o disminuir el dolor o la excitación nerviosa: *Tomé un calmante para el dolor de cabeza.*

calmar v. **1** Sosegar, dar paz y tranquilidad, o eliminar la agitación, el movimiento o el ruido: *Sus palabras de consuelo me calmaron. A la caída de la tarde se calmó el viento.* **2** Referido al dolor o a la intensidad de algo, aliviarlos o hacerlos disminuir: *No me parece bien que tomes pastillas para calmar los nervios. Túmbate y verás cómo se te calma el dolor de espalda.*

calmo, ma ▮ adj. **1** *poét.* Tranquilo: *Días calmos.* ▮ s.f. **2** Falta de agitación, de movimiento o de ruido: *Tras el temporal llega la calma.* **3** Paz y tranquilidad en la forma de actuar: *No pierdas la calma.* **4** || **calma chicha;** ausencia total de viento o de oleaje: *Los veleros no pueden navegar con calma chicha.* □ ETIMOL. Las acepciones 2 y 3, del griego *kâuma* (quemadura, calor).

calmoso, sa adj. **1** Que está en calma: *Las gaviotas sobrevolaban el mar calmoso.* **2** *col.* Tranquilo y lento en la forma de actuar: *Es un chico tan calmoso que me exaspera.*

caló s.m. Lengua de los gitanos españoles: *Hay palabras del caló que han pasado al castellano.* □ ETIMOL. Del gitano *caló* (gitano). □ SEM. Dist. de *calé* (gitano).

calomel s.m. →**calomelanos.**

calomelanos s.m.pl. Sustancia compuesta de mercurio que se emplea como purgante o como vermífugo: *Los calomelanos se usaban como purgantes.* □ SINÓN. *calomel.* □ ETIMOL. Del griego *kalós* (bello) y *mélas* (negro).

calor s.m. **1** Sensación que experimenta el cuerpo animal con una subida de temperatura: *Si tienes calor, apaga el radiador.* **2** Temperatura ambiental elevada: *En verano hace calor.* **3** En física, energía que, al ponerse en contacto dos cuerpos, pasa del cuerpo con mayor temperatura al otro cuya temperatura es más baja hasta que dichas temperaturas se equilibran: *El calor produce cambios de estado y de volumen en los cuerpos.* **4** Afecto, simpatía y adhesión: *Busca en los amigos el calor que no encuentra en casa.* **5** Entusiasmo o apasionamiento: *Discutían con calor pero son buenos amigos.* **6** || **al calor de** algo; *col.* A su amparo o con su ayuda y protección: *Creció sano y fuerte al calor de sus abuelos.* || **calor específico;** cantidad de energía calorífica que se necesita para elevar en un grado centígrado la temperatura de un kilogramo masa de una sustancia: *El calor específico de un cuerpo solo se puede hallar en condiciones ideales.* || **calor negro;** el producido por un aparato eléctrico. □ ETIMOL. Del latín *calor*. □ USO Su uso como sustantivo femenino es característico del lenguaje poético. Fuera de este contexto, se considera un arcaísmo o un vulgarismo.

caloría s.f. Unidad de energía calorífica que equivale a la cantidad de calor necesaria para elevar la temperatura de un gramo de agua en un grado centígrado: *El valor energético de los alimentos se mide en calorías.* □ ORTOGR. Su símbolo es *cal*, por tanto, se escribe sin punto.

calórico, ca adj. Del calor o relacionado con él.

calorífero, ra ▮ adj. **1** Que conduce o propaga el calor: *un metal calorífero.* ▮ s.m. **2** Aparato con el que se calienta una habitación. **3** Aparato para calentar los pies. □ SINÓN. *calientapiés.* □ ETIMOL. Del latín *calor* (calor) y *ferre* (llevar).

calorífico, ca adj. **1** Que produce o distribuye calor: *un aparato calorífico.* **2** Del calor o relacionado con él: *energía calorífica.*

calorifugado, da adj. Referido a un conducto, que está preparado para evitar las fugas de calor: *una tubería calorifugada.*

calorífugo, ga adj. **1** Que no transmite o difunde el calor: *Los materiales calorífugos no transmiten el calor, así como los aislantes no transmiten la electricidad.* **2** Que no se puede quemar: *Los trajes de los pilotos de carreras están hechos con materiales calorífugos.* □ SINÓN. *incombustible.* □ ETIMOL. Del latín *calor* (calor) y *fugere* (huir).

calorimetría s.f. Medición del calor que se desprende o se absorbe en los procesos biológicos, físicos o químicos.

calorímetro s.m. Instrumento que sirve para medir el calor que se produce o se genera en un proceso biológico, físico o químico: *Los calorímetros deben estar bien aislados para que la temperatura del entorno no influya en las mediciones.* □ ETIMOL. Del latín *calor* (calor) y *-metro* (medidor).

calorina s.f. *col.* Calor sofocante: *Con esta calorina no se puede estar ni en la calle ni en casa.* □ ETIMOL. De *calor*.

calorro, rra adj./s. *arg. desp.* Gitano: *No debes llamar calorro a nadie porque esa palabra es muy despectiva.*

calostro s.m. Primera leche que dan las hembras de los mamíferos después de parir: *Los calostros son ricos en albúminas.* □ ETIMOL. Del latín *calostrum.* □ MORF. Se usa más en plural.

calumnia s.f. **1** Acusación falsa contra una persona que se hace con el fin de perjudicarla. **2** En derecho, delito que consiste en la atribución falsa de un delito perseguible de oficio: *Este político se ha querellado contra un periódico por calumnia.* □ ETIMOL. Del latín *calumnia.* □ SEM. Dist. de *injuria* (ofensa con hechos o con palabras).

calumniador, -a adj./s. Que calumnia: *No sé por qué tengo que soportar toda esa serie de comentarios calumniadores contra mí.*

calumniar v. **1** Atribuir falsamente y con el fin de perjudicar palabras, actos o malas intenciones: *No sé qué quieres conseguir calumniándome así.* **2** En derecho, acusar falsamente de haber cometido un delito perseguible de oficio: *Si no tienes pruebas ni datos precisos, no hables por hablar, porque estarás calumniándome y te puedo demandar.* □ ETIMOL. Del latín *calumniari.* □ ORTOGR. La *i* nunca lleva tilde. □ SEM. Dist. de *injuriar* (ofender con hechos o con palabras).

calumnioso, sa adj. Que contiene calumnia: *Esa artista demandó al periódico por un artículo que consideraba calumnioso.*

caluroso, sa adj. **1** Que siente o que causa calor: *una persona calurosa; un clima caluroso.* **2** Muy afectuoso o con mucho entusiasmo: *Nos dio una calurosa bienvenida.*

calva s.f. Véase **calvo, va.**

calvados (pl. *calvados*) s.m. Bebida alcohólica hecha con manzanas, originaria de Calvados (región francesa). ☐ ETIMOL. Del francés *calvados.*

calvario s.m. *col.* Sufrimiento prolongado o sucesión de adversidades y penalidades. ☐ ETIMOL. Por alusión al camino de Jesucristo hasta el monte Calvario, donde fue crucificado.

calvero s.m. En el interior de un bosque, lugar sin árboles. ☐ ETIMOL. De *calvo.*

calvicie s.f. Falta de pelo en la cabeza.

calvinismo s.m. **1** Doctrina religiosa protestante, basada en las teorías de Juan Calvino (reformador religioso francés del siglo XVI): *El calvinismo niega que la ordenación sacerdotal sea un sacramento.* **2** Comunidad o conjunto de las personas que siguen esta doctrina: *El calvinismo es muy floreciente en Holanda.*

calvinista ▮ adj.inv. **1** Del calvinismo o relacionado con esta doctrina: *la moral calvinista.* ▮ adj.inv./s.com. **2** Que defiende o sigue el calvinismo.

calvo, va ▮ adj./s. **1** Referido a una persona, que ha perdido el pelo de la cabeza: *Me estoy quedando calvo.* ▮ s. **2** *col. desp.* Cabeza rapada. ▮ s.f. **3** En la cabeza, parte sin pelo. **4** En una piel o en un tejido, parte gastada o que ha perdido el pelo. **5** ‖ **hacer un calvo;** *vulg.* Enseñar el culo. ‖ **ni tanto ni tan calvo;** *col.* Sin exagerar, ni por exceso ni por defecto. ☐ ETIMOL. Del latín *calvus.*

calza s.f. **1** Cuña que se pone entre el suelo y una rueda para evitar que esta se mueva, o debajo de un mueble, para que no cojee: *Con estas calzas de madera el carro quedará inmovilizado y no rodará cuesta abajo.* ☐ SINÓN. *calce, calzo.* **2** Antigua prenda de vestir masculina que cubría generalmente el muslo y la pierna: *Las calzas eran holgadas o ajustadas según las modas de la época.* **3** En zonas del español meridional, empaste de un diente o de una muela: *Tengo una calza en la muela del juicio.* ☐ ETIMOL. Del latín **calcea* (media), y este de *calceus* (zapato). ☐ MORF. En la acepción 2, en plural tiene el mismo significado que en singular.

calzada s.f. Véase **calzado, da.**

calzado, da ▮ adj. **1** Referido a un religioso, que usa zapatos, en contraposición a los miembros de las órdenes cuya regla les obliga a llevar desnudos los pies y que calzan sandalias. **2** Referido a un animal cuadrúpedo, que tiene la parte inferior de las extremidades de distinto color que el resto: *Tengo un caballo calzado de color blanco.* ▮ s.m. **3** Prenda de vestir que cubre el pie o el pie y la pierna, y los resguarda del exterior: *En esta tienda hay todo tipo de calzado, desde zapatos de tacón hasta zapatillas y alpargatas.* ▮ s.f. **4** En una calle o en una carretera, zona entre las aceras o entre los arcenes y cunetas por donde circulan los coches: *Cuando cruces la calzada, mira si vienen coches.* **5** Camino ancho y pavimentado: *Los romanos hicieron muchas calzadas en España.* ☐ ETIMOL. Las acepciones 1-3, de *calzar.* Las acepciones 4 y 5, del latín **calciata* (camino empedrado).

calzador s.m. Utensilio rígido y de forma acanalada que sirve de ayuda para meter el pie en el calzado: *Necesito un calzador para ponerme estos zapatos tan ajustados.*

calzar v. **1** Cubrir el pie con el calzado: *Calcé mis pies con zapatillas de baile. Siempre que llego a casa me quito los zapatos y me calzo las zapatillas. Tengo los pies muy grandes y calzo un cuarenta y ocho.* **2** Proporcionar calzado: *Este prestigioso zapatero calza a la realeza.* **3** Referido a una prenda o a un objeto, ponerlos o llevarlos puestos: *¿Sabes calzarte los esquís?* **4** Referido esp. a una rueda o a un mueble que cojea, poner una cuña para evitar que se muevan: *Calza la mesa porque está coja.* **5** En zonas del español meridional, empastar: *Me calzaron la muela sin ningún dolor.* ☐ ETIMOL. Del latín *calceare,* y este de *calceus* (zapato). ☐ ORTOGR. La *z* se cambia en *c* delante de *e* →CAZAR.

calzo ▮ s.m. **1** →**calza.** ▮ pl. **2** Extremidades de una caballería, esp. cuando son de distinto color al resto del cuerpo: *Los calzos negros del caballo resaltaban sobre el blanco del cuerpo.* ☐ SEM. En la acepción 1, es sinónimo de *calce.*

calzón s.m. **1** Pantalón que llega hasta una altura variable de los muslos o hasta las rodillas, generalmente usado por los hombres: *Los boxeadores llevan calzón y el torso desnudo.* **2** En zonas del español meridional, braga: *Fui a comprar calzones al centro.* ☐ ETIMOL. De *calza.* ☐ ORTOGR. En la acepción 1, se admite también *calzona.* ☐ MORF. En plural tiene el mismo significado que en singular.

calzona s.f. →**calzón.** ☐ MORF. En plural tiene el mismo significado que en singular.

calzonaria s.f. **1** En zonas del español meridional, braga: *Me compré unas calzonarias nuevas.* **2** En zonas del español meridional, tirante: *Uso siempre calzonarias en lugar de cinturón.* ☐ MORF. En la acepción 1, en plural tiene el mismo significado que en singular. ☐ USO En la acepción 2, se usa más en plural.

calzonario s.m. En zonas del español meridional, braga: *Al agacharse, se le vieron los calzonarios.* ☐ MORF. En plural tiene el mismo significado que en singular.

calzonazos (pl. *calzonazos*) adj./s.m. *col.* Referido a un hombre, que se deja dominar con facilidad, esp. si es por su mujer. ☐ ETIMOL. De *calzones.*

calzoncillo s.m. Prenda de ropa interior masculina que se lleva debajo del pantalón. ☐ ETIMOL. De *calzones.* ☐ MORF. En plural tiene el mismo significado que en singular.

cama s.f. **1** Mueble formado por un armazón y un soporte sobre el que se pone un colchón, almohadas y algunas prendas que lo cubren y que sirve para dormir y descansar: *El somier de mi cama es de madera.* **2** En un hospital o en un internado, plaza para una persona: *El número de camas hospitalarias es muy bajo en este país.* **3** En un establo, lugar o conjunto de materiales vegetales sobre los que los animales descansan o duermen: *Traigo paja para cambiar la cama de las vacas.* **4** || **caer en cama;** ponerse enfermo. || **cama elástica;** plancha de goma sobre la que se salta y se rebota para hacer movimientos en el aire: *Me descalcé para saltar en la cama elástica del parque de atracciones.* || **cama nido;** la que está formada por dos, de las cuales una se guarda debajo de la otra. || **cama turca;** la que no tiene pies ni cabecero. || **{estar en/guardar} cama;** estar en ella por necesidad: *Después de la operación guardé cama dos días.* || **hacerle la cama** a alguien; *col.* Preparar una trampa a alguien: *Te han hecho la cama y tú no te has dado ni cuenta.* □ ETIMOL. Del latín *cama* (yacija, lecho en el suelo).

camada s.f. Conjunto de crías nacidas en un mismo parto: *Mataron a toda la camada de la loba.* □ ETIMOL. De *cama.*

camafeo s.m. Piedra preciosa tallada con una figura en relieve: *Lleva al cuello un camafeo colgando de una cinta negra.* □ ETIMOL. Del francés antiguo *camaheu.*

camahua s.f. En zonas del español meridional, mazorca tierna de maíz. □ ETIMOL. Del náhuatl *camahua.*

camaleón s.m. **1** Reptil con cuatro extremidades cortas, mandíbulas con dientes, cuerpo comprimido y cola prensil, ojos grandes con movimiento independiente, lengua muy larga y pegajosa con la que caza los insectos de los que se alimenta, y cuya piel cambia de color según el color del medio en el que se encuentra: *El macho del camaleón tiene la cola más larga que la hembra.* **2** *col.* Persona que cambia fácilmente y según le conviene de actitud o de opinión. □ ETIMOL. Del latín *chamaeleon*, y este del griego *khamailéon* (león que va por el suelo). □ MORF. En la acepción 1, es un sustantivo epiceno: *el camaleón {macho/hembra}.*

camaleónico, ca adj. Del camaleón o relacionado con él: *una conducta camaleónica.*

camalotal s.m. Lugar cubierto de camalotes entrelazados, de manera que forman islas flotantes que son arrastradas por las corrientes de los ríos.

camalote s.m. Planta acuática americana, con grandes hojas de color verde brillante y flores lilas o azules, propia de ríos y lagunas: *Los camalotes forman islas flotantes que son arrastradas por las corrientes de los ríos y transportan pequeños animales.*

camándula s.f. *col.* Hipocresía o disculpa falsa: *No me fío de ti porque tienes muchas camándulas.* □ ETIMOL. De *Camáldula*, orden monástica fundada en el siglo XVI por san Romualdo de Camáldoli.

camandulero, ra adj./s. *col.* Hipócrita, astuto o embustero. □ ETIMOL. De *camándula.*

cámara ▌s.com. **1** Persona que se dedica al manejo de un aparato con el que se registran imágenes en movimiento, esp. si esta es su profesión: *un cámara de televisión.* ▌s.f. **2** Habitación o pieza con distintos usos, esp. las de uso privado o restringido: *la cámara real.* **3** En un sistema político representativo, cuerpo que se encarga de legislar: *la cámara de los diputados.* **4** Corporación u organismo que se encarga de los asuntos propios de una profesión o actividad: *la Cámara de Comercio.* **5** Aparato para registrar imágenes estáticas o en movimiento: *una cámara fotográfica.* **6** En algunos objetos, cuerpo de goma inflado con aire a presión y alojado en su interior: *la cámara de una rueda.* **7** En algunos objetos, espacio hueco que se encuentra en su interior: *una cámara de aire.* **8** || **cámara acorazada;** la que tiene un blindaje de seguridad en las paredes y en la puerta, y que sirve para guardar objetos de valor. || **cámara alta;** senado, o cuerpo legislador semejante: *La Cámara alta es de representación territorial.* || **cámara baja;** congreso de los diputados o cuerpo legislador semejante: *La Cámara baja española se compone de un mínimo de trescientos diputados y un máximo de cuatrocientos.* || **cámara de gas;** recinto herméticamente cerrado en el que se ejecuta a una o a varias personas por medio de gases tóxicos. || **cámara (frigorífica);** recinto o compartimento con instalaciones de frío artificial que sirve para conservar alimentos o productos que pueden descomponerse a la temperatura ambiente. || **cámara hiperbárica;** la que está a presión para conseguir una oxigenación mayor de los pacientes. || **cámara mortuoria;** oratorio provisional donde se celebran las primeras honras fúnebres por una persona. || **cámara subjetiva;** la que proporciona un plano desde el punto de vista de uno de los personajes o elementos de la narración: *La cámara subjetiva que se instalan en las motos te acerca a lo que viven los pilotos.* || **chupar cámara;** *col.* En fotografía o televisión, referido a una persona, situarse en primer plano o hacerse notar más que otras: *Sales en todas las fotos que hicimos porque te encanta chupar cámara.* || **de cámara;** referido a una persona, que tiene un determinado cometido en el palacio real: *Goya fue nombrado pintor de cámara.* □ ETIMOL. Del latín *camara* (bóveda).

camarada s.com. **1** Persona que anda con otra y tiene con ella una relación amistosa o cordial, esp. si esta relación ha nacido de una actividad común: *En el colegio éramos camaradas inseparables.* **2** En política, persona que comparte las mismas ideas o que está en el mismo partido o en el mismo sindicato que otra: *La dirección pidió a los camaradas un poco de moderación.* □ SINÓN. *compañero, correligionario.* □ ETIMOL. De *cámara*, porque los camaradas eran los que dormían y comían juntos en una misma cámara.

camaradería s.f. Relación amistosa y cordial, propia de los buenos camaradas: *Es una persona sencilla y te tratará con camaradería.*

camaranchón s.m. *col.* En una casa, desván o cuarto trastero: *Lleva tus cachivaches al camaranchón, que no quiero ni verlos.* □ ETIMOL. De *cámara.*

camarera s.f. Véase **camarero, ra.**

camarero, ra ▮ s. **1** Persona que se dedica a servir consumiciones en un bar o en otros establecimientos semejantes, esp. si esta es su profesión: *Me atendió la camarera de la barra.* **2** Persona que se dedica profesionalmente al servicio en un hotel o en un barco de pasajeros y al cuidado de los camarotes o de las habitaciones: *El camarero que les bajó el desayuno al camarote es nuevo.* **3** Antiguamente, persona que ayudaba y servía al rey o a los nobles: *La camarera mayor de la reina tenía que ser noble.* ▮ s.f. **4** Carrito de cocina para llevar varias cosas a la vez, esp. si es comida o bebida: *Pon todo en la camarera y llévalo al comedor.*

camarilla s.f. Conjunto de personas influyente y exclusivo, esp. el que interviene extraoficialmente en las decisiones de una autoridad: *Se acusó a la presidenta de tener una camarilla a su alrededor que aprobaba sus decisiones.* □ ETIMOL. De *cámara.*

camarín s.m. Capilla pequeña detrás del altar en la que se venera alguna imagen: *Siempre reza delante del camarín de santa Ana.*

camarlengo s.m. Cardenal que preside la junta que administra los bienes de la iglesia romana y que gobierna temporalmente desde la muerte de un Papa hasta la elección de otro: *Al camarlengo le corresponde organizar el cónclave para la elección del Papa.* □ ETIMOL. Del germánico **kamerling* (camarero).

camarógrafo, fa s. En zonas del español meridional, cámara: *El camarógrafo contratado trabajó en cine y televisión.*

camarón s.m. Crustáceo marino comestible que tiene el abdomen extendido en forma de cola, cinco pares de patas y las antenas muy largas: *Los camarones son como gambas muy pequeñas.* □ SINÓN. *quisquilla.* □ ETIMOL. Del latín *cammarus.* □ MORF. Es un sustantivo epiceno: *el camarón {macho/hembra}.*

camarote s.m. **1** En una embarcación, habitación con una o varias camas: *Después de cenar en cubierta, bajamos al camarote para dormir.* **2** En zonas del español meridional, litera. □ ETIMOL. De *cámara.*

camastro s.m. *desp.* Cama pobre, incómoda o sucia y desordenada: *En la celda había ocho camastros llenos de chinches.*

camastrón, -a adj./s. *col. desp.* Referido a una persona, que actúa con falsedad y según le conviene.

cambalache s.m. **1** *col. desp.* Trueque de cosas de poco valor: *Con el cambalache salí perdiendo.* **2** En zonas del español meridional, tienda de compraventa de objetos usados: *Lo compré en un cambalache del centro.* □ ETIMOL. De *cambiar.*

cambalachear v. *desp.* Referido a objetos de poco valor, cambiarlos por otros, esp. con intención de estafa: *Esa mujer se dedica a cambalachear todas las cosas viejas que encuentra.*

cambalachero, ra adj./s. *col. desp.* Que hace trueques de cosas de poco valor.

cámbaro s.m. Crustáceo marino, con un caparazón redondeado y aplanado y cinco pares de patas, de las cuales las dos primeras son más grandes y están provistas de pinzas: *El cámbaro es el cangrejo de mar.* □ ETIMOL. Del latín *cammarus.* □ MORF. Es un sustantivo epiceno: *el cámbaro {macho/hembra}.*

cambiador, -a ▮ adj. **1** Que cambia. ▮ s.m. **2** Pieza de tela o de plástico sobre la que se coloca a un bebé cuando se le cambia la ropa o los pañales: *Extiende el cambiador sobre la cama para no manchar la colcha cuando cambiemos al niño.* **3** Mueble con cajones sobre el que se cambia de ropa o de pañales a un bebé: *Las mudas del bebé están en un cajón del cambiador.*

cambiante ▮ adj.inv. **1** Que cambia, esp. si toma distintos aspectos sucesivamente: *una actitud cambiante.* ▮ s.m. **2** Tonalidad o reflejo que produce la luz en las telas o en otras cosas: *La tela de tu vestido tiene muchos cambiantes.* □ MORF. En la acepción 2, se usa más en plural.

cambiar ▮ v. **1** Modificar, alterar o convertir en algo distinto, opuesto o contrario: *Con sus bromas cambió mi llanto en risas.* **2** Intercambiar o dar a cambio: *Cambio moto por coche.* **3** Reemplazar o sustituir: *¿Cada cuánto tiempo cambias el agua de la pecera?* **4** Referido a valores o a monedas, darlos o tomarlos por sus equivalentes: *Fui al banco a cambiar euros en dólares.* **5** Mudar o alterar la condición, o la apariencia física o moral: *Los reumáticos suelen notar cuándo va a cambiar el tiempo.* **6** Referido esp. al viento, alterar su dirección: *Ha cambiado el viento, y ahora sopla de levante.* **7** En un vehículo de motor, pasar de una marcha o velocidad a otra: *Al cambiar a segunda se me caló el coche.* ▮ prnl. **8** Mudarse de ropa: *Fui a casa, me duché, me cambié y volví a salir.* □ ETIMOL. Del latín *cambiare* (trocar). □ ORTOGR. La *i* nunca lleva tilde.

cambiario, ria adj. En economía, del cambio de monedas o relacionado con él: *el mercado cambiario.*

cambiavía s.com. En zonas del español meridional, guardagujas.

cambiazo s.m. Cambio engañoso o que conlleva fraude: *dar el cambiazo.* □ SINT. Se usa más en la expresión *dar el cambiazo.*

cambio s.m. **1** Modificación, alteración o conversión en algo distinto, opuesto o contrario: *un cambio de actitud.* □ SINÓN. *trueque, trocamiento.* **2** Mudanza o alteración de la condición o de la apariencia física o moral: *un cambio de imagen.* **3** Reemplazo o sustitución: *No se produjo un cambio de régimen político hasta la muerte del dictador.* **4** Intercambio o entrega de una cosa por otra: *Gracias a un cambio de impresiones, fue posible comprender nuestras respectivas posturas.* □ SINÓN. *trocamiento.* **5** Intercambio de monedas o valores por sus equivalentes: *una oficina de cambio.* **6** Dinero en monedas o billetes de poco valor: *Si vale 20 céntimos, no me pague con un billete de 5 euros, porque no tengo cambio.* **7** Vuelta o conjunto de monedas o billetes que sobran de pagar con otros de mayor cantidad de la necesaria: *Me dieron cinco céntimos de cambio y los dejé de propina.* **8** Valor relativo de una moneda de un país en relación con la de otro: *Con la última devaluación, ha bajado el cambio del euro.* **9** || **a cambio de** algo; en su lugar o cambiando esto por otra cosa: *A cambio de mi ayuda, mañana me tienes que dejar tu vestido. Te regalo una entrada a cambio de que te vayas.* || **a las primeras de cambio;** de repente y sin aviso: *A las primeras de cambio, se enfadó y se fue.* || **cambio (de velocidades);** en un vehículo con motor, mecanismo formado por un sistema de engranajes que permite el paso de una velocidad a otra: *El cambio está estropeado y no entran bien las marchas.* || **en cambio;** por el contrario: *Tú no puedes ir, en cambio, yo sí.* || **libre cambio;** →**librecambio.** □ USO Lo usa el emisor en emisiones de radio, para dar paso al receptor: *Aquí Morsa llamando a León Marino, ¿me escuchas?, cambio.*

cambista s.com. Persona que se dedicaba profesionalmente al cambio de moneda: *En esta entidad bancaria existía un departamento en el que trabajaban cambistas.*

cámbium s.m. En botánica, tejido vegetal responsable del engrosamiento de tallos y raíces. □ ETIMOL. Del latín *cambium.*

camboyano, na adj./s. De Camboya o relacionado con este país asiático.

cambray (pl. *cambrayes*) s.m. Tela de algodón blanca y muy fina: *La lencería fina se hace con cambray.* □ ETIMOL. Por alusión a la ciudad francesa de Cambray donde se fabrica.

cambriano, na adj./s.m. →**cámbrico.**

cámbrico, ca ▌adj. **1** En geología, del primer período de la era primaria o paleozoica o de los terrenos que se formaron en él: *En los terrenos cámbricos predominan los fósiles de trilobites y de algas marinas.* □ SINÓN. *cambriano.* ▌adj./s.m. **2** En geología, referido a un período, que es el primero de la era primaria o paleozoica. □ SINÓN. *cambriano.* □ ETIMOL. De *Cambria,* forma latinizada de *Cymry* (Gales).

cambur s.m. **1** En zonas del español meridional, plátano. **2** *col.* En zonas del español meridional, empleo público: *El gobierno creó cientos de nuevos cambures.*

camcorder (ing.) s.f. Cámara de vídeo. □ PRON. [camcórder]. □ USO Su uso es innecesario.

camel adj.inv./s.m. De color marrón claro, semejante al color del pelaje del camello.

camelar v. *col.* Convencer o conquistar con alabanzas o engaños: *No me hagas la pelota porque sé que quieres camelarme.* □ ETIMOL. Quizá del gitano *camelar* (querer, enamorar).

camelia s.f. **1** Arbusto de hojas perennes y brillantes, flores solitarias sin olor y de color blanco, rojo o rosa: *La camelia es originaria de China y Japón.* □ SINÓN. *camelio.* **2** Flor de este arbusto: *Las camelias son parecidas a las rosas pero con los pétalos más pequeños y duros.* **3** En zonas del español meridional, amapola. □ ETIMOL. Por alusión al botánico G. L. Kamel.

camélido ▌adj./s.m. **1** Referido a un mamífero rumiante, que tiene las extremidades terminadas en dos dedos y está adaptado a la vida en zonas áridas: *El camello y el dromedario son dos camélidos.* ▌s.m.pl. **2** En zoología, familia de estos mamíferos: *Entre los camélidos hay especies domesticadas.* □ ETIMOL. Del latín *camellus* (camello).

camelio s.m. →**camelia.**

camelista s.com. Persona que engaña o da una impresión distinta de la real y verdadera.

camelleo s.m. *col.* Hecho de vender drogas, generalmente en pequeñas cantidades: *Esta es una de las principales zonas de camelleo de la ciudad.*

camellero, ra s. Persona que se dedica a cuidar o a conducir camellos.

camello, lla ▌s. **1** Mamífero rumiante, de cuerpo voluminoso con dos jorobas, cuello muy largo y arqueado, cabeza pequeña, patas largas y delgadas, y adaptado a la vida de zonas áridas: *Las jorobas del camello son una reserva de grasa.* ▌s.m. **2** *col.* Persona que vende droga en pequeñas cantidades: *Algunos camellos son drogadictos.* □ ETIMOL. Del latín *camellus.* □ SEM. Dist. de *dromedario* (rumiante con una joroba).

camelo s.m. **1** *col.* Lo que es falso o engañoso y se hace pasar por verdadero. **2** *col.* Burla o farsa. **3** || **dar (el) camelo;** *col.* Engañar o producir una impresión distinta de la real y verdadera: *Ese chico se disfrazó de chica y daba el camelo.*

camembert s.m. Queso de leche de vaca recubierto por una fina capa de moho blanco y originario de Camembert (ciudad francesa): *El camembert se fabrica en Normandía.* □ ETIMOL. Del francés *camembert.* □ PRON. [camembér] o [cámember].

cameo s.m. Aparición fugaz de un personaje en una película, obra de teatro o serie de televisión, interpretado normalmente por alguien relevante: *Ese director de cine siempre hace cameos en sus películas.* □ ETIMOL. Del inglés *cameo role* (papel breve).

cameraman s.m. En zonas del español meridional, persona que trabaja como cámara: *Trabajé como cameraman para un canal de televisión.* □ ETIMOL. Del inglés *cameraman.*

camerino s.m. En un teatro, cuarto en el que se visten y maquillan los actores para salir a escena: *Los cinco actores de la compañía compartimos el mismo camerino.* □ ETIMOL. Del italiano *camerino.*

camerístico, ca adj. De la música de cámara o relacionado con ella: *La música camerística adquirió importancia en el siglo XVII.*

camero, ra adj. Que sirve para las camas intermedias entre las camas individuales y las de matrimonio: *una sábana camera.*

camerunés, -a adj./s. De Camerún o relacionado con este país africano.

camicace adj.inv./s.com. →**kamikace.**

camilina s.m. Hoja de té sin fermentar, que tiene efectos diuréticos.

camilla s.f. **1** Cama estrecha y portátil, que se usa para transportar enfermos, heridos o cadáveres: *Me llevaron al quirófano en una camilla.* ☐ SINÓN. *parihuela.* **2** →**mesa camilla.**

camillero, ra s. Persona encargada de llevar la camilla para transportar enfermos, heridos o cadáveres.

caminante ▮ adj.inv. **1** Que camina. ▮ s.com. **2** Persona que viaja a pie: *Este mesón es un alto para caminantes.*

caminar v. **1** Ir de un lugar a otro dando pasos: *Venimos caminando por el monte y estamos rendidos.* ☐ SINÓN. *andar.* **2** Dirigirse a un lugar o a una meta o avanzar hacia ellos: *La vida es muy difícil y es imposible no equivocarse y caminar siempre derecho.* **3** Referido a algo inanimado, seguir su curso: *El río camina por el valle hacia el mar.* **4** Referido a una distancia, recorrerla a pie: *Todos los días camino un par de kilómetros.*

caminata s.f. Paseo o recorrido que se hace a pie, esp. si es largo y fatigoso: *Hasta el pueblo hay una buena caminata.* ☐ ETIMOL. Del italiano *camminata.*

camino s.m. **1** Vía por donde se transita habitualmente, esp. si es de tierra apisonada y sin asfaltar: *No hay ningún camino que atraviese el bosque.* **2** Trayecto o itinerario que se sigue para ir de un lugar a otro: *El peregrino hizo el camino por etapas.* **3** Dirección que se sigue para llegar a un lugar o para conseguir algo: *Las conversaciones van por buen camino y pronto se conseguirá un acuerdo.* **4** Medio para hacer o conseguir algo: *El mejor camino para aprobar es estudiar.* **5** ‖ **a medio camino;** 1 *col.* Sin terminar: *Eres tan impaciente que todo lo que empiezas lo abandonas a medio camino.* 2 *col.* Con características de varias cosas: *Es un perro feísimo, a medio camino entre rata y mono.* ‖ **abrirse camino;** ir venciendo dificultades y problemas hasta conseguir lo propuesto: *La vida es dura y solo tú puedes abrirte camino.* ‖ **{atravesarse/cruzarse} en el camino;** impedir, entorpecer u obstaculizar: *No te cruces en mi camino, porque no te lo perdonaría nunca.* ‖ **camino de cabras;** el estrecho y accidentado: *No intentes meter el coche por ese camino de cabras.* ‖ **camino de** un lugar**;** hacia él o en su dirección: *Camino de casa, me encontré con unos amigos. Van camino de su pueblo.* ‖ **de camino;** de paso o al ir a otro lugar: *Si quieres te llevo, porque tu casa me pilla de camino.* ‖ **{echar/ir} cada cual por su camino;** estar en desacuerdo y hacer cada uno las cosas a su modo: *En la realización del proyecto del curso cada cual echó por su camino.* ‖ **llevar camino de** algo**;** estar en vías de llegar a serlo: *Lleva camino de convertirse en el primer actor de la escena española.* ☐ ETIMOL. Del latín *camminus.*

cámino s.m. *col.* En algunos deportes, esp. en baloncesto o en balonmano, falta que comete un jugador al dar más de tres pasos o zancadas llevando la pelota en la mano sin botarla: *El árbitro le pitó cámino e invalidó la última canasta.* ☐ SINÓN. *pasos.*

camión s.m. **1** Vehículo automóvil grande, de cuatro o más ruedas, que se usa generalmente para transportar cargas pesadas: *El camión de la basura me despierta todas las mañanas.* **2** En zonas del español meridional, autobús: *Para llegar al trabajo tengo que tomar dos camiones.* **3** ‖ **estar** alguien **como un camión;** *col.* Ser muy atractivo físicamente: *La mayoría de los atletas están como un camión.* ☐ ETIMOL. Del francés *camion.*

camionero, ra s. Persona que se dedica profesionalmente al transporte de mercancías en un camión.

camioneta s.f. **1** Vehículo automóvil más pequeño que el camión: *Son pocos muebles y caben en una camioneta.* **2** En algunas zonas, autobús: *En mi ciudad, algunas camionetas van a la periferia.*

camisa s.f. **1** Prenda de vestir de tela que cubre el cuerpo desde el cuello hasta más abajo de la cintura, generalmente con cuello y abotonada por delante de arriba abajo. **2** En un reptil, piel que se desprende periódicamente después de haberse formado debajo de ella un nuevo tejido que la sustituye: *la camisa de una serpiente.* **3** ‖ **cambiar de camisa;** cambiar interesadamente de ideas, esp. si son políticas. ‖ **camisa de dormir;** en zonas del español meridional, camisón. ‖ **camisa de fuerza;** prenda de tela fuerte, abrochada por detrás y con las mangas cerradas por el extremo para poder inmovilizar los brazos de la persona a la que se le pone. ‖ **hasta la camisa;** *col.* Todo lo que se tiene: *Perdí hasta la camisa jugando a los dados.* ‖ **meterse** alguien **en camisa de once varas;** *col.* Meterse en algo que no le incumbe o que no será capaz de realizar: *Acábalo como sea, que nadie te mandó meterte en camisa de once varas.* ‖ **no llegarle** a alguien **la camisa al cuerpo;** *col.* Estar atemorizado por algo que puede suceder: *Pronto se me acaba el contrato y solo de pensarlo no me llega la camisa al cuerpo.* ☐ ETIMOL. Del latín *camisia.*

camisería s.f. Establecimiento comercial en el que se venden prendas de vestir masculinas, esp. camisas: *Compré la camisa y la corbata en una camisería.*

camisero, ra ▮ adj. **1** De la camisa o con características de esta prenda: *un vestido camisero.* ▮ s. **2** Persona que se dedica profesionalmente a la confección o a la venta de camisas.

camiseta s.f. **1** Prenda de ropa interior o deportiva que cubre la parte superior del cuerpo hasta más abajo de la cintura, generalmente sin cuello y de punto. **2** ‖ **sudar la camiseta;** *col.* Esforzarse mucho en algo, esp. en una competición deportiva: *Aunque los jugadores sudaron la camiseta, perdieron el partido.*

camisola s.f. Camisa amplia, generalmente con cuello camisero.

camisón s.m. Prenda de dormir que cubre el cuerpo desde el cuello, y cae suelta hasta una altura variable de las piernas: *En verano, mi tía duerme con camisón de tirantes.*

camita adj.inv./s.com. Descendiente de Cam (hijo de Noé según la Biblia): *Los camitas se dedicaban a la agricultura y eran muy belicosos.*

camítico, ca adj. De los camitas o relacionado con ellos: *El egipcio es una lengua camítica.*

camomila s.f. **1** Planta herbácea de flores olorosas en cabezuela, de color blanco y con el centro amarillo, que tiene propiedades medicinales. □ SINÓN. *manzanilla.* **2** Flor de esta planta: *una infusión de camomila.* □ SINÓN. *manzanilla.*

camorra s.f. **1** *col.* Riña o discusión ruidosas y violentas. **2** Organización mafiosa napolitana: *La policía italiana cree que el atentado de ayer fue obra de la camorra.* □ ETIMOL. De origen incierto.

camorrista adj.inv./s.com. *col.* Que arma camorras o peleas fácilmente y por causas sin importancia: *Esa es la camorrista que me insultó.*

camote s.m. En zonas del español meridional, batata: *Sembré unos camotes en el huerto.*

camp (ing.) adj.inv. Que revaloriza formas o gustos artísticos y literarios que resultan nostálgicos o pasados de moda: *Me gusta la música camp de la década de 1960.*

campa adj./s.f. Referido a un terreno, que no tiene arbolado: *Descansamos en una campa junto al río.* □ ETIMOL. De *campo*.

campal adj.inv. Del campo: *una batalla campal.*

campamentista s.com. En zonas del español meridional, campista: *Los campamentistas residían en casas rodantes.*

campamento s.m. **1** Lugar o conjunto de instalaciones, generalmente al aire libre, que se disponen para acampar en ellos o para servir de albergue provisional. **2** Grupo de personas acampadas en este lugar: *Todo el campamento se apuntó a la excursión.* **3** *col.* Período del servicio militar durante el que los reclutas reciben la instrucción militar básica: *Cuando acabé el campamento, me destinaron a la policía militar.*

campana s.f. **1** Instrumento metálico, generalmente en forma de copa invertida, que suena al ser golpeado por el badajo que cuelga en su interior o por un martillo. **2** Objeto con forma semejante a la de este instrumento: *Tapan el queso con una campana de cristal para que no se reseque.* **3** ‖ **campana extractora;** electrodoméstico que sirve para aspirar los humos de la cocina. ‖ **echar las campanas a vuelo;** *col.* Alegrarse por un suceso feliz o hacerlo público con muestras de alegría: *No eches las campanas a vuelo hasta que tengas el contrato firmado.* ‖ **oír** alguien **campanas y no saber dónde;** *col.* Enterarse a medias o de manera solo aproximada: *Por la información tan rara que me ha dado, me parece que ha oído campanas y no sabe dónde.* □ ETIMOL. Del latín *campana*, y este de *vasa Campana* (recipiente hecho en Campania, región de la que procedía el bronce de mejor calidad). □ MORF. Cuando se antepone a una palabra para formar compuestos adopta la forma *campani-*.

campanada s.f. **1** Golpe dado a una campana y sonido que produce. □ SINÓN. *campanazo.* **2** Escándalo o novedad sorprendente: *Su divorcio fue una campanada en el pueblo.* □ SINÓN. *campanazo.*

campanario s.m. Torre, construcción o lugar, generalmente de una iglesia, en los que se colocan las campanas: *Hay un nido de cigüeñas en el campanario de la iglesia.* □ SINÓN. *campanil.*

campanazo s.m. →**campanada.**

campanear v. **1** Tocar las campanas con insistencia: *Al ver el incendio, el monaguillo empezó a campanear para dar la alarma.* **2** Balancear o moverse con movimientos de oscilación o de contoneo: *Ese chico se campanea al andar porque tiene una lesión en la cadera.* □ MORF. En la acepción 2, se usa más como pronominal.

campaneo s.m. Toque reiterado de campanas: *En el pueblo, aún llaman a misa con un campaneo.*

campanero, ra s. **1** Persona encargada de tocar las campanas: *Un monaguillo es el campanero de la catedral.* **2** Persona que se dedica a la fabricación de campanas, esp. si esta es su profesión: *Los viejos campaneros fundían y forjaban ellos mismos el metal.*

campaniforme adj.inv. Con forma de campana: *Algunos capiteles antiguos son campaniformes.*

campanil s.m. →**campanario.**

campanilla s.f. **1** Campana pequeña que se hace sonar con la mano y que suele estar provista de un mango. **2** En anatomía, pequeña masa carnosa y muscular que cuelga en la parte media posterior del velo del paladar, a la entrada de la garganta: *Abrió tanto la boca que se le vio hasta la campanilla.* □ SINÓN. *úvula.* **3** Planta herbácea trepadora, cuyas flores, de distintos colores, tienen la corola en forma de campana. **4** Flor de esta planta. **5** ‖ **de (muchas) campanillas;** *col.* De mucha importancia, distinción o lujo.

campanillear v. Tocar la campanilla repetidamente: *El presidente campanilleó para pedir que hubiese silencio en la sala.*

campanilleo s.m. Sonido continuado o frecuente de una campanilla.

campanillero, ra ■ s. **1** Persona encargada de tocar la campanilla: *Una muchacha ayudaba a misa y hacía de campanillera.* ■ s.m. **2** En zonas rurales andaluzas, miembro de un grupo que canta canciones de carácter religioso con acompañamiento de campanillas, guitarras y otros instrumentos: *Los campanilleros recorrían el pueblo cantando villancicos.*

campante adj.inv. *col.* Satisfecho o tranquilo y despreocupado: *El accidente parecía gravísimo, pero él salió de entre los hierros tan campante.*

campanudo, da adj. **1** Con forma abombada o semejante a la de una campana: *un sombrero campanudo.* **2** Hinchado o muy afectado en la expresión o en el uso del lenguaje: *Habló un individuo tan campanudo y solemne que resultaba ridículo.*

campánula s.f. Planta perenne, de tallos herbáceos, estriados y con muchas ramas, hojas ásperas y vellosas, y flores grandes, acampanadas y de distintos colores: *Las campánulas florecen durante todo el verano.*

campanuláceo, a ▌adj./s.f. **1** Referido a una planta, que es herbácea y presenta hojas esparcidas y flores muy vistosas con la corola en forma de campana: *Las plantas campanuláceas crecen en zonas de clima templado.* ▌s.f.pl. **2** En botánica, familia de estas plantas, perteneciente a la clase de las dicotiledóneas: *A las campanuláceas pertenecen más de dos mil especies distintas.* □ ETIMOL. Del latín *Campanula* (nombre de un género de plantas).

campaña s.f. **1** Conjunto de actividades o de esfuerzos organizados para conseguir un fin: *una campaña electoral.* **2** Conjunto de operaciones militares ofensivas y defensivas desarrolladas con continuidad en el tiempo y en un mismo territorio: *La campaña de Rusia fue definitiva para la derrota alemana en la Segunda Guerra Mundial.* **3** En zonas del español meridional, campo: *Me compré un terrenito en la campaña.* □ ETIMOL. Del latín *campania* (llanura).

campar v. Destacar o distinguirse entre una diversidad: *Su simpatía campa por encima de todos sus defectos.* □ SINÓN. *campear.* □ ETIMOL. De *campo.* □ SEM. Su uso como sinónimo de *campear* con el significado de 'pacer por el campo un animal' es incorrecto.

campeador adj./s.m. Referido a un guerrero, que sobresale por sus hazañas en el campo de batalla: *En la literatura, El Cid es el campeador por excelencia.*

campear v. **1** Referido a un animal, salir a pacer o andar por el campo: *En el invierno los lobos campean por el monte.* **2** →**campar.** □ ETIMOL. De *campo.*

campechanía s.f. Sencillez, cordialidad y falta de formulismos y de ceremonias en el trato: *Nos habló con esa campechanía y esa amabilidad suyas tan agradables.*

campechano, na adj. Sencillo, cordial y sin formulismos ni ceremonias en el trato: *Me atendió de manera campechana, como si me conociese de siempre.* □ ETIMOL. Quizá de *campechano* (de Campeche, estado mejicano).

campeón, -a s. **1** En un campeonato o en otra competición, persona o equipo victoriosos: *La campeona del mundo en lanzamiento de jabalina estableció un nuevo récord.* **2** Persona que sobresale y supera a los demás, esp. en una actividad: *Mi marido es todo un campeón fregando platos.* □ ETIMOL. Del italiano *campione.* □ MORF. Aunque los sustantivos no admiten superlativo, está muy extendido el uso de *campeonísimo.*

campeonato s.m. **1** En algunos juegos o deportes, competición en la que se disputa un premio: *organizar un campeonato.* **2** Triunfo o victoria alcanzados en esta competición: *conseguir un campeonato.* **3** ‖ **de campeonato;** *col.* Extraordinario o muy bueno: *Me agarró por detrás y me dio un susto de campeonato.*

campera s.f. Véase **campero, ra.**

campero, ra ▌adj. **1** Del campo o relacionado con él: *una excursión campera.* **2** Referido a un animal, que duerme en el campo y sin recogerse bajo cubierto: *ganado campero.* ▌s.m. **3** En zonas del español meridional, vehículo de todo terreno. ▌s.f. **4** En zonas del español meridional, cazadora: *una campera de cuero.*

campesinado s.m. Grupo social formado por las personas que viven y trabajan en el campo: *El campesinado reclama cambios en la política agrícola.*

campesino, na ▌adj. **1** Del campo o propio de este: *costumbres campesinas.* □ SINÓN. *campestre.* ▌adj./s. **2** Referido a una persona, que vive y trabaja en el campo. □ SINÓN. *paisano.*

campestre adj.inv. **1** Del campo o propio de este: *Desde que vine a la ciudad, echo de menos la paz campestre.* □ SINÓN. *campesino.* **2** Referido esp. a una reunión o a una comida, que se celebra o se hace en el campo: *Los domingos que hace buen tiempo organizan meriendas campestres.*

campimetría s.f. En medicina, medición del campo visual del ojo: *En esa óptica hacen la campimetría a través de un ordenador.* □ ETIMOL. De *campo* y *-metría* (medición).

camping (ing.) s.m. **1** Lugar al aire libre, acondicionado para que acampen en él viajeros o turistas por un precio establecido. **2** Actividad consistente en ir de acampada a este tipo de lugares: *hacer camping.* **3** ‖ **camping gas;** bombona pequeña de gas, a la que se acopla un quemador para que sirva de cocina, y que suele usarse en las acampadas por su facilidad de transporte. □ ETIMOL. La expresión *camping gas* es extensión del nombre de una marca comercial. □ PRON. [cámpin].

campiña s.f. Campo o terreno extensos y llanos dedicados a la agricultura: *En primavera, la campiña se pone preciosa con los frutales ya florecidos.*

campismo s.m. Actividad consistente en vivir al aire libre durante ciertos períodos de tiempo, con o sin tiendas de campaña y solo con lo necesario: *El campismo es una buena forma de estar en contacto con la naturaleza.*

campista s.com. Persona que practica el camping o que está acampada en un camping: *El camping tenía una zona de playa reservada para los campistas.*

campizal s.m. Terreno de poca extensión y cubierto a trechos con césped: *Había varios caballos pastando en el campizal.*

campo s.m. **1** Terreno fuera de los núcleos de población: *Los fines de semana salimos al campo a respirar aire puro.* **2** Tierra laborable o conjunto de terrenos cultivados: *A la salida del pueblo hay varios campos de trigo.* **3** En contraposición a 'ciudad', zona y forma de vida agrarias: *La gente emigra del campo a la ciudad en busca de trabajo.* **4** Conjunto de instalaciones para la práctica de algunos deportes: *Se han hundido las gradas del campo de fútbol.* **5** En fútbol y en otros deportes, terreno de juego: *Los jugadores saltaron al campo entre las ovaciones del público.* **6** En este terreno, mitad que corresponde defender a cada equipo: *Uno de los equipos elige campo y el otro empieza el juego.* **7** Terreno reservado para determinados ejercicios: *El ejército entrena en el mismo campo de tiro que la policía.* **8** En una guerra, terreno o zona que ocupa un ejército o parte de él durante el desarrollo de las operaciones: *Un grupo de soldados camuflados se adentró en el campo enemigo.* **9** Parcela del saber o del conocimiento, esp. la que corresponde a una disciplina: *Es una autoridad en el campo de la medicina interna.* **10** Ámbito propio de una actividad: *No entra en el campo de mis competencias ocuparme de eso.* □ SINÓN. *reino.* **11** Espacio visual que se abarca o se alcanza desde un punto: *En la fotografía saldrá lo que entre en el campo visual del objetivo de la máquina.* **12** En física, espacio en que se manifiesta una fuerza o un fenómeno: *La nave espacial acaba de salir del campo gravitatorio terrestre.* **13** || **a campo {través/traviesa/travieso};** atravesando el terreno por donde no hay caminos: *El camino daba un gran rodeo y fuimos a campo traviesa para atajar.* || **campo de acogida;** lugar en el que, de manera provisional, se recibe a los ciudadanos huidos de su país por razones políticas. || **campo de concentración;** recinto cercado en el que se recluye a prisioneros, generalmente presos políticos o presos de guerra. || **campo de refugiados;** lugar en el que pueden vivir los ciudadanos que han huido de su país por razones políticas. || **campo de trabajo;** lugar al que se acude a trabajar a cambio de la manutención y de una pequeña cantidad de dinero: *Cuando era estudiante, pasaba los veranos en un campo de trabajo ayudando a reconstruir edificios en estado ruinoso.* || **campo santo;** →**camposanto.** || **dejar el campo {abierto/libre};** retirarse de un empeño, dejando así mayores posibilidades a los competidores: *Uno de los candidatos renunció y dejó el campo libre a los demás.* □ ETIMOL. Del latín *campus* (llanura). □ SINT. Incorr. **campo a {través/traviesa} > a campo {través/traviesa}.*

camposanto (tb. *campo santo*) s.m. Cementerio de los católicos: *Por encima de la valla se ven los cipreses y las cruces del camposanto.*

campus (pl. *campus*) s.m. Conjunto de terrenos y de edificios que pertenecen a una universidad: *La biblioteca universitaria y el rectorado están en el centro del campus.* □ ETIMOL. Del inglés *campus.*

camuesa s.f. Fruto del camueso, sabroso y muy oloroso: *La camuesa es una manzana achatada.* □ ETIMOL. De origen incierto.

camueso s.m. Árbol frutal, variedad del manzano, cuyo fruto es la camuesa: *Tengo en mi huerta manzanos, camuesos y perales.*

camuflaje s.m. **1** En el ejército, hecho de disimular la presencia de tropas o de material bélico, dándoles una apariencia engañosa que los haga pasar inadvertidos para el enemigo: *un uniforme de camuflaje.* **2** Disimulación u ocultación que se hacen dando una apariencia engañosa: *Mantenía aquel negocio como un camuflaje de sus actividades ilegales.*

camuflar v. **1** En el ejército, referido esp. a tropas o a material bélico, disimular su presencia dándoles una apariencia engañosa que los haga pasar inadvertidos para el enemigo: *Camuflaron el depósito de municiones cubriéndolo con ramas. La compañía se camufló en el bosque y esperó el momento de atacar por sorpresa.* **2** Disimular u ocultar dando una apariencia engañosa: *Los traficantes camuflaron la droga entre las mercancías. Algunos animales se camuflan tan bien que parecen plantas o rocas.* □ ETIMOL. Del francés *camoufler.*

can s.m. **1** Mamífero cuadrúpedo, doméstico, con un olfato muy fino, y que se suele emplear como animal de compañía, de vigilancia o para la caza. □ SINÓN. *perro.* **2** →**kan.** □ ETIMOL. La acepción 1, del latín *canis.* □ USO En la acepción 1, su uso es característico del lenguaje literario.

cana ▮ s.com. **1** *col.* Miembro del cuerpo argentino de policía. ▮ s.f. **2** Hebra de pelo que se ha vuelto blanco. **3** *col.* Cuerpo argentino de policía. **4** || **echar** alguien **una {cana/canita} al aire;** *col.* Divertirse o salir de diversión, esp. cuando no se tiene costumbre: *Anímate y echemos una cana al aire esta noche.* || **peinar** alguien **canas;** *col.* Ser viejo: *¡A ver cuándo te jubilas, que ya peinas canas!*

canabidiol s.m. Compuesto extraído del cáñamo índico, que se utiliza por su poder terapéutico y su efecto hipnótico.

canaco, ca adj./s. De los habitantes de algunas islas de Oceanía (uno de los cinco continentes) o relacionado con ellos.

canadiense adj.inv./s.com. De Canadá o relacionado con este país americano.

canal ▮ s.amb. **1** Cauce artificial, esp. el que sirve para la conducción de agua: *Una red de canales permitirá ampliar las zonas de regadío.* **2** En un organismo vivo, conducto generalmente hueco y fino: *En el oído interno están los canales semicirculares.* **3** En el interior de la tierra, vía por la que circulan las aguas y los gases: *Nos metimos en una cueva y encontramos un canal de agua que tuvimos que vadear.* **4** En el mar, estrecho natural por donde pasa el agua hasta salir a una zona más ancha y profunda: *Entre las dos islas había un canal que no era navegable con marea baja.* **5** Concavidad alargada y estrecha: *Las columnas corintias se reconocen por los canales de sus fustes.* **6** Res muerta, abierta y sin tripas ni despojos: *Metieron las canales en la cámara frigorífica antes del despiece.* **7** Teja delgada y muy combada, que se usa para formar en los tejados los conductos de desagüe: *Cuando las canales se obstruyen salen goteras en el techo.* ▮ s.m. **8** Paso natural o artificial que comunica dos mares: *El canal de Suez comunica el mar Rojo con el Mediterráneo.* **9** En radio y televisión, banda de frecuencia en la que puede emitir una emisora: *Dieron la noticia en todos los canales de televisión.* **10** Conjunto de componentes de un ordenador que permiten la transmisión interna o externa de información: *La información que he mandado desde mi ordenador llegará a la impresora gracias al canal.*

☐ SINÓN. *bus.* **11** Procedimiento o medio con el que se transmite un mensaje: *La voz humana es un canal que transmite un mensaje de un emisor a un receptor.* **12** ‖ **abrir en canal;** referido esp. a un cuerpo, abrirlo o rajarlo de arriba abajo: *Los que hacían la matanza abrían los cerdos en canal.* ☐ ETIMOL. Del latín *canalis.* ☐ USO En las acepciones 1, 2, 3 y 4, se usa más como masculino y en las 5, 6 y 7, como femenino.

canaladura s.f. En arquitectura, moldura cóncava, hueca y vertical que se abre en una superficie, esp. en el fuste de columnas y pilastras: *Las columnas corintias tienen el fuste recorrido por canaladuras.*

canalé s.m. Tejido de punto acanalado y elástico: *Los puños de este jersey son de canalé.*

canalear v. *col.* Cambiar continuamente de canal de televisión utilizando el mando a distancia: *Cuando sale publicidad en el canal que estoy viendo, canaleo inmediatamente a ver si encuentro algo más interesante.*

canaleo s.m. *col.* Cambio continuo de canal televisivo utilizando el mando a distancia.

canaleta s.f. En zonas del español meridional, canalón.

canalete s.m. Remo con la pala ancha en uno o en cada uno de sus extremos, y que no se apoya en la barca para remar: *Los remos de las piraguas son canaletes.* ☐ ETIMOL. Quizá de origen americano.

canalización s.f. **1** Realización de canales en un lugar, generalmente para transportar por ellos gases o líquidos: *la canalización para la distribución de gas.* **2** Hecho de regularizar o de reforzar el cauce de una corriente de agua, generalmente para darle un curso determinado: *La canalización del río lo hace navegable hasta la ciudad.* **3** Orientación o encauzamiento de corrientes de opinión, de iniciativas, o de otras fuerzas en una dirección o hacia un fin: *Se teme una canalización del descontento ciudadano hacia la violencia.*

canalizar v. **1** Referido a un lugar, abrir canales en él, generalmente para transportar por ellos gases o líquidos: *Al canalizar la zona, se podrá transportar el petróleo más rápidamente.* **2** Referido a una corriente de agua, regularizar o reforzar su cauce, generalmente para darle un curso determinado: *Canalizaron el río para evitar que se desborde cuando llueve mucho.* **3** Referido esp. a corrientes de opinión o iniciativas, orientarlas, dirigirlas o encauzarlas en una dirección o hacia un fin: *La enseñanza debe canalizar la energía del niño hacia la creatividad.* ☐ ORTOGR. La *z* se cambia en *c* delante de e →CAZAR.

canalla ▮ adj.inv./s.com. **1** *col.* Referido a una persona, que es despreciable y se comporta de manera malvada o vil. ▮ s.f. **2** Grupo de personas ruines o de mala condición: *Lo encerraron con la canalla de la ciudad.* ☐ ETIMOL. Del italiano *canaglia.*

canallada s.f. Hecho o dicho propios de un canalla.

canallesco, ca adj. Despreciable, ruin o propio de un canalla.

canalón (tb. *canelón*) s.m. Conducto que recoge el agua que cae sobre los tejados y la vierte a la calle o a un desagüe: *Llovía tanto que de los canalones salía el agua a borbotones.* ☐ ETIMOL. De *canal.*

canana s.f. Cinturón preparado para llevar cartuchos. ☐ SINÓN. *cartuchera.* ☐ ETIMOL. Del árabe *kinâna* (aljaba, carcaj).

cananeo, a adj./s. De Canaán (antigua región asiática que se extendía por los actuales territorios sirio y palestino) o relacionado con ella: *Para los israelitas, la tierra cananea era la tierra prometida por Dios.*

canapé s.m. **1** Aperitivo consistente en una pequeña rebanada de pan u otra base semejante, sobre las que se extiende o coloca algún alimento. **2** Sofá muy sencillo con el respaldo y el asiento acolchado: *Siempre duerme la siesta en el canapé del salón.* **3** En una cama, soporte rígido y acolchado sobre el que se coloca el colchón. ☐ ETIMOL. Del francés *canapé.*

canapero, ra s. *col.* Persona que acude a las celebraciones solo para degustar las comidas y bebidas que se sirven.

canaricultura s.f. Arte o técnica de criar canarios.

canario, ria ▮ adj./s. **1** De las islas Canarias (comunidad autónoma), o relacionado con ellas: *El mojo es una salsa canaria.* ▮ s. **2** Pájaro de unos trece centímetros de longitud, de plumaje generalmente amarillo o verdoso, canto melodioso, y que se suele criar como ave doméstica: *Los canarios se reproducen en cautividad sin problemas.*

canarión, -a adj./s. *col.* Grancanario. ☐ USO Tiene cierto matiz despectivo.

canarismo s.m. En lingüística, palabra, significado o construcción sintáctica característicos del dialecto canario: *La palabra gofio es un canarismo.*

canasta s.f. **1** Cesto de mimbre, de boca ancha y generalmente con dos asas. **2** En baloncesto, aro con una red colgante sin fondo, a través del cual debe pasar el balón. ☐ SINÓN. *cesta.* **3** En baloncesto, armazón compuesto por un soporte con un tablero, en el que está sujeto horizontalmente este aro: *Un hincha trepó por los hierros de la canasta y desde arriba jaleó a su equipo.* **4** En baloncesto, introducción del balón a través del aro: *Las canastas pueden valer uno, dos o tres tantos.* ☐ SINÓN. *enceste.* **5** ‖ **canasta familiar;** en zonas del español meridional, cesta de la compra.

canastilla s.f. Ropa que se prepara para el niño que va a nacer: *Tenían tantas ganas de ser padres, que meses antes del nacimiento ya tenían la canastilla.*

canasto s.m. **1** Canasta alta y estrecha: *Pon la ropa sucia en el canasto.* **2** En zonas del español meridional, papelera: *El canasto está repleto de papeles y plásticos viejos.*

canastos interj. Expresión que se usa para indicar extrañeza, sorpresa, admiración o disgusto: *No sé quién canastos era ese que me saludó. ¡Canastos, qué cochazo te has comprado!*

cáncamo s.m. Tornillo que tiene en su extremo una anilla abierta o cerrada, en vez de cabeza: *El* *cuadro tiene por detrás un cáncamo para colgarlo.* ☐ ETIMOL. Del griego *kánkhalon* (anillo).

cancán ▮ s.amb. **1** En zonas del español meridional, leotardo o media: *Me compré unos cancanes nuevos de seda.* ▮ s.m. **2** Baile de origen francés, frívolo y muy movido, en el que se levantan las piernas hasta la altura de la cabeza, y que generalmente es bailado solo por mujeres como parte de un espectáculo. **3** Enagua con los volantes almidonados, que se pone debajo de la falda para darle volumen. ☐ ETIMOL. Las acepciones 2 y 3, del francés *cancan.* ☐ MORF. En la acepción 1, en plural tiene el mismo significado que en singular.

cancanear v. En zonas del español meridional, tartamudear. ☐ ETIMOL. De origen onomatopéyico.

cancel s.m. **1** Contrapuerta formada generalmente por dos hojas laterales y una frontal, con una cubierta sobre ellas, que se ajusta a una puerta exterior para evitar la entrada de ruidos y de corrientes de aire. **2** En una iglesia, reja o balaustrada que separa el presbiterio o el coro de la nave: *El sacerdote se acercó al cancel para dar la comunión a los fieles.* ☐ ETIMOL. Del latín *cancellus* (verja o barandilla enrejada).

cancela s.f. En algunas casas, esp. en las andaluzas, verja que se pone delante del portal o de la pieza que antecede al patio para separarlos de la calle o para impedir el libre paso desde ella. ☐ ETIMOL. De *cancel* (barandilla).

cancelación s.f. **1** Anulación de un documento o de una obligación legal: *la cancelación de una hipoteca.* **2** Suspensión de un compromiso o de algo proyectado: *la cancelación de un proyecto.* **3** Pago total de una deuda: *la cancelación de una deuda.*

cancelar v. **1** Referido esp. a un documento o a una obligación legal, anularlos o dejarlos sin validez: *Si me traslado, cancelaré la cuenta que tengo en el banco. El contrato se cancelará automáticamente al cabo de un año.* **2** Referido esp. a un compromiso o a algo proyectado, dejarlos sin efecto o suspender su realización: *Si se aplaza el viaje, tendré que cancelar la reserva del hotel. Se han cancelado todos los vuelos con los países en guerra.* **3** Referido esp. a una deuda, saldarla o terminar de pagarla: *Si ahorro, el año que viene podré cancelar el préstamo.* ☐ ETIMOL. Del latín *cancellare* (borrar).

cáncer ▮ adj.inv./s.com. **1** Referido a una persona, que ha nacido entre el 22 de junio y 22 de julio aproximadamente. ▮ s.m. **2** Tumor maligno que invade y destruye tejidos orgánicos humanos o animales. **3** Lo que destruye o daña gravemente y es difícil de combatir o de frenar: *La droga es el cáncer de muchas sociedades modernas.* ☐ ETIMOL. Del latín *cancer* (cangrejo). ☐ MORF. En las acepciones 2 y 3, su plural es *cánceres.* ☐ SEM. Dist. de *tumor* (alteración patológica de un órgano o de parte de él).

cancerar v. **1** Consumir, destruir o dañar gravemente: *El afán de poder personal es un mal que cancerará esa organización.* **2** Referido esp. a una úlcera, degenerar en cáncer: *Si no te cuidas, se te va a cancerar la úlcera de estómago.* ☐ MORF. Se usa más como pronominal.

cancerbero s.m. En el lenguaje del deporte, portero: *El cancerbero atrapó el balón cuando ya se cantaba el gol.* ☐ ETIMOL. Por alusión a un perro mitológico del mismo nombre que guardaba la entrada de los infiernos.

canceriforme adj.inv. Con la forma o el aspecto de un tumor canceroso.

cancerígeno, na adj./s.m. Referido esp. a una sustancia, que produce cáncer o que favorece su aparición: *Los alquitranes del tabaco son sustancias muy cancerígenas.* ☐ SEM. Dist. de *canceroso* (con las características del cáncer).

cancerología s.f. Rama de la medicina que estudia el cáncer.

cancerológico, ca adj. De la cancerología o relacionado con esta rama de la medicina: *un estudio cancerológico.*

cancerólogo, ga s. Especialista en cancerología.

canceroso, sa adj. Con cáncer o con sus características: *un tumor canceroso.* ☐ SEM. Dist. de *cancerígeno* (que produce cáncer).

cancha s.f. **1** Local o terreno de juego destinados a la práctica de determinados deportes: *una cancha de baloncesto.* **2** En zonas del español meridional, maíz tostado. **3** ‖ **dar cancha** a alguien; *col.* Darle una oportunidad o un margen de confianza suficiente para que pueda intervenir o actuar a su modo: *Una empresa tiene que dar cancha a trabajadores jóvenes si quiere renovarse.* ☐ ETIMOL. Las acepciones 1 y 3, del quechua *cancha* (recinto, patio). La acepción 2, del quechua *camcha.*

canchal s.m. Terreno lleno de peñascos o de grandes piedras descubiertas: *La ladera de la montaña era un canchal difícil de escalar.* ☐ ETIMOL. De *cancho* (peñasco grande).

cancilla s.f. Verja que sirve de puerta: *Para entrar al jardín había que abrir una cancilla.* ☐ ETIMOL. Del latín *cancellus* (barandilla enrejada).

canciller s.com. **1** En algunos países europeos, jefe o presidente del Gobierno: *El canciller alemán se entrevistó con el presidente del Gobierno español.* **2** En algunos países, ministro de Asuntos Exteriores: *Se ha celebrado una conferencia de todos los cancilleres de América.* ☐ ETIMOL. Del latín *cancellarius* (secretario).

cancilleresco, ca adj. De la cancillería o relacionado con ella.

cancillería s.f. **1** Cargo o funciones del canciller: *Ejerció la cancillería en varias delegaciones diplomáticas.* **2** Centro diplomático desde el que se dirige la política exterior de un país: *El Ministerio de Asuntos Exteriores es una cancillería.* **3** En un organismo diplomático, esp. en una embajada, oficina o departamento especiales: *La cancillería de la embajada archiva documentos de gran importancia histórica.*

canción s.f. **1** Composición, generalmente en verso, apropiada para ser cantada o puesta en música: *El grupo interpretó canciones tradicionales que tra-*

taban sobre temas campestres. **2** Música que acompaña a esta composición: *Eso que está tocando la banda es una canción de mi tierra.* ☐ SINÓN. *aire.* **3** Lo que se dice con reiteración insistente o pesada: *Ya está ese con su eterna canción de que nadie lo entiende.* **4** ‖ **canción de cuna;** la que se canta a los niños para dormirlos. ☐ SINÓN. *nana.* ‖ **canción de gesta;** poema medieval, de carácter popular y narrativo, en el que se cuentan las hazañas de personajes históricos o legendarios, y que solía ser transmitido oralmente por los juglares: *'La Chanson de Roland' es una canción de gesta francesa.* ☐ SINÓN. *cantar de gesta.* ‖ **canción protesta;** la que es de temática política o social, reivindicando mejoras o denunciando injusticias. ☐ ETIMOL. Del latín *cantio* (canto).

cancioneril adj.inv. De la poesía culta de los cancioneros del siglo XV o relacionado con ella: *En la poesía cancioneril, predominan el tema amoroso y los versos de arte menor.*

cancionero s.m. Colección de canciones o de poemas, generalmente de diferentes autores y con una característica común: *El 'Cancionero de Baena', del siglo XV, es una de las recopilaciones fundamentales de la poesía castellana medieval.*

candado s.m. Cerradura suelta, contenida en una caja metálica de la que sale un gancho o anilla con los que se enganchan y aseguran puertas, tapas o piezas semejantes. ☐ ETIMOL. Del latín *catenatum*, y este de *catena*, porque antiguamente se cerraba con una cadena.

candajón, -a adj./s. *desp.* Referido esp. a una persona, que anda de calle en calle o de casa en casa.

candar v. Cerrar con llave o con un candado: *No puedo entrar porque la puerta está candada y no tengo llave.* ☐ ETIMOL. Del latín *catenare* (sujetar con cadenas).

candeal s.m. **1** →**trigo candeal. 2** →**pan candeal.** ☐ ETIMOL. Del latín *candidus* (blanco), porque el pan de trigo candeal es muy blanco.

candela s.f. **1** Cilindro de cera o de otra materia grasa, con un cordón que lo atraviesa por su centro y que, al encenderlo, produce luz. ☐ SINÓN. *vela.* **2** *col.* Materia combustible encendida, con o sin llama: *Dame candela para encender la chimenea.* ☐ SINÓN. *lumbre.* **3** En el Sistema Internacional, unidad básica de intensidad luminosa. ☐ ETIMOL. Del latín *candela* (vela de luz). ☐ ORTOGR. En la acepción 3, su símbolo es *cd*, por tanto, se escribe sin punto.

candelabro s.m. Candelero o utensilio de dos o más brazos, que se sostiene sobre un pie o sujeto a una pared, y que sirve para mantener derechas varias candelas o velas. ☐ ETIMOL. Del latín *candelabrum.* ☐ SEM. Dist. de *palmatoria* (candelero bajo y con mango).

candelaria s.f. En la iglesia católica, fiesta en la que se celebra la purificación de la Virgen María, y que suele festejarse con una procesión con candelas o velas encendidas. ☐ USO Se usa más como nombre propio.

candelero s.m. **1** Utensilio formado por un cilindro hueco y unido a un pie, que sirve para mantener derecha una candela o vela. **2** ‖ **en (el) candelero;** en una posición destacada de poder, de éxito o de publicidad: *De los que alcanzan el éxito, pocos saben mantenerse en el candelero.* ☐ ETIMOL. De *candela*.

candente adj.inv. **1** Referido a un cuerpo, esp. si es metálico, que está rojo o blanco por la acción del calor: *hierro candente.* ☐ SINÓN. *incandescente.* **2** Referido a un asunto, que es de mucha actualidad e interés y que generalmente levanta polémica: *un tema candente.* ☐ ETIMOL. Del latín *candens* (brillante).

cándida s.f. Véase **cándido, da.**

candidato, ta s. Persona que solicita o pretende un cargo, una distinción o algo semejante, o que es propuesta para ellos: *A la plaza optan cinco candidatos.* ☐ ETIMOL. Del latín *candidatus*, y este de *candere* (ser blanco), porque los candidatos se vestían con toga blanca.

candidatura s.f. **1** Solicitud o aspiración a un cargo, a una distinción o a algo semejante: *Su candidatura al puesto de directora fue rechazada.* **2** Propuesta o presentación que se hace de una persona para un cargo, para una distinción o para algo semejante: *Se desconoce cuál será la candidatura del sector radical.* **3** Conjunto de los candidatos a un cargo, a una distinción o a algo semejante: *Quedó fuera de la candidatura conservadora por sus discrepancias con la dirección.*

candidez s.f. **1** Falta total de malicia, de hipocresía o de secretos: *Ojalá conserváramos siempre la candidez y la inocencia de la infancia.* **2** Ingenuidad, simpleza o poca experiencia: *La empresa quiere ejecutivos dinámicos, y no personas de tu candidez.*

candidiasis (pl. *candidiasis*) s.f. Infección de la piel y de las mucosas producida por un tipo de hongos.

cándido, da ▮ adj. **1** Sin malicia, hipocresía ni ideas ocultas: *¡Cómo va a querer hacerte daño esa alma cándida!* **2** Ingenuo, simple o con poca experiencia: *¡No seas tan cándido y espabila, que se están riendo de ti!* ▮ s.f. **3** Microorganismo de la familia de los hongos que produce la candidiasis. ☐ ETIMOL. Del latín *candidus* (blanco).

candil s.m. Lámpara formada por un recipiente de aceite, con un pico en el borde por el que asoma la mecha, y un asa en el extremo opuesto o un gancho para colgarlo. ☐ ETIMOL. Del mozárabe *qindil*.

candileja ▮ s.f. **1** Vaso en el que se pone aceite u otro combustible para que ardan una o más mechas, esp. referido al recipiente de un candil: *Delante de la imagen del santo había una candileja.* ▮ pl. **2** En un teatro, fila de luces colocadas en el borde del escenario más cercano al público: *Con la luz de las candilejas los actores no veían al público.* ☐ ETIMOL. De *candil*.

candilera s.f. Planta de la familia de las labiadas, de hojas lineales y flores amarillas, y con el cáliz cubierto de pelos largos: *La candilera crece en zonas mediterráneas.*

candombe s.m. Baile americano muy vivo de origen africano: *Varias personas bailaban el candombe en carnaval.*

candongo, ga adj./s. *col.* Zalamero o astuto, esp. para huir del trabajo.

candor s.m. Sinceridad, sencillez, ingenuidad y pureza de ánimo: *El candor y la inocencia de aquella chiquilla conmovía a todos.* ☐ ETIMOL. Del latín *candor*, y este de *candere* (ser blanco).

candoroso, sa adj. Con candor: *una persona candorosa.*

canear v. *col.* Referido a una persona, pegarla o darle una paliza: *Como no recojas la habitación, te caneo.*

caneca s.f. **1** Recipiente cilíndrico de barro vidriado, que se usa para contener ginebra u otros licores. **2** En zonas del español meridional, bidón. **3** En zonas del español meridional, cubo de basura. ☐ ETIMOL. Del portugués *caneca.* ☐ ORTOGR. En la acepción 1, se admite también *caneco.*

caneco s.m. →**caneca.**

canela s.f. Véase **canelo, la.**

canelo, la ▌adj. **1** Referido esp. a un perro o a un caballo, de color marrón rojizo, como el de la canela. ▌s.m. **2** Árbol de tronco liso, hojas verdes parecidas a las del laurel y flores blancas y aromáticas. ▌s.f. **3** Segunda corteza de las ramas del canelo, de color marrón rojizo, muy sabrosa y aromática y que se usa como condimento. **4** ‖ **hacer** alguien **el canelo; 1** *col.* Hacer algo que no va a ser valorado o que no va a tener recompensa: *Sé que hago el canelo trabajando por esa miseria, pero no tengo otro remedio.* **2** *col.* Dejarse engañar fácilmente: *Estoy harta de hacer el canelo con ese tramposo.* ‖ **ser** algo **canela ({fina/en rama}); *col.*** Ser muy fino y exquisito o excepcionalmente bueno: *A juzgar por lo que lo ensalzan, el chico debe de ser canela en rama.* ☐ ETIMOL. La acepción 3, del italiano *cannella* (cañita), porque la corteza seca del canelo tiene forma de canuto.

canelón s.m. **1** Pasta alimenticia en forma de rollo, hecha de harina de trigo y con un relleno generalmente de carne picada. **2** →**canalón.** ☐ ETIMOL. La acepción 1, del italiano *cannellone.* ☐ MORF. En la acepción 1, se usa más en plural.

canesú (pl. *canesús, canesúes*) s.m. En un vestido o en una camisa, pieza superior a la que se unen el cuello, las mangas y el resto de la prenda. ☐ ETIMOL. Del francés *canezou.*

canetón s.m. En gastronomía, plato cuyo ingrediente principal es el pato.

cangilón s.m. En una noria, recipiente atado a su rueda junto con otros iguales a él, y que sirve para sacar el agua: *El caudal del río estaba tan bajo que los cangilones salían casi vacíos.* ☐ ETIMOL. De origen incierto.

cangrejera s.f. Véase **cangrejero, ra.**

cangrejero, ra ▌adj. **1** Del cangrejo o relacionado con él: *pesca cangrejera.* ▌s. **2** Persona que pesca o vende cangrejos. **3** Animal carnívoro americano, semejante al perro, que se alimenta de cangrejos. ▌s.m. **4** En zonas del español meridional, nido de cangrejos. ▌s.f. **5** Sandalia de goma que cubre el pie con unas tiras y se abrocha en el tobillo: *Para ir andando por el río uso unas cangrejeras.* **6** Nido de cangrejos. **7** →**garcilla cangrejera.** ☐ MORF. En la acepción 7, es un sustantivo epiceno: *la cangrejera {macho/hembra}.*

cangrejo s.m. **1** Crustáceo marino o de río, con un caparazón redondeado y aplanado y cinco pares de patas, de las cuales las dos primeras son más grandes y están provistas de pinzas: *Los cangrejos de mar tienen el abdomen atrofiado y adherido a la parte inferior del cuerpo.* **2** ‖ **(cangrejo) ermitaño;** el que tiene el abdomen muy blando y se aloja en conchas vacías de caracoles marinos para protegerse: *El fondo del mar estaba lleno de cangrejos ermitaños.* ☐ ETIMOL. Del latín *cancer.* ☐ MORF. Es un sustantivo epiceno: *el cangrejo {macho/hembra}.*

cangrena s.f. *ant.* →**gangrena.**

canguelo s.m. *col.* Miedo muy grande: *Me da canguelo enfrentarme a ellos.* ☐ SINÓN. *canguis.* ☐ ETIMOL. De origen gitano.

cangüeso s.m. Pez marino, de color pardo con manchas oscuras, cabeza ancha, cola redondeada, y que tiene la piel recubierta por una materia viscosa: *El cangüeso es un pez muy resbaladizo.* ☐ ETIMOL. De origen incierto. ☐ MORF. Es un sustantivo epiceno: *el cangüeso {macho/hembra}.*

canguis (pl. *canguis*) s.f. *col.* Miedo muy grande: *Me dan muchísimo canguis los perros.* ☐ SINÓN. *canguelo.*

canguro ▌s.com. **1** *col.* Persona, normalmente joven, que se dedica a cuidar niños a domicilio durante ausencias cortas de los padres y generalmente cobrando por ello: *Cuando queremos ir al cine, llamo a un canguro para que se quede con los niños.* ▌s.m. **2** Animal marsupial herbívoro, que se desplaza a grandes saltos gracias a sus desarrolladas patas posteriores, con una cola robusta que le sirve de apoyo cuando está quieto, y cuya hembra tiene en el vientre una bolsa o marsupio donde lleva a las crías: *El canguro es un animal de origen australiano.* **3** Prenda de vestir, generalmente con capucha, y que tiene un bolsillo central amplio de doble entrada a la altura del estómago. ☐ ETIMOL. Del francés *kangourou*, y este de origen australiano. ☐ MORF. En la acepción 2, es un sustantivo epiceno: *el canguro {macho/hembra}.* ☐ USO En la acepción 1, es innecesario el uso del anglicismo *baby-sitter.*

caníbal (tb. *caríbal*) adj.inv./s.com. Referido a una persona, que come carne humana. ☐ SINÓN. *antropófago.* ☐ ETIMOL. De *caríbal*, y este de *caribe.*

canibalismo s.m. **1** Costumbre alimentaria de comer carne de seres de la propia especie: *Las prácticas de canibalismo no son aceptadas por las sociedades humanas modernas.* **2** En el lenguaje publicitario, parte de mercado que un producto o una marca come a otro producto o a otra marca: *Los encargados de publicidad en nuestra empresa están preocupados por el canibalismo que ha sufrido* *nuestra marca en el último mes.* □ SEM. Dist. de *antropofagia* (aplicable solo a la costumbre de comer las personas carne humana).

canibalizar v. Referido esp. a las ventas de una empresa, reducirlas por la propia competencia de nuevos productos: *La nueva línea de productos ha canibalizado las ventas de los productos que ya vendíamos.*

canica ▮ s.f. **1** Bola o esfera pequeñas y de material duro, generalmente de vidrio, que se usan para jugar. ▮ pl. **2** Juego infantil que se practica con estas esferas. □ SINÓN. *bolas.* □ ETIMOL. Del holandés *knikker* (bola con la que juegan los niños).

caniche adj.inv./s. Referido a un perro, de la raza que se caracteriza por ser de pequeño tamaño y por tener el pelo lanoso y ensortijado.

canicie s.f. Color cano del cabello: *Tu canicie hace que parezcas más viejo de lo que eres.* □ ETIMOL. Del latín *canities.*

canícula s.f. Período más caluroso del año. □ ETIMOL. Del latín *canicula* (la estrella Sirio), porque en la antigüedad la salida de Sirio sobre el horizonte coincidía con la del Sol durante los primeros días de agosto. □ SEM. Dist. de *calima* (bruma de épocas calurosas) y de *bochorno* (calor excesivo y sofocante).

canicular adj.inv. De la canícula: *El período canicular dura más de un mes.*

cánido ▮ adj./s.m. **1** Referido a un mamífero, que es de mediano tamaño, carnívoro, con dedos provistos de uñas fijas, y cinco dedos en las patas delanteras y cuatro en las traseras: *Los lobos son animales cánidos.* ▮ s.m.pl. **2** En zoología, familia de estos mamíferos: *Las especies pertenecientes a los cánidos son cuadrúpedas.* □ ETIMOL. Del latín *canis* (perro).

canijo, ja adj./s. **1** *col. desp.* Pequeño o de baja estatura. **2** *col. desp.* En zonas del español meridional, mala persona. □ ETIMOL. La acepción 1, quizá del latín *canicula* (perrita), por el hambre proverbial que pasan los perros.

canilla s.f. **1** En una persona, pierna, esp. si es muy delgada: *Da pena verte en bañador con esas canillas que tienes.* **2** En una máquina de tejer o de coser, carrete que va dentro de la lanzadera y en el que se devana el hilo: *He perdido el tiempo, porque estaba cosiendo sin hilo en la canilla sin darme cuenta.* **3** En zonas del español meridional, grifo: *Abrí la canilla para llenar la bañadera.* □ ETIMOL. Del antiguo *cañilla* (cañita).

canillera s.f. En una armadura, pieza que protege la pierna por la espinilla, desde la rodilla hasta el tobillo: *Los guerreros griegos usaban canilleras.*

canillita s.m. En zonas del español meridional, vendedor callejero de periódicos: *Se oían los gritos de los canillitas ofreciendo sus periódicos.*

canino, na ▮ adj. **1** Del can o con características de este animal. ▮ s.m. **2** →**diente canino.**

canje s.m. Intercambio, trueque o sustitución: *El canje de prisioneros entre los dos bandos se hizo en un puente.* □ USO Su uso es característico de los lenguajes diplomático, militar y comercial.

canjear v. Intercambiar, trocar o hacer una sustitución: *El viaje que me ha tocado puedo canjearlo por dinero.* □ ETIMOL. Del italiano *cangiare.* □ USO Su uso es característico de los lenguajes diplomático, militar y comercial.

cannabáceo, a ▮ adj./s.f. **1** Referido a una planta, que es herbácea, de tallo fibroso, hojas opuestas, flores unisexuales con un eje cada una y agrupadas en inflorescencias, y cuya semilla carece de albumen: *Algunas plantas cannabáceas tienen propiedades alucinógenas.* ▮ s.f.pl. **2** En botánica, familia de estas plantas, perteneciente a la clase de las dicotiledóneas: *Entre las cannabáceas hay especies utilizadas para la elaboración de drogas.* □ ETIMOL. Del latín *cannabis* (cáñamo).

cannabis (pl. *cannabis*) (lat.) s.m. Planta herbácea, de hojas compuestas y flores verdes.

cano, na adj. **1** Referido esp. a una persona, que tiene el pelo o la barba blancos en su totalidad o en su mayor parte: *Su padre es un hombre cano y de bastante edad.* **2** Referido al pelo, a una barba o a un bigote, que están blancos en su totalidad o en su mayor parte: *Me atendió una anciana de pelo cano.* □ ETIMOL. Del latín *canus* (blanco).

canoa s.f. Embarcación pequeña y ligera, generalmente de remo, estrecha, sin quilla y con la proa y la popa terminadas en punta.

canódromo s.m. Lugar destinado a la celebración de carreras de galgos. □ ETIMOL. Del latín *canis* (perro) y *-dromo* (carrera).

canon (pl. *cánones*) s.m. **1** Regla, norma o precepto, esp. los establecidos por la costumbre para una actividad: *Siempre se comporta de acuerdo con los cánones de la buena educación.* **2** Modelo ideal o de características perfectas, esp. referido al establecido para la figura humana por los antiguos griegos: *Según el canon clásico, la altura de una figura humana debe equivaler a siete cabezas y media.* **3** Cantidad de dinero o impuesto que se pagan periódicamente por un arrendamiento o por el disfrute de algo ajeno o público: *El Estado cobra un canon a las empresas instaladas en terrenos públicos.* **4** En música, composición polifónica en la que las distintas voces van entrando de manera sucesiva y repitiendo o imitando cada una de ellas lo que ha cantado la anterior: *Es muy famoso el canon del compositor alemán Pachelbel.* **5** En la iglesia católica, decisión o regla establecidas en un concilio sobre el dogma o la disciplina: *En el concilio Vaticano I hay cánones que definen la infalibilidad del Papa.* □ ETIMOL. Del latín *canon*, y este del griego *kanón* (tallo, varita, regla, norma). □ MORF. En la acepción 1, se usa más en plural.

canónico, ca adj. **1** Que está de acuerdo con los cánones, reglas o disposiciones establecidos por la iglesia: *derecho canónico.* **2** Que se ajusta a un canon, generalmente de perfección o de conducta: *Tiene una forma de vida peculiar y poco canónica.* **3** Referido a un libro o a un texto, que está dentro del catálogo de los considerados auténticamente sagrados por la iglesia católica: *Los Evangelios son textos* *canónicos.* □ ETIMOL. Del latín *canonicus* (regular, conforme a las reglas). □ ORTOGR. Dist. de *canónigo* y de *canóniga.*

canóniga s.f. *col.* Siesta que se duerme antes de comer: *Media hora antes de comer me echo una canóniga y me levanto con más hambre.* □ ORTOGR. Dist. de *canónica* y *canónigo.*

canónigo s.m. **1** En la iglesia católica, sacerdote que forma parte del cabildo de una catedral: *Media hora antes de comer me echo una canóniga y me levanto con más hambre.* **2** Planta herbácea de origen mediterráneo, cuyas hojas se utilizan para preparar ensaldas. □ ETIMOL. Del latín *canonicus* (regular, conforme a las reglas). □ ORTOGR. Dist. de *canónico* y de *canóniga.*

canonista adj.inv./s.com. Que se dedica profesionalmente al derecho canónico o que está especializado en él.

canonizable adj.inv. Digno de ser canonizado: *Cada prelado presentó ante el papado una lista de beatos canonizables.*

canonización s.f. En la iglesia católica, declaración oficial hecha por el Papa de la santidad de una persona previamente beatificada: *La canonización es una facultad papal desde 1200.*

canonizar v. En la iglesia católica, referido a una persona previamente beatificada, declararla oficialmente santa el Papa: *El Papa canonizó a varios beatos que habían sido mártires de guerra.* □ ETIMOL. Del latín *canonizare.* □ ORTOGR. La *z* se cambia en *c* delante de *e* →CAZAR.

canonjía s.f. **1** Cargo o dignidad de canónigo: *Tras varios años como párroco, se le concedió una canonjía.* **2** *col.* Empleo que requiere poco esfuerzo y reporta mucho beneficio: *Mi trabajo está bien, pero tampoco es una canonjía.* □ ETIMOL. Del antiguo *canonje* (canónigo).

canope s.m. En las antiguas tumbas egipcias, vaso que contenía las vísceras de los cadáveres momificados. □ ETIMOL. Del francés *canope.*

canoro, ra adj. Referido a un ave, que tiene un canto melodioso y agradable al oído: *El ruiseñor es el ave canora por excelencia.* □ ETIMOL. Del latín *canorus,* y este de *canere* (cantar).

canoso, sa adj. Con canas: *Se tiñe porque ya está un poco canosa.*

canotaje s.m. En zonas del español meridional, deporte que consiste en navegar en canoas: *Practiqué canotaje durante muchos años.*

canotier (fr.) s.m. Sombrero de paja, de ala recta y copa plana y baja, generalmente rodeada con una cinta negra: *Los bailarines de claqué interpretaron su número con bastón y canotier.* □ PRON. [canotié].

cansado, da adj. **1** Que está en decadencia o que ha perdido fuerzas o facultades: *vista cansada.* **2** Que produce cansancio: *un trabajo cansado.*

cansador, -a adj. *col.* En zonas del español meridional, aburrido: *¡Qué cansadores pueden llegar a ser!*

cansancio s.m. **1** Falta de fuerzas y sensación de malestar o de debilidad producidas generalmente por la realización de un esfuerzo: *Al terminar la jornada, enseguida me vencen el cansancio y el sueño.* **2** Hastío, fastidio o sensación de aburrimiento: *La monotonía produce cansancio.*

cansar v. **1** Producir o experimentar pérdida de fuerzas y sensación de malestar o de debilidad, generalmente por efecto de un esfuerzo: *Subir tantos pisos a pie cansa a cualquiera. El caballo se cansó mucho por el veloz galope.* **2** Enfadar, fastidiar o producir sensación de aburrimiento o de hastío: *¡No me canses con tanta insistencia, porque no voy a ceder!* **3** || **cansarse de** hacer algo; *col.* Hacerlo muchas veces o durante mucho tiempo: *Se cansa de repetírmelo, pero nunca le hago caso.* □ ETIMOL. Del latín *campsare* (doblar, desviarse), porque cuando alguien se desvía de un camino deja de hacer algo, lo mismo que ocurre cuando alguien se cansa.

cansino, na adj. **1** Que tiene las fuerzas o la capacidad de trabajo disminuidas por el cansancio: *una mula cansina.* **2** Que revela o aparenta cansancio por la lentitud y pesadez de movimientos: *andar con paso cansino.* **3** Que resulta pesado, aburrido o cansado: *un trabajo cansino.*

cantábile ▮ adj.inv. **1** En música, referido a un pasaje, que debe ejecutarse destacando su carácter melodioso. □ SINÓN. *cantable.* ▮ s.m. **2** En una composición musical, pasaje que se ejecuta de esta manera: *Los cantábiles suelen ser partes especialmente líricas y expresivas.* □ SINÓN. *cantable.* □ ETIMOL. Del italiano *cantabile.*

cantable ▮ adj.inv./s.m. **1** →**cantábile.** ▮ s.m. **2** En el libreto de una zarzuela, parte escrita en verso para que pueda ponerse en música: *Cuando la autora terminó el libreto, un músico compuso la música de los cantables.* **3** En una zarzuela, escena cantada y no simplemente hablada: *No es buen actor, pero como cantante borda todos los cantables.*

cantábrico, ca adj. **1** De Cantabria (comunidad autónoma), o relacionado con ella: *Santander es la capital cantábrica.* **2** De la cordillera Cantábrica (situada en el norte español), del mar Cantábrico (situado entre la costa norte española y la sudoeste francesa), o relacionado con ellos: *Los Picos de Europa forman parte de los montes cantábricos. La llamada 'cornisa cantábrica' es una zona muy lluviosa.*

cántabro, bra adj./s. **1** De Cantabria (comunidad autónoma), o relacionado con ella: *Los pesqueros cántabros no saldrán hoy a faenar.* **2** De un antiguo pueblo celta que habitaba en el territorio que corresponde a esta comunidad autónoma, o relacionado con él: *Los cántabros no reconocieron la soberanía romana.*

cantada s.f. Véase **cantado, da.**

cantado, da ▮ adj. **1** Sabido o previsto con antelación: *Su designación para el cargo estaba cantada y a nadie sorprendió.* ▮ s.f. **2** *col.* Fallo o error estrepitoso, esp. de un portero de fútbol: *Nos metieron el gol por una cantada de nuestro portero.* □ USO La acepción 1 se usa mucho en la expresión *estar cantado.*

cantal s.m. **1** Trozo de piedra: *El fondo de este arroyo está lleno de cantales.* ☐ SINÓN. *canto.* **2** Queso elaborado con leche de vaca, de pasta dura y prensada sin cocer, originario de Cantal (departamento francés): *El cantal es un queso de sabor fuerte.* ☐ ETIMOL. La acepción 1, de *canto*. La acepción 2, del francés *cantal*.

cantaleta s.f. En zonas del español meridional, cantinela: *¡No me vengas otra vez con la misma cantaleta!*

cantalinoso, sa adj. Referido a un terreno, que está lleno de cantos y piedras: *Los campos cantalinosos son poco adecuados para el cultivo.* ☐ ETIMOL. De *cantal* (canto).

cantalupo s.m. Melón de origen armenio, de pulpa jugosa, dulce y de color anaranjado.

cantamañanas (pl. *cantamañanas*) s.com. *col. desp.* Persona informal, fantasiosa y que no merece crédito.

cantante ▮ adj.inv. **1** Que canta. ▮ s.com. **2** Persona que se dedica profesionalmente a cantar.

cantaor, -a s. Cantante de flamenco.

cantar ▮ s.m. **1** Copla o composición poética breve, puesta en música para cantarse o adaptable a alguno de los aires o canciones populares. ▮ v. **2** Referido a una persona, formar con la voz sonidos melodiosos o que siguen una melodía musical: *¡Qué bien cantó el tenor! Le canté una nana y se durmió enseguida.* **3** Referido a un animal, esp. a un ave, emitir sonidos armoniosos: *Los canarios cantan durante el día.* **4** Referido a un insecto, producir sonidos estridentes haciendo vibrar determinadas partes de su cuerpo: *Las cigarras cantan por el día.* **5** *col.* Referido esp. a una parte del cuerpo, desprender un olor desagradable o muy fuerte: *Anda, cálzate, que te cantan los pies.* **6** Decir en voz alta y con una entonación diferente y más modulada de lo normal: *El agraciado con el gordo hizo un regalo a los niños que cantaron el premio.* **7** *col.* Referido a algo que se guardaba en secreto, confesarlo o descubrirlo: *Tememos que cante todo lo que sabe y nos pillen a nosotros también. Aunque juró no delatar a sus compinches, las torturas lo hicieron cantar.* **8** En algunos juegos, referido esp. a una combinación de cartas o a un tanteo, decirlos en voz alta cuando se consiguen: *Canté las cuarenta en oros y gané.* **9** Cometer un fallo estrepitoso: *Nuestro portero cantó y el otro equipo nos ganó por goleada.* **10** ‖ **cantar de gesta;** poema medieval, de carácter popular y narrativo, en el que se cuentan las hazañas de personajes históricos o legendarios, y que solía ser transmitido oralmente por los juglares. ☐ SINÓN. *canción de gesta.* ‖ **ser** algo **otro cantar;** *col.* Ser otra cosa o un asunto distinto: *No quiero ir sola, pero si tú me acompañas es otro cantar.* ☐ ETIMOL. Las acepciones 2-9, del latín *cantare*.

cántara s.f. **1** Unidad de capacidad para líquidos que equivale aproximadamente a 16,1 litros: *Una cántara tiene ocho azumbres.* **2** →**cántaro.** ☐ USO La acepción 1 es una medida tradicional española.

cantarela s.f. En una guitarra o en un violín, cuerda más fina y que produce el sonido más agudo. ☐ ETIMOL. Del italiano antiguo *cantarello* (el que canta).

cantarera s.f. Véase **cantarero, ra.**

cantarero, ra ▮ s. **1** Persona que se dedica profesionalmente a la fabricación de vasijas u otros objetos de barro. ☐ SINÓN. *alfarero.* ▮ s.f. **2** Soporte en el que se colocan los cántaros. **3** *col.* Hueco que forma la clavícula: *Mientras me duchaba, me di un golpe en las cantareras.*

cantárida s.f. Insecto coleóptero, de color verde oscuro brillante, provisto de élitros o alas rígidas casi cilíndricas, que tiene un vuelo torpe y que suele vivir en las ramas de los tilos y de los fresnos: *Las cantáridas se alimentan de otros insectos.* ☐ ETIMOL. Del latín *cantharis.* ☐ MORF. Es un sustantivo epiceno: *la cantárida {macho/hembra}.*

cantarín, -a adj. *col.* Muy aficionado a cantar: *El pájaro está cantarín porque llega la primavera. Tiene un amigo de lo más animado y cantarín.*

cántaro s.m. **1** Vasija grande de barro o de metal, estrecha por la boca y por la base, ancha por la barriga, y generalmente con una o con dos asas. ☐ SINÓN. *cántara.* **2** ‖ **a cántaros;** referido esp. a la forma de llover o de salir el agua, en abundancia o con mucha fuerza: *Lleva paraguas, que está cayendo agua a cántaros.* ☐ ETIMOL. Del latín *cantharus* (especie de copa grande con dos asas).

cantata s.f. Composición musical de carácter vocal e instrumental, que se canta a una o a varias voces y puede tener un tema religioso o profano: *Bach compuso más de cien cantatas para fiestas litúrgicas.* ☐ ETIMOL. Del italiano *cantata*.

cantatriz s.f. de **cantante**. ☐ ETIMOL. Del latín *cantatrix.* ☐ USO Tiene un matiz humorístico.

cantautor, -a s. Cantante, generalmente solista, que interpreta composiciones de las que él mismo es autor y cuyo contenido suele responder a una intención crítica o poética.

cantazo s.m. **1** Golpe dado con un canto. **2** *col.* Hecho sorprendente o llamativo: *Fue un cantazo tu llegada a la fiesta.* ☐ SINÓN. *cante.* ☐ USO En la acepción 2 se usa mucho en la expresión *dar el cantazo*.

cante s.m. **1** Canto popular andaluz o con características semejantes: *Cada zona de Andalucía tiene su folclore y sus cantes tradicionales.* **2** *col.* Olor desagradable y fuerte: *Alguien debe de haberse descalzado, porque hay un cante por aquí que no se puede parar.* **3** En algunos juegos de cartas, jugada en la que se añaden unos tantos suplementarios: *No olvides sumar los cuarenta puntos del cante.* **4** *col.* Hecho sorprendente o llamativo: *¡Menudo cante presentarse en la ceremonia con esas pintas!* ☐ SINÓN. *cantazo.* **5** *col.* Fallo estrepitoso: *El cante del portero en la tanda de penaltis nos hizo perder la eliminatoria.* **6** ‖ **cante flamenco;** el andaluz con raíces folclóricas gitanas y emparentadas con los ritmos árabes: *Bulerías y fandangos son algunos estilos del cante flamenco.* ‖ **cante {hondo/jondo};** el andaluz de profundo sentimiento, ritmo monótono y tono quejumbroso: *A los cantaores de cante jondo parece que se les desgarra la voz en cada uno de sus 'ayes'.* || **dar el cante; 1** *col.* Llamar la atención o ponerse en ridículo: *Iba dando el cante con un clavel rojo en cada oreja.* **2** *col.* Dar un aviso: *Alguien dio el cante a la policía y los pillaron con las manos en la masa.* □ PRON. *Cante hondo* se pronuncia [cante hondo], con *h* aspirada.

cantear ▮ v. **1** Referido esp. a una tabla o a una piedra, labrar sus cantos o bordes: *Después de cortar el tablero, lo canteó para que no quedasen aristas.* **2** Referido a un ladrillo o a un sillar, ponerlo de canto en la construcción de un muro: *Cantearon los ladrillos superiores para rematar el muro.* ▮ prnl. **3** *col.* Pasarse de la raya: *No te cantees y deja ya de darme la barrila.*

cantegril s.m. En zonas del español meridional, barrio de chabolas: *Los cantegriles se acumulan en las afueras de las ciudades.*

cantera s.f. **1** Lugar del que se extrae piedra o materiales semejantes para obras y construcciones: *una cantera de mármol.* **2** Lugar u organización donde se forman o del que proceden personas idóneas para realizar una actividad, esp. si es de carácter profesional: *Los grandes equipos de fútbol tienen su propia cantera de jugadores.* □ ETIMOL. De *canto* (piedra).

canterano, na s. En algunos deportes, jugador que pertenece a la cantera de un equipo.

cantería s.f. **1** Arte o técnica de labrar la piedra que se utiliza para la construcción. **2** Obra hecha de piedra labrada según este arte: *La fábrica de ese edificio es de cantería.*

cantero s.m. **1** Persona que se dedica profesionalmente a la extracción de piedra de una cantera, o a labrarla para las construcciones. **2** Extremo de algunas cosas duras y que se pueden partir con facilidad: *un cantero de jabón.* **3** En zonas del español meridional, macizo o agrupación de plantas. □ ETIMOL. De *canto* (piedra).

cántico s.m. Composición poética generalmente de ensalzamiento, esp. referido a las recogidas en los textos sagrados en alabanza o agradecimiento a Dios. □ ETIMOL. Del latín *canticum*.

cantidad ▮ s.f. **1** Propiedad de lo que puede ser contado o medido: *El mal es una noción que no tiene cantidad.* **2** Número de unidades o porción de algo, esp. si son indeterminados: *Ha reunido una cantidad de objetos de arte nada despreciable.* **3** Suma de dinero: *Quiere invertir cierta cantidad en acciones de bolsa.* **4** En matemáticas, conjunto de objetos de una clase entre los que se puede definir la igualdad y la suma: *Calculó el precio total sumando todas las cantidades.* ▮ adv. **5** *col.* Mucho: *La película me gustó cantidad y pienso volver a verla.* **6** || **cantidad de;** *col.* Mucho: *Tiene cantidad de amigos.* || **en cantidad** o **en cantidades industriales;** en abundancia: *Nieva en cantidad y pronto cuajará.* □ ETIMOL. Del latín *quantitas*.

cantiga s.f. Composición poética medieval destinada al canto: *Las cantigas son propias de la lírica galaicoportuguesa.* □ ETIMOL. Quizá del celta **cantica*.

cantil s.m. En un acantilado o en el fondo del mar, lugar que forma escalón: *Había bastantes metros de desnivel en el cantil submarino.* □ ETIMOL. De *canto* (lado).

cantilena s.f. →**cantinela.** □ ETIMOL. Del latín *cantilena*.

cantimplora s.f. Recipiente de forma aplanada, generalmente metálico o de plástico y revestido de cuero o de otro material semejante, que se usa para llevar agua u otra bebida en viajes y excursiones. □ ETIMOL. Del catalán *cantimplora*.

cantina s.f. Establecimiento donde se sirven o se venden bebidas y algunos alimentos. □ ETIMOL. Del italiano *cantina*.

cantinela (tb. *cantilena*) s.f. *col.* Lo que se repite con una insistencia que molesta e importuna: *Lleva dos días con la cantinela de que quiere comprarse un coche.*

cantinero, ra s. Propietario o encargado de una cantina.

cantizal s.m. Lugar en el que abundan cantos y piedras: *Se me pinchó una rueda de la bici al pasar por un cantizal.*

canto s.m. **1** Formación con la voz de sonidos melodiosos o que siguen una melodía musical: *una persona dotada para el canto.* **2** Emisión de sonidos, esp. si son armoniosos o rítmicos, por parte de un animal: *el canto de los pájaros.* **3** Arte o técnica de cantar: *Estudio canto en el conservatorio.* **4** En un poema épico, cada una de las grandes partes en que se divide. **5** Composición poética, esp. si es de tono elevado o solemne: *canto fúnebre.* **6** Alabanza o ensalzamiento, esp. los que se hacen componiendo poemas con ese fin: *La película era un canto a la vida lleno de esperanza.* **7** En una superficie, extremo, lado o borde que limita o remata su forma: *Sabe hacer bailar una moneda sobre su canto.* **8** En un libro, corte opuesto al lomo: *Me enseñó un lujoso libro, con el lomo muy decorado y el canto dorado.* **9** En un arma blanca, borde que no corta, opuesto al filo: *No es que el cuchillo no corte, es que lo estás usando por el canto.* **10** Trozo de piedra: *Vine por un atajo lleno de cantos y destrocé los zapatos.* □ SINÓN. *cantal.* **11** || **al canto;** de manera inmediata y efectiva o inevitable: *En cuanto se ven, ya tenemos discusión al canto.* || **al canto del gallo;** *col.* Al amanecer: *Los campesinos se levantan al canto del gallo.* || **canto del cisne;** Última obra o actuación de alguien: *Esa película fue su canto del cisne, porque no volvió a rodar.* || **canto {gregoriano/llano};** el adoptado tradicionalmente por la iglesia católica para cantar sus textos litúrgicos. □ SINÓN. *gregoriano.* || **canto {pelado/rodado};** piedra redondeada y pulida por el desgaste de una corriente de agua. || **canto de sirena;** el que seduce pero encierra un peligro. || **darse** alguien **con un canto en los dientes;** *col.* Contentarse con algo que, sin ser muy bueno, no es lo peor que podía pasar: *Me doy con un canto en los dientes si consigo la última plaza, porque muchos quedarán fuera.* || **el canto de un duro;** *col.* Muy poco: *Le dio tanta pena, que le faltó el canto de un duro para echarse a llorar.* □ ETIMOL. Las acepciones 1-6, del latín *cantus.* Las acepciones 7-10, del latín *canthus* (esquina). La expresión *canto gregoriano*, por alusión al papa Gregorio Magno,a quien se atribuye la ordenación, a finales del siglo VI, de este canto.

cantón s.m. **1** En algunos países, división territorial y administrativa, caracterizada por estar dotada de un importante grado de autonomía política: *los cantones suizos.* **2** Lugar en el que hay tropas distribuidas y alojadas. □ SINÓN. *acantonamiento.* **3** Esquina o ángulo, esp. en un edificio. □ ETIMOL. De *canto* (esquina).

cantonal ▌adj.inv. **1** Del cantón, del cantonalismo o relacionado con ellos. ▌adj.inv./s.com. **2** →**cantonalista.** □ ETIMOL. De *cantón* (territorio).

cantonalismo s.m. Movimiento político que defiende la división del Estado central en cantones casi independientes: *Durante el auge del cantonalismo en la España del siglo XIX fue famoso el cantón de Cartagena.*

cantonalista adj.inv./s.com. Partidario o defensor del cantonalismo. □ SINÓN. *cantonal.*

cantonalización s.m. División de un territorio en cantones: *El plan de paz para la región preveía su cantonalización.*

cantonera s.f. Pieza que se coloca en un objeto con esquinas, generalmente para protegerlas o como adorno: *Tengo una carpeta de cartón con cantoneras de cuero.* □ ETIMOL. De *cantón* (esquina).

cantonés, -a ▌adj./s. **1** De Cantón o relacionado con esta ciudad china. ▌s.m. **2** Dialecto chino hablado en el sur de China (país asiático).

cantor, -a ▌adj. **1** Referido a un ave, que es capaz de emitir sonidos melodiosos y variados, debido al gran desarrollo de su aparato fonador: *El ruiseñor es un ave cantora.* □ SINÓN. *parlero.* ▌s. **2** Persona que sabe cantar o que se dedica profesionalmente al canto: *Es famoso el coro infantil de los cantores de Viena.* □ ETIMOL. Del latín *cantor.*

cantoral s.m. Libro de gran tamaño, con las hojas generalmente de pergamino, que contiene la letra y la música de los himnos religiosos que se cantaban en las iglesias, y que solía colocarse sobre un atril en el coro: *En el coro de la catedral se conserva un precioso cantoral con letra gótica.* □ SINÓN. *libro de coro.*

cantoso, sa adj./s. *col.* Que es muy llamativo o chocante: *un jersey cantoso; una actitud cantosa.*

cantueso s.m. Planta perenne, de tallos ramosos, hojas estrechas y vellosas y flores en espiga moradas y muy olorosas: *La miel del cantueso es muy dulce.*

canturrear v. *col.* Cantar a media voz y generalmente de manera descuidada: *Deja de canturrear, que me distraes.*

canturreo s.m. Canto a media voz y generalmente de manera descuidada: *Si oyes un canturreo, es que está durmiendo al niño.*

cánula s.f. **1** En medicina, tubo pequeño que se coloca en una abertura del cuerpo para evacuar o introducir líquidos: *Tras la operación estuvo tres días con una cánula en la abertura de la herida.* **2** En una jeringuilla, extremo más fino y en el que se acopla la aguja. □ ETIMOL. Del latín *cannula* (cañita).

canular adj.inv. Con forma de cánula o de caña: *Los juncos tienen tallos canulares.*

canutas || **pasarlas canutas;** *col.* Encontrarse en una situación muy difícil o apurada: *Me perdí en la montaña y las pasé canutas para volver.*

canutillo (tb. *cañutillo*) s.m. **1** Tubo pequeño de vidrio que se usa en trabajos de pasamanería: *La cenefa del bajo de la falda está adornada con canutillos de colores.* **2** Hilo rizado de oro o de plata para bordar: *El manto de la Virgen está bordado con canutillo.* **3** Sistema de encuadernación manual que consiste en una espiral de plástico o de alambre.

canuto s.m. **1** Tubo de longitud y grosor no muy grandes y generalmente abierto por sus dos extremos. **2** *col.* Cigarrillo de hachís, marihuana u otra droga, generalmente mezcladas con tabaco. □ SINÓN. *porro.* □ ETIMOL. Del latín **cannutus* (semejante a la caña). □ ORTOGR. En la acepción 1, se admite también *cañuto.*

caña s.f. **1** Tallo de algunas plantas gramíneas, generalmente hueco y nudoso: *La cañas de bambú se utilizan para fabricar muebles.* **2** Lo que tiene la forma de este tallo: *Las cañas son unos dulces rellenos de nata o de crema.* **3** Planta con tallo hueco, leñoso y con nudos que tiene hojas anchas y ásperas, flores que nacen de un eje común, y que se cría en parajes húmedos. **4** Vaso cilíndrico y ligeramente cónico: *Antes de comer nos tomamos unas cañas de cerveza.* **5** Hueso largo del brazo o de la pierna: *Para preparar este guiso necesitamos un hueso de caña, a ser posible de vaca.* **6** En una bota o en una media, parte que cubre desde el tobillo hasta la rodilla: *unas botas de caña alta.* **7** En zonas del español meridional, aguardiente de caña. **8** || **caña ({de azúcar/dulce}); planta** de unos dos metros de altura, que tiene hojas largas y flores purpúreas, y cuyo tallo es leñoso y está lleno de un tejido esponjoso y dulce del que se extrae el azúcar. || **caña (de pescar);** vara larga, delgada y flexible, que lleva en el extremo más delgado una cuerda de la que pende un sedal con un anzuelo. || **{dar/meter} caña; 1** *col.* Meter prisa a alguien o aumentar la velocidad o la intensidad de algo: *O le das caña al trabajo o no acabaremos a tiempo.* **2** *col.* Provocar, presionar, molestar o criticar de forma agresiva o muy intensa: *Me estuvo dando caña todo el día, hasta que me enfadé con él.* □ ETIMOL. Del latín *canna.*

cañabrava s.f. Planta gramínea americana que abunda en la ribera de los ríos y cuyo tallo se emplea para construir techos y paredes: *Utilicé cañabrava para levantar el cercado.*

cañada s.f. **1** Camino para los ganados trashumantes: *Las cañadas comunicaban las zonas de pasto veraniegas con las zonas de pasto invernales.* **2** Paso entre dos montañas poco distantes: *Los exploradores tuvieron que subir por una cañada.* □ ETIMOL. Del latín *canna* (caña).

cañadilla s.f. Caracol marino comestible, cuya concha está provista de numerosas espinas y se prolonga en un tubo largo y estrecho: *Antiguamente, de la cañadilla se extraía una sustancia para fabricar la púrpura.*

cañafístola s.f. **1** Árbol de gran tamaño y muy frondoso, con hojas compuestas, flores de color amarillo y fruto leguminoso de sabor dulce. **2** Fruto de este árbol, que se utiliza como laxante. □ ETIMOL. De *caña* y del latín *fistula* (caño de agua, tubo).

cañal s.m. Terreno poblado de cañas: *En la orilla del río se ha formado un cañal.* □ SINÓN. *cañaveral, cañizal, cañizar.*

cañamazo s.m. **1** Tejido de hilos muy separados que se usa para bordar sobre él: *El punto de cruz se hace más fácilmente sobre un cañamazo.* **2** Tela tosca de cáñamo: *Estos sacos están hechos con cañamazo.*

cañamero, ra adj. Del cáñamo o relacionado con esta planta: *industria cañamera.*

cáñamo s.m. **1** Planta herbácea con tallo erguido, hueco, abundante en ramas y con vello, flores de color verde, y cuyas fibras se utilizan para la fabricación de tejidos o de cuerdas: *Las hojas del cáñamo tienen forma de lanza.* **2** Fibra textil de esta planta: *Con el cáñamo se hacen cuerdas y telas bastas, pero muy resistentes.* **3** ‖ **cáñamo índico;** variedad del que se extrae el hachís o marihuana. □ ETIMOL. Del latín *cannabum.*

cañamón s.m. Semilla del cáñamo que se emplea principalmente para alimentar a los pájaros: *De los cañamones se obtiene aceite.*

cañaveral s.m. Terreno poblado de cañas: *Entre los cañaverales de los ríos suele haber muchos renacuajos.* □ SINÓN. *cañal, cañizal, cañizar.*

cañazo s.m. En zonas del español meridional, aguardiente de caña: *En Perú siempre tomábamos cañazo.*

cañería s.f. Conducto formado por caños, a través del cual se distribuye el agua o el gas.

cañero, ra adj. **1** De la caña de azúcar o relacionado con esta planta. **2** *col.* Referido esp. a la música, que resulta fuerte, agresiva y potente. **3** *col.* Referido esp. a una persona, que suele actuar de forma un poco agresiva y suele someter a presión a los que la rodean: *Se puso cañero con nosotros y empezó a insultarnos sin motivo.*

cañí (pl. *cañís, cañíes*) ▮ adj.inv. **1** *col.* Típico, folclórico o popular: *Van a exponer una colección de fotografías de la España cañí.* ▮ adj.inv./s.com. **2** Gitano: *Están haciendo un estudio sobre las costumbres del pueblo cañí.*

cañizal s.m. →**cañizar.**

cañizar (tb. *cañizal*) s.m. Terreno poblado de cañas: *La culebra se metió entre los cañizares para esconderse.* □ SINÓN. *cañal, cañaveral.*

cañizo s.m. Tejido hecho con cañas entretejidas que se usa generalmente como armazón en los toldos o como soporte del yeso en los techos de superficie plana y lisa: *Antes de echar el techo de yeso habrá que poner un cañizo nuevo.*

caño s.m. **1** Tubo corto, esp. el que forma, junto con otros, las tuberías. **2** Tubo por el que sale un chorro de agua o de otro líquido, esp. referido al de una fuente: *En medio de la plaza han puesto una fuente con cuatro caños.* **3** Canal por el que desagua un río o una laguna: *los caños del río Amazonas.* **4** En zonas del español meridional, cañón de un arma de fuego portátil. **5** ‖ **caño de escape;** en zonas del español meridional, tubo de escape. □ ETIMOL. De *caña.*

cañón ▮ adj.inv. **1** Estupendo, muy bueno, o que resulta atractivo, esp. referido a una persona: *Este chico está cañón.* ▮ s.m. **2** Pieza hueca y larga, con forma de tubo: *Esta escopeta tiene dos cañones.* **3** Lo que tiene la forma de esta pieza: *La toga de los abogados hace cañones en su parte inferior.* **4** Arma de artillería de gran diámetro interior, que se utiliza para lanzar proyectiles: *El cañón suele estar montado sobre un soporte móvil.* **5** Paso estrecho o garganta profunda entre dos altas montañas de paredes escarpadas, por donde suelen correr los ríos: *Este cañón ha sido producido por la erosión del agua sobre las rocas calcáreas.* **6** En la pluma de un ave, parte hueca de su eje central, que carece de filamentos laterales y que se inserta en la piel. □ SINÓN. *cálamo.* **7** Pluma del ave cuando empieza a nacer: *Los pollos recién nacidos solo tienen cañones porque las plumas tardan más en salir.* **8** Foco de luz concentrada. **9** Aparato que con un haz de luz potente proyecta imágenes en una superficie: *Para la presentación necesitaremos un cañón que proyecte los gráficos sobre la pantalla.* ▮ adv. **10** *col.* Muy bien: *En aquella fiesta lo pasamos cañón.* **11** ‖ **cañón de nieve;** máquina que lanza nieve artificial en las zonas de una pista de esquí que la necesitan. □ ETIMOL. De *caña.* □ SINT. La acepción 1 se usa más con el verbo *estar.*

cañonazo s.m. **1** Disparo hecho con un cañón. **2** Ruido producido por este disparo. **3** En algunos deportes, lanzamiento muy fuerte: *Consiguió meter gol con un cañonazo desde fuera del área.*

cañonear v. Disparar cañonazos sobre alguien o sobre algo para destruirlos: *Los barcos de guerra cañonearon las instalaciones del puerto enemigo.*

cañonero, ra ▮ adj./s. **1** Referido a una embarcación, que lleva algún cañón: *una lancha cañonera.* ▮ s. **2** En algunos deportes, jugador que posee un potente disparo.

cañutillo s.m. →**canutillo.**

cañuto s.m. →**canuto.**

caoba ▮ adj.inv./s.m. **1** De color marrón rojizo. ▮ s.f. **2** Árbol americano con tronco recto y grueso, hojas compuestas, flores pequeñas y blancas que nacen de un eje común, y cuya madera, de color pardo rojizo, es muy apreciada en ebanistería. **3** Madera de este árbol, de color rojizo y fácil de pulimentar: *El escritorio del despacho es de caoba.*

caolín s.m. Arcilla blanca y muy pura que se usa generalmente para la fabricación de porcelanas y elaboración de papel: *El caolín es una sustancia formada por silicato de aluminio.* □ ETIMOL. Del francés *kaolin*, y este del chino *kaoling* (Alta Colina, nombre del lugar donde se encontró).

caos (pl. *caos*) s.m. **1** Confusión o desorden absolutos: *Desde por la mañana está metido en el caos circulatorio de la gran ciudad.* **2** En algunas creencias y en algunos filósofos primitivos, desorden en que se hallaba la materia antes de adquirir su ordenación actual. □ ETIMOL. Del latín *chaos*, y este del griego *kháos* (abismo).

caótico, ca adj. Del caos o relacionado con él: *una situación caótica.*

capa s.f. **1** Prenda de abrigo larga y suelta, sin mangas, generalmente abierta por delante, y que se lleva sobre los hombros encima del vestido. **2** En tauromaquia, pieza de tela con vuelo, de color vivo, que se utiliza para torear: *La capa suele ser de color rojo.* □ SINÓN. *capote de brega, trapo.* **3** Lo que cubre o baña algo: *una capa de pintura.* **4** Zona o plano superpuestos a otro u otros con los que forman un todo: *La tarta está formada por dos capas de bizcocho y una de chocolate.* **5** Grupo o estrato social: *Las capas bajas de la sociedad no siempre tienen acceso a la educación superior.* **6** Lo que se usa para encubrir algo, esp. si es un pretexto o una apariencia: *Bajo la capa de sinceridad dice muchas inconveniencias.* **7** Color de las caballerías y de otros animales: *La capa de este caballo es castaña.* **8** || **a capa y espada;** a toda costa o de forma enérgica: *Defenderá su postura a capa y espada.* || **capa española;** la de hombre, hecha de paño, con vuelo amplio, y que generalmente tiene los bordes delanteros forrados de terciopelo. || **capa pluvial;** la que utilizan los superiores eclesiásticos y los sacerdotes en actos del culto divino. || **de capa caída;** *col.* En decadencia o perdiendo fuerza: *Las ventas están de capa caída y este mes tendremos pérdidas.* || **hacer** alguien **de su capa un sayo;** *col.* Obrar libremente y según su voluntad en cosas o asuntos que solo a él afectan: *Cuando la empresa era solo suya podía hacer de su capa un sayo, pero ahora tiene que contar con todos.* □ ETIMOL. Del latín *cappa* (capucha). □ SINT. 1. La expresión *de capa caída* se usa más con los verbos *andar*, *estar*, *ir* o equivalentes. 2. La expresión *a capa y espada* se usa más con los verbos *defender*, *mantener* o equivalentes.

capacha s.f. Pequeña cesta de palma que se utiliza para llevar fruta y otras cosas de pequeño tamaño.

capacho s.m. **1** Cesta con dos asas pequeñas, esp. si es de juncos o de mimbre, que se suele utilizar para llevar objetos. **2** Especie de cesta acondicionada como cuna y que puede encajarse en un armazón con ruedas que facilita su desplazamiento: *El capacho se puede montar sobre la silla.* □ SINÓN. *capazo.* □ ETIMOL. Quizá del latín **capaceum*, y este de *capere* (contener).

capacidad s.f. **1** Posibilidad para contener algo dentro de ciertos límites: *Esta botella tiene capacidad para dos litros.* **2** Aptitud o conjunto de condiciones que posibilitan para la realización de algo: *La nueva maquinaria aumentará la capacidad de producción de la empresa.* **3** En derecho, aptitud legal para realizar actos válidos o para ser sujeto de derechos y obligaciones: *Su deficiencia psíquica le anula la capacidad de ejercer el derecho al voto.* □ ETIMOL. Del latín *capacitas*.

capacitación s.f. Adecuación para un determinado fin: *Siguió una serie de cursos hasta conseguir su capacitación para este trabajo.*

capacitar v. Referido a una persona, hacerla apta o capaz para algo: *Este título solo te capacita para ejercer como auxiliar.*

capadura s.f. Extirpación o inutilización de los órganos genitales.

capar v. Extirpar o inutilizar los órganos genitales: *El buey es un toro que ha sido capado.* □ SINÓN. *castrar.* □ ETIMOL. De *capón*.

caparazón s.m. **1** Cubierta dura que protege el cuerpo de algunos animales: *Estas pinzas son especiales para partir el caparazón de los mariscos.* **2** Esqueleto del tórax o pecho de las aves: *Para que la sopa quede más sabrosa le echo un caparazón de pollo.* **3** Cubierta que se pone encima de algo para protegerlo: *En el taller hay una máquina protegida por un caparazón de acero.* □ ETIMOL. De origen incierto.

capataz, -a s. **1** Persona que manda y vigila un grupo de trabajadores. **2** Persona encargada de labrar y administrar una hacienda o finca agrícola. □ SINÓN. *cachicán.* □ ETIMOL. Del latín *caput* (cabeza).

capaz ▮ adj.inv. **1** Que tiene cualidades o aptitud para algo: *Es capaz de comérselo todo en solo cinco minutos.* **2** Referido a una persona, que se atreve a hacer algo o está dispuesta a hacerlo: *¿Serías capaz de cumplir esa amenaza?* **3** Referido esp. a un lugar o a un recipiente, que tiene capacidad o posibilidad de contener algo: *Busca una sala que sea capaz para cien personas.* **4** En derecho, que es legalmente apto para algo: *Su mayoría de edad lo hace capaz para administrar su herencia.* ▮ adv. **5** En zonas del español meridional, de forma probable: *Está tan enfermo, que capaz tengan que hospitalizarlo.* **6** || **capaz que;** en zonas del español meridional, es posible que: *Si no lo hace como le dije, capaz que lo termine mal.* □ ETIMOL. Del latín *capax* (que tiene cabida). □ SEM. No debe usarse con el significado de 'susceptible': *Esto es {*capaz > susceptible} de mejora.*

capazo s.m. **1** Cesta grande con dos asas pequeñas, hecha de esparto o de palma. **2** Especie de cesta acondicionada como cuna y que puede encajarse en un armazón con ruedas, que facilita su desplazamiento: *El bebé dormía tranquilamente en* *el capazo.* □ SINÓN. *capacho.* □ ETIMOL. Del latín **capaceum*, de *capere* (contener).

capciosidad s.f. Intención de engañar o de comprometer a alguien con las palabras que se dicen: *Todos nos dimos cuenta de la capciosidad de sus preguntas.*

capcioso, sa adj. **1** Que engaña o que induce a error, esp. referido a las palabras o doctrinas: *Me contó lo ocurrido con palabras capciosas para confundirme.* **2** Referido esp. a una pregunta o sugerencia, que se hacen para obtener del interlocutor una respuesta que pueda comprometerlo, o que favorezca a quien la formula. □ ETIMOL. Del latín *captiosus*.

capea s.f. Fiesta taurina que consiste en la lidia de becerros o novillos por aficionados.

capeador, -a adj./s. Que capea.

capear v. **1** En tauromaquia, torear con la capa: *El diestro supo capear al primer toro de la tarde.* **2** *col.* Eludir con mañas un compromiso o un trabajo desagradable: *Procura capear todas las preguntas indiscretas para seguir manteniendo el secreto.* **3** Referido a una embarcación, hacer frente al mal tiempo con las maniobras adecuadas: *El velero capeó la tormenta gracias a la preparación del capitán.*

capellán s.m. Sacerdote encargado de las funciones religiosas en una determinada institución religiosa, seglar o militar. □ ETIMOL. Quizá del provenzal antiguo *capelán*.

capelo s.m. **1** Sombrero rojo de los cardenales. **2** Dignidad de cardenal: *Desde que el Papa le otorgó el capelo, pasa mucho tiempo en Roma.* □ ETIMOL. Del italiano *cappello*.

caperuza s.f. **1** Gorro terminado en punta. **2** Pieza que se usa para proteger o para cubrir la punta o el extremo de algo: *la caperuza del bolígrafo.* □ ETIMOL. Del latín *capero*, y este de *cappa* (capa).

capi s.m. En zonas del español meridional, maíz.

capibara s.f. Roedor anfibio americano, de un metro de largo, que vive en las orillas de ríos y lagunas y que se domestica con facilidad.

capicúa ▮ adj.inv. **1** En una serie, que tiene sus elementos alternos de forma que su orden es igual empezando por la derecha que empezando por la izquierda: *La palabra 'oso' es capicúa.* ▮ adj.inv./s.m. **2** Referido a un número, que se lee de igual forma de izquierda a derecha que de derecha a izquierda. □ ETIMOL. Del catalán *cap-i-cua* (cabeza y cola).

capilar ▮ adj.inv. **1** Del cabello o relacionado con él: *una loción capilar.* **2** Referido a un tubo, que es muy estrecho, de un diámetro similar al de un cabello: *Con solo apoyar el tubo capilar en la gota de sangre, se llena.* ▮ s.m. **3** En el sistema circulatorio, cada uno de los vasos muy finos que, en forma de red, enlazan la terminación del sistema arterial con el comienzo del sistema venoso: *A través de la pared de los capilares se efectúa el intercambio de gases y de sustancias nutritivas entre la sangre y los tejidos.* □ ETIMOL. Del latín *capillaris* (relativo al cabello).

capilaridad s.f. Fenómeno según el cual la superficie de un líquido que está en contacto con un sólido se eleva o desciende debido a la fuerza resultante de las atracciones entre las moléculas del líquido y las de este con las del sólido: *Si pones una pajita lo suficientemente estrecha en contacto con un líquido, este ascenderá por la pajita por capilaridad.*

capilla s.f. **1** Local pequeño destinado al culto cristiano. **2** Parte de una iglesia que tiene altar o en la que se venera una imagen: *La catedral tiene varias capillas en las naves laterales.* **3** Edificio contiguo a una iglesia o parte integrante de ella con altar y generalmente con advocación particular: *Cuando construyeron la nueva iglesia del monasterio, la antigua quedó como capilla.* **4** Distintivo luminoso exterior que llevan los taxis en el techo. **5** *col.* Grupo de partidarios de una persona o de una idea: *El entrenador no consentirá que sus jugadores hagan capilla.* **6** ‖ **capilla ardiente;** lugar en el que se vela un cadáver o en el que se celebran por este las primeras honras fúnebres. ‖ **estar en capilla** alguien; *col.* Encontrarse a la espera de pasar una prueba difícil o de conocer el resultado de algo preocupante: *Estoy en capilla porque mañana me operan.* □ ETIMOL. Del latín *cappella* (oratorio, capilla). □ MORF. En la acepción 5, se usa mucho el diminutivo *capillita.* □ USO En la acepción 5, tiene un matiz despectivo.

capirotazo s.m. Golpe que se da, generalmente en la cabeza, haciendo resbalar la uña de un dedo con fuerza sobre la yema del pulgar. □ SINÓN. *papirotada, papirotazo.*

capirote s.m. **1** Gorro terminado en punta y con forma de cucurucho, generalmente de cartón y cubierto de tela, utilizado esp. por los penitentes en las procesiones de Semana Santa (fiesta religiosa con la que termina la cuaresma): *El capirote y el hábito de esta cofradía son morados.* **2** Caperuza de cuero que se pone a las aves de cetrería para que se estén quietas hasta que se las haga volar: *Está aprendiendo a poner el capirote a los halcones.* □ ETIMOL. Del gascón *capirot* (capucha).

capiscar v. *col.* Comprender: *Sí capisco lo que me dices, pero no me convence nada.* □ ORTOGR. La *c* se cambia en *qu* delante de *e* →SACAR.

capital ▮ adj.inv. **1** Principal, muy grande o muy importante: *un problema capital.* ▮ s.m. **2** Conjunto de bienes que posee una persona o una sociedad, esp. si es en dinero o en valores: *Gracias a sus negocios cuenta con un importante capital.* **3** En economía, elemento o factor de la producción constituido por todo aquello que se destina con carácter permanente a la obtención de un producto: *Algunos de los componentes del capital son los inmuebles, la maquinaria y las instalaciones.* ▮ s.f. **4** Población principal de un país, de una autonomía, de una provincia o de un distrito en la que suelen estar los organismos administrativos de la zona: *En la capital de esa comunidad autónoma está la sede de su Gobierno y sus principales organismos.* **5** Población que tiene una posición importante o destacada en algún aspecto o actividad: *la capital de la cultura.* □ ETIMOL. Del latín *capitalis*, y este de *caput* (cabeza).

capitalidad s.f. Condición de la población que es la capital de un país, de una comunidad autónoma, de una provincia o de un distrito: *La capitalidad de la nación hace que en esta ciudad estén sus organismos de gobierno más importantes.*

capitalino, na adj./s. En zonas del español meridional, de la capital: *Ayer cerraron al público todos los bancos capitalinos.*

capitalismo s.m. **1** Sistema económico basado en la doctrina del liberalismo y que se funda en la importancia del capital como elemento de producción y creador de riqueza: *En el capitalismo, la intervención del Estado para regular las relaciones económicas es escasa o casi nula.* **2** Conjunto de los partidarios de este sistema: *El capitalismo ha alcanzado el poder en los países occidentales.*

capitalista ▌adj.inv. **1** Del capital, del capitalismo o propio de ellos. ▌adj.inv./s.com. **2** Referido a una persona, que coopera con su capital a uno o más negocios: *un socio capitalista.* ▌s.com. **3** Persona muy rica, esp. en dinero.

capitalización s.f. **1** Utilización de una acción o de una situación en beneficio propio, aunque sean ajenas: *Los sindicatos buscaban la capitalización de la huelga.* **2** En economía, inyección de recursos en una empresa o conversión de sus reservas en capital: *La capitalización de la compañía se realizó a través de su salida a bolsa.*

capitalizar v. Referido a una acción o a una situación, utilizarlas en beneficio propio, aunque sean ajenas: *Tiene una personalidad tan fuerte que capitaliza la atención de los que lo rodean.* □ ORTOGR. La *z* se cambia en *c* delante de *e* →CAZAR.

capitán s.com. **1** En los Ejércitos de Tierra y Aire, persona cuyo empleo militar es superior al de teniente e inferior al de comandante. **2** En la Armada, persona cuyo empleo militar es superior al de alférez de navío e inferior al de contraalmirante. **3** Persona que manda una embarcación, esp. si es de gran tamaño. **4** Persona que está al mando de un grupo. **5** || **capitán general; 1** En el ejército, grado supremo. **2** En el ejército, jefe superior de una región militar, aérea o naval. □ ETIMOL. Del latín *capitanus* (jefe). □ SEM. En la acepción 1, dist. de *teniente de navío* (en la Armada).

capitán, -a ▌s. **1** Persona que capitanea o dirige un grupo de personas, esp. un equipo deportivo: *La capitana recibió la copa de manos del presidente de la federación.* ▌s.f. **2** Nave en la que va embarcado el jefe de una escuadra: *De las tres naves que descubrieron América, la 'Santa María' era la capitana.* □ SINT. La acepción 2 se usa en aposición, pospuesto a un sustantivo: *la nave capitana.*

capitana s.f. Véase **capitán, -a**.

capitanear v. **1** Referido a un grupo de personas o a una acción, dirigirlos o conducirlos: *Con su gran actuación en el partido ha capitaneado a su equipo a la victoria.* **2** Referido a una tropa, mandarla con el empleo de capitán: *Capitaneó a los soldados que defendieron la plaza con tanta valentía.*

capitanía s.f. **1** En el ejército, empleo de capitán: *Alcanzó muy joven la capitanía por sus méritos de guerra.* **2** || **capitanía general; 1** En el ejército, empleo de capitán general: *El Rey ostenta la capitanía general.* **2** Puesto de mando u oficina de este: *Para recoger mi cartilla militar tuve que ir a la capitanía general.* **3** Territorio bajo la autoridad de este: *Se ha llevado a cabo una nueva reestructuración provincial de esta capitanía general.*

capitel (tb. *chapitel*) s.m. En arquitectura, parte superior de una columna, de un pilar o de una pilastra: *El capitel tiene una figura y ornamentación distintas según el estilo a que corresponde.* □ ETIMOL. Del provenzal antiguo *capitel.*

capitolio s.m. Edificio majestuoso y elevado: *Desde el capitolio se divisaba todo el conjunto urbanístico.* □ ETIMOL. Del latín *capitolium.*

capitoné s.m. →**acolchado.** □ ETIMOL. Del francés *capitonné.*

capitoste s.m. *col. desp.* Persona que tiene poder, influencia o mando. □ ETIMOL. Del catalán *capitost.*

capitulación ▌s.f. **1** Pacto o concierto hecho entre dos o más personas sobre algún asunto, generalmente importante: *Colón firmó unas capitulaciones con los Reyes Católicos antes de partir hacia América por primera vez.* **2** Convenio militar o político en el que se estipula la rendición de una plaza o de un ejército: *El fin de la guerra llegó con la capitulación de esa fortaleza.* ▌pl. **3** Acuerdos que se firman ante notario y en los que se establece el régimen económico del matrimonio: *Antes de la boda firmaron las capitulaciones matrimoniales.*

capitular ▌adj.inv. **1** De un cabildo o corporación secular o eclesiástica, de un capítulo o junta de una orden, o relacionado con ellos: *la sala capitular.* ▌adj.inv./s.f. **2** Referido a una letra, que es mayúscula e inicia el comienzo de un capítulo o de un párrafo y está resaltada de alguna manera: *En ese códice cada letra capitular es de un color diferente.* ▌v. **3** Referido esp. a una plaza de guerra o a un ejército, rendirse o entregarse bajo determinadas condiciones estipuladas con el enemigo: *La plaza fuerte capituló porque el enemigo se comprometió a tratar bien a los vencidos y a no tomar represalias.* **4** Abandonar una pugna o discusión por cansancio o por el poder de los argumentos contrarios: *Capituló al enterarse de mis argumentos para no acompañarle a la conferencia.* **5** Pactar o acordar en convenio: *Las dos partes creían que se había cumplido lo que habían capitulado.* □ ETIMOL. Las acepciones 2-5, de *capítulo.*

capítulo s.m. **1** En una narración, cada una de las partes en que se dividen, generalmente dotadas de cierta unidad de contenido: *En el capítulo que emitieron ayer, la protagonista vuelve al colegio.* **2** Asunto, materia o tema: *Solo nos queda por tratar el capítulo de las obras del nuevo edificio.* **3** Junta de una corporación, esp. la de una orden religiosa:

El capítulo de los franciscanos fue presidido por el general de la orden. **4** En botánica, inflorescencia formada por un conjunto de flores sentadas o sostenidas por un pedúnculo muy corto, y que nacen en un receptáculo común: *La flor de la margarita es un capítulo.* □ SINÓN. *cabezuela.* **5** || **{llamar/traer} a capítulo** a alguien; reprenderlo o pedirle cuentas de su conducta: *Lo llamaron a capítulo para que explicara los gastos excesivos de su departamento.* || **ser capítulo aparte** algo; ser una cuestión distinta o que merece una consideración aparte: *Lo de tus vacaciones es capítulo aparte y tenemos que hablarlo seriamente.* □ ETIMOL. Del latín *capitulum* (letra capital). □ SEM. Dist. de *capitulo* (del verbo *capitular*).

capo s.m. Jefe de una mafia, esp. si es de narcotraficantes: *La policía ha detenido a uno de los capos de la droga más buscados.* □ ETIMOL. Del italiano *capo* (cabeza, aplicado a los jefes de la mafia).

capó (pl. *capós*) s.m. En un automóvil, cubierta del motor: *Para cambiar el aceite tienes que levantar el capó.* □ ETIMOL. Del francés *capot*.

capoeira (port.) s.f. Arte marcial brasileño que combina baile y defensa personal.

capón ▌adj./s.m. **1** Referido a un hombre o a un animal, que han sido castrados. ▌s.m. **2** Pollo que se castra cuando es pequeño y que se ceba para comerlo. **3** *col.* Golpe dado con los nudillos de los dedos, esp. con el del dedo corazón, en la cabeza. □ ETIMOL. Las acepciones 1 y 2, del latín **cappo*.

caponera s.f. Jaula de madera en la que se pone a los capones o pollos para cebarlos.

caporal s.m. **1** Persona que se ocupa del ganado que se emplea en la labranza. **2** Persona que encabeza un grupo de gente y lo manda. □ ETIMOL. Del italiano *caporale*.

capota s.f. Cubierta de tela que llevan algunos vehículos: *Retiramos la capota del coche porque hacía un sol espléndido.* □ ETIMOL. Del latín *caput* (cabeza).

capotar v. **1** Referido a una aeronave, dar con la parte delantera en tierra: *La avioneta capotó al despegar, pero su piloto salió ileso.* **2** Referido a un automóvil, volcar de forma que queda en posición invertida: *El coche capotó porque tomó la curva a demasiada velocidad.* □ ETIMOL. Del francés *capoter*. □ ORTOGR. Dist. de *capotear*.

capotazo s.m. En tauromaquia, pase que realiza el torero con el capote para provocar o detener la embestida del toro.

capote s.m. **1** Prenda de abrigo parecida a la capa, pero con mangas y con menos vuelo. **2** || **capote (de brega);** en tauromaquia, pieza de tela con vuelo, de color vivo, que se utiliza para torear: *El torero cita al toro con el capote.* □ SINÓN. *capa, trapo.* || **capote de paseo;** en tauromaquia, capa corta de seda, bordada de oro o de plata con lentejuelas, que los toreros de a pie usan en el desfile de las cuadrillas y al entrar y al salir de la plaza: *El capote de paseo se lleva sobre el hombro.* || **echar un capote;** *col.* Ayudar en un apuro, esp. en una conversación o en una disputa: *Menos mal que me echaste un capote, porque ya no sabía cómo decirle que no.* □ ETIMOL. De *capa*.

capotear v. Torear con el capote: *Antes de que salga el picador, el torero capotea al toro.* □ ORTOGR. Dist. de *capotar*.

capotillo s.m. Prenda de abrigo parecida a la capa, pero que solo llega a la cintura: *Para la fiesta de disfraces eligió un vestido de época y un capotillo.*

cappa s.f. →**kappa.**

capricho s.m. **1** Deseo arbitrario que no está basado en una razón lógica, sino en un antojo pasajero: *Me he comprado este jarrón por capricho.* **2** Lo que es objeto de este deseo: *Ese coche deportivo es su nuevo capricho.* **3** Composición musical de forma libre y fantasiosa, que busca producir efectos imprevistos y sorpresivos: *Los caprichos son característicos de la última época del Barroco y del Romanticismo.* **4** Obra de arte que se aleja de los modelos académicos y tradicionales por medio del ingenio o de la fantasía: *Los caprichos se dan fundamentalmente en la pintura de los siglos XVII y XVIII.* □ ETIMOL. Del italiano *capriccio* (idea nueva y extraña en una obra de arte, antojo).

caprichoso, sa adj. Que obedece al capricho, y no a la lógica o a un modelo previo: *Actúa de forma caprichosa y nadie puede prever lo que hará.*

capricornio adj.inv./s.com. Referido a una persona, que ha nacido entre el 22 de diciembre y el 20 de enero aproximadamente. □ ETIMOL. Del latín *capricornus*, y este de *capra* (cabra) y *cornu* (cuerno).

caprino, na adj. De la cabra o relacionado con ella: *ganado caprino.* □ SINÓN. *cabrerizo, cabruno.*

cápsula s.f. **1** Envoltura de un material insípido y soluble que recubre algunos medicamentos: *Las cápsulas suelen ser de colores llamativos.* **2** Conjunto formado por esta envoltura y por el medicamento que contiene: *La médica me ha recetado unas cápsulas para el catarro.* **3** En una nave espacial, parte en la que se instalan los tripulantes: *A través de las ventanas de la cápsula los astronautas veían alejarse la Tierra.* **4** Recipiente de bordes muy bajos que se usa en el laboratorio para evaporar líquidos. **5** En anatomía, membrana que recubre algunos órganos o algunas partes del organismo. **6** || **cápsula suprarrenal;** en anatomía, glándula que está situada en la parte alta del riñón humano: *Una de las hormonas que producen las cápsulas suprarrenales es la adrenalina.* □ ETIMOL. Del latín *capsula*, y este de *capsa* (caja).

capsular adj.inv. Con forma de cápsula o semejante a ella: *El fruto del eucalipto es capsular.*

captación s.f. **1** Percepción de algo por medio de los sentidos o de la inteligencia: *Con su inteligencia, la captación de estas ideas no entraña ningún problema.* **2** Recepción de las ondas de radio o de televisión, o de lo que por ellas se transmite: *Esta antena permite la captación de las emisiones de radio.* **3** Recogida de las aguas de uno o de varios manantiales de forma conveniente: *En los lugares secos es necesaria la captación y el aprovechamiento* *de las aguas de los manantiales.* **4** Atracción o logro de nuevos partidarios, o de su voluntad o su afecto: *Pusieron un anuncio para lograr la captación de socios.*

captar v. **1** Percibir por medio de los sentidos o de la inteligencia: *Tiene un oído muy fino y capta el más mínimo ruido.* **2** Referido a ondas de radio o de televisión, o a lo que se transmite por ellas, recibirlas o recogerlas: *Con la nueva antena de televisión capto mejor las emisiones.* **3** Referido a aguas, recoger convenientemente las de uno o más manantiales: *El pantano capta las aguas de la cuenca.* **4** Referido a una persona, atraer o ganar su voluntad o su afecto: *Con su discurso intentaba captar adeptos para su causa.* **5** Referido a una actitud o a un sentimiento ajenos, lograrlos o conseguirlos: *El niño llora para captar la atención de los mayores.* □ ETIMOL. Del latín *captare* (tratar de coger, tratar de percibir).

captor, -a ▮ adj. **1** Que capta: *Se me ha roto la antena captora de la radio.* ▮ adj./s. **2** Que captura: *Los captores del tanque enemigo fueron condecorados.*

captura s.f. **1** Apresamiento de alguien al que se considera un delincuente: *orden de búsqueda y captura.* **2** Apresamiento de algo que ofrece resistencia: *la captura de un león.* □ ETIMOL. Del latín *captura* (acción de coger).

capturar v. **1** Referido esp. a un delincuente, prenderlo o apresarlo: *La policía capturó al delincuente que se había escapado de la cárcel.* **2** Referido a algo que ofrece resistencia, aprehenderlo o apoderarse de ello: *Para proteger a los animales que viven en libertad, en muchos lugares está prohibido capturarlos.* **3** En informática, referido a una imagen, un texto o un archivo, copiarlos o llevarlos a otro lugar: *Necesito capturar una imagen de internet para insertarla en mi documento.*

capucha s.f. **1** En algunas prendas de vestir, parte terminada en punta, que sirve para cubrir la cabeza: *la capucha del chubasquero.* □ SINÓN. *capucho, capuchón.* **2** *col.* →**capuchón.** □ ETIMOL. De *capucho* (capucha).

capuchino, na ▮ adj. **1** De la orden religiosa que reforma la fundada por san Francisco (religioso italiano de los siglos XII y XIII) o relacionado con ella: *El hábito de los capuchinos es de color pardo oscuro.* ▮ adj./s. **2** Referido a un religioso descalzo, que pertenece a esta orden. ▮ s.m. **3** →**café capuchino.** □ ETIMOL. Del italiano *cappuccino.*

capucho s.m. →**capucha.**

capuchón s.m. **1** En algunos instrumentos de escritura, pieza que cubre y protege el extremo en el que está la punta: *el capuchón del bolígrafo.* □ SINÓN. *capucha.* **2** En algunas prendas de vestir, parte terminada en punta, que sirve para cubrir la cabeza: *Ponte el capuchón que llueve.* □ SINÓN. *capucha, capucho.*

capul s.amb. En zonas del español meridional, flequillo: *Le cae siempre el capul sobre los ojos.*

capulín s.m. **1** Árbol frutal americano de tronco liso, hojas lanceoladas y flores blancas y pequeñas. **2** Fruto comestible de este árbol, de color rojizo o casi negro, de forma redonda, y que tiene un sabor dulce y una sola semilla. □ ETIMOL. Del náhuatl *capulin* (cerezo).

capulina s.f. Araña de cuerpo pequeño y negro, que tiene un veneno muy peligroso que puede ocasionar la muerte. □ SINÓN. *viuda negra.* □ MORF. Es un sustantivo epiceno: *la capulina {macho/hembra}.*

capullada s.f. *vulg.* Tontería o faena.

capullo s.m. **1** Flor cuyos pétalos todavía no se han abierto: *En primavera comienzan a abrirse los capullos del rosal.* **2** Envoltura de forma oval en la que se encierra la larva de algunos insectos para transformarse en adulto: *El gusano de seda fabrica el capullo hilando su baba.* **3** *col.* En un cigarro, brasa que aparece cuando se consume: *Cuidado con el capullo no vayas a quemarme.* **4** *vulg.* Persona que hace una mala pasada a otra. **5** *vulg.* Persona torpe o con poca experiencia. **6** *vulg.* →**glande.** □ ETIMOL. Quizá de *capillo* (capullo, capucha), con la terminación del latín *cucullus* (capucha). □ MORF. En las acepciones 3 y 4, se usa como insulto.

caquéctico, ca ▮ adj. **1** De la caquexia o relacionado con este estado de desnutrición: *A causa de su larga enfermedad, ese chico tiene ahora un aspecto caquéctico.* ▮ adj./s. **2** Referido a una persona, que sufre este estado: *Ingresaron en el hospital a un caquéctico que presentaba una debilidad extrema.*

caquexia s.f. En medicina, estado de extrema desnutrición producido por algunas enfermedades: *La caquexia de este paciente se debe a la tuberculosis que padece.* □ SINÓN. *cacoquimia.* □ ETIMOL. Del griego *kakhexía* (mala constitución física).

caqui ▮ adj.inv./s.m. **1** De color verde grisáceo o pardo amarillento. ▮ s.m. **2** Tela de algodón o de lana de este color: *El caqui se empezó a usar para uniformes militares en la India.* **3** Árbol frutal originario del este asiático que produce un fruto comestible, carnoso y de sabor dulce. **4** Fruto de este árbol, de color rojizo o anaranjado: *Los caquis son parecidos a los tomates.* □ ETIMOL. Las acepciones 1 y 2, del inglés *khaki*, y este del urdu *khaki* (de color de polvo). Las acepciones 3 y 4, del latín *Diospiros kaki.*

cara s.f. Véase **caro, ra.**

caraba ‖ **ser la caraba;** *col.* Ser indignante, intolerable o sorprendente: *Eres la caraba, no pagas tus deudas y sigues pidiendo préstamos.*

carabao s.m. Mamífero rumiante de origen asiático parecido al búfalo, pero de color gris azulado y con cuernos largos, aplanados y dirigidos hacia atrás: *El carabao se utiliza en Filipinas como animal de tiro.* □ ETIMOL. De la voz de las islas del archipiélago filipino *karabáw.* □ MORF. Es un sustantivo epiceno: *el carabao {macho/hembra}.*

carabela s.f. Antigua embarcación muy ligera, larga y estrecha, que tiene tres palos y una sola cubierta: *Colón partió del puerto de Palos con tres ca-*

rabelas. ☐ ETIMOL. Del portugués o gallego *carabela.* ☐ ORTOGR. Dist. de *calavera.*

carabina s.f. **1** Arma de fuego portátil parecida al fusil, pero de menor longitud. **2** *col.* Acompañante de una persona que va con otra de distinto sexo, para vigilarlos: *Hace unos años era impensable que una señorita paseara sin carabina.* ☐ ETIMOL. Del francés *carabine.*

carabinero s.m. **1** Miembro de un cuerpo encargado de perseguir el contrabando: *Varios carabineros registraban las maletas para controlar el contrabando.* **2** Antiguamente, soldado armado con carabina: *Los carabineros fueron generalmente soldados de caballería.* **3** Crustáceo comestible parecido al langostino, pero de mayor tamaño y de color rojo oscuro: *Comimos carabineros en un restaurante de la costa.* **4** En zonas del español meridional, agente de policía: *Un carabinero resultó herido en el tiroteo.* ☐ MORF. En la acepción 3, es un sustantivo epiceno: *el carabinero {macho/hembra}.*

cárabo s.m. Ave rapaz nocturna, que tiene la cabeza grande y redonda, los ojos negros y el plumaje rojizo o con motas grises: *El cárabo se alimenta principalmente de pequeños roedores, de aves y de insectos.* ☐ ETIMOL. Del árabe *qarab* (ave nocturna). ☐ MORF. Es un sustantivo epiceno: *el cárabo {macho/hembra}.*

caracol s.m. **1** Molusco terrestre o marino que posee una concha en espiral: *Los caracoles terrestres, al desplazarse, dejan un rastro de mucosidad.* **2** Concha de este animal: *un collar de caracoles.* **3** En anatomía, cavidad del oído interno, que en los mamíferos tiene una forma semejante a esta concha: *En el caracol están las células sensitivas que perciben las vibraciones.* **4** Rizo del pelo. **5** En equitación, cada una de las vueltas que el jinete hace dar al caballo. ☐ ETIMOL. De origen incierto.

caracola s.f. **1** Concha de gran tamaño y de forma cónica de un caracol marino: *Si soplas la caracola por el vértice sonará como si fuera una trompa.* **2** Bollo glaseado, redondo, aplanado y con forma de espiral.

caracolear v. Referido a un caballo, hacer caracoles o giros: *El caballo caracoleaba guiado por el jinete.*

caracoleo s.m. Movimiento en forma de giro que hace el caballo, guiado por el jinete: *El jinete tardó mucho tiempo en enseñar al caballo a hacer caracoleos.*

caracoles interj. Expresión que se usa para indicar extrañeza, sorpresa, admiración o disgusto: *¡Caracoles, qué coche tan nuevo!*

caracolillo s.m. **1** Planta leguminosa, de tallos volubles, hojas romboidales puntiagudas, y flores blancas y azules enroscadas: *El caracolillo es originario de América del Sur.* **2** Flor de esta planta: *Los caracolillos azules y blancos alegraban el paisaje.*

carácter (pl. *caracteres*) s.m. **1** Conjunto de cualidades o circunstancias propias y distintivas: *Esta novela tiene un carácter humorístico.* **2** Firmeza de ánimo, energía o temperamento: *Es una persona de carácter y no se deja dominar por nadie.* ☐ SINÓN. *genio.* **3** Signo de escritura o de imprenta: *Las letras y los números forman parte de los caracteres alfanuméricos de un ordenador.* **4** Condición o naturaleza: *La visita del presidente al hospital fue de carácter privado.* **5** Señal espiritual que deja un conocimiento o una experiencia importantes: *El sacerdote nos dijo que el bautismo imprime carácter.* ☐ ETIMOL. Del latín *charachter* (carácter de estilo). ☐ PRON. Incorr. *[caractér]. ☐ SINT. La acepción 5 se usa más con los verbos *imprimir*, *imponer* o equivalentes.

caracteriología s.f. →**caracterología.**

caracteriológico, ca adj. →**caracterológico.**

característica s.f. Véase **característico, ca.**

característico, ca ▌adj./s.f. **1** Referido a una cualidad, que es propia de algo y sirve para distinguirlo de los demás: *Habló con su ironía característica.* ▌s.f. **2** En matemáticas, conjunto de cifras que indican la parte entera de un logaritmo: *La característica de un logaritmo decimal de un número menor que uno es negativa.*

caracterización s.f. **1** Distinción o diferenciación de algo por sus rasgos característicos: *La autora de la novela ha hecho una caracterización muy buena del ambiente de esa época.* **2** Maquillaje de un actor para la representación de un personaje: *un premio a la mejor caracterización.*

caracterizado, da adj. **1** Distinguido o diferenciado por rasgos característicos. **2** Que está maquillado y vestido para parecer de determinada manera.

caracterizar ▌v. **1** Distinguir o diferenciar por los rasgos característicos: *En la redacción describí los rasgos que me caracterizan. Mi primo se caracteriza por su gran optimismo.* ▌prnl. **2** Referido esp. a un actor, maquillarse y vestirse para representar un determinado personaje: *Para representar su personaje tiene que caracterizarse de payaso.* ☐ ORTOGR. La *z* se cambia en *c* delante de *e* →CAZAR.

caracterología s.f. **1** Parte de la psicología que estudia el carácter y la personalidad humanos. ☐ SINÓN. *caracteriología.* **2** Conjunto de rasgos o peculiaridades que forman el carácter de una persona: *la caracterología de un asesino.* ☐ SINÓN. *caracteriología.* ☐ ETIMOL. De *carácter* y *-logía* (ciencia, estudio).

caracterológico, ca adj. De la caracterología o relacionado con ella: *un estudio caracterológico.* ☐ SINÓN. *caracteriológico.*

caracul ▌adj.inv. **1** Referido a una oveja, de la raza que se caracteriza por tener la cola ancha y el pelo rizado: *La raza caracul es originaria de Asia central.* ▌s.m. **2** Piel de los corderos de esta raza de ganado ovino. ☐ ETIMOL. Del ruso *karakul* (topónimo de Asia central). ☐ USO Es innecesario el uso del término ruso *karakul.*

caradura (tb. *cara dura*) adj.inv./s.com. Referido a una persona, que tiene gran desfachatez o desvergüenza. ☐ SINÓN. *carota.* ☐ MORF. En la lengua coloquial se usa mucho la forma abreviada *cara.*

caraguatá s.f. **1** Variedad de pita, de origen americano, que crece en las ramas de algunos árboles: *La caraguatá es propia de regiones húmedas.* **2** Fibra textil que se extrae de esta planta. □ ETIMOL. De origen guaraní.

carajillo s.m. Bebida compuesta de café y de un licor, esp. coñac.

carajo ▮ s.m. **1** *vulg.malson.* →**pene.** ▮ interj. **2** *vulg.* Expresión que se usa para indicar extrañeza, sorpresa, admiración o disgusto. **3** || **al carajo con** algo; *vulg.* Expresión que se usa para indicar el enfado o la impaciencia que esto causa. || **del carajo;** *vulg.* Muy grande o extraordinario. || **irse al carajo** un asunto; *vulg.* Fracasar. || **mandar al carajo** algo; *vulg.* Rechazarlo o desentenderse de ello. || **qué carajo;** *vulg.* Expresión que se usa para indicar decisión, negación, sorpresa o contrariedad: *¡Qué carajo, si no quiere venir, que no venga!* || **un carajo; 1** *vulg.* Muy poco o nada: *La música que hace este grupo no vale un carajo.* **2** *vulg.* Expresión que se usa para indicar negación o rechazo. □ ETIMOL. De origen incierto. □ SINT. *Un carajo*, en la acepción 1, se usa más con los verbos *importar*, *valer* o equivalentes, y en expresiones negativas. □ USO Se usa mucho como palabra comodín en expresiones vulgares malsonantes.

caramba interj. *col.* Expresión que se usa para indicar extrañeza, sorpresa, admiración o disgusto: *¡Caramba, por fin apareció el hijo pródigo!* □ USO Se usa mucho en la expresión *qué caramba*.

carámbano s.m. Trozo de hielo más o menos largo y puntiagudo, esp. el que se forma al helarse por el frío el agua que gotea: *En la fuente se han formado carámbanos.* □ ETIMOL. Del latín **calamulus* (cañita, palito), porque los carámbanos tienen forma cilíndrica.

carambola s.f. **1** En el billar y otros juegos, jugada en la que la bola impulsada toca a otra o a otras dos. **2** *col.* Suerte o casualidad favorable: *Obtuve ese empleo por carambola.* □ SINÓN. *chamba, chiripa.* □ ETIMOL. De origen incierto.

caramelizar v. Bañar en caramelo líquido o en azúcar fundido: *El cocinero caramelizó el postre antes de servirlo.* □ SINÓN. *acaramelar.* □ ORTOGR. La *z* se cambia en *c* delante de *e* →CAZAR.

caramelo s.m. **1** Golosina, generalmente en forma de pastilla, hecha con azúcar fundido y endurecido, y aromatizada con esencias u otros ingredientes: *un caramelo de café con leche.* **2** Azúcar fundido y endurecido: *Cubre el molde con caramelo.* □ ETIMOL. Del portugués *caramelo*.

caramillo s.m. Flauta de caña, de madera o de hueso, con un sonido muy agudo: *Los pastores renacentistas de las poesías bucólicas tocaban el caramillo.* □ ETIMOL. Del latín *calamellus*, y este de *calamus* (caña).

caramujo s.m. **1** Rosal silvestre: *Me he arañado las piernas con los pinchos del caramujo.* **2** Caracol marino que se pega a los fondos de los buques: *De vez en cuando, hay que limpiar de caramujos el casco de los barcos.*

carancho s.m. Ave rapaz de gran tamaño, con la cabeza blancuzca, el pico de gancho y el plumaje pardo oscuro, que se alimenta de carroña: *El carancho es parecido al buitre.*

carantoña s.f. Caricia, halago o demostración de cariño para conseguir algo de alguien: *hacer carantoñas.* □ SEM. En plural es sinónimo de *cucamonas*. □ USO Se usa más en plural.

caraota s.f. En zonas del español meridional, judía o alubia: *En Venezuela comí caraotas con arepas.*

carapacho s.m. Caparazón o cubierta dura de las tortugas, de los cangrejos y de otros animales.

carapintada s.m. Militar golpista argentino.

carátula s.f. **1** Máscara para ocultar la cara. **2** Cubierta o portada, esp. la de un libro o la de los estuches de discos o cintas. **3** En un radiocasete de coche, parte delantera, generalmente extraíble: *La carátula extraíble de tu radiocasete sirve para que no lo roben, ya que no funciona sin ella puesta.* □ SINÓN. *frontal.* □ ETIMOL. Del latín *character* (signo, marca).

caravana s.f. **1** Grupo de personas que viajan juntas, a pie o en algún vehículo, esp. si atraviesan una zona sin poblar y tienen un destino determinado: *Una caravana de mercaderes cruzaba el desierto con los camellos cargados de víveres.* **2** Fila de vehículos que circulan por una carretera en una misma dirección y que, debido al denso tráfico, marchan lentamente y con poca distancia entre ellos. **3** Automóvil o remolque grande acondicionados para vivienda. □ ETIMOL. Del persa *karawan* (recua de caballerías).

caravaning (ing.) s.m. Actividad consistente en viajar y acampar con una caravana: *Este verano hemos hecho caravaning y hemos recorrido todo el país.* □ PRON. [caraváning].

caravasar s.m. Posada para el descanso de las caravanas. □ ETIMOL. Del portugués *caravansará*.

caray interj. Expresión que se usa para indicar extrañeza, sorpresa, admiración o disgusto: *¡Caray, qué cara es esta tienda!* □ SINT. Se usa mucho en la expresión *¡qué caray!*

carbayón, -a adj./s. **1** Del Real Oviedo Club de Fútbol (club deportivo asturiano) o relacionado con él. **2** *col.* Ovetense.

carbón s.m. **1** Materia sólida, ligera, negra y combustible, que se obtiene por destilación o combustión incompleta de la leña o de otros cuerpos orgánicos: *una caldera de carbón.* **2** || **carbón animal;** el que se obtiene mediante calcinación de huesos. || **carbón {de leña/vegetal};** el que se obtiene por la combustión incompleta de la madera. || **carbón {de piedra/mineral};** el que resulta de la transformación de masas vegetales en minerales: *La antracita, la hulla y el lignito son variedades de carbón mineral.* □ ETIMOL. Del latín *carbo*.

carbonada s.f. Véase **carbonado, da**.

carbonado, da ▮ adj./s.m. **1** En zonas del español meridional, asado a la brasa. ▮ s.f. **2** Carne cocida, picada, y después asada en ascuas o en parrillas.

carbonara (it.) adj.inv./s.f. **1** Referido esp. a una salsa, preparada con nata líquida, beicon, huevos batidos, queso y pimienta: *salsa carbonara; tallarines carbonara.* **2** || **a la carbonara;** con esta salsa: *espaguetis a la carbonara.* □ PRON. [carbonára].

carbonario, ria ▮ adj. **1** Del carbonarismo o relacionado con esta sociedad secreta: *Las sociedades carbonarias se fundaron con fines políticos revolucionarios.* ▮ s.m. **2** Persona que defiende o sigue el carbonarismo: *Los carbonarios defendían una ideología liberal burguesa.* □ ETIMOL. Del italiano *carbonaro.*

carbonarismo s.m. Movimiento de carácter liberal que surgió en Italia (país europeo) a principios del siglo XIX, con fines políticos y revolucionarios: *El carbonarismo se extendió desde Italia a Francia y a España.*

carbonatado, da adj. Que está combinado con ácido carbónico: *una bebida carbonatada.*

carbonato s.m. En química, sal derivada del ácido carbónico. □ ETIMOL. De *carbono.*

carboncillo s.m. **1** Lápiz o barrita de madera carbonizada que sirven para dibujar: *Usa carboncillo para hacer los bocetos.* **2** Dibujo hecho con este lápiz o con esta barrita: *una exposición de carboncillos.*

carbonera s.f. Véase **carbonero, ra.**

carbonería s.f. Establecimiento o almacén donde se vende carbón.

carbonero, ra ▮ adj. **1** Del carbón o relacionado con esta materia: *producción carbonera.* ▮ s. **2** Persona que hace o vende carbón. ▮ s.m. **3** Pájaro insectívoro de pequeño tamaño y pico corto, afilado y casi cónico. ▮ s.f. **4** Lugar en el que se guarda el carbón. □ MORF. En la acepción 3, es un sustantivo epiceno: *el carbonero {macho/hembra}.*

carbónico, ca adj. Que contiene carbono: *bebida carbónica; gas carbónico.*

carbonífero, ra ▮ adj. **1** En geología, del quinto período de la era primaria o paleozoica o relacionado con él: *terrenos carboníferos.* ▮ adj./s.m. **2** En geología, referido a un período, que es el quinto de la era primaria o paleozoica: *En el carbonífero se formaron yacimientos de petróleo.* □ ETIMOL. Del latín *carbo* (carbón) y *ferre* (producir).

carbonilla s.f. **1** Resto o partícula de carbón: *La carbonilla que lanza la chimenea de la fábrica contamina la atmósfera.* **2** En zonas del español meridional, carboncillo para dibujar.

carbonilo s.m. En química, radical orgánico formado por un átomo de carbono y otro de oxígeno: *El carbonilo es un radical propio de las cetonas y de los aldehídos.*

carbonización s.f. Quema, calcinación o reducción a carbón de un cuerpo orgánico.

carbonizar v. Referido a un cuerpo orgánico, reducirlo a carbón: *El incendio carbonizó toda la arboleda. Los muebles del salón se carbonizaron por las llamas.* □ ORTOGR. La *z* se cambia en *c* delante de *e* →CAZAR.

carbono s.m. **1** Elemento químico, no metálico y sólido, de número atómico 6, muy abundante en la naturaleza como componente principal de todas las sustancias orgánicas: *El diamante y el grafito están compuestos de carbono.* **2** || **carbono 14;** isótopo radiactivo de este elemento químico que se forma en la atmósfera a partir del nitrógeno por acción de los rayos cósmicos, y que se utiliza en investigación para determinar la edad de los fósiles y los restos orgánicos hasta un límite de 50 000 años: *La prueba del carbono 14 permitió determinar la edad de este fósil.* □ ETIMOL. Del latín *carbo* (carbón). □ ORTOGR. Su símbolo químico es *C.*

carbunclo s.m. **1** →**carbunco. 2** Mineral cristalizado de gran dureza, muy brillante y de color rojo: *La piedra de la sortija estaba sacada de un carbunclo.* □ SINÓN. *carbúnculo, rubí.* □ ETIMOL. Del latín *carbunculus* (carboncillo, rubí, ántrax).

carbunco s.m. Enfermedad infecciosa grave, causada por una bacteria, que padecen algunos animales, generalmente el ganado, y que puede ser transmitida a las personas: *Durante la epidemia de carbunco, los cadáveres fueron incinerados.* □ SINÓN. *carbunclo, ántrax maligno.* □ ETIMOL. De *carbunclo.* □ SEM. Dist. de *carbúnculo* (rubí).

carbúnculo s.m. Mineral cristalizado de gran dureza, muy brillante y de color rojo: *El carbúnculo es una piedra preciosa, variedad del corindón.* □ SINÓN. *carbunclo, rubí.* □ ETIMOL. Del latín *carbunculus* (carboncillo, rubí, ántrax). □ SEM. Dist. de *carbunco* (enfermedad infecciosa).

carburación s.f. Mezcla de gases o aire de la atmósfera con carburantes gaseosos o con vapores de carburantes líquidos para hacerlos combustibles o detonantes: *El motor expulsa la mezcla sin quemar porque tiene problemas de carburación.*

carburador s.m. En un motor de explosión, pieza en la que se efectúa la carburación: *En el carburador se mezclan la gasolina y el aire.*

carburante s.m. Mezcla de hidrocarburos que se emplea en los motores de explosión y de combustión interna: *La gasolina y el gasóleo son dos carburantes.*

carburar v. **1** Mezclar los gases o el aire atmosférico con carburantes gaseosos o con vapores de carburantes líquidos, para hacerlos combustibles o detonantes: *Se han ensuciado las bujías porque el coche no carbura bien.* **2** *col.* Funcionar bien o dar un buen rendimiento: *Aunque es muy anciano, su cabeza carbura muy bien.*

carburo s.m. Combinación de carbono con otros elementos, preferiblemente metálicos: *carburo de calcio.*

carca adj.inv./s.com. *col. desp.* Anticuado o de ideas retrógradas o conservadoras. □ SINÓN. *carcunda.* □ ETIMOL. De *carcunda.*

carcacha s.f. En zonas del español meridional, vehículo deteriorado, viejo o que funciona mal.

carcaj (pl. *carcajes*) s.m. Especie de caja, generalmente en forma de tubo, provista de una cuerda o de una correa para colgársela al hombro, y que sirve para llevar flechas. □ SINÓN. *aljaba.*

carcajada s.f. Risa impetuosa y ruidosa. □ ETIMOL. De origen onomatopéyico.

carcajearse v.prnl. **1** Reírse a carcajadas: *La situación era tan divertida que no parábamos de carcajearnos.* **2** Burlarse o no hacer caso: *Es un impresentable y se carcajea de la gente sin ningún motivo.*

carcamal adj.inv./s.m. *desp.* Referido a una persona, que está vieja y achacosa. □ ETIMOL. De *cárcamo,* y este de *cárcavo* (viejo achacoso).

carcañal s.m. →**calcañal.**

carcasa s.f. Armazón o estructura: *la carcasa de un cohete; la carcasa de un teléfono.* □ ETIMOL. Del francés *carcasse.*

cárcava s.f. Zanja o foso, esp. los formados por la erosión de las corrientes de agua: *Las cárcavas se forman en terrenos blandos y sin vegetación.* □ ETIMOL. De *cárcavo* (zanja o foso defensivo).

cárcel s.f. Lugar en el que se encierra y custodia a los condenados a una pena de privación de libertad o a los presuntos culpables de un delito. □ ETIMOL. Del latín *carcer.*

carcelario, ria adj. De la cárcel o relacionado con ella.

carcelero, ra s. Persona encargada de cuidar y vigilar a los presos.

carcinogenicidad s.f. En medicina, capacidad de una sustancia para producir cáncer.

carcinogénico, ca adj. →**carcinógeno.**

carcinógeno, na adj. En medicina, referido a una sustancia o a un agente, que produce cáncer: *Dicen que el tabaco es un potente carcinógeno.* □ SINÓN. *carcinogénico.* □ ETIMOL. Del griego *kárkinos* (cáncer) y *-geno* (que produce).

carcinología s.f. Parte de la zoología que estudia los crustáceos.

carcinoma s.m. En medicina, tumor formado a partir de células del epitelio, que tiende a reproducirse: *Esa mancha que tiene en la frente es un carcinoma.* □ ETIMOL. Del griego *karkínoma,* y este de *kárkinos* (cáncer) y *-oma* (tumor).

carcoma s.f. Insecto coleóptero, muy pequeño y de color oscuro, esp. el que tiene larvas que roen y taladran la madera. □ ETIMOL. De origen incierto.

carcomer v. **1** Referido a la madera, roerla la carcoma: *La carcoma carcomió el armario.* **2** Referido esp. a la salud o a la paciencia, corroerlas o consumirlas poco a poco: *La tuberculosis carcome su salud. Los remordimientos lo carcomen y no logra alejarlos de su mente.*

carcunda adj.inv./s.com. *col. desp.* Anticuado o de ideas retrógradas o conservadoras. □ SINÓN. *carca.* □ ETIMOL. Del gallegoportugués *carcunda,* que era el nombre que se dio a los absolutistas portugueses de principios del siglo XIX.

card- →**cardio-.**

carda s.f. Utensilio, herramienta o máquina que se usan para cardar: *Cepilla al perro con una carda para dejarle el pelo suave.*

cardado s.m. **1** Limpieza de la materia textil antes de hilarla. **2** Extracción del pelo de un tejido con un instrumento o una máquina. **3** Peinado o cepillado del pelo desde la punta a la raíz para que quede hueco.

cardar v. **1** Referido a una materia textil, peinarla o limpiarla o prepararla para el hilado: *Cardar la lana es un trabajo duro.* **2** Referido al pelo de un tejido, sacarlo con la carda: *Esas operarias cardan los paños.* **3** Referido al pelo de una persona, peinarlo o cepillarlo desde la punta a la raíz para que quede hueco: *Si no se carda el pelo se le queda muy aplastado.* □ ETIMOL. De *cardo,* porque la lana se peinaba con la cabeza de un cardo antes de hilarla.

cardenal s.m. **1** En la iglesia católica, prelado o superior eclesiástico de categoría inmediatamente inferior a la de papa, y consejero de este en los asuntos graves de la Iglesia: *El Papa es elegido por los cardenales reunidos en cónclave.* **2** Mancha amoratada o amarillenta que se produce en la piel, generalmente por efecto de un golpe: *Se dio un golpe en el brazo y le salió un cardenal.* □ SINÓN. *moradura, moratón.* **3** Pájaro americano que tiene un alto penacho rojo y canta de forma armoniosa. □ ETIMOL. Las acepciones 1 y 3, del latín *cardinalis* (cardinal, principal). La acepción 2, de *cárdeno.* □ MORF. En la acepción 3, es un sustantivo epiceno: *el cardenal {macho/hembra}.*

cardenalato s.m. Cargo de cardenal: *Ese sacerdote alcanzó el cardenalato a los cincuenta años.*

cardenalicio, cia adj. Del cardenal o relacionado con este superior eclesiástico.

cardenillo s.m. Sustancia venenosa, de color verdoso o azulado, que se forma en un objeto de cobre: *Hay que lavar y secar muy bien los objetos de cobre para que no se les forme cardenillo.* □ ETIMOL. De *cárdeno.*

cárdeno, na adj. **1** De color semejante al morado o con tonalidades moradas: *Tiene algunas manchas cárdenas por problemas de circulación.* **2** Referido a un toro, que tiene el pelo negro y blanco: *Los toros cárdenos son grisáceos.* □ ETIMOL. Del latín *cardinus* (azulado), y este de *cardus* (cardo) por el color azul de las flores de esta planta.

-cardia Elemento compositivo sufijo que significa 'corazón': *taquicardia, bradicardia.* □ ETIMOL. Del griego *kardía.*

cardíaco, ca (tb. *cardiaco, ca*) ▮ adj. **1** Del corazón o relacionado con este órgano: *una lesión cardíaca.* **2** Referido a una persona, que está nervioso o con una gran excitación: *Cuando llegan los exámenes me pongo cardíaco.* ▮ adj./s. **3** Referido a una persona, que padece del corazón: *Este partido de baloncesto no es apto para cardíacos.* □ ETIMOL. Del griego *kardiakós,* y este de *kardía* (corazón).

cardias (pl. *cardias*) s.m. En el sistema digestivo, orificio del estómago que comunica con el esófago: *Al vomitar, el contenido del estómago sale por el cardias.* □ ETIMOL. Quizá del griego *trêma kardías* (agujero del estómago).

cárdigan (pl. *cárdigan*) s.m. Chaqueta deportiva de punto, con escote en pico y generalmente sin cuello. □ ETIMOL. Del inglés *cardigan*.

cardillo s.m. Planta herbácea, de flores amarillentas y hojas rizadas y espinosas, cuya penca se come cocida cuando está tierna: *Este cocido lleva cardillos.* □ SINÓN. *tagarnina.*

cardinal ▌adj.inv. **1** Que expresa la idea de cantidad o número: *'Uno', 'siete' y 'mil' son cardinales numerales.* **2** Principal o fundamental: *La profesora de religión me preguntó las virtudes cardinales y las teologales.* ▌s.m. **3** →**número cardinal.** □ ETIMOL. Del latín *cardinalis* (principal).

cardio- Elemento compositivo prefijo que significa 'corazón': *cardiocirujano, cardiografía, cardiólogo.* □ ETIMOL. Del griego *kardía*. □ MORF. Puede adoptar la forma *card-*: *carditis*.

-cardio Elemento compositivo sufijo que significa 'corazón': *miocardio, endocardio.* □ ETIMOL. Del griego *kardía*.

cardiocirujano, na s. Cirujano especializado en operaciones de corazón.

cardiografía s.f. Estudio y descripción del corazón. □ ETIMOL. De *cardio-* (corazón) y *-grafía* (imagen).

cardiología s.f. Rama de la medicina que estudia el corazón, sus funciones y enfermedades. □ ETIMOL. De *cardio-* (corazón) y *-logía* (estudio, ciencia).

cardiológico, ca adj. De la cardiología o relacionado con ella.

cardiólogo, ga s. Médico especialista en cardiología.

cardiópata adj.inv./s.com. Que sufre una enfermedad del corazón: *Los cardiópatas deben llevar una vida tranquila.*

cardiopatía s.f. Enfermedad del corazón: *No puede hacer grandes esfuerzos físicos porque sufre una cardiopatía congénita.* □ ETIMOL. De *cardio-* (corazón) y *-patía* (enfermedad).

cardiorrespiratorio, ria adj. Del corazón y del aparato respiratorio: *una crisis cardiorrespiratoria.*

cardiovascular adj.inv. Del corazón y de los vasos sanguíneos o relacionado con el aparato circulatorio: *La arteriosclerosis es una enfermedad cardiovascular.*

carditis (pl. *carditis*) s.f. Inflamación del corazón. □ ETIMOL. Del griego *kardía* (corazón) e *-itis* (inflamación).

cardo s.m. **1** Planta anual de hojas grandes y espinosas, flores en cabezuela, y cuyo nervio principal suele ser comestible: *Algunos cardos se pueden comer como verdura.* **2** ‖ **cardo (borriquero); 1** El que tiene las hojas rizadas y espinosas y flores de color púrpura en cabezuela: *Al ir por el campo nos pinchamos con unos cardos.* **2** *col.* Persona arisca o muy desagradable: *El jefe es un cardo borriquero que a la mínima te echa la bronca.* □ ETIMOL. Del latín *cardus*.

cardume s.m. →**cardumen.**

cardumen s.m. Conjunto numeroso de peces que nadan juntos, esp. si son de la misma especie: *Los pescadores de atunes se adentraron en el mar hasta llegar a los cardúmenes.* □ SINÓN. *banco, cardume.* □ ETIMOL. Del portugués y del gallego *cardume*.

carear ▌v. **1** Referido a varias personas, ponerlas cara a cara e interrogarlas para averiguar la verdad sobre algo: *El juez ordenó carear a los dos testigos que daban una versión diferente de los hechos.* **2** Referido a un elemento, cotejarlo o compararlo con otro: *Después de carear las dos láminas, el experto dijo que los colores no eran exactamente iguales.* ▌prnl. **3** Referido a varias personas, verse para algún negocio o para resolver algo desagradable: *Tendremos que carearnos para resolver este problema de una vez por todas.* □ ETIMOL. De *cara*. □ SEM. Dist. de *cariar* (producir caries).

carecer v. Referido a algo, no tenerlo: *Son tan pobres, que carecen de lo más elemental.* □ ETIMOL. Del latín *carescere*. □ MORF. Irreg. →PARECER. □ SINT. Constr. *carecer* DE *algo*.

carena s.f. **1** En un barco, parte del casco que está debajo de la línea de flotación. **2** Reparación del casco de una embarcación para que no entre agua: *La carena del barco impidió que los pescadores faenasen.* **3** →**carenado.** □ ETIMOL. Quizá del latín *carina* (quilla de la nave).

carenado s.m. **1** Reparación del casco de una embarcación: *Al finalizar la temporada de pesca realizamos el carenado de la barca.* **2** Revestimiento que se adapta a un vehículo para adornarlo o para darle un perfil aerodinámico: *He puesto un carenado a mi moto para que no me moleste el aire.* □ SINÓN. *carena.*

carenar v. **1** Referido a una embarcación, reparar o componer su casco: *El barco permaneció varios días en el puerto mientras lo carenaban.* **2** Referido a un vehículo, añadirle accesorios ornamentales o aerodinámicos: *Voy a carenar la moto para poder utilizarla en competiciones.* □ ETIMOL. Del latín *carinare*.

carencia s.f. **1** Falta o privación de algo: *carencia vitamínica.* **2** En un seguro, tiempo en el que aún no se puede disfrutar de los servicios contratados: *Mi seguro de salud tiene un período de carencia de noventa días.* **3** En un crédito bancario, tiempo en el que aún no se comienza a devolver el dinero: *Este préstamo es muy ventajoso, porque tiene un año de carencia.* □ ETIMOL. Del latín *carentia*.

carencial adj.inv. De la carencia de sustancias alimenticias o de vitaminas, o relacionado con ella: *estado carencial de vitaminas.*

carente adj.inv. Que carece o que no tiene: *Tus respuestas resultan carentes de sentido.* □ SINT. Constr. *carente* DE *algo*.

careo s.m. Colocación de varias personas frente a frente para realizar un interrogatorio conjunto y averiguar la verdad sobre algo: *Durante el careo el testigo acusó al sospechoso de haber cometido el crimen.*

carero, ra adj. Que suele vender caro: *En esta tienda son un poco careros.*

carestía s.f. **1** Precio elevado de lo que es de uso común. **2** Escasez, falta o poca abundancia de algo: *En verano suele haber carestía de agua.* ☐ ETIMOL. Del latín *caristia* (escasez de víveres).

careta s.f. **1** Máscara o mascarilla de cartón o de otra materia que se utiliza para cubrir la cara: *La careta que se utiliza para tirar esgrima está hecha con una red metálica.* **2** Lo que oculta o disimula la forma de ser de alguien o sus propósitos: *Quítate esa careta y dinos claramente lo que quieres.* ☐ SINÓN. *máscara.* ☐ ETIMOL. De *cara.*

careto s.m. *col.* Cara: *Cuando se levanta tiene un careto que asusta.*

carey (pl. *caréis*) s.m. **1** Tortuga de mar que alcanza un metro de longitud, con las extremidades anteriores más largas que las posteriores, el caparazón dividido en segmentos ondulados, y cuyos huevos son comestibles. **2** Materia córnea que se obtiene del caparazón de esta tortuga: *un peine de carey.* ☐ SINÓN. *concha.* ☐ MORF. En la acepción 1, es un sustantivo epiceno: *el carey {macho/hembra}.*

carga s.f. **1** Colocación de un peso o de una mercancía sobre algo, generalmente para transportarlos: *La carga de los bultos en el camión nos llevó varias horas.* **2** Lo que se transporta: *La carga que lleva este camión es material explosivo.* **3** Peso sostenido por una estructura: *El techo se hundió porque soportaba una carga excesiva.* **4** Repuesto o recambio de una materia necesaria para el funcionamiento de un utensilio o de un aparato: *Cuando se te acabe la tinta, cambia la carga de la pluma.* **5** Cantidad de sustancia explosiva que se introduce en un arma de fuego o que se utiliza para volar algo: *Volaron la mina con una carga de explosivos.* **6** Llenado, aumento o incremento de algo: *La propia compañía del gas es la que realiza la carga de las bombonas.* **7** Lugar por el que se llena algo: *una lavadora con carga frontal.* **8** Acometida o ataque con fuerza contra alguien: *Ante la carga de la artillería, el enemigo se dispersó.* **9** En algunos deportes, desplazamiento de un jugador por otro mediante un choque violento con el cuerpo: *La carga del defensa sobre el delantero fue penalizada.* **10** Cantidad de energía eléctrica acumulada en un cuerpo: *Las cargas eléctricas de igual signo se repelen.* **11** Impuesto o tributo que recae sobre algo: *Este edificio está sujeto a numerosas cargas fiscales.* **12** Obligación propia de un oficio o de una situación: *El puesto de director supone muchas cargas.* **13** Aflicción o situación penosa que recae sobre alguien: *Lo que empecé haciendo con gusto ahora se ha convertido en una carga.* **14** ‖ **carga lectiva;** cantidad de horas de clase que abarca un curso: *Este seminario tiene una carga lectiva de treinta horas.* ‖ **volver a la carga;** insistir o reincidir: *Aunque le dijimos que de ninguna manera lo acompañaríamos, él volvía a la carga una y otra vez.*

cargadero s.m. **1** Lugar donde se cargan y descargan mercancías. **2** En una puerta o en una ventana, parte superior horizontal sostenida por dos piezas laterales. ☐ SINÓN. *dintel.*

cargado, da adj. **1** Referido al tiempo atmosférico, bochornoso o muy caluroso: *La tarde está muy cargada y no apetece salir.* **2** Referido esp. al café, fuerte o muy concentrado: *Me gusta el café muy cargado.*

cargador, -a ▌adj./s.m. **1** Que carga: *un cargador de batería.* ▌s.m. **2** En un arma de fuego, pieza que contiene las municiones: *el cargador de una pistola.* **3** En un aparato de música, elemento que contiene los discos compactos: *Mi equipo de música tiene un cargador de 4 discos compactos.*

cargamento s.m. Conjunto de mercancías que carga o lleva un vehículo: *En el puerto ha entrado un buque mercante con un cargamento de soja.*

cargante adj.inv. Que resulta molesto o que cansa mucho por su insistencia: *Tantas gracias e ironías resultan ya un poco cargantes.*

cargar ▌v. **1** Referido a una persona o a un animal, poner o echar peso sobre ellos: *Cargaron las mulas con los bultos. Siempre me cargan a mí el asunto de los presupuestos.* **2** Referido a un vehículo, poner en él una mercancía para transportarla: *Has cargado tanto el coche que no puede subir las cuestas.* **3** Referido a un arma de fuego, introducir en ella la carga o el cartucho: *Cargó el revólver con solo una bala.* **4** Referido esp. a un utensilio o a un aparato, proveerlos de lo que necesitan para funcionar: *Acelera un poco más para que se cargue la batería.* **5** Referido a una persona o a un objeto, imponer sobre ellos una carga, una obligación o un impuesto: *Han cargado estas viviendas con un nuevo impuesto.* **6** Referido a algo negativo o perjudicial, achacárselo o atribuírselo a alguien: *Aunque no tenían pruebas le cargaron a él el robo.* **7** En economía, referido a la cantidad que corresponde al debe, anotarla en una cuenta, esp. si es bancaria: *Ya me han cargado el recibo del teléfono en la cuenta corriente.* **8** Hacer acopio o reunir en abundancia: *Hemos cargado azúcar para todo el año.* **9** *col.* Incomodar, cansar o causar molestia: *Esas bromitas suyas me cargan.* **10** *col.* Referido a una asignatura, suspenderla: *He cargado las matemáticas con un cero.* **11** Acometer o atacar con fuerza contra alguien: *La caballería cargó contra el campamento enemigo.* **12** En algunos deportes, referido a un jugador, desplazar a otro de su sitio mediante un choque violento con el cuerpo: *El árbitro pitó falta porque el defensa cargó contra el delantero.* **13** Mantener o soportar sobre sí un peso o una obligación: *¿Quién va a cargar con los gastos del viaje?* **14** Referido a un elemento, descansar sobre otro: *La bóveda carga sobre los muros laterales.* **15** En zonas del español meridional, repostar: *Tengo que parar en la estación de servicio para cargar nafta.* **16** En zonas del español meridional, referido a un objeto de uso personal, llevarlo: *Cargo siempre los anteojos.* **17** En zonas del español meridional, referido a un animal macho, montar a la hembra: *El toro cargó a la vaca.* **18** En informática, grabar un programa en la memoria de un ordenador: *Te he cargado un antivirus en la computadora.* **19** En informática, poner una información o un contenido en internet: *Acabo de cargar unas ofertas de empleo en mi página web.* ☐

SINÓN. *subir, colgar.* ▮ prnl. **20** Llenarse o llegar a tener en abundancia: *A este paso te vas a cargar de hijos.* **21** Romper, estropear o echar a perder: *Habló más de la cuenta y se cargó el negocio.* **22** *col.* Referido a un ser vivo, matarlo o quitarle la vida: *Es una película muy violenta y se cargan a diez tipos por minuto.* **23** Referido a un ambiente, volverse impuro o irrespirable por falta de ventilación: *Estaban todos fumando y la habitación se cargó mucho.* **24** Referido a una parte del cuerpo, sentir en ella pesadez o congestión: *Si estoy mucho tiempo de pie se me cargan las piernas.* **25** Acumular energía eléctrica: *Enchufa la batería a la red para que se cargue.* **26** || **cargársela** alguien; recibir un castigo o una reprimenda: *Te la vas a cargar por haber vuelto tarde a casa.* □ ETIMOL. Del latín *carricare*, y este de *carrus* (carro). □ ORTOGR. La *g* se cambia en *gu* delante de *e* →PAGAR. □ SINT. En las acepciones 1, 2 y 3, también los objetos cargados pueden funcionar de objeto directo: *Cargaron los bultos en las mulas. Cargué la leña en el camión. Cargó una bala en el revólver.*

cargazón s.m. Pesadez que se siente en alguna parte del cuerpo: *Se tumbó un rato porque sentía cargazón en el estómago.* □ ETIMOL. De *cargar*.

cargo s.m. **1** Dignidad, empleo u oficio: *Le dieron el cargo de ministro por su experiencia como diplomático.* **2** Persona que tiene esta dignidad o que desempeña este oficio: *Los altos cargos de la empresa se reunirán mañana.* **3** Cuidado, custodia o dirección de algo: *Tiene a su cargo la contabilidad de varias empresas.* **4** Falta o delito que se atribuyen a alguien: *El fiscal leyó los cargos contra el acusado.* **5** En una cuenta, cantidad que se debe pagar, esp. por un servicio o una operación bancaria: *El cargo por la tramitación del cheque es de un euro.* **6** En economía, pago que debe hacerse con dinero, o anotación que se hace al debe de una cuenta: *En mi cuenta corriente aparecen varios cargos que corresponden a compras.* □ SINÓN. *adeudo.* **7** || **a cargo de; 1** Al cuidado de: *El niño está a cargo de los abuelos.* **2** A expensas o a cuenta de: *La cena corre a cargo de la empresa.* || **cargo de conciencia;** lo que hace a alguien sentirse culpable: *Si la dejo salir con fiebre y se pone peor, menudo cargo de conciencia me quedaría.* || **hacerse cargo de** algo; **1** Encargarse de ello: *A la muerte del padre, el hijo se hizo cargo de la empresa.* **2** Formarse el concepto o la idea de ello: *Hazte cargo de que ya has perdido a esa persona para siempre.* **3** Comprenderlo o considerar todas sus circunstancias: *Hazte cargo de la situación en la que estoy y no me agobies.* □ ETIMOL. De *cargar*. □ SEM. *A cargo de* no debe emplearse con el significado de 'encargado de': *Mi hermano quedó {*a cargo > encargado} de la empresa.*

cargosear v. En zonas del español meridional, molestar.

cargoso, sa adj. *col.* En zonas del español meridional, que molesta o cansa: *Este amigo es un poco cargoso.* □ ETIMOL. De *cargar*.

carguero s.m. Vehículo de carga, esp. un buque o un tren: *Ha llegado al puerto un carguero con maíz.*

cariacontecido, da adj. Que muestra en el rostro pena, alteración o sobresalto: *Cuando llegué a la casa del fallecido, encontré a los familiares cariacontecidos.*

cariado, da adj. Referido a un hueso, que está dañado: *Ese joven tiene el hueso frontal cariado a causa de la sinusitis que padece.*

cariar v. Producir caries: *Con el paso de los años y la falta de higiene dental se le cariaron todas las muelas.* □ ORTOGR. La *i* nunca lleva tilde. □ MORF. Se usa más como pronominal. □ SEM. Dist. de *carear* (poner cara a cara).

cariátide s.f. Estatua con figura de mujer vestida, que se usa como columna o pilastra para sujetar un arquitrabe o parte baja de la cornisa: *Las cariátides son propias de la arquitectura griega.* □ ETIMOL. Del latín *caryatis*, y este del griego *Karyâtis* (mujer de Karyai, ciudad de Laconia, donde había un templo famoso con columnas en forma de mujer). □ SEM. Dist. de *atlante* y *telamón* (con figura de hombre).

cariba s.m. Bebida hecha con jugo de mandioca.

caríbal adj.inv./s.com. →**caníbal.** □ ETIMOL. De *caribe*.

caribe ▮ adj.inv./s.com. **1** De un antiguo pueblo que dominó una parte de las Antillas (islas centroamericanas) y se extendió por el norte de América del Sur o relacionado con él: *Entre las costumbres caribes figuraban las danzas rituales.* ▮ s.m. **2** Lengua americana de este pueblo: *'Loro' y 'piragua' son palabras que el español tomó del caribe.*

caribeño, ña adj./s. Del mar Caribe (situado entre las costas centroamericanas, venezolanas y colombianas), o relacionado con él.

caribú (pl. *caribúes, caribús*) s.m. Mamífero parecido al reno, de orejas cortas, pelo suave y cuernos ramificados, que vive principalmente en zonas del norte del continente americano: *La carne del caribú es comestible.* □ MORF. Es un sustantivo epiceno: *el caribú {macho / hembra}*.

caricato s.m. Actor cómico o humorista especializado en la imitación de personajes conocidos: *Vimos la actuación de un caricato que imitaba a cantantes famosos.* □ ETIMOL. Del italiano *caricato* (exagerado).

caricatura s.f. **1** Representación, copia o retrato en los que, con intención humorística o crítica, se deforman o exageran los rasgos más característicos del modelo que se sigue. **2** *desp.* Lo que no alcanza a ser lo que pretende: *Sus pinturas solo son pobres caricaturas de las de su maestro.* **3** En zonas del español meridional, dibujos animados. □ ETIMOL. Del italiano *caricatura*. □ MORF. En la acepción 3, se usa más en plural.

caricaturesco, ca adj. Relacionado con la caricatura o que tiene alguna de sus características: *un retrato caricaturesco.*

caricaturista s.com. Persona que se dedica profesionalmente a dibujar caricaturas.

caricaturización s.f. Representación por medio de una caricatura: *Este humorista se ha especializado en la caricaturización de personajes políticos.*

caricaturizar v. Representar por medio de una caricatura: *Estos dibujos caricaturizan la vida parlamentaria del siglo XIX.* ☐ ORTOGR. La *z* se cambia en *c* delante de *e* →CAZAR.

caricia s.f. **1** Demostración de cariño que consiste en rozar suavemente con la mano un cuerpo o una superficie: *La niña hacía caricias al perro.* **2** Roce suave que produce una sensación agradable: *En los días calurosos se agradecen las caricias de la brisa marina.* **3** Halago o demostración de amor: *Su novio le decía caricias al oído.* ☐ ETIMOL. Del italiano *carezza*.

caridad s.f. **1** Actitud solidaria con el sufrimiento ajeno. **2** Limosna o auxilio que se da o se presta a los necesitados: *¡Deme una caridad, por el amor de Dios!* **3** En el cristianismo, virtud teologal que consiste en amar a Dios sobre todas las cosas y al prójimo como a nosotros mismos: *Accedió a la santidad porque había practicado la caridad durante toda su vida.* ☐ ETIMOL. Del latín *caritas* (amor, cariño).

caries (pl. *caries*) s.f. Destrucción localizada de un tejido duro, esp. la producida en los dientes: *El flúor previene la caries.* ☐ ETIMOL. Del latín *caries* (podredumbre).

carilla s.f. **1** Página o cara de una hoja. **2** Judía blanca, con una manchita negra y redonda en un extremo.

carillón (tb. *carrillón*) s.m. **1** Conjunto de campanas que producen un sonido armónico: *Los días de fiesta mayor, hacen sonar el carillón de la torre.* **2** Reloj provisto de uno de estos juegos de campanas: *Los carillones pequeños suelen funcionar por un sistema de pedales y teclados.* **3** Juego de tubos o de planchas de acero que producen un sonido musical: *Asistimos a un curioso concierto de carillones, campanas y otros instrumentos metálicos.* ☐ ETIMOL. Del francés *carillon*.

carinegro, gra adj. Referido esp. a un animal, que tiene la cara oscura: *una golondrina carinegra.*

cariñena s.m. Vino tinto, dulce y oloroso, originario de Cariñena (comarca zaragozana): *Con la comida nos sirvieron un buen cariñena.*

cariño s.m. **1** Sentimiento o inclinación de amor o de afecto hacia algo: *Tengo mucho cariño a la casa en que nací.* **2** Manifestación de este sentimiento: *Los abuelos no paraban de hacer cariños a los nietos.* ☐ ETIMOL. Del gallego *cariño*. ☐ USO Se usa como apelativo: *Cariño, no llores, que ya está aquí mamá.*

cariñoso, sa adj. Afectuoso, amoroso o que manifiesta cariño: *Es un niño muy cariñoso que da besos a todo el mundo.*

carioca adj.inv./s.com. De Río de Janeiro (ciudad brasileña), o relacionado con él: *Los carnavales cariocas son muy famosos.*

cariocinesis (pl. *cariocinesis*) s.f. En biología, parte de la división celular a partir de la cual se originan dos núcleos iguales entre sí, con el mismo número de cromosomas y con la misma información genética: *La cariocinesis es un mecanismo que garantiza la conservación de las características genéticas de la especie.* ☐ ETIMOL. Del griego *káryon* (núcleo) y *kínesis* (movimiento).

cariópside s.f. Fruto seco de una sola semilla y con un pericarpio adherido a esta, que no se abre para dejarla salir: *Los frutos de las plantas gramíneas, como el maíz, son cariópsides.* ☐ ETIMOL. Del griego *káryon* (nuez) y *ópsis* (vista).

cariotipo s.m. Conjunto de los cromosomas propios de cada individuo: *Las pruebas genéticas se basan en el estudio del cariotipo.*

carisma s.m. **1** Don o cualidad que tienen algunas personas para atraer o seducir mediante su presencia o su palabra: *una persona con carisma.* **2** En el cristianismo, don gratuito que Dios concede a algunas personas para que obren en beneficio de la comunidad: *Dios concedió carisma a los profetas.* ☐ ETIMOL. Del latín *charisma*, y este del griego *khárisma* (gracia, beneficio).

carismático, ca adj. Del carisma, con carisma o relacionado con este don: *una persona carismática.*

caritativo, va adj. De la caridad, con caridad, o relacionado con ella: *obras caritativas.*

cariz s.m. Aspecto que presenta un asunto o cuestión: *Este negocio comienza a tener un cariz sospechoso y prefiero mantenerme al margen.* ☐ ETIMOL. De origen incierto.

carlinga s.f. En un avión, espacio interior en el que van el piloto y la tripulación. ☐ ETIMOL. Del francés *carlingue*.

carlismo s.m. Movimiento político español, de carácter conservador, que se inició con Carlos María Isidro de Borbón (hermano del rey de España Fernando VII) para apoyar sus pretensiones al trono: *El carlismo defiende el absolutismo y propugna reformas dentro de una continuidad tradicionalista.*

carlista ▮ adj.inv. **1** Del carlismo o relacionado con este movimiento político: *las guerras carlistas.* ▮ adj.inv./s.com. **2** Partidario o seguidor del carlismo: *Los carlistas no aceptaron como reina de España a Isabel II cuando esta subió al trono en 1833.*

carlota s.f. Torta hecha con leche, huevos, azúcar, cola de pescado y vainilla. ☐ ETIMOL. Por alusión a Carlota, esposa de Jorge II de Inglaterra, ya que se le puso este nombre en su honor.

carmañola s.f. **1** Chaqueta de cuello estrecho, faldón corto y varias hileras de botones metálicos: *La carmañola fue una prenda muy usada en la época de la Revolución Francesa por los jacobinos.* **2** Canción que se hizo popular durante la Revolución Francesa (1789-1799). ☐ ETIMOL. Del francés *carmagnole*.

carmela s.f. Especie de sartén con los bordes bajos y el fondo ondulado.

carmelita ▮ adj.inv. **1** Del Carmen o Carmelo (orden religiosa fundada en el siglo XIII): *la orden carmelita.* ☐ SINÓN. *carmelitano.* ▮ adj.inv./s.com. **2** Referido a una persona, que pertenece a la orden del

Carmen o Carmelo: *una iglesia de carmelitas.* □ ETIMOL. De *monte Carmelo.*

carmelitano, na adj. Del Carmen o Carmelo (orden religiosa fundada en el siglo XIII): *La vida carmelitana es de gran austeridad y sacrificio.* □ SINÓN. *carmelita.*

carmen s.m. Verso o poema, esp. los compuestos en latín: *En clase hemos traducido un carmen de Catulo dedicado a su amada.* □ ETIMOL. Del latín *carmen.*

carmenar v. Referido a una fibra textil o al cabello, desenredarlos y limpiarlos: *Debemos carmenar toda la seda antes de venderla.* □ ETIMOL. Del latín *carminare.*

carmesí (pl. *carmesíes, carmesís*) adj.inv./s.m. De color granate muy vivo. □ ETIMOL. Del árabe *quirmizi* (color del quermes, que es un insecto del que se extrae un pigmento de color rojo).

carmín ▌adj.inv./s.m. **1** De color rojo encendido. ▌s.m. **2** Cosmético que sirve para pintarse los labios y que se presenta normalmente en forma de barra y dentro de un estuche: *una marca de carmín.* □ SINÓN. *pintalabios.* □ ETIMOL. De origen incierto.

carminativo, va adj./s.m. Referido a una sustancia, que ayuda a expulsar los gases almacenados en el tubo digestivo: *propiedades carminativas.* □ ETIMOL. Del antiguo *carminar* (expeler).

carnada s.f. Animal o trozo de carne que se utilizan como cebo para cazar o pescar: *El gusano es una buena carnada para las truchas.* □ SINÓN. *carnaza.*

carnadura s.f. →**encarnadura.**

carnal adj.inv. **1** Del cuerpo y de sus instintos, o relacionado con ellos: *amor carnal.* **2** Referido a un parentesco, que se tiene por consanguinidad: *primos carnales.*

carnalidad s.f. Gusto o placer sensual que produce el cuerpo humano. □ ETIMOL. Del latín *carnalitas.*

carnaval s.m. **1** Período de tres días que precede a la cuaresma: *Carnaval es justo antes del miércoles de ceniza.* □ SINÓN. *carnestolendas, antruejo.* **2** Fiesta popular que se celebra en estos días y que consiste generalmente en mascaradas, bailes y comparsas: *un desfile de carnaval.* □ ETIMOL. Del italiano *carnevale*, y este del latín *carnem levare* (quitar la carne), por ser el comienzo del ayuno de Cuaresma.

carnavalada s.f. **1** Hecho o broma propios del tiempo de carnaval. **2** Asunto, reunión o hecho grotescos o poco serios: *Su intento de dimisión no pasó de ser una carnavalada.*

carnavalero, ra adj. *col.* Carnavalesco: *fiesta carnavalera.*

carnavalesco, ca adj. Del carnaval o relacionado con él: *Durante los festejos carnavalescos todo el mundo está muy contento en esta ciudad.*

carnaza s.f. **1** Animal o trozo de carne que se utilizan como cebo para cazar o pescar. □ SINÓN. *carnada.* **2** Suceso en el que hay alguna víctima inocente y que provoca fuertes sentimientos: *Ese periodista busca carnaza porque dice que es lo que más le gusta a la gente.*

carne s.f. **1** Parte blanda del cuerpo de los animales formada por los músculos: *Los buitres dejaron los huesos de la res muerta limpios de carne.* **2** Alimento consistente en esta parte del cuerpo de los animales, esp. la de los animales terrestres y aéreos: *He comprado un kilo de carne de cerdo para asar.* **3** Parte blanda de la fruta que está debajo de la cáscara o de la piel: *Me gusta tomar la carne de los melocotones con nata.* **4** Cuerpo humano y sus instintos, esp. los que se consideran que inclinan a la sensualidad y a los placeres sexuales, en oposición al espíritu: *Decía que le era muy difícil resistir las tentaciones de la carne.* **5** ‖ **abrírsele** a alguien **las carnes;** *col.* Impresionarse mucho. ‖ **carne de cañón; 1** En la guerra, tropa expuesta inútilmente a peligro de muerte: *Aquellos soldados en la explanada frente a la fortaleza enemiga eran carne de cañón.* **2** *col.* Gente tratada sin miramientos o sin consideración: *Muchos emigrantes eran carne de cañón cuando llegaban a la ciudad.* ‖ **carne de gallina;** piel que toma un aspecto granuloso o semejante a la de esta ave, generalmente por efecto de un estremecimiento. □ SINÓN. *piel de gallina.* ‖ **(carne de) membrillo;** dulce de aspecto gelatinoso que se elabora con este fruto. ‖ **en carne viva; 1** Referido a una parte del cuerpo, sin piel a causa de una herida o una lesión: *Me raspé tanto que se me quedó la rodilla en carne viva.* **2** Referido esp. a algo doloroso, tenerlo muy vivo y muy presente: *Tengo su ofensa en carne viva y aún sufro pensando en lo que fue capaz de hacerme.* ‖ **en carnes;** en cueros o desnudo. ‖ **metido en carnes;** referido a una persona, que es algo gruesa, pero que no llega a la obesidad. ‖ **poner toda la carne en el asador;** *col.* Arriesgarlo todo de una vez o utilizar todos los recursos disponibles para hacer algo: *Quería salvar su negocio y puso toda la carne en el asador para modernizarlo.* ‖ **ser de carne y hueso;** *col.* Ser sensible a las experiencias y a los sucesos de la vida humana. □ ETIMOL. Del latín *caro.* □ ORTOGR. Dist. de *carné.*

carné s.m. Documento que acredita la identidad de una persona y que la faculta para ejercer ciertas actividades o que la acredita como miembro de determinada agrupación: *carné de estudiante; carné de conducir.* □ ETIMOL. Del francés *carnet.* □ ORTOGR. Dist. de *carne.* □ USO Es innecesario el uso del galicismo *carnet.*

carnear v. En zonas del español meridional, referido a una res, matarla: *Carneó el cordero para asarlo.*

carnero s.m. Mamífero rumiante con cuernos estriados y enrollados en espiral, y de lana espesa: *En la época de celo, el carnero pelea chocando sus cuernos con los de otro carnero.* □ ETIMOL. De *carne*, porque el carnero solo se emplea para la carne, a diferencia de la oveja que también es útil por sus crías. □ MORF. La hembra se designa con el sustantivo femenino *oveja.*

carnestolendas s.f.pl. Conjunto de los tres días que preceden a la cuaresma: *Las carnestolendas son días de alegría previos a la austeridad del tiempo cuaresmal.* ☐ SINÓN. *carnaval, antruejo.* ☐ ETIMOL. Del latín *dominica ante carnes tollendas* (el domingo antes de quitar las carnes).

carnet (fr.) s.m. →**carné.**

carnicería s.f. **1** Establecimiento en el que se vende carne. **2** Matanza o gran mortandad de gente causadas generalmente por la guerra o por una catástrofe: *El bombardeo enemigo provocó una carnicería entre la población civil.* **3** Destrozo efectuado en la carne: *La operación que le hicieron fue una verdadera carnicería.* ☐ ORTOGR. Incorr. **carnecería.*

carnicero, ra ▌adj./s. **1** Referido a un animal, que mata a otros para comérselos. **2** Cruel, sanguinario e inhumano: *La policía dijo que el crimen solo podía ser obra de un carnicero.* ▌s. **3** Persona que se dedica profesionalmente a la venta de carne. **4** *col. desp.* Cirujano que hace mal su oficio. ☐ SEM. En la acepción 1, dist. de *carnívoro* (que se alimenta de carne).

cárnico, ca adj. De la carne destinada al consumo o relacionado con ella: *productos cárnicos.*

carnitas s.f.pl. Comida mexicana que consiste en tacos de carne de cerdo que se fríen con su propia grasa.

carnívoro, ra ▌adj. **1** Referido a un animal, que se alimenta de carne o que puede alimentarse de ella. **2** Referido a una planta, que se nutre de insectos. ▌adj./s. **3** Referido a un mamífero, que tiene una dentición adaptada esp. al consumo de carne, con caninos fuertes, molares cortantes y potentes mandíbulas: *El tigre es carnívoro.* ▌s.m.pl. **4** En zoología, orden de estos mamíferos: *Algunas especies de carnívoros son salvajes y otras están domesticadas.* ☐ ETIMOL. Del latín *carnivorus*, de *caro* (carne) y *vorare* (devorar). ☐ SEM. En la acepción 1, dist. de *carnicero* (que mata a un animal para comérselo).

carnosidad s.f. Masa irregular y de consistencia blanda que sobresale en alguna parte del cuerpo: *Los pavos tienen una carnosidad rosada que les cuelga por encima del pico.*

carnoso, sa adj. **1** De carne de animal: *El gallo tiene una cresta carnosa en la parte superior de la cabeza.* **2** Referido a un órgano vegetal, que está formado por tejidos blandos y jugosos: *Los melocotones son frutos carnosos.*

caro adv. Por mucho dinero o a un precio elevado: *En esta tienda venden muy caro.*

caro, ra ▌adj. **1** Referido a una mercancía, de precio elevado o superior al habitual o al que se espera en relación con otra: *No quiero una blusa tan cara.* **2** *poét.* Amado, querido o estimado: *Escúchame, caro amigo.* ▌s.f. **3** En la cabeza, parte anterior que va desde la frente hasta la barbilla: *La nariz, los ojos y la boca están en la cara.* **4** Expresión del rostro: *Aunque tiene cara de ángel, es un poco travieso.* ☐ SINÓN. *semblante.* **5** Fachada o parte frontal: *La puerta del garaje está en la cara norte del edificio.* **6** En un objeto plano, cada una de sus superficies: *La cara A de este disco está rayada.* **7** En un cuerpo geométrico, cada una de las superficies planas que lo forman: *Un cubo tiene seis caras.* **8** En una moneda, lado o superficie principales: *En la cara de la moneda se ve un busto y en la cruz, la cantidad de su valor.* ☐ SINÓN. *anverso.* **9** Aspecto o apariencia: *Me comeré una de estas manzanas que tienen tan buena cara. Ve al médico, porque tienes muy mala cara.* **10** Persona, esp. la que está presente o asiste a un acto: *En el estreno de la película había muchas caras famosas.* **11** ‖ **a cara o cruz;** referido a la forma de tomar una decisión, dejando que decida la suerte, esp. tirando una moneda al aire: *Los capitanes de los dos equipos echaron a cara o cruz qué equipo elegiría campo.* ‖ **{buena/mala} cara;** *col.* Muestra de aprobación o de desaprobación: *'Al mal tiempo, buena cara', dice el refrán.* ‖ **caérsele la cara de vergüenza** a alguien; *col.* Avergonzarse: *No sé cómo no se te cae la cara de vergüenza después de lo que has hecho.* ‖ **cara a cara;** de manera abierta y directa. ‖ **cara de circunstancias;** *col.* La que expresa una tristeza o una seriedad fingidas, para estar a tono con una determinada situación. ‖ **cara de perro;** *col.* La que expresa hostilidad o reprobación. ‖ **cara de {pocos amigos/vinagre/acelga};** *col.* La de aspecto seco y desagradable. ‖ **cara (dura); 1** *col.* Desfachatez, descaro o poca vergüenza. **2** *col.* →**caradura.** ‖ **cara larga;** *col.* La que expresa tristeza y contrariedad. ‖ **cruzar la cara** a alguien; darle un golpe, una bofetada. ‖ **dar la cara;** responder de los propios actos: *Si has hecho una gamberrada, ahora tienes que dar la cara y asumir tu responsabilidad.* ‖ **{dar/sacar} la cara por** alguien; *col.* Salir en su defensa: *En cuanto se mete en problemas, viene su hermano mayor a sacar la cara por él.* ‖ **de cara a;** en relación con: *Me estoy preparando a fondo, de cara a los próximos exámenes.* ‖ **echar en cara;** recordar con reproche un favor o un beneficio a los que no se ha correspondido: *No pude hacerle el favor que me pedía y me echó en cara que él siempre me ayudaba.* ‖ **lavar la cara** a algo; modificarle la apariencia externa sin cambiar su contenido: *Si le lavamos la cara al programa, será más fácil de vender.* ‖ **partir la cara** a alguien; *col.* Darle una paliza. ‖ **plantar cara** a algo; *col.* Hacerle frente o presentarle oposición o resistencia. ‖ **por la cara;** *col.* Sin pagar nada o sin tener derecho ni méritos: *Aquí no le damos nada a nadie por la cara.* ☐ SINÓN. *por la patilla.* ‖ **por su linda cara** o **por su cara bonita;** *col.* Sin méritos propios: *Todos le criticaban que había aprobado por su linda cara.* ☐ ETIMOL. Las acepciones 1 y 2, del latín *carus*. Las acepciones 3-11, del griego *kára* (cabeza). ☐ MORF. *Cara*, cuando se antepone a una palabra para formar compuestos, adopta la forma *cari-*. ☐ SINT. *A cara o cruz* se usa más con los verbos *echar, jugar* o equivalentes. ☐ USO Es innecesario el uso del galicismo *tête à tête* en lugar de la expresión *cara a cara.*

carolingio, gia adj./s. De Carlomagno (rey francés de los siglos VIII y IX), o relacionado con él: *el imperio carolingio.*
carota adj.inv./s.com. Referido a una persona, que tiene gran desfachatez o desvergüenza. ☐ SINÓN. *caradura.*
caroteno s.m. Compuesto químico de origen vegetal, de color rojo, anaranjado o amarillo, que se transforma en vitamina A en los animales: *El caroteno se encuentra en verduras y frutas como la zanahoria y el tomate.* ☐ SINÓN. *betacaroteno.*
carotenoide adj.inv./s.m. Referido esp. a una sustancia, que tiene una estructura o unas propiedades semejantes a las del caroteno.
carótida s.f. →**arteria carótida.** ☐ ETIMOL. Del griego *karotís*, y este de *karóo* (adormezco), porque llevan la sangre al cerebro y se creía que el sueño dependía de ellas.
carozo s.m. **1** Corazón o raspa de la mazorca de maíz después de desgranarla: *El carozo de las mazorcas arde muy bien y es ideal para encender una hoguera.* **2** En zonas del español meridional, hueso de una fruta: *Tendré cuidado de no tragarme el carozo del durazno.* ☐ ETIMOL. Del latín *carudium.*
carpa s.f. **1** Pez de agua dulce, verdoso por encima y amarillento por abajo, de boca pequeña sin dientes, con escamas grandes y aleta dorsal larga y sin lóbulos. **2** Toldo que cubre un recinto amplio: *la carpa del circo.* **3** En zonas del español meridional, tienda de campaña. ☐ ETIMOL. La acepción 1, del latín *carpa.* Las acepciones 2 y 3, de origen incierto. ☐ MORF. En la acepción 1, es un sustantivo epiceno: *la carpa {macho/hembra}.*
carpaccio (it.) s.m. Carne o pescado crudos que se sirven cortados muy finos y se aliñan con distintos condimentos: *Me gusta el carpaccio de solomillo con queso y aceite.* ☐ PRON. [carpácho].
carpanta s.f. *col.* Hambre atroz o muy intensa: *No he comido nada y ahora tengo una carpanta que me comería un buey.*
carpe s.m. Árbol con la corteza gris pálida, flores amarillentas o verdes y frutos agrupados en racimos colgantes. ☐ SINÓN. *ojaranzo.* ☐ ETIMOL. Del latín *carpinus.*
carpe diem (lat.) s.m. || Tópico literario que anima a disfrutar del momento presente, dada la brevedad de la vida: *El famoso soneto de Góngora que comienza 'Mientras por competir con tu cabello' desarrolla el tema del carpe diem.* ☐ ETIMOL. De *Carpe diem* (disfruta de lo presente), que es una expresión de una oda del poeta latino Horacio. ☐ PRON. [cárpe díem].
carpelo s.m. En una planta fanerógama, cada una de las hojas modificadas que componen el gineceo o parte femenina: *Los óvulos se forman en el interior de los carpelos.* ☐ ETIMOL. Del griego *karpós* (fruto).
carpeta s.f. **1** Pieza, generalmente de cartón, doblada y que se utiliza para guardar papeles o documentos. **2** En informática, directorio: *Voy a abrir una nueva carpeta para meter todos estos ficheros.* **3** En zonas del español meridional, tapete: *Mi suegra me regaló unas carpetas que ella misma tejió.* ☐ ETIMOL. Del francés *carpette* (tapete, cubierta), y este del inglés *carpet* (alfombra).
carpetano, na adj./s. De un antiguo pueblo prerromano que ocupaba parte de la zona central de la meseta española o relacionado con él.
carpetazo || **dar carpetazo;** referido a un asunto, interrumpir su proceso, dejarlo sin solución o darlo por terminado: *Han debido de dar carpetazo a mi solicitud de traslado, porque ya llevo varios meses esperando respuesta.*
carpetovetónico, ca adj. **1** Que se considera muy español y que se opone a toda influencia extranjera. **2** De los carpetanos y de los vetones o relacionado con estos antiguos pueblos.
carpincho s.m. Roedor anfibio americano, de un metro de largo, que vive en las orillas de ríos y lagunas y que se domestica con facilidad.
carpintería s.f. **1** Lugar de trabajo o taller de un carpintero. **2** Arte y técnica de trabajar la madera y de hacer objetos con ella: *Estudió carpintería en una escuela de oficios.* **3** Obra o trabajo hechos según esta técnica: *La carpintería de la casa es de nogal.*
carpintero, ra s. Persona que se dedica profesionalmente a trabajar la madera y a construir objetos con ella. ☐ ETIMOL. Del latín *carpentarius* (carpintero de carretas).
-carpio Elemento compositivo sufijo que significa 'fruto': *endocarpio, mesocarpio.*
carpo s.m. En algunos vertebrados, conjunto de los huesos que forman parte del esqueleto de la muñeca o de las extremidades anteriores: *El carpo del ser humano está formado por ocho huesos íntimamente ligados y dispuestos en dos filas.* ☐ ETIMOL. Del griego *karpós* (muñeca).
carpófago, ga adj. Referido a un animal, que se alimenta principalmente de frutos: *La ardilla es carpófaga.* ☐ ETIMOL. Del griego *karpós* (fruto) y *-fago* (comer).
carpología s.f. Parte de la botánica que estudia el fruto de las plantas. ☐ ETIMOL. Del griego *karpós* (fruto) y *-logía* (estudio).
carraca s.f. **1** Instrumento formado por una rueda dentada que, al girar, va levantando consecutivamente una o más lengüetas, produciendo un ruido seco: *Los hinchas animaban a su equipo con carracas.* **2** *col. desp.* Artefacto deteriorado, viejo o que funciona mal: *Cuando vimos nuestro avión, pensamos que era imposible que una carraca así pudiera levantarse del suelo.* **3** Persona vieja o con achaques: *Para conmover a sus nietos les decía que era una carraca.* **4** Pájaro de cabeza, alas y vientre azules, con el dorso castaño y el pico largo y ligeramente curvado: *La carraca vive en zonas arboladas y anida en los huecos de los árboles.* **5** Antigua embarcación de transporte: *La carraca fue inventada por los italianos.* ☐ ETIMOL. Las acepciones 1 y 4, de origen onomatopéyico. Las acepciones 2, 3 y 5, de origen incierto. ☐ MORF. En la acepción

4, es un sustantivo epiceno: *la carraca {macho/ hembra}.*

carracuca || **que Carracuca;** *col.* Se usa pospuesto a un comparativo de superioridad para intensificar lo que se expresa: *En la película salía un monstruo más feo que Carracuca.*

carrasca (tb. *carrasco*) s.f. Encina, generalmente pequeña, o mata de ella: *Para que las encinas crezcan bien hay que quitar de vez en cuando las carrascas de alrededor.* ☐ ETIMOL. De origen prerromano.

carrascal s.m. Terreno poblado de carrascas: *Este carrascal será un buen encinar dentro de unos años.* ☐ SINÓN. *carrasquera.*

carrasco s.m. →**carrasca.**

carraspear v. Emitir una tosecilla, generalmente para aclarar la garganta o para evitar la ronquera de la voz: *La oradora carraspeó y bebió un sorbo de agua antes de dirigirse al público.* ☐ ETIMOL. De origen onomatopéyico.

carraspeo s.m. Emisión de una tosecilla, generalmente para aclarar la garganta o para evitar la ronquera de la voz: *Durante la proyección de la película se oía un molesto carraspeo. Con un carraspeo me avisó de que venía gente.* ☐ SINÓN. *carraspera.*

carraspera s.f. **1** Aspereza en la garganta que obliga a toser para eliminarla. **2** Emisión de una tosecilla, generalmente para aclarar la garganta o para eliminar la ronquera de la voz: *La carraspera de alguien del público interrumpió la actuación del músico.* ☐ SINÓN. *carraspeo.* ☐ ORTOGR. Incorr. ***garraspera.*

carrasquera s.f. Terreno poblado de carrascas: *El jabalí se escondió en una espesa carrasquera.* ☐ SINÓN. *carrascal.*

carré (fr.) s.m. **1** Pieza cuadrada de tela que se dobla por la diagonal y que se lleva como fular: *Mi prima lleva siempre un carré de seda al cuello.* **2** →**costillar.** ☐ USO En la acepción 1, su uso es innecesario y puede sustituirse por *pañuelo.*

carrel (ing.) s.m. Sala pequeña de una bibiblioteca que se asigna a un usuario para que pueda disponer por un tiempo determinado de la bibliografía. ☐ PRON. [kárrel].

carrera ▌s.f. **1** Marcha rápida a pie de una persona o de un animal, en la que entre un paso y el siguiente los pies quedan durante un momento en el aire: *Me di una carrera para poder coger el autobús.* **2** Competición de velocidad entre varias personas o entre animales: *En atletismo, lo que más me gusta es la carrera de 100 metros lisos.* **3** Conjunto de estudios que hacen a una persona apta para ejercer una profesión: *La carrera de ingeniero dura seis años.* **4** Profesión por la que se recibe un salario: *Comenzó la carrera de cantante siendo una niña.* **5** En una media o en un tejido semejante, línea de puntos que se sueltan: *Se me enganchó la media con un clavo y se me hizo una carrera.* **6** Servicio o trayecto que hace un vehículo de alquiler transportando pasajeros a un lugar determinado y según una tarifa establecida: *Cuando llegamos al destino, el taxista me cobró la carrera y me bajé.* **7** Calle que anteriormente era un camino: *Yo siempre he vivido en la carrera de San Jerónimo.* **8** Intento de conseguir la primacía en algún campo: *La carrera de armamento entre esos dos países podría acabar en una guerra mundial.* **9** En béisbol, recorrido que hace el jugador cada vez pasa por los cuatro puestos o bases del terreno de juego: *Mi equipo ganó por 14 carreras a 11 el pasado domingo.* ▌pl. **10** Competición de velocidad entre caballos de una raza especial montados por sus jinetes: *Lleva los prismáticos para seguir las carreras de caballos en el hipódromo.* **11** || **a la carrera;** a gran velocidad: *Tuve que hacer la tarea a la carrera para poder llegar a tiempo al trabajo.* || **de carreras;** destinado a esta competición: *un coche de carreras.* || **hacer carrera;** prosperar en la sociedad. || **hacer la carrera;** dedicarse a la prostitución: *Las circunstancias de la vida la obligaron a hacer la carrera.* || **no poder hacer carrera {con/de}** alguien; *col.* No poder convencerlo para que haga lo que debe: *Está triste porque no puede hacer carrera de sus hijos.* ☐ ETIMOL. Del latín **carraria* (vía para los carros).

carrerilla || **de carrerilla;** *col.* De memoria y de corrido, sin enterarse muy bien del sentido de lo que se dice: *Me dijo la lección de carrerilla, como un papagayo.* || **tomar carrerilla;** retroceder unos pasos para poder coger impulso y avanzar con más fuerza: *El saltador de altura tomó carrerilla para poder pasar el listón.*

carreta s.f. Carro pequeño de madera, generalmente con dos ruedas que no están herradas, y con un madero que sobresale y al que se ata el yugo: *Los colonos americanos iban hacia el Oeste en sus carretas.*

carretada s.f. **1** Carga que transportan una carreta o un carro: *Las vacas se comieron una carretada de hierba.* **2** *col.* Gran cantidad de algo: *una carretada de caramelos.* **3** || **a carretadas;** *col.* A montones o en gran cantidad.

carrete s.m. **1** Cilindro que generalmente tiene el eje hueco, con rebordes en sus bases y que sirve para devanar o enrollar algo flexible: *un carrete de hilo.* **2** En una caña de pescar, pieza cilíndrica en la que se enrolla el sedal. **3** Rollo de película fotográfica. **4** || **dar carrete** a alguien; *col.* Darle conversación: *El policía daba carrete al sospechoso para que se delatara.* || **tener carrete;** *col.* Hablar mucho: *Mi vecino tiene mucho carrete y por su culpa llegué tarde.* ☐ ETIMOL. De *carro.*

carretela s.f. Carruaje de cuatro asientos y cubierta plegable.

carretera s.f. Véase **carretero, ra.**

carretero, ra ▌s. **1** Persona que conduce un carro o una carreta. ▌s.f. **2** Camino público, ancho y pavimentado, preparado para el tránsito de vehículos: *Sufrimos una avería en una carretera local, muy poco transitada.* **3** || **fumar como un carretero;** *col.* Fumar mucho. || **hablar como un carretero;** *col.* Decir continuamente palabras malsonantes.

carretilla s.f. Carro pequeño formado generalmente por una sola rueda, un cajón en el que se lleva la carga, dos varas que sirven para dirigirlo y dos pies sobre los que descansa: *El albañil llevaba los ladrillos con una carretilla.*

carricoche s.m. **1** Automóvil viejo, que funciona mal o que resulta feo: *Me llevó a casa en un carricoche tan viejo que parecía que se iba a desmontar.* **2** Vehículo pequeño de cuatro ruedas, que debe ser empujado y que sirve para transportar a un bebé: *Tengo que conseguir una sillita, porque el bebé ya casi no cabe en el carricoche.* □ SINÓN. *coche de niño, cochecito.*

carrier s.m. Onda radioeléctrica de alta frecuencia que puede ser modulada por la señal que transmite: *El carrier se utiliza para la telecomunicación.*

carril s.m. **1** En una vía pública, cada parte destinada al tránsito de una sola fila de vehículos: *Los coches deben circular por el carril de la derecha.* **2** Guía por la que se desliza un objeto en una dirección determinada: *Corrió la cortina haciéndola mover por el carril.* **3** ‖ **carril bus;** parte de una carretera destinada exclusivamente para el público.

carrilano s.m. En zonas del español meridional, ferroviario.

carrilar v. En fútbol, jugar por las bandas del campo: *El entrenador me dijo que tenía que carrilar más.*

carrilera s.f. Véase **carrilero, ra**.

carrilero, ra ▮ s. **1** En fútbol, jugador que desarrolla su cometido en las bandas del campo: *El carrilero fue el artífice de los tres goles de su equipo.* **2** Persona vagabunda que vive en la calle: *Trabajo en una asociación voluntaria que se dedica a recoger y atender a los carrileros que duermen en la calle.* ▮ s.f. **3** En zonas del español meridional, vía del tren: *Crucé la carrilera justo antes de que pasase el ferrocarril.*

carrilla s.f. **1** *col.* En zonas del español meridional, burla, escarnio o cizaña. **2** ‖ **{dar/echar} carrilla;** *col.* En zonas del español meridional, molestar o causar perjuicio.

carrillento, ta adj./s. En zonas del español meridional, referido a una persona, que molesta o incomoda.

carrillo s.m. **1** Cada una de las dos partes carnosas y abultadas de la cara, debajo de los ojos. □ SINÓN. *mejilla.* **2** ‖ **comer a dos carrillos;** *col.* Con rapidez y voracidad: *Comía a dos carrillos para que nadie le quitara la comida.* □ ETIMOL. Quizá de *carro*, por el movimiento de vaivén de las mandíbulas al masticar.

carrillón s.m. →**carillón.**

carrilludo, da adj. Que tiene abultados los cachetes o carrillos. □ SINÓN. *cachetudo.*

carrizal s.m. Terreno poblado de carrizos: *Los carrizales son terrenos húmedos.*

carrizo s.m. Planta herbácea que tiene la raíz larga, rastrera y dulce, el tallo alto, las hojas planas y alargadas, y las flores en panoja, que crece cerca del agua: *En el litoral mediterráneo el carrizo se usa para disminuir los efectos del viento sobre los cultivos.* □ ETIMOL. Del latín **cariceum* (carrizal).

carro s.m. **1** Vehículo formado por un armazón montado sobre dos ruedas, con lanza o con varas para enganchar el tiro: *El labrador llevaba la paja en un carro tirado por una mula.* **2** Vehículo o armazón con ruedas que se emplea para transportar objetos: *En el aeropuerto cogí un carro para llevar las maletas hasta el coche.* **3** En algunas máquinas, pieza que tiene un movimiento de traslación horizontal: *Puso el folio en el carro de la máquina de escribir.* **4** En zonas del español meridional, coche o automóvil: *Maneja siempre un carro gris bastante viejo.* **5** ‖ **carro (de combate);** tanque de guerra. ‖ **carros y carretas;** *col.* Contrariedades o contratiempos: *Aguantó carros y carretas con tal de que no lo despidieran.* ‖ **parar el carro;** *col.* Contenerse o dejar de hablar: *Oye, para el carro, que yo no he tenido la culpa.* ‖ **subirse al carro;** *col.* Meterse a colaborar en un asunto que parece exitoso: *Ese hombre no tiene buenas ideas, pero sabe subirse al carro en el momento preciso.* ‖ **tirar del carro;** *col.* Hacer el trabajo en el que deberían participar otros: *Soy yo la que tengo que tirar del carro, porque los demás no hacen nada.* □ ETIMOL. Del latín *carrus.* □ SINT. *Carros y carretas* se usa más con los verbos *aguantar*, *pasar* o equivalentes. □ USO *Parar el carro* se usa más en imperativo.

carrocería s.f. En un automóvil o en un tren, parte que recubre el motor y otros elementos y en cuyo interior se instalan los pasajeros o la carga. □ ETIMOL. De *carrocero.*

carrocero, ra s. Persona que se dedica profesionalmente a la fabricación o a la reparación de carrocerías. □ ETIMOL. De *carroza.*

carromato s.m. Carro grande de dos ruedas, cubierto por un toldo, que tiene dos varas para enganchar uno o varios animales de tiro: *La gente del circo instaló los carromatos cerca de la carpa en la que representaban la función.* □ ETIMOL. Del italiano *carro matto* (carro con un suelo de tablas muy resistente que va sobre cuatro ruedas muy bajas).

carroña s.f. **1** Carne corrompida: *Los buitres comen carroña.* **2** Lo que se considera ruin y despreciable: *La nueva directora quería limpiar la empresa de carroña y de aprovechados.* □ ETIMOL. Del italiano *carogna.*

carroñero, ra ▮ adj. **1** De la carroña o relacionado con esta carne: *alimentación carroñera.* ▮ adj./s. **2** Referido a un animal, que se alimenta de carroña.

carroza ▮ adj.inv./s.com. **1** *col. desp.* Referido a una persona, que es mayor o está anticuada. ▮ s.f. **2** Coche de caballos grande, lujoso y adornado. **3** Vehículo que se adorna para algunos festejos o funciones públicos: *Fuimos a ver las carrozas del desfile de carnaval.* **4** En zonas del español meridional, coche fúnebre. □ ETIMOL. Del italiano *carrozza.*

carruaje s.m. Vehículo formado por una armazón de madera o de hierro montada sobre ruedas. □ ETIMOL. Del provenzal antiguo *cariatge.*

carrusel s.m. **1** Atracción de feria formada por una plataforma giratoria sobre la que hay reproducciones a pequeña escala de animales y vehículos, en los que los niños se pueden montar: *Me monté en un coche de bomberos que había en el carrusel.* □ SINÓN. *caballitos, tiovivo.* **2** En un proyector, soporte en el que se colocan las diapositivas para ser proyectadas. **3** Sucesión de elementos en el espacio y en el tiempo: *un carrusel de imágenes.* □ ETIMOL. Del francés *carrousel.*

carst s.m. →**karst.**

cárstico, ca adj. →**kárstico.**

carta s.f. **1** Papel escrito, generalmente metido en un sobre, que se envía a una persona para comunicarle algo: *No has recibido mi carta porque escribí mal tu dirección.* **2** Cada una de las cartulinas rectangulares que llevan en una de sus caras una figura o un número determinado de objetos, y que forman parte de una baraja. □ SINÓN. *naipe.* **3** En un restaurante o en un establecimiento semejante, lista de los platos y de las bebidas que se pueden elegir. **4** Representación gráfica, sobre un plano y de acuerdo con una escala, de la superficie terrestre o de una parte de ella: *una carta de navegación.* □ SINÓN. *mapa.* **5** Documento oficial acreditativo: *El jugador de fútbol pedía a su club la carta de libertad para poder fichar por otro equipo.* **6** || **a carta cabal;** por completo: *Fíate de él porque es una persona íntegra a carta cabal.* || **carta abierta;** la que se dirige a una persona, pero con la intención de que se exhiba públicamente: *Envió al periódico una carta abierta en la que protestaba al alcalde por la suciedad de las calles.* || **carta astral;** gráfico en el que se representa la posición de los planetas y otros factores que coinciden en el momento del nacimiento de una persona. || **carta blanca;** *col.* Libertad que se da a alguien para obrar en un asunto: *El jefe me ha dado carta blanca en la empresa durante su ausencia.* || **carta de ajuste;** en un televisor, gráfico con líneas y colores que sirve para ajustar la imagen: *Antes de que comience la emisión de una cadena se ve la carta de ajuste.* || **carta de naturaleza;** concesión a un extranjero de la nacionalidad de un país. || **carta de pago;** escritura en la que el acreedor afirma haber recibido lo que se le debía o parte de ello: *Conserva las cartas de pago de todas las mercancías recibidas.* || **carta magna;** constitución escrita o código fundamental de un Estado: *La carta magna de un Estado recoge los derechos y las obligaciones de los ciudadanos.* || **(carta) pastoral;** escrito o discurso en los que un prelado instruye o exhorta a su diócesis. || **(cartas) credenciales;** las que se dan a un embajador o a un ministro para que se les reconozca o se les admita como tales: *La nueva embajadora presentó sus cartas credenciales al Rey.* || **echar las cartas;** leer o adivinar el futuro usando las cartas de la baraja. || **enseñar las cartas** o **poner las cartas boca arriba;** manifestar una intención o una opinión que se ocultaban: *Le dijeron que enseñara sus cartas porque no se fiaban de él.* || **jugar** alguien **sus cartas;** aprovechar los recursos para lograr algún fin: *Si juegas bien tus cartas puedes salir muy beneficiado con este negocio.* || **no saber a qué carta quedarse;** *col.* Estar indeciso: *No sabe a qué carta quedarse porque ninguno de los dos lo convence.* || **tener** algo **carta de naturaleza;** tener carácter de normalidad: *¿Este proyecto tiene ya carta de naturaleza?* || **tomar cartas en un asunto;** *col.* Intervenir en él: *El director tomó cartas en el asunto para que no se volvieran a producir los altercados.* □ ETIMOL. Del latín *charta* (papel).

cartabón s.m. Instrumento de dibujo con figura de triángulo rectángulo y con los catetos de distinta longitud: *El cartabón suele tener graduado el cateto mayor.* □ ETIMOL. Quizá del italiano *quarto buono.*

cartaginense adj.inv./s.com. →**cartaginés.**

cartaginés, -a adj./s. De Cartago (antigua ciudad norteafricana) o relacionado con ella. □ SINÓN. *cartaginense.*

cartapacio s.m. **1** Cartera o carpeta para guardar libros o papeles: *Sobre la mesa de su despacho tiene un cartapacio negro.* **2** Cuaderno para tomar apuntes: *En un cartapacio iba anotando los datos más importantes que daba el conferenciante.* □ ETIMOL. De *carta.*

cartearse v.prnl. Escribirse cartas recíprocamente: *No lo veo desde que acabamos la carrera, pero nos seguimos carteando.*

cartel s.m. **1** Lámina, generalmente de papel, con inscripciones o figuras, que se coloca en un lugar con fines publicitarios o propagandísticos: *Han pegado muchos carteles que anuncian el concierto.* **2** Fama o reputación: *Este muchacho tiene buen cartel entre sus compañeros de trabajo.* **3** →**cártel. 4** || **en cartel;** referido a un espectáculo, que se está representando: *La obra solo estuvo en cartel quince días.* □ ETIMOL. Las acepciones 1, 2 y 4, del catalán *cartell,* y este del italiano *cartello.*

cártel (tb. *cartel*) s.m. **1** Convenio entre varias empresas para evitar la competencia entre ellas y regular la producción, la venta y los precios de un producto: *un cártel petrolero.* **2** Agrupación de personas que persiguen fines ilícitos: *La policía persigue los cárteles formados en torno a la droga.* □ ETIMOL. Del alemán *Kartell.* □ ORTOGR. Dist. de *cárter.*

cartela s.f. **1** Trozo de cartón, madera u otro material que se utiliza a modo de tarjeta para escribir algo en él: *El título de cada cuadro aparece escrito debajo en una cartela.* **2** Elemento arquitectónico o pieza metálica de más altura que profundidad, que se utiliza como soporte o ménsula: *El balcón está sostenido por unas cartelas de hierro.* □ ETIMOL. Del italiano *cartella.*

cartelera s.f. **1** Armazón con la superficie adecuada para fijar en ella carteles o anuncios publicitarios. **2** Cartel anunciador de un espectáculo: *la cartelera de un cine.* **3** En un periódico o en una revista, sección en la que se anuncian espectáculos.

cartelista s.com. Persona que pinta o diseña carteles, carteleras o anuncios.

carteo s.m. Envío recíproco de cartas entre dos o más personas: *Aunque llevan años sin verse, su carteo los mantiene en contacto.*

cárter (pl. *cárteres*) s.m. En un automóvil, depósito de lubricante del motor. ☐ ETIMOL. Por alusión a J. H. Carter, su inventor. ☐ ORTOGR. Dist. de *cártel.*

cartera s.f. Véase **cartero, ra.**

cartería s.f. Oficina de correos, que no suele ser la central, en la que se reciben y se distribuyen las cartas.

carterista s.com. Ladrón de carteras de bolsillo.

cartero, ra ▮ s. **1** Persona que se dedica profesionalmente al reparto de cartas y envíos de correos: *Para ser cartera tuvo que aprobar una oposición.* ▮ s.f. **2** Utensilio rectangular, plegable y de bolsillo, con divisiones internas, que se utiliza para guardar dinero, papeles y documentos: *En la cartera guardo las tarjetas del banco y los billetes.* **3** Utensilio de forma cuadrangular, con asa, hecho generalmente con un material flexible, que se usa para llevar documentos o libros en su interior: *Los niños van al colegio con sus carteras.* **4** En economía, conjunto de valores comerciales que forman parte del activo de un banco, de una empresa o de un comerciante: *Las acciones recién adquiridas pasan a formar parte de la cartera de la empresa.* **5** Conjunto de clientes, artículos o factores que abarca la actividad de una entidad comercial o un comerciante: *Nuestra cartera de clientes está formada por empresas del sector informático.* **6** Empleo de ministro: *Ocupa la cartera de Asuntos Exteriores.* **7** En zonas del español meridional, bolso de mujer. **8** ‖ **cartera de pedidos;** relación de pedidos que una empresa ha recibido de sus clientes y que tiene pendiente de fabricar o de suministrar. ‖ **cartera de valores;** total al que ascienden las acciones, obligaciones y demás títulos de propiedad de una persona física o jurídica en un momento dado. ‖ **cartero comercial;** el que se dedica profesionalmente a introducir propaganda en los buzones. ‖ **tener en cartera** algo; tenerlo en proyecto o preparado para su próxima realización: *La empresa tiene en cartera la implantación de sucursales en otras provincias.* ☐ USO En las acepciones 3-6, es innecesario el uso del anglicismo *portfolio.*

cartesianismo s.m. **1** Sistema filosófico de Descartes (filósofo, matemático y físico francés del siglo XVII) y de sus discípulos: *El cartesianismo explica el conocimiento partiendo de la razón y no de la experiencia.* **2** Valoración de la razón como fórmula de conocimiento: *El cartesianismo con que se lleva a cabo la investigación excluye cualquier dato aportado por los sentidos si no es evidente.*

cartesiano, na adj. De Descartes (filósofo, matemático y físico francés del siglo XVII) o relacionado con él: *principios cartesianos.* ☐ ETIMOL. De *Cartesius* (nombre latino de Descartes).

cartilaginoso, sa adj. De los cartílagos o que tiene semejanza o relación con ellos: *El pabellón de la oreja es un órgano cartilaginoso.*

cartílago s.m. **1** Tejido de sostén, duro y flexible, con propiedades intermedias entre el tejido óseo y el conjuntivo: *El hueso se forma a partir de cartílago.* **2** Pieza formada por este tejido: *Las costillas se unen al esternón por medio de cartílagos.* ☐ ETIMOL. Del latín *cartilago.*

cartilla s.f. **1** Cuaderno pequeño impreso o libro para aprender a leer: *Las cartillas están ilustradas con dibujos que orientan al niño en el aprendizaje.* **2** Libreta en la que se anotan determinados datos: *En la cartilla de ahorros aparecen anotados los ingresos y los pagos de mi cuenta.* **3** Conocimientos elementales de un arte o un oficio: *Dice que es ebanista, pero aún no sabe la cartilla de la carpintería.* **4** ‖ **leerle la cartilla** a alguien; *col.* Reprenderlo o advertirlo de lo que debe hacer en un asunto: *Te voy a tener que leer la cartilla, a ver qué es eso de no hacer los deberes.* ‖ **saberse la cartilla** o **tener aprendida la cartilla;** haber recibido instrucciones sobre el modo de actuar en un asunto: *Tiene bien aprendida la cartilla y todo lo hace como le dicen sus padres.* ☐ ETIMOL. De *carta.*

cartografía s.f. **1** Arte y técnica de trazar mapas geográficos: *La cartografía utiliza las fotos aéreas para perfeccionar sus mapas.* **2** Ciencia que estudia los mapas y cómo realizarlos: *La cartografía nos aporta datos sobre el conocimiento que en la Antigüedad se tenía de la Tierra.* ☐ ETIMOL. De *carta* (mapa) y *-grafía* (descripción, tratado).

cartografiar v. Referido a una zona terrestre, trazar su mapa geográfico: *Los exploradores cartografiaban las nuevas regiones que iban descubriendo.* ☐ ORTOGR. La *i* lleva tilde en los presentes, excepto en las personas *nosotros* y *vosotros* →GUIAR.

cartográfico, ca adj. De la cartografía o relacionado con ella.

cartógrafo, fa s. Persona que traza mapas geográficos.

cartomagia s.f. Juego de magia cuyos trucos se realizan con una baraja.

cartomancia (tb. *cartomancía*) s.f. Adivinación por medio de la interpretación de las cartas o naipes: *El tarot es una de las barajas de cartas que utiliza la cartomancia.* ☐ ETIMOL. De *carta* y *-mancia* (adivinación).

cartomántico, ca ▮ adj. **1** De la cartomancia o relacionado con esta forma de adivinación: *técnicas cartománticas.* ▮ adj./s. **2** Que practica la cartomancia.

cartón s.m. **1** Lámina gruesa hecha con pasta de trapo, papel viejo y otras materias, o por varias hojas superpuestas de pasta de papel que se adhieren por compresión: *Prepara unas cajas de cartón para meter estos libros.* **2** Envase o recipiente de este material: *Solemos gastar dos cartones de leche cada día.* **3** Dibujo que sirve de modelo para una obra, esp. para un tapiz, un mosaico o una pintura, y que se suele hacer sobre este material o sobre papel o lienzo: *Goya pintó cartones para tapices.* **4** ‖ **cartón piedra;** pasta compuesta fundamentalmente por papel, yeso y aceite secante, que se endurece mucho al secarse y que se utiliza para hacer figuras: *Los decorados cinematográficos suelen hacerse con cartón piedra.* || **cartón pluma;** el que está hecho de un material muy ligero y lleva pegada una cartulina por cada lado.

cartonaje s.m. Conjunto de cosas o de planchas de cartón: *una fábrica de cartonaje.*

cartoné s.m. Encuadernación hecha con tapas de cartón forradas de papel: *Este libro va encuadernado en cartoné.* □ ETIMOL. Del francés *cartonée*, y este de *cartonner* (encartonar).

cartoon (ing.) s.m. Dibujo perteneciente a una película de dibujos animados. □ PRON. [cartún].

cartuchera s.f. **1** Cinturón preparado para llevar cartuchos. □ SINÓN. *canana.* **2** *col.* Exceso de grasa acumulado en alguna parte del cuerpo, esp. en la zona de las caderas.

cartucho s.m. **1** Cilindro, generalmente metálico, que contiene la carga de pólvora o de municiones necesaria para realizar un tiro con un arma de fuego: *El cazador compró cartuchos para su escopeta.* **2** Envoltorio cilíndrico, esp. el que contiene monedas de una misma clase: *La cajera tenía varios cartuchos de duros para los cambios.* **3** Lámina, generalmente de papel o de cartón, enrollada en forma cónica, que sirve para contener cosas menudas: *Hizo un cartucho con el papel y metió dentro las almendras.* □ SINÓN. *cucurucho.* **4** Repuesto intercambiable provisto de lo necesario para que funcione una máquina, un aparato o un instrumento: *Para cambiar el cartucho de tinta de la impresora debes seguir las instrucciones.* **5** || **quemar el último cartucho;** emplear el último recurso en una situación difícil: *Solo me queda por quemar un último cartucho para salvar nuestra amistad.* □ ETIMOL. Del francés *cartouche*, y este del italiano *cartoccio.*

cartuja s.f. Véase **cartujo, ja**.

cartujano, na ▌adj. **1** De la Cartuja (orden religiosa fundada por san Bruno en la segunda mitad del siglo XI) o relacionado con ella. **2** Referido a un caballo o a una yegua, que tiene las características típicas de la raza andaluza. ▌adj./s. **3** Que es religioso de la orden Cartuja. □ SINÓN. *cartujo.*

cartujo, ja ▌adj./s. **1** Que es religioso de la orden Cartuja (orden religiosa fundada por san Bruno en la segunda mitad del siglo XI). □ SINÓN. *cartujano.* ▌s.f. **2** Monasterio o convento de esta orden.

cartulario s.m. En la Edad Media, libro en el que se recogen los documentos y escrituras sobre las propiedades y los privilegios de una iglesia, monasterio, concejo o comunidad: *Los cartularios son una fuente histórica muy importante.* □ ETIMOL. Del latín *chartularium*, y este de *chartula* (escritura pública).

cartulina s.f. **1** Cartón delgado y generalmente liso: *Utiliza una cartulina blanca para hacer las tarjetas de visita.* **2** En fútbol y en otros deportes, tarjeta de un determinado color con la que un árbitro advierte o castiga a un jugador por una falta: *El jugador recibió una cartulina amarilla por su juego agresivo.* □ SINÓN. *tarjeta.* □ ETIMOL. Del italiano *cartolina.*

carúncula s.f. **1** En algunas aves, especie de carnosidad de color rojo vivo que poseen en la cabeza: *La cresta y las barbas del gallo son carúnculas.* **2** || **carúncula lagrimal;** en anatomía, grupo pequeño de glándulas cubierto por una membrana mucosa, que se halla en el ángulo interno del ojo. □ ETIMOL. Del latín *caruncula*, y este de *caro* (carne).

casa s.f. **1** Edificio o parte de él en el que vive una persona o una familia: *Mi casa está en el segundo piso.* **2** Familia o grupo de personas emparentadas entre sí que viven juntas en este edificio o en esta parte de él: *En casa solemos acostarnos pronto.* **3** Linaje o conjunto de personas que tienen un mismo apellido y proceden del mismo origen: *La casa de Borbón reina en España desde el siglo XVIII.* **4** Conjunto de las propiedades de una familia y de las personas que la forman: *La madre está al frente de la casa y todos la obedecen.* **5** Establecimiento industrial o mercantil o institución dedicada a algún fin: *En esta casa nunca se ha recibido queja de ningún cliente.* **6** En deporte, campo de juego propio: *El primer partido lo jugamos en casa y el de vuelta, en el campo del equipo contrario.* **7** En un tablero de juego, cada una de sus casillas o una casilla determinada: *Cuando jugamos al parchís, las fichas que te comen tienes que volverlas a meter en casa.* **8** || **casa consistorial;** edificio en el que tiene sede la corporación, compuesta por un alcalde y varios concejales, que dirige y administra un término municipal. □ SINÓN. *ayuntamiento, concejo.* || **casa cuartel;** conjunto de instalaciones y viviendas a las que solo pueden acceder los guardias civiles y sus familiares. || **casa de baños;** establecimiento con baños para el servicio público. || **casa de citas;** lugar en el que se alquilan habitaciones para mantener relaciones sexuales. || **casa de {Dios/oración}** o **casa del Señor;** templo o iglesia. || **casa de empeño;** establecimiento en el que se presta dinero a cambio de la entrega de un objeto que se deja como prenda. || **casa de (la) moneda;** establecimiento destinado a fundir, fabricar y acuñar moneda o billetes de banco. || **casa de {labor/labranza};** casa en la que viven labradores y que dispone de dependencias para el ganado y los aperos de labranza. || **casa de locos;** *col.* Manicomio: *Con este jaleo, en lugar de una clase esto parece una casa de locos.* || **casa de socorro;** establecimiento benéfico en el que se prestan servicios médicos de urgencia. || **casa de tócame Roque;** aquella en la que vive mucha gente y tiene gran desorden y mal gobierno. || **casa del pueblo;** la de reunión y esparcimiento de las clases populares, esp. las promovidas por los partidos socialistas. || **casa real;** conjunto de personas que forman parte de la familia real: *el portavoz de la casa real.* || **casa rodante;** en zonas del español meridional, caravana o remolque. || **casa rural;** establecimiento público típico de una zona rural, donde se da comida o alojamiento a cambio de dinero: *Pasamos el fin de semana en una casa rural* *en La Rioja.* || **como Pedro por su casa;** *col.* Con naturalidad y confianza, o sin cumplidos: *Mis amigos se sienten en mi casa como Pedro por su casa porque somos muy abiertos.* || **{de/para} andar por casa;** referido esp. a un procedimiento o a una solución, que tiene poco valor, o que se ha hecho sin rigor o de cualquier manera: *Este arreglo es solo para andar por casa, porque necesitaría unos clavos que lo sujetaran bien.* || **{echar/tirar} la casa por la ventana;** *col.* Hacer un gasto grande aunque sea excesivo. || **empezar la casa por el tejado;** empezar a realizar una actividad por donde debiera terminarse: *Si sacas las conclusiones antes de tener todos los datos, empezarás la casa por el tejado.* || **sin casa;** persona que vive en la calle y que suele mantenerse de la mendicidad. □ ETIMOL. Del latín *casa* (cabaña, choza). □ USO Es innecesario el uso del galicismo *meublé* en lugar de *casa de citas.*

casabe s.m. →**cazabe.**

casaca s.f. Prenda de vestir que consiste en una especie de chaqueta ceñida al cuerpo, con mangas hasta las muñecas y con faldones que llegan a la parte posterior de las rodillas: *La casaca fue una prenda de vestir muy usada en el siglo XVIII.* □ ETIMOL. Quizá del francés *casaque.*

casación s.f. →**recurso de casación.**

casadero, ra adj. Que está en edad de casarse: *Tiene ya dos muchachas casaderas.*

casal s.m. **1** Casa de campo. **2** Casa más antigua y noble de una familia. **3** Construcción desmontable que se destina a espectáculos y diversiones. **4** En zonas del español meridional, pareja de macho y hembra.

casamata s.f. Nido de ametralladoras u otras piezas de artillería con una protección resistente contra proyectiles de mediano calibre: *Por las aberturas de la casamata asoman las bocas de algunos cañones.* □ ETIMOL. Del italiano *casamatta.*

casamentero, ra adj./s. Que es aficionado a proponer o a concertar bodas: *Como último recurso, envió a una casamentera para que hablara con la muchacha.*

casamiento s.m. Ceremonia o acto en el que dos personas contraen matrimonio: *El casamiento tendrá lugar el sábado a las 12 de la mañana. Al casamiento solo asistieron los amigos de la familia.* □ SINÓN. *boda, nupcias.*

casanova s.m. Hombre que ha seducido a un gran número de mujeres: *Nunca me creeré las promesas de amor de un casanova como tú.* □ ETIMOL. Por alusión a Casanova, seductor italiano del siglo XVIII.

casaquinta s.f. En zonas del español meridional, vivienda rodeada de un amplio terreno ajardinado.

casar ▌s.m. **1** Conjunto de casas que no llegan a formar un pueblo: *Vivo en un casar a dos kilómetros de un pueblo.* ▌v. **2** Contraer matrimonio: *Casó con un guapo muchacho de la ciudad. Nos casaremos el próximo año.* **3** Referido a un sacerdote o a una autoridad civil, unir en matrimonio, realizando la ceremonia o los requisitos legales necesarios para ello: *Los casó el párroco de su iglesia.* **4** *col.* Referido a la persona que tiene autoridad sobre otra, esp. al padre o al tutor, disponer el matrimonio de esta: *Sus padres los casaron cuando tenían quince años.* **5** Referido a dos o más elementos, disponerlos y ordenarlos de forma que hagan juego o que guarden correspondencia entre sí: *Al colocar los azulejos hay que tener cuidado de casar bien las flores.* **6** Referido a dos o más elementos, corresponder o cuadrar entre sí: *La declaración del testigo no casa con la que hizo el acusado.* **7** || **no casarse con nadie;** *col.* Mantener una actitud o una opinión independientes: *Aunque suele pedir opinión a sus colaboradores, a la hora de decidir no se casa con nadie.* □ ETIMOL. De *casa.*

casca s.m. **1** Hollejo de la uva después de ser pisada y exprimida. **2** Corteza o cubierta dura de algunas cosas, esp. de los huevos y de algunas frutas, que sirve para proteger el interior. □ SINÓN. *cáscara.*

cascabel s.m. **1** Bola metálica, hueca y con una abertura en su parte inferior, que encierra pequeños trozos de hierro o de latón para que suene al moverla. **2** || **poner el cascabel al gato;** *col.* Atreverse a realizar algo peligroso o muy difícil: *Planear la estrategia de ataque es fácil, pero ¿quién le pone el cascabel al gato?* || **ser un cascabel;** *col.* Ser muy alegre: *Esta muchacha es un cascabel y siempre se está riendo.* □ ETIMOL. Del provenzal *cascavel.* □ USO *Poner el cascabel al gato* se usa más en expresiones interrogativas.

cascabelear v. **1** Hacer sonar cascabeles o producir un sonido semejante al de estos: *Los caballos cascabelean al trotar por la calle.* **2** *col.* Actuar irreflexivamente y con poco juicio: *¡A ver si dejas de cascabelear y sientas ya la cabeza!*

cascabeleo s.m. Ruido de cascabeles o sonido de voces y risas que se asemeja al de estos: *Un cascabeleo en el patio nos indicó que el gato había sabido volver a casa.*

cascabelero, ra adj. *col.* Referido a una persona, que tiene poco juicio y es alegre y desenfadada: *No les pidas seriedad a unas muchachas jóvenes y tan cascabeleras.*

cascabillo s.m. Cascarilla o corteza exterior que envuelve el grano de trigo o de cebada: *Para elaborar la harina se desecha el cascabillo del trigo.*

cascada s.f. Véase **cascado, da.**

cascadeur (fr.) s. →**especialista.** □ PRON. [cascadég], con *g* suave.

cascado, da ▌adj. **1** Que está muy gastado, muy trabajado o no tiene fuerza o vigor: *La impresora no funciona bien porque ya está cascada.* ▌s.f. **2** Caída de una corriente de agua desde cierta altura producida por un rápido desnivel del cauce: *Es peligroso bañarse en las zonas del río en las que hay cascadas.* **3** Lo que se asemeja a esta caída porque se produce en gran abundancia y sin interrupción: *una cascada de noticias.* □ ETIMOL. Las acepciones 2 y 3, del italiano *cascata.*

cascadura s.f. Rotura o raja en un cuerpo sólido: *Cuando compres los huevos mira bien que ninguno tenga cascaduras.*

cascajo s.m. **1** Conjunto de fragmentos de piedra y de otros materiales quebradizos: *Los albañiles echaron el cascajo en el contenedor que había traído el Ayuntamiento.* **2** *col.* Trasto u objeto viejo, roto o inútil: *En el desván de la abuela encontré una cómoda sin cajones, una mecedora rota y otros cascajos.* **3** *col.* Persona decrépita: *Esta gripe me ha dejado hecha un cascajo.* **4** *col.* En zonas del español meridional, calderilla. □ ETIMOL. De *cascar* (romper, quebrantar).

cascanueces (pl. *cascanueces*) s.m. Utensilio, generalmente con forma de tenaza, que se utiliza para partir nueces: *Este cascanueces de hierro está muy duro y hay que apretar mucho para abrir una nuez.*

cascar v. **1** Referido a algo quebradizo, romperlo o hacerle grietas o agujeros: *Casca los huevos dándoles un golpe contra el borde de la sartén. Lo siento, pero el plato que me dejaste cayó al suelo y se cascó.* **2** *col.* Referido a una persona, golpearla: *Cuando se entere tu hermano, seguro que te casca.* **3** *col.* Hablar mucho: *En el tren me tocó dormir con dos chicos que no pararon de cascar en toda la noche.* **4** *col.* Contar algo que se debía callar: *No le cuentes ningún secreto porque lo casca todo.* **5** *col.* Morir: *Ya os acordaréis de mí cuando casque.* **6** Referido a la voz, volverla ronca o perder su sonoridad: *El abuso del tabaco le cascó la voz y arruinó su vida de cantante.* □ ETIMOL. Del latín **quassicare*, y este de *quassare* (sacudir, golpear, quebrantar). □ ORTOGR. La *c* se cambia en *qu* delante de *e* →SACAR.

cáscara s.f. **1** Corteza o cubierta dura de algunas cosas, esp. de los huevos y de algunas frutas, que sirve para proteger el interior: *Me he encontrado un trocito de cáscara de huevo en la tortilla.* □ SINÓN. *casca.* **2** ‖ **cascara sagrada;** corteza de una planta medicinal con principios activos de propiedades laxantes. **3** ‖ **ser de la cáscara amarga; 1** *desp.* Ser de ideas avanzadas. **2** *col. desp.* Ser homosexual. □ ETIMOL. De *cascar*, porque las cáscaras hay que romperlas para comer el contenido.

cáscaras interj. *col.* Expresión que se utiliza para indicar extrañeza, sorpresa, admiración o disgusto: *¡Cáscaras, qué frío hace aquí!*

cascarilla s.f. Cubierta o envoltura fina y quebradiza que rodea algunos cereales o algunos frutos: *Los cacahuetes tienen una cáscara de color castaño claro y una cascarilla rojiza.* □ ETIMOL. De *cáscara*.

cascarón s.m. Cáscara de huevo de un ave, esp. la rota por un pollo al salir de él: *El polluelo salía del cascarón picoteándolo.*

cascarrabias (pl. *cascarrabias*) s.com. *col.* Persona que se enfada o que riñe con mucha facilidad: *No te preocupes de su mal humor, es un cascarrabias y ya se le pasará.*

cascarria (tb. *cazcarria*) s.f. Mancha o salpicadura de lodo o de barro secos en la parte de la ropa que va cerca del suelo: *Ha pisado un charco y lleva los pantalones con cascarrias.* □ MORF. Se usa más en plural.

casco ▮ s.m. **1** Pieza que cubre y protege la cabeza: *Está prohibido el paso a la obra a toda persona que no lleve casco.* **2** Recipiente de un líquido cuando está vacío: *cascos de vidrio.* **3** Fragmento que queda de un vaso o vasija después de romperse o de una bomba después de estallar. **4** Cuerpo de una embarcación o de una aeronave sin el aparejo y las máquinas: *La línea de flotación de un buque es la que separa la parte sumergida de su casco de la que no lo está.* **5** En un équido, uña de las extremidades anteriores y posteriores, con la que realiza el apoyo con el suelo. ▮ pl. **6** *col.* Cabeza humana: *Ahora se le ha metido en los cascos que no podemos ir a ver esa película sin haber leído antes la novela.* **7** Aparato que consta de dos auriculares unidos, generalmente por una tira de metal curvada, que se ajusta a la cabeza y que se usa para una mejor recepción del sonido: *un casete con cascos.* **8** ‖ **calentar los cascos** a alguien; *col.* Inquietarlo con preocupaciones: *No se lo cuentes a tu padre, porque no quiero que le calientes los cascos.* ‖ **casco {de población/urbano};** conjunto de edificaciones de una ciudad hasta donde termina su agrupación. ‖ **casco azul;** militar perteneciente a las tropas que son enviadas por las Naciones Unidas (organismo internacional para el mantenimiento de la paz) para que intervengan como fuerzas neutrales en zonas conflictivas. ‖ **ligero de cascos;** *col.* Referido a una persona, que tiene poco juicio o reflexión. ‖ **romperse** alguien **los cascos;** *col.* Esforzarse mucho o preocuparse mucho: *Me rompí los cascos tratando de convencerlo para que viniera a la fiesta y al final no vino.* □ ETIMOL. De *cascar* (romper, quebrantar).

cascote s.m. Fragmento de una construcción derribada o de parte de ella: *El albañil ya ha acabado la obra del baño, pero tiene que venir para llevarse los cascotes que ha dejado.* □ ETIMOL. De *casco*.

casei s.m. Bacilo que forma una capa protectora en el intestino.

caseína s.f. Proteína de la leche que constituye uno de sus elementos principales: *La caseína forma parte de la cuajada que se emplea para fabricar queso.* □ ETIMOL. Del latín *caseus* (queso).

caseoso, sa adj. **1** Del queso o relacionado con él: *industria caseosa.* **2** En medicina, referido a una sustancia, que se encuentra en algunas lesiones y que produce la degeneración de los tejidos: *El médico le dijo que tenía un quiste de contenido caseoso en el pulmón.* □ ETIMOL. Del latín *caseus* (queso). □ ORTOGR. Dist. de *gaseoso*.

casera s.f. Véase **casero, ra.**

casería s.f. →**caserío.**

caserío s.m. **1** Casa de campo aislada, con edificios dependientes y con fincas rústicas unidas y cercanas a ella: *Vive en esta ciudad, pero sus padres continúan viviendo en un caserío en el País Vasco.* **2** Conjunto de casas que no llegan a constituir un pueblo: *Los caseríos son propios del Norte* *de España.* □ ORTOGR. En la acepción 1, se admite también *casería.*

caserismo s.m. En el lenguaje del deporte, inclinación o tendencia de un árbitro a favorecer al equipo en cuyo campo se juega.

casero, ra ▮ adj. **1** Que se hace o que se cría en casa o que pertenece a ella: *un chorizo casero.* **2** Con confianza o sin formalidades: *Cuando nos enteramos de su aprobado, hicimos una celebración casera.* **3** *col.* Según el saber popular, sin dificultad o sin ciencia, pero con eficacia: *un remedio casero contra el catarro.* **4** Referido a una persona, que disfruta mucho estando en su casa. **5** Referido a un árbitro deportivo o a un arbitraje, que favorecen al equipo en cuyo campo se juega. ▮ s. **6** Persona que es dueña de una casa y que la alquila a otra: *Hablé con mi casero para que se ocupara del arreglo de las goteras.* **7** Persona que cuida de una casa y vive en ella cuando está ausente su dueño: *El casero de la finca enciende la chimenea y prepara la casa para cuando llega el dueño.* ▮ s.f. **8** Gaseosa: *vino con casera.* □ ETIMOL. La acepción 8 es extensión del nombre de una marca comercial.

caserón s.m. Casa muy grande y destartalada: *Quiere arreglar el caserón que heredó de sus abuelos, pero para ello necesita mucho dinero.*

caseta s.f. **1** Casa pequeña y aislada, que solo tiene un piso bajo: *la caseta de un perro.* **2** Vestuario para los deportistas: *El entrenador daba las últimas instrucciones a sus jugadores en la caseta.* **3** ‖ **caseta de feria;** construcción provisional desmontable que se destina a espectáculos y diversiones. □ SINÓN. *barraca de feria.*

casete ▮ s.amb. **1** Cajita de plástico que contiene una cinta magnética para el registro y reproducción del sonido o para el almacenamiento y lectura de la información suministrada a través del ordenador: *Grabé la conferencia en una casete.* ▮ s.m. **2** Pequeño magnetófono que utiliza esta cajita de plástico: *Los altavoces de mi casete pueden separarse.* **3** *col.* →**radiocasete.** □ ETIMOL. Del francés *cassette.* □ MORF. En la acepción 1, se usa más el femenino.

casetero s.m. Estuche, mueble o lugar para guardar casetes.

casetón s.m. Elemento de construcción, de forma poligonal, cóncavo y con adornos en el centro, que se dispone en serie para adornar techos y bóvedas: *Los casetones de esta bóvedas están decorados con rosas.* □ SINÓN. *artesón.* □ ETIMOL. De *casa.*

cash (ing.) s.m. Dinero en efectivo: *Me pagó en cash, en lugar de hacerlo con un cheque.* □ PRON. [casch], con *ch* suave. □ USO Su uso es innecesario y puede sustituirse por *efectivo.*

cash and carry (ing.) s.m. ‖ Forma de venta en autoservicio, con pago al contado, realizada por los mayoristas: *Los cash and carry suelen estar situados en las afueras de las ciudades y sus principales clientes son los minoristas.* □ PRON. [casch and cárri], con *ch* suave. □ USO Su uso es innecesario y puede sustituirse por *autoservicio.*

cash-flow (ing.) s.m. Liquidez de la que dispone una empresa, y que se obtiene de sumar beneficios netos y amortizaciones: *El cash-flow de nuestra empresa nos permite pensar en realizar nuevas inversiones.* □ PRON. [cáchflou], con *ch* suave. □ USO Su uso es innecesario y puede sustituirse por *flujo de caja.*

casi adv. Por poco, con poca diferencia o aproximadamente: *Casi llego tarde porque no encontraba las llaves del coche.* □ ETIMOL. Del latín *quasi* (como si). □ MORF. Cuando se antepone a otra palabra para formar compuestos, adopta la forma *cuasi-.* □ USO Se usa con un matiz coloquial para expresar indecisión o duda: *Casi prefiero que vengas tú a mi casa.*

casida s.f. Composición poética árabe o persa, compuesta por un número indeterminado de versos monorrimos y generalmente de tema amoroso, filosófico o moral: *Muchas casidas están escritas en alabanza de la persona a la que van dirigidas.* □ ETIMOL. Del árabe *qasida* (composición poética).

casilla s.f. **1** Cada una de las divisiones de un casillero o mueble: *El conserje cogió la llave de la habitación de la casilla con su número.* **2** En un tablero de juego, esp. el del ajedrez o el de las damas, cada uno de los compartimentos en que quedan divididos: *Las casillas del ajedrez y de las damas son negras y blancas.* **3** En un papel cuadriculado o rayado verticalmente, cada una de las divisiones en las que se anotan separados y por orden figuras o datos: *Escribe cada letra en una casilla.* **4** ‖ **casilla {de correos/postal};** en zonas del español meridional, apartado de correos. ‖ **casilla electoral;** en zonas del español meridional, lugar en el que se vota. ‖ **sacar de sus casillas** a alguien; *col.* Hacerle perder la paciencia: *No me hagas esas preguntas tan tontas porque sabes que eso me saca de mis casillas.* □ ETIMOL. De *casa.*

casillero s.m. **1** Mueble con varios huecos o divisiones para tener clasificados papeles u otros objetos: *En el departamento hay un casillero para dejar la correspondencia de los profesores.* **2** En deporte, marcador o tablón en el que se anotan los tantos que obtiene un jugador o un equipo: *En el minuto treinta subió el segundo gol al casillero.* **3** En zonas del español meridional, taquilla o compartimento para guardar ropa.

casimir s.m. →**cachemir.**

casinero, ra adj. Aficionado a los casinos y a los juegos de azar: *Tengo unos amigos muy casineros que se dejan mucho dinero en la ruleta.*

casino s.m. **1** Establecimiento público en el que hay juegos de azar y espectáculos, conciertos, bailes y otras diversiones. **2** Club o sociedad de recreo: *Es miembro del casino de su ciudad desde muy joven.* □ SINÓN. *círculo.* □ ETIMOL. Del italiano *casino* (pequeña casa elegante).

casiterita s.f. Mineral de color pardo, del que principalmente se extrae el estaño: *La casiterita es bióxido de estaño.* □ ETIMOL. Del latín *cassiterum,* y este del griego *kassíteros* (estaño).

casmodia s.f. Enfermedad que consiste en bostezar con excesiva frecuencia y de forma espasmódica: *Parece que tienes casmodia, porque llevas bostezando todo el día.* □ ETIMOL. Del griego *casmodía* (bostezo frecuente).

caso s.m. **1** Suceso, acontecimiento o lo que ocurre: *Nos contó varios casos insólitos que le ocurrieron en sus vacaciones.* **2** Casualidad o combinación de circunstancias que no se pueden prever ni evitar: *Llévate un traje de noche por si se da el caso y salimos a cenar.* **3** Asunto del que se trata o que se propone para consultar o para explicar algo: *He pasado tu caso al director para que lo estudie y decida él.* **4** Cada una de las manifestaciones individuales de una enfermedad o de una epidemia, o de un determinado hecho: *En toda mi vida profesional, solo he tenido otro caso de esta enfermedad tropical.* **5** En gramática, en una lengua con declinación, relación sintáctica que una palabra de carácter nominal mantiene con su contexto en una oración, según la función que desempeñe: *Lo que en algunas lenguas se expresa mediante el caso, en otras se expresa con la preposición o con otros recursos gramaticales.* **6** En gramática, en una lengua con declinación, forma que adopta una palabra de carácter nominal según la función que desempeña en una oración: *'Yo', 'me', 'mí', 'conmigo' son casos del pronombre de primera persona del singular.* **7** || **(caso) ablativo;** el que expresa la función de complemento: *En ablativo se expresan relaciones, entre otras, de lugar, modo, tiempo, instrumento y compañía.* || **(caso) acusativo;** el que expresa generalmente la función de complemento directo: *En latín, en la oración 'Como manzanas', 'manzanas' es acusativo.* || **caso clínico; 1** Manifestación de una enfermedad en un individuo: *Esta médica ha escrito un libro sobre casos clínicos de enfermedades neurológicas muy curiosas.* **2** Persona cuyo comportamiento se sale de lo que se considera normal: *Su falta de cortesía hace que esta chica sea un caso clínico de mala educación.* || **(caso) dativo;** el que expresa generalmente la función de complemento indirecto: *En latín, el dativo singular de 'rosa' es 'rosae'.* || **caso {de/que}** o **en caso de que;** si sucede o si ocurre: *Llámame a casa, en caso de que no puedas venir.* || **(caso) genitivo;** el que expresa generalmente el complemento del nombre: *El caso genitivo lo traducimos por la preposición 'de' y el sustantivo al cual equivale.* || **(caso) locativo;** el que expresa generalmente la función de complemento de lugar en donde algo está o se realiza: *En latín, el caso locativo se fundió con el ablativo, pero quedan algunos restos del locativo indoeuropeo.* || **(caso) nominativo;** el que expresa generalmente la función de sujeto: *Los sustantivos y adjetivos en un diccionario de latín se buscan por su nominativo.* || **caso perdido;** persona de mala conducta, de la que no se puede esperar que se enmiende: *Hasta que descubrió la música, mi hermano era un caso perdido y parecía que no tenía remedio.* || **(caso) vocativo;** el que expresa la llamada o invocación: *En la oración 'Niño, estate quieto', 'niño' aparece en caso vocativo en una lengua con declinación.* || **hacer caso omiso** de algo; no tenerlo en cuenta: *Hizo caso omiso de mis advertencias y ahora lo lamenta.* || **hacer caso;** prestar atención u obedecer: *Díselo tú porque a ti te hace más caso que a mí.* || **{hacer/venir} al caso;** *col.* Venir al propósito: *Guárdate tus comentarios irónicos porque no hacen al caso en una situación así.* || **poner por caso;** dar por supuesto o poner por ejemplo: *Pongamos por caso: si te ocurriera esto a ti, ¿tú qué harías?* || **ser un caso;** *col.* Referido a una persona, que se distingue de las demás para bien o para mal: *Eres un caso; mira que regalarme este collar de perlas...* □ ETIMOL. Del latín *casus* (caída, caso fortuito, accidente).

casona s.f. Casa señorial antigua: *Pasa los veranos en una casona que heredó de sus abuelos.*

casorio s.m. *col. desp.* Casamiento hecho de forma irreflexiva o con poco lucimiento.

caspa s.f. Conjunto de escamas blancuzcas que se forman en el cuero cabelludo: *Tienes que usar un buen champú que te quite la caspa.* □ ETIMOL. De origen incierto.

cáspita interj. Expresión que se usa para indicar extrañeza, sorpresa, admiración o disgusto: *¡Cáspita, con la hora que es y aún no ha llegado!* □ ETIMOL. Del italiano *caspita*.

casposidad s.f. *col. desp.* Conjunto de características de lo que se considera pasado de moda.

casposo, sa adj. **1** Que tiene caspa, esp. si es mucha: *En aquel anuncio de champú aparecía un joven casposo que necesitaba un buen lavado de cabeza.* **2** *col. desp.* Antiguo o pasado de moda, pero con pretensiones de moderno: *Fui a una fiesta llena de gente casposa y cursi.* **3** *col. desp.* De aspecto descuidado o desagradable.

casquería s.f. Establecimiento en el que se venden vísceras y otras partes comestibles de la res que no se consideran carne: *Compré filetes de hígado y lengua de vaca en la casquería.*

casquete s.m. **1** Cubierta de tela o de cuero que se ajusta a la cabeza: *La madrina de la boda llevaba un casquete.* **2** || **casquete esférico;** parte de la superficie de una esfera cortada por un plano que no pasa por su centro: *Si cortamos un globo terráqueo por el paralelo 60°, obtendremos un casquete esférico.* || **casquete glaciar;** manto de hielo que cubre completamente las cumbres de un macizo montañoso: *Los casquetes glaciares de Groenlandia son muy representativos.* || **echar un casquete;** *vulg.malson.* →**copular.**

casquillo s.m. **1** Cartucho metálico vacío: *casquillos de bala.* **2** Parte metálica de un cartucho de cartón o de otro material: *El casquillo de muchos cartuchos es dorado.* **3** Parte metálica de una bombilla que permite conectarla con el circuito eléctrico: *Se cayó la bombilla y solo quedó intacto el casquillo.*

casquivano, na adj. De poco juicio y de poca reflexión: *Sus superiores saben que es un muchacho* *casquivano y por eso no le dan trabajos de responsabilidad.*

cast (ing.) s.m. →**reparto.**

casta s.f. Véase **casto, ta.**

castaña s.f. Véase **castaño, ña.**

castañal (tb. *castañar*) s.m. Terreno plantado de castaños.

castañar s.m. →**castañal.**

castañazo s.m. *col.* Golpe muy fuerte que se da o se recibe: *Ayer me di un castañazo jugando al baloncesto.*

castañear v. →**castañetear.**

castañero, ra s. Persona que vende castañas: *El castañero me puso las castañas asadas en un cucurucho de papel de periódico.*

castañeta s.f. **1** Instrumento musical de percusión formado por dos piezas cóncavas, generalmente de madera, que se suelen tocar sujetándolas por el pulgar con un cordón que las une y haciéndolas chocar y repicar con los demás dedos: *Está aprendiendo a bailar jotas y a tocar las castañetas.* ☐ SINÓN. *castañuela.* **2** Lazo o adorno de cintas negras que se ponen los toreros en la coleta cuando salen a lidiar: *Al poco tiempo de salir al ruedo se le cayó la castañeta al torero.* ☐ MORF. En la acepción 1, se usa más en plural.

castañetear v. Referido a los dientes, sonar dando los de una mandíbula con los de la otra: *Tenía tanto miedo que castañeteaba los dientes y no podía pararlos.* ☐ SINÓN. *castañear.*

castañeteo s.m. Golpeteo que dan los dientes de una mandíbula con los de la otra: *Si cierras la boca se oirá menos tu castañeteo.*

castaño, ña ▌adj./s. **1** Del color de la cáscara de la castaña: *pelo castaño; ojos castaños.* **2** Referido a una persona, que tiene el pelo de este color: *Mi hermano es castaño.* ▌s.m. **3** Árbol de tronco grueso, copa ancha y redonda, con hojas grandes, lanceoladas y aserradas, flores blancas y fruto redondeado envuelto en una cubierta espinosa: *Los castaños son propios de lugares húmedos.* **4** Madera de este árbol: *El parqué de mi casa es de castaño.* ▌s.f. **5** Fruto del castaño: *La castaña está recubierta por una cáscara gruesa y correosa de color pardo oscuro.* **6** Moño con la forma de este fruto, esp. el que se hace en la parte posterior de la cabeza: *Me molestaba el pelo suelto y me lo recogí en una castaña.* **7** *col.* Borrachera: *Llevaba tal castaña que iba por la calle haciendo eses.* **8** *col.* Golpe o choque violentos: *Viendo cómo ha quedado el coche de mal, debió de darse una buena castaña.* **9** *col.* Lo que resulta aburrido o fastidioso: *No sé cómo puedes leer ese libro, a mí me pareció una castaña.* **10** *col.* Año de edad de una persona: *Si ahora estamos así... ¡qué será de nosotros cuando cumplamos cincuenta castañas!* ☐ SINÓN. *taco.* **11** || **castaña pilonga;** la que se ha secado al humo y se guarda todo el año. || **castaño de Indias;** árbol de hojas compuestas, cuyas siete hojuelas nacen de un punto común, con flores blancas o rojizas y de fruto no comestible. || **pasar de castaño oscuro** algo; *col.* Ser demasiado grave o intolerable: *Que llegue tarde, pase, pero que no venga a dormir pasa de castaño oscuro.* || **sacarle las castañas del fuego** a alguien; *col.* Solucionarle los problemas. || **toma castaña;** *col.* Expresión que se usa para indicar extrañeza, sorpresa, admiración o disgusto: *¡Como él está cansado, me toca a mí hacer sus tareas, toma castaña!* ☐ ETIMOL. Del latín *castanea.* ☐ USO En la acepción 1, es innecesario el uso galicista de *marrón* en lugar de *castaño* aplicado al pelo de las personas o al pelaje de los animales.

castañola s.f. Pez pequeño con el hocico romo y con el cuerpo más levantado por la parte anterior que por la posterior, que tiene la carne blanca: *La castañola abunda en el Mediterráneo y es comestible.* ☐ ETIMOL. Del catalán *castanyola.* ☐ ORTOGR. Dist. de *castañuela.* ☐ MORF. Es un sustantivo epiceno: *la castañola {macho/hembra}.*

castañuela s.f. **1** Instrumento musical de percusión formado por dos piezas cóncavas, generalmente de madera, que se suelen tocar sujetándolas por el pulgar con un cordón que las une y haciéndolas chocar y repicar con los demás dedos. ☐ SINÓN. *castañeta.* **2** Pez marino, de cabeza pequeña, boca redonda con dientes finos y largos, cuerpo aplastado y de forma ovalada, que vive en aguas mediterráneas. ☐ SINÓN. *palometa.* **3** || **como unas castañuelas;** muy alegre: *Cuando me dijo que se venía de viaje conmigo, me puse como unas castañuelas.* ☐ ETIMOL. De *castaña.* ☐ ORTOGR. Dist. de *castañola.* ☐ MORF. Se usa más en plural.

castellanismo s.m. **1** Palabra, significado o construcción propios del territorio castellano: *El leísmo es un castellanismo.* **2** En lingüística, palabra, significado o construcción característicos del castellano: *'Torero' es un castellanismo conocido en el mundo entero.*

castellanización s.f. Adaptación de una palabra procedente de una lengua extranjera a las normas fonológicas, morfológicas y ortográficas del castellano: *'Chalé' es la castellanización de la palabra francesa 'chalet'.*

castellanizar v. Dar características que se consideran propias de lo castellano o del castellano: *La Real Academia Española ha castellanizado el galicismo 'cassette' en la forma 'casete'.* ☐ ORTOGR. La *z* se cambia en *c* delante de *e* →CAZAR.

castellano, na ▌adj./s. **1** De Castilla (actual territorio de las comunidades autónomas de Castilla y León y de Castilla-La Mancha), o relacionado con ella: *La meseta norte castellana es rica en cereales.* **2** Del antiguo condado y reino de Castilla, o relacionado con ellos: *La Reconquista fue una tarea llevada a cabo por los castellanos.* ▌s.m. **3** Lengua española: *El castellano, en su origen, fue un dialecto románico nacido en Castilla la Vieja.*

castellanohablante adj.inv./s.com. Que habla el castellano sin dificultad, esp. si esta es su lengua materna: *La comunidad de castellanohablantes de ese país alcanza un 10 por ciento de la población total.*

castellano-leonés, -a (tb. *castellanoleonés, -a*) adj./s. De Castilla y León (comunidad autónoma) o relacionado con ella: *Segovia y Salamanca son provincias castellano-leonesas.*

castellano-manchego, ga (tb. *castellanomanchego, ga*) adj./s. De Castilla-La Mancha (comunidad autónoma) o relacionado con ella: *El territorio castellano-manchego está dividido en dos partes por los montes de Toledo.*

castellers (cat.) s.m.pl. Conjunto de personas que se suben unas encima de otras para hacer una torre humana: *Los castellers son propios de las fiestas catalanas.*

castellonense adj.inv./s.com. De Castellón o relacionado con esta provincia española: *La capital castellonense es Castellón de la Plana.*

casticismo s.m. **1** Admiración y simpatía hacia lo castizo en las costumbres o en los modales: *Su excesivo casticismo lo lleva a menospreciar todo lo que no es español.* **2** Actitud de quienes, al hablar o al escribir, evitan los extranjerismos y prefieren el empleo de voces y giros castizos o de su propia lengua, aunque estén desusados: *Su casticismo le hace hablar de 'bailete' para referirse al 'ballet'.*

casticista s.com. Partidario o defensor del casticismo al hablar o al escribir: *Dudo que un casticista como él diga alguna vez 'mailing', pudiendo hablar del correo de toda la vida.*

castidad s.f. **1** Ausencia de sensualidad: *La castidad de su mirada la hace parecer una niña angelical.* **2** Renuncia a todo placer sexual: *voto de castidad.* **3** Aceptación y respeto de los principios morales o religiosos en lo relacionado con la sexualidad: *Nadie puso nunca en duda la castidad de ese matrimonio.* ☐ ETIMOL. Del latín *castitas*.

castigador, -a adj./s. **1** Que castiga. **2** *col.* Referido a una persona, que despierta amor pero no lo corresponde: *Mi prima es una castigadora, porque tiene mucho éxito con los chicos, pero no hace caso a ninguno.*

castigar v. **1** Imponer un castigo por un delito o una falta: *Castigaron públicamente a los culpables del robo.* **2** Referido esp. a una persona, causarle dolor físico o moral o hacerla padecer sin que tenga culpa: *Los consumidores son castigados con esta nueva subida de precios.* **3** Referido a una persona, reprenderla duramente o aplicarle una sanción para que no repita los errores o faltas cometidos: *Las castigaron sin dejarlas salir el sábado por la tarde.* ☐ SINÓN. *escarmentar.* **4** Estropear o dañar, esp. un fenómeno natural: *El granizo castigó los sembrados.* **5** En tauromaquia, referido a un toro, obligarlo con pases de muleta a que vaya y venga por donde quiere el torero: *El torero dio unos pases para castigar al toro y obligarlo a acercarse al centro del ruedo.* **6** *col.* En el lenguaje del deporte, derrotar: *El equipo visitante castigó duramente al equipo local.* ☐ ETIMOL. Del latín *castigare* (amonestar, enmendar). ☐ ORTOGR. La *g* se cambia en *gu* delante de *e* →PAGAR.

castigo s.m. **1** Pena o daño que se impone al que ha cometido un delito o una falta: *Mi castigo fue quedarme sin vacaciones.* **2** Lo que causa molestias o daños: *Este niño tan travieso es un castigo para sus padres.* **3** *col.* En el lenguaje del deporte, derrota: *Nuestro equipo infligió un severo castigo al contrario.* **4** || **máximo castigo;** *col.* Penalti o sanción a una falta en el área: *El árbitro pitó el máximo castigo ante los abucheos del público.*

castillete s.m. Armazón o torre que sirve para sostener algo: *los castilletes de las líneas eléctricas de alta tensión.*

castillo s.m. **1** Edificio o conjunto de edificios fortificados que están cercados con murallas, fosos y baluartes y que generalmente se han construido con fines militares: *un castillo medieval.* **2** En algunos buques, cubierta parcial que está a la altura de la borda: *el castillo de popa.* **3** || **castillo de {fuego/fuegos artificiales};** conjunto de cohetes y otros artificios de pólvora que producen detonaciones y luces de colores y que se lanzan como espectáculo. || **castillos en el aire;** *col.* Ilusiones o esperanzas con poco o ningún fundamento: *Sé práctica, mira las cosas con realismo y no te hagas castillos en el aire.* ☐ ETIMOL. Del latín *castellum* (fuerte, reducto). ☐ SINT. *Castillos en el aire* se usa más con los verbos *hacer, forjar, levantar* o equivalentes.

casting (ing.) s.m. Proceso de selección de personas, esp. si el aspecto físico es importante para las funciones que van a realizar: *La directora suspendió el casting cuando encontró al actor que buscaba.* ☐ PRON. [cástin]. ☐ USO Su uso es innecesario y puede sustituirse por *proceso de selección.*

castizo, za ▮ adj. **1** Referido al lenguaje, que es puro o sin mezcla de voces o de giros extraños a la propia lengua: *un estilo castizo.* ▮ adj./s. **2** Referido a un madrileño o a un andaluz, que es simpático, ocurrente y tiene la gracia que se considera propia de su región: *Es un andaluz castizo y no pierde ocasión para hablar de las excelencias de Andalucía.* ☐ ETIMOL. De origen incierto.

casto, ta ▮ adj. **1** Referido a una persona, que renuncia a todo placer sexual o se atiene a lo que se considera justo desde un punto de vista moral o religioso: *Los sacerdotes deben ser castos.* **2** Recatado o sin provocación erótica: *una mirada casta.* ▮ s.f. **3** Linaje, ascendencia o familia: *Me maldijo a mí y a todos los de mi casta.* **4** Especie, clase o condición: *Ese toro es de buena casta.* **5** En la India (país asiático), cada uno de los grupos sociales, homogéneos y cerrados en sí mismos, en que se divide la población: *La permanencia en una casta es un derecho de nacimiento.* **6** En algunas sociedades, grupo social cerrado, que tiende a permanecer separado de los demás por la costumbre o los prejuicios: *Los gitanos forman una casta.* **7** En una sociedad animal, esp. referido a los insectos sociales, conjunto de individuos especializados por su estructura o función: *Los zánganos son una casta dentro de las abejas.* ☐ ETIMOL. Las acepciones 1 y 2, del latín *castus* (puro, virtuoso). Las acepciones 3-7, de origen incierto.

castor s.m. **1** Mamífero roedor adaptado a la vida acuática, que tiene cuerpo grueso, patas cortas, pies con cinco dedos largos y palmeados, cola aplanada y escamosa que le sirve para impulsarse en el agua, y piel suave y resistente muy apreciada en peletería: *El castor construye sus viviendas a orillas de ríos o lagos.* **2** Piel de dicho animal: *Aunque parece un abrigo de castor, es de piel sintética.* □ ETIMOL. Del latín *castor.* □ MORF. En la acepción 1, es un sustantivo epiceno: *el castor {macho / hembra}.*

castoreño s.m. →**sombrero castoreño.**

castración s.f. Hecho de extirpar o de inutilizar los órganos genitales: *La castración de los cerdos ibéricos es una práctica habitual en las granjas.* □ SINÓN. *castradura.*

castrado, da adj./s. Que le han extirpado o inutilizado los órganos genitales.

castradura s.f. →**castración.**

castrar v. **1** Extirpar o inutilizar los órganos genitales: *Han castrado al cerdo para cebarlo con más rapidez. En la Antigüedad se castraba a hombres para convertirlos en eunucos.* □ SINÓN. *capar.* **2** Debilitar, disminuir o anular: *No dejes que tu ansiedad castre tu inteligencia.* **3** Referido a una colmena, quitarle panales con miel: *Me picaron las abejas cuando intenté castrar la colmena.* □ SINÓN. *brescar, catar.* □ ETIMOL. Del latín *castrare.*

castrato s.m. Cantante al que se le extirpaban los órganos genitales en la infancia, para que conservara la voz aguda: *La voz de un castrado alcanzaba registros agudos equiparables a la de una soprano o una contralto.* □ ETIMOL. Del italiano *castrato.*

castrense adj.inv. Del ejército o relacionado con la vida o la profesión militares: *disciplina castrense.* □ ETIMOL. Del latín *castrensis* (relativo a los campamentos).

castrismo s.m. Movimiento político de ideología comunista, iniciado con la revolución cubana que encabezó Fidel Castro (general y presidente cubano) y que triunfó en 1959: *El castrismo ha permanecido en el poder durante varias décadas.*

castrista ▮ adj.inv. **1** Del castrismo o relacionado con este movimiento político: *ideología castrista.* ▮ s.com. **2** Partidario o seguidor del castrismo.

castro s.m. Poblado celta fortificado: *Visitamos los restos de un antiguo castro entre Asturias y Galicia.* □ ETIMOL. Del latín *castrum* (campamento fortificado).

castúo, a ▮ adj./s. **1** Referido a una persona, que ha nacido en la comunidad autónoma extremeña: *Un grupo de jóvenes castúos se ha preocupado por conservar el folclore de la región.* ▮ s.m. **2** Modalidad lingüística extremeña: *El castúo se parece al andaluz.*

casual adj.inv. **1** Que sucede por casualidad: *un encuentro casual.* **2** Referido a la ropa, que es apropiada para usar en ocasiones informales: *moda casual.* **3** ‖ **por un casual;** *col.* Por casualidad: *¿Has visto por un casual a mi padre?* □ ETIMOL. La acepción 1, del latín *casualis.* La acepción 2, del inglés *casual* (informal). □ ORTOGR. Dist. de *causal.* □ USO En la acepción 2, es un anglicismo innecesario y puede sustituirse por *informal.*

casualidad s.f. Combinación de circunstancias imprevistas que no se pueden evitar: *Fue una casualidad que nos encontráramos fuera de nuestra ciudad.* □ ORTOGR. Dist. de *causalidad.*

casuarina s.f. Árbol de origen australiano, de gran altura, madera muy resistente, y cuyas ramas producen con el viento un sonido musical: *La madera de la casuarina se utiliza para hacer vigas y postes, y tiene un alto poder calorífico.* □ ETIMOL. De *casuario,* por la semejanza de sus hojas con las plumas de esta ave.

casuario s.m. Ave corredora que tiene la cabeza de colores, el plumaje oscuro, las patas con tres uñas que utiliza como arma defensiva, y que vive en las junglas australianas y en islas del océano Índico: *El casuario se alimenta de fruta e insectos y hace su nido en el suelo.* □ ETIMOL. Del malayo *casuguaris.* □ MORF. Es un sustantivo epiceno: *el casuario {macho / hembra}.*

casucha s.f. En zonas del español meridional, chabola: *El Gobierno construyó unas viviendas para la gente que vivía en casuchas en la periferia de la ciudad.*

casuista adj.inv./s.com. Referido a un autor, que expone casos prácticos propios de cualquiera de las ciencias morales y jurídicas: *Los casuistas citan muchos ejemplos y los estudian sin elaborar una norma o una teoría general.* □ ETIMOL. Del latín *casus* (caso).

casuística s.f. Véase **casuístico, ca.**

casuístico, ca ▮ adj. **1** De la casuística o relacionado con esta parte de la moral. **2** Que analiza y estudia muchos casos y ejemplos concretos pero sin dar una norma o exposición generales. ▮ s.f. **3** En moral, aplicación de los principios morales a casos concretos de las acciones humanas: *La casuística se ocupa de los casos de conciencia.* **4** Consideración de los diversos casos particulares que se pueden prever: *Llegamos a estas conclusiones estudiando la casuística de la enfermedad.*

casulla s.f. Vestidura sacerdotal, que consiste en una pieza alargada, con una abertura en el centro para pasar la cabeza y que se pone sobre las demás para celebrar la misa: *El sacerdote se colocó la casulla sobre el alba.* □ ETIMOL. Del latín *casubla* (capa con capucha).

casus belli (lat.) s.m. ‖ Motivo de guerra o acto que justifica una guerra: *La invasión de las Malvinas por tropas argentinas fue considerada casus belli por el Reino Unido.* □ PRON. [cásus béli].

cata s.f. **1** Prueba o degustación de una pequeña porción de algo para examinar su sabor: *una cata de vinos.* **2** Porción que se toma en esta prueba: *Tomé una cata de ese famoso queso.*

catabólico, ca adj. En biología, del catabolismo o relacionado con este conjunto de procesos metabólicos: *En algunos procesos catabólicos se obtiene energía.*

catabolismo s.m. En biología, conjunto de procesos metabólicos de degradación de sustancias para obtener otras más simples o energía: *El catabolismo y el anabolismo son las dos fases del metabolismo celular.* □ ETIMOL. Del griego *katá* (abajo) y *bállo* (yo echo), porque el catabolismo tiene que ver con la destrucción de moléculas para obtener otras.

cataclismo s.m. **1** Desastre de grandes proporciones que afecta a todo el planeta Tierra o a parte de él y que está producido por un fenómeno natural: *Los terremotos y los maremotos son cataclismos.* **2** Gran trastorno del orden político y social: *Todas las guerras son un enorme cataclismo.* **3** *col.* Disgusto, contratiempo o suceso que altera la vida cotidiana. □ ETIMOL. Del latín *cataclysmos* (diluvio).

catacresis (pl. *catacresis*) s.f. Figura retórica consistente en ampliar el significado que tiene una palabra para poder dar nombre a un objeto que carece de él: *El sintagma 'el cuello de la botella' es una catacresis.* □ ETIMOL. Del latín *catachresis*, este del griego *katákhresis* (uso, abuso).

catacumbas s.f.pl. Galerías subterráneas en las que los primitivos cristianos enterraban a sus muertos y practicaban las ceremonias del culto, para permanecer en secreto: *En Roma hay algunas catacumbas abiertas que pueden ser visitadas por los turistas.* □ ETIMOL. Del latín *catacumbae*.

catadióptrico s.m. Aparato o dispositivo que refleja la luz: *Las bicicletas llevan un catadióptrico rojo en la parte posterior para resultar visibles por la noche.* □ ETIMOL. Del griego *katá* (hacia abajo) y *dioptrikós* (relativo a la refracción de la luz).

catador, -a s. Persona que se dedica profesionalmente a probar o catar vinos para informar sobre su calidad y sus propiedades: *Para los catadores el aroma del vino es fundamental.* □ SINÓN. *catavinos.* □ SEM. Dist. de *enólogo* (especialista en la elaboración de los vinos).

catadromo, ma adj. Referido a un pez, que vive en agua dulce y emigra para desovar en el mar: *La anguila es una especie catadroma.* □ ETIMOL. Del griego *katadrómos*.

catadura s.f. Aspecto, gesto o semblante: *Es un tipo de mala catadura.* □ SINT. Se usa más con los adjetivos *mala, fea* o equivalentes.

catafalco s.m. Túmulo o armazón de madera que suele ponerse en un templo para celebrar los funerales por un difunto: *El catafalco, situado en el crucero, estaba adornado con ricos paños fúnebres negros y dorados.* □ ETIMOL. Del italiano *catafalco* (sepulcro solemne).

catáfora s.f. En gramática, tipo de deixis por el que una palabra anticipa una parte aún no enunciada del discurso y que se enunciará a continuación: *En la oración 'Le dije a mi hermano que no irían', el pronombre 'le' es un ejemplo de catáfora.* □ ETIMOL. Del griego *kataphorá* (que lleva hacia abajo).

catalán, -a ▮ adj./s. **1** De Cataluña (comunidad autónoma) o relacionado con ella: *La región catalana está muy industrializada.* ▮ s.m. **2** Lengua románica de esta comunidad y de otros territorios: *Nací en Barcelona y el catalán es mi lengua materna.*

catalanidad s.f. Conjunto de características propias de lo catalán, o hecho de ser catalán: *La catalanidad de Pau Casals es indiscutible.*

catalanismo s.m. **1** En lingüística, palabra, significado o construcción sintáctica del catalán empleados en otra lengua: *'Alioli' es un catalanismo en castellano.* **2** Movimiento que defiende los valores históricos y culturales catalanes y generalmente es partidario de la autonomía política catalana: *El catalanismo nació en el siglo XIX.*

catalanista adj.inv./s.com. Partidario o seguidor del catalanismo como movimiento: *partidos catalanistas.*

catalanización s.f. Difusión o adopción del catalán y de las características que se consideran propias de lo catalán: *La catalanización es un fenómeno general en Cataluña en los últimos años.*

catalanizar v. Dar características que se consideran propias de lo catalán o del catalán: *Es hijo de un emigrante andaluz, pero se ha catalanizado.* □ ORTOGR. La *z* se cambia en *c* delante de *e* →CAZAR.

catalanohablante adj.inv./s.com. Que habla el catalán sin dificultad, esp. si esta es su lengua materna: *Aunque mi madre no es catalanta, es catalanohablante porque sus padres eran de Cataluña.*

catalejo s.m. Tubo extensible que sirve para ver lo que está muy lejos como si estuviera cerca: *El pirata observaba el mar con su catalejo.* □ ETIMOL. Del antiguo *catar* (mirar) y *lejos*.

catalepsia s.f. En medicina, trastorno nervioso repentino que se caracteriza por la pérdida de la sensibilidad y la completa inmovilidad del cuerpo, que permanece en la postura en que se le coloque: *La catalepsia puede hacernos creer que alguien está muerto sin que lo esté realmente.* □ ETIMOL. Del griego *katálepsis* (acción de coger, sorprender).

cataléptico, ca ▮ adj. **1** De la catalepsia o con las características de este trastorno nervioso: *caer en estado cataléptico.* ▮ adj./s. **2** Que sufre catalepsia.

catalina s.f. **1** *col.* Excremento, generalmente de ganado vacuno: *¡Cuidado, no pises esa catalina!* **2** →**plato.**

catálisis (pl. *catálisis*) s.f. Transformación química motivada por compuestos que al finalizar una reacción aparecen inalterados: *La sustancia inalterada de la catálisis se llama catalizador.* □ ETIMOL. Del griego *katálysis* (disolución).

catalítico, ca adj. De la catálisis de una reacción química: *procesos catalíticos.*

catalizador, -a ▮ adj./s. **1** Que cataliza. ▮ s.m. **2** En química, sustancia que acelera o retarda la velocidad de una reacción sin participar directamente en ella. **3** Persona que reúne, agrupa o dinamiza un grupo: *La nueva directora comercial es el perfecto catalizador del departamento.*

catalizar v. **1** En química, referido a una reacción, provocar el aumento o la disminución de su velocidad una sustancia que queda al final inalterada: *El platino cataliza las reacciones de obtención de ácido sulfúrico.* **2** Referido a fuerzas o sentimientos, atraerlos, agruparlos o unirlos: *El líder cataliza el espíritu del grupo.* □ ETIMOL. De *catálisis.* □ ORTOGR. La *z* se cambia en *c* delante de *e* →CAZAR.

catalogable adj.inv. Que se puede catalogar.

catalogación s.f. **1** Registro o descripción ordenada, generalmente de un documento, que se hace siguiendo unas normas: *Varios expertos se encargarán de la catalogación de las piezas encontradas en la excavación.* **2** Consideración o clasificación dentro de una clase o de un grupo: *Su catalogación como superdotado me parece discutible.*

catalogar v. **1** Referido esp. a un documento o un objeto de valor, registrarlo o describirlo ordenadamente y siguiendo unas normas: *Cuando hayas catalogado los libros, inserta las fichas en el catálogo de títulos.* **2** Considerar o clasificar dentro de una clase o de un grupo: *Lo han catalogado de vago y por mucho que trabaje no consigue quitarse la etiqueta.* □ ORTOGR. La *g* se cambia en *gu* delante de *e* →PAGAR.

catálogo s.m. **1** Relación ordenada en la que se incluyen o se describen de forma individual objetos o personas que tienen algún punto común: *un catálogo de autores del siglo XIX.* **2** Folleto de propaganda en el que se exhiben los productos de alguna empresa o establecimiento. □ ETIMOL. Del latín *catalogus*, y este del griego *katálogos* (lista, registro).

catalpa s.f. Árbol ornamental, de hojas caducas, grandes y acorazonadas, y flores blancas con puntos purpúreos: *La catalpa es un árbol frecuente en los jardines.* □ ETIMOL. Del ingles *catalpa*, y este de una lengua india norteamericana.

catamarán s.m. Embarcación deportiva que consta de una plataforma y dos cascos alargados en forma de patines y que está impulsada por vela o por motor: *Navegamos por la costa en un catamarán.* □ ETIMOL. Del inglés *catamaran*, y este del tamil *kattumaran.*

cataplasma s.f. Medicamento de uso externo y consistencia blanda, que se aplica a una parte del cuerpo con fines calmantes o curativos: *Hizo una cataplasma de linaza y se la aplicó, caliente y envuelta en una tela, en la espalda.* □ ETIMOL. Del griego *katáplasma* (emplasto).

cataplines s.m.pl. *euf. col.* Testículos.

catapulta s.f. **1** Antigua máquina de guerra que se usaba para arrojar piedras u otras armas arrojadizas. **2** Lo que lanza o da impulso decisivo a una actividad o una empresa: *El antiguo bufete de abogados laboralistas fue la catapulta a su carrera política.* □ ETIMOL. Del latín *catapulta.*

catapultar v. Lanzar o dar un fuerte impulso: *Su última novela lo catapultó a la fama y se ha convertido en el escritor de moda.*

catar v. **1** Referido a algo, probarlo o tomar una pequeña porción para examinar su sabor: *Cató el gazpacho y dijo que estaba para chuparse los dedos.* **2** Experimentar, generalmente por primera vez, la impresión o la sensación que produce algo: *Tiene ganas de catar lo que son unas buenas vacaciones en la playa.* **3** Referido a una colmena, quitarle panales con miel: *Si vas a catar la colmena, ponte estos guantes.* □ SINÓN. *brescar, castrar.* □ ETIMOL. Del latín *captare* (tratar de coger, tratar de percibir por los sentidos).

catarata s.f. **1** Cascada o salto grande de agua: *Las cataratas del Niágara tienen unos cincuenta metros de altura media.* **2** Opacidad o falta de transparencia del cristalino del ojo o de su cápsula, producida por acumulación de sustancias que impiden el paso de los rayos de luz: *Cuando se operó de cataratas recuperó la visión.* □ ETIMOL. Del latín *cataracta.*

catarina s.f. En zonas del español meridional, mariquita: *La catarina es inconfundible por su color rojo con puntos negros.*

cátaro, ra adj./s. Que pertenecía a diversas sectas heréticas que se extendieron por el continente europeo entre los siglos XI y XIII y que defendían la necesidad de llevar una vida ascética, o relacionado con ellas: *Los cátaros creían que para llegar a la perfección era necesaria la renuncia al mundo.* □ ETIMOL. Del latín *cathari*, y este del griego *katharós* (puro).

catarral adj.inv. Del catarro o relacionado con él: *una afección catarral.*

catarrino, na ▌ adj./s. **1** Referido a un simio, que tiene las fosas nasales dirigidas hacia abajo. ▌ s.m.pl. **2** En zoología, grupo de estos simios.

catarro s.m. **1** Inflamación de las membranas mucosas, con aumento de la secreción habitual: *Me cayó encima un chaparrón y cogí un buen catarro que no me deja respirar.* □ SINÓN. *constipado.* **2** Malestar físico que se produce generalmente por cambios bruscos de temperatura: *Con este catarro no puedo salir de casa.* □ SINÓN. *resfriado, constipado.* □ ETIMOL. Del latín *catarrhus.*

catarroso, sa adj. Que padece catarro, normalmente ligero.

catarsis (pl. *catarsis*) s.f. **1** Para los antiguos griegos, purificación de las pasiones o los sentimientos por la contemplación de las obras de arte, esp. la que causa en el espectador la puesta en escena de una tragedia. **2** En fisiología, expulsión de sustancias nocivas para el organismo. **3** Eliminación de recuerdos perturbadores: *Voy a hacer un largo viaje, y espero que me sirva de catarsis para empezar una nueva vida.* **4** Cambio que rompe con lo anterior por considerarlo negativo.

catártico, ca adj. De la catarsis o relacionado con ella: *un efecto catártico.* □ ETIMOL. Del griego *kathartikós*, y este de *katharós* (limpio).

catastral adj.inv. Del catastro o relacionado con este censo o impuesto: *el valor catastral de un piso.*

catastro s.m. **1** En un territorio, esp. en un país, censo y lista estadística de las propiedades territoriales urbanas y rústicas: *Bajo las órdenes del Marqués de la Ensenada se realizó el catastro que sirvió de* *base para la recaudación de Hacienda.* **2** *col.* Impuesto que se paga por la posesión de una finca: *Tenemos un mes de plazo para pagar el catastro.* □ ETIMOL. Del francés antiguo *catastre.*

catástrofe s.f. **1** Suceso desdichado que produce una desgracia y que altera gravemente el orden regular de las cosas: *una catástrofe aérea.* **2** Lo que tiene escasa calidad, mal funcionamiento o lo que produce mala impresión: *Será mejor ir en tu coche, porque el mío está hecho una catástrofe.* □ ETIMOL. Del griego *katastrophé* (ruina, trastorno).

catastrófico, ca adj. **1** De una catástrofe o con sus características: *una zona declarada catastrófica.* **2** Desastroso o muy malo: *resultados catastróficos.*

catastrofismo s.m. Tendencia pesimista a predecir catástrofes: *Su catastrofismo lo lleva a afirmar que la huelga de camioneros causará la falta de alimentos de primera necesidad.*

catastrofista adj.inv./s.com. Que tiende a predecir catástrofes porque es exageradamente pesimista: *una opinión catastrofista.*

catatonia s.f. Tipo de esquizofrenia que se caracteriza por la inmovilidad y la falta de voluntad. □ ETIMOL. Del alemán *Katatonie.*

catatónico, ca adj. **1** En medicina, referido esp. a un estado, que se caracteriza por la inmovilidad y la falta de voluntad, y que es propio de algunas enfermedades psiquiátricas. **2** *col.* Referido a una persona, muy impresionada o alterada por una situación: *Al enterarse de la noticia, se quedó catatónica.* □ SINT. En la acepción 2, se usa más con los verbos *estar* o *quedarse.*

catavino s.m. Copa larga, estrecha y redondeada, de cristal muy fino, para probar o catar el vino: *La experta olió el vino que había vertido en el catavino.* □ SEM. Dist. de *catavinos* (persona que se dedica profesionalmente a catar el vino).

catavinos (pl. *catavinos*) s.com. Persona que se dedica profesionalmente a probar o catar vinos para informar sobre su calidad y sus propiedades: *Los catavinos distinguen la procedencia y la cosecha de los vinos por su aroma y su sabor.* □ SINÓN. *catador.* □ SEM. Dist. de *catavino* (copa para catar el vino) y de *enólogo* (persona especializada en el conocimiento de la elaboración de los vinos).

catcher (ing.) s.com. En béisbol, jugador que se coloca detrás del bateador contrario para recoger la pelota enviada por el lanzador de su equipo: *El equipo de Los Ángeles tiene un buen catcher.* □ PRON. [cátcher], con *t* suave.

catchup s.m. →**ketchup.** □ ORTOGR. Es un anglicismo (*catsup*) adaptado al español e innecesario.

cate s.m. **1** *col.* Suspenso: *un cate en lengua.* **2** Golpe dado con la mano. □ ETIMOL. Del caló *caté* (bastón), y este del sánscrito *kastha* (madera).

catear v. *col.* En la enseñanza, suspender: *Aunque me suelen catear las matemáticas en la primera evaluación, después apruebo.*

catecismo s.m. Libro de instrucción o enseñanza elemental en el que se contiene y explica la doctrina cristiana, y que está redactado generalmente en forma de preguntas y respuestas: *Se ha publicado un nuevo catecismo con pautas religiosas para los fieles, adaptadas a los nuevos tiempos.* □ ETIMOL. Del latín *catechismus.*

catecumenado s.m. **1** Ejercicio de enseñar a otros la fe católica para que reciban el bautismo: *Pertenece a un grupo de misioneros que se dedican al catecumenado en Guinea Ecuatorial.* **2** Tiempo que dura esta enseñanza: *Tras un catecumenado de dos años, recibió el bautismo.* **3** Ejercicio de profundización en la fe católica: *el catecumenado de adultos.*

catecúmeno, na s. **1** Persona que se instruye en la fe católica para recibir el bautismo: *Los misioneros guiaban a los nuevos catecúmenos.* **2** Persona bautizada que quiere profundizar en la fe católica: *Se confirmó y ahora pertenece a un grupo de catecúmenos.* □ ETIMOL. Del latín *catechumenus.*

cátedra s.f. **1** Asiento elevado o especie de púlpito desde donde el profesor da una lección a sus alumnos. **2** Cargo o dedicación del catedrático. **3** Asignatura o materia enseñadas por un catedrático: *cátedra de Física.* **4** Aula o despacho de un catedrático. **5** Departamento o sección dependiente de la autoridad del catedrático: *En la cátedra de Historia del Arte hay un catedrático, ocho titulares y tres asociados.* **6** ‖ **cátedra de San Pedro;** papado o dignidad de papa. ‖ **ex cátedra;** →**ex cátedra.** ‖ **sentar cátedra;** pronunciarse de forma concluyente sobre alguna materia o asunto: *Sus investigaciones sobre la radiactividad sentaron cátedra a pesar de que ya hace casi ochenta años que fueron realizadas.* □ ETIMOL. 1. Del latín *cathedra* (silla). 2. *Ex cátedra* del latín *ex cathedra.*

catedral s.f. **1** Iglesia principal y generalmente de grandes dimensiones, que es sede de una diócesis. **2** Lugar representativo de algo: *Este restaurante es la catedral de la gastronomía porque es donde mejor se come.* **3** ‖ **como una catedral;** *col.* Grandísimo, muy importante o extraordinario. □ ETIMOL. De *cátedra* (trono del obispo o arzobispo).

catedralicio, cia adj. De la catedral o relacionado con ella: *cabildo catedralicio.*

catedrático, ca s. En los centros oficiales de enseñanza secundaria o universitaria, profesor de la categoría más alta: *Miguel de Unamuno fue catedrático de griego en la Universidad de Salamanca.*

cátedro s.m. *col.* Catedrático: *Ese profesor será cátedro a partir del curso que viene.*

categoría s.f. **1** Cada una de las jerarquías establecidas en una actividad: *un hotel de primera categoría.* **2** Condición de una persona respecto de otras: *la categoría social.* **3** En una ciencia, clase, grupo o paradigma en que se distinguen los elementos o las unidades que la componen: *La categoría gramatical de la palabra 'casa' es sustantivo femenino.* **4** En la filosofía de Aristóteles (filósofo griego), cada una de las diez nociones abstractas y generales que corresponden al modo como está organizada la realidad. **5** En la filosofía kantiana, cada uno de los conceptos a priori o formas de entendimiento. **6** || **de categoría;** de importancia, valor o prestigio grandes: *La edición de este libro es de categoría.* □ ETIMOL. Del griego *kategoría* (calidad que se atribuye a un objeto).

categórico, ca adj. Que afirma o niega de forma absoluta, sin vacilación ni posibilidad de alternativa: *Fue categórica cuando dijo: «Jamás volveré a trabajar con vosotros».* □ ETIMOL. Del latín *categoricus*, y este del griego *kategorikós* (afirmativo).

categorización s.f. Clasificación de algo dentro de una determinada categoría: *La categorización de estas plantas no es fácil.*

categorizar v. Clasificar dentro de una determinada categoría: *Este delito se categoriza como robo con violencia.* □ ORTOGR. La *z* se cambia en *c* delante de *e* →CAZAR.

catenaria s.f. Curva formada por una cadena, cuerda o algo semejante suspendidas entre dos puntos que no están situados en la misma vertical: *El tendido eléctrico de los trenes forma catenarias.* □ ETIMOL. Del latín *catenaria* (relativo a la cadena).

catequesis (pl. *catequesis*) s.f. Enseñanza de principios y dogmas pertenecientes a la religión, esp. la que se considera una preparación para recibir la primera comunión: *Da catequesis a un grupo de diez niños de entre ocho y diez años.*

catequético, ca adj. →**catequístico.**

catequista s.com. Persona que enseña los principios y dogmas pertenecientes a la religión.

catequístico, ca adj. De la catequesis o relacionado con la enseñanza de la religión. □ SINÓN. *catequético.*

catequización s.f. Enseñanza de los principios y dogmas de la fe católica.

catequizar v. Enseñar los principios y dogmas de la fe católica: *Muchos religiosos españoles fueron a América en la época del descubrimiento para catequizar a los indígenas.* □ ETIMOL. Del griego *katekhízo* (instruyo). □ ORTOGR. La *z* se cambia en *c* delante de *e* →CAZAR.

catering (ing.) s.m. Servicio de abastecimiento de comidas preparadas, esp. el de las compañías aéreas: *Esta empresa tiene adjudicado el catering de los vuelos nacionales.* □ PRON. [cáterin].

caterva s.f. *desp.* Multitud de personas o cosas consideradas en grupo, que están desordenadas o que se consideran despreciables o de poca importancia: *Todos los domingos viene por aquí una caterva de gamberros que lo destroza todo.* □ ETIMOL. Del latín *caterva* (batallón, muchedumbre).

catéter s.m. En medicina, sonda o tubo delgado, liso y generalmente largo que se introduce por cualquier conducto del cuerpo para explorar o dilatar un órgano o para servir de guía a otros instrumentos: *Le introdujeron un catéter para ver si tenía un trombo en alguna arteria cardíaca.* □ ETIMOL. Del griego *kathetér* (sonda de cirujano).

cateterismo s.m. En medicina, operación quirúrgica o exploratoria que consiste en introducir un catéter en un conducto o cavidad: *Para hacerme el cateterismo me pusieron anestesia local.*

cateto, ta ▌s. **1** *desp.* Persona rústica y sin refinamiento. ▌s.m. **2** En un triángulo rectángulo, cada uno de los dos lados que forman el ángulo recto: *El teorema de Pitágoras habla de los catetos y de la hipotenusa de un triángulo rectángulo.* □ ETIMOL. La acepción 1, de origen incierto. La acepción 2, del latín *kathetus*, y este del griego *káthetos* (perpendicular).

catilinaria s.f. Escrito o discurso vehemente y crítico dirigido contra alguien. □ ETIMOL. De Catilina (político romano al que Cicerón acusó en un discurso).

catión s.m. Ion con carga eléctrica positiva: *En la electrólisis el catión se dirige al cátodo o electrodo negativo.* □ ETIMOL. De *cátodo* e *ion*.

catire, ra adj./s. En zonas del español meridional, rubio: *Un joven catire me siguió toda la tarde.*

catódico, ca adj. Del cátodo o relacionado con este electrodo: *Los tubos de rayos catódicos se utilizan en los televisores para producir las imágenes.*

cátodo s.m. Electrodo negativo: *En una pila, el cátodo está marcado con un -.* □ ETIMOL. Del griego *káthodos* (camino descendente).

catolicidad s.f. Universalidad de la iglesia: *La catolicidad de la iglesia significa que sus enseñanzas son válidas para todo el mundo.*

catolicismo s.m. **1** Religión cristiana que reconoce como autoridad suprema al Papa de la iglesia romana: *El catolicismo es una de las religiones mayoritarias en el mundo.* **2** Comunidad o conjunto de las personas que tienen esta religión: *El catolicismo de hoy es contrario a las cruzadas y guerras de religión.*

católico, ca ▌adj. **1** Del catolicismo o relacionado con esta religión: *el rito católico.* **2** Expresión que se aplicaba como título honorífico a los reyes de España (país europeo): *América se descubrió durante el reinado de sus majestades católicas Isabel y Fernando.* **3** *col.* Referido a una persona, que está sana y en perfectas condiciones: *Hoy no iré a clase porque no estoy muy católica.* ▌adj./s. **4** Que tiene como religión el catolicismo: *un católico practicante.* □ ETIMOL. Del latín *catholicus*, y este del griego *katholikós* (universal, general). □ SINT. La acepción 3 se usa más en la expresión *no estar muy católico.*

catón s.m. Libro con palabras y frases sencillas que se utiliza para aprender a leer: *Mi abuela aprendió a leer con el catón.* □ ETIMOL. Por alusión a Dionisio Catón, gramático latino.

catorce ▌numer. **1** Número 14: *Hay catorce naranjas en ese cesto. Diez más cuatro son catorce.* ▌s.m. **2** Signo que representa este número: *Los romanos escribían el catorce como 'XIV'.* □ ETIMOL. Del latín *quattuordecim.* □ MORF. Como numeral es invariable en género y en número.

catorceavo, va numer. Referido a una parte, que constituye un todo junto con otras trece iguales a ella: *Como éramos catorce, me correspondió una catorceava parte del premio que nos había tocado en* *la lotería. Me tocó un catorceavo de la herencia.* □ SINÓN. *catorzavo.* □ SEM. Su uso como numeral ordinal es incorrecto: *Llegué en {*catorceava > decimocuarta} posición.*

catorceno, na numer. En una serie, que ocupa el lugar número catorce: *Cuando sacaron las listas de las mejores notas él estaba en el catorceno lugar.* □ SINÓN. *decimocuarto.*

catorzavo, va numer. →**catorceavo.**

catre s.m. **1** Cama estrecha, sencilla, ligera e individual. **2** *col.* Cama: *¿A estas horas y todavía estás en el catre?* □ ETIMOL. Del portugués *catre.*

catsup (ing.) s.m. →**ketchup.**

caucasiano, na adj. De la cordillera del Cáucaso o relacionado con ella: *Las montañas caucasianas se localizan en el sudeste europeo.* □ SINÓN. *caucásico.*

caucásico, ca adj. **1** Del grupo étnico de origen europeo, o relacionado con él: *Los rasgos caucásicos son la piel clara, la nariz estrecha y la abundancia de vello.* **2** Del grupo de lenguas habladas en la zona del Cáucaso (cordillera del sudeste europeo) o relacionado con ellas: *El georgiano es una lengua caucásica.* **3** →**caucasiano.**

cauce s.m. **1** En un río o en un canal, lugar por el que corren sus aguas: *Limpian los cauces de los ríos para evitar que se desborden cuando llegan las lluvias.* **2** Modo, procedimiento o norma para realizar algo: *La reclamación debe realizarse siguiendo los cauces reglamentarios.* **3** Camino o vía: *Con esta reunión se intenta abrir cauces para futuros negocios en común.* **4** || **dar cauce** a algo; facilitarlo o darle una oportunidad: *Estos juegos educativos dan cauce a la imaginación de los niños.* □ ETIMOL. Del latín *calix* (tubo de las conducciones de agua).

cauchero, ra ▌adj. **1** Del caucho o relacionado con esta sustancia: *producción cauchera.* ▌s. **2** Persona que recoge el caucho de los árboles que lo producen.

caucho s.m. **1** Sustancia elástica, impermeable, resistente a la abrasión y a las corrientes eléctricas, que se obtiene por procedimientos químicos o a partir del látex o jugo lechoso de algunas plantas tropicales: *Las cubiertas de las ruedas de mi bicicleta son de caucho.* □ SINÓN. *goma elástica.* **2** En zonas del español meridional, neumático. **3** En zonas del español meridional, goma o tira elástica. □ ETIMOL. De *cauchuz*, voz indígena americana. □ MORF. En la acepción 3, se usa mucho el diminutivo *cauchito.*

caución s.f. **1** Garantía, fianza o medio con que se aseguran el cumplimiento de una obligación, de un pacto o de algo semejante: *Todos los riesgos los tiene cubiertos con esa compañía de crédito y caución.* **2** Precaución o cautela. □ ETIMOL. Del latín *cautio.*

caucus (ing.) (pl. *caucuses*) s.m. Grupo de personas o representantes de la misma ideología que se reúnen para tomar decisiones comunes: *En Estados Unidos, el caucus local de un partido elige a los candidatos para las siguientes elecciones.*

caudal ▌adj.inv. **1** De la cola o relacionado con esta parte de los animales: *la aleta caudal de los peces.* ▌s.m. **2** Hacienda o conjunto de bienes: *Su caudal le permite mantener un nivel de vida envidiable.* **3** Cantidad de agua que mana o que corre: *El riachuelo que pasa por mi pueblo tiene poco caudal.* **4** Abundancia o gran cantidad de algo: *La conferenciante nos abrumó con un caudal de nombres y de fechas.* □ ETIMOL. La acepción 1, del latín *cauda* (cola). Las acepciones 2-4, del latín *capitalis* (principal).

caudaloso, sa adj. Referido a una corriente de agua, que tiene mucho caudal: *río caudaloso.*

caudillaje s.m. Gobierno o mando de un caudillo: *El cabecilla del grupo ejercía su caudillaje con tiranía.*

caudillismo s.m. Forma de gobernar de un caudillo: *El caudillismo es una forma de dictadura pues no tolera las críticas.*

caudillista adj.inv. Del caudillo, con las características de su gobierno o relacionado con él: *régimen caudillista.*

caudillo s.m. Persona que guía y manda a un grupo de gente, esp. a soldados o a gente armada: *El Cid fue un caudillo militar.* □ ETIMOL. Del latín *capitellum* (cabecilla).

caulescente adj.inv. Referido a una planta, que tiene el tallo aparente, es decir, que es visible: *Los rosales son plantas caulescentes.* □ ETIMOL. Del latín *caulescens* (que crece en un tallo).

caulífero, ra adj. Referido a una planta, que tiene las flores directamente sobre el tallo: *Muchas plantas tropicales, como el cacao, son caulíferas.* □ SINÓN. *caulifloro.* □ ETIMOL. Del latín *caulis* (tallo) y *ferre* (llevar).

caulifloro, ra adj. →**caulífero.**

cauliforme adj.inv. En forma de tallo: *En esa sala hay unas columnas cauliformes que imitan el tronco de una palmera.* □ ETIMOL. Del latín *caulis* (tallo) y *-forme* (con forma).

causa s.f. **1** Lo que se considera origen o fundamento de un efecto: *La atracción entre la Tierra y la Luna es la causa de las mareas.* **2** Motivo o razón para obrar: *El que hayas llegado tarde no es causa suficiente para que me enfade.* **3** Proyecto o ideal que se defienden o por los que se toma partido: *Dio la vida por una buena causa.* **4** Pleito o disputa en juicio: *En la causa los dos hermanos luchan por una herencia.* □ SINÓN. *litigio.* **5** || **a causa de** algo; por ese motivo: *Los campos se inundaron a causa de las fuertes lluvias.* || **hacer causa común con** alguien; unirse a él para lograr algún fin: *Hizo causa común con su vecino para que les arreglaran las goteras.* □ ETIMOL. Del latín *causa.*

causal adj.inv. **1** De la causa o relacionado con ella: *un agente causal.* **2** Que expresa o que indica causa: *En la oración 'No voy al cine porque no tengo dinero', 'porque no tengo dinero' es una oración subordinada causal.* □ ETIMOL. Del latín *causalis.* □ ORTOGR. Dist. de *casual.*

causalidad s.f. En filosofía, ley en virtud de la cual las causas producen los efectos: *Un principio de* *causalidad es 'Todo lo que se mueve es movido por otro'.* □ ORTOGR. Dist. de *casualidad.*

causante ▮ adj.inv./s.com. **1** Que causa algo: *¿Quién ha sido el causante de este desastre?* ▮ s.m. **2** En derecho, persona de quien proviene el derecho que alguien tiene. ▮ s.com. **3** En zonas del español meridional, contribuyente.

causar v. Referido a un efecto, producirlo o ser su origen: *La humedad causa la corrosión de los metales.* □ ETIMOL. Del latín *causare.* □ ORTOGR. La *u* nunca lleva tilde.

causativo, va adj. Que es origen o causa de algo: *El agente causativo de esta gripe es un virus nuevo.*

causticidad s.f. **1** Propiedad que tienen algunas sustancias de destruir o de quemar los tejidos animales: *La sosa se caracteriza por su causticidad.* **2** Mordacidad o malignidad, esp. en lo que se dice o en lo que se escribe: *No me importa la causticidad de las críticas que he recibido.*

cáustico, ca adj./s. **1** Referido a una sustancia, que quema y destruye los tejidos animales. **2** Mordaz y agresivo: *Los artículos de este crítico son muy cáusticos.* □ ETIMOL. Del latín *causticos*, y este del griego *kaustikós* (que quema).

cautela s.f. Cuidado o precaución al hacer algo: *El ladrón entró en el edificio con mucha cautela para no ser visto.* □ ETIMOL. Del latín *cautela.*

cautelar adj.inv. Que se establece como cautela o para prevenir algo: *Como medida cautelar, recomendaron a la población que lavara bien las frutas y hortalizas.*

cauteloso, sa adj. Con cautela: *Es una persona muy cautelosa y no hace nada sin pensarlo bien.*

cauterio s.m. **1** Instrumento o medio empleados para destruir o quemar los tejidos con fines curativos: *Actualmente, se usa el bisturí eléctrico o el láser en lugar del cauterio.* **2** →**cauterización.** □ ETIMOL. Del latín *cauterium.*

cauterización s.f. Tratamiento de algunas enfermedades destruyendo o quemando los tejidos afectados: *La cauterización es la solución para que la llaga cicatrice.* □ SINÓN. *cauterio.*

cauterizar v. En medicina, referido a algunas enfermedades, esp. a heridas, tratarlas quemando o destruyendo los tejidos afectados: *Le cauterizaron la herida con un objeto candente para pararle la hemorragia.* □ ORTOGR. La *z* se cambia en *c* delante de *e* →CAZAR.

cautivador, -a adj. Que cautiva: *una personalidad cautivadora.*

cautivar v. **1** Referido a una persona, ejercer influencia en su ánimo mediante algo que resulta física o moralmente atractivo: *Su agradable voz nos cautivó a todos.* **2** Referido a una actitud o a un sentimiento ajenos, ganarlos o atraerlos: *Con su vestido cautivó la atención de los asistentes a la fiesta.* **3** En una guerra, referido al enemigo, apresarlo y privarlo de libertad: *Los moros encerraban en cárceles a los cristianos que cautivaban.* □ ETIMOL. Del latín *captivare.*

cautiverio s.m. **1** Privación de libertad causada por un enemigo: *El enemigo sometió a cautiverio a todos los que se oponían a su gobierno.* □ SINÓN. *cautividad.* **2** Encarcelamiento o vida en la cárcel: *Durante su cautiverio los secuestradores lo amenazaron con matarlo.* □ SINÓN. *cautividad.* **3** Privación de la libertad a los animales no domésticos: *Algunos biólogos no están de acuerdo con el cautiverio de los animales salvajes.* □ SINÓN. *cautividad.* **4** Estado en el que se encuentran estos animales: *Esta especie de mamífero no suele reproducirse en cautiverio.* □ SINÓN. *cautividad.*

cautividad s.f. →**cautiverio.**

cautivo, va adj./s. **1** Que está privado de libertad, esp. en una guerra. **2** Que está dominado por algo o que se siente atraído por ello: *Vive cautivo de las drogas.* □ ETIMOL. Del latín *captivus.*

cauto, ta adj. Cauteloso o precavido: *Hay que ser cauto y no firmar nada sin haberlo leído antes detenidamente.* □ ETIMOL. Del latín *cautus*, y este de *cavere* (guardarse, tener cuidado).

cava ▮ s.m. **1** Vino espumoso elaborado en cuevas, al estilo del champán: *Descorcharon su mejor cava para brindar por el éxito.* ▮ s.f. **2** Cueva en la que se elabora este vino: *Las cavas son lugares húmedos y frescos.* **3** Levantamiento de la tierra para ahuecarla, esp. de las viñas, mediante la azada, el azadón u otro instrumento semejante: *Cada año me encargo de la cava de las viñas familiares.* **4** →**vena cava.** □ ETIMOL. Las acepciones 1 y 2, del latín *cava* (zanja, cueva). La acepción 3, de *cavar.*

cavar v. **1** Levantar o remover la tierra con una azada o con una herramienta semejante: *Antes de sembrar el terreno es conveniente cavarlo.* **2** Profundizar en la tierra utilizando una azada o una herramienta semejante: *Si quieres encontrar agua tendrás que cavar un poco más.* □ ETIMOL. Del latín *cavare* (ahuecar, cavar).

caverna s.f. **1** Cavidad profunda, subterránea o entre rocas: *Los hombres primitivos vivían en cavernas.* **2** En algunos tejidos orgánicos, cavidad causada por la destrucción y la pérdida de una sustancia: *La tuberculosis puede producir cavernas en los pulmones.* □ ETIMOL. Del latín *caverna.*

cavernario, ria adj. De las cavernas o relacionado con ellas: *el hombre cavernario.*

cavernícola adj.inv./s.com. Que vive en las cavernas: *El hombre prehistórico era cavernícola.* □ ETIMOL. De *caverna* y *-cola* (habitante).

cavernoso, sa adj. **1** De una caverna, relacionado con ella o con alguna de sus características: *una oscuridad cavernosa.* **2** Que tiene muchas cavernas: *un relieve cavernoso.* **3** Referido a un sonido, que resulta sordo y áspero: *una tos cavernosa.*

caveto s.m. En arquitectura, moldura cóncava cuyo perfil es un cuarto de círculo: *En ese edificio, la unión entre la cornisa y la fachada se soluciona por medio de un caveto.* □ ETIMOL. Del italiano *cavetto.*

caviar s.m. Comida que consiste en huevas de esturión frescas, aderezadas con sal y prensadas: *En la fiesta nos sirvieron canapés de caviar iraní.* □

ETIMOL. Del italiano antiguo *caviares*, y este del turco *havyar*.

cavidad s.f. Espacio hueco en el interior del cuerpo: *cavidad bucal.* □ ETIMOL. Del latín *cavitas*.

cavilación s.f. Reflexión que se hace pensando en algo profundamente: *Tantos problemas me están causando muchas cavilaciones.*

cavilar v. Pensar profundamente o reflexionar: *Cavila cómo pagar sus deudas. Cuando cavila se pone muy seria.* □ ETIMOL. Del latín *cavillari* (bromear, emplear sofismas).

caviloso, sa adj. Pensativo y muy preocupado, esp. por excesiva desconfianza o suspicacia: *Eres una muchacha muy cavilosa y cualquier cosa te intranquiliza.*

cayado s.m. **1** Bastón cuyo extremo superior es curvo: *El pastor vigilaba las ovejas apoyado en su cayado.* □ SINÓN. *cachava, cachavo, garrota.* **2** Bastón que usan algunos religiosos como símbolo de su autoridad: *El obispo entró en la catedral con mitra y cayado.* □ ETIMOL. Del latín *caia* (porra). □ ORTOGR. Dist. de *callado* (del verbo callar).

cayena s.f. Condimento muy picante hecho de algunas variedades de chile. □ ETIMOL. Del tupí *quiynha*.

cayo s.m. Tipo de isla llana y arenosa, muy común en el mar de las Antillas y en el golfo de México, que se inunda fácilmente: *En los cayos abundan las palmeras.* □ ORTOGR. Dist. de *callo*.

cayuco s.m. En zonas del español meridional, canoa o embarcación pequeña: *Los indios hacían los cayucos de una sola pieza.*

caz s.m. Canal para coger y llevar agua de un sitio a otro: *Dos caces llevan el agua hasta un depósito que surte a toda la aldea.* □ ETIMOL. Del latín *calix* (tubo de las conducciones de agua).

caza ▌s.m. **1** Avión de pequeño tamaño y de gran velocidad y agilidad que se utiliza generalmente en misiones de reconocimiento y en combates aéreos. ▌s.f. **2** Búsqueda y persecución de un animal hasta atraparlo o matarlo: *Hoy se ha abierto la veda de caza.* **3** Conjunto de animales salvajes, antes y después de cazados: *Los jabalíes son caza mayor y las liebres, caza menor.* **4** Seguimiento o persecución: *Se dedica a la caza de gente que quiera hacerse un seguro de vida.* **5** ‖ **{andar/ir} a la caza de** algo; *col.* Procurar obtenerlo: *Anda a la caza del ascenso y seguro que lo consigue.* ‖ **caza de brujas;** la que se ejerce por prejuicios sociales o políticos: *El partido hizo una caza de brujas para eliminar a los críticos.* □ SINÓN. *macartismo.* ‖ **espantar la caza;** *col.* Estropearse un asunto: *Estaba a punto de convencerlo para que viniera y has llegado tú y me has espantado la caza.*

cazabe (tb. *casabe*) s.m. Torta de harina de mandioca: *En Colombia comí cazabes.*

cazabombardero s.m. Avión de combate que se utiliza en distintas misiones y con capacidad para arrojar bombas: *El cazabombardero lanzó las bombas sobre el objetivo.*

cazacerebros (pl. *cazacerebros*) s.com. →**cazatalentos.**

cazadero s.m. Lugar muy bueno para cazar: *En esos montes hay buenos cazaderos de ciervos.*

cazador, -a ▌adj./s. **1** Referido a algunos animales, que por instinto persiguen y cazan a otros: *Los perros y los gatos son animales cazadores.* **2** Aficionado a la caza o que se dedica a esta actividad: *Han detenido a unos cazadores que no tenían licencia de caza.* ▌s.f. **3** Prenda de abrigo corta y ajustada a la cintura: *Súbete la cremallera de la cazadora, que hace frío.*

cazadora s.f. Véase **cazador, -a.**

cazadotes (pl. *cazadotes*) s.m. Hombre que trata de casarse con una mujer rica.

cazafortunas (pl. *cazafortunas*) s.com. Persona que trata de casarse con alguna persona rica.

cazahuate s.m. Planta herbácea y venenosa, de hojas de color verde oscuro, flores grandes y acampanadas de color blanco o púrpura. □ ETIMOL. Del náhuatl *cuauzahuatl*, y este de *cuauhtli* (árbol) y de *zahuatl* (sarna).

cazalla s.f. Aguardiente seco y muy fuerte, originario de Cazalla de la Sierra (localidad sevillana): *En invierno se toma una copita de cazalla después de comer.*

cazallero, ra s. Persona que acostumbra a beber cazalla: *voz de cazallero.*

cazamariposas (pl. *cazamariposas*) s.m. Instrumento formado por un mango largo con una red sujeta a uno de sus extremos, que sirve para cazar insectos voladores, como las mariposas.

cazaminas (pl. *cazaminas*) s.m. Barco de guerra destinado a la localización de minas: *En el puerto militar, estaba anclado un cazaminas.*

cazar v. **1** Referido a un animal, buscarlo o perseguirlo hasta atraparlo o matarlo: *Cazamos dos liebres. Para mí, cazar no es una forma de hacer deporte.* **2** *col.* Referido a algo difícil o inesperado, conseguirlo fácilmente o con habilidad: *A pesar de su poca formación, cazó un buen empleo.* **3** *col.* Referido a una persona, hacerse con su voluntad o ganarla para un propósito, esp. si se hace mediante engaños o halagos: *Toda la vida criticando el matrimonio y al final te han cazado.* **4** *col.* Referido a una persona, descubrirla o sorprenderla en un error o en una acción que desearía ocultar: *Lo cazaron con las manos en la masa y no pudo negar que había sido él.* **5** *col.* Referido a alguien que escapa o que va delante, atraparlo o darle alcance: *El pelotón cazó al corredor escapado en la última recta.* **6** *col.* Entender, comprender o captar el significado: *Pronto cacé la solución del problema.* □ ETIMOL. Del latín **captiare*, y este de *capere* (coger). □ ORTOGR. La *z* se cambia en *c* delante de *e* →CAZAR.

cazatalentos (pl. *cazatalentos*) s.com. Persona que se dedica a buscar profesionales bien dotados o preparados para una actividad artística o profesional, generalmente con intención de contratarlos: *Si no lo descubre aquel cazatalentos, nunca habría llegado a cantante.* □ SINÓN. *cazacerebros.* □ ETIMOL. Traducción del inglés *talent scout* o *head-hunter*. □ USO Es innecesario el uso del anglicismo *head-hunter*.

cazatesoros (pl. *cazatesoros*) s.m. Persona que busca tesoros.

cazatorpedero s.m. Barco de guerra, pequeño y muy rápido, destinado a perseguir o a destruir barcos torpederos enemigos: *Debido al mal tiempo, los cazatorpederos no pudieron salir del puerto.*

cazavirus (pl. *cazavirus*) adj.inv./s.m. Referido a un programa informático, que detecta la presencia de virus y los anula: *El programa cazavirus no encontró ningún virus en mi ordenador.* □ SINÓN. *antivirus.*

cazcarria s.f. →**cascarria.** □ MORF. Se usa más en plural.

cazo s.m. **1** Recipiente de cocina, cilíndrico o más ancho por la boca que por el fondo, con un mango alargado, generalmente con un pico para verter, y que se se suele usar para calentar o para cocer alimentos: *Calienta la leche del desayuno en un cazo.* **2** Utensilio de cocina, formado por un pequeño recipiente semiesférico con un mango largo, y que se utiliza para servir líquidos o alimentos poco consistentes, o para pasarlos de un recipiente a otro: *La sopa se sirve con cazo.* **3** *col.* Persona fea: *¿Dices que ese cazo presume de guapo?* **4** *col.* Persona torpe, bruta o sin gracia: *Mejor envuelves tú el regalo, porque yo soy un cazo para las manualidades.* **5** || **meter el cazo;** *col.* Cometer un error o tener una intervención poco acertada o inconveniente: *Por más que me esmere, siempre meto el cazo.* □ ETIMOL. De origen incierto.

cazoleta s.f. **1** En una espada o en un sable, pieza metálica de forma redondeada, que se pone sobre la empuñadura para proteger la mano: *Mi prima practica la esgrima y utiliza una espada con cazoleta.* **2** En una pipa de fumar, pequeño receptáculo que tiene en uno de sus extremos y en el que se pone el tabaco: *Después de fumar, limpió la cazoleta de restos de tabaco.*

cazón s.m. Pez marino que tiene el esqueleto cartilaginoso, la boca grande y armada de dientes afilados, y que vive en mares cálidos: *La piel seca del cazón se utiliza como lija.* □ ETIMOL. De origen incierto. □ MORF. Es un sustantivo epiceno: *el cazón {macho/hembra}*.

cazuela s.f. **1** Recipiente de cocina, más ancho que alto, generalmente de barro o de metal, redondo y con dos asas, y que suele usarse para guisar: *Guisé la merluza en una cazuela.* **2** En una prenda de vestir femenina, esp. en un sujetador, parte hueca que cubre un seno: *Si estás embarazada, pronto necesitarás un sujetador con cazuelas más amplias.* **3** En algunos teatros y cines, conjunto de asientos del piso más alto. □ SINÓN. *gallinero, paraíso.* **4** En el teatro español de los siglos XVII y XVIII, conjunto de asientos reservados al público femenino.

cazurrería s.f. Torpeza, ignorancia o lentitud de entendimiento.

cazurro, rra adj./s. Torpe, ignorante o de lento entendimiento: *Va a la escuela porque no quiere ser toda su vida un cazurro.* □ ETIMOL. De origen incierto.

CD (pl. *CD*) s.m. →**disco compacto.** □ ETIMOL. Es la sigla del inglés *Compact Disc* (disco compacto).

CDR (ing.) s.m. Disco compacto en el que se puede grabar información una sola vez. □ ETIMOL. Es la sigla del inglés *Compact Disc Recordable* (disco compacto grabable).

CD-ROM (tb. *cederrón*) (pl. *CD-ROM*) s.m. Disco compacto de gran capacidad cuya información puede ser leída por un ordenador. □ ETIMOL. Es la sigla del inglés *Compact Disc-Read Only Memory* (disco compacto solo de lectura).

CDRW (ing.) s.m. Disco compacto en el que se puede grabar información varias veces. □ ETIMOL. Es la sigla del inglés *Compact Disc Rewritable* (disco compacto regrabable).

ce s.f. **1** Nombre de la letra *c*. **2** || **ce por ce;** *col.* De forma muy detallada: *Te lo explicaré ce por ce para que no tengas ninguna duda.* || **por ce o por be;** *col.* Por una u otra razón: *Por ce o por be, nunca llega a tiempo.*

ceba s.f. Alimentación abundante y de calidad que se da al ganado, esp. al destinado para consumo humano: *En esa granja, la ceba de los cerdos se realiza exclusivamente con productos naturales.*

cebada s.f. **1** Cereal semejante al trigo, de menor altura, hojas más anchas y granos más alargados y puntiagudos, muy empleado como alimento para el ganado y en la fabricación de diversas bebidas: *En esta zona van a empezar ya a segar la cebada.* **2** Grano de este cereal: *La cerveza se hace con cebada.* □ ETIMOL. De *cebar* (dar comida a los animales).

cebadal s.m. Terreno sembrado de cebada: *En los campos manchegos hay inmensos cebadales.*

cebar ▌v. **1** Referido a un animal, engordarlo, esp. cuando se hace para destinar su carne a la alimentación humana: *En esa granja ceban los cerdos que compra el matadero de mi pueblo.* **2** *col.* Referido a una persona, alimentarla abundantemente o engordarla: *Muchos padres ceban a sus hijos pensando erróneamente que estarán más sanos cuanto más gordos.* **3** Referido esp. a un sentimiento, alimentarlo, fomentarlo o avivarlo: *Provoca a su marido para cebar sus celos.* ▌prnl. **4** Ensañarse o mostrarse desmesuradamente cruel o duro, esp. si se hace con quien es más débil: *El asesino se cebó en su víctima y siguió golpeándola cuando ya estaba inconsciente.* □ ETIMOL. Del latín *cibare* (alimentar). □ SINT. Constr. de la acepción 4: *cebarse* EN *alguien*.

cebé s.m. Instrumento creado y utilizado por el Banco de España para dar liquidez al mercado interbancario: *El Banco de España compró ayer cebés en el mercado interbancario por un importe superior al millón de euros.* □ ETIMOL. Es el acrónimo de *certificado del Banco de España*.

cebiche s.m. Comida americana que se prepara con pescado o marisco crudos en pequeños trozos, adobados con zumo de limón y condimentos picantes: *En Ecuador comí un cebiche muy picante.*

cebo s.m. **1** En caza y en pesca, comida o algo que la simula, que se pone en las trampas para atraer y capturar al animal: *Los cebos de pesca suelen tener forma de peces.* **2** Comida que se da a los animales para alimentarlos o engordarlos: *Las bellotas son un buen cebo para los cerdos.* **3** Lo que sirve para atraer, generalmente de manera engañosa, y para incitar a hacer algo: *Las rebajas son un cebo para conseguir más clientes.* **4** Fomento o alimento que se da a un sentimiento: *La coquetería es el cebo que mantiene vivo el interés de su novio.* □ ETIMOL. Del latín *cibus* (alimento, manjar).

cebolla s.f. **1** Hortaliza de tallo delgado y hueco, con un bulbo comestible formado por capas superpuestas, y de olor y sabor dulces, muy fuertes y picantes: *La parte de la cebolla que se suele usar en cocina es la que crece enterrada.* **2** Bulbo o tallo subterráneo de esta hortaliza: *Pica la cebolla para la ensalada.* □ ETIMOL. Del latín *cepulla* (cebolleta).

cebolleta s.f. **1** Hortaliza de tallo delgado y hueco, semejante a la cebolla, pero con el bulbo más pequeño: *Tanto el bulbo como el tallo de las cebolletas son comestibles.* **2** Cebolla muy tierna: *La cebolleta es una cebolla que se arranca antes de florecer.*

cebollino s.m. **1** Planta parecida a la cebolla, de flores rosadas y bulbo comestible. **2** *col.* Persona torpe o ignorante. **3** || **escarbar cebollinos;** *col.* No hacer nada útil: *Lleva toda la tarde escarbando cebollinos y mañana tiene el examen.* || **mandar a escarbar cebollinos;** *col.* Despedir o echar a una persona bruscamente: *Le mandaron a escarbar cebollinos por su mal comportamiento.*

cebollón s.m. **1** Variedad de cebolla, de forma más alargada y de sabor más suave que la común: *Prefiere el cebollón a la cebolla porque no le gustan las comidas de sabor fuerte.* **2** *col.* Borrachera.

cebón, -a adj./s. **1** Referido a un animal, que está cebado o engordado para servir de alimento: *Han preparado un cerdo cebón para comerlo en la fiesta.* **2** *col.* Referido a una persona, que está muy gorda.

cebra s.f. Mamífero cuadrúpedo, parecido al asno y de pelaje amarillento con rayas verticales pardas o negras: *En tierras africanas hay manadas de cebras en libertad.* □ ETIMOL. De origen incierto. □ MORF. Es un sustantivo epiceno: *la cebra {macho/hembra}*.

cebú (pl. *cebúes, cebús*) s.m. Mamífero rumiante, parecido al toro pero con una o dos gibas de grasa en la cruz, y que se emplea como bestia de carga: *La carne y la leche del cebú se aprovechan como alimentos.* □ MORF. Es un sustantivo epiceno: *el cebú {macho/hembra}*.

ceca s.f. **1** Antiguamente, casa en la que se acuñaba moneda. **2** || **de la Ceca a la Meca;** *col.* De una parte a otra o de aquí para allí: *He estado toda la mañana de la Ceca a la Meca y no he tenido ni un momento de descanso.* □ ETIMOL. Del árabe *sikka* (troquel de madera, lugar donde se acuña).

cecear v. Pronunciar la *s* como la *z* o como la *c* ante *e, i*: *Si al leer 'así' pronunciamos [ací], estamos ceceando.* □ SEM. Dist. de *sesear* (pronunciar la *z*, o la *c* ante *e, i*, como la *s*).

ceceo s.m. Pronunciación de la *s* como la *z* o como la *c* ante *e, i*: *Estamos ante un caso de ceceo si al leer 'casa' pronunciamos [cáza].* □ SEM. Dist. de *seseo* (pronunciación de la *z* o de la *c* ante *e, i*, como la *s*).

-cecico, -cecica →**-ico, -ica.**

-cecillo, -cecilla →**-illo, -illa.**

-cecín, -cecina →**-ín, -ina.**

cecina s.f. Carne salada y secada al sol, al aire o al humo: *La cecina más común es de vaca o de buey.* □ SINÓN. *chacina.* □ ETIMOL. Del latín **siccina* (carne seca).

cecinar v. →**acecinar.**

-ceciño, -ceciña →**-iño, -iña.**

-cecito, -cecita →**-ito, -ita.**

cecografía s.f. Modalidad de escritura o de impresión que se hace en relieve para permitir la lectura o la percepción por medio del tacto: *La cecografía posibilita que muchos ciegos puedan leer.* □ ETIMOL. Del latín *caecus* (ciego) y *-grafía* (escritura).

cedacero s.m. Persona que se dedica profesionalmente a la fabricación o a la venta de cedazos: *Aún trabaja aquel cedacero del pueblo que nos vendió el cedazo para separar el trigo de la paja.*

cedazo s.m. Utensilio formado por un aro ancho con una rejilla o tejido semejante fijados a uno de sus lados, y que sirve para separar sustancias de distinto grosor: *Limpié la harina de impurezas pasándola por un cedazo.* □ ETIMOL. Del latín *saetaceum* (criba de seda).

cedé s.m. →**disco compacto.**

ceder v. **1** Dar, transferir o traspasar, esp. de manera voluntaria: *Cedió parte de su herencia a una institución benéfica.* **2** Rendirse, someterse o dejar de oponerse: *Cedió a las peticiones de su hijo y le compró la moto.* **3** Referido a algo que ofrece resistencia, disminuir o cesar esta: *Los muelles de la cama han cedido y es muy incómodo dormir en ella.* **4** Referido a algo que se manifiesta con fuerza, mitigarse o disminuir dicha fuerza: *La lluvia y el viento cedieron y pudimos emprender el viaje.* **5** Referido a algo sometido a una fuerza excesiva, fallar, romperse o soltarse: *Con el peso de la nieve, cedieron las vigas y se hundió el tejado.* □ ETIMOL. Del latín *cedere* (retirarse, marcharse, ceder).

cederrón s.m. →**CD-ROM.**

cedi s.m. Unidad monetaria ghanesa.

cedilla (tb. *zedilla*) s.f. **1** Nombre de la letra ç. **2** Signo gráfico en forma de coma curvada que forma la parte inferior de esta letra: *ce con cedilla.* □ ETIMOL. De *ceda.*

cedrino, na adj. Del cedro o relacionado con él: *madera cedrina.* □ ORTOGR. Dist. de *cetrino.*

cedro s.m. **1** Árbol conífero, de gran altura, tronco grueso y derecho, hojas perennes y fruto en forma de piña: *En la bandera del Líbano aparece un cedro.* **2** Madera de este árbol: *El cedro se utiliza en* construcción y en carpintería por su resistencia y dureza. □ ETIMOL. Del latín *cedrus*.

cédula s.f. **1** Documento, generalmente de carácter oficial, en el que se hace constar algo o se reconoce alguna deuda u obligación: *cédula de habitabilidad.* **2** || **cédula de identidad;** en zonas del español meridional, tarjeta de identidad: *La renovación de las cédulas de identidad vencidas es obligatoria.* || **cédula hipotecaria;** la que certifica la concesión de un crédito cuya garantía de devolución es una vivienda: *Las cajas de ahorro emiten cédulas hipotecarias que cubren los créditos que conceden para financiar la compra de viviendas.* □ ETIMOL. Del latín *schedula* (hoja de papel, página). □ ORTOGR. Dist. de *célula*.

cefal- →**cefalo-**.

cefalalgia s.f. En medicina, dolor de cabeza: *El médico me recetó un analgésico contra las cefalalgias.* □ ETIMOL. Del griego *kephalalgía*, y este de *kephalé* (cabeza) y *álgos* (dolor).

cefalea s.f. En medicina, dolor de cabeza muy intenso y persistente: *Sus continuas cefaleas son consecuencia de la tensión nerviosa en la que vive.* □ ETIMOL. Del griego *kephaláia*, y este de *kephalé* (cabeza).

-cefalia Elemento compositivo sufijo que significa 'cabeza': *hidrocefalia, microcefalia.* □ ETIMOL. Del griego *kephalé* (cabeza).

cefálico, ca adj. En anatomía, de la cabeza o relacionado con ella: *El índice cefálico se obtiene a partir de la anchura y de la longitud máximas de la cabeza.*

cefalo- Elemento compositivo prefijo que significa 'cabeza': *cefalópodo, cefalorraquídeo.* □ ETIMOL. Del griego *kephalé.* □ MORF. Puede adoptar la forma *cefal-*: *cefalalgia, cefalea.*

-céfalo, -céfala Elemento compositivo sufijo que significa 'cabeza': *macrocéfalo, bicéfala.* □ ETIMOL. Del griego *kephalé* (cabeza).

cefalópodo ▮ adj./s.m. **1** Referido a un molusco, que vive en aguas marinas, tiene la cabeza rodeada de tentáculos con ventosas y que generalmente carece de concha exterior: *El pulpo, el calamar y la jibia son tres cefalópodos.* ▮ s.m.pl. **2** En zoología, clase de estos moluscos: *Algunas especies de cefalópodos tienen una concha interna.* □ ETIMOL. Del griego *kephalé* (cabeza) y *-podo* (pie).

cefalorraquídeo, a adj. En un vertebrado, de la cabeza y de la columna vertebral o del sistema nervioso alojado en ellas: *el líquido cefalorraquídeo.* □ ETIMOL. Del griego *kephalé* (cabeza) y *raquídeo*.

cefalosporina s.f. En medicina, antibiótico producido a partir de cierto hongo: *Las cefalosporinas son antibióticos de amplio espectro.*

cefalotórax s.m. En un crustáceo o en un arácnido, parte anterior de su cuerpo, formada por la unión de la cabeza y el tórax: *El cefalotórax es la parte de la que salen las antenas, las pinzas y las patas.* □ ETIMOL. Del griego *kephalé* (cabeza) y *thórax* (pecho).

céfiro s.m. **1** Viento del Oeste. **2** *poét.* Viento suave y agradable. □ ETIMOL. Del latín *zephyrus*, y este del griego *zéphyros*.

cegamiento s.m. Disminución de la profundidad de un río, de un canal o de un puerto por acumulación de tierras: *El cegamiento de la desembocadura del río redujo la capacidad del puerto fluvial.*

cegar v. **1** Quitar la vista o dejar ciego: *No pude ver qué pasaba porque aquella luz me cegaba los ojos.* **2** Ofuscar o hacer perder el entendimiento: *La avaricia lo cegó hasta el punto de que se enemistó con toda su familia por dinero. Se cegó con aquella chica y nadie pudo hacerle ver que lo engañaba.* **3** Referido esp. a algo hueco o abierto, taparlo u obstruirlo: *Cegaron la antigua entrada con ladrillos.* □ ETIMOL. Del latín *caecare*. □ ORTOGR. Aparece una *u* después de la *g* cuando le sigue *e*. □ MORF. Irreg. →REGAR.

cegato, ta adj./s. *col.* Referido a una persona, que es corta de vista o que ve mal. □ USO Tiene un matiz despectivo.

cegrí (pl. *cegríes, cegrís*) s.com. En el antiguo reino musulmán de Granada, miembro de la familia que fue famosa en el siglo XV por su rivalidad con los abencerrajes: *La guerra civil entre cegríes y abencerrajes favoreció la reconquista de Granada en 1492.* □ ETIMOL. Del árabe *tagri* (fronterizo).

ceguedad s.f. →**ceguera.**

ceguera s.f. **1** Falta o privación de la vista. □ SINÓN. *ceguedad.* **2** Incapacidad del entendimiento para ver con claridad: *Demostró su ceguera para los negocios con aquella inversión ruinosa.* □ SINÓN. *ceguedad.*

ceiba s.f. Árbol americano de tronco grueso, copa muy amplia y casi horizontal, flores rojas y frutos alargados que contienen semillas envueltas en una especie de algodón: *La madera de la ceiba se utiliza en pavimentación y para fabricar celulosa.*

ceibo s.m. Árbol americano con flores rojas y brillantes, y hojas lanceoladas verdes por una cara y grises por el envés: *Numerosos ceibos en flor adornaban el jardín.*

ceilandés, -a adj./s. De Sri Lanka o relacionado con este país asiático, antes llamado *Ceilán.* □ SINÓN. *esrilanqués.* □ USO No debe usarse en textos oficiales.

ceja s.f. **1** En la cara, parte que sobresale encima del ojo y que está cubierta de pelo: *Se dio un golpe contra la puerta y se partió la ceja.* **2** En la cara, pelo que cubre esta parte: *Tiene cabello y cejas morenos, pero barba pelirroja.* **3** →**cejilla.** **4** || **hasta las cejas;** *col.* Hasta el extremo o en un grado máximo: *Se ha pringado hasta las cejas en esa historia.* || **{metérsele/ponérsele} entre ceja y ceja** algo a alguien; *col.* Obstinarse en ello u obsesionarse con ello: *Se le ha metido entre ceja y ceja que irá al viaje y no cambiará de opinión.* || **tener entre {cejas/ceja y ceja}** a alguien; *col.* Sentir antipatía o rechazo hacia él: *Lo tenéis entre ceja y ceja desde que os dijo lo que pensaba de vosotros.* □ ETIMOL. Del latín *cilia* (cejas). □ SINT. *{Meterse/poner-*

se] *algo entre ceja y ceja* se usa también con los verbos *llevar* y *tener*.

cejar v. Referido esp. a un empeño o a una postura que se defiende, ceder en ellos o aflojar el ímpetu o la oposición: *No cejó en su propósito a pesar de las dificultades.* ☐ ETIMOL. Del latín *cessare* (pararse, entretenerse, cesar). ☐ ORTOGR. 1. Dist. de *cesar*. 2. Conserva la *j* en toda la conjugación. ☐ SINT. Constr. *cejar EN algo.* ☐ USO Se usa más en expresiones negativas.

cejijunto, ta adj. Que tiene las cejas tan pobladas por el entrecejo que casi se juntan: *Era tan barbudo y cejijunto que apenas se le veía la piel de la cara.*

cejilla s.f. **1** Pieza o abrazadera que se ajusta al mástil de una guitarra o de otro instrumento similar de manera que, al mantener pisadas las cuerdas, reduce la parte vibrante de estas y eleva el tono de sus sonidos. ☐ SINÓN. *ceja.* **2** Colocación del dedo índice sobre un traste de la guitarra, presionando todas las cuerdas para conseguir un efecto semejante al que permite esta pieza: *El acorde ha sonado desafinado porque al hacer la cejilla no has presionado bien todas las cuerdas.* ☐ SINÓN. *ceja.* **3** En un instrumento musical de cuerda, pieza en forma de listón en la que se apoyan las cuerdas. ☐ SINÓN. *ceja.*

cejudo, da adj. Que tiene las cejas muy pobladas y largas: *Mi vecino es tan cejudo que más que cejas parece que tiene un flequillo.*

celada s.f. **1** Trampa o engaño preparados con habilidad o con disimulo: *Se dio cuenta de que le habían tendido una celada cuando ya había caído en ella.* **2** Emboscada llevada a cabo por gente armada en un lugar oculto y cogiendo a la víctima por sorpresa: *Los exploradores se vieron sorprendidos por una celada de los nativos.* **3** En una armadura, pieza que cubría y protegía la cabeza. ☐ ETIMOL. Las acepciones 1 y 2, de *celar* (ocultar). La acepción 3 de *capellina celada* (pieza cubierta de la armadura que protegía la parte superior de la cabeza).

celador, -a s. En un centro público, persona que se dedica profesionalmente a vigilar el cumplimiento de las normas y el mantenimiento del orden o a realizar otras tareas de apoyo: *la celadora de un instituto; el celador de un hospital.*

celaje s.m. **1** Cielo con nubes ligeras y de distintos matices: *Es admirable tu facilidad para pintar celajes y atardeceres.* **2** Claraboya o ventana: *La luz que entraba por el celaje iluminaba toda la buhardilla.* ☐ ETIMOL. Del latín *caelum* (cielo). ☐ MORF. En la acepción 1, se usa más en plural.

celar v. **1** Referido a algo que no se quiere mostrar, ocultarlo o no manifestarlo: *Sus palabras amables celaban una rabia contenida.* ☐ SINÓN. *encubrir.* **2** Referido esp. al cumplimiento de una ley o de una obligación, procurarlo o cuidarlo: *El Estado cela por el cumplimiento de las leyes.* **3** Referido esp. a alguien de quien se desconfía, vigilarlo o espiarlo: *Disimuladamente celaba a su secretario para ver si cumplía sus órdenes.* ☐ ETIMOL. La acepción 1, del latín *celare*. Las acepciones 2 y 3, del latín *zelare* (emular).

celda s.f. **1** En una cárcel, cuarto en el que se encierra a los presos. **2** En un convento, en un colegio o en otro establecimiento con internado, habitación o cuarto individuales. **3** En informática, cada intersección entre una fila y una columna determinada de una hoja de cálculo: *Rellena todas las celdas de la hoja de cálculo para obtener el resultado final.* **4** →**celdilla.** ☐ ETIMOL. Del latín *cella* (cuarto, habitación pequeña).

celdilla s.f. En un panal de abejas o de otros insectos, casilla en forma de hexágono: *Las abejas depositan la miel en las celdillas del panal.* ☐ SINÓN. *alveolo, alvéolo, celda.*

celebérrimo, ma superlat. irreg. de **célebre.** ☐ MORF. Incorr. **celebrísimo.*

celebración s.f. **1** Realización de un acto, esp. si es de carácter solemne: *La celebración de los juegos olímpicos fue un éxito para el país organizador.* **2** Conmemoración o festejo, esp. los que se hacen con motivo de un acontecimiento o de una fecha importantes: *El rey presidió la celebración del día de la fiesta nacional.* **3** Aplauso o aclamación: *Los vencedores fueron recibidos con ruidosas celebraciones.* **4** Realización de la ceremonia de la misa que hace un sacerdote: *Toda la familia del sacerdote asistió a su primera celebración.*

celebrante ▮ adj.inv. **1** Que celebra. ▮ s.m. **2** Sacerdote que celebra misa: *El celebrante de la misa de las doce era un cura recién ordenado.*

celebrar v. **1** Referido a un acto, esp. si es de carácter solemne, realizarlo o llevarlo a cabo: *El obispo celebró los oficios del Jueves Santo en la catedral. La boda se celebró en el juzgado central.* **2** Referido esp. a un acontecimiento o a una fecha importantes, conmemorarlos o festejarlos: *Celebró el aprobado invitando a todos sus amigos.* **3** Referido esp. a un suceso, alegrarse por él: *Celebro que hayas venido a verme.* **4** Decir misa: *En esa iglesia solo celebran los domingos.* **5** Referido a una persona, alabarla, aplaudirla o hacerle los honores: *El perro celebró a su amo con grandes muestras de alegría.* ☐ ETIMOL. Del latín *celebrare* (frecuentar, asistir a una fiesta). ☐ SINT. Constr. de la acepción 5: *celebrar A alguien.*

célebre adj.inv. Que tiene fama o que es muy conocido: *Su poema favorito es uno de los más célebres de la historia de la literatura.* ☐ SINÓN. *famoso.* ☐ ETIMOL. Del latín *celeber* (frecuentado, concurrido, celebrado). ☐ MORF. Su superlativo es *celebérrimo.*

celebridad s.f. **1** Fama, popularidad o admiración pública: *Desde su victoria en aquel campeonato goza de gran celebridad.* **2** Persona famosa o que goza de estas condiciones: *Actuarán grandes celebridades del mundo de la canción.*

celemín s.m. **1** Unidad de capacidad para granos, legumbres y otros frutos secos que equivale aproximadamente a 4,6 litros: *Un celemín tiene 4 cuartillos.* **2** Antigua unidad de superficie que equivalía aproximadamente a 537 metros cuadrados: *Los te-*

rrenos ya no se miden en celemines. □ ETIMOL. Del árabe *tumni* (relativo a la octava parte). □ USO Es una medida tradicional española.

celentéreo, a ▮ adj./s.m. **1** Referido a un animal, que es de vida acuática, está provisto de tentáculos y tiene el cuerpo formado por una sola cavidad digestiva, comunicada con el exterior por un orificio que le sirve a la vez de boca y de ano: *Las medusas y los corales son celentéreos.* ▮ s.m.pl. **2** En zoología, tipo de estos animales, perteneciente al reino de los metazoos: *Algunas especies que pertenecen a los celentéreos desarrollan un esqueleto externo calcáreo y forman arrecifes de coral.* □ ETIMOL. Del griego *kôilos* (hueco) y *énteron* (intestino). □ ORTOGR. Incorr. **celenterio.*

celeridad s.f. Rapidez o velocidad en lo que se hace: *Resolvió el problema con gran celeridad.* □ ETIMOL. Del latín *celeritas.*

celesta s.f. Instrumento musical de teclado, en el que los macillos producen el sonido golpeando unas láminas de acero: *La celesta es como un piano vertical.*

celeste adj.inv. **1** Del cielo: *La luna y las estrellas son cuerpos celestes.* **2** De color azul claro: *azul celeste.* □ ETIMOL. Del latín *caelestis.*

celestial adj.inv. **1** Del cielo o morada de Dios, de los ángeles y de los bienaventurados. **2** Que resulta perfecto, delicioso o muy agradable: *Escuchar música clásica es un placer celestial.*

celestinesco, ca adj. Del celestino o relacionado con él: *género celestinesco.*

celestino, na s. Persona que busca para otra alguien con quien mantener una relación amorosa o sexual, o que actúa como intermediario en una de estas relaciones: *Ese celestino es capaz de conseguirte una cita con quien quieras.* □ SINÓN. *alcahuete, tercero.* □ ETIMOL. Por alusión a Celestina, personaje de la 'Tragicomedia de Calisto y Melibea' que desempeña funciones de este tipo.

celiaca s.f. Enfermedad que origina trastornos en la absorción de ciertos alimentos y cuyo síntoma principal es la presencia de heces pastosas y blanquecinas: *La celiaca es una enfermedad producida por la intolerancia al gluten.*

celíaco, ca (tb. *celiaco, ca*) ▮ adj. **1** Del vientre o de los intestinos, o relacionado con ellos: *La arteria celíaca lleva la sangre al estómago y a otros órganos abdominales.* ▮ adj./s. **2** Enfermo de celiaca: *Los celíacos no digieren el gluten que se encuentra en alimentos como la avena o el trigo.* □ ETIMOL. Del latín *coeliacus*, y este del griego *koiliakós* (del vientre).

celibato s.m. Estado de la persona que no ha contraído matrimonio: *La iglesia católica impone a sus sacerdotes el celibato.* □ SEM. Se aplica esp. al estado de las personas que no han contraído matrimonio por impedírselo sus votos religiosos.

célibe adj.inv./s.com. Que no ha contraído matrimonio: *Los sacerdotes y monjas católicos son célibes por razón de su religión.* □ ETIMOL. Del latín *caelebs* (soltero). □ SEM. Se aplica esp. a la persona que no ha contraído matrimonio por impedírselo sus votos religiosos.

celidonia s.f. Planta herbácea, de tallo ramoso, flores amarillas en umbela y frutos en vaina muy delgados, de la que se extrae un jugo amarillo y cáustico muy empleado en medicina: *El jugo de la celidonia se emplea como remedio para quitar verrugas.* □ ETIMOL. Del latín *chelidonia.*

cella s.f. Espacio interior central de los templos grecolatinos que generalmente tiene forma rectangular y que comunica por uno de sus lados con el pronaos o pórtico: *A la cella solo podían acceder los sacerdotes.* □ ETIMOL. Del latín *cella.*

cellisca s.f. Temporal de agua, nieve menuda y fuerte viento: *La cellisca de ayer nos estropeó el paseo.* □ ETIMOL. De origen incierto.

cellisquear v. Caer agua y nieve menuda, acompañadas de fuerte viento: *Por estas fechas casi siempre cellisquea.* □ MORF. Es unipersonal.

cello (it.) s.m. →**violonchelo.** □ PRON. [chélo].

celo ▮ s.m. **1** Cuidado o esmero que se ponen en lo que se hace, esp. en el cumplimiento de una obligación: *La investigación refleja un celo y un rigor innegables.* **2** En la vida de algunas especies animales, período durante el que aumenta su apetito sexual y en el que la hembra está preparada para la reproducción: *Durante el celo no saca a la perra de casa para evitar que se aparee.* **3** Estado de un animal durante este período: *Sé que la gata está en celo porque todos los gatos van detrás de ella.* **4** →**papel celo.** ▮ pl. **5** Sospecha, inquietud o temor de que la persona amada prefiera a otro antes que a uno mismo: *Los celos infundados del esposo acabaron por arruinar su matrimonio.* **6** Envidia o disgusto producidos por el mayor éxito o suerte de otro: *Siente celos de cualquiera que sea más inteligente que él.* □ ETIMOL. Del latín *celus* (ardor, celos). La acepción 4 es extensión del nombre de una marca comercial.

celofán s.m. →**papel celofán.** □ ETIMOL. Extensión del nombre de una marca comercial.

celoma s.m. En las personas y en ciertos animales, cavidad entre la pared del cuerpo y las vísceras, protegida por una doble membrana que a su vez protege a los órganos internos: *En el celoma están contenidos los órganos más importantes del cuerpo.* □ ETIMOL. Del griego *kôilos* (hueco).

celomado, da ▮ adj./s.m. **1** Referido a un animal, que tiene celoma: *Los mamíferos son animales celomados.* ▮ s.m.pl. **2** En zoología, grupo de estos animales: *A los celomados pertenecen los moluscos, anélidos, artrópodos, equinodermos y cordados.*

celosía s.f. Enrejado de listones, generalmente de madera o de hierro, esp. el que se pone en ventanas o en otros huecos semejantes para poder ver a través de él el exterior sin ser vistos: *En las casas árabes, las mujeres tenían zonas protegidas por celosías para impedir ser vistas por los hombres.* □ ETIMOL. De *celoso*, porque las celosías impedían que cualquier hombre desde la calle observara a la esposa de otro cuando esta estaba tras la ventana.

celoso, sa ▌ adj. **1** Que tiene o que manifiesta celo, esp. en el cumplimiento de una obligación: *Es muy celosa y concienzuda en su trabajo.* ▌ adj./s. **2** Que tiene o siente celos: *Está celoso de su hermana pequeña.*

celota s.com. →**zelote.**

celotipia s.f. Sentimiento intenso de celos: *Los éxitos de los amigos le producen una celotipia enfermiza.* □ ETIMOL. Del latín *zelotypia.*

celta ▌ adj.inv./s.com. **1** De un conjunto de antiguos pueblos indoeuropeos que se extendieron por el occidente europeo y alcanzaron allí su mayor auge entre los siglos VI y I a. C., o relacionado con ellos: *Los celtas invadieron la 'Península Ibérica'.* ▌ s.m. **2** Grupo de lenguas indoeuropeas de estos pueblos: *La palabra española 'cerveza' tiene su origen en el celta.*

celtiberio, ria adj./s. →**celtíbero.**

celtíbero, ra (tb. *celtibero, ra*) adj./s. De un pueblo prerromano que habitó en Celtiberia (antigua región hispánica prerromana) o relacionado con él o con este territorio: *Según algunos investigadores, los celtíberos surgieron de la mezcla de los celtas con los iberos.* □ SINÓN. *celtiberio.*

céltico, ca adj. De los celtas o relacionado con ellos: *El irlandés es una lengua de origen céltico.*

celtismo s.m. **1** Afición al estudio de la lengua y de la cultura célticas: *El celtismo de este escritor se nota en muchos de sus relatos.* **2** En lingüística, palabra, significado o construcción sintáctica del celta empleados en otra lengua: *Las palabras 'carro', 'cerveza' o 'arroyo' son celtismos.* **3** Afición por el Real Club Celta de Vigo (club de fútbol gallego).

celtista ▌ adj.inv./s.com. **1** Del Real Club Celta de Vigo (club de fútbol gallego) o relacionado con él. ▌ s.com. **2** Persona especializada en el estudio de la lengua y de la cultura célticas: *Una eminente celtista dará una conferencia sobre la huella del celta en el español.*

celtohispánico, ca adj. Que pertenece a la cultura céltica que existió en territorio hispánico: *En Galicia se han descubierto importantes restos celtohispánicos.* □ SINÓN. *celtohispano.*

celtohispano, na adj. →**celtohispánico.**

celtolatino, na adj. Referido esp. a una palabra, que es de origen céltico y fue incorporada al latín: *'Abedul', 'álamo' y 'toro' son vocablos celtolatinos.*

célula s.f. **1** En biología, unidad fundamental de los seres vivos, dotada de cierta individualidad funcional y generalmente visible solo al microscopio: *La célula se compone de núcleo, citoplasma y membrana.* **2** En una organización, grupo o unidad capaces de actuar de forma independiente: *La familia es la célula de la sociedad tradicional.* **3** || **célula fotoeléctrica;** dispositivo que reacciona ante variaciones de energía luminosa y que permite transformar estas en variaciones de energía eléctrica: *La puerta se abre automáticamente cuando la célula fotoeléctrica detecta la proximidad de un cuerpo.* || **célula hija;** En biología, la que procede, por división, de otra: *Casi todas las células de nuestro organismo pueden dividirse en células hija.* || **célula madre;** En biología, la que se reproduce y da lugar a dos a más: *De las células madre obtenemos células de recambio para sustituir tejidos deteriorados.* □ ETIMOL. Del latín *cellula* (celdita). □ ORTOGR. Dist. de *cédula.* □ MORF. 1. El plural de *célula hija* es *células hija.* 2. El plural de *célula madre* es *células madre.*

celular ▌ adj.inv. **1** De las células o relacionado con ellas: *Algunas enfermedades atacan destruyendo tejido celular.* **2** Que está dividido en compartimentos individuales que permiten el aislamiento: *un coche celular.* **3** Referido a una cárcel, que mantiene a los reclusos incomunicados: *una prisión celular.* **4** Referido a un sistema de telefonía, que utiliza teléfonos portátiles que permiten la comunicación sin cables por medio de ondas radioeléctricas. □ SINÓN. *móvil.* ▌ adj.inv./s.m. **5** Referido a un teléfono, que es portátil y puede comunicar con otros teléfonos, portátiles o fijos, a cualquier distancia y por medio de ondas: *Tengo una llamada por el celular.* □ SINÓN. *móvil.*

celulítico, ca adj. **1** De la celulitis o relacionado con ella. **2** *col.* Que tiene celulitis.

celulitis (pl. *celulitis*) s.f. Aumento del tamaño del tejido celular situado debajo de la piel: *Le preocupa su celulitis en muslos y caderas, porque dice que le estropea la figura.* □ ETIMOL. De *célula* e *-itis* (inflamación).

celuloide s.m. **1** Material que se utiliza en la industria fotográfica y cinematográfica para la fabricación de películas. **2** Arte o mundo del cine: *La película está protagonizada por una figura del celuloide.*

celulolipólisis (pl. *celulolipólisis*) s.f. Descomposición de las grasas celulares: *La celulolipólisis es un procedimiento que se utiliza para eliminar la grasa de la cintura y de las piernas.*

celulosa s.f. Sustancia compuesta de hidratos de carbono que forma la membrana externa de las células vegetales y que se emplea en la fabricación del papel y de otros materiales semejantes: *La celulosa de la industria papelera se extrae de la madera de los árboles.* □ ETIMOL. Del latín *cellula* (hueco).

celulósico, ca adj. De la celulosa o relacionado con ella: *un barniz celulósico.*

cementación s.f. Calentamiento de un metal en contacto con otra materia en polvo o en pasta, de modo que se mezclen: *La cementación del acero con carbono aumenta su dureza.* □ ORTOGR. Dist. de *cimentación.*

cementar v. Referido a un metal, calentarlo en contacto con otra materia en polvo o en pasta, de modo que se mezclen: *Cementaron el hierro con carbón para convertirlo en acero.* □ ORTOGR. Dist. de *cimentar.*

cementerio s.m. **1** Lugar, generalmente cercado y descubierto, donde se entierran cadáveres. **2** Lugar al que van a morir algunos animales: *cementerios de elefantes.* **3** Lugar en el que se almacenan o acumulan materiales o productos inservibles: *ce-*

menterios nucleares. □ ETIMOL. Del latín *coementerium*, y este del griego *koimetérion* (dormitorio).

cementero, ra adj. Del cemento o relacionado con él: *industria cementera.*

cemento s.m. **1** Material en polvo, formado por sustancias calcáreas y arcillosas, que se endurece y se hace sólido al mezclarlo con agua, y que se emplea en construcción para adherir superficies, para rellenar huecos en las paredes y como componente aglutinante en morteros y hormigones. **2** Material que se emplea como aglutinante, como masa adherente o para tapar huecos y que, una vez aplicado, se endurece: *cemento dental.* **3** En algunas rocas, masa mineral que une los fragmentos o arenas de que se componen: *El conglomerado es una roca formada con fragmentos unidos entre sí con cemento.* **4** || **cemento armado;** masa compacta, hecha de grava, piedras pequeñas, arena, agua y cemento o cal, y reforzada con varillas de acero o con tela metálica. □ SINÓN. *hormigón armado.* □ ETIMOL. Del latín *caementum* (argamasa).

cementoso, sa adj. Semejante al cemento o con sus características: *un material cementoso.*

cempasúchil s.m. Planta herbácea con flores grandes de color anaranjado y olor penetrante, que tiene usos medicinales. □ ETIMOL. Del náhuatl *cempoalli* (veinte) y *xochitl* (flor).

cena s.f. **1** Última comida del día, que se hace al atardecer o por la noche. **2** Alimento que se toma en esta comida: *Tomaré solo una cena ligera.* □ ETIMOL. Del latín *cena* (comida de las tres de la tarde).

cenáculo s.m. **1** Sala en la que tuvo lugar la última cena de Jesucristo con sus apóstoles. **2** Reunión de personas unidas por intereses o gustos comunes, esp. literatos o artistas. □ ETIMOL. Del latín *cenaculum* (comedor, local donde se come).

cenadero s.m. **1** Lugar o instalación, generalmente al aire libre, destinados para cenar: *En las noches de verano da gusto cenar en ese cenadero en medio del campo.* **2** →**cenador.** □ ETIMOL. Del latín *cenatorium* (cenador).

cenador, -a ▌adj. **1** Que cena. ▌s.m. **2** En un jardín, espacio, generalmente redondo, cercado y revestido de plantas trepadoras, y que suele estar destinado a actividades de esparcimiento: *Los invitados paseaban por el jardín o se reunían en el cenador en animada charla.* □ SINÓN. *cenadero.*

cenagal s.m. **1** Terreno lleno de cieno: *Ha llovido tan poco que la laguna se ha convertido en un cenagal.* **2** *col.* Asunto o situación embarazosos o de difícil salida: *No sé cómo fui tan ingenuo de dejarme enredar en ese cenagal.* □ ORTOGR. Incorr. **cenegal, *cienagal.*

cenagoso, sa adj. Lleno de cieno: *El fondo del pantano es muy cenagoso.* □ SINÓN. *cienoso.* □ ETIMOL. Del latín **coenicosus*, y este de *caenum* (fango).

cenar v. Tomar la cena o tomar como cena: *Cenamos sopa y pescado.*

cencellada (tb. *cenceñada*) s.f. Conjunto de gotas muy menudas que se forman cuando el vapor de agua se condensa en la atmósfera con el frío de la noche. □ ETIMOL. De *cierzo.*

cenceñada s.f. →**cencellada.**

cenceño, ña adj. Referido esp. a una persona o a un animal, con el cuerpo delgado o enjuto: *Las protagonistas de sus novelas suelen ser mujeres altas, cenceñas y muy ágiles.* □ ETIMOL. De origen incierto.

cencerrada s.f. *col.* Ruido que se hace con cencerros y otros utensilios, generalmente con fines festivos o de burla: *En algunos pueblos todavía se dan cencerradas a los viudos la primera noche de sus nuevas bodas.*

cencerrear v. **1** Hacer ruido de cencerros insistentemente: *En el pueblo de mis padres era costumbre cencerrear a los recién casados en su noche de bodas.* **2** *col.* Referido a un instrumento musical, esp. a una guitarra, tocarlo mal o de manera desafinada: *Si tendrá mal oído, que oye una guitarra que cencerrea hasta casi chirriar y le suena bien.* **3** *col.* Referido esp. a una puerta o a un mecanismo de metal, hacer un ruido desagradable por no estar bien ajustados: *Con el viento, la ventana del cuarto no dejaba de cencerrear.*

cencerreo s.m. Ruido repetitivo, esp. el de los cencerros: *El cencerreo nos ayudó a encontrar las vacas extraviadas.*

cencerro s.m. **1** Campana pequeña y cilíndrica, generalmente tosca, hecha de chapa de hierro o de cobre, y que se ata al cuello de las reses para localizarlas mejor: *Antes de ver el rebaño, ya oíamos el ruido de los cencerros.* **2** || **estar** alguien **como un cencerro;** *col.* Estar loco o chiflado. □ ETIMOL. De origen onomatopéyico.

cendal s.m. **1** Tela de seda o de lino, muy fina y transparente: *un velo de cendal.* **2** Paño que el sacerdote se pone sobre los hombros y con cuyos extremos se cubre las manos para coger la custodia o el copón. □ SINÓN. *humeral.*

cendrado, da adj. →**acendrado.**

cendrar v. →**acendrar.**

cenefa s.f. Banda de adorno, generalmente recorrida por motivos o dibujos repetidos, que se hace o se coloca en el borde de un tejido, de una pared o de otra superficie: *Alicataron el baño en blanco, con una cenefa azul en la parte superior.* □ ETIMOL. Del árabe *sanifa* (borde del vestido). □ ORTOGR. Incorr. **fenefa.*

cenestesia s.f. Conjunto de sensaciones internas del organismo que permiten tener conciencia de la existencia, del estado y del funcionamiento del propio cuerpo: *Aún cuando no los vemos, sabemos en qué posición están nuestros brazos gracias a la cenestesia.* □ ETIMOL. Del griego *koinós* (común) y *aísthesis* (sensación).

cenestésico, ca adj. De la cenestesia o relacionado con este conjunto de sensaciones del organismo: *Los estímulos cenestésicos me permiten conocer* *la posición de mis miembros, aún cuando no los veo.*

cenetista ▮ adj.inv. **1** De la CNT (sindicato anarquista español) o relacionado con él: *propuestas cenetistas.* ▮ adj.inv./s.com. **2** Que es miembro de este sindicato.

cenicero s.m. **1** Recipiente donde se echa la ceniza y los residuos del cigarro. **2** *col.* Vertedero de cenizas. ☐ ORTOGR. Incorr. **cenizero.*

cenicienta s.f. Véase **ceniciento, ta.**

ceniciento, ta ▮ adj. **1** De color grisáceo, como el de la ceniza. ☐ SINÓN. *cenizo, cenizoso.* ▮ s.f. **2** Lo que es injustamente marginado o despreciado: *Está harta de ser la cenicienta del grupo y de que solo se acuerden de ella para trabajar.* ☐ ETIMOL. La acepción 2, por alusión a Cenicienta, personaje de un cuento infantil que cargaba con los trabajos más humildes y cansados.

cenit (tb. *cénit, zenit*) (pl. *cenit, cénit*) s.m. **1** Punto culminante o momento de mayor esplendor: *Con aquel éxito llegó al cenit de su carrera.* **2** En astronomía, punto del cielo situado en la parte más alta de una vertical imaginaria que parta desde el punto terrestre en el que se encuentra el observador: *A las doce de la mañana el sol se hallaba en el cenit.* ☐ ETIMOL. Del árabe *samt al-ra's* (paraje de la cabeza).

cenital adj.inv. Del cenit o relacionado con él: *el momento cenital.* ☐ ORTOGR. Incorr. **zenital.*

ceniza s.f. Véase **cenizo, za.**

cenizo, za ▮ adj. **1** De color grisáceo, como el de la ceniza. ☐ SINÓN. *ceniciento.* ▮ s.m. **2** *col.* Persona que tiene mala suerte o que la trae: *Cada vez que se sube al coche ese cenizo de amiga tuya, tenemos una avería.* **3** *col.* Mala suerte: *Con el cenizo que tiene, seguro que le ocurre alguna desgracia. Llevo un día que parece que me han echado el cenizo.* ▮ s.f. **4** Polvo de color gris que queda como residuo después de una quema o combustión completas: *la ceniza de un cigarro.* ▮ s.f.pl. **5** Restos o residuos de un cadáver después de haber sido incinerado. **6** ‖ **{convertir en/reducir a} cenizas;** destruir o destrozar por completo: *Juró que me reduciría a cenizas si hacía algo contra él.* ‖ **tomar la ceniza;** recibirla en la frente de manos del sacerdote en la ceremonia de cuaresma en que se recuerda que el ser humano es polvo y en polvo se convertirá: *Los creyentes toman la ceniza el primer día de cuaresma.* ☐ ETIMOL. Las acepciones 4 y 5, del latín **cinisia.*

cenizoso, sa adj. **1** Con ceniza o cubierto de ceniza. **2** →**ceniciento.**

cenobial adj.inv. Del cenobio o relacionado con él: *La vida cenobial se inició en los primeros siglos del cristianismo.*

cenobio s.m. Edificio en el que viven en comunidad los monjes o las monjas de una orden religiosa, esp. si es de grandes dimensiones y está situado fuera de una población: *La meditación ocupa un lugar central en la vida del cenobio.* ☐ SINÓN. *monasterio.* ☐ ETIMOL. Del latín *coenobium*, y este del griego *koinóbion* (vida en común). ☐ USO Su uso es característico del lenguaje poético o eclesiástico.

cenobita s.com. Persona que vive en comunidad con otras de su orden religiosa: *Los cenobitas surgieron en los primeros siglos del cristianismo.*

cenobítico, ca adj. Del cenobita o relacionado con él: *En la vida cenobítica, la oración ocupa un lugar fundamental.*

cenotafio s.m. Monumento funerario dedicado a la memoria de una persona, pero que no contiene su cadáver: *En el monasterio hay un cenotafio en recuerdo del fundador.* ☐ ETIMOL. Del latín *cenotaphium*, y este del griego *kenotáphion* (sepulcro vacío). ☐ SEM. Dist. de *panteón* y de *sepulcro* (construcciones funerarias para contener el cadáver).

cenote s.m. En zonas del español meridional, fosa natural de agua dulce. ☐ ETIMOL. Del maya *tzonot* (depósito de agua).

cenozoico, ca ▮ adj. **1** En geología, de la era terciaria, cuarta de la historia de la Tierra, o relacionado con ella: *En los terrenos cenozoicos abundan los fósiles.* ☐ SINÓN. *terciario.* ▮ s.m. **2** →**era cenozoica.** ☐ ETIMOL. Del griego *kainós* (nuevo) y *zôion* (animal).

censal adj.inv. Del censo o relacionado con él: *Los errores censales deben ser corregidos antes de las próximas elecciones.* ☐ SINÓN. *censual.*

censar v. **1** Hacer el censo o lista de los habitantes: *El Ayuntamiento censa cada cuatro años.* **2** Incluir o registrar en el censo: *En cuanto me traslade, iré a censarme al Ayuntamiento.*

censatario, ria adj./s. Referido a una persona, que está obligada por contrato al pago de un censo por el disfrute de un bien inmueble: *No soy titular de estas fincas, sino censataria y debo pagar el censo anualmente.* ☐ SEM. Dist. de *censualista* (persona que tiene derecho a percibir un censo).

censista s.com. Funcionario que interviene en la elaboración de censos demográficos o electorales: *Un censista iba comprobando los datos de la encuesta demográfica para actualizar el censo.*

censo s.m. **1** Lista o padrón de los habitantes o de la riqueza de un país o de otra colectividad: *En el censo se registra la edad, profesión y otros datos personales.* **2** En la antigua Roma o en época medieval, tributo o pensión que se pagaban en reconocimiento de vasallaje o de sumisión. **3** Contrato por el cual se está obligado al pago de una renta periódica por el disfrute de un bien inmueble: *Tenemos que ahorrar porque desde que abrimos este local debemos pagar el censo.* **4** ‖ **censo (electoral);** registro de los ciudadanos con derecho a voto en las elecciones: *En el censo electoral español deben aparecer todos los españoles mayores de edad.* ☐ ETIMOL. Del latín *census*, y este de *censere* (estimar, evaluar).

censor, -a ▮ adj./s. **1** Que censura o tiene inclinación a censurar y criticar a los demás. ▮ s. **2** Persona encargada por la autoridad gubernamental o competente de revisar publicaciones y otras obras destinadas al público, y de someterlas a las modificaciones, supresiones o prohibiciones convenientes para que se ajusten a lo que dicha autoridad permite. ▌ s.m. **3** En la antigua Roma, magistrado encargado de realizar el censo de la ciudad y de velar por la moralidad de las costumbres: *A partir del siglo V a. C., el censor era elegido por los comicios.* □ ETIMOL. Del latín *censor*, y este de *censere* (estimar, evaluar).

censual adj.inv. →**censal.**

censualista s.com. Persona que tiene derecho por contrato a percibir el censo a que está sujeto un bien inmueble: *El censualista de mi finca puede vivir del censo que le pago.* □ SEM. Dist. de *censatario* (persona obligada al pago de un censo).

censura s.f. **1** Crítica o juicio negativo que se hace de algo, esp. del comportamiento ajeno: *Los errores del poder están sujetos a la censura pública.* **2** Sometimiento de una obra destinada al público a las modificaciones, supresiones o prohibiciones que el censor designado por la autoridad competente considere convenientes para que se ajuste a lo que dicha autoridad permite: *La censura de algunas escenas amorosas hizo que la película perdiese atractivo.* **3** Organismo oficial encargado de ejercer esta labor: *La censura prohibió la publicación de muchos libros de contenido político.* **4** En la antigua Roma, cargo y funciones de censor. □ ETIMOL. Del latín *censura* (oficio de censor, examen, crítica).

censurable adj.inv. Que es digno de censura.

censurar v. **1** Criticar, juzgar negativamente o tachar de malo: *Cuando vi cómo te trataba, censuré su comportamiento.* **2** Referido esp. a una obra destinada al público, someterla un censor a las modificaciones, supresiones o prohibiciones que considere convenientes: *Muchas de sus fotografías se censuraron y nunca fueron publicadas.*

censurista s.com. Persona inclinada a censurar o a reprender a los demás: *¡Ya saltó esa censurista, siempre enmendando la plana a todo el mundo!*

cent (pl. *cents*) s.m. →**céntimo.** □ ETIMOL. Es el nombre adoptado por la Unión Europea para denominar internacionalmente la fracción del euro.

centauro s.m. Ser mitológico con cabeza y pecho de hombre y el resto del cuerpo de caballo: *Una de las leyendas sobre los centauros explica que eran cazadores de toros.* □ ETIMOL. Del latín *centaurus*.

centavo, va ▌ numer. **1** →**centésimo.** ▌ s.m. **2** En algunos sistemas monetarios americanos, moneda equivalente a la centésima parte de la unidad.

centella s.f. **1** Rayo de poca intensidad: *En el cielo se veían centellas que anunciaban tormenta.* **2** *col.* Lo que es muy veloz: *Eres una centella resolviendo crucigramas.* **3** Planta originaria de la India, que tiene tallos lisos y hojas gruesas y acorazonadas. □ ETIMOL. Del latín *scintilla* (chispa). □ USO La acepción 2 se usa más en expresiones comparativas.

centellar v. →**centellear.** □ ETIMOL. Del latín *scintillare*.

centellear v. **1** Despedir rayos de luz de intensidad cambiante: *Los brillantes del anillo centelleaban a la luz del sol.* □ SINÓN. *centellar.* **2** Referido a los ojos de una persona, brillar intensamente: *Sus ojos centellearon de emoción al vernos llegar.* □ SINÓN. *centellar.* □ ETIMOL. De *centellar*.

centelleo s.m. **1** Emisión de rayos de luz temblorosos o de intensidad cambiante: *el centelleo de las estrellas.* **2** En los ojos de una persona, brillo intenso.

centena s.f. Véase **centeno, na.**

centenal (tb. *centenar*) s.m. Terreno plantado de centeno.

centenar s.m. **1** Conjunto de cien unidades: *Ese cine tiene dos centenares de butacas.* □ SINÓN. *centena, ciento.* **2** →**centenal. 3** ‖ **a centenares;** en gran número o en abundancia: *Vendió rosquillas a centenares.*

centenario, ria ▌ adj. **1** De la centena: *Sus ganancias en millones alcanzan una cifra centenaria.* ▌ adj./s. **2** Que tiene alrededor de cien años: *un árbol centenario.* ▌ s.m. **3** Fecha en la que se cumplen uno o varios centenares de años de un acontecimiento: *Este año se cumple el quinto centenario de la muerte del escritor.* □ ETIMOL. Del latín *centenarius*. □ SEM. En la acepción 1, dist. de *centesimal* (de cien o de cada una de las cien partes de un todo).

centenero, ra adj. Referido a un terreno, que es idóneo para el cultivo del centeno: *En las zonas húmedas no suele haber terrenos centeneros.*

centeno, na ▌ numer. **1** En una serie, que ocupa el lugar número cien: *Recuerda que para el sorteo de plazas eres la centena.* □ SINÓN. *centésimo.* ▌ s.m. **2** Cereal semejante al trigo, de espiga más delgada y vellosa y con hojas más delgadas y ásperas, muy empleado como alimento y en la fabricación de bebidas. **3** Grano de este cereal. ▌ s.f. **4** Conjunto de cien unidades: *En el número '25 316', el '3' ocupa el lugar de las centenas y simboliza trescientas unidades.* □ SINÓN. *centenar, ciento.* □ ETIMOL. La acepción 1, del latín *centenus*. Las acepciones 2 y 3, del latín hispánico *centenum*, y este del latín clásico *centeni* (de ciento en ciento), porque se creía que cada grano sembrado producía cien. La acepción 4, del latín centena.

centesimal adj.inv. De cien o de cada una de las cien partes iguales en que se divide un todo: *un aparato de graduación centesimal.* □ SEM. Dist. de *centenario* (de la centena).

centésimo, ma numer. **1** En una serie, que ocupa el lugar número cien: *Está en el centésimo puesto de una lista de doscientos aspirantes. Si erais dos mil y tú eres la centésima, no me parece que hayas quedado tan mal.* □ SINÓN. *centeno.* **2** Referido a una parte, que constituye un todo junto con otras noventa y nueve iguales a ella: *Yo me llevo la centésima parte de las ganancias de la compañía. En el número '8,253', el '5' ocupa el lugar de las centésimas.* □ SINÓN. *centavo, céntimo.* □ ETIMOL. Del latín *centesimus*. □ MORF. *Centésima primera* (incorr. **centésimo primera*), etcétera.

centi- Elemento compositivo prefijo que significa 'centésima parte': *centigramo, centímetro, centiárea.* □ ETIMOL. Del latín *centum* (cien). □ ORTOGR. Su símbolo es *c-*, y no se usa nunca aislado: *cm* (centímetro).

centiárea s.f. Unidad de superficie que equivale a la centésima parte de un área: *Una centiárea es igual que un metro cuadrado.* □ ORTOGR. Su símbolo es *ca*, por tanto, se escribe sin punto.

centígrado, da adj. Referido a una escala para medir temperatura, que tiene cien divisiones, equivalentes cada una de ellas a un grado Celsius, y pueden medir un intervalo de temperaturas comprendidas entre la que corresponde a la fusión del hielo y la de la ebullición del agua: *El termómetro con el que se suele medir la fiebre tiene una escala centígrada.* □ ETIMOL. De *centi-* (cien) y *grado*. □ PRON. Incorr. *[centigrádo].

centigramo s.m. En el Sistema Internacional, unidad de masa que equivale a la centésima parte de un gramo. □ ETIMOL. De *centi-* (cien) y *gramo*. □ ORTOGR. 1. Incorr. **centígramo*. 2. Su símbolo es *cg*, por tanto, se escribe sin punto.

centil s.m. Cada uno de los noventa y nueve valores que resultan de dividir una distribución en cien partes de igual frecuencia: *Si un sujeto tiene centil 40, existe un cuarenta por ciento de sujetos que obtienen puntuaciones iguales o inferiores a la suya.* □ SINÓN. *percentil*.

centilitro s.m. Unidad de volumen que equivale a la centésima parte de un litro. □ ETIMOL. De *centi-* (cien) y *litro*. □ ORTOGR. 1. Incorr. **centílitro*. 2. Su símbolo es *cl*, por tanto, se escribe sin punto.

centímetro s.m. **1** En el Sistema Internacional, unidad de longitud que equivale a la centésima parte de un metro. **2** || **centímetro cuadrado;** en el Sistema Internacional, unidad de superficie que corresponde a un cuadrado cuyo lado mide un centímetro: *Un centímetro cuadrado tiene cien milímetros cuadrados.* || **centímetro cúbico;** en el Sistema Internacional, unidad de volumen que corresponde a un cubo cuyo lado mide un centímetro. □ ETIMOL. De *centi-* (cien) y *metro*. □ PRON. Incorr. *[centimétro]. □ ORTOGR. El símbolo de *centímetro* es *cm*, el de *centímetro cuadrado* es cm^2 y el de *centímetro cúbico* es cm^3.

céntimo, ma ▌ numer. **1** →**centésimo.** ▌ s.m. **2** En algunos sistemas monetarios, moneda equivalente a la centésima parte de la unidad: *Un euro tiene cien céntimos.* □ ETIMOL. Del francés *centime*.

centinela ▌ s.com. **1** Persona que vigila o está en actitud de observación: *Quédate aquí de centinela, mientras aviso a la policía.* ▌ s.m. **2** Soldado encargado de la vigilancia: *A la entrada del cuartel había dos centinelas.* □ ETIMOL. Del italiano *sentinella* (servicio de vigilancia que presta un soldado en un lugar fijo).

centiplicado, da adj. Que se ha multiplicado por cien o se ha hecho cien veces mayor. □ ETIMOL. De *centi-* (cien) y *plicatus* (doblado).

centolla s.f. →**centollo.**

centollo s.m. Crustáceo marino comestible, de cuerpo ancho y aplastado, caparazón casi redondo y velludo, y cinco pares de patas también velludas y largas. □ SINÓN. *centolla*. □ ETIMOL. De origen incierto.

centón s.m. **1** Obra literaria compuesta de fragmentos, sentencias o expresiones tomados de obras de diversos autores: *En un centón puedes encontrar párrafos y poemas de todo tipo y calidad.* **2** Manta hecha de numerosas piezas de colores o de telas diferentes: *La abuela aprovechó aquel montón de retales para hacer un centón precioso.* □ ETIMOL. Del latín *cento* (paño lleno de remiendos).

centrado, da adj. **1** Colocado de manera que coincida un centro con otro. **2** Dirigido a un punto o a un objetivo, o que converge en ellos. **3** Referido esp. a una persona, que está equilibrada o bien adaptada.

central ▌ adj.inv. **1** Que está en el centro o entre dos extremos: *La zona central del país tiene un clima más templado que el norte y el sur.* **2** Que es lo principal o más importante: *Resueltas las cuestiones menores, entremos en el asunto central de la reunión.* **3** Que ejerce su acción sobre la totalidad de un conjunto: *la sede central de un banco.* ▌ s.m. **4** En fútbol, jugador que juega en el centro de la defensa: *El central despejó cuando ya se cantaba el gol.* ▌ s.f. **5** Instalación u organización donde están unidos o centralizados varios servicios de un mismo tipo: *Los trabajadores se afilian a centrales sindicales para defender mejor sus intereses.* **6** En una empresa con varias oficinas o establecimientos, oficina o establecimiento principales: *La sucursal bancaria consultó con la central antes de conceder el préstamo.* **7** Instalación donde se produce energía eléctrica a partir de otras formas de energía: *una central hidroeléctrica.* □ ETIMOL. Del latín *centralis*.

centralismo s.m. Tendencia que defiende la asunción o concentración de atribuciones o de funciones: *El centralismo de un Gobierno reduce la capacidad de actuación de los organismos provinciales.*

centralista ▌ adj.inv. **1** Del centralismo o relacionado con esta tendencia: *una teoría centralista.* ▌ adj.inv./s.com. **2** Partidario o defensor del centralismo.

centralita s.f. **1** Aparato que permite conectar las llamadas telefónicas hechas por una o por varias líneas a la misma entidad, con diversos teléfonos instalados en ella: *La centralita de la empresa tiene dos líneas exteriores y pasa llamadas a cuarenta teléfonos interiores.* **2** Lugar en el que está instalado este aparato: *Bajé a la centralita para avisar de la avería en el teléfono de mi despacho.* □ ETIMOL. De *central*.

centralización s.f. **1** Reunión o concentración de cosas diversas o de distinta procedencia en un centro común: *La centralización de la actividad industrial en la capital favoreció la inmigración desde las zonas rurales.* **2** Asunción o concentración de atribuciones o de funciones políticas o administrativas, esp. de las que son propias de poderes locales, por parte de un poder central: *La centralización de tan-*

tos poderes en un solo organismo me parece poco democrático.

centralizar v. **1** Referido esp. a una diversidad de cosas de distinta procedencia, reunirlas o concentrarlas en un centro común: *El periódico centraliza en una oficina las informaciones que recibe de todos sus corresponsales. En este teléfono se centralizan todas las llamadas de los espectadores.* **2** Referido esp. a atribuciones o a funciones políticas o administrativas locales, asumirlas un poder central o hacer que dependan de él: *El Gobierno nacional centralizará las competencias de todas las regiones en materia de sanidad y educación.* ☐ ETIMOL. De *central.* ☐ ORTOGR. La *z* se cambia en *c* delante de *e* →CAZAR. ☐ SEM. Dist. de *centrar* (hacer converger en un punto).

centrar v. **1** Colocar haciendo coincidir un centro con otro: *Para centrar el cuadro en la pared, calcula que esté a la misma distancia de las dos puertas.* **2** Dirigir o hacer convergir en un punto o en un objetivo: *Centraron la luz de los focos en el actor principal. Mi estudio se centra en la novela de posguerra.* **3** Atraer hacia sí o ser centro de convergencia: *La novia centraba todas las miradas y comentarios.* **4** Proporcionar o encontrar un estado de equilibrio, de orientación o de conformidad con uno mismo: *Por fin encontró una mujer que lo centró. Las preocupaciones me impiden centrarme en los estudios.* **5** En fútbol o en otros deportes de equipo, pasar el balón desde un lateral del campo hacia un compañero de equipo que avanza por la parte central: *El defensa centró a un delantero desmarcado.* ☐ ETIMOL. De *centro.* ☐ SEM. Dist. de *centralizar* (hacer depender de un mismo centro).

céntrico, ca adj. Del centro o situado en él: *una zona céntrica.*

centrifugación s.f. Sometimiento de una sustancia o de una materia a una fuerza centrífuga, esp. si se lleva a cabo para conseguir un efecto de secado o la separación de componentes unidos o mezclados: *Realizaron la separación de sustancias mezcladas de distinta densidad mediante centrifugación.*

centrifugado s.m. Sometimiento a la acción de una fuerza centrífuga, esp. para conseguir un efecto de secado o la separación de componentes unidos o mezclados: *Con un centrifugado la ropa quedará totalmente seca.*

centrifugadora s.f. Máquina que sirve para centrifugar: *Las centrifugadoras se utilizan tanto en investigación como en procesos industriales.*

centrifugar v. Someter a la acción de una fuerza centrífuga, esp. para conseguir un efecto de secado o la separación de componentes unidos o mezclados: *Las modernas lavadoras centrifugan y dejan la ropa casi seca.* ☐ ORTOGR. La *g* se cambia en *gu* delante de *e* →PAGAR.

centrífugo, ga adj. Referido esp. a una fuerza, que aleja del centro: *La fuerza centrífuga es la que hace que al tomar una curva rápidamente, el coche tienda a salirse de ella.* ☐ ETIMOL. Del latín *centrum* (centro) y *fugere* (huir).

centrípeto, ta adj. Referido esp. a una fuerza, que atrae o impulsa hacia el centro: *Si la fuerza centrífuga es mayor que la centrípeta, un coche que esté tomando una curva se saldrá de la carretera.* ☐ ETIMOL. Del latín *centrum* (centro) y *petere* (dirigirse hacia).

centrismo s.m. Tendencia o ideología política intermedia entre la izquierda y la derecha.

centrista ▮ adj.inv. **1** Del centrismo o relacionado con esta tendencia política: *una propuesta centrista.* ▮ adj.inv./s.com. **2** Partidario o seguidor del centrismo.

centro s.m. **1** Lo que está en medio o queda más alejado del exterior o de los límites de algo: *La capital está casi en el centro del país. Miraba desde el centro de la sala los cuadros de todas las paredes.* **2** Fin u objeto principal al que todo se supedita o por el que se siente atracción: *Sacar la plaza es el centro de todos sus esfuerzos.* **3** Lugar o punto de donde parten o a donde se dirigen acciones particulares coordinadas: *Pedro se convirtió en el centro de atención de la fiesta.* **4** En un núcleo de población, zona con mayor actividad comercial o burocrática y generalmente más concurrida: *Me agobia vivir en el centro y me he mudado a las afueras.* **5** Lugar donde se concentra o en el que se desarrolla más intensamente una actividad: *Esta región es el centro industrial del país.* **6** Lugar, establecimiento u organismo donde se realizan actividades con un fin determinado: *Mis hijos estudian en un centro de enseñanza estatal.* **7** En un círculo, punto interior que está a igual distancia de todos los de la circunferencia: *El eje de una rueda de bicicleta pasa por su centro.* **8** En una esfera, punto interior que está a igual distancia de todos los de la superficie: *El centro de una esfera homogénea coincide con su centro de gravedad.* **9** En un polígono o en un poliedro, punto en el que todas las diagonales que pasan por él quedan divididas en dos partes iguales: *Si trazas los radios de un hexágono, el punto en el que se cortan será su centro.* **10** En política, conjunto de los partidarios y agrupaciones políticas de tendencia centrista: *Vota a un partido de centro porque no le gustan los extremismos.* **11** En fútbol o en otros deportes de equipo, jugada de ataque en la que un jugador pasa el balón desde un lateral del campo hacia un compañero que avanza por la parte central: *El extremo lanzó desde la banda un centro impecable.* **12** ‖ **centro chut;** En fútbol, jugada de ataque en la que un jugador lanza a portería desde un lateral del campo a modo de centro. ‖ **centro de gravedad; 1** En un cuerpo, punto en el que se puede considerar que está concentrada su masa: *Cuando un cuerpo tiene un eje de simetría, el centro de gravedad está situado en él.* **2** Punto o lugar importante sobre el que giran otras cosas: *Nueva York es el centro de gravedad de las nuevas tendencias musicales.* ‖ **centro de mesa;** jarrón u objeto de adorno que suelen colocarse con flores en el centro de una mesa, esp. en la de un salón. ‖ **centro nervioso;** en el sistema nervioso de un organismo, zona que recibe las impresiones del interior y del exterior del mismo y que transmite las respuestas oportunas a los órganos correspondientes: *Los centros nerviosos de los vertebrados son el encéfalo y la médula.* ☐ ETIMOL. Del latín *centrum*, y este del griego *kéntron* (aguijón), por alusión a la punta del compás que se clava en el centro de la circunferencia que se va a dibujar.

centroafricano, na adj./s. **1** De la zona central del continente africano o relacionado con ella: *La República Democrática del Congo es un país centroafricano.* **2** De la República Centroafricana o relacionado con este país africano.

centroamericano, na adj./s. De Centroamérica (conjunto de países del centro del continente americano), o relacionado con ella: *Nicaragua es un país centroamericano.*

centrocampismo s.m. En fútbol, sistema de juego defensivo: *El centrocampismo usa el contraataque como único medio ofensivo.*

centrocampista s.com. En algunos deportes de equipo, jugador que tiene la misión de contener los avances del equipo contrario en el centro del campo, y de servir de enlace entre la defensa y la delantera del equipo propio: *La labor de los centrocampistas como organizadores del juego fue la clave del partido.* ☐ SINÓN. *mediocampista.*

centroderecha s.f. Conjunto de personas o de organizaciones políticas que defienden ideas centristas con tendencias conservadoras.

centroeuropeo, a adj./s. De la zona central de Europa (uno de los cinco continentes), o relacionado con ella: *Suiza es un país centroeuropeo.*

centroizquierda s.f. Conjunto de personas o de organizaciones políticas que defienden ideas centristas con tendencias progresistas.

centrosoma s.m. En una célula, orgánulo que entra en actividad en el período de división celular para ordenar el reparto del material genético: *Cuando una célula animal o vegetal se divide, el centrosoma dirige los movimientos de los cromosomas.* ☐ ETIMOL. De *centro* y el griego *-soma* (cuerpo).

centuplicar v. Multiplicar por cien o hacer cien veces mayor: *En esta imagen del microscopio se centuplica el tamaño real de las bacterias.* ☐ ETIMOL. Del latín *centuplicare*, y este de *centum* (ciento) y *plicare* (doblar). ☐ ORTOGR. La *c* se cambia en *qu* delante de *e* →SACAR.

céntuplo, pla numer. Referido a una cantidad, que es cien veces mayor: *El hectómetro es una unidad céntupla del metro. He ganado el céntuplo de lo que invertí.* ☐ ETIMOL. Del latín *centuplus*.

centuria s.f. **1** Período de tiempo de cien años: *Hace ya una centuria que acabó la guerra.* ☐ SINÓN. *siglo.* **2** En el ejército de la antigua Roma, compañía de cien soldados: *Sesenta centurias formaban una legión.* ☐ ETIMOL. Del latín *centuria*.

centurión s.m. En el ejército de la antigua Roma, oficial al mando de una centuria: *El jefe de la legión reunía a sus centuriones para organizar el ataque.* ☐ ETIMOL. Del latín *centurio*.

centzontlatole s.m. Pájaro de plumaje gris oscuro en el dorso y blanco en el vientre, de cuerpo esbelto, cola larga y pico curvado, y que tiene un canto muy melodioso. ☐ SINÓN. *cenzontle.* ☐ ETIMOL. Del náhuatl *centzuntli* (cuatrocientos), *tlatolli* (palabra) y *tótol* (ave). ☐ MORF. Es un sustantivo epiceno: *el centzontlatole {macho/hembra}*.

cenutrio, tria s. *col.* Persona de poca habilidad o de poca inteligencia.

cenzontle s.m. Pájaro de plumaje gris oscuro en el dorso y blanco en el vientre, de cuerpo esbelto, cola larga y pico curvado, y que tiene un canto muy melodioso. ☐ SINÓN. *centzontlatole.* ☐ ETIMOL. Del náhuatl *centzuntli* (cuatrocientos). ☐ MORF. Es un sustantivo epiceno: *el cenzontle {macho/hembra}*.

cañideras s.f.pl. Prenda que utilizan los carboneros y algunos trabajadores del campo para cubrir los pantalones y evitar su deterioro: *El carbonero llevaba unas cañideras de goma.*

ceñido, da adj. **1** Ajustado o apretado: *pantalones ceñidos.* **2** Moderado en los gastos: *un presupuesto ceñido.*

ceñidor s.m. Faja o cinturón con que se ciñe la cintura: *El vestido lleva un ceñidor de cuero con una bonita hebilla.*

ceñir ▌ v. **1** Referido a una parte del cuerpo, esp. a la cintura, rodearla, ajustarla o apretarla: *A la ganadora le ciñeron la frente con una corona de laurel.* **2** Referido a un objeto, llevarlo ajustado a una parte del cuerpo: *Cíñete bien el sombrero para que no se lo lleve el viento. El comisario se ciñó la pistola y fue en busca del bandido.* **3** Rodear, cerrar o envolver: *Las murallas ciñen la ciudad.* ▌ prnl. **4** Limitarse o atenerse concretamente: *No empecéis a divagar y ceñiros a lo que os pregunto.* ☐ SINÓN. *circunscribirse.* **5** Moderarse o amoldarse a un límite: *Si te ciñeras a tu sueldo no tendrías deudas.* ☐ ETIMOL. Del latín *cingere*. ☐ MORF. Irreg. →CEÑIR. ☐ SINT. Constr. de las acepciones 4 y 5: *ceñirse A algo.* ☐ SEM. Seguido de un objeto representativo de una condición, *ceñir* se usa con el significado de 'ostentar': *'Ceñir corona' significa 'ser rey'.*

ceño s.m. **1** Gesto que se hace en señal de enfado arrugando la frente y juntando las cejas: *Cuando te vi con ese ceño, supe que algo te había pasado.* **2** Espacio que separa las dos cejas: *En cuanto le llevas la contraria, frunce el ceño y se va ofendido.* ☐ SINÓN. *entrecejo.* ☐ ETIMOL. Del latín *cinnus* (señal que se hace con los ojos).

ceñudo, da adj. Que arruga el ceño, generalmente en señal de enfado: *Cuando me retraso, me recibe malhumorado y ceñudo.*

ceolita s.f. Mineral compuesto de silicio y aluminio: *La ceolita se utilizaba para el tratamiento de aguas duras.*

cepa s.f. **1** Planta de la vid. **2** Tronco de esta planta. **3** En una planta, parte de su tronco que se encuentra bajo tierra y unida a las raíces. **4** En biología, conjunto de organismos de una misma especie o cultivo, con características particulares que los diferencian de otros: *Los virus de algunas enferme-*

dades no siempre proceden de las mismas cepas. **5** En informática, virus informático del que se derivan otros con variantes sobre una base común de propiedades: *Los informáticos buscan la cepa del último virus para arreglar el problema.* **6** || **de buena cepa;** de origen o de cualidades que se consideran buenos: *Aunque tenga ese aspecto, es persona de buena cepa y sé que no me fallará.* || **de pura cepa;** referido a una persona, que tiene los caracteres propios y auténticos de la clase en la que se le encuadra: *Hasta en la cara se le nota que es español de pura cepa.* □ ETIMOL. De *cepo*.

cepeda s.f. Terreno poblado de arbustos y matas de cuyas cepas y raíces se hace carbón: *En el pueblo hacen carbón vegetal en las cepedas próximas.*

cepellón s.m. Tierra que se deja adherida a las raíces de las plantas cuando son arrancadas para trasplantarlas: *Necesitamos un tiesto mayor para trasplantar el rosal con ese cepellón tan grande que tiene.* □ ETIMOL. De *cepa*.

cepillado s.m. →**cepilladura.**

cepilladura s.f. **1** Limpieza hecha con un cepillo: *Antes de salir, dale una buena cepilladura a los zapatos.* □ SINÓN. *cepillado.* **2** Alisamiento de una superficie con un cepillo para madera: *La cepilladura de las tablas es lo que más trabajo me costó al hacer el mueble.* □ SINÓN. *cepillado.* **3** Arreglo del pelo hecho con un cepillo: *Antes de acostarme, dedico cinco minutos a la cepilladura de mi melena.* □ SINÓN. *cepillado.*

cepillar ▮ v. **1** Limpiar con cepillo: *Cepillé la chaqueta porque la tenía llena de polvo. Cepíllate bien cuando te laves los dientes.* **2** Referido al pelo, peinarlo o desenredarlo con cepillo: *Antes de hacerle las trenzas cepíllale un poco el pelo. Cuando tengo el pelo muy enredado, prefiero cepillarme a pasarme el peine.* **3** Referido a una madera, alisarla con cepillo: *El carpintero cepillaba las tablas con las que iba a construir la mesa.* **4** *col.* Quitar los bienes ajenos mediante engaño, arte o violencia: *Le cepillaron la cartera en el autobús sin que se diera cuenta.* □ SINÓN. *pelar.* ▮ prnl. **5** *col.* Referido a una persona, matarla: *El malo de la película se cepilló a tres comisarios.* **6** *col.* Referido a un alumno o a alguien que se examina, suspenderlo: *Se lo cepillaron en la última prueba de la oposición.* **7** *col.* Referido esp. a un asunto, terminarlo o resolverlo en poco tiempo: *Como tenía prisa, se cepilló el trabajo en un periquete.* **8** *col.* En el lenguaje estudiantil, referido a una clase, faltar a ella: *Me cepillé una clase por ver el partido.* **9** *vulg.* Referido a una persona, poseerla sexualmente: *Ese fanfarrón inmaduro presume de cepillarse cada día a una mujer distinta.* **10** *vulg.* Referido a una persona, destituirla o expulsarla de un cargo o trabajo: *Se lo han cepillado por incompetente.*

cepillo s.m. **1** Utensilio formado por una estructura de madera o de otro material, a la que van fijados cerdas o filamentos semejantes que suelen ir cortados al mismo nivel, y que se utiliza generalmente para limpiar: *Trae el cepillo para barrer estas migajas.* **2** Caja provista de una ranura, que se coloca en las iglesias o en otros lugares para recoger limosnas: *Al salir de misa, echó unas monedas al cepillo.* **3** Herramienta de carpintería, formada por una pieza de madera de cuya parte inferior sobresale una cuchilla con la que se alisan y pulen las maderas: *El carpintero pasó el cepillo por la superficie del mueble para dejarlo liso antes de barnizarlo.* **4** || **a cepillo;** referido a un corte de pelo, de forma que este queda muy corto y de punta: *Se hartó de las melenas y se hizo un corte de pelo a cepillo, que no había quien lo reconociera.* □ ETIMOL. De *cepo*.

cepo s.m. **1** Trampa para cazar animales, provista de un dispositivo que se cierra y aprisiona al animal cuando este lo toca. **2** Instrumento que sirve para aprisionar o para inmovilizar: *Aparqué el coche en zona prohibida y cuando volví le habían puesto el cepo.* □ ETIMOL. Del latín *cippus* (mojón, columna funeraria, palo clavado en el suelo para detener la marcha del enemigo).

ceporro, rra s. **1** Persona torpe, poco inteligente o poco sensible. **2** || **dormir como un ceporro;** *col.* Hacerlo profundamente o con un sueño muy pesado.

cera s.f. **1** Sustancia sólida, amarillenta y fundible, segregada por las abejas y por otros insectos: *La cera se utiliza para fabricar velas.* **2** Sustancia vegetal, animal o artificial, con la consistencia y el color u otras características de esta: *depilación a la cera.* **3** Sustancia amarillenta segregada por las glándulas de los oídos: *La otorrino me extrajo de un oído un tapón de cera.* □ SINÓN. *cerumen.* **4** Producto de limpieza que sirve para abrillantar: *Tengo los muebles tan bonitos porque de vez en cuando les doy cera.* **5** || **hacer la cera;** depilar por el procedimiento de extender esta sustancia derretida sobre la piel y de despegarla una vez fría y solidificada, arrancando con ella el vello: *Se hace la cera en las piernas una vez al mes.* || **no haber más cera que la que arde;** *col.* Expresión que se usa para indicar que no hay más que lo que está a la vista: *Si no te gusta esto, búscate otra cosa, porque aquí no hay más cera que la que arde.* □ ETIMOL. Del latín *cera.* □ ORTOGR. Dist. de *acera*.

cerámica s.f. Véase **cerámico, ca.**

cerámico, ca ▮ adj. **1** De la cerámica o relacionado con este arte: *En la escuela de artes y oficios aprendió técnicas cerámicas tradicionales.* ▮ s.f. **2** Arte o técnica de fabricar vasijas u otros objetos con arcilla cocida a altas temperaturas: *Aprendió cerámica en el taller de un viejo artesano.* **3** Objeto o conjunto de objetos fabricados según este arte, esp. si tienen una característica común: *Tiene el salón adornado con varias cerámicas de Talavera.* □ ETIMOL. Del griego *keramikós* (hecho de arcilla).

ceramida s.f. Sustancia que regula la hidratación de la piel y que se utiliza en cosmética: *Muchos productos cosméticos hidratantes tienen ceramidas.* □ USO Se usa más en plural.

ceramista s.com. Persona que se dedica a la fabricación de objetos de cerámica, esp. si esta es su profesión: *Tiene una vajilla hecha a mano por un gran ceramista.*

cerapio s.m. *col.* En el lenguaje estudiantil, cero en las calificaciones: *En lengua me han suspendido con un cerapio por tener faltas de ortografía.*

ceraunomancia (tb. *ceraunomancía*) s.f. Adivinación a través de la interpretación de las tempestades: *El hechicero de la tribu practicaba la ceraunomancia.* ☐ ETIMOL. Del griego *keraunós* (rayo) y *-mancia* o *-mancía* (adivinación).

cerbatana s.f. Canuto o tubo estrechos y huecos, en los que se introducen flechas u otros proyectiles para dispararlos soplando por uno de sus extremos: *Los indígenas usaban cerbatanas como armas de ataque.* ☐ ETIMOL. Del árabe *zarbatana* (canuto para tirar a los pájaros).

cerca ▮ s.f. **1** Construcción que se hace alrededor de un lugar para delimitarlo o para resguardarlo: *Han puesto en el prado una cerca de alambre para que no se escape el ganado.* ☐ SINÓN. *cercado.* ▮ adv. **2** A corta distancia o en un punto próximo o inmediato: *Ya estamos cerca de la ciudad y no tardaremos en llegar.* **3** || **cerca de;** combinado con una expresión de cantidad, casi o aproximadamente: *Este libro cuesta cerca de treinta euros.* || **de cerca;** a corta distancia o desde ella: *Casi me desmayé cuando vi a mi ídolo de cerca.* ☐ ETIMOL. La acepción 1, de *cercar.* La acepción 2, del latín *circa* (alrededor). ☐ MORF. Como adverbio, su superlativo es *cerquísima.* ☐ SINT. Como adverbio, su uso seguido de un pronombre posesivo es incorrecto: *Está cerca {*tuyo > de ti}.*

cercado s.m. **1** Terreno rodeado de una cerca: *En ese cercado hay varias vacas.* **2** →**cerca.**

cercanía ▮ s.f. **1** Proximidad o distancia corta que separa de un punto: *Ante la cercanía del momento decisivo, sus nervios se desataron.* ▮ pl. **2** Respecto de un lugar, conjunto de zonas cercanas a él o que lo rodean: *Los trenes de cercanías unen la capital con los pueblos de los alrededores.*

cercano, na adj. **1** Que está a corta distancia, próximo o inmediato: *Vive en una casa cercana al parque.* ☐ SINÓN. *convecino.* **2** Referido esp. a una relación o a un parentesco, que se asientan sobre lazos fuertes o directos: *Comunicó su decisión a sus colaboradores y parientes más cercanos.*

cercar v. **1** Referido a un lugar, rodearlo con una cerca de modo que quede delimitado o resguardado: *Cercaron el jardín con setos para evitar que los niños salieran a la carretera.* **2** Referido esp. a una zona o a una fortaleza enemigas, ponerles cerco o rodearlas un ejército para combatirlas: *El general ordenó cercar la ciudad y esperar a que el enemigo se rindiera por hambre.* **3** Rodear andando o formando un cerco multitudinario: *La policía cercó a los terroristas para que no pudieran escapar.* ☐ ETIMOL. Del latín *circare* (dar una vuelta, recorrer). ☐ ORTOGR. La *c* se cambia en *qu* delante de *e* →SACAR.

cercén || **a cercén;** referido esp. a la forma de cortar algo, enteramente y en redondo: *La cuchilla le cortó el brazo a cercén.* ☐ ETIMOL. Del latín *circen* (círculo).

cercenadura s.f. Corte de una extremidad, esp. la de un ser vivo.

cercenar v. **1** Referido a una extremidad, esp. a la de un ser vivo, cortarla: *La cortadora de césped le cercenó un dedo del pie. Se cercenó una mano en un accidente de trabajo.* **2** Disminuir o acortar: *Acusan al Gobierno de cercenar las libertades constitucionales.* ☐ ETIMOL. Del latín *circinare* (redondear, dar forma redonda).

cerceta s.f. Ave palmípeda del tamaño de una paloma, de plumaje pardo o ceniciento con manchas de otras tonalidades, cola corta y pico grueso y más ancho por su parte superior: *La cerceta es el más pequeño de los patos europeos.* ☐ ETIMOL. Del latín *cercedula.* ☐ MORF. Es un sustantivo epiceno: *la cerceta {macho / hembra}.*

cercha s.f. Armazón de forma curva que sirve de soporte a un arco o a una bóveda mientras se construyen: *La cercha no estaba bien construida y el arco de la puerta se hundió.* ☐ SINÓN. *cimbra.* ☐ ETIMOL. Del francés antiguo *cerche.*

cerciorar v. Asegurar la verdad o certeza de algo: *Las declaraciones del testigo cercioraron al jurado de la culpabilidad del acusado. Consulté el horario de trenes para cerciorarme de que llegaba a tiempo.* ☐ ETIMOL. Del latín *certiorare.* ☐ MORF. Se usa más como pronominal. ☐ SINT. Constr. *cerciorar(se)* DE *algo.*

cerco s.m. **1** Lo que ciñe o rodea: *Te ha quedado un cerco de café alrededor de la boca.* **2** Moldura o encuadre en los que se encajan algunas cosas: *el cerco de una puerta.* ☐ SINÓN. *marco.* **3** Fenómeno atmosférico luminoso que a veces aparece rodeando algunos cuerpos celestes, esp. la Luna y el Sol. ☐ SINÓN. *halo.* **4** Asedio que pone un ejército a una zona, esp. a una fortaleza enemiga, rodeándola para conquistarla. ☐ ETIMOL. Del latín *circus* (círculo, circo).

cerda s.f. Véase **cerdo, da.**

cerdada s.f. **1** Hecho que causa un perjuicio, esp. si es malintencionado: *Me ha hecho la cerdada de ir contando mi vida por ahí.* ☐ SINÓN. *faena.* **2** Lo que está sucio o mal hecho. ☐ SINÓN. *guarrada.* **3** Lo que se considera indecoroso o contrario a la moral establecida. ☐ SINÓN. *guarrada.*

cerdo, da ▮ adj./s. **1** Sucio o falto de limpieza: *Si será cerdo, que coge la comida del plato con las manos.* **2** Referido a una persona, que tiene mala intención o carece de escrúpulos: *Esa estafa es propia de un cerdo como él.* ▮ s. **3** Mamífero doméstico de cuerpo grueso, cola en forma de espiral, patas cortas y cabeza grande con un hocico casi cilíndrico, que se cría para aprovechar su carne. ☐ SINÓN. *cochino, gorrino, guarro, marrano, puerco, cocho.* ▮ s.m. **4** Carne de este animal. ▮ s.f. **5** Pelo grueso, duro y generalmente largo que tiene el ganado caballar en la cola y en la crin, y otros animales en el cuerpo: *El jabalí tiene el cuerpo cubierto de cerdas.* **6** Pelo o filamento de cepillo: *Las cerdas de los cepillos suelen ser de fibra artificial.* **7** || **como un cerdo; 1** *col.* Referido a una persona, muy gorda: *Con lo delgaducho que era, se ha puesto como un cerdo.* **2** *col.* Referido a la forma de comer, muchísimo: *No sé cómo no revienta, porque come como un cerdo.* ☐ ETIMOL. Las acepciones 5 y 6, del latín *cirra* (mechón de pelos).

cereal ▌adj.inv./s.m. **1** Referido a una planta, que da frutos en forma de granos de los que se obtienen harinas y que se utilizan en la alimentación humana y de algunos animales: *El trigo, la cebada y el centeno son cereales.* ▌s.m. **2** Grano de esta planta: *Compra cereal como pienso para los pájaros.* ▌s.m.pl. **3** Alimento elaborado con este grano y generalmente enriquecido con vitaminas y otras sustancias nutritivas: *Los niños desayunan leche con cereales.* ☐ ETIMOL. Del latín *cerealis* (perteneciente a Ceres, diosa de la agricultura; relativo al trigo y al pan). ☐ MORF. En la acepción 2, se usa más en plural.

cerealista adj.inv. De los cereales o de su producción y comercio: *La producción cerealista de este año es escasa debido a la sequía.*

cerebelo s.m. En el sistema nervioso de un vertebrado, parte del encéfalo situada en la zona posterior e inferior del cráneo y encargada de la coordinación muscular, del mantenimiento del equilibrio del cuerpo y de otras funciones no controladas por la voluntad: *El cerebelo es un órgano nervioso de menor tamaño que el cerebro.* ☐ ETIMOL. Del latín *cerebellum.*

cerebración s.f. Proceso mental que surge de la actividad cerebral.

cerebral adj.inv. **1** Del cerebro o relacionado con esta parte del encéfalo: *una lesión cerebral.* **2** Que se guía por la inteligencia y por la frialdad de la razón, y no deja que puedan más los sentimientos: *Se propuso analizar el problema de una manera cerebral y superarlo sin nervios.*

cerebralismo s.m. Predominio de lo intelectual frente a lo emocional.

cerebro s.m. **1** En el sistema nervioso de un vertebrado, parte del encéfalo situada en la zona anterior y superior del cráneo y que constituye el centro fundamental de dicho sistema: *El cerebro humano controla los procesos voluntarios, y es donde se asienta la inteligencia.* **2** Talento, cabeza o capacidad de juicio y de entendimiento: *Es el chico con más cerebro de la clase.* **3** Persona de inteligencia o talento sobresalientes, esp. la que destaca en actividades científicas, técnicas o culturales: *Escogió como colaboradores a los mayores cerebros de la economía mundial.* **4** Persona que concibe o dirige un plan de acción, esp. si lo hace al frente de una organización o de un grupo: *Detrás del presidente del partido hay un cerebro que es quien realmente toma las decisiones.* **5** || **cerebro electrónico;** máquina o dispositivo electrónicos, capaces de regular automáticamente las fases de un proceso o de realizar otras operaciones a imitación de las que realiza el cerebro humano: *Juego al ajedrez con un cerebro electrónico y nunca consigo ganar.* || **lavar el cerebro** a alguien; anular o modificar profundamente su mentalidad o sus características psíquicas, esp. si se hace mediante técnicas de manipulación psicológica: *Durante la guerra le lavaron el cerebro para obligarlo a obedecer órdenes contra su voluntad.* || **secársele el cerebro** a alguien; *col.* Perder la capacidad de discurrir normalmente: *A ti hoy se te ha secado el cerebro, porque no das una.* ☐ ETIMOL. Del latín *cerebrum.*

cerebroespinal adj.inv. En un vertebrado, del cerebro y de la médula espinal o del sistema nervioso relacionado con ellos: *El encéfalo es uno de los centros del sistema cerebroespinal.*

ceremonia s.f. **1** Acto solemne que se celebra de acuerdo con ciertas reglas o ritos establecidos por la ley o por la costumbre: *la ceremonia de apertura de un curso.* **2** Solemnidad o excesiva afectación, esp. en la forma de actuar o en el trato: *Me hizo pasar a su despacho con gran ceremonia.* ☐ ETIMOL. Del latín *caeremonia* (carácter sagrado, práctica religiosa).

ceremonial ▌adj.inv. **1** De la celebración de las ceremonias o relacionado con ella o con las formalidades propias de ella: *Me resulta ridículo celebrar tu cumpleaños de una manera tan ceremonial y fría.* ▌s.m. **2** Conjunto de reglas y formalidades que se siguen en la celebración de una ceremonia: *Si te invitan a un acto solemne, antes de ir infórmate antes sobre el ceremonial.*

ceremonioso, sa adj. **1** Que sigue las ceremonias y se atiene a sus reglas y formalidades punto por punto: *El Rey declaró abierta la nueva legislatura en un acto ceremonioso y protocolario.* **2** Que muestra inclinación o afición a ceremonias y cumplimientos exagerados: *Nos recibió con sus acostumbrados saludos ceremoniosos y artificiales.*

céreo, a adj. De cera o con características de esta sustancia: *El color céreo de su rostro le daba aspecto enfermizo.* ☐ ETIMOL. Del latín *cereus.* ☐ SEM. Dist. de *cerúleo* (de color azulado).

cerería s.f. Lugar en el que se trabaja la cera o en el que se venden objetos de cera.

cerero, ra s. Persona que se dedica a trabajar la cera o a vender objetos de cera.

cereza s.f. Fruto del cerezo, comestible, pequeño y casi redondo, con un rabillo largo, piel lisa y encarnada, pulpa dulce y jugosa y un hueso en su interior: *Cuando trajeron la fruta, cogí dos pares de cerezas unidas por el rabo y me las puse de pendientes.* ☐ ETIMOL. Del latín *ceresia.*

cerezal s.m. Terreno poblado de cerezos.

cerezo s.m. **1** Árbol frutal de tronco liso y abundante en ramas, copa amplia, hojas en forma de punta de lanza, flores blancas, y cuyo fruto es la cereza. **2** Madera de este árbol: *un mueble de cerezo.*

cerilla s.f. **1** Palito de madera, papel encerado u otro material, con un extremo recubierto de fósforo que se prende al frotarlo con ciertas superficies: *Encendió una cerilla en la suela del zapato.* □ SINÓN. *fósforo.* **2** En zonas del español meridional, cera de los oídos: *Me limpié con cuidado la cerilla.* □ ETIMOL. De *cera.*

cerillero, ra s. Persona que se dedica a la venta de cerillas y tabaco en cafés o en otros locales públicos: *Le compré un paquete de cigarrillos a la cerillera del café.*

cerillo s.m. En zonas del español meridional, cerilla o fósforo: *Me quedé sin cerillos y no pude prender la hoguera.*

cerio s.m. Elemento químico, metálico y sólido, de número atómico 58, que pertenece al grupo de los lantánidos, es de color grisáceo, se oxida en agua hirviendo, y es blando y deformable: *El cerio se utiliza como refinador en la industria de metales.* □ ETIMOL. De *Ceres*, nombre del planeta que se descubrió al mismo tiempo que este metal. □ ORTOGR. Su símbolo químico es *Ce.*

cerne s.m. Parte más dura y sana del tronco de los árboles: *Los principales puntos de apoyo del armazón deben ser muy resistentes y estar hechos con cerne.* □ ETIMOL. Del latín *circen* (círculo).

cernedor s.m. Utensilio que sirve para separar sustancias de diferente grosor.

cerner ▮ v. **1** Referido a una materia en polvo, esp. a la harina, pasarla por un cedazo para separar las partes más finas de las más gruesas: *La abuela cernía la harina, y el salvado se iba quedando en el cedazo.* ▮ prnl. **2** Referido a un mal, amenazar de cerca: *Las desgracias se ciernen de nuevo sobre su familia.* **3** Referido a un ave, mantenerse en el aire aleteando y sin avanzar: *El cernícalo se cernía sin perder de vista a su presa.* □ ETIMOL. Del latín *cernere* (separar). □ ORTOGR. Se admite también *cernir*, pero se conjugan distinto. □ MORF. Irreg. →PERDER.

cernícalo s.m. Ave rapaz de cabeza abultada, pico y uñas negros y plumaje rojizo con manchas o franjas también negras: *El cernícalo vive en lugares de monte bajo, en las costas y en terrenos de cultivo y de arbolado.* □ ETIMOL. Del latín *cerniculum* (cedazo), porque el movimiento de un cernícalo cuando vuela es parecido al del cedazo cuando se cierne algo. □ MORF. Es un sustantivo epiceno: *el cernícalo {macho/hembra}.*

cernido s.m. Separación que se hace de las partes más finas y de las más gruesas de una materia en polvo, pasándola por un cedazo: *Cogieron un cedazo cada uno y en una mañana terminaron el cernido de toda la harina.*

cernir v. →**cerner.** □ MORF. Irreg. →DISCERNIR.

cero ▮ numer. **1** Número 0: *La conferencia se suspendió al comprobar que había cero asistentes. Ellos metieron tres goles y nosotros cero.* ▮ s.m. **2** Signo que representa este número: *El cero se puede confundir con la 'o' mayúscula.* **3** En la escala de un termómetro o de otro instrumento de medida, punto desde el que se empiezan a contar los grados o las unidades de medida: *La rueda se empezó a desinflar tanto que la aguja del manómetro casi baja hasta cero.* **4** ‖ **al cero;** referido a un corte de pelo, de forma que este queda a ras de la piel: *Lleva el pelo cortado al cero para no tener que peinarse.* ‖ **cero absoluto;** en física, temperatura mínima que se puede alcanzar según los principios de la termodinámica, y que corresponde a -273,16 °C: *Las moléculas de una sustancia que alcanza el cero absoluto carecen completamente de movilidad.* ‖ **{de/desde} cero;** referido a la forma de abordar una tarea, desde el principio o sin contar con recursos ni con nada hecho: *Levantó su empresa empezando de cero y sin más capital que su esfuerzo.* ‖ **ser** alguien **un cero a la izquierda;** *col.* No valer o no ser tenido en cuenta para nada: *Se cree imprescindible, pero en realidad es un cero a la izquierda.* □ ETIMOL. Del italiano *zero.* □ MORF. Como numeral es invariable en género y en número. □ USO Se usa mucho pospuesto a un sustantivo con el significado de *nulo* o *inexistente*: *tolerancia cero, pobreza cero, crecimiento cero.*

ceroferario s.m. Acólito que lleva el cirial en la iglesia y en las procesiones: *El ceroferario iba delante de la imagen de la Virgen.* □ ETIMOL. Del latín *ceroferarius*, y este de *cera* (cera) y *ferre* (llevar).

ceromancia (tb. *ceromancía*) s.f. Adivinación a través de la interpretación de las figuras que forman las gotas de cera derretida al caer en un recipiente de agua: *La hechicera hizo una práctica de ceromancia y me predijo el número de hijos que tendré.* □ ETIMOL. Del griego *kerós* (cera) y *-mancia* o *-mancía* (adivinación).

ceromiel s.m. Mezcla de una parte de cera y dos de miel, que se usaba antiguamente como remedio medicinal para las heridas: *La anciana me hizo un poco de ceromiel y me lo extendió por la rozadura.*

cerón s.m. Residuo de los panales de la cera: *El colmenero sacó toda la miel del panal y desechó el cerón.*

ceroplástica s.f. Arte o técnica de modelar la cera: *La autora de esas figurillas domina la ceroplástica y la cerámica.* □ ETIMOL. Del griego *keroplastiké*, y este de *keroplastikós* (arte del cerero).

ceroso, sa adj. Con cera o con sus características: *Le da al suelo una sustancia cerosa para darle brillo.*

cerote s.m. *col.* Miedo. □ ETIMOL. De *cera.*

cerquillo s.m. En zonas del español meridional, flequillo: *Tenía el cerquillo cortado recto casi a la altura de las cejas.*

cerrado, da adj. **1** Referido a un hablante o a su habla, que tienen muy marcados el acento y los rasgos de pronunciación locales, esp. si ello hace difícil su comprensión: *Si en la zona se habla un gallego muy cerrado, sé que me costará entenderlo.* **2** Referido a una persona, que es torpe de entendimiento o incapaz de comprender o de admitir algo, por ignorancia o por prejuicio: *No querer aceptar el cambio de los tiempos es propio de mentes cerradas.* **3** *col.* Referido a una persona, que es introvertida y muy callada o distante: *Le resulta difícil hacer amigos* *porque es tímido y muy cerrado.* **4** Referido esp. al cielo, que está cargado de nubes: *Con este cielo tan cerrado seguro que llueve.* **5** Referido a un sonido, que se articula estrechando el paso del aire. **6** Poco claro o difícil de comprender: *Las novelas de este escritor se caracterizan por su estilo cerrado.* **7** Estricto, rígido o que no admite distintas posibilidades: *El club tiene criterios muy cerrados para la admisión de socios.*

cerrador, -a ▮ adj./s. **1** Que cierra. ▮ s.m. **2** Dispositivo o mecanismo de cierre: *Cada noche antes de acostarse, echa el cerrador de la puerta.*

cerradura s.f. Mecanismo generalmente metálico y accionable mediante una llave, que se fija en puertas, tapas o piezas semejantes para cerrarlas: *Perdí la llave y tuve que forzar la cerradura para entrar en casa.* □ SINÓN. *cerraja.*

cerraja s.f. **1** Planta herbácea, de entre sesenta y ochenta centímetros de altura, de tallo hueco y ramoso, hojas dentadas, flores amarillas y de sabor amargo: *La cerraja se usa para elaborar preparados medicinales.* **2** →**cerradura.** □ ETIMOL. La acepción 1, del latín *serratula* (un tipo de planta), este de *serrare* (aserrar), por la forma dentada de sus hojas. La acepción 2, del latín *seraculum*, y este de *serare* (cerrar).

cerrajería s.f. Lugar en el que se fabrican, arreglan o venden cerraduras, mecanismos de cierre y otros objetos de metal: *Compré un candado y una cadena de seguridad en la cerrajería.*

cerrajero, ra s. Persona que se dedica profesionalmente a la fabricación o arreglo de cerraduras, llaves, mecanismos de cierre y otros objetos de metal: *He encargado al cerrajero una copia de la llave por si la pierdo.* □ ETIMOL. Del antiguo *cerraja* (cerradura).

cerramiento s.m. **1** Lo que cierra o tapa una abertura, un conducto o un paso: *Han puesto en la terraza un cerramiento de aluminio.* **2** Acción de cerrar lo que estaba abierto o descubierto: *El cerramiento de la herida será más rápido si guardas reposo.*

cerrar ▮ v. **1** Referido a una puerta, a una ventana o a algo con puertas, encajar sus hojas en el marco, de manera que tapen el vano e impidan el paso, esp. si se aseguran con cerradura o con otro mecanismo semejante: *Cierra la puerta para que no nos oigan. Se levantó viento y la ventana se cerró de golpe. Este armario no cierra bien porque se ha roto una bisagra.* **2** Referido a un recinto o a un receptáculo, hacer que queden incomunicados con el exterior: *Cerraron la terraza con cristaleras para evitar los ruidos de la calle.* **3** Referido a una abertura o a un conducto, taparlos u obstruirlos: *El desprendimiento de rocas cerró la entrada de la mina. Las cañerías se han ido cerrando por la acumulación de desperdicios.* **4** Referido a partes del cuerpo, juntar una con otra de modo que no quede espacio entre ellas: *Cerró los ojos y se durmió.* **5** Referido a una herida, cicatrizar o cicatrizarla: *Deja la herida al aire y ella sola cerrará. Solo el tiempo cerró la herida de aquella ofensa. Una brecha así no se cierra si no te dan unos puntos.* **6** Referido esp. a una carta o a un sobre, disponerlos o pegarlos de manera que no pueda verse su contenido sin romperlos o despegarlos: *Antes de echar una carta al correo hay que cerrarla. Me dieron un sobre que no cerraba bien porque tenía la goma gastada.* **7** Referido a un libro o a un objeto semejante, juntar todas sus hojas de manera que no se puedan ver las páginas interiores: *Si estás cansado, cierra el libro y acuéstate. Se me ha cerrado la revista y ahora no encuentro la página que estaba leyendo.* **8** Referido a un cajón abierto, hacer que vuelva a entrar en su hueco: *Al cerrar el cajón de la mesa me pillé un dedo. Los cajones del archivo se cierran apretando un botón. Este cajón no cierra bien porque está demasiado lleno.* **9** Referido a algo que forma o describe una figura, completar su perfil uniendo el final del trazado con el principio: *Cuando cierren la carretera de circunvalación, no hará falta atravesar la ciudad para ir de un extremo al otro.* **10** Referido a algo extendido o desplegado, encogerlo, plegarlo o juntar sus partes: *El pajarillo se posó y cerró sus alas. Me pillé el dedo con un paraguas que se cierra automáticamente.* **11** Referido a una lista o a un conjunto ordenado, ocupar el último lugar en ellos: *Tu candidato cierra las listas de todos los sondeos de opinión.* **12** Referido a algunos signos de puntuación, escribirlos detrás del enunciado que delimitan: *El texto parecía incoherente porque olvidé cerrar un paréntesis. Aquí se abren unas comillas que se cierran varias líneas más abajo.* **13** Referido a la llave o al dispositivo que regulan el paso de un fluido por un conducto, ponerlos de modo que impidan la salida o la circulación de dicho fluido: *¿Has cerrado la llave del gas? Este grifo se cierra haciéndolo girar hacia la derecha.* **14** Referido a un local donde se desarrolla una actividad, esp. si es de carácter profesional, cesar en el ejercicio de esta o poner fin a sus tareas: *Cerró la tienda porque ninguno de sus hijos quería continuar en el negocio. La oficina de información cierra a mediodía.* **15** Referido a un acuerdo o a una negociación, darlos por concertados: *Las dos mujeres cerraron el trato con un apretón de manos. Si no se cumple este requisito, no podrá cerrarse el contrato.* **16** Referido a un programa informático, finalizarlo o concluirlo: *Antes de apagar el ordenador tienes que dejar cerrados todos los programas.* **17** Concluir o dar por terminado: *El presidente cerró la sesión después de varias horas de debates. No se pudo incluir la noticia porque ya se había cerrado la edición.* **18** Meter en una parte o en un lugar, impidiendo la salida fuera de ellos: *Cerraron al perro en una habitación porque a la visita le daba miedo. En una rabieta, se cerró en el cuarto y tiró la llave por la ventana.* □ SINÓN. *encerrar.* **19** Impedir el paso: *Cerraron la calle al tráfico con barricadas.* **20** Apiñar, agrupar o unir estrechamente: *La lógica aconseja cerrar la formación para hacer la defensa más eficaz. Cuanto más se cerraban los jugadores, más difícil era meterles gol.* **21** En el juego del dominó, referido a un jugador, poner una ficha que impida seguir colocando otras: *No se dio cuenta de que aquella ficha cerraba, porque nadie tenía otra con la misma puntuación.* ▌ prnl. **22** Referido a una flor o a sus pétalos, juntarse estos unos con otros sobre el botón o capullo: *Las campanillas se cierran por la noche y se abren por el día.* **23** Referido al cielo o al tiempo atmosférico, encapotarse o nublarse: *Si el día se cierra, nos estropeará la excursión.* **24** Tomar una curva ciñéndose al lado interior y más curvado: *En aquella curva se cerró tanto que perdió el control de la moto y se cayó.* **25** Mostrarse poco comunicativo o adoptar una actitud negativa: *Tu timidez hace que te cierres y te distancies de la gente.* □ ETIMOL. Del latín *serare*, y este de *sera* (cerrojo, cerradura). □ MORF. Irreg. →PENSAR.

cerrazón s.f. **1** Incapacidad de comprender, esp. si se debe a la ignorancia o a juicios infundados: *Su cerrazón ante las nuevas técnicas perjudica su futuro profesional.* **2** Obstinación o insistencia obcecada o excesiva en una actitud: *Por mucho que intente convencerte, no puedo vencer tu cerrazón.*

cerril adj.inv. **1** Que se obstina en una actitud o en una opinión, sin admitir acercamiento o razonamiento: *No seas tan cerril y acepta que tú también puedes equivocarte.* **2** *col.* Cerrado o torpe de entendimiento: *Pone muy buena voluntad, pero es tan cerril que tarda horas en hacer una simpleza.* **3** *col.* Grosero, tosco o sin refinamiento: *En este ambiente, llaman la atención esos modales tan bastos y cerriles.* □ ETIMOL. De *cerro*.

cerrilidad s.f. **1** Obstinación en actitudes o en opiniones, que se mantienen sin razonamiento: *Su cerrilidad me quita las ganas de plantearle de nuevo el problema.* □ SINÓN. *cerrilismo.* **2** *col.* Torpeza de entendimiento: *Con su cerrilidad, no me extraña que lo suspendan siempre.* □ SINÓN. *cerrilismo.* **3** *col.* Grosería, tosquedad o falta de refinamiento: *Si te comportas con esa cerrilidad, es normal que la gente se sienta ofendida.* □ SINÓN. *cerrilismo.*

cerrilismo s.m. →**cerrilidad.**

cerro s.m. **1** Elevación del terreno aislada y de menor altura que el monte: *Desde aquel cerro no podíamos divisar todo el horizonte.* **2** ‖ **{irse/salir} por los cerros de Úbeda;** *col.* Apartarse mucho del asunto que se está tratando, esp. diciendo un sinsentido o algo que no viene al caso: *Estaba distraído y cuando la profesora le preguntó salió por los cerros de Úbeda.* □ ETIMOL. Del latín *cirrus* (rizo, copete, crin).

cerrojazo s.m. **1** Cierre que se hace echando bruscamente el cerrojo: *Si vuelve ese pesado, le cierro la puerta de un cerrojazo.* **2** Cierre o terminación bruscos, esp. los de una actividad: *Si en media hora no nos ponemos de acuerdo, damos el cerrojazo y a otra cosa.*

cerrojo s.m. **1** Mecanismo formado por una pequeña barra, generalmente con manija y en forma de T, que se desplaza horizontalmente entre las anillas de un soporte y que sirve para cerrar puertas: *Las puertas de los servicios públicos suelen tener cerrojos.* **2** En algunos deportes de equipo, esp. en fútbol, táctica defensiva de juego, consistente en el repliegue o acumulación de jugadores del mismo equipo dentro de su área: *Jugaron con un buen cerrojo para asegurar el empate.* **3** En un fusil o en otras armas de fuego, pieza que contiene el percutor, empuja las balas hasta la recámara y cierra esta: *Este fusil no dispara porque no tiene cerrojo.* □ ETIMOL. Del latín *veruculum* (barra de hierro).

certamen s.m. Concurso abierto para estimular con premios determinadas actividades o competiciones, esp. las de carácter artístico, literario o científico: *Ganó el certamen poético que convocó el centro cultural de su barrio.* □ ETIMOL. Del latín *certamen* (lucha, justa, combate). □ SEM. No debe emplearse con el significado de 'exposición': *visité un {*certamen > exposición} de pintura contemporánea.*

certero, ra adj. **1** Referido a un tiro o a un tirador, con seguridad y buena puntería o que da en el blanco: *El asesino mató a la víctima de un disparo certero.* **2** Acertado, atinado o ajustado a lo razonable: *Sus juicios suelen ser certeros porque se basan en datos objetivos.*

certeza s.f. **1** Conocimiento seguro y claro que se tiene de algo: *Un matemático tiene la certeza de que dos y dos son cuatro, y lo puede demostrar.* □ SINÓN. *certidumbre, certitud.* **2** Seguridad total y sin temor a equivocarse que se tiene sobre algo que se puede conocer: *La madre del acusado afirmaba con absoluta certeza que su hijo era inocente.* □ SINÓN. *certidumbre, certitud.* □ ETIMOL. De *cierto*.

certidumbre s.f. →**certeza.** □ ETIMOL. Del latín *certitudo*.

certificación s.f. **1** Garantía de la certeza o autenticidad de algo, esp. los que se hacen mediante escritura o documento oficiales o extendidos por persona autorizada: *El perito se mostró dispuesto a la certificación del estado ruinoso del edificio ante un tribunal.* **2** Seguridad o garantía, obtenidas mediante un resguardo y previo pago, de que un envío por correo será entregado en mano a su destinatario: *La certificación de un paquete cuesta algo más que un envío normal.*

certificado, da ▌ adj./s.m. **1** Referido a un envío por correo, que se realiza asegurando su entrega en mano al destinatario, mediante un resguardo que se obtiene previo pago: *Las cartas importantes las mando certificadas.* ▌ s.m. **2** Escritura o documento en los que se certifica o asegura oficialmente la certeza de lo que se expone: *Si no presentas un certificado médico, no te renuevan el carné de conducir.*

certificar v. **1** Asegurar o dar por cierto o por auténtico, esp. mediante escritura o documento oficiales o extendidos por persona autorizada: *Las fotografías y las declaraciones de los testigos certificaron su inocencia.* **2** Referido a un envío por correo, asegurar su entrega en mano al destinatario, mediante la obtención, previo pago, de un resguardo por el que el servicio de Correos se compromete a ello: *Si quieres asegurarte de que solo él abra el* *paquete, es mejor que lo certifiques.* □ ETIMOL. Del latín *certificare*, y este de *certus* (cierto) y *facere* (hacer). □ ORTOGR. La *c* se cambia en *qu* delante de *e* →SACAR.

certificatorio, ria adj. Que certifica o que sirve para certificar: *Los solicitantes deberán presentar un documento certificatorio de buena conducta.*

certísimo, ma superlat. irreg. de **cierto**. □ MORF. Es la forma culta de *ciertísimo*.

certitud s.f. →**certeza.**

cerúleo, a adj. De color azulado, como el del cielo despejado o como el de la alta mar: *Tras la tormenta apareció el arco iris en un cielo nuevamente cerúleo.* □ ETIMOL. Del latín *caeruleus*, y este de *caelum* (cielo). □ SEM. Dist. de *céreo* (de cera).

cerumen s.m. Sustancia amarillenta segregada por las glándulas de los oídos: *No oía bien porque tenía un tapón de cerumen.* □ SINÓN. *cera.* □ ETIMOL. De *cera*.

cerval adj.inv. →**cervuno.**

cervantesco, ca adj. →**cervantino.**

cervantino, na adj. De Cervantes (escritor español de los siglos XVI y XVII) o con características de sus obras: *En muchos novelistas posteriores a Cervantes, se detecta un cierto estilo cervantino.* □ SINÓN. *cervantesco.* □ SEM. Dist. de *cervantista* (especializado en la obra cervantina).

cervantismo s.m. **1** Influencia de la obra de Cervantes (escritor español de los siglos XVI y XVII) o inclinación hacia ella: *El cervantismo de Azorín se aprecia en algunas descripciones de personajes.* **2** Estudio crítico de todo lo relacionado con Cervantes: *Mi tía es una especialista en cervantismo.* **3** Expresión de Cervantes: *'Baciyelmo' es un cervantismo con el que Sancho llama a la bacía que don Quijote usa como yelmo.*

cervantista adj.inv./s.com. Especialista en el estudio de todo lo relacionado con Cervantes (escritor español de los siglos XVI y XVII): *Un prestigioso cervantista nos dará una conferencia sobre 'El Quijote'.* □ SEM. Dist. de *cervantesco* y *cervantino* (de Cervantes).

cervato s.m. Cría del ciervo, menor de seis meses: *El cervato no se separa de la madre.* □ MORF. Es un sustantivo epiceno: *el cervato {macho / hembra}.*

cervecería s.f. **1** Establecimiento donde se vende o se toma cerveza: *Merendamos en la cervecería alemana de la plaza.* **2** Fábrica de cerveza: *Al pasar por la cervecería notamos un fuerte olor a cerveza.* □ USO Es innecesario el uso del galicismo *brasserie*.

cervecero, ra ▮ adj. **1** De la cerveza o relacionado con esta bebida: *La industria cervecera ha aumentado su importancia.* ▮ s. **2** Propietario de una cervecería: *Los cerveceros protestaron por la subida de impuestos para los productos alcohólicos.* **3** Persona que se dedica a la fabricación o a la venta de cerveza, esp. si esta es su profesión: *Los cerveceros han conseguido elaborar cerveza sin alcohol.* **4** Referido a una persona, que tiene especial gusto por la cerveza.

cerveza s.f. Bebida alcohólica, de color amarillento y sabor amargo, hecha con granos de cebada u otros cereales fermentados con agua, y aromatizada con lúpulo: *La cerveza es una bebida muy refrescante.* □ ETIMOL. Del latín *cervesia*.

cervical ▮ adj.inv. **1** De la cerviz, relacionado con esta parte del cuello: *Casi no puede girar la cabeza porque tiene una lesión cervical.* **2** Del cuello de un órgano o relacionado con él: *El moco cervical es una sustancia del cuello uterino.* ▮ adj.inv./s.f. **3** Referido a una vértebra, que está situada en el cuello: *Lleva un collarín porque tiene una lesión de cervicales.* □ ETIMOL. Del latín *cervicalis*.

cervicalgia s.f. En medicina, dolor en las vértebras cervicales: *Para el tratamiento de las cervicalgias es recomendable un masaje.*

cérvido ▮ adj./s.m. **1** Referido a un mamífero rumiante, que se caracteriza por la presencia, en los ejemplares machos, de cuernos ramificados que se renuevan cada año: *El ciervo, el reno y el corzo son cérvidos.* ▮ s.m.pl. **2** En zoología, familia de estos mamíferos: *Cérvidos y bóvidos son rumiantes.* □ ETIMOL. Del latín *cervus* (ciervo) y el griego *êidos* (forma).

cervino, na adj. →**cervuno.** □ ETIMOL. Del latín *cervinus*.

cérvix (pl. *cérvix*) s.m. Parte más baja del útero, que sobresale en la vagina y que tiene un estrecho canal que conecta las partes bajas y altas del aparato reproductor femenino. □ SINÓN. *cuello de útero.* □ ETIMOL. Del latín *cervix*.

cerviz s.f. **1** En una persona o en un mamífero, parte posterior del cuello: *La primera de las vértebras de la cerviz permite articular el cráneo.* **2** ‖ **{agachar/ bajar/doblar} la cerviz;** humillarse o someterse, abandonando actitudes orgullosas o altivas: *En su situación, tuvo que doblar la cerviz y hacer lo que le mandaban.* □ ETIMOL. Del latín *cervix*.

cervuno, na ▮ adj. **1** Del ciervo, con sus características, o relacionado con él: *Tenía una mirada cervuna e intranquilizadora.* □ SINÓN. *cerval, cervino.* **2** Referido al pelaje de una caballería, con un tono gris oscuro: *Montaba un caballo de capa cervuna.* ▮ s.m. **3** Arbusto, variedad de la jara, con las hojas acorazonadas, lampiñas y sin mancha en la base de los pétalos: *El cervuno es propio de la alta montaña.*

cesación s.f. Suspensión, interrupción o terminación de una acción o en una actividad: *Los dos generales pactaron la cesación del fuego.* □ SINÓN. *cesamiento.*

cesamiento s.m. →**cesación.**

cesante adj.inv./s.com. **1** Referido esp. a un funcionario o a un empleado del Gobierno, que ha sido privado de su cargo o de su empleo: *Cada cambio de Gobierno dejaba cesantes a los funcionarios contrarios a las nuevas ideas gobernantes.* **2** En zonas del español meridional, desempleado: *La tasa de cesantes disminuyó durante el último año.* □ SINT. El uso de *cesado* en lugar de *cesante* es incorrecto: *Los {*cesados > cesantes} reclaman una paga.*

cesantear v. En zonas del español meridional, despedir de un trabajo: *Me cesantearon sin motivo aparente.*

cesantía s.f. **1** Estado o situación de un cesante: *No ve el momento de salir de la cesantía y volver a sentirse útil.* **2** Paga que recibe un cesante en determinadas circunstancias: *Cobra una cesantía que no le da para vivir.*

cesar v. **1** Acabar o llegar al fin: *Con la tregua, cesaron los combates.* ☐ SINÓN. *terminar.* **2** Hacer una interrupción en lo que se está haciendo, o dejar de hacerlo: *Este chico no cesa de moverse y me está poniendo nervioso.* **3** Dejar de desempeñar un cargo o un empleo: *Desde que cesó en el cargo dedica más tiempo a la familia.* ☐ ETIMOL. Del latín *cessare* (descansar, pararse). ☐ ORTOGR. Dist. de *cejar.* ☐ SINT. 1. Constr. de la acepción 2: *cesar* DE *hacer algo.* 2. Constr. de la acepción 3: *cesar* EN *algo.* 3. El uso de la acepción 3 como transitivo y el del participio *cesado* en lugar de *cesante* son incorrectos, aunque están muy extendidos: *{*cesaron > destituyeron / dieron el cese} al secretario; el funcionario {*cesado > cesante}.*

césar s.m. Emperador de la antigua Roma: *El sistema de gobierno de los césares empieza en Roma en el siglo* I. ☐ ETIMOL. Por alusión a Julio César, de quien tomaron el nombre los emperadores romanos.

cesárea s.f. Véase **cesáreo, a.**

cesáreo, a ▮ adj. **1** Del imperio, del emperador o relacionado con ellos: *Durante la etapa cesárea, en Roma se extendió la corrupción política.* ▮ s.f. **2** Operación quirúrgica que consiste en extraer el feto a través de la pared abdominal: *Tuvieron que hacerle la cesárea porque el parto se presentaba complicado.*

cesarismo s.m. Forma de gobierno caracterizada por la concentración de los poderes públicos en una sola persona: *Grupos clandestinos gritaban contra el cesarismo antidemocrático del gobierno.* ☐ ETIMOL. De *césar* (emperador romano).

cese s.m. **1** Terminación en el desempeño de un cargo o de un empleo: *La nueva directora le notificó el cese en sus funciones por escrito.* **2** Nota o documento en los que se hace constar esta terminación en el cargo o en el empleo: *Cuando vio el cese, supo que la destitución era irreversible.* **3** ‖ **dar el cese a** alguien; destituirlo de su cargo o de su empleo: *Le pareció humillante que le dieran así el cese después de años de servicio.* ☐ SEM. No debe emplearse con el significado de 'final' o 'fin': *el {*cese > fin} de las hostilidades.*

cesio s.m. Elemento químico, metálico y líquido, de número atómico 55, de color blanco plata, ligero y blando y que se inflama en contacto con el aire: *El cesio se utiliza en células fotoeléctricas.* ☐ ETIMOL. Del latín *caesius* (azul verdoso), porque el espectro del cesio presenta dos rayas azules. ☐ ORTOGR. Su símbolo químico es *Cs.*

cesión s.f. Renuncia que se hace de un bien a favor de otra persona: *Dispuso la cesión de una de sus casas al Ayuntamiento de su ciudad natal.* ☐ ETIMOL. Del latín *cessio.*

cesionario, ria s. Persona a cuyo favor se hace una cesión de bienes: *El banco figura como cesionario para el caso de que no pueda devolver el crédito.*

cesionista s.com. Persona que hace una cesión de bienes: *El cesionista firmó los documentos de renuncia a los inmuebles de su propiedad.*

césped (pl. *céspedes*) s.m. **1** En un terreno, hierba menuda y espesa que lo cubre: *Cuando está recién cortado, el césped del jardín parece una alfombra.* **2** En algunos deportes, terreno de juego: *Cuando los jugadores saltaron al césped, fueron recibidos con una ovación.* ☐ ETIMOL. Del latín *caespes* (terrón cubierto de césped).

céspol s.m. En zonas del español meridional, especie de válvula que impide la entrada de los malos olores de una cañería.

cesta s.f. **1** Recipiente tejido con mimbres, cañas u otros materiales semejantes, esp. el de boca redondeada, más ancho que alto y con un asa que lo cruza de lado a lado: *Traía colgada del brazo una cesta con la compra.* **2** En baloncesto, aro con una red colgante sin fondo, a través del cual debe pasar el balón: *La jugadora se colgó de la cesta al encestar.* ☐ SINÓN. *canasta.* **3** En pelota vasca, especie de pala larga y cóncava, hecha con materiales y procedimientos de cestería, que se sujeta a la mano a modo de guante para recoger y lanzar la pelota: *La cesta permite impulsar la pelota mucho más que si se lanzase con la mano.* **4** ‖ **cesta de la compra;** conjunto de alimentos y productos que necesita diariamente una familia, esp. referido a su precio: *La cesta de la compra se lleva buena parte de mi presupuesto. La cesta de la compra se toma como gasto representativo para crear el Índice de Precios al Consumo.* ☐ SINÓN. *bolsa de la compra.* ‖ **cesta punta;** modalidad de pelota vasca que se juega con esta especie de pala: *Habrá un torneo de cesta punta en el frontón municipal.* ☐ ETIMOL. Del latín *cista.*

cestería s.f. Arte o técnica de hacer cestas u otros objetos con mimbre o materias semejantes: *El viejo artesano es un artista de la cestería.*

cestero, ra s. Persona que se dedica profesionalmente a la fabricación o a la venta de cestas u otros objetos de cestería: *Compramos a un cestero las sillas para el jardín.*

cestillo s.m. Especie de cesta metálica que tiene el fondo agujereado y que se utiliza para cocinar verduras al vapor.

cesto s.m. **1** Cesta grande, más alta que ancha y con dos asas: *Llevaban las uvas al lagar en cestos.* **2** ‖ **cesto de los papeles;** recipiente que se usa para tirar papeles inservibles y otros desperdicios: *Cuando leyó la carta, la rompió y la echó al cesto de los papeles.* ☐ SINÓN. *papelera.*

cestodo ▮ adj./s.m. **1** Referido a un gusano platelminto, que tiene el cuerpo largo y aplanado como una cinta y dividido en segmentos, carece de aparato digestivo, y vive como parásito en cavidades del cuerpo de otros animales: *La tenia es un animal cestodo.* ▮ s.m.pl. **2** En zoología, clase de estos gusanos, perteneciente al reino de los metazoos: *Los cestodos son una de las clases más importantes del tipo de los platelmintos.* □ ETIMOL. Del griego *kestós* (cinturón bordado), por el parecido que con esta forma tienen los cestodos.

cesura s.f. **1** En métrica moderna, pausa interior obligatoria que se produce en un verso compuesto y que lo divide en dos hemistiquios: *La cesura divide este verso de catorce sílabas en dos hemistiquios de siete sílabas.* **2** En métrica grecolatina, pausa o corte que se produce en el interior de un pie: *Cuando la pausa se produce después de una sílaba larga, se habla de 'cesura masculina'.* □ ETIMOL. Del latín *caesura* (corte, cesura).

cetáceo, a ▮ adj./s.m. **1** Referido a un mamífero, que es de vida marina, con las extremidades anteriores convertidas en aletas, sin extremidades posteriores y con las aberturas nasales en lo alto de la cabeza: *La ballena, el delfín, el cachalote y la marsopa son cetáceos.* ▮ s.m.pl. **2** En zoología, orden de estos mamíferos: *Dentro de los mamíferos se engloban grupos tan distintos como primates, roedores o cetáceos.* □ ETIMOL. Del latín *cetus* (monstruo marino).

cetárea s.f. →**cetaria.**

cetaria s.f. Vivero comunicado con el mar, en el que se crían animales marinos destinados al consumo: *Las langostas se colocan en distintas cetarias según la edad y el peso.* □ SINÓN. *cetárea.* □ ETIMOL. Del latín *cetaria.*

cetario s.m. Lugar en el que las ballenas y otros vivíparos marinos tienen y crían a sus hijos: *Los pescadores no echan sus redes en los cetarios.* □ ETIMOL. Del latín *cetaria.*

cetina s.f. Sustancia grasa que se extrae de la cabeza de la ballena y del cachalote: *La cetina se usa en la fabricación de pomadas y ungüentos.* □ ETIMOL. Del latín *cetus* (cetáceo).

cetme s.m. Fusil ligero que permite hacer disparos de uno en uno o en cortas ráfagas: *Cuando hice el servicio militar, aprendí a manejar el cetme.* □ ETIMOL. Es el acrónimo de *Centro de estudios técnicos de materiales especiales*, porque es el centro que fabrica estas armas.

cetona s.f. Compuesto orgánico, que procede generalmente de la deshidratación de ciertos alcoholes, que puede ser líquido o sólido, y que se usa como disolvente y para la síntesis de otros compuestos orgánicos: *La acetona es una cetona.*

cetosis (pl. *cetosis*) s.f. Presencia excesiva de cetonas en el organismo: *La cetosis generalmente se asocia a algunos tipos de diabetes.* □ ETIMOL. De *cetona* y *-osis* (enfermedad).

cetrería s.f. **1** Arte o técnica de criar, cuidar y adiestrar aves rapaces para la caza: *Como buena conocedora de la cetrería, el ama recompensaba a su halcón con comida.* **2** Caza que se hace empleando estas aves como perseguidoras de las presas: *Los nobles de la Edad Media practicaban la cetrería.*

cetrero, ra s. Persona que se dedica a la cetrería: *Los cetreros cazan con halcones, pero también con otras aves.* □ ETIMOL. Del latín **accipitrarius*, y este de *accipiter* (gavilán).

cetrino, na adj. De color amarillo verdoso: *Su piel cetrina era síntoma del avance de la enfermedad.* □ ETIMOL. Del latín *citrinus* (parecido al limón). □ ORTOGR. Dist. de *cedrino.*

cetro s.m. **1** Bastón de mando, generalmente hecho de materiales preciosos, que usan algunas dignidades, esp. reyes y emperadores, como símbolo de su condición y autoridad: *El cetro y la corona son símbolos del poder real.* **2** Supremacía o primer puesto, esp. los de quien destaca en una actividad: *Tras años de esfuerzo, hoy ocupa merecidamente el cetro del ciclismo mundial.* **3** Dignidad o cargo de rey o de emperador: *El cetro recayó sobre él por ser el primogénito.* **4** Reinado o mandato de un rey o de un emperador: *Bajo su cetro, el país conoció momentos de esplendor.* □ ETIMOL. Del latín *sceptrum*, y este del griego *skêptron* (bastón).

ceutí (pl. *ceutíes, ceutís*) adj.inv./s.com. De Ceuta o relacionado con esta comunidad autónoma, con su provincia o con su capital: *Los ceutíes son ciudadanos españoles.*

ceviche s.m. Comida americana que se prepara con pescado o marisco crudos en pequeños trozos, adobados con zumo de limón y condimentos picantes: *En Chile comí un ceviche muy rico.*

CFC s.m. Gas que se utiliza en algunos aerosoles y frigoríficos y que, al liberarse en la atmósfera, daña la capa de ozono: *Me aseguran que este aerosol está libre de CFC.* □ SINÓN. *clorofluorocarbono.* □ ETIMOL. Es la sigla de *clorofluorocarbono.*

ch s.f. Véase **c.**

chabacanada s.f. →**chabacanería.**

chabacanería s.f. **1** Ordinariez, grosería o mal gusto: *Confundes la comicidad con la chabacanería.* □ SINÓN. *chabacanada.* **2** Dicho propio de un chabacano: *Sus chistes no son más que chabacanerías.* □ SINÓN. *chabacanada.*

chabacano, na ▮ adj./s. **1** Ordinario o grosero y de mal gusto: *Los trajes con tantos colorines me resultan un poco chabacanos.* ▮ s.m. **2** En zonas del español meridional, albaricoque: *Los chabacanos tiene la piel muy suave.* **3** Lengua hablada en algunas zonas de Filipinas y que es una mezcla de español y lenguas indígenas. □ ETIMOL. De origen incierto.

chabola s.f. Vivienda de escasas dimensiones, hecha con materiales de desecho o de muy baja calidad, que carece de unas mínimas condiciones para ser habitada y que suele estar construida en zonas de suburbios: *El descampado se ha ido llenando de chabolas en las que malviven inmigrantes sin recursos.* □ ETIMOL. Del euskera *txabola.*

chabolismo s.m. Abundancia de chabolas en suburbios: *El Ayuntamiento promoverá viviendas sociales para acabar con el chabolismo.*

chabolista s.com. Persona que vive en una chabola, generalmente en suburbios: *Los chabolistas reclaman ayudas para conseguir una vivienda digna.*

chabolo s.m. *arg.* Cárcel: *Pillaron al ladrón y lo metieron en el chabolo por un mes.*

chacal s.m. Mamífero carnívoro, parecido al lobo pero de menor tamaño y con la cola más larga, que vive solo o en manada y suele alimentarse de carroña: *El chacal abunda en zonas templadas de Asia y África.* □ ETIMOL. Del francés *chacal.* □ MORF. Es un sustantivo epiceno: *el chacal {macho/hembra}.*

chácara s.f. En zonas del español meridional, granja.

chacarera s.f. Véase **chacarero, ra.**

chacarero, ra ▌adj./s. **1** En zonas del español meridional, granjero: *Los chacareros de la zona pedían ayudas oficiales.* ▌s.f. **2** Composición musical de origen argentino, de ritmo rápido y en compás de tres por cuatro alternando con seis por ocho: *En la fiesta criolla, se cantaron tangos y chacareras.* **3** Baile popular de parejas sueltas, que se ejecuta al compás de esta música: *El grupo de danzas folclóricas bailó una chacarera.*

chacha s.f. *col.* Véase **chacho, cha.**

chachachá s.m. **1** Composición musical de origen cubano, derivada de la rumba y del mambo: *En la fiesta tocaron chachachás y otras piezas de ritmo animado.* **2** Baile que se ejecuta al compás de esta música: *En la década de 1950, estuvo de moda bailar chachachás.* □ ORTOGR. Se usa también *cha-cha-chá.*

chachalaca s.f. **1** Ave parecida a la gallina, de color pardo, cola larga y verdosa, ojos rojos y plumas en la cresta. **2** *col.* En zonas del español meridional, persona que habla mucho. □ ETIMOL. Del náhuatl *chachayaut.*

chachalaquear v. *col.* En zonas del español meridional, hablar mucho o de manera ruidosa.

cháchara s.f. **1** *col.* Charla o conversación intrascendentes, esp. si se mantienen animadamente y sin prisas: *Íbamos en el autobús de cháchara y se nos pasó la parada.* □ SINÓN. *palique.* **2** En zonas del español meridional, baratija: *Cuando era chiquita me gustaban mucho las cháchara*s. □ ETIMOL. Del italiano *chiacchiera* (conversación sin objeto y por mero pasatiempo). □ MORF. En la acepción 2, se usa más en plural.

chacharear v. *col.* Hablar: *Estuvimos chachareando toda la tarde, y se nos pasó el tiempo sin darnos cuenta.*

chachi (tb. *chanchi*) adj.inv. *col.* Buenísimo o estupendo: *Tiene un ordenador chachi que le sirve para todo.* □ SINT. Se usa también como adverbio de modo: *En su cumpleaños lo pasamos chachi.*

chacho, cha ▌s. **1** *col.* →**muchacho.** ▌s.f. **2** *col.* Mujer empleada en una casa para cuidar a los niños: *Mi hijo adora a su chacha.* □ SINÓN. *niñera.* **3** *col.* Empleada del servicio doméstico: *Cuando éramos pequeños, nos cuidaba una chacha que trabajaba en casa.* □ SINÓN. *muchacha, sirvienta.* □ SEM. La acepción 3 tiene un matiz despectivo.

chacina s.f. **1** Carne de cerdo adobada, de la que se suelen hacer embutidos: *Compramos chacina para hacer chorizos.* **2** Conjunto de embutidos o de conservas hechos con esta carne: *Para no cocinar, compramos chacina y nos hicimos unos bocadillos.* **3** Carne salada y secada al sol, al aire o al humo: *De aperitivo, nos tomamos unos taquitos de chacina y de queso.* □ SINÓN. *cecina.* □ ETIMOL. Del latín **siccina* (carne seca).

chacinería s.f. Establecimiento en el que se venden embutidos y productos derivados del cerdo: *Compré un jamón en la chacinería del mercado.* □ SINÓN. *charcutería.*

chacinero, ra s. Persona que se dedica a la fabricación o a la venta de embutidos y productos derivados del cerdo, esp. si esta es su profesión: *Trabaja en su propia granja como criadora de cerdos y chacinera.*

chacó (pl. *chacós*) s.m. Sombrero militar con forma de cono truncado, que suele tener visera y adornos trenzados: *El chacó formaba parte del traje militar de los húsares.* □ ETIMOL. Del francés *schako*, y este del húngaro *csákó.*

chacolí (pl. *chacolíes, chacolís*) s.m. Vino de sabor algo agrio y de baja graduación alcohólica, que se hace en el País Vasco y Cantabria (comunidades autónomas) y en Chile (país americano): *En Bilbao toman como aperitivo pequeños vasos de chacolí.* □ ETIMOL. Del euskera *txacolín.*

chacona s.f. **1** Composición musical de origen español, de ritmo lento y en compás ternario: *Las chaconas son propias de los ambientes cortesanos de los siglos XVI y XVII.* **2** Baile cortesano que se ejecuta al compás de esta música: *La chacona se bailaba con acompañamiento de castañuelas.* **3** Composición o pieza musical de carácter instrumental, inspirada en este baile y que forma parte de la suite: *En el siglo XVIII, músicos como Bach y Händel compusieron chaconas para concierto.* □ ETIMOL. De origen onomatopéyico.

chacota s.f. *col.* Broma, burla o risa: *Si te tomas el trabajo a chacota, acabarán echándote.* □ ETIMOL. De origen onomatopéyico.

chacra s.f. **1** En zonas del español meridional, granja: *Me traje muchos frutos de la chacra.* **2** En el hinduismo, cada uno de los siete centros de energía situados en el cuerpo humano entre la coronilla y la rabadilla. □ ETIMOL. Del quechua antiguo *chacra.*

chacuaco s.m. **1** En zonas del español meridional, chimenea. **2** ‖ **fumar como chacuaco;** *col.* En zonas del español meridional, fumar mucho.

chadiano, na adj./s. De Chad o relacionado con este país africano. □ SINÓN. *chadiense.*

chadiense adj.inv./s.com. De Chad o relacionado con este país africano. □ SINÓN. *chadiano.*

chador s.m. Prenda de vestir que usan algunas mujeres musulmanas para cubrirse la cabeza y parte de la cara: *Algunas mujeres musulmanas llevan chador para cumplir con la norma tradicional de* *no dejar ver su rostro a desconocidos.* □ ETIMOL. Del persa *chaddar*.

chaen s.m. En zonas del español meridional, persona que realizaba visitas o inspecciones en nombre del virrey.

chafar v. **1** Estropear o echar a perder: *Tiene tan poco cuidado con la ropa que enseguida la chafa. Con aquel contratiempo, se chafaron todos sus proyectos.* **2** Referido a algo blando, frágil o erguido, aplastarlo: *Cada vez que celebran una fiesta en el jardín, se chafa el césped.* **3** *col.* Referido a una persona, apabullarla o dejarla sin saber cómo reaccionar, esp. al cortarla en una conversación o en un grupo: *El último desengaño acabó de chafarlo.* □ ETIMOL. De origen incierto.

chafardero, ra adj./s. Chismoso y murmurador: *Hay una sección cómica en un periódico que se titula 'El chafardero indomable'.*

chafariz s.m. Fuente con varios caños: *En ese jardín hay un chafariz monumental con figuras alegóricas.* □ ETIMOL. Del árabe *sahariy* (cisternas, estanques).

chafarrinada s.f. Borrón o mancha que desluce: *Tuve que repetir la lámina porque no podía presentarla con aquella chafarrinada que le había caído.* □ SINÓN. *chafarrinón*.

chafarrinón s.m. →**chafarrinada.**

chaflán s.m. Cara, generalmente larga y estrecha, que une dos superficies planas que forman ángulo, y que sustituye a la esquina que ambas formarían: *El chaflán del edificio está ocupado por el portal de entrada.* □ ETIMOL. El francés *chanfrein*.

chagra ▮ s.com. **1** En zonas del español meridional, campesino: *En Ecuador conocí muchos chagras en el campo.* ▮ s.f. **2** En zonas del español meridional, granja: *Trabajo en una chagra.*

chahuistle (tb. *chahuiztle*) s.m. En zonas del español meridional, hongo o roya del grano: *La milpa se llenó de chahuistle y se perdió la cosecha.*

chahuiztle s.m. →**chahuistle.**

chaira s.f. **1** *arg.* Navaja: *Le puso la chaira en el cuello y lo amenazó con pincharlo si no le daba el dinero.* **2** Cilindro de acero, que puede estar provisto de mango, y que se usa para afilar las cuchillas: *La carnicera pasó el cuchillo por la chaira antes de cortar los filetes.* □ SINÓN. *afilón*. **3** Cuchilla que usan los zapateros para cortar la suela: *Aún quedan zapateros artesanos que recortan el cuero con chaira y cosen el zapato a mano.* □ SINÓN. *trinchete*. □ ETIMOL. Del gallego *chaira*.

chairman (ing.) s.m. Presidente del consejo de administración de una empresa: *El actual chairman es el hijo del fundador de la empresa.* □ PRON. [chérman]. □ USO Su uso es innecesario y puede sustituirse por *presidente del consejo*.

chaise-longue (fr.) s.f. Butaca con el asiento muy largo, de forma que se pueden estirar sobre él las piernas: *Después de comer, me echaré una siestecita en la chaise-longue.* □ PRON. [ches long], con *g* suave.

chajá s.m. **1** Ave zancuda, de cuerpo pequeño y plumaje tupido de color gris, que habita en zonas pantanosas: *El chajá es un ave natural de América del Sur.* **2** Postre elaborado con merengue, bizcocho, crema y melocotón o fresa: *El chajá es un postre típico de Uruguay.* □ MORF. En la acepción 1, es un sustantivo epiceno: *el chajá {macho/hembra}*.

chal s.m. **1** Prenda de vestir femenina, mucho más ancha que larga, generalmente de seda o de lana, y que se lleva sobre los hombros como abrigo o como adorno: *Le gusta sentarse a leer en su sillón preferido y envuelta en su chal.* □ SINÓN. *echarpe*. **2** Prenda de abrigo, generalmente de punto y de forma cuadrada o triangular, que se usa para envolver a los bebés: *Llevaba al niño en brazos y tan tapado en su chal que solo se le veían los ojitos.* □ ETIMOL. Del francés *châle*.

chalado, da adj./s. **1** *col.* Alelado o falto de juicio: *No te fíes de lo que te diga, porque está un poco chalado.* **2** *col.* Muy enamorado o entusiasmado: *Es un chalado de los coches y no se pierde una carrera.*

chaladura s.f. **1** *col.* Extravagancia, manía o hecho propio de un chalado: *Su última chaladura fue bañarse con abrigo para llamar la atención.* **2** Enamoramiento o gran entusiasmo: *Su chaladura por las motos se ha convertido en una obsesión.*

chalán, -a ▮ adj./s. **1** Referido a una persona, que se dedica a hacer tratos en compras y ventas, esp. de caballos y de otras bestias, y tiene para ello especial maña y capacidad de persuasión: *Los chalanes iban por ferias y mercados buscando el negocio.* ▮ s.m. **2** En zonas del español meridional, picador o domador de caballos: *Era muy amigo del chalán de la hacienda.* ▮ s.f. **3** Embarcación pequeña, de fondo plano, proa aguda y popa cuadrada, que se usa para el transporte en aguas poco profundas: *El río es poco caudaloso y solo se puede recorrer con balsas o con chalanas.* □ ETIMOL. Las acepciones 1 y 2, del francés *chaland* (cliente). La acepción 3, del francés *chaland*, y este del griego *khelándion* (barco para transportar mercancías).

chalana s.f. Véase **chalán, -a**.

chalanear v. Negociar con la maña y la capacidad de persuasión propias de un chalán: *Consigue precios muy ventajosos porque chalanea como nadie.*

chalaneo s.m. Negociación hecha con la maña y la capacidad de persuasión propias de un chalán: *Los partidos de la coalición se enredaron en un chalaneo interesado de cargos públicos.*

chalanería s.f. Maña o astucia para comprar y vender: *El cliente no se decidía, pero el vendedor lo convenció con chalanerías.*

chalar v. **1** Enloquecer o volver lelo o como pasmado: *Tal cúmulo de desgracias acabarán por chalarlo. Ante una visión así, cualquiera puede chalarse.* **2** Enamorar o hacer sentir gran amor y entusiasmo: *Se chaló por aquel lugar de ensueño.* □ ETIMOL. De origen gitano. □ MORF. Se usa más como pronominal. □ SINT. Constr. de la acepción 2: *chalarse* POR *algo*.

chalaza s.f. En un huevo, filamento que sostiene la yema en medio de la clara: *Un huevo tiene dos chalazas, compuestas de albúmina y en forma de espiral.*

chalé (tb. *chalet*) (pl. *chalés*) s.m. **1** Vivienda unifamiliar, generalmente con más de una planta y rodeada de un terreno ajardinado: *Estamos haciendo una piscina en el jardín del chalé.* **2** ‖ **chalé adosado;** el que tiene alguna de sus paredes colindante con las de otra vivienda del mismo tipo: *Vive en una urbanización de chalés adosados alejada del ruido de la ciudad.* ☐ ETIMOL. Del francés *chalet*.

chaleco s.m. **1** Prenda de vestir sin mangas, que cubre el cuerpo hasta la cintura y que se suele poner encima de la camisa: *En invierno, debajo de la americana lleva chaleco.* **2** ‖ **chaleco antibalas;** el que está hecho de materiales especiales para servir de protección contra las balas: *Los policías llevaban chalecos antibalas.* ‖ **chaleco salvavidas;** el que está hecho de materiales para que quien lo lleva pueda mantenerse a flote en el agua: *Los que no sabían nadar se pusieron un chaleco salvavidas antes de salir del puerto.* ☐ ETIMOL. Del árabe *yalika*.

chalet s.m. →**chalé.** ☐ ETIMOL. Del francés *chalet*.

chalina s.f. Corbata ancha, que se anuda con una lazada grande y que usan tanto los hombres como las mujeres: *El payaso listo llevaba una pajarita y el tonto, una chalina.* ☐ ETIMOL. De *chal*.

chalota s.f. Bulbo o tallo subterráneo, parecido al ajo o a la cebolla, de color rojizo y que se usa como condimento: *Para cocinar, prefiero las chalotas a las cebollas.* ☐ SINÓN. *chalote, escalonia.* ☐ ETIMOL. Del francés *échalote*, y este del latín *ascalonia cepa* (cebolla de Ascalón, ciudad palestina).

chalote s.m. →**chalota.**

chalupa s.f. Embarcación pequeña, esp. la que tiene cubierta y dos palos para velas: *Salió de pesca en una chalupa.* ☐ ETIMOL. Del francés *chaloupe*.

chamaco, ca s. En zonas del español meridional, niño o muchacho: *Voy a ser padrino del chamaco de mi amigo.*

chamagoso, sa adj. En zonas del español meridional, que está sucio. ☐ ETIMOL. Del náhuatl *chiamahuia* (untar algo con aceite).

chamal s.m. Paño negro que usaban los indios araucanos: *El chamal se utilizaba a modo de pantalones.*

chamamé s.m. Música y baile de origen suramericano.

chamán s.m. Hechicero al que se considera que tiene comunicación con espíritus divinos y poderes sobrenaturales de adivinación y curación: *Frecuentemente, el chamán ejerce una autoridad no solo religiosa sobre la tribu.*

chamanismo s.m. Conjunto de creencias y prácticas propias de los chamanes: *Encontré un antiguo libro en el que se explicaban algunos ritos del chamanismo.*

chamarilear v. Comerciar con objetos viejos o usados: *Le compré la mesa a un hombre que chamarilea material de oficina.*

chamarileo s.m. Comercio o venta de objetos viejos o usados: *Vivía pobremente del chamarileo de chatarra, papel y ropas usadas.*

chamarilería s.f. Establecimiento donde se compran y venden objetos viejos o usados: *Tengo una lámpara antigua que encontré por casualidad en una chamarilería.*

chamarilero, ra s. Persona que se dedica a la compra y venta de objetos viejos o usados, esp. si esta es su profesión: *Al rastrillo acuden muchos chamarileros para vender lo que pueden.* ☐ ETIMOL. Del antiguo *chambariles*, que significó *instrumentos de zapatero* y *vendedor de estos instrumentos*, con influencia de *chambar* o *chamar* (trocar cualquier cosa).

chamarra s.f. Prenda de abrigo parecida a la zamarra y hecha de tela gruesa y tosca: *El pastor se abrigaba con una chamarra.* ☐ ETIMOL. De *zamarra*.

chamba s.f. *col.* Suerte o casualidad favorable: *Me encuentras por chamba, porque ya me iba.* ☐ SINÓN. *carambola, chiripa.* ☐ ETIMOL. Quizá del portugués antiguo *chamba* (patán), que primero significó *grosero* y *chapucero*.

chambelán s.m. En las antiguas cortes reales, noble que acompañaba y atendía al rey en su cámara: *El chambelán era muchas veces el consejero más cercano del rey.* ☐ ETIMOL. Del francés *chambellan*.

chambergo s.m. Chaquetón que llega aproximadamente hasta la mitad del muslo: *Tu abrigo será muy elegante, pero yo prefiero mi chambergo.* ☐ ETIMOL. Por alusión a Schomberg, militar francés que lo vestía.

chambón, -a ▮ adj. **1** *col.* Referido a una persona, que consigue las cosas por casualidad o chiripa: *Tu hermano es un chambón y todavía no se cree que haya aprobado.* ▮ adj./s. **2** *col.* Referido a una persona, que es poco hábil: *Hasta el más chambón puede montar esta estantería.*

chambra s.f. Prenda de vestir semejante a una blusa que usaban las mujeres sobre la camisa: *Las chambras son blusas muy sencillas y no suelen tener adornos.* ☐ ETIMOL. Del francés *robe de chambre*.

chambrana s.f. **1** En arquitectura, adorno que se pone alrededor de puertas, ventanas o chimeneas: *Todas las ventanas del palacio tienen chambranas de piedra.* **2** Travesaño que une las patas de una silla, de una mesa o de otro mueble para darles mayor seguridad: *Prefiero que la mesa tenga las chambranas lo más bajas posible para poder apoyar los pies en ellas.* ☐ ETIMOL. Del francés antiguo *chambrande*, este del latín *camerandus*, y este de *camerare* (construir con forma de bóveda).

chamiza s.f. **1** Planta herbácea silvestre, que crece en tierras húmedas y que se emplea para hacer la techumbre de cabañas y de chozas: *La choza de los pastores tenía el techo de chamiza.* **2** Leña menuda que se usa para alimentar los hornos y para encender el fuego: *Prendió un poco de chamiza para en-*

cender la chimenea. □ ETIMOL. Del portugués *chamiça.*

chamizo s.m. **1** Choza cuyo techo está formado por una hierba menuda que crece en lugares húmedos: *Durante el tiempo de siega, los jornaleros dormían en chamizos.* **2** Local o vivienda sórdidos o míseros y mal acondicionados: *Aquel bar era un chamizo siempre sucio y lleno de borrachos.* □ ETIMOL. De *chamiza* (hierba silvestre que se seca mucho).

chamo, ma s. En zonas del español meridional, niño o muchacho.

champán ▮ adj.inv./s.m. **1** De color dorado muy claro: *una mantilla champán.* ▮ s.m. **2** Vino blanco espumoso, originario de Champaña (región francesa): *El día de Año Nuevo brindamos con champán.* □ SINÓN. *champaña.* □ ETIMOL. Del francés *champagne.* □ SEM. Dist. de *cava* (no originario de Champaña).

champaña s.m. →**champán.**

champiñón s.m. Seta comestible que se cultiva artificialmente: *Comimos un guiso de carne con zanahorias y champiñones.* □ ETIMOL. Del francés *champignon.*

champú (pl. *champús*) s.m. Producto jabonoso, generalmente líquido, preparado para lavar el pelo: *Me lavo la cabeza con un champú anticaspa.* □ ETIMOL. Del inglés *shampoo.*

chamuco s.m. *col.* En zonas del español meridional, demonio.

chamullar v. *col.* Hablar, esp. si es de forma poco comprensible: *Chamulló unas palabras que nadie entendió.* □ ETIMOL. De origen gitano.

chamuscar v. Quemar por la parte exterior o de manera superficial: *En la matanza chamuscan los cerdos para quitarles los pelos de la piel. Me arrimé demasiado el mechero y me chamusqué las pestañas.* □ ETIMOL. Del portugués *chamuscar.* □ ORTOGR. La *c* se cambia en *qu* delante de *e* →SACAR. □ MORF. Se usa más como pronominal.

chamusquina s.f. **1** Quema que se hace por la parte exterior o de manera superficial: *Creo que se está agarrando la comida, porque huele a chamusquina.* **2** ‖ **oler** un asunto **a chamusquina;** *col.* Despertar desconfianza o temor de que esconda algún peligro o de que no vaya a salir bien: *No quise entrar en el negocio porque me olía a chamusquina.*

chancar v. En zonas del español meridional, triturar o machacar. □ ETIMOL. Del quechua *ch'amqay* (machacar).

chance s.f. Oportunidad u ocasión: *Es tu última chance y debes aprovecharla.* □ ETIMOL. Del francés *chance.* □ MORF. En zonas del español meridional se usa como masculino.

chancear v. Bromear o hacer burlas o chanzas: *Le gusta chancear y hacer chistes de todo.*

chanchada s.f. *col.* En zonas del español meridional, faena o guarrada: *Me hizo una chanchada imperdonable.*

chanchi adj.inv. *col.* →**chachi.**

chancho, cha s. En zonas del español meridional, cerdo: *La chancha parió tres chanchitos.* □ MORF. Se usa mucho el diminutivo *chanchito.*

chanchullero, ra adj./s. Aficionado a hacer chanchullos: *Es tan chanchullero que nadie se fía de él.*

chanchullo s.m. *col.* Lo que se hace de manera ilegal o poco limpia para conseguir un fin o para sacar provecho: *El día que se descubran todos sus chanchullos, acabará en la cárcel.* □ ETIMOL. Del italiano *cianciullare* (hacer naderías).

chanchuyo s.m. *col.* En zonas del español meridional, chanchullo.

chancillería s.f. Antiguamente, tribunal superior de justicia: *La reforma del sistema judicial por los Reyes Católicos estableció una chancillería en Valladolid y otra en Granada.* □ ETIMOL. De *chanciller* (canciller), y este del francés *chancelier.*

chancla s.f. →**chancleta.** □ ETIMOL. De *chanclo.*

chancleta s.f. **1** Calzado formado por una suela y una o varias tiras en la parte delantera: *Voy a la playa con chancletas de goma.* □ SINÓN. *chancla.* **2** Zapatilla o zapato sin talón o con el talón aplastado, generalmente de suela ligera y que suelen usarse dentro de casa: *No te pongas los zapatos como si fueran chancletas, que los deformas todos.* □ SINÓN. *chancla.* **3** ‖ **en chancletas;** referido a la forma de llevar el calzado, con el talón sin calzar: *Se puso los zapatos en chancletas porque le rozaban por atrás.* □ ETIMOL. De *chancla.*

chancletear v. Andar en chancletas: *Me pone muy nerviosa oírte chancletear por toda la casa.*

chancleteo s.m. Ruido o golpeteo de las chancletas al andar: *El vecino de arriba me despierta todos los días con su chancleteo.*

chanclo s.m. **1** Calzado de madera o de suela gruesa para protegerse de la humedad o del barro: *Los campesinos asturianos suelen usar unos chanclos con tacos en la suela.* **2** Zapato grande de caucho o de otra materia elástica, que se coloca sobre el calzado habitual para protegerlo de la lluvia o del barro: *El labrador se quitó los chanclos embarrados antes de entrar en la casa.* □ ETIMOL. Del dialectal *chanco* (chapín).

chancro s.m. Herida o llaga de carácter infeccioso, generalmente producidas por la sífilis o por otra enfermedad de transmisión sexual: *Los chancros suelen aparecer en la mucosa y partes blandas de los órganos genitales.* □ ETIMOL. Del francés *chancre* (úlcera sifilítica).

chancuaco s.m. En zonas del español meridional, cigarro.

chándal (pl. *chándales*) s.m. Prenda de vestir deportiva, que consta de un pantalón largo y de una chaqueta o jersey amplios y de mangas largas: *Los jugadores calentaron con chándal y se lo quitaron para saltar al campo.* □ ETIMOL. Del francés *chandail* (jersey de los vendedores de verdura).

chanfaina s.f. Guisado hecho de bofes y asaduras troceadas: *La chanfaina extremeña es de cordero.* □ ETIMOL. Del catalán *samfaina.*

changa s.f. Véase **chango, ga.**

changador s.m. En zonas del español meridional, mozo de equipajes: *Trabajé como changador en la estación central.*

changar v. *col.* Romper, destrozar o estropear: *Le di un golpe al reloj y lo changué.* ☐ ETIMOL. De origen onomatopéyico. ☐ ORTOGR. La *g* se cambia en *gu* delante de *e* →PAGAR.

chango, ga ▮ s. **1** En zonas del español meridional, mono. **2** *desp.* En zonas del español meridional, individuo: *Dice aquella changuita que si le prestan un lápiz.* ▮ s.f. **3** En zonas del español meridional, burla o broma. **4** ‖ **{hacer/poner} changuitos;** *col.* En zonas del español meridional, poner dos dedos cruzados para hacer que suceda algo que uno quiere: *¡Pon changuitos para que tu mamá te dé el permiso!*

changurro s.m. Comida elaborada con centollo cocido y desmenuzado en su caparazón: *El changurro es un plato típico vasco.* ☐ ETIMOL. Del euskera *txangurro.*

chanquete s.m. Pez marino comestible, de cuerpo muy pequeño y translúcido, y de color blanco amarillento o rosado, punteado de negro sobre la cabeza: *Pedimos un plato de boquerones y chanquetes fritos.* ☐ MORF. Es un sustantivo epiceno: *el chanquete {macho/hembra}.*

chantaje s.m. **1** Amenaza de difamación pública o de otro daño, que se hace contra alguien para obtener de él dinero u otro beneficio: *Su chantaje consistió en advertirme que contaría mi secreto si no le daba dinero.* **2** Presión que se ejerce sobre alguien, mediante amenazas u otros medios, para obligarlo a actuar de determinada manera: *Decirte que si lo dejas se suicida me parece un chantaje.* ☐ ETIMOL. Del francés *chantage.*

chantajear v. Someter a chantaje: *Unas fotografías comprometedoras sirvieron para chantajear al candidato.*

chantajista s.com. Persona que hace chantajes: *Esa chantajista, en cuanto le niego algo me viene con que no la quiero.*

chantillí (pl. *chantillíes, chantillís*) s.m. **1** Crema de pastelería hecha de nata batida: *Pedí de postre flan con chantillí.* **2** Encaje de bolillos de gran ornamentación: *El traje de la novia tenía unos hermosos adornos de chantillí.* ☐ ETIMOL. Por alusión a Chantilly, ciudad francesa de donde procede. ☐ ORTOGR. Se usa también *chantilly.*

chantilly (fr.) s.m. →**chantillí.**

chantoung s.m. →**shantung.** ☐ PRON. [chantún], con *ch* suave.

chantre s.m. Canónigo que dirigía el canto en el coro de una catedral: *Las grandes catedrales solían tener coro propio y un chantre con buena formación musical.* ☐ ETIMOL. Del francés *chantre* (cantor).

chanza s.f. **1** Dicho festivo, agudo y gracioso: *Cuando oí aquella chanza, no pude contener la carcajada.* **2** Hecho burlesco que se hace por diversión o para ejercitar el ingenio: *Como se aburrían, improvisaron un escenario y empezaron a hacer imitaciones y otras chanzas.* ☐ ETIMOL. Del italiano *ciancia* (burla, broma).

chao interj. *col.* Expresión que se usa como señal de despedida: *Al irse, dijo: «¡Chao a todos!».* ☐ SINÓN. *adiós.* ☐ ETIMOL. Del italiano *ciao.*

chapa ▮ s.f. **1** Lámina de material duro, esp. de metal o de madera: *La puerta es de madera, pero va reforzada con una chapa de acero.* **2** En un automóvil, parte metálica de su carrocería: *Los daños del accidente fueron solo de chapa y no afectaron al motor.* **3** Tapón metálico, generalmente dentado, que cierra herméticamente algunas botellas: *Quité la chapa del botellín con un abrebotellas.* **4** Insignia o distintivo, generalmente de metal, que llevan los agentes de policía para identificarse como tales: *Aunque dijo que era policía, hasta que no vi su chapa no lo creí.* ☐ SINÓN. *placa.* **5** Mancha roja que sale en las mejillas: *Con este frío te han salido unas buenas chapas.* ☐ SINÓN. *chapeta.* **6** En zonas del español meridional, cerradura: *Rompieron la chapa de la puerta.* **7** *col.* Moneda de cien pesetas. **8** En zonas del español meridional, matrícula de un vehículo: *En cada país son distintas las chapas de los autos.* ▮ pl. **9** Juego infantil que se juega con los tapones metálicos de las botellas: *Dibujaron un circuito en el suelo para jugar a las chapas.* **10** ‖ **estar sin chapa;** *col.* No tener dinero: *Esta tarde no salgo porque estoy sin chapa.* ‖ **no tener ni chapa;** *col.* No saber nada: *Se presentó al examen sin tener ni chapa.* ‖ **no {dar/pegar} ni chapa;** *col.* No trabajar o estar ocioso: *Ese holgazán se ha pasado la mañana de cháchara y sin dar ni chapa.* ☐ ETIMOL. De origen incierto. ☐ USO La acepción 8, tiene un matiz despectivo.

chapada s.f. Véase **chapado, da.**

chapado, da ▮ adj. **1** Que está cubierto con una capa de metal: *una pulsera chapada en oro.* ▮ s.f. **2** En zonas del español meridional, atalaya. **3** ‖ **chapado a la antigua;** referido a una persona, que está muy apegada a ideas y costumbres anticuadas: *Nunca se deja invitar por una mujer, porque es un hombre chapado a la antigua.*

chapalear v. Referido a una persona, agitar las manos o los pies en el agua o en el barro, produciendo ruido: *Los niños chapaleaban en la piscina.* ☐ SINÓN. *chapotear.* ☐ ETIMOL. De origen onomatopéyico.

chapalele s.m. Panecillo aplanado hecho con una mezcla de patata rallada y harina de trigo: *Mi amiga chilena nos preparó un curanto acompañado de chapalele.*

chapaleo s.m. **1** Agitación de las manos o de los pies que se hace en el agua o en el barro produciendo ruido: *El chapaleo del niño en la bañera me mojó entero.* ☐ SINÓN. *chapoteo.* **2** Ruido que produce el agua al ser batida por las manos o por los pies: *El chapaleo en la piscina no me dejaba dormir la siesta.* ☐ SINÓN. *chapoteo.*

chapapote s.m. **1** En zonas del español meridional, alquitrán. **2** Sustancia viscosa, esp. petróleo o aceite mineral, que se derrama en el suelo o en el mar: *El chapapote es una sustancia muy contaminante.* ☐ ETIMOL. De origen náhuatl.

chapar v. **1** Cubrir, revestir o adornar con chapas de un material duro o con capas de un metal precioso: *La joyera chapó una pulsera en oro.* ☐ SINÓN. *chapear.* **2** *col.* Trabajar o estudiar mucho: *La víspera del examen chapé como nunca.* **3** *col.* Cerrar: *Estuvimos en el bar hasta que chaparon.*

chaparral s.m. Terreno poblado de chaparros: *El rancho estaba rodeado por un chaparral.*

chaparrear v. Llover mucho: *Estuvo chaparreando toda la tarde.* ☐ MORF. Es unipersonal.

chaparro, rra ▮ adj./s. **1** Referido a una persona, que es baja y rechoncha: *Vino con una chica tan chaparra que parecía su hija.* ▮ s.m. **2** Mata de roble o de encina, muy ramificada y de poca altura: *Tropecé y caí sobre unos chaparros.* ☐ ETIMOL. De origen prerromano.

chaparrón s.m. **1** Lluvia fuerte de corta duración: *Nos ha pillado el chaparrón y nos hemos puesto como sopas.* **2** *col.* Riña o reprimenda fuertes: *Como le pierdas ese libro, prepárate para el chaparrón.* **3** *col.* Abundancia o gran cantidad, esp. las que sobrevienen de repente: *Los periodistas le lanzaron un chaparrón de preguntas.* ☐ ETIMOL. De origen onomatopéyico.

chaparrudo, da adj. →**achaparrado.**

chapata s.f. Barra de pan de forma aplastada, con mucha corteza y poca miga: *Me gustan más las chapatas que las barras de pan normales.*

chapear v. →**chapar.**

chapeau (fr.) interj. *col.* →**chapó.** ☐ PRON. [chapó].

chapela s.f. Boina con mucho vuelo, típicamente vasca: *En la foto se ve a Pío Baroja con una chapela que le hace sombra en los ojos.* ☐ ETIMOL. Del euskera *txapela.*

chapero s.m. *col. desp.* Homosexual masculino que se dedica a la prostitución: *Por la noche, esa calle se llena de prostitutas y chaperos que ofrecen sus servicios.*

chapeta s.f. Mancha roja que sale en las mejillas: *Mira qué chapetas trae el niño al venir de la calle.* ☐ SINÓN. *chapa.*

chapín s.m. Calzado con suela de corcho y forrado de cuero, que usaban antes las mujeres: *En el museo vimos unos antiguos chapines.* ☐ ETIMOL. De origen onomatopéyico.

chapista s.com. Persona que se dedica profesionalmente a trabajar la chapa, esp. la de las carrocerías de automóviles: *Llevé el coche a un chapista para que me arreglase las abolladuras.*

chapistería s.f. **1** Taller en el que se trabaja la chapa metálica: *Encargué unas puertas de metal en una chapistería.* **2** Arte o técnica de trabajar la chapa: *Aprende chapistería para poner su propio taller de chapa.*

chapitel s.m. **1** Remate en forma piramidal de una torre: *Los chapiteles son frecuentes en la arquitectura madrileña y toledana.* **2** →**capitel.** ☐ ETIMOL. Del francés antiguo *chapitel.*

chapó interj. *col.* Expresión que se usa para indicar admiración o aprobación: *Cuando acabó su brillante intervención, me levanté y le dije: «¡Chapó!».* ☐ ETIMOL. Del francés *chapeau* (sombrero), porque al mismo tiempo que se decía se levantaba el sombrero. ☐ USO Es innecesario el uso del galicismo *chapeau.*

chapón s.m. Mancha grande de tinta.

chapopote s.m. En zonas del español meridional, alquitrán: *El chapopote se obtiene del petróleo.*

chapotear v. Referido a una persona, agitar las manos o los pies en el agua o en el barro, produciendo ruido: *La chiquilla se divertía chapoteando y saltando en un charco. En la playa, un niño empezó a chapotear con el agua para salpicarme.* ☐ SINÓN. *chapalear.* ☐ ETIMOL. De origen onomatopéyico.

chapoteo s.m. **1** Agitación de las manos o de los pies que se hace en el agua o en el barro produciendo ruido: *Con su chapoteo consiguió mojarnos a todos.* ☐ SINÓN. *chapaleo.* **2** Ruido que produce el agua al ser batida por las manos o por los pies: *Por el chapoteo supe que los niños estaban otra vez en el agua.* ☐ SINÓN. *chapaleo.*

chaptalización s.m. Enriquecimiento artificial de un vino con azúcar, para alcanzar el grado de alcohol apropiado.

chaptalizar v. Referido al mosto o al vino, añadirles azúcar para aumentar el grado de alcohol: *En esta región está prohibido chaptalizar el vino.* ☐ ORTOGR. La *z* se cambia en *c* delante de *e* →CAZAR.

chapucear v. **1** *col.* Referido esp. a una obra, hacerla mal o sin técnica ni cuidado: *Le dije que me hiciera ropa y me ha chapuceado un vestido que no hay quien se lo ponga.* **2** *col.* Hacer chapuzas o trabajos de poca importancia: *No tiene trabajo fijo, pero con lo que chapucea por ahí saca para vivir.* ☐ ORTOGR. Dist. de *chapuzar.*

chapucería s.f. **1** Tosquedad, imperfección o deficiente acabado en lo que se hace: *La chapucería y el poco cuidado distinguen todos sus trabajos.* **2** →**chapuza.**

chapucero, ra ▮ adj. **1** Realizado sin técnica ni cuidado o con un acabado deficiente: *El grifo sigue goteando porque la reparación fue chapucera.* ▮ adj./s. **2** Referido a una persona, que trabaja de esta manera: *Si presentas un trabajo tan sucio, pensarán que eres un chapucero.* **3** *col.* En zonas del español meridional, tramposo: *No me gusta jugar a la baraja con él, porque es un chapucero.*

chapulín s.m. En zonas del español meridional, saltamontes: *Chapultepec quiere decir cerro del chapulín.*

chapurrar v. →**chapurrear.**

chapurrear v. Hablar con dificultad y de manera incorrecta en un idioma, esp. en uno distinto del propio: *Dice que sabe inglés, pero solo lo chapurrea.* ☐ SINÓN. *chapurrar.* ☐ ETIMOL. De origen incierto.

chapurreo s.m. Forma de hablar cuando no se conoce bien un idioma, esp. uno distinto del propio: *Se hace entender con gestos y hablando en un chapurreo extraño.*

chapuza s.f. **1** Obra hecha sin técnica ni cuidado o con un acabado deficiente: *Se ofreció a pintarme* *el salón y menuda chapuza me ha hecho.* □ SINÓN. *chapucería.* **2** Trabajo o arreglo de poca importancia: *Después de su jornada en la empresa, hace chapuzas de albañilería y fontanería por las casas.* **3** *col.* En zonas del español meridional, trampa: *No se vale hacer chapuzas, porque así no tiene chiste jugar.* □ ETIMOL. Del francés antiguo *chapuis*.

chapuzar v. Referido a una persona, meterla bruscamente o de cabeza en el agua: *Como querían gastarme una broma, me cogieron y me chapuzaron en el río.* □ ETIMOL. Del latín **subputeare* (sumergir). □ ORTOGR. 1. Dist. de *chapucear*. 2. La *z* se cambia en *c* delante de *e* →CAZAR.

chapuzas (pl. *chapuzas*) s.com. *col.* Persona que hace chapuzas u obras sin técnica ni cuidado: *Me lo arregló un chapuzas que lo ha dejado peor que estaba.*

chapuzón s.m. Baño rápido o en el que la introducción en el agua se hace bruscamente o de cabeza: *Siempre se da un chapuzón en la piscina antes de comer.*

chaqué s.m. Prenda masculina de etiqueta, semejante a una chaqueta, que a la altura de la cintura se abre por delante y se prolonga hacia atrás en dos largos faldones, y que suele combinarse con un pantalón oscuro a rayas: *El novio vestía un elegante chaqué.* □ ETIMOL. Del francés *jaquette* (chaqué, chaqueta larga). □ SEM. Dist. de *frac* (prenda que por delante termina en dos picos y llega hasta la cintura).

chaqueta s.f. **1** Prenda exterior de vestir, con mangas, abierta por delante y que cubre hasta más abajo de la cintura: *Cuando sintió calor se quitó la chaqueta y se quedó en mangas de camisa.* **2** || **cambiar de chaqueta;** cambiar interesadamente de ideas, esp. si son políticas: *Cada vez que sube al poder un partido nuevo, cambia de chaqueta y adopta su ideología.* □ ETIMOL. Del francés *jaquette* (chaqué, chaqueta larga).

chaquetear v. Cambiar interesadamente de ideas, esp. si son políticas: *Durante estos años ha chaqueteado lo que ha podido para lograr mantener su cargo público.*

chaqueteo s.m. *col.* Cambio interesado de ideas, esp. si son políticas: *Su chaqueteo ha sido muy criticado por los comentaristas políticos.*

chaquetero, ra adj./s. *col.* Que cambia interesadamente de ideas, esp. si son políticas: *Es un chaquetero que ha militado ya en tres formaciones políticas diferentes.*

chaquetilla s.f. Chaqueta más corta que la ordinaria y que suele llevar adornos: *La chaquetilla del traje de luces de los toreros suele estar bordada.*

chaquetón s.m. Prenda de abrigo más larga que la chaqueta: *Los chaquetones de lana abrigan mucho.*

charada s.f. Juego que consiste en adivinar una palabra a partir de algunas pistas sobre su significado y el de las palabras que resultan tomando una o varias de sus sílabas: *Le gusta mucho resolver las charadas que vienen en las revistas de pasatiempos.* □ ETIMOL. Del francés *charade*.

charanda s.f. Bebida alcohólica de alta graduación y de color transparente, obtenida de la caña de azúcar y originaria de Michoacán (Estado mexicano).

charanga s.f. Banda de música de carácter jocoso o populachero formada por instrumentos de viento, esp. de metal: *Una charanga recorre las calles del pueblo el día de la fiesta.*

charango s.m. Instrumento musical semejante a una bandurria de cinco cuerdas, y con el que se acompañan en sus danzas algunos indios suramericanos: *La caja del charango suele hacerse con el caparazón de un armadillo.*

charapa s.f. Tortuga americana de pequeño tamaño: *En mi viaje a Perú, comí charapas.*

charca s.f. Charco grande de agua detenida en el terreno de forma natural o artificial: *Al atardecer se oía el croar de las ranas de la charca.*

charco s.m. **1** Agua u otro líquido detenidos en una cavidad del terreno o sobre el piso: *La policía encontró un charco de sangre en el suelo.* **2** || **{cruzar/pasar} el charco;** *col.* Cruzar el mar, esp. el océano Atlántico (situado entre las costas americanas y las europeas y africanas): *Muchos emigrantes europeos cruzaron el charco para buscar un nuevo futuro en América.* □ ETIMOL. De origen incierto.

charcutería s.f. Establecimiento en el que se venden embutidos y productos derivados del cerdo: *Compramos jamón y otros fiambres en la charcutería.* □ SINÓN. *chacinería.* □ ETIMOL. Del francés *charcuterie*.

charcutero, ra s. Persona que se dedica profesionalmente a la venta de embutidos y productos derivados del cerdo: *El charcutero del mercado me ha puesto un chorizo buenísimo.*

chardonnay (fr.) ▮ s.f. **1** Uva blanca, muy fina y de gran calidad: *La chardonnay procede de la región francesa de Borgoña.* ▮ s.m. **2** Vino elaborado con esta uva: *Si quieres un vino blanco, te recomiendo un chardonnay.* □ PRON. [chardoné]. □ SINT. Se usa mucho en aposición, pospuesto a un sustantivo: *uva chardonnay*.

charia (ár.) (tb. *sharia*) s.f. Ley islámica cuya fuente principal es el Corán (libro sagrado del islamismo). □ PRON. [chária], con *ch* suave.

charla s.f. **1** *col.* Conversación que se mantiene por pasatiempo, sin un objeto preciso, o sobre cosas intrascendentes: *La charla derivó a nuestros años de juventud.* □ SINÓN. *charloteo.* **2** Disertación oral ante un público, sin solemnidad y sin excesivas preocupaciones formales: *En la asociación de vecinos nos han dado unas charlas sobre primeros auxilios.* **3** || **{dar/echar} {la/una} charla;** *col.* Reprender una conducta o exponer una idea para enseñar a otros: *Mi madre me echó la charla por llegar tarde a casa.*

charlar v. **1** *col.* Conversar y hablar por pasatiempo, sin un objeto preciso: *Pasaron la tarde charlando y recordando viejos tiempos.* **2** *col.* Hablar mucho y de cosas intrascendentes: *Se pasó las tres horas del viaje charlando sin parar.* □ ETIMOL. Del italiano *ciarlare*.

charlatán, -a ▌ adj./s. **1** Que habla mucho y de cosas intrascendentes: *¡Mira que es charlatana tu vecina...!* **2** Indiscreto o que cuenta lo que debería callar: *Cuidado con lo que le cuentas, porque es una charlatana y lo suelta todo.* **3** Que embauca o engaña a alguien aprovechándose de su inexperiencia o de su candor: *Un curandero charlatán me aseguró que estas hierbas curaban la tos, y al tomarlas casi me muero.* ▌ s.m. **4** Vendedor callejero que anuncia a voces su mercancía: *El charlatán recorría las calles del pueblo voceando sus cacharros de barro.* □ ETIMOL. Del italiano *ciarlatano*.

charlatanear v. *col.* Charlar: *A mi abuelo le encanta charlatanear con sus amigos en el bar.*

charlatanería s.f. **1** Tendencia o inclinación a hablar mucho: *Con su charlatanería siempre estropea las reuniones de amigos.* □ SINÓN. *locuacidad.* **2** Conversación abundante, intrascendente o indiscreta, esp. si con ella se intenta embaucar a alguien: *La charlatanería de ese vendedor siempre me termina convenciendo.*

charlestón s.m. Baile creado por las comunidades negras estadounidenses y que se puso de moda en el continente europeo en la década de 1920: *El charlestón se caracteriza por su ritmo rápido y sus movimientos improvisados.* □ ETIMOL. Por alusión a Charleston, ciudad estadounidense en la que surgió.

charleta s.f. Charla desenfadada y amistosa: *Estuvimos de charleta hasta las dos de la madrugada.*

charlota s.f. Pastel hecho con una base de bizcochos, generalmente relleno de nata, crema o fruta variada: *De postre nos pusieron una charlota de fresa que estaba riquísima.*

charlotada s.f. **1** Espectáculo taurino de carácter cómico: *En las charlotadas suele haber vaquillas que persiguen a payasos.* **2** Actuación pública grotesca o ridícula: *En el parque había un grupo de teatro haciendo charlotadas.* □ ETIMOL. Por alusión a Charlot, apodo de un torero bufo que imitaba al actor cómico del mismo nombre.

charlotear v. *col.* Charlar: *Los alumnos de esa clase no paran de charlotear.*

charloteo s.m. Conversación que se mantiene por pasatiempo, sin un objeto preciso, o sobre cosas intrascendentes: *Los centinelas se enredaron en un alegre charloteo para mantenerse despiertos.* □ SINÓN. *charla.*

charme (fr.) s.f. →**encanto.** □ PRON. [charm], con *ch* suave.

charnego, ga s. *desp.* En Cataluña (comunidad autónoma), inmigrante de otra región española de habla no catalana: *Mi familia es catalana y mis padres me enseñaron desde pequeña a no llamar charnegos a mis compañeros de clase que eran hijos de inmigrantes.* □ ETIMOL. Del catalán *xarnego*.

charnela s.f. **1** Bisagra o mecanismo metálico que facilita el movimiento giratorio de las puertas: *Engrasa las charnelas para que no chirríe la puerta.* **2** En una concha con dos valvas, articulación que une las dos piezas que la componen: *La charnela suele estar engranada con una serie de dientes.* □ ETIMOL. Del francés *charnière*.

charol s.m. **1** Barniz muy brillante y permanente, que conserva su brillo sin agrietarse, y que se adhiere perfectamente a la superficie sobre la que se aplica: *A esta piel le han dado una capa de charol.* **2** Cuero al que se le ha aplicado este barniz: *Tengo unos zapatos de charol.* **3** En zonas del español meridional, bandeja: *Llevé los vasos en un charol.* □ ETIMOL. Del portugués *charão*, y este del chino *chat liao*.

charola s.f. En zonas del español meridional, bandeja: *Pon la jarra de agua y los vasos en la charola y llévalos a la mesa.*

charolado, da adj. Con el lustre o el brillo propio del charol: *un tejido charolado.*

charolar (tb. *acharolar*) v. Referido a una superficie, barnizarla con charol o con otro líquido que lo imite: *Voy a charolar la piel de este bolso.*

charqui s.m. En zonas del español meridional, carne salada o tasajo: *Comimos unos restos de charqui.*

charrán, -a ▌ adj./s. **1** Pillo, tunante: *No te fíes mucho de esos charranes.* ▌ s.m. **2** Ave acuática de color blancuzco semejante a la gaviota, de ala estrecha, pico largo y cola ahorquillada. □ ETIMOL. Quizá del euskera *txarran* (malvado, traidor). □ MORF. En la acepción 2, es un sustantivo epiceno: *el charrán {macho/hembra}*.

charranada s.f. Hecho o dicho propios de un charrán.

charretera s.f. Insignia militar de oro, plata, seda u otra materia, con forma de pala, que se sujeta al hombro por una presilla, y de la que cuelga un fleco: *El uniforme de gala del general llevaba charreteras.* □ ETIMOL. Del francés *jarretière* (liga).

charro, rra ▌ adj. **1** Que se considera de mal gusto o muy recargado de adornos: *Cuando actúa sale con una camisa muy charra llena de colorines y lentejuelas.* ▌ adj./s. **2** De los aldeanos de la provincia de Salamanca o relacionado con ellos: *Soy salmantina y el día de la fiesta de mi pueblo visto el traje charro.*

charrúa adj.inv./s.com. *col.* En zonas del español meridional, uruguayo: *En el barco conocí a varios charrúas que cruzaban el Plata.*

chart (ing.) s.m. Tabla o serie estadística que se usa para realizar el análisis de los mercados financieros: *El chart indica una tendencia al alza de la cotización del euro.* □ PRON. [chart].

chárter (pl. *chárter*) adj.inv./s.m. Referido a un vuelo o al avión que lo realiza, que ha sido contratado expresamente para realizar ese viaje y al margen de los vuelos regulares: *Los vuelos chárter son más baratos que los regulares.* □ ETIMOL. Del inglés *charter*.

chartismo s.m. En economía, estudio técnico detallado de los aspectos económicos, financieros y bursátiles de un valor, basado en series estadísticas.

chartista s.com. Persona que se dedica profesionalmente al análisis y predicción de las cotizaciones de los mercados financieros: *Los chartistas analizan las series estadísticas de variaciones de precios.*

chartreuse (fr.) s.m. Licor hecho con hierbas aromáticas por los monjes cartujos: *El chartreuse tiene un color verde o amarillo.* ☐ ETIMOL. Del francés *Chartreuse* (abadía francesa donde se fabricaba este licor). ☐ PRON. [chartrés].

chasca s.f. **1** Leña menuda que procede de la poda de las ramas más pequeñas de los árboles o arbustos: *Para encender la chimenea utilizo chasca seca.* **2** *col.* En zonas del español meridional, pelo enmarañado: *Lucía una chasca hasta media espalda.* ☐ ETIMOL. La acepción 1, quizá de *chascar*, porque la chasca da chasquidos cuando se corta.

chascar v. Dar chasquidos: *La leña chascaba entre las llamas de la chimenea.* ☐ SINÓN. *chasquear.* ☐ ETIMOL. De origen onomatopéyico. ☐ ORTOGR. La *c* se cambia en *qu* delante de *e* →SACAR.

chascarrillo s.m. *col.* Anécdota, cuento breve o frase ingeniosos, equívocos o graciosos: *Nos contó chascarrillos de su pueblo y nos reímos mucho.* ☐ ETIMOL. De *chasco* (burla).

chasco s.m. **1** Decepción que produce un suceso adverso o contrario a lo que se esperaba: *Me llevé un chasco cuando comprobé que se había olvidado de mi cumpleaños.* **2** Burla o engaño que se hace a alguien: *Me dio un buen chasco al esconderme la ropa mientras me bañaba.* ☐ ETIMOL. De origen onomatopéyico.

chascón, -a adj. *col.* En zonas del español meridional, enmarañado o con greñas: *Se cortó esa melena chascona que tenía.*

chasis (pl. *chasis*) s.m. **1** En un automóvil, bastidor o armazón que soporta su carrocería: *El bache era tan grande que el chasis del coche resultó dañado.* **2** Contenedor donde se coloca el negativo de una película o de fotografías: *Lleva este chasis a la cabina para que proyecten la película.* **3** ‖ **{estar/quedarse}** alguien **en el chasis;** *col.* Estar o quedarse muy delgado: *Se ha recuperado de su anemia, pero se ha quedado en el chasis.* ☐ ETIMOL. Del francés *châssis* (marco, chasis).

chasís (pl. *chasís*) s.m. En zonas del español meridional, chasis: *Lo que más me gusta de mi auto es el chasís.* ☐ ETIMOL. Del francés *châssis* (marco, chasis).

chasquear v. **1** Dar chasquidos: *El látigo del domador chasqueaba ante los leones.* ☐ SINÓN. *chascar.* **2** Referido a una persona, darle un chasco o burla: *Nos chasqueó a todos diciéndonos que nos había tocado la lotería.*

chasqui s.m. **1** Mensajero o correo inca: *Los chasquis recorrían el imperio inca a pie.* **2** En zonas del español meridional, mensajero o emisario: *Mandé un chasqui para el pueblo.*

chasquido s.m. **1** Ruido seco y repentino que se produce al resquebrajarse o romperse algo, esp. la madera: *En la sala solo se oía el chasquido de la leña que se partía en el fuego.* **2** Sonido que se hace con el látigo o con la honda al sacudirlos en el aire: *El chasquido del látigo asustó al caballo.* **3** Ruido que se hace con la lengua al separarla rápidamente del paladar: *Daba chasquidos para espantar al ganado.* **4** Cualquier ruido semejante a estos: *Daba chasquidos con los dedos para llamar al camarero.*

chasquilla s.f. En zonas del español meridional, flequillo: *Me cortaron la chasquilla porque la tenía muy larga.*

chat (ing.) s.m. Charla o tertulia que mantienen varios usuarios en internet de forma simultánea: *Me he metido en un chat de literatura.*

chatarra s.f. **1** Conjunto de trozos de metal viejo o de desecho, esp. de hierro: *En este almacén compran chatarra de coches y de las máquinas viejas.* **2** *col.* Máquina o aparato viejo o inservible: *Estos radiadores viejos son solo chatarra.* **3** *col.* Conjunto de monedas metálicas de poco valor: *No me des tantos céntimos que siempre llevo el monedero lleno de chatarra.* **4** *col.* Lo que tiene poco valor: *No llevo joyas, es todo chatarra.* **5** *col.* Conjunto de condecoraciones o de joyas: *¡Anda que no llevaba poca chatarra el capitán en la guerrera!* ☐ ETIMOL. Del euskera *txatarra* (lo viejo).

chatarrería s.f. Establecimiento en el que se compra o vende chatarra: *Se dedica a recoger chatarra que luego vende en una chatarrería.*

chatarrero, ra s. Persona que se dedica a recoger, almacenar o vender chatarra: *Vendí la vieja nevera al chatarrero.* ☐ SEM. Dist. de *cacharrero* (persona que vende cacharros o recipientes toscos).

chateador, -a s. *col.* Referido a una persona, que participa en un chat de internet. ☐ SINÓN. *chatero.*

chatear v. **1** *col.* Beber chatos de vino: *Antes de comer suelo chatear con los amigos por los bares de la zona.* **2** Participar en un chat de internet: *Voy a chatear en un foro de música.* ☐ ETIMOL. La acepción 1, del euskera *chato* (vaso de vino). La acepción 2, de *chat* (tertulia en internet).

chateaubriand (fr.) s.m. Solomillo grueso hecho a la parrilla: *Comimos en un restaurante francés y pedí un chateaubriand.* ☐ PRON. [chatobrián].

chateo s.m. **1** Hecho de tomar chatos de vino, o de otra bebida: *Algunos domingos por la mañana salgo de chateo con mis amigos, pero solemos tomar mosto.* **2** *col.* Participación en un chat de internet: *espacios de chateo; programas de chateo.*

chatero, ra s. *col.* Persona que participa en un chat de internet. ☐ SINÓN. *chateador.*

chatka (rus.) s.m. Cangrejo ruso en conserva al natural: *una lata de chatka.* ☐ PRON. [cháka].

chato, ta ▮ adj. **1** Referido a la nariz, que es pequeña y aplastada. **2** Que es más plano, sobresale menos o tiene menos altura en relación con algo de la misma especie o clase: *No me gusta este coche porque tiene la parte trasera muy chata.* **3** *col.* En zonas del español meridional, de baja estatura: *una persona chata.* ▮ adj./s. **4** Referido a una persona, que tiene la nariz pequeña y aplastada. ▮ s.m. **5** *col.* Vino que se toma en un vaso bajo y ancho: *Póngame un cha-*

to, por favor. □ ETIMOL. Del latín **platus* (plano). □ USO Se usa como apelativo: *Venga, chata, date prisa.*

chau interj. *col.* En zonas del español meridional, chao. □ MORF. Se usa mucho el diminutivo *chaucito.*

chaucha s.f. **1** En zonas del español meridional, patata temprana: *Algunas chauchas las usé para la siembra.* **2** En zonas del español meridional, judía verde: *En mi viaje a Argentina, comí unas chauchas deliciosas.* **3** *col.* En zonas del español meridional, moneda de escaso valor: *Me pidió unas chauchas.*

chauvinismo s.m. →**chovinismo.** □ PRON. [chovinísmo].

chauvinista adj.inv./s.com. →**chovinista.** □ PRON. [chovinísta].

chaval, -a s. Niño, muchacho o persona joven: *Los chavales están jugando en el patio.* □ ETIMOL. Del gitano *chavale,* vocativo masculino plural de *chavó* (hijo, muchacho).

chavalería s.f. *col.* Conjunto de chavales: *Por este colegio ha pasado toda la chavalería del barrio.*

chavea s.m. *col.* Chaval o muchacho. □ ETIMOL. Del gitano *chavaia,* de *chavó* (hijo, muchacho).

chaveta s.f. **1** *col.* Cabeza: *Tú estás mal de la chaveta.* **2** *col.* En zonas del español meridional, navaja. □ ETIMOL. La acepción 1, del italiano *chiavetta.*

chavo s.m. →**ochavo.**

chayote s.m. **1** Planta trepadora de tallos cubiertos de pelo áspero, hojas grandes y flores amarillas y anaranjadas. **2** Fruto comestible de esta planta, de color verde y que suele tener espinas. □ ETIMOL. Del náhuatl *chayutli.*

che ▮ adj.inv./s.com. **1** *col.* Valenciano. ▮ s.f. **2** Nombre que se da a la unión de las letras *c* y *h* en español. ▮ interj. **3** Expresión que se usa para llamar la atención del oyente.

checa s.f. Véase **checo, ca.**

checar v. **1** En zonas del español meridional, comprobar o controlar. **2** En zonas del español meridional, referido al equipaje o a una mercancía, facturarlos. **3** En zonas del español meridional, fichar en el trabajo. □ ETIMOL. Del inglés *check.* □ ORTOGR. La *c* se cambia en *qu* delante de *e* →SACAR.

checheno, na adj./s. De Chechenia (república autónoma rusa) o relacionado con ella.

check-in (ing.) s.m. →**facturación.** □ PRON. [chek-in].

checo, ca ▮ adj./s. **1** De la República Checa o relacionado con este país europeo. **2** De la antigua Checoslovaquia o relacionado con este país europeo. □ SINÓN. *checoeslovaco, checoslovaco.* ▮ s.m. **3** Lengua eslava de este país: *El checo tiene un alfabeto latino.* ▮ s.f. **4** Policía política secreta de algunos regímenes comunistas. **5** Local donde esta policía política tenía a los detenidos. □ ETIMOL. En las acepciones 4 y 5, es el acrónimo del ruso *Chrezvychainaya Komissiya* (Comisión Extraordinaria). □ ORTOGR. En las acepciones 4 y 5 se usa también *cheka.*

checoeslovaco, ca adj./s. →**checoslovaco.**

checoslovaco, ca (tb. *checoeslovaco, ca*) adj./s. De la antigua Checoslovaquia o relacionado con este país europeo. □ SINÓN. *checo.*

cheddar (ing.) s.m. Queso elaborado con leche de vaca, de pasta dura y sabor ligeramente ácido, originario de Cheddar (ciudad británica): *una hamburguesa con cheddar.* □ PRON. [chédar].

cheer leader (ing.) s.f. ‖ En algunos deportes, animadora de un equipo, que suele bailar y agitar pompones durante los partidos: *Cada cheer leader llevaba pompones de un color.* □ PRON. [chir líder]. □ USO Su uso es innecesario y puede sustituirse por *animadora.*

chef s.m. Jefe de cocina: *el chef de un restaurante.* □ ETIMOL. Del francés *chef.*

cheka s.f. →**checa.**

cheli s.m. Variedad lingüística o jerga compuesta por palabras y expresiones castizas o marginales: *El cheli es habitual entre los sectores jóvenes de la población.*

chelín s.m. **1** Antigua moneda inglesa que equivalía a la vigésima parte de una libra esterlina. **2** Unidad monetaria austriaca hasta la adopción del euro. **3** Unidad monetaria de distintos países: *El chelín de Kenia y el de Somalia tienen distinto valor.* □ ETIMOL. Las acepciones 1 y 3, del inglés *shilling.* La acepción 2, del alemán *Schilling.*

chelista s.com. *col.*→**violonchelista.**

chelo s.m. →**violonchelo.**

chenilla s.f. Tejido muy suave hecho con lana, que tiene aspecto de terciopelo.

chenin ▮ s.f. **1** Uva blanca, de gran acidez y que madura lentamente: *La chenin se cultiva mucho en viñedos californianos, argentinos y sudafricanos.* ▮ s.m. **2** Vino elaborado con esta uva: *No es lo mismo un chenin francés que uno californiano.* □ SINT. Se usa mucho en aposición, pospuesto a un sustantivo: *uva chenin.*

chepa s.f. **1** Corvadura anómala de la columna vertebral, del pecho o de ambos a la vez. □ SINÓN. *joroba.* **2** ‖ **subírsele a la chepa** a alguien; *col.* tomarse excesivas confianzas o perderle el respeto: *Si no te pones serio con los alumnos desde un principio, rápidamente se te suben a la chepa.* □ ETIMOL. Del latín *gibba* (joroba).

cheposo, sa adj. *col.* →**chepudo.**

chepudo, da adj. *col.* Que tiene chepa. □ SINÓN. *cheposo.*

cheque s.m. **1** Documento por el que la persona que lo expide autoriza el pago de una cierta cantidad al beneficiario señalado o al portador del mismo. **2** ‖ **cheque cruzado;** el que no se puede cobrar en efectivo sino por mediación de un banco: *Los cheques cruzados reciben este nombre porque tienen dos rayas paralelas en su anverso.* □ ETIMOL. Del inglés *check.*

chequear ▮ v. **1** Examinar, verificar o cotejar: *La contable chequeaba el libro de cuentas con las facturas de la empresa.* **2** En zonas del español meridional, referido al equipaje, facturarlo: *Tienes que chequear el equipaje antes de embarcar.* ▮ prnl. **3** Hacerse un reconocimiento médico completo y exhaustivo: *Los médicos aconsejan chequearse una vez al año.* □ ETIMOL. Del inglés *to check* (comprobar).

chequeo s.m. **1** Reconocimiento médico completo y exhaustivo. **2** Revisión, comprobación o cotejo de algo: *El chequeo de los documentos probó que la copia había sido manipulada.*

chequera s.f. **1** Talonario de cheques: *Antes de extender el último cheque debes solicitar al banco una chequera nueva.* **2** Cartera para guardar este talonario: *una chequera de piel.*

chequista s.com. Miembro de una checa.

cherne s.m. Pez marino comestible, de ojos grandes y boca sobresaliente, que vive en los fondos rocosos atlánticos: *El cherne es un pez parecido al mero, muy apreciado en salazón.* □ MORF. Es un sustantivo epiceno: *el cherne {macho / hembra}*.

cherokee adj.inv./s.com. De una tribu india que habitaba en Tennessee (Estado norteamericano) y que en el siglo XIX fue expulsada hacia el oeste, o relacionado con ella: *La tribu cherokee vivía en el este norteamericano.* □ PRON. [cheróki].

chéster s.m. Queso elaborado con leche de vaca, originario de Chéster (ciudad inglesa): *El chéster es un queso parecido al manchego.*

chetnik (serb.) s.m. Miliciano de la guerrilla serbia: *Los chetniks tuvieron su origen en las guerrillas de la Segunda Guerra Mundial.* □ PRON. [chétnik].

chévere adj.inv. *col.* En zonas del español meridional, excelente o estupendo: *una persona chévere.*

chevió s.m. →**cheviot.**

cheviot (tb. *chevió*) (pl. *cheviots*) s.m. **1** Lana del cordero escocés. **2** Paño que se hace con esta lana: *una chaqueta de cheviot.* □ ETIMOL. Por alusión a los montes Cheviot, en la frontera de Escocia con Inglaterra, donde se crían estos corderos.

cheyene adj.inv./s.com. De la tribu amerindia que vivía al sur del lago Superior (lago estadounidense), o relacionado con ella: *Los cheyenes eran hábiles cazadores de bisontes.* □ ETIMOL. Del francés *cheyenne.* □ PRON. Aunque la pronunciación correcta es [cheyéne], está muy extendida [cheyén].

chi (ch.) s.m. En la medicina tradicional china, energía que circula de forma continua a través del cuerpo.

chianti (it.) s.m. →**quianti.** □ PRON. [quiánti].

chibalete s.m. En imprenta, armazón de madera donde se colocan las cajas para componer: *Cuando trabajé en aquel periódico, empecé en el sótano, con un chibalete viejo, componiendo a mano esquelas y pasquines.* □ ETIMOL. Del francés *chevalet.*

chibcha ▌adj.inv./s.com. **1** De un pueblo amerindio que habitaba las tierras altas de Colombia y Ecuador (países americanos), o relacionado con él: *La economía chibcha era fundamentalmente agraria.* ▌s.m. **2** Lengua americana de este pueblo: *El chibcha se extendió por América del Centro y del Sur.*

chic adj.inv. Elegante, distinguido y a la moda: *Llevas un traje muy chic.* □ ETIMOL. Del francés *chic.*

chica s.f. Véase **chico, ca.**

chicane (fr.) s.f. En un circuito de automovilismo o motociclismo, zona con una serie de obstáculos para que los corredores disminuyan su velocidad: *Al entrar en la chicane, el piloto tuvo que reducir de marcha.* □ PRON. [chicán], con *ch* suave.

chicano, na adj./s. De los ciudadanos estadounidenses que pertenecen a la minoría de origen mexicano: *El movimiento chicano reivindica la igualdad de derechos civiles y políticos.* □ ETIMOL. De *mexicano.*

chicarrón, -a adj./s. *col.* Referido a un joven o a un adolescente, que está muy crecido y desarrollado.

chicha s.f. **1** *col.* Carne: *Deja las patatas y cómete la chicha.* **2** Bebida alcohólica de maíz fermentado: *La chicha se bebe en distintos países de América.* **3** ‖ **de chicha y nabo;** *col. desp.* De poca importancia o de poco valor: *No sé cómo nuestro equipo pudo ser derrotado por un equipo de chicha y nabo como el vuestro.* ‖ **no ser** algo **ni chicha ni limonada;** *col.* Tener un carácter indefinido o impreciso, o no valer para nada.

chícharo s.m. **1** En zonas del español meridional, guisante: *En México comí arroz rojo con chícharos y zanahorias.* **2** En zonas del español meridional, ayudante o aprendiz de un oficio: *Cuando él guisa, yo soy su chícharo.* □ ETIMOL. La acepción 1, del latín *cicer* (garbanzo).

chicharra s.f. **1** Insecto de color verdoso amarillento de cabeza gruesa, ojos salientes, alas cortas y membranosas, y abdomen en forma de cono, en cuya base los machos tienen un aparato con el que producen un ruido estridente y monótono: *Las chicharras adultas mueren al final del verano.* □ SINÓN. *cigarra.* **2** *col.* Persona muy habladora: *Se me sentó al lado una chicharra y no dejó de hablar en todo el viaje.* □ ETIMOL. De *cigarra.* □ MORF. En la acepción 1, es un sustantivo epiceno: *la chicharra {macho / hembra}*.

chicharrera s.f. *col.* Véase **chicharrero, ra.**

chicharrero, ra ▌adj./s. **1** *col.* Persona que ha nacido en Santa Cruz de Tenerife (ciudad canaria). ▌s.m. **2** *col.* Lugar muy caluroso. ▌s.f. **3** *col.* Mucho calor: *Hoy hace una chicharrera insoportable.*

chicharro s.m. **1** Pez marino, de cuerpo rollizo y de color azul o verdoso por el lomo y blanco rojizo por el vientre, cabeza corta, escamas pequeñas y muy unidas a la piel, excepto a lo largo de los costados, donde son fuertes y agudas, con dos aletas dorsales provistas de grandes espinas y una cola extensa y en forma de horquilla. □ SINÓN. *jurel.* **2** *col.* En economía, empresa que tiene buenos rendimientos y una cotización estable. **3** →**chicharrón.** □ ETIMOL. De origen onomatopéyico. □ MORF. En la acepción 1, es un sustantivo epiceno: *el chicharro {macho / hembra}*.

chicharrón ▌s.m. **1** Residuo de la manteca de algunos animales, esp. del cerdo, una vez que ha sido derretida: *una torta de chicharrones.* □ SINÓN. *chicharro.* **2** En zonas del español meridional, corteza de cerdo. ▌pl. **3** Fiambre formado por trozos de carne de distintas partes del cerdo prensado en moldes.

chiche ▌ adj. **1** En zonas del español meridional, bonito, delicado y pequeño. ▌ s.m. **2** En zonas del español meridional, adorno pequeño de bisutería. □ ETIMOL. Del náhuatl *chichi* (teta).

chichear v. →**sisear.**

chicheo s.m. →**siseo.** □ MORF. Se usa más en plural.

chichi ▌ s.m. **1** *vulg.* →**vulva.** ▌ s.f. **2** *col.* En zonas del español meridional, pecho de una mujer.

chichicuilote s.m. Ave pequeña, de color gris, y con el pico largo y delgado: *Los chichicuilotes viven a la orilla del mar, los lagos y los pantanos americanos.*

chichifo s.m. Hombre que se dedica a la prostitución homosexual, con independencia de que sea o no su tendencia sexual.

chichimeca adj.inv./s.com. De los pueblos indios que habitaban en el centro de México (país americano) o relacionado con ellos: *Los indios chichimecas lucharon contra los conquistadores españoles.*

chichinabo || **de chichinabo;** *col. desp.* →**de chicha y nabo.**

chicho s.m. *col.* Rizo pequeño de cabello que cae sobre la frente.

chichón s.m. Abultamiento redondeado producido por un golpe en la cabeza: *Se cayó de la silla y se hizo un chichón en la frente.* □ ETIMOL. De origen incierto.

chichonera s.f. Gorro que se utiliza para proteger a una persona de golpes en la cabeza: *Esa ciclista lleva una chichonera formada por varias bandas gruesas de goma.*

chicle s.m. Golosina que se mastica pero no se traga, de sabor agradable: *Si ya no quieres el chicle, envuélvelo en un papel y tíralo a la papelera.* □ SINÓN. *goma de mascar.* □ PRON. Incorr. *[chiclé], *[chiclét].

chiclé s.m. Pieza que regula el paso de algunos fluidos, como la gasolina o el gas: *En un coche el chiclé regula el paso de la gasolina.*

chico, ca ▌ adj. **1** Pequeño o de poco tamaño: *Has crecido tanto que se te ha quedado chica la camisa.* ▌ s. **2** Niño o muchacho: *Ha ido al cine con los chicos del barrio.* **3** Persona, esp. la de edad no muy avanzada: *En mi trabajo hay más chicas que chicos.* ▌ s.m. **4** Persona joven que hace recados y ayuda en una oficina o en un establecimiento: *Cuando venga el chico de la tienda le das esta propina y guardas las cosas en la despensa.* ▌ s.f. **5** Criada o empleada del servicio doméstico: *Tengo una chica que viene por las mañanas a arreglar la casa.* □ ETIMOL. Del latín *ciccum* (cosa de muy poco valor). □ USO Se usa como apelativo: *Me dijo cuando me vio: '¡Chico, cómo has cambiado!'.*

chicolear v. Referido a una persona, esp. a una mujer, decirle chicoleos o dichos graciosos o agudos: *Le gusta mucho chicolear a las chicas.*

chicoleo s.m. *col.* Dicho gracioso o agudo, esp. el que un hombre dice a una mujer por galantería.

chicoria s.f. →**achicoria.**

chicote s.m. En zonas del español meridional, látigo. □ ETIMOL. Del francés *chicot.*

chicuelina s.f. En tauromaquia, pase que el torero da con la capa por delante y con los brazos a la altura del pecho, girando en sentido contrario a la embestida del toro: *un quite por chicuelina.* □ ETIMOL. Por alusión a su creador, el torero español Chicuelo.

chido, da adj. *col.* En zonas del español meridional, muy bueno o muy bonito.

chifa s.m. *col.* En zonas del español meridional, restaurante chino.

chifla s.f. **1** Sonido agudo que se hace con un silbato o imitación de este sonido. **2** Cuchilla ancha de acero que se utiliza para raspar y hacer las pieles más finas.

chiflado, da adj./s. *col.* Loco o con el juicio trastornado. □ SINÓN. *sonado.*

chifladura s.f. **1** Entusiasmo desmedido o trastorno del juicio: *Tiene verdadera chifladura por los coches de carreras.* **2** Manía, extravagancia o hecho propios de un chiflado: *Su última chifladura es levantarnos a todos de madrugada y a toque de trompeta.*

chiflar v. **1** Silbar con un silbato o imitar este sonido: *Apaga la olla cinco minutos después de que empiece a chiflar.* **2** *col.* Volver loco o trastornar el juicio: *Me chiflan los trajes de esta tienda. Se chifló por una compañera de trabajo y acabó casándose con ella.* □ ETIMOL. Del latín *sifilare* (silbar).

chiflato s.m. Instrumento pequeño que produce un sonido agudo cuando se sopla por él. □ SINÓN. *silbato, pito.*

chifle s.m. **1** Recipiente con forma de cuerno en el que se solía guardar la pólvora fina para cargar algunas armas de fuego: *Los exploradores llevaban un fusil y un chifle colgado con la pólvora.* **2** Silbato o reclamo para cazar aves: *El cazador hizo sonar el chifle para atraer a la presa y dispararla con facilidad.* □ ETIMOL. De *chiflar* (silbar), porque chifle significó *silbato* y *tubo*, y luego *cuerno*, al emplearse este como tubo.

chifonier s.m. Mueble con cajones superpuestos, más alto que ancho: *un chifonier de caoba.* □ ETIMOL. Del francés *chiffonnier.* □ USO Se usa también *sinfonier.*

chigre s.m. Establecimiento donde se vende o se toma sidra: *Siempre que voy a Asturias tomo sidra en un chigre.*

chigüín s.m. *col.* En zonas del español meridional, niño o chiquillo.

chihuahua adj.inv./s. Referido a un perro, de la raza que se caracteriza por tener cuerpo muy pequeño, cabeza redonda y orejas grandes: *Los chihuahuas tienen un ladrido muy agudo.*

chií (pl. *chiíes, chiís*) adj.inv./s.com. →**chiita.**

chiismo s.m. En la religión islámica, rama que considera a Alí, yerno de Mahoma (profeta árabe de finales del siglo VI y principios del VII) y a sus descendientes como únicos imanes o guías religiosos legítimos: *El chiismo cree en el carácter semidivino del imán.* □ ETIMOL. Del árabe *si'ah* (secta).

chiita ▌adj.inv. **1** De la rama de la religión islámica que considera a Alí, yerno de Mahoma (profeta árabe), y a sus descendientes como únicos guías religiosos o relacionado con ella: *Las posturas chiitas se caracterizan por su radicalidad.* □ SINÓN. *chií, shií.* ▌adj.inv./s.com. **2** Partidario o seguidor de esta rama de la religión islámica: *Los chiitas son uno de los grupos más extremistas del integrismo islámico.* □ SINÓN. *chií, shií.*

chilaba s.f. Prenda de vestir con capucha que usan los árabes: *La chilaba es una vestidura muy fresca.* □ ETIMOL. Del árabe marroquí *yallaba* o *yellaba*.

chilca s.f. Arbusto de hojas pegajosas, balsámico y resinoso: *La chilca crece en las zonas montañosas de toda América.*

chilco s.m. En zonas del español meridional, fucsia silvestre: *El chilco es un arbusto propio de los Andes chilenos y argentinos.*

children friendly (ing.) || Referido a un lugar, que tiene instalaciones y servicios esp. pensados para cubrir las necesidades de los niños: *Un restaurante children friendly suele tener cambiadores y áreas de juegos para niños.* □ PRON. [chíldren frénli].

chile s.m. **1** Pimiento pequeño y muy picante: *Fuimos a un restaurante de comida mexicana y tomamos chile con carne.* **2** *vulg.* En zonas del español meridional, pene.

chilena s.f. Véase **chileno, na**.

chilenismo s.m. En lingüística, americanismo propio de Chile (país americano): *En Santiago de Chile se va a elaborar un diccionario de chilenismos.*

chileno, na ▌adj./s. **1** De Chile o relacionado con este país americano. ▌s.f. **2** En fútbol, remate o tiro a gol que hace un jugador de espaldas a la portería, elevando los pies por encima de la cabeza: *hacer una chilena.*

chili s.m. Salsa picante hecha con chiles.

chilindrón || **al chilindrón;** referido a la carne, que se guisa rehogándola con tomate, pimiento y otros ingredientes: *pollo al chilindrón.*

chilladera s.f. *col.* En zonas del español meridional, griterío: *Con esta chilladera no entiendo lo que me dices.*

chillar v. **1** Dar chillidos: *No chilles, que una cucaracha no te va a hacer nada.* **2** Levantar la voz: *¡Chilla más, que está la radio puesta y no te oigo!* □ ETIMOL. De una alteración del latín *fistulare* (tocar la flauta).

chillería s.f. Conjunto de chillidos o gritos.

chillido s.m. Sonido de la voz no articulado, agudo y desagradable.

chillón, -a ▌adj. **1** Referido a un sonido, que es agudo y desagradable: *música chillona.* **2** Referido a un color, que es demasiado vivo o que está mal combinado con otro: *rojo chillón.* ▌adj./s. **3** *col.* Que chilla mucho: *un niño chillón.*

chill out (ing.) s.m. || 1 Zona de una discoteca en la que poder relajarse escuchando música tranquila. **2** Tipo de música de sonidos eléctricos y ritmo lento y relajado. □ PRON. [chil áut].

chimbo, ba s. *col.* Persona que ha nacido en la ciudad de Bilbao: *Un autobús de chimbos sigue a su equipo vaya donde vaya.* □ ETIMOL. De origen euskera. □ USO Tiene un matiz humorístico.

chimenea s.f. **1** Conducto por el que sale el humo que resulta de la combustión en una caldera, cocina u horno. **2** En un lugar, esp. en una habitación, espacio acondicionado para encender fuego y provisto de una salida de humo: *La chimenea del salón calienta toda la casa.* **3** En geología, conducto a través del cual un volcán expulsa lava y otros materiales de erupción: *Los espeleólogos descendieron por la chimenea de un volcán apagado.* **4** En alpinismo, grieta vertical en un muro o en un glaciar: *Subieron esa chimenea apoyando la espalda en uno de sus lados y los pies en el otro.* □ ETIMOL. Del francés *cheminée*.

chimpancé s.m. Mono de brazos largos, cabeza grande, barba y cejas prominentes, con la nariz aplastada y todo el cuerpo cubierto de pelo de color pardo negruzco: *El chimpancé habita en el centro de África y forma agrupaciones poco numerosas.* □ MORF. Es un sustantivo epiceno: *el chimpancé {macho/hembra}*.

china s.f. Véase **chino, na**.

chinama s.f. En zonas del español meridional, cabaña. □ ETIMOL. Del náhuatl *chinamitl* (hojarasca).

chinazo s.m. Golpe dado con una china o piedra pequeña.

chinchar ▌v. **1** *col.* Molestar, fastidiar o incordiar: *No chinches más a tu hermano y déjalo estudiar.* ▌prnl. **2** *col.* Aguantarse o sufrir con paciencia un contratiempo inevitable: *Lo esperaremos cinco minutos más, y si no viene entramos al cine y que se chinche.* □ SINÓN. *fastidiarse.* □ ETIMOL. De *chinche*.

chinche ▌adj.inv./s.com. **1** *col.* Referido a una persona, que es molesta y pesada: *No seas chinche y déjame trabajar un rato tranquilo.* ▌s.f. **2** Insecto de color oscuro, con aparato bucal chupador, piezas bucales en forma de pico articulado, y cuerpo aplastado, casi elíptico, y que segrega un líquido maloliente: *La chinche chupa la sangre humana y su picadura es irritante.* **3** En zonas del español meridional, chincheta. **4** || **{caer/morir} como chinches;** *col.* Haber gran número de muertes: *Como la epidemia siga extendiéndose, los pobladores de esta zona caerán como chinches.* □ ETIMOL. Del latín *cimex*. □ MORF. 1. En la acepción 2, se usa también como masculino. 2. En la acepción 3, en zonas del español meridional se usa como masculino.

chincheta s.f. Pequeño clavo metálico de cabeza grande circular y chata: *Coloca el póster con chinchetas.*

chinchilla s.f. **1** Mamífero roedor, parecido a la ardilla, pero de tamaño algo mayor y con pelaje gris, más claro por el vientre que por el lomo, de gran finura y suavidad: *La chinchilla es propia de América del Sur y vive en madrigueras subterrá-*

neas. **2** Piel de este animal. ☐ MORF. En la acepción 1, es un sustantivo epiceno: *la chinchilla {macho / hembra}.*

chinchín interj. Expresión que se usa cuando se brinda al chocar las copas o los vasos. ☐ ETIMOL. Del inglés *chin-chin*, y este del chino pequinés *ching-ching*.

chinchón s.m. Aguardiente anisado, originario de Chinchón (localidad madrileña): *Después de comer solía tomar una copita de chinchón con el café.*

chinchorrería s.f. Impertinencia, pesadez o cualquier cosa que resulta molesta: *Me pones nervioso cuando empiezas con tus chinchorrerías a la hora de la comida.* ☐ ETIMOL. De *chinchorrero* (chismoso).

chinchorrero, ra adj./s. *col.* Que se molesta o que se ofende con facilidad o por cosas sin importancia: *Eres una chinchorrera y no se te puede decir nada sin que le busques doble sentido.* ☐ ETIMOL. De *chinche*.

chinchorro s.m. **1** Hamaca ligera tejida de cordeles: *Tiene en su jardín un chinchorro atado a dos árboles.* **2** Pequeña embarcación de remos que llevan a bordo los barcos.

chinchoso, sa adj. *col.* Referido a una persona, que es molesta, pesada o que fastidia.

chinchulín s.m. Comida hecha con intestino de vaca o de oveja, trenzado y asado: *En mi viaje a Bolivia, comí chinchulines.* ☐ MORF. Se usa más en plural.

chincoal ‖ **tener chincoal;** *col.* En zonas del español meridional, no poder estar quieto. ☐ ETIMOL. Del náhuatl *tzintli* (trasero) y *coatl* (serpiente).

chinela s.f. Zapatilla sin talón, de suela ligera, que se usa para andar por casa: *Cuando se acuesta deja las chinelas a los pies de la cama.* ☐ ETIMOL. Quizá del italiano dialectal *cianella*.

chinero s.m. Armario en el que se guardan piezas de china o porcelana: *Tengo la vajilla en el chinero del salón.*

chinesco, ca adj. De China (país asiático) o que tiene semejanza o relación con las cosas de este país: *En su habitación tiene un biombo chinesco.*

chingada interj. *vulg.malson.* En zonas del español meridional, expresión que se usa para manifestar sorpresa, enojo o disgusto. ☐ USO Se usa mucho como palabra comodín en expresiones vulgares malsonantes.

chingana s.f. En zonas del español meridional, tienda pequeña y generalmente pobre: *En una chingana también se sirven comidas y bebidas alcohólicas.*

chingar ▌v. **1** *col.* Referido a una persona, fastidiarla o molestarla: *¡Deja ya de chingarme con tus historias!* **2** *vulg.malson.* →**copular.** **3** *col.* En zonas del español meridional, robar: *Se chingaron todo mi dinero.* ▌prnl. **4** *col.* En zonas del español meridional, matar: *En la película, un criminal se chingaba a varias personas.* **5** *col.* En zonas del español meridional, acabar con algo: *¡Ya se chingaron todo el pastel!*

chingón, -a ▌adj. **1** *col.* En zonas del español meridional, estupendo: *¡Qué chingón está el libro que me prestaste!* ▌s. **2** *col.* En zonas del español meridional, referido a una persona, hábil para hacer algo: *Mi amiga es una chingona tocando la guitarra.*

chinguirito s.m. En zonas del español meridional, aguardiente de caña: *Cuando viajé a Morelos, probé el chinguirito.*

chinita s.f. En zonas del español meridional, mariquita.

chino, na ▌adj./s. **1** De China o relacionado con este país asiático. **2** En zonas del español meridional, persona de origen indio o mestizo. **3** En zonas del español meridional, referido al cabello, rizado: *Tengo el pelo muy chino.* ▌s. **4** *col.* En zonas del español meridional, sirviente: *Contraté una nueva chinita.* ▌s.m. **5** Lengua asiática de este y otros países: *El chino es el idioma que mayor número de hablantes tiene.* **6** *col.* Lenguaje ininteligible o difícil de entender: *Deja de hablarme en chino porque no te entiendo nada.* **7** Utensilio de cocina con forma de embudo y con aspas, que se utiliza para triturar y colar sustancias o alimentos. **8** En el lenguaje de la droga, heroína que se quema sobre un papel de plata para ser inhalada: *hacerse un chino.* ▌s.m.pl. **9** Juego que consiste en adivinar el número total de monedas que cada jugador esconde dentro del puño: *En los chinos ningún jugador puede esconder más de tres monedas.* **10** Pantalones de pinzas con bolsillos laterales: *Me he comprado unos chinos en las rebajas.* ▌s.f. **11** Piedra pequeña, y a veces redondeada: *Se me ha metido una china en el zapato.* **12** *arg.* Trozo de hachís prensado: *Lo registraron en la aduana para ver si llevaba alguna china.* **13** ‖ **de chinos;** referido esp. a un trabajo, que es muy pesado o que requiere mucha paciencia: *Pegar y recomponer el jarrón roto es un trabajo de chinos.* ‖ **engañar como a un chino** a alguien; *col. desp.* Aprovecharse de su credulidad o engañarlo por completo. ‖ **tocarle la china** a alguien; *col.* Corresponderle la peor parte o el peor trabajo.

chintz (ing.) s.m. Tejido brillante de algodón, que se usa en tapicería y para entelar habitaciones: *He elegido una pieza de chintz estampado con flores para tapizar el sofá.* ☐ PRON. [chinz].

chip (pl. *chips*) s.m. Pequeño circuito integrado, montado sobre una cápsula de material plástico, generalmente de silicio, y provista de una serie de patillas que permiten establecer las conexiones: *Una tarjeta de gráficos de ordenador está compuesta por numerosos chipes.* ☐ ETIMOL. Del inglés *chip*.

chipén adj.inv. *col.* Excelente, estupendo o muy bueno: *Se ha comprado un coche chipén, último modelo.* ☐ ETIMOL. Del gitano *chipén* (vida). ☐ SINT. Se usa también como adverbio de modo: *Lo pasamos chipén.*

chípil adj.inv./s.com. **1** En zonas del español meridional, referido a un hijo, que es el penúltimo. **2** *col.* En zonas del español meridional, referido a un niño, que está celoso: *estar chípil.*

chipirón s.m. Calamar de pequeño tamaño: *chipirones en su tinta.* ☐ ETIMOL. Del latín *sepia* (sepia). ☐ MORF. Es un sustantivo epiceno: *el chipirón {macho / hembra}.*

chipocludo, da ▌ adj. **1** *col.* En zonas del español meridional, muy bueno o estupendo. ▌ s. **2** *col.* En zonas del español meridional, persona muy hábil.

chipriota adj.inv./s.com. De Chipre o relacionado con este país europeo.

chips (ing.) s.f.pl. Patatas fritas, redondas y muy finas: *una bolsa de chips.* ☐ PRON. [chips]. ☐ USO Su uso es innecesario.

chiquero s.m. Cada uno de los compartimentos del toril o lugar en el que están encerrados los toros antes de empezar la corrida: *El segundo toro de la tarde fue devuelto al chiquero por manso.* ☐ ETIMOL. Del latín **circarium*, y este de *circus* (circo).

chiquilicuatre s.m. *col. desp.* →**chiquilicuatro.**

chiquilicuatro s.m. *col. desp.* Hombre bullicioso, enredador y de poco juicio. ☐ SINÓN. *chisgarabís, chiquilicuatre.*

chiquillada s.f. Hecho o dicho propios de un chiquillo. ☐ SINÓN. *chiquillería.*

chiquillería s.f. **1** *col.* Conjunto de chiquillos: *En este parque juega toda la chiquillería del barrio.* **2** Hecho o dicho propios de un chiquillo: *Me parece una chiquillería que no vengas a cenar con nosotros porque te dan vergüenza mis amigos.* ☐ SINÓN. *chiquillada.*

chiquillo, lla adj./s. Niño o muchacho.

chiquito, ta s.m. **1** Vaso pequeño de vino: *Estuvimos tomando unos chiquitos por los bares de la plaza.* **2** ‖ **andarse con chiquitas;** *col.* Usar contemplaciones, pretextos o rodeos para esquivar o no hacer frente a algo: *No te andes con chiquitas y dime qué es lo que te apetece de verdad.* ☐ USO 1. En la acepción 1, es innecesario el uso del término euskera *txikito.* 2. *Andarse con chiquitas* se usa más en expresiones negativas.

chiribita ▌ s.f. **1** Partícula encendida que salta de una materia ardiendo o del roce de los objetos: *Se sentó cerca de la chimenea para ver las chiribitas que saltaban del fuego.* ☐ SINÓN. *chispa.* ▌ pl. **2** *col.* Partículas o destellos que, durante breves instantes, estorban la vista: *Se me disparó el flash de la máquina de fotos y me quedé viendo chiribitas.* **3** ‖ **hacerle** a alguien **chiribitas los ojos;** mostrar mucha ilusión en la mirada al pensar en algo muy deseado, esp. si va a suceder pronto: *Te hacen chiribitas los ojos cuando piensas en las vacaciones.* ☐ MORF. En la acepción 1, se usa más en plural.

chiribitil s.m. En zonas del español meridional, rincón o escondite pequeño.

chirigota s.f. **1** *col.* Broma, burla o cuchufleta sin mala intención: *tomarse algo a chirigota.* **2** Conjunto de personas formado para cantar coplas festivas en los carnavales: *Casi todas las chirigotas cantaron canciones ridiculizando a los políticos.* ☐ ETIMOL. De origen incierto.

chirimbolo s.m. Objeto de forma extraña o complicada que no se sabe cómo nombrar: *Le han regalado un bote muy original con un chirimbolo para abrirlo.* ☐ ETIMOL. De origen incierto.

chirimía s.f. Instrumento musical de viento de origen árabe, parecido al oboe, de madera, con nueve o con diez agujeros y boquilla con lengüeta de caña: *La chirimía se usa en algunas bandas de carácter folclórico.* ☐ ETIMOL. Del francés antiguo *chalemie.*

chirimiri (tb. *sirimiri*) s.m. Llovizna muy fina y persistente: *Estuve unos días en Guipúzcoa y no dejó de caer chirimiri.*

chirimoya s.f. Fruta comestible, de color verde y con pulpa blanca y jugosa y grandes pepitas negras en su interior: *Las chirimoyas son una fruta muy dulce.*

chirimoyo s.m. Árbol con tronco ramoso, hojas elípticas y puntiagudas, flores olorosas con pétalos verdosos y casi triangulares, y cuyo fruto es la chirimoya: *El chirimoyo es originario de América Central.*

chiringuito s.m. Quiosco o puesto de bebidas y comidas sencillas, generalmente situado al aire libre: *Compré unos refrescos en el chiringuito del parque.*

chiripa s.f. *col.* Suerte o casualidad favorable: *Ganó la carrera de chiripa.* ☐ SINÓN. *carambola, chamba.* ☐ ETIMOL. De origen incierto.

chiripá s.m. Prenda de vestir similar a un pantalón, que consiste en una manta que se pasa entre los muslos y se sujeta a la cintura: *El chiripá es parte de la indumentaria clásica del gaucho.*

chirivía s.f. **1** Planta de hojas alternas, parecidas a las del apio, flores pequeñas y amarillas y semillas de dos en dos. **2** Raíz de esta planta.

chirizo s.m. *col. desp.* Miembro del cuerpo hondureño de policía.

chirla s.f. **1** Molusco con dos valvas parecido a la almeja, pero de menor tamaño y con la concha gris oscura y estriada. **2** *vulg.* →**vulva.**

chirlar v. *arg.* Robar con navaja: *Dos chicos me chirlaron todo lo que llevaba encima.*

chirle adj.inv. *col.* Insípido o sin sustancia: *Este melón está tan chirle que parece pepino.*

chirlero, ra s. *arg.* Navajero.

chirlo s.m. *arg.* Herida alargada en el rostro. ☐ ETIMOL. Quizá de *chirlar* (chillar), por el chillido que se supone daría quien recibiese un chirlo, que al principio significó *golpe.*

chirona s.f. *col.* Cárcel: *meter a alguien en chirona.* ☐ ETIMOL. De origen incierto.

chirriante adj.inv. Que chirría: *un sonido chirriante.*

chirriar v. Referido a un objeto, producir un sonido desagradable al rozar con otro: *La puerta chirría al abrirla porque las bisagras no están engrasadas.* ☐ SINÓN. *rechinar.* ☐ ETIMOL. De origen onomatopéyico. ☐ ORTOGR. La *i* lleva tilde en los presentes, excepto en las personas *nosotros* y *vosotros* →GUIAR.

chirrido s.m. Sonido agudo, continuado y desagradable: *El chirrido de la verja del jardín me despertó.*

chiruca s.f. Bota hecha de tela resistente, con suela de goma: *Para la excursión por el monte me llevé las chirucas.* ☐ ETIMOL. Extensión del nombre de una marca comercial.

chis (tb. *chist*) interj. **1** *col.* Expresión que se usa para pedir o para imponer silencio. ☐ SINÓN. *chitón.* **2** *col.* Expresión que se usa para llamar a alguien.

chiscar v. Sacar chispas del eslabón al chocarlo con el pedernal: *Este mechero no chisca porque no tiene gas.* ☐ ETIMOL. De origen onomatopéyico. ☐ ORTOGR. La *c* se cambia en *qu* delante de *e* →SACAR.

chiscón s.m. Habitación pequeña o estrecha: *Guarda la leña en un chiscón.* ☐ SINÓN. *tabuco.*

chisgarabís (pl. *chisgarabises*) s.com. *col. desp.* Persona bulliciosa, enredadora y de poco juicio: *No es más que un chisgarabís que no sabe comportarse correctamente.* ☐ SINÓN. *chiquilicuatro, chiquilicuatre.* ☐ ETIMOL. De origen expresivo.

chisguete s.m. *col.* En zonas del español meridional, chorrillo de un líquido que sale con fuerza. ☐ ETIMOL. De origen onomatopéyico.

chisme s.m. **1** Noticia o comentario con los que se pretende murmurar de alguien o enemistar a unas personas con otras: *Siempre va contando chismes de unos y otros.* **2** *col.* Baratija o cosa pequeña y de poco valor, esp. si es inútil o resulta un estorbo: *un cajón lleno de chismes.* ☐ ETIMOL. De origen incierto. ☐ SEM. Se usa mucho como palabra comodín para designar de manera imprecisa un objeto.

chismografía s.f. **1** *col.* Ocupación de chismorrear: *Deberías estudiar más, en vez de dedicarte a la chismografía.* **2** *col.* Conjunto de chismes sobre algo: *Mientras te esperaba, tus vecinos me han puesto al día de la chismografía de toda la vecindad.*

chismorrear v. Contar chismes: *Mi abuelo dice que las mujeres solo se juntan para chismorrear.* ☐ SINÓN. *cotillear.*

chismorreo s.m. Actividad que consiste en comentar las vidas ajenas: *Déjame de chismorreos porque no me gusta meterme en la vida de los demás.*

chismoso, sa adj./s. Que chismorrea o que tiene inclinación a contar chismes.

chispa s.f. **1** Partícula encendida que salta de una materia ardiendo o del roce de dos objetos: *De la leña que ardía saltaban chispas.* ☐ SINÓN. *chiribita.* **2** Partícula o parte muy pequeña de algo: *No hace ni chispa de frío.* **3** Descarga luminosa entre dos cuerpos, esp. si estos están cargados con diferente potencial eléctrico: *Al tocar el cable con las tijeras saltaron chispas.* **4** Gota de lluvia menuda y escasa: *Podemos salir porque solo caen unas chispas.* **5** Gracia, atractivo o ingenio: *un chiste con chispa; una persona con chispa.* **6** *col.* Borrachera ligera. **7** ‖ **echar** alguien **chispas;** *col.* Dar muestras de enojo o enfado: *Mejor será que hoy no le digas nada porque está que echa chispas.* ‖ **ser** alguien **una chispa;** *col.* Ser muy vivo y despierto: *El chico es una chispa y lo coge todo a la primera.* ☐ ETIMOL. De origen onomatopéyico.

chispas s.com. *col.* Electricista: *Hemos llamado al chispas porque se han fundido los plomos.*

chispazo s.m. **1** Salto de una chispa del fuego o entre conductores con distinta carga eléctrica: *Un chispazo del generador quemó los cables eléctricos.* **2** Daño que este salto produce: *Estos agujeros del jersey son chispazos de la lumbre.* **3** Suceso aislado y poco importante que precede o sigue al conjunto de otros de mayor importancia: *El fallido golpe de Estado fue el último chispazo de una época de tensiones sociales.*

chispeante adj.inv. **1** Que chispea. **2** Referido esp. a un discurso o a un escrito, que en él abundan los destellos de ingenio y agudeza: *En sus charlas siempre inserta alguna anécdota chispeante sobre los usos ambiguos de las palabras.*

chispear v. **1** Echar chispas: *Los troncos de madera chispeaban en la lumbre.* **2** Relucir o brillar mucho: *Sus ojos chispearon cuando recibió la noticia.* **3** Llover poco y en forma de gotas pequeñas: *Coge el paraguas, que ha empezado a chispear.* ☐ MORF. En la acepción 3, es unipersonal.

chisporrotear v. *col.* Referido al fuego o a un cuerpo encendido, despedir chispas reiteradamente: *No te acerques a la lumbre, porque la leña aún chisporrotea.*

chisporroteo s.m. *col.* Desprendimiento reiterado de chispas del fuego o de un cuerpo encendido: *el chisporroteo de la leña al arder.*

chisquero s.m. Encendedor antiguo de bolsillo con mecha: *El abuelo encendía los cigarrillos con un chisquero.*

chist interj. →**chis.** ☐ ETIMOL. De origen onomatopéyico.

chista s.f. *arg.* Última parte de un porro, que se aprovecha al máximo. ☐ SINÓN. *ñasca.*

chistar v. **1** Referido a una persona, llamarla emitiendo el sonido 'chis': *Me chistó para que me volviera.* **2** *col.* Hablar o replicar: *A mí no me chistes, que estoy muy enfadada.* ☐ ETIMOL. De origen onomatopéyico.

chiste s.m. **1** Frase, historieta breve o dibujo que hace reír: *contar un chiste.* **2** Suceso gracioso: *Verlo correr es un chiste.* **3** Gracia o atractivo: *A eso que me cuentas no le veo el chiste por ninguna parte.* ☐ ETIMOL. De *chistar* (hablar en voz baja), porque originariamente los chistes eran obscenos y se contaban en voz baja.

chistera s.f. *col.* Sombrero de ala estrecha y copa alta, casi cilíndrica y plana por arriba, generalmente forrado de felpa de seda negra: *El mago sacó un conejo de su chistera.* ☐ SINÓN. *sombrero de copa.* ☐ ETIMOL. Del euskera *txistera*, y este del latín *cistella* (cestilla).

chistorra s.f. Embutido parecido al chorizo pero más delgado, propio de algunas zonas del norte español: *La chistorra se suele comer frita.* ☐ ETIMOL. Del euskera *txistor.*

chistoso, sa ▌adj. **1** Que tiene chiste o gracia: *una situación chistosa.* ▌adj./s. **2** Que acostumbra a hacer chistes: *una persona chistosa.*

chistu s.m. Flauta recta de madera y con embocadura de pico, típica del País Vasco (comunidad autónoma): *Muchos bailes folclóricos vascos se bailan con acompañamiento de chistu y tamboril.*

chistulari s.m. Músico que acompaña danzas populares vascas con el chistu y el tamboril: *En los festejos populares vascos, suelen actuar chistularis.* □ USO Es innecesario el uso del término euskera *txistulari.*

chitacallando || **a la chita callando** o **a la chitacallando;** calladamente o con disimulo: *Éste lo hace todo a la chita callando para que nadie le pueda regañar.*

chitón interj. *col.* Expresión que se usa para pedir o para imponer silencio: *¡Chitón, no quiero más discusiones!* □ SINÓN. *chis, chist.*

chitosán s.m. Sustancia que se encuentra en el caparazón de algunos moluscos marinos y que absorbe la grasa corporal: *El chitosán se utiliza en la elaboración de algunos productos cosméticos para pieles muy secas.*

chiva s.f. Véase **chivo, va**.

chivarse v.prnl. *col.* Delatar o decir algo que perjudique a otra persona: *Como me vuelvas a pegar me chivaré a mamá para que te castigue.*

chivatada s.f. *col.* →**chivatazo.**

chivatazo s.m. *col.* Acusación, denuncia o divulgación de algo que perjudique a alguien: *La policía recibió el chivatazo dos horas antes de que se produjera el atraco.* □ SINÓN. *chivatada.*

chivato, ta ▮ adj./s. **1** Referido a una persona, que denuncia o acusa, esp. si lo hace en secreto y cautelosamente: *Si no fueras tan chivata te contaríamos dónde vamos.* □ SINÓN. *delator.* ▮ s.m. **2** Dispositivo que advierte de una anormalidad o que llama la atención sobre algo: *Llevé el coche a revisión porque se encendía el chivato del aceite.* **3** *col.* En zonas del español meridional, persona importante en la vida pública: *Pertenece a un club exclusivo que está lleno de chivatos.*

chivo, va ▮ s. **1** Cría de la cabra desde que deja de mamar hasta que llega a la edad de procrear: *En el monte pastaban las cabras y los chivos.* ▮ s.f. **2** En zonas del español meridional, autobús pequeño: *En Panamá viajé en una chiva.* **3** || **chivo expiatorio;** persona sobre la que se hace recaer una culpa compartida por varios: *La policía cree que él es solo el chivo expiatorio, y que detrás se esconde una organización.* □ SINÓN. *cabeza de turco.* || **estar como una chiva;** *col.* Estar muy loco: *Se quiere cambiar de piso porque está como una chiva, y dice que este está lleno de energía negativa.* □ ETIMOL. La acepción 1, de origen expresivo, porque *chivo* fue la voz de llamada para hacer que acuda el animal.

chocante adj.inv. Que choca: *Me resultó muy chocante encontrármelo en aquella fiesta vestido de aquella manera.*

chocar v. **1** Referido a un cuerpo, encontrarse violentamente con otro: *Los dos coches chocaron al tomar la curva. Andaba mirando hacia atrás y se chocó contra una farola.* **2** Referido a un elemento, ser contrario a otro o estar en desacuerdo con él: *Una vez más, nuestras opiniones chocaron y salimos discutiendo.* **3** Causar extrañeza o sorprender: *Me choca mucho que no haya venido porque habíamos quedado.* **4** Unir o juntar, esp. referido a las manos: *¡Cuánto me alegro de verte, choca esa mano!* **5** *col.* En zonas del español meridional, molestar: *Me choca que me hablen cuando estoy leyendo.* □ ETIMOL. De origen incierto. □ ORTOGR. la *c* se cambia en *qu* delante de *e* →SACAR.

chocarrería s.f. Chiste o broma que se consideran groseros o de mal gusto.

chocarrero, ra adj. Que tiene o manifiesta chocarrería: *un chiste chocarrero.*

chocha s.f. Véase **chocho, cha**.

chochaperdiz s.f. Ave del tamaño de una perdiz, que tiene el pico largo, recto y delgado, y el plumaje rojizo, y cuya carne es muy apreciada: *La chochaperdiz se alimenta de lombrices y orugas.* □ SINÓN. *becada, pitorra.* □ MORF. Es un sustantivo epiceno: *la chochaperdiz {macho/hembra}.*

chochear v. **1** *col.* Tener debilitadas las facultades mentales por efecto de la edad: *A sus ochenta años es normal que chochee y se le olviden las cosas.* **2** *col.* Extremar o exagerar el cariño o la afición por algo: *Tu padre chochea cuando habla de ti.*

chocheo s.m. **1** *col.* Debilitación de las facultades mentales por efecto de la edad. **2** *col.* Cariño o afición exagerada hacia algo.

chochera s.f. →**chochez.**

chochez s.f. **1** *col.* Debilidad mental y falta de agilidad intelectual por efecto de la edad. □ SINÓN. *chochera.* **2** *col.* Hecho o dicho propio de la persona que chochea. □ SINÓN. *chochera.*

chocho, cha ▮ adj. **1** *col.* Que chochea: *un viejo chocho.* **2** *col.* Alelado o atontado por el cariño o la afición hacia algo: *La abuela está chocha con los nietos.* ▮ s.m. **3** Semilla del altramuz, en forma de grano achatado, que resulta comestible una vez que se le ha quitado el amargor poniéndola en remojo en agua con sal. □ SINÓN. *altramuz.* **4** *vulg.* →**vulva.** ▮ s.f. **5** Molusco con dos valvas parecido a la almeja pero de menor calidad y con la concha blanquecina y lisa.

choclo s.m. En zonas del español meridional, mazorca tierna de maíz.

choco s.m. →**chopo.** □ MORF. Se usa mucho el diminutivo *choquito.*

chocolatada s.f. Comida cuyo componente principal es el chocolate caliente o a la taza: *Invitó a sus amigos a una chocolatad en su casa para celebrar su cumpleaños.*

chocolate s.m. **1** Sustancia alimenticia preparada con cacao y azúcar molidos, y al que se suele añadir canela o vainilla: *una tableta de chocolate.* **2** Bebida que se prepara con esta sustancia desleída y cocida en agua o en leche: *chocolate con churros.* **3** *col.* En el lenguaje de la droga, hachís. **4** || **el chocolate del loro;** *col.* Cosa insignificante: *Te compras cosas muy caras y luego ahorras en el chocolate del loro.* □ ETIMOL. Del mejicano *chocolatl.* □ SINT. La acepción 4 se usa más con los verbos *ser* y *ahorrar.*

chocolateado, da adj. Que tiene chocolate: *leche chocolateada.*

chocolatera s.f. Véase **chocolatero, ra.**

chocolatería s.f. **1** Establecimiento en el que se fabrica o vende chocolate: *Los bombones los he comprado en una chocolatería.* **2** Establecimiento en el que se sirve al público chocolate a la taza: *En esta chocolatería sirven el chocolate con barquillos.*

chocolatero, ra ▮ adj./s. **1** Referido a una persona, que es muy aficionada a tomar chocolate. ▮ s. **2** Persona que se dedica profesionalmente a elaborar o vender chocolate. ▮ s.f. **3** Recipiente para servir chocolate: *una chocolatera de barro.*

chocolatín s.m. →**chocolatina.**

chocolatina s.f. Tableta delgada y pequeña de chocolate. ☐ SINÓN. *chocolatín.*

chofer s.m. En zonas del español meridional, chófer.

chófer s.com. Persona que se dedica profesionalmente a conducir automóviles. ☐ ETIMOL. Del francés *chauffeur.* ☐ MORF. Se usa mucho el femenino coloquial *choferesa.*

choferesa *col.* s.f. de **chófer.**

chola s.f. Véase **cholo, la.**

chollo s.m. Lo que es apreciable y se adquiere de forma ventajosa o sin esfuerzo: *Este piso por ese precio es un chollo.* ☐ SINÓN. *ganga.*

cholo, la ▮ adj./s. **1** En zonas del español meridional, indio o mestizo occidentalizados. ▮ s.f. **2** *col.* Cabeza.

chomba s.f. En zonas del español meridional, jersey. ☐ ETIMOL. Del inglés *jumper.*

chompa s.f. **1** En zonas del español meridional, jersey: *una chompa de lana.* **2** En zonas del español meridional, cazadora: *una chompa de cuero.* ☐ ETIMOL. Del inglés *jumper.*

chongo s.m. **1** En zonas del español meridional, moño: *Usé los pasadores para hacerme un chongo.* **2** Dulce de leche cuajada: *En mi viaje a Michoacán, en México, comí unos deliciosos chongos.*

chonta s.f. Palmera americana, espinosa, que tiene una madera muy dura, oscura y jaspeada: *La madera de chonta se utiliza para hacer bastones.*

chop s.m. En zonas del español meridional, cerveza de barril que se sirve en jarra: *Un chop de cerveza es algo menos de medio litro.*

chóped s.m. Embutido grueso semejante a la mortadela: *Me he preparado un bocadillo de chóped para merendar.*

chopera s.f. Terreno poblado de chopos: *En la ribera del río hay una gran chopera.*

chopería s.f. En zonas del español meridional, cervecería: *En Buenos Aires tomé unas cervezas buenísimas en una chopería.*

chopo s.m. **1** Variedad de álamo, esp. la llamada *álamo negro,* que tiene corteza grisácea o rugosa, hojas ovales y ramas poco separadas del eje del tronco: *Merendamos a la orilla del río bajo la sombra de los chopos.* **2** Molusco marino, variedad de la sepia: *Como aperitivo pedimos unos chopitos.* ☐ SINÓN. *choco.* **3** *col.* Fusil: *Los soldados desfilaban con el chopo al hombro.* ☐ ETIMOL. Del latín *populus.* ☐ MORF. En la acepción 2 se usa mucho el diminutivo *chopito.*

chop suey (ch.) s.m. ‖ Comida china, hecha con verduras salteadas, a la que se pueden añadir mariscos o trozos pequeños de cerdo, de ternera o de pollo: *chop suey de pollo.* ☐ PRON. [chop suéi].

choque s.m. **1** Encuentro violento de dos o más cuerpos. **2** Oposición de varios elementos o desacuerdo entre ellos: *El choque con el sector más progresista del partido no tardó en producirse.* **3** Contienda, discusión o pelea: *Los dos hermanos tuvieron un choque a causa del reparto de la herencia.* **4** En el ejército, combate o pelea de corta duración o con un pequeño número de tropas: *El choque entre los dos ejércitos produjo un gran número de bajas.* **5** Estado de profunda depresión nerviosa y circulatoria, sin pérdida de la conciencia, que se produce después de intensas conmociones o de una impresión fuerte de carácter físico o psíquico: *La noticia de la muerte de su madre le produjo un choque nervioso.* **6** Conmoción o impresión fuertes: *Verla después de tantos años, fue un choque para él.* **7** En el lenguaje del deporte, encuentro o partido entre dos equipos: *El choque deportivo tendrá lugar esta tarde a las cinco.* ☐ ETIMOL. Las acepciones 1-4, de *chocar.* Las acepciones 5 y 6, del inglés *shock.* ☐ USO En la acepción 5, en círculos especializados se usa mucho el anglicismo *shock.* En la acepción 6, es innecesario el uso del anglicismo *shock.*

choquero, ra adj./s. *col.* Persona que ha nacido en la ciudad de Huelva.

choquezuela s.f. Hueso en forma de disco, situado en la articulación de la rodilla, entre el fémur y la tibia. ☐ SINÓN. *rótula.* ☐ ETIMOL. Del diminutivo de *chueca.*

chorbo, ba s. **1** *col.* Persona cuya identidad se ignora o no se quiere decir: *Un chorbo me paró por la calle para venderme unas tarjetas.* ☐ SINÓN. *individuo.* **2** *col.* Respecto de una persona, compañero sentimental: *Lo vi entrar en la discoteca con su chorba.*

choricear v. *col.* Robar: *¡Ya me han vuelto a choricear la cartera!* ☐ SINÓN. *chorizar.*

choriceo s.m. *col.* Robo.

choricero, ra ▮ adj. **1** Del chorizo o relacionado con este embutido: *la industria choricera.* ▮ s. **2** *col.* Ratero. ▮ s.m. **3** *col.* Miembro del cuerpo salvadoreño de policía municipal.

chorizada s.f. *col.* Hecho o dicho propios de un ladrón o chorizo.

chorizar v. *col.* Robar: *Le chorizaron el bolso en el autobús.* ☐ SINÓN. *choricear.*

chorizo, za ▮ s. **1** *col. desp.* Ratero: *Un chorizo le robó la cazadora cuando la dejó en la percha del servicio.* ▮ s.m. **2** Embutido hecho con carne picada y adobada, generalmente de cerdo, que tiene forma cilíndrica y alargada, y que se cura al humo: *El chorizo puede comerse crudo o frito.* ☐ ETIMOL. La acepción 1, del gitano *chori* (ladrón). La acepción 2, de origen incierto.

chorlito s.m. **1** Ave que tiene patas largas, cuello grueso y pico robusto, y que se alimenta principalmente de insectos, moluscos y crustáceos: *El chorlito vive en las costas y construye sus nidos en el suelo.* **2** *col.* →**cabeza de chorlito.** ☐ ETIMOL. De origen onomatopéyico. ☐ MORF. Es un sustantivo epiceno: *el chorlito {macho/hembra}.*

choro s.m. **1** Molusco parecido al mejillón. **2** *col.* Ratero. **3** || **choro zapato;** en zonas del español meridional, molusco de gran tamaño: *El llamado choro zapato se denomina así porque tiene el tamaño de un zapato.*

chorra ▮ adj.inv./s.com. **1** Referido a una persona, que es tonta o estúpida: *No seas tan chorra y date cuenta de una vez de que te están engañando.* ▮ s.f. **2** *col.* Buena suerte: *¡Qué chorra tienes, no te han despedido de un trabajo cuando ya has encontrado otro!* **3** *vulg.* →**pene.** ☐ USO En la acepción 1, se usa más la forma *chorras*, invariable en número.

chorrada s.f. **1** *col.* Necedad o tontería. **2** *col.* Objeto inútil o de poco valor.

chorreadura s.f. Mancha que deja un líquido al chorrear sobre algo.

chorrear v. **1** Referido a un líquido, caer o salir en forma de chorro: *Se rompió el depósito y la gasolina empezó a chorrear por la carretera.* **2** Referido a un líquido, salir lentamente y goteando: *El agua chorrea de la gotera del techo.*

chorreo s.m. **1** Salida o caída de un líquido en forma de chorro: *La bolsa de leche se rompió y el chorreo me manchó toda la cocina.* **2** Gasto continuo: *Con tantas averías, este coche es un chorreo de dinero.* **3** *col.* Reprimenda o bronca: *Le han echado un buen chorreo por llegar tarde.*

chorreón s.m. →**chorretón.**

chorrera s.f. **1** En una prenda de vestir, esp. en una camisa, adorno de la pechera que cae desde el cuello en forma de volante y que generalmente cubre el cierre: *una camisa de chorreras.* **2** Lugar por donde cae una pequeña porción de agua o de otro líquido: *Por la montaña caían chorreras procedentes del deshielo.* **3** Marca o señal que queda en este lugar. ☐ ETIMOL. De *chorro.*

chorretón (tb. *chorreón*) s.m. **1** Chorro de un líquido que sale de forma repentina o inesperada: *Echó un buen chorretón de aceite a la ensalada.* **2** Mancha o huella que deja este chorro.

chorrillo s.m. *col.* En zonas del español meridional, diarrea: *tener chorrillo.*

chorro s.m. **1** Líquido que, con más o menos fuerza, sale por un orificio o fluye por un caudal: *un chorro de agua.* **2** Caída sucesiva de cosas de pequeño tamaño e iguales entre sí: *un chorro de monedas.* **3** Salida fuerte e impetuosa de algo: *Al verlo le dedicó un chorro de insultos.* **4** || **a chorros;** con abundancia: *Gasta el dinero a chorros.* || **chorro de voz;** plenitud o gran potencia de voz. || **como los chorros del oro;** *col.* Muy limpio, brillante o reluciente. ☐ ETIMOL. De origen onomatopéyico.

chotacabras (pl. *chotacabras*) s.m. Pájaro nocturno, que se alimenta de insectos y tiene el plumaje pardo grisáceo, el pico muy corto y la boca muy grande: *El chotacabras pone los huevos en el suelo sin construir nidos.* ☐ ETIMOL. Del antiguo *chotar* (mamar el choto) y *cabra*, porque el chotacabras comía los insectos que hay en los rediles y se pensaba que mamaba de las cabras y de las ovejas. ☐ MORF. Es un sustantivo epiceno: *el chotacabras {macho/hembra}.*

chotearse v.prnl. *vulg.* Burlarse, guasearse o tomarse a risa: *Es un maleducado y se chotea de la gente delante de sus narices.* ☐ SINÓN. *pitorrearse.* ☐ SINT. Constr. *chotearse* DE *alguien.*

choteo s.m. *col.* Burla o guasa: *Se toma las órdenes a choteo.*

chotis (pl. *chotis*) s.m. **1** Composición musical en compás de cuatro por cuatro y de ritmo lento: *En la feria había un organillo que no dejaba de tocar chotis.* **2** Baile agarrado que se ejecuta al compás de esta música, generalmente desplazándose muy poco y dando tres pasos a la izquierda, tres a la derecha y vueltas: *El chotis se convirtió en el baile popular de Madrid a comienzos del siglo XX.* ☐ ETIMOL. Del alemán *schottisch* (baile escocés).

choto, ta s. **1** Cría de la cabra desde que nace hasta que deja de mamar. ☐ SINÓN. *cabrito.* **2** Cría de la vaca. ☐ SINÓN. *jato, ternero.* **3** || **como una chota;** *col.* Muy loco: *No le hagas ni caso, porque está como una chota.* ☐ ETIMOL. De origen onomatopéyico.

chotuno, na adj. **1** Del ganado cabrío mientras mama: *La alimentación chotuna se basa en la leche.* **2** || **oler a chotuno;** *col.* oler mal, de forma semejante a como huele el ganado cabrío.

chóu s.m. En zonas del español meridional, show.

choucroute (fr.) (tb. *chucrut*) s.amb. Col fermentada con sal y vino, vinagre o aguardiente, de sabor ácido, que se suele tomar acompañando a otros alimentos y que se conserva durante meses: *salchichas con choucroute.* ☐ PRON. [chucrút].

chova s.f. Ave de plumaje negro, pico largo y curvado, y alas anchas: *Hay dos especies de chovas que se distinguen porque una tiene el pico rojo y otra lo tiene amarillo.* ☐ MORF. Es un sustantivo epiceno: *la chova {macho/hembra}.*

chovinismo (tb. *chauvinismo*) s.m. Valoración exagerada de todo lo nacional y desprecio de lo extranjero: *Peca de chovinismo y cree que en cualquier sitio se vive peor que en su propio país.* ☐ ETIMOL. Del francés *chauvinisme* (patriotismo fanático).

chovinista (tb. *chauvinista*) adj.inv./s.com. Que valora exageradamente todo lo nacional y desprecia lo extranjero: *Dicen que los franceses son unos chovinistas, pero eso es un tópico.*

chow-chow adj.inv./s. Referido a un perro, de la raza que se caracteriza por tener la cabeza parecida a la de un león, pelo largo y la lengua azulada: *La raza chow-chow fue introducida en Europa por los ingleses.*

choza s.f. Vivienda pequeña y tosca hecha de madera y cubierta de ramas o paja, usada generalmente por pastores y por gente del campo: *Él mis-*

mo se construyó una choza para cobijarse del frío. □ ETIMOL. Quizá de *chozo.*

chozo s.m. Choza pequeña: *El ermitaño vivía en un humilde chozo.* □ ETIMOL. Del latín *pluteus* (armazón de tablas con que los soldados se protegían de los disparos enemigos).

christmas (ing.) s.m. Tarjeta que se envía para felicitar las fiestas navideñas: *A principios de diciembre siempre envío un christmas a mi tío.* □ PRON. [krísmas]. □ ORTOGR. Se usa también *crisma.*

chubascada s.f. Lluvia momentánea más o menos fuerte y generalmente acompañada de mucho viento: *Hasta que no pase la chubascada no salgo de casa.* □ SINÓN. *chubasco.*

chubasco s.m. Lluvia momentánea más o menos fuerte y generalmente acompañada de mucho viento: *Están previstos chubascos en la costa mediterránea.* □ SINÓN. *chubascada.* □ ETIMOL. Del portugués *chuvasco*, y este de *chuva* (lluvia).

chubasquero s.m. Impermeable corto, muy fino y generalmente con capucha: *Siempre que voy de excursión, llevo un chubasquero en la mochila por si empieza a llover.*

chubesqui s.m. Estufa con forma cilíndrica, que generalmente funciona con carbón: *En la habitación ardía un chubesqui y se estaba caliente.* □ ETIMOL. Extensión del nombre de una marca comercial.

chúcaro, ra adj. *col.* En zonas del español meridional, referido al ganado, bravío: *un potro chúcaro.*

chucha s.f. *col.* Véase **chucho, cha.**

chuche s.f. *col.* →**chuchería.**

chuchería s.f. **1** Alimento ligero y generalmente apetitoso: *Comió algunas chucherías y después no quiso cenar.* **2** Alimento ligero, generalmente dulce, que se suele comer sin necesidad y solo para dar gusto al paladar: *Si comes tantas chucherías te saldrán caries.* □ SINÓN. *golosina.* **3** Objeto de poco valor, pero gracioso o delicado: *Quiero comprarle alguna chuchería para su santo.* □ ETIMOL. De origen expresivo. □ MORF. En la acepción 2, en la lengua coloquial se usa mucho la forma abreviada *chuche.*

chucho, cha ▮ s. **1** *col.* Perro, esp. el que no es de raza. ▮ s.f. **2** *col.* Peseta: *Este año juego mil chuchas a la lotería.* □ ETIMOL. De origen onomatopéyico.

chuchuluco s.m. **1** *col.* En zonas del español meridional, dulce o golosina. **2** *col.* En zonas del español meridional, sombrero o gorro, esp. el que está hecho con una hoja de periódico y que tiene la forma de un barco de papel. □ ETIMOL. Del náhuatl *chocholoqui* (deforme, tonto).

chuchurrido, da adj. *col.* Marchito, decaído o apagado: *Tira el ramo de flores porque está chuchurrido.* □ SINÓN. *chuchurrío.*

chuchurrío, a adj. *col.* →**chuchurrido.**

chucrut s.m. →**choucroute.** □ ETIMOL. Del francés *choucroute.*

chueco, ca adj. **1** En zonas del español meridional, torcido: *Dejé ese cuadro chueco.* **2** En zonas del español meridional, patizambo: *Este niño usa botas ortopédicas porque es un poco chueco.* **3** En zonas del español meridional, zurdo: *Escribo con la mano izquierda porque soy chueco.* **4** *col.* En zonas del español meridional, tramposo: *Ese cuate es bien chueco.*

chueta s.com. Judío balear o que desciende de los judíos conversos de estas islas: *Los chuetas formaban una importante comunidad en Mallorca.* □ ETIMOL. Del mallorquín *xueta* (judío).

chufa s.f. **1** Tubérculo de aproximadamente un centímetro de largo, color amarillento por fuera y blanco por dentro, que tiene un sabor dulce y agradable, y que se emplea para preparar la horchata o se come remojado en agua: *un cucurucho de chufas.* □ SINÓN. *cotufa.* **2** *col.* Bofetón: *Como rompas el reloj te vas a ganar una chufa.*

chufla s.f. Broma o cuchufleta: *tomarse algo a chufla.*

chuflar v. *col.* Silbar: *¡Deja de chuflar con ese silbato!* □ ETIMOL. Del latín *sifilare.*

chulada s.f. *col.* Lo que es bonito y vistoso: *Tu nuevo corte de pelo es una chulada.*

chulángano, na adj./s. *col. desp.* Que tiene mucha o demasiada chulería.

chulapo, pa s. Persona de algunos barrios populares madrileños, que se caracteriza por su traje típico, su forma de hablar poco natural y sus andares marcados: *En la fiesta de la Almudena muchos madrileños se visten de chulapos y bailan el chotis.* □ SINÓN. *chulo.* □ MORF. Se usa mucho el aumentativo *chulapón.*

chulear ▮ v. **1** Referido a una persona, abusar de ella o explotarla: *Ese rufián chulea a varias mujeres.* **2** Referido a una persona, hacerle burla o reírse de ella: *Deja de chulear a tu hermano, porque un día te va a dar un sopapo. Se chulea de su madre, y consigue siempre lo que quiere.* ▮ prnl. **3** Presumir o jactarse: *No te chulees conmigo, que ya nos conocemos.*

chulería s.f. **1** Presunción o insolencia al hablar o al actuar: *hablar con chulería.* **2** Hecho o dicho jactanciosos, presuntuosos o insolentes: *Es una chulería aparcar ahí, sabiendo que está prohibido.*

chulesco, ca adj. Que es o parece propio de una persona desenfadada, presuntuosa o insolente: *No deberías hablar a nadie de esa forma tan chulesca.*

chuleta ▮ adj.inv./s.m. **1** Chulo o presumido: *No te pongas chuleta que no me asustas.* ▮ s.f. **2** Costilla con carne de ternera, buey, cerdo o cordero. **3** Escrito que se oculta para consultarlo disimuladamente en un examen: *El profesor le echó del examen cuando descubrió la chuleta que llevaba escrita en la mano.* **4** *col.* Bofetada: *Se pegó una chuleta con el coche y lo dejó abollado.* □ ETIMOL. Del valenciano *xulleta.*

chuletada s.f. Comida cuyo componente principal son las chuletas: *Fuimos de chuletada al río.*

chullo s.m. Gorro de lana típico de las zonas andinas: *Los indios peruanos visten chullo y poncho.*

chulo, la ▮ adj. **1** *col.* Bonito o vistoso: *El día de la fiesta estrenó un vestido muy chulo.* ▮ adj./s. **2** Gracioso, desenfadado, presuntuoso o insolente: *Va muy chula con su coche nuevo. Es un chulo y trata* *a los demás con desprecio.* ▌s. **3** →**chulapo.** ▌s.m. **4** Hombre que trafica con prostitutas y vive de sus ganancias. ☐ SINÓN. *macarra.* **5** || **más chulo que un ocho;** muy guapo o muy bonito: *Con su traje de sevillana va más chula que un ocho.* ☐ ETIMOL. Del italiano *ciullo* (niño).

chulquero, ra s. En zonas del español meridional, usurero.

chumbera s.f. Planta muy carnosa, con tallos a modo de hojas y en forma de paletas ovales con espinas, y cuyo fruto es el higo chumbo: *La chumbera procede de México.* ☐ SINÓN. *higuera chumba, nopal.*

chumilco s.m. *col.* En zonas del español meridional, tienda pequeña.

chuminada s.f. *vulg.* Lo que se considera una tontería, porque no tiene importancia o tiene poco valor.

chumino s.m. *vulg.malson.* →**vulva.**

chunchoso, sa adj. *col.* En zonas del español meridional, barrigudo.

chundarata s.f. Música ruidosa o ruido fuerte y variado: *¿Oyes la chundarata de la orquesta de la feria?*

chunga s.f. *col.* Véase **chungo, ga.**

chungo, ga ▌adj. **1** *col.* De mal aspecto o en mal estado: *No me llevo estas naranjas porque están chungas.* **2** *col.* Difícil o enrevesado: *El tema es muy chungo y no sé cómo saldrá.* ▌s.f. **3** *col.* Broma o burla festivas: *estar de chunga.* ☐ ETIMOL. La acepción 3, del gitano *chungo* (feo). ☐ SINT. En la lengua coloquial, *chungo* se usa también como adverbio de modo: *Con tantos problemas económicos lo están pasando chungo.*

chungón, -a adj./s. Referido a una persona, aficionada a la chunga o a la broma.

chunguearse v.prnl. Burlarse de forma alegre o divertida: *Se chunguea cuando me ve con este sombrero porque dice que parezco una seta.*

chungueo s.m. Burla alegre o divertida.

chupa s.f. **1** *col.* Cazadora o chaqueta: *Lleva una chupa de cuero muy bonita.* **2** *col.* Lluvia abundante: *Nos cayó tal chupa que llegamos empapados.* **3** || **poner** a alguien **como chupa de dómine** o **como una chupa;** *col.* Regañarlo duramente o decirle palabras ofensivas: *En cuanto me vio aparecer se abalanzó hacia mí y me puso como chupa de dómine.* ☐ ETIMOL. Del francés *jupe.*

chupacabras (pl. *chupacabras*) s.m. Según una leyenda americana, animal abominable y sanguinario que degüella y chupa la sangre de sus víctimas.

chupacirios s.m. *desp.* Persona beata.

chupada s.f. Véase **chupado, da.**

chupado, da ▌adj. **1** *col.* Muy flaco y con aspecto enfermizo: *Cuando vino de la mili, lo encontré muy chupado.* **2** *col.* Muy fácil: *Sacaré un sobresaliente en el examen, porque fue chupado.* ▌s.f. **3** Succión con los labios y la lengua del jugo o la sustancia de algo: *Cuando está nerviosa da fuertes chupadas al cigarrillo.* **4** *col.* Lametón: *El gato daba chupadas al pan mojado con leche.*

chupador, -a adj./s. Que chupa: *un insecto chupador.*

chupamirto s.m. En zonas del español meridional, colibrí: *Mientras chupa las flores, el chupamirto se queda como suspendido en el aire.*

chupar ▌v. **1** Referido al jugo o a la sustancia de algo, sacarla o extraerla con los labios y la lengua: *El vampiro chupa la sangre a sus víctimas.* **2** Referido a una superficie, embeber en sí el agua o la humedad: *En cuanto riego esta planta, chupa el agua y la tierra se queda de nuevo seca. Este césped chupa mucho.* **3** Lamer o humedecer con la boca y con la lengua: *Me da asco que el perro me chupe. Si no le pones el chupete, se chupará el dedo.* **4** Referido esp. a un cuerpo líquido o gaseoso, atraerlo un cuerpo sólido, de modo que penetre en él: *Esta esponja chupa muy bien el agua.* ☐ SINÓN. *absorber.* **5** *col.* Obtener dinero u otro beneficio con astucia y engaño: *Mientras fue director general, chupó lo que pudo.* **6** *col.* En algunos deportes de equipo, acaparar un jugador el juego: *Sería mejor futbolista si no chupara tanto balón.* ▌prnl. **7** *col.* Referido a algo desagradable, verse obligado a soportarlo: *Me chupé un viaje de cuatro horas para recibir una negativa.* **8** || **chúpate ésa;** *col.* Expresión que se usa para recalcar algo oportuno o ingenioso que se acaba de decir: *Lo sé antes que tú, ¡chúpate esa!* ☐ ETIMOL. De origen onomatopéyico.

chupatintas (pl. *chupatintas*) s.com. *col. desp.* Oficinista: *Nos atendió un chupatintas que no resolvió nada.* ☐ SINÓN. *cagatintas.*

chupe s.m. Guiso hecho con maíz, leche, patatas, carne picada o pescado, y condimentos: *Cuando viajé a Lima, comí un delicioso chupe.*

chupete s.m. **1** Objeto con una parte de goma en forma de pezón que se da a los niños pequeños para que lo chupen: *Ponle el chupete al bebé para que deje de llorar.* **2** En zonas del español meridional, caramelo en forma de bola que se chupa cogiéndolo de un palito hincado en su centro.

chupetear v. Chupar repetidamente: *El niño chupeteaba entretenido su piruleta.*

chupeteo s.m. Chupadas repetidas y continuas: *¿Todavía no has terminado con el chupeteo de la piruleta?*

chupetón s.m. Hecho de chupar con fuerza: *Me da un poco de asco que el perro me dé chupetones.*

chupi adj.inv. *col.* Muy bueno o estupendo: *Me encanta, es un regalo chupi.* ☐ SINT. Se usa también como adverbio de modo: *Lo pasamos chupi.*

chupinazo s.m. **1** Disparo de un cohete de fuegos artificiales: *Las fiestas de San Fermín empezaron con el célebre chupinazo.* **2** En fútbol, disparo fuerte: *El chupinazo del delantero fue desviado por el portero.*

chupito s.m. Sorbito o trago pequeño de vino o de licor: *un chupito de aguardiente.*

chupón, -a ▌adj./s. **1** *col.* Que obtiene dinero u otro beneficio con astucia y engaño. **2** *col.* Referido a un deportista, que es individualista y que acapara el juego del equipo: *No seas chupona y pasa la pelota.* ▌s.m. **3** En zonas del español meridional, biberón. **4** En zonas del español meridional, chupete.

chupóptero, ra s. *col. desp.* Persona que vive sin trabajar o que disfruta de uno o más sueldos sin merecerlos. ☐ USO Se usa como insulto.

chuqui s.com. *col.* Muchacho o chaval.

churrasco s.m. Carne asada a la brasa o a la parrilla. ☐ ETIMOL. De origen onomatopéyico.

churre s.m. Grasa sucia que escurre de algo: *Me manché los dedos con el churre de la sartén.* ☐ ETIMOL. De origen incierto.

churrería s.f. Establecimiento en el que se elaboran y se venden churros.

churrero, ra s. **1** Persona que se dedica profesionalmente a la elaboración o la venta de churros. **2** *col.* Persona que tiene buena suerte.

churrete s.m. Mancha que ensucia la cara, las manos u otro lugar visible: *Se acaba de comer una chocolatina y tiene la cara llena de churretes.*

churretón s.m. Mancha que ensucia o pringa.

churretoso, sa adj. Con churretes: *Siempre que come polos termina con las manos churretosas.*

churri s.com. *col.* Persona a la que se tiene especial cariño. ☐ USO Se usa como apelativo: *Churri, ven aquí, que va a empezar la película.*

churrigueresco, ca adj. **1** Del barroco español desarrollado por José de Churriguera (arquitecto de mediados del siglo XVII), y caracterizado por una recargada ornamentación: *un retablo churrigueresco.* **2** Muy recargado o con excesivos adornos: *un sombrero churrigueresco.*

churro, rra ▌adj./s. **1** Referido a una oveja, de la raza que se caracteriza por tener lana basta y larga: *Las ovejas churras tienen las patas y la cabeza cubiertas de pelo grueso.* ▌s.m. **2** Masa de harina y agua en forma cilíndrica y larga, que se fríe en aceite: *chocolate con churros.* **3** *col.* Chapuza o cosa mal hecha: *El empapelado quedó hecho un churro.* **4** *col.* Casualidad favorable: *Consiguió el empleo de puro churro.* **5** *col.* En zonas del español meridional, persona atractiva: *No es fácil encontrar un churro en este pueblo.* **6** ‖ **mezclar las churras con las merinas;** *col.* Mezclar o confundir cosas muy distintas: *Mezclas las churras con las merinas y en tu examen no se entiende nada.* ‖ **mojar el churro;** *vulg.* Tener un hombre relaciones sexuales.

churruscar v. Asar o tostar demasiado: *Churrusca bien la carne porque no me gusta que quede roja. Dejé la tostada demasiado tiempo en el tostador y se ha churruscado.* ☐ ETIMOL. De *churrasco.*

churrusco s.m. Trozo de pan muy tostado o que se empieza a quemar: *Este churrusco está tan duro que no lo puedo morder.*

churumbel s.m. *col.* Niño o niña: *¡Qué guapos tus dos churumbeles!* ☐ ETIMOL. De origen gitano.

chuscada s.f. Ordinariez, grosería o mal gusto.

chusco, ca ▌adj. **1** Que tiene gracia y picardía: *una anécdota chusca.* ▌s.m. **2** Pedazo de pan o panecillo.

chusma s.f. *desp.* Conjunto de gente vulgar o despreciable. ☐ ETIMOL. Del italiano *ciusma* (canalla).

chusmear v. En zonas del español meridional, chismorrear.

chuspa s.f. En zonas del español meridional, bolsa o morral.

chusquero adj./s. *col. desp.* Referido a un oficial o a un suboficial del ejército, que ha ascendido desde soldado raso: *un sargento chusquero.*

chut s.m. En fútbol, lanzamiento fuerte del balón con el pie, normalmente hacia la portería contraria: *El chut se estrelló en el larguero.* ☐ ETIMOL. Del inglés *shoot.* ☐ ORTOGR. Se usa también *chute.*

chuta s.f. *arg.* En el lenguaje de la droga, jeringuilla.

chutar ▌v. **1** En fútbol, lanzar fuertemente el balón con el pie, normalmente hacia la portería del contrario: *El delantero chutó muy bien, pero el balón se estrelló en el larguero.* ▌prnl. **2** En el lenguaje de la droga, inyectarse una dosis: *Necesita chutarse una vez al día.* **3** *col.* En zonas del español meridional, soportar o aguantar: *Hoy me voy a tener que chutar dos horas cuidando a mi hermano.* **4** ‖ **ir alguien que chuta;** *col.* Salir muy bien parado o conseguir más de lo que se esperaba: *Con esta propina va que chuta.* ☐ ETIMOL. Del inglés *to shoot* (tirar, disparar).

chute s.m. **1** *col.* En el lenguaje de la droga, dosis de droga que se inyecta: *un chute de heroína.* **2** →**chut.**

chuzo s.m. **1** Palo o bastón con un pincho de hierro, que se usa como arma de defensa o de ataque: *Los serenos usaban chuzos para defenderse de los posibles ladrones.* **2** ‖ **caer chuzos de punta;** *col.* Llover muy fuerte: *Incluso con paraguas me he calado porque están cayendo chuzos de punta.* ☐ ETIMOL. Quizá de *suizo*, porque los soldados de Suiza usaban un arma parecida a un chuzo.

cía ‖ **y cía;** *col.* Y compañía: *Ayer se presentaron en casa Luis y cía a la hora más inoportuna.* ☐ ETIMOL. De la abreviatura de *Compañía.*

cian adj.inv./s.m. De color azul verdoso. ☐ ETIMOL. Del inglés *cyan*, y este del griego *kyáneos* (de color azul oscuro).

cian- Elemento compositivo prefijo que significa 'azul': *cianótico.*

cianhídrico adj. Referido a un ácido, que es un compuesto de carbono, hidrógeno y nitrógeno, y es un líquido incoloro, amargo y muy venenoso: *El ácido cianhídrico se llama también cianuro de hidrógeno.* ☐ SINÓN. *prúsico.*

cianobacteria s.f. Bacteria con pigmentación verde azulada que vive en ambientes húmedos: *Las cianobacterias pueden realizar la fotosíntesis.* ☐ ETIMOL. Del griego *kýanos* (azul) y *bacteria.*

cianógeno s.m. Gas incoloro y de olor penetrante compuesto de nitrógeno y carbono: *El cianuro se produce al combinar el cianógeno con un radical simple o compuesto.* ☐ ETIMOL. Del grieo *kýanos* (azul) y *-geno* (que produce), porque el cianógeno entra en la composición de algunos pigmentos azules.

cianosis (pl. *cianosis*) s.f. Coloración azulada o negruzca que toma la piel por efecto de una alteración circulatoria o de una deficiente oxigenación de la sangre: *La cianosis es síntoma de algunas enfermedades pulmonares y vasculares.* □ ETIMOL. Del griego *kýanos* (azul) y *-osis* (enfermedad).

cianótico, ca ▮ adj. **1** De la cianosis o relacionado con esta enfermedad: *Tiene los pies hinchados y cianóticos por problemas de circulación.* ▮ adj./s. **2** Que padece cianosis: *Entre los cianóticos hay enfermos con problemas cardiovasculares.*

cianuro s.m. Compuesto químico, muy tóxico, de acción rápida, de fuerte olor, sabor amargo, que se usa en agricultura para fumigar: *Envenenó a su enemigo con cianuro.* □ ETIMOL. Del griego *kýanos* (azul), porque el cianógeno, del que se obtienen algunos pigmentos azules, entra en la composición del cianuro.

ciar v. Remar hacia atrás: *Tuvimos que ciar para salir de la zona rocosa.* □ ETIMOL. De origen incierto. □ ORTOGR. La *i* de la raíz lleva tilde en los presentes, excepto en las personas *nosotros* y *vosotros* →GUIAR.

ciática s.f. Véase **ciático, ca.**

ciático, ca ▮ adj. **1** De la cadera o relacionado con ella: *una lesión ciática.* ▮ s.m. **2** →**nervio ciático.** ▮ s.f. **3** Dolor agudo del nervio ciático, producido por la compresión, inflamación o irritación de este: *un ataque de ciática.* □ ETIMOL. Del latín *sciaticus*, y este de *ischia* (huesos de la cadera).

ciber- 1 Elemento compositivo prefijo que significa 'cibernético': *ciberespacio.* **2** Elemento compositivo prefijo que significa 'de internet': *ciberusuario.* □ ETIMOL. Del inglés *cybernetic* (cibernético).

cibercafé s.m. Local o establecimiento provisto de sistemas informáticos para navegar por internet: *Estuve toda la tarde navegando por internet en un cibercafé.*

cibercomercio s.m. Conjunto de actividades comerciales que se realizan a través de internet. □ USO Es innecesario el uso de los anglicismos *e-business* y *e-commerce*.

cibercultura s.f. Cultura del mundo informático, relacionada con las redes informáticas de comunicación y con la realidad virtual: *La cibercultura se ha extendido rápidamente gracias al desarrollo de redes informáticas.*

ciberdinero s.m. Dinero virtual que solo se puede utilizar en internet. □ SINÓN. *dinero digital.*

ciberempresa s.f. Empresa creada exclusivamente para su funcionamiento a través de internet.

ciberespacio s.m. Espacio artificial o virtual formado por una red informática: *Los adictos a la informática son capaces de pasarse horas navegando por el ciberespacio.* □ ORTOGR. Se usa también *cyberespacio.*

ciberestudiante s. Persona que cursa estudios a través de internet.

cibermedicina s.f. Medicina realizada mediante procedimientos informáticos muy sofisticados o mediante la utilización de la robótica: *Según los expertos, la cibermedicina nos aguarda aproximadamente en el año 2020.*

cibernauta s.com. Persona que utiliza el ciberespacio o espacio informático virtual: *Los cibernautas viajan por espacios virtuales de la red mundial.* □ USO Es innecesario el uso del anglicismo *cybernauta.*

cibernegocio s.m. Negocio realizado a través de internet.

cibernética s.f. Véase **cibernético, ca.**

cibernético, ca ▮ adj. **1** De la cibernética o relacionado con esta ciencia: *avances cibernéticos.* ▮ s.f. **2** Ciencia que estudia los mecanismos de comunicación y de regulación automática de los seres vivos y su aplicación a sistemas mecánicos, electrónicos o informáticos. □ ETIMOL. Del inglés *cybernetics.*

ciberokupa s.com. Persona que se dedica a registrar a su nombre dominios de internet para revenderlos posteriormente.

ciberpunk s.m. Movimiento cultural creado en torno a la realidad virtual y sus usos: *El ciberpunk nació en la década de 1980 con la novela Neuromante de W. Gibson.* □ ETIMOL. Del inglés *cyberpunk.* □ USO Es innecesario el uso del anglicismo *cyberpunk.*

cibersexo s.m. Relación sexual que se tiene a través de internet.

ciberterrorismo s.m. Planificación y ejecución de actos terroristas a través de internet.

cibertienda s.f. Página de internet a través de la cual se venden y se compran productos.

ciberusuario, ria s. Persona que utiliza las redes informáticas mundiales: *Cada vez es mayor el número de ciberusuarios.*

cibervoluntario, ria s. Persona que enseña sus conocimientos informáticos, esp. a jubilados, sin recibir ninguna compensación económica.

cíbor s.m. →**cyborg.**

ciborio s.m. **1** Copa que usaban los antiguos griegos y romanos para beber: *En el museo arqueológico se conservan varios ciborios.* **2** En un templo cristiano primitivo, baldaquino o construcción que cubre un altar o un sagrario: *Un ciborio con columnas de piedra corona el altar mayor de esa iglesia.* □ ETIMOL. Del latín *ciborium* (copa).

cica s.f. Planta ornamental parecida a la palmera, de tronco leñoso y cubierto de cicatrices, y hojas muy largas y rígidas de color verde, más oscuro por su parte superior: *Las cicas pueden cultivarse en macetas como planta de interior.*

cicadácea ▮ adj./s.f. **1** Referido a una planta, que se caracteriza por tener las hojas agrupadas en forma de penacho en lo alto del tronco: *Las plantas cicadáceas son propias de climas tropicales.* ▮ s.f.pl. **2** En botánica, familia de estas plantas, perteneciente a la división de las gimnospermas: *Las cicas pertenecen a las cicadáceas.* □ ETIMOL. De *Cycas* (nombre científico de un género de plantas).

cicatear v. *col.* Hacer cicaterías o escatimar lo que se debe dar: *¿No te da vergüenza cicatear hasta con tus amigos?*

cicatería s.f. **1** Mezquindad, ruindad o inclinación a escatimar lo que se debe dar: *actuar con cicatería.* **2** Inclinación a dar importancia a pequeñas cosas o a ofenderse por ellas: *Me pone nerviosa verte corregir con esa cicatería puntillosa.* **3** Hecho propio de un cicatero: *Déjate de cicaterías con tu hijo y dale lo que le hace falta.*

cicatero, ra adj./s. **1** Que es mezquino, tacaño o que escatima lo que debe dar. **2** Que da importancia a pequeñas cosas o que se ofende por ellas. ☐ ETIMOL. Del árabe *saqqat* (baratillero).

cicatricial adj.inv. De la cicatriz o relacionado con ella: *el tejido cicatricial.*

cicatriz (pl. *cicatrices*) s.f. **1** En el tejido de un ser vivo, señal que queda al curarse una herida: *una cicatriz en la frente.* **2** En el ánimo de una persona, huella o impresión profunda que queda de algo doloroso: *una cicatriz en el alma.* ☐ ETIMOL. Del latín *cicatrix.*

cicatrización s.f. Proceso de cierre y curación de una herida: *la cicatrización de una herida; la cicatrización de un desengaño.*

cicatrizante adj.inv./s.m. Que favorece la cicatrización.

cicatrizar v. Referido a una herida, cerrarla y curarla: *Me sangra la herida porque no ha cicatrizado bien. Los años cicatrizan las heridas de la juventud.* ☐ ORTOGR. La *z* se cambia en *c* delante de *e* →CAZAR.

cícero s.m. En tipografía, unidad de medida que equivale aproximadamente a cuatro milímetros y medio y que se usa para la justificación de líneas o de márgenes: *Las columnas de este periódico van compuestas a doce cíceros.* ☐ ETIMOL. Del latín *Cicero* (Cicerón), porque una de las primeras ediciones de sus obras estaba imprimida con una letra que medía un cícero.

cicerón s.m. Persona muy elocuente o con gran facilidad de palabra: *Su abogado es un cicerón capaz de convencer a cualquiera de lo que se proponga.* ☐ ETIMOL. Por alusión a Cicerón, político, escritor y orador romano del siglo I a. C. ☐ ORTOGR. Dist. de *cicerone.*

cicerone s.com. Persona que guía a otras por un lugar, esp. en una visita turística, y les enseña y explica lo que sea de interés en él: *En las ruinas romanas tuvimos una cicerone que era estudiante de historia.* ☐ ETIMOL. Del italiano *cicerone*, y este de Cicerón, célebre orador romano. ☐ ORTOGR. Dist. de *cicerón.*

ciceroniano, na adj. De Cicerón (político, escritor y orador romano del siglo I a. C.) o con características de sus obras.

ciclamato s.m. Sustancia química que se usa para endulzar algunos alimentos, esp. las bebidas carbónicas: *Algunos científicos atribuyen al ciclamato efectos cancerígenos y su uso está prohibido en algunos países.*

ciclamen s.m. Planta herbácea de hojas acorazonadas de color verde intenso por el haz y más claras por el envés, y cuyas flores, rojas o rosadas, tienen un largo pedículo: *Las flores del ciclamen quedan por encima de las hojas verdes.* ☐ SINÓN. *ciclamino.* ☐ ETIMOL. Del latín *cyclaminum.*

ciclamino s.m. →**ciclamen.**

ciclamor s.m. Árbol ornamental, de tronco rugoso y ramas retorcidas, con hojas acorazonadas o arriñonadas: *El ciclamor tiene flores rojas que nacen en las ramas o en el tronco.* ☐ ETIMOL. Del griego *sykómoron* (sicomoro).

cíclico, ca adj. **1** Del ciclo o relacionado con él: *La metamorfosis de un insecto pasa por varias fases cíclicas.* **2** Que ocurre o se repite regularmente cada cierto tiempo: *Sufre recaídas cíclicas que coinciden con los cambios de estación.* **3** Referido esp. a una enseñanza, que se da de manera gradual o repartiendo sus partes en ciclos: *La programación cíclica de la materia permite ir dando los conocimientos según un grado de dificultad creciente.* **4** En química, referido a una estructura molecular, que tiene forma de anillo: *La estructura del benceno es cíclica.* ☐ ETIMOL. Del griego *kyklikós.*

ciclismo s.m. Deporte que se practica con una bicicleta: *El ciclismo de montaña es más espectacular que el de pista.* ☐ ETIMOL. Del francés *cyclisme.*

ciclista ▮ adj.inv. **1** Del ciclismo o relacionado con este deporte: *una vuelta ciclista.* ☐ SINÓN. *ciclístico.* ▮ adj.inv./s.com. **2** Que va en bicicleta: *En el circo vimos un número de un loro ciclista.* **3** Referido a un deportista, que practica el ciclismo: *Los mejores ciclistas del mundo participan en la vuelta.* ▮ s.m.pl. **4** Pantalón corto muy ajustado que cubre hasta la rodilla.

ciclístico, ca adj. →**ciclista.**

ciclo s.m. **1** Período de tiempo o conjunto de años, cuya cuenta se vuelve a iniciar una vez terminados: *un ciclo económico.* **2** Serie de fenómenos o de operaciones que se repiten ordenadamente: *el ciclo de los días y las noches.* **3** Sucesión de fases, comprendidas entre dos situaciones análogas, por las que pasa un fenómeno periódico: *En una onda, la parte comprendida entre dos crestas consecutivas es un ciclo completo.* **4** Serie de actos culturales relacionados entre sí, esp. por el tema: *un ciclo de conferencias.* **5** En un plan de estudios, cada una de sus divisiones: *Al terminar el último ciclo de enseñanza secundaria, se puso a trabajar.* **6** En literatura, conjunto de obras y de tradiciones, generalmente de carácter épico, que giran en torno a un personaje o a un núcleo temático: *La leyenda del rey Arturo dio lugar al llamado ciclo artúrico.* ☐ ETIMOL. Del latín *cyclus*, y este del griego *kýklos* (círculo).

-ciclo Elemento compositivo sufijo que significa 'círculo': *hemiciclo, triciclo.*

ciclocross (ing.) s.m. Modalidad de ciclismo en la que los participantes corren a campo traviesa o por un terreno lleno de desniveles y desigualdades: *En algunos tramos de los circuitos de ciclocross, los deportistas tienen que llevar la bicicleta a cuestas.*

cicloidal adj.inv. De la cicloide o relacionado con esta curva: *La espiral del cuaderno se ha aplastado y ahora tiene forma cicloidal.* □ SINÓN. *cicloideo.*

cicloide s.f. Curva plana descrita por un punto de una circunferencia cuando esta rueda sobre una línea recta: *Una cicloide parece un muelle o una espiral estirados.* □ ETIMOL. Del griego *kykloeidés* (en forma de círculo).

cicloideo, a adj. →**cicloidal.**

ciclomotor s.m. Vehículo de dos ruedas, semejante a una bicicleta, provisto de pedales y de un motor de pequeña cilindrada capaz de desarrollar poca velocidad: *Le han comprado un ciclomotor porque es demasiado joven para conducir una moto.* □ SINÓN. *velomotor.* □ ETIMOL. Del francés *cyclomoteur.* □ SEM. Dist. de *motocicleta* (sin pedales y con motor de mayor cilindrada).

ciclón s.m. **1** Viento muy fuerte que gira en grandes círculos como un torbellino: *Los ciclones arrasan cuanto encuentran a su paso.* □ SINÓN. *huracán.* **2** Perturbación atmosférica caracterizada por fuertes vientos, lluvias abundantes y un descenso de la presión atmosférica: *La rotación de una masa de aire en torno a una zona de bajas presiones produce el ciclón.* □ SINÓN. *borrasca.* **3** Persona que actúa de manera rápida y vigorosa o que altera lo que encuentra a su paso. □ ETIMOL. Del inglés *cyclone*, y este del griego *kyklóo* (doy vueltas).

ciclonal adj.inv. →**ciclónico.**

ciclónico, ca adj. Del ciclón, de la rotación de sus vientos, o relacionado con ellos: *Las costas del Pacífico sufren frecuentemente la acción ciclónica.* □ SINÓN. *ciclonal.*

cíclope s.m. En la mitología griega, gigante con un solo ojo en el centro de la frente: *Ulises venció al cíclope cegándole el ojo con una estaca.* □ ETIMOL. Del latín *cyclops*, este del griego *kýklops*, y este de *kýklos* (círculo) y *óps* (ojo).

ciclópeo, a adj. **1** De los cíclopes o relacionado con estos gigantes mitológicos. □ SINÓN. *ciclópico.* **2** Excesivo, muy sobresaliente o de dimensiones muy superiores a las normales: *Terminar el trabajo a tiempo me supuso un esfuerzo ciclópeo.* □ SINÓN. *gigante, gigantesco, ciclópico.* **3** Referido a una construcción antigua, que está hecha con enormes bloques de piedra, generalmente superpuestos o colocados sin ningún material de unión: *El poblado inca descubierto está rodeado de una muralla ciclópea.* □ SINÓN. *ciclópico.*

ciclópico, ca adj. →**ciclópeo.**

ciclorama s.m. En un teatro, tela de gran tamaño, de superficie curvada y de color uniforme, que se coloca en el fondo del escenario y que facilita los efectos del cielo o de ambiente necesarios: *El ciclorama de aquella función representa un cielo azul.* □ ETIMOL. Del griego *kýklos* (círculo) y *órama* (vista).

ciclosporina s.f. Fármaco inmunosupresor no citostático: *La ciclosporina se utiliza para prevenir el rechazo del órgano donado en los trasplantes.*

ciclostil s.m. **1** Aparato que sirve para copiar muchas veces un escrito o un dibujo por medio de una tinta especial. **2** Técnica de reproducción que se hace con esta máquina: *El ciclostil es ya un procedimiento un poco anticuado.* □ ETIMOL. Del inglés *cyclostyle.*

ciclóstomo ▮ adj./s.m. **1** Referido a un pez, que tiene el cuerpo largo y cilíndrico, con la piel sin escamas: *La boca del ciclóstomo tiene forma de ventosa y está desprovista de mandíbulas.* ▮ s.m.pl. **2** En zoología, grupo de estos peces: *Algunos peces que pertenecen a los ciclóstomos parasitan a otros peces sujetándose a ellos por medio de su ventosa.* □ ETIMOL. Del griego *kýklos* (círculo) y *stóma* (boca).

ciclotimia s.f. En psiquiatría, perturbación mental caracterizada por la alternancia de períodos de exaltación y de depresión del ánimo: *Sus bruscos cambios de humor pueden ser síntoma de una ciclotimia.* □ ETIMOL. Del griego *kýklos* (círculo) y *thymós* (ánimo).

ciclotímico, ca ▮ adj. **1** De la ciclotimia o relacionado con esta perturbación mental: *un trastorno ciclotímico.* ▮ adj./s. **2** Que padece ciclotimia: *un enfermo ciclotímico.*

ciclotrón s.m. Aparato que actúa mediante fuerzas electromagnéticas sobre partículas desprendidas de un átomo, acelerándolas para que sirvan como proyectiles para bombardear otros átomos: *El ciclotrón se utiliza en la investigación de las partículas subatómicas.* □ ETIMOL. Del griego *kýklos* (círculo) y la terminación de *electrón.*

cicloturismo s.m. Modalidad de turismo en la que se emplea la bicicleta como medio de transporte.

cicloturista s.com. Persona que practica el cicloturismo.

cicloturístico, ca adj. Del cicloturismo o relacionado con esta forma de hacer turismo en bicicleta: *una ruta cicloturística.*

-cico, -cica →**-ico, -ica.**

ciconiforme ▮ adj.inv./s.f. **1** Referido a un ave, que tiene el cuello muy largo, el pico recto y puntiagudo, y las patas largas terminadas en cuatro dedos: *Las cigüeñas y los flamencos son aves ciconiformes.* ▮ s.f.pl. **2** En zoología, orden de estas aves: *A las ciconiformes pertenecen algunas especies exóticas.* □ ETIMOL. Del latín *ciconia* (cigüeña) y *-forme* (forma).

cicopirrolona s.f. Compuesto químico que se usa en farmacia por sus propiedades somníferas: *En un reportaje he visto que las cicopirrolonas son una nueva familia de hipnóticos.*

cicuta s.f. **1** Planta herbácea de tallo hueco con manchas rojas en la base y con muchas ramas en lo alto, hojas verde oscuras, flores blancas en umbela y jugo venenoso: *La cicuta crece en lugares húmedos y tiene un olor muy desagradable.* **2** Veneno que se hace con el jugo de esta planta: *Sócrates fue condenado a morir y tomó cicuta.* □ ETIMOL. Del latín *cicuta.*

-cida Elemento compositivo sufijo que significa 'que mata': *homicida, insecticida.* □ ETIMOL. Del latín *-cida*, y este de la raíz de *caedere* (matar).

-cidio Elemento compositivo sufijo que significa 'acción de matar': *genocidio, suicidio.* □ ETIMOL. Del latín *-cidium*, y este de la raíz de *caedere* (matar).

cidra s.f. Fruto del cidro, parecido al limón, pero generalmente redondeado y de mayor tamaño: *La cidra se usa en medicina.* □ ETIMOL. Del latín *citrea* (limones).

cidrera s.f. →**cidro.**

cidro s.m. Árbol de tronco liso y ramoso, con hojas verdes por encima y rojizas por el envés. □ SINÓN. *cidrera.* □ ETIMOL. Del latín *citrus* (limonero).

ciego, ga ▮ adj. **1** Ofuscado o incapacitado para pensar con claridad: *No te das cuenta de que te engaña, porque el amor te ha vuelto ciego.* **2** Poseído o dominado por un sentimiento o por una inclinación fuertes: *ciego de ira.* **3** *col.* Atiborrado o harto, esp. de comida, de bebida o de droga: *Me puse ciego en el banquete.* **4** Referido a un sentimiento o a una inclinación, que se sienten con una fuerza desmedida o sin límites ni reservas: *Tiene por sus hijos un amor ciego.* **5** Referido a un conducto, a una vía o a una abertura, que están obstruidos o tapados: *una puerta ciega.* ▮ adj./s. **6** Privado de la vista: *Hay perros adiestrados para servir de guía a los ciegos.* □ SINÓN. *invidente.* ▮ s.m. **7** En el aparato digestivo de una persona o de un mamífero, parte del intestino grueso que termina en un fondo de saco: *El ciego se encuentra entre el intestino delgado y el colon.* **8** *col.* Borrachera de drogas o de alcohol. **9** ‖ **a ciegas; 1** Sin ver: *Si tenemos que ir a ciegas, seguro que me caigo.* **2** Referido a una forma de actuar, sin conocimiento o sin reflexión: *Infórmate con un abogado y no firmes ese contrato a ciegas.* □ ETIMOL. Del latín *caecus.*

cielo s.m. **1** Espacio en el que se mueven los astros y que, visto desde la Tierra, parece formar sobre ella una cubierta arqueada: *Esta noche se ven más estrellas en el cielo.* □ SINÓN. *bóveda celeste, firmamento.* **2** Capa gaseosa que rodea la Tierra: *Mira qué nubes se están formando en el cielo.* □ SINÓN. *atmósfera.* **3** Lugar en el que, según la tradición cristiana, se goza de la presencia de Dios: *Cuando era pequeño, me decían que si era bueno iría al cielo.* □ SINÓN. *alturas, paraíso.* **4** Goce eterno que disfrutan las almas en presencia de Dios: *Las almas justas gozan del cielo.* □ SINÓN. *bienaventuranza, gloria.* **5** Dios o la providencia divina: *Gracias al cielo que todo salió bien.* **6** Lo que se considera muy bueno o encantador: *Ese chico es un cielo, siempre tan dispuesto.* **7** ‖ **a cielo {abierto/descubierto};** al aire libre, sin ningún techado o protección: *Como no llevaban tienda de campaña, durmieron a cielo descubierto.* ‖ **{caído/llovido} del cielo;** *col.* Llegado o sucedido en el momento o en el lugar oportunos o más convenientes. ‖ **cielo de la boca;** en la boca, parte interior y superior que separa las fosas nasales y la cavidad bucal. □ SINÓN. *paladar.* ‖ **clamar** algo **al cielo;** causar gran indignación por su carácter injusto o disparatado: *Las pésimas condiciones de trabajo de estos mineros claman al cielo.* ‖ **en el (séptimo) cielo;** *col.* Muy a gusto. ‖ **ganar el cielo;** *col.* Hacer algo meritorio y digno de premio: *Con la lata que me das, me estoy ganando el cielo por hacerte caso.* ‖ **mover cielo y tierra;** *col.* Hacer todas las gestiones posibles para conseguir un fin: *Movió cielo y tierra para encontrar a su hijo.* ‖ **ver** alguien **el cielo abierto;** *col.* Ver la forma de salir de un apuro o de conseguir un propósito: *Vi el cielo abierto cuando me dijo que si no encontraba hotel podía quedarme en su casa.* □ ETIMOL. Del latín *caelum.* □ MORF. En las acepciones 3 y 5, en plural tiene el mismo significado que en singular. □ SEM. **Cielo del paladar* es una expresión redundante e incorrecta, aunque está muy extendida. □ USO Se usa como apelativo: *Anda, cielo, tráeme eso, por favor. ¿Qué te pasa, cielo mío?*

cielos interj. Expresión que se usa para indicar extrañeza, sorpresa, admiración o disgusto.

ciemo s.m. **1** Materia orgánica en descomposición que resulta de la mezcla de excrementos de animales con materias vegetales, y que se usa como abono: *¡Qué mal huele el ciemo!* □ SINÓN. *estiércol, fimo.* **2** Excremento de animal: *Ya limpié el ciemo de las vacas del establo.* □ SINÓN. *estiércol, fimo.* □ ETIMOL. De *cieno*, con influencia de *fiemo* (estiércol).

ciempiés (pl. *ciempiés*) s.m. Animal invertebrado de respiración traqueal, dos antenas, cuerpo alargado y con un par de patas en cada uno de los numerosos anillos en que tiene dividido el cuerpo: *El ciempiés mata a sus presas con el veneno que suelta su primer par de patas.* □ ORTOGR. Incorr. **cienpiés, *cien pies.* □ MORF. Es un sustantivo epiceno: *el ciempiés {macho/hembra}.*

cien ▮ numer. **1** Número 100: *Diez por diez son cien. Aún no sabemos cuántos vendrán a la boda, pero hemos encargado cena para cien.* ▮ s.m. **2** Signo que representa este número: *Los romanos escribían el cien como 'C'.* **3** ‖ **a cien;** *col.* En un alto grado de excitación o de nerviosismo: *No le hables ahora, porque ha tenido una bronca y está a cien.* ‖ **cien por cien;** absolutamente o de principio a fin: *Lleva tantos años en Francia que se siente francés cien por cien.* □ MORF. 1. Como numeral es invariable en género y en número. 2. Apócope de *ciento* con valor adjetivo.

ciénaga (tb. *ciénega*) s.f. Terreno pantanoso o lleno de cieno.

ciencia ▮ s.f. **1** Conocimiento cierto y adquirido de lo que existe, de sus principios y de sus causas, esp. el que se obtiene por la experimentación y el estudio: *La ciencia ha conseguido explicar fenómenos que parecían milagrosos.* **2** Conjunto de conocimientos y de doctrinas organizados metódicamente y que constituyen una rama del saber: *La filología es una ciencia que estudia las lenguas y sus literaturas.* **3** Saber o conjunto de conocimientos que se poseen: *Es una mujer de mucha ciencia y te responderá acertadamente.* **4** Habilidad, maestría o conjunto de conocimientos para la realización de algo: *Aunque parece fácil, arreglar un enchufe requiere su ciencia.* ▮ pl. **5** Conjunto de disciplinas y de conocimientos relacionados con las matemáticas, la física, la química, la biología y la geología: *Tienes una mente analítica y eres apto para las ciencias.* **6** || **a ciencia cierta;** con toda seguridad. || **ciencia ficción;** género narrativo, literario o cinematográfico, cuyas obras giran en torno a hipotéticas formas de vida e innovaciones técnicas, esp. a las que pueden alcanzarse en el futuro gracias al avance científico. || **ciencia infusa;** la que se tiene sin haberla estudiado ni aprendido, esp. referido a la otorgada o inspirada directamente por Dios: *¿Crees que puedes aprobar por ciencia infusa y sin tocar un libro?* || **ciencias exactas;** las de la matemática. || **ciencias ocultas;** conjunto de conocimientos y de prácticas encaminados a estudiar e intentar desvelar los secretos y fenómenos ocultos de la naturaleza, generalmente por procedimientos no estrictamente científicos: *La astrología y la magia son consideradas ciencias ocultas.* || **gaya ciencia;** *poét.* Arte de la poesía: *La gaya ciencia fue cultivada con esmero por los trovadores medievales.* || **tener** algo **poca ciencia;** *col.* Ser fácil de hacer: *Preparar ese plato tiene poca ciencia, así que no presumas tanto.* ☐ ETIMOL. Del latín *scientia* (conocimiento).

cienciología adj. Movimiento religioso de origen estadounidense cuyos seguidores buscan el conocimiento individual e interior y la realización completa de su espíritu por medio de diversos estudios: *Leí un artículo en el que se explicaba que, aunque la cienciología asegura la curación de muchas enfermedades a partir del conocimiento interior, no hay pruebas reales que lo confirmen.*

cienciólogo, ga adj. Que pertenece a la Dianética o a la Iglesia de la Cienciología (movimientos religiosos basados en el conocimiento de uno mismo). ☐ SINÓN. *dianético.*

ciénega s.f. →**ciénaga.**

cienmilésimo, ma numer. **1** En una serie, que ocupa el lugar número cien mil: *En la carrera popular contra la droga llegué en la cienmilésima posición.* **2** Referido a una parte, que constituye un todo junto con otras 99 999 iguales a ella: *Somos tantos para repartir que no vamos a tocar ni a un cienmilésimo de tarta.*

cienmillonésimo, ma numer. **1** En una serie, que ocupa el lugar número cien millones: *Es la cienmillonésima vez que se lo repito.* **2** Referido a una parte, que constituye un todo junto con otras 99 999 999 iguales a ella: *No tengo ni la cienmillonésima parte de lo que cuesta esa casa.*

cieno s.m. Lodo o barro blandos que forman depósito en el fondo de las aguas, esp. en ríos y lagunas: *Salió de la charca con los pies llenos de cieno.* ☐ ETIMOL. Del latín *caenum* (fango).

cienoso, sa adj. →**cenagoso.**

cientificismo s.m. Tendencia a conceder una importancia prioritaria o exclusiva a los conocimientos y métodos científicos, esp. a los de las ciencias exactas y experimentales: *El cientificismo está en la base del positivismo del siglo* XIX. ☐ SINÓN. *cientifismo, cientismo.*

cientificista ▮ adj.inv. **1** Del cientificismo o relacionado con esta tendencia: *una corriente cientificista.* ▮ adj.inv./s.com. **2** Partidario o defensor del cientificismo: *un autor cientificista.*

científico, ca ▮ adj. **1** De la ciencia o relacionado con ella: *un estudio científico.* ▮ adj./s. **2** Que se dedica al estudio de una o de varias ciencias, esp. si esta es su profesión: *un congreso de científicos.* ☐ ETIMOL. Del latín *scientificus.*

cientifismo s.m. →**cientificismo.**

cientismo s.m. →**cientificismo.**

ciento ▮ numer. **1** →**cien.** ▮ s.m. **2** Conjunto de cien unidades: *Trajo varios cientos de sobres.* ☐ SINÓN. *centena, centenar.* **3** || **ciento y la madre;** *col.* Gran cantidad de personas: *Fuimos al concierto ciento y la madre.* || **por ciento;** pospuesto a un numeral cardinal, indica porcentaje: *El diez por ciento de veinte es dos.* ☐ ETIMOL. Del latín *centum.* ☐ MORF. 1. En la acepción 2, se usa más en plural. 2. Incorr. *un tanto por {*cien > ciento}.*

cierna s.f. En una flor, esp. en la de una planta cultivada, antera o parte del estambre en cuyo interior está el polen: *En primavera, las ciernas sueltan el polen.* ☐ ETIMOL. De *cerner.*

cierne || **en {cierne/ciernes};** en los comienzos, en potencia o en una etapa previa al desarrollo y lejana de la perfección: *Tenemos un viaje en ciernes, pero no sé si al final lo haremos.* ☐ ETIMOL. De *cerner* (lanzar las plantas el polen fecundante).

cierre s.m. **1** Lo que sirve para cerrar: *el cierre de seguridad de una pulsera.* **2** Unión de las partes de algo, de modo que su interior quede oculto: *el cierre de una herida.* **3** Unión o plegado de las partes de un todo: *un paraguas de cierre automático.* **4** Terminación, conclusión o culminación de un proceso o de una acción: *El cierre de la carretera de circunvalación se retrasó sobre el plazo previsto.* **5** Delimitación u obstrucción de un espacio, esp. si se deja incomunicado con el exterior: *El juez ordenó el cierre de la sala al público.* **6** Finalización o término de una actividad o de un plazo: *La hora de cierre de la tienda la establece el dueño.* **7** Colocación de un signo de puntuación detrás del enunciado que delimita: *El cierre de comillas es fundamental para citar literalmente.* **8** || **cierre centralizado;** el que permite cerrar con llave todas sus puertas desde una sola cerradura: *un coche con cierre centralizado.* || **cierre de filas;** demostración de unión por parte de un grupo para defenderse ante una situación difícil: *Aquel político inculpado por el juez se sentía confortado y protegido por el espectacular cierre de filas de su partido a su alrededor.* || **cierre {eclair/relámpago};** en zonas del español meridional, cremallera: *Mi campera tiene cierre relámpago.* || **cierre patronal;** el que realizan de una empresa sus patronos o propietarios como medida de presión para que los trabajadores acepten sus condiciones: *Los sindicatos consideran abusivo el cierre patronal.* || **echar el cierre;** *col.* Terminar o dar por terminado: *Como me canse mucho, echo el cierre y me largo.* ☐ PRON. *Cierre eclair*: [ciérre eclér]. ☐ USO Es innecesario el uso del anglicismo *lock-out* en lugar de *cierre patronal.*

ciertamente adv. Con certeza: *Ahora no sé la respuesta, pero lo miro y te lo digo ciertamente.* ☐ SINÓN. *cierto.* ☐ SINT. Se usa también como adverbio de afirmación: *Cuando le dije que debía de estar cansado, asintió: 'Ciertamente'.*

cierto adv. Con certeza: *Ya sé que parece increíble, pero lo sé cierto.* ☐ SINÓN. *ciertamente.* ☐ ETIMOL. Del latín *certus* (decidido, asegurado). ☐ SINT. Se usa también como adverbio de afirmación: *Cuando le dije que sus productos eran más caros, contestó: 'Cierto, pero también son mejores'.*

cierto, ta adj. **1** Verdadero, seguro o que no se puede poner en duda: *He comprobado que lo que nos contó era cierto.* **2** Antepuesto a un sustantivo, indica indeterminación: *En cierta ocasión me hicieron esa pregunta y no supe qué responder.* **3** || **de cierto;** con certeza o con seguridad: *¡Te digo que lo puedes creer, que lo sé de cierto!* || **por cierto;** expresión que se usa para indicar que lo que se va a decir se ha recordado o ha sido sugerido al hilo de lo que se estaba tratando: *Estábamos hablando de deudas y de pronto dijo: «Por cierto, ¿cuánto te debo?».* ☐ ETIMOL. Del latín *certus* (decidido, asegurado). ☐ MORF. Sus superlativos son *ciertísimo* y *certísimo.*

ciervo, va s. **1** Mamífero rumiante, de color pardo rojizo o gris, cuerpo esbelto, patas largas y hocico agudo, que vive generalmente en estado salvaje y cuyo macho, de mayor tamaño que la hembra, presenta grandes cuernos ramificados que renueva cada año: *Las personas aprovechan para el consumo y la industria la carne, la piel y las astas del ciervo.* ☐ SINÓN. *venado.* **2** || **ciervo volante;** insecto de gran tamaño, de color rojo oscuro o negro, con dos alas anteriores endurecidas que se superponen como protección a las dos posteriores voladoras, y cuyo macho tiene unas mandíbulas semejantes a dos cuernos: *A pesar de su aspecto, el ciervo volante es inofensivo.* ☐ ETIMOL. Del latín *cervus.* ☐ MORF. *Ciervo volante* es epiceno: *el ciervo volante {macho / hembra}.*

cierzo s.m. Viento frío que sopla del norte. ☐ ETIMOL. Del latín *cercius.*

CIF s.m. Clave identificadora de una empresa, de carácter oficial y obligatorio, que permite realizar actividades económicas y mercantiles. ☐ ETIMOL. Es el acrónimo de *código de identificación fiscal.*

cifela s.m. Hongo que crece y vive entre el musgo de los tejados: *Limpiaron el tejado de musgo para terminar con el cifela.* ☐ ETIMOL. Del griego *kýphella* (nubes).

cifosis (pl. *cifosis*) s.f. Curvatura anómala de la columna vertebral, con convexidad: *Su joroba es una cifosis de nacimiento.* ☐ ETIMOL. Del griego *kyphós* (encorvado).

cifra s.f. **1** Signo con que se representa un número: *El número 139 tiene tres cifras.* ☐ SINÓN. *guarismo.* **2** Cantidad indeterminada, esp. si es una suma de dinero: *La elevada cifra de participantes sorprendió a los organizadores.* **3** Lo que reúne o resume en sí muchas otras cosas: *La bondad es la cifra de todas las virtudes.* **4** || **en cifra;** en resumen o dicho brevemente: *Empezó a decir que se agobiaba, que no podía más...; en cifra: lo de siempre.* ☐ ETIMOL. Del árabe *sifr* (nombre del cero, que luego se aplicó a los demás números).

cifrar v. **1** Referido a un mensaje, escribirlo en cifra o de modo que solo pueda interpretarse si se conoce la clave: *En el ejército hay especialistas para cifrar y descifrar mensajes secretos.* **2** Referido esp. a pérdidas o a ganancias, valorarlas cuantitativamente: *Las pérdidas causadas por las inundaciones han sido cifradas en cientos de millones.* **3** Referido a algo que suele proceder de varias causas, basarlo o considerar que consiste exclusivamente en la que se indica: *¿Cómo puedes cifrar la felicidad en el éxito profesional?* **4** Referido a un conjunto de cosas o a un discurso, compendiarlos, resumirlos o reducirlos: *Cifró todas las explicaciones anteriores en una sola frase. Los diez mandamientos de la Iglesia se cifran en dos fundamentales.* ☐ SINT. Constr. de la acepción 3: *cifrar* EN *algo.* ☐ USO En la acepción 1, es innecesario el uso del anglicismo *encriptar.*

cigala s.f. Crustáceo marino, de color rojizo claro, con el cefalotórax cubierto por un caparazón duro, el abdomen alargado y con cinco pares de patas, el primero de los cuales termina en unas pinzas muy desarrolladas: *Echaron a la paella cigalas, langostinos y otros mariscos.* ☐ ETIMOL. Del latín *cicala*, por *cicada.* ☐ MORF. Es un sustantivo epiceno: *la cigala {macho / hembra}.*

cigarra s.f. Insecto de color verdoso amarillento, de cabeza gruesa, ojos salientes, alas cortas y membranosas, y abdomen en forma de cono, en cuya base los machos tienen un aparato con el que producen un ruido estridente y monótono: *El canto de las cigarras se oye en verano y en terrenos secos.* ☐ SINÓN. *chicharra.* ☐ ETIMOL. Del latín *cicala*, por *cicada.* ☐ MORF. Es un sustantivo epiceno: *la cigarra {macho / hembra}.*

cigarral s.m. En la provincia toledana, finca situada fuera de la ciudad, con huerta, árboles frutales y casa de recreo: *Su familia es manchega y acostumbra a pasar los veranos en su cigarral.*

cigarralero, ra s. Persona que vive en un cigarral o que lo cuida: *Cuando me jubile, me haré cigarralero y disfrutaré de la vida del campo.*

cigarrera s.f. Véase **cigarrero, ra.**

cigarrero, ra ▌s. **1** Persona que se dedica a la fabricación o a la venta de cigarros: *En la fábrica de tabaco trabajaban cientos de cigarreras liando uno a uno los puros.* ▌s.f. **2** Caja o mueblecillo en los que se guardan o se tienen a la vista cigarros puros: *En el lujoso despacho había un pequeño mueble bar y una cigarrera de caoba.* **3** En zonas del español meridional, petaca de cigarros.

cigarrillo s.m. Cigarro pequeño y delgado, hecho con picadura y liado con papel de fumar: *Ya no fumo un solo cigarrillo.* □ SINÓN. *pitillo.*

cigarro s.m. **1** Rollo o cilindro de tabaco, que se enciende por un extremo y se fuma por el otro, esp. el pequeño, hecho con picadura y liado con papel de fumar: *Le molesta el humo de los cigarros.* **2** || **cigarro (puro);** el que se hace enrollando hojas de tabaco y no tiene filtro: *En Cuba se fabrican muy buenos cigarros puros.* □ SINÓN. *puro.* □ ETIMOL. De origen incierto.

cigomático, ca adj. En anatomía, de la mejilla o del pómulo: *músculos cigomáticos.* □ ETIMOL. Del griego *zýgoma* (pómulo).

cigoñino s.m. Cría de la cigüeña: *En la torre hay un nido de cigüeñas con varios cigoñinos.* □ SINÓN. *cigüeñato.* □ MORF. Es un sustantivo epiceno: *el cigoñino {macho/hembra}.*

cigoñuela s.f. →**cigüeñuela.**

cigoto (tb. *zigoto*) s.m. En biología, célula huevo procedente de la unión de un gameto masculino, o espermatozoide, con otro femenino, u óvulo, en la reproducción sexual: *Un embrión nace de la división de un cigoto.* □ ETIMOL. Del griego *zygóo* (yo uno).

ciguatera s.f. Enfermedad por envenenamiento producida por ciertos peces y crustáceos tropicales: *Enfermó de ciguatera en Veracruz.*

cigüeña s.f. **1** Ave zancuda de gran tamaño, de costumbres migratorias, con patas largas y rojas, cuello y pico largos, cuerpo blanco y alas negras, y que anida generalmente en árboles y lugares elevados. **2** || **venir la cigüeña;** *col.* Producirse el nacimiento de un hijo: *Quieren tener la habitación del niño preparada para cuando venga la cigüeña.* □ ETIMOL. Del latín *ciconia.* □ MORF. Es un sustantivo epiceno: *la cigüeña {macho/hembra}.*

cigüeñal s.m. En una máquina, esp. en un motor de explosión, eje con uno o varios codos, en cada uno de los cuales se ajusta una biela, y que transforma un movimiento rectilíneo en circular, o a la inversa.

cigüeñato s.m. Cría de la cigüeña: *La cigüeña llevaba en el pico el alimento para sus cigüeñatos.* □ SINÓN. *cigoñino.* □ MORF. Es un sustantivo epiceno: *el cigüeñato {macho/hembra}.*

cigüeñuela s.f. **1** En una máquina o en un instrumento, manivela o pieza en forma de codo y unida a la prolongación de su eje, por medio de las cuales se les da movimiento rotatorio: *Para que el molinillo funcione tienes que darle a la cigüeñuela.* **2** Ave zancuda de menor tamaño que la cigüeña con patas rojas, pico largo y anaranjado, cuerpo blanco y alas negras: *La cigüeñuela vive en zonas húmedas y se alimenta de pequeños animales.* □ ORTOGR. En la acepción 2, se admite también *cigoñuela.* □ MORF. En la acepción 2, es un sustantivo epiceno: *la cigüeñuela {macho/hembra}.*

cilantro s.m. Planta herbácea muy aromática, que tiene las hojas inferiores dentadas y las superiores finamente divididas, las flores blancas o rojizas en umbela, y que se usa en medicina y como condimento: *El cilantro se usa como remedio para algunos problemas de estómago.* □ SINÓN. *coriandro.* □ ETIMOL. Del latín *coriandrum.*

ciliado, da adj. Que tiene cilios: *células ciliadas.*

ciliar adj.inv. **1** En anatomía, de las cejas o relacionado con ellas: *Los pelos ciliares y las pestañas son protecciones para los ojos.* **2** De los cilios o relacionado con estos filamentos celulares: *El movimiento ciliar permite al paramecio moverse.*

cilicio s.m. Cinturón o faja de cerdas o de púas de hierro, que se usa ceñido al cuerpo como penitencia o como sacrificio. □ ETIMOL. Del latín *cilicium* (vestidura áspera, cilicio). □ SEM. Dist. de *flagelo* (instrumento compuesto de un palo y de unas tiras largas, que se usa para azotar).

cilindrada s.f. Capacidad para contener carburante que tienen en conjunto los cilindros de un motor de explosión, y que se expresa en centímetros cúbicos: *la cilindrada de una moto.*

cilíndrico, ca adj. **1** Del cilindro: *Un rectángulo que gire sobre uno de sus lados desarrolla una superficie cilíndrica.* **2** Con forma de cilindro: *Muchos botes de conservas son cilíndricos.*

cilindro s.m. **1** Cuerpo geométrico limitado por una superficie lateral no plana, cuyo desarrollo es un rectángulo, y por dos bases circulares iguales y paralelas: *Generalmente, los tubos tienen forma de cilindro.* **2** Lo que tiene la forma de este cuerpo: *Miraba a través de un cilindro de cartón como si fuese un catalejo.* **3** En una máquina, pieza con esta forma. **4** En una máquina, esp. en un motor, tubo en cuyo interior se mueve el émbolo o el pistón: *En el cilindro de un motor de explosión, el movimiento del pistón da lugar a la combustión del carburante.* □ ETIMOL. Del latín *cylindrus.*

cilindroeje s.m. Prolongación de una neurona, que generalmente termina en una ramificación y que está en contacto con otras células: *En ocasiones, los cilindroejes tienen ramas colaterales en ángulo recto.* □ SINÓN. *axón, neurita.*

cilio s.m. En algunos protozoos y en algunas células, filamento delgado y corto, localizado en su membrana junto con otros muchos, todos los cuales actúan conjuntamente como aparato locomotor o con otros fines: *Los cilios aparecen en la superficie de la célula dispuestos generalmente en filas.* □ SINÓN. *pestaña vibrátil.* □ ETIMOL. Del latín *cilium* (ceja, párpado).

cillero s.m. Bodega, despensa o lugar seguro para guardar o almacenar algunas cosas: *En la casa del pueblo tienen un cillero protegido de la humedad para los víveres.* □ ETIMOL. Del latín *cellarium* (despensa).

-cillo, -cilla →**-illo, -illa.**

cima s.f. **1** En una elevación del terreno o en algo elevado, parte más alta: *la cima de una montaña.* **2** Punto más alto o de mayor perfección que se puede alcanzar: *la cima de la popularidad.* **3** En botánica, inflorescencia en la que tanto el eje principal como los secundarios terminan en una flor: *En las cimas, la flor que nace al final de cada eje impide el crecimiento de este.* **4** || **cima {bípara/dicótoma};** la que tiene un eje secundario a cada lado del principal: *El desarrollo de una cima bípara es simétrico respecto de su eje.* || **cima escorpioidea;** la que tiene los ejes secundarios a un solo lado del principal: *La cima escorpioidea tiene forma de cola de escorpión o de espiral.* || **dar cima a** algo; concluirlo o llevarlo hasta su fin con éxito o con perfección: *Con esa obra da cima a una brillante carrera.* □ ETIMOL. Del latín *cyma* (tallo joven). □ ORTOGR. Dist. de *sima*.

cimacio s.m. En una columna, pieza suelta, en forma de pirámide truncada e invertida, que remata el capitel: *El cimacio fue un elemento muy frecuente en edificaciones medievales.* □ ETIMOL. Del griego *kymátion*.

cimarrón, -a adj./s. **1** Referido a un animal doméstico, que huye al campo y se hace salvaje: *un potro cimarrón.* **2** Esclavo fugitivo que se refugiaba en los montes. □ ETIMOL. De *cima*, por los montes adonde huían.

cimbalista s.com. Músico que toca el címbalo.

címbalo s.m. Instrumento musical de percusión muy parecido a los platillos, esp. referido al que se usaba en la Antigüedad grecolatina en algunas ceremonias religiosas: *Los címbalos se tocan entrechocando sus bordes.* □ ETIMOL. Del latín *cymbalum* (especie de platillos).

cimbel s.m. **1** En caza, cordel que se ata a la punta de la vara en la que se pone el ave que se usa para atraer a otras. **2** Ave o figura en forma de ave, que se sujeta como señuelo en una vara. □ ETIMOL. Del catalán *cimbell*.

cimborio s.m. →**cimborrio.**

cimborrio (tb. *cimborio*) s.m. **1** En una iglesia, torre o cuerpo saliente al exterior, generalmente de planta cuadrada u octogonal, que se levanta sobre el crucero para iluminarlo: *La luz que entraba por el cimborrio iluminaba el altar.* **2** Cuerpo cilíndrico que sirve de base a una cúpula, esp. a la que cubre el crucero de una iglesia: *La solidez del cimborrio permitió a los arquitectos dar más altura a la cúpula.* □ ETIMOL. Del latín *ciborium* (especie de copa).

cimbra s.f. Armazón de forma curva que sirve de soporte a un arco o a una bóveda mientras se construyen: *Hasta que no haya secado bien el cemento del arco, no conviene desmontar la cimbra.* □ SINÓN. *cercha.* □ ETIMOL. Del francés antiguo *cindre*, y este de *cindrer* (tener bóveda).

cimbrar (tb. *cimbrear*) v. **1** Referido a una vara o a algo delgado y flexible, moverlos sujetándolos por un extremo de modo que vibren: *El domador cimbró la vara delante de los leones.* **2** Referido al cuerpo o a una de sus partes, moverlos con garbo, esp. al andar: *Paseaba cimbrando sus caderas de manera insinuante.* **3** En construcción, colocar las cimbras para construir un arco o una bóveda: *Antes de levantar el arco, los albañiles cimbraron el vano.* □ ETIMOL. De origen incierto.

cimbreante adj.inv. Que es flexible y se cimbrea fácilmente.

cimbrear v. →**cimbrar.**

cimbreño, ña adj. Que se cimbrea.

cimentación s.f. **1** Colocación o construcción de los cimientos de una edificación: *Antes de proceder a la cimentación, hay que hacer un estudio del terreno.* **2** Consolidación de algo inmaterial o asentamiento de sus principios o de sus bases: *Los misioneros consiguieron la cimentación de su fe en muchas tierras no cristianas.* □ ORTOGR. Dist. de *cementación*.

cimentar v. **1** Referido a una construcción, echar o poner sus cimientos: *Si no cimentamos adecuadamente el puente, puede derrumbarse.* **2** Referido a algo inmaterial, afianzarlo o asentar sus principios o sus bases: *El cariño y la confianza cimientan su relación. Su autoridad se cimienta en sólidos conocimientos.* □ ORTOGR. Dist. de *cementar*. □ MORF. Es irregular y la *e* diptonga en *ie* en los presentes, excepto en las personas *nosotros* y *vosotros* →PENSAR, pero se usa más como regular.

cimera s.f. Véase **cimero, ra.**

cimero, ra ▮ adj. **1** Que está en la cima o que remata o culmina: *Colocó los adornos navideños en las ramas cimeras del abeto.* ▮ s.f. **2** En una armadura, parte superior del morrión o de la pieza que cubría la cabeza, que se solía adornar con plumas u otras cosas: *La cimera sobresale unos centímetros del casco.* □ ETIMOL. La acepción 2, del latín *chimaera* (quimera), que es un animal fabuloso con cabeza de león.

cimiento s.m. **1** En una edificación, parte que está bajo tierra y sobre la que se apoya y afirma toda la construcción: *los cimientos de una casa.* **2** Lo que constituye la base o el principio y raíz: *los cimientos de una amistad.* □ ETIMOL. Del latín *caementum* (canto de construcción, piedra sin labrar). □ MORF. Se usa más en plural.

cimitarra s.f. Arma blanca semejante a un sable, de hoja curva que se va ensanchando a medida que se aleja de la empuñadura, y con un solo filo en el lado convexo: *Los turcos y los persas luchaban con cimitarras.* □ ETIMOL. De origen incierto.

-cín, -cina →**-ín, -ina.**

cinabrio s.m. Mineral compuesto de azufre y mercurio, muy pesado y de color rojo oscuro: *Del cinabrio se extrae el mercurio.* □ ETIMOL. Del latín *cinnabari*.

cinacina s.f. Árbol americano, de ramas con espinas en los nudos, hojas estrechas y pequeñas, y flores olorosas de color amarillo y rojo: *La semilla de la cinacina es medicinal.*

cinamomo s.m. Árbol de tronco recto y ramas irregulares, con la madera dura y aromática, las hojas alternas, las flores en racimo de color lila y el fruto parecido a una cereza pequeña, del que se extrae un aceite que se usa en medicina y en la industria: *Con las semillas del cinamomo se fabrican collares y rosarios.* □ SINÓN. *melia, mirabobo.* □ ETIMOL. Del latín *cinnamomum*.

cinc (tb. *zinc*) (pl. *cincs*) s.m. Elemento químico, metálico y sólido, de número atómico 30, de color blanco azulado y brillo intenso, blando, de estructura laminar y que se oxida expuesto al aire húmedo: *El cinc se utiliza en forma de láminas para cubrir tejados.* □ ETIMOL. Del alemán *Zink.* □ PRON. [cink]; incorr. *[cinz]. □ ORTOGR. Su símbolo químico es *Zn*.

cincel s.m. Herramienta consistente en una barra alargada, de poco grosor y con un extremo acerado y en forma de cuña, que se usa para trabajar a golpe de martillo piedras y metales: *El escultor iba dando forma al bloque de piedra con un cincel y un martillo.* □ ETIMOL. Del francés antiguo *cisel* (cincel y tijeras).

cincelado s.m. Labrado o grabado que se hace con cincel sobre piedra o sobre metal: *Procedí al cincelado de la piedra con mucho cuidado para no quebrarla.* □ SINÓN. *cinceladura.*

cinceladura s.f. →**cincelado.**

cincelar v. Labrar o grabar con cincel sobre piedra o sobre metal: *El artista cinceló escenas guerreras en el bloque de granito.*

cincha s.f. **1** Correa o cinta que sirve para atar o sujetar: *Ata bien las cinchas para que el equipaje no se mueva en la baca.* **2** Faja o correa con que se asegura la silla o la albarda sobre la cabalgadura, ciñéndola por debajo de la barriga: *Se rompió la cincha y se cayeron todos los aparejos del burro.* □ ETIMOL. De *cincho.*

cinchar v. **1** Referido a la silla o a la albarda de una cabalgadura, asegurarlas en esta, apretando las cinchas: *En el pueblo aprendió a cinchar la silla al caballo.* **2** Asegurar o reforzar con cinchos o aros de hierro: *Cinchó la cuba para que no se separaran las tablas.*

cincho s.m. **1** Cinturón que se usa para ceñir a la cintura una prenda de vestir o para llevar colgada un arma: *Todos temblaron cuando lo vieron aparecer con la espada colgada del cincho.* **2** Aro de hierro con el que se aseguran o refuerzan barriles, ruedas u otros objetos. **3** Faja ancha con la que se ciñe y abriga el estómago. **4** Cinta con anclajes metálicos que sirve para sujetar objetos. □ ETIMOL. Del latín *cingulum* (cinturón).

cinco ▌numer. **1** Número 5: *Cada mano tiene cinco dedos. Queremos una mesa para cinco, por favor.* ▌s.m. **2** Signo que representa este número: *Los romanos escribían el cinco como 'V'.* **3** ‖ **esos cinco;** *col.* La mano: *¡Choca esos cinco y no se hable más!* ‖ **no tener ni cinco;** *col.* No tener dinero: *¡Cómo te va a hacer un préstamo, si no tiene ni cinco!* □ ETIMOL. Del latín *quinque.* □ MORF. Como numeral es invariable en género y en número. □ SINT. *Esos cinco* se usa más con los verbos *chocar*, *venir* o equivalentes.

cincolote s.m. **1** En zonas del español meridional, armazón de carrizo o de madera, más alto que ancho, que sirve para guardar las mazorcas de maíz. **2** En zonas del español meridional, cesto, generalmente de mimbre, que se usa para transportar gallos de pelea.

cincuate s.m. Serpiente no venenosa que mide aproximadamente dos metros y es de color amarillento, con manchas negras en forma de cuadros. □ ETIMOL. Del náhuatl *cencoatl.* □ MORF. Es un sustantivo epiceno: *el cincuate {macho/hembra}.*

cincuenta ▌numer. **1** Número 50: *Cinco por diez son cincuenta. En la reunión éramos al menos cincuenta.* ▌s.m. **2** Signo que representa este número: *Los romanos escribían el cincuenta como 'L'.* □ ETIMOL. Del latín *quinquaginta.* □ MORF. Como numeral es invariable en género y en número.

cincuentavo, va numer. Referido a una parte, que constituye un todo junto con otras cuarenta y nueve iguales a ella: *La cincuentava parte de los coches en circulación no pasan la revisión obligatoria. Se lleva de comisión un cincuentavo de las ventas de la empresa.* □ SINÓN. *quincuagésimo.* □ SEM. Su uso como numeral ordinal es incorrecto: *Llegué en {*cincuentava* > *quincuagésima} posición.*

cincuentena s.f. Véase **cincuenteno, na**.

cincuentenario s.m. **1** Fecha en la que se cumplen cincuenta años de un acontecimiento: *En 1989 se conmemoró el cincuentenario de la muerte del poeta Antonio Machado.* **2** Fiesta o conjunto de actos festivos con los que se celebra esta fecha: *En el cincuentenario del nacimiento del club estaban todos los fundadores.*

cincuenteno, na ▌numer. **1** En una serie, que ocupa el lugar número cincuenta: *Es el cincuenteno libro de la colección.* □ SINÓN. *quincuagésimo.* **2** Referido a una parte, que constituye un todo junto con otras cuarenta y nueve iguales a ella: *Yo me conformo con una cincuentena parte de lo que tú tienes.* □ SINÓN. *quincuagésimo.* ▌s.f. **3** Conjunto de cincuenta unidades: *Asistieron a la fiesta una cincuentena de personas.*

cincuentón, -a adj./s. *col.* Referido a una persona, que tiene más de cincuenta años y aún no ha cumplido los sesenta.

cine s.m. **1** Arte, técnica e industria de la cinematografía: *En los estudios de cine había una reproducción en cartón piedra de un pueblo del Oeste.* □ SINÓN. *cinema.* **2** Película o conjunto de películas hechas según este arte, esp. si tienen una característica común: *Me paso tardes enteras viendo cine.* □ SINÓN. *cinema.* **3** Local en el que se proyectan estas películas: *En el cine del barrio echan solo películas para niños.* □ SINÓN. *cinema.* **4** ‖ **cine dogma;** tendencia cinematográfica que se caracteriza principalmente por no utilizar decorados ni efectos, no mantener la linealidad en el argumento y no estar firmado por el director: *El cine dogma prescinde de algunas técnicas para acentuar el realismo y la veracidad de las películas.* ‖ **de cine;** *col.* Muy bueno o muy bien: *Pensé que no nos harían caso, pero nos trataron de cine.* □ MORF. En la acepción 3, es la forma abreviada y usual de *cinematógrafo.*

cineasta s.com. Persona que se dedica profesionalmente al cine, esp. como director.

cineclub s.m. **1** Asociación creada para la difusión del cine y de la cultura cinematográfica: *Los socios* *del cineclub se benefician de un descuento en las entradas.* **2** Lugar de reunión de esta asociación y en el que se proyectan y comentan películas: *En el cineclub suelen abrir un coloquio después de la película.* □ USO Se usan los plurales *cineclubs* y *cineclubes*.

cinéfago, ga s. *col.* Cinéfilo.

cinéfilo, la adj./s. Aficionado al cine. □ ETIMOL. De *cine* y *-filo* (amigo).

cinefórum s.m. Reunión en la que se dialoga sobre una película que se acaba de proyectar: *Me gusta asistir al cinefórum porque suele resultar muy educativo.*

cinegética s.f. Véase **cinegético, ca**.

cinegético, ca ▮ adj. **1** De la cinegética o relacionado con esta: *afición cinegética.* ▮ s.f. **2** Arte o técnica de la caza. □ ETIMOL. Del griego *kynegetikós* (relativo a la caza).

cinema s.m. →**cine.** □ ETIMOL. De *cinematógrafo*.

cinemascope s.m. Procedimiento cinematográfico que consiste en comprimir las imágenes al rodar, de modo que al proyectarlas sobre una pantalla curva recuperen su proporción, pero resulten agrandadas y con mayor sensación de perspectiva: *Las películas en cinemascope resultan espectaculares por su grandiosidad.* □ ETIMOL. Extensión del nombre de una marca comercial.

cinemateca s.f. **1** Local en el que se conserva una colección organizada de películas cinematográficas, generalmente ya apartadas de los circuitos comerciales, para poder ser estudiadas o vistas por los usuarios. □ SINÓN. *filmoteca.* **2** Local en el que se proyectan este tipo de películas. □ SINÓN. *filmoteca.* **3** Colección de películas cinematográficas, generalmente ordenada y que consta de un número considerable: *una cinemateca particular.* □ SINÓN. *filmoteca.*

cinemática s.f. Parte de la física mecánica que estudia el movimiento sin relacionarlo con las causas que lo producen: *Según la cinemática, un cuerpo en movimiento se movería eternamente si no se le opusiese ninguna resistencia.* □ ETIMOL. Del griego *kínema* (movimiento).

cinematografía s.f. Arte de reproducir sobre una pantalla imágenes en movimiento mediante la proyección a gran velocidad de secuencias fotografiadas en una película de celuloide: *Le han dado el premio de cinematografía al mejor director.* □ SINÓN. *séptimo arte.*

cinematografiar v. Registrar en película cinematográfica o impresionar esta con imágenes: *Un reportero de televisión cinematografió el acto.* □ SINÓN. *filmar.* □ ORTOGR. La *i* final de la raíz lleva tilde en los presentes, excepto en las personas *nosotros* y *vosotros* →GUIAR.

cinematográfico, ca adj. Del cine o relacionado con él: *industria cinematográfica.*

cinematógrafo s.m. **1** →**cine.** **2** Aparato que permite reproducir imágenes en movimiento mediante la técnica de la cinematografía: *Los hermanos Lumière inventaron el cinematógrafo.* □ ETIMOL. Del francés *cinématographe*, y este del griego *kínema* (movimiento) y *-grapho* (yo dibujo).

cinemómetro s.m. Aparato que sirve para medir la velocidad de los vehículos que circulan: *La policía utiliza los cinemómetros para medir la velocidad de los vehículos que circulan a mayor velocidad de la permitida.*

cinerama s.m. Procedimiento cinematográfico que consiste en proyectar simultáneamente tres imágenes, de manera que parte de ellas queden yuxtapuestas y se dé mayor amplitud de pantalla. □ ETIMOL. Extensión del nombre de una marca comercial.

cineraria s.f. Véase **cinerario, ria**.

cinerario, ria ▮ adj. **1** Referido esp. a un recipiente, que está destinado a contener cenizas de cadáveres: *una urna cineraria.* ▮ s.f. **2** Planta ornamental, con un tallo de unos cincuenta centímetros, hojas alternas y flores olorosas de color blanco, rosa o azulado. □ ETIMOL. Del latín *cinerarius* (de ceniza).

cinésica s.f. Parte de la teoría de la comunicación que estudia los gestos y los movimientos del cuerpo como medios de expresión: *La cinésica explica cómo los gestos y las posturas pueden comunicar cosas sin palabras.* □ ORTOGR. Se usa también *kinésica*.

cinesiterapia s.f. →**quinesiterapia.**

cinético, ca adj. En física, del movimiento o relacionado con él: *la energía cinética.* □ ETIMOL. Del griego *kinetikós* (que mueve).

cinetosis (pl. *cinetosis*) s.f. Mareo causado por el movimiento de algunos medios de transporte: *La cinetosis es un trastorno bastante corriente en los desplazamientos por mar.*

cine-verité (fr.) s.m. Cine que toma imágenes e historias reales para rodar sus películas. □ PRON. [cine-verité].

cingalés, -a (tb. *singalés, -a*) ▮ adj./s. **1** De Sri Lanka (país insular asiático, antes llamado Ceilán) o relacionado con él. **2** De una de las dos etnias principales de Sri Lanka: *La comunidad cingalesa y la tamil son las mayoritarias en Sri Lanka.* ▮ s.m. **3** Lengua indoeuropea de este país: *En Sri Lanka se habla inglés y cingalés.* □ USO La acepción 1 no debe usarse como gentilicio de Sri Lanka en textos oficiales.

cíngaro, ra (tb. *zíngaro, ra*) adj./s. Del pueblo gitano, esp. del centroeuropeo, o relacionado con él. □ ETIMOL. Del italiano *zingaro*.

cingiberáceo, a ▮ adj./s.f. **1** Referido a una planta, que es herbácea y que tiene tallo subterráneo, hojas alternas en forma de vaina y frutos capsulares: *Las plantas cingiberáceas suelen crecer en zonas intertropicales.* ▮ s.f.pl. **2** En botánica, familia de estas plantas perteneciente a la clase de las angiospermas monocotiledóneas: *El jengibre pertenece a las cingiberáceas.*

cinglar v. Referido a una embarcación, hacerla avanzar con un solo remo colocado a popa: *El marinero cinglaba el bote para acercarlo al embarcadero.* □ ETIMOL. De *singlar* (navegar).

cíngulo s.m. Cordón que usan los sacerdotes católicos para ceñirse a la cintura el alba o túnica blanca con que celebran algunas ceremonias: *El cíngulo lleva una borla en cada extremo.* ☐ ETIMOL. Del latín *cingulum* (cinturón).

cinia s.f. →**zinnia.**

cínico, ca adj./s. Que muestra cinismo. ☐ ETIMOL. Del latín *cynicus*, y este del griego *kynikós* (perteneciente a la escuela cínica), porque los miembros de dicha escuela mostraban su desprecio por las convenciones sociales y las necesidades externas.

cínife s.m. Insecto de menor tamaño que la mosca, con dos alas transparentes, patas largas y finas y un aparato bucal chupador en forma de trompa con un aguijón final: *Muchos cínifes transmiten enfermedades, como la malaria o la fiebre amarilla.* ☐ SINÓN. *mosquito.* ☐ ETIMOL. Del latín *ciniphes*, y este del griego *sknips.* ☐ MORF. Es un sustantivo epiceno: *el cínife {macho/hembra}.*

cinismo s.m. Desvergüenza o descaro al mentir, o al defender o practicar algo que merece desaprobación o reproche. ☐ ETIMOL. Del griego *kynismós* (doctrina cínica).

cinquillo s.m. Juego de cartas en el que la carta inicial es un cinco: *En el cinquillo, partiendo del cinco, se ponen ordenadamente el resto de las cartas de cada palo.*

cinta s.f. **1** Tira plana, larga y estrecha de un material flexible: *cinta adhesiva.* **2** Tira de un material plástico y flexible que sirve como soporte para diversos tipos de grabaciones: *una cinta de vídeo.* **3** En una máquina de escribir o en una impresora, tira de material flexible impregnada de tinta: *La máquina está bien, pero no escribe porque se ha gastado la tinta de la cinta.* **4** Dispositivo automático formado por una banda metálica o plástica y que sirve para trasladar mercancías: *una cinta transportadora.* **5** Tira de un material fuerte y resistente en la que se engarzan los proyectiles de una ametralladora: *Mientras un soldado disparaba con la ametralladora, el otro sujetaba la cinta para que no se enganchara.* **6** Planta de hojas largas, listadas de blanco y verde, que se usa como adorno: *Las flores de las cintas son pequeñas y de color blanco y violeta.* **7** En arquitectura, tira estrecha adornada: *Sobre el umbral de la entrada se apreciaba una cinta tallada en la piedra y con una inscripción en latín.* **8** Pieza de carne alargada y ovalada que se obtiene del lomo de cerdo: *Hoy he comido filetes de cinta adobada.* **9** || **cinta métrica;** la que tiene marcada la longitud del metro y sus divisiones, y se usa para medir. ☐ ETIMOL. Del latín *cincta.*

cintateca s.f. Lugar que se utiliza para guardar cintas de vídeo. ☐ ETIMOL. De *cinta* y *-teca* (lugar en que se guarda algo).

cinteado, da adj. Adornado con cintas o con algo que las imita: *una blusa cinteada.*

cinto s.m. Tira o faja, generalmente de cuero, que se usa para ceñir la cintura con una sola vuelta y que se ajusta y aprieta a ella mediante una hebilla u otro mecanismo de cierre: *El mosquetero llevaba el arma colgada al cinto.* ☐ SINÓN. *cinturón.* ☐ ETIMOL. Del latín *cinctus* (acción de ceñir, cinturón, cintura).

cintura s.f. **1** En el cuerpo humano, parte más estrecha, encima de las caderas: *Le midió la cintura para hacerle la falda.* **2** En una prenda de vestir, parte que rodea esta zona del cuerpo: *He adelgazado y tendré que meter la cintura de la falda para que me quede bien.* **3** || **cintura de avispa;** la muy delgada y fina: *Esta modelo tiene una cintura de avispa y los trajes le quedan muy bien.* || **meter en cintura** a alguien; *col.* Hacerle entrar en razón: *Con este castigo intenta meter en cintura a su hijo y que le obedezca.* ☐ ETIMOL. Del latín *cinctura*, de *cingere* (ceñir).

cinturilla s.f. En algunas prendas de vestir, cinta o tira de tela dura y fuerte que se pone en la cintura.

cinturón s.m. **1** Tira o faja, generalmente de cuero, que se usa para ceñir la cintura con una sola vuelta y que se ajusta y aprieta a ella mediante una hebilla u otro mecanismo de cierre: *Le resulta más cómodo llevar cinturón que tirantes.* **2** Cinto que sirve para llevar colgados el sable o espada: *El caballero desenvainó la espada que llevaba colgada del cinturón.* **3** Conjunto de elementos que rodean algo: *el cinturón industrial de una ciudad.* **4** En las artes marciales, categoría o grado a los que pertenece el luchador: *Mi primo es un experto karateca, y ya es cinturón negro.* **5** Carretera de circunvalación que rodea las grandes ciudades: *El nuevo cinturón que rodea Madrid va a descongestionar mucho el tráfico de la ciudad.* **6** || **apretarse el cinturón;** reducir los gastos por haber escasez de medios: *Cuando me quedé en el paro tuve que apretarme el cinturón para ahorrar algo de dinero.* || **cinturón de castidad;** el metálico o de cuero con una cerradura, y que aseguraba la fidelidad de las esposas cuando sus maridos estaban ausentes: *El cinturón de castidad se usó en la Edad Media.* || **cinturón de seguridad;** en algunos vehículos, el que sujeta al viajero al asiento: *Es obligatorio el uso del cinturón de seguridad.* || **cinturón verde;** zona de parques, jardines y vegetación que rodea una ciudad.

-ciño, -ciña →**-iño, -iña.**

-ción 1 Sufijo que indica acción y efecto: *acusación, demolición, prohibición.* **2** Sufijo que indica objeto o lugar: *embarcación, fortificación.* ☐ ETIMOL. Del latín *-tio, -onis.*

cipayo s.m. Soldado indio de los siglos XVIII y XIX al servicio de una potencia europea: *El ejército colonial británico de la India estaba formado por británicos y cipayos.* ☐ ETIMOL. Del persa *sipahi* (jinete).

cipote s.m. *vulg.* →**pene.**

ciprés s.m. **1** Árbol de hojas persistentes, que tiene el tronco recto, las ramas cortas y erguidas, la copa cónica y espesa y el fruto redondeado: *Los cipreses suelen plantarse en los cementerios.* **2** Madera de este árbol. **3** || **ciprés calvo;** el que crece en zonas pantanosas y tiene unas raíces que emergen en la superficie para facilitar su respiración. ☐ ETIMOL. Del latín *cypressus*.

CIR s.m. Instalación donde se alojan y son adiestrados los reclutas. ☐ ETIMOL. Es el acrónimo de *centro de instrucción de reclutas*.

circe s.f. *desp.* Mujer astuta y que engaña con frecuencia. ☐ ETIMOL. Por alusión a Circe, maga mitológica.

circense adj.inv. Del circo o relacionado con este espectáculo.

circo s.m. **1** Grupo ambulante de gente y animales que, con sus actuaciones de habilidad y de riesgo, entretienen al público: *El circo viene todas las navidades a la ciudad.* **2** Espectáculo que realizan: *Lo que más me gusta del circo es la actuación de los trapecistas.* **3** Instalación en la que lo representan: *El circo consta de varias pistas de arena circulares, de una carpa y de asientos para el público.* **4** En la antigua Roma, lugar destinado a determinados espectáculos, esp. a las carreras de carros y a las de caballos: *El circo tenía forma rectangular, con uno de sus extremos redondeado.* **5** *col.* Actividad que resulta llamativa o que produce alboroto: *Vaya circo habéis montado con la preparación de la obra de teatro.* **6** || **circo glaciar;** en un macizo montañoso, depresión de paredes escarpadas y fondo cóncavo, originada por la acción erosiva del hielo de un glaciar. ☐ ETIMOL. Del latín *circus* (círculo, circo).

circón (tb. *zircón*) s.m. Mineral de circonio, más o menos transparente y de variados colores, que se usa como piedra fina y para extraer otros elementos: *El circón es muy duro y pesado.* ☐ ETIMOL. Del árabe *zarqun* (minio).

circonio (tb. *zirconio*) s.m. Elemento químico, metálico y sólido, de número atómico 40, radiactivo, duro y resistente a la corrosión, que se presenta en forma de polvo grisáceo: *El circonio se usa como antídoto del plutonio en la industria nuclear.* ☐ ETIMOL. De *circón*. ☐ ORTOGR. Su símbolo químico es *Zr*.

circonita (tb. *zirconita*) s.f. Variedad de circón que se usa en joyería: *El circón es muy duro y pesado.*

circuir v. Referido a un lugar, rodearlo o dar la vuelta a su alrededor: *Un sendero circuye la ermita.* ☐ ETIMOL. Del latín *circuire*. ☐ MORF. Irreg. →HUIR.

circuito s.m. **1** Trayecto en forma de curva cerrada, previamente fijado, en el que suelen disputarse determinadas carreras: *La carrera ciclista consiste en dar tres vueltas a un circuito de cinco kilómetros.* **2** Recorrido previamente fijado, que suele terminar en el punto de partida: *En esta agencia de viajes ofrecen varios circuitos turísticos.* **3** || **circuito integrado;** en física, el que tiene sus componentes unidos en un soporte: *los circuitos integrados de un ordenador.* || **corto circuito;** →**cortocircuito.** ☐ ETIMOL. Del latín *circuitus*.

circulación s.f. **1** Traslado o tránsito por las vías públicas: *A estas horas la circulación es muy intensa en toda la ciudad.* **2** Movimiento o paso de algo de unas personas a otras: *Hay que entregar en el banco los billetes que ya no están en circulación.* **3** Paso por una vía cerrada, volviendo al lugar de partida: *La circulación sanguínea se efectúa por las arterias y las venas.*

circulante adj.inv. Que circula: *Soy responsable de llevar el control del capital circulante con que cuenta mi empresa.*

circular ▮ adj.inv. **1** Del círculo o relacionado con esta figura geométrica: *el área circular.* **2** Con forma de círculo: *una línea circular.* ▮ s.f. **3** Orden que una autoridad superior dirige a sus empleados: *En el tablón de anuncios hay una circular del director.* **4** Cada una de las cartas o avisos iguales que se entregan a varias personas para darles a conocer algo: *La profesora ha mandado una circular a los padres de los alumnos en la que los cita para una reunión.* ▮ v. **5** Andar o moverse: *Después del accidente, el policía dijo a los transeúntes que estaban mirando que circularan. Por esta calle principal circulan muchos coches.* **6** Correr o pasar algo de unas personas a otras: *Entre los conocidos circula el rumor de que te vas de la ciudad.* ☐ ETIMOL. Las acepciones 1-4, del latín *circularis*. Las acepciones 5-6, del latín *circulare* (redondear, formar grupo).

circulatorio, ria adj. De la circulación o relacionado con ella: *La avería de los semáforos ha agravado el caos circulatorio.*

círculo s.m. **1** En geometría, área o superficie delimitada por una circunferencia: *La fórmula del área del círculo es πr^2.* **2** *col.* Curva plana y cerrada cuyos puntos equidistan de otro, llamado centro: *La profesora de gimnasia dijo que nos cogiéramos de la mano y que formáramos un círculo.* ☐ SINÓN. *circunferencia.* **3** Club o sociedad de recreo: *un círculo cultural.* ☐ SINÓN. *casino.* **4** Sector o ambiente social: *En círculos políticos se habla de un posible cambio de ministros.* **5** || **círculo vicioso;** situación o razonamiento en los que el planteamiento y la resolución se remiten recíprocamente: *Esta situación es un círculo vicioso, ya que no atiendes porque no entiendes nada y no entiendes nada porque no atiendes.* ☐ ETIMOL. Del latín *circulus*. ☐ MORF. En la acepción 4, se usa más en plural.

circuncidar v. Cortar circularmente una porción del prepucio o piel móvil del pene: *En algunas religiones circuncidar a los niños es un ritual.* ☐ ETIMOL. Del latín *circumcidere* (recortar en redondo). ☐ ORTOGR. Dist. de *circundar*. ☐ MORF. Tiene un participio regular (*circuncidado*), que se usa en la conjugación, y otro irregular (*circunciso*), que se usa como adjetivo o sustantivo.

circuncisión s.f. Corte circular que se hace en el prepucio o piel móvil del pene: *En los casos de fimosis se realiza la circuncisión.*

circunciso, sa adj./s.m. Referido a un hombre, que ha sido circuncidado: *Los circuncisos en realidad han sufrido una operación de fimosis.*

circundante adj.inv. Que circunda algo o lo rodea: *una carretera circundante.*

circundar v. Cercar o rodear dando la vuelta: *Hay una autopista que circunda la ciudad.* □ ETIMOL. Del latín *circumdare*, y este de *circum* (alrededor) y *dare* (dar). □ ORTOGR. Dist. de *circuncidar*.

circunferencia s.f. **1** En geometría, curva plana y cerrada cuyos puntos equidistan de otro, llamado centro: *Una circunferencia no tiene área, sino longitud.* **2** Contorno de una superficie o de un lugar: *La circunferencia del tronco de este árbol es tan grande que no puedo abarcarla con los brazos.* □ ETIMOL. Del latín *circumferentia*, y este de *circumferre* (circunscribir).

circunferir v. Circunscribir o limitar: *Circunfirió su actividad profesional a unos pocos asuntos que llevaba él personalmente.* □ ETIMOL. Del latín *circumferre* (circunscribir). □ MORF. Irreg. →SENTIR.

circunlocución s.f. Figura retórica que consiste en expresar por medio de un rodeo lo que podría decirse con menos palabras: *La expresión 'el momento del último suspiro' es una circunlocución para referirse a la muerte.*

circunloquio s.m. Rodeo de palabras con las que se quiere dar a entender algo que podía haberse dicho de una forma más corta: *Cuando tiene que dar una mala noticia, empieza a hacer circunloquios y no acaba.* □ ETIMOL. Del latín *circumloquium*, y este de *circum* (alrededor) y *loqui* (hablar).

circunnavegación s.f. Navegación alrededor de un lugar: *La primera circunnavegación de la Tierra la realizó Juan Sebastián Elcano.*

circunnavegar v. Referido a un lugar, navegar a su alrededor: *Con su yate circunnavegó las islas Cíes.* □ ETIMOL. Del latín *circum* (alrededor) y *navigare* (navegar). □ ORTOGR. La *g* se cambia en *gu* delante de *e* →PAGAR.

circunscribir ▮ v. **1** Reducir a unos límites o términos determinados: *El inspector ha circunscrito su actuación a este barrio.* **2** En geometría, referido a una figura, formarla de modo que rodee a otra y esté en contacto con todos sus vértices o con sus líneas: *Si circunscribes una circunferencia a un triángulo, los tres vértices de este estarán en contacto con ella.* ▮ prnl. **3** Limitarse o atenerse concretamente: *Antes de empezar el examen el profesor nos rogó que nos circunscribiéramos a las preguntas que nos ponía.* □ SINÓN. *ceñirse.* □ ETIMOL. Del latín *circumscribere.* □ MORF. Su participio es *circunscrito.* □ SINT. Constr. *circunscribir(se)* A *algo.*

circunscripción s.f. **1** División administrativa, militar, electoral o eclesiástica de un territorio: *En las elecciones generales la circunscripción electoral es la provincia.* **2** Reducción o limitación a unos términos concretos: *Gracias a las vacunas se ha conseguido la circunscripción de la epidemia a una zona.*

circunscrito, ta part. irreg. de **circunscribir**.

circunsolar adj.inv. Que rodea al Sol: *La Tierra ejerce un movimiento circunsolar.*

circunspección s.f. Seriedad, decoro, gravedad y comedimiento al hablar o al actuar: *El presidente habló con circunspección de los graves sucesos ocurridos.*

circunspecto, ta adj. Que actúa con circunspección o que la muestra. □ ETIMOL. Del latín *circumspectus*, y este de *circumspicere* (mirar alrededor).

circunstancia s.f. **1** Accidente que rodea o que va unido a la sustancia de algo: *El mal tiempo fue una de las circunstancias que me decidieron a no salir de casa.* **2** Calidad o requisito: *Solo iré si se dan determinadas circunstancias.* **3** Situación o conjunto de lo que rodea a alguien: *No pensaba hacerlo, pero las circunstancias me obligaron.* **4** ‖ **(circunstancia) agravante;** la que constituye un motivo legal para recargar la pena correspondiente a un delito: *La nocturnidad y la alevosía son circunstancias agravantes.* ‖ **(circunstancia) atenuante;** la que constituye un motivo legal para aliviar la pena correspondiente a un delito: *El ser el culpable menor de dieciocho años es una circunstancia atenuante.* ‖ **(circunstancia) eximente;** la que constituye un motivo legal para librar de una responsabilidad criminal: *El actuar en legítima defensa es una circunstancia eximente.* □ ETIMOL. Del latín *circumstantia* (cosas circundantes).

circunstancial ▮ adj.inv. **1** Que implica alguna circunstancia o que depende de ella: *un hecho circunstancial.* ▮ s.m. **2** →**complemento circunstancial.**

circunvalación s.f. **1** Rodeo o vuelta que se dan a un lugar o a una ciudad: *La circunvalación de la ciudad nos llevará una media hora.* **2** Vía que rodea una población a la que puede acceder por distintas entradas: *La circunvalación ha aliviado el tráfico del interior de la ciudad.* □ ORTOGR. Dist. de *circunvolución.*

circunvalar v. Referido a un lugar, esp. a una ciudad, rodearlo o dar la vuelta a su alrededor: *La nueva carretera circunvala la ciudad.* □ ETIMOL. Del latín *circumvallare.*

circunvecino, na adj. Referido esp. a un lugar, que está cerca de otro y a su alrededor: *Las poblaciones circunvecinas de una gran ciudad suelen estar comunicadas con esta por trenes de cercanías.*

circunvolución s.f. **1** Vuelta o rodeo: *las circunvoluciones de un avión en el aire.* **2** ‖ **circunvolución (cerebral);** cada uno de los relieves que aparecen en la parte externa del cerebro, y que se hallan separados unos de otros por medio de unas depresiones. □ ETIMOL. Del latín *circumvolvere* (enrollar en torno de algo). □ ORTOGR. Dist. de *circunvalación.*

cirial s.m. Candelero alto que se usa en algunas ceremonias religiosas.

cirílico, ca ▮ adj. **1** Del cirílico o relacionado con este alfabeto: *En el ruso y en el búlgaro se usa la escritura cirílica.* ▮ s.m. **2** Alfabeto usado en ruso y en otras lenguas eslavas. □ ETIMOL. Por alusión a san Cirilo, a quien se atribuye la creación de dicho alfabeto.

cirio s.m. **1** Vela de cera, larga y gruesa. **2** *col.* Situación confusa, agitada o embarazosa, esp. si va acompañada de gran alboroto y tumulto: *¡Vaya cirio se montó cuando se salió el agua de la lavadora!* □ SINÓN. *lío.* □ ETIMOL. Del latín *cereus* (de cera, cirio).

cirrípedo adj. →**cirrópodo.**

cirro s.m. Nube blanca, muy ligera y de aspecto deshilachado, que se forma en las capas altas de la atmósfera: *La presencia de cirros en el cielo da lugar a los halos del Sol.* □ ETIMOL. Del latín *cirrus* (rizo).

cirrocúmulo s.m. Nube que tiene forma algodonosa con los bordes desgarrados: *Los cirrocúmulos suelen anunciar mal tiempo.*

cirrópodo ▮ adj./s. **1** Referido a un crustáceo, que se caracteriza por tener una fase larvaria nadadora y una fase adulta que vive fija en el suelo: *Los percebes son crustáceos cirrópodos.* □ SINÓN. *cirrípedo.* ▮ s.m.pl. **2** En zoología, orden de estos crustáceos, perteneciente al tipo de los artrópodos: *Algunos animales que pertenecen a los cirrópodos son parásitos.* □ ETIMOL. Del latín *cirrus* (rizo) y *-podo* (pie).

cirrosis (pl. *cirrosis*) s.f. Enfermedad del hígado que consiste en la destrucción de las células hepáticas y en su sustitución por tejido conjuntivo: *Una de las causas de la cirrosis es el alcoholismo.* □ ETIMOL. De *cirro* (tumor duro, especie de cáncer) y *-osis* (enfermedad).

cirrostrato s.m. Nube blanca, ligera y de aspecto deshilachado: *Los cirrostratos suelen presentar aspecto de velo.* □ ETIMOL. De *cirro* y *estrato.*

cirrótico, ca ▮ adj. **1** De la cirrosis o relacionado con esta enfermedad: *un proceso cirrótico.* ▮ adj./s. **2** Que padece esta enfermedad: *un enfermo cirrótico.*

ciruela s.f. **1** Fruto comestible del ciruelo que tiene forma redondeada, la piel lisa y un solo hueso: *Las ciruelas suelen ser de color verde, amarillo o morado.* **2** ‖ **(ciruela) claudia;** la redonda, de color verde claro, jugosa y dulce: *Las ciruelas claudias suelen ser de un tamaño menor que las otras.* □ ETIMOL. Del latín *cereola* (que tiene color de cera).

ciruelo s.m. Árbol frutal que tiene las hojas lanceoladas y dentadas, flores blancas y cuyo fruto es la ciruela.

cirugía s.f. **1** Parte de la medicina que tiene por objeto curar enfermedades por medio de operaciones. **2** ‖ **cirugía menor;** la que comprende operaciones sencillas: *Las operaciones de cirugía menor no suele realizarlas el médico.* ‖ **cirugía plástica;** **1** Especialidad quirúrgica que trata de mejorar, embellecer o restablecer la forma de una parte del cuerpo: *La cirujana que realizó la operación era una especialista en cirugía plástica.* **2** Operación quirúrgica realizada con este fin estético: *Después del accidente le hicieron la cirugía plástica en la cara para disimularle las cicatrices.* □ ETIMOL. Del latín *chirurgia*, y este del griego *kheirurgía* (operación quirúrgica).

cirujano, na s. Médico especialista en cirugía: *Los cirujanos deben tener el pulso firme.*

cisalpino, na adj. Que está situado entre los Alpes (cordillera europea) y Roma (capital italiana): *El Piamonte es una región italiana cisalpina.* □ ETIMOL. Del latín *cisalpinus*, y este de *cis* (del lado de acá) y *Alpinus* (de los Alpes).

ciscar ▮ v. **1** *col.* Ensuciar o manchar: *¡Como cisques los zapatos con barro los limpiarás tú!* ▮ prnl. **2** *col.* Expulsar los excrementos involuntariamente: *¡Sal pronto del servicio, que me cisco!* □ ORTOGR. La *c* se cambia en *qu* delante de *e* →SACAR.

cisco s.m. **1** Carbón vegetal menudo. **2** *col.* Situación confusa, agitada o embarazosa, esp. si va acompañada de gran alboroto y tumulto: *¡Vaya cisco se montó cuando el árbitro suspendió el partido!* □ SINÓN. *lío.* **3** ‖ **hacer(se) cisco;** *col.* Dejar en muy malas condiciones físicas o anímicas: *El martillazo me ha hecho cisco el dedo.* □ ETIMOL. De origen incierto.

cisípedo, da adj. Que tiene el pie dividido en dedos: *El mono es una animal cisípedo.* □ ETIMOL. Del latín *caesus* (cortado) y *pes* (pie).

cisma s.m. **1** División o separación en el seno de una iglesia o de una religión: *En la iglesia católica el cisma bizantino dio lugar a la iglesia ortodoxa.* **2** Ruptura o escisión: *En el congreso de este partido político se ha producido el cisma de una de las corrientes internas.* □ ETIMOL. Del latín *schisma*, y este del griego *skhísma* (separación).

cismático, ca adj./s. **1** Que se aparta de la autoridad reconocida, esp. en asuntos religiosos: *un movimiento cismático.* **2** Referido a una persona, que introduce un cisma o la discordia en una comunidad o en un pueblo: *Con aquel controvertido artículo en el periódico lo tacharon de cismático.*

cisne s.m. Ave acuática, generalmente de plumaje blanco, que tiene el cuello largo y flexible, la cabeza pequeña y las patas cortas: *En el estanque había varios cisnes blancos y uno negro.* □ ETIMOL. Del francés antiguo *cisne.* □ MORF. Es un sustantivo epiceno: *el cisne {macho/hembra}.*

cisteína s.f. Aminoácido que atenúa los efectos de algunas sustancias dañinas para el organismo: *La cisteína alivia los efectos del alcohol.*

cister s.m. Orden religiosa fundada por san Roberto (monje francés del siglo XI) para volver a la austeridad de la orden benedictina: *Los monasterios del cister y su arte se extendieron por toda Europa.* □ ETIMOL. De *Cistercium*, nombre latino de Citeaux, localidad francesa donde se fundó la orden. □ PRON. Está muy extendida la pronunciación [císter]. □ USO Se usa más como nombre propio.

cisterciense ▮ adj.inv. **1** Del cister o relacionado con esta orden: *el arte cisterciense.* ▮ adj.inv./s.com. **2** Referido a un monje o a una monja, que pertenece al cister (orden religiosa fundada por Roberto de Molesme en 1098 y cuyo principal difusor fue san Bernardo). □ SINÓN. *bernardo.*

cisterna s.f. **1** Depósito de agua de un retrete o urinario. **2** Depósito destinado al transporte de líquidos. **3** En zonas del español meridional, aljibe. ☐ ETIMOL. Del latín *cisterna*, y este de *cista* (cesta). ☐ SINT. En la acepción 2, se usa en aposición, pospuesto a un sustantivo: *camión cisterna*.

cisticerco s.m. Larva de tenia que vive en el tejido conjuntivo o en un músculo de algunos animales, y que se desarrolla adquiriendo la forma de tenia adulta, después de haber pasado al intestino de otro huésped que ha comido la carne cruda de este animal: *Los cisticercos de la tenia solitaria de las personas parasitan principalmente al cerdo.* ☐ ETIMOL. Del griego *kýstis* (vejiga) y *kérkos* (cola).

cisticercosis (pl. *cisticercosis*) s.f. Enfermedad causada por la presencia de muchos cisticercos en los órganos de un animal o de una persona: *La cisticercosis es una enfermedad parasitaria producida por la larva de un parásito.* ☐ ETIMOL. De *cisticerco* y *-osis* (enfermedad).

cistitis (pl. *cistitis*) s.f. Inflamación de la vejiga de la orina: *La cistitis produce escozor y aumento en la frecuencia de la necesidad de orinar.* ☐ ETIMOL. Del griego *kýstis* (vejiga) e *-itis* (inflamación).

cistoscopia s.f. En medicina, examen del interior de la vejiga por medio de una endoscopia o exploración visual: *Me hicieron una cistoscopia porque tenía un tumor de vejiga.* ☐ MORF. Incorr. **citoscopia*.

cistotomía s.f. En cirugía, incisión o corte que se realiza en la vejiga para operar en su interior. ☐ ETIMOL. Del griego *kýstis* (vejiga) y *stóma* (orificio). ☐ MORF. Incorr. **citostomía*.

cisura s.f. Abertura, hendidura o grieta muy finas: *La superficie de la mesa tiene unas cisuras que casi ni se notan.* ☐ ETIMOL. Del latín *scissura*.

cita s.f. **1** Designación o acuerdo de un día, de una hora y de un lugar entre dos o más personas para reunirse o para tratar de un asunto: *No puedes faltar a la cita del martes con tus compañeras de colegio.* **2** Encuentro o reunión señalados o acordados entre dos o más personas para un lugar y una fecha determinados: *Tengo una cita de negocios muy importante en Londres esta semana.* **3** Mención de un texto, de una autoridad o de una idea como prueba de lo que se dice o se escribe: *Apoyé las afirmaciones de mi trabajo con citas de textos de obras científicas.*

citación s.f. En derecho, aviso por el que se convoca a una persona para que acuda a un lugar, esp. a un juzgado o a un tribunal, en un día y hora determinados para una diligencia: *una citación judicial.*

citar v. **1** Referido a una persona, indicarle el día, la hora y el lugar para reunirse con ella o para tratar de un asunto: *Tu padre me ha citado a las ocho de la tarde en el café de la esquina. Se conocieron ayer y ya se han citado para ir al cine este fin de semana.* **2** Hacer mención o nombrar al hablar o al escribir: *Mi profesor citó varias veces tu último libro y habló muy bien de él.* **3** En derecho, llamar el juez ante su presencia: *La juez ha citado a todos los testigos para que declaren.* **4** En tauromaquia, referido al toro, provocarlo para que embista o para que acuda a determinado lugar: *El torero citaba al toro con el capote.* ☐ ETIMOL. Del latín *citare* (llamar, convocar).

cítara s.f. **1** Instrumento musical antiguo, parecido a la lira, pero con una caja de resonancia, plana y de madera, y con un número variable de cuerdas: *La cítara se empleaba en la antigua Grecia para acompañar cantos bucólicos.* **2** Instrumento musical de cuerda semejante a este, con una caja de resonancia de forma trapezoidal, generalmente con seis cuerdas dobles y que se toca con púa: *La cítara es un instrumento propio del folclore centroeuropeo.* ☐ ETIMOL. Del latín *cithara*.

citarista s.com. Músico que toca la cítara.

citerior adj.inv. Que está en la parte de acá: *La Hispania citerior comprendía la provincia oriental de la península Ibérica, la más cercana a Roma.* ☐ ETIMOL. Del latín *citerior*. ☐ USO Su uso es característico del lenguaje literario.

cito- Elemento compositivo prefijo que significa 'célula': *citología, citotóxico.* ☐ ETIMOL. Del griego *kýtos* (célula).

-cito Elemento compositivo sufijo que significa 'célula': *linfocito, leucocito.* ☐ ETIMOL. Del griego *kýtos* (célula).

-cito, -cita →**-ito, -ita.**

citocinesis (pl. *citocinesis*) s.f. En biología, división del citoplasma o parte que rodea al núcleo de una célula: *La citocinesis se produce después de la división nuclear.* ☐ ETIMOL. Del griego *kýtos* (célula) y *kínesis* (movimiento).

citodiagnosis (pl. *citodiagnosis*) s.f. Resultado del análisis o examen de las células de una materia orgánica: *Hay que esperar a conocer la citodiagnosis para saber si es necesario operar.* ☐ SINÓN. *citología.* ☐ ETIMOL. Del griego *kýtos* (célula) y *diagnosis*.

citolisis (pl. *citolisis*) s.f. En medicina, destrucción de células.

citología s.f. **1** Parte de la biología que estudia la célula: *La citología estudia la estructura, el comportamiento, el desarrollo y la reproducción de las células.* **2** Análisis o examen de las células de una materia orgánica: *una citología vaginal.* **3** Resultado de este análisis o examen: *Mañana tengo que ir a recoger la citología para llevársela al médico.* ☐ SINÓN. *citodiagnosis.* ☐ ETIMOL. Del griego *kýtos* (célula) y *-logía* (estudio, ciencia).

citomegalovirus (pl. *citomegalovirus*) s.m. Virus que puede afectar al sistema nervioso central del recién nacido: *El citomegalovirus puede ocasionar una variedad de enfermedades sistémicas latentes durante largos períodos.*

citopenia s.f. En medicina, defecto de algún elemento celular de la sangre.

citoplasma s.m. En una célula, parte que rodea el núcleo y que está limitada por la membrana celular: *Los ribosomas están en el citoplasma.* ☐ ETIMOL. Del griego *kýtos* (célula) y *plasma* (forma).

citoplasmático, ca adj. Del citoplasma o relacionado con él. ☐ SINÓN. *citoplásmico.*

citoplásmico, ca adj. →**citoplasmático.**

citosina s.f. Base nitrogenada que forma parte de los ácidos ribonucleico y desoxirribonucleico: *La adenina, la guanina, la citosina, la timina y el uracilo son las cinco bases nitrogenadas que forman los ácidos nucleicos.*

citostático, ca adj./s.m. Referido a una sustancia, que impide el crecimiento y la multiplicación de las células: *En algunos tratamientos contra el cáncer se utilizan sustancias citostáticas.*

citotóxico, ca adj. Referido a una sustancia, que tiene un efecto tóxico para determinado tipo de células: *Los venenos de algunas serpientes son citotóxicos.*

citrato s.m. *col.* Regaliz. ☐ ETIMOL. Del latín *citratus.*

cítrico, ca ▮ adj. **1** Del limón o relacionado con él: *la producción cítrica.* **2** Referido a un ácido, que es de sabor agrio y se encuentra en muchas plantas y frutos: *El ácido cítrico se obtiene del limón.* ▮ s.m. **3** Planta que produce frutas ácidas o agridulces: *Los cítricos, como el naranjo o el limonero, tienen flores fragantes.* **4** Fruto de este tipo de planta: *Los cítricos tienen mucha vitamina C.* ☐ ETIMOL. Del latín *citrus* (limón). ☐ MORF. Las acepciones 3 y 4 se usan más en plural.

citricultura s.f. Cultivo de cítricos: *La citricultura está muy arraigada en los países de clima mediterráneo.* ☐ ETIMOL. Del latín *citrus* (limonero) y *-cultura* (cultivo).

citrón s.m. **1** Árbol frutal de hoja perenne, espinoso, de flores olorosas, y con un fruto amarillo comestible. ☐ SINÓN. *limonero, limón.* **2** Fruto de este árbol. ☐ SINÓN. *limón.* ☐ ETIMOL. Del latín *citrus.*

citronela s.f. **1** Planta de la que se extrae una sustancia con aroma a limón: *infusión de citronela.* **2** Licor elaborado con cáscaras de limón.

ciudad s.f. **1** Espacio geográfico cuya población, generalmente numerosa, se dedica principalmente a actividades no agrícolas: *Es frecuente la emigración del campo hacia la ciudad.* **2** Conjunto de las calles y de los edificios de este espacio geográfico: *Esta parte de la ciudad es la que mejor conozco.* **3** Conjunto de edificios o de instalaciones destinadas a una determinada actividad: *la ciudad universitaria.* **4** || **ciudad dormitorio;** la habitada principalmente por población que acude a trabajar a un núcleo urbano próximo mayor. || **ciudad jardín;** aquella que está formada por viviendas unifamiliares situadas en un entorno ajardinado. ☐ ETIMOL. Del latín *civitas* (conjunto de los ciudadanos de un estado o ciudad).

ciudadanía s.f. **1** Condición y derecho de ciudadano: *Ha nacido en Francia, pero se considera de ciudadanía española.* **2** Comportamiento de un buen ciudadano: *Mostró su ciudadanía cuando me vio con el coche estropeado y paró para ayudarme.* **3** Conjunto de los ciudadanos.

ciudadano, na ▮ adj. **1** De una ciudad, de sus naturales, de sus habitantes o relacionado con ellos: *deberes ciudadanos.* ☐ SINÓN. *civil.* ▮ adj./s. **2** Que ha nacido o que habita en una ciudad. ▮ s. **3** Persona que posee determinados derechos y deberes civiles y políticos como miembro de la comunidad organizada de un Estado: *Todos los ciudadanos deben pagar sus impuestos.*

ciudadela s.f. Recinto fortificado permanentemente en el interior de una plaza, que sirve para dominarla, defenderla o como último refugio en tiempo de guerra: *La población y los soldados resistieron a los sitiadores refugiándose en la ciudadela.* ☐ ETIMOL. Del italiano *cittadella,* y este de *città* (ciudad).

ciudadrealeño, ña adj./s. De Ciudad Real o relacionado con esta provincia española o con su capital: *El río Guadiana nace en tierras ciudadrealeñas.* ☐ PRON. [ciudad·rrealéño].

civet s.m. Guiso de carne con cebolla y vino tinto: *Tomamos un civet de conejo muy rico.*

civeta s.f. Mamífero carnívoro de color gris con franjas negras, estrechas y paralelas, y de cola larga: *La civeta tiene una bolsa cerca del ano que segrega una sustancia muy utilizada en perfumería llamada algalia.* ☐ ETIMOL. Del francés *civette.* ☐ MORF. Es un sustantivo epiceno: *la civeta {macho/hembra}.*

cívico, ca adj. Del civismo o comportamiento propio de un buen ciudadano, o relacionado con él: *un comportamiento cívico.* ☐ ETIMOL. Del latín *civicus,* y este de *civis* (ciudadano).

civil ▮ adj.inv. **1** De una ciudad, de sus naturales, de sus habitantes o relacionado con ellos: *El ayuntamiento y los otros edificios de esta plaza son una muestra de la arquitectura civil gótica.* ☐ SINÓN. *ciudadano.* **2** En derecho, de las relaciones e intereses privados según el estado de las personas, del régimen de la familia, de la condición de los bienes y de los contratos. ▮ adj.inv./s.com. **3** Que no es militar ni eclesiástico: *autoridades civiles.* ▮ s.com. **4** *col.* Persona que pertenece a la guardia civil. ☐ ETIMOL. Del latín *civilis* (propio del ciudadano, político).

civilidad s.f. Educación, urbanidad o actitud del que actúa siguiendo las normas de convivencia social. ☐ ETIMOL. Del latín *civilitas.*

civilista adj.inv./s.com. Que se dedica profesionalmente al derecho civil o que está especializado en él: *abogado civilista.*

civilización s.f. **1** Conjunto de ideas, creencias religiosas, ciencias, técnicas, artes y costumbres propias de un determinado grupo humano: *El pensamiento occidental se basa principalmente en las civilizaciones griega y romana.* **2** Educación, instrucción o ilustración que se da a una persona o a un grupo: *Una vez asentado en el nuevo territorio, el pueblo invasor llevó a cabo la civilización del pueblo conquistado.*

civilizado, da adj. **1** Referido a un pueblo o a una persona, que han sido sacados de un estado considerado salvaje o primitivo y se les han dado conocimientos y formas de vida de otros considerados más desarrollados. **2** Referido esp. a una persona, educada, con buenos modales y respetuosa: *Aunque rechacen tu proyecto, debes comportarte de una forma civilizada y no gritar.*

civilizador, -a adj. Que civiliza.

civilizar v. **1** Referido a un pueblo o a una persona, sacarlos de un estado considerado salvaje o primitivo llevándoles los conocimientos y formas de vida de otros considerados más desarrollados: *Civilizaron a varias tribus que vivían en la selva. Un niño que había vivido desde pequeño con los animales, se civilizó cuando fue recogido por unas personas.* **2** Referido a una persona, educarla, instruirla o ilustrarla: *Era un muchacho sin civilizar que ni saludaba a los que se encontraba en la escalera. Desde que vas a clase te has civilizado y ya se puede tratar contigo.* ☐ ORTOGR. La *z* se cambia en *c* delante de *e* →CAZAR.

civilmente adv. Conforme o con arreglo al derecho civil: *La abogada me dijo que mi reclamación se llevará civilmente.*

civismo s.m. Comportamiento del ciudadano que cumple con sus obligaciones con la comunidad y que tiene una actitud generosa hacia ella: *El civismo debe ser parte integrante de los miembros de una sociedad.* ☐ ETIMOL. Del francés *civisme*.

cizalla s.f. Herramienta en forma de tijeras grandes, con la que se cortan en frío las planchas de metal grandes: *Cortaron con cizallas las planchas de acero.* ☐ ETIMOL. Del francés *cisailles*. ☐ ORTOGR. Dist. de *cizaña*. ☐ MORF. Se usa más en plural.

cizaña s.f. **1** Lo que hace daño a algo, maleándolo o echándolo a perder: *No quiero que vayas con ese muchacho que es la cizaña del grupo.* **2** Planta anual, de hojas estrechas y flores en espigas y que se cría espontáneamente en los sembrados. **3** ‖ **{meter/sembrar} cizaña;** crear desavenencias, enemistades o provocar disensiones: *En lugar de sembrar cizaña entre ellos, intenta que se reconcilien.* ☐ ETIMOL. Del latín *zizania* (planta). ☐ ORTOGR. Dist. de *cizalla*.

cizañar v. Meter cizaña o crear discordia: *Cizañó todo lo que pudo, pero no consiguió que rompieran su relación.* ☐ SINÓN. *encizañar*.

cizañero, ra adj./s. Referido a una persona, que crea desavenencias o enemistades, o provoca enfrentamientos.

clac s.f. **1** Conjunto de personas que asisten gratuitamente a un espectáculo para aplaudir: *Cuando eran estudiantes, iban a muchas obras de teatro formando parte de la clac.* ☐ SINÓN. *claque*. **2** Conjunto de personas que siempre aplauden o alaban las acciones de otra. ☐ ETIMOL. Del francés *claque*, y este de *claquer* (crujir, golpear con las manos). ☐ PRON. Está muy extendida la pronunciación [cla].

clamar v. **1** Exigir o pedir con vehemencia: *Un crimen así clama justicia.* **2** Quejarse o dar voces, esp. si es pidiendo ayuda o auxilio: *Clamó a los cielos que no la abandonaran en tan difícil trance.* **3** Referido a algo inanimado, tener necesidad de algo: *Después de tantos días de sequía, los campos claman por una buena lluvia.* ☐ ETIMOL. Del latín *clamare* (gritar, exclamar). ☐ SINT. Constr. *clamar {A/POR} algo.*

clámide s.f. En la Antigüedad clásica, capa corta y ligera: *Los griegos usaban la clámide principalmente para montar a caballo.* ☐ ETIMOL. Del latín *chlamys*.

clamidiasis (pl. *clamidiasis*) s.f. Enfermedad de transmisión sexual producida por una bacteria.

clamor s.m. **1** Grito o voz que se profieren con fuerza, esp. los de una multitud: *Todo el estadio era un clamor animando a su equipo.* **2** Voz lastimosa que indica sufrimiento o angustia: *Los dioses se apiadaron al oír su clamor y le perdonaron su castigo.* ☐ ETIMOL. Del latín *clamor*.

clamoroso, sa adj. **1** Que va acompañado de clamor, esp. el de la gente entusiasmada: *vivas clamorosos.* **2** De tamaño, cantidad o calidad mayores de lo normal: *un triunfo clamoroso.*

clan s.m. **1** Grupo de personas que pertenecen a un mismo tronco familiar, que conceden gran importancia a los lazos de parentesco y que están unidas bajo la autoridad de un jefe: *Algunos pueblos de la Antigüedad se agrupaban en clanes.* **2** Grupo restringido de personas unidas por lazos o intereses comunes: *Un clan de especuladores quería desalojar los pisos para arreglarlos y venderlos más caros.* ☐ ETIMOL. Del inglés *clan*, y este del gaélico escocés *clann* (familia, descendencia). ☐ USO En la acepción 2, tiene un matiz despectivo.

clandestinidad s.f. Ocultación o encubrimiento de algo, esp. por temor a la ley o por eludirla: *actuar desde la clandestinidad.*

clandestino, na adj. Secreto, que se oculta o se esconde, esp. por temor a la ley o para eludirla: *organizaciones clandestinas.* ☐ ETIMOL. Del latín *clandestinus* (que se hace ocultamente).

claque s.f. →**clac.** ☐ ORTOGR. Dist. de *claqué*.

claqué s.m. Baile que se caracteriza por el golpeteo que el bailarín realiza con la punta y el tacón de sus zapatos: *La punta y el tacón de los zapatos de claqué tienen unas láminas de metal que permiten marcar el ritmo del baile.* ☐ ORTOGR. Dist. de *claque*.

claqueta s.f. En cine, tablilla compuesta por dos planchas, unidas por una bisagra, en las que se escriben las indicaciones técnicas de la toma que se va a grabar: *Las planchas de la claqueta se chocan para que cuando suene se empiece a rodar la escena.* ☐ ORTOGR. Dist. de *plaqueta*.

clara s.f. Véase **claro, ra.**

claraboya s.f. Ventana abierta en el techo o en la parte alta de una pared: *Las claraboyas del techo del salón hacen que la buhardilla tenga mucha luz.* ☐ ETIMOL. Del francés *claire-voie*.

clarear ▮ v. **1** Empezar a amanecer o salir el Sol: *La fiesta se alargó y llegué a casa cuando clareaba.* **2** Irse abriendo o desapareciendo el nublado: *Si* *clarea podremos salir a dar una vuelta por el campo. Amaneció todo cubierto, pero luego clareó el día e hizo mucho calor.* ▌prnl. **3** Referido esp. a un cuerpo, permitir que se vea o se perciba algo a través de él: *No me gusta esa tela para blusa porque se clarea mucho.* **4** Referido esp. a una prenda de vestir, estar demasiado fina por el desgaste: *Se te clarean los pantalones de lo viejos que están.*

clarete s.m. →**vino clarete.** □ ETIMOL. Del francés antiguo *claret.*

claretiano, na ▌adj. **1** De san Antonio María Claret (religioso español del siglo XIX), de sus doctrinas o de sus instituciones o relacionado con ellos: *un colegio claretiano.* ▌s.m. **2** Religioso de la Congregación de Misioneros Hijos del Inmaculado Corazón de María (fundada en 1849 por san Antonio María Claret).

claridad s.f. **1** Luminosidad o abundancia de luz: *La claridad de esa habitación la hace muy buena para leer y estudiar en ella.* **2** Facilidad para percibir, para comprender o para distinguir bien: *Os recomiendo este libro de artículos por su claridad y profundidad.* **3** Orden, seguridad o precisión, esp. de la mente o de las ideas: *Este trabajo de investigación demuestra una claridad de ideas poco habitual en temas tan complicados.* **4** Transparencia, limpieza o falta de mezclas o alteraciones: *La claridad del agua del mar invitaba a darse un baño.* **5** Pureza, limpieza o agudeza de timbre de un sonido: *Noté que estabas nervioso, a pesar de la claridad de tu voz.* **6** Exposición manifiesta o posibilidad de percibir o de comprender perfectamente: *Me parece una gran profesora por lo mucho que sabe y por la claridad con la que explica.* **7** Efecto que causa la luz iluminando un espacio de forma que se distingue lo que hay en él: *Esa noche la claridad de la Luna hacía menos cansada la conducción.*

clarificación s.f. Aclaración o explicación de algo que no se entiende: *La conferenciante consiguió en pocas palabras la clarificación de los puntos difíciles de su intervención.*

clarificador, -a adj. Que clarifica: *La reunión de ayer fue muy clarificadora para hacernos ver la gravedad de la situación.*

clarificar v. Aclarar o hacer menos denso o espeso: *Clarifica un poco la salsa con más leche para que quede más líquida.* □ ORTOGR. La *c* se cambia en *qu* delante de *e* →SACAR.

clarificativo, va adj. Que clarifica: *Cada lección va acompañada de un esquema clarificativo de los nuevos conceptos.*

clarín s.m. **1** Instrumento musical de viento, metálico, parecido a la trompeta, pero más pequeño y de sonidos más agudos: *Sonaron los clarines y empezó el desfile de los escuadrones de caballería.* **2** Músico que toca este instrumento: *El clarín se quedó después del ensayo para repasar unos compases.* □ ETIMOL. De *claro.*

clarinete s.m. **1** Instrumento musical de viento, de la familia de las maderas, compuesto de una boquilla con lengüeta y de un tubo con agujeros que se tapan con los dedos o se cierran mediante llaves para producir los diferentes sonidos: *El clarinete se usa mucho en orquestas y bandas militares.* **2** →**clarinetista.** □ ETIMOL. Del italiano *clarinetto.*

clarinetista s.com. Músico que toca el clarinete. □ SINÓN. *clarinete.*

clarisa adj./s.f. Referido a una religiosa, que pertenece a la orden fundada por santa Clara (religiosa italiana del siglo XIII) y cuya regla fue redactada por san Francisco de Asís (religioso italiano del siglo XIII): *monjas clarisas.*

claritromicina s.f. Antibiótico activo frente a un gran número de gérmenes que causan infecciones de las vías respiratorias: *La claritromicina, como cualquier otro antibiótico, debe administrarse con precaución durante el embarazo.*

clarividencia s.f. **1** Capacidad o perspicacia para comprender y distinguir claramente: *Su clarividencia en las inversiones le ha permitido hacer muy buenos negocios.* **2** Facultad sobrenatural de percibir o adivinar lo que no se ha visto o no ha sucedido: *Algunas personas están dotadas de una clarividencia que les permite conocer el futuro.* □ ETIMOL. De *claro* y el latín *videre* (ver).

clarividente adj.inv./s.com. Que posee clarividencia: *una mente clarividente.*

claro adv. Con claridad: *Cuando se trata de pedir para ti, hablas muy claro.* □ SINT. Se usa también como adverbio de afirmación con el significado de 'evidentemente' o de 'por supuesto': *Cuando le pregunté si el regalo era para mí, dijo: 'Claro. ¡Claro que iré a tu fiesta!'*

claro, ra ▌adj. **1** Que tiene luz o mucha luz: *Estas habitaciones son las más claras de toda la casa.* **2** Que se distingue bien: *Tiene una firma muy clara y se lee muy bien su nombre.* **3** Referido esp. a la mente o a las ideas, ordenadas, seguras o precisas: *Tiene las ideas muy claras y sabe bien lo que quiere.* **4** Transparente, limpio o no enturbiado: *Da gusto ver un río con un agua tan clara.* **5** Referido a algo líquido mezclado con algunos ingredientes, poco espeso o poco consistente: *Me gusta el chocolate muy claro, casi como el agua.* **6** Referido a un color, que tiene mucho blanco en su mezcla o que está más cerca del blanco que otros de su misma gama: *Los coches de colores claros se distinguen mejor en la oscuridad.* **7** Inteligible o fácil de comprender: *Te lo he explicado de una forma tan clara que es imposible que no lo hayas entendido.* **8** Referido a una persona, que se explica de esta forma: *Ha sido muy clara en sus críticas y ha dicho todo lo que tenía que decir.* **9** Que está despejado y sin nubes: *Era una noche clara, muy apropiada para ver estrellas.* **10** Referido esp. a un sonido, que es puro, limpio o de timbre agudo: *Buscan una cantante de voz clara para su conjunto musical.* **11** Que se manifiesta, se percibe o se comprende perfectamente: *Está claro que intenta timarte. Lo sucedido son hechos claros que tenemos que afrontar.* **12** Que está más ensanchado o que tiene más espacios e intermedios de lo normal: *Decidieron comer y descansar cuando llegaran a alguna zona del monte claro.* ▮ s.m. **13** Espacio vacío en un conjunto de cosas o en el interior de algo, esp. en un bosque: *Acamparon en un claro del bosque.* **14** Porción de cielo despejado entre nubes: *Para mañana se esperan nubes y claros en la zona este de la región.* ▮ s.f. **15** En un huevo, materia blanquecina, fluida y transparente que rodea la yema: *Separa las claras para batirlas aparte y echarlas después a la masa del bizcocho.* **16** Bebida que se hace mezclando cerveza con gaseosa: *Hemos tomado tres cañas, una clara y cuatro pinchos de tortilla.* **17** || **a las claras;** manifiesta o públicamente: *Dime a las claras qué es lo que quieres de mí.* || **claro de luna;** en una noche oscura, momento en el que la Luna se deja ver muy bien: *Durante el claro de luna el reflejo en el mar daba al agua matices plateados.* || **poner en claro;** aclarar, explicar o exponer: *Para sacar adelante el proyecto debemos poner en claro qué es lo que queremos y cómo.* || **sacar en claro;** obtener ideas o conclusiones precisas y concretas de algo: *Lo único que saqué en claro con ellos es que estorbaba, y me fui.* □ ETIMOL. Del latín *clarus*. Las acepciones 15 y 16, de *claro*.

claroscuro s.m. **1** En pintura, distribución adecuada y conveniente de las sombras y de la luz en un cuadro: *El claroscuro de este cuadro da mayor expresividad a las imágenes representadas.* **2** Diferentes facetas en la personalidad o en las funciones que desempeña una persona, y que generalmente se consideran opuestas o contradictorias: *Esta escritora quiso poner de relieve los claroscuros de su protagonista mediante el contraste entre la mujer fría y calculadora y la amante apasionada.* □ ETIMOL. Del italiano *chiaroscuro*.

clase s.f. **1** Naturaleza o índole: *Es de esa clase de personas en las que nunca confiaría.* □ SINÓN. *género.* **2** Grupo de estudiantes que pertenecen a un mismo conjunto y que reciben las lecciones y explicaciones juntos: *Hoy juega al fútbol mi clase contra la de mi hermano mayor.* **3** En un centro docente, sala en la que se imparte la enseñanza: *Hoy no había calefacción en clase y hemos pasado mucho frío.* □ SINÓN. *aula.* **4** Lección que el profesor enseña cada día: *El profesor siempre termina la clase haciendo un resumen de lo que ha explicado.* **5** En un centro docente, cada una de las asignaturas a las que se destina determinado tiempo por separado: *Tenemos cuatro clases de lengua española a la semana.* **6** En sociología, conjunto de personas que tienen trabajos o intereses económicos iguales o parecidos: *Las sociedades modernas se dividen en clases de acuerdo con la riqueza de sus miembros.* **7** Categoría o distinción: *Viajamos en el vagón de primera clase con billete de segunda.* **8** En biología, en la clasificación de los seres vivos, categoría superior a la de orden e inferior a la de superclase: *Las gambas pertenecen a la clase de los crustáceos.* **9** || **clase alta;** la que está por encima de la clase media: *Los privilegios exclusivos de la clase alta provocaron muchas revueltas sociales.* || **clase baja;** la más humilde: *En nuestra sociedad, la clase baja está constituida principalmente por los obreros.* || **clase media;** grupo social formado por las personas de posición acomodada: *El desarrollo del comercio dio origen a la clase media.* □ SINÓN. *burguesía.* || **clases pasivas;** conjunto de personas que, sin realizar un trabajo, disfrutan de una pensión del Estado: *Los jubilados forman parte de las clases pasivas.* □ ETIMOL. Del latín *classis* (grupo, categoría).

clasicismo s.m. **1** Sistema literario o artístico que se basa en la imitación de los modelos de la Antigüedad griega o romana: *Fray Luis de León es uno de los grandes representantes del clasicismo renacentista en España.* **2** Equilibrio, armonía o respeto a lo que se considera clásico: *El clasicismo en el vestir es un toque de elegancia.* □ ORTOGR. Dist. de *clasismo*.

clasicista ▮ adj.inv. **1** Del clasicismo o relacionado con este sistema artístico: *una poética clasicista.* ▮ adj.inv./s.com. **2** Partidario o seguidor del clasicismo. □ SINÓN. *clásico.*

clásico, ca ▮ adj. **1** Que se ajusta a lo establecido o marcado por la tradición o por el uso: *En nochevieja tomaremos las clásicas doce uvas.* **2** Referido a la música o a otro arte relacionado con ella, que son de carácter culto y responden a principios estéticos establecidos: *Estudié ballet clásico y danza moderna en el conservatorio.* **3** Del período cumbre o más característico de algo que evoluciona, o relacionado con él: *El latín clásico presenta estructuras sintácticas más definidas que el medieval.* ▮ adj./s. **4** Referido a un autor artístico o a una de sus obras, que son tenidos como modelos dignos de imitación: *Picasso y Miró se cuentan entre los clásicos del arte moderno.* **5** De la literatura o el arte grecorromanos, o de sus seguidores: *La lectura de textos clásicos era obligatoria en las carreras de humanidades.* **6** Partidario o seguidor del clasicismo: *El Renacimiento fue un movimiento principalmente clásico.* □ SINÓN. *clasicista.* ▮ s.m. **7** Lo que ha entrado a formar parte de la tradición por su importancia o por su calidad: *La película que vimos es un clásico del cine mudo.* □ ETIMOL. Del latín *classicus* (de primera clase).

clasificación s.f. **1** Ordenación o colocación por clases: *Tengo que aprenderme parte de la clasificación del reino animal.* **2** En una competición, obtención de determinado puesto o consecución de un resultado que permite continuar en ella: *Con este salto el atleta se colocó en el primer lugar de la clasificación.*

clasificado, da ▮ adj. **1** Referido a un documento o a una información, secretos o reservados: *Fue acusado de revelar información clasificada al enemigo.* ▮ adj./s.m. **2** Referido a un anuncio, que es breve y se publica en la prensa: *Encontré el piso que compré en la sección de clasigicados de este periódico.* ▮ s. **3** Persona que ha obtenido los resultados necesarios para mantenerse en una prueba o competición:

Mi hija está entre las clasificadas para el campeonato de natación.

clasificador, -a ▌adj./s. **1** Que clasifica: *Nos encontramos en la etapa clasificadora de estos juegos deportivos entre colegios.* ▌s.m. **2** Mueble o carpeta que sirven para guardar y clasificar papeles y documentos: *Los apuntes de clase los guardo en un clasificador de anillas.*

clasificar v. **1** Ordenar o poner por clases: *El secretario clasifica la correspondencia antes de entregársela al jefe.* **2** En una competición, obtener determinado puesto o conseguir continuar en ella: *Esta victoria clasifica a la selección española para la siguiente fase del campeonato. En la carrera de natación me clasifiqué la segunda y tuve medalla de plata.* □ ETIMOL. Del latín *classificare*, y este de *classis* (clase) y *ficare* (hacer). □ ORTOGR. La *c* se cambia en *qu* delante de *e* →CAZAR.

clasificatorio, ria adj. Que sirve para conseguir una clasificación: *El encuentro clasificatorio entre el equipo español y el inglés decidirá quién pasa a la final.*

clasismo s.m. Actitud o tendencia discriminatoria que defiende las diferencias de clase social y discrimina a quienes no pertenecen a la suya: *Su clasismo le hace considerar a las personas por lo que tienen y no por lo que son.*

clasista ▌adj.inv. **1** Del clasismo o relacionado con esta actitud discriminatoria: *una opinión clasista.* ▌adj.inv./s.com. **2** Referido a una persona, que defiende las diferencias de clase social y discrimina a quienes no pertenecen a la suya.

claudia s.f. →**ciruela claudia.** □ ETIMOL. De *Claudia* (esposa de Francisco I de Francia).

claudicación s.f. **1** Rendición o renuncia, generalmente ante una presión externa: *La claudicación ante el enemigo se produjo por la superioridad de este.* **2** Fallo en la observancia de los propios principios o normas de conducta: *Tu claudicación fue aceptar el puesto como pago del favor que le hiciste.*

claudicar v. **1** Ceder o rendirse, generalmente ante una presión externa: *Quería fundar un colegio, pero ante la falta de recursos económicos claudicó.* **2** Fallar en la observancia de los propios principios o normas de conducta: *Nunca claudicó de sus ideas revolucionarias.* □ ETIMOL. Del latín *claudicare* (cojear, ser cojo). □ ORTOGR. La *c* se cambia en *qu* delante de *e* →SACAR.

claustral adj.inv. Del claustro o relacionado con él: *La entrada al monasterio incluye la visita claustral.*

claustro s.m. **1** En un edificio, galería que rodea el patio principal: *Los capiteles y columnas del claustro de esta iglesia son ejemplares únicos del arte románico.* **2** Junta que interviene en el gobierno de las universidades y de los centros dependientes de un rectorado: *La presidencia del claustro universitario corresponde al rector de la universidad.* **3** Conjunto de profesores de un centro docente: *El claustro ha elaborado unas normas de convivencia para el instituto.* **4** Reunión de este conjunto de profesores: *Mañana por la tarde tengo claustro en el instituto para programar las actividades culturales.* □ ETIMOL. Del latín *claustrum* (cerradura, cierre).

claustrofobia s.f. Temor anormal y angustioso a los lugares cerrados: *No puede montar en ascensor porque tiene claustrofobia.* □ ETIMOL. Del latín *claustrum* (cerradura, cierre) y *-fobia* (aversión).

claustrofóbico, ca adj. **1** De la claustrofobia o relacionado con este temor: *angustia claustrofóbica.* **2** Que padece claustrofobia.

cláusula s.f. **1** Cada una de las disposiciones de un documento público o privado, esp. de un contrato o de un testamento: *En el contrato de alquiler figura una cláusula por la que por falta de pago se puede desalojar al inquilino.* □ SINÓN. *estipulación.* **2** En gramática, conjunto de palabras que tienen sentido completo y constituyen una oración o varias relacionadas entre sí. □ ETIMOL. Del latín *clausula* (conclusión de una frase).

clausura s.f. **1** Acto solemne con el que termina o se suspende la actividad de un organismo o de una institución: *La clausura del congreso contó con la asistencia de los Reyes de España.* **2** En un convento de religiosos, recinto interior en el que no pueden entrar personas que no pertenezcan a él sin una orden o un permiso especiales: *El médico tenía un permiso especial para entrar en la clausura del convento.* **3** Obligación que tienen las personas religiosas de no salir de cierto recinto y prohibición a las personas seglares de entrar en él: *La clausura religiosa exige mucho y no todas las personas están preparadas para ella.* **4** Vida religiosa o que sigue esta obligación: *Las carmelitas son religiosas de clausura.* **5** Cierre de un local o de un edificio: *Como este bar no cumplía las normas de seguridad, el ayuntamiento ordenó su clausura.* □ ETIMOL. Del latín *clausura* (acto de cerrar).

clausurar v. **1** Referido esp. a la actividad de un organismo o institución, cerrarla o ponerle fin: *La directora de la academia clausuró el curso trimestral y entregó los diplomas de asistencia a los alumnos.* **2** Referido esp. a un local o a un edificio, cerrarlos o declararlos no aptos para ser utilizados: *Las autoridades sanitarias clausuraron el restaurante porque no cumplía las normas higiénicas.*

clavado, da adj. **1** Fijo o puntual: *Llegó a las cinco clavadas.* **2** Idéntico o muy parecido: *El niño es clavado al padre.* **3** Confuso, desconcertado: *Con la respuesta que me dio me dejó clavado.*

clavar ▌v. **1** Referido a un clavo o a un objeto puntiagudo, introducirlo en un cuerpo, esp. si se hace a presión o mediante golpes: *Clava las chinchetas en el corcho para que no se pierdan. Me he clavado una astilla en un dedo.* **2** Referido a un objeto, asegurarlo a otro con clavos: *Clava las tablas del cajón con estos clavillos.* **3** Referido a una persona, cobrarle más de lo normal o de lo que es justo: *No entres en este bar porque te clavan.* **4** Fijar, parar o poner: *El niño clavó los ojos en el muñeco de peluche. Se clavó delante del televisor y no hubo forma de mo-*

verlo en toda la tarde. **5** Referido a una acción, ejecutarla brillantemente: *He clavado el examen porque había estudiado mucho.* □ SINÓN. *bordar.* ▌ prnl. **6** *col.* En zonas del español meridional, quedarse con algo ajeno: *Se clavó el cambio de los refrescos.* □ ETIMOL. Del latín *clavare.*

clave ▌ s.m. **1** →**clavecín.** ▌ s.f. **2** Código de signos establecido para la transmisión de un mensaje secreto: *Las organizaciones secretas se intercambian mensajes en clave.* **3** Conjunto de reglas que explican este código: *El inspector necesitaba la clave para descifrar el texto secreto.* **4** Signo o combinación de signos que permite acceder a algo o hacer funcionar un mecanismo o un aparato: *Para abrir la caja fuerte necesitas saber cuál es la clave secreta.* **5** Noticia, dato o explicación que permite entender algo: *La clave de su éxito está en su gran capacidad de trabajo.* **6** Lo que es fundamental o decisivo para algo: *Ocupa un puesto clave en la empresa.* **7** En música, signo que se pone al comienzo del pentagrama y que determina el nombre y la entonación de las notas escritas en él: *Las partituras para piano suelen tener escritas la parte de la mano derecha en clave de sol y la de la izquierda en clave de fa en cuarta.* **8** En arquitectura, piedra central con que se cierra un arco o una bóveda: *En la clave de los arcos del claustro están esculpidas figuras alegóricas.* **9** ‖ **en clave de;** con el carácter o con el tono de: *En este libro se desarrolla el tema de la crisis económica en clave de humor.* □ ETIMOL. Del latín *clavis* (llave). □ SINT. En la acepción 6 se usa en aposición, pospuesto a un sustantivo: *pregunta clave; tema clave.*

clavecín s.m. Instrumento musical de cuerda y teclado, en el que las cuerdas se ponen en vibración al ser pulsadas desde abajo por cañones de pluma que actúan a modo de púas accionadas por dicho teclado: *El clavecín tiene forma de piano de cola con las cuerdas horizontales.* □ SINÓN. *clavicémbalo.* □ ETIMOL. Del francés *clavecin.* □ MORF. Se usa mucho la forma abreviada *clave.*

clavecinista s.com. Músico que toca el clavecín: *Couperin fue un importante clavecinista francés de finales del siglo XVII.*

clavel s.m. **1** Planta que está provista de tallos nudosos y delgados, hojas largas, estrechas y puntiagudas, y flores olorosas de diversos colores que tienen el borde superior de los pétalos dentado: *El clavel se cultiva como planta ornamental.* **2** Flor de esta planta: *Algunos claveles huelen muy bien.* **3** ‖ **clavel reventón;** el que es de color rojo oscuro y tiene muchos pétalos. □ ETIMOL. Del catalán *clavell* (flor de clavel).

clavellina s.f. **1** Variedad de clavel que tiene el tallo, las hojas y las flores más pequeños: *En el jardín tiene plantados rosales, claveles y clavellinas.* **2** Flor de esta planta: *Las clavellinas tienen un olor muy agradable.* □ ETIMOL. Del catalán *clavellina* (clavel de flores sencillas).

clavetear v. **1** Adornar con clavos: *Claveteé el baúl para que pareciera más antiguo.* **2** Sujetar con clavos, esp. si se hace con poca habilidad: *He claveteado la ventana, pero no estoy seguro de que dure mucho.*

clavicembalista s.com. Músico que toca el clavicémbalo.

clavicémbalo s.m. Instrumento musical de cuerda y teclado, en el que las cuerdas se ponen en vibración al ser pulsadas desde abajo por cañones de pluma que actúan a modo de púas accionadas por dicho teclado: *El clavicémbalo es un instrumento típicamente barroco.* □ SINÓN. *clavecín.* □ ETIMOL. Del italiano *clavicembalo.*

clavicordio s.m. Antiguo instrumento musical de cuerda y teclado, que consta de una caja rectangular en la que las cuerdas son percutidas por láminas de latón que se accionan a través del teclado: *El clavicordio se considera el antecedente del piano.* □ ETIMOL. Del latín *clavis* (llave) y *chorda* (cuerda).

clavícula s.f. Cada uno de los dos huesos situados a ambos lados de la parte superior del pecho y que se articulan por su parte interna con el esternón y por su parte externa con una parte del omóplato: *Me rompí la clavícula y me tuvieron que escayolar el brazo y parte del pecho.* □ ETIMOL. Del latín *clavicula* (llavecita), porque se comparó con la forma de una clavija.

clavicular adj.inv. De la clavícula o relacionado con este hueso: *una fractura clavicular.*

clavija s.f. **1** Pieza de madera, metal u otra materia que se encaja en un agujero para ensamblar, sujetar o conectar algo: *Los montañeros necesitan clavijas para fijar y sujetar las cuerdas.* **2** En un instrumento musical, pieza que sirve para asegurar, tensar y enrollar las cuerdas: *Las cuerdas de la guitarra se afinan ajustando sus correspondientes clavijas.* **3** Pieza con una varilla metálica que sirve para conectar un teléfono a la red: *La avería de este teléfono se soluciona colocando una clavija nueva.* **4** ‖ **apretarle** a alguien **las clavijas;** *col.* Adoptar una postura rígida o severa para obligarlo a que haga algo: *Si sigues siendo tan impuntual para entrar a trabajar, voy a tener que apretarte las clavijas.* □ ETIMOL. Del latín *clavicula* (llavecita).

clavijero s.m. Pieza o parte en la que se insertan las clavijas, esp. referido a las de algunos instrumentos musicales: *El clavicordio y el piano disponen de clavijero.*

clavillo s.m. Pasador o vara pequeña de metal que sujeta varios elementos, esp. referido al que sujeta las varillas de un abanico o las dos hojas de unas tijeras: *El clavillo del abanico se ha aflojado y las varillas bailan.*

clavo s.m. **1** Pieza metálica larga y delgada con un extremo terminado en punta y el otro en cabeza: *Los jamones colgaban de unos clavos dispuestos en la viga del techo.* **2** Callo duro de figura piramidal que se forma normalmente sobre los dedos de los pies: *El podólogo le extirpó el clavo que tenía sobre el dedo meñique.* **3** Capullo seco de la flor de un árbol, aromático, de sabor picante y que se utiliza como especia: *Si le echas clavo a las lentejas que-*

darán más sabrosas. **4** || **agarrarse {a/de} un clavo ardiendo;** *col.* Servirse de cualquier medio, por arriesgado que sea, para conseguir algo: *Aunque es un usurero, le he tenido que pedir el préstamo porque en mi situación me agarro a un clavo ardiendo.* || **como un clavo;** fijo, exacto o puntual: *Él siempre llega a la hora, como un clavo.* || **dar en el clavo;** *col.* Acertar en lo que se hace o se dice: *Cuando me dijiste que me acomplejaba mi gordura diste en el clavo, porque ese es un tema que me obsesiona.* || **no {dar/pegar} ni clavo;** *col.* No trabajar o estar ocioso: *Desde que te dijeron que te iban a despedir, no das ni clavo en la oficina.* || **no tener un clavo;** *col.* No tener dinero: *Necesito trabajar porque no tengo un clavo.* || **por los clavos de Cristo;** *col.* expresión que se utiliza para rogar algo de forma exagerada: *¡Por los clavos de Cristo, ten cuidado de no dejarte la llave del gas abierta!* □ ETIMOL. Del latín *clavus.*

claxon (pl. *cláxones*) s.m. Bocina eléctrica de sonido potente, esp. la de un automóvil: *Al tomar una curva cerrada sin visibilidad hay que hacer sonar el claxon del coche.* □ ETIMOL. Extensión del nombre de una marca comercial.

clearing (ing.) s.m. Sistema de comercio entre dos o más países cuyas monedas no son convertibles, que establece una compensación mutua entre los créditos y los débitos en el comercio internacional: *Los acuerdos de clearing se suelen realizar a través de los bancos centrales.* □ PRON. [clíarin].

clemátide s.f. Planta trepadora parecida a la hiedra y que tiene flores azules, blancas o rojas: *La pared del jardín estaba cubierta por unas clemátides de flores azules.* □ ETIMOL. Del latín *clematis.*

clembuterol s.m. Sustancia química que se utiliza para aumentar el peso o la masa muscular de un organismo: *Actualmente es ilegal utilizar clembuterol para engordar ganado rápidamente.*

clemencia s.f. Compasión o moderación al aplicar la justicia: *Aunque su delito era digno de castigo, dadas las circunstancias, confiaba en la clemencia del juez.*

clemente adj.inv. Que tiene o que manifiesta clemencia: *La juez fue clemente y sólo le impuso una pena de arresto menor.* □ ETIMOL. Del latín *clemens.*

clementina s.f. Variedad de mandarina de piel más roja, sin pepitas y muy dulce: *Compré un kilo de clementinas en un puesto del mercado.* □ ETIMOL. Del francés *clémentine,* y este del padre Clément, monje trapense de Misserghin, en Argelia, que obtuvo esta fruta mediante el injerto de naranjo amargo con mandarino.

clepsidra s.f. Instrumento para medir el tiempo, que se basa en lo que tarda el agua en pasar de un recipiente a otro: *En la antigüedad se usaban clepsidras para medir el paso del tiempo.* □ ETIMOL. Del latín *clepsydra,* este del griego *klepsýdra,* y este de *hýdor* (agua) y *klépto* (yo dejo escurrir).

clepto- Elemento compositivo prefijo que significa 'robo': *cleptomanía, cleptocracia.* □ ETIMOL. Del griego *klépto* (yo robo).

cleptocracia s.f. **1** Uso del poder político para el enriquecimiento personal ilícito y otros abusos que se efectúan durante el desempeño de la función pública: *El Estado debe luchar contra la cleptocracia.* **2** Nación en la que se utiliza el poder político para el enriquecimiento personal: *He leído que ese país es una cleptocracia.* □ ETIMOL. De *clepto-* (robar) y *-cracia* (poder).

cleptocrático, ca adj. Que permite o favorece el uso del poder político para el enriquecimiento personal ilícito y para otros abusos que se efectúan durante el desempeño de la función pública: *un estado cleptocrático.*

cleptofobia s.f. Temor anormal y angustioso a los ladrones: *Mi psicóloga dice que tengo cleptofobia porque estoy obsesionado con que me van a atracar.* □ ETIMOL. Del griego *klépto* (yo robo) y *-fobia* (aversión).

cleptomanía s.f. Inclinación enfermiza al hurto: *La cleptomanía necesita un tratamiento psiquiátrico.* □ ETIMOL. Del griego *klépto* (yo robo) y *-manía* (afición desmedida).

cleptomaníaco, ca (tb. *cleptomaniaco, ca*) adj. →**cleptómano.**

cleptómano, na adj./s. Referido a una persona, que padece una inclinación enfermiza al hurto: *Los cleptómanos no roban por necesidad, sino por el placer de poseer lo robado.* □ SINÓN. *cleptomaniaco, cleptomaníaco.*

clerecía s.f. **1** Conjunto de personas eclesiásticas que componen el clero: *En las festividades religiosas se hallaba presente toda la clerecía de la ciudad.* **2** Oficio u ocupación de clérigos: *La clerecía exige dedicación plena al servicio de Dios y de las personas.*

clergyman (ing.) s.m. Traje religioso compuesto por chaqueta y pantalón de color oscuro y alzacuello blanco: *El clergyman es una vestimenta religiosa de origen anglosajón.* □ PRON. [cléryiman].

clerical adj.inv. Del clérigo o del clero: *Durante buena parte de la Edad Media la cultura estuvo en manos del estamento clerical.* □ ETIMOL. Del latín *clericalis.*

clericalismo s.m. **1** Influencia excesiva del clero en los asuntos políticos: *El sector más liberal esgrimía razones para acabar con el clericalismo.* **2** Inclinación y sumisión al clero y a sus directrices: *Las clases sociales más elevadas se suelen caracterizar por su clericalismo.*

clerigalla s.f. *desp.* Grupo social formado por los clérigos.

clérigo s.m. **1** Hombre que ha recibido las órdenes sagradas: *Su vocación es consagrar su vida a Dios como clérigo sacerdote.* □ SINÓN. *eclesiástico.* **2** En la época medieval, hombre letrado y con estudios, esp. de latín, teología y filosofía: *Las obras del mester de clerecía son de carácter culto y están escritas* *por clérigos, a diferencia de los textos juglarescos.* □ ETIMOL. Del latín *clericus* (miembro del clero).

clero s.m. **1** Grupo social formado por los clérigos u hombres que han recibido las órdenes sagradas: *Sacerdotes y obispos forman parte del clero.* **2** En la sociedad europea medieval, estamento privilegiado formado por estas personas: *En la Edad Media, la nobleza y el clero eran estamentos privilegiados.* □ ETIMOL. Del latín *clerus* (conjunto de los sacerdotes).

clic s.m. **1** Presión o golpe pequeños: *Para entrar en este programa de ordenador, pon el ratón sobre la opción elegida y haz dos veces clic.* **2** Sonido semejante al que se produce al pulsar un botón o un interruptor: *Supe que llegaste porque oí el clic de la cerradura al mover la llave.* □ ORTOGR. Se usa también *click.* □ USO Se usan los plurales *clics* y *clic.*

clicar v. Hacer clic con el ratón de un ordenador: *Para abrir ese archivo, tienes que clicar dos veces con el botón derecho del ratón.* □ SINÓN. *cliquear.* □ ORTOGR. La *c* se cambia en *qu* delante de *e* →SACAR.

cliché s.m. **1** En fotografía, tira de película fotográfica revelada con imágenes negativas: *A partir de estos clichés tú puedes sacar copias de las fotos.* **2** En imprenta, soporte material en el que se ha reproducido una composición tipográfica o un grabado para su posterior reproducción: *En litografía se utilizan clichés de cinc o de aluminio.* □ SINÓN. *clisé.* **3** Idea o expresión demasiado repetidas o tópicas: *Hablar de 'oro' en poesía para designar el cabello rubio se ha convertido ya en un cliché.* □ SINÓN. *clisé.* □ ETIMOL. Del francés *cliché.*

click (ing.) s.m. →**clic.**

clienta s.f. →**cliente.**

cliente ▮ s.com. **1** Persona que utiliza habitualmente los servicios de un profesional o de una empresa. **2** Persona que compra en un establecimiento o que utiliza sus servicios, esp. si lo hace de forma habitual. ▮ s.m. **3** Elemento de un sistema informático que envía peticiones al servidor para que este realice para él ciertas funciones: *Normalmente, el cliente procesa los datos y el servidor los almacena.* □ ETIMOL. Del latín *cliens* (persona defendida por un patrón, protegido). □ MORF. En las acepciones 1 y 2, se admite también el femenino *clienta.*

clientela s.f. Conjunto de los clientes de una persona o de un establecimiento: *El electricista atiende primero los avisos de su clientela habitual.*

clientelismo s.m. Sistema de protección con que los poderosos patrocinan a sus defendidos a cambio de su sumisión y de sus servicios.

clima s.m. **1** Conjunto de condiciones atmosféricas que caracterizan un lugar: *El clima de montaña se caracteriza por el frío intenso y las abundantes nevadas.* **2** Conjunto de condiciones que caracterizan una situación o de circunstancias que rodean a una persona: *La luminosidad y el mobiliario funcional crean un buen clima de trabajo.* □ ETIMOL. Del latín *clima* (cada una de las grandes regiones en que se dividía la superficie terrestre, por su mayor o menor proximidad al Polo). □ SEM. Dist. de *clímax* (culminación de un proceso).

climalit adj.inv. Referido esp. a una ventana, que tiene doble acristalamiento: *Las ventanas climalit aíslan las viviendas del frío y de los ruidos.* □ ETIMOL. Extensión del nombre de una marca comercial.

climatérico, ca adj. Referido a un período de la vida, que se considera crítico, esp. referido al de la caída o disminución de la actividad sexual: *El período climatérico del hombre suele ser más tardío que el de la mujer.* □ SEM. Dist. de *climático* (del clima).

climaterio s.m. Período de la vida que precede y sigue a la extinción de la función reproductora: *El climaterio de la mujer coincide con la menopausia.* □ ETIMOL. Del griego *klimaktér* (escalón, peldaño).

climático, ca adj. Del clima o relacionado con él: *las condiciones climáticas.* □ SEM. Dist. de *climatérico* (del climaterio).

climatización s.f. Operación que consiste en dar a un espacio cerrado las condiciones de temperatura, humedad del aire o presión necesarias para la salud o para la comodidad de quienes lo ocupan: *La mayoría de los grandes almacenes disponen de un sistema de climatización.*

climatizado, da adj. Referido a un local, que tiene aire acondicionado: *Todas las habitaciones de este hospital están climatizadas.*

climatizador, -a ▮ adj. **1** Que climatiza. ▮ s.m. **2** Aparato o sistema que se utilizan para climatizar un espacio cerrado: *El coche que me acabo de comprar tiene un climatizador automático que mantiene la temperatura interior del vehículo siempre constante.*

climatizar v. Referido a un espacio cerrado, darle las condiciones de temperatura, humedad del aire o presión necesarias para la salud o para la comodidad de quienes lo ocupan: *Antes de abrir estos salones al público hay que climatizarlos.* □ SINÓN. *acondicionar.* □ ORTOGR. La *z* se cambia en *c* delante de *e* →CAZAR. □ SEM. Dist. de *aclimatar* (adaptarse a un nuevo ambiente).

climatología s.f. **1** Ciencia o tratado que estudia el clima: *La climatología describe los distintos tipos de climas y los factores que los condicionan.* **2** Conjunto de las condiciones propias de un determinado clima: *Una climatología húmeda favorece el crecimiento de la vegetación.* □ ETIMOL. Del griego *klíma* (clima) y *-logía* (estudio, ciencia). □ SEM. Dist. de *meteorología* (estudio de los fenómenos naturales de la atmósfera terrestre; factores que producen el tiempo atmosférico).

climatológico, ca adj. De la climatología o relacionado con ella: *un estudio climatológico.* □ SEM. No debe emplearse con el significado de 'meteorológico': *Las condiciones {*climatológicas > meteorológicas} adversas dificultaron el aterrizaje.*

climatólogo, ga s. Persona que está especializada en climatología: *En el programa de ayer, una climatóloga habló del cambio climático que afecta a* *la tierra.* □ SEM. Dist. de *meteorólogo* (persona que estudia la atmósfera).

clímax (pl. *clímax*) s.m. Punto más alto o culminación de un proceso: *El mitin alcanzó su clímax cuando el presidente negó las acusaciones que se le habían hecho.* □ ETIMOL. Del latín *climax*, y este del griego *klîmax* (escala, escalera, gradación). □ SEM. Dist. de *clima* (condiciones atmosféricas de un lugar).

climbing (ing.) s.m. Modalidad de escalada. □ PRON. [clímbin].

climograma s.m. Gráfica que representa la temperatura y las precipitaciones de un lugar: *En clase de geografía hicimos un climograma con las cifras de las temperaturas y de las precipitaciones del año pasado.*

clinero, ra s. *col.* Persona que vende pañuelos de papel por la calle: *Los clineros suelen ser personas que no tienen otro medio económico para subsistir.* □ ETIMOL. De *clínex*.

clínex s.m. →**kleenex.**

clinic (ing.) s.m. Curso de especialización: *Se ha organizado un clinic para entrenadores de baloncesto.* □ PRON. [clínic]. □ USO Su uso es innecesario.

clínica s.f. Véase **clínico, ca.**

clínico, ca ▮ adj. **1** De la clínica o relacionado con esta parte práctica de la enseñanza de la medicina: *Los análisis clínicos probaron que estaba ya curada.* ▮ s. **2** Persona que se dedica al ejercicio práctico de la medicina: *Ha acudido a los mejores clínicos del país.* ▮ s.m. **3** Hospital en el que se enseña la parte práctica de la medicina: *Los últimos años de la carrera de medicina los estudió en un clínico.* ▮ s.f. **4** Hospital o establecimiento para el cuidado o atención de los enfermos, esp. el que es de carácter privado: *Al sentir los primeros dolores del parto se fue a la clínica.* **5** Parte práctica de la enseñanza de la medicina: *La clínica se relaciona con el cuidado directo de los enfermos.* □ ETIMOL. Del latín *clinicus* (que visita al que guarda cama).

clip s.m. **1** Utensilio hecho con una barrita de metal o de plástico doblada sobre sí misma y que se utiliza generalmente para sujetar papeles. **2** Sistema de cierre a presión que consta de una especie de pinza: *pendientes de clip.* **3** Grabación breve de vídeo o fragmento de una película, generalmente musicales: *Vi un avance de esa película en un clip que pusieron ayer en la televisión.* □ ETIMOL. Del inglés *clip.* □ USO Se usan los plurales *clips* y *clip*.

clíper s.m. **1** Barco de vela ligero, fácil de maniobrar y muy resistente: *El clíper es un tipo de embarcación deportiva.* **2** Avión grande de pasajeros, esp. el que se utiliza para vuelos transatlánticos: *Hicimos el vuelo a México en un clíper.* □ ETIMOL. Del inglés *clipper*.

cliquear v. Hacer clic con el ratón de un ordenador: *Si quieres más información, cliquea sobre el icono que más.* □ SINÓN. *clicar.*

cliqueo s.m. Pulsación repetida de los botones de un mecanismo que hacen un sonido de clic: *el cliqueo del ratón del ordenador.*

clisé s.m. →**cliché.** □ ETIMOL. Del francés *cliché*.

clistro s.m. Tubo electrónico que se usa para generar o amplificar microondas.

clítico, ca adj./s.m. En gramática, referido a una partícula átona, que se une con la palabra precedente o con la siguiente, y forma con ella una unidad léxica: *En 'habérselo', 'se' y 'lo' son pronombres clíticos.*

clitoriano, na adj. →**clitoridiano.**

clitórico, ca adj. →**clitoridiano.**

clitoridectomía s.f. Ablación del clítoris: *La clitoridectomía es una práctica que va en contra de varios derechos humanos fundamentales.* □ SINÓN. *clitoritomía.*

clitoridiano, na adj. Del clítoris o relacionado con él. □ SINÓN. *clitórico, clitoriano.*

clítoris (pl. *clítoris*) s.m. Órgano pequeño y carnoso situado en el ángulo anterior de la vulva: *El clítoris es un órgano eréctil.* □ ETIMOL. Del griego *kleitorís*.

clitoritomía s.f. →**clitoridectomía.**

cloaca s.f. **1** Conducto por el que van las aguas sucias o los residuos de una población: *En las cloacas suelen vivir ratas.* **2** Lugar muy sucio y repugnante: *Su piso es una cloaca en el que se acumula la porquería.* **3** En algunos animales, esp. en un ave, porción final del intestino, ensanchada y dilatable, en la que desembocan los conductos genitales y urinarios: *Los huevos de las gallinas salen a través de la cloaca.* □ ETIMOL. Del latín *cloaca*.

clocar v. →**cloquear.** □ ORTOGR. La *c* se cambia en *qu* delante de *e*. □ MORF. Irreg. →TROCAR.

clon (pl. *clones*) s.m. **1** →**clown. 2** Conjunto de células con una idéntica dotación genética obtenido a partir de una célula determinada. **3** Lo que resulta igual o muy parecido a otro: *Sois tan amigas que parecéis clones.* □ ETIMOL. La acepción 1, del inglés *clown*. La acepción 2, del griego *klón* (retoño).

clonación s.m. Técnica genética que permite la obtención de un clon a partir de la dotación cromosómica de una célula: *La clonación se utiliza para obtener cultivos celulares.*

clonar v. Producir clones a partir de una única célula: *A veces clonan células vegetales para mejorar los cultivos.*

clónico, ca adj. **1** Del clon o relacionado con este conjunto de células: *En este laboratorio producen anticuerpos clónicos que luego comercializan.* **2** Referido a un ordenador, que se hace por encargo con piezas de distintas marcas: *Los ordenadores clónicos suelen ser más baratos que los de marca y, además, pueden tener las funciones que el comprador quiera.*

clonning (ing.) s.m. Copia ilegal de la información de una tarjeta de crédito para hacer un duplicado sin autorización. □ PRON. [clónin].

cloquear v. Referido a una gallina clueca o que está empollando huevos, dar cloqueos o emitir su voz característica: *La gallina no ha parado de cloquear en toda la mañana.* □ SINÓN. *clocar.*

cloqueo s.m. Voz característica de la gallina clueca o que está empollando huevos.

cloración s.f. Tratamiento con cloro para hacer potables las aguas o para mejorar sus condiciones higiénicas: *El Ayuntamiento se encargará de la cloración de las aguas de uso doméstico.*

cloramfenicol s.m. →**cloranfenicol.**

cloranfenicol (tb. *cloramfenicol*) s.m. Antibiótico de amplio espectro que se emplea para curar el tifus: *El cloranfenicol se puede obtener por síntesis química.* □ SINÓN. *cloromicetina.*

clorar v. Referido esp. al agua, añadirle cloro: *Van a clorar el agua de esa fuente para desinfectarla.*

cloratita s.f. Explosivo compuesto de clorato: *El periódico dice que la banda terrorista utilizó cloratita en el atentado de ayer.*

clorato s.m. En química, sal derivada del ácido clórico: *El clorato se utiliza para fabricar algunos explosivos.* □ ETIMOL. De *cloro.*

clorhidrato s.m. En química, sal derivada del ácido clorhídrico: *Algunos medicamentos contienen compuestos de clorhidrato.*

clorhídrico, ca adj. **1** De las combinaciones del cloro con el hidrógeno o relacionado con ellas: *En la industria se utilizan numerosas sustancias clorhídricas.* **2** Referido a un ácido, que es gaseoso, incoloro, muy corrosivo y se usa disuelto en el agua: *El ácido clorhídrico ataca a la mayoría de los metales.* □ ETIMOL. De *cloro* y la terminación de *hidrógeno.*

clórico, ca adj. Del cloro o relacionado con este elemento químico: *El cloroformo es un compuesto orgánico clórico.*

cloro s.m. Elemento químico, no metálico y gaseoso, de número atómico 17, color amarillo verdoso, olor fuerte y sofocante, muy oxidante, tóxico y muy reactivo: *El cloro se utiliza para blanquear materias vegetales y como desinfectante.* □ ETIMOL. Del griego *khlorós* (verde claro, verde amarillento). □ ORTOGR. Su símbolo químico es *Cl.*

clorofila s.f. Pigmento de color verde que se halla presente en las plantas y en numerosas algas unicelulares, y que posibilita la realización del proceso químico de la fotosíntesis: *La clorofila posibilita la captación de la energía solar y su transformación en energía química.* □ ETIMOL. Del griego *khlorós* (verde claro) y *phýllon* (hoja).

clorofílico, ca adj. De la clorofila o relacionado con este pigmento: *La función clorofílica de las plantas origina el desprendimiento de oxígeno.*

clorofluorocarbonado, da adj. Que contiene clorofluorocarbono: *Las sustancias clorofluorocarbonadas perjudican el medio ambiente.*

clorofluorocarbono s.m. Gas que se utiliza en los aerosoles y en los frigoríficos y que, al liberarse en la atmósfera, daña la capa de ozono: *El clorofluorocarbono se usa cada vez menos para evitar daños ecológicos.* □ SINÓN. *CFC.*

clorofórmico, ca adj. Del cloroformo o relacionado con este anestésico: *Esta anestesista está estudiando los efectos clorofórmicos después de una intervención quirúrgica.*

cloroformización s.f. Aplicación de cloroformo para privar total o parcialmente de la sensibilidad: *La cloroformización debe hacerse con precaución para no ocasionar ningún perjuicio.*

cloroformizar v. Aplicar cloroformo para anestesiar o privar total o parcialmente de la sensibilidad: *En el laboratorio, cloroformizamos al ratón antes de iniciar la operación.* □ ORTOGR. La *z* se cambia en *c* delante de *e* →CAZAR.

cloroformo s.m. Líquido incoloro, de olor agradable, que se utiliza en medicina como anestésico: *El cloroformo está formado por carbono, hidrógeno y cloro.* □ ETIMOL. De *cloro* y *formo*, y este de *ácido fórmico* (ácido que se extraía de las hormigas).

cloromicetina s.f. Antibiótico de amplio espectro que se emplea para curar el tifus: *Durante el viaje contrajimos la fiebre tifoidea y nos tuvieron que administrar cloromicetina.* □ SINÓN. *cloramfenicol, cloranfenicol.*

cloroplasto s.m. En la célula de una planta, orgánulo o estructura que desempeña la función de un órgano, de color verde, generalmente con forma de huevo y que contiene la clorofila: *En los cloroplastos se efectúa la fotosíntesis.*

clorosis (pl. *clorosis*) s.f. Anemia provocada por la falta de hierro en el organismo: *La clorosis es un tipo de anemia.* □ ETIMOL. Del griego *khlorós* (de color verde pálido) y *-osis* (enfermedad).

cloruro s.m. **1** Combinación del cloro con un metal o con alguno de los metaloides. **2** || **cloruro de polivinilo;** plástico que se fabrica a partir de una sal de cloro: *La abreviatura del cloruro de polivinilo es PVC.* || **cloruro sódico;** sustancia cristalina, muy soluble en agua, generalmente blanca y de sabor característico, que se utiliza para condimentar alimentos, para conservar carnes y en la industria química. □ SINÓN. *sal.*

clóset s.m. En zonas del español meridional, armario empotrado. □ ETIMOL. Del inglés *closet.* □ ORTOGR. Se usa también *closet.*

clown (ing.) s.m. Payaso, esp. el que, con aires de afectación y seriedad, forma pareja con otro que se comporta de manera estúpida y que aparece vestido de forma estrafalaria: *Los niños se rieron cuando el clown le propinó una sonora bofetada a su compañero.* □ SINÓN. *clon.* □ PRON. [clóun].

club (tb. *clube*) s.m. **1** Asociación formada por un grupo de personas con intereses comunes y que se dedica a determinadas actividades, esp. de carácter deportivo o cultural: *Los clubes de fútbol de primera división manejan grandes cantidades de dinero.* **2** Lugar en el que se reúnen los miembros de esta asociación: *Hoy se reúnen en el club para discutir el precio de las mensualidades.* **3** Lugar de diversión donde se bebe y se baila y en el que suelen ofrecerse espectáculos musicales: *Trabaja de camarero en un club nocturno.* **4** En un teatro o en un cine, zona de localidades correspondiente a las filas delanteras del piso superior al patio de butacas: *He comprado dos entradas de club para la función de* *esta noche.* □ ETIMOL. Del inglés *club.* □ USO Se usan los plurales *clubs* y *clubes.*

clubber (ing.) s. Joven que va a clubes y discotecas con frecuencia y que generalmente consume alcohol u otro tipo de drogas. □ PRON. [clúber].

clubbing (ing.) s.m. **1** Conjunto de clubs nocturnos: *Este clubbing está formado por las tres mejores discotecas de la ciudad y cuenta con los mejores pinchadiscos.* **2** Actividad que consiste en frecuentar este tipo de clubs: *Muchos jóvenes aficionados al clubbing frecuentan este local.* □ PRON. [clúbin].

clube s.m. →**club.**

clueco, ca adj./s. Referido a un ave, esp. a una gallina, que está echada sobre los huevos para empollarlos: *Las gallinas cluecas empollan los huevos.*

cluniacense adj.inv./s.com. Del monasterio de Cluny (villa de la región del centro francés de Borgoña) que fue fundado en el siglo X, o de la congregación en él establecida, que seguía la regla de san Benito (monje italiano que fundó la orden benedictina a principios del siglo VI): *Los cluniacenses contribuyeron a la extensión del románico por Europa.*

cluster (ing.) s.m. **1** Técnica estadística por medio de la cual se forman grupos que tienen un cierto grado de homogeneidad al compartir, en distinta cuantía, una serie de características semejantes: *Hay que realizar un cluster de seis grupos.* **2** Conjunto de empresas relacionadas entre sí que se agrupan para obtener ventajas competitivas: *Están preparando un proyecto para la formación de un cluster en torno a la actividad pesquera.* **3** En informática, unidad de almacenamiento en el disco duro: *Los archivos, según sea su tamaño, se almacenan en uno o varios clústeres.* □ PRON. [cláster].

clustering (ing.) s.m. **1** Tecnología informática que permite la conexión entre ordenadores o dispositivos de características diferentes: *La tecnología clustering es indispensable para el desarrollo del comercio electrónico y los sistemas de mensajería.* **2** Técnica de análisis de datos que permite agrupar los resultados según su similitud: *Los buscadores usan el clustering para no mostrar más de un determinado número de páginas como resultado de una búsqueda.* □ PRON. [clástering]. □ SINT. Se usa mucho en aposición, pospuesto a un sustantivo: *tecnología clustering; técnica clustering.*

clutch (ing.) s.m. En zonas del español meridional, embrague. □ PRON. [cloch].

co- Prefijo que significa 'reunión', 'cooperación' o 'compañía': *codirector, copartícipe, correinado, coexistir.* □ ETIMOL. Del latín *cum.*

coacción s.f. Fuerza o violencia física, psíquica o moral que se ejerce sobre alguien para obligarlo a que realice o diga algo: *No rechazó ese empleo por deseo propio, sino por coacción de su familia.* □ ETIMOL. Del latín *coactio* (acción de forzar).

coaccionar v. Referido a una persona, ejercer coacción sobre ella: *La empresa coaccionó a los trabajadores para que aceptaran el aumento de la jornada de trabajo.*

coach (ing.) s.m. →**entrenador.** □ PRON. [cóuch].

coaching (ing.) s.m. En una empresa, conjunto de actividades destinadas a desarrollar el potencial de sus directivos: *Las sesiones de coaching orientan a los directivos sobre temas como la toma de decisiones o la resolución de conflictos.* □ PRON. [cóuchin].

coactivo, va adj. Que ejerce coacción o que resulta de ella: *La administración empleará métodos coactivos para hacer pagar a los contribuyentes.* □ ETIMOL. Del latín *coactus* (impulso). □ SEM. Dist. de *coercitivo* (que coerce o refrena).

coadjutor, -a ▮ s. **1** Persona que ayuda y acompaña a otra en determinados asuntos o cargos: *El obispo coadjutor ayuda al obispo titular en sus tareas.* ▮ s.m. **2** Eclesiástico que ayuda al párroco: *El coadjutor de mi parroquia se ocupa de la catequesis de los niños.* **3** En algunas órdenes religiosas, el que no hace la profesión solemne: *Los coadjutores no hacen el voto específico de obediencia al Papa.* □ ETIMOL. Del latín *coadiutor.*

coadyuvante adj.inv. Que coadyuva o contribuye a la consecución de algo: *Estos dos factores son claramente coadyuvantes en la consecución de nuestros propósitos.*

coadyuvar v. Contribuir o ayudar a la consecución de algo: *El ahorro es uno de los factores que coadyuva en la recuperación económica.* □ ETIMOL. Del latín *coadiuvare.* □ SINT. Constr. *coadyuvar {A/EN} algo.*

coagente s.com. Persona que hace algo junto con otra u otras personas.

coagulación s.f. Transformación de un líquido, esp. la sangre, en una sustancia más o menos sólida: *El trombo se forma por la coagulación de la sangre.*

coagular v. Referido a un líquido, esp. a la sangre, hacer que se vuelva más o menos sólido o cuajarse: *El frío coagula el aceite. Las costras se forman cuando la sangre se coagula.* □ ETIMOL. Del latín *coagulare.*

coágulo s.m. Masa coagulada o grumo que se extrae de un líquido coagulado: *Creo que la leche está estropeada porque tiene coágulos.*

coala s.m. →**koala.** □ ETIMOL. Del inglés *koala,* y este de origen australiano. □ MORF. Es un sustantivo epiceno: *el coala {macho/hembra}.*

coalescencia s.f. Propiedad de las cosas para unirse o fundirse: *La coalescencia de las burbujas ha reducido la superficie total del gas.* □ ETIMOL. Del latín *coalescens.*

coalición s.f. Unión, confederación o liga: *Se creará un Gobierno de coalición entre varios partidos.* □ ETIMOL. Del francés *coalition.*

coaligar v. →**coligar.** □ ORTOGR. La *g* se cambia en *gu* delante de *e* →PAGAR. □ MORF. Se usa más como pronominal. □ SINT. Constr. *coaligarse* CON *alguien.*

coartación s.f. Limitación o restricción, esp. de una libertad o de un derecho: *Si no tiene iniciativas, es debido a la constante coartación a la que se ve sometido.*

coartada s.f. Prueba con la que un acusado demuestra que no ha estado presente en el lugar del delito: *Mi coartada era que en el momento del crimen yo estaba en otra ciudad.*

coartar v. Limitar, restringir o no conceder enteramente, esp. referido a una libertad o un derecho: *Una sociedad democrática no puede coartar el derecho a la libertad de expresión.* □ ETIMOL. Del latín *coartare*, y este de *artare* (apretar, reducir).

coatí (tb. *cuatí*) (pl. *coatíes, coatís*) s.m. Mamífero americano, de cabeza alargada, hocico largo, orejas cortas y redondeadas, pelaje espeso y cola con anillos rojizos y negros, que se caracteriza por tener el olfato muy fino: *El coatí vive en grupos y aunque es carnívoro, si escasea la caza puede alimentarse de vegetales.* □ MORF. Es un sustantivo epiceno: *el coatí {macho/hembra}.*

coautor, -a s. Persona que ha participado conjuntamente con otra u otras en algo: *coautor de un libro; coautora de un asesinato.*

coaxial adj.inv. Que tiene el mismo eje de simetría o rotación que otro cuerpo: *Las imágenes de televisión llegan desde la antena al televisor por medio de un cable coaxial.* □ ETIMOL. De *co-* (reunión, cooperación) y el latín *axis* (eje).

coba s.f. Halago o adulación fingidos, esp. si su fin es conseguir algo: *Mi hermano me da coba para que le preste el coche.* □ ETIMOL. De origen incierto. □ SINT. Se usa más con el verbo *dar*.

cobalto s.m. Elemento químico, metálico y sólido, de número atómico 27, de color blanco rojizo y muy duro, que se usa, combinado con el oxígeno, para formar la base azul de pinturas y esmaltes: *El cobalto es tan difícil de fundir como el hierro.* □ ETIMOL. Del alemán *kobalt*, y este de *kobold* (duende), porque según una leyenda, los mineros que buscaban plata creían que un duende la robaba y ponía cobalto en su lugar. □ ORTOGR. Su símbolo químico es *Co*.

cobaltoterapia s.f. Tratamiento de algunas enfermedades, esp. del cáncer, por medio de la bomba de cobalto.

cobarde ▮ adj.inv. **1** Hecho con cobardía: *Fue un cobarde asesinato, porque lo apuñaló por la espalda cuando dormía.* ▮ adj.inv./s.com. **2** Falto de ánimo o de valor, esp. para enfrentarse a un peligro o para soportar una desgracia: *Al ver una sombra en la noche huyeron como auténticos cobardes.* □ ETIMOL. Del francés *couard*.

cobardía s.f. Falta de ánimo o de valor: *La cobardía de los testigos les impidió contar lo que sabían por miedo a las represalias.*

cobaya s.amb. Mamífero roedor, más pequeño que el conejo, con orejas cortas y cola casi nula, muy usado en laboratorios como animal de experimentación: *El cobaya es manso y dócil, y se reproduce muy rápidamente.* □ SINÓN. *conejillo de Indias*.

cobertera s.f. **1** Tapadera, generalmente circular, para los cacharros de cocina: *El asa de la cobertera quema porque la olla está en el fuego.* **2** Cada una de la pequeñas plumas que cubren la base de la cola de las aves y el borde posterior de sus alas: *Las coberteras cubren la inserción de las remeras de las alas y de las timoneras en la cola.* □ ETIMOL. Del latín *coopertorium* (cubierta).

cobertizo s.m. **1** Lugar cubierto de forma ligera o tosca que sirve para resguardarse de la intemperie: *Guarda el tractor y los aperos de labranza en un cobertizo.* □ SINÓN. *alpende*. **2** Tejadillo que sobresale de una pared y sirve para resguardarse, esp. del sol o de la lluvia: *Se sienta a leer el periódico bajo el cobertizo trasero de la casa.*

cobertor s.m. Manta o colcha de cama: *Duerme con las sábanas y un cobertor.* □ ETIMOL. Del latín *coopertorium* (cubierta).

cobertura s.f. **1** Lo que sirve para cubrir o tapar algo: *El taller no es más que una cobertura de otros negocios ilegales.* **2** Lo que sirve de garantía para la emisión de billetes de banco o para otra operación financiera o mercantil: *La cobertura para el crédito no está en metálico, sino en acciones.* **3** Protección o apoyo, esp. económicos: *Los presupuestos de este año amplían la cobertura de la Seguridad Social.* **4** Extensión territorial que abarcan diversos servicios, esp. los de telecomunicaciones: *Este teléfono móvil da una cobertura bastante amplia.* **5** Conjunto de personas y de medios técnicos que hacen posible una información, o seguimiento del desarrollo de un suceso llevado a cabo por los profesionales de la información: *La cobertura de las Olimpiadas está asegurada por nuestra cadena de radio.* **6** En el lenguaje publicitario, medida de la audiencia, definida como el porcentaje de personas alcanzadas por un medio en relación con el universo definido: *La cobertura de este programa de radio sobrepasó todas las previsiones.* **7** En economía, capacidad de una red comercial o de una empresa de servicio para cubrir la comunicación con el cliente: *Esta red comercial de veinte vendedores da cobertura a todo el país.* **8** En algunos deportes de equipo, línea de jugadores que se coloca delante del portero para obstaculizar la acción del adversario: *La buena cobertura de nuestro equipo impidió que nos marcasen un gol.* □ ETIMOL. Del latín *coopertura*.

cobija s.f. En zonas del español meridional, manta. □ ETIMOL. De *cobijo*.

cobijamiento s.m. Resguardo o abrigo, generalmente de la intemperie: *El cobijamiento en la gruta les salvó de morir aplastados por el desprendimiento.*

cobijar v. **1** Guarnecer o dar refugio, generalmente de la intemperie: *Cobijó en su casa un niño maltratado. El perro se cobijaba de la tormenta bajo los soportales de la plaza.* **2** Ayudar o amparar, dando afecto y protección: *Aunque haya hecho algo malo, sus padres siempre lo cobijarán. Es muy tímido y cuando llega alguien se cobija en su madre.* □ ORTOGR. Conserva la *j* en toda la conjugación.

cobijo s.m. **1** Refugio o lugar que protege de la intemperie o de otras cosas: *La cabaña es un buen cobijo para pasar la noche.* **2** Amparo o protección:

En las dificultades, siempre encontré cobijo en ella. ☐ ETIMOL. Del latín *cubiculum* (dormitorio).

cobista adj.inv./s.com. *col.* Adulador.

cobla s.f. **1** En la comunidad catalana, conjunto de músicos, que tocan sardanas: *Los domingos por la mañana, una cobla interpreta sardanas delante de la catedral.* **2** Copla o composición poética trovadoresca: *Los trovadores componían sus coblas siguiendo las reglas establecidas en los tratados del buen trovar.* ☐ ETIMOL. Del provenzal *cobla.*

cobol (ing.) s.m. En informática, tipo de lenguaje de programación: *El cobol es un lenguaje simbólico orientado a problemas de gestión.* ☐ ETIMOL. Es el acrónimo del inglés *Common Business Oriented Language* (lenguaje de programación orientado a negocios comunes). ☐ PRON. [cóbol].

cobra s.f. Serpiente propia de zonas cálidas, principalmente en los continentes africano y asiático, que se alimenta de roedores, pájaros e insectos y cuyo veneno es mortal para las personas: *Los encantadores de serpientes suelen utilizar cobras en sus espectáculos.* ☐ ETIMOL. Del portugués *cobra*, y este del latín *colubra* (culebra). ☐ MORF. Es un sustantivo epiceno: *la cobra {macho/hembra}.*

cobrador, -a s. Persona que se dedica profesionalmente a cobrar o recoger el dinero adeudado: *el cobrador del gas.*

cobranza s.f. **1** →**cobro. 2** Recogida o captura de una pieza de caza: *Adiestró a su perro para la cobranza de piezas.*

cobrar ▮ v. **1** Referido esp. a una cantidad de dinero, recibirla como pago de algo: *En mi empresa cobramos a principios de mes.* **2** Coger, lograr o conseguir: *Cobró gran fama tras su intervención en un programa de televisión.* ☐ SINÓN. *adquirir.* **3** Referido a un sentimiento, tenerlo o empezar a sentirlo: *Tuvo que cobrar mucho valor para reconocer públicamente su error. La separación será dura, porque se cobraron mucho afecto.* **4** Referido a algo que ya se tenía, recobrarlo o volver a adquirirlo: *Esperarán a que cobre la salud para darle la noticia.* **5** Recibir un castigo, esp. si es corporal: *Como no dejes en paz a tu hermano, vas a cobrar.* **6** Referido a una cuerda o una soga, tirar de ellas recogiéndolas: *Tardó cinco minutos en cobrar la cuerda arrojada por el balcón.* **7** En caza, referido a una pieza herida o muerta, recogerla o capturarla: *Hizo diez disparos y cobró tres perdices.* ▮ prnl. **8** Referido a un favor hecho o a un perjuicio recibido, obtener una compensación a cambio: *Pienso cobrarme todo el mal que me hiciste.* **9** Referido a una víctima, causar su muerte: *La inundación se cobró miles de víctimas.* ☐ ETIMOL. De *recobrar*, y este del latín *recuperare.*

cobre ▮ s.m. **1** Elemento químico, metálico y sólido, de número atómico 29, color rojizo, fácilmente deformable y buen conductor del calor y de la electricidad: *El bronce es una aleación de cobre y estaño, y el latón de cobre y cinc.* ▮ pl. **2** En una orquesta, conjunto de los instrumentos metálicos de viento: *Los trombones y las trompetas forman parte de los cobres.* **3** ‖ **batirse el cobre;** *col.* Trabajar mucho y poner mucho interés: *Si queremos sacar esto adelante, todos tenemos que batirnos el cobre.* ‖ **enseñar el cobre;** *col.* En zonas del español meridional, mostrar poca calidad moral: *Cuando aceptó que lo sobornaran, enseñó el cobre.* ☐ ETIMOL. Del latín *cuprum*, y este del griego *Kýpros* (Chipre), porque en esta isla abundaba el cobre. ☐ ORTOGR. En la acepción 1, su símbolo químico es *Cu.*

cobrizo, za adj. De color rojizo, como el cobre.

cobro s.m. **1** Recepción o recogida, esp. de dinero, como pago de algo: *el cobro de una factura.* ☐ SINÓN. *cobranza.* **2** ‖ **a cobro revertido;** llamada telefónica en la que el importe recae en la persona que recibe dicha llamada.

coca s.f. **1** Arbusto de flores blanquecinas, frutos en forma de drupas rojas, de cuyas hojas se extrae la cocaína y que es originario de Perú (país americano): *La coca es una planta típica de las regiones andinas.* **2** Hoja de este arbusto: *Los indios peruanos toman la coca en infusión o la mascan para extraer su jugo.* **3** *col.* →**cocaína. 4** En algunas regiones, torta o masa redondeada de harina y otros ingredientes: *Son famosas las cocas catalanas que se hacen para San Juan.* **5** ‖ **coca (cola);** refresco con burbujas y de color marrón oscuro: *¿Te apetece una coca cola o prefieres un café?* ☐ ETIMOL. La acepción 4, del catalán *coca.* La expresión *coca cola* es extensión del nombre de una marca comercial.

cocada s.f. Dulce hecho de coco, huevo y azúcar: *En México probé una cocada que tenía piña.*

cocaína s.f. Sustancia que se obtiene de las hojas de la coca: *La cocaína es una droga que provoca adicción.* ☐ MORF. En la lengua coloquial se usa mucho la forma abreviada *coca.*

cocainómano, na adj./s. Referido a una persona, que es adicta a la cocaína.

cocal s.m. Terreno plantado de coca.

cocalero, ra ▮ adj./s. **1** Del cocal, de la coca o relacionado con ellos: *plantaciones cocaleras.* ▮ s. **2** Persona que se dedica al cultivo de la coca.

cocazo s.m. En zonas del español meridional, cabezazo.

cocción s.f. **1** Sometimiento a la acción del calor de un horno: *Para la perfecta resistencia de un ladrillo es fundamental una buena cocción.* **2** Preparación de un alimento crudo sometiéndolo a la acción de un líquido en ebullición: *La cocción de estas patatas debe hacerse a fuego lento.*

cóccix (pl. *cóccix*) s.m. →**coxis.** ☐ ETIMOL. Del latín *coccyx.*

cocear v. Dar o tirar coces: *La mula me tiró al suelo y me coceó.*

cocedero, ra ▮ adj. **1** Fácil de cocer: *garbanzos cocederos.* ▮ s.m. **2** Lugar donde se cuece algo: *Los cocederos de mariscos son establecimientos donde se sirve todo tipo de marisco fresco o cocido.*

cocedura s.f. →**cocimiento.**

cocer ▮ v. **1** Someter a la acción del calor en un horno: *El artesano cuece las vasijas de cerámica y después las decora.* **2** Referido a un alimento crudo, cocinarlo sometiéndolo a la acción de un líquido en ebullición: *No has cocido bien las zanahorias, porque están muy duras.* **3** Referido a un líquido, hervir o alcanzar la temperatura de ebullición: *Pon el agua a cocer, para preparar la infusión.* ▮ prnl. **4** Prepararse en secreto o tramarse: *No sé qué es, pero intuyo que aquí se está cociendo algo gordo.* **5** Sentir mucho calor: *En agosto y sin aire acondicionado, en la oficina nos coceremos.* □ ETIMOL. Del latín *coquere.* □ ORTOGR. La *c* se cambia en *z* delante de *a, o.* □ MORF. Irreg. →COCER.

cochambre s.f. Suciedad o porquería.

cochambroso, sa adj. Con cochambre o suciedad.

cochayuyo s.m. Alga marina comestible, con forma de cinta y de color pardo: *El cochayuyo es un alimento típico de Chile.*

coche s.m. **1** Vehículo sobre ruedas impulsado por su propio motor, que circula por tierra sin necesidad de vías o carriles, que se destina al transporte de personas, y cuya capacidad no supera las nueve plazas. □ SINÓN. *automóvil.* **2** Carruaje para viajeros tirado por caballerías: *Vimos la ciudad desde el coche de caballos.* **3** Vagón de ferrocarril, esp. el dedicado al transporte de viajeros: *Nos encontramos en el coche restaurante.* **4** || **coche cama;** el dividido en compartimentos provistos de camas. || **coche celular;** el acondicionado para transportar a presos o detenidos. || **coche de línea;** autobús que hace el servicio regular entre dos poblaciones. || **coche de niño;** vehículo pequeño de cuatro ruedas, empujado por una persona, que sirve para transportar a un bebé. □ SINÓN. *carricoche, cochecito.* || **(coche) deportivo;** el diseñado para que alcance grandes velocidades y sea fácil de maniobrar, que generalmente es de dos plazas y de pequeño tamaño. || **coche escoba;** el que recoge a los que se quedan rezagados: *Los que abandonan la carrera van siendo recogidos por el coche escoba.* || **coche fúnebre;** el diseñado para llevar cadáveres al cementerio. || **coche patrulla;** el de policía que lleva una emisora de radio para dar y recibir avisos. || **(coche) utilitario;** el que es sencillo y tiene poco consumo. || **coches de choque;** atracción de feria compuesta por una pista por la que se mueven a poca velocidad pequeños coches fáciles de conducir que pueden chocar entre sí. □ ETIMOL. Del húngaro *kocsi,* o del eslovaco *kŏci.* □ MORF. 1. El plural de *coche patrulla* es *coches patrulla.* 2. El plural de *coche cama* es *coches cama.* □ USO Es innecesario el uso del galicismo *wagon-lit* en lugar de *coche cama.*

cochecito s.m. Vehículo pequeño de cuatro ruedas, empujado por una persona, que sirve para transportar a un bebé. □ SINÓN. *coche de niño, carricoche.*

cochera s.f. Véase **cochero, ra**.

cochero, ra ▮ s. **1** Persona que se dedica profesionalmente a conducir un coche de caballos. ▮ s.f. **2** Lugar en el que se guardan coches o autobuses.

cochifrito s.m. Guiso de cordero o cabrito que se trocea, se cuece ligeramente y después se fríe.

cochinada s.f. **1** Hecho que causa un perjuicio, esp. si es malintencionado: *No sé quién ha podido hacerme la cochinada de pincharme las ruedas del coche.* □ SINÓN. *faena, cochinería.* **2** Lo que está sucio o mal hecho: *Esa comida es una cochinada y no me la pienso comer.* □ SINÓN. *guarrada, cochinería.* **3** Lo que se considera indecoroso o contrario a la moral establecida: *Dice que le parece inmoral que las parejas vayan a los parques a hacer cochinadas.* □ SINÓN. *guarrada, cochinería.*

cochinería s.f. →**cochinada.**

cochinilla s.f. **1** Crustáceo terrestre de unos dos centímetros de largo, de forma ovalada, con el cuerpo formado por anillos de color oscuro y numerosas patas muy cortas, que se enrosca formando una bola para camuflarse: *Debajo de las piedras del borde de la acequia había muchas cochinillas.* **2** Insecto hemíptero con el cuerpo arrugado, cabeza cónica, antenas cortas y una trompa en forma de pelo: *La cochinilla, reducida a polvo, se empleaba mucho como colorante de color grana.* □ ETIMOL. La acepción 1, de *cochino.* La acepción 2, de origen incierto.

cochinillo s.m. Cerdo que se alimenta fundamentalmente de la leche que mama.

cochinita s.f. En zonas del español meridional, cochinillo: *En Yucatán comimos tacos de cochinita.*

cochino, na ▮ adj./s. **1** Sucio o falto de limpieza: *Me da vergüenza llevarte a comer porque eres un cochino.* □ SINÓN. *cerdo.* **2** Referido a una persona, que tiene mala intención o carece de escrúpulos: *¡Cómo puedes ser tan cochino de hacerle eso a tu propia madre!* □ SINÓN. *cerdo.* ▮ s. **3** Cerdo, esp. el que se cría y engorda para la matanza. □ ETIMOL. De *coch* (interjección para llamar al cerdo).

cochiquera s.f. Establo para los cerdos: *La nueva cochiquera ha facilitado el trabajo del ganadero.* □ SINÓN. *pocilga, zahúrda, gorrinera.*

cocho, cha s. Mamífero doméstico de cuerpo grueso, cola en forma de espiral, patas cortas y cabeza grande con un hocico casi cilíndrico, que se cría para aprovechar su carne. □ SINÓN. *cerdo.* □ ETIMOL. De *coch,* voz con que se llama al *cerdo.*

cochura s.f. Proceso mediante el que se cuece algo, esp. en un horno. □ ETIMOL. Del latín *coctura.*

cocido, da ▮ adj. **1** *col.* Borracho: *No quiero oír tus tonterías porque estás cocido.* ▮ s.m. **2** *col.* Guiso preparado con garbanzos, carne, tocino y hortalizas: *cocido madrileño.*

cociente s.m. **1** En matemáticas, resultado de una división: *El cociente de diez dividido entre dos es cinco.* **2** || **cociente intelectual;** cifra que expresa la relación entre la edad mental de una persona y sus años. □ SINÓN. *coeficiente intelectual.* □ ETIMOL. Del latín *quotiens* y este del adverbio *quotiens* (cuántas veces).

cocimiento s.m. **1** Proceso mediante el que se cuece algo: *Esta vasija se resquebraja porque el cocimiento del barro no ha sido bueno. Con diez minutos de cocimiento, la verdura estará lista.* □ SINÓN. *cocedura.* **2** Líquido o pasta que resultan de haber cocido hierbas y otras sustancias medicinales: *La curandera me dijo que me preparara un cocimiento de estas hierbas para ponerlo en el pie que me duele.* □ SINÓN. *cocedura.* **3** Hecho de sentir mucho calor: *Fuimos de vacaciones al Sahara y ¡vaya cocimiento...!* □ SINÓN. *cocedura.*

cocina s.f. **1** Espacio en el que se prepara la comida: *Vamos a alicatar la cocina y a cambiar los muebles.* **2** Aparato con hornillos, fuegos y, a veces, horno, que sirve para cocinar los alimentos: *una cocina de gas butano; una cocina eléctrica.* **3** Arte, técnica o manera especial de preparar distintos platos: *La cocina no es su fuerte y no sabe ni freír un huevo.* **4** Conjunto de platos típicos o forma de cocinar, propios de un lugar: *Para mi gusto, lo mejor de la cocina asturiana es la fabada.* **5** || **cocina americana;** zona para cocinar que no está separada del salón o comedor por ningún muro, y que puede ocultarse con algún tipo de persiana o puertas correderas: *Como el apartamento era tan pequeño decidimos poner una cocina americana.* □ ETIMOL. Del latín *coquina.*

cocinar v. **1** Referido a un alimento, prepararlo para que se pueda comer, esp. si se somete a la acción del fuego: *Cocinó unas lentejas que estaban riquísimas. Su padre es aficionado a la gastronomía y cocina muy bien.* **2** En el lenguaje de la droga, referido a esta, tratarla o prepararla para su distribución: *Detuvieron a una persona que cocinaba la cocaína en un laboratorio secreto.*

cocinero, ra s. Persona que cocina, esp. si esta es su profesión: *El cocinero es un vasco de mucho prestigio.*

cocinilla s.com. *col.* Persona que es muy aficionada a las tareas domésticas, esp. a las de cocina. □ USO Se usa mucho la forma *cocinillas.*

cocker (ing.) adj.inv./s. Referido a un perro, de la raza que se caracteriza por tener patas cortas, pelo sedoso y orejas largas, anchas y caídas: *Una amiga mía tiene un cocker spaniel de color canela.* □ PRON. [cóker].

cocktail (ing.) s.m. →**cóctel.**

coco s.m. **1** →**cocotero.** **2** Fruto del cocotero, en forma de melón, formado por dos cortezas, la primera fibrosa y la segunda dura, en cuyo interior se encuentra una pulpa comestible blanca y carnosa y un líquido de sabor dulce: *El bizcocho llevaba coco rallado.* **3** *col.* Cabeza humana: *Es muy inteligente y tiene un buen coco.* **4** En la tradición popular, personaje imaginario que asusta a los niños o que se los lleva si no se portan bien: *Quédate aquí sentadito al lado de mamá, porque si no va a venir el coco.* **5** *col. desp.* Persona muy fea: *Tiene un marido que es un coco.* **6** Insecto coleóptero, con la cabeza ovalada y prolongada en un pico o una trompa en cuyo extremo se encuentran las mandíbulas, y que se alimenta de vegetales: *He tirado el paquete de arroz porque se ha llenado de cocos.* □ SINÓN. *gorgojo.* **7** *col.* En zonas del español meridional, coscorrón: *Me dieron un coco por no hacerles caso.* **8** || **comer el coco** a alguien; *col.* Convencerlo o influir en él para que piense de una determinada manera: *Le comieron el coco para que dejara los estudios y comenzara a trabajar.* || **comerse** alguien **el coco;** *col.* Darle vueltas a algo o pensar mucho en ello: *No te comas el coco y olvídate del tema.* □ ETIMOL. Las acepciones 4 y 5, de origen expresivo.

cococha s.f. Zona carnosa situada en la parte baja de la cabeza de la merluza y del bacalao: *Hoy hemos comido cocochas con almejas.* □ ETIMOL. Del euskera *kokotxa* (barbilla de la merluza). □ USO Es innecesario el uso del término euskera *kokotxa.*

cocodrilo s.m. Reptil que llega a alcanzar los cinco metros de largo, de color verdoso oscuro, de piel muy dura y con escamas, cola larga y robusta y boca muy grande con muchos dientes fuertes y afilados, que vive en los grandes ríos de las regiones intertropicales y nada y corre con gran velocidad: *Los cocodrilos pueden llegar a devorar a personas.* □ ETIMOL. Del latín *crocodilus.* □ MORF. Es un sustantivo epiceno: *el cocodrilo {macho/hembra}.*

cocol s.m. **1** En zonas del español meridional, pan dulce en forma de rombo y cubierto con semillas de sésamo. **2** En zonas del español meridional, niño pequeño. **3** || **estar cocol** algo; *col.* En zonas del español meridional, ser poco favorable. □ MORF. En la acepción 2, se usa mucho el diminutivo *cocolito.*

cocoliche s.m. Lengua mezcla de español e italiano que hablaban los inmigrantes italianos: *El cocoliche se hablaba en Río de la Plata a principios del siglo XX.*

cócora adj.inv./s.com. *desp.* Referido a una persona, que es muy molesta y demasiado impertinente.

cocorota s.f. *col.* Cabeza humana: *Por hacer el tonto, tiene un chichón en la cocorota.*

cocotal s.m. Terreno plantado de cocoteros.

cocotero s.m. Árbol americano de tronco esbelto y gran altura, con las hojas muy grandes plegadas hacia atrás y cuyo fruto es el coco: *El cocotero da fruto dos o tres veces al año.* □ SINÓN. *coco.* □ ETIMOL. Quizá del francés *cocotier.*

cocotte (fr.) s.f. Prostituta elegante. □ PRON. [cocót].

cóctel (tb. *coctel*) s.m. **1** Bebida preparada con licores mezclados, a la que se añaden generalmente otro tipo de ingredientes no alcohólicos. **2** Reunión o fiesta en la que se sirven bebidas y aperitivos: *Asistí al cóctel que se dio para presentar mi novela.* **3** Mezcla de distintas cosas: *Su biblioteca es un cóctel de libros del más diverso origen.* **4** || **cóctel de mariscos;** plato preparado con mariscos, que se sirve acompañado de algún tipo de salsa, y que se toma generalmente frío. || **cóctel molotov;** explosivo de fabricación casera, generalmente el hecho con una botella llena de líquido inflamable y provisto de una mecha. □ ETIMOL. Del inglés *cock-tail.* □ USO Es innecesario el uso del anglicismo *cocktail.*

coctelera s.f. Recipiente que se usa para mezclar los licores de un cóctel: *Después de poner los ingredientes del cóctel en la coctelera, hay que agitarla.*

cocuyo s.m. Luciérnaga americana con dos manchas amarillentas a los lados del tórax, por las cuales despide de noche una luz azulada: *El cocuyo americano es parecido a la luciérnaga europea.* ☐ MORF. Es un sustantivo epiceno: *el cocuyo {macho/hembra}*.

coda s.f. Véase **codo, da**.

codal s.m. En una armadura, pieza que cubre y defiende el codo: *El codal impidió que la lanza atravesara el brazo del caballero.* ☐ ETIMOL. Del latín *cubitalis*, y este de *cubitus* (codo).

codaste s.m. En una embarcación, pieza vertical colocada sobre el extremo de la quilla en la popa: *El codaste tiene como función principal soportar el timón de un barco.*

codazo s.m. Golpe dado con el codo.

codear ▮ v. **1** Mover los codos o dar golpes con ellos reiteradamente: *El árbitro pitó falta al jugador que comenzó a codear cuando se acercó el contrincante.* ▮ prnl. **2** Referido a una persona, tener trato habitual y de igual a igual con otra, o con un grupo social: *Se codea con la aristocracia de la ciudad.*

codecidir v. Tomar una decisión junto con otra persona: *El Parlamento europeo ha solicitado codecidir la elección de la capital cultural.*

codecisión s.f. Decisión que se toma junto con otra persona.

codeína s.f. Sustancia que se extrae del opio y que se emplea como calmante: *Este jarabe para calmar la tos lleva codeína.* ☐ ETIMOL. Del griego *kódeia* (cabeza de la adormidera).

codera s.f. **1** En algunas prendas de vestir, pieza que, como remiendo o como adorno, cubre el codo: *Esta americana de estilo deportivo lleva coderas de piel.* **2** En algunas prendas de vestir, deformación o desgaste en la parte que cubre el codo: *La chaqueta tiene coderas de tanto estudiar apoyando los codos en la mesa.* **3** Tira o venda de material elástico, que se coloca ciñendo el codo para sujetarlo o para protegerlo: *La tenista lleva una codera porque padece una lesión en el codo.*

codeso s.m. Arbusto con tallo de color ceniza, hojas compuestas divididas en tres, grandes flores amarillas en racimos colgantes, y semillas con forma de riñón en las vainas del fruto: *La madera del codeso se usa en ebanistería.* ☐ SINÓN. *piorno.* ☐ ETIMOL. Del griego *kýtisos*.

codex (lat.) s.m. →**códice.** ☐ PRON. [códex].

códice s.m. Libro manuscrito, antiguo y de importancia histórica o literaria, esp. el anterior a 1455, fecha de la invención de la imprenta: *El 'Poema de Mio Cid' se conserva en un códice de la Biblioteca Nacional de Madrid.* ☐ ETIMOL. Del latín *codex* (libro). ☐ USO En círculos especializados, se usa también *codex*.

codicia s.f. Afán excesivo por obtener algo, esp. riquezas: *Su codicia hace que nunca esté contento con los bienes que posee y que siempre quiera más.* ☐ ETIMOL. Del latín *cupiditia*, y este de *cupidus* (codicioso).

codiciable adj.inv. Digno de ser codiciado.

codiciar v. Referido esp. a riquezas, desearlas con ansia: *Codicia las joyas de su amiga.* ☐ ORTOGR. La *i* final de la raíz nunca lleva tilde.

codicilo s.m. Documento que sirve de última voluntad o por el que se anula o se modifica un testamento: *En el codicilo se establecía la atribución de la finca agrícola al hijo mayor.* ☐ ETIMOL. Del latín *codicillus*, y este de *codex* (testamento).

codicioso, sa adj./s. Que tiene codicia.

codificación s.f. Transformación de un mensaje mediante las reglas de un código: *La encargada de las transmisiones se ocupó de la codificación del aviso en morse.*

codificar v. Referido a un mensaje, transformarlo mediante las reglas de un código: *Para expresar una idea el hablante codifica elementos de la lengua según las normas gramaticales.* ☐ ETIMOL. Del francés *codifier.* ☐ ORTOGR. La *c* se cambia en *qu* delante de *e* →SACAR.

código s.m. **1** Conjunto de leyes dispuestas de forma sistemática y ordenada: *En el código de circulación vienen indicadas las velocidades máximas permitidas en cada tipo de carretera.* **2** Conjunto de signos que sirve para formular y comprender mensajes, esp. secretos: *Para poder abrir la puerta tuve que marcar mi código personal.* **3** Sistema de signos y de reglas que sirve para formular y para comprender un mensaje: *En el mar los barcos se comunican por medio de un código de señales.* **4** Libro en el que aparecen las equivalencias de este sistema de signos: *Si no tienes el código no podrás descifrar el mensaje.* **5** ‖ **código de barras;** el formado por una serie de líneas y de números asociados, y que se pone en los productos de consumo: *La cajera pasa el código de barras de los productos por el lector y la máquina registradora marca el precio.* ‖ **(código) morse;** el formado por la combinación de rayas y puntos: *El código morse se usa para comunicaciones telegráficas.* ‖ **código postal;** el que se usa como clave de poblaciones o de distritos: *El uso del código postal agiliza el proceso de clasificación y reparto de las cartas.* ☐ ETIMOL. Del latín *codex* (libro).

codillo s.m. En los animales cuadrúpedos, esp. en el cerdo, parte que corresponde a los huesos cúbito y radio: *El codillo de cerdo con puré de patatas es una comida típica alemana.*

codirección s.f. Dirección común entre varias personas.

codirector, -a s. Persona que dirige junto con otra u otras personas.

codirigir v. Dirigir en común: *Un grupo de especialistas seremos los encargados de codirigir esta empresa.* ☐ ORTOGR. La *g* se cambia en *j* delante de *a, o* →DIRIGIR.

codo, da ▮ adj. **1** *col.* En zonas del español meridional, tacaño: *Fue bien codo porque no nos quiso invitar.* ▮ s.m. **2** Parte posterior y prominente de la articulación del húmero, el cúbito y el radio: *Para estudiar apoyo los codos en la mesa.* **3** En una prenda de vestir, parte que cubre esta zona: *Ha puesto un remiendo en el codo de la camisa.* **4** Trozo de tubo doblado en ángulo o en arco, que sirve para variar la dirección de una tubería: *El desagüe se atasca porque se acumulan residuos de comida en el codo de la tubería.* ▮ s.f. **5** En una composición musical, parte final de un movimiento, añadida con el fin de redondear la obra: *Las codas son frecuentes en las sonatas y en las sinfonías.* **6** || **codo con codo;** junto con otra persona: *Los dos socios trabajaron codo con codo para que saliera adelante el proyecto.* || **{empinar/levantar} el codo;** *col.* Beber bebidas alcohólicas: *No debes conducir si has empinado el codo.* || **hablar por los codos;** *col.* Hablar demasiado: *¡Cállate de una vez, que hablas por los codos y pareces una cotorra!* || **hincar los codos;** *col.* Estudiar mucho: *Si quiero aprobar el examen tendré que hincar los codos.* □ ETIMOL. Las acepciones 2, 3 y 4, del latín *cubitus*. La acepción 5, del italiano *coda* (cola).

codorniz s.f. Ave que tiene la parte superior del cuerpo de color pardo con listas oscuras y la inferior gris amarillenta, el pico oscuro y la cola muy corta: *Las codornices son aves de caza menor.* □ ETIMOL. Del latín *coturnix*. □ MORF. Es un sustantivo epiceno: *la codorniz {macho/hembra}*.

coeducación s.f. Educación conjunta, esp. la que se da a alumnos de los dos sexos.

coeficiente s.m **1** En matemáticas, factor que multiplica a una expresión algebraica o a algunos de sus términos: *Los coeficientes suelen escribirse delante de la expresión a la que afectan.* **2** En matemáticas, factor constante en un producto: *El resultado que te dé al aplicar la fórmula debes multiplicarlo por un coeficiente que elimina los posibles errores.* **3** En física y en química, expresión numérica de una propiedad, de una relación o de una característica: *El coeficiente de dilatación de los cuerpos es la relación que existe entre la longitud o el volumen de un cuerpo y la temperatura.* **4** || **coeficiente intelectual;** →**cociente intelectual.** □ ETIMOL. De *co-* (con, que indica compañía o unión) y *eficiente* (que produce un efecto).

coercer v. Contener, sujetar o refrenar: *No supo coercer su furia cuando vio tanta injusticia.* □ ETIMOL. Del latín *coercere* (reprimir). □ ORTOGR. 1. La *c* se cambia en *z* delante de *a, o* →VENCER. 2. Incorr. **cohercer*. □ USO Su uso es característico del lenguaje culto.

coercible adj.inv. Que puede ser coercido. □ USO Su uso es característico del lenguaje culto.

coercitivo, va adj. Que refrena: *La policía usó medios coercitivos para que la manifestación no se transformara en una batalla.* □ ETIMOL. Del latín *coercitum*, y este de *coercere* (reprimir). □ SEM. Dist. de *coactivo* (que fuerza).

coetáneo, a adj./s. Que tiene la misma edad o que es de la misma época: *Quevedo fue coetáneo de Góngora.* □ ETIMOL. Del latín *coetaneus*, y este de *cum* (con) y *aetas* (edad, tiempo que se vive). □ SINT. Constr. *coetáneo* DE *algo*.

coexistencia s.f. Existencia o convivencia de dos o más personas o cosas al mismo tiempo y en el mismo lugar.

coexistir v. Referido a dos o más personas o cosas, existir o ser al mismo tiempo que otras: *En este hábitat coexisten diferentes especies de animales.*

cofa s.f. En una embarcación, plataforma colocada horizontalmente en el cuello de un palo: *El vigía que estaba en la cofa divisó tierra.* □ ETIMOL. Del árabe *quffa* (canasto).

cofactor s.m. Elemento que puede contribuir a producir algo: *Esta enfermedad es difícil de prevenir porque pueden darse muchos cofactores que contribuyan a su aparición.*

cofia s.f. **1** Prenda de vestir parecida a un gorro, generalmente de color blanco y de pequeño tamaño, que forma parte de algunos uniformes femeninos: *Algunas camareras llevan cofia.* **2** En las plantas, cubierta en forma de dedal, que protege la punta de la raíz: *En la cofia se encuentran los tejidos que hacen que la raíz crezca en longitud.* □ ETIMOL. Del latín *cofia*.

cofinanciar v. Referido esp. a una actividad, costear conjuntamente sus gastos: *Los dos organismos se han comprometido a cofinanciar el proyecto.* □ ORTOGR. La *i* nunca lleva tilde.

cofrade s.com. Persona que pertenece a una cofradía: *En Semana Santa salen en la procesión todos los cofrades.* □ ETIMOL. Del latín *cum* (con) y *frater* (hermano).

cofradía s.f. **1** Asociación autorizada que algunos devotos forman con fines piadosos. □ SINÓN. *hermandad.* **2** Gremio, compañía o unión entre personas, con un fin determinado: *La cofradía de pescadores reservó un fondo para los huérfanos de los asociados.*

cofre s.m. **1** Caja resistente que tiene tapa y cerradura, y que generalmente se usa para guardar objetos de valor: *Guarda sus joyas en un cofre que tiene en la mesita.* **2** Caja grande rectangular, con una tapa arqueada que gira sobre las bisagras: *Los piratas enterraron el cofre con el tesoro en una isla deshabitada.* □ SINÓN. *baúl.* □ ETIMOL. Del francés *coffre*, y este del latín *cophinus* (cesta).

cogedor, -a ▮ adj./s. **1** Que coge. ▮ s.m. **2** Utensilio parecido a una pala, que se usa para recoger cosas, esp. basura: *Algunos cogedores tienen el mango muy largo para evitar agacharse cuando se recoge la basura.* □ SINÓN. *recogedor.*

cogeneración s.f. Producción asociada de dos tipos diferentes de energía: *Se están estudiando diversas propuestas para crear un reglamento que promueva la cogeneración de energía.*

cogenerar v. Referido dos tipos diferentes de energía, producirlas de forma asociada: *cogenerar energía eléctrica y energía térmica.*

coger v. **1** Asir, agarrar o tomar: *Coge un trozo más grande de pastel. Me cogí de su mano para no perderme.* **2** Dar cabida o recibir en sí: *Esta madera coge muy bien la pintura.* **3** Recoger, cosechar o guardar: *Si ves que comienza a llover, coge la* *ropa que está tendida. La fruta que se coge de los árboles está más rica que la de la tienda.* **4** Hallar, encontrar o descubrir: *Lo cogí de buenas y me concedió el favor que le pedí.* **5** Sorprender o hallar desprevenido: *Cogieron al ladrón con las manos en la masa.* **6** Capturar, prender o apresar: *La policía consiguió coger al preso que se había escapado.* **7** Obtener, lograr o adquirir: *No conduce mal, pero le falta coger seguridad.* **8** Entender, comprender o captar el significado: *¿Coges el significado de la frase?* **9** *col.* Referido a un espacio, llenarlo por completo u ocuparlo: *Si llegas pronto al teatro, cógeme sitio.* **10** Referido a una emisión de radio o de televisión, captarla o recibirla: *En esta zona se cogen muy pocas cadenas de radio.* **11** Referido a lo que precede, alcanzarlo o llegar hasta ello: *Corre, corre, que te cojo.* **12** Referido a lo que alguien dice, tomarlo por escrito: *El profesor habla demasiado deprisa y no me da tiempo a cogerlo.* **13** *col.* Referido esp. a una enfermedad o a un estado de ánimo, contraerlos, adquirirlos o alcanzarlos: *He cogido un resfriado y no puedo salir de casa.* □ SINÓN. *atrapar, agarrar, pillar, pescar.* **14** Referido a un toro, herir o enganchar a alguien con los cuernos: *El público gritó cuando vio que el toro iba a coger al torero.* **15** *col.* Referido a algo o a alguien, hallarse o encontrarse en determinada situación local: *No me da tiempo a llegar a tu casa porque me coge lejos.* **16** *col.* Caber: *En este autobús cogen sesenta pasajeros.* **17** *vulg.malson.* En zonas del español meridional, copular. **18** || **cogerla con** alguien; *col.* Tomarle manía y molestarlo continuamente: *La ha cogido con su compañero de clase y cada vez que lo ve, se mete con él.* □ ETIMOL. Del latín *colligere* (recoger). □ ORTOGR. La *g* se cambia en *j* delante de *a, o* →COGER. □ SINT. Seguido de *y* y de un verbo, sirve para poner de relieve la acción expresada por este: *Cogió y se fue sin despedirse.*

cogestión s.f. Gobierno o dirección conjuntos de una empresa o de un organismo. □ ORTOGR. Dist. de *congestión*.

cogida s.f. Herida que produce el toro al enganchar con los cuernos: *El torero sufrió una cogida y se lo llevaron a la enfermería de la plaza de toros.*

cogitabundo, da adj. Muy pensativo y preocupado. □ ETIMOL. Del latín *cogitabundus*.

cognición s.f. Conocimiento, esp. el que se alcanza por el ejercicio de las facultades mentales: *La cognición de las causas últimas de las cosas es el eterno problema de la filosofía.* □ ETIMOL. Del latín *cognitio*. □ USO Su uso es característico del lenguaje filosófico o culto.

cognoscible adj.inv. Que se puede conocer: *Su escepticismo le hace pensar que nada es cognoscible de una forma cierta.* □ ETIMOL. Del latín *cognoscibilis*.

cognoscitivo, va adj. Que permite conocer o que es capaz de ello: *capacidad cognoscitiva.* □ ETIMOL. Del latín *cognoscere* (conocer).

cogollo s.m. **1** En algunas hortalizas, parte interior y más apretada. **2** Lo mejor o lo escogido: *Vive en un piso en el cogollo de la ciudad.* □ ETIMOL. Del latín *cucullus* (capucha).

cogorza s.f. *col.* Borrachera. □ ETIMOL. De origen incierto.

cogotazo s.m. Golpe dado con la mano abierta en el cogote.

cogote s.m. Parte superior y posterior del cuello.

cogotero, ra s. Persona que atraca a clientes de bancos cuando salen de la entidad. □ ETIMOL. De *cogote*, porque la forma más habitual de asalto consiste en seguir a la víctima al salir de un banco y golpearla en la nuca para quitarle el dinero.

cogotudo, da adj. Referido a una persona, que tiene muy grueso el cogote.

cogujada s.f. Pájaro semejante a la alondra, pero que tiene en la cabeza un largo moño puntiagudo: *La cogujada suele anidar en los sembrados.* □ ETIMOL. Del latín **cuculliata* (provista de capucha). □ MORF. Es un sustantivo epiceno: *la cogujada {macho/hembra}.*

cohabitación s.f. **1** Convivencia entre dos personas que mantienen relaciones sexuales sin estar casadas: *Su cohabitación era conocida por sus vecinos.* **2** Simultaneidad en el ejercicio del poder entre varios partidos de distinta ideología política: *El resultado de las elecciones ha propiciado la cohabitación de los dos partidos en el gobierno.*

cohabitar v. **1** Referido a una persona, vivir con otra con la que mantiene relaciones sexuales: *Esa pareja cohabita desde hace tiempo.* **2** Compartir el poder político: *En el ayuntamiento cohabitan los liberales y los conservadores.* □ ETIMOL. Del latín *cohabitare*, y este de *cum* (con) y *habitare* (habitar).

cohechar v. Referido a un funcionario público, sobornarlo para obtener de él un favor: *Trató de cohechar a la juez, y fue acusado por ello.* □ ETIMOL. Del latín **confectare* (arreglar, preparar).

cohecho s.m. Soborno a un funcionario público para obtener de él un favor: *El cohecho es un delito.* □ ETIMOL. De *cohechar*.

coherencia s.f. Conexión, relación o unión.

coherente adj.inv. Que tiene coherencia o relación: *Tus acciones deben ser coherentes con tu forma de pensar.* □ ETIMOL. Del latín *coaherens*, y este de *cohaerere* (estar pegado).

cohesión s.f. **1** Unión, conexión o relación de una cosa con otra: *No hay cohesión entre las partes de tu trabajo y resulta inconexo.* □ SINÓN. *enlace.* **2** Unión recíproca de las moléculas de un cuerpo homogéneo a causa de las fuerzas intermoleculares de atracción: *Los gases tienen muy poca cohesión entre sus moléculas.*

cohesionar v. Dar cohesión o unir: *Algunas pequeñas empresas se cohesionan para poder afrontar las crisis económicas.*

cohete s.m. **1** Tubo resistente relleno de pólvora y unido al extremo de una varilla ligera que al encenderlo asciende a gran altura y estalla: *En las fiestas de mi barrio lanzan muchos cohetes.* **2** Aparato que se lanza al espacio, se desplaza por propulsión a chorro, y que se puede usar como arma de guerra o para investigación: *Algunas naves espaciales son ayudadas a despegar por cohetes.* ☐ ETIMOL. Del catalán *coet.*

cohibido, da adj. Tímido o apocado.

cohibir v. Refrenar, reprimir o impedir hacer algo: *Me cohíbe hablar delante de extraños. No te cohíbas y di lo que opinas.* ☐ ETIMOL. Del latín *cohibere* (refrenar, reprimir). ☐ ORTOGR. La *i* final de la raíz lleva tilde en los presentes, excepto en las personas *nosotros* y *vosotros* →PROHIBIR.

cohombro s.m. **1** Planta que da un fruto alargado y torcido, parecido al pepino: *He plantado unos cohombros en mi huerta.* **2** Fruto de esta planta: *La carne del cohombro es sabrosa y refrescante.* **3** || **cohombro de mar;** especie de holoturia con el cuerpo cilíndrico y tentáculos muy ramificados alrededor de la boca: *El cohombro de mar se contrae violentamente cuando es molestado.*

cohonestar v. Referido a una acción, hacer que parezca justa o razonable: *En el juicio, el testigo trataba de cohonestar las acciones violentas del acusado.* ☐ ETIMOL. Del latín *cohonestare.*

cohorte s.f. **1** En la antigua Roma, unidad táctica del ejército. **2** Conjunto o serie: *una cohorte de admiradores.* ☐ ETIMOL. Del latín *cohors.* ☐ ORTOGR. Dist. de *corte.*

coima s.f. **1** *ant.* →**concubina.** **2** *col.* En zonas del español meridional, soborno o cohecho. ☐ ETIMOL. La acepción 1, del árabe *quwaima* (muchacha).

coincidencia s.f. **1** Concurrencia en el tiempo o en el espacio de dos o más sucesos: *La coincidencia en las fechas de nuestras vacaciones nos permitirá ir juntos de viaje.* **2** Conformidad o parecido: *Después de estar un rato hablando descubrimos la coincidencia de nuestros gustos.* **3** Lo que ocurre de forma casual al mismo tiempo o en el mismo lugar que otro suceso: *Fue una coincidencia que pasara por allí cuando tú llegabas.*

coincidente adj.inv. Que coincide.

coincidir v. **1** Referido a una cosa, ocurrir al mismo tiempo que otra: *Este año mis vacaciones coinciden con las tuyas.* **2** Referido a una cosa, ajustarse con otra perfectamente: *La ranura de esta pieza coincide con el saliente de esta otra.* **3** Referido a una persona, encontrarse con otra en el mismo lugar: *Coincidimos en la salida del cine.* **4** Referido a una persona, estar de acuerdo con otra en algo: *Tú y yo coincidimos en nuestras aficiones.* ☐ ETIMOL. Del latín *coincidere* (caer juntamente).

coiné s.f. →**koiné.**

coito s.m. Unión sexual de los animales superiores, esp. del hombre y la mujer: *La reproducción de las personas se realiza a través del coito.* ☐ SINÓN. *acto sexual.* ☐ ETIMOL. Del latín *coitus*, y este de *coire* (unirse sexualmente).

coitus interruptus s.m. || Método anticonceptivo que consiste en interrumpir el coito antes de la eyaculación: *El coitus interruptus no es un método muy seguro.*

cojear v. **1** Andar defectuosamente a causa de una lesión o de una deformidad: *Desde que me operaron de la cadera cojeo un poco.* **2** Referido a un mueble, esp. a una mesa, moverse por no asentar bien sobre el suelo o porque este sea desigual: *Pon un calzo bajo la pata de la mesa que es más corta para que no cojee.* **3** *col.* Tener fallos: *La profesora me ha dicho que este mes he cojeado en lenguaje.* **4** || **cojear del mismo pie;** *col.* Tener los mismos defectos: *Tú dices que una es envidiosa y la otra muy orgullosa, pero yo creo que las dos cojean del mismo pie.* || **saber de qué pie cojea** alguien; *col.* Conocer sus defectos: *No hace falta que me cuentes cómo reaccionó tu hermano, porque ya sé de qué pie cojea.*

cojera s.f. Problema físico o dolencia que impide andar con regularidad.

cojín s.m. Almohadón que se usa para sentarse o para apoyar sobre él alguna parte del cuerpo. ☐ ETIMOL. Del latín **coxinum*, y este de *coxa* (cadera), porque el cojín sirve para sentarse encima.

cojinete s.m. **1** Pieza de hierro con la que se sujetan los carriles a las traviesas del ferrocarril: *El tren descarriló porque uno de los cojinetes estaba flojo y sobresalía de la viga.* **2** Pieza o conjunto de piezas en las que se apoya y gira el eje de una maquinaria: *El eje de la rueda gira sobre cojinetes.* ☐ ETIMOL. Del francés *coussinet.*

cojitranco, ca adj./s. *desp.* Que cojea, generalmente de forma llamativa, dando trancos o pasos largos. ☐ ETIMOL. De *cojo* y *atrancar* (dar trancos o pasos largos).

cojo, ja ▮ adj. **1** Referido a un mueble, que se balancea o se mueve por no asentar bien sobre el suelo: *No te sientes en esa silla porque está coja.* **2** Referido a algo inmaterial, que está incompleto o mal fundado: *Sus razonamientos quedan cojos porque no aporta datos concretos.* ▮ adj./s. **3** Referido a una persona o a un animal, que cojea o anda defectuosamente: *Los pastores iban examinando los animales y separaban a los cojos.* **4** Referido a una persona o a un animal, que está privado de una pierna, una pata o un pie: *El cojo amenazaba a los niños con su muleta.* ☐ ETIMOL. Del latín *coxus*, y este de *coxa* (cadera).

cojolite s.m. En zonas del español meridional, faisán. ☐ MORF. Es un sustantivo epiceno: *el cojolite {macho/hembra}.*

cojón s.m. *vulg.malson.* →**testículo.** ☐ ETIMOL. Del latín *coleo.* ☐ MORF. Se usa más en plural. ☐ USO Se usa mucho como palabra comodín en expresiones vulgares malsonantes.

cojonazos (pl. *cojonazos*) adj./s.m. *vulg.malson.* →**calzonazos.**

cojones interj. *vulg.malson.* Expresión que se usa para indicar extrañeza, sorpresa, admiración o disgusto.

cojonudo, da adj. *vulg.* Admirable o extraordinariamente bueno. ☐ SINT. *Cojonudo* se usa también como adverbio de modo con el significado de 'muy bien': *Lo pasamos cojonudo en la fiesta.*

cojudear v. **1** *vulg.malson.* En zonas del español meridional, hacer tonterías. **2** *vulg.malson.* En zonas del español meridional, burlarse.

cojudez s.f. *vulg.malson.* En zonas del español meridional, tontería.

cojudo, da adj./s. *vulg.malson.* En zonas del español meridional, imbécil. □ USO Se usa como insulto.

col s.f. **1** Planta herbácea comestible con un cogollo formado por hojas anchas y verdes con el nervio principal grueso, y flores pequeñas blancas o amarillas: *Los distintos tipos de col se distinguen por la figura y el color de sus hojas.* □ SINÓN. *berza.* **2** ‖ **col de Bruselas;** variedad de pequeño tamaño que tiene tallos alrededor de los cuales crecen apretados muchos cogollos pequeños. □ ETIMOL. Del latín *caulis* (tallo, col).

cola s.f. **1** En algunos animales, prolongación posterior del cuerpo y de la columna vertebral: *Cuando cojo a mi gato por la cola me bufa. Mira cómo mueve el caballo la cola.* □ SINÓN. *rabo.* **2** En un ave, conjunto de plumas fuertes y más o menos largas que tiene en la rabadilla o extremo posterior de su cuerpo: *El águila tenía rotas las plumas de la cola.* **3** Parte posterior o final de algo: *La cola del pelotón llegó a la meta quince minutos después que el ciclista vencedor.* **4** Prolongación de algo: *Unas niñas sujetaban la cola del vestido de la novia.* **5** Fila o hilera de personas o de vehículos que esperan turno para algo: *Si quieres comprar la entrada ponte a la cola.* **6** *col.* →**pene.** **7** Pasta fuerte y viscosa que se utiliza para pegar: *Pegó las tablas del cajón con cola.* **8** Semilla de un árbol ecuatorial que contiene sustancias que se utilizan en medicina como excitante de las funciones digestivas y nerviosas: *La cola tiene sustancias excitantes.* □ SINÓN. *nuez de cola.* **9** Refresco hecho con las sustancias de estas semillas: *La mayoría de las bebidas de cola tienen gas.* **10** ‖ **cola de caballo;** coleta recogida en la parte alta de la nuca y que se asemeja a la cola de un caballo: *Como tiene el pelo muy largo, se suele peinar con una cola de caballo.* ‖ **cola de pescado;** gelatina que se hace con pescado, esp. con la vejiga del esturión: *En esta fábrica aprovechan los restos del pescado para hacer cola de pescado.* ‖ **no pegar ni con cola;** *col.* Desentonar o no tener relación con algo: *Este vestido no pega ni con cola con esos zapatos.* ‖ **{tener/traer} cola** algo; *col.* Tener o traer consecuencias, esp. si estas son graves: *La congelación de los sueldos trajo cola y los sindicatos no tardaron en hacer oír su voz.* □ ETIMOL. Las acepciones 1-6 del latín *cauda* (cola). La acepción 7, del griego *kólla* (goma, cola). Las acepciones 8 y 9, de origen africano.

-cola 1 Elemento compositivo sufijo que significa 'relacionado con el cultivo o la cría': *agrícola, piscícola.* **2** Elemento compositivo sufijo que significa 'que habita': *terrícola, arborícola.* □ ETIMOL. Del latín *-cola*, y este de la raíz de *colere* (cultivar, habitar).

colaboración s.f. **1** Realización de un trabajo o de una tarea común entre varias personas: *Este libro es fruto de la colaboración de cuatro personas.* **2** Aportación voluntaria de un donativo: *Gracias a vuestra colaboración se podrán construir centros de enseñanza en países subdesarrollados.* **3** Ayuda al logro de algún fin: *Sin tu colaboración nunca hubiera podido terminar este trabajo.* **4** Texto o artículo que escribe un colaborador para un periódico o para una revista: *Me han pedido una colaboración para el número extra de este mes.*

colaboracionismo s.m. Actitud de apoyo a un régimen político que la mayoría de los ciudadanos rechaza o considera antipatriótico: *Después de la Segunda Guerra Mundial, algunos franceses fueron acusados de colaboracionismo con las tropas nazis.*

colaboracionista ▌adj.inv. **1** *desp.* Del colaboracionismo o relacionado con esta actitud: *una postura colaboracionista.* ▌s.com. **2** *desp.* Persona que apoya un régimen político que la mayoría de los ciudadanos rechaza o considera antipatriótico.

colaborador, -a ▌adj./s. **1** Que colabora. ▌s. **2** Compañero en la realización de una obra, esp. si es de carácter literario: *Cada colaborador ha firmado la parte del libro de la cual es responsable.* **3** Persona que trabaja habitualmente para una empresa sin formar parte de su plantilla fija, esp. la que escribe en un periódico o en una revista: *Para dar estos cursos se han contratado como profesores a varios colaboradores.*

colaborar v. **1** Trabajar con otras personas en una tarea común: *En la construcción de este puente han colaborado muchas personas.* **2** Trabajar habitualmente para una empresa, esp. para un periódico o una revista, sin formar parte de su plantilla fija: *Esta escritora colabora en nuestro periódico con temas políticos.* **3** Aportar voluntariamente un donativo: *Me preguntaron si quería colaborar en una rifa.* □ SINÓN. *contribuir.* **4** Ayudar al logro de algún fin: *Tu firma colaborará con las demás para presionar al Gobierno.* □ SINÓN. *contribuir.* □ ETIMOL. Del latín *collaborare*, y este de *laborare* (trabajar).

colacao s.m. *col.* Leche mezclada con polvos solubles con sabor a chocolate: *Todas las noches me tomo un colacao caliente antes de dormir.* □ ETIMOL. Extensión del nombre de una marca comercial.

colación s.f. **1** Comida ligera, esp. la que se toma por la noche en los días de ayuno. **2** En zonas del español meridional, porción de dulces, frutas y otros comestibles que se regalan en Navidad. **3** ‖ **sacar a colación** algo; *col.* Mencionarlo o hablar de ello: *Aprovechando que estábamos todos, sacó a colación el tema de las vacaciones.* ‖ **traer a colación** algo; *col.* Mezclar palabras o frases inoportunas en un discurso o en una conversación: *No sé por qué tienes que traer a colación a ese hombre si sabes que no quiero ni oír hablar de él.* □ ETIMOL. Del latín *collatio* (acción de aportar algo), y este de *conferre* (aportar un contingente de víveres).

colada s.f. **1** Lavado de la ropa sucia de una casa: *Una vez por semana hago la colada.* **2** Ropa lavada: *Cuando termine de lavar tengo que tender la colada.* **3** En un alto horno, operación de sacar el hierro fundido: *Una forma de hacer la colada es dejar* *caer el hierro fundido sobre un gran molde.* **4** Masa de lava incandescente que fluye por las laderas: *La colada arrasó la escasa vegetación de la ladera del monte.* □ ETIMOL. Las acepciones 1 y 2, de *colar*, porque antiguamente se lavaba la ropa con agua de cenizas que había que colar.

coladera s.f. **1** En zonas del español meridional, colador. **2** En zonas del español meridional, sumidero.

coladero s.m. **1** *col.* En el lenguaje estudiantil, centro o examen en los que se aprueba fácilmente o que permiten aprobar fácilmente: *El examen final fue un coladero porque el profesor quería darnos la oportunidad de aprobar a todos.* **2** *col.* Lugar por el que es fácil colarse: *La puerta de atrás del cine es un coladero porque no suele haber nadie vigilando.*

colador s.m. **1** Utensilio con el que se cuela un líquido y que está formado generalmente por una tela o por una lámina agujereada. **2** Lo que tiene muchos agujeros: *Lo frieron a balazos y lo dejaron hecho un colador.*

coladura s.f. **1** Paso de un líquido por un colador para clarificarlo o para separarlo de las partes más gruesas: *No sé con qué has hecho la coladura del café, pero te ha quedado lleno de posos.* **2** *col.* Equivocación o desacierto que se comete: *¡Menuda coladura lo de decirle que había adelgazado cuando yo acababa de decirle lo contrario!* **3** *col.* Enamoramiento o afición muy grande por alguien o por algo: *Tienes una coladura irracional por las motos.*

colágeno, na ▌adj. **1** Del colágeno o relacionado con esta proteína: *fibras colágenas.* ▌s.m. **2** Proteína que se encuentra en los tejidos conjuntivos, óseos y cartilaginosos, y que se transforma en gelatina por cocción. □ ETIMOL. Del griego *kólla* (cola) y *-geno* (que produce).

colagenoplastia s.f. Operación quirúrgica que consiste en la implantación de colágeno en una zona del cuerpo: *Algunas personas se hacen una colagenoplastia para resaltar los pómulos.*

colapsar v. Producir o sufrir un colapso o bloqueo: *Un trombo le colapsó la circulación sanguínea. La actividad de muchas empresas se colapsó debido a la crisis económica.*

colapso s.m. **1** En medicina, estado de debilitamiento extremo, gran depresión y circulación sanguínea insuficiente: *Aquella impresión le produjo un colapso del que le costó recuperarse.* **2** Paralización o disminución de una actividad: *La rotura de las tuberías del agua provocó el colapso del tráfico en la zona.* **3** Destrucción o ruina de algo, esp. de una institución o de un sistema: *La aparición de la moneda causó el colapso del sistema de intercambio de productos.* □ ETIMOL. Del latín *collapsus* (caída, hundimiento).

colar ▌v. **1** Referido a un líquido, echarlo en un colador para clarificarlo o para separarlo de las partes más gruesas: *Cuela la leche para que no tenga nata.* **2** *col.* Referido esp. a algo falso o ilegal, darlo o pasarlo con engaño: *Colé la cámara de fotos por la aduana ocultándola en el bolso.* **3** Introducir en un lugar o hacer pasar por él: *El delantero coló el balón en la portería aprovechando un descuido del portero.* **4** Referido al hierro fundido, sacarlo de un horno: *Trabajó colando el hierro en los altos hornos.* **5** *col.* Referido esp. a un engaño o a una mentira, ser creído: *La historia que conté coló y nadie volvió a hacer preguntas.* ▌prnl. **6** Pasar por un lugar estrecho: *El agua se colaba por las rendijas de la pared.* **7** *col.* Introducirse con engaño en algún sitio: *Nos colamos en el circo pasando por debajo de la carpa.* **8** *col.* Equivocarse o decir inconveniencias: *Te has colado, porque no he sido yo el que te ha escondido la carpeta.* **9** *col.* Estar muy enamorado: *Se coló por esa chica y dejó de salir con sus amigos.* □ ETIMOL. Del latín *colare* (pasar por un coladero). □ MORF. Irreg. →CONTAR. □ SINT. En la acepción 6, se usa también como verbo transitivo: *Pudimos colar a tu hermano para que entrara al estadio sin pagar.*

colateral ▌adj.inv. **1** Que está situado a uno y otro lado de un elemento principal: *Esta iglesia tiene una nave central y dos colaterales.* **2** Secundario o que resulta o se deriva de otra cosa principal: *daños colaterales.* ▌adj.inv./s.com. **3** Referido a una persona, que es pariente de otra por un ascendiente común pero no por la línea directa de padres a hijos: *A la celebración asistieron los hermanos y algunos colaterales.* □ ETIMOL. Del latín *collateralis*, y este de *latus* (lado).

colcha s.f. Cobertura de la cama que sirve de adorno y de abrigo. □ SINÓN. *cubrecama, sobrecama.* □ ETIMOL. Del francés antiguo *colche* (lecho).

colchón s.m. **1** Especie de saco de forma rectangular, relleno de lana o de otro material blando o elástico, que se pone sobre la cama para dormir sobre él: *Muchos colchones están provistos de muelles.* **2** Capa hueca y esponjosa que cubre una superficie: *El perro se recostó sobre un colchón de pajas.* **3** ‖ **colchón de aire;** capa de aire a presión que se interpone entre dos superficies para evitar su contacto, para amortiguar sus movimientos o para disminuir el rozamiento: *Cuando estuve en Canarias monté en un barco que se desplazaba sobre un colchón de aire.* □ ETIMOL. De *colcha*.

colchonería s.f. Establecimiento en el que se hacen o se venden colchones, almohadones y otros objetos semejantes.

colchonero, ra ▌adj./s. **1** *col.* Del Atlético de Madrid (club deportivo madrileño) o relacionado con él: *un aficionado colchonero.* ▌s. **2** Persona que se dedica a la fabricación o a la venta de colchones.

colchoneta s.f. **1** Colchón delgado. **2** Colchón de tela impermeable lleno de aire: *Se ha metido en la piscina con la colchoneta.* **3** Cojín largo y delgado que se pone sobre un asiento: *Ha colocado unas colchonetas sobre los salientes de la pared para poder utilizarlos como asientos.* **4** En deporte, colchón delgado o grueso sobre el que se realizan ejercicios gimnásticos.

cole s.m. *col.* →**colegio.**

colear v. **1** Referido a un animal, mover con frecuencia la cola: *El perro empieza a colear en cuanto ve la comida.* **2** Referido a un asunto o a sus consecuencias, durar o continuar: *En la reunión se vio que las viejas enemistades aún colean entre sus miembros.*

colección s.m. **1** Conjunto de elementos, esp. si son de una misma clase o tienen algo en común, y si están sujetos a un orden: *Los sellos de esta colección están clasificados por temas.* **2** Conjunto de modelos creados por un diseñador de ropa para cada temporada. **3** Gran cantidad de algo: *Lo único que dijo fue una colección de disparates.* □ ETIMOL. Del latín *collectio*, y este de *colligere* (recoger).

coleccionable ▮ adj.inv. **1** Que puede coleccionarse: *cromos coleccionables.* ▮ s.m. **2** Libro que se publica por fascículos, esp. en un periódico: *Nuestro periódico publicará cada domingo un coleccionable sobre Historia de España.*

coleccionar v. Referido a varios elementos, formar con ellos una colección: *He empezado a coleccionar los números extras de esta revista. Colecciono canicas de colores y sellos extranjeros.*

coleccionismo s.m. Arte, técnica o afición de coleccionar: *Se inició en el coleccionismo de monedas tras ver una exposición.*

coleccionista s.com. Persona que colecciona algo: *Los coleccionistas de pintura adquieren muchos de sus cuadros en subastas.*

colecistitis (pl. *colecistitis*) s.f. Inflamación de la vesícula biliar producida generalmente por un cálculo: *Me pusieron un tratamiento antibiótico para mi colecistitis.* □ ETIMOL. Del griego *kholé* (bilis) y *kýstis* (vejiga) e *-itis* (inflamación).

colecta s.f. Recaudación de donativos voluntarios, esp. con fines benéficos: *La parroquia va a hacer una colecta para ayudar a los marginados del barrio.* □ ETIMOL. Del latín *collecta*.

colectar v. Referido esp. a una cantidad de dinero, cobrarla o percibirla: *Vamos a colectar dinero para una campaña contra el hambre.* □ SINÓN. *recaudar.* □ SEM. Dist. de *recolectar* (recoger la cosecha; juntar algo disperso).

colectividad s.f. Conjunto de personas que tienen entre sí una relación determinada o que están reunidas o concertadas para un fin común: *El Ayuntamiento mejorará los servicios municipales en beneficio de la colectividad.*

colectivismo s.m. Doctrina que tiende a la transferencia de la propiedad particular a la colectividad, y que confía al Estado la distribución de la riqueza: *El colectivismo y la planificación eran la base de la economía soviética.*

colectivista ▮ adj.inv. **1** Del colectivismo o relacionado con esta doctrina: *un sistema colectivista.* ▮ adj.inv./s.com. **2** Partidario del colectivismo.

colectivización s.f. Transformación de algo particular o individual en colectivo: *Para acabar con el latifundio se procederá a la colectivización de las tierras de cultivo.*

colectivizar v. Referido a algo particular o individual, transformarlo en colectivo: *Las reformas empezarán por colectivizar los medios de producción del país.* □ ORTOGR. La *z* se cambia en *c* delante de *e* →CAZAR.

colectivo, va ▮ adj. **1** De una agrupación de personas o relacionado con ella: *un esfuerzo colectivo.* ▮ s.m. **2** Grupo de personas unido por unos fines o por unos intereses comunes: *El colectivo médico del hospital ha decidido suspender la huelga.* **3** En zonas del español meridional, autobús. □ ETIMOL. Del latín *collectivus*.

colector, -a ▮ adj. **1** Que recoge: *El organismo colector se hará también cargo de la distribución de los donativos.* ▮ s. **2** Persona que reúne textos, documentos u otros objetos para su estudio y conocimiento: *La obra de este poeta estuvo dispersa hasta que un colector se hizo cargo de su recopilación.* ▮ s.m. **3** Canal o conducto que recoge el agua que transportan otros canales: *El agua de las alcantarillas se vierte en colectores subterráneos.* □ ETIMOL. Del latín *collector*, y este de *colligere* (recoger).

colega s.com. **1** Respecto de una persona, otra que tiene su misma profesión u ocupación: *El médico de cabecera se reunió con sus colegas para decidir si debían hospitalizar al enfermo.* **2** *col.* Amigo o compañero: *Queda siempre con unos colegas de su barrio.* □ ETIMOL. Del latín *collega*. □ SEM. En la acepción 1, su uso como sinónimo de 'homólogo' es incorrecto: *El presidente está reunido con su {*colega > homólogo} italiano.* □ USO En la lengua coloquial, se usa como apelativo: *¡Colega, qué te cuentas!*

colegiación s.f. Reunión en colegio o asociación de las personas de una misma profesión o clase, o afiliación a este: *Para evitar fraudes se ha impuesto la colegiación obligatoria de los profesionales.*

colegiado, da adj./s. Referido a una persona, que es miembro de un colegio o asociación, esp. si está reconocido oficialmente: *Los abogados están colegiados en el Colegio de Abogados. Los jugadores no estaban de acuerdo con la forma en que el nuevo colegiado había arbitrado el partido.*

colegial adj.inv. Del colegio: *unas instalaciones colegiales.*

colegial, -a s. Alumno que asiste a un colegio o que tiene plaza en él.

colegiarse v.prnl. Referido a las personas de una misma profesión o clase, reunirse en colegio o asociación, o afiliarse a él: *Al terminar la carrera se colegió en el Colegio de Médicos de Barcelona.* □ ORTOGR. La *i* nunca lleva tilde.

colegiata s.f. Iglesia que, sin ser sede propia del obispo o del arzobispo, se compone de abad y canónigos seculares, y en la que se celebran los oficios divinos como en las catedrales: *Esta colegiata tiene una sillería muy valiosa.*

colegio s.m. **1** Centro de enseñanza: *Los niños reciben la enseñanza primaria en el colegio.* **2** *col.* Clase: *El lunes es fiesta y no hay colegio.* **3** Asociación o corporación de personas que ejercen una misma profesión o que tienen una misma dignidad: *El Colegio de Arquitectos organizó unas jornadas* *sobre la arquitectura madrileña del siglo* XX. **4** || **colegio electoral; 1** Conjunto de los electores que forman un mismo grupo legal para ejercer su derecho al voto: *Casi la totalidad del colegio electoral de nuestra provincia ha acudido a las urnas.* **2** Lugar o local en el que se reúnen: *Los ciudadanos suelen votar en el colegio electoral más próximo a su domicilio.* || **colegio mayor;** residencia de estudiantes universitarios: *En algunos colegios mayores se realizan actividades culturales.* □ ETIMOL. Del latín *collegium* (conjunto de colegas, asociación). □ USO En las acepciones 1 y 2, en la lengua coloquial se usa mucho la forma abreviada *cole*.

colegir v. Deducir a partir de algo: *Por lo que me contó colegí que las cosas no debían ir bien en su familia.* □ ETIMOL. Del latín *colligere* (recoger, coger). □ ORTOGR. La *g* se cambia en *j* delante de *a*, *o*. □ MORF. Irreg. →ELEGIR.

colelitiasis (pl. *colelitiasis*) s.f. En medicina, formación o presencia de cálculos biliares: *En este hospital operan la colelitiasis mediante laparoscopia.* □ ETIMOL. Del griego *kholé* (bilis), *líthos* (piedra) y *-sis* (enfermedad).

colemia s.f. En medicina, presencia de bilis en la sangre: *La colemia es un síntoma de obstrucción biliar.* □ ETIMOL. Del griego *kholé* (bilis) y *-emia* (sangre). □ SEM. Dist. de *alcoholemia* (presencia de alcohol en la sangre).

cóleo s.m. Planta herbácea que tiene numerosas hojas dentadas y flores pequeñas agrupadas en racimos, y que se utiliza como ornamentación: *El cóleo es originario de Asia tropical.*

coleóptero ▮ adj./s.m. **1** Referido a un insecto, que tiene boca masticadora, caparazón consistente, y un par de élitros o alas córneas que cubren dos alas membranosas y plegadas: *El escarabajo y el gorgojo son insectos coleópteros.* ▮ s.m.pl. **2** En zoología, orden de estos insectos, perteneciente al tipo de los artrópodos: *Algunas especies que pertenecen a los coleópteros son perjudiciales para la agricultura.* □ ETIMOL. Del griego *koleópteros*, y este de *koleós* (vaina) y *pterón* (ala), por los élitros que recubren las alas de los insectos.

cólera ▮ s.m. **1** Enfermedad infecciosa de origen vírico que se caracteriza por vómitos repetidos, dolores abdominales y diarrea, y que causa la deshidratación del enfermo. ▮ s.f. **2** Ira, enojo o enfado muy violentos. **3** || **montar en cólera;** airarse o enfadarse mucho: *Cuando vio que todo estaba mal hecho montó en cólera y comenzó a insultarnos.* □ ETIMOL. Del latín *cholera* (bilis), porque el cólera es una enfermedad causada por la bilis.

colérico, ca ▮ adj. **1** De la cólera o relacionado con este estado de ánimo: *palabras coléricas.* ▮ adj./s. **2** Que se deja llevar fácilmente por la cólera: *Es una persona muy colérica, así que no le lleves la contraria.*

colesterina s.f. →**colesterol.** □ ETIMOL. Del francés *cholestérine*.

colesterofobia s.f. *col.* Temor exagerado a tener colesterol: *Eso de no probar los huevos bajo ningún concepto es pura colesterofobia.* □ ETIMOL. De *colesterol* y *-fobia* (aversión).

colesterol s.m. Molécula de origen graso que, combinada con otras moléculas, entra a formar parte de distintas estructuras orgánicas, como las membranas, y que es necesaria para la síntesis de sustancias, fundamentalmente de tipo hormonal: *El exceso de colesterol favorece el desarrollo de la arteriosclerosis.* □ SINÓN. *colesterina.* □ ETIMOL. Del francés *cholestérol*, y este del griego *kholé* (bilis) y *stereós* (sólido, duro, robusto).

colesterolemia s.f. Presencia de colesterol en la sangre. □ ETIMOL. De *colesterol* y *-emia* (sangre).

coleta s.f. **1** Peinado que se hace recogiendo el pelo cerca de la cabeza y dejándolo suelto desde ahí. **2** || **cortarse la coleta;** dejar una costumbre o un oficio, esp. el de torero: *El torero anunció que ya creía llegado el momento de cortarse la coleta.* □ ETIMOL. De *cola* (peinado).

coletazo s.m. **1** Golpe dado con la cola o con la coleta: *La ballena dio tal coletazo que volcó la barca.* **2** Última manifestación, aparición o acción de algo antes de acabar o desaparecer: *El huracán ya se había alejado, pero aún se sentían sus últimos coletazos.* □ MORF. En la acepción 2, se usa más en plural.

coletero s.m. Goma que se usa para sujetar el pelo.

coletilla s.f. Añadido a lo que se dice o se escribe para hacer referencia a algo que se ha olvidado o que se quiere recalcar: *Pone coletillas a cada cosa que dice, porque le obsesiona hacerse entender.* □ SEM. Dist. de *latiguillo* y *muletilla* (palabra o expresión que, de tanto repetirse, pierden su fuerza expresiva).

coleto s.m. **1** *col.* Conjunto de pensamientos o sentimientos interiores de una persona: *En aquel momento no dije nada, pero pensé para mi coleto que algo no marchaba bien.* □ SINÓN. *adentros.* **2** || **echarse** algo **al coleto;** *col.* Comerlo o beberlo: *Échate un trago al coleto, mujer.* □ ETIMOL. Del italiano *colletto* (cuello de una camisa).

colgadero s.m. **1** Gancho, garfio u otro instrumento que sirve para colgar algo. **2** En zonas del español meridional, tendedero.

colgado, da ▮ adj. **1** *col.* Desamparado o frustrado porque no se ha cumplido lo que se esperaba o se deseaba: *Mi amigo me dejó colgada esperando a la puerta del cine.* **2** Pendiente de resolución o con final incierto: *Ese asunto está colgado hasta que se reúna el consejo de dirección.* **3** *col.* Muy atento o totalmente pendiente: *Es tan elocuente que me quedé colgado de sus palabras.* ▮ adj./s. **4** *col.* Que está bajo los efectos de una droga o depende en grado sumo de ella: *Cuando está colgado no se puede hablar con él.* □ SINT. 1. En las acepciones 1 y 3, se usa más con los verbos *dejar* y *quedarse*. 2. En la acepción 4 se usa más con los verbos *andar* o *estar*.

colgador s.m. Gancho, garfio u otro utensilio que sirve para colgar ropa.

colgadura s.f. Tapiz o tela con que se cubren, protegen o adornan paredes, balcones, muebles y otros objetos. □ USO Se usa más en plural.

colgajo s.m. *desp.* Lo que cuelga, esp. si es de forma descuidada o antiestética.

colgante ▮ adj.inv. **1** Que cuelga. ▮ s.m. **2** Adorno que cuelga de un collar, de una pulsera o de cualquier otra pieza de joyería o de bisutería.

colgar v. **1** Referido a una cosa, estar o ponerla suspendida de otra de forma que no se apoye por su parte inferior: *Los frutos cuelgan de los árboles. Colgó las llaves en el clavo de la entrada.* **2** *col.* Referido a una persona o a un animal, quitarles la vida haciendo que su cuerpo quede sostenido por una cuerda que les aprieta el cuello y les impide respirar: *Lo condenaron a muerte y el mismo día lo colgaron.* □ SINÓN. *ahorcar.* **3** Referido a una profesión o a una actividad, abandonarlas o dejarlas: *Era sacerdote pero colgó los hábitos hace años.* □ SINÓN. *ahorcar.* **4** Interrumpir una comunicación telefónica, generalmente colocando el auricular en su sitio: *Me telefoneó para insultarme y le colgué.* **5** *col.* Referido a algo generalmente incierto, atribuírselo o achacárselo a alguien: *Le colgaron ese apodo y ya nadie sabe cuál es su verdadero nombre.* **6** Referido esp. a una tela o a un vestido, tener los bordes desiguales y con unas partes más largas que otras: *El vestido cuelga mucho y hay que igualarle el bajo.* **7** *col.* Referido a una asignatura, suspenderla: *Tengo colgado el inglés del año pasado.* **8** En informática, referido esp. a un ordenador, bloquearlo o quedarse bloqueado: *Has dado tantas órdenes seguidas que has dejado colgado el ordenador.* **9** En informática, poner una información o un contenido en internet: *He colgado un trabajo de sociología de tu página web.* □ SINÓN. *subir, cargar.* □ ETIMOL. Del latín *collocare* (situar, colocar). □ ORTOGR. Aparece una *u* después de la *g* cuando le sigue *e.* □ MORF. Irreg. →COLGAR. □ SINT. Constr. *colgar {DE/EN} un sitio.*

colguije s.m. En zonas del español meridional, colgante.

colibrí (pl. *colibríes, colibrís*) s.m. Pájaro de tamaño muy pequeño, con el pico muy largo y delgado y el plumaje de colores muy vivos: *El colibrí se alimenta del néctar de las flores.* □ SINÓN. *picaflor.* □ ETIMOL. Del francés *colibri.* □ MORF. Es un sustantivo epiceno: *el colibrí {macho/hembra}.*

cólico, ca ▮ adj. **1** Del colon o relacionado con él: *la arteria cólica.* ▮ s.m. **2** Trastorno del intestino o de otro órgano abdominal, que produce fuertes dolores y suele ir acompañado de vómitos: *Cené muchísimo y me dio un cólico que me tuvo toda la noche vomitando.* **3** ‖ **cólico miserere;** oclusión intestinal aguda que determina un estado muy grave cuyo síntoma más característico es el vómito de los excrementos. ‖ **cólico {nefrítico/renal};** dolor muy fuerte que se produce al pasar por los uréteres, los cálculos anormales formados en el riñón. □ ETIMOL. Del latín *colicus.*

coliflor s.f. Variedad de col con una gran masa redonda, blanca y granulosa: *La coliflor suele producir gases intestinales.*

coligación s.f. **1** Unión o asociación entre personas o entidades con algún propósito común: *La coligación de varios partidos pequeños consiguió derrotar al partido mayoritario.* **2** Unión, trabazón o enlace de unas cosas con otras: *Debes estudiar la coligación de estos elementos químicos.*

coligado, da adj. Referido esp. a personas o entidades, que se han unido o se han puesto de acuerdo para conseguir algún propósito común.

coligar v. Referido esp. a personas o entidades, unirlas o ponerlas de acuerdo para conseguir algún propósito común: *Consiguió coligarse con el subdirector para boicotear la propuesta de la directora.* □ SINÓN. *coaligar.* □ ETIMOL. Del latín *colligare.* □ ORTOGR. La *g* se cambia en *gu* delante de *e* →PAGAR. □ MORF. Se usa más como pronominal. □ SINT. Constr. *coligarse* CON *alguien.*

colilla s.f. Parte de los cigarros que se deja sin fumar. □ ETIMOL. De *cola.*

colimbo s.m. Ave acuática, de pico comprimido, alas cortas, dedos unidos por una membrana y que mantiene una posición casi vertical gracias a la localización trasera de sus patas: *El colimbo bucea para atrapar los peces que le sirven de alimento.* □ ETIMOL. Del griego *kólymbos.* □ MORF. Es un sustantivo epiceno: *el colimbo {macho/hembra}.*

colín s.m. **1** Pieza de pan sin miga, larga, muy delgada, y con forma cilíndrica. **2** Modalidad más pequeña del piano de cola.

colina s.f. Elevación poco pronunciada del terreno, menor que un monte y generalmente de forma redondeada: *En lo alto de la colina había una ermita.* □ ETIMOL. Del italiano *collina* (colina extensa y algo elevada).

colindante adj.inv. Referido esp. a dos lugares, terrenos o construcciones, que lindan entre sí o están contiguos: *Hubo una reunión con los alcaldes de los municipios colindantes.*

colindar v. Referido esp. a dos lugares, terrenos o construcciones, lindar entre sí o estar contiguos: *La finca de mi vecino colinda con la mía.* □ ETIMOL. De *co-* (compañía) y *lindar.* □ SINT. Constr. *colindar* CON *algo.*

colinérgico, ca adj. Referido esp. a una fibra nerviosa, que, al ser excitada, libera acetilcolina en sus terminaciones: *El sistema parasimpático tiene terminaciones nerviosas colinérgicas.*

colirio s.m. Medicamento que se aplica en los ojos para aliviar o curar molestias o enfermedades: *Cuando sale de la piscina se echa unas gotas de colirio en cada ojo para calmar el escozor.* □ ETIMOL. Del latín *collyrium.*

coliseo s.m. Sala, generalmente de grandes dimensiones, para representaciones o espectáculos públicos: *Han cerrado el coliseo en el que tantas veces vimos cine, teatro, ballet y hasta ópera.* □ ETIMOL. Por alusión al Coliseo de Roma.

colisión s.f. **1** Choque violento de dos vehículos: *Ha habido varios heridos graves en la colisión de la autopista.* **2** Oposición o disputa entre personas o entidades, o entre intereses, sentimientos o ideas: *La colisión entre los intereses personales hizo imposible un acuerdo.* □ ETIMOL. Del latín *collisio*, y este de *collidere* (chocar).

colisionar v. **1** Referido a un vehículo, chocar violentamente con otro: *Cuando intentaba adelantar, colisionó con un camión que venía de frente.* **2** Estar en desacuerdo y oponerse: *Las ideas de los más jóvenes del partido colisionan con las de los viejos militantes.*

colista adj.inv./s.com. Referido a una persona o a un equipo, que ocupa el último lugar de una clasificación.

colistero, ra s. Persona suscrita a una lista de distribución de internet.

colitigante s.com. Persona que litiga o sostiene un pleito o una disputa junto con otra: *Los vecinos se presentaron como colitigantes en el pleito contra la empresa constructora.* □ ETIMOL. De *co-* (cooperación, reunión) y *litigante*.

colitis (pl. *colitis*) s.f. **1** Inflamación del colon intestinal: *La colitis produce dolor de vientre y diarrea.* **2** *col.* Diarrea: *Lleva dos horas en el baño porque tiene una colitis tremenda.* □ ETIMOL. De *colon* e *-itis* (inflamación).

collado s.m. **1** Elevación poco pronunciada del terreno, generalmente aislada y menor que un monte. **2** En una sierra o en una cadena montañosa, paso o depresión poco pronunciada del terreno que permite ir fácilmente de una vertiente a la otra. □ ETIMOL. Del latín *collis* (colina, altura).

collage (fr.) s.m. **1** Técnica o procedimiento artístico consistente en pegar sobre un lienzo o una tabla distintos materiales, esp. recortes de papel: *El pintor Max Ernst dio a conocer el collage en una exposición de 1919.* **2** Composición plástica realizada según este u otro procedimiento de carácter mixto: *En sus collages, Tàpies utiliza materiales tan distintos como telas, arena o hierros.* □ PRON. [colách], con *ch* suave.

collar s.m. **1** Joya o pieza que se pone alrededor del cuello, como adorno o como insignia representativa de altos cargos o distinciones: *un collar de perlas.* **2** Aro o banda que se pone alrededor del cuello de los perros u otros animales domésticos como adorno, como medio defensivo o para llevarlos sujetos. □ ETIMOL. Del latín *collare*, y este de *collum* (cuello).

collarín s.m. Aparato de ortopedia que se coloca alrededor del cuello para inmovilizar las vértebras cervicales: *Le pusieron un collarín para corregir la lesión de cervicales causada en el accidente.*

collarino s.m. En una columna, moldura en forma de anillo que está entre el fuste y el capitel: *El collarino de algunas columnas puede tener elementos decorativos.* □ ETIMOL. Del italiano *collarino*.

college (ing.) s.m. Colegio o facultad universitarios ingleses o norteamericanos: *Este verano hice un curso de inglés en un college de Estados Unidos.* □ PRON. [cólich].

colleja s.f. **1** *col.* Golpe pequeño o palmada dados en la parte de atrás del cuello. **2** Planta herbácea, de hojas verdes y flores blancas, cuyos brotes son comestibles. □ ETIMOL. La acepción 1, de *cuello*. La acepción 2, del latín *cauliculus*, y este de *caulis* (tallo).

collera s.f. **1** Collar relleno de paja o de otro material, que se coloca al cuello de bueyes y caballerías para sujetar en él los correajes y demás arreos sin lastimar al animal: *Antes de poner el yugo a los bueyes, se les coloca una collera.* **2** En zonas del español meridional, gemelo de la camisa. **3** En zonas del español meridional, pareja de jinetes que participa en un rodeo. □ ETIMOL. De *cuello*.

collie (ing.) adj.inv./s. Referido a un perro, de la raza que se caracteriza por tener pelo largo, hocico alargado y porte elegante. □ PRON. [cóli]. □ ORTOGR. Dist. de *coolie*.

collón, -a adj./s. *col. desp.* En zonas del español meridional, referido a una persona, que es cobarde o miedosa. □ ETIMOL. Del italiano *coglione*.

colmado s.m. Tienda de comestibles o local barato y de baja categoría, donde se sirven bebidas y comidas: *La cena en el colmado fue de mala calidad.*

colmar v. **1** Llenar hasta rebasar o exceder los bordes o los límites: *Olvidó cerrar el grifo y el agua colmó la bañera.* **2** Referido esp. a muestras de aprecio o de desprecio, darlas o dispensarlas en abundancia: *La anfitriona colmó a su invitado de obsequios y alabanzas.* □ SINÓN. *llenar.* **3** Referido esp. a esperanzas, aspiraciones o deseos, satisfacerlos plenamente: *Lograr aquel ascenso colmó todas mis ilusiones.* □ ETIMOL. Del latín *cumulare* (amontonar, llenar). □ SINT. Constr. de la acepción 2: *colmar* DE *algo.*

colmena s.f. **1** Habitáculo natural o artificial en el que las abejas viven y almacenan la cera y la miel que producen: *Las colmenas artificiales suelen estar hechas con corcho, madera o mimbre.* **2** Lugar o edificio donde viven apiñadas muchas personas: *Se compró un piso en una de las colmenas construidas al lado de la playa.* □ ETIMOL. De origen incierto.

colmenar s.m. Lugar donde están las colmenas. □ ORTOGR. Incorr. **colmenal.*

colmenero, ra s. Persona que posee colmenas o que cuida de ellas.

colmillo s.m. **1** En una persona o en algunos mamíferos, diente fuerte y puntiagudo situado entre el último incisivo y la primera muela de cada cuarto de la boca y cuya función es desgarradora o defensiva: *La dentadura humana tiene cuatro colmillos, dos en cada mandíbula.* □ SINÓN. *canino, diente canino.* **2** En un elefante, diente incisivo, alargado y en forma de cuerno, en cada lado de la mandíbula superior: *Los colmillos de los elefantes son de marfil y pueden alcanzar tres metros de largo.* **3** ‖ **enseñar los colmillos;** *col.* Mostrarse amenazador o temible, o imponer respeto: *Cuando enseña los colmillos, nadie se atreve a llevarle la contraria.*

□ ETIMOL. Del latín *columella* (columnita), porque los colmillos tienen forma cilíndrica.

colmo s.m. **1** Grado máximo al que se puede llegar en algo: *Eres el colmo de la estupidez y no dices más que tonterías.* **2** Añadido, culminación o remate: *Llegas tarde, no me traes lo que te pedí y para colmo vienes enfadado.* **3** || **ser el colmo;** ser intolerable: *Es el colmo que llegues tarde y encima vengas con exigencias.* □ ETIMOL. Del latín *cumulus* (montón, exceso).

colocación s.f. **1** Disposición adecuada, ordenada o en el lugar preciso: *Yo me encargo de la colocación de los libros en la estantería.* **2** Búsqueda y consecución de un puesto o de un trabajo: *Conoce a mucha gente y proporcionó colocación a toda la familia.* **3** Situación o forma de estar colocado o puesto algo: *Su colocación era inmejorable para verlo todo.* **4** Puesto de trabajo, empleo o destino: *Después de dos años en el paro, por fin encontró una buena colocación.* **5** En bolsa, venta de acciones u obligaciones de una empresa: *La colocación de esta empresa pública tendrá lugar en los próximos meses.*

colocar v. **1** Poner en la posición adecuada o en el orden o lugar correspondientes: *Los niños colocaron sus juguetes en el armario después de jugar.* **2** Proporcionar un puesto, un empleo o un estado: *En cuanto terminó los estudios, su padre lo colocó en la dirección de la empresa.* **3** Referido a una cantidad de dinero, emplearla con la intención de obtener beneficios: *Decidido a vivir de las rentas, colocó en bolsa todos sus ahorros.* □ SINÓN. *invertir.* **4** *col.* Referido a algo que supone una carga o una molestia, hacer que alguien lo acepte o se haga cargo de ello: *Consiguió colocar aquel coche destartalado a un pobre inocente.* □ SINÓN. *endilgar, endosar.* **5** *col.* Poner eufórico el alcohol o alguna droga: *Como no bebo nunca, con dos cervezas me coloco.* □ ETIMOL. Del latín *collocare.* □ ORTOGR. La *c* se cambia en *qu* delante de *e* →SACAR.

colocón s.m. *col.* Borrachera o estado producido por efecto de una droga. □ SINÓN. *coloque.*

colodrillo s.m. Parte posterior de la cabeza humana.

colofón s.m. **1** En un libro, nota final que incluye datos relacionados con la impresión, esp. el lugar, la fecha y el nombre del impresor: *Según el colofón, esta es una edición numerada de la que solo se imprimieron cien ejemplares.* **2** Añadido con que se termina, completa o remata algo, esp. si aporta una nota de énfasis o culminación: *Aquella condecoración era el mejor colofón de una brillante carrera.* □ ETIMOL. Del griego *kolophón* (cumbre, remate, fin de una obra).

colofonia s.f. Resina sólida e inflamable, traslúcida, pardusca o amarillenta, que queda como residuo de la destilación de la trementina de pinos y otros árboles: *La colofonia se utiliza en farmacia y en cosmética.* □ ETIMOL. Del latín *colophonia*, y este del griego *kolophonía (de la ciudad jonia de Colofón)*, lugar de donde procede esta resina.

coloidal adj.inv. De los coloides o relacionado con estas sustancias: *Las sustancias coloidales se caracterizan por tener moléculas muy estables, lo cual impide su disolución o su reacción química.* □ SINÓN. *coloideo.*

coloide adj.inv./s.m. Referido a una sustancia, que se disgrega en un líquido pero sin llegar a disolverse o a deshacerse en él: *El tamaño de las partículas en que se dividen los coloides es microscópico.* □ ETIMOL. Del griego *kólla* (goma, cola) y *-oide* (relación, semejanza).

coloideo, a adj. →**coloidal.**

colombianismo s.m. En lingüística, americanismo propio de Colombia (país americano): *En las obras de García Márquez hay muchos colombianismos.*

colombiano, na adj./s. De Colombia o relacionado con este país americano.

colombicultura s.f. **1** Arte o técnica de criar palomas y fomentar su reproducción: *Es un experto en colombicultura y ha logrado aumentar la producción de huevos de sus palomas.* **2** Afición deportiva a la cría, al adiestramiento y al cuidado de palomas, esp. de las mensajeras: *En las competiciones de colombicultura se puntúa la velocidad, la orientación y el alcance.* □ SINÓN. *colombofilia.* □ ETIMOL. Del latín *columba* (paloma) y *-cultura* (cuidado).

colombina s.f. Véase **colombino, na.**

colombino, na ▮ adj. **1** De Cristóbal Colón (descubridor de América), de su familia o relacionado con ellos: *Un hijo de Cristóbal Colón creó la famosa Biblioteca Colombina de Sevilla.* ▮ s.f. **2** Personaje de teatro, procedente de la comedia italiana, que representa a una mujer joven y atractiva: *En aquel espectáculo circense, las colombinas desfilaban entre arlequines y payasos.* □ ORTOGR. Dist. de *columbino.*

colombofilia s.f. Afición a la cría, al adiestramiento y al cuidado de palomas, esp. de las mensajeras. □ SINÓN. *colombicultura.* □ ETIMOL. Del latín *columba* (paloma) y *-filia* (afición, gusto, amor).

colombófilo, la ▮ adj. **1** De la colombofilia o relacionado con esta afición a la cría de palomas: *un tratado colombófilo.* ▮ s. **2** Persona aficionada a la cría, al adiestramiento y al cuidado de las palomas, esp. de las mensajeras.

colon s.m. En el aparato digestivo de una persona o de algunos animales, parte del intestino grueso entre el íleon y el recto: *Los trastornos de colon pueden producir cólicos.* □ ETIMOL. Del griego *kôlon* (miembro). □ ORTOGR. Dist. de *colón.*

colón s.m. Unidad monetaria costarricense y salvadoreña. □ ETIMOL. Por alusión a Cristóbal Colón, cuya efigie llevaban estas monedas. □ ORTOGR. Dist. de *colon.*

colonato s.m. Sistema de explotación de un territorio por colonos: *El colonato es una forma de explotación que se llevaba a cabo frecuentemente como forma de repoblación.*

colonia s.f. **1** →**agua de Colonia.** **2** Conjunto de personas procedentes de un país, región o provincia que van a otro territorio para poblarlo, explotarlo o establecerse en él: *Las colonias que se asientan en un territorio suelen dar lugar a grandes ciudades.* **3** Territorio o lugar donde se establecen estas personas: *Recorrí la colonia de españoles en París.* **4** Territorio sometido al dominio militar, político, administrativo o económico de una nación extranjera más poderosa y generalmente con un grado de civilización más avanzado: *En el siglo XIX, las potencias europeas convirtieron el continente africano en un mosaico de colonias.* **5** En una población, conjunto de edificaciones de construcción y aspecto semejantes o que responden a un proyecto urbanístico común: *Las casas de mi colonia están pintadas en tonos verdes.* **6** En biología, grupo de animales o de organismos de una misma especie que viven en un territorio delimitado o con una organización característica: *En el laboratorio están examinando las colonias de bacterias del cultivo.* **7** En biología, animal que por reproducción asexual, esp. por gemación, forma un cuerpo único de numerosos individuos unidos entre sí: *Los corales son un tipo de colonia marina.* **8** Lugar acondicionado para vacaciones infantiles, generalmente en el campo o en la playa: *una colonia de verano.* □ ETIMOL. Las acepciones 2-8, del latín *colonia*, y este de *colonus* (labriego).

colonial adj.inv. De las colonias, de su época o relacionado con ellas: *arte colonial.*

colonialismo s.m. Forma de imperialismo o de dominación entre países, caracterizada por la posesión y explotación de colonias: *El colonialismo es una forma de dominación típica del siglo XIX.*

colonialista adj.inv./s.com. Partidario del colonialismo: *Las políticas colonialistas han ocasionado graves conflictos a lo largo de la historia.*

colonización s.f. **1** Establecimiento de colonias. **2** Establecimiento de colonos o emigrantes en territorios despoblados para controlarlos, trabajar en ellos o civilizarlos.

colonizador, -a adj./s. Que coloniza: *Los romanos fueron grandes colonizadores.*

colonizar v. **1** Referido a un territorio, establecer colonias en él: *Las naciones europeas colonizaron muchas zonas de Asia y África.* **2** Poblar con colonos o emigrantes, normalmente para controlar, trabajar o civilizar un territorio despoblado: *Los romanos colonizaron España e implantaron en ella los fundamentos de su civilización.* □ ORTOGR. La *z* se cambia en *c* delante de *e* →CAZAR.

colono, na s. **1** Persona que coloniza o se establece en una colonia: *En la península Ibérica se establecieron muchos colonos romanos.* **2** Persona que cultiva tierras que no son suyas y paga por ello un arrendamiento o alquiler, y que suele vivir en ellas: *Los colonos protestan porque los propietarios quieren subirles las rentas.* □ ETIMOL. Del latín *colonus* (labriego, labrador que arrienda una heredad, habitante de una colonia).

colonoscopia s.f. En medicina, exploración visual del intestino grueso o colon, mediante la introducción de un tubo flexible provisto de un sistema óptico.

coloque s.m. *col.* Borrachera o estado producido por efecto de una droga. □ SINÓN. *colocón.*

coloquial adj.inv. Característico de la conversación o del lenguaje usado corrientemente, esp. referido a palabras o expresiones: *La cirujana se explicó en términos coloquiales para que pudiéramos entenderla.* □ SINÓN. *conversacional.*

coloquialismo s.m. Palabra o expresión usadas corrientemente: *Las obras de esa escritora están llenas de coloquialismos, porque trata de escribir igual que se habla normalmente.*

coloquíntida s.f. **1** Planta de largos tallos rastreros, hojas con cinco lóbulos dentados, flores amarillas y cuyo fruto es parecido a la naranja, pero tiene sabor amargo: *La coloquíntida pertenece a la misma familia botánica que el melón y el pepino.* **2** Fruto de esta planta: *La coloquíntida se usa en medicina como purgante.* □ ETIMOL. Del latín *coloquinthida.*

coloquio s.m. **1** Conversación, esp. si es animada y distendida, entre dos o más personas: *En esa novela, el autor introduce coloquios para amenizar la narración.* **2** Debate o discusión organizada para intercambiar información, ideas u opiniones: *Después de la conferencia, se abrió un coloquio entre los asistentes y el conferenciante.* □ ETIMOL. Del latín *colloquium*, y este de *colloqui* (conversar, conferenciar).

color ▌ s.m. **1** Impresión que capta la vista y que es producida por los rayos de luz que refleja un cuerpo: *El rojo y el amarillo son colores cálidos.* **2** Tonalidad natural del rostro humano: *Debes estar enfermo porque tienes mal color.* **3** Sustancia preparada para pintar o teñir: *Nunca no sale sin darse un poco de color en la cara.* **4** Conjunto, disposición y grado de intensidad de los colores y tonalidades de algo: *El color del paisaje cambiaba con la luz.* □ SINÓN. *coloración, colorido.* **5** Carácter peculiar o característico, o nota distintiva: *Las tradiciones han ido perdiendo su color de siempre.* □ SINÓN. *colorido.* **6** Aspecto que algo tiene o impresión que produce: *Es un pesimista, todo lo ve de color oscuro.* **7** Ideología, corriente de opinión o fracción política: *No es un partido de un solo color y por eso tienen tantas disputas internas.* **8** Timbre o calidad de un sonido o de una voz que permite distinguirlos de otro del mismo tono: *El color claro y brillante de esa voz es inconfundible.* ▌ pl. **9** Combinación cromática adoptada como símbolo o distintivo: *Tengo una banderola con los colores de mi equipo.* **10** Entidad, agrupación o país representados por esta combinación cromática: *Siempre defenderé nuestros colores.* **11** ‖ **a todo color;** con variedad de colores y no solo en blanco y negro: *La revista publicó un reportaje a todo color de la boda.* ‖ **de color; 1** Que no tiene solo el blanco y el negro: *La ropa de color es más alegre que la negra.* **2** Referido a una persona, que es mulata o que tiene la piel muy oscura: *En el continente africano es mayoritaria la gente de co-*

lor. || **de color de rosa;** de forma optimista o ideal: *Es muy alegre y todo lo ve de color de rosa.* || **no haber color;** no admitir comparación: *Entre tu casa y la mía no hay color, porque la mía es muchísimo mejor.* || **ponerse** alguien **de mil colores;** alterarse y palidecer o sonrojarse por vergüenza o cólera: *Lo pillaron espiando por la cerradura y se puso de mil colores.* || **sacar los colores;** hacer enrojecer de vergüenza: *Si le preguntas si tiene novia, le sacarás los colores.* □ ETIMOL. Del latín *color.* □ USO El uso de *color* como sustantivo femenino es característico del lenguaje poético; fuera de este contexto, se considera un arcaísmo o un vulgarismo.

coloración s.f. **1** Dotación de color: *Nos enseñó la sala donde se lleva a cabo la coloración de los tejidos.* **2** Conjunto, disposición y grado de intensidad de los colores y tonalidades de algo: *Algunos peces tienen una coloración muy viva.* □ SINÓN. *color, colorido.* □ ETIMOL. De *colorar* (colorear).

colorado, da adj. **1** De color más o menos rojo. □ SINÓN. *encarnado.* **2** || **poner colorado;** ruborizar o sonrojar: *Es muy vergonzoso, se pone colorado solo con que lo miren.* □ ETIMOL. Del latín *coloratus*, y este de *colorare* (colorar).

colorante adj.inv./s.m. Referido a una sustancia, que da color o tiñe: *Yo solo tomo alimentos sin colorantes ni conservantes.*

colorar v. →**colorear.**

colorativo, va adj. Que puede dar color o puede teñir: *una sustancia colorativa.*

coloreado, da ▮ adj. **1** Que tiene color o colores: *En la foto se veían bien las coloreadas bandas del planeta Júpiter.* **2** Que tiene colores vivos: *Nos describió un paisaje coloreado y alegre.* ▮ s.m. **3** Pintado o teñido de algo con un color o varios: *Cuando se seque la capa protectora, comenzaremos con el coloreado de la barandilla.*

colorear v. **1** Pintar o teñir de color: *Si coloreas ese dibujo quedará más alegre.* □ SINÓN. *colorar.* **2** Referido esp. a un fruto, tomar el color encarnado propio de su madurez: *Casi todos los tomates estaban verdes, pero algunos ya empezaban a colorear.* □ SINÓN. *colorar.*

colorete s.m. Cosmético, generalmente de tonos rojizos, que se utiliza para dar color al rostro, esp. a las mejillas: *Se dio colorete en las mejillas para disimular su palidez.*

colorido, da ▮ adj. **1** Que tiene varios colores: *Esta localidad destaca por su colorido paisaje.* ▮ s.m. **2** Conjunto, disposición y grado de intensidad de los colores y tonalidades de algo: *unos cuadros de un colorido variado y lleno de contrastes.* □ SINÓN. *coloración, color.* **3** Carácter peculiar o característico, o nota distintiva: *Las tradiciones han ido perdiendo su colorido de siempre.* □ SINÓN. *color.*

colorín s.m. **1** *col.* Color vivo y llamativo, esp. si contrasta con otros: *Cuantos más colorines tenga algo, más alegre y atractivo resulta para los niños.* **2** Árbol americano de poca altura, con un fruto parecido al frijol, pero de color rojo: *En el parque que está cerca de mi casa hay muchos colorines.* □ USO La acepción 1 se usa más en plural.

colorismo s.m. **1** En pintura, uso predominante o excesivo del color frente al dibujo: *El colorismo de sus cuadros los hace ideales para decorar habitaciones infantiles.* **2** En literatura, uso abundante o excesivo de adjetivos y expresiones vigorosas, redundantes o enfatizantes: *El excesivo colorismo de sus relatos los hace barrocos y recargados.*

colorista ▮ adj.inv. **1** Que tiene mucho colorido: *un cuadro colorista.* **2** Que utiliza con abundancia o exceso adjetivos y expresiones vigorosas, redundantes o que dan énfasis: *un estilo colorista.* ▮ adj.inv./s.com. **3** En pintura, que usa bien el color: *El pintor español Miró fue un gran colorista.*

colosal adj.inv. **1** Del coloso o relacionado con esta grandísima estatua: *una escultura colosal.* **2** De tamaño, cantidad o calidad mayores de lo normal: *una fuerza colosal.* □ SINÓN. *extraordinario.* □ SINT. En la lengua coloquial se usa también como adverbio de modo con el significado de 'muy bien': *En la fiesta lo pasamos colosal.*

coloso s.m. **1** Estatua de tamaño mucho mayor que el natural: *En la Antigüedad se construían colosos, como el de Rodas, que representaban a divinidades o a personas poderosas, y simbolizaban con su tamaño la grandeza de estas.* **2** Lo que destaca o sobresale por poseer alguna cualidad en grado muy alto, esp. el tamaño o la fuerza: *Con el fin del comunismo, cayó uno de los colosos del mundo.* □ ETIMOL. Del latín *colossus*, y este del griego *kolossós* (estatua colosal).

colposcopia s.f. En medicina, exploración de la vagina y del cuello del útero, mediante la introducción de un colposcopio: *Me realizaron una colposcopia en la revisión ginecológica.* □ ETIMOL. Del griego *kólpos* (vagina) y *-scopia* (exploración).

colposcopio s.m. Instrumento óptico que se utiliza en medicina para examinar internamente la vagina y el cuello del útero: *La ginecóloga utilizó un colposcopio para el examen vaginal.* □ ETIMOL. Del griego *kólpos* (vagina) y *-scopio* (instrumento para ver).

colt (ing.) s.m. Revólver con un tambor para varios cartuchos: *Las películas del Oeste hicieron famoso el colt del calibre 45.* □ ETIMOL. Por alusión a Samuel Colt, su inventor.

colúbrido s.m. Reptil de cuerpo muy flexible y escamoso, sin extremidades, con dientes fijos en el borde de la mandíbula superior y que no es venenoso: *La culebra común y muchas serpientes son colúbridos.* □ ETIMOL. Del latín *colubra* (culebra). □ MORF. Se usa más en plural.

coluchismo s.m. Participación activa en política de personajes que son famosos por otras actividades: *El hecho de que este actor se presentara a las elecciones legislativas es un claro ejemplo de coluchismo.* □ ETIMOL. Por alusión al cómico francés Colouche que se presentó a unas elecciones.

columbario s.m. En los cementerios de la antigua Roma, construcción sepulcral con nichos o cavidades abiertas en sus paredes para guardar en ellos las cenizas de los cadáveres incinerados: *Los columbarios recibieron este nombre por la semejanza de sus paredes llenas de cavidades con un palomar.* □ ETIMOL. Del latín *columbarium*.

columbino, na adj. De las palomas o con sus características. □ ETIMOL. Del latín *columbinus*, y este de *columba* (paloma). □ ORTOGR. Dist. de *colombino*.

columbrar v. **1** Divisar o ver sin distinguir claramente, esp. si es a causa de la distancia: *Tras recorrer kilómetros de desierto, columbraron a lo lejos un poblado.* **2** Percibir o conjeturar por indicios: *Por tus sonrisas columbro que todo ha sido un engaño.* □ ETIMOL. De origen incierto.

columna s.f. **1** Elemento arquitectónico vertical, más alto que ancho y normalmente de forma cilíndrica, que se utiliza como adorno o como apoyo de techumbres, arcos u otras partes de una construcción: *La columna clásica se compone de basa, fuste y capitel.* **2** Lo que sirve de base o de apoyo: *La Constitución es la columna de nuestro sistema democrático.* **3** Conjunto o serie de cosas colocadas ordenadamente una sobre otra: *Para sumar cantidades de dos cifras, hay que alinear las unidades en su columna y las decenas en la suya.* **4** En una página impresa o manuscrita, sección vertical separada de otras por un espacio blanco o por una línea: *Este diccionario tiene el texto distribuido a dos columnas por página.* **5** Masa, normalmente líquida o gaseosa, con forma cilíndrica o semejante, esp. si asciende en el aire o si está contenida en un cilindro vertical: *una columna de humo.* **6** Conjunto de personas o de vehículos colocados en formación de poco frente y mucho fondo, esp. en el ámbito militar: *Cientos de soldados cruzaron el puente en columna de a cuatro, sin marcar el paso ni romper la formación.* **7** Formación de tropas o de barcos dispuestos para operar. **8** En un equipo de sonido, bafle: *Las columnas de este equipo de música son muy potentes.* **9** En una publicación periodística, sección o espacio fijo reservado al artículo firmado de un columnista: *Ese periódico tiene una columna de opinión política firmada por un diputado.* **10** || **columna salomónica;** aquella cuyo fuste imita a una espiral. || **columna vertebral; 1** En una persona o en un animal vertebrado, eje del esqueleto situado en la espalda y formado por una serie de vértebras o pequeños huesos articulados entre sí. □ SINÓN. *espina dorsal, espinazo, raquis.* **2** Lo que sirve de sustento, de base o de apoyo: *La industria textil es la columna vertebral de la economía de esta región.* || **quinta columna; 1** En una guerra, conjunto de personas que combate al enemigo dentro del territorio de este. **2** Grupo de personas que apoya una causa dentro del campo contrario: *Tuvo palabras de agradecimiento para esa quinta columna que, en la sombra, tanto lo había ayudado.* □ ETIMOL. Del latín *columna*.

columnata s.f. Conjunto de columnas dispuestas en una o varias filas, normalmente de manera simétrica, como adorno o como elementos de soporte de un edificio o de otra construcción: *El templo clásico griego estaba rodeado por una columnata en la que se apoyaban los frisos y los frontones.*

columnista s.com. Periodista o colaborador de una publicación periodística para la que escribe regularmente un artículo firmado que aparece en un espacio fijo, normalmente en una columna: *El periódico advierte que los juicios aparecidos en esa columna son responsabilidad exclusiva del columnista.*

columpiar ▌v. **1** Empujar o impulsar cuando se está en un columpio, o mover con un movimiento semejante: *No le gusta columpiarse porque se cansa, pero le encanta que lo columpien. El mono se columpiaba de la rama de un árbol.* ▌prnl. **2** Equivocarse: *Me columpié al llamar a su marido por el nombre de su antiguo novio.* □ MORF. En la acepción 1, se usa más como pronominal.

columpio s.m. **1** Asiento colgado de un soporte más alto por cuerdas, cadenas o barras en el que, mediante impulsos, es posible balancearse: *Yo te impulso en el columpio al principio y luego sigues tú solo.* **2** Estructura con diversas formas que se coloca en los parques infantiles para que los niños se diviertan subiéndose: *Han puesto columpios nuevos en el parque, y mi preferido es el tobogán.*

colusión s.f. Acuerdo ílicito entre dos personas en perjuicio de una tercera persona. □ ETIMOL. Del latín *collusionis*.

colutorio s.m. Líquido para enjuagarse y prevenir, aliviar o curar heridas o afecciones de la boca: *La dentista me recomendó un colutorio para curarme las llagas y fortalecer las.* □ ETIMOL. Del latín *collutum*, y este de *colluere* (lavar, rociar). □ USO Su uso es característico del lenguaje médico.

coluvial adj.inv. En geología, referido esp. a un material, que es arrastrado por la gravedad al pie de una vertiente: *Los materiales coluviales van rellenando el fondo del acantilado.* □ SEM. Dist. de *aluvial* (que es arrastrado por una corriente de agua).

coluvión s.m. En geología, material acumulado por efecto de la gravedad al pie de una pendiente: *Los coluviones se caracterizan por tener aristas poco desgastadas, porque han hecho un recorrido corto.* □ SEM. Dist. de *aluvión* (depósito de materiales en el cauce de un río).

colza s.f. **1** Planta híbrida de col y nabo, con flores amarillas y frutos en forma de cápsula, que se utiliza como forraje o alimento para el ganado y para extraer aceite de sus semillas: *El aceite de colza se utiliza como lubricante.* **2** *col.* Ingrediente o alimento muy poco sanos: *Este bollo tiene aspecto de ser de colza.* □ ETIMOL. Del francés *colza*.

com- →**con-**.

coma ▌s.m. **1** Estado patológico que se caracteriza por la pérdida de la consciencia, de la sensibilidad y de la capacidad de movimiento, y que se produce generalmente por algunas enfermedades o por lesiones cerebrales: *entrar en coma.* ▌s.f. **2** En ortografía, signo gráfico de puntuación formado por un pequeño rasgo curvado que se coloca a la derecha de una palabra para indicar una pausa breve en la frase: *El signo , es una coma.* **3** En matemáticas, signo gráfico formado por un pequeño rasgo curvado que se coloca a la derecha de un número para separar las unidades de los decimales: *En los países de lengua inglesa, se utiliza el punto decimal (4.5) en lugar de la coma decimal (4,5).* **4** || **sin faltar una coma;** *col.* Literalmente y sin omitir detalle o de manera minuciosa o perfecta: *El emisario repitió el mensaje sin faltar una coma.* □ ETIMOL. La acepción 1, del griego *kôma* (sueño profundo). Las acepciones 2 y 3, del latín *comma* (miembro corto de un período del discurso, coma). □ USO En la acepción 3, el punto decimal es un anglicismo innecesario que debe sustituirse por la coma decimal: **4.5 > 4,5*.

comadrazgo s.m. Relación de parentesco que se establece entre la madre y la madrina de un bautizado: *Cuando mi amiga bautizó a su hijo, el comadrazgo nos unió aún más.*

comadre s.f. **1** Respecto de los padres o del padrino de un bautizado, madrina de este: *Mi madrina es comadre de mi madre.* **2** Respecto de los padrinos de un bautizado, madre de este: *Mi tío es mi padrino y mi madre es su comadre.* **3** *col.* Mujer a la que le gusta curiosear y chismorrear sobre los demás: *Las comadres del barrio saben la vida y milagros de todos los vecinos.* **4** *col.* En zonas del español meridional, amiga íntima. □ ETIMOL. Del latín *commater*, y este de *cum* (con) y *mater* (madre). □ MORF. En las acepciones 1 y 2, su masculino es *compadre*.

comadrear v. *col. desp.* Referido esp. a una mujer, murmurar, chismorrear o contar e intercambiar chismes y cotilleos sobre los demás: *Como le encanta comadrear, no sabe guardar un secreto.*

comadreja s.f. Mamífero carnívoro, de cabeza pequeña, patas cortas con uñas muy afiladas, de pelaje pardo por el lomo y blanco por el vientre, y que se mueve con gran agilidad y rapidez: *La comadreja es un cazador nocturno.* □ ETIMOL. De *comadre*, porque con esta denominación cariñosa intentaban ganarse la simpatía del feroz animal. □ MORF. Es un sustantivo epiceno: *la comadreja {macho / hembra}*.

comadreo s.m. *col. desp.* Chismorreo o divulgación e intercambio de chismes y cotilleos sobre los demás, esp. si es entre mujeres.

comadrería s.f. *col.* Chismorreo propio de quien le gusta curiosear y cotillear sobre los demás y anda buscando conversación en las casas.

comadrón, -a ■ s. **1** Persona especializada en la asistencia a parturientas y legalmente autorizada para ello. □ SINÓN. *matrón, partero.* ■ s.f. **2** Mujer sin titulación que asiste a las parturientas: *la comadrona de un pueblo.* □ ETIMOL. De *comadre*.

comadrona s.f. Véase **comadrón, -a**.

comal s.m. Disco de barro o de metal que se utiliza para hacer tortillas y para dorar granos de café o de cacao: *En México vi en un mercado cómo calentaban quesadillas en un comal.*

comanche ■ adj.inv./s.com. **1** De un pueblo indígena que vivía al este de las montañas Rocosas (situadas en el este norteamericano), o relacionado con él: *Las tribus comanches eran nómadas y practicaban la caza del búfalo.* ■ s.m. **2** Lengua americana de este pueblo: *El comanche es una lengua de la rama azteca.*

comanda s.f. En zonas del español meridional, nota o cuenta de un restaurante: *Cuando estuvimos en México, pedíamos la comanda en vez de la cuenta.*

comandancia s.f. **1** En el ejército, empleo superior al de capitán e inferior al de teniente coronel: *Antes de alcanzar la comandancia ya soñaba con ser general.* . **2** Territorio bajo la autoridad militar de un comandante: *Antes de ascender a teniente coronel, dirigió esta comandancia.* **3** Puesto de mando u oficina de un comandante: *Los jefes de unidad recibieron sus órdenes en la comandancia.*

comandanta s.f. Antiguamente, nave en la que iba el comandante o jefe de una escuadra: *La flota se hizo a la mar con la comandanta al frente.*

comandante s.com. **1** En los Ejércitos de Tierra y Aire y en Infantería de Marina, persona cuyo empleo militar es superior al de capitán e inferior al de teniente coronel: *Un comandante suele estar al mando de un batallón.* **2** En el ejército, militar que, en unas circunstancias concretas, ejerce el mando independientemente de su empleo: *Nos interrogó el comandante del puesto fronterizo.* **3** Piloto al mando de un avión o de una aeronave. **4** || **comandante en jefe;** jefe de todas las fuerzas armadas que tiene una nación o que participan en una misión o en una batalla concretas.

comandar v. Referido esp. a unas tropas o a una plaza, mandar o ejercer el mando militar en ellas: *Un teniente coronel comandaba la fortaleza y las tropas de defensa.* □ ETIMOL. Del francés *commander*. □ SEM. No debe emplearse referido a cuestiones no militares: *{*Comandar > liderar} una pandilla de amigos*.

comandita || **en comandita;** *col.* En grupo: *Los alumnos fueron en comandita a hablar con el director.* □ ETIMOL. Del francés *commandite*.

comanditar v. Referido esp. a una empresa comercial o industrial, aportarle con rapidez los fondos que necesita, sin adquirir obligaciones o responsabilidades en ella: *La banca comanditó una empresa municipal de construcción.*

comanditario, ria adj. De una sociedad mercantil formada por socios con derechos y obligaciones y por socios de responsabilidad limitada, o relacionado con ella: *En una compañía comanditaria hay socios que aportan capital sin participar en la gestión.*

comando s.m. **1** Grupo pequeño de soldados entrenados para realizar operaciones especiales, generalmente de carácter ofensivo o arriesgado: *Un comando voló el puente aprovechando la oscuridad de la noche.* **2** Grupo de personas que pertenecen a una organización armada y generalmente terrorista, que actúa aisladamente en la ejecución de operaciones o de atentados: *un comando terrorista.* **3** En informática, orden que se da al sistema para que realice determinada acción: *Cuando quiero salir del programa de mi ordenador, tengo que teclear el comando 'exit'.* **4** Tecla con la que se ejecuta dicha orden.

comarca s.f. Territorio geográfica, social y culturalmente homogéneo y con una clara delimitación natural o administrativa: *Normalmente una comarca comprende varias poblaciones y es más pequeña que una región.* □ ETIMOL. De *co-* (reunión, compañía) y *marca* (provincia).

comarcal adj.inv. De la comarca o relacionada con ella: *Este río es el límite comarcal.*

comarcano, na adj. Referido a una población, cercana o poco distante.

comatoso, sa adj. **1** Del coma o relacionado con este estado: *caer en un estado comatoso.* **2** En estado de coma: *un enfermo comatoso.*

comba s.f. Véase **combo, ba**.

combado, da adj. Torcido, encorvado o doblado en forma de curva.

combadura s.f. Forma arqueada que adquiere un cuerpo recto o plano cuando se encorva: *La combadura de ese soporte se debe al exceso de peso.*

combar v. Referido esp. a un cuerpo recto o plano, torcerlo, encorvarlo o doblarlo en forma curva: *Combó la puerta de una patada. Si cuelgas demasiada ropa en el ropero, se combará la barra.*

combarbalita s.f. Piedra de tonos grisáceos, verdosos y azules, con vetas blancas: *En algunas regiones de Chile hay vetas de combarbalita.* □ ETIMOL. Por alusión a Combarbalá, ciudad chilena en la que se encuentra esta piedra.

combate s.m. **1** Enfrentamiento entre bandos contendientes, esp. si es armado: *Un combate es solo un episodio de una guerra.* **2** Enfrentamiento entre personas o animales, generalmente sujeto a ciertas normas: *El combate de boxeo duró doce asaltos.* **3** Oposición a algo o actuación para frenarlo o destruirlo: *En el combate contra la droga no podemos concedernos una tregua.* **4** Enfrentamiento que se produce en el ánimo o en la mente entre sentimientos, deseos o ideas contrapuestos: *Cada día sus deseos entablan un combate con sus obligaciones.* **5** || **fuera de combate; 1** Derrotado de forma que no se puede continuar la lucha. **2** En boxeo, derrota por permanecer en el suelo durante más de diez segundos.

combatible adj.inv. Que se puede o que se debe combatir.

combatiente ▌adj.inv. **1** Que combate. ▌s.com. **2** Soldado que forma parte de un ejército.

combatir v. **1** Pelear, reñir, enfrentarse o luchar con fuerza: *Los soldados combatieron hasta el amanecer. Su partido combatió por las libertades desde la clandestinidad.* **2** Referido esp. a un rival, atacarlo o acometerlo con ímpetu y fuerza: *El ejército combatió al enemigo en varios frentes. En los momentos difíciles hay que combatir el desánimo para que triunfe la esperanza.* **3** Referido a algo que se considera perjudicial o dañino, hacerle frente, actuar para frenarlo o impedir su propagación: *Combatieron la epidemia con todos los medios a su alcance. Hay que combatir los incendios forestales si queremos conservar nuestros bosques.* □ ETIMOL. Del latín *combattuere*.

combatividad s.f. **1** Predisposición o inclinación a la lucha o a la polémica: *Estaban bien armados, pero su poca combatividad les hizo perder la batalla.* **2** Tesón y capacidad de esfuerzo para lograr un empeño o superar una dificultad: *Cuando crecen los problemas, hace gala de una combatividad admirable.*

combativo, va adj. **1** Dispuesto o inclinado a la lucha o a la polémica: *un ejército combativo.* **2** Que persiste en el esfuerzo y no ceja fácilmente en un empeño: *un carácter combativo; una persona combativa.*

combi s.m. Frigorífico que tiene dos motores independientes, uno para el refrigerador y otro para el congelador: *El congelador de un combi tiene más capacidad que el de un frigorífico normal.*

combinable adj.inv. Que se puede combinar.

combinación s.f. **1** Unión o mezcla de personas o cosas diferentes que conforman un conjunto unitario: *La combinación de ruidos, imágenes y efectos especiales producía un resultado estremecedor.* **2** Coordinación o acuerdo de personas, cosas o acciones para favorecer un fin: *La combinación de los intereses individuales beneficia el interés común. Utilizo el coche porque desde aquí tengo muy mala combinación para ir a casa.* **3** Prenda interior femenina de forma parecida a la de un vestido y que se coloca debajo de este o de la falda: *Lleva combinación porque se le transparenta la falda.* **4** Conjunto ordenado de números o de signos que constituyen una clave para abrir una cerradura o para hacer funcionar un mecanismo: *una combinación secreta.*

combinado s.m. **1** Bebida, normalmente alcohólica, obtenida por la mezcla de otras: *un combinado de ginebra.* **2** En deportes, equipo formado por jugadores procedentes de otros varios para disputar un partido o un campeonato concretos: *La selección nacional de fútbol es un combinado de los mejores futbolistas del país.*

combinar v. **1** Referido a cosas diversas, unirlas, mezclarlas o disponerlas de modo que se obtenga un conjunto unitario o un resultado equilibrado y armonioso: *Dudo que consigas un plato sabroso combinando ingredientes tan distintos. Esta pintora combina muy bien los colores.* **2** Coordinar o armonizar para favorecer un fin: *Los enfermeros combinan sus horarios para que el enfermo nunca esté solo.* □ SINÓN. *concertar.* □ ETIMOL. Del latín *combinare*, y este de *cum* (con) y *bini* (dos cada vez).

combinatoria s.f. Véase **combinatorio, ria**.

combinatorio, ria ▌adj. **1** De la combinación o de la combinatoria: *leyes combinatorias.* ▌s.f. **2** Rama de las matemáticas que estudia las distintas agrupaciones que se pueden establecer con un número de elementos dados y las operaciones posibles entre ellas.

combo, ba ▌adj. **1** Que está combado o arqueado: *No uses esa plancha de madera porque está comba.* ▌s.m. **2** Grupo musical, menor que una orquesta, que interpreta música popular. ▌s.f. **3** Juego que consiste en saltar sobre una cuerda que, sostenida por sus dos extremos, se impulsa para que pase repetidamente bajo los pies del que salta: *En el recreo los niños juegan a la comba.* **4** Cuerda que se utiliza en este juego: *La comba me dio en la cara y me hizo un arañazo.* **5** || **dar a la comba;** impulsarla para que otro salte: *Llevo un buen rato dando a la comba, así que ahora me toca saltar a mí.* || **no perder comba; 1** *col.* Aprovechar cualquier ocasión favorable: *Ha llegado tan alto porque no pierde comba jamás.* **2** *col.* Enterarse de todo lo que se dice sin perder detalle: *Parece distraído, pero no pierde comba de lo que estás contando.* □ ETIMOL. La acepción 1, de *comba*. Las acepciones 3 y 4, quizá del latín *comba* (vallecito).

comburente adj.inv./s.m. Referido esp. a una sustancia, que produce o que favorece un proceso químico de combustión: *El transporte de sustancias comburentes es peligroso.* □ ETIMOL. Del latín *comburens*, y este de *comburere* (quemar).

combustibilidad s.f. Facilidad para arder, esp. la que tiene una sustancia o una materia: *Instaló un sistema contra incendios en el almacén dada la combustibilidad de los productos.*

combustible ▌adj.inv. **1** Que puede arder o que arde fácilmente: *La paja seca es muy combustible.* ▌s.m. **2** Sustancia o materia capaz de arder o de producir combustión, esp. las que se utilizan para producir calor o energía: *La gasolina es un combustible habitual de los coches.* □ SEM. Dist. de *inflamable* (que se enciende con facilidad y desprende llamas de forma inmediata).

combustión s.f. **1** Quema o extinción producida por el fuego: *Una multitud observaba impotente la combustión del almacén.* **2** Reacción química producida por la combinación de un material oxidable con el oxígeno y que conlleva desprendimiento de calor o de energía: *La combustión de la gasolina hace que el motor de un coche funcione.* □ ETIMOL. Del latín *combustio*.

comecocos (pl. *comecocos*) s.m. **1** *col.* Lo que absorbe por completo los pensamientos o la atención de alguien: *Este asunto se ha convertido en un comecocos al que no veo solución.* **2** Juego de ordenador en el que, una figura que representa al jugador, recorre un laberinto, sorteando peligros o comiendo los dibujos que van apareciendo. □ USO En la acepción 2, es innecesario el uso del anglicismo *pac-man*.

comecome s.m. **1** *col.* Picazón en el cuerpo: *Las picaduras de los mosquitos me producen un comecome que no me deja descansar.* □ SINÓN. *comezón.* **2** Intranquilidad o nerviosismo, esp. si es producto de una preocupación: *Cuando viajo en avión siento un comecome horrible.*

comedero s.m. Lugar o recipiente donde comen los animales, esp. los domésticos.

comedia s.f. **1** Obra dramática, esp. la que tiene una acción en la que predominan los aspectos agradables, alegres o humorísticos y que termina con un desenlace feliz: *Hay un teatro en el que solo representan comedias.* **2** Género al que pertenecen las obras de este tipo: *Es un genio de la comedia, pero un negado para la tragedia o el drama.* **3** Situación o suceso que resulta interesante o cómico: *Era una comedia verte ensartar disculpas cuando me di cuenta de tu confusión.* **4** Fingimiento para aparentar algo o para encubrir un engaño: *Por su forma de actuar parecía un aristócrata, pero era todo pura comedia.* □ SINÓN. *pantomima.* **5** || **comedia de capa y espada;** en el teatro español del siglo XVII, obra dramática de temática amatoria o caballeresca: *Lope de Vega escribió muchas comedias de capa y espada.* || **comedia de situación;** obra dramática que tiene una temática cotidiana y que se desarrolla en un espacio determinado con los mismos personajes: *Están echando varias comedias de situación en la tele.* || **hacer ({la/una}) comedia;** *col.* Fingir o aparentar algo o para encubrir un engaño: *No sé si está realmente contento o si está haciendo comedia.* □ ETIMOL. Del latín *comoedia*, este del griego *komoidía*, y este de *kômos* (fiesta con cantos y bailes) y *áido* (yo canto). □ USO Es innecesario el uso del anglicismo *sitcom* en lugar de *comedia de situación*.

comediante, ta s. **1** Persona que representa un papel en el teatro, en el cine, en la radio o en la televisión. □ SINÓN. *actor, cómico.* **2** *col.* Persona que finge lo que no siente en realidad: *La comedianta esta nos ha hecho creer que estaba enferma para no ir a clase.* □ SEM. En la acepción 1, se usa referido esp. a actores de teatro.

comedido, da adj. **1** Cortés, prudente o moderado: *palabras comedidas.* **2** En zonas del español meridional, atento o servicial: *Es un joven muy comedido y siempre está dispuesto a ayudar.*

comedimiento s.m. Moderación, prudencia o consideración, esp. en las actitudes o en las expresiones.

comediógrafo, fa s. Persona que escribe comedias.

comedirse v.prnl. Contenerse o comportarse con moderación, con prudencia o con consideración: *Debéis comediros en la bebida cuando salgáis por ahí. Me entraron ganas de dar un puñetazo pero me comedí.* □ ETIMOL. Del latín *commetiri* (pensar, moderar). □ MORF. Irreg. →PEDIR.

comedón s.m. Poro de la piel en el que se acumula grasa y suciedad. □ ETIMOL. Del latín *comedo* (el que come).

comedor, -a ▌adj./s. **1** Que come mucho o con apetito. ▌s.m. **2** En una casa o en un establecimiento, pieza o sala destinada para comer: *el comedor de un colegio.* **3** Mobiliario de esta pieza de la casa, esp. de una particular: *Hemos comprado un comedor completo para la casa nueva.* **4** Local o establecimiento público donde se sirven comidas, esp. si está destinado al uso de un colectivo determinado: *Los estudiantes pueden comer a precios reducidos en los comedores de la Universidad.*

comedura || **comedura de coco;** *col.* Problema sobre el que se piensa mucho o cuestión que preocupa y a la que se da muchas vueltas en la cabeza: *¡Menuda comedura de coco tengo estos días con mi nuevo trabajo...!*

comehostias (pl. *comehostias*) s.com. *vulg.malson. desp.* →**beato.**

comején s.m. Insecto roedor, propio de zonas tropicales o cálidas, de coloración pálida, que vive en colonias organizadas por castas y se alimenta comúnmente de madera: *Los comejenes roen papel y madera y pueden ser muy destructivos.* □ SINÓN. *termes, termita, términte.* □ ETIMOL. De la voz de las Antillas *comixén.* □ MORF. Es un sustantivo epiceno: *el comején {macho/hembra}.*

comelón, -a adj./s. En zonas del español meridional, comilón.

comemierda s.com. *vulg.malson.* Persona considerada indigna o despreciable. □ USO Se usa como insulto.

comendador, -a ▮ s.m. **1** En una orden militar o de caballeros, caballero que tenía una encomienda: *El título de comendador suponía una serie de derechos y beneficios.* ▮ s.f. **2** Religiosa de un convento de las antiguas órdenes militares: *La Orden de Santiago tenía conventos de comendadoras.* □ ETIMOL. Del latín *commendator* (protector).

comendadora s.f. Véase **comendador, -a.**

comendatorio, ria adj. Referido esp. a una carta o a un documento, que son de recomendación. □ ETIMOL. Del latín *commendatorius.*

comensal s.com. **1** Persona que come con otras, esp. si es en la misma mesa: *Los comensales fueron al salón a tomar el café.* **2** En biología, ser que vive a expensas de otro sin causarle perjuicios: *Los tiburones tienen unos comensales que se llaman 'rémoras'.* □ ETIMOL. Del latín *commensalis,* y este de *cum* (con) y *mensa* (mesa).

comensalismo s.m. Asociación de dos especies diferentes de la que resultan ventajas para una de ellas sin que la otra tenga beneficios ni desventajas: *Los monos y los árboles en que viven son un ejemplo de comensalismo.* □ SEM. Dist. de *inquilinismo* (el beneficio obtenido por una de las especies es solo de cobijo).

comentar v. **1** Referido esp. a un escrito, explicarlo, interpretarlo o criticarlo para facilitar su comprensión y su valoración: *La profesora ha comentado un poema que nadie entendía.* **2** *col.* Hacer comentarios o expresar opiniones u observaciones sobre algo concreto: *El público salía del teatro comentando la obra.* □ ETIMOL. Del latín *commentari* (meditar, ejercitarse). □ SINT. Incorr. (anglicismo): *comentar {*sobre algo > algo}.* □ SEM. No debe emplearse con el significado de 'contar' o 'decir': *Me {*comentó > contó/dijo} que tenía mucho trabajo. Se {*comenta > dice/rumorea} que habrá elecciones anticipadas.*

comentario s.m. **1** Explicación, interpretación o crítica que se hace de una obra, esp. de un escrito, para facilitar su comprensión y su valoración: *Tiene los márgenes de los libros llenos de comentarios.* □ SINÓN. *comento.* **2** *col.* Juicio, parecer, consideración u observación que se expresa sobre algo: *No confíes en él, siempre está haciendo comentarios a tus espaldas.* **3** || **sin comentarios;** *col.* Expresión que se usa para indicar que no vale la pena opinar o que no se desea decir nada: *Lo único que dijo al salir del juzgado fue: «Sin comentarios».* || **sin más comentarios;** *col.* Sin dar explicaciones o sin decir nada: *Se levantó y, sin más comentarios, dio un portazo y se fue.*

comentarista s.com. Persona que hace comentarios, esp. si son escritos o en un medio de comunicación y dirigidos a un público: *La comentarista informaba a los televidentes sobre las bajas del equipo local.*

comento s.m. →**comentario.**

comenzar v. **1** Tener principio: *Las vacaciones comienzan mañana.* □ SINÓN. *empezar.* **2** Dar principio: *Comenzamos el curso contentos.* □ SINÓN. *empezar.* □ ETIMOL. Del latín **cominitiare,* y este de *cum* (con) e *initiare* (iniciar). □ ORTOGR. La *z* se cambia en *c* delante de *e.* □ MORF. Irreg. →EMPEZAR.

comer ▮ v. **1** Tomar alimento o tomar como alimento: *La enfermedad le impide comer y tienen que alimentarlo con suero. Los vegetarianos no comen carne.* **2** Masticar y tragar alimento sólido: *Le han sacado una muela y no puede comer, solo toma líquidos.* **3** Tomar la comida principal del día: *En mi casa se come casi a la hora de la merienda.* **4** Referido a un color o al brillo, quitarles intensidad o eliminarlos: *El sol le ha comido el color a la ropa tendida. Ese producto se come el brillo de la madera.* **5** Gastar, consumir o corroer: *Los hijos le han comido los ahorros. Los ácidos comen los metales. La humedad se ha comido los frescos de la pared.* **6** En un juego de tablero, ganar una pieza o una ficha al contrario: *Una partida de ajedrez se acaba cuando se come un rey.* **7** Producir desazón física o moral: *En verano me comen los mosquitos.* **8** Vencer o sobrepasar: *Si no limpias la casa te va a comer la suciedad.* ▮ prnl. **9** Anular, hacer parecer menos importante o hacer parecer más pequeño: *El flequillo te come la cara.* **10** Referido a una parte o a un elemento de un discurso o de un escrito, omitirlos o saltarlos, esp. por descuido: *El que leía se comió un párrafo y no entendimos nada.* **11** Referido a prendas de vestir, esp. de ropa interior, arrugarlas y entremeterlas: *Estos zapatos se comen los calcetines.* **12** *vulg.* En zonas del español meridional, referido a una persona, mantener relaciones sexuales con ella. **13** En zonas del español meridional, cenar: *Comimos a la luz de las velas.* **14** || **comer vivo** a alguien; *col.* Recriminarle algo de forma apabullante o con argumentos aplastantes y con gran enfado: *Como te pille tu padre, te come vivo. El portavoz de la oposi-*

ción se comió vivo al ministro. || **comerse (los) unos a (los) otros;** oponerse entre sí o arremeter unos contra otros de manera airada: *Cuando empezaron las rebajas, se comían unos a otros por conseguir la mejor ganga.* || **de buen comer;** referido a una persona, que come con apetito o que no es exigente con la comida: *Puedes ponerle cualquier cosa porque es un niño de buen comer.* || **para comérselo;** *col.* Con mucho encanto o con mucho atractivo: *Tiene un bebé que está para comérselo.* || **sin comerlo ni beberlo;** *col.* Sin haber tenido parte o sin esperarlo: *Me hice millonaria sin comerlo ni beberlo, por la herencia de un pariente lejano.* □ ETIMOL. Del latín *comedere.*

comerciable adj.inv. Que puede ser objeto de comercio.

comercial ▌adj.inv. **1** Del comercio o de los comerciantes: *un local comercial.* **2** Que se vende o se puede vender fácilmente o que resulta atrayente e incita a la compra: *un diseño comercial.* ▌s.com. **3** →**agente comercial.** ▌s.m. **4** En zonas del español meridional, anuncio de televisión o de radio: *Durante la emisión del concurso de televisión, interrumpieron con demasiados comerciales.*

comercialismo s.m. Actitud del que antepone el interés comercial o los criterios que favorecen la venta de algo a cualquier otra consideración: *El comercialismo de ese autor le ha hecho perder calidad literaria.*

comercialización s.f. **1** Puesta en venta: *El Ayuntamiento decidió la comercialización de terrenos municipales.* **2** Conjunto de actividades encaminadas a posibilitar la venta de un producto: *La promoción y la distribución de un producto son fases decisivas de su comercialización.*

comercializar v. **1** Referido a un producto, darle condiciones y organización comerciales para su venta: *La publicidad es uno de los sistemas más eficaces para comercializar un producto.* **2** Referido a un producto, ponerlo a la venta: *Comercializarán la colección en primavera.* □ ORTOGR. La *z* se cambia en *c* delante de *e* →CAZAR.

comerciante ▌adj.inv./s.com. **1** Que comercia: *En este hotel se está celebrando una convención de comerciantes de joyas.* ▌s.com. **2** Persona que se dedica profesionalmente al comercio, esp. si es el dueño de un establecimiento comercial: *Mi tío es comerciante textil.*

comerciar v. Negociar comprando, vendiendo o cambiando mercancías o valores para obtener beneficios: *Antiguamente se comerciaba en especies.* □ ORTOGR. La *i* nunca lleva tilde.

comercio s.m. **1** Actividad económica consistente en realizar operaciones comerciales, como la compra, la venta o el intercambio de mercancías o de valores, para obtener beneficios: *El comercio es uno de los pilares de la economía nacional.* **2** Tienda, almacén o establecimiento dedicados a la venta o a la compraventa de productos al público: *Han cerrado el comercio de la esquina porque no vendía casi nada.* **3** Conjunto de los comerciantes, esp. si constituyen un ramo: *El comercio hará huelga para pedir mejoras en los horarios.* **4** Relación y trato, generalmente ilícitos, entre personas: *Algunas personas se dedican al comercio carnal.* **5** *col.* Comida: *Yo me encargo del comercio de la fiesta, otro que traiga la música.* **6** || **comercio justo;** el que solo realiza operaciones con productos elaborados por países en vías de desarrollo y que han sido confeccionados respetando las condiciones de dignidad humana y el entorno medioambiental. □ ETIMOL. Del latín *commercium*, y este de *cum* (con) y *merx* (mercancía). □ USO En la acepción 5, tiene un matiz humorístico.

comestible ▌adj.inv. **1** Que se puede comer y no es dañino: *No cojas estas setas, que no son comestibles.* ▌s.m. **2** Producto alimenticio: *una tienda de comestibles.* □ ETIMOL. Del latín *comestibilis.* □ USO La acepción 2 se usa más en plural.

cometa ▌s.m. **1** Astro formado generalmente por un núcleo poco denso rodeado por una esfera luminosa de gases, que tiene una órbita elíptica: *Según la tradición, los Reyes Magos fueron guiados hasta Belén por un cometa.* ▌s.f. **2** Juguete formado por un armazón ligero cubierto de tela, papel o plástico, que se suelta para que el viento lo eleve y se mantiene sujeto con un cordel largo: *Cuanto más corría el niño tirando del cordel, más se elevaba su cometa.* □ SINÓN. *birlocha, pandorga.* □ ETIMOL. Del latín *cometa*, este del griego *kométes*, y este de *kóme* (cabellera).

cometario, ria adj. Del cometa o relacionado con este astro.

cometer v. Referido esp. a una falta o a un delito, realizarlos o caer en ellos: *Es frecuente cometer faltas gramaticales al hablar.* □ ETIMOL. Del latín *commmittere* (encargar, hacer luchar, emprender una lucha).

cometido s.m. **1** Orden o encargo de hacer algo: *El secretario tenía el cometido de no dejar pasar a nadie.* □ SINÓN. *misión.* **2** Obligación moral o deber que alguien tiene que cumplir: *Mi vecina considera que su cometido en la vida es criar a sus hijos.* □ SINÓN. *misión.*

comezón s.f. **1** Picazón en el cuerpo. □ SINÓN. *comecome.* **2** Intranquilidad o desazón interior, esp. si es producida por un deseo no satisfecho: *Hasta que no vio el triunfo en su mano, sentía una comezón desesperante.* □ ETIMOL. Del latín *comestio* (acción de comer). □ MORF. Incorr. su uso como masculino: *Tener {*un > una} comezón.*

comible adj.inv. Referido a una comida, que se puede comer, esp. si no resulta desagradable al paladar.

cómic (pl. *cómics*) s.m. **1** Sucesión o serie de viñetas con desarrollo narrativo: *En un cómic, las palabras de cada personaje se reproducen en un globo.* **2** Libro o revista que contiene estas viñetas: *Un tebeo es un cómic para niños.* □ ETIMOL. Del inglés *comic.* □ SEM. Dist. de *cómix* (cómic anticonvencional).

comicial adj.inv. De los comicios o relacionado con ellos.

comicidad s.f. Capacidad de divertir o de provocar la risa.

comicios s.m.pl. Elecciones o actos electorales: *En los próximos comicios se elegirán diputados y senadores.* ☐ ETIMOL. Del latín *comitia*, y este de *comitium* (lugar donde se reunía el pueblo).

cómico, ca ▌adj. **1** Que divierte y hace reír: *Hay algo cómico en su cara que me impide tomar en serio lo que dice.* **2** De la comedia o relacionado con ella: *una obra de teatro cómica.* ▌adj./s. **3** Referido a un actor, que representa comedias o papeles jocosos: *Los actores cómicos suelen ser los más populares.* ▌s. **4** Persona que representa un papel en el teatro, en el cine, en la radio o en la televisión: *Los cómicos tienen fama de llevar una vida poco convencional.* ☐ SINÓN. *actor, comediante.* **5** Persona que se dedica profesionalmente a divertir o a hacer reír al público: *Ese cómico hace unas imitaciones y cuenta unos chistes para partirse de risa.* ☐ SINÓN. *humorista.* ☐ ETIMOL. Del latín *comicus.* ☐ SEM. En la acepción 4, se usa referido esp. a actores de comedias.

comida s.f. Véase **comido, da.**

comidilla s.f. *col.* Tema o motivo de conversación, esp. si es objeto de cotilleo o de censura: *Ese asunto es la comidilla de todo el vecindario.*

comido, da ▌adj. **1** Referido a una persona, que ya ha comido: *Ya estoy comida, ya puedo trabajar.* ▌s.f. **2** Lo que toman las personas y los animales para subsistir: *Puedo ahorrar en cualquier cosa menos en comida.* ☐ SINÓN. *alimento.* **3** Acción de comer, generalmente en horas fijas y esp. al mediodía o primeras horas de la tarde: *En el colegio no nos dejan hablar durante la comida.* **4** Conjunto de alimentos que se toman, generalmente a horas fijas y esp. al mediodía o primeras horas de la tarde: *La comida de anoche era muy pesada y no he dormido bien.* **5** En zonas del español meridional, cena: *Cuando acabamos la comida, ya era de noche.* **6** Reunión de personas en torno a un almuerzo, esp. con motivo de una celebración o para tratar de algún asunto: *Antes de jubilarse, hizo una comida de despedida a sus compañeros.* || **comida chatarra;** en zonas del español meridional, comida de poca calidad. **8** || **comida rápida;** la que se prepara con rapidez porque se utilizan ingredientes ya elaborados: *un local de comida rápida.* || **lo comido por lo servido; 1** *col.* Expresión que se usa para indicar que una cosa compensa otra: *Le he hecho una faena, pero él me hace muchas, así que lo comido por lo servido.* **2** Expresión que se usa para indicar que es poco el producto de un trabajo: *He ganado mucho dinero con el libro, pero me costó tanto editarlo que al final es lo comido por lo servido.* ☐ SINT. La acepción 6 se usa más con los verbos *dar* y *hacer.* ☐ USO El uso de *fast food* en lugar de *comida rápida* es un anglicismo innecesario.

comienzo s.m. **1** Principio, origen o raíz de algo. **2** || **a comienzos** de un período de tiempo; hacia su principio: *A comienzos de año habremos terminado.* ☐ ETIMOL. De *comenzar.*

comillas s.f.pl. En ortografía, signo gráfico formado por un pequeño rasgo curvado que se coloca al principio y al final de una palabra o de un texto para destacarlos: *Los signos ' ' son un tipo de comillas.*

comilón, -a ▌adj./s. **1** Que come mucho o desordenadamente, o que disfruta mucho comiendo. ▌s.f. **2** *col.* Comida espléndida, abundante y variada.

comilona s.f. Véase **comilón, -a.**

cominería s.f. *col.* Lo que tiene poco valor o escasa importancia.

cominero, ra adj. *col.* Referido a una persona, que se preocupa por cosas que tienen poco valor o escasa importancia.

comino s.m. **1** Planta herbácea de tallos abundantes en ramas y acanalados, flores blancas o rojizas y semillas en forma de grano unidos de dos en dos. **2** Semilla de esta planta, de forma ovalada, plana por un lado y redondeada y acanalada por el otro. **3** Persona de poca estatura, esp. referido a un niño: *Nadie diría que ese comino es un niño prodigio.* **4** || **un comino;** *col.* Muy poco o nada: *Va como quiere y le importa un comino lo que piense la gente.* ☐ ETIMOL. Del latín *cuminum.* ☐ SINT. *Un comino* se usa más con los verbos *importar*, *valer* o equivalentes, y en expresiones negativas. ☐ USO En la acepción 3, tiene un matiz cariñoso o despectivo.

comisar v. →**decomisar.**

comisaría s.f. **1** Oficina de un comisario o conjunto de oficinas y dependencias bajo su autoridad: *La comisaría de la exposición está en la planta baja del museo.* **2** Oficio o cargo de comisario: *Ese policía asumirá la comisaría del barrio.* **3** || **comisaría (de policía);** la que está bajo la autoridad de un comisario de policía, tiene un carácter público y permanente: *Voy a la comisaría para denunciar un robo.* ☐ ORTOGR. Dist. de *comisaria.*

comisario, ria s. **1** Persona que recibe de otra autoridad y facultad para desempeñar un cargo o para llevar a cabo una misión: *Los comisarios de la carrera descalificaron al caballo que entró en primer lugar.* **2** Inspector de policía americano: *El comisario acudió al lugar del crimen.* **3** || **comisario (de policía);** máxima autoridad policial de una demarcación o de una comisaría de policía. ☐ ETIMOL. Del latín *commissarius*, y este de *committere* (confiar algo a alguien). ☐ ORTOGR. Dist. de *comisaría.*

comiscar v. Comer a menudo de varias cosas y en pequeñas proporciones: *Se pasa el día comiscando chucherías pero no hay forma de que coma un filete.* ☐ SINÓN. *comisquear.* ☐ ORTOGR. La *c* se cambia en qu delante de *e* →SACAR.

comisión s.f. **1** Grupo de personas que reciben la orden o el encargo de hacer algo, esp. si tienen autoridad o si actúan en representación de un colectivo: *una comisión parlamentaria.* ☐ SINÓN. *comité.* **2** Retribución, habitualmente monetaria, en función de las ventas efectuadas por cuenta ajena: *Por cada piso que consigue vender la inmobiliaria le da una comisión del uno por ciento.* **3** Coste de intermediación que supone la realización de una operación bancaria o comercial: *Me cobraron comisión* *por la transferencia que hice ayer en el banco.* **4** || **a comisión;** cobrando una cantidad proporcional al trabajo realizado: *No tengo sueldo fijo porque trabajo a comisión.* || **comisión de servicios;** situación de un funcionario del Estado que presta sus servicios transitoriamente fuera de su puesto habitual de trabajo: *Sacó plaza de profesora, pero está aquí como traductora en comisión de servicios.* || **(comisión) rogatoria;** comunicación o petición que hace un tribunal de un país a otro tribunal de otro país: *Para obtener esa información, el juez pedirá una comisión rogatoria a las autoridades holandesas.* ☐ ETIMOL. Del latín *commissio*, y este de *committere* (confiar, encargar).

comisionado, da s. Persona que ha recibido de otra el encargo o la orden de hacer algo: *Un comisionado habló en nombre de todas las personas con terrenos expropiados.*

comisionar v. Referido a una persona, encargarle u ordenarle que haga algo en nombre de otro: *Los estudiantes comisionaron a uno de ellos para exponer sus peticiones al director.*

comisionista s.com. Persona que desempeña encargos mercantiles, generalmente cobrando una comisión o retribución: *Esta empresa paga a cada comisionista el diez por ciento del precio de sus ventas.*

comiso s.m. →**decomiso.**

comisquear v. →**comiscar.**

comistrajo s.m. **1** *col.* Comida con mal aspecto, poco apetitosa o de poca calidad: *Fui incapaz de probar aquel comistrajo.* **2** *col.* Mezcla extraña de comidas: *Me preparé unos comistrajos de verduras y frutos secos que no había quien los probara.*

comisura s.f. Zona de unión de los bordes de una abertura del organismo, esp. de los labios o de los párpados: *Las boceras son llaguitas que salen en la comisura de los labios.* ☐ ETIMOL. Del latín *commissura*, y este de *committere* (juntar).

comité s.m. Grupo de personas que reciben la orden o el encargo de hacer algo, esp. si tienen autoridad o si actúan en representación de un colectivo: *El comité de competición prohibirá participar en la prueba a los atletas que se droguen.* ☐ SINÓN. *comisión.* ☐ ETIMOL. Del francés *comité*, y este del inglés *commitee.*

comitiva s.f. Conjunto de personas que van acompañando a alguien: *El presidente y la comitiva presidencial se dirigieron al palacio.* ☐ SINÓN. *acompañamiento.* ☐ ETIMOL. Del latín *comitiva dignitas* (categoría de acompañante del emperador).

cómitre s.m. **1** En las antiguas galeras, persona encargada de dirigir, vigilar y castigar a los remeros y a los galeotes: *El cómitre golpeaba a los remeros con un látigo para obligarles a ir más rápido.* **2** Persona que abusa de su autoridad sobre sus subordinados. ☐ ETIMOL. Del latín *comes* (compañero), porque el cómitre acompañaba necesariamente al almirante, de quien era segundo.

cómix (ing.) s.m. Cómic contestatario y muy crítico, caracterizado por una gran carga de violencia y de erotismo, y por un lenguaje vulgar: *El cómix nació en Estados Unidos en la década de 1960.* ☐ SEM. Dist. de *cómic* (historieta en viñetas convencional).

como ▮ adv. **1** Expresa el modo o la manera en que se realiza la acción: *No me gustó la forma como te habló.* **2** Indica semejanza, igualdad o equivalencia: *Ya soy tan alta como tú.* **3** Indica cantidad aproximada: *Habría como ochenta o noventa invitados.* **4** Indica conformidad, correspondencia o modo: *Para que esté bien, solo tienes que hacerlo como dicen las instrucciones.* ▮ conj. **5** Enlace gramatical subordinante con valor condicional: *Como llueva así mañana, se suspenderá la excursión.* **6** Enlace gramatical subordinante con valor causal: *Como llegué tarde, no me esperaron.* ☐ ETIMOL. Del latín *quomodo.* ☐ ORTOGR. Dist. de *cómo.* ☐ SINT. 1. Funciona como preposición con el significado de 'en calidad de': *Te pedimos tu opinión como experto en la materia.* 2. En la lengua coloquial, está muy extendido su uso innecesario en expresiones atributivas: *Es un asunto como bastante complicado.*

cómo ▮ adv. **1** De qué modo o de qué manera: *¿Cómo lo has pasado?* **2** Por qué motivo, causa o razón: *No entiendo cómo sigues confiando en él.* ▮ interj. **3** Expresión que se usa para indicar extrañeza, sorpresa, admiración o disgusto: *¡Cómo!, ¿que tengo yo la culpa?* **4** || **a cómo;** a qué precio: *¿A cómo está el kilo de naranjas, por favor?* || **cómo no;** expresión que se usa para indicar que algo no puede ser de otra forma o que por supuesto es así: *¡Claro que iré a tu fiesta, cómo no!* ☐ ORTOGR. Dist. de *como.*

cómoda s.f. Véase **cómodo, da.**

comodable adj.inv. En derecho, que puede ser prestado: *La asociación cuenta con máquinas comodables a disposición de los socios.* ☐ ETIMOL. Del latín *commodare* (prestar).

comodato s.m. Contrato por el cual se da o se recibe prestado algo que pueda usarse sin destruirse y que deberá ser devuelto en perfecto estado: *ceder algo en comodato.* ☐ ETIMOL. Del latín *commodatum* (préstamo).

comodidad ▮ s.f. **1** Estado o situación del que se encuentra a gusto, descansado, satisfecho y con las necesidades cubiertas: *En este hotel nos alojaremos con comodidad.* **2** Capacidad o disposición para proporcionar bienestar o descanso: *He comprado este coche por la comodidad de sus asientos.* **3** Conveniencia o ausencia de dificultades o de problemas: *Compré el coche a plazos por la comodidad de la forma de pago.* ▮ pl. **4** Elementos, aparatos o cosas necesarias para vivir a gusto y con descanso: *Este hotel cuenta con todas las comodidades.* ☐ USO Es innecesario el uso del galicismo *confort.*

comodín s.m. **1** Naipe que puede tomar el valor y hacer las veces de cualquier otro, según la conveniencia del jugador que la tiene: *Necesitaba un rey, pero he cogido un comodín y me sirve igual.* **2** Lo que puede servir para fines distintos según la conveniencia de quien dispone de ello: *'Cosa', 'chisme', 'cacharro' son palabras comodín con las que se* *puede designar cualquier objeto.* □ ETIMOL. De *cómodo.* □ SINT. En la acepción 2, se usa mucho en aposición, pospuesto a un sustantivo: *una respuesta comodín.* □ USO En la acepción 1, es innecesario el uso del anglicismo *joker*.

comodino, na adj./s. *col.* En zonas del español meridional, comodón.

cómodo, da ▮ adj. **1** Que proporciona bienestar o descanso: *un sillón cómodo.* **2** Que puede realizarse o afrontarse con facilidad o sin grandes molestias ni esfuerzos: *Los coches con dirección asistida tienen un manejo muy cómodo.* **3** A gusto, relajado o de manera agradable: *Viajo más cómodo en tren que en avión.* ▮ adj./s. **4** →**comodón.** ▮ s.m. **5** En zonas del español meridional, cuña u orinal de cama. ▮ s.f. **6** Mueble de mediana altura, con cajones de arriba abajo y un tablero horizontal en su parte superior, que se usa habitualmente para guardar ropa: *Encima de la cómoda de su dormitorio había fotos de su familia.* □ ETIMOL. Las acepciones 1-5, del latín *commodus* (apropiado, oportuno). La acepción 6, del francés *commode*.

comodón, -a adj./s. Referido a una persona, que es amante de la comodidad o que evita esforzarse o tomarse molestias. □ SINÓN. *cómodo*.

comodoro s.m. En la marina de algunos países, título del jefe de la Armada que tiene bajo su mando más de tres buques: *Un capitán de navío fue nombrado comodoro de la escuadra británica.* □ ETIMOL. Del inglés *commodore*, y este del francés *commandeur* (comandante).

comoquiera || **comoquiera que;** enlace gramatical subordinante con valor causal: *Comoquiera que terminará por enterarse, podemos decírselo ya.*

comorano, na adj./s. →**comorense.**

comorense adj.inv./s.com. De Comoras o relacionado con este país africano. □ SINÓN. *comorano*.

compa s.com. **1** *col.* →**compañero. 2** Guerrillero nicaragüense.

compacidad s.f. →**compactibilidad.**

compact (ing.) adj.inv. **1** Que ocupa menos volumen o menos espacio del habitual: *Existe una versión compact de ese diccionario, ya sin ejemplos.* **2** || **compact (disc); 1** →**disco compacto. 2** Aparato capaz de reproducir los sonidos grabados en un disco compacto: *En mi equipo de música tengo radio, casete y compact disc.* □ PRON. [cómpac disc]. □ USO 1. Su uso es innecesario. 2. En la acepción 2, se usa también la forma *CD*.

compactación s.f. Compresión de algo de modo que no queden huecos o que queden pocos: *El suelo del almacén fue sometido a un proceso de compactación antes de introducir maquinaria pesada.*

compactar v. Hacer compacto o comprimir de modo que no queden huecos o que queden pocos: *Apisoné los cartones para compactarlos y que ocuparan menos sitio.*

compactibilidad s.f. Conjunto de características propias de lo que es compacto. □ SINÓN. *compacidad*.

compacto, ta ▮ adj. **1** Referido a una materia o a un cuerpo sólido, que tiene una textura o estructura densas y con muy pocos poros o huecos: *La piedra es más compacta que el ladrillo.* ▮ adj./s.m. **2** Referido esp. a un equipo de música, que reúne en una sola pieza diversos aparatos independientes conectados entre sí para funcionar de manera conjunta: *Mi compacto tiene tocadiscos y casete, pero le falta la radio.* ▮ s.m. **3** →**disco compacto. 4** Aparato reproductor de discos compactos: *Los compactos reproducen los sonidos mediante un láser.* □ ETIMOL. Del latín *compactus*, y este de *compingere* (ensamblar, unir). □ SEM. 1. Como adjetivo, su uso referido a personas o a cosas inmateriales es un galicismo innecesario: *Tenemos un equipo de trabajo* (**compacto > compenetrado / muy unido*). 2. En las acepciones 3 y 4 es innecesario el uso del anglicismo *compact disc*.

compadecer v. Sentir compasión o lástima por la desgracia o por el sufrimiento ajenos o participar de ellos: *Compadezco a los afectados por la riada. Con esa tendencia a compadecerse de todo el mundo nunca será feliz.* □ SINÓN. *condolerse.* □ ETIMOL. Del latín *compati.* □ MORF. Irreg. →PARECER. □ SINT. Constr. *compadecerse* DE *algo*.

compadraje s.m. →**compadreo.**

compadrar v. Trabar una relación de amistad o de compañerismo: *Compadraron en la Universidad y desde entonces son grandes amigos.* □ ORTOGR. Dist. de *compadrear*.

compadrazgo s.m. **1** Relación de parentesco que se establece entre los padres y el padrino de un bautizado o de un confirmado: *El compadrazgo con ese matrimonio le hizo sentirse responsable de todos sus hijos.* □ SINÓN. *compaternidad.* **2** →**compadreo.**

compadre s.m. **1** Respecto de los padres o de la madrina de un bautizado, padrino de este: *Mi padrino es compadre de mis padres.* **2** Respecto de los padrinos de un bautizado, padre de este: *Mis padres son compadres de mis padrinos.* **3** *col.* Amigo o conocido: *Mi compadre y yo nos corrimos grandes juergas en la mili.* □ ETIMOL. Del latín *compater*, y este de *cum* (con) y *pater* (padre). □ MORF. En las acepciones 1 y 2, su femenino es *comadre*.

compadrear v. **1** *desp.* Tener o trabar amistad, generalmente con fines poco lícitos: *Ascendió tan rápidamente porque compadrea como nadie con los jefes.* **2** *col. desp.* En zonas del español meridional, jactarse o engreírse: *Le gusta compadrear delante de todo el mundo.* □ ORTOGR. Dist. de *compadrar*.

compadreo s.m. **1** *desp.* Unión o acuerdo entre varias personas para beneficiarse o para ayudarse mutuamente: *El fraude descubierto es fruto de un vergonzoso compadreo entre los altos cargos.* □ SINÓN. *compadraje, compadrazgo.* **2** *col.* En zonas del español meridional, relación estrecha o trato íntimo: *Conocía a todos del compadreo diario en el trabajo.*

compadrería s.f. Trato o acción hechos entre compadres, amigos o compañeros.

compadrito, ta s. *col.* En zonas del español meridional, matón o pendenciero.

compaginación s.f. **1** Realización de dos o más cosas o actividades en el mismo espacio de tiempo: *La compaginación de varios trabajos resulta agotadora.* **2** Correspondencia, ajuste o conformidad de una cosa con otra: *La compaginación de las exigencias de todo el mundo es imposible.*

compaginar ▌v. **1** Referido esp. a una actividad, hacerla compatible o realizarla en el mismo espacio de tiempo que otra: *Es sorprendente que pueda compaginar el trabajo con el estudio y las diversiones. Sus deseos se compaginan mal con sus obligaciones.* ▌prnl. **2** Corresponderse, ajustarse o estar de acuerdo: *Su actitud no se compagina con sus promesas.* □ ETIMOL. Del latín *compaginare*, y este de *compages* (unión, trabazón).

companaje s.m. Comida, esp. fiambre, con la que se acompaña el pan u otro alimento: *Dice que sólo come bocadillos, pero les mete un companaje que vale por varios platos.* □ SINÓN. *compango.* □ ETIMOL. Del catalán *companatge*.

compango s.m. →**companaje.** □ ETIMOL. Del latín **companicus*, y este de *cum* (con) y *panis*.

compaña s.f. *ant.* →**compañía.** □ ETIMOL. Del latín **compania*, y este de *cum* (con) y *panis* (pan), en el sentido de acción de comer de un mismo pan.

compañerismo s.m. Vínculo o relación existente entre compañeros: *Ayudó a su contrincante por compañerismo.*

compañero, ra s. **1** Persona que está con otra, que realiza su misma actividad o que está en su mismo grupo: *una compañera de estudios.* **2** Respecto de una persona, otra con la que mantiene una relación amorosa o con la que convive, esp. si no son matrimonio: *Ha alquilado un piso con su compañero para vivir juntos.* **3** En política, persona que comparte las mismas ideas o que está en el mismo partido o en el mismo sindicato que otra: *A la asamblea asistieron compañeros de otros sindicatos.* □ SINÓN. *camarada, correligionario.* **4** En un juego, persona que juega formando pareja o equipo con otra u otras: *Mi compañera y yo nos entendemos por señas y siempre ganamos.* **5** Referido a algo inanimado, lo que hace juego o forma pareja: *La melancolía es la compañera de la tristeza.* □ ETIMOL. Del antiguo *compaña* (compañía). □ MORF. En la lengua coloquial se usa mucho la forma abreviada *compa*.

compañía s.f. **1** Unión o cercanía de alguien o estado del que está acompañado: *Mi familia me hizo compañía en el hospital.* **2** Persona o personas que acompañan a otra: *andar con malas compañías.* **3** Sociedad o junta de personas para un fin común: *una compañía religiosa.* **4** Agrupación de actores y profesionales formada para representar conjuntamente: *una compañía de teatro.* **5** En el ejército, unidad o grupo de soldados, generalmente bajo el mando de un capitán, que suele formar parte de un batallón: *La primera compañía abrió el desfile.* □ ETIMOL. Del antiguo *compaña* (compañía).

comparable adj.inv. Que se puede comparar.

comparación s.f. **1** Examen de dos o más cosas para apreciar o descubrir su relación, sus semejanzas o sus diferencias: *Una comparación detenida de las dos novelas revela grandes semejanzas.* **2** Confrontación de dos o más cosas, para apreciar sus diferencias y sus semejanzas: *La comparación de las dos fotografías aclaró el misterio porque una era un montaje.* □ SINÓN. *cotejo.* **3** Similitud o semejanza entre varias cosas: *Nuestro equipo es el mejor sin comparación.* **4** Figura retórica consistente en establecer una semejanza entre dos términos mediante vínculos gramaticales expresos: *La comparación tus ojos como luceros resulta más comprensible que la metáfora los luceros de tu rostro.* □ SINÓN. *símil.*

comparanza s.f. *ant.* →**comparación.**

comparar v. **1** Referido a dos o más cosas, examinarlas para apreciar o descubrir su relación, sus semejanzas o sus diferencias: *La profesora comparó en clase textos de distintas épocas.* **2** Referido a dos o más cosas, confrontarlas teniéndolas a la vista para observar sus diferencias y sus semejanzas: *Cuando compararon las copias con el original se dieron cuenta de la falsificación.* □ SINÓN. *cotejar.* **3** Referido a dos o más cosas, establecer una relación de similitud o de equivalencia entre ellas: *No compares tu situación con la mía porque no tienen nada que ver.* □ ETIMOL. Del latín *comparare* (cotejar, adquirir).

comparatismo s.m. Rama de la lingüística que estudia las lenguas confrontándolas entre sí y estableciendo las relaciones de parentesco que existen entre ellas: *Grimm y Schlegel, entre otros, establecieron los fundamentos teóricos del comparatismo.*

comparatista s.com. Persona especializada en estudios comparados de ciertas disciplinas, esp. en los de lingüística: *En lingüística, los comparatistas estudian la evolución de las lenguas y establecen el parentesco que existe entre ellas.*

comparativo, va ▌adj. **1** Que compara dos o más cosas, o que expresa una comparación: *un estudio comparativo; una oración subordinada comparativa.* ▌s.m. **2** Grado del adjetivo que compara la cualidad expresada por este: *En español, hay comparativos de igualdad ('igual de alto'), de superioridad ('más alto') y de inferioridad ('menos alto').*

comparecencia s.f. Presentación de alguien donde ha acordado o donde está convocado: *El juicio se suspendió por la falta de comparecencia de una de las partes.*

comparecer v. Referido a una persona, presentarse donde ha acordado o donde está convocada: *Las dos partes comparecieron ante notario para firmar el contrato.* □ ETIMOL. Del latín *comparescere.* □ MORF. Irreg. →PARECER.

compareciente adj.inv./s.com. Que se presenta ante la persona u órgano público que lo ha convocado: *Las versiones de los tres comparecientes coinciden plenamente.*

comparsa ▮ s.com. **1** En el teatro, el cine u otro espectáculo, persona que forma parte del acompañamiento o que figura sin hablar o con un papel poco importante: *Trabaja de comparsa en una zarzuela.* **2** Persona que ocupa una posición pero que carece del poder y de la capacidad de actuación que esta implica: *Resultó ser solo un comparsa del director y no pudo decidir nada.* ▮ s.f. **3** En una representación dramática, conjunto de personas que figuran pero no hablan o tienen un papel poco importante: *La comparsa repetía a coro las palabras del protagonista.* **4** En un festejo público, esp. en carnaval, conjunto de personas que van en grupo disfrazadas o vestidas de la misma manera: *En los próximos carnavales la comparsa de mi barrio irá vestida de ratón.* ☐ ETIMOL. Del italiano *comparsa.*

compartimentación s.f. División o separación, real o figurada, en compartimentos o en espacios independientes: *la compartimentación de un trabajo.*

compartimentar v. Subdividir o separar en compartimentos o en espacios independientes: *Es más enriquecedor interrelacionar conocimientos que compartimentarlos.*

compartimento (tb. *compartimiento*) s.m. Parte o zona delimitada o independiente en que se divide un espacio: *los compartimentos de un tren.*

compartimiento s.m. →**compartimento.**

compartir v. **1** Referido a un todo, tenerlo o usarlo en común dos o más personas: *Mi hermano y yo compartimos la misma habitación.* **2** Referido esp. a sentimientos o a ideas, participar de ellos: *Respeto tu opinión, pero no la comparto.* **3** Dividir en partes y distribuirlas: *Compartieron el premio para que cada uno dispusiese de su parte.* ☐ ETIMOL. Del latín *compartiri*, y este de *cum* (con) y *partire* (dividir).

compás s.m. **1** Instrumento formado por dos piernas o varillas puntiagudas que están articuladas en uno de sus extremos y que se utiliza para trazar curvas regulares y para medir distancias: *En dibujo técnico, las circunferencias se trazan con compás.* **2** En una composición musical, signo que determina su ritmo, su distribución de acentos y las relaciones de valor entre las notas empleadas: *En un pentagrama, el compás se pone detrás de la clave.* **3** En una composición musical, cada uno de los períodos de tiempo regulares en que se divide, determinados por este signo: *La voz solista entra después de cantar el coro los cinco primeros compases.* **4** En música, ritmo o cadencia de una composición: *Al tiempo que cantaba, iba marcando el compás con el pie.* **5** En náutica, instrumento que consta de dos círculos concéntricos en los que se señalan respectivamente el Norte y la orientación de la embarcación y que sirve, confrontando ambas indicaciones, para conocer el rumbo que lleva la nave: *En aquella película de piratas, los capitanes consultaban el compás para conocer su rumbo.* ☐ SINÓN. *brújula.* **6** ‖ **compás de espera; 1** En música, compás o período de tiempo que transcurre en silencio: *Después del solo de violín, hay un compás de espera y entran las flautas.* **2** Paro, detención o tiempo que se espera para que algo empiece o siga: *Antes de intervenir daremos un compás de espera para ver si los medicamentos han sido efectivos.* ☐ ETIMOL. Del antiguo *compasar* (medir), y este del latín *cum* (con) y *passus* (paso).

compasar v. →**acompasar.**

compasillo s.m. En música, compás que tiene la duración de cuatro negras distribuidas en cuatro partes: *El compasillo es un compás de cuatro por cuatro y su signo es una 'C'.*

compasión s.f. Sentimiento de pena y lástima por la desgracia o por el sufrimiento ajenos: *La compasión hacia los enfermos lo impulsó a hacerse médico.* ☐ SINÓN. *conmiseración.* ☐ ETIMOL. Del latín *compassio.*

compasivo, va adj. **1** Que tiene o muestra compasión o que la siente fácilmente: *una persona compasiva.* **2** Que se hace o se aplica por razones humanitarias: *El uso compasivo de medicamentos en período de prueba está restringido a casos en los que no existe una terapia alternativa.*

compaternidad s.f. Relación de parentesco que se establece entre los padres y el padrino de un bautizado o de un confirmado. ☐ SINÓN. *compadrazgo.* ☐ ETIMOL. De *con-* (cooperación, reunión) y *paternidad.*

compatibilidad s.f. Capacidad para existir, ocurrir, realizarse o unirse junto con otra cosa: *compatibilidad de caracteres.*

compatibilizar v. Hacer compatible: *Está agobiada porque no consigue compatibilizar todas sus obligaciones.* ☐ ORTOGR. La *z* se cambia en *c* delante de *e* →CAZAR.

compatible ▮ adj.inv. **1** Que tiene posibilidad de existir, ocurrir, de hacerse o de unirse junto con otra cosa: *Si te organizas bien, tus deberes pueden ser compatibles con tus diversiones.* ▮ adj.inv./s.m. **2** Referido a un aparato informático, esp. a un computador, que es capaz de trabajar con los mismos programas que otro estándar o de referencia: *Tengo problemas para encontrar programas para mi ordenador porque no es compatible.* ☐ ETIMOL. Del latín *compatibilis*, y este de *compati* (compadecerse).

compatriota s.com. Persona de la misma patria o nación que otra: *A muchos de nosotros nos emociona encontrar compatriotas en el extranjero.* ☐ ETIMOL. Del latín *compatriota*, y este de *cum* (con) y *patria* (patria).

compeler (tb. *compelir*) v. Obligar con fuerza o por autoridad a hacer lo que no se quería: *La juez compelió al acusado al pago de una multa.* ☐ ETIMOL. Del latín *compellere* (acorralar, reducir). ☐ SINT. Constr. *compeler* A *algo.*

compelir v. →**compeler.** ☐ SINT. Constr. *compelir* A *algo.*

compendiar v. Referido esp. a un escrito o a un discurso, sintetizarlos o reducirlos a lo esencial: *Los apuntes de clase compendian el libro de texto.* □ ORTOGR. La *i* nunca lleva tilde.

compendio s.m. **1** Exposición breve en la que se recopila y se sintetiza lo esencial de algo: *un compendio de gramática.* **2** Reunión o suma de cosas: *un compendio de desgracias.* □ ETIMOL. Del latín *compendium* (ahorro, abreviación).

compendioso, sa adj. **1** Que se escribe o se dice con brevedad, precisión y exhaustividad: *un relato compendioso.* **2** Que contiene o engloba muchas cosas: *un libro compendioso.*

compenetración s.f. Identificación de la forma de pensar y de sentir de dos o más personas o perfecto entendimiento entre ellas.

compenetrarse v.prnl. Referido a dos o más personas, entenderse muy bien o identificarse en sus formas de pensar y de sentir: *Los dos autores del libro se compenetraron tanto que parece escrito por una sola persona.*

compensación s.f. **1** Indemnización para reparar un daño, un perjuicio o una molestia: *Te regalo esto en compensación de lo que te dije ayer.* **2** Anulación de un efecto con el contrario o igualación de dos efectos contrarios: *compensación de las pérdidas con las ganancias.* □ SEM. No debe emplearse con el significado de 'recompensa' o 'premio': *Me regalaron un coche como {*compensación > recompensa} por haber terminado la carrera.*

compensar v. **1** Referido a un efecto, igualarlo o neutralizarlo con el contrario: *He compensado las pérdidas con las ganancias.* **2** Dar una recompensa o hacer un beneficio como indemnización de un daño, perjuicio o molestia: *¿Cómo puedo compensarte la ayuda que me prestas?* **3** Merecer la pena: *Me compensa madrugar porque tardo menos en venir.* □ ETIMOL. Del latín *compensare* (pesar juntamente dos cosas hasta igualarlas).

compensativo, va adj. →**compensatorio.**

compensatorio, ria adj. Que compensa o iguala: *Recibió una cantidad de dinero compensatoria de los daños causados en su coche.* □ SINÓN. *compensativo.*

competencia s.f. **1** Oposición, rivalidad o lucha para conseguir una misma cosa: *Hay tantas tiendas en esta calle que la competencia entre ellas es muy grande.* **2** Persona o grupo que tiene una rivalidad con otra u otras: *La competencia ofrece precios más baratos. Le vendió nuestros proyectos a la competencia.* **3** Función u obligación que corresponde a una persona o entidad, generalmente por su cargo o situación: *Las comunidades autónomas tienen competencias en educación.* □ SINÓN. *incumbencia.* **4** Capacidad o aptitud para hacer algo bien: *Esa mujer tiene competencia en materia de derecho y conoce las leyes.* **5** Atribución legítima que se da a una persona con autoridad para intervenir en un asunto: *Le han dado competencia para que lleve a cabo la resolución del asunto.* **6** Conocimientos intuitivos que un hablante tiene de su propia lengua: *El concepto de 'competencia' es propio de la gramática generativa.* **7** En zonas del español meridional, competición deportiva: *Participé en la competencia nacional de atletismo.*

competencial adj.inv. De la competencia o incumbencia sobre algo, o relacionado con ellas: *Algunos partidos intentan ampliar el techo competencial de las comunidades autónomas.*

competente adj.inv. **1** Referido esp. a una persona o a una entidad, que tiene la función o la obligación de hacer algo: *Las autoridades competentes han organizado las fiestas locales.* **2** Referido a una persona, que es experta en algo o tiene buenos conocimientos sobre algo: *una médica competente.* □ SEM. Dist. de *competitivo* (capaz de competir).

competer v. Referido esp. a un deber, pertenecerle, tocarle o incumbirle a alguien: *La conservación de las carreteras nacionales compete al Gobierno de la nación.* □ ETIMOL. Del latín *competere* (ir al encuentro una cosa de otra, ser adecuado, pertenecer). □ ORTOGR. Dist. de *competir.*

competición s.f. **1** Lucha o enfrentamiento entre dos o más personas o grupos que tratan de conseguir una misma cosa: *una competición electoral.* **2** Prueba deportiva en la que se lucha por conseguir el triunfo: *una competición de natación.*

competidor, -a adj./s. Que compite: *Las atletas competidoras ya están en la línea de salida. Cada vez tenemos más competidores en el negocio de la venta por teléfono.*

competir v. **1** Referido esp. a una persona o a un animal, luchar con otros por un mismo objetivo: *Compite con su primo para tener mejores notas.* □ SINÓN. *rivalizar.* **2** Presentarse en igualdad de condiciones: *Nuestros productos pueden competir perfectamente con los europeos.* □ SINÓN. *rivalizar.* □ ETIMOL. Del latín *competere* (ir al encuentro una cosa de otra, ser adecuado, pertenecer). □ ORTOGR. Dist. de *competer.* □ MORF. Irreg. →PEDIR.

competitividad s.f. **1** Capacidad para competir: *La competitividad de este equipo es muy grande.* **2** Rivalidad para conseguir un fin: *La competitividad de la sociedad actual es cada vez mayor.*

competitivo, va adj. **1** De la competición o relacionado con ella: *las normas competitivas.* **2** Capaz de competir, o de igualar o superar a otros, esp. en ventas o en calidad: *un producto competitivo.* □ SEM. Dist. de *competente* (experto en algo o con la obligación de hacer algo).

compilación s.f. **1** Reunión en una sola obra de partes, extractos o materias de varios libros o documentos: *una compilación de datos.* **2** En informática, traducción de un programa de lenguaje de alto nivel a un lenguaje máquina: *un proceso de compilación.*

compilador, -a ▮ adj./s. **1** Que reúne los extractos o partes de distintas obras o de distintos documentos: *En la facultad me han mandado leer la obra de una famosa compiladora de los escritos de Antonio Machado.* ▮ adj./s.m. **2** Referido a un programa informático, que traduce el lenguaje de programación, a un lenguaje cercano al de la máquina: *Este programa no será operativo hasta que no utilices el compilador.*

compilar v. **1** Referido a partes o extractos de libros, reunirlos en una sola obra: *Ha compilado todos sus artículos periodísticos en un libro.* **2** En informática, referido a un programa, traducirlo de un lenguaje de programación, a un lenguaje cercano al de la máquina: *Al compilar se detectaron cuatro errores en el programa.* □ ETIMOL. La acepción 1, del latín *compilare.* La acepción 2, del inglés *compiler.*

compilatorio, ria adj. De la compilación, relacionado con ella o que compila: *Ha publicado un libro con resúmenes compilatorios de sus obras.*

compincharse v.prnl. *col.* Referido a dos o más personas, ponerse de acuerdo para hacer algo, esp. si es negativo: *Os habéis compinchado para engañarme.*

compinche s.com. *col.* Amigo o compañero, esp. si lo es en la diversión o en las fechorías: *Detuvieron al ladrón y a sus compinches.*

complacencia s.f. Satisfacción, agrado o placer con que se hace algo: *Miró con complacencia los bonitos dibujos de su hija.*

complacer ▮ v. **1** Causar agrado, satisfacción o placer: *Me complace que me acompañes.* **2** Acceder a un deseo o a una petición: *Me gustaría complacerte, pero no puedo darte lo que pides.* ▮ prnl. **3** Encontrar satisfacción: *Esta casa se complace en presentarles un nuevo producto.* □ ETIMOL. Del latín *complacere* (gustar a varios a la vez). □ MORF. Irreg. →PARECER. □ SINT. Constr. *complacerse EN algo.*

complaciente adj.inv. Que trata de complacer o de cumplir deseos y peticiones: *Es una persona complaciente y si no te ayuda es porque no puede.*

complejidad s.f. **1** Conjunto de características de lo que está formado por diversas partes o elementos: *La complejidad de la red de narcotraficantes dificulta las pesquisas de la policía.* **2** Dificultad para ser entendido o comprendido: *La complejidad del libro hace difícil su lectura.* □ SINÓN. *complicación.*

complejo, ja ▮ adj. **1** Formado por partes o elementos diversos: *un sistema complejo.* **2** Enmarañado y de difícil comprensión: *un problema complejo.* □ SINÓN. *complicado.* ▮ s.m. **3** Conjunto o unión de varias cosas: *un complejo vitamínico.* **4** Conjunto de establecimientos que sirven para un mismo fin y están situados en un mismo lugar: *un complejo industrial.* **5** En psicología, combinación de ideas, tendencias y emociones que están en el subconsciente e influyen en la personalidad de una persona y suelen determinar su conducta: *complejo de Edipo.* □ ETIMOL. Del latín *complexus.*

complementación s.f. **1** Hecho de añadir algo como complemento. **2** Lo que se añade para completar algo.

complementar v. Añadir como complemento: *Complementa la comida con vitaminas adicionales.*

complementariedad s.f. Conjunto de características de lo que completa o perfecciona algo: *Un libro de actividades es una gran ayuda en la educación infantil, pero no se debe olvidar su complementariedad.*

complementario, ria adj. Que sirve para completar o perfeccionar algo: *La alimentación de este niño necesita un aporte complementario de hierro.*

complemento s.m. **1** Lo que se añade para completar, mejorar, hacer íntegro o hacer perfecto: *El pan es un complemento frecuente en las comidas.* **2** En lingüística, constituyente de la oración que completa el significado de uno o de varios de sus componentes: *En 'Voy esta tarde contigo', 'esta tarde' es un complemento circunstancial de tiempo.* **3** En geometría, ángulo que falta a otro para sumar 90°: *El complemento de un ángulo de 45° es otro que mida lo mismo.* □ SINÓN. *ángulo complementario.* **4** ‖ **(complemento) circunstancial;** el que completa el significado de un verbo, expresando una circunstancia de la acción: *En 'Comimos en el jardín', 'en el jardín' es un complemento circunstancial de lugar.* ‖ **complemento directo;** el que completa el significado de un verbo transitivo: *En 'Ayer vi una película', 'una película' es un complemento directo.* ‖ **complemento indirecto;** el que completa el significado de un verbo transitivo o intransitivo, expresando el destinatario o beneficiario de la acción: *El complemento indirecto de la frase 'Trajo flores a mamá' es 'a mamá'.* ‖ **(complemento) predicativo;** el que completa el significado del verbo y al mismo tiempo atribuye una cualidad al sujeto o al complemento directo: *En 'Las aguas bajan turbias', 'turbias' es un complemento predicativo del sujeto.* □ ETIMOL. Del latín *complementum.*

completar v. Referido a algo incompleto, hacer que esté perfecto, lleno, terminado o entero: *Para completar el trabajo solo me falta la conclusión.*

completiva adj./s.f. →**oración completiva.**

completivo, va ▮ adj. **1** Referido a una conjunción, que introduce una oración subordinada sustantiva: *En 'Dice que no vendrá', 'que' es una conjunción completiva.* ▮ s.f. **2** →**oración completiva.** □ ETIMOL. Del latín *completivus.*

completo, ta ▮ adj. **1** Lleno o con todo el sitio ocupado: *El autobús va completo.* **2** Acabado o perfecto: *No lo creas porque es un completo mentiroso.* **3** Entero o con todas sus partes: *Tengo las obras completas de ese poeta.* **4** Total o en todos sus aspectos: *El estreno fue un completo fracaso.* ▮ s.f.pl. **5** En la iglesia católica, octava y última de las horas canónicas: *Las completas se rezan después de las vísperas.* **6** ‖ **por completo;** en su totalidad: *Ese chico es tonto por completo.* □ ETIMOL. Las acepciones 1-5, del latín *completus.* La acepción 6, de *completo.*

complexión s.f. **1** Naturaleza y relación de los sistemas y aparatos orgánicos, cuyas funciones determinan el grado de fuerzas y la vitalidad de un individuo: *complexión atlética.* □ SINÓN. *constitución.* **2** Figura retórica que consiste en repetir palabras en posición inicial y final de secuencia: *La complexión ayuda a dar un aire cerrado a la estrofa.* □ ETIMOL. Del latín *complexio* (conjunto, temperamento).

complicación s.f. **1** Conversión en algo difícil o más difícil de lo que era. **2** Dificultad para ser entendido o comprendido: *No sé resolver ese problema porque tiene mucha complicación.* □ SINÓN. *complejidad.* **3** Problema o dificultad que proceden de la concurrencia de cosas diversas: *Tu enfermedad puede tener complicaciones si sigues fumando.* **4** Mezcla o exceso de algo: *La complicación del decorado convierte su habitación en un lugar opresivo.* □ ETIMOL. Del latín *complicatio* (plegadura).

complicado, da adj. **1** Enmarañado y de difícil comprensión: *un asunto complicado.* □ SINÓN. *complejo.* **2** Compuesto de un gran número de piezas: *un puzle complicado.*

complicar v. **1** Hacer difícil o más difícil que antes: *Las obras en la carretera complican el tráfico.* **2** Mezclar o recargar: *No compliques tanto los adornos.* **3** Comprometer, implicar o hacer participar: *Sus declaraciones complican en la estafa a muchas personas que parecían respetables.* □ ETIMOL. Del latín *complicare.* □ ORTOGR. La *c* se cambia en *qu* ante *e* →SACAR.

cómplice ▮ adj.inv. **1** Que muestra complicidad: *Los dos hermanos se miraban con una sonrisa cómplice.* ▮ s.com. **2** Persona o cosa que coopera con otra para que cometa un delito o que participa en él: *El ladrón contó al menos con dos cómplices para cometer el robo.* □ ETIMOL. Del latín *complex* (unido, complicado), y este de *cum* (con) y *plicare* (plegar, doblar).

complicidad s.f. **1** Cooperación en la comisión de un delito o una falta o participación en ellos: *No pudieron demostrar su complicidad en el robo.* **2** Entendimiento entre dos o varias personas que tienen un secreto común: *Me hizo un gesto de complicidad.*

complot (pl. *complots*) s.m. Conspiración o acuerdo secreto entre dos o más personas contra alguien o algo: *Los participantes en el complot contra el presidente han sido detenidos.* □ ETIMOL. Del francés *complot.*

compluvio s.m. En una casa, esp. en las antiguas romanas, abertura cuadrada o rectangular de su techumbre que servía para dar luz y para recoger las aguas de la lluvia: *En las casas romanas, bajo el compluvio se encontraba el impluvio.* □ ETIMOL. Del latín *compluvium.* □ ORTOGR. Se usa también *compluvium.*

compluvium s.m. →**compluvio.**

componedor, -a adj./s. Que media entre dos partes en conflicto para intentar que lleguen a un acuerdo.

componenda s.f. Arreglo o trato censurables o inmorales.

componente ▮ adj.inv./s.com. **1** Referido a una persona, que forma parte de un grupo: *Hoy llegan las componentes del equipo femenino de fútbol.* ▮ adj.inv./s.amb. **2** Referido a un elemento, que compone o entra en la composición de algo: *El hidrógeno y el oxígeno son los componentes del agua.*

componer v. **1** Referido a un todo o a un conjunto unificado de cosas, formarlo o constituirlo juntando y colocando con orden sus componentes: *Intenta componer un collar con estas cuentas de colores. El reloj se compone de una serie de piezas.* **2** Referido a algo desordenado, estropeado o roto, ordenarlo o repararlo: *Compuso el reloj estropeado en menos de dos minutos.* **3** Adornar o arreglar: *Antes de hacerme la foto quiero componerme un poco.* **4** Referido a una obra científica, literaria o artística, hacerla o producirla: *Se prepara para componer algún día una sinfonía.* **5** Producir una obra musical: *Le gusta mucho la música y compone en sus ratos libres.* **6** En zonas del español meridional, mejorar de aspecto físico: *Tu hermano era medio feo de chiquito, pero últimamente se ha compuesto mucho.* **7** || **componérselas;** *col.* Encontrar el modo de solucionar uno mismo un problema o de salir adelante en la vida: *Te has aprovechado, así que ahora compóntelas como puedas sin mí.* □ ETIMOL. Del latín *componere* (arreglar). □ MORF. Irreg.: 1. Su participio es *compuesto.* 2. →PONER.

comportamental adj.inv. Del comportamiento o relacionado con él.

comportamiento s.m. Manera o forma de comportarse una persona: *Suele ser muy positivo premiar el buen comportamiento.* □ SINÓN. *conducta.*

comportar ▮ v. **1** Implicar o conllevar: *Comprar un coche comporta muchos gastos.* ▮ prnl. **2** Portarse, conducirse o actuar: *Debes comportarte como si no supieras nada del asunto.* □ ETIMOL. Del latín *comportare*, y este de *cum* (con) y *portare* (llevar).

composición s.f. **1** Conjunto de elementos que componen algo, esp. una sustancia, o forma de estar compuesto: *la composición de un producto.* **2** Obra científica, literaria o musical: *una composición musical.* **3** Arte o técnica de crear y escribir obras musicales: *Para instrumentar bien una melodía, hace falta saber composición.* **4** En algunas artes, esp. en escultura, pintura o fotografía, técnica y arte de agrupar las figuras y otros elementos para conseguir el efecto deseado: *El colorido del cuadro es armonioso pero la composición es mala.* **5** Ejercicio de redacción que se hace como tarea escolar para ejercitar el uso del lenguaje escrito: *escribir una composición.* **6** En lingüística, procedimiento de formación de palabras que consiste en agregar a una palabra otro vocablo íntegro o modificado: *'Bocamanga' es una palabra formada por composición.* **7** Formación de un todo o de un conjunto unificado de cosas juntando y colocando con cierto orden una serie de componentes: *La composición de este puzle te llevará por lo menos dos semanas.* **8** Realización o producción de una obra científica, literaria o artística: *Estudia música en el conservatorio porque quiere dedicarse a la composición musical.* **9** || **composición de lugar;** estudio de las circunstancias que rodean algo para tener una idea de conjunto o hacer un plan de acción: *Hazte una composición de lugar antes de actuar.* □ ETIMOL. Del latín *compositio.*

composit s.m. Catálogo en el que se exponen datos personales y fotos de uno o varios modelos publicitarios.

composite s.m. Material artificial que se obtiene por unión de distintas sustancias, esp. resinas o plásticos: *Cierto tipo de composite se utiliza en la fabricación de prótesis dentales.*

compositivo, va adj. Referido a un elemento gramatical, que forma una palabra compuesta: *En 'anteayer', 'ante-' es un elemento compositivo.*

compositor, -a s. Persona que compone obras musicales.

compost (pl. *compost*) s.m. Abono formado por la descomposición de residuos orgánicos, que posee un contenido equilibrado de sustancias nutrientes, microorganismos y minerales: *El compost es un fertilizante orgánico refinado que debe descomponerse durante cinco o siete meses antes de utilizarse.* □ ETIMOL. Extensión del nombre de una marca comercial.

compostaje s.m. Fabricación de compost o abono orgánico: *Una parte de las basuras es aprovechada para el compostage.* □ ETIMOL. Del francés *compostage.*

compostelano, na adj./s. De Santiago de Compostela o relacionado con esta ciudad española: *La fachada de la catedral compostelana es barroca.*

compostura s.f. **1** Modestia, moderación y buena educación: *guardar la compostura.* **2** Aseo, adorno o aliño de una persona o cosa: *Es muy aseado y cuida mucho su compostura.* □ ETIMOL. Del latín *compositura.*

compota s.f. Dulce hecho con fruta cocida con agua y azúcar. □ ETIMOL. Del francés *compote.*

compra s.f. **1** Adquisición de algo a cambio de dinero: *la compra de un televisor.* **2** Lo que se compra o adquiere, esp. el conjunto de comestibles que se compran para uso diario: *Saca la compra de las bolsas.*

comprador, -a adj./s. Que compra.

comprar v. **1** Referido a algo que no es propio, hacerse dueño de ello a cambio de dinero: *Compré pan esta mañana. La amistad no se puede comprar.* □ SINÓN. *adquirir.* **2** Referido a una persona, darle dinero u otro tipo de recompensa para conseguir un favor, esp. si es ilícito o injusto: *Dice que su equipo perdió porque los contrarios habían comprado al árbitro.* □ SINÓN. *sobornar.* □ ETIMOL. Del latín *comparare* (cotejar, adquirir).

compraventa s.f. Comercio en el que se compra y se vende, esp. antigüedades o cosas usadas: *Tiene una tienda de compraventa de coches de segunda mano.*

comprehender v. *ant.* →**comprender.** □ ETIMOL. Del latín *comprehendere* (concebir una idea, abarcar, coger).

comprender (tb. *comprehender*) v. **1** Referido esp. a algo que se dice, que se hace o que ocurre, tener idea clara de ello o saber su significado y alcance: *Comprendes muy bien las explicaciones del profesor.* **2** Referido esp. a un sentimiento o a un acto, encontrarlos justificados o naturales: *No puedo comprender la crueldad hacia los niños.* **3** Contener o incluir dentro de sí: *La granja comprende dos edificios y tres establos.* □ ETIMOL. De *comprehender.*

comprensibilidad s.f. Conjunto de características que hacen que algo se pueda comprender: *Para que un niño pueda entenderte bien es esencial la comprensibilidad del lenguaje.* □ ORTOGR. Dist. de *compresibilidad.*

comprensible adj.inv. Que se puede comprender: *un lenguaje comprensible.* □ ORTOGR. Dist. de *compresible.* □ SEM. Dist. de *comprensivo* (que comprende o sabe comprender).

comprensión s.f. **1** Obtención o asimilación del significado y del alcance de algo o buen entendimiento o conocimiento perfecto de ello: *Los dibujos y esquemas ayudarán a la comprensión del texto.* **2** Capacidad o facilidad para entender algo: *Algunos niños tienen problemas de comprensión oral.* **3** Actitud capaz de respetar y de ser tolerante con los demás: *En una sociedad tan diversa como la nuestra la comprensión es esencial para la convivencia.* □ ORTOGR. Dist. de *compresión.*

comprensividad s.f. Capacidad de comprender, de entender o de ser tolerante.

comprensivo, va adj. Que tiene la capacidad de comprender, de entender o de ser tolerante: *Si no queréis umentar las diferencias entre vosotros, debéis tener una actitud más comprensiva.* □ SEM. Dist. de *comprensible* (que se puede comprender).

compresa s.f. **1** Gasa o tela con varios dobleces, generalmente esterilizada, que se usa para cubrir heridas, contener hemorragias o para la aplicación de frío, calor o algún medicamento: *Una compresa fría te ayudará a bajar la hinchazón.* **2** Tira desechable de celulosa u otra materia similar que se usa principalmente para absorber el flujo menstrual de la mujer. □ ETIMOL. Del latín *compressa* (comprimida).

compresibilidad s.f. Capacidad o facilidad que tiene algo para que se pueda reducir o comprimir su volumen, referido esp. a un gas. □ ORTOGR. Dist. de *comprensibilidad.*

compresible adj.inv. Que se puede comprimir o reducir a menor volumen: *El aire es un gas compresible.* □ ORTOGR. Dist. de *comprensible.*

compresión s.f. Estrechamiento o reducción a menor volumen: *En el motor de un coche la compresión de la gasolina se realiza antes de la explosión.* □ ORTOGR. Dist. de *comprensión.*

compresor, -a ▌adj./s. **1** Que comprime: *una máquina compresora.* ▌s.m. **2** Aparato o máquina para comprimir un fluido: *Este compresor funciona con un motor diesel.*

comprimido, da ▌adj. **1** Aplastado o con poco grosor: *El lenguado es un pez de cuerpo comprimido.* **2** Que ocupa menos espacio o menos volumen del que se considera normal: *aire comprimido.* ▌

s.m. **3** Pastilla pequeña que se obtiene comprimiendo sus ingredientes después de haberlos reducido a polvo: *Estoy tomando unos comprimidos para aliviar los dolores de cabeza.*

comprimir v. Oprimir, apretar o reducir a menor volumen: *Si das al ordenador la orden de comprimir, te quedará más espacio libre en el disco duro.* ☐ ETIMOL. Del latín *comprimere.*

comprobación s.f. Lo que se hace para comprobar la verdad o la exactitud, esp. de un hecho o de un dato: *Después de la comprobación sabremos si estábamos o no en lo cierto.*

comprobante ▮ adj.inv. **1** Que comprueba. ▮ s.m. **2** Documento o recibo que confirma un hecho o un dato o da constancia de ellos: *Estoy segura de que hice el ingreso en el banco porque conservo el comprobante.*

comprobar v. Referido esp. a un hecho o a un dato, revisar o confirmar su verdad o su exactitud: *Creo que el libro está en mi casa, no obstante, lo comprobaré.* ☐ ETIMOL. Del latín *comprobare.* ☐ MORF. Irreg. →CONTAR.

comprobatorio, ria adj. Que comprueba: *Las investigaciones comprobatorias están siendo favorables para el acusado.*

comprometedor, -a adj. Que compromete: *Tu indiscreción me ha puesto en una situación muy comprometedora.*

comprometer ▮ v. **1** Implicar, involucrar o poner en una situación difícil o perjudicial: *Sus revelaciones comprometían en el caso de corrupción a otras dos organizaciones.* **2** Exponer a un riesgo: *Su mal genio compromete el éxito de sus gestiones.* ▮ prnl. **3** Contraer un compromiso o asumir una obligación o una tarea: *Me he comprometido a acabarlo mañana, y lo voy a conseguir.* **4** Darse mutuamente palabra de casamiento: *Se han comprometido, pero hasta el año próximo no se celebrará la boda.* ☐ SINÓN. *prometerse.* ☐ ETIMOL. Del latín *compromittere*, y este de *cum* (con) y *promittere* (prometer). ☐ SINT. Constr. de la acepción 3: *comprometerse* A *hacer algo.*

comprometido, da adj. Peligroso, delicado o difícil: *El piloto realizó un aterrizaje comprometido.*

comprometimiento s.m. **1** Implicación o colocación en una situación difícil o perjudicial: *El comprometimiento de sus colaboradores en la estafa parece estar probado.* **2** Aceptación de una obligación o una tarea: *Mi comprometimiento con esta causa es total.*

compromisario, ria adj./s. Referido a una persona, que tiene la representación de otras para realizar o resolver algo: *Los compromisarios políticos han elegido directamente al presidente.*

compromiso s.m. **1** Obligación contraída por alguien, generalmente por medio de una promesa, un acuerdo o un contrato: *No puedo quedarme porque tengo un compromiso.* **2** Apuro, aprieto o situación difícil de resolver: *poner a alguien en un compromiso.* **3** Promesa de casamiento: *Hicieron público su compromiso y se casarán el próximo verano.* ☐ ETIMOL. Del latín *compromissum* (promesa recíproca).

compuerta s.f. **1** En una presa, un dique o un canal, plancha móvil que se usa para cortar o graduar el paso del agua: *El pantano tenía tanta agua que tuvieron que abrir sus compuertas.* **2** En una casa o en una habitación, media puerta que resguarda la entrada: *Acababa de amanecer y la luz ya entraba por la compuerta.*

compuesto, ta ▮ **1** part. irreg. de **componer**. ▮ adj. **2** Que está formado por varias partes: *'Ciempiés' es una palabra compuesta, formada por la unión de las palabras 'cien' y 'pie'.* **3** Referido a una persona, arreglado o preparado: *Está compuesto esperando a un taxi.* **4** En arte, del orden compuesto: *Los capiteles compuestos tienen volutas.* **5** Referido a un tiempo verbal, que se conjuga con un verbo auxiliar en el tiempo correspondiente, seguido del participio pasado: *El presente, 'estudio', es un tiempo simple y el pretérito perfecto, 'he estudiado', es un tiempo compuesto.* ▮ adj./s.f. **6** Referido a una planta, que tiene inflorescencias de tipo cabezuela, con las flores que la componen reunidas sobre un receptáculo, de forma que parece una flor más grande: *La margarita y el cardo son plantas compuestas.* ▮ s.m. **7** En química, sustancia o cuerpo formados por la combinación de dos o más elementos: *El agua es un compuesto de hidrógeno y oxígeno.* **8** →**orden compuesto.** ▮ s.f.pl. **9** En botánica, familia de aquellas plantas, perteneciente a la clase de las dicotiledóneas: *El girasol y la alcachofa pertenecen a las compuestas.* ☐ MORF. En la acepción 1, incorr. **componido.*

compulsa s.f. Comprobación y certificación legal de que una copia coincide con el original: *la compulsa de un documento oficial.*

compulsar v. Referido a una copia, comprobar que coincide con el original y certificarlo legalmente: *El funcionario que compulsa los documentos, les pone un sello y te los devuelve.* ☐ ETIMOL. Del latín *compulsare* (hacer que dos cosas choquen una con otra).

compulsión s.f. Inclinación o pasión vehemente y tenaz u obsesiva: *Cada vez que ve una tarta tiene la compulsión de estampársela en la cara a alguien.* ☐ ETIMOL. Del latín *compulsio.* ☐ ORTOGR. Dist. de *convulsión.*

compulsivo, va adj. **1** Que tiene fuerza para obligar a hacer algo: *Su ansiedad se traduce en un hambre compulsiva.* **2** Que tiene o muestra compulsión: *un fumador compulsivo.* ☐ SEM. Dist. de *convulsivo* (de la convulsión).

compunción s.f. Sentimiento que produce el dolor ajeno o un pecado cometido: *Su compunción ante las imágenes de la guerra no le dejaba hablar.* ☐ ETIMOL. Del latín *compunctio.*

compungido, da adj. Triste o apenado: *Mi prima me contó, muy compungida, el hambre que pasan los niños en ese país.*

compungirse v.prnl. Entristecerse o apenarse, esp. si es por una culpa propia o por un dolor ajeno: *Me compungí cuando te vi tan apenado.* ☐ ETIMOL.

Del latín *compungere* (atravesar de parte a parte). □ ORTOGR. La *g* se cambia en *j* delante de *a, o* →DIRIGIR.

computable adj.inv. Que se puede computar.

computación s.f. →**cómputo.** □ ETIMOL. Del inglés *computation.*

computacional adj.inv. Relacionado con la informática: *lingüística computacional.*

computador, -a ▮ adj./s. **1** Que computa o calcula. ▮ s.m. **2** Máquina capaz de efectuar un tratamiento automático de la información, esp. la que calcula datos numéricos: *El computador de la oficina era muy antiguo y lo hemos cambiado por un moderno ordenador.* □ SINÓN. *computadora.* □ ETIMOL. Del inglés *computer.*

computadora s.f. →**computador.**

computadorizar v. →**computarizar.** □ ORTOGR. La *z* se cambia en *c* delante de *e* →CAZAR.

computar v. **1** Referido esp. al tiempo, contarlo o calcularlo por números: *El tiempo empleado se computará por horas.* **2** Tomar en cuenta o considerar como equivalente a un determinado valor: *Le computaron los servicios que prestó en su anterior cargo para concederle este nuevo trienio.* □ ETIMOL. Del latín *computare* (calcular).

computarización (tb. *computerización*) s.f. Adaptación de un lugar o de una actividad al uso de computadoras electrónicas: *A causa de la computarización de mi oficina, han cambiado todo el mobiliario.*

computarizar v. Referido a datos, someterlos al tratamiento de una computadora: *La operadora computariza los datos para que los registros salgan por orden alfabético.* □ SINÓN. *computadorizar.* □ ORTOGR. 1. La *z* se cambia en *c* delante de *e* →CAZAR. 2. Se usa también *computerizar.*

computerismo s.m. Afición desmedida al uso de las computadoras.

computerización s.f. →**computarización.**

computerizar v. →**computarizar.** □ ORTOGR. La *z* se cambia en *c* delante de *e* →CAZAR.

cómputo s.m. Cuenta o cálculo: *A las ocho se cierran los colegios electorales y se inicia el cómputo de votos.* □ SINÓN. *computación.* □ ETIMOL. Del latín *computus* (cálculo, cómputo).

comulgar v. **1** Tomar la comunión: *Cuando voy a misa, comulgo.* **2** Referido a los principios o las ideas de alguien, compartirlos o coincidir con los de otro: *Siempre discutimos porque no comulgo con sus ideas.* **3** || **comulgar con ruedas de molino;** *col.* Creer algo inverosímil o increíble: *No me hagas comulgar con ruedas de molino, porque sé que eso no puede ser cierto.* □ ETIMOL. Del latín *communicare* (comunicar). □ ORTOGR. La *g* se cambia en *gu* delante de *e* →PAGAR.

comulgatorio s.m. En una iglesia, barandilla ante la que se colocan los fieles para recibir la comunión: *Estaba ante el altar, arrodillado en el comulgatorio.*

común ▮ adj.inv. **1** Que pertenece o se extiende a la vez a varios, sin ser privativo de ninguno: *Cada uno tiene su casa, pero el patio es común.* **2** Frecuente, usual o muy extendido: *Estos pájaros son muy comunes en esta región.* **3** Ordinario, vulgar o no selecto: *La mesa está hecha con maderas muy comunes.* ▮ s.m. **4** Referido a personas, generalidad o mayoría: *El común de la gente aspira a la felicidad.* **5** || **en común; 1** Conjuntamente o entre dos o más personas: *Después de la reflexión individual, el grupo hará una puesta en común.* **2** Referido a una cualidad, que es compartida entre dos o más personas: *Tienen en común sus ganas de trabajar.* || **por lo común;** corrientemente o de manera habitual: *Por lo común no acepta sugerencias.* □ ETIMOL. Del latín *communis.* □ SINT. Constr. de la acepción 1: *común A alguien.*

comuna s.f. **1** Forma de organización social y económica basada en la propiedad colectiva: *En una comuna no existe la propiedad privada.* **2** Conjunto de personas que viven en comunidad, comparten sus bienes, y generalmente se mantienen al margen de la sociedad organizada: *Esta comuna se dedica a la agricultura y la artesanía.* □ ETIMOL. Del francés *commune.*

comunal adj.inv. Común a la población de un territorio, esp. a la de un municipio: *Los montes comunales son explotados por todos los vecinos del pueblo.*

comunero, ra ▮ adj. **1** De las Comunidades de Castilla (movimiento de protesta de las ciudades y municipios castellanos en contra de Carlos I, que tuvo lugar a principios del XVI) o relacionado con ellas: *Bravo, Padilla y Maldonado fueron los líderes comuneros más importantes.* ▮ s. **2** Partidario o seguidor de las Comunidades de Castilla: *Los comuneros fueron derrotados en Villalar en 1521.*

comunicabilidad s.f. Capacidad de lo que se puede comunicar o de lo que es digno de comunicarse: *Las teorías filosóficas más abstractas son de difícil comunicabilidad.*

comunicación ▮ s.f. **1** Manifestación, declaración o aviso: *redactar una comunicación.* **2** Extensión, propagación o paso de un lugar a otro: *La rápida comunicación de la epidemia diezmó la población.* **3** Transmisión de información por medio de un código: *un sistema de comunicación.* **4** Unión o relación entre lugares: *El nuevo puente facilitará la comunicación con los barrios situados al otro lado del río.* **5** Exposición de un tema en una reunión de especialistas: *presentar una comunicación en un congreso.* ▮ pl. **6** Conjunto de medios destinados a poner en contacto entre sí lugares o personas, esp. los sistemas de correos, teléfonos y telégrafos: *Las comunicaciones quedaron cortadas por el temporal de frío y nieve.*

comunicacional adj.inv. De la comunicación o relacionado con ella.

comunicado s.m. Nota o declaración que se comunica para conocimiento público: *un comunicado de prensa.*

comunicador, -a ▮ adj. **1** Que comunica o sirve para comunicar. ▮ adj./s. **2** Persona que sabe hacer llegar la información a la mayoría y conecta muy bien con ella.

comunicante adj.inv./s.com. Que comunica.

comunicar ▌ v. **1** Manifestar, hacer saber o dar a conocer: *La empresa le comunicó su despido por escrito.* **2** Hacer partícipe o transmitir: *Su serena sonrisa y su mirada amable comunican paz.* **3** Transmitir información por medio de un código: *Los indios se comunicaban con señales de humo.* **4** Referido a lugares, establecer una vía de acceso entre ellos: *Un pasillo comunica estas dos salas.* **5** Referido a una persona, entrar en contacto con otra o tener trato con ella, de palabra o por escrito: *¿Has logrado ya comunicar con tus padres?* **6** Referido a un teléfono, dar la señal que indica que la línea está ocupada: *Llevo toda la tarde llamando pero no he podido hablar con ella porque comunica.* ▌ prnl. **7** Extenderse, propagarse o pasar de un lugar a otro: *El fuego se comunicó a las tierras colindantes.* ☐ ETIMOL. Del latín *communicare.* ☐ ORTOGR. La *c* se cambia en *qu* delante de *e* →SACAR. ☐ SEM. Está muy extendido su uso como intransitivo con el significado de 'conectar muy bien con la gente': *Esta periodista comunica muy bien.*

comunicativo, va adj. Referido a una persona, inclinado a comunicar lo que tiene: *Es una niña muy comunicativa y nos cuenta todo lo que hace en el colegio.*

comunicología s.f. Ciencia que estudia la comunicación en sus diferentes medios, técnicas y sistemas: *En la comunicología entran en conexión varias disciplinas.*

comunicólogo, ga s. Persona que estudia la comunicología o que tiene de ella especiales conocimientos. ☐ SEM. No debe emplearse con el significado de 'comunicador': *Ese presentador es un gran {*comunicólogo > comunicador}.*

comunidad s.f. **1** Grupo de personas que viven unidas bajo ciertas reglas o que tienen características, intereses u objetivos comunes: *una comunidad de vecinos.* **2** ‖ **comunidad autónoma;** en un país, parte del territorio con instituciones comunes a todo el Estado, que está administrada por sus propios representantes, y que tiene capacidad ejecutiva y poder para ordenar su propia legislación: *Según la Constitución española, el Estado se organiza territorialmente en municipios, provincias y en comunidades autónomas.* ☐ SINÓN. *autonomía.* ☐ ETIMOL. Del latín *communitas.*

comunión s.f. **1** En el cristianismo, administración del sacramento de la eucaristía: *hacer la primera comunión.* **2** Unión, contacto o participación en lo que es común: *Todos los militantes del partido vivimos en comunión de ideas.* ☐ ETIMOL. Del latín *communio* (comunidad), y este de *communis* (común).

comunismo s.m. Doctrina y sistema político, social y económico que defiende una organización social basada en la abolición de la propiedad privada de los medios de producción y en la que los bienes son propiedad común: *El comunismo se basa en el marxismo inspirado por los filósofos alemanes Marx y Engels.*

comunista ▌ adj.inv. **1** Del comunismo o relacionado con él: *ideas comunistas.* ▌ adj.inv./s.com. **2** Que defiende o sigue el comunismo.

comunitario, ria adj. **1** De la comunidad o relacionado con ella. **2** De la Unión Europea o relacionado con esta organización de países europeos: *socios comunitarios.*

con prep. **1** Indica el instrumento, el medio o el modo de hacer algo: *La sopa se come con cuchara.* **2** Indica compañía o colaboración: *Vivo con mis padres.* **3** Indica contenido, posesión o concurrencia: *Llevo un maletín con dinero.* **4** Indica relación o comunicación: *Mantengo buena relación con mis vecinos.* **5** Seguido de infinitivo, indica condición suficiente: *Te crees que con darme unas palmaditas en la espalda me olvidaré de todo.* **6** Contrapone lo que se dice en una exclamación con una realidad expresa o implícita: *¡Con lo que yo te quiero, qué mal me tratas!* **7** A pesar de: *Con el dinero que tiene, y nunca invita a nadie.* ☐ ETIMOL. Del latín *cum.*

con- Prefijo que significa 'reunión', 'cooperación' o 'compañía': *condueño, condiscípulo, confraternidad, conciudadano, concuñado.* ☐ ETIMOL. Del latín *cum.* ☐ MORF. Ante *b* o *p*, adopta la forma *com-*: *compatriota, compadre.*

conativo, va adj. **1** Que indica que una acción se inicia: *'Florecer' es un verbo conativo que indica que empiezan a salir las flores.* **2** Que dirige la conducta de los oyentes: *Muchos mensajes publicitarios son un buen ejemplo de la función conativa del lenguaje.*

conato s.m. Acción que no llega a realizarse por completo: *un conato de incendio.* ☐ ETIMOL. Del latín *conatus* (esfuerzo, tentativa).

concatedral s.f. Iglesia que tiene la dignidad de catedral unida a otra: *Las concatedrales tienen un solo capítulo catedralicio para las dos.*

concatenación s.f. **1** Unión o enlace de hechos o ideas: *la concatenación de una serie de circunstancias.* ☐ SINÓN. *concatenamiento.* **2** Figura retórica consistente en la repetición de la última o últimas palabras de un verso o de una oración al comienzo del verso o la oración siguientes: *En los versos de Tirso de Molina 'No hay criatura sin amor / ni amor sin celos, perfecto', hay concatenación.* ☐ SINÓN. *concatenamiento.* ☐ ETIMOL. Del latín *concatenatio.*

concatenamiento s.m. →**concatenación.**

concatenar v. Referido esp. a hechos o ideas, unirlos o enlazarlos unos con otros: *Al concatenar los hechos ocurridos, encontré su causa.*

concavidad s.f. Hueco o depresión en la parte central de una línea o de una superficie.

cóncavo, va adj. Referido a una línea o una superficie, que son curvas y tienen su parte central más hundida. ☐ ETIMOL. Del latín *concavus*, y este de *cavus* (hueco).

concebir v. **1** Referido a una idea o un proyecto, formarlos en la imaginación: *He concebido un plan para rescatar el barco hundido.* **2** Referido a una hembra, quedar fecundada: *Una mujer no puede concebir hasta que no comience a tener la menstruación.* **3** Referido esp. a un deseo, empezar a sentirlo: *No concibas ilusiones sobre el asunto porque no es seguro.* **4** Comprender o creer posible: *No concibo cómo pudiste ser tan cruel.* □ ETIMOL. Del latín *concipere* (absorber, contener). □ MORF. Irreg. →PEDIR.

conceder v. **1** Dar o adjudicar, esp. quien tiene autoridad para ello: *Ojalá me encuentre a un hada que me conceda tres deseos.* **2** Convenir o estar de acuerdo en algo: *Concedo que me equivoqué, pero no fue por culpa mía.* **3** Referido a una cualidad o a una condición, atribuírsela a algo: *No concedes ningún valor al dinero, porque siempre has sido rico.* □ ETIMOL. Del latín *concedere* (retirarse, ceder, conceder).

concejal, -a s. En un concejo o ayuntamiento, persona que tiene un cargo de gobierno. □ SINÓN. *edil.* □ USO El masculino también se usa para designar el femenino: *Mi hija es concejal del pueblo de al lado.*

concejalía s.f. **1** Cargo del concejal: *Ostenta la concejalía de Interior desde las anteriores elecciones.* **2** Departamento dirigido por un concejal: *Me dijeron que pidiera información sobre los campos de trabajo en la concejalía de juventud.*

concejo s.m. **1** Corporación compuesta por un alcalde y varios concejales que dirige y administra un término municipal: *El concejo se reunirá a las cinco de la tarde.* □ SINÓN. *ayuntamiento, cabildo, municipio.* **2** Sesión celebrada por esta corporación: *En el concejo de hoy se tomaron decisiones trascendentes para el pueblo.* **3** Edificio en el que tiene su sede esta corporación: *Ya han empezado las obras para el nuevo concejo.* □ SINÓN. *ayuntamiento, casa consistorial.* □ ETIMOL. Del latín *concilium* (reunión, asamblea). □ ORTOGR. Dist. de *consejo.*

concelebrar v. Referido a la misa, celebrarla juntos varios sacerdotes: *Dos obispos y cuatro sacerdotes concelebraron la misa de Pascua.*

concentración s.f. **1** Reunión en un lugar de lo que está separado: *En la plaza había una gran concentración de jóvenes.* **2** Reclusión o encierro voluntario de deportistas antes de competir: *La seleccionadora nacional busca un lugar tranquilo para la concentración del equipo.* **3** En una disolución, relación que existe entre la cantidad de sustancia disuelta y la de disolvente: *Cuanto mayor es la concentración de sal en el agua, más flotan los cuerpos.* **4** Atención fija o reflexión profunda al margen del exterior: *Escuché al profesor con total concentración.*

concentrado s.m. Sustancia condensada que es necesario mezclar con agua u otro líquido para su consumo: *concentrado de tomate.*

concentrador, -a ▌adj./s. **1** Que concentra. ▌s.m. **2** En informática, dispositivo que conecta físicamente varios ordenadores entre sí para que formen parte de una misma red local: *Los ordenadores de este edificio están conectados mediante un concentrador.* □ USO En la acepción 2, es innecesario el uso del anglicismo *hub.*

concentrar ▌v. **1** Referido a lo que está separado, reunirlo en un lugar: *Concentraron a todos los soldados en la frontera. En las puertas del museo se concentró un grupo de turistas.* **2** Referido a una disolución, aumentar la proporción entre la sustancia disuelta y el líquido en que se disuelve: *Si sometemos una disolución salina a evaporación, la concentraremos.* **3** Referido esp. a la atención, atraerlas hacia sí: *El cantante concentró la atención y los aplausos del público.* **4** Referido a un equipo de deportistas, recluirse y aislarse voluntariamente antes de competir: *El equipo se concentró en un hotel de montaña antes de la final.* ▌prnl. **5** Fijar la atención en algo o reflexionar profundamente al margen del exterior: *Cuando tengo problemas me cuesta concentrarme en el trabajo.* □ ETIMOL. De *con-* (reunión) y *centro.*

concéntrico, ca adj. En geometría, referido a varias figuras, que tienen el mismo centro: *Las circunferencias concéntricas están en un mismo plano.*

concepción s.f. **1** Formación en la imaginación de una idea o de un proyecto: *la concepción de un proyecto.* **2** Formación de un nuevo ser en un vientre femenino: *La concepción se produce tras la unión de un óvulo y un espermatozoide.* **3** Modo de ver algo o conjunto de ideas sobre ello: *Presenta en su obra una concepción del mundo muy particular.* □ ETIMOL. Del latín *conceptio.*

concepcionista adj.inv./s.f. Referido a una religiosa, que pertenece a la congregación de la Inmaculada Concepción (tercera orden franciscana).

conceptismo s.m. Estilo literario caracterizado por asociaciones ingeniosas y rebuscadas entre los conceptos y las palabras: *Los máximos representantes del conceptismo fueron Francisco de Quevedo y Baltasar Gracián.* □ SEM. Dist. de *conceptualismo* (doctrina filosófica y movimiento artístico).

conceptista ▌adj.inv. **1** Del conceptismo o relacionado con ese estilo literario: *poesía conceptista.* ▌adj.inv./s.com. **2** Referido a un escritor, que practica o sigue este estilo.

concepto s.m. **1** Idea o representación mental de algo: *Las palabras representan conceptos.* **2** Opinión o juicio, esp. los que se tienen acerca de una persona: *Tengo muy buen concepto de tu hermano y me parece inteligente y encantador.* **3** Título o calidad: *Nos dieron una gratificación en concepto de gastos de desplazamiento.* **4** En economía, tipo de operación que se ha realizado en una cuenta: *Los saldos, las comisiones y los reintegros son algunos de los conceptos más comunes.* □ ETIMOL. Del latín *conceptus* (acción de concebir, pensamiento). □ SINT. En la acepción 3, se usa mucho en la expresión *en concepto de.*

conceptual adj.inv. Del concepto o relacionado con él: *el arte conceptual.*

conceptualismo s.m. **1** Doctrina filosófica que defiende la realidad y el valor de las nociones universales y abstractas como conceptos de la mente, aunque no les concede existencia positiva y separada de ella: *El conceptualismo es una posición intermedia entre el realismo y el nominalismo.* **2** Movimiento artístico surgido a mediados de la década de 1970 y que se caracteriza por considerar el concepto o idea como elemento fundamental, rechazando el arte tradicional y sustituyendo las formas y las imágenes por reflexiones sobre los mecanismos de producción y consumo: *El conceptualismo tiene manifestaciones en la danza, el teatro o el cine.* ☐ SEM. Dist. de *conceptismo* (estilo literario).

conceptualista ▮ adj.inv. **1** Del conceptualismo o relacionado con esta doctrina filosófica o este movimiento artístico: *arte conceptualista.* ▮ adj.inv./s.com. **2** Que defiende o sigue el conceptualismo.

conceptualización s.f. Formación de conceptos o ideas generales a partir de datos singulares y concretos.

conceptualizar v. Organizar en conceptos: *Conceptualizó la teoría y la plasmó en su mejor obra.* ☐ ORTOGR. La *z* se cambia en *c* delante de *e* →CAZAR.

conceptuar v. Referido esp. a una persona, calificarla o formarse de ella el concepto o la opinión que se indica: *La crítica ha conceptuado a esa ilustradora como la mejor de la literatura infantil.* ☐ ORTOGR. La *u* lleva tilde en los presentes, excepto en las personas *nosotros* y *vosotros* →ACTUAR. ☐ SINT. Constr. *conceptuar a alguien {COMO/DE} algo.*

conceptuoso, sa adj. Referido esp. a un escritor o a su estilo, que son sentenciosos o agudos, o que emplean muchos conceptos: *Su estilo conceptuoso y concentrado lo ha convertido en un escritor difícil de entender.* ☐ ETIMOL. Del latín *conceptus* (pensamiento, acción de concebir o recibir).

concerniente adj.inv. Que concierne: *En lo concerniente a tu problema, creo que no podré ayudarte.*

concernir v. **1** Referido a una función o una responsabilidad, atañer o corresponder a alguien: *La educación de nuestros hijos nos concierne a los dos.* **2** Referido a un asunto, tener interés para alguien: *No me cuentes tu vida, porque no me concierne.* ☐ ETIMOL. Del latín *concernere*, y este de *cernere* (distinguir, en el sentido de mirar). ☐ MORF. 1. Verbo defectivo: solo se usa en la tercera persona del presente de indicativo y de subjuntivo, y en el pretérito imperfecto, y en las formas no personales (infinitivo, gerundio y participio). 2. Irreg. →DISCERNIR.

concertación s.f. Acuerdo o decisión tomada de común acuerdo: *una concertación salarial.*

concertado, da adj. Referido a un centro de enseñanza, que es de propiedad privada y recibe una subvención estatal: *La mensualidad que tengo que pagar es baja porque es un colegio concertado.*

concertar v. **1** Referido esp. a un asunto, acordarlo o decidirlo de común acuerdo: *La empresa y el sindicato concertaron la subida salarial.* **2** Referido a varias voces o instrumentos, hacer que suenen acordes entre sí: *Es fundamental concertar las distintas voces de una composición para que el conjunto resulte armonioso.* **3** Coordinar o armonizar para favorecer un fin: *El proyecto fue un fracaso porque no concertaron las posibilidades con las necesidades reales.* ☐ SINÓN. *combinar.* **4** En gramática, referido a una palabra variable, concordarla con otra o hacerle que tengan los mismos accidentes gramaticales: *El artículo concierta con el sustantivo en género y número.* ☐ ETIMOL. Del latín *concertare* (debatir, discutir). ☐ MORF. Irreg. →PENSAR.

concertina s.f. Acordeón de fuelle largo, con los extremos en forma hexagonal u octogonal, en cuyas caras tiene botones en lugar de teclado: *La concertina tiene un registro de notas inferior al del acordeón.*

concertino s.m. En música, primer violinista de una orquesta, encargado de la ejecución de los solos: *En las pequeñas orquestas de cuerda, el concertino suele hacer las veces de director.* ☐ ETIMOL. Del italiano *concertino.*

concertista s.com. Músico que interviene en un concierto como solista: *una concertista de piano.*

concerto (it.) s.m. →**concierto.** ☐ PRON. [conchérto]. ☐ ORTOGR. Se escribe con mayúscula inicial cuando forma parte del título de una obra musical.

concesión s.f. **1** Adjudicación o entrega de algo, esp. la hecha por alguien con autoridad para ello: *Llevo años esperando la concesión de la medalla al mérito del trabajo.* **2** Permiso que otorga la Administración o una empresa a un particular o a otra empresa para construir, explotar o administrar un servicio: *Tenemos la concesión de la explotación del bar restaurante del ministerio.* **3** Cesión o abandono de una actitud o una posición firme: *No pienso hacer más concesiones porque estoy harto de ceder.* ☐ ETIMOL. Del latín *concessio.*

concesionario, ria adj./s. Referido a una persona o a una entidad, que tiene la concesión de un servicio: *un concesionario de automóviles.*

concesivo, va adj. Que expresa o indica un obstáculo a pesar del cual se realiza o se cumple la acción principal: *En la oración compuesta 'Iré esta tarde, a pesar de que llueva', 'a pesar de que llueva' es una oración subordinada concesiva.*

concha s.f. **1** En algunos animales, cubierta o caparazón que protege su cuerpo: *Las conchas pueden ser de una pieza, como la del caracol, o de dos, como la de la almeja.* **2** Materia córnea que se obtiene del caparazón de la tortuga carey: *Mi abuela tenía una peineta de concha.* ☐ SINÓN. *carey.* **3** En un teatro, mueble generalmente con forma de cuarto de esfera, que se coloca en la parte delantera del escenario para ocultar al apuntador: *La actriz se acercó a la concha porque no oía bien lo que le decía el apuntador.* **4** En zonas del español meridional, piel, corteza o cáscara: *El plato estaba lleno de conchas* *de frutas.* **5** Pan dulce que se hace con huevo y se cubre con azúcar: *Cuando estuve en México, desayunaba conchas con chocolate.* **6** Instrumento musical de cuerda hecho con el caparazón de un armadillo: *Los indígenas tocan la concha para alegrar sus fiestas.* **7** *vulg.malson.* En zonas del español meridional, vulva. ☐ ETIMOL. Del latín *conchula* (concha pequeña).

conchabamiento s.m. →**conchabanza.**

conchabanza s.f. Unión de dos o más personas para un fin que se considera ilícito: *El robo lo hizo en conchabanza con otro ladrón más peligroso que él.* ☐ SINÓN. *conchabamiento.*

conchabar (tb. *aconchabarse*) ▮ v. **1** En zonas del español meridional, contratar: *Se conchabaron muchas personas para la siembra.* ▮ prnl. **2** Referido a dos o más personas, unirse para algún fin que se considera ilícito: *Se conchabaron para sobornar a su jefe.* ☐ ETIMOL. Del latín *conclavari* (acomodarse en una habitación).

conchabe s.m. En zonas del español meridional, unión para algún fin que se considera ilícito.

conchabeo s.m. Unión de dos o más personas para un fin que se considera ilícito.

concho interj. Expresión que se usa para indicar sorpresa o disgusto.

conchudo, da adj./s. *vulg.malson.* En zonas del español meridional, imbécil. ☐ USO Se usa como insulto.

conciencia (tb. *consciencia*) s.f. **1** Facultad del ser humano para reconocer el mundo que lo rodea o a sí mismo: *perder la conciencia.* **2** Conocimiento o noción interiores del bien y del mal que permiten juzgar moralmente las acciones: *Debes actuar según tu conciencia.* **3** Conocimiento exacto y reflexivo de las cosas: *Tengo conciencia de habértelo dado ya, pero si no lo tienes, puedo estar equivocado.* **4** ‖ **a conciencia;** con rigor o con empeño, sin escatimar esfuerzos: *Lo has lavado a conciencia y reluce más que nunca.* ‖ **en conciencia;** con sinceridad o con honradez: *Te lo doy, pero en conciencia no debería dártelo porque no te lo mereces.* ‖ **mala conciencia;** remordimiento o inquietud: *Tengo mala conciencia porque no he estudiado nada para el examen.* ☐ ETIMOL. Del latín *conscientia.*

concienciación s.f. Adquisición de conciencia o de conocimiento de algo: *La concienciación acerca de los problemas sociales es algo muy difícil de lograr, pero que hay que conseguir.*

concienciar v. Referido a una persona, adquirir o hacerle adquirir conciencia o conocimiento de algo: *Hace falta una campaña publicitaria que conciencie a los ciudadanos de la necesidad de ahorrar agua.* ☐ ORTOGR. La *i* nunca lleva tilde.

concienzudo, da adj. **1** Referido esp. a un trabajo, que se hace a conciencia o con rigor y empeño: *La detective llevó a cabo una investigación concienzuda que le permitió atrapar al ladrón.* **2** Referido a una persona, que hace las cosas con mucha atención o detenimiento: *Si quieres un estudio detallado de la cuestión, te lo hará muy bien porque es muy concienzuda.*

concierto s.m. **1** Función musical en la que se ejecutan composiciones sueltas: *En el concierto tocaron una sinfonía de Beethoven y una pieza de Falla.* **2** Composición musical para diversos instrumentos, en la que uno o varios de ellos llevan la parte principal: *Soy autora de un concierto para viola y orquesta.* **3** Acuerdo o convenio entre dos o más personas o entidades sobre algo: *Se llegó a un concierto entre los trabajadores y la dirección sobre la subida de los sueldos.* **4** Buen orden y disposición de las cosas: *Lo haces todo sin orden ni concierto, y así no hay quien se aclare luego.* ☐ SEM. En las acepciones 1 y 2, dist. de *recital* (de canción y de poesía). ☐ USO En la acepción 2, es innecesario el uso del italianismo *concerto.*

conciliábulo s.m. **1** Junta o reunión para tratar de algo que se quiere mantener oculto: *Habéis formado un conciliábulo para hundir mi futuro.* **2** Asamblea o reunión no convocadas por una autoridad legítima: *Un grupo selecto se reunió en conciliábulo y acordó no admitir más autoridad que la razón.* ☐ ETIMOL. Del latín *conciliabulum* (lugar de reunión).

conciliación s.f. Acuerdo, ajuste o concordancia de una cosa con otra con la que estaba en oposición: *un acto de conciliación.*

conciliador, -a adj./s. Que concilia: *una actitud conciliadora.*

conciliar ▮ adj.inv. **1** Del concilio o relacionado con esta asamblea católica. ▮ v. **2** Referido esp. a las ideas, ajustarlas o concordarlas con otras que parecen contrarias a ellas: *Los intermediarios quisieron conciliar la petición de los trabajadores con el ofrecimiento de la dirección.* **3** Referido esp. a una persona, componerla y ajustarla con otra a la que está opuesta: *intentar conciliar a los integrantes de la asamblea.* ☐ ETIMOL. Las acepciones 2 y 3, del latín *conciliare.* ☐ ORTOGR. En las acepciones 2 y 3, la *i* nunca lleva tilde.

conciliatorio, ria adj. Que intenta conciliar o poner de acuerdo: *Nos habló con palabras conciliatorias.*

concilio s.m. **1** En la iglesia católica, asamblea o congreso de los obispos y otros eclesiásticos para tratar y decidir sobre materias de fe y costumbres: *El Papa ha convocado a todos los obispos para la celebración de un próximo concilio en Roma.* **2** En zonas del español meridional, junta o congreso. ☐ ETIMOL. Del latín *concilium* (reunión, asamblea).

concisión s.f. Brevedad y economía de medios en la forma de expresar un concepto con exactitud: *tratar un tema con concisión.*

conciso, sa adj. Que se expresa con brevedad y exactitud: *Sus cartas son concisas, pero cuenta las novedades que interesan.* ☐ ETIMOL. Del latín *concisus* (cortado).

concitar v. Referido a una persona, hacer que haga algo contra otra: *Los discursos de los demagogos concitaron al pueblo contra el gobierno.* ☐ ETIMOL.

Del latín *concitare*. □ SEM. Dist. de *suscitar* (promover).

conciudadano, na s. **1** Respecto de una persona, otra que vive en su misma ciudad: *Los conciudadanos del poeta colocaron una placa conmemorativa en la casa en que había nacido.* **2** Respecto de una persona, otra que es natural de su misma nación: *Todos los conciudadanos debemos contribuir al desarrollo de nuestro país.* □ ETIMOL. De *con-* (reunión, compañía) y *ciudadano*.

cónclave s.m. **1** En la iglesia católica, junta o reunión de los cardenales para elegir Papa: *Cuando el cónclave ha elegido Papa se comunica al exterior con una fumata blanca en el tejado.* **2** Junta o reunión de personas que se reúnen para tratar algún asunto: *Hoy tenemos cónclave para decidir qué tenemos que hacer para sacar adelante el proyecto.* □ ETIMOL. Del latín *conclave* (cuartito, habitación pequeña).

concluir v. **1** Acabarse, extinguirse o llegar al fin: *Cuando concluya la representación iremos al camerino del protagonista para que lo conozcas.* **2** Deducir a partir de algo que se admite, se demuestra o se presupone: *Los puntos de los que parte tu investigación son erróneos y de ellos no concluirás nada válido.* **3** Determinar y resolver sobre lo que se ha tratado: *A la vista de lo que teníamos hecho, la directora concluyó que necesitábamos ayuda.* □ ETIMOL. Del latín *concludere* (cerrar, encerrar, terminar). □ MORF. Irreg.: 1. Tiene un participio regular (*concluido*), que se usa más en la conjugación, y otro irregular (*concluso*), que se usa más como adjetivo. 2. →HUIR.

conclusión s.f. **1** Fin y terminación de algo: *La conclusión de la obra está prevista para dentro de seis meses.* **2** Resolución que se toma sobre una materia después de haberla tratado: *¿Has llegado a alguna conclusión acerca de la propuesta que te hice para hoy?* **3** Deducción de una consecuencia o de un resultado a partir de otros que se admiten, se demuestran o se presuponen: *Si estudias tantas horas y no te rinde, la conclusión es que debes cambiar de método de estudio.* **4** || **en conclusión;** por último o en suma: *En conclusión, si tan mal te caemos, no vengas con nosotros.*

concluso, sa part. irreg. de **concluir**.

concluyente adj.inv. Que no se puede rebatir o que no admite ninguna duda o discusión: *una prueba concluyente.*

concomer v.prnl. Consumir de impaciencia, de pesar o de otro sufrimiento: *Me concome la incertidumbre.* □ SINÓN. *reconcomer, recomer.* □ ETIMOL. De *con-* (reunión, compañía) y *comer*.

concomitancia s.f. Coincidencia de una cosa con otra: *Existen algunas concomitancias entre la vida del autor y la de algunos de sus personajes.*

concomitante adj.inv. Que coincide: *Entre estas enfermedades hay características concomitantes.* □ ETIMOL. Del latín *concomitas*, y este de *concomitari* (acompañar).

concordancia s.f. **1** Correspondencia o conformidad de una cosa con otra: *Tus actos deben estar en concordancia con tus ideas.* **2** En gramática, correspondencia entre los accidentes de dos o más palabras variables: *'*El niño es altas' es incorrecto porque no hay concordancia de género y de número.*

concordante adj.inv. Que concuerda.

concordar v. **1** Referido a una cosa, coincidir o estar de acuerdo con otra: *Tus declaraciones de ayer no concuerdan con las de hoy.* **2** En gramática, referido a una palabra variable, hacerle tener los mismos accidentes gramaticales que otra: *Un sustantivo masculino debes concordarlo en masculino con su adjetivo. El sujeto concuerda con el verbo en número y persona.* □ ETIMOL. Del latín *concordare* (estar de acuerdo). □ MORF. Irreg. →CONTAR.

concordato s.m. Tratado o convenio que el Gobierno de un Estado hace con la Santa Sede (Estado regido por el Papa) sobre asuntos eclesiásticos: *Ese concordato permitía que el Gobierno interviniera en la elección de un obispo.* □ ETIMOL. Del latín *concordatum*, y este de *concordare* (estar de acuerdo).

concorde adj.inv. Conforme o de acuerdo con otro: *Nos llevamos bien porque somos concordes en la forma de entender la vida.* □ ETIMOL. Del latín *concors*, y este de *cum* (con) y *cor* (corazón).

concordia s.f. Conformidad, unión o buena relación: *En Navidad, el deseo general es que reinen la concordia y la paz.* □ ETIMOL. Del latín *concordia*.

concreción s.f. **1** Limitación a una materia de la que se habla o escribe, o a lo más esencial o seguro de ella: *En el examen se valorará la concreción a las preguntas hechas.* □ SINÓN. *concretización.* **2** Acumulación de partículas para formar una masa: *Las estalagmitas son concreciones de sales calcáreas y silíceas.* □ ETIMOL. Del latín *concretio* (agregación, materia). □ ORTOGR. Incorr. **concrección.*

concrescencia s.f. En biología, unión congénita de órganos vegetales: *En algunos vegetales se produce la concrescencia de los pétalos que forman las corolas.*

concretar ▮ v. **1** Hacer concreto: *Hay que concretar esos planes en hechos para que pueda verse su utilidad.* □ SINÓN. *concretizar.* **2** Reducir a lo más esencial o seguro la materia sobre la que se habla o escribe: *Concreté mi exposición a los puntos que mejor me sabía.* ▮ prnl. **3** Reducirse a hablar de una sola cosa, excluyendo otros asuntos: *Me concreto a responder tus preguntas, sin hacer caso a tus insinuaciones.* □ SEM. Su uso en el lenguaje del deporte con el significado de 'terminar' es incorrecto aunque está muy extendido: *La jugada {*se concretó > terminó} en gol.*

concretización s.f. →**concreción.**

concretizar v. →**concretar.** □ ORTOGR. La *z* se cambia en *c* delante de *e* →CAZAR.

concreto, ta ▮ adj. **1** Que se considera en sí mismo, de forma particular y en oposición al grupo genérico del que forma parte: *Os pondré un ejemplo concreto con una piedra para que comprendáis la* *teoría de la gravedad.* **2** Que existe en el mundo material o sensible como individuo, más que como representación mental de toda una especie: *Una silla es algo concreto, frente al mal, que es un concepto abstracto.* **3** Preciso y sin vaguedad: *Sé concreto y contesta solo a lo que te pregunto.* ▌s.m. **4** En zonas del español meridional, hormigón: *Se construyó con columnas de concreto armado.* □ ETIMOL. Las acepciones 1-3, del latín *concretus* (espeso, compacto). La acepción 4, del inglés *concrete*.

concubina s.f. Mujer que vive y que mantiene relaciones sexuales con un hombre sin estar casada con él: *Mi abuela dice que, como la vecina no está casada con ese hombre, es su concubina.* □ SINÓN. *manceba.* □ ETIMOL. Del latín *concubina*, y este de *cubare* (acostarse).

concubinato s.m. Relación entre un hombre y una mujer que mantienen relaciones sexuales sin estar casados.

conculcación s.f. Quebrantamiento o incumplimiento de una norma establecida, esp. de una ley o de un derecho: *Que te hayan prohibido publicar ese artículo es una conculcación del derecho a la libertad de expresión.*

conculcar v. Referido a normas establecidas, esp. a leyes o a derechos, quebrantarlos o no respetarlos: *Con su actuación en la venta de su negocio ha conculcado varias disposiciones mercantiles.* □ ETIMOL. Del latín *conculcare* (pisotear). □ ORTOGR. La *c* se cambia en *qu* delante de *e* →SACAR. □ SEM. Dist. de *inculcar* (fijar una idea).

concuñado, da s. **1** Respecto del hermano o de la hermana de un cónyuge, hermano o hermana del otro cónyuge: *Mi hermano está casado, y los hermanos de su mujer y yo somos concuñados.* **2** Respecto del cónyuge de una persona, cónyuge de su hermano o de su hermana: *Los esposos de dos hermanas son concuñados entre sí.* □ ETIMOL. De *con-* (cooperación, reunión) y *cuñado*.

concupiscencia s.f. En la moral católica, deseo de bienes terrenales o deseo desordenado de placeres deshonestos. □ ETIMOL. Del latín *concupiscentia*, y este de *concupiscere* (desear ardientemente). □ PRON. Incorr. *[concupisciéncia].

concupiscente adj.inv. Dominado por la concupiscencia.

concurrencia s.f. **1** Conjunto de personas que asisten a un acto o reunión. **2** Aparición o presencia en el tiempo o en el espacio de dos o más personas, sucesos o cosas: *La concurrencia de varias circunstancias negativas fue la causa del accidente.* □ SEM. No debe emplearse con el significado de 'competencia' (anglicismo): *las empresas de la {*concurrencia > competencia}.*

concurrido, da adj. Con mucha gente: *¿Qué pasa aquí, que está la calle tan concurrida?*

concurrir v. **1** Referido a diferentes cosas, juntarse en un mismo lugar o un mismo tiempo: *Los espectadores concurrían al estadio para ver la final del trofeo.* **2** Referido esp. a diferentes cualidades, coincidir en algo: *En tu persona concurren la bondad, la generosidad y la inteligencia.* □ ETIMOL. Del latín *concurrere* (correr junto a otros). □ SINT. Constr. de la acepción 2: *concurrir* EN *algo.* □ SEM. Dist. de *acudir* (puede referirse a una sola persona).

concursal adj.inv. Del concurso o relacionado con este tipo de oposición: *En el examen de derecho mercantil nos preguntaron el derecho concursal.*

concursante ▌adj.inv. **1** Que concursa. ▌s.com. **2** Persona que toma parte en un concurso.

concursar v. Tomar parte en concurso y optar a lo que en él se otorga: *Concursé con un cuento en un concurso literario de mi colegio y gané.*

concurso s.m. **1** Competición o prueba entre varios candidatos para conseguir un premio: *un concurso de televisión.* **2** Oposición que se hace por medio de la presentación de un escrito o de unos méritos para conseguir un cargo o un puesto: *Se presentó a un concurso para cubrir una plaza de profesora de universidad.* **3** Asistencia, participación o colaboración: *La exposición fue un éxito gracias al concurso de los organizadores y de las empresas participantes.* □ ETIMOL. Del latín *concursus.*

concusión s.f. Cobro de una multa o de un impuesto, hecho por un funcionario en su propio provecho. □ ETIMOL. Del latín *concussionis.*

condado s.m. **1** Título nobiliario de conde: *Heredó el condado de su tío.* **2** Territorio sobre el que antiguamente un conde ejercía su autoridad. **3** En algunos países anglosajones, circunscripción o división administrativa del territorio. □ ETIMOL. Del latín *comitatus* (cortejo).

condal adj.inv. Del conde, de su dignidad o relacionado con ellos: *palacio condal.*

conde s.m. Persona que tiene un título nobiliario entre el de marqués y el de vizconde: *Muchos condes obtenían su título como premio a la lealtad que tenían hacia su rey.* □ ETIMOL. Del latín *comes* (compañero, miembro de un séquito). □ MORF. Su femenino es *condesa.*

condecoración s.f. **1** Concesión de honores o de distinciones: *La Reina aprobó la condecoración del científico por sus contribuciones al desarrollo de la ciencia.* **2** Insignia o cruz que representan honor o distinción: *El general llevaba el pecho cubierto de medallas y de condecoraciones.*

condecorar v. Referido a una persona, concederle o darle honores o distinciones: *Te condecorarán por tu heroica actuación en acto de servicio.* □ ETIMOL. Del latín *condecorare*, y este de *cum* (con) y *decorare* (adornar).

condena s.f. **1** Pena o castigo que impone una autoridad: *cumplir una condena.* **2** Reprobación o desaprobación de algo que se considera malo y pernicioso: *la condena de un atentado terrorista.*

condenable adj.inv. Digno de ser condenado: *Cualquier falta de respeto a un ser humano es condenable.*

condenación s.f. Sufrimiento de las penas del infierno. □ ORTOGR. Dist. de *condonación.*

condenado, da adj. Endemoniado, nocivo o perverso: *Esta condenada niña chilla tanto que me va a dejar sordo.*

condenar ▮ v. **1** Imponer una pena o castigo: *Fue condenado a tres años de prisión.* **2** Referido a algo que se considera malo y pernicioso, reprobarlo o desaprobarlo: *Las fuerzas políticas democráticas condenan las dictaduras.* **3** Referido a un recinto o a una vía de acceso, cerrarlos permanentemente o tapiarlos: *Condené la puerta trasera de mi casa porque nunca la usamos.* **4** Referido esp. a una situación, conducir inevitablemente a ella: *Ese trabajo te condenará a la soledad.* ▮ prnl. **5** Ir al infierno: *Según esos textos religiosos, algunos se condenan por su deseo desmedido de riquezas.* □ ETIMOL. Del latín *condemnare*, y este de *cum* (con) y *damnare* (dañar).

condenatorio, ria adj. Que contiene condena o que puede motivarla: *una sentencia condenatoria.*

condensación s.f. **1** En química, paso de un cuerpo gaseoso a estado líquido o sólido: *El rocío es producto de la condensación del vapor de agua.* **2** Exposición resumida, abreviada o sintetizada: *En el examen habrá que hacer la condensación de un texto en diez líneas.*

condensador, -a ▮ adj. **1** Que condensa: *La lluvia es el resultado de un proceso condensador.* ▮ s.m. **2** Aparato que condensa los gases: *Algunas locomotoras de vapor llevaban un condensador.* **3** ‖ **condensador (eléctrico);** dispositivo eléctrico formado por dos conductores, generalmente de gran superficie, que están separados por una lámina aislante.

condensar v. **1** Referido a un cuerpo gaseoso, convertirlo en líquido o en sólido: *El frío condensa el vapor del aire en rocío. El vapor de agua se condensa en la atmósfera formando gotas de agua.* **2** Referido esp. a una sustancia, reducirla a menor volumen y darle más consistencia si es líquida: *Para condensar la leche se le quita parte de su agua.* **3** Resumir, sintetizar o compendiar: *Condensó su trabajo de veinte folios en un escrito de treinta y dos líneas.* □ ETIMOL. Del latín *condensare* (apretar, hacer compacto).

condesa s.f. de **conde**.

condescendencia s.f. Acomodación o adaptación de una persona, por bondad, al gusto y a la voluntad de otra.

condescender v. Referido a una persona, acomodarse o adaptarse, por bondad, al gusto y a la voluntad de otra: *Condescendí con tu propuesta porque te vi entusiasmado con ella, no porque me gustara.* □ ETIMOL. Del latín *condescendere* (ponerse al nivel de alguien). □ MORF. Irreg. →PERDER.

condescendiente adj.inv. Referido a una persona, que se acomoda o se adapta al gusto y a la voluntad de otra: *Es tan condescendiente que cualquier plan que le propones le parece bien y lo acepta.*

condestable s.m. Antiguamente, persona que obtenía y ejercía la primera dignidad de la milicia: *El condestable ejercía su poder en nombre del rey.* □ ETIMOL. Del latín *comes stabuli* (conde encargado del establo real).

condición ▮ s.f. **1** Índole, naturaleza o propiedad de las cosas: *La condición de este suelo lo hace bueno para la agricultura.* **2** Carácter o genio de las personas: *Al principio me asustó tu condición áspera, pero ahora veo que eres un encanto.* **3** Estado, situación o circunstancia en la que se halla una persona: *Mi condición de intérprete de lenguas me hace viajar constantemente por el mundo.* **4** Clase o posición social: *una persona de condición humilde.* **5** Situación, circunstancia o lo que es indispensable para que algo sea u ocurra: *Una de las condiciones para optar a ese trabajo es ser licenciado.* ▮ pl. **6** Aptitud o disposición: *Tu hijo tiene condiciones para ser un buen bailarín.* **7** Circunstancias que afectan a un proceso o al estado de algo: *Nadie puede soportar esas condiciones de vida infrahumanas. Tuve que tirar un litro de leche, porque estaba en malas condiciones.* **8** ‖ **condición sine qua non;** aquella sin la cual no se hará una cosa o se tendrá por no hecha: *Para presentarse el examen es condición sine qua non haber entregado antes todos los trabajos de clase.* ‖ **en condiciones;** a punto, bien dispuesto o apto para el fin que se desea: *Me duele la cabeza y no estoy en condiciones de hablar con nadie.* □ ETIMOL. Del latín *condicio*. *Condición sine qua non*, del latín *conditio sine qua non.* □ MORF. En las acepciones 6 y 7, es incorrecto su uso en singular: *Estoy en {*perfecta condición física > perfectas condiciones físicas}.*

condicional ▮ adj.inv. **1** Que incluye y lleva consigo una condición o requisito: *libertad condicional.* ▮ s.m. **2** En gramática, tiempo verbal que expresa una acción futura en relación con el pasado del que se parte: *'Comería' es el condicional simple de 'comer' y 'habría comido' es su condicional compuesto.*

condicionamiento s.m. **1** Sometimiento a una condición. **2** Limitación o restricción: *un condicionamiento moral.*

condicionante adj.inv./s.amb. Referido a un factor, que condiciona: *Los montes de una región son un condicionante del trazado de sus carreteras.*

condicionar v. **1** Hacer depender de una condición: *Condicioné el pago total de la reparación a la entrega de una garantía.* **2** Influir o determinar una actitud o una conducta: *La publicidad condiciona lo que compran muchas personas.*

condigno, na adj. *poét.* Referido a una cosa, que se corresponde con otra o es consecuencia de ella: *Después del delito, el delincuente sufrió su condigno castigo.* □ ETIMOL. Del latín *condignus*.

cóndilo s.m. En anatomía, extremo redondeado y saliente de un hueso, que se articula encajando en el hueco correspondiente de otro hueso: *Los cóndilos del fémur permiten el movimiento de la pierna.* □ ETIMOL. Del latín *condylus*, y este del griego *kóndylos* (juntura, articulación).

condiloma s.m. En medicina, abultamiento en forma de verruga, que suele producirse cerca del ano, de la vulva o del pene.

condimentación s.f. Adición de condimentos a la comida para darle más gusto y más sabor.

condimentar v. Referido a una comida, añadirle condimentos para darle más sabor: *No me gustan las especias que usan en este restaurante para condimentar la comida.*

condimento s.m. Lo que sirve para sazonar o dar más sabor a la comida: *La pimienta y la nuez moscada son condimentos.* □ ETIMOL. Del latín *condimentum*, y este de *condire* (sazonar, aderezar).

condir v. Referido a una comida, sazonarla para darle mayor sabor: *Una vez cortada la escarola, hay que condirla con aceite, limón y sal.* □ ETIMOL. Del latín *condire*.

condiscípulo, la s. Persona que es o ha sido compañera de estudios de otra. □ ETIMOL. Del latín *condiscipulus*.

condolencia s.f. **1** Participación en el pesar o dolor ajenos: *El día del entierro le expresé mi condolencia por la muerte de tu padre.* **2** Expresión con la que se indica a una persona allegada a un difunto, que se participa en su dolor y en su pena: *un telegrama de condolencia.* □ SINÓN. *pésame*.

condolerse v.prnl. Sentir compasión o lástima por la desgracia o por el sufrimiento ajenos o participar de ellos: *Me conduelo de las desgracias de mis amigos e intento ayudarlos.* □ SINÓN. *compadecerse.* □ ETIMOL. Del latín *condolere*. □ MORF. La *o* final de la raíz diptonga en *ue* en los presentes salvo en las personas *nosotros* y *vosotros*.

condominio s.m. Dominio de algo que pertenece en común a dos o más personas: *Los jardines del edificio son condominio de todos los vecinos de la comunidad de propietarios.* □ ETIMOL. Del latín *condominium*.

condón s.m. Funda fina y elástica que se usa para cubrir el pene durante el coito y evitar así la fecundación o la transmisión de enfermedades: *El uso del condón es un procedimiento de anticoncepción que sirve también para reducir el riesgo de contagio de algunas enfermedades como el sida.* □ SINÓN. *preservativo, profiláctico.* □ ETIMOL. Por alusión a Condom, apellido de su inventor.

condonación s.f. Perdón de una deuda o de una pena. □ ORTOGR. Dist. de *condenación*.

condonar v. Referido a una deuda o a una pena, perdonarlas, remitirlas o alzarlas: *El Gobierno condonó parte de la deuda de un país amigo.* □ ETIMOL. Del latín *condonare*, y este de *cum* (con) y *donare* (dar, conceder).

cóndor s.m. Ave rapaz diurna, de gran tamaño, con la cabeza y el cuello desnudos, que tiene el plumaje fuerte de color negro azulado y plumas blancas en la espalda y en la parte superior de las alas: *El cóndor es un ave carroñera, y pertenece a la misma familia que el buitre.* □ MORF. Es un sustantivo epiceno: *el cóndor {macho/hembra}*.

condotiero s.m. En algunos países, esp. en Italia, general o jefe de soldados mercenarios. □ ETIMOL. Del italiano *condottiere*, y este de *condotta* (toma de tropas a sueldo).

condrictio ▮ adj./s.m. **1** Referido a un pez, que se caracteriza por tener el esqueleto cartilaginoso, numerosos dientes y escamas óseas: *El tiburón es un pez condrictio.* ▮ s.m.pl. **2** En zoología, clase de estos peces: *Los condrictios poseen en su cuerpo una línea lateral sensible a las presiones, que les avisa de la presencia de víctimas o de atacantes.*

condriosoma s.m. En biología, cada uno de los gránulos o corpúsculos del citoplasma o parte que rodea el núcleo de una célula: *El condriosoma funciona en el metabolismo y en la secreción celular.*

condrita s.f. Meteorito pétreo que contiene pequeños nódulos o concreciones: *Las condritas son las rocas más antiguas del sistema solar.*

condritis (pl. *condritis*) s.f. Inflamación del tejido cartilaginoso. □ ETIMOL. Del griego *khóndros* (cartílago) e *-itis* (inflamación).

condroma s.m. Tumor del tejido cartilaginoso. □ ETIMOL. Del griego *khóndros* (cartílago) y *-oma* (tumor).

conducción s.f. **1** Manejo o dirección de un vehículo: *En los días lluviosos la conducción debe ser muy cuidadosa.* **2** Transporte o traslado de algo: *Estas tuberías sirven para la conducción del agua.* **3** Conjunto de conductos que se usan para el traslado de un fluido: *Se han roto las conducciones de agua y han venido a repararlas.* **4** Dirección hacia un lugar o hacia un fin: *El equipo directivo criticó la conducción de la empresa por parte del director.*

conducente adj.inv. Que conduce a algo: *Se han adoptado medidas conducentes a la resolución del problema del paro.*

conducir ▮ v. **1** Guiar o dirigir hacia un lugar o hacia una situación: *La guía que nos condujo en el museo nos mostró lo más interesante.* **2** Referido a un vehículo, guiarlo o manejarlo: *Debes conducir por el carril de la derecha.* **3** Referido a un negocio o a una colectividad, guiarlos o dirigirlos: *El capitán del equipo nos condujo a la victoria.* **4** Referido a un programa de radio o de televisión, presentarlos con la posibilidad de introducir modificaciones en el guión: *Me gusta cómo conduce el programa esta presentadora.* ▮ prnl. **5** Portarse o manejarse de una forma determinada: *Me admira que ante las situaciones de peligro te conduzcas con tanta sangre fría.* □ ETIMOL. Del latín *conducere* (conducir juntamente). □ MORF. Irreg. →CONDUCIR.

conducta s.f. Manera o forma de comportarse una persona: *Los profesores alaban tu buena conducta en clase.* □ SINÓN. *comportamiento.* □ ETIMOL. Del latín *conducta* (conducida, guiada).

conductancia s.f. Propiedad de algunos cuerpos para no ofrecer resistencia al paso de corriente eléctrica.

conductibilidad s.f. →**conductividad.**

conductismo s.m. Teoría psicológica cuyo método se basa en la observación del comportamiento del objeto que se estudia ante un estímulo determinado: *Para el estudio del comportamiento, el conductismo usa el reflejo condicionado.* □ SINÓN. *beha-*

viorismo. □ ETIMOL. De *conducta* y como traducción del inglés *behaviorism.*

conductista ▮ adj.inv. **1** Del conductismo o relacionado con esta teoría psicológica: *métodos conductistas.* □ SINÓN. *behaviorista.* ▮ adj.inv./s.com. **2** Que sigue o que defiende esta teoría psicológica. □ SINÓN. *behaviorista.*

conductividad s.f. Propiedad de los cuerpos que consiste en transmitir fácilmente el calor o la electricidad: *La conductividad eléctrica de un material es inversa a la resistencia que ofrece al paso de la corriente.* □ SINÓN. *conductibilidad.*

conducto s.m. **1** Canal o tubo que sirve para dar paso o salida a alguna materia: *El conducto de desagüe se ha atascado. Los sonidos llegan hasta el tímpano por el conducto auditivo externo.* **2** Medio que se sigue para conseguir algo: *La protesta tiene que ir por los conductos reglamentarios.* □ ETIMOL. Del latín *conductus* (conducido).

conductor, -a ▮ adj./s.m. **1** Referido a un cuerpo, que permite el paso del calor o de la electricidad: *El cobre es un buen conductor.* ▮ s. **2** Persona que conduce un vehículo. **3** Persona que conduce un programa de radio o de televisión.

conductual adj.inv. De la conducta o relacionado con ella: *Cada enfermedad psíquica tiene unas características conductuales típicas.*

condueño s.com. Dueño de algo junto con otro.

conduerma s.f. En zonas del español meridional, modorra. □ ETIMOL. De *con-* y *dormir.*

condumio s.m. *col.* Manjar o comida, esp. los que se comen con pan. □ ETIMOL. De origen incierto.

conectar v. **1** Enlazar, establecer relación o poner en comunicación: *Esta nueva carretera conecta la zona norte del país con el resto.* **2** Entrar en contacto o en conexión: *El programa conectó con el enviado especial.* **3** Referido a una parte de un sistema mecánico o eléctrico, enlazarla con otra de forma que hagan contacto: *Conecta la radio para oír las noticias. Este vídeo se conecta solo si lo dejas programado.* **4** Referido a un aparato o a un sistema, enlazarlo con otro: *Conecta el tubo de la aspiradora con el aparato. Mi ordenador no se puede conectar con tu impresora porque no son compatibles.* □ ETIMOL. Del inglés *to connect* (unir), y este del latín *connectere.*

conectividad s.f. Capacidad para tener conexión: *El nuevo plan de carreteras mejorará la conectividad entre estas dos regiones. Esta red permite la conectividad entre los equipos informáticos de la empresa.*

conectivo, va adj. Que une o liga las partes de un sistema o de un aparato: *Las conjunciones son elementos conectivos.* □ ETIMOL. De *conectar.*

conector adj.inv./s.m. Que conecta.

coneja s.f. Véase **conejo, ja.**

conejal s.m. →**conejar.**

conejar (tb. *conejal*) s.m. Lugar destinado a la cría de conejos. □ SINÓN. *conejera.*

conejera s.f. Véase **conejero, ra.**

conejero, ra ▮ adj. **1** Referido esp. a un perro, que caza conejos. ▮ adj./s. **2** *col.* De Lanzarote (isla canaria), o relacionado con ella. ▮ s. **3** Persona que cría o vende conejos. ▮ s.f. **4** Madriguera en la que se crían conejos: *El conejo logró escaparse de los perros y se metió en la conejera.* **5** Lugar destinado a la cría de conejos: *Compró una conejera para que no se le escapasen los conejos del jardín.* □ SINÓN. *conejal, conejar.*

conejo, ja ▮ s. **1** Mamífero de pelaje corto y espeso, las orejas largas y la cola corta, que tiene las extremidades posteriores más largas que las anteriores, y que vive en madrigueras. ▮ s.m. **2** *vulg.* →**vulva.** ▮ s.f. **3** *vulg.* Hembra que pare con mucha frecuencia: *Dice que su vecina es una coneja, porque tiene ya trece hijos.* **4** ‖ **conejillo de Indias; 1** Mamífero roedor más pequeño que el conejo, con orejas cortas y cola casi nula, muy usado en el laboratorio como animal de experimentación. □ SINÓN. *cobaya.* **2** Animal o persona que son sometidos a observación o a experimentación: *La peluquera quería probar un nuevo tinte y me escogió a mí como conejillo de Indias.* □ ETIMOL. Del latín *cuniculus.* □ MORF. *Conejillo de Indias*, cuando se refiere al animal, es epiceno: *el conejillo de Indias {macho/hembra}.*

conexión s.f. **1** Relación o comunicación: *Después del golpe decía cosas que no tenían ninguna conexión.* **2** Enlace, atadura o concatenación de una cosa con otra: *La conexión del televisor con la antena se realiza por medio de un cable.* **3** Punto en el que se realiza el enlace entre aparatos o sistemas eléctricos: *Se han quemado las conexiones y no funciona la batidora.*

conexionarse v.prnl. Establecer conexiones: *La policía descubrió que la mafia se había conexionado con el tráfico de drogas.*

conexo, xa adj. Que está enlazado o relacionado con otro. □ ETIMOL. Del latín *connexus* (conectado).

confabulación s.f. Acuerdo entre varias personas para realizar algo, esp. si es ilícito: *La confabulación para derrocar al presidente no tuvo éxito.*

confabularse v.prnl. Ponerse de acuerdo para realizar algo, esp. si es ilícito: *Se confabularon para hacer fracasar mi proyecto.* □ ETIMOL. Del latín *confabulari* (conversar).

confección s.f. **1** Preparación de algo, generalmente mediante la mezcla o la combinación de varios componentes: *Para la confección de la tarta me falta un ingrediente.* **2** Fabricación de una prenda de vestir: *una academia de corte y confección.* □ ETIMOL. Del latín *confectio* (composición, preparación).

confeccionar v. **1** Referido a algo material, esp. si es compuesto, hacerlo o prepararlo: *Confeccionó el traje en un solo día.* **2** Referido a una obra intelectual, prepararla o elaborarla: *El Gobierno está confeccionando los presupuestos del año próximo.*

confeccionista adj.inv./s.com. Referido a una persona, que se dedica profesionalmente a la fabricación o al comercio de ropas confeccionadas.

confederación s.f. **1** Alianza, unión o pacto entre varias personas, entidades o Estados: *Los sindicatos han formado una confederación para defender mejor a sus afiliados.* **2** Organismo, entidad o Estado que resultan de esta alianza o de este pacto: *La confederación de agricultores ha convocado una huelga en protesta por la subida del precio del gasóleo.*

confederado, da adj./s. **1** Que forma parte de una confederación: *los Estados confederados.* **2** En la guerra de Secesión estadounidense, partidario de los Estados del sur. ☐ SINÓN. *sudista.*

confederar v. Hacer una alianza o un pacto: *Este tratado confedera varias naciones que antes eran completamente independientes. Varios estados se han confederado para conseguir un mayor desarrollo económico.* ☐ ETIMOL. Del latín *confoederare* (unir por tratado, asociar).

confederativo, va adj. De la confederación o relacionado con esta agrupación: *estatutos confederativos.*

conferencia s.f. **1** Discurso o exposición públicos de un tema: *Asistimos a la conferencia en la que un famoso investigador hablaba de sus descubrimientos.* **2** Reunión de los representantes de entidades o de países, para tratar un tema: *Han programado una conferencia entre los jefes de gobierno europeos para mayo.* **3** Comunicación telefónica que se establece entre dos provincias o entre dos países: *Las conferencias son más caras que las llamadas urbanas.* **4** ‖ **conferencia de prensa;** reunión de periodistas en torno a una persona para escuchar sus declaraciones: *La ministra convocó ayer una conferencia de prensa para aclarar el asunto.* ☐ ETIMOL. Del latín *conferentia*, y este de *conferre* (reunir).

conferenciante ▮ adj.inv./s.com. **1** Referido a una persona u organismo, que participa en una conferencia o reunión: *Los conferenciantes no han logrado ningún acuerdo.* ▮ s.com. **2** Persona que expone un tema en público: *Al final de la exposición, la conferenciante contestó a las preguntas del público.*

conferenciar v. Conversar o hablar con varias personas para tratar un asunto: *La gobernadora ha conferenciado con los atracadores para conseguir la liberación de los rehenes.* ☐ ORTOGR. La *i* nunca lleva tilde.

conferencista s.com. En zonas del español meridional, conferenciante.

conferir v. **1** Referido esp. a una dignidad o a una facultad, concederlas o asignarlas: *La directora me ha conferido la facultad de elegir a mis colaboradores.* **2** Referido a una cualidad que no es material, atribuirla o prestarla: *Habla con la seguridad que le confieren los muchos años de experiencia.* ☐ ETIMOL. Del latín *conferre* (reunir). ☐ MORF. Irreg. →SENTIR.

confesar v. **1** Referido a un acto, a una idea o a un sentimiento verdaderos, expresarlos voluntariamente: *Te confieso que en el fondo estoy de acuerdo contigo. El acusado se confesó culpable de los delitos que le imputaban.* **2** Referido a algo que no se desea declarar o reconocer, declararlo o reconocerlo por obligación: *Los piratas lo torturaron para que confesara el lugar en el que estaba el tesoro.* **3** Referido a pecados que se han cometido, declararlo el penitente al confesor en el sacramento de la penitencia: *Le confesé al sacerdote que había pecado. Se confesó con el párroco.* **4** Referido al penitente, oírlo el confesor en el sacramento de la penitencia: *Para confesar al penitente, el sacerdote entró en el confesonario.* ☐ ETIMOL. Del latín *confessare.* ☐ MORF. Irreg. →PENSAR.

confesión s.f. **1** Declaración que alguien hace de lo que sabe, voluntariamente o por obligación: *El juez escuchó la confesión del acusado.* **2** Declaración de los pecados cometidos, que hace el penitente al confesor en el sacramento de la penitencia: *Lo que se declara en confesión es secreto.* **3** Creencia religiosa: *Cuando le preguntaron su confesión dijo que era católico.*

confesional adj.inv. Que pertenece a una confesión religiosa: *España es un Estado no confesional.*

confesionalidad s.f. Pertenencia a una confesión religiosa: *Cuando le preguntaron cuál era su religión, no quiso declarar su confesionalidad.*

confesionario s.m. →**confesonario.**

confeso, sa ▮ adj. **1** Referido a una persona, que ha confesado su delito o su culpa: *El reo confeso cumplirá una pena de doce años.* ▮ adj./s. **2** Referido a un judío, que se había convertido al cristianismo: *Los judíos confesos tuvieron gran importancia económica en los reinos de Aragón y de Castilla.* ☐ ETIMOL. Del latín *confessus*, y este de *confiteri* (confesar).

confesonario (tb. *confesionario*) s.m. En una iglesia, lugar cerrado en el que se coloca el sacerdote para oír las confesiones.

confesor s.m. Sacerdote que confiesa a los penitentes: *Después de oírme en confesión, el confesor me puso la penitencia.*

confeti s.m. Papel en trocitos muy pequeños y de varios colores, que se lanza en algunas fiestas. ☐ ETIMOL. Del plural italiano *confetti* (confites). ☐ MORF. 1. Es incorrecto su uso en singular para designar cada uno de esos trocitos de papel: *Se me quedó {*un confeti > confeti} en el pelo.* 2. Es incorrecto su uso en plural: *Arrojaron {*confetis > confeti}.*

confiable adj.inv. En zonas del español meridional, fiable.

confiado, da adj. Referido a una persona, que es crédula o poco previsora: *Es tan confiado que siempre deja la puerta de casa abierta.*

confianza s.f. **1** Esperanza o seguridad firmes que se tienen en algo: *Tengo confianza en él y sé que resolverá el problema.* **2** Seguridad en sí mismo: *Hasta que no cojas confianza no podrás conducir bien.* **3** Ánimo o aliento para hacer algo: *Tienes que darle confianza en sí mismo para que se atreva a hacerlo.* **4** Sencillez, amistad o intimidad en el trato: *En esta tienda tengo mucha confianza porque me conocen desde que era niña.* **5** Atrevimiento u osadía en el trato: *Se toma demasiadas confianzas* *con nosotros.* **6** || **de confianza; 1** Referido a una persona, que se tiene intimidad en el trato con ella: *Perdona que vaya en bata, pero eres de confianza, y sé que no te importará.* **2** Referido a una persona, en quien se puede confiar: *Aunque él esté delante, habla abiertamente porque es de confianza.* **3** Que posee las cualidades recomendables para el fin al que se destina: *Es una marca de confianza y la considero la más adecuada para lo que necesitas.* || **en confianza;** con reserva e intimidad: *En confianza, y sin que se lo digas a nadie, te diré que no estoy de acuerdo.* □ MORF. En la acepción 5, se usa más en plural.

confianzudo, da adj. **1** Referido a una persona, que es confiada y crédula: *Mi padre es tan confianzudo que suele dejar la puerta del jardín abierta.* **2** Referido a una persona, que se comporta con falta de educación, sin cortesía: *No seas confianzudo con la gente que acabas de conocer y compórtate con más respeto.*

confiar ▮ v. **1** Encargar o poner al cuidado de alguien: *Le confié el cuidado de los niños.* **2** Esperar con firmeza y con seguridad: *Confío en que vendrá hoy.* **3** Tener confianza: *Confío en ti porque nunca me has traicionado.* ▮ prnl. **4** Tener excesiva seguridad en algo: *Se confió y casi suspende.* □ ETIMOL. Del latín *confidare.* □ ORTOGR. La *i* lleva tilde en los presentes, excepto en las personas *nosotros* y *vosotros* →GUIAR. □ SINT. Constr. de las acepciones 2 y 3: *confiar EN algo.*

confidencia s.f. Revelación o declaración secreta o reservada: *Te aseguro que nunca contaré a nadie las confidencias que me has hecho.* □ ETIMOL. Del latín *confidentia.*

confidencial adj.inv. Que se hace o se dice en confianza o en secreto: *un informe confidencial.*

confidente, ta ▮ s. **1** Persona de confianza a la que se le confían o se le encargan cosas reservadas: *Su primo es su mejor confidente.* **2** Persona que sirve de espía y que da información de lo que ocurre entre sospechosos o en el bando contrario: *La policía supo por uno de sus confidentes que se estaba preparando un gran robo.* ▮ s.m. **3** Sofá acolchado de dos asientos y con un diseño que permite a una persona sentarse enfrente de la otra: *Nos sentamos en el confidente para hablar de nuestras cosas.* □ ETIMOL. Del latín *confidens* (el que confía, atrevido). □ MORF. En las acepciones 1 y 2, aunque el femenino es *confidenta*, está muy extendido su uso como sustantivo de género común: *el confidente, la confidente.*

configuración s.f. Disposición de las partes que forman un todo y que le dan su forma peculiar: *la configuración de un terreno.*

configurar v. Dar una determinada forma o estructura: *Hay que configurar la nueva estrategia de la empresa para el año próximo. El paisaje de esta zona se ha configurado por las continuas lluvias.* □ ETIMOL. Del latín *configurare.*

confín s.m. Término que divide dos territorios y que señala los límites de cada uno de ellos: *Este pueblo está situado en los confines de la provincia.* □ ETIMOL. Del latín *confinis* (contiguo).

confinación s.f. →**confinamiento.**

confinamiento s.m. **1** Destierro al que se somete a alguien, señalándole una residencia obligatoria: *Durante su confinamiento en una isla escribió un libro con sus memorias.* □ SINÓN. *confinación.* **2** Encierro dentro de unos límites: *Algunos prisioneros consiguieron escapar de su confinamiento en el campo de concentración.* □ SINÓN. *confinación.*

confinar v. **1** Desterrar y señalar una residencia obligatoria: *Confinaron a Napoleón en la isla de Santa Elena.* **2** Encerrar dentro de unos límites: *Su familia lo confinó en un centro psiquiátrico.* □ ETIMOL. De *confín.*

confirmación s.f. **1** Reafirmación de la verdad o de la probabilidad de algo: *la confirmación de un rumor.* **2** Ratificación de algo que ya estaba aprobado: *Se le comunicó la confirmación de su permanencia en la empresa.* **3** En la iglesia católica, sacramento por el cual confirma su fe el que ya ha sido bautizado: *La confirmación completa la gracia conferida por el bautismo.* **4** En la iglesia católica, administración de este sacramento: *En mi confirmación, toda mi familia estuvo conmigo en la parroquia.*

confirmar v. **1** Referido a algo que no se sabe con certeza, reafirmar su probabilidad o su verdad: *La televisión ha confirmado la noticia que había dado en el avance.* **2** Referido a algo que ya estaba aprobado, ratificarlo: *Tengo que llamar para confirmar la cita del médico.* **3** Asegurar o dar mayor firmeza o seguridad: *Con aquellas excusas solo consiguió confirmar mis sospechas.* **4** Administrar o recibir el sacramento de la confirmación: *El obispo confirmó a varios muchachos de la parroquia.* □ ETIMOL. Del latín *confirmare.*

confirmativo, va adj. →**confirmatorio.**

confirmatorio, ria adj. Que confirma lo anterior, referido esp. a una sentencia: *El tribunal ha dictado una sentencia confirmatoria de la que dictó hace un mes.* □ SINÓN. *confirmativo.*

confiscación s.f. Apropiación de los bienes de una persona por parte del Estado: *El Gobierno propuso la confiscación de los bienes de los narcotraficantes para luchar contra la droga.*

confiscar v. Referido a los bienes, apropiarse de ellos el Estado: *El Gobierno ha confiscado los bienes de los traficantes apresados.* □ ETIMOL. Del latín *confiscare* (incorporar al fisco). □ ORTOGR. La *c* se cambia en *qu* delante de *e* →SACAR.

confiscatorio, ria adj. De la confiscación o relacionado con esta apropiación: *una orden confiscatoria.*

confit (fr.) s.m. Pieza de carne cocinada y que se conserva en su propia grasa: *confit de pavo.*

confitar v. **1** Referido a una fruta o a una semilla, cubrirlas con un baño de azúcar: *Para hacer almendras garrapiñadas hay que confitarlas.* **2** Referido a una fruta, cocerla en almíbar: *Tiene un melocotonero* *y confita los melocotones para poderlos comer durante todo el año.* □ ETIMOL. De *confite.*

confite s.m. Dulce, generalmente en forma de bolitas de distintos tamaños, hecho con azúcar y con otros ingredientes. □ ETIMOL. Del catalán *confit.* □ MORF. Se usa más en plural.

confitería s.f. **1** Establecimiento en el que se elaboran o se venden dulces. **2** En zonas del español meridional, cafetería. **3** En zonas del español meridional, discoteca.

confitero, ra s. Persona que se dedica profesionalmente a la elaboración o a la venta de dulces.

confitura s.f. Lo que está confitado con azúcar o almíbar, esp. si es una fruta. □ ETIMOL. Del francés *confiture.*

conflagración s.f. Conflicto bélico entre pueblos o naciones: *La última conflagración mundial se inició en 1939.* □ ETIMOL. Del latín *conflagratio.*

conflictividad s.f. **1** Capacidad de crear conflictos: *Rechacé la propuesta por su conflictividad.* **2** Situación conflictiva o de enfrentamiento: *En la conferencia se analizó la conflictividad social de este último lustro.*

conflictivo, va adj. **1** Que origina un conflicto: *un acuerdo conflictivo.* **2** Referido esp. a una situación o a una circunstancia, que poseen conflicto: *un período conflictivo.*

conflicto s.m. **1** Combate, lucha o enfrentamiento, generalmente violentos o armados: *Los dos países en guerra han solicitado a la ONU que medie en el conflicto.* **2** Situación confusa, agitada o embarazosa, que resulta de difícil salida: *Cuando estoy en algún conflicto, pido ayuda a mis amigos.* **3** Problema o materia de discusión: *El conflicto generacional aparece cuando la diferencia de edad entre padres e hijos es muy grande.* □ ETIMOL. Del latín *conflictus*, y este de *confligere* (chocar).

confluencia s.f. **1** Reunión de varias líneas, esp. de caminos o de cursos de agua, en un lugar: *El corrimiento de tierras provocó la confluencia de los dos ríos.* **2** Lugar en el que se produce esta reunión: *El accidente se produjo en la confluencia de estas dos calles.*

confluente (tb. *confluyente*) adj.inv. Que confluye: *Estos dos ríos nacen a cientos de kilómetros de distancia, y terminan siendo confluentes.*

confluir v. **1** Juntarse en un punto o en un lugar: *Todas las calles del pueblo confluyen en la plaza.* **2** Referido a muchas personas, reunirse en un lugar: *Las distintas manifestaciones confluyeron delante del ayuntamiento para protestar conjuntamente.* □ ETIMOL. Del latín *confluere.* □ MORF. Irreg. →HUIR.

confluyente adj.inv. →**confluente.**

conformación s.f. Disposición o colocación de las partes que forman un todo: *El presidente leyó la nueva conformación del Gobierno.*

conformar ▌v. **1** Dar forma: *Estos once jugadores conforman el equipo.* ▌prnl. **2** Acceder voluntariamente a algo, esp. si resulta desagradable: *Me ha dicho que no sea tan egoísta y que me conforme con lo que tengo.* □ ETIMOL. Del latín *conformare* (dar forma). □ SINT. Constr. de la acepción 2: *conformarse* CON *algo.*

conforme ▌adj.inv. **1** Que está de acuerdo con algo: *No estoy conforme con lo que has dicho.* **2** Resignado o paciente: *Cuando le expliqué mis razones, se quedó conforme.* ▌adv. **3** Referido a la forma de hacer algo, con conformidad, con correspondencia o del modo que se indica: *Lo hice conforme tú me habías indicado.* **4** ‖ **conforme a;** con arreglo a o de manera que: *Se hizo conforme a las normas establecidas.* □ ETIMOL. Del latín *conformis* (muy semejante).

conformidad s.f. **1** Aprobación o asentimiento: *Dio su conformidad para que empezaran a arreglar la casa.* **2** Resignación o tolerancia ante las adversidades: *Ante la mala noticia reaccionó con conformidad.* **3** Concordia, correspondencia o igualdad: *Es una persona consecuente y su vida está en conformidad con sus ideas.* **4** ‖ **{de/en} conformidad;** de acuerdo con: *El pago se efectuó en conformidad con lo que se había acordado.*

conformismo s.m. Actitud o tendencia de la persona que se adapta fácilmente a cualquier circunstancia de carácter público o privado: *Tu conformismo te lleva a no aspirar a mejoras en el lugar de trabajo y a estar de acuerdo con lo que tienes.*

conformista adj.inv./s.com. Que tiene o muestra conformismo.

confort s.m. →**comodidad.** □ ETIMOL. Del francés *confort.*

confortabilidad s.f. Capacidad para producir una sensación de comodidad.

confortable adj.inv. Que produce una sensación de comodidad: *un sillón muy confortable.*

confortador, -a adj./s. Que conforta: *unas palabras confortadoras.* □ SINÓN. *confortante.*

confortante adj.inv. Que conforta. □ SINÓN. *confortador.*

confortar v. **1** Dar fuerzas o vigor: *Esta sopa caliente te confortará.* **2** Referido a una persona que está afligida, animarla, alentarla o consolarla: *Las palabras de consuelo confortaron a la viuda.* □ ETIMOL. Del latín *confortare.*

confraternidad s.f. Relación caracterizada por el afecto y la solidaridad propios de hermanos. □ SINÓN. *hermandad.* □ ETIMOL. De *con-* (cooperación, compañía) y *fraternidad.*

confraternización s.f. Establecimiento de una relación propia de hermanos: *Tuvimos una comida de trabajo para facilitar la confraternización de todos los miembros del equipo.*

confraternizar v. Tratarse con amistad y con camaradería: *Los jugadores de los dos equipos acabaron por confraternizar.* □ ORTOGR. La *z* se cambia en *c* delante de *e* →CAZAR.

confrontación s.f. **1** Careo o colocación de una persona en presencia de otra para averiguar la verdad: *La juez realizó una confrontación entre los testigos.* **2** Comparación de una cosa con otra: *La confrontación de la copia con el original demostró cuál era la falsificación.* □ SEM. No debe emplearse con el significado de 'enfrentamiento': **confrontación deportiva > enfrentamiento deportivo.*

confrontar v. **1** Referido a una cosa, esp. a un texto, cotejarla o compararla con otra: *El profesor confrontó los dos exámenes para ver si se habían copiado.* **2** Referido a una persona, ponerla en presencia de otra para averiguar la verdad: *La abogada confrontó al acusado con uno de los testigos para ver cuál de los dos mentía.* □ ETIMOL. Del latín *cum* (con) y *frons* (frente).

confucianismo (tb. *confucionismo*) s.m. Doctrina moral y política basada en las enseñanzas de Confucio (filósofo chino de los siglos VI y V a. C.), que considera que las personas son capaces de transformarse mediante la práctica de las virtudes y de la sumisión a las leyes del universo: *El confucianismo considera el cielo como el dios supremo y al emperador como a su hijo.* □ ORTOGR. Dist. de *confusionismo.*

confucionismo s.m. →**confucianismo.**

confucionista ▮ adj.inv. **1** Del confucionismo o relacionado con esta doctrina: *moral confucionista.* ▮ adj./s.com. **2** Que sigue o que practica el confucionismo. □ ORTOGR. Dist. de *confusionista.*

confundir v. **1** Mezclar de forma que resulte difícil reconocer o distinguir: *Logró huir al confundirse entre la multitud.* **2** Perturbar, trastornar o desconcertar: *Confundió con sus argumentos a todos los que lo criticaban. Por culpa de los nervios se confundió y no atinó a explicarse.* **3** Referido a una cosa, tomarla por otra equivocadamente: *Eres tan parecida a tu hermana que siempre os confundo.* □ ETIMOL. Del latín *confundere.* □ MORF. Tiene un participio regular (*confundido*), que se usa en la conjugación, y otro irregular (*confuso*), que se usa como adjetivo.

confusión s.f. **1** Mezcla de elementos diferentes que hace que resulte difícil reconocerlos o distinguirlos: *En su cabeza hay una gran confusión de ideas.* **2** Perturbación, trastorno o desconcierto: *Cuando me halagan, siento tal confusión que soy incapaz de dar las gracias.* **3** Equivocación o error: *Hubo una confusión en los nombres y me dieron un carné de otra persona.* □ ETIMOL. Del latín *confusio.*

confusionismo s.m. Confusión o falta de claridad en las ideas o en el lenguaje: *El confusionismo de sus respuestas no nos aclaró las dudas.* □ ORTOGR. Dist. de *confucionismo.*

confusionista ▮ adj.inv. **1** Del confusionismo o relacionado con esta confusión en las ideas o en el lenguaje: *un lenguaje confusionista.* ▮ adj.inv./s.com. **2** Que practica este tipo de expresión: *No sé cómo puedes leer un periódico tan confusionista y amarillista.* □ ORTOGR. Dist. de *confucionista.*

confuso, sa adj. Oscuro o dudoso: *Su respuesta me pareció vaga y confusa.*

conga s.f. **1** Composición musical cubana de origen africano: *La conga tiene un ritmo alegre.* **2** Baile que se ejecuta al compás de esta música y en el que los participantes forman una larga cadena: *Al final de la fiesta, todos bailaron la conga cogidos por la cintura.*

congelación s.f. **1** Conversión en sólido de un líquido por efecto del frío: *La congelación del agua se produce a cero grados centígrados.* □ SINÓN. *congelamiento.* **2** Sometimiento de un alimento o de otro cuerpo a temperaturas tan bajas que la parte líquida quede helada: *La congelación de los alimentos hace posible que estos se conserven durante largo tiempo.* □ SINÓN. *congelamiento.* **3** Lesión de un tejido orgánico producida por el frío, esp. la que supone la muerte de sus células: *Los alpinistas rescatados presentan síntomas de congelación en los dedos de las manos y de los pies.* □ SINÓN. *congelamiento.* **4** Inmovilización o bloqueo de algo: *La juez ordenó la congelación de todas las cuentas bancarias del principal procesado.* □ SINÓN. *congelamiento.* **5** Detención del curso o del desarrollo normal de un proceso: *La oposición exige la congelación de la reforma educativa hasta alcanzar un consenso.* □ SINÓN. *congelamiento.*

congelado, da ▮ adj. **1** Muy frío: *Me acerqué a la hoguera para calentar mis manos congeladas.* **2** Helado o convertido en sólido por efecto del frío: *productos congelados.* ▮ s.m. **3** Sometimiento de un alimento a bajas temperaturas hasta que quede helado: *el congelado del pescado en alta mar.* **4** Producto alimenticio que se conserva a muy bajas temperaturas: *He comprado unos congelados para la cena.*

congelador, -a ▮ adj./s. **1** Que congela. ▮ s.m. **2** Electrodoméstico que sirve para congelar alimentos y para conservarlos congelados: *Para que se descongele la carne, tienes que pasarla del congelador al frigorífico un día antes.*

congelamiento s.m. →**congelación.**

congelar v. **1** Referido a un líquido, helarlo o convertirlo en sólido por efecto del frío: *El frío de la noche congeló el agua del estanque.* **2** Referido esp. a un alimento, someterlo a temperaturas tan bajas que la parte líquida quede helada: *Compra carne una vez al mes y la congela para tener siempre que necesite.* **3** Referido a un tejido orgánico, dañarlo el frío, esp. produciendo la muerte de sus células: *Andar por la nieve sin un calzado adecuado puede congelar los pies. A la montañera se le congelaron las manos y temen que tengan que amputárselas.* **4** Inmovilizar o bloquear: *Han dado orden de congelar sus cuentas bancarias. Hemos congelado la imagen para poder ver los detalles.* **5** Referido a un proceso, detener su curso o su desarrollo normal: *El Gobierno congelará la entrada en vigor de la ley hasta la próxima legislatura.* □ ETIMOL. Del latín *congelare.*

congénere adj.inv./s.com. Que es del mismo género, origen o clase que otro. □ ETIMOL. Del latín *congener.*

congeniar v. Llevarse bien o entenderse por coincidir en la forma de ser o en las inclinaciones: *Tienes un carácter tan flexible que congenias con todo* *el mundo.* ☐ ETIMOL. De *con-* (compañía) y *genio.* ☐ ORTOGR. La *i* nunca lleva tilde.

congénito, ta adj. Que se tiene desde el nacimiento porque se ha adquirido durante el período de gestación: *una malformación congénita.* ☐ ETIMOL. Del latín *congenitus* (engendrado juntamente).

congestión s.f. **1** Acumulación anormal y excesiva de sangre en una parte del cuerpo: *una congestión pulmonar.* **2** Obstrucción o entorpecimiento de la circulación o del movimiento por una zona: *La congestión de las calles del centro se evitaría con la prohibición del transporte privado.* ☐ ETIMOL. Del latín *congestio*, y este de *congerere* (amontonar). ☐ ORTOGR. Dist. de *cogestión.*

congestionar v. **1** Referido a una parte del cuerpo, acumular en ella una cantidad excesiva de sangre: *La carrera que se dio le congestionó el rostro. Cuando un órgano se congestiona, aumenta de tamaño.* **2** Referido esp. a una zona, obstruir o entorpecer la circulación o el movimiento por ella: *Una inmensa multitud congestionaba la plaza. En cuanto me acatarro, se me congestiona la nariz.*

conglomeración s.f. Unión de fragmentos o de partículas de una o de varias sustancias por medio de un conglomerante, de modo que resulte una masa compacta: *Las resinas permiten la conglomeración de la fibra de vidrio para fabricar canoas.*

conglomerado s.m. **1** Conjunto o acumulación formados a partir de una diversidad: *La población de las colonias era un conglomerado de gentes muy diversas.* **2** Masa compacta de materiales unidos artificialmente: *un mueble de conglomerado.* **3** En geología, masa rocosa formada por fragmentos redondeados de diversas rocas o sustancias minerales unidos entre sí por un cemento.

conglomerante ▮ adj.inv. **1** Que conglomera. ▮ adj.inv./s.m. **2** Referido a un material, que es capaz de unir fragmentos o partículas de una o de varias sustancias y de dar cohesión al conjunto: *El cemento es el conglomerante de algunas mezclas que se utilizan en albañilería.*

conglomerar v. **1** Reunir, juntar o acumular, esp. si se hace formando un conjunto de gran diversidad interna: *Un buen líder tiene que saber conglomerar las distintas opiniones de sus seguidores. En la coalición se conglomeran las tendencias más dispares con el objetivo común de derrotar al partido en el poder.* **2** Referido a fragmentos o a partículas de una o de varias sustancias, unirlos con un conglomerante de modo que resulte una masa compacta: *Para fabricar el asfalto hay que conglomerar la gravilla con un betún.* ☐ ETIMOL. Del latín *conglomerare* (amontonar).

congoja s.f. Angustia o pena muy intensas: *Descubrir la miseria en la que viven algunas personas le produjo una gran congoja.* ☐ ETIMOL. Del catalán *congoixa*, y este del latín *congustia* (angostura).

congoleño, ña adj./s. **1** De la República del Congo o relacionado con este país africano. **2** De la República Democrática del Congo o relacionado con este país africano.

congraciar v. Conseguir la benevolencia o el afecto de alguien: *Su amabilidad lo congració enseguida con sus nuevos colaboradores.* ☐ ETIMOL. De *con-* (reunión) y *gracia.* ☐ ORTOGR. Dist. de *congratular.*

congratulación s.f. Manifestación de alegría y de satisfacción que se hace a alguien con motivo de un suceso feliz: *Reciba mis congratulaciones por el éxito de la operación.*

congratular v. Alegrar o manifestar alegría y satisfacción por un suceso feliz: *Me congratula estar con ustedes en día tan señalado. Todos reían y se congratulaban por la distinción recibida.* ☐ ETIMOL. Del latín *congratulari* (felicitar). ☐ ORTOGR. Dist. de *congraciar.* ☐ MORF. Se usa más como pronominal.

congregación s.f. **1** Conjunto de religiosos que viven en comunidad sujetos a una regla y que suelen estar dedicados a determinadas actividades acordes con sus fines piadosos: *La congregación de los marianistas se dedica a la enseñanza.* **2** Asociación o hermandad autorizada de personas devotas, formada para realizar obras piadosas o religiosas: *Mi madre pertenece a una congregación de Hijas de María.*

congregante, ta s. Miembro de una congregación.

congregar v. Referido esp. a un gran número de personas, reunirlas en un mismo lugar o hacerles acudir a él: *El mitin congregó a multitud de seguidores. Los afectados se congregaron delante del ayuntamiento.* ☐ ETIMOL. Del latín *congregare* (asociar). ☐ ORTOGR. La *g* se cambia en *gu* delante de *e* →PAGAR.

congresal ▮ adj.inv. **1** En zonas del español meridional, congresual. ▮ s.com. **2** En zonas del español meridional, congresista.

congresista s.com. Miembro de un congreso o participante en él.

congreso s.m. **1** Reunión de personas para tratar o debatir un asunto: *El congreso rector eligió a la nueva junta directiva por unanimidad.* **2** Conferencia, generalmente periódica, en la que se reúnen miembros de un colectivo para exponer y debatir cuestiones previamente fijadas: *Acude a todos los congresos de su especialidad para mantenerse al día.* **3** En algunos países, asamblea legislativa nacional, formada por una o por dos cámaras: *El congreso estadounidense está formado por el senado y la cámara de representantes.* **4** Edificio en el que se celebran las sesiones de esta asamblea: *El Rey presidirá en el congreso la apertura solemne de la nueva legislatura.* ☐ ETIMOL. Del latín *congressus* (reunión).

congresual adj.inv. Del congreso o propio de él: *La sesión congresual se prolongó varias horas.*

congrio s.m. Pez marino de forma casi cilíndrica, con una larga aleta dorsal, color gris oscuro y carne blanca muy apreciada como alimento: *El congrio es un pescado muy sabroso.* ☐ ETIMOL. Del latín *con-*

ger. □ MORF. Es un sustantivo epiceno: *el congrio {macho/hembra}.*

congruencia s.f. Coherencia, conformidad, correspondencia o relación lógica.

congruente adj.inv. Con congruencia, con lógica o con coherencia: *Las medidas adoptadas son congruentes con los principios de la institución.* □ ETIMOL. Del latín *congruens* (conforme).

cónico, ca adj. Del cono o con la forma de este cuerpo geométrico.

conífero, ra ▮ adj./s.f. **1** Referido a una planta, que es arbórea, tiene las hojas perennes y en forma de escamas o de agujas, y los frutos generalmente en forma de cono o de piña: *El pino y el abeto son dos coníferas.* ▮ s.f.pl. **2** En botánica, clase de estas plantas, perteneciente a la división de las gimnospermas: *Entre las coníferas abundan las especies boscosas.* □ ETIMOL. Del latín *conifer* (que lleva piñas).

coniforme adj.inv. Con forma de cono. □ ETIMOL. Del latín *conus* (cono) y *-forme* (forma).

conjetura s.f. Juicio o idea que se forman a partir de indicios o de datos incompletos o no comprobados: *Antes de hacer conjeturas sobre los motivos de mi conducta, pregúntame.* □ ETIMOL. Del latín *coniectura.*

conjetural adj.inv. Basado en conjeturas: *una deducción conjetural.*

conjeturar v. Referido esp. a un juicio, formarlos a partir de indicios o de datos no completos o no comprobados: *Conjeturo que debe de tener problemas serios.*

conjugación s.f. **1** Combinación de varias cosas entre sí: *El sistema educativo debe buscar la conjugación del desarrollo físico y del intelectual.* **2** En gramática, enunciación ordenada de las formas que presenta un verbo para cada modo, tiempo, número y persona: *Cada día aprende de memoria la conjugación de un verbo irregular.* **3** En gramática, cada uno de los grupos que sirven como modelo para esta enunciación: *Los verbos terminados en '-ar' pertenecen a la primera conjugación.*

conjugador s.m. Aplicación informática que genera las formas verbales de un infinitivo.

conjugar v. **1** Combinar o poner de acuerdo: *Los candidatos para el puesto deben conjugar experiencia y capacidad de mando.* **2** En gramática, referido a un verbo, enunciarlo ordenadamente en las formas que presenta para cada modo, tiempo, número y persona: *¿Cómo se conjuga el verbo 'amar' en presente de indicativo?* □ ETIMOL. Del latín *coniugare* (unir). □ ORTOGR. La *g* se cambia en *gu* delante de *e* →PAGAR.

conjunción s.f. **1** En gramática, parte invariable de la oración cuya función es hacer de nexo entre dos oraciones o entre dos miembros de una de ellas: *La conjunción 'y' es una conjunción coordinante copulativa.* **2** Unión, reunión o convergencia de varias cosas: *Una obra tan grande solo puede ser fruto de la conjunción de muchos esfuerzos.* □ ETIMOL. Del latín *coniunctio*, y este de *coniungere* (unir).

conjuntar v. Combinar en un conjunto armonioso: *¡Qué bien has conjuntado los muebles del salón!* □ ETIMOL. Del latín *coniunctare.*

conjuntiva s.f. Véase **conjuntivo, va.**

conjuntivitis (pl. *conjuntivitis*) s.f. Inflamación de la conjuntiva del ojo: *La contaminación ambiental puede producir conjuntivitis.* □ ETIMOL. De *conjuntiva* e *-itis* (inflamación).

conjuntivo, va ▮ adj. **1** Que junta y une una cosa con otra: *tejido conjuntivo.* **2** En gramática, de la conjunción, con valor de conjunción, o relacionado con ella: *La expresión 'por mucho que' es una locución conjuntiva que equivale a 'aunque'.* ▮ s.f. **3** En anatomía, membrana mucosa que recubre el interior del párpado y la parte anterior del globo ocular de los vertebrados: *La conjuntiva tiene una función protectora y lubrificante.* □ ETIMOL. Las acepciones 1 y 2, del latín *coniunctivus*, y este de *coniungere* (unir). La acepción 3, del latín *coniunctiva.*

conjunto, ta ▮ adj. **1** Hecho en unidad o combinadamente con otros: *La alianza fue posible gracias al esfuerzo conjunto de muchos voluntarios.* ▮ s.m. **2** Agrupación homogénea y que se considera formando un cuerpo: *La cantante fue recibida por un conjunto numeroso de aficionados.* **3** Grupo musical formado por un número reducido de intérpretes: *Soy la solista de un conjunto de música ligera.* **4** Juego de dos o más prendas de vestir combinadas: *Llevas un conjunto de chaleco y chaqueta que va muy bien con la falda.* **5** En matemáticas, totalidad de los elementos con una propiedad común que los distingue de otros: *El conjunto de los números primos se caracteriza porque sus elementos son divisibles solo por ellos mismos y por la unidad.* □ ETIMOL. Del latín *coniunctus*, y este de *coniungere* (unir).

conjura s.f. →**conjuración.**

conjuración s.f. Unión mediante juramento o compromiso para un fin, esp. conspirando contra alguien: *Los historiadores llamaron a aquella protesta 'la conjuración de los oprimidos'.* □ SINÓN. *conjura.*

conjurado, da adj./s. Participante en una conjura: *Entre los conjurados había personas movidas por oscuros intereses.*

conjurar v. **1** Unirse mediante juramento o compromiso para un fin, esp. para conspirar contra alguien: *Los que conjuraron fueron detenidos. Su manía persecutoria le hace pensar que todo el mundo se conjura contra él.* **2** Referido esp. a un daño o a un peligro, evitarlos o alejarlos: *Se necesita de la solidaridad internacional para conjurar el hambre.* **3** Referido a un espíritu maligno, esp. al demonio, ahuyentarlo con exorcismos: *Un sacerdote exorcista conjuraba al demonio para que saliese de aquel cuerpo.* **4** Referido a un espíritu, invocar su presencia: *El hechicero conjuraba a los espíritus con palabras mágicas.* □ ETIMOL. Del latín *coniurare.*

conjuro s.m. **1** Fórmula mágica que se dice para conseguir un deseo: *El brujo preparaba sus filtros amorosos mientras pronunciaba extraños conjuros.*

2 Pronunciación de exorcismos para ahuyentar al demonio o a otro espíritu maligno: *La Iglesia establece una serie de fórmulas para realizar conjuros.*

conllevar v. Implicar, suponer o traer como consecuencia: *El trabajo de vigilante conlleva serios riesgos.* □ SINT. Incorr. **conllevar a algo > conllevar algo.*

conmemorable adj.inv. Digno de ser conmemorado: *una fecha conmemorable.*

conmemoración s.f. Recuerdo que se hace de una persona o de un acontecimiento, esp. el que se celebra en una ceremonia: *Levantaron un monumento en conmemoración de los caídos en combate.*

conmemorar v. Recordar, esp. si se celebra en una ceremonia: *El 23 de abril se conmemora la muerte de Cervantes.* □ ETIMOL. Del latín *commemorare.*

conmemorativo, va adj. Que conmemora a una persona o un acontecimiento: *un acto conmemorativo.*

conmensurabilidad s.f. Condición de lo que está sujeto a medida o a valoración: *La conmensurabilidad del universo fue objeto de discusión desde antiguo.*

conmensurable adj.inv. Sujeto a medida o a valoración. □ ETIMOL. Del latín *commensurabilis.*

conmigo pron.pers. Forma de la primera persona del singular cuando se combina con la preposición *con*: *Tu hermano está conmigo. Es mejor que vengas conmigo.* □ ETIMOL. Del latín *cum* (con) y *mecum* (conmigo). □ MORF. 1. No tiene diferenciación de género. 2. Incorr. **con mí.*

conminación s.f. **1** Amenaza a una persona, esp. la que se hace con un castigo. **2** En derecho, exigencia del cumplimiento de un mandato bajo advertencia de pena o de sanción, hecha por quien tiene autoridad para ello: *la conminación de un tribunal.*

conminar v. **1** Referido a una persona, amenazarla, esp. con un castigo: *La Administración conmina con un recargo a cuantos se retrasen en el pago de impuestos.* **2** En derecho, exigir el cumplimiento de un mandato bajo advertencia de pena o de sanción quien tiene autoridad para ello: *El juez conminó a todos los implicados a presentarse en el lugar y fecha fijados.* □ ETIMOL. Del latín *comminari*, y este de *cum* (con) y *minari* (amenazar). □ SINT. Constr. de la acepción 2: *conminar* A *hacer algo.*

conminativo, va adj. Que conmina o puede conminar, amenazar o exigir con autoridad: *un aviso conminativo.*

conminatorio, ria adj. Que conmina, amenaza o exige con autoridad: *una carta conminatoria.*

conmiseración s.f. Sentimiento de pena y lástima por la desgracia o el sufrimiento ajenos: *No me mires con conmiseración, porque estoy orgullosa de lo que he hecho.* □ SINÓN. *compasión.* □ ETIMOL. Del latín *commiseratio.*

conmoción s.f. **1** Alteración, inquietud o perturbación violentas: *Cuando le comunicaron la muerte de su amigo, sufrió una fuerte conmoción.* **2** || **conmoción cerebral;** aturdimiento o pérdida del conocimiento producidos por un fuerte golpe en la cabeza o por efecto de otro factor violento. □ ETIMOL. Del latín *commotio*, y este de *commovere* (conmover).

conmocionar v. Producir o experimentar conmoción, perturbación o agitación, generalmente por efecto de causas violentas: *Un anuncio de nuevos despidos masivos conmocionaría a las masas. Todos nos conmocionamos cuando nos comunicaron la mala noticia.*

conmovedor, -a adj. Que conmueve: *una escena conmovedora.*

conmover v. Enternecer o producir compasión: *Conmueve ver a un niño mendigando. Es tan sensible que se conmueve por cualquier cosa.* □ ETIMOL. Del latín *commovere.* □ MORF. La *o* final de la raíz diptonga en *ue* en los presentes, excepto en las personas *nosotros* y *vosotros* Irreg. →MOVER.

conmutabilidad s.f. Posibilidad de ser conmutado, cambiado o sustituido.

conmutación s.f. **1** Cambio de una cosa por otra. **2** Sustitución de una condena o de una obligación por otras más leves: *la conmutación de una pena.*

conmutador, -a ▮ adj. **1** Que conmuta: *La sentencia conmutadora de su pena no se hizo esperar mucho tiempo.* ▮ s.m. **2** En electrónica, aparato o dispositivo que permiten cambiar la dirección de una corriente eléctrica o interrumpirla: *La llave para encender o apagar la luz es un conmutador.* **3** En zonas del español meridional, centralita telefónica: *Trabajé durante muchos años en el conmutador del hotel.*

conmutar v. **1** Intercambiar o cambiar por otra cosa: *Conmutar el orden de los factores no altera el producto.* **2** Referido esp. a una condena, sustituirla por otra más leve: *Le conmutaron la pena de muerte por cadena perpetua.* □ ETIMOL. Del latín *commutare.*

conmutatividad s.f. Carácter de lo que conmuta, puede conmutar o tiene propiedad conmutativa: *La conmutatividad de la suma permite cambiar el orden de los sumandos sin alterar el resultado.*

conmutativo, va adj. Que conmuta o que puede conmutar: *El Gobierno puede dictar una orden conmutativa de la pena impuesta por determinados delitos.*

connatural adj.inv. Propio de la naturaleza de cada ser. □ ETIMOL. Del latín *connaturalis.*

connivencia s.f. **1** Confabulación o acuerdo que se hace para llevar a cabo un plan ilícito: *Los ladrones cometieron el robo en connivencia con uno de los empleados de la empresa.* **2** Tolerancia o disimulo de un superior para con las faltas o los incumplimientos que cometen sus subordinados contra las reglas y leyes a las que están sujetos. □ ETIMOL. Del latín *conniventia* (guiño de los ojos).

connivente adj.inv. Con connivencia, con tolerancia o bajo acuerdo.

connotación s.f. En lingüística, significación secundaria y subjetiva que posee una palabra o una unidad léxica por asociación: *El adjetivo 'caduco' apli-*

cado a una persona tiene una connotación despectiva. □ SEM. Dist. de *denotación* (significación básica y desprovista de matizaciones subjetivas).

connotar v. En lingüística, poseer significados secundarios y subjetivos: *La palabra 'tarde' en muchos poemas de Antonio Machado connota tristeza y sensación de paso del tiempo.* □ ETIMOL. De *con-* (reunión, compañía) y *notar*. □ SEM. Dist. de *denotar* (poseer un significado básico y sin matizaciones subjetivas).

connotativo, va adj. Que connota: *Un significado connotativo de la palabra 'pato' es el de 'persona sosa y torpe'.* □ SEM. Dist. de *denotativo* (que denota o indica un significado básico).

connubio s.m. *poét.* Matrimonio. □ ETIMOL. Del latín *connubium*.

cono s.m. **1** Cuerpo geométrico limitado por una base circular y por la superficie generada por la rotación de una recta que mantiene fijo uno de sus extremos y que describe con el otro la circunferencia de dicha base: *El cucurucho de los helados tiene forma de cono.* **2** Lo que tiene forma semejante a la de este cuerpo geométrico: *Los conos volcánicos son montañas formadas por la acumulación de lavas solidificadas y enfriadas alrededor de la chimenea de los volcanes. ¿Prefieres una tarrina de helado o un cono?* **3** En botánica, fruto de las plantas coníferas: *El cono o fruto del pino es la piña.* **4** En la retina del ojo, célula que recibe las impresiones luminosas de color: *La capa de los conos y bastoncillos es la parte del ojo sensible a la luz.* **5** || **cono sur;** en geografía, región sur del continente americano, formada por los territorios chileno, argentino y uruguayo: *Los países del cono sur defendieron una propuesta común en la conferencia iberoamericana.* □ ETIMOL. Del latín *conus*, y este del griego *kônos* (cono, piña).

conocedor, -a adj./s. **1** Que conoce. **2** Experto o entendido en una materia: *Pedí consejo a una persona conocedora del tema.*

conocer v. **1** Averiguar o descubrir por el ejercicio de las facultades intelectuales: *El científico aspira a conocer los misterios del mundo.* **2** Percibir de manera clara y distinguiendo de todo lo demás: *Es peligroso ir a coger setas si no conoces las especies venenosas.* **3** Notar, advertir o saber por indicios o por conjeturas: *Por aquella mirada, conocí sus intenciones.* **4** Experimentar, sentir o saber por propia experiencia: *Quien no ha conocido el amor, no entiende lo que es estar enamorado.* **5** Referido a una persona, tener trato o relación con ella: *Resultó que era de una familia a la que conozco mucho.* **6** Referido a una persona, tener relaciones sexuales con ella: *Hasta el día de su boda no conoció varón.* **7** En derecho, entender en un asunto con facultad legítima para ello: *El tribunal que conoce de la causa se reunió para deliberar.* **8** || **se conoce que;** *col.* Parece ser que: *Se conoce que no les iba bien, porque han roto.* □ ETIMOL. Del latín *cognoscere*. □ MORF. Irreg. →PARECER. □ SINT. Constr. de la acepción 7: *conocer* DE *un asunto*. □ USO El uso de la acepción 6 es característico del lenguaje culto.

conocido, da ▌adj. **1** Ilustre, famoso o acreditado: *La lección magistral correrá a cargo de una conocida profesora.* ▌s. **2** Persona con la que se tiene cierto trato o relación, sin llegar a la amistad: *Como viaja tanto, tiene muchos conocidos, pero pocos amigos de verdad.* □ SINÓN. *conocimiento*.

conocimiento ▌s.m. **1** Entendimiento, inteligencia o capacidad de razonar: *¡A ver si creces y empiezas a obrar con un poco más de conocimiento!* **2** Conciencia o capacidad sensorial y perceptiva de una persona: *Estuvo unos segundos inconsciente hasta que por fin recobró el conocimiento.* **3** Averiguación o descubrimiento que se alcanzan por el ejercicio de las facultades intelectuales: *Para avanzar en el conocimiento de una ciencia, hay que dedicar muchas horas al estudio.* **4** Apreciación, percepción o saber que se alcanzan generalmente por indicios o por conjeturas: *Por mis titubeos al hablar, llegó al conocimiento de que le ocultaba algo.* **5** Experimentación, sentimiento o saber adquiridos por propia experiencia: *Hasta su conocimiento del fracaso, fue una persona engreída y ufana.* **6** Trato o relación con una persona: *Como le cuesta tanto hacer amigos, le obsesiona el conocimiento de gente nueva.* **7** Persona con la que se tiene cierto trato o relación, sin llegar a la amistad: *Me presentó a su mujer diciendo: «Aquí mi señora, aquí un conocimiento».* □ SINÓN. *conocido*. ▌pl. **8** Conjunto de las nociones aprendidas sobre una materia o sobre una disciplina: *Mis conocimientos de mecánica son nulos.*

conque conj. Enlace gramatical subordinante con valor consecutivo: *No te necesito aquí, conque ya te puedes ir.* □ ETIMOL. De *con* y *que*. □ ORTOGR. Dist. de *con que*. □ USO Se usa para introducir frases exclamativas que expresan sorpresa o censura al interlocutor: *¡Conque esas tenemos, eh!*

conquense adj.inv./s.com. De Cuenca o relacionado con esta provincia española o con su capital: *La Semana Santa conquense es muy popular.*

conquista s.f. **1** Consecución o logro obtenidos con esfuerzo, con habilidad o venciendo dificultades: *La vida media de las personas se ha alargado gracias a las conquistas de la medicina.* **2** Dominación de un territorio mediante operaciones de guerra: *Napoleón llevó a cabo la conquista de gran parte de Europa.* **3** Logro del amor de una persona: *Ese donjuán presume de poder hacer cuantas conquistas se proponga.* **4** Logro o atracción de la voluntad, de la simpatía o de la actitud favorable de otra persona: *En cuanto una persona le interesa, emprende su conquista con todo tipo de artimañas.* **5** Lo que ha sido conquistado: *Las conquistas del imperio estaban repartidas por todo el continente.*

conquistador, -a adj./s. Que conquista.

conquistar v. **1** Conseguir o ganar, generalmente con esfuerzo, con habilidad o venciendo dificultades: *Para conquistar su actual puesto, tuvo que superar una dura prueba de selección.* **2** Referido a un territorio, tomarlo o dominarlo mediante operaciones de guerra: *Durante la Edad Media, los árabes conquistaron gran parte de la península Ibérica.* **3** Referido a una persona, lograr su amor: *Su actual marido se le resistió mucho, pero al final lo conquistó.* **4** Referido a una persona, ganarse su voluntad, su simpatía o su actitud favorable: *Sabe conquistar al público con su arte. Cuando se pone tan cariñoso, sé que quiere conquistarme para pedirme algo.* ☐ ETIMOL. Del latín *conquistare*.

consabido, da adj. Habitual o sabido por todos: *Sé un poco original y no me vengas con la consabida excusa del tráfico.* ☐ ETIMOL. De *con-* (reunión) y *sabido*.

consagración s.f. **1** En la misa, pronunciación por parte del sacerdote de las palabras necesarias para que se realice la conversión de las sustancias del pan y del vino en el cuerpo y la sangre de Jesucristo. **2** Dedicación u ofrecimiento a Dios: *El obispo presidió la ceremonia de consagración de los nuevos sacerdotes.* **3** Dedicación a un determinado fin, esp. si se hace con ardor o entusiasmo: *Mereció la pena la consagración de tantos años a la realización de este proyecto.* **4** Adquisición de fama o prestigio en una actividad: *Esa novela le ha valido su consagración como escritor.*

consagrar v. **1** En la misa, pronunciar el sacerdote las palabras necesarias para que se realice la conversión de las sustancias del pan y del vino en el cuerpo y sangre de Jesucristo: *Cuando el sacerdote consagra todos los fieles se ponen en pie. El sacerdote levantó la hostia y el cáliz después de consagrarlos.* **2** Dedicar u ofrecer a Dios: *Ingresó en un seminario y consagró su vida a Dios.* **3** Dedicar a un determinado fin, esp. si se hace con ardor o entusiasmo: *Consagró sus mejores años a la investigación científica. Se consagró en cuerpo y alma a la defensa de los derechos humanos.* **4** Dar fama o prestigio en una actividad: *Sus últimos cuadros lo consagran como uno de los mejores pintores del momento. Con aquel reportaje se consagró como periodista.* ☐ ETIMOL. Del latín *consecrare*.

consagratorio, ria adj. De la consagración o relacionado con ella.

consanguíneo, a adj. Referido a una persona, que tiene relación de consanguinidad con otra: *Los parientes consanguíneos presentan caracteres genéticos comunes.* ☐ ETIMOL. Del latín *consanguineus*.

consanguinidad s.f. Unión por parentesco natural de varias personas que descienden de antepasados comunes: *Entre los primos carnales hay relación de consanguinidad.* ☐ MORF. Incorr. **consanguineidad.*

consciencia s.f. →**conciencia.**

consciente adj.inv. **1** Que tiene conocimiento de algo, esp. de sus actos, de sus sentimientos o de sus pensamientos: *No sé si eres consciente de que este fraude es un delito.* **2** Que se hace en estas condiciones: *Tu vuelta a la empresa fue un acto consciente y voluntario.* **3** Con pleno uso de sus sentidos y facultades: *El herido llegó consciente al hospital.* ☐ ETIMOL. Del latín *consciens*, y este de *conscire* (tener conciencia).

conscripto s.m. En zonas del español meridional, recluta.

consecución s.f. Obtención o logro de lo que se pretende o desea: *la consecución de un objetivo.*

consecuencia s.f. **1** Lo que resulta o se deriva de algo: *La mala cosecha de este año es consecuencia de la sequía.* **2** Correspondencia lógica entre distintos elementos, esp. entre los principios de una persona y su comportamiento: *Su forma de vida no guarda consecuencia con las ideas que dice tener.* **3** ‖ **a consecuencia de;** enlace gramatical subordinante con valor causal: *El río se desbordó a consecuencia de las fuertes lluvias.* ‖ **{en/por} consecuencia;** enlace gramatical coordinante con valor consecutivo: *No quiero que me vea y, en consecuencia, saldré por la otra puerta.*

consecuente adj.inv. Que guarda correspondencia lógica con algo, esp. referido a la persona que observa correspondencia entre sus actos y sus principios: *Lo que hagas debe ser siempre consecuente con tus ideas.* ☐ ETIMOL. Del latín *consequens*, y este de *consequi* (seguir).

consecutivo, va adj. **1** Que sigue inmediatamente o sin interrupción a otro elemento. **2** Que expresa consecuencia: *En 'Llueve tanto que no podremos salir', 'que no podremos salir' es una oración consecutiva. 'Conque', 'luego' y 'de modo que' son conjunciones consecutivas.* ☐ ETIMOL. Del latín *consecutus*, y este de *consequi* (ir detrás de uno).

conseguidor, -a adj./s. Que consigue.

conseguir v. Referido a lo que se pretende o desea, alcanzarlo, obtenerlo o lograrlo: *Consiguió superar su depresión. ¿Quién conseguirá ganar la carrera?* ☐ ETIMOL. Del latín *consequi* (seguir, perseguir, alcanzar). ☐ ORTOGR. La *gu* se cambia en *g* delante de *a, o.* ☐ MORF. Irreg. →SEGUIR.

conseja s.f. Cuento, fábula o relato, generalmente de carácter cómico y de sabor antiguo: *En muchos libros moralizantes, las enseñanzas morales se ilustran o alternan con consejas para darles amenidad.* ☐ ETIMOL. Del latín *consilia*, y este de *consilium* (consejo), porque con él se solían terminar las consejas.

consejería s.f. **1** Departamento del gobierno de una comunidad autónoma: *La consejería de Educación de las comunidades bilingües organiza la enseñanza de la lengua autonómica.* **2** Establecimiento o lugar en el que funciona un consejo o corporación consultiva o administrativa: *La información que necesitas pueden dártela en la consejería.* **3** Cargo de consejero: *La consejería de Hacienda la ocupa una economista.* ☐ ORTOGR. Dist. de *conserjería*.

consejero, ra s. **1** Persona que aconseja o que sirve para aconsejar. ☐ SINÓN. *consiliario.* **2** Miembro de un consejo o de una consejería: *Ha sido nombrada consejera del consejo de administración de un importante banco.* **3** Lo que sirve de advertencia para la conducta: *Los desengaños son buenos consejeros y todos terminamos aprendiendo de ellos.*

consejo s.m. **1** Opinión o juicio que se da o se toma sobre cómo se debe actuar en un asunto: *Sigue mi consejo y espera a que él te llame.* **2** Corporación consultiva encargada de informar al Gobierno sobre determinada materia: *El Consejo de Agricultura se ha reunido para elaborar un informe sobre la situación del campo español.* **3** Cuerpo administrativo, consultivo o de gobierno, esp. referido al de una sociedad o compañía particular: *un consejo escolar.* **4** Reunión de esta corporación o de este cuerpo: *Va a comenzar el Consejo de Ministros.* **5** Lugar en el que se reúne o tiene su sede esta corporación o este cuerpo: *Los periodistas esperaban a las puertas del Consejo para obtener informaciones.* **6** || **consejo de guerra;** tribunal compuesto por generales, jefes u oficiales que, con asistencia de un asesor jurídico, se ocupa de las causas de la jurisdicción militar: *Los desertores serán juzgados por un consejo de guerra.* || **Consejo de Ministros;** cuerpo de ministros que, presididos por el jefe del poder ejecutivo, tratan cuestiones del Estado: *El Consejo de Ministros aprobó ayer los presupuestos del Estado para el próximo año.* □ ETIMOL. Del latín *consilium* (parecer, asamblea consultiva). □ ORTOGR. Dist. de *concejo*.

conselleiro s.m. Miembro del gobierno autónomo gallego.

conseller s.m. Miembro del gobierno autónomo catalán, valenciano o balear.

consenso s.m. Asenso o consentimiento, esp. referido al de todas las personas que componen una corporación: *La reforma fue aprobada por consenso.* □ ETIMOL. Del latín *consensus*. □ SEM. Dist. de *acuerdo* (decisión acordada tras un debate).

consensual adj.inv. Del consenso o relacionado con este consentimiento mutuo: *El nuevo proyecto tiene la aprobación consensual de los miembros de la junta directiva.*

consensuar v. Referido esp. a una decisión, adoptarla de común acuerdo entre dos o más partes: *La ley fue consensuada por todos los partidos políticos.* □ ORTOGR. La *u* lleva tilde en los presentes, excepto en las personas *nosotros* y *vosotros* →ACTUAR.

consentido, da adj./s. Mimado en exceso: *Desde pequeño lo tuvieron muy consentido y ahora se cree que todo el mundo gira a su alrededor.*

consentidor, -a adj./s. Que consiente o permite la realización de algo cuando puede y debe impedirlo: *Está bastante demostrado que los padres consentidores malcrían a sus hijos.*

consentimiento s.m. Permiso para la realización de algo: *Me ha dado su consentimiento para usar el coche.* □ SINÓN. *anuencia*.

consentir v. **1** Referido a la realización de algo, permitirla o dejar que se haga: *No te consiento que hables mal de mis amigos.* **2** Referido a una persona, mimarla o ser muy tolerante con ella: *Si consentís tanto al niño lo vais a malcriar.* □ ETIMOL. Del latín *consentire* (estar de acuerdo, decidir de común acuerdo). □ MORF. Irreg. →SENTIR.

conserje s.com. Persona que se encarga del cuidado, vigilancia y limpieza de un edificio o de un establecimiento público: *El conserje cierra las puertas del instituto cuando los alumnos han entrado en clase.* □ ETIMOL. Del francés *concierge* (portero).

conserjería s.f. **1** Lugar que ocupa el conserje en el edificio que está a su cuidado: *Los impresos de la matrícula se recogen en la conserjería del colegio.* **2** Cargo de conserje: *Ocupó la conserjería del instituto hasta el día de su jubilación.* □ ORTOGR. Dist. de *consejería*.

conserva s.f. Alimento preparado y envasado convenientemente para mantenerlo comestible durante mucho tiempo: *latas de conservas.*

conservación s.f. **1** Mantenimiento de algo o cuidado de su permanencia: *Los museos se encargan de la conservación de parte del patrimonio artístico.* **2** Continuación de la práctica de algo, esp. de las costumbres o de las virtudes: *El Ayuntamiento ha dado un gran impulso a la conservación de las fiestas populares.*

conservacionismo s.m. Movimiento que defiende la necesidad de conservar el medio ambiente, y que pretende que las relaciones entre las personas y su entorno sean más armónicas. □ SINÓN. *ecologismo*. □ SEM. Dist. de *conservadurismo* (tendencia política).

conservacionista ▌adj.inv. **1** Del conservacionismo o relacionado con este movimiento: *Las medidas conservacionistas pretenden mantener el equilibrio en la naturaleza.* □ SINÓN. *ecologista*. ▌adj.inv./s.com. **2** Partidario o seguidor del conservacionismo: *Un grupo conservacionista ha rechazado públicamente el proyecto de construcción de la presa.* □ SINÓN. *ecologista*. □ SEM. Dist. de *conservador* (partidario del conservadurismo).

conservador, -a ▌adj./s. **1** Que conserva. **2** Que defiende o sigue el conservadurismo: *un partido conservador.* ▌s.m. **3** En zonas del español meridional, conservante. □ SEM. Dist. de *conservacionista* (partidario del conservacionismo).

conservadurismo s.m. Doctrina o actitud que defiende los valores tradicionales y la moderación en las reformas, y que se opone a los cambios bruscos respecto a una situación dada: *En general, los partidos políticos de derechas se caracterizan por su conservadurismo.* □ SEM. Dist. de *conservacionismo* (ecologismo).

conservante adj.inv./s.m. Que se añade a los alimentos para conservarlos sin alterar sus cualidades: *El uso de conservantes está muy regulado porque algunos son perjudiciales para la salud.*

conservar v. **1** Mantener o cuidar la permanencia de algo: *Aún conservo tus regalos. Los alimentos frescos se conservan mejor en la nevera.* **2** Referido esp. a una costumbre o a una virtud, continuar su práctica: *Es ya mayor, pero conserva aún la agilidad de sus años jóvenes.* **3** Guardar con cuidado: *La biblioteca conserva valiosos manuscritos.* **4** Elaborar conservas: *En esta fábrica se utilizan diversos procedimientos para conservar los pescados.* □ ETIMOL. Del latín *conservare.*

conservatorio s.m. Centro, generalmente oficial, dedicado a la enseñanza de la música y de otras artes relacionadas con ella: *Estudia piano en el conservatorio.*

conservería s.f. Industria o actividad relacionada con la conservación de alimentos.

conservero, ra ▮ adj. **1** De las conservas o relacionado con ellas: *la industria conservera.* ▮ s. **2** Propietario de una industria dedicada a la conservación de alimentos, o persona que se dedica profesionalmente a la realización de conservas.

considerable adj.inv. Grande, cuantioso o importante: *No me lo pude comprar porque costaba una considerable cantidad de dinero.*

consideración s.f. **1** Meditación o reflexión atenta y cuidadosa de algo: *Dejo estos hechos a tu consideración para que tú mismo decidas.* **2** Atención y respeto: *Suelo comprar en este establecimiento porque me tratan con consideración.* **3** Opinión o juicio que se tiene sobre algo: *Entre sus compañeros tiene muy buena consideración.* **4** ‖ **de consideración;** grande o importante: *Se hizo una herida de consideración.*

considerado, da adj. **1** Que actúa con reflexión, con atención o de forma respetuosa: *Debemos ser considerados con los ancianos.* **2** Que recibe muestras de atención y respeto: *Es una persona muy considerada en los círculos intelectuales.*

considerando s.m. En un texto jurídico, motivo o razón esencial que precede y sirve de apoyo a un fallo o dictamen, y que comienza con esta palabra: *La sentencia del juez se apoyaba en varios considerandos.*

considerar v. **1** Pensar, meditar o reflexionar con atención y cuidado: *Tengo que considerar tu oferta antes de darte una respuesta.* **2** Juzgar, estimar o tener una opinión sobre algo: *Considero que no tienes razón. Se considera una sabia y quiere darnos lecciones a todos.* □ ETIMOL. Del latín *considerare* (examinar atentamente).

consigna s.f. **1** Orden o instrucción que se da a un subordinado o a los afiliados de una agrupación política o sindical: *El sindicato dio la consigna de abandonar la huelga.* **2** En una estación o en un aeropuerto, lugar o compartimento en el que se pueden dejar depositados los equipajes: *Dejé la maleta en la consigna de la estación de trenes y aproveché para pasear por la ciudad.*

consignación s.f. **1** Cantidad destinada para determinados gastos o servicios: *Este año aumentan las consignaciones destinadas a la enseñanza.* **2** Manifestación por escrito de algo, esp. de una opinión, de un voto o de un dato: *La periodista se encargó de la consignación de las declaraciones de los testigos.*

consignar v. **1** En un presupuesto, anotar una cantidad de dinero para un fin determinado: *El Ayuntamiento ha consignado poco dinero para la conservación de los parques.* **2** Referido esp. a una opinión, un voto o un dato, ponerlos por escrito: *En la factura debes consignar la fecha de entrega.* **3** En zonas del español meridional, ingresar una cantidad de dinero en una cuenta bancaria: *Consigné la paga en mi cuenta.* □ ETIMOL. Del latín *consignare.*

consignatario, ria s. Empresa o persona a quien va destinada una mercancía: *El consignatario de este cargamento de tela es una fábrica extranjera de confección.*

consigo pron.pers. Forma de la tercera persona cuando se combina con la preposición *con: Reflexionaba consigo misma. Se llevaron todos los libros consigo.* □ ETIMOL. Del latín *cum* (con) y *secum* (consigo). □ MORF. 1. No tiene diferenciación de género ni de número. 2. Incorr. **con sí.* □ SEM. Dist. de *consigo* (del verbo *conseguir*).

consiguiente adj.inv. **1** Que depende y se deduce de algo: *Aceptó esa responsabilidad, con la consiguiente preocupación por parte de sus padres.* **2** ‖ **por consiguiente;** enlace gramatical subordinante con valor consecutivo: *Ha subido el precio de los combustibles y, por consiguiente, no tardará en subir el de los transportes públicos.* □ ETIMOL. Del latín *consequens*, y este de *consequi* (seguir).

consiliario, ria s. Persona que aconseja o sirve para aconsejar: *En muchas asociaciones de laicos hay un sacerdote que actúa como consiliario.* □ SINÓN. *consejero.* □ ETIMOL. Del latín *consiliarius.*

consistencia s.f. **1** Estabilidad, solidez o fundamento de algo: *No se hizo caso de sus propuestas porque carecían de consistencia.* **2** Cohesión o unión entre las partículas de una masa o entre los elementos de un conjunto: *Hay que batir la masa hasta que adquiera consistencia.*

consistente adj.inv. Que tiene consistencia: *El acero es un material muy consistente. La masa todavía es poco consistente.*

consistir v. **1** Ser o estar formado o compuesto por lo que se expresa: *El premio consiste en un lote de libros. Mi trabajo consiste en catalogar libros.* **2** Estribar o estar basado: *Su éxito consiste en su capacidad de trabajo.* □ SINÓN. *radicar.* □ ETIMOL. Del latín *consistere* (colocarse, detenerse, ser consistente). □ SINT. Constr. *consistir EN algo.*

consistorial adj.inv. Del consistorio o relacionado con él: *Se han suspendido las obras por decisión consistorial.*

consistorio s.m. **1** En algunas ciudades y villas importantes españolas, ayuntamiento o cabildo: *El Consistorio ha decidido emplear parte del presupuesto en la construcción de un nuevo parque. Ya ha empezado la demolición del viejo.* **2** En la iglesia católica, junta o asamblea que celebra el Papa con asistencia de los cardenales: *Los obispos son nombrados por el Papa en el consistorio.* □ ETIMOL. Del latín *consistorium* (lugar de reunión).

consola s.f. **1** Mesa hecha para estar arrimada a la pared y cuyo fin es principalmente decorativo. **2** Lo que tiene forma semejante a la de esta mesa, estrecho y con más anchura que profundidad: *un* *aparato de aire acondicionado tipo consola.* **3** Panel de mandos e indicadores que sirve para que el usuario o el operador dirija el funcionamiento de una determinada máquina o de un sistema. **4** →**videoconsola.** □ ETIMOL. Del francés *console.*

consolación s.f. Alivio de la pena o del dolor de una persona: *un premio de consolación.*

consolador, -a ▮ adj./s. **1** Que consuela. ▮ s.m. **2** Aparato con forma de pene que se usa para la estimulación sexual. □ USO En la acepción 2, es innecesario el uso del anglicismo *dildo.*

consolar v. Referido a una persona, aliviar su pena o su dolor: *Tus palabras de cariño me consuelan. Se consuela contando su desgracia a los amigos.* □ ETIMOL. Del latín *consolari* (aliviar). □ MORF. Irreg. →CONTAR.

consolatorio, ria adj. Que consuela.

consolidación s.f. Adquisición de firmeza y solidez: *Gracias al esfuerzo de todos se ha conseguido la consolidación de un Estado democrático.*

consolidar v. Afianzar o dar firmeza y solidez: *Nuestra amistad se consolidó tras aquel viaje.* □ ETIMOL. Del latín *consolidare.* □ SEM. Dist. de *solidificar* (hacer sólido un fluido).

consomé s.m. Caldo de carne concentrado: *Como primer plato he tomado un consomé de pollo.* □ ETIMOL. Del francés *consommé.*

consonancia s.f. **1** Relación de igualdad o de conformidad entre varios elementos: *Su comportamiento está en consonancia con su modo de pensar.* **2** En métrica, identidad de sonidos en la terminación de dos palabras, esp. si son finales de versos, a partir de su última vocal acentuada: *rima consonante.*

consonante ▮ adj.inv. **1** Referido esp. a una palabra o a un verso, que guardan con otros consonancia o identidad de sonidos a partir de su última vocal acentuada: *Los versos de un cuarteto son consonantes el primero con el cuarto y el segundo con el tercero.* **2** Que tiene relación de igualdad o de conformidad con algo: *La calidad del trabajo es consonante con el esfuerzo realizado.* ▮ adj.inv./s.f. **3** Referido a un sonido, que se produce por un movimiento de cierre total o parcial de los órganos de la articulación, de forma que se interrumpe o dificulta el paso del aire a través de los mismos, seguido de otro movimiento de apertura: *En la lengua española las consonantes necesitan el apoyo de una vocal para su emisión.* **4** Referido a una letra, que representa este sonido: *Al escribir debes enlazar las letras consonantes y las vocales. El niño aún no distingue todas las consonantes.* □ ETIMOL. Del latín *consonans*, y este de *consonare* (estar en armonía).

consonántico, ca adj. De la consonante o relacionado con ella: *un grupo consonántico.*

consonantización s.m. Transformación de un sonido vocálico en consonante: *La transformación de 'hierba' en 'yerba' es un ejemplo de consonantización.*

consonantizarse v.prnl. Referido a un sonido vocálico, transformarse en consonante: *Los sonidos semiconsonánticos frecuentemente se consonantizan.* □ ORTOGR. La *z* se cambia en *c* delante de *e* →CAZAR.

consorcio s.m. Unión o asociación de personas o de elementos que tienen intereses comunes o que tienden a un mismo fin, esp. referido a la agrupación de entidades para negocios importantes: *La construcción de la urbanización corre a cargo de un consorcio de inmobiliarias.* □ ETIMOL. Del latín *consortium.*

consorte s.com. Respecto de una persona, su esposo o su esposa: *Puesto que la casa fue comprada por el matrimonio, usted no puede venderla sin autorización de su consorte.* □ SINÓN. *cónyuge.* □ ETIMOL. Del latín *consors* (el que tiene la misma suerte).

conspicuo, cua adj. Ilustre, notable o sobresaliente: *una conspicua cirujana.* □ ETIMOL. Del latín *conspicuus* (en quien se juntan las miradas).

conspiración s.f. Unión o alianza de varias personas para preparar una acción contra algo, esp. contra una autoridad: *La policía descubrió una conspiración para asesinar al presidente del Gobierno.*

conspirador, -a s. Persona que conspira o que participa en una conspiración.

conspirar v. Referido a varias personas, unirse o aliarse para preparar una acción contra algo, esp. contra una autoridad: *Miembros del partido de la oposición conspiraban para derribar al Gobierno.* □ ETIMOL. Del latín *conspirare* (estar de acuerdo).

constancia s.f. **1** Firmeza de ánimo y continuidad en las resoluciones, en los propósitos o en la realización de algo: *Aprueba gracias a su constancia en los estudios.* **2** Certeza o exactitud de algo que se ha hecho o se ha dicho: *Tengo constancia de que esos datos son falsos.* **3** Registro escrito en el que se hace constar algo, esp. si es de manera fehaciente o digna de crédito: *Hay que dejar constancia en el informe de que falta dinero de la caja.* □ SINT. La acepción 3 se usa más con los verbos *haber*, *dejar* o equivalentes.

constante ▮ adj.inv. **1** Que tiene constancia: *Los deportistas han de ser muy constantes en sus entrenamientos.* **2** Que persiste o que dura: *La temperatura de esta habitación es constante.* ▮ adj.inv./s.f. **3** Que se repite continuamente: *El alumno no hizo caso de las constantes amonestaciones de sus profesores.* ▮ s.f. **4** En matemáticas, variable que tiene un valor fijo: *El cociente entre la longitud de una circunferencia y su diámetro es una constante.*

constar v. **1** Ser cierto, manifiesto o sabido: *Me consta que tu intención era buena. Que conste que yo te he tratado con amabilidad.* **2** Quedar registrado en algún sitio: *Los datos del recién nacido ya constan en el registro civil.* **3** Estar formado por determinadas partes o elementos: *El libro consta de doce capítulos.* □ ETIMOL. Del latín *constare* (detenerse, subsistir, estar de acuerdo). □ SINT. Constr. de la acepción 3: *constar* DE *algo.*

constatación s.f. Comprobación de un hecho o establecimiento de su veracidad: *Antes de publicar esa noticia necesitamos su constatación.*

constatar v. Referido a un hecho, comprobarlo, establecer su veracidad o dar constancia de él: *Se han aportado muchos datos, pero aún hay que constatarlos.* □ ETIMOL. Del francés *constater.*

constelación s.f. Conjunto de estrellas que, mediante trazos imaginarios sobre la superficie celeste, forman un dibujo que evoca una figura determinada: *La Osa Mayor y la Osa Menor son dos constelaciones que se ven en el hemisferio norte.* □ ETIMOL. Del latín *constellatio* (posición de los astros).

consternación s.f. Alteración del ánimo o pérdida de la tranquilidad: *La noticia del accidente me produjo una gran consternación.*

consternar v. Alterar o inquietar el ánimo, o intranquilizar mucho: *La noticia de su muerte me ha consternado. Al conocer su nuevo fracaso se consternó.* □ ETIMOL. Del latín *consternare* (azorar, alocar de miedo, abatir).

constipado s.m. **1** Inflamación de las membranas mucosas, con aumento de la secreción habitual: *El constipado nasal no me deja respirar.* □ SINÓN. *catarro.* **2** Malestar físico que se produce generalmente por cambios bruscos de temperatura: *Las corrientes de aire provocan constipados fácilmente.* □ SINÓN. *resfriado, catarro.*

constiparse v.prnl. Resfriarse o acatarrarse: *Me constipé porque pasé mucho frío en la parada del autobús.* □ ETIMOL. Del latín *constipare* (constreñir).

constitución s.f. **1** Ley fundamental de la organización de un Estado: *La Constitución española fue aprobada en 1978.* **2** Forma o sistema de gobierno que tiene cada Estado: *La constitución actual de nuestro país es de monarquía parlamentaria.* **3** Establecimiento o fundación de algo: *La constitución de un club deportivo exige que redactemos unos estatutos.* **4** Adquisición de una determinada posición, cargo o condición: *La constitución del antiguo gabinete en secretaría no nos beneficia en nada.* **5** Manera de estar constituido algo o conjunto de características que lo conforman: *La constitución del equipo hace pensar que el entrenador quiere un juego de ataque.* **6** Naturaleza y relación de los sistemas y aparatos orgánicos, cuyas funciones determinan el grado de fuerzas y la vitalidad de un individuo: *El niño es de constitución fuerte y se repondrá de esta enfermedad.* □ SINÓN. *complexión.* **7** En una orden religiosa, conjunto de estatutos y ordenanzas por los que se rige, o cada uno de ellos: *En la constitución de nuestra orden se dedica una gran atención a la enseñanza.* □ ETIMOL. Del latín *constitutio* (decreto, edicto). □ USO En la acepción 1, se usa más como nombre propio.

constitucional adj.inv. **1** De la Constitución (ley fundamental de un Estado) o conforme a ella: *el texto constitucional.* **2** De la constitución de una persona, o que es propio de esta: *Su extrema delgadez es una característica constitucional.*

constitucionalidad s.f. Conformidad con la Constitución o ley fundamental de un Estado: *La oposición pone en duda la constitucionalidad de las medidas tomadas por el Gobierno.*

constitucionalista adj.inv./s.com. Referido esp. a una persona, que defiende la Constitución (ley fundamental de un Estado) o que es especialista en su estudio: *Varios constitucionalistas han criticado la decisión tomada por el.*

constitucionalizar v. Hacer constitucional: *Se está estudiando una propuesta para constitucionalizar algunas situaciones sociales.* □ ORTOGR. La *z* se cambia en *c* delante de *e* →CAZAR.

constituir ▮ v. **1** Formar o componer: *Una fábrica y tres naves constituyen el complejo industrial de esta zona.* **2** Ser o suponer: *La bondad constituye su mayor cualidad.* **3** Establecer, erigir o fundar: *Los tres socios van a constituir una nueva sociedad. El nuevo país se constituirá como república.* **4** Asignar o dotar de la posición o condición que se indica: *La directora me constituyó en encargado de la sección.* ▮ prnl. **5** Asumir una obligación, un cargo o un cuidado: *Se constituyó en la abogada de la familia.* □ ETIMOL. Del latín *constituere* (organizar, instituir). □ MORF. Irreg. →HUIR. □ SINT. Constr. como pronominal: *constituirse* EN *algo.*

constitutivo, va adj./s.m. Que forma parte esencial o fundamental de algo: *El oxígeno es un elemento constitutivo del agua.*

constituyente ▮ adj.inv./s.m. **1** Que constituye algo o es parte de ello: *El sujeto y el predicado son los constituyentes de una oración.* ▮ adj.inv./s.f. **2** Referido esp. a las cortes, a una asamblea o a un congreso, que han sido convocados para elaborar o reformar la Constitución de un Estado: *La asamblea constituyente se encargó de elaborar el texto constitucional.*

constreñimiento s.m. **1** Obligación para que alguien haga algo: *Estudió esa carrera por constreñimiento de sus padres.* □ SINÓN. *constricción.* **2** Opresión o limitación: *El constreñimiento a que le someten sus superiores anula todas sus iniciativas.* □ SINÓN. *constricción.*

constreñir v. **1** Referido a una persona, obligarla por fuerza a hacer algo: *La justicia me constriñó a saldar todas mis deudas.* **2** Oprimir o limitar: *El exceso de instrucciones y normas constriñe la espontaneidad de los alumnos.* **3** En medicina, apretar y cerrar por opresión: *Un tumor le constriñe la arteria e impide el riego cerebral.* □ ETIMOL. Del latín *constringere.* □ MORF. Irreg. →CEÑIR.

constricción s.f. **1** Obligación para que alguien haga algo: *Se casó por constricción de su familia.* □ SINÓN. *constreñimiento.* **2** Opresión o limitación: *La pedagogía actual se opone a la constricción de la imaginación del niño.* □ SINÓN. *constreñimiento.* **3** En medicina, opresión o estrechamiento: *La constricción de venas y arterias provoca problemas circulatorios.* □ ORTOGR. Dist. de *contrición.*

constrictivo, va adj. Que constriñe: *Actuó de acuerdo a las órdenes constrictivas que recibió de sus superiores.*

construcción s.f. **1** Fabricación o realización de algo, esp. de una obra de albañilería, juntando los elementos necesarios para ello: *En la construcción del bloque de viviendas se empleó más tiempo del que se pensaba.* **2** Arte o técnica de construir: *Los modernos materiales han permitido un gran avance en la construcción.* **3** Obra construida: *El palacio es una gran construcción de mármol.* **4** Creación o formación de algo inmaterial: *Necesito recopilar más datos antes de empezar la construcción de una teoría explicativa.* **5** En gramática, ordenamiento y disposición de las palabras de una frase para expresar correctamente un concepto: *La construcción de esta frase no es correcta porque el verbo auxiliar debe preceder al verbo conjugado.*

constructivismo s.m. **1** Movimiento artístico de vanguardia que se interesa esp. por la organización de los planos y la expresión del volumen utilizando materiales de la época industrial: *El constructivismo nació en Rusia hacia 1920.* **2** Método de enseñanza basado esp. en la práctica o en la experiencia: *El constructivismo intenta conseguir que el alumno aprenda a partir de su propia experiencia.* □ ETIMOL. Del ruso *konstruktivizm.*

constructivista adj.inv. Del constructivismo o relacionado con este método de enseñanza: *El aprendizaje constructivista pretende que el alumno no sea un mero receptor pasivo de información.*

constructivo, va adj. Que construye o que sirve para construir: *críticas constructivas.*

constructor, -a adj./s. Que se dedica a la construcción: *La empresa constructora aseguró que nos entregaría el piso en seis meses.*

construir v. **1** Referido esp. a una obra de albañilería, fabricarla o hacerla juntando los elementos necesarios para ello: *Como es albañil, él solo se ha construido una casa.* **2** Referido a algo inmaterial, crearlo o idearlo: *Una vez descubierto el fenómeno hay que construir una teoría que lo explique.* **3** En gramática, ordenar o unir las palabras o las frases de acuerdo con las leyes gramaticales: *El verbo 'depender' se construye con la preposición 'de'.* □ ETIMOL. Del latín *construere* (construir, edificar). □ MORF. Irreg. →HUIR.

consubstanciación s.f. →**consustanciación.**

consubstancial adj.inv. →**consustancial.** □ ETIMOL. Del latín *consubstantialis.*

consubstancialidad s.f. →**consustancialidad.**

consubstanciarse v.prnl. →**consustanciarse.** □ ORTOGR. La *i* nunca lleva tilde.

consuegro, gra s. Respecto del padre o de la madre de una persona, padre o madre de su cónyuge: *Mi madre es la consuegra de la madre de mi marido.* □ ETIMOL. Del latín *consocer.*

consuelo s.m. Alivio de la pena o del dolor que afligen y oprimen el ánimo: *palabras de consuelo.*

consuetudinario, ria adj. Que está establecido por la costumbre: *derecho consuetudinario.* □ ETIMOL. Del latín *consuetudinarius*, y este de *consuetudo* (costumbre).

cónsul ▌s.com. **1** Funcionario diplomático que, en una población extranjera, se encarga de los asuntos relacionados con los compatriotas residentes en dicha población: *El cónsul casó a dos españoles residentes en esta ciudad.* ▌s.m. **2** En la antigua Roma, cada uno de los dos magistrados que tenía autoridad suprema: *El cónsul tenía autoridad civil y militar.* □ ETIMOL. Del latín *consul* (magistrado supremo de la República romana).

consulado s.m. **1** Cargo o dignidad de cónsul: *A este diplomático le han ofrecido el consulado en una ciudad alemana.* **2** Tiempo durante el cual un cónsul ejerce su cargo: *En la antigua Roma el consulado duraba un año.* **3** Territorio o distrito asignados a un cónsul y en los cuales ejerce su autoridad: *Su consulado es una zona tranquila en la que casi nunca hay problemas.* **4** Oficina en la que trabaja un cónsul: *Avisé de la pérdida de mi pasaporte en el consulado de aquella ciudad extranjera.*

consular adj.inv. Del cónsul o relacionado con él: *Me acerqué a las oficinas consulares para pedir información.*

consulesa s.f. de **cónsul.**

consulta s.f. **1** Examen de un asunto entre varias personas: *Para darte una respuesta tendré que hacer una consulta con mis amigos.* **2** Examen que hace el médico a sus pacientes: *Llamaré al médico para cambiar la hora de la consulta.* **3** Lugar o local en el que el médico atiende y examina a sus pacientes: *La consulta del médico está en el tercer piso.* □ SINÓN. *consultorio.* **4** Búsqueda o investigación: *La consulta de los archivos sirvió para esclarecer el caso.* **5** Petición o solicitud de una opinión o de un consejo: *Antes de comenzar las obras de la casa, haré una consulta a un arquitecto.*

consultar v. **1** Pedir opinión o consejo: *Antes de pedir una indemnización, consultaré al abogado.* **2** Buscar o investigar: *Consulté en varios libros, pero no encontré el dato que buscaba.* **3** Referido a un asunto, tratarlo o examinarlo con otras personas: *Antes de darte una respuesta tengo que consultar el tema con mis socios.* □ ETIMOL. Del latín *consultare* (pedir consejo).

consulting (ing.) s.m. →**consultoría.** □ PRON. [consúltin].

consultivo, va adj. Referido a una junta o a un organismo, que están establecidos para ser consultados por las personas que gobiernan: *un comité consultivo.*

consultor, -a adj./s. Que aconseja o da su opinión sobre algo, esp. sobre asuntos legales, económicos o profesionales en general: *una empresa consultora.*

consultoría s.f. **1** Despacho o local en el que se asesora sobre algún tema, esp. legal, económico o profesional: *Ha puesto una consultoría para asesorar a las empresas sobre temas fiscales.* **2** Actividad que se realiza en este local: *Cuando acabó sus estudios de economía fue contratado en una empresa* *de consultoría.* □ USO Es innecesario el uso del anglicismo *consulting.*

consultorio s.m. **1** Lugar o local en el que el médico atiende y examina a sus pacientes: *En el consultorio del médico hay una camilla.* □ SINÓN. *consulta.* **2** Local u oficina privados en los que se tratan y resuelven consultas sobre asuntos técnicos: *Cuando acabó la carrera de derecho, puso un consultorio jurídico.* **3** En algunos medios de comunicación, sección dedicada a contestar preguntas que hace el público: *Ha escrito a un consultorio sentimental contando sus problemas amorosos.*

consumación s.f. Realización de algo de una forma completa o total: *la consumación de un delito.*

consumado, da adj. Referido a una persona, que es excelente o perfecta en una actividad: *Es un consumado bailarín.*

consumar v. **1** Hacer por completo o totalmente: *Después de haber consumado el crimen, el asesino se entregó. Se ha consumado la ruptura entre los dos países.* **2** Referido a dos personas casadas entre sí, unirse sexualmente por primera vez: *consumar el matrimonio.* □ ETIMOL. Del latín *consummare.*

consumerista adj.inv. Que defiende los derechos del consumidor: *una ley consumerista.*

consumible adj.inv./s.m. Referido al material de una oficina, que se consume o se agota con el uso: *Hay que hacer el pedido de los consumibles.* □ MORF. Se usa más en plural.

consumición s.f. **1** Lo que se consume en un establecimiento público, esp. en un bar o en un restaurante: *Era su cumpleaños y pagó nuestras consumiciones.* **2** Destrucción o extinción: *La consumición total de la vela nos dejó a oscuras.*

consumido, da adj. *col.* Muy flaco o con muy mal aspecto: *La enfermedad lo ha dejado débil y consumido.*

consumidor, -a ▮ adj./s. **1** Que consume. ▮ s. **2** Persona que compra y consume bienes o productos: *Hay muchas organizaciones en defensa de los derechos del consumidor.*

consumir v. **1** Referido a un comestible o a otro género, utilizarlo para satisfacer las necesidades o los gustos: *En mi casa consumimos mucha leche.* **2** Referido a la energía o al producto que la origina, utilizarlos o gastarlos: *Este coche consume muy poca gasolina.* **3** Destruir o extinguir: *Se consumía poco a poco debido a una grave enfermedad.* □ ETIMOL. Del latín *consumere.*

consumismo s.m. Tendencia al consumo excesivo e indiscriminado de bienes que no son absolutamente necesarios: *La publicidad puede considerarse una de las causas del consumismo.*

consumista adj.inv./s.com. Que tiende a consumir de una forma excesiva o indiscriminada: *Eres un consumista y compras las cosas por capricho y no por necesidad.*

consumo s.m. Utilización o gasto de lo que se extingue con el uso: *un consumo de energía.*

consunción s.f. Debilidad o delgadez extremas: *Su estado de consunción lo tenía postrado en la cama.* □ ETIMOL. Del latín *consumptio.*

consuntivo, va adj. Que produce consunción o delgadez extrema: *La tuberculosis es una enfermedad consuntiva.*

consustanciación (tb. *consubstanciación*) s.f. Presencia de Cristo en la eucaristía, de forma que el pan y el vino conservan su propia sustancia.

consustancial (tb. *consubstancial*) adj.inv. Que es de la misma naturaleza o esencia: *La alegría es consustancial a su carácter.*

consustancialidad (tb. *consubstancialidad*) s.f. Propiedad de lo que es de la misma naturaleza o esencia que otro: *El cristianismo niega la consustancialidad entre el alma y el cuerpo.*

consustanciarse (tb. *consubstanciarse*) v.prnl. En zonas del español meridional, referido a dos o más seres, unirse o identificarse plenamente. □ ORTOGR. La *i* nunca lleva tilde.

contabilidad s.f. **1** Registro sistemático de todas las operaciones económicas de una empresa o de una organización: *La contabilidad permite conocer en cualquier momento la situación económica de una empresa.* **2** Conjunto de dichos registros contables: *Estuvieron trabajando para poner al día la contabilidad de la tienda.*

contabilizar v. **1** Referido a una operación económica, registrarla en un libro de cuentas: *Debes contabilizar las reparaciones como gastos generales.* **2** Contar o llevar la cuenta: *Ya he contabilizado diez errores en el examen.* □ ORTOGR. La *z* se cambia en *c* delante de *e* →CAZAR.

contable ▮ adj.inv. **1** De la contabilidad o relacionado con ella: *un análisis contable.* ▮ s.com. **2** Persona que está encargada de llevar la contabilidad: *La contable no pudo anotar esa entrada de dinero porque desconocía su existencia.* □ ETIMOL. Del latín *computabilis.*

contactar v. Establecer contacto o comunicación: *He contactado con unas personas que podrán solucionar el problema.* □ SINT. 1. Constr. *contactar* CON *alguien.* 2. Su uso como transitivo es incorrecto: *Si quieres conseguir más información, {*contáctanos > contacta con nosotros}.*

contacto ▮ s.m. **1** Unión entre dos elementos, de forma que entre ellos no exista ninguna separación: *Para usar este pegamento hay que lijar las zonas de contacto de las piezas que hay que pegar.* **2** Conexión que se establece entre dos partes de un circuito eléctrico: *Si los dos cables no hacen contacto, la luz no se encenderá.* **3** Dispositivo que se usa para establecer esta conexión: *Dale al contacto, a ver si ahora funciona la máquina.* **4** Persona que actúa como intermediaria entre otras, esp. dentro de una organización: *Uno de nuestros contactos nos dio el chivatazo del robo.* □ SINÓN. *enlace.* **5** Relación o comunicación que se establece entre personas o entre entidades: *Hace tiempo que no tengo contacto con él.* ▮ pl. **6** *col.* Conjunto de amistades que tienen influencia para conseguir los favores que se les solicita: *Comentan que ha conseguido tanto dinero gracias a sus contactos en algunas empresas.* □ ETIMOL. Del latín *contactus*, y este de *contingere* (llegar hasta tocar algo).

contactología s.f. Técnica de fabricación y de aplicación de lentes de contacto: *He consultado a un experto en contactología para saber el tipo de lentilla que debo usar.* □ ETIMOL. De *contacto* y *-logía* (estudio, ciencia).

contactólogo, ga s. Persona especializada en la fabricación y en la adaptación de lentes de contacto.

contado, da adj. **1** Escaso en su clase o en su especie: *Son contados los días en los que está de buen humor.* □ SINÓN. *raro.* **2** || **al contado;** referido a una forma de pago, que se hace entregando el importe total en el momento: *¿Cómo prefiere pagar el televisor, a plazos o al contado?*

contador, -a ▌adj./s. **1** Que cuenta. ▌s. **2** En zonas del español meridional, contable: *La contadora apuntó en el libro de cuentas los gastos del día.* ▌s.m. **3** Aparato que sirve para medir el volumen de agua o de gas que pasa por una cañería o la electricidad que recorre un circuito en un tiempo determinado: *El contador del agua registra el gasto de agua que se hace en una casa.*

contaduría s.f. **1** Profesión u oficio del contable: *Estudió para ser auxiliar administrativo y se dedica a la contaduría.* **2** Lugar en el que se lleva la contabilidad de una institución o de una organización: *Fui a la contaduría para hablar con el contable.*

contagiar v. **1** Referido a una enfermedad, transmitirla o adquirirla: *Tu hermana me ha contagiado la varicela. Mi amigo tenía gripe y al beber de su vaso me contagié.* **2** Referido esp. a una idea o a un estado de ánimo, transmitirlos o adquirirlos: *Es una persona muy vital que contagia su energía a los que la rodean. En su viaje se contagió de las ideas progresistas de sus compañeros.* □ ORTOGR. La *i* nunca lleva tilde.

contagio s.m. Transmisión o adquisición, esp. de una enfermedad: *El contagio del sarampión se produjo en la guardería.* □ ETIMOL. Del latín *contagium.*

contagioso, sa adj. Que se contagia: *una enfermedad contagiosa; una risa contagiosa.*

container (ing.) s.m. Contenedor que se emplea para el transporte de mercancías entre puntos distantes: *Normalmente el container se utiliza para evitar que la mercancía sufra manipulaciones durante el transporte.* □ PRON. [contéiner]. □ USO Su uso es innecesario y puede sustituirse por *contenedor.*

contaminación s.f. **1** Daño o alteración de la pureza o del estado de algo: *contaminación atmosférica.* **2** Contagio o infección: *Aislaron a los enfermos para impedir la contaminación de los sanos.*

contaminante adj.inv./s.m. Que contamina: *Las fábricas que producen muchos contaminantes son sancionadas con cuantiosas multas.*

contaminar v. **1** Referido a algo limpio o natural, dañar o alterar su pureza o su estado original: *La radiación contaminó los alimentos. El río se ha contaminado con los vertidos de una fábrica.* **2** Contagiar o infectar: *No quería contaminar a su hijo y prefería no tocarlo. Se ha contaminado con el virus que estudiaba en el laboratorio.* □ ETIMOL. Del latín *contaminare* (ensuciar tocando, corromper).

contante || **contante (y sonante);** referido al dinero, en efectivo: *Págamelo en dinero contante y sonante porque no me fío de tus cheques.*

contar v. **1** Referido a los elementos de un conjunto, numerarlos o computarlos considerándolos como unidades homogéneas: *Cuenta las sillas del comedor y dime cuántas hay.* **2** Referido a un suceso, narrarlo: *Cuéntame lo que ha pasado. ¿Qué se cuenta, abuelo?* **3** Referido a una edad, tenerla: *Este edificio que están viendo cuenta ya cien años de existencia.* **4** Referido a una persona, incluirla en el grupo o en la categoría que le corresponden: *Estoy orgullosa de poderte contar entre mis colaboradores. Me cuento entre los pocos amigos que lo conocen bien.* **5** Considerar o tener en cuenta: *Cuando hagas el presupuesto cuenta con los imprevistos.* **6** Enunciar los números de forma ordenada: *Es muy pequeña pero ya sabe contar hasta diez.* **7** Tener importancia: *En este producto lo que cuenta es la calidad y no el precio.* **8** || **contar con** algo; **1** Confiar en ello para algún fin: *Cuento contigo para el partido del sábado.* **2** Tenerlo o disponer de ello: *Esta casa cuenta con dos cuartos de baño.* □ ETIMOL. Del latín *computare* (calcular). □ MORF. Irreg. →CONTAR.

contemplación s.f. **1** Atención que se presta a algo material o espiritual: *La contemplación de aquel paisaje me tranquilizó.* **2** Meditación o reflexión intensas sobre Dios o sobre sus atributos divinos: *Los místicos llevan una vida de contemplación.* **3** Atención, consideración o miramiento en el trato: *Nos echaron del local sin contemplaciones.*

contemplar v. **1** Referido a algo material o espiritual, poner la atención en ello: *Contempló el paisaje y se extasió ante su belleza.* **2** Considerar, juzgar o tener en cuenta: *Estamos contemplando la posibilidad de aplazar las vacaciones.* **3** Referido a Dios, pensar intensamente en Él o en sus atributos divinos: *Los místicos contemplan a Dios en sus criaturas.* **4** Referido a una persona, ser condescendiente con ella o complacerla en exceso: *No contemples tanto al niño, que lo estás malcriando.* □ ETIMOL. Del latín *contemplari* (mirar atentamente). □ SEM. En la acepción 2, no debe emplearse con sujeto no personal: *El documento {*contempla > prevé} esta posibilidad.*

contemplativo, va adj. **1** De la contemplación, con contemplación o relacionado con ella: *una actitud contemplativa.* **2** Que acostumbra a meditar intensamente: *Los filósofos son estudiosos contemplativos.* **3** Que está consagrado o dedicado a la contemplación de las cosas divinas: *Algunos escritores místicos describen en sus obras experiencias de la vida contemplativa.*

contemporaneidad s.f. Existencia en la misma época: *La contemporaneidad es uno de los criterios para agrupar las obras en este museo.*

contemporáneo, a ▌adj. **1** Del tiempo o época actuales, o relacionado con ellos: *arte contemporáneo.* ▌adj./s. **2** Que existe a la vez o en el mismo tiempo: *Sus contemporáneos imitaron el estilo de sus obras.* ☐ ETIMOL. Del latín *contemporaneus,* y este de *cum* (con) y *tempus* (tiempo).

contemporización s.f. Adaptación o acomodación a las opiniones o a los gustos ajenos: *Me dijo que no fuera tan intransigente y que me vendría bien un poco de contemporización.*

contemporizador, -a adj./s. Que contemporiza o se adapta a las opiniones ajenas.

contemporizar v. Adaptarse o acomodarse a las opiniones o a los gustos ajenos: *Aunque no esté de acuerdo, no me importa contemporizar con él con tal de no discutir.* ☐ SINÓN. *temporizar.* ☐ ORTOGR. La *z* se cambia en *c* delante de *e* →CAZAR. ☐ SINT. Constr. *contemporizar* CON *alguien.*

contención s.f. Sujeción del movimiento o del impulso de un cuerpo: *un muro de contención.*

contencioso, sa ▌adj. **1** Referido a una persona o a su carácter, que acostumbra a contradecir todo lo que otros opinan: *Tu carácter contencioso te lleva a entablar disputas con mucha frecuencia.* **2** En derecho, referido esp. a un procedimiento judicial, que es competencia de los tribunales de justicia: *Tiene un proceso contencioso con su vecino por los límites de las fincas.* ▌adj./s.m. **3** En derecho, referido a un asunto, que es objeto de disputa en un juicio o que está sometido en este al fallo de los tribunales: *El contencioso que mantienen los socios de la empresa entre sí está perjudicando al negocio.* ▌s.m. **4** Conflicto o desavenencia. **5** ‖ **contencioso administrativo;** referido esp. a un procedimiento judicial, que se mantiene contra la Administración después de agotar la vía administrativa: *Como no consiguió que le revocaran la multa, puso un recurso contencioso administrativo. Este asunto pasará a los tribunales de lo contencioso administrativo.* ☐ ETIMOL. Del latín *contentiosus.*

contender v. Luchar, disputar o porfiar para conseguir un propósito: *Varios partidos contendían por conseguir la mayoría absoluta en las elecciones.* ☐ ETIMOL. Del latín *contendere* (esforzarse, luchar). ☐ MORF. Irreg. →PERDER.

contendiente adj.inv./s.com. Referido a una persona o a un grupo, que luchan para conseguir un propósito: *Los contendientes se enzarzaron en una batalla dialéctica.*

contenedor, -a ▌adj. **1** Que contiene: *El Ayuntamiento de mi pueblo está distribuyendo por todas las calles recipientes contenedores de basuras.* ▌s.m. **2** Recipiente que se usa para transportar o para contener mercancías o residuos y que está provisto de unos dispositivos para facilitar su manejo: *Los albañiles tiran los escombros a ese contenedor.* ☐ USO En la acepción 2, es innecesario el uso del anglicismo *container.*

contener v. **1** Referido a una cosa, llevar o encerrar otra en su interior: *El agua contiene oxígeno.* **2** Referido a una pasión o a un sentimiento, reprimirlos o moderarlos: *Contuvo su ira porque estaba en presencia de varios amigos. No pudo contenerse y rompió en sollozos.* **3** Referido esp. a un movimiento o a un impulso, reprimirlos o impedirlos: *Hicieron un muro para contener el avance de la lava del volcán.* ☐ ETIMOL. Del latín *continere.* ☐ MORF. Irreg. →TENER.

contenido s.m. **1** Lo que se contiene en algo o está en su interior: *Vertió en el vaso todo el contenido de la botella.* **2** En lingüística, significado de un signo lingüístico o de un enunciado: *El contenido de la palabra 'mesa' es 'mueble generalmente de cuatro patas, que sirve para poner cosas sobre él'.*

contentadizo, za adj. Que se contenta fácilmente o que admite sin dificultad lo que se le propone.

contentamiento s.m. Alegría o satisfacción. ☐ SINÓN. *contento.*

contentar ▌v. **1** Dar alegría o satisfacer los gustos o las aspiraciones: *Para contentar al niño lo llevé al cine.* ▌prnl. **2** Aceptar algo de buen grado o darse por contento: *No me contento con un aprobado y aspiro al sobresaliente.* **3** Referido a dos o más personas que estaban enfadadas, reconciliarse: *Aquel encuentro logró que se contentasen e hiciesen las paces.*

contento, ta ▌adj. **1** Que está alegre o satisfecho por el logro de algo que era deseado: *Está muy contenta con su nueva bicicleta.* **2** *col.* Ligeramente borracho: *Salieron de la fiesta algo contentos.* ▌s.m. **3** Alegría o satisfacción: *Se puso a bailar para mostrar su contento.* ☐ SINÓN. *contentamiento.* ☐ ETIMOL. Del latín *contentus* (satisfecho).

conteo s.m. En zonas del español meridional, cuenta.

contera s.f. Pieza generalmente de metal que se pone en el extremo opuesto al puño de algunos objetos, esp. de un bastón o de un paraguas: *Al andar, apoyo la contera del bastón en el suelo.* ☐ ETIMOL. De *cuento* (casquillo, regatón).

conterráneo, a adj./s. →**coterráneo.**

contertulio, lia s. Persona que participa en una tertulia: *Habla con sus contertulios de los temas de actualidad.* ☐ SINÓN. *tertuliano.*

contesta s.f. En zonas del español meridional, contestación.

contestación s.f. Respuesta que se da a una pregunta o a un escrito: *Su contestación no me dejó satisfecha.*

contestador, -a ▌adj./s. **1** Que contesta. ▌s.f. **2** En zonas del español meridional, contestador automático. **3** ‖ **contestador (automático);** aparato que registra y emite mensajes grabados en el teléfono: *Como nunca está en casa, se ha comprado un contestador y así sabe si alguien lo ha llamado mientras estaba ausente.*

contestadora s.f. Véase **contestador, -a.**

contestar v. **1** Referido esp. a algo que se pregunta, se habla o se escribe, responderlo: *No ha contestado ninguna de mis preguntas. Espero que conteste* *pronto mi carta.* **2** Replicar o responder con malos modos: *No contestes a tu madre y hazle caso.* □ ETIMOL. Del latín *contestari* (empezar una disputa invocando testigos).

contestatario, ria adj./s. Que se opone o protesta contra lo establecido: *Es una chica contestataria y radical.* □ ETIMOL. De *contestar.*

contestón, -a adj./s. *col.* Que replica con frecuencia y de malos modos.

contexto s.m. **1** En lingüística, entorno del cual depende el sentido y el valor de una palabra, de una frase o de un fragmento de un texto: *Si no entiendes una palabra quizá puedas deducir su significado de su contexto.* **2** Situación o entorno físico en el cual se considera un hecho: *Hay que estudiar las obras literarias dentro de su contexto histórico.* □ ETIMOL. Del latín *contextus* (trabazón). □ ORTOGR. Dist. de *contesto* (del verbo *contestar*).

contextual adj.inv. Del contexto o relacionado con él: *Para entender el significado de estas palabras debes tener en cuenta sus relaciones contextuales.*

contextualizar v. Situar o localizar en un determinado contexto: *Para entender sus palabras tienes que contextualizarlas.* □ ORTOGR. La *z* se cambia en *c* delante de *e* →CAZAR.

contextura s.f. **1** Disposición, correspondencia y unión entre las distintas partes que componen un todo: *Este tejido tiene una contextura demasiado floja para el vestido que quiero.* **2** Configuración corporal de una persona: *Los deportistas suelen ser gente de contextura fuerte y musculosa.* □ ETIMOL. De *contexto.*

conticinio s.m. Momento de la noche en que todo está en silencio. □ ETIMOL. Del latín *conticinium.*

contienda s.f. **1** Batalla, riña o pelea, generalmente armadas. **2** Disputa o discusión entre varias personas: *La conversación dio lugar a una interesante contienda entre los representantes de ambos partidos políticos.* □ ETIMOL. De *contender.*

contigo pron.pers. Forma de la segunda persona del singular cuando se combina con la preposición *con*: *Contigo todo es más divertido. Me gusta hablar contigo.* □ ETIMOL. Del latín *cum* (con) y *tecum* (contigo). □ MORF. 1. No tiene diferenciación de género. 2. Incorr. **con ti.*

contigüidad s.f. Proximidad entre dos cosas.

contiguo, gua adj. Referido a una cosa, que está tocando a otra: *En el teatro ocupamos butacas contiguas.* □ ETIMOL. Del latín *contiguus.*

continencia s.f. Virtud o modo de actuar del que modera y refrena las pasiones y los sentimientos: *Practica la continencia y vive con sobriedad y con templanza.* □ ETIMOL. Del latín *continentia*, y este de *continere* (contener).

continental adj.inv. De un continente, de los países que lo forman o relacionado con ellos: *El conflicto entre los dos países, con el tiempo se convirtió en una guerra continental.*

continente ▮ adj.inv./s.m. **1** Referido a un objeto, que contiene algo. ▮ s.m. **2** Cada una de las grandes extensiones en las que se considera dividida la superficie terrestre: *España está en el continente europeo.* □ ETIMOL. Del latín *terra continente* (tierra unida).

contingencia s.f. Lo que tiene la posibilidad de suceder: *El fracaso es una contingencia con la que debes contar.* □ SINÓN. *contingente.*

contingente ▮ adj.inv. **1** Que tiene la posibilidad de suceder: *Que llueva durante la excursión es un hecho contingente con el que cuento.* ▮ s.m. **2** Lo que tiene la posibilidad de suceder: *Un plan bien trazado debe tener en cuenta todos los posibles contingentes.* □ SINÓN. *contingencia.* **3** En economía, límite que se pone a la producción o a la importación de una mercancía: *La Comunidad Económica Europea ha asignado un contingente de producción lechera a España.* **4** Conjunto de las fuerzas militares de las que dispone un mando: *El Gobierno envió a la zona un contingente para sofocar la rebelión.* □ ETIMOL. Del latín *contingens*, y este de *contingere* (tocar, suceder). □ SEM. En la acepción 1, dist. de *necesario* (que inevitablemente ha de ser o suceder).

continuación s.f. **1** Prolongación o mantenimiento de una acción que estaba comenzada: *La continuación de la reunión va a empezar.* **2** Lo que sigue a algo que ha comenzado: *Este autor va a publicar la continuación de su novela anterior.* **3** ‖ **a continuación;** enseguida o inmediatamente: *¡Y a continuación, con todos ustedes, el Gran Mago Pintano!*

continuador, -a adj./s. Referido a una persona, que continúa lo empezado por otra: *Su labor no ha tenido continuadores.*

continuar ▮ v. **1** Referido a algo que se ha empezado, proseguirlo: *Continuaré leyendo hasta que me entre el sueño.* **2** Durar, permanecer o mantenerse cierto tiempo: *El mal tiempo continuará hasta la semana próxima. ¿Continúas viviendo en la misma casa?* ▮ prnl. **3** Seguir, extenderse u ocupar un espacio: *Esta calle se continúa con otra más importante.* □ ETIMOL. Del latín *continuare.* □ ORTOGR. La *u* lleva tilde en los presentes, excepto en las personas *nosotros* y *vosotros* →ACTUAR.

continuidad s.f. **1** Unión que tienen entre sí las partes que forman un todo: *A los capítulos de tu novela les falta continuidad.* **2** Continuación, prolongación o mantenimiento de algo: *En la reunión se habló de tu continuidad en la empresa.*

continuismo s.m. Tendencia a continuar en una situación de forma indefinida y sin indicios de cambio: *El gobierno fue acusado de continuismo por seguir las normas de los gobiernos anteriores.*

continuista adj.inv. Que sigue o que practica el continuismo, referido esp. a un partido político o a un sistema: *Aunque durante la campaña electoral decían que era un partido renovador ha resultado ser continuista.*

continuo, nua ▮ adj. **1** Que no tiene interrupción: *Tiene problemas de oído y oye un pitido continuo.* **2** Referido a varios elementos, que están unidos entre sí: *Esta impresora necesita papel continuo.* **3** Constante, perseverante o sin interrupción: *Su con-*

tinuo ir y venir me pone nerviosa. ▮ s.m. **4** →**bajo continuo.** **5** ‖ **de continuo;** sin interrupción o de forma constante: *Me está molestando de continuo, y me estoy empezando a hartar.* ☐ ETIMOL. Del latín *continuus* (adyacente, consecutivo).

contonearse v.prnl. Mover los hombros y las caderas de forma exagerada al andar: *La cantante se contoneaba en el escenario mientras cantaba.* ☐ ETIMOL. De *cantonearse* (andar de esquina en esquina para lucirse).

contoneo s.m. Movimiento exagerado de los hombros y de las caderas al andar.

contornear v. **1** Referido a un lugar, dar vueltas a su alrededor: *Contornearon la isla con la barca.* **2** Referido a una figura, dibujar sus contornos: *Primero contorneó la cara y luego la dibujó con mayor precisión.*

contorneo s.m. **1** Vuelta que se da alrededor de algo: *El contorneo del islote nos llevó más tiempo del previsto.* **2** Dibujo o trazado de los contornos de una figura: *Cogió un lápiz y un papel y en un momento trazó el contorneo del jarrón.*

contorno s.m. **1** Territorio que rodea un lugar o una población: *Lo han estado buscando por los contornos del pueblo.* ☐ SINÓN. *alrededor.* **2** Conjunto de líneas o de trazos que limitan una figura: *Anochecía y solo se veía el contorno de su casa.* ☐ ETIMOL. Del italiano *contorno*, y este de *contornare* (circular). ☐ MORF. En la acepción 1, se usa más en plural. ☐ SEM. Dist. de *entorno* (ambiente que rodea algo).

contorsión s.f. Movimiento irregular del cuerpo o de una parte de él, que da lugar a una postura forzada y a veces grotesca: *Las contorsiones del payaso por el susto que le habían dado hacían reír a los niños.* ☐ ETIMOL. Del latín *contorsio.*

contorsionarse v.prnl. Hacer contorsiones: *Se contorsionaba por los fuertes dolores de estómago.*

contorsionista s.com. Artista de circo que hace contorsiones difíciles: *Esos contorsionistas eran capaces de doblarse enteros y andar con los codos.*

contra ▮ s.m. **1** Dificultad o inconveniente que presenta un asunto: *Los contras de ese trabajo superaban los pros, y decidió dejarlo.* ▮ s.f. **2** →**contrarrevolución.** ▮ prep. **3** Indica oposición, lucha o enfrentamiento: *Esa asociación se dedica a la lucha contra la droga. Mañana jugamos contra el primer equipo de la liga.* **4** Indica contacto o apoyo: *Me apretó contra su pecho y me besó. El policía mandó a los detenidos ponerse contra la pared para cachearlos.* **5** Indica intercambio: *Pedí unos libros por correo y me los enviaron contra reembolso.* ▮ interj. **6** *col.* Expresión que se usa para indicar extrañeza, contrariedad o disgusto: *¡Contra, qué susto me has dado! ¡Ya me he vuelto a equivocar, contra!* **7** ‖ **en contra;** en oposición de algo: *Como no le di la razón, se me puso en contra.* ☐ ETIMOL. Las acepciones 1, 3-5, del latín *contra* (frente a, contra). ☐ SINT. 1. El uso de *en contra* con un pronombre posesivo es incorrecto: *Está en contra {*mía > de mí}.* 2. Su uso como adverbio en lugar de *cuanto* es un vulgarismo: *{*Contra > Cuanto} más lo pienso, menos lo entiendo.* 3. El uso de **por contra* es un galicismo innecesario que debe sustituirse por *por el contrario.*

contra- **1** Prefijo que indica oposición: *contracultura, contraorden, contraataque, contraveneno, contraespionaje.* **2** Prefijo que significa 'refuerzo': *contraventana, contrafuerte.* **3** Prefijo que significa 'segundo lugar': *contrabarrera, contrapuerta, contraalmirante.* ☐ ETIMOL. Del latín *contra.*

contraalisios s.m.pl. →**vientos contraalisios.**

contraalmirante (tb. *contralmirante*) s.com. En la Armada, persona cuyo empleo militar es superior al de capitán de navío e inferior al de vicealmirante: *El contraalmirante suele estar al mando de un grupo de barcos de guerra.* ☐ ETIMOL. De *contra-* (segundo lugar) y *almirante.*

contraanálisis (pl. *contraanálisis*) s.m. Análisis que se hace para contrastar otro análisis anterior: *El contraanálisis que solicitó el futbolista dio también positivo.*

contraatacar v. Reaccionar ofensivamente ante el avance o el ataque del enemigo o del rival: *Nuestro equipo consiguió un rebote defensivo, contraatacó y consiguió dos puntos más.* ☐ ETIMOL. De *contra-* (oposición) y *atacar.* ☐ ORTOGR. La *c* se cambia en *qu* delante de *e* →SACAR.

contraataque s.m. Reacción ofensiva ante el avance o el ataque del enemigo o del rival: *Ese equipo consigue muchos goles en contraataques.*

contraaviso s.m. Aviso contrario a otro anterior: *Un contraaviso me hizo regresar.*

contrabajista s.com. Músico que toca el contrabajo.

contrabajo ▮ s.com. **1** Persona que toca el instrumento del mismo nombre: *El contrabajo de la orquesta ha grabado un concierto como solista.* ▮ s.m. **2** Instrumento musical de cuerda y arco, de la familia de los violines, en la que es el de mayor tamaño y sonido más grave: *El contrabajo es un instrumento muy empleado por los músicos de jazz.* ☐ ETIMOL. Del italiano *contrabasso.* ☐ MORF. Se usa mucho la forma abreviada *bajo.*

contrabalancear v. **1** Referido a una balanza, hacer que sus dos platillos estén en equilibrio: *El tendero me ha dicho que tiene que contrabalancear la balanza porque está desequilibrada.* **2** Compensar o hacer que dos cosas queden igualadas: *En este caso las ventajas contrabalancean los inconvenientes.*

contrabandista adj.inv./s.com. Que se dedica al contrabando.

contrabando s.m. **1** Introducción o exportación de géneros sin pagar los derechos de aduana a los que están sometidos legalmente: *La policía de la frontera registró mi coche para ver si estaba haciendo contrabando de bebidas alcohólicas.* **2** Comercio con géneros prohibidos por las leyes a los particulares: *Vendía tabaco de contrabando, introducido en el país por las costas gallegas.* **3** Mercancía, género o lo que se produce o se introduce de forma fraudulenta: *El contrabando iba escondido debajo de los asientos del coche.* □ ETIMOL. De *contra-* (oposición) y *bando* (ley, edicto).

contrabarrera s.f. En una plaza de toros, segunda fila de asientos del tendido. □ ETIMOL. De *contra-* (oposición) y *barrera.*

contracampo s.m. En cine y en televisión, toma que se hace con la cámara desde un punto de vista opuesto al de otra toma: *El contracampo se suele utilizar para romper la continuidad de una narración con fines expresivos.* □ SINÓN. *contraplano.*

contracción s.f. **1** Estrechamiento o reducción a un tamaño menor: *las contracciones de los músculos.* **2** Adquisición de algo, esp. de una enfermedad o de un vicio: *En ese folleto preventivo se explican las formas de contracción de la enfermedad.* **3** Asunción o aceptación de una obligación o de un compromiso: *El nuevo cargo implica la contracción de mayores responsabilidades.* **4** En lingüística, unión de dos vocales fundiéndose en una sola: *'Del' es la contracción de la preposición 'de' y el artículo 'el'.* □ ETIMOL. Del latín *contractio*, y este de *contrahere* (contraer).

contracepción s.f. →**contraconcepción.** □ ETIMOL. Del inglés *contraception.*

contraceptivo, va adj./s.m. →**contraconceptivo.**

contrachapado, da adj./s.m. Referido a un tablero, que está formado por varias capas finas de madera encoladas de forma que sus fibras queden cruzadas entre sí.

contrachapar v. Referido a unos objetos, colocarlos de forma alterna: *Tienes que contrachapar las tejas para que el tejado te quede uniforme.* □ SINÓN. *contrapear.*

contraconcepción s.f. Conjunto de métodos utilizados para impedir el embarazo: *La píldora y los preservativos son los métodos de contraconcepción más utilizados.* □ SINÓN. *anticoncepción, contracepción.*

contraconceptivo, va adj./s.m. Que impide el embarazo. □ SINÓN. *anticonceptivo, contraceptivo.*

contracorriente ‖ **a contracorriente;** en contra de la opinión general: *Siempre va a contracorriente por el mero placer de llevar la contraria.*

contráctil adj.inv. Que es capaz de contraerse con facilidad: *tejidos contráctiles.* □ ETIMOL. De *contracto.*

contractilidad s.f. Facilidad o capacidad para contraerse, esp. la que poseen ciertas partes del cuerpo de un organismo: *La contractilidad de los músculos permite el movimiento del cuerpo.*

contracto, ta part. irreg. de **contraer.** □ USO Se usa solo como adjetivo, frente al participio regular *contraído*, que se usa en la conjugación.

contractual adj.inv. Procedente de un contrato o derivado de él: *responsabilidades contractuales.* □ ETIMOL. Del latín *contractus* (contrato).

contractura s.f. **1** Contracción involuntaria de uno o de más grupos musculares: *El médico me dijo que tenía una contractura en el muslo y me mandó reposo.* **2** Lesión corporal producida por esta contracción.

contracubierta s.f. **1** Parte interna de la cubierta de un libro: *En las obras con pastas duras, las guardas del libro se pegan a la contracubierta.* **2** Parte posterior de la cubierta de un libro: *En la contracubierta de este libro aparece el resumen de la novela.*

contracultura s.f. Conjunto de actitudes sociales caracterizadas por el rechazo de los valores y modos de vida establecidos, esp. referido a los movimientos surgidos en Estados Unidos (país americano) en la década de 1960: *El fenómeno de la contracultura ha sido estudiado por los sociólogos.* □ ETIMOL. Del inglés *counterculture.*

contracultural adj.inv. De la contracultura o relacionado con ella.

contracurva s.f. Curva que sigue inmediatamente a otra de sentido contrario: *Esta carretera es muy peligrosa porque está llena de curvas y contracurvas.*

contradanza s.f. Baile que ejecutan muchas parejas a un tiempo formando figuras: *Muchas de las danzas que se bailan en las películas históricas son contradanzas.* □ ETIMOL. Del francés *contredanse*, y este del inglés *country-dance* (baile campesino).

contradecir v. Referido a una persona, decir lo contrario de lo que otra afirma, o negar lo que da por cierto: *Todo lo que yo digo, ella lo contradice porque siempre quiere llevar la razón. ¿Pero no te das cuenta de que con esa afirmación te contradices tú mismo?* □ ETIMOL. Del latín *contradicere.* □ MORF. Irreg.: 1. Su participio es *contradicho.* 2. →DECIR. 3. En el imperativo se usa más la forma *contradice (tú)*, frente a *contradí (tú).*

contradicción s.f. Afirmación de algo contrario a lo ya dicho, o negación de algo que se da por cierto: *Tu forma de actuar está en contradicción con tus ideas.*

contradicho, cha part. irreg. de **contradecir.** □ MORF. Incorr. **contradecido.*

contradictor, -a adj./s. Que contradice: *Intentó convencer a todos sus contradictores.*

contradictorio, ria adj. Que guarda contradicción con otra cosa: *Las declaraciones contradictorias de los testigos no permiten establecer la verdad de los hechos.*

contraer ▌v. **1** Estrechar o reducir a menor tamaño: *El corazón se contrae y se dilata.* **2** Referido esp. a una enfermedad o a un vicio, adquirirlos o caer en ellos: *Contrajo el sarampión con cuatro meses.* **3** Referido a una obligación o a un compromiso, asumirlos o responsabilizarse de ellos: *Los novios contrajeron matrimonio.* ▌prnl. **4** En lingüística, referido esp. a una vocal, juntarse con otra, generalmente fundiéndose en una sola: *La preposición 'a' con el artículo 'el' se contraen formando 'al'.* □ ETIMOL. Del latín *contrahere*, y este de *cum* (con) y *trahere* (traer). □ MORF. Irreg. →TRAER.

contraespionaje s.m. Servicio secreto de defensa de un país contra el espionaje extranjero: *El con-*

traespionaje ha identificado a varios espías que actuaban en nuestro país. □ ETIMOL. De *contra-* (oposición) y *espionaje*.

contrafagot s.m. Instrumento musical de viento, parecido al fagot pero más grave que este.

contrafuego s.m. Fuego controlado que se provoca para evitar que siga avanzando un incendio importante: *Los bomberos hicieron un contrafuego quemando una franja de terreno para que el incendio se cortara al llegar allí.*

contrafuerte s.m. **1** En arquitectura, pilar macizo que está adosado al muro y lo refuerza en los puntos en los que este soporta los mayores empujes: *Los contrafuertes de esta iglesia románica son muy anchos.* □ SINÓN. *botarel.* **2** Pieza de cuero con que se refuerza el calzado por la parte del talón: *Tengo unos zapatos azules con el contrafuerte blanco.* □ ETIMOL. De *contra-* (refuerzo) y *fuerte*.

contragolpe s.m. **1** En deporte, contraataque hecho de forma muy rápida y enérgica. **2** Efecto de un golpe que se produce en un sitio distinto del que se sufre la contusión: *El dolor que siento en el costado derecho es probablemente el contragolpe de la caída que tuve sobre el lado izquierdo.*

contraguerrilla s.f. Tropa ligera organizada e instruida para llevar a cabo operaciones militares contra la guerrilla: *El ejército preparaba una contraguerrilla para acabar definitivamente con la guerrilla revolucionaria.*

contrahacer v. Imitar o copiar a la perfección: *Este poema contrahace un conocido romance medieval.* □ ETIMOL. De *contra* y *hacer*. □ ORTOGR. La *i* solo lleva tilde en las formas *contrahíce* y *contrahízo*. □ MORF. Irreg.: 1. Su participio es *contrahecho*. 2. →HACER.

contrahecho, cha adj./s. Que tiene alguna deformidad en el cuerpo, o que lo tiene torcido: *¡Si no aprendes a sentarte con la espalda recta te vas a quedar contrahecho!*

contrahuella s.f. En un peldaño o escalón, plano vertical o altura: *La contrahuella de estos escalones es muy alta y los niños pequeños casi no pueden subir la escalera.* □ SINÓN. *tabica*.

contraincendios (pl. *contraincendios*) adj.inv. Que impide o combate los incendios: *Hemos instalado un sistema contraincendios.*

contraindicación s.f. Caso en que un remedio, un alimento o una acción resultan perjudiciales: *Puedes tomar este jarabe con toda tranquilidad porque no tiene contraindicaciones de ningún tipo.*

contraindicar v. Referido esp. a un remedio o a una acción, señalarlos como perjudiciales en ciertos casos: *El médico me contraindicó los antibióticos mientras tomara otra medicina.* □ ETIMOL. De *contra-* (oposición) e *indicar*. □ ORTOGR. La *c* se cambia en *qu* delante de *e* →SACAR.

contrainforme s.m. Informe que se elabora para anular o contradecir otro previamente redactado.

contralmirante s.m. →**contraalmirante.**

contralor s.m. En zonas del español meridional, inspector de gastos públicos: *El contralor examina las cuentas y la legalidad de los gastos oficiales.* □ ETIMOL. Del francés *contrôleur*.

contraloría s.f. En zonas del español meridional, oficina de control de los gastos públicos.

contralto s.com. En música, persona que tiene una voz de registro intermedio entre la de mezzosoprano y la de tenor. □ ETIMOL. Del italiano *contralto*. □ MORF. Se usa mucho la forma abreviada *alto*.

contraluz s.amb. **1** Vista o aspecto de las cosas desde el lado opuesto a la luz: *Puso el sobre a contraluz para intentar ver de quién era la carta sin abrirla.* **2** Fotografía tomada en estas condiciones: *Para hacer este contraluz situé el foco detrás de la modelo.* □ MORF. Se usa más el masculino.

contramaestre s.m. **1** Suboficial de Marina que dirige la marinería bajo las órdenes de un oficial. **2** En algunas fábricas, persona encargada de los obreros. □ ETIMOL. De *contra-* (segundo lugar) y *maestre*.

contramano || **a contramano;** en dirección contraria a la corriente o a la establecida: *Es rara esta nevera porque la puerta se abre a contramano, de izquierda a derecha.*

contramarcha s.f. Marcha atrás o retroceso en una marcha, esp. militar: *El capitán ordenó una contramarcha porque le comunicaron que había sido atacado el puesto que habían dejado atrás.*

contramedida s.f. Medida o decisión que se toman para anular otras: *Al surgir nuevas dificultades se tomaron contramedidas para solucionar los problemas.*

contramuslo s.m. Parte posterior del muslo de algunas aves, esp. del pollo.

contra natura || Contra las leyes de la naturaleza o del ser humano, esp. contra las leyes morales: *Cuenta el cronista que aquellos pueblos cometían actos que él consideraba contra natura.* □ SINÓN. *antinatura.* □ ETIMOL. Del latín *contra naturam*.

contraofensiva s.f. Ofensiva que se emprende para contrarrestar la del enemigo, haciéndole pasar a la defensiva: *La contraofensiva del ejército se hizo con varias divisiones que recuperaron el territorio antes perdido.* □ ETIMOL. De *contra-* (oposición) y *ofensiva*.

contraoferta s.f. Oferta con que se mejora o se cambia otra anterior: *La contraoferta presentada por el último socio ha hecho cambiar de opinión al equipo directivo.*

contraorden s.f. Orden con la que se deja sin efecto o sin valor otra dada con anterioridad: *Si no hay contraorden nos vemos mañana a las cinco, ¿no?*

contrapartida s.f. Lo que tiene por objeto compensar o resarcir a alguien: *No pudimos salir el fin de semana porque tenía trabajo, pero, como contrapartida, ayer me invitó a cenar en el mejor restaurante.* □ ETIMOL. De *contra-* (oposición) y *partida*.

contrapear v. Referido a unos objetos, colocarlos de forma alterna: *Hay que contrapear los asientos para que desde todos se vea el escenario.* □ SINÓN. *contrachapar*.

contrapelo || **a contrapelo; 1** Contra la inclinación o dirección natural del pelo. **2** Referido a la forma de hacer algo, contra el modo natural o normal de hacerlo: *Siempre tienes que llevar la contraria, y lo haces todo a contrapelo.*

contrapesar v. Igualar, compensar, subsanar o poner en equilibrio: *Debes contrapesar lo que ganarías y lo que perderías, para ver si te merece la pena aceptar ese trabajo. Pon en la derecha dos maletas para contrapesar los bultos.*

contrapeso s.m. Lo que sirve para igualar o equilibrar el peso o fuerza de algo: *Esa grúa tiene en uno de sus extremos un contrapeso para que la carga que lleva en el otro no la derribe.*

contrapié || **a contrapié;** en mala posición o en la posición contraria a la que sería natural: *La pelota me pilló a contrapié cuando estaba corriendo hacia atrás y no pude darle con la raqueta.*

contraplano s.m. En cine y en televisión, toma que se hace con la cámara desde un punto de vista opuesto al de otra toma. ☐ SINÓN. *contracampo.*

contraponer v. Referido a una cosa, compararla o cotejarla con otra distinta o contraria: *Si contraponemos estas cifras a las del año pasado, vemos que el aumento ha sido claro.* ☐ ETIMOL. Del latín *contraponere.* ☐ MORF. Irreg.: 1. Su participio es *contrapuesto.* 2. →PONER.

contraportada s.f. **1** En un libro impreso, página que se pone frente a la portada y en la que figuran detalles sobre él: *En la contraportada de ese libro viene un retrato del autor.* **2** En un periódico o en una revista, última página: *En la contraportada de este periódico siempre aparece una entrevista con un personaje de actualidad.* **3** Tapa o cubierta posterior de un libro: *En la contraportada aparece un resumen del argumento.*

contraposición s.f. **1** Comparación o cotejo de una cosa con otra distinta u opuesta: *La contraposición de estos dos exámenes demuestra que los alumnos se han copiado.* **2** Oposición, discrepancia o enfrentamiento: *Su forma tan descuidada de vestir está en contraposición con el importante cargo que tiene.*

contraprestación s.f. Prestación o servicio que debe una parte contratante por razón de la que ha recibido.

contraproducente adj.inv. Referido a una acción, que tiene efectos opuestos a los previstos: *Fue contraproducente quedarme toda la noche sin dormir por estudiar, porque me dormí en el examen.* ☐ ETIMOL. Del latín *contra* (al contrario) y *producens* (que produce).

contraprogramación s.f. En televisión, estrategia que consiste en programar una cadena en función de la programación de otra cadena: *En la lucha por conseguir la máxima audiencia, la contraprogramación es bastante habitual.*

contraproposición s.f. Proposición con la que se contesta o se impugna otra formulada con anterioridad: *Presentó una contraproposición a la dirección para acabar el trabajo fuera del límite fijado.*

contrapropuesta s.f. Propuesta que se hace para oponerse a otra o modificarla: *Los sindicatos no aceptaron la propuesta del Gobierno y presentaron una contrapropuesta.*

contraproyecto s.m. Proyecto que se presenta en oposición a otro: *Nuestro grupo parlamentario ha presentado un contraproyecto al proyecto de ley elaborado por el Gobierno.*

contrapuerta s.f. Puerta colocada inmediatamente detrás de otra: *Hemos colocado una contrapuerta a la entrada del piso para evitar el frío.*

contrapuesto, ta part. irreg. de **contraponer**.

contrapuntear v. Cantar de contrapunto, inventando distintas voces sobre una melodía dada: *En clase de armonía, la profesora propuso una melodía que los alumnos tenían que contrapuntear.*

contrapunto s.m. **1** Concordancia armoniosa de voces contrapuestas: *El contrapunto de esta pieza musical es ideal para el lucimiento de una coral polifónica.* **2** Arte de combinar dos o más melodías diferentes según ciertas reglas: *Estudia composición, armonía y contrapunto en el conservatorio.* **3** Contraste entre dos o más cosas, esp. si son simultáneas: *El contrapunto se ha utilizado como técnica narrativa en novelas en las que se juega con el paralelismo o con la simultaneidad de situaciones.* ☐ ETIMOL. Del latín *cantus contrapunctus.*

contrariar v. Disgustar, producir disgusto o enfadar: *Me ha contrariado mucho que te burlaras de mí delante de todos. Se contrarió porque le dije que no podía ir a aquella fiesta.* ☐ ORTOGR. La *i* lleva tilde en los presentes, excepto en las personas *nosotros* y *vosotros* →GUIAR.

contrariedad s.f. **1** Suceso eventual que impide o retarda el logro de algo: *Fue una contrariedad que no os encontrarais en el aeropuerto, porque habían ido a buscarte.* **2** Oposición que existe entre una cosa y otra: *Existe una gran contrariedad entre lo que dices y lo que haces.*

contrario, ria ▮ adj. **1** Que daña o que perjudica: *Esas medidas son contrarias a los intereses de los trabajadores.* ▮ adj./s. **2** Que se opone a algo: *Son contrarios a la pena de muerte. Tu postura es la contraria de la mía.* ☐ SINÓN. *enemigo.* ▮ adj./s.m. **3** Referido a una palabra, de significado opuesto a otra: *'Alto' es el contrario de 'bajo'.* ☐ SINÓN. *antónimo.* ▮ s. **4** Persona que lucha o que está en oposición con otra: *En el partido del domingo seremos vuestros contrarios.* **5** || **{al/por el} contrario;** al revés, o de un modo opuesto: *Siempre actúa al contrario de lo que yo pienso que va a hacer.* || **llevar la contraria** a alguien; oponerse a lo que dice o a lo que intenta: *Es muy autoritario y no soporta que nadie le lleve la contraria.* ☐ ETIMOL. Del latín *contrarius.*

contrarreforma s.f. Movimiento religioso, intelectual y político que surgió para combatir los efectos de la reforma protestante: *La Contrarreforma tuvo lugar dentro de la iglesia católica en el siglo* XVI. ☐ USO Se usa más como nombre propio.

contrarreloj (tb. *contra reloj, contra el reloj*) ▌ adj. **1** Que debe hacerse en un plazo de tiempo muy corto o muy rápidamente: *Estamos en medio de una negociación contrarreloj porque esta tarde debemos llegar a un acuerdo.* ▌ adj.inv./s.f. **2** Referido a una carrera, esp. si es ciclista, que se caracteriza porque los participantes toman la salida distanciados entre sí por un intervalo de tiempo y se clasifican por el tiempo que ha invertido cada uno para llegar a la meta: *Este ciclista es muy bueno en montaña, pero falla en la contrarreloj.* ▌ adv. **3** Muy deprisa, muy rápidamente o en un plazo de tiempo muy corto: *vivir contrarreloj; trabajar contrarreloj; estudiar contrarreloj.* □ MORF. 1. Como adjetivo es invariable en número. 2. Como sustantivo, su plural es *contrarrelojes*.

contrarrelojista s.com. Ciclista especializado en carreras contrarreloj.

contrarréplica s.f. Contestación que se da a una réplica. □ ORTOGR. Incorr. **contraréplica*.

contrarrestar v. Referido al efecto o a la influencia de algo, paliarlos o neutralizarlos: *Necesita un antídoto para contrarrestar los efectos del veneno.* □ ETIMOL. Del latín *contra* (contra) y *restare* (detenerse, resistir, restar).

contrarrevolución s.f. Revolución en contra de otra anterior y muy próxima en el tiempo. □ USO Se usa mucho la forma abreviada *contra*.

contrarrevolucionario, ria ▌ adj. **1** De la contrarrevolución o relacionado con ella: *un golpe contrarrevolucionario.* ▌ s. **2** Persona que defiende o sigue la contrarrevolución. □ ORTOGR. Incorr. **contrarevolucionario*.

contrasentido s.m. Lo que carece de sentido o de lógica y resulta contradictorio: *Es un contrasentido que pintes el coche si piensas venderlo para chatarra el mes que viene.*

contraseña s.f. Palabra o señal secretas que permiten el acceso a algo antes inaccesible: *Si no me dices la contraseña no te dejaré pasar. Lleva una cinta roja en el bolsillo como contraseña.* □ USO Es innecesario el uso del anglicismo *password*.

contrastar v. **1** Referido a una información, comprobar su exactitud o su autenticidad: *Antes de dar las noticias, los periodistas deben contrastarlas.* **2** Mostrar gran diferencia: *La alegría de los vencedores contrastaba con la tristeza de los vencidos.* □ ETIMOL. Del latín *contrastare* (oponerse).

contraste s.m. **1** Comprobación de la exactitud o la autenticidad de algo: *Un contraste de opiniones nos ayudaría a aclarar las cosas.* **2** Diferencia u oposición entre lo que se compara: *Hay un gran contraste entre su exquisita cortesía y la mala educación de su acompañante.* **3** Sustancia que se introduce en el organismo para explorar órganos que de otra forma no se verían: *Para que me hicieran una radiografía de estómago tuve que tomar un contraste de bario.*

contrata s.f. Contrato que se hace para la ejecución de una obra o para la prestación de un servicio por un precio determinado: *La empresa que ofrezca las mejores prestaciones al menor precio conseguirá la contrata para la limpieza de la universidad.*

contratación s.f. Establecimiento de un contrato o de un acuerdo con alguien para que haga algo a cambio de dinero o de otra compensación: *Es urgente la contratación de tres electricistas y cuatro pintores.*

contratante adj.inv./s.com. Que contrata: *Las dos partes contratantes se dieron cita en el notario.*

contratar v. Hacer un contrato o llegar a un acuerdo con alguien para que haga algo a cambio de dinero o de otra compensación: *Contrató dos albañiles para terminar la obra. Contrató los servicios de la empresa por tres años.*

contratiempo s.m. Imprevisto que impide o dificulta la realización de algo: *Que las tiendas estuvieran cerradas fue un contratiempo.* □ ETIMOL. De *contra-* (oposición) y *tiempo*.

contratista s.com. Persona o entidad que, por contrata, se encarga de la ejecución de una obra o de la prestación de un servicio: *Es contratista de obras y ha hecho para el Ayuntamiento varios aparcamientos subterráneos.*

contrato s.m. **1** Convenio o acuerdo, generalmente escrito, entre dos o más personas o instituciones, por el que se obligan a cumplir lo pactado. **2** Documento escrito en el que queda reflejado este convenio: *Todavía no me han remitido la copia del contrato de alquiler.* **3** ‖ **contrato basura;** *col.* El que no es por tiempo indefinido y se considera mal pagado. ‖ **contrato blindado;** el que tiene una importante indemnización económica en caso de rescisión. □ ETIMOL. Del latín *contractus*.

contravención s.f. Incumplimiento de una norma, una ley o una orden: *La contravención de las normas de tráfico es severamente castigada.*

contraveneno s.m. Medicamento o sustancia que anulan la acción de un veneno: *En el hospital le aplicaron un contraveneno porque la había mordido una serpiente.* □ SINÓN. *antídoto*.

contravenir v. Actuar en contra de lo que está mandado o establecido: *Fue sancionado por contravenir a la ley.* □ ETIMOL. Del latín *contravenire*. □ MORF. Irreg. →VENIR. □ SINT. Constr. *contravenir* A *algo*.

contraventana s.f. Puerta que cubre el interior o el exterior de los cristales de las ventanas o los balcones y que sirve para impedir el paso de la luz o para resguardar del frío.

contraventor, -a adj./s. Que contraviene a algo, esp. una norma: *El contraventor de estas normas será multado.*

contrayente adj.inv./s.com. Referido a una persona, que contrae matrimonio: *Los contrayentes, después de la boda, saludaron personalmente a todos los invitados.*

contreras (pl. *contreras*) s.com. *col.* Persona que lleva siempre la contraria.

contribución s.f. **1** Pago de una cantidad, esp. de un impuesto o una carga: *El Estado cuenta con la contribución de los ciudadanos para el manteni-*

miento de los servicios públicos. **2** Esta cantidad: *Tenemos tres meses de plazo para pagar la contribución urbana.* **3** Lo que se aporta o lo que se hace para ayudar a algo: *El sacerdote pidió la contribución económica de los feligreses para las obras del templo. Su contribución al proyecto ha sido muy valiosa.*

contribuir v. **1** Dar o pagar la cantidad que corresponde por un impuesto o por una carga: *Aunque no vive con sus hijos, contribuye a su mantenimiento. Cada vecino debe contribuir con una cuota extraordinaria de treinta euros para pintar el portal.* **2** Aportar voluntariamente un donativo: *¿Desea usted contribuir en la lucha contra la droga?* ☐ SINÓN. *colaborar.* **3** Ayudar al logro de un fin: *El buen tiempo ha contribuido al éxito del espectáculo.* ☐ SINÓN. *colaborar.* ☐ ETIMOL. Del latín *contribuere*, y este de *cum* (con) y *tribuere* (abonar, atribuir). ☐ MORF. Irreg. →HUIR. ☐ SEM. No debe emplearse con el significado de 'causar': *La lluvia {*contribuyó a > causó} la inundación del pueblo.*

contribuyente ▮ adj.inv. **1** Que contribuye. ▮ s.com. **2** Referido a una persona, que contribuye legalmente al pago de impuestos al Estado: *En las delegaciones de Hacienda se informa a los contribuyentes.*

contrición s.f. Dolor o arrepentimiento por una culpa, esp. por haber ofendido a Dios: *El sacerdote me dijo que mis pecados me serían perdonados si hacía un acto de contrición.* ☐ ETIMOL. Del latín *contritio.* ☐ PRON. Incorr. *[contricción]. ☐ ORTOGR. Dist. de *constricción.*

contrincante s.com. Persona que compite con otras: *No tuvo problemas para conseguir el puesto porque sus contrincantes estaban peor preparados que ella.* ☐ ETIMOL. De *con-* (reunión) y *trinca* (conjunto de tres personas para argüir en las oposiciones).

contristar v. Afligir o entristecer: *No finjas estar contristado, porque todos sabemos que la noticia no te ha afectado en absoluto.* ☐ ETIMOL. Del latín *contristare.*

contrito, ta adj. Que siente contrición o dolor, esp. por haber ofendido a Dios. ☐ ETIMOL. Del latín *contritus* (machacado, abrumado).

control s.m. **1** Inspección, fiscalización o comprobación atentas de algo: *Pasó el control de sanidad sin ningún problema.* **2** Dominio o mando ejercidos sobre algo: *Perdió el control del coche y se estrelló contra una farola.* **3** Supervisión o verificación de lo realizado por otros: *El control presupuestario es necesario para saber si los ingresos superan a los gastos.* **4** Lugar desde donde se controla: *La policía instaló un control en la autopista para impedir la salida de los terroristas.* **5** Regulación, manual o automática, sobre un sistema: *Un nuevo técnico se encarga del control del sonido.* **6** Mando o dispositivo de regulación: *Los controles del avión están en la cabina.* **7** *col.* Examen no oficial para comprobar la marcha de los alumnos: *La profesora empezó a explicar otra cosa porque los resultados del control fueron buenos.* **8** || **control remoto;** el dispositivo que regula a distancia el funcionamiento de un aparato, mecanismo o sistema: *La bomba se activó por control remoto.* ☐ ETIMOL. Del francés *contrôle.*

controlable adj.inv. Que se puede controlar: *Hay ciertos sentimientos y emociones que no son fácilmente controlables.*

controlador, -a ▮ adj. **1** Que controla: *el órgano controlador.* ▮ s. **2** Técnico que controla, orienta y regula el despegue y el aterrizaje de los aviones en un aeropuerto. ▮ s.m. **3** Programa informático que gestiona e interpreta la información interna del ordenador. ▮ s.f. **4** Tarjeta que suele integrarse en el ordenador y que sirve para trabajar con ciertos dispositivos: *Con esta controladora podrás conectar videocámaras al ordenador sin necesidad de apagarlo.*

controladora s.f. Véase **controlador, -a**.

controlar v. **1** Inspeccionar, fiscalizar o comprobar atentamente: *El Gobierno controlará la subida de los precios.* **2** Dominar o mandar sobre algo: *Nuestra escuadra controla este lugar. Nunca pierde los nervios porque se controla muy bien.* **3** Referido a algo realizado por otros, supervisarlo o verificarlo: *En este departamento se controlan los horarios y las horas extraordinarias realizadas por el personal.* **4** Referido a un sistema, regularlo de forma manual o automática: *Controla la iluminación y los efectos especiales de la obra.* ☐ ETIMOL. Del francés *contrôler.* ☐ SINT. En la acepción 2, es incorrecto el uso como intransitivo, aunque está muy extendido: *Me admira ver cómo {*controlas > te controlas}.*

controller (ing.) s.com. Persona que controla y gestiona los diferentes procesos internos de una empresa: *En esta empresa la controller es la encargada de gestionar la cuenta de resultados.* ☐ PRON. [contróler]. ☐ USO Su uso es innecesario y puede sustituirse por *director administrativo.*

controversia s.f. Discusión larga y repetida entre dos o más personas, esp. sobre temas filosóficos: *La controversia sobre la resurrección de la carne se mantiene desde hace siglos.* ☐ ETIMOL. Del latín *controversia.*

controvertido, da adj. Que provoca controversia o que es discutido o polémico: *una opinión controvertida.* ☐ ETIMOL. De *controvertir* (discutir sobre algún asunto).

controvertir v. Discutir detenidamente sobre algo, defendiendo opiniones contrapuestas: *En la reunión de ayer se controvirtió sobre la última parte de la disposición.* ☐ MORF. Irreg. →SENTIR. ☐ SINT. Constr. *controvertir* SOBRE *algo.*

contubernio s.m. **1** *desp.* Alianza que no está permitida legal o moralmente y que merece desprecio. **2** *desp.* Amancebamiento o convivencia entre dos personas que mantienen relaciones sexuales sin estar casadas entre sí. ☐ ETIMOL. Del latín *contubernium*, y este de *taberna* (vida en una misma choza).

contumacia s.f. Tenacidad y obstinación en mantener un error: *Tu contumacia te llevará al descrédito más absoluto.*

contumaz adj.inv. Tenaz y obstinado en mantener un error. □ ETIMOL. Del latín *contumax* (obstinado).

contundencia s.f. Capacidad para convencer de lo que resulta claro, decisivo o evidente: *La contundencia de sus acusaciones nos dejó a todos sin capacidad de respuesta.*

contundente adj.inv. **1** Que produce contusión o daño, esp. referido a un instrumento o a un acto: *un objeto contundente.* **2** Que convence porque resulta claro, decisivo o evidente: *una respuesta contundente.* □ ETIMOL. Del latín *contundens*, y este de *contundere* (contundir).

contundir v. Magullar o golpear: *Las porras de los policías son armas que sirven para contundir.* □ ETIMOL. Del latín *contundere*.

conturbación s.f. Alteración, inquietud o pérdida de la tranquilidad: *Aquel suceso me produjo tal conturbación que no pude dormir en toda la noche.* □ SINÓN. *conturbamiento.*

conturbamiento s.m. →**conturbación.**

conturbar v. Alterar, inquietar o quitar la tranquilidad: *El terremoto conturbó a la población.* □ ETIMOL. Del latín *conturbare*.

contusión s.f. Daño o lesión, sin herida, que se produce al comprimir o golpear violentamente un tejido orgánico: *El accidente fue muy aparatoso, pero solo tuvo algunas contusiones.* □ ETIMOL. Del latín *contusio*.

contusionar v. Referido esp. a una parte del cuerpo, dañarla sin llegar a herirla, al comprimirla o golpearla violentamente: *Al chocar, se contusionó el pecho con el volante.* □ SINÓN. *magullar.*

contuso, sa adj./s. Que ha sufrido alguna contusión o daño: *El médico atendió a los heridos y después a los contusos.* □ ETIMOL. Del latín *contusus* (magullado).

conuco s.m. Parcela pequeña de tierra dedicada al cultivo esp. del maíz o la yuca: *En Cuba y Venezuela los campesinos cultivan los conucos.*

conurbación s.f. Conjunto de varios núcleos urbanos que eran independientes y que al crecer acaban uniéndose: *Normalmente una conurbación es una gran ciudad.*

convalecencia s.f. Recuperación de las fuerzas perdidas en una enfermedad o en un estado de postración: *Después de la operación tendrá un período de convalecencia.*

convalecer v. Recuperarse de una enfermedad o de un estado de postración: *Convalece de su enfermedad en la playa. La economía española todavía convalece de la inflación y el paro.* □ ETIMOL. Del latín *convalescere.* □ MORF. Irreg. →PARECER.

convaleciente adj.inv./s.com. Que se recupera de una enfermedad: *No me encuentro bien porque todavía estoy convaleciente de mi enfermedad.*

convalidación s.f. En un país o en una institución educativa, reconocimiento de la validez académica de estudios realizados en otro país o en otra institución: *Cuando se vino a vivir a España solicitó la convalidación de los estudios realizados en su país.*

convalidar v. **1** Referido a los estudios realizados en un país o en una institución, darles validez académica en otro país o en otra institución: *Para que te convaliden la asignatura que cursaste en Alemania tienes que presentar el certificado de estudios y el programa.* **2** Referido esp. a un acto jurídico, confirmarlo, ratificarlo o darle nuevo valor: *El consejo social de la universidad convalidó la decisión del rector.* □ ETIMOL. Del latín *convalidare*.

convección s.f. En física, propagación del calor en un líquido o en un gas mediante la corriente originada por las diferencias de densidad: *El aire se calienta por convección, es decir, el aire caliente, que es menos denso, sube y el frío, que es más denso, baja.* □ ETIMOL. Del latín *convectio* (conducción). □ ORTOGR. Dist. de *convención.*

convecino, na ▌ adj. **1** Que está a corta distancia, próximo o inmediato. □ SINÓN. *cercano.* **2** adj./s. Referido a una persona, que es vecina de la misma población que otra.

convector s.m. Aparato de calefacción que funciona por convección: *Los convectores son calefactores que producen una corriente de aire caliente.*

convencer v. **1** Referido a una persona, conseguir que cambie una opinión o un comportamiento: *Lo convencí para que viniera de excursión. Se convenció de que había que trabajar más.* **2** Gustar o causar satisfacción: *El comentarista dijo que el equipo venció, pero que no convenció.* □ ETIMOL. Del latín *convincere*, y este de *cum* (con) y *vincere* (vencer). □ ORTOGR. La *c* se cambia en *z* delante de *a, o* →VENCER. □ MORF. Tiene un participio regular (*convencido*), que se usa en la conjugación, y otro irregular (*convicto*), que se usa solo como adjetivo. □ SINT. Constr. *convencer {DE/CON} algo.*

convencido, da adj. **1** Con convencimiento: *Es una demócrata convencida.* **2** Seguro de algo y sin duda sobre ello: *Estoy convencido de que se le olvidó llamarte, así que no se lo tengas en cuenta.* □ SINT. Constr. de la acepción 2: *estar convencido* DE *algo.*

convencimiento s.m. **1** Consecución, mediante razones, de un cambio de opinión o de comportamiento: *Lo hizo por convencimiento y no para quedar bien.* □ SINÓN. *convicción.* **2** Seguridad de algo que parece lógico racionalmente: *Tengo el firme convencimiento de que vendrá.* □ SINÓN. *convicción.*

convención s.f. **1** Norma o práctica admitidas de forma general por un acuerdo o una costumbre: *las convenciones sociales.* **2** Asamblea de representantes o reunión general de los miembros de una asociación: *la convención de un partido político.* □ ETIMOL. Del latín *conventio* (reunión). □ ORTOGR. Dist. de *convección.*

convencional adj.inv. **1** Que se establece por un convenio, por un acuerdo general o por una costumbre: *Las letras son signos convencionales para representar los sonidos del habla.* **2** Que es poco original o que no supone ninguna novedad: *No se uti-*

lizaron armas atómicas, sino armas convencionales. □ ETIMOL. Del latín *conventionalis.*

convencionalismo s.m. Idea o comportamiento que se aceptan y se ponen en práctica por comodidad, por costumbre o por conveniencia social. □ MORF. Se usa más en plural.

conveniencia s.f. **1** Adecuación, oportunidad o utilidad de algo: *No dudo de la conveniencia de hacer lo que me dices.* **2** Lo que se considera beneficioso, útil o adecuado: *Solo busca su propia conveniencia, y no tiene en cuenta los deseos de nadie.* **3** Acuerdo, pacto o convenio: *Pactaron un matrimonio de conveniencia para que ella pudiera adquirir la doble nacionalidad.*

conveniente adj.inv. Que es adecuado, oportuno o que puede servir para algo: *No es conveniente que aparezcas por allí ahora.*

convenio s.m. **1** Acuerdo o pacto, generalmente hecho entre personas o instituciones: *El convenio pondrá fin a la situación de enfrentamiento en la que hemos vivido.* **2** || **convenio colectivo;** el establecido por empresarios y trabajadores para regular las condiciones laborales: *La subida salarial para este año está fijada en el convenio colectivo.*

convenir v. **1** Ser adecuado, oportuno o útil: *Nos conviene aceptar el trato. Tú sabrás si te conviene pedir ahora las vacaciones. No conviene que nos vean juntos.* **2** Acordar o decidir entre varias personas: *Convinieron en verse a la entrada del teatro. Hemos convenido aceptar el precio estipulado por la empresa.* □ ETIMOL. Del latín *convenire* (ir a un mismo lugar, juntarse). □ MORF. Irreg. →VENIR. □ SINT. Constr. de la acepción 2: *convenir* CON *alguien* EN *algo.*

convento s.m. **1** Edificio en el que viven en comunidad los monjes o las monjas de una orden religiosa: *En el convento viven diez frailes.* **2** Comunidad que vive en este edificio: *A la misa asistió todo el convento.* □ ETIMOL. Del latín *conventus* (reunión de gente).

conventual adj.inv. De un convento o relacionado con él: *Nos contó que la vida conventual era muy sacrificada.*

convergencia s.f. Unión o coincidencia en un mismo punto o en un mismo fin: *Esta plaza es punto de convergencia de varias calles.*

convergente adj.inv. Que converge: *Nuestros destinos son como dos líneas convergentes que están destinadas a encontrarse de nuevo.*

converger (tb. *convergir*) v. **1** Referido a dos o más líneas, unirse en un punto: *Todas estas calles convergen en la misma plaza.* **2** Referido a ideas o acciones de dos o más personas, tener un mismo fin: *Cada uno se expresa de una forma, pero sus ideas convergen.* □ ETIMOL. Del latín *convergere,* y este de *vergere* (inclinarse). □ ORTOGR. La *g* se cambia en *j* delante de *a, o* →COGER.

convergir v. →**converger.** □ ORTOGR. La *g* se cambia en *j* delante de *a, o* →DIRIGIR.

conversación s.f. **1** Comunicación mediante palabras. **2** || **sacar la conversación;** tocar algún punto para que se hable de él: *Sacó la conversación del trabajo y ya no la dejamos en toda la tarde.*

conversacional adj.inv. **1** De la conversación o relacionado con ella: *la técnica conversacional.* **2** Característico de la conversación o del lenguaje usado corrientemente, esp. referido a palabras o expresiones: *un tono conversacional.* □ SINÓN. *coloquial.*

conversador, -a adj./s. Referido a una persona, que sabe hacer entretenida e interesante una conversación: *Es muy agradable charlar con un buen conversador.*

conversar v. Mantener una conversación: *Conversaban animadamente horas y horas.* □ SINÓN. *hablar.* □ ETIMOL. Del latín *conversari* (vivir en compañía).

conversión s.f. **1** Transformación o cambio en algo distinto: *Con esta calculadora puedo hacer la conversión de euros a dólares.* **2** Adquisición de una religión, creencia o ideología que antes no se tenían: *El sacerdote rezaba por la conversión de mujeres y hombres.* **3** Figura retórica que consiste en repetir una palabra al final de secuencia: *El pie final de algunas coplas, que se repite como un estribillo al final de cada estrofa, es un ejemplo de conversión.*

converso, sa adj./s. Referido a una persona, que se ha convertido al cristianismo, esp. referido a la que antes era musulmana o judía: *El autor de 'La Celestina' era converso o descendiente de conversos.*

convertible ▮ adj.inv. **1** En economía, que puede ser cambiado en una divisa: *una moneda convertible.* ▮ s.m. **2** Automóvil descapotable.

convertidor s.m. **1** Aparato que se utiliza para cambiar el tipo de corriente o alguna de sus características: *Con un convertidor se puede cambiar la frecuencia de una corriente.* **2** Aparato que se usa para convertir la fundición de hierro en acero: *El convertidor lo inventó el ingeniero inglés Bessemer en el siglo* XIX.

convertir v. **1** Hacer distinto o transformar: *La experiencia, los viajes y las lecturas lo convirtieron en un hombre de mundo.* **2** Hacer adquirir una religión, una creencia o una ideología: *Entabló relación con un grupo clandestino que lo convirtió al anarquismo.* □ ETIMOL. Del latín *convertere.* □ MORF. Irreg. →SENTIR. □ SINT. 1. Constr. de la acepción 1: *convertir* EN *algo.* 2. Constr. de la acepción 2: *convertir* A *algo.*

convexidad s.f. Curvatura hacia afuera en la parte central de una línea o de una superficie curvas con respecto del que las mira.

convexo, xa adj. Referido a una línea o a una superficie, que son curvas y tienen su parte central saliente. □ ETIMOL. Del latín *convexus* (curvo, cóncavo).

convicción ▮ s.f. **1** Consecución, mediante razones, de un cambio de opinión o de comportamiento: *poder de convicción.* □ SINÓN. *convencimiento.* **2** Seguridad de algo que parece lógico racionalmente. □ SINÓN. *convencimiento.* ▮ pl. **3** Ideas religiosas, éticas o políticas en las que se cree firmemente. □ ETIMOL. Del latín *convictio*. □ PRON. Incorr. *[convinción].

convicto, ta ▮ adj. **1** En derecho, referido al acusado de un delito, con culpabilidad probada legalmente aunque no lo haya confesado: *Tras la prueba del testigo, se declaró convicto al acusado.* ▮ s. **2** Persona que está en presidio cumpliendo una condena: *Los convictos fueron trasladados en un furgón.* □ SINÓN. *presidiario*. □ ETIMOL. Del latín *convictus*, y este de *convincere* (convencer).

convidado, da s. **1** Persona que recibe un convite o que asiste a él: *En el banquete habría unos doscientos convidados.* **2** || **convidado de piedra;** en un grupo, persona que está callada y que no participa.

convidar v. **1** Invitar u ofrecer gratis una comida o una bebida: *Insistió en que nos quería convidar a comer en un buen restaurante.* **2** Mover o animar a algo: *Este día de sol convida a pasear.* □ ETIMOL. Del latín **convitare*, por *invitare*. □ SINT. Constr. *convidar* A *algo*.

convincente adj.inv. Que convence: *Su propuesta ha sido muy convincente y la hemos aceptado.*

convite s.m. Banquete o comida con invitados: *un convite de boda.* □ ETIMOL. Del catalán *convit*.

convivencia s.f. Vida en compañía de otro o de otros: *Mis padres llevan ya treinta años de estrecha convivencia.*

conviviente adj.inv./s.com. Que convive: *un certificado de empadronamiento de las personas convivientes en el piso.* □ PRON. Incorr. *[convivente].

convivir v. Vivir en compañía de otro o de otros: *En el país conviven pacíficamente varios grupos étnicos.*

convocar v. **1** Referido a una persona, citarla o llamarla para que acuda a un lugar o a un acto determinados: *La directora convocó a todos los estudiantes el lunes a las diez de la mañana en el salón de actos.* **2** Referido esp. a una concurso, anunciarlo o hacer públicas las condiciones y los plazos para que las personas interesadas puedan tomar parte en él: *El concurso de cuentos fue convocado en mayo y el jurado se reunió en octubre.* □ ETIMOL. Del latín *convocare* (llamar a junta). □ ORTOGR. La *c* se cambia en *qu* delante de *e* →SACAR.

convocatoria s.f. Llamada, anuncio o escrito con los que se convoca: *una convocatoria de oposiciones.*

convoy (pl. *convoyes*) s.m. **1** Escolta que acompaña y protege a una expedición de barcos o vehículos: *Un convoy militar acompañaba a la caravana.* **2** Conjunto de los barcos o vehículos así protegidos: *Con los prismáticos vimos cómo avanzaba el convoy de camiones.* **3** Vinagreras para el servicio de mesa: *¿Me pasas el convoy, por favor, para aderezarme la ensalada?* □ ETIMOL. Del francés *convoi* (escolta de soldados o navíos, acompañamiento de un entierro).

convulsión s.f. **1** Movimiento brusco e involuntario de contracción y estiramiento alternativos de los músculos del cuerpo, que está causado generalmente por una enfermedad. **2** Agitación violenta que trastorna la normalidad de la vida colectiva: *El inicio de la guerra supuso una gran convulsión para el país.* □ ETIMOL. Del latín *convulsio*, y este de *convulsus* (que padece convulsiones). □ ORTOGR. Dist. de *compulsión*.

convulsionar v. Producir convulsiones: *El anuncio de las nuevas medidas económicas convulsionó a los sindicatos.*

convulsivo, va adj. De la convulsión o con sus características: *Es epiléptico y a veces tiene crisis convulsivas.* □ SEM. Dist. de *compulsivo* (que muestra compulsión).

convulso, sa adj. **1** Con convulsiones: *Los músculos convulsos de su cara reflejaban la ira.* **2** Referido a una persona, muy excitada o fuera de sí: *Apareció convulso por el miedo.* □ ETIMOL. Del latín *convulsus*.

conyugal adj.inv. De los cónyuges o relacionado con ellos: *el domicilio conyugal.*

cónyuge s.com. Respecto de una persona, su esposo o su esposa: *Los cónyuges iniciarán mañana su luna de miel.* □ SINÓN. *consorte*. □ ETIMOL. Del latín *coniux* (el que lleva el mismo yugo). □ PRON. Incorr. *[cónyugue].

conyugicida adj.inv./s.com. Que mata a su cónyuge.

conyugidio s.m. Muerte dada por uno de los cónyuges al otro.

coña s.f. **1** *col.* Burla o guasa disimulada: *No le hagas caso porque lo último que dijo iba de coña.* **2** *col.* Lo que se considera molesto: *¡Vaya coña tener que salir a comprar a estas horas!* **3** *col.* Suerte: *¡Qué coña tienes!* □ ETIMOL. De *coño*.

coñá (pl. *coñás*) s.m. →**coñac.**

coñac s.m. Bebida alcohólica de graduación muy elevada, originaria de Cognac (región francesa): *El coñac se obtiene destilando vinos flojos y envejeciéndolos en toneles de roble.* □ ETIMOL. Del francés *cognac*, y este de *Cognac*, lugar de Francia donde empezó a elaborarse. □ ORTOGR. Se usa también *coñá*. □ SEM. Dist. de *brandy* (no originario de Francia). □ USO Se usan los plurales *coñacs* y *coñac*.

coñazo s.m. *vulg.* Lo que resulta insoportable o muy molesto.

coño ▮ s.m. **1** *vulg.malson.* →**vulva. 2** *vulg. desp.* En zonas del español meridional, español. ▮ interj. **3** *vulg.malson.* Expresión que se usa para indicar extrañeza, sorpresa, admiración o disgusto. □ ETIMOL. Del latín *cunnus*.

cookie (ing.) s.f. **1** En informática, archivo con muy poca información que una página web envía al disco duro del ordenador desde el que se ha conectado con esa página: *La cookie permite a la página web conocer la trayectoria que ha seguido el usuario en su visita.* **2** Galleta redonda y gruesa, esp. la que tiene trozos de chocolate: *Espera un momento, que estoy sacando unas cookies del horno.* □ PRON. [cúqui].

cool (ing.) ▮ adj. **1** *col.* Muy bueno o genial: *El concierto fue muy cool.* ▮ s.m. **2** Estilo de música de jazz nacido a principios de la década de 1950 y que se caracteriza por la restricción del papel de la improvisación: *Miles Davis fue el padre del cool.* □ PRON. [cul].

coolie (ing.) s.m. →**culi.** □ PRON. [cúli]. □ ORTOGR. Dist. de *collie.* □ USO Su uso es innecesario.

cooperación s.f. Actuación conjunta para lograr un mismo fin: *La policía pidió la cooperación de todos los vecinos para esclarecer los hechos.*

cooperador, -a adj./s. Que coopera: *Es una persona muy cooperadora y siempre está dispuesta a ayudar.*

cooperante adj.inv./s.com. Que coopera.

cooperar v. Obrar conjuntamente para lograr un mismo fin: *Ambos países cooperarán en la lucha contra el terrorismo.* □ ETIMOL. Del latín *cooperare.*

cooperativa adj./s.f. →**sociedad cooperativa.**

cooperativismo s.m. **1** Tendencia a la cooperación en el orden económico y social: *En algunas sociedades agrarias el cooperativismo ha sustituido a la iniciativa individual de los agricultores.* **2** Régimen de las asociaciones organizadas como cooperativas: *Los productores vinícolas de esta zona han optado por el cooperativismo.*

cooperativista ▮ adj.inv. **1** Del cooperativismo o relacionado con él: *una política cooperativista.* ▮ adj.inv./s.com. **2** Partidario o seguidor del cooperativismo.

cooperativo, va ▮ adj. **1** Que coopera o que puede cooperar. ▮ s.f. **2** →**sociedad cooperativa.**

cooptación s.f. Hecho de cubrir las vacantes que se producen en una corporación por medio del voto de sus miembros. □ ETIMOL. Del latín *cooptationis.*

cooptar v. Cubrir las vacantes que se producen en una corporación por medio del voto de sus miembros: *En la reunión se planteó el tema de los consejeros que cooptan dirigentes entre sus prosélitos.*

coordenada s.f. Véase **coordenado, da.**

coordenado, da adj./s.f. En matemáticas, referido a una línea, a un eje o a un plano, que sirven para determinar la posición de un punto: *El piloto dio por radio las coordenadas de su situación.*

coordinación s.f. **1** Combinación o unión de algo para conseguir una acción común: *¿Quién es el encargado de la coordinación de todos los esfuerzos?* **2** Disposición de algo de forma metódica u ordenada: *La coordinación de movimientos es fundamental en este deporte.* **3** Relación gramatical que se establece entre dos elementos sintácticos del mismo nivel o con la misma función, pero independientes entre sí: *En la oración 'Cantas bien, pero bailas mal' hay coordinación adversativa.* □ SINÓN. *parataxis.*

coordinada s.f. Véase **coordinado, da.**

coordinado, da adj./s.f. En lingüística, referido esp. a una oración, que se une a otra u otras por coordinación: *En el enunciado 'Ayer fui al cine y me encontré con tu primo' hay dos oraciones coordinadas.*

coordinador, -a ▮ adj./s. **1** Referido a una persona, que coordina un grupo de personas: *Trabaja como coordinadora de las actividades culturales del Ayuntamiento.* ▮ s.f. **2** Conjunto de personas elegidas para dirigir y organizar algo: *Varios miembros de la coordinadora de profesores han sido recibidos por el ministro de Educación.*

coordinadora s.f. Véase **coordinador, -a.**

coordinante adj.inv. Que coordina: *coordinantes copulativas.*

coordinar v. **1** Concertar o unir para conseguir una acción común: *Es la encargada de coordinar los trabajos de los tres equipos de investigadores.* **2** Disponer de forma metódica u ordenada: *Para desfilar bien hay que coordinar los movimientos propios con los de los demás.* **3** En gramática, referido a dos elementos del mismo nivel o con la misma función, unirlos sintácticamente: *La conjunción 'y' coordina palabras y oraciones.* □ ETIMOL. Del latín *co*, por *cum* (con), y *ordinare* (ordenar).

coordinativo, va adj. Que coordina o que puede coordinar.

copa ▮ s.f. **1** Vaso con pie que se usa para beber: *El champán se bebe siempre en copa.* **2** Líquido que cabe en este vaso, esp. si es alcohólico: *Te invito a una copa para celebrarlo.* **3** En un árbol, conjunto de ramas y de hojas que forma su parte superior: *Vimos una ardilla que iba saltando por las copas de los árboles.* **4** En un sombrero, parte hueca en la que entra la cabeza: *Una chistera es un sombrero de copa alta.* **5** En un sujetador de mujer, parte hueca destinada a cubrir cada seno: *Este modelo de sujetador tiene varias tallas de copa.* **6** En la baraja, carta del palo que se representa con uno o varios vasos con pie: *Solo me faltan dos copas para acabar el solitario.* **7** Premio que se concede en algunas competiciones deportivas: *La capitana recogió la copa en nombre de todo el equipo.* **8** Competición deportiva en la que se participa para ganar este premio: *Los equipos del barrio juegan la copa de primavera después de acabar la liga.* **9** Cóctel o fiesta en la que se sirven bebidas: *Cuando se cambió de casa dio una copa para que la conociéramos.* ▮ pl. **10** En la baraja, palo que se representa con uno o varios vasos con pie: *Tengo que pasar porque no tengo copas.* **11** ‖ **como la copa de un pino;** *col.* Grandísimo, muy importante o extraordinario: *Eso que te contó es una mentira como la copa de un pino.* □ ETIMOL. Del latín *cuppa.*

copal s.m. Resina gomosa y aromática que se extrae de ciertos árboles originarios del continente americano, y que se quema para aromatizar algunas celebraciones o rituales. □ ETIMOL. Del náhuatl *copalli.*

copar v. **1** Referido esp. a una lista, conseguir todos los puestos de esta: *Los escritores españoles han copado las listas de ventas de libros este mes.* **2** *col.* Ocupar o acaparar por completo: *Esta noticia copó la atención de todo el pueblo.* □ ETIMOL. Del francés *couper* (cortar).

coparticipación s.f. Participación en algo con otra persona: *Está probada su coparticipación en ese delito.*

copartícipe s.com. Persona que participa en algo con otra u otras personas: *Si me ayudas en este trabajo, repartiremos beneficios por ser copartícipes.*

copazo s.m. *col.* Bebida alcohólica que se toma en una copa o en un vaso.

copear v. *col.* Tomar bebidas alcohólicas: *La otra noche salimos a copear con unos amigos.*

cópec s.m. Moneda rusa equivalente a la centésima parte de un rublo. ☐ SINÓN. *copeca.* ☐ USO Es innecesario el uso del término ruso *kopek*.

copeca s.f. →**cópec.**

copechi s.f. En zonas del español meridional, luciérnaga. ☐ MORF. Es un sustantivo epiceno: *la copechi {macho/hembra}.*

copela s.f. Recipiente, en forma de cono truncado, donde se purifican los minerales de oro o plata. ☐ ETIMOL. Del italiano *coppella*.

copeo s.m. *col.* Consumo de bebidas alcohólicas.

copépodo ▌adj./s. **1** Referido a un crustáceo, que se caracteriza por ser generalmente de vida libre y formar parte del plancton: *Los crustáceos copépodos son microscópicos.* ▌s.m.pl. **2** En zoología, orden de estos crustáceos, perteneciente al tipo de los artrópodos: *Algunas especies que pertenecen a los copépodos son parásitas.* ☐ ETIMOL. Del griego *kópe* (remo) y *-podo* (pie).

copernicano, na ▌adj. **1** De Copérnico (astrónomo polaco de los siglos XV y XVI) o relacionado con él o con su sistema: *El descubrimiento copernicano de que la Tierra y los planetas giran alrededor del Sol supuso una revolución científica e intelectual.* ▌adj./s. **2** Partidario o seguidor del sistema de Copérnico: *Los copernicanos revolucionaron las teorías clásicas sobre el ser humano y el mundo.*

copero, ra ▌adj. **1** De una copa deportiva, de una competición o relacionado con ellas: *Este equipo ha conseguido varios trofeos coperos en los tres últimos años.* ▌s.m. **2** Mueble que se usa para contener las copas en las que se sirven licores. **3** Persona que estaba encargada de traer la copa y de dar de beber a su señor: *El copero dio de beber a su señor, que le pedía más vino.*

copete s.m. **1** Mechón de pelo que cae sobre la frente. **2** En un sorbete o en una bebida helada, parte que rebasa o que sobresale del borde de los vasos o del recipiente que los contiene. **3** En un mueble, adorno que puede tener en su parte superior. **4** ‖ **de (alto) copete;** *col.* De mucha importancia, distinción o lujo: *Lo vi saliendo de un restaurante con una dama de alto copete.* ☐ ETIMOL. De *copo* (mechón).

copetín s.m. **1** Pequeña fiesta en la que se sirven bebidas y aperitivos. **2** En zonas del español meridional, cóctel o aperitivo.

copey s.m. Árbol americano de hojas carnosas, flores amarillas y rojas, y fruto esférico, pequeño y venenoso: *Las flores del copey parecen de cera.* ☐ ETIMOL. De origen taíno.

copia s.f. **1** Reproducción de un original o de un modelo: *Después de firmar, me dieron una copia del contrato. Necesito una copia de la llave de este armario.* **2** Imitación del estilo o de la obra original de un artista: *Este estilo pretende ser una copia de la arquitectura clásica.* **3** Imitación o persona muy parecida a otra: *Este niño es copia de su padre, son iguales en todo.* ☐ ETIMOL. Del latín *copia* (posibilidad de tener algo). ☐ SEM. Está muy extendido su uso con el significado de 'disco' o 'ejemplar': *Esta cantante ha vendido millón y medio de copias (discos). Esa edición es de varios miles de copias (ejemplares).*

copiadora s.f. Máquina que reproduce en numerosas copias de papel.

copiar v. **1** Referido a un original o a un modelo, reproducirlos o representarlos: *Copié este dibujo de un cuadro que salía en una revista.* **2** Referido a lo que dice alguien que está hablando, escribirlo o anotarlo: *Copia las cosas que te voy diciendo, para que no se te olvide ninguna.* **3** Imitar, reflejar, remedar o hacer semejante: *No era un poeta original, sino que copiaba muy bien a otros anteriores a él.*

copichuela s.f. *col.* Copa de una bebida alcohólica.

copihue s.m. Planta típica chilena que tiene flores rojas o blancas: *El copihue es considerado como la flor nacional de Chile.*

copiloto s.com. Piloto auxiliar o persona que ayuda al piloto: *En estas carreras de coches, el copiloto va diciendo al piloto cómo debe tomar cada curva.*

copión, -a adj./s. *desp.* Que copia o que imita.

copiosidad s.f. Abundancia o gran cantidad: *La copiosidad de las lluvias ha permitido que los embalses se llenen de agua.*

copioso, sa adj. Abundante, numeroso o grande en número o en cantidad: *una cena copiosa.* ☐ ETIMOL. Del latín *copiosus*.

copiota adj.inv./s.com. *col. desp.* Que copia o que imita.

copista s.com. Persona que se dedica a copiar, esp. escritos ajenos: *Gran parte del saber de la humanidad nos ha llegado a través de la obra de los copistas medievales.*

copistería s.f. Establecimiento en el que se hacen copias.

copla ▌s.f. **1** Composición poética formada por una seguidilla, por una redondilla o por otra combinación breve de versos, generalmente en número de cuatro, y que suele servir de letra en las canciones populares: *Las estrofas de sevillanas, jotas y malagueñas son coplas.* **2** Estrofa o combinación métrica: *En algunos tratados medievales se dan indicaciones sobre el arte de trovar y las peculiaridades de cada tipo de copla.* **3** Canción folclórica española, esp. la de raíces andaluzas: *Para mí, ninguna música moderna tiene el sentimiento y la fuerza de la copla.* ▌pl. **4** Cuentos, habladurías o evasivas: *Déjate de coplas y dime sinceramente por qué has* *llegado tarde.* □ ETIMOL. Del latín *copula* (unión, enlace).

coplero, ra s. **1** Persona que compone coplas y otras poesías o que las vende. **2** *desp.* Mal poeta.

copo s.m. **1** Cada una de las porciones de nieve que caen cuando nieva. **2** Lo que tiene esta forma: *Para hacer el puré de patata tienes que mezclar los copos de la bolsa con leche.* □ ETIMOL. De *copa*.

copón s.m. **1** Copa grande de metal en la que, puesta en el sagrario, se guarda el Santísimo Sacramento (Cristo en la eucaristía). **2** ‖ **del copón;** *vulg.* Muy grande o extraordinario: *un coche del copón.*

copra s.f. Pulpa seca del coco, de la que se extrae aceite y con la que se preparan dulces.

copríncipe s.m. En Andorra (país europeo), cada uno de los dos gobernantes que comparten la soberanía política del país: *En Andorra hay dos copríncipes, uno español y uno francés.*

copro- Elemento compositivo prefijo que significa 'excremento': *coproanálisis, coprofagia.* □ ETIMOL. Del griego *kópros*.

coproanálisis (pl. *coproanálisis*) s.m. Análisis de las heces fecales: *El médico me mandó hacer un coproanálisis para determinar las causas de la infección.* □ ETIMOL. De *copro-* (excremento) y *análisis*.

coproducción s.f. Producción de algo que se hace en común, esp. referido a una película cinematográfica: *Esta película es una coproducción hispano-italiana.* □ ETIMOL. De *co-* (cooperación) y *producción*.

coproducir v. Referido esp. a una película cinematográfica, producirla en común: *Una empresa cinematográfica francesa y otra española coproducen esta película.* □ MORF. Irreg. →CONDUCIR.

coproductor, -a adj./s. Que produce una película en colaboración con otros.

coprofagia s.f. Ingestión de excrementos: *La gallina practica la coprofagia.* □ ETIMOL. De *copro-* (excremento) y *-fagia* (comer).

coprófago, ga adj. Que ingiere excrementos: *Algunos escarabajos son coprófagos.*

coprolito s.m. Excremento fósil: *Estos paleontólogos encontraron varios coprolitos en el yacimiento en el que estaban trabajando.* □ ETIMOL. De *copro-* (excremento) y *-lito* (piedra).

copropiedad s.f. Propiedad que se tiene juntamente con otro u otros: *Tengo el piso en copropiedad con mi hermana.* □ ETIMOL. De *co-* (cooperación) y *propiedad*.

copropietario, -a adj./s. Que es propietario o dueño de algo juntamente con otro o con otros: *Todos los dueños de los pisos son copropietarios de los jardines que rodean el edificio.*

copto, ta ▮ adj./s. **1** Cristiano de Egipto (país africano): *San Marcos introdujo la fe cristiana en Egipto en el año treinta y cinco y los coptos han mantenido fielmente sus ritos, como el del bautismo por inmersión.* ▮ s.m. **2** Antigua lengua egipcia conservada en la liturgia propia de estos cristianos. □ ETIMOL. Del griego *Aigýptios* (egipcio).

copuchento, ta adj./s. En zonas del español meridional, cotilla.

copudo, da adj. Referido esp. a un árbol, que tiene mucha copa.

cópula s.f. **1** Unión sexual del macho y la hembra. **2** En gramática, palabra que sirve para unir dos términos o dos frases: *Las conjunciones y los verbos 'ser 'y 'estar' son las cópulas más frecuentes.* □ ETIMOL. Del latín *copula* (lazo, unión).

copulador, -a adj. Que copula o que sirve para copular.

copular v. Unirse sexualmente: *Los perros copulan cuando la hembra está en celo.*

copulativo, va adj. En gramática, que junta y une una palabra o una frase con otra: *En la oración 'Come y calla', 'y' es una conjunción copulativa.*

copyleft (ing.) s.m. Licencia que permite la difusión libre y gratuita de cualquier material. □ PRON. [copiléf]. □ SEM. Dist. de *copyright* (derechos de autor).

copyright (ing.) s.m. Derecho de propiedad intelectual o de autor: *Este programa de ordenador está protegido por el copyright, y no se puede copiar sin permiso.* □ PRON. [copirráit]. □ SEM. Dist. de *copyleft* (licencia que permite la difusión de un material). □ USO 1. Su uso es innecesario y puede sustituirse por *derechos de autor* o *derechos de edición*. 2. Como convención internacional, su símbolo es ©.

coque s.m. Combustible sólido, ligero y poroso que resulta de calcinar o someter a altas temperaturas ciertas clases de carbón, esp. la hulla: *El coque se usa mucho en los altos hornos para la reducción de minerales de hierro.* □ ETIMOL. Del inglés *coke*.

coquero, ra adj./s. *col.* Adicto a la cocaína.

coqueta s.f. Véase **coqueto, ta.**

coquetear v. **1** Tratar de agradar o de atraer por mera vanidad y con métodos estudiados, esp. referido a las relaciones con el sexo opuesto: *Empezaron coqueteando, pero se fueron conociendo mejor y acabaron siendo novios.* **2** Tener una relación o implicación pasajera en un asunto: *En su juventud coqueteó con un partido progresista, pero no se decidió por la actividad política.*

coqueteo s.m. →**coquetería.**

coquetería s.f. Intento de agradar o de atraer por mera vanidad y con medios estudiados, esp. referido a las relaciones con el sexo opuesto. □ SINÓN. *coqueteo*.

coqueto, ta ▮ adj. **1** Referido a una cosa, pulcra, limpia, cuidada o graciosa: *Tiene un piso pequeño pero muy coqueto.* ▮ adj./s. **2** Que trata de agradar o de atraer por mera vanidad y con medios estudiados, esp. referido a las relaciones con el sexo opuesto: *Es un coqueto y se pasa horas ante el espejo.* ▮ s.f. **3** Mueble con forma de mesa y con espejo, que se utiliza para peinarse y maquillarse: *Antes de acostarse, se sienta ante la coqueta y se peina.* □ ETIMOL. Del francés *coquette*, y este de *coqueter* (coquetear).

coquí (pl. *coquíes, coquís*) s.m. En zonas del español meridional, batracio pequeño de canto melodioso. □ ETIMOL. De origen onomatopéyico.

coquina s.f. Molusco marino de carne comestible, con valvas finas, ovales, muy aplastadas y de color gris blanquecino con manchas rojizas: *Las coquinas abundan en las playas de Cádiz.*

coquito s.m. **1** Gesto o mueca que se hace a un niño para que se ría. **2** Pasta o dulce hechos con coco. □ ETIMOL. Del diminutivo de *coco*.

coráceo, a adj. →**coriáceo.**

coracero s.m. Soldado de caballería que llevaba el pecho y la espalda protegidos por una coraza: *En el siglo XIX existían en el ejército español unidades de coraceros.*

coracoides (pl. *coracoides*) s.f. →**apófisis coracoides.** □ ETIMOL. Del griego *korakoeidés* (semejante a un cuervo).

coraje s.m. **1** Valor o fuerza para hacer o para afrontar algo: *Debes tener coraje y decirme lo que sucede realmente para que pueda ayudarte.* **2** Irritación, ira, rabia o enojo: *Me da mucho coraje que me mientas.* □ ETIMOL. Del francés *courage* (valentía).

corajina s.f. *col.* Ataque de ira: *¡Menuda corajina me entró cuando me di cuenta de que me habían engañado!*

corajudo, da adj. Que tiene coraje: *Es una chica muy corajuda que no teme a nada ni a nadie.*

coral ▮ adj.inv. **1** Del coro o relacionado con él: *En la catedral suelen celebrar conciertos de órgano y de música coral.* ▮ s.m. **2** Animal marino que vive en colonias unido a otros individuos por una masa calcárea segregada por ellos de color rojo o rosado: *Los corales habitan en los mares tropicales a profundidades que no superan los 50 metros.* **3** Masa de naturaleza calcárea segregada por este animal que, después de pulimentada, se emplea en joyería: *Me han regalado una gargantilla de coral.* **4** Composición musical de carácter vocal o instrumental, de ritmo lento y solemne y generalmente de tema religioso: *Los corales se incorporaron frecuentemente a los oratorios y cantatas sacras.* ▮ s.f. **5** Agrupación musical de personas que cantan en coro sin acompañamiento instrumental: *En el acto de clausura cantó la coral de la universidad.* □ SINÓN. *orfeón.* □ ETIMOL. Las acepciones 1, 4 y 5 de *coro*. Las acepciones 2 y 3, del francés antiguo *coral*.

coralario s.m. Antozoo o animal marino que en estado adulto no presenta nunca la forma de medusa, y vive fijo en el fondo del mar en forma de pólipo: *El coral es un coralario.* □ ORTOGR. Dist. de *corolario*.

coralífero, ra adj. Que tiene coral: *El barco llegó a unas islas coralíferas en las que embarcó coral para llevar a Europa.* □ ETIMOL. De *coral* y *-fero* (que lleva).

coralígeno, na adj. Que produce coral: *Las aguas de los mares cálidos y limpios son coralígenas.* □ ETIMOL. De *coral* y *-geno* (que produce).

coralillo s.m. **1** Serpiente americana y muy venenosa, que tiene la piel con anillos rojos, amarillos y negros. **2** Planta americana, trepadora y silvestre, con hojas acorazonadas en la base y flores numerosas de color rojo claro o rosado.

coralino, na adj. De coral o parecido a él: *unos arrecifes coralinos.*

córam pópulo ‖ En público: *Reconoció córam pópulo los errores que había cometido en el pasado.* □ ETIMOL. Del latín *coram populo*.

coránico, ca adj. Del Corán (libro sagrado del islamismo) o relacionado con él: *Era un fiel cumplidor de los preceptos coránicos.*

coraza s.f. **1** Armadura de hierro o de acero que protege el pecho y la espalda: *Los soldados de este regimiento de caballería llevaban una coraza.* **2** Protección o defensa: *Soportó las críticas con una coraza de indiferencia.* **3** Cubierta que protege el cuerpo de algunos reptiles, con aberturas para la cabeza, las patas y la cola: *La tortuga se esconde en su coraza cuando se siente atacada.* □ ETIMOL. Del latín *coriacea* (hecha de cuero).

corazón ▮ s.m. **1** Órgano muscular encargado de recoger la sangre y de impulsarla al resto del cuerpo: *Las aurículas y los ventrículos son las cavidades del corazón.* **2** Figura que representa este órgano: *Pintó un corazón con una flecha con su nombre y el del chico que le gustaba.* **3** Sentimiento, voluntad o afecto: *De joven me dejaba llevar más por el corazón que por la cabeza.* **4** Parte media, central o más importante de algo: *Las principales empresas tienen sus oficinas en el corazón de la ciudad.* **5** Interior de una cosa inanimada: *Su madre le enseñó a comer el corazón de las alcachofas.* **6** →**dedo corazón.** ▮ pl. **7** En la baraja francesa, palo que se representa con una o varias figuras con la forma del órgano del corazón: *Tengo trío de corazones.* **8** ‖ **con el corazón en la mano;** con toda franqueza y sinceridad: *Te confieso con el corazón en la mano que pasé mucho miedo hasta que llegaste tú.* ‖ **de corazón;** de verdad, con seguridad o con afecto: *Te deseo de corazón que seas muy feliz.* ‖ **del corazón;** referido esp. a la prensa o a una revista, que recoge sucesos relativos a personas famosas, esp. los de su vida privada. □ SINÓN. *rosa.* ‖ **ser todo corazón** o **tener un corazón de oro;** ser muy generoso o benevolente o tener ánimo favorable: *Todo el mundo lo adora porque es muy bueno y tiene un corazón de oro.* □ ETIMOL. Del latín *cor*. □ USO Se usa como apelativo: *¿Por qué lloras tú, corazón mío?*

corazonada s.f. Sensación de que algo va a ocurrir: *Me dio la corazonada de que ibas a venir en tren y por eso fui a la estación a buscarte.* □ SINÓN. *presentimiento.*

corazonista adj.inv./s.com. De la orden religiosa de los Sagrados Corazones o de sus miembros, o relacionado con ellos: *Los corazonistas honran los Sagrados Corazones de Jesús y de María.*

corbata s.f. **1** Tira de tela que se anuda al cuello de la camisa dejando caer los extremos sobre el pecho, o haciendo lazos con ellos: *Sólo se pone corbata cuando lleva traje.* **2** || **(corbata) moñito;** en zonas del español meridional, pajarita: *Vestía muy elegante con corbata moñito.* □ ETIMOL. Del italiano *corvatta* o *crovatta* (croata), porque los jinetes croatas llevaban corbata.

corbatín s.m. Corbata corta que solo da una vuelta al cuello y que se ajusta por detrás con un broche, o por delante con un lazo sin caídas: *Esta camisa lleva como adorno un corbatín.*

corbeta s.f. **1** Barco ligero de guerra, menor que la fragata, y que generalmente se destina a la escolta de mercantes: *La corbeta está dotada de armamento antisubmarino.* **2** Antiguo barco de guerra con tres palos y vela cuadrada, semejante a la fragata pero de menor tamaño: *En el museo de marina vi una reproducción de una corbeta.* □ SINÓN. *fragata ligera.* □ ETIMOL. Del francés *corvette.* □ ORTOGR. Dist. de *corveta.*

corcel s.m. *poét.* Caballo ligero, de gran alzada, que se utilizaba sobre todo en los torneos y batallas: *El caballero vencedor de la lid montaba un hermoso corcel negro.* □ ETIMOL. Del francés antiguo *corsier.*

corchea s.f. En música, nota que dura la mitad de una negra y que se representa con un círculo relleno, una barrita vertical pegada a uno de sus lados y un pequeño gancho en el extremo de esta: *Una corchea equivale a dos semicorcheas.* □ ETIMOL. Del francés *crochée* (torcido), porque así es el rabillo de la nota.

corchero, ra ▌ adj. **1** Del corcho o relacionado con este material: *industria corchera.* ▌ s.f. **2** En una piscina de competición, cuerda provista de flotadores de corcho o de otro material que se utiliza para delimitar las calles.

corcheta s.f. En un corchete, pieza que tiene una especie de anilla en la que se engancha la otra: *Cose la corcheta por la parte externa de la cinturilla de la falda.* □ ETIMOL. Del francés *crochet* (gancho).

corchete s.m. **1** Especie de broche compuesto por dos piezas, una de las cuales, con forma de gancho, se engancha en la otra que tiene forma de anilla: *Esta falda se abrocha con la cremallera y con un corchete.* **2** En un texto escrito, signo gráfico que tiene la forma de un paréntesis cuadrado, y que se coloca al principio y, en posición invertida, al final de una serie de guarismos, palabras, renglones o de dos o más pentagramas: *En este diccionario, la pronunciación se marca entre corchetes.* **3** En zonas del español meridional, grapa: *Los papeles iban pegados con un corchete.* □ ETIMOL. Del francés *crochet* (gancho).

corchetera s.f. En zonas del español meridional, grapadora: *Perdí la corchetera de mi oficina.*

corcho s.m. **1** Tejido vegetal que se encuentra en la zona periférica del tronco, de las ramas y de las raíces, y que está formado por células en las que la celulosa de su membrana ha sufrido una transformación química y ha quedado convertida en una sustancia orgánica impermeable y elástica: *En la corteza del alcornoque el corcho forma capas de varios centímetros de espesor.* **2** Trozo, lámina u objeto de este tejido vegetal: *Dame un corcho para tapar la botella de vino.* □ ETIMOL. Del mozárabe *corch* o *corcho*, y estos del latín *cortex* (corteza).

corcholata s.f. En zonas del español meridional, chapa de una botella: *Necesito un destapador para quitar la corcholata de la cerveza.*

córcholis interj. Expresión que se usa para indicar extrañeza, sorpresa, admiración o disgusto: *¡Córcholis, me he vuelto a pinchar con la aguja!* □ ETIMOL. Eufemismo por *carajo.*

corcova s.f. Corvadura anómala de la columna vertebral, del pecho o de ambos a la vez. □ SINÓN. *joroba.* □ ETIMOL. Del latín *curcuvus* (encorvado).

corcovado, da adj./s. Que tiene corcova o joroba. □ SINÓN. *jorobado.*

corcovar v. Encorvar o hacer que algo tenga corcova o joroba: *Esa forma de andar mirando siempre al suelo te puede corcovar la espalda.*

corcovo s.m. Salto que dan algunos animales encorvando el lomo: *El potro daba corcovos para derribar al jinete.*

cordada s.f. Grupo de alpinistas sujetos por una misma cuerda: *Todos los miembros de la cordada alcanzaron la cima de la montaña.*

cordado ▌ adj./s. **1** Referido a un animal, que tiene durante toda su vida o en determinadas fases de su desarrollo, un cordón de tejido conjuntivo que forma el esqueleto del embrión, y que protege la médula espinal: *En los adultos de algunas especies de animales cordados, el cordón de tejido conjuntivo que protege la médula se transforma en columna vertebral.* ▌ s.m.pl. **2** En zoología, tipo de estos animales, perteneciente al reino de los metazoos: *Los animales vertebrados pertenecen a los cordados.* □ ETIMOL. Del latín *chorda* (cordel).

cordaje s.m. Conjunto de cuerdas, esp. referido al de una embarcación o al de un instrumento musical: *Tenemos que cambiar el cordaje de las velas del barco.* □ ETIMOL. De *cuerda.*

cordal s.m. En un instrumento musical de cuerda, pieza generalmente en forma de abanico, colocada en la parte inferior de la tapa y que sirve para atar las cuerdas por el cabo opuesto al que se sujeta en las clavijas: *Las cuerdas del violín se fijan al cordal por un extremo y se tensan en el clavijero por el otro.*

cordel s.m. Cuerda delgada: *Ata este paquete con un cordel.* □ ETIMOL. Del catalán *cordell.*

cordelería s.f. Lugar o establecimiento en el que se hacen o se venden cuerdas: *En esta cordelería también fabrican redes para la pesca.*

cordelero, ra ▌ adj. **1** De la cuerda o relacionado con esta: *industria cordelera.* ▌ s. **2** Persona que se dedica a la fabricación o a la venta de cuerdas.

corderil adj.inv. Del cordero o con alguna de sus características: *Tienes una actitud corderil y sumisa que no me gusta nada.*

cordero, ra ▌ s. **1** Cría de la oveja, que no pasa de un año. **2** Persona dócil y humilde: *No te quejarás, que tu marido es un cordero que no protesta* *por nada.* ▌s.m. **3** Carne de la cría de la oveja que no pasa de un año. **4** || **cordero pascual; 1** El que comen ritualmente los hebreos para celebrar la salida de su pueblo de Egipto: *El cordero pascual era sacrificado en el templo de Jerusalén.* **2** El joven mayor que el lechal: *El cordero pascual se alimenta de pasto.* □ ETIMOL. Del latín **cordarius*, y este de *cordus* (tardío).

cordial adj.inv. Afectuoso o amable: *un abrazo cordial.* □ ETIMOL. Del latín *cordialis*, y este de *cor* (corazón, esfuerzo, ánimo).

cordialidad s.f. **1** Carácter amable o afectuoso: *Todos le agradecimos la cordialidad de su recibimiento.* **2** Franqueza o sinceridad: *Puedes hablarme con cordialidad y decirme lo que realmente pasa.*

cordiforme adj.inv. Con forma de corazón o semejante a él: *El árbol de mi jardín tiene hojas cordiformes.* □ SINÓN. *acorazonado.* □ ETIMOL. Del latín *cor* (corazón) y *-forme* (forma).

cordillera s.f. Serie de montañas unidas entre sí y con características comunes: *La cordillera de los Andes recorre la parte occidental de América del Sur.* □ ETIMOL. De *cordel.*

córdoba s.m. Unidad monetaria nicaragüense.

cordobán s.m. Piel curtida de macho cabrío o de cabra: *artesanía de cordobán.* □ ETIMOL. De *Córdoba*, porque el curtido de pieles alcanzó un gran desarrollo en la Córdoba musulmana.

cordobés, -a adj./s. De Córdoba o relacionado con esta provincia española o con su capital: *El bailarín lucía un bonito sombrero cordobés.*

cordón s.m. **1** Cuerda generalmente cilíndrica y hecha con materiales finos: *Átate los cordones de los zapatos.* **2** Lo que tiene la forma de esta cuerda: *El cordón de una plancha eléctrica es su cable.* **3** Conjunto de personas colocadas en línea y guardando una distancia para cortar la comunicación de un territorio con otros o para impedir el paso: *un cordón policial.* **4** En zonas del español meridional, bordillo: *Dejó el auto sobre el cordón de la vereda.* **5** || **cordón sanitario;** conjunto de elementos y medidas que se organizan en un lugar para detener la propagación de un fenómeno, esp. de epidemias o de plagas: *Se ha establecido un cordón sanitario para evitar la propagación del cólera en la zona.* || **cordón umbilical; 1** Conjunto de vasos que unen la placenta de la madre con el vientre del feto: *El ombligo es una cicatriz que nos queda cuando nos cortan el cordón umbilical.* **2** Lo que une una cosa a otra que le suministra lo indispensable para vivir: *Corté el cordón umbilical que los unía a mí, para que aprendiesen a vivir por su cuenta.* □ ETIMOL. Del francés *cordon.*

cordon bleu (fr.) s.m. || Pechuga de carne, rellena de jamón y queso, que se reboza en huevo y pan rallado y se fríe. □ PRON. [córdon blé].

cordoncillo s.m. **1** En algunas telas, raya estrecha y en relieve que forma su tejido: *Para hacerse la chaqueta eligió una tela de cordoncillo fino.* **2** Tipo de bordado en línea: *Los cuellos de mi camisa están adornados con un cordoncillo.* **3** En una moneda o en algunas medallas, adorno que se graba en el borde: *El cordoncillo de las monedas dificulta su falsificación.*

cordura s.f. **1** Prudencia, sensatez o buen juicio: *Obró con cordura y salió airosa de la situación.* **2** Tejido sintético de gran resistencia a la abrasión, a los desgarrones y a las rozaduras: *una chaqueta realizada en cordura.* □ ETIMOL. 1. La acepción 1, de *cuerdo.* 2. La acepción 2 es extensión del nombre de una marca comercial.

coreano, na ▌adj./s. **1** De Corea (península asiática y cada uno de los dos países establecidos en ella), o relacionado con ella. ▌s.m. **2** Lengua asiática de esta península: *El coreano es semejante al japonés en el plano sintáctico.*

corear v. Cantar, recitar o hablar varias personas a la vez: *El público coreaba el estribillo de la canción.*

coreografía s.f. **1** Arte de componer y dirigir bailes y danzas: *Cuando abandonó el baile, se dedicó a la coreografía de espectáculos musicales.* **2** Conjunto de pasos o de movimientos que componen una danza o un baile: *La crítica señaló algunos fallos en la coreografía del ballet.* □ ETIMOL. Del griego *khoréia* (danza) y *-grafía* (representación).

coreografiar v. Referido a la coreografía de un espectáculo de baile, crearla: *Este ballet ha sido coreografiado por dos artistas de reconocido prestigio.* □ ORTOGR. La *i* final de la raíz lleva tilde en los presentes, excepto en las personas *nosotros* y *vosotros* →GUIAR.

coreográfico, ca adj. De la coreografía o relacionado con ella: *La directora de este ballet es seguidora de las tendencias coreográficas más modernas.*

coreógrafo, fa s. Creador de la coreografía de un espectáculo de danza o baile: *El coreógrafo había estudiado minuciosamente cada uno de los pasos del ballet.*

coriáceo, a adj. De cuero o con las características de este: *Este sillón no es de cuero sino de un plástico coriáceo.* □ SINÓN. *coráceo.* □ ETIMOL. Del latín *coriaceus.*

coriandro s.m. →**cilantro.**

corifeo s.m. **1** En las antiguas tragedias grecolatinas, el que dirigía el coro o parte de él. **2** Persona a la que siguen otras: *el corifeo de una organización.* □ ETIMOL. Del latín *coryphaeus*, y este del griego *koryphâios* (jefe). □ SEM. No debe emplearse con el significado de 'adulador': *El jefe tiene muchos {*corifeos > aduladores} que nunca critican nada de lo que hace.*

corimbo s.m. En botánica, inflorescencia formada por flores que tienen pedúnculos y que nacen de un eje común, pero en puntos diferentes, y que llegan a la misma altura: *Las flores del peral forman corimbos.* □ ETIMOL. Del latín *corymbus*, y este del griego *kórymbos* (cumbre, racimo).

corindón s.m. Mineral compuesto de óxido de aluminio cristalizado, de gran dureza, con gran variedad de colores y formas, y del que están compuestas muchas piedras preciosas: *El corindón azul es el zafiro.* □ ETIMOL. Del francés *corindon.*

corintio, tia ▮ adj. **1** En arte, del orden corintio: *El capitel corintio está adornado con hojas de acanto.* ▮ adj./s. **2** De Corinto (ciudad griega), o relacionado con ella: *En la Antigüedad clásica, la importancia corintia fue tanta como la ateniense y la espartana.* ▮ s.m. **3** →**orden corintio.**

corinto adj.inv./s.m. De color rojo oscuro tirando a violáceo: *Me he comprado unos zapatos de color corinto.* □ ETIMOL. De *Corinto* (ciudad griega), porque el color de las pasas de esta zona era rojo oscuro.

corion s.m. En un embrión de un mamífero, de un ave o de un reptil, envoltura más externa que recubre a todas las demás y que colabora en la formación de la placenta: *El corion cumple funciones importantes en la respiración, nutrición y eliminación de sustancias de desecho del embrión.* □ ETIMOL. Del griego *khórion* (piel, cuero).

corista ▮ s.com. **1** Persona que canta formando parte del coro de una función musical, esp. de una ópera o de una zarzuela: *Antes de obtener un papel como cantante solista, fue corista en numerosos espectáculos.* ▮ s.f. **2** En una revista o en otros espectáculos, esp. si son de carácter frívolo, mujer que forma parte del coro: *Las coristas de la revista llevaban vestidos de volantes con faldas cortas.*

corito, ta adj. Desnudo o sin ropa. □ ETIMOL. Del latín *corium* (piel).

coriza s.f. Catarro o inflamación de la mucosa nasal: *Tengo tal coriza que no puedo dejar el pañuelo un momento.* □ SINÓN. *romadizo.* □ ETIMOL. Del latín *coryza.*

cormorán s.m. Ave palmípeda que tiene el plumaje oscuro, patas muy cortas, pico largo, aplastado y con la punta doblada, y que suele habitar en las costas: *El cormorán es un buen nadador.* □ ETIMOL. Del francés *cormoran,* y este de *corp* (cuervo) y *marenc* (marino). □ MORF. Es un sustantivo epiceno: *el cormorán {macho/hembra}.*

cornada s.f. Golpe dado por un animal con la punta del cuerno, o herida que produce: *El torero se recupera favorablemente de la cornada que sufrió en el abdomen.*

cornadura s.f. →**cornamenta.**

cornalón adj. Referido a un toro, que tiene los cuernos muy grandes.

cornamenta s.f. **1** Conjunto de los cuernos de un animal, esp. del toro, de la vaca o del ciervo: *La cornamenta del ciervo que cazó la utiliza como perchero.* □ SINÓN. *cuerna, cornadura.* **2** *col.* Cuernos o símbolo de la infidelidad sentimental de uno de los miembros de una pareja: *Se resignó a soportar su cornamenta sin decir nada a nadie.* □ SINÓN. *cornadura.*

cornamusa s.f. **1** Trompeta de metal larga, cuyo tubo forma una gran rosca en su parte media y termina en un pabellón muy ancho: *Toca la cornamusa en una banda popular.* **2** Instrumento musical de viento, de carácter rústico, compuesto de un odre o cuero cosido y de varios canutos o tubos en los que se produce el sonido: *La cornamusa se emplea hoy en las bandas militares escocesas.* □ ETIMOL. Del francés *cornemuse.*

córnea s.f. Véase **córneo, a.**

cornear v. Dar cornadas: *El toro corneó al torero y le produjo graves heridas.* □ ETIMOL. De *cuerno.*

corneja s.f. Ave parecida al cuervo pero de menor tamaño, que tiene el plumaje totalmente negro: *La corneja vive en regiones del oeste y del sur de Europa.* □ ETIMOL. Del latín *cornicula.* □ MORF. Es un sustantivo epiceno: *la corneja {macho/hembra}.*

cornejo s.m. Arbusto que alcanza los tres o cuatro metros de altura, con muchas ramas de corteza roja en invierno, hojas opuestas, flores blancas y fruto en drupa: *La madera del cornejo es muy dura.* □ ETIMOL. Del latín *cornus.*

córneo, a ▮ adj. **1** De cuerno o con las características de este: *protuberancias córneas.* ▮ s.f. **2** En el ojo, membrana dura y transparente situada en la parte anterior, engastada en la abertura anterior de la esclerótica y un poco más abombada que esta. □ ETIMOL. La acepción 1, del latín *corneus* (de cuerno). La acepción 2, del latín *cornea* (dura como el cuerno).

córner s.m. **1** En fútbol y en otros deportes, jugada defensiva que consiste en enviar un jugador el balón fuera del campo de juego cruzando la línea de meta de su portería: *Para evitar el gol, el defensa hizo un córner.* **2** En el fútbol y en otros deportes, saque que hace un jugador desde una esquina del campo, como castigo a esta jugada: *El delantero remató el córner y consiguió el gol.* □ SINÓN. *saque de esquina.* □ ETIMOL. Del inglés *corner* (esquina).

corneta ▮ s.m. **1** Persona que toca el instrumento del mismo nombre: *El corneta tocó diana a las seis de la mañana y toda la tropa se levantó.* ▮ s.f. **2** Instrumento musical de viento, de la familia de los metales, formado por un tubo metálico cónico, enrollado y terminado en un pabellón en forma de campana: *La corneta es un instrumento típico de las bandas musicales.* □ ETIMOL. De *cuerno.*

cornete s.m. **1** Helado de cucurucho, esp. si está envasado: *Los cornetes no me gustan tanto como los helados de cucurucho artesanos.* **2** Cada una de las pequeñas láminas óseas y de forma arqueada situadas en el interior de las fosas nasales: *Generalmente existen tres cornetes en las fosas nasales.* □ ETIMOL. De *cuerno.*

cornetín s.m. **1** Instrumento musical de viento, de la familia de los metales, parecido al clarín, generalmente provisto de pistones, y muy utilizado en las bandas populares: *En la charanga del pueblo tocaban cornetines y trompetas.* **2** Especie de clarín que se usa en el ejército para dar los toques reglamentarios a las tropas: *Al toque de cornetín, los soldados se pusieron en posición de firmes.*

cornezuelo s.m. Hongo pequeño que vive parásito en los ovarios de las flores del centeno, a los que destruye: *El cornezuelo se utiliza para fabricar medicamentos.* □ ETIMOL. De *cuerno,* porque el micelio o aparato vegetativo de este hongo adopta una forma parecida a la de un cuerno.

corn flakes (ing.) s.m.pl. || Maíz tostado que se suele mezclar con leche para tomarlo como desayuno: *Prefiero desayunar corn flakes con leche que tostadas.* ☐ PRON. [con fléics].

cornicabra s.f. **1** Árbol que alcanza los seis metros de altura, que tiene el tronco ramoso, flores en espiga, fruto en drupa o carnoso, y madera dura y olorosa. ☐ SINÓN. *terebinto.* **2** Variedad de aceituna larga y puntiaguda. **3** Higuera silvestre. ☐ ETIMOL. De *cuerno* y *cabra*.

corniforme adj.inv. Con forma de cuerno: *El jefe de la tribu tocaba un instrumento musical corniforme.* ☐ ETIMOL. Del latín *cornu* (cuerno) y *-forme* (forma).

cornijal s.m. **1** Ángulo o esquina: *Heredó solo un cornijal de la finca porque en el testamento la dividieron entre muchos hermanos.* **2** En el lavatorio de la eucaristía, tela con la que se seca las manos el sacerdote. ☐ SINÓN. *manutergio.*

cornisa s.f. **1** Conjunto de molduras o salientes que rematan la parte superior de algo, esp. de un edificio: *El entablamento de los órdenes clásicos se compone de arquitrabe, friso y cornisa.* **2** Faja horizontal estrecha que corre al borde de un precipicio o de un acantilado: *La carretera va por la cornisa del acantilado.* **3** Borde rocoso y saliente de la ladera de una montaña: *Los alpinistas tuvieron dificultad para escalar la cornisa de la montaña.* ☐ ETIMOL. Quizá del griego *koronís* (rasgo final, remate, cornisa).

cornisamento s.m. En arquitectura, conjunto de elementos horizontales que sirven como remate de una estructura y que están generalmente sostenidos por columnas o pilares. ☐ SINÓN. *entablamento.*

corno s.m. **1** Cierto instrumento musical de viento, de la familia del oboe: *La trompa actual o corno tiene un sonido dulce y sombrío.* **2** || **corno inglés;** oboe de mayor tamaño y de sonido más grave que el ordinario: *El corno inglés es un instrumento de la familia de las maderas.* ☐ ETIMOL. Del italiano *corno* (cuerno).

cornucopia s.f. **1** Vaso en forma de cuerno lleno y rebosante de frutas y flores: *La cornucopia es símbolo de abundancia.* ☐ SINÓN. *cuerno de la abundancia.* **2** Espejo con un marco tallado y dorado que suele tener algún soporte para velas en la parte inferior: *La luz de las velas de la cornucopia se refleja en su espejo.* ☐ ETIMOL. Del latín *cornu copia* (la abundancia del cuerno).

cornudo, da ▮ adj. **1** Que tiene cuernos: *Los toros son animales cornudos.* ▮ adj./s. **2** Referido a una persona, que padece la infidelidad de su pareja sentimental: *Si no le haces caso a tu mujer, terminarás siendo un cornudo.* ☐ SINÓN. *cornúpeta.* ☐ USO La acepción 2 se usa como insulto.

cornúpeta s.com. **1** Animal dotado de cuernos, esp. el toro de lidia: *El cornúpeta no asustaba al torero.* **2** *col.* Persona que padece la infidelidad de su pareja sentimental: *En la novela se narraban las desventuras de un cornúpeta.* ☐ SINÓN. *cornudo.* ☐ ETIMOL. Del latín *cornupeta*, y este de *cornu* (cuerno) y *petere* (dirigirse hacia). ☐ USO En la acepción 2, tiene un matiz despectivo y humorístico.

cornúpeto s.m. *col.* Toro de lidia: *Para enfrentarse a un cornúpeto hace falta tener valor.* ☐ SINÓN. *cornúpeta.*

coro s.m. **1** Conjunto de personas reunidas para cantar, esp. si lo hacen de forma habitual o profesionalmente: *En el último acto de la ópera, la primera soprano y el coro mantienen un diálogo cantado de gran dramatismo.* **2** Pieza o pasaje musicales que canta este grupo de personas: *Lo mejor de esa ópera es el coro del acto segundo.* **3** En el teatro grecolatino, conjunto de actores que recitan la parte lírica del texto destinada a comentar la acción: *Vimos una tragedia griega en la que el coro hacía de narrador.* **4** Texto que recita este conjunto de actores: *Los coros del teatro clásico solían aprovecharse para explicar sucesos que no se representaban.* **5** Conjunto de eclesiásticos o de religiosos que cantan o rezan los divinos oficios: *El coro cantó los laudes.* **6** En un templo, recinto donde se junta el clero para cantar los oficios divinos: *La sillería del coro es de madera tallada.* **7** Conjunto de voces que se oyen al mismo tiempo: *Se levantó un coro de protestas contra las propuestas del presidente.* **8** || **a coro;** de forma simultánea o a la vez: *Todos cantamos a coro un poema de despedida. Los dos niños pidieron a coro una bicicleta.* || **hacer coro;** unirse o apoyar algo: *Es un pelota y siempre hace coro a todas las sugerencias de la jefa.* ☐ ETIMOL. Del latín *chorus*, y este del griego *khorós* (danza en corro, coro de tragedia).

coroides (pl. *coroides*) s.f. En el ojo de los vertebrados, membrana delgada de color pardo situada entre la esclerótica y la retina: *La coroides es la membrana vascular del ojo.* ☐ ETIMOL. Del griego *khórion* (piel, cuero) y *êidos* (figura).

corojo s.m. Árbol americano de la familia de las palmas, cuyo fruto se suele emplear en cocina: *Al cocer el fruto del corojo, se obtiene una sustancia grasa que se emplea como manteca.*

corola s.f. En una flor, parte que rodea los órganos sexuales y que está formada por los pétalos, que suelen ser finos y de vistosos colores: *La corola de las flores sirve para atraer a los insectos y facilitar la polinización.* ☐ ETIMOL. Del latín *corolla* (corona pequeña).

corolario s.m. Proposición o afirmación que no necesita una prueba particular porque se deduce fácilmente de lo demostrado antes. ☐ ETIMOL. Del latín *corollarium* (propina, añadidura). ☐ ORTOGR. Dist. de *coralario.*

corona s.f. **1** Aro o cerco, generalmente de ramas, flores o de un metal precioso, con que se ciñe la cabeza como adorno o como símbolo honorífico o de autoridad: *La corona de laurel es símbolo de triunfo.* **2** Conjunto de flores y hojas dispuestas en círculo: *El ataúd estaba cubierto de coronas de flores enviadas por los amigos del fallecido.* **3** Reino o

Estado que tiene como sistema de gobierno una monarquía: *el heredero de la corona.* **4** Dignidad real: *En algunos países está prohibido criticar a la corona.* **5** Fenómeno atmosférico que a veces aparece rodeando algunos cuerpos celestes, esp. la Luna y el Sol: *La niebla hacía que se viera una corona rodeando la Luna.* □ SINÓN. *halo.* **6** Resplandor, disco o círculo luminoso que se representa detrás de la cabeza de las imágenes de los santos: *La corona del niño Jesús en ese cuadro es un aro dorado.* □ SINÓN. *aureola, halo.* **7** En algunos relojes, ruedecilla dentada que sirve para darles cuerda o para mover las agujas: *Se me ha roto la corona del reloj de pulsera y no puedo ponerlo en hora.* **8** En un diente, parte que sobresale de la encía: *El puntito negro que tienes en la corona de esa muela es una caries.* **9** Unidad monetaria de distintos países: *La corona checa, la danesa y la islandesa tienen distinto valor.* **10** Antigua moneda con distinto valor en cada país o en cada región: *En España hubo coronas de oro hasta el siglo XVII.* **11** Tonsura o corte de pelo en círculo que llevaban los eclesiásticos en la parte superior de la cabeza: *La corona es de distinto tamaño según la orden a la que se pertenezca.* □ SINÓN. *coronilla.* □ ETIMOL. Del latín *corona*.

coronación s.f. **1** Acto o ceremonia en que se corona a un soberano: *la coronación de un rey.* □ SINÓN. *coronamiento.* **2** Culminación o remate perfecto: *El premio fue la coronación de sus esfuerzos.* □ SINÓN. *coronamiento.*

coronamiento s.m. →**coronación.**

coronar v. **1** Poner una corona en la cabeza, esp. si es como señal del comienzo de un reinado o de un imperio: *El Papa coronó al Emperador en una ceremonia majestuosa.* **2** Referido esp. a una obra, completarla o perfeccionarla: *Ésta es la obra cumbre que corona toda su producción anterior.* **3** Estar, poner o ponerse en la parte más alta: *Los ciclistas acaban de coronar el puerto de montaña.* □ ETIMOL. Del latín *coronare*.

coronario, ria adj. **1** Referido a un vaso sanguíneo, que se distribuye por el corazón: *la arteria coronaria.* **2** De este vaso sanguíneo o relacionado con él: *una enfermedad coronaria.*

corondel s.m. **1** Espacio en blanco que hay de separación entre las columnas de un texto. **2** Línea vertical colocada en el margen de una hoja de papel. **3** Regleta que se coloca verticalmente en una hoja de papel para dividirla en columnas. □ ETIMOL. Del catalán *corondell*.

coronel s.com. En los Ejércitos de Tierra y Aire, persona cuyo empleo militar es superior al de teniente coronel e inferior al de general de brigada: *El distintivo de los coroneles son tres estrellas de ocho puntas.* □ ETIMOL. Del francés *colonel*, y este del italiano *colonnello*.

coronelía s.f. En los Ejércitos de Tierra y Aire, empleo superior al de teniente coronel e inferior al de general de brigada: *Mi hermano aspira a la coronelía porque ya es teniente coronel y además tiene muy buena hoja de servicios.*

coronilla s.f. **1** Parte más alta y posterior de la cabeza. **2** Tonsura o corte de pelo en forma de pequeño círculo que se hacían los clérigos en la cabeza. □ SINÓN. *corona.* **3** || **hasta la coronilla;** *col.* Muy harto: *¡Me tienes hasta la coronilla, rico!* □ ETIMOL. De *corona*.

corotos s.m.pl. *col.* En zonas del español meridional, trastos o chismes: *Llené la casa de corotos.*

corpachón s.m. Cuerpo muy grande de una persona: *Con ese corpachón que tienes podrás ser guardaespaldas.*

corpiño s.m. **1** Prenda de vestir femenina, muy ajustada y sin mangas, que cubre el pecho y la espalda hasta la cintura: *El traje regional de mi pueblo tiene un corpiño negro que se cierra con cordones, sobre una blusa blanca.* **2** En zonas del español meridional, sujetador: *Compré un corpiño en una tienda nueva del centro.* □ ETIMOL. Del gallego o portugués *corpinho* (cuerpecito).

corporación s.f. **1** Cuerpo o comunidad, generalmente de interés público, y a veces reconocidos por la autoridad: *una corporación municipal.* **2** Empresa o compañía de gran tamaño, esp. si agrupa a otras menores: *una corporación bancaria.* □ ETIMOL. Del latín *corporatio*.

corporal adj.inv. Del cuerpo, esp. del humano, o relacionado con él: *Es necesario el aseo corporal diario.* □ ETIMOL. Del latín *corporalis*.

corporativismo s.m. **1** Doctrina política y social que defiende la intervención del Estado en la solución de los conflictos laborales, mediante la creación de corporaciones profesionales que agrupen a trabajadores y empresarios: *El corporativismo es frecuente en gobiernos fascistas.* **2** Tendencia a defender los intereses de un cuerpo o de un sector profesional por encima de los intereses generales de la sociedad: *Tu corporativismo te hace proteger a compañeros que no son buenos profesionales.*

corporativista adj.inv. **1** Del corporativismo o relacionado con él: *una idea corporativista.* **2** Partidario del corporativismo.

corporativo, va adj. De una corporación o relacionado con ella: *Los colegios profesionales son asociaciones corporativas.*

corporeidad s.f. Conjunto de características de lo que tiene cuerpo o consistencia: *El alma no tiene corporeidad.*

corpore insepulto (lat.) || De cuerpo presente, o con el cuerpo sin sepultar o sin enterrar: *Se ha celebrado una misa corpore insepulto.* □ PRON. [córpore insepúlto]. □ SINT. Incorr. **de corpore insepulto.*

corporeización s.f. Materialización de algo, esp. de una idea: *La nueva novela de este escritor es la corporeización de un antiguo proyecto.*

corporeizar v. Referido a algo no material, esp. a una idea, darle cuerpo o hacer que sea real: *Esos proyectos se corporeizarán a finales de mes.* □ SINÓN. *corporizar.* □ ORTOGR. La *z* se cambia en *c* delante de *e* →CAZAR.

corpóreo, a adj. Que tiene cuerpo o consistencia: *Los ángeles no son seres corpóreos.* □ ETIMOL. Del latín *corporeus*.

corporizar v. →**corporeizar.** □ ORTOGR. La *z* se cambia en *c* delante de *e* →CAZAR.

corps (pl. *corps*) s.m. Empleo destinado principalmente al servicio de la persona del rey: *un guardia de corps.* □ ETIMOL. Del francés *corps* (cuerpo).

corpulencia s.f. Carácter robusto y de gran magnitud de un cuerpo natural o artificial: *Es un muchacho fuerte y de gran corpulencia.* □ ETIMOL. Del latín *corpulentia*.

corpulento, ta adj. Que tiene el cuerpo grande y robusto.

corpus (pl. *corpus*) s.m. Conjunto extenso y ordenado de datos o textos de diverso tipo, que pueden servir como base de investigación: *Cuanto mayor sea el corpus, más completo será el estudio.* □ ETIMOL. Del latín *corpus* (cuerpo). □ MORF. Se usa mucho el plural *corpora*.

corpuscular adj.inv. De los corpúsculos, con corpúsculos o relacionado con ellos: *Según el análisis de sangre tengo una alteración del volumen corpuscular medio.*

corpúsculo s.m. Cuerpo muy pequeño, célula, molécula, partícula o elemento: *Al mirar los tejidos con el microscopio observamos unos corpúsculos extraños.* □ ETIMOL. Del latín *corpusculum*, y este de *corpus* (cuerpo).

corpus delicti (lat.) s.m. ‖ En el lenguaje jurídico, cuerpo del delito: *La sentencia fue absolutoria porque no se encontró el corpus delicti.* □ PRON. [córpus delícti].

corral s.m. **1** Sitio cerrado y descubierto, en una casa o en el campo, que sirve generalmente para guardar animales: *Ya no tiene vacas en el corral, solo gallinas.* **2** Lugar, esp. si estaba descubierto, donde se hacían representaciones teatrales: *Durante los siglos XVI y XVII las comedias se representaban en los corrales.* **3** En una plaza de toros, recinto con departamentos comunicados entre sí para facilitar el apartado de las reses: *Ya están los toros en los corrales de la plaza.* **4** Armazón rodeado por una malla y con el suelo acolchado, en el que se deja a los niños muy pequeños para que jueguen: *Aunque la niña esté en el corralito, échale un vistazo de vez en cuando.* □ SINÓN. *parque.* **5** Cercado que se hace en las costas o en los ríos para encerrar la pesca y cogerla: *El uso del corral consiste solo en la colocación y recogida de las redes.* □ ETIMOL. Quizá del latín **currale* (circo para carreras, lugar donde se guardan los carros). □ MORF. En la acepción 4, se usa mucho el diminutivo *corralito*.

corrala s.f. Casa de vecinos de varios pisos con un gran patio interior al que dan todas las puertas principales de cada vivienda: *Todavía existen corralas en los barrios madrileños más castizos.*

corralito s.m. Medida económica gubernamental que restringe la posibilidad de sacar dinero de la entidad bancaria en la que se tiene ahorrado: *El corralito fue una medida muy impopular que tomó el Gobierno argentino a finales de 2001.*

correa s.f. **1** Tira estrecha de cuero o de otra materia flexible y resistente, que se usa generalmente para atar o para ceñir: *una correa de reloj.* **2** *col.* Aguante o paciencia para soportar trabajos, bromas o cosas semejantes: *Para soportar a esos niños hay que tener mucha correa.* □ ETIMOL. Del latín *corrigia*.

correaje s.f. Conjunto de correas que hay en algo: *Los soldados limpiaban los fusiles y el correaje de sus uniformes.*

correazo s.m. Golpe dado con una correa.

corrección s.f. **1** Indicación o enmienda de un error o falta: *Todavía no he acabado con la corrección de los exámenes.* **2** Disminución, modificación o desaparición de un defecto o imperfección: *La corrección de algunos defectos de la dentadura es más fácil durante la infancia.* **3** Ausencia de errores o defectos: *La corrección de su lenguaje denota una gran cultura.* **4** Respeto de las normas de trato social: *Nos trató con corrección, pero con frialdad.* **5** Alteración o cambio que se hace para mejorar o para quitar defectos o errores: *Apenas he tenido que hacer correcciones al proyecto que presenté.* □ ETIMOL. Del latín *correctio*.

correccional s.m. Establecimiento penitenciario en el que se trata de corregir las conductas delictivas de los menores de edad penal: *En el correccional solo se encuentran los menores de dieciséis años.*

correccionalismo s.m. Sistema penal que trata de modificar, por medio de la educación, la actitud antisocial o la propensión a la delincuencia.

correctivo s.m. Castigo o sanción generalmente leves: *Necesita un correctivo para que aprenda a ser puntual.*

correcto, ta adj. **1** Libre de errores o defectos: *Esa respuesta no es correcta.* **2** Conforme a las reglas: *Tiene un comportamiento correcto y atento.* **3** Referido a una persona, que tiene una conducta irreprochable: *Es una muchacha muy correcta, y siempre responde con gran amabilidad.* **4** ‖ **políticamente correcto; 1** Referido a una persona o a sus actitudes, que cumplen una serie de normas socialmente aceptadas: *El machismo y el racismo no son actitudes políticamente correctas.* **2** Referido al lenguaje, que elimina significados ofensivos al sustituir ciertos términos por expresiones libres de prejuicios: *Un lenguaje políticamente correcto nunca usará el término 'judiada' para referirse a acciones mal intencionadas.* □ ETIMOL. De *corregir*.

corrector, -a ▮ adj./s.m. **1** Que corrige. ▮ s. **2** Persona que se dedica profesionalmente a la corrección de textos escritos: *un corrector de estilo.*

corredera s.f. Véase **corredero, ra**.

corredero, ra ▮ adj. **1** Referido esp. a una puerta o a una ventana, que corre sobre carriles: *En casa tenemos ventanas correderas y no se cierran con las corrientes de aire.* ▮ s.f. **2** Aparato que sirve para medir la distancia recorrida por una embarcación y que consiste en una cuerda unida a un flotador en forma de hélice por un extremo y a la embarcación por el otro: *Con la corredera determinamos la distancia que habíamos recorrido desde que zarpamos.* **3** Calle amplia: *En las correderas, antes se hacían carreras de caballos.*

corredizo, za adj. Referido esp. a un nudo, que corre o se desliza con facilidad: *El nudo de la horca es corredizo.*

corredor, -a ▮ adj./s. **1** Que corre mucho. ▮ adj./s.f. **2** Referido a un ave, que se caracteriza por ser de gran tamaño y tener unas alas rudimentarias que no le permiten volar, y unas patas largas y fuertes adaptadas para la carrera: *En la película, los nativos montaban aves corredoras y las utilizaban para hacer carreras.* ▮ s. **3** Deportista que participa en algún tipo de carrera de competición: *Para ser corredor de fondo hace falta tener mucha resistencia física.* **4** Persona que interviene profesionalmente como intermediario en operaciones comerciales o de compraventa de diverso tipo: *Le he dicho al corredor de seguros lo que necesito y él se encargará de buscar la póliza adecuada.* ▮ s.m. **5** En un edificio, pieza de paso alargada y estrecha, a la que dan las puertas de habitaciones y salas: *Todas las habitaciones de la casa dan a un largo corredor.* □ SINÓN. *pasillo.* **6** En un edificio, galería que rodea el patio al que dan los balcones, las ventanas o las puertas de cada casa: *Las ventanas de la parte de atrás de la casa dan todas a un amplio corredor que rodea el patio.* **7** ‖ **corredor humanitario;** En un territorio en guerra, zona en la que hay una tregua para permitir el tránsito de personas y de ayuda humanitaria: *La ONU pidió que se abriera un corredor humanitario para que los refugiados pudieran salir del país.*

corredora s.f. Véase **corredor, -a.**

correduría s.f. Oficio o actividad del corredor comercial: *una correduría de seguros.*

corregencia s.f. Regencia que se realiza juntamente con otra u otras personas: *Durante la minoría de edad del rey, su madre participó en la corregencia junto con el primer ministro.*

corregente adj.inv./s.com. Que ejerce la regencia juntamente con otra u otras personas.

corregidor, -a ▮ adj./s. **1** Que corrige. ▮ s.m. **2** Antiguamente, alcalde nombrado por el rey con arreglo a cierta legislación municipal, que presidía el Ayuntamiento y ejercía varias funciones gubernativas: *Los corregidores realizaban funciones de alcalde y también de juez.*

corregir v. **1** Referido esp. a un error o a una falta, señalarlos o quitarlos: *Corrígeme si me equivoco. Corrige los errores del trabajo antes de entregarlo.* **2** Referido esp. a un examen u otra prueba, señalar los errores que tiene: *La profesora me corrigió el dictado y tuve que copiar las faltas.* **3** Referido esp. a un defecto o a una imperfección, disminuirlos, modificarlos o hacerlos desaparecer: *Debes corregir tu egoísmo. Las gafas corrigen los defectos de la visión.* **4** Referido a una persona, decirle lo que ha hecho mal para que no vuelva a hacerlo o lo haga bien: *Mi madre me corrige cuando como con la boca abierta.* □ ETIMOL. Del latín *corrigere*, y este de *regere* (regir, gobernar). □ ORTOGR. La *g* se cambia en *j* ante *a, o.* □ MORF. 1. Tiene un participio regular (*corregido*) que se usa en la conjugación, y otro irregular (*correcto*) que se usa solo como adjetivo. 2. Irreg. →ELEGIR.

corregüela s.f. →**correhuela.**

correhuela (tb. *corregüela*) s.f. Planta herbácea de tallos largos y rastreros, hojas acorazonadas y flores acampanadas de color blanco o rosado: *La correhuela se enrosca en los objetos que encuentra.*

correinado s.m. Gobierno de dos reyes al mismo tiempo y en una misma nación.

correlación s.f. Relación o correspondencia que tienen dos o más cosas entre sí: *Existe una estrecha correlación entre tu poca dedicación al estudio y tus malas notas.*

correlativo, va adj. **1** Que tiene correlación o que la expresa: *En la frase 'Cuanto más como, menos hambre tengo', 'cuanto' es una partícula correlativa.* **2** Que sigue inmediatamente a otro: *El tres y el cuatro son números correlativos.*

correlato s.m. Término que corresponde a otro en una correlación: *Normalmente, el correlato de un esfuerzo es el cansancio.*

correligionario, ria adj./s. En política, referido a una persona, que comparte las mismas ideas o que está en el mismo partido o en el mismo sindicato que otra. □ SINÓN. *camarada, compañero.*

correo s.m. **1** Servicio público que se encarga de transportar la correspondencia oficial o privada: *Se ha presentado a unas oposiciones para trabajar en correos como cartero.* **2** Edificio o lugar en el que se recibe, se remite o se da la correspondencia: *Tengo que ir a correos a buscar el paquete que me han enviado.* **3** Vehículo que lleva la correspondencia: *El jefe de estación me dijo que el correo todavía tardaría en pasar.* **4** Buzón en el que se deposita la correspondencia: *Ve a echar las postales al correo.* **5** Conjunto de cartas que se envían o que se reciben: *Antes de subir a casa coge el correo del buzón.* □ SINÓN. *correspondencia.* **6** Persona que se dedica profesionalmente a llevar la correspondencia de un lugar a otro: *Antiguamente los correos llevaban las cartas montados en veloces caballos.* **7** *col.* Persona que lleva recados o paquetes de un lugar a otro: *La policía detuvo en el aeropuerto a un correo que llevaba un kilo de droga.* **8** ‖ **correo electrónico; 1** sistema que permite el intercambio de mensajes por ordenador a través de la red informática. □ SINÓN. *correo-e. He recibido varios mensajes de un amigo australiano por correo electrónico.* **2** Dirección de internet que sirve para enviar y recibir mensajes mediante este sistema. □ SINÓN. *correo-e. Tienes que darme tu correo electrónico para mandarte una foto.* **3** Mensaje escrito que se envía mediante este sistema. □ SINÓN. *correo-e. ¿Has leído el correo electrónico que te he mandado?* □ ETIMOL. Del catalán *correu.* □ MORF. En las acepciones 1 y

2, se usa más en plural. □ USO Es innecesario el uso de los anglicismos *e-mail* y *mail* en lugar de la expresión *correo electrónico*.

correo-e s.m. →**correo electrónico.**

correoso, sa adj. **1** Que se estira y se dobla sin romperse: *Esta goma elástica es muy correosa.* **2** Referido a algunos alimentos, que han perdido sus cualidades o se han ablandado, generalmente a causa de la humedad: *En esta zona tan húmeda el pan enseguida se pone correoso.* □ ETIMOL. De *correa*.

correpasillos (pl. *correpasillos*) s.m. Juguete sobre ruedas con el que los niños se desplazan sentados encima y empujando con los pies: *Mi sobrina de dos años va con el correpasillos por toda la casa.*

correr ▌v. **1** Ir deprisa: *Corrió a la puerta para ver quién llamaba.* **2** Andar rápidamente de forma que entre un paso y el siguiente, los pies quedan en el aire durante un momento: *Corre todas las mañanas varios kilómetros para mantenerse en forma.* **3** Actuar con exceso o con rapidez: *No corras, que te va a salir mal la letra.* **4** Referido al tiempo, pasar o tener curso: *Mientras te esperaba sentía correr los minutos.* □ SINÓN. *discurrir.* **5** Referido esp. a un fluido, moverse progresivamente de una parte a otra: *Deja correr el agua del grifo hasta que salga caliente.* **6** Referido esp. a un camino o a un río, caminar, pasar o extenderse por un territorio: *Esta carretera corre al lado del mar.* □ SINÓN. *discurrir.* **7** Referido a un viento, soplar o dominar: *En esta zona corre el cierzo.* **8** Referido a una noticia o a un rumor, circular o difundirse: *La noticia corre por toda la ciudad.* **9** Referido a un deber o a una obligación, estar a cargo de alguien o corresponderle: *Si tú me invitas a comer, las copas corren de mi cuenta.* **10** Referido a una persona, acudir a ella en caso de necesidad: *En cuanto me encuentro en un apuro, corro a mi madre para que me ayude.* **11** Referido a un programa informático, funcionar: *Este programa corre muy bien en ese entorno de red.* **12** Participar en una carrera: *En esta carrera corren los mejores ciclistas del momento.* **13** Avergonzar y confundir: *Cuando se descubrió su plan, se corrió de vergüenza.* **14** Referido a una llave o a un mecanismo de cierre, accionarlos para cerrar: *Cuando se va a acostar, cierra la puerta con llave y corre el pestillo.* □ SINÓN. *echar.* **15** Referido a un objeto que no está fijo, moverlo o deslizarlo de un lugar a otro: *Corre el armario a la derecha para que se pueda abrir bien la puerta.* **16** Referido esp. a un color o a una mancha, extenderlos fuera del lugar que ocupan: *La lluvia ha corrido la pintura de la puerta.* **17** Referido esp. a una cortina, cerrarla o tenderla: *Cuando enciende la luz, corre las cortinas para que los vecinos no lo vean.* **18** Referido a una circunstancia, estar expuesto a ella o pasarla: *Sé que corro grave peligro.* **19** Referido a una persona o a un animal, acosarlos o perseguirlos: *Los niños del pueblo corrían a los gatos.* **20** En zonas del español meridional, despedir de un trabajo o expulsar de un lugar: *Lo corrieron de la escuela porque faltaba con demasiada frecuencia.* ▌prnl. **21** Referido a una persona, retirarse hacia la derecha o hacia la izquierda: *Córrete y déjame sitio.* **22** *vulg.* Tener un orgasmo. **23** En zonas del español meridional, huir cobardemente: *Cuando vio que venían los policías, se corrió.* **24** ‖ **correr con** algo; encargarse de ello: *Mi abuela corrió con los gastos de mi educación.* ‖ **correrla;** *col.* Ir de juerga, esp. si es a altas horas de la noche: *Llegó a su casa al amanecer, después de haberla corrido con unos amigos.* □ ETIMOL. Del latín *currere*.

correría ▌s.f. **1** Agresión realizada por gente armada en un territorio enemigo. ▌pl. **2** *col.* Aventuras o diversiones: *Contaba a todos sus amigos sus correrías nocturnas por la ciudad.* □ ETIMOL. De *correr*.

correspondencia s.f. **1** Conjunto de cartas que se envían o que se reciben: *Ve a echar la correspondencia al buzón.* □ SINÓN. *correo.* **2** Relación o proporción de una cosa con otra: *Para ser una persona consecuente, tiene que haber correspondencia entre tus ideas y tu comportamiento.* **3** En matemáticas, relación que se establece entre los elementos de dos conjuntos o series distintos: *Los elementos del conjunto A tienen correspondencia con los del conjunto B.* **4** Devolución de un afecto o de una actitud recibidos: *Hoy te invitaré yo, en correspondencia con tu invitación de ayer.* **5** Comunicación o conexión, esp. entre dos líneas de metro: *Esta estación tiene correspondencia con la línea 7.*

corresponder v. **1** Referido esp. a un afecto o a una actitud recibidos, devolverlos de igual forma o proporcionalmente: *Correspondía a mi amor con indiferencia. Tengo que corresponder los favores que me has hecho, pero no sé cómo.* **2** Tocar o pertenecer: *Este trabajo no me corresponde hacerlo a mí.* **3** Referido a una cosa, tener relación o proporción con otra: *Sus afirmaciones no se corresponden con la realidad de los hechos.* **4** Referido a un elemento de un conjunto o de una serie, tener relación con otro elemento de otro conjunto o de otra serie: *Si tenemos el conjunto de los números naturales y el conjunto formado por las palabras 'par' e 'impar', al número dos le correspondería la palabra 'par'.* □ ETIMOL. De *co-* (reunión) y *responder*. □ SINT. Constr. como pronominal: *corresponderse* CON *algo*.

correspondiente ▌adj.inv. **1** Que corresponde o atañe a algo o a alguien: *Cada uno debemos realizar las tareas correspondientes.* **2** Que tiene relación o proporción con otra cosa: *En el ejercicio tienes que unir los adjetivos con el sustantivo correspondiente.* ▌adj.inv./s.com. **3** Que tiene correspondencia escrita con alguien: *La Real Academia Española tiene académicos correspondientes en los países hispanoamericanos.*

corresponsal s.com. Periodista que suministra noticias de actualidad de forma habitual a un medio de comunicación desde otra población o desde el extranjero: *Los corresponsales suelen vivir en el país o en la localidad desde la que envían las noticias.*

corresponsalía s.f. **1** Cargo de corresponsal de un medio de comunicación: *El periódico le ha ofrecido la corresponsalía en París.* **2** Lugar de trabajo de un corresponsal: *La periodista fue a la corresponsalía a redactar las noticias que tenía que enviar al periódico.*

corretaje s.m. Comisión que recibe un agente o corredor por intermediar en una determinada operación: *Los agentes de la propiedad inmobiliaria tienen fijado por ley el corretaje.* ☐ USO Es innecesario el uso del anglicismo *brokerage*.

correte s.m. En zonas del español meridional, correo electrónico.

corretear v. *col.* Correr de un lado a otro: *Los niños correteaban por el parque.*

correteo s.m. Conjunto de pequeñas carreras que se dan de un lado a otro: *El correteo de los niños del piso de arriba no me deja dormir.*

correturnos (pl. *correturnos*) s.com. Trabajador cuyo turno va rotando en función de cuándo libran los otros turnos: *Los correturnos permiten que, por ejemplo, algunas fábricas no paren las veinticuatro horas del día, todos los días de la semana.*

correvedile s.com. *col.* →**correveidile.**

correveidile (tb. *correvedile*) s.com. *col.* Persona que va enterándose de los asuntos ajenos y contándolos a los demás: *Nunca le confíes un secreto a ese correveidile.* ☐ ETIMOL. De *corre, ve y dile*.

corrida s.f. Véase **corrido, da.**

corrido, da ▮ adj. **1** Avergonzado o confundido: *Después de recibir la reprimenda salió de la habitación corrido y cabizbajo.* **2** Referido a algunas partes de un edificio, que están continuas o seguidas: *balcones corridos.* ▮ s.m. **3** Composición musical de origen mexicano, de carácter alegre y que se toca generalmente con guitarras y trompetas: *Los mariachis de la fiesta tocaron varios corridos.* ▮ s.f. **4** En zonas del español meridional, montón, fila o línea: *Hice la corrida de ejercicios de una sola vez.* **5** En zonas del español meridional, carrera de una media: *Me hice una corrida en las medias nuevas.* **6** *vulg.* →**eyaculación. 7** ‖ **corrida (de toros);** fiesta que consiste en torear un determinado número de toros en una plaza: *Durante la corrida, el público sacó varias veces los pañuelos blancos para pedir la oreja.* ‖ **de corrido;** referido a la forma de realizar algo, rápidamente y sin equivocación: *Me recitó la lección de corrido, pero me di cuenta de que no la entendía.*

corriente ▮ adj.inv. **1** Que es común o que no presenta ninguna cualidad extraordinaria: *una película corriente.* **2** Referido a una persona, que tiene un trato llano y familiar: *No hace falta que me trates como si fuera un rey porque soy una persona corriente.* **3** Que sucede con frecuencia: *Es corriente que llueva por estas fechas.* **4** Que es admitido por todos o autorizado por el uso o por la costumbre: *En esta región es corriente llevar sombrero.* **5** Referido a una semana, a un mes, a un año o a un siglo, que son los actuales o los que están transcurriendo: *El préstamo vence el 30 del mes corriente.* ▮ s.f. **6** Movimiento continuado de un fluido en una dirección determinada: *Los ríos que tienen una corriente tan fuerte son muy peligrosos.* **7** Masa de fluido que tiene este movimiento: *Durante la inundación, la corriente de agua arrastró los coches.* **8** Curso, movimiento o tendencia de los sentimientos o de las ideas: *La creadora de esta nueva corriente artística dará una conferencia mañana.* **9** ‖ **al corriente; 1** Sin atraso, con exactitud: *No debo nada porque estoy al corriente de los pagos que tenía que hacer.* **2** Referido a un asunto, enterado o con conocimiento de ello: *Uno de mis empleados me tiene al corriente de lo que ocurre en la oficina.* ‖ **contra (la) corriente;** referido a la forma de pensar o de comportarse, en contra de la opinión general: *Dicen que es un poco rebelde y por eso le gusta ir contra la corriente.* ‖ **corriente alterna;** la que tiene una intensidad variable, que cambia de sentido al pasar la intensidad por cero: *Un alternador transforma la corriente continua en corriente alterna.* ‖ **corriente continua;** la que fluye siempre en el mismo sentido, y tiene una intensidad generalmente variable: *Las pilas son generadores de corriente continua.* ‖ **corriente (eléctrica);** movimiento de cargas eléctricas a lo largo de un conductor: *La corriente eléctrica es un flujo de electrones.* ‖ **corriente y moliente;** *col.* Llano y normal: *Con esta tela corriente y moliente no podrás hacerte un vestido de noche.* ‖ **{llevar/seguir} la corriente** a alguien; *col.* Mostrarse conforme con lo que dice o hace: *Le seguí la corriente aunque no me creí nada de lo que me dijo.* ☐ ETIMOL. Del latín *currens*, y este de *currere* (correr). ☐ SINT. *Contra (la) corriente* se usa más con los verbos *ir*, *nadar* y equivalentes.

corrillo s.m. Corro o grupo de personas que hablan o discuten separados del resto.

corrimiento s.m. Movimiento o desplazamiento de un objeto de un lado a otro: *El pueblo quedó sepultado por un corrimiento de tierras.*

corro s.m. **1** Conjunto de personas que se ponen en círculo: *Un corro de curiosos rodeó al payaso en el parque.* **2** Juego infantil que consiste en formar un círculo cogiéndose de la mano y cantar al girar alrededor: *En el recreo nos poníamos en círculo y jugábamos al corro.* **3** Reunión de una sesión de bolsa para la contratación de un grupo de valores: *En los últimos corros hubo menor presión vendedora.* ☐ ETIMOL. Quizá de *corral* o de *correr*.

corroboración s.f. Confirmación de una opinión, de un razonamiento o de una idea mediante nuevos datos: *Estos nuevos datos son la corroboración de mi razonamiento.*

corroborar v. Referido a lo ya dicho, confirmarlo con nuevos datos: *Con estos hechos que acaban de ocurrir se corrobora mi suposición.* ☐ ETIMOL. Del latín *corroborare*, y este de *robur* (fuerza, robustez). ☐ SEM. Dist. de *ratificar* (afirmar y dar por bueno).

corroborativo, va adj. Que corrobora o confirma: *Aportaremos datos corroborativos de nuestros argumentos.*

corroer v. **1** Desgastar lentamente: *La carcoma corroe la madera. Los metales en contacto con el* *agua salada se corroen.* **2** Causar angustia y malestar: *El rencor lo corroe. Se corroía de celos.* ☐ ETIMOL. Del latín *corrodere.* ☐ MORF. Irreg. →ROER.

corromper v. **1** Referido esp. a una materia orgánica, dañarla, pudrirla o echarla a perder: *Las bacterias corrompieron el agua. Los alimentos se han corrompido debido al calor.* **2** Referido a una persona, sobornarla con regalos o con otros favores: *Intentaron corromper al juez ofreciéndole mucho dinero.* **3** Pervertir, viciar o hacer moralmente malo: *Las malas compañías lo corrompieron. Decía que las nuevas modas corrompían las costumbres.* ☐ ETIMOL. Del latín *corrumpere.* ☐ MORF. Tiene un participio regular (*corrompido*), que se usa en la conjugación, y otro irregular (*corrupto*), que se usa solo como adjetivo o sustantivo.

corrosión s.f. Desgaste lento y paulatino, esp. el producido por un agente externo: *Esta chapa metálica lleva una pintura protectora para evitar la corrosión.* ☐ ETIMOL. Del latín *corrosum*, y este de *corrodere* (corroer).

corrosivo, va adj. **1** Que corroe: *Ten cuidado al manejar este ácido porque es muy corrosivo.* **2** Referido esp. a una persona o a su lenguaje, que resultan incisivos, mordaces o hirientes: *Sus comentarios son demasiado corrosivos y malintencionados.*

corrugado, da adj. Referido esp. a una superficie o a un material, que tiene estrías que favorecen la inmovilidad y la adherencia: *cartón corrugado; acero corrugado.*

corrugar v. Referido esp. a una superficie o a un material lisos, dotarlos de estrías para favorecer la inmovilidad y la adherencia: *una máquina para corrugar cartón.* ☐ ETIMOL. Del latín *corrugare.* ☐ ORTOGR. La *g* se cambia en *gu* delante de *e* →PAGAR.

corrupción s.f. **1** Proposición o aceptación de un soborno: *Hay que acabar con la corrupción.* **2** Perversión o vicio que estropean moralmente: *corrupción de menores.* **3** Alteración de la forma o de la estructura de algo: *la corrupción del lenguaje.* ☐ ETIMOL. Del latín *corruptio.*

corruptela s.f. Corrupción, esp. la de poca importancia: *El día que yo hable saldrán a la luz todas tus corruptelas con los empleados.* ☐ ETIMOL. Del latín *corruptela.*

corruptibilidad s.f. Facilidad para corromperse: *La corruptibilidad de aquellos policías nunca se pudo probar.*

corruptible adj.inv. Que puede corromperse: *La materia orgánica es corruptible.*

corruptivo, va adj. Que corrompe o que puede corromper: *Con sus tácticas corruptivas logró comprar al funcionario.*

corrupto, ta adj./s. **1** Que se deja o se ha dejado corromper o sobornar: *Acusaron al policía de ser un corrupto.* **2** Que está pervertido o viciado: *Ese lugar no lo frecuentan más que corruptos.*

corruptor, -a adj./s. Que corrompe: *un corruptor de menores.*

corrusco s.m. *col.* →**currusco.**

corsario, ria ▌adj./s. **1** Referido a un buque o a su tripulación, que perseguía a los piratas o a las naves enemigas, con autorización de su nación: *En el siglo XVI, el corsario inglés Drake atacó muchas naves españolas.* ▌s.m. **2** Persona que navega sin licencia y asalta y roba barcos en el mar o en las costas. ☐ SINÓN. *pirata.* ☐ ETIMOL. De *corso* (grupo de buques mercantes con permiso del gobierno para perseguir a los piratas o a las embarcaciones enemigas). ☐ SEM. Dist. de *bucanero* (pirata que en los siglos XVII y XVIII saqueaba las posesiones españolas en América).

corsé s.m. **1** Prenda interior de material resistente que ciñe el cuerpo desde el pecho hasta las caderas: *un corsé ortopédico.* **2** Lo que constriñe o priva de libertad: *Para mí, el protocolo es un corsé que no puedo soportar.* ☐ ETIMOL. Del francés *corset*, y este de *corps* (cuerpo).

corsetería s.f. Lugar en el que se fabrican o se venden corsés y otras prendas interiores: *Ha ido a la corsetería a comprarse un sujetador.*

corsetero, ra s. Persona que se dedica profesionalmente a la fabricación o a la venta de corsés o de otras prendas interiores: *La corsetera le aconsejó que se probara una talla de faja mayor.*

corso, sa adj./s. De Córcega (isla mediterránea francesa), o relacionado con ella: *El territorio corso es muy montañoso.* ☐ ETIMOL. Del latín *corsus.*

cortacallos (pl. *cortacallos*) s.m. Cuchillo que usan los callistas para eliminar o rebajar los callos.

cortacésped s.f. Máquina que sirve para recortar el césped: *Esta cortacésped funciona con gasolina.* ☐ MORF. Se usa también como masculino.

cortacigarros (pl. *cortacigarros*) s.m. Utensilio que sirve para cortar la punta de los puros: *Este cortacigarros parece una pequeña guillotina.* ☐ SINÓN. *cortapuros.*

cortacircuitos (pl. *cortacircuitos*) s.m. Aparato que interrumpe el paso de corriente eléctrica automáticamente cuando es excesiva o peligrosa: *El cortacircuitos es un dispositivo de seguridad que puede evitar incendios.* ☐ SEM. Dist. de *cortocircuito* (fenómeno eléctrico accidental originado por el contacto de dos conductores).

cortacorriente s.m. Aparato que se usa para abrir o cerrar el paso de corriente eléctrica en un circuito: *Ha puesto un cortacorriente en el coche para que los ladrones, al no poder arrancarlo, no puedan robarlo.*

cortadillo s.m. **1** Pastelillo de forma cuadrangular, relleno de cabello de ángel y cubierto con azúcar molida. **2** →**azúcar de cortadillo.**

cortado, da ▌adj./s. **1** Tímido o turbado: *Si no fuera tan cortada iría yo misma a pedirle una explicación.* ▌s.m. **2** →**café cortado.**

cortador, -a ▌adj./s. **1** Que corta. ▌s. **2** Persona que se dedica profesionalmente al corte de piezas, generalmente de tela o de cuero, para confeccionar determinados objetos: *Mi primo es cortador en una fábrica de confección.*

cortadura ▮ s.f. **1** Herida o separación producida por un instrumento cortante: *Me vuelve a sangrar la cortadura que me hice con el cuchillo.* ▮ pl. **2** Recortes o restos sobrantes: *Después de cortar las piezas del vestido recoge las cortaduras que quedan.*

cortafrío s.m. Cincel que se utiliza para cortar el hierro frío: *Tienes que golpear el cortafrío con el martillo para cortar la barra.* □ SINÓN. *tajadera.*

cortafuego (tb. *cortafuegos*) s.m. **1** Camino ancho que se hace entre los sembrados o en el monte para evitar que se extiendan los incendios: *Hicieron el cortafuego con una excavadora.* **2** En informática, sistema de seguridad que impide a usuarios no autorizados acceder a una red privada. □ USO En la acepción 2, es innecesario el uso del anglicismo *firewall.*

cortafuegos (pl. *cortafuegos*) s.m. →**cortafuego.**

cortante adj.inv. Que corta: *Tienes que tener mucho cuidado cuando manipules superficies cortantes.*

cortapapeles (pl. *cortapapeles*) s.m. Utensilio, generalmente parecido a un cuchillo, que se utiliza para plegar o cortar papel: *Cortó el papel con el cortapapeles para envolver el regalo.* □ SINÓN. *plegadera.*

cortapisa s.f. Obstáculo o dificultad para hacer algo: *Encontré muchas cortapisas para poder llevar a cabo mi trabajo.* □ ETIMOL. Del catalán antiguo *cortapisa.* □ MORF. Se usa más en plural.

cortaplumas (pl. *cortaplumas*) s.m. Navaja de pequeño tamaño que se usa generalmente para abrir las cartas, y que antiguamente servía para cortar las plumas de las aves: *Abrió la carta rompiendo el sobre con el cortaplumas.*

cortapuros (pl. *cortapuros*) s.m. Utensilio que sirve para cortar la punta de los puros: *He perdido el cortapuros y para encender bien el puro he tenido que morder la punta.* □ SINÓN. *cortacigarros.*

cortar ▮ v. **1** Herir o hacer un corte: *Me he cortado con un cristal.* **2** Dividir o separar en dos partes: *El río corta la región.* **3** Recortar con un instrumento cortante, dando la forma adecuada: *Quiero hacerme una chaqueta y ya he cortado la tela.* **4** Interrumpir, suspender o suprimir parcial o totalmente: *La censura ha cortado varias escenas de la película.* **5** Referido a un todo, dividir o separar las partes que lo forman mediante un instrumento cortante: *Corta un poco de pan.* **6** Referido a un gas o a un líquido, atravesarlos o cruzarlos: *La bala cortó el aire.* **7** En los juegos de cartas, referido a una baraja, dividirla en dos levantando y separando un número indeterminado de las cartas que la forman: *Normalmente, corta el jugador que está a la izquierda del que reparte.* **8** Referido al curso o al paso de algo, atajarlo, detenerlo o entorpecerlo: *Con esta maniobra hemos conseguido cortar el avance del ejército enemigo.* **9** Referido a un líquido, mezclarlo con otro para modificar su fuerza o su sabor: *Voy a cortar el café con un poco de leche, porque me ha salido muy fuerte.* **10** En matemáticas, referido a una línea, a una superficie o a un cuerpo, atravesar a otros: *Dos rectas que se cortan tienen un punto en común.* **11** Referido al aire o al frío, ser tan intensos que parece que traspasan la piel: *Hace un viento que corta.* **12** Tomar el camino más corto: *Para llegar antes, corta por la calle de la derecha.* **13** Referido a un instrumento cortante, tener buen o mal filo: *Dame otro cuchillo, que este no corta.* **14** En el lenguaje de la droga, adulterar: *La policía descubrió un almacén donde se cortaba droga.* ▮ prnl. **15** Referido esp. a un líquido, separarse las partes que lo forman: *No dejes la leche fuera de la nevera, que se va a cortar. Se me ha cortado la mayonesa y ha quedado líquida.* **16** Referido a una persona, turbarse o faltarle las palabras por la turbación: *No te cortes y pide lo que quieras.* □ ETIMOL. Del latín *curtare* (cercenar).

cortaúñas (pl. *cortaúñas*) s.m. Utensilio metálico parecido a unos alicates o a unas pinzas con la boca afilada y curvada hacia dentro, que sirve para cortar las uñas: *Prefiero cortarme las uñas con un cortaúñas que con tijeras.*

cortaviento (tb. *cortavientos*) ▮ s.m. **1** Aparato que se coloca en la parte delantera de un vehículo para reducir la resistencia al aire: *Los cortavientos permiten aumentar la velocidad de los vehículos que lo llevan.* ▮ s.m. **2** Prenda de vestir que se usa para protegerse del viento y que suele ponerse sobre la ropa. □ SINT. En la acepción 2, se usa mucho en aposición, pospuesto a un sustantivo: *forro cortaviento; chubasquero cortaviento.*

cortavientos (pl. *cortavientos*) s.m. →**cortaviento.**

corte ▮ s.m. **1** Filo de un instrumento cortante: *el corte de un cuchillo.* **2** Herida producida por este tipo de instrumentos o de objetos: *hacerse un corte.* **3** Arte y técnica de cortar las piezas necesarias para confeccionar una prenda: *corte y confección.* **4** Cantidad de tejido o material con el que se puede confeccionar una prenda de vestir o un calzado: *Este corte de tela que has comprado no es suficiente para hacer este vestido.* **5** Sección que queda al cortar una pieza, esp. de carne: *No me des la primera loncha, que es el corte y está muy seco.* **6** División o separación en dos partes: *La dirección del corte de la carne influye en que los filetes resulten tiernos o estropajosos.* **7** Sección de un edificio: *Este plano es un corte transversal del edificio.* **8** Interrupción, suspensión o supresión parciales o totales: *La sequía obligará a establecer cortes periódicos en el suministro de agua.* **9** División de una baraja en dos partes, levantando y separando un número indeterminado de las cartas que la forman. **10** Turbación, vergüenza o apuro: *Me da corte cantar en público.* **11** En matemáticas, contacto o intersección entre planos, líneas o cuerpos: *Con esta fórmula encontrarás el punto de corte de estas dos rectas.* **12** Trozo de helado de barra que se pone entre dos galletas: *Me gustan los cortes de nata y fresa.* **13** Estilo, tipo o carácter: *un vestido de corte clásico.* ▮ s.f. **14** Población en la que reside el rey: *En la corte se celebraban muchos bailes.* **15** Conjunto de personas que componen la familia y la comitiva del rey:

La corte se divertía oyendo a los trovadores. **16** Séquito, comitiva o acompañamiento: *Llegó la directora general rodeada de toda su corte.* **17** Cielo o mansión divina: *Dios y los ángeles moran en la corte celestial.* ▌s.f.pl. **18** Cámaras legislativas: *Fuimos a ver una sesión de las cortes.* **19** Edificio en el que tienen su sede: *Nos hicimos una foto en las escalinatas de las cortes.* **20** En los antiguos reinos de Castilla, Aragón, Cataluña, Valencia y Navarra, junta general que celebraban personas autorizadas: *Las personas que acudían a las cortes podían hacerlo por derecho propio o representando a una clase o a un cuerpo.* **21** || **corte de mangas;** *col.* Gesto brusco que se hace doblando el brazo por el codo, con intención ofensiva: *Cuando le pité para que se apartara me hizo un corte de mangas.* || **dar un corte** a alguien; *col.* Responder de forma agresiva y rápida: *Se empezó a meter conmigo y le di un corte para que me dejara en paz.* || **hacer el corte de caja;** en zonas del español meridional, hacer caja: *En la tienda cerraron pronto para hacer el corte de caja.* || **hacer la corte** a una persona; tratarla de forma amable y cortés, esp. si es para seducirla o para iniciar una relación sentimental: *Tras varios años haciéndole la corte consiguió que se casara con él.* □ ETIMOL. Las acepciones 1-14, de *cortar*. Las acepciones 15-22, del latín *cohors* (séquito de magistrados provinciales, división de un campamento, grupo de personas). □ ORTOGR. Dist. de *cohorte*.

cortedad s.f. **1** Falta o escasez de talento, inteligencia o valor: *La cortedad de su mente le impide comprender lo que ocurre.* **2** Pequeñez y poca extensión de algo: *Me doy cuenta de la cortedad de las vacaciones cuando acaban.*

cortejar v. **1** Referido a una persona, tratarla de forma amable y cortés, esp. si es para seducirla o para iniciar una relación sentimental: *Es muy tradicional y quiere conocer las familias de los chicos que cortejan a su hija.* □ SINÓN. *galantear.* **2** Referido a un animal, atraer a otro para el apareamiento: *Vimos un documental sobre cómo los leones cortejaban a la hembra.* □ ETIMOL. Del italiano *corteggiare.* □ ORTOGR. Conserva la *j* en toda la conjugación.

cortejo s.m. **1** Conjunto de personas que forman el acompañamiento en una ceremonia: *un cortejo fúnebre.* **2** Fase inicial del apareamiento de algunos animales. □ ETIMOL. Del italiano *corteggio.*

cortés adj.inv. Que respeta las normas establecidas en el trato social: *Nos atendió un empleado muy cortés.* □ ETIMOL. De *corte*, por las maneras que se adquieren en la corte.

cortesana s.f. Véase **cortesano, na.**

cortesano, na ▌adj. **1** De la corte o relacionado con ella: *una ceremonia cortesana.* ▌s. **2** Persona que servía al rey en la corte: *Algunos cortesanos de la época de Isabel II se hicieron célebres por sus intrigas políticas.* ▌s.f. **3** Prostituta refinada y culta: *Leí una novela picaresca sobre las aventuras de una cortesana y sus amantes.* □ ETIMOL. Del italiano *cortegiano.* □ USO El uso de la acepción 3 es característico del lenguaje culto.

cortesía s.f. **1** Comportamiento amable y de buena educación, que respeta las normas para el trato social: *Trata a todo el mundo con mucha cortesía.* **2** Demostración o acto con que se manifiesta la atención, el respeto o el afecto que se tiene por alguien: *una fórmula de cortesía.* **3** Dádiva o regalo que se hace voluntariamente o por costumbre: *No nos han cobrado los postres, porque son cortesía del restaurante.* **4** Favor o beneficio gratuitos que se hacen sin merecimiento particular: *Si a las ocho no estás allí, te doy diez minutos de cortesía y me voy.* □ ETIMOL. De *cortés.*

córtex (pl. *córtex*) s.m. Parte externa del cerebro. □ ETIMOL. Del latín *cortex.*

corteza s.f. **1** Capa exterior y dura de una cosa: *la corteza de un limón.* **2** Parte externa de un órgano animal o vegetal: *la corteza cerebral.* **3** Parte sólida más superficial de la Tierra, situada entre la atmósfera y el manto. **4** || **corteza (de cerdo);** piel de cerdo muy frita que se suele tomar como aperitivo. □ ETIMOL. Del latín *corticea* (que se hace de corteza).

cortical adj.inv. De la corteza de un órgano o de la terrestre o relacionado con ellas: *Las células corticales del cerebro están colocadas en capas.* □ ETIMOL. Del latín *cortex* (corteza).

corticoide s.m. Compuesto químico con acción hormonal que está presente en las glándulas situadas al lado de los riñones: *Los corticoides se usan en medicina en casos de alergia.* □ SINÓN. *corticosteroide.* □ ETIMOL. Del latín *cortex* (corteza).

corticosteroide s.m. →**corticoide.**

cortijero, ra s. Persona que cuida de un cortijo y vive en él: *Los cortijeros me enseñaron los terrenos del cortijo.*

cortijo s.m. Extensión grande de campo y conjunto de edificaciones para labor y vivienda, propios de las zonas andaluza y extremeña: *Una manada de toros campeaba entre los olivos del cortijo.* □ ETIMOL. Del latín *cohorticula*, y este de *cohors* (recinto, corral).

cortina s.m. **1** Tela u otro material semejante con que se cubren ventanas, puertas u otros huecos y que sirve como adorno, para que no entre la luz o para que no se vea lo que hay al otro lado. **2** Lo que encubre u oculta algo: *La lluvia formaba una densa cortina de agua.* **3** || **cortina de humo;** lo que se utiliza para ocultar o encubrir algo: *El problema de la pesca es una cortina de humo para desviar la atención sobre el escándalo financiero.* □ ETIMOL. Del latín *cortina.*

cortinaje s.m. Conjunto o juego de cortinas: *Las ventanas del salón estaban cubiertas por ricos cortinajes.*

cortisol s.m. Hormona cristalina producida por las glándulas suprarrenales, y que hoy se obtiene generalmente de forma sintética: *El cortisol es una de las principales hormonas del organismo.*

cortisona s.f. Compuesto químico con acción hormonal presente en las glándulas situadas junto al riñón, que tiene una eficaz acción antiinflamatoria:

La cortisona se utiliza en lesiones reumáticas crónicas. ☐ ETIMOL. Del latín *corticeus* (de la corteza).

corto, ta ▌ adj. **1** Que tiene poca longitud o poca extensión, o menos de la normal o de la necesaria: *La cuerda es demasiado corta para atar el paquete.* **2** De poca duración, poca estimación o poca entidad: *Las vacaciones se me han hecho muy cortas.* **3** Escaso o con poca cantidad: *Se ha perdido una niña de corta edad.* **4** Que no alcanza el punto de destino: *El atleta lanzó una bola demasiado corta para puntuar.* **5** Que tiene poca inteligencia, poco talento o pocos conocimientos: *Si no has entendido este chiste es que eres un poco corta.* **6** Tímido o apocado: *No conseguirás sacarlo a bailar porque es muy corto.* **7** Referido a una prenda de vestir, que queda muy por encima de la rodilla o por encima de la cintura: *En verano siempre va con pantalones cortos.* ▌ s.m. **8** →**cortometraje. 9** ‖ **ni corto ni perezoso;** con decisión o sin pensarlo: *Le dije que cogiera algún pastel y, ni corto ni perezoso, se comió media docena.* ☐ ETIMOL. Las acepciones 1-8, del latín *curtus* (truncado, incompleto).

cortocircuitar v. Producir un cortocircuito: *La sobrecarga cortocircuitó todo el sistema eléctrico.*

cortocircuito (tb. *corto circuito*) s.m. Fenómeno eléctrico accidental que se produce por el contacto entre dos conductores y que suele determinar una descarga: *El origen del incendio fue un cortocircuito en la instalación eléctrica.* ☐ SEM. Dist. de *cortacircuitos* (aparato que interrumpe el paso de corriente eléctrica).

cortometraje s.m. Película cinematográfica de corta duración, que no sobrepasa los treinta minutos: *Antes de la película pusieron un cortometraje.* ☐ ETIMOL. Del francés *court-métrage.* ☐ MORF. Se usa mucho la forma abreviada *corto.*

coruja s.f. Ave rapaz nocturna, de plumaje blanco y dorado con manchas pardas, cabeza redonda, ojos grandes y pico corto y curvo: *La coruja se alimenta principalmente de ratas y ratones.* ☐ SINÓN. *lechuza.*

coruñés, -a adj./s. De La Coruña o relacionado con esta provincia española o con su capital: *Una de las principales ciudades coruñesas es Santiago de Compostela.*

corva s.f. Véase **corvo, va.**

corvadura s.f. Parte curva por donde se tuerce, se dobla o se encorva algo: *En la corvadura del camino había una señal de peligro.* ☐ ETIMOL. Del latín *curvatura.*

corvato s.m. Cría del cuervo: *Recogió un corvato que se había caído del nido.*

corvejón s.m. En las patas traseras de los cuadrúpedos, parte que está entre la parte inferior de la pierna y la superior de la caña: *Los corvejones de los caballos les permiten doblar y extender las patas traseras.* ☐ ETIMOL. De *corva.*

corveta s.f. Movimiento que se enseña al caballo, haciéndolo andar sólo con las patas traseras: *En una corveta, los caballos andan con las patas delanteras en alto.* ☐ ETIMOL. Del francés *courbette*, y este de *courbe* (corvo). ☐ ORTOGR. Dist. de *corbeta.*

corvetear v. Referido al caballo, hacer corvetas: *Dieron un premio al domador del caballo que mejor corveteaba.*

córvido, da ▌ adj./s.m. **1** Referido a un ave, que se caracteriza por tener el plumaje generalmente negro u oscuro y el pico largo y fuerte: *El cuervo es un animal córvido.* ▌ s.m.pl. **2** En zoología, familia de estas aves: *Algunos animales que pertenecen a los córvidos son capaces de repetir algunas palabras.* ☐ ETIMOL. Del latín *corvus* (cuervo).

corvina s.f. Pez marino de color pardo con manchas negras en el lomo y plateado en el vientre, con la boca con muchos dientes y la aleta anal con espinas muy fuertes: *La corvina es abundante en el Mediterráneo y muy apreciada como alimento.* ☐ ETIMOL. De *corvino* (parecido al cuervo), por el color. ☐ MORF. Es un sustantivo epiceno: *la corvina {macho/hembra}.*

corvo, va ▌ adj. **1** Arqueado o combado: *una espalda corva.* ▌ s.f. **2** Parte por donde se dobla la pierna, opuesta a la rodilla. ☐ ETIMOL. Del latín *curvus* (curvo).

corzo, za s. Mamífero rumiante, parecido al ciervo pero más pequeño, de pelaje gris rojizo, con el rabo muy corto y cuernos pequeños con abultamientos y ahorquillados en la punta: *Los corzos son piezas apreciadas en la caza mayor.* ☐ ETIMOL. Del latín **curtiare*, y este de *curtus* (truncado).

cosa s.f. **1** Todo lo que existe, sea real o imaginario, natural o artificial, espiritual o corporal: *Tengo una cosa para ti. No te metas en mis cosas. Siento una cosa muy rara en el estómago.* **2** Objeto inanimado: *Las personas, los animales y las plantas no son cosas, sino seres vivos.* **3** Aquello de lo que se trata: *No creas que la cosa es tan fácil.* **4** En frases negativas, nada o casi nada: *No hay cosa que no sepa.* **5** En derecho, objeto de las relaciones jurídicas por oposición a persona o sujeto: *En el régimen de esclavitud, los esclavos eran cosas.* **6** ‖ **a cosa hecha;** con éxito seguro: *Ya sabía que me habían admitido y fui a la entrevista a cosa hecha.* ‖ **como quien no quiere la cosa;** *col.* Con disimulo o sin dar importancia: *Se puso el abrigo y se fue como quien no quiere la cosa.* ‖ **como si tal cosa;** *col.* Como si no hubiera pasado nada: *Pensé que esto le importaba, pero se lo dije y se quedó como si tal cosa.* ‖ **cosa de;** *col.* Aproximadamente o poco más o menos: *Éramos cosa de 20 personas.* ‖ **cosa fina;** *col.* Exquisito o muy bueno: *Estos pasteles son cosa fina.* ‖ **cosa mala;** *col.* Mucho o en cantidad: *Ojalá estén, porque me apetece verlos cosa mala.* ‖ **cosa rara;** expresión que se usa para manifestar admiración, extrañeza o novedad: *¿Tú ayudando a tu madre?, ¡cosa rara!* ‖ **dar cosa;** *col.* Provocar apuro o vergüenza: *Me da cosa tener que hablar en público.* ‖ **no ser cosa de;** no ser conveniente u oportuno: *No es cosa de presentarnos los siete allí sin avisar.* ‖ **ser cosa de** hacer algo; ser necesario: *Empieza a llover, así que será cosa de* *coger un paraguas.* || **ser poca cosa;** ser poco importante, de poco tamaño o de poco valor: *No te preocupes, que ese catarro es poca cosa.* □ ETIMOL. Del latín *causa* (motivo, asunto, cuestión). □ SEM. Se usa mucho como palabra comodín para designar algo de manera imprecisa.

cosaco, ca ▮ adj./s. **1** De un antiguo pueblo que se estableció en las estepas rusas del sur: *Los cosacos se instalaron en la estepa rusa a partir del siglo* XV. ▮ s.m. **2** Soldado ruso de caballería ligera: *Los cosacos se distinguían por su destreza al cabalgar.*

coscarse v.prnl. *col.* Enterarse o darse cuenta: *Es tan despistado que le cambiamos el coche de sitio y no se coscó de nada.* □ SINT. Constr. *coscarse* DE *algo.*

coscoja s.f. **1** Árbol bajo y con la copa más ancha que alta, parecido a la encina, con hojas perennes, pequeñas y con el borde espinoso: *El fruto de la coscoja es una bellota.* **2** Hoja seca de la carrasca o de la encina: *La coscoja es muy buena para encender fuego.*

coscojal (tb. *coscojar*) s.m. Terreno poblado de coscojas: *El suelo del coscojal estaba cubierto de bellotas.*

coscojar s.m. →**coscojal.**

coscorrón s.m. **1** Golpe muy doloroso dado en la cabeza. **2** Golpe dado en la cabeza con los nudillos de la mano cerrada. □ ETIMOL. De origen onomatopéyico.

coscurro s.m. →**cuscurro.**

cosecante s.f. En trigonometría, razón entre la hipotenusa y el cateto opuesto de un ángulo: *La cosecante de un ángulo es la inversa del seno.*

cosecha s.f. **1** Conjunto de frutos que se recogen de la tierra cuando están maduros: *La cosecha de uva de este año ha sido escasa.* **2** Producto que se obtiene de estos frutos mediante un tratamiento adecuado: *Todavía queda en el molino media cosecha de aceite.* **3** Tiempo durante el que se recogen estos frutos: *En la cosecha hay mucho trabajo para los agricultores.* **4** Ocupación de recoger estos frutos: *La cosecha de la aceituna es muy dura.* **5** Conjunto de lo que obtiene alguien como resultado del propio esfuerzo o del azar: *La actriz recibió una cosecha de aplausos.* **6** || **ser** algo **de la cosecha** de alguien; *col.* Ser de su propio ingenio o invención: *¿Esa ocurrencia se la has oído a alguien, o es de propia cosecha?* □ ETIMOL. Del antiguo *cogecha*, este del latín *collecta*, y este de *colligere* (recoger, coger).

cosechadora s.f. Máquina que siega los cereales, separa el grano de la paja y envasa el grano: *Las cosechadoras facilitan la producción agrícola.*

cosechar v. **1** Referido a los productos del campo o de un cultivo, recogerlos cuando están maduros: *Al acabar de cosechar el trigo, el pueblo entero lo celebró con una buena fiesta.* **2** Referido a resultados, conseguirlos o lograrlos después de haber trabajado por ellos: *Nuestro equipo de fútbol cosechó varias derrotas seguidas.* □ SINT. En la acepción 2, se pueden *cosechar* varios resultados, pero no uno solo: *Cosechó {*un fracaso > varios fracasos}.*

cosechero, ra ▮ adj. **1** De la cosecha o relacionado con ella: *En época cosechera todos los agricultores trabajamos mucho.* ▮ s. **2** Persona que tiene una cosecha: *Los cosecheros de vino están muy contentos con los precios de este año.*

cosedora s.f. Máquina que sirve para coser: *En las imprentas siempre hay una cosedora para coser los pliegos de un libro.*

coselete s.m. Coraza ligera, generalmente de cuero, que usaban algunos soldados de infantería: *La flecha atravesó el coselete del soldado.* □ ETIMOL. Del francés *corselet* (coraza ligera, sin mangas).

coseno s.m. En trigonometría, razón entre el cateto contiguo de un ángulo y la hipotenusa: *El coseno no depende de la longitud de los lados del triángulo.*

coser v. **1** Hacer una labor con una aguja enhebrada: *No sé coser. He cosido una mantelería de hilo.* **2** Unir con cualquier clase de hilo, generalmente enhebrado en una aguja: *No sé cómo coser este desgarrón. Lo llevamos al hospital para que le cosieran la brecha.* **3** Unir con grapas: *Toma la grapadora y cose esas hojas que andan sueltas.* **4** *col.* Referido a una persona, producirle muchas heridas con un arma: *Cuando supo quién lo había traicionado lo cosió a puñaladas.* **5** || **coser y cantar;** *col.* Expresión que se usa para indicar que lo que se ha de hacer es muy fácil y no ofrece dificultades: *Hacer este puzle es coser y cantar.* □ ETIMOL. Del latín *consuere* (coser una cosa con otra).

cosido s.m. **1** Unión de algo con hilo, generalmente enhebrado en una aguja: *Solo me queda el cosido de los botones para terminar el traje.* □ SINÓN. *costura.* **2** Calidad en el acabado de coser: *El cosido de este traje es mejor que el corte.*

cosificación s.f. Consideración de algo como cosa: *La cosificación de las personas es algo inevitable cuando algo se masifica.*

cosificar v. **1** Referido esp. a una persona, considerarla como una cosa: *Las grandes ciudades cosifican a las personas.* **2** Convertir en cosa: *Hay aspectos de la vida que no se pueden cosificar.* □ ETIMOL. De *cosa* y el latín *facere* (hacer). □ ORTOGR. La *c* se cambia en *qu* delante de *e* →SACAR.

cosijo, ja s. En zonas del español meridional, persona que ha sido cuidada y educada como un hijo, sin serlo.

cosmética s.f. Véase **cosmético, ca**.

cosmético, ca ▮ adj./s.m. **1** Referido a un producto, que se utiliza para la higiene o la belleza del cuerpo, esp. la del rostro. ▮ s.f. **2** Arte y técnica de preparar y de emplear estos productos: *un especialista en cosmética.* □ ETIMOL. Del griego *kosmetikós*, de *kósmos* (adorno, compostura).

cósmico, ca adj. Del cosmos o relacionado con él. □ ETIMOL. Del latín *cosmicus*, y este del griego *kosmikós*, de *kósmos* (mundo).

cosmódromo s.m. Base de lanzamientos espaciales en la antigua Unión Soviética (antiguo país euroasiático): *El primer vuelo que llevaba al cosmos a un periodista fue lanzado desde un cosmódromo de Asia central.*

cosmogonía s.f. Ciencia que trata del origen y la evolución del universo: *La cosmogonía medieval consideraba la Tierra el centro del universo.* □ ETIMOL. Del griego *kosmogónia*, y este de *kósmos* (orden, estructura) y *gígnomai* (yo llego a ser).

cosmogónico, ca adj. De la cosmogonía o relacionado con esta ciencia que estudia el universo: *Las teorías cosmogónicas han variado mucho a lo largo de los siglos.*

cosmografía s.f. Descripción astronómica del mundo: *Los mapas y cosmografías del Renacimiento no se parecen mucho a lo que conocemos hoy.* □ ETIMOL. Del latín *cosmographia*, y este del griego *kosmographía*.

cosmográfico, ca adj. De la cosmografía o relacionado con esta descripción del mundo: *Las descripciones cosmográficas copernicanas resultaron muy novedosas en su época.*

cosmógrafo, fa s. Persona que está especializada en cosmografía: *Los estudios de los cosmógrafos renacentistas fueron de gran ayuda para los viajes de los descubridores.*

cosmología s.f. Parte de la astronomía que trata de las leyes generales, del origen y de la evolución del universo: *Esta lección de cosmología estudia la evolución de las estrellas.* □ ETIMOL. De *cosmos* y *-logía* (estudio, ciencia).

cosmológico, ca adj. De la cosmología o relacionado con esta parte de la astronomía: *En este estudio cosmológico se intentan explicar algunas de las leyes que rigen el universo.*

cosmólogo, ga s. Persona que está especializada en cosmología: *Una eminente cosmóloga dará una conferencia sobre las nuevas teorías gravitatorias.*

cosmonauta s.com. Persona que tripula una nave espacial o que está entrenada para ello: *La primera cosmonauta de la historia era rusa.* □ SINÓN. *astronauta.* □ ETIMOL. Del ruso *kosmonavt.*

cosmonáutica s.f. Véase **cosmonáutico, ca.**

cosmonáutico, ca ▌adj. **1** De la cosmonáutica o relacionado con esta ciencia o técnica: *Tiene muy buenos conocimientos cosmonáuticos, pero no puede ser astronauta por problemas físicos.* □ SINÓN. *astronáutico.* ▌s.f. **2** Ciencia o técnica de navegar más allá de la atmósfera terrestre: *La cosmonáutica ha permitido que el ser humano se pasee por la Luna.* □ SINÓN. *astronáutico.*

cosmonave s.f. Vehículo que puede navegar más allá de la atmósfera terrestre: *Muchas de las cosmonaves que se han utilizado en la historia no llevaban tripulantes humanos.* □ SINÓN. *astronave.*

cosmopolita ▌adj.inv. **1** Referido a una ciudad, que acoge residentes y actividades de diversa procedencia cultural o étnica: *Dice que los habitantes de las ciudades cosmopolitas son, en general, de mente abierta.* ▌adj.inv./s.com. **2** Referido a una persona, que considera todo el mundo como patria suya o que ha viajado mucho y conoce muchos países y costumbres: *Los diplomáticos suelen ser personas cosmopolitas.* □ ETIMOL. Del griego *kosmopolítes*, y este de *kósmos* (mundo) y *polítes* (ciudadano).

cosmopolitismo s.m. Teoría y forma de vida de las personas que se consideran ciudadanos de todo el mundo: *Los escritores modernistas defendían el cosmopolitismo.*

cosmorama s.m. Lugar donde se pueden ver aumentadas, a través de unas lentes, representaciones de paisajes, edificios o imágenes semejantes: *En el cosmorama se veían imágenes de la ciudad que parecían reales.* □ ETIMOL. Del griego *kósmos* (mundo) y *hórama* (lo que se ve).

cosmos (pl. *cosmos*) s.m. **1** Conjunto de todo lo creado o existente: *El ser humano es una pequeñísima parte del cosmos y sin embargo se cree el dueño de todo.* □ SINÓN. *creación, mundo, orbe, universo.* **2** Espacio exterior a la Tierra: *Los astronautas viajan por el cosmos.* □ ETIMOL. Del latín *cosmos*, y este del griego *kósmos* (mundo, universo).

cosmovisión s.f. Manera de ver e interpretar el mundo: *La cosmovisión de este filósofo es demasiado pesimista.* □ ETIMOL. Del alemán *Weltanschauung.*

coso s.m. **1** Plaza, sitio o lugar cercado donde se lidian toros y se celebran otras fiestas públicas: *Fue un torero célebre y aplaudido en los mejores cosos de España.* **2** En algunas poblaciones, calle principal: *En el coso suelen estar los mejores comercios y los más antiguos.* **3** *col.* En zonas del español meridional, cosa o chisme: *Ya arreglé el coso ese.* □ ETIMOL. Las acepciones 1 y 2, del latín *cursus* (carrera).

cosque (tb. *cosqui*) s.m. *col.* Coscorrón.

cosqui s.m. *col.* →**cosque.**

cosquillas s.f.pl. **1** Sensación de tipo nervioso que se produce al rozar suavemente la piel y que produce risa involuntaria. **2** ‖ **buscarle las cosquillas** a alguien; impacientarlo o hacerle perder la serenidad: *No me busques las cosquillas, porque como me canse de tanta tontería te vas a enterar.* □ ETIMOL. De origen expresivo.

cosquillear v. **1** Hacer cosquillas: *La etiqueta de la camisa me cosquillea en el cuello.* **2** Referido esp. a una idea, tener deseos de realizarla: *Siempre me ha cosquilleado la idea de tener un caballo.*

cosquilleo s.m. Sensación que producen las cosquillas u otra cosa semejante. □ SINÓN. *hormiguillo.*

cosquilloso, sa adj. Que siente cosquillas muy fácilmente.

costa ▌s.f. **1** Orilla de un extenso lugar con agua, esp. del mar: *Si sales con la barca no te alejes mucho de la costa.* **2** Franja de tierra que está cerca de la orilla: *Tiene una casa en la costa.* ▌pl. **3** Gastos judiciales: *No ganó el juicio y tuvo que pagar las costas.* **4** ‖ **a costa de; 1** A fuerza de o gracias a: *Consiguió aprobar a costa de muchas noches de estudio.* **2** A expensas de: *Estoy harta de que te diviertas a mi costa.* ‖ **a toda costa;** sin pensar en el gasto, en el esfuerzo o en el trabajo: *Lo conseguiré a toda costa.* □ ETIMOL. Las acepciones 1 y 2, del latín *costa* (costado). Las acepciones 3 y 4, de *costar*.

costado s.m. **1** En el cuerpo humano, cada una de las dos partes laterales que están debajo de los brazos, entre el pecho y la espalda: *La médica me hizo levantar el brazo para verme el costado.* **2** Parte o zona lateral de algo: *Se produjo una vía de agua en el costado derecho del barco.* **3** || **por los cuatro costados;** *col.* Por todas partes: *El bosque ardía por los cuatro costados.* □ ETIMOL. Del latín *costatus* (que tiene costillas).

costal ▌adj.inv. **1** De las costillas o relacionado con ellas: *la región costal.* ▌s.m. **2** Saco grande de tela fuerte que generalmente sirve para transportar grano. □ ETIMOL. Del latín *costalis*, y este de *costa* (costilla).

costalada s.f. Golpe fuerte dado al caer de espaldas o de costado: *Resbaló con una cáscara de plátano y se dio una costalada.* □ SINÓN. *costalazo, talegazo.*

costalazo s.m. →**costalada.**

costalero, ra s. Persona que lleva a hombros los pasos de las procesiones: *El paso del cristo de mi pueblo lo llevan seis costaleros.*

costamarfileño, ña adj./s. De Costa de Marfil o relacionado con este país africano. □ SINÓN. *marfileño.*

costana s.f. Calle en cuesta o en pendiente: *Le puso unos calzos a las ruedas del coche porque lo aparcó en una costana.*

costanera s.f. En zonas del español meridional, paseo marítimo: *Caminé por la costanera.*

costanilla s.f. Calle corta más inclinada que las cercanas: *Vive en una de las costanillas que van a dar al río.*

costar v. **1** Valer o tener determinado precio: *¡Menudo regalazo, seguro que te ha costado un montón!* **2** Ocasionar una molestia o un perjuicio, o requerir determinado esfuerzo: *No te cuesta nada acercarte por mi casa y recogerlo tú mismo.* **3** || **costar caro;** resultar perjudicial: *Si intentas engañarme, te costará caro.* □ ETIMOL. Del latín *constare* (adquirirse por cierto precio). □ MORF. Irreg. →CONTAR.

costarricense adj.inv./s.com. De Costa Rica o relacionado con este país americano.

costarriqueñismo s.m. En lingüística, americanismo propio de Costa Rica (país americano): *En ese diccionario de americanismos encontrarás definidos varios costarriqueñismos.*

coste s.m. **1** Cantidad que se da o que se paga por algo: *el coste de un coche.* □ SINÓN. *costo.* **2** Gasto que se realiza para la obtención o adquisición de algo: *los costes de producción.*

costear v. **1** Pagar los costes o gastos de algo: *Mis padres me costearon los estudios. Fuimos juntos de viaje, pero cada uno costeaba lo suyo.* **2** Referido a una dificultad o a un peligro, esquivarlos, soslayarlos o dejarlos de lado: *A pesar de su juventud supo costear el peligro que suponían esas malas compañías.* □ ETIMOL. La acepción 1, de *coste*. La acepción 2, de *costa*.

costeño, ña adj. De la costa o relacionado con ella: *Los pueblos costeños de esta región han crecido mucho con el turismo.*

costero, ra adj. De la costa, cercano a ella o relacionado con ella: *Veraneo en un pueblo costero del norte de España.*

costilla s.f. **1** Cada uno de los huesos largos y arqueados que nacen de la columna vertebral y que forman la caja torácica. **2** || **medirle las costillas** a alguien; *col.* Darle de palos: *Como encuentre a quien me ha desordenado mis papeles, le voy a medir las costillas.* □ ETIMOL. Del latín *costa*.

costillar s.m. Conjunto de costillas: *Compró en la carnicería el costillar de un cordero.* □ USO Es innecesario el uso del galicismo *carré*.

costo s.m. **1** Cantidad que se da o que se paga por algo: *El costo de la obra de la casa fue superior al previsto y no pudimos hacer el garaje.* □ SINÓN. *coste.* **2** En el lenguaje de la droga, hachís. □ ETIMOL. De *costar*.

costoso, sa adj. Que cuesta mucho o que cuesta un gran esfuerzo: *Se compró un costoso vestido. Me resultó muy costoso tener que llamarle la atención por su comportamiento.*

costra s.f. **1** Capa dura que se forma en la cicatrización de una herida: *Ha tenido la varicela y tiene la cara llena de costras.* □ SINÓN. *postilla.* **2** Cubierta o corteza exterior que se endurece o se seca sobre algo húmedo o blando: *El bizcocho tiene una costra quemada que le da mal sabor.* □ ETIMOL. Del latín *crusta*.

costroso, sa adj. Que tiene costras: *Se cayó de la bici y ahora tiene todo el brazo costroso.*

costumbre ▌s.f. **1** Modo de actuar adquirido por la frecuente práctica de un acto: *Fumar es una costumbre que perjudica la salud.* □ SINÓN. *hábito.* ▌pl. **2** Conjunto de inclinaciones y de usos que forman el carácter distintivo de una nación o de una persona: *Disfruto cuando mi abuela me cuenta las costumbres de su tiempo.* □ ETIMOL. Del latín **consuetumen*.

costumbrismo s.m. En una obra artística, atención especial que se presta a la descripción de costumbres típicas de un país o de una región: *Uno de los rasgos más destacados de las novelas de Galdós es su costumbrismo, centrado en la vida del Madrid castizo.*

costumbrista ▌adj.inv. **1** Del costumbrismo o relacionado con él: *unas escenas costumbristas.* ▌s.com. **2** Escritor o pintor que cultiva el costumbrismo.

costura s.f. **1** Unión de algo con hilo, generalmente enhebrado en una aguja: *La costura del bajo de la falda me llevó casi media hora porque tenía mucho vuelo.* □ SINÓN. *cosido.* **2** Labor que está cosiéndose y que está sin acabar: *No quiero empezar otra costura hasta que no tenga acabada tu blusa.* **3** Serie de puntadas que une dos piezas: *Llevaba una camisa azul con costuras blancas.* **4** Arte y técnica de coser: *La costura de esta modista es muy particular.* **5** || **alta costura;** Moda que se hace de manera exclusiva para cada cliente y generalmente, diseñada por un modisto o un diseñador de prestigio: *Los trajes de alta costura suelen ser muy caros.* □ ETIMOL. Del latín *consutura* (el arte de coser).

costurero, ra ▮ s. **1** Persona que se dedica a la costura, esp. si esta es su profesión: *En esa tienda de ropa necesitan una costurera para que haga los arreglos que piden los clientes.* ▮ s.m. **2** Caja o canastilla en las que se guardan los útiles de costura: *Acércame el costurero para coger las tijeras, por favor.*

costurón s.m. **1** Costura basta o mal hecha. **2** Cicatriz o marca muy visible de una herida: *un costurón en la mejilla.*

cota s.f. **1** Antigua armadura defensiva que cubría el cuerpo: *una cota de malla.* **2** En topografía, número que en un plano indica la altura de un punto sobre el nivel del mar o sobre otro plano de nivel: *Las cotas aparecen en este mapa precedidas de un pequeño triángulo negro.* **3** En topografía, esta altura: *En la última excursión alcanzamos una cota de dos mil metros.* **4** *col.* Categoría, nivel o grado: *Este actor ha alcanzado grandes cotas de popularidad con su última película.* □ ETIMOL. La acepción 1, del francés antiguo *cote*. Las acepciones 2-4, del latín *quota pars* (qué parte, cuánta parte).

cotangente s.f. En trigonometría, razón entre el cateto contiguo de un ángulo y el cateto opuesto: *La cotangente de un ángulo es la inversa de la tangente.*

cotarro s.m. *col.* Situación de inquietud o de agitación: *De repente, me vi en mitad del cotarro sin saber qué había ocurrido.* □ ETIMOL. De *coto* (cercado).

cotegrán s.m. Material que se utiliza para el revestimiento de fachadas.

cotejar v. Referido a dos o más cosas, confrontarlas teniéndolas a la vista para observar sus diferencias y semejanzas: *Cotejaron el cuadro original y la copia y las diferencias eran imperceptibles.* □ SINÓN. *comparar.* □ ETIMOL. De *cota* (número), por la comparación de citas y cantidades en el cotejo de escrituras. □ ORTOGR. Conserva la *j* en toda la conjugación.

cotejo s.m. Confrontación entre dos o más cosas, para apreciar sus diferencias y sus semejanzas: *El cotejo de las pruebas ha dado como resultado su culpabilidad.* □ SINÓN. *comparación.*

cotelé s.m. En zonas del español meridional, pana: *Viste siempre pantalón de cotelé.*

coterráneo, a (tb. *conterráneo, a*) adj. Referido a una persona, que ha nacido en la misma tierra que otro: *Aunque estaba en Madrid, se reunió con varios coterráneos suyos para celebrar la fiesta de su pueblo.* □ ETIMOL. Del latín *conterraneus*. □ ORTOGR. Incorr. **coterraño*.

cotidianeidad s.f. →**cotidianidad.**

cotidianidad s.f. Frecuencia y normalidad de algo que pasa todos o casi todos los días. □ SINÓN. *cotidianeidad.*

cotidiano, na adj. **1** Diario. **2** Frecuente, normal, usual o que sucede habitualmente: *Por desgracia los robos se han convertido en algo cotidiano en esta zona.* □ ETIMOL. Del latín *quotidianus*, y este de *quotidie* (cada día).

cotiledón s.m. En el embrión de algunas plantas, parte que sirve de almacén de sustancias de reserva y que forma la primera hoja de dichas plantas: *El trigo y la cebada tienen un solo cotiledón, pero la acelga y la espinaca tienen dos cotiledones.* □ ETIMOL. Del griego *kotyledón* (hueco de un recipiente).

cotiledóneo, a ▮ adj./s.f. **1** Referido a una planta, que tiene un embrión con uno o más cotiledones: *La lenteja es una cotiledónea.* ▮ s.f.pl. **2** En botánica, grupo de estas plantas: *En clasificaciones antiguas, las cotiledóneas comprendían las plantas fanerógamas.*

cotilla adj.inv./s.com. Persona que cotillea: *Sois unos cotillas, eso no le importa a nadie más que a ella.*

cotillear v. **1** *col.* Contar chismes: *Mis vecinos se pasan el día cotilleando.* □ SINÓN. *chismorrear.* **2** *col.* Curiosear, fisgar o tratar de averiguar los asuntos ajenos: *No me gusta que cotilleen en mi cajón.*

cotilleo s.m. **1** *col.* Difusión o narración de chismes entre varias personas. **2** *col.* Indagación indiscreta de los asuntos ajenos.

cotillón s.m. **1** Fiesta y baile que se celebra en un día señalado: *Esa discoteca organiza un cotillón el día de fin de año después de la cena.* **2** Conjunto de adornos y de objetos de fiesta que se dan en esta fiesta: *Nos dieron un cotillón con un gorro, unas gafas con nariz y un matasuegras.* □ ETIMOL. Del francés *cotillon*.

cotización s.f. **1** Pago de una cuota: *Para ser beneficiario de la pensión de jubilación de la Seguridad Social es necesario un mínimo de quince años de cotización.* **2** En la bolsa, publicación del precio de un valor o de una acción: *El rumor de quiebra ha hecho descender la cotización de las acciones de esta empresa.* **3** Estima, apreciación o valoración pública y general de algo: *Su cotización como jugador de fútbol aumenta día a día.*

cotizar v. **1** Pagar una cuota: *Cotiza todos los meses un seis por ciento de su salario a la Seguridad Social para poder cobrar la jubilación.* **2** En la bolsa, referido esp. a un valor o a una acción, publicar su precio: *Las acciones de esta empresa cotizan hoy cinco puntos por encima del precio que tenían ayer.* **3** Estimar, apreciar o valorar, esp. de forma pública o general, en relación con un fin determinado: *Los idiomas se cotizan mucho para encontrar un buen empleo.* □ ETIMOL. Del francés *cotiser*. □ ORTOGR. La *z* se cambia en *c* delante de *e* →CAZAR.

coto s.m. **1** Terreno acotado o marcado con unos límites para reservar su uso y su aprovechamiento: *A este coto de pesca solo acuden a pescar los vecinos del pueblo.* **2** En zonas del español meridional, bocio: *El coto es una enfermedad del tiroides.* **3** ‖ **poner coto;** referido esp. a un desorden o a un abuso, impedir que continúen: *Pon coto a tus borracheras o acabarás siendo un alcohólico.* □ ETIMOL. Las acepciones 1 y 3, del latín *cautus* (defendido). La acepción 2, del quechua *koto* (papera).

cotorra s.f. **1** Ave parecida al papagayo, pero de menor tamaño, de alas y cola largas y puntiagudas, y de varios colores: *La cotorra se alimenta de frutas y de semillas.* **2** *col.* Persona muy habladora. □ ETIMOL. De *cotorrera* (mujer parlanchina), y esta de *cotarrera* (mujer que hacía muchas visitas inútiles a los cotarros, que eran albergues de pobres). □ MORF. En la acepción 1, es un sustantivo epiceno: *la cotorra {macho/hembra}*.

cotorrear v. **1** *col.* Hablar mucho: *Estuvimos cotorreando toda la tarde.* **2** *col.* En zonas del español meridional, engañar sin mala intención: *Yo creo que me cotorreó cuando me dijo que no podría venir.*

cotorreo s.m. Charla o conversación con bullicio.

cotovía (tb. *totovía*) s.f. Ave paseriforme con la parte dorsal del cuerpo de color pardo y la parte inferior blanca, las alas bordeadas con manchas blancas y negras, que se alimenta de insectos y semillas: *La cotovía vive en zonas abiertas.* □ MORF. Es un sustantivo epiceno: *la cotovía {macho/hembra}*.

cottage (ing.) s.m. Pequeña casa de campo: *Pasamos tres días en un cottage perdido en medio del bosque.* □ PRON. [cótech], con *ch* suave.

cotufa s.f. **1** Tubérculo de aproximadamente un centímetro de largo, color amarillento por fuera y blanco por dentro, que tiene un sabor dulce y agradable, y que se emplea para preparar la horchata o se come remojado en agua: *Acabo de comerme unas cotufas buenísimas.* □ SINÓN. *chufa.* **2** Palomita de maíz. **3** || **pedir cotufas en el golfo;** *col.* Pedir algo que es imposible de conseguir: *No creo que mi padre me compre el coche, eso es pedir cotufas en el golfo.* □ ETIMOL. De origen incierto.

coturno s.m. En el teatro grecorromano, calzado con una suela de corcho muy gruesa, que usaban los actores trágicos para destacar su estatura sobre el escenario: *En la representación de esa tragedia de Sófocles, los actores llevaban máscaras y coturnos.* □ ETIMOL. Del latín *cothurnus* (calzado de lujo empleado especialmente por los actores trágicos romanos).

COU s.m. En el antiguo sistema educativo español, nivel de educación inmediatamente anterior a la enseñanza universitaria. □ ETIMOL. Es el acrónimo de *curso de orientación universitaria.*

coulis (fr.) s.m. **1** Salsa muy concentrada que se elabora a partir de la cocción de determinados alimentos: *coulis de marisco; rape al coulis de tomate.* **2** Puré de frutas naturales: *solomillo de cerdo con coulis de frambuesa.* □ PRON. [culí]. □ ORTOGR. Se usa también la forma castellanizada *culis.*

coulomb (pl. *coulombs*) s.m. →**culombio.** □ ORTOGR. Es la denominación internacional del *culombio.*

counseling (ing.) s.m. Asesoría personalizada, esp. si es de estudios: *En esta agencia de asesoría, el servicio de counseling lo dirige una psicóloga.* □ PRON. [coúnselin].

country (ing.) s.m. Género musical de carácter popular y tradicional en los Estados Unidos (país americano): *El country se suele interpretar con acompañamiento de banjo o de guitarra.* □ PRON. [cáuntri]. □ SINT. Se usa mucho en aposición, pospuesto a un sustantivo: *música country.*

coupé (fr.) (tb. *cupé*) adj.inv./s.m. Referido a un coche, que tiene un asiento corrido para dos o tres personas, y dos puertas laterales. □ PRON. [cupé].

courier (ing.) s.m. Mensajero, esp. el que hace envíos internacionales: *He mandado el informe por courier para que llegue lo antes posible.* □ PRON. [cúrier]. □ USO Su uso es innecesario.

covacha s.f. **1** Cueva pequeña: *Los oseznos estaban en una covacha.* **2** Vivienda o aposento pobres, incómodos, oscuros o pequeños.

covalencia s.f. En química, capacidad de formar un enlace entre dos átomos compartiendo uno o más pares de electrones: *El hierro tiene doble covalencia.*

covalente adj. Referido a un enlace entre dos átomos, que tiene lugar al compartir uno o más pares de electrones.

coventure (ing.) s.f. Grupo de empresas que se asocia y comparte los riesgos: *Desde que esas dos empresas constituyeron la coventure han aumentado sus ingresos.* □ SINÓN. *joint venture.* □ PRON. [covénchur], con *ch* suave.

cowboy (ing.) s.m. Vaquero de los ranchos del Oeste de los Estados Unidos (país americano): *Vimos una película del Oeste en la que un cowboy tenía que atravesar territorio indio para llevar el ganado a vender.* □ PRON. [cáoboi].

coxa s.f. En un insecto, primera pieza de la pata: *Las patas de los insectos se articulan con el cuerpo a través de las coxas.* □ ETIMOL. Del latín *coxa* (cadera).

coxal adj.inv. De la cadera o relacionado con ella: *No tenía nada roto, pero había recibido un fuerte golpe en la región coxal.* □ ETIMOL. Del latín *coxa* (cadera).

coxalgia s.f. En medicina, dolor en la cadera: *La coxalgia es un tipo de artritis.* □ ETIMOL. Del latín *coxa* (cadera) y *-algia* (dolor).

coxis (pl. *coxis*) s.m. Hueso formado por la unión de las últimas vértebras y que está articulado por su base con el sacro: *El coxis es el hueso que cierra por detrás el cinturón de la pelvis.* □ SINÓN. *cóccix.*

coyón, -a adj./s. *col. desp.* En zonas del español meridional, referido a una persona, que es cobarde o miedosa.

coyota s.f. Pan dulce hecho con harina y azúcar moreno: *Cuando viajé a México, comí coyotas.*

coyote s.m. **1** Mamífero carnívoro, parecido al lobo pero de menor tamaño, de color gris amarillento, que habita en las praderas de algunos países americanos: *El coyote se alimenta de pequeños roedores que caza gracias a su gran velocidad.* **2** En zonas del español meridional, persona que trafica con inmigrantes ilegales. □ ETIMOL. Del náhuatl *cóyotl*. □ MORF. En la acepción 1, es un sustantivo epiceno: *el coyote {macho/hembra}*.

coyunda s.f. **1** Correa fuerte y ancha o soga de cáñamo con las que se atan o sujetan los bueyes al yugo: *El labrador ajustó la coyunda antes de salir con la yunta.* **2** Unión conyugal o matrimonial: *Decía mi abuelo que el hombre y la mujer están hechos para ser coyunda.* □ ETIMOL. Del latín **coniungula*, y este de *coiungere* (uncir).

coyuntura s.f. **1** Combinación de circunstancias y de factores que se presentan en una determinada situación: *La coyuntura económica de ese momento no era propicia para hacer grandes inversiones.* **2** Ocasión u oportunidad para algo: *Su padre volvió muy contento a casa y él aprovechó la coyuntura para pedir que le dejaran ir a Canadá en verano.* □ ETIMOL. Del latín *cum* (con) y *iuntura* (unión).

coyuntural adj.inv. Que depende de la coyuntura o combinación de circunstancias: *Si cambian las circunstancias, los problemas coyunturales derivados de ellas desaparecerán.*

coz s.f. **1** Movimiento violento que hace un animal cuadrúpedo, esp. una caballería, con alguna de sus patas: *El caballo salvaje empezó a dar coces cuando lo atraparon con el lazo.* **2** Golpe dado con este movimiento: *Le aconsejó apartarse del caballo porque podía darle una coz.* **3** Golpe dado con el pie moviéndolo con violencia hacia atrás: *Se defendía de sus agresores con puñetazos y con coces.* **4** *col.* Hecho o dicho injuriosos o groseros: *Cuando le dije si venía con nosotros, me soltó una coz y me fui sin oír lo que continuó diciendo.* □ ETIMOL. Del latín *calx* (talón).

CPU (ing.) s.f. En un ordenador personal, parte en la que están los elementos que sirven para procesar datos: *En la CPU se suele ubicar el lector de CD-ROM y la disquetera.* □ ETIMOL. Es la sigla del inglés *Central Processing Unit* (unidad central de proceso).

crac s.m. Desastre financiero o caída brusca y súbita de las cotizaciones, esp. de las de la bolsa: *La crisis económica de 1929 empezó con el crac de la bolsa de Nueva York.* □ ETIMOL. Del inglés *crack*. □ USO Se usan también *crack* y *crash*.

-cracia Elemento compositivo sufijo que significa 'poder': *democracia, aristocracia.* □ ETIMOL. Del griego *-kratía*, y este de la raíz de *krátos* (fuerza).

crack (ing.) s.m. **1** En algunos deportes, esp. en el fútbol, jugador de extraordinaria calidad o habilidad: *El último jugador que han fichado es un crack que mete muchos goles.* **2** Droga que está compuesta principalmente por cocaína: *El crack es una droga muy tóxica.* **3** →**crac.**

crackeador s.m. Aplicación informática que sirve para descifrar claves, eliminar protecciones y acceder sin permiso a archivos, programas o sistemas. □ PRON. [craqueadór].

crackear v. Acceder sin permiso a un sistema, programa o archivo informático. □ ETIMOL. Del inglés *crack* (descifrar).

cracker (ing.) s. Persona que entra en un sistema informático para hacer algo ilegal: *Un cracker entró en los archivos del banco y modificó algunas cuentas.* □ PRON. [cráker].

cracking (ing.) s.m. Depuración de vertidos residuales. □ PRON. [crákin].

crampón s.m. Pieza metálica que se fija a la suela del calzado para no resbalar sobre el hielo o la nieve.

craneal adj.inv. Del cráneo o relacionado con él. □ SINÓN. *craneano.*

craneano, na adj. →**craneal.**

cráneo s.m. **1** Conjunto de huesos que forman una caja en la que está contenido el encéfalo. **2** || **ir de cráneo;** *col.* Ir mal encaminado o encontrarse en una situación de difícil solución: *Vas de cráneo si crees que estudiando tan poco vas a aprobar. Desde que nos metimos en ese negocio, vamos de cráneo.* □ ETIMOL. Del griego *kraníon*, y este de *krános* (casco, yelmo).

craneoencefálico, ca adj. Del cráneo y el encéfalo o relacionado con ellos: *un traumatismo craneoencefálico.*

craneofacial adj.inv. Del cráneo y la cara o relacionado con ellos: *cirugía craneofacial.*

crápula s.m. Hombre de vida licenciosa, viciosa o deshonesta. □ ETIMOL. Del latín *crapula* (embriaguez, borrachera).

craquear v. Referido a algunos hidrocarburos, romper sus moléculas para formar otras de menor peso: *Al craquear el gasóleo se obtiene la gasolina.* □ ETIMOL. Del inglés *to crack*.

craqueo s.m. Escisión o rompimiento de las moléculas de algunos hidrocarburos para producir otras de menor peso: *De algunos derivados del petróleo se obtienen, por craqueo, otros productos más ligeros que se pueden mezclar con las gasolinas.*

crash (ing.) s.m.→**crac.**

crasitud s.f. Grasa o tejido adiposo que se deposita alrededor de vísceras importantes. □ ETIMOL. Del latín *crassitudo*.

craso, sa adj. Referido esp. a un error, que no tiene disculpa, generalmente por su gravedad o sus dimensiones. □ ETIMOL. Del latín *crassus* (gordo).

-crata Elemento compositivo sufijo que significa 'que tiene el poder': *aristócrata, tecnócrata.*

cráter s.m. **1** En un volcán, depresión situada en su parte superior o lateral, de forma generalmente circular, por la que expulsa los materiales sólidos, líquidos y gaseosos cuando está en actividad: *Aún salía humo por el cráter del volcán.* **2** En un planeta o en un astro, depresión formada en su superficie por el impacto de un meteorito o por una erupción volcánica: *los cráteres de la Luna.* □ ETIMOL. Del latín *crater*, y este del griego *kratér* (vasija).

crátera s.f. En la Antigüedad clásica, vasija grande y ancha en la que se mezclaba el vino con agua antes de servirlo en copas durante las comidas. □ ETIMOL. Del latín *cratera*, y este del griego *kratér* (vasija).

crayón s.m. En zonas del español meridional, lápiz de cera.

creación s.f. **1** Conjunto de todo lo creado o existente: *El origen y el carácter de la creación ha sido una cuestión muy tratada por los filósofos.* □ SINÓN. *cosmos, mundo, orbe, universo.* **2** Producción de algo a partir de la nada o realización de algo a partir de las propias capacidades: *La Biblia comienza con el relato de la creación del mundo por Dios.* **3** Establecimiento, fundación, invención o introducción de algo por primera vez: *La creación de las universidades tuvo lugar en Europa en el siglo XII.* **4** Obra de ingenio, de arte o de artesanía muy laboriosa o que demuestra gran inventiva: *El modisto francés mostrará sus creaciones para la próxima primavera en el desfile de mañana.* □ ETIMOL. Del latín *creatio.*

creacionismo s.m. **1** Movimiento literario de vanguardia, surgido a comienzos del siglo XX en círculos poéticos franceses e hispanoamericanos, y que defiende la total autonomía del poema frente a la realidad. **2** En filosofía y teología, doctrina según la cual Dios creó el mundo a partir de la nada e interviene directamente en la creación del alma humana en el momento de la concepción.

creacionista ▮ adj.inv. **1** Del creacionismo o relacionado con él. ▮ adj.inv./s.com. **2** Que defiende o sigue el creacionismo.

creador, -a adj./s. Que crea algo. □ USO Es muy frecuente, en las religiones cristianas, su uso referido a Dios como hacedor del mundo. En este sentido, como sustantivo, se usa como nombre propio.

crear v. **1** Referido a algo existente, producirlo de la nada o realizarlo a partir de las propias capacidades: *Según el Génesis, Dios creó el mundo en seis días y el séptimo descansó.* **2** Establecer, hacer aparecer, instituir o introducir por primera vez: *Creó con varios amigos un colegio que fue un modelo de renovación pedagógica. No le lleves la contraria y así no te crearás problemas.* □ ETIMOL. Del latín *creare* (producir de la nada).

creatina s.f. Compuesto orgánico que se encuentra en el tejido muscular de los animales vertebrados: *El consumo de creatina puede tener efectos secundarios no deseados.*

creatinina s.f. Compuesto orgánico derivado de la creatina que se elimina por la orina: *La cantidad de creatinina en la sangre depende de la masa muscular.*

creatividad s.f. Facultad o capacidad para crear.

creativo, va ▮ adj. **1** Que posee o que estimula la capacidad de creación: *una mente creativa.* ▮ s. **2** Persona que se dedica profesionalmente a la concepción de una campaña publicitaria.

crecepelo s.m. Sustancia que se utiliza para hacer crecer el pelo.

crecer ▮ v. **1** Referido a un ser vivo, aumentar o desarrollarse de forma natural: *Esta planta ha crecido tanto que hay que cambiarla a un tiesto mayor.* **2** Aumentar, esp. si es por adquisición de nueva materia: *El río creció con las últimas lluvias. El poder económico de ese país crece día a día.* **3** En una labor de punto o de ganchillo, referido a un punto, añadirlo o aumentarlo: *Cuando acabes el puño, creces un punto cada seis vueltas hasta llegar al codo.* ▮ prnl. **4** Referido esp. a una persona, tomar mayor fuerza, autoridad, importancia o atrevimiento: *No temas por ella, porque se crece ante las adversidades y saldrá bien de esta.* □ ETIMOL. Del latín *crescere.* □ MORF. Irreg. →PARECER.

creces || **con creces;** con abundancia, o más de lo suficiente o de lo debido: *devolver un favor con creces.* □ ETIMOL. De *crecer.*

crecida s.f. Véase **crecido, da.**

crecido, da ▮ adj. **1** Grande o numeroso: *Heredó una crecida suma de dinero de un tío suyo.* ▮ s.m. **2** En una labor de punto o de ganchillo, punto que se aumenta: *Para que te quede la manga ancha tienes que hacer crecidos cada cuatro vueltas.* ▮ s.f. **3** Aumento del caudal de un río o de un arroyo: *La crecida del río por las continuas y fuertes lluvias hizo que se perdiera casi toda la cosecha.* □ MORF. La acepción 2 se usa más en plural.

creciente adj.inv. Que crece: *Cuando la luna está en cuarto creciente tiene forma de 'D'.*

crecimiento s.m. **1** Aumento o desarrollo natural de un ser vivo: *Una alimentación sana y equilibrada es fundamental para un crecimiento normal.* **2** Aumento de algo, esp. por adquisición de nueva materia o como resultado de una evolución favorable: *El crecimiento de la población ha descendido en la última década.* **3** || **crecimiento cero;** teoría económica que pone en tela de juicio los beneficios del crecimiento económico y que propone una política de ahorro de las riquezas: *Según la teoría del crecimiento cero se debe contener el rápido desgaste de los recursos naturales.*

credencial ▮ adj.inv. **1** Que acredita: *Para entrar en la conferencia de prensa había que presentar la tarjeta credencial de periodista.* ▮ s.f. **2** Documento que sirve para que se dé a un empleado posesión de su plaza: *La ministra juró su cargo después de presentar su credencial ante el Rey.* ▮ s.f.pl. **3** →**cartas credenciales.** □ ETIMOL. Del antiguo *credencia* (cartas credenciales).

credibilidad s.f. Facilidad para ser creído: *la credibilidad de una historia.* □ ETIMOL. Del latín *credibilis* (creíble). □ SEM. Dist. de *crédito* (reputación o buen nombre).

crediticio, cia adj. Del crédito o relacionado con él: *un préstamo crediticio.*

crédito ▮ s.m. **1** Cantidad de dinero que se debe y que el acreedor tiene derecho a exigir y a cobrar: *El prestamista exigía cobrar los créditos que le debían.* **2** Préstamo o cantidad de dinero que se pide prestada a un banco o a una entidad semejante: *solicitar un crédito.* **3** Reputación, fama o buen nombre: *Esta marca goza de mucho crédito entre los usuarios.* **4** Opinión que se tiene de que una persona cumplirá los compromisos que contraiga, y que la faculta para obtener de otra fondos o mercancías: *Aunque ahora no lleves dinero puedes lle-*

varte lo que necesites porque tienes crédito en esta tienda. **5** En los estudios universitarios, unidad de valoración de una materia o de una asignatura: *Me dijo que al final del doctorado debería tener unos treinta y dos créditos. En mi universidad un crédito equivale a diez horas de enseñanza teórica, práctica o equivalentes.* **6** Declaración que sirve para acreditar algo: *En el cuadro de créditos de este diccionario aparecen, entre otros, los nombres de los redactores.* ▮ pl. **7** Lista de personas que han intervenido en la realización de una obra de creación: *En general, en un libro los créditos figuran en las primera páginas.* **8** ‖ **a crédito; 1** Como anticipo o sin otra seguridad que la de la opinión que merece la persona que pide lo que se presta: *Se llevó los muebles a crédito y prometió volver a pagarlos. Adelántame parte del sueldo a crédito para poder pagar lo que debo.* **2** Sin pagar todo el importe de una vez, sino en varios plazos: *Me he comprado el coche a crédito.* ‖ **crédito blando;** el que presenta unas condiciones de plazo y tipo de interés muy favorables: *Para que te den un crédito blando tienes que reunir una serie de condiciones legales.* ‖ **crédito comercial;** aplazamiento que concede un proveedor en el pago del suministro de mercancías y prestaciones de servicios: *Nuestra distribuidora ofrece importantes créditos comerciales a los establecimientos que trabajan con nuestros productos.* ‖ **dar crédito a** algo; creerlo o tenerlo por cierto o verdadero: *Me estás contando unas cosas tan extrañas que no puedo dar crédito a lo que me dices.* □ ETIMOL. Del latín *creditum* (préstamo). □ SEM. 1. Su uso con los significados de *rótulo* o *firma*, es un anglicismo innecesario. 2. En la acepción 3, dist. de *credibilidad* (facilidad para ser creído).

credo s.m. **1** Oración que contiene los principales artículos de la fe enseñada por los apóstoles: *El credo comienza con las palabras 'Creo en Dios Padre'.* **2** Conjunto de doctrinas comunes a una colectividad: *Su credo no le permite comer carne de cerdo.* □ ETIMOL. Del latín *credo* (creo), primera palabra de la oración.

credulidad s.f. Facilidad para creer algo.

crédulo, la adj. Que cree algo con mucha facilidad. □ ETIMOL. Del latín *credulus*.

creencia s.f. **1** Certeza que se tiene de algo: *Tengo la firme creencia de que esto se solucionará.* **2** Religión o secta: *Debes respetar las creencias de los demás.* **3** Conjunto de ideas sobre algo: *Sacrificó la vida familiar por sus creencias políticas.*

creer v. **1** Referido esp. a algo que no está demostrado o que no se comprende, tenerlo por cierto o verdadero: *No creo nada de lo que cuentas. Aunque lo que cuentas parece imposible, me lo creo porque sé que eres de fiar.* **2** Referido a una sospecha o a una opinión, tenerlas, sostenerlas o considerarlas: *Creo que ha sido él el que te ha traicionado. Se cree la persona más lista del mundo.* **3** Considerar como probable o posible: *Creo que llegaré a tiempo, pero, por si acaso, no me esperéis.* **4** Referido a las verdades reveladas por Dios y propuestas por la Iglesia, tenerlas o admitirlas como ciertas: *Creo las verdades de mi fe.* **5** Dar apoyo o tener confianza: *La directora cree en esa joven actriz porque ha visto que tiene cualidades.* **6** ‖ **ya lo creo;** expresión que se usa para dar a entender que algo es evidente: *Cuando le pregunté si tenía calor me respondió: «¡Ya lo creo!».* □ ETIMOL. Del latín *credere* (dar fe de alguien). □ ORTOGR. En las formas cuya desinencia contiene un diptongo *ie*, *io*, esta *i* se cambia en *y* →LEER. □ SINT. Constr. de la acepción 5: *creer EN alguien.*

creíble adj.inv. Que se puede creer.

creído, da adj./s. *col.* Referido a una persona, que es muy vanidosa u orgullosa.

crema s.f. **1** Pasta confeccionada con huevos, azúcar y con otros ingredientes que se usa en pastelería: *un bocadito de crema.* **2** Natillas espesas y con azúcar tostado en su superficie: *La crema suele presentarse en tarrinas de barro.* **3** Puré claro o poco espeso: *crema de champiñones.* **4** Producto cosmético de consistencia pastosa que se aplica en la piel: *una crema bronceadora.* **5** Pasta que se usa para limpiar y dar brillo a las pieles curtidas, esp. al calzado: *Tienes que dar crema a los zapatos, que los llevas muy sucios.* **6** Sustancia grasa de la leche: *Estoy a régimen y tomo leche descremada porque me han dicho que la crema engorda.* **7** Lo más distinguido de un grupo social: *la crema de la aristocracia.* **8** Quema de las fallas en las fiestas populares valencianas: *La crema de las fallas en Valencia se celebra la noche de San José.* □ ETIMOL. Las acepciones 1-7, del francés *crème* (nata). La acepción 8, del catalán *crema* (quema). □ PRON. En la acepción 8, está muy extendida la pronunciación [cremá].

cremación s.f. Incineración o quema de cadáveres de personas. □ ETIMOL. Del latín *crematio*, y este de *cremare* (quemar).

cremallera s.f. **1** Cierre que se cose generalmente en una prenda de vestir, y que consta de dos tiras de tela dentadas, cuyos dientes se engranan o se separan al mover una pequeña pieza: *la cremallera de un pantalón.* **2** En algunas vías férreas, raíl suplementario provisto de dientes, que se coloca en los tramos muy inclinados para que sirva de engranaje a una rueda dentada de la locomotora: *La cremallera permite que los trenes circulen por lugares que tienen mucha pendiente.* □ ETIMOL. Del francés *crémaillère*.

crematística s.f. Véase **crematístico, ca.**

crematístico, ca ▮ adj. **1** Del dinero o relacionado con él: *Ha cambiado de trabajo por cuestiones crematísticas.* ▮ s.f. **2** Conjunto de conocimientos sobre la producción y distribución de la riqueza: *Estoy leyendo un tratado de crematística.* **3** Conjunto de asuntos relacionados con el dinero: *Si vas a poner un negocio, no olvides estudiar la crematística del asunto.* □ ETIMOL. Del griego *khrematistikós* (relacionado con los negocios financieros).

crematorio, ria ▮ adj. **1** De la cremación de los cadáveres o relacionado con ella: *un horno crema-*

torio. ▮ s.m. **2** Lugar en el que se queman los cadáveres: *el crematorio municipal.*

crème de la crème ‖ Véase **la crème de la crème.**

cremería s.f. En zonas del español meridional, mantequería.

cremosidad s.f. Conjunto de características de lo que es cremoso.

cremoso, sa adj. **1** Que tiene el aspecto o la textura de la crema: *un queso cremoso.* **2** Que tiene mucha crema: *La leche recién ordeñada es más cremosa que la envasada.*

crencha s.f. **1** Línea que queda en la cabeza al separar el pelo con el peine hacia lados opuestos: *Cuando me peino me hago la crencha en el lado izquierdo.* □ SINÓN. *raya.* **2** Cada una de estas partes de cabello: *Le caía una abundante crencha de pelo sobre la frente.* □ ETIMOL. De origen incierto.

creosota s.f. Sustancia líquida y aceitosa que se extrae del alquitrán y que se usa para proteger una materia de la putrefacción: *La creosota es incolora y cáustica.* □ ETIMOL. Del griego *kréas* (carne) y *sóizo* (yo salvo, preservo).

crep (pl. *creps*) s.f. Tortita fina hecha con una masa de harina, leche y huevo batido frita, que se rellena con ingredientes dulces o salados. □ ETIMOL. Del francés *crêpe.* □ MORF. Incorr. su uso como masculino, aunque está muy extendido. □ USO Se usa también *crepe.*

crepa s.f. En zonas del español meridional, crep.

crepe s.f. →**crep.** □ SEM. Dist. de *crepé* (tejido rugoso).

crepé s.m. Tejido rugoso de lana, de seda o de algodón. □ ETIMOL. Del francés *crêpe*, y este del latín *crispus* (crespo). □ SEM. Dist. de *crepe* (torta rellena).

crepería s.f. Establecimiento en el que se hacen y se venden creps.

crepitación s.f. **1** Chasquido o crujido, esp. el que hace la madera al arder. **2** En medicina, ruido producido por el roce de los dos extremos de una fractura ósea.

crepitar v. Referido esp. a una madera, dar chasquidos al arder: *La leña de la chimenea crepitaba.* □ ETIMOL. Del latín *crepitare.*

crepuscular adj.inv. Del crepúsculo o relacionado con él: *la luz crepuscular.*

crepúsculo s.m. **1** Claridad que hay desde que empieza a amanecer hasta que sale el Sol, y desde que se empieza a poner hasta que es de noche: *El crepúsculo daba al jardín un aspecto triste.* **2** Tiempo que dura esta claridad: *Cuando conduzco durante el crepúsculo llevo encendidas las luces de cruce.* **3** *poét.* Decadencia: *Escribió sus más bellos poemas en el crepúsculo de su vida.* □ ETIMOL. Del latín *crepusculum.*

crescendo (it.) s.m. **1** En música, aumento gradual de la intensidad con que se ejecutan un sonido o un pasaje: *La intérprete hizo un crescendo final que dio mayor expresividad a su interpretación.* **2** En una composición musical, pasaje que se ejecuta efectuando un aumento de intensidad de este tipo: *En el segundo movimiento del concierto hay un crescendo vibrante.* **3** ‖ **in crescendo;** *col.* En progresión creciente: *A medida que pasaba el tiempo, la tensión iba in crescendo.* □ PRON. [crechéndo], con *ch* suave.

creso s.m. Hombre que tiene mucho dinero y gran cantidad de posesiones. □ ETIMOL. Por alusión a Creso, rey de Lidia, que era célebre por sus riquezas.

crespo, pa adj. Referido al cabello, que está rizado de forma natural. □ ETIMOL. Del latín *crispus* (rizado, ondulado).

crespón s.m. Tela negra que se usa en señal de luto. □ ETIMOL. De *crespo* (rizado), porque la urdimbre de esta tela está más retorcida que la trama.

cresta s.f. **1** En el gallo y en otras aves, carnosidad roja que está sobre la cabeza: *Los dos gallos peleaban y se picaban en la cresta.* **2** Moño de plumas de algunas aves: *Supe que era una abubilla en cuanto le vi la cresta.* **3** Lo que imita esta carnosidad o este moño de plumas: *Ese punk lleva una cresta de pelo teñida de amarillo.* **4** Parte más elevada de algo, esp. de una montaña o de una ola: *Los escaladores consiguieron llegar a la cresta de la montaña.* **5** En un horario, hora de mayor demanda y precio más caro: *En la hora cresta, los billetes de tren son más caros.* **6** ‖ **estar en la cresta de la ola;** estar en el mejor momento: *Este actor de moda está en la cresta de la ola y los directores se lo disputan.* □ ETIMOL. Del latín *crista.*

crestería s.f. Adorno calado característico del estilo gótico ojival, que se colocaba en las partes altas de los edificios. □ ETIMOL. De *cresta.*

crestomatía s.f. Conjunto de escritos seleccionados para la enseñanza. □ ETIMOL. Del griego *khrestomátheia* (estudio de las cosas útiles), y este de *khrestós* (bueno, útil) y *mantháno* (yo aprendo).

creta s.f. Carbonato de cal. □ ETIMOL. Del latín *creta.*

cretáceo, a adj. →**cretácico.**

cretácico, ca ▮ adj. **1** En geología, del tercer período de la era secundaria o mesozoica o de los terrenos que se formaron en él: *un terreno cretácico.* □ SINÓN. *cretáceo.* ▮ adj./s.m. **2** En geología, referido a un período, que es el tercero de la era secundaria o mesozoica. □ SINÓN. *cretáceo.* □ ETIMOL. Del latín *cretaceus*, y este de *creta* (greda).

cretense adj.inv./s.com. De Creta (isla mediterránea griega), o relacionado con ella.

cretinismo s.m. **1** Enfermedad producida por una insuficiencia de la glándula tiroides en los recién nacidos o en los jóvenes: *Los enfermos de cretinismo se caracterizan por un enanismo deforme.* **2** Estupidez, idiotez o falta de talento: *Tu cretinismo te ha llevado a perder ese buen negocio.*

cretino, na adj./s. *desp.* Estúpido o necio. □ ETIMOL. Del francés *crètin* (enfermo de cretinismo), porque el que padece esta enfermedad se caracteriza por un enanismo deforme. □ USO Se usa como insulto.

cretona s.f. Tela fuerte, generalmente de algodón, que se usa en tapicería. □ ETIMOL. Del francés *cretonne*, y este de *Creton* (pueblo de Normandía donde se fabricaba).

creyente adj.inv./s.com. Que profesa una determinada fe religiosa.

creyón s.m. En zonas del español meridional, lápiz de cera. □ ETIMOL. Del francés *crayon* (lápiz).

cría s.f. Véase **crío, a.**

criadero s.m. Lugar destinado a la cría de animales.

criadilla s.f. Testículo de algunos animales de matadero, que se consume como alimento.

criado, da s. **1** Persona que sirve a otra a cambio de un salario, esp. la que se emplea en el servicio doméstico: *La criada vestía delantal y cofia.* **2** || **bien criado;** cortés y con buena educación: *Una persona bien criada nunca me hubiera insultado de esa forma.* || **mal criado;** →**malcriado.** □ ETIMOL. De *criar*, porque los vasallos eran educados o criados en las casas de sus señores.

criador, -a s. Persona que se dedica profesionalmente a la cría de animales o que los tiene a su cargo.

crianza s.f. **1** Nutrición, alimentación y cuidado de los hijos, esp. durante el período de lactancia: *Su madre la aconsejó en la crianza del bebé.* **2** Época de la lactancia: *Durante la crianza, las madres tienen unos horarios más flexibles en sus trabajos.* **3** Alimentación y cuidados que se dan a algunos animales, esp. a los destinados a la venta o al consumo: *En su granja se dedica a la crianza de gallinas.* **4** Instrucción y educación de una persona: *Ella misma se encargó de la crianza de sus hijos.* **5** Proceso de elaboración de algunos vinos: *La crianza de los vinos se realiza en lugares frescos y con poca luz.* **6** || **{buena/mala} crianza;** buena o mala educación: *Es una chica de buena crianza y saluda a los vecinos que se encuentra en la escalera.*

criar ▌v. **1** Referido a un niño, nutrirlo y alimentarlo con leche: *Cría a su hijo con biberón porque no tiene suficiente leche para darle de mamar.* **2** Producir, desarrollar u originar: *Si no guardas las fresas en la nevera, van a criar moho.* **3** Referido a las aves o a otros animales, alimentarlos, cuidarlos y cebarlos: *Me dedico a criar canarios.* **4** Referido a sus hijos, cuidarlos y alimentarlos un animal: *El macho y la hembra se turnan para criar a los pollos del nido.* **5** Referido a un animal, tener descendencia: *Está dando a su perra unas pastillas para evitar que críe.* **6** Referido a una persona, instruirla o educarla: *Crió a sus hijos en un ambiente familiar. Se crió en los mejores colegios.* ▌prnl. **7** Referido a una persona, crecer o desarrollarse: *Me crié en la misma ciudad en la que nací.* □ ETIMOL. Del latín *creare* (crear, engendrar, procrear). □ ORTOGR. La *i* lleva tilde en los presentes, excepto en las personas *nosotros* y *vosotros* →GUIAR.

criatura s.f. **1** En teología, lo que ha sido creado de la nada: *El ser humano es una criatura de Dios.* **2** Niño recién nacido o de poco tiempo. **3** Ser fantástico, inventado o imaginado: *unas criaturas de la noche.* □ ETIMOL. Del latín *creatura*.

criba s.f. **1** Utensilio formado por un aro de madera al que se fijan un cuero o una plancha metálica agujereados o una malla metálica, y que se utiliza para cribar o limpiar de impurezas el trigo u otras semillas o para separar las partes menudas de las gruesas. □ SINÓN. *harnero.* **2** Selección o elección de lo que interesa: *En una primera criba eliminaron cuatro de los diez candidatos para el puesto.* □ ETIMOL. Del latín *cribum* (criba).

cribado s.m. **1** Hecho de cribar: *maquinaria para el cribado del trigo.* **2** →**cribaje.**

cribaje s.m. En medicina, examen riguroso de un grupo de individuos para diagnosticar enfermedades, anomalías o factores de riesgo: *Un programa de cribaje solo tiene beneficios si el porcentaje de población cubierta es alto.* □ SINÓN. *cribado.* □ USO Es innecesario el uso del anglicismo *screening.*

cribar v. **1** Referido esp. a una semilla o a un mineral, pasarlos por la criba para limpiarlos de impurezas o para separar las partes gruesas de las finas: *Los buscadores de oro cribaban la arena del río para encontrar pepitas de oro.* **2** Seleccionar o elegir, separando lo que interesa: *La secretaria cribaba las llamadas telefónicas que recibía su jefe.* □ ETIMOL. Del latín *cribrare*.

criboso adj. Referido a un vaso que forma parte de un tejido vegetal, que conduce la savia elaborada o descendente. □ SINÓN. *liberiano.* □ ETIMOL. De *criba*.

cric s.m. Máquina compuesta de un engranaje, que sirve para levantar grandes pesos a poca altura. □ SINÓN. *gato.* □ ETIMOL. Del francés *cric*.

cricket (ing.) s.m. Deporte que se juega en un campo de césped, entre dos equipos de once jugadores, con bates, pelota y dos rastrillos: *El cricket es un deporte de origen británico.* □ PRON. [críket]. □ ORTOGR. 1. Dist. de *croquet*. 2. Se usa también la forma castellanizada *críquet*.

crimen s.m. **1** Acción voluntaria de matar o herir gravemente a una persona: *En cuanto se descubrió el cadáver, comenzaron las investigaciones para encontrar al autor del crimen.* **2** Acción que resulta gravemente perjudicial o censurable: *No dar ayuda al necesitado es un crimen.* □ ETIMOL. Del latín *crimen* (acusación, falta). □ SEM. Dist. de *asesinato* (hecho de matar a una persona).

criminal ▌adj.inv. **1** Del crimen o relacionado con él: *un acto criminal.* **2** Referido esp. a una ley, a un organismo o a una acción, que están destinados a perseguir y a castigar los crímenes o los delitos: *una querella criminal.* ▌adj.inv./s.com. **3** Que intenta cometer o ha cometido un crimen: *Ese criminal ha asesinado a dos personas a sangre fría.* □ ETIMOL. Del latín *criminalis*.

criminalidad s.f. **1** Conjunto de características que hacen que una acción sea criminal: *La nocturnidad y la alevosía aumentan la criminalidad de* *ese delito.* **2** Número de crímenes cometidos en un territorio durante un tiempo determinado: *La policía quiere conseguir un descenso de la criminalidad en el país.*

criminalista adj.inv./s.com. **1** Que se dedica profesionalmente al derecho penal o que está especializado en él: *Confió su defensa a uno de los mejores criminalistas del país.* **2** Especializado en el estudio del crimen: *Basó su estudio criminalista en los asesinatos cometidos con armas blancas.*

criminalización s.f. Atribución de características que se consideran propias de criminales.

criminalizar v. Atribuir características que se consideran propias de criminales: *Se denunció la existencia de un intento de criminalizar a los huelguistas.* □ ORTOGR. La *z* se cambia en *c* delante de e →CAZAR.

criminología s.f. Ciencia que estudia los delitos, sus causas y su control. □ ETIMOL. Del latín *crimen* (crimen) y *-logía* (ciencia, estudio).

criminólogo, ga adj./s. Referido a una persona, que está especializada en criminología.

crin s.f. **1** Conjunto de cerdas o pelos gruesos que tienen algunos animales en la parte superior del cuello: *Cuando se le rompieron las riendas tuvo que cabalgar agarrada a las crines del caballo.* **2** Filamentos flexibles y elásticos que se obtienen de las hojas del esparto cocido o humedecido: *un guante de crin.* □ ETIMOL. Del latín *crinis* (cabello, cabellera). □ MORF. En la acepción 1, se usa más en plural.

crío, a ▌s. **1** Niño que se está criando: *Aún tiene que dar de mamar al crío.* **2** Persona joven o de corta edad: *Todavía es un crío y no entiende lo que le dices.* **3** *col.* Persona adulta que se comporta como un niño: *Aunque ya es mayor, para algunos temas es un crío.* ▌s.f. **4** Nutrición, alimentación y cuidados que se dan a las personas o a los animales: *Se ha fabricado un acuario porque quiere dedicarse a la cría de peces de colores.* **5** Animal que se está criando: *La perra amamanta a sus seis crías.*

criobiología s.f. Parte de la biología que estudia el uso de temperaturas muy bajas para la conservación de organismos vivos. □ ETIMOL. Del griego *krýos* (frío), *bíos* (vida) y *-logía* (estudio).

criogénico, ca adj. Que produce temperaturas muy bajas. □ ETIMOL. Del inglés *cryogenic.*

criogenización s.f. Congelación de un ser vivo con el fin de poder realizar una futura reanimación.

criogenizar v. Referido a un ser vivo, congelarlo con el fin de poder realizar una futura reanimación: *En la película, criogenizaron al protagonista hasta que se descubrió la curación para su enfermedad.* □ ORTOGR. La *z* se cambia en *c* delante de *e* →CAZAR.

criollismo s.m. Conjunto de características y tradiciones que se consideran propias de los criollos: *Esta escritora suramericana escribe libros con un marcado criollismo.*

criollo, lla adj./s. **1** De un país hispanoamericano o relacionado con él: *Los criollos del siglo XIX deseaban la independencia.* **2** Referido a una persona, que es descendiente de europeos y nacida en los antiguos territorios españoles del continente americano o en algunas colonias europeas de dicho continente: *En Haití queda una población criolla que desciende de los franceses.* **3** Referido a una lengua, que está formada por elementos de lenguas diferentes y que ha surgido por la convivencia de dos comunidades distintas: *Las lenguas criollas suelen darse en países colonizados debido a la mezcla de de la lengua indígena y la europea.* □ ETIMOL. Del portugués *crioulo* (blanco nacido en las colonias).

criónica s.f. Utilización tecnológica del frío, esp. para la conservación de seres vivos.

criopreservación s.f. Procedimiento para mantener en buenas condiciones algunos microorganismos, material biológico u otras sustancias, mediante el empleo de temperaturas muy bajas.

crioprotector s.m. Compuesto químico que protege a un organismo de los efectos de la congelación o del frío.

crioterapia s.f. Tratamiento de las enfermedades mediante el empleo de bajas temperaturas. □ ETIMOL. Del griego *kryós* (frío) y *-terapia* (tratamiento).

crippleware (ing.) s.m. Versión muy limitada de un programa informático, que se distribuye gratuitamente: *Con los crippleware se intenta conseguir que el usuario compre la versión completa del programa.* □ PRON. [crípelgüer].

cripta s.f. **1** Lugar subterráneo en el que se solía enterrar a los muertos: *la cripta del monasterio.* **2** En una iglesia, piso subterráneo destinado al culto: *La misa de doce se celebra en la cripta.* □ ETIMOL. Del latín *crypta.*

críptico, ca adj. Oscuro, enigmático o de difícil comprensión: *Su forma críptica de hablar provoca confusión en los oyentes.* □ ETIMOL. Del griego *krytikós* (oculto).

criptógamo, ma ▌adj./s.f. **1** Referido a una planta, que se caracteriza por carecer de flores o por no tener los órganos sexuales visibles a simple vista. ▌s.f.pl. **2** En botánica, grupo de estas plantas: *En clasificaciones antiguas, las criptógamas constituían un grupo taxonómico.* □ ETIMOL. Del griego *kryptós* (oculto) y *gámos* (unión de los sexos).

criptografía s.f. Arte y técnica de escribir con una clave secreta o de modo enigmático. □ ETIMOL. Del griego *kryptós* (oculto) y *-grafía* (imagen).

criptograma s.m. Documento cifrado. □ ETIMOL. Del griego *krytós* (oculto) y *-grama* (representación gráfica).

criptón s.m. →**kriptón.**

criptónimo s.m. Conjunto de las iniciales mayúsculas del nombre y el apellido de una persona: *JRJ es criptónimo de Juan Ramón Jiménez.*

críquet s.m. →**cricket.**

crisálida s.f. En zoología, insecto lepidóptero que está en una fase de desarrollo posterior a la larva y anterior al adulto: *La mariposa de la seda se transforma en crisálida dentro del capullo que la protege.* □ ETIMOL. Del griego *khrysallís*, y este de *khrysós* (oro), por el color dorado de muchas crisálidas.

crisantemo s.m. **1** Planta perenne de tallo casi leñoso, de hojas hendidas y dispuestas de forma alterna, más oscuras por el haz que por el envés, que tiene flores abundantes y de variados colores. **2** Flor de esta planta. □ ETIMOL. Del griego *khrysánthemon*, y este de *khrysós* (oro) y *ánthemon* (flor).

crisis (pl. *crisis*) s.f. **1** Situación caracterizada por un cambio importante en el desarrollo de un proceso: *El enfermo ha superado la crisis y parece que mejora.* **2** Situación complicada de un asunto o de un proceso, en la que está en duda la continuación, la modificación o el cese de estos: *El Gobierno dijo que, debido a la crisis internacional, los sueldos no subirían lo esperado.* **3** Escasez o carestía: *La crisis del petróleo ha provocado un aumento del precio de la gasolina.* □ ETIMOL. Del latín *crisis*, y este del griego *krísis* (decisión).

crisma ▮ s.amb. **1** Aceite y bálsamo mezclados que consagran los obispos el Jueves Santo (día del apresamiento de Jesús), y que se usa para ungir a las personas que se bautizan o que se confirman, a los obispos y a los sacerdotes que se consagran o que se ordenan. ▮ s.m. **2** →**christmas.** ▮ s.f. **3** *col.* Cabeza humana: *Como te caigas, te vas a romper la crisma.* □ ETIMOL. Del latín *chrisma*, y este del griego *khrîsma* (acción de ungir).

crismón s.m. Símbolo de Cristo, que consiste en las dos primeras letras de este nombre en griego: *El crismón está formado por las letras 'X' y 'P' enlazadas.* □ SINÓN. *lábaro.* □ ETIMOL. Del griego *khrío* (yo unjo).

crisol s.m. **1** Recipiente que se usa para fundir materiales a temperaturas muy elevadas. **2** En un horno de fundición, cavidad que sirve para recoger el metal fundido. **3** Lo que tiene lo más característico de algo y por eso suele ponerse como modelo: *Esta obra de teatro es un crisol de la sociedad americana.* **4** Lugar donde se mezclan elementos muy distintos entre sí: *La España medieval era un crisol de culturas.* □ ETIMOL. Del catalán antiguo y dialectal *cresol*.

crisolar v. →**acrisolar.**

crispación s.f. **1** Irritación, enojo o enfurecimiento: *Su crispación hacía que chillara en lugar de hablar.* □ SINÓN. *crispamiento.* **2** Contracción repentina o pasajera de un tejido contráctil, esp. de un músculo: *La crispación de su frente mostraba su preocupación.* □ SINÓN. *crispamiento.*

crispamiento s.m. →**crispación.**

crispar v. **1** *col.* Irritar o causar enojo: *Tu lentitud me crispa. No pude evitar crisparme cuando me insultó.* **2** Causar una contracción repentina o pasajera en un tejido contráctil, esp. en un músculo: *Las manos se le crisparon de dolor.* □ ETIMOL. Del latín *crispare* (ondular, fruncir).

cristal s.m. **1** Vidrio incoloro y transparente que se fabrica a partir de la mezcla y fusión de arena silícea, potasa y minio: *el cristal de las gafas.* **2** Pieza de vidrio o de una sustancia semejante en forma de lámina que se usa para tapar huecos, esp. en las ventanas o en las puertas: *el cristal de un escaparate.* **3** En mineralogía, cuerpo sólido cuya estructura atómica es ordenada y se repite periódicamente en las tres direcciones del espacio: *Los cristales de sal común tienen forma cúbica.* **4** ‖ **cristal de roca;** cuarzo cristalizado, incoloro y transparente. □ ETIMOL. Del latín *crystallius*.

cristalera s.f. Véase **cristalero, ra**.

cristalería s.f. **1** Establecimiento en el que se fabrican o se venden objetos de cristal: *Entré en la cristalería a comprar un espejo.* **2** Conjunto de los objetos que se fabrican o venden en este establecimiento: *La cristalería de esta tienda es de gran calidad.* **3** En una vajilla, parte formada por los vasos, las copas y las jarras de cristal: *Cuando vienen invitados saca la cristalería buena.*

cristalero, ra ▮ s. **1** Persona que se dedica profesionalmente a la fabricación, a la colocación o a la venta de cristales. □ SINÓN. *vidriero.* ▮ s.f. **2** Ventana o puerta de cristales. **3** Armario con cristales.

cristalino, na ▮ adj. **1** Del cristal o con sus características: *agua cristalina.* ▮ s.m. **2** En el ojo, cuerpo en forma de lente situado detrás de la pupila y que permite el paso de los rayos de luz.

cristalizable adj.inv. Que puede cristalizar: *un hidrato de carbono cristalizable.*

cristalización s.f. En geología, formación de un cristal.

cristalizar v. **1** Tomar o hacer tomar una estructura cristalina: *El cuarzo cristaliza en el sistema hexagonal. La solidificación es uno de los métodos para cristalizar una sustancia. Una temperatura adecuada y el reposo favorecen que una sustancia se cristalice.* **2** Referido esp. a un deseo o a un plan, tomar una forma determinada o precisa: *Tras muchos esfuerzos consiguió que sus planes cristalizaran.* □ ETIMOL. De *cristal*. □ ORTOGR. La *z* se cambia en *c* delante de *e* →CAZAR.

cristalografía s.f. Parte de la geología que estudia las formas que toman los cuerpos al cristalizar: *Esta lección de cristalografía trata de los ejes y de los planos de simetría de los cristales.* □ ETIMOL. Del griego *krystallos* (cristal) y *-grafía* (estudio, ciencia).

cristalográfico, ca adj. De la cristalografía o relacionado con esta parte de la geología: *un estudio cristalográfico.*

cristianar (tb. *acristianar*) v. *col.* En el cristianismo, referido a una persona todavía no cristiana, administrarle el sacramento del bautismo: *El bebé lloraba cuando el sacerdote lo cristianaba.* □ SINÓN. *bautizar.* □ SEM. Dist. de *cristianizar* (convertir al cristianismo).

cristiandad s.f. Conjunto de personas o de países que profesan la religión cristiana: *Católicos, protestantes, anglicanos y ortodoxos forman parte de la cristiandad.*

cristianísimo, ma adj. *ant.* Tratamiento honorífico que se daba a los reyes de Francia (país europeo).

cristianismo s.m. Religión que afirma la existencia de un único dios, salvador del mundo, y cuyos dogmas y preceptos fueron predicados por Jesucristo y recogidos en el texto sagrado de los *Evangelios.*

cristianización s.f. Difusión o adopción de la religión cristiana o de las características propias de su dogma o de su rito: *Esa orden misionera se ha distinguido por la cristianización que ha desarrollado en África.*

cristianizar v. **1** Convertir al cristianismo: *Una de las antiguas funciones de los misioneros era cristianizar a los no cristianos.* **2** Dar las características propias del dogma o del rito cristiano: *Algunos pueblos primitivos han cristianizado sus costumbres aunque tienen otras religiones.* ☐ ORTOGR. Cambia la *z* en *c* delante de *e* →CAZAR. ☐ SEM. Dist. de *cristianar* (bautizar).

cristiano, na ▮ adj. **1** Del cristianismo o relacionado con esta religión: *El catolicismo, el anglicanismo y el calvinismo son algunas de las iglesias cristianas.* ▮ adj./s. **2** Que sigue o que practica el cristianismo: *Para los cristianos la caridad es una virtud fundamental.* ▮ s.m. **3** *col.* Persona o individuo de la especie humana: *El día del partido de fútbol no había ni un cristiano en la calle.* **4** ‖ **en cristiano;** *col.* En términos sencillos y comprensibles, o en el idioma conocido: *Yo solo sé castellano, así que si no me hablas en cristiano no te entiendo.* ☐ ETIMOL. Del latín *christianus.*

cristino, na adj./s. Partidario o defensor de María Cristina de Borbón (regente de su hija Isabel II), durante la primera guerra carlista comenzada en 1833.

cristo s.m. **1** Imagen del hijo del dios cristiano crucificado: *Siempre lleva al cuello una cadena de oro con un cristo que le regaló su abuela.* ☐ SINÓN. *crucifijo.* **2** Persona con muchas heridas, con la ropa rota o muy sucia: *Se cayó de la bicicleta por una cuesta y vino hecho un cristo.* **3** ‖ **todo cristo;** *col.* Todo el mundo o todas las personas presentes: *Aquí mando yo y todo cristo me obedece.* ☐ ETIMOL. Del latín *Christus*, y este del griego *Khristós* (el Ungido).

cristología s.f. Estudio de todo lo relacionado con Jesucristo. ☐ ETIMOL. De *Cristo* y *-logía* (estudio).

criterio s.m. **1** Capacidad o facultad que se tienen para comprender algo y formar una opinión sobre ello: *Obraré en esta ocasión según mi criterio.* **2** Norma, regla o pauta para conocer la verdad o la falsedad de algo o para distinguir, clasificar o relacionar algo: *Califica a sus alumnos con un criterio muy severo.* ☐ ETIMOL. Del latín *criterium* (juicio), y este del griego *kritérion* (facultad de juzgar).

criterium (lat.) s.m. Prueba o conjunto de pruebas ciclistas que se celebran sin carácter oficial, en las que intervienen deportistas de alta categoría.

crítica s.f. Véase **crítico, ca**.

criticar v. Referido esp. a una persona o a sus actos, censurarlos o juzgarlos de forma desfavorable: *Ahora te alaba, pero cuando te vayas te criticará. Puedes hacer lo que quieras porque yo no lo critico, pero a mí no me metas en ello.* ☐ ORTOGR. La *c* se cambia en *qu* delante de *e* →SACAR.

criticastro s.m. *desp.* Crítico que censura sin criterio ni fundamento.

criticismo s.m. **1** Método de investigación que considera que todo trabajo científico debe ser precedido por un examen de la posibilidad del conocimiento de que se trata y de las fuentes y límites de este. **2** Sistema filosófico kantiano.

crítico, ca ▮ adj. **1** De la crítica o relacionado con este juicio, opinión o censura: *una actitud crítica.* **2** Que hace críticas sobre algo, esp. para que se mejore: *Has sido muy crítico con la actuación de tu hermano.* **3** De la crisis o relacionado con ella: *Las enfermedades tienen un momento crítico.* **4** Decisivo, que debe atenderse o aprovecharse: *Decídete, porque estamos en un momento muy crítico.* ▮ s. **5** Persona que se dedica profesionalmente a la crítica o al juicio de obras de ficción: *Esa mujer es la mejor crítica de cine.* ▮ s.f. **6** Arte y técnica de juzgar algo o de formar opiniones justificadas por algún criterio: *Me dedico a la crítica deportiva.* **7** Juicio, opinión o conjunto de ellos que se hacen sobre algo: *Esta película tiene muy buena crítica.* **8** Censura o juicio negativo sobre una persona o sus actos: *Estoy harto de tus continuas críticas hacia mis amigos.* **9** ‖ **la crítica;** el conjunto de críticos profesionales de una determinada materia: *Cuando un pintor no cuenta con el favor de la crítica no encuentra salas donde exponer.* ☐ ETIMOL. Del latín *criticus*, y este del griego *kritikós* (que juzga, que decide). ☐ SEM. No debe emplearse con el significado de 'duro': *Ha tenido muy mala suerte y está pasando unos momentos muy {*críticos > duros}.*

criticón, -a adj./s. Que lo censura todo, sin perdonar lo más mínimo.

croar v. Referido a una rana, emitir su voz característica: *En el estanque croaban las ranas.* ☐ ETIMOL. De origen onomatopéyico.

croata ▮ adj.inv./s.com. **1** De Croacia o relacionado con este país europeo. ▮ s.m. **2** Lengua eslava meridional hablada en este país.

crocante s.m. Dulce o pasta comestibles hechos con almendras tostadas y caramelo: *turrón de crocante.* ☐ SINÓN. *guirlache.* ☐ ETIMOL. Del francés *croquant.*

crocanti s.m. Helado cubierto por una capa de chocolate con almendras.

croché s.m. **1** Labor que se hace con una aguja de unos veinte centímetros de largo, que tiene uno de sus extremos más delgado y terminado en gancho. ☐ SINÓN. *ganchillo.* **2** En boxeo, puñetazo que se da con el brazo doblado en forma de gancho. ☐ ETIMOL. Del francés *crochet.*

croissant (fr.) s.m. →**cruasán.** ☐ PRON. [cruasán].

croissanterie (fr.) s.f. Pastelería o cafetería especializadas en la fabricación y venta de cruasanes. ☐ PRON. [cruasanterí].

crol s.m. En natación, estilo que consiste en mover los brazos alternativamente y de forma circular e impulsarse con las piernas estiradas y moviéndolas de arriba abajo también de forma alternativa. ☐ ETIMOL. Del inglés *crawl*.

crolista s.com. Nadador especializado en crol.

cromado, da ▮ adj. **1** Cubierto con cromo o que lo parece: *un grifo cromado.* ▮ s.m. **2** Baño de cromo.

cromar v. Referido a un metal o a un objeto metálico, darles un baño de cromo para hacerlos inoxidables: *He cromado la barandilla para no tener que pintarla todos los años.*

cromático, ca adj. **1** De los colores o relacionado con ellos: *variedad cromática.* **2** En música, referido a una escala o a un sistema musical, que procede por semitonos. ☐ ETIMOL. Del griego *khromatikós*. ☐ SEM. En la acepción 2, dist. de *diatónico* (que procede por alternancia de dos tonos y un semitono y de tres tonos y un semitono).

cromátida s.f. Cada una de las dos partes simétricas que forman un cromosoma en estado de división celular: *Las cromátidas empiezan a distinguirse en la primera fase de la meiosis.* ☐ SINÓN. *cromatidio*.

cromatidio s.m. → **cromátida.**

cromatina s.f. Sustancia que contiene material genético y proteínas básicas, y que se encuentra en el núcleo de las células: *Los cromosomas están formados por cromatina.* ☐ ETIMOL. Del griego *khrôma* (color).

-cromía Elemento compositivo sufijo que significa 'coloración': *policromía, cuatricromía.*

crómico, ca adj. Que contiene cromo entre sus componentes fundamentales: *El color verde de la esmeralda se debe al óxido crómico que tiene.*

crómlech (tb. *crónlech*) (pl. *crómlech*) s.m. Monumento prehistórico formado por una serie de piedras verticales o menhires dispuestos de forma circular. ☐ ETIMOL. Del francés *cromlech*.

cromo s.m. **1** Elemento químico, metálico y sólido, de número atómico 24, duro, de color blanco plateado y muy resistente a los agentes atmosféricos: *El cromo no se oxida con la humedad.* **2** Estampa, papel o tarjeta con un dibujo o una fotografía impresos: *una colección de cromos.* **3** ‖ **como un cromo** o **hecho un cromo; 1** Con heridas o muy sucio: *Se cayó jugando al fútbol y tiene las rodillas como un cromo.* **2** Demasiado arreglado: *Después de tanto arreglarse salió a la calle hecho un cromo.* ☐ ETIMOL. La acepción 1, del francés *chrome*. La acepción 2, abreviatura de *cromolitografía*. ☐ ORTOGR. En la acepción 1, su símbolo es *Cr*.

cromo- Elemento compositivo prefijo que significa 'color': *cromoterapia, cromolitografía.* ☐ ETIMOL. Del griego *khroma* (color).

-cromo, -croma Elemento compositivo sufijo que significa 'color': *polícromo, monocroma.* ☐ ETIMOL. Del griego *khroma* (color).

cromolitografía s.f. **1** Arte y técnica de hacer litografías con varios colores: *La cromolitografía necesita impresiones sucesivas.* **2** Estampa obtenida por este procedimiento: *Tengo un libro antiguo con varias cromolitografías.* ☐ ETIMOL. Del griego *khrôma* (color) y *litografía*.

cromopuntura s.f. Técnica curativa que consiste en la aplicación de luces de colores sobre determinados puntos o partes del cuerpo humano. ☐ ETIMOL. De *cromo*, y este del griego *khrôma* (color), y *acupuntura*.

cromosfera s.f. Capa exterior de la envoltura gaseosa del Sol. ☐ ETIMOL. Del griego *khrôma* (color) y *esfera*.

cromosoma s.m. Cada uno de los filamentos de material hereditario que forman parte del núcleo celular y que tienen como función conservar, transmitir y expresar la información genética que contienen: *El ser humano tiene 23 pares de cromosomas.* ☐ ETIMOL. Del griego *khrôma* (color) y *sôma* (cuerpo).

cromosómico, ca adj. Del cromosoma o relacionado con él: *una tara cromosómica.*

cromoterapia s.f. Tratamiento de las enfermedades basado en los efectos producidos por los colores en el organismo. ☐ ETIMOL. De *cromo*, y este del griego *khrôma* (color), y *-terapia* (tratamiento).

cromotipografía s.f. **1** Arte y técnica de imprimir en colores: *Prácticamente casi todas las publicaciones actuales recurren a la cromotipografía.* **2** Obra hecha por este procedimiento: *Tengo una colección de antiguas cromotipografías.* ☐ ETIMOL. Del griego *khrôma* (color) y *tipografía*.

crónica s.f. Véase **crónico, ca.**

crónico, ca ▮ adj. **1** Referido a una enfermedad, que es muy larga o habitual. **2** Referido esp. a un vicio, que está muy arraigado o se tiene desde hace mucho tiempo: *La envidia es un mal crónico en esa familia.* **3** Que viene desde tiempo atrás o que se repite desde hace tiempo: *La sequía en verano es algo crónico en la zona sur desde hace muchos años.* ▮ s.f. **4** Artículo periodístico o información de radio o de televisión sobre temas de actualidad: *En una crónica se cuenta algo que se ha visto y se permiten comentarios personales.* **5** Historia en que se observa el orden de los tiempos: *Las crónicas de Indias cuentan acciones del descubrimiento y exploración de América en el siglo* XVI. ☐ ETIMOL. Las acepciones 1-3, del latín *chronicus*, este del griego *khronikós*, y este de *khrónos* (tiempo). Las acepciones 4 y 5, del latín *chronica* (libros de cronología).

cronicón s.m. Relato histórico breve ordenado por orden cronológico. ☐ ETIMOL. Del latín *chronicon*.

cronista s.com. Autor de una crónica histórica o periodística: *Antiguamente todos los reyes tenían algún cronista. Su primo es un cronista de deportes muy conocido.*

cronístico, ca adj. De la crónica, del cronista o relacionado con ellos: *literatura cronística; artículos cronísticos.*

crónlech s.m. →**crómlech.** ☐ ETIMOL. Del francés *cromlech.*

crono ▮ s.m. **1** En una prueba de velocidad, tiempo medido con cronómetro: *En la última carrera el velocista ha conseguido mejorar su crono personal.* **2** →**cronómetro.** ▮ s.f. **3** *col.* →**cronoescalada.**

cronobiología s.f. Ciencia que estudia los ritmos biológicos. ☐ ETIMOL. Del griego *khrónos* (tiempo) y *biología.*

cronoescalada s.f. Prueba ciclista contrarreloj que se desarrolla en un trayecto ascendente: *El vencedor de la cronoescalada tiene casi asegurado el triunfo de la vuelta ciclista.* ☐ MORF. En la lengua coloquial se usa mucho la forma abreviada *crono.*

cronografía s.f. Ciencia que tiene por objeto determinar el orden y las fechas de los sucesos. ☐ SINÓN. *cronología.* ☐ ETIMOL. Del latín *chronographia.*

cronología s.f. **1** Serie de personas, de obras o de sucesos por orden de fechas: *Al final del artículo hay una cronología de los hechos más notables del año.* **2** Manera o sistema de computar los tiempos: *La cronología de los países occidentales se basa en la fecha de nacimiento de Cristo.* **3** Ciencia que tiene por objeto determinar el orden y las fechas de los sucesos: *La cronología se considera una ciencia auxiliar de la historia.* ☐ SINÓN. *cronografía.* ☐ ETIMOL. Del griego *khronología,* y este de *khrónos* (tiempo) y *lógos* (tratado).

cronológico, ca adj. **1** Según la aparición en el tiempo: *orden cronológico.* **2** De la cronología o relacionado con ella: *Los estudios cronológicos son muy importantes para la historia.*

cronometraje s.m. Medición del tiempo utilizando un cronómetro.

cronometrar v. Referido esp. al tiempo, medirlo con un cronómetro: *Cronométrame el tiempo que tardo en dar una vuelta a la manzana corriendo.*

cronométrico, ca adj. Del cronómetro, con sus características o relacionado con él: *una exactitud cronométrica.*

cronómetro s.m. Reloj de gran precisión que sirve para medir fracciones de tiempo muy pequeñas. ☐ ETIMOL. Del griego *khrónos* (tiempo) y *-metro* (medidor). ☐ USO Se usa mucho la forma abreviada *crono.*

croque s.m. Palo largo con un gancho en la punta, que se usa generalmente para atracar una embarcación pequeña. ☐ SINÓN. *bichero.* ☐ ETIMOL. De origen onomatopéyico.

croquet (ing.) s.m. Juego que consiste en golpear una bola con un mazo para hacerla pasar por debajo de unos aros clavados en el suelo. ☐ ORTOGR. Dist. de *cricket.*

croqueta s.f. Bola ovalada que se hace con una masa de besamel con trozos pequeños generalmente de carne o de pescado, y que se fríe. ☐ ETIMOL. Del francés *croquette.* ☐ PRON. Incorr. *[cocréta].

croquis (pl. *croquis*) s.m. Dibujo rápido y esquemático que se hace a ojo y sin instrumentos adecuados o sin precisión ni detalles. ☐ ETIMOL. Del francés *croquis.*

cross (ing.) (pl. *cross*) s.m. **1** Carrera, generalmente de larga distancia, a campo traviesa: *Los participantes en el cross llegaron a la meta llenos de barro.* **2** En boxeo, puñetazo horizontal y circular contra el mentón: *Cayó al suelo al recibir un cross de su oponente.*

crossista s.com. Persona que participa en una carrera de cross, esp. si esta es su profesión.

crótalo ▮ s.m. **1** *poét.* Castañuela. **2** Serpiente venenosa que tiene en el extremo de la cola unos anillos con los que emite un ruido particular al moverse. ☐ SINÓN. *serpiente de cascabel.* ▮ pl. **3** Instrumento musical de percusión formado por dos pequeños platillos que se tocan sujetándolos al dedo índice y al pulgar y entrechocando sus bordes. ☐ ETIMOL. Del latín *crotalum,* y este del griego *krótalon* (especie de castañuela). ☐ MORF. En la acepción 2, es un sustantivo epiceno: *el crótalo {macho / hembra}.*

crotorar v. Referido a una cigüeña, producir con el pico un ruido característico: *Las cigüeñas crotoran golpeando las dos partes del pico entre sí.* ☐ ETIMOL. Del latín *crotolare.*

crouton (fr.) s.m. →**picatoste.** ☐ PRON. [crutón]. ☐ USO Su uso es innecesario.

crownglass (ing.) s.m. Vidrio de gran calidad que se utiliza en la fabricación de elementos ópticos. ☐ PRON. [cráunglas].

cruasán s.m. Bollo, generalmente de hojaldre, en forma de media luna. ☐ ETIMOL. Del francés *croissant* (medialuna). ☐ USO Es innecesario el uso del galicismo *croissant.*

cruce s.m. **1** Lugar o punto en los que se encuentran dos líneas: *Te espero en la plaza que hay en el cruce de las dos calles.* ☐ SINÓN. *cruzamiento.* **2** Paso señalado para que crucen los peatones: *Cuando tengas que pasar al otro lado de la carretera, hazlo por el cruce.* ☐ SINÓN. *cruzamiento.* **3** Interferencia telefónica o de emisiones de radio o televisión: *Cuelga y te llamo más tarde, porque hay un cruce y no te oigo.* ☐ SINÓN. *cruzamiento.* **4** Colocación de una cosa sobre otra para que queden en forma de cruz: *El cruce de dos trazos iguales por el centro de ambos forma una cruz griega.* ☐ SINÓN. *cruzamiento.* **5** Unión de animales de distinta raza pero de la misma especie o de especies muy semejantes: *No se pueden hacer cruces con animales de especies muy diferentes.* ☐ SINÓN. *cruzamiento.* **6** Animal que nace de esta unión: *Mi perro es un cruce de pastor alemán y mastín.* ☐ SINÓN. *cruzamiento.*

cruceiro s.m. Antigua unidad monetaria brasileña.

crucería s.f. Sistema de construcción en el cual la bóveda se logra mediante el cruce de arcos diagonales, ojivas o nervios. ☐ ETIMOL. De *crucero.*

crucero s.m. **1** Viaje de recreo en barco, con distintas escalas: *Haré un crucero por el Nilo.* **2** En un templo, esp. en una iglesia, espacio en el que se cruza la nave central con la transversal: *Sobre el crucero de la catedral había una enorme cúpula.* **3** Buque de guerra de gran velocidad, equipado con cañones de calibre medio y pesado y destinado al reconocimiento y protección de las rutas de navegación: *En el puerto había varios cruceros atracados.* **4** Cruz de piedra, de dimensiones variables, que se coloca en un cruce de caminos: *Mientras paseábamos por la zona vimos un crucero.* ☐ ETIMOL. De *cruz*.

cruceta s.f. Cruz que resulta al cortarse dos líneas o dos tiras perpendiculares: *Los hilos de la marioneta se atan a la cruceta.*

crucial adj.inv. Referido esp. a un momento o a un punto, que son decisivos o muy importantes porque condicionan el desarrollo de algo: *La elección de profesión es una decisión crucial.* ☐ ETIMOL. Del inglés *crucial*.

crucífero, ra ▌ adj./s.f. **1** Referido a una planta, que tiene las hojas alternas, la corola en forma de cruz, el fruto en forma de vaina seca y las semillas sin albumen: *La mostaza es una planta crucífera.* ▌ s.f.pl. **2** En botánica, familia de estas plantas, perteneciente a la clase de las dicotiledóneas: *La col y el nabo pertenecen a las crucíferas.* ☐ ETIMOL. Del latín *crucifer*, y este de *crux* (cruz) y *ferre* (llevar).

crucificar v. **1** Referido a una persona, ajusticiarla clavándola o atándola a una cruz: *Los romanos crucificaban a los condenados.* **2** Referido a una persona, perjudicarla o abandonarla a un daño, generalmente en provecho de un fin o de un interés que se consideran más importantes: *Con esa crítica que a ti te favorece, a él lo crucificas.* ☐ ETIMOL. Del latín *crucifigere*, y este de *crux* (cruz) y *figere* (clavar). ☐ ORTOGR. La *c* se cambia en *qu* delante de *e* →SACAR.

crucifijo s.m. Imagen de Cristo (hijo del dios cristiano) crucificado: *un crucifijo de madera.* ☐ SINÓN. *cristo.* ☐ ETIMOL. Del latín *crucifixus* (crucificado).

crucifixión s.f. **1** Colocación o fijación de una persona en una cruz. **2** Representación de la muerte de Cristo (hijo del dios cristiano) en la cruz.

cruciforme adj.inv. Con forma de cruz. ☐ ETIMOL. Del latín *crux* (cruz) y *-forme* (forma).

crucigrama s.m. Pasatiempo que consiste en llenar con letras las casillas en blanco de un dibujo, de forma que leídas horizontal y verticalmente formen las palabras que corresponden a una serie de definiciones dadas. ☐ ETIMOL. De *cruz* y *-grama* (gráfico, representación).

crucigramista adj.inv./s.com. Que se dedica profesionalmente a la invención de crucigramas.

crudelísimo, ma superlat. irreg. de **cruel**.

crudeza s.f. **1** Aspereza, crueldad o realismo con que se muestra algo, esp. lo que puede resultar desagradable o afectar a la sensibilidad: *Censuraron la película por la crudeza de algunas imágenes.* **2** Rigor o dureza del clima: *La crudeza de los últimos inviernos ha sido difícil de soportar.* ☐ ETIMOL. De *crudo*.

crudo, da ▌ adj. **1** Referido a un alimento, que no está cocinado o que lo está muy poco: *El tomate me gusta crudo, pero frito me desagrada.* **2** Referido esp. a un producto, que está en estado natural sin haber sido elaborado: *La seda cruda es de color hueso y un poco basta.* **3** Referido a un color, que es blanco amarillento como el de los huesos o el de la lana natural: *Tiene una chaqueta de color crudo.* **4** Referido esp. al tiempo o al clima, que son muy fríos y desapacibles: *En el norte los inviernos son crudos.* **5** Cruel, áspero, despiadado o que muestra con realismo lo que puede resultar desagradable o afectar a la sensibilidad: *Las crudas imágenes de la catástrofe nos dejaron atónitos.* **6** *col.* Difícil o muy complicado: *Tienes crudo encontrar un trabajo si no sabes idiomas.* ▌ s.m. **7** Petróleo sin refinar o sin haber sido sometido a casi ningún tratamiento industrial: *Subirá la gasolina porque han aumentado los precios del crudo.* **8** En zonas del español meridional, tela de saco o arpillera: *Guardaban los productos bajo crudos en el almacén.* ☐ ETIMOL. Del latín *crudus*.

cruel adj.inv. **1** Referido esp. a una persona o a su comportamiento, que se complace en hacer sufrir a los demás o que no siente compasión por los padecimientos ajenos. **2** Difícil de soportar o excesivamente duro: *una guerra cruel.* ☐ ETIMOL. Del latín *crudelis.* ☐ MORF. Sus superlativos son *cruelísimo* y *crudelísimo.* ☐ SEM. Dist. de *cruento* (que causa abundante derramamiento de sangre).

crueldad s.f. **1** Complacencia o falta de compasión hacia el sufrimiento ajeno. **2** Lo que resulta cruel e inhumano.

cruento, ta adj. Que causa abundante derramamiento de sangre: *un asesinato cruento.* ☐ SINÓN. *sangriento.* ☐ ETIMOL. Del latín *cruentus*, y este de *cruor* (sangre). ☐ SEM. Dist. de *cruel* (que se complace en hacer sufrir).

cruise control (ing.) s.m. ‖ En un vehículo, sistema automático que permite mantener la velocidad elegida. ☐ PRON. [crus cóntrol]. ☐ USO Su uso es innecesario.

crujía s.f. **1** En arquitectura, espacio comprendido entre dos muros de carga. **2** En un barco, línea o espacio del centro de la cubierta que va de proa a popa. ☐ ETIMOL. Del italiano *corsia*, con influencia de *crujir*, porque en las galeras se hacía pasar a los soldados delincuentes a lo largo de la crujía, donde recibían golpes que resonaban.

crujido s.m. Ruido característico que hacen la madera y algunas telas al partirse, doblarse, rozarse o apretarse.

crujiente adj.inv. Que cruje: *pan crujiente.*

crujir v. Referido esp. a la madera o a algunas telas, hacer un ruido característico al partirse, doblarse, rozarse o apretarse: *Los peldaños de madera crujían bajo sus pies.* ☐ ETIMOL. De origen incierto. ☐ ORTOGR. Conserva la *j* en toda la conjugación.

crupier s.com. En una casa de juego, persona que se dedica profesionalmente a dirigir una partida de cartas, repartir los naipes y pagar y recoger el dinero apostado. □ ETIMOL. Del francés *croupier*.

crustáceo, a ▌adj./s.m. **1** Referido a un animal, que se caracteriza por tener respiración branquial, un par de antenas y el cuerpo cubierto por un caparazón duro o flexible: *La langosta y la gamba son animales crustáceos.* ▌s.m.pl. **2** En zoología, clase de estos animales, perteneciente al tipo de los artrópodos: *Algunas de las especies que pertenecen a los crustáceos poseen dos pinzas fuertes que les sirven como defensa y para atrapar a sus presas.* □ ETIMOL. Del latín *crusta* (costra, corteza).

cruz s.f. **1** Figura formada básicamente por dos líneas que se cortan perpendicularmente: *Una cruz delante de un nombre de persona indica que esta ya ha muerto.* **2** Lo que tiene la forma de esta figura: *El distintivo de las farmacias es una cruz verde.* **3** Patíbulo formado por un madero vertical atravesado en su parte superior por otro horizontal y más corto, en el que se clavaban o sujetaban los pies y las manos de los condenados: *Jesucristo fue condenado a morir en la cruz.* **4** Imagen de este patíbulo que es insignia o señal del cristianismo: *Lleva en el cuello una cadena y una cruz de plata.* **5** Pena, dolor, carga o trabajo grandes, duros y generalmente prolongados: *Estos chicos tan desobedientes son mi cruz.* **6** En una moneda, lado o superficie opuestos a la cara o anverso: *Tiro una moneda y, si sale cruz, gano yo.* **7** En algunos animales cuadrúpedos, parte más alta del lomo, donde se cruzan los huesos de las extremidades anteriores y el espinazo: *La alzada de un caballo es la distancia entre la cruz y el suelo.* **8** ‖ **cruz gamada;** la que tiene los cuatro brazos doblados en ángulo recto, y que es el emblema de los pueblos y de los movimientos nazis: *La cruz gamada es un símbolo de origen hindú.* □ SINÓN. *esvástica, swástica.* ‖ **cruz griega;** la que tiene los cuatro brazos iguales: *La cruz griega es como el símbolo de la suma.* ‖ **cruz latina;** la que tiene los dos brazos horizontales iguales, pero más cortos que el vertical inferior y más largos que el superior: *La cruz latina es el símbolo del cristianismo.* ‖ **de la cruz a la fecha;** de principio a fin: *Leímos el documento de la cruz a la fecha antes de firmarlo.* □ ETIMOL. Del latín *crux* (horca, tormento).

cruza s.f. En zonas del español meridional, cruce de animales: *Ese perro es una cruza de dos razas muy distintas.*

cruzada s.f. Véase **cruzado, da.**

cruzado, da ▌adj. **1** Referido a una prenda de vestir, que tiene el ancho necesario para abrochar una parte del delantero sobre la otra: *una chaqueta cruzada.* ▌adj./s. **2** Referido a una persona, que se había alistado en una cruzada o expedición militar. ▌s.f. **3** En los siglos XI, XII, XIII y XIV, expedición militar que organizaba la cristiandad para luchar contra los considerados infieles: *El Papa organizó una cruzada para conquistar territorios en Tierra Santa.* **4** Campaña en favor de algún fin importante: *Se ha organizado una cruzada contra la droga.* □ ETIMOL. Las acepciones 1 y 2, de *cruzar*. Las acepciones 3 y 4, de *cruz*, por la insignia con esta forma que llevaban los soldados en el pecho.

cruzamiento s.m. →**cruce.**

cruzar ▌v. **1** Referido a un lugar, recorrerlo desde una parte a otra: *Crucé el río en barca.* □ SINÓN. *atravesar, pasar.* **2** Referido a una cosa, ponerla sobre otra formando una cruz: *Cruzó las piernas cuando se sentó. Te espero en el punto en el que se cruzan los caminos.* **3** Referido a un animal, juntarlo con otro de distinta raza pero de la misma especie o de una muy semejante, para que procreen: *He cruzado mi perro con el de mi vecino.* **4** Referido a un cheque, trazar dos rayas paralelas para que solo pueda cobrarse por medio de una cuenta corriente: *Si cruzas el cheque no podré cobrarlo en efectivo.* **5** Referido esp. a palabras, miradas o gestos, intercambiarlos: *Desde que discutimos no he cruzado con él ni una sola palabra.* ▌prnl. **6** Referido esp. a dos personas, animales o cosas, pasar por un mismo lugar en dirección contraria: *Me crucé en la escalera con ella, pero ni nos saludamos. A las tres el tren de ida se cruza con el de vuelta.* **7** Aparecer o ponerse: *Espero que no vuelvas a cruzarte en mi camino.* **8** Interponerse o mezclarse: *Algunas palabras se usan mal porque se cruzan unos significados con otros.* □ ETIMOL. De *cruz*. □ ORTOGR. La *z* se cambia en *c* delante de *e* →CAZAR.

cu s.f. Nombre de la letra *q*.

cuachalalate s.m. En zonas del español meridional, conjunto de trozos del tronco de un árbol que se utilizan para hacer infusión. □ ETIMOL. Del náhuatl *cuahuitl* (árbol) y *chachalatli* (pájaro hablador).

cuaco s.m. *col.* En zonas del español meridional, caballo: *Se hizo un cuaco con el palo de una escoba.*

cuaderna s.f. **1** En una embarcación, cada una de las piezas curvas cuya parte inferior encaja en la quilla a derecha o a izquierda y que forma su armazón. **2** Conjunto de estas piezas. **3** ‖ **cuaderna vía;** en métrica, estrofa formada por cuatro versos de catorce sílabas, con una sola rima común a todos, y cuyo esquema es *AAAA*: *Gonzalo de Berceo y otros autores del Mester de Clerecía emplearon la cuaderna vía.* □ SINÓN. *tetrástrofo monorrimo.* □ ETIMOL. Del latín *quaterna*.

cuadernillo s.m. Conjunto de cinco pliegos de papel: *La mano es una medida de papel formada por veinticinco pliegos o cinco cuadernillos.*

cuaderno s.m. **1** Conjunto de varios pliegos de papel doblados y generalmente cosidos en forma de libro: *Tengo un cuaderno con tapas azules para los problemas de matemáticas.* **2** Especie de libro o conjunto de hojas de papel en el que se registra todo tipo de información relacionada con una determinada actividad: *La bióloga apuntaba en su cuaderno de campo datos sobre la fauna y la flora de la región.* **3** ‖ **cuaderno de bitácora;** aquel en el que se apuntan los datos e incidencias de la navegación: *El capitán apuntó el rumbo, la velocidad y las maniobras hechas en el cuaderno de bitácora.* □ ETIMOL. Del antiguo *quaderno* (cuádruple), porque los cuadernos estaban formados por cuatro pliegos.

cuadra s.f. **1** Instalación o lugar cubierto preparado para la estancia de caballos y otras caballerías. ☐ SINÓN. *caballeriza.* **2** Conjunto de caballos, generalmente de carreras, que pertenecen a una misma persona y que suelen llevar el nombre de su dueño. **3** Lugar muy sucio: *Tu habitación es una cuadra, así que límpiala.* **4** En zonas del español meridional, manzana de casas. ☐ ETIMOL. Del latín *quadra* (un cuadrado).

cuadrado, da ▌adj. **1** Con cuatro lados iguales y cuatro ángulos rectos o de sección semejante: *Todas las caras del cubo son cuadradas.* **2** *col.* Referido a una persona, de complexión fuerte y ancha: *Los jugadores de rugby están cuadrados.* ▌s.m. **3** En geometría, polígono que tiene cuatro lados iguales y cuatro ángulos rectos: *El rectángulo se diferencia del cuadrado en que sus cuatro lados no son iguales.* **4** En matemáticas, resultado que se obtiene de multiplicar una cantidad por sí misma: *Sesenta y cuatro es el cuadrado de ocho.* **5** || **al cuadrado;** referido a la base de una potencia, de exponente 2: *El resultado de elevar 2 al cuadrado es 4.* ☐ ETIMOL. Del latín *quadratus.*

cuadragenario, ria adj./s. Que tiene alrededor de cuarenta años: *árboles cuadragenarios.* ☐ ETIMOL. Del latín *quadragenarius.*

cuadragésimo, ma numer. **1** En una serie, que ocupa el lugar número cuarenta: *Ésta es la cuadragésima edición de este certamen literario. No sé si me llamarán, porque soy la cuadragésima en la lista de sustitutos.* **2** Referido a una parte, que constituye un todo con otras treinta y nueve iguales a ella: *No tengo ni la cuadragésima parte de lo que cuesta esa casa. Dejó una cuadragésima parte de su inmensa fortuna para obras de caridad.* ☐ SINÓN. *cuarentavo.* ☐ ETIMOL. Del latín *quadragesimus.* ☐ MORF. *Cuadragésima primera* (incorr. **cuadragésimo primera*), etc.

cuadrangular adj.inv. Que tiene o forma cuatro ángulos: *Mi pecera es cuadrangular.*

cuadrángulo, la adj./s.m. Que tiene cuatro ángulos.

cuadrante s.m. **1** En geometría, cuarta parte de un círculo o de una circunferencia, limitados por dos radios perpendiculares: *El cuadrante tiene un ángulo de noventa grados.* **2** Instrumento formado por un cuarto de círculo graduado y que se utiliza en astronomía para medir ángulos. ☐ ETIMOL. Del latín *quadrans* (cuarta parte).

cuadrar ▌v. **1** Ajustar, encajar, casar con algo: *Tu voz no cuadra con tu físico.* **2** En zonas del español meridional, aparcar: *Cuadré el carro frente a la casa.* ▌prnl. **3** Referido esp. a un soldado, ponerse en posición erguida con los pies unidos por los talones y separados en sus puntas: *Los soldados se cuadraron ante su capitán.* ☐ ETIMOL. Del latín *quadrare* (escuadrar, hacer cuadrado).

cuadratín s.m. En tipografía, blanco o espacio cuya altura y anchura es igual a la del cuerpo empleado: *En la corrección de pruebas de mi libro, pedí que al principio de algunos párrafos dejasen un cuadratín.*

cuadratura || **la cuadratura del círculo;** *col.* Expresión que se usa para indicar la imposibilidad de algo: *Cuándo te vas a dar cuenta de que eso es imposible y que llevas dos horas hablándome de la cuadratura del círculo.* ☐ ETIMOL. Del latín *quadratura.*

cuadri- Elemento compositivo prefijo que significa 'cuatro': *cuadrienio, cuadrisílabo.* ☐ ETIMOL. Del latín *quadri-.*

cuádriceps (pl. *cuádriceps*) adj.inv./s.m. →**músculo cuádriceps.** ☐ ETIMOL. De *cuadri-* (cuatro) y el latín *caput* (cabeza).

cuadrícula s.f. Conjunto de cuadrados que resultan de cortarse perpendicularmente dos series de rectas paralelas: *cuadernos de cuadrícula.*

cuadriculación s.f. Trazado de líneas en forma de cuadrícula: *Con la cuadriculación del terreno será más fácil repartirlo entre todos.*

cuadriculado, da adj. **1** Con líneas que forman una cuadrícula: *un papel cuadriculado.* **2** Sometido a una estructura u orden muy rígidos: *una mente cuadriculada.*

cuadricular v. **1** Trazar líneas que formen una cuadrícula: *He cuadriculado el papel para copiar el dibujo con más facilidad.* **2** Someter a una estructura u orden muy rígidos: *Cuadriculó su vida y no permite ninguna alteración de sus planes.*

cuadrienio s.m. →**cuatrienio.**

cuadriga s.f. Carro tirado por cuatro caballos de frente, esp. el que se usaba en las carreras de circo y en los triunfos de la antigua Roma: *una carrera de cuadrigas.* ☐ ETIMOL. Del latín *quadriga*, y este de *quadri-* (cuatro) y *iugum* (yugo). ☐ PRON. Incorr. *[cuádriga].

cuadrilátero, ra ▌adj./s.m. **1** En geometría, referido a un polígono, que tiene cuatro lados: *El rectángulo y el rombo son dos cuadriláteros.* ▌s.m. **2** Espacio limitado por cuerdas y con suelo de lona en el que tienen lugar los combates de boxeo. ☐ ETIMOL. Del latín *quadrilaterus.* ☐ USO En la acepción 2, es innecesario el uso del anglicismo *ring.*

cuadrilla s.f. **1** Grupo de personas que se reúne con un mismo fin o para desempeñar un mismo trabajo: *Una cuadrilla de albañiles construye mi casa.* **2** En tauromaquia, conjunto de toreros que está bajo las órdenes de un matador. ☐ ETIMOL. De *cuadro*, que antiguamente significó *división de la hueste en cuatro partes para repartir el botín.*

cuadringentésimo, ma numer. **1** En una serie, que ocupa el lugar número cuatrocientos: *Este año se celebra el cuadringentésimo aniversario de la independencia de esta nación.* **2** Referido a una parte, que constituye un todo junto con otras trescientas noventa y nueve iguales a ella: *Me toca un cuadringentésimo del premio en el que hemos participado los cuatrocientos de la empresa.*

cuadriplicar v. →**cuadruplicar.** ☐ ORTOGR. La *c* se cambia en *qu* delante de *e* →SACAR.

cuadrisílabo, ba adj./s. →**cuatrisílabo.**

cuadrivio s.m. En la Edad Media, conjunto de las cuatro artes relativas a las matemáticas que, junto con el trivium, formaban parte de la enseñanza universitaria: *La aritmética, la geometría, la música y la astronomía o la astrología componían el cuadrivio.* □ SINÓN. *quadrívium.* □ ETIMOL. Del latín *quadrivium* (encrucijada de cuatro caminos).

cuadro s.m. **1** Figura formada por cuatro lados y cuatro ángulos rectos: *La falda de mi uniforme es de cuadros.* **2** En un todo, sección con esta forma: *El jardín de palacio tiene varios cuadros plantados de rosales.* **3** Pintura, dibujo o grabado, que generalmente se enmarcan y se cuelgan de las paredes como adorno: *Éste es uno de los cuadros más famosos de Goya.* **4** Espectáculo, situación o suceso que se ofrece a la vista y que conmueve o produce determinada impresión: *Después de las riadas, el cuadro era desolador.* **5** Descripción viva y animada de un suceso o de un espectáculo: *¿No has leído ningún cuadro de costumbres del siglo* XIX? **6** Conjunto de datos organizados y presentados de manera que se hace visible la relación existente entre ellos: *Utilicé un cuadro sinóptico como ayuda y guía para estudiarme la lección.* **7** En una representación dramática, cada una de las partes en las que se dividen los actos: *En uno de los cuadros del tercer acto, el decorado representa el vestíbulo de un hotel.* **8** En una organización o en determinada actividad profesional, conjunto de personas que la componen, esp. el que la dirige y coordina: *El cuadro técnico de esta empresa está muy satisfecho con los nuevos trabajadores.* **9** Conjunto de mecanismos o instrumentos necesarios para manejar un aparato o una instalación: *Frente al asiento de los pilotos estaba el cuadro de mandos del avión.* **10** En una bicicleta o en una motocicleta, conjunto de tubos que forman su armazón: *Pintó de azul el cuadro de su bicicleta.* **11** || **cuadro clínico;** en medicina, conjunto de síntomas que presenta un enfermo o que caracterizan una enfermedad: *Según el cuadro clínico, este hombre puede padecer leucemia.* || **{estar/quedarse} en cuadro;** referido a una corporación, cuerpo o familia, quedar reducidos a pocos miembros o a menos de los necesarios: *Nuestro equipo ha quedado en cuadro debido a las lesiones.* □ ETIMOL. Del latín *quadrum* (un cuadrado), porque se aplicó esp. a las obras pictóricas y a los terrenos labrados, que tenían forma cuadrada o rectangular.

cuadru- Elemento compositivo prefijo que significa 'cuatro': *cuadrúmano, cuadrúpedo.* □ ETIMOL. Del latín *quadru-.*

cuadrumano, na (tb. *cuadrúmano, na*) adj./s. Referido a un mamífero, con manos en sus cuatro extremidades, por ser el dedo pulgar oponible a sus otros dedos en todas ellas: *El chimpancé es un cuadrumano.* □ ETIMOL. Del latín *quadrumanus.*

cuadrúpedo, da adj./s.m. Que tiene cuatro patas: *El caballo y el perro son cuadrúpedos.* □ ETIMOL. Del latín *quadrupes*, y este de *quadri-* (cuatro) y *pes* (pie).

cuádruple ▌numer. **1** Que consta de cuatro o que es adecuado para cuatro: *Tienen un asiento cuádruple y dos sillones en el salón para que puedan sentarse seis personas.* □ SINÓN. *cuádruplo.* ▌adj.inv./s.m. **2** Referido a una cantidad, que es cuatro veces mayor: *Este año hemos conseguido unos beneficios cuádruples, respecto de los del año pasado. Por esperar tanto tiempo, lo han subido y me ha costado el cuádruple que a ti.* □ SINÓN. *cuádruplo.*

cuadruplicar (tb. *cuadriplicar*) v. Multiplicar por cuatro o hacer cuatro veces mayor: *Si con lo que has hecho no es suficiente, tendrás que cuadruplicar tus esfuerzos. Los precios de los pisos se han cuadruplicado.* □ ETIMOL. Del latín *quadruplicare.* □ ORTOGR. La *c* se cambia en *qu* delante de *e* →SACAR. □ MORF. Incorr. **cuatriplicar.*

cuádruplo, pla numer. →**cuádruple.** □ ETIMOL. Del latín *quadruplus.*

cuajada s.f. Parte grasa de la leche que se separa del suero por la acción del calor, del cuajo o de los ácidos, y que se toma como alimento: *De postre quiero cuajada con miel.*

cuajar ▌s.m. **1** En el estómago de los rumiantes, última de las cuatro cavidades de que consta: *La panza, la redecilla, el libro y el cuajar son las partes en que se divide el estómago de los rumiantes.* ▌v. **2** Referido a una sustancia líquida, convertirla en una masa sólida o pastosa: *Para la elaboración del queso es necesario cuajar la leche.* **3** Referido a la nieve o al agua, formar una capa sólida sobre una superficie: *Como ha nevado muy poco, no ha cuajado.* **4** *col.* Realizarse, llegar a ser o adoptar una forma definitiva: *Mi propuesta no cuajó por falta de interés.* **5** *col.* Gustar, agradar o resultar bien acogido: *El nuevo detergente no cuajó y fue retirado del mercado.* ▌prnl. **6** Llenarse o poblarse: *Los ojos se me cuajaron de lágrimas.* □ ETIMOL La acepción 1, de *cuajo*. Las acepciones 2-6, del latín *coagulare.* □ ORTOGR. Conserva la *j* en toda la conjugación.

cuajarón s.m. Porción de sangre o de otros líquidos cuajados: *Como con esa sangre vamos a hacer morcillas, hay que moverla para que no se formen cuajarones.*

cuajo ▌s.m. **1** Fermento para coagular un líquido, esp. la leche. □ SINÓN. *quimosina.* **2** *col.* Calma o despreocupación excesivas en la forma de actuar: *¡Menudo cuajo debe de tener para estar así de tranquilo!* □ SINÓN. *parsimonia.* ▌s.m. **3** *vulg.malson.* →**pene.** **4** || **de cuajo;** de raíz o desde el origen: *El temporal arrancó de cuajo varios árboles y se han bloqueado algunas carreteras.* □ ETIMOL. Del latín *coagulum*, y este de *co-* (juntamente) y *agere* (empujar, hacer mover).

cuákero, ra s. →**cuáquero.**

cual ▌pron.relat. **1** Designa una persona, un objeto o un hecho ya mencionados: *Vine con su hermano, el cual conduce muy deprisa.* ▌adv. **2** *poét.* Como: *Hablaba y se comportaba cual persona instruida y de alta posición.* **3** || **cada cual;** designa separadamente a una persona en relación con las otras: *Cada cual que se ocupe de sus cosas y no se meta* *en vidas ajenas.* ‖ **tal cual;** así, de esta forma o de esta manera: *No lo pienses más y hazlo tal cual, como te he dicho.* □ ETIMOL. Del latín *qualis* (tal como, de qué clase). □ ORTOGR. Dist. de *cuál.* □ MORF. No tiene diferenciación de género. □ SINT. En la acepción 1, es un relativo con antecedente y siempre va precedido de determinante.

cuál ▮ interrog. **1** Pregunta por algo o por alguien entre varios: *¿Cuál es tu coche?* ▮ exclam. **2** Se usa para encarecer o ponderar: *¡Cuál no sería mi sorpresa al veros llegar!* □ ORTOGR. Dist. de *cual.* □ MORF. No tiene diferenciación de género. □ SINT. Incorr. *Ha escrito varios libros, {*a cada cuál más > a cuál más} interesante.*

cualesquier indef. pl. de **cualquier**. □ MORF. No tiene diferenciación de género.

cualesquiera indef. pl. de **cualquiera**. □ MORF. No tiene diferenciación de género.

cualidad s.f. Carácter, propiedad o modo de ser propio y distintivo de algo, esp. si se considera positivo: *La blancura es una cualidad de la nieve.* □ ETIMOL. Del latín *qualitas.*

cualificación s.f. Preparación especial para ejercer determinada actividad.

cualificado, da adj. **1** Que está esp. preparado para el desempeño de una actividad o de una profesión: *Estoy perfectamente cualificado para este trabajo.* □ SINÓN. *calificado.* **2** De buena calidad o de muy buenas cualidades: *un cualificado escritor.* **3** Con autoridad y digno de respeto: *No pongas en duda las cualificadas sugerencias de tu director de tesis.* □ SINÓN. *calificado.*

cualificar v. Referido a una persona, darle o atribuirle cualidades, esp. las necesarias para desempeñar una profesión: *Este curso nos cualifica para trabajar con ordenadores.* □ ORTOGR. La *c* se cambia en *qu* delante de *e* →SACAR.

cualitativo, va adj. De la cualidad o relacionado con ella: *Pedían mejoras cualitativas de la seguridad en el trabajo.*

cualquier (pl. *cualesquier*) indef. →**cualquiera.** □ MORF. No tiene diferenciación de género y es apócope de *cualquiera* cuando precede a un sustantivo determinándolo: *cualquier año, cualquier día.*

cualquiera (pl. *cualesquiera*) indef. **1** Indica una persona o cosa indeterminadas, que no se precisan ni se señalan: *Se lo habrá dicho cualquier chico de su clase. Cualquiera de esas herramientas me vale.* **2** ‖ **ser** alguien **{un/una} cualquiera;** ser persona de poca importancia o indigna de consideración: *¿Pero es que te has creído que soy una cualquiera y que puedes hablarme así?* □ ETIMOL. De *cual* y *quiera*, y este de *querer*. □ MORF. 1. No tiene diferenciación de género. 2. El plural de *ser un cualquiera* es *ser unos cualquieras*. 3. Se usa la forma apocopada *cualquier* cuando precede a un sustantivo determinándolo.

cuan adv. Cuanto: *Salió corriendo, tropezó y cayó cuan larga era.*

cuán adv. *poét.* Se usa para encarecer o ponderar el grado o la intensidad de algo: *¡Cuán felices fuimos en aquel paraíso, juntos tú y yo!*

cuando ▮ adv.relat. **1** En el tiempo, en el momento o en la ocasión en que: *Llegó cuando yo salía.* ▮ conj. **2** Enlace gramatical subordinante con valor condicional: *Cuando no te ha dicho nada todavía, es que no piensa invitarte.* **3** ‖ **de cuando en cuando;** algunas veces o de tiempo en tiempo: *Antes nos veíamos a diario, pero ahora solo nos vemos de cuando en cuando.* □ ETIMOL. Del latín *quando.* □ ORTOGR. Dist. de *cuándo.* □ SINT. En frases sin verbo, funciona como una preposición: *Cuando niño, me gustaba que mi padre me contara cuentos.*

cuándo adv. En qué tiempo o en qué momento: *¡Cuándo vas a reconocer que te has equivocado!* □ ORTOGR. Dist. de *cuando.*

cuantía s.f. **1** Cantidad o medida: *La cuantía de los daños se eleva a varios millones.* **2** ‖ **de {mayor/menor} cuantía;** de mayor o menor importancia: *Arreglado lo urgente, vamos con los problemas de menor cuantía.* □ ETIMOL. De *cuanto.*

cuántico, ca adj. En física, de los cuantos o relacionado con esta unidad mínima de energía: *la teoría cuántica.*

cuantificación s.f. Expresión de una cantidad, esp. por medio de números: *La cuantificación de la intensidad de mi dolor es imposible.*

cuantificador s.m. En gramática, término que cuantifica a otro o expresa la cantidad de otro: *'Tres' en español es un cuantificador.*

cuantificar v. Expresar una cantidad, esp. por medio de números: *En 'tres niños', 'tres' cuantifica al sustantivo 'niños'.* □ ETIMOL. De *cuanto.* □ ORTOGR. La *c* se cambia en *q* delante de *e* →SACAR. □ SEM. No debe emplearse con los significados de *evaluar* o *calcular*: *Se van a {*cuantificar > evaluar} los daños de la inundación.*

cuantioso, sa adj. Abundante o grande en cantidad o número: *cuantiosas sumas de dinero.*

cuantitativo, va adj. De la cantidad o relacionado con ella: *No me importa el valor cuantitativo del objeto robado, sino su valor sentimental.*

cuanto ▮ adv.relat. **1** Designa la totalidad de lo ya mencionado o de lo sobrentendido: *Lo que me estás contando es cuanto necesitaba saber.* ▮ s.m. **2** En física, unidad mínima de energía que es emitida o absorbida por la materia: *El fotón es el cuanto de radiación electromagnética.* □ ETIMOL. La acepción 1, del latín *quantus*. La acepción 2, del latín *quantum*. □ ORTOGR. Dist. de *cuánto.* □ SINT. La acepción 1 se usa como adverbio relativo seguido de *más, menos, mayor, menor*, y en correlación con *tan* y *tanto*: *Cuanto menor sea el precio del producto, tanto más lo venderás.* □ USO En la acepción 2, es innecesario el uso del anglicismo *quantum.*

cuanto, ta pron.relat. **1** Designa la totalidad de lo mencionado o de lo sobrentendido: *Puedes comer cuantos pasteles desees. Me trajo cuantos le pedí sin ningún problema.* **2** ‖ **cuanto antes;** con rapidez, con prisa o lo antes posible: *Ven a casa cuanto an-*

tes y no te entretengas por ahí. || **cuanto más;** expresión que se usa para contraponer, ponderar o encarecer algo: *Se venden pisos viejos, cuanto más los nuevos.* || **en cuanto a** algo; por lo que toca o corresponde a ello: *En cuanto a lo que te dije el otro día sobre la excursión, no ha habido cambios.* || **en cuanto;** al punto o tan pronto como: *Nos pondremos en marcha en cuanto amanezca.* || **unos cuantos;** cantidad indeterminada: *Mientras estabas fuera te han llamado unos cuantos para felicitarte.* □ ETIMOL. Del latín *quantus*. □ ORTOGR. Dist. de *cuánto*. □ MORF. Como pronombre se usa más en plural.

cuánto adv. En qué grado o en qué cantidad: *¡Cuánto llueve! ¿Cuánto dura esa película?* □ ORTOGR. Dist. de *cuanto*.

cuánto, ta ▮ interrog. **1** Pregunta por el número, por la cantidad o por la intensidad de algo: *¿Cuánto dinero tienes? Pregúntale cuántas ha escrito.* ▮ exclam. **2** Se usa para encarecer o ponderar el número, la cantidad o la intensidad de algo: *¡Cuánta gente ha venido! ¡Cuánto me gustaría acompañarte en este viaje!* □ ORTOGR. Dist. de *cuanto*.

cuáquero, ra (tb. *cuákero, ra*) s. Miembro de un grupo religioso protestante surgido en el siglo XVII en Inglaterra (región británica) y extendido por Estados Unidos (país americano) que carece de jerarquía eclesiástica y que se caracteriza por la sencillez y severidad de sus costumbres: *El pacifismo es una característica de los cuáqueros.* □ ETIMOL. Del inglés *quaker* (tembloroso).

cuarcita s.f. Roca de cuarzo, muy dura, generalmente de estructura granulosa y de color blanco lechoso, gris o rojiza: *La cuarcita se utiliza en la construcción.* □ ETIMOL. De *cuarzo*.

cuarenta ▮ numer. **1** Número 40: *En mi cumpleaños llevé cuarenta caramelos para repartir en clase. Su moto de carreras lleva un cuarenta dibujado.* ▮ s.m. **2** Signo que representa este número: *Los romanos escribían el cuarenta como 'XL'.* **3** || **cantar las cuarenta** a alguien; *col.* Decirle claramente lo que se piensa, aunque le moleste: *Lo ha cogido sin mi permiso y, en cuanto lo vea, le voy a cantar las cuarenta.* □ ETIMOL. Del latín *quadraginta*. □ MORF. Es invariable en género y en número.

cuarentañero, ra adj./s. *col.* Referido a una persona, que tiene más de cuarenta años y menos de cincuenta: *Aunque tu padre es cuarentañero parece bastante más joven.*

cuarentavo, va numer. Referido a una parte, que constituye un todo junto con otras treinta y nueve iguales a ella: *Te pagaré una cuarentava parte de mi sueldo cada mes para devolverte el préstamo que me hiciste. Como me correspondió un cuarentavo de un premio de cuarenta mil euros, cobré mil.* □ SINÓN. *cuadragésimo*. □ SEM. Su uso como numeral ordinal es incorrecto: *Llegué en {*cuarentava > cuadragésima} posición.*

cuarentena s.f. **1** Aislamiento preventivo por razones sanitarias de personas y animales durante un período de tiempo: *La cuarentena en el barco duró dos meses.* **2** Conjunto de cuarenta unidades, esp. un período de tiempo de días, años o meses.

cuarentón, -a adj./s. *col.* Referido a una persona, que tiene más de cuarenta años y aún no ha cumplido los cincuenta: *Ese cuarentón se mantiene muy joven.*

cuaresma s.f. En el cristianismo, tiempo de cuarenta y seis días que va desde el miércoles de ceniza hasta el domingo de Pascua o Resurrección y que se consagra a la penitencia y al ayuno: *Con la cuaresma se conmemora el ayuno de Jesucristo durante cuarenta días en el desierto.* □ ETIMOL. Del latín *quadragesima dies* (día número cuarenta).

cuaresmal adj.inv. De la cuaresma o relacionado con ella: *período cuaresmal.*

cuarta s.f. Véase **cuarto, ta.**

cuarteamiento s.m. Agrietamiento o aparición de hendiduras: *El paso del tiempo ha producido el cuarteamiento de la pintura de estos cuadros.*

cuartear ▮ v. **1** Partir o dividir en cuatro partes: *Pedí que me cuartearan el pollo, porque así se asa mejor.* ▮ prnl. **2** Rajarse o agrietarse: *La pared se ha cuarteado con la humedad.*

cuartel s.m. **1** Lugar o instalación donde viven y se alojan las tropas o unidades del ejército: *Tengo permiso de fin de semana, pero mañana tengo que estar en el cuartel a las siete.* **2** Lugar en el que acampa o se establece una fuerza militar en campaña: *Ante la llegada de las nieves, se decidió establecer allí mismo los cuarteles de invierno.* **3** Tregua, descanso o buen trato dado al enemigo: *Era una guerra cruel y sin cuartel.* **4** || **cuartel general; 1** Lugar en el que se establece con su estado mayor el jefe de un ejército o de una gran unidad: *Al cuartel general, situado en la retaguardia, llegaban noticias de todos los frentes.* **2** *col.* Lugar en el que se encuentra o se establece la dirección de una organización o asociación: *Este partido político tiene su cuartel general en una calle muy céntrica.* □ ETIMOL. Del francés *quartier*.

cuartelada s.m. →**cuartelazo.**

cuartelazo s.f. Alzamiento militar contra el gobierno. □ SINÓN. *cuartelada*.

cuartelero, ra ▮ adj. **1** Referido al lenguaje, que se considera vulgar, grosero o de mal gusto: *expresiones cuarteleras.* ▮ s.m. **2** Soldado encargado del cuidado y de la vigilancia de los dormitorios de su compañía.

cuartelillo s.m. **1** Lugar o puesto de una sección militar, esp. de la guardia civil, o alojamiento de una sección de tropa. **2** || **dar cuartelillo;** *col.* Ayudar o dar facilidades: *Como es amigo suyo le dio cuartelillo para conseguir el trabajo.*

cuarteo s.m. Formación de grietas: *La sequía ha producido el cuarteo de todos estos terrenos.*

cuarterón s.m. Unidad de peso que equivalía a la cuarta parte de una libra: *Si una libra castellana equivalía a 460 gramos, un cuarterón eran 115 gramos.* □ ETIMOL. Del francés *quarteron*. □ USO Es una medida tradicional española.

cuarteta s.f. En métrica, estrofa formada por cuatro versos de arte menor, esp. referido a la formada por octosílabos con rima consonante y cuyo esquema es 'abab': *La cuarteta se considera una variante de la redondilla.* □ ETIMOL. Del italiano *quartetta*.

cuarteto s.m. **1** Composición musical escrita para cuatro instrumentos o para cuatro voces. **2** Conjunto formado por este número de instrumentos o de voces. **3** En métrica, estrofa formada por cuatro versos de arte mayor, generalmente con rima consonante, y cuyo esquema más frecuente es *ABBA*: *Un soneto clásico se compone de catorce endecasílabos, distribuidos en dos cuartetos y dos tercetos.* □ ETIMOL. Del italiano *quartetto*.

cuartil s.m. Cada uno de los tres valores que resultan de dividir una distribución en cuatro partes de igual frecuencia: *El cuartil 1 indica que hay un veinticinco por ciento por debajo.*

cuartilla s.f. Hoja de papel para escribir, aproximadamente del tamaño de un folio doblado por la mitad: *Pásame una cuartilla, que voy a escribir una carta.* □ ETIMOL. De *cuarta*.

cuartillo s.m. **1** Unidad de capacidad para líquidos que equivale aproximadamente a 0,5 litros: *Un cuartillo viene a ser una cuarta parte de un azumbre.* **2** Unidad de capacidad para granos, legumbres y otros frutos secos que equivale aproximadamente a 1,1 litros: *Un cuartillo es la cuarta parte de un celemín.* □ USO Es una medida tradicional española.

cuarto, ta ▮ numer. **1** En una serie, que ocupa el lugar número cuatro: *Las entradas son de la cuarta fila. Llegué el cuarto en la carrera de cien metros lisos.* **2** Referido a una parte, que constituye un todo junto con otras tres iguales a ella: *Se ha comido la cuarta parte de mi bollo. Deme un cuarto de kilo de carne picada.* ▮ s.m. **3** En una vivienda, cada uno de los espacios o departamentos en que está dividida, esp. los destinados a dormir: *Este cuarto lo utilizamos de trastero.* □ SINÓN. *habitación.* **4** En un animal cuadrúpedo o en un ave, cada una de las cuatro partes en que se considera dividido su cuerpo: *El jinete palmeó al caballo en los cuartos traseros.* ▮ s.m.pl. **5** *col.* Dinero: *Gana cuatro cuartos y el muy iluso se cree millonario.* ▮ s.f. **6** Unidad de longitud que equivale aproximadamente a veinte centímetros: *Una cuarta es el largo de una mano abierta y extendida desde el extremo del meñique hasta el del pulgar.* □ SINÓN. *palmo.* **7** En música, intervalo existente entre una nota y la cuarta nota anterior o posterior a ella en la escala, ambas inclusive: *De 're' a 'sol', hay una cuarta ascendente.* **8** En el motor de algunos vehículos, marcha que tiene mayor velocidad que la tercera y menor potencia que la quinta: *Es una imprudencia que bajes este puerto con el motor en cuarta.* **9** ‖ **(cuarto de) aseo;** aquel que es pequeño y tiene lavabo y retrete, pero no bañera: *En mi casa hay dos cuartos de baño y un aseo.* ‖ **(cuarto de) baño;** el que está destinado al aseo corporal y tiene lavabo, retrete, bañera y otros servicios sanitarios: *Se pasa el día en el cuarto de baño, peinándose y mirándose al espejo.* ‖ **cuarto de estar;** aquel en el que hace vida la familia: *En casi todas las casas, la televisión está en el cuarto de estar.* ‖ **cuarto de Luna;** cada uno de los cuatro períodos en que se divide el tiempo que tarda la Luna desde una conjunción a otra con el Sol: *Cuando la Luna está en cuarto menguante se ve en forma de 'C', y cuando está en cuarto creciente, en forma de 'D'.* ‖ **cuarto oscuro;** aquel sin luz exterior que se usa como trastero y donde se encerraba a los niños como castigo: *Le da miedo la oscuridad porque de pequeño se pasaba el día en el cuarto oscuro.* ‖ **cuartos de final;** en una competición o en un concurso, cada uno de los cuatro antepenúltimos encuentros o pruebas que se ganan por eliminación del contrario y no por puntos: *En los cuartos de final juegan ocho equipos, quedan eliminados cuatro y los otros cuatro pasan a semifinales.* ‖ **tres cuartos de lo mismo;** *col.* Expresión que se usa para indicar que lo dicho para uno es aplicable al otro: *Ese será bobo, pero tú, tres cuartos de lo mismo.* ‖ **tres cuartos;** referido a una prenda de abrigo, que mide tres cuartas partes de la longitud corriente: *Con este chaquetón tres cuartos se me ve la falda.* □ ETIMOL. Del latín *quartus*. La acepción 3, porque este número se asocia a las divisiones en pocas partes. □ USO Es innecesario el uso del galicismo *toilette* en lugar de *cuarto de aseo*.

cuarzo s.m. Mineral de sílice, duro, de brillo vítreo, incoloro o blanco cuando es puro, de gran conductividad calorífica y componente de muchas rocas: *El granito está formado esencialmente por cuarzo, feldespato y mica.* □ ETIMOL. Del alemán *quarz*.

cuarzoso, sa adj. Que contiene cuarzo o tiene alguna de sus características: *materiales cuarzosos.*

cuasi adv. *ant.* →**casi.**

cuasi- Elemento compositivo prefijo que significa 'casi': *cuasidelito, cuasibien, cuasiperfecto.* □ ETIMOL. Del latín *quasi*. □ USO Se usa mucho en la lengua coloquial.

cuasidelito s.m. Daño que se causa a una persona sin haberlo querido o por tener que responder de ello por alguna razón: *Ese atropello es un cuasidelito del conductor porque se despistó al intentar leer el letrero con el nombre de la calle.*

cuate, ta adj./s. **1** En zonas del español meridional, gemelo de un parto: *Mi madre y mi tía son cuatas.* **2** *col.* En zonas del español meridional, amigo íntimo: *Se lo pedí a mi cuate.*

cuatecomate s.m. Planta rastrera americana, de tallos largos y delgados, que tiene hojas compuestas, flores llamativas y fruto de cáscara dura con la que se pueden hacer vasijas, tazas u otros recipientes.

cuaternario, ria ▮ adj. **1** Que se compone de cuatro partes o elementos. **2** En geología, de la era antropozoica, quinta de la historia de la Tierra, o relacionado con ella: *fósiles cuaternarios.* □ SINÓN. *antropozoico, neozoico.* ▮ s.m. **3** →**era cuaternaria.** □ ETIMOL. Del latín *quaternarius*.

cuatí (pl. *cuatíes, cuatís*) s.m. →**coatí.** □ MORF. Es un sustantivo epiceno: *el cuatí {macho/hembra}.*

cuatralbo, ba adj. Referido a un animal cuadrúpedo, que tiene blancos los cuatro pies: *El jinete montaba una yegua cuatralba.*

cuatrero, ra s. Ladrón de ganado, esp. de caballos. □ ETIMOL. De *cuatro*, porque en el lenguaje de germanía significaba *caballo*.

cuatri- Elemento compositivo prefijo que significa 'cuatro': *cuatrimotor, cuatrimestral, cuatrisílabo.* □ ETIMOL. Del latín *quatri-*.

cuatrianual adj.inv. Que sucede cuatro veces al año. □ ETIMOL. De *cuatri-* (cuatro) y *anual.* □ SEM. Dist. de *cuatrienal* (que sucede cada cuatro años o que dura cuatro años).

cuatricromía s.f. En imprenta, impresión o grabado en cuatro colores: *En la cuatricromía se utilizan los colores de la tricromía además del negro o del gris.*

cuatrienal adj.inv. **1** Que tiene lugar cada cuatro años: *Las olimpiadas son una competición deportiva cuatrienal.* **2** Que dura cuatro años: *Es un proyecto cuatrienal, y si no se acaba en este período, cada comunidad se hará cargo de él.* □ SEM. Dist. de *cuatrianual* (que sucede cuatro veces al año).

cuatrienio (tb. *cuadrienio*) s.m. Período de tiempo de cuatro años: *En España, los diputados y senadores son elegidos para representar al pueblo durante un cuatrienio.*

cuatrillizo, za adj./s. Que ha nacido de un parto cuádruple. □ ETIMOL. De *cuatri-* (cuatro) y la terminación de *mellizo.* □ MORF. Se usa solo en plural.

cuatrimestral adj.inv. **1** Que tiene lugar cada cuatro meses: *Como suelo hacer revisiones cuatrimestrales, al año hago un total de tres.* **2** Que dura cuatro meses: *Este curso está compuesto de asignaturas cuatrimestrales.*

cuatrimestre s.m. Período de tiempo de cuatro meses: *Enero, febrero, marzo y abril forman el primer cuatrimestre del año.* □ ETIMOL. Del latín *quadrimestris*, por influencia de *cuatro*.

cuatrimotor s.m. Avión provisto de cuatro motores: *El jumbo es un cuatrimotor.*

cuatripartito, ta adj. Dividido en cuatro partes, órdenes o clases, o formado por ellos: *El edificio presenta una estructura cuatripartita, con un área para cada uno de los cuatro departamentos.* □ ETIMOL. Del latín *quatripartitus*.

cuatrisílabo, ba adj./s.m. De cuatro sílabas: *La palabra 'murciélago' es una palabra cuatrisílaba.*

cuatro ▌numer. **1** Número 4: *Este coche tiene cuatro ruedas: dos delante y dos detrás. Dos más dos son cuatro.* ▌s.m. **2** Signo que representa este número: *Los romanos escribían el cuatro como 'IV'.* **3** ‖ **cuatro por cuatro;** vehículo similar a un todoterreno y que se caracteriza por tener tracción en las cuatro ruedas: *Nos compramos un cuatro por cuatro para hacer excursiones por la sierra y por el monte.* □ ETIMOL. Del latín *quattuor.* □ MORF. 1. Como pronombre es invariable en género y en número. 2. Cuando se antepone a otra palabra para formar compuestos, adopta la forma *cuadri-, cuadru-* o *cuatri-.* □ USO Cuando va antepuesto a ciertos sustantivos, se usa para indicar una cantidad pequeña e indeterminada: *Apenas llovió, cayeron solo cuatro gotas.*

cuatrocientos, tas ▌numer. **1** Número 400: *Cuesta cuatrocientas euros. De los mil kilómetros que tenemos que recorrer ya hemos pasado cuatrocientos.* ▌s.m. **2** Signo que representa este número: *Los romanos escribían el cuatrocientos como CD.* □ MORF. 1. Como numeral es invariable en número. 2. Incorr. *página {*cuatrocientos > cuatrocientas}.*

cuba s.f. **1** Recipiente, generalmente de madera, formado por tablas curvas unidas y sujetadas por aros de metal y por dos bases circulares en sus extremos, que se utiliza para contener líquidos: *una cuba de vino.* **2** ‖ **como una cuba;** *col.* Muy borracho: *Está como una cuba y se le traba la lengua.* □ ETIMOL. Del latín *cupa*.

cubalibre s.m. Bebida alcohólica de distintos ingredientes, esp. si se hace mezclando ron y cola. □ USO En la lengua coloquial se usa mucho la forma *cubata*.

cubanismo s.m. En lingüística, americanismo propio de Cuba (país americano): *En este diccionario de americanismos hay muchos cubanismos.*

cubano, na adj./s. De Cuba o relacionado con este país americano.

cubata s.m. *col.* Cubalibre.

cubertería s.f. Conjunto de cuchillos, cucharas, tenedores y utensilios semejantes para el servicio de mesa.

cubeta s.f. **1** Recipiente poco profundo, generalmente de forma rectangular, que se usa mucho en laboratorios químicos y fotográficos: *Se volcó la cubeta y se estropeó el revelado de las fotos.* **2** Depósito de mercurio que tiene un barómetro en su parte inferior: *La presión atmosférica incide directamente en la cubeta.* **3** En zonas del español meridional, cubo: *Junto al pozo hay una cubeta para sacar el agua.*

cubicación s.f. Determinación del volumen o de la capacidad de algo en metros cúbicos: *Para saber el gasto de agua, hemos tenido que hacer la cubicación de la piscina.*

cubicar v. **1** Referido a un cuerpo, determinar su volumen o su capacidad en metros cúbicos: *Antes de instalar los radiadores cubicaremos las habitaciones para saber cuánto aire hay que calentar.* **2** Referido a un número, multiplicarlo dos veces por sí mismo: *Si cubicamos 2 obtenemos 8.* □ ETIMOL. De *cúbico.* □ ORTOGR. La *c* se cambia en *qu* delante de *e* →SACAR.

cúbico, ca adj. **1** Con forma de cubo. **2** Del cubo: *una raíz cúbica; centímetros cúbicos.* □ ETIMOL. Del latín *cubicus*.

cubículo s.m. Habitación o recinto pequeños: *Para estudiar se mete en su cubículo.* □ ETIMOL. Del latín *cubiculum*, y este de *cubare* (acostarse).

cubierta s.f. Véase **cubierto, ta.**

cubierto, ta ▌**1** part. irreg. de **cubrir.** ▌s.m. **2** Conjunto de cuchillo, cuchara y tenedor: *Tú lleva* *los platos a la mesa, que yo llevo los cubiertos.* **3** Cada uno de estos utensilios: *Pásame el cubierto para la sopa, por favor.* **4** Servicio de mesa que se pone a cada uno de los comensales y que está compuesto de cuchillo, cuchara, tenedor, plato, vaso y servilleta: *Falta un cubierto, porque reservamos una mesa para cuatro personas y hemos venido cinco.* **5** En un restaurante, en un hotel o en un lugar semejante, comida que se sirve por un precio fijo y que se compone de determinados platos: *El cubierto de este bar está muy bien porque es barato y la comida está buena.* ▌s.f. **6** Lo que se pone encima de algo para taparlo o protegerlo: *Tengo que comprar una cubierta para el colchón.* **7** En un libro, parte exterior que lo cubre y protege: *La cubierta del libro era de cartón.* **8** En un edificio, parte exterior de la techumbre: *Hay que revisar la cubierta porque hay goteras en el último piso.* **9** En la rueda de un vehículo, banda que protege exteriormente la cámara del neumático y que sufre el rozamiento con el suelo: *Tienes que cambiar estos neumáticos porque las cubiertas están muy desgastadas.* **10** En un barco, cada uno de los pisos situados a diferente altura, esp. el piso superior: *Los pasajeros del transatlántico tomaban el sol en cubierta.* **11** ‖ **a cubierto;** resguardado, defendido o protegido: *Cuando empezó a llover, nos pusimos a cubierto.* ☐ MORF. En la acepción 1, incorr. **cubrido.* ☐ SEM. En la acepción 7, dist. de *portada* (primera página de un libro).

cubil s.m. Lugar que sirve de refugio: *Los lobos salieron de su cubil cuando pasó el peligro.* ☐ ETIMOL. Del latín *cubile* (lecho).

cubilete s.m. Especie de vaso estrecho y hondo que se usa para mover los dados o para hacer algunos juegos de manos: *Cuando se juega al parchís, se agita el dado en un cubilete.* ☐ ETIMOL. Del francés *gobelet* (vaso para beber, sin pie y sin asa), por influencia de *cuba*.

cubismo s.m. Movimiento artístico de principios del siglo XX que se caracteriza por el empleo de formas geométricas para representar cualquier imagen: *Picasso fue uno de los máximos representantes del cubismo pictórico.* ☐ ETIMOL. Del francés *cubisme*.

cubista ▌adj.inv. **1** Del cubismo o con rasgos propios de este movimiento artístico: *El uso del colage es una técnica típicamente cubista.* ▌adj.inv./s.com. **2** Que defiende o sigue el cubismo: *Juan Gris fue un gran pintor cubista.*

cubitera s.f. Recipiente para hacer o servir cubitos de hielo.

cubito s.m. Trozo pequeño de hielo que se añade a una bebida para enfriarla. ☐ ETIMOL. De *cubo* (cuerpo geométrico). ☐ ORTOGR. Dist. de *cúbito*.

cúbito s.m. En el antebrazo, hueso más largo y grueso de los dos que lo forman: *El cúbito y el radio están entre el codo y la muñeca.* ☐ ETIMOL. Del latín *cubitus.* ☐ ORTOGR. Dist. de *cubito*.

cubo s.m. **1** Cuerpo geométrico limitado por seis polígonos o caras que son seis cuadrados iguales: *Los dados tienen forma de cubo.* **2** Recipiente de forma cónica, con la boca más ancha que el fondo y un asa en el borde superior, y que suele tener un uso doméstico: *el cubo de la basura.* **3** En matemáticas, resultado que se obtiene al multiplicar una cantidad dos veces por sí misma: *El cubo de tres es veintisiete.* **4** ‖ **al cubo;** referido a la base de una potencia, de exponente 3: *Si elevamos dos al cubo obtendremos ocho.* ☐ ETIMOL. Las acepciones 1 y 3, del latín *cubus*, y este del griego *kýbos* (cubo, dado). La acepción 2, de *cuba*.

cuboides (pl. *cuboides*) s.m. →**hueso cuboides.** ☐ ETIMOL. Del griego *kýbos* (cubo) y *-oides* (semejante).

cubrebañera s.f. Lona con que se cubre una piragua o una canoa y que se puede ajustar al cuerpo del piragüista: *La cubrebañera evita que entre agua en el interior de la canoa.*

cubrebotón s.m. Pieza que se usa para cubrir un botón: *Me han regalado unos cubrebotones de plata.*

cubrecadena s.f. Pieza que cubre la cadena de las bicicletas: *Mi bicicleta no tiene cubrecadena y a veces se me engancha el pantalón.*

cubrecama s.m. Cobertura de la cama que sirve de adorno y de abrigo. ☐ SINÓN. *colcha.*

cubrecosturas (pl. *cubrecosturas*) s.f. Cinta que se cose sobre una costura para disimularla: *He hecho un cojín con retales y he tapado las uniones con cubrecosturas.*

cubreobjeto s.m. Lámina delgada de cristal con que se cubre lo que se va a ver por el microscopio: *Limpia bien el cubreobjeto antes de utilizarlo, porque si no no vas a ver nada.*

cubrimiento s.m. **1** Ocultación o colocación de una cosa sobre otra, de manera que desaparezca de la vista: *Ya era hora de que realizasen el cubrimiento de los baches de la carretera.* **2** Lo que sirve para cubrir: *Estas paredes llevan un cubrimiento de material aislante.*

cubrir ▌v. **1** Ocultar, tapar o quitar de la visión: *Las nubes cubren el Sol.* **2** Depositar o extender sobre una superficie: *Cubrió de abono todo el jardín y olía fatal.* **3** Disimular o falsear: *Cubre su orgullo con una falsa modestia.* **4** Defender, proteger o resguardar de un daño o de un peligro: *El vaquero dijo a sus compañeros: «Vosotros cubridme, mientras yo me acerco». El torero se cubre con la muleta.* **5** Referido a una cavidad, rellenarla de manera que quede nivelada: *Cubre el agujero con tierra.* **6** Referido a una plaza o a un puesto de trabajo, hacer que deje de estar vacante por adjudicación a una persona: *Se han convocado oposiciones para cubrir treinta plazas de administrativos.* **7** Referido a un servicio, disponer del personal necesario para desempeñarlo: *Con tan poca gente no podemos cubrir las necesidades del hotel.* **8** Referido a un espacio, ponerle techo: *Quiero cubrir una parte del jardín.* **9** Referido a una distancia, recorrerla: *Cubrió los veinte kilómetros de la carrera en menos de dos horas.* **10** Referido a un acontecimiento, seguir su desarrollo, esp. si es para transmitirlo como noticia: *Veinte periodistas se encargaron de cubrir el viaje del presiden-*

te. **11** Referido esp. a muestras de afecto, prodigarlas u ofrecerlas de forma insistente y repetida: *Cubrió de besos a su hijo.* **12** En algunos deportes, referido a un jugador o a una zona del campo, marcarlos o defenderlos: *Tú cubre la banda derecha, que yo cubriré la izquierda.* **13** Referido a una deuda, a un gasto o a una necesidad, pagarlos o solventarlos: *Con este último pago, la deuda queda cubierta.* **14** Referido a una emisión de títulos de deuda pública o de valor comercial, suscribirla enteramente: *Esta emisión de bonos ha sido cubierta en apenas tres días.* **15** Referido a un animal macho, unirse sexualmente a la hembra para fecundarla: *El caballo cubrió a la yegua.* ☐ SINÓN. *montar.* ▌prnl. **16** Ponerse el sombrero: *Cuando salió de la iglesia, se cubrió.* **17** Referido al cielo, nublarse o llenarse de nubes: *Como se cubra el cielo, no podremos tomar el sol.* ☐ ETIMOL. Del latín *cooperire.* ☐ MORF. Su participio es *cubierto.* ☐ SINT. Constr. de la acepción 11: *cubrir* DE *algo.*

cuca s.f. Véase **cuco, ca**.

cucamonas s.f.pl. *col.* Caricias, halagos o demostraciones de cariño para conseguir algo de alguien: *A mí no me vengas con cucamonas, que te he dicho que no y es que no.* ☐ SINÓN. *carantoñas.*

cucaña s.f. Palo largo, untado de jabón o grasa, por el que hay que trepar o andar para coger como premio un objeto colocado en su extremo. ☐ ETIMOL. Del italiano *cuccagna* (palo de cucaña).

cucaracha s.f. Insecto de cuerpo en forma oval y aplanada, de color negro por encima y rojizo por debajo, con aparato bucal masticador, seis patas casi iguales y el abdomen terminado en dos puntas articuladas: *Las cucarachas suelen salir por las noches.* ☐ ETIMOL. De *cuca* (larva de mariposa). ☐ MORF. Es un sustantivo epiceno: *la cucaracha {macho/hembra}.*

cuchara s.f. **1** Cubierto formado por un mango y una pieza cóncava, que sirve para llevarse a la boca los alimentos líquidos o blandos: *La sopa y el puré se toman con cuchara.* **2** En zonas del español meridional, paleta de albañilería: *El albañil echaba cemento con la cuchara sobre los ladrillos.* ☐ ETIMOL. Del latín *cochlear.*

cucharada s.f. Cantidad que cabe en una cuchara: *una cucharada de harina.*

cucharadita s.f. Cantidad que cabe en una cucharilla: *una cucharadita de azúcar.*

cucharilla s.f. **1** Cuchara pequeña: *El flan se come con cucharilla.* **2** Utensilio para pescar con caña que tiene varios anzuelos y una pieza metálica cuyo brillo atrae a los peces: *Es un experto en la pesca de truchas con cucharilla.*

cucharón s.m. Cubierto de servir, en forma de cazo o de cuchara grande: *Tráeme el cucharón, por favor, que voy a servir la sopa.*

cuché s.m. →**papel cuché.**

cucheta s.f. En zonas del español meridional, litera: *Para ahorrar espacio pusieron una cucheta en la habitación de los niños.* ☐ ETIMOL. Del francés *couchette.*

cuchichear v. Hablar en voz baja o al oído, para que los demás no se enteren: *Al profesor le molesta que cuchicheemos en clase.* ☐ ETIMOL. De origen onomatopéyico.

cuchicheo s.m. Conversación en voz baja o al oído, para que los demás no se enteren.

cuchichí (pl. *cuchichíes, cuchichís*) s.m. Canto característico de la perdiz: *El cazador oyó el cuchichí de la perdiz.* ☐ ETIMOL. De origen onomatopéyico.

cuchilla s.f. Lámina de acero, generalmente con un filo, que se usa para cortar: *Al afeitarme esta mañana me he cortado con la cuchilla.*

cuchillada s.f. Corte hecho con un cuchillo o con un arma blanca. ☐ SINÓN. *cuchillazo.*

cuchillazo s.m. →**cuchillada.**

cuchillo s.m. **1** Utensilio cortante formado por un mango y una hoja de metal con un solo filo. **2** ‖ **pasar a cuchillo;** referido esp. a los habitantes de un lugar conquistado, darles muerte: *Pasaron a cuchillo a todo el pueblo.* ☐ ETIMOL. Del latín *cultellus* (cuchillito).

cuchipanda s.f. *col.* Reunión de varias personas para comer abundantemente y divertirse: *Todos los sábados por la noche organizan una cuchipanda.* ☐ ETIMOL. De origen incierto.

cuchitril s.m. Cuarto o lugar pequeños y sucios: *No sé cómo puedes vivir en este cuchitril inmundo.* ☐ ETIMOL. De origen incierto.

cuchufleta s.f. *col.* Dicho gracioso o burlesco: *Con lo serio que es, no me lo imagino diciendo cuchufletas.* ☐ ETIMOL. De *chufar* (burlarse).

cuclillas ‖ **en cuclillas;** con el cuerpo doblado de forma que las nalgas se acercan al suelo o a los talones: *Para que todos pudiéramos salir en la foto, algunos se colocaron delante en cuclillas.* ☐ ETIMOL. De *clueca*, porque la gallina cuando empolla los huevos parece que está en cuclillas. ☐ SINT. Incorr. **de cuclillas.*

cuclillo s.m. Ave trepadora, de pequeño tamaño, plumaje ceniciento y cola negra con pintas blancas, cuya hembra pone los huevos en los nidos de otras aves: *El cuclillo se alimenta de insectos.* ☐ SINÓN. *cuco.* ☐ ETIMOL. De *cuquillo*, y este de *cuco.* ☐ MORF. Es un sustantivo epiceno: *el cuclillo {macho/hembra}.*

cuco, ca ▌adj. **1** *col.* Que resulta bonito, agradable y gracioso: *Aunque la casa es pequeña, es muy cuca y da gusto estar allí.* ▌adj./s. **2** *col.* Que actúa con astucia y habilidad en busca de su propio provecho o conveniencia: *Es muy cuco y, si te ha dicho eso, es porque quiere algo de ti.* ▌s.m. **3** Ave trepadora, de pequeño tamaño, plumaje ceniciento y cola negra con pintas blancas, cuya hembra pone los huevos en los nidos de otras aves: *Un cuco cantaba en el bosque.* ☐ SINÓN. *cuclillo.* **4** Cuna portátil para recién nacidos, hecha de un material ligero, sin patas y con dos asas: *Mueve un poco el cuco para que el niño se duerma.* ☐ SINÓN. *moisés.* ▌s.f. **5** *col.* Peseta: *Esta tontería me ha costado mil cucas.* **6** Larva de algunas mariposas nocturnas: *Las cucas son orugas con los costados vellosos con* *pintas blancas.* □ ETIMOL. Del latín *cucus.* □ MORF. En la acepción 3, es un sustantivo epiceno: *el cuco {macho/hembra}.*

cucú (pl. *cucús, cucúes*) s.m. Canto característico del cuco: *Oímos a lo lejos el repetitivo cucú del cuco.* □ ETIMOL. De origen onomatopéyico.

cucurbitáceo, a ▌adj./s.f. **1** Referido a una planta, que tiene el tallo rastrero, el fruto carnoso y la semilla sin albumen: *El melón y la calabaza son plantas cucurbitáceas.* ▌s.f.pl. **2** En botánica, familia de estas plantas, perteneciente a la clase de las dicotiledóneas: *El pepino pertenece a las cucurbitáceas.* □ ETIMOL. Del latín *cucurbita* (calabaza). □ ORTOGR. Incorr. **curcubitáceo.*

cucurucho s.m. **1** Lámina enrollada en forma cónica, que sirve para contener cosas menudas: *El cucurucho de los helados es un barquillo.* □ SINÓN. *cartucho.* **2** Especie de gorro con esta forma, que llevan los penitentes en las procesiones. □ ETIMOL. Del italiano *cucuruccio.*

cueca s.f. Baile popular chileno.

cuelgue s.m. **1** *col.* Estado producido por el efecto de una droga: *Con semejante cuelgue no se está enterando de nada de lo que sucede a su alrededor.* **2** *col.* Atracción grande que produce algo, y que hace que todo lo demás pierda importancia: *Mi amigo tiene un cuelgue por tu hermana que no hay quien lo aguante.*

cuellicorto, ta adj. Con el cuello corto: *Soy un poco cuellicorta y no me quedan bien los jerséis de cuello alto.*

cuellilargo, ga adj. Con el cuello largo: *El cisne es un animal cuellilargo.*

cuello s.m. **1** En una persona o en algunos animales vertebrados, parte estrecha del cuerpo que une la cabeza con el tronco: *La niña llevaba una bufanda alrededor del cuello.* **2** En una prenda de vestir, tira unida a su parte superior y que rodea a esta parte del cuerpo: *un jersey de cuello alto.* **3** En un recipiente, parte superior más estrecha: *el cuello de un jarrón.* **4** En un objeto, parte más estrecha y alargada, esp. si es de forma redondeada: *El cuello de un diente está oculto por la encía.* **5** ‖ **cuello {alto/cisne};** en una prenda de vestir, esp. en un jersey, el que sube hasta la barbilla y suele doblarse sobre sí mismo. ‖ **cuello {caja/redondo};** en una prenda de vestir, el que rodea la base del cuello. ‖ **cuello de botella;** lo que por su estrechez dificulta o hace más lento el paso natural de algo: *Ese tramo de la carretera es un cuello de botella, porque de dos carriles se pasa a uno y se forman grandes atascos.* ‖ **cuello de útero;** parte más baja del útero, que sobresale en la vagina y que tiene un estrecho canal que conecta las partes bajas y altas del aparato reproductor femenino. □ SINÓN. *cérvix.* ‖ **hablar para el cuello de la camisa;** *col.* Hablar en voz baja: *No hables para el cuello de la camisa porque no te oigo.* □ ETIMOL. Del latín *collum.* □ MORF. Cuando se antepone a otra palabra para formar compuestos, adopta la forma *cuelli-*: *cuellilargo.*

cuenca s.f. **1** Territorio cuyas aguas van a parar a un mismo río, lago o mar: *La cuenca del Guadalquivir es muy fértil.* **2** Territorio en cuyo subsuelo abunda un determinado mineral que es extraído en las minas: *La cuenca minera asturiana es rica en carbón.* **3** Terreno hundido y rodeado de montañas: *El pueblo se encuentra en una cuenca de difícil acceso.* **4** Cavidad en la que está cada uno de los ojos: *En la película de terror, el monstruo sacaba los ojos de las cuencas a sus víctimas.* □ ETIMOL. Del latín *concha* (concha de molusco).

cuenco s.m. **1** Recipiente hondo, ancho y sin reborde. **2** Sitio cóncavo: *el cuenco de la mano.* □ ETIMOL. De *cuenca.*

cuenda s.f. Cordoncillo de hilos con el que se recoge y se divide una madeja para que no se enrede: *Si no terminas de devanar la madeja de lana, ponle unas cuendas.* □ ETIMOL. De **condar*, variante de *contar*, porque era costumbre poner una cuenda en las madejas después de contar cada cien hilos.

cuenta ▌s.f. **1** Numeración o recuento de los elementos de un conjunto considerados como unidades homogéneas: *¿Llevas la cuenta de las veces que hemos ido?* **2** Cálculo u operación aritmética: *Echa la cuenta de lo que te debo.* **3** Factura o nota escrita en la que aparece lo que debe pagar una persona: *En la cuenta del restaurante nos pusieron una botella de vino de más.* **4** Depósito de dinero en una entidad bancaria: *El banco me notifica todos los meses las operaciones realizadas en mi cuenta.* **5** Conjunto de anotaciones o registros de los gastos e ingresos de una actividad comercial: *Las cuentas de la empresa muestran que este año los beneficios han sido menores.* **6** Explicación o justificación de algo, esp. del comportamiento de una persona: *Tendrás que dar cuenta de estos gastos ante el jefe.* **7** Cuidado, incumbencia o cargo que caen sobre alguien: *A mí no me hables de ese asunto porque es cuenta tuya.* **8** Consideración o atención: *No le tomes en cuenta lo que dijo porque estaba un poco bebido.* **9** Beneficio o provecho: *No me tiene cuenta comprar ahora el coche, porque a principio de año bajarán los impuestos.* **10** Bola pequeña y perforada que se utiliza para hacer distintos objetos, esp. collares o rosarios: *Las cuentas de este collar son de nácar.* ▌pl. **11** Asuntos o negocios entre varias personas: *Tú y yo tenemos cuentas pendientes. Déjalos solos porque tienen que ajustar sus cuentas.* **12** ‖ **a cuenta;** como anticipo o señal de una suma que se ha de pagar: *Cuando encargues el jersey deja seis euros a cuenta.* ‖ **a cuenta de;** en compensación o a cambio de: *Se quedó con el piso a cuenta de lo que le debía.* ‖ **caer en la cuenta;** *col.* Conocer o entender algo que no se comprendía o en lo que no se había reparado: *Cuando vio aquellas fotos cayó en la cuenta de que conocía a aquel hombre de la época del colegio.* ‖ **cuenta a la vista;** la que permite al cliente una disponibilidad de fondos inmediata: *La directora de la sucursal bancaria me explicó las ventajas que me supondría abrir una cuenta a la vista.* ‖ **cuenta a plazo;** la que no permite disponer de los fondos en un plazo de tiempo determinado: *En una cuenta a plazo el cliente recibe una mayor rentabilidad.* || **cuenta atrás; 1** En astronáutica, lectura, en sentido inverso, de las unidades de tiempo que preceden al lanzamiento de un cohete: *La cuenta atrás comenzó: «Diez, nueve, ocho, siete...».* **2** Cuenta del tiempo, cada vez menor, que falta para un acontecimiento previsto: *Ya se ha iniciado la cuenta atrás para las elecciones generales.* || **cuenta corriente;** la que permite a su titular hacer cargos en ella o disponer de manera inmediata de las cantidades depositadas: *Los recibos de la luz y del teléfono los tengo domiciliados en una cuenta corriente.* || **cuenta de correo;** dirección de correo electrónico que sirve para enviar, recibir y almacenar mensajes: *He abierto una cuenta de correo en internet.* || **dar cuenta de** algo; *col.* Acabarlo o dar fin de ello, esp. si es destruyéndolo o malgastándolo: *No tardarán ni cinco minutos en dar cuenta de la bandeja de pasteles.* || **darse cuenta** de algo; *col.* Advertirlo o percatarse de ello: *En cuanto abrí la bolsa, me di cuenta de que me había dejado el paquete en la tienda.* || **estar fuera de cuenta(s)** o **salir de cuenta(s);** referido a una mujer embarazada, cumplir o haber cumplido ya el período de gestación: *Mi mujer está fuera de cuenta y en cualquier momento puede dar a luz.* || **habida cuenta de** algo; teniéndolo en cuenta: *Habida cuenta de lo anterior, no creo que valga la pena insistir más en eso.* || **la cuenta de la vieja;** *col.* La que se hace con los dedos o por otro procedimiento semejante: *Por la cuenta de la vieja te calculo rápidamente cuántos iremos a la cena.* || **por cuenta ajena;** como empleado de otra persona: *Soy traductora y trabajo por cuenta ajena.* || **por cuenta de;** a costa de: *Estos gastos corren por cuenta de la empresa.* || **por cuenta propia;** sin ser empleado de otra persona: *He montado mi propio negocio y trabajo por cuenta propia.* || **por cuenta y riesgo** de alguien; bajo la sola responsabilidad de alguien: *Ha tomado la decisión por su cuenta y riesgo, sin consultar a nadie.* || **por mi cuenta;** a mi juicio o según mi parecer: *Si nadie me lo explica tendré que hacerlo yo por mi cuenta.* □ SINT. Está muy extendida la omisión incorrecta de la preposición *de* en algunas expresiones: *se dio cuenta {*que > de que} estaba solo, caí en la cuenta {*que > de que} ya lo había visto antes*, etc.

cuentacuentos (pl. *cuentacuentos*) ▌ s.com. **1** Persona que se dedica a contar historias en público: *Hoy irá un cuentacuentos al colegio.* ▌ s.m. **2** Espectáculo en el que una persona cuenta historias: *En ese bar suelen hacer cuentacuentos los jueves.*

cuentagotas (pl. *cuentagotas*) s.m. **1** Utensilio formado generalmente por un tubo de cristal y un sistema de goma, que sirve para verter un líquido gota a gota. **2** || **con cuentagotas;** *col.* Poco a poco, lentamente o con escasez: *En aquella oficina nos daban el papel con cuentagotas.*

cuentahílos (pl. *cuentahílos*) s.m. Especie de lupa, formada generalmente por tres piezas plegables, que se utiliza para ver los hilos de la trama de un tejido, el detalle de un dibujo u otra cosa semejante: *Si miras una fotografía con un cuentahílos, verás que está formada por infinidad de puntitos.*

cuentakilómetros (pl. *cuentakilómetros*) s.m. En un vehículo, aparato que registra los kilómetros recorridos.

cuentapasos (pl. *cuentapasos*) s.m. Aparato que se usa para contar el número de pasos que da la persona que lo lleva y la distancia recorrida por esta: *Este cuentapasos marca la distancia recorrida en kilómetros y en millas.* □ SINÓN. *odómetro, podómetro.*

cuentarrevoluciones (pl. *cuentarrevoluciones*) s.m. Aparato que cuenta y registra las revoluciones de un motor.

cuentero, ra adj./s. *col.* En zonas del español meridional, cuentista: *¡No me creo nada de lo que dice esa cuentera!*

cuentista ▌ adj.inv./s.com. **1** *col.* Que acostumbra a contar enredos, chismes o embustes, o que exagera la realidad: *Si no fueras tan cuentista haríamos más caso de lo que dices.* ▌ s.com. **2** Persona que suele narrar o escribir cuentos.

cuentística s.f. Véase **cuentístico, ca.**

cuentístico, ca ▌ adj. **1** Del cuento o relacionado con este tipo de narración: *Su producción cuentística es lo más destacado de su obra en prosa.* ▌ s.f. **2** Género narrativo al que pertenecen las obras escritas en forma de cuento: *En la cuentística medieval española, tuvieron gran influencia las colecciones de cuentos árabes.*

cuentitis (pl. *cuentitis*) s.f. *col.* Enfermedad inventada para no hacer algo que debe hacerse: *Anda, sal de la cama, porque lo único que tienes es cuentitis.* □ USO Tiene un matiz humorístico.

cuento s.m. **1** Narración breve de sucesos ficticios, esp. la que va dirigida a los niños: *En los cuentos de hadas, la historia siempre tiene un final feliz.* **2** Embuste, engaño o relación de un suceso falso o inventado: *Siempre sale con algún cuento para justificar sus retrasos. Vive del cuento y no da ni golpe.* **3** Chisme o enredo: *A mí déjame de cuentos, porque no me interesa la vida de los vecinos.* **4** || **a cuento;** a propósito de algo o en relación con ello: *Eso no viene a cuento y no hay por qué discutirlo ahora.* || **cuento chino;** embuste o invención: *Eso de que yo no salí por no verla a ella no es más que un cuento chino.* || **el cuento de la lechera;** proyecto ambicioso y optimista que se hace sin una base sólida: *La previsión de crecimiento de su negocio no es más que el cuento de la lechera, porque aún no lo ha montado.* || **el cuento de nunca acabar;** *col.* Asunto o negocio que se complica y del que nunca se ve el fin: *Primero faltaba la firma del director, luego dijeron que un documento estaba mal, y esto ya es el cuento de nunca acabar.* □ ETIMOL. Del latín *computus* (cálculo, cómputo).

cuera s.f. Antigua prenda de vestir que consistía en una especie de chaquetilla de piel: *La cuera se usaba sobre el jubón.* □ ETIMOL. De *cuero.*

cuerda s.f. Véase **cuerdo, da.**

cuerdo, da ▌ adj./s. **1** Que está en su sano juicio: *A veces no hay mucha diferencia entre el comportamiento de un cuerdo y el de un loco.* **2** Que es prudente o que reflexiona antes de actuar: *Es muy cuerdo y nunca toma una decisión sin antes meditarla bien.* ▌ s.f. **3** Conjunto de hilos que, retorcidos, forman un solo cuerpo cilíndrico, largo, flexible y más o menos grueso: *Necesito una cuerda para atar estas cajas.* **4** En un instrumento musical, hilo que produce los sonidos por vibración: *La guitarra y el violín son instrumentos de cuerda.* **5** En música, en una orquesta, conjunto de los instrumentos que se tocan frotando, pulsando y haciendo vibrar estos hilos: *La cuerda de la orquesta acompañaba al piano en algunas partes de su interpretación.* **6** En algunos mecanismos, esp. en un reloj, muelle o resorte que lo pone en funcionamiento: *La caja de música tiene la cuerda rota.* **7** En anatomía, tendón, nervio o ligamento del cuerpo de las personas o de los animales: *La cuerda del tímpano es una rama de un par de nervios que salen del encéfalo.* **8** En geometría, línea recta que une dos puntos de un arco o porción de curva: *Si trazas una línea que una dos puntos de una circunferencia, habrás dibujado una cuerda.* **9** || **bajo cuerda;** de forma reservada o con medios ocultos: *Al final se supo que el jefe le había dado un dinero extra bajo cuerda.* || **contra las cuerdas;** en una situación comprometida o sin escapatoria: *Estoy contra las cuerdas porque me obligan a ir de viaje aunque no quiero.* || **cuerda floja;** cable o alambre con poca tensión sobre el que los acróbatas hacen sus ejercicios: *El equilibrista solo tenía cinco años cuando empezó a caminar por la cuerda floja.* || **cuerdas vocales;** membranas situadas en la laringe, capaces de tensarse, y que producen la voz al vibrar con el paso del aire: *Le extirparon el nódulo que tenía en las cuerdas vocales.* || **dar cuerda** a algo; **1** Tensar el muelle o resorte que hace funcionar un mecanismo: *El reloj está parado porque no le has dado cuerda.* **2** Alargarlo o hacer que dure: *Lo que está haciendo el abogado es dar cuerda al asunto para ganar más dinero.* || **en la cuerda floja;** en una situación inestable, conflictiva o peligrosa: *En el trabajo estoy en la cuerda floja, porque no sé si me renovarán el contrato.* ☐ ETIMOL. Las acepciones 1 y 2, del latín *cordatus*, y este de *cor* (corazón, ánimo). Las acepciones 3-9, del latín *chorda* (cuerda de instrumento musical, soga, cordel).

cueriza s.f. *col.* En zonas del español meridional, paliza o zurra: *Dijo que se merecía una cueriza por lo que había hecho.*

cuerna s.f. Conjunto de los cuernos de un animal, esp. del toro, de la vaca o del ciervo. ☐ SINÓN. *cornamenta.*

cuerno s.m. **1** En algunos animales, pieza ósea, generalmente puntiaguda y algo curva, que nace en la región frontal: *El toro embistió al torero con los cuernos.* ☐ SINÓN. *asta.* **2** En un rinoceronte, prolongación dura y puntiaguda que tiene sobre la mandíbula superior: *En muchas culturas se cree que el cuerno de rinoceronte es afrodisíaco.* **3** Lo que tiene la forma de estas prolongaciones: *Si le tocas los cuernos al caracol, los esconde.* **4** Instrumento musical de viento, de forma curva y con un sonido grave semejante al de la trompeta: *El cuerno es un instrumento de origen prehistórico.* ☐ SINÓN. *bocina.* **5** Símbolo de la infidelidad sentimental de uno de los miembros de una pareja: *Muchos poemas de Quevedo tratan el tema de los cuernos.* **6** En zonas del español meridional, cruasán: *Los cuernitos se hacen con pasta de hojaldre.* **7** || **cuerno de la abundancia;** vaso en forma de cuerno lleno y rebosante de flores y frutas: *En algunos salones del rococó francés se utiliza el cuerno de la abundancia como elemento decorativo.* ☐ SINÓN. *cornucopia.* || **irse al cuerno un asunto;** *col.* Fracasar: *Nuestros planes se fueron al cuerno porque alguien habló más de la cuenta.* || **mandar al cuerno** algo; *col.* Rechazarlo o desentenderse de ello: *Si te da la lata con sus preguntas lo mandas al cuerno y en paz.* || **poner los cuernos** a alguien; serle infiel: *Cuando se enteró que su novia le ponía los cuernos, cortó con ella.* || **romperse los cuernos;** *col.* Esforzarse en algo o trabajar mucho: *Se rompió los cuernos para hacer estos dibujos y luego no se lo recompensaron.* || **saber a cuerno quemado;** *col.* Producir una impresión desagradable en el ánimo: *La noticia de tu vuelta le supo a cuerno quemado.* ☐ ETIMOL. Del latín *cornu.* ☐ MORF. 1. Cuando se antepone a otra palabra para formar compuestos, adopta la forma *corni-*. 2. En la acepción 5, se usa más en plural. ☐ USO En plural, se usa mucho en la lengua coloquial como interjección: *¡Cuernos, me he quemado!*

cuero s.m. **1** Pellejo que cubre la carne de los animales: *El rinoceronte tiene el cuero muy duro.* **2** Este pellejo, curtido y preparado para su uso en la industria: *Con el cuero se fabrican muchas prendas de vestir.* ☐ SINÓN. *piel.* **3** Recipiente hecho de piel de cabra o de otro animal, y que sirve para contener líquidos, esp. vino o aceite: *En la bodega guardaba patatas y un cuero de vino.* ☐ SINÓN. *odre, pellejo.* **4** En el lenguaje del deporte, balón. **5** *col.* En zonas del español meridional, prostituta: *Ese barrio está lleno de cueros.* **6** *col.* En zonas del español meridional, mujer fea: *Esa mujer me parece un cuero, aunque se crea muy guapa.* **7** || **cuero cabelludo;** piel en la que nace el cabello: *Este champú ayuda a eliminar la grasa del cuero cabelludo.* || **en cueros;** completamente desnudo: *Se estaba bañando en cueros en el estanque.* ☐ SINÓN. *en porreta, en porretas.* ☐ ETIMOL. Del latín *corium* (piel del hombre o de los animales). ☐ USO En la acepción 5, se usa como insulto.

cuerpo s.m. **1** Lo que tiene extensión limitada y ocupa un lugar en el espacio: *Todos los cuerpos están sujetos a la ley de la gravedad. El aire es un cuerpo gaseoso.* **2** En una persona o en un animal, materia orgánica que constituye sus diferentes partes: *El cuerpo de las personas se compone de cabeza, tronco y extremidades.* **3** En una persona o en un animal, tronco o parte comprendida entre la cabeza y las extremidades: *El cuerpo está constituido por el tórax y el abdomen.* **4** Aspecto físico de una persona: *El culto al cuerpo es característico de la época actual.* **5** Cadáver de una persona: *Sobre el estanque flotaba el cuerpo de un hombre.* **6** En geometría, objeto de tres dimensiones: *Una pirámide cuadrangular es un cuerpo limitado por cinco caras.* **7** Cada una de las partes unidas a otra principal y que pueden ser consideradas independientemente: *En el cuerpo central de la fachada del edificio aparecen dos ventanas.* **8** En un vestido, parte superior que cubre desde el cuello hasta la cintura: *Cuando hayas terminado de rematar el cuerpo, cóselo a la falda.* **9** En un texto, parte principal, prescindiendo de los índices y preliminares: *En este diccionario los índices aparecen con numeración romana y el cuerpo con números arábigos.* **10** Conjunto de personas que forman una comunidad, una asociación, o que desempeñan una misma profesión: *El cuerpo de baile de este teatro cuenta con grandes profesionales.* **11** Conjunto de informaciones, conocimientos, leyes o principios: *En la conferencia expuso el cuerpo principal de su teoría económica.* **12** Grosor o espesor de algo, esp. de un tejido o de un papel: *Este papel es bueno para hacer manualidades porque tiene mucho cuerpo.* **13** Densidad o espesura de algo, esp. de un líquido: *Tienes que batir con fuerza la salsa para darle más cuerpo.* **14** En imprenta, tamaño del tipo de letra: *Este documento está impreso con una letra helvética de cuerpo 12.* **15** || **a cuerpo;** sin ninguna prenda de abrigo exterior: *Si sales a cuerpo te cogerás un resfriado.* || **a cuerpo de rey;** con toda comodidad: *En esta pensión tratan a cuerpo de rey.* || **cuerpo a cuerpo;** referido a un enfrentamiento, que se realiza mediante el contacto físico directo entre los adversarios: *La batalla terminó en un cuerpo a cuerpo entre los soldados.* || **cuerpo compuesto;** en química, sustancia que puede descomponerse en elementos de naturaleza diferente: *El agua es un cuerpo compuesto que puede descomponerse en oxígeno e hidrógeno.* || **cuerpo cortado;** *col.* En zonas del español meridional, malestar físico general: *Yo creo que me va a dar la gripa porque amanecí con el cuerpo cortado.* || **cuerpo de agua;** depósito natural donde se almacena agua con diversos fines. || **cuerpo de ejército;** gran unidad militar integrada por dos o más divisiones, por unidades de artillería, carros de combate y servicios auxiliares: *El general jefe del cuerpo de ejército solicitó la agregación de una brigada de montaña.* || **cuerpo del delito;** objeto con el que se ha cometido un delito: *El detective guardó la pistola como cuerpo del delito.* □ SINÓN. *corpus delicti.* || **cuerpo simple;** en química, sustancia formada por átomos que tienen el mismo número de protones nucleares, independientemente del número de neutrones: *La variación en el número de neutrones de un cuerpo simple produce un isótopo.* □ SINÓN. *elemento.* || **de cuerpo presente;** referido a un cadáver, que está preparado para ser conducido al enterramiento: *Los familiares rezaron junto al cadáver de cuerpo presente.* || **en cuerpo y (en) alma;** totalmente o por completo: *Se dedica en cuerpo y alma a su trabajo.* || **hacer del cuerpo;** *euf. col.* Evacuar el vientre: *Se tomó un laxante porque llevaba varios días sin hacer del cuerpo.* || **tomar cuerpo;** empezar a realizarse o a tomar importancia: *El proyecto de construcción de una nueva autopista está tomando cuerpo.* □ ETIMOL. Del latín *corpus.*

cuervo s.m. Pájaro carnívoro de plumaje negro y extremidades fuertes, cuyo pico es cónico, grueso y más largo que su cabeza, con cola de contorno redondeado y con alas de aproximadamente un metro de envergadura: *El cuervo es un animal solitario, que no suele formar grupos.* □ ETIMOL. Del latín *corvus.* □ MORF. Es un sustantivo epiceno: *el cuervo {macho/hembra}.*

cuesco s.m. **1** *col.* Pedo ruidoso. **2** Hueso de la fruta: *el cuesco de un melocotón.* □ ETIMOL. De origen onomatopéyico.

cuesta s.f. **1** Terreno en pendiente: *Verás la casa al bajar la cuesta.* **2** || **a cuestas;** sobre la espalda o sobre los hombros: *Estaba muy cansado y quería que su padre lo llevara a cuestas.* || **cuesta de enero;** período de dificultades económicas que coincide con este mes y que se debe a los gastos extraordinarios realizados con motivo de las navidades. □ ETIMOL. Del latín *costa* (costilla, costado, lado), que en romance tomó el significado de *ladera de una montaña*, y de ahí *terreno pendiente.*

cuestación s.f. Petición de limosnas con un fin benéfico o piadoso: *El próximo domingo se celebra la cuestación para la lucha contra el cáncer.* □ ETIMOL. Del latín *quaestus*, de *quaerere* (buscar, pedir).

cuestión s.f. **1** Asunto o materia, esp. los que resultan dudosos, discutibles o controvertidos: *La cuestión planteada no es sencilla.* **2** Pregunta o problema que se plantean con el fin de averiguar algo: *El examen de matemáticas se compone de diez cuestiones.* **3** || **cuestión de confianza;** la planteada por un Gobierno o su presidente ante una asamblea legislativa sobre su programa político o sobre una declaración de política general, y que, dependiendo de su aprobación o no aprobación, puede tener como consecuencia la permanencia o la caída de dicho Gobierno. || **en cuestión;** designa a la persona o cosa de la que se está tratando: *Ahí llega el individuo en cuestión.* □ ETIMOL. Del latín *quaestio* (búsqueda, interrogatorio). □ USO Incorr. **moción de confianza.*

cuestionable adj.inv. Dudoso, problemático y que se puede discutir porque no está claro.

cuestionar v. Discutir o poner en duda: *Hay que cuestionar las informaciones que publica esa revista, porque no son nada fiables. Me estoy cuestionando si seguir aquí o abandonar este puesto.*

cuestionario s.m. Lista de preguntas o de cuestiones con un fin determinado: *La entrevistada contestó al cuestionario preparado por el periodista.*

cuestor s.m. En la antigua Roma, magistrado que ejercía principalmente funciones fiscales en la ciudad y en los ejércitos: *Los cuestores recaudaban impuestos y administraban el dinero y los bienes del Estado.* □ ETIMOL. Del latín *quaestor* (el que pide).

cuete ▮ adj.inv./s.com. **1** *col.* En zonas del español meridional, borracho. ▮ s.m. **2** *col.* En zonas del español meridional, borrachera. □ ETIMOL. De *Cuextecat*, que era un caudillo indígena famoso por sus borracheras.

cueva s.f. Cavidad subterránea, natural o construida artificialmente: *La espeleóloga encontró una cueva con estalactitas y estalagmitas.* □ ETIMOL. Del latín **cova* (hueca).

cuévano s.m. Cesto grande y hondo, más ancho por arriba que por abajo, que se emplea en la vendimia y en otros usos: *Cuando los cuévanos estaban repletos de uvas, los llevaron a la bodega.* □ ETIMOL. Del latín *cophinus* (cesto hondo).

cuezo || **meter el cuezo;** *col.* Cometer un error o tener una intervención poco acertada o inconveniente: *Pensé que él lo sabía y metí el cuezo hablando de ello en su presencia.*

cufifo, fa adj. *col.* En zonas del español meridional, borracho.

cui (pl. *cuis, cuises*) s.m. →**cuy.**

cuidado s.m. **1** Solicitud o especial atención: *Durante su enfermedad disfrutó de toda clase de cuidados.* **2** Vigilancia por el bienestar de alguien o por el funcionamiento de algo: *Es una organización humanitaria dedicada al cuidado de ancianos y enfermos terminales.* **3** Preocupación, intranquilidad o temor de que ocurra algo malo: *Pierde cuidado, que en cuanto reciba el paquete, te llamo.* **4** || **de cuidado;** peligroso o que se debe tratar con cautela: *¡Tienes un genio de cuidado, tío!* || **sin cuidado;** sin preocupación o sin inquietud: *Me trae sin cuidado lo que pienses de mí.* □ ETIMOL. Del latín *cogitatum* (pensamiento, reflexión). □ SINT. *Sin cuidado* se usa más con los verbos *traer, tener* o *dejar.* □ USO Se usa como aviso, como señal de advertencia o para indicar la proximidad de un peligro: *¡Cuidado con ese cable, que está suelto!*

cuidador, -a adj./s. **1** Que cuida. **2** Referido a una persona, que se dedica al cuidado de otra.

cuidadoso, sa adj. Solícito y diligente para hacer algo con exactitud: *Seguro que lo hará muy bien porque es muy cuidadoso.*

cuidar ▮ v. **1** Atender con solicitud o dedicar especial atención e interés: *Cuida a sus ancianos padres con todo su cariño. Cuidó de los niños como si fueran sus hijos.* **2** Prestar atención o vigilar: *Un enorme perro cuida la casa. Cuida de que no pase nadie por aquí. El profesor me recomendó que cuidara mi ortografía.* ▮ prnl. **3** Preocuparse por uno mismo y vigilar el propio estado físico: *Cuídate, que nos haces mucha falta.* **4** Tener en cuenta o tomar en consideración: *Cuídate de tus asuntos.* □ ETIMOL. Del latín *cogitare* (pensar, prestar atención, asistir a alguien). □ SINT. Constr. *cuidar algo* o *cuidar(se)* DE *algo.*

cuinique ▮ s.com. **1** *col.* En zonas del español meridional, persona pequeña y delgada. ▮ s.m. **2** Animal roedor parecido a la ardilla, de color café pardo. □ MORF. En la acepción 2 es un sustantivo epiceno: *el cuinique {macho/hembra}.*

cuita s.f. Desventura, pena o alteración del ánimo que alguien tiene de forma pasajera y por algo determinado: *Si me cuentas tus cuitas te quedarás más tranquila.* □ ETIMOL. Del antiguo *cuitar* (apurar, mortificar). □ USO Tiene un matiz humorístico o literario.

cuitado, da adj. Triste, desgraciado o infeliz: *El cuitado prisionero recordaba con nostalgia a su amada.* □ USO Es característico del lenguaje literario, y su uso fuera de este contexto se considera un arcaísmo.

cuitlacoche (tb. *huitlacoche*) s.m. Hongo comestible de la mazorca de maíz, que cuando madura es de color negro: *En México se prepara el cuitlacoche con cebollita picada, epazote y chile serrano.*

culada s.f. Golpe dado con las nalgas o recibido al caer sobre ellas: *darse una culada.*

culamen s.m. *col.* Culo: *Como sigas comiendo tantos pasteles se te va a poner un culamen inmenso.*

culantrillo s.m. Hierba con hojas muy divididas que se cría en lugares húmedos y sombríos, y que se usa en infusiones: *Las paredes del pozo tienen culantrillo.* □ ETIMOL. Del latín *coriandrum* (cierto tipo de hierba).

cular adj.inv. Referido esp. al chorizo o la morcilla, que están hechos con una tripa más gruesa de la normal: *En Salamanca compramos chorizo cular.*

culata s.f. **1** En un arma de fuego, parte posterior que sirve para agarrarla o apoyarla antes de disparar. **2** En un motor de explosión, pieza metálica que se ajusta al bloque del motor y que cierra el cuerpo de los cilindros: *la junta de la culata.* □ ETIMOL. De *culo.*

culatazo s.m. Golpe dado con la culata de un arma de fuego.

culé adj.inv./s.com. *col.* Del Fútbol Club Barcelona (club deportivo catalán) o relacionado con él.

culebra s.f. Reptil de cuerpo cilíndrico, escamoso y muy alargado, que no tiene pies y que vive en la tierra o en el agua: *Según su especie, hay culebras de distintos tamaños, coloraciones y costumbres.* □ SINÓN. *serpiente.* □ ETIMOL. Del latín *colubra.* □ MORF. Es un sustantivo epiceno: *la culebra {macho/hembra}.*

culebrear v. Ondular, hacer eses o moverse de un lado a otro como las culebras: *El río culebreaba por el valle.*

culebrilla s.f. *col.* Herpes zóster.

culebrina s.f. Relámpago con forma ondulada o de culebra: *Las culebrinas anunciaban una fuerte tormenta.*

culebrón s.m. *col. desp.* Telenovela de muchos capítulos, de argumento enredado y tono marcadamente sentimental.

culera s.f. Véase **culero, ra.**

culero, ra ▌s. **1** Persona que transporta drogas y se las introduce por el ano para ocultarlas en sus intestinos. ▌s.f. **2** En algunas prendas de vestir, pieza que cubre el culo como remiendo o como adorno: *Los pantalones se quedaron como nuevos cuando les puse unas culeras.* **3** En algunas prendas de vestir, mancha o desgaste en la parte que cubre el culo: *No entiendo dónde te has podido sentar para que el pantalón tenga esas culeras negras.*

culetín s.m. Bañador para niños que consiste solo en una braguita: *Mi hija pequeña todavía lleva culetín cuando vamos a la playa.*

culi s.m. En algunos países orientales, trabajador o criado indígena: *El embajador inglés en la India tenía varios culis a su servicio.* □ ETIMOL. Del inglés *coolie*, y este del hindi *kuli*. □ USO Es innecesario el uso del anglicismo *coolie*.

culibajo, ja adj./s. *col.* Con las piernas desproporcionadamente cortas. □ USO Tiene un matiz despectivo.

culinario, ria adj. De la cocina o relacionado con el arte de cocinar: *Este restaurante tiene en su carta las especialidades culinarias de la región.* □ ETIMOL. Del latín *culinarius*, de *culina* (cocina).

culis s.m. →**coulis.**

culmen s.m. Punto más alto de algo: *Con aquel disco llegó al culmen de su carrera.* □ ETIMOL. Del latín *culmen* (cumbre).

culminación s.f. **1** Llegada de algo a su punto más alto: *El nombramiento de ministra fue la culminación de su carrera política.* **2** Fin o terminación de una actividad: *Se publicó el cartel con el que se llevará a cabo la culminación de la temporada taurina.*

culminante adj.inv. Que culmina: *un momento culminante.*

culminar v. **1** Llegar al punto más alto: *Mi enfado culminó cuando me llamó mentiroso.* **2** Referido a una actividad, darle fin o terminarla: *Culminó el curso con sobresaliente. Las conversaciones culminaron y se firmó un convenio que satisfizo a las dos partes.* □ ETIMOL. Del latín *culminare* (levantar, elevar).

culo s.m. **1** Nalgas o parte carnosa que rodea el ano: *Como no te estés quieto te voy a dar un azote en el culo.* **2** *col.* Ano. **3** Extremo inferior o posterior de algo: *Se rompió el culo del vaso.* **4** *col.* Escasa porción de líquido que queda en el fondo de un vaso: *¿Por qué nunca te terminas la leche, y siempre dejas un culo?* **5** ‖ **con el culo al aire;** *col.* En situación difícil o comprometida: *Se marchó con toda la información y nos dejó con el culo al aire.* ‖ **culo de mal asiento;** *col.* Persona inquieta que no permanece mucho tiempo en un lugar o en una actividad: *Es un culo de mal asiento y no para quieto un segundo.* ‖ **dar por el culo;** *vulg.malson.* →**sodomizar.** □ ETIMOL. Del latín *culus*. □ MORF. 1. Cuando se antepone a otra palabra para formar compuestos, adopta la forma *culi-*: *culibajo*. 2. En la acepción 4, se usa mucho el diminutivo *culín*.

culombio s.m. En el Sistema Internacional, unidad de carga eléctrica equivalente a la cantidad de electricidad transportada en un segundo por una corriente de un amperio: *El resultado del problema de electricidad debía darse en culombios.* □ SINÓN. *coulomb*. □ ETIMOL. Por alusión a Coulomb, físico francés. □ ORTOGR. Su símbolo es *C*, por tanto, se escribe sin punto.

culón, -a adj. *col.* Que tiene mucho culo.

culote s.m. Prenda de ropa interior femenina semejante a un pantalón muy corto. □ ETIMOL. Del francés *culotte*.

culotte (fr.) s.m. Pantalón corto que llega hasta la rodilla y está muy ceñido a las piernas: *El ciclista ganador llevaba un culotte azul.* □ PRON. [culót].

culpa s.f. **1** Falta voluntaria o involuntaria: *Sus culpas no lo dejan dormir tranquilo.* **2** Responsabilidad que ocasiona esta falta: *Tú tienes la culpa de que todo haya salido mal.* **3** Causa de un daño o de un perjuicio: *La culpa del accidente la tuvo el mal estado de la carretera.* □ ETIMOL. Del latín *culpa*.

culpabilidad s.f. Responsabilidad del que tiene una culpa o del que ha cometido un delito: *Reconoció su culpabilidad en el crimen.*

culpabilísimo, ma superlat. irreg. de **culpable**. □ MORF. Incorr. **culpablísimo*.

culpabilizar v. →**culpar.** □ ORTOGR. La *z* se cambia en *c* delante de *e* →CAZAR.

culpable adj.inv./s.com. **1** Que tiene culpa o que se le atribuye. **2** Responsable de un delito: *el culpable de un asesinato.* □ MORF. Su superlativo es *culpabilísimo*.

culpar v. Atribuir la culpa: *No me culpes a mí de lo que solo era responsabilidad tuya. Se culpa de no haber hecho todo lo posible para solucionar el problema.* □ SINÓN. *culpabilizar*. □ ETIMOL. Del latín *culpare*. □ SINT. Constr. *culpar* DE *algo*.

culposo, sa adj. Referido a un acto, que ha sido imprudente o negligente y que origina responsabilidades: *un delito culposo.* □ ETIMOL. De *culpa*.

culteranismo s.m. Estilo literario propio del barroco español, y caracterizado, entre otros rasgos, por un lenguaje de difícil comprensión, cargado de cultismos y palabras eruditas, metáforas abundantes y enrevesadas y una sintaxis muy compleja: *El máximo representante del culteranismo fue el poeta Luis de Góngora.*

culterano, na ▌adj. **1** Del culteranismo o relacionado con este estilo literario: *poemas culteranos.* ▌adj./s. **2** Referido a un escritor, que practica o sigue este estilo.

cultismo s.m. Palabra, significado o expresión de una lengua clásica en una lengua moderna, esp. referido a la palabra que ha penetrado por la vía culta y no ha tenido transformaciones fonéticas: *'Otitis' y 'otorrinolaringólogo' son cultismos propios del lenguaje de la medicina.*

cultivable adj.inv. Que se puede cultivar: *un terreno cultivable.*

cultivado, da adj. Referido a una persona, que tiene cultura y que es refinada: *Lee mucho y es una mujer muy cultivada.*

cultivador, -a ▌adj./s. **1** Que cultiva. ▌s.m. **2** Instrumento que consta de una especie de arado arrastrado por un tractor y que se utiliza para cultivar la tierra durante el desarrollo de las plantas. □ SINÓN. *cultivadora.*

cultivadora s.f. →**cultivador.**

cultivar v. **1** Referido a la tierra o a las plantas, trabajarlas o darles lo necesario para que produzcan sus frutos: *Ese agricultor cultiva la tierra desde niño. En el invernadero cultivo plantas de interior.* **2** Referido a un microorganismo, sembrarlo y hacer que se desarrolle en los medios adecuados: *Ese biólogo cultiva bacterias patógenas y estudia su comportamiento.* **3** Referido a un ser vivo, criarlo y explotarlo con fines industriales, económicos y científicos: *Cultiva ostras en un vivero.* **4** Referido esp. a un sentimiento o a una relación, hacer lo necesario para mantenerlos y desarrollarlos: *Si no cultivas su amistad, la perderás.* **5** Referido a una capacidad, ejercitarla para que se perfeccione: *Cultiva su inteligencia mediante la lectura y el estudio.* **6** Referido esp. a un arte o a una ciencia, practicarlos o dedicarse a su ejercicio: *Cultiva la poesía desde la juventud.* □ ETIMOL. Del latín *cultivare.*

cultivo s.m. **1** Trabajo y cuidado de la tierra o de las plantas para que produzcan fruto: *El cultivo de la vid es un trabajo delicado.* **2** Preparación de un microorganismo para que se desarrolle en los medios adecuados: *un cultivo de bacterias.* **3** Cría y explotación de algunos animales o microorganismos, esp. si es con fines industriales, económicos o científicos: *El cultivo del mejillón se realiza en bateas.* **4** Fomento, mantenimiento y desarrollo de un sentimiento, de una relación o de una capacidad: *Induce a sus alumnos al cultivo de la fantasía y de la memoria.* **5** Dedicación a un arte o a una ciencia, ejercitándolos y practicándolos: *Mi madre me inició en el cultivo de la música.* □ ETIMOL. De *culto* (cultivado, sembrado).

culto, ta ▌adj. **1** Con las características que provienen de la cultura o de la sólida formación intelectual: *una persona culta.* ▌s.m. **2** Homenaje externo de veneración y respeto que se rinde a lo que se considera divino o sagrado: *Se ha construido un santuario para el culto a la Virgen de Fátima.* **3** Conjunto de ritos o ceremonias litúrgicas con los que se expresa este homenaje: *el culto católico.* **4** Admiración afectuosa e intensa: *Es un gran artista y todos sus colaboradores le rinden culto.* **5** ‖ **de culto;** referido esp. a una obra artística o a un artista, que goza de admiración y veneración por parte de un grupo de personas: *una directora cinematográfica de culto.* □ ETIMOL. Del latín *cultus* (cultivado).

-cultor, -cultora Elemento compositivo sufijo que significa 'que cultiva o cría': *vinicultor, apicultora.* □ ETIMOL. Del latín *cultor.*

cultura s.f. **1** Resultado de cultivar los conocimientos humanos mediante el ejercicio de las facultades intelectuales: *Tiene una gran cultura porque ha leído, ha viajado y se ha relacionado mucho con otras personas.* **2** Conjunto de conocimientos y modos de vida y costumbres que se dan en un pueblo o en una época: *Es un estudioso de la cultura oriental.* **3** Conjunto de valores y comportamientos que comparten los integrantes de una agrupación: *Al cambiar de trabajo me costó adaptarme a la cultura de la nueva empresa.* □ ETIMOL. Del latín *cultura,* y este de *colere* (cultivar).

-cultura 1 Elemento compositivo sufijo que significa 'cultivo' o 'cría': *fruticultura, colombicultura.* **2** Elemento compositivo sufijo que significa 'cuidado': *puericultura.* □ ETIMOL. Del latín *cultura.*

cultural adj.inv. De la cultura o relacionado con ella: *actividades culturales.*

culturalista adj.inv./s.com. Que se caracteriza por el empleo de numerosas referencias artísticas y literarias: *un escritor culturalista.*

cultureta s.com. *col. desp.* Intelectual.

culturismo s.m. Práctica sistemática de ejercicios gimnásticos y de pesas que, combinados con un determinado régimen alimenticio, desarrollan los músculos del cuerpo humano. □ SINÓN. *fisioculturismo.*

culturista s.com. Persona que practica el culturismo.

culturización s.f. Transmisión de la propia cultura: *Los misioneros españoles realizaron la culturización de grandes zonas de América.*

culturizar v. Dar o llevar la propia cultura: *Los misioneros culturizaron a la población indígena.* □ ORTOGR. La *z* se cambia en *c* delante de *e* →CAZAR.

cumarina s.f. Sustancia muy aromática que se utiliza en perfumería: *Las cumarinas tienen aromas sedantes y propiedades anticoagulantes.*

cumbia s.f. **1** Música de origen colombiano, de ritmo rápido y compás de dos por cuatro: *En cuanto sonó la cumbia, todos salieron a bailar.* □ SINÓN. *cumbiamba.* **2** Baile popular que se ejecuta al compás de esta música y en el que los participantes suelen llevar una vela encendida en la mano: *Bailaron la cumbia al compás de un tambor.* □ SINÓN. *cumbiamba.*

cumbiamba s.f. →**cumbia.**

cumbre s.f. **1** En una elevación del terreno, cima o parte más alta: *la cumbre de una montaña.* **2** Punto más alto, o último grado al que se puede llegar: *la cumbre del poder.* □ SINÓN. *cúspide.* **3** Reunión de personalidades de amplio poder y autoridad para tratar asuntos de especial importancia: *En la próxima cumbre, los dos jefes de Estado hablarán sobre una posible reducción del armamento nuclear.* □ ETIMOL. Del latín *culmen* (caballete del tejado, cima).

cúmel s.m. Aguardiente aromatizado con comino y de sabor muy dulce: *El cúmel es típico de Alemania y Rusia y se dice que tiene propiedades digestivas.* □ ETIMOL. Del alemán *Kümmel* (comino).

cum laude (lat.) ‖ Calificación máxima en las calificaciones académicas de los títulos universitarios: *una tesis doctoral calificada 'sobresaliente cum laude'.*

cumpleaños (pl. *cumpleaños*) s.m. Aniversario del nacimiento de una persona: *El día de mi cumpleaños recibí muchos regalos.*

cumplido, da ▌ adj. **1** Referido a una persona, que cumple de forma meticulosa las normas de cortesía: *Su padre es muy cumplido y siempre dice lo que los demás quieren oír.* ▌ s.m. **2** Muestra de cortesía o de amabilidad: *Los cumplidos, cuando son sinceros, me agradan. Aunque aseguró que le gustaba mi artículo, yo creo que lo dijo como cumplido.*

cumplidor, -a adj./s. Que cumple siempre lo que promete o que hace lo que debe hacer: *una trabajadora muy cumplidora.*

cumplimentar v. **1** Referido esp. a una autoridad, saludarla o visitarla con motivo de algún acontecimiento y dando las muestras de respeto oportunas: *Los altos mandos del ejército cumplimentaron al Rey con motivo de la pascua militar.* **2** Referido al despacho o la orden de un superior, llevarla a cabo o ponerla en ejecución: *El agente judicial cumplimentó la orden del juez de citar al testigo.* **3** Referido a un impreso, rellenarlo: *Los alumnos cumplimentaban los impresos de matrícula.*

cumplimiento s.m. **1** Realización de lo que es un deber o de lo que se considera una obligación: *El desconocimiento de la ley no exime de su cumplimiento.* **2** Terminación o finalización de un plazo o de un período de tiempo.

cumplir ▌ v. **1** Hacer lo que se debe: *Aquí, o cumplimos todos, o dimito.* **2** Referido a una obligación, llevarla a cabo o ejecutarla: *Espero que cumpla su promesa. Las leyes se deben cumplir.* **3** Seguir las normas de cortesía establecidas para quedar bien: *Te lo digo de corazón y no por cumplir.* **4** Referido a una edad, llegar a tenerla: *Cumple veinte años el próximo abril.* **5** Referido a un plazo o a un período de tiempo, terminar o llegar a su fin: *Empezó a trabajar cuando cumplió el servicio militar. Se cumplió el plazo y ya no hay posibilidad de vuelta atrás.* **6** *col.* Corresponder con la pareja en lo que se considera el deber sexual: *Tienen problemas matrimoniales porque su marido no cumple.* ▌ prnl. **7** Realizarse o hacerse realidad: *Todos los deseos que pedí se cumplieron.* □ ETIMOL. Del latín *complere* (llenar, completar).

cúmulo s.m. **1** Conjunto de cosas reunidas o agrupadas: *un cúmulo de errores.* **2** Nube blanca, de aspecto algodonoso, con base plana y forma de cúpula redondeada. □ ETIMOL. Del latín *cumulus* (amontonamiento, exceso, colmo).

cuna s.f. **1** Cama para bebés o para niños muy pequeños, que generalmente tiene barandillas laterales: *Los padres han colocado la cuna del bebé junto a su cama.* **2** Patria o lugar de nacimiento de una persona: *Alcalá de Henares es la cuna de Cervantes.* **3** Estirpe, familia o linaje: *Alguna vez le echaron en cara la humildad de su cuna.* □ ETIMOL. Del latín *cuna.*

cunda s.m. *arg.* Automóvil conducido por un toxicómano que traslada, a cambio de dinero, a otros drogadictos hasta los lugares donde se vende droga.

cundero, ra s. *arg.* Persona, generalmente toxicómana, que traslada en un coche a otros drogadictos hasta los lugares donde se vende droga.

cundir v. **1** Extenderse o propagarse: *El miedo cundió entre los pasajeros.* **2** Dar mucho de sí: *Este detergente cunde mucho, porque basta con echar muy poca cantidad.* □ ETIMOL. De origen incierto.

cuneiforme ▌ adj.inv. **1** Con forma de cuña, esp. referido a los caracteres de un tipo de escritura usada por antiguos pueblos asiáticos: *Los asirios utilizaban una escritura cuneiforme.* ▌ s.m. **2** →**hueso cuneiforme.** □ ETIMOL. Del latín *cuneus* (cuña) y *-forme* (con forma).

cuneta s.f. Zanja existente a los lados de un camino para recoger las aguas de la lluvia: *El coche se salió de la carretera y fue a parar a la cuneta.* □ ETIMOL. Del italiano *cunetta* (zanja en los fosos de las fortificaciones, charco de aguas).

cunicultura s.f. Técnica de criar conejos para aprovechar su carne y sus productos. □ ETIMOL. Del latín *cuniculus* (conejo) y *-cultura* (cuidado).

cunnilingus (pl. *cunnilingus*) s.m. Práctica sexual que consiste en la excitación de los órganos sexuales femeninos con la lengua.

cuña s.f. **1** Pieza de madera o de metal, terminada por uno de sus extremos en un ángulo agudo, y que se introduce entre dos elementos o en una ranura: *Si la mesa sigue cojeando tendrás que calzar la pata más corta con una cuña.* **2** Especie de orinal de poca altura que tiene la forma adecuada para ser usado por los enfermos que están en cama. **3** En meteorología, formación de determinadas presiones que penetran en zonas de presión distinta causando cambios atmosféricos: *una cuña anticiclónica.* **4** Noticia breve que se imprime para ajustar mejor la página de un periódico. **5** En radio y televisión, espacio breve para la publicidad: *Esta cadena interrumpe constantemente la programación para meter cuñas.* **6** *col.* En zonas del español meridional, enchufe o recomendación: *Tengo buenas cuñas para conseguir lo que quiero.* □ ETIMOL. De *cuño.*

cuñado, da s. **1** Respecto de una persona, hermano o hermana de su cónyuge: *Los hermanos de mi padre son cuñados de mi madre.* **2** Respecto de una persona, cónyuge de su hermano o hermana: *Cuando te cases con mi hermano serás mi cuñada.* □ ETIMOL. Del latín *cognatus* (pariente consanguíneo).

cuño s.m. **1** Troquel o molde con el que se sellan las monedas, las medallas y otras cosas semejantes. **2** ‖ **de nuevo cuño;** de reciente aparición: *Los diccionarios no suelen recoger los términos de nuevo cuño hasta que no se han consolidado en la lengua.* □ ETIMOL. Del latín *cuneus* (cuña).

cuota s.f. **1** Cantidad de dinero que debe pagar cada contribuyente: *Este mes nos han subido la cuota del club de tenis.* **2** Parte o porción fija y proporcional de algo: *Esperamos obtener una importante cuota de beneficios para nuestro departamento.* □ ETIMOL. Del latín *quota pars* (cuánta parte).

cupé s.m. **1** Antiguo coche de caballos, cerrado, con cuatro ruedas y con dos o cuatro asientos: *En el museo de carruajes vimos un cupé del siglo pasado.* ☐ SINÓN. *berlina.* **2** →**coupé.** ☐ ETIMOL. Del francés *coupé* (cortado). ☐ SINT. En la acepción 2 se usa más en aposición, pospuesto a un sustantivo: *versión cupé.*

cupido s.m. Representación pictórica o escultórica del amor que consiste en un niño desnudo y alado, con los ojos vendados, y que lleva flechas, arco y carcaj: *El cupido que tienen en la entrada del museo lo esculpió un famoso escultor.* ☐ ETIMOL. Por alusión a Cupido, dios del amor en la mitología romana.

cuplé s.m. Canción corta y ligera, generalmente de texto picaresco, que suele cantarse en teatros y otras salas de espectáculos: *Los cuplés se popularizaron a comienzos del siglo* XX. ☐ ETIMOL. Del francés *couplet* (copla).

cupletista s.com. Artista que canta cuplés: *Cuando la cupletista callaba, el público coreaba el estribillo de la canción.*

cupo s.m. **1** Parte proporcional de algo, que corresponde a una persona o a una comunidad: *Nuestra comunidad de vecinos ya ha consumido el cupo de gasóleo que tenía asignado para la calefacción.* **2** Número de reclutas que cada localidad o provincia debía aportar al contingente anual de las fuerzas armadas, o número de reclutas que entraban en filas. ☐ ETIMOL. Del pretérito de *caber* (lo que tocó a cada uno).

cupón s.m. Parte que se corta de un objeto, de un documento o de un conjunto de elementos iguales, y a la que se le asigna un valor o un uso determinado: *Juntando diez de los cupones que vienen en las cajas de galletas te dan un balón.* ☐ ETIMOL. Del francés *coupon* (recorte, retazo).

cuponazo s.m. *col.* Premio extraordinario de la lotería de la Organización Nacional de Ciegos.

cúprico, ca adj. **1** Referido a un óxido de cobre, que en él actúa el cobre con valencia 2: *En el examen me preguntaron la fórmula del óxido cúprico.* **2** Referido a una sal, que está formada con este óxido de cobre: *La gema es verde porque tiene sulfato cúprico.* ☐ ETIMOL. Del latín *cuprum* (cobre).

cuproníquel s.m. Aleación de cobre y níquel utilizada esp. para hacer monedas: *En la tienda de numismática venden algunas monedas de cuproníquel.* ☐ ETIMOL. Del latín *cuprum* (cobre) y *níquel.*

cúpula s.f. **1** En arquitectura, bóveda en forma de media esfera, que cubre un edificio o parte de él: *la cúpula de una iglesia.* ☐ SINÓN. *domo.* **2** Conjunto de los máximos dirigentes de un partido, administración, organismo o empresa. ☐ ETIMOL. Del italiano *cupola.* ☐ SEM. En la acepción 1, dist. de *bóveda* (estructura arqueada).

cuquería s.f. **1** Lo que resulta delicado, gracioso o bonito: *Este muñeco es una auténtica cuquería.* **2** Picardía o astucia: *Consigue engañarnos a todos con sus cuquerías.*

cura ▌s.m. **1** *col.* Sacerdote católico. ▌s.f. **2** Aplicación de los remedios necesarios para que desaparezca una enfermedad o una lesión: *la cura de una herida.* ☐ SINÓN. *curación.* **3** Método curativo o tratamiento para recuperar la salud: *una cura de sueño.* ☐ ETIMOL. Del latín *cura* (cuidado, solicitud), porque se aplicó al sacerdote que tenía a su cargo el cuidado espiritual de los feligreses.

curación s.f. **1** Recuperación de la salud: *Todos rezamos por tu pronta curación.* **2** Aplicación de los remedios necesarios para que desaparezca una enfermedad o una lesión: *Este médico consagró su vida a la curación de los leprosos.* ☐ SINÓN. *cura.* **3** Preparación de algo para que se conserve durante mucho tiempo, esp. referido a la carne o al pescado: *La sal es necesaria en la curación de las sardinas. En este taller se dedican a la curación de pieles.* ☐ SINÓN. *curado.*

curado, da ▌adj. **1** Referido esp. a una carne o a un pescado, que está preparado para conservarse durante mucho tiempo: *El jamón serrano poco curado está más tierno.* **2** *col.* En zonas del español meridional, borracho. ▌s.m. **3** Preparación de algo para que se conserve durante mucho tiempo, esp. referido a la carne o al pescado: *Según como se haga el curado de los chorizos, variará su sabor.* ☐ SINÓN. *curación.*

curalotodo s.m. *col.* Remedio o medicina que se utiliza para cualquier mal: *Estas hierbas son un curalotodo y te las puedes tomar para el catarro, para los nervios y para hacer la digestión.*

curandero, ra s. Persona que, sin ser médico, ejerce prácticas curativas, esp. si utiliza procedimientos naturales o mágicos: *Muchos curanderos recitan oraciones para sanar a sus pacientes.*

curanto s.m. Guiso hecho con mariscos, carnes y legumbres, que se cuece sobre piedras muy calientes dentro de un hoyo: *El curanto es un guiso típico de Chile.*

curar v. **1** Recuperar la salud: *El niño curó pronto porque estaba muy fuerte. Ya me he curado del catarro.* **2** Referido a una persona o a un animal enfermos, aplicarles los tratamientos correspondientes a su enfermedad: *La veterinaria curó al perro.* **3** Referido a una enfermedad o a una lesión, aplicarles los tratamientos necesarios para que desaparezcan: *Me curaron la herida de la rodilla en el ambulatorio. Guardó cama para curarse la gripe.* **4** Referido a un mal espiritual o a un defecto, sanarlos o corregirlos: *Tardó algún tiempo en curarse de aquel mal de amores.* **5** Referido a la carne o al pescado, prepararlos para que se conserven durante mucho tiempo: *Los jamones se curan gracias a la sal y al humo de la chimenea.* **6** Referido a una piel, curtirla y prepararla para usos industriales: *Estas pieles están curadas con productos químicos.* ☐ ETIMOL. Del latín *curare* (cuidar).

curare s.m. Sustancia negra, parecida a la resina, amarga y muy tóxica, que se extrae de varias especies de plantas, y que tiene la propiedad de paralizar el sistema muscular de los animales y de las personas: *Algunos indios americanos envenenaban sus flechas con curare.*

curasao s.m. Licor fabricado con corteza de naranja y otros ingredientes: *El curasao es una bebida típica caribeña.* ☐ ETIMOL. De *curazao*, y este de *Curaçao* (isla de las Antillas).

curativo, va adj. Que sirve para curar: *una infusión curativa.*

curato s.m. **1** Cargo que tiene el cura párroco: *Ahora ejerce el curato de los tres pueblos un cura joven.* **2** Territorio que está bajo la jurisdicción espiritual de un párroco: *Su curato es el más extenso de toda la provincia.* ☐ SINÓN. *feligresía, parroquia.*

curco, ca adj./s. En zonas del español meridional, jorobado: *Dice que tocar a una persona curca le da suerte.*

cúrcuma s.f. Planta vivaz cuya raíz es parecida a la del jengibre, muy aromática y de sabor amargo: *He hecho una salsa mejicana con cúrcuma.* ☐ ETIMOL. Del árabe *kurkum* (azafrán de la India).

curcuncho s.m. En zonas del español meridional, jorobado: *Se casó con un curcuncho que era muy buena gente.*

curda s.f. Véase **curdo, da.**

curdo, da ▌adj./s. **1** →**kurdo.** ▌s.f. **2** *col.* Borrachera: *¡Menuda curda se cogió en el banquete!* ☐ ETIMOL. La acepción 2, de *turca* (borrachera), y este de *turco* (vino puro), porque no estaba mezclado con agua, es decir, no estaba *bautizado.*

cureña s.f. Armazón con ruedas sobre el que se monta el cañón de artillería: *Los artilleros metieron la argolla del extremo de la cureña en el enganche del camión para remolcar la pieza de artillería.* ☐ ETIMOL. De origen incierto.

curia s.f. **1** Conjunto de abogados, escribanos, procuradores y empleados de la administración de justicia: *La curia reclama un mayor reconocimiento público de su labor.* **2** ‖ **curia diocesana;** conjunto de personas que ayudan al obispo en la administración de la diócesis: *La curia diocesana acudió a felicitar a su obispo.* ‖ **curia {pontificia/romana};** conjunto de las congregaciones y tribunales que existen en la corte del Papa para el gobierno de la iglesia católica: *La curia romana aún no se ha pronunciado respecto a este tema.* ☐ ETIMOL. Del latín *curia* (local del senado y de otras asambleas).

curial adj.inv. De la curia, esp. de la romana.

curiara s.f. Embarcación de remo más ligera y larga que la canoa: *Las curiaras son utilizadas por los indios de América meridional.*

curio s.m. **1** Elemento químico, metálico y artificial, de número atómico 96, radiactivo y que se obtiene bombardeando el plutonio con partículas alfa: *El curio se emplea en algunos instrumentos de vehículos espaciales.* **2** En el Sistema Internacional, unidad de radiactividad, equivalente a 3,7 x 10 becquerels, o desintegraciones por segundo. ☐ ETIMOL. Por alusión al matrimonio Curie, químicos franceses que lo descubrieron. ☐ ORTOGR. 1. En la acepción 1, su símbolo químico es *Cm.* 2. En la acepción 2, su símbolo es *Ci*, por tanto, se escribe sin punto.

curiosear v. **1** Indagar o investigar por costumbre, y con disimulo o maña: *Tiene la mala costumbre de curiosear lo que la gente tiene en sus casas.* ☐ SINÓN. *fisgonear.* **2** Mirar sin mucho interés o de manera superficial: *En realidad no pienso comprar nada, solo estoy curioseando.*

curiosidad s.f. **1** Deseo de saber o de conocer: *Tengo gran curiosidad por conocer las costumbres de tu país.* **2** Interés de una persona por saber o por averiguar lo que no debiera importarle: *La curiosidad es tu mayor defecto.* **3** Cosa curiosa, rara o interesante: *Este libro recoge multitud de anécdotas y curiosidades relacionadas con mi ciudad.*

curioso, sa ▌adj. **1** Deseoso de saber o de conocer: *Los científicos suelen tener un espíritu curioso.* **2** Que excita la curiosidad, esp. por su rareza o interés: *La abuela me contó unas historias muy curiosas sobre la familia.* **3** Limpio o aseado: *Siempre lleva a sus niños muy curiosos.* ▌adj./s. **4** Que tiene curiosidad o interés por lo que no debiera importarle: *Si no fueras tan curioso no andarías escuchando detrás de las paredes.* ☐ ETIMOL. Del latín *curiosus* (cuidadoso).

curita s.f. En zonas del español meridional, tirita: *Compré curitas y vendas en la farmacia.* ☐ ETIMOL. Extensión del nombre de una marca comercial.

curling (ing.) s.m. Deporte que se juega entre dos equipos de cuatro jugadores cada uno y en el que estos deben deslizar una piedra muy pulida de 20 kilogramos sobre una pista de hielo e intentar que quede lo más cerca posible de una diana: *Se cree que el curling nació en Escocia en el siglo XVI.* ☐ PRON. [cúrlin].

currante, ta s. *col.* Trabajador: *Mi padre es un currante que apenas se coge vacaciones.* ☐ MORF. También se admite *currante* como sustantivo de género común: *el currante, la currante.*

currar v. *col.* Trabajar: *Este sábado me toca currar.*

curre s.m. *col.* Trabajo: *Me han subido el sueldo en el curre.*

currela s.com. *col.* →**currelante.**

currelante, ta s. *col.* Trabajador. ☐ USO Se usa mucho la forma abreviada *currela.*

currelar v. *col.* Trabajar: *Tengo ganas de que me toque la lotería para dejar de currelar.*

currele s.m. *col.* Trabajo.

currelo s.m. *col.* Trabajo: *Para ir al currelo me levanto a las siete.* ☐ MORF. Se usa también la forma abreviada *curre.*

curricán s.m. Aparejo de pesca de un solo anzuelo que suele soltarse por la popa del barco cuando navega: *Cuando estaban en alta mar, el marinero lanzó el curricán.* ☐ ETIMOL. Del portugués *corricão* (cazar levantando a la presa mediante perros).

curricular adj.inv. Del currículo o relacionado con él: *el proyecto curricular de un centro.*

currículo (pl. *currículos*) s.m. **1** Plan de estudios: *La reforma de la ley de educación prevé una reestructuración del currículo escolar.* **2** Conjunto de estudios y prácticas destinadas a que el alumno desarrolle plenamente sus posibilidades: *En el curri-*

culo de cada asignatura aparecen los objetivos y los contenidos. **3** →**currículum vítae.** ☐ ETIMOL. Del latín *curriculum*, de *currere* (correr).

currículum vítae s.m. ‖ Relación de datos biográficos, académicos y profesionales de una persona: *Mandó su currículum vítae a varias empresas para buscar trabajo.* ☐ SINÓN. *currículo.* ☐ ETIMOL. Del latín *curriculum vitae* (carrera de la vida). ☐ MORF. Se usa mucho como invariable en número: *los currículum vítae.* ☐ USO Se usa mucho la expresión abreviada *currículum*; su plural es *currículums* o *currículum.*

currito, ta ▮ s. **1** *col.* Trabajador, esp. el que está a las órdenes de un jefe: *Yo no tengo nada que ver con la mala gestión de la empresa porque solo soy un currito.* ▮ s.m. **2** Golpe dado con los nudillos en la cabeza de alguien: *Como no te calles te vas a ganar un currito.*

curro, rra ▮ s. **1** Ave palmípeda, de pico aplanado más ancho en la punta que en la base, cuello corto y patas pequeñas: *La curra acaba de poner un huevo.* ☐ SINÓN. *pato, ánade.* ▮ s.m. **2** *col.* Trabajo: *Me lo encuentro todas las mañanas cuando voy al curro.*

curruca s.f. Pájaro de canto agradable, con plumas pardas por arriba y blancas por debajo, cabeza negruzca y que se alimenta de insectos: *Las currucas empollan muchas veces los huevos de los cucos.* ☐ ETIMOL. Del latín *curruca.* ☐ MORF. Es un sustantivo epiceno: *la curruca {macho/hembra}.*

currusco (tb. *corrusco*) s.m. Parte del pan más tostada que corresponde a los extremos o al borde: *Lo que más me gusta del pan es el currusco.* ☐ SINÓN. *cuscurro, coscurro.*

currutaco, ca adj./s. *col. desp.* Que sigue mucho la moda, sobre todo en la forma de vestir: *Quiere ir tan a la última moda que se ha convertido en un ridículo currutaco.*

curry (ing.) s.m. Condimento procedente de la India (país asiático) preparado con distintas especias, esp. jengibre, clavo y azafrán, y que se utiliza en la elaboración de algunos platos: *Muchos platos de la cocina china están sazonados con curry.*

cursado, da adj. Acostumbrado a algo o experto en ello: *Detuvieron a un jovenzuelo cursado en picardías y pequeños robos.* ☐ SINT. Constr. *cursado* EN *algo.*

cursar v. **1** Referido a una materia o a un curso, seguirlos en un centro de enseñanza: *Cursó estudios de filosofía en la universidad.* **2** Referido esp. a un documento o a una orden, darles curso o tramitarlos: *Tienes que cursar la solicitud de la beca.* **3** Referido a una enfermedad o a un proceso biológico, desarrollarse o manifestarse: *Algunas enfermedades cursan con síntomas como la fiebre.* ☐ ETIMOL. Del latín *cursare* (correr, andar con frecuencia). ☐ SEM. No debe emplearse con el significado de 'correr', 'regir': *El plazo vence el diez del mes que {*cursa > corriente/en curso}.*

cursi adj.inv./s.com. *col.* Que pretende ser elegante y refinado sin serlo: *Por querer ser más que nadie, se presentó en la boda con un vestido de lentejuelas muy cursi.* ☐ ETIMOL. De origen incierto. ☐ MORF. Su superlativo es *cursilísimo.*

cursilada s.f. Hecho propio de una persona cursi: *Eso de salir al campo en coche de caballos me parece una cursilada.*

cursilería s.f. **1** Propiedad de lo que es cursi: *Todo el mundo se reía de su cursilería al hablar.* **2** Lo que es cursi: *Esa película es una cursilería.*

cursilísimo, ma superlat. irreg. de **cursi**. ☐ MORF. Incorr. **cursísimo.*

cursillista s.com. Persona que interviene en un cursillo: *Los profesores estaban muy satisfechos con el interés mostrado por los cursillistas.*

cursillo s.m. Curso de poca duración: *un cursillo de primeros auxilios.*

cursiva s.f. →**letra cursiva.**

curso s.m. **1** Paso, marcha o evolución de algo: *La recuperación del enfermo sigue su curso normal.* **2** Movimiento de un líquido, esp. del agua, que se traslada en masa continua por un cauce: *Seguí con la mirada el curso del río hasta que se perdió entre las montañas.* **3** Dirección o recorrido de un astro: *Con un telescopio puedes seguir el curso de las estrellas.* **4** Tiempo del año señalado para que los alumnos asistan a clase: *Este curso comienza en septiembre y termina en junio.* **5** División o parte en que se divide un ciclo de enseñanza: *El ministerio quiere reducir las carreras de letras a cuatro cursos.* **6** Conjunto de alumnos que forman cada una de estas divisiones: *El curso de primero suele tener problemas de adaptación.* **7** Conjunto de enseñanzas sobre una materia: *Quiero aprender inglés en un curso audiovisual.* **8** Circulación o difusión entre la gente: *Estas monedas son de curso legal.* ☐ ETIMOL. Del latín *cursus* (carrera).

cursor s.m. Pieza pequeña o marca que se mueve y que sirve de indicador: *El cursor de la pantalla del ordenador es una marca luminosa.* ☐ ETIMOL. Del latín *cursor* (corredor).

curtido s.m. Preparación de una piel para su uso posterior: *Si el curtido está mal hecho, la piel se estropeará.*

curtidor, -a s. Persona que se dedica profesionalmente al curtido de las pieles: *Los curtidores de Córdoba siempre han sido muy afamados.*

curtiduría s.f. Lugar en el que se curten y se trabajan las pieles: *Las curtidurías suelen estar instaladas cerca de los ríos porque en ellas se necesita mucha agua.* ☐ SINÓN. *tenería.*

curtir v. **1** Referido a una piel, prepararla para su uso posterior: *Para curtir las pieles se suelen utilizar sustancias vegetales.* **2** Referido a la piel de una persona, tostarla o endurecerla el sol o el aire: *El sol y el aire curten la piel de los campesinos.* **3** Referido a una persona, acostumbrarla a la vida dura y a las adversidades: *Las desgracias lo han curtido y ya no es aquel joven ingenuo. Se curtió a fuerza de desengaños.* ☐ ETIMOL. De origen incierto.

curva s.f. Véase **curvo, va.**

curvado, da adj. Con forma de curva: *La parte interior de una curva de carretera es más curvada que la exterior.*

curvar v. Doblar dando forma curva: *Para curvar el hierro hay que fundirlo. La puerta se ha curvado a causa de la humedad.* □ SINÓN. *encorvar.*

curvatura s.f. Desviación continua respecto de la dirección recta: *Midió la curvatura del arco.* □ ETIMOL. Del latín *curvatura.*

curvilíneo, a adj. Con curvas: *La existencia de colinas hace que el trazado de esta carretera sea curvilíneo.* □ ETIMOL. Del latín *curvilineus.*

curvo, va ▮ adj. **1** Que se aparta continuamente de la línea recta sin formar ángulos: *Muchos pájaros tienen el pico curvo.* ▮ s.f. **2** Línea cuyos puntos se apartan gradualmente de la línea recta sin formar ángulos: *La circunferencia es una curva cerrada, ya que su trazo acaba en el punto de partida. Al dibujar un arco, trazas una curva abierta.* **3** Lo que tiene esta forma, esp. referido al tramo de una carretera o de otra vía terrestre de comunicación: *Esta carretera tiene unas curvas muy peligrosas. El coche se salió en una curva.* **4** Representación gráfica de un fenómeno por medio de una línea que une puntos que representan valores de una variable: *Esta curva de natalidad representa el progresivo descenso de nacimientos.* ▮ s.f.pl. **5** *col.* Formas del cuerpo femenino: *Se pone siempre ropa muy ajustada para realzar más sus curvas.* □ ETIMOL. La acepción 1, del latín *curvus* (curvo). Las acepciones 2-5, del latín *curva.*

cusca || **hacer la cusca;** *col.* Molestar, fastidiar o perjudicar: *Estos zapatos son nuevos y me están haciendo la cusca.*

cuscurro (tb. *coscurro*) s.m. Parte del pan más tostada que corresponde a los extremos o al borde. □ SINÓN. *corrusco, currusco.*

cuscús s.m. Plato de origen árabe que se compone de sémola de trigo o una especie de bolitas hechas con harina, cocidas al baño maría y guisadas con carne, pollo o verduras: *Cuando fui a Marruecos probé el cuscús.* □ SINÓN. *alcuzcuz, cuzcuz.*

cúspide s.f. **1** En una elevación del terreno, parte más alta, esp. si es puntiaguda: *En la cúspide de la montaña ondeaba una bandera.* **2** Remate superior de algo, que tiende a formar punta: *La cúspide del cimborrio de la iglesia era un chapitel.* **3** Punto más alto, o último grado al que se puede llegar: *Este cantante está ya en la cúspide de la fama.* □ SINÓN. *cumbre.* **4** En geometría, punto en el que concurren los vértices de todos los triángulos que forman las caras de una pirámide, o de las generatrices del cono: *La cúspide de una pirámide es su vértice.* □ ETIMOL. Del latín *cuspis* (punta, objeto puntiagudo).

cusqui || **hacer la cusqui;** *col.* Molestar, fastidiar o perjudicar: *Me roza el pantalón en la herida y me está haciendo la cusqui. Al contar mi secreto me hizo la cusqui.*

custodia s.f. **1** Guardia o protección atenta y vigilante: *Estos cuadros serán depositados en un banco para su mejor custodia.* **2** Pieza de oro, plata u otro metal en que se expone el Santísimo Sacramento para la adoración de los fieles: *La custodia de esta catedral es una obra de arte y lleva incrustadas piedras preciosas.* **3** Templete o trono de grandes dimensiones y generalmente de plata en que se coloca esta pieza cuando se saca en una procesión: *Varios hombres llevaban la custodia a hombros.* □ ETIMOL. Del latín *custodia* (guardia, conservación, prisión).

custodiar v. Guardar o cuidar con atención y vigilancia: *Varios guardias custodian a la testigo para evitar un posible atentado.* □ ORTOGR. La *i* nunca lleva tilde.

custodio adj./s.m. Que custodia: *Lo que más me gusta del cuadro es la expresión del ángel custodio.*

custom s.f. Motocicleta de gran tamaño, que no alcanza velocidades altas y es apropiada para viajes de largo recorrido por carretera.

customizar v. Referido a un producto, adaptarlo al gusto y a las necesidades del usuario. □ ETIMOL. Del inglés *customize* (adaptar al gusto del consumidor). □ ORTOGR. La *z* se cambia en *c* delante de *e* →CAZAR. □ USO Su uso es innecesario y puede sustituirse por *adaptar* o *personalizar.*

cutáneo, a adj. De la piel o relacionado con ella: *erupciones cutáneas.*

cúter s.m. **1** Cuchilla recambiable que se inserta en un mango, dentro del que se puede guardar: *Para cortar papel o cartón lo mejor es utilizar el cúter.* **2** Embarcación pequeña con un solo palo en la popa y varias velas. □ ETIMOL. Del inglés *cutter.*

cutí (pl. *cutíes, cutís*) s.m. Tela resistente de colores que se usa para hacer fundas de colchones: *El colchón está forrado con un cutí azul con flores blancas.* □ ETIMOL. Del francés *coutil*, y este del latín *culcita* (colchón).

cutícula s.f. **1** Capa fina y delicada que recubre muchos tejidos u órganos que están en contacto con el exterior, esp. la que rodea la parte inferior de la uña: *La manicura no me hace ningún daño al quitarme las cutículas.* **2** Capa más externa de la piel: *Bajo la cutícula se encuentra la dermis.* □ SINÓN. *epidermis.* □ ETIMOL. Del latín *cutícula*, y este de *cutis* (piel).

cutina s.f. Sustancia contenida en la cutícula o película externa de la epidermis de algunas plantas y que las hace más resistentes e impermeables: *La cutina es muy resistente a los reactivos químicos.*

cutis (pl. *cutis*) s.m. Piel que cubre el cuerpo humano, esp. la cara: *Tienes el cutis muy fino y no debes ponerte demasiado al sol.* □ ETIMOL. Del latín *cutis* (piel, pellejo).

cutre ▮ adj.inv. **1** Descuidado, sucio o de baja calidad: *Era un bar muy cutre y estaba lleno de gente extraña.* ▮ adj.inv./s.com. **2** Tacaño o miserable: *No seas cutre y paga de una vez.*

cutrería s.f. →**cutrez.**

cutrez s.f. **1** Descuido, suciedad o baja calidad: *Debido a la cutrez del local, salimos nada más entrar.* □ SINÓN. *cutrería.* **2** Tacañería o mezquindad: *No* *sé cómo no te avergüenzas de la cutrez de tu propina.* □ SINÓN. *cutrería.*

cutter (ing.) s.m. Utensilio que sirve para cortar y que está formado por una cuchilla recambiable que se puede recoger dentro de un mango de plástico: *Uso siempre el cutter para cortar cartón o papel.* □ PRON. [cúter].

cuy (tb. *cui*) s.m. Cobaya o conejillo de Indias americano: *El cuy es propio de los países de la América meridional.* □ SINÓN. *cuye.*

cuye s.m. →**cuy.**

cuyo, ya relat. Designa una relación de posesión: *Mi coche, cuyo motor es diesel, utiliza gasóleo.* □ ETIMOL. Del latín *cuius, cuya, cuyum.* □ MORF. Es incorrecto el uso del relativo *que* seguido de un posesivo en sustitución de *cuyo*: *Vine con un chico {*que su > cuya} madre es vecina tuya.* □ SEM. No debe emplearse en las expresiones: *{*en cuyo caso > en tal caso}, {*a cuyo fin > a tal fin}, {*con cuyo objeto > con tal objeto}.*

cuzcuz s.m. →**cuscús.**

cyberespacio s.m. →**ciberespacio.** □ ETIMOL. Del inglés *cyberspace.*

cybernauta (ing.) s.com. →**cibernauta.**

cyberpunk (ing.) s.m. →**ciberpunk.**

cyborg (ing.) (tb. *cíbor*) s.m. En ciencia ficción, ser humano que tiene capacidades sobrehumanas porque está dotado de órganos mecánicos o cibernéticos. □ PRON. [cíbor] o [sáibor].

cycling (ing.) s.m. Ejercicio físico que consiste en montar en bicicleta: *Dedico un rato todos los días a hacer algo de cycling.* □ USO Su uso es innecesario.

D d

d s.f. Cuarta letra del abecedario. □ PRON. 1. Representa el sonido consonántico dental sonoro. 2. Aunque en posición final de sílaba la pronunciación correcta es [d], en la lengua coloquial está muy extendida su pronunciación como [t] o [z]: *virtud* [virtút], *Madrid* [Madríz]. 3. En posición intervocálica, no es normativa su desaparición, aunque está muy extendida en la lengua coloquial, esp. en la terminación *-ado*: *aprobado* [aprobáo], *perdido* [perdío].

dable adj.inv. Posible o permitido: *A una persona sin estudios no le es dable optar a ese puesto.* □ ETIMOL. De *dar*.

dabuten ■ adj.inv. **1** *col.* Extraordinario o muy bueno: *Me han hecho un regalo dabuten.* □ SINÓN. *de buten, dabuti.* ■ adv. **2** *col.* Muy bien: *En el recreo nos lo pasamos dabuten.* □ SINÓN. *de buten, dabuti.* □ MORF. Como adjetivo es invariable en número.

dabuti adj.inv./adv. *col.* →**dabuten.** □ MORF. Como adjetivo es invariable en número.

da capo || En música, expresión que se anota en una partitura y que indica que se debe volver al principio y repetir la ejecución: *Al final del estribillo hay una indicación de da capo.* □ ETIMOL. Del italiano *daccapo*.

dacha s.f. En algunos países del este europeo, casa de campo y de recreo, de propiedad privada: *Algunos dirigentes disfrutaban de una dacha particular.* □ ETIMOL. Del ruso *dacha* (donación).

dacio, cia adj./s. De Dacia (región centroeuropea que se extendía por los actuales territorios húngaros y rumanos), o relacionado con ella: *Los dacios fueron sometidos por el emperador romano Trajano entre los años 101 y 107 d. C.*

dación s.f. En derecho, donación o cesión de algo: *Firmó ante notario la dación de sus bienes a sus herederos.* □ ETIMOL. Del latín *datio* (acción de dar).

dactil- →**dactilo-.**

dactilar adj.inv. De los dedos o relacionado con ellos: *huellas dactilares.* □ SINÓN. *digital*.

dactili- →**dactilo-.**

dactílico, ca adj. Del dáctilo, con dáctilos o relacionado con este tipo de pie métrico: *El ritmo dactílico se eligió para la epopeya grecolatina por su carácter solemne y majestuoso.*

dactiliforme adj.inv. Con forma de palmera: *En la arquitectura egipcia y en la prehelénica había capiteles dactiliformes.* □ ETIMOL. Del griego *dáktylos* (dedo) y *-forme* (forma).

dactilo- Elemento compositivo sufijo que significa 'dedo': *dactilografía.* □ ETIMOL. Del griego *dáktylos* (dedo). □ MORF. Puede adoptar la forma *dactil-* (*dactilar*) o *dactili-* (*dactiliforme*).

dáctilo s.m. **1** En métrica grecolatina, pie formado por una sílaba larga seguida de otras dos breves: *El dáctilo es el pie más usado en la epopeya grecolatina.* **2** En métrica española, pie formado por una sílaba tónica seguida de dos átonas: *El verso de Rubén Darío '[ínclitas| rázas u|bérrimas]' está formado por tres dáctilos.* □ ETIMOL. Del latín *dactylus*, y este de *dáktylos* (dedo), por comparación con el tamaño de las tres falanges que componen los dedos.

-dáctilo, -dáctila Elemento compositivo sufijo que significa 'dedo': *perisodáctilo, pentadáctila.* □ ETIMOL. Del griego *dáktylos* (dedo).

dactilografía s.f. →**mecanografía.** □ ETIMOL. Del griego *dáktylos* (dedo) y *-grafía* (representación gráfica).

dactilografiar v. →**mecanografiar.** □ ORTOGR. La *i* lleva tilde en los presentes, excepto en las personas *nosotros* y *vosotros* →GUIAR.

dactilográfico, ca adj. →**mecanográfico.**

dactilógrafo, fa s. →**mecanógrafo.**

dactilograma s.m. Impresión de las huellas dactilares que se obtiene estampando las manos entintadas sobre un papel: *En los archivos policiales guardan dactilogramas de todos los presos.* □ ETIMOL. Del griego *dáktylos* (dedo) y *-grama* (representación).

dactilología s.f. Técnica de hablar moviendo los dedos por medio del abecedario manual: *Los sordomudos se expresan por medio de la dactilología.* □ ETIMOL. Del griego *dáktylos* (dedo) y *-logía* (ciencia o estudio).

dactilológico, ca adj. De la dactilología o relacionado con esta técnica de hablar moviendo los dedos: *En las escuelas para sordomudos se enseña un alfabeto dactilológico.*

dactiloscopia s.f. Estudio de las huellas dactilares para identificar a una persona: *Un especialista en dactiloscopia descubrió quién había empuñado el arma asesina.* □ ETIMOL. Del griego *dáktylos* (dedo) y *-scopia* (exploración).

dactiloscópico, ca adj. De la dactiloscopia o relacionado con este estudio: *El examen dactiloscópico demostró que el sospechoso estuvo en el lugar del crimen.*

dactiloscopista s.com. Persona especializada en el estudio, reconocimiento y clasificación de huellas dactilares: *La policía cuenta con expertos dactiloscopistas.*

-dad Sufijo que indica cualidad: *maldad, viudedad, modernidad.* □ ETIMOL. Del latín *-tas*.

dadá ■ adj.inv. **1** →**dadaísta.** ■ s.m. **2** →**dadaísmo.**

dadaísmo s.m. Movimiento artístico y literario vanguardista que surgió en el continente europeo durante la Primera Guerra Mundial, que rechaza todo lo establecido y defiende la espontaneidad absoluta y lo no racional en el arte: *El dadaísmo provocó el escándalo en el ambiente artístico de la épo-*

ca. □ ETIMOL. Del francés *dadaïsme.* □ MORF. Se usa mucho la forma abreviada *dadá.*

dadaísta ▮ adj.inv. **1** Del dadaísmo o con rasgos propios de este movimiento artístico: *Tristán Tzara escribió el manifiesto dadaísta en 1916.* ▮ adj.inv./s.com. **2** Que defiende o sigue este movimiento: *El arte dadaísta es provocador y antiacademicista.* □ MORF. Como adjetivo se usa mucho la forma abreviada *dadá.*

dádiva s.f. Lo que que se da como regalo o se concede como una gracia: *Los reyes premiaban a sus vasallos con dádivas y mercedes.* □ ETIMOL. Del latín *dativa,* plural de *dativum* (donativo).

dadivosidad s.f. Generosidad o inclinación a hacer dádivas o regalos desinteresadamente: *Gracias a la dadivosidad de algunas personas, se consigue ayudar a otras.*

dadivoso, sa adj. Inclinado a hacer dádivas o a regalar desinteresadamente: *Es una persona desprendida y dadivosa, y te concederá lo que le pidas.*

dado s.m. **1** Pieza de forma cúbica en cuyas caras hay un número de puntos o una figura, y que se utiliza en algunos juegos de azar. **2** Lo que tiene forma cúbica: *unos daditos de jamón.* **3** ‖ **dado que;** enlace gramatical subordinante con valor causal: *Deja ya de preocuparte por eso, dado que no tiene solución.* □ ETIMOL. Las acepciones 1 y 2, de origen incierto. La acepción 3, de *dar.*

dador, -a ▮ adj./s. **1** Que da. ▮ s. **2** En economía, persona o entidad que expiden o giran una letra de cambio, un cheque u otros documentos semejantes. □ SINÓN. *librador.* ▮ s.m. **3** Persona encargada de entregar una carta o un escrito: *Recibida tu carta, te envío mi respuesta con el mismo dador.* □ ETIMOL. Del latín *dator.*

daga s.f. Arma blanca de hoja ancha y corta, generalmente provista de una guarnición para proteger la mano: *Los guerreros lucharon cuerpo a cuerpo con dagas y espadas.* □ ETIMOL. De origen incierto.

daguerrotipar v. Reproducir y fijar imágenes aplicando los procedimientos de la daguerrotipia: *Ilustres personajes del siglo pasado quedaron daguerrotipados para la posteridad.*

daguerrotipia s.f. →**daguerrotipo.**

daguerrotipo s.m. **1** Técnica fotográfica en la que las imágenes tomadas por la cámara oscura se reproducen y se fijan sobre una plancha metálica: *El daguerrotipo fue inventado por Daguerre y Niepce en el siglo XIX.* □ SINÓN. *daguerrotipia.* **2** Reproducción fotográfica obtenida con este aparato: *Aún se conservan algunos daguerrotipos del siglo pasado.* □ ETIMOL. Por alusión al francés Daguerre, su inventor.

daguestano, na adj./s. De Daguestán (república autónoma rusa), o relacionado con esta.

daifa s.f. *ant.* →**concubina.** □ ETIMOL. Del árabe *daifa* (señora, manceba).

daikon s.m. Rábano blanco de gran tamaño y de sabor suave, originario del oriente asiático.

daiquiri s.m. Cóctel elaborado con ron, zumo de limón y azúcar: *Me bebí dos daiquiris y se me subieron a la cabeza.* □ ETIMOL. De Daiquiri, lugar de Cuba donde se produce ron.

dalái-lama s.m. En el budismo, nombre que recibe el sumo sacerdote, que es a la vez dirigente espiritual y jefe de Estado en el Tíbet (región autónoma del sudoeste chino): *Un niño español ha sido el designado por la divinidad para futuro dalái-lama.* □ ETIMOL. Del mongol *dalai* (océano) y el tibetano *lama* (sacerdote).

dalasi s.m. Unidad monetaria gambiana.

dalia s.f. **1** Planta herbácea, con hojas de color verde oscuro y flores grandes y de colores vistosos: *Las dalias son muy apreciadas en la jardinería ornamental.* **2** Flor de esta planta: *Las dalias tienen un botón central amarillo rodeado de numerosos pétalos.* □ ETIMOL. Por alusión al botánico sueco Dahl, que la introdujo en Europa.

daliniano, na adj. De Salvador Dalí (pintor español surrealista) o con características de sus obras: *La obra daliniana es una de las cumbres del arte moderno.*

dalle s.m. Guadaña o herramienta para segar a ras de tierra: *Segué todo el prado con el dalle.* □ ETIMOL. Del provenzal y catalán *dall.*

dálmata ▮ adj.inv./s. **1** Referido a un perro, de la raza que se caracteriza por tener el pelaje corto, de color blanco y con manchas negras u oscuras: *Vimos la película de dibujos animados 101 dálmatas.* ▮ adj.inv./s.com. **2** De Dalmacia (región europea situada entre la costa adriática y el sistema balcánico), o relacionado con ella. □ SINÓN. *dalmático.* ▮ s.m. **3** Antigua lengua románica de la región de Dalmacia: *El dálmata se habló hasta el siglo XIX.* □ SINÓN. *dalmático.*

dalmática s.f. Véase **dalmático, ca.**

dalmático, ca ▮ adj./s. **1** De Dalmacia (región europea situada entre la costa adriática y el sistema balcánico) o relacionado con ella: *Las playas dalmáticas son muy turísticas.* □ SINÓN. *dálmata.* ▮ s.m. **2** Antigua lengua románica de esta región: *El dalmático es una lengua muerta.* □ SINÓN. *dálmata.* ▮ s.f. **3** Vestidura sacerdotal abierta por los lados y con dos piezas laterales que caen sobre los hombros, y que se pone encima del alba: *Los diáconos usan dalmática cuando ayudan al sacerdote en misas solemnes.* **4** Túnica lujosa, abierta por los lados, que usan los heraldos y maceros de algunas ceremonias: *En el acto solemne celebrado en el Palacio Real, los maceros vestían dalmáticas.* **5** En la antigua Roma, túnica larga, de mangas anchas y cortas, de color blanco y adornada con púrpura, que usaban los hombres y mujeres: *La dalmática fue copiada por los romanos de los dálmatas.* □ ETIMOL. Las acepciones 3-5, del latín *dalmatica vestis* (túnica de los dálmatas).

daltoniano, na adj./s. →**daltónico.**

daltónico, ca ▮ adj. **1** Del daltonismo o relacionado con este defecto de la vista: *Las personas con visión daltónica confunden algunos colores.* □ SI-

NÓN. *daltoniano.* ❚ adj./s. **2** Que tiene daltonismo. ☐ SINÓN. *daltoniano.*

daltonismo s.m. Defecto de la vista que impide percibir o distinguir con claridad determinados colores: *El daltonismo se transmite hereditariamente.* ☐ ETIMOL. Por alusión a John Dalton, físico inglés del siglo XVIII, que lo describió por primera vez.

dama ❚ s.f. **1** Mujer distinguida, esp. si es de origen noble. **2** En una corte real, mujer que acompañaba o servía a la reina, a las princesas o a las infantas. **3** *poét.* Mujer amada. **4** En el teatro, actriz que interpreta los papeles principales. **5** En el juego de las damas, pieza que consigue alcanzar la primera línea del contrario y coronarse: *Una dama puede moverse en todas las direcciones.* **6** En el juego del ajedrez, la reina. ❚ pl. **7** Juego que se practica entre dos contrincantes sobre un tablero de cuadros blancos y negros y con doce fichas para cada jugador. **8** || **dama de honor;** en una ceremonia, mujer que acompaña a otra principal o que ocupa un lugar secundario respecto a esta. || **primera dama;** esposa del jefe de Estado o del jefe de Gobierno. ☐ ETIMOL. Del francés *dame* (señora), y este del latín *domina* (dueña).

damajuana s.f. Vasija muy abombada, generalmente de vidrio, de cuello corto y boca estrecha, que se usa para contener o transportar líquidos: *Esa bodega sirve el vino en damajuanas protegidas por una funda de mimbre.* ☐ ETIMOL. Del francés *dame-jeanne* (señora Juana), llamada así por una comparación humorística hecha por marineros.

damascado, da adj. →**adamascado.**

damasco s.m. **1** Tela fuerte de seda o de lana, con dibujos entretejidos con hilos del mismo color y de distinto grosor: *Las colgaduras de la cama principesca eran de damasco.* **2** En zonas del español meridional, albaricoque: *Una de las frutas que más me gusta es el damasco.* **3** En zonas del español meridional, albaricoquero: *Mis abuelos viven en Uruguay y tienen un damasco en la huerta.* ☐ ETIMOL. De *Damasco*, ciudad Siria de la que procede.

damasina s.f. →**damasquillo.**

damasquillo s.m. Tela de seda o de lana, semejante al damasco, pero menos fuerte: *Decoraron la sala con cortinajes de seda y damasquillo.* ☐ SINÓN. *damasina.*

damasquinado s.m. Trabajo o adorno que se hace incrustando metales preciosos, esp. oro o plata, en objetos de hierro o acero: *Los damasquinados de Toledo tienen fama mundial.*

damasquinador, -a s. Persona que se dedica profesionalmente a hacer trabajos de damasquinado: *Los damasquinadores hacen trabajos de artesanía fina en metal.*

damasquinar v. Referido a un objeto de hierro o de acero, adornarlo con incrustaciones de metales preciosos, esp. de oro o de plata: *En este taller damasquinan espadas y puñales.*

damero s.m. **1** Tablero sobre el que se juega a las damas, y que consta de sesenta y cuatro casillas cuadradas, alternativamente blancas y negras: *Cada jugador se sentó a un lado del damero.* **2** Plano de una zona urbanizada cuya distribución semeja ese tablero: *En el damero de Barcelona se observan las calles largas y rectas.* **3** Pasatiempo semejante al crucigrama y en el que, una vez rellenas sus casillas, puede leerse una frase: *Resuelva este damero y podrá leer unos versos famosos.*

damisela s.f. Muchacha que presume de dama o de señorita refinada: *Esa damisela no es más que una niña cursi y consentida.* ☐ ETIMOL. Del francés antiguo *dameisele* (señorita). ☐ USO Tiene un matiz irónico o cariñoso.

damnificado, da adj./s. Que ha sufrido grandes daños como consecuencia de una desgracia colectiva: *Los damnificados por las inundaciones recibirán ayuda estatal.*

damnificar v. Causar un daño o un perjuicio importantes: *El huracán damnificó a varias poblaciones.* ☐ ETIMOL. Del latín *damnificare.* ☐ ORTOGR. La *c* se cambia en *qu* delante de *e* →SACAR.

dan s.m. En judo y otras artes marciales, cada uno de los diez grados superiores, concedidos a partir de cinturón negro: *Conozco a un cinturón negro que es tercer dan.* ☐ ETIMOL. Del japonés *dan.*

danaide s.f. En la mitología griega, hija de Dánao (rey mítico de la ciudad de Argos): *Las cincuenta danaides fueron condenadas al Hades por matar a sus esposos.*

dancing (ing.) s.m. Lugar público de reunión en el que se baila, esp. si dispone de orquesta. ☐ PRON. [dánsin]. ☐ USO Su uso es innecesario y puede sustituirse por *sala de baile.*

dandi s.m. Hombre que se distingue por su extremado refinamiento o por la afectación de su aspecto: *Con ese traje y con esos zapatos estás hecho un auténtico dandi.* ☐ ETIMOL. Del inglés *dandy.*

dandismo s.m. Refinamiento extremado o afectación en el aspecto y en los modales de un hombre: *El dandismo se puso de moda en el siglo XIX.*

danés, -a ❚ adj./s. **1** De Dinamarca o relacionado con este país europeo: *La agricultura danesa está muy tecnificada.* ☐ SINÓN. *dinamarqués.* ❚ s.m. **2** Lengua germánica de este país y de otras regiones: *El danés se habla también en Groenlandia.* ☐ SINÓN. *dinamarqués.* **3** || **gran danés;** referido a un perro, de la raza que se caracteriza por su gran tamaño y por tener el pelaje oscuro o blanco con manchas negras: *El perro gran danés tiene andares de caballo. El guarda llevaba un gran danés que daba miedo.* ☐ SINÓN. *dogo.*

danone s.m. *col.* Yogur. ☐ ETIMOL. Extensión del nombre de una marca comercial.

dantesco, ca adj. Referido a una situación, que horroriza o resulta sobrecogedora: *una escena dantesca.* ☐ ETIMOL. Por alusión a las escenas del infierno que Dante describe en su 'Divina comedia'. ☐ SEM. Dist. de *dantista* (especialista en la obra de Dante).

dantismo s.m. **1** Influencia de la obra de Dante (escritor italiano de los siglos XIII y XIV): *El dantismo es una constante en la literatura didáctica medieval.* **2** Estudio crítico de esta obra y de todo lo relacionado con Dante: *En esa universidad hay una cátedra especializada en dantismo.*

dantista adj.inv./s.com. Especializado en el estudio de Dante (escritor italiano de los siglos XIII y XIV): *Un dantista es el autor del prólogo de la última edición de la Divina comedia.* ☐ SEM. Dist. de *dantesco* (que horroriza).

dantzari (eusk.) s.com. Persona que baila danzas tradicionales vascas: *Los festejos se abrieron con una actuación de dantzaris.* ☐ PRON. [danzári].

danubiano, na adj. Del Danubio (río europeo), de los territorios que baña, o relacionado con ellos: *Viena es una de las más bellas capitales danubianas.*

danza s.f. **1** Conjunto de movimientos que se hacen con el cuerpo al ritmo de una música, esp. si esta es clásica o folclórica: *En cuanto sonó la música, empezó la danza.* **2** Serie de movimientos que se ejecutan siguiendo una técnica y un ritmo establecidos, generalmente al compás de composiciones musicales clásicas o folclóricas: *En muchas tribus se bailan danzas rituales.* **3** *col.* Ajetreo o movimiento continuo: *Siempre estoy en danza, sin parar de trabajar un momento.* **4** || **danzas de la muerte;** composición escénica típicamente medieval, en la que se personificaba la muerte y se ponía de manifiesto la igualdad de todas las personas ante ella.

danzante, ta s. *col.* Persona de poco juicio, presuntuosa y que se entromete en todo: *Ese danzante nunca sentará la cabeza.*

danzar v. **1** Bailar al ritmo de una música, esp. si esta es de carácter clásico o folclórico: *En las fiestas danzaron varios grupos folclóricos.* **2** Moverse con agitación o de un lado para otro y sin parar: *Estuvimos danzando todo el día, pero no encontramos lo que buscábamos.* ☐ ETIMOL. Del francés *danser* (bailar). ☐ ORTOGR. La *z* se cambia en *c* delante de *e* →CAZAR.

danzarín, -a s. Persona que danza o baila con destreza: *El Ballet Nacional cuenta con excelentes danzarines.*

danzón s.m. Composición musical y baile de origen cubano.

dañar v. **1** Causar dolor, molestia o sufrimiento: *Los niños se dañaron jugando. Si le dices eso, dañarás su sensibilidad.* **2** Estropear o causar un perjuicio: *Los golpes dañaron la fruta madura.* ☐ ETIMOL. Del latín *damnare* (condenar).

dañino, na adj. Que causa daño o perjuicio: *Abusar del alcohol es dañino para la salud.*

daño s.m. **1** Dolor, sufrimiento o molestia: *La dentista no me ha hecho daño al sacarme la muela.* **2** Perjuicio o deterioro: *Las llamas ocasionaron un daño irreparable.* ☐ ETIMOL. Del latín *damnum*.

dar ▮ v. **1** Regalar o ceder voluntaria y gratuitamente: *Dio todo lo que tenía a los más necesitados.* ☐ SINÓN. *donar.* **2** Poner en manos de otra persona: *Dale un plato, por favor.* **3** Proporcionar o proveer: *Un conocido nos dio casa y vestido.* **4** Asignar o adjudicar según lo que corresponde: *Le dieron un buen puesto en la empresa.* **5** Sugerir o indicar: *Me dieron un buen tema para la tesis.* **6** Otorgar o conceder como una gracia: *Les dieron permiso para salir.* **7** Ocasionar o causar: *La estufa da mucho calor.* **8** Transmitir o comunicar: *El periódico dio la noticia.* **9** Referido a frutos o a beneficios, producirlos: *El nogal da nueces.* **10** Referido a lo que se suministra a través de un conducto, abrir la llave de paso de este: *Cuando se hizo de noche, dio la luz.* **11** Referido a una sustancia, untarla o aplicarla: *Dio una mano de pintura al techo.* **12** Referido a una enseñanza, transmitirla o recibirla: *Dará la asignatura un profesor nuevo.* **13** *col.* Referido a un espectáculo, exhibirlo o celebrarlo: *La televisión dio un gran documental.* **14** Referido a un acto social, organizarlo e invitar a asistir a él: *El Rey dio una recepción al cuerpo diplomático.* **15** Referido a una hora, señalarla un reloj: *Van a dar las diez.* **16** Referido a un período de tiempo, fastidiarlo o causar muchas molestias durante su transcurso: *Ese tipo me ha dado el día con sus impertinencias.* **17** En un juego de cartas, repartirlas a los jugadores: *¡Da cartas de una vez y deja de barajar!* **18** Golpear o chocar: *La lluvia daba con fuerza sobre los cristales.* **19** Acertar, atinar o caer: *No dio ni una en el examen y suspendió.* **20** Ir a parar o desembocar: *Siguiendo por esta calle vas a dar a una glorieta.* **21** Producir buena imagen en la pantalla: *La protagonista da muy bien en esa película.* **22** Referido a una enfermedad o a una sensación, sobrevenir: *Le han dado ya varios infartos.* **23** Seguido de algunos sustantivos, realizar la acción expresada por estos: *Da saltos de alegría. Me gusta dar paseos.* ▮ prnl. **24** Suceder o existir: *No se dan las condiciones favorables para hacer el experimento.* **25** Hacer sufrir un: *Me dio una bofetada sin querer. Como os coja, os voy a dar de palos.* **26** || **dale;** *col.* Expresión que se usa para indicar enfado o molestia por la insistencia u obstinación de alguien: *Y dale, ¿es que no me vas a dejar en paz?* || **dar a entender;** insinuar o hacer saber sin expresar claramente: *No lo dijo, pero dio a entender que estaba ofendido.* || **dar {a/sobre} un lugar;** estar orientado en esa dirección: *Mi habitación da al Norte.* || **dar con** algo; encontrarlo: *¡Por fin doy contigo!* || **dar de;** Seguido generalmente de un sustantivo plural que indica agresión, proporcionar en gran cantidad lo que indica este sustantivo: *dar de palos.* || **dar de {mí/ti/sí/...};** Rendir, aprovechar o ser capaz: *Estoy agotada y ya no doy más de mí.* || **dar de sí;** Referido esp. a un tejido, extender o ensanchar: *La falda se ha dado de sí y se me cae.* || **dar en** algo; empeñarse en ello: *Don Quijote dio en leer libros de caballerías.* || **dar {igual/lo mismo}; 1** No importar o ser indiferente: *Me da igual lo que pienses.* **2** Tener el mismo valor: *Lo mismo da seis huevos que media docena.* || **dar para** algo; alcanzar o ser suficiente para ello: *Ese dinero te da para la entrada del cine.* || **dar por;** seguido de una expresión que indica cualidad, considerar que la tiene: *Todos le insultan, pero él no se da por aludido.* || **dar por sentado** algo; presuponerlo o entenderlo como seguro o cierto de forma anticipada: *Dieron por sen-*

tado que les habíamos invitado a la boda, aunque yo no les mandé la invitación. || **dar que;** seguido de un infinitivo, ofrecer ocasión o motivo para realizar la acción expresada por este: *Aquel escándalo dio que hablar a todo el pueblo.* || **darle a** algo; *col.* Tenerlo como hábito o dedicarse a ello intensa o insistentemente: *Lo expulsaron del trabajo porque le daba al vino.* || **darle** a alguien **por** algo; **1** Entrarle gran interés por ello: *Le ha dado por la música y se pasa el día oyendo discos.* **2** Ponerse a hacerlo intensamente: *Nos dio por reír y no podíamos parar.* || **darse a** algo; entregarse intensamente a ello: *Se dio a la bebida para olvidar sus penas.* || **darse a conocer;** referido a una persona, comunicar o descubrir su identidad: *El príncipe apareció disfrazado y hasta el final no se dio a conocer.* || **darse a entender;** comunicarse por señas: *Como no conoce el idioma, se da a entender por señas.* || **darse por vencido;** *col.* Reconocer la incapacidad de lograr algo y desistir de ello: *Me doy por vencido, dime la solución.* || **dársela** a alguien; *col.* Engañarlo o serle infiel: *Su novio se la da con su mejor amiga.* || **dárselas de** algo; *col.* Presumir de ello: *Se las da de saber mucho.* || **para dar y tomar;** en gran abundancia o variedad: *En la biblioteca tienes libros para dar y tomar.* ☐ ETIMOL. Del latín *dare.* ☐ MORF. Irreg. →DAR. ☐ USO 1. Su participio se usa para presentar los datos de un problema o los condicionantes de una situación: *Dada una circunferencia con un radio de 3 cm, averiguar su perímetro.* 2. El empleo abusivo de la acepción 23 en lugar del verbo correspondiente indica pobreza de lenguaje.

darbouka s.f. Instrumento de percusión de origen africano.

dardanio, nia adj. →**dárdano.**

dardanismo s.m. En comercio, destrucción de los excedentes de un producto para evitar la caída de su precio en el mercado: *El dardanismo pretende contener la bajada de los precios, al reducir la oferta.*

dárdano, na adj./s. De Troya (antigua ciudad asiática), o relacionado con ella: *La dinastía dárdana descendía de Zeus.* ☐ SINÓN. *troyano, dardanio.*

dardo s.m. **1** Arma arrojadiza, semejante a una lanza pequeña y delgada, que se lanza con la mano o con cerbatana: *Clavé el dardo en el centro de la diana.* **2** Dicho satírico o punzante con el que se intenta molestar o herir a alguien: *De su boca solo salen dardos envenenados contra todo el mundo.* ☐ ETIMOL. Del francés *dard.*

dari s.m. Lengua hablada en algunas zonas de Afganistán (país asiático).

dársena s.f. **1** En aguas navegables o en un puerto, parte resguardada artificialmente y acondicionada para la carga y descarga de las embarcaciones: *El mercante fondeó en la dársena para recoger la carga.* **2** En una estación de autobuses, acera situada al borde de la calzada, en la que los pasajeros esperan las llegadas y salidas de los vehículos. ☐ ETIMOL. Del italiano *darsena.* ☐ USO Es innecesario el uso del anglicismo *dock.*

darwiniano, na adj. Del darwinismo o relacionado con esta teoría biológica: *Las teorías darwinianas fueron expuestas en el libro 'Del origen de las especies por selección natural'.* ☐ SINÓN. *darwinista.*

darwinismo s.m. Teoría biológica expuesta por Charles Darwin (naturalista británico del siglo XIX), que explica la evolución de las especies como resultado de una selección natural debida a la lucha por la existencia y a la transmisión de los caracteres hereditarios: *El darwinismo revolucionó la biología del siglo XIX.*

darwinista ▌ adj.inv. **1** →**darwiniano.** ▌ adj.inv./s.com. **2** Que defiende o sigue la teoría biológica del darwinismo: *Los darwinistas fueron acusados de herejes.*

dashiki s.m. Túnica de colores vivos y mangas cortas, usada en algunos países africanos: *Ese actor africano suele llevar dashiki.*

data s.f. **1** Tiempo en el que se hace o sucede algo: *La data de ese cuadro es anterior al siglo XV.* ☐ SINÓN. *fecha.* **2** Indicación del lugar y del tiempo en que se hace o sucede algo, esp. la que se pone al principio o al final de un escrito: *Según la data, el contrato se firmó en Barcelona el 2 de mayo de 1990.* ☐ SINÓN. *fecha.* ☐ ETIMOL. Del latín *data* (dada, otorgada), porque en las escrituras latinas esta palabra precede inmediatamente a la indicación de lugar y fecha.

data bank (ing.) s.m. || →**banco de datos.** ☐ PRON. [dáta banc].

data base (ing.) s.f. || →**base de datos.** ☐ PRON. [dáta béis]. ☐ USO Su uso es innecesario.

datación s.f. Indicación o determinación de una data o de una fecha: *En el banco es obligatoria la datación de todos los documentos.*

datáfono s.m. Servicio de transmisión de datos a través del teléfono mediante el abono a una línea telefónica: *El datáfono posibilita los pagos con las tarjetas de crédito a través de la línea telefónica.*

dataglove (ing.) s.m. Guante que forma parte de un videojuego y gracias al cual es posible recibir sensaciones táctiles: *En los videojuegos del futuro, el dataglove transmitirá sensaciones táctiles mediante unos sensores de fibra óptica.* ☐ PRON. [dataglób].

datar v. **1** Poner una fecha o determinarla: *Dató su carta en Madrid a 3 de marzo de 1850. La arqueóloga dató en el paleolítico los restos encontrados.* **2** Seguido de una expresión de tiempo, existir desde entonces o haberse originado en ese momento: *La catedral data del siglo pasado.* ☐ SINT. Constr. de la acepción 2: *datar* DE *una época.*

dátil s.m. **1** Fruto de algunas palmeras, de forma alargada, color marrón y con un hueso en su interior: *En Navidad comimos dátiles confitados.* **2** *col.* Dedo de la mano: *El muy cochino cogió la tajada de carne con los dátiles.* **3** || **dátil de mar;** molusco marino, con una concha de dos valvas que se asemeja a ese fruto: *La carne del dátil de mar es muy apreciada.* □ ETIMOL. Del latín *dactylum*, y este del griego *dáktylos* (dedo, dátil). □ MORF. En la acepción 2, se usa más en plural.

datilado, da adj. De color marrón, como el del dátil maduro: *Ha comprado unos muebles en tonos datilados.*

datilera adj./s.f. Referido a una palmera, que da dátiles: *No todas las palmeras son datileras.*

dativo s.m. →**caso dativo.** □ ETIMOL. Del latín *dativus*.

dato s.m. **1** Información previa, necesaria para llegar a un conocimiento exacto o para deducir conclusiones acertadas: *No me salía el problema porque los datos estaban equivocados.* **2** En informática, información representada o codificada de modo que pueda ser tratada por un ordenador: *En esta base de datos está metido todo lo que necesitamos saber del personal laboral.* □ ETIMOL. Del latín *datum* (lo que se da).

davídico, ca adj. De David (profeta y rey israelita, autor de varios salmos bíblicos) o con características de sus obras: *Durante la misa cantaron un salmo davídico.*

day trader (ing.) s.com. || Agente de bolsa que compra y vende gran cantidad de acciones en una misma sesión. □ PRON. [déi tréider].

DDT (pl. *DDT*) s.m. Sustancia tóxica que se usa como insecticida. □ SINÓN. *dedeté.* □ ETIMOL. Es la sigla de *dicloro-difenil-tricloroetano*. Extensión del nombre de una marca comercial.

de ▌ s.f. **1** Nombre de la letra *d.* ▌ prep. **2** Indica posesión o pertenencia: *Vino en el coche de su padre.* **3** Indica el lugar del que algo viene o procede: *Llegó un paquete de Barcelona. Su familia es del norte.* **4** Indica la materia de la que está hecho algo: *Compré muebles de madera.* **5** Indica el todo del que se toma una parte: *Tomó un poco de carne asada.* **6** Indica el asunto o materia de que se trata: *Me gustan los libros de aventuras.* **7** Indica la naturaleza, carácter o condición de algo o de alguien: *Es persona de buen carácter.* **8** Indica la profesión o el oficio de alguien: *Actúa de asesor.* **9** Indica la causa o el factor desencadenante de algo: *Salta de alegría. Murió de infarto.* **10** Indica el modo de hacer algo: *Nos miró de refilón. Lo dijo de buena fe.* **11** Indica el contenido de algo: *Pidió un sobre de azúcar.* **12** Indica el tiempo en el que sucede algo: *Llegamos cuando todavía era de día.* **13** Indica la finalidad o la utilidad de algo: *Le regalaron una máquina de escribir. Nos dieron un día de descanso.* **14** Introduce un término específico que concreta o restringe a otro con valor genérico: *El mes de agosto es muy caluroso. Vive en la ciudad de Madrid.* **15** Introduce un complemento agente: *Es querido de todos. Vino acompañado de sus amigos.* **16** Precedido de una expresión que indica cualidad, señala el individuo al que se atribuye esta: *Es un encanto de mujer. ¡Pobre de ti si no vienes!* **17** Seguido del numeral 'uno' y de un sustantivo de acción, indica la rapidez o la eficacia con que algo se ejecuta: *Se bebió el refresco de un trago.* **18** En combinación con la preposición 'a', indica distancia en el tiempo o en el espacio, o diferencia entre dos términos que se comparan: *Trabajo de ocho a tres de la tarde. De aquí a mi casa hay varios kilómetros.* **19** En combinación con la preposición 'en', indica paso o transcurso por fases sucesivas: *Iba creciendo de día en día. La noticia corrió de boca en boca.* **20** En combinación con la preposición 'en' y seguidas ambas de un mismo numeral, indica grupos de ese número de unidades: *Llegaron de dos en dos.* **21** Seguido de infinitivo, sirve para formar oraciones con valor condicional: *De haberlo sabido, te habría avisado. De no ser así, no aceptaré.* □ ETIMOL. Las acepciones 2-21, del latín *de* (desde arriba abajo, desde, apartándose de). □ SINT. 1. Sobre el uso incorrecto de *de* ante una subordinada introducida por *que* →**dequeísmo**. 2. En las denominaciones de accidentes geográficos, vías públicas, años, instituciones y otros objetos designados con un término genérico seguido de otro específico, aunque tradicionalmente este iba precedido de la preposición *de*, en la lengua actual está muy extendida su omisión: *Cabo (de) San Vicente. Calle (de) España. Instituto (de) Cervantes. Año (de) 1950*. 3. Está muy extendida la omisión incorrecta de la preposición *de* en algunas locuciones y expresiones: *Se dio cuenta {*que > de que} estaba solo. ¡Ya era hora {*que > de que} viniese! Da la impresión {*que > de que} no le importa. Estoy seguro {*que > de que} lo vi. Se enteró {*que > de que} estuve aquí. Me alegro {*que > de que} vengas. No cabe duda {*que > de que} es tonto. A pesar {*que > de que} lo intentó, no pudo*, etcétera.

de- 1 Prefijo que significa 'privación': *decapitar, demente.* **2** Prefijo que significa acción inversa a la expresada por la palabra raíz: *decolorar, decelerar, decrecer.* □ ETIMOL. Del latín *de-*.

dea s.f. *poét.* Diosa: *Contemplaron sus ojos a la dea serena de la hermosura.* □ ETIMOL. Del latín *dea*.

deadjetival adj.inv. En gramática, referido a una palabra, que deriva de un adjetivo: *El término 'frondosidad' es un sustantivo 'deadjetival' que procede del adjetivo 'frondoso'.*

deadline (ing.) s.m. Fecha límite. □ PRON. [dédlain]. □ USO Su uso es innecesario.

deadverbial adj.inv. En gramática, referido a una palabra, que deriva de un adverbio: *El término 'cercano' es un adjetivo deadverbial que procede del adverbio 'cerca'.*

deal (ing.) s.m. En economía, acuerdo. □ PRON. [díl]. □ USO Su uso es innecesario.

dealer (ing.) s. **1** →**distribuidor.** **2** *arg.* Traficante de droga. □ SINÓN. *díler.* □ PRON. [díler].

deambulación s.f. Hecho de ir de un lado para otro sin rumbo fijo.

deambular v. Ir de un lado para otro sin rumbo fijo: *Los domingos me gusta deambular por las calles.* □ ETIMOL. Del latín *deambulare*.

deambulatorio s.m. En una iglesia, pasillo transitable, de forma semicircular, que rodea por detrás al altar mayor y da acceso a pequeñas capillas: *Los* *deambulatorios son característicos de las catedrales.* □ ETIMOL. Del latín *deambulatorium* (galería).

deán s.m. En una catedral, eclesiástico que preside el cabildo o comunidad de canónigos en ausencia del obispo: *El deán es un colaborador fiel del obispo de la diócesis.* □ ETIMOL. Del francés antiguo *deiien*, y este del latín *decanus* (jefe de una decena de monjes en un monasterio).

deanato s.m. **1** Cargo de deán: *A ese párroco se le concedió el deanato por petición de su obispo.* □ SINÓN. *deanazgo.* **2** Territorio sobre el que se ejerce este cargo eclesiástico: *Su deanato comprende la capital y varios pueblos.* □ SINÓN. *deanazgo.*

deanazgo s.m. → **deanato.**

debacle s.f. Ruina, desastre o situación lamentable: *Lo que había empezado bien terminó como una auténtica debacle.* □ ETIMOL. Del francés *débâcle.*

debajo adv. En una posición o parte inferior: *Los niños encontraron sus regalos debajo del árbol de Navidad. Ese vecino vive debajo.* □ ETIMOL. De *de* y *bajo.* □ SINT. Su uso seguido de un adjetivo posesivo es incorrecto: *Está debajo {*tuyo > de ti}.*

debate s.m. Intercambio y enfrentamiento de ideas o de argumentos sobre un asunto: *un debate político.* □ ETIMOL. De *debatir.*

debatir ▌v. **1** Referido a ideas o argumentos, intercambiarlos o enfrentarlos: *En la junta de esta tarde debatiremos un tema muy polémico.* ▌prnl. **2** Agitarse, forcejear o luchar interiormente: *El enfermo se debate entre la vida y la muerte.* □ ETIMOL. Del latín *debattuere.* □ SINT. En la acepción 1, es siempre transitivo y es incorrecto su uso seguido de la preposición *sobre*: **debatiremos sobre esa cuestión > debatiremos esa cuestión.*

debe s.m. **1** En una cuenta, parte en la que se apuntan las cantidades que tiene que pagar su titular: *En el debe de esta notificación bancaria aparece lo que he tenido que pagar de la última factura de teléfono.* **2** Lista imaginaria donde se lleva cuenta de los fallos o de las deudas de alguien: *En el debe de este Gobierno hay que anotar su falta de atención a los marginados.* □ SEM. Dist. de *haber* (apunte de las cantidades a favor del titular; lista de aciertos o méritos).

debelación s.f. *poét.* Derrota o sometimiento de un enemigo por las armas: *El poeta canta aquella heroica debelación.*

debelar v. *poét.* Referido a un enemigo, vencerlo por las armas: *Las gloriosas huestes debelaron a las tropas enemigas.* □ ETIMOL. Del latín *debellare*, de *bellum* (guerra).

deber ▌s.m. **1** Lo que se tiene obligación de hacer, esp. si es por imposición legal o moral: *El primer deber de un médico es luchar por salvar la vida del enfermo.* ▌pl. **2** Tarea que el alumno tiene que hacer fuera de las horas de clase: *La maestra nos puso muchos deberes.* ▌v. **3** Estar obligado por imposición legal o moral: *Me debo a mi familia. Debemos a los padres gratitud eterna.* **4** Referido a una deuda o a un compromiso, estar obligado a satisfacerlos: *Has perdido la apuesta y me debes una cena.* ▌prnl. **5** Tener por causa o ser consecuencia: *La mala cosecha se debe a la sequía.* □ ETIMOL. Las acepciones 1 y 2, del verbo *deber*. Las acepciones 3-5, del latín *debere.* □ SINT. 1. La perífrasis *deber + de + infinitivo* indica probabilidad o suposición: *A estas horas, debe de estar ya en casa.* 2. La perífrasis *deber + infinitivo* indica obligación: *Un soldado debe obedecer a su superior.* □ SEM. En la acepción 1, dist. de *derecho* (facultad de hacer o exigir todo lo que la ley establece).

debido || **como es debido;** de manera correcta, o como corresponde: *Tranquilo, que lo haré como es debido.* || **debido a;** a causa de: *Debido a las fuertes lluvias, se anuló la excursión.*

débil adj.inv. Que tiene poca fuerza, poco vigor o poca resistencia: *una persona débil; una luz débil; un argumento débil.* □ ETIMOL. Del latín *debilis.*

debilidad s.f. **1** Escasez de fuerza o de resistencia físicas: *Su debilidad apenas le permite mantenerse en pie.* **2** Falta de energía en la forma de ser, esp. para imponerse o para tomar resoluciones: *debilidad de carácter.* **3** Hecho o dicho que son consecuencia de esta falta de fuerza o de energía: *Fue una debilidad ceder a su absurda propuesta.* **4** Afecto o inclinación especiales: *Los abuelos suelen sentir debilidad por el nieto mayor.* **5** *col.* Hambre: *Cuando siento debilidad, me comería cualquier cosa.*

debilitación s.f. → **debilitamiento.**

debilitamiento s.m. Disminución o pérdida de fuerza, de energía o de resistencia: *Su progresivo debilitamiento es consecuencia de su enfermedad.* □ SINÓN. *debilitación.*

debilitar v. Quitar o perder fuerza, energía o resistencia: *Las acusaciones de fraude debilitaron su posición en el partido. Nuestra amistad nunca se debilitará.* □ ETIMOL. Del latín *debilitare.*

debitar v. En economía, adeudar o apuntar una cantidad en el debe de una cuenta: *La contable debitó el pago de seiscientos euros en la cuenta correspondiente.*

débito s.m. Obligación que se ha contraído, esp. si consiste en un pago o en una devolución de dinero: *Anoté cien euros en el débito de su cuenta.* □ SINÓN. *deuda.* □ ETIMOL. Del latín *debitum* (deuda).

debut s.m. En una actividad, esp. en el mundo del espectáculo, comienzo o primera actuación: *el debut profesional de un actor.* □ ETIMOL. Del francés *début.* □ USO Se usan los plurales *debuts*, *debutes* y *debut.*

debutante ▌adj.inv./s.com. **1** Que debuta. ▌s.f. **2** Mujer joven que asiste a un baile de gala para hacer su presentación en sociedad: *El baile de las debutantes estaba lleno de gente de la alta sociedad.* □ MORF. Incorr. **debutanta.*

debutar v. Hacer el debut en una actividad y empezar a desempeñarla: *Hoy debuta en nuestra ciudad una nueva compañía de teatro.*

deca- Elemento compositivo prefijo que significa 'diez': *decárea, decagramo, decalitro.* □ ETIMOL. Del griego *déka* (diez). □ ORTOGR. Su símbolo es *da-*, y no se usa nunca aislado: *dam* (decámetro).

década s.f. Período de tiempo de diez años, que comprende cada decena de siglo: *la década de los sesenta.* □ ETIMOL. Del griego *dekás* (decena). □ SEM. Dist. de *decenio* (período de diez años). □ USO Las décadas terminan con las decenas de siglo y, por tanto, la última década del siglo XX empezó el 1 de enero de 1991 y acabará el 31 de diciembre del año 2000 (y no el 31 de diciembre del año 1999).

decadencia s.f. **1** Pérdida progresiva de cualidades: *Aquella enfermedad marcó el principio de su decadencia física.* □ SINÓN. *decaimiento.* **2** Período de tiempo en el que tiene lugar este proceso, esp. referido a períodos históricos o artísticos: *la decadencia de un imperio.*

decadente ▮ adj.inv. **1** Que se halla o se encuentra en decadencia: *un estado decadente.* **2** Que revaloriza formas o gustos pasados de moda: *un local de ambiente decadente.* **3** Que se caracteriza por un excesivo refinamiento: *una estética decadente.* ▮ adj.inv./s.com. **4** →**decadentista.**

decadentismo s.m. Movimiento literario europeo, desarrollado a finales del siglo XIX como una derivación del simbolismo francés, y caracterizado por su desencanto y pesimismo ideológicos y por un marcado refinamiento estilístico: *Las 'Sonatas' de Valle-Inclán se inscriben dentro del decadentismo.*

decadentista ▮ adj.inv. **1** Del decadentismo o relacionado con este movimiento literario: *Los poemas decadentistas se caracterizan por su marcado esteticismo y su riqueza de lenguaje.* □ SINÓN. *decadente.* ▮ adj.inv./s.com. **2** Partidario o seguidor de este movimiento: *Rimbaud y Verlaine son dos de los decadentistas más famosos.* □ SINÓN. *decadente.*

decaedro s.m. Cuerpo geométrico limitado por diez polígonos o caras: *Un decaedro regular tiene sus diez caras iguales.* □ ETIMOL. De *deca-* (diez) y *-edro* (cara).

decaer v. Ir a menos, o perder progresivamente cualidades: *La calidad de este periódico ha decaído últimamente. ¡Música, maestro, y que no decaiga la fiesta!* □ ETIMOL. Del latín **decadere.* □ MORF. Irreg. →CAER.

decagonal adj.inv. Del decágono o con la forma de este polígono: *Los diez comensales se reunieron en torno a una mesa decagonal.*

decágono, na adj./s.m. En geometría, referido a un polígono, que tiene diez lados y diez ángulos: *Utilizamos el compás para construir un decágono regular.* □ ETIMOL. Del griego *dekágonos*, y este de *déka* (diez) y *gonía* (ángulo).

decagramo s.m. En el Sistema Internacional, unidad de masa que equivale a diez gramos: *Un kilo tiene cien decagramos.* □ ETIMOL. De *deca-* (diez) y *gramo.* □ ORTOGR. Incorr. **decágramo.* □ SEM. Dist. de *decigramo* (décima parte de un gramo).

decaído, da adj. Referido a una persona, sin fuerzas o baja de ánimo: *Está muy decaída desde que se jubiló.*

decaimiento s.m. **1** Falta o pérdida de fuerzas o de ánimo: *Tienes que superar ese decaimiento y enfocar la vida con optimismo.* **2** Pérdida progresiva de cualidades: *Me da mucha pena ver el decaimiento imparable de los abuelos.* □ SINÓN. *decadencia.*

decalcificación s.f. →**descalcificación.**

decalcificar v. →**descalcificar.** □ ETIMOL. De *de-* (acción inversa) y *calcificar.* □ ORTOGR. La *c* se cambia en *qu* delante de *e* →SACAR.

decalitro s.m. Unidad de volumen que equivale a diez litros: *Ese barril tiene una capacidad de dos decalitros.* □ ETIMOL. De *deca-* (diez) y *litro.* □ ORTOGR. Incorr. **decálitro.* □ SEM. Dist. de *decilitro* (décima parte de un litro). □ ORTOGR. Su símbolo es *dal* por tanto, se escribe sin punto.

decálogo s.m. **1** En el cristianismo y en el judaísmo, los diez mandamientos o normas de la ley de Dios que fueron entregados a Moisés (profeta israelita). **2** Conjunto de diez normas o puntos cuyo cumplimiento se considera básico para el correcto ejercicio de una actividad: *el decálogo de un profesor.* □ ETIMOL. Del griego *dekálogos*, y este de *déka* (diez) y *lógos* (precepto).

decalvación s.f. Afeitado completo de la cabeza, esp. si se hace como humillación o como castigo: *Los visigodos hacían la decalvación a los reyes destronados.*

decalvar v. Referido a una persona, afeitarle completamente la cabeza, generalmente como humillación o castigo: *Los soldados decalvaron a los que habían refugiado a los enemigos.* □ ETIMOL. Del latín *decalvare.*

decámetro s.m. En el Sistema Internacional, unidad de longitud que equivale a diez metros: *Un kilómetro tiene cien decámetros.* □ ETIMOL. De *deca-* (diez) y *metro.* □ ORTOGR. Incorr. **decametro.* □ SEM. Dist. de *decímetro* (décima parte de un metro). □ ORTOGR. Su símbolo es *dam*, por tanto, se escribe sin punto.

decanato s.m. **1** Cargo de decano: *Tres candidatos aspiran al decanato.* **2** Tiempo durante el que un decano ejerce su cargo: *Durante su decanato, la facultad conoció grandes mejoras.* **3** Lugar oficial de trabajo de un decano: *Los nuevos profesores deben presentar sus credenciales en el decanato.*

decano, na ▮ adj./s. **1** En una colectividad, referido a una persona, que es la de más edad o el miembro más antiguo: *La socia decana preside la mesa electoral.* ▮ s. **2** En una corporación o en una facultad universitaria, persona que la preside: *El decano del Colegio de Médicos abrió el acto con un discurso.* □ ETIMOL. Del latín *decanus* (jefe de una decena de monjes en un monasterio).

decantación s.f. **1** Inclinación a favor de una opción: *La decantación de la juez hacia las tesis de la defensa fue decisiva.* **2** Trasvase de un líquido a un recipiente, inclinando suavemente el que lo contiene, de manera que no caigan los posos: *Si haces mal la decantación del vino, se enturbiará.*

decantador s.m. Recipiente de cristal, con el cuello largo y estrecho, en el que se vierte el vino desde la botella para que entre en contacto con el aire antes de servirlo.

decantar ▮ v. **1** Referido a un líquido, verterlo en un recipiente inclinando suavemente el que lo contiene, de manera que no caigan los posos: *Decantaron un vino viejo para depurarlo.* ▮ prnl. **2** Tomar partido o mostrar preferencia: *El político se decantó hacia posturas más conservadoras.* □ ETIMOL. De *de-* (privación) y *canto* (ángulo, esquina).

decapado s.m. Eliminación, por procedimientos fisicoquímicos, de la capa de óxido, pintura u otra sustancia que cubre una superficie, esp. si es metálica: *La inmersión en un baño de ácidos es un método de decapado.*

decapante adj.inv./s.m. Referido a una sustancia, que se usa para decapar superficies: *Antes de pintar la puerta, quitamos la pintura vieja con un decapante.*

decapar v. Referido a una superficie, esp. si es metálica, eliminar por procedimientos fisicoquímicos la capa de óxido, pintura u otra sustancia que la cubre: *Decaparon las partes oxidadas antes de volver a pintar el coche.* □ ETIMOL. De *de-* (privación) y *capa.*

decapitación s.f. Separación de la cabeza del resto del cuerpo: *La decapitación de los prisioneros tendrá lugar en el patíbulo.*

decapitar v. Cortar la cabeza separándola del tronco: *Los condenados eran decapitados con la guillotina.* □ ETIMOL. Del latín *decapitare*, y este de *caput* (cabeza).

decápodo, da ▮ adj./s.m. **1** Referido a un crustáceo, que tiene cinco pares de patas: *El cangrejo y la langosta son dos decápodos.* **2** Referido a un molusco, que tiene diez tentáculos provistos de ventosas: *El calamar y la sepia son dos decápodos.* ▮ s.m.pl. **3** En zoología, orden de esos crustáceos, perteneciente al tipo de los artrópodos: *Los crustáceos que pertenecen a los decápodos tienen tres pares de patas en las mandíbulas.* **4** En zoología, grupo de esos moluscos: *En clasificaciones antiguas, los decápodos eran un orden.* □ ETIMOL. De *deca-* (diez) y *-podo* (pie).

decárea s.f. Unidad de superficie que equivale a diez áreas: *La decárea es una medida agraria.* □ ETIMOL. De *deca-* (diez) y *área.* □ SEM. Dist. de *deciárea* (décima parte de un área).

decasílabo, ba adj./s.m. De diez sílabas, esp. referido a un verso: *El verso de Bécquer 'Yo sé un himno gigante y extraño' es un decasílabo.* □ ETIMOL. Del latín *decasyllabus.*

decatlón s.m. Competición atlética que consta de diez pruebas, realizadas por un mismo deportista: *El salto con pértiga y el lanzamiento de jabalina son pruebas típicas del decatlón.* □ ETIMOL. De *deca-* (diez) y del griego *âthlon* (premio de una lucha, lucha).

deceleración s.f. Disminución de la rapidez o de la velocidad: *Al subir pendientes, se suele producir una deceleración en la marcha de un vehículo.* □ SINÓN. *desaceleración.* □ ETIMOL. Del francés *décélération.*

decelerar v. →**desacelerar.**

decena s.f. Conjunto de diez unidades: *En el cine habría solo una decena de espectadores. En el número 453, el '5' ocupa el lugar de las decenas y simboliza 50 unidades.* □ ETIMOL. Del latín *decena*, neutro de *deceni* (de diez en diez). □ SEM. Dist. de *década* (cada decena de un siglo) y de *decenio* (período de diez años).

decenal adj.inv. **1** Que dura un decenio: *un contrato decenal.* **2** Que tiene lugar cada decenio: *Los profesores reclaman un descanso decenal de un año para reciclarse.* □ ETIMOL. Del latín *decenalis.*

decencia s.f. **1** Honradez, dignidad o respeto a los principios morales socialmente aceptados: *La decencia me impide aprovecharme de las circunstancias.* **2** Respeto a la moral sexual: *Dice que algunos escotes atentan contra la decencia.* **3** Dignidad o calidad suficientes, pero no excesivas: *No es una obra brillante, pero está hecha con decencia.* □ ETIMOL. Del latín *decentia.*

decenio s.m. Período de tiempo de diez años: *Trabajé en esa empresa durante un decenio.* □ ETIMOL. Del latín *decennium.* □ SEM. Dist. de *decena* (conjunto de diez unidades) y de *década* (cada decena de un siglo).

decente adj.inv. **1** Honrado, digno o respetuoso con los principios morales socialmente aceptados: *una persona decente.* **2** Que actúa de acuerdo con la moral sexual: *Mi abuela opina que no es decente desnudarse en un escenario.* **3** De buena calidad o en buenas condiciones, pero sin excesos: *Nos dieron una comida decente y nada sofisticada.* **4** Limpio y aseado: *Nos dieron una habitación decente y agradable.* □ ETIMOL. Del latín *decens*, y este de *decere* (convenir, estar bien, ser honesto).

decepción s.f. Desilusión o pesar producidos por el conocimiento de algo que no es como se esperaba: *Cuando me enteré de que me habías mentido, me llevé una gran decepción.* □ ETIMOL. Del latín *deceptio* (engaño).

decepcionante adj.inv. Que decepciona: *Fue decepcionante para mí comprobar que no era tan buen amigo como yo creía.*

decepcionar v. Referido a una persona, desilusionarla o defraudarla por no ser algo como se esperaba: *Me habían hablado tan bien de esa novela que me decepcionó. En el primer curso se decepcionó y dejó la carrera.*

deceso s.m. Muerte natural de una persona: *El deceso se produjo después de una larga enfermedad.* □ ETIMOL. Del latín *decessus* (partida). □ USO Es característico del lenguaje culto.

dechado s.m. Lo que, por reunir cualidades en su más alto grado, sirve de ejemplo digno de imitación: *Tu prima es un dechado de virtudes.* □ ETIMOL. Del latín *dictatum* (precepto, enseñanza).

deci- Elemento compositivo prefijo que significa 'décima parte': *decibelio, deciárea, decigramo, decilitro.* □ ETIMOL. De *décimo.* □ ORTOGR. Su símbolo es *d-*, y no se usa nunca aislado: *dm* (decímetro).

deciárea s.f. Unidad de superficie que equivale a la décima parte de un área: *Una deciárea equivale* *a diez metros cuadrados.* □ ETIMOL. De *deci-* (décima parte) y *área.* □ ORTOGR. Su símbolo es *da*, por tanto, se escribe sin punto. □ SEM. Dist. de *decárea* (diez áreas).

decibel s.m. →**decibelio.** □ ORTOGR. Es la denominación internacional del *decibelio.*

decibélico, ca adj. **1** De los decibelios o relacionado con ellos. **2** *col.* Que tiene muchos decibelios o mucha intensidad sonora.

decibelio s.m. Unidad del nivel de intensidad sonora que equivale a la décima parte de un bel o belio: *La contaminación acústica se mide en decibelios.* □ SINÓN. *decibel.* □ ETIMOL. De *deci-* (décima parte) y *belio.* □ ORTOGR. Su símbolo es *dB*, por tanto, se escribe sin punto.

decidido, da ▌adj. **1** Firme y sin vacilación: *una actitud decidida.* ▌adj./s. **2** Que actúa con decisión o valentía: *una muchacha decidida.*

decidir v. **1** Tomar una determinación o inclinarse definitivamente por una opción: *He decidido quedarme. Se decidió por el modelo más barato.* □ SINÓN. *resolver.* **2** Orientar decisivamente en un sentido: *El penalti decidió el partido.* □ ETIMOL. Del latín *decidere* (cortar, resolver).

decidor, -a adj./s. Que habla con soltura y con gracia: *Tiene una amiga decidora y chistosa como ella sola.*

decigramo s.m. En el Sistema Internacional, unidad de masa que equivale a la décima parte de un gramo: *Para saber los decigramos que pesa alguna cosa, es necesario utilizar una balanza de precisión.* □ ETIMOL. De *deci-* (décima parte) y *gramo.* □ ORTOGR. 1. Incorr. **decígramo.* 2. Su símbolo es *dg*, por tanto, se escribe sin punto. □ SEM. Dist. de *decagramo* (diez gramos).

decilitro s.m. Unidad de volumen que equivale a la décima parte de un litro: *Ese tubo de ensayo tiene capacidad para un decilitro.* □ ETIMOL. De *deci-* (décima parte) y *litro.* □ ORTOGR. 1. Incorr. **decílitro.* 2. Su símbolo es *dl*, por tanto, se escribe sin punto. □ SEM. Dist. de *decalitro* (diez litros).

décima s.f. Véase **décimo, ma.**

decimal ▌adj.inv. **1** Que se basa en estructuras de diez elementos: *un sistema de clasificación decimal.* **2** Referido a una parte, que constituye una cantidad junto con otras nueve iguales a ella: *Cada uno de los diez nietos recibió una parte decimal de la herencia.* ▌adj.inv./s.m. **3** En una expresión numérica, referido a una cifra, que está a la derecha de la coma. ▌s.m. **4** →**número decimal.** □ ETIMOL. De *décimo.*

decímetro s.m. **1** En el Sistema Internacional, unidad de longitud que equivale a la décima parte de un metro: *Un decímetro tiene diez centímetros.* **2** ‖ **decímetro cuadrado;** en el Sistema Internacional, unidad de superficie que equivale a la centésima parte de un metro cuadrado: *El mosaico medía cinco decímetros cuadrados.* ‖ **decímetro cúbico;** en el Sistema Internacional, unidad de volumen que equivale a la milésima parte de un metro cúbico: *Las marcas del tubo de ensayo indican decímetros cúbicos.* □ ETIMOL. De *deci-* (décima parte) y *metro.* □ ORTOGR. El símbolo de *decímetro* es *dm*, el de *decímetro cuadrado* es dm^2 y el de *decímetro cúbico* es dm^3. □ SEM. Dist. de *decámetro* (diez metros).

décimo, ma ▌numer. **1** En una serie, que ocupa el lugar número diez: *Me senté en la décima fila del patio de butacas. Es el décimo entre veinte clasificados.* **2** Referido a una parte, que constituye un todo junto con otras nueve iguales a ella: *De los diez socios, cada uno recibió la décima parte de los beneficios. Ganó por unas décimas de segundo.* ▌s.m. **3** En el juego de la lotería, cada una de las diez participaciones en que se divide un billete o número, y que se pueden vender por separado: *Me gusta comprar varios décimos de números distintos.* ▌s.f. **4** En la forma de medir la fiebre, cada una de las diez partes en que se divide un grado del termómetro clínico: *tener unas décimas de fiebre.* **5** En métrica, estrofa formada por diez versos octosílabos de rima consonante y cuyo esquema es *abbaaccddc.* □ SINÓN. *espinela.* □ ETIMOL. Las acepciones 1-3, del latín *decimus.* Las acepciones 4 y 5, del latín *decima.* □ MORF. Como numeral: *décima tercera* (incorr. **décimo tercera*), etc. Sirve para formar los ordinales que corresponden a los números 13 al 19; incorr. *décimo primero > undécimo y *décimo segundo > duodécimo.

decimoctavo, va (tb. *décimo octavo, décima octava*) numer. En una serie, que ocupa el lugar número dieciocho: *Vive en el decimoctavo piso de un rascacielos. Fue la decimoctava en llegar.* □ ORTOGR. Incorr. **decimooctavo.*

decimocuarto, ta (tb. *décimo cuarto, décima cuarta*) numer. En una serie, que ocupa el lugar número catorce: *Es la decimocuarta vez que se lo repito. Nuestro equipo es el decimocuarto en la liga.* □ ORTOGR. Nunca lleva tilde.

decimonónico, ca adj. **1** Del siglo XIX o relacionado con él: *'La Regenta' es una de las grandes novelas decimonónicas.* **2** *desp.* Anticuado o pasado de moda: *El empleo de la fuerza en la enseñanza resulta cruel y decimonónico.* □ ETIMOL. De *decimonono.*

decimonono, na (tb. *décimo nono, décima nona*) numer. →**decimonoveno.** □ ORTOGR. Nunca lleva tilde.

decimonoveno, na (tb. *décimo noveno, décima novena*) numer. En una serie, que ocupa el lugar número diecinueve: *Ocupa el decimonoveno lugar entre treinta aspirantes. Es la decimonovena en la lista.* □ SINÓN. *decimonono.* □ ETIMOL. De *décimo* y *nono* (nueve). □ ORTOGR. Nunca lleva tilde.

decimoquinto, ta (tb. *décimo quinto, décima quinta*) numer. En una serie, que ocupa el lugar número quince: *Llegó a la meta en decimoquinta posición. A partir del decimoquinto quedaron descalificados.* □ ORTOGR. Nunca lleva tilde.

decimoséptimo, ma (tb. *décimo séptimo, décima séptima*) numer. En una serie, que ocupa el lugar número diecisiete: *Es tu decimoséptimo éxito esta* *temporada. El decimoséptimo en salir fue el primero en llegar.*

decimosexto, ta (tb. *décimo sexto, décima sexta*) numer. En una serie, que ocupa el lugar número dieciséis: *El texto era tan difícil que solo conseguí entenderlo en la decimosexta lectura. El decimosexto perdió los nervios y abandonó la prueba.* ☐ ORTOGR. Nunca lleva tilde.

decimotercero, ra (tb. *décimo tercero, décima tercera*) numer. En una serie, que ocupa el lugar número trece: *Entrar en decimotercera posición por delante de cien corredoras está muy bien. Los decimoterceros de cada eliminatoria se enfrentarán entre sí.* ☐ ORTOGR. Nunca lleva tilde.

decir ▌s.m. **1** Palabra o conjunto de palabras con las que se expresa un concepto, esp. si es de carácter ingenioso o incluye una sentencia: *Sus decires y ocurrencias encierran gran sabiduría.* ☐ SINÓN. *dicho.* ▌v. **2** Pronunciar o expresar con palabras: *Me dijo que no vendría. En el prospecto dice que este medicamento tiene efectos secundarios.* **3** Afirmar, opinar o sostener: *A ti te parecerá bien, pero yo digo que es un error.* **4** Dar por nombre o llamar: *Al rape aquí le dicen 'pez sapo'.* **5** Indicar, mostrar o comunicar: *Sus ojos me dicen que me ama.* **6** Seguido de una expresión de modo, resultar o sentar de esa manera: *Esa corbata no dice bien con la camisa que llevas.* ▌prnl. **7** Reflexionar consigo mismo: *Quise contestarle, pero me dije: «Cállate o te arrepentirás».* **8** ‖ **como quien dice** o **como si dijéramos;** expresión que se usa para suavizar lo que se afirma a continuación: *Empezó a insultarme y me puso, como quien dice, a caer de un burro.* ‖ **decir bien;** hablar con verdad o con acierto: *Pensaba que eso sucedió el año pasado, pero, dices bien, fue hace más tiempo.* ‖ **decir {entre/para} sí;** reflexionar consigo mismo: *Cuando se enteró, dijo para sí: «Esta me la pagas».* ‖ **diga** o **dígame;** expresión que se usa para indicar al interlocutor que puede empezar a hablar, esp. cuando se atiende una llamada telefónica: *Al otro lado del teléfono solo se oía: «¡Diga..., diga...!».* ‖ **el qué dirán;** la opinión pública o las habladurías: *No se atrevió a hacerlo, por miedo al qué dirán.* ‖ **es decir;** expresión que se usa para introducir una explicación a lo anteriormente dicho: *La cefalea, es decir, el dolor de cabeza, es muy molesta.* ‖ **ni que decir tiene;** expresión que se usa para indicar que lo que sigue es evidente o se da por supuesto: *Ni que decir tiene que todos los alumnos deben asistir al acto de inauguración.* ‖ **que se dice pronto;** expresión que se utiliza para poner de manifiesto o resaltar algo exagerado o excesivo: *Gana al mes casi tres mil euros, ¡que se dice pronto!* ‖ **ser un decir;** ser una suposición: *Si no vengo, es un decir, tampoco pasa nada.* ‖ **y que lo digas;** expresión que se usa para confirmar las palabras del interlocutor: *Opine lo que opine, siempre contesta: «¡Y que lo digas!».* ☐ ETIMOL. La acepción 1, del verbo *decir*. Las acepciones 2-7, del latín *dicere.* ☐ MORF. Irreg.: 1. Su participio es *dicho*. 2. →DECIR.

decisión s.f. **1** Determinación o resolución que se toman en un asunto dudoso o incierto: *Todavía no he tomado ninguna decisión.* **2** Firmeza y ausencia de vacilación en la forma de actuar: *actuar con decisión.*

decisivo, va adj. **1** Que decide o que lleva a tomar una determinación: *Tengo razones decisivas para actuar así.* **2** *col.* Que tiene una importancia trascendental para el futuro: *Sé que estoy atravesando una etapa decisiva en mi vida.* ☐ ETIMOL. Del latín *decisus* (decidido).

decisor, -a ▌adj. **1** Que decide: *un órgano decisor; una autoridad decisora.* ▌s. **2** Persona cuya función es tomar decisiones preventivas en el entorno laboral: *La han nombrado decisora ambiental de la empresa.*

decisorio, ria adj. Que tiene capacidad para decidir: *poder decisorio.* ☐ ETIMOL. Del latín *decisus* (decidido).

declamación s.f. **1** Pronunciación o recitado de un discurso, en voz alta y acompañándolo con la entonación y los gestos adecuados: *la técnica de la declamación.* **2** Discurso pronunciado en público.

declamar v. **1** Hablar o recitar en voz alta, acompañando con la entonación y los gestos adecuados: *Nunca vi declamar ese monólogo con tanto sentimiento.* **2** Hablar en público: *Antiguamente, había clases de retórica para aprender a declamar.* ☐ ETIMOL. Del latín *declamare.*

declamatorio, ria adj. Referido a la forma de expresarse, enfática, exagerada y que encubre una pobreza de contenido: *hablar en un tono declamatorio.*

declaración s.f. **1** Manifestación, explicación o exposición públicas: *las declaraciones de una ministra.* **2** Atribución o concesión de una calificación, esp. si es de carácter oficial: *declaración de inocencia.* **3** Manifestación que un testigo o un reo hacen ante un juez u otra autoridad acerca de lo que saben sobre aquello que se les pregunta: *prestar declaración.* **4** Manifestación oficial de los bienes sujetos a impuestos, que se hace para pagar dichos impuestos: *la declaración de la renta.* **5** Manifestación de amor que una persona hace a otra pidiéndole relaciones: *Su declaración, a la luz de la luna, parecía una escena de cine.* **6** Reconocimiento, comunicación o determinación de un estado o de una condición: *declaración de guerra.* **7** Aparición o manifestación de algo que se extiende o se propaga: *la declaración de un incendio.*

declarado, da adj. Manifiesto o muy claro: *Es una declarada defensora de los derechos humanos.*

declarar ▌v. **1** Manifestar, explicar o decir públicamente: *La primera ministra declaró que no subirán los impuestos.* **2** Atribuir, otorgar o conceder una calificación, esp. si es de carácter oficial: *El juez declaró inocente al acusado.* **3** Referido a bienes sujetos al pago de impuestos, manifestar oficialmente su cantidad y su naturaleza para satisfacer dichos impuestos: *En la aduana nos preguntaron si teníamos algo que declarar.* **4** Referido esp. a una situación política, comunicar oficialmente su inicio: *El presi-*

dente declaró el estado de sitio. **5** Referido a un testigo o a un reo, manifestar ante un juez u otra autoridad lo que saben sobre aquello que se enjuicia o se les pregunta: *Los testigos del accidente fueron llamados a declarar.* ▮ prnl. **6** Referido a una persona, manifestar su amor a otra pidiéndole relaciones: *El que hoy es mi marido se me declaró hace veinte años en una fiesta.* **7** Referido a un estado o a una condición, reconocerlos o comunicarlos: *Los obreros se han declarado en huelga.* **8** Producirse o empezar a manifestarse: *El incendio se declaró en el sótano y se propagó por todo el edificio.* □ ETIMOL. Del latín *declarare* (aclarar, declarar).

declarativo, va adj. →**declaratorio.**

declaratorio, ria adj. Que declara un derecho sin ser un mandamiento ejecutivo: *Se prefirió un pronunciamiento declaratorio a un mandamiento judicial.* □ SINÓN. *declarativo.*

declinación s.f. **1** En gramática, enunciación ordenada de las formas que presenta una palabra con flexión para cada caso: *En latín, la declinación de 'rosa' es: 'rosa, rosa, rosam, rosae...'.* **2** En gramática, cada uno de los grupos que sirven como modelo para la flexión de casos de una palabra: *La palabra latina 'civitas', 'civitatis' pertenece a la tercera declinación.*

declinar v. **1** Disminuir, ir a menos o perder cualidades progresivamente: *La hegemonía española comenzó a declinar en el siglo XVI.* **2** Aproximarse o acercarse al fin: *Declinaba el día y empezaba a extenderse el silencio de la noche.* **3** Renunciar, rechazar o no aceptar: *Declinó cortésmente la invitación.* **4** En gramática, referido a una palabra con flexión casual, enunciarla en las formas que presenta para cada caso: *Al declinar civitas, civitatis, me equivoqué en el ablativo.* □ ETIMOL. Del latín *declinare.*

declive s.m. **1** Inclinación o pendiente de un terreno o de otra superficie. **2** Descenso, decadencia o pérdida progresiva de cualidades: *Con aquella enfermedad comenzó el declive de su salud.* □ ETIMOL. Del latín *declivis* (pendiente, que forma cuesta).

decodificación s.f. →**descodificación.**

decodificador, -a adj./s.m. →**descodificador.**

decodificar v. →**descodificar.**

decolaje s.m. En zonas del español meridional, despegue de un avión: *El decolaje que hizo el piloto fue magnífico.*

decolar v. En zonas del español meridional, despegar un avión: *El avión decoló con dificultad debido al mal tiempo.* □ ETIMOL. Del francés *décoller.*

decoloración s.f. Privación o pérdida de color: *El tiempo ha causado la decoloración y deterioro de esos tapices.* □ SINÓN. *descoloramiento.*

decolorante adj.inv./s.m. Referido a un producto químico, que se usa para decolorar: *Este tinte no daña el cabello porque no contiene decolorantes.*

decolorar v. Quitar o perder color: *El sol ha decolorado las cortinas. Esa tela se decolora al lavarla.* □ SINÓN. *descolorar, descolorir.* □ ETIMOL. Del latín *decolorare.*

decomisar v. Referido a una mercancía de contrabando, confiscarla o apropiársela una autoridad en nombre del Estado: *La policía decomisó un alijo de tabaco.* □ SINÓN. *comisar.* □ ETIMOL. De la frase *dar por de comiso* (pena por la que, el que comercia con géneros prohibidos, los pierde).

decomiso s.m. **1** En derecho, pena que consiste en la confiscación o privación de mercancías de contrabando: *Los aduaneros procedieron al decomiso de los productos no declarados.* □ SINÓN. *comiso.* **2** Mercancía que es objeto de esta confiscación: *una subasta de decomisos.* □ SINÓN. *comiso.*

decomisos (pl. *decomisos*) s.m. Establecimiento comercial en el que se venden a bajo precio mercancías de contrabando que han sido confiscadas por el Estado: *En este decomisos encontrarás radios de todo tipo, y muy baratas.*

deconstructivismo s.m. Movimiento artístico, surgido en la década de 1960, que rechaza la racionalidad de la arquitectura moderna: *El abandono de las formas verticales y horizontales es un rasgo del deconstructivismo.*

decoración s.f. **1** Hecho de embellecer con adornos: *Ya ha comenzado la decoración de la calle.* **2** Colocación de muebles y otros objetos en un lugar para embellecerlo y crear un ambiente determinado. **3** Lo que decora o sirve de adorno: *Para mí, las flores son la mejor decoración en una casa.* **4** Arte o técnica de decorar o combinar distintos elementos ornamentales: *Estudió decoración y hoy es diseñador de interiores.* **5** En una representación teatral, conjunto de telones, bambalinas y objetos con que se representa una escena.

decorado s.m. Decoración, esp. la de una representación teatral: *El decorado de la obra representa un palacio.*

decorador, -a s. Persona que se dedica profesionalmente a la decoración de interiores: *Contrataron a una famosa decoradora para decorar la mansión.*

decorar v. **1** Adornar o embellecer con adornos: *Los niños decoraron el árbol de Navidad con guirnaldas.* **2** Servir de decoración o de adorno: *Varios tapices decoran la sala.* **3** Referido a un lugar, dotarlo de muebles y otros objetos de forma que se embellezca y se cree un ambiente determinado: *Decoró el apartamento con un estilo moderno y funcional.* □ ETIMOL. Del latín *decorare.*

decorativo, va adj. De la decoración o relacionado con este arte: *Las técnicas decorativas conceden mucha importancia a la iluminación de los espacios.*

decoro s.m. **1** Honor o respeto que merece una persona, esp. en razón de su condición social: *La embajadora fue tratada con el debido decoro.* **2** Recato o respeto a la moral sexual: *Su falta de decoro escandalizaba al vecindario.* **3** Dignidad o calidad suficiente, pero sin lujo ni excesos: *Mi sueldo me da para vivir con suficiente decoro.* **4** En literatura, adecuación del lenguaje de una obra a su género o tema y a la condición social de sus personajes. **5** En literatura, adecuación entre el comportamiento de los personajes y su condición social. □ ETIMOL. Del latín *decorum* (conveniencias, decoro).

decoroso, sa adj. Que tiene o que manifiesta decoro: *Mi abuela me regañó porque decía que mi vestido de tirantes no era decoroso.*

decrecer v. Hacerse menor en tamaño, en cantidad o en intensidad: *Nuestro entusiasmo no decrecerá con el paso de los años.* □ ETIMOL. Del latín *decrescere.* □ MORF. Irreg. →PARECER.

decreciente adj.inv. Que decrece o disminuye: *La serie de números 9, 8, 7, 6... tiene un orden decreciente.*

decrecimiento s.m. Reducción del tamaño, de la cantidad o de la intensidad: *Resulta preocupante el decrecimiento del interés por la lectura.* □ SINÓN. *disminución.*

decremento s.m. Reducción o disminución. □ ETIMOL. Del latín *decrementum.*

decrépito, ta adj. Referido a una persona, que es de edad muy avanzada, esp. si por ello tiene menguadas sus facultades: *La pobre anciana estaba decrépita y ya no podía ni incorporarse en la cama.* □ ETIMOL. Del latín *decrepitus* (sumamente viejo).

decrepitud s.f. Vejez extrema, esp. si va acompañada de una pérdida de facultades: *Su decrepitud le impide valerse por sí mismo.*

decrescendo ▮ s.m. **1** En música, disminución gradual de la intensidad con que se ejecutan un sonido o un pasaje: *Hizo un decrescendo en los últimos compases para preparar un final casi inaudible.* **2** En una composición musical, pasaje que se ejecuta efectuando una disminución de intensidad de este tipo: *Al final del segundo movimiento hay un decrescendo muy expresivo.* ▮ adv. **3** En música, referido a la forma de ejecutar un sonido o un pasaje, disminuyendo gradualmente la intensidad: *El solista interpretó las últimas frases decrescendo.* □ ETIMOL. Del italiano *decrescendo.* □ PRON. Se usa más la pronunciación italianista [decrechéndo], con *ch* suave.

decretal ▮ adj.inv. **1** De las decretales o con características de estas cartas papales: *Las decisiones decretales deben ser acatadas.* ▮ s.f. **2** En la iglesia católica, epístola o carta en la que el Papa da una explicación que adquiere carácter de regla general: *El Papa publicará una decretal sobre la administración del bautismo.* ▮ pl. **3** Libro en el que se recopilan estas epístolas o cartas: *Las Decretales de Gregorio IX tuvieron vigencia durante varios siglos.* □ ETIMOL. Del latín *decretalis* (ordenado por decreto).

decretar v. Decidir o determinar, porque se tiene autoridad para ello: *El Ayuntamiento ha decretado el cierre de ese local.*

decretazo s.m. *col. desp.* Decreto que se pone en vigor sin haber sido pactado previamente, y cuyo contenido no es aceptado por la mayoría: *El decretazo del Gobierno ha sido muy criticado por la oposición.*

decreto s.m. **1** Decisión, determinación o resolución de un jefe de Estado, de su Gobierno o de una autoridad judicial, esp. sobre asuntos de carácter político: *El Consejo de Ministros aprobó un decreto sobre oferta pública de empleo.* **2** En la iglesia católica, decisión que toma el Papa después de haber consultado a los cardenales: *Tras el concilio, el Papa hizo público un decreto sobre la moral cristiana.* **3** ‖ **decreto ley;** el que, teniendo carácter de ley, es dictado de manera excepcional por el poder ejecutivo sin someterlo al órgano legislativo competente. ‖ **por (real) decreto;** *col.* Obligatoriamente y sin razón justificada: *¡Se hace así por real decreto, y no preguntes más!* ‖ **real decreto;** en una monarquía constitucional, el aprobado por el Consejo de Ministros. □ ETIMOL. Del latín *decretum*, y este de *decernere* (decidir, determinar). □ MORF. El plural de *decreto ley* es *decretos leyes.*

decúbito s.m. **1** Posición del cuerpo de una persona o de un animal cuando están tendidos horizontalmente: *Debido a su enfermedad pasó mucho tiempo en posición de decúbito.* **2** ‖ **decúbito lateral;** aquel en que el cuerpo se apoya sobre uno de sus costados: *La juez halló el cadáver en posición de decúbito lateral.* ‖ **decúbito prono;** aquel en que el cuerpo se apoya sobre el pecho y el vientre: *La víctima fue atacada por la espalda y quedó en posición de decúbito prono.* ‖ **decúbito supino;** aquel en que el cuerpo se apoya sobre la espalda: *El forense colocó el cuerpo en decúbito supino para hacerle la autopsia.* □ ETIMOL. Del latín *decubitus* (acostado). □ MORF. Incorr. *posición decúbito* {*supina > supino}.

décuplo, pla numer. Referido a una cantidad, que es diez veces mayor: *Recibí una cantidad décupla de lo que había calculado. Me exige el décuplo de lo que le ofrecí.* □ ETIMOL. Del latín *decuplus.*

decurso s.m. Sucesión o transcurso del tiempo: *el decurso de los años.* □ ETIMOL. Del latín *decursus* (recorrido).

dedada s.f. **1** Cantidad de una sustancia no del todo líquida que se puede coger con un dedo. **2** Mancha o marca que dejan los dedos. **3** ‖ **dedada de miel;** *col.* Lo que se hace o se da a alguien para consolarlo o para mantener sus esperanzas: *El médico siempre le da dedadas de miel, pero parece que tiene una enfermedad grave.*

dedal s.m. Utensilio de costura, de material duro y forma cilíndrica, que se encaja en el extremo de un dedo para protegerlo al empujar la aguja: *Me han regalado un dedal de plata.* □ ETIMOL. Del latín *digitale*, y este de *digitus* (dedo).

dedalera s.f. Planta herbácea de tallo poco ramoso, hojas alternas y flores colgantes en racimo y con la corola en forma de campana de color rojo púrpura: *La semilla de la dedalera es capsular.* □ SINÓN. *digital.* □ ETIMOL. De *dedal*, por la semejanza de su forma con la corola de esta planta.

dédalo s.m. Laberinto o enredo: *El ministerio donde trabajo es un auténtico dédalo de oficinas y pasillos.* □ ETIMOL. Por alusión a Dédalo, personaje mitológico que construyó el laberinto de Creta.

dedazo s.m. *col.* Designación de un candidato público realizada por una autoridad abusando de su poder: *El último ministro ha sido elegido a dedazo.* ☐ USO Tiene un matiz humorístico.

dedeté s.m. Sustancia tóxica que se usa como insecticida. ☐ SINÓN. *DDT.* ☐ ETIMOL. De *DDT*, que es la sigla de *dicloro-difenil-tricloroetano*. Extensión del nombre de una marca comercial.

dedicación s.f. **1** Ocupación en una actividad o entrega intensa a ella: *dedicación exclusiva; trabajar con dedicación.* **2** Destino o empleo para un fin: *El pleno aprobó la dedicación de fondos a actividades culturales.* **3** Ofrecimiento o consagración como homenaje: *Fue muy criticada la dedicación de un monumento al alcalde anterior.*

dedicar ▮ v. **1** Emplear o destinar a un fin o a un uso determinados: *Dediqué el fin de semana a la lectura.* **2** Ofrecer o dirigir como obsequio u homenaje: *La ciudad dedicó un monumento al insigne escritor.* **3** Referido a un objeto, firmar o escribir unas palabras en él en atención a alguien: *En la presentación de su libro, la novelista dedicó cientos de ejemplares.* **4** Referido esp. a un templo, ponerlo bajo la advocación o protección de una divinidad o de un santo, o consagrarlo a su culto: *Esta ermita está dedicada a san Saturio.* ▮ prnl. **5** Tener como ocupación o como profesión: *Me dedico a la enseñanza.* ☐ ETIMOL. Del latín *dedicare.* ☐ ORTOGR. La *c* se cambia en *qu* delante de *e* →SACAR. ☐ SINT. Constr. de la acepción 5: *dedicarse* A *algo.*

dedicatoria s.f. Véase **dedicatorio, ria**.

dedicatorio, ria ▮ adj. **1** Que tiene o supone un homenaje: *una placa dedicatoria.* ▮ s.f. **2** Escrito o nota que se pone en un libro, en una fotografía o en otro objeto, y que se dirige a la persona a la que estos se ofrecen.

dedil s.m. Funda que se encaja en el extremo de un dedo y que se usa para protegerlo o para facilitar un trabajo: *Se puso un dedil para contar mejor los billetes.*

dedillo || **al dedillo;** *col.* Muy bien: *La taxista se conocía al dedillo todas las calles.*

dedo s.m. **1** En las personas y en algunos animales, cada una de las prolongaciones articuladas en las que terminan sus manos o sus pies. **2** Porción que equivale al ancho de un dedo de la mano: *Cuando copies el texto, deja tres dedos de margen.* **3** Unidad de longitud que equivale aproximadamente a 18 milímetros. **4** || **a dedo; 1** Referido a la forma de realizar una elección o un nombramiento, por decisión personal de una autoridad o sin procedimiento legal de selección. **2** *col.* Referido a la forma de viajar, haciendo autostop. || **chuparse el dedo;** *col.* Ser fácil de engañar o no enterarse de lo que pasa alrededor: *¿Crees que me chupo el dedo y que me trago todo lo que me cuentas?* || **{cogerse/pillarse} los dedos;** *col.* Quedarse corto por un error o por una falta de previsión: *Nada más decirle aquello, me di cuenta de que me estaba pillando los dedos.* || **contarse con los dedos;** ser muy pocos: *Las personas que asistieron se pueden contar con los dedos.* || **(dedo) anular;** el cuarto de la mano, empezando a contar por el pulgar. || **dedo (del) corazón;** el del centro y más largo de la mano. || **dedo gordo** o **(dedo) pulgar;** el primero y más grueso de la mano o del pie. || **(dedo) índice;** el segundo de la mano, empezando a contar por el pulgar. || **(dedo) meñique;** el quinto y más pequeño de la mano o del pie, empezando a contar por el pulgar. || **{de/para} chuparse los dedos;** muy bueno: *Hace una tortilla de chuparse los dedos.* || **hacer dedo;** hacer autostop. || **hacerse** una mujer **un dedo;** *vulg.* →**masturbarse.** || **no mover un dedo;** *col.* No tomarse la menor molestia: *Ese egoísta no mueve un dedo por nadie.* || **no tener dos dedos de frente;** ser poco sensato o poco inteligente. || **poner el dedo en la llaga;** acertar a señalar el punto más delicado o que más afecta de una cuestión: *Has puesto el dedo en la llaga al decir que su defecto es que todo lo hace por dinero.* || **señalar con el dedo;** *col.* Criticar o censurar. ☐ ETIMOL. Del latín *digitus.* ☐ USO En la acepción 3, es una medida tradicional española.

dedocracia s.f. *col.* Sistema de adjudicación o designación a dedo que realiza una autoridad abusando de su poder: *Se ha denunciado la dedocracia con la que han sido adjudicados estos pisos.* ☐ USO Tiene un matiz humorístico.

dedocrático, ca adj. De la dedocracia o que practica este sistema de elección: *Siendo sobrino del ministro, se sospecha que su nombramiento ha sido por procedimiento dedocrático.* ☐ USO Tiene un matiz humorístico.

deducción s.f. **1** Conclusión o resultado que se extraen o se alcanzan a partir de un antecedente y por medio del razonamiento: *¿Te cuento mis deducciones?* ☐ SINÓN. *derivación.* **2** Método de razonamiento que consiste en partir de un principio general conocido y avanzar lógicamente hasta alcanzar una conclusión particular desconocida: *La deducción es característica de los sistemas racionalistas.* **3** Descuento de una cantidad. ☐ SEM. En la acepción 2, dist. de *inducción* (método que alcanza un principio general a partir de datos particulares).

deducible adj.inv. **1** Que puede ser sacado como consecuencia de algo: *Con los pocos datos que tenemos, no es deducible la conclusión que me das.* **2** Que puede ser restado o descontado de algo: *No tires estas facturas, porque estos gastos son deducibles en la declaración de la renta.*

deducir v. **1** Referido a una conclusión o a un resultado, extraerlos o alcanzarlos por medio del razonamiento: *Por su reacción, deduzco que no le gustó el regalo. De lo que te ha dicho, no se deduce que esté enfadado.* ☐ SINÓN. *inferir.* **2** Referido a una cantidad, restarla o descontarla: *Éste es mi sueldo bruto, es decir, sin deducir los descuentos correspondientes.* ☐ ETIMOL. Del latín *deducere.* ☐ MORF. Irreg. →CONDUCIR. ☐ SINT. Constr. *deducir una cosa* DE *otra.* ☐ SEM. Dist. de *inducir* (alcanzar un principio general a partir de datos particulares).

deductivo, va adj. De la deducción o relacionado con este método de razonamiento: *El método deductivo llevó a Descartes a la conclusión de que Dios existe.*

deep house (ing.) s.m. || Estilo musical que se desarrolló a finales de la década de 1980 a partir del house, con sonidos más cálidos y elementos del soul. □ PRON. [díp háus], con *h* aspirada.

de facto (lat.) || En derecho, de hecho o en realidad: *Aunque de iure me pertenezca, de facto la casa es suya.* □ ORTOGR. Incorr. **defacto.* □ SEM. Dist. de *de iure* y de *de jure* (de derecho o según la ley).

default (ing.) s.m. En economía, situación en la que un juez declara a una empresa o institución temporalmente incapaz para solventar sus deudas. □ PRON. [defól]. □ USO Su uso es innecesario y puede sustituirse por *suspensión de pagos*.

defecación s.f. Expulsión de excrementos por el ano: *La diarrea es una defecación casi líquida.* □ ORTOGR. Dist. de *defección*.

defecar v. Expulsar excrementos por el ano: *Las personas estreñidas defecan con dificultad.* □ ETIMOL. Del latín *defaecare* (purificar). □ ORTOGR. La *c* se cambia en *qu* delante de *e* →SACAR.

defección s.f. Deserción, abandono o separación de una causa o de un partido: *Al perder las elecciones, aumentaron las defecciones en el partido.* □ ETIMOL. Del latín *defectio*. □ ORTOGR. Dist. de *defecación*.

defectible adj.inv. Que puede faltar: *Dentro de su filosofía, ese argumento es secundario y perfectamente defectible.* □ ETIMOL. Del latín *defectibilis*.

defectivo, va adj. En gramática, referido a un verbo, que no se usa en todas las formas de su conjugación: *El verbo 'abolir' es defectivo porque solo se usan las formas que presentan i en su desinencia.* □ ETIMOL. Del latín *defectivus*.

defecto s.m. **1** Imperfección o falta natural o moral. **2** || **en su defecto;** en su falta o en su ausencia: *Debe presentar el carné de identidad o, en su defecto, el de conducir.* || **por defecto; 1** Por no alcanzar el mínimo suficiente: *Si no sabes calcular cuántos vendrán, al encargar la comida más vale que peques por exceso que por defecto.* **2** Referido a una opción, que se selecciona automáticamente si no se elige expresamente otra: *Cuando enciendas el ordenador, estarás en este directorio por defecto.* □ ETIMOL. Del latín *defectus*, y este de *deficere* (faltar).

defectuoso, sa adj. Imperfecto o con algún defecto: *En esa tienda liquidan ropa defectuosa a precio de saldo.*

defender ▮ v. **1** Proteger, apartar o preservar de un daño o de un peligro: *Mi hermana mayor me defendió. Encendieron una hoguera para defenderse del frío.* **2** Referido a una posición ideológica, mantenerla, sostenerla o argumentar a su favor: *Está convencido de lo que dice y lo defiende con todas sus fuerzas.* **3** Referido a la acción de un adversario, impedirla u obstaculizarla: *Tú serás el jugador encargado de defender al delantero centro.* **4** Referido esp. a un acusado, abogar o intervenir en su favor: *La abogada que me defendió en el juicio demostró mi inocencia.* ▮ prnl. **5** Desenvolverse bien: *No sé mucho alemán, pero me defiendo.* □ ETIMOL. Del latín *defendere* (alejar, rechazar a un enemigo, proteger). □ MORF. Irreg. →PERDER.

defendido, da s. En derecho, persona a la que defiende profesionalmente un abogado: *La abogada demostró la inocencia de su defendido.*

defenestración s.f. **1** Destitución o expulsión de una persona del puesto que ocupaba, esp. si se hace de manera drástica e inesperada: *La defenestración de la directora se debió a sus diferencias con la línea ideológica del colegio.* **2** Acto de arrojar a una persona por una ventana: *Fue condenado por un delito de defenestración.* □ ORTOGR. Incorr. **desfenestración.*

defenestrar v. **1** Referido a una persona, destituirla o expulsarla de su puesto, esp. si se hace de manera drástica e inesperada: *La ministra fue defenestrada por razones que no se han hecho públicas.* **2** Referido a una persona, arrojarla por una ventana: *Cuando se vio acorralado, amenazó con defenestrar a un rehén. La policía evitó que se defenestrase un psicópata.* □ ETIMOL. Del francés *défenestrer.* □ MORF. En la acepción 1, se usa más en voz pasiva.

defensa ▮ s.com. **1** En algunos deportes de equipo, jugador que tiene la misión de obstaculizar la acción del adversario. □ SINÓN. *zaguero.* ▮ s.f. **2** Protección frente a un daño o a un peligro: *Fue declarado inocente porque cometió el homicidio en legítima defensa.* **3** Mantenimiento de una postura ideológica o argumentación a su favor: *Hizo una acalorada defensa de sus teorías.* **4** Interposición de obstáculos a la acción de un adversario: *Hicieron una defensa eficaz durante todo el partido.* **5** Alegación o intervención en favor de algo, esp. de un acusado: *La defensa que hizo su abogado impresionó al jurado.* **6** Abogado o conjunto de abogados que representan a un acusado en un pleito e intervienen a su favor. **7** Lo que sirve para defender o para defenderse: *La enfermedad me pilló débil y con pocas defensas.* **8** En zonas del español meridional, parachoques. □ ETIMOL. Del latín *defensa*.

defensiva s.f. Véase **defensivo, va**.

defensivo, va ▮ adj. **1** Que sirve para defender o defenderse. ▮ s.f. **2** Situación en la que se desiste del ataque y se pretende solo defenderse: *Los enemigos cercados organizaron la defensiva y resistieron hasta la muerte.* **3** || **a la defensiva;** en actitud de defenderse, esp. si esta está originada por un sentimiento de recelo: *Pensó que íbamos contra ella y estuvo todo el rato a la defensiva.* □ SINT. *A la defensiva* se usa más con los verbos *estar*, *ponerse* o *quedarse*.

defensor, -a adj. **1** Que defiende o protege: *Mi amigo es un gran defensor de los marginados.* **2** || **defensor del pueblo;** persona designada por el Parlamento para presidir la institución pública encargada de defender los derechos fundamentales de los ciudadanos ante la Administración y de velar por que esta los respete: *El defensor del pueblo informó a los diputados sobre las quejas recibidas.* □ USO En la acepción 2, es innecesario el uso del término sueco *ombudsman*.

deferencia s.f. Amabilidad o atención que se tiene con alguien como muestra de respeto o de cortesía: *Tuvo la deferencia de acompañarme hasta la salida.* □ ETIMOL. De *deferir* (adherirse al dictamen de otro por respeto).

deferente adj.inv. Que demuestra deferencia o que actúa con cortesía y consideración: *Tuvo un gesto muy deferente al recibirnos en su casa.*

deficiencia s.f. Imperfección, fallo o carencia: *las deficiencias de un sistema; deficiencia mental.*

deficiente ▮ adj.inv. **1** Que tiene algún defecto o alguna deficiencia: *Ese mueble tiene un acabado deficiente.* **2** Que no alcanza el nivel normal o requerido: *Su rendimiento en clase es muy deficiente.* ▮ adj.inv./s.com. **3** Referido a una persona, que tiene alguna deficiencia física o psíquica: *No consiento que en mi presencia te rías de él y le llames deficiente por sus problemas de psicomotricidad.* □ ETIMOL. Del latín *deficiens*, y este de *deficere* (faltar). □ USO En la acepción 3, tiene un matiz despectivo, y por ello es preferible el uso de la expresión *persona con discapacidad*.

déficit (pl. *déficit*) s.m. **1** En economía, diferencia que hay entre los ingresos y los gastos, cuando los segundos son mayores que los primeros: *déficit público.* **2** Falta o escasez de algo que se considera necesario: *En esta ciudad hay déficit de zonas verdes.* □ ETIMOL. Del latín *deficere* (faltar), tercera persona de singular del presente de indicativo. □ SEM. Dist. de *superávit* (diferencia entre ingresos y gastos cuando aquellos son mayores; abundancia o exceso de algo).

deficitario, ria adj. Que implica déficit: *El Gobierno aprobó un presupuesto deficitario.*

definible adj.inv. Que se puede definir: *Todas las palabras de este diccionario son definibles.*

definición s.f. **1** Determinación y explicación precisa de la significación de una palabra o de una expresión: *Una definición debe ser clara.* **2** Aclaración o explicación de algo dudoso o incierto: *definición de un puesto de trabajo.* **3** Claridad y precisión con que se percibe una imagen observada mediante un instrumento óptico, o la formada sobre una película fotográfica o una pantalla de televisión. **4** ‖ **alta definición;** en un televisor, calidad consistente en tener entre mil ciento veinticinco y mil doscientas cincuenta líneas por pantalla.

definir ▮ v. **1** Referido a una palabra o a una expresión, determinar y explicar de manera precisa su significación: *En el diccionario de la lengua española se definen las palabras de nuestro idioma.* **2** Caracterizar o determinar la naturaleza o los límites: *En la Constitución se definen las competencias del Gobierno.* **3** En un deporte, esp. en el fútbol, marcar un gol: *Después de una jugada magistral el delantero definió con un preciso cabezazo.* ▮ prnl. **4** Referido a una persona, mostrar claramente cuál es su pensamiento o su actitud: *Después de meditarlo, se definió a favor nuestro.* □ ETIMOL. Del latín *definire* (delimitar).

definitivo, va adj. **1** Que decide o que es inamovible. **2** ‖ **en definitiva;** de manera definitiva, en conclusión o en resumen: *Hablamos mucho, pero, en definitiva, no llegamos a nada.* □ ETIMOL. Del latín *definitivus*. □ MORF. No admite grados: incorr. **más definitivo.*

definitorio, ria adj. Que sirve para definir o para caracterizar: *rasgos definitorios.*

deflación s.f. En economía, descenso del nivel general de precios que produce un aumento del valor del dinero: *Durante la crisis se produjo una importante deflación.* □ ETIMOL. Del francés *déflation*, y este del inglés *deflation*. □ ORTOGR. Incorr. **deflacción*. □ SEM. Dist. de *inflación* (subida del nivel general de precios).

deflacionario, ria adj. En economía, de la deflación monetaria, relacionado con ella o que la produce: *El Gobierno aprobó un programa deflacionario para contener la inflación existente.* □ SINÓN. *deflacionista*. □ ORTOGR. Incorr. **deflaccionario.*

deflacionista ▮ adj.inv. **1** →**deflacionario.** ▮ adj.inv./s.com. **2** Partidario de la deflación monetaria: *Los políticos deflacionistas han encontrado una gran oposición a sus medidas.* □ ORTOGR. Incorr. **deflaccionista.*

deflactación s.f. En economía, transformación de una cantidad expresada en valor nominal en otra cantidad expresada en términos reales o en moneda constante.

deflactar v. En economía, referido a una cantidad expresada en su valor nominal, transformarla en otra expresada en términos reales o en moneda constante. □ ETIMOL. Del inglés *to deflate*.

deflagración s.f. Combustión que se produce con gran rapidez, acompañada de llama y sin explosión: *La deflagración de la pólvora se aprovecha para la propulsión de los cohetes de los fuegos artificiales.* □ ETIMOL. Del latín *deflagrationis*. □ ORTOGR. Incorr. **deflagación*. □ SEM. Dist. de *explosión* (con estruendo y rotura del recipiente que la contiene).

deflagrar v. Referido a una sustancia, arder de manera rápida, con llama y sin producirse explosión: *Acercaron una cerilla a la pólvora para hacerla deflagrar.* □ ETIMOL. Del latín *deflagrare* (quemarse del todo). □ ORTOGR. Incorr. **deflagar*.

deflector s.m. Dispositivo que hace variar la dirección de un fluido, generalmente de un gas: *He llevado el coche al taller para que cambien el deflector del tubo de escape.*

defoliación s.f. Caída prematura de las hojas de una planta, esp. si es provocada por un agente externo: *Una plaga causó la defoliación de muchos árboles.* □ ETIMOL. De *de-* (privación) y *foliación*. □ ORTOGR. Incorr. **desfoliación*.

defoliante adj.inv./s.m. Referido a un producto químico, que provoca la defoliación o caída prematura de las hojas de las plantas: *Este defoliante ha da-*

ñado seriamente las plantas. ☐ SEM. Dist. de *exfoliante* (que limpia la piel de células muertas).

defoliar v. Referido a una planta, causar de forma artificial la pérdida de las hojas: *Hay que defoliar los bonsáis para que las hojas sean cada vez más pequeñas.* ☐ ORTOGR. La *i* nunca lleva tilde. ☐ SEM. Dist. de *exfoliar* (dividir en láminas o en escamas).

deforestación s.f. Eliminación o desaparición de plantas forestales: *La deforestación del monte favorece la erosión del terreno.* ☐ ORTOGR. Se usa también *desforestación*.

deforestar v. Referido a un terreno, despojarlo de plantas forestales: *Los incendios han deforestado grandes extensiones de terreno.* ☐ SINÓN. *desforestar.* ☐ ETIMOL. De *de-* (privación) y el francés antiguo *forest* (bosque).

deformable adj.inv. Que se puede deformar: *Este tipo de tejido es bastante deformable.*

deformación s.f. **1** Alteración de la forma natural o de la manera de ser: *Los espejos cóncavos producen una deformación de la imagen.* **2** || **deformación profesional;** conjunto de hábitos adquiridos por el ejercicio de una profesión: *Soy maestra y mi deformación profesional me hace hablar a todo el mundo como si nadie entendiera nada.*

deformador, -a adj./s. Que deforma: *Esta autora presenta a sus personajes con una visión distorsionada y deformadora de la realidad.*

deformar v. Alterar la forma natural o la manera de ser: *Tengo los pies muy anchos y deformo los zapatos.* ☐ ETIMOL. Del latín *deformare*.

deformatorio, ria adj. Que deforma o que sirve para deformar: *La chapa se curvó cuando actuó sobre ella una fuerza deformatoria.*

deforme (tb. *disforme*) adj.inv. **1** Desproporcionado o irregular en la forma: *Dibujé un hombre deforme, con una cabeza enorme y el cuerpo muy pequeño.* **2** Que ha sufrido deformación: *Me picó una avispa en la nariz y se me puso toda hinchada y deforme.*

deformidad s.f. Desproporción o irregularidad en la forma: *Me aseguraron que la deformidad del pie se corregirá con una operación quirúrgica.* ☐ SINÓN. *disformidad.*

defraudación s.f. **1** Elusión del pago de un impuesto o de una contribución: *Lo condenaron por un delito de defraudación fiscal.* **2** Decepción o desvanecimiento de la confianza o de la esperanza que se tienen puestas en algo: *La defraudación de las ilusiones que había puesto en su hijo supuso un duro golpe para ella.*

defraudar v. **1** Referido esp. al pago de un impuesto, eludirlo o burlarlo: *Defraudó varios miles de euros a Hacienda.* **2** Referido a algo que corresponde a otra persona, privarla de ello con abuso de confianza o faltando a la fidelidad de las obligaciones propias: *Falsificando la firma del cajero, defraudó doce mil euros a su empresa.* **3** Referido a una persona, frustrar o desvanecer la confianza que tiene puestas en algo: *Estudia por lo menos para acabar el curso y no defraudar a tus padres.* ☐ ETIMOL. Del latín *defraudare*.

defunción s.f. Muerte, fallecimiento o terminación de la vida de una persona: *En el momento de su defunción se encontraba sola.* ☐ ETIMOL. Del latín *defunctio*.

degeneración s.f. Paso a un estado peor o pérdida de las características o cualidades positivas anteriores o primitivas: *La vejez causa una degeneración en las arterias que se conoce como arteriosclerosis.*

degenerado, da adj./s. Referido a una persona, con un grado de anormalidad mental y moral que se manifiesta en el comportamiento y en el aspecto físico: *No intentes justificarte, porque tus vicios solo son propios de un degenerado.*

degenerar v. Decaer o pasar a un estado peor, o perder las características y cualidades positivas anteriores o primitivas: *Ese catarro ha degenerado en una grave bronquitis.* ☐ ETIMOL. Del latín *degenerare* (desdecir del linaje).

degenerativo, va adj. Que causa o produce degeneración: *enfermedad degenerativa.*

deglución s.f. Paso de un alimento o de una materia sólida o líquida de la boca al estómago: *La deglución de los alimentos no es posible si no se mastican bien antes.*

deglutir v. Referido esp. a un alimento, tragarlos o hacerlos pasar de la boca al estómago: *Deglute con dificultad porque le duele mucho la garganta.* ☐ ETIMOL. Del latín *degluttire*.

degollación s.f. Realización de un corte profundo en la garganta o en el cuello de una persona o de un animal: *Según la Biblia, Herodes ordenó la degollación de los niños de Belén y sus alrededores cuando nació Jesucristo.* ☐ SINÓN. *degollamiento.*

degolladero s.m. **1** Lugar en el que se degüellan reses. **2** Lugar, generalmente elevado sobre un armazón de tablas, en el que se degollaba a los condenados a muerte.

degolladura s.f. Herida o corte que se hace en la garganta o el cuello: *La degolladura que le hicieron los atracadores con la navaja aún no le ha cicatrizado.*

degollamiento s.m. →**degollación.**

degollar v. Referido a una persona o a un animal, cortarles la garganta o el cuello: *Los matarifes degollaban los corderos del matadero.* ☐ ETIMOL. Del latín *decollare*, y este de *collum* (cuello). ☐ MORF. Irreg. →AVERGONZAR.

degollina s.f. *col.* Multitud de muertes producidas generalmente de forma violenta: *Aquella batalla fue una verdadera degollina.*

degradable adj.inv. Que se puede degradar, de modo que se reduzcan las propiedades contaminantes: *Para que los detergentes no dañen el medio ambiente deben ser degradables.*

degradación s.f. **1** Privación o pérdida del empleo, de la dignidad, del privilegio o del honor que tiene una persona: *La degradación se produjo por su falta de valor en campaña.* **2** Reducción o desgaste de las cualidades inherentes o características: *La degradación de sus facultades mentales se debió al consumo de drogas.*

degradante adj.inv. Que degrada o rebaja: *Es degradante que me obligues a hacer algo tan indigno.*

degradar v. **1** Referido a una persona, privarla del empleo, de la dignidad, del privilegio o del honor que tiene: *Los oficiales golpistas serán degradados a soldados rasos.* **2** Reducir o desgastar las cualidades características: *La contaminación degrada los edificios de la ciudad.* **3** Referido a una sustancia compleja, transformarla en otra más sencilla: *Los agentes atmosféricos degradan algunas sustancias.* **4** Referido esp. a un color, disminuir su viveza: *Para conseguir sensación de lejanía, debes degradar el color de los objetos más lejanos.* □ ETIMOL. Del latín *degradare.*

dégradé || **en dégradé;** en gradación: *Las paredes estaban pintadas de amarillo en dégradé.* □ ETIMOL. Del francés *de dégradé.* □ USO Su uso es innecesario.

degüelle s.m. Extracción de las impurezas depositadas en una botella de vino.

degüello s.m. **1** Acción de cortar la garganta o el cuello de una persona o de un animal. **2** || **a degüello;** *col.* Procurando causar el mayor daño posible: *Le tenía tanta manía, que siempre iba a degüello a por él.*

degustación s.f. Prueba, cata o toma de una pequeña cantidad de un alimento o de una bebida: *Una señorita invitaba a los clientes del supermercado a la degustación de patés y de vino blanco.*

degustar v. Referido a un alimento o a una bebida, probarlos, catarlos o tomar una pequeña cantidad de ellos: *Hoy había en la tienda un plato con trozos pequeños de un nuevo queso para que los clientes lo degustaran.* □ ETIMOL. Del latín *degustare.*

dehesa s.f. Tierra generalmente acotada o limitada y destinada a pastos: *En la dehesa pastan toros y vacas.* □ ETIMOL. Del latín *defensa* (defensa).

dehiscencia s.f. Apertura natural de las anteras de una flor, o del pericarpio de un fruto, para dar salida al polen o a la semilla: *La dehiscencia se produce una vez alcanzada la madurez de la flor o del fruto.*

dehiscente adj.inv. Referido a un fruto, que tiene el pericarpio que se abre naturalmente para que salga la semilla: *Algunas legumbres son frutos dehiscentes.* □ ETIMOL. Del latín *dehiscens*, y este de *dehiscere* (entreabrirse).

deicida adj.inv./s.com. Referido a una persona, que dio muerte a Jesucristo (hijo de Dios): *Los soldados deicidas pertenecían al ejército romano.* □ ETIMOL. Del latín *deicida*, y este de *Deus* (dios) y *caedere* (matar).

deicidio s.m. Crimen cometido por el deicida: *La muerte de Jesucristo en la cruz fue un deicidio.*

deíctico, ca ▌adj. **1** De la deixis o relacionado con este tipo de forma de señalar: *En las oraciones 'Ayer mismo te dije que no' y 'Este niño es mi hermano', 'ayer mismo' y 'este niño' son expresiones deícticas.* ▌s.m. **2** Elemento gramatical que realiza una deixis: *Los demostrativos 'este', 'ese' y 'aquel' son tres deícticos.* □ ETIMOL. Del griego *deiktikós* (demostrativo).

deidad s.f. **1** Ser supremo o sobrenatural al que se le rinde culto. □ SINÓN. *dios.* **2** Conjunto de características o cualidades propias de un dios: *Algunas herejías del cristianismo negaban la deidad de Cristo.* □ ETIMOL. Del latín *deitas.*

deificación s.f. Consideración de algo como divino o trato que se le da como si fuera un dios: *En la antigua Roma, la deificación de los emperadores dio origen a la construcción de templos en su honor.*

deificar v. Considerar o creer divino, o tributar culto u honores divinos: *Durante algunos períodos, los egipcios deificaron a sus faraones.* □ SINÓN. *divinizar.* □ ETIMOL. Del latín *deificare*, y este de *Deus* (dios) y *facere* (hacer). □ ORTOGR. La *c* se cambia en *qu* delante de *e* →SACAR.

deiforme adj.inv. *poét.* Que se parece en la forma a una deidad: *Ese cantante tan altivo se ha hecho una estatua deiforme.* □ ETIMOL. Del latín *Deus* (dios) y *-forme* (con forma).

deísmo s.m. **1** Concepción filosófica que reconoce la existencia de un dios como autor de la creación, pero que no admite la revelación ni el culto externo. **2** En gramática, uso indebido de la preposición *de*: *En la expresión 'No se dio de cuenta' hay deísmo.* □ ETIMOL. Del latín *Deus* (dios).

deísta adj.inv./s.com. Partidario o seguidor del deísmo: *Los pensadores deístas se basaban solo en la razón para llegar a la existencia de un Dios.*

de iure (lat.) (tb. *de jure*) || En derecho, según la ley: *La herencia le corresponde de iure y nadie podrá negársela.* □ SEM. Dist. de *de facto* (de hecho o en realidad).

deixis (pl. *deixis*) s.f. En gramática, forma de señalar que se realiza en el discurso mediante determinados elementos lingüísticos que muestran o indican un lugar, una persona o un tiempo: *La deixis puede hacer referencia a otros elementos del discurso o presentes solo en la memoria.*

dejación s.f. **1** Abandono, desamparo o descuido: *Que tuvieras prisa no es motivo que justifique la dejación de tus responsabilidades.* **2** Cesión o abandono de un derecho o de un bien: *Hizo dejación de su derecho a la herencia.* □ SEM. Dist. de *dejadez* (pereza, negligencia).

dejada s.f. Véase **dejado, da**.

dejadez s.f. Pereza, falta de cuidado, de atención, de interés: *Tenía que haber escrito pidiendo esa beca, pero no lo hizo por dejadez y ahora se arrepiente.* □ SEM. Dist. de *dejación* (abandono; cesión de derechos).

dejado, da ▌adj. **1** Perezoso, descuidado o que no se ocupa de sí mismo o de las cosas propias: *No seas tan dejado y aféitate más a menudo.* ▌s.f. **2** En tenis, golpe que se da a la pelota con un efecto para que bote de delante hacia atrás cerca de la red: *La dejada sirve para que el contrario no pueda llegar a la pelota y no pueda devolver el golpe.*

dejar ▌v. **1** Consentir, permitir o no impedir: *¿Me dejas ir al cine?* **2** Encargar o encomendar: *Si salimos esta noche podemos dejarle los niños a mi madre.* **3** Dar, regalar o ceder gratuitamente por voluntad del dueño antes de ausentarse o de morir: *Como era soltero, cuando murió dejó todo lo que poseía a sus sobrinos.* **4** Soltar o poner en un lugar: *Cuando se acuesta deja el reloj encima de la mesilla de noche.* **5** No inquietar, no molestar o no perturbar: *Deja a tu madre, que está durmiendo la siesta.* **6** Referido a una persona, abandonarla o desampararla: *Dejaron un bebé a la puerta del convento.* **7** Referido a un lugar, abandonarlo o ausentarse de él: *Dejé su casa casi al amanecer.* **8** Referido a una actividad, abandonarla o no proseguirla: *Dejé el baloncesto cuando empecé la carrera.* **9** Referido a algo habitual, retirarse, apartarse o renunciar a ello: *Dejó a su novio por imposición de su familia.* **10** Referido a una ganancia o a un beneficio, valerlos o producirlos: *La venta del coche me dejó beneficios.* **11** Referido esp. a una posesión, entregarla o darla provisionalmente, a condición de que sea devuelta: *¿Me dejas tu coche para ir a la facultad?* □ SINÓN. *prestar.* **12** Seguido de algunos adjetivos y participios, hacer pasar al estado o situación que estos expresan: *El ciclista aceleró y dejó atrás al resto del pelotón.* **13** Seguido de la preposición 'de' y de un infinitivo, interrumpir la acción expresada por este: *Deja de chillar, que te vas a quedar ronco.* **14** Nombrar, designar o proclamar para el desempeño de un cargo o para una función: *La millonaria dejó a su hijo como único heredero de sus bienes.* **15** Referido a un objeto, olvidarlo en alguna parte: *Dejé mi bolsa en el cine.* ▌prnl. **16** Abandonarse o descuidarse por desánimo o por pereza: *Aunque creas que no adelgazas con el régimen, no te dejes y sigue intentándolo.* **17** || **dejar {bastante/mucho} que desear;** ser inferior a lo que se esperaba: *Ahora que los conozco, sé que su familia deja mucho que desear.* || **dejar caer** algo; en una conversación, decir algo de pasada pero con intención: *Durante la reunión, dejé caer que no estaba todo tan bien organizado como ella pensaba.* || **dejarse caer;** *col.* Presentarse de forma inesperada: *A ver cuándo te dejas caer por aquí, que hace mucho que no te vemos.* || **dejarse de** algo; dejar de prestarle atención, para pasar a dedicársela a otras cuestiones: *Déjate de juegos de ordenador y ponte a estudiar ahora mismo.* || **no dejar de;** seguido de una oración de infinitivo, se usa para afirmar irónicamente lo que esta expresa: *No deja de resultar extraño que la hayan elegido para ese premio siendo la última de su clase.* □ ETIMOL. Del antiguo *lexar*, por influencia de *dar.* □ ORTOGR. Conserva la *j* en toda la conjugación. □ SINT. La perífrasis *dejar + participio* indica que la acción realizada por este ha sido ya realizada por precaución: *Si sales, déjame dicho lo que tengo que comprar.*

deje s.m. **1** Modo particular de pronunciación y de entonación que acusa o revela un estado de ánimo transitorio o peculiar del hablante: *Noté un deje de tristeza en su comentario.* □ SINÓN. *dejo.* **2** Acento peculiar del habla de una región determinada: *Al hablar, tienes un deje andaluz.* □ SINÓN. *dejo.* **3** Gusto o sabor que queda en la comida o en la bebida: *Este guiso tiene un deje de jamón.* □ SINÓN. *dejo.* □ ETIMOL. De *dejar.*

dejo s.m. **1** →**deje. 2** Placer o disgusto que queda después de una acción: *Sentí un dejo amargo cuando se despidió.* □ ETIMOL. De *dejar.*

de jure (lat.) || →**de iure.**

del Contracción de la preposición *de* y del artículo determinado *el*: *Coge la llave del armario.* □ ORTOGR. 1. Incorr. {*de el > del} armario.* 2. Esta contracción no se produce cuando el artículo forma parte de un nombre propio: *Llegaron tarde de El Ferrol.*

delación s.f. Acusación, declaración o información sobre algo oculto, esp. si es algo reprobable: *La policía descubrió el escondite de los atracadores gracias a la delación de un confidente.* □ ETIMOL. Del latín *delatio* (denuncia).

delantal s.m. Prenda que, colgada generalmente del cuello, se ata a la cintura y se pone encima de la ropa para protegerla: *El pescadero lleva un delantal de rayas horizontales negras y verdes.* □ SINÓN. *mandil.*

delante adv. **1** En una posición o lugar anterior o más avanzado: *Se puso delante de mí un señor muy alto y no vi nada.* **2** || **delante de;** a la vista o en presencia de: *No se te ocurra decir nada sobre la fiesta delante de ella, porque no está invitada.* □ ETIMOL. Del latín *de* e *inante* (delante). □ SINT. Su uso seguido de un adjetivo posesivo es incorrecto: *Hay sitio libre delante {*mío > de mí}.*

delantera s.f. Véase **delantero, ra.**

delantero, ra ▌adj. **1** Que está delante o en una posición anterior. ▌s. **2** En el fútbol y otros deportes, jugador que, en la alineación de un equipo, forma parte de la línea situada en posición avanzada cuya misión es atacar al equipo contrario. ▌s.f. **3** Parte anterior de algo: *Lo que no me gusta de ese coche es la delantera tan baja que tiene.* **4** Espacio o distancia con los que se adelanta a una persona: *La nadadora lleva una delantera de veinte metros a la segunda.* **5** En el fútbol y otros deportes, línea formada por los jugadores que juegan en una posición avanzada, y cuya misión es la de atacar al equipo contrario. **6** *col.* Pecho de la mujer. **7** || **llevar la delantera;** ir por delante en una carrera o en alguna materia: *Debemos acelerar nuestro trabajo porque la competencia nos lleva la delantera.*

delatar ▌v. **1** Referido a una persona, revelarla voluntariamente a la autoridad como autora de un delito para que sea castigada: *El atracador arrepentido delató a sus compañeros a la policía.* **2** Referido a algo oculto y generalmente reprobable, descubrirlo o ponerlo de manifiesto: *Aquel artículo del periódico delataba la falta de seguridad ciudadana. El criminal se delató al mostrarse tan nervioso.* ▌prnl. **3** Hacer patente de forma involuntaria una intención: *Te delataste cuando dijiste delante de ella que harías cualquier cosa por complacerla.*

delator, -a adj./s. Referido a una persona, que denuncia o acusa, esp. si lo hace en secreto y cautelosamente: *La conspiración fue descubierta gracias a un delator anónimo.* □ SINÓN. *acusica, acusón, chivato.* □ ETIMOL. Del latín *delator*, y este de *deferre* (denunciar, llevar a un tribunal).

delco s.m. En un motor de explosión, aparato que distribuye la corriente de alto voltaje haciéndola llegar por turno a cada una de las bujías: *Si el delco está mojado, el coche no arranca.* □ ETIMOL. Es el acrónimo del inglés *Dayton Engineering Laboratories Corporation*, que es el nombre de la sociedad norteamericana que creó este dispositivo de encendido.

deleble adj.inv. Que puede borrarse o que se borra con facilidad: *Esta pintora utiliza pinturas delebles para el contorno de las figuras, y así puede eliminarlas cuando las pinta con las acuarelas.* □ ETIMOL. Del latín *delebilis*.

delección s.f. Pérdida de un fragmento de cromosoma.

delectación s.f. Placer o gozo del ánimo o de los sentidos: *Se entregó a una delectación amorosa imaginándose placeres inalcanzables.* □ SINÓN. *deleitamiento, deleite.* □ ETIMOL. Del latín *delectatio*.

delegación s.f. **1** Cesión que hace una persona a otra de la jurisdicción o de las funciones que posee para que las ejerza o para que las represente: *Firmó el contrato por delegación de su jefe.* **2** Cargo de delegado. **3** Cuerpo o conjunto de delegados: *Conocimos la delegación diplomática que representa a nuestro país.* **4** Oficina del delegado: *delegación de Hacienda.*

delegado, da adj./s. Referido a una persona, que representa a otra que ha delegado una jurisdicción o función en ella: *La delegada de clase habló con el profesor para que cambiara el examen de día.*

delegar v. Referido esp. a una función, dejar a otra persona para que la ejerza: *Delegó algunas de sus funciones directivas en sus colaboradores más directos.* □ ETIMOL. Del latín *delegare*. □ ORTOGR. La *g* se cambia en *gu* delante de *e* →PAGAR. □ SINT. Constr. *delegar algo* EN *alguien*.

deleitamiento s.m. →**deleite**.

deleitar v. Producir deleite o placer: *La anfitriona nos deleitó con una interpretación al piano de antiguas canciones de nuestra tierra. Me deleito leyendo la buena literatura del Siglo de Oro.* □ ETIMOL. Del latín *delectare* (seducir, deleitar).

deleite s.m. Placer o gozo del ánimo o de los sentidos: *Se sentía feliz al ver cómo su familia comía con deleite lo que él había preparado con tanto cariño.* □ SINÓN. *delectación, deleitamiento.*

deleitoso, sa adj. Que causa deleite o placer: *Fue una velada deleitosa en la que disfrutamos recordando nuestros años de colegio.*

deletéreo, a adj. *poét.* Mortífero, venenoso, o que puede ocasionar la muerte: *El veneno de esa serpiente es deletéreo.* □ ETIMOL. Del griego *deletérios* (nocivo, pernicioso).

deletrear v. Referido esp. a una palabra, pronunciar aislada y separadamente las letras que la forman: *Como no sabía escribir mi apellido, me pidió que lo deletreara.* □ ETIMOL. De *de-* (separación) y *letra*.

deletreo s.m. Pronunciación aislada de cada una de las letras que forman una palabra: *Gracias al deletreo del nombre de su calle pude copiar bien su dirección, porque no le entendía cuando lo decía.*

deleznable adj.inv. **1** Que se deshace, se rompe o se disgrega con facilidad: *un material deleznable.* **2** Referido esp. a una persona o a sus acciones, que son reprobables, despreciables o viles. □ ETIMOL. Del antiguo *deleznarse* (resbalar, deslizar con facilidad).

delfín s.m. **1** Mamífero marino, que se alimenta de peces, grisáceo por encima y blanquecino por debajo, de cabeza voluminosa y ojos pequeños, que tiene el hocico delgado y agudo, la boca muy grande y dientes cónicos en ambas mandíbulas: *Los delfines viven en los mares templados y tropicales y se domestican con facilidad.* **2** Hijo primogénito del rey de Francia (país europeo): *El delfín sucedía al rey de Francia a la muerte de este.* **3** Persona elegida por otra para que sea su sucesora: *La presidenta del partido preparaba al delfín para cuando llegara a la presidencia.* □ ETIMOL. La acepción 1, del latín *delphinus*. Las acepciones 2 y 3, del francés *dauphin*. □ MORF. En la acepción 1, es un sustantivo epiceno: *el delfín {macho/hembra}*.

delfina s.f. Mujer del hijo primogénito del rey de Francia: *La delfina acompañaba al delfín, siguiendo el protocolo de la Corte.*

delfinario s.m. Instalación adecuada para la exhibición de delfines vivos: *Estuvimos en el delfinario del zoo viendo cómo saltaban y jugaban los delfines.* □ ETIMOL. Del inglés *delphinarium*.

delgadez s.f. Flaqueza, escasez de carnes o grosor inferior al normal: *Le han puesto un régimen para engordar porque su delgadez es extrema.*

delgado, da adj. **1** Flaco, de pocas carnes o poco grueso. **2** Delicado, suave, fino o de poco espesor: *una tela delgada.* □ ETIMOL. Del latín *delicatus* (tierno, fino, delicado, delicioso).

deliberación s.f. Reflexión o meditación que se hacen antes de tomar una decisión, considerando atenta y detenidamente los pros y los contras o los motivos que llevan a tomarla: *La decisión fue tomada después de una larga deliberación en la que participaron todos los afectados por las inundaciones.*

deliberado, da adj. Referido esp. a un acto, voluntario, intencionado o hecho a propósito: *Tu crítica mordaz fue un ataque personal deliberado porque le tienes mucha envidia.*

deliberante adj.inv. Referido esp. a una junta, que toma acuerdos, por mayoría de votos, que trascienden a la vida de la colectividad, y que tiene poder para ejecutarlos: *Es una reunión deliberante para buscar soluciones a los problemas de esta comunidad de vecinos.*

deliberar v. Reflexionar o meditar antes de tomar una decisión, considerando con atención y con detenimiento los pros y los contras o los motivos que llevan a tomarla: *El jurado se reunió a deliberar para poder dar el veredicto.* □ ETIMOL. Del latín *deliberare.*

deliberativo, va adj. De la deliberación o relacionado con ella: *El jurado tuvo una reunión deliberativa antes de decidir quién era el ganador.*

delicadeza s.f. **1** Debilidad, finura o facilidad para estropearse o para romperse: *la delicadeza de un cristal.* **2** Atención, miramiento, tacto o gran cuidado: *coger algo con delicadeza.* **3** Ternura, suavidad o consideración: *tratar a alguien con delicadeza.*

delicado, da adj. **1** Débil, flaco, delgado o enfermizo: *Es un niño muy delicado y que está casi siempre enfermo.* **2** Fino, suave, tierno o atento: *Sus delicadas palabras de consuelo me hicieron mucho bien.* **3** Quebradizo, que se rompe, se deteriora o se estropea fácilmente: *una vajilla delicada.* **4** Fino, primoroso, elegante o exquisito: *Fue un detalle muy delicado por tu parte llamar para agradecer la visita.* **5** Difícil, expuesto a contingencias, problemas o cambios: *una cuestión delicada.* **6** Sabroso, gustoso, agradable o placentero: *un delicado perfume.* **7** Referido a una persona, suspicaz o que resulta difícil de contentar: *Eres tan delicado que no se te puede decir nada.* **8** Que procede o actúa con escrupulosidad o con miramiento: *una persona delicada en el trato con los demás.* □ ETIMOL. Del latín *delicatus* (tierno, fino, delicioso).

delicatessen (ing.) s.f.pl. Comidas exquisitas, preparadas y cocinadas, que se suelen vender en tiendas especializadas: *En la recepción de la embajada sirvieron unas sabrosísimas delicatessen de ahumados, caviar y dulces.* □ ETIMOL. Del inglés *delicatessen*, y este del alemán *delikatessen.* □ PRON. [delicatésen].

delicia s.f. **1** Placer muy intenso o muy vivo del ánimo o de los sentidos: *¡Qué delicia poder disfrutar de este sol espléndido todo el año!* **2** Lo que produce este placer: *Tu hermana toca el piano que es una delicia.* **3** Comida hecha con pescado cocido y desmenuzado, que se reboza en huevo y pan rallado y se fríe. □ ETIMOL. Del latín *delicia.*

delicioso, sa adj. Muy agradable, ameno o que produce o puede producir delicia o placer: *He pasado una tarde deliciosa con vosotros.*

delictivo, va adj. Que implica delito: *La policía le avisó de que encubrir a los ladrones podría considerarse comportamiento delictivo.* □ ETIMOL. Del latín *delictum* (delito).

delicuescencia s.f. **1** Propiedad que tienen algunas sustancias de absorber la humedad del aire: *La delicuescencia de algunas sales de magnesio permite que puedan formar disoluciones acuosas a partir de la humedad del aire.* **2** Inconsistencia o decadencia, esp. de un estilo artístico.

delicuescente adj.inv. **1** Referido a una sustancia, que tiene la propiedad de absorber la humedad del aire: *La sosa cáustica es delicuescente.* **2** Referido esp. a un estilo artístico, que es inconsistente o decadente. □ ETIMOL. Del latín *deliquescens*, de *deliquescere* (liquidarse).

delimitación s.f. Determinación o fijación con precisión de los límites de algo: *Pudimos acabar el trabajo a tiempo gracias al reparto y a la delimitación de cometidos.*

delimitador, -a adj. Que delimita: *un criterio delimitador; una frontera delimitadora.*

delimitar v. Determinar o fijar con precisión los límites: *Los obreros ya han delimitado el solar en el que van a construir la nueva urbanización.* □ ETIMOL. Del latín *delimitare.*

delincuencia s.f. **1** Conjunto de delitos cometidos en un determinado lugar o en un determinado período de tiempo: *Ha disminuido la delincuencia callejera.* **2** Conjunto de delincuentes o personas que cometen delitos: *En este barrio se reune mucha delincuencia.*

delincuente adj.inv./s.com. Que delinque o que comete delito: *Los delincuentes que atracaron el banco huyeron en un coche robado.* □ ETIMOL. Del latín *delinquens*, y este de *delinquere* (cometer una falta).

delineación s.f. Trazado o dibujo de las líneas de una figura: *La delineación de los planos del edificio le ocupó toda la tarde.*

delineante s.com. Persona que se dedica profesionalmente al trazado o dibujo de planos: *La arquitecta encargó al nuevo delineante el trazado general.*

delinear v. Referido a una figura, trazar sus líneas: *El arquitecto delineaba el plano del edificio que le habían encargado.* □ ETIMOL. Del latín *delineare.* □ PRON. Aunque la pronunciación correcta es la que acentúa la *e* [delinéo, delinéas...], está muy extendida la pronunciación [delíneo, delíneas...], por influencia de la palabra *línea.*

delinquir v. Cometer un delito: *La persona que roba delinque.* □ ETIMOL. Del latín *delinquere* (faltar, cometer una falta). □ ORTOGR. La *qu* se cambia en *c* delante de *a, o* →DELINQUIR.

delirante adj.inv. **1** Que delira. **2** Propio del delirio: *situaciones delirantes.*

delirar v. **1** Desvariar, decir locuras o despropósitos o tener perturbada la razón por una enfermedad o por una pasión violenta: *La fiebre era tan alta que lo hacía delirar.* **2** Hacer o decir despropósitos o disparates: *Tú deliras si crees que tu primo te va a dar ese dinero, con lo avaro que es.* □ ETIMOL. Del latín *delirare.*

delirio s.m. **1** Desorden o perturbación de la razón o de la fantasía, causados por una enfermedad o por una pasión violenta: *La fiebre muy alta puede producir delirios.* **2** Despropósito, disparate o lo que resulta ilógico o sin sentido: *Hace tiempo que lo conozco y ya no hago caso de sus delirios.* **3** || **con delirio;** *col.* Mucho. || **delirios de grandeza;** actitud de la persona que sueña con una situación o con un lujo que están fuera de su alcance.

delírium trémens (pl. *delírium trémens*) s.m. || Delirio que sufren los alcohólicos crónicos y que se caracteriza por una gran agitación, ansiedad, temblor y alucinaciones: *El delírium trémens es una de las consecuencias del alcoholismo.* ☐ ETIMOL. Del latín *delirium tremens* (delirio con suma agitación).

delito s.m. **1** Culpa, crimen o quebrantamiento de la ley: *Dime qué delito he cometido para que te hayas enfadado.* **2** En derecho, acción u omisión voluntaria, castigada por la ley con pena grave: *Está en la cárcel por un delito de estafa.* **3** || **delito de sangre;** aquel que se comete contra la vida o la integridad física de una persona y que puede llegar a causar su muerte. ☐ ETIMOL. Del latín *delictum.*

delta ▌ s.m. **1** Terreno comprendido entre los brazos de un río en su desembocadura. ▌ s.f. **2** En el alfabeto griego clásico, nombre de la cuarta letra: *La grafía de la delta es* δ. ☐ ETIMOL. De *delta* (nombre de una letra griega), porque la forma de los deltas es como la mayúscula de esta letra.

deltoides (pl. *deltoides*) s.m. Músculo propio de los mamíferos, de forma triangular, situado en la parte superior del hombro y que permite elevar el brazo: *Los jugadores de baloncesto tienen muy desarrollado el deltoides.* ☐ ETIMOL. Del griego *delta* (letra *de*) y *-oide* (relación, semejanza), por la forma triangular de este músculo.

demacrado, da adj. Que está muy delgado o que tiene mal aspecto: *Estaba demacrado porque llevaba varias noches sin dormir.*

demacrar v. Quitar o perder carnes o adelgazar mucho por una causa física o moral: *Tuvo una gripe tan fuerte que le demacró el rostro. Se demacró por las muchas preocupaciones que le daba el trabajo.* ☐ SINÓN. *descarnar.* ☐ ETIMOL. Del latín *macrare* (enflaquecer).

demagogia s.f. Utilización de todo lo necesario para conseguir convencer a la gente sin reparar en los métodos, y utilizando más la exaltación de los ánimos que los razonamientos: *En la campaña destacó la demagogia de los políticos que prometían al electorado lo imposible para conseguir sus votos.*

demagógico, ca adj. De la demagogia o relacionado con ella: *No ha cumplido ni una de sus promesas preelectorales, lo que demuestra que eran demagógicas.*

demagogo, ga adj./s. Referido a una persona, que practica la demagogia o que intenta convencer a la gente sin reparar en los medios: *Estoy harta de políticos demagogos que nunca cumplen lo que prometen.* ☐ ETIMOL. Del griego *demagogós* (que conduce al pueblo), de *dêmos* (pueblo) y *ágo* (yo conduzco).

demanda s.f. **1** Petición o solicitud, esp. si se hace como súplica o en nombre de un derecho: *demanda de protección; demanda de empleo.* **2** En derecho, reclamación o acción judiciales que se emprenden contra alguien: *La víctima del accidente presentó una demanda por daños y perjuicios.* **3** En economía, cantidad de mercancías o conjunto de servicios que una colectividad solicita o está dispuesta a comprar: *La multinacional se instalará en el país donde la demanda sea mayor.* ☐ SEM. Dist. de *denuncia* (reclamación o acusación judicial contra alguien) y de *querella* (acusación que se presenta ante un juez o un tribunal).

demandado, da s. En derecho, persona contra la que se emprende una acción judicial: *El demandado negó estar obligado a lo que exigía el demandante.*

demandador, -a adj./s. →**demandante.**

demandante ▌ adj.inv. **1** Que demanda. ▌ s.com. **2** En derecho, persona que emprende una acción judicial: *La demandante reclamó su derecho a una indemnización.* ☐ SINÓN. *demandador.*

demandar v. **1** Pedir o solicitar, esp. si se hace como súplica o en nombre de un derecho: *Los trabajadores demandan mejoras salariales y unas condiciones de trabajo dignas.* **2** En derecho, referido a una persona o a una entidad, emprender una acción judicial contra ellas para reclamarles algo: *La clienta demandó a la empresa por incumplimiento de contrato.* ☐ ETIMOL. Del latín *demandare* (confiar, encomendar).

demarcación s.f. **1** Señalización o establecimiento de los límites de un terreno, esp. si se trata de un territorio: *Haz la demarcación de la zona peligrosa con balizas.* **2** Terreno o territorio comprendido entre estos límites: *El país está dividido en pequeñas demarcaciones.* **3** División administrativa o territorio sobre el que tiene competencias una autoridad: *una demarcación militar.* **4** En algunos deportes, posición táctica que ocupa un jugador en el terreno de juego: *La defensa adelantó un poco su demarcación.*

demarcar v. Referido esp. a un territorio, marcar o fijar sus límites: *Cada colono demarcó sus concesiones con alambradas.* ☐ ETIMOL. De *de* (preposición) y *marcar.* ☐ ORTOGR. La *c* se cambia en *qu* delante de *e* →SACAR.

demarraje s.m. En deporte, esp. en una carrera, acelerón brusco que da un corredor para distanciarse de sus seguidores: *Su demarraje cogió por sorpresa a las otras atletas y se marchó en solitario.* ☐ ETIMOL. Del francés *démarrage.*

demarrar v. En deporte, referido esp. a un corredor, acelerar bruscamente para distanciarse de sus seguidores: *El corredor demarró y dejó clavado al pelotón.* ☐ ETIMOL. Del francés *démarrer.*

demás indef. **1** Designa a los individuos restantes de una serie o a una parte no mencionada de un todo: *Hoy ceno con mis padres, mis tíos y demás familia. Vive para estudiar y lo demás no le importa.* **2** || **los demás;** el prójimo o las otras personas que forman parte de la misma colectividad: *Debemos amar y perdonar a los demás. Vino solo ella porque los demás no se enteraron.* || **por demás; 1** Inútilmente o en vano: *Estás hablando por demás con ese cabezota, porque nunca lo convencerás.* **2** Excesivamente: *Trabaja por demás y va a enfermar.* || **por lo demás;** por lo que respecta a otras cosas: *Es un poco pesado, pero, por lo demás, parece buena persona.* || **y demás;** en una enumeración, expresión que se usa para sustituir su parte final y evitar detallarla: *Vinieron amigos, vecinos, familiares y demás.* □ ETIMOL. Del latín *de magis* (mucho). □ ORTOGR. Dist. de *de más.* □ MORF. Como indefinido no tiene diferenciación de género ni de número. □ SINT. Como indefinido se usa más precedido de un artículo determinado o de un posesivo.

demasía || **en demasía;** de manera excesiva: *Los mejores manjares, tomados en demasía, pueden hacer daño.* □ ETIMOL. De *demás.*

demasiado adv. En exceso: *Corrió demasiado y casi se ahoga del esfuerzo.* □ ETIMOL. De *demasía.* □ SINT. Intercalar la preposición *de* entre *demasiado* y un adjetivo se considera un vulgarismo: *Es demasiado {*de bueno > bueno} para ser verdad.*

demasiado, da indef. Que sobrepasa los límites de lo ordinario o de lo debido: *Tiene demasiados problemas para poderse concentrar.* □ ETIMOL. De *demasía.*

demasié ▮ adj.inv. **1** *col.* Estupendo o increíble: *Esta película es demasié, me ha encantado.* ▮ adv. **2** *col.* Muy bien o fabulosamente: *Lo pasamos demasié en la fiesta.* □ MORF. Como adjetivo es invariable en número.

demediar v. *poét.* Dividir o partir por la mitad. □ ORTOGR. La *i* nunca lleva tilde.

demencia s.f. **1** Locura o trastorno de la razón. **2** En medicina, estado caracterizado por el debilitamiento de las facultades mentales, generalmente con carácter progresivo e irreversible: *demencia senil.* **3** *col.* Hecho o dicho disparatados o faltos de cordura.

demencial adj.inv. De la demencia o con características no racionales: *Nadie apoyaría una propuesta tan demencial como esa.*

demente adj.inv./s.com. Referido a una persona, que padece demencia o trastorno de sus facultades mentales: *El que destruya una obra de arte es un demente.* □ ETIMOL. Del latín *demens.*

demérito s.m. Acción o circunstancia que provocan la pérdida del mérito o del valor de algo: *Las calumnias son siempre un demérito para quien las difunde.* □ SINÓN. *desmerecimiento.* □ ETIMOL. Del latín *demeritus.* □ ORTOGR. 1. Incorr. **desmérito.* 2. Dist. de *de mérito.*

demeritorio, ria adj. Que desmerece o hace perder mérito: *una actitud demeritoria.* □ ETIMOL. De *demérito.* □ ORTOGR. Incorr. **desmeritorio.*

demiúrgico, ca adj. Del demiurgo o relacionado con él.

demiurgo s.m. **1** En la filosofía platónica, ser supremo, ordenador del mundo: *Según Platón, el demiurgo configuró el mundo tomando como modelo las Ideas.* **2** En la filosofía gnóstica, alma universal o principio activo del universo: *Según los gnósticos, el demiurgo organizó el universo transformando el caos.* □ ETIMOL. Del latín *demiurgus*, y este del griego *demiurgós* (artesano, Creador).

demo s.f. En informática, programa de demostración que permite al usuario conocer las características de un determinado programa: *Con una demo podrás ver en qué consiste este programa.*

democracia s.f. **1** Forma de gobierno en la que el poder reside en el pueblo: *Prefiero la democracia a la dictadura.* **2** Doctrina política que defiende esta forma de gobierno: *Rousseau fue uno de los teóricos que sentaron las bases de la democracia.* **3** Estado que tiene esa forma de gobierno: *Muchos países europeos son democracias.* **4** Tiempo durante el que está vigente esa forma de gobierno: *Durante la democracia, Atenas conoció su mayor esplendor.* **5** Participación de todos los miembros de una colectividad en la toma de decisiones: *En nuestra asociación, hay democracia y las decisiones se toman por votación.* **6** || **democracia cristiana;** Movimiento político cuyas ideas se basan en la doctrina social cristiana: *La democracia cristiana tendrá un comité de partido el próximo mes.* □ ETIMOL. Del griego *demokratía* (gobierno popular, democracia), de *dêmos* (pueblo) y *kratéo* (yo gobierno).

demócrata adj.inv./s.com. Partidario o defensor de la democracia: *Los demócratas del país se manifestaron en contra de los abusos de poder.*

democratacristiano, na adj./s. →**democristiano.**

democrático, ca adj. De la democracia o con características de esta forma de gobierno: *El Parlamento es una institución democrática.* □ ETIMOL. Del griego *demokratikós.*

democratización s.f. **1** Conversión en partidario de la democracia. **2** Transformación que se lleva a cabo de acuerdo con criterios democráticos: *En los últimos años, ese país ha vivido un proceso de democratización.*

democratizador, -a adj. Que democratiza: *El dictador ha dimitido y se empiezan a tomar medidas democratizadoras en ese país.*

democratizar v. **1** Hacer partidario de la democracia: *El nuevo Gobierno pretende democratizar los altos mandos militares. Algunos defensores del régimen autoritario se fueron democratizando con el tiempo.* **2** Transformar de acuerdo con criterios democráticos: *El militar golpista anunció su intención de democratizar el país. Con la llegada del nuevo régimen, las instituciones se democratizaron.* □ ORTOGR. La *z* se cambia en *c* delante de *e* →CAZAR.

democristiano, na ▮ adj. **1** De la democracia cristiana o relacionado con este movimiento político: *El secretario del partido democristiano inauguró la nueva sede.* □ SINÓN. *democratacristiano.* ▮ adj./s. **2** Que defiende o sigue la democracia cristiana: *Una democristiana será la próxima presidenta del país.* □ SINÓN. *democratacristiano.*

demodé adj.inv. *col.* Pasado de moda: *Llevaba un traje viejo y demodé, que llamaba la atención.* □ ETIMOL. Del francés *démodé.* □ USO Su uso es innecesario.

demodulador s.m. En electrónica, dispositivo o aparato que sirve para transformar una señal analógica en digital: *El módem tiene un demodulador.*

demofilia s.f. Afición o gusto por lo popular.

demografía s.f. Estudio estadístico de la población humana según su composición, estado y distribución en un determinado momento o según su evolución histórica: *Los censos son una de las principales herramientas de la demografía.* □ ETIMOL. Del griego *dêmos* (pueblo) y *-grafía* (tratado). □ SEM. Dist. de *población* (conjunto de habitantes de un territorio).

demográfico, ca adj. De la demografía o relacionado con ella: *Varios estudios demográficos ponen de manifiesto el descenso del índice de natalidad.*

demógrafo, fa s. Persona que se dedica al estudio estadístico de poblaciones humanas, esp. si esta es su profesión: *Una demógrafa hizo un estudio sobre el índice de natalidad del último año.*

demoledor, -a adj./s. Que demuele: *Las críticas demoledoras que recibió su montaje dejaron hundida a la directora de teatro.*

demoler v. Destruir o hacer caer: *Los bomberos demolieron las casas que amenazaban ruina.* □ ETIMOL. Del latín *demoliri* (echar al suelo). □ MORF. Irreg. → MOVER.

demolición s.f. Destrucción o derribo, esp. de una construcción o de algo dotado de estructura: *Las luchas internas causaron la demolición del sistema.*

demonche s.m. *euf. col.* Demonio: *Este demonche de crío me va a volver loca.*

demoníaco, ca (tb. *demoniaco, ca*) ▌adj. **1** Del demonio, o que tiene semejanza o relación con él: *El asesino demostró tener una mente demoníaca.* ▌adj./s. **2** Poseído por el demonio: *Decían que las brujas eran seres demoníacos.* □ SINÓN. *endemoniado.*

demonio s.m. **1** Espíritu maligno que se opone a la acción de Dios. □ SINÓN. *diablo.* **2** Persona muy hábil y astuta para conseguir lo que se propone: *Gana tanto dinero porque es un demonio de las finanzas.* □ SINÓN. *diablo.* **3** Persona muy traviesa e inquieta, esp. si es un niño. □ SINÓN. *diablo.* **4** Persona malvada o que tiene mal genio. □ SINÓN. *diablo, belcebú.* **5** ‖ **a (mil) demonios;** referido a la forma de oler o de saber, muy mal o de manera muy desagradable. ‖ **como {el/un} demonio;** *col.* Mucho o excesivamente. ‖ **del demonio** o **de mil demonios;** 1 *col.* Expresión que se usa para exagerar el carácter negativo de algo: *Nos hizo un tiempo de mil demonios.* 2 *col.* Tremendo o impresionante: *Ese niño tiene una imaginación del demonio.* ‖ **llevarse el demonio** a alguien o **ponerse hecho un demonio;** irritarse mucho. □ ETIMOL. Del latín *daemonium*, y este del griego *daimónion* (genio, divinidad inferior). □ MORF. Cuando se antepone a una palabra para formar compuestos, adopta la forma *demono-*.

demonios (tb. *demonio*) interj. *col.* Expresión que se usa para indicar extrañeza, sorpresa, admiración o disgusto: *¡Demonios, ya se me han olvidado otra vez las llaves!*

demonizado, da adj. Que se considera la causa de muchos males: *un político demonizado; un país demonizado.*

demonizar v. Atribuir características muy negativas: *Los periódicos han comenzado a demonizar a ese político.* □ ORTOGR. La *z* se cambia en *c* delante de *e* → CAZAR.

demonólatra s.com. Persona que da culto al demonio: *La Iglesia excomulga a los demonólatras.*

demonolatría s.f. Culto al demonio: *En esa secta practican la demonolatría.* □ ETIMOL. Del griego *dáimon* (demonio) y *-latría* (adoración).

demonología s.f. Estudio de la naturaleza y las cualidades de los demonios: *Según algunos especialistas en demonología, el mundo de los demonios estaría organizado como un reino.* □ ETIMOL. Del griego *dáimon* (demonio) y *-logía* (ciencia, estudio).

demonólogo, ga adj./s. Persona especialista en demonología: *Los casos de posesiones diabólicas son estudiadas por los demonólogos.*

demontre ▌s.m. **1** *euf. col.* Diablo: *¡Ese demontre de muchacho no sabe más que meterse en líos!* ▌interj. **2** *col.* Expresión que se usa para indicar extrañeza, sorpresa, admiración o disgusto: *No sé qué demontre pretende conseguir de mí.* □ ETIMOL. Eufemismo por *demonio*.

demora s.f. Tardanza o retraso en la realización o en el cumplimiento de algo, esp. de una obligación: *La demora en el pago de impuestos se castiga con multa.*

demorar ▌v. **1** Referido a una acción, retrasarla en el tiempo: *Los viajeros demoraron su salida hasta que mejorase el tiempo. El comienzo de las obras se demoró varios meses.* □ SINÓN. *atrasar, retardar.* **2** En zonas del español meridional, tardar: *Demora siempre mucho en el baño.* ▌prnl. **3** Detenerse o entretenerse durante un tiempo: *Los dos amigos se demoraron hablando de sus cosas.* **4** En zonas del español meridional, retrasarse: *Me demoré demasiado para hacer ese trabajo.* □ ETIMOL. Del latín *demorari*.

demoscopia s.f. Estudio de las opiniones, aficiones y comportamiento humanos mediante sondeos de opinión: *Una demoscopia sobre las elecciones indica que habrá un alto nivel de abstención.* □ ETIMOL. Del alemán *Demoskopie*.

demoscópico, ca adj. De la demoscopia o relacionado con este estudio de opinión: *Haremos un estudio demoscópico antes de lanzar al mercado nuestro producto.*

demóstenes (pl. *demóstenes*) s.m. Persona de gran elocuencia o facilidad de palabra: *La portavoz del partido es la mayor demóstenes que he conocido.* □ ETIMOL. Por alusión a Demóstenes, famoso orador griego del siglo I a. C.

demostrable adj.inv. Que se puede demostrar: *No sé por qué no me crees, si todo lo que te digo es demostrable.*

demostración s.f. **1** Lo que hace evidente de manera definitiva la verdad de algo: *La demostración de que te envié el paquete en esa fecha es el res-*

guardo de correos. **2** Muestra o manifestación exterior, esp. de sentimientos: *demostraciones de entusiasmo.* **3** Exhibición u ostentación, esp. de poder: *una demostración de fuerza física.* **4** Lo que se hace para enseñar de manera práctica: *Un informático nos hizo una demostración del funcionamiento del programa.* **5** Comprobación que se hace de un principio o de una teoría aplicándola en experimentos o casos concretos: *La profesora hizo en la pizarra una demostración del teorema de Pitágoras.*

demostrar v. **1** Referido a la verdad de algo, hacerla evidente con razones o pruebas definitivas: *Aquellas cartas demostraban que el acusado fue objeto de chantaje.* **2** Manifestar o dar a entender: *Demostraste poco interés marchándote de esa manera.* **3** Enseñar o mostrar de manera práctica: *El ciclista demostró cómo corre un campeón.* □ ETIMOL. Del latín *demonstrare.* □ MORF. Irreg. →CONTAR.

demostrativo, va ❚ adj. **1** Que demuestra o pone de manifiesto: *Le exigieron un documento demostrativo del pago del impuesto.* ❚ s.m. **2** →**pronombre demostrativo.**

demótico, ca ❚ adj. **1** En el antiguo Egipto, referido a un sistema de escritura, que se caracteriza por la ligazón de sus trazos y por su simplificación respecto de las escrituras hierática y jeroglífica: *La escritura demótica se usó en Egipto desde el siglo VI a. C.* ❚ s.m. **2** →**griego demótico.** □ ETIMOL. Del griego *demotikós* (popular).

demudación s.f. Cambio o alteración, esp. los que sufren el color o la expresión del rostro por una fuerte impresión: *Fue impresionante ver la demudación de su cara cuando se vio sorprendida.* □ SINÓN. *demudamiento.*

demudamiento s.m. →**demudación.**

demudar v. Referido esp. al color o a la expresión del rostro, cambiar o alterarse por una fuerte impresión: *La mala noticia le demudó el rostro. Cuando vio a su hijo herido, se le demudó el color.* □ ETIMOL. Del latín *demutare.*

den s.m. →**denier.**

denar s.m. Unidad monetaria macedonia.

denario s.m. **1** En la antigua Roma, moneda de plata equivalente a diez ases o a cuatro sestercios: *El denario fue moneda de curso legal hasta el bajo imperio.* **2** En la antigua Roma, moneda de oro equivalente a cien sestercios: *Entre los coleccionistas numismáticos son muy apreciados los denarios de oro.* □ ETIMOL. Del latín *denarius.*

dendrita s.f. En biología, en una célula nerviosa, prolongación ramificada de su citoplasma: *En las neuronas, las dendritas son más cortas y más numerosas que los axones.* □ ETIMOL. Del griego *déndron* (árbol).

denegación s.f. Respuesta negativa que se da a una petición o a una solicitud: *El sargento comunicó al soldado la denegación del permiso solicitado. Huyó del accidente y fue acusado de denegación de auxilio a un herido.*

denegar v. Referido a una petición o a una solicitud, negarlas o no concederlas: *Solicité un aumento de sueldo, pero me lo denegaron.* □ ETIMOL. Del latín *denegare.* □ ORTOGR. Aparece una *u* después de la *g* cuando le sigue *e.* □ MORF. Irreg. →REGAR.

denegatorio, ria adj. Que responde negativamente a una petición o a una solicitud: *Solicité un aumento de sueldo, pero me lo denegaron.*

denegrido, da adj. De color semejante al negro o con tonalidades negras: *La rodilla en la que se dio el golpe se le fue poniendo denegrida.*

dengoso, sa adj. Que finge o muestra una delicadeza exagerada: *¡No te pongas dengoso y llama a las cosas por su nombre!* □ SINÓN. *melindroso, remirado.*

dengue s.m. **1** Hecho o dicho afectados con los que se finge disgusto o desagrado por lo que en realidad se desea. **2** Esclavina de paño que llevaban las mujeres cruzada sobre el pecho y sujeta detrás de la cintura: *El traje típico de mi región lleva dengue.* □ ETIMOL. De origen expresivo.

denier (fr.) s.m. Unidad que indica la finura del hilo en un tejido, y que equivale al peso en gramos de 9 000 metros de hilo: *Me he comprado unos panties de 30 deniers.* □ PRON. [deniér]. □ MORF. Se usa mucho la forma abreviada *den.*

denigración s.f. **1** Ataque a la reputación o a la buena fama: *Las denigraciones de sus adversarios han dañado su popularidad.* **2** Insulto u ofensa graves que se dirigen contra alguien: *Los esclavos se rebelaron contra las denigraciones a las que eran sometidos.*

denigrante adj.inv./s.com. Que denigra, ofende o insulta: *Recibí un trato denigrante que no pienso volver a consentir nunca más.*

denigrar v. **1** Atacar la reputación o la buena fama: *Las malas lenguas denigran tu buen nombre tachándote de inmoral.* **2** Ofender o insultar gravemente, esp. con acusaciones injustas: *El carcelero denigraba a los presos con sus burlas y malos tratos.* □ SINÓN. *injuriar.* □ ETIMOL. Del latín *denigrare* (poner negro, manchar).

denim (ing.) s.m. Tela resistente, más o menos gruesa, de color generalmente azul, que se utiliza para confeccionar prendas vaqueras. □ PRON. [dénim].

denodado, da adj. Con denuedo o con decisión: *Me lancé a la aventura con espíritu denodado.* □ ETIMOL. Del latín *denotatus* (famoso).

denominación s.f. **1** Asignación de un nombre o de una expresión que sirven para identificar. **2** ‖ **denominación de origen;** la que se asigna oficialmente a un producto como garantía de que procede de una determinada comarca y tiene la calidad y las propiedades características de ese lugar: *vinos con denominación de origen.*

denominador, -a ❚ adj./s. **1** Que denomina. ❚ s.m. **2** En un número quebrado o en una fracción matemática, término que indica el número de partes iguales en que se considera dividido un todo o la unidad: *En el quebrado 2/3, el denominador es 3.*

3 || **común denominador** o **denominador común;** **1** En un conjunto de fracciones, número que es múltiplo de todos sus denominadores: *Un denominador común a las fracciones 1/3 y 3/4 es 12.* **2** Aquello en lo que se coincide: *El común denominador de todos los hermanos es su inteligencia.*

denominal adj.inv. En gramática, referido a una palabra, que deriva de un nombre: *Campestre es un adjetivo denominal que procede del sustantivo campo.* ☐ SINÓN. *denominativo.*

denominar v. Asignar o recibir un nombre o una expresión que identifique: *En medicina, la infección de amígdalas se denomina 'amigdalitis'.* ☐ ETIMOL. Del latín *denominare.*

denominativo, va adj. **1** Que indica o implica denominación: *el cartel denominativo de una calle.* **2** En gramática, referido a una palabra, que deriva de un nombre: *'Golpear' es un verbo denominativo que procede del sustantivo 'golpe'.* ☐ SINÓN. *denominal.*

denostar v. Desacreditar u ofender gravemente y de palabra: *Fue expulsado por denostar a un superior en público.* ☐ ETIMOL. Del latín *dehonestare* (deshonrar, infamar). ☐ MORF. Irreg. →CONTAR.

denotación s.f. **1** Significación o indicación, esp. las que se dan a entender mediante indicios o señales: *Sus respuestas eran una constante denotación de disgusto.* **2** En lingüística, significación básica y desprovista de matizaciones subjetivas que presenta una palabra o una unidad léxica: *Ninguna de las palabras del poema está usada con su simple denotación.* ☐ SEM. Dist. de *connotación* (significación secundaria y subjetiva).

denotar v. **1** Referido esp. a un signo, significar o indicar: *Su gesto denota admiración y respeto.* **2** En lingüística, poseer un significado básico y desprovisto de matizaciones subjetivas: *La palabra 'víbora' denota un tipo de culebra y connota 'persona mordaz'.* ☐ ETIMOL. Del latín *denotare.* ☐ SEM. Dist. de *connotar* (poseer significados secundarios y subjetivos).

denotativo, va adj. Que implica o conlleva denotación: *El significado denotativo de la palabra 'burro' es 'mamífero cuadrúpedo'.* ☐ SEM. Dist. de *connotativo* (que connota o sugiere significados secundarios y subjetivos).

densidad s.f. **1** Espesor o concentración de elementos. **2** Gran cantidad o concentración de contenido, esp. si ello conlleva oscuridad o dificultad: *La densidad de su pensamiento dejó al auditorio boquiabierto.* **3** En física, relación entre la masa y el volumen de una sustancia o de un cuerpo. **4** || **densidad de población;** relación entre el número de habitantes que pueblan un territorio y su superficie.

densificación s.f. Proceso de hacer algo denso o más denso: *La evaporación de esta disolución implica su densificación.*

densificar v. Hacer denso o más denso: *La contaminación densifica el aire.*

densímetro s.m. Instrumento que sirve para medir la densidad relativa de los líquidos: *Comprobamos con un densímetro que el aceite es más denso que el agua.* ☐ SINÓN. *areómetro.* ☐ ETIMOL. De *denso* y *-metro* (medidor).

densitometría s.f. **1** Técnica para medir la transparencia óptica o la densidad de un medio, esp. fotográfico. **2** En medicina, técnica para medir la densidad mineral de los huesos. **3** En medicina, prueba realizada con esta técnica: *hacerse una densitometría.*

denso, sa adj. **1** Espeso o formado por elementos muy juntos o apretados: *un bosque muy denso.* **2** Sustancioso o con mucho contenido y muy concentrado, esp. si por ello resulta oscuro o difícil: *un libro muy denso.* ☐ ETIMOL. Del latín *densus* (espeso, compacto, denso).

dentado, da adj. Que tiene dientes o salientes semejantes a ellos: *Este cuchillo tiene el filo dentado.*

dentadura s.f. Conjunto de dientes, muelas y colmillos de una persona o de un animal: *La higiene de la dentadura evita la caries.*

dental ▌adj.inv. **1** De los dientes o relacionado con ellos: *una prótesis dental.* **2** En lingüística, referido a un sonido consonántico, que se articula acercando la lengua a la cara interior de los dientes incisivos superiores: *El sonido [t] es un sonido dental.* ▌s.f. **3** Letra que representa este sonido: *La 'd' es una dental.*

dentamen s.m. *col.* Dentadura: *Me he dado un golpe en el dentamen sin querer.*

dentar v. Referido a un objeto, hacerle dientes o salientes: *A fuerza de golpes dentó la hoja de la navaja.* ☐ MORF. Irreg. →PENSAR.

dente || **al dente;** referido a la pasta italiana, cocida de modo que no quede excesivamente blanda ni desprenda harina: *Los macarrones me gustan al dente.* ☐ ETIMOL. Del italiano *al dente* (al diente).

dentellada s.f. Mordedura hecha con los dientes: *El perro guardián redujo al ladrón a dentelladas.*

dentellar v. Castañetear o entrechocar los dientes: *Tiritaba y dentellaba de frío.* ☐ SEM. Dist. de *dentellear* (mordisquear o clavar los dientes repetidamente).

dentellear v. Mordisquear o clavar los dientes repetidas veces: *Le están empezando a salir los dientes y todo lo dentellea.* ☐ SEM. Dist. de *dentellar* (castañetear o entrechocar los dientes).

dentera s.f. Sensación desagradable que se nota en los dientes, esp. cuando se oyen chirridos o cuando se toman sustancias agrias: *El chirrido de la tiza sobre la pizarra le da dentera.* ☐ SINÓN. *grima.*

dentición s.f. **1** Formación y salida de los dientes: *La dentición en los niños se inicia hacia los seis meses.* **2** Tiempo que dura este proceso: *Durante la dentición se recomienda tomar mucha leche.* **3** En zoología, tipo de dentadura que caracteriza a un mamífero según su especie: *Los animales carnívoros y los herbívoros tienen una dentición distinta.* ☐ ETIMOL. Del latín *dentitio.*

dentífrico, ca adj./s.m. Que se usa para limpiar los dientes: *Los dentífricos con flúor previenen la caries.* ☐ ETIMOL. Del latín *dens* (diente) y *fricare* (frotar). ☐ PRON. Incorr. *[dentrífico].

dentina s.f. Marfil o materia dura y blanca de que están formados los dientes: *La dentina tiene una composición semejante a la de los huesos.*

dentista s.com. Persona que se dedica profesionalmente al cuidado y arreglo de la dentadura y al tratamiento de enfermedades asociadas con esta: *El dentista me ha sacado una muela y me ha hecho varios empastes.*

dentistería s.f. **1** En zonas del español meridional, clínica dental: *Mi amiga trabaja en una dentistería.* **2** En zonas del español meridional, odontología: *En Venezuela estudié dentistería.*

dentística s.f. En zonas del español meridional, odontología: *Estudié dentística en Santiago de Chile.*

dentón, -a ▌adj./s. **1** Que tiene los dientes exageradamente grandes: *El protagonista de la película era atractivo pero muy dentón.* ☐ SINÓN. *dentudo.* ▌s.m. **2** Pez marino comestible, de color azulado por el lomo, cabeza grande y dientes salientes: *El dentón vive en los fondos rocosos marinos.* ☐ MORF. En la acepción 2, es un sustantivo epiceno: *el dentón {macho/hembra}.*

dentro adv. **1** En la parte interior: *Tengo el libro dentro de la cartera.* **2** ‖ **dentro de;** seguido de una expresión que indica tiempo, durante su transcurso o una vez terminado ese período: *Dentro de unos días volveré.* ☐ ETIMOL. Del latín *de* e *intro* (dentro). ☐ SINT. Constr. incorr. *dentro {*el > del} armario.*

dentudo, da adj./s. Que tiene los dientes exageradamente grandes: *Nos atendió un muchacho feúcho y dentudo, pero muy simpático.* ☐ SINÓN. *dentón.*

denuedo s.m. Coraje o intrepidez para acometer o para culminar algo: *Su constancia y su denuedo le ayudaron a conseguir el ansiado trofeo.* ☐ ETIMOL. Del antiguo *denodarse* (atreverse, mostrarse valiente).

denuesto s.m. Hecho o dicho que desacreditan o que ofenden gravemente: *Aquel escrito era una sarta de infamias y denuestos intolerables.* ☐ ETIMOL. De *denostar.*

denuncia s.f. **1** En derecho, comunicación que se hace ante una autoridad judicial o policial de que se ha cometido una falta o un delito: *presentar una denuncia.* **2** Comunicación que se hace públicamente de una ilegalidad o de algo que se considera injusto o intolerable: *Ese reportaje es una denuncia estremecedora del hambre en el Tercer Mundo.* **3** Comunicación que una de las partes hace de que queda cancelado o sin efecto un contrato o un tratado: *La denuncia del tratado de paz fue el prólogo de la guerra.* ☐ SEM. Dist. de *demanda* (comunicación ante una autoridad judicial de que se ha cometido una falta) y de *querella* (acusación que se presenta ante un juez o un tribunal).

denunciante ▌adj.inv. **1** Que denuncia. ▌s.com. **2** En derecho, persona que presenta una denuncia ante los tribunales: *La denunciante declaró que fue asaltada a mano armada.*

denunciar v. **1** Referido a un daño, dar parte de él a la autoridad: *Denunció en la comisaría de policía el robo de su cartera.* **2** Referido a una ilegalidad o a algo que se considera injusto o intolerable, hacer pública esta consideración: *Con sus reportajes denunció las inhumanas condiciones de trabajo de algunos emigrantes.* **3** Referido esp. a un contrato o a un tratado, comunicar una de las partes que lo considera cancelado o sin efecto: *Los dos países denunciaron su convenio comercial para redactar otro nuevo.* ☐ ETIMOL. Del latín *denuntiare.* ☐ ORTOGR. La *i* nunca lleva tilde.

deontología s.f. Teoría o tratado de los deberes y de los principios éticos, esp. de aquellos que rigen el ejercicio de una profesión: *la deontología médica.* ☐ ETIMOL. Del griego *déon* (el deber) y *-logía* (ciencia, estudio).

deontológico, ca adj. De la deontología o relacionado con ella: *La primera regla deontológica de un periodista es la veracidad.*

Deo volente (lat.) ‖ Si Dios quiere o si no hay contratiempo: *El año que viene, Deo volente, volveremos a reunirnos.*

de pane lucrando (lat.) ‖ Referido a una obra artística o literaria, que se hace de forma descuidada y solo con el fin de ganar dinero: *Esta es una novela de pane lucrando, escrita sin ningún esmero.* ☐ PRON. [de páne lucrándo].

deparar v. Referido esp. a algo inesperado o a una ocasión, proporcionarlos o concederlos: *La celebración nos deparó la oportunidad de reencontrarnos. La vida le deparó una cadena de desdichas.* ☐ ETIMOL. Del latín *de* (de) y *parare* (preparar).

departamental adj.inv. De un departamento, esp. si es ministerial o territorial: *La ministra explicó a la prensa su programa departamental.*

departamento s.m. **1** En un todo, parte o sección que es resultado de dividirlo o de estructurarlo: *La caja de herramientas tiene un departamento para tornillos.* **2** En la Administración Pública, ministerio o ramo: *El Departamento de Defensa del Gobierno anunció un descenso en los gastos militares.* **3** En una facultad universitaria, unidad de docencia e investigación formada por una o varias áreas de materias afines: *La cátedra de literatura catalana pertenece al departamento de Filología Románica.* **4** En zonas del español meridional, apartamento o piso. **5** En zonas del español meridional, provincia. ☐ ETIMOL. Del francés *département.* ☐ SEM. En las acepciones 1-3, dist. de *apartamento* (vivienda pequeña).

departir v. Conversar o hablar de manera distendida: *Los contertulios departían sobre lo humano y lo divino.* ☐ ETIMOL. Del latín *departire.* ☐ SINT. Constr. *departir {DE/SOBRE} algo.*

depauperación s.f. **1** Empobrecimiento o mengua de los recursos económicos: *La crisis económica produjo la depauperación de las capas sociales más necesitadas.* **2** Hecho de debilitar o extenuar el organismo: *Su estado de depauperación era tan grave que tuvieron que internarlo en un hospital.*

depauperar v. **1** Hacer pobre o más pobre: *La crisis económica ha depauperado los sectores más pobres de nuestra sociedad. Nuestra economía se* *depaupera debido a los altos impuestos que nos gravan.* ☐ SINÓN. *empobrecer.* **2** En medicina, extenuar o debilitar en extremo: *El hambre ha depauperado a los niños de los países subdesarrollados. Uno de los trabajadores en huelga de hambre está empezando a depauperarse.* ☐ ETIMOL. Del latín *pauper* (pobre).

dependencia s.f. **1** Subordinación a una autoridad o a una jurisdicción: *Le molesta la dependencia que tiene de sus padres.* **2** →**drogodependencia.** **3** Conexión o relación de origen: *La policía investiga la dependencia de estos dos sucesos.* **4** Oficina que depende de otra superior: *las dependencias de un ministerio.* **5** En un edificio, cada una de las habitaciones o de los espacios destinados a un uso determinado: *Los establos estaban instalados en unas dependencias anejas al palacio.* ☐ SINT. Constr. de las acepciones 1, 2 y 3: *dependencia* DE *algo.*

depender v. **1** Estar subordinado o sometido a una autoridad o una jurisdicción: *Las colonias dependían de la metrópoli.* **2** Estar condicionado por algo: *El que vaya o no depende del humor del que me levante.* **3** Estar necesitado de algo para vivir: *Los consumidores de drogas acaban dependiendo de estas.* ☐ ETIMOL. Del latín *dependere* (colgar, pender). ☐ SINT. Constr. *depender* DE *algo.*

dependiente adj.inv. Que depende de algo o de alguien: *No me gusta ser dependiente de nadie.*

dependiente, ta s. Persona que se dedica profesionalmente a atender a los clientes en un establecimiento comercial: *Trabajo como dependienta en unos grandes almacenes.*

depilación s.f. Eliminación del vello de la piel: *La depilación a la cera es una de las más duraderas.*

depiladora s.f. Maquinilla eléctrica que arranca el vello y se usa para depilar.

depilar v. Eliminar el vello de la piel: *Esta crema depila y no duele. Se depilaba las cejas con unas pinzas.* ☐ ETIMOL. Del latín *depilare* (pelar).

depilatorio, ria adj./s.m. Que sirve para depilar: *crema depilatoria.*

deplorable adj.inv. Lamentable, malo o infeliz: *Me parece deplorable que no te hayas dignado a saludarnos.*

deplorar v. Lamentar o sentir profundamente: *Todos deploramos ese desgraciado accidente.* ☐ ETIMOL. Del latín *deplorare.*

deponer v. **1** Dejar, abandonar o apartar de sí: *El coronel sublevado accedió a deponer las armas.* **2** Privar de un empleo o de los honores que se tenían: *Tus graves errores me han obligado a deponerte del cargo.* ☐ ETIMOL. Del latín *deponere* (poner). ☐ MORF. Irreg.: 1. Su participio es *depuesto*. 2. →PONER. ☐ SINT. Constr. de la acepción 2: *deponer a alguien* DE *algo.*

deportación s.f. Destierro de una persona a un lugar alejado, por razones políticas o como castigo: *El Gobierno autorizó la deportación de los terroristas a otro país.*

deportar v. Desterrar por razones políticas o como castigo: *Muchos judíos fueron deportados a campos de concentración.* ☐ ETIMOL. Del latín *deportare* (trasladar, transportar).

deporte s.m. **1** Actividad física que se practica como juego o como competición, que está sujeta a determinadas normas, y que requiere entrenamiento: *un deporte de equipo.* **2** Diversión, actividad física o pasatiempo que suelen realizarse al aire libre: *Se dice que la siesta es el deporte nacional español.* **3** ‖ **por deporte;** *col.* Por gusto o desinteresadamente: *Tranquila, no me pagues, que yo hago esto por deporte.* ☐ ETIMOL. Del antiguo *deportar* (divertirse, descansar).

deportista adj.inv./s.com. Que practica algún deporte: *Como es una mujer tan deportista se conserva ágil y fuerte.*

deportiva s.f. Véase **deportivo, va.**

deportividad s.f. Comportamiento deportivo o ajustado a las normas de corrección que se considera que deben guardarse en la práctica de un deporte: *jugar con deportividad.*

deportivista adj.inv./s.com. Del Real Club Deportivo de La Coruña (club deportivo gallego) o relacionado con él.

deportivo, va ▮ adj. **1** Del deporte o relacionado con esta actividad física: *un club deportivo.* **2** Que se ajusta a las normas de corrección que se considera que deben cumplirse en la práctica de un deporte: *Nuestro equipo asumió su derrota de forma deportiva.* **3** Referido a una prenda de vestir, que es cómoda o informal: *ropa deportiva.* ▮ s.m. **4** →**coche deportivo.** **5** En zonas del español meridional, polideportivo. ▮ s.f. **6** Zapatilla para hacer deporte.

deposición s.f. **1** Expulsión de excrementos por el ano: *El médico le preguntó el número de deposiciones diarias.* **2** Abandono de algo, esp. de una actitud o de una forma de comportamiento: *La directora exige la deposición de tu actitud para readmitirte en la escuela.* **3** Expulsión o privación de un cargo o de una dignidad: *La ministra ordenó la deposición del gobernador civil por su manifiesta incompetencia.*

depositar ▮ v. **1** Poner o colocar en un sitio determinado: *Han depositado las joyas en la caja fuerte.* **2** Referido a un bien o a un objeto de valor, ponerlos bajo la custodia de una persona o de una entidad que debe responder de ellos: *Deposité mis ahorros en el banco.* **3** Referido esp. a un sentimiento, ponerlo en alguien o confiarlo a alguien: *Deposité toda mi confianza en ti y me has defraudado.* ▮ prnl. **4** Referido a una materia que está en suspensión en un líquido, separarse y caer al fondo: *La arena se depositaba en el fondo del estanque.* ☐ ETIMOL. De *depósito.*

depositaría s.f. **1** Lugar o dependencia en los que se hacen los depósitos: *Para participar en las oposiciones hay que abonar los derechos de examen en la depositaría municipal.* **2** Cargo de depositario: *Se está preparando unos exámenes para acceder a la depositaría.* ☐ ORTOGR. Dist. de *depositaria.*

depositario, ria ▮ adj./s. **1** Que guarda o tiene a su cargo algo, esp. un bien o un objeto de valor por los que debe responder: *Las entidades bancarias son depositarias de nuestros ahorros.* ▮ s. **2** Persona en la que se deposita un sentimiento: *Su madre es la depositaria de todas sus penas.* ☐ ORTOGR. *Depositaria* dist. de *depositaría.*

depósito s.m. **1** Posición o colocación en un sitio determinado: *La ausencia de viento favorece el depósito de las partículas de polvo sobre una superficie.* **2** Colocación de un bien o de un objeto de valor bajo la custodia de una persona o de una entidad que debe responder de ellos: *realizar un depósito en el banco.* **3** Lo que se deposita: *Para alquilar el coche me pedían un depósito sesenta euros.* **4** Lugar o recipiente en el que se deposita algo: *un depósito de agua.* **5** Sedimento o materia que, habiendo estado en suspensión en un líquido, se deposita por su mayor gravedad en un fondo: *En el fondo del río se formó un depósito de arena.* **6** ‖ **en depósito;** referido a una mercancía, que ha sido entregada para su exposición y su posible venta: *El comerciante debe devolver al representante las piezas de bisutería que este le dejó en depósito y que no vendió.* ☐ ETIMOL. Del latín *depositum.*

depravación s.f. Corrupción o adquisición de vicios o costumbres negativas o perjudiciales: *Su depravación llegó a tal extremo que ya no distinguía el bien del mal.*

depravado, da adj./s. Muy corrompido o que posee muchas costumbres negativas o perjudiciales: *una persona depravada.*

depravar v. Referido esp. a una persona, corromperla o hacerle adquirir vicios y costumbres perjudiciales: *Se fue depravando poco a poco y terminó siendo un traficante.* ☐ ETIMOL. Del latín *depravare* (pervertir).

depre ▮ adj.inv./s.com. **1** *col.* →**deprimido.** ▮ s.f. **2** *col.* →**depresión.**

deprecación s.f. Petición, súplica o ruego para conseguir algo: *En sus deprecaciones pedía el perdón de su padre una y otra vez.*

deprecar v. Rogar o pedir con insistencia: *El acusado deprecaba la indulgencia del juez.* ☐ ETIMOL. Del latín *deprecari* (rogar). ☐ ORTOGR. La *c* se cambia en *qu* delante de *e*.

depreciación s.f. Disminución del valor o del precio de algo: *Con el paso del tiempo se produce la depreciación de los coches porque aparecen nuevos modelos.*

depreciar v. Referido al valor o al precio de algo, disminuirlo o rebajarlo: *La construcción de la fábrica depreciará el valor de los pisos de alrededor. La moneda del país se depreció a consecuencia de la crisis económica.* ☐ ETIMOL. Del latín *depretiare* (menospreciar). ☐ ORTOGR. La *i* nunca lleva tilde.

depredación s.f. **1** Caza que realiza un animal de otro de distinta especie para su subsistencia: *La forma de alimentación de muchos animales salvajes es la depredación.* **2** Robo y saqueo con violencia y destrozo: *Los vencedores obtuvieron un buen botín de la depredación de la ciudad conquistada.*

depredador, -a adj./s. **1** Que depreda. **2** Referido a un animal, que se alimenta de los animales de distinta especie que caza: *Muchos animales carnívoros son depredadores y otros son carroñeros.*

depredar v. **1** Referido a un animal, cazarlo otro de distinta especie para su subsistencia: *Las fieras salvajes suelen depredar animales débiles o enfermos.* **2** Robar o saquear con violencia y destrozo: *Las tropas enemigas depredaron cuantos pueblos encontraron a su paso.* ☐ ETIMOL. Del latín *depraedari*, y este de *praeda* (presa, rapiña).

depresión s.f. **1** Estado psíquico caracterizado por una tristeza profunda, una disminución de la actividad del organismo y por una pérdida de interés: *Los problemas familiares que pesaban sobre él lo llevaron a una depresión.* **2** Hundimiento de una superficie o de una parte de un cuerpo: *El terremoto produjo la depresión del terreno.* **3** En una superficie, esp. en un terreno, concavidad producida por este hundimiento: *El río corre a lo largo de una depresión.* **4** Período de baja actividad económica general que se caracteriza sobre todo por el desempleo masivo, la caída de las inversiones y un decreciente uso de los recursos. **5** Caída o empobrecimiento de algo: *La disminución de las ventas produjo la depresión de la economía del sector.* ☐ ETIMOL. Del latín *depressio.* ☐ MORF. En la acepción 1, en la lengua coloquial se usa mucho la forma abreviada *depre.*

depresivo, va ▮ adj. **1** Que deprime el ánimo: *Trabaja en un ambiente depresivo.* ▮ adj./s. **2** Referido a una persona, que tiene tendencia a deprimirse: *Aunque te parezca optimista y animosa, es una persona muy depresiva.*

depresor, -a ▮ adj. **1** Que deprime. ▮ s.m. **2** Instrumento médico que se utiliza para deprimir o hacer bajar una parte del cuerpo: *La médica me puso un depresor sobre la base de la lengua para poder ver bien la garganta.* **3** Sustancia que disminuye la actividad de algunos centros nerviosos. ☐ ETIMOL. Del latín *depressor.*

deprimido, da adj. **1** Que padece apatía o decaimiento de ánimo: *una persona deprimida.* **2** Referido a un lugar, pobre o poco desarrollado: *un país deprimido.* ☐ MORF. En la acepción 1, en la lengua coloquial se usa mucho la forma abreviada *depre.*

deprimir v. Producir decaimiento en el ánimo: *La noticia de la catástrofe nos deprimió muchísimo. Siempre me deprimo cuando llega la primavera.* ☐ ETIMOL. Del latín *deprimere*, y este de *premere* (apretar).

deprisa (tb. *de prisa*) adv. Con mucha rapidez: *Caminaba deprisa para llegar antes.* ☐ SINÓN. *aprisa.* ☐ ETIMOL. De *de* (preposición) y *prisa.*

deprivación s.f. →**privación.** ☐ ETIMOL. Del inglés *deprivation* (privación). ☐ USO Su uso es innecesario.

depuesto, ta part. irreg. de **deponer.** ☐ MORF. Incorr. **deponido.*

depuración s.f. **1** Purificación o eliminación de las impurezas de algo, esp. de una sustancia: *Los* *riñones realizan la depuración de la sangre.* **2** Perfeccionamiento o aumento de la pureza de algo, esp. del estilo o del lenguaje: *La nueva profesora intentó la depuración de ese vocabulario tan grosero que empleaban sus alumnos.* **3** Eliminación de los miembros considerados disidentes en una organización. **4** Establecimiento o determinación exacta de las responsabilidades de algo.

depurado, da adj. **1** Limpio, puro o sin impurezas: *agua depurada.* **2** Perfecto, muy esmerado o muy cuidado: *un estilo muy depurado.* **3** Referido esp. a una persona, que ha sido eliminada de una organización por haber sido considerada disidente: *Han publicado los nombres de los militantes depurados.*

depuradora s.f. Aparato o instalación que sirve para depurar o limpiar algo, esp. las aguas: *La depuradora de la piscina está estropeada.*

depurar v. **1** Referido esp. a una sustancia, limpiarla, purificarla o quitarle impurezas: *Para depurar el agua se le añade cloro. Muchas sustancias se depuran mediante el filtrado.* **2** Referido esp. al estilo o al lenguaje, perfeccionarlo o hacerlo más puro: *A fuerza de leer buenas obras su estilo se depuró.* **3** Referido esp. a una persona, eliminarla de una organización por haber sido considerada disidente: *Han depurado a varios altos cargos del partido.* **4** Referido esp. a las responsabilidades, establecerlas o determinarlas con exactitud: *Deben investigarse y depurarse las responsabilidades penales de esos delitos.* □ ETIMOL. Del latín *depurare*, y este de *purus* (puro).

depurativo, va adj./s.m. Que depura o purifica los líquidos del cuerpo, esp. la sangre: *Dicen que la cebolla tiene propiedades depurativas de la sangre.*

dequeísmo s.m. En gramática, uso indebido de la preposición *de* ante una subordinada introducida por la conjunción *que*: *En la expresión 'Le dijimos de que saliera esta noche' hay un dequeísmo.*

dequeísta adj.inv./s.com. Que hace uso del dequeísmo.

-dera **1** Sufijo que indica instrumento: *regadera, abrazadera.* **2** Sufijo que indica acción reiterada: *tembladera, gritadera.*

derbi (pl. *derbis*) s.m. Encuentro deportivo, generalmente futbolístico, entre dos equipos de la misma ciudad o de ciudades próximas: *El derbi entre los dos equipos de la provincia promete ser muy interesante.* □ ETIMOL. Del inglés *derby*. □ USO Es innecesario el uso del anglicismo *derby*.

derby (ing.) s.m. **1** →**derbi.** **2** Competición hípica importante: *En la ciudad inglesa de Epson se celebra anualmente un derby para la selección de potros de tres años.* □ ETIMOL. La acepción 2, por alusión al conde Derby, que fundó la primera carrera de caballos de este tipo.

derecha s.f. Véase **derecho, cha.**

derechazo s.m. **1** Golpe dado con la mano, con el puño o con el pie derechos. **2** En tauromaquia, pase de muleta dado con la mano derecha.

derechista ▮ adj.inv. **1** De la derecha o relacionado con estas ideas políticas: *El resultado de las encuestas se inclina a favor de los grupos derechistas.* ▮ adj.inv./s.com. **2** Partidario o seguidor de las ideas políticas conservadoras: *La iniciativa del Gobierno solo ha contado con el apoyo de grupos derechistas.*

derechización s.f. Inclinación de un partido de carácter progresista hacia tendencias de derechas o conservadoras: *Dejó la política porque su partido había sufrido un proceso de derechización que estaba en contra de sus ideologías políticas.*

derechizar v. Inclinar hacia tendencias de derechas o conservadoras: *Tu postura se ha derechizado con el paso del tiempo.* □ ORTOGR. La *z* se cambia en c delante de *e* →CAZAR.

derecho adv. Referido a la forma de hacer algo, de manera directa o sin hacer rodeos: *Si sigues derecho por esta calle, llegarás a la plaza.*

derecho, cha ▮ adj. **1** Referido a una parte del cuerpo, que está situada en el lado opuesto del corazón: *la mano derecha.* **2** Que está situado en el lado opuesto que el corazón del observador: *En nuestro país los coches circulan por el lado derecho.* **3** Referido a un objeto, que, respecto de su parte delantera, está situado en el lado opuesto del que correspondería al del corazón de una persona: *Mi oficina está en el lado derecho de la avenida.* **4** Recto, erguido o sin torcerse a un lado o a otro: *Ponte derecho, que voy a medirte para ver si has crecido.* **5** Directo, sin hacer rodeos o sin desviarse: *Ve derecho al asunto y déjate de rodeos.* **6** En zonas del español meridional, justo o conforme a la razón: *una persona derecha.* ▮ s.m. **7** Conjunto de principios, leyes y reglas a las que están sometidas las relaciones humanas en una sociedad civil y que deben cumplir obligatoriamente todas las personas: *derecho mercantil.* **8** Ciencia que estudia estos principios y leyes: *Los abogados han estudiado derecho.* **9** Facultad de hacer legítimamente lo que conduce a los fines de la vida de una persona: *La Constitución reconoce a todos los españoles el derecho a la educación.* **10** Facultad de hacer o exigir todo lo que la ley o la autoridad establece en favor de alguien, o lo que el dueño de algo nos permite de ello: *los derechos y las obligaciones de un trabajador.* **11** Conjunto de consecuencias naturales derivadas del estado de una persona o de sus relaciones respecto a otras: *Como viudo tengo derecho a cobrar la pensión de mi difunta mujer.* **12** Acción que se tiene sobre algo: *Tengo derecho sobre esta casa porque la heredé de mis padres.* **13** Justicia o razón: *Ganaré este juicio porque el derecho me asiste.* **14** En un objeto, parte o lado que se considera principal y que aparece labrado o trabajado con más perfección: *el derecho de una tela.* ▮ s.m.pl. **15** Cantidades que se cobran en algunas profesiones: *En el presupuesto debes incluir los derechos del arquitecto.* **16** Cantidad que se paga por la realización de determinados hechos regulados por la ley, esp. por la introducción de una mercancía: *derechos de aduana.* ▮

s.f. **17** Mano o pierna que están situadas en el lado opuesto del corazón: *Cógelo con la derecha, porque veo que se te va a caer.* **18** Dirección o situación correspondiente al lado derecho: *Tuerce a la derecha.* **19** Conjunto de personas o de organizaciones políticas que defienden ideas conservadoras: *La derecha triunfó en las últimas elecciones.* **20** || **a derechas;** referido a la forma de hacer algo, bien, con acierto, o de forma justa: *¡No haces una a derechas!* || **de derecho;** según la ley: *Un juez no puede negarte lo que te corresponde de derecho.* || **derecho de asilo;** protección que recibe una persona para no poder ser apresada en determinados lugares o en un país extranjero. || **derechos de autor;** cantidad que un profesional cobra como participación de los beneficios que produzca la publicación, ejecución o reproducción de su obra. || **derecho de pernada; 1** El que se atribuye un señor feudal para yacer con la esposa recién casada de un vasallo suyo. **2** Poder ejercido de forma abusiva. || **extrema derecha;** ideología conservadora más extremista y radical. ☐ ETIMOL. Del latín *directus* (recto, directo). ☐ MORF. Precedido del número de planta de un edificio, se usa siempre la forma femenina: *Vivo en el primero derecha.* ☐ SEM. En la acepción 11, dist. de *deber* (lo que se tiene obligación de hacer).

derechona s.f. *col. desp.* Sector derechista, esp. si se considera duro e intransigente.

derechura s.f. **1** Ausencia de inclinación, de curvas o de torcimientos. **2** || **en derechura;** directamente o por el camino más corto: *Caminemos en derechura y lleguemos cuanto antes.*

deriva s.f. **1** Desvío del rumbo que algo sigue, esp. una embarcación, por efecto del viento, del mar o de la corriente: *El capitán del barco corrigió la deriva provocada por las corrientes marinas.* **2** || **a la deriva; 1** Referido a un objeto flotante, esp. a una embarcación, a merced de la corriente o del viento, o sometido a su dominio: *Se rompió el timón y el barco quedó a la deriva.* **2** Sin dirección o sin propósito fijo: *Todos sus asuntos van a la deriva porque no es capaz de plantearse unos objetivos concretos.* || **deriva continental;** en geología, desplazamiento lento y continuo de las masas continentales sobre una materia fluida formada por una masa de rocas fundidas.

derivación s.f. **1** Conclusión o resultado que se extraen o se alcanzan a partir de un antecedente y por medio del razonamiento: *Esos datos los hemos obtenido por derivación de los estudios realizados.* ☐ SINÓN. *deducción.* **2** Separación de una parte del todo, o de un elemento de su origen o su principio: *La carretera comarcal que tomamos es una derivación de la nacional.* **3** En lingüística, procedimiento de formación de palabras que consiste en alterar o en ampliar la estructura o la significación de otra ya existente: *Si a 'conocer' le añadimos el prefijo 're-', obtenemos por derivación el verbo 'reconocer'.* **4** En electrónica, pérdida de fluido en una línea eléctrica, esp. si se produce por la acción de la humedad del ambiente: *Una derivación en el tendido eléctrico produjo un apagón en el pueblo.* **5** En matemáticas, cálculo de la derivada de una función. ☐ ETIMOL. Del latín *derivationis*.

derivada s.f. En matemáticas, en una función respecto a una variable, límite hacia el que tiende el cociente entre el incremento de la función y el atribuido a la variable, cuando este último tiende a cero: *calcular la derivada de una función.*

derivado s.m. **1** Producto obtenido a partir de otro: *La gasolina es un derivado del petróleo.* **2** En lingüística, palabra formada por derivación: *A partir de la raíz 'beb-' se han formado derivados como 'bebida', 'bebible' o 'bebedor'.*

derivar v. **1** Referido esp. a un objeto, proceder de otro u originarse a partir de él: *Su comportamiento deriva de los ejemplos que recibió en su casa. Estas conclusiones se derivan de los últimos datos aportados.* **2** En lingüística, referido a una palabra, formarse a partir de otra o a partir de una determinada raíz: *La palabra 'llavero' deriva de 'llave'.* **3** Desviar, tomar una nueva dirección o encaminar a otra parte: *Derivaron la carretera nacional para que no pasase por el centro de la ciudad.* **4** En matemáticas, referido a una función, hallar su derivada: *Para derivar una función hay que tener en cuenta su variable.* ☐ ETIMOL. Del latín *derivare* (desviar una corriente de agua).

dermatitis (pl. *dermatitis*) s.f. Inflamación de la piel: *Algunas sustancias químicas pueden producir dermatitis.* ☐ SINÓN. *dermitis.* ☐ ETIMOL. Del griego *dérma* (piel) e *-itis* (inflamación).

dermatoesqueleto s.m. En algunos animales, capa externa gruesa o endurecida que se ha formado por la acumulación de materias quitinosas o calcáreas, o por la calcificación u osificación de la dermis: *La concha de los caracoles es su dermatoesqueleto.* ☐ SINÓN. *exoesqueleto.* ☐ ETIMOL. Del griego *dérma* (piel) y *esqueleto*.

dermatoheliosis (pl. *dermatoheliosis*) s.f. Enfermedad de la piel causada por una excesiva exposición a los rayos solares: *La dermatoheliosis afecta sobre todo a personas que están muy expuestas al sol.* ☐ ETIMOL. Del griego *dérma* (piel), *hélios* (sol) y *-osis* (enfermedad).

dermatología s.f. Parte de la medicina que trata de las enfermedades de la piel: *La dermatología estudia los efectos de las radiaciones solares sobre la piel.* ☐ ETIMOL. Del griego *dérma* (piel) y *-logía* (ciencia, estudio).

dermatológico, ca adj. De la dermatología o relacionado con esta parte de la medicina: *El médico me recomendó seguir un tratamiento dermatológico para las manchas en la piel.*

dermatólogo, ga s. Médico especializado en las enfermedades de la piel: *La dermatóloga me recetó una pomada para el acné.*

dermatosis (pl. *dermatosis*) s.f. Enfermedad de la piel que se manifiesta por la aparición de costras, manchas, granos u otras formas de erupción: *Una de las características de la dermatosis es la infla-*

mación de la zona afectada. ☐ ETIMOL. Del griego *dérma* (piel) y *-osis* (enfermedad).

dérmico, ca adj. De la piel, de la dermis o relacionada con ellas: *Las glándulas sebáceas son formaciones dérmicas.*

dermis (pl. *dermis*) s.f. Capa intermedia de la piel, situada entre la epidermis y la hipodermis: *En la dermis se encuentran las glándulas sudoríparas.* ☐ ETIMOL. De *epidermis*.

dermitis (pl. *dermitis*) s.f. Inflamación de la piel: *La picadura de un insecto me produjo una dermitis.* ☐ SINÓN. *dermatitis.* ☐ ETIMOL. Del griego *dérma* (piel) e *-itis* (inflamación).

dermohidratante adj.inv. Que restablece o mantiene el grado normal de humedad de la piel: *Quiero un producto dermohidratante para manos resecas.*

dermoprotector, -a adj. Que mantiene el equilibrio de la piel y la protege de los efectos de los agentes atmosféricos: *Este gel dermoprotector evita las infecciones de la piel.*

-dero Sufijo que indica lugar donde se realiza algo: *secadero, apeadero.* ☐ ETIMOL. Del latín *-torius*.

-dero, -dera **1** Sufijo que indica profesión o actividad: *panadero, lavandera.* **2** Sufijo que indica posibilidad o necesidad: *perecedero, crecedera.* ☐ ETIMOL. Del latín *-torius*.

derogación s.f. Anulación de una norma jurídica: *Los cambios sociales imponen la derogación de algunas leyes.*

derogar v. Referido a una norma jurídica, anularla o dejarla sin validez: *Han sido derogadas las leyes contra la libertad de expresión.* ☐ ETIMOL. Del latín *derogare* (anular en parte una ley). ☐ ORTOGR. La *g* se cambia en *gu* delante de *e* →PAGAR.

derogatorio, ria adj. Que deroga o deja sin validez una norma jurídica: *Esa ley ha sido anulada por un decreto derogatorio.* ☐ ORTOGR. Incorr. **derrogatorio.*

derrabar v. Referido a un animal, cortarle el rabo o arrancárselo: *Hay que derrabar a algunos perros para que no se muerdan la cola.* ☐ ETIMOL. De *de-* (privación) y *rabo*.

derrabe s.m. Derrumbamiento o hundimiento accidental en lo hondo de una mina: *El derrabe de carbón sepultó a tres mineros.*

derrama s.f. **1** Reparto de un gasto eventual, esp. de una contribución: *Mañana vendrán a cobrar la derrama para el arreglo del ascensor.* **2** Contribución temporal o extraordinaria: *El Ayuntamiento ha impuesto una derrama para construir un piscina municipal.* ☐ ETIMOL. De *derramar* (reparto o de una contribución).

derramamiento s.m. Caída o salida de un líquido o de cosas pequeñas contenidas en algo: *Fue una pelea con navajas pero sin derramamiento de sangre.* ☐ SINÓN. *derrame.*

derramar v. Referido a algo contenido en un sitio, esp. a un líquido o a cosas pequeñas, hacer que salga o caiga de donde está y se esparza: *Cuidado no vayas a derramar el agua del vaso. Se cayó el salero y la sal se derramó en la mesa.* ☐ ETIMOL. Del latín **diramare* (separarse las ramas de un árbol).

derrame s.m. **1** →**derramamiento.** **2** Acumulación anormal de un líquido orgánico en una cavidad o salida anormal de dicho líquido al exterior: *un derrame cerebral.*

derrapaje s.m. →**derrape.** ☐ ETIMOL. Del francés *dérapage*.

derrapar v. Referido a un vehículo o a sus ruedas, deslizarse o patinar sobre el suelo desviándose lateralmente: *Derrapó la rueda delantera y casi me caigo de la bici.* ☐ ETIMOL. Del francés *déraper*.

derrape s.m. Deslizamiento o patinazo laterales de un vehículo o de sus ruedas: *En las curvas cerradas son frecuentes los derrapes.* ☐ USO Es innecesario el uso del galicismo *derrapaje*.

derredor ‖ **en derredor;** alrededor o en círculo: *Hicimos una hoguera y nos sentamos en derredor para contar historias.* ☐ ETIMOL. De *de* (preposición) y *redor* (rededor).

derrengado, da adj. Agotado físicamente: *En cuanto llegue a casa me tumbo, porque estoy derrengada.*

derrengar v. **1** Referido a una persona o un animal, dañarles el espinazo o los lomos: *Pesas tanto que me derrengaste cuando te llevé a cuestas. Derrengó al caballo a palos.* ☐ SINÓN. *desriñonar.* **2** Torcer o inclinar a un lado más que al otro: *Tiene un problema de columna y cada vez se derrenga más. Derrenga un poco el árbol para llegar a las ramas.* ☐ ETIMOL. Del latín **derenicare* (lesionar los riñones). ☐ ORTOGR. Aparece una *u* después de la *g* cuando le sigue *e*. ☐ MORF. Antiguamente era irregular y la segunda *e* diptongaba en *ie* en los presentes, excepto en las personas *nosotros* y *vosotros* →REGAR, pero hoy se usa como regular.

derretimiento s.m. Fusión o conversión en líquido de algo sólido o pastoso a causa del calor: *El derretimiento de los hielos polares aumentaría el nivel de los mares.*

derretir ▮ v. **1** Referido a algo sólido o pastoso, fundirlo o hacerlo líquido por medio del calor: *Derrite un poco de mantequilla en la sartén. Se derritió el helado por sacarlo de la nevera.* **2** Referido a los bienes materiales, esp. al dinero, gastarlos o derrocharlos: *Derritió una gran fortuna en pocos años.* ▮ prnl. **3** *col.* Sentirse muy enamorado: *Me derrito cada vez que me mira a los ojos.* ☐ ETIMOL. Del latín *reterere* (deshacer), por cruce con *deterere.* ☐ MORF. Irreg. →PEDIR.

derribar v. **1** Tirar o hacer caer al suelo: *El caballo derribó a su jinete.* **2** Referido a una construcción, hacerla caer al suelo destruyéndola: *Derribaron la casa con dinamita.* **3** Referido a una persona, hacerle perder el poder, el cargo o la estimación: *Una revuelta popular derribó al dictador.* **4** Referido a una res, hacerla caer en tierra, corriendo tras ella a caballo y empujándola con una garrocha: *Derribaban a las vacas en tierra y luego las marcaban.* ☐ ETIMOL. Quizá de *riba* (porción de tierra con alguna elevación).

derribo s.m. **1** Demolición de una construcción. **2** Caída al suelo provocada: *El derribo del jugador le costó la expulsión.*

derrocamiento s.m. Expulsión forzosa del puesto o cargo que ocupa una persona o caída provocada de un sistema de gobierno: *La revolución consiguió el derrocamiento del tirano.*

derrocar v. **1** Referido a una persona o a un sistema de gobierno, hacerlos caer: *Los golpistas derrocaron el Gobierno legalmente constituido.* **2** Referido a algo que está sobre una roca, despeñarlo o arrojarlo hacia abajo: *Se deshizo de él derrocándolo desde lo alto del acantilado.* **3** Referido a una construcción, derribarla, demolerla o hacerla caer al suelo: *Van a derrocar una manzana de casas para hacer un parque.* ☐ ETIMOL. Del provenzal y catalán *derrocar* (derribar). ☐ ORTOGR. La *c* se cambia en *qu* delante de *e*. ☐ MORF. Antiguamente era irregular y la *o* de la raíz diptongaba en *ue* en los presentes, excepto en las personas *nosotros* y *vosotros* →TROCAR, pero hoy se usa como regular.

derrochador, -a adj./s. Que derrocha o malgasta: *No seas tan derrochadora y piensa en ahorrar un poco más.*

derrochar v. **1** Gastar demasiado, de forma insensata o sin necesidad: *Nunca tiene dinero porque lo derrocha. No derroches gasolina.* **2** *col.* Referido a algo positivo o bueno, tenerlo en gran cantidad: *Es alegre y derrocha vitalidad.* ☐ ETIMOL. Del francés *dérocher* (despeñar).

derroche s.m. Gasto excesivo, superfluo o innecesario: *Hay que evitar el derroche de agua y energía.*

derrota s.f. **1** Resultado adverso a causa de perder en un enfrentamiento. **2** En marina, rumbo o dirección que lleva una embarcación al navegar: *El barco sigue su derrota hacia el Norte.* ☐ ETIMOL. La acepción 1, del francés *déroute* (desbandada), por influencia del castellano *rota* (fuga del ejército). La acepción 2, del antiguo *derromper* (cortar, romper).

derrotar v. **1** Referido a un contrincante o a un enemigo, vencerlo, esp. si este queda inutilizado para seguir el enfrentamiento: *Derrotaron al ejército invasor en poco tiempo. Nos vencieron, pero no nos derrotaron.* **2** En tauromaquia, referido a un toro, dar cornadas levantando la cabeza con cambio brusco de dirección: *El torero no hizo una buena faena porque el toro derrotaba continuamente.*

derrote s.m. En tauromaquia, cornada que da el toro levantando la cabeza con cambio brusco de dirección: *Los derrotes del toro son muy peligrosos.*

derrotero s.m. **1** Camino, rumbo o medio para llegar al fin propuesto: *Nos volveremos a ver aunque tomemos distintos derroteros.* **2** En marina, línea señalada en la carta de navegación para gobierno de los pilotos. **3** En marina, dirección que debe seguirse y que se da por escrito: *El timonel ya tiene el derrotero de este viaje.* ☐ ETIMOL. De *derrota* (rumbo, camino terrestre).

derrotismo s.m. Actitud o tendencia pesimista que se caracteriza por el desaliento y el convencimiento de la imposibilidad de vencer o de conseguir algo positivo: *El derrotismo de los jugadores impidió que ganaran el partido.*

derrotista adj.inv./s.com. Pesimista y sin la menor esperanza de conseguir algo positivo: *Con una actitud derrotista no llegaremos al final.*

derrubiar v. Referido esp. a una corriente de agua, ir quitando lentamente tierra de lo que toca: *El río derrubia poco a poco las orillas de su cauce.* ☐ ETIMOL. Del latín **derupare* (despeñar), y este de *rupes* (precipicio).

derrubio s.m. **1** Material que resulta de la erosión, generalmente formado por tierra o trozos de roca: *Los derrubios pueden acumularse en el fondo de los valles.* **2** Desgaste producido por la erosión de una corriente de agua: *El río cada vez es más ancho por el derrubio de sus orillas.*

derruir v. Referido a una construcción, derribarla, destruirla o hacerla caer al suelo: *Una bomba derruyó la torre de la iglesia.* ☐ ETIMOL. Del latín *diruere* (derribar, demoler). ☐ ORTOGR. Incorr. **derruír.* ☐ MORF. Irreg. →HUIR.

derrumbadero s.m. **1** En un terreno, precipicio escarpado y con peñascos desde donde es fácil caerse: *El camión se precipitó por un derrumbadero.* ☐ SINÓN. *despeñadero.* **2** Peligro o riesgo grandes: *Esa inversión es un derrumbadero porque la empresa está a punto de quebrar.* ☐ SINÓN. *despeñadero.*

derrumbamiento s.m. **1** Hundimiento de una construcción: *El derrumbamiento del muro principal retrasó la terminación del edificio.* ☐ SINÓN. *derrumbe.* **2** Hundimiento moral: *La culpa de su derrumbamiento la tiene la falta de apoyo.* ☐ SINÓN. *derrumbe.*

derrumbar v. **1** Referido a una construcción, hundirla o hacerla caer hundiéndola: *El viento derrumbó el castillo de naipes. Se derrumbó el techo sobre la cama.* **2** Hacer caer algo desde una roca o por una pendiente escarpada: *Derrumbó la bicicleta desde lo alto de la colina. El caballo se derrumbó por el precipicio.* **3** Referido a una persona, hundirla moralmente: *El suspenso lo derrumbó y no quiere seguir estudiando. Se derrumbaron cuando les metieron el tercer gol.* ☐ ETIMOL. Del latín **derupare* (despeñar), y este de *rupes* (precipicio).

derrumbe s.m. →**derrumbamiento.**

derviche s.m. Monje musulmán que ha hecho voto de pobreza: *Los derviches eran ermitaños.* ☐ ETIMOL. Del árabe *darwis* (religioso mendicante).

des- 1 Prefijo que indica negación: *desacatar, desconfiar, desagradar, desafortunado, desacostumbrado, desfavorable, deshonesto.* **2** Prefijo que indica privación: *desconfianza, desacuerdo, desagrado, desamor, desinformación.* **3** Prefijo que indica exceso: *deslenguado.* **4** Prefijo que significa 'fuera de': *destiempo, deshora.* **5** Prefijo que indica acción inversa a la expresada por la palabra raíz: *desabollar, deshacer, desatrancar, desandar, descalzar, desvestir, desactivar, desaceleración, desobediencia.* ☐ ETIMOL. De los prefijos latinos *de-*, *ex-*, *dis-* y *e-*. ☐ ORTOGR. Las palabras que comienzan por este prefijo admiten separación silábica a final de línea (*de-sánimo*), pero admiten también la separación por el prefijo (*des-ánimo*), salvo que después del prefijo haya un *h*, en cuyo caso la partición se hará delante de dicha letra (*des-hacer*). Si la palabra que queda aislada no es una palabra independiente en la lengua actual, la separación será siempre silábica (*de-safiar*; incorr. **des-afiar*).

desabastecer v. Dejar sin abastecimiento: *La huelga ha desabastecido de frutas y verduras a la ciudad.* ☐ ETIMOL. De *des-* (privación) y *abastecer*. ☐ MORF. Irreg. →PARECER.

desabastecimiento s.m. Falta de abastecimiento de determinado productos: *En las guerras, el desabastecimiento de los productos de primera necesidad suele conducir a su racionamiento.*

desabollar v. Quitar las abolladuras: *Tengo el coche en el taller para que le desabollen la chapa.*

desabonarse v.prnl. Darse de baja en un abono o suscripción: *No me interesa la revista y me he desabonado.*

desabor s.m. Insipidez o falta de sabor: *El desabor de estas frutas es porque han madurado en una cámara en vez de en el árbol.*

desaborido, da ▌adj. **1** Sin sabor o sin sustancia: *Échale a la sopa un hueso de jamón para que no salga desaborida.* ▌adj./s. **2** *col.* Referido a una persona, que no tiene gracia o que tiene un carácter indiferente: *Es tan desaborida que aburre a cualquiera.* ☐ ETIMOL. De *desabor* (insipidez). ☐ ORTOGR. Dist. de *desabrido*.

desabotonar v. Sacar los botones de los ojales: *Me desabotoné la chaqueta porque tenía calor.*

desabrido, da adj. **1** Referido a un alimento, esp. a la fruta, con poco o ningún sabor, o con sabor desagradable: *Esas fresas desabridas no me gustan ni con azúcar.* **2** Referido al tiempo atmosférico, con variaciones desagradables: *El mes de febrero tuvimos un tiempo muy desabrido.* **3** Referido a una persona o a su carácter, que son desagradables o ásperos en el trato: *Tiene un carácter antipático y desabrido.* ☐ ETIMOL. De *desaborido*. ☐ ORTOGR. Dist. de *desaborido*.

desabrigar v. Quitar lo que abriga: *Te has constipado por desabrigarte por la noche.* ☐ ORTOGR. La *g* se cambia en *gu* delante de *e* →PAGAR.

desabrimiento s.m. **1** Falta de sabor en un alimento, esp. en la fruta: *El desabrimiento de esta fruta se debe a su maduración en la cámara frigorífica.* **2** Disgusto o desazón interiores: *No sé cuál es la causa de este desabrimiento que me hace perder el interés por las cosas.* **3** Falta de amabilidad o de cortesía en el trato: *El desabrimiento de su carácter hace que todos lo rehúyan.*

desabrochar v. Referido a algo que está abrochado o ajustado, soltar o abrir lo que lo abrocha o ajusta: *Se me desabrochó la cremallera.*

desacalorarse v.prnl. Aliviarse del calor que se tiene: *Me pondré a la sombra para desacalorarme.*

desacatar v. **1** Referido a una persona, faltarle al respeto que se le debe: *Lo echaron de la sala por desacatar al juez.* **2** Referido esp. a una ley, una norma o una orden, desobedecerlas o no acatarlas: *Desacatar las leyes se castiga según la importancia del hecho.*

desacato s.m. Falta de respeto que se comete al calumniar, injuriar, insultar o amenazar a una autoridad en el ejercicio de sus funciones: *Lo multaron por desacato al tribunal.*

desaceleración s.f. Disminución de la rapidez o de la aceleración. ☐ SINÓN. *deceleración*.

desacelerar v. Disminuir la rapidez o la aceleración: *El Gobierno tomará medidas para desacelerar la subida de precios.* ☐ SINÓN. *decelerar*.

desacertado, da adj. **1** Referido a una persona, que se equivoca o que actúa con poco acierto. **2** Que está hecho sin acierto, de modo que resulta mal o produce mal efecto: *un comentario desacertado.*

desacertar v. No acertar: *Desacerté el tiro porque me temblaba el pulso.* ☐ MORF. Irreg. →PENSAR.

desacidificar v. En química, eliminar o reducir el ácido o la acidez: *Para desacidificar un terreno se le echa cal viva.*

desacierto s.m. Equivocación o falta de acierto: *Fue un desacierto regalarle un libro, porque no le gusta nada leer.*

desaclimatar v. Referido a un ser vivo, cambiarle las condiciones ambientales que tenía: *Al desaclimatar a un animal se suelen modificar algunas de sus costumbres.*

desacobardar v. Quitar la cobardía o el miedo: *Necesito ánimos para desacobardarme antes de salir a escena.*

desacomodado, da adj. Referido a una persona, que no tiene los medios necesarios para mantener su posición social: *Mi vecino tiene un padre muy tradicional y no quiere que sus hijos se casen con gente desacomodada.*

desacomodar v. **1** Privar de la comodidad: *Desacomodó a los que estaban en el sofá para sentarse él.* **2** En zonas del español meridional, desarreglar: *¿Por qué desacomodaron los papeles que había sobre mi mesa?*

desacomodo s.m. Privación de la comodidad: *No quisiera causarle ningún desacomodo con mi visita.*

desacompasar v. →**descompasar.**

desaconsejable adj.inv. Que no se aconseja o que se considera poco recomendable: *La doctora me dijo que era desaconsejable para mi salud tomar sal con una tensión tan alta.*

desaconsejado, da adj./s. Referido a una persona, que actúa sin consejo ni prudencia y por capricho: *Piensa las cosas más y no seas tan desaconsejada.*

desaconsejar v. Aconsejar no hacer, o considerar poco recomendable: *El mecánico me desaconsejó que comprara ese coche porque consume mucho.* ☐ ORTOGR. Conserva la *j* en toda la conjugación.

desacoplamiento s.m. Separación de lo que estaba acoplado: *El desacoplamiento de las piezas permite cambiar el mueble de sitio.*

desacoplar v. Referido a algo acoplado, separar sus partes: *La televisión no funcionaba porque se había desacoplado el enchufe.*

desacordar v. En música, referido a la voz o a un instrumento, desafinarlos o afinarlos de modo que estén más altos o más bajos que otros que dan el tono: *Algunos instrumentos se desacuerdan con la falta de uso.* ☐ MORF. Irreg. →CONTAR.

desacorde adj.inv. Referido esp. a un instrumento musical, que no iguala, no armoniza o no concuerda con otro: *Si los dos instrumentos que forman dúo están desacordes, su interpretación sonará desafinada.*

desacostumbrado, da adj. Fuera de lo usual o de lo acostumbrado: *La tolerancia es algo desacostumbrado entre personas intransigentes.*

desacostumbrar v. Dejar o hacer perder el hábito que se tenía: *No me desacostumbro al café del mediodía.* ☐ SINT. Constr. *desacostumbrar* A *algo.*

desacralizar v. Referido a algo sagrado, quitarle el carácter sacro: *Algunas fiestas religiosas han sido desacralizadas.* ☐ ORTOGR. La *z* se cambia en *c* delante de *e* →CAZAR.

desacreditado, da adj. Que ha perdido la buena fama que tenía: *Ese es un político muy desacreditado por su pasado como actor.*

desacreditar v. Quitar reputación o estimación: *Un fracaso ahora podría desacreditarme en el trabajo.*

desactivación s.f. **1** Inutilización o desconexión de los dispositivos que harían estallar un mecanismo explosivo: *la desactivación de una bomba.* **2** Anulación de la potencia activa de lo que tiene actividad: *la desactivación de un motor.*

desactivar v. **1** Referido a un mecanismo explosivo, inutilizar los dispositivos que lo harían estallar o desconectarlos: *Los artificieros de la policía desactivan las bombas.* **2** Referido a algo que tiene actividad, anular su potencia activa: *Hay que desactivar los materiales radiactivos antes de desecharlos.*

desactualizado, da adj. Sin actualización o que ha perdido actualidad: *Los libros con los que yo estudié ya están desactualizados.*

desacuartelar v. Referido a la tropa militar, sacarla de los cuarteles: *Han desacuartelado las tropas porque cesó la alarma general.*

desacuerdo s.m. Falta de acuerdo: *Confesó su desacuerdo con nuestra decisión.*

desadormecer v. **1** Referido a una persona, despertarla: *Todas las mañanas me desadormezco con el canto de los pájaros.* **2** Referido a un miembro del cuerpo, quitarle el entumecimiento: *Me levantaré para desadormecer el pie.* ☐ MORF. Irreg. →PARECER.

desafear v. Quitar la fealdad o disminuirla: *El color blanco desafea un poco la fachada de esta casa vieja.*

desafección s.f. **1** Mala voluntad o falta de afecto: *Me quejo porque me tratas con desafección.* **2** Oposición a algo, esp. a un régimen político: *La desafección al régimen dictatorial es cada vez mayor.*

desafectado, da adj. **1** Natural, sencillo o sin afectación. **2** Referido esp. a un lugar, que está abandonado o que ya no sirve para el uso al que estaba destinado. **3** Poco afectuoso o indiferente.

desafecto, ta adj. **1** Que no siente afecto o que muestra indiferencia hacia algo: *una persona desafecta.* **2** Contrario u opuesto a algo, esp. a un régimen político. ☐ SINT. Constr. de la acepción 2: *desafecto* A *algo.*

desaferrar v. **1** Referido a algo aferrado, soltarlo o desasirlo: *Nunca desaferra el oso de peluche cuando duerme.* **2** Referido a una persona, disuadirla de una idea que mantiene con tenacidad: *Desaférrate de esa idea, porque no lo conseguirás.*

desafiante adj.inv. Que desafía: *una actitud desafiante.*

desafiar v. **1** Incitar o invitar a la lucha o a la competición: *Lo desafié a un partido de tenis para ver quién es el mejor.* **2** Referido esp. a una persona, hacerle frente u oponerse a sus opiniones o mandatos: *Se atrevió a desafiar al jefe y a decirle que sus órdenes eran injustas.* **3** Referido a una dificultad o a un peligro, afrontarlos con valentía o ir en busca de ellos: *El trapecista desafía a la muerte en cada actuación.* **4** Referido a una cosa, oponerse o contradecir a otra: *Mi abuela decía que los aviones desafían las leyes de la gravedad.* ☐ ETIMOL. De *des-* (acción contraria) y el antiguo *afiar* (dar palabra de no hacer daño). ☐ ORTOGR. La *i* de la raíz lleva tilde en los presentes, excepto en las personas *nosotros* y *vosotros* →GUIAR. ☐ SINT. Constr. de la acepción 1: *desafiar* A *hacer algo.*

desafinación s.f. Desviación de la perfecta entonación de la voz o de un instrumento, que causa desagrado al oído.

desafinar v. En música, referido esp. a una voz o a un instrumento, desviarse del punto de la perfecta entonación, causando desagrado al oído: *Si desafinas así, no creo que te dejen cantar en el coro. Algunos instrumentos se desafinan por la falta de uso.*

desafío s.m. **1** Incitación o invitación a la lucha o a la competición: *aceptar un desafío.* **2** Rivalidad o competencia: *el desafío tecnológico.* **3** Oposición o contradicción: *desafío a las leyes de la gravedad.*

desaforado, da adj. **1** Desmedido, enorme o fuera de lo común: *una ambición desaforada.* **2** Que no tiene fuero o que lo ha perdido.

desaforar ▮ v. **1** Referido a una persona, quitarle los fueros o privilegios que tenía: *El rey desaforó a algunos nobles como castigo a su traición.* ▮ prnl. **2** Perder la compostura o descomedirse: *Cuando criticas su forma de dirigir el negocio se desafuera y se pone a gritar.* ☐ ETIMOL. De *des-* (privación) y *aforar.* ☐ MORF. Irreg. →CONTAR.

desafortunado, da adj. **1** Sin fortuna o con mala suerte: *Hoy es un día desafortunado porque me he tropezado tres veces.* **2** No acertado, imprudente o inoportuno: *Estuve desafortunada al comparar a tu tío con una foca.*

desafuero s.m. **1** Acción hecha contra la ley, la justicia o las costumbres establecidas, esp. si se lleva a cabo con violencia: *Los bandidos cometieron todo tipo de desafueros.* **2** Privación de fuero a quien lo tenía. ☐ ETIMOL. De *desaforar* (quebrantar los fueros).

desagraciado, da adj. Sin gracia o sin belleza: *una cara desagraciada.*

desagradable adj.inv. Que desagrada o disgusta: *Este tejido tiene un tacto áspero muy desagradable.*

desagradar v. No gustar o causar disgusto: *Me desagrada discutir continuamente.*

desagradecer v. No corresponder debidamente a las atenciones o favores recibidos. □ MORF. Irreg. →PARECER.

desagradecido, da ▮ adj. **1** Referido esp. a una cosa o a una tarea, que no compensan el esfuerzo o las atenciones que se les dedica: *Esta camisa es muy desagradecida porque cuesta mucho plancharla y se arruga enseguida.* ▮ adj./s. **2** Que no agradece los beneficios recibidos o no corresponde a ellos. □ SINÓN. *ingrato, malagradecido.*

desagradecimiento s.m. Falta de agradecimiento o de reconocimiento por los beneficios recibidos. □ SINÓN. *ingratitud.*

desagrado s.m. **1** Disgusto, descontento o falta de agrado: *No le gusta este trabajo y todo lo hace con desagrado.* **2** Expresión de disgusto: *Me despidió con desagrado y malas palabras.*

desagraviar v. **1** Reparar el agravio u ofensa que se han hecho: *Me calumnió y para desagraviarme se disculpó públicamente.* **2** Compensar el perjuicio causado: *Se desagraviará a las víctimas del accidente con dinero.* □ ORTOGR. La *i* nunca lleva tilde.

desagravio s.m. Reparación de un agravio o compensación de un perjuicio: *Me invitó a cenar en desagravio por la faena que me había hecho.*

desagregación s.f. Separación o disgregación.

desagregar v. Referido a algo que estaba unido, separar o apartar sus partes. □ ORTOGR. La *g* se cambia en *gu* delante de *e* →PAGAR.

desaguadero s.m. Conducto o canal por donde se da salida al agua: *El desaguadero de la piscina está atascado.* □ SINÓN. *desagüe, desaguador.*

desaguador s.m. →**desaguadero.**

desaguar v. **1** Referido a un lugar, extraer o sacar el agua que hay en él: *Cada vez que llueve, hay que desaguar el sótano porque se inunda.* **2** Referido esp. a un río, verter sus aguas: *Ese río desagua en el mar.* □ SINÓN. *desembocar.* **3** Referido a un recipiente o a una concavidad, dar salida al agua que contiene: *El lavabo no desagua porque está atascado.* **4** *euf.* Orinar. □ ORTOGR. 1. La *u* lleva diéresis cuando le sigue *e*. 2. La *u* permanece siempre átona →AVERIGUAR.

desagüe s.m. Conducto o canal por donde se da salida al agua: *Las hojas de los árboles han atascado los desagües de la calle.* □ SINÓN. *desaguadero, desaguador.*

desaguisado, da ▮ adj. **1** Referido a una acción, que está hecha contra la ley o contra la razón: *Ayer tuvo lugar aquí un enfrentamiento desaguisado y violento entre bandas rivales.* ▮ s.m. **2** *col.* Destrozo o fechoría: *¡Menudo desaguisado monta en la cocina cada vez que hace la comida!*

desahogado, da adj. **1** Referido a un lugar, con amplitud o con suficiente espacio libre: *una habitación desahogada.* **2** Con los suficientes recursos, esp. si son económicos, como para estar cómodo y despreocupado: *llevar una vida desahogada.*

desahogar ▮ v. **1** Referido esp. a un sentimiento contenido, expresarlo para encontrar alivio: *Desahoga tus penas conmigo.* ▮ prnl. **2** Aliviarse del peso de una pena o de un sentimiento contenido: *Cuando los problemas me agobian, grito para desahogarme.* □ ORTOGR. La *g* se cambia en *gu* delante de *e*→PAGAR.

desahogo s.m. **1** Alivio de una pena, de un sentimiento contenido o de un trabajo. **2** Seguridad debida a la falta de problemas económicos: *vivir con desahogo.*

desahuciar v. **1** Referido al inquilino de una vivienda, desalojarlo u obligarlo a salir de ella mediante una acción legal: *El edificio fue declarado en ruina y desahuciaron a los inquilinos.* **2** Referido a un enfermo, declararlo incurable y sin esperanzas de sobrevivir: *Lleva dos días en estado de coma y los médicos lo han desahuciado.* □ ETIMOL. De *des-* (negación) y el antiguo *ahuciar* (esperanzar). □ ORTOGR. La *i* nunca lleva tilde.

desahucio s.m. Desalojo o expulsión de un inquilino, obligándolo a salir de su vivienda mediante una acción legal: *La policía municipal procederá al desahucio de las personas que no abandonen voluntariamente el edificio.*

desairado, da adj. Sin lucimiento o sin mucha fortuna: *Mi intervención quedó un poco desairada y fuera de lugar.*

desairar v. Referido a una persona, humillarla al no hacer caso o aprecio de lo que dice o hace: *Le di el regalo ilusionado, pero me desairó dejándolo en la mesa sin abrirlo.* □ ORTOGR. La *i* nunca lleva tilde.

desaire s.m. Humillación a una persona, al no hacer caso o aprecio de lo que hace o de lo que dice: *Me hizo el desaire de rechazar la invitación.*

desajustar v. **1** Referido a dos o más cosas, desigualarlas o quitarles la relación de proporción: *Han desajustado los precios de la gasolina de los precios del petróleo.* **2** Referido esp. a un aparato o a un sistema, alterar su correcto funcionamiento: *Se ha desajustado el mecanismo del reloj, y retrasa mucho.*

desajuste s.m. Aflojamiento, separación o falta de ajuste: *El desajuste entre países ricos y pobres es cada vez mayor.*

desalación s.f. Eliminación de la sal: *La desalación del agua del mar es la única forma de tener agua potable en algunas zonas.*

desalado, da adj. Referido a una persona, con ansia y precipitación: *Corrió desalado al encuentro de su mejor amigo.*

desalar v. Referido a algo salado, quitarle la sal o parte de ella: *Desaló el bacalao dejándolo un día en remojo.*

desalentador, -a adj. Que desalienta o desanima.

desalentar v. Quitar las ganas o el ánimo de hacer algo: *Me desalienta ver que nadie colabora en el trabajo.* □ MORF. Irreg. →PENSAR.

desaliento s.m. Decaimiento del ánimo, de las ganas o de las fuerzas: *Un fracaso no debe producirte desaliento.*

desalineación s.f. Pérdida de la línea recta: *El sargento corregía la desalineación de las filas de soldados.*

desalinear v. Referido a algo alineado, hacer perder su línea recta: *¿Quién desalinea y descoloca los libros del estante?* ☐ PRON. Aunque la pronunciación correcta es la que acentúa la *e* [desalinéo, desalinéas...], está muy extendida la pronunciación [desalíneo, desalíneas...], por influencia de la palabra *línea.*

desalinización s.f. Eliminación de la sal del agua del mar: *La desalinización es un proceso que resulta muy costoso.*

desalinizador, -a ▌adj. **1** Que elimina la sal del agua de mar: *un proceso desalinizador.* ▌s.f. **2** Instalación industrial donde se lleva a cabo la eliminación de la sal del agua del mar: *Las desalinizadoras se han convertido en una alternativa para acabar con la preocupación de la sequía en algunas zonas costeras.*

desalinizadora s.f. Véase **desalinizador, -a**.

desalinizar v. Referido al agua del mar, quitarle la sal: *La sequía es ya tan duradera que van a desalinizar parcialmente el agua marina para poder regar.*

desaliñado, da adj. **1** Que no cuida el arreglo o el aseo personal: *No me gusta que seas tan desaliñado.* **2** Referido a la comida, sin aliño o aderezo: *Esta lechuga está desaliñada para que tú le eches la sal y el aceite que quieras.*

desaliñar v. Estropear el adorno o la compostura: *Me desaliñé el pelo al pasar por debajo de la valla.*

desaliño s.m. Falta de cuidado en el arreglo personal: *La barba sin afeitar le daba un aspecto de desaliño.*

desalmado, da adj./s. Referido a una persona, que es cruel e inhumana, o que no tiene conciencia: *El cruel asesinato fue obra de unos desalmados sin escrúpulos.*

desalojamiento s.m. →**desalojo.**

desalojar v. **1** Referido a un lugar, abandonarlo o dejarlo vacío: *Los bomberos desalojaron el edificio en tres minutos.* **2** Referido a una persona, sacarla o hacerle salir de un lugar: *La policía desalojó a los huelguistas.* **3** En física, referido a un fluido, trasladarlo o moverlo de un lugar a otro: *Al meter un cuerpo en el agua, desaloja una cantidad de líquido igual a su volumen.* ☐ SINÓN. *desplazar.* ☐ ORTOGR. Conserva la *j* en toda la conjugación.

desalojo s.m. Evacuación de un lugar o de sus ocupantes: *La policía ordenó el desalojo del edificio cuando se recibió el aviso de bomba.* ☐ SINÓN. *desalojamiento.*

desalquilar ▌v. **1** Dejar de alquilar: *Desalquiló la casa porque se fue a otra ciudad.* ▌prnl. **2** Referido a una vivienda o a un local, quedar sin inquilinos: *Se ha desalquilado el edificio porque era muy viejo y van a tirarlo.*

desamarrar v. Referido a algo amarrado, soltarlo: *Desamarra la barca y salgamos a navegar.*

desambientado, da adj. Que no está en su ambiente habitual o que no se adapta al lugar en el que está: *Es un chico triste y desambientado en ese nuevo barrio.*

desambiguación s.f. En lingüística, eliminación de la ambigüedad.

desambiguar v. Referido a una palabra, una frase o un texto, hacer que pierdan la ambigüedad: *El signo ortográfico de la coma es muy útil para desambiguar el sentido de algunas oraciones.* ☐ ORTOGR. 1. La *u* lleva diéresis cuando le sigue *e*. 2. La *u* permanece siempre átona →AVERIGUAR.

desamoblar v. →**desamueblar.** ☐ MORF. Irreg. →CONTAR.

desamor s.m. **1** Falta de amor o de amistad: *A fuerza de discutir, fue creciendo entre ellos un profundo desamor.* **2** Enemistad o aborrecimiento: *desamor por el trabajo.*

desamortización s.f. Liberación mediante disposiciones legales de un bien que no se podía vender para que pueda ser vendido o traspasado: *Una de las desamortizaciones españolas más importantes fue la de Mendizábal.*

desamortizar v. Referido a un bien que no se puede vender, dejarlo libre mediante disposiciones legales para que pueda ser vendido o traspasado: *En el siglo* XIX *español, se desamortizaron muchas tierras eclesiásticas.* ☐ ORTOGR. La *z* se cambia en *c* delante de *e* →CAZAR.

desamotinarse v.prnl. Dejar un motín volviendo a la obediencia: *El capitán consiguió que los marineros se desamotinasen.*

desamparado, da adj./s. Que no tiene ayuda ni protección: *Esta asociación se dedica a ayudar a los desamparados.*

desamparar v. Referido a una persona que necesita ayuda, dejarla sin amparo o sin protección: *Nunca perdonó a su familia que lo desampararan cuando murieron sus padres.*

desamparo s.m. Falta de ayuda o de protección para quien las necesita: *Muchos ancianos viven tristes en el más absoluto desamparo.*

desamueblar (tb. *desamoblar*) v. Referido a un lugar amueblado, dejarlo sin muebles: *Desamueblamos la casa para que los pintores no mancharan los muebles.*

desandar v. Referido a un camino ya recorrido, retroceder en él o volver atrás: *Cuando llegué, vi que había olvidado el paraguas, y tuve que desandar el camino para recogerlo.* ☐ MORF. Irreg. →ANDAR.

desangelado, da adj. Falto de ángel, de gracia o de adorno: *Hasta que no tengamos dinero para decorar la casa, está todo un poco desangelado.*

desangramiento s.m. Pérdida de mucha o de toda la sangre: *La herida fue tan grave que casi muere por desangramiento.*

desangrar v. Referido a una persona o a un animal, sacarles o perder la sangre en gran cantidad: *En una matanza, desangran al cerdo antes de abrirlo* *en canal. Si no le cortamos la hemorragia, se desangrará.* □ ETIMOL. Del latín *desanguinare*.

desanidar v. Referido a un ave, dejar su nido, generalmente cuando acaban de criar: *No he vuelto a ver a los gorriones desde que desanidaron.*

desanimado, da adj. **1** Sin animación, con poca gente o con poca diversión: *Nos fuimos porque la fiesta estaba muy desanimada.* **2** Referido a una persona, que no tiene ánimo o ganas: *Desde que te fuiste estoy un poco desanimado.*

desanimar v. Desalentar o quitar el ánimo de hacer algo: *Pensé vender mis libros, pero me desanimaron a hacerlo.*

desánimo s.m. Falta de ánimo y de ganas: *Cuando no me salen bien las cosas me invade el desánimo.*

desanudar v. **1** Referido a algo anudado, desatarlo o deshacerle el nudo: *Para descalzarte debes desanudar los cordones de los zapatos.* **2** Referido a algo enredado o enmarañado, aclararlo o deshacer la confusión: *La trama de la película era tan confusa que el director no fue capaz de desanudarla al final.*

desapacibilidad s.f. Falta de suavidad, de dulzura y de tranquilidad: *No iremos a la playa si continúa la desapacibilidad del tiempo.*

desapacible adj.inv. **1** Referido al tiempo atmosférico, destemplado y desagradable a causa del viento, la lluvia u otras alteraciones juntas o alternas: *Hoy no apetece nada pasear porque hace un tiempo muy desapacible.* **2** Que causa disgusto o enfado, o es desagradable a los sentidos: *Tiene un carácter desapacible y violento.*

desaparcar v. Referido a un vehículo, sacarlo del lugar donde está aparcado: *Mientras yo bajo las maletas, tú ve desaparcando el coche.*

desaparecer v. **1** Ocultarse, dejar de estar en un sitio o dejar de ser perceptible: *Abre la ventana para que desaparezca este mal olor.* **2** Dejar de ser o de existir: *Muchos de los que están en esa fotografía ya han desaparecido.* **3** En zonas del español meridional, referido a una persona, detenerla y retenerla ilegalmente, negando conocer su paradero: *Hace dos años que desaparecieron al hijo de mi amiga.* □ MORF. Irreg. →PARECER. □ SINT. En las acepciones 1 y 2, su uso como transitivo es incorrecto aunque está muy extendido: **la desaparecieron* > *la hicieron desaparecer.*

desaparecido, da ▮ adj./s. **1** Referido a una persona, que se encuentra en paradero desconocido: *Han dado el nombre de tres personas desaparecidas.* ▮ s. **2** Persona detenida por los servicios policiales de un Estado o capturada por el bando enemigo en un conflicto bélico sin que haya constancia de su paradero posterior: *Las madres de los desaparecidos se reunían en las plazas para pedir justicia.*

desaparecimiento s.m. →**desaparición.**

desaparejar v. **1** Referido a una caballería, quitarle el aparejo o los arreos: *Antes de meter el caballo en el establo lo desaparejó.* **2** Referido a una embarcación, quitar, descomponer o maltratar su aparejo: *La tormenta desaparejó el barco.* □ ORTOGR. Conserva la *j* en toda la conjugación. □ SEM. Dist. de *desparejar* (deshacer una pareja).

desaparición s.f. **1** Ocultación o ausencia de algo en el lugar en que estaba: *la desaparición de dos niños.* □ SINÓN. *desaparecimiento.* **2** Terminación de la existencia: *Hay que lamentar la desaparición de algunas especies animales y vegetales.* □ SINÓN. *desaparecimiento.*

desapasionar v. Hacer perder la pasión o el interés que se sentía o dejar de sentirlos: *La política me desapasiona por la falta de ideales.*

desapegarse v.prnl. Desprenderse del apego o afecto que se siente: *Con la distancia me he desapegado de mis antiguos amigos.* □ ORTOGR. La *g* se cambia en *gu* delante de *e* →PAGAR. □ SINT. Constr. *desapegarse* DE *algo.*

desapego s.m. Falta de afecto o interés por alguien o algo: *Su desapego por la familia proviene de la falta de cariño de sus padres.* □ SINÓN. *despego.*

desapercibido, da adj. Inadvertido o no percibido: *pasar desapercibido.* □ SINT. Se usa más con el verbo *pasar.*

desaplicación s.f. Falta de aplicación, de interés, de dedicación y de atención.

desaplicado, da adj./s. Que no pone interés ni se esfuerza en el trabajo o en el estudio.

desapolillar ▮ v. **1** Referido esp. a la ropa, eliminarle la polilla: *Necesito un producto para desapolillar la lana.* ▮ prnl. **2** *col.* Salir de casa después de haber estado mucho tiempo recluido en ella: *Llevo mucho tiempo sin salir pero hoy voy a desapolillarme.*

desaprensión s.f. Falta de escrúpulos, de miramiento o de delicadeza: *La desaprensión con que tratas a la gente te creará enemigos.*

desaprensivo, va adj./s. Que actúa sin miramiento hacia los demás o sin respetar las normas: *Cayó en manos de un desaprensivo que abusó de su ingenuidad.*

desaprobación s.f. No admisión de algo como bueno o conveniente: *Haz lo que quieras, pero cuentas con mi desaprobación.*

desaprobar v. Reprobar o no admitir como bueno: *Desaprueba mi comportamiento porque le parece egoísta.* □ MORF. Irreg. →CONTAR.

desaprovechamiento s.m. Mal aprovechamiento de algo: *Es un deber de todos evitar el desaprovechamiento del agua.*

desaprovechar v. Emplear mal o no aprovechar debidamente: *Desaprovechaste una ocasión irrepetible.*

desarbolar v. Desbaratar o dejar sin capacidad de defensa: *Con su velocidad, nuestros delanteros consiguieron desarbolar la defensa contraria.*

desarmador s.m. En zonas del español meridional, destornillador: *Necesito un desarmador pequeño para arreglar la clavija de la plancha.*

desarmar v. **1** Referido a un objeto, desunir o separar las piezas que lo componen: *Desarmó la radio* *y ahora no es capaz de dejarla como estaba.* □ SINÓN. *desmontar.* **2** Quitar las armas o el armamento: *La policía desarmó al atracador y lo esposó. Los pacifistas quieren que las naciones se desarmen.* **3** Referido a una persona, confundirla o dejarla sin posibilidades de actuar: *No me respondió porque la desarmé con mis argumentos.*

desarme s.m. Retirada o eliminación de las armas o del armamento: *Se celebrará una conferencia internacional sobre el desarme y la paz en el mundo.*

desarmonía s.f. Falta de armonía.

desarmonizar v. No estar en armonía: *El mueble desarmoniza con la decoración del salón.* □ ORTOGR. La *z* se cambia en *c* delante de *e* →CAZAR.

desaromatizarse v.prnl. Perder el aroma o el buen olor: *El café se ha desaromatizado por dejar abierto el tarro.* □ ORTOGR. La *z* se cambia en *c* delante de *e* →CAZAR.

desarraigado, da adj./s. Referido a una persona, sin lazos afectivos ni intereses que lo liguen al lugar o al medio en el que está: *Aquí, sin amigos, estoy triste y desarraigado.*

desarraigar v. **1** Referido a una persona, echarla o apartarla de donde vive o de donde tiene su familia y amigos: *Cuando me trasladaron me desarraigaron de mi tierra.* **2** Referido a una planta, arrancarla de raíz: *El huracán ha desarraigado del suelo varios árboles.* **3** Referido esp. a una costumbre o a un sentimiento, suprimirlos o hacerlos desaparecer: *Quiero desarraigar este sentimiento de soledad.* □ ETIMOL. De *des-* (privación) y *arraigar.* □ ORTOGR. La *g* se cambia en *gu* delante de *e* →PAGAR.

desarraigo s.m. **1** Falta de relación con el entorno: *vivir con desarraigo.* **2** Extracción de una planta con raíz: *Efectuaron el desarraigo de varios árboles para trasplantarlos.*

desarrapado, da (tb. *desharrapado, da*) adj./s. Andrajoso o vestido con harapos y ropa sucia y rota: *Unos niños desarrapados pedían limosna en la calle.*

desarreglar v. Referido a algo arreglado, alterarlo o deshacer el orden, la organización o el arreglo que tiene: *¿Me desarreglo o vamos a salir otra vez?*

desarreglo s.m. Alteración, desorden o falta de arreglo: *desarreglos intestinales.*

desarrendar v. **1** Dejar de arrendar: *He desarrendado la finca porque la voy a vender.* **2** Referido a una caballería, quitarle la rienda: *Desarrienda al caballo para que paste con soltura.* □ MORF. Irreg. →PENSAR.

desarrimo s.m. Falta de apego, de apoyo o de afición: *No entiendo el desarrimo de algunos padres hacia sus hijos.*

desarrollador, -a ▌adj. **1** Que desarrolla. ▌adj./s. **2** Persona o empresa que realizan programas informáticos.

desarrollar ▌v. **1** Acrecentar, aumentar o hacer crecer en el orden físico, intelectual o moral: *Leer desarrolla la inteligencia. Las plantas se desarrollan con el calor.* **2** Referido esp. a un tema, exponerlo y explicarlo con amplitud y detalle: *Tienes que desarrollar más algunos puntos de la lección.* **3** Referido esp. a un proyecto, realizarlo o llevarlo a cabo: *No le dejan desarrollar ninguna de sus iniciativas.* **4** En matemáticas, efectuar las operaciones de cálculo necesarias para llegar a un resultado: *Si desarrollas mal el problema, llegarás a un resultado falso.* **5** Referido a una comunidad humana, hacerla progresar económica, social, cultural o políticamente: *La cultura desarrolla a los pueblos. Los países del Norte se han desarrollado más que los del Sur.* **6** Producir o alcanzar: *Este coche desarrolla una velocidad de 160 km/h.* **7** En zonas del español meridional, referido a una película fotográfica, revelarla: *Tengo que desarrollar varios carretes fotográficos.* ▌prnl. **8** Referido a un hecho, suceder o tener lugar: *La acción se desarrolla en un país indeterminado.* □ ETIMOL. De *des-* (acción contraria) y *arrollar* (envolver en forma de rollo).

desarrollismo s.m. *desp.* En economía, actitud o tendencia favorable al crecimiento económico sin tener en cuenta los costes o las repercusiones: *Gran parte de la contaminación mundial se debe al desarrollismo.*

desarrollista adj.inv./s.com. *desp.* Que defiende o practica el desarrollismo: *una política desarrollista.*

desarrollo s.m. **1** Crecimiento o aumento en el orden físico, intelectual o moral: *Nadar favorece el desarrollo de los pulmones.* **2** Proceso de crecimiento económico, social, cultural o político de una comunidad humana: *el desarrollo de un país.* **3** Exposición o explicación amplia y detallada: *el desarrollo de un tema.* **4** Realización, producción o evolución en etapas sucesivas de algo: *el desarrollo de unas negociaciones.* **5** En matemáticas, realización de las operaciones necesarias para obtener un resultado o para cambiar la forma de una expresión analítica: *El planteamiento del problema está bien, pero te has equivocado en el desarrollo.* **6** En ciclismo, distancia que recorre una bicicleta por pedalada. **7** ‖ **desarrollo sostenible;** el que hace posible cumplir los objetivos de crecimiento económico, al mismo tiempo que garantiza la protección del medio ambiente.

desarropar v. Referido esp. a una persona, quitar la ropa con que se tapa: *Desarropa al niño en la cuna porque hace calor.*

desarrugar v. Referido a algo arrugado, quitarle las arrugas o ponerlo liso: *Saca la ropa de la maleta para que se desarrugue.* □ ORTOGR. La *g* se cambia en *gu* delante de *e* →PAGAR.

desarticulación s.f. **1** Separación o desunión de algo articulado: *Consiguió la desarticulación de los brazos del muñeco en dos minutos.* **2** Desmantelamiento o supresión de la organización de un plan o de un grupo de personas: *la desarticulación de una red de delincuentes.*

desarticular v. **1** Referido a algo articulado, desencajarlo o separar su articulación: *Tiró tan fuerte de su brazo que casi se lo desarticula. Se desarticuló el tren eléctrico.* **2** Referido a algo organizado, desmantelarlo o deshacer su organización: *La policía* *desarticuló una red internacional de tráfico de estupefacientes.*

desaseado, da adj. Sucio o desaliñado.

desasear v. Quitar el aseo, la limpieza o el arreglo: *Desaseó la casa al entrar con los zapatos llenos de barro.*

desaseo s.m. Falta de aseo, de limpieza o de arreglo: *He oído que el desaseo personal puede ser síntoma de depresión anímica.*

desasir ▮ v. **1** Referido a algo asido o agarrado, soltarlo o desprenderse de ello: *El náufrago no se ahogó porque no se desasió del madero.* ▮ prnl. **2** Desprenderse de algo: *Nunca se desasirá del cuadro que heredó de sus abuelos.* ☐ MORF. Irreg. →ASIR. ☐ SINT. Constr. *desasirse* DE *algo.*

desasistencia s.f. Falta de asistencia, de ayuda o de compañía a quien lo necesita: *Ese anciano vive solo y en total desasistencia.*

desasistir v. Referido a una persona necesitada de ayuda, dejarla sin asistencia, sin ayuda o sin compañía: *Es una atrocidad desasistir a un herido.*

desasnar v. *col.* Referido a una persona, hacerle perder la rudeza y la ignorancia por medio de la enseñanza: *Tienes que ir a la escuela para que te desasne el profesor.* ☐ ETIMOL. De *des-* (privación) y *asno.*

desasosegar v. Quitar el sosiego o la tranquilidad: *Los problemas de mis hijos me desasosiegan. Empezaba a desasosegarme porque tardabas demasiado.* ☐ ORTOGR. Aparece una *u* después de la *g* cuando le sigue *e.* ☐ MORF. Irreg. →REGAR.

desasosiego s.m. Falta de sosiego o de tranquilidad: *Tu tardanza nos produjo cierto desasosiego.*

desastrado, da adj./s. Desaseado y mal vestido: *Iba tan desastrado que lo confundieron con un mendigo.*

desastre s.m. **1** Desgracia grande o suceso lamentable en el que hay mucho daño y destrucción: *Nuevas medidas de seguridad intentan evitar los desastres aéreos.* **2** Lo que tiene mala calidad, mala organización o mal resultado: *Nos llovió y la merienda fue un desastre.* **3** Persona llena de imperfecciones o con absoluta falta de habilidad o de suerte: *Este desastre de mujer rompe todo lo que toca.* ☐ ETIMOL. Del provenzal antiguo *desastre.*

desastroso, sa adj. Muy malo o que produce desastres: *Las heladas tardías son desastrosas para el campo.*

desatado, da adj. Con libertad y sin contención: *una alegría desatada.*

desatar ▮ v. **1** Soltar o quitar las ataduras: *No puedo desatar los cordones de los zapatos. Se desató el saco de trigo y se salió un poco.* **2** Originar o provocar, esp. si es de forma violenta: *Mi desprecio desató su ira. Se desató una tormenta de arena.* ☐ SINÓN. *desencadenar.* ▮ prnl. **3** Perder la timidez o el temor y empezar a actuar con desenvoltura: *Al principio estaba muy calladito, pero luego se desató y fue el centro de atención.*

desatascador, -a ▮ adj./s. **1** Que desatasca: *un líquido desatascador.* ▮ s.m. **2** Utensilio formado generalmente por una ventosa unida a un mango, y que sirve para desatascar: *Utilizamos un desatascador para desatascar la pila.*

desatascar v. **1** Referido a un conducto obstruido, limpiarlo para quitar la obstrucción: *Desatascó la tubería metiendo un alambre muy largo.* **2** Referido a algo atascado, sacarlo del lugar o situación donde está atascado: *No pude desatascar el coche del barrizal.* ☐ ORTOGR. La *c* se cambia en *qu* delante de *e* →SACAR.

desataviar v. Quitar los atavíos, los adornos o los vestidos: *Voy a ayudar a desataviar a los actores.* ☐ ORTOGR. La *i* de la raíz lleva tilde en los presentes, excepto en las personas *nosotros* y *vosotros* →GUIAR.

desatención s.f. **1** Distracción o falta de atención: *Sus negocios han fracasado por desatención.* **2** Falta de educación, de amabilidad o de respeto: *He cancelado mis cuentas en este banco porque me tratan con desatención.*

desatender v. **1** Referido a una persona, no prestarle atención, asistencia ni ayuda: *El herido casi se muere porque lo desatendieron.* **2** Referido a un hecho o un dicho, no prestarles atención: *Desatiende los consejos y no hace caso a nadie.* **3** Referido a una obligación o a un trabajo, no atenderlos o no ocuparse de ellos como es debido: *Desatiende sus negocios y se arruinará.* ☐ MORF. Irreg. →PERDER.

desatento, ta adj./s. **1** Referido esp. a una persona, que es descortés o no tiene amabilidad ni educación: *Me gusta este hospital porque no hay ni un solo enfermero desatento.* **2** Referido esp. a una persona, que no presta la debida atención: *Suspende porque siempre está desatenta.*

desatinar v. **1** Perder el tino o cometer desatinos o desaciertos: *Cuando hablas de las personas que te caen mal, desatinas siempre.* **2** Errar la puntería o no acertar: *Has desatinado el tiro al lanzar el dardo.*

desatino s.m. Error, desacierto o disparate: *Cuando se emborracha, no dice más que desatinos.*

desatorar v. Referido a algo atorado, sacarlo del lugar o de la situación en los que está atorado o atascado.

desatornillador s.m. →**destornillador.**

desatornillar (tb. *destornillar*) v. Sacar los tornillos dándoles vueltas: *Desatornilla la cerradura y pon una nueva. Aprieta bien el tornillo para que no se desatornille.*

desatracar v. Referido a una embarcación, separarla o separarse de otra o del lugar en que está atracada: *El capitán dio la orden de desatracar el barco a las tres.* ☐ ORTOGR. La *c* se cambia en *qu* delante de *e* →SACAR.

desatrancar v. **1** Referido a algo obstruido, limpiarlo o quitarle lo que lo obstruye: *Llamaré al fontanero para que desatranque las tuberías.* **2** Referido esp. a una puerta o una ventana, quitarle la tranca o lo que impide abrirlas: *Desatranca la puerta y déjame pasar.* ☐ ORTOGR. La *c* se cambia en *qu* delante de *e* →SACAR.

desautorización s.f. Privación de la autoridad, del poder, del crédito o de la estimación: *La desautorización de la subida de los precios ha sido una medida bien acogida.*

desautorizar v. Quitar la autoridad, el poder o el crédito: *El presidente desautorizó al ministro y negó que se fuese a hacer lo que este había anunciado.* ☐ ORTOGR. La *z* se cambia en *c* delante de *e* →CAZAR.

desavenencia s.f. Falta de armonía, de acuerdo o de entendimiento entre varias personas: *Se fue a otra empresa por desavenencias con sus compañeros.*

desavenir v. Referido a dos o más personas o cosas, hacer que dejen de estar conformes, de acuerdo o en armonía: *La diferencia de intereses ha desavenido al grupo.* ☐ MORF. Irreg. →VENIR.

desaventajado, da adj. Inferior, peor que otro o poco ventajoso: *un alumno desaventajado.*

desayunado, da adj. *col.* Referido a una persona, con el desayuno tomado: *Siempre salgo desayunada de casa.*

desayunar v. Tomar el desayuno o tomar como desayuno: *¿Has desayunado ya? Siempre me desayuno antes de salir. Desayuna café con leche y una tostada.* ☐ ETIMOL. De *des-* (acción contraria) y *ayunar.*

desayuno s.m. **1** Primera comida del día, que se hace por la mañana: *Nos veremos durante el desayuno.* **2** Alimento que se toma en esta comida: *¡Qué desayuno más rico!*

desazón s.f. **1** Sensación anímica de intranquilidad, temor y falta de alegría: *Cuando tengo desazón, parece que me falta algo y no sé lo que es.* **2** Picor continuado o picazón: *Me han salido unos granitos rojos que me producen una desazón tremenda.*

desazonar v. Disgustar, intranquilizar o causar desazón: *¡Pórtate bien y no desazones más a tu padre! Me desazono cuando veo que mis esfuerzos son inútiles.*

desbancar v. Referido a una persona, hacerle perder la posición o la consideración que tiene, ganándolas para uno mismo: *Tú eres mi mejor amigo y en eso nadie puede desbancarte.* ☐ ORTOGR. La *c* se cambia en *qu* delante de *e* →SACAR.

desbandada s.f. **1** Huida o dispersión en desorden. **2** || **{a la/en} desbandada;** confusamente y sin orden: *Gritaron que había fuego y todos salimos a la desbandada.* ☐ ETIMOL. De *des-* (acción contraria) y *bando* (bandada).

desbandarse v.prnl. Irse en distintas direcciones o huir en desorden: *Al pasar corriendo por la plaza se desbandaron las palomas.*

desbarajustar v. Desordenar introduciendo gran caos y confusión: *Puse mal una fecha y desbarajusté todos los horarios.* ☐ ETIMOL. De *des-* (intensivo) y el antiguo *barajustar* (confundir, trastornar).

desbarajuste s.m. Desorden caótico y muy confuso: *No encuentro nada en ese desbarajuste de habitación que tienes.*

desbaratamiento s.m. Descomposición, desorganización o ruina.

desbaratar v. **1** Deshacer, estropear o arruinar: *El mal tiempo desbarató nuestros planes. Él lo intenta, pero es tan manazas que todo se le desbarata.* **2** Referido a bienes materiales, malgastarlos o derrocharlos: *Se metió en el juego y desbarató la fortuna familiar en dos meses.* ☐ ETIMOL. De *des-* (intensivo) y el antiguo *barata* (confusión, barullo).

desbarrancar v. En zonas del español meridional, despeñar: *Se desbarrancó con su auto por el precipicio.*

desbarrar v. Razonar o actuar sin sentido común o de forma contraria a la razón: *¡Deja ya de desbarrar y de decir tantos disparates!* ☐ ETIMOL. Del antiguo *desbarar* (disparatar).

desbastar v. Referido a una materia, quitarle las partes más bastas: *El carpintero desbastaba la madera antes de darle forma con el torno.* ☐ ORTOGR. Dist. de *devastar*.

desbeber v. *col.* Orinar: *Voy al cuarto de baño a desbeber.* ☐ USO Tiene un matiz humorístico.

desbloquear v. Deshacer el bloqueo o levantarlo: *No pude llamarte hasta que no se desbloquearon las líneas telefónicas.*

desbloqueo s.m. Eliminación de un bloqueo: *Los diplomáticos no pudieron conseguir el desbloqueo económico.*

desbocado, da adj. **1** Referido a una caballería, que no obedece al freno y galopa alocadamente: *Intentaron detener sin éxito al caballo desbocado.* **2** Referido al cuello o a las mangas de una prenda de vestir, que están más abiertos de lo debido, generalmente por haberse dado de sí: *Este jersey lo he usado tanto que ya tiene el cuello desbocado.* **3** *col.* Referido a una persona, que está acostumbrada a decir groserías y palabras ofensivas.

desbocar ▌ v. **1** Referido esp. a un recipiente, quitarle o romperle la boca: *Has desbocado el cántaro y no se puede beber bien.* **2** Referido esp. al cuello o a las mangas de una prenda de vestir, darlos de sí o abrirlos más de lo debido: *Me desbocaste el cuello del jersey cuando me agarraste.* ▌ prnl. **3** Referido a una caballería, dejar de obedecer al freno y galopar alocadamente: *La yegua se desbocó y acabó tirando al jinete.* **4** Perder la contención en la conducta o en el lenguaje: *Cuando lo echaron de la sala se desbocó y los insultó a todos.* ☐ ORTOGR. La *c* se cambia en *qu* delante de *e* →SACAR.

desbordamiento s.m. **1** Salida o derrame de lo que está contenido en un recipiente o en un cauce, sobrepasando los bordes de estos: *el desbordamiento del río.* **2** Superación de la capacidad o de los límites de una persona: *Te advierto que mi aguante es limitado y está a punto de llegar a su desbordamiento.* **3** Exaltación e imposibilidad de contención de un sentimiento: *Recibió la noticia del premio con un desbordamiento de alegría.*

desbordante adj.inv. Que desborda o que se desborda: *una alegría desbordante.*

desbordar ▌ v. **1** Referido esp. a un recipiente o a un cauce, sobrepasar sus bordes lo que está contenido en ellos: *Dejé el grifo abierto y el agua desbordó el lavabo. Si sigue lloviendo tanto, se desbordará el río.* **2** Referido esp. a una persona o a una capacidad, sobrepasarlas o exceder sus límites: *Esta travesura desborda mi paciencia y no aguanto una más. Me desbordo con tanto trabajo.* ▌ prnl. **3** Referido esp. a un sentimiento, exaltarse y no poder ser contenido o dominado: *El entusiasmo del público se desbordó cuando el cantante interpretó su tema más famoso.*

desborde s.m. En zonas del español meridional, desbordamiento del cauce de un río: *El desborde del río hizo que se inundaran muchas casas.*

desbraguetado, da adj. *col.* Que lleva la bragueta desabotonada o mal ajustada.

desbravar v. **1** Referido esp. a un caballo que no está domado, amansarlo: *Desbrava al caballo para poder montarlo.* **2** Perder la braveza o parte de ella: *Al cesar el viento, el mar se desbravó.* **3** Referido a una bebida alcohólica, perder su fuerza: *Desbravé el aguardiente quemándolo un poco.*

desbriznar v. **1** Desmenuzar o deshacer en briznas o trocitos muy pequeños: *Has llenado el suelo de migas por desbriznar el pan.* **2** Referido a las legumbres, esp. a las verdes, quitarles las briznas o hilos: *Desbrizna las judías antes de cocerlas.*

desbrozadora s.f. Máquina que se utiliza para desbrozar un lugar o quitarle la maleza: *Cuando uses la desbrozadora, ponte unas gafas especiales para protegerte los ojos de las hierbas que saltan.*

desbrozar v. Referido a un lugar, limpiarlo de broza, de ramas y de maleza: *En verano desbrozan el monte para evitar incendios.* ☐ ORTOGR. La *z* se cambia en *c* delante de *e* →CAZAR.

desbrozo s.m. **1** Eliminación de la broza o de las ramas y hojas secas de un terreno: *Hoy me dedicaré al desbrozo del jardín.* **2** Conjunto de broza o de ramaje que queda tras la poda de los árboles o tras la limpieza de las tierras: *A la salida del pueblo hay un lugar para quemar el desbrozo.*

descabalar v. **1** Referido a algo completo o cabal, quitarle o perder alguna de las partes que lo componen: *He descabalado este juego de pendientes, porque perdí uno. Se ha descabalado el juego de café al romper una taza.* **2** Referido a un plan o una previsión, desorganizarlos o alterarlos: *Tu retraso descabala la excursión que íbamos a hacer. Con la subida del precio del piso, se han descabalado mis previsiones económicas.*

descabalgar v. Desmontar o bajar de una caballería: *El jinete descabalgó y desensilló el caballo.* ☐ ORTOGR. La *g* se cambia en *gu* delante de *e* →PAGAR.

descabellado, da adj. Contrario a la razón o a la prudencia: *una idea descabellada.*

descabellar v. En tauromaquia, referido a un toro, matarlo instantáneamente clavándole en la cerviz la punta de la espada o la puntilla: *Si un toro no muere por efecto de la estocada, lo descabellan.*

descabello s.m. En tauromaquia, muerte instantánea que se da al toro, clavándole en la cerviz la punta de la espada o la puntilla: *Después de tres estocadas, el torero tuvo que recurrir al descabello del toro.*

descabezar v. Quitar la cabeza: *Al detener al último de los jefes, han descabezado la organización.* ☐ ORTOGR. La *z* se cambia en *c* delante de *e* →CAZAR.

descacharrar v. →**escacharrar.**

descafeinado, da ▌ adj. **1** Falto de autenticidad o de intensidad por haber perdido alguna característica esencial: *A ti te gusta un campo descafeinado, con todas las comodidades de la ciudad.* ▌ s.m. **2** →**café descafeinado.**

descafeinar v. **1** Referido al café, extraer o eliminar toda o casi toda su cafeína: *Existen procedimientos industriales para descafeinar el café y restarle capacidad estimulante.* **2** Privar de alguna característica considerada perjudicial o peligrosa: *Interpretar el problema de los enfrentamientos raciales como una lucha entre vecinos es una forma de descafeinarlo.* ☐ ORTOGR. La *i* lleva tilde en los presentes, excepto en las personas *nosotros* y *vosotros* →GUIAR.

descalabradura s.f. Herida o cicatriz hecha en la cabeza.

descalabrar (tb. *escalabrar*) v. **1** Herir en la cabeza: *Lo descalabraron de una pedrada. Se cayó de la bicicleta y se descalabró.* **2** Causar un grave perjuicio: *La negativa del crédito descalabró el negocio.*

descalabro s.m. Contratiempo o problema que ocasionan un grave daño: *Perder ese partido sería un descalabro para nuestro equipo y supondría descender de categoría.*

descalcificación (tb. *decalcificación*) s.f. **1** Pérdida o disminución del calcio y de los compuestos cálcicos que contienen un hueso u otro tejido orgánico: *El consumo de leche ayuda a evitar la descalcificación de los huesos.* **2** Pérdida o disminución de la cal que contiene el agua: *Con este filtro conseguirás la descalcificación del agua.*

descalcificar (tb. *decalcificar*) v. **1** Referido esp. a un hueso, eliminar o disminuir el calcio y los compuestos cálcicos que contiene: *Una lactación prolongada puede descalcificar los tejidos orgánicos de la madre. Toma calcio para evitar que se le descalcifiquen los huesos.* **2** Referido esp. al agua, eliminar o disminuir la cal que contiene. ☐ ORTOGR. La *c* se cambia en *qu* delante de *e* →SACAR.

descalificación s.f. **1** En una competición, eliminación de un participante, generalmente por haber cometido una infracción de las reglas: *La descalificación del líder avivó las esperanzas de los demás.* **2** Pérdida de reputación, de capacidad o de autoridad de una persona: *Su descalificación política fue inmediata cuando se descubrió su implicación en la compra de votos.*

descalificar v. **1** Desacreditar o restar capacidad o autoridad: *Su falta de prudencia lo descalifica para los negocios.* **2** En una competición, referido a un participante, eliminarlo, generalmente por cometer una infracción de las reglas: *Descalificarán a los que queden en los diez últimos lugares.* □ ORTOGR. La *c* se cambia en *qu* delante de *e* →SACAR.

descalzar v. **1** Quitar el calzado: *Esté donde esté se descalza en cuanto se sienta.* **2** Referido a un objeto, quitarle el calzo o la cuña: *Si descalzas el armario volverá a cojear.* □ ORTOGR. La *z* se cambia en *c* delante de *e* →CAZAR.

descalzo, za ▌ adj. **1** Sin calzado: *Me gusta andar descalza por la arena.* ▌ adj./s. **2** Referido a un religioso, que profesa una regla que exige llevar los pies sin calzado: *Santa Teresa de Jesús fue carmelita descalza.*

descamación s.f. **1** Caída de la piel en forma de escamas: *Esta crema te resecará la piel y te producirá una ligera descamación.* **2** Desprendimiento de partes de una roca por calentarse durante el día y enfriarse rápidamente por la noche: *En el desierto es frecuente la descamación de las rocas.*

descamar ▌ v. **1** →**escamar.** ▌ prnl. **2** Referido a la piel, caerse en forma de escamas: *Se me descama la piel porque la tengo muy reseca.*

descambiar v. *col.* Referido a una compra, devolverla a cambio de dinero o de otro artículo: *Compré la blusa con la condición de que, si no te quedaba bien, podíamos descambiarla.* □ ORTOGR. La *i* nunca lleva tilde.

descaminado, da adj. Equivocado o mal orientado: *Vas descaminado si piensas eso, porque la realidad no es así.*

descaminar v. Referido a una persona, apartarla del camino que debe seguir: *Las malas compañías te van a descaminar y acabarás mal.* □ SINÓN. *desencaminar.*

descamisado, da ▌ adj. **1** *col.* Sin camisa o con ella desabrochada: *Pasea descamisado por la playa.* ▌ adj./s. **2** *col. desp.* Referido a una persona, que es pobre o desarrapada: *Dicen de nosotros que somos unos descamisados y unos desclasados.* ▌ s.m. **3** Partidario de Juan Domingo Perón (político argentino): *En el Buenos Aires de la década de 1940, muchos descamisados provenían de las clases más humildes.* □ MORF. En la acepción 3, se usa más en plural.

descamisarse v.prnl. Quitarse la chaqueta y quedarse solo en camisa: *Hacía tanto calor en la reunión que algunos directivos se descamisaron.*

descampado, da adj./s.m. Referido a un lugar, que está descubierto y libre de viviendas, de árboles y de vegetación espesa: *Van a un descampado a jugar al balón.*

descampar v. →**escampar.**

descangayado, da adj. *col.* En zonas del español meridional, desgarbado o patoso: *Mi amigo tenía un hermano torpe y descangayado.*

descansado, da adj. Que no exige mucho trabajo o esfuerzo: *Tengo un trabajo descansado y tranquilo.*

descansapiés (pl. *descansapiés*) s.m. Soporte regulable que tienen los asientos de algunos medios de transporte y que sirve para que el pasajero pueda tener los pies en alto o apoyarlos: *En los viajes largos de avión, el descansapiés supone una gran comodidad y evita que se hinchen las piernas.*

descansar v. **1** Cesar en el trabajo o recuperar fuerzas con el reposo: *Se tomó unos días de vacaciones para descansar de las tensiones del trabajo.* **2** Reposar o dormir: *Habla bajito, que está descansando.* **3** Quedar tranquilo después de un dolor o una inquietud: *Cuando me saquen la muela, descansaré.* **4** Referido a una cosa, apoyarla o apoyarse sobre otra: *Siéntate y descansa los pies sobre el taburete. El techo descansa sobre cuatro columnas.* **5** Referido a un terreno, estar sin cultivo para recuperar su fertilidad: *Dejaremos esta tierra descansar este año y la sembraremos el que viene.* **6** Estar enterrado o reposar en el sepulcro: *Mis antepasados descansan lejos de aquí.* **7** Aliviar o disminuir la fatiga: *Ya verás como un buen masaje te descansa.*

descansillo s.m. En una escalera, parte llana en que termina cada uno de sus tramos: *Hay una maceta en cada descansillo de la escalera.* □ SINÓN. *descanso, rellano.*

descanso s.m. **1** Quietud, reposo o pausa en el trabajo o en el esfuerzo: *Nos tomaremos un descanso de media hora.* **2** Lo que alivia en las dificultades o disminuye la fatiga: *Los hijos mayores son el descanso de los padres.* **3** En un espectáculo, una representación o un programa, espacio de tiempo que los interrumpe: *Salí a beber agua en el descanso de la obra.* □ SINÓN. *intermedio.* **4** En una escalera, parte llana en que termina cada uno de sus tramos: *En el segundo descanso de la escalera está el extintor.* □ SINÓN. *descansillo, rellano.* **5** Lugar sobre el que se apoya o asegura algo: *Unas vigas de hierro sirven de descanso a la techumbre.*

descantillar v. Referido esp. a un objeto, romperle los cantos, las aristas o los bordes: *Se cayó el cuadro y se descantilló el marco.*

descapitalización s.f. **1** Pérdida de dinero, esp. la que ocurre en una entidad o en una empresa: *Con la crisis económica se ha producido la descapitalización de varias empresas.* **2** Pérdida de riquezas históricas o culturales de un país o de una comunidad: *La descapitalización del pueblo ha hundido a sus habitantes.*

descapitalizar v. **1** Referido esp. a una entidad o a una empresa, dejarlas sin el capital que tenían: *Descapitalizaron el banco al descubrir que formaba parte de una red de comercio ilegal. Algunas empresas familiares se han descapitalizado y han tenido que admitir socios externos.* **2** Referido a un país o a una comunidad, hacerle perder las riquezas históricas o culturales acumuladas: *La guerra ha descapitalizado este país porque ha destruido sus monumentos.* □ ORTOGR. La *z* se cambia en *c* delante de *e* →CAZAR.

descapotable adj.inv./s.m. Referido esp. a un automóvil, que tiene el techo plegable: *No pudo subir la capota del descapotable y se mojó cuando empezó a llover.*

descapotar v. Referido a un coche o a un automóvil, plegarle la capota o bajársela: *Descapota el coche del niño para que le dé el sol.*

descapullar v. Referido a algo que tiene capullo, quitárselo: *El granizo ha descapullado los rosales.*

descarado, da adj./s. Referido a una persona, que habla o actúa con atrevimiento y sin respeto ni pudor: *Cae mal a todo el mundo porque es un descarado.*

descararse v.prnl. Hablar o actuar sin vergüenza, sin cortesía o sin pudor: *Se descaró y le dijo a la cara todo lo que pensaba de él.*

descarbonatar v. Referido esp. a una sustancia, quitarle el ácido carbónico: *Un procedimiento químico para descarbonatar aguas consiste en precipitar ácido carbónico en forma de carbonatos cálcicos.*

descarga s.f. **1** Extracción, eliminación o salida de una carga: *la descarga del camión.* **2** Liberación de un peso o de una preocupación: *Al decir la verdad, sintió una gran descarga.* **3** Paso de electricidad de un cuerpo a otro de distinto potencial: *La descarga ocasionada por el rayo provocó un incendio.*

descargadero s.m. Lugar destinado para descargar mercancías u otras cosas: *En la parte baja del mercado está el descargadero de camiones.*

descargador, -a ▮ adj./s. **1** Que descarga. ▮ s. **2** Persona que se dedica a la descarga de mercancías, esp. si esta es su profesión: *Los descargadores del puerto suelen ser fuertes y robustos.*

descargar v. **1** Quitar, extraer o anular la carga: *Descarga camiones en el mercado. Las pilas se descargan aunque no se usen.* **2** Referido a una carga, sacarla o desviarla de donde está: *Ayúdame a descargar los muebles de la furgoneta.* **3** Referido a un arma de fuego, dispararla: *Descargó la escopeta sobre una perdiz.* **4** Referido a un golpe, darlo con violencia: *Le descargó un puñetazo en toda la cara.* **5** Referido a un enfado o a un sentimiento violento, hacerlo recaer sobre alguien o algo, como forma de liberarse de él: *No descargues tu ira sobre mí, que yo no tengo la culpa.* **6** Producir lluvia o granizo, o producirse una precipitación atmosférica: *Como descarguen esas nubes tan negras, nos vamos a empapar.* **7** En informática, transferir una información o un contenido de internet a un ordenador: *Me he descargado el último antivirus de internet.* □ SINÓN. *bajar.* **8** En zonas del español meridional, referido a una persona, librarla de una responsabilidad o de una culpa: *Los testigos descargaron del crimen al acusado.* □ ORTOGR. La *g* se cambia en *gu* delante de *e* →PAGAR. □ USO En la acepción 7, es innecesario el uso del anglicismo *download.*

descargo ‖ **en descargo de** alguien; como excusa o justificación para librarlo de una acusación que se le hace o de una obligación de conciencia: *Sé que te he hecho daño, pero diré en mi descargo que no lo hice conscientemente.*

descarnado, da adj. **1** Sin adornos, sin rodeos o sin atenuaciones: *un relato descarnado.* **2** ‖ **la descarnada;** la muerte: *Me gustaría dar la vuelta al mundo antes de que me visite la descarnada.*

descarnadura s.f. Separación de la carne y el hueso o de la carne y la piel: *Tengo una descarnadura en la rodilla porque me caí.*

descarnar v. **1** Referido a un hueso o a la piel, separarlos de la carne o quitársela: *Descarnó la piel del conejo para poder curtirla.* **2** Quitar o perder carnes o adelgazar mucho por una causa física o moral: *Una larga enfermedad le descarnó la cara.* □ SINÓN. *demacrar.*

descaro s.m. Insolencia o falta de vergüenza, de recato o de respeto: *Ese maleducado habla con un descaro insultante.*

descarozar v. En zonas del español meridional, referido esp. a un fruto, deshuesarlo. □ ORTOGR. La *z* se cambia en *c* delante de *e* →CAZAR.

descarriar v. **1** Referido esp. a una persona, apartarla del camino que debe seguir: *Las malas compañías lo descarriaron. Una buena formación ayuda a no descarriarse en la vida.* **2** Referido a un animal, esp. a una oveja, apartarlo del rebaño: *El perro pastor evita que se descarríen las ovejas.* □ ETIMOL. Quizá del antiguo *descarrerar* (descarriar), por cruce con *desviar.* □ ORTOGR. La *i* lleva tilde en los presentes, excepto en las personas *nosotros* y *vosotros* →GUIAR. □ MORF. Se usa más como pronominal.

descarrilamiento s.m. Desacoplamiento de un tren u otro vehículo semejante, de los carriles o de los raíles sobre los que marcha: *Afortunadamente, el descarrilamiento del tren no produjo ningún herido.*

descarrilar v. Referido a un tren o a un vehículo semejante, salirse de los carriles: *El metro descarriló, pero no hubo heridos.*

descarrío s.m. **1** Apartamiento del camino que se debe seguir: *Lo metieron en una institución religiosa para corregir su descarrío.* **2** Alejamiento del grupo o de la compañía con la que se suele ir: *El descarrío de esas ovejas me ha arruinado el rebaño.*

descartable adj.inv. En zonas del español meridional, desechable: *Tengo que comprar pañuelos descartables.*

descartar ▮ v. **1** Referido a una posibilidad, desecharla o no tenerla en cuenta: *Si pensabas contar con mi ayuda este verano, ya puedes descartar esa posibilidad.* ▮ prnl. **2** En algunos juegos de naipes, dejar las cartas que se tienen y se consideran inútiles: *No me descarto de ninguna carta porque todas las que tengo son buenas.*

descarte s.m. **1** En algunos juegos de naipes, rechazo de las cartas que se consideran inútiles: *Tras el descarte, te daré tantas cartas como hayas desechado.* **2** Conjunto de estas cartas que se desechan: *¿Has recogido mi descarte?* **3** En el lenguaje del deporte, jugador que ha sido excluido de una alineación.

descasar v. **1** Referido a cosas que casan o se corresponden entre sí, hacer que dejen de coincidir: *Descasa esas piezas porque no son de ahí.* **2** Referido a dos personas legalmente casadas, anular su matrimonio: *Después de la Guerra Civil española descasaron a mucha gente.* **3** Referido a dos personas que no están legalmente casadas, separarlas: *Los padres quieren descasar a esa pareja pero ellos no quieren separarse.*

descascar v. →**descascarar.** ☐ ORTOGR. La *c* se cambia en *qu* delante de *e* →SACAR.

descascarar ▌v. **1** Referido a algo rodeado por una capa dura, quitarle la cáscara: *Descascara tres huevos y bátelos.* ☐ SINÓN. *descascar.* ▌prnl. **2** Levantarse o caerse la capa superficial: *Con la humedad se descascaró la pared.*

descascarillado s.m. Desprendimiento de la cascarilla: *El salitre provoca el descascarillado de las pinturas.*

descascarillar v. **1** Referido esp. a un fruto, quitarle la cáscara o la cascarilla: *Para hacer harina refinada, hay que descascarillar el trigo.* **2** Referido esp. a un objeto, quitar parte de la capa que lo recubre: *Un balonazo descascarilló la pared. Cuando empieza a descascarillarse el esmalte de las uñas, es mejor quitarlo todo.*

descastado, da adj./s. Referido a una persona, que muestra poco cariño a su familia o que no corresponde al cariño que recibe: *Nunca vas a ver a tus padres porque eres un descastado.*

descaste s.m. Caza de una determinada especie de animales, generalmente por ser perjudiciales.

descatalogado, da adj. Que ha dejado de figurar en catálogo: *No te puedo conseguir ese libro porque ya está descatalogado.*

descatalogar v. Eliminar de un catálogo: *Han descatalogado ese libro hace más dos años.* ☐ ORTOGR. La *g* se cambia en *gu* delante de *e* →PAGAR.

descendencia s.f. Conjunto de hijos, nietos y demás generaciones sucesivas que descienden de una persona por línea directa: *Una de sus grandes ilusiones cuando se casó era tener descendencia.*

descendente adj.inv. Que desciende: *Ten cuidado con estas curvas descendentes, porque el coche se embala.* ☐ SINÓN. *descendiente.*

descender v. **1** Ir a un lugar o a una posición inferiores: *Descendimos al sótano por una escalera de mano.* ☐ SINÓN. *bajar.* **2** Disminuir en intensidad, cantidad o valor: *En invierno desciende mucho la temperatura.* ☐ SINÓN. *bajar.* **3** Referido a una persona o a un animal, proceder por generaciones sucesivas de un antepasado, de un linaje o de un pueblo: *Las personas descienden del primate.* ☐ ETIMOL. Del latín *descendere.* ☐ MORF. Irreg. →PERDER. ☐ SINT. Constr. de la acepción 3: *descender* DE *alguien.* ☐ SEM. **Descender abajo* es una expresión redundante e incorrecta.

descendiente ▌adj.inv. **1** Que desciende: *un camino descendiente.* ☐ SINÓN. *descendente.* ▌s.com. **2** Respecto de una persona, hijo, nieto u otro miembro de las generaciones sucesivas por línea directa: *Quiero que alguna de mis descendientes se llame María, como yo.*

descendimiento s.m. **1** Ida a un lugar o a una posición inferior: *¿Comenzamos el descendimiento de la pendiente?* ☐ SINÓN. *descenso.* **2** Transporte de algo hacia un lugar inferior: *Me ayudó con el descendimiento de la lámpara de bronce.*

descenso s.m. **1** Camino que lleva hacia un lugar o una posición inferiores: *Es un descenso lleno de curvas y piedras.* ☐ SINÓN. *bajada.* **2** Inclinación de un terreno: *El descenso de esa ladera es suave y poco pronunciado.* ☐ SINÓN. *bajada.* **3** Ida a un lugar o a una posición inferior: *El descenso de los ciclistas desde el puerto fue rapidísimo.* ☐ SINÓN. *descendimiento.* **4** Disminución de la intensidad, de la cantidad o del valor: *Un descenso del índice de natalidad conduce al envejecimiento de la población.* ☐ ETIMOL. Del latín *descensus.*

descentralización s.f. Traspaso de las competencias o de las responsabilidades de algo a organismos o unidades más pequeños, para evitar la concentración o la centralización: *Las Comunidades Autónomas consiguen la descentralización del poder.*

descentralizar v. Referido a algo centralizado, traspasar sus competencias o las responsabilidades que conlleva a organismos o unidades más pequeños, para evitar la concentración o la centralización: *Hay que descentralizar la industria para evitar que haya regiones menos desarrolladas.* ☐ ORTOGR. La *z* se cambia en *c* delante de *e* →CAZAR.

descentrar v. Referido esp. a una persona o a un objeto, hacer que dejen de estar centrados: *Los ruidos me descentran y no puedo estudiar. Se descentró el proyector y la película se veía fuera de la pantalla.*

desceñir v. Referido a algo que ciñe o aprieta, aflojarlo o soltarlo: *Se me desciñó el cinturón al romperse la hebilla.* ☐ ETIMOL. Del latín *discingere.* ☐ MORF. Irreg.: 1. Tiene un participio regular (*desceñido*), que se usa más en la conjugación, y otro irregular (*descinto*), que se usa más como adjetivo. 2. →CEÑIR.

descepar v. Referido a una planta con cepa, arrancarla de raíz: *Descepó todas las vides y plantó otras nuevas.*

descercar v. **1** Referido a un lugar cercado, derribar su cerca o su muralla: *Han descercado el parque para que entre el que quiera.* **2** Referido a un lugar sitiado, levantarle o hacer levantar el cerco o el sitio: *Esperan la ayuda de los aliados para descercar la ciudad.* ☐ ORTOGR. La *c* se cambia en *qu* delante de *e* →SACAR.

descerebrado, da adj./s. **1** *col. desp.* Que tiene muchas dificultades para recordar las cosas o que no tiene memoria. **2** *col.* Referido a una persona, que actúa de forma irresponsable o sin medir las consecuencias de lo que hace.

descerebrar v. **1** Producir la inactividad funcional del cerebro: *El golpe que sufrió en la cabeza no lo mató, pero lo descerebró.* **2** Referido a un animal, extirparle experimentalmente el cerebro: *En el laboratorio descerebraron a un ratón para hacer un experimento.*

descerrajar v. Referido a algo con cerradura, romper o forzar esta: *El caco descerrajó la puerta para entrar en la casa.* □ ORTOGR. Conserva la *j* en toda la conjugación.

descertificación s.f. →**sanción.** □ ETIMOL. Del inglés *decertification* (sanción, condena). □ USO Su uso es innecesario.

descertificar v. →**sancionar.** □ ETIMOL. Del inglés *decertify* (sancionar, condenar). □ ORTOGR. La *c* se cambia en *qu* delante de *e* →SACAR. □ USO Su uso es innecesario.

desciframiento s.m. Descubrimiento y comprensión del significado de lo que está en clave o resulta difícil de comprender: *El servicio de espionaje se encarga del desciframiento de las claves.* □ SINÓN. *descifre.*

descifrar v. Referido a algo en clave o difícil de comprender, deducir o averiguar su significado: *No consiguió descifrar el jeroglífico.* □ USO Es innecesario el uso del anglicismo *desencriptar*.

descifre s.m. →**desciframiento.**

descimbrar v. Referido a un arco o a una bóveda, quitarles el armazón que sirve de soporte para su construcción: *Cuando acabaron la obra descimbraron los arcos.*

descimentar v. Referido a una construcción, deshacer sus cimientos: *La fuerza del agua de la riada descimentó muchas casas.* □ MORF. Irreg. →PENSAR.

descinchar v. Referido a una caballería, quitarle las cinchas o soltárselas: *Descinchó al caballo para que comiera más cómodamente.*

desclasado, da adj./s. *desp.* Referido a una persona, que no está integrada en un grupo social o que lo está en el que no le corresponde: *Es una desclasada, porque ha ido a nacer en un entorno que rechaza por principios.* □ ETIMOL. Del francés *déclassé*.

desclasificar v. Referido a algo clasificado, desordenarlo o sacarlo del conjunto ordenado en el que está: *Procura no desclasificar las fichas al consultarlas.* □ ORTOGR. La *c* se cambia en *qu* delante de *e* →SACAR.

desclavar v. Referido a algo clavado, arrancarlo o desprenderlo: *Desclava la escarpia de la pared.* □ SINÓN. *desenclavar.*

descoagular v. Referido a algo coagulado, hacerlo líquido: *Dicen que cuando la sangre de san Pantaleón se descoagula hay desgracias.*

descocarse v.prnl. *col.* Referido a una persona, mostrar demasiada desenvoltura o descaro: *En las fiestas se descoca y es el centro de todas las miradas.* □ ETIMOL. De *des-* (privación) y *coca* (cabeza), porque se pierde o no se tiene cabeza. □ ORTOGR. La *c* se cambia en *qu* delante de *e* →SACAR.

descoco s.m. Descaro o desenvoltura excesiva: *Actúa con un descoco impropio de su cargo.* □ SINÓN. *descoque.*

descodificación (tb. *decodificación*) s.f. Aplicación inversa de las reglas de un código para recuperar la forma primitiva de un mensaje codificado: *Tengo un aparato para conseguir la descodificación de las emisiones codificadas.*

descodificador, -a (tb. *decodificador, -a*) ▮ adj. **1** Que descodifica. ▮ s.m. **2** Aparato o dispositivo que se usa para recuperar la forma primitiva de un mensaje codificado: *Para ver algunos programas de televisión necesitas un descodificador.*

descodificar (tb. *decodificar*) v. Referido a un mensaje codificado, aplicarle inversamente las reglas de su código para que recupere su forma primitiva: *Necesito el código para descodificar el programa informático y poder entenderlo.* □ ORTOGR. La *c* se cambia en *qu* delante de *e* →SACAR.

descojonamiento s.m. *vulg.malson.* Burla o risa desmedidas.

descojonarse v.prnl. *vulg.malson.* Reírse mucho.

descojone s.m. *vulg.malson.* →**descojono.**

descojono s.m. *vulg.malson.* Burla o risa desmedidas. □ SINÓN. *descojone.*

descolgar ▮ v. **1** Referido a algo colgado, bajarlo o quitarlo de donde está: *Descuelga la lámpara para limpiarla. Se descolgó el sombrero de la percha.* **2** Referido a algo que pende de una cuerda, bajarlo despacio: *Descolgaron el piano por el balcón hasta la calle. Me descolgué con una cuerda desde lo alto del acantilado.* **3** Referido a un teléfono, levantar su auricular: *Descolgó el teléfono para no recibir llamadas.* ▮ prnl. **4** *col.* Referido a una persona, aparecer inesperadamente o sin una finalidad determinada: *Ayer se descolgó Paco por casa y estuvimos charlando.* **5** Referido a un miembro de un grupo, separarse de este o quedarse rezagado: *Un ciclista se descolgó del pelotón y ya no pudo alcanzarlo.* **6** *col.* Hacer o decir algo inesperado: *¿Ahora que nos habías convencido a todos te descuelgas tú con que estabas equivocado?* □ ORTOGR. Aparece una *u* después de la *g* cuando le sigue *e*. □ MORF. Irreg. →COLGAR. □ SINT. 1. Constr. de las acepciones 2 y 5: *descolgarse* DE *algo.* 2. Constr. de la acepción 6: *descolgarse* CON *algo.*

descoligado, da adj. Apartado de una liga o de una confederación: *Los países descoligados lamentaron haber dejado la coalición.*

descollar v. **1** Destacar en altura o en anchura: *El campanario de la iglesia descuella sobre los tejados.* □ SINÓN. *sobresalir.* **2** Distinguirse entre los demás: *Descuella en habilidad entre todos sus hermanos.* □ SINÓN. *sobresalir.* □ MORF. Irreg. →CONTAR. □ SINT. Constr. de la acepción 2: *descollar* EN *algo.*

descolocación s.f. Falta de colocación: *Una dislocadura es la descolocación de un hueso.*

descolocar v. Poner en una posición o en una situación indebidas: *No me descoloques los libros. Se te ha descolocado el clavel de la solapa.* □ ORTOGR. La *c* se cambia en *qu* delante de *e* →SACAR.

descolonización s.f. Supresión de la condición colonial de un territorio.

descolonizar v. Referido a un pueblo o a un territorio colonizados, poner fin a su situación colonial: *Los dominadores descolonizaron primero los países más* *conflictivos.* □ ORTOGR. La *z* se cambia en *c* delante de *e* →CAZAR.

descoloramiento s.m. Privación o pérdida de color. □ SINÓN. *decoloración.*

descolorar v. →**decolorar.**

descolorido, da adj. De color pálido o que ha perdido color: *Aún tiene la tez descolorida por la hepatitis.*

descolorir v. Quitar o perder color: *El sol ha descolorido las persianas.* □ SINÓN. *decolorar.* □ MORF. Verbo defectivo: se usa solo en los tiempos compuestos y en las formas no personales (infinitivo, gerundio y participio).

descombrar v. →**desescombrar.**

descomedido, da adj. Excesivo, desproporcionado o fuera de lo regular: *Tiene un orgullo descomedido que lo hace intratable.*

descomedimiento s.m. Insolencia, descaro o falta de respeto: *El descomedimiento de tus palabras ha ofendido a muchos.*

descomedirse v.prnl. Mostrarse insolente y faltar al respeto: *Estaba muy nervioso y me descomedí, pero te pido perdón.* □ ETIMOL. De *des-* (privación) y *comedir.* □ MORF. Irreg. →PEDIR.

descomer v. *col.* Defecar: *Todo lo que se come se descome.* □ USO Tiene un matiz humorístico.

descompaginar v. Deshacer o descomponer la compaginación o el orden: *Nos han descompaginado el horario y cuando yo entro tú sales.*

descompasar v. Perder o hacer perder el compás o el ritmo: *El despiste del director descompasó a toda la orquesta. Uno de los que desfilaban se descompasó por mirar al público.* □ USO Se usa también *desacompasar.*

descompensación s.f. **1** Falta de compensación o de equilibrio: *En este trabajo la descompensación entre el esfuerzo y el resultado es muy grande.* **2** En medicina, estado de un órgano enfermo, esp. del corazón, que es incapaz de realizar correctamente su función: *una descompensación cardíaca.*

descompensar v. Perder o hacer perder la compensación o el equilibrio: *Se nos descompensó el presupuesto con los gastos imprevistos. Si el árbitro expulsa a un jugador, descompensará el equilibrio de fuerzas entre los dos equipos.*

descomponedor, -a adj./s. Referido a un ser vivo, que transforma en materia inorgánica la materia orgánica muerta: *Los organismos descomponedores reponen los elementos minerales del suelo.*

descomponer ▌v. **1** Referido a una sustancia o a un todo, separar sus componentes o sus partes: *Para descomponer una palabra en sílabas, hay que tener en cuenta determinadas reglas. Cuando la sal se descompone, obtenemos cloro y sodio.* **2** Referido esp. a un cuerpo orgánico, alterarlo o corromperlo de forma que entre en estado de putrefacción: *El excesivo calor puede descomponer un alimento. Un cadáver empieza a descomponerse a los tres días de la muerte.* **3** Referido a un mecanismo o a un aparato, estropearlo o hacer que deje de funcionar: *Si metes el reloj en agua, lo vas a descomponer. Se descompuso la nevera y no congela bien.* **4** Referido a una persona o a su cuerpo, dañarlos o perjudicar su salud: *La salsa me descompuso el estómago. Con este frío, se me descompone el cuerpo.* **5** Referido a una persona, enfadarla, irritarla o hacerle perder la serenidad: *Las injusticias me descomponen. Me descompongo cuando veo pegar a un niño.* **6** Desarreglar, desordenar o hacer perder la armonía: *Si habéis descompuesto la habitación, tenéis que colocarla. Con el aire, se me descompuso el peinado.* ▌prnl. **7** Referido esp. a una persona o a su cara, cambiarse su color o su expresión, esp. debido a una fuerte impresión: *La cara se le descompuso de ira.* **8** En zonas del español meridional, dislocarse: *Se me descompuso el tobillo jugando a béisbol.* **9** En zonas del español meridional, averiarse: *El auto se descompuso y hubo que llevarlo a un taller de reparaciones.* □ MORF. Irreg.: 1. Su participio es *descompuesto.* 2. →PONER.

descomposición s.f. **1** Separación de los componentes de una sustancia o de las partes de un todo: *De la descomposición del agua se obtiene hidrógeno y oxígeno.* **2** Corrupción, alteración o cambio de algo: *El humus es la capa que se forma sobre el suelo por descomposición de materias animales y vegetales.* **3** *col.* Diarrea: *He cogido frío en el vientre y tengo descomposición.*

descompostura s.f. **1** Falta de compostura, de aseo o de cortesía. **2** En zonas del español meridional, descomposición o diarrea. **3** En zonas del español meridional, avería en un mecanismo. **4** En zonas del español meridional, dislocación: *la descompostura de una mano.*

descompresión s.f. Reducción de la compresión o de la presión a la que ha estado sometido un cuerpo, esp. un gas o un líquido: *Un buceador debe subir a la superficie poco a poco para evitar que una brusca descompresión afecte a su organismo.*

descompresor s.m. Aparato o dispositivo que se usa para hacer disminuir la presión de algo: *Algunos motores tienen un descompresor para que resulte más fácil el arranque.*

descomprimir v. Referido a algo que está comprimido, hacer lo necesario para que tenga su volumen o tamaño inicial: *Si quieres leer estos archivos, necesitas un programa para descomprimirlos.*

descompuesto, ta part. irreg. de **descomponer.** □ MORF. Incorr. **descomponido.*

descomunal adj.inv. Enorme, monstruoso o totalmente fuera de lo común: *La descomunal estatua tiene más de diez metros.* □ ETIMOL. De *des-* (fuera de) y *comunal* (común).

desconcentrar v. Quitar o perder la concentración: *Si habláis tan alto me desconcentráis.*

desconcertante adj.inv. Que desconcierta: *una persona desconcertante.*

desconcertar v. Referido a una persona, sorprenderla, desorientarla o dejarla sin saber lo que pasa realmente: *Aquellas acusaciones tan directas me desconcertaron y no supe reaccionar. Dudo que tu profesor se desconcierte por nada que tú le digas.* □ MORF. Irreg. →PENSAR.

desconchado s.m. →**desconchón.**
desconchadura s.f. →**desconchón.**
desconchar v. Referido a una superficie, quitar parte de la capa que la recubre: *Al clavar el clavo, desconché un poco la pared. Si golpeas la jarra de porcelana, se desconchará.*
desconchón s.m. Caída de una parte del revestimiento o de la pintura de una superficie: *Los desconchones que presenta la estatua son obra de unos vándalos.* □ SINÓN. *desconchado, desconchadura.*
desconcierto s.m. **1** Sorpresa o confusión de una persona, dejándola sin saber lo que ocurre realmente: *El desconcierto del público fue total cuando apareció un ballet en vez de los futbolistas.* **2** Perturbación del orden o del concierto: *Había tal desconcierto en el aeropuerto, que muchos pasajeros perdieron su vuelo.*
desconectar v. **1** Deshacer o interrumpir la conexión, el contacto o la comunicación eléctrica: *La calefacción tiene un dispositivo con el que se desconecta en caso de temperatura excesiva.* **2** Dejar de tener relación, comunicación o enlace: *Me he desconectado de mis amigos porque ya no tenemos nada en común.* **3** *col.* Dejar de pensar en problemas y preocupaciones: *Necesito unas vacaciones para desconectar de los exámenes.*
desconexión s.f. Interrupción de la conexión o falta de esta: *Su desconexión con la familia refleja lo mal que se llevan.*
desconfiado, da adj./s. Referido a una persona, que desconfía.
desconfianza s.f. Falta de confianza.
desconfiar v. No confiar, no fiarse o tener poca seguridad: *Desconfío de él, porque ya me engañó una vez.* □ ORTOGR. La *i* lleva tilde en los presentes, excepto en las personas *nosotros* y *vosotros* →GUIAR. □ SINT. Incorr. *desconfiar {*en/de} algo.*
desconforme adj.inv./s.com. →**disconforme.**
desconformidad s.f. →**disconformidad.**
descongelación s.f. **1** Derretimiento del hielo que hacía que algo estuviera congelado. **2** Eliminación del hielo que contiene un frigorífico o un aparato semejante. **3** En economía, referido a algo congelado o inmovilizado, esp. al dinero, suspensión de su inmovilización: *Con la descongelación de los créditos aumentará el consumismo.*
descongelar v. **1** Referido a algo congelado, hacer que deje de estarlo: *El acuerdo permitió descongelar los salarios que no subían desde hacía dos años. Mete la comida en el horno para que se descongele.* **2** Referido esp. a un frigorífico, eliminar o deshacer el hielo que contiene: *Desenchufa la nevera para descongelarla.*
descongestión s.f. Disminución o desaparición de la congestión o de la acumulación excesiva de algo: *La descongestión de las carreteras urbanas se lograría con más transporte público.*
descongestionar v. Disminuir o quitar la congestión o la acumulación excesiva de algo: *Estas gotas están indicadas para descongestionar la nariz. Con la carretera de circunvalación, se descongestionará el tráfico de la ciudad.*
descongestivo, va adj. Que descongestiona: *Este medicamento tiene un componente de acción descongestiva sobre las mucosas del aparato respiratorio.*
desconocer v. **1** No conocer: *Desconozco cuáles son sus verdaderas intenciones.* **2** Referido a algo conocido, no reconocerlo o encontrarlo distinto: *Me desconozco en esta foto.* □ MORF. Irreg. →PARECER.
desconocido, da ▌adj. **1** Muy cambiado: *Con ese peinado estás desconocida.* ▌adj./s. **2** Referido a una persona, que no es conocida o que no es famosa.
desconocimiento s.m. Falta de conocimiento o de información: *El desconocimiento de las leyes no exime de su cumplimiento.*
desconsideración s.f. Falta de consideración o de amabilidad y respeto: *Me parece una desconsideración por su parte tenernos tanto tiempo esperando.*
desconsiderado, da adj./s. Que no guarda la consideración o el respeto debidos.
desconsolado, da ▌adj. **1** Que muestra melancolía, tristeza o aflicción: *un rostro desconsolado.* ▌adj./s. **2** Que no tiene consuelo: *El desconsolado esposo recibió el pésame de los familiares.*
desconsolar v. Causar desconsuelo o gran pena: *Me desconsuela verte llorar. No te desconsueles, que todo se arreglará.* □ MORF. Irreg. →CONTAR.
desconsuelo s.m. Angustia y pena profundas, esp. por la pérdida de algo muy querido o necesario.
descontado ‖ **dar** algo **por descontado;** *col.* Darlo por hecho o por cierto: *Doy por descontado que me recogerás en la estación.* ‖ **por descontado;** *col.* Expresión que se usa para asentir mostrando seguridad y firmeza: *Cuando le pregunté si podía ayudarme, contestó: «¡Por descontado que sí!».*
descontaminación s.f. Eliminación o disminución de las sustancias contaminantes.
descontaminar v. Referido a algo contaminado, eliminar o disminuir las sustancias que lo contaminan: *Pondrán filtros a lo largo del río para descontaminarlo.*
descontar v. **1** Referido a una cantidad, quitarla o restarla de otra: *Si compras ahora, te descontarán un diez por ciento del precio fijado.* **2** Referido a una letra de cambio, adelantar el banco una cantidad de dinero al tenedor de la letra antes de su vencimiento: *Al descontar una letra, se rebaja de su valor la cantidad que se estipule, como intereses del dinero que se anticipe.* □ MORF. Irreg. →CONTAR.
descontentadizo, za adj./s. Que se descontenta con facilidad o que es difícil de contentar.
descontentar v. Desagradar o causar insatisfacción o disgusto: *No me entusiasma ese tipo de literatura, pero tampoco me descontenta. Como no esté todo a su gusto, enseguida se descontenta.*
descontento, ta ▌adj. **1** Referido a una persona, que no está a gusto o que se siente insatisfecha. ▌s.m. **2** Insatisfacción, disgusto y desagrado: *El in-*

cumplimiento de las promesas políticas provoca descontento en la población.

descontextualización s.f. Colocación de algo fuera de su contexto: *Muchos críticos literarios defienden la descontextualización de la obra literaria de su entorno social o histórico.*

descontextualizar v. Sacar de contexto: *Me fastidia que descontextualicen mis palabras y las citen de forma que parezcan tener otro sentido.* □ ORTOGR. La *z* se cambia en *c* delante de *e* →CAZAR.

descontinuar v. →**discontinuar.** □ ORTOGR. La *u* lleva tilde en los presentes, excepto en las personas *nosotros* y *vosotros* →ACTUAR.

descontrol s.m. Falta de control, de orden o de disciplina: *Hay tal descontrol en la oficina que todos los trabajos salen con retraso.*

descontrolarse v.prnl. **1** Perder el control o el dominio de sí mismo: *Cuando hago algo mal, enseguida se descontrola y empieza a gritarme.* **2** Referido esp. a un mecanismo, perder su ritmo normal de funcionamiento: *Una brújula se descontrola si le acercas un imán.*

desconvocar v. Referido a un acto convocado, anular su convocatoria antes de que comience dicho acto: *Los sindicatos acaban de desconvocar la huelga que estaba anunciada para mañana.* □ ORTOGR. La *c* se cambia en *qu* delante de *e* →SACAR. □ SEM. Su uso con el significado de 'suspender un acto convocado y ya iniciado' es incorrecto, aunque está muy extendido.

desconvocatoria s.f. Anulación de la convocatoria de un acto antes de que este comience.

descoordinación s.f. Falta de coordinación: *La descoordinación de todos los actores hizo que la representación resultara un fracaso.*

descoque s.m. *col.* →**descoco.**

descorazonador, -a adj. Que descorazona: *Aunque la situación es descorazonadora, no pierdo la esperanza.*

descorazonamiento s.m. Decaimiento grande del ánimo o pérdida de la esperanza.

descorazonar v. Quitar o perder el ánimo o la esperanza: *Sentir que nadie te apoya descorazona a cualquiera. Inténtalo otra vez y no te descorazones a la primera.*

descorchador, -a ▮ s. **1** Persona que se dedica al descorche de los alcornoques, esp. si esta es su profesión: *Para ser un buen descorchador hace falta mucha habilidad.* ▮ s.m. **2** Utensilio consistente en una espiral metálica encajada en un soporte al que se da vueltas, que se usa para sacar los corchos de las botellas: *No pude abrir la botella de vino porque no tenía descorchador.* □ SINÓN. *sacacorchos.*

descorchar v. Referido esp. a una botella, destaparla sacando el corcho que la cierra: *Descorcha una botella de champán para celebrarlo.*

descorche s.m. **1** Operación que se realiza para sacar el tapón de corcho de una botella: *El descorche del champán lo hará el invitado.* **2** Separación de la corteza del alcornoque de su tronco: *El descorche de un alcornoque se realiza generalmente cada nueve años.*

descordar v. →**desencordar.** □ MORF. Irreg. →CONTAR.

descornar ▮ v. **1** Referido a un animal, quitarle los cuernos: *Los dos ciervos lucharon hasta que uno descornó al otro.* ▮ prnl. **2** *col.* Entregarse con decisión y esfuerzo a la consecución de un fin: *Se descuerna trabajando para dar a sus hijos lo mejor.* □ PRON. En la acepción 2, está muy extendida la pronunciación [escornárse]. □ MORF. Irreg. →CONTAR.

descorrer v. **1** Referido a algo estirado, esp. a unas cortinas, plegarlo o recogerlo: *Descorrió las cortinas para que entrara luz.* **2** Referido esp. a un pestillo, moverlo para que pueda abrirse lo que cerraba: *Descorre el cerrojo de la puerta, que quiero entrar.*

descortés adj.inv./s.com. Que no tiene cortesía, buena educación ni amabilidad: *Fuiste descortés al no acompañar a los invitados hasta la salida.*

descortesía s.f. Falta de cortesía, de buena educación o de amabilidad.

descortezar v. Quitar la corteza: *En la serrería vi cómo descortezan los troncos de los árboles.*

descoser v. Referido a algo cosido, soltarle las puntadas: *Se me ha descosido un botón de la blusa.*

descosido s.m. **1** En una prenda de vestir o en una tela, parte que tiene sueltas las puntadas que la cosían. **2** ‖ **como un descosido;** *col.* Mucho o con exceso: *Cuando llegan los exámenes estudia como una descosida.*

descoyuntamiento s.m. Desencajamiento de lo que estaba unido por una articulación: *el descoyuntamiento de un hombro.*

descoyuntar v. Referido a algo articulado, esp. a los huesos, desencajarlo de las articulaciones: *Me descoyunté un brazo al intentar mover yo solo la lavadora.* □ ETIMOL. Del latín *dis* (acción contraria) y *coiunctare* (unir).

descrédito s.m. Pérdida o disminución de la reputación, del valor o de la estima: *Aquel sucio asunto te hizo caer en el descrédito para muchos.*

descreer v. No creer, dejar de creer o desconfiar: *Nos ha engañado tantas veces que ya descreemos de su palabra.* □ ETIMOL. Del latín *discredere.* □ ORTOGR. En las formas cuya desinencia contiene un diptongo *ie*, *io*, esta *i* se cambia en *y* →LEER. □ SINT. Constr. *descreer {DE/EN} algo.*

descreído, da adj./s. Incrédulo, sin fe o sin creencias: *Es muy descreído y no lo convencerás de nada si no se lo demuestras.*

descreimiento s.m. Falta o abandono de la fe o de las creencias: *Pasó de ser un creyente convencido a caer en el más absoluto descreimiento.*

descremado, da ▮ adj. **1** Referido a algunos líquidos, esp. a la leche, sin la crema o la grasa que tenían: *yogures descremados.* ▮ s.m. **2** Proceso mediante el cual se le quitan a la leche, la crema o la grasa.

descremar v. Referido esp. a la leche, quitarle la crema o la grasa: *La leche que descreman en las* *centrales lecheras suele emplearse para regímenes de adelgazamiento.*

describir v. **1** Representar por medio del lenguaje, refiriendo o explicando las distintas partes, cualidades o circunstancias: *La autora describe con todo detalle la sociedad de su tiempo.* **2** Referido a una línea, trazarla o recorrerla moviéndose a lo largo de ella: *Los planetas describen órbitas elípticas.* □ ETIMOL. Del latín *describere.* □ MORF. Irreg.: Su participio es *descrito.*

descripción s.f. Representación de algo por medio del lenguaje, explicando sus distintas partes, cualidades o circunstancias: *Hazme una descripción detallada de lo que viste.* □ ETIMOL. Del latín *descriptio.*

descriptivo, va adj. Que describe: *un texto descriptivo.*

descriptor, -a ▮ adj. **1** Que describe. ▮ s.m. **2** En documentación, palabra o conjunto de palabras que reflejan conceptos representativos de un documento y que están dentro de un tesauro: *Si no eliges bien los descriptores, no podrás recuperar automáticamente la información.* □ ETIMOL. Del latín *descriptor.*

descrito, ta part. irreg. de **describir**. □ MORF. Incorr. **describido.*

descruzar v. Referido a algo puesto en forma de cruz, disponerlo para que deje de estar así: *Descruzó las piernas y se levantó de la silla.* □ ORTOGR. La *z* se cambia en *c* delante de *e* →CAZAR.

descuadernar v. →**desencuadernar.**

descuajar v. Referido a una planta, arrancarla de raíz: *Los vecinos denuncian que se están descuajando numerosos árboles del barrio.* □ ETIMOL. De *des-* (acción contraria) y *cuajar.* □ ORTOGR. Conserva la *j* en toda la conjugación.

descuajaringar v. *col.* →**descuajeringar.** □ ORTOGR. La *g* se cambia en *gu* delante de *e* →PAGAR.

descuajeringar (tb. *descuajaringar*) ▮ v. **1** Referido esp. a un objeto, romperlo, estropearlo o desunir sus partes: *El niño estuvo jugando con la radio y la descuajeringó. Ha vuelto a descuajeringarse la lavadora.* ▮ prnl. **2** *col.* Cansarse mucho: *Si te descuajeringas con tan poco esfuerzo, es que ya estás viejo.* **3** *col.* Reírse mucho: *Se descuajeringa viendo cómo se viste su hijo pequeño.* □ ORTOGR. La *g* se cambia en *gu* delante de *e* →PAGAR.

descuartizador, -a adj./s. Que descuartiza: *Han decretado cadena perpetua para el descuartizador que enterraba los trozos de sus víctimas en el jardín de su casa.*

descuartizamiento s.m. División de un cuerpo en trozos: *el descuartizamiento de una res.*

descuartizar v. Referido a un cuerpo, dividirlo en trozos: *En el matadero descuartizan las reses muertas para vender su carne.* □ ETIMOL. De *cuarto.* □ ORTOGR. La *z* se cambia en *c* delante de *e* →CAZAR.

descubierto, ta ▮ **1** part. irreg. de **descubrir**. ▮ adj. **2** Referido esp. a un lugar, que es despejado o espacioso. ▮ s.m. **3** Falta de fondos en una cuenta bancaria: *tener un descubierto en una cuenta.* **4** ‖ **al descubierto; 1** Claramente o sin ocultar nada: *Te contaré la verdad al descubierto.* **2** Al raso o sin resguardo: *dormir al descubierto.* □ MORF. En la acepción 1, incorr. **descubrido.*

descubridor, -a adj./s. Que descubre algo que estaba oculto o que no era conocido: *Muchas personas le deben la vida al descubridor de la penicilina.*

descubrimiento s.m. **1** Hallazgo o conocimiento de lo que estaba oculto o se desconocía: *El descubrimiento de la penicilina sirvió para salvar muchas vidas.* **2** Lo que se descubre: *La científica presentó en la conferencia su último descubrimiento.*

descubrir ▮ v. **1** Referido a algo tapado o cubierto, destaparlo o quitarle lo que lo cubre: *Al final del acto la presidenta descubrió una placa conmemorativa. Tápate con la manta y no te descubras, que hace mucho frío.* **2** Referido a algo escondido o ignorado, encontrarlo o hallarlo: *Colón descubrió América en 1492.* **3** Manifestar, mostrar o dar a conocer: *Jamás os descubriré mi secreto.* ▮ prnl. **4** Referido a una persona, quitarse el sombrero o lo que le cubre la cabeza: *El soldado se descubrió al entrar en el despacho del coronel.* □ ETIMOL. Del latín *discooperire.* □ MORF. Irreg.: Su participio es *descubierto.*

descuento s.m. **1** Rebaja que se hace en una cantidad, generalmente en un precio. **2** En un encuentro deportivo, tiempo que se añade al final para compensar el que se ha perdido durante su transcurso: *El gol del desempate llegó en los minutos de descuento.* **3** Adelanto de la cantidad de dinero que efectúa un banco al tenedor de una letra de cambio antes de su vencimiento.

descuerar v. *col.* En zonas del español meridional, criticar duramente: *Como siga llegando tarde, mi jefe me va a descuerar.*

descuidado, da adj. No preparado, no prevenido o falto de lo necesario: *Me voy ahora que el niño está descuidado, porque, si me ve irme, llorará.* □ SINÓN. *desprevenido.*

descuidar ▮ v. **1** Referido esp. a una obligación, no prestarle la atención o los cuidados debidos: *No descuides tu higiene personal.* ▮ prnl. **2** Despistarse o retirar la atención sobre algo: *En cuanto me descuido, ya estás haciendo alguna travesura.* □ USO Se usa en imperativo para dar tranquilidad o seguridad sobre algo: *Descuida, que mañana estoy aquí sin falta.*

descuidero, ra adj./s. Referido a una persona, que roba aprovechando que el dueño está descuidado, entretenido o distraído: *Cuando ya estaba montada en el autobús, un descuidero me robó el equipaje que había dejado en el maletero.*

descuido s.m. **1** Distracción, negligencia o falta de cuidado: *El accidente se produjo por un descuido del conductor.* **2** Falta de arreglo o de cuidado: *Hay tanto descuido en tu habitación que parece una pocilga.*

desde prep. **1** Indica el punto, en el tiempo o en el espacio, del que procede, se origina o se empieza a contar algo: *Desde ayer no lo he visto. Vengo an-*

dando desde la parada de tren. Hay regalos desde dos euros. **2** || **desde luego;** expresión que se utiliza para indicar asentimiento, conformidad o entendimiento: *Cuando le pregunté si se mantenía la cita, contestó: «Desde luego».* || **desde ya;** ahora mismo o inmediatamente: *Quiero que empecéis a trabajar desde ya.* ☐ ETIMOL. De las preposiciones latinas *de* y *ex de.* ☐ USO No debe usarse para indicar un talante o una postura: *Hago un llamamiento {*desde > por} la solidaridad.*

desdecir ▮ v. **1** No corresponder o ser impropio del origen o de la condición que se tienen: *Esa actitud tan intransigente desdice de tu cuidada educación.* **2** Desentonar o no convenir: *Ese adorno tan chabacano desdice en un ambiente tan elegante.* ▮ prnl. **3** Volverse atrás o contradecirse de lo que se ha dicho: *Si se compromete a algo, que te lo dé por escrito para que no pueda desdecirse.* ☐ MORF. Irreg.: 1. Su participio es *desdicho.* 2. →DECIR. 3. En el imperativo se usa más la forma *desdice (tú)* frente a *desdí (tú).* ☐ SINT. Constr. *desdecir(se)* DE *algo.*

desdén s.m. Indiferencia y falta de interés que denotan menosprecio. ☐ ETIMOL. Del antiguo *desdeño* (desdén).

desdentado, da adj. Que ha perdido los dientes o que le faltan algunos.

desdeñable adj.inv. Digno de ser desdeñado: *Esos datos son desdeñables porque la fuente tiene poco crédito.*

desdeñar v. **1** Menospreciar o tratar con desdén o indiferencia: *Un día desdeñé tu amistad y ahora me arrepiento.* **2** Rechazar o desestimar con desprecio: *En un gesto de orgullo, desdeñó el premio por considerarlo insignificante.* ☐ ETIMOL. Del latín *dedignare* (rehusar por indigno).

desdeñoso, sa adj./s. Que manifiesta o muestra desdén o indiferencia.

desdibujar v. Hacer perder o perder claridad, precisión o nitidez: *La niebla desdibuja los árboles. Con la lejanía, las montañas se desdibujan.* ☐ ORTOGR. Conserva la *j* en toda la conjugación.

desdicha s.f. Véase **desdicho, cha**.

desdichado, da adj./s. **1** Que es desgraciado o que tiene desgracias y mala suerte: *No te quejes de tu suerte, que siempre hay alguien más desdichado.* **2** En zonas del español meridional, referido a una persona, malvada o perversa: *Es un desdichado y no quiero volver a saber nada de él.*

desdicho, cha ▮ **1** part. irreg. de **desdecir.** ▮ s.f. **2** Desgracia, mala suerte o infelicidad: *¡Qué desdicha la suya, tan joven y ya viudo!* ☐ ETIMOL. La acepción 2, de *des-* (privación) y *dicha.* ☐ MORF. En la acepción 1, incorr. **desdecido.*

desdoblamiento s.m. **1** Extensión de lo que está doblado. **2** Formación de dos o más cosas a partir de una sola: *desdoblamiento de personalidad.*

desdoblar v. **1** Referido a algo doblado, extenderlo o estirarlo: *Desdobló el mapa para estudiar la ruta. Lleva esas camisas planchadas con cuidado para que no se desdoblen.* **2** Referido a una sola cosa, separar sus elementos para formar dos o más cosas a partir de ella: *Tendré que desdoblar mi horario para poder comer en casa. Uno de los actores se desdobla en dos personajes.*

desdorar v. **1** Referido a algo dorado, quitar el oro que lo baña: *No uses un producto fuerte para limpiar la bandeja dorada porque la puedes desdorar.* **2** Referido esp. a la virtud o a la reputación, disminuirlas o hacerles perder el valor que tenían: *Ese libro tan mal escrito ha desdorado su fama de gran escritor.* ☐ ETIMOL. De *des-* (privación) y *dorar.*

desdoro s.m. Deshonor o desprestigio: *Pedir ayuda cuando se necesita no es ningún desdoro para mí.* ☐ ETIMOL. De *desdorar* (quitar el oro, deslucir).

desdramatizar v. Referido esp. a un suceso o a una situación, quitarles dramatismo, importancia o gravedad: *Debes desdramatizar la enfermedad porque su curación es posible aunque requiera tiempo.* ☐ ORTOGR. La *z* se cambia en *c* delante de *e* →CAZAR.

deseable adj.inv. Digno de ser deseado.

desear v. **1** Anhelar o querer con vehemencia: *Estoy deseando que lleguen las vacaciones.* **2** Referido a una persona, sentir atracción sexual hacia ella: *Piensa que las mujeres lo desean porque es joven y guapo.* **3** || **dejar {bastante/mucho} que desear;** ser inferior a lo que se esperaba: *Dice que es una casa maravillosa, pero a mí me parece que deja mucho que desear.* ☐ ETIMOL. De *deseo.*

desecación s.f. Eliminación del agua o de la humedad de un terreno o de un cuerpo: *La sequía es la causa de la desecación de muchos pozos.*

desecar v. Extraer la humedad o dejar seco: *Para desecar los pétalos de rosa, mételos entre dos láminas de papel secante. Si persiste la sequía, algunos pantanos se desecarán.* ☐ ETIMOL. Del latín *dessicare.* ☐ ORTOGR. 1. Dist. de *disecar.* 2. La *c* se cambia en *qu* delante de *e* →SACAR.

desechable adj.inv. Referido a un objeto, que está destinado a ser usado una sola vez y tirado después de su uso: *pañuelos desechables.*

desechar v. **1** No admitir, rechazar o despreciar: *Desecharon mi proyecto porque era muy costoso.* **2** Referido a un objeto de uso, dejar de usarlo por considerarlo inútil o inservible: *Al comprar el ordenador, desechó su máquina de escribir.* **3** Referido esp. a un temor o a un mal pensamiento, apartarlos de la mente: *Desecha tus dudas sobre mí, porque siempre estaré a tu lado.* ☐ ETIMOL. Del latín *desiectare.*

desecho s.m. **1** Residuo, cosa inservible o resto que queda después de haber escogido lo mejor y más útil de algo: *desechos industriales.* **2** Lo que es vil y despreciable. ☐ ORTOGR. Dist. de *deshecho* (del verbo *deshacer*).

desegregación s.m. Creación de vínculos en la convivencia común, generalmente para evitar la marginación de un grupo: *Este colegio tiene un número de plazas reservadas para inmigrantes con el objetivo de favorecer la desegregación escolar.*

desembalaje s.m. Desempaquetado de lo que ha sido embalado.

desembalar v. Referido a algo embalado, quitarle el embalaje o el envoltorio: *Cuando acaben de traer los paquetes tienes que ayudarme a desembalarlos.*

desembalsar v. Dar salida al agua embalsada: *Van a desembalsar el pantano porque se está haciendo una grieta.*

desembarazar ▌v. **1** Dejar libre y sin impedimentos: *Desembarazaron el camino de las piedras caídas por los derrumbamientos.* ▌prnl. **2** Apartarse o librarse de algo molesto: *En cuanto pueda desembarazarme de ese pesado, me voy contigo.* □ ETIMOL. De *des-* (acción contraria) y *embarazar* (estorbar, impedir). □ ORTOGR. La *z* se cambia en *c* delante de *e* →CAZAR. □ SINT. Constr. *desembarazar(se)* DE *algo*.

desembarazo s.m. Desenvoltura y facilidad en el trato o en las acciones: *Resolvió la situación con mucho desembarazo y sin perder los nervios.*

desembarcadero s.m. Lugar destinado para desembarcar.

desembarcar v. **1** Referido a algo embarcado, sacarlo o salir de la nave en la que están: *Los operarios del puerto desembarcarán la carga del buque. Esperaremos aquí a que desembarquen los pasajeros.* **2** Llegar a un lugar o a una organización para iniciar o desarrollar una actividad: *Pronto desembarcarán en el ministerio los colaboradores del nuevo ministro.* □ ORTOGR. La *c* se cambia en *qu* delante de *e* →SACAR.

desembarco s.m. **1** Bajada de mercancías o de pasajeros de una embarcación: *Para el desembarco de las mercancías de los barcos utilizan grandes grúas.* **2** Operación militar que realizan en tierra las tropas de un buque o de una escuadra: *El desembarco de las tropas aliadas en Normandía fue decisivo para el final de la Segunda Guerra Mundial.*

desembargar v. Referido a algo embargado, levantarle el embargo: *Le desembargaron la casa porque pagó al banco toda la deuda.* □ ORTOGR. La *g* se cambia en *gu* delante de *e* →PAGAR.

desembargo s.m. Autorización que levanta un embargo: *El desembargo de sus bienes permite que pueda venderlos.*

desembarque s.m. Bajada de las mercancías o de los pasajeros de una nave.

desembarrar v. Quitar el barro: *Desembarra bien las botas antes de entrar en casa.*

desembocadura s.f. Lugar por donde desemboca un río u otra corriente de agua: *La desembocadura de ese río es un estuario.*

desembocar v. **1** Referido esp. a un río, verter sus aguas: *El Ebro desemboca en el mar Mediterráneo.* □ SINÓN. *desaguar.* **2** Referido esp. a una calle, acabar o tener salida: *En esta plaza desembocan cuatro calles.* **3** Concluir o terminar: *La discusión desembocó en una pelea callejera.* □ ORTOGR. La *c* se cambia en *qu* delante de *e* →SACAR. □ SINT. Constr. *desembocar* EN *algo*.

desembolsar v. Referido a una cantidad de dinero, pagarla o entregarla: *Para comprar el coche tuve que desembolsar una buena suma.*

desembolso s.m. Entrega de una cantidad de dinero, esp. si se hace en efectivo y al contado.

desembotar v. Referido a algo que estaba embotado, hacer que vuelva a ser activo y eficaz: *Daré un paseo para desembotarme y después seguiré estudiando.*

desembozar v. Quitar el embozo o la parte de la capa que cubre el rostro: *En aquella obra de teatro clásico uno de los personajes gritaba: «Desembozaos caballero, si no queréis probar mi espada».* □ ORTOGR. La *z* se cambia en *c* delante de *e* →CAZAR.

desembragar v. Referido esp. a un motor, quitarle o soltarle el embrague: *Para meter las marchas del coche hay que desembragar el motor pisando el embrague.* □ ORTOGR. La *g* se cambia en *gu* delante de *e* →PAGAR.

desembrague s.m. Desconexión del embrague del motor: *Si no haces el desembrague para cambiar de marcha, se te calará el coche.*

desembridar v. Referido a una caballería, quitarle la brida: *Cuando llegó al establo, desembridó el caballo.*

desembrollar v. *col.* Referido a algo embrollado, aclararlo o desenredarlo: *Menos mal que nos desembrolló la historia y comprendimos lo que realmente ocurrió.*

desembuchar v. *col.* Referido a algo que se tenía callado, decirlo por completo: *Desembucha de una vez y no te guardes la información para ti solo.*

desemejante adj.inv. Que no es semejante: *costumbres desemejantes de las nuestras.* □ SINT. Constr. *desemejante* {A/DE} *algo*.

desemejanza s.f. Diferencia o diversidad: *Aunque son hermanos, hay entre ellos una gran desemejanza.*

desemejar v. Referido a dos o más cosas, diferenciarse o no parecerse entre sí: *Su obra pictórica desemeja tanto que cada cuadro parece de un autor diferente.* □ ORTOGR. Conserva la *j* en toda la conjugación.

desempacar v. **1** Referido a algo empacado, deshacer las pacas o los paquetes en los que va: *En la fábrica textil desempacan enormes cantidades de algodón.* **2** En zonas del español meridional, deshacer el equipaje: *Al llegar de viaje, desempaqué todo rápidamente.* □ ORTOGR. La *c* se cambia en *qu* delante de *e* →SACAR.

desempachar ▌v. **1** Quitar el empacho o la indigestión: *Esta infusión te desempachará.* ▌prnl. **2** *col.* Perder la timidez o la vergüenza: *Es tímido, pero en cuanto se sienta a gusto se desempachará.*

desempacho s.m. Desenvoltura o falta de timidez y vergüenza al hablar o al actuar: *Se comportaba con desempacho a pesar de que no conocía a ninguno de los invitados.*

desempalmar v. Referido esp. a un tubo o a un cable, separarlos o desunirlos: *Antes de colgar la nue-*

va lámpara, tienes que desempalmar los cables de la lámpara vieja.

desempañar v. Referido a algo empañado, limpiarlo para que vuelva a estar brillante o transparente: *Voy a abrir la ventana para que se desempañen los cristales.*

desempapelar v. Referido a algo envuelto o revestido con papel, quitarle el papel que lo envuelve o lo cubre: *Antes de pintar las paredes, quiero desempapelarlas.*

desempaquetar v. Referido a algo empaquetado, sacarlo del paquete en el que está: *Ayúdame a desempaquetar la vajilla que han traído.*

desemparejar v. Referido a algo igualado o parejo, desigualarlo o deshacer la pareja: *Cada vez que vas de excursión desemparejas los calcetines porque pierdes alguno.* ☐ ORTOGR. Conserva la *j* en toda la conjugación.

desempatar v. Referido a algo empatado, deshacer el empate: *Ese gol nos permitió desempatar a la mitad del partido.*

desempate s.m. Eliminación de un empate: *Con tu voto se producirá el desempate.*

desempedrar v. Referido a algo empedrado, quitarle o arrancarle las piedras: *Han desempedrado muchas calles para asfaltarlas.* ☐ MORF. Irreg. →PENSAR.

desempeñar v. **1** Referido esp. a un cargo, ejercerlo o realizar las funciones propias de él: *Desempeñó el cargo de alcalde durante tres años.* **2** Referido a un papel dramático, interpretarlo o representarlo: *En su última obra, ese actor desempeña el papel de galán.* **3** Referido a algo entregado como garantía de un préstamo, recuperarlo pagando la cantidad acordada: *En cuanto gane un poco de dinero, desempeñaré el anillo.*

desempeño s.m. Realización de las funciones propias de un cargo o de una ocupación: *Un juez debe ser imparcial en el desempeño de sus funciones.*

desempleado, da adj./s. Referido a una persona, que está sin trabajo de forma forzosa. ☐ SINÓN. *parado.*

desempleo s.m. Situación de las personas que no están empleadas: *En épocas de crisis económica, siempre aumenta el desempleo.* ☐ SINÓN. *paro.*

desempolvar v. **1** Quitar el polvo: *Desempolva de vez en cuando las tazas de la vitrina, aunque no las uses.* **2** Referido a algo olvidado o desechado tiempo atrás, traerlo a la memoria o volver a utilizarlo: *La prensa desempolvó un viejo asunto en el que estuvo complicado el nuevo ministro.*

desemponzoñar v. Referido a algo emponzoñado o envenenado, quitarle o eliminarle el veneno u otra sustancia perjudicial para la salud: *Por esta zona se dice que solo con magia se podrá desemponzoñar esta fuente.*

desempotrar v. Referido a algo empotrado, sacarlo de donde está: *La grúa desempotró de ese árbol un coche que se salió de la carretera.*

desempuñar v. Referido a un objeto, dejar de empuñarlo: *La policía le dijo al ladrón que desempuñara el arma y que se entregara.*

desenamorar v. Referido a una persona, perder o hacerle perder el amor que siente: *No quiero que nos desenamoremos con el paso del tiempo.*

desencadenamiento s.m. **1** Liberación de lo que estaba atado con cadenas. **2** Producción de un proceso violento: *el desencadenamiento de una guerra.*

desencadenante adj.inv./s.m. Referido a una acción, que se encuentra en el origen de un suceso, o que lo provoca: *El odio ancestral entre ambas naciones fue el principal desencadenante de esta sangrienta guerra.*

desencadenar v. **1** Soltar o librar de las cadenas: *Desencadenaron a los presos cuando llegaron a la cárcel.* **2** Originar o provocar, esp. si es de forma violenta: *La subida de precios desencadenó numerosas protestas callejeras. Se desencadenó una tempestad que produjo graves inundaciones.* ☐ SINÓN. *desatar.*

desencajamiento s.m. **1** Desunión o separación de lo que estaba encajado. **2** Alteración de las facciones: *El desencajamiento de su cara indica que sufre mucho.*

desencajar ▮ v. **1** Referido a algo encajado, separarlo o arrancarlo de donde está: *Desencajé las patas de la silla para pintarlas mejor. Cuando se cayó el cuadro, se desencajó el marco.* ▮ prnl. **2** Referido a una persona o a su rostro, desfigurarse o alterarse sus facciones: *Cuando le dieron la mala noticia, se le desencajó el rostro.* ☐ ORTOGR. Conserva la *j* en toda la conjugación.

desencajonar v. **1** Sacar de un cajón: *Después de la mudanza hay que desencajonar todo.* **2** En tauromaquia, referido a un toro, hacerlo salir del cajón en que ha sido transportado a la plaza: *Antes de la corrida desencajonan a los toros en los toriles.*

desencallar v. Referido a una embarcación encallada, sacarla de donde está y volverla a poner a flote: *El pesquero desencallará cuando suba la marea.*

desencaminar v. →**descaminar.**

desencantamiento s.m. **1** Ruptura de un encantamiento mágico: *Los niños buscaban al hada buena para que consiguiera el desencantamiento de sus padres.* **2** →**desencanto.**

desencantar v. **1** Referido a una persona, hacerle perder la ilusión y la admiración que tenía: *La monotonía del paisaje me desencantó enormemente.* **2** Referido a algo encantado, quitarle el encantamiento: *Con el beso, la rana se desencantó y se convirtió en príncipe.*

desencanto s.m. Pérdida de la ilusión y de la admiración que se tenían. ☐ SINÓN. *desencantamiento.*

desencapotarse v.prnl. Referido al cielo o al horizonte, despejarse de la nubosidad abundante: *Después de la tormenta, el cielo se desencapotó y salió el sol.*

desencarcelar v. Referido a un preso, ponerlo en libertad por mandamiento judicial: *Aunque hoy acabe su condena, sin la orden judicial no puedo desencarcelarlo.* ☐ SINÓN. *excarcelar.*

desencarecer v. Hacer más barato: *Con la apertura de las fronteras se desencarecerán algunos productos.* ☐ SINÓN. *abaratar.* ☐ MORF. Irreg. →PARECER.

desencargar v. Referido a un encargo, anularlo: *He desencargado los muebles porque ya no los quiero.* ☐ ORTOGR. La *g* se cambia en *gu* delante de *e* →PAGAR.

desencariñarse v.prnl. Referido esp. a un objeto, perder el cariño que se sentía por él: *Mi hija no se desencariña del chupete roto y no quiere el nuevo.* ☐ SINT. Constr. *desencariñarse* DE *algo.*

desencarpetar v. Referido a algo archivado o que ya está olvidado, volver a ocuparse de ello: *Van a desencarpetar aquella estafa de hace tanto tiempo.*

desencasquillar v. Referido a un arma de fuego, hacer que deje de estar atascada por el casquillo de una bala: *Cuando consiguió desencasquillar la escopeta, ya no había pájaros.*

desencerrar v. Referido a algo encerrado, sacarlo o abrirle camino: *Desencerró los perros para que corriesen por el campo.* ☐ MORF. Irreg. →PENSAR.

desenchufar v. Referido a algo enchufado, desconectarlo de la toma de corriente eléctrica: *Antes de intentar arreglar la plancha, desenchúfala.*

desenclavar v. →**desclavar.**

desencofrado s.m. En construcción, desmantelamiento del encofrado o armazón que contiene el hormigón, después de que se haya endurecido: *Si ya está seco el hormigón, podemos empezar con el desencofrado.*

desencofrar v. En construcción, referido a algo hecho de hormigón, quitarle el encofrado o armazón que lo contiene, después de que se haya endurecido: *Cuando se endurezca el hormigón, desencofrarán las columnas.*

desencoger v. Referido esp. a algo doblado o encogido, estirarlo o extenderlo: *Si ese vestido te ha encogido, será difícil desencogerlo.* ☐ ORTOGR. La *g* se cambia en *j* delante de *a, o* →COGER.

desencoladura s.f. Desprendimiento de lo que estaba pegado con cola: *La rotura de la silla fue causada por la desencoladura de sus patas.*

desencolar v. Referido a algo pegado con cola, despegarlo: *Con la humedad se desencoló el papel pintado.*

desencolerizar v. Referido a una persona encolerizada, moderarle la cólera o el enfado o quitárselos: *Para desencolerizar a tu tío, dile que está muy joven.* ☐ ORTOGR. La *z* se cambia en *c* delante de *e* →CAZAR.

desenconamiento s.m. →**desencono.**

desenconar ▌v. **1** Referido a una persona, moderarle o quitarle el encono o el enojo: *Como no le pidas perdón de palabra, no se desenconará.* **2** Referido a algo inflamado, disminuirle o quitarle la inflamación: *Pon algo frío sobre la herida para desenconarla.* ▌prnl. **3** Referido a algo áspero, hacerse suave: *Este jersey era muy áspero pero se desenconó cuando lo lavé.*

desencono s.m. Disminución o pérdida del enfado o enojo: *Su desencono permitió tratar el problema con tranquilidad.* ☐ SINÓN. *desenconamiento.*

desencordar v. Referido esp. a un instrumento musical, quitarle las cuerdas: *Desencuerda la guitarra y ponle cuerdas nuevas, que esas están ya picadas.* ☐ SINÓN. *descordar.* ☐ MORF. Irreg. →CONTAR.

desencorvar v. Referido a algo encorvado o torcido, ponerlo derecho: *Estírate y desencorva la espalda al andar.* ☐ ORTOGR. Dist. de *desencovar.*

desencovar v. Referido a un animal, hacerlo salir de su cueva o de su escondite: *Para desencovar al zorro pusieron un cebo a la entrada del agujero.* ☐ ORTOGR. Dist. de *desencorvar.* ☐ MORF. Irreg. →CONTAR.

desencriptar v. →**descifrar.**

desencuadernar v. Referido a un libro o un cuaderno, romper o deshacer su encuadernación: *Desencuadernaron el libro para cambiarle las cubiertas viejas por otras nuevas. Los libros encuadernados en rústica se desencuadernan fácilmente.* ☐ SINÓN. *descuadernar.*

desencuentro s.m. **1** Encuentro frustrado o decepcionante: *Últimamente no tengo más que desencuentros contigo.* **2** Desacuerdo o falta de entendimiento: *El desencuentro entre ambos políticos provocó el fin de las conversaciones.*

desendemoniar v. Referido a algo endemoniado, expulsar los demonios que tiene: *Leyó en un libro de magia una frase para desendemoniar personas.* ☐ SINÓN. *desendiablar.* ☐ ORTOGR. La *i* nunca lleva tilde.

desendiablar v. →**desendemoniar.**

desendiosar v. Referido a una persona, hacer que deje de creerse superior y que disminuya su vanidad y altanería: *Eres tan soberbia que si no te desendiosan te quedarás sin amigos.*

desenfadaderas s.f.pl. Facilidad para salir de dificultades o de apuros: *Con las desenfadaderas que tiene nunca lo pasará mal.* ☐ SINT. Se usa más con el verbo *tener.*

desenfadado, da adj. Libre y sin seriedad ni estorbos: *una persona desenfadada.*

desenfadar v. Quitar el enfado: *Cuando te aburras de estar enfadado, te desenfadas tú solito.*

desenfado s.m. Desenvoltura, naturalidad y falta de seriedad: *Me gusta el desenfado y la cordialidad con que trata a todo el mundo.*

desenfocar v. Enfocar mal o perder el enfoque: *Creo que has llegado a conclusiones exageradas porque has desenfocado el tema. Si mueves la cámara, se desenfocará la imagen.* ☐ ORTOGR. La *c* se cambia en *qu* delante de *e* →SACAR.

desenfoque s.m. Falta de enfoque, o enfoque defectuoso: *Las fotos están borrosas por el desenfoque de la imagen.*

desenfrenado, da adj. Sin freno o sin moderación: *El ritmo desenfrenado de las grandes ciudades me desequilibra.*

desenfrenar ▌v. **1** Referido a una caballería, quitarle el freno: *Desenfrena la mula y déjala pastar en la pradera.* ▌prnl. **2** Referido a una persona, desmandarse y no ser capaz de dominar o contener las pasiones o los vicios: *Cuando bebe más de la cuenta se desenfrena y es capaz de todo.*

desenfreno s.m. Falta de moderación o de freno en las pasiones o en los vicios.

desenfundar v. Referido a algo enfundado, quitarle la funda o sacarlo de ella: *El pistolero desenfundó el revólver.*

desenfurecer v. Moderar el furor o la furia o hacerlos desaparecer: *No subas al caballo hasta que no se desenfurezca.*

desenfurruñar v. Quitar el enfurruñamiento: *Toma un caramelo y desenfurrúñate.*

desenganchar ▌v. **1** Referido a algo enganchado, soltarlo o desprenderlo: *Ayúdame a desenganchar la blusa de las zarzas. Los caballos se desengancharon del carro y se escaparon.* ▌prnl. **2** *col.* Librarse de la adicción a una droga: *Hay centros especiales para ayudar a los drogadictos a desengancharse.*

desenganche s.m. **1** Separación o desprendimiento de lo que está enganchado: *El desenganche de los caballos llevó cierto tiempo.* **2** *col.* Abandono de la adicción a la droga o a otra cosa: *El desenganche de un drogadicto requiere mucha fuerza de voluntad.*

desengañar v. **1** Hacer reconocer el engaño o el error: *Lo creía persona de confianza, pero aquella indiscreción suya me desengañó. ¡Desengáñate y desconfía, porque es demasiado barato!* **2** Quitar las esperanzas o las ilusiones: *Desengaña a ese chico y dile de una vez que no estás interesada en él. Si confiabas en obtener ese puesto, es mejor que te desengañes, porque seguro que está dado.*

desengaño s.m. Pérdida de la esperanza y de la confianza que se había puesto en algo o alguien: *un desengaño amoroso.*

desengarzar v. Referido a algo engarzado o unido, desprenderlo o deshacer el engarce: *Se desengarzaron las perlas del collar al romperse el hilo.* □ ORTOGR. La *z* se cambia en *c* delante de *e* →CAZAR.

desengastar v. Referido a algo engastado o encajado en una cosa, sacarlo de su engaste: *El joyero desengastó la esmeralda del anillo.*

desengomar v. Referido a algo engomado, esp. un tejido, quitarle la goma: *Si lavas el impermeable con agua caliente lo vas a desengomar.* □ SINÓN. *desgomar.*

desengoznar v. Referido a una puerta o a una ventana, quitarles los goznes o las bisagras: *Los ladrones abrieron la puerta de casa con una palanca y la desengoznaron.*

desengranar v. Referido a algo engranado, separarlo de donde está o quitarle el engranaje: *Se estropeó el reloj porque se desengranaron las ruedas dentadas.* □ ORTOGR. Dist. de *desgranar.*

desengrasante adj.inv./s.m. Referido a un producto, que se usa para quitar la grasa: *Hace falta un buen desengrasante para estas manchas de aceite.*

desengrasar v. Limpiar o quitar la grasa: *La bisagra chirría porque se ha desengrasado.*

desengrase s.m. Eliminación de la grasa: *Debes evitar el desengrase de las piezas del motor para que no se estropeen.*

desengrosar v. Perder volumen: *Con la creación de puestos de trabajo se desengrosará la cifra de parados.* □ MORF. Irreg. →CONTAR.

desenhebrar v. Referido a una aguja, sacarle la hebra de hilo: *Coses con tan poco hilo que se te va a desenhebrar la aguja.*

desenjaezar v. Referido a una caballería, quitarle los jaeces o adornos: *Después del desfile desenjaezaron al caballo.* □ ORTOGR. La *z* se cambia en *c* delante de *e* →CAZAR.

desenjaular v. Referido a algo enjaulado, sacarlo de la jaula: *Desenjaulé al canario y se escapó por la ventana.*

desenlace s.m. En un suceso, en una narración o en una obra dramática, final en el que se resuelve la historia tratada: *La película tiene un desenlace feliz.*

desenladrillar v. Referido a algo enladrillado, quitarle o arrancarle los ladrillos: *Voy a desenladrillar el suelo para ponerle baldosas.*

desenlazar v. **1** Referido a algo enlazado, soltarlo o desatarle los lazos o los nudos: *Desenlazó su cabellera.* **2** Referido a un asunto o a una dificultad, solucionarlos o resolverlos: *Desenlazó el problema contentando a todos.* □ ORTOGR. La *z* se cambia en *c* delante de *e* →CAZAR.

desenlosar v. Referido a algo enlosado, levantarle las losas: *Para arreglar las tuberías hay que desenlosar el piso.*

desenmarañar v. **1** Referido a algo enmarañado o enredado, deshacerle el enredo: *Tienes el pelo muy enredado y no puedo desenmarañarlo.* □ SINÓN. *desenredar.* **2** Referido a algo desordenado o confuso, ponerlo claro y en orden para que se entienda: *Se necesita un buen contable para desenmarañar las cuentas.* □ SINÓN. *desenredar.*

desenmascaramiento s.m. Hecho de desenmascarar.

desenmascarar v. Referido esp. a una persona, quitarle la máscara o descubrir lo que oculta de sí misma: *Con un par de preguntas, lo desenmascaramos y vimos sus verdaderas intenciones. Iba disfrazada y no la reconocí hasta que no se desenmascaró.*

desenmohecer ▌v. **1** Limpiar o quitar el moho: *Hay que desenmohecer estos muros después de las lluvias.* ▌prnl. **2** Recuperar las capacidades que no se practicaban desde hace tiempo: *Durante su convalecencia, empezó a hacer ejercicios de rehabilitación para desenmohecerse.* □ MORF. Irreg. →PARECER.

desenojar v. Moderar o quitar el enojo: *Me desenojaré cuando se me pase el disgusto.* □ ORTOGR. Conserva la *j* en toda la conjugación.

desenojo s.m. Desaparición o disminución del enojo o de la indignación.

desenredar v. **1** Referido a algo enmarañado o enredado, deshacerle el enredo: *Ayúdame a desenredar la madeja.* □ SINÓN. *desenmarañar.* **2** Referido a algo desordenado o confuso, ponerlo claro y en orden para que se entienda: *Es difícil desenredar un asunto tan complicado.* □ SINÓN. *desenmarañar.*

desenredo s.m. **1** Eliminación del enredo o la maraña: *el desenredo del cabello.* **2** Aclaración del desorden o de la confusión: *el desenredo de una estafa.*

desenrollar v. Referido a algo enrollado, extenderlo o deshacer el rollo: *Desenrolla el cable para que llegue hasta aquí.*

desenroscar v. **1** Referido a algo enroscado, extenderlo o desplegarlo: *Cuando oyó el ruido, la serpiente se desenroscó.* **2** Referido a algo metido a vuelta de rosca, sacarlo dando vueltas: *Por favor, intenta desenroscar el tapón, porque yo no puedo.* □ ORTOGR. La *c* se cambia en *qu* delante de *e* →SACAR.

desensamblar v. Referido a algo ensamblado, separarlo o desunir sus piezas: *Desensambló el armario para que cupiera por la puerta.*

desensartar v. Referido a algo ensartado, desprenderlo o soltarlo: *Se rompió el hilo del collar y se desensartaron las perlas.*

desensibilizar v. →**insensibilizar.** □ ORTOGR. La *z* se cambia en *c* delante de *e* →CAZAR.

desensillar v. Referido a una caballería, quitarle la silla de montar: *Desensilla el caballo antes de meterlo en el establo.*

desensoberbecer v. Moderar la soberbia o quitarla: *La derrota ha desensoberbecido al político.* □ MORF. Irreg. →PARECER.

desensortijar v. Referido al pelo, deshacerle los rizos: *La lluvia desensortija mi pelo.* □ ORTOGR. Conserva la *j* en toda la conjugación.

desentablillar v. Referido a un miembro del cuerpo, quitarle las tablillas que lo inmovilizan: *El médico me desentablilló el brazo hoy.*

desentenderse v.prnl. **1** Quedarse al margen y sin ocuparse de algo: *Yo me desentiendo de eso y lo dejo en tus manos.* **2** Fingir que se ignora o que no se entiende: *Como le hables cuando está leyendo, él sigue a lo suyo y se desentiende.* □ MORF. Irreg. →PERDER. □ SINT. Constr. *desentenderse* DE *algo.*

desenterramiento s.m. Descubrimiento de lo que está enterrado: *Dos arqueólogas de la universidad han llevado a cabo el desenterramiento de numerosas piezas de gran valor.*

desenterrar v. **1** Referido a algo enterrado, sacarlo o descubrirlo quitando la tierra que lo cubre: *El perro ha desenterrado del jardín un hueso.* **2** Referido a algo largo tiempo olvidado, traerlo a la memoria o a la actualidad: *El reportaje desentierra un viejo asunto de estafas.* □ SINÓN. *exhumar.* □ MORF. Irreg. →PENSAR.

desentoldar v. Referido a un lugar, quitarle los toldos que lo cubren: *Como no hacía sol desentoldó la terraza.*

desentonación s.f. →**desentono.**

desentonamiento s.m. →**desentono.**

desentonar v. **1** En música, desafinar o desviarse de la entonación justa que corresponde a cada nota: *Tiene una voz muy potente, pero canta de pena porque desentona.* **2** Contrastar desagradablemente con el entorno: *La corbata roja desentona con la camisa marrón.* **3** Referido esp. al cuerpo, hacerle perder el tono, el vigor o el equilibrio interno: *La fiebre me ha desentonado el cuerpo.*

desentono s.m. **1** En música, desviación del tono que corresponde a cada nota: *Un cantante profesional no puede permitirse el menor desentono.* □ SINÓN. *desentonación, desentonamiento.* **2** Descompostura y descomedimiento en el tono de la voz: *Su desentono era vergonzoso.* □ SINÓN. *desentonación, desentonamiento.*

desentorpecer v. **1** Quitar la torpeza o hacer más ágil: *Haz ejercicio para desentorpecer las piernas.* **2** Referido a algo que se desarrolla con dificultad, hacer que se mueva o se desarrolle con facilidad o suavidad: *Si se evita el papeleo, se desentorpecerán los trámites.* □ MORF. Irreg. →PARECER.

desentrampar v. *col.* Referido a una persona, liberarla de las deudas que tenía: *Tuve que vender la casa para desentrampar a un buen amigo.*

desentrañamiento s.m. Conocimiento de lo más recóndito o profundo de algo: *el desentrañamiento de un misterio.*

desentrañar v. Referido esp. a algo difícil de comprender, averiguar o llegar a conocer lo más recóndito y profundo de ello: *Nadie ha podido desentrañar el misterio de la vida.*

desentrenado, da adj. Falto de entrenamiento: *Fui a correr y me cansé enseguida porque estoy desentrenado.*

desentrenamiento s.m. Falta o pérdida de entrenamiento. □ MORF. Incorr. **desentreno.*

desentrenar v. Perder o hacer perder el entrenamiento adquirido: *Hace mucho que no juego y me he desentrenado.* □ MORF. Se usa más como pronominal.

desentronizar v. →**destronar.** □ ORTOGR. La *z* se cambia en *c* delante de *e* →CAZAR.

desentubar v. *col.* →**desintubar.**

desentumecer v. Referido esp. al cuerpo, quitarle el entumecimiento o el entorpecimiento: *Vamos a correr un poco para entrar en calor y desentumecernos.* □ SINÓN. *desentumir.* □ MORF. Irreg. →PARECER.

desentumecimiento s.m. Eliminación del entumecimiento o del entorpecimiento: *Con estos ejercicios de calentamiento, se consigue el desentumecimiento del cuerpo.*

desentumir v. →**desentumecer.** □ ETIMOL. De *des-* (acción contraria) y *entumirse* (perder movilidad).

desenvainar v. Referido esp. a un arma blanca, sacarla de su vaina o de su funda: *El mosquetero desenvainó la espada para defenderse.*

desenvoltura s.f. Facilidad o gracia en la forma de actuar o de hablar: *Me admira la desenvoltura que tienes para hablar en público.*

desenvolver ▮ v. **1** Quitar la envoltura: *Desenvuelve el regalo antes de que me vaya.* ▮ prnl. **2** Encontrar la manera de proceder, o actuar con desenvoltura y habilidad: *¿Qué tal te desenvuelves con los nuevos compañeros?* **3** Salir de una dificultad: *Con la experiencia que tienes ya, sabrás desenvolverte por apurada que sea la situación.* □ MORF. Irreg.: 1. Su participio es *desenvuelto*. 2. →VOLVER.

desenvolvimiento s.m. Forma de actuar desenvuelta o habilidosa: *En cuanto aprendas bien la técnica, harás las cosas con más desenvolvimiento.*

desenvuelto, ta ▮ **1** part. irreg. de **desenvolver.** ▮ adj. **2** Que tiene facilidad y soltura para actuar o para hablar: *Es una chica muy desenvuelta y sabe arreglárselas sola.* □ MORF. En la acepción 1, incorr. **desenvolvido*.

desenzarzar v. **1** *col.* Referido a personas que se pelean, separarlas o aplacarlas: *Desenzarcé a dos vecinos cuando empezaban a insultarse.* **2** Referido a algo enredado en un zarzal, sacarlo o desengancharlo de donde está: *Se rompió la camisa por desenzarzarla de un tirón.* □ ORTOGR. La *z* se cambia en *c* delante de *e* →CAZAR.

deseo s.m. **1** Impulso enérgico de la voluntad hacia el conocimiento, hacia la posesión o hacia el disfrute de algo: *el deseo de viajar.* **2** Lo que se desea: *pedir un deseo.* **3** Apetito sexual: *sentir deseo por alguien.* **4** ‖ **arder en deseos de** algo; *col.* Desearlo vivamente. □ ETIMOL. Del latín *desidium* (deseo erótico).

deseoso, sa adj. Que siente deseo o apetencia: *Es un cantante deseoso de fama.* □ SINT. Constr. *deseoso* DE *algo.*

desequilibrado, da adj./s. Que carece de equilibrio mental o padece alguna enfermedad nerviosa: *Solo un desequilibrado haría actos tan vandálicos.*

desequilibrar v. Hacer perder o perder el equilibrio: *Los gastos imprevistos desequilibran mi presupuesto. La trapecista se desequilibró y casi se cae.*

desequilibrio s.m. Falta o alteración del equilibrio: *Esos continuos cambios de humor reflejan un profundo desequilibrio emocional.* □ SEM. Está muy extendido el uso eufemístico de *desequilibrios* con el significado de 'desigualdades': *En esta sociedad existen {muchos desequilibrios > muchas desigualdades} económicas.*

deserción s.f. Abandono de un puesto, de una obligación o de un grupo, esp. el que hace un soldado del ejército sin autorización: *La deserción de un soldado puede costarle el calabozo.*

desertar v. **1** Referido a un soldado, abandonar su puesto sin autorización: *Le formaron consejo de guerra por desertar de su puesto.* **2** Abandonar una obligación, un ideal o un grupo: *Cuando empezó a ver tantos cambios en el partido, desertó de su militancia.* □ ETIMOL. Del latín *desertare*. □ ORTOGR. Dist. de *disertar*. □ SINT. Constr. *desertar* DE *algo.*

desértico, ca adj. **1** Del desierto o relacionado con él: *clima desértico.* **2** Despoblado, vacío o sin habitantes: *un paraje desértico.* □ SINÓN. *desierto.*

desertificación s.f. Transformación de un terreno en un desierto a causa de la acción del ser humano. □ SEM. Dist. de *desertización*.

desertificar v. Referido a un terreno, transformarlo en un desierto alguna acción del ser humano: *Los monocultivos intensivos desertifican las tierras.* □ ORTOGR. La *c* se cambia en *qu* delante de *e* →SACAR. □ SEM. Dist. de *desertizar*.

desertización s.f. Transformación de un terreno en un desierto. □ SEM. Dist. de *desertificación*.

desertizar v. Referido a un terreno, transformarlo en un desierto: *El río ha ido erosionando el suelo y desertizando una zona de gran riqueza.* □ ORTOGR. La *z* se cambia en *c* delante de *e* →CAZAR. □ SEM. Dist. de *desertificar*.

desertor, -a adj./s. Referido a una persona, que deserta.

desescamar v. Referido al pescado, quitarle las escamas: *Pídele al pescadero que te desescame la pescadilla y que te la corte en rodajas.*

desescombrar v. Limpiar de escombros: *Tras derribar el muro, desescombraron la acera.* □ SINÓN. *escombrar, descombrar.*

desescombro s.m. Limpieza del escombro: *Tras el atentado terrorista han comenzado ya las labores de desescombro.*

desesperación s.f. **1** Pérdida total de la esperanza: *Tu desesperación es injustificada, porque todo tiene solución.* **2** Alteración del ánimo causada por la cólera, el despecho o el enojo: *¡Qué desesperación con este chico que no quiere estudiar!* **3** Lo que desespera: *Tener un hijo vago como tú es una desesperación.*

desesperado, da ▮ adj. **1** Forzoso u obligado porque está causado por la desesperación: *Fue una decisión desesperada, porque no tenía otra opción.* **2** Que no tiene remedio o no permite concebir esperanzas: *Pedí socorro porque era una situación desesperada.* ▮ adj./s. **3** Referido esp. a una persona, dominado por la desesperación: *Esta asociación trata de ayudar a las personas más desesperadas.* **4** ‖ **a la desesperada;** como última solución o como último recurso para conseguir lo que se pretende: *Le dije que sí a la desesperada porque no vi otra solución.*

desesperante adj.inv. Que quita la calma, la tranquilidad o la paciencia: *¡Qué vaguería más desesperante la tuya!* □ SEM. Dist. de *desesperanzador* (que quita la esperanza).

desesperanza s.f. Estado de ánimo de la persona que ha perdido las esperanzas. □ SINÓN. *desespero.*

desesperanzador, -a adj. Que quita la esperanza: *Está contento porque los nuevos análisis no son desesperanzadores.* □ SEM. Dist. de *desesperante* (que quita la paciencia y la calma).

desesperanzar v. Quitar o perder la esperanza: *Otro suspenso podría desesperanzarlo del todo. Se ha desesperanzado porque no obtiene los resultados apetecidos.* ☐ SINÓN. *desesperar.* ☐ ORTOGR. La *z* se cambia en *c* delante de *e* →CAZAR.

desesperar v. **1** *col.* Hacer perder la calma, la tranquilidad o la paciencia: *Me desespera que llegues tan tarde. Me desespero cuando veo tanto desorden.* **2** Quitar o perder la esperanza: *Confía en tus posibilidades y no dejes que un tropiezo te desespere. Después de mucho buscarlo, ya he desesperado de encontrarlo.* ☐ SINÓN. *desesperanzar.* ☐ ETIMOL. De *des-* (acción contraria) y *esperar.* ☐ SINT. Constr. de la acepción 2: *desesperar* DE *hacer algo.*

desespero s.m. →**desesperanza.**

desespumar v. →**espumar.**

desestabilización s.f. Perturbación de la estabilidad: *El terrorismo busca la desestabilización del poder establecido.*

desestabilizar v. Referido esp. a una situación, perturbar o comprometer su estabilidad: *Grupos terroristas intentan desestabilizar la democracia. Si la economía internacional se desestabiliza, repercutirá en nuestro país.* ☐ ORTOGR. La *z* se cambia en *c* delante de *e* →CAZAR.

desestima s.f. →**desestimación.**

desestimabilísimo, ma superlat. irreg. de **desestimable.**

desestimable adj.inv. Que no es digno de cariño, de consideración o de afecto. ☐ MORF. Su superlativo es *desestimabilísimo.*

desestimación s.f. **1** No admisión o no concesión de una petición o de una solicitud: *La desestimación de las propuestas por parte del Gobierno ha causado descontento.* ☐ SINÓN. *desestima.* **2** Falta del aprecio o de la estima debidos: *La desestimación con que me tratas me demuestra que no te caigo bien.* ☐ SINÓN. *desestima.*

desestimar v. **1** Referido esp. a una petición, no admitirla o no concederla: *La juez desestimó la solicitud por considerarla inapropiada.* **2** Referido a una persona o a una cosa, hacerles poco aprecio: *No desestimes nunca la ayuda que te presten.*

desestructurado, da adj. Que no tiene estructura o que la ha perdido: *una familia desestructurada.*

desetiquetar v. Quitar la etiqueta: *Como te encasillen en una forma de pensar, será difícil que te desetiqueten.*

desfachatez s.f. *col.* Insolencia, desvergüenza o falta total de respeto: *¡Qué desfachatez la del camarero, insultarme porque no tenía suelto!* ☐ ETIMOL. Del italiano *sfacciatezza.*

desfalcar v. Referido esp. a una cantidad de dinero, apropiarse de ella quien la tiene bajo su custodia: *El cajero desfalcó varios miles de euros y desapareció.* ☐ ETIMOL. Del italiano *defalcare.* ☐ ORTOGR. La *c* se cambia en *qu* delante de *e* →SACAR.

desfalco s.m. Apropiación de una cantidad de dinero por parte de quien la tiene bajo su custodia: *Acusaron de desfalco al contable por no poder justificar la desaparición del dinero.*

desfallecer v. Desmayarse o decaer perdiendo el ánimo, el vigor y las fuerzas: *Desfallezco de hambre.* ☐ MORF. Irreg. →PARECER.

desfallecimiento s.m. Desmayo, disminución del ánimo o decaimiento del vigor y de las fuerzas: *El calor excesivo puede causar desfallecimientos en personas con tensión baja.*

desfasado, da adj. **1** Con una diferencia de fase: *El sonido y las imágenes de la película estaban desfasados y se oían las palabras antes de que los actores movieran los labios.* **2** No ajustado ni adaptado a las circunstancias del momento: *Tus viejas ideas se han quedado desfasadas y no son aplicables al presente.*

desfasar ▌v. **1** Producir una diferencia de fase: *El sonido de la película se había desfasado y se oían las palabras antes de que los actores movieran los labios.* **2** *col.* Pasarse o excederse: *¡Cuidadito con desfasar, eh!* ▌prnl. **3** No ajustarse ni adaptarse a las circunstancias del momento: *Tus ideas ya se han desfasado y no sirven para el mundo actual.*

desfase s.m. **1** Falta de acuerdo o de adaptación a las ideas o circunstancias del momento: *Tu desfase en temas económicos es grande y debes actualizarte si quieres trabajar.* **2** Diferencia de fase entre dos mecanismos o entre dos movimientos periódicos: *Hay un desfase de dos minutos entre tu reloj y el mío.* **3** *col.* Exageración o salida de tono: *¡Menudo desfase fue la fiesta del otro día!*

desfavorable adj.inv. Poco favorable, adverso o que perjudica: *No pude aceptar un contrato tan desfavorable.*

desfavorecer v. **1** Perjudicar o hacer oposición favoreciendo lo contrario: *La sociedad de consumo desfavorece a los pobres privilegiando a los ricos.* **2** No ayudar, no apoyar o dejar de favorecer: *La suerte me desfavoreció en aquella ocasión y perdí todo lo que había ganado.* ☐ MORF. Irreg. →PARECER.

desfavorecido, da adj./s. Que no tiene los medios suficientes para vivir: *las clases desfavorecidas.*

desfibrar v. Referido a una materia, quitarle las fibras o hilos que la forman: *Para fabricar papel hay que desfibrar la madera.*

desfibrilación s.f. Recuperación del ritmo normal del corazón, que vuelve a latir de forma rítmica y coordina: *Si no conseguimos la desfibrilación del corazón rápidamente, el enfermo morirá.*

desfibrilador s.m. Aparato que se coloca sobre el corazón para conseguir que recupere su ritmo normal: *El desfibrilador produce fuertes descargas eléctricas.*

desfibrilar v. Referido al corazón, hacer que deje de contraer sus fibras de forma espontánea e incontrolada: *Para desfibrilar el corazón se usan aparatos que emiten descargas eléctricas.*

desfigurar v. **1** Referido esp. al rostro, transformar su aspecto, afeándolo o deformándolo: *El terror le* *desfiguraba la cara. Con el accidente se le desfiguró el rostro.* **2** Disfrazar o encubrir con una apariencia diferente: *No desfigures la realidad con tus interpretaciones fantásticas.* ☐ ETIMOL. Del latín *defigurare.*

desfiladero s.m. Paso estrecho entre montañas: *Tuvimos que pasar por el desfiladero de uno en uno.*

desfilar v. **1** Referido esp. a tropas militares, marchar o pasar en fila, en formación o en orden: *Las tropas desfilaban ante la bandera al son de la marcha militar.* **2** Pasar sucesivamente: *En estos años, por este despacho han desfilado varios directores.* **3** Salir del lugar, esp. si es con orden: *Los espectadores ya habían empezado a desfilar cuando llegó el último gol.* ☐ ETIMOL. Del francés *défiler.*

desfile s.m. Marcha o pase en fila, en formación o en orden, generalmente como exhibición o para rendir honores: *un desfile de modelos.*

desflecar v. Referido esp. a una tela, sacarle flecos destejiendo sus bordes: *He desflecado los bajos del pantalón porque me gustan los flecos.* ☐ ORTOGR. La *c* se cambia en *qu* delante de *e* →SACAR.

desflorar v. Referido a una mujer, desvirgarla o hacer que pierda la virginidad: *El padre pedía venganza contra el hombre que desfloró a su hija.* ☐ ETIMOL. Del latín *deflorare.*

desfogar v. Referido esp. a una pasión, manifestarla o exteriorizarla con violencia: *Desfogó su ira tirando al suelo un jarrón. No te desfogues conmigo, que yo no tengo la culpa de tu fracaso.* ☐ ETIMOL. Del italiano *sfogare*, y este de *foga* (ardor impetuoso). ☐ ORTOGR. La *g* se cambia en *gu* delante de *e* →PAGAR.

desfogue s.m. Exteriorización y satisfacción de una pasión o de un sentimiento: *La bronca que nos echó le sirvió de desfogue.*

desfondamiento s.m. **1** Rotura del fondo de algo: *el desfondamiento de una caja.* **2** Pérdida de las fuerzas o del empuje de una persona: *el desfondamiento de un corredor.*

desfondar v. **1** Referido esp. a un recipiente, quitarle o romperle el fondo: *Si pones tanto peso en una caja de cartón, la vas a desfondar. El yate se desfondó al chocar contra los arrecifes.* **2** Referido a una persona, quitarle o perder las fuerzas o el empuje: *El esfuerzo desfondó al ciclista, que llegó a la meta muy rezagado. Como no hago deporte, en cuanto echo una carrera me desfondo.*

desfonologización s.f. En lingüística, supresión de una diferencia fonológica entre dos fonemas: *En castellano, la desfonologización del fonema 'v' ha producido su confusión con el fonema 'b'.*

desforestación s.f. →**deforestación.**

desforestar v. →**deforestar.**

desforrar v. Quitar el forro: *Desforra este libro y vuelve a forrarlo con un papel mejor.*

desfruncir v. Estirar o deshacer los frunces o las arrugas: *Desfrunció la tela del vestido.* ☐ ORTOGR. La *c* se cambia en *z* delante de *a, o* →ZURCIR.

desgaire s.m. **1** Descuido, generalmente afectado, en la forma de moverse o de vestir: *Viste con un desgaire que parece que le cuesta arreglarse.* **2** ‖ **al desgaire;** con descuido o desinterés generalmente afectados: *Todo lo hace al desgaire y de cualquier manera.* ☐ ETIMOL. Del catalán *a escaire* (oblicuamente, al sesgo).

desgajadura s.f. Rotura de la rama de un árbol de forma que lleva consigo parte del tronco: *El peso de la fruta puede producir la desgajadura de las ramas.*

desgajamiento s.m. →**desgaje.**

desgajar ▌v. **1** Referido a una rama, arrancarla o desprenderla con violencia del tronco: *El huracán desgajó varias ramas. Una rama del manzano se desgajó por el peso de las manzanas.* ▌prnl. **2** Separarse o apartarse por completo: *El grupo más conservador se ha desgajado del partido.* ☐ ETIMOL. De *gajo.* ☐ ORTOGR. Conserva la *j* en toda la conjugación.

desgaje s.m. Separación completa de algo: *El desgaje de los descontentos ha perjudicado mucho a algunos partidos políticos.* ☐ SINÓN. *desgajamiento.*

desgalichado, da adj. *col.* Desarreglado o desgarbado: *¿No pensarás salir a la calle tan desgalichado?* ☐ ETIMOL. De *desgalibado* (desaliñado), por cruce con *desdichado.*

desgalillarse v.prnl. En zonas del español meridional, desgañitarse.

desgana s.f. **1** Inapetencia o falta de ganas de comer. **2** Falta de interés, de deseo o de gusto: *hacer algo con desgana.*

desganar v. **1** Quitar o perder el apetito: *El dolor de estómago me ha desganado. Con estos calores, el niño se desgana y no hay forma de hacerle comer.* **2** Quitar o perder el gusto o las ganas de hacer algo: *Me desgana tener que pelear por todo con mis compañeros. Uno acaba por desganarse si se da cuenta de que todo lo tiene que hacer solo.*

desgano s.m. En zonas del español meridional, desgana: *Tengo desgano, y no me provoca hacer nada.*

desgañitarse v.prnl. *col.* Esforzarse mucho gritando o dando voces: *Me desgañité llamándolo, pero él no me oyó.* ☐ ETIMOL. Del latín *gannitus* (aullido).

desgarbado, da adj. Falto de garbo o de elegancia y gracia: *Es tan alto y tan delgado que sus movimientos resultan desgarbados.*

desgarrado, da adj. Descarnado o terrible: *un tono de voz desgarrado.*

desgarrador, -a adj. Que produce horror o gran pena: *un llanto desgarrador.*

desgarradura s.f. →**desgarrón.**

desgarramiento s.m. **1** Rompimiento de algo de poca consistencia mediante la fuerza y sin la ayuda de ningún instrumento: *el desgarramiento de un tejido.* **2** Pena y dolor profundos, que despiertan compasión: *El desgarramiento con que nos contó la historia nos dejó apesadumbrados.* ☐ SEM. Dist. de *desgarradura* (rasgón grande).

desgarrar v. **1** Referido a algo de poca consistencia, romperlo o hacerlo pedazos mediante la fuerza y sin ayuda de ningún instrumento: *El tigre desga-*

rraba a zarpazos la carne de su víctima. Se me enganchó el vestido en una zarza y se desgarró la tela. ☐ SINÓN. *rasgar.* **2** Apenar profundamente o despertar honda compasión: *Su muerte en accidente desgarró a la familia. Se me desgarra el corazón cuando lo veo tan abatido.* ☐ ETIMOL. De *garra.*

desgarro s.m. **1** Rotura producida mediante la fuerza o el estiramiento, sin ayuda de ningún instrumento: *un desgarro muscular.* **2** Realismo descarnado: *Algunas imágenes de la película impresionaban por su desgarro.*

desgarrón s.m. Rotura grande de algo flexible y de poca consistencia, producida generalmente por estiramiento y sin ningún instrumento: *Se cayó de la bici y me trajo el pantalón lleno de desgarrones.* ☐ SINÓN. *desgarradura.* ☐ SEM. Dist. de *desgarramiento* (pena profunda).

desgasificación s.f. Extracción o eliminación de los gases disueltos en un líquido: *La desgasificación de productos derivados del petróleo permite obtener el butano y el propano.*

desgasificar v. Referido a un líquido, extraer o eliminar los gases disueltos en él: *Si dejas el refresco sin tapar se desgasifica.* ☐ ORTOGR. La *c* se cambia en *qu* delante de *e* →SACAR.

desgastar v. **1** Referido a algo material, consumirlo o hacerlo desaparecer poco a poco por el uso o por el roce: *La lluvia y el viento desgasta las piedras. Las ruedas del coche se desgastan mucho al frenar bruscamente.* **2** Hacer disminuir o perder la fuerza, el vigor o el poder: *Tanta tensión me ha desgastado mucho y necesito unas vacaciones. Un partido en el poder se desgasta más que la oposición.*

desgaste s.m. Consumición o pérdida del volumen, de la fuerza o del vigor de algo, generalmente por efecto del uso o del roce: *A juzgar por el desgaste de los peldaños, por estas escaleras debe de haber pasado mucha gente.*

desglosar v. Referido a un todo, separar sus partes para estudiarlas o considerarlas por separado: *Desglosó su explicación en varios apartados.*

desglose s.m. Separación de las partes de un todo para poder estudiarlas o considerarlas por separado: *En la factura puedes ver el desglose del importe total por partidas.*

desgobernar v. Referido a una colectividad, alterar o dirigir mal su funcionamiento: *desgobernar un país.* ☐ ETIMOL. De *des-* (acción contraria) y *gobernar.* ☐ MORF. Irreg. →PENSAR.

desgobierno s.m. Desorden, desconcierto o falta de gobierno: *Si yo no pusiera orden, en esta casa reinaría el desgobierno.*

desgomar v. →**desengomar.**

desgrabar v. Borrar la grabación que hay en un disco o cinta magnética: *El espía desgrabó todas las cintas que tenía antes de ser capturado.* ☐ ORTOGR. Dist. de *desgravar.*

desgracia s.f. **1** Mala suerte: *Por desgracia, las cosas no salieron como era de desear.* ☐ SINÓN. *desventura.* **2** Suceso que causa un dolor o un daño muy grandes: *Ha ocurrido una desgracia terrible.* ☐ SINÓN. *desventura.* **3** Motivo de aflicción o de pesar: *Este chico tan irresponsable solo me trae desgracias.* **4** Pérdida del favor, de la consideración o del afecto: *Tuvo un puesto destacado hasta que cayó en desgracia del rey.* ☐ ETIMOL. De *des-* (privación) y *gracia.* ☐ SINT. En la acepción 4, se usa más en la expresión *caer* EN *desgracia.*

desgraciado, da ▮ adj./s. **1** Que padece alguna desgracia o que tiene mala suerte: *Desde que te fuiste soy muy desgraciado.* ☐ SINÓN. *desventurado.* **2** *desp.* Que inspira menosprecio: *Ese desgraciado ha vuelto a aprovecharse de mí.* ▮ adj. **3** Que provoca o implica desgracia: *Murió en un desgraciado accidente.* ☐ USO Se usa como insulto.

desgraciar v. **1** Malograr, estropear o echar a perder: *Con lo manazas que es, cosa que toca, la desgracia.* **2** *col.* Herir gravemente: *La próxima vez que me hagas burla, te desgracio. Me caí por la escalera y casi me desgracio.* ☐ ORTOGR. La *i* nunca lleva tilde.

desgranar v. **1** Referido esp. a un fruto, sacarle el grano: *Desgrana las mazorcas de maíz. Esta granada está tan madura que casi se desgrana sola.* **2** Referido a varias cosas ensartadas, soltarlas o dejarlas caer una detrás de otra: *No sabe hablar de su hijo sin desgranar una a una sus muchas virtudes. Se rompió el hilo del collar y se desgranaron las perlas.* ☐ ORTOGR. Dist. de *desengranar.*

desgravación s.f. Descuento o rebaja de una cantidad de dinero en el importe de un impuesto: *desgravación fiscal.*

desgravar v. Referido esp. a una cantidad de dinero, rebajarla o descontarla del importe de un impuesto: *La compra de una vivienda desgrava un tanto por ciento en el impuesto sobre la renta.* ☐ ORTOGR. Dist. de *desgrabar.*

desgreñar v. Despeinar o desordenar el pelo de la cabeza: *El viento me ha desgreñado el peinado. Cuando se dio cuenta de lo que había hecho, empezó a desgreñarse y a tirarse de los pelos.* ☐ ETIMOL. De *greña.*

desguace s.m. **1** Despiece total de algo: *el desguace de un coche.* **2** Lugar en el que se desguazan vehículos o máquinas.

desguarnecer v. Dejar sin protección o sin defensa: *El ataque enemigo desguarneció la parte norte de la ciudad. Dejaron una retaguardia para no desguarnecerse por detrás.* ☐ MORF. Irreg. →PARECER.

desguazar v. Deshacer o desarmar totalmente: *Desguaza coches usados en un taller mecánico. Se me ha desguazado el reloj y no creo que tenga arreglo.* ☐ ETIMOL. Del italiano *sguazzare.* ☐ ORTOGR. La *z* se cambia en *c* delante de *e* →CAZAR.

déshabillé (fr.) s.m. →**salto de cama.**

deshabitado, da adj. Referido a un lugar, que estuvo habitado, pero ya no lo está: *Aquel pueblo deshabitado tenía un aspecto fantasmagórico.* ☐ SEM. Dist. de *inhabitado* (que nunca ha sido habitado).

deshabitar v. **1** Referido a un lugar, esp. a un edificio, dejar de vivir en él: *Los vecinos deshabitaron el edi-*

ficio en ruinas. **2** Referido a un lugar, dejarlo sin habitantes: *La erupción del volcán ha deshabitado una amplia zona.*

deshabituación s.f. Pérdida de la costumbre o del hábito que se tenían: *La deshabituación al tabaco me costó un gran esfuerzo.*

deshabituar v. Perder o hacer perder la costumbre que se tenía: *Consiguió con esfuerzo deshabituarse del tabaco.* □ ORTOGR. La *u* lleva tilde en los presentes, excepto en las personas *nosotros* y *vosotros* →ACTUAR.

deshacer ▌v. **1** Referido esp. a algo material, destruirlo, descomponerlo o deformarlo: *Tengo que deshacer parte del jersey, porque me he equivocado en el dibujo. El castillo de arena se deshizo por un golpe de mar.* **2** Referido esp. a un acuerdo, alterarlo o hacer que quede sin efecto: *Deshice el trato porque no me convenía.* **3** Referido a un cuerpo sólido, derretirlo, disolverlo o convertirlo en líquido: *El calor deshace el hielo. El chocolate se deshace en la boca.* ▌prnl. **4** Afligirse mucho o estar muy impaciente o inquieto: *Está que se deshace de nervios esperando el resultado del examen.* **5** ‖ **deshacerse de** algo; desprenderse o librarse de ello: *Deshazte de ese trasto cuanto antes. En cuanto pueda deshacerme de este pesado, me voy.* ‖ **deshacerse en** algo; seguido de un sustantivo, extremar o prodigarse en lo que este indica: *Siempre que lo visitamos, se deshace en atenciones con nosotros.* □ MORF. Irreg.: 1. Su participio es *deshecho*. 2. →HACER.

desharrapado, da adj./s. →**desarrapado.** □ ETIMOL. De *harapo*.

deshecho, cha ▌**1** part. irreg. de **deshacer.** ▌s.m. **2** En zonas del español meridional, atajo: *Quiero buscar un deshecho para llegar antes.* □ ORTOGR. Dist. de *desecho*. □ MORF. Incorr. **deshacido*.

deshelar v. Referido a algo que está helado, convertirlo en líquido: *En primavera el calor deshiela la nieve de las montañas.* □ MORF. Irreg. →PENSAR.

desherbar (tb. *desyerbar*) v. Referido esp. a un terreno, arrancarle o quitarle las hierbas perjudiciales: *Deberías desherbar el jardín para que crezcan mejor los rosales.* □ MORF. Irreg. →PENSAR.

desheredación s.f. Negación de la herencia a la que tiene derecho un heredero: *Cuando el abuelo se enfadaba, amenazaba a sus hijos con la desheredación.* □ SINÓN. desheredamiento.

desheredado, da adj./s. Pobre o que carece de lo necesario para vivir: *Hace fuertes donativos en favor de los desheredados.*

desheredamiento s.m. →**desheredación.**

desheredar v. Referido a una persona, excluirla de la herencia a la que tiene derecho: *Desheredó a uno de sus hijos porque se casó sin su consentimiento.*

desherrar v. **1** Referido esp. a un caballo, quitarle las herraduras: *Las herraduras del caballo estaban gastadas, así que lo desherraron y le pusieron otras nuevas.* **2** Referido a una persona encadenada, quitarle las cadenas o lo que lo aprisiona: *Desherraron al prisionero y lo dejaron en libertad.* □ MORF. Irreg. →PENSAR.

desherrumbramiento s.m. Operación que consiste en quitar la herrumbre o el óxido: *Primero hay que terminar el desherrumbramiento de la bisagra para luego engrasarla.*

desherrumbrar v. Referido a algo herrumbroso u oxidado, quitarle la herrumbre o el óxido: *Desherrumbré la reja antes de pintarla.*

deshidratación s.f. Extracción o pérdida del agua de una sustancia, de un tejido o de un organismo: *La deshidratación de los alimentos permite una conservación duradera. Los mareos y la piel reseca son síntomas de deshidratación.* □ SINÓN. deshidratado.

deshidratado, da ▌adj. **1** Referido esp. a la piel, que no tiene el grado de humedad normal: *Esta crema es para pieles deshidratadas y sensibles.* **2** Referido esp. a un alimento, sin el agua que contenían: *Los alimentos deshidratados son bastante duraderos.* **3** Referido esp. a un cuerpo o a un organismo, con menos agua de la necesaria: *Con este calor, los casos de bebés deshidratados han aumentado.* ▌s.m. **4** →**deshidratación.**

deshidratar v. Referido esp. a un cuerpo o a un organismo, quitarles o perder el agua que contienen: *Para obtener leche en polvo, deshidratan la leche. Cuando hace mucho calor conviene beber mucha agua para no deshidratarse.*

deshidrogenación s.f. Proceso en el que se elimina hidrógeno de un compuesto químico: *La deshidrogenación de los alcoholes orgánicos se realiza calentándolos y usando catalizadores.*

deshielo s.m. **1** Transformación en líquido del hielo, de la nieve o de algo helado: *el deshielo de un glaciar.* **2** Desaparición de la desconfianza o de la frialdad entre personas.

deshilachar v. Referido a una tela, sacarle o perder hilachas: *Está de moda deshilachar los bajos de los pantalones. Esa camisa está tan usada que los puños se están deshilachando.*

deshilado s.m. Labor que consiste en sacar hilos de una tela, de forma que queden huecos o calados, y bordarlos después: *Lo más difícil de este calado es el deshilado del principio.* □ USO Se usa más en plural.

deshiladura s.f. Extracción de los hilos de un tejido en sus bordes, de forma que queden colgando: *El uso ha producido la deshiladura de los bordes de la manga.*

deshilar v. Referido a un tejido, sacarle los hilos o destejerlos por la orilla dejándolos pendientes: *Deshiló la orilla del mantel para hacerle flecos. Esta tela no está bien tejida y se deshila.*

deshilvanado, da adj. Referido esp. a un razonamiento, sin enlace ni trabazón: *No es una teoría coherente sino un conjunto de ideas deshilvanadas.*

deshilvanar v. Referido a algo hilvanado, quitarle los hilvanes: *Pruébate el pantalón con cuidado para que no se deshilvane.*

deshinchar ▌v. **1** Referido a algo hinchado, quitarle o perder el aire o la sustancia que lo hincha: *Deshinchó la colchoneta y la guardó. Infla el balón, que* *se ha deshinchado.* ▌prnl. **2** Referido a una parte del cuerpo inflamada, perder su inflamación: *Para que se te deshinche el dedo, mételo en agua fría.* **3** *col.* Referido a una persona, desanimarse o perder las ganas o las fuerzas que se tenían: *Empezó con mucho entusiasmo, pero pronto se deshinchó y lo dejó.*

deshipotecar v. Referido a algo hipotecado, cancelar o suspender su hipoteca: *Como heredó varios millones, deshipotecó su casa.* ☐ ORTOGR. La *c* se cambia en *qu* delante de *e* →SACAR.

deshojar v. Referido esp. a una flor o a una planta, arrancarles o perder los pétalos o las hojas: *Deshojó una rosa y guardó los pétalos en un libro. Los árboles se deshojan en otoño.* ☐ ORTOGR. 1. Dist. de *desojar*. 2. Conserva la *j* en toda la conjugación.

deshoje s.m. Caída de las hojas de una planta: *El deshoje de los árboles anuncia la llegada del frío.*

deshollinador, -a ▌adj./s. **1** Que deshollina. ▌s. **2** Persona que se dedica profesionalmente a deshollinar chimeneas: *Mi abuelo fue el mejor deshollinador de chimeneas.* ▌s.m. **3** Utensilio que se usa para deshollinar chimeneas: *Metió el deshollinador por la chimenea y todo el hollín cayó al suelo.* **4** Utensilio formado por un cepillo y un palo largo, que se usa para limpiar de hollín techos y paredes: *Cubrí el deshollinador con un paño y limpié las paredes.*

deshollinar v. Referido a una chimenea, limpiarla quitándole el hollín: *Se subió al tejado para deshollinar la chimenea.*

deshonestidad s.f. **1** Falta de honestidad, de pudor, de decoro o de ética: *La deshonestidad de su comportamiento me ofendió.* **2** Hecho o dicho deshonestos: *Has cometido tantas deshonestidades que ya nadie se fía de ti.*

deshonesto, ta adj. Que carece de honestidad, de pudor, de decoro o de ética: *Ocultarle la verdad me parece una acción deshonesta.*

deshonor s.m. **1** Pérdida del honor: *Aquel escándalo trajo consigo el deshonor de la familia.* **2** Lo que se considera indigno o supone una ofensa o una humillación: *Considera la cobardía como un deshonor.*

deshonra s.f. **1** Pérdida de la honra: *No hagas nada que suponga la deshonra de los tuyos.* **2** Hecho o dicho que causan esta pérdida: *Tu origen humilde no es ninguna deshonra.*

deshonrar v. Quitar la honra: *Tu mal comportamiento te deshonra.*

deshonroso, sa adj. Que conlleva o causa deshonra: *un acto deshonroso.*

deshora ‖ **a deshora;** en un momento inoportuno o inconveniente: *Siempre telefonea a deshora, cuando ya estoy acostado.*

deshornar v. Sacar del horno: *El panadero deshornó el pan cuando estuvo cocido.*

deshuesadora s.f. Máquina o utensilio que se utiliza para deshuesar los frutos: *Después de quitar los huesos de las aceitunas con la deshuesadora, las rellenamos de anchoas.*

deshuesar v. Referido esp. a un animal o a un fruto, quitarles los huesos: *Compré un jamón y le dije al carnicero que me lo deshuesara.* ☐ SINÓN. *desosar.*

deshuevarse v.prnl. *vulg.malson.* Reírse mucho.

deshumanización s.f. Pérdida o carencia de caracteres humanos: *La producción en serie significó la deshumanización del trabajo.*

deshumanizante adj.inv. Que priva de los caracteres humanos de algo: *La superpoblación de las grandes ciudades añade un carácter deshumanizante a las relaciones humanas.*

deshumanizar v. Despojar de sentimientos o de rasgos humanos: *El poder deshumaniza e insensibiliza muchas veces a quien lo ejerce. La vida en las grandes ciudades se ha deshumanizado.* ☐ ORTOGR. La *z* se cambia en *c* delante de *e* →CAZAR.

desideologización s.f. Abandono de una ideología o de alguno de sus principios: *La desideologización de los partidos es consecuencia del creciente bienestar económico.*

desideologizar v. Abandonar o hacer perder una ideología o alguno de sus principios: *El fracaso de las grandes doctrinas políticas ha desideologizado a la mayoría.* ☐ ORTOGR. La *z* se cambia en *c* delante de *e* →CAZAR.

desiderata s.f. Relación de objetos o de cosas que se echan de menos: *El bibliotecario ha conseguido todo lo que le pedí en la desiderata.* ☐ ETIMOL. Del latín *desiderata*. ☐ SEM. Dist. de *desiderata* (pl. de *desiderátum*).

desiderativo, va adj. Que expresa o indica deseo: *'Ojalá llueva' es una oración desiderativa.*

desiderátum s.m. Aspiración o deseo que aún no se ha cumplido: *El desiderátum de la humanidad es la paz mundial.* ☐ ETIMOL. Del latín *desideratum*. ☐ USO Se usan los plurales *desiderátums* y *desiderátum*.

desidia s.f. Negligencia, desgana o falta de interés: *Tengo tal desidia que no me apetece hacer nada.* ☐ ETIMOL. Del latín *desidia* (pereza, indolencia).

desidioso, sa adj./s. Que actúa con desidia o que la muestra: *Como es tan desidiosa, tiene el jardín abandonado.*

desierto, ta ▌adj. **1** Despoblado, vacío o sin habitantes: *Las calles se quedan desiertas cuando retransmiten un partido de fútbol importante.* ☐ SINÓN. *desértico.* **2** Referido esp. a un premio o una plaza, que quedan sin adjudicar: *Al presentarse tan poca gente a la oposición, muchas plazas quedaron desiertas.* ▌s.m. **3** Extensión amplia de terreno que se caracteriza por la gran escasez de lluvias, de vegetación y de fauna: *El cactus es la planta más común en los desiertos cálidos.* **4** Lugar despoblado de edificios y gentes: *Estaba deseando pedir el traslado porque estaba de médico en una zona que era un desierto.* **5** ‖ **{predicar/clamar} en (el) desierto;** *col.* Esforzarse inútilmente por convencer a alguien de lo que no está dispuesto a admitir: *Hablar con vosotros es predicar en el desierto, porque ni me escucháis.* ☐ ETIMOL. Del latín *desertus* (abandonado).

designación s.f. **1** Hecho de señalar o de nombrar a una persona o una cosa para un fin: *Han retrasado la designación del nuevo director.* **2** Denominación o indicación, por medio del lenguaje, de un objeto, de una idea o de una realidad extralingüística: *La palabra 'hada' permite la designación de un ser fantástico.*

designar v. **1** Referido a una persona o a una cosa, señalarlas o destinarlas para un fin: *Te han designado para que dirijas el proyecto.* **2** Denominar o indicar: *Con la palabra 'lápiz', designamos un objeto que sirve para escribir.* □ ETIMOL. Del latín *designare.*

designio s.m. Propósito, plan o idea que alguien se propone realizar: *Nadie conoce los designios divinos.*

desigual adj.inv. **1** Que no es igual: *Debes cambiar estos zapatos porque tienen el color desigual.* **2** Referido esp. a un terreno o a una superficie, que tiene desniveles. **3** Diverso, variable o cambiante.

desigualar v. Referido a dos o más cosas igualadas, hacerlas desiguales: *El partido estaba empatado pero este gol ha desigualado el marcador.*

desigualdad s.f. **1** Falta de igualdad: *Conviene que la desigualdad de edades en los alumnos de una misma clase no sea muy grande.* **2** Prominencia o depresión de un terreno: *Los túneles y los puentes permiten salvar las desigualdades más pronunciadas del terreno.*

desilusión s.f. Pérdida de la ilusión o sentimiento de decepción: *Tenía tantas esperanzas de conseguir el puesto que la desilusión fue enorme cuando lo rechazaron.*

desilusionar v. Quitar o perder las ilusiones: *Lo desilusioné cuando le dije que su cuento no era bueno. Se desilusionó al ver que su esfuerzo no servía de nada.*

desimantar v. Referido a algo imantado, hacerle perder las propiedades magnéticas: *La puerta de la nevera no cierra porque el uso desimantó el imán que la mantenía cerrada.*

desincrustar v. Referido a algo incrustado, quitarlo o separarlo de donde está: *Debes usar un producto para desincrustar la grasa del horno.*

desindustrialización s.f. Desaparición de las industrias.

desinencia s.f. En gramática, morfema flexivo que se añade a la raíz de un adjetivo, de un nombre, de un pronombre o de un verbo: *Las desinencias verbales indican el tiempo, el modo, la persona y el número.* □ ETIMOL. Del latín *desineus* (el que cesa o termina).

desinencial adj.inv. De la desinencia o relacionado con ella: *La terminación desinencial de los sustantivos latinos indica su función dentro de la frase.*

desinente adj.inv. Referido a un verbo, que indica una acción que siempre se considera terminada: *Matar y nacer son verbos desinentes.*

desinfección s.f. Eliminación de los gérmenes nocivos para la salud, para evitar infecciones: *La desinfección total de los instrumentos quirúrgicos es esencial antes de operar.*

desinfectante adj.inv./s.m. Que desinfecta: *El alcohol es un buen desinfectante.*

desinfectar v. Referido esp. a algo infectado, quitarle la infección o la propiedad de causarla, eliminando los gérmenes nocivos o evitando su desarrollo: *Échate agua oxigenada para que se desinfecte la herida. Friega el suelo con lejía para desinfectarlo.* □ ORTOGR. Dist. de *desinsectar.*

desinflar v. **1** Referido a algo inflado, sacarle el aire o el gas que lo llena: *Desinfla el flotador para guardarlo. El balón se ha desinflado porque tenía un pinchazo.* **2** Desanimar o desilusionar rápidamente: *No te dejes desinflar por el primer inconveniente. Quería venir de excursión, pero se desinfló cuando le dije que dormiríamos al aire libre.*

desinformación s.f. **1** Transmisión de información intencionadamente manipulada o incompleta: *La desinformación de algunos programas es muy clara.* **2** Ignorancia o falta de información: *La desinformación sobre algunas enfermedades las hace más peligrosas.*

desinformar v. Dar información intencionadamente manipulada o incompleta: *Esos periódicos tendenciosos, en vez de informar, desinforman.*

desinhibición s.m. Pérdida de la inhibición o de la represión de una facultad o de un hábito: *No se puede forzar la desinhibición de una persona porque el resultado suele ser un mayor retraimiento.*

desinhibir v. Hacer perder las inhibiciones o comportarse con espontaneidad: *El alcohol desinhibe a muchas personas. Es tímida, pero en cuanto conoce a la gente se desinhibe.*

desinsectación s.f. Eliminación de los insectos de un lugar, esp. de los parásitos de las personas o de los que son perjudiciales para la salud: *Hemos realizado ya la desinsectación del colegio.*

desinsectar v. Limpiar de insectos, esp. de los parásitos de las personas o de los que son perjudiciales para la salud: *Cada cierto tiempo, hay que desinsectar los locales públicos.* □ ORTOGR. Dist. de *desinfectar.*

desinstalación s.m. Eliminación de un programa informático de la memoria de un ordenador.

desinstalar v. Eliminar o borrar un programa informático de la memoria de un ordenador: *Para grabar la nueva versión del antivirus, desinstalaré primero la que había.*

desintegración s.f. **1** Separación de las partes o de los elementos que forman un todo, de manera que deja de existir como tal: *Al terminar la carrera se produjo la desintegración de nuestro grupo de amigos.* **2** ‖ **desintegración nuclear;** partición espontánea o provocada de un núcleo atómico con absorción o producción de energía: *La desintegración nuclear puede producir una gran cantidad de energía.*

desintegrar v. Referido a un todo, separar las partes o los elementos que lo forman, de manera que deje de existir como tal: *La explosión desintegró las* *rocas que estaban cerca. El grupo se desintegró debido a las rivalidades internas.*

desinterés s.m. **1** Falta de interés, de atención o de entusiasmo. **2** Generosidad o ausencia del deseo de conseguir beneficio o provecho personales: *Me ofreció su ayuda con total desinterés.*

desinteresado, da adj. Que actúa sin que lo mueva el interés por obtener un provecho o un beneficio para sí: *Es un chico desinteresado y te ayudará sin pedirte nada a cambio.*

desinteresarse v.prnl. Perder el interés que se tenía: *En su trabajo, se desinteresa cada vez más porque no le encuentra sentido.*

desintoxicación s.f. Tratamiento para combatir los efectos perjudiciales de una intoxicación: *El lavado de estómago es un método de desintoxicación.*

desintoxicante adj.inv./s.m. Referido a una sustancia, que elimina los efectos de una intoxicación.

desintoxicar v. Referido esp. a una persona intoxicada, aplicarle un tratamiento que combata la intoxicación o sus efectos: *Le han hecho un lavado de estómago para desintoxicarlo. Para desintoxicarte debes ir a un centro especializado.* ☐ ORTOGR. La *c* se cambia en *qu* delante de *e* →SACAR.

desintubar (tb. *desentubar*) v. Referido a un enfermo, quitarle los tubos de aire: *Tras una operación con anestesia general, siempre hay que desintubar al paciente.*

desinversión s.f. Venta de bienes para obtener dinero, esp. por parte de una sociedad: *La empresa hizo un plan urgente de desinversión de activos.*

desistimiento s.m. Abandono de un plan o un proyecto comenzados. ☐ PRON. Incorr. *[desestimiento].

desistir v. Referido esp. a un plan o a un proyecto comenzados, abandonarlos o dejar de hacerlos: *He encontrado tantas dificultades que voy a desistir de mis planes.* ☐ ETIMOL. Del latín *desistere.* ☐ SINT. Constr. *desistir* DE *algo.*

desjarretar v. Cortar las piernas de un animal por el jarrete o la parte alta de la pantorrilla: *Mataron al cordero y lo desjarretaron para llevarlo a la carnicería.*

deslavazado, da adj. Desordenado, mal compuesto o sin conexión: *Pronunció un discurso deslavazado e incomprensible.*

desleal adj.inv./s.com. Que actúa sin lealtad: *Para las personas que creen en la amistad, un amigo desleal es lo más despreciable.*

deslealtad s.f. Falta de lealtad: *La deslealtad en el ejército se considera un grave delito.*

deslegalizar v. Referido a algo legalizado, privarlo de la legalidad que tenía: *Varios grupos piden que se deslegalice ese partido ante la relación que tiene con grupos terroristas.* ☐ ORTOGR. La *z* se cambia en *c* delante de *e* →CAZAR.

deslegitimar v. Quitar el carácter legítimo: *Su forma de actuar le ha deslegitimado ante sus electores.*

desleimiento s.m. Disolución de algo sólido en un líquido: *Es más fácil conseguir el desleimiento del café en la leche caliente que en la fría.*

desleír v. Referido esp. a algo sólido, disolverlo y desunir sus partes por medio de un líquido: *Para hacer el pastel, hay que desleír el chocolate en un poco de leche. La harina se deslíe mejor en agua fría que en agua caliente.* ☐ SINÓN. *diluir.* ☐ ETIMOL. Del latín *delere* (borrar, destruir). ☐ MORF. Irreg. →REÍR.

deslenguado, da adj./s. Mal hablado o desvergonzado: *¿Quién ha enseñado a hablar a esta deslenguada?*

deslenguar ▌v. **1** Quitar la lengua o cortarla: *Al traidor lo deslenguaron y lo desterraron del país.* ▌prnl. **2** *col.* Perder la educación y la vergüenza al hablar: *En un momento de ira, se deslenguó y nos insultó a todos.* ☐ ORTOGR. 1. La *u* lleva diéresis cuando le sigue *e*. 2. La *u* permanece átona.

desliar v. Referido a algo liado, deshacerle el lío o desatarlo: *Trae la tijera porque no puedo desliar la cuerda.* ☐ ORTOGR. La *i* lleva tilde en los presentes excepto en las personas *nosotros* y *vosotros* →GUIAR.

desligar v. **1** Desatar o soltar las ligaduras: *Desligó a los prisioneros para que escapasen. Es un irresponsable y se desliga cuando quiere de sus obligaciones.* **2** Separar o independizar: *No puedes desligar un suceso de otro, porque están relacionados. Cuando se enamoró, se desligó de sus antiguos compañeros de pandilla.* ☐ ETIMOL. Del latín *deligare.* ☐ ORTOGR. La *g* se cambia en *gu* cuando le sigue *e* →PAGAR.

deslindamiento s.m. Separación de varias cosas para poder entenderlas mejor: *Con el deslindamiento entre la teoría y la práctica me resulta más comprensible esta asignatura.* ☐ SINÓN. *deslinde.*

deslindar v. Referido esp. a un asunto, aclararlo o señalar sus límites claramente, de modo que no haya confusión: *Hay que deslindar el problema del paro del de la inflación y abordarlos por separado.* ☐ ETIMOL. Del latín *delimitare.*

deslinde s.m. Separación de varias cosas para poder entenderlas mejor: *En su estudio hace un esclarecedor deslinde entre poesía y prosa poética.* ☐ SINÓN. *deslindamiento.*

desliz s.m. **1** Desacierto, fallo o indiscreción involuntaria, esp. en cuanto a las relaciones sexuales: *Su primer hijo es fruto de un desliz de juventud.* ☐ SINÓN. *tropiezo.* **2** →**deslizamiento.**

deslizamiento s.m. Movimiento con suavidad sobre una superficie lisa o mojada: *Cuando la carretera tiene hielo, los deslizamientos de los coches son frecuentes y peligrosos.* ☐ SINÓN. *desliz.*

deslizar ▌v. **1** Referido a algo material, moverlo con suavidad sobre una superficie lisa o mojada: *Para abrir la puerta, desliza el pestillo hacia la izquierda. Los esquís se deslizan sobre la nieve. Estas zapatillas deslizan.* **2** Entregar o colocar con disimulo: *Me deslizó unas monedas sin que lo viera nadie.* **3** Referido esp. a una idea intencionada, incluirla disimuladamente en un escrito o en un discurso: *En la conferencia deslizó una serie de frases en contra del Gobierno.* ▌prnl. **4** Moverse o andar con mucha cautela: *Aprovechó la noche para deslizarse en la casa sin ser visto.* □ ETIMOL. De origen onomatopéyico. □ ORTOGR. La *z* se cambia en *c* delante de *e* →CAZAR.

deslomar v. **1** Dañar o lesionar la espalda o los lomos: *No pegues más al asno, que lo vas a deslomar.* **2** Referido a una persona, agotarla por un trabajo o por un esfuerzo: *Estos críos tan traviesos me desloman. Me deslomo desde las seis de la mañana para que tú vivas bien.*

deslucimiento s.m. Falta de brillantez o de lucimiento: *Ese libro de poemas resulta un verdadero deslucimiento en su carrera literaria.*

deslucir v. Quitar la gracia, el atractivo o el brillo: *La mala actuación de la cantante deslució el concierto.* □ MORF. Irreg. →LUCIR.

deslumbrador, -a adj. Que deslumbra.

deslumbramiento s.m. **1** Pérdida o turbación momentáneas de la vista, producidas por un exceso de luz: *La causa del accidente fue el deslumbramiento del conductor por los faros del coche que venía de frente.* **2** Aturdimiento del entendimiento por efecto de una pasión o de la fascinación: *Cuando se te pase el deslumbramiento que tienes con él, te darás cuenta de que no es un dios.*

deslumbrante adj.inv. Que deslumbra: *Me molesta la luz deslumbrante de ese foco.*

deslumbrar v. **1** Cegar o turbar la vista momentáneamente por un exceso de luz: *No me enfoques con la linterna, que me deslumbras. La liebre se deslumbró con los faros del coche y se quedó en medio de la carretera.* **2** Referido a una persona, dejarla confusa, impresionada o admirada: *No te dejes deslumbrar por el dinero. Me deslumbré con la fastuosidad de su forma de vida y me dejé engañar.* □ ETIMOL. De *lumbre.*

deslustrar v. **1** Referido esp. a un objeto, quitarle el brillo o el buen aspecto: *El polvo deslustra tus zapatos.* **2** Deslucir, desacreditar o difamar: *Ese fraude deslustrará su historial de médico honesto.*

deslustre s.m. **1** Falta de brillantez o de lustre: *El deslustre de estas antiguas joyas las hace parecer poco valiosas.* **2** Descrédito y mala fama que causa algo: *Ese grave error es un deslustre en su brillante carrera.*

desmadejado, da adj. Referido a una persona, que tiene sensación de flojedad y de debilidad en el cuerpo: *El calor y el hambre me dejan desmadejado.*

desmadejamiento s.m. Debilidad o decaimiento del cuerpo: *La causa de ese desmadejamiento puede ser la baja tensión arterial.*

desmadejar v. Causar debilidad o flojedad en el cuerpo: *El calor y el hambre me han desmadejado.* □ ETIMOL. De *des-* (privación) y *madeja,* porque una madeja deshecha es algo deslucido o aflojado. □ ORTOGR. Conserva la *j* en toda la conjugación.

desmadrado, da adj. **1** Referido a un animal, que ha sido abandonado por la madre. **2** *col.* Que actúa sin moderación o con un exceso de libertad.

desmadrar ▌v. **1** Referido a las crías del ganado, separarlas de la madre para que no mamen más: *Han desmadrado al ternero para poder ordeñar a la vaca.* ▌prnl. **2** *col.* Referido a una persona, conducirse o actuar sin moderación o con un exceso de libertad: *Se desmadraron en la fiesta y los vecinos tuvieron que llamar a la policía.*

desmadre s.m. **1** *col.* Pérdida de la moderación o excesiva libertad en la forma de actuar: *Podemos pasarlo bien sin necesidad de llegar al desmadre.* **2** *col.* Desorden o desorganización muy grandes: *Esta oficina es un desmadre y cada uno entra y se va cuando quiere.* **3** *col.* Juerga desenfrenada: *La fiesta acabó en un desmadre.* □ ETIMOL. De *des-* (privación) y *madre* (terreno por donde corre un río o arroyo).

desmagnetización s.f. Pérdida de la magnetización: *Si pasas un imán por la banda magnética de una tarjeta de crédito, producirás su desmagnetización.*

desmagnetizar v. Quitar la magnetización o perderla: *Las cintas de casete se pueden desmagnetizar si las pones sobre un aparato eléctrico.* □ ORTOGR. La *z* se cambia en *c* delante de *e* →CAZAR.

desmamonar v. Referido a una plantas, quitarles los brotes innecesarios: *desmamonar los olivos de una finca.*

desmán s.m. Desorden, exceso o abuso: *Tarde o temprano pagarás tus desmanes con la bebida.* □ ETIMOL. Del antiguo *desmanarse* (desbandarse, dispersarse), por cruce con *desmandarse.*

desmandarse v.prnl. Actuar sin freno, sin mesura o sin comedimiento: *Los soldados se desmandaron y cometieron muchos atropellos entre la población civil.*

desmano ‖ **a desmano;** fuera del camino que se lleva: *Hoy no paso por tu casa porque voy a otro sitio y me pilla a desmano.*

desmantelamiento s.m. Destrucción o desmontaje, generalmente de una construcción o de una organización: *Estuve observando el desmantelamiento de una fábrica.*

desmantelar v. **1** Referido esp. a una construcción, derribarla, cerrarla o desmontarla de forma que se impida una actividad: *Han desmantelado las bases militares de esta zona.* **2** Desarmar, desarticular o desmontar totalmente: *La policía desmanteló una red de traficantes.* □ ETIMOL. Del latín *dis* (privación) y *mantellum* (velo, mantel).

desmañado, da adj./s. Falto de maña, de destreza y de habilidad: *Es tan desmañada que no es capaz ni de colocar un cuadro en la pared.*

desmañanarse v.prnl. En zonas del español meridional, levantarse muy temprano: *Hoy me desmañané porque salimos muy temprano de excursión.*

desmaquillador, -a adj./s.m. Que sirve para quitar el maquillaje: *La leche limpiadora es un producto desmaquillador.*

desmaquillante adj.inv. Que sirve para quitar el maquillaje: *toallitas desmaquillantes.*

desmaquillar v. Quitar el maquillaje: *Al acabar la actuación, el payaso se desmaquilló.*

desmarcarse v.prnl. **1** En algunos deportes, referido a un jugador, desplazarse para librarse de la vigilancia del adversario: *Mete muchos goles porque sabe desmarcarse muy bien.* **2** Distanciarse o alejarse, esp. si con ello se logra destacar: *Con sus últimas declaraciones, se desmarca de la línea ideológica del partido.* □ ORTOGR. La *c* se cambia en *qu* delante de *e* →SACAR. □ SINT. Constr. *desmarcarse* DE *algo.*

desmarque s.m. **1** En algunos deportes, desplazamiento de un jugador para lograr escapar de la vigilancia del adversario: *El desmarque del futbolista fue aplaudido por el público.* **2** Distanciamiento de algo, esp. para poder destacar: *El desmarque del caballo ganador se produjo en los últimos metros de la carrera.*

desmayado, da adj. Referido a un color, que es pálido y apagado: *Ha conseguido dar al cuadro un tono de tristeza utilizando grises y azules desmayados.*

desmayar v. **1** Causar o experimentar momentáneamente una pérdida del sentido y un desfallecimiento de las fuerzas: *El hambre te va a desmayar. Se desmayó y se cayó al suelo.* **2** Perder las fuerzas, el ánimo o el valor: *No debes desmayar en tu intento, por más dificultades que encuentres.* □ ETIMOL. Del francés antiguo *esmaiier* (perturbar, inquietar, espantar, desfallecer).

desmayo s.m. **1** Pérdida momentánea del sentido y desfallecimiento de las fuerzas: *sufrir desmayos.* **2** Pérdida de las fuerzas, del ánimo o del valor: *trabajar sin desmayo.*

desmedido, da adj. Desproporcionado, sin medida o sin término: *una pasión desmedida.*

desmedirse v.prnl. Excederse o ir más allá de lo razonable o de lo educado: *No supo contenerse y se desmidió en sus críticas.* □ MORF. Irreg. →PEDIR. □ SINT. Constr. *desmedirse* EN *algo.*

desmedrado, da adj. Que no tiene el desarrollo normal: *un niño desmedrado.*

desmejoramiento s.m. **1** Pérdida o disminución de la salud: *Experimentó un gran desmejoramiento al cambiar la medicina.* **2** Pérdida de las buenas condiciones, del esplendor o de la perfección: *El desmejoramiento de vuestras relaciones nos afecta a todos.*

desmejorar v. **1** Ir perdiendo la salud: *Desde que sufrió el infarto, ha desmejorado mucho. Se desmejoró por no seguir las indicaciones del médico.* **2** Hacer perder las buenas condiciones, el esplendor o la perfección: *Este suspenso desmejora tu brillante expediente.*

desmelenamiento s.m. Pérdida o falta de timidez o de moderación al hablar o al actuar: *Con ese desmelenamiento no vas a solucionar tus problemas.* □ SINÓN. *desmelene.*

desmelenar ▮ v. **1** Despeinar o desordenar el cabello: *El aire me desmelenó y tuve que peinarme de nuevo. Se tiraron de los pelos y se desmelenaron.* ▮ prnl. **2** *col.* Perder la timidez y lanzarse a hablar o a actuar de forma despreocupada y decidida: *Los sábados se desmelena y no vuelve a casa hasta la madrugada.* **3** *col.* Enfadarse mucho o enfurecerse: *Cada vez que le sacan ese espinoso tema, se desmelena y suelta de todo por la boca.*

desmelene s.m. →**desmelenamiento.**

desmembración s.f. División o separación en partes: *Las invasiones causaron la desmembración del imperio.*

desmembrar v. **1** Referido a un todo, dividirlo o separarlo en partes: *Las luchas internas desmembraron el antiguo país en Estados independientes. El partido se desmembró por las diferencias ideológicas que había en su seno.* **2** Referido al cuerpo, separar sus miembros: *La bomba le desmembró el cuerpo y murió en el acto.* □ MORF. Irreg. →PENSAR.

desmemoriado, da adj./s. Que tiene poca memoria o que la conserva solo a intervalos: *Quizá no te recuerde, porque es un poco desmemoriado.*

desmemoriarse v.prnl. Perder la memoria: *Con los años se ha desmemoriado.* □ ORTOGR. La *i* nunca lleva tilde.

desmentida s.f. →**desmentido.**

desmentido s.m. **1** Negación de la falsedad de algo que se dice: *el desmentido de una noticia.* □ SINÓN. *desmentida.* **2** Comunicado en que se desmiente algo públicamente: *publicar un desmentido.* □ SINÓN. *desmentida.*

desmentir v. **1** Referido a un hecho o a un dicho, decir que no es verdad o demostrar su falsedad: *La dirección ha desmentido que vayan a subir los sueldos este año.* **2** Referido a una persona, decirle que miente: *No se atrevió a desmentirme cuando lo acusé.* **3** Referido a algo que no se muestra, disimularlo o hacerlo desaparecer: *Su cortesía desmiente el tremendo enfado que tiene.* □ MORF. Irreg. →SENTIR.

desmenuzable adj.inv. Que se puede desmenuzar: *El polvorón es uno de los dulces más desmenuzables que conozco.*

desmenuzador, -a adj./s. Que desmenuza.

desmenuzamiento s.m. **1** Operación que consiste en deshacer algo dividiéndolo en partes menudas: *Con el desmenuzamiento del pan, has dejado el suelo lleno de migas.* **2** Análisis o examen minuciosos: *Tras el desmenuzamiento exhaustivo de los últimos acontecimientos sociales, se propusieron soluciones.*

desmenuzar v. **1** Referido a un todo, deshacerlo dividiéndolo en partes menudas: *No seas guarro y no desmenuces el terrón de azúcar. Se me cayó la caja de galletas y se han desmenuzado todas.* **2** Analizar o examinar minuciosamente: *El prólogo desmenuza los aspectos más relevantes de la obra.* □ ETIMOL. Del latín *minutia* (parte pequeña). □ ORTOGR. La *z* se cambia en *c* delante de *e* →CAZAR.

desmerecer v. **1** Perder mérito o valor: *Su heroica acción no desmerece por el hecho de no haber* *tenido un éxito total.* **2** Ser inferior a algo con lo que se compara: *Esta tela es bonita, pero desmerece de la que hemos visto antes.* □ MORF. Irreg. →PARECER. □ SINT. Constr. de la acepción 2: *desmerecer* DE *algo.*

desmerecimiento s.m. Acción o circunstancia que provocan la pérdida de mérito o de valor: *Este arresto es un desmerecimiento en mi reputación.* □ SINÓN. *demérito.*

desmesura s.f. Exageración o falta de moderación: *No se puede criticar a nadie con tanta desmesura.*

desmesurado, da adj. Excesivo o mayor de lo normal: *No me gusta esta casa porque tiene unos pasillos desmesurados.*

desmesurar ▌v. **1** Exagerar o hacer más grande de lo que corresponde: *No hay que desmesurar los hechos, pues en realidad no revisten tanta gravedad.* ▌prnl. **2** Referido a una persona, excederse o perder la moderación: *Como estaba tan enfadado, se desmesuró en lo que dijo.* □ SINT. Constr. de la acepción 2: *desmesurarse* EN *algo.*

desmigajar v. Hacer migajas o desmenuzar en partes muy pequeñas: *Este pan se desmigaja cuando lo intentas partir.* □ ORTOGR. Conserva la *j* en toda la conjugación.

desmigar v. Referido al pan, deshacerlo en migas o quitarle la miga: *Desmigó el pan en la leche.* □ ORTOGR. La *g* se cambia en *gu* delante de *e* →PAGAR.

desmilitarización s.f. **1** Reducción o supresión de las tropas y de las instalaciones militares de un territorio: *la desmilitarización de una frontera.* **2** Supresión del carácter o de la organización militares de una colectividad: *Es aconsejable la desmilitarización de todo cuerpo que desempeñe un servicio público.*

desmilitarizar v. **1** Referido a un territorio, reducir o suprimir sus tropas e instalaciones militares, esp. si se hace por un acuerdo internacional: *Los pacifistas piden que se desmilitarice el centro de Europa.* **2** Referido a una colectividad, suprimir su carácter o su organización militares: *Las nuevas autoridades democráticas desmilitarizaron el cuerpo policial. Ese grupo armado se desmilitarizó y luego se deshizo.* □ ORTOGR. La *z* se cambia en *c* delante de *e* →CAZAR.

desmineralización s.f. Disminución o pérdida anormal de elementos minerales en el organismo, esp. en los huesos: *Le han mandado fósforo y calcio para evitar la desmineralización de los huesos.*

desmineralizarse v.prnl. Referido esp. a los huesos, perder de forma anormal elementos minerales como el fósforo, el calcio o el potasio: *En la mujer, los huesos suelen desmineralizarse durante la menopausia.*

desmirriado, da adj. →**esmirriado.** □ ETIMOL. Quizá del leonés *mirra* (producto para la conservación de cadáveres).

desmitificación s.f. Disminución o privación del carácter mítico o idealizado de algo: *Esa periodista se dedica a la desmitificación de las figuras de la vida pública.*

desmitificar v. Referido esp. a algo mitificado o valorado en exceso, quitarle o hacerle perder el carácter mítico o idealizado: *Hasta que no desmitifiques a tu pareja, no la conocerás realmente.* □ ORTOGR. La *c* se cambia en *qu* delante de *e* →SACAR.

desmocha s.f. →**desmoche.**

desmochadura s.f. →**desmoche.**

desmochar v. Referido a algo material, quitarle o cortarle la parte superior, dejándolo mocho o sin su debida terminación: *El cañonazo desmochó la torre de la iglesia.* □ ETIMOL. De *des-* (privación) y *mocho* (remate sin punta y grueso).

desmoche s.m. Corte de la parte superior de algo, dejándolo mocho o sin su debida terminación: *El desmoche de los árboles cortándoles las ramas se hace para que broten con fuerza.* □ SINÓN. *desmocha, desmochadura.*

desmontable adj.inv. Que se puede desmontar: *Estos muebles son desmontables y muy fáciles de transportar.*

desmontaje s.m. **1** Desunión o separación de las piezas de algo: *Ahora trabajo en una empresa de montaje y desmontaje de andamios.* **2** Referido a algunas armas de fuego, disposición del mecanismo de disparo en el seguro: *El desmontaje de la pistola evitará posibles accidentes.*

desmontar v. **1** Referido a un objeto, desunir o separar las piezas que lo componen: *Desmontó el reloj para arreglarlo. Al aflojarse los tornillos, se desmontó la mesa.* □ SINÓN. *desarmar.* **2** Bajar del vehículo o de la cabalgadura en que se va: *El jinete desmontó al terminar la carrera. Tuvo que desmontarse de la bicicleta porque se le pinchó una rueda.* **3** Referido a un edificio o a una parte de él, derribarlos: *Hay que desmontar los pisos superiores porque está prohibido edificar tan alto.* **4** Referido a un terreno, allanarlo o rebajar su nivel: *Antes de plantar el parque, hubo que desmontar el terreno.* **5** Referido a un monte o bosque, talar o cortar sus árboles y matas: *Para cultivar ese monte, primero hay que desmontarlo.* **6** Referido a un arma de fuego, poner el mecanismo de disparo en el seguro: *Es conveniente desmontar las armas cargadas para evitar que se disparen.* □ ETIMOL. De *des-* (acción inversa) y *montar.* □ SINT. Constr. de la acepción 2: *desmontar algo* o *desmontar* DE *algo.*

desmonte s.m. **1** Allanamiento o rebajamiento del nivel de un terreno: *No pudieron comenzar a construir hasta que no terminaron el desmonte de la parcela.* **2** Tala o corte de los árboles y matas de un monte: *Después del desmonte, el terreno se utilizará para el cultivo.* **3** Conjunto de fragmentos o restos de lo desmontado: *Llenaron los camiones con el desmonte y lo llevaron al basurero.* **4** Terreno que ha sido desmontado: *Las viñas cubren los desmontes.* □ MORF. En la acepción 4, se usa más en plural.

desmoralización s.f. Desánimo o pérdida del valor y de las esperanzas: *Reacciona ante el fracaso y no caigas en la desmoralización.*

desmoralizar v. Quitar el ánimo, el valor o las esperanzas: *Las últimas derrotas han desmoralizado al equipo. Los jóvenes se desmoralizan ante las pocas perspectivas de trabajo.* ☐ ORTOGR. La *z* se cambia en *c* delante de *e* →CAZAR.

desmoronamiento s.m. **1** Disgregación, destrucción o derrumbamiento que se produce poco a poco: *El fracaso de algunos sistemas políticos produjo el desmoronamiento de muchas ideologías.* **2** Caída de una persona en un estado de profundo desánimo: *Esa declaración causó el desmoronamiento del acusado y le hizo confesar.*

desmoronar v. **1** Deshacer, destruir o derrumbar poco a poco: *Las lluvias y el viento van desmoronando el muro. El Imperio Romano se desmoronó y acabó fragmentándose.* **2** Referido a una persona, caer en un estado de profundo desánimo: *La enfermedad lo desmoronó y ha perdido las ilusiones. Se desmoronó con aquella desgracia y se echó a llorar delante de mí.* ☐ ETIMOL. Del antiguo *desboronar* (desmoronar).

desmotivación s.f. Falta o pérdida de la motivación o del interés por algo: *Algunas personas se quejan de la desmotivación de la juventud.*

desmotivar v. Perder o hacer perder la motivación o el interés por algo: *Su fracaso escolar lo ha desmotivado y no quiere seguir estudiando. La competencia era tanta que se desmotivó.*

desmovilización s.f. Fin de una movilización: *Al terminar la guerra se produjo la desmovilización de miles de soldados.*

desmovilizar v. Paralizar una movilización: *Al llegar a un acuerdo salarial, los huelguistas se han desmovilizado.* ☐ ORTOGR. La *z* se cambia en *c* delante de *e* →CAZAR.

desnacionalización s.f. Privación del carácter nacional o público: *Los trabajadores no están a favor de la desnacionalización de la empresa.*

desnacionalizar v. Privar del carácter nacional o público: *Desnacionalizaron este sector industrial y ahora lo gestionan empresas privadas.*

desnarigar v. Quitar la nariz: *Me cerraste la puerta en las narices y casi me desnarigas.* ☐ ORTOGR. La *g* se cambia en *gu* delante de *e* →PAGAR.

desnatado, da adj. Referido a algunos líquidos, esp. a la leche, sin la nata que tenían: *leche desnatada.*

desnatar v. Referido a algunos líquidos, esp. a la leche, quitarles la nata: *Se realiza un proceso especial para desnatar la leche.*

desnaturalización s.f. Alteración de una sustancia de forma que deje de ser apta para el consumo humano: *La desnaturalización de algunos productos alimenticios se realiza con fines industriales.*

desnaturalizado, da adj./s. **1** Que no cumple con las obligaciones familiares que se consideran naturales. **2** Referido esp. a una sustancia, que ha sido alterada de modo que no es apta para el consumo humano.

desnaturalizar v. **1** Referido esp. a una sustancia, alterarla de manera que deje de ser apta para el consumo humano: *El aceite que ha sido desnaturalizado no sirve para cocinar.* **2** Referido esp. a una sustancia, desvirtuarla o quitarle las propiedades naturales: *Con tanta salsa, desnaturalizas el sabor de los alimentos.* ☐ ORTOGR. La *z* se cambia en *c* delante de *e* →CAZAR.

desnivel s.m. **1** Falta de nivel o de igualdad: *Entre los alumnos de esta clase hay mucho desnivel.* **2** Diferencia de alturas entre dos o más puntos: *Entre el acantilado y la playa, hay un desnivel de mil metros.*

desnivelación s.f. Pérdida o falta del nivel o del equilibrio entre dos o más cosas: *La desnivelación de la balanza impide un peso perfecto.*

desnivelar v. Desequilibrar o alterar el nivel existente: *Este gol ha desnivelado el partido. Al poner más peso en un lado que en otro, la balanza se desnivela.*

desnortarse v.prnl. Desorientarse o perderse: *En cuanto se metieron en el bosque se desnortaron.*

desnucar v. **1** Sacar de su lugar los huesos de la nuca: *Al darle aquel golpe, lo desnucó. Se desnucó al chocar de frente con otro automóvil.* **2** Matar de un golpe en la nuca: *Desnucó al perro y lo enterró en el jardín. La médica forense dijo que el difunto se había desnucado.* ☐ PRON. Incorr. *[esnucár]. ☐ ORTOGR. La *c* se cambia en *qu* delante de *e* →SACAR.

desnuclearización s.f. Eliminación o reducción del armamento o de las instalaciones nucleares: *Los ecologistas exigen la desnuclearización del planeta.*

desnuclearizar v. Referido a un territorio, eliminar o reducir el armamento o las instalaciones nucleares que hay en él: *El Gobierno no piensa desnuclearizar el país.* ☐ ORTOGR. La *z* se cambia en *c* delante de *e* →CAZAR.

desnudar ▮ v. **1** Quitar el vestido o parte de él: *Desnudó a su hijo y lo metió en el baño. Cuando llega a casa, se desnuda y se pone otra ropa.* ☐ SINÓN. *desvestir.* **2** Referido a algo adornado u oculto, quitarle lo que lo adorna o cubre: *Desnudó de adornos las paredes de su habitación. Las ramas de los árboles se desnudaron de hojas.* **3** Referido a una persona, quitarle el dinero o las cosas de valor que lleva encima: *Los otros jugadores lo desnudaron y no le quedó ni un duro para volver.* ▮ prnl. **4** Referido a una persona, contar a otra sus pensamientos o sentimientos íntimos: *Necesitaba hablar con alguien y se desnudó ante mí.* ☐ ETIMOL. Del latín *denudare.* ☐ SINT. Constr. de la acepción 2: *desnudar* DE *algo.*

desnudez s.f. Falta de vestido, de adorno, de cobertura o de riquezas: *Era una zona de nudistas y nadie se avergonzaba de su desnudez.*

desnudismo s.m. →**nudismo.**

desnudista adj.inv./s.com. →**nudista.**

desnudo, da ▮ adj. **1** Sin ropa. **2** Con poca ropa o con ropa considerada indecente. **3** Falto de lo que cubre o adorna: *unas paredes desnudas.* **4** Sin riquezas o falto de bienes de fortuna. **5** Patente, claro o sin doblez: *una verdad desnuda.* **6** Falto de algo no material: *La enfermedad lo dejó desnudo de fuerzas.* ▌s.m. **7** En arte, figura humana sin vestido o cuyas formas se perciben aunque esté vestida. **8** || **al desnudo;** descubiertamente o a la vista de todos: *Esta biografía deja al desnudo la vida de varios políticos.* ☐ ETIMOL. De latín *nudus* (desnudo), por influencia de *desnudar*.

desnutrición s.f. Debilitamiento o debilidad del organismo por insuficiente aportación de alimentos: *Era un niño raquítico y con síntomas de desnutrición.*

desnutrirse v.prnl. Debilitar el organismo por trastorno de la nutrición: *Si comes tan poco terminarás por desnutrirte.*

desobedecer v. Referido a una orden o a quien la da, no hacerles caso: *Desobedeció las órdenes de su superior y lo expulsaron.* ☐ MORF. Irreg. →PARECER.

desobediencia s.f. Falta de obediencia o incumplimiento de lo mandado: *En el consejo de guerra lo acusaron de desobediencia a un superior.*

desobediente adj.inv./s.com. Que desobedece o tiende a desobedecer: *No seas tan desobediente y haz caso por una vez.*

desobstrucción s.f. Eliminación de lo que obstruye algo: *Necesito un producto específico para la desobstrucción de cañerías.*

desobstruir v. Quitar lo que obstruye: *El fontanero desobstruyó el desagüe del baño.* ☐ MORF. Irreg. →HUIR.

desocupación s.f. **1** Falta de ocupación: *Los mayores se quejan de la desocupación de los jóvenes.* **2** Desalojo de un lugar: *Se nos ordenó por escrito la desocupación de la vivienda.* **3** En zonas del español meridional, desempleo: *Mi país tiene unas cifras de desocupación muy altas.*

desocupado, da adj./s. En zonas del español meridional, desempleado: *Llevo casi un año desocupada.*

desocupar ▌v. **1** Referido esp. a un lugar, dejarlo libre de ocupantes o sacar lo que hay dentro: *Como hay invitados tendrás que desocupar tu habitación.* ▌prnl. **2** Quedarse libre de una ocupación: *Cuando me desocupe, te echaré una mano en tu trabajo.*

desodorante adj.inv./s.m. Referido esp. a un producto, que elimina el mal olor, esp. el corporal. ☐ ETIMOL. Del inglés *deodorant*. ☐ SEM. Dist. de *antisudoral* (que reduce o elimina el sudor).

desodorizar v. Referido a algo que tiene olor, eliminar los olores que tiene, esp. los desagradables: *Desodorizó el baño con un producto especial.* ☐ ORTOGR. La *z* se cambia en *c* delante de *e* →CAZAR.

desoír v. Referido esp. a un consejo o a una advertencia, no atenderlos o hacer caso omiso de ellos: *No tuvo éxito porque desoyó mi recomendación de que actuara con prudencia.* ☐ MORF. Irreg. →OÍR.

desojar ▌v. **1** Referido a un utensilio, romperle el ojo o agujero que lo atraviesa de parte a parte: *Desojó la aguja al doblarla.* ▌prnl. **2** Forzar la vista al mirar o al buscar o perder agudeza visual por ello: *Te vas a desojar si lees con poca luz.* ☐ ETIMOL. Del latín *exoculare*. ☐ ORTOGR. 1. Dist. de *deshojar*. 2. Conserva la *j* en toda la conjugación.

desolación s.f. **1** Destrucción completa: *El huracán solo dejó desolación a su paso.* **2** Aflicción, tristeza o sufrimiento grandes: *Al enterarnos del tremendo accidente, todos sentimos una gran desolación.* **3** Falta de personas y cosas en un lugar: *La desolación del paisaje nevado sobrecogía a los viajeros.*

desolado, da adj. Referido a un lugar, que está despoblado o sin nada ni nadie: *Aquel paraje desolado parecía el fin del mundo.*

desolador, -a adj. **1** →**asolador. 2** Que causa gran tristeza o sufrimiento.

desolar ▌v. **1** →**asolar.** ▌prnl. **2** Afligirse o sentir gran tristeza o sufrimiento: *Desolarse por lo que no tiene remedio no soluciona nada.* ☐ ETIMOL. Del latín *desolare* (devastar, dejar desierto). ☐ MORF. 1. Irreg. →CONTAR. 2. Se usa más en infinitivo y como participio.

desoldar v. Referido a algo soldado, quitarle la soldadura: *Se me cayeron las gafas y se desoldó una patilla.* ☐ MORF. Irreg. →CONTAR.

desolladero s.m. Lugar destinado para desollar las reses: *Las terneras colgaban de los ganchos del desolladero.*

desolladura s.f. Herida o marca que quedan donde se ha levantado la piel: *Se cayó y tiene las rodillas llenas de desolladuras.*

desollar v. **1** Referido al cuerpo o a alguno de sus miembros, quitarles la piel o el pellejo: *Los caníbales desollaron vivo al cazador. Si no te compras un número mayor de zapato, se te van a desollar los pies.* ☐ SINÓN. *despellejar*. **2** Referido a una persona, arruinarla o causarle daño, esp. en su fortuna o en su honor: *Los acreedores lo desollaron y se ha quedado sin nada.* ☐ ETIMOL. Del antiguo *desfollar*, y este del latín **exfollare* (sacar la piel). ☐ MORF. Irreg. →CONTAR.

desollón s.m. *col.* Desolladura.

desoprimir v. Librar de la opresión y de la sujeción: *No desoprimas la herida hasta que no te ponga la venda.*

desorbitación s.f. Acción de sacar o de salir de la órbita: *Los astronautas han tardado un día en realizar las maniobras de desorbitación.*

desorbitar v. **1** Referido esp. a un cuerpo, sacarlo o salir de su órbita o de sus límites habituales: *Un meteorito ha desorbitado un satélite artificial. Los precios se han desorbitado.* **2** Exagerar, abultar o conceder demasiada importancia: *Nadie te cree porque siempre desorbitas los hechos.*

desorden s.m. **1** Confusión, alboroto o alteración del orden: *Los desórdenes callejeros han ocasionado cuantiosos destrozos.* **2** Exceso o abuso: *De joven, se cometen muchos desórdenes.* **3** Desarreglo o anomalía: *Sufre desórdenes estomacales.* ☐ MORF. En la acepción 2, se usa más en plural. ☐ SEM. Su uso con el significado de 'afección o enfermedad' es un anglicismo innecesario: *El paciente estaba aquejado de {*desórdenes > afecciones} de causa desconocida.*

desordenado, da adj./s. Referido a una persona, que actúa sin método y no cuida el orden en sus cosas: *Eres tan desordenado que nunca sabes dónde tienes las cosas.*

desordenar v. Referido a algo ordenado, dejarlo sin orden o alterárselo: *Al buscar el vestido, revolvió y desordenó el armario. Se ha caído el fichero y se han desordenado las fichas.*

desorejado, da adj. *col.* Prostituido o despreciable, ruin y vil.

desorejar v. Cortar las orejas: *Está tan enamorado que dice que se va a desorejar por ella como aquel pintor impresionista.* ☐ ORTOGR. Conserva la *j* en toda la conjugación.

desorganización s.f. Desorden total o falta de organización: *La desorganización de los servicios públicos es consecuencia de la huelga.*

desorganizar v. Desordenar totalmente, deshaciendo la organización existente: *Estuve fuera dos días y desorganizaron el archivo. En cuanto falta el jefe, todo se desorganiza.* ☐ ORTOGR. La *z* se cambia en *c* delante de *e* →CAZAR.

desorientación s.f. Falta de orientación: *Es tal su grado de desorientación que lleva un año viviendo aquí y todavía se pierde.*

desorientar v. Confundir o hacer perder la orientación: *Consulté a un abogado y sus explicaciones me desorientaron aún más. En esta zona me desoriento porque todas las calles son iguales.*

desosar v. →**deshuesar.** ☐ MORF. Irreg. →DESOSAR.

desovar v. Referido a las hembras de los peces o de los anfibios, soltar sus huevos: *Los salmones viven en el mar, pero desovan en los ríos.* ☐ SINÓN. *frezar.* ☐ ETIMOL. Del latín *ovum* (huevo).

desove s.m. Puesta de huevos o huevas por parte de las hembras de los peces o de los anfibios. ☐ SINÓN. *freza.*

desovillar v. **1** Referido a un material hecho en ovillo, extenderlo deshaciendo el ovillo: *El gato desovilló la lana y mi madre tuvo que desenredarla.* **2** Referido a algo confuso u oscuro, aclararlo o deshacer la confusión: *La trama era complicada, pero a lo largo de la película se fue desovillando.*

desoxidación s.f. **1** Eliminación del oxígeno de una sustancia que lo tenía: *la desoxidación del agua oxigenada.* ☐ SINÓN. *desoxigenación.* **2** Eliminación del óxido de un metal: *la desoxidación del hierro.*

desoxidar v. **1** En química, referido a una sustancia combinada con oxígeno, quitarle este: *Para desoxidar sustancias químicas, se usan compuestos muy reactivos con el oxígeno.* ☐ SINÓN. *desoxigenar.* **2** Referido a un metal oxidado, quitarle el óxido: *He desoxidado las bisagras de hierro con un líquido especial.* **3** Referido a algo que ha estado abandonado, actualizarlo o recuperar su buen estado: *Me he apuntado a un curso intensivo para desoxidar mi francés.*

desoxigenación s.f. Eliminación del oxígeno de una sustancia que lo tenía: *El hidrógeno gas se puede obtener por desoxigenación electrolítica del agua.* ☐ SINÓN. *desoxidación.*

desoxigenar v. En química, referido a una sustancia combinada con oxígeno, quitarle este: *Un procedimiento para desoxigenar compuestos orgánicos consiste en tratarlos con hidrógeno gaseoso.* ☐ SINÓN. *desoxidar.*

desoxirribonucleico adj. Referido a un ácido, que constituye el material genético de las células y se encuentra fundamentalmente en el núcleo de estas: *Las siglas del ácido desoxirribonucleico son 'ADN'.*

despabilar v. **1** Referido esp. a una vela, quitarle la pavesa o la parte ya quemada del pábilo o de la mecha: *Despabila la vela para que dé más luz.* **2** →**espabilar.**

despachaderas s.f.pl. *col.* Actitud arisca y áspera al responder: *Con esas despachaderas que te gastas, no hay quien te dirija la palabra.*

despachar ▮ v. **1** *col.* En un establecimiento comercial, referido a un cliente, atenderlo el tendero o el dependiente: *Despacha a esa señora, que lleva un rato esperando.* **2** En un establecimiento comercial, referido a un artículo, venderlo: *En aquella tienda despachan pan.* **3** Referido a un asunto, atenderlo y resolverlo o concluirlo: *Los ministros despacharon todos los asuntos del día.* **4** Hacer ir o hacer llegar: *Despachó una misiva urgente para el rey.* ☐ SINÓN. *enviar.* **5** Referido a una persona, echarla, despedirla o apartarla de sí: *Despachó a su ayudante porque trabajaba poco y mal.* **6** *col.* Referido a una comida o a una bebida, tomarlas completamente: *Despacharon los pollos en un instante. Tenía tanta sed que me despaché una botella de litro.* **7** *col.* Matar: *Despachó al perro porque tenía la rabia. El asesino se despachó a todos los que se le pusieron delante.* **8** Darse prisa: *Despacha, que nos están esperando.* ▮ prnl. **9** Decir lo que viene en gana o hablar sin contención: *Se despachó a gusto contra las nuevas medidas de tráfico.* ☐ ETIMOL. Del francés antiguo *despeechier.* ☐ USO En la acepción 9, se usa más la expresión *despacharse alguien a su gusto.*

despacho s.m. **1** Habitación o conjunto de salas destinadas al estudio, a ciertos trabajos intelectuales o a recibir clientes o personas con las que se tratan los negocios: *La abogada lo citó en su despacho a las cinco.* **2** Conjunto de muebles de esta habitación: *El despacho del alcalde es de roble.* **3** Venta de un artículo al público: *Los sábados no hay despacho de billetes.* **4** Lugar en el que se venden ciertos artículos: *En esta calle no hay ningún despacho de pan.* **5** Comunicación oficial, esp. la que hace un Gobierno a sus representantes diplomáticos en el extranjero, o la que se hace para notificar el nombramiento de un empleo: *La embajadora recibió un despacho para que acelerase la firma del acuerdo.* **6** Comunicación transmitida por vía rápida, esp. por teléfono o por telégrafo: *Un despacho de última hora informa del aplazamiento de la huelga.*

despachurramiento (tb. *espachurramiento*) s.m. Aplastamiento que se produce al apretar con fuerza.

despachurrar v. →**espachurrar.** □ ETIMOL. Del antiguo *despanchurrar*, por influencia de *despachar* (matar).

despacio ▮ adv. **1** Poco a poco o lentamente: *Lee más despacio, por favor.* **2** *col.* En zonas del español meridional, en voz baja: *Siempre que quiere criticar a alguien lo hace despacio, para que nadie se entere.* ▮ interj. **3** Expresión que se usa para imponer o recomendar moderación: *¡Despacio!, deja que te explique.* □ ETIMOL. De *de* (preposición) y *espacio*.

despacioso, sa adj. Lento o con pausa: *un movimiento despacioso.*

despalillar v. **1** Referido esp. a la uva, quitarle el escobajo: *Primero se prensa ligeramente la uva y luego se despalilla.* **2** Referido esp. a la hoja del tabaco, quitarle la nervadura central: *Después de limpiar la hoja de tabaco, se despalilla y se deja secar.*

despampanante adj.inv. Asombroso, deslumbrante o que llama la atención por su aspecto.

despampanar v. Referido a la vid, quitarle los pámpanos o sarmientos nuevos: *Tuvieron que despampanar las vides para que no echaran tantas hojas.*

despanzurrar v. **1** Referido esp. a algo blando o que está relleno, aplastarlo o reventarlo de forma que se esparza: *Se cayó sobre la tarta y la despanzurró. Se me ha caído la bolsa de leche y se ha despanzurrado.* **2** Referido a un animal o a una persona, romperle o abrirle la panza: *El toro embistió con tal fuerza que despanzurró con sus cuernos al caballo. Casi se despanzurra al tirarse del trampolín.*

desparasitar v. Quitar los parásitos: *Tengo que llevar a mi perro al veterinario para que lo vacune y lo desparasite.*

desparejar v. Referido a una pareja, deshacerla: *Procura no desparejar los guantes, que luego siempre te falta uno. Al hacer la mudanza, se han desparejado varios calcetines.* □ ORTOGR. Conserva la *j* en toda la conjugación. □ SEM. Dist. de *desaparejar* (quitar el aparejo).

desparejo, ja adj. Desigual o diferente: *No compares porque son situaciones desparejas.* □ SINÓN. *dispar, disparejo.*

desparpajo s.m. *col.* Desenvoltura, facilidad y atrevimiento en la forma de hablar o de actuar: *Acostumbrada a hablar en público, hizo la entrevista con mucho desparpajo.* □ ETIMOL. De *desparpajar* (hablar mucho y sin concierto).

desparramar (tb. *esparramar*) v. **1** Referido a algo que está junto, esparcirlo o extenderlo por muchas partes: *Desparramó las cartas de la baraja sobre la mesa. Al llegar los antidisturbios, los manifestantes se desparramaron por las calles adyacentes.* **2** Referido al dinero o a los bienes, derrocharlos o malgastarlos: *Desparramó su hacienda en diversiones y ahora está lleno de deudas.* □ ETIMOL. Del cruce de *esparcir* con *derramar*.

desparrame s.m. *col.* →**desparramo.**

desparramo s.m. **1** Esparcimiento de algo por muchas partes. **2** *col.* Hecho o dicho divertidos o graciosos: *El baile de disfraces fue un desparramo porque nadie sabía quién era quién.* □ SINÓN. *desparrame.*

despatarrar v. *col.* Referido esp. a una persona, a un animal o a un mueble, abrirles excesivamente las piernas o las patas: *Al tropezar, caí sobre el perro y casi lo despatarro. Pisó una cáscara de plátano y se despatarró.* □ ETIMOL. De *pata*. □ MORF. Como pronominal, se admite también *espatarrarse*.

despavesar v. **1** Referido esp. a una vela, quitar la pavesa del pábilo: *Despavesó los cirios para que dieran más luz.* **2** Referido esp. a las brasas, quitarles la ceniza soplando: *Al despavesar las brasas nos echó toda la ceniza encima.*

despavonar v. Referido a una superficie de hierro o acero pavonada, quitarle la capa de óxido que evita su corrosión: *Con el paso del tiempo se despavonó la reja.*

despavorido, da adj. Con pavor o terror: *Salió despavorido de aquella casa porque creyó ver fantasmas.*

despecharse v.prnl. Sentir resentimiento o indignación a causa de los desengaños o de las ofensas: *Se despechó porque no lo invité a mi fiesta de cumpleaños.*

despecho s.m. **1** Resentimiento o indignación producidos por los desengaños o por las ofensas: *Nos critica por despecho, porque tenemos éxito donde él fracasó.* **2** || **a despecho de** algo; a pesar suyo o contra su deseo: *Haré mi voluntad a despecho de lo que diga la gente.* □ ETIMOL. Del latín *despectus* (menosprecio).

despechugar ▮ v. **1** Referido a un ave, quitarle la pechuga: *Despechuga el pollo y haz filetes.* ▮ prnl. **2** *col.* Referido a una persona, mostrar o llevar el pecho descubierto: *Hacía tanto calor, que los albañiles se despechugaron para trabajar.* □ ORTOGR. La *g* se cambia en *gu* delante de *e* →PAGAR.

despectivo, va ▮ adj. **1** Que indica desprecio: *¿Quién te crees que eres al hablarnos con un tono tan despectivo?* □ SINÓN. *despreciativo.* ▮ s.m. **2** En gramática, palabra formada con un sufijo que indica desprecio: *'Medicucho', 'pequeñajo' y 'mujerzuela' son algunos despectivos.*

despedazamiento s.m. **1** Separación de algo en trozos sin orden o de forma violenta. **2** Daño o destrozo causado en algo no material: *Los críticos se encargaron del despedazamiento de su obra pictórica.*

despedazar v. **1** Referido a algo material, hacerlo pedazos de manera desordenada o violenta: *El lobo mató al cordero y lo despedazó. Se le resbaló el plato, cayó al suelo y se despedazó.* **2** Referido a una persona o a algo no material, maltratarlos o destruirlos: *La crítica lo ha despedazado porque ha tratado de ser diferente. Se me despedaza el alma de ver tanta injusticia.* □ ORTOGR. La *z* se cambia en *c* delante de *e* →CAZAR.

despedida s.f. **1** Acompañamiento que se hace a una persona que se va a ir hasta el momento de irse: *Las despedidas me ponen triste.* **2** Expresión de afecto o cortesía al separarse varias personas:

Como despedida me lanzó un beso desde el balcón. **3** Reunión o acto en honor de alguien que se va o que cambia de estado: *una despedida de soltero.* **4** En algunas canciones populares, estribillo final en el que el cantor se despide: *Todo el público tarareó la despedida.*

despedir ▮ v. **1** Referido a una persona que se va de un lugar, acompañarla hasta que se vaya o decirle adiós: *Fuimos a despedirlo a la estación. No me acompañes, nos despediremos aquí.* **2** Referido a una persona, prescindir de sus servicios o alejarla de su ocupación o de su empleo: *Van a despedir a muchos trabajadores porque hay problemas económicos. Como no quisieron subirle el sueldo, se despidió.* **3** Referido a una persona, echarla o apartarla de sí, esp. por resultar molesta: *Conseguí que me recibiera, pero me despidió enseguida con malos modos.* **4** Desprender, esparcir o difundir: *Los alimentos en descomposición despiden mal olor.* **5** Arrojar, lanzar con impulso o echar fuera de sí con fuerza: *Ese volcán en erupción despide lava.* ▮ prnl. **6** Hacer o decir alguna expresión de afecto o de cortesía al separarse: *Se despidió de mí con un abrazo.* **7** *col.* Referido a algo que se tiene o que se quiere, renunciar a la esperanza de mantenerlo o de conseguirlo: *Como no apruebes todo el curso, vete despidiéndote de las vacaciones.* □ ETIMOL. Del latín *expetere* (reclamar, reivindicar). □ MORF. Irreg. →PEDIR. □ SINT. Constr. como pronominal: *despedirse* DE *algo.*

despedregar v. Referido a un lugar, limpiarlo de piedras: *Despedregó el campo antes de sembrarlo.* □ ORTOGR. La *g* se cambia en *gu* delante de *e* →PAGAR.

despegado, da adj. *col.* Poco afectuoso.

despegadura s.f. Separación de lo que estaba pegado o unido: *La humedad produjo la despegadura del papel de la pared.* □ SEM. Dist. de *despegue* (inicio del vuelo o de un proceso).

despegar ▮ v. **1** Referido a algo pegado o muy junto, separarlo o desprenderlo de donde está: *Moja el papel pintado para despegarlo de la pared. El ciclista se despegó de sus perseguidores.* **2** Referido a algo que vuela, esp. a un avión, separarse de la superficie en la que descansaba para iniciar el vuelo: *En el aeropuerto despegan y aterrizan aviones continuamente.* **3** Comenzar un proceso de desarrollo o de ascenso: *El diseño español despegó en la década de 1980.* ▮ prnl. **4** Desprenderse de una relación que se tenía, esp. si se sentía apego o afecto hacia ella: *Cuando me cambié de barrio, me despegué de mis amistades.* □ ORTOGR. La *g* se cambia en *gu* delante de *e* →PAGAR.

despego s.m. Falta de afecto o de interés por alguien o por algo: *Trata a su familia con tal despego que parece que fueran extraños para él.* □ SINÓN. *desapego.*

despegue s.m. **1** Inicio del vuelo, separándose de la superficie en la que se descansaba: *el despegue del cohete espacial.* **2** Comienzo de un proceso de desarrollo o de ascenso: *el despegue de una industria.* □ SEM. Dist. de *despegadura* (separación de lo pegado).

despeinar v. Deshacer el peinado o desordenar y enredar el pelo: *No despeines el maniquí hasta que lo haya fotografiado. Cuando hay viento, siempre me despeino.*

despejado, da adj. **1** De ingenio ágil, vivo y despierto: *una mente despejada.* **2** Espacioso, extenso o amplio: *Desde la cumbre de la montaña, divisó una despejada llanura.* **3** Que no tiene nubes o niebla: *un cielo despejado.*

despejar ▮ v. **1** Referido a un lugar, desocuparlo o dejarlo libre y sin estorbos: *Despejó el pasillo de cajas para poder pasar.* **2** Poner en claro o explicar: *Hasta que no se despeje la situación financiera, no compraré más acciones. En la película, el detective reunió a los implicados para despejar el misterio.* □ SINÓN. *aclarar.* **3** En algunos deportes, referido a la pelota, enviarla lo más lejos posible del área de meta: *El defensa despejó el balón de cabeza. Ante el temor de un nuevo gol, despejó hacia la banda derecha.* **4** En matemáticas, referido a una incógnita, separarla mediante diversas operaciones de los restantes miembros de una ecuación: *Si habéis despejado bien la incógnita de la ecuación '3x = 1', el resultado debe ser 'x = 1/3'.* **5** Referido esp. al tiempo atmosférico, aclararse o mejorar al desaparecer las nubes: *Amaneció nublado, pero luego se despejó el día y pudimos salir de excursión.* ▮ prnl. **6** Referido a una persona, sentirse despierto y en buen estado, después de desprenderse de un malestar o de una atmósfera viciada: *Tomó un café bien cargado para despejarse porque tenía sueño.* □ ETIMOL. Del portugués *despejar* (vaciar, desembarazar, desocupar). □ ORTOGR. Conserva la *j* en toda la conjugación.

despeje s.m. En algunos deportes, esp. en fútbol, lanzamiento del balón lo más lejos posible del área de meta: *El despeje del portero evitó el gol.*

despejo s.m. Soltura en el trato o en las acciones: *Es una persona muy sociable que actúa con despejo en cualquier situación.*

despellejadura s.f. **1** Separación de la piel o del pellejo, del cuerpo o de alguno de sus miembros. **2** Herida o marca que queda en el lugar en el que se ha levantado la piel: *Este bolso de piel ya está viejo y lleno de despellejaduras.*

despellejar ▮ v. **1** Referido al cuerpo o a alguno de sus miembros, quitarles la piel o el pellejo: *Despellejó el pollo antes de freírlo. Se despellejó el dedo al pillarse con la puerta.* □ SINÓN. *desollar.* **2** Referido a una persona, murmurar de ella o criticarla negativamente: *Despelleja vivo a todo el que envidia.* ▮ prnl. **3** Estropearse al levantarse una parte superficial de la piel: *Los zapatos se han despellejado por el uso.* □ ORTOGR. Conserva la *j* en toda la conjugación. □ USO En la acepción 2, se usa más la expresión *despellejar vivo a alguien.*

despelotarse v.prnl. **1** *col.* Desnudarse: *Como no había nadie en la playa, se despelotaron.* **2** *col.* Reírse mucho, alborotarse o perder la formalidad:

Es tímido, pero cuando bebe un poco se despelota. □ ETIMOL. De *pelota*.

despelote s.m. **1** *col.* Hecho de quitarse la ropa para quedar desnudo: *Era de suponer que esa orgía acabaría con un despelote.* **2** *col.* Juerga o risa desmedidas o excesivas: *Menudo despelote cuando contó lo que le había pasado.*

despeluchar v. Referido a algo peludo o semejante a la felpa, quitarle o estropearle el pelo o la felpa: *El perro ha despeluchado la alfombra. Llora porque su osito se ha despeluchado al lavarlo.*

despenalización s.f. Supresión del carácter de delito o de pena que tiene algo.

despenalizar v. Referido a algo que constituye delito, legalizarlo o levantar la pena que pesa sobre ello: *Algunas asociaciones piden al Gobierno que despenalice el consumo de drogas.* □ ORTOGR. La *z* se cambia en *c* delante de *e* →CAZAR.

despendolarse v.prnl. *col.* Actuar de forma alocada: *Cuando se queda solo en casa, se despendola e invita a todos sus amigos.*

despensa s.f. **1** En una casa, lugar en el que se almacenan los comestibles: *La despensa era un pequeño cuarto debajo de la escalera.* **2** Conjunto de estos comestibles almacenados: *Ante los rumores de guerra, mucha gente se hizo con una buena despensa.* □ ETIMOL. Del latín *dispensus* (aprovisionado, administrado).

despeñadero s.m. **1** En un terreno, precipicio escarpado y con peñascos desde donde es fácil caerse. □ SINÓN. *derrumbadero.* **2** Peligro o riesgo grandes: *Ese negocio es un despeñadero y no te recomiendo que lo emprendas.* □ SINÓN. *derrumbadero.*

despeñar v. Referido a una persona o a un objeto, arrojarlos o caer desde un lugar alto, esp. si es escarpado y rocoso: *Colocó el coche al borde del acantilado y lo despeñó. El montañero temía despeñarse y se aseguró con otra cuerda.*

despepitar ▮ v. **1** Referido a un fruto, quitarle las pepitas o semillas: *¿Sabes despepitar una manzana con cuchillo y tenedor?* ▮ prnl. **2** Hablar o gritar con vehemencia, con enojo o sin medida: *Vas a romperte las cuerdas vocales si sigues despepitándote así.* **3** *col.* Reírse mucho: *Nos despepitamos cada vez que vemos a tu hijo intentando agarrarle el rabo al perro.* □ ETIMOL. La acepción 1, de *pepita* (semilla). La acepción 2, de *pepita* (tumor en la garganta de las gallinas).

desperdiciar v. **1** Emplear mal o no aprovechar debidamente: *Desperdiciaste aquella oportunidad y ya no te surgirán más.* **2** Dejar inservible: *Al cortar así la tela, has desperdiciado muchos trozos.*

desperdicio s.m. **1** Residuo que no se puede aprovechar: *Tira los desperdicios a la basura.* **2** Derroche o mal uso de algo: *Aprender cosas nunca es un desperdicio de tiempo.* **3** ‖ **no tener desperdicio** algo; ser de mucho provecho o utilidad: *Es un libro tan interesante que no tiene desperdicio.* □ ETIMOL. Del latín *disperditio* (acción de perderse).

desperdigamiento s.m. **1** Separación y esparcimiento de algo en distintas direcciones: *el desperdigamiento de un grupo.* **2** Dispersión del esfuerzo o de la actividad de una persona en distintos objetivos: *Céntrate en una sola cosa y evita el desperdigamiento de tu atención en varias actividades.*

desperdigar v. **1** Referido a un conjunto o a sus componentes, separar y extender estos, o esparcirlos en distintas direcciones: *La guerra desperdigó a la familia por toda Europa. Se cayó el archivo y todos los albaranes se desperdigaron.* **2** Referido esp. al esfuerzo o a la actividad de una persona, dividirlos y repartirlos en distintos objetivos: *Si no desperdigaras tus fuerzas en tantas cosas, disfrutarías más de algunas.* □ ETIMOL. De *perdiz*, por alusión al vuelo de las perdices que se separan al aproximarse el cazador. □ ORTOGR. La *g* se cambia en *gu* delante de *e* →PAGAR.

desperezarse v.prnl. Extender los miembros del cuerpo para desentumecerse o quitarse la pereza: *Desperezarse ante los demás es de mala educación.* □ SINÓN. *estirarse.* □ ETIMOL. De *esperezarse* (desperezarse). □ ORTOGR. La *z* se cambia en *c* delante de *e* →CAZAR.

desperfecto s.m. **1** Daño o deterioro leves: *El armario sufrió algunos desperfectos al subirlo por la escalera.* **2** Falta o defecto que restan cierto valor o perfección a algo: *un pantalón con desperfectos.*

desperrar v. Dejar sin dinero o quedarse sin él: *Cada vez que vienen mis sobrinos me desperran.*

despersonalización s.f. **1** Pérdida de los rasgos característicos o individuales que distinguen a una persona. **2** Pérdida del carácter personal: *Los enfermos se quejan de la despersonalización del trato que reciben.*

despersonalizar v. **1** Referido a una persona, quitarle o perder los rasgos característicos o individuales que la distinguen: *El fiel seguimiento de la moda despersonaliza a los chicos. Por imitar a sus amigos, ha conseguido despersonalizarse.* **2** Referido esp. a un asunto, quitarle el carácter personal: *Intenté despersonalizar el problema para ser más objetivo.* □ ORTOGR. La *z* se cambia en *c* delante de *e* →CAZAR.

despertador, -a ▮ adj. **1** Que despierta. ▮ s.m. **2** Reloj que hace sonar un timbre u otro sonido a una hora previamente fijada: *Todos los días me levanto a las siete, cuando suena el despertador.*

despertar ▮ s.m. **1** Interrupción del sueño o momento en que ocurre: *Tiene muy mal despertar y es mejor no hablarle hasta pasado un rato.* **2** Principio del desarrollo de una actividad o de un negocio: *El despertar de la industria se fecha a mediados del siglo* XIX. ▮ v. **3** Referido a una persona o a un animal dormidos, interrumpirles el sueño o dejar de dormir: *Estaba tan dormido que no podían despertarme. Despertó a las diez de la mañana. ¿A qué hora te despiertas tú?* **4** Referido a algo olvidado, recordarlo o traerlo a la memoria: *Aquel sitio despertó en mí el recuerdo de un antiguo amigo.* **5** Provocar, incitar o estimular: *El olor del asado despertó mi apetito.* **6** Referido a una persona, hacerla más prudente, más lista o más astuta de lo que era: *Aquel* *engaño lo despertó de su inocencia. Despertó de su ignorancia y ya no actúa tan ingenuamente.* □ ETIMOL. La acepción 1 y 2, de *despertar*. Las acepciones 3-6, de *despierto*. □ MORF. Irreg.: 1. Tiene un participio regular (*despertado*), que se usa en la conjugación, y otro irregular (*despierto*), que se usa como adjetivo. 2. →PENSAR. □ SINT. Constr. de la acepción 6: *despertar(se)* DE *algo*.

despiadado, da adj. Cruel o sin piedad.

despido s.m. **1** Expulsión o destitución de una persona de la ocupación o del empleo que tenía. **2** Indemnización o dinero que se cobra por esta expulsión: *cobrar el despido.* **3** || **despido improcedente;** el que se produce cuando las causas de la destitución no cumplen las exigencias de la ley. || **despido libre;** el que no está sometido a ninguna ley. || **despido procedente;** el que se produce cuando las causas de la destitución cumplen las exigencias de la ley.

despiece s.m. **1** Separación de un todo en partes o en piezas: *una sala de despiece.* **2** Dibujo o esquema que muestra las partes de algo.

despierto, ta adj. **1** Que no está dormido. **2** De ingenio ágil, vivo y claro: *una mente despierta.* □ ETIMOL. Del latín *expertus*.

despiezar v. Referido a un todo, descomponerlo en partes o piezas, o separar estas: *Despiezó la impresora para arreglarla.* □ ORTOGR. La *z* se cambia en *c* delante de *e* →CAZAR.

despilfarrar v. Derrochar o gastar con insensatez, con exceso o sin necesidad: *Despilfarró su fortuna en juegos y diversiones.* □ ETIMOL. De origen incierto.

despilfarro s.m. Derroche o gasto excesivo, insensato o innecesario: *Los gobiernos quieren acabar con el despilfarro de energía.*

despintar v. **1** Referido a algo pintado o teñido, quitarle la pintura o perderla: *La lluvia ha despintado la puerta del portal. Con el paso del tiempo se despintó la valla.* **2** Referido a un asunto, cambiarlo o desfigurarlo: *El paso del tiempo despinta los malos recuerdos.* **3** || **no despintársele** algo a alguien; *col.* Conservar con viveza y claridad su recuerdo: *No se me despintará en la vida aquella angustiosa escena.*

despiojar v. Quitar los piojos: *La maestra dijo que había que despiojar a los niños. Se despiojó con un champú especial.* □ ORTOGR. Conserva la *j* en toda la conjugación.

despiole s.m. *col.* En zonas del español meridional, jaleo: *¡Vaya despiole que se armó!*

despiporre (tb. *despiporren*) s.m. *col.* Juerga desmedida, esp. si conlleva escándalos y desorden: *Armamos tal despiporre en la fiesta que los vecinos protestaron.*

despiporren s.m. *col.* →**despiporre.**

despistar v. **1** Hacer perder la pista: *Los ladrones consiguieron despistar a la policía y escaparon.* **2** Desorientar o hacer perder el rumbo: *Los edificios nuevos me despistaron y estuve a punto de perderme. Me despisté y no fui capaz de encontrar la casa.*

despiste s.m. Distracción, fallo u olvido: *tener un despiste.*

desplante s.m. Hecho o dicho bruscos, arrogantes o insolentes: *Mi pregunta no era malintencionada, así que no merezco ese desplante.*

desplazado, da adj./s. Referido a una persona, que no se adapta al lugar en el que está o a las circunstancias que lo rodean: *Me encontraba desplazada en la fiesta porque no conocía a nadie.*

desplazamiento s.m. **1** Cambio o traslado de lugar: *El tráfico dificulta mucho los desplazamientos por la ciudad.* **2** Sustitución en un cargo, en un puesto o en una función: *El desplazamiento de los viejos por parte de los jóvenes es inevitable.*

desplazar v. **1** Mover o cambiar de lugar: *Desplazó el sillón hacia la ventana para estar más cerca de la luz. Me desplazo al centro de la ciudad en metro.* **2** Quitar de un cargo, de un puesto o de una función: *Las máquinas han desplazado a las personas en muchos trabajos.* **3** En física, referido a un fluido, trasladarlo o moverlo de un lugar a otro: *Un globo aerostático desplaza una cantidad de aire igual a su volumen.* □ SINÓN. *desalojar.* □ ETIMOL. Del francés *déplacer*, y este de *place* (lugar). □ ORTOGR. La *z* se cambia en *c* delante de *e* →CAZAR.

desplegable s.m. Hoja de grandes dimensiones convenientemente doblada, que, al desplegarse, permite observar el contenido total del mensaje: *Con esta revista, regalan un desplegable a todo color.*

desplegar v. **1** Referido a algo plegado, extenderlo o desdoblarlo: *Despliega el mantel para colocarlo sobre la mesa. El periódico se desplegó con el aire.* **2** Referido esp. a un conjunto de tropas, hacerlo pasar a una formación abierta y extendida: *El jefe de policía desplegó a sus hombres por toda la plaza para evitar posibles desórdenes. Las tropas se desplegaron rápidamente por la llanura.* **3** Referido esp. a una cualidad o a una actividad, ejercitarlas o ponerlas en práctica: *Para conseguir lo que pretendía, desplegó toda su astucia.* □ ETIMOL. Del latín *explicare.* □ ORTOGR. Aparece una *u* después de la *g* cuando le sigue *e*. □ MORF. Irreg. →REGAR.

despliegue s.m. **1** Hecho de extender o desdoblar lo que está plegado: *El capitán ordenó el despliegue de las velas.* **2** Formación en una disposición abierta y extendida de un grupo organizado de personas, esp. de un conjunto de tropas: *Tras el despliegue de la compañía, esta quedó dispuesta para iniciar el combate.* **3** Ejercicio o puesta en práctica de una cualidad, de una aptitud o de una actividad: *Lo consiguió con un gran despliegue de simpatía.* **4** Ostentación o exhibición de algo para que sea conocido y admirado: *Nos impresionó aquel despliegue de medios.*

desplomar ▮ v. **1** Referido esp. a una pared o a un edificio, hacerles perder la posición vertical o caerse: *El peso del techo está desplomando la columna. La torre de Pisa parece que se va a desplomar.* ▮ prnl. **2** Referido a una persona, caerse sin vida o sin conocimiento: *Le bajó tanto la tensión que se des-*

plomó. **3** Arruinarse, perderse o venirse abajo: *Su imperio industrial se desplomó en tres años.* ☐ ETIMOL. De *plomo*.

desplome s.m. **1** Caída de algo que estaba en una posición vertical: *el desplome de un edificio.* **2** Desaparición o destrucción de algo: *el desplome de una civilización.*

desplumadura s.f. Pérdida o extracción de las plumas de un ave: *Le doy unas vitaminas a mi canario para evitar su desplumadura.* ☐ SINÓN. *desplume.*

desplumar v. **1** Referido a un ave, quitarle las plumas: *Metió el pavo en agua hirviendo para desplumarlo. Los gallos de pelea se desplumaron a picotazos.* **2** *col.* Quitar los bienes ajenos mediante engaño, arte o violencia: *Me desplumaron en una partida de cartas.* ☐ SINÓN. *pelar.*

desplume s.m. →**desplumadura.**

despoblación s.m. **1** Disminución o desaparición de la población de un lugar. ☐ SINÓN. *despoblamiento, despueble.* **2** Desaparición de lo que hay en un lugar, esp. de vegetación: *despoblación forestal.* ☐ SINÓN. *despoblamiento, despueble.*

despoblado s.m. Lugar no poblado, esp. el que antes tuvo población.

despoblamiento s.m. →**despoblación.**

despoblar v. **1** Referido a un lugar habitado, reducir su población o dejarlo sin habitantes: *La emigración a zonas industrializadas ha despoblado muchos pueblos. La zona se despobló por la pobreza de aquellos campos.* **2** Referido a un lugar, despojarlo de lo que hay en él, esp. de vegetación: *Despoblaron de álamos la avenida.* ☐ ETIMOL. Del latín *depopulare.* ☐ MORF. Irreg. →CONTAR.

despojar ▮ v. **1** Referido a una persona, privarla de lo que tiene o de lo que disfruta, esp. si se hace con violencia: *Lo despojaron de su cargo y decidió abandonar la empresa. Se despojó de todos sus bienes y se hizo ermitaño.* **2** Referido esp. a algo adornado o cubierto, quitarle lo que lo adorna, lo cubre o lo completa: *Al llegar de vacaciones, despojó de sábanas los muebles.* ▮ prnl. **3** Desnudarse o quitarse alguna prenda de vestir: *Se despojó de la camisa y se puso a cavar.* ☐ ETIMOL. Del latín *despoliare* (despojar, saquear). ☐ ORTOGR. Conserva la *j* en toda la conjugación. ☐ SINT. Constr. *despojar(se)* DE *algo.*

despojo ▮ s.m. **1** Privación o pérdida de lo que se tiene: *Los ladrones hicieron un buen despojo de mi casa.* **2** Lo que se ha perdido por el paso del tiempo, por la muerte o por otros accidentes: *La belleza es despojo del tiempo.* ▮ pl. **3** Vísceras y partes poco carnosas de los animales, que se consumen como carne: *Le dije al pollero que no quería ni el cuello, ni la molleja, ni los demás despojos del pollo.* **4** Sobras, residuos o desperdicios: *los despojos de la comida.* **5** Restos mortales: *Enterraron sus despojos en tierra cristiana.*

despolitización s.f. Pérdida o eliminación del carácter político: *La despolitización de los jóvenes preocupa a muchos partidos.*

despolitizar v. Referido esp. a una persona o a un hecho, quitarles el carácter político: *Ante la agresividad de algunos, se intentó despolitizar la reunión.* ☐ ORTOGR. La *z* se cambia en *c* delante de *e* →CAZAR.

despopularización s.f. Pérdida de la popularidad: *La despopularización de ciertos empleos obedece muchas veces a la existencia de prejuicios.*

despopularizar v. Referido esp. a una persona o a una cosa, privarlas de la popularidad: *La corrupción descubierta ha despopularizado a ese político.* ☐ ORTOGR. La *z* se cambia en *c* delante de *e* →CAZAR.

desporrondingarse v.prnl. **1** En zonas del español meridional, deshacerse. **2** En zonas del español meridional, desanimarse. ☐ ORTOGR. La *g* se cambia en *gu* delante de *e* →PAGAR.

desportilladura s.f. **1** Defecto o mella que queda en el borde de algo después de saltar de él un fragmento: *La taza tenía varias desportilladuras.* **2** Fragmento que se separa del borde o del canto de algo.

desportillar v. Referido a un objeto, estropearlo quitándole parte del borde: *Al tirar el plato al suelo, lo desportilló. Si se desportilla un vaso, prefiero tirarlo para evitar cortarnos.* ☐ ETIMOL. De *portillo* (hueco).

desposar v. Casar o unir en matrimonio: *El sacerdote que nos desposó era amigo nuestro. Los novios se desposaron en la catedral.* ☐ ETIMOL. Del latín *desponsare* (prometer). ☐ ORTOGR. Dist. de *esposar.*

desposeer ▮ v. **1** Referido a una persona, privarla de lo que posee: *Teme que lo desposean de alguna de sus fincas por no pagar las deudas.* ▮ prnl. **2** Renunciar a lo que se posee: *Se desposeyó de sus riquezas y las entregó a una institución benéfica.* ☐ ORTOGR. En las formas cuya desinencia contiene un diptongo *ie, io*, esta *i* se cambia en *y* →LEER. ☐ SINT. Constr. *desposeer(se)* DE *algo.*

desposeído, da adj./s. Que es pobre o que carece de lo indispensable para vivir.

desposeimiento s.m. Privación de lo que se posee o renuncia a ello.

desposorio s.m. Promesa mutua de futuro matrimonio que se hacen dos personas: *Se casaron seis meses después de los desposorios.* ☐ MORF. Se usa más en plural.

despostar v. En zonas del español meridional, descuartizar. ☐ ETIMOL. De *des-* y *posta* (tajada).

déspota ▮ adj.inv./s.com. **1** Que abusa de su autoridad y trata de imponerse con dureza. ▮ s.com. **2** Soberano que gobierna sin más norma que su voluntad: *El pueblo se rebeló contra el déspota.* ☐ ETIMOL. Del griego *despótes* (dueño, señor).

despótico, ca adj. Del déspota, propio de él o relacionado con él: *una actitud despótica.*

despotismo s.m. **1** Abuso de superioridad, de poder o de fuerza en el trato con los demás: *Trata a sus subordinados con despotismo.* **2** Autoridad absoluta no limitada por la ley: *El despotismo es propio de regímenes políticos totalitarios.* **3** ‖ **despo-**

tismo ilustrado; política propia de algunas monarquías absolutas del siglo XVIII, en la que se intentaba conciliar el poder absoluto del rey y las ideas ilustradas de la razón y orden natural: *La frase 'Todo para el pueblo, pero sin el pueblo' resume el programa del despotismo ilustrado.*

despotizar v. En zonas del español meridional, tiranizar. ☐ ORTOGR. La *z* se cambia en *c* delante de *e* →CAZAR.

despotricar v. *col.* Hablar sin consideración ni reparo criticando algo: *Despotrica contra todo y nunca está conforme con nada.* ☐ ETIMOL. Quizá de *potro*, con el sentido de *saltar como un potro.* ☐ ORTOGR. La *c* se cambia en *qu* delante de *e* →SACAR.

despreciable adj.inv. Digno de desprecio: *Eres un ser despreciable por tu egoísmo.*

despreciar v. No considerar digno de aprecio: *Desprecia a su primo porque tiene un trabajo humilde.* ☐ ETIMOL. Del latín *depretiare.* ☐ ORTOGR. La *i* nunca lleva tilde.

despreciativo, va adj. Que indica desprecio: *Me lanzó una mirada despreciativa que me hizo sentirme como un gusano.* ☐ SINÓN. *despectivo.*

desprecintar v. Referido a algo que está precintado, abrirlo o quitarle el precinto: *El juez desprecintó el tacómetro para investigar las causas del accidente del autobús.*

desprecio s.m. **1** Falta de aprecio: *mirar con desprecio.* **2** Hecho o dicho despreciativos: *hacer un desprecio.* ☐ SEM. Dist. de *displicencia* (falta de interés, afecto o entusiasmo).

desprender ▌v. **1** Referido a algo fijo o unido a otra cosa, desunirlo, separarlo o despegarlo de ella: *Desprendió los alfileres del vestido y lo cosió. Se han desprendido varias tejas y han caído a la acera.* **2** Echar de sí o esparcir: *Ese pescado desprende muy mal olor.* ▌prnl. **3** Referido esp. a algo propio, apartarse o prescindir de ello, o renunciar a ello: *Cuando se divorció, le costó mucho desprenderse de sus hijos.* **4** Deducirse o inferirse: *De todo lo que has dicho se desprende que no quieres ir.* ☐ ETIMOL. De *des-* (privación) y *prender.* ☐ SINT. Constr. de la acepción 3: *desprenderse* DE *algo.*

desprendible adj.inv. Que se desprende con facilidad: *Este tipo de roca se caracteriza por ser fácilmente desprendible por efecto de la erosión.*

desprendido, da adj. Desinteresado o generoso: *Es un niño muy desprendido y deja sus juguetes a todos.*

desprendimiento s.m. **1** Desunión o separación de trozos o de partes de algo: *un desprendimiento de rocas.* **2** Generosidad o actitud desinteresada. **3** En medicina, separación o desplazamiento de un órgano respecto de su posición normal: *desprendimiento de retina.*

despreocupación s.f. **1** Tranquilidad de ánimo o falta de preocupaciones: *Envidio tu despreocupación por todo.* **2** Negligencia o falta de cuidado: *Su trabajo no sería peligroso si no trabajase con tanta despreocupación.*

despreocupado, da adj./s. Que actúa con despreocupación: *Durante las vacaciones soy una persona muy despreocupada.*

despreocuparse v.prnl. **1** Librarse o salir de una preocupación: *Tú no eres responsable de lo que ha pasado, así que despreocúpate de ello.* **2** Desentenderse o no prestar la atención o el cuidado debidos: *No puedes despreocuparte de tus hijos así como así.* ☐ SINT. Constr. *despreocuparse* DE *algo.*

desprestigiar v. Quitar el prestigio o la buena fama: *Intenta desprestigiarme porque ve en mí un adversario. Su imagen pública se desprestigió al asociarse con ese grupo.*

desprestigio s.m. Pérdida del prestigio o de la buena fama: *La baja calidad de este producto es un desprestigio para nuestra fábrica.*

despresurizar v. Referido a algo que ha sido presurizado, anular los efectos de la presurización. ☐ ORTOGR. La *z* se cambia en *c* delante de *e* →CAZAR.

desprevenido, da adj. No preparado, no prevenido o falto de lo necesario: *pillar a alguien desprevenido.* ☐ SINÓN. *descuidado.*

desprogramación s.f. **1** Pérdida de las órdenes con las que algo se había programado: *Este botón permite la desprogramación de la calefacción, para volverla a programar.* **2** *col.* Cambio de un sistema de valores impuesto anteriormente: *Los que habían pertenecido a esta secta se sometieron a un proceso de desprogramación.*

desprogramar v. **1** Referido esp. a un aparato, borrarle las órdenes con las que estaba programado: *El vídeo se desprogramó cuando se fue la luz y no grabó el documental.* **2** *col.* Referido a una persona, cambiarle un sistema de valores que se le había impuesto anteriormente: *El equipo de psicólogos consiguió desprogramar a los jóvenes que habían pertenecido a la secta.*

desproporción s.f. Falta de la debida proporción: *Hay una gran desproporción entre la calidad y el precio de ese producto.*

desproporcionado, da adj. Que no tiene la proporción adecuada o necesaria: *Tienes unos pies pequeños y desproporcionados para lo alta que eres.*

desproporcionar v. Quitar la proporción o sacar de la medida: *Al desproporcionar las figuras, sus cuadros resultan extraños.*

despropósito s.m. Hecho o dicho inoportunos, sin sentido o sin razón: *Se enfadó y soltó tal cantidad de insultos y despropósitos que me asustó.*

desprotección s.f. Falta de protección: *Los sindicatos criticaron la desprotección del trabajador ante las nuevas leyes laborales.*

desproteger v. Dejar sin protección o ayuda: *La política de ese gobierno está desprotegiendo a los pequeños inversores.* ☐ ORTOGR. La *g* se cambia en *j* delante de *a, o* →COGER.

desprotegido, da adj. Que no tiene protección: *La urbanización estaba desprotegida y por eso decidieron contratar a un vigilante.*

desproveer v. Referido a una persona, despojarla o privarla de lo que tiene o de lo que disfruta. ☐

ORTOGR. 1. Incorr. *desprover. 2. En las formas cuya desinencia contiene un diptongo *ie*, *io*, esta *i* se cambia en *y* →LEER. ☐ MORF. Su participio es *desprovisto*. ☐ SINT. Constr. *desproveer* A *alguien* DE *algo*.

desprovisto, ta adj. Falto o carente, generalmente de lo necesario: *Es una película desprovista de calidad y de emoción.*

despueble s.m. →**despoblación.**

después adv. **1** En un lugar o en un tiempo posteriores: *Deja eso para después. Saldremos a la calle después de comer.* ☐ SINÓN. *luego.* **2** Seguido de 'de', en orden o jerarquía posteriores: *Después de ti, es la persona que mejor me cae.* **3** ‖ **después de todo;** a pesar de todo o teniendo en cuenta las circunstancias: *Después de todo, no nos fue tan mal.* ☐ ETIMOL. De las preposiciones latinas *de*, *ex* y el adverbio *post*. ☐ SINT. Se usa también con valor adversativo: *Después de lo que me preocupé por él, ahora me lo echa en cara.*

despumar v. →**espumar.**

despuntar v. **1** Referido a algo con punta, gastarla, quitarla o estropearla: *El uso ha despuntado el cuchillo. Al caerse el lápiz, se despuntó.* **2** Referido a una planta o a alguna de sus partes, empezar a brotar: *Ya han empezado a despuntar las flores del rosal.* **3** Referido al alba, a la aurora o al día, empezar a aparecer: *Nos levantamos al despuntar el día.* **4** Destacar o sobresalir: *Despuntaba entre sus amigos por su simpatía.*

desquiciamiento s.m. Exasperación, trastorno o alteración nerviosa de una persona: *Tiene tal desquiciamiento que no sabe lo que hace.*

desquiciar v. **1** Referido a una persona, exasperarla, trastornarla o ponerla fuera de sí: *Su tranquilidad cuando hay prisa me desquicia. Según ha ido envejeciendo, se ha ido desquiciando.* **2** Referido esp. a una idea o a una situación, darles una interpretación o un sentido distintos al natural: *Te ofendes sin razón, porque desquicias mis palabras. La situación se ha desquiciado porque todos estamos muy nerviosos.* **3** Referido esp. a una puerta o a una ventana, desencajarlas o sacarlas de su quicio: *De una fuerte patada desquició la puerta. Las ventanas de la casa abandonada se han desquiciado.* ☐ ORTOGR. La *i* nunca lleva tilde.

desquicio s.m. En zonas del español meridional, desorden o confusión.

desquitar ▮ v. **1** Referido a una persona, compensarla de una pérdida o de un contratiempo: *El premio me desquitó lo que había perdido. Al terminar los exámenes, se desquitó de su encierro no parando en casa ni un momento.* ▮ prnl. **2** Vengarse o tomar la revancha de un daño o de un disgusto recibidos: *Al ganar por cinco goles a cero, el equipo se desquitó de su anterior derrota.* ☐ MORF. En la acepción 1, se usa más como pronominal. ☐ SINT. Constr. *desquitar(se)* DE *algo*.

desquite s.m. Venganza o revancha del daño o del disgusto recibidos.

desratización s.f. Exterminio de las ratas y ratones que hay en un lugar: *Una vez al año, el almacén contrata un servicio de desratización.* ☐ ORTOGR. Incorr. *desrratización.

desratizar v. Referido a un lugar, exterminar las ratas y ratones que hay en él: *Han desratizado los almacenes del puerto.* ☐ ORTOGR. La *z* se cambia en *c* delante de *e* →CAZAR.

desreglamentación s.f. →**desregulación.**

desreglamentado, da adj. →**desregulado.**

desreglamentador, -a adj. →**desregulador.**

desreglamentar v. →**desregular.**

desregulación s.f. Pérdida de la regulación: *desregulación financiera.* ☐ SINÓN. *desreglamentación, desregularización.*

desregulado, da adj. Sin regulación: *una economía desregulada.* ☐ SINÓN. *desreglamentado, desregularizado.*

desregulador, -a adj. Que quita la regulación o que está a favor de quitarla: *medidas económicas desreguladoras.* ☐ SINÓN. *desreglamentador, desregularizador.*

desregular v. Referido a algo que estaba regulado, hacer que deje de estar sometido a una regla: *En ese artículo se dice que basta con desregular un sector para que surja la competencia.* ☐ SINÓN. *desreglamentar, desregularizar.*

desregularización s.f. →**desregulación.**

desregularizado, da adj. →**desregulado.**

desregularizador, -a adj. →**desregulador.**

desregularizar v. →**desregular.** ☐ ORTOGR. La *z* se cambia en *c* delante de *e* →CAZAR.

desriñonar v. **1** Referido a una persona o a un animal, dañarles el espinazo o los lomos: *Le hizo llevar un pesado saco de patatas a la espalda y lo desriñonó. Al agacharse bruscamente, se desriñonó.* ☐ SINÓN. *derrengar.* **2** *col.* Agotar o cansar mucho: *En ese trabajo lo desriñonan y encima le pagan una miseria. No te desriñones por ayudarlos, que no lo merecen.* ☐ ETIMOL. De *des-* (privación) y *riñón*.

desrizar v. Referido a algo rizado, deshacer los rizos o las ondulaciones que tiene: *No te desrices el pelo porque perderías tu atractivo.* ☐ ORTOGR. La *z* se cambia en *c* delante de *e* →CAZAR.

destacable adj.inv. Que destaca: *Vamos a realizar una exposición con lo más destacable de la obra de esta artista.*

destacado, da adj. Que se distingue entre los demás, generalmente por algo positivo: *Los alumnos más destacados obtendrán una beca de estudios.*

destacamento s.m. En el ejército, grupo de tropa que se separa del resto para realizar una misión determinada: *Cuando el batallón partió, un destacamento se quedó en el pueblo para protegerlo.*

destacar v. **1** Referido esp. a una característica, resaltarla o ponerla de relieve: *Destacó la importancia de la calidad de enseñanza.* **2** Sobresalir o notarse más: *En ese cuadro destaca el color azul. Le gusta destacarse de los demás.* **3** En el ejército, referido a un grupo de tropa, separarlo del cuerpo principal para una acción determinada: *El comandante destacó una sección de infantería para que vigilase la carretera.* □ ETIMOL. Del italiano *staccare.* □ ORTOGR. La *c* se cambia en *qu* delante de *e* →SACAR.

destajar v. Referido a una tarea, ajustar y expresar las condiciones con que ha de hacerse: *Yo os destajo el trabajo y vosotros solo tenéis que seguir mis instrucciones.* □ ORTOGR. Conserva la *j* en toda la conjugación.

destajista s.com. Persona que trabaja a destajo y cobra por el trabajo hecho, no por el tiempo invertido: *Necesitan un destajista para coser vestidos, pero no sé lo que pagan por cada prenda.*

destajo ‖ **a destajo; 1** Referido a un modo de trabajar o de contratación, cobrando por el trabajo hecho y no por el tiempo invertido: *Como trabajan a destajo, les conviene hacer lo máximo en el mínimo de tiempo.* **2** Con empeño, sin descanso o muy deprisa: *Ahora estamos trabajando a destajo día y noche para entregar el proyecto a tiempo.* □ ETIMOL. De *destajar.*

destapador s.m. En zonas del español meridional, abrebotellas.

destapar ▮ v. **1** Referido a algo tapado, quitarle la tapa o el tapón: *Destapó la olla y probó la comida. Al destaparse la botella, el champán salió con fuerza.* **2** Referido a algo oculto o cubierto, descubrirlo quitando lo que lo cubre: *El periodista destapó varios casos de corrupción. Me destapé anoche y me he acatarrado.* **3** En zonas del español meridional, desatascar: *Va a ser necesario destapar el tubo del fregadero, porque el agua no se va.* ▮ prnl. **4** Referido a una persona, hacer o decir algo sorprendente o impropio: *Mi prima se destapó como una cocinera estupenda.* **5** *col.* Desnudarse exhibiéndose: *La primera vez que esa actriz se destapó en una película fue un escándalo.*

destape s.m. Despojo de la ropa para exhibir el cuerpo desnudo: *Cuando hay una escena de destape, se escandaliza y apaga la televisión.*

destaponar v. Referido a algo tapado o taponado, quitarle el tapón o el taponamiento: *El médico me recetó unas gotas para que se me destaponen los oídos.*

destartalado, da adj. Mal cuidado, estropeado o medio roto: *A mitad de camino, se estropeó aquel autobús destartalado.* □ ETIMOL. De origen incierto.

destartalar ▮ v. **1** *col.* En zonas del español meridional, referido a una persona, golpearla. ▮ prnl. **2** Estropearse o romperse.

destazar v. Referido esp. a un animal, partirlo en trozos: *En el yacimiento han encontrado instrumentos prehistóricos para destazar la carne.* □ ORTOGR. La *z* se cambia en *c* delante de *e* →CAZAR.

destechar v. Referido esp. a un edificio, quitarle el techo: *Como la casa tenía muchas goteras, la destecharon y la techaron de nuevo.*

destejar v. Referido esp. a un tejado, quitarle las tejas: *Destejamos el tejado para arreglar bien las goteras.* □ ORTOGR. Conserva la *j* en toda la conjugación.

destejer v. Referido a algo tejido, desenlazar los hilos que lo forman: *Se había equivocado y tuvo que destejer dos vueltas del jersey.* □ ORTOGR. Conserva la *j* en toda la conjugación.

destellar v. Despedir destellos, rayos de luz o chispas, generalmente intensos y de breve duración: *Las estrellas destellan en la noche.* □ SINÓN. *destellear.* □ ETIMOL. Del latín *destillare* (gotear).

destellear v. →**destellar.**

destello s.m. **1** Resplandor o rayo de luz intenso y de breve duración: *los destellos de un diamante.* **2** Manifestación breve o momentánea de algo: *Ha perdido la cabeza, pero de vez en cuando tiene destellos de lucidez.*

destemplado, da adj. **1** Referido al tiempo atmosférico, que es desapacible: *un día destemplado.* **2** Referido a una persona, que siente algún tipo de malestar físico: *Tengo fiebre y me encuentro destemplada.*

destemplanza s.f. **1** Falta de templanza o de moderación: *La destemplanza de sus palabras denotaba enfado.* **2** Sensación de malestar general, acompañada a veces de escalofríos. □ SINÓN. *destemple.*

destemplar v. **1** Referido a un instrumento musical, desafinarlo o romper la armonía con que está afinado: *Destempló el violín porque no sabía tocarlo. Se ha destemplado la guitarra y no sé afinarla.* **2** Producir o sentir malestar físico: *He dormido poco y eso me ha destemplado. Se destempló por una corriente de aire y se echó una manta por encima.* □ ETIMOL. De *des-* (acción contraria) y *templar.*

destemple s.m. **1** Falta de armonía en la afinación de un instrumento: *el destemple de las cuerdas de una guitarra.* **2** Pérdida del temple de un instrumento de acero o de otro metal: *el destemple de una espada.* **3** →**destemplanza.**

destensar v. Referido a algo tirante o tenso, aflojarlo o hacer que disminuya su tensión: *La cuerda se destensó y la ropa cayó al suelo.* □ SINÓN. *distender.*

desteñido, da adj. **1** Pálido o con poco color: *Pintó las paredes de un azul desteñido que no me gustó.* **2** Con menos color del normal, o con los colores mezclados: *Dice que ahora se lleva la ropa desteñida.*

desteñir v. **1** Quitar el tinte o apagar el color: *El sol ha desteñido la camisa y se ha quedado blancuzca. La ropa de color se destiñe de tanto lavarla.* **2** Manchar al perder el color: *Lava ese pantalón aparte para que no destiña las demás prendas. Esa tela no es de buena calidad y destiñe.* □ MORF. Irreg. →CEÑIR.

desternillarse v.prnl. *col.* Reírse mucho: *Es tan bueno contando chistes que nos desternillamos con él.* □ ETIMOL. De *ternilla*, porque cuando uno se ríe mucho, parece que se van a romper las ternillas. □ PRON. Incorr. *[destornillárse].

desterrar ▮ v. **1** Referido a una persona, expulsarla de un territorio por orden judicial o por decisión gubernamental: *A Lope de Vega lo desterraron de la corte.* **2** Referido a una costumbre o a un uso, abandonarlos o hacer que se desechen: *Habría que desterrar la costumbre de dar propinas.* **3** Echar o apartar de sí: *Jamás pudo desterrar de su mente aquella imagen.* ▌prnl. **4** Abandonar la patria por algún motivo que impida vivir en ella: *Muchos intelectuales se desterraron al implantarse la dictadura.* ☐ ETIMOL. De *des-* (separación) y *tierra.* ☐ MORF. Irreg. →PENSAR.

destetar ▌v. **1** Referido a un niño o a una cría animal, hacer que dejen de mamar, dándoles otro tipo de alimento: *Hasta que no dejó de tener leche, no destetó a su hijo.* ▌prnl. **2** *col.* Referido a una persona, apartarse de la protección de su casa y aprender a valerse por sí misma: *Ya es hora de que te destetes y de que no tengan que decidir tus padres por ti.*

destete s.m. Terminación de la lactancia: *El pediatra te dirá cuándo es el momento adecuado para el destete del bebé.*

destiempo || **a destiempo;** fuera de tiempo o en un momento inoportuno: *Siempre me ofreces ayuda a destiempo, cuando ya no la necesito.*

destierro s.m. **1** Expulsión de un territorio que se hace de una persona por orden judicial o por decisión gubernativa: *una pena de destierro.* **2** Abandono de la patria por decisión propia: *Emprenderé el destierro y no volveré mientras las cosas no cambien.* **3** Tiempo que dura esta expulsión o este abandono: *Mi abuelo nos contaba que le parecía que su destierro nunca acabaría.* **4** Lugar donde vive la persona que está desterrada: *La vida en el destierro suele ser muy difícil al principio.* **5** Abandono de una costumbre o de un uso: *La calefacción ha conseguido el destierro de los viejos braseros.*

destilación s.f. Proceso mediante el que se separa una sustancia volátil de otra que no lo es, por medio del calor: *El aguardiente se obtiene de la uva mediante un proceso de destilación.*

destilar v. **1** Referido a una sustancia volátil, separarla de otra que no lo es, por medio de calor y en alambiques o en otros vasos: *El alambique sirve para destilar alcohol. El queroseno se destila entre 190 y 260 grados centígrados.* **2** Revelar, mostrar o dejar ver: *Su mirada destilaba envidia.* **3** Referido a un líquido, soltarlo gota a gota: *La herida destila pus.* ☐ ETIMOL. Del latín *destillare* (gotear).

destilería s.f. Lugar donde se hacen destilaciones: *En esa destilería fabrican licores y aguardientes.*

destinar v. **1** Señalar o determinar para un fin o para una función: *Parte del presupuesto lo destinarán para hospitales.* **2** Referido a una persona, designarle un empleo, una ocupación o un lugar donde ejercerlos: *Aprobó unas oposiciones de juez y lo destinaron a Burgos.* **3** Referido a un envío, dirigirlo hacia una persona o hacia un lugar: *Esa crítica iba destinada a tu primo.* ☐ ETIMOL. Del latín *destinare* (fijar, sujetar, apuntar).

destinatario, ria s. Persona a quien va dirigido o destinado algo: *El destinatario recibirá la carta en su domicilio.*

destino s.m. **1** Punto de llegada, o hacia el que se dirige alguien o algo: *Ya ha salido el tren con destino a tu pueblo.* **2** Uso, finalidad o función que se da a algo: *Quiero conocer el destino del dinero que pagamos como impuestos.* **3** Empleo u ocupación: *Le han dado un destino como ayudante de un juez.* **4** Lugar o establecimiento en el que se ejerce un empleo: *En las listas de los aprobados en las oposiciones, figuran los destinos de cada uno.* **5** Encadenamiento de los sucesos considerado como necesario e inevitable: *Si las cosas han salido así, será que era mi destino.* **6** Hado o fuerza desconocida que actúa irresistiblemente sobre las personas y los sucesos: *El destino me ha obligado a ser como soy.*

destitución s.f. Expulsión de una persona del cargo que tiene: *La ministra decidió la destitución del subsecretario.*

destituir v. Referido a una persona, separarla o expulsarla del cargo que tiene: *Lo destituyeron del cargo de director porque su gestión era mala.* ☐ ETIMOL. Del latín *destituere* (abandonar, privar, suprimir). ☐ MORF. Irreg. →HUIR. ☐ SINT. Constr. *destituir a alguien* DE *algo.*

destopar v. Referido a un límite establecido, eliminarlo: *destopar las bases de cotización; destopar una carrera profesional.*

destope s.m. Eliminación de un límite establecido.

destornillador (tb. *desatornillador*) s.m. **1** Herramienta que sirve para atornillar y desatornillar: *Entre las herramientas del coche, lleva un juego de destornilladores de distintos tamaños.* ☐ SINÓN. *atornillador.* **2** *col.* Bebida alcohólica hecha con vodka y naranjada: *El destornillador es el único combinado que me gusta.*

destornillar v. →**desatornillar.** ☐ ORTOGR. Dist. de *desternillarse.*

destrenzar v. Referido a algo trenzado, deshacerle la trenza o separar sus cabos: *Destrenza la cuerda porque se ha roto uno de sus cabos.* ☐ ORTOGR. La *z* se cambia en *c* delante de *e* →CAZAR.

destreza s.f. Habilidad, facilidad o arte para hacer algo bien hecho: *Para los trabajos manuales, hay que tener destreza con las manos.* ☐ ETIMOL. De *diestro.*

destripacuentos (pl. *destripacuentos*) s.com. *col.* Persona que interrumpe de forma inoportuna una narración o que anticipa el final: *Eres un destripacuentos y no vuelvo a contar nada si no te callas.*

destripador, -a s. *col.* Asesino que abre el cuerpo de sus víctimas y les saca las tripas.

destripar v. **1** Referido a una persona o a un animal, sacarles las tripas: *El toro embistió al caballo y lo destripó. Una cabra se ha caído por un barranco y se ha destripado.* **2** Referido a un objeto, desarmarlo y sacar lo que tiene en el interior: *Destripó la muñeca para averiguar por qué hablaba.* **3** Referido esp. a algo blando, aplastarlo o reventarlo apretando con fuerza: *Se sentó sobre el paquete y lo destripó.* ☐ SINÓN. *apachurrar, despachurrar, espachurrar.* **4** *col.* Referido esp. a un relato, estropearlo por anticipar su final: *Sé que sabes el final, pero cállate y no me destripes el chiste.*

destripaterrones (pl. *destripaterrones*) s.com. **1** *col. desp.* Persona tosca, inculta y poco educada: *¡Cómo le va a gustar la danza a una destripaterrones como tú!* **2** Persona que trabaja cavando la tierra: *Mi abuelo trabajó toda su vida de destripaterrones en el campo.*

destrísimo, ma superlat. irreg. de **diestro**. ☐ MORF. Es la forma culta de *diestrísimo*.

destronamiento s.m. **1** Privación del trono a un rey o a una reina. **2** Privación de la situación importante o privilegiada que tenía alguien o algo: *La televisión produjo el destronamiento del cine como medio de comunicación.*

destronar v. **1** Referido a un rey o a una reina, expulsarlos o echarlos del trono: *Los sublevados pretendían destronar al rey.* ☐ SINÓN. *desentronizar.* **2** Referido esp. a una persona, quitarle la posición importante o privilegiada que ocupa: *El hermano mayor está celoso porque el bebé lo ha destronado.* ☐ SINÓN. *desentronizar.*

destroncar v. Referido a un árbol, cortarlo por el tronco: *Han destroncado los pinos de un pinar para venderlos.* ☐ ORTOGR. La *c* se cambia en *qu* delante de *e* →SACAR.

destroyer (ing.) s.com. →**destructor.** ☐ PRON. [distróyer]. ☐ USO Su uso es innecesario.

destrozar v. **1** Romper, destruir o convertir en pedazos: *En ese edificio cayó una bomba y lo destrozó. El coche se destrozó al caer por el barranco.* **2** Estropear, maltratar o deteriorar: *No te presto mis libros porque los destrozas. Por fregar sin guantes, se me han destrozado las manos.* **3** Referido esp. a una persona, causarle un profundo daño moral: *La noticia del accidente ha destrozado a la familia.* **4** Referido esp. a un contrincante, vencerlo totalmente: *Nuestro equipo destrozó al contrario en los primeros veinte minutos de partido.* **5** Agotar o cansar muchísimo: *Tanto pasear me ha destrozado. No te destroces trabajando.* ☐ ORTOGR. La *z* se cambia en *c* delante de *e* →CAZAR.

destrozo s.m. **1** Destrucción o rotura de algo en trozos. **2** Daño muy grande: *los destrozos de una guerra.*

destrozón, -a adj./s. Referido a una persona, que rompe o estropea las cosas más de lo normal al usarlas: *Cuida más tus juguetes y no seas tan destrozón.*

destrucción s.f. **1** Daño o destrozo muy grandes: *la destrucción de un edificio.* **2** Hecho de hacer desaparecer o inutilizar totalmente: *la destrucción de unos documentos.*

destructible adj.inv. Que puede ser destruido.

destructivo, va adj. Que destruye o tiene el poder de destruir: *Su crítica destructiva nos ha desmoralizado mucho.*

destructor, -a ▌adj./s. **1** Que destruye: *Las drogas tienen efectos destructores sobre las neuronas del cerebro.* ▌s.m. **2** Barco de guerra rápido, de tonelaje medio y preparado para misiones de escolta y ofensivas: *Los destructores están equipados con diversas clases de armamento.* ☐ USO En la acepción 1, es innecesario el uso del anglicismo *destroyer*.

destruir v. **1** Referido a algo material, deshacerlo o arruinarlo totalmente: *El incendio destruyó el edificio entero. La presa se destruyó por la presión excesiva del agua.* **2** Referido a algo no material, hacerlo desaparecer o inutilizarlo: *Destruyó mis argumentos con una frase. ¡Qué fácilmente puede destruirse una esperanza!* ☐ ETIMOL. Del latín *destruere* (demoler, destruir). ☐ MORF. Irreg. →HUIR.

desubicarse v.prnl. En zonas del español meridional, desorientarse: *Como no conocía bien la ciudad, me desubiqué y no sabía dónde estaba.* ☐ ORTOGR. La *c* se cambia en *qu* delante de *e* →SACAR.

desuello s.m. **1** Separación de la piel de una persona o de un animal. **2** Ruina o daño causados esp. en la fortuna o en el honor: *Estos precios tan elevados son un desuello para el bolsillo.*

desuncir v. Referido a dos animales de carga, quitarles el yugo que los mantiene unidos: *Después de arar con la pareja de bueyes, los desunció y los metió en el establo.* ☐ ETIMOL. Del latín *disiungere.* ☐ ORTOGR. La *c* se cambia en *z* delante de *a, o* →ZURCIR.

desunión s.f. Discordia, enemistad o separación, esp. entre personas: *Al morir los padres, comenzó la desunión entre los hermanos.*

desunir v. **1** Referido a dos o más cosas unidas, separarlas o apartarlas: *Tengo que desunir las mangas del vestido porque me quedan mal. Se ha desunido uno de los vagones del tren porque estaba mal enganchado.* **2** Referido a dos o más personas, hacer que se lleven mal entre sí: *Los problemas económicos nunca han desunido a la familia. Esa pareja se desunió cuando empezaron a conocerse de verdad.*

desusado, da adj. **1** Desacostumbrado, insólito o poco normal: *Me habló con una amabilidad desusada en él.* **2** Anticuado o que ha dejado de usarse.

desuso s.m. Falta de uso o de utilización: *Los braseros y los candiles ya están en desuso.*

desustanciar v. Quitar la sustancia, la esencia o las características propias: *Con tantas variaciones, se ha desustanciado el espíritu original del concurso.* ☐ ORTOGR. La *i* nunca lleva tilde.

desvaído, da adj. **1** Referido esp. a un color, que es pálido o apagado. **2** Desdibujado, impreciso o poco claro: *un recuerdo desvaído.* ☐ ETIMOL. Quizá del portugués *esvaido* (desvanecido, evaporado).

desvaírse v.prnl. Hacer perder el color, la fuerza o la intensidad: *El colorido del toldo se está desvayendo.* ☐ MORF. 1. Verbo defectivo: solo se usan las formas que presentan *i* en su desinencia. →ABOLIR. 2. Irreg. →HUIR.

desvalido, da adj./s. Que no puede valerse por sí mismo, o que carece de ayuda y de protección: *Intenta socorrer a los desvalidos en lo que puede.*

desvalijamiento s.m. Robo de todo lo que se tiene: *En vacaciones, hay bandas de cacos que se dedican al desvalijamiento de casas.*

desvalijar v. **1** Referido a una persona, despojarla de todo lo que lleva mediante el robo, el engaño o el juego: *Unos tipos me desvalijaron en el aeropuerto y no me dejaron más que la ropa que llevaba puesta.* **2** Referido esp. a un lugar, robar todas las cosas valiosas que tiene: *Los ladrones le desvalijaron la casa mientras él estaba fuera.* □ ORTOGR. Conserva la *j* en toda la conjugación.

desvalimiento s.m. Abandono o falta de amparo, de ayuda y de protección: *¿Quién puede tener el valor de aprovecharse del desvalimiento de un niño?*

desvalorización s.f. Disminución del valor o del precio: *La desvalorización de estos pisos se debe a la falta de transporte público de la zona.*

desvalorizar v. Referido a algo con valor, disminuir su valor o su precio: *Poner un basurero justo al lado ha desvalorizado estos terrenos. Los coches se desvalorizan con el paso del tiempo.* □ ORTOGR. La *z* se cambia en *c* delante de *e* →CAZAR.

desván s.m. En una casa, parte más alta, inmediatamente bajo el tejado, que suele usarse para guardar objetos viejos o que ya no se usan: *Tenía en el desván baúles llenos de ropa de sus antepasados.* □ SINÓN. *boardilla, bohardilla, buharda, buhardilla, guardilla, sobrado.* □ ETIMOL. Del antiguo *desvanar*, y este de *vano* (lugar vacío entre el tejado y el último piso).

desvanecer ▮ v. **1** Referido esp. a una sustancia o a un color, disgregarlos o hacerlos desaparecer poco a poco: *El sol desvaneció la niebla. El humo se desvanece en la atmósfera.* **2** Referido esp. a una idea o a un recuerdo, deshacerlos, anularlos o quitarlos de la mente: *Espero que mi declaración haya desvanecido tus dudas. En cuanto te tomes esto, se te desvanecerá el dolor.* ▮ prnl. **3** Perder el sentido o desmayarse: *Se ha desvanecido porque lleva el día entero sin comer.* □ ETIMOL. Del latín *evanescere* (desaparecer, disiparse, evaporarse). □ MORF. Irreg. →PARECER.

desvanecimiento s.m. **1** Desaparición de algo sin dejar ningún rastro: *el desvanecimiento de un recuerdo.* **2** Desmayo o pérdida del sentido: *sufrir un desvanecimiento.*

desvarar v. Referido a una embarcación que estaba varada, ponerla a flote: *Han conseguido desvarar el buque encallado.*

desvariar v. Decir o hacer locuras o cosas ilógicas o sin sentido: *La fiebre te hace desvariar.* □ ETIMOL. De *vario.* □ ORTOGR. La *i* lleva tilde en los presentes, excepto en las personas *nosotros* y *vosotros* →GUIAR.

desvarío s.m. **1** Hecho o dicho disparatados, irracionales o sin lógica: *Cuando empieza con sus desvaríos sobre su origen noble, no lo aguanto.* **2** Pérdida momentánea de la razón o del juicio, generalmente causada por una enfermedad o por la vejez: *El anciano cada vez tiene desvaríos más frecuentes.*

desvelamiento s.m. Descubrimiento de lo que no se conocía, para que se sepa: *el desvelamiento de un secreto.*

desvelar ▮ v. **1** Quitar el sueño o no dejar dormir: *Las preocupaciones me desvelan. La niña se ha desvelado y no hay quien la duerma.* **2** Referido a algo que no se sabe, descubrirlo o ponerlo de manifiesto: *Nunca desvelaré el secreto de este postre.* ▮ prnl. **3** Referido a una persona, poner gran cuidado y atención en las personas o en las cosas que tiene a su cargo, o en la consecución de un propósito: *Se desvela para que no les falte nada a sus hijos.* □ ETIMOL. La acepción 2, de *des-* (privación) y *velar* (cubrir con velo). Las acepciones 1 y 3, del latín *dis-* (des-) y *evigilare* (despertarse, velar).

desvelo s.m. **1** Pérdida del sueño cuando se necesita dormir. **2** Cuidado y atención que se pone en lo que uno tiene a su cargo: *Se ocupa de su bebé con gran desvelo.*

desvencijar v. Referido esp. a una construcción, aflojar, desunir o separar las partes que la forman: *El viento ha desvencijado las ventanas de esa casa abandonada. Peso tanto que al sentarme se desvencijó la silla.* □ ETIMOL. De *des-* (acción contraria) y *vencejo* (ligadura). □ ORTOGR. Conserva la *j* en toda la conjugación.

desventaja s.f. **1** Perjuicio que tiene algo en comparación con otra cosa: *Me has dejado en desventaja.* **2** Inconveniente o impedimento: *No he encontrado ninguna desventaja.*

desventura s.f. **1** Mala suerte: *La desventura le persiguió durante toda su amarga vida.* □ SINÓN. *desgracia.* **2** Suceso que causa un dolor o un daño grandes: *Tantas desventuras acabarán conmigo.* □ SINÓN. *desgracia.* □ ETIMOL. De *des-* (acción contraria) y *ventura.*

desventurado, da adj./s. Que padece alguna desgracia o que tiene mala suerte: *Ese desventurado no consigue salir adelante.* □ SINÓN. *desgraciado.*

desvergonzado, da adj./s. Que habla o actúa con desvergüenza: *Ese desvergonzado me sacó la lengua.*

desvergonzarse v.prnl. Perder la vergüenza al hablar o al actuar: *Se desvergonzó y casi acaba insultándonos.* □ ORTOGR. La *g* se cambia en *gü* y la *z* en *c* delante de *e.* □ MORF. Irreg. →AVERGONZAR.

desvergüenza s.f. Insolencia, falta de vergüenza o falta de educación ostentosa: *Su desvergüenza es tal que no tiene ningún pudor al hablar de su vida íntima.*

desvestir v. Quitar el vestido o parte de él: *Desviste al niño mientras le preparo el baño.* □ SINÓN. *desnudar.* □ MORF. Irreg. →PEDIR.

desviación s.f. **1** Cambio de la trayectoria de algo que llevaba determinada dirección: *Lo acusaron de desviación de fondos públicos para su beneficio personal.* □ SINÓN. *desvío.* **2** Separación de la dirección o de la posición normales o debidas: *desviación de columna.* **3** Tramo de una carretera que se aparta de la general: *Para llegar a mi pueblo, coge la carretera nacional y toma la primera desviación a la derecha.* □ SINÓN. *desvío.* **4** Camino provisional que sustituye un tramo inutilizado de una carretera: *La carretera está cortada por obras y hay que ir por una desviación.* □ SINÓN. *desvío.* **5** Tendencia o hábito que se consideran anormales en el comportamiento de una persona: *una desviación del comportamiento.*

desviacionismo s.m. Doctrina o práctica que se apartan de otras que se consideran fundamentales.

desviacionista adj.inv./s.com. Del desviacionismo o relacionado con esta doctrina: *Es un partido muy autoritario y no tolera a los desviacionistas.*

desviar v. **1** Referido a algo que lleva determinada dirección, cambiar su trayectoria o apartarlo del camino que llevaba: *La policía desviaba los coches por calles secundarias para evitar el atasco.* **2** Referido a una persona, disuadirla o apartarla del propósito o de la idea que tenía: *Tanto juego te está desviando del estudio.* □ ETIMOL. Del latín *deviare.* □ ORTOGR. La *i* lleva tilde en los presentes, excepto en las personas *nosotros* y *vosotros* →GUIAR.

desvinculación s.f. Separación de algo a lo que se estaba unido: *Me ha decepcionado tu actual desvinculación con el partido.*

desvincular v. Quitar un vínculo o perderlo: *Con este documento me desvinculo de mis obligaciones con la empresa.*

desvío s.m. →**desviación.**

desvirgar v. Referido a una persona, hacer que pierda la virginidad: *En la Edad Media, el señor feudal tenía el derecho a desvirgar a las mujeres de sus vasallos.* □ ETIMOL. De *des-* (privar) y *virgo.* □ ORTOGR. La *g* se cambia en *gu* delante de *e* →PAGAR.

desvirtuación s.f. Cambio de la virtud, de la esencia o de las características propias: *Con el paso del tiempo se ha producido la desvirtuación de la figura de este político.*

desvirtuar v. Quitar la virtud, la esencia o las características propias: *Esta salsa es tan fuerte que desvirtúa el sabor de la carne. Muchas fiestas populares se han desvirtuado y han perdido su sentido.* □ ORTOGR. La *u* lleva tilde en los presentes, excepto en las personas *nosotros* y *vosotros* →ACTUAR.

desvitalizar v. Referido esp. a un nervio, dejarlo sin sensibilidad: *El dentista me ha desvitalizado el nervio de la muela que tanto me dolía.* □ ORTOGR. La *z* se cambia en *c* delante de *e* →CAZAR.

desvivirse v.prnl. Mostrar amor o incesante y vivo interés por una persona: *Se desvive por todos nosotros y nos colma de atenciones.* □ SINT. Constr. *desvivirse {CON/POR} algo.*

desyerbar v. →**desherbar.**

detallar v. Contar o tratar por partes o de forma pormenorizada: *Ha detallado muy bien todos sus gastos. La policía me pidió que detallara los hechos.* □ ETIMOL. Del francés *détailler.*

detalle s.m. **1** Pormenor, parte o fragmento de algo: *Me explicó la historia por encima porque no se acordaba de los detalles.* **2** Muestra de cortesía, de amabilidad o de cariño: *Tuvo el detalle de regalarme un libro el día de mi cumpleaños.* **3** || **al detalle;** referido esp. a la forma de comprar o de vender, al por menor o en pequeña cantidad: *Los pequeños comercios venden al detalle.*

detallista ▮ adj.inv./s.com. **1** Minucioso, meticuloso o que se fija en los detalles: *Esta novela es un relato muy detallista de las costumbres del siglo XIX. Es muy detallista y siempre me felicita el día de mi cumpleaños.* ▮ s.com. **2** Persona que se dedica profesionalmente a la venta al por menor o en pequeñas cantidades: *Los detallistas compran la mercancía a los mayoristas.*

detección s.f. Descubrimiento o localización de algo, esp. por métodos físicos o químicos: *Las revisiones médicas periódicas facilitan la detección precoz del cáncer.*

detectable adj.inv. Que se puede detectar: *Con este programa, cualquier anomalía en el sistema resulta fácilmente detectable.*

detectar v. **1** Referido a algo que no se observa directamente, descubrirlo o hacerlo notar: *Los análisis no han detectado en su organismo ningún tipo de sustancia contaminante. Han detectado restos de una antigua cultura en la zona.* **2** Darse cuenta o notar: *Detecto ironía en el tono de tu voz. El oído humano no detecta ciertos sonidos.* □ ETIMOL. Del inglés *to detect.*

detective s.com. **1** Policía que se dedica a la investigación de determinados casos y que a veces interviene en los procesos judiciales: *Los detectives del cuerpo de policía no van uniformados.* **2** || **detective (privado);** persona legalmente autorizada para la investigación de los asuntos para los que es contratada: *Ha contratado a un detective privado para averiguar si su mujer lo engaña.* □ ETIMOL. Del inglés *detective.*

detectivesco, ca adj. Del detective, de su profesión o relacionado con ellos: *Realicé una investigación detectivesca para saber si me habías mentido o no.*

detector s.m. Aparato que sirve para detectar: *un detector de metales; un detector de mentiras.*

detención s.f. **1** Privación provisional de la libertad, ordenada por la autoridad competente: *una orden de detención.* **2** Parada o suspensión de una acción o del movimiento de algo: *Una detención en el crecimiento del niño puede deberse a carencias vitamínicas.* □ SINÓN. *detenimiento.*

detener v. **1** Referido al desarrollo de algo, suspenderlo o impedirlo: *La juez detuvo la ejecución en el último momento.* **2** Parar o cesar en el movimiento o en una acción: *El conductor detuvo el coche delante de la casa. El crecimiento económico se ha detenido.* **3** Privar de libertad por un corto espacio de tiempo: *La policía soltó al joven que acababa de detener, porque la denuncia fue retirada.* □ ETIMOL. Del latín *detinere.* □ MORF. Irreg. →TENER.

detenido, da adj. Que se detiene o que requiere detenerse en los menores detalles: *Después de un detenido estudio del proyecto, decidieron aprobarlo.* □ SINÓN. *minucioso.*

detenimiento s.m. **1** →**detención.** **2** || **con detenimiento;** de forma minuciosa o con cuidado: *La médica examinó al paciente con detenimiento.*

detentar v. Referido a un poder o a un cargo públicos, ejercerlos ilegítimamente: *El general detentó el poder del país gracias a un golpe de Estado.* □ ETIMOL. Del latín *detentare.* □ SEM. No debe emplearse con el significado de 'ocupar o desempeñar cargos o títulos legales': *Ganó las elecciones y {*detenta > ocupa} la jefatura del Gobierno.*

detergente s.m. Sustancia o producto artificiales que sirven para limpiar: *Antes de lavar, pongo detergente en la lavadora.* □ ETIMOL. Del antiguo *deterger* (limpiar).

deteriorar v. Estropear o poner en un estado peor que el original: *La lluvia ha deteriorado la pintura de la puerta. Las relaciones entre estos dos países se han deteriorado.* □ ETIMOL. Del latín *deteriorare,* y este de *deterior* (peor, inferior).

deterioro s.m. Empeoramiento del estado o de la condición de algo: *el deterioro de la salud.*

determinación s.f. **1** Resolución que se toma sobre algo: *Sigue en pie mi determinación de estudiar matemáticas.* **2** Valor, osadía o actitud del que actúa con decisión y no se detiene ante los riesgos o las dificultades: *Sacamos adelante nuestro proyecto gracias a su determinación.* **3** Establecimiento de los términos o límites: *Gracias a la determinación de cada área, no nos inmiscuimos en el trabajo de los demás.* **4** Distinción o conocimiento de algo al establecer sus diferencias o características: *Sin una clara determinación de la enfermedad, no habrá diagnóstico.* **5** Fijación para un efecto: *la determinación de una fecha.*

determinado, da adj. **1** Que actúa de forma osada y valerosa, con decisión y sin detenerse ante los riesgos y las dificultades. **2** Que tiene límites claros o precisos: *No tengo una idea determinada de lo que estoy buscando.* **3** Que se considera en sí mismo y en oposición al grupo genérico del que forma parte: *¿Quieres cualquier bolígrafo o necesitas uno determinado?*

determinante ▌adj.inv./s.com. **1** Referido a un factor o a una causa, que determina. ▌s.m. **2** En gramática, palabra que limita o precisa la extensión significativa del nombre: *Artículos, demostrativos, posesivos y numerales pueden funcionar como determinantes.*

determinar v. **1** Fijar o establecer los términos o límites: *Hay que determinar las competencias de las autonomías.* **2** Distinguir, averiguar o conocer al establecer las diferencias o características: *No soy capaz de determinar la naturaleza de este virus.* **3** Señalar, concretar o fijar para un efecto: *La forense no ha determinado aún la hora de la muerte.* **4** Tomar o hacer tomar una decisión: *Determiné comprarme un coche nuevo.* **5** Originar o ser causa o motivo: *El aumento de precio del petróleo determinó la subida de la gasolina.* **6** En gramática, referido a un nombre, limitar o precisar su extensión significativa: *'Casa' es un sustantivo sin determinar, frente a 'la casa', 'esta casa', 'dos casas'...* □ ETIMOL. Del latín *determinare.*

determinativo, va adj. Que determina, esp. referido a un adjetivo: *La gramática tradicional llama adjetivos determinativos a lo que hoy se conoce con el nombre de determinantes.*

determinismo s.m. Concepción filosófica según la cual todos los acontecimientos del universo están sometidos a las leyes naturales: *El determinismo niega la existencia de la libertad humana para decidir.*

determinista ▌adj.inv. **1** Del determinismo o relacionado con esta concepción filosófica: *Según la concepción filosófica determinista todo hecho resulta de las causas que lo determinan necesariamente.* ▌adj.inv./s.com. **2** Que sigue o que defiende el determinismo: *Los deterministas niegan la existencia del libre albedrío.*

detestable adj.inv. Muy malo o digno de ser detestado: *Lo que acabas de hacer me parece detestable. Los asesinos son personas detestables.*

detestar v. Referido a una persona o a una cosa, sentir aversión o repugnancia hacia ellas, de forma que el impulso natural sea alejarse o desear que desaparezca: *Detesto a la gente que miente.* □ SINÓN. *aborrecer.* □ ETIMOL. Del latín *detestari* (alejar con imprecaciones, tomando a los dioses como testigos).

detonación s.f. Explosión o estallido fuertes o bruscos: *Antes del incendio del almacén se oyeron dos detonaciones.*

detonador, -a ▌adj./s. **1** Que provoca detonación. ▌s.m. **2** Dispositivo que sirve para hacer estallar una carga explosiva.

detonante adj.inv./s.m. **1** Referido a un agente, capaz de producir una detonación: *La pólvora es un detonante.* **2** Referido a un factor, que provoca o causa un resultado: *La subida de los precios del pan fue el detonante de las protestas populares.* □ MORF. Incorr. su uso como femenino: *{*la > el} detonante.*

detonar v. **1** Estallar o dar un estampido o un trueno: *Cuando la bomba detonó, no había nadie cerca.* **2** Producir una explosión o un estallido: *Este mecanismo sirve para detonar la bomba.* **3** Llamar la atención o destacar entre los demás: *Su afán por detonar dentro del grupo es a veces insoportable.* □ ETIMOL. Del latín *detonare.*

detractor, -a s. Persona que critica o que no está conforme con algo: *Los detractores del Gobierno critican el despilfarro en la Administración.* □ ETIMOL. Del latín *detractor.*

detraer v. Referido a algo ajeno, sustraerlo o robarlo: *El cajero fue acusado de detraer de la caja pequeñas cantidades de dinero durante dos años.* □ ETIMOL. Del latín *detrahere.* □ MORF. Irreg. →TRAER.

detrás adv. **1** En una posición o lugar posterior o más retrasado: *Detrás de la casa hay un precioso jardín.* **2** || **(por) detrás;** en ausencia: *Cuando comenta algo de él lo hace por detrás, porque no se atreve a decírselo a la cara.* □ ETIMOL. De las preposiciones latinas *de* y *trans.* □ SINT. Su uso seguido de un adjetivo posesivo es incorrecto: *El niño se ha escondido detrás {*mío > de mí}.*

detrimento s.m. Perjuicio o daño contra los intereses de alguien: *El médico le ha dicho que esos excesos van en detrimento de su salud.* □ ETIMOL. Del latín *detrimentum* (pérdida, perjuicio). □ SINT. Se usa mucho en la expresión *ir en detrimento de algo.*

detrito s.m. →**detritus.**

detritus (tb. *detrito*) (pl. *detritus*) s.m. Materia que resulta de la descomposición de una masa sólida en partículas: *El humus está formado por detritus orgánicos.* □ ETIMOL. Del latín *detritus* (desgastado).

deuda s.f. Véase **deudo, da.**

deudo, da ▌s. **1** Persona que tiene relaciones familiares con otra: *Al funeral asistieron los deudos del difunto.* □ SINÓN. *pariente.* ▌s.f. **2** Obligación que se ha contraído, esp. si consiste en un pago o en una devolución de dinero: *Antes de marcharse del país pagó todas sus deudas.* □ SINÓN. *débito.* **3** Pecado, culpa u ofensa que se cometen contra algo: *En la oración del padrenuestro se decía 'perdónanos nuestras deudas'.* **4** ‖ **deuda ecológica;** conjunto de efectos ambientales negativos del pasado que perjudican a generaciones posteriores: *La disminución de los recursos naturales y el deterioro del medio ambiente son algunos aspectos de la deuda ecológica.* ‖ **deuda {exterior/externa};** la pública que se emite en el extranjero y generalmente en moneda extranjera: *La deuda exterior se contrae por préstamos internacionales.* ‖ **deuda interior;** la pública que se emite en el propio país con moneda nacional: *El Estado emite deuda interior para financiar el déficit público.* ‖ **deuda pública;** la emitida por el Estado de un país para hacer frente al déficit entre los ingresos y los gastos, y que incluye títulos de diversos tipos, como bonos u obligaciones: *Decidió invertir en deuda pública.* □ ETIMOL. *Deudo* del latín *debitus* (debido). *Deuda* del latín *debita*, plural de *debitum* (deuda).

deudor, -a adj./s. Que debe o que ha contraído una obligación, esp. si consiste en un pago o en una devolución de dinero: *Denunció a sus deudores por el inclumplimiento de los pagos.*

deus ex máchina (pl. *deus ex máchina*) s.m. ‖ Persona o cosa capaz de resolver situaciones muy complicadas: *El nuevo candidato a la alcaldía fue presentado como un deus ex máchina que solucionaría todos los problemas de la ciudad.* □ ETIMOL. Del latín *deus ex machina*, que alude a un personaje del teatro griego que representaba una divinidad y que descendía al escenario mediante una máquina para resolver situaciones difíciles. □ PRON. [déus ex mákina].

deuterio s.m. Isótopo de hidrógeno que tiene doble masa que este y cuyo núcleo contiene un protón y un neutrón: *El agua pesada se compone de oxígeno y deuterio.* □ ETIMOL. Del griego *deúteros* (segundo).

devaluación s.f. Disminución del valor de algo, esp. de una moneda: *La devaluación de la moneda favorece las exportaciones de un país.*

devaluar v. Referido esp. a una moneda, rebajar o disminuir su valor: *El Gobierno ha devaluado la moneda. El dólar se ha devaluado.* □ ETIMOL. Del francés *dévaluer*, y este del inglés *to devalue.* □ ORTOGR. La *u* lleva tilde en los presentes, excepto en las personas *nosotros* y *vosotros* →ACTUAR.

devanadera s.f. Aparato en el que se colocan las madejas para devanarlas, que está formado por un soporte que gira alrededor de un eje vertical y que está fijo en un pie: *En la tienda donde compro la lana tienen una devanadera.*

devanado s.m. Colocación de un hilo o de algo semejante en forma de rollo alrededor de un eje: *Como la madeja estaba tan liada, el devanado nos costó mucho.*

devanador, -a ▌adj./s. **1** Que devana. ▌s.m. **2** Pieza sobre la que se devana algo: *Dobla este cartón y utilízalo como devanador para enrollar el hilo alrededor de él.*

devanar v. Referido esp. a un hilo, enrollarlo alrededor de un eje: *Devané la madeja de lana y formé un ovillo.* □ ETIMOL. Del latín **depanare*, y este de *panus* (ovillo).

devaneo s.m. Relación superficial y pasajera, esp. si es amorosa: *Déjate de devaneos y plantéate empezar una relación seria.*

devastación s.f. Destrucción de algo, esp. de un territorio, arrasando sus edificios y asolando o echando a perder sus campos: *La guerra provocó la devastación de toda la región.* □ ORTOGR. Incorr. **desvastación.*

devastador, -a adj./s. Que destruye, arrasa o no deja lugar a réplica: *La diputada dio una contestación devastadora a la propuesta del Gobierno.* □ ORTOGR. Incorr. **desvastador.*

devastar v. Referido esp. a un territorio, destruirlo arrasando sus edificios y asolando o echando a perder sus campos: *El incendio devastó la parte vieja de la ciudad.* □ ETIMOL. Del latín *devastare.* □ ORTOGR. Dist. de *desbastar.*

devengar v. Referido a una cantidad de dinero, adquirir derecho a su percepción o a su retribución, esp. por el trabajo o por un servicio realizado: *Mi cuenta corriente devenga unos intereses de unos treinta euros al mes.* □ ETIMOL. Del latín *vindicare* (reivindicar, reclamar), porque *devengar* formaba parte de la forma de la prerrogativa de los hidalgos *hijos dalgo notorios, de vengo quinientos sueldos.* □ ORTOGR. La *g* se cambia en *gu* delante de *e* →PAGAR.

devengo s.m. Cantidad devengada o que se tiene derecho a percibir: *Esta cuenta no lleva aparejado ningún devengo de intereses.*

devenir ▌s.m. **1** Cambio, transformación o transcurso de algo: *El devenir de los tiempos ha transformado las ricas y florecientes culturas de la Antigüedad en pobres países dependientes de otros.* ▌v. **2** Suceder, producirse o venir de forma repentina o inesperada: *En esta situación nos puede de-*

venir cualquier cosa. □ ETIMOL. Del francés *devenir.* □ MORF. Irreg. →VENIR.

deverbal adj.inv. En gramática, referido a una palabra, que deriva de un verbo: *El término 'llamada' es un sustantivo deverbal que procede del verbo 'llamar'.*

de visu (lat.) || De vista o por haberlo visto: *No se puede hacer juicios de visu y sin conocer a una persona.*

devoción s.f. **1** Amor o sentimiento intenso y de respeto, esp. si son religiosos: *Oraba con devoción ante el crucifijo.* **2** Inclinación, admiración o afición especial hacia algo: *El abuelo tiene devoción por la nieta más pequeña.* **3** Práctica religiosa que no es obligatoria: *Todas las noches cumple con sus devociones y reza un padrenuestro.* □ ETIMOL. Del latín *devotio.*

devocionario s.m. Libro que contiene oraciones para el uso de los fieles: *Todas las mañanas leía una oración de su devocionario.*

devolución s.f. **1** Entrega que se hace a alguien de lo que había dado o prestado: *Siempre me retraso en la devolución de los libros.* **2** Lo que se hace para corresponder a otro acto, esp. a un favor o a una ofensa: *No espero la devolución de la visita.* **3** Entrega de una compra a quien la vendió, a cambio del importe pagado por su adquisición: *En esa tienda solo admiten devoluciones por la mañana.*

devolutivo, va adj. Que devuelve: *La Administración hará un pago devolutivo a los contribuyentes que han tributado en exceso.*

devolver ▌v. **1** Referido a algo prestado o dado, entregarlo a quien lo tenía antes: *Devuélveme mi bicicleta.* **2** Hacer volver al estado o a la situación que se tenía: *El descanso le ha devuelto el optimismo.* **3** Referido esp. a un favor o a una ofensa, corresponder a ellos: *No sé si tendré ocasión de devolverle los favores que me hizo.* **4** *col.* Referido a algo que está en el estómago, expulsarlo violentamente por la boca: *No aguanta el alcohol y siempre lo devuelve. Devolvió porque le hizo daño la comida.* □ SINÓN. *arrojar, vomitar.* **5** Referido a lo que sobra de un pago, darlo a la persona que efectuó la compra: *Como valía 8 euros y pagué con un billete de diez, me devolvieron dos euros.* **6** Referido a una compra, entregársela a quien la vendió, a cambio del importe pagado por su adquisición: *Como el pantalón que compré estaba roto, lo he devuelto.* ▌prnl. **7** En zonas del español meridional, volver o regresar: *Después de dos semanas en Cali, me devolví a Bogotá.* □ ETIMOL. Del latín *devolvere* (rodar tumbado, desenrollar). □ MORF. Irreg.: 1. Su participio es *devuelto*; incorr. **devolvido.* 2. →MOVER.

devoniano, na adj./s.m. →**devónico.**

devónico, ca ▌adj. **1** En geología, del cuarto período de la era primaria o paleozoica o de los terrenos que se formaron en él: *terrenos devónicos.* □ SINÓN. *devoniano.* ▌adj./s.m. **2** En geología, referido a un período, que es el cuarto de la era primaria o paleozoica: *En el devónico se formaron los bosques y los mares interiores.* □ SINÓN. *devoniano.* □ ETIMOL. Del inglés *devonian*, y este de *Devon* (lugar donde se empezaron a estudiar los terrenos de este período).

devorador, -a adj./s. Que devora: *En este cuento infantil sale un ogro devorador de niños.*

devorar v. **1** Comer con ansia y rapidez: *Se atragantó al devorar la comida.* **2** Referido a un animal, comer a otro: *El león devoró al ciervo en un instante.* **3** Consumir o hacer desaparecer por completo: *El incendio ha devorado el edificio.* **4** Referido a algo que gusta, consumirlo o volcarse en ello con avidez: *Devora novelas de aventuras.* □ ETIMOL. Del latín *devorare.*

devoto, ta ▌adj. **1** Que inspira devoción: *una imagen devota.* ▌adj./s. **2** Que tiene o siente devoción: *una persona devota; un devoto de la virgen.* □ ETIMOL. Del latín *devotus* (consagrado, dedicado).

devuelto, ta ▌**1** part. irreg. de **devolver.** ▌s.m. **2** *col.* Lo que estaba en el estómago y se arroja por la boca: *En la acera hay un devuelto.* □ SINÓN. *vómito.* □ MORF. Incorr. **devolvido.*

dextrina s.f. Sustancia sólida, gomosa, soluble en agua y que se forma al calentar el almidón con ácidos diluidos en ebullición: *La dextrina es de color blanco amarillento.* □ ETIMOL. Del francés *dextrine.*

dextrógiro, ra adj./s.m. En química, referido a un cuerpo o a una sustancia, que desvía a la derecha el plano de polarización de la luz al ser atravesado por ella: *La dextrosa es una sustancia dextrógira.* □ ETIMOL. Del latín *dexter* (que está a la derecha) y *girar.* □ SEM. Dist. de *levógiro* (que desvía el plano hacia la izquierda).

dextrosa s.f. Variedad de glucosa, presente en algunas frutas, y cuyas disoluciones tienen la propiedad de desviar la luz polarizada hacia la derecha: *Los higos tienen dextrosa.* □ ETIMOL. Del latín *dextra* (que está a la derecha), por su propiedad de desviar la luz polarizada hacia la derecha.

deyección s.f. Conjunto de excrementos expelidos por el ano: *Tenemos que analizar las deyecciones de los animales enfermos.* □ ETIMOL. Del latín *deiectio*, y este de *deiicere* (echar abajo). □ MORF. Se usa más en plural.

dhoti s.m. Prenda de vestir masculina, similar a un pantalón, formada por una tela blanca que se pasa entre las piernas y se sujeta a la cintura: *El dhoti es una indumentaria tradicional hindú.* □ PRON. [dóti].

di- Elemento compositivo prefijo que significa 'dos': *dipétalo, disépalo, diglosia, disílabo.* □ ETIMOL. Del griego *dís.*

día ▌s.m. **1** Período de tiempo de aproximadamente veinticuatro horas: *La Tierra tarda un día en dar una vuelta sobre sí misma. Si no hay pan del día, no lo compres.* **2** Período de tiempo en el que hay luz solar: *En primavera y verano, los días son más largos y las noches, más cortas.* **3** Momento u ocasión en los que sucede algo: *El día que decida hacerlo, te avisaré.* ▌pl. **4** Respecto de una persona, período de tiempo que transcurre desde su nacimiento hasta su muerte: *La anciana está llegando al fin de sus días.* □ SINÓN. *vida.* **5** || **al día;** al corriente o sin retraso: *Está al día de los últimos descubrimientos científicos.* || **al otro día;** al día siguiente: *Al otro día, salió de compras.* || **buen día;** en zonas del español meridional, buenos días. || **buenos días;** expresión que se usa como saludo por la mañana: *¡Buenos días, ya es hora de que te levantes!* || **de un día {a/para} otro;** con prontitud: *Arreglarán los trámites de un día para otro.* || **día azul;** aquel en el que los viajes en tren tenían un precio reducido: *Siempre que podía, usaba el tren en días azules porque resultaba mucho más barato.* || **día D;** el que se ha fijado o es decisivo para realizar algo complicado o arriesgado, esp. una acción militar: *Los soldados se preparaban para el día D de su entrada en combate.* || **día de autos;** aquel en que sucedió el hecho que ya se ha mencionado o que está en la mente de los hablantes: *Todo el mundo secundó la huelga general y, al atardecer del día de autos, el Gobierno tomó medidas represivas.* || **día de precepto;** aquel en el que la iglesia católica dispone que se oiga misa: *El domingo es día de precepto.* || **día del Señor;** domingo: *Va a misa los días del Señor.* || **(día) festivo;** fiesta oficial o eclesiástica. || **(día) laborable;** aquel en el que oficialmente se trabaja. || **día (natural);** período de tiempo de aproximadamente veinticuatro horas: *Enero tiene treinta y un días naturales.* || **día y noche;** constantemente o a todas horas. || **el día de mañana;** en el futuro: *El día de mañana te arrepentirás de no haber aprovechado el tiempo.* || **el otro día;** uno de los días inmediatamente anteriores al actual: *El otro día me encontré a un amigo que hacía años que no veía.* || **en su día;** en su debido momento o en el momento oportuno: *En su día, todo llegará.* || **hoy (en) día;** en la actualidad o en el tiempo presente. || **tener** alguien **los días contados;** estar muy cerca del fin. ☐ ETIMOL. Del latín *dies.* ☐ ORTOGR. En la acepción 1, su símbolo es *d*, por tanto, se escribe sin punto. ☐ USO 1. En la acepción 1, para referirse al día siguiente de otro, está muy extendida la omisión incorrecta de la preposición *de* en la expresión *el día de después*. 2. En la acepción 1, en el español meridional, se usa antepuesto a los días de la semana: *día lunes, día martes*, etc.

diabasa s.f. Roca volcánica de color oscuro, formada fundamentalmente por olivino y por un piroxeno: *La diabasa es frecuente en terrenos devónicos.* ☐ ETIMOL. De *dibasa* (roca de dos bases).

diabetes (pl. *diabetes*) s.f. Enfermedad que se caracteriza por un alto nivel de glucosa en la sangre: *Hay un tipo de diabetes causada por insuficiente secreción de insulina por el páncreas.* ☐ ETIMOL. Del latín *diabetes*, este del griego *diabétes* (que atraviesa). ☐ ORTOGR. Incorr. **diabetis.*

diabético, ca ▌adj. **1** De la diabetes o relacionado con esta enfermedad: *síntomas diabéticos.* ▌adj./s. **2** Que padece diabetes.

diablesa *col.* s.f. de **diablo.**

diablesco, ca adj. Del diablo o relacionado con él: *El fuego de la chimenea proyecta sombras diablescas en las paredes.* ☐ SINÓN. *diabólico.*

diablo s.m. **1** Espíritu maligno que se opone a la acción de Dios: *El diablo se ha representado a menudo con forma humana, pero con cuernos, cola y patas de cabra.* ☐ SINÓN. *demonio.* **2** Persona muy hábil y astuta para conseguir lo que se propone: *Como es un verdadero diablo, llegará a la presidencia de la empresa.* ☐ SINÓN. *demonio.* **3** Persona muy traviesa e inquieta, esp. si es un niño: *Estos niños son unos diablos y no hay quien los aguante.* ☐ SINÓN. *demonio.* **4** Persona malvada o que tiene mal genio: *No confíes en él porque es un diablo y cuando menos te lo esperes, te traicionará.* ☐ SINÓN. *demonio, belcebú.* **5** || **como un diablo;** *col.* Mucho o excesivamente: *El mueble pesa como un diablo.* || **del diablo** o **de mil diablos;** *col.* Expresión que se usa para exagerar el carácter negativo de algo: *Hace un frío de mil diablos.* || **irse al diablo un asunto;** *col.* Fracasar: *Después de años de novios, todo se fue al diablo y acabaron cada uno por su lado.* || **mandar al diablo** algo; *col.* Rechazarlo o desentenderse de ello: *Estaba tan harto de él que lo mandé al diablo.* || **pobre diablo;** *col.* Hombre infeliz, sin malicia o de carácter débil, y al que se considera poco valioso. || **tener el diablo en el cuerpo;** *col.* Ser muy astuto o muy travieso e inquieto: *Debe de tener el diablo en el cuerpo porque no se está quieto ni un momento.* ☐ ETIMOL. Del latín *diabolus*, y este del griego *diábolos* (el que desune o calumnia). ☐ MORF. También se admite el femenino *diabla.* ☐ USO En plural, se usa mucho en la lengua coloquial como interjección.

diablos (tb. *diablo*) interj. *col.* Expresión que se usa para indicar extrañeza, sorpresa, admiración o disgusto: *¿Quién diablos te ha dicho esa mentira?*

diablura s.f. Travesura de poca importancia: *Esconder las llaves del coche ha sido la última diablura de tu hijo.* ☐ ETIMOL. De *diablo.*

diabólico, ca adj. **1** Del diablo o relacionado con él: *una figura diabólica.* ☐ SINÓN. *diablesco.* **2** *col.* Excesivamente malo: *una mente diabólica.* ☐ ETIMOL. Del latín *diabolicus.*

diábolo s.m. Juguete que consiste en hacer girar sobre una cuerda atada al extremo de dos palos una figura formada por dos conos unidos por sus vértices: *Mi madre jugaba mucho con el diábolo cuando era pequeña.* ☐ ETIMOL. Del italiano *diavolo.*

diaclasa s.f. En geología, grieta originada en una roca sin haberse producido un desplazamiento de los bloques situados a ambos lados de ella: *Las diaclasas favorecen la erosión de las rocas.* ☐ ETIMOL. Del griego *diáklasis* (hendidura).

diaconado s.m. →**diaconato.**

diaconal adj.inv. Del diácono o relacionado con este eclesiástico.

diaconato (tb. *diaconado*) s.m. Orden inmediatamente inferior al sacerdocio: *El diaconato puede ser ejercido por personas casadas.*

diaconía s.f. **1** Territorio o distrito eclesiástico sobre el que ejercía su cargo un diácono. **2** Casa en la que vivía el diácono.

diaconisa s.f. En algunas iglesias, mujer esp. dedicada a los servicios religiosos: *Las diaconisas protestantes están ordenadas, pero las católicas no.*

diácono s.m. Eclesiástico que ha recibido el diaconato y cuya categoría es inmediatamente inferior a la del sacerdote: *El diácono se encarga de ayudar al sacerdote en sus funciones.* □ ETIMOL. Del latín *diaconus*, y este del griego *diákonos* (servidor, ministro).

diacrítico, ca adj. En gramática, referido a un signo ortográfico, que da a una letra un valor especial: *En la palabra 'cigüeña', los puntos diacríticos indican que esa 'u' se pronuncia.* □ ETIMOL. Del griego *diakritikós* (distintivo).

diacronía s.f. **1** Desarrollo histórico de un fenómeno. **2** En lingüística, consideración de una lengua o de un fenómeno lingüístico desde el punto de vista de su evolución en el tiempo. □ ETIMOL. Del francés *diachronie*. □ SEM. Dist. de *sincronía* (consideración de la lengua en un momento dado de su existencia histórica).

diacrónico, ca adj. De la diacronía o relacionado con ella: *Un estudio lingüístico diacrónico es una explicación histórica de una lengua.*

diada (cat.) s.f. Día de la fiesta nacional catalana: *El once de septiembre las calles se llenan de adornos para celebrar la Diada.* □ USO Se usa más como nombre propio.

diadelfo adj. Referido a los estambres de una flor, que están unidos entre sí por sus filamentos formando dos haces distintos: *Los estambres de los guisantes son diadelfos.* □ ETIMOL. De *di-* (dos) y *adelphós* (hermano), por los dos haces en que se agrupan sus estambres. □ MORF. Se usa más en plural.

diadema s.f. **1** Adorno semicircular que se pone en la cabeza, generalmente para sujetar el pelo: *La niña se puso una diadema porque le molestaba el pelo en la cara.* **2** Corona sencilla y redonda que se usa como adorno o como símbolo honorífico o de autoridad: *El emperador se ciñó la diadema.* □ SINÓN. *tiara.* □ ETIMOL. Del latín *diadema*, este del griego *diádema*, y este de *diadéo* (yo rodeo atando).

diafanidad s.f. **1** Propiedad que tiene un cuerpo de dejar pasar la luz casi en su totalidad: *La diafanidad de estas lentes ha de ser absoluta.* **2** Claridad, limpieza o falta de ocultación: *La diafanidad del día invita a disfrutar de la naturaleza.*

diáfano, na adj. **1** Referido a un cuerpo, que deja pasar la luz casi en su totalidad: *El agua es una sustancia diáfana.* **2** Claro, limpio o sin ocultación: *un día diáfano; una explicación diáfana.* **3** Referido a un espacio, que no tiene elementos de separación: *un local diáfano.* □ ETIMOL. Del griego *diaphanés* (transparente).

diafásico, ca adj. **1** En lingüística, referido a un fenómeno, que está relacionado con los diferentes registros del habla. **2** De estos fenómenos o relacionado con ellos.

diáfisis (pl. *diáfisis*) s.f. Parte comprendida entre los dos extremos de un hueso largo: *En las personas, el hueso que tiene una diáfisis más larga es el fémur.* □ ETIMOL. Del griego *diáphisis* (intersticio).

diaforesis (pl. *diaforesis*) s.f. En medicina, sudor abundante. □ ETIMOL. Del latín *diaphoresis*, y este del griego *diafóresis* (secreción de humores).

diaforético, ca adj./s.m. En medicina, que hace sudar abundantemente. □ ETIMOL. Del latín *diaphoreticus*, y este del griego *diaforeticós*.

diafragma s.m. **1** En un mamífero, músculo que separa la cavidad torácica de la cavidad abdominal: *El diafragma interviene en el proceso respiratorio.* **2** En una cámara fotográfica, dispositivo que permite regular la cantidad de luz que se deja pasar. **3** Dispositivo anticonceptivo femenino con forma de disco flexible y que se coloca en la entrada del útero. □ ETIMOL. Del latín *diaphragma*, y este del griego *diáphragma* (separación, barrera).

diafragmático, ca adj. Del diafragma o relacionado con él.

diagénesis (pl. *diagénesis*) s.f. En geología, conjunto de procesos por los que un sedimento se transforma en roca sedimentaria: *La presión favorece la diagénesis.*

diagenético, ca adj. De la diagénesis o relacionado con este conjunto de procesos geológicos: *Estas rocas se han formado por procesos diagenéticos a partir de unos sedimentos.*

diagnosis (pl. *diagnosis*) s.f. Identificación de una enfermedad a partir de sus síntomas: *Varios doctores participaron en la diagnosis de mi enfermedad.* □ SINÓN. *diagnóstico.* □ ETIMOL. Del griego *diágnosis* (conocimiento).

diagnosticar v. Referido a una enfermedad, identificarla mediante el análisis de sus síntomas: *El médico le diagnosticó una úlcera y le puso un régimen alimenticio.* □ ORTOGR. La *c* se cambia en *qu* delante de *e* →SACAR.

diagnóstico s.m. **1** Identificación de una enfermedad a partir de sus síntomas. □ SINÓN. *diagnosis.* **2** Calificación que da el médico a una enfermedad según sus síntomas: *El diagnóstico sobre el estado de los heridos es preocupante.* □ ETIMOL. Del griego *diagnostikós* (que permite distinguir).

diagonal adj.inv./s.f. **1** En un polígono, referido a una línea recta, que une dos vértices no consecutivos: *Si trazas la diagonal de un cuadrado, formas dos triángulos iguales.* **2** En un poliedro, referido a una línea recta, que une dos vértices no situados en la misma cara: *La línea diagonal de un cubo no coincide con su altura.* □ ETIMOL. Del latín *diagonalis*, y este del griego *diagónios*, de *gonía* (ángulo).

diagrama s.m. Representación gráfica de las variaciones de un fenómeno o de las relaciones que existen entre los elementos de un conjunto. □ ETIMOL. Del griego *diágramma* (dibujo, trazado, tabla).

diagramación s.f. En un texto, distribución proporcional de los espacios: *El cambio en la diagramación de las páginas ha sido una de las principales innovaciones de la revista.*

diagramador, -a s. En zonas del español meridional, maquetista.

diagramar v. Referido a un texto, distribuir proporcionalmente los espacios: *Yo me ocupo de diagramar los artículos de la revista.*

dial s.m. **1** En un aparato de radio o en un teléfono, placa o superficie graduada con letras o números que se seleccionan para establecer la comunicación deseada: *Nuestra emisora se sintoniza en el 88 del dial de su radio.* **2** Superficie graduada sobre la que se mueve un indicador que mide una determinada magnitud: *El dial de mi coche debe de estar estropeado porque no marca la velocidad.* ☐ ETIMOL. Del inglés *dial.*

dialectal adj.inv. De un dialecto o relacionado con él: *La aspiración de la 'h' es un rasgo dialectal extremeño y andaluz.*

dialectalismo s.m. En lingüística, palabra, significado o construcción sintáctica propios de un dialecto: *El ceceo y el seseo son dialectalismos.* ☐ SINÓN. *dialectismo.*

dialéctica s.f. Véase **dialéctico, ca.**

dialéctico, ca ▮ adj. **1** De la dialéctica o relacionado con esta parte de la filosofía. ▮ s.f. **2** Parte de la filosofía que estudia el razonamiento, sus leyes, formas y modos de expresión: *Para algunos filósofos, la dialéctica fue sinónimo de lógica.* **3** Método de razonamiento que consiste en ir enfrentando posiciones distintas para extraer de su confrontación una conclusión que las supere y se acerque más a la verdad: *El diálogo es un instrumento de la dialéctica.* **4** Arte y técnica de dialogar y convencer con la palabra: *Si yo tuviera su dialéctica, le sacaría más partido.* **5** Sucesión encadenada de hechos o de razonamientos que se derivan unos de otros: *La dialéctica de la historia enseña que la ambición de poder puede acabar en guerra.* ☐ ETIMOL. Del griego *dialektikós* (referente a la discusión).

dialectismo s.m. →**dialectalismo.**

dialecto s.m. En lingüística, modalidad de una lengua en un determinado territorio: *El andaluz y el canario son dialectos del español.* ☐ ETIMOL. Del griego *diálektos* (manera de hablar, lengua, dialecto). ☐ SEM. Dist. de *idiolecto* (modo característico en que cada hablante emplea su lengua).

dialectología s.f. Parte de la lingüística que estudia los dialectos: *En dialectología hemos visto las peculiaridades consonánticas y vocálicas del aragonés.* ☐ ETIMOL. De *dialecto* y *-logía* (estudio).

dialectólogo, ga adj./s. Que se dedica al estudio de los dialectos, esp. si esta es su profesión: *Es dialectólogo y tiene varios libros sobre el andaluz.*

dialipétalo, la adj. Referido a una flor o a su corola, que está formada por pétalos separados: *La rosa es una flor dialipétala.* ☐ ETIMOL. Del griego *dialýo* (yo separo) y *pétalo.*

dialisépalo, la adj. Referido a una flor o a su cáliz, que están formados por sépalos separados: *La peonía es una flor dialisépala.* ☐ ETIMOL. Del griego *dialýo* (yo separo) y *sépalo.*

diálisis (pl. *diálisis*) s.f. **1** →**hemodiálisis. 2** En física y química, proceso de separación de las sustancias mezcladas en una disolución mediante una membrana que las filtra: *La diálisis permite separar las moléculas de las disoluciones de distinto peso molecular.* ☐ ETIMOL. Del griego *diálysis* (disolución).

dialítico, ca adj. De la diálisis o relacionado con ella: *Voy al hospital periódicamente para recibir tratamiento dialítico.*

dializador s.m. Aparato que se utiliza para eliminar artificialmente las sustancias nocivas de la sangre, haciéndola pasar a través de una membrana semipermeable.

dializar v. Eliminar artificialmente las sustancias nocivas de la sangre, haciéndola pasar a través de una membrana semipermeable: *Está ingresado porque le tienen que dializar.* ☐ ORTOGR. La *z* se cambia en *c* delante de *e* →CAZAR.

dialogante adj.inv. Que está abierto al diálogo: *Gracias a la actitud dialogante y cooperadora del ministro, se llegó a un rápido acuerdo entre las dos partes.* ☐ SEM. Dist. de *dialógico* (del diálogo o que favorece el diálogo).

dialogar v. **1** Referido a dos o más personas, conversar turnándose en el uso de la palabra: *Los espectadores dialogaban en el descanso.* **2** Discutir sobre un asunto con la intención de llegar a un acuerdo entre las distintas posiciones: *En los trámites de separación, es fundamental que las partes implicadas dialoguen.* ☐ ORTOGR. La *g* se cambia en *gu* delante de *e* →PAGAR.

dialógico, ca adj. **1** Del diálogo o relacionado con él: *un texto dialógico.* **2** Que favorece el diálogo: *Este tipo de problemas solo se solucionan con una actitud dialógica y tolerante.* ☐ SEM. Dist. de *dialogante* (que está abierto al diálogo).

dialogismo s.m. Figura retórica consistente en reproducir el pensamiento o las palabras de alguien en forma de diálogo: *'Juan pensó: «¡Ten cuidado, Juan!»' es un dialogismo.* ☐ ETIMOL. Del latín *dialogismus*, y este del griego *dialogismós.*

dialogístico, ca adj. **1** Del diálogo o relacionado con él: *estilo dialogístico.* **2** Referido a un texto, que está escrito en forma de diálogo: *Hago la tesis sobre los sonetos dialogísticos en el Barroco.*

diálogo s.m. **1** Conversación en la que dos o más personas se turnan en el uso de la palabra: *Gracias a los largos diálogos que tuvimos, le fui conociendo.* **2** Género literario cuyas obras parecen reproducir literalmente una conversación entre los personajes: *El diálogo fue un género cultivado por humanistas en el siglo XVI.* **3** Negociación o discusión sobre un asunto con la intención de llegar a un acuerdo entre las distintas posiciones: *El diálogo entre sindicatos y patronal ha quedado interrumpido a causa de las diferencias en la subida salarial.* **4** ‖ **diálogo de besugos;** *col.* Aquel en el que no existe relación lógica entre lo que dicen los interlocutores. ‖ **diálogo de sordos;** *col.* Aquel en el que no existe comunicación entre los interlocutores. ☐ ETIMOL. Del latín *dialogus*, y este del griego *diálogos* (conversación de dos o varios).

dialoguista s.com. Persona que escribe o compone diálogos: *Juan de Valdés, autor del 'Diálogo de la lengua', fue un dialoguista del Renacimiento español.*

diamante ▮ s.m. **1** Mineral formado por carbono cristalizado, transparente o ligeramente coloreado, de gran brillo y dureza, y muy estimado como piedra preciosa: *Tengo un anillo con varios diamantes.* ▮ pl. **2** En la baraja francesa, palo que se representa con uno o varios rombos de color rojo: *La baraja francesa se compone de picas, diamantes, tréboles y corazones.* **3** ‖ **diamante (en) bruto;** lo que tiene grandes cualidades o facultades en potencia, pero desaprovechadas o sin desarrollar: *Ha contratado a esa actriz porque se ha dado cuenta de que es un diamante en bruto.* □ ETIMOL. Del latín *diamas*, alteración de *adamas*, y este del griego *adámas* (acero, diamante).

diamantífero, ra adj. Referido a un terreno, que contiene diamantes: *yacimientos diamantíferos.* □ ETIMOL. De *diamante* y *-fero* (que tiene).

diamantina s.f. Véase **diamantino, na**.

diamantino, na ▮ adj. **1** Del diamante o con características de este mineral: *brillo diamantino.* **2** *poét.* Duro, inflexible o inquebrantable: *actitud diamantina.* ▮ s.f. **3** En zonas del español meridional, purpurina: *Compré diamantina plateada y azul.*

diamantista s.com. Persona que se dedica a la talla o a la venta de diamantes y piedras preciosas.

diametral adj.inv. Del diámetro o relacionado con él: *En el problema había que hallar la medida diametral de una circunferencia.*

diametralmente adv. **1** Desde un extremo hasta el opuesto: *La carretera cruza el pueblo diametralmente.* **2** Completamente o del todo: *Nos llevamos bien, aunque somos diametralmente distintos.*

diámetro s.m. Segmento de recta que pasa por el centro de una circunferencia, de una curva cerrada o de una superficie esférica y que está limitado por dos puntos de las mismas: *El diámetro divide un círculo en dos partes iguales.* □ ETIMOL. Del griego *diámetros*, y este de *dia-* (a través) y *métron* (medida).

diana s.f. **1** Punto central de un blanco de tiro: *Como clavó todas las flechas justo en la diana, ganó el torneo.* **2** Blanco de tiro formado por una superficie circular con varias circunferencias concéntricas dibujadas sobre ella: *Tira los dardos a la diana, no a la pared.* **3** Toque o música militar que sirve para despertar a la tropa: *En mi cuartel tocan diana a las siete.* □ ETIMOL. De *día*.

dianética s.f. Véase **dianético, ca**.

dianético, ca ▮ adj. **1** Que pertenece a la Dianética o a la Iglesia de la Cienciología (movimientos religiosos basados en el conocimiento de uno mismo). □ SINÓN. *cienciólogo.* ▮ s.f. **2** Método de conocimiento individual basado en el espíritu y en su desarrollo interior: *En ese artículo se habla de que las posibilidades reales de la dianética en relación con la curación de enfermedades de origen biológico son muy pocas.*

diantre ▮ s.m. **1** *euf. col.* Diablo: *¡Ese diantre de chiquillo me está volviendo loco!* ▮ interj. **2** *col.* Expresión que se usa para indicar extrañeza, sorpresa, admiración o disgusto. □ ETIMOL. Eufemismo por *diablo*.

diapasón s.m. En música, instrumento capaz de emitir un sonido de altura conocida y constante, que se toma como referencia para afinar o para entonar: *La profesora de música sacó un diapasón con forma de horquilla y lo golpeó para que escuchásemos la nota 'la'.* □ ETIMOL. Del latín *diapason*, y este del griego *dià pasôn khordôn* (a través de todas las cuerdas).

diaporama s.m. Sistema audiovisual que consiste en la proyección de diapositivas sobre una o varias pantallas: *Para el diaporama que vamos a organizar necesitamos varios proyectores.*

diapositiva s.f. Fotografía sacada en película transparente y directamente en positivo, sin invertir los colores: *Proyectamos las diapositivas del viaje sobre una pared blanca.* □ SINÓN. *filmina.*

diario, ria ▮ adj. **1** Correspondiente a todos los días o que se repite cada día: *una comida diaria.* ▮ s.m. **2** Periódico que se publica todos los días. **3** Relación o relato de lo que ocurre cada día: *Escribe un diario desde que tenía diez años.* **4** ‖ **a diario;** todos los días: *Hace deporte a diario.* ‖ **diario hablado;** programa informativo de una emisora de radio que se emite todos los días a la misma hora. □ ETIMOL. Del latín *diarium*.

diarismo s.m. En zonas del español meridional, periodismo.

diarrea s.f. **1** Trastorno intestinal que consiste en la expulsión de heces más o menos líquidas, generalmente de manera frecuente y dolorosa. Comió un alimento en mal estado y tuvo diarrea. **2** ‖ **diarrea mental;** *col.* Confusión de ideas. □ ETIMOL. Del latín *diarrhoea*, este del griego *diárrhoia*, y este de *diarrhéo* (yo fluyo por todas partes).

diarreico, ca adj. De la diarrea o relacionado con este trastorno intestinal: *Tuvo un cólico con vómitos y expulsión de heces diarreicas.*

diáspora s.f. Dispersión de una comunidad humana, esp. la del pueblo judío: *La historia del pueblo judío está marcada por la diáspora.* □ ETIMOL. Del griego *diasporá* (dispersión).

diástole s.f. **1** En anatomía, movimiento de dilatación del corazón y de las arterias que se produce cuando la sangre entra en ellos: *Con la diástole la sangre entra de nuevo en las aurículas.* **2** En métrica grecolatina, utilización de una sílaba breve como si fuera larga. □ ETIMOL. Del latín *diastole*, y este del griego *diastolé* (dilatación). □ SEM. Dist. de *sístole* (movimiento de contracción).

diastólico, ca adj. De la diástole o relacionado con este movimiento del corazón: *En el período diastólico se produce el llenado de sangre del corazón.*

diastrático, ca adj. **1** En lingüística, referido a un fenómeno, que está relacionado con el nivel social o cultural de los hablantes. **2** De estos fenómenos o relacionado con ellos.

diatérmano, na adj. En física, referido a un cuerpo, que deja pasar el calor con facilidad: *Muchos metales son diatérmanos.*

diatermia s.f. En medicina, uso de corrientes eléctricas de alta frecuencia para elevar la temperatura en algunas partes del cuerpo: *La diatermia se utiliza con fines terapéuticos.* ☐ ETIMOL. Del latín *diathermia*, y este del griego *diá* (a través) y *thermós* (calor).

diatérmico, ca adj. De la diatermia o relacionado con este procedimiento terapéutico: *un tratamiento diatérmico.*

diátesis (pl. *diátesis*) s.f. En medicina, predisposición orgánica a contraer una enfermedad. ☐ ETIMOL. Del latín *diathesis*, y este del griego *diáthesis* (disposición).

diatomáceo, a adj. De las diatomeas o relacionado con estas algas: *El mar, el agua dulce y las tierras húmedas constituyen el hábitat diatomáceo.*

diatomea s.f. Organismo marino, microscópico y unicelular, que tiene un caparazón silíceo formado por dos valvas de distinto tamaño que encajan entre sí: *Las diatomeas suelen agruparse en colonias.* ☐ ETIMOL. Del griego *diatomé* (corte).

diatónico, ca adj. En música, referido a una escala o a un sistema musical, que procede por la alternancia de dos tonos y un semitono y de tres tonos y un semitono: *La escala diatónica es: do-re-mi-fa-sol-la-si-do.* ☐ ETIMOL. Del latín *diatonicus*, y este del griego *dia-* (a través) y *tónos* (tono, acento, tensión de una cuerda). ☐ SEM. Dist. de *cromático* (que procede por semitonos).

diatopía s.f. En lingüística, comparación de lenguas y dialectos de lenguas.

diatópico, ca adj. **1** En lingüística, referido a un fenómeno, que está relacionado con la procedencia geográfica de los hablantes. **2** De estos fenómenos o relacionado con ellos.

diatriba s.f. Discurso o escrito violentos y ofensivos, dirigidos contra algo o alguien: *Ese texto es una diatriba contra los malos poetas.* ☐ ETIMOL. Del latín *diatriba*, y este del griego *diatribé* (conversación filosófica).

dibujante adj.inv./s.com. Referido a una persona, que se dedica profesionalmente al dibujo: *Soy una dibujante de cómics.* ☐ MORF. Se usa también el femenino coloquial *dibujanta*.

dibujar ▮ v. **1** Trazar en una superficie líneas y rasgos que representan figuras: *El niño dibujó un gato en su cuaderno.* **2** Describir con palabras: *En esta novela, se dibuja la vida provinciana de principios de siglo.* ▮ prnl. **3** Mostrarse o dejarse ver: *En su rostro se dibujó una sonrisa. A lo lejos, se dibujaban las montañas.* ☐ ETIMOL. Del francés antiguo *deboissier* (labrar en madera, representar gráficamente). ☐ ORTOGR. Conserva la *j* en toda la conjugación.

dibujo s.m. **1** Arte o técnica de dibujar. **2** Representación o imagen trazadas según este arte. **3** Forma de combinarse las líneas o las figuras que adornan un objeto: *El punto del jersey hace un dibujo muy bonito.* **4** ‖ **dibujos animados;** película cinematográfica hecha con fotografías de dibujos que representan fases sucesivas de un movimiento. ☐ MORF. En la lengua coloquial se usa también la forma abreviada *dibus* en lugar de *dibujos animados*.

dibus s.m.pl. *col.* →**dibujos animados.**

dicasterio s.m. Conjunto de organismos de la curia pontificia. ☐ ETIMOL. Del griego *dikastérion* (tribunal).

dicción s.f. **1** Manera de pronunciar: *Su dicción es muy clara y se le entiende todo.* ☐ SINÓN. *pronunciación.* **2** Manera de hablar o de escribir: *Tiene una dicción perfecta porque no comete ninguna incorrección lingüística.* ☐ ETIMOL. Del latín *dictio* (acción de decir, discurso, modo de expresión).

diccionario s.m. **1** Inventario en el que se recogen y definen las palabras de uno o más idiomas, generalmente por orden alfabético: *En el año 2001, se publicó la vigésima segunda edición del diccionario de la Real Academia Española.* ☐ SINÓN. *léxico.* **2** Inventario en el que se recogen y explican los términos propios de una ciencia o de una materia, generalmente por orden alfabético: *Si no sabes lo que es un bono, consulta un diccionario de economía.* **3** ‖ **diccionario enciclopédico;** el que, además de las definiciones de los términos de una lengua, incluye información sobre distintas materias, personajes y lugares: *En un diccionario enciclopédico se incluyen nombres propios.* ☐ SINÓN. *enciclopedia.* ‖ **diccionario ideológico;** el que agrupa las palabras por campos temáticos: *Los diccionarios ideológicos sirven para encontrar el término más apropiado para expresar una idea.* ‖ **diccionario manual;** el que es reducción de otro más amplio: *El diccionario manual contiene generalmente orientaciones normativas y gramaticales.* ☐ ETIMOL. Del latín *dictionarium*.

diccionarista s.com. Persona especializada en el estudio y elaboración de diccionarios. ☐ SINÓN. *lexicógrafo.*

dicha s.f. Véase **dicho, cha**.

dicharachero, ra adj. *col.* Que tiene una conversación amena y jovial: *Es una muchacha muy dicharachera y siempre te ríes con ella.*

dicharacho s.m. *col.* Dicho vulgar o indecente.

dicho, cha ▮ **1** part. irreg. de **decir**. ▮ s.m. **2** Palabra o conjunto de palabras con las que se expresa un concepto, esp. si es de carácter ingenioso o contiene una sentencia: *¿Conoces el dicho de 'Más sabe el diablo por viejo que por diablo'?* ☐ SINÓN. *decir.* ▮ s.f. **3** Estado de ánimo del que se encuentra contento y satisfecho con las circunstancias de la vida: *Todo había salido tan bien que rebosaba dicha.* ☐ SINÓN. *felicidad, ventura.* **4** Satisfacción, gusto o contento: *Vosotros sois mi única dicha.* ☐ SINÓN. *felicidad.* **5** Suerte favorable: *Espero que salgas con dicha de ese asunto tan escabroso.* ☐ SINÓN. *ventura.* **6** ‖ **dicho y hecho;** expresión con que se explica la prontitud con que se hace algo: *Fue decirle que me acercase un vaso de agua y... dicho y hecho.* □ ETIMOL. Las acepciones 3-5, del latín *dicta* (cosas dichas), que adoptó el sentido de *fatum* (hado), por la creencia de que la suerte individual se debía a unas palabras que pronunciaban los dioses al nacer un niño. □ MORF. En la acepción 1, incorr. **decido.*

dichoso, sa adj. **1** Con dicha o felicidad: *una persona dichosa.* □ SINÓN. *feliz.* **2** Que causa dicha o felicidad: *un acontecimiento dichoso.* □ SINÓN. *feliz.* **3** *col.* Que causa enfado o molestias: *Ese dichoso ruido no nos deja dormir.* **4** Referido a algo que se piensa o que se expresa, que es oportuno, acertado o eficaz: *Esta fiesta ha sido una idea dichosa de mi hermano.* □ SINÓN. *feliz.* □ ETIMOL. De *dicha* (suerte).

diciembre s.m. Duodécimo y último mes del año, entre noviembre y enero: *Nochevieja es el 31 de diciembre.* □ ETIMOL. Del latín *december*, y este de *decem* (diez), porque era el décimo mes del año, antes de agregarse julio y agosto al calendario romano.

dicotiledóneo, a ▮ adj./s.f. **1** Referido a una planta, que tiene un embrión con dos cotiledones: *La judía es una dicotiledónea.* ▮ s.f.pl. **2** En botánica, clase de estas plantas, perteneciente a la división de las angiospermas: *Las legumbres pertenecen a las dicotiledóneas.* □ ETIMOL. De *dicotiledón*, y este de *di-* (dos) y *cotiledón.*

dicotomía s.f. División en dos partes, esp. referido a un método de clasificación: *Si divides en dos grupos, y cada grupo en dos partes, haces una dicotomía.* □ ETIMOL. Del griego *dikhotomía* (división en dos partes), y este de *díkha* (en dos partes) y *témno* (yo corto). □ SEM. Dist. de *disyuntiva* (alternativa entre dos posibilidades).

dicotómico, ca adj. De la dicotomía o relacionado con este método de clasificación: *Los pitagóricos hicieron una clasificación dicotómica de los principios de la realidad: par/impar, uno/múltiple, bueno/malo.*

dicótomo, ma adj. Que se divide en dos: *Las ramas de esta planta son dicótomas.*

dicroico, ca adj. Que tiene dos coloraciones diferentes según la posición desde la que se observa: *un reflector dicroico.*

dicroísmo s.m. En física, propiedad de un cuerpo que presenta dos coloraciones diferentes según la posición desde la que se observa. □ ETIMOL. Del griego *díkhroos* (de dos colores).

dicromático, ca adj. Que tiene dos colores: *El cristal de este aparato es dicromático y tiene una mitad roja y la otra azul.*

dictado ▮ s.m. **1** Acción de decir algo con las pausas necesarias para que otro lo vaya escribiendo: *El secretario escribió la carta al dictado de su jefa.* **2** Texto que transcribe lo que se dice de esta manera: *Siempre tengo faltas de ortografía en los dictados.* ▮ pl. **3** Lo que está inspirado u ordenado por la razón o por los sentimientos: *los dictados de la conciencia.* □ ETIMOL. Del latín *dictatus*, y este de *dictare* (dictar).

dictador, -a s. **1** Gobernante que asume todos los poderes estatales y los ejerce sin limitaciones: *En el dictador se concentran el poder ejecutivo, legislativo y judicial.* **2** Persona que abusa de su autoridad y trata de imponerse a los demás: *Su jefe es un dictador y todos le temen.* □ ETIMOL. Del latín *dictator*.

dictadura s.f. **1** Forma de gobierno caracterizada por la concentración del poder sin limitaciones en una sola persona o institución. **2** Nación que tiene esta forma de gobierno. **3** Tiempo que dura esta forma de gobierno: *Durante la dictadura, casi todos los partidos políticos se mantuvieron en la clandestinidad.*

dictáfono s.m. Aparato que se usa para grabar y reproducir lo que se dicta o lo que se dice: *Utilizo el dictáfono cuando quiero que no se me olvide nada.* □ ETIMOL. Extensión del nombre de una marca comercial.

dictamen s.m. Opinión o juicio que se forma o emite sobre algo, esp. si lo hace un especialista: *Según el dictamen de los peritos en balística, estos proyectiles no fueron disparados por la misma pistola.* □ ETIMOL. Del latín *dictamen* (acción de dictar).

dictaminar v. Dar dictamen u opinión sobre algo, esp. si lo hace un especialista: *Los arquitectos dictaminaron que el edificio se había derrumbado por la mala calidad de los cimientos.*

dictar v. **1** Referido esp. a un texto, decirlo con las pausas adecuadas para que otro lo vaya escribiendo: *La profesora dictaba muy deprisa y no me dio tiempo a copiar todos los números.* **2** Referido esp. a una ley, darla o publicarla formalmente: *Se dictó una ley para evitar las estafas inmobiliarias.* **3** Sugerir o inspirar de forma sutil: *El sentido común me dictó prudencia.* □ ETIMOL. Del latín *dictare*.

dictatorial adj.inv. Del dictador o relacionado con él: *La opinión pública consideró la medida dictatorial porque restringía la libertad de expresión.*

dicterio s.m. Dicho ofensivo que ataca la reputación o la buena fama de alguien, o que resulta insultante y provocador: *La envidia te ha hecho proferir tales dicterios y desatinos.* □ ETIMOL. Del latín *dicterium*.

dictum (lat.) s.m. Sentencia o frase breve que expresan una enseñanza o una advertencia: *Según el dictum aristotélico, 'libertad es elegir'.* □ PRON. [díctum].

didáctica s.f. Véase **didáctico, ca.**

didacticismo s.m. →**didactismo.**

didáctico, ca ▮ adj. **1** De la enseñanza, de la didáctica o relacionado con ellas: *Muchas obras literarias medievales tenían un carácter didáctico y moralizante.* ▮ s.f. **2** Parte de la pedagogía que se ocupa de los métodos y técnicas de enseñanza: *Cada disciplina cuenta con una didáctica propia.* □ ETIMOL. Del griego *didaktikós*, y este de *didásko* (yo enseño).

didactismo s.m. Reunión de las condiciones necesarias para la enseñanza: *El didactismo de sus explicaciones permite que los alumnos entiendan a la primera.* □ SINÓN. *didacticismo.*

didascalia s.f. En una obra teatral, acotación que pronuncia un personaje como parte de su discurso. □ ETIMOL. Del griego *didascalía* (enseñanza).

didgeridoo s.m. Instrumento de viento de origen australiano, y que originalmente consistía en una rama de bambú ahuecada y moldeada con cera en uno de sus extremos para apoyar la boca: *Vimos un grupo aborigen tocando el didgeridoo.* □ PRON. [diyeridú].

diecinueve ▮ numer. **1** Número 19: *En clase somos diecinueve alumnos. Dice que el diecinueve es su número de la suerte.* ▮ s.m. **2** Signo que representa este número: *Los romanos escribían el diecinueve como 'XIX'.* □ ORTOGR. Se escribe también *diez y nueve.* □ MORF. Como numeral es invariable en género y en número.

diecinueveavo, va numer. Referido a una parte, que constituye un todo junto con otras dieciocho iguales a ella: *Como somos diecinueve tocamos a un diecinueveavo de pastel cada uno.* □ SEM. Su uso como numeral ordinal es incorrecto: *Llegué en {*diecinueveava > decimonovena} posición.*

dieciochavo, va numer. →**dieciochoavo.**

dieciochesco, ca adj. Del siglo XVIII o relacionado con él: *El Neoclasicismo es el estilo artístico dieciochesco por excelencia.*

dieciocho ▮ numer. **1** Número 18: *Hay dieciocho vasos en el armario. La matrícula de su coche termina en dieciocho.* ▮ s.m. **2** Signo que representa este número: *Los romanos escribían el dieciocho como 'XVIII'.* □ ORTOGR. Se escribe también *diez y ocho.* □ MORF. Como numeral es invariable en género y en número.

dieciochoavo, va (tb. *dieciochavo, va*) numer. Referido a una parte, que constituye un todo junto con otras diecisiete iguales a ella: *Si repartimos la gratificación entre los dieciocho compañeros, nos tocará un dieciochoavo a cada uno.* □ SEM. Su uso como numeral ordinal es incorrecto: *Llegué en {*dieciochoava > decimoctava} posición.*

dieciséis ▮ numer. **1** Número 16: *Esa jugadora ha conseguido dieciséis puntos en el partido de hoy. La camiseta con el dieciséis la lleva generalmente un jugador reserva.* ▮ s.m. **2** Signo que representa este número: *Los romanos escribían el dieciséis como 'XVI'.* □ ORTOGR. Se escribe también *diez y seis.* □ MORF. Como numeral es invariable en género y en número.

dieciseisavo, va numer. **1** Referido a una parte, que constituye un todo junto con otras quince iguales a ella: *Al repartir la herencia entre los dieciséis sobrinos, nos tocó un dieciseisavo a cada uno.* **2** || **dieciseisavos de final;** en una competición o en un concurso, fase eliminatoria en la que se enfrentan treinta y dos participantes, de los cuales solo pasan a la fase siguiente los dieciséis que resulten vencedores: *Nuestro equipo se clasificó para los dieciseiavos de final.* □ SEM. Su uso como numeral ordinal es incorrecto: *Llegué en {*dieciseisava > decimosexta} posición.*

diecisiete ▮ numer. **1** Número 17: *Mi hermano ya ha cumplido diecisiete años. Mi madre preparó una fiesta para diecisiete.* ▮ s.m. **2** Signo que representa este número: *Los romanos escribían el diecisiete como 'XVII'.* □ ORTOGR. Se escribe también *diez y siete.* □ MORF. Como numeral es invariable en género y en número.

diecisieteavo, va numer. Referido a una parte, que constituye un todo junto con otras dieciséis iguales a ella: *La abuela nos repartió su paga extra entre los diecisiete nietos y cada uno tocamos a un diecisieteavo.* □ SEM. Su uso como numeral ordinal es incorrecto: *Llegué en {*diecisieteava > decimoséptima} posición.*

diedro s.m. →**ángulo diedro.** □ ETIMOL. Del griego *díedros,* y este de *di-* (dos) y *hédra* (asiento, base).

dieléctrico, ca adj./s.m. Referido a un cuerpo, que es mal conductor de la electricidad: *materiales dieléctricos.* □ ETIMOL. Del griego *diá-* (a través) y *eléctrico.*

diente s.m. **1** En una persona y en algunos animales, cada una de las piezas duras y blancas que, encajadas en las mandíbulas, sirven para masticar o para defenderse. **2** En una superficie, esp. en la de algunos instrumentos o herramientas, cada uno de los salientes que aparecen en su borde: *Se ha roto un diente de la sierra al cortar el tablón.* **3** || **a regaña dientes;** →**a regañadientes.** || **de dientes para afuera;** *col.* En zonas del español meridional, con la boca chica. || **decir** algo **entre dientes** o **hablar entre dientes;** *col.* Refunfuñar o murmurar: *El día que se levanta enfadado no deja de hablar entre dientes.* || **(diente) canino;** el que es fuerte y puntiagudo, está situado entre el último incisivo y la primera muela de cada cuarto de la boca y cuya función es desgarradora o defensiva. □ SINÓN. *colmillo.* || **diente de ajo;** cada una de las partes en que se divide la cabeza del ajo, y que está separada por su propia tela y su propia cáscara. || **diente de leche;** en una persona y en los animales que mudan la dentadura cuando alcanzan cierta edad, cada uno de los que forman la primera dentición. || **diente de león;** planta herbácea con hojas dentadas y flores amarillas, y que tiene propiedades medicinales. || **(diente) incisivo;** cada uno de los que están situados en la parte más saliente de la mandíbula y que sirven para cortar. || **(diente) molar;** cada uno de los situados en la parte posterior de la boca después de los premolares, más anchos que estos y cuya función es trituradora. || **(diente) premolar;** cada una de las muelas de leche o definitivas, que están situadas después del colmillo en cada cuarto de la boca, y cuya raíz es más sencilla que la de las otras muelas. || **{enseñar/mostrar} los dientes;** *col.* Amenazar o mostrar disposición para atacar o para defenderse: *Tuve que enseñarle los dientes para hacer valer mi posición.* || **{hincar/meter}**

el diente; 1 Referido a algo ajeno, apropiarse de ello: *Está haciendo gestiones porque quiere hincar el diente a las tierras de su familia.* **2** Referido a un asunto, abordarlo y empezar a tratarlo: *Hacía tiempo que quería leer el libro y anoche, por fin, le hinqué el diente.* || **ponerle los dientes largos** a alguien; *col.* Sentir o provocar un deseo intenso por algo: *Como sabe que me gusta su coche, me habla constantemente de él para ponerme los dientes largos.* ☐ ETIMOL. Del latín *dens.*

diéresis (pl. *diéresis*) s.f. **1** En ortografía, signo gráfico que se coloca sobre la 'u' de las sílabas 'gue', 'gui' para indicar que esta letra debe pronunciarse, o sobre la primera vocal del diptongo cuyas vocales han de pronunciarse en sílabas distintas: *'Vergüenza' lleva diéresis sobre la 'u'.* **2** En métrica y en fonética, pronunciación en sílabas distintas de dos vocales que normalmente forman diptongo: *Si al leer 'ruido', dices '[ru·í·do]', estás haciendo una diéresis.* ☐ ETIMOL. Del griego *diáiresis* (separación).

diésel s.m. **1** Motor de explosión en el que el carburante se inflama por la compresión a que se somete la mezcla de aire y carburante en la cámara de combustión sin necesidad de la chispa de las bujías. **2** Coche que tiene este motor: *Su nuevo coche es un diésel.* ☐ ETIMOL. Por alusión a R. Diesel, ingeniero alemán que lo inventó. ☐ SINT. Se usa mucho en aposición, pospuesto a un sustantivo: *motor diésel; coche diésel.*

diestra s.f. Véase **diestro, tra**.

diestro, tra ▌adj. **1** Hábil o experto en una actividad: *Es muy diestra manejando todo tipo de armas.* **2** Referido a una persona, que tiene más habilidad con la mano o con la pierna derechas: *La mayor parte de las personas son diestras.* ▌s.m. **3** En tauromaquia, torero, esp. el matador de toros: *El diestro pidió la espada para matar al toro.* ▌s.f. **4** Mano derecha: *El caballero descargó sobre su adversario toda la fuerza de su diestra.* **5** || **a diestro y siniestro;** a todos lados, sin orden o sin miramiento: *Enfurecido, daba golpes a diestro y siniestro.* ☐ ETIMOL. Del latín *dexter, dextra* (derecho, que está a mano derecha). ☐ MORF. Sus superlativos son *diestrísimo* y *destrísimo.*

dieta s.f. **1** Regulación de la alimentación que ha de observar o guardar una persona: *ponerse a dieta.* **2** Conjunto de comidas y bebidas que componen esta alimentación regulada: *En su dieta no aparecen las grasas ni los dulces.* **3** Conjunto de comidas y bebidas que una persona toma normalmente: *la dieta mediterránea.* **4** Cantidad de dinero que se paga a la persona encargada de realizar una determinada actividad, esp. si esta debe ser realizada fuera de su residencia habitual. ☐ ETIMOL. Del latín *diaeta*, y este del griego *díaita* (manera de vivir, régimen de vida). ☐ MORF. En la acepción 4, se usa más en plural.

dietario s.m. Libro en el que se anotan los ingresos y los gastos diarios de una casa o de un establecimiento: *Para llevar bien la contabilidad de la casa apunto todo en un dietario.* ☐ ETIMOL. Del latín *dietarium* (libro donde se anotan las compras de víveres).

dietética s.f. Véase **dietético, ca**.

dietético, ca ▌adj. **1** De la dieta o regulación de la alimentación: *alimentos dietéticos.* ▌s.f. **2** Ciencia que estudia la alimentación más adecuada para conservar la salud o para recuperarla. ☐ ETIMOL. Del griego *diaitetikós.*

dietista s.com. Médico especializado en dietética: *La dietista me ha recomendado una dieta baja en calorías.*

dietólogo, ga s. Persona que se dedica profesionalmente al estudio de las dietas alimentarias y a la regulación de la alimentación.

dietoterapia s.f. Aplicación de una dieta alimentaria con fines curativos, teniendo en cuenta solo las propiedades de los alimentos que son saludables para el organismo.

diez ▌numer. **1** Número 10: *Entre las dos manos tenemos diez dedos. He sacado un diez en el examen.* ▌s.m. **2** Signo que representa este número: *Los romanos escribían el diez como 'X'.* ☐ ETIMOL. Del latín *decem.* ☐ MORF. Como pronombre es invariable en género y en número. ☐ SEM. En la lengua coloquial, pospuesto a un sustantivo, se usa con el significado de 'excelente': *Presume de que su novia es una chica diez.*

diezmar v. **1** Referido esp. a una población, causar gran mortandad en ella: *La guerra ha diezmado la población de la ciudad.* **2** Hacer disminuir o causar bajas: *Las lesiones que se produjeron en el último partido han diezmado nuestro equipo.* ☐ ETIMOL. Del latín *decimare*, por influencia de *diezmo*, que significó en un principio *matar uno de cada diez* y luego *mermar mucho en número.*

diezmilésimo, ma numer. **1** En una serie, que ocupa el lugar número diez mil: *Ésta es la diezmilésima carta que recibimos en el programa. Usted es el diezmilésimo que concursa.* **2** Referido a una parte, que constituye un todo junto con otras 9 999 iguales a ella: *No me creo ni la diezmilésima parte de lo que cuenta. Para hacer este experimento necesito un aparato capaz de medir diezmilésimas.*

diezmillonésimo, ma numer. **1** En una serie, que ocupa el lugar número diez millones: *Yo sería como el diezmillonésimo de los que nos presentamos a la oposición.* **2** Referido a una parte, que constituye un todo junto con otras 9 999 999 iguales a ella: *Muchos se conformarían con la diezmillonésima parte de lo que tú tienes.*

diezmo s.m. Parte de la cosecha o de los frutos, generalmente la décima, que pagaban los fieles a la Iglesia: *El pago de los diezmos fue causa de numerosos conflictos sociales.* ☐ ETIMOL. Del latín *decimus* (décima parte de la cosecha).

difamación s.f. Hecho de quitar la reputación de una persona publicando cosas que perjudiquen su buena opinión o fama: *La difamación puede ser un delito.*

difamar v. Referido a una persona, desacreditarla o quitarle reputación publicando cosas que perjudiquen su buena opinión o fama: *Aquel hombre me difamó diciendo que le había robado.* □ ETIMOL. Del latín *diffamare.*

difamatorio, ria adj. Que difama: *Puso una querella contra el periódico por considerar que el artículo publicado era difamatorio contra su persona.*

diferencia s.f. **1** Característica o propiedad por las que una persona o una cosa se distinguen de otras: *Entre nosotros hay una diferencia de edad de seis años.* **2** Desacuerdo u oposición entre dos o más personas: *Siempre hubo algunas diferencias que empañaron la relación de los socios.* **3** En matemáticas, resultado de una resta: *Si a 25 le resto 5, la diferencia es 20.* □ SINÓN. *resto.* **4** || **a diferencia de;** de modo diferente a: *A diferencia del resto de mis hermanos, yo soy rubia.* □ ETIMOL. Del latín *differentia.*

diferenciación s.f. Percepción y determinación de las diferencias que existen entre varios elementos: *Hay una clara diferenciación entre estas dos posturas ideológicas.*

diferencial ▮ adj.inv. **1** De la diferencia o relacionado con esta característica o propiedad: *rasgos diferenciales.* **2** En matemáticas, referido a una cantidad, que es infinitamente pequeña: *Los incrementos en matemáticas son cantidades diferenciales.* ▮ s.f. **3** En matemáticas, derivada de una función: *Para hallar la diferencial de esta función hay que utilizar una ecuación.* ▮ s.m. **4** En un automóvil, mecanismo que permite que las ruedas giren a velocidades diferentes repartiendo el esfuerzo. **5** En economía, margen o diferencia entre dos tipos o precios: *diferencial de inflación.* □ USO En la acepción 5, es innecesario el uso del anglicismo *spread.*

diferenciar v. **1** Referido a varios elementos, hacer distinción entre ellos o percibir las diferencias que entre ellos existen: *Con los años aprendió a diferenciar el bien del mal.* **2** Distinguir o hacer diferente o distinto: *El carácter diferencia a los dos hermanos. Todos estos jóvenes se diferencian por sus gustos musicales.* □ ORTOGR. La *i* nunca lleva tilde.

diferente adj.inv. Distinto o que no es igual: *Los dos sois muy diferentes porque tú eres tranquila y él, nervioso.*

diferido || **en diferido;** referido a un programa de radio o de televisión, que se emite posteriormente a su grabación: *El partido se jugó a las siete de la tarde, pero lo transmitieron en diferido a las once de la noche.*

diferimiento s.m. Aplazamiento o retraso de la realización de algo: *La nueva normativa permite el diferimiento del pago.*

diferir v. **1** Referido a la realización de algo, retrasarla o dejarla para más tarde: *Los responsables han decidido diferir la entrevista hasta tener todos los resultados del experimento.* □ SINÓN. *aplazar.* **2** Referido a un elemento, ser diferente de otro o tener distintas cualidades: *Nuestras opiniones difieren porque partimos de puntos de vista distintos.* **3** Referido a una persona, no estar de acuerdo con algo: *Difiero de todo lo que has dicho.* □ ETIMOL. Del latín *differre.* □ MORF. Irreg. →SENTIR. □ SINT. Constr. de la acepción 3: *diferir DE algo.*

difícil adj.inv. **1** Que se hace con mucho trabajo o con mucha dificultad: *un examen difícil.* **2** Que tiene poca probabilidad de suceder: *Es difícil que aquí nieve en mayo, pero alguna vez ha ocurrido.* **3** Referido a una persona, que es poco tratable o rebelde, o que presenta problemas. □ ETIMOL. Del latín *difficilis.*

dificultad s.f. **1** Inconveniente, contrariedad u objeción, esp. los que impiden la realización o el logro rápido de algo. **2** Presencia de esfuerzo en la realización de algo: *la dificultad de un examen.* □ ETIMOL. Del latín *difficultas.*

dificultar v. Referido a la realización o al logro de algo, ponerle dificultades o inconvenientes: *El temporal dificultaba el rescate de los náufragos.*

dificultoso, sa adj. Difícil o que presenta dificultad: *El barro y la oscuridad hacen dificultosa la entrada a la cueva.*

difosfonato s.m. Sustancia que se utiliza frecuentemente en los tratamientos contra la osteoporosis.

difracción s.f. En física, fenómeno por el cual un rayo luminoso se desvía de su propagación rectilínea al rozar el borde de un cuerpo opaco o al pasar por aberturas cuyo diámetro es menor o igual que la longitud de onda: *La difracción es un caso de interferencia.* □ ETIMOL. Del latín *diffractus* (roto, quebrado).

difteria s.f. En medicina, enfermedad infecciosa caracterizada por la formación de placas o falsas membranas en las mucosas y que produce dificultad para respirar y sensación de ahogo: *La difteria produce una fiebre muy alta.* □ ETIMOL. Del griego *diphthéra* (membrana, piel).

difuminar v. **1** Referido a una línea o a un color, extenderlos o rebajar sus tonos, esp. si para ello se utiliza un difumino: *Difuminó los contornos del dibujo para que tuviera sombras.* □ SINÓN. *esfuminar.* **2** Hacer perder claridad o intensidad: *La niebla difuminaba los contornos de los edificios.* □ SINÓN. *esfuminar.*

difumino s.m. Rollito de papel suave, terminado en punta, que sirve para difuminar: *Usa un difumino para extender el color uniformemente.* □ SINÓN. *esfumino.* □ ETIMOL. Del italiano *sfummino.*

difundir v. **1** Extender, propagar o hacer que se ocupe más espacio: *El viento difundió el olor de las flores por todo el campo.* **2** Referido esp. a una noticia o a un conocimiento, extenderlo o hacer que llegue a muchos lugares o a muchas personas: *La radio y la televisión difunden las noticias. La costumbre de ese antiguo pueblo se difundió por toda la región.* □ ETIMOL. Del latín *diffundere.* □ MORF. Tiene un participio regular (*difundido*), que se usa en la conjugación, y otro irregular (*difuso*), que se usa como adjetivo.

difunto, ta adj./s. Referido a una persona, que está muerta: *Visitaron a la familia de la difunta para darles el pésame.* □ ETIMOL. Del latín *defunctus.*

difusión s.f. **1** Extensión, propagación o aumento del espacio que algo ocupa: *Los espacios amplios y abiertos permiten una mejor difusión de la luz.* **2** Propagación de algo, esp. de una noticia o de un conocimiento, para que llegue a muchos lugares o a muchas personas. □ ETIMOL. Del latín *diffusio*.

difuso, sa adj. Impreciso y poco claro: *Entre las sombras se veía la imagen difusa de un hombre.*

difusor, -a adj./s. Que difunde o extiende: *Realizó una importante labor difusora de la cultura entre los sectores más marginados. A este secador se le puede acoplar un difusor.*

digerati (ing.) s.com. Persona especializada en el campo de las nuevas tecnologías, esp. si es su profesión. □ ETIMOL. Del inglés *digital* (digital) y la terminación de *literati* (literatos). □ PRON. [diyeráti].

digerir v. **1** Referido a un alimento, convertirlo, en el aparato digestivo, en sustancias que puedan ser asimiladas y absorbidas por el organismo: *Una ensalada ligera se digiere fácilmente.* **2** Referido a una desgracia o a una ofensa, sufrirlas con paciencia o superarlas: *No pude digerir aquel fracaso profesional.* □ ETIMOL. Del latín *digerere* (distribuir, repartir). □ MORF. Irreg. →SENTIR.

digestibilidad s.f. Facilidad de un alimento para ser digerido: *La digestibilidad es esencial en los alimentos que toman los bebés.*

digestible adj.inv. Que se puede digerir con facilidad: *La médica le recomendó alimentos digestibles que tuvieran pocas grasas.* □ SEM. Dist. de *digestivo* (que ayuda a digerir).

digestión s.f. Proceso fisiológico complejo por el cual el aparato digestivo convierte un alimento en sustancias que puedan ser asimiladas y absorbidas por el organismo: *Los jugos gástricos, la bilis y el jugo pancreático intervienen en la digestión de los alimentos.* □ ETIMOL. Del latín *digestio*.

digestivo, va adj. **1** De la digestión o relacionado con ella: *el aparato digestivo.* **2** Que ayuda a hacer la digestión: *un alimento digestivo.* □ SEM. En la acepción 2, dist. de *digestible* (que se puede digerir con facilidad).

digitación s.m. **1** En una partitura musical, indicación de los dedos que deben usarse para dar cada nota al tocar un instrumento, mediante la asignación de una cifra a cada dedo. **2** Adiestramiento de las manos en la ejecución musical: *ejercicios de digitación.*

digitado, da adj. En zoología, referido a un mamífero, que tiene sueltos los dedos de los pies: *El mono es un animal digitado.* □ ETIMOL. Del latín *digitatus*, y este de *digitus* (dedo).

digital ▌adj.inv. **1** De los dedos o relacionado con ellos: *huellas digitales.* □ SINÓN. *dactilar.* **2** Que utiliza o contiene información codificada con un código binario: *telefonía digital; emisión digital; reloj digital.* ▌s.f. **3** Planta herbácea de tallo poco ramoso, hojas alternas y flores colgantes en racimo y con la corola en forma de campana de color rojo púrpura: *De la digital se obtiene la digitalina.* □ SINÓN. *dedalera.* □ ETIMOL. Del latín *digitalis*.

digitalina s.f. Sustancia que se obtiene de las hojas de la digital, y que es de color amarillo y sabor amargo: *La digitalina se usa como medicamento para enfermedades del corazón.* □ ETIMOL. De *digital*.

digitalización s.f. Transformación de una información en una sucesión de números, para su tratamiento informático: *La digitalización de las imágenes ha permitido ampliar las posibilidades informáticas.*

digitalizador s.m. Aparato que sirve para digitalizar o transformar cualquier información en una sucesión de números, para su tratamiento informático.

digitalizar v. Referido a cualquier tipo de información, transformarla en una sucesión de números, para su tratamiento informático: *Cualquier fotografía se puede digitalizar para manipularla en el ordenador.* □ ORTOGR. La *z* se cambia en *c* delante de *e* →CAZAR.

dígito s.m. →**número dígito.** □ ETIMOL. Del latín *digitus* (dedo), porque estos números pueden contarse con los dedos.

digitopuntor, -a s. Persona que se dedica a la digitopuntura, esp. si esta es su profesión.

digitopuntura s.f. Técnica curativa de origen oriental que consiste en presionar con los dedos determinados puntos o partes del cuerpo humano para curar ciertas enfermedades. □ ETIMOL. De *dígito*, y este del latín *digitus* (dedo), y *acupuntura*.

diglosia s.f. En lingüística, en una comunidad de hablantes, situación de bilingüismo en que una lengua goza de mayor prestigio social que la otra: *La diglosia supone la especialización de cada lengua para situaciones sociales bien diferenciadas.* □ ETIMOL. Del griego *diglossos* (de dos lenguas). □ SEM. Dist. de *bilingüismo* (coexistencia de dos lenguas con el mismo prestigio social).

dignarse v.prnl. Referido a una acción, acomodarse a realizarla o tener a bien hacerla: *Es un antipático y no se digna saludarnos. Dígnate pasar por casa de vez en cuando.* □ ETIMOL. Del latín *dignari* (juzgar digno). □ SINT. Constr. *dignarse hacer algo*; está muy extendida en la lengua actual la constr. *dignarse A hacer algo*.

dignatario, ria s. Persona que tiene un cargo honorífico y de autoridad.

dignidad s.f. **1** Seriedad, decoro y gravedad en el comportamiento: *Actuó con mucha dignidad.* **2** Cargo o empleo honorífico y de autoridad: *Tiene la dignidad de cardenal.* □ ETIMOL. Del latín *dignitas*.

dignificación s.f. Cambio a una condición digna o más digna: *La asistencia de las autoridades supuso la dignificación del acto.*

dignificar v. Hacer digno o hacer que lo parezca: *Tu honradez te dignifica. Un empleo se dignifica si mejoran las condiciones de trabajo.* □ ETIMOL. Del latín *dignificare.* □ ORTOGR. La *c* se cambia en *qu* delante de *e* →SACAR. □ SEM. No debe emplearse con el significado de 'valorar': *Se debe {*dignificar > valorar} la labor del profesorado.*

digno, na adj. **1** Que es merecedor de algo, en sentido favorable o adverso: *No es digna de desprecio sino de alabanza.* **2** Que tiene dignidad o que actúa de modo que merece respeto y admiración: *Lleva una vida digna dedicada a la familia y al trabajo.* **3** Correspondiente o proporcionado al mérito y la condición que se tiene: *Tuvo una digna recompensa por su honradez.* **4** Que permite mantener la dignidad: *un sueldo digno.* ☐ ETIMOL. De latín *dignus.* ☐ SINT. Constr. de la acepción 1: *digno* DE *algo.*

dígrafo s.m. Conjunto de dos signos que representan un sonido o un fonema: *La 'ch' de 'choza' es un dígrafo.* ☐ SINÓN. *letra doble, digrama.* ☐ ETIMOL. De *di-* (dos) y *-grafo* (signo).

digrama s.m. →**dígrafo.** ☐ ETIMOL. De *di-* (dos) y *-grama* (letra).

digresión s.f. Ruptura del hilo de un discurso por tratar en él asuntos que no tienen conexión o relación con aquello de lo que se está tratando: *Es un libro confuso y con muchas digresiones.* ☐ SINÓN. *excurso.* ☐ ETIMOL. Del latín *digressio,* y este de *digredi* (apartarse). ☐ MORF. Incorr. **disgresión.*

dije ▮ adj.inv. **1** *col.* En zonas del español meridional, encantador, simpático y agradable: *Es un muchacho muy dije.* ▮ s.m. **2** Joya pequeña que suele llevarse colgada de una cadena o de una pulsera: *Mi madre tiene una pulsera con varios dijes.*

dilaceración s.f. Desgarramiento de los tejidos de una persona o de un animal: *La dilaceración de los tejidos de la pierna dificulta mucho la cicatrización.* ☐ MORF. Incorr.: **dislaceración.*

dilacerar v. Referido a la carne de una persona o de un animal, despedazarla al desgarrarla: *La operación fue difícil porque las púas de la alambrada le habían dilacerado los tejidos.* ☐ ETIMOL. Del latín *dilacerare.* ☐ MORF. Incorr. **dislacerar.*

dilación s.f. Demora, tardanza o detención por algún tiempo: *Hazme este encargo sin dilación, por favor.* ☐ ETIMOL. Del latín *dilatio,* este de *dilatus,* y este de *diferre* (aplazar).

dilapidación s.f. Derroche o gasto excesivo de los bienes materiales: *La dilapidación de la herencia en pocos meses lo dejó en la miseria.*

dilapidar v. Referido esp. a bienes materiales, malgastarlos o derrocharlos: *No dilapides el dinero en gastos inútiles. Dilapidó su fortuna y ahora está arruinado.* ☐ ETIMOL. Del latín *dilapidare* (lanzar algo aquí y allá como si fueran piedrecitas).

dilatable adj.inv. Que se puede dilatar: *Muchas sustancias son dilatables por efecto del calor.*

dilatación s.f. **1** Alargamiento o extensión en el espacio o en el tiempo: *Cuando respiramos, se produce la dilatación pulmonar.* **2** En física, aumento del volumen de un cuerpo por separación de sus moléculas y disminución de su densidad: *El calor produce la dilatación de los cuerpos.* **3** Aumento del diámetro del cuello del útero para posibilitar la salida del feto: *En los partos, a veces ponen goteo a la paciente para acelerar la dilatación.*

dilatador, -a adj./s. Que dilata o extiende: *Antes de pasar al paritorio, me suministraron una sustancia dilatadora para facilitar el parto.*

dilatar v. **1** Alargar, extender o hacer ocupar más espacio: *El calor dilata los cuerpos. La pupila se dilata cuando hay poca luz.* **2** Extender en el tiempo o hacer durar más: *Las preguntas dilataron el debate. El concierto se dilató porque el público pidió la repetición de varias canciones.* **3** Diferir o retrasar en el tiempo: *La conferencia se dilató dos semanas por enfermedad del conferenciante.* **4** Referido esp. a la fama, propagar o hacer que se extienda: *La prensa contribuyó a dilatar la fama de esta novela. La popularidad de ese gran músico se dilata de día en día.* **5** Aumentar el diámetro del cuello del útero para posibilitar la salida del feto en un parto: *Como no dilataba lo suficiente, me hicieron la cesárea.* ☐ ETIMOL. Del latín *dilatare* (ensanchar).

dilatorio, ria adj. **1** Que causa dilación o aplazamiento: *Eso que me dices son excusas dilatorias para no pagar la deuda.* **2** En derecho, que sirve para prorrogar y extender un término judicial o la tramitación de un asunto: *El demandado opuso motivos legales dilatorios para retrasar el proceso.* ☐ ETIMOL. Del latín *dilatorius.*

dildo (ing.) s.m. →**consolador.** ☐ PRON. [díldou].

dildonic (ing.) s.m. Creación de realidad virtual de contenido sexual. ☐ ETIMOL. Del inglés *dildo* (consolador). ☐ PRON. [dildónic]. ☐ USO Tiene un matiz humorístico.

dilección s.f. *poét.* Amor o cariño especial. ☐ ETIMOL. Del latín *dilectio.*

dilecto, ta adj. *poét.* Querido con un afecto reflexivo y especial: *Tú, mi dilecto amigo, siempre estás en mi corazón.* ☐ ETIMOL. Del latín *dilectus,* de *diligere* (amar).

dilema s.m. **1** Situación de duda en la que hay que elegir: *tener un dilema; estar en un dilema.* **2** En filosofía, argumento formado por dos proposiciones contrarias y disyuntivas de modo que, negada o afirmada cualquiera de las dos, queda demostrado lo que se intenta probar: *Un dilema es la oposición de dos tesis, de modo que si una es verdadera, la otra ha de considerarse falsa.* ☐ ETIMOL. Del griego *dílemma,* de *di-* (dos) y *lêmma* (tema, premisa). ☐ SEM. Dist. de *problema* (situación que dificulta algo y que hay que solucionar).

díler s. →**dealer.** ☐ ETIMOL. Del inglés *dealer* (comerciante).

diletante adj.inv./s.com. Que cultiva un arte o un campo del saber como aficionado y no como profesional: *Presume de buena pintora pero solo es una diletante.* ☐ ETIMOL. Del italiano *dilettante.* ☐ USO Tiene un matiz despectivo.

diletantismo s.m. Comportamiento propio de un diletante que cultiva un arte o un campo del saber por afición: *Tu diletantismo en pintura no te permite hacer los juicios de valor de un especialista.* ☐ USO Tiene un matiz despectivo.

diligencia s.f. **1** Coche grande de caballos que estaba dividido en dos o tres departamentos y se destinaba al transporte de viajeros: *En esa película del Oeste, unos bandidos atracan una diligencia.* **2** Cuidado o prontitud con que se hace algo: *Acudió con diligencia a mi llamada.* **3** Trámite de un asunto administrativo y constancia por escrito de haberlo efectuado: *Fui al ministerio a hacer unas diligencias.* **4** En zonas del español meridional, encargo, recado o gestión: *Hoy tengo que hacer unas diligencias para un amigo.*

diligenciar v. **1** Referido a una solicitud, poner los medios necesarios para lograrla: *Diligencié la solicitud de pensión y ya estoy cobrándola.* **2** Referido a un asunto administrativo, tramitarlo con constancia escrita de haberlo efectuado: *Debes diligenciar la escritura en la notaría.* □ ORTOGR. La *i* nunca lleva tilde.

diligente adj.inv. **1** Que hace las cosas con mucho cuidado y exactitud: *Es muy diligente y me ayuda mucho en el taller.* **2** Que actúa con prontitud: *No eres tan diligente a la hora de trabajar como a la hora de cobrar.* □ ETIMOL. Del latín *diligens* (lleno de celo, atento, escrupuloso).

dilogía s.f. Uso de una palabra con dos significados distintos dentro del mismo enunciado: *En la frase 'Trae el gato' hay una dilogía porque 'gato' significa dos cosas.* □ ETIMOL. Del griego *di-* (dos) y *lógos* (tratado).

dilucidación s.f. Explicación o aclaración de algo: *La lógica nos llevó a la dilucidación de lo que parecía inexplicable.*

dilucidar v. Referido esp. a un asunto, explicarlo y aclararlo: *Ya dilucidé la causa del accidente.* □ ETIMOL. Del latín *dilucidare.* □ SEM. No debe emplearse con el significado de 'discutir' o de 'elegir': *Ya {*dilucidé > elegí} a quién le encargaré el trabajo.*

dilución s.f. Desunión de las partes de algo sólido en un líquido: *Agitaré el jarabe hasta su perfecta dilución.*

diluir v. **1** Referido esp. a algo sólido, disolverlo y desunir sus partes por medio de un líquido: *El cacao se diluye bien en leche caliente.* □ SINÓN. *desleír.* **2** Referido esp. a una disolución, añadirle un líquido para aclararla: *Diluye la pintura con aguarrás porque está espesa.* □ ETIMOL. Del latín *diluere* (desleír, anegar). □ MORF. Irreg. →HUIR. □ SEM. No debe emplearse con el significado de 'dispersar': *La policía {*diluyó > dispersó} a los manifestantes.*

diluvial adj.inv. Referido a un terreno, que está constituido por depósitos de materias arenosas y arcillosas que fueron arrastradas por corrientes de agua: *Los terrenos diluviales suelen ser fértiles.*

diluviano, na adj. Relacionado con el diluvio universal o con sus características: *En abril hubo lluvias diluvianas y se inundaron muchas viviendas.*

diluviar v. Llover muy abundantemente: *No salgas ahora, que está diluviando.* □ ORTOGR. La *i* nunca lleva tilde. □ MORF. Verbo unipersonal: se usa solo en tercera persona del singular y en las formas no personales (infinitivo, gerundio y participio).

diluvio s.m. **1** Lluvia muy abundante. **2** *col.* Abundancia excesiva de algo: *un diluvio de preguntas.* □ ETIMOL. Del latín *diluvium* (inundación, diluvio).

diluyente adj.inv./s.m. Que diluye: *El aguarrás es un diluyente.*

dimanación s.f. Acción de dimanar, originarse o proceder: *En la monarquía absolutista, se pensaba que los reyes tenían el poder por dimanación divina.*

dimanar v. Originarse, provenir o proceder: *Antiguamente, se creía que el poder real dimanaba de Dios.* □ ETIMOL. Del latín *dimanare.* □ SINT. Constr. *dimanar* DE *algo.*

dimensión s.f. **1** Extensión de un objeto en una dirección determinada: *un teatro de grandes dimensiones.* **2** Cada una de las magnitudes que sirven para definir un fenómeno o un objeto: *La longitud, la anchura y la altura son las tres dimensiones espaciales.* **3** Magnitud o alcance que tiene o que puede adquirir algo: *Aún no se pueden calcular las dimensiones de la desgracia.* □ ETIMOL. Del latín *dimensio*, y este de *dimetiri* (medir en todos los sentidos).

dimensional adj.inv. De la dimensión o relacionado con ella: *Haz un análisis dimensional del problema para poder obrar en consecuencia.*

dimensionar v. Medir o calcular la extensión de un objeto: *Habrá que dimensionar la habitación para ver si te cabe una mesa.*

dimes ‖ **dimes y diretes;** *col.* Respuestas, debates o comentarios entre dos o más personas: *Siempre andan en dimes y diretes cotilleando en la vida de los demás.*

dimidium (lat.) s.m. Mitad de una obra, de un trabajo o de algo que está en curso: *Muchas asignaturas anuales tienen su dimidium en los exámenes parciales de los meses de enero y febrero.*

diminutivo, va ▌adj. **1** En gramática, referido a un sufijo o a una categoría gramatical, que indica menor tamaño o que da un valor afectivo determinado: *El adjetivo diminutivo 'pequeñín' tiene un matiz cariñoso.* ▌s.m. **2** En gramática, palabra formada con un sufijo que indica menor tamaño o valor afectivo: *'Cochecín', 'cochecito' y 'cochecillo' son tres diminutivos de 'coche'.* □ ETIMOL. Del latín *diminutivus.* □ ORTOGR. Incorr. **disminutivo.*

diminuto, ta adj. De tamaño excesivamente pequeño: *Me regaló un anillo con un diminuto brillante.* □ ETIMOL. Del latín *diminutus.*

dimisión s.f. Renuncia o abandono del cargo que se desempeña, esp. si se comunica a la autoridad correspondiente: *No puedes dejar el cargo porque no han aceptado tu dimisión.* □ ETIMOL. Del latín *dimissio.*

dimisionario, ria adj./s. Que presenta o que ha presentado su dimisión: *La ministra dimisionaria no ha dado las razones de su renuncia.*

dimitir v. Renunciar al cargo que se desempeña, esp. si se comunica a la autoridad correspondiente: *Como me obliguen a hacer algo que no quiero, tendré que dimitir. Dimite de su cargo porque no está satisfecho.* □ ETIMOL. Del latín *dimittere.* □ SINT.

1. Su uso como transitivo es incorrecto: {*dimitir > hacer dimitir} a alguien de su cargo. 2. Constr. dimitir DE un cargo.

dimórfico, ca adj. →**dimorfo.**

dimorfismo s.m. **1** En biología, presencia en los individuos de una especie, de dos formas o dos aspectos anatómicos diferentes: *Entre el gallo y la gallina hay dimorfismo sexual.* **2** En mineralogía, posibilidad de una sustancia de cristalizar según dos sistemas diferentes.

dimorfo, fa adj. **1** En biología, referido a una especie animal o vegetal, que está compuesta por individuos que presentan dos formas o dos aspectos anatómicos diferentes: *Los alces son dimorfos ya que el macho presenta cuernos y la hembra no.* ☐ SINÓN. *dimórfico.* **2** En mineralogía, referido a una sustancia, que puede cristalizar según dos sistemas diferentes: *El carbono es una sustancia dimorfa.* ☐ SINÓN. *dimórfico.* ☐ ETIMOL. De *di-* (dos) y el griego *morphé* (forma).

DIN (al.) s.m. Formato internacional normalizado de tamaño del papel: *El informe me ha ocupado treinta folios DIN A4.* ☐ ETIMOL. Es el acrónimo del alemán *Deutsche Industrie Norms* (normas de la industria alemana). ☐ SINT. Se usa mucho en aposición, pospuesto a un sustantivo: *tamaño DIN A3.*

dina s.f. En el sistema cegesimal, unidad de fuerza que equivale a 10^{-5} newtons: *En el Sistema Internacional, la fuerza no se mide en dinas sino en newtons.* ☐ ETIMOL. Del griego *dýnamis* (fuerza, potencia). ☐ ORTOGR. Su símbolo es *dyn*, por tanto, se escribe sin punto.

dinamarqués, -a ▌adj./s. **1** De Dinamarca o relacionado con este país europeo. ☐ SINÓN. *danés.* ▌s.m. **2** Lengua germánica de este país y de otras regiones: *El dinamarqués es de la misma familia que el alemán.* ☐ SINÓN. *danés.*

dinámica s.f. Véase **dinámico, ca.**

dinámico, ca ▌adj. **1** *col.* Referido a una persona, que es muy activa y tiene mucha energía. **2** De la dinámica, de la fuerza que produce movimiento o relacionado con ellas: *La geología dinámica estudia los volcanes o las fallas en su fuerza expansiva.* ▌s.f. **3** Parte de la mecánica que estudia el movimiento de los cuerpos en relación con las fuerzas que lo producen. **4** Conjunto de hechos o de fuerzas que actúan en algún sentido: *Cuando entras en la dinámica del poder es difícil salir de ella.* ☐ ETIMOL. Del griego *dynamikós* (potente, fuerte). ☐ SEM. 1. En la acepción 3, dist. de *estática* (estudio de las leyes del equilibrio de los cuerpos). 2. En la acepción 4, no debe emplearse con el significado de 'situación': *Se encuentra en una {*dinámica > situación} muy compleja.*

dinamismo s.m. **1** Actividad y presteza para hacer o para emprender cosas. **2** Energía activa que estimula el cambio o el desarrollo: *Las relaciones internacionales actuales se caracterizan por su dinamismo.* ☐ ETIMOL. Del griego *dýnamis* (fuerza, potencia).

dinamita s.f. **1** Mezcla explosiva de nitroglicerina con un cuerpo muy poroso. **2** *col.* Lo que tiene facilidad para crear alboroto: *Ese actor es pura dinamita, porque es muy provocativo.* ☐ ETIMOL. Del griego *dýnamis* (fuerza, potencia); es una palabra acuñada por el inventor de la dinamita.

dinamitar v. Destruir o volar con dinamita: *Dinamitan el puente viejo para construir uno nuevo.*

dinamitero, ra adj./s. Referido a una persona, que está especializada en destruir algo por medio de la dinamita: *Dos dinamiteros tuvieron que volar el puente.*

dinamizar v. Referido esp. a algo que no es activo, transmitirle dinamismo o hacer que se desarrolle o que cobre más importancia: *Las nuevas inversiones han dinamizado la economía.* ☐ ORTOGR. La *z* se cambia en *c* delante de *e* →CAZAR.

dinamo (tb. *dínamo*) s.f. Máquina que transforma la energía mecánica o movimiento en energía eléctrica por medio de la inducción electromagnética: *La dinamo de los coches permite que se cargue de electricidad la batería.* ☐ ETIMOL. Del griego *dýnamis* (fuerza, potencia).

dinamometría s.f. En física, medición de la resistencia de una máquina y de las fuerzas motrices.

dinamométrico, ca adj. **1** De la dinamometría o relacionado con la medición de fuerzas motrices. **2** Del dinamómetro o relacionado con este instrumento que sirve para apreciar la resistencia de las máquinas y para medir fuerzas motrices.

dinamómetro s.m. Instrumento que sirve para apreciar la resistencia de las máquinas y para medir fuerzas motrices: *El dinamómetro funciona por medio de un muelle que lleva en su interior.* ☐ ETIMOL. Del griego *dýnamis* (fuerza) y *-metro* (medidor).

dinar s.m. Nombre genérico que recibe la unidad monetaria de distintos países: *El dinar iraquí tiene distinto valor que el dinar tunecino.* ☐ ETIMOL. Del árabe *dinar*.

dinastía s.f. **1** Conjunto de príncipes soberanos en un país y que pertenecen a la misma familia: *la dinastía española de los Austrias.* **2** Familia en cuyos individuos se perpetúa el poder o la influencia en algún sector: *una dinastía de artistas.* ☐ ETIMOL. Del griego *dynásteia* (dominación, gobierno).

dinástico, ca adj. De la dinastía o relacionado con ella: *sucesión dinástica.*

dinerada s.f. →**dineral.**

dineral s.m. Cantidad grande de dinero: *Este palacio vale un dineral.* ☐ SINÓN. *dinerada.*

dineramen s.m. *col.* Dinero.

dinerario, ria adj. Del dinero o relacionado con él: *deudas dinerarias.*

dinero s.m. **1** Conjunto de billetes y monedas corrientes o que tienen valor legal: *No tengo bastante dinero para comprar la casa.* **2** En economía, lo que una sociedad acepta generalmente como medio de pago: *El dinero lo constituyen las piezas metálicas acuñadas, los billetes y otros instrumentos con un valor asignado.* **3** *col.* Conjunto de bienes y riquezas, esp. de billetes y monedas corrientes: *Esa chica ha tenido dinero siempre.* **4** || **de dinero;** referido esp. a una persona, que tiene dinero en abundancia: *una familia de dinero.* || **dinero caliente;** el que se invierte sucesivamente en distintos países según el rédito que produzca. || **dinero de bolsillo;** el que se lleva a mano para pequeños gastos cotidianos. || **dinero de plástico;** tarjetas de crédito. || **dinero digital;** dinero virtual que solo se puede utilizar en internet. ☐ SINÓN. *ciberdinero.* || **dinero {limpio/ sucio};** *col.* El que se gana de forma legal o ilegal respectivamente. || **dinero negro;** el que se mantiene oculto al fisco. ☐ ETIMOL. Del latín *denarius* (moneda de plata que valía diez ases). ☐ MORF. El plural *dineros* es coloquial. ☐ USO Es innecesario el uso del anglicismo *money*.

dingo s.m. Especie de perro de una raza que se caracteriza por ser depredadora y tener el tronco robusto y el pelaje rojizo: *El dingo es originario de Australia.* ☐ MORF. Es un sustantivo epiceno: *el dingo {macho/hembra}.*

dinosaurio s.m. Reptil de gran tamaño que vivió en la era secundaria, con cabeza pequeña, cuello y cola largos, y las patas anteriores más cortas que las posteriores: *A cualquier paleontólogo le gustaría encontrar un fósil de dinosaurio.* ☐ ETIMOL. Del griego *deinós* (terrible) y *sâuros* (lagarto).

dinoterio s.m. Mamífero fósil de gran tamaño que vivió en el período mioceno, parecido al elefante y con los colmillos del maxilar inferior curvados hacia abajo: *El dinoterio medía unos cuatro metros de altura.* ☐ ETIMOL. Del griego *deinós* (terrible) y *theríon* (animal).

dintel s.m. En una puerta o en una ventana, parte superior horizontal sostenida por dos piezas laterales. ☐ SINÓN. *cargadero.* ☐ ETIMOL. Del francés antiguo *lintel*, y este del latín *liminaris* (perteneciente a la puerta de entrada). ☐ SEM. Dist. de *umbral* (suelo de la puerta).

dintorno s.m. Conjunto de líneas, colores y texturas que configuran el interior de una forma: *El dintorno de una figura es lo que está dentro de su contorno.* ☐ ETIMOL. Del italiano *ditorno*, y este de *d'intorno* (de entorno).

diñar || **diñarla;** v. *arg.* Morir: *Con ese tipo de vida que llevas, pronto la diñas.* ☐ ETIMOL. De origen gitano.

diocesano, na adj. De la diócesis o relacionado con ella: *A este sínodo diocesano asisten los obispos de varios países.*

diócesis (pl. *diócesis*) s.f. Distrito o territorio en el que ejerce su jurisdicción un prelado: *Esta parroquia pertenece a la diócesis cordobesa.* ☐ ETIMOL. Del latín *dioecesis* (circunscripción), y este del griego *dióikesis* (administración, gobierno).

diodo s.m. Válvula electrónica de dos electrodos que sirve para dejar pasar la corriente en un solo sentido: *Los diodos se utilizan para la rectificación en el campo de altas frecuencias.* ☐ ETIMOL. De *di-* (dos) y el griego *odós* (camino).

dioico, ca adj. Referido a una planta, que tienen las flores de cada sexo en un tallo o tronco distinto: *Las palmeras son plantas dioicas.* ☐ ETIMOL. De *di-* (dos) y el griego *ôikós* (casa). ☐ SEM. Dist. de *monoico* (con las flores de cada sexo en un mismo tallo).

dionisíaco, ca (tb. *dionisiaco, ca*) adj. **1** De Dioniso (dios griego del vino y de la sensualidad), o relacionado con él. **2** Relacionado con el vino o con la borrachera: *Sus fiestas siempre son dionisíacas, y en ellas siempre se bebe y se come en abundancia.* ☐ SINÓN. *báquico.*

dioptría s.f. **1** En óptica, unidad de potencia de una lente: *La dioptría equivale al poder de una lente cuya distancia de enfoque es de un metro.* **2** Unidad que expresa el grado de defecto visual de un ojo: *En el ojo derecho tengo tres dioptrías.* ☐ ETIMOL. Del griego *día-* (a través de) y la raíz *op-* (ver). ☐ ORTOGR. Incorr. **diotría.*

diorama s.m. **1** Reproducción a pequeña escala de una escena: *En la exposición de modelismo había maquetas o dioramas sobre batallas históricas.* **2** Tela transparente pintada por las dos caras que, al ser iluminada por uno u otro lado, permite ver en un mismo sitio dos cosas distintas: *Con el diorama se consigue una sensación tridimensional o de movimiento.* **3** Lugar en el que se muestran estos lienzos. ☐ ETIMOL. Del griego *dià* (a través) y *hórama* (lo que se ve).

diorita s.f. Roca eruptiva de grano grueso, generalmente de textura homogénea, que puede tomar coloraciones entre el blanco y el negro: *La diorita se compone de feldespato y mica.* ☐ ETIMOL. Del griego *diorízo* (yo distingo), porque está compuesta de diversas partes que son diferentes entre sí.

dios, -a s. **1** Ser supremo o sobrenatural al que se le rinde culto: *Las religiones politeístas tienen varios dioses y diosas.* ☐ SINÓN. *deidad.* **2** Persona muy admirada y querida, y considerada superior a las demás: *Es del dios de la natación.* **3** || **a la buena de Dios;** *col.* De cualquier modo, sin especial cuidado o sin preparación: *Toma un paraguas y no salgas a la buena de Dios con esta lluvia.* || **{andar/ marchar/ir} con Dios;** expresión que se usa como fórmula de despedida: *¡Ve con Dios y vuelve cuando quieras!* || **como Dios;** *col.* Muy bien: *Aquí estoy como Dios.* || **como Dios manda;** como está socialmente admitido que debe ser: *Pórtate como Dios manda. Me fío de él porque es un chico como Dios manda.* || **Dios mediante;** si Dios quiere o si no hay contratiempo: *Iremos a veros, Dios mediante, esta misma tarde.* || **Dios y ayuda;** *col.* Mucha ayuda o mucho esfuerzo: *Me cuesta Dios y ayuda entender la filosofía.* || **la de Dios (es Cristo);** *col.* Alboroto o jaleo muy grandes: *Se arma la de Dios cada vez que se estropea el semáforo.* || **sin encomendarse** alguien **a Dios ni al diablo;** *col.* Sin pensarlo y sin precaución: *No preguntó a nadie y, sin encomendarse a Dios ni al diablo, salió él solo.* || **todo Dios;** *col.* Todo el mundo. ☐ ETIMOL. Del latín *deus.*

□ MORF. *Dios* se usa mucho como interjección: *¡Dios!, se me olvidó avisarlo.*

dióxido s.m. En química, óxido cuya molécula contiene dos átomos de oxígeno: *dióxido de carbono.*

dioxina s.f. Sustancia tóxica que se forma durante la elaboración de algunos herbicidas: *La dioxina puede producir alteraciones cromosómicas.*

dipétalo, la adj. Referido esp. a una flor, que tiene dos pétalos.

diploclamídeo, a adj. Referido a una flor, que tiene dos periantios o un doble conjunto formado por el cáliz y la corola: *La rosa es una flor diploclamídea.* □ ETIMOL. Del griego *diplóos* (doble) y *khlamýs* (clámide).

diplodoco s.m. Reptil del grupo de los dinosaurios que existió en la era secundaria, tenía gran tamaño, cabeza muy pequeña, cuello y cola muy largos y las vértebras ahuecadas para aliviar su carga: *Debido a su débil mandíbula, el diplodoco comía las hojas blandas de los árboles.* □ SINÓN. *diplodocus.* □ ETIMOL. Del griego *diplóos* (doble) y *dokós* (estilete), porque las vértebras de la cola tienen dos estiletes longitudinales.

diplodocus (pl. *diplodocus*) s.m. →**diplodoco.**

diplofase s.f. En la reproducción sexual de algunos organismos, fase caracterizada por la naturaleza diploide de sus células: *La diplofase de los musgos comienza con la unión del gameto femenino con el masculino.*

diploide adj.inv. Referido a un organismo o a una fase de su desarrollo, que tiene una dotación doble de cromosomas: *Las personas son seres diploides.* □ ETIMOL. Del griego *diplóos* (doble) y *-oide* (relación, semejanza).

diploma s.m. Título o documento que expide una corporación o un organismo y que acredita generalmente un grado académico o un premio. □ ETIMOL. Del latín *diploma* (documento oficial), y este del griego *díploma* (tablilla o papel doblado en dos).

diplomacia s.f. **1** Ciencia que estudia los intereses y las relaciones internacionales de los estados: *Estudiaré diplomacia.* **2** Conjunto de personas y organización al servicio de cada Estado en sus relaciones internacionales: *Se firmó el tratado de cooperación gracias a la diplomacia internacional.* **3** *col.* Cortesía aparente e interesada: *Un amigo verdadero habla con sinceridad, no con diplomacia.* **4** *col.* Habilidad o disimulo al hacer o decir algo: *Díselo con diplomacia para que no le resulte penosa la noticia.* □ ETIMOL. De *diploma.*

diplomado, da s. Persona que tiene un diploma o una diplomatura: *Es un diplomado en peluquería.* □ SINT. Constr. *diplomado* EN *algo.*

diplomar v. Conceder u obtener un diploma facultativo o de aptitud: *Me he diplomado en enfermería.* □ SINT. Constr. *diplomar* EN *algo.*

diplomático, ca ▌adj. **1** De la diplomacia o relacionado con ella: *el cuerpo diplomático.* **2** *col.* Que trata a los demás con cortesía aparente e intencionada o con habilidad y disimulo: *Para dar una mala noticia conviene ser diplomático.* ▌s. **3** Persona que se dedica profesionalmente al servicio de un Estado en sus relaciones internacionales.

diplomatista s.com. Persona especializada en el estudio científico de diplomas y documentos.

diplomatura s.f. Grado universitario obtenido tras realizar estudios de primer ciclo: *Quiero obtener una diplomatura y después veré si me interesa una licenciatura.*

diplopía s.f. Fenómeno patológico que consiste en la visión doble de un objeto. □ ETIMOL. Del griego *diplóos* (doble) y de *ops* (vista).

dipsomanía s.f. Tendencia irresistible al abuso de bebidas alcohólicas: *Para curar la dipsomanía hay que tener mucha fuerza de voluntad.* □ ETIMOL. Del griego *dípsia* (sed) y *manía* (locura).

dipsomaníaco, ca (tb. *dipsomaniaco, ca*) adj./s. →**dipsómano.**

dipsómano, na adj./s. Referido a una persona, que padece dipsomanía o tendencia a abusar de las bebidas alcohólicas. □ SINÓN. *dipsomaniaco, dipsomaníaco.*

díptero, ra ▌adj./s. **1** Referido a un insecto, que se caracteriza por carecer de alas, o tener las dos anteriores membranosas y las dos posteriores transformadas en balancines, y por tener el aparato bucal chupador: *Los mosquitos son dípteros que tienen una metamorfosis complicada.* ▌s.m.pl. **2** En zoología, orden de estos insectos, perteneciente al tipo de los artrópodos: *Las moscas y los tábanos pertenecen a los dípteros.* □ ETIMOL. Del latín *dipteros*, y este del griego *di-* (dos) y *pterón* (ala).

díptico s.m. **1** Cuadro o bajo relieve formado por dos partes que pueden cerrarse como las tapas de un libro: *En la época romana solían hacerse dípticos en relieve y en marfil.* **2** Folleto publicitario o informativo, que consiste en una hoja doblada por la mitad que se abre como un libro. □ ETIMOL. Del latín *dyptychus*, y este del griego *díptychos* (plegado en dos).

diptongación s.f. **1** Transformación de una vocal en diptongo: *En la forma 'cuento' del verbo 'contar', se ha producido la diptongación de la 'o' del infinitivo.* **2** Pronunciación de dos vocales en una sola sílaba formando diptongo: *Si lees 'había' como '[hábia]', estás haciendo una diptongación de las vocales 'ia' que estaban en hiato.*

diptongar v. **1** Referido a una vocal, transformarse en diptongo: *La 'o' de volar diptonga en 'ue' en el presente 'vuelo'.* **2** Referido a dos vocales, pronunciarlas en una sola sílaba formando diptongo: *Si diptongamos 'baúl', obtendremos la pronunciación vulgar '[bául]'.* □ ORTOGR. La *g* se cambia en *gu* delante de *e* →PAGAR.

diptongo s.m. Conjunto de dos vocales que se pronuncian en una misma sílaba: *La combinación 'ue' de la primera sílaba de 'huerta' es un diptongo.* □ ETIMOL. Del latín *diphthongus*, este del griego *díphthongos*, y este de *di-* (dos) y *phthóngos* (sonido). □ SEM. Dist. de *hiato* (contacto de dos vocales que forman sílabas distintas).

diputación s.f. **1** Cuerpo o conjunto de los diputados: *Esta Diputación defiende los intereses de la provincia.* **2** Edificio o lugar donde los diputados celebran las sesiones: *Me acerqué a la diputación a resolver un asunto.* ☐ ORTOGR. En la acepción 1, se usa mucho como nombre propio.

diputado, da s. Persona nombrada por elección popular como representante de una cámara legislativa, de ámbito nacional, regional o provincial: *Ha sido elegida diputada por Logroño.* ☐ ETIMOL. Del antiguo *diputar* (reputar, elegir a un individuo como representante de la colectividad).

diputar v. **1** Referido a una persona, designarla para un cargo o función. **2** Referido a un objeto, elegirlo para un determinado uso. **3** *poét.* Reputar o calificar. ☐ SINT. Constr. de la acepción 3: *diputar [DE/COMO] algo.*

dique s.m. **1** Muro que se construye para contener el empuje de las aguas. **2** Lo que sirve para contener, moderar o proteger algo: *Pusieron dique a sus exageradas pretensiones.* **3** || **dique (seco);** en una dársena, cavidad o recinto que se llena de agua para que entre un barco y luego se vacía para reparar su casco o limpiarlo. || **en el dique seco;** *col.* Sin realizar la actividad que normalmente se desarrolla: *Lleva un mes en el dique seco por una lesión que le impide jugar.* ☐ ETIMOL. Del holandés *dijk.*

diquelar v. *col.* Comprender o darse cuenta: *Si no diquelas lo que digo, que te lo explique otro.* ☐ ETIMOL. De origen gitano.

dirección s.f. **1** Camino o rumbo que sigue algo en su movimiento: *El viento sopla en dirección Norte.* **2** Enseñanza, normas o consejos que guían un trabajo o una actuación: *La dirección de su tesis está a cargo de ese profesor.* **3** Persona o conjunto de personas que gobiernan o dirigen a otras en una empresa, asociación o grupo: *La dirección de este local prohíbe que se fume en él.* **4** Cargo de director: *La dirección está vacante porque la antigua directora ha dimitido.* **5** Oficina o lugar en el que está el director: *Me llamaron a dirección para hablar del aumento de sueldo.* **6** Domicilio o calle, número y piso en el que vive una persona: *Me dijo una dirección equivocada y no la encontré.* **7** En un automóvil, mecanismo que sirve para guiarlo o conducirlo: *El volante forma parte de la dirección de un coche.* **8** Línea en la que se mueve un punto o se ejerce una fuerza y que puede ser recorrida en dos sentidos opuestos: *Una recta tiene una dirección y dos sentidos.* **9** || **dirección asistida;** la que tiene un mecanismo adicional que facilita el movimiento del volante. || **dirección IP;** en informática, número que se asigna a un dispositivo, generalmente a un ordenador, para identificarlo cuando está conectado a una red. ☐ ETIMOL. Del latín *directio.* ☐ SEM. En la acepción 8, dist. de *sentido.*

direccional ▌adj.inv. **1** De la dirección o relacionado con ella. **2** Que funciona principalmente en una dirección determinada: *Un micrófono direccional solo capta el sonido que proviene de una zona.* ▌s.f. **3** En zonas del español meridional, intermitente de un vehículo.

directa s.f. Véase **directo, ta.**

directiva s.f. Véase **directivo, va.**

directivo, va ▌adj./s. **1** Que tiene la facultad, la cualidad o el poder de dirigir. ▌s.f. **2** Mesa o junta de gobierno de una corporación o sociedad: *la directiva de un club.* ☐ ETIMOL. De *directo.*

directo, ta ▌adj. **1** Derecho o en línea recta, desde el punto de partida al de destino: *Fui directa al trabajo para no perder tiempo.* **2** Que va de una parte a otra sin detenerse en puntos intermedios: *un vuelo directo a París.* **3** Que va directamente a un objeto o a un propósito: *Recibe órdenes directas del jefe.* ▌s.f. **4** Marcha que permite alcanzar la máxima velocidad: *En la autopista siempre meto la directa.* **5** || **en directo;** referido a un espacio de radio o de televisión, que se emite al mismo tiempo que se realiza o tiene lugar: *Retransmiten el partido en directo, no en diferido.* ☐ ETIMOL. Del latín *directus,* y este de *dirigere* (dirigir). ☐ SEM. El uso de la expresión *en directo* con el verbo *asistir* es redundante, aunque está muy extendido: **Asistí al campo a ver el partido en directo.*

director, -a s. Persona a cuyo cargo está la dirección de algo: *La directora convocó asamblea general en la empresa.* ☐ SEM. *Directora* es dist. de *directriz* (un tipo de línea, de figura o de superficie en geometría).

director , triz ▌adj./s. **1** En geometría, referido a una línea, a una figura o a una superficie, que determina las condiciones de generación de otra línea, figura o superficie: *Un vector director es el que indica la dirección de una curva. Una circunferencia que guía el movimiento de una recta y genera una superficie cilíndrica es una directriz.* ▌s.f. **2** Conjunto de instrucciones o normas generales que deben seguirse en la ejecución de algo: *La directriz general de la asociación está en sus estatutos.* ☐ MORF. En la acepción 2, se usa más en plural. ☐ SEM. *Directriz* es dist. de *directora* (mujer que dirige).

directorio s.m. **1** Lista informativa de direcciones, de departamentos o de otras cosas: *Mira en el directorio de estos grandes almacenes para saber en qué planta está la librería.* **2** En informática, conjunto de ficheros agrupados bajo un mismo nombre: *La existencia de directorios facilita la utilización y la administración de los ficheros.*

directriz s.f. Véase **director, triz.**

dírham (tb. *dírhem*) (pl. *dírhams*) s.m. Unidad monetaria de la Unión de Emiratos Árabes (país asiático) y de Marruecos (país africano). ☐ ETIMOL. Del árabe *dirham,* y este del griego *drakhmé* (dracma). ☐ PRON. [dírham], con *h* aspirada.

dírhem (pl. *dírhems*) s.m. →**dírham.** ☐ PRON. [dírhem], con *h* aspirada.

dirigente ▌adj.inv. **1** Que dirige. ▌s.com. **2** Persona que ejerce una función o un cargo directivo, esp. si es en un partido político o en una empresa: *dirigente sindical.*

dirigible s.m. →**globo dirigible.**

dirigir v. **1** Llevar hacia un término o lugar señalados: *Dirigiré el coche hacia ese aparcamiento. Me dirijo hacia tu casa.* **2** Mostrar un camino por medio de señas o consejos: *Tú conduces y yo te dirijo.* **3** Poner en una dirección determinada o encaminar a determinado fin: *Dirigió los ojos hacia el cielo. Mi pregunta se dirige a los poderosos.* **4** Referido a una carta o a un paquete, ponerle la dirección o las señas del destinatario: *Dirige esta carta al presidente.* **5** Referido esp. a un grupo de personas, guiarlo o disponer su trabajo o su actuación conjunta: *Dirige muy bien la orquesta.* **6** Referido esp. a un trabajo, orientarlo o poner las pautas para su realización: *Yo he dirigido una película.* **7** Referido a una obra de creación, dedicarla o destinarla: *Dirijo mi libro a los que no tienen trabajo.* ☐ ETIMOL. Del latín *dirigere*, y este de *regere* (regir, gobernar). ☐ ORTOGR. La *g* se cambia en *j* delante de *a, o* →DIRIGIR.

dirigismo s.m. Tendencia del Gobierno o de una autoridad a controlar alguna actividad: *El dirigismo cultural empobrece la expresión artística de un pueblo.*

dirimir v. Referido esp. a una discusión, terminarla, concluirla o resolverla: *Dirimiremos nuestro desacuerdo con una tercera persona.* ☐ ETIMOL. Del latín *dirimere* (partir, separar, interrumpir, terminar).

dirt track (ing.) s.m. ‖ Modalidad de motociclismo en la que los participantes corren en un circuito de tierra que tiene una forma similar a la de una pista de atletismo. ☐ PRON. [dírt trák].

dis- **1** Prefijo que significa 'negación' o 'contrariedad': *disconforme.* **2** Prefijo que significa 'dificultad' o 'anomalía': *dislexia.* ☐ ETIMOL. La acepción 1, del latín *dis-*. La acepción 2, del griego *dys-*.

disacárido s.m. Hidrato de carbono formado por dos monosacáridos: *La sacarosa y la lactosa son dos disacáridos.*

disarmonía s.f. **1** Falta de armonía: *El poeta se declaró en disarmonía con el mundo.* **2** En medicina, falta de la natural armonía entre las proporciones del cuerpo o de sus órganos.

discal adj.inv. Del disco intervertebral o relacionado con él: *hernia discal.*

discapacidad s.f. Limitación de la capacidad de una persona para realizar ciertas actividades a causa de una deficiencia física o psíquica: *Una persona con problemas de motricidad tiene discapacidades de la destreza.* ☐ USO Las normas de Naciones Unidas recomiendan la utilización genérica de la expresión *personas con discapacidad* frente a expresiones despectivas como *deficientes, disminuidos, minusválidos* y otras.

discapacitado, da adj./s. Referido a una persona, que tiene una deficiencia física o psíquica que la limita para la realización de ciertas actividades: *Las personas discapacitadas deben tener una atención especial en la sociedad.* ☐ ETIMOL. Traducción del inglés *disabled.* ☐ USO Es preferible usar *una persona con discapacidad* en lugar de *un discapacitado.*

discar v. En zonas del español meridional, referido a un número de teléfono, marcarlo: *Voy a discar el número de mi amigo para hablar con él.* ☐ ORTOGR. La *c* cambia en *qu* delante de *e* →SACAR.

discente ▮ adj.inv. **1** Referido a una persona, que recibe enseñanza: *Los profesores son docentes y los alumnos son discentes.* ▮ s.com. **2** Persona que cursa estudios en un centro de enseñanza: *Los discentes de esta facultad tienen los exámenes finales en mayo.* ☐ SINÓN. *estudiante.*

discernimiento s.m. Distinción o separación de dos o más cosas señalando sus diferencias: *El discernimiento del bien y del mal se aprende desde niño.*

discernir v. Referido a dos o más cosas, distinguirlas señalando sus diferencias: *En ese tema hay que discernir lo principal de lo accesorio. Debes discernir al amigo sincero entre los hipócritas.* ☐ ETIMOL. Del latín *discernere.* ☐ MORF. Irreg. →DISCERNIR.

disciplina s.f. **1** Sujeción de una persona a ciertas reglas de comportamiento propias de una profesión o de un grupo: *Es difícil mantener la disciplina en una clase con muchos alumnos.* **2** Doctrina o instrucción de una persona: *disciplina militar.* **3** Ciencia, arte o técnica que trata un tema concreto: *Las matemáticas son una disciplina difícil para los estudiantes.* ☐ ETIMOL. Del latín *disciplina* (enseñanza, educación).

disciplinado, da adj. Que guarda la disciplina o que cumple las leyes: *Debes ser más disciplinada si no quieres tener problemas con los profesores.*

disciplinar ▮ adj.inv. **1** De la disciplina eclesiástica o relacionado con ella: *En ese convento no se toleran las faltas disciplinares.* **2** →**disciplinario.** ▮ v. **3** Referido a una persona, hacer que se comporte de acuerdo con una disciplina o con ciertas normas: *En ese colegio disciplinan bien a los alumnos.* **4** Referido a una persona, instruirla o enseñarle una profesión: *Debes darle unas lecciones para disciplinarlo en esa materia.* ☐ SINT. Constr. de las acepciones 3 y 4: *disciplinar* EN *algo.*

disciplinario, ria adj. **1** De la disciplina o relacionado con ella: *código disciplinario.* ☐ SINÓN. *disciplinar.* **2** Que se hace o que sirve para mantener la disciplina o para castigar las faltas contra esta: *Le destinaron a un batallón disciplinario por mal comportamiento.* ☐ SINÓN. *disciplinar.*

discipular adj.inv. Del discípulo o relacionado con él: *Mi trato con esa profesora fue discipular y amistoso.*

discípulo, la s. **1** Persona que aprende y recibe la enseñanza de un maestro: *Los apóstoles eran discípulos de Cristo.* **2** Persona que sigue o defiende las ideas de una escuela o de un maestro: *Muchos filósofos siguen teniendo discípulos aun después de haber muerto.* ☐ ETIMOL. Del latín *discipulus.*

disc-jockey (ing.) s.com. →**pinchadiscos.** ☐ PRON. [disyókei].

discman (ing.) s.m. Aparato portátil reproductor de discos compactos.

disco s.m. **1** Cuerpo cilíndrico cuya base es muy grande respecto de su altura: *Las monedas son pequeños discos de metal.* **2** Figura circular y plana, esp. la que tienen el Sol, la Luna y los planetas al ser observados desde la Tierra: *Con los prismáticos se ve el disco lunar muy grande.* **3** Lámina circular hecha generalmente de un material plástico, que se emplea en la grabación y reproducción fonográfica: *un disco de música clásica.* **4** Aparato eléctrico que emite señales luminosas y se usa para regular la circulación: *Cuando el disco se ponga rojo, debes parar.* □ SINÓN. *semáforo.* **5** En un semáforo, cada una de sus señales luminosas de color verde, naranja o rojo, que regulan la circulación de automóviles y el paso de peatones: *Cruza cuando se encienda el disco verde.* **6** En informática, elemento de almacenamiento de datos recubierto por un material magnético: *Mete el disco en el ordenador.* **7** En deporte, plancha circular y gruesa que se lanza en ciertas pruebas atléticas: *El disco que lanzan las mujeres tiene distinto peso que el de los hombres.* **8** En un teléfono, pieza giratoria que sirve para marcar el número con el que se quiere establecer una comunicación: *No puedo marcar el número porque se ha roto el disco del teléfono.* **9** *col.* Tema de conversación o explicación que se repite y resulta fastidioso o pesado: *Cambia de disco porque siempre me cuentas lo mismo.* **10** *col.* →**discoteca. 11** || **(disco) compacto;** el que se graba y se reproduce por medio de un rayo láser: *El sonido de un disco compacto es de gran calidad.* □ SINÓN. *CD, cedé.* || **disco de larga duración;** el musical que tiene un diámetro de unos treinta centímetros y está grabado a treinta y tres revoluciones por minuto. || **disco {duro/rígido};** en un ordenador, el que tiene más capacidad que el disquete y está fijo en la máquina. || **disco flexible;** en informática, el portátil, de capacidad reducida, que se introduce en el ordenador para su grabación o lectura. || **disco (intervertebral);** formación fibrosa circular que se encuentra entre dos vértebras y en cuyo interior hay una masa poco consistente: *una hernia de disco.* || **disco óptico;** placa circular de material plástico donde se graba información sonora, visual o digital por medio de un haz de láser codificado: *El disco óptico puede almacenar cientos de millones de caracteres.* || **(disco) sencillo;** el musical, que es pequeño y de poca duración: *Un disco sencillo suele tener una canción en cada cara.* || **parecer un disco rayado;** *col.* Hablar repitiendo todo el tiempo lo mismo. □ ETIMOL. Del latín *discus.* □ USO Es innecesario el uso de los anglicismos *single* y *compact disc* en lugar de *disco sencillo* y *disco compacto*, respectivamente.

discobar s.m. Establecimiento en el que se sirven bebidas, se escucha música y se baila.

discóbolo s.m. En los juegos de la Antigüedad clásica, atleta que lanzaba el disco: *Vi en el museo la estatua de un discóbolo griego.* □ ETIMOL. Del griego *diskóbolos*, y este de *dískos* (disco) y *bállo* (yo lanzo).

discografía s.f. Conjunto de las obras musicales relativas a un autor, a un intérprete o a un tema: *Su discografía comprende tres óperas y varios conciertos para piano.*

discográfico, ca adj. De los discos o de la discografía, o relacionado con ellos: *una casa discográfica.*

discoidal adj.inv. Con forma de disco.

díscolo, la adj./s. Referido esp. a un niño o a un joven, que son rebeldes, poco dóciles y desobedientes: *Tiene un carácter indomable y díscolo.* □ ETIMOL. Del latín *dyscolus*, y este del griego *dýscolos* (malhumorado, de trato desagradable).

discoloro, ra adj. Referido esp. a la hoja de una planta, que tiene las dos caras de distinto color: *Las hojas de este árbol son discoloras, ya que por el haz son verdes y por el envés, blanquecinas.*

disconforme (tb. *desconforme*) adj.inv./s.com. Que no está conforme: *Se mostraron disconformes con la decisión de la junta.* □ SINÓN. *inconforme.*

disconformidad (tb. *desconformidad*) s.f. **1** Oposición o falta de acuerdo entre varias personas: *El público silbó para mostrar su disconformidad con el árbitro.* **2** Diferencia o falta de correspondencia entre varias cosas: *La disconformidad entre el método y el fin no dará un buen resultado.*

discontinuar (tb. *descontinuar*) v. Referido a algo, romper o interrumpir su continuación: *Exigió a los responsables que intercediesen para discontinuar esa práctica brutal.* □ ORTOGR. La *u* lleva tilde en los presentes, excepto en las personas *nosotros* y *vosotros* →ACTUAR.

discontinuidad s.f. Falta de continuidad: *La trayectoria de este equipo se caracteriza por la discontinuidad y la irregularidad.*

discontinuo, nua adj. Que no es continuo, que sucede a intervalos o que consta de elementos separados: *La línea discontinua de la carretera indica que se permiten los adelantamientos.*

discopub (ing.) s.m. Establecimiento en el que se sirven bebidas y se puede escuchar música, que tiene un pequeño espacio para bailar: *Ese discopub tiene una pista de baile muy pequeña.* □ PRON. [discopáb].

discordancia s.f. **1** Oposición, diferencia o falta de armonía entre dos o más cosas: *No me gusta esta melodía por la discordancia de sonidos.* **2** Falta de acuerdo entre dos o más personas: *La discordancia entre él y yo hace que nos tratemos poco.*

discordante adj.inv. →**discorde.**

discordar v. **1** Referido a una cosa, ser opuesta o diferente a otra o no armonizar con ella: *El traje clásico discordaba de la corbata de colores.* **2** Referido a una persona, no estar de acuerdo con las ideas o las opiniones de otra: *Discordaba de su socio en muchas decisiones y decidió dejar el negocio.* **3** En música, referido a una voz o a un instrumento, no estar acorde con otros: *Esos instrumentos tienen distinta afinación y discuerdan entre sí.* □ MORF.

Irreg. →CONTAR. □ SINT. Constr. *discordar* DE *otro* EN *algo*.

discorde adj.inv. **1** Opuesto, diferente o sin armonía. □ SINÓN. *discordante*. **2** Sin acuerdo en las ideas o en las opiniones: *Tienen pareceres discordes y no se pondrán de acuerdo.* □ SINÓN. *discordante*. **3** En música, referido esp. a una voz o a un instrumento, que no están acordes o en consonancia con otros. □ SINÓN. *discordante*. □ ETIMOL. Del latín *discors* (disconforme).

discordia s.f. Situación entre personas con deseos opuestos o con opiniones contrarias o muy diferentes: *La discordia que hay entre ellos ha hecho que rompan su relación.* □ ETIMOL. Del latín *discordia*.

discoteca s.f. **1** Establecimiento público en el que se escucha música, se baila y se consumen bebidas. **2** Colección de discos fonográficos: *En su casa tiene una discoteca muy buena de música clásica.* □ ETIMOL. Del griego *dískos* (disco) y *théke* (caja para guardar algo). □ MORF. En la lengua coloquial se usa la forma abreviada *disco*. □ SEM. En la acepción 2, es dist. de *fonoteca* (colección de documentos sonoros de cualquier tipo).

discotequero, ra ▮ adj. **1** De la discoteca o relacionado con ella: *música discotequera.* ▮ adj./s. **2** *col.* Referido a una persona, que es aficionada a las discotecas.

discrasia s.f. En medicina, estado anormal del organismo: *Sus problemas de coagulación se deben a una discrasia sanguínea.* □ ETIMOL. De *dis-* (anomalía) y el griego *krásis* (mezcla).

discreción s.f. **1** Tacto, moderación y sensatez para hacer o decir algo: *Mi discreción me aconseja tener paciencia.* **2** Reserva al callar lo que no interesa que se divulgue: *Te cuento mis secretos porque confío en tu discreción.* **3** ‖ **a discreción;** a la voluntad o al antojo de alguien o sin medida ni limitación: *¡Disparen a discreción!* □ ETIMOL. Del latín *discretio*. □ PRON. Incorr. *[discrección]. □ SEM. Dist. de *discrecionalidad* (característica de lo que no está regulado o queda a voluntad de la autoridad).

discrecional adj.inv. Que no está regulado o que se deja a la voluntad de la autoridad correspondiente: *Los servicios discrecionales son los que una empresa ofrece al público en función de su propio interés y en el de sus usuarios.* □ PRON. Incorr. *[discreccionál].

discrecionalidad s.f. Conjunto de características de lo que no está regulado o queda a la voluntad de la autoridad correspondiente: *El Tribunal Constitucional no posee margen de discrecionalidad para decidir sobre este asunto.* □ PRON. Incorr. *[discreccionalidad]. □ SEM. Dist. de *discreción* (tacto, moderación o reserva).

discrepancia s.f. Diferencia de opinión, de ideas o de comportamiento entre varias personas: *Su discrepancia se debe a la distinta ideología que tienen.*

discrepar v. **1** Referido a una persona, no estar de acuerdo con otra: *Discrepo de tus ideas.* **2** Referido a una cosa, ser diferente o desigual a otra: *Esta revista discrepa de esa en el tratamiento de algunos temas. Sus ideas del mundo discrepan en la forma de ver la vida.* □ ETIMOL. Del latín *discrepare* (disonar, sonar diferente). □ SINT. Constr. *discrepar* {DE/EN} *algo*.

discretear v. **1** *col. desp.* Hablar cuchicheando, como en secreto o confidencialmente: *Sabe todos los cotilleos porque discretea con todos.* **2** *col. desp.* Fingir discreción o presumir de ella: *No le cuentes nada porque aunque dice que discretea, lo suelta todo en cuanto te vas.*

discreto, ta adj. **1** Que tiene o muestra discreción. **2** Que se caracteriza por su moderación y no es exagerado ni extraordinario en ningún sentido: *vestir de forma discreta.* **3** Que consta de partes separadas o diferenciadas: *una cantidad discreta.* □ ETIMOL. Del latín *discretus*, y este de *discernere* (distinguir, separar mentalmente).

discriminación s.f. **1** Distinción o diferenciación entre dos o más cosas: *Ejemplos de discriminación positiva son las ayudas económicas para mujeres y para las minorías.* **2** Actitud por la que se considera inferior a una persona o a una colectividad por motivos sociales, religiosos o políticos, y se le niegan ciertos derechos o se la desfavorece en la legislación: *discriminación racial.*

discriminador, -a ▮ adj. **1** Que discrimina: *No acepto comentarios discriminadores como el que has hecho.* ▮ s.m. **2** Dispositivo electrónico que efectúa el proceso de cambiar de modulación una frecuencia: *Un discriminador convierte una modulación de frecuencia en una de amplitud.*

discriminar v. **1** Referido a una persona o a una colectividad, considerarlas inferiores por motivos sociales, religiosos o políticos, y negarles ciertos derechos: *En un país racista, las leyes discriminan a algunas personas.* **2** Hacer una selección o escoger de entre un conjunto o un grupo: *En el análisis se han discriminado los organismos unicelulares.* □ ETIMOL. Del latín *discriminare*.

discriminatorio, ria adj. Que considera inferior a una persona o a una colectividad por motivos sociales, religiosos o políticos, y les niega ciertos derechos: *No dejar entrar en el ejército a las mujeres es una norma discriminatoria.*

discromatopsia s.f. En medicina, incapacidad para percibir o distinguir los colores: *Me di cuenta de que este niño tenía discromatopsia porque coloreaba los dibujos sin ningún sentido aparente.* □ ETIMOL. De *dis-* (anomalía), el griego *khrôma* (color) y *óps* (vista).

discromía s.f. En medicina, trastorno en la pigmentación de la piel: *La discromía es una alteración cutánea.* □ ETIMOL. De *dis-* (anomalía) y el griego *khrôma* (color).

disculpa s.f. **1** Razón o pretexto que se da para excusarse o para pagar una culpa: *Acepté su disculpa porque lo hizo sin mala intención.* **2** ‖ **pedir disculpas;** pedir perdón o disculparse. □ ETIMOL. De *dis-* (negación) y *culpa*.

disculpar v. **1** *col.* Referido esp. a un defecto o a un error, no tenerlo en cuenta, perdonarlo o justificarlo: *A un amigo se le disculpa casi todo. Su juventud le disculpa sus imprudencias.* **2** Referido a una persona, dar razones o pruebas que la alivien o la descarguen de una culpa o de una acción: *¿Vas a disculpar a esa chica después de lo que ha hecho? Puedo disculparme y debéis escucharme.*

discurrir v. **1** Reflexionar acerca de algo para llegar a comprenderlo o para encontrar una respuesta: *Discurre un poco y lo comprenderás.* **2** Referido a algo nuevo, descubrirlo o inventarlo después de haber pensado sobre ello: *¿Qué nuevo plan has discurrido?* **3** Ir de una parte a otra o pasar por cierto sitio: *Ese camino discurre desde el pueblo hasta el valle.* **4** Referido al tiempo, pasar o tener curso: *A veces el tiempo discurre lentamente.* ☐ SINÓN. *correr.* **5** Referido esp. a un camino o a un río, caminar, pasar o extenderse por un territorio: *El río discurre entre álamos hacia el valle.* ☐ SINÓN. *correr.* ☐ ETIMOL. Del latín *discurrere* (correr aquí y allá, tratar de algo).

discursear v. *col. desp.* Pronunciar discursos con frecuencia: *Este profesor discursea mucho, pero nunca dice nada interesante.*

discursista adj.inv./s.com. Referido a una persona, que es aficionada a hacer discursos, esp. si es para lucirse.

discursivo, va adj. **1** Del discurso, del razonamiento o relacionado con ellos: *procedimientos discursivos.* **2** Que discurre o reflexiona: *temperamento discursivo.*

discurso s.m. **1** Serie de palabras o frases con las que se expresa un pensamiento, un sentimiento o un deseo: *Empieza otra vez porque he perdido el hilo del discurso.* **2** Razonamiento o exposición sobre un tema determinado que se pronuncia en público: *En su discurso habló de la poesía.* **3** Tratado o escrito no muy extenso en el que se reflexiona sobre un tema para enseñar o para persuadir: *El discurso académico ocupaba varias páginas.* **4** Resultado del ejercicio del habla o cualquier porción de la emisión sonora que posee coherencia lógica y gramatical: *Las frases se agrupan en el discurso.* **5** Paso de cierto período de tiempo: *Con el discurso de los años aprendió a ser prudente.* ☐ ETIMOL. Del latín *discursus.* ☐ USO En la acepción 2, es innecesario el uso del anglicismo *speech.*

discusión s.f. **1** Conversación en la que se defienden opiniones contrarias: *No merece la pena tener una discusión por esa tontería.* **2** Conversación en la que se analiza un asunto desde distintos puntos de vista para explicarlo o solucionarlo. **3** Objeción que se pone a una orden o a lo que alguien dice: *Sus órdenes no admiten discusión.* ☐ ETIMOL. Del latín *discussio.* ☐ PRON. Incorr. *[discursión].

discutible adj.inv. Que se puede o que se debe discutir: *Tu teoría es bastante discutible y no puedo estar de acuerdo con ella.*

discutidor, -a adj./s. Referido a una persona, que es aficionada a disputas verbales y a discusiones.

discutir v. **1** Sostener y defender opiniones o puntos de vista opuestos: *No quiero discutir sobre este asunto.* **2** Referido a un asunto, analizarlo con detenimiento desde distintos puntos de vista para explicarlo o solucionarlo: *Discutiremos los pros y los contras de esa cuestión.* **3** Referido a lo que alguien dice, ponerle objeciones y manifestar una opinión contraria: *Le discutes las órdenes solo por fastidiar.* ☐ ETIMOL. Del latín *discutere* (decidir, quebrar, disipar). ☐ SINT. Constr. de la acepción 1: *discutir {DE/SOBRE} algo.*

disecación s.f. Preparación de un animal muerto para que no se descomponga y conserve la apariencia que tenía. ☐ SINÓN. *disecado.*

disecado s.m. →**disecación.**

disecar v. Referido a un animal muerto, prepararlo para que no se descomponga y conserve la apariencia que tenía: *El taxidermista disecó el zorro que cazamos.* ☐ ETIMOL. Del latín *dissecare* (cortar). ☐ ORTOGR. 1. Dist. de *desecar* y de *bisecar.* 2. La *c* se cambia en *qu* delante de *e* →SACAR.

disección s.f. Corte de un cadáver o de una planta, o separación de sus partes, para el estudio de su estructura o de sus órganos: *La zoóloga realizó la disección del perro para saber de qué había muerto.* ☐ ORTOGR. Dist. de *bisección.*

diseccionar v. Referido a un cadáver o a una planta, cortarlos o dividirlos en partes para estudiar su estructura o sus órganos: *En el examen de biología tuve que diseccionar una rana.*

diseminación s.f. Separación o extensión de algo en distintas direcciones: *Al sembrar, procura que la diseminación de las semillas sea uniforme.* ☐ ORTOGR. Dist. de *inseminación.*

diseminar v. Referido a algo que está junto, esparcirlo, sembrarlo o extenderlo por muchas partes o en distintas direcciones: *El campesino diseminó las semillas sobre la tierra. La pandilla de gamberros se diseminó entre el gentío para que no los cogieran.* ☐ ETIMOL. Del latín *disseminare* (sembrar al vuelo, esparcir). ☐ ORTOGR. Dist. de *inseminar.*

disensión s.f. **1** Oposición o falta de acuerdo entre varias personas por su forma de pensar o por sus propósitos: *La disensión entre ellos hace que su matrimonio no vaya bien.* **2** Enfrentamiento o riña entre personas: *Esperemos que todo salga bien y sin que haya disensiones.* ☐ ETIMOL. Del latín *dissensio.*

disenso s.m. →**disentimiento.**

disentería s.f. Enfermedad infecciosa que consiste en la inflamación y la aparición de úlceras en el intestino y que se manifiesta con dolor abdominal, diarrea intensa y deposiciones de mucosidades y sangre: *La disentería es frecuente en países tropicales.* ☐ ETIMOL. Del griego *dysentería,* de *dys-* (mal estado) y *énteron* (intestino).

disentérico, ca adj. De la disentería o relacionado con esta enfermedad: *La diarrea es un síntoma disentérico.*

disentimiento s.m. Desacuerdo entre personas que tienen ideas, sentimientos u opiniones diferentes. □ SINÓN. *disenso.*

disentir v. Referido a una persona, estar en desacuerdo con las ideas, los sentimientos o las opiniones de otra: *Disientes de mí en todo.* □ ETIMOL. Del latín *dissentire.* □ MORF. Irreg. →SENTIR. □ SINT. Constr. *disentir* DE *alguien* EN *algo.* □ SEM. Dist. de *disidir* (separarse de una doctrina, una creencia o un partido).

diseñador, -a s. Persona que se dedica profesionalmente al diseño: *Él es diseñador de moda y ella es diseñadora de muebles.*

diseñar v. **1** Referido a un edificio o a una figura, dibujar su trazo con líneas: *Diseñó la casa en unas pocas líneas.* **2** Referido a un objeto, idearlo o crearlo de tal forma que se conjuguen su utilidad y su estética: *Diseño moda para una modista italiana.* □ ETIMOL. Del italiano *disegnare.*

diseño s.m. **1** Actividad creativa y artística que se dirige a la producción de un objeto que se caracterice por su utilidad y su estética y que pueda ser fabricado en serie: *Para hacer un buen diseño de un mueble hay que pensar en su utilidad.* **2** Forma o características externas de estos objetos: *Me gusta mucho el diseño de esa aspiradora.* **3** Dibujo con líneas del trazo de un edificio o de una figura: *Haz un diseño sencillo de tu casa para tener una idea de cómo es.* **4** Descripción o explicación breve de algo: *Os haré un diseño de la situación en pocas palabras.* **5** Proyecto o plan: *Éstos son los principales elementos del diseño curricular.* □ ETIMOL. Del italiano *disegno.*

disépalo, la adj. Referido a una flor o a su cáliz, que tiene dos sépalos. □ ETIMOL. De *di-* (dos) y *sépalo.*

disertación s.f. **1** Razonamiento o reflexión que se hace detenida y metódicamente acerca de algo: *Hizo una disertación sobre arte.* **2** Escrito o discurso oral en el que se hace un razonamiento detenido y metódico: *Escuché con atención su disertación metafísica.*

disertar v. Razonar o reflexionar detenida y metódicamente acerca de algo, esp. si es en público: *La conferenciante disertó sobre temas de actualidad.* □ ETIMOL. Del latín *dissertare.* □ ORTOGR. Dist. de *desertar.* □ SINT. Constr. *disertar* SOBRE *algo.*

diserto, ta adj. Que tiene habilidad para hablar y para dar argumentos: *una persona diserta.* □ USO Su uso es característico del lenguaje culto.

disestesia s.f. En medicina, trastorno de la sensibilidad: *La disestesia puede manifestarse en el sentido del tacto.* □ ETIMOL. De *dis-* (anomalía) y el griego *áisthesis* (sensación, sensibilidad).

disfagia s.f. En medicina, dificultad o imposibilidad de tragar: *Su disfagia se debe a una parálisis de los músculos que intervienen en la deglución.* □ ETIMOL. De *dis-* (dificultad) y *-fagia* (comer).

disfasia s.f. Anomalía en el lenguaje causada por una lesión cerebral: *La disfasia es un grado moderado de afasia.* □ ETIMOL. De *dis-* (dificultad) y el griego *phemí* (yo hablo). □ SEM. Dist. de *dislalia* (dificultad para articular las palabras).

disfavor s.m. **1** Desprecio, desaire o perjuicio que se hace a alguien: *Me hizo el disfavor de no invitarme a su boda.* **2** Pérdida del favor: *Con su comportamiento tan severo se gana el disfavor de los niños.* □ ETIMOL. De *dis-* (negación) y *favor.*

disfemismo s.m. En lingüística, palabra o expresión peyorativa con las que se nombra una realidad que se quiere despreciar: *'Rebuznar' es un disfemismo de 'hablar'.*

disfonía s.f. Trastorno de la emisión de la voz: *La disfonía se manifiesta en la alteración de la voz.* □ ETIMOL. De *dis-* (anomalía) y el griego *phoné* (voz).

disforme adj.inv. →**deforme.**

disformidad s.f. →**deformidad.**

disfraz s.m. **1** Prenda de vestir con la que se oculta la apariencia física y que suele llevarse en una fiesta: *una fiesta de disfraces.* **2** Lo que sirve para desfigurar la apariencia o la forma de algo y hacer que no se reconozca: *Tus sonrisas no son más que un disfraz para tu disgusto.* □ ETIMOL. De *disfrazar.*

disfrazar v. **1** Vestir con un disfraz: *Disfrázalo de enano. Me disfracé con un traje de vampiro.* **2** Referido a algo que no se quiere que se reconozca, desfigurarlo, disimularlo o cambiarle la apariencia o la forma: *Disfrazó el sabor del pescado con una salsa. Habla continuamente para disfrazar su nerviosismo.* □ ETIMOL. De origen incierto. □ ORTOGR. La *z* se cambia en *c* delante de *e* →CAZAR.

disfrutar v. **1** Sentir placer o alegría: *Ayer disfruté mucho. Disfruto con la buena música.* □ SINÓN. *gozar.* **2** Apreciar y considerar bueno, útil o agradable: *Disfruté mucho la cena.* **3** Referido a algo que se considera positivo, tenerlo o gozar de ello: *Disfruto de muy buena salud.* **4** Referido esp. a la amistad, la ayuda o la protección de alguien, poseerlas o aprovecharse de ellas: *Disfrutemos de su generosidad.* □ ETIMOL. Del latín *exfructare.* □ SINT. Constr. de las acepciones 3 y 4: *disfrutar* DE *algo.* □ SEM. Es inadecuado su uso para referirse a algo que se considera negativo: {**disfrutar de* > *sufrir*} *una indisposición.*

disfrute s.m. **1** Uso o aprovechamiento de algo que se considera bueno, útil o agradable: *Todos los trabajadores tienen derecho al disfrute de unas vacaciones.* **2** Placer, gozo o satisfacción: *Este libro está pensado para el disfrute del lector.*

disfunción s.f. Alteración en el funcionamiento de algo, esp. en el de una función orgánica: *una disfunción cardíaca.*

disgrafía s.f. Trastorno de la capacidad de escribir: *La disgrafía puede producirse por retrasos motores o por problemas de lenguaje o afectivos.*

disgregación s.f. Separación o desunión de las partes de algo que estaba unido: *La disgregación de las rocas produce la arena.*

disgregar v. Referido a algo que estaba unido, apartar, separar o desunir sus partes: *La policía disgregó a los huelguistas.* □ ETIMOL. Del latín *disgre-*

gare (dispersar un rebaño). □ ORTOGR. La *g* se cambia en *gu* delante de *e* →PAGAR.

disgustar ▮ v. **1** Causar tristeza, inquietud o mal humor: *La pérdida de su perro lo ha disgustado. Se disgustó por no conseguir el premio.* **2** Producir desagrado al paladar: *Esta comida está ácida y me disgusta.* ▮ prnl. **3** Enfadarse o perder la amistad por enfados o disputas: *Se disgustó con su primo y casi ni se saludan.* □ ETIMOL. De *dis-* (negación) y *gustar*.

disgusto s.m. **1** Sentimiento de tristeza, de inquietud o de pesar ante una contrariedad o una desgracia: *No sabes qué disgusto cuando vi la casa en llamas.* **2** Enfado o disputa con alguien cuando existen diferencias o desacuerdo: *Como sigas en ese plan, tú y yo vamos a tener un disgusto.* **3** Fastidio, aburrimiento o enfado: *La monotonía me produce disgusto.* **4** ‖ **a disgusto;** de mala gana, sin ganas o en contra de lo que se desea: *En esas fiestas me siento a disgusto y no sé cómo actuar.* □ ETIMOL. De *disgustar*.

disidencia s.f. **1** Separación de una doctrina, de una creencia o de un partido: *En las dictaduras, la disidencia política se castiga con dureza.* **2** Desacuerdo importante de opiniones: *Con tanta disidencia nunca llegaremos a un acuerdo.*

disidente adj.inv./s.com. Que se separa de las ideas, de las creencias o de la conducta comunes: *disidentes políticos.*

disidir v. Separarse de una doctrina, de una creencia o de un partido: *Muchas personas disidieron de aquel partido porque estaban en desacuerdo con sus doctrinas.* □ ETIMOL. Del latín *dissidere* (sentarse lejos, estar separado, discrepar). □ SEM. Dist. de *disentir* (estar en desacuerdo con las ideas, los sentimientos o las opiniones de otra persona).

disílabo, ba adj./s.m. De dos sílabas: *'Pastor' es una palabra disílaba.* □ SINÓN. *bisílabo, bisilábico.* □ ETIMOL. Del latín *disyllabus*.

disimetría s.f. Defecto de simetría. □ ETIMOL. De *dis-* (anomalía) y *simetría.* □ SEM. Dist. de *asimetría* (falta de simetría).

disimétrico, ca adj. Que tiene defecto en la simetría. □ SEM. Dist. de *asimétrico* (que no tiene simetría).

disímil adj.inv. Diferente, que no se parece o que es distinto. □ ETIMOL. Del latín *dissimilis*.

disimilación s.f. En fonética y fonología, cambio en la articulación de un sonido para diferenciarlo de otro igual o semejante cuando están contiguos o próximos en la misma palabra: *La forma 'cangrena' surge por disimilación de la 'g' de 'gangrena'.*

disimilitud s.f. Falta de semejanza o de parecido: *La disimilitud entre nuestras ideas dificulta que seamos amigos.*

disimulación s.f. **1** Ocultación o fingimiento de algo para que no se conozca o no se descubra: *La disimulación del pasadizo con las ramas permitió que no lo encontrara nadie.* **2** →**disimulo.**

disimulado, da ▮ adj. **1** Oculto o tapado de forma que se note poco: *Con este maquillaje, las manchas de la piel quedan disimuladas.* ▮ adj./s. **2** Inclinado a disimular y a fingir con habilidad lo que no siente: *Es tan disimulado que no sé si creer lo que me dice.* **3** ‖ **hacerse el disimulado;** *col.* Fingir no enterarse de algo o no conocerlo: *¡Anda, no te hagas el disimulado y cuéntamelo!*

disimular v. **1** Referido esp. a una intención o a un sentimiento, ocultarlos para que los demás no se den cuenta: *Has sido tú, así que no disimules.* **2** Fingir desconocimiento: *No disimules, porque sé que te lo ha contado.* **3** Referido esp. a algo material, disfrazarlo o desfigurarlo para que parezca distinto de lo que es o para que no se vea: *Disimuló el roto del pantalón con un parche.* **4** En zonas del español meridional, referido a un error, tolerarlo o disculparlo: *Disimule usted mi ignorancia en estos temas.* □ ETIMOL. Del latín *dissimulare.* □ SEM. Dist. de *simular* (presentar algo como real).

disimulo s.m. Capacidad para ocultar la intención o el sentimiento, sin que los demás se den cuenta: *hacer algo con disimulo.* □ SINÓN. *disimulación.*

disipación s.f. **1** Desaparición o desvanecimiento: *Un sol radiante ha producido la disipación de la niebla.* **2** Derroche de dinero sin aprovecharlo debidamente: *La disipación de su fortuna fue rápida y ahora vive en la miseria.* **3** Relajamiento moral: *Lleva una vida llena de disipación y desenfreno.*

disipado, da adj./s. Libertino o que actúa con un gran relajamiento moral: *Llevó una vida disipada y acabó arruinada.*

disipador, -a ▮ adj./s. **1** Referido a una persona, que malgasta o derrocha el dinero. ▮ adj./s.m. **2** Que esparce o disgrega: *un disipador de calor.*

disipar v. **1** Esparcir, desvanecer o hacer desaparecer: *El viento disipó las nubes. Me dijo la verdad y todas mis dudas se disiparon.* **2** Referido esp. al dinero, malgastarlo y no aprovecharlo debidamente: *Disipó toda su fortuna en poco tiempo.* □ ETIMOL. Del latín *dissipare* (desparramar, aniquilar).

dislalia s.f. Dificultad para articular las palabras: *La dislalia puede deberse a algún defecto en los órganos del habla.* □ ETIMOL. De *dis-* (dificultad) y el griego *laléo* (yo charlo, hablo). □ SEM. Dist. de *disfasia* (anomalía en el lenguaje debida a una lesión cerebral).

dislate s.m. Hecho o dicho sin sentido común o contrario a la razón: *¿Cómo se te ha ocurrido decir tamaño dislate?* □ SINÓN. *disparate.* □ ETIMOL. Del antiguo *deslate* (desbandada), y este del antiguo *deslatar* (disparar, disparatar).

dislexia s.f. Trastorno de la capacidad de leer, que se manifiesta en la confusión, en la inversión y en la omisión de letras, sílabas o palabras: *La dislexia puede producirse por lesión cerebral o por motivos afectivos.* □ ETIMOL. De *dis-* (dificultad, anomalía) y *léxis* (habla, dicción).

disléxico, ca adj./s. Que padece dislexia.

dislocación s.f. Salida o descolocación de un hueso o de una articulación: *La torcedura me produjo dislocación de tobillo.* □ SINÓN. *dislocadura.* □ SEM. Dist. de *disloque* (desbarajuste).

dislocadura s.f. →**dislocación.**

dislocar v. Sacar o salirse de su lugar, esp. referido a un hueso o a una articulación: *Un mal movimiento me dislocó el brazo. Al caer, se dislocó la muñeca.* □ ETIMOL. De *dis-* (negación) y el latín *locare* (colocar). □ ORTOGR. La *c* se cambia en *qu* delante de *e* →SACAR. □ MORF. Se usa más como pronominal.

disloque s.m. *col.* Desbarajuste o situación en la que algo llega al colmo o al grado sumo: *El final de la fiesta fue un disloque y un desmadre total.* □ SEM. Dist. de *dislocación* y de *dislocadura* (salida de algo de su lugar). □ USO Se usa más con el artículo *el*.

dismenorrea s.f. Menstruación dolorosa o difícil: *La ginecóloga me dijo que mi dismenorrea se debía a una infección.* □ ETIMOL. De *dis-* (dificultad), *men* (mes) y *rhéo* (yo fluyo).

disminución s.f. Reducción del tamaño, de la cantidad o de la intensidad: *La sequía provocó la disminución del caudal del río.* □ SINÓN. *decrecimiento*.

disminuido, da adj./s. Referido a una persona, que no tiene completas sus facultades físicas o psíquicas: *Las personas disminuidas reciben una educación especial.* □ USO Tiene un matiz despectivo y por ello es preferible usar la expresión *persona con discapacidad*.

disminuir v. Hacer o hacerse menor en tamaño, en cantidad o en intensidad: *En la curva disminuí la velocidad del coche.* □ ETIMOL. Del latín *diminuere*. □ MORF. Irreg. →HUIR.

dismnesia s.f. Debilidad de la memoria: *El protagonista de la novela sufría dismnesia y le costaba mucho recordar las cosas.* □ ETIMOL. De *dis-* (anomalía) y el griego *mnésis* (memoria). □ SEM. Dist. de *amnesia* (pérdida total o parcial de la memoria).

dismorfia s.f. En medicina, anomalía en la formación de un órgano.

disnea s.f. Dificultad en la respiración: *Mi abuelo padece disnea y a veces da la impresión de que se va a ahogar.* □ ETIMOL. Del griego *dýspnoia*, y este de *dys-* (dificultad) y *pnéo* (yo soplo, respiro).

disociación s.f. Separación de dos cosas o de dos elementos que estaban unidos: *En el laboratorio realizamos la disociación de algunos cuerpos compuestos.*

disociar v. **1** Referido a dos cosas que están unidas, separarlas: *Disociemos la vida pública y la privada en ese artista.* **2** Referido a una sustancia, separar sus componentes: *En el laboratorio disociamos la sal en iones de cloro y de sodio.* □ ETIMOL. Del latín *dissociare*. □ ORTOGR. La *i* nunca lleva tilde.

disociativo, va adj. De la disociación o relacionado con ella.

disolubilidad s.f. **1** Capacidad o facilidad para disolverse: *El azúcar aumenta su disolubilidad en un líquido caliente.* **2** Posibilidad de separación o desunión: *Mis padres no aceptan la disolubilidad de un matrimonio.*

disoluble adj.inv. Que se puede disolver: *El cacao en polvo no es disoluble en leche fría.*

disolución s.f. **1** Desunión de las partículas o de las moléculas de una sustancia en un líquido de forma que queden incorporadas a él: *Remueve el agua hasta la completa disolución del azúcar.* **2** Separación o desunión de las partes de un todo: *La disolución del equipo fue inevitable debido a sus desacuerdos.* **3** Mezcla que resulta de disolver una sustancia en un líquido: *En una disolución acuosa el agua es el disolvente.* **4** Anulación de los lazos o de los vínculos existentes entre varias personas: *la disolución de un matrimonio.* □ ETIMOL. Del latín *dissolutio*.

disoluto, ta adj./s. Que pasa el mayor tiempo posible disfrutando de vicios y placeres: *una vida disoluta.* □ ETIMOL. Del latín *dissolutus* (desenfrenado).

disolvente ▮ adj.inv. **1** Que disuelve. ▮ s.m. **2** Producto que se emplea para disolver una sustancia: *El aguarrás es un disolvente de la pintura.*

disolver v. **1** Referido esp. a una sustancia, desunir sus partículas en un líquido de forma que queden incorporadas a él: *Disuelve el azúcar en el café. Los polvos se disolvieron en el agua.* **2** Referido a algo que está unido, separarlo o desunirlo: *El Gobierno disolverá el Parlamento y convocará elecciones. La asociación se disolvió cuando terminó su cometido.* **3** Referido a un contrato que liga a dos o más personas, anularlo o romperlo: *El matrimonio se ha disuelto legalmente y ya no viven juntos.* **4** Hacer desaparecer totalmente o destruir: *La muerte lo disuelve todo. Con el paso del tiempo se disuelven muchas ilusiones.* □ ETIMOL. Del latín *dissolvere*. □ MORF. Irreg.: 1. Su participio es *disuelto*. 2. →VOLVER. □ SEM. No debe emplearse con el significado de 'dispersar': *La policía {*disolvió > dispersó} a los manifestantes.*

disonancia s.f. **1** En música, acorde o combinación de sonidos simultáneos que no están en consonancia. **2** Carencia de igualdad, de correspondencia o de la proporción adecuada: *Hay disonancia e incoherencia entre sus ideas y su comportamiento.* □ ETIMOL. Del latín *dissonantia*.

disonante adj.inv. Que disuena.

disonar v. **1** Referido a un sonido o a una voz, sonar sin consonancia ni armonía o de manera desagradable: *Una voz ronca y desafinada disonaba en el coro y estropeaba el conjunto.* **2** Referido a una cosa, carecer de la semejanza, de la igualdad o de la proporción que debe tener con otra: *Ese cuadro tan moderno disuena con esos muebles tan clásicos del salón.* **3** Resultar extraño y no parecer bien: *Ese gesto innoble disuena en su honradez habitual.* □ MORF. Irreg. →CONTAR.

disortografía s.f. Falta de ortografía.

disosmia s.m. Disminución del olfato: *La disosmia puede estar causada por problemas alérgicos.* □ ETIMOL. De *dis-* y el griego *osmé* (olfato).

dispar adj.inv. Desigual o diferente: *Tus dos propuestas son muy dispares y no se parecen en nada.* □ SINÓN. *desparejo, disparejo.* □ ETIMOL. Del latín *dispar*.

disparadero || **poner** a alguien **en el disparadero;** *col.* Ponerlo muy nervioso o agotar su paciencia: *Me pones en el disparadero cuando te digo que tengo prisa y haces todo lentamente.*

disparado, da adj. Precipitado o con mucha prisa: *Cuando me enteré de la noticia, salí disparada a casa para contarla.*

disparador, -a ▮ adj. **1** Que dispara. ▮ s.m. **2** En un arma portátil de fuego, pieza que sujeta el mecanismo que sirve para dispararla y que permite el disparo cuando se oprime por uno de sus extremos: *El gatillo es una parte del disparador.* **3** En una cámara fotográfica, pieza que sirve para hacer funcionar el obturador automático.

disparar v. **1** Referido esp. a un arma, hacer que lance un proyectil o lanzarlo: *Apreté el gatillo y disparé. La ametralladora dispara con rapidez. Se le disparó el arma y hubo un herido.* **2** Referido a un objeto, esp. a un proyectil, lanzarlo con violencia o salir despedido: *Los arqueros dispararon sus flechas. La bomba se disparó del cañón.* **3** Referido a algo con un disparador, hacerlo funcionar: *¡Dispara la cámara ya y haz la foto! La alarma se dispara al abrir la puerta.* **4** Crecer o aumentar rápidamente y sin moderación: *La subida del petróleo ha disparado los precios de la gasolina. Con el descontento social y la crisis, se ha disparado la violencia.* □ ETIMOL. Del latín *disparare*, negativo de *parare* (preparar).

disparatado, da adj. Contrario u opuesto a la razón o sin sentido común.

disparatar v. Hablar o actuar sin sentido común o de forma contraria a la razón: *¡Piensa un poco lo que dices y no disparates!*

disparate s.m. **1** Hecho o dicho sin sentido común o contrario a la razón. □ SINÓN. *dislate.* **2** *col.* Lo que va más allá de lo razonable o de las normas, o se sale de los límites de lo ordinario o lícito: *Me comí un disparate de pasteles, y ahora me duele la tripa.* □ SINÓN. *atrocidad.* □ ETIMOL. Del antiguo *desbarate* (desconcierto).

disparejo, ja adj. Desigual o diferente: *opiniones disparejas.* □ SINÓN. *desparejo, dispar.*

disparidad s.f. Falta de igualdad y de parecido de una persona o cosa respecto de otra: *La disparidad de criterios era tan grande que fue imposible cualquier entendimiento.*

disparo s.m. **1** Lanzamiento hecho generalmente con fuerza o violencia: *El disparo del delantero acabó en gol.* **2** Operación con la que se pone en marcha un disparador o un mecanismo: *El sistema contra incendios tiene un mecanismo de disparo automático.* **3** || **disparo de salida;** momento que marca el inicio de un proceso: *En la próxima convención se dará el disparo de salida para la campaña comercial de este año.*

dispaurernia s.f. Dolor que se produce a veces durante el acto sexual.

dispendio s.m. Gasto excesivo y generalmente innecesario, esp. si es de tiempo o de dinero: *Comprar tres coches me parece un dispendio.* □ ETIMOL. Del latín *dispendium* (gasto).

dispendioso, sa adj. **1** Que cuesta mucho o que supone un gasto excesivo y generalmente innecesario: *gustos dispendiosos.* **2** Referido a una persona, que gasta mucho dinero: *Deberías ser menos dispendiosa y ahorrar un poco.*

dispensa s.f. Privilegio que se concede a alguien como gracia, por el cual queda libre del cumplimiento de una obligación o de una ley, orden o prohibición: *Los dos primos se casaron gracias a la dispensa matrimonial del Papa.*

dispensador, -a ▮ adj./s.m. **1** Que distribuye un producto: *un dispensador de agua.* ▮ adj./s. **2** Referido a una persona, que vende o distribuye algo: *una dispensadora de periódicos gratuitos.*

dispensar v. **1** Referido esp. a una obligación, permitir su incumplimiento: *Te dispenso del examen porque estás enferma.* **2** Referido a una falta, no tenerla en cuenta y perdonarla: *Está muy mimado y se le dispensa todo.* **3** Referido esp. a algo positivo, darlo, concederlo o distribuirlo: *El público le dispensó una calurosa acogida.* □ ETIMOL. Del latín *dispensare* (distribuir, administrar). □ SINT. Constr. de la acepción 1: *dispensar* DE *algo.*

dispensario s.m. Establecimiento médico en el que se da asistencia médica y farmacéutica a personas que no están internadas en él: *Hazle una cura de urgencia en el dispensario antes de iros al hospital.*

dispepsia s.f. En medicina, trastorno gástrico crónico que se caracteriza por una digestión laboriosa e imperfecta: *Son síntomas de dispepsia la pesadez de estómago y los continuos eructos.* □ ETIMOL. Del griego *dyspepsía* (digestión difícil), y este de *dys-* (dificultad) y *pésso* (yo digiero).

dispéptico, ca ▮ adj. **1** De la dispepsia o relacionado con este trastorno gástrico: *Uno de los síntomas dispépticos son los gases.* ▮ adj./s. **2** Que padece dispepsia: *Como soy dispéptica, no hago bien las digestiones.*

dispersante ▮ adj.inv. **1** Que dispersa. ▮ s.m. **2** Sustancia que facilita la dispersión de ciertas partículas que un líquido contiene en suspensión: *Para limpiar las aguas contaminadas se utilizaron dispersantes.*

dispersar v. Referido a algo que está o debe estar unido, dividirlo, separarlo, extenderlo o repartirlo: *El bombardeo dispersó a los enemigos en la llanura. No te disperses en tantos trabajos y céntrate en uno solo para que puedas hacerlo bien.*

dispersión s.f. Separación, extensión o distribución en distintas direcciones o en distintos objetivos: *La dispersión de los náufragos dificultó su búsqueda.*

disperso, sa adj. Separado y extendido en distintas direcciones o repartido en distintos objetivos: *Sus discos, dispersos por todo el mundo, son famosos.* □ ETIMOL. Del latín *dispersus*, y este de *dispergere* (esparcir, dispersar).

displacer ▮ s.m. **1** Pena, desazón o disgusto: *El displacer sexual es algo que debe tratar un especialista.* ▮ v. **2** Causar disgusto o pena: *Me displace no poder asistir a la recepción de la embajada.* □ MORF. Irreg. →PARECER.

displasia s.f. Anomalía en el desarrollo de un órgano: *Es frecuente que algunos perros, como el mastín, sufran de displasia de cadera.* □ ETIMOL. De *dis-* (anomalía) y el griego *plásso* (yo formo).

displásico, ca adj. De la displasia o relacionado con este desarrollo anómalo de un órgano: *Sufre una deformación displásica en la cadera y por eso anda de esa forma tan rara.* □ SINÓN. *displástico.*

displástico, ca adj. →**displásico.**

display s.m. **1** Pantalla donde se representan visualmente los datos que proporciona el sistema de un aparato electrónico. **2** Soporte publicitario que sirve para presentar un producto o una muestra de él: *Los displays suelen colocarse en los escaparates de los establecimientos y a la entrada de los mismos.* □ ETIMOL. Del inglés *display.* □ PRON. [displái] o [displéi]. □ USO Su uso es innecesario y puede sustituirse, en la acepción 1, por *pantalla de visualización* y en la acepción 2, por *expositor.*

displicencia s.f. Demostración de mal humor y de falta de interés, de falta de afecto o de falta de entusiasmo: *Abres los regalos con tal displicencia que se me quitan las ganas de volver a regalarte nada.* □ SEM. Dist. de *desprecio* (falta de aprecio).

displicente adj.inv./s.com. Referido a una persona, que muestra mal humor y falta de interés, afecto y entusiasmo: *Eres muy displicente y arisca en el trato.* □ ETIMOL. Del latín *displicens*, y este de *displicere* (desagradar).

disponer ▮ v. **1** Poner o ponerse en el orden o en la situación adecuados o de la manera que conviene para un fin: *Antes del acto dispón las sillas en varias filas. Nos dispusimos alrededor de la mesa para la cena.* **2** Referido a algo que debe hacerse, decidirlo, determinarlo o mandarlo: *El médico ha dispuesto que tomes esta medicina.* **3** Referido a algo que tiene que estar preparado, hacer lo necesario para tenerlo así en el momento adecuado: *Dispondré la cena para las nueve. Me dispondré para recibirlos como se merecen.* **4** Tener, poseer o usar libremente como si fuera propio: *No dispongo de tiempo para atenderte. Te dejo mi casa para cuando quieras disponer de ella.* ▮ prnl. **5** Referido a una acción, estar a punto de realizarla: *Me disponía a salir cuando llegaste.* □ ETIMOL. Del latín *disponere* (poner por separado). □ MORF. Irreg.: 1. Su participio es *dispuesto.* 2. →PONER. □ SINT. 1. Constr. de la acepción 4: *disponer* DE *algo.* 2. Constr. de la acepción 5: *disponerse* A *hacer algo.*

disponibilidad s.f. **1** Conjunto de características que tiene lo que está disponible: *Mi disponibilidad para ayudarte es total hasta el martes.* **2** Conjunto de dinero o de bienes de los que se puede disponer en un momento determinado: *Mis disponibilidades no me permiten unas buenas vacaciones.* **3** Situación de un funcionario público que está sin empleo temporalmente y que espera ser destinado: *Estoy en situación de disponibilidad, pero me destinarán el mes próximo.* □ MORF. En la acepción 2, se usa más en plural.

disponible adj.inv. Que puede ser utilizado o que está libre para hacer algo: *Hay un asiento disponible al final de la sala. Hoy estoy disponible para ir al cine.*

disposición s.f. **1** Ordenación del modo adecuado o conveniente: *La disposición de los capítulos de ese libro es incoherente.* **2** Decisión que toma la autoridad y mandato de qué debe hacerse y cómo: *El Gobierno dictará disposiciones que regularán la venta ambulante.* **3** Estado de salud o de ánimo para hacer algo: *Con este sueño no tengo la disposición necesaria para estudiar.* **4** Capacidad o aptitud para algo: *Tiene disposición para escribir y llegará a ser buen escritor.* **5** Medio empleado para realizar o conseguir algo: *Se tomarán las disposiciones necesarias para evitar inundaciones.* **6** Distribución de las partes de un edificio: *Me gusta la disposición de esta casa por la comodidad que supone.* □ ETIMOL. Del latín *dispositio.*

dispositivo s.m. **1** Mecanismo o artefacto dispuestos para que se produzca una acción prevista: *un dispositivo de alarma.* **2** ‖ **dispositivo intrauterino;** el que se coloca en el interior del útero de una mujer para evitar el embarazo. □ SINÓN. *DIU, sterilet.*

disprosio s.m. Elemento químico, metálico y sólido, de número atómico 66, que pertenece al grupo de los lantánidos: *El disprosio tiene propiedades magnéticas.* □ ETIMOL. Del latín *dysprosium*, y este del griego *dysprositós* (difícil de alcanzar). □ ORTOGR. Su símbolo químico es *Dy.*

dispuesto, ta ▮ **1** part. irreg. de **disponer.** ▮ adj. **2** Capaz de hacer muchas cosas bien o fácilmente: *una persona muy dispuesta.* □ MORF. En la acepción 1, incorr. **disponido.*

disputa s.f. **1** Discusión acalorada entre personas que mantienen obstinada y vehementemente su punto de vista: *La disputa terminó en una pelea.* **2** Enfrentamiento por la posesión o la defensa de algo, o por un mismo objetivo: *La disputa de los perros por el hueso fue violenta.*

disputador, -a adj./s. Aficionado a disputar.

disputar v. Referido a un objetivo, rivalizar y competir varias personas por él: *Varios equipos disputan la liga este año. Se disputan el premio cinco participantes.* □ ETIMOL. Del latín *disputare* (examinar, discutir una cuestión, disertar).

disquete s.m. En informática, disco magnético portátil, de capacidad reducida, que se introduce en el ordenador para su grabación o lectura: *En un disquete caben muchos datos.* □ ETIMOL. Del inglés *diskette.* □ USO Es innecesario el uso del anglicismo *floppy disk.*

disquetera s.f. En un ordenador, dispositivo en el que se inserta un disquete para su grabación o lectura: *Mi ordenador tiene dos disqueteras.*

disquisición s.f. Comentario que se aparta del tema que se trata: *Déjate de disquisiciones y cuéntame lo que pasó.* ☐ ETIMOL. Del latín *disquisitio,* y este de *disquirere* (indagar). ☐ MORF. Se usa más en plural.

distanasia s.f. En medicina, tratamiento desproporcionado que intenta prolongar la vida de enfermos ya deshauciados.

distancia s.f. **1** Espacio entre dos cosas, medido por el camino o la línea que las une: *Desde casa al colegio existe una distancia de cien metros.* **2** Intervalo de tiempo entre dos sucesos: *Eso sucedió hace mucho y hay que juzgarlo desde una cierta distancia.* **3** Falta de semejanza o diferencia grande entre personas o cosas: *Hay gran distancia entre nuestras creencias, pero somos amigos.* **4** En matemáticas, longitud del segmento de recta comprendido entre dos puntos del espacio: *La distancia más corta entre dos puntos es una recta.* **5** ‖ **a distancia;** 1 Apartado o desde lejos: *Se mantienen a cierta distancia porque se respetan y se temen.* 2 Referido a la enseñanza, por correspondencia y sin contacto directo y diario entre alumno y profesor: *Estudia en una universidad a distancia porque no tiene tiempo de asistir a las clases.* ‖ **guardar las distancias;** evitar la familiaridad o la excesiva confianza en el trato: *Con esos indeseables debes guardar las distancias.* ☐ ETIMOL. Del latín *distantia.*

distanciamiento s.m. **1** Alejamiento o separación en el tiempo o en el espacio: *El distanciamiento permite analizar con imparcialidad la historia.* **2** Alejamiento afectivo o intelectual de una persona respecto a un grupo: *Su distanciamiento del partido es cada día mayor y terminará por abandonarlo.*

distanciar v. Separar, apartar o hacer que haya más distancia: *El enfrentamiento generacional distancia a padres e hijos.* ☐ ORTOGR. La *i* nunca lleva tilde.

distante adj.inv. **1** Lejano o apartado en el espacio o en el tiempo: *lugares distantes.* ☐ SINÓN. *extremo.* **2** Frío en el trato o que se aparta del trato amistoso o íntimo: *¿Por qué estás distante conmigo, si no te he hecho nada?*

distar v. **1** Estar apartado o a cierta distancia en el espacio o en el tiempo: *Su casa dista de la mía tres kilómetros.* **2** Ser diferente o estar lejos de un modo de ser, de un sentimiento o de una acción: *Su alegría dista mucho de ser sincera.* ☐ ETIMOL. Del latín *distare* (estar apartado). ☐ SINT. Constr. *distar* DE *algo.*

distender v. **1** Referido a algo tirante o tenso, aflojarlo o hacer que disminuya su tensión: *Distendió el arco y lanzó la flecha.* ☐ SINÓN. *destensar.* **2** En medicina, referido a un tejido o a una membrana, producirse en ellos un estiramiento violento o causárselo: *El tendón se ha distendido y me duele mucho.* **3** Perder la tensión o tirantez o hacer que disminuya: *Las relaciones entre los dos países se distendieron y firmaron un tratado de paz.* ☐ ORTOGR. Incorr. **distendir.* ☐ MORF. Irreg. →PERDER.

distensión s.f. **1** Pérdida de la tensión de lo que está tirante o tenso: *Tus comentarios lograron la distensión del ambiente en una reunión tan difícil.* **2** En medicina, estiramiento violento, esp. de un tejido o de una membrana: *una distensión de ligamentos.* ☐ ETIMOL. Del latín *distensio.*

dístico s.m. Combinación métrica de dos versos, esp. referido a la que se empleaba en la poesía elegíaca grecolatina, formada por un hexámetro y un pentámetro: *Fray Luis de León utiliza dísticos en su traducción del 'Beatus ille', a imitación del dístico elegíaco latino.* ☐ ETIMOL. Del griego *dístikhos* (con dos hileras).

distinción s.f. **1** Conocimiento y determinación de las características que diferencian una cosa de otra: *Hagamos la distinción entre tragedia y comedia.* **2** Característica por la cual algo no es lo mismo ni es igual a otra cosa: *Hay una distinción clara entre un clavel y una rosa.* **3** Elegancia o elevación sobre lo vulgar: *Viste con mucha distinción y con ropa muy cara.* **4** Privilegio, gracia u honor que se conceden como un trato especial: *Es lógico que un sabio como él sea objeto de tal distinción.* **5** Respeto y atención que se dan a una persona: *Debes tratarla con distinción y cortesía.* ☐ ETIMOL. Del latín *distinctio.*

distingo s.m. Reparo u objeción que se ponen con cierta malicia o sutileza: *Si dices que todos somos amigos tuyos no sé por qué haces distingos con nosotros.* ☐ ETIMOL. Del latín *distinguo* (yo distingo), empleado en lógica para introducir distinciones.

distinguido, da adj. **1** Ilustre y que sobresale entre los demás por alguna cualidad. **2** Referido a una persona, que es refinado en sus modales o en su aspecto.

distinguir ▮ v. **1** Referido a dos o más cosas, conocer las características que las hacen diferentes: *¿Sabes distinguir un mulo de un asno?* **2** Referido esp. a una imagen o a un sonido, ser capaz de verla, de oírlo o de percibirlos a pesar de que haya alguna dificultad: *No distingo bien las letras lejanas porque soy algo miope.* **3** Referido a dos o más cosas, diferenciarlas mediante una señal o una peculiaridad: *Ese lunar de la barbilla distingue a un gemelo de otro. Esos tres perros se distinguen entre sí por su color.* **4** Referido esp. a un comportamiento o a una cualidad, caracterizar y hacer peculiar a algo o a alguien: *Su sinceridad es lo que lo distingue. Todas sus obras se distinguen por una belleza serena.* **5** Referido a una persona, concederle un privilegio, una gracia o un honor como un trato especial: *La distinguieron con el primer premio.* ▮ prnl. **6** Sobresalir o destacar entre otros: *Se distingue por su humor peculiar.* ☐ ETIMOL. Del latín *distinguere* (separar, dividir, diferenciar). ☐ ORTOGR. La *gu* se cambia en *g* delante de *a, o* →DISTINGUIR.

distintivo, va ▮ adj. **1** Que distingue o que permite distinguir o caracterizar algo: *un elemento distintivo.* ▮ s.m. **2** Lo que distingue o caracteriza esencialmente: *La hospitalidad es el distintivo de esa familia.* **3** Señal o insignia, esp. las que indican la pertenencia a un grupo: *Los vigilantes llevan como distintivo un escudo en la manga.*

distinto, ta adj. **1** Que tiene realidad o existencia diferentes de otros y no es igual a ellos: *La fruta y la verdura son distintos alimentos.* **2** Que no se parece a otros porque no tiene las mismas cualidades: *Vivir en el campo es muy distinto de vivir en la ciudad.* □ ETIMOL. Del latín *distinctus* (distinguido, diferenciado). □ SINT. Constr. *distinto [A/DE] algo.*

distocia s.f. Parto complicado y difícil: *La mala posición del feto produjo una distocia.* □ ETIMOL. De *dis-* (dificultad) y el griego *tókos* (parto).

distócico, ca adj. De la distocia o relacionado con ella: *Esa mujer tuvo problemas distócicos debido a la estrechez de su útero.*

distonía s.f. Alteración del tono fisiológico o muscular: *La falta de ejercicio durante largos períodos puede producir distonía.*

distónico, ca adj. De la distonía, relacionado con ella o que la produce.

distorsión s.f. Deformación de las imágenes o de los sonidos producida en su transmisión: *Pones la radio a tanto volumen que la distorsión del sonido es inevitable.* □ ETIMOL. Del latín *distorsio.*

distorsionar v. **1** Referido a una imagen o a un sonido, deformarlos: *La avería de la antena distorsiona las imágenes en la televisión y no se ven bien.* **2** Referido esp. a lo que se dice, interpretarlo equivocadamente y darle un significado que no corresponde: *No distorsiones mis palabras ni digas que he dicho lo que no he dicho.*

distracción s.f. **1** Falta de atención, esp. en lo que se está haciendo o en lo que debe hacerse: *Tu distracción hace que no te acuerdes de lo que te cuento.* **2** Entretenimiento o recreo proporcionados por un rato alegre: *Te traigo unas revistas para que te sirvan de distracción.* □ SINÓN. *diversión, divertimento, divertimiento.* **3** Lo que atrae la atención apartándola de otra cosa: *Cuando estudia, una mosca es para él una distracción.* □ ETIMOL. Del latín *distractio* (separación, distancia).

distraer v. **1** Referido a una persona, apartarle o hacerle apartar la atención de lo que se está haciendo o de lo que debe hacerse: *Si hablas al conductor lo distraerás. En clase me distraigo con el vuelo de una mosca.* **2** Entretener, recrear o proporcionar un rato alegre: *La televisión distrae mucho a mis abuelos. Me distraigo escuchando música.* □ SINÓN. *divertir.* **3** Apartar, desviar o alejar: *Distraeré el hambre con pipas.* □ ETIMOL. Del latín *distrahere.* □ MORF. Irreg. →TRAER.

distraído, da adj./s. Que se distrae con facilidad y actúa sin darse cuenta de lo que dice o de lo que sucede a su alrededor: *Eres muy distraída y no pones atención.*

distribución s.f. **1** Reparto entre varios, designando lo que corresponde a cada uno de acuerdo con cierta regla o derecho, o según dicte la voluntad o la conveniencia: *La distribución del trabajo se hará según la capacidad de cada uno.* **2** Colocación o situación de las partes de un todo del modo conveniente o adecuado: *Haré la distribución de los muebles según su utilidad.* **3** Reparto de la mercancía a vendedores y consumidores: *Esa empresa se dedica a la distribución de películas a los cines.* **4** Forma de distribuir o de colocar, esp. las partes de un edificio o los muebles: *La distribución de esta casa es muy funcional.*

distribucionalismo s.m. Método de análisis lingüístico que define los elementos de una lengua según su distribución o los contextos en los que aparecen: *El distribucionalismo nació en la década de 1930 en Estados Unidos.*

distribucionalista ▮ adj.inv. **1** Del distribucionalismo o relacionado con este método de análisis lingüístico: *El análisis distribucionalista es el método característico de la lingüística estructural norteamericana.* ▮ adj.inv./s.com. **2** Seguidor del distribucionalismo: *Mi profesora de lingüística es distribucionalista.*

distribuidor, -a ▮ adj./s. **1** Que distribuye. ▮ s. **2** Persona que se dedica profesionalmente a la distribución de mercancías: *Esta calle tiene problemas de tráfico porque los distribuidores de las tiendas aparcan en doble fila.* ▮ s.m. **3** En una casa, pieza de paso a la que van a dar varias habitaciones: *La cocina y el salón dan a un mismo distribuidor.* ▮ s.f. **4** Empresa que se dedica a la distribución de un producto y actúa entre el productor y el comerciante: *Pedí cinco ejemplares del libro a la distribuidora.* □ USO En las acepciones 2 y 4, es innecesario el uso del anglicismo *dealer.*

distribuidora s.f. Véase **distribuidor, -a.**

distribuir v. **1** Dividir entre varios, designando lo que corresponde a cada uno de acuerdo con cierta regla o derecho, o según dicte la voluntad o la conveniencia: *Distribuyó el quehacer y todos trabajan por igual.* **2** Repartir o colocar del modo conveniente o adecuado: *Distribuye bien tu tiempo para no perderlo. La sangre se distribuye gracias al aparato circulatorio.* **3** Referido a una mercancía, entregarla a los vendedores y consumidores: *Ha llegado el camión que distribuye la leche por las tiendas.* □ ETIMOL. Del latín *distribuere.* □ MORF. Irreg. →HUIR.

distributivo, va adj. **1** Que expresa distribución o que está relacionado con ella: *el sistema distributivo de un país.* **2** En gramática, que implica o expresa alternancia de acciones: *En la oración 'Tan pronto ríe como llora', 'tan pronto' y 'como' son nexos distributivos.*

distrito s.m. Subdivisión administrativa o jurídica en que se divide un territorio o una población: *Se informó de las actividades del barrio en la junta de distrito.* □ ETIMOL. Del latín *districtus,* y este de *distringere* (separar). □ SEM. Dist. de *barriada* y *barrio* (divisiones no administrativas de una población).

distrofia s.f. Trastorno patológico que afecta a la nutrición y al crecimiento: *Tiene los músculos mal desarrollados porque sufre distrofia muscular.* □

ETIMOL. De *dis-* (anomalía) y el griego *trophé* (alimentación).

disturbar v. Perturbar o causar disturbios: *Un grupo de encapuchados disturbó el orden público.* ☐ ETIMOL. Del latín *disturbare.*

disturbio s.m. Alteración del orden, de la paz y de la tranquilidad: *Se produjo un disturbio en la calle y el tráfico quedó interrumpido.* ☐ ETIMOL. De *disturbar* (perturbar).

disuadir v. Referido a una persona, hacerle cambiar con razones la opinión o el propósito: *Lo disuadieron de fumar diciéndole que era perjudicial. Debes disuadirte de tu error y reconocer que obraste mal.* ☐ ETIMOL. Del latín *dissuadere.* ☐ SINT. Constr. *disuadir* DE *algo.*

disuasión s.f. Utilización de razones para conseguir cambiar la opinión o el propósito de alguien: *capacidad de disuasión.*

disuasivo, va adj. →**disuasorio.**

disuasorio, ria adj. Que hace cambiar con razones una opinión o un propósito, o que lo pretende: *medidas legales disuasorias.* ☐ SINÓN. *disuasivo.*

disuelto, ta part. irreg. de **disolver**. ☐ MORF. Incorr. **disolvido.*

disuria s.f. En medicina, expulsión difícil, dolorosa e incompleta de la orina: *Tiene problemas en las vías urinarias y sufre disuria.* ☐ ETIMOL. De *dis-* (dificultad) y el griego *ûron* (orina).

disúrico, ca adj. En medicina, de la disuria o relacionado con ella: *El médico me ha dicho que no puedo orinar porque tengo problemas disúricos.*

disyunción s.f. **1** Desunión y separación de las partes que componen un todo: *Los católicos creen en la disyunción del cuerpo y del alma.* **2** En gramática, relación entre dos o más cosas de forma que una de ellas excluye a las demás: *La oración '¿Vienes o te quedas?' es una disyunción.*

disyuntiva s.f. Véase **disyuntivo, va.**

disyuntivo, va ▌adj. **1** Que implica opción, alternancia o exclusión: *La frase ¿Estudias o trabajas? es disyuntiva.* ▌s.f. **2** Alternativa entre dos posibilidades por una de las cuales hay que optar: *Me encuentro en la disyuntiva de ir o de quedarme.* ☐ ETIMOL. Del latín *disiunctivus*, y este de *disiungere* (separar). ☐ SEM. En la acepción 2, dist. de *dicotomía* (división en dos).

ditirámbico, ca adj. Del ditirambo o relacionado con él: *Las composiciones ditirámbicas suelen tener un carácter laudatorio.*

ditirambo s.m. **1** En la antigua Grecia, poema lírico breve en honor de Dioniso (dios del vino y de la sensualidad): *El canto de ditirambos solía ser una parte de los ritos dedicados a Dioniso.* **2** Composición poética en la que se expresa gran entusiasmo o sentimientos muy vivos hacia algo o alguien, generalmente en forma de alabanza y elogio: *En la ceremonia, se leyó un ditirambo con encendidos elogios a la figura del homenajeado.* **3** Alabanza exagerada o elogio excesivo: *Este artículo es un ditirambo sin ningún fundamento.* ☐ ETIMOL. Del latín *dithyrambus*, y este del griego *dithýrambos* (composición poética en honor de Baco).

DIU s.m. Dispositivo anticonceptivo que, colocado en el interior del útero de una mujer, evita el embarazo. ☐ SINÓN. *dispositivo intrauterino, sterilet.* ☐ ETIMOL. Es el acrónimo de *dispositivo intrauterino.*

diuresis (pl. *diuresis*) s.f. En medicina, secreción de la orina: *Después de la operación, me controlaron el volumen de diuresis.* ☐ SEM. Dist. de *enuresis* (incapacidad para controlar la expulsión de orina).

diurético, ca adj./s.m. Referido a un medicamento, que aumenta o facilita la secreción y eliminación de la orina: *Como tenía retención de líquidos, el médico me recetó un diurético.* ☐ ETIMOL. Del latín *diureticus*, y este del griego *dià* (a través) y *ûron* (orina).

diurno, na adj. **1** Del día o relacionado con él: *El tiempo de luz diurna es más largo en verano que en invierno.* **2** Referido a un animal, que busca el alimento durante el día: *El águila es un ave rapaz diurna.* **3** Referido a una planta, con flores que solo están abiertas durante el día: *La margarita y el diente de león son plantas diurnas.* ☐ ETIMOL. Del latín *diurnus.*

divagación s.f. Alejamiento o separación del asunto principal que se está tratando: *Con tantas divagaciones no acabaremos nunca.*

divagar v. Hablar o escribir apartándose del asunto principal que se está tratando o sin un propósito fijo: *No divagues tanto y ve al grano, que tenemos poco tiempo.* ☐ ETIMOL. Del latín *divagari.* ☐ ORTOGR. La *g* se cambia en *gu* delante de *e* →PAGAR.

diván s.m. Asiento alargado y mullido, generalmente sin respaldo y con almohadones, en el que una persona puede tenderse: *El paciente hablaba tumbado en el diván con su psicoanalista.* ☐ ETIMOL. Del árabe *diwan* (registro público, cancillería).

divergencia s.f. Discrepancia o falta de acuerdo: *Entre nosotros han surgido serias divergencias que nos impiden continuar trabajando juntos.*

divergente adj.inv. Que diverge: *Nuestros gustos son completamente divergentes y rara vez coincidimos en algo.*

divergir v. **1** Referido a dos o más líneas o superficies, irse apartando sucesivamente unas de otras: *Las calles que nacen en una misma plaza redonda divergen en forma radial.* **2** Discrepar o no estar de acuerdo: *Aunque tú y yo divergimos en gustos, nos complementamos.* ☐ ETIMOL. Del latín *divergere.* ☐ ORTOGR. 1. Incorr. **diverger*. 2. La *g* se cambia en *j* delante de *a, o* →DIRIGIR.

diversidad s.f. **1** Variedad o diferencia de naturaleza, cantidad o cualidad: *Nunca imaginé la diversidad de formas en que podía ser tratado este tema.* **2** Abundancia o concurrencia de varias cosas distintas: *Una gran diversidad de especies caracteriza la fauna y la flora de este hábitat.*

diversificación s.f. Conversión en múltiple y diverso de lo que era uniforme y único: *Cuando los terrenos agrícolas están muy parcelados, suele darse una diversificación de la producción agraria.*

diversificar v. Referido a algo uniforme y único, convertirlo en múltiple y diverso: *Hay que diversificar la producción para satisfacer toda la demanda. Con el tiempo mis intereses se diversificaron.* □ ETIMOL. Del latín *diversificare.* □ ORTOGR. La *c* se cambia en *qu* delante de *e* →SACAR.

diversión s.f. **1** Entretenimiento o recreo proporcionados por un rato alegre: *El espectáculo nos proporcionó un buen rato de diversión.* □ SINÓN. *distracción, divertimento, divertimiento.* **2** Lo que sirve de entretenimiento, de recreo o de pasatiempo: *La lectura es mi mayor diversión.* □ SINÓN. *divertimento, divertimiento.*

diverso, sa adj. De distinta naturaleza, cantidad o cualidad: *diversas especies de plantas.* □ ETIMOL. Del latín *diversus*, y este de *divertere* (apartarse). □ SEM. En plural equivale a 'varios' o 'más de uno': *Tiene talento musical y toca diversos instrumentos.*

divertículo s.m. Prolongación que aparece en el esófago o en el intestino, generalmente por malformación congénita. □ ETIMOL. Del latín *diverticulum.*

diverticulosis (pl. *diverticulosis*) s.f. Inflamación de los divertículos.

divertido, da adj. **1** Que produce diversión: *Si te gusta la comedia, debes ver esta película, porque es muy divertida.* **2** Referido a una persona, alegre, graciosa o de buen humor: *Es una persona muy divertida y lo pasamos bien juntos.*

divertimento s.m. **1** →**divertimiento. 2** Composición musical para un número reducido de instrumentos, de forma más o menos libre y generalmente de carácter alegre: *Mozart compuso varios divertimentos.* □ ETIMOL. Del italiano *divertimento.*

divertimiento (tb. *divertimento*) s.m. **1** Entretenimiento o recreo proporcionados por un rato alegre: *Compone canciones por divertimiento y así se distrae.* □ SINÓN. *distracción, diversión.* **2** Lo que sirve de entretenimiento, de recreo o de pasatiempo: *Ir al cine es mi divertimiento.* □ SINÓN. *diversión.* □ ETIMOL. De *divertir.*

divertir v. Entretener, recrear o proporcionar un rato alegre: *¡Que os divirtáis en la fiesta!* □ SINÓN. *distraer.* □ ETIMOL. Del latín *divertere* (apartarse), porque al divertirse, se aparta la atención. □ MORF. Irreg. →SENTIR.

dividendo s.m. **1** En una división matemática, cantidad que tiene que dividirse por otra: *Si divides 4 entre 2, 4 es el dividendo y 2 es el divisor.* **2** En economía, parte de los beneficios de una empresa que se reparte a los accionistas.

dividir v. **1** Referido a un todo, separarlo o partirlo en varias partes: *Un biombo dividía el salón en dos partes.* **2** Repartir o distribuir entre varios: *Dividió sus bienes entre los tres hijos.* **3** Referido a dos o más personas, enemistarlas o provocar desunión entre ellas creando enfrentamientos: *Los problemas surgidos con la empresa han dividido a los dos socios.* **4** En matemáticas, realizar la operación aritmética de la división: *Si dividimos 6 entre 2, da 3.* □ ETIMOL. Del latín *dividere* (partir, separar).

divieso s.m. Abultamiento de la piel, pequeño, puntiagudo y doloroso, con pus en su interior: *No me puedo sentar porque me ha salido un divieso en una nalga y me duele mucho.* □ SINÓN. *forúnculo, furúnculo.* □ ETIMOL. Del latín *diversus* (separado).

divinidad s.f. **1** Naturaleza de los dioses o conjunto de características que definen su esencia: *Los cristianos creen en la divinidad de Jesucristo, Dios y hombre.* **2** Dios o ser divino al que se rinde culto: *Las religiones politeístas adoran a muchas divinidades.*

divinización s.f. Consideración de algo o de alguien como un dios o como si fuera divino: *En la antigua Roma se produjo la divinización de algunos emperadores, a quienes se rendía culto y honores propios de los dioses.*

divinizar v. Considerar o creer divino, o tributar culto u honores divinos: *No entiendo que la juventud actual divinice todo lo que sale por la tele.* □ SINÓN. *deificar.* □ ORTOGR. La *z* se cambia en *c* delante de *e*→CAZAR.

divino, na adj. **1** De los dioses o que tiene relación con ellos: *seres divinos; naturaleza divina.* **2** Extraordinario o muy bueno: *¡Qué zapatos tan divinos!* □ ETIMOL. Del latín *divinus.* □ SINT. En la lengua coloquial se usa también como adverbio de modo con el significado de 'muy bien': *Lo pasamos divino.*

divisa s.f. **1** En economía, respecto de la unidad monetaria de un país, moneda extranjera: *La intervención del Banco de España en defensa de nuestra moneda está reduciendo las reservas de divisas.* **2** Señal exterior que se adopta como distintivo o como símbolo: *El lema 'libertad, igualdad, fraternidad' fue la divisa de la Revolución Francesa de 1789.* **3** En tauromaquia, lazo de cintas de colores con que se distinguen en la lidia los toros de cada ganadero: *Los toros llevan la divisa en el morrillo.* □ ETIMOL. De *divisar.*

divisar v. Ver o percibir, aunque con poca claridad: *A lo lejos se divisaban los torreones del castillo.* □ ETIMOL. Del latín *divisus*, y este de *dividere* (dividir, distinguir).

divisibilidad s.f. **1** Posibilidad de ser dividido: *La divisibilidad del átomo ya está demostrada.* **2** En matemáticas, propiedad de un número entero de poder dividirse por otro número entero y dar de cociente un número también entero, sin decimales: *La divisibilidad de 24 entre 2 es clara porque su cociente es 12.*

divisible adj.inv. **1** Que se puede dividir: *Si solo yo he puesto dinero, los beneficios obtenidos no son divisibles.* **2** En matemáticas, referido a un número entero, que, al dividirse por otro número entero, da por cociente un número también entero: *10 es divisible entre 2 porque el resultado de su división es 5.*

división s.f. **1** Separación o partición de un todo en varias partes: *Un municipio es una división territorial y administrativa.* **2** Reparto entre varios: *La división del trabajo supone una especialización* *en las distintas partes del proceso de producción.* **3** En matemáticas, operación mediante la cual se calcula las veces que una cantidad, llamada *divisor*, está contenida en otra, llamada *dividendo*: *La división de 6 entre 2 da 3.* **4** Enemistad, desunión o enfrentamiento entre personas: *No existe división en el partido, y todos apoyamos a nuestro presidente.* **5** En deporte, grupo en que compiten, según su categoría, los equipos o los deportistas: *Jugar en primera división es la aspiración de este futbolista.* **6** En el ejército, gran unidad que consta de dos o más brigadas o regimientos: *Un general de división está al frente de una división.* **7** En biología, en la clasificación de las plantas, categoría superior a la de clase e inferior a la de reino: *Los musgos pertenecen a una división de plantas inferiores.* □ ETIMOL. Del latín *divisio*.

divismo s.m. Condición del divo o artista que goza de gran fama.

divisor, -a ▌adj./s.m. **1** En matemáticas, referido a un número, que está contenido exactamente dos o más veces en otro: *3 es un divisor de 21 porque 21 lo contiene 7 veces.* □ SINÓN. *submúltiplo, factor.* ▌s.m. **2** En una división matemática, cantidad por la que se divide otra: *Si divides 24 entre 2, 24 es el dividendo y 2 es el divisor.* **3** ‖ **común divisor;** cantidad por la cual dos o más cantidades son exactamente divisibles: *El número 5 es un común divisor de 10 y de 15.* ‖ **máximo común divisor;** cantidad mayor por la cual dos o más cantidades son exactamente divisibles: *El máximo común divisor de 10 y 20 es 10.* □ ETIMOL. Del latín *divisor*.

divisoria s.f. Véase **divisorio, ria.**

divisorio, ria adj./s.f. Que sirve para dividir o separar: *Antes era una sola habitación, pero con un tabique divisorio se hicieron dos dormitorios.* □ ETIMOL. De *divisor*.

divo, va ▌adj. **1** *poét.* Divino: *¡Que todos los romanos te rindan culto, oh, divo Augusto!* **2** *desp.* Referido a una persona, arrogante, engreída y que se cree superior a los demás: *No sé quién te crees que eres para mostrarte tan divo.* ▌adj./s. **3** Referido a un artista del mundo del espectáculo, que goza de muchísima fama: *En el concierto actúa uno de los divos de la ópera española.* □ ETIMOL. Del latín *divus* (divino).

divorciado, da adj./s. Referido a una persona, que ha interrumpido la vida en común con su cónyuge y se ha producido la disolución del vínculo matrimonial: *Los divorciados pueden volver a casarse legalmente.* □ SEM. Dist. de *separado* (sin disolución del vínculo matrimonial).

divorciar ▌v. **1** Referido a dos personas casadas, declarar disuelto su matrimonio: *El juez los divorció y ya no viven juntos.* **2** Referido a lo que está en estrecha relación, separarlo o apartarlo: *No creo que en literatura se pueda divorciar el fondo de la forma.* ▌prnl. **3** Obtener el divorcio legal: *Tras dos años de matrimonio, decidieron divorciarse.*

divorcio s.m. **1** Disolución de un matrimonio declarada por un juez competente. **2** Separación de lo que estaba en estrecha relación: *El divorcio entre los socios es inevitable a causa de sus discrepancias.* □ ETIMOL. Del latín *divortium*. □ SEM. En la acepción 1, dist. de *separación* (sin ruptura del vínculo matrimonial).

divulgación s.f. Publicación, propagación o difusión entre la gente: *la divulgación de un secreto; libros de divulgación.*

divulgar v. Publicar, dar a conocer o poner al alcance de mucha gente: *Divulgó mi secreto y ahora todos hablan de mí. En este libro se divulgan los últimos avances científicos.* □ ETIMOL. Del latín *divulgare*. □ ORTOGR. La *g* se cambia en *gu* delante de *e* →PAGAR.

divulgativo, va adj. Que está hecho para que se divulgue y pueda ser comprendido fácilmente: *una obra científica divulgativa.*

dixie (ing.) s.m. Estilo de jazz surgido en el sur estadounidense: *El dixie estuvo de moda en la década de 1920.* □ PRON. [díxi].

dixit (lat.) Expresión que se utiliza para indicar lo que ha dicho una persona: *«Nadie me supera en este tipo de papeles», la famosa actriz dixit.* □ USO Tiene un matiz humorístico.

dizque adv. En zonas del español meridional, al parecer: *Todos dicen que dizque no están casados.* □ ETIMOL. De la frase *dice que*.

Dj (ing.) s.m. →**pinchadiscos.** □ ETIMOL. Es la sigla del inglés *disc-jockey*. □ PRON. [diyéi].

djembe s.m. →**yembe.**

djilbab s.m. Prenda de vestir femenina, que consiste en un velo que cubre el cuerpo de la cabeza a los pies y que deja al descubierto la zona de los ojos: *En el reportaje aparecían algunas mujeres magrebíes con djilbab.* □ PRON. [yilbá].

DNI s.m. Documentación personal, de carácter oficial y obligatorio, que contiene datos para la identificación del propietario. □ ETIMOL. Es la sigla de *documento nacional de identidad*.

do (pl. *dos*) s.m. **1** En música, primera nota de la escala de do mayor. **2** ‖ **do de pecho;** *col.* El mayor esfuerzo que se puede hacer para lograr un fin: *Dio el do de pecho y dejó claro lo mucho de lo que era capaz.* □ ETIMOL. Del italiano *do*.

dóberman adj.inv./s. Referido a un perro, de la raza que se caracteriza por tener mediana estatura, cuerpo musculoso, cabeza larga y estrecha y pelo corto y duro. □ ETIMOL. Del alemán *dobermann*.

dobla s.f. Antigua moneda castellana de oro. □ ETIMOL. Del latín *duplus* (doble).

dobladillo s.m. En una tela, pliegue cosido que se hace doblando el borde dos veces hacia adentro. □ SEM. Dist. de *bajo* (solo en una prenda de vestir).

doblado, da ▌adj. **1** *col.* Referido a una persona, que está muy cansada: *Estuve toda la tarde en el gimnasio y llegué a casa doblado.* ▌s.m. **2** En zonas del español meridional, desván.

dobladura s.f. **1** Parte por donde se ha doblado o plegado algo: *Esta carpeta de plástico se está rompiendo por las dobladuras.* **2** Señal que queda por donde se ha doblado algo: *Esta cartulina no me sirve porque está llena de dobladuras.*

doblaje s.m. En cine y televisión, sustitución de las voces originales de los actores por otras voces que traducen el texto original a la lengua del público destinatario de la película: *El doblaje de muchas películas de dibujos animados que vemos en España es suramericano.*

doblamiento s.m. Hecho de doblar algo: *Para hacer una pajarita de papel, el doblamiento de la hoja debe ser perfecto.*

doblar ▮ v. **1** Referido a un objeto flexible, plegarlo de forma que una parte quede superpuesta a otra: *Dobló la carta y la metió en el sobre.* **2** Referido a algo que estaba recto o derecho, torcerlo o darle forma curva: *Es imposible arrodillarse sin doblar las piernas por las rodillas.* **3** Referido a un lugar, pasar por delante de él y ponerse al otro lado: *El barco dobló el cabo y entró en el puerto. Cuando llegues al cruce, dobla a la derecha.* **4** Duplicar en edad o hacer dos veces mayor: *Te doblo en edad, pues yo tengo veinte años y tú, diez. Me han doblado el trabajo y no doy abasto.* **5** En cine y televisión, hacer un doblaje: *Prefiero las películas subtituladas a las que han sido dobladas.* **6** En cine, referido a un actor, sustituirlo en determinados momentos del rodaje de una película: *Los especialistas doblan a los protagonistas en las escenas más peligrosas.* **7** En algunos deportes, referido a un corredor, ser alcanzado por otro que ya ha dado una vuelta más que él: *En los 10 000 metros lisos es muy normal que el primer clasificado doble a los últimos.* **8** *col.* Referido a una persona, causarle desaliento, daño, dolor o pena: *Tantas desgracias me han dejado doblado. Como no te calles, te voy a doblar a palos.* **9** En tauromaquia, referido al toro, echarse a tierra para morir después de haber recibido la estocada: *Cuando el toro dobló, el público sacó los pañuelos y pidió la oreja para el torero.* **10** Referido esp. a las campanas, tocar a muerto: *Todas las campanas del pueblo doblan por el boticario, que murió ayer.* ▮ prnl. **11** Ceder a la persuasión o a la fuerza, y renunciar a un intento: *No te dobles ante los contratiempos y trata de superarlos.* ☐ ETIMOL. Del latín *duplare*, y este de *duplus* (doble). ☐ SEM. 1. **Doblar a muerto* es una expresión redundante e incorrecta, aunque está muy extendida. 2. En la acepción 10, dist. de *repicar* (sonar en señal de alegría).

doble ▮ adj.inv. **1** Que va acompañado por algo semejante o idéntico, junto con lo cual desempeña una misma función: *Las casas de montaña suelen tener doble ventana.* **2** Referido esp. a un tejido, que es más fuerte, más grueso o más consistente de lo normal: *Este abrigo de franela doble me abriga mucho.* ▮ numer. **3** Que consta de dos o que es adecuado para dos: *He reservado una habitación doble, por si te animas a venir conmigo. Esta calle es de doble sentido.* ▮ adj.inv./s.m. **4** Referido a una cantidad, que es dos veces mayor: *Esta casa es de doble tamaño que la mía. 10 es el doble de 5.* ☐ SINÓN. *duplo.* ▮ adj.inv./s.com. **5** Referido esp. a una persona, que no se comporta con naturalidad, esp. si se muestra de una manera y después es de otra: *Es tan doble que desconfío de sus buenas palabras.* ▮ s.com. **6** Persona que se parece tanto a otra que puede sustituirla o pasar por ella sin que se note. **7** En cine, actor que sustituye a otro en determinados momentos del rodaje de una película. ▮ s.m. **8** Medida de cerveza mayor de lo normal: *¿Quieres una caña o un doble?* ▮ s.m.pl. **9** En tenis y otros deportes, partido en el que juegan dos contra dos. **10** En baloncesto, falta que se comete cuando un jugador bota con las dos manos a la vez o cuando salta con el balón y cae con él todavía en las manos. ▮ adv. **11** Dos veces o dos veces más: *Es erróneo pensar que las mujeres embarazadas deben comer doble.* **12** Referido a la forma de actuar, con doblez y con malicia: *No juegues doble conmigo, que a mí no me engañas.* ☐ ETIMOL. Del latín *duplus.*

doblegar v. Someter o hacer desistir de una idea o propósito y obligar a obedecer o a aceptar otros: *No conseguirás doblegar mi voluntad. Habrá que doblegarse a la opinión de la mayoría.* ☐ ETIMOL. Del latín *duplicare* (doblar). ☐ ORTOGR. La *g* se cambia en *gu* delante de *e* →PAGAR.

doblete s.m. **1** Serie de dos victorias o éxitos consecutivos, esp. en deporte: *Nuestro equipo hizo doblete porque fue campeón de liga y de copa.* **2** || **hacer doblete;** referido a un actor, desempeñar dos papeles en una misma obra: *Esta actriz hizo doblete en la última obra de teatro que he visto.*

doblez ▮ s.amb. **1** Hipocresía, astucia o malicia en la manera de actuar, dando a entender lo contrario de lo que verdaderamente se siente: *actuar con doblez.* ▮ s.m. **2** Parte que se dobla o se pliega. **3** Señal que queda en la parte por donde se ha doblado.

doblón s.m. Antigua moneda española de oro con distintos valores según la época: *Los españoles del siglo XVII pagaban con doblones.* ☐ ETIMOL. De *dobla* (antigua moneda castellana).

dobra s.m. Unidad monetaria de Santo Tomé y Príncipe (país africano).

doce ▮ numer. **1** Número 12: *Siete más cinco son doce.* ▮ s.m. **2** Signo que representa este número: *Los romanos escribían el doce como 'XII'.* ☐ ETIMOL. Del latín *duodecim*, de *duo* (dos) y *decem* (diez). ☐ MORF. Como numeral es invariable en género y en número.

doceavo, va numer. Referido a una parte, que constituye un todo junto con otras once iguales a ella: *Cada uno de los doce hijos recibió la doceava parte de la herencia. Si somos doce, nos tocará un doceavo de los beneficios.* ☐ SINÓN. *duodécimo, dozavo.* ☐ SEM. Su uso como numeral ordinal es incorrecto: *Llegué en {*doceava > duodécima} posición.*

docena s.f. Conjunto de doce unidades: *Aquí es costumbre vender los pasteles por unidades o por docenas en vez de por kilos.*

docencia s.f. Actividad del que se dedica a la enseñanza: *Se dedica a la docencia desde hace años y sus alumnos lo adoran.*

docente ▌adj.inv. **1** De la enseñanza o relacionado con esta actividad educativa: *La actividad docente de las universidades se interrumpe en agosto.* ▌adj.inv./s.com. **2** Que se dedica profesionalmente a la enseñanza: *el personal docente.* ☐ ETIMOL. Del latín *docens*, y este de *docere* (enseñar).

dócil adj.inv. **1** Dulce y apacible o fácil de educar: *Es agradable en el trato y muy dócil.* **2** Que obedece o cumple lo que se le manda: *Mi perro es muy dócil y viene en cuanto le llamo.* ☐ SINÓN. *obediente.* **3** Referido esp. a un metal o a una piedra, que puede labrarse con facilidad: *Este metal es dócil y maleable.* ☐ ETIMOL. Del latín *docilis* (que aprende fácilmente).

docilidad s.f. **1** Modo de ser del que es dulce y apacible o fácil de educar: *Es muy agradable trabajar con tu hermano por su docilidad.* **2** Modo de ser del que cumple lo que se le manda: *Los caballos suelen distinguirse por su docilidad.* ☐ SINÓN. *obediencia.*

dock (ing.) s.m. **1** →**dársena.** **2** En un puerto, almacén de mercancías: *Las mercancías que descargaron del barco fueron almacenadas en el dock del puerto.*

docto, ta adj./s. Sabio o con muchos conocimientos, esp. si han sido adquiridos a través del estudio: *Es un docto en la materia y te resolverá cualquier duda.* ☐ ETIMOL. Del latín *doctus* (enseñado).

doctor, -a s. **1** Persona legalmente autorizada para ejercer la medicina: *El doctor te examinará y te dirá qué enfermedad tienes.* ☐ SINÓN. *médico.* **2** Persona que tiene un título universitario de doctorado: *Está haciendo la tesis para poder ser doctora en Matemáticas.* **3** En la iglesia católica, título que se concede al santo que se ha distinguido en la defensa o en la enseñanza de esta religión: *Santa Teresa es conocida como la 'Doctora de Ávila'.* ☐ ETIMOL. Del latín *doctor* (el que enseña, maestro). ☐ SINT. Constr. de la acepción 2: *doctor EN algo.*

doctorado s.m. **1** Título universitario que se obtiene después de haber realizado los estudios necesarios y haber presentado y aprobado la tesis: *Después de dos años de clases y otros dos de tesis, conseguí el doctorado.* **2** Estudios necesarios para obtener este título: *Ya es licenciado y ahora está haciendo el doctorado.*

doctoral adj.inv. De doctor o del doctorado, o relacionado con ellos: *una tesis doctoral.*

doctorando, da s. Persona que está preparando la obtención del título de doctor: *La doctoranda defenderá mañana su tesis doctoral ante el tribunal.*

doctorar v. Conceder o conseguir un título de doctor en una universidad: *Lo doctoraron con la máxima nota. Se doctoró en Filosofía por la Universidad Complutense de Madrid.* ☐ SINT. Constr. *doctorarse EN algo.*

doctrina s.f. **1** Conjunto de ideas o de creencias defendidas y sostenidas por un grupo: *la doctrina cristiana.* **2** Ciencia, sabiduría o conjunto de conocimientos ordenados sobre un tema: *No estoy en absoluto de acuerdo con la doctrina expuesta por la autora de este libro.* ☐ ETIMOL. Del latín *doctrina.*

doctrinal ▌adj.inv. **1** De la doctrina o relacionado con ella: *una interpretación doctrinal.* ▌s.m. **2** Libro que contiene reglas y preceptos: *un doctrinal religioso.* ☐ SEM. Dist. de *doctrinario* (relacionado con una doctrina determinada; que defiende o practica una doctrina).

doctrinar v. →**adoctrinar.**

doctrinario, ria ▌adj. **1** Relacionado con una doctrina determinada, esp. la de un partido político o la de una institución: *Los enfrentamientos doctrinarios son frecuentes entre los grupos sociales.* ▌adj./s. **2** Que defiende o practica una doctrina, esp. la de un partido político o la de una institución: *una persona doctrinaria.* ☐ SEM. Dist. de *doctrinal* (de la doctrina; libro que contiene reglas y preceptos).

doctrinarismo s.m. Actitud de quien es partidario de una doctrina a la que se consagra y a la que se dedica totalmente: *Su doctrinarismo hace que esté cerrado a las nuevas ideologías.*

docudrama s.m. Programa de radio, de cine o de televisión que trata, con técnicas dramáticas, hechos reales propios de un documental: *Hoy ponen un docudrama sobre los problemas de los jóvenes.* ☐ ETIMOL. De *documental* y *dramático.*

documentación s.f. **1** Conocimiento de un asunto a través de la información que se recibe de él: *No puedo opinar, porque me falta documentación sobre el tema.* **2** Conjunto de documentos, esp. si son de carácter oficial, que sirven como identificación personal o como prueba de algo: *La policía me pidió la documentación.* **3** Conjunto de documentos que se utilizan en la elaboración de un trabajo: *La documentación de tu trabajo de historia es bastante exhaustiva.*

documentado, da adj. **1** Que se acompaña de los documentos necesarios: *Presentó un informe superficial y poco documentado.* **2** Que consta o se menciona en documentos: *Esa es una palabra documentada varias veces en textos del siglo X.* **3** Referido a una persona, que posee o lleva consigo documentación oficial que la identifica: *Si no vas documentado, no podrás pasar la aduana.* **4** Que tiene una amplia cultura o que posee mucha documentación: *En ese aspecto, tu tío es una persona muy documentada.*

documental ▌adj.inv. **1** Que se basa en documentos para probar o demostrar algo, o que se refiere a ellos: *pruebas documentales.* ▌adj.inv./s.m. **2** Referido a un programa de radio, cine o televisión, que trata asuntos o hechos de la realidad con un fin informativo o pedagógico: *Vimos un documental sobre las aves.*

documentalismo s.m. Técnica de preparación y elaboración de todo tipo de informes, de noticias y de datos bibliográficos acerca de un asunto: *He hecho un curso de documentalismo para trabajar en el archivo de la empresa.*

documentalista s.com. **1** Persona que se dedica a hacer programas documentales, esp. si esta es su profesión. **2** Persona que se dedica profesionalmente a la preparación y elaboración de todo tipo de informes, de noticias y de datos bibliográficos acerca de un asunto: *La documentalista te sacará del archivo las imágenes que necesites para el informativo.*

documentar v. **1** Referido a una cuestión, aportar documentos para probarla o demostrarla: *No hagas acusaciones si no puedes documentarlas.* **2** Informar acerca de lo que atañe a un asunto: *Tu conferencia ha sido brillante porque te has documentado muy bien.*

documento s.m. **1** Escrito en el que constan datos fiables para probar o acreditar algo: *Esta escritura notarial es el documento que justifica lo que te digo.* **2** Lo que informa o ilustra sobre un hecho: *Algunas películas son verdaderos documentos históricos.* ☐ ETIMOL. Del latín *documentum* (enseñanza, ejemplo, muestra).

dodeca- Elemento compositivo prefijo que significa 'doce': *dodecasílabo, dodecágono, dodecaedro.* ☐ ETIMOL. Del griego *dódeka-*.

dodecaedro s.m. En geometría, cuerpo geométrico limitado por doce polígonos o caras: *Las caras del dodecaedro regular son pentágonos regulares.* ☐ ETIMOL. Del griego *dodekáedros* (con doce caras). ☐ SEM. Dist. de *dodecágono* (polígono).

dodecafonía s.f. En música, sistema atonal de composición que se basa en el empleo de los doce sonidos de la escala cromática dispuestos en un orden que establece el compositor y que configura una serie o estructura compositiva básica: *La dodecafonía es una de las innovaciones musicales del siglo* XX. ☐ SINÓN. *dodecafonismo.* ☐ ETIMOL. De *dódeca* (doce) y el griego *phoné* (sonido).

dodecafónico, ca adj. De la dodecafonía o relacionado con este sistema de composición musical: *En cada serie de una composición dodecafónica, aparecen los doce sonidos de la escala cromática, sin repetirse ninguno y sin que ninguno sea jerárquicamente superior al resto.*

dodecafonismo s.m. →**dodecafonía.**

dodecágono s.m. En geometría, polígono que tiene doce lados y doce ángulos: *Un dodecágono casi parece una circunferencia.* ☐ ETIMOL. Del griego *dodekágonos* (con doce ángulos). ☐ SEM. Dist. de *dodecaedro* (cuerpo geométrico).

dodecasílabo adj./s.m. De doce sílabas, esp. referido a un verso: *El dodecasílabo fue utilizado por Juan de Mena en su 'Laberinto de Fortuna'.* ☐ ETIMOL. De *dódeca-* (doce) y sílaba.

dodo s.m. Ave de gran tamaño, incapaz de volar, que tenía el pico fuerte y ganchudo y movimientos torpes y cuya hembra ponía un solo huevo que debía ser incubado por el macho y la hembra: *El dodo está actualmente extinguido y vivía en algunas islas del océano Pacífico.* ☐ MORF. Es un sustantivo epiceno: *el dodo {macho/hembra}.*

dodotis (pl. *dodotis*) s.m. Pañal de un solo uso, hecho con celulosa absorbente y que se ajusta al cuerpo por medio de unas tiras adhesivas: *En cuanto le cambie el dodotis al bebé, iremos a pasear.* ☐ ETIMOL. Extensión del nombre de una marca comercial.

dogal s.m. **1** Cuerda o soga con un nudo corredizo que se coloca al cuello de las caballerías: *Sujeté la mula con un dogal que até a un poste.* **2** Cuerda con un nudo corredizo que se coloca alrededor del cuello de un condenado a muerte para ahorcarlo: *El reo estaba ya sobre el entarimado con el dogal al cuello.* ☐ ETIMOL. Del latín *ducale* (ronzal para conducir las caballerías).

dogma s.m. **1** Afirmación que se considera verdadera y segura, y que no puede ser negada ni puesta en duda por sus adeptos: *La lucha de clases es uno de los dogmas del marxismo.* **2** Fundamento o conjunto de los puntos principales de una ciencia, de un sistema, de una doctrina o de una religión: *La iglesia católica considera sus dogmas como verdades reveladas por Dios.* ☐ ETIMOL. Del latín *dogma*, y este del griego *dógma* (parecer, decisión, decreto).

dogmático, ca ▮ adj. **1** De los dogmas o relacionado con ellos: *un discurso dogmático.* ▮ adj./s. **2** Referido a una persona, que es inflexible en sus opiniones y las mantiene como verdades firmes que no admiten duda ni contradicción: *Una persona dogmática suele ser intransigente.*

dogmatismo s.m. **1** Presunción de quien se muestra inflexible en sus opiniones al mantenerlas como verdades firmes que no admiten duda ni contradicciones: *Habla con dogmatismo porque tiene un alto concepto de sí mismo.* **2** Conjunto de las afirmaciones que se consideran principios innegables de una ciencia, de una religión o de una doctrina: *En los últimos años se ha criticado mucho el dogmatismo marxista.*

dogmatizar v. Afirmar y defender como verdades absolutas e innegables principios o ideas que pueden contradecirse: *No dogmatices cuando hablas, porque tú también te equivocas.* ☐ ORTOGR. La *z* se cambia en *c* delante de *e* →CAZAR.

dogo, ga adj./s. Perro que se caracteriza por su gran tamaño y por tener el pelaje oscuro o blanco con manchas negras. ☐ SINÓN. *gran danés.* ☐ ETIMOL. Del inglés *dog* (perro).

dogón adj.inv./s.com. De Mali o relacionado con este pueblo del nordeste africano.

do-it-yourself (ing.) s.m. →**bricolaje.** ☐ PRON. [du it yorsélf].

dojo (jap.) s.m. Centro dedicado a la enseñanza y el entrenamiento de artes marciales y a la práctica del budismo zen: *Practico taekwondo en un dojo.* ☐ PRON. [dóyo].

dolador s.m. Persona que trabaja aplanando o alisando piedras y tablas: *Los golpes de los doladores resonaban a lo lejos.* ☐ ETIMOL. Del latín *dolator*.

dólar s.m. **1** Unidad monetaria estadounidense. **2** Nombre genérico que recibe la unidad monetaria de distintos países. **3** || **estar montado en el dólar;** *col.* Tener muchas riquezas: *Tengo un amigo que está montado en el dólar y vive como un rey.* □ ETIMOL. Del inglés *dollar*, y este del alemán *daler*.

dolarización s.f. **1** Oficialización del uso del dólar estadounidense en un país: *la dolarización de la economía.* **2** Equiparación del valor de una moneda al del dólar estadounidense.

dolarizar v. **1** Oficializar en un país el uso del dólar estadounidense: *El gobierno ha dolarizado las tarifas.* **2** Referido esp. a una moneda, equiparar su valor al del dólar estadounidense: *La situación económica llevó a dolarizar la moneda por segunda vez.* □ ORTOGR. La *z* se cambia en *c* delante de *e* →CAZAR.

dolby s.m. Sistema que reduce el ruido de fondo de la grabación sonora: *Me he comprado un equipo de alta fidelidad que me permite grabar con dolby.* □ ETIMOL. Extensión del nombre de una marca comercial. □ PRON. [dólbi].

dolce far niente (it.) s.m. || Ociosidad agradable: *Creo que aunque fuera millonaria no dedicaría mi vida al dolce far niente.* □ PRON. [dólche far niénte].

dolce vita (it.) s.f. || Vida frívola: *Ayer vi una película sobre la dolce vita de los años sesenta.* □ PRON. [dólche víta].

dolencia s.f. Enfermedad, achaque o indisposición: *Padece una grave dolencia que requiere tratamiento médico.*

doler ▌v. **1** Referido a una parte del cuerpo, hacer sentir dolor físico: *Cuando me duelen las muelas me desespero.* **2** Causar pena, tristeza o pesar: *Este fracaso me duele y me apena mucho.* ▌prnl. **3** Sentir pesar y expresarlo: *Me duelo de mi mala suerte.* **4** Referido al mal ajeno, compadecerse de ello: *Yo también sufro con tu desgracia y me duelo contigo.* □ ETIMOL. Del latín *dolere.* □ MORF. Irreg. →MOVER. □ SINT. Constr. como pronominal: *dolerse* DE *algo.*

dolicocefalia s.f. Forma del cráneo alargada u ovalada: *La dolicocefalia se ha considerado como característica antropológica de algunos pueblos.*

dolicocéfalo, la ▌adj. **1** Referido a un cráneo, que tiene una forma oval porque su diámetro mayor excede al menor en más de un cuarto: *Le detectaron una anomalía congénita al ver que tenía el cráneo dolicocéfalo.* ▌adj./s. **2** Referido a una persona, con el cráneo de esta forma: *Las personas dolicocéfalas no tienen el cráneo redondo.* □ ETIMOL. Del griego *dolikhós* (largo) y *-cefalo* (cabeza).

doliente ▌adj.inv. **1** Referido a una persona, que siente pena, desconsuelo o dolor: *Está doliente y afligido y no hace más que llorar.* ▌s.com. **2** En un duelo, pariente de la persona difunta: *Amigos y dolientes velaron el cadáver.* □ ETIMOL. Del latín *dolens.*

dolmen s.m. Monumento megalítico formado por una o varias piedras horizontales puestas sobre varias piedras verticales: *Los dólmenes son monumentos funerarios prehistóricos.* □ ETIMOL. Del francés *dolmen.* □ SEM. Dist. de *menhir* (formado por una sola piedra vertical).

dolo s.m. **1** Engaño, fraude o simulación, con los que se puede dañar a otra persona: *Cometiste dolo contra ella y tendrás que indemnizarla por daños y perjuicios.* **2** En derecho, conciencia y voluntad deliberada de cometer un acto delictivo: *Hubo dolo porque con sus maquinaciones indujo al otro contratante a que firmara el contrato.* □ ETIMOL. Del latín *dolus* (astucia, fraude, engaño).

dolomía s.f. Roca semejante a la caliza compuesta por carbonato doble de cal y magnesio, de color rosado o incoloro: *La dolomía es una roca muy abundante y está formada fundamentalmente por un mineral llamado dolomita.*

dolomita s.f. Mineral parecido a la calcita, transparente o translúcido y compuesto de carbonato cálcico y magnésico: *La dolomita está formada por cristales que generalmente tienen forma de romboedro.* □ ETIMOL. Por alusión a Dolomieu, naturalista que estudió esta formación.

dolomítico, ca adj. Semejante a la dolomita o que la contiene: *En esta montaña hay formaciones y rocas dolomíticas.*

dolor s.m. **1** Sensación molesta que se siente en una parte del cuerpo: *dolor de cabeza.* **2** Sentimiento grande de pena, de tristeza o de pesar: *Su muerte me causó un gran dolor.* □ ETIMOL. Del latín *dolor.*

dolorido, da adj. Que padece o que siente dolor: *Tengo los pies doloridos de tanto andar.*

doloroso, sa adj. **1** Que causa o implica dolor: *Es muy doloroso saber que hay niños que mueren de hambre.* **2** || **la dolorosa;** *col.* La factura: *Cuando el camarero traiga la dolorosa ¡a ver quién la paga!* □ ETIMOL. Del latín *dolorosus.*

doloso, sa adj. En derecho, engañoso o fraudulento: *La abogada alegó en el juicio que la negativa de su cliente no fue dolosa.* □ ETIMOL. Del latín *dolosus.*

doma s.f. **1** Operación de amansar a un animal mediante el ejercicio y la enseñanza. □ SINÓN. *domadura.* **2** Control o represión de una pasión o de un comportamiento: *La doma de las pasiones requiere fuerza de voluntad.* □ SINÓN. *domadura.*

domador, -a s. Persona que se dedica profesionalmente a la doma de animales o a la exhibición de animales salvajes domados: *La domadora metió la cabeza en la boca del león y no le pasó nada.*

domadura s.f. →**doma.**

domar v. **1** Referido a un animal, amansarlo y hacerlo dócil mediante el ejercicio y la enseñanza: *Ha domado un caballo salvaje y ahora lo monta para pasear.* **2** Referido esp. a una pasión o a una conducta, dominarlas o reprimirlas: *No consigue domar su pasión por el juego.* **3** Referido a una persona, hacer que sea más agradable y de carácter menos áspero: *Debes domar a ese niño, porque es muy rebelde.* □ SINÓN. *domesticar.* **4** Referido a un objeto, darle flexibilidad y holgura: *A ver si domo estos zapatos,* *porque me hacen daño.* ☐ ETIMOL. Del latín *domare.*

dombeya s.f. Arbusto con las hojas siempre verdes y numerosas flores de color rosa: *La dombeya es originaria del este africano y Madagascar.* ☐ ETIMOL. Por alusión al botánico francés del siglo XVIII, Joseph Dombey.

domeñar v. Someter, dominar o sujetar: *No consigue domeñar a ese joven rebelde.* ☐ ETIMOL. Del latín **dominiare*, y este de *dominium* (dominio).

domesticable adj.inv. Que puede domesticarse.

domesticación s.f. Transformación de las costumbres de un animal salvaje o fiero de forma que se haga doméstico y se acostumbre a la convivencia con seres humanos: *La domesticación de animales fue un gran paso en la historia de la humanidad.*

domesticar v. **1** Referido a un animal, hacerlo doméstico y acostumbrarlo a la convivencia con seres humanos: *El cachorro de león que domestiqué está en el jardín.* **2** Referido a una persona, hacer que sea más agradable y de carácter menos áspero: *No es una persona fácil de domesticar.* ☐ SINÓN. *domar.* ☐ ETIMOL. De *doméstico.* ☐ ORTOGR. La *c* se cambia en *qu* delante de *e* →SACAR.

domesticidad s.f. Adaptabilidad de un animal a la convivencia con las personas: *La domesticidad de los perros hace que muchas personas los elijan como compañía.*

doméstico, ca adj. **1** De la casa, del hogar o relacionado con ellos: *tareas domésticas.* **2** Referido a un animal, que se cría en la compañía de las personas. ☐ ETIMOL. Del latín *domesticus* (de la casa). ☐ SEM. No debe emplearse con el significado de 'nacional' o 'interior' (anglicismo): *Se retrasaron algunos vuelos [*domésticos > nacionales].*

domiciliación s.f. Autorización de un pago o de un cobro con cargo a una cuenta existente en una entidad bancaria: *Haré la domiciliación de los recibos del gas en mi cuenta.*

domiciliar v. Referido a un pago o a un cobro, autorizarlos con cargo a una cuenta existente en una entidad bancaria: *Ya he domiciliado todos mis pagos en la cuenta corriente.* ☐ ORTOGR. La *i* nunca lleva tilde.

domiciliario, ria adj. **1** Que se hace o que se cumple a domicilio: *arresto domiciliario.* **2** Del domicilio o relacionado con él: *datos domiciliarios.*

domicilio s.m. **1** Lugar que legalmente se considera residencia y permanencia habitual de una persona: *Por tu domicilio, no te corresponde votar en este colegio electoral.* **2** Lugar o casa donde se habita de forma fija y permanente: *No tengo domicilio fijo porque viajo mucho.* **3** ‖ **a domicilio;** **1** En el domicilio del interesado: *Esa tienda envía la compra a domicilio.* **2** En el lenguaje del deporte, en el campo o en la pista del contrario: *Vencimos a domicilio por tres goles.* ‖ **domicilio social;** el de una empresa: *Tus señas ya las tengo, pero necesito que me des el domicilio social para poder hacerte la factura.* ☐ ETIMOL. Del latín *domicilium*, y este de *domus* (casa).

dominación s.f. Ejercicio del dominio sobre algo o sobre alguien: *Los independentistas opinan que la dominación extranjera dura ya mucho tiempo.*

dominadas s.f.pl. En gimnasia, ejercicios que consisten en hacer flexiones colgado de una barra: *hacer dominadas.*

dominador, -a adj./s. Que domina: *Es una persona bastante dominadora y todo se tiene que hacer como ella quiere.*

dominante ▮ adj.inv. **1** En biología, referido a un carácter hereditario, que siempre se manifiesta cuando se posee: *El color de ojos marrón es dominante sobre el azul.* ▮ adj.inv./s.com. **2** Referido a una persona o a su carácter, que avasalla a otras y no tolera que la contradigan. ▮ s.f. **3** En música, quinta nota de una escala diatónica: *En la escala de do mayor, la dominante es el sol.*

dominar v. **1** Referido a algo, tener o ejercer dominio sobre ello: *Los antiguos romanos dominaron a muchos pueblos.* **2** Sujetar, reprimir o contener: *Debes dominar tus nervios.* **3** Referido esp. a un arte o a una ciencia, conocerlas perfectamente: *Domina las matemáticas y resuelve los problemas en menos de nada.* **4** Referido a una extensión de terreno, divisarla desde una altura: *Desde la montaña domino todo el valle.* **5** Referido esp. a un edificio, ser más alto que otros o sobresalir entre ellos: *Las torres dominan toda la ciudad.* ☐ ETIMOL. Del latín *dominare.*

dómine s.m. Antiguamente, persona que enseñaba gramática latina: *Quevedo hizo popular la figura del dómine Cabra, que mataba de hambre a sus alumnos y no los instruía.* ☐ ETIMOL. Del latín *domine*, vocativo de *dominus* (dueño, maestro), porque lo empleaban los alumnos al dirigirle la palabra.

domingas s.f.pl. *vulg.* Pechos femeninos.

domingo s.m. **1** Séptimo día de la semana, entre el sábado y el lunes: *Los domingos no trabajo.* **2** En zonas del español meridional, cantidad de dinero que se da a los niños en ese día: *Con el domingo que di a mi hija, se compró un cochecito.* **3** ‖ **de domingo;** *col.* muy elegante: *Se vistió de domingo para ir a la fiesta.* ☐ ETIMOL. Del latín *dies dominicus* (día del Señor).

dominguero, ra ▮ adj. **1** En zonas del español meridional, referido a la ropa, que es elegante y se usa en días especiales: *un vestido dominguero.* ▮ s. **2** Persona que suele salir a divertirse y distraerse solo los domingos y festivos: *El campo está lleno de domingueros que desaparecen en cuanto se oculta el sol.* **3** Conductor inexperto porque solo usa el coche los domingos y festivos para salir de la ciudad: *Un dominguero que iba delante de mí frenó bruscamente y casi chocamos.* ☐ USO En las acepciones 2 y 3, tiene un matiz despectivo.

dominical ▮ adj.inv. **1** Del domingo o relacionado con él: *descanso dominical.* ▮ adj.inv./s.m. **2** Referido a un periódico o a su suplemento, que sale los domingos. ☐ ETIMOL. Del latín *dominicalis.*

dominicanismo s.m. En lingüística, americanismo propio de la República Dominicana (país americano): *Cuando estuve en Santo Domingo oí muchos dominicanismos que no supe qué significaban.*

dominicano, na adj./s. De la República Dominicana o relacionado con este país americano.

dominico, ca adj./s. De la Orden de Santo Domingo (fundada por Domingo de Guzmán en el siglo XIII), o relacionado con ella.

dominio s.m. **1** Poder que se ejerce sobre algo o sobre alguien sometiéndolo a la propia voluntad y controlándolo: *Los romanos ejercieron dominio sobre Europa durante mucho tiempo.* **2** Territorio sobre el que alguien, esp. un Estado, ejerce este poder: *En el siglo XVI eran numerosos los dominios españoles.* **3** Conocimiento suficiente de un arte o de una ciencia: *Para ese empleo se necesita el dominio absoluto de dos lenguas.* **4** Ámbito real o imaginario de una actividad: *El estudio de la célula es dominio de la biología.* **5** En informática, conjunto de caracteres que identifican una dirección de internet: *El dominio de España es '.es' y el de las firmas comerciales es '.com'.* **6** || **de dominio público;** sabido o conocido por la mayoría de la gente: *Aunque no es oficial, es de dominio público que habrá elecciones anticipadas.* □ ETIMOL. Del latín *dominium* (propiedad, dominio).

dominiqués, -a adj./s. De Dominica o relacionado con esta isla caribeña.

dominó (pl. *dominós*) s.m. Juego de mesa que consta de veintiocho fichas rectangulares, cada una dividida en dos partes iguales y con una puntuación que señala todas las combinaciones posibles entre el cero y el seis: *En el juego del dominó gana el que se queda antes sin fichas.* □ ETIMOL. Del francés *domino*, y este del latín *domino* (yo gano).

domo s.m. En arquitectura, bóveda en forma de media esfera, que cubre un edificio o parte de él. □ SINÓN. *cúpula.* □ ETIMOL. Del francés *dôme*.

domótica s.f. Véase **divisorio, ria**.

domótico, ca ▌adj. **1** Referido a una vivienda, que está dotada de aplicaciones electrónicas destinadas a mejorar las condiciones de habitabilidad: *En la exposición había una casa domótica en la que podías encender la calefacción llamando por teléfono.* ▌s.f. **2** Ciencia que estudia la aplicación de tecnología en las instalaciones de una vivienda. □ ETIMOL. Del latín *domus* (casa) e *informática*.

dompedro s.m. Planta herbácea con tallos derechos, hojas opuestas y lanceoladas, y flores generalmente rojas, amarillas o blancas con forma de embudo que están abiertas solo durante la noche. □ SINÓN. *dondiego, dondiego de noche.* □ ETIMOL. De *don* y *Pedro*.

don ▌s.m. **1** Tratamiento de respeto que se da a las personas: *Don Antonio y doña María son buenas personas.* **2** Seguido de una expresión que expresa una cualidad, indica que una persona se caracteriza por esa cualidad: *No seas don pesimismo y ya verás como todo saldrá bien.* ▌s.m. **3** Cualidad o habilidad para hacer algo: *Tienes el don de la palabra y la convencerás con facilidad.* **4** Regalo, dádiva o bien naturales o sobrenaturales: *El hada le concedió tres dones.* **5** || **don de gentes;** el que se tiene para tratar a otras personas, para convencerlas o para atraer su simpatía: *Su don de gentes hace que tenga muchos amigos.* || **don nadie;** persona de poca influencia, a la que no se reconoce ningún valor: *Se cree un don nadie porque los demás no le hacen ni caso.* □ ETIMOL. Las acepciones 1 y 2, del latín *dominus* (señor). Las acepciones 3 y 4, del latín *donum*. □ MORF. En la acepción 1, su femenino es *doña*. □ SINT. 1. En la acepción 1, se usa antepuesto a un nombre de pila. 2. En la acepción 2, se usa antepuesto a un sustantivo o a un adjetivo.

dona s.f. En zonas del español meridional, donut: *Las donas de chocolate me han puesto un poco gordo.*

donación s.f. Entrega voluntaria y gratuita de algo que se posee: *Hizo donación de una importante cantidad de dinero.*

donaire s.m. Agilidad, discreción y gracia en la forma de hablar o de moverse: *Es modelo y por eso camina con tanto donaire.* □ ETIMOL. Del latín *donarium* (donativo), que se aplicaba a la gracia, que era considerada como el mejor de los dones naturales.

donairoso, sa adj. Con donaire: *Sus movimientos resultaban galanos y donairosos.*

donante ▌adj.inv./s.com. **1** Referido a una persona o a un organismo, que dona: *el riñón donante.* ▌s.com. **2** Persona que da sangre para una transfusión o que cede algún órgano para un trasplante: *Este hospital necesita donantes de sangre del grupo A positivo.*

donar v. Regalar o ceder voluntaria y gratuitamente: *Donó su finca para que se construyera allí un colegio. Estoy donando sangre cada tres meses.* □ SINÓN. *dar.* □ ETIMOL. Del latín *donare*, y este de *donum* (don).

donativo s.m. Dádiva, regalo o cesión, esp. si se hacen con fines benéficos: *Ha hecho un importante donativo para la lucha contra el cáncer.* □ ETIMOL. Del latín *donativum*.

doncel s.m. **1** Antiguamente, joven noble que aún no había sido armado caballero: *Los donceles entraban al servicio de algún señor y aprendían el uso de las armas.* **2** *poét.* Joven que no ha tenido relaciones sexuales: *El joven escudero dijo que solo dejaría de ser doncel con la dama de sus sueños.* □ ETIMOL. Del provenzal *donsel*. □ MORF. En la acepción 2, su femenino es *doncella*.

doncella s.f. **1** *poét.* s.f. de **doncel**. **2** Mujer que forma parte del servicio doméstico de una casa y se dedica a los trabajos ajenos a la cocina: *La doncella ayudó a vestirse a la duquesa.* **3** Pez marino de pequeño tamaño, cuerpo alargado y aplanado por los lados y recubierto de una sustancia pegajosa, hocico corto con labios carnosos y dientes largos y unidos, que puede pescarse con caña o con redes pequeñas: *Había varias doncellas en la red del pescado.* □ SINÓN. *baboso, budión.* □ ETIMOL. Del provenzal *donsela*.

doncellez s.f. *poét.* Virginidad.

donde adv.relat. Designa un lugar ya mencionado o sobrentendido: *Ésa es la calle donde vivo. Iré donde quieras.* □ ETIMOL. Del latín *de* (preposición) y *unde* (de donde). □ ORTOGR. 1. Dist. de *dónde.* 2. Precedido de la preposición *a*, se escribe *adonde*; incorr. **a donde.* □ SINT. 1. En frases sin verbo, funciona como una preposición: *Estuve donde tus tíos.* 2. Es un relativo con o sin antecedente. □ SEM. *Adonde* y *en donde* tienen el mismo significado que *donde.* □ USO *Por donde* se usa, generalmente precedido de un imperativo, para expresar un hecho inesperado: *Creíamos que no volverías y, mira tú por donde, no pudiste estar sin nosotros ni un día.*

dónde adv. **1** En qué lugar o en qué sitio: *¿Dónde vives? ¿Por dónde pasa este autobús y hasta dónde llega?* **2** ‖ **de dónde;** expresión que se utiliza para indicar sorpresa: *¿De dónde has sacado tú que yo sé hablar arameo?* □ ORTOGR. 1. Dist. de *donde.* 2. Precedido de la preposición *a*, se escribe *adónde*; incorr. **a dónde.* □ SEM. *Adónde* y *en dónde* se usan con el mismo significado que *dónde.*

dondequiera (tb. *donde quiera*) adv. En cualquier parte: *Dondequiera que esté, lo encontraré.* □ ETIMOL. De *donde* y *querer.*

dondiego s.m. Planta herbácea con tallos derechos, hojas opuestas y lanceoladas, y flores generalmente rojas, amarillas o blancas con forma de embudo que están abiertas solo durante la noche: *El dondiego se cultiva en jardines.* □ SINÓN. *dondiego de noche, dompedro.* □ ETIMOL. De *don* y *Diego.*

dong s.m. Unidad monetaria vietnamita.

donjuán s.m. Hombre aficionado a seducir mujeres: *Ese donjuán es todo amabilidad con las mujeres.* □ ETIMOL. Por alusión al personaje literario de don Juan, galanteador y atrevido. □ USO Es innecesario el uso del anglicismo *playboy*.

donjuanesco, ca adj. De don Juan (personaje literario galanteador y atrevido), con sus características o relacionado con él: *Con las chicas se comporta de modo donjuanesco.*

donjuanismo s.m. Conjunto de caracteres y de actitudes propios de don Juan Tenorio (personaje de ficción, galanteador y atrevido): *Su donjuanismo le lleva a enamorar a muchas mujeres y a romper enseguida con ellas.*

donoso, sa adj. Que tiene donaire y gracia: *Tienes un modo de andar muy donoso y elegante.* □ ETIMOL. Del latín **donosus*, y este de *donum* (don).

donostiarra adj.inv./s.com. De San Sebastián o relacionado con esta ciudad guipuzcoana. □ SINÓN. *easonense.* □ ETIMOL. Del euskera *Donostia* (San Sebastián).

donosura s.f. Donaire y gracia, esp. al expresarse o al moverse: *Cuenta los chistes con tanta donosura y gracia que siempre nos hace reír.*

donut s.m. Bollo esponjoso y frito con forma de rosquilla, cubierto de azúcar o de chocolate: *¿Quieres un donut con el café?* □ ETIMOL. Procede del nombre de la marca comercial *Donut*®. □ PRON. [dónut].

doña s.f. de **don.** □ ETIMOL. Del latín *domina* (dama).

dopaje s.m. Uso de sustancias estimulantes para conseguir de forma artificial un mayor rendimiento en el deporte: *La vencedora de la prueba ha sido descalificada porque no ha pasado el control de dopaje.* □ USO Es innecesario el uso del anglicismo *doping*.

dopamina s.f. Neurotransmisor que se origina en las células nerviosas: *La dopamina es indispensable en la actividad normal del cerebro.*

dopar v. Administrar sustancias estimulantes para conseguir un mayor rendimiento, esp. en competiciones deportivas: *La federación ha descalificado a ese deportista porque se dopaba.* □ ETIMOL. Del inglés *to dope* (drogar). □ MORF. Se usa más como pronominal.

doping (ing.) s.m. →**dopaje.** □ PRON. [dópin].

doppler s.m. En medicina, ecografía por ultrasonidos: *Me hicieron un doppler en el hospital.* □ PRON. [dópler].

doquier adv. *ant.* →**dondequiera.** □ SINT. Se usa más en la expresión *por doquier.*

doquiera adv. *ant.* →**dondequiera.**

-dor 1 Sufijo que indica lugar: *cenador, recibidor.* **2** Sufijo que indica instrumento: *secador, ordenador.* □ ETIMOL. Del latín *-tor.*

-dor, -dora 1 Sufijo que indica agente: *liberador, purificadora.* **2** Sufijo que indica ocupación, actividad o profesión: *leñador, organizadora.* **3** Sufijo que indica cualidad: *encantador, trabajadora.* □ ETIMOL. Del latín *-tor.*

-dora Sufijo que indica instrumento: *aspiradora, batidora.* □ ETIMOL. Del latín *-tor.*

dorada s.f. Véase **dorado, da.**

dorado, da ▮ adj. **1** Del color del oro o semejante a él: *una sortija dorada.* **2** Referido esp. a un período de tiempo, esplendoroso o feliz: *Nunca olvidaré los años dorados de mi juventud.* ▮ s.m. **3** Cubrimiento con oro o aplicación de un color dorado: *Pregunté en una joyería si era posible realizar el dorado de este viejo candelabro.* □ SINÓN. *doradura.* ▮ s.m.pl. **4** Conjunto de adornos metálicos, de oro o de latón: *Limpiaré los dorados de la puerta con esta pasta especial.* ▮ s.f. **5** Pez marino con el dorso gris azulado, los flancos amarillos plateados y una mancha dorada sobre la frente, entre los ojos. □ MORF. En la acepción 5, es un sustantivo epiceno: *la dorada {macho/hembra}.*

doradura s.f. →**dorado.**

dorar v. **1** Referido a un alimento, asarlo o freírlo ligeramente: *Tienes que dorar cebolla en la sartén antes de echar la carne.* **2** Cubrir con oro o dar el aspecto del oro: *Quiero dorar este jarrón de latón.* □ ETIMOL. Del latín *deaurare.*

dórico, ca ▮ adj. **1** De la Dóride (región de la antigua Grecia), o relacionado con ella. □ SINÓN. *dorio.* **2** En arte, del orden dórico: *El capitel dórico* *es más sencillo que el jónico o el corintio.* ▮ s.m. **3** →**orden dórico.**

dorio, ria adj./s. De la Dóride (región de la antigua Grecia), o relacionado con ella: *Los dorios daban a sus jóvenes una formación militar muy completa.* □ SINÓN. *dórico.*

dormida s.f. *col.* Acto de dormir, durante el cual se suspende la actividad consciente y se reposa con el sueño: *Con una dormida de un par de horas estaremos como nuevos.*

dormidera s.f. →**adormidera.**

dormidero, ra ▮ adj. **1** Que hace dormir: *un tono de voz dormidero.* ▮ s.m. **2** Lugar en el que duerme el ganado. ▮ s.f. **3** →**adormidera.**

dormilón, -a ▮ adj./s. **1** *col.* Que duerme mucho o que se duerme con facilidad: *Eres una dormilona y se te pegan las sábanas.* ▮ s.f. **2** En zonas del español meridional, camisón: *Siempre duermo con dormilona.*

dormilona s.f. Véase **dormilón, -a.**

dormir ▮ v. **1** Estar o hacer estar en un estado de reposo en el que se suspende la actividad consciente: *Estoy tan cansada que me dormiría aquí mismo. Acuné al niño para dormirlo. Todas las tardes duermo la siesta. Se acostó a dormir la borrachera que traía.* **2** Pasar la noche en un lugar, esp. si es fuera del domicilio propio: *Esta última semana he dormido en casa de mis tíos.* □ SINÓN. *pernoctar.* **3** Producir mucho aburrimiento: *Esa película tan larga duerme a cualquiera.* **4** *euf. col.* Tener relaciones sexuales: *No dormiría con ese chico ni aunque fuera el único hombre del mundo.* ▮ prnl. **5** Descuidarse en una acción y no realizarla con la diligencia y con el cuidado necesarios: *No te duermas y acaba de una vez los deberes.* **6** Referido a un miembro del cuerpo, adormecerse o perder temporalmente la sensibilidad: *Siento un hormigueo en el pie porque se me está durmiendo.* □ ETIMOL. Del latín *dormire.* □ MORF. Irreg. →DORMIR.

dormitar v. Estar medio dormido o dormir con un sueño poco profundo: *La abuela dormitaba y daba cabezadas viendo la televisión.* □ ETIMOL. Del latín *dormitare.*

dormitivo, va adj./s.m. Referido a un medicamento, que sirve para conciliar el sueño: *Tómate una infusión de hierbas dormitivas y descansarás mejor.*

dormitorio s.m. En una casa, cuarto destinado a dormir: *Quiero que tengas siempre bien ordenado tu dormitorio.* □ SINÓN. *alcoba.* □ ETIMOL. Del latín *dormitorium.*

dorondón s.m. Niebla fría y espesa: *Cuando estuvimos en Teruel, pasamos mucho frío por el dorondón.*

dorsal ▮ adj.inv. **1** Del dorso, espalda o lomo, o relacionado con ellos: *La espina dorsal de una persona está en su espalda. La aleta dorsal de los peces está en la parte superior del cuerpo.* **2** En fonética y fonología, referido a un sonido, que se articula con el dorso de la lengua: *[ch] es un sonido dorsal.* ▮ s.m. **3** Trozo de tela con un número, que llevan en la espalda los participantes en algunos deportes: *Ha ganado la carrera un ciclista con el dorsal 53.* ▮ s.f. **4** Letra que representa un sonido dorsal: *La 'k' es una dorsal.* □ ETIMOL. Del latín *dorsualis.*

dorso s.m. **1** Parte posterior de algo o parte opuesta a la que se considera principal: *Escribe el remite en el dorso del sobre.* **2** En zonas del español meridional, natación a espalda. □ ETIMOL. Del latín *dorsum* (espalda).

dos ▮ numer. **1** Número 2: *Vendrá dentro de dos horas a recogerte. Invité a todos tus amigos, pero solo vinieron dos.* ▮ s.m. **2** Signo que representa este número: *Los romanos escribían el dos como 'II'.* **3** ‖ **(a) cada dos por tres;** con frecuencia: *Cada dos por tres prepara una fiesta en su casa.* ‖ **una de dos;** expresión que se usa para contraponer dos cosas por una de las cuales hay que optar: *Una de dos: o te vienes en coche con nosotros, o te vas tú solo en autobús.* □ ETIMOL. Del latín *duos*, acusativo de *duo* (dos). □ MORF. 1. Como numeral es invariable en género y en número. 2. En la acepción 2, su plural es *doses.*

DOS (ing.) s.m. Sistema operativo informático que controla el funcionamiento del ordenador. □ ETIMOL. Es el acrónimo del inglés *Disk Operating System* (sistema operativo de disco).

doscientos, tas ▮ numer. **1** Número 200: *Este libro tiene doscientas páginas. Cien más cien son doscientos. En la carrera llegué el doscientos.* ▮ s.m. **2** Signo que representa este número: *Los romanos escribían el doscientos como 'CC'.* □ ETIMOL. Del latín *ducenti* por influencia de *dos.* □ MORF. 1. Como numeral es invariable en número. 2. Incorr. *página {*doscientos > doscientas}.*

dosel s.m. Cubierta ornamental con forma de techo, que se coloca a cierta altura sobre un altar, un trono, una cama o algo semejante: *El rey se sentó en un sitial con dosel para presenciar el desfile.* □ ETIMOL. Del francés *dossier* o del catalán *dosser.*

dosier (pl. *dosieres*) s.m. →**dossier.**

dosificación s.f. División o graduación de algo en dosis: *La dosificación de un medicamento debe hacerla el médico.*

dosificador, -a adj./s.m. Que gradúa en dosis su contenido: *un dosificador de jabón líquido.*

dosificar v. Dividir o graduar en dosis: *Dosifica tus esfuerzos o no podrás llegar al final de la carrera.* □ ETIMOL. De *dosis* y del latín *facere* (hacer). □ ORTOGR. La *c* se cambia en *qu* delante de *e* →SACAR.

dosis (pl. *dosis*) s.f. **1** Cantidad de un medicamento o de otra sustancia que debe tomarse cada vez. **2** Cantidad o porción de algo: *A ese libro no le falta su dosis de humor.* □ ETIMOL. Del griego *dósis* (acción de dar).

dossier (fr.) s.m. Informe, expediente o conjunto de papeles y documentos sobre un asunto: *La revista incluye un dossier actualizado y muy completo sobre el problema del hambre en el mundo.* □ ORTOGR. Se usa también la forma castellanizada *dosier.*

dotación s.f. **1** Equipamiento o provisión con algo que proporciona una mejora: *La dotación con modernas vías de comunicación supuso el desarrollo de aquella región.* **2** Concesión a una persona de los dones o cualidades que se expresan: *Solo el Creador puede ser autor de la dotación de una persona con tantas virtudes.* **3** Asignación del personal y de los medios necesarios para el funcionamiento de un lugar: *La dotación de los colegios públicos en esta comunidad es competencia de la Consejería de Educación.* **4** Grupo de personas destinadas al servicio de un buque de guerra o de una unidad policial o militar: *La dotación de un barco está constituida por los marineros y oficiales que prestan servicio en él.* **5** Asignación de una cantidad como pago: *La dotación de la beca no es muy cuantiosa, pero le da para vivir.*

dotado, da adj. **1** Equipado o provisto. **2** Que tiene condiciones o cualidades naturales para una actividad: *Ya desde pequeño, se veía que estaba dotado para la pintura.*

dotar v. **1** Equipar o proveer con algo que proporcione una mejora: *Este vehículo viene dotado con todas las comodidades.* **2** Referido a una persona, darle o concederle los dones o cualidades que se expresan: *Según la Biblia, Dios dotó al ser humano de inteligencia.* **3** Referido a un lugar, asignarle el personal y los medios necesarios para su funcionamiento: *Cada ministerio cuenta con un presupuesto para dotar las oficinas que dependen de él.* **4** Referido esp. a un cargo, asignarle una cantidad como pago: *Dotaron los cargos directivos con una suma desproporcionada en comparación con los sueldos medios.* □ ETIMOL. Del latín *dotare.* □ SINT. Constr. de las acepciones 1 y 2: *dotar {CON/DE} algo.*

dote ▮ s.amb. **1** Conjunto de dinero o de bienes que lleva una mujer al matrimonio o que entrega al convento o a la orden religiosa en que profesa. ▮ s.f. **2** Cualidad o buena capacidad de una persona para una actividad: *Tiene dotes para el canto.* □ ETIMOL. Del latín *dos.* □ MORF. 1. En la acepción 1, se usa más como femenino. 2. En la acepción 2, se usa más en plural.

dovela s.f. En arquitectura, piedra labrada en forma de cuña truncada para formar un arco, una bóveda u otras superficies: *En un arco románico de medio punto se aprecian muy bien las dovelas.* □ ETIMOL. Del francés dialectal *douvelle.*

download (ing.) v. →**descargar.** □ PRON. [daunlód].

downshifting (ing.) s.m. Estilo o modo de comportamiento que consiste en mejorar la calidad de vida dando menos prioridad al trabajo y viviendo de una manera más simple: *Decidió practicar el downshifting y dedicar más tiempo a su familia.* □ PRON. [dauncһíftin], con *ch* suave.

dozavo, va numer. →**doceavo.**

dracma s.amb. Unidad monetaria griega hasta la adopción del euro. □ ETIMOL. Del latín *drachma,* y este del griego *drakhmé.*

draconiano, na adj. **1** Referido esp. a una ley o a una medida, que son excesivamente severas, duras o despiadadas: *La oposición calificó de desproporcionadas y draconianas las medidas del Gobierno para atajar la crisis.* **2** De Dracón (legislador ateniense del siglo VII a. C., famoso por la severidad de su código de leyes) o relacionado con él: *El código draconiano supuso una drástica restricción de los privilegios de la aristocracia.*

draculino, na adj. Pícaro o sarcástico: *una sonrisa draculina.*

draft (ing.) s.m. →**boceto.** □ PRON. [draft].

draga s.f. Máquina que se emplea para excavar y limpiar el fondo de puertos y zonas de aguas navegables, extrayendo de ellos fango, piedras u otros materiales: *Las modernas dragas facilitan mucho las tareas de limpieza de los fondos marinos.* □ ETIMOL. Del francés *drague,* y este del inglés *to drag* (arrastrar).

dragado s.m. Excavación y limpieza del fondo de una zona de aguas navegables con una draga: *El dragado del puerto permitirá que atraquen en él barcos de mayor calado.*

dragaminas (pl. *dragaminas*) s.m. Barco preparado para limpiar el mar de minas submarinas: *Precediendo a la escuadra iba una flotilla de dragaminas para detectar posibles minas enemigas.* □ SINÓN. *barreminas.*

dragar v. Referido esp. a una zona de aguas navegables, excavar y limpiar su fondo con una draga: *Periódicamente dragan el puerto para evitar acumulaciones que puedan dañar el casco de los barcos.* □ ORTOGR. La *g* se cambia en *gu* delante de *e* →PAGAR.

drago s.m. Árbol de hasta veinte metros de altura, de tronco grueso, ramificado y liso, copa amplia y siempre verde, pequeñas flores acampanadas de color blanco verdoso con estrías encarnadas, y fruto en forma de baya anaranjada: *El drago es un árbol de vida muy larga, propio de las islas Canarias.* □ ETIMOL. Del latín *draco* (dragón).

dragón s.m. **1** Animal fabuloso, con cuerpo en forma de serpiente muy corpulenta, con patas y alas, y al que se atribuye gran fiereza y la capacidad de arrojar fuego por la boca: *un cuento de dragones.* **2** Reptil parecido al lagarto, de unos veinte centímetros de largo, cuya piel forma a ambos lados del abdomen una especie de alas que le ayudan en los saltos, y que suele vivir subido a los árboles: *El dragón es propio de Filipinas y de otras zonas tropicales asiáticas.* **3** Embarcación deportiva de vela, de nueve metros de longitud como máximo. **4** Antigua embarcación vikinga movida por remos y por una vela, y utilizada para el transporte. □ ETIMOL. Del latín *draco.*

dragonear v. En zonas del español meridional, ejercer un cargo sin tener el título adecuado: *dragonear de abogado.* □ SINT. Constr. *dragonear* DE *algo.*

dragontea s.f. Planta herbácea con el tallo de color negro y verde como la piel de una culebra, y que produce un olor desagradable cuando florece:

Me contaron que cuando un lobo es mordido por una serpiente, busca una dragontea para comer su raíz, que le sirve de antídoto. □ ETIMOL. Del latín *dracontea*.

drag queen (ing.) s.f. ‖ Travesti que va vestido con ropa que llama mucho la atención. □ PRON. [drag cúin].

dralón s.m. Fibra textil sintética, fabricada a partir del ácido acrílico: *Las prendas de dralón me producen alergia.* □ ETIMOL. Del alemán *Dralon*, extensión del nombre de una marca comercial.

dram s.m. Unidad monetaria armenia.

drama s.m. **1** Obra literaria destinada a ser representada en un escenario, y cuyo argumento se desarrolla mediante la acción y el lenguaje directo y dialogado de los personajes: *Tragedias y comedias son distintos tipos de dramas.* **2** Género literario formado por las obras de este tipo: *El drama es, junto con la lírica y la épica, uno de los tres grandes géneros clásicos.* □ SINÓN. *dramática, dramaturgia.* **3** Obra teatral o cinematográfica, en que se presentan acciones y situaciones desgraciadas o dolorosas, y sin llegar a los grados extremos de la tragedia: *La película era un drama sobre las penalidades de una familia durante la guerra.* **4** Suceso que interesa y conmueve vivamente: *Hay que terminar con el drama de los refugiados políticos.* □ ETIMOL. Del latín *drama*, y este del griego *drâma* (acción, pieza teatral).

dramática s.f. Véase **dramático, ca**.

dramático, ca ▌adj. **1** Del drama, relacionado con él, o con rasgos propios de este género literario o de este tipo de obras: *arte dramático.* **2** Capaz de interesar y conmover vivamente: *Toda la prensa se hace eco del dramático caso de la niña desaparecida.* **3** Teatral o falto de naturalidad: *Se pone tan dramático para contar cualquier cosa, que parece que le va la vida en ello.* ▌adj./s. **4** Referido a un autor, que escribe obras dramáticas. ▌s.f. **5** Género literario formado por los dramas u obras destinadas a ser representadas en un escenario: *El teatro de Lope de Vega es una de las cumbres de la dramática en España.* □ SINÓN. *drama, dramaturgia.* **6** Arte de componer estas obras: *La dramática clásica establecía que en las obras de teatro debían respetarse las unidades de tiempo, lugar y acción.* □ SINÓN. *dramaturgia.* □ SEM. Su uso como adjetivo con el significado de 'drástico, espectacular o llamativo' es un anglicismo innecesario: *La Bolsa experimentó una subida {*dramática > espectacular}.*

dramatismo s.m. Carácter de lo que es dramático o de lo que tiene capacidad para interesar y conmover vivamente: *Nos relató con gran dramatismo cómo lo rescataron del vagón incendiado.*

dramatización s.f. Exageración de algo, poniéndole tintes dramáticos o afectados.

dramatizar v. **1** Exagerar con tintes dramáticos o afectados: *¡Anda, no dramatices, que no ha sido para tanto!* **2** Dar la forma y las condiciones de un drama: *Ese grupo ha dramatizado una serie de poemas líricos.* □ ORTOGR. La *z* se cambia en *c* delante de *e* →CAZAR.

dramaturgia s.f. →**dramática.**

dramaturgo, ga s. Persona que escribe obras dramáticas o teatrales: *Buero Vallejo es un dramaturgo español del siglo XX.* □ ETIMOL. Del griego *dramaturgós*, de *drâma* (acción) y *érgon* (obra).

dramón s.m. *col. desp.* Drama de baja calidad, en el que se exageran los aspectos que pueden conmover más al espectador.

drapeado, da adj. Referido esp. a una prenda de vestir, con muchos pliegues: *una falda drapeada.*

drapear v. Referido a una prenda de vestir, colocar o marcar sus pliegues, esp. para darles la caída conveniente: *Para este vestido hace falta mucha tela porque hay que drapearle el cuerpo.* □ ETIMOL. Del francés *draper*.

drástico, ca adj. Enérgico, radical, riguroso o muy severo: *una medida drástica.* □ ETIMOL. Del griego *drastikós* (activo, enérgico).

dreadlock (ing.) s.m. Trenza redondeada y gruesa en la que el cabello se endurece con aceite de coco y que es típica del movimiento rastafari. □ PRON. [drédlok].

drenaje s.m. **1** Desagüe o eliminación del agua acumulada en un lugar, generalmente mediante zanjas o cañerías: *El campo cuenta con un sistema de drenaje para evitar que se encharque el agua.* **2** En medicina, operación que se realiza para dar salida a los líquidos anormalmente acumulados en el interior de una herida o de una cavidad orgánica: *Le han practicado un drenaje en la herida para que no se cierre y permitir así la eliminación del líquido del interior.* **3** Tubo, gasa u otro material que se utiliza en esta operación: *La enfermera me cambió el drenaje que me habían puesto en la herida.* □ ETIMOL. Del francés *drainage*, y este del inglés *drainage*.

drenar v. **1** Referido a un lugar, dar salida al agua acumulada en él, generalmente mediante zanjas o cañerías: *Después de las inundaciones, tuvieron que drenar varios campos.* **2** En medicina, referido esp. a una herida o a una cavidad orgánica, dar salida a los líquidos anormalmente acumulados en su interior: *Tuvieron que drenarme la herida para sacarme el pus.* □ ETIMOL. Del francés *drainer*, y este del inglés *to drain*.

dría s.f. →**dríade.**

dríada s.f. →**dríade.**

dríade s.f. En la mitología grecolatina, ninfa o divinidad de los bosques, cuya vida duraba lo que la del árbol al que se suponía unida: *Una de las dríades más famosas era Eurídice, esposa de Orfeo.* □ SINÓN. *dría, dríada.* □ ETIMOL. Del latín *dryas*, este del griego *dryás*, y este de *drŷs* (árbol, roble).

dribbler (ing.) s. En algunos deportes de equipo, jugador que dribla o regatea muy bien a los del equipo contrario: *Este extremo es un gran dribbler.* □ PRON. [dríbler]. □ USO Su uso es innecesario y puede sustituirse por *regateador*.

dribbling (ing.) s.m. En algunos deportes de equipo, amago que se hace a un contrario con un movimiento engañoso para no dejarse quitar el balón por él: *Con un habilidoso dribbling, se deshizo del defensa y se presentó en solitario ante la portería.* □ PRON. [dríblin]. □ USO Su uso es innecesario y puede sustituirse por *regate* o *finta*.

driblar v. En algunos deportes de equipo, referido a un contrario, amagarle con un movimiento engañoso para no dejarse quitar el balón por él: *El pívot de nuestro equipo encestó después de driblar a dos defensas.* □ ETIMOL. Del inglés *to dribble*.

dril s.m. Tejido fuerte de algodón o de lino crudos o sin tratar: *pantalones de dril.* □ ETIMOL. Del inglés *drill*.

dripping (ing.) s.m. Técnica pictórica que consiste en derramar la pintura, en forma de gotas o salpicaduras, sobre un lienzo extendido en el suelo: *El dripping es una técnica propia del expresionismo abstracto.* □ PRON. [drípin]. □ USO Su uso es innecesario y puede sustituirse por *pintura de goteo*.

drive (ing.) s.m. **1** En tenis, golpe que se ejecuta devolviendo la pelota por el mismo lado por el que se tiene la raqueta y elevándola ligeramente de abajo arriba: *Es mucho más fácil dar un drive que un revés.* **2** En golf, golpe largo que se ejecuta como primera jugada desde la salida: *Sacó ventaja desde el principio, gracias al fortísimo drive con que abrió el juego.* □ PRON. [dráiv].

driver (ing.) s.m. **1** En golf, palo con que se hace el saque: *Con el driver se dan golpes de mucho alcance.* **2** En informática, programa gestor que interpreta la información interna del ordenador: *Me han instalado un driver en el ordenador para que gestione el ratón.* □ PRON. [dráiver].

driza s.f. En náutica, cuerda o cabo con que se izan y arrían banderas, velas y algunos palos en los barcos: *Un marinero tiraba de la driza para izar la bandera.* □ ETIMOL. Del italiano *drizza*, de *drizzare* (levantar, enderezar), porque se emplean las drizas para subir las velas.

droga s.f. **1** Sustancia o preparado que produce estimulación, depresión, alucinaciones o disminución de la sensibilidad o de la conciencia, y cuyo consumo reiterado puede crear adicción o dependencia. **2** *col.* Lo que atrae hasta el punto de ser más fuerte que la voluntad: *Para ella, el trabajo es una droga sin la que no sabría vivir.* **3** En zonas del español meridional, deuda. **4** || **droga blanda;** la que no crea adicción o lo hace en bajo grado. || **droga dura;** la que crea una fuerte adicción. □ ETIMOL. De origen incierto.

drogadicción s.f. Dependencia física o psíquica de alguna droga, ocasionada por el consumo reiterado de esta: *El alcoholismo es un problema de drogadicción grave en las sociedades modernas.* □ SINÓN. *adicción.* □ ETIMOL. Del inglés *drug addiction*.

drogadicto, ta adj./s. Referido a una persona, que tiene una dependencia física o psíquica de alguna droga, ocasionada por el consumo reiterado de esta. □ SINÓN. *drogodependiente.* □ ETIMOL. Del inglés *drug addict.* □ USO En la lengua coloquial se usan mucho las formas *drogata* y *drogota*.

drogar v. Administrar alguna droga: *Al final de su enfermedad, tenía tantos dolores que lo drogaban constantemente para que no sufriera. Cuando empezó a drogarse, perdió trabajo y amigos, y su vida se convirtió en un infierno.* □ ORTOGR. La *g* se cambia en *gu* delante de *e* →PAGAR.

drogata s.com. *col.* →**drogadicto.**

drogodependencia s.f. Dependencia física o psíquica que tiene un drogadicto y que le lleva a hacer uso habitual de drogas o de estupefacientes: *Consiguió librarse de la drogodependencia en un centro de desintoxicación.* □ MORF. Se usa mucho la forma abreviada *dependencia*.

drogodependiente adj.inv./s.com. →**drogadicto.**

drogota s.com. *col.* →**drogadicto.**

droguería s.f. **1** Establecimiento en el que se venden productos de limpieza, pinturas y otros semejantes: *Compré detergente, lejía y betún en la droguería de la esquina.* **2** En zonas del español meridional, farmacia: *Fui a la droguería para comprar medicamentos.*

droguero, ra s. Persona que se dedica profesionalmente a la elaboración o a la venta de artículos de droguería: *Como no sabía qué tipo de pintura comprar, le pedí al droguero que me aconsejase.*

dromedario s.m. Mamífero rumiante propio de zonas arábigas y norteafricanas, muy parecido al camello pero con una sola joroba, y muy empleado en el desierto como animal de carga y medio de transporte: *Los dromedarios pueden aguantar días enteros sin beber gracias a su estómago, que actúa como una reserva de agua.* □ ETIMOL. Del latín *dromedarius*, y este del griego *dromás* (corredor). □ MORF. Es un sustantivo epiceno: *el dromedario {macho/hembra}*. □ SEM. Dist. de *camello* (rumiante con dos jorobas).

-dromo Elemento compositivo sufijo que significa 'lugar' o 'pista': *velódromo, aeródromo.*

dropar v. En el golf, sacar la bola de un lugar desde el que no se la puede golpear, y colocarla en otro: *Para poder hacer el siguiente golpe tienes que dropar la bola.* □ ETIMOL. Del inglés *to drop* (dejar caer).

drug (ing.) s.m. →**drugstore.** □ PRON. [drag].

drugstore (ing.) s.m. Establecimiento comercial en el que se venden muy diversos productos, que tiene cafetería o restaurante y que suele estar abierto las veinticuatro horas del día: *Como ya era muy tarde, fuimos a cenar al drugstore.* □ SINÓN. *drug.* □ PRON. [drágstor].

druida s.m. Sacerdote de los antiguos celtas: *Los druidas ejercían, además de como sacerdotes, como jueces y maestros.* □ ETIMOL. Del latín *druida*, y este del celta *derv* (roble), porque los sacerdotes galos hacían prácticas mágicas con el muérdago de roble.

druídico, ca adj. De los druidas, de su religión o relacionado con ellos: *Entre los ritos druídicos ha-*

bía sacrificios humanos que solían celebrarse de noche y en los bosques.

druidismo s.m. Religión de los druidas: *El druidismo admitía la existencia de varios dioses.*

drupa s.f. En botánica, fruto carnoso, con una sola semilla en su interior rodeada por un endocarpio o envoltura leñosos en forma de hueso: *El melocotón y la ciruela son drupas.* ☐ ETIMOL. Del latín *druppa* (aceituna madura).

druso, sa ▮ adj. **1** De los drusos o relacionado con estos habitantes libaneses o sirios: *La religión drusa combina elementos del islamismo, del cristianismo y de otras religiones.* ▮ adj./s. **2** Habitante de territorios libaneses o sirios, que tiene una religión que deriva de la mahometana: *En el Líbano se han producido violentos enfrentamientos entre grupos drusos y cristianos.* ☐ ETIMOL. De Darazi (sastre), que era el sobrenombre de uno de los fundadores de esta religión.

dseda s.f. En el alfabeto griego clásico, sexta letra: *La grafía de la dseda mayúscula es 'Z'.* ☐ ETIMOL. Del griego *zeta*.

DTP s.f. Vacuna que actúa simultáneamente contra la difteria, la tos ferina y el tétanos: *La DTP es conocida también como 'triple bacteriana'.* ☐ ETIMOL. Es la sigla de *difteria, tétanos, pertussis (bacteria que causa la tos ferina) de células enteras.*

dual adj.inv. Que reúne o presenta dos aspectos, dos caracteres o dos fenómenos distintos: *La emisión dual de una película por televisión permite oírla traducida o en versión original. Según algunas religiones, la persona es un ser dual, compuesto de alma y de cuerpo.* ☐ ETIMOL. Del latín *dualis* (binario).

dualidad s.f. Existencia de dos aspectos, caracteres o fenómenos distintos en una misma persona o en un mismo estado de cosas: *La personalidad de un esquizofrénico se suele caracterizar por su marcada dualidad.* ☐ SINÓN. *dualismo.*

dualismo s.m. **1** Doctrina filosófica que explica el origen y naturaleza del universo por la acción de dos principios o fuerzas distintos y contrarios: *El dualismo de la concepción platónica del mundo consiste en admitir como principios las ideas y la materia.* **2** Existencia de dos aspectos, caracteres o fenómenos distintos en una misma persona o en un mismo estado de cosas: *Defiende el dualismo de la naturaleza humana, compuesta de alma y cuerpo.* ☐ SINÓN. *dualidad.*

dualista ▮ adj.inv. **1** Del dualismo o relacionado con él: *La explicación dualista se opone a la monista.* ▮ adj.inv./s.com. **2** Partidario o seguidor del dualismo filosófico: *Un dualista no acepta la idea de que el mundo fue creado por la acción única de un dios todopoderoso.*

duatlón s.m. Competición deportiva que consta de dos carreras, una a pie y otra en bicicleta, realizadas por el mismo deportista. ☐ ETIMOL. De *duo-* (dos) y del griego *âthlon* (premio de una lucha, lucha). ☐ ORTOGR. Incorr. **dualón*.

dubitable adj.inv. Que puede o debe ser dudado: *Presentó unas conclusiones provisionales y más que dubitables.*

dubitación s.f. →**duda.** ☐ USO Su uso es característico del lenguaje culto.

dubitativo, va adj. Que implica, manifiesta o expresa duda: *Miraba dubitativo los dos trajes, sin saber cuál elegir.* ☐ ETIMOL. Del latín *dubitativus*.

dubles s.m.pl. *col.* Juego que consiste en saltar a la comba dejando pasar la cuerda bajo los pies más de una vez en cada salto: *Soy muy patosa, y nunca aprendí a saltar dubles.*

ducado s.m. **1** Estado gobernado por un duque: *Luxemburgo es un ducado europeo.* **2** Título nobiliario de duque: *El ducado de la casa de Alba es uno de los títulos nobiliarios españoles más antiguos.* **3** Territorio sobre el que antiguamente un duque ejercía su autoridad: *Heredó de su padre y anterior duque un ducado de cientos de hectáreas.* **4** Antigua moneda de oro española. ☐ ETIMOL. De *duque*.

ducal adj.inv. Del duque: *Heredó el título ducal y el ducado de su padre.*

duce (it.) s.m. *desp.* Dictador o persona autoritaria: *Aunque parece que tomas en cuenta la opinión de otros, actúas siempre como un duce.* ☐ ETIMOL. Por alusión al *Duce*, título que se dio a sí mismo el dictador italiano B. Mussolini. ☐ PRON. [dúche].

ducentésimo, ma numer. **1** En una serie, que ocupa el lugar número doscientos: *Si erais doscientos y tú llegaste el ducentésimo, llegaste el último.* **2** Referido a una parte, que constituye un todo junto con otras ciento noventa y nueve iguales a ella: *La ducentésima parte de dos mil es diez.* ☐ ETIMOL. Del latín *ducentesimus*.

ducha s.f. Véase **ducho, cha**.

duchar v. **1** Dar una ducha: *El padre advirtió al niño: «¡Te duchas tú o te ducho yo!». Se levantó y se duchó con agua fría para espabilarse.* **2** *col.* Empapar con gotas de un líquido: *Con los charcos que hay por aquí, como pase un coche un poco deprisa nos ducha enteros. Le hicieron reír cuando tenía la boca llena de sopa y duchó a todos los que estaban cerca.* ☐ MORF. En la acepción 1, se usa más como pronominal.

ducho, cha ▮ adj. **1** Experimentado o con conocimiento y destreza en una actividad: *Pregúntale a otro, que en ese tema no ando yo muy ducho.* ▮ s.f. **2** Aplicación de agua en forma de lluvia o de chorro, haciéndola caer sobre el cuerpo, para limpiarlo o para refrescarlo: *Me di una ducha y me quedé como nuevo.* **3** Aparato o instalación que sirve para aplicar agua de esta forma: *Las duchas en forma de teléfono son muy cómodas, porque permiten echarse el agua por donde se quiera.* **4** Recipiente de loza o de otro material en el que cae y se recoge el agua que sale de este aparato: *En el cuarto de baño han puesto una ducha, porque no cabía una bañera.* **5** Habitación o lugar donde está instalado uno de esos aparatos: *Las duchas están junto a los vestuarios.* **6** Hecho de empapar algo con un líquido en forma de gotas: *Procura que no se te caiga ese jarro de vino, no nos vayas a dar una ducha.* **7** || **ducha de agua fría;** *col.* Noticia o suceso generalmente repentinos y que producen una impresión fuerte y desagradable o decepcionante. □ SINÓN. *jarro de agua fría.* □ ETIMOL. La acepción 1, del latín *ductus* (guiado). Las acepciones 2-6, del francés *douche*, y este del italiano *doccia* (caño de agua).

dúctil adj.inv. **1** Referido esp. a una persona o a su carácter, que se conforma fácilmente con todo y cede a la voluntad de otros: *Con lo dúctil que es, no tendrás que insistirle mucho para convencerlo.* **2** Referido a un metal, que puede ser sometido a grandes deformaciones mecánicas en frío, sin llegar a romperse: *El plomo es un metal extremadamente dúctil.* □ ETIMOL. Del latín *ductilis* (que se deja conducir).

ductilidad s.f. **1** Blandura de carácter o tendencia a conformarse fácilmente con todo y a ceder a la voluntad de otros: *Con esa ductilidad tuya, dudo que hayas discutido nunca por defender una opinión.* **2** Propiedad que presenta un metal de poder ser sometido a grandes deformaciones mecánicas en frío, sin llegar a romperse: *La ductilidad del hierro hace posible su forja en frío.*

duda s.f. **1** Inseguridad, vacilación o indeterminación ante opciones distintas o acerca de un hecho o de una información: *Es un hecho científicamente demostrado y que no admite duda.* □ SINÓN. *dubitación.* **2** Desconfianza o sospecha: *Existen serias dudas sobre su inocencia en este asunto. No admito que pongas en duda mis afirmaciones.* □ SINÓN. *dubitación.* **3** Cuestión que se propone para solucionarla o resolverla: *Dedicamos la última clase antes del examen a ver dudas.* □ SINÓN. *dubitación.* □ SINT. Es incorrecta la omisión de la preposición *de* en expresiones como: *No cabe duda (*que > de que) vendrán.*

dudar v. **1** Estar inseguro, vacilante o indeciso entre opciones contradictorias: *Si dudas así en todo, no me extraña que tardes tanto en hacer cualquier cosa. Dudo que apruebe el curso si no estudia un poco más. Con esta información, dudo del resultado del estudio.* **2** Desconfiar o sospechar: *Los celos le hacen dudar de su pareja sin motivo.* **3** Referido a una información que se oye, no concederle crédito o considerarla poco fiable: *Dicen que la estafa fue obra suya, pero, conociendo su honradez, lo dudo.* □ ETIMOL. Del latín *dubitare* (vacilar, dudar). □ SINT. 1. Constr. de la acepción 1: *dudar algo* o *dudar* DE *algo.* 2. Constr. de la acepción 2: *dudar* DE *alguien* o DE *algo.*

dudoso, sa adj. **1** Que ofrece duda, inseguridad o sospecha: *Anda metido en negocios de dudosa legalidad.* **2** Indeciso en la forma de actuar: *De momento está muy dudoso y no sabe cuál de las dos ofertas aceptará.* **3** Inseguro o poco probable: *Están invitados, pero es dudoso que vengan.*

DUE s.com. Persona que tiene el título de diplomado universitario en enfermería y que se dedica profesionalmente a la asistencia de enfermos y heridos. □ ETIMOL. Es el acrónimo de *diplomado universitario en enfermería.*

duela s.f. **1** Cada una de las tablas que forman parte de las paredes curvas de un tonel o de una cuba. **2** Gusano aplanado, de forma casi ovalada, con una ventosa en el extremo delantero del cuerpo, en cuyo centro está la boca, y con otra ventosa en la cara inferior del animal: *Las duelas son parásitos que viven en los conductos biliares del carnero y del toro.* □ ETIMOL. Del francés antiguo *douelle.*

duelo s.m. **1** Combate o pelea entre dos, como consecuencia de un reto o de un desafío: *El caballero retó a duelo al que le había ofendido.* **2** Enfrentamiento entre dos, muy reñido o en el que cada uno busca la derrota del contrario: *un duelo dialéctico.* **3** Conjunto de demostraciones que se hacen como manifestación de dolor por la muerte de una persona: *hacer duelo por la muerte de alguien.* **4** Conjunto de las personas que asisten a la casa mortuoria o a los actos funerales como demostración de su sentimiento por una muerte: *El duelo se despidió a la entrada del cementerio.* □ ETIMOL. Las acepciones 1 y 2, del latín *duellum* (combate, pelea). Las acepciones 3 y 4, del latín *dolus* (dolor). □ SEM. En las acepciones 1 y 2, no debe emplearse cuando el combate es entre más de dos.

duende s.m. **1** Espíritu fantástico y travieso, que suele representarse con figura de viejo o de niño, y del que se dice que habita en algunas casas y lugares, causando en ellos alteraciones y desórdenes. □ SINÓN. *trasgo.* **2** Encanto o atractivo, esp. el que resulta misterioso y no se puede explicar con palabras: *una persona con duende.* **3** || **duendes de imprenta;** causa que origina la aparición imprevista de errores y erratas en una obra impresa. □ ETIMOL. De *duen de casa* (dueño de una casa).

dueño, ña s. **1** Persona que tiene la propiedad o el dominio de algo: *Pasaron los tiempos en que alguien podía comprar a otra persona y convertirse en su dueño y señor.* **2** || **dueño de sí mismo;** referido a una persona, que sabe dominarse y no dejarse arrastrar por los primeros impulsos: *En todo momento se mantuvo serena y dueña de sí misma.* || **ser (muy) dueño de** hacer algo; *col.* Tener libertad o derecho para ello: *Cada quien es muy dueño de hacer lo que le venga en gana, siempre que no moleste a los demás.* □ ETIMOL. Del latín *dominus.*

duermevela s.amb. Sueño ligero o frecuentemente interrumpido: *Con la intranquilidad de la espera he pasado la noche en duermevela.* □ ETIMOL. De *dormir* y *velar.*

dueto s.m. **1** Composición musical escrita para dos instrumentos o para dos voces. □ SINÓN. *dúo.* **2** Conjunto formado por este número de instrumentos o de voces. □ SINÓN. *dúo.* □ ETIMOL. Del italiano *duetto.*

dulce ▮ adj.inv. **1** De sabor suave y agradable al paladar, como el del azúcar o la miel: *En las pastelerías venden productos dulces.* **2** Que no sabe agrio ni salado, esp. si se considera comparativamente con otras cosas de la misma especie: *un vino dulce.* **3** Agradable, apacible o que resulta placentero: *Aprovecha las oportunidades que te salgan en este momento dulce de tu vida.* **4** Amable, complaciente o afectuoso en el trato: *una persona dulce.* **5** Bueno o afortunado: *Esa atleta pasa por un momento dulce en su carrera deportiva.* ▌s.m. **6** Alimento elaborado con azúcar y en el que el sabor de este ingrediente destaca sobre los demás: *De postre sacaron fruta y dulces variados.* **7** Fruta cocida con almíbar o con azúcar: *dulce de membrillo.* ▌adv. **8** Dulcemente o con dulzura: *Canta tan dulce que oyéndola se siente uno en el cielo.* **9** ‖ **dulce de leche;** dulce que se prepara con leche y azúcar, cocidas a fuego lento hasta que la mezcla adopta una consistencia cremosa. □ ETIMOL. Del latín *dulcis.*

dulcería s.f. En zonas del español meridional, pastelería o confitería: *Los domingos compramos pasteles para el postre en una dulcería.*

dulcero, ra adj. *col.* Aficionado al dulce: *En mi casa somos todos muy dulceros y siempre estamos comprando tartas y pasteles.*

dulcificación s.f. Transformación de algo, haciéndolo más dulce, suave, más agradable o menos áspero: *No creo que una dulcificación de esas severas normas de disciplina produjese desórdenes graves.*

dulcificar v. Hacer más dulce, suave, más agradable o menos áspero: *Tienes que dulcificar un poco tu trato con los niños si quieres que te pierdan el miedo.* □ ETIMOL. Del latín *dulcificare.* □ ORTOGR. La *c* se cambia en *qu* delante de *e* →SACAR.

dulcinea s.f. *col.* Amada o mujer querida: *La que hoy es su mujer ha sido siempre su dulcinea.* □ ETIMOL. Por alusión a Dulcinea, dama ideal de la que don Quijote se sentía enamorado.

dulzaina s.f. Instrumento musical de viento, formado por un tubo de madera alargado, con agujeros que se tapan con los dedos para producir los diferentes sonidos, y con una doble lengüeta por la que se sopla para hacerlo sonar: *La dulzaina se usa mucho como instrumento popular y folclórico.* □ ETIMOL. Del francés antiguo *doulçaine.*

dulzainero, ra s. Músico que toca la dulzaina: *El grupo folclórico danzaba acompañado por la música de un tamborilero y de dos dulzaineros.*

dulzarrón, -a adj. *col.* →**dulzón.**

dulzón, -a adj. *col.* Tan dulce que desagrada o empalaga: *un vino dulzón.* □ SINÓN. *dulzarrón.*

dulzor s.m. **1** Sabor suave y agradable al paladar, como el del azúcar o la miel: *Está acostumbrado al azúcar y no le gusta el dulzor de la sacarina.* **2** →**dulzura.**

dulzura s.f. **1** Carácter apacible o bondadoso de lo que resulta agradable o placentero: *la dulzura de un clima; la dulzura de una voz.* **2** Amabilidad, complacencia o afecto en el trato: *la dulzura de una persona.* **3** →**dulzor.**

dummy (ing.) s.m. Muñeco que se utiliza para probar los sistemas de seguridad de los vehículos: *Un dummy simula el comportamiento del cuerpo humano ante los fuertes impactos.* □ PRON. [dámi] o [dúmi].

dumper (ing.) s.m. →**volquete.** □ PRON. [dámper].

dumping (ing.) s.m. En economía, venta de productos que se realiza en mercados exteriores o nacionales por debajo del precio normal o de su coste de producción: *El dumping se considera una competencia desleal entre naciones.* □ PRON. [dámpin].

duna s.f. En un desierto o en una playa, colina de arena que forma y empuja el viento. □ SINÓN. *médano.* □ ETIMOL. Del holandés *duin.*

dúo s.m. **1** Composición musical escrita para dos instrumentos o para dos voces: *Lo que más me gustó del recital fue el dúo final para tenor y soprano.* □ SINÓN. *dueto.* **2** Conjunto formado por este número de instrumentos o de voces: *El famoso pianista actuó primero como solista y, luego, formando dúo con un violonchelista.* □ SINÓN. *dueto.* **3** Conjunto formado por dos personas, esp. si hay colaboración o entendimiento entre ellas: *Los dos amigos forman un dúo inseparable.* □ ETIMOL. Del italiano *duo.*

duodécimo, ma numer. **1** En una serie, que ocupa el lugar número doce: *Diciembre es el duodécimo mes del año. En una fila de trece elementos, el penúltimo es el duodécimo.* **2** Referido a una parte, que constituye un todo junto con otras once iguales a ella: *A cada uno de los doce invitados le corresponde una duodécima parte. 2 es un duodécimo de 24.* □ SINÓN. *doceavo.* □ ETIMOL. Del latín *duodecimus.* □ MORF. Incorr. **decimosegundo.*

duodécuplo, pla numer. Referido a una cantidad, que es doce veces mayor: *El duodécuplo de 4 es 48.* □ ETIMOL. Del latín *duo* (dos) y *decuplus* (décuplo).

duodenal adj.inv. Del duodeno o relacionado con esta parte del intestino: *una úlcera duodenal.*

duodenitis (pl. *duodenitis*) s.f. Inflamación patológica del duodeno: *Le han diagnosticado una duodenitis aguda.* □ ETIMOL. De *duodeno* e *-itis* (inflamación).

duodeno s.m. Parte inicial del intestino delgado de los mamíferos, que comienza en el estómago y termina en el yeyuno: *El duodeno rodea la cabeza del páncreas, que vierte sus jugos en él.* □ ETIMOL. Del latín *duodeni* (de doce en doce), porque el duodeno mide doce dedos de largo.

dúplex (pl. *dúplex*) ▌adj.inv. **1** Referido a un sistema de información, que es capaz de transmitir y recibir dos mensajes de forma simultánea, uno en cada sentido. ▌s.m. **2** Vivienda constituida por la unión de dos pisos o apartamentos superpuestos y comunicados entre sí por una escalera interior: *En la planta de arriba del dúplex están los dormitorios y un baño.* □ ETIMOL. Del latín *duplex* (doble). □ SINT. En la acepción 2, se usa mucho en aposición, pospuesto a un sustantivo: *un piso dúplex.*

duplicación s.f. **1** Multiplicación por dos o aumento de algo en dos veces: *Se teme una duplicación del número de parados en el próximo año.* **2** Reproducción de algo en una copia: *Hicimos una* *duplicación del original de nuestro trabajo antes de entregárselo al profesor.*

duplicado s.m. **1** Copia o segundo documento de las mismas características que el primero, hechos generalmente por si este o el original se pierden. **2** || **por duplicado;** en dos ejemplares: *Las solicitudes se presentarán por duplicado en secretaría.*

duplicar v. **1** Multiplicar por dos o hacer dos veces mayor: *Con las obras de ampliación se ha duplicado el espacio disponible.* **2** Hacer exactamente igual dos veces o hacer una copia: *Siempre hemos duplicado los documentos importantes para tener una copia de seguridad.* ☐ ETIMOL. Del latín *duplicare* (doblar). ☐ ORTOGR. La *c* se cambia en *qu* delante de *e* →SACAR.

duplicidad s.f. Hipocresía, falsedad o manera de ser o de actuar de quien da a entender lo contrario de lo que verdaderamente siente: *Yo pensaba que eras una persona sincera, y no he advertido tu duplicidad hasta este momento.* ☐ ETIMOL. Del latín *duplicitas.*

duplo, pla numer. Referido a una cantidad, que es dos veces mayor: *El duplo de 3 es 6.* ☐ SINÓN. *doble.* ☐ ETIMOL. Del latín *duplus.*

duque s.m. Persona que tiene un título nobiliario entre el de príncipe y el de marqués: *Los duques son nobles con un rango muy elevado.* ☐ ETIMOL. Del francés antiguo *duc*, y este del latín *dux* (guía, conductor). ☐ MORF. Su femenino es *duquesa.*

duquesa s.f. de **duque**.

-dura 1 Sufijo que indica acción y efecto: *raspadura, mordedura, añadidura.* **2** Sufijo que indica instrumento: *cerradura.* **3** Sufijo que indica instrumento: *arboladura.* ☐ ETIMOL. Del latín *-tura.*

durabilidad s.f. Carácter de lo que dura o posibilidad de durar mucho: *La prensa pone en duda la durabilidad de un Gobierno con tan poco apoyo parlamentario.*

durable adj.inv. Que dura o puede durar mucho: *La construcción de este edificio está hecha con materiales sólidos y durables.* ☐ SINÓN. *duradero.* ☐ ETIMOL. Del latín *durabilis.*

duración s.f. Tiempo que dura algo o que transcurre entre su comienzo y su fin: *La duración de la obra es de casi tres horas.*

duradero, ra adj. Que dura o puede durar mucho: *Aún se perciben los duraderos efectos de la catástrofe. Espero que la relación que ahora iniciamos sea duradera.* ☐ SINÓN. *durable.*

duralex (pl. *duralex*) s.m. Material transparente, semejante al cristal, que se utiliza en la fabricación de platos, vasos y otras piezas de vajilla: *un plato de duralex.* ☐ ETIMOL. Extensión del nombre de una marca comercial.

duraluminio s.m. Aleación de aluminio, cobre, magnesio y manganeso, que tiene la resistencia y la dureza del acero, y la ligereza del aluminio: *El duraluminio se emplea mucho en la fabricación de piezas para aviones.* ☐ ETIMOL. Extensión del nombre de una marca comercial.

duramadre (tb. *duramáter*) s.f. En anatomía, la más externa de las tres meninges o membranas que envuelven y protegen el cerebro y la médula espinal: *La duramadre protege órganos fundamentales del sistema nervioso.* ☐ ETIMOL. Del latín *dura mater cerebri* (dura madre del cerebro), porque protege el cerebro como una madre a su hijo.

duramáter s.f. →**duramadre.**

duramen s.m. En botánica, parte más seca, compacta y generalmente de color más oscuro del tronco o de las ramas gruesas de un árbol: *El duramen es la parte muerta del tronco, que ya no es capaz de conducir la savia.* ☐ ETIMOL. Del latín *duramen*, y este de *durus* (duro).

durante prep. Indica el tiempo a lo largo del cual algo dura o sucede: *Jugamos al fútbol durante todo el recreo. Durante mi estancia allí, conocí a mucha gente interesante.*

durar v. **1** Prolongarse o extenderse en el tiempo: *El concierto duró más de dos horas. Al principio se puso muy contenta, pero sus ilusiones duraron poco.* **2** Permanecer, conservarse o mantener las propias cualidades: *Algunos alimentos duran más si se guardan en el frigorífico.* ☐ ETIMOL. Del latín *durare*, y este de *durus* (duro).

durativo, va adj. En lingüística, que expresa la acción en su transcurso o duración: *Las perífrasis formadas con el verbo 'estar' y el gerundio tienen un valor durativo.*

duraznero s.m. En zonas del español meridional, melocotonero: *Quiero plantar un duraznero.*

durazno s.m. **1** Árbol frutal de flores de color rosa, y hojas ovaladas: *El durazno es un árbol frutal de un tamaño menor que el melocotonero.* **2** Fruto de este árbol: *Los duraznos son dulces y carnosos como los melocotones.* **3** En zonas del español meridional, melocotón: *Vamos a arrancar algunos duraznos del duraznero.* ☐ ETIMOL. Del latín *duracinus* (de carne fuertemente adherida al hueso), término aplicado a melocotones y a cerezas.

dureza s.f. **1** Resistencia que ofrece un cuerpo a ser labrado, rayado o deformado: *El diamante es un mineral de gran dureza.* **2** Falta de blandura, terneza o carácter mullido: *Nos pusieron un jamón de tal dureza que era difícil de masticar.* **3** Fortaleza o capacidad para resistir y soportar bien la fatiga y el trabajo: *Era admirable la dureza de aquellas mujeres que trabajaban el campo.* **4** Aspereza, falta de suavidad o severidad excesiva: *Nos habló con una dureza que hizo muy tensa la entrevista.* **5** Violencia, crueldad o falta de sensibilidad: *Las faltas eran castigadas con dureza.* **6** Rigidez o falta de armonía y de suavidad en un estilo o en una línea: *Sus dibujos se caracterizan por la falta de color y la dureza de sus trazos.* **7** En el cuerpo, endurecimiento de la piel que se forma en algunas zonas generalmente por el roce o por la presión: *Va periódicamente al callista porque le salen muchos callos y durezas en los pies.* ☐ ETIMOL. Del latín *duritia.*

durmiente adj.inv. **1** Que duerme: *la bella durmiente.* **2** En zonas del español meridional, traviesa de una vía férrea: *Trabajé en una compañía de ferrocarril cambiando durmientes.*

duro adv. **1** Duramente o con fuerza o violencia: *Trabaja duro para llegar a ser algo en la vida.* **2** En zonas del español meridional, en voz alta.

duro, ra ▮ adj. **1** Referido esp. a una materia, que es difícil de labrar, rayar o deformar: *una madera muy dura.* **2** Que no está lo blando, mullido o tierno que debe estar: *Tenía tanta hambre que hasta un pedrusco de pan duro me habría sabido bien.* **3** Fuerte y resistente a la fatiga, al trabajo y a las contrariedades: *Eres muy dura y no te cansas por nada.* **4** Áspero, falto de suavidad o excesivamente severo: *Considera injustificadas las críticas tan duras que ha recibido.* **5** Riguroso, que no hace concesiones o que resulta difícilmente tolerable: *La mayoría considera extremistas las posiciones del ala dura del partido.* **6** Violento, cruel o insensible: *La presentadora advirtió que se emitirían imágenes duras y que podían dañar la sensibilidad del espectador.* **7** Referido esp. a un estilo, falto de armonía, de suavidad o de fluidez: *Era un hombre de facciones duras y rasgos muy marcados.* **8** Referido a un mecanismo, que funciona o se acciona con dificultad y esfuerzo: *La cerradura estaba tan dura que tuve que empujar la llave con las dos manos para abrir.* **9** *col.* En zonas del español meridional, borracho. ▮ s.m. **10** Moneda española que equivalía a cinco pesetas: *Todavía tengo algunos duros.* **11** ‖ **estar a las duras y a las maduras;** *col.* Aceptar o cargar con las desventajas o partes desagradables de una situación, de la misma manera que se aceptan las ventajas y partes agradables: *Un amigo de verdad está a las duras y a las maduras, y no te abandona en las dificultades.* ‖ **no tener ni un duro;** *col.* No tener dinero. ☐ ETIMOL. Del latín *durus.*

duty-free (ing.) s.m. Establecimiento comercial en el que se venden artículos libres de las tasas fiscales: *Me voy a comprar un perfume en el duty-free del aeropuerto porque es más barato.* ☐ PRON. [diútifri].

duunvirato s.m. En la antigua Roma, gobierno ejercido por dos personas: *El duunvirato era una magistratura con funciones civiles y religiosas.*

duunviro s.m. En la antigua Roma, magistrado que ejercía su cargo conjuntamente con otro y que tenía asignadas distintas funciones gubernativas, administrativas o judiciales: *Las corporaciones que gobernaban las colonias y municipios romanos estaban presididas por dos duunviros.* ☐ ETIMOL. Del latín *duumvir.*

duvet (fr.) s.m. Plumón de ave, muy fino y ligero, que se utiliza como relleno, esp. para abrigos y edredones: *un edredón nórdico con relleno de duvet.* ☐ PRON. [duvé]. ☐ SINT. Se usa mucho en aposición, pospuesto a un sustantivo: *plumón duvet.*

dux (pl. *dux*) s.m. En las antiguas repúblicas de Génova y de Venecia (ciudades italianas), príncipe o magistrado supremo: *Había una estatua del dux en la plaza principal.* ☐ ETIMOL. Del italiano, y este del latín *dux* (guía, conductor).

DVD (pl. *DVD*) s.m. **1** Disco óptico capaz de almacenar una gran cantidad de imágenes y sonidos en formato digital: *Estas películas las hay en cinta y en DVD.* **2** Aparato capaz de reproducir uno de estos discos. ☐ ETIMOL. Es la sigla del inglés *Digital Versatile Disc* (disco digital polivalente). ☐ SINT. En la acepción 1, se usa mucho en aposición, pospuesto a un sustantivo: *formato DVD; lector DVD.*

E e

e ▮ s.f. **1** Quinta letra del abecedario. ▮ conj. **2** →**y.** ☐ ETIMOL. La acepción 2, del latín *et* (también). ☐ PRON. En la acepción 1, representa el sonido vocálico anterior o palatal y de abertura media. ☐ ORTOGR. Dist. de *eh* y *he.* ☐ MORF. En la acepción 1, su plural es *ees* o *es.* ☐ USO Como conjunción, se usa ante palabra que comienza por *i-* o por *hi-*, con dos excepciones: ante palabras que empiezan por *hie-* (*flores y hierba*), y en inicio de oraciones interrogativas o exclamativas (*¿Y Isabel?*).

-e Sufijo que indica acción y efecto: *aguante, goce.*

ea interj. *col.* Expresión que se usa para dar ánimo o estímulo: *¡Ea, levantaos, que ya son las diez!* ☐ ETIMOL. Del latín *eia.* ☐ USO Se usa mucho repetido para acunar a los niños.

eagle (ing.) s.m. En golf, jugada en la que se logra meter la pelota en el hoyo con dos golpes menos de los fijados en su par: *Hizo un eagle porque necesitó dos golpes menos que los reglamentarios.* ☐ PRON. [íguel]. ☐ USO Su uso es innecesario y puede sustituirse por *dos bajo par.*

-ear **1** Sufijo que indica frecuencia o acción reiterada: *humear, agujerear, cojear.* **2** Sufijo que indica comienzo de una acción: *amarillear, verdear.* **3** Sufijo que indica acción: *tutear, falsear.*

easonense adj.inv./s.com. De San Sebastián o relacionado con esta ciudad guipuzcoana. ☐ SINÓN. *donostiarra.* ☐ ETIMOL. De *Oeason*, nombre latino de San Sebastián.

ebanista s.com. Persona que se dedica profesionalmente a realizar trabajos en maderas finas: *Se nota que esta mesa la hizo un buen ebanista.*

ebanistería s.f. **1** Taller de un ebanista: *Los muebles de la biblioteca los han hecho artesanalmente en una ebanistería.* **2** Arte o técnica de trabajar maderas finas: *La ebanistería requiere gran habilidad con las manos.* **3** Conjunto de obras fabricadas según este arte, esp. si tienen una característica común: *La ebanistería del palacio fue encargada a un artesano francés.*

ébano s.m. **1** Árbol de copa ancha y tronco grueso, de madera maciza, pesada y lisa, muy negra en el centro y blanquecina hacia la corteza: *El ébano crece en los países cálidos.* **2** Madera de este árbol: *Los pueblos africanos tallan el ébano para hacer figuras.* ☐ ETIMOL. Del latín *ebenus.*

ebitda (ing.) s.m. En economía, ganancia bruta que obtiene una empresa. ☐ ETIMOL. Es el acrónimo del inglés *Earnings Before Interests, Taxes, Deferreds and Amortizations* (ganancias antes de intereses, impuestos, cargos diferidos y amortizaciones).

ébola s.m. Enfermedad infecciosa, producida por un virus, cuyos síntomas son múltiples hemorragias internas y externas que producen la muerte en breve: *El ébola actúa corrompiendo los órganos internos de las personas infectadas.*

ebonics s.m. Dialecto del inglés hablado por afroamericanos: *El ebonics utiliza vocabulario inglés y reglas gramaticales propias de lenguas africanas.* ☐ ETIMOL. Del inglés *ebony* (ébano) y *phonics* (sonidos).

ebonita s.f. Material plástico obtenido por tratamiento del caucho con azufre, y que fue muy usado para fabricar aislantes eléctricos: *La ebonita ha sido sustituida por materiales sintéticos más baratos y resistentes.* ☐ ETIMOL. Del inglés *ebonite*, y este de *ebony* (ébano).

e-book (ing.) s.m. →**libro electrónico.** ☐ PRON. [íbuk]. ☐ USO Su uso es innecesario.

ebriedad s.f. **1** Turbación o trastorno temporal de las capacidades físicas o mentales, producidos por un consumo excesivo de bebidas alcohólicas o por una intoxicación de gas o de otra sustancia. ☐ SINÓN. *embriaguez.* **2** Alteración o turbación del ánimo: *Tanta felicidad te tiene en un estado de ebriedad continuo.* ☐ SINÓN. *embriaguez.*

ebrio, bria ▮ adj. **1** Ciego o dominado por un sentimiento o por una pasión fuertes: *El poeta, ebrio de amor, compuso extraordinarios poemas.* ▮ adj./s. **2** Que tiene disminuidas temporalmente las capacidades físicas o mentales a causa de un consumo excesivo de bebidas alcohólicas. ☐ SINÓN. *borracho.* ☐ ETIMOL. Del latín *ebrius.*

ebullición s.f. **1** Movimiento agitado y con burbujas que se produce en un líquido al elevarse su temperatura o al ser sometido a fermentación. ☐ SINÓN. *hervor.* **2** Estado de agitación: *Vivimos un momento de gran ebullición política.* ☐ ETIMOL. Del latín *ebullitio.*

ebullir v. →**bullir.**

ebúrneo, a adj. *poét.* De marfil o con sus características: *Su rostro triste y ebúrneo permanecía inmóvil.* ☐ ETIMOL. Del latín *eburneus* (de marfil).

e-business (ing.) s.m. →**cibercomercio.** ☐ PRON. [ibísnes]. ☐ USO Su uso es innecesario.

eccehomo s.m. **1** Representación de Jesucristo herido, atado, azotado y con corona de espinas. **2** Persona herida, magullada y de lastimoso aspecto: *Salió del accidente con las ropas rotas y hecho un eccehomo.* ☐ ETIMOL. Por alusión a la expresión latina *ecce homo*, con la que el procurador Pilatos presentó ante el pueblo a Jesucristo azotado.

eccema (tb. *eczema*) s.m. En medicina, afección de la piel, caracterizada por la aparición de escamas, ampollas, manchas rojizas y picores: *Tengo alergia a ese jabón y al usarlo me ha salido un eccema.* ☐ ETIMOL. Del griego *ékzema* (erupción cutánea).

ecdótica s.f. Disciplina que estudia la edición de textos.

-ecer Sufijo que indica comienzo de una acción o cambio de estado: *reverdecer, entristecer, palidecer.* ☐ ETIMOL. Del latín *-escere.*

echado, da adj. **1** Tumbado o acostado. **2** En zonas del español meridional, perezoso.

echar ▮ v. **1** Hacer llegar o enviar dando impulso: *Échame el balón.* **2** Dejar caer o introducir, esp. si se hace en el lugar apropiado: *Con el mal pulso que tengo, siempre echo el agua fuera del vaso.* □ SINÓN. *arrojar.* **3** Expulsar, despedir o hacer salir, esp. si se hace de manera violenta o despreciativa: *La locomotora echaba humo. Nos echaron a la calle de mala manera.* □ SINÓN. *arrojar.* **4** Dar, repartir o proporcionar: *Échale alpiste a los canarios.* **5** Despedir de sí o emitir: *La cafetera echa mucho humo.* □ SINÓN. *arrojar.* **6** *col.* Poner o colocar: *Echó una manta en la cama porque por las noches pasaba frío.* **7** Inclinar o poner en posición horizontal: *El vino se conserva mejor si echas las botellas en vez de dejarlas de pie.* **8** Tender o acostar, esp. si es para un descanso breve: *Echó al bebé en su cunita. Después de comer le gusta echarse unos minutos en el sofá.* **9** Empezar a tener o a mostrar: *¡Menuda barriga estás echando!* **10** Referido esp. a una pena o a una tarea, imponerlas como obligación o como condena: *Robó un banco y le echaron veinte años de cárcel.* **11** Referido esp. a un período de tiempo, gastarlo o invertirlo: *Echo casi una hora en ir al trabajo.* **12** Referido a un dato desconocido, suponerlo o calcularlo aproximadamente: *Tiene treinta años, pero con esa barba, le eché casi cuarenta.* **13** Referido a un juego o a una competición, jugarlos, participar en ellos o llevarlos a cabo: *¿Te apetece que echemos un parchís?* **14** Referido a una prueba de competición, realizarla para ver cuál de los participantes resulta vencedor: *Te echo una carrera y el que pierda invita al cine.* **15** *col.* En un juego de azar, jugar o apostar: *Echó la paga en una rifa y lo perdió todo.* **16** Referido a algo que hay que decidir, dejar que lo decida la suerte: *Echamos a cara o cruz quién debía ir y me tocó a mí.* **17** *col.* Referido esp. a un espectáculo, exhibirlo o representarlo: *¿Sabes qué echan en el teatro?* **18** *col.* Referido a un documento, presentarlo ante la autoridad o el organismo correspondientes: *Echaré una instancia para pedir revisión de examen.* **19** Referido a una llave o a un mecanismo de cierre, accionarlos para cerrar: *Echa el cerrojo y no dejes que entre nadie.* □ SINÓN. *correr.* **20** Referido esp. a un dicho o a un discurso, decirlos o pronunciarlos: *El sacerdote echó un responso ante la tumba.* **21** Referido a una parte del cuerpo, inclinarla o moverla en alguna dirección: *Echa la cabeza a un lado, que no me dejas ver.* **22** Seguido de un sustantivo, realizar la acción expresada por este: *Me echó una mirada que me dejó petrificada.* **23** Seguido de una expresión que indica lugar o dirección, ir o encaminarse por ellos: *Echa por la derecha, que llegaremos antes.* **24** Seguido de una expresión que indica un lugar inferior, derribar o arruinar: *El policía echó al suelo la puerta de una patada.* ▮ prnl. **25** Dirigir el cuerpo en alguna dirección: *Échate un poco a un lado, para que salgas bien en la foto.* **26** Tenderse por un rato para descansar: *Todos los días me echo un ratito después de comer.* **27** Moverse con violencia y brusquedad hacia abajo: *Se echó a tierra cuando oyó los aviones enemigos.* **28** Lanzarse o precipitarse hacia algo: *Se echó de cabeza a la piscina.* **29** Seguido de un sustantivo con el que se califica a una persona, establecer con esta la relación expresada por dicho sustantivo: *No sé nada de él desde que se echó novia.* **30** ‖ **echar a;** seguido de infinitivo, empezar a realizar la acción expresada por este: *Cuando nos acercamos a él, el pajarillo echó a volar. Es tan sensible, que se echa a llorar por cualquier cosa.* ‖ **echar a perder;** deteriorar o estropear: *echar a perder una cosecha; echar a perder a una persona; echar a perder un negocio.* ‖ **echar {de menos/en falta}** algo; notar su falta o sentirse apenado por ella: *Echo de menos aquellas tardes de tertulia.* ‖ **echarse atrás;** no cumplir un trato o desdecirse de algo: *Me eché atrás porque no vi claro el negocio.* ‖ **echarse encima** algo; estar muy próximo: *Acaba de terminar el verano y ya se echan encima los primeros fríos.* ‖ **echárselas de;** *col.* En zonas del español meridional, presumir de algo: *Ese se las echa de muy culto.* □ ETIMOL. Del latín *iactare* (arrojar, lanzar, agitar). □ USO El empleo abusivo de la acepción 22 en lugar del verbo correspondiente indica pobreza de lenguaje.

echarpe s.m. Prenda de vestir femenina, mucho más ancha que larga, generalmente de seda o de lana, y que se lleva sobre los hombros como abrigo o como adorno: *Encima del abrigo llevaba un elegante echarpe de seda.* □ SINÓN. *chal.* □ ETIMOL. Del francés *écharpe*.

echinácea s.f. Planta con flores de color rojizo o púrpura y que tiene propiedades medicinales.

-ecico, -ecica →**-ico, -ica.**

-ecillo, -ecilla →**-illo, -illa.**

-ecín, -ecina →**-ín, -ina.**

-eciño, -eciña →**-iño, -iña.**

-ecito, -ecita →**-ito, -ita.**

eclecticismo s.m. **1** Modo de actuar o de pensar que adopta posturas intermedias y alejadas de soluciones extremas o muy definidas: *Practica un eclecticismo que le ha dado fama de persona abierta y nada radical.* **2** Modo de actuar o de pensar que toma lo mejor de diferentes sistemas: *En su obra se advierte su eclecticismo y su contacto con otras culturas.*

ecléctico, ca ▮ adj. **1** Del eclecticismo o relacionado con este modo de actuar o de pensar: *En un buen arbitraje, conviene saber adoptar soluciones eclécticas.* ▮ adj./s. **2** Que practica el eclecticismo: *Huye de los radicalismos porque es un ecléctico.* □ ETIMOL. Del griego *eklektikós* (miembro de una escuela filosófica que escogía las mejores doctrinas de todos los sistemas).

eclesial adj.inv. De la comunidad cristiana que constituye la Iglesia, o relacionado con ella: *El Papa cuenta con el apoyo de toda comunidad eclesial católica.* □ SEM. Dist. de *eclesiástico* (referido esp. a los clérigos).

eclesiástico, ca ▌adj. **1** De la comunidad cristiana que constituye la Iglesia, esp. de los clérigos, o relacionado con ella: *Un cardenal es una autoridad eclesiástica.* ▌s.m. **2** Hombre que ha recibido las órdenes sagradas: *En la familia de mi amiga hay tres eclesiásticos.* ☐ SINÓN. *clérigo.* ☐ ETIMOL. Del griego *ekklesiastikós.* ☐ SEM. Dist. de *eclesial* (de la Iglesia en general).

eclipsable adj.inv. Que se puede oscurecer o deslucir.

eclipsar ▌v. **1** Referido a un astro, causar el eclipse de otro: *La Luna eclipsó al Sol.* **2** Oscurecer o deslucir: *Tiene tanto encanto, que eclipsa a cuantos estén con ella.* ▌prnl. **3** Referido a un astro, sufrir un eclipse: *Cuando el Sol se eclipsa, parece que se ha hecho la noche.* **4** Desaparecer, ausentarse o perder notoriedad: *Su belleza no se eclipsa con el paso de los años.*

eclipse s.m. **1** Desaparición transitoria de un astro a la vista de un observador, debida a la interposición de otro cuerpo celeste. **2** Desaparición, ausencia o pérdida de notoriedad: *Tras su accidente, se produjo el eclipse de su fama como actor.* **3** || **eclipse lunar;** el producido por la interposición de la Tierra entre la Luna y el Sol. || **eclipse solar;** el producido por la interposición de la Luna entre el Sol y la Tierra. ☐ ETIMOL. Del latín *eclipsis*, y este del griego *ékleipsis* (desaparición).

eclíptica s.f. En astronomía, círculo máximo de la esfera celeste, que corta el Ecuador y señala el curso aparente del Sol durante un año: *La Eclíptica es un círculo imaginario con el que se representa la trayectoria solar.* ☐ ETIMOL. Del latín *ecliptica línea*, y este del griego *ekleiptiké* (relativo a los eclipses), porque en la antigua astronomía se aplicaba este nombre a la línea en que se producían los eclipses. ☐ ORTOGR. Dist. de *elíptica.* ☐ USO Se usa más como nombre propio.

eclisa s.f. Pieza de hierro que sirve para reforzar los empalmes de los rieles de la vía férrea: *Los operarios revisaron las eclisas para ver si estaban en perfecto estado.* ☐ ETIMOL. Del francés *éclisse.*

eclosión s.f. **1** Manifestación, aparición o brote repentinos de un fenómeno, esp. en el ámbito social o cultural. **2** En biología, apertura de la envoltura de un organismo para dar salida a este: *la eclosión de las flores; la eclosión de los huevos.* ☐ ETIMOL. Del francés *éclosion.*

eclosionar v. En biología, referido esp. a la envoltura de un organismo, abrirse para dar salida a este: *Los huevos de la gallina eclosionan tras el período de incubación.*

eco s.m. **1** Repetición de un sonido producida cuando las ondas sonoras son reflejadas por un cuerpo duro. **2** Sonido débil y confuso: *De lejos se oían los ecos de la verbena.* **3** Noticia o rumor vagos: *Nos llegaron ecos de un golpe de Estado en la isla.* **4** Difusión, repercusión o alcance: *La convocatoria de huelga no tuvo ningún eco.* **5** || **hacerse eco de** algo; contribuir a su difusión: *Solo un periódico se hizo eco del estreno.* ☐ ETIMOL. Del latín *echo*, y este del griego *ekhó* (sonido, eco). ☐ SINT. La acepción 4 se usa más con el verbo *tener* o equivalentes.

eco- **1** Elemento compositivo prefijo que significa 'casa': *economía.* **2** Elemento compositivo prefijo que significa 'medio ambiente': *ecología, ecológico.* **3** Elemento compositivo prefijo que significa 'ecológico': *ecoturismo, ecoindustria.* ☐ ETIMOL. Del griego *ôikó-*.

ecocardiografía s.f. Ecografía del corazón mediante ondas acústicas: *La ecocardiografía se ha desarrollado recientemente.* ☐ ETIMOL. Del latín *echo*, y este del griego *ekhó* (sonido) y *cardiografía.*

ecocardiograma s.m. Gráfica en la que se registran la posición y los movimientos del corazón mediante ondas ultrasónicas: *Durante el chequeo me hicieron un ecocardiograma.* ☐ ETIMOL. Del latín *echo*, y este del griego *ekhó* (sonido) y *cardiograma.*

ecocidio s.m. Daño ecológico muy grave: *Quemar los bosques es un auténtico ecocidio.*

ecoencefalografía s.f. Ecografía del interior del cráneo mediante ondas acústicas: *Me hicieron una ecoencefalografía en la clínica.* ☐ ETIMOL. Del latín *echo*, y este del griego *ekhó* (sonido) y *encefalograma.*

ecoetiqueta s.f. Etiqueta que llevan los productos cuya fabricación, uso y eliminación no dañan el medio ambiente: *Sólo utilizo productos con ecoetiqueta.*

ecografía s.f. Exploración interna de un órgano mediante ondas electromagnéticas o acústicas cuyos ecos quedan reflejados en una pantalla: *Está en el quinto mes de embarazo y tiene que hacerse una ecografía.* ☐ ETIMOL. Del latín *echo*, y este del griego *ekhó* (sonido) y *-grafía* (representación gráfica).

ecografista adj.inv./s.com. Especialista en la realización de ecografías: *El ecografista me ha dicho que el bebé será un niño.*

ecógrafo s.m. Aparato con el que se realizan ecografías: *Es fácil saber el sexo del feto mediante el ecógrafo.*

ecoindustria s.f. Industria que tiene en cuenta los aspectos ecológicos: *La ecoindustria pretende preservar el medio ambiente.*

ecolalia s.f. En medicina, perturbación del lenguaje que consiste en la repetición inmediata de una palabra o frase que acaba de ser pronunciada: *La ecolalia se da en algunos casos de trastornos cerebrales.* ☐ ETIMOL. Del latín *echo*, y este del griego *ekhó* (sonido) y *laliá* (habla).

ecología s.f. **1** Ciencia que estudia las relaciones de los seres vivos entre sí y con su medio ambiente: *La ecología analiza la influencia del desarrollo industrial en el equilibrio de la naturaleza.* **2** Relación existente entre los grupos humanos y el medio ambiente natural: *Se detecta una creciente preocupación social por la ecología.* ☐ ETIMOL. De *eco-* (medio ambiente) y *-logía* (ciencia, estudio).

ecológico, ca adj. **1** De la ecología o relacionado con ella: *un desastre ecológico.* **2** Que respeta el medio ambiente porque no contamina o porque no malgasta energía.

ecologismo s.m. Movimiento que defiende la necesidad de proteger el medio ambiente, y que pretende que las relaciones entre las personas y su entorno sean más armónicas: *El ecologismo se opone a la utilización de la naturaleza como fuente inagotable de recursos.* ☐ SINÓN. *conservacionismo.* ☐ USO Es innecesario el uso del anglicismo *ambientalismo*.

ecologista ▮ adj.inv. **1** Del ecologismo o relacionado con este movimiento: *Los partidos verdes defienden los ideas ecologistas.* ☐ SINÓN. *conservacionista.* ▮ adj.inv./s.com. **2** Partidario o seguidor del ecologismo: *Los ecologistas se oponen a la construcción de una central nuclear en nuestra comarca.* ☐ SINÓN. *conservacionista.* ☐ USO Es innecesario el uso del anglicismo *ambientalista*.

ecologizar v. Hacer ecológico: *Los progresos técnicos han de ecologizarse, si queremos conservar nuestro medio ambiente.* ☐ ORTOGR. La *z* se cambia en *c* delante de *e* →CAZAR.

ecólogo, ga s. Persona que se dedica al estudio de la ecología, esp. si esta es su profesión: *Los ecólogos han señalado el peligro de los vertidos industriales.*

ecomarketing s.m. Marketing basado en la ecología: *Las campañas publicitarias de muchos detergentes se centran en el ecomarketing.* ☐ PRON. [ecomárketing].

e-commerce (ing.) s.m. →**cibercomercio.** ☐ PRON. [icoméːrs]. ☐ USO Su uso es innecesario.

economato s.m. Establecimiento en el que se pueden adquirir productos a un precio más bajo del habitual, y cuyo acceso suele estar restringido a los miembros de un colectivo: *Hacemos la compra de la semana en un economato para empleados de banca.*

econometría s.f. Parte de la economía que se ocupa de la aplicación de las técnicas matemáticas y estadísticas al análisis, previsión y solución de los problemas económicos: *Los expertos en econometría están elaborando un modelo matemático que explique el comportamiento de los precios.* ☐ ETIMOL. De *economía* y *-metría* (medición).

econométrico, ca adj. De la econometría o relacionado con ella: *Este estudio está hecho desde una perspectiva econométrica.*

economía s.f. **1** Ciencia que se ocupa de la creación, desarrollo y administración de los recursos, bienes y servicios dirigidos a satisfacer las necesidades humanas. **2** Estructura o régimen económicos de una organización o de un sistema: *En un sistema de economía mixta, algunos medios de producción son del Estado y otros de particulares.* **3** Riqueza pública o conjunto de actividades económicas: *La agricultura es uno de los pilares de nuestra economía.* **4** Ahorro de dinero o de otros recursos: *El aislamiento térmico permite una importante economía en gastos de calefacción.* **5** ‖ **economía de escala;** beneficios que se derivan de la gran dimensión de las empresas: *Entendí qué era la economía de escala cuando comprendí que las industrias de automóviles gastan miles de millones en publicidad con un porcentaje muy pequeño de su facturación.* ‖ **economía de mercado;** sistema económico en el que los precios se determinan en función de la oferta y la demanda: *Los países capitalistas se rigen por una economía de mercado.* ‖ **economía sumergida;** conjunto de actividades económicas realizadas al margen de la legislación y eludiendo el control del Estado: *Los que trabajan sin contrato al tiempo que cobran una prestación por desempleo engrosan la economía sumergida.* ☐ ETIMOL. Del latín *oeconomia*, y este del griego *oikonomía* (dirección o administración de una casa).

economicismo s.m. Doctrina o concepción que concede a los factores económicos una importancia fundamental y superior a la de los de cualquier otro tipo: *El economicismo está en la base de la interpretación marxista de la Historia.*

economicista adj.inv./s.com. Que defiende la hegemonía o la preeminencia de los hechos económicos en el análisis de los fenómenos sociales: *Los economicistas fundamentan lo esencial de las relaciones sociales en lo económico.*

económico, ca adj. **1** De la economía o relacionado con ella: *una crisis económica.* **2** Que cuesta poco dinero o que gasta poco: *Hace la compra en un hipermercado, porque le sale más económica.*

economista s.com. Persona que se dedica profesionalmente a la economía, esp. si es licenciada en ciencias económicas: *Casi todos los directivos del banco son economistas.*

economizar v. **1** Ahorrar o disminuir los gastos, generalmente con el fin de guardar para el futuro: *Si el sueldo no te llega, aprende a economizar en la compra diaria.* **2** Referido esp. a un esfuerzo o a un riesgo, evitarlos o no realizarlos: *Economiza energías, que queda mucho camino.* ☐ ORTOGR. La *z* se cambia en *c* delante de *e* →CAZAR.

ecónomo ▮ adj./s.m. **1** Referido a un eclesiástico, esp. a un sacerdote, que desempeña las funciones de un puesto cuando este está vacante o cuando su titular no puede desempeñarlo: *Se ha nombrado un cura ecónomo para que sustituya al párroco durante su ausencia.* ▮ s.m. **2** Persona que, designada por el obispo, administra los bienes de la diócesis: *El ecónomo de esta diócesis tiene una gran experiencia como administrador y contable.* ☐ ETIMOL. Del griego *oikonómos*, y este de *ôikos* (casa) y *nómos* (ley, norma).

ecosistema s.m. Sistema biológico formado por una comunidad de seres vivos y el medio ambiente en el que se desarrollan: *Cada especie desempeña un papel concreto en el ecosistema.* ☐ ETIMOL. De *eco-* (medio ambiente) y *sistema*. ☐ ORTOGR. Dist. de *biotopo* (área geográfica en la que vive una comunidad de especies).

ecotasa s.f. Impuesto con el que se gravan las actividades contaminantes: *La ecotasa pretende acabar con el uso de energías contaminantes y con toda actividad perjudicial para el medio ambiente.*

ecotaxi s.m. Taxi que utiliza un carburante ecológico. □ ETIMOL. De *eco-* (medio ambiente) y *taxi*.

ecotóxico, ca adj. Que resulta tóxico para el medio ambiente: *vertidos ecotóxicos.* □ ETIMOL. De *eco-* (medio ambiente) y *tóxico*.

ecoturismo s.m. Turismo en contacto con el medio ambiente: *El ecoturismo es una alternativa al turismo tradicional.*

ectima s.f. Enfermedad de la piel caracterizada por la presencia de pústulas con pus: *La ectima es una variedad del impétigo.*

ectodérmico, ca adj. Del ectodermo o relacionado con esta capa de células: *tejidos de origen ectodérmico.*

ectodermo s.m. En un embrión animal, capa celular más externa: *El ectodermo da lugar, entre otras cosas, al sistema nervioso y a la epidermis de los vertebrados.* □ ETIMOL. Del griego *ektós* (fuera) y *dérma* (piel).

-ectomía Elemento compositivo sufijo que significa 'extirpación': *histerectomía, ovariectomía.* □ ETIMOL. Del griego *ektomé* (corte, extirpación).

ectopia s.f. Anomalía en la situación de un órgano, esp. de una víscera. □ ETIMOL. Del griego *ék* (fuera) y *tópos* (lugar).

ectópico, ca adj. Que se produce fuera del lugar adecuado: *un embarazo ectópico.*

ectoplasma s.m. **1** En una célula, parte exterior del citoplasma: *El ectoplasma tiene una textura de gel.* **2** Sustancia que emite un médium durante su comunicación con espíritus o fuerzas ocultas, y con la que se forman apariencias de seres vivos o de objetos: *Mi amigo es médium y defiende la existencia de ectoplasmas y de otros fenómenos defendidos por teorías ocultistas.* □ ETIMOL. Del griego *ektós* (fuera) y *plásma* (formación).

ecu s.m. Unidad monetaria de la Unión Europea (organización que agrupa a países europeos de régimen democrático y economía de mercado) hasta 1995. □ ETIMOL. Es el acrónimo del inglés *European Currency Unit* (unidad monetaria europea).

ecuación s.f. En matemáticas, igualdad que contiene una o más incógnitas: *La expresión matemática '3x = 6' representa una ecuación.* □ ETIMOL. Del latín *aequatio*, y este de *aequare* (igualar).

ecuador s.m. **1** En geografía, círculo máximo imaginario que está a igual distancia de los dos polos terrestres. □ SINÓN. *línea equinoccial.* **2** Punto medio en el transcurso de algo: *Estamos en el ecuador de nuestros estudios.* □ ETIMOL. Del latín *aequator*, y este de *aequare* (igualar). □ USO La acepción 1 se usa más como nombre propio.

ecualización s.f. Ajuste de la frecuencia de un sonido.

ecualizador s.m. En un equipo de alta fidelidad, dispositivo que sirve para ajustar las frecuencias del sonido: *Un ecualizador permite que la reproducción del sonido sea más fiel.*

ecualizar v. Referido a un sonido grabado, ajustar sus frecuencias al reproducirlo, generalmente con el fin de igualarlo a su emisión originaria: *Los modernos equipos de alta fidelidad permiten ecualizar las grabaciones a gusto del oyente.* □ ETIMOL. Del inglés *to equalize* (igualar). □ ORTOGR. La *z* se cambia en *c* delante de *e* →CAZAR.

ecuánime adj.inv. Que tiene ecuanimidad o que se manifiesta de manera equilibrada o imparcial: *una opinión ecuánime.*

ecuanimidad s.f. **1** Imparcialidad de opinión o de juicio: *Ha sido felicitado por la ecuanimidad con que ha dictado sentencia.* **2** Serenidad o equilibrio. □ ETIMOL. Del latín *aequaminitas*, y este de *aequus* (igual).

ecuatoguineano, na adj./s. De Guinea Ecuatorial o relacionado con este país africano. □ SINÓN. *guineano.*

ecuatorial adj.inv. Del Ecuador o relacionado con este círculo imaginario de la Tierra: *La vegetación de las regiones ecuatoriales se caracteriza por su exuberancia.* □ ETIMOL. Del antiguo *ecuator* (ecuador).

ecuatorianismo s.m. En lingüística, americanismo propio de Ecuador (país americano): *En Quito creo que van a publicar un diccionario de ecuatorianismos.*

ecuatoriano, na adj./s. De Ecuador o relacionado con este país americano: *La capital ecuatoriana es Quito.*

ecuestre adj.inv. **1** Del caballo o relacionado con él: *deportes ecuestres.* **2** En arte, referido esp. a una figura, que está representada montada a caballo: *un retrato ecuestre.* □ ETIMOL. Del latín *aequester*.

ecuménico, ca adj. Universal o que se extiende al mundo entero. □ ETIMOL. Del griego *oikumenikós*, y este de *oikuméne* (la tierra habitada). *El mensaje de salvación que transmite el cristianismo tiene carácter ecuménico.*

ecumenismo s.m. Movimiento religioso que pretende restaurar la unidad entre todas las iglesias cristianas: *El Concilio Vaticano II aprobó un decreto sobre el ecumenismo.*

ecuyere s.f. En un circo, mujer que realiza números acrobáticos a caballo. □ ETIMOL. Del francés *écuyère* (amazona).

eczema s.m. →**eccema.**

-eda Sufijo que indica lugar con abundancia de algo: *alameda, rosaleda.*

edad s.f. **1** Tiempo de vida desde el nacimiento: *Tengo treinta años de edad.* **2** Cada uno de los períodos de la vida humana: *Cada edad tiene su encanto.* **3** Antigüedad o duración de algo desde el inicio de su existencia: *Los científicos tratan de fijar la edad del mundo.* **4** Cada uno de los grandes períodos de tiempo en los que se divide tradicionalmente la historia: *Visitamos una exposición sobre las edades del ser humano en la Tierra.* **5** ‖ **de edad;** entrado en años: *No debe permitirse ciertos excesos porque ya es un hombre de edad.* ‖ **edad antigua;** período histórico anterior a la Edad Media, que abarca desde la aparición de la escritura hasta el fin del Imperio Romano. ‖ **edad contemporánea;** período histórico posterior a la Edad Moderna, que abarca aproximadamente desde finales del siglo XVIII hasta nuestros días. || **edad de los metales;** período prehistórico posterior a la Edad de Piedra, durante el cual se empezaron a usar los metales. || **edad {de merecer/casadera};** *col.* Aquella en la que se considera que ya se está preparado para formar pareja. || **edad de oro;** tiempo de mayor esplendor: *Los siglos XVI y XVII constituyen la edad de oro de la literatura española.* || **edad de piedra;** período prehistórico anterior al uso de los metales. || **edad del bronce;** segundo período de la Edad de los Metales, anterior a la Edad del Hierro y posterior a la Edad del Cobre, que se caracteriza por el uso del bronce en la fabricación de armas y herramientas. || **edad del cobre;** primer período de la Edad de los Metales, anterior a la Edad del Bronce, que se caracteriza por el uso del cobre en la fabricación de armas y herramientas. || **edad del hierro;** tercer período de la Edad de los Metales, posterior a la Edad del Bronce, que se caracteriza por el uso del hierro en la fabricación de armas y herramientas. || **edad del pavo;** *col.* La que marca el paso a la adolescencia. || **edad media;** período histórico anterior a la Edad Moderna y posterior a la Edad Antigua, que abarca aproximadamente desde el siglo V hasta el siglo XV. □ SINÓN. *medievo.* || **edad mental;** grado de desarrollo intelectual de una persona. || **edad moderna;** período histórico anterior a la Edad Contemporánea y posterior a la Edad Media, que abarca aproximadamente desde finales del siglo XV hasta principios del siglo XIX. || **mayor de edad;** referido a una persona, que ha llegado a la edad fijada por la ley para poder ejercer todos sus derechos civiles. || **menor de edad;** referido a una persona, que no ha llegado a la mayoría de edad. || **tercera edad;** ancianidad o período de la vida de una persona que se inicia alrededor de los sesenta y cinco años. □ ETIMOL. Del latín *aetas* (vida, tiempo que se vive). □ SEM. *Edad Antigua* es dist. de *Antigüedad* (época de la historia que corresponde a la época antigua de los pueblos situados en torno al Mediterráneo). □ USO En la acepción 4 y en sus locuciones, se usa más como nombre propio.

-edad →**-dad.**

edafología s.f. Ciencia que estudia la naturaleza del suelo y sus características físicas, químicas y evolutivas en relación con las plantas y con los seres vivos: *La edafología estudia la composición química de los distintos tipos de suelos.* □ ETIMOL. Del griego *édaphos* (suelo) y *-logía* (ciencia, estudio).

edafólogo, ga s. Persona especializada en edafología: *Una edafóloga nos ha dicho que este suelo no es apropiado para este tipo de cultivo.*

-edal Sufijo que indica lugar con abundancia de algo: *robledal, lauredal.*

edam (hol.) s.m. Queso elaborado con leche de vaca, de color anaranjado, originario de Edam (ciudad holandesa): *El edam es muy conocido como 'queso de bola'.* □ PRON. [édam].

edecán ▌s.com. **1** *col.* Persona que acompaña o presta ayuda, apoyo o servicio a otra, generalmente a un superior con quien se comporta de manera servil: *La presidenta del consejo siempre va seguida de alguno de sus edecanes.* **2** En zonas del español meridional, bedel: *Varios asistentes al congreso pidieron información a un edecán.* ▌s.m. **3** En el ejército, antiguo ayudante de campo: *Los edecanes estaban subordinados a los oficiales.* □ ETIMOL. Del francés *aide de camp* (ayuda de campo). □ USO La acepción 1 tiene un matiz despectivo o irónico.

edelweiss (al.) s.m. Planta herbácea de flores blancas en forma de estrella, que crece en zonas de alta montaña y es muy apreciada por su belleza: *Aún guardo un edelweiss disecado que cogí en los Pirineos.* □ PRON. [edelváis].

edema s.m. En medicina, acumulación y retención patológicas de líquido en un órgano o en el tejido subcutáneo: *un edema pulmonar.* □ ETIMOL. Del griego *óidema* (hinchazón, tumor). □ ORTOGR. Dist. de *enema.*

edén s.m. **1** Según la Biblia, paraíso terrenal, en el que vivieron Adán y Eva (primer hombre y primera mujer) hasta que cometieron el pecado original: *En la Biblia se dice que el edén era un lugar con abundante vegetación.* **2** Lugar muy ameno y agradable: *Su jardín es un pequeño edén , y allí se está de maravilla.* □ ETIMOL. Del hebreo *éden* (huerto delicioso).

edénico, ca adj. Del edén o con las características que se consideran propias de este: *Disfruté el sosiego edénico que se respiraba en aquella pradera.*

edetano, na adj./s. De un antiguo pueblo prerromano que habitaba la Edetania (región que se extendía por los actuales territorios valenciano y aragonés), o relacionado con él: *Sagunto y Edeta, actual Liria, eran emplazamientos edetanos.*

edición s.f. **1** Impresión o reproducción de una obra para su publicación: *Le han propuesto hacer la edición de su antología poética.* **2** Conjunto de ejemplares de una obra, producidos a partir del mismo molde, en una o varias impresiones: *La novela tuvo tanto éxito, que de la primera edición se hicieron varias reimpresiones.* **3** Texto de una obra preparado con criterios filológicos: *Leí el 'Poema de Mio Cid' en la edición anotada de un prestigioso medievalista.* **4** Celebración de una exposición, de un festival o de otro acontecimiento semejante, que se repiten periódicamente: *La presente edición del festival de cine está contando con gran afluencia de público.* **5** || **edición princeps;** la primera de una obra. □ ETIMOL. Del latín *editio* (parto, publicación). □ PRON. En la acepción 5, [prínceps] o [prínkeps]. □ USO En las acepciones 1 y 2, es innecesario el uso del anglicismo *editing.*

edicto s.m. **1** Mandato o decreto publicados por una autoridad competente: *un edicto judicial.* **2** Aviso o notificación públicos que se hacen para los ciudadanos en general: *¿Has leído el edicto del alcalde anunciando restricciones de agua por causa* *de la sequía?* □ ETIMOL. Del latín *edictum*, y este de *edicere* (proclamar).

edículo s.m. **1** Templete que tiene un uso religioso. **2** Edificio de pequeñas dimensiones. □ ETIMOL. Del latín *aediculum*.

edificable adj.inv. Referido a un lugar, que tiene las condiciones necesarias para edificar algo en él: *un terreno edificable*.

edificación s.f. **1** Construcción de un edificio: *En el plan de urbanización de la zona, está prevista la edificación de varios bloques.* **2** Edificio o conjunto de edificios: *En el casco viejo de la ciudad se conservan edificaciones con siglos de antigüedad.*

edificador, -a ▌adj. **1** Que da ejemplo e inspira sentimientos nobles y virtuosos. □ SINÓN. *edificativo, edificante.* ▌adj./s. **2** Que edifica o construye.

edificante adj.inv. Que da ejemplo e inspira sentimientos nobles y virtuosos: *Este libro resulta edificante porque contiene una gran lección moral.* □ SINÓN. *edificativo, edificador.*

edificar v. **1** Referido a un edificio, construirlo o mandarlo construir: *En estos terrenos van a edificar un complejo deportivo.* **2** Referido a un lugar, construir o mandar construir algo en él: *Han comenzado las obras para edificar estos terrenos.* **3** Referido esp. a una entidad o a una sociedad, establecerlas, fundarlas o levantarlas: *Edificó un gran imperio económico partiendo de la nada.* **4** Referido a una persona, darle ejemplo e infundir en ella sentimientos de piedad y de virtud: *Su vida de entrega a los demás nos edifica a todos.* □ ETIMOL. Del latín *aedificare*, y este de *aedes* (casa, edificio, templo) y *facere* (hacer). □ ORTOGR. La *c* se cambia en *qu* delante de *e* →SACAR.

edificativo, va adj. Que da ejemplo e inspira sentimientos nobles y virtuosos: *Su actitud de comprensión y ayuda a los pobres resulta edificativa.* □ SINÓN. *edificante, edificador.*

edificio s.m. Construcción hecha con ladrillos o con otros materiales resistentes, y destinada generalmente a servir de vivienda o de espacio para una actividad: *En los edificios del centro, cada vez hay menos viviendas y más oficinas y centros comerciales.* □ ETIMOL. Del latín *aedificium*.

edil, -a s. En un concejo o ayuntamiento, persona que tiene un cargo de gobierno: *En la próxima reunión del alcalde con sus ediles, se aprobarán los presupuestos municipales para este año.* □ SINÓN. *concejal.* □ ETIMOL. Del latín *aedilis*. □ SEM. 1. Dist. de *alcalde* (quien preside el Ayuntamiento de un término municipal). 2. El uso de la expresión **primer edil* para designar al alcalde es incorrecto, aunque está muy extendido. □ USO El masculino también se usa para designar el femenino: *Mi hermana es edil.*

edilicio, cia adj. Del edil o relacionado con este cargo público. □ ETIMOL. Del latín *aedilitius*.

edípico, ca adj. De Edipo (héroe legendario griego que mató a su padre y se casó con su madre), o relacionado con él: *En psicoanálisis, cuando un niño siente atracción sexual hacia su madre, se dice que tiene un complejo edípico o de Edipo.*

editar v. Referido esp. a un libro, publicarlo por medio de la imprenta o por otro procedimiento de reproducción: *De su último libro han editado más de trescientos mil ejemplares.* □ ETIMOL. Del francés *éditer*.

editing (ing.) s.m. Trabajo de edición: *El editing de este libro va a resultar más costoso que su producción.* □ PRON. [éditing]. □ USO Su uso es innecesario.

editor, -a ▌s. **1** Persona o entidad que editan o publican una obra por medio de la imprenta o de otros procedimientos de reproducción, multiplicando el número de ejemplares: *Una editora internacional lanzará la colección en varios mercados europeos.* **2** Persona que se ocupa de la preparación de un texto para su publicación siguiendo criterios filológicos: *Además de dar clases, realiza trabajos como editor de textos clásicos.* ▌s.m. **3** En informática, programa que permite crear, modificar, visualizar e imprimir textos: *Este libro está escrito con un editor antiguo.* □ ETIMOL. Del latín *editor*.

editorial ▌adj.inv. **1** Del editor, de la edición, o relacionado con ellos: *En todo proceso editorial, es fundamental una revisión final de las pruebas de imprenta.* ▌s.m. **2** Artículo periodístico de fondo, generalmente sobre un tema de actualidad, que suele aparecer sin firmar y en el que se refleja la opinión de la dirección de la publicación: *El editorial de ese periódico aparece siempre en la tercera página y enmarcado por un recuadro.* ▌s.f. **3** Empresa que se dedica a la edición o publicación de obras: *Esta editorial tiene en el mercado varias colecciones de libros infantiles.*

editorialista s.com. Persona encargada de redactar los editoriales o artículos de fondo periodísticos: *Esta editorialista se encarga de expresar la opinión que la directiva del periódico tiene sobre la actual política económica.*

editorializar v. Expresar algo mediante un editorial: *El tema de la crisis económica ha sido editorializado en los periódicos más importantes.* □ ORTOGR. La *z* se cambia en *c* delante de *e* →CAZAR.

-edizo, -ediza →**-izo, -iza.**

-edo Sufijo que indica lugar con abundancia de algo: *robledo, viñedo.*

edredón s.m. Colcha o cobertor de cama rellenos de plumas de ave, de algodón o de otros materiales de abrigo: *Un edredón pesa menos que una manta y abriga más.* □ ETIMOL. Del francés *édredon*, y este del sueco *eiderdun* (plumón de éider, pato salvaje).

-edro Elemento compositivo sufijo que significa 'cara': *poliedro, romboedro.*

educabilidad s.f. Posibilidad de que una persona pueda ser educada.

educación s.f. **1** Desarrollo o perfeccionamiento de las facultades intelectuales y morales de una persona: *La educación de los niños es competencia de los padres.* **2** Enseñanza o adoctrinamiento que se da a alguien para conseguir este desarrollo: *Quiere dar a sus hijos una educación religiosa.* **3** Urbanidad y cortesía: *Si tuvieses más educación, no dirías esas palabrotas.* **4** Instrucción por medio de la enseñanza docente: *Criticó la baja calidad de la educación universitaria.* **5** || **educación compensatoria;** conjunto de acciones sociales y administrativas cuyo propósito es conseguir la igualdad de oportunidades en educación. **6** || **educación especial;** la que se destina a personas discapacitadas física o psíquicamente. || **educación física;** conjunto de disciplinas y ejercicios encaminados a lograr el desarrollo corporal. || **educación infantil;** etapa de escolarización que abarca de los cero a los seis años de edad. || **(educación) primaria;** etapa de escolarización obligatoria que abarca de los seis a los doce años de edad. || **(educación) secundaria (obligatoria);** etapa de escolarización obligatoria que abarca de los doce años en adelante. ☐ SINÓN. *ESO.* ☐ ETIMOL. Del latín *educatio.*

educacional adj.inv. De la educación o relacionado con ella: *El Ayuntamiento está lanzando una serie de programas educacionales para adultos.*

educado, da adj. Que tiene buena educación o modales correctos: *Es un chico tan formal y educado, que no me lo imagino diciendo tacos.*

educador, -a ▮ adj./s. **1** Que educa. ▮ s. **2** Persona que se dedica profesionalmente a la enseñanza: *Mi amiga es educadora en un colegio cercano.* ☐ ETIMOL. Del latín *educator.*

educando, da adj./s. Que está recibiendo educación, esp. referido al alumno de un colegio: *Se pretende la colaboración de educadores, educandos y padres en el proceso educativo.*

educar v. **1** Referido a una persona, hacer que desarrolle o perfeccione sus facultades intelectuales y morales: *A un hijo hay que educarlo, además de alimentarlo y vestirlo. Se educó en un colegio bilingüe.* **2** Referido a una persona, enseñarle las normas de urbanidad y de cortesía: *¡A ver si educas un poco mejor a tus hijos, y les enseñas a no comer con la boca abierta!* **3** Referido esp. a un sentido, desarrollarlo, perfeccionarlo o afinarlo: *Si quieres llegar a cantante, tendrás que educar la voz.* **4** Dirigir, encaminar u orientar, esp. en una doctrina: *Desde niño lo educaron en el respeto a los mayores.* ☐ ETIMOL. Del latín *educare.* ☐ ORTOGR. La *c* se cambia en *qu* delante de *e* →SACAR.

educativo, va adj. **1** De la educación o relacionado con ella: *El fracaso escolar es uno de los mayores problemas educativos del momento.* ☐ SINÓN. *educacional.* **2** Que educa o sirve para educar: *juegos educativos.*

educción s.f. *poét.* Extracción de algo fuera del lugar en el que estaba metido. ☐ ETIMOL. Del latín *eductionis.*

educir v. *poét.* Extraer o deducir: *De sus palabras se educe que es un gran lector de poesía.* ☐ ETIMOL. Del latín *educere.* ☐ MORF. Irreg. →CONDUCIR.

edulcoración s.f. Endulzadura de un producto añadiéndole azúcar u otra sustancia: *Los diabéticos suelen utilizar preparados farmacéuticos en vez de azúcar para la edulcoración de sus comidas.*

edulcorado, da adj. **1** Endulzado o azucarado. **2** Suavizado o llevadero: *Le dijeron la verdad, aunque un poco edulcorada.*

edulcorante adj.inv./s.m. Referido a una sustancia, que edulcora o endulza alimentos o medicamentos: *Echa en el café un edulcorante líquido, en vez de azúcar, para no engordar.*

edulcorar v. Endulzar con azúcar o con otra sustancia: *Echa sacarina a la leche para edulcorarla.* ☐ ETIMOL. Del latín *edulcorare,* y este de *dulcor* (dulzura).

EEB s.f. Alteración neurológica que afecta al ganado bovino, producida por priones, que hace que el cerebro adquiera un aspecto esponjoso: *La EEB es conocida como 'mal de las vacas locas'.* ☐ ETIMOL. Es la sigla de *encefalopatía espongiforme bovina.*

efe s.f. Nombre de la letra *f.*

efebo s.m. Muchacho joven o adolescente: *En la antigua Grecia se esculpían muchas figuras de efebos, por considerar que respondían al ideal de belleza masculina.* ☐ ETIMOL. Del latín *ephebus,* y este del griego *éphebos* (adolescente).

efectismo s.m. **1** Tendencia a buscar y producir un efecto o una impresión muy fuertes en el ánimo: *El efectismo puede restar objetividad a una noticia.* ☐ SINÓN. *efectivismo.* **2** Efecto causado por un procedimiento o por un recurso empleados para impresionar fuertemente el ánimo: *El efectismo de un número de magia es mayor cuanto mayor sea la habilidad del mago para ocultar el truco.* ☐ SINÓN. *efectivismo.*

efectista adj.inv. Que tiene intención de producir un fuerte efecto o impresión en el ánimo: *Los relatos de suspense suelen ser muy efectistas.*

efectividad s.f. **1** Capacidad de producir efecto: *A juzgar por lo rápido que te has curado, esas pastillas son de gran efectividad.* **2** Realidad, validez o carácter verdadero: *Un justificante de baja laboral que no esté firmado por el médico carece de efectividad.*

efectivismo s.m. →**efectismo.**

efectivo, va ▮ adj. **1** Que produce efecto. **2** Real, verdadero o válido: *El nombramiento no será efectivo hasta que no se publique en el Boletín Oficial.* ▮ s.m. **3** Dinero en moneda o en billetes: *¿Va a pagar la compra con tarjeta o en efectivo?* ▮ s.m.pl. **4** Totalidad de las fuerzas militares o policiales que se hallan bajo un solo mando o que desempeñan una misión: *Efectivos de la policía nacional disolvieron la manifestación.* **5** || **hacer efectivo;** referido a una cantidad de dinero o a los documentos que la representan, pagarlos o cobrarlos: *El banco hará efectivo el crédito a los dos días de recibir la solicitud.* ☐ ETIMOL. Del latín *effectivus.* ☐ MORF. En la acepción 4, es incorrecto su uso para referirse a los miembros de ese conjunto de fuerzas: *Llegaron dos {*efectivos>agentes} de la policía. Un {*efectivo>miembro} de la Guardia Civil resultó herido.* ☐ SEM. En la acepción 4, designa no solo personas sino también el material. □ USO En la acepción 3, es innecesario el uso del anglicismo *cash*.

efecto ▮ s.m. **1** Lo que es consecuencia de una causa: *Se desmayó por efecto del dolor.* **2** Impresión producida en el ánimo: *Sus palabras causaron muy mal efecto entre los asistentes.* **3** Fin para el que se hace algo: *Los que quieran solicitar un préstamo deberán presentarse en el banco a tal efecto.* **4** Documento o valor mercantiles: *Las letras del Tesoro y los cheques son efectos bancarios.* **5** Movimiento giratorio que se da a algo al lanzarlo, y que lo hace desviarse de su trayectoria normal: *Lanzó la falta con efecto para engañar al portero y coló el balón por la escuadra.* **6** En algunos espectáculos, truco o artificio utilizados para provocar determinadas impresiones en los espectadores: *efectos especiales.* ▮ pl. **7** Bienes, enseres o pertenencias: *Cuando salió en libertad, la policía le devolvió todos sus efectos personales.* **8** || **a efectos de** algo; con la finalidad de conseguirlo o de aclararlo: *Pasó por el banco a efectos de cobrar un cheque.* || **efecto dominó;** el que se manifiesta porque afecta en cadena a una serie de elementos. || **efecto invernadero;** elevación de la temperatura de la atmósfera, producida por un exceso de óxidos de carbono procedentes de las combustiones industriales. || **efecto mariposa;** el que es consecuencia de un proceso que no tiene linealidad, y que se sabe cómo empieza, pero no puede saberse cómo acabará. || **en efecto;** efectivamente o realmente: *Cuando le pregunté si se iba de vacaciones, respondió: «En efecto».* || **surtir efecto;** dar el resultado deseado: *El medicamento pronto surtirá efecto y te sentirás mejor.* □ ETIMOL. Del latín *effectus*, y este de *efficere* (producir un efecto). □ MORF. En las acepciones 4 y 6, se usa más en plural.

efectuación s.f. Realización o ejecución de una acción.

efectuar ▮ v. **1** Realizar, ejecutar o llevar a cabo: *Rogamos que efectúe las instrucciones al pie de la letra.* ▮ prnl. **2** Cumplirse o hacerse real o efectivo: *El anunciado intercambio de prisioneros se efectuó por fin esta madrugada.* □ ETIMOL. Del latín *effectus* (efecto). □ ORTOGR. La *u* lleva tilde en los presentes, excepto en las personas *nosotros* y *vosotros* →ACTUAR.

efeméride ▮ s.f. **1** Acontecimiento muy importante que se recuerda en cualquier aniversario del mismo: *Cada año los españoles celebran la efeméride de la aprobación de la Constitución.* **2** Conmemoración de este aniversario: *El 12 de octubre tiene lugar la efeméride del Descubrimiento de América.* ▮ pl. **3** Conjunto de acontecimientos importantes ocurridos en el día de la fecha, pero en años anteriores: *En la sección de efemérides del periódico he leído que hoy es el aniversario de la muerte de Cervantes.* □ ETIMOL. Del latín *ephemerides*, y este del griego *ephemerís* (memorial diario). □ USO Incorr. **una efemérides*.

efendi s.m. Título honorífico turco. □ SINÓN. *fendi.* □ ETIMOL. Del francés *efendi*, este del turco *efendi* (señor), y este del griego *authentés* (maestro).

eferente adj.inv. **1** En anatomía, referido a una formación o a un conducto, que transmiten sangre, sustancias orgánicas o impulsos energéticos desde una parte del organismo a otras consideradas periféricas respecto de ella: *Las arterias son vasos sanguíneos eferentes que llevan la sangre fuera del corazón.* **2** En anatomía, referido a un estímulo o a una sustancia, que se transmiten de esta manera. □ ETIMOL. Del latín *efferens* (que lleva hacia fuera). □ ORTOGR. Dist. de *oferente*. □ SEM. Dist. de *aferente* (que transmite o se transmite desde una parte a otra considerada central).

efervescencia s.f. **1** Desprendimiento de burbujas gaseosas a través de un líquido. **2** Agitación o excitación grandes: *El país vive en un ambiente de efervescencia política.*

efervescente adj.inv. Que está o puede estar en efervescencia: *una pastilla efervescente.* □ ETIMOL. Del latín *effervescens* (que empieza a hervir).

efesio, sia adj./s. De Éfeso (antigua ciudad de Asia Menor) o relacionado con ella: *Son famosas las cartas de San Pablo a los efesios.* □ ETIMOL. Del latín *Ephesius*.

efetepear v. *col.* En informática, transferir ficheros a través de internet: *Efetepeé varios archivos con documentos sobre esa película.* □ ETIMOL. De *FTP*, que es la sigla de *File Transfer Protocol* (protocolo de transferencia de ficheros).

eficacia s.f. Capacidad para obrar o para producir el efecto deseado: *Es un medicamento de gran eficacia para bajar la fiebre.* □ SEM. Se usa referido esp. a cosas, frente a *eficiencia*, que se prefiere para personas.

eficaz adj.inv. Que produce el efecto al que está destinado: *Las medidas más eficaces contra el tráfico de drogas son las que se toman internacionalmente.* □ ETIMOL. Del latín *efficax*. □ SEM. Se usa referido esp. a cosas, frente a *eficiente*, que se prefiere para personas.

eficiencia s.f. Capacidad para realizar satisfactoriamente la función a la que se está destinado: *La directora ha demostrado su eficiencia y su capacidad de gestión durante años.* □ SEM. Se usa referido esp. a personas, frente a *eficacia*, que se prefiere para cosas.

eficiente adj.inv. Que realiza satisfactoriamente la función a la que está destinado: *Es muy trabajadora y eficiente.* □ ETIMOL. Del latín *efficiens*, y este de *efficere* (producir un efecto). □ SEM. Se usa referido esp. a personas, frente a *eficaz*, que se prefiere para cosas.

efigiar v. Representar en efigie: *un pintor que efigió a los personajes históricos más ilustres.* □ ORTOGR. La *i* nunca lleva tilde.

efigie s.f. Imagen o representación de una persona: *Una de las caras de la moneda lleva la efigie del rey.* □ ETIMOL. Del latín *effigies* (representación, imagen). □ SEM. Dist. de *esfinge* (animal fabuloso).

efímero, ra adj. Pasajero o que dura poco tiempo: *El poeta se queja de que la vida es efímera y huidiza.* □ ETIMOL. Del griego *ephémeros* (que solo dura un día).

eflorescencia s.f. **1** En química, conversión en polvo de determinadas sales, que se produce de manera espontánea al perder el agua de cristalización: *Cuando las sales de yeso se secan se producen eflorescencias.* **2** Erupción que se produce en la piel: *La eflorescencia aparece principalmente en el rostro.* □ ORTOGR. Dist. de *inflorescencia*.

eflorescente adj.inv. En química, referido a un cuerpo, que se efloresce: *La profesora nos explicó cómo un cuerpo eflorescente es capaz de convertirse en polvo cuando pierde el agua de la cristalización.* □ ETIMOL. Del latín *efflorescens* (eflorescente).

eflorescerse v.prnl. En química, referido a un cuerpo, convertirse en polvo al perder el agua de la cristalización: *Algunos compuestos químicos cristalizados tienen la propiedad de eflorescerse.* □ MORF. Irreg. →PARECER.

efluente s.m. Agua residual procedente de una planta industrial: *Las nuevas instalaciones cuentan con un moderno equipo de tratamiento de efluentes.*

efluir v. Referido a un líquido o a un gas, fluir o escaparse hacia el exterior: *La gasolina efluía del camión cisterna tras el accidente.* □ ETIMOL. Del latín *effluere* (fluir). □ ORTOGR. Dist. de *afluir*. □ MORF. Irreg. →HUIR.

efluvio s.m. Emisión de vapores o de partículas muy pequeñas desprendidos por un cuerpo: *Supe que había bebido por los efluvios del alcohol que desprendía.* □ ETIMOL. Del latín *effluvium* (acto de manar).

efracción s.f. **1** Fractura o rotura hecha con intención de delinquir. □ SINÓN. *efractura*. **2** Violencia o acto violento.

efractura s.f. →**efracción.**

efusión s.f. **1** Exteriorización e intensidad en los afectos o en los sentimientos alegres: *Se abrazaron con gran efusión.* **2** Derramamiento de un líquido, esp. de sangre. □ ETIMOL. Del latín *effusio* (acción de derramar).

efusividad s.f. Exteriorización exagerada de un sentimiento de afecto o de alegría: *La ministra española recibió con efusividad a su colega francés.*

efusivo, va adj. Que siente o manifiesta efusión: *Es muy cariñosa y efusiva con todo el mundo.*

EGB s.f. En el antiguo sistema educativo español, nivel de educación primaria obligatoria. □ ETIMOL. Es la sigla de *educación general básica*.

egestión s.f. En biología, expulsión de residuos alimenticios no digeridos.

égida s.f. **1** Escudo que se llevaba en el brazo izquierdo como arma defensiva. **2** Amparo o protección, esp. los que una persona poderosa concede a otra menos importante: *Escribió todos sus poemas bajo la égida de su mecenas.* □ ETIMOL. Del latín *aegis*, y este del griego *aigís* (escudo de piel de cabra), porque la égida de Zeus se hizo con la piel de este animal. □ SEM. Dist. de *hégira* o *héjira* (era o fecha desde la cual se empieza a contar los años en la cronología musulmana). □ USO El uso de la acepción 2 es característico del lenguaje literario.

egipciaco, ca (tb. *egipcíaco, ca*) adj./s. De Egipto o relacionado con este país africano: *Los egipciacos construyeron muchas pirámides.* □ SINÓN. *egipcio, egipciano.*

egipciano, na adj./s. →**egipcíaco.**

egipcio, cia ▌adj./s. **1** De Egipto o relacionado con este país africano: *Los antiguos egipcios construyeron impresionantes pirámides.* □ SINÓN. *egipciaco, egipcíaco, egipciano.* ▌s.m. **2** Antigua lengua de esta zona: *El egipcio empleó, entre otros tipos de escritura, la jeroglífica.* **3** ‖ **hacer el egipcio;** *col.* Pedir dinero: *Deja de hacer el egipcio, porque ya te dí la propina antes.*

egiptología s.f. Estudio de la antigua civilización egipcia: *Un especialista en egiptología descifró una inscripción jeroglífica hallada en una tumba.* □ ETIMOL. De *Egipto* y *-logía* (ciencia, estudio).

egiptológico, ca adj. De la egiptología o relacionado con este estudio: *En la biblioteca de la Facultad de Historia hay una sección de estudios orientales y egiptológicos.*

egiptólogo, ga s. Persona especializada en egiptología: *Una egiptóloga dio una conferencia sobre las creencias en la vida de ultratumba de los antiguos egipcios.*

égloga s.f. Composición poética y bucólica, caracterizada por ofrecer una visión idealizada de la naturaleza y de la vida en el campo: *Algunas églogas latinas sirvieron de modelo para los poetas del Renacimiento.* □ ETIMOL. Del latín *ecloga*, y este del griego *eklogé* (selección).

ego s.m. Valoración excesiva de uno mismo: *Si no tuvieras tanto ego, verías que en el mundo hay más problemas que los tuyos.* □ ETIMOL. Del latín *ego* (yo).

-ego, -ega Sufijo que indica origen, procedencia o patria: *manchego, gallega.*

egocéntrico, ca adj. Que se cree el centro de la atención o de la actividad generales: *Dicen que los grandes divos de la ópera suelen ser muy egocéntricos.*

egocentrismo s.m. Exaltación y valoración exageradas de la propia personalidad: *Tu egocentrismo hace que siempre quieras ser el centro de atención en todas las ocasiones.* □ ETIMOL. Del latín *ego* (yo) y *centro*.

egoísmo s.m. Amor excesivo hacia uno mismo, que lleva a prestar una atención desmedida a los propios intereses sin ocuparse de los ajenos: *El egoísmo es incompatible con la solidaridad y la generosidad.* □ ETIMOL. Del francés *égoïsme*.

egoísta ▌adj.inv. **1** Del egoísmo o relacionado con este sentimiento: *una actitud egoísta.* ▌adj.inv./s.com. **2** Que tiene o manifiesta egoísmo.

ególatra adj.inv./s.com. Que tiene o manifiesta adoración o estimación excesiva de sí mismo: *Los ególatras no pueden admitir que alguien los supere en algo.*

egolatría s.f. Estimación o adoración excesivas de uno mismo: *La egolatría y el engreimiento de algunos artistas resultan ridículos para el público.* □ ETIMOL. Del latín *ego* (yo) y *-latría* (adoración).

egolátrico, ca adj. De la egolatría o relacionado con esta consideración de uno mismo: *El desmedido elogio que hizo de sí mismo revela una personalidad egolátrica.*

egotismo s.m. En psicología, sentimiento exagerado de la propia personalidad, esp. si conlleva un gran deseo de hablar de sí mismo: *Que ande siempre diciendo lo bien que se porta con todos es prueba de su egotismo.* □ ETIMOL. Del inglés *egotism*.

egotista ▮ adj.inv. **1** Del egotismo o relacionado con este sentimiento de la propia personalidad: *Se comportó de manera egotista al hablar sólo de sus cosas.* ▮ adj.inv./s.com. **2** Referido a una persona, que tiene o manifiesta egotismo: *Es fácil que un egotista no sepa hablar de otra cosa más que de sí mismo.*

egregio, gia adj. Ilustre o destacado por su categoría o por su fama: *Visitaron la exposición egregias personalidades de todo el mundo.* □ ETIMOL. Del latín *egregius* (que se destaca del rebaño).

egresado, da s. En zonas del español meridional, graduado o licenciado: *Es una egresada y busca trabajo en un laboratorio.*

egresar v. En zonas del español meridional, graduarse o licenciarse: *Cuando egrese de la universidad, buscaré un trabajo.*

egreso s.m. En zonas del español meridional, graduación o licenciatura: *Me dieron el certificado de egreso de la universidad.*

eh interj. Expresión que se usa para llamar la atención, preguntar, advertir o reprender: *¡Eh, tú, no tires el papel al suelo! ¿Eh, cómo dices?* □ ORTOGR. Dist. de *e* y *he*.

einstenio s.m. Elemento químico, metálico y artificial, de número atómico 99, radiactivo, y que pertenece al grupo de los actínidos: *El einstenio no se encuentra libre en la naturaleza.* □ ETIMOL. De *Einstein*, físico alemán. □ ORTOGR. Su símbolo químico es *Es*.

eje s.m. **1** En un cuerpo o en una superficie, línea que divide su ancho por la mitad: *La línea pintada en el eje de la carretera separa los dos sentidos de la circulación.* **2** En un cuerpo giratorio, barra que lo atraviesa y le sirve de sostén en su movimiento: *el eje de una ruedas.* **3** En un cuerpo, línea imaginaria que pasa por su centro geométrico: *el eje de rotación de la Tierra.* **4** En geometría, recta fija alrededor de la cual se considera que gira una línea para engendrar una superficie, o una superficie para engendrar un cuerpo geométrico: *Un cono es un cuerpo geométrico engendrado por una recta que gira en torno a un eje, unida a él por uno de sus extremos.* **5** Idea fundamental, tema predominante o punto de apoyo principal de algo: *el eje argumental de una película.* **6** Lo que se considera el centro de algo, en torno al cual gira todo lo demás: *Mis hijos son el eje de mi vida.* **7** En una máquina, pieza mecánica que transmite el movimiento de rotación: *el eje de transmisión de un camión.* **8** ‖ **eje de abscisas;** en matemáticas, en un sistema de coordenadas, la coordenada horizontal. ‖ **eje de coordenadas; 1** En matemáticas, cada una de las dos rectas perpendiculares que se cortan en un punto de un plano, y que se toman como referencia para determinar la posición de los demás puntos del mismo plano. **2** En matemáticas, cada una de las tres rectas que resultan de la intersección de dos planos perpendiculares, y que se toman como referencia para determinar la posición de un punto en el espacio. ‖ **eje de ordenadas;** en matemáticas, en un sistema de coordenadas, la coordenada vertical. □ ETIMOL. Del latín *axis*.

eject (ing.) s.m. Tecla o mecanismo que permite sacar una cinta o un disco del aparato donde están: *No puedo sacar la casete, porque no funciona el eject.* □ PRON. [éyet].

ejecución s.f. **1** Acción o realización de algo: *El público aplaudió al torero tras la ejecución del pase de pecho.* **2** Acto de dar muerte a una persona en cumplimiento de una condena. **3** Interpretación de una pieza musical. □ USO En la acepción 2, está muy extendido su uso eufemístico para referirse a asesinatos.

ejecutable ▮ adj.inv. **1** Que se puede ejecutar. ▮ s.m. **2** Programa informático que puede ser ejecutado automáticamente por el sistema operativo.

ejecutante ▮ adj.inv. **1** Que ejecuta. ▮ s.com. **2** Persona que reclama el cumplimiento de lo ordenado en una sentencia. **3** Persona que ejecuta o interpreta una pieza musical: *Al terminar su actuación, el ejecutante agradeció los aplausos del público.*

ejecutar v. **1** Hacer, realizar o llevar a cabo: *Su empresa ejecutará las obras de remodelación.* **2** Referido a una persona, darle muerte en cumplimiento de una condena: *Un pelotón de fusilamiento ejecutó a los rebeldes.* □ SINÓN. *ajusticiar.* **3** Referido a una pieza musical, tocarla o interpretarla: *La orquesta ejecutó la sinfonía con perfección.* □ ETIMOL. Del latín *exsequi* (seguir hasta el final).

ejecutiva s.f. Véase **ejecutivo, va**.

ejecutivo, va ▮ adj. **1** Que no admite espera ni permite que se aplace la ejecución: *una orden ejecutiva.* **2** Referido esp. a un organismo, que tiene la facultad o la misión de ejecutar o de llevar a cabo algo, esp. tareas de gobierno: *El Gobierno de una nación ejerce el poder ejecutivo de la misma.* ▮ s. **3** Persona que ocupa un cargo directivo en una empresa. ▮ s.m. **4** Calcetín fino y opaco que llega hasta debajo de las rodillas. ▮ s.f. **5** Junta directiva de una entidad o de una sociedad. □ ETIMOL. La acepción 4, extensión del nombre de una marca comercial. □ SEM. En la acepción 2, se usa mucho como sustantivo masculino para designar al poder ejecutivo o Gobierno de un país: *La oposición criticó las últimas medidas del ejecutivo.*

ejecutor, -a adj./s. **1** Que ejecuta o realiza algo: *La joven pianista ejecutora de la pieza de Satie ha sido galardonada con el primer premio.* **2**

|| **ejecutor (de la justicia);** persona encargada de ejecutar la pena de muerte: *Los ejecutores de la justicia solían estar enmascarados.* □ SINÓN. *verdugo.*

ejecutoria s.f. Véase **ejecutorio, ria**.

ejecutorio, ria ▮ adj. **1** En derecho, firme o invariable: *No se puede pedir recurso contra una sentencia ejecutoria.* ▮ s.f. **2** En derecho, sentencia que ha alcanzado el carácter de firme y que no puede ser recurrida: *Tienes que hacerte a la idea de que la ejecutoria que ha dictado el Tribunal es inapelable.* **3** En derecho, documento público en el que consta una sentencia de este tipo: *Recibí la ejecutoria por correo certificado.* **4** Documento en el que consta legalmente la nobleza de una persona o de una familia: *una ejecutoria de hidalguía.*

ejem interj. Expresión que se usa para llamar la atención o para dejar en suspenso lo que se estaba diciendo: *El otro día me encontré con..., ejem, disimula, que acaba de entrar.*

ejemplar ▮ adj.inv. **1** Que es digno de ser tomado como modelo: *una persona ejemplar.* **2** Que sirve o debe servir de escarmiento: *un castigo ejemplar.* ▮ s.m. **3** Copia o reproducción sacadas de un mismo original o modelo: *La revista tiene una tirada de cien mil ejemplares.* **4** Original o muestra prototípica o representativa: *El perro premiado era todo un ejemplar de pastor alemán.* **5** Individuo de una especie, de una raza o de un género: *Esa ballena es uno de los pocos ejemplares que quedan de su especie.* □ ETIMOL. Las acepciones 1 y 2, del latín *exemplaris*. Las acepciones 3-5, del latín *exemplar*.

ejemplaridad s.f. Carácter de lo que resulta ejemplar por ser modélico o por servir de escarmiento: *Todos reconocían y elogiaban la ejemplaridad de la vida del homenajeado.*

ejemplario s.m. Conjunto de ejemplos sobre una materia.

ejemplarizante adj.inv. Que ejemplariza: *Muchas obras de la literatura renacentista destacan por tener una finalidad ejemplarizante.*

ejemplarizar v. Dar ejemplo: *Mi abuelo es de la opinión de que los castigos ejemplarizan.* □ ORTOGR. La *z* se cambia en *c* delante de *e* →CAZAR.

ejemplificación s.f. Demostración, ilustración o respaldo de algo por medio de ejemplos: *La profesora terminó la explicación con una ejemplificación de cada caso.*

ejemplificar v. Demostrar, ilustrar o respaldar con ejemplos: *Ejemplificaré la explicación para que se entienda mejor.* □ ORTOGR. La *c* se cambia en *qu* delante de *e* →SACAR.

ejemplo s.m. **1** Lo que se propone para ser imitado o evitado, según se considere bueno o malo respectivamente: *Su error debe servirnos de ejemplo a todos.* **2** Lo que es digno de ser imitado: *Su honestidad es un ejemplo para todos.* **3** Lo que se cita para ilustrar o respaldar lo que se dice: *Para que lo entendiéramos bien, nos puso unos ejemplos.* **4** || **dar ejemplo;** incitar con las propias obras a ser imitado: *Pórtate bien y da ejemplo a los más pequeños.* || **por ejemplo;** expresión que se usa para introducir un dato que ilustre o respalde lo que se está diciendo: *Un lugar para ir de vacaciones puede ser, por ejemplo, la montaña.* □ ETIMOL. Del latín *exemplum* (ejemplo, modelo).

ejercer v. **1** Referido a una profesión, practicarla o desempeñar las funciones que le son propias: *Ejerce la medicina en un pequeño pueblo. Le llegó la edad de jubilación y ya no ejerce.* **2** Referido esp. a una acción o a una influencia, realizarlas o producirlas: *Los dibujos animados ejercen una extraña fascinación en los niños.* **3** Referido esp. a un derecho, practicarlo o hacer uso de él: *Ejerce tu derecho como ciudadano y vota en las elecciones.* □ ETIMOL. Del latín *exercere* (agitar, hacer trabajar sin descanso, practicar). □ ORTOGR. La *c* se cambia en *z* delante de *a, o* →VENCER.

ejercicio ▮ s.m. **1** Práctica o uso que se hace de una facultad o de un derecho: *Era la dueña y entró en la finca haciendo ejercicio de sus derechos.* **2** Ocupación en una actividad o dedicación a un arte o a una profesión: *El ejercicio de la cirugía le ha dado mucha fama.* **3** Movimiento corporal repetido y destinado a conservar la salud o a recobrarla: *Si quieres perder peso, tendrás que hacer ejercicio.* **4** Actividad que se hace para desarrollar una facultad: *Intentar recordar algún poema es un buen ejercicio para la memoria.* **5** Prueba que hay que superar para obtener un grado académico o una plaza por oposición: *Suspendí el ejercicio práctico pero aprobé el oral.* **6** Tarea práctica que sirve de complemento a la enseñanza teórica en el aprendizaje de ciertas disciplinas: *De deberes tenemos unos ejercicios de gramática sobre el uso del subjuntivo.* **7** Período de tiempo, generalmente de un año, en que se divide la actividad de una empresa o de una institución: *Cerramos el último ejercicio con ganancias.* ▮ pl. **8** Movimientos y evoluciones militares con que los soldados y mandos se ejercitan y adiestran: *Tropas de varios países participaron en unos ejercicios conjuntos de maniobras.* **9** || **ejercicios (espirituales);** los que se practican durante algunos días, retirándose de las ocupaciones del mundo y dedicándose a la oración. || **en ejercicio;** que ejerce su profesión o su cargo: *Es un médico aún en ejercicio, pero a punto de jubilarse.* □ ETIMOL. Del latín *exercitium*.

ejercitación s.f. Ocupación en una actividad o práctica reiterada de ella, generalmente para adquirir destreza o habilidad: *La ejercitación en la lectura ayuda a escribir bien.*

ejercitar v. **1** Referido esp. a un arte o a una profesión, practicarlos o dedicarse a su ejercicio: *Ejercita la pintura en un taller.* **2** Referido a una actividad, adiestrar en ella: *Mi padre me ejercitó para ser tan buen carpintero como él. El futbolista se ejercita en el lanzamiento a portería.* **3** Usar reiteradamente con el fin de hacer adquirir destreza o habilidad: *Aprende poesías para ejercitar la memoria.* □ ETIMOL. Del latín *exercitare*. □ SINT. Constr. de la acepción 2: *ejercitar EN algo*.

ejército s.m. **1** Conjunto de las fuerzas aéreas o terrestres de una nación: *Hizo el servicio militar en el Ejército de Tierra.* **2** Conjunto de las fuerzas armadas de una nación: *La misión fundamental del ejército es la defensa de la patria.* **3** Gran unidad militar formada por varios cuerpos agrupados bajo las órdenes de un alto mando: *Cuando el ejército sitió la ciudad, la gente se preparó para resistir el asedio.* **4** Colectividad numerosa, esp. si está organizada o se ha agrupado para un fin: *Un ejército de fans se abalanzó sobre el cantante.* □ ETIMOL. Del latín *exercitus* (cuerpo de gente instruida militarmente). □ USO En la acepción 1, se usa más como nombre propio.

ejidatario, ria s. Persona que posee o que se beneficia de un ejido.

ejido s.m. Campo comunal situado a las afueras de un pueblo, que no se labra y en el que se reúnen los ganados o se establecen las eras: *El pastor llevaba el rebaño a pastar a unos ejidos.* □ ETIMOL. Del antiguo *exir* (salir).

-ejo, -eja Sufijo con valor diminutivo y despectivo: *animalejo, caballejo.* □ ETIMOL. Del latín *-iculus.*

ejote s.m. Vaina comestible del frijol cuando está tierna: *Hice unos ejotes con huevos porque sé que les gustan mucho a tus amigos.*

el, la (pl. *los, las*) art.determ. Se usa antepuesto a un nombre para indicar que el objeto al que este se refiere es ya conocido por el hablante y por el oyente: *He traído un libro, pero no es el que me regalaste.* □ ETIMOL. Del latín *ille, illa* (aquel, aquella). □ ORTOGR. Dist. de *él.* □ MORF. *El* se usa ante sustantivo femenino que empieza por *a* o *ha* tónicas o acentuadas: *el águila.*

él, ella (pl. *ellos, ellas*) pron.pers. Forma de la tercera persona del singular que corresponde a la función de sujeto, de predicado nominal o de complemento precedido de preposición: *Nada más irte tú, llegó ella. Es ella la que mejor lo pasa en sus fiestas. Se han portado muy bien con él.* □ ETIMOL. Del latín *ille* (aquel). □ ORTOGR. Dist. de *el.*

elaboración s.f. **1** Preparación, transformación o producción de algo por medio del trabajo adecuado: *Las abejas utilizan el néctar de las flores para la elaboración de la miel.* **2** Invención, diseño o creación de algo complejo, esp. de un proyecto: *La elaboración del plan fue un proceso largo y difícil.*

elaborado, da adj. **1** Trabajado, preparado o dispuesto para un fin y no improvisado: *Leyó un discurso muy elaborado.* **2** Referido a un producto, que ha sufrido un proceso de elaboración industrial.

elaborar v. **1** Referido esp. a un producto, prepararlo, transformarlo o producirlo por medio del trabajo adecuado: *El pan se elabora con harina, agua y levadura.* □ SINÓN. *fabricar.* **2** Referido a algo complejo, esp. a un proyecto, trazarlo o idearlo: *Los presos elaboraron un plan para escapar de la cárcel.* □ ETIMOL. Del latín *elaborare.*

elasmobranquio ▌adj./s.m. **1** Referido a un pez, que tiene el esqueleto cartilaginoso, la boca con numerosos dientes y presenta de cinco a siete pares de branquias: *Los peces elasmobranquios suelen ser carnívoros.* ▌s.m.pl. **2** En zoología, subclase de estos peces: *Los tiburones y las rayas pertenecen a los elasmobranquios.* □ ETIMOL. Del griego *elasmós* (lámina) y *bránkhion* (branquia).

elastán s.m. Fibra sintética de gran elasticidad y maleable.

elastano s.m. Material elástico que se utiliza en la fabricación de fibras artificiales.

elasticidad s.f. **1** Propiedad que presenta un cuerpo sólido de poder recuperar su forma y su extensión cuando cesa la fuerza que las comprimía o estiraba. **2** Capacidad para acomodarse o adaptarse fácilmente a distintas situaciones o circunstancias: *Si no hay cierta elasticidad en los planteamientos de las dos partes, no llegarán a un punto de acuerdo.*

elástico, ca ▌adj. **1** Referido a un cuerpo, que es capaz de recuperar su forma y extensión cuando cesa la fuerza que lo comprimía o estiraba: *una goma elástica.* **2** Que se acomoda o adapta fácilmente a distintas situaciones o circunstancias: *una actitud elástica.* **3** Que admite muchas interpretaciones o que resulta discutible. ▌s.m. **4** Cinta, cordón o tejido con elasticidad, esp. los que se ponen en algunas prendas de vestir para que ajusten o den de sí. **5** En zonas del español meridional, somier. □ ETIMOL. Del griego *elastós* (dúctil, que puede ser empujado o dirigido).

elastificación s.f. Adquisición de elasticidad.

elastina s.f. Proteína que forma los tejidos conjuntivos, óseos y cartilaginosos y de la que depende la elasticidad de la piel: *La elastina permite que los tejidos recuperen su tamaño normal después de realizar un esfuerzo.* □ ETIMOL. De *elástico.*

elastómero s.m. Material natural o artificial con gran elasticidad. □ ETIMOL. Del griego *elastós* (dúctil) y *méros* (porción).

elastosis (pl. *elastosis*) s.f. Alteración en el tejido elástico de la piel: *Ese chico sufre elastosis y no puede exponerse durante demasiado tiempo al sol.*

elativo s.m. Adjetivo en grado superlativo absoluto: *'Altísimo' es el elativo de 'alto'.*

elato, ta adj. *poét.* Presuntuoso o soberbio. □ ETIMOL. Del latín *elatus* (levantado).

ele ▌s.f. **1** Nombre de la letra *l.* ▌interj. **2** *col.* Expresión que se usa para indicar aprobación: *¡Ele, así se habla!*

e-learning (ing.) s.m. Aprendizaje de una materia a través de internet. □ PRON. [ilérnin]. □ USO Su uso es innecesario y puede sustituirse por *aprendizaje por internet.*

eleático, ca adj. De la escuela filosófica que floreció en el siglo IV a. C. en Elea (antigua ciudad griega situada en el sur de la península italiana), o relacionado con ella: *Parménides y Zenón de Elea fueron dos filósofos eleáticos.*

elección ▌s.f. **1** Selección que se hace para un fin en función de una preferencia: *¡Qué buena elección has hecho inclinándote por ese coche!* **2** Nombramiento o designación de una persona, generalmente mediante votación. **3** Capacidad o posibilidad de elegir: *No tienes elección, así que no le des más vueltas al asunto.* ▮ pl. **4** Emisión de votos para elegir cargos políticos: *Los sondeos de opinión ya prevén quién ganará las próximas elecciones.*

electivo, va adj. Referido esp. a un cargo, que se da o se consigue por elección: *En nuestro país, el cargo de concejal es electivo.* ☐ ETIMOL. Del latín *electivus.*

electo, ta adj./s. Referido a una persona, que ha sido elegida para desempeñar un cargo, pero aún no ha tomado posesión de él: *El presidente electo tomará posesión de su cargo mañana.* ☐ ETIMOL. Del latín *electus*, y este de *eligere* (escoger).

elector, -a adj./s. Que tiene la capacidad o el derecho de elegir, esp. en unas elecciones políticas: *El setenta por ciento de los electores acudió a las urnas.* ☐ ETIMOL. Del latín *elector.*

electorado s.m. Conjunto de los electores: *El líder del partido confiaba en la fidelidad de su electorado.*

electoral adj.inv. De los electores, de las elecciones o relacionado con ellos: *una campaña electoral.*

electoralismo s.m. Consideración de razones puramente electorales en el ejercicio de la política: *Esas promesas que hacen los políticos sabiendo que no podrán cumplirlas son una clara muestra de electoralismo.*

electoralista adj.inv. Que tiene claros fines de propaganda electoral: *Según la oposición, la aprobación ahora de créditos que antes se habían negado responde a razones electoralistas.*

electorero, ra ▮ adj. **1** *desp.* De las intrigas o maniobras electorales, o relacionado con ellas: *La actitud electorera de algunos diputados les ha valido su desprestigio político.* ▮ s. **2** *desp.* Persona que actúa concertando tratos o intrigando en unas elecciones: *Pese a la actuación de los electoreros, no consiguieron ganar las elecciones.*

electricidad s.f. **1** Forma de energía presente en la materia y derivada del movimiento de los electrones y de los protones que forman los átomos. **2** *col.* Corriente eléctrica: *Tienen que contratar la electricidad con la empresa suministradora.* **3** Parte de la física que estudia los fenómenos eléctricos. **4** *col.* Tensión o nerviosismo: *Había electricidad en el ambiente, porque nadie cedía en sus posturas.* **5** || **electricidad estática;** la que aparece en un cuerpo cuando existen en él cargas eléctricas en reposo: *La electricidad estática de algunos cuerpos hace que al tocarlos den calambre.* ☐ ETIMOL. De *eléctrico.* ☐ MORF. Cuando se antepone a otra palabra para formar compuestos, adopta la forma *electro-.*

electricista ▮ adj.inv. **1** Referido a una persona, que es experta en las aplicaciones técnicas y mecánicas de la electricidad: *El ingeniero electricista señaló los puntos en los que deben instalarse los enchufes eléctricos.* ▮ s.com. **2** Persona especializada en instalaciones eléctricas: *Un electricista nos arregló el timbre de la puerta.*

eléctrico, ca adj. **1** De la electricidad, con electricidad o relacionado con ella: *luz eléctrica.* **2** Emocionante o excitante: *un partido muy eléctrico.* ☐ ETIMOL. Del griego *élektron* (ámbar), por la propiedad que tiene el ámbar de atraer cosas eléctricamente al frotarlo. ☐ MORF. Cuando se antepone a otra palabra para formar compuestos adopta la forma *electro-.*

electrificación s.f. **1** Dotación o provisión de energía eléctrica a un lugar: *Iniciaron las obras del alcantarillado y electrificación de toda la urbanización.* **2** Transformación o preparación de una instalación o de una máquina para que funcionen con energía eléctrica: *La electrificación de la maquinaria contribuyó a reducir el esfuerzo físico de los trabajadores.*

electrificado, da adj. Referido esp. a una música, que utiliza instrumentos eléctricos.

electrificar v. **1** Referido a un lugar, dotarlo o proveerlo de energía eléctrica: *Ya han electrificado todas las aldeas de la montaña.* **2** Referido esp. a una instalación o a una máquina, hacer que funcionen por medio de energía eléctrica: *A medida que se fue electrificando el ferrocarril, fueron desapareciendo los viejos trenes de vapor.* ☐ ORTOGR. 1. Dist. de *electrizar.* 2. La *c* se cambia en *qu* delante de *e* →SACAR.

electrización s.f. **1** Producción o comunicación de electricidad en un cuerpo: *Los cables van recubiertos de material aislante para evitar la electrización de las superficies contiguas a ellos.* **2** Exaltación, avivamiento o producción de entusiasmo: *Cada vez que canta esa emblemática canción, se nota en el ambiente la electrización del público.*

electrizante adj.inv. Que electriza: *En aquella fiesta había un ambiente electrizante y lleno de entusiasmo.*

electrizar v. **1** Referido a un cuerpo, producir electricidad en él o comunicársela: *Puedes electrizar un bolígrafo frotándolo con un trozo de lana.* **2** Exaltar o producir entusiasmo: *Las palabras del conferenciante electrizaron al auditorio, que no dejaba de aplaudir.* ☐ ORTOGR. 1. Dist. de *electrificar.* 2. La *z* se cambia en *c* delante de *e* →CAZAR.

electro s.m. *col.* →**electrocardiograma.**

electro- Elemento compositivo prefijo que significa 'electricidad' o 'eléctrico': *electroimán, electrodinámica, electromagnético, electroterapia, electrocardiograma.* ☐ ETIMOL. Del griego *élektron* (ámbar), por la propiedad que tiene el ámbar de atraer cosas eléctricamente al frotarlo.

electroacústica s.f. Véase **electroacústico, ca.**

electroacústico, ca ▮ adj. **1** De la electroacústica o relacionado con esta parte de la física: *un estudio electroacústico.* ▮ s.f. **2** Parte de la física acústica que se ocupa de la captación y reproducción de los sonidos mediante corrientes eléctricas. ☐ ETIMOL. La acepción 2, de *electro-* (electricidad) y *acústica.*

electrocardiografía s.f. Parte de la medicina que trata de la obtención e interpretación de los electrocardiogramas: *La electrocardiografía permite hacer un diagnóstico precoz de algunas dolencias del corazón.*

electrocardiógrafo s.m. Aparato que registra en gráficos las corrientes eléctricas producidas por la actividad del músculo cardíaco: *El electrocardiógrafo permite analizar el funcionamiento del corazón.*

electrocardiograma s.m. Gráfico en el que se registran las corrientes eléctricas producidas por la actividad del músculo cardíaco: *En el electrocardiograma no se apreciaba nada que hiciese temer un infarto.* □ MORF. En la lengua coloquial se usa mucho la forma abreviada *electro.*

electrochoque s.m. Tratamiento médico de enfermedades o perturbaciones mentales, consistente en la aplicación de una descarga eléctrica al cerebro: *El electrochoque es un tratamiento con muchos riesgos, ya que puede producir un estado de coma.* □ USO En círculos especializados se usa mucho el anglicismo *electro-shock*.

electrocromo s.m. Cristal que se oscurece o se aclara a causa de los impulsos eléctricos que recibe: *Los electrocromos necesitan la corriente eléctrica para cambiar de color.*

electrocución s.f. Muerte producida por medio de una corriente o de una descarga eléctricas: *En las casas con niños, conviene tapar los enchufes para evitar riesgos de electrocución.*

electrocutar v. Matar por medio de una descarga eléctrica: *Si tocas un cable de alta tensión, puedes electrocutarte.* □ ETIMOL. Del inglés *to electrocute*.

electrodiagnóstico s.m. Diagnóstico de enfermedades mediante procedimientos basados en fenómenos eléctricos: *Le detectaron su enfermedad por medio de electrodiagnóstico.*

electrodiálisis (pl. *electrodiálisis*) s.m. En física y química, diálisis o proceso de separación de sustancias mezcladas en una disolución, mediante una membrana que las filtra y a cuyos lados tiene unos electrodos entre los que se establece una diferencia de potencial eléctrico para favorecer dicho proceso: *La electrodiálisis se utiliza para purificar el agua.* □ ETIMOL. De *electro-* (electricidad) y *diálisis*.

electrodinámica s.f. Véase **electrodinámico, ca.**

electrodinámico, ca ▌adj. **1** De la electrodinámica o relacionado con esta parte de la física: *La profesora nos contó que dos corrientes eléctricas próximas que van en sentido opuesto producen un efecto electrodinámico.* ▌s.f. **2** Parte de la física que estudia los fenómenos y las leyes de las cargas eléctricas en movimiento: *En electrodinámica se estudian las interacciones que se producen entrecorrientes eléctricas cercanas.* □ ETIMOL. La acepción 2, de *electro-* (electricidad) y *dinámica*.

electrodo s.m. En física, extremo de un conductor en contacto con un medio, al que lleva o del que recibe una corriente eléctrica: *Para que la batería del coche funcione bien, los electrodos tienen que estar limpios.* □ ETIMOL. De *electro-* (eléctrico) y el griego *hodós* (camino).

electrodoméstico s.m. Aparato eléctrico que se utiliza en el hogar: *El frigorífico, la aspiradora, la televisión son electrodomésticos.*

electroencefalografía s.f. Parte de la medicina que trata de la obtención e interpretación de los electroencefalogramas: *La electroencefalografía permite detectar lesiones cerebrales.* □ ETIMOL. De *electro-* (electricidad), *encéfalo* y *-grafía* (representación gráfica).

electroencefalógrafo s.m. Aparato que registra en gráficos las corrientes eléctricas producidas por la actividad del encéfalo: *Los impulsos cerebrales son transmitidos al electroencefalógrafo a través de unos electrodos que se aplican en el cráneo.*

electroencefalograma s.m. Gráfico en el que se registran las corrientes eléctricas producidas por la actividad del encéfalo: *Un electroencefalograma plano refleja un estado de muerte clínica.* □ MORF. Se usa mucho la forma abreviada *encefalograma*.

electroescultura s.f. Modelado del cuerpo mediante la aplicación de electricidad: *Esa actriz se ha hecho una electroescultura para mejorar su aspecto.*

electroforesis (pl. *electroforesis*) s.f. **1** En química, desplazamiento de sustancias por la acción de un campo eléctrico. **2** Método que aplica este fenómeno.

electrógeno, na ▌adj. **1** Que produce electricidad: *El edificio posee un grupo electrógeno propio por si falla la corriente eléctrica.* ▌s.m. **2** Generador eléctrico: *La energía con la que funciona la máquina procede de un electrógeno.* □ ETIMOL. De *electro-* (electricidad) y *-geno* (que produce).

electroimán s.m. En electricidad, imán cuyo campo magnético se produce mediante una corriente eléctrica: *El electroimán es una de las partes constituyentes de una dinamo.*

electrolisis (tb. *electrólisis*) (pl. *electrolisis, electrólisis*) s.f. Reacción química consistente en la descomposición de un electrolito al pasar por él una corriente eléctrica: *Se puede obtener oxígeno e hidrógeno por electrolisis del agua.* □ ETIMOL. De *electro-* (eléctrico) y el griego *lýsis* (disolución).

electrolítico, ca adj. De la electrolisis o relacionado con esta reacción química: *Obtuve oxígeno e hidrógeno del agua a partir de un proceso electrolítico.*

electrolito (tb. *electrólito*) s.m. En química, sustancia que, en estado líquido o en disolución, conduce la corriente eléctrica con transporte de materia, por contener iones libres: *Las disoluciones acuosas de ácidos, bases y sales son electrolitos.* □ ETIMOL. De *electro-* (electricidad) y el griego *lytós* (soluble).

electrolizar v. Referido a una sustancia, descomponerla mediante una corriente eléctrica o reacción de electrolisis: *Se ha desarrollado un catalizador excepcional para electrolizar el agua en hidrógeno y oxígeno.* □ ORTOGR. La *z* se cambia en *c* delante de *e* →CAZAR.

electromagnético, ca adj. Referido a un fenómeno, que presenta campos eléctricos y magnéticos relacionados entre sí: *Las ondas electromagnéticas no necesitan un medio para propagarse.*

electromagnetismo s.m. Parte de la física que estudia la interacción de los campos eléctricos y magnéticos: *El físico Ampère fue un estudioso del electromagnetismo.* □ ETIMOL. De *electro-* (electricidad) y *magnetismo.*

electromecánica s.f. Véase **electromecánico, ca.**

electromecánico, ca ▮ adj. **1** Referido a un dispositivo o a un aparato mecánicos, que son accionados o controlados por medio de corrientes eléctricas: *Los brazos de las modernas grúas suelen ser electromecánicos.* ▮ s. **2** Persona que se dedica profesionalmente a la técnica electromecánica: *Una electromecánica se encarga del mantenimiento de la maquinaria de mi empresa.* ▮ s.f. **3** Técnica de las máquinas y dispositivos mecánicos que funcionan eléctricamente: *La electromecánica hace más fáciles los trabajos que antes se hacían mecánicamente.* □ ETIMOL. De *electro-* (electricidad) y *mecánico.*

electromedicina s.f. Aplicación de la electrónica a la medicina: *Los sillones eléctricos que permiten mejorar el estado físico son productos de electromedicina.*

electrometalurgia s.f. Parte de la metalurgia que se ocupa de la obtención, aprovechamiento y refinamiento de los metales mediante procedimientos eléctricos: *En muchos talleres se emplea la electrometalurgia para refinar el oro y la plata.* □ ETIMOL. De *electro-* (electricidad) y *metalurgia.*

electrómetro s.m. Instrumento que se sirve para medir diferencias de potencial: *Los electrómetros miden la tensión eléctrica sin consumir apenas corriente.* □ SINÓN. *tester.* □ ETIMOL. De *electro-* (electricidad) y *-metro* (medidor).

electromiografía s.f. →**electromiograma.**

electromiograma s.m. Gráfico obtenido a partir de los impulsos eléctricos producidos en una contracción muscular: *El electromiograma permitió detectar la enfermedad nerviosa que padecía.* □ SINÓN. *electromiografía.*

electromotor, -a adj./s.m. En electricidad, referido esp. a una máquina, que transforma la energía eléctrica en trabajo mecánico: *Las locomotoras eléctricas son máquinas electromotoras.* □ ETIMOL. De *electro-* (eléctrico) y *motor.*

electromotriz adj. f. de **electromotor.**

electromusculación s.f. Desarrollo de los músculos mediante impulsos eléctricos.

electrón s.m. En un átomo, partícula elemental de la corteza, que tiene carga eléctrica negativa: *El átomo de hidrógeno sólo posee un electrón.* □ ETIMOL. Del griego *élektron* (ámbar), por la propiedad que tiene el ámbar de atraer cosas eléctricamente al frotarlo.

electronegativo, va adj. En química, referido esp. a un átomo o a un grupo atómico, que son capaces de atraer electrones de otras partes de la molécula de la que forman parte: *Cuando un átomo electronegativo capta electrones se convierte en un ion negativo.* □ ETIMOL. De *electro-* (eléctrico) y *negativo.*

electroneurografía s.f. En medicina, prueba para medir la velocidad de conducción en los nervios: *La electroneurografía se puede hacer a partir de estímulos eléctricos o naturales.*

electrónica s.f. Véase **electrónico, ca.**

electrónico, ca ▮ adj. **1** Del electrón, de la electrónica o relacionado con ellos. **2** De internet o relacionado con ella: *firma electrónica; dirección electrónica.* ▮ s.f. **3** Parte de la física que estudia los fenómenos originados por el movimiento de los electrones libres en el vacío, en gases o en semiconductores, cuando dichos electrones están sometidos a la acción de campos electromagnéticos. **4** Técnica que aplica los conocimientos de esta parte de la física a la industria.

electronistagmografía s.f. En medicina, medición del temblor ocular mediante electrodos: *Para diagnosticar el nistagmo, me hicieron una electronistagmografía.*

electronvolt s.m. →**electronvoltio.** □ ORTOGR. Es la denominación internacional del *electronvoltio.*

electronvoltio s.m. Unidad de energía que equivale a la energía que adquiere un electrón cuando recorre una diferencia de potencial de un voltio en el vacío. □ SINÓN. *electronvolt.* □ ORTOGR. Su símbolo es *eV*, por tanto, se escribe sin punto.

electropositivo, va adj. En química, referido esp. a un átomo o a un grupo atómico, que son capaces de ceder electrones a otras partes de la molécula de la que forman parte: *Cuando un átomo electropositivo cede electrones se convierte en un ion positivo.* □ ETIMOL. De *electro-* (eléctrico) y *positivo.*

electroquímica s.f. Véase **electroquímico, ca.**

electroquímico, ca ▮ adj. **1** De la electroquímica o relacionado con esta parte de la química: *La electrodiálisis en un proceso electroquímico.* ▮ s.f. **2** Parte de la química que estudia las transformaciones químicas que produce la electricidad sobre determinadas sustancias y la obtención de electricidad mediante reacciones químicas: *La electroquímica estudia las leyes que intervienen en la producción de electricidad por procedimientos químicos.* □ ETIMOL. La acepción 2, de *electro-* (electricidad) y *química.*

electroscopio s.m. En física, instrumento que permite detectar si un cuerpo está electrizado, y que consiste en una varilla terminada en una esfera por uno de sus extremos y en dos laminillas de oro o de aluminio por el otro: *Las laminillas del electroscopio se separan si se pone en contacto con su esfera un cuerpo electrizado.* □ ETIMOL. De *electro-* (electricidad) y *-scopio* (instrumento para ver).

electroshock (ing.) s.m. →**electrochoque.** □ PRON. [electrochóc], con *ch* suave.

electrostática s.f. Véase **electrostático, ca.**

electrostático, ca ▮ adj. **1** De la electrostática o relacionado con esta parte de la física: *Cuando frotas un bolígrafo de plástico y lo acercas a unos trocitos de papel, estos se pegan al bolígrafo debido* *a un fenómeno electrostático.* ▌s.f. **2** Parte de la física que estudia los fenómenos relacionados con la electricidad estática o debidos a cargas eléctricas en reposo: *Coulomb fue un gran investigador en el campo de la electrostática.* □ ETIMOL. La acepción 2, de *electro-* (eléctrico) y *-stática* (equilibrio).

electrotecnia s.f. Estudio de las aplicaciones técnicas de la electricidad: *Los avances en electrotecnia han permitido construir aparatos electrodomésticos de gran utilidad.* □ ETIMOL. De *electro-* (electricidad) y el griego *tékhne* (habilidad, industria).

electrotécnico, ca adj. De la electrotecnia o relacionado con este estudio de las aplicaciones de la electricidad: *Los avances electrotécnicos han permitido la automatización de las cadenas de montaje.*

electroterapia s.f. Tratamiento de determinadas enfermedades mediante la electricidad: *La electroterapia ha sido muy empleada en psiquiatría.* □ ETIMOL. De *electro-* (electricidad) y *-terapia* (curación).

electrotipia s.f. Arte o técnica de reproducir los caracteres de imprenta por medio de un procedimiento electroquímico: *La electrotipia permite mejor calidad de impresión que las técnicas exclusivamente mecánicas.* □ ETIMOL. De *electro-* (eléctrico) y *týpos* (molde).

electrotrén s.m. Tren eléctrico: *Casi todos los trenes actuales son electrotrenes.*

elefante, ta s. **1** Mamífero de gran tamaño, de piel grisácea, rugosa y dura, con cuatro extremidades terminadas en pezuñas, cabeza y ojos pequeños, grandes orejas colgantes, la nariz y el labio superior unidos y prolongados en forma de una larga trompa que le sirve de mano, y dos grandes colmillos macizos: *El elefante es el mayor de los animales terrestres.* **2** ‖ **elefante blanco;** en zonas del español meridional, persona o institución que supone una carga económica y que es de poca utilidad. ‖ **elefante marino;** mamífero carnicero, parecido a la foca pero de mayor tamaño, cuyo macho presenta una nariz extensible y en forma de trompa. □ ETIMOL. Del latín *elephas*.

elefantiasis (pl. *elefantiasis*) s.f. Aumento enorme de algunas partes del cuerpo, esp. de las extremidades inferiores y de los órganos genitales externos, debida fundamentalmente a una obstrucción en el sistema linfático: *La elefantiasis puede estar producida por unos parásitos propios de países cálidos.* □ SINÓN. *mal de San Lázaro.* □ ETIMOL. Del latín *elephantiasis*, y este del griego *elephantíasis*, porque el aspecto de la piel es similar al de la de un elefante.

elegancia s.f. **1** Gracia, sencillez o distinción: *Siempre viste con elegancia.* **2** Proporción adecuada, o buen gusto: *Sus esculturas gustan por la elegancia y sobriedad de sus líneas.* **3** Corrección, adecuación y moderación, esp. en la forma de actuar: *Rechazó mi oferta con tal elegancia, que no pude ofenderme.*

elegante adj.inv. **1** Que tiene gracia, sencillez y nobleza o distinción. **2** Bien proporcionado, airoso o de buen gusto: *Escribe con un estilo cuidado y elegante.* **3** Referido esp. a la forma de actuar, que resulta apropiada y correcta. □ ETIMOL. Del latín *elegans*.

elegantoso, sa adj. *col.* En zonas del español meridional, elegante: *Va muy elegantosa con su vestido nuevo.*

elegía s.f. Composición poética de carácter lírico en la que se lamenta un hecho desgraciado, esp. la muerte de una persona: *El 'Llanto por la muerte de Ignacio Sánchez Mejías' es una elegía escrita por García Lorca.* □ ETIMOL. Del latín *elegia*.

elegíaco, ca (tb. *elegiaco, ca*) adj. **1** De la elegía o relacionado con esta composición poética. **2** De carácter triste o lastimoso: *Daba un tono elegíaco a sus palabras para intentar conmovernos.*

elegibilidad s.f. Capacidad legal para ser elegido, esp. para un cargo público: *Un miembro de mi partido perdió su elegibilidad como diputado debido a los delitos que cometió.*

elegible adj.inv. Que tiene capacidad legal para ser elegido: *Se modificó la ley para que, en las elecciones municipales, fuesen elegibles tanto los ciudadanos españoles como los europeos residentes en España.* □ ETIMOL. Del latín *elegibilis*.

elegir v. **1** Escoger o preferir para un fin: *Después de mucho pensarlo, eligió el más grande.* **2** Nombrar o designar mediante elección: *Sus compañeros la han elegido delegada de curso.* □ ETIMOL. Del latín *eligere* (escoger). □ ORTOGR. La *g* se cambia en *j* delante de *a, o.* □ MORF. Irreg.: 1. Tiene un participio regular (*elegido*), que se usa en la conjugación, y otro irregular (*electo*), que se usa como adjetivo o sustantivo. 2. →ELEGIR.

elektro s.m. Música en la que se utilizan sintetizadores y máquinas para crear sonidos agresivos. □ SINT. Se usa mucho en aposición, pospuesto a un sustantivo: *música elektro; sonido elektro.*

elementa s.f. *col.* →**elemento.**

elemental adj.inv. **1** Fundamental, básico o primordial: *No hablo bien el alemán, porque solo tengo conocimientos elementales.* **2** Evidente, sencillo o fácil de entender: *No tomé apuntes porque hablaban de cosas elementales y más que sabidas.*

elementalidad s.f. **1** Carácter de lo que es fundamental, básico o primordial: *No puedo aprobar a un alumno que falla en conceptos de tal elementalidad.* **2** Evidencia, sencillez o facilidad que algo presenta para ser entendido: *Sus razonamientos son de una elementalidad aplastante.*

elemento ▌s.m. **1** Parte o pieza integrante y constitutiva de un todo: *La lectura de los clásicos fue un elemento decisivo en su formación.* **2** Fundamento o base de algo: *No tengo suficientes elementos de juicio para opinar.* **3** Principio físico o químico que entra en la composición de los cuerpos: *En la Antigüedad se creía que los cuatro elementos fundamentales de la vida eran la tierra, el agua, el aire y el fuego.* **4** En química, sustancia formada por átomos que tienen el mismo número de protones nucleares, independientemente del número de neutrones: *Consulté en la tabla periódica de los elementos cuál era el número atómico del helio.* □ SINÓN. *cuerpo simple.* **5** Medio en el que se desarrolla y habita un ser vivo: *El agua dulce es el elemento de muchos peces.* **6** Individuo valorado positiva o negativamente: *¡Menudo elemento está hecho tu hermano!* ▌pl. **7** Fuerzas de la naturaleza capaces de alterar las condiciones atmosféricas o climáticas. **8** Medios o recursos: *Yo te proporcionaré los elementos necesarios para este trabajo.* **9** ‖ **estar** alguien **en su elemento;** hallarse en una situación que le resulta cómoda o acorde con sus gustos e inclinaciones: *En esas reuniones de sociedad, está en su elemento.* □ ETIMOL. Del latín *elementum* (principios, conocimientos rudimentarios). □ MORF. En la acepción 6, se usa también el femenino coloquial *elementa.*

elenco s.m. **1** Conjunto de artistas que forman una compañía teatral. **2** Conjunto de personas que trabajan juntas o que constituyen un grupo representativo: *A la inauguración asistió todo un elenco de personalidades del mundo de la cultura.* □ ETIMOL. Del latín *elenchus* (apéndice de un libro).

elepé s.m. *col.* Disco de larga duración: *Han sacado la banda de la película en elepé y en casete.* □ ETIMOL. De *LP*, que es la sigla del inglés *long play* (larga duración). □ USO Es innecesario el uso del anglicismo *long play*.

elevación s.f. **1** Levantamiento, movimiento hacia arriba o impulso de algo hacia lo alto: *La elevación del avión después del despegue fue rapidísima.* **2** Colocación de una persona en un puesto o en una categoría de consideración: *Su elevación al cargo de director fue acogida favorablemente por todos.* **3** Altura o zona elevada: *Una colina es una elevación del terreno menor que un monte.*

elevado, da adj. **1** De gran categoría, o de una elevación moral o intelectual extraordinarias: *No todo el mundo puede comprender esos elevados pensamientos filosóficos.* **2** Alto o levantado a gran altura: *Los jugadores de baloncesto tienen una estatura elevada.*

elevador, -a ▌adj./s. **1** Que eleva: *una silla elevadora para el asiento del coche; un elevador de asiento para niños.* ▌s. **2** Aparato destinado a subir, bajar o desplazar mercancías, generalmente en almacenes y construcciones. ▌s.m. **3** En zonas del español meridional, ascensor.

elevadorista s.com. En zonas del español meridional, ascensorista.

elevalunas (pl. *elevalunas*) s.m. En un automóvil, mecanismo que sirve para subir o bajar los cristales de las ventanillas: *Mi coche tiene elevalunas eléctrico.*

elevar v. **1** Alzar, levantar, mover hacia arriba, o colocar en un nivel más alto: *El avión se elevó por encima de los 3 000 metros.* **2** Referido esp. a la mirada o al espíritu, dirigirlos o impulsarlos hacia lo alto: *Caído en el suelo, elevó la mirada buscando una mano que lo ayudase.* □ SINÓN. *levantar.* **3** Referido esp. al ánimo, fortalecerlo o darle vigor o empuje: *Aquel reconocimiento a su esfuerzo le elevó la moral.* □ SINÓN. *levantar.* **4** Referido a una persona, colocarla en un puesto honorífico o mejorar su condición social o política: *Tras años de servicio, me elevaron a la dirección de la empresa.* **5** Referido a un escrito o a una petición, dirigirlos a una autoridad: *Los vecinos elevaron una solicitud de mejora del alumbrado en el barrio.* **6** En matemáticas, referido a una cantidad, efectuar su potencia o multiplicarla por sí misma un número determinado de veces: *El resultado de elevar 4 al cuadrado es 16.* □ ETIMOL. Del latín *elevare.*

elevavidrio s.m. En zonas del español meridional, elevalunas.

elfo s.m. En la mitología escandinava, genio o deidad que vive en los bosques: *Cuentan que los elfos llevan una capa que les permite volverse invisibles.* □ ETIMOL. Del inglés *elf.*

elidir v. **1** En gramática, referido a una vocal, suprimirla cuando es final de palabra y la palabra siguiente empieza por otra vocal: *La contracción 'al' se forma porque se elide la 'e' del artículo.* **2** En gramática, referido a una palabra, omitirla en una oración cuando se sobrentiende: *En 'Tú tomaste un helado y yo otro', en la segunda parte de la frase se ha elidido el verbo 'tomé'.* □ ETIMOL. Del latín *elidere* (expulsar golpeando). □ ORTOGR. Dist. de *eludir.*

eliminación s.f. **1** Supresión, separación o desaparición de algo. **2** Exclusión o alejamiento de una persona, generalmente respecto de un grupo o de un asunto: *Se procederá a la eliminación de los concursantes que no superen esta prueba.* **3** En matemáticas, desaparición de la incógnita de una ecuación mediante el cálculo: *El primer paso es la eliminación de la 'x', y luego podrás despejar 'y'.* **4** En medicina, expulsión de una sustancia por parte del organismo: *La eliminación de la orina se produce a través de la uretra.*

eliminar v. **1** Quitar, separar o hacer desaparecer: *Este producto elimina el mal aliento. Los problemas no se eliminan solos si no te ocupas de ellos.* **2** Referido esp. a una persona, excluirla o alejarla, generalmente de un grupo o de un asunto: *Me eliminaron en el primer ejercicio de las oposiciones.* **3** *col.* Referido a un ser vivo, matarlo o asesinarlo: *En la película un mercenario eliminaba a varios rivales.* **4** En matemáticas, referido a una incógnita de una ecuación, hacerla desaparecer mediante el cálculo: *Mediante esta operación, eliminamos la 'x' de la ecuación.* **5** En medicina, referido a una sustancia, expulsarla o hacerla salir el organismo: *El cuerpo humano elimina toxinas a través de la orina y del sudor.* □ ETIMOL. Del latín *eliminare* (hacer salir, expulsar).

eliminatoria s.f. Véase **eliminatorio, ria.**

eliminatorio, ria ▌adj. **1** Que elimina o que sirve para eliminar: *exámenes eliminatorios.* ▌s.f. **2** En una competición o en un concurso, prueba que sirve para seleccionar a los participantes: *En los campeonatos de fútbol, la eliminatoria es anterior a los cuartos de final.*

elipse s.f. En geometría, curva cerrada y plana, que resulta de cortar un cono circular con un plano oblicuo a su eje y que afecte a todas sus generatrices: *Una elipse tiene forma de círculo achatado.* ☐ ETIMOL. Del latín *ellipsis*, y este del griego *élleipsis* (insuficiencia). ☐ ORTOGR. Dist. de *elipsis*.

elipsis (pl. *elipsis*) s.f. En gramática, supresión de una o de más palabras necesarias para la correcta construcción gramatical de una oración, pero no para la claridad de su sentido: *En 'Yo lo sé y tú no', hay elipsis de 'lo sabes'.* ☐ ETIMOL. Del latín *ellipsis*, y este del griego *élleipsis* (insuficiencia). ☐ ORTOGR. Dist. de *elipse*.

elipsoidal adj.inv. Con la forma de un elipsoide o semejante a ella: *una curva elipsoidal.*

elipsoide s.m. Cuerpo geométrico en tres dimensiones engendrado por el giro de una elipse en torno a su eje mayor, y cuyas secciones planas son elipses o círculos: *La superficie del elipsoide es cerrada y su forma es simétrica respecto de sus tres ejes principales.* ☐ ETIMOL. De *elipse* y *-oide* (semejante).

elíptico, ca adj. **1** De la elipse o con forma semejante a la de esta curva: *una órbita elíptica.* **2** En gramática, de la elipsis o relacionado con esta supresión de palabras: *El sujeto elíptico de la oración 'Voy al cine' es 'yo'.* ☐ ORTOGR. Dist. de *eclíptica*.

elíseo, a (tb. *elisio, a*) adj. Del Elíseo (lugar paradisíaco al que, según la mitología grecolatina, iban a parar las almas que merecían este premio) o relacionado con él: *Los campos elíseos eran para la mitología antigua un lugar equiparable al cielo de la religión cristiana.*

elisio, sia adj. →**elíseo.**

elisión s.f. En gramática, supresión de una vocal cuando es final de palabra y la palabra siguiente empieza por otra vocal: *La contracción 'del' se forma por elisión de la 'e' de la preposición.* ☐ ORTOGR. Dist. de *alusión* y de *elusión*.

élite (tb. *elite*) s.f. Minoría selecta y destacada en un campo o en una actividad: *A la investidura de la académica asistió toda la élite del mundo de las letras.* ☐ ETIMOL. Del francés *élite*.

elitismo s.m. **1** Sistema que favorece la aparición de élites o minorías selectas en perjuicio de otras capas sociales: *Se criticó el elitismo de la política gobernante y su absoluto desprecio por los más desfavorecidos.* **2** Actitud de la persona que tiende a relacionarse exclusivamente con quienes pertenecen a una élite.

elitista adj.inv./s.com. De la élite, del elitismo, o relacionado con ellos: *Su actitud es muy elitista y desprecia los intereses de la mayoría.*

élitro s.m. Ala anterior de algunos insectos, esp. de los coleópteros, que se ha endurecido y ha quedado convertida en una gruesa lámina córnea que sirve para proteger el ala posterior: *Los élitros de las mariquitas son de color rojo con puntos negros.* ☐ ETIMOL. Del griego *élytron* (envoltorio, estuche).

elixir (tb. *elíxir*) s.m. **1** Líquido compuesto de sustancias medicinales, generalmente disueltas en alcohol: *Después de lavarme los dientes, me enjuago con un elixir antiséptico.* **2** Medicamento o remedio con propiedades maravillosas: *Hoy por hoy, nadie ha encontrado el elixir de la eterna juventud.* ☐ ETIMOL. Del árabe *al-iksir* (medicamento seco, polvo que transmuta los metales, piedra filosofal).

ella pron.pers. f. de **él.** ☐ ETIMOL. Del latín *illa* (aquella).

elle s.f. Nombre que se da a la doble *l* en español.

ello pron.pers. Forma de la tercera persona del singular que corresponde a la función de sujeto, de predicado nominal o de complemento precedido de preposición: *Si él no quiere visitarte, ello no impide que lo visites tú a él. ¡Vamos, a ello, que tú puedes!* ☐ ETIMOL. Del latín *illud* (aquello). ☐ MORF. No tiene plural.

ellos, ellas pron.pers. Forma de la tercera persona del plural que corresponde a la función de sujeto, de predicado nominal o de complemento precedido de preposición: *Si ellas lo dicen, será verdad. He traído estos bombones para ellos.*

elocución s.f. Modo de hablar o de usar las palabras para expresar los conceptos: *En un buen discurso, importa tanto el contenido como su correcta elocución.* ☐ ETIMOL. Del latín *elocutio*. ☐ ORTOGR. Dist. de *alocución* y *locución*.

elocuencia s.f. Eficacia para persuadir o conmover que tienen las palabras, los gestos u otras acciones con las que se da a entender algo con viveza: *Aunque no dijera nada, la elocuencia de su mirada despejó cualquier duda.*

elocuente adj.inv. Que tiene elocuencia o hace uso de esta capacidad al expresarse: *Es tan elocuente, que podría convencer a cualquiera de la cosa más absurda.* ☐ ETIMOL. Del latín *eloquens*, y este de *eloqui* (decir, pronunciar).

elocutivo, va adj. De la elocución o relacionado con este modo de hablar o de elegir y distribuir las palabras: *Las interrogaciones retóricas y las exclamaciones son recursos elocutivos que aportan viveza y amenidad al discurso.*

elogiable adj.inv. Digno de ser elogiado: *A pesar de los malos resultados que obtuvo en las pruebas, su esfuerzo me parece muy elogiable.*

elogiador, -a adj./s. Que elogia o ensalza con elogios.

elogiar v. Alabar o ensalzar con elogios: *Siempre elogia los pasteles y exquisiteces que hace su madre.* ☐ ORTOGR. La *i* nunca lleva tilde.

elogio s.m. Alabanza de las cualidades o de los méritos de algo: *Hizo un elogio tan encendido de ti, que pensé que era tu amigo del alma.* ☐ ETIMOL. Del latín *elogium* (epitafio, sentencia breve).

elogioso, sa adj. Que elogia, alaba o contiene elogios: *palabras elogiosas.*

elongación s.f. **1** *poét.* Alargamiento: *Criticó mi forma de hablar diciéndome que la elongación que* *imprimía a las palabras me hacía convertir dar en donacionar.* **2** Estiramiento de uno o de más grupos musculares: *La fisioterapeuta me ha propuesto que haga una serie de elongaciones para mejorar mis problemas de espalda.* □ ETIMOL. Del latín *elongationis.*

elote s.m. **1** En zonas del español meridional, mazorca tierna de maíz: *Si sembramos en diciembre, para finales de abril cosecharemos elotes.* **2** En zonas del español meridional, granos de esta mazorca ya cocinados: *Me gustan mucho las calabacitas con rajas y elote.*

elucidación s.f. Explicación o aclaración de algo: *Se abrirá una investigación para la elucidación de los hechos ocurridos.*

elucidar v. Explicar o poner en claro: *Antes de seguir leyendo, intentemos elucidar el sentido de lo leído.* □ ETIMOL. Del latín *elucidare* (anunciar, revelar).

elucidario s.m. Libro que aclara o explica cuestiones difíciles de entender: *Para entender algunos artículos de información económica, sería útil disponer de un elucidario de economía.* □ ETIMOL. Del latín *elucidarium*, y este de *elucidare* (hacer, dar luz).

elucubración (tb. *lucubración*) s.f. **1** Pensamiento, reflexión o trabajo que se llevan a cabo en obras de creación o en producciones de la mente: *Escribir ese ensayo le exigió muchas horas de ardua elucubración.* **2** Imaginación sin mucho fundamento: *Sus proyectos de futuro no son más que elucubraciones.*

elucubrar (tb. *lucubrar*) v. **1** Pensar, reflexionar o trabajar con empeño en obras de creación o en producciones de la mente: *El autor del libro elucubra y argumenta sobre las posibilidades de vida en otros planetas. Elucubró hipótesis que se adelantaban a la ciencia de su tiempo.* **2** Imaginar sin mucho fundamento: *Le gusta elucubrar sobre cómo habría sido su vida si se hubiese casado con aquella chica. ¡Deja de elucubrar cosas imposibles y abre los ojos a la realidad!* □ ETIMOL. Del latín *elucubrare.* □ SINT. Se usa más como verbo intransitivo.

eludir v. **1** Referido esp. a una dificultad o a un problema, esquivarlos, rechazarlos o no aceptarlos: *Eludió toda responsabilidad en el asunto.* **2** Evitar con habilidad o astucia: *Salió por la puerta trasera para eludir a los periodistas.* □ ETIMOL. Del latín *eludere* (escapar jugando). □ ORTOGR. Dist. de *elidir.*

elusión s.f. Rechazo de algo, esp. de una dificultad o de un problema: *La defensa del abogado fue una elusión de todas las culpas atribuidas a su cliente.* □ ORTOGR. Dist. de *alusión* y de *elisión.*

elusivo, va adj. Que elude o evita, generalmente con habilidad o astucia: *respuestas elusivas.* □ ORTOGR. Dist. de *alusivo.*

e-mail (ing.) s.m. →**correo electrónico.** □ PRON. [iméil].

emailear (tb. *e-mailear*) v. *col.* Comunicarse mediante correo electrónico: *Desde que tiene internet, emailea con todo el mundo.* □ SINÓN. *imailear.*

emanación s.f. **1** Desprendimiento, salida o emisión de algo, esp. de sustancias volátiles: *unas emanaciones de gases tóxicos.* **2** Derivación o procedencia de un origen o de un principio.

emanantismo s.m. Doctrina filosófica y religiosa, según la cual todas las cosas proceden de Dios por emanación: *El filósofo del siglo III Plotino propone el emanantismo para explicar el origen del mundo.*

emanantista ▌adj.inv. **1** Del emanantismo o relacionado con esta doctrina: *Las teorías emanantistas se apoyan en ideas de Platón.* ▌adj.inv./s.com. **2** Partidario o seguidor del emanantismo: *Los emanantistas rechazan que el mundo haya podido originarse sin la intervención de Dios.*

emanar v. **1** Proceder, derivar o venir originariamente: *De la pereza emanan muchos otros vicios.* **2** Referido a una sustancia volátil, desprenderse o salir de un cuerpo: *El gas emanaba peligrosamente de la bombona por un pequeño orificio.* **3** Emitir o desprender de sí: *Las rosas emanan un agradable perfume.* □ ETIMOL. Del latín *emanare.*

emancipación s.f. Liberación de la autoridad legal paterna, de la tutela, de la servidumbre o de otro tipo de subordinación o dependencia: *la emancipación de la mujer.*

emancipado, da adj. Liberado de la autoridad paterna o de otro tipo de dependencia.

emancipar v. Liberar de la autoridad legal paterna, de la tutela, de la servidumbre o de otro tipo de subordinación o dependencia: *La guerra de Secesión norteamericana sirvió para emancipar a los esclavos negros. No puede emanciparse de sus padres porque aún no es mayor de edad.* □ ETIMOL. Del latín *emancipare*, y este de *ex* (fuera), *manus* (potestad) y *capere* (coger).

emasculación s.f. Castración de un animal macho con un emasculador, quitándole o extirpándole los órganos genitales: *Con la emasculación de los cerdos se evita que su carne tenga el sabor que producen las hormonas masculinas.*

emasculador s.m. Instrumento semejante a unos alicates que se utiliza para emascular: *El emasculador permite realizar la extirpación de los testículos sin derramamiento de sangre.*

emascular v. Referido a un animal macho, castrarlo con un emasculador quitándole o extirpándole los órganos genitales: *Van a emascular a los cerdos pequeños para acelerar el proceso de engorde.* □ ETIMOL. Del latín *emasculare* (castrar).

embadurnar v. Untar, manchar o pintarrajear: *Se ofreció a pintarme la pared y lo que hizo fue embadurnarla y dejarlo todo perdido.*

embaír v. Engañar o embaucar: *Me embaíste con tu palabrería y yo creí todas tus mentiras.* □ ETIMOL. Del latín *invadere* (invadir, acometer). □ MORF. Verbo defectivo: solo se usan las formas que presentan *i* en su desinencia →ABOLIR.

embajada s.f. **1** Residencia y oficinas en las que tiene su sede la representación diplomática del Gobierno de un país en otro extranjero: *Los residentes en el extranjero tienen que comunicar su residencia* *a la embajada.* **2** Cargo de embajador: *Ha sido propuesto para una embajada ante la Santa Sede.* **3** Mensaje o comunicación sobre un asunto de importancia, esp. referido a los que se intercambian los jefes de Estado o de Gobierno por medio de sus embajadores: *El presidente español contestó por escrito la embajada de su homólogo francés.* **4** *col.* Proposición o exigencia impertinentes: *¿Ahora que ya estaba todo claro me sales tú con esa embajada?* □ ETIMOL. Del provenzal antiguo *ambaissada* (encargo). □ SINT. La acepción 4 se usa más con los verbos *salir*, *venir* o equivalentes, y en expresiones exclamativas.

embajador, -a s. **1** Diplomático que representa oficialmente al Gobierno de su país en el extranjero. **2** Representante de algo fuera de su ámbito: *Ese modisto se ha convertido en embajador de la moda española en el mundo.*

embalado, da ▮ adj. **1** *col.* Lanzado, decidido o atrevido. ▮ s.m. **2** Empaquetado o colocación de un objeto dentro de envolturas para protegerlo durante su transporte. □ SINÓN. *embalaje.*

embaladura s.f. En zonas del español meridional, embalaje.

embalaje s.m. **1** Empaquetado o colocación de un objeto dentro de envolturas para protegerlo durante su transporte: *Están muy atareados con el embalaje de todo lo que se tienen que llevar.* □ SINÓN. *embalado.* **2** Caja o envoltura con que se protege un objeto para transportarlo: *Creo que tiré la garantía junto con el embalaje de la lavadora.*

embalar ▮ v. **1** Referido a un objeto, empaquetarlo o colocarlo convenientemente dentro de envolturas para protegerlo durante su transporte: *Para hacer la mudanza, embaló todos sus libros y pertenencias en cajas.* **2** Adquirir gran velocidad o hacer que se adquiera: *En cuanto ve una recta, embala el coche de una manera que da miedo. Se embaló en la cuesta abajo.* ▮ prnl. **3** Dejarse llevar por un impulso, esp. por un empeño o por un sentimiento: *Cuando empezó la discusión, se embaló y soltó todo lo que había callado durante años.* **4** En zonas del español meridional, atascarse una bala en el cañón de un arma de fuego: *El rifle se embaló y no pudimos continuar tirando al blanco.* □ ETIMOL. La acepción 1, de *bala* (fardo). Las acepciones 2 y 3, del francés *emballer*. □ MORF. En la acepción 2, se usa más como pronominal.

embaldosado s.m. **1** Revestimiento que se hace de un suelo con baldosas: *Lo más caro de la obra fue el embaldosado del cuarto de baño.* **2** Pavimento o suelo revestidos de esta manera: *El embaldosado de la cocina es blanco.*

embaldosar v. Referido a un suelo, revestirlo o cubrirlo con baldosas: *Un albañil nos embaldosó la cocina.*

embalsamador, -a adj./s. Que embalsama: *Trabajó como embalsamadora en una funeraria durante mucho tiempo.*

embalsamamiento s.m. Preparación de un cadáver con determinadas sustancias o con diversas operaciones para evitar su corrupción: *Los antiguos, para realizar un embalsamamiento, extraían los órganos internos del cadáver.*

embalsamar v. **1** Referido a un cadáver, prepararlo con determinadas sustancias o realizando en él diversas operaciones para evitar su corrupción: *El cuerpo del presidente fallecido será expuesto después de ser embalsamado.* **2** Perfumar o aromatizar: *Se embalsama con unos perfumes tan fuertes que marean.* □ ETIMOL. De *bálsamo*.

embalsar v. Referido esp. al agua, recogerla o acumularla en un embalse o en un hueco del terreno: *Los embalses en construcción permitirán embalsar agua y aumentar las reservas para períodos de sequía.*

embalse s.m. **1** Depósito artificial en el que se recoge y retiene el agua de un río o de un arroyo, generalmente cerrando la boca de un valle con un dique o con una presa, para su posterior aprovechamiento: *Las aguas de ese embalse sirven para producir energía eléctrica.* **2** Recogida o acumulación de agua en uno de estos depósitos o en un hueco del terreno: *La construcción de un muro en la garganta del valle permitiría el embalse del agua que baja de las cumbres.*

embanastar v. Meter en banastas o cestos: *Embanastaban las manzanas que iban recogiendo para llevarlas mejor.*

embancarse v.prnl. Referido a una embarcación, vararse en un banco de arena: *El pesquero se embancó cerca de la costa.* □ ORTOGR. La *c* se cambia en *qu* delante de *e* →SACAR.

embarazada s.f. Véase **embarazado, da**.

embarazado, da adj./s.f. Referido a una mujer, que está preñada: *Está embarazada de ocho meses y ya le cuesta mucho moverse.* □ SINÓN. *encinta.* □ USO En la lengua coloquial, se usa también aplicado a un hombre cuya pareja está embarazada.

embarazar ▮ v. **1** *col.* Referido a una mujer, hacerla concebir un hijo: *Al poco tiempo de casarse, la embarazó y tuvieron un hijo varón. Le gustaría embarazarse y tener familia pronto.* ▮ prnl. **2** Quedar imposibilitado o frenado por algún obstáculo, por falta de soltura o por un sentimiento de embarazo: *En cuanto tiene que hablar en público, se embaraza y no puede evitar que se le trabe la lengua.* □ ETIMOL. Del portugués *embaraçar* (estorbar). □ ORTOGR. La *z* se cambia en *c* delante de *e* →CAZAR.

embarazo s.m. **1** Estado en el que se encuentra una mujer embarazada: *Un embarazo normal dura nueve meses aproximadamente.* **2** Encogimiento, turbación o falta de soltura en lo que se hace: *Poco a poco ha ido perdiendo el embarazo que sentía cuando tenía que hablar en público.*

embarazoso, sa adj. Que embaraza e incomoda o turba: *Tener que llamarte la atención a ti, que eres mi amigo, me resulta muy embarazoso.*

embarcación s.f. Construcción que flota y se desliza por el agua y se usa como medio de transporte: *Hasta que el capitán de la embarcación no suba a bordo, no zarparemos.* □ SINÓN. *bastimento, nave.*

embarcadero s.m. Lugar destinado al embarque de mercancías o de personas: *La barca nos esperaba en el embarcadero del río.*

embarcar v. **1** Subir o introducir en una embarcación, en un avión o en un tren: *Después de embarcar el equipaje, podemos tomar un café en el bar del aeropuerto. Los pasajeros del vuelo a París embarcarán por la puerta 8.* **2** Referido a una persona, hacerla intervenir en una empresa difícil, arriesgada o que ocasiona molestias: *Me he embarcado en un negocio que no sé si va a salir bien.* ☐ ETIMOL. De *barco.* ☐ ORTOGR. La *c* se cambia en *qu* delante de *e* →SACAR.

embarco s.m. →**embarque.**

embargar v. **1** En derecho, referido a un bien, retenerlo por orden de una autoridad judicial o administrativa, quedando sujeto al resultado de un juicio o de un procedimiento: *Si no pagas tus deudas con Hacienda, pueden embargarte el sueldo.* **2** Referido esp. a una persona, causarle gran admiración o arrebato, una sensación o un sentimiento: *La pena lo embargaba y le impedía hablar.* ☐ ETIMOL. Del latín **imbarricare* (estorbar). ☐ ORTOGR. La *g* se cambia en *gu* delante de *e* →PAGAR.

embargo s.m. **1** En derecho, retención o inmovilización de bienes por orden de una autoridad judicial o administrativa: *el embargo de una casa.* **2** Prohibición del comercio y transporte de algo, esp. de armas o útiles para la guerra, decretada por un Gobierno. **3** ‖ **sin embargo;** enlace gramatical coordinante con valor adversativo: *No estaba convencido y, sin embargo, accedió porque yo se lo pedí.* ☐ ORTOGR. *Sin embargo* va siempre aislado del resto de la frase por medio de comas.

embarque s.m. Subida o introducción de personas o de mercancías en una embarcación, en un avión o en un tren para su transporte: *El embarque de los pasajeros se realizará media hora antes de la salida del vuelo.* ☐ SINÓN. *embarco.*

embarrada s.f. Véase **embarrado, da.**

embarrado, da ▌adj. **1** Cubierto o manchado de barro. ▌s.m. **2** Cubrimiento de una pared con barro o tierra. ▌s.f. **3** En zonas del español meridional, plan o acción engañosos: *El capitán le ordenó que cumpliera con aquella embarrada, aunque con ello perjudicara a su mejor amigo.*

embarrancamiento s.m. Choque de una embarcación con arena o con rocas del fondo: *El embarrancamiento del petrolero provocó que el crudo se derramara.*

embarrancar v. Referido a una embarcación, encallar o quedar detenida al chocar violentamente con arena o con rocas del fondo: *El petrolero embarrancó en los arrecifes. El casco del barco resultó dañado al embarrancarse en la costa.* ☐ ETIMOL. De *barranco.* ☐ ORTOGR. La *c* se cambia en *qu* delante de *e* →SACAR.

embarrar v. **1** Llenar, cubrir o manchar de barro: *Los niños se embarraron de pies a cabeza jugando en el parque.* **2** *col.* En zonas del español meridional, referido a una persona, complicarla en algún asunto sucio: *A mí no me embarraron en ese asunto, porque yo estaba de vacaciones cuando todo sucedió.*

embarrilar v. Meter en un barril: *Ya embarrilamos todo el vino para dejarlo reposar.*

embarullado, da adj. Confuso o lioso.

embarullamiento s.m. Desorden o confusión.

embarullar v. **1** *col.* Confundir mezclando desordenadamente unas cosas con otras: *Como embarulles más la historia con nuevos datos, acabaremos perdiendo el hilo.* **2** *col.* Referido a una persona, confundirla o hacer que se líe: *Inventa tantas mentiras, que él solo se embarulla y acaba contradiciéndose.*

embastar v. **1** Referido a una tela que se va a bordar, asegurarla con puntadas de hilo fuerte a la tela que está clavada en el bastidor, para que esté tirante: *Cuando hayas embastado la tela, puedes empezar a bordar.* **2** Referido a un colchón, ponerle bastas: *Los colchones se embastan para que el relleno quede bien distribuido.* **3** Referido a una tela, coserla con hilvanes para preparar su cosido definitivo: *Antes de coser el vestido, hay que embastarlo.* ☐ SINÓN. *hilvanar.*

embaste s.m. Costura provisional de puntadas largas, con la que se unen y preparan las telas para su cosido definitivo. ☐ SINÓN. *hilván.*

embastecer v. Embrutecer o poner basto: *El tiempo lo ha embastecido.* ☐ MORF. Irreg. →PARECER.

embate s.m. **1** Golpe impetuoso de mar: *el embate de las olas.* **2** Acometida impetuosa o violenta: *los embates del enemigo.* ☐ ETIMOL. Del antiguo *embatirse* (embestirse, acometerse).

embaucador, -a adj./s. Que embauca o engaña: *No te fíes de él, porque es un embaucador y solo quiere aprovecharse de ti.*

embaucamiento s.m. Engaño hecho a una persona aprovechándose de su inexperiencia o de su ingenuidad: *Me engañaste una vez, pero no volveré a ser víctima de tus embaucamientos.*

embaucar v. Referido a una persona, engañarla aprovechándose de su inexperiencia o de su ingenuidad: *No te dejes embaucar por ese charlatán, que solo busca sacarte dinero.* ☐ ETIMOL. Del antiguo *embabucar.* ☐ ORTOGR. La *c* se cambia en *qu* delante de *e* →SACAR.

embaular v. **1** Meter dentro de un baúl: *Aquella actriz famosa, siempre que salía de viaje, embaulaba todos sus trajes.* **2** Referido a muchas personas o a muchas cosas, meterlas o hacerlas entrar en un lugar pequeño o estrecho, de forma que estén muy apretadas: *En el banquete de bodas nos embaularon a todos los invitados en un comedor muy pequeño.* **3** *col.* Comer con ansia o engullir: *Tenía un filete enorme en el plato, pero lo embauló en un instante.* ☐ ORTOGR. La *u* lleva tilde en los presentes, excepto en las personas *nosotros* y *vosotros* →ACTUAR.

embebecer v. Entretener, maravillar o embelesar: *Embebece a cualquiera con sus palabras.* ☐ MORF. Irreg. →PARECER.

embeber ▌v. **1** Referido a un líquido, absorberlo o retenerlo un cuerpo sólido: *Las tiras de la fregona* *embeben el agua.* **2** Referido a algo poroso o esponjoso, empaparlo o llenarlo de un líquido: *Una vez cocido el bizcocho, lo embebimos en zumo.* ▌prnl. **3** Entretenerse, abstraerse o entregarse poniendo gran interés o atención en una actividad: *Se embebe con el ordenador y se le pasan las horas sin darse cuenta.* **4** Instruirse con rigor y profundidad en algo, esp. en una doctrina: *Durante su viaje a China, se embebió en las doctrinas orientales y eso se refleja en sus novelas.* □ ETIMOL. Del latín *imbibere*.

embebido, da adj. **1** Abstraído o entregado a una actividad con toda la atención. **2** En informática, referido a un sistema o a un dispositivo, que tiene autonomía dentro de un todo y que realiza una sola función: *El teclado de un ordenador es un dispositivo embebido.*

embelecamiento s.m. Engaño con zalamerías o con falsas apariencias: *Con tu vocecita y tus tiernas palabras conseguirás el embelecamiento de quien no te conozca, pero a mí ya no me engañas.* □ ORTOGR. Dist. de *embelesamiento*.

embelecar v. Engañar con zalamerías o con falsas apariencias: *Embeleca a su abuelo para sacarle dinero.* □ ETIMOL. Del árabe *baliq* (aturdir). □ ORTOGR. 1. Dist. de *embelesar*. 2. La *c* se cambia en *qu* delante de *e* →SACAR.

embeleco s.m. Embuste o engaño, esp. si se hace con zalamerías: *No gastes embelecos conmigo, que a mí ya no me la das.*

embelesamiento s.m. →**embeleso.** □ ORTOGR. Dist. de *embelecamiento*.

embelesar v. Producir o sentir una admiración o un placer tan grandes que hacen olvidarse de todo lo demás: *La buena música lo embelesa. Me embeleso viéndote bailar.* □ SINÓN. *arrobar, extasiar.* □ ETIMOL. De *belesa* (planta que se usaba para emborrachar a los peces y pescarlos), porque antiguamente *embelesar* significó *aturdir, dejar atónito.* □ ORTOGR. Dist. de *embelecar*.

embeleso s.m. **1** Admiración o placer producidos en una persona, y que son de tal magnitud que le hacen olvidarse de todo lo demás: *Aún recuerda el embeleso que le producía la lectura de aquellas cartas de amor.* □ SINÓN. *embelesamiento.* **2** Lo que embelesa o produce este efecto en una persona: *El cine ha sido para mí, más que una afición, un embeleso.* □ SINÓN. *embelesamiento*.

embellecedor, -a ▌adj. **1** Que embellece: *Hemos sacado al mercado una nueva línea de productos embellecedores para el rostro y el escote.* ▌s.m. **2** Moldura o pieza que se coloca en una superficie para cubrirla y adornarla, esp. referido a las molduras metálicas de los automóviles: *Los tapacubos de las ruedas de los coches son embellecedores.*

embellecer v. Hacer o poner bello: *Los poetas utilizan figuras retóricas para embellecer su estilo.* □ MORF. Irreg. →PARECER.

embellecimiento s.m. Adquisición de belleza o transformación de algo en bello: *Utiliza una crema para la hidratación y embellecimiento de la piel.*

embero s.m. **1** Árbol de origen africano, muy apreciado por su madera: *El embero procede de Guinea ecuatorial.* **2** Madera de este árbol, de color marrón grisáceo: *El embero es muy empleado en trabajos de ebanistería.*

emberrenchinarse v.prnl. *col.* →**emberrincharse.**

emberretinarse v.prnl. *col.* En zonas del español meridional, encapricharse.

emberrincharse v.prnl. *col.* Referido esp. a un niño, enfadarse mucho o coger un berrinche: *Cuando le dije que no lo acompañaba, se emberrinchó como un niño consentido.* □ SINÓN. *emberrenchinarse*.

embestida s.f. **1** Acometida o lanzamiento sobre algo con ímpetu o con violencia: *La embestida del toro pilló desprevenido al torero y casi lo engancha.* **2** *col.* Asalto repentino e inesperado con el que se detiene a una persona para tratar sobre un tema.

embestir v. Acometer o lanzarse con ímpetu o violencia: *En medio de la niebla, el transatlántico embistió a un pesquero e hizo que naufragara. Si el animal no embiste, poco puede hacer el torero para bordar la faena.* □ ETIMOL. Quizá del italiano *investire* (acometer, atacar con violencia). □ ORTOGR. Dist. de *envestir*. □ MORF. Irreg. →PEDIR. □ SINT. Constr. *embestir algo* o *embestir {A/CONTRA} algo.*

embetunar v. Cubrir con betún: *Después de embetunar los zapatos, sácales brillo con un cepillo.*

embijar v. **1** Manchar o pintarrajear con bija: *Con eso de que quería hacerlo él solo, ha embijado toda la casa.* **2** En zonas del español meridional, ensuciar.

emblandecer v. Referido a una persona, hacer que ceda en una postura intransigente o que se suavice su enojo: *Tantos ruegos consiguieron emblandecerme y le di finalmente mi permiso.* □ SINÓN. *ablandar.* □ MORF. Irreg. →PARECER.

emblanquecer v. Poner de color blanco: *Este producto es bueno para emblanquecer las sábanas que han estado guardadas mucho tiempo. Antes, las mujeres usaban polvos de arroz para emblanquecerse la cara.* □ SINÓN. *blanquear, blanquecer.* □ MORF. Irreg. →PARECER.

emblanquecimiento s.m. Proceso mediante el que se da color blanco a algo: *El emblanquecimiento de la fachada de este edificio le ha dado un aspecto completamente diferente.* □ SINÓN. *blanqueo, blanqueado*.

emblema s.m. **1** Símbolo, representación o figura, acompañados de un lema o frase explicativos de lo que representan: *El emblema de mi equipo de baloncesto es una canasta con el nombre del club formando el aro.* **2** Lo que es representación simbólica de algo: *La corona de laurel es el emblema de los vencedores.* □ ETIMOL. Del latín *emblema* (adorno en relieve, labor de mosaico).

emblemático, ca adj. **1** Simbólico o representativo: *El fundador del grupo fue también el más emblemático de sus miembros.* **2** Relevante, importante o significativo: *una acción emblemática.*

embobamiento s.m. Admiración o suspensión del ánimo producidos en una persona y que le hacen olvidarse de todo lo demás: *Desde que se ha enamorado, tiene un embobamiento encima...*

embobar v. Referido a una persona, entretenerla o mantenerla admirada o perpleja: *Los partidos de fútbol lo emboban más que a un niño los juguetes. Habla tan bien que me embobo escuchándolo.* □ SINÓN. *abobar.*

embobecer v. Volver bobo o tonto: *Si no quieres embobecerte, lee y procura instruirte.* □ MORF. Irreg. →PARECER.

embobecimiento s.m. Transformación en bobo o en tonto: *Me preocupa el embobecimiento de algunas personas que no son capaces de pensar por sí mismas.*

embocado, da adj. Referido al vino, que contiene una mezcla de vino seco y dulce. □ SINÓN. *abocado.*

embocadura s.f. **1** En un instrumento musical de viento, pieza hueca que se adapta a su tubo y por la que se sopla para producir el sonido. □ SINÓN. *boquilla.* **2** Gusto o sabor de un vino. **3** Paraje o lugar por los que pueden entrar los buques en un río, en un puerto o en un canal: *la embocadura de un puerto.*

embocar v. **1** Entrar por una parte estrecha: *Embocamos por una callejuela y salimos a una gran plaza.* **2** En golf, referido a la pelota, meterla en el hoyo: *Necesitó varios golpes para embocar la bola.* □ ORTOGR. 1. Dist. de *emboscar.* 2. La *c* se cambia en *qu* delante de *e* →SACAR.

embolado, da ▮ adj. **1** En zonas del español meridional, borracho. ▮ s.m. **2** *col.* Problema o situación difíciles: *Se fue y me dejó con un embolado que no sé cómo voy a resolver.* **3** *col.* Engaño o mentira: *Prefiero que no me digas nada a que me vengas con esos embolados de película.*

embolador s.m. En zonas del español meridional, limpiabotas: *En muchas calles de Colombia se pueden ver emboladores.*

embolar v. **1** Referido a un toro, ponerle bolas en los cuernos para que no pueda herir con ellos: *En los encierros del pueblo siempre embolan a los toros para evitar accidentes.* **2** En zonas del español meridional, referido al calzado, limpiarlo: *Le pedí al embolador que me embolara los zapatos.*

embolia s.f. En medicina, obstrucción de un vaso sanguíneo producida por un cuerpo alojado en él, generalmente un coágulo: *una embolia cerebral.* □ ETIMOL. Del griego *embolé* (acción de echar dentro).

émbolo s.m. En un cilindro, cuerpo ajustado a su interior y que se mueve alternativamente para comprimir un fluido o para recibir movimiento de él: *el émbolo de una jeringuilla.* □ ETIMOL. Del latín *embolus,* y este del griego *émbolos* (pene).

embolsar ▮ v. **1** Referido a una cantidad de dinero, cobrarla o percibirla de quien la debe: *Si las ventas responden a lo que se espera, la empresa embolsará una buena suma.* **2** Guardar en una bolsa: *Embolsó las monedas en un saquito y se las guardó en el bolsillo.* ▮ prnl. **3** Obtener como ganancia, esp. en el juego o en un negocio: *El que gane esta baza, se embolsará el premio y el bote acumulado.*

embolso s.m. Obtención de una ganancia.

emboque s.m. **1** Entrada de una bola o de otro objeto por un lugar estrecho. **2** En el juego de los bolos, pieza más pequeña que tiene una puntuación especial.

emboquillar v. Referido a un cigarrillo, ponerle boquilla o filtro: *En las fábricas de tabaco tienen máquinas que emboquillan automáticamente los cigarrillos.*

emborrachar v. **1** Causar embriaguez o poner borracho: *El vino emborracha. Fueron a celebrar el aprobado y se emborracharon todos.* **2** Atontar, adormecer o perturbar: *Usa un perfume tan fuerte que emborracha. Si empiezas a triunfar en los negocios, procura no emborracharte de éxito.* **3** Referido esp. a un bizcocho, empaparlo en vino, en licor o en almíbar: *La tarta me quedó muy jugosa porque emborraché el bizcocho con almíbar.*

emborrascarse v.prnl. Referido al tiempo atmosférico, ponerse borrascoso: *Se ha emborrascado el día y las nubes no dejan ver el sol.* □ SINÓN. *aborrascarse.* □ ORTOGR. La *c* se cambia en *qu* delante de *e* →SACAR.

emborronar v. **1** Referido a un papel, llenarlo de borrones o garabatos: *Se me cayó la tinta y se me emborronó toda la carta.* **2** Escribir deprisa, con desorden o con poca meditación: *Se las da de escritor, cuando lo que hace no es más que emborronar hojas.*

emboscada s.f. **1** Ocultación de una o de varias personas en un lugar retirado para llevar a cabo un ataque por sorpresa: *La emboscada les permitió hacer varios prisioneros.* **2** Trampa o engaño para perjudicar o dañar a una persona: *Aquella propuesta era una emboscada para hacerlo fracasar.*

emboscar ▮ v. **1** En el ejército, referido a un grupo de personas, ponerlas en un lugar oculto para llevar a cabo una operación militar, esp. un ataque por sorpresa: *El capitán emboscó a sus soldados en un recodo del camino para sorprender al enemigo cuando pasara por allí.* ▮ prnl. **2** Adentrarse u ocultarse entre el ramaje: *Se emboscaron en la maleza para darnos un susto.* □ ETIMOL. De *bosque.* □ ORTOGR. 1. Dist. de *embocar.* 2. La *c* se cambia en *qu* delante de *e* →SACAR.

embotamiento s.m. Debilitamiento o pérdida de actividad y de eficacia de un sentido o de una facultad: *Después de tantas horas estudiando, tengo tal embotamiento que ya no puedo pensar con claridad.*

embotar v. Referido esp. a un sentido o a una facultad, debilitarlos o hacerlos menos activos y eficaces: *El miedo embotaba sus sentidos y le impedía moverse. Su inteligencia se embotó por el abuso de alcohol.* □ ETIMOL. De *boto* (necio).

embotellado s.m. Introducción de un líquido en botellas: *El embotellado en las fábricas de refrescos suele ser automático.* □ SINÓN. *embotellamiento.*

embotellador, -a ▮ adj./s. **1** Que embotella: *Trabajo como operario en el proceso embotellador de una fábrica de gaseosa.* ▮ s.f. **2** Máquina que sirve para embotellar líquidos: *Las modernas embotelladoras pueden embotellar gran cantidad de litros al día.* **3** Fábrica en la que se embotellan líquidos: *Mi madre trabaja en una embotelladora de refrescos.*

embotelladora s.f. Véase **embotellador, -a**.

embotellamiento s.m. **1** →**embotellado.** **2** Densidad alta del tráfico: *Al acabar el partido, siempre hay embotellamientos en las calles cercanas al estadio.* □ SINÓN. *atasco.*

embotellar ▮ v. **1** Referido a un líquido, meterlo en botellas: *Cuando visitamos la bodega, nos enseñaron cómo embotellan el vino.* ▮ prnl. **2** Referido a un lugar de tráfico, congestionarse por exceso de vehículos: *En todos los comienzos de vacaciones, se embotellan las carreteras de salida de las grandes ciudades.*

embotijarse v.prnl. **1** *col.* Hincharse o inflarse: *Desde que no haces deporte te has embotijado.* **2** *col.* Enfadarse o enojarse: *No te embotijes por una tontería como esa.*

embozar v. **1** Referido al rostro, cubrirlo por la parte inferior hasta la nariz o hasta los ojos: *El bandido embozó su cara con un pañuelo para no ser reconocido. Como hacía frío, el caballero se embozó en la capa.* **2** Ocultar o disfrazar con palabras o con acciones: *Emboza sus malas intenciones con palabras bonitas y engañosas.* □ ORTOGR. La *z* se cambia en *c* delante de *e* →CAZAR.

embozo s.m. **1** En la sábana de una cama, parte que se dobla hacia afuera por el lado que toca la cara. **2** Lo que se usa para cubrirse el rostro: *El atracador llevaba un embozo que impidió identificarlo.* **3** Cautela, astucia o disimulo con que se hace o dice algo: *Cuando no estáis presentes, os critica abiertamente y sin embozo.*

embragar v. En algunos vehículos, conectar dos ejes en rotación para transmitir el movimiento de uno al movimiento de otro: *Al pisar el pedal del embrague no se embraga, sino que se desembraga.* □ ETIMOL. Del francés *embrayer.* □ ORTOGR. La *g* se cambia en *gu* delante de *e* →PAGAR.

embrague s.m. **1** En algunos vehículos, mecanismo dispuesto para que un eje participe, o no, en el mecanismo de otro: *El embrague permite cambiar de marcha.* **2** Pedal o pieza con que se acciona este mecanismo: *El embrague de los coches está a la izquierda del freno.*

embravecer v. Referido esp. al mar o al viento, enfurecerlo o alterarlo mucho: *El viento embraveció el mar y las olas se encresparon.* □ MORF. Irreg. →PARECER.

embravecimiento s.m. Enfurecimiento o alteración fuertes de algo, esp. del mar o del viento: *El embravecimiento del mar hizo que aplazáramos nuestra excursión en barco.*

embrazadura s.f. En un escudo, asa para cogerlo y por la cual se metía el brazo izquierdo: *El caballero alzó el escudo que tenía sujeto por la embrazadura y logró esquivar el golpe de su adversario.* □ SINÓN. *brazal.*

embrazar v. Referido esp. a un escudo, sujetarlo metiendo el brazo izquierdo por su embrazadura para cubrir y defender el cuerpo: *El caballero embrazó su escudo y dispuso su lanza para participar en el torneo.* □ ORTOGR. La *z* se cambia en *c* delante de *e* →CAZAR.

embrear v. Untar con brea: *El pescador embreaba el casco de su barca para evitar posibles vías de agua.*

embriagador, -a adj. Que embriaga: *En aquel anuncio de colonia, la gente se quedaba extasiada por el perfume embriagador del protagonista.* □ SINÓN. *embriagante.*

embriagante adj.inv. Que embriaga: *Las flores del jardín exhalaban un aroma embriangante.* □ SINÓN. *embriagador.*

embriagar v. **1** Causar embriaguez o turbar las capacidades físicas o mentales a causa de un consumo excesivo de bebidas alcohólicas: *Ese licor es tan fuerte que embriaga solo con olerlo. Bebieron hasta embriagarse.* **2** Producir atontamiento o perturbar los sentidos: *Ese perfume huele tanto que embriaga. Se embriaga con el riesgo y es capaz de las mayores temeridades.* **3** Extasiar hasta sacar fuera de sí o hacer perder la razón: *Es un melómano empedernido y la música lo embriaga. Se embriagó con la felicidad de haber obtenido el primer premio.* □ ETIMOL. Del antiguo *embriago* (borracho), y este del latín *ebriacus.* □ ORTOGR. La *g* se cambia en *gu* delante de *e* →PAGAR.

embriague s.m. En zonas del español meridional, embrague: *Se descompuso el embriague de mi auto.*

embriaguez s.f. **1** Turbación o trastorno temporal de las capacidades físicas o mentales, producidos por un consumo excesivo de bebidas alcohólicas o por una intoxicación de gas o de otra sustancia: *Fue detenido por conducir en estado de embriaguez.* □ SINÓN. *ebriedad.* **2** Trastorno o alteración del ánimo: *Tanta alegría me producía tal embriaguez que no podía expresarme con claridad.* □ SINÓN. *ebriedad.*

embridar v. **1** Referido a una caballería, ponerle la brida: *Antes de montar el caballo, lo embridó y lo ensilló.* **2** Referido esp. a un sentimiento, someterlo, refrenarlo o contenerlo: *Intentó embridar sus celos, pero la pasión se lo impidió.*

embriogénesis (pl. *embriogénesis*) s.f. →**embriogenia.** □ ETIMOL. Del griego *émbryon* (feto) y *génesis* (creación).

embriogenia s.f. En biología, formación o desarrollo del embrión: *Esta malformación que sufre se debe a una alteración durante la embriogenia.* □ SINÓN. *embriogénesis.* □ ETIMOL. Del griego *émbryon* (feto) y *geneá* (nacimiento).

embriogénico, ca adj. De la embriogenia o relacionado con ella: *El ombligo es un vestigio de una estructura embriogénica.*

embriología s.f. Parte de la biología que estudia la formación y el desarrollo de los embriones: *La embriología investiga las causas de las malforma-*

ciones fetales. □ ETIMOL. Del griego *émbryon* (feto) y *-logía* (ciencia, estudio).

embriológico, ca adj. De la embriología o relacionado con esta parte de la biología: *Elaboré un estudio embriológico sobre la multiplicación celular en los primeros estadios del desarrollo.*

embrión s.m. **1** En biología, primera fase del desarrollo del huevo o cigoto: *En los mamíferos, al embrión se le llama 'feto' cuando tiene ya las características de su especie.* **2** En botánica, esbozo de la futura planta que se encuentra dentro de la semilla: *Los cotiledones son una parte de los embriones.* □ ETIMOL. Del griego *émbryon* (feto, recién nacido).

embrionario, ria adj. **1** Del embrión o relacionado con él: *Estos dibujos muestran las fases del desarrollo embrionario de un mamífero.* **2** Que se encuentra en fase de planificación: *El proyecto todavía está en estado embrionario.*

embriopatía s.f. Enfermedad o lesión del embrión: *Algunas radiaciones pueden producir embriopatías.* □ ETIMOL. Del griego *émbryon* (feto) y *-patía* (enfermedad).

embrollado, da adj. Lioso o complicado.

embrollar v. Enredar, confundir, complicar o crear una situación de embrollo: *Si me fotocopias los apuntes, no me los embrolles, que luego es un follón ordenarlos.* □ ETIMOL. Del francés *embrouiller*, y este de *brouiller* (confundir, mezclar).

embrollo s.m. **1** Situación confusa, agitada o embarazosa, esp. si va acompañada de gran alboroto y tumulto: *¡Menudo embrollo se formó cuando hubo gente que quiso colarse en la cola...!* □ SINÓN. *lío.* **2** Conjunto desordenado, revuelto y enredado: *Con este embrollo de ropa no me extraña que no encuentres la bufanda.* □ SINÓN. *lío.* **3** Mentira disfrazada con habilidad: *Me contó tan serio ese embrollo, que me lo creí.* □ SINÓN. *embuste.*

embromado, da adj. *col.* En zonas del español meridional, difícil o molesto: *Es muy embromado explicarle lo que pasó.*

embromar v. *col.* Referido a una persona, molestarla o gastarle bromas por diversión: *Es mejor no embromarle, porque hoy no está de humor para aguantar nada.*

embroncarse v.prnl. *col.* En zonas del español meridional, enfadarse. □ ORTOGR. La *c* se cambia en *qu* delante de *e* →SACAR.

embrujado, da adj. Con algún hechizo o embrujo: *una casa embrujada.*

embrujamiento s.m. Fascinación o trastorno del juicio y de la salud, esp. si se causan mediante prácticas mágicas o sobrenaturales: *Cree que su mala suerte se debe a un embrujamiento.*

embrujar v. Hechizar, fascinar o trastornar el juicio y la salud, esp. mediante prácticas mágicas o sobrenaturales: *La maga del cuento embrujó a los niños y no volvieron a hablar.* □ ORTOGR. Conserva la *j* en toda la conjugación.

embrujo s.m. **1** Fascinación o atracción misteriosa y oculta: *Su fuerte personalidad ejerce un extraño embrujo sobre las personas que la rodean.* **2** Hechizo o trastorno del juicio y de la salud, esp. si se causan mediante prácticas mágicas o sobrenaturales: *La Inquisición perseguía a las personas que hacían embrujos y hechicerías.*

embrutecer v. Volver bruto, entorpecer o reducir la capacidad de razonar: *Esa vida de apoltronamiento que llevas acabará por embrutecerte.* □ MORF. Irreg. →PARECER.

embrutecimiento s.m. Entorpecimiento o pérdida de la capacidad de razonar: *La guerra produjo el embrutecimiento de muchas personas que se vieron obligadas a cometer atrocidades.*

embuchado, da ▌adj. **1** Embutido en una tripa: *He comprado chorizo, jamón y lomo embuchado.* ▌s.m. **2** Tripa rellena, generalmente con carne de cerdo picada y aderezada con condimentos: *Compré en la charcutería embuchado de lomo.* **3** *col.* Frase o palabras que un actor improvisa e introduce en su papel en el momento de la representación: *Esa actriz es capaz de hacer distinta cada representación de la misma obra metiendo embuchados.* □ SINÓN. *morcilla.* **4** Introducción de algo en un sobre: *El embuchado de propaganda para esta campaña de publicidad se le encargó a una empresa.*

embuchar v. **1** Referido a la carne, embutirla picada en una tripa: *Para hacer chorizo, embuchan carne de cerdo mezclada con especias.* **2** Referido a un ave, introducirle comida o líquido en el buche: *En esa granja embuchan patos para obtener hígados buenos para la elaboración de paté.* **3** En encuadernación, meter pliegos o cuadernillos impresos dentro de otros: *Hubo que embuchar un pliego en color en las páginas centrales del libro.*

embudo s.m. **1** Utensilio hueco de forma cónica, terminado por su parte más estrecha en un tubo, y que sirve para pasar líquidos de un recipiente a otro: *Cuando llenes la botella, utiliza un embudo para que no caiga nada fuera.* **2** Tramo final de una situación en el que se produce un estrechamiento que da lugar a acumulaciones que dificultan la salida: *Al final de la cadena de trabajo se produjo un embudo, porque solo había un técnico para inspeccionar la labor de veinte operarios.* □ ETIMOL. Del latín *traiectorium imbutum* (conducto lleno de líquido).

embuste s.m. Mentira disfrazada con habilidad: *Estoy cansada de tus embustes y ya no confío en que algún día digas la verdad.* □ SINÓN. *embrollo.*

embustero, ra adj./s. Que dice embustes: *Me han advertido que no me fíe de lo que me digas, porque eres un embustero.* □ ETIMOL. Quizá del francés antiguo *empousteur.*

embutido s.m. **1** Tripa rellena con carne picada o con otro relleno semejante: *El salchichón es el embutido que más me gusta.* **2** Introducción de una cosa dentro de otra, apretándola o encajándola en ella: *El embutido de la carne en la tripa es una de las tareas más laboriosas de la matanza.*

embutidor, -a ▌s. **1** Persona que se dedica a la elaboración de embutidos, esp. si esta es su profesión: *Trabaja de embutidor y aborrece el chorizo.* ▮ s.f. **2** Fábrica o máquina de elaboración de embutidos: *En esta embutidora trabajan con productos cárnicos de primera calidad.*

embutidora s.f. Véase **embutidor, -a.**

embutir v. **1** Referido a una cosa, meterla dentro de otra apretándola o encajándola en ella: *Embutieron más lana en el colchón para que quedase más mullido.* **2** Referido a un embutido, hacerlo o fabricarlo: *Para embutir chorizo, utilizan tripas naturales.* □ ETIMOL. Del antiguo *embotir*, y este de *boto* (odre).

eme s.f. Nombre de la letra *m.* □ USO Se usa como sustitución eufemística de *mierda*: *¡Vete a la eme, tonto!*

emenagogo adj./s.m. Referido a un medicamento, que provoca la regla o menstruación: *La ginecóloga recetó a la paciente un emenagogo para regularle la menstruación.* □ ETIMOL. Del griego *émmena* (menstruación) y *ágo* (yo empujo).

emergencia s.f. **1** Suceso o accidente imprevistos o de necesidad: *Si surge cualquier emergencia, no dudes en llamarme.* **2** Salida a la superficie del agua o de otro líquido: *Se dio la orden de emergencia en el submarino e inmediatamente salió a la superficie.* **3** Situación de peligro o de desastre: *Pon las luces de emergencia si tienen que pararte en el arcén.*

emergente adj.inv. **1** Que destaca o sobresale: *un negocio emergente.* **2** Que emerge.

emerger v. **1** Salir a la superficie del agua o de otro líquido: *El submarino emergió para repostar.* **2** Destacar o salirse de un medio o ambiente: *La nueva generación emerge y trae ideas y proyectos distintos.* □ ETIMOL. Del latín *emergere* (salir a la superficie). □ ORTOGR. La *g* se cambia en *j* delante de *a, o* →COGER.

emeritense adj.inv./s.com. De Mérida o relacionado con esta ciudad extremeña: *Los emeritenses se enorgullecen de sus monumentos romanos.*

emérito, ta adj. Referido a un profesor universitario, que se ha jubilado, pero aún puede seguir dando clases como reconocimiento a sus méritos: *Uno de los cursos de doctorado lo da una profesora emérita que es una verdadera sabia en la materia.* □ ETIMOL. Del latín *emeritus*, y este de *emereri* (ganarse el retiro, terminar el servicio).

emersión s.f. En astronomía, salida de un astro por detrás de otro que lo ocultaba: *Al final del eclipse, vimos la emersión del Sol.* □ ETIMOL. Del latín *emersio.*

emesis (pl. *emesis*) s.f. Vómito o expulsión por la boca de lo que estaba en el estómago: *Para tratarle de la intoxicación que sufría le provocaron una emesis.* □ ETIMOL. Del griego *émesis.*

emético, ca adj./s.m. En medicina, referido esp. a una sustancia, que estimula el vómito: *El médico le recetó un emético para evitar que absorbiera el veneno que había tomado.* □ SINÓN. *vomitivo, vomitorio.* □ ETIMOL. Del latín *emeticus*, y este del griego *emetikós* (vomitivo).

-emia Elemento compositivo sufijo que significa 'sangre': *anemia, leucemia.*

emidosaurio ▮ adj./s.m. **1** Referido a un reptil, que tiene el dorso cubierto de grandes escamas óseas y los dedos unidos entre sí por una membrana: *El caimán es un emidosaurio.* ▮ s.m.pl. **2** En zoología, orden de estos reptiles: *El cocodrilo pertenece a los emidosaurios.* □ ETIMOL. Del griego *emýs* (galápago) y *sâuros* (lagarto).

emigración s.f. Movimiento de población que consiste en la salida de personas de un lugar para establecerse en otro: *La emigración suele dirigirse hacia países ricos.* □ SEM. Es dist. de *inmigración* y *migración* →**emigrar**.

emigrado, da s. Persona que reside fuera de su país por razones políticas: *En la conferencia, los emigrados hablaron de las razones que les llevaron a exiliarse.* □ SEM. Dist. de *emigrante* (persona que sale de su país para establecerse en otro).

emigrante ▮ adj.inv. **1** Que emigra. ▮ s.com. **2** Persona que sale de un lugar para establecerse en otro: *La preocupación de muchos emigrantes es ganar dinero rápidamente para poder volver a su país cuanto antes.* □ SEM. Dist. de *emigrado* (persona que reside fuera de su país por razones políticas) y de *inmigrante* (persona que llega a un lugar para establecerse en él).

emigrar v. **1** Salir de un lugar para establecerse en otro: *Muchos habitantes de países pobres emigran en busca de una vida mejor. Algunas especies de aves emigran en cada cambio de estación.* **2** *col.* Marcharse: *Si veo que las cosas se ponen feas, yo emigro.* □ ETIMOL. Del latín *emigrare* (cambiar de casa, expatriarse). □ SEM. En la acepción 1, dist. de *inmigrar* (llegar a un lugar para establecerse en él) y de *migrar* (desplazarse para cambiar el lugar de residencia).

emigratorio, ria adj. De la emigración o relacionado con ella: *Ha estudiado los movimientos emigratorios en la región durante los últimos años.* □ SEM. Dist. de *inmigratorio* y *migratorio* →**emigrar**.

emilio s.m. *col.* Correo electrónico: *Voy a mandar un emilio a mi hermana, que está en Italia.* □ SINÓN. *ismael.* □ ETIMOL. Del inglés *e-mail.*

eminencia s.f. **1** Tratamiento honorífico que corresponde a los cardenales católicos: *Su Eminencia el cardenal primado tiene muchas posibilidades de ser elegido Papa.* **2** Persona que sobresale o destaca en un campo o en una actividad: *El conferenciante es una eminencia en cirugía.* □ ORTOGR. Dist. de *inminencia.* □ USO La acepción 1 se usa más en la expresión *{Su/Vuestra} Eminencia.*

eminente adj.inv. Que sobresale o destaca en un campo o en una actividad: *Fue operado por una eminente cirujana.* □ ETIMOL. Del latín *eminens* (elevado, saliente, prominente). □ ORTOGR. Dist. de *inminente.*

eminentemente adv. Fundamentalmente o principalmente: *La economía de ese país es eminentemente agrícola y ganadera.*

eminentísimo, ma adj. Tratamiento honorífico que corresponde a los cardenales católicos: *Oficiará la misa el eminentísimo señor cardenal de Toledo.*

emir s.m. Príncipe o jefe político y militar de una comunidad árabe: *En el imperio musulmán, los emires dependían del califa, que era el jefe político y militar supremo.* □ ETIMOL. Del árabe *amir* (jefe).

emirato s.m. **1** Título o cargo de emir: *Los emires que accedían al emirato de Córdoba estaban bajo la autoridad del califa de Damasco.* **2** Tiempo durante el que un emir ejerce su cargo: *Durante su emirato, la producción petrolífera del país creció espectacularmente.* **3** Territorio sobre el que un emir ejerce su autoridad o su gobierno: *Kuwait es un emirato.*

emiratounidense adj.inv./s.com. De los Emiratos Árabes Unidos o relacionado con este país asiático.

emisario, ria ▌s. **1** Mensajero que se envía para hacer averiguaciones sobre un asunto o para comunicar o tratar algo: *El presidente recibió en audiencia al emisario del país vecino.* ▌s.m. **2** Conducto para dar salida a las aguas residuales: *Un emisario submarino es el que lleva las aguas residuales al mar.* □ ETIMOL. Del latín *emissarius*.

emisión s.f. **1** Expulsión o producción de algo hacia el exterior: *La emisión de calor de este radiador es muy baja porque tiene poca potencia.* **2** Producción y puesta en circulación de papel moneda o de efectos públicos, bancarios o comerciales: *La emisión de títulos de deuda pública permitirá al Estado recaudar dinero para financiar varios proyectos.* **3** Manifestación de una opinión o de un juicio: *La emisión de la sentencia tendrá lugar al día siguiente del juicio.* **4** Transmisión hecha lanzando ondas hertzianas para hacer oír señales o programas: *La emisión televisiva se cerrará a las doce de la noche.* □ ETIMOL. Del latín *emissio*.

emisor, -a ▌adj./s. **1** Que emite: *El Sol es un foco emisor de energía.* ▌s. **2** En lingüística, persona que enuncia un mensaje en un acto de comunicación: *El emisor y el receptor se comunican utilizando un mismo código.* ▌s.m. **3** Aparato productor de ondas hertzianas: *Los emisores de radio cada día son más potentes.* ▌s.f. **4** Estación en la que está instalado este aparato: *Trabaja de locutor en una emisora de radio.*

emisora s.f. Véase **emisor, -a**.

emitir v. **1** Arrojar, producir o echar hacia fuera: *Los faros de la costa suelen emitir una luz intermitente. Este pájaro emite un sonido muy agudo.* **2** Referido esp. al papel moneda o a efectos públicos o bancarios, producirlos y ponerlos en circulación: *El Banco Central de un país es el encargado de emitir moneda.* **3** Referido esp. a una opinión, darlas o manifestarlas: *En las últimas elecciones, emitieron su voto más de la mitad de los ciudadanos censados.* **4** Transmitir lanzando ondas hertzianas para hacer oír señales o programas: *La televisión emitirá un informativo sobre la sesión parlamentaria. La nueva emisora de radio emite en onda media.* □ ETIMOL. Del latín *emittere*.

emmental s.m. Queso de leche de vaca, de pasta dura y grandes agujeros, originario de Emmental (valle suizo): *El queso que más me gusta es el emmental.* □ ETIMOL. Del francés *Emmenthal*.

emoción s.f. Agitación del ánimo, producida por impresiones, ideas o sentimientos intensos: *Es un poco reservado y le cuesta exteriorizar sus emociones.* □ ETIMOL. Del francés *émotion*. □ SEM. Dist. de *emotividad* (capacidad de producir emoción, o sensibilidad a las emociones).

emocionable adj.inv. Sensible a las emociones: *una persona muy emocionable.* □ SINÓN. *emotivo*.

emocional adj.inv. **1** De la emoción o relacionado con este estado anímico: *La noticia del fatal suceso lo sumió en un estado emocional fuertemente depresivo.* **2** Que se deja llevar por las emociones: *Es una persona muy emocional, y a veces no se puede controlar.*

emocionante adj.inv. Que emociona: *Dedicó unas palabras emocionantes y sinceras al amigo que acababa de fallecer.*

emocionar v. Conmover o causar emoción: *Sus palabras de agradecimiento me emocionaron. Siempre me emociono cuando escucho esa canción.*

emoliente adj.inv./s.m. Referido a un medicamento, que sirve para ablandar durezas, tumores o zonas inflamadas: *La base de muchas pomadas es un emoliente.* □ ETIMOL. Del latín *emolliens* (que ablanda).

emolumento s.m. Remuneración que corresponde a un cargo o a un empleo: *Sus emolumentos son muy altos porque es un abogado muy prestigioso.* □ ETIMOL. Del latín *emolumentum* (utilidad, retribución). □ MORF. Se usa más en plural.

emoticón s.m. →**emoticono.**

emoticono s.m. Símbolo gráfico que se utiliza en correos electrónicos o telefonía móvil y que representa el estado de ánimo del emisario: *El emoticono ':-)' significa 'estoy feliz'.* □ SINÓN. *emoticón*. □ ETIMOL. Del inglés *emotion* (emoción) e *icon* (icono), influido por el español *icono*.

emotividad s.f. **1** Capacidad de producir emoción: *El banquete de despedida que le ofrecieron sus compañeros fue de una gran emotividad.* **2** Sensibilidad a las emociones: *En el momento más delicado, no pudo controlar su emotividad y se le saltaron las lágrimas.* □ SEM. Dist. de *emoción* (agitación del ánimo).

emotivo, va adj. **1** Relacionado con la emoción: *Su estado emotivo está alterado y el médico le ha recetado unos calmantes.* **2** Que produce emoción: *El homenaje que se le rindió fue muy emotivo.* **3** Sensible a las emociones: *Es muy emotiva y siempre llora con las películas tristes.* □ SINÓN. *emocionable*.

empacadora s.f. Máquina que sirve para empacar: *El granjero utiliza una empacadora para hacer pacas con la paja.*

empacar v. **1** Empaquetar o meter en cajas: *Estas máquinas empacan la paja en grandes fardos.* **2** En zonas del español meridional, hacer el equipaje: *Voy a* *empacar todas mis cosas porque mañana salgo de viaje.* ☐ ETIMOL. De *paca* (fardo). ☐ ORTOGR. La *c* se cambia en *qu* delante de *e* →SACAR.

empachada s.f. Véase **empachado, da.**

empachado, da ▮ adj. **1** Que sufre una indigestión: *No debes obligar a comer a un niño empachado.* **2** Referido a una persona, que es poco diestra o que le falta habilidad. ▮ s.f. **3** En zonas del español meridional, empacho.

empachar v. **1** Causar o sufrir indigestión: *No comas más, que los dulces empachan. Se empachó de golosinas y luego no quería comer.* **2** Molestar, cansar o hartar: *Ese niño tan pesado acaba por empachar a cualquiera.* ☐ ETIMOL. Del francés *empêcher* (impedir).

empacho s.m. **1** Indigestión de comida: *Sufre empachos a menudo porque come sin medida.* **2** Hartazgo, cansancio o molestia producidos por algún exceso: *La conferencia fue tan larga y pesada, que salimos de allí con empacho.* **3** Vergüenza, cortedad o turbación: *Todas las críticas que le hicieron no produjeron en él el menor empacho.*

empachoso, sa adj. Que causa empacho: *Estos pasteles con tanta nata resultan empachosos.*

empadrarse v.prnl. Referido esp. a un niño, encariñarse excesivamente con su padre o con sus padres: *Con tantos mimos, la niña se ha empadrado y llora cada vez que sus padres se van.*

empadronamiento s.m. Inscripción de una persona en el padrón o registro de los habitantes de una localidad: *El correcto empadronamiento es un requisito para poder votar en unas elecciones.*

empadronar v. Referido a una persona, inscribirla en el padrón o registro en el que constan los habitantes de una localidad: *Al nacer un niño, hay que empadronarlo en el Ayuntamiento en el que vivirá con sus padres. Cuando se empadronó dio los datos mal, y ahora no puede votar.*

empalagamiento s.m. →**empalago.**

empalagar v. **1** Referido a una comida, desagradar o producir hartazgo o repugnancia, esp. su sabor excesivamente dulce: *Estos caramelos tan dulces empalagan. No me gusta el chocolate porque me empalaga.* **2** Hartar, aburrir o molestar por exceso: *Tantos elogios desmedidos, más que halagarme me empalagan.* ☐ ETIMOL. De *empelargare* (internarse demasiado en el mar, comprometerse excesivamente). ☐ ORTOGR. La *g* se cambia en *gu* delante de *e* →PAGAR.

empalago s.m. **1** Desagrado, hartazgo o repugnancia causados por una comida, esp. por ser demasiado dulce: *Esta mermelada me produce empalago.* ☐ SINÓN. *empalagamiento.* **2** Hartazgo, aburrimiento o molestia producidos por una persona o por su forma de actuar, esp. por sus excesivas atenciones y muestras de afecto: *Sus continuas adulaciones me llegan a producir empalago.* ☐ SINÓN. *empalagamiento.*

empalagoso, sa ▮ adj. **1** Referido a un alimento, que empalaga: *Si le pones tanta mantequilla al pastel, va a quedar empalagoso.* ▮ adj./s. **2** Referido a una persona, que molesta por su afectación y excesivas muestras de cariño: *Con tantos saludos y aspavientos, resulta un poco empalagoso.* ☐ SINÓN. *pegajoso.*

empalamiento s.m. Introducción de un palo por el ano de una persona o de un animal hasta atravesarlos: *Algunas tribus primitivas practicaban el empalamiento de prisioneros como método de tortura y ajusticiamiento.*

empalar v. Referido a una persona o a un animal, atravesarlos con un palo, introduciéndoles este por el ano: *El conde Drácula empalaba a sus prisioneros.*

empalidecer v. →**palidecer.**

empalizada s.f. Valla hecha de palos o de estacas clavados en el suelo: *El poblado indígena estaba rodeado por una empalizada.*

empalizar v. Rodear con empalizadas: *Empalizaron un terreno para que sirviera de corral.* ☐ ORTOGR. La *z* se cambia en *c* delante de *e* →CAZAR.

empalmadura s.f. →**empalme.**

empalmar ▮ v. **1** Referido a dos cosas, juntarlas acoplando una con otra o entrelazándolas: *El fontanero empalmó las dos tuberías y luego las soldó.* **2** Referido esp. a planes o a ideas, ligarlas o combinarlas: *Oírte hablar me encanta, porque empalmas muy bien temas muy distintos.* **3** Seguir o suceder a otra cosa sin que se produzca interrupción o desviación: *Su nuevo libro empalma con el anterior e insiste en el mismo tema.* **4** Referido esp. a un camino o a un medio de transporte, unirse o combinarse con otro: *El tren va solo hasta Burgos, pero allí empalma con otro que va hasta Bilbao.* ▮ prnl. **5** *vulg.* Referido a un hombre o a un animal macho, excitarse sexualmente, con erección del pene: *Es un obseso que solo piensa en empalmarse.* ☐ ETIMOL. De *empalomar* (atar con bramante). ☐ MORF. En la acepción 5, se usa más como pronominal.

empalme s.m. **1** Unión de dos cosas acoplando una con otra: *El empalme de las tuberías está mal hecho y se sale el agua.* ☐ SINÓN. *empalmadura.* **2** Combinación de un medio de transporte con otro: *Para ir en tren a mi pueblo tengo que hacer empalme en otro que está a cien kilómetros.* ☐ SINÓN. *enlace.* **3** Punto en el que se empalma: *Cuando llegues al empalme, tienes que coger la primera calle a la derecha.* ☐ SINÓN. *empalmadura.*

empamparse v.prnl. En zonas del español meridional, perderse en la pampa.

empanada s.f. **1** Comida compuesta de dos capas de pan o de hojaldre rellenas y cocidas: *A mí me gusta la empanada de carne, y a mi hermano, la de bonito.* **2** En zonas del español meridional, comida hecha doblando una masa de pan sobre sí misma y metiéndole relleno: *Fui a comprar empanadas de atún para la cena.* **3** *col.* Ocultación o enredo engañoso de un asunto: *El día que se descubra la empanada que hay detrás de todo esto, van todos a la cárcel.* **4** ‖ **empanada (mental);** *col.* Confusión o lío mental: *Tiene una tremenda empanada mental y no sabe qué hacer con su vida.*

empanadilla s.f. Especie de pastel pequeño, que se hace doblando una masa de pan sobre sí misma, cubriendo con ella un relleno y friéndolo después: *De segundo, tomaremos empanadillas de bonito.*

empanar v. Referido a un alimento, rebozarlo con pan rallado para freírlo: *Para empanar los filetes, primero tienes que pasarlos por el batido de huevo y después untarlos en pan rallado.*

empanizar v. En zonas del español meridional, empanar: *Este pan molido es para empanizar los bistés.* □ ORTOGR. La *z* se cambia en *c* delante de *e* →CAZAR.

empantanado, da adj. Inundado o encharcado.

empantanamiento s.m. **1** Inundación de un terreno. **2** Interrupción o aplazamiento de un proceso.

empantanar v. **1** Referido a un terreno, llenarlo de agua hasta inundarlo y dejarlo hecho un pantano: *Las fuertes lluvias han empantanado las huertas.* **2** *col.* Desordenar o revolver: *¿Quién ha empantanado la cocina?* **3** Interrumpir o detener: *El nuevo ataque empantanó las negociaciones de paz.*

empañamiento s.m. **1** Pérdida o privación de la claridad, del brillo o del resplandor de algo: *El empañamiento de los cristales de las gafas no le dejaba ver bien.* **2** Oscurecimiento de la fama o del mérito de una persona: *Sus mentiras persiguen el empañamiento de tu prestigio.*

empañar v. **1** Quitar la claridad, el brillo o el resplandor: *Cuando guiso, el vapor empaña los cristales de la cocina. Se me empañaron los ojos en lágrimas cuando me enteré de su muerte.* **2** Referido esp. a la fama o al mérito, mancharlos u oscurecerlos: *Intentaron empañar su buen nombre con calumnias.* □ ETIMOL. De *paño*, porque *empañar* significó *cubrir con una tela.*

empapamiento s.m. Proceso de humedecer algo poroso, hasta dejarlo totalmente penetrado por un líquido: *Para el empapamiento de la tarta, necesitarás por lo menos medio litro de almíbar.*

empapar ▮ v. **1** Referido a algo poroso, humedecerlo tanto que quede totalmente penetrado por un líquido: *Me gusta empapar el pan en la salsa de la carne. Si tiendes y empieza a llover, la ropa se empapará.* **2** Referido a un líquido, absorberlo dentro de los poros o de los huecos de algo, esp. de un cuerpo poroso o esponjoso: *Después de ducharte, empapa el agua del suelo con la fregona.* ▮ prnl. **3** Enterarse bien o llenarse completamente, esp. de una doctrina o de un afecto: *Hizo un curso intensivo para empaparse de las últimas tendencias.* □ SINT. Constr. de la acepción 3: *empaparse* DE *algo.*

empapelado s.m. **1** Recubrimiento de una pared o de otra superficie con papel. **2** Papel que se utiliza para este recubrimiento: *Con el tiempo, el empapelado del salón ha ido amarilleando.*

empapelador, -a s. Persona que se dedica profesionalmente al empapelado de paredes: *En cuanto terminen su trabajo el empapelador y el pintor, empezaremos a colocar los muebles.*

empapelar v. **1** Referido a una superficie, esp. a una pared, cubrirla con papel: *Elige un papel bonito para empapelar la habitación.* **2** *col.* Referido a una persona, procesarla o abrirle expediente: *Lo empapelaron por estafa pública.*

empapuciar v. *col.* →**empapuzar.** □ ORTOGR. La *i* nunca lleva tilde.

empapujar v. *col.* →**empapuzar.** □ ORTOGR. Conserva la *j* en toda la conjugación.

empapuzar (tb. *empapuciar, empapujar*) v. *col.* Referido a una persona, forzarla a comer demasiado: *Si no tiene hambre, no lo empapuces, que le va a sentar mal.* □ ORTOGR. La *z* se cambia en *c* delante de *e* →CAZAR.

empaque s.m. **1** *col.* En una persona, aspecto externo: *Camina con el gesto altivo y el empaque de un príncipe.* **2** Seriedad o gravedad acompañadas de cierta afectación: *Habla con empaque, escogiendo palabras rebuscadas para impresionar.* □ ETIMOL. De *empacarse* (obstinarse, turbarse), y este de *paco* (roedor), por la obstinación con que se enfrenta este animal.

empaquetado s.m. **1** Formación de paquetes o envoltura en paquetes: *Debes poner mucho cuidado en el empaquetado de las porcelanas.* □ SINÓN. *empaquetadura.* **2** En zonas del español meridional, almacén donde se manipulan y envasan productos agrícolas: *Cuando viví en Canarias, trabajé en un empaquetado de plátanos y tomates.*

empaquetador, -a ▮ adj./s. **1** Que empaqueta. ▮ s. **2** Persona que se dedica profesionalmente a empaquetar: *Trabaja como empaquetadora en una fábrica de camisas.*

empaquetadura s.f. →**empaquetado.**

empaquetar v. **1** Hacer paquetes o envolver en paquetes: *En una mudanza, hay que empaquetarlo todo para trasladarlo.* **2** *col.* Imponer un castigo, multa o arresto: *Lo empaquetaron por una estafa.*

emparchar v. Poner parches: *He emparchado la rueda de la bici porque se había pinchado.*

emparedado s.m. Bocadillo hecho con pan de molde: *Merendé un emparedado de queso de dos pisos.* □ SINÓN. *sándwich.*

emparedamiento s.m. Encierro u ocultación de algo entre paredes: *Al derribar el tabique, descubrieron el cuerpo de una persona víctima de un emparedamiento.*

emparedar v. Referido a una persona, encerrarla entre paredes dejándola sin comunicación con el exterior: *Antiguamente, emparedaban a la gente como método de tortura.*

emparejamiento s.m. Unión de dos para formar pareja: *La que dirigía la banda dispuso también los emparejamientos para el baile.*

emparejar v. **1** Juntar o unir formando pareja: *Antes de guardar los calcetines, empáréjalos. ¿Quién te ha dicho a ti que me gustaría emparejarme contigo?* **2** Ser igual o ser pareja de otra cosa: *Te has equivocado y me has dado unos guantes que no emparejan.* □ ORTOGR. 1. Dist. de *aparejar*. 2. Conserva la *j* en toda la conjugación.

emparentar v. **1** Contraer parentesco por vía de matrimonio: *Se casó sin estar enamorado, porque quería emparentar con la nobleza.* **2** Relacionar señalando o descubriendo lazos de parentesco o de afinidad: *Un experto en heráldica emparentó nuestro apellido con una antigua e ilustre familia.* □ ORTOGR. Antiguamente era irregular y la *e* final de la raíz diptongaba en *ie* en los presentes, excepto en las personas *nosotros* y *vosotros* →PENSAR, pero hoy se usa como regular.

emparrado s.m. Parra o conjunto de tallos y hojas de parras que se entrelazan sobre un armazón y forman una cubierta: *Comimos al aire libre, a la sombra del emparrado.*

emparrar v. Referido esp. a una planta, formar un emparrado con ella: *Voy a emparrar algunos rosales del jardín para que en verano nos den sombra.*

emparrillar v. Asar en una parrilla: *Para comer, emparrillamos unas chuletas.*

empastar v. **1** Referido esp. a un diente, rellenar los huecos producidos en él por la caries: *Si la muela está picada, te la tendrás que empastar.* **2** En zonas del español meridional, encuadernar: *Me dedico a empastar libros.*

empaste s.m. **1** Relleno de los huecos producidos en un diente o en una muela por la caries: *Para hacerme el empaste, la dentista me puso anestesia.* **2** Pasta con que se hace este relleno: *Se me ha caído el empaste de la muela, así que tendré que volver al dentista.*

empatar v. **1** En una votación o en una confrontación, obtener dos o más contrincantes el mismo número de votos o de puntos: *Los dos equipos empataron a cero. Si dos partidos empatan la votación, ambos obtendrán el mismo número de diputados. Nos basta con empatar este encuentro para ponernos a la cabeza de la clasificación.* **2** En zonas del español meridional, empalmar o unir: *Tengo que empatar estos dos cables.* □ ETIMOL. Del italiano *impattare* (terminar iguales).

empate s.m. **1** En una votación o en una confrontación, obtención del mismo número de votos o de puntos por parte de dos o más contrincantes: *El partido terminó en empate.* **2** En zonas del español meridional, empalme o unión de una cosa con otra: *No se nota nada el empate que hice con los cables.*

empatía s.f. Sentimiento de participación afectiva de una persona en una realidad ajena a ella, esp. en los sentimientos de otra persona: *A él no le ha pasado nada, pero se siente triste por empatía con los afectados.* □ ETIMOL. Del griego *empátheia*.

empavesada s.f. En náutica, banda o faja de paño, de color azul o rojo con franjas blancas, con la que se adorna una embarcación: *El buque entró en el puerto engalanado con empavesadas.*

empavesado s.m. En náutica, conjunto de banderas y gallardetes con que se empavesa o adorna una embarcación: *En la fiesta del patrón, el empavesado cubría todos los mástiles del buque.*

empavesar v. Referido a una embarcación, adornarla con empavesadas, banderas y gallardetes para celebrar una festividad o como señal de alegría: *Los pescadores empavesan sus barcos el día de su patrona.*

empavonar v. Referido a un objeto de hierro o de acero, darle pavón o una capa superficial de óxido abrillantado para mejorar su aspecto y evitar su corrosión: *Empavonaremos las barandillas de la terraza para que no se oxiden con la humedad.* □ SINÓN. *pavonar.*

empecatado, da adj. Muy travieso, incorregible o de mala intención: *Ese empecatado muchacho nos trae locos con sus gamberradas.* □ ETIMOL. Del latín *in* (en) y *peccatum* (pecado).

empecer v. Ser impedimento u obstáculo: *Tu abandono no empece para que nosotros sigamos adelante.* □ ETIMOL. Del latín **impediscere*, y este de *impedire* (entorpecer, estorbar). □ MORF. 1. Se usa más en tercera persona y en las formas no personales (infinitivo, gerundio y participio). 2. Irreg. →PARECER. □ SINT. Constr. *empecer PARA hacer algo.* □ USO Se usa más en expresiones negativas.

empecinado, da adj. Obstinado o terco: *Con lo empecinada que es, mantendrá su decisión aunque le cueste la vida.*

empecinamiento s.m. Obstinación o empeño grande: *Tiene tal empecinamiento con la idea de salir este fin de semana, que saldrá aunque nieve.*

empecinarse v.prnl. Obstinarse, encapricharse o empeñarse con mucho afán: *Cuando se empecina en una idea, no hay quien le haga cambiar de opinión.* □ ETIMOL. Por alusión a Juan Martín Díaz, *el Empecinado*, que fue un guerrillero muy tenaz. □ SINT. Constr. *empecinarse EN algo.*

empedernido, da adj. Referido a una persona, que es muy persistente o incorregible en el mantenimiento de una actitud, de una costumbre o de un vicio, por tenerlos muy arraigados: *una fumadora empedernida.* □ ETIMOL. De *empedernir* (hacerse duro de corazón).

empedrado, da ▌adj. **1** Referido al cielo, que está cubierto de nubes pequeñas y muy juntas. ▌s.m. **2** Suelo revestido o cubierto de piedras: *el empedrado de un paseo.* **3** Revestimiento de piedras.

empedrar v. Referido a un suelo, cubrirlo con piedras que se ajustan entre sí: *Antiguamente, las calles se empedraban.* □ MORF. Irreg. →PENSAR.

empedrat s.m. Comida elaborada con bacalao, arroz y judías blancas: *El empedrat es un plato propio del Levante español.*

empeine s.m. **1** En un pie, parte superior, desde su unión con la pierna hasta los dedos: *Me duele el empeine porque me até demasiado apretados los zapatos.* **2** En un calzado, parte que cubre esta zona del pie: *Los cordones del zapato están en el empeine.* **3** Parte inferior del vientre, que está entre las ingles. □ ETIMOL. Las acepciones 1 y 2, quizá del latín *pectem* (peine), porque la forma de los cinco dedos del pie recuerda a la de un peine. La acepción 3, del latín *pecten* (pelo del pubis).

empelecharse v.prnl. Referido esp. a un ser vivo, crecer, robustecerse.

empellón s.m. Empujón fuerte que se da con el cuerpo a algo para desplazarlo: *Me dio tal empellón, que me tiró al suelo.* □ ETIMOL. Del antiguo *empellar* (empujar).

empelotarse v.prnl. *col.* En zonas del español meridional, desnudarse: *Se empelotaron y se bañaron en la playa.*

empenachar v. Adornar con penachos o adornos de plumas: *Empenacharon sus sombreros para el carnaval.*

empeñado, da adj. **1** Referido a una persona, endeudado o que tiene cosas en una casa de empeños. **2** Referido a un objeto, que ha sido entregado como garantía de un préstamo. **3** Referido a una disputa, reñida o con mucha rivalidad.

empeñar ▌v. **1** Referido esp. a un objeto, entregarlo como garantía de un préstamo: *Para conseguir dinero, empeñó su abrigo de visón.* **2** Referido esp. al honor, comprometerlo, involucrarlo o utilizarlo como mediador para conseguir algo: *He empeñado mi palabra para sacarte del apuro.* **3** Referido a un período de tiempo, dedicarlo a una actividad: *Empeñó seis años de su vida en escribir este libro.* ▌prnl. **4** Insistir en algo con tenacidad: *Aunque no corre prisa, se ha empeñado en terminar hoy el trabajo.* **5** Llenarse de deudas: *Se ha empeñado hasta las cejas para comprarse un coche nuevo.* □ SINÓN. *endeudarse.* □ ETIMOL. Del antiguo *peños* (prenda). □ SINT. Constr. de la acepción 4: *empeñarse EN algo.*

empeño s.m. **1** Deseo o afán intensos por realizar o conseguir algo: *Tengo empeño en que nos veamos hoy mismo.* **2** Esfuerzo, constancia o insistencia en lo que se hace: *Pone mucho empeño en los estudios.* **3** Entrega de algo como garantía de un préstamo: *una casa de empeños.* **4** Compromiso o utilización de algo, esp. del propio honor, como mediador para conseguir un fin: *el empeño de mi palabra.* **5** Intento o propósito de realizar algo, aunque no se tenga la certeza de conseguirlo: *Está dispuesto a morir en el empeño, si es preciso.*

empeoramiento s.m. Cambio para peor: *un empeoramiento del tiempo.*

empeorar v. **1** Pasar o hacer pasar de un estado a otro peor: *Si la economía del país empeora, aumentará el paro. La falta de lluvias empeora cada día los problemas del campo.* **2** Perder la salud: *Se encontraba bien, pero de pronto empeoró y tuvieron que ingresarlo.* **3** Referido al tiempo atmosférico, hacerse más desagradable: *Si empeora el día, suspenderemos la excursión.*

empequeñecer v. Hacer más pequeño o menos importante: *Es tan envidioso, que empequeñece los éxitos de los demás para que resalten los suyos.* □ MORF. Irreg. →PARECER.

empequeñecimiento s.m. Reducción o disminución de algo o de su importancia: *El empequeñecimiento de Alicia en el País de las Maravillas le permitía entrar por puertas minúsculas.*

emperador s.m. **1** En un imperio, soberano y jefe del Estado: *Augusto fue el primer emperador romano.* **2** Pez marino, con piel sin escamas, áspera y negruzca por el lomo y blanca por el vientre, con cabeza apuntada y mandíbula superior en forma de espada de dos cortes, y cuya carne es muy apreciada para la alimentación: *Pedí filete de emperador a la plancha porque no tiene espinas.* □ SINÓN. *pez espada.* □ ETIMOL. Del latín *imperator* (el que manda, general). □ MORF. 1. En la acepción 1, su femenino es *emperatriz*. 2. En la acepción 2, es un sustantivo epiceno: *el emperador {macho/hembra}.*

emperatriz s.f. de **emperador**. □ ETIMOL. Del latín *imperatrix*.

emperejilado, da adj. *col.* Adornado en exceso. □ SINÓN. *emperifollado.*

emperejilar v. *col.* Referido a una persona, adornarla con esmero o en exceso: *Cada vez que va a salir de casa, se emperejila durante más de una hora.* □ SINÓN. *emperifollar.* □ ETIMOL. De *perejiles* (adorno excesivo).

emperezarse v.prnl. Dejarse dominar por la pereza: *Cuando está de vacaciones, se empereza y se pasa los días tumbado a la bartola.* □ ORTOGR. La *z* se cambia en *c* delante de *e* →CAZAR.

emperifollado, da adj. *col.* Adornado en exceso. □ SINÓN. *emperejilado.*

emperifollar v. Referido a una persona, adornarla con esmero o en exceso: *No emperifolles tanto al niño, que parece un muñeco.* □ SINÓN. *emperejilar.* □ ETIMOL. De *perifollo*.

empero conj. Enlace gramatical coordinante con valor adversativo: *Dijo el rey: «No estoy muy seguro de vos, empero, os otorgaré la mano de mi hija».* □ USO Su uso es característico del lenguaje culto.

emperramiento s.m. *col.* Obstinación o empeño en algo: *¡Qué emperramiento tienes con ese viaje!, ya te he dicho que no me apetece ir.*

emperrarse v.prnl. *col.* Obstinarse o empeñarse: *Se emperró en que le comprara ese juguete y no dejó de darme la lata hasta que lo consiguió.* □ SINT. Constr. *emperrarse EN algo.*

empezar v. **1** Tener principio: *Mi calle empieza en una plaza.* □ SINÓN. *comenzar.* **2** Dar principio: *La cantante esperó a que todo el público estuviera sentado para empezar la actuación.* □ SINÓN. *comenzar.* **3** Referido esp. a un producto, iniciar su uso o su consumo: *Si se te acaba ese paquete de jabón, empieza otro.* □ ETIMOL. De *pieza*, porque *empezar* significó *cortar un pedazo de alguna cosa y comenzar a usarla.* □ ORTOGR. La *z* se cambia en *c* delante de *e*. □ MORF. Irreg. →EMPEZAR.

empiece s.m. *col.* Comienzo: *Cuéntame el empiece de la película.*

empiltrarse v.prnl. *col.* Acostarse o meterse en la cama: *La fiesta duró tanto que me empiltré cuando amanecía.*

empinado, da adj. Referido esp. a un camino, que tiene mucha pendiente o una cuesta muy pronunciada: *Subimos hasta la plaza por una calle muy empinada.*

empinar ▌v. **1** Referido a algo horizontal o tumbado, enderezarlo o ponerlo vertical: *Empinamos las estacas que había derribado el viento. Por esa parte,* *la calle se empina y cuesta subirla.* **2** Levantar y sostener en alto: *¡Empíname, papá, que no veo con ese señor tan alto! La mesa tiene las patas desiguales y, si te apoyas por ese lado, se empina por el otro.* **3** Referido a una jarra o a otro recipiente, inclinarlos mucho, levantándolos en alto, para beber: *Para beber a chorro, tienes que empinar el porrón.* **4** *col.* Beber alcohol en gran cantidad: *Como vuelvas a empinar no salgo más contigo.* ▌prnl. **5** Referido a una persona, ponerse sobre las puntas de los pies y alzarse: *Si no me empino, no alcanzo para descolgar las cortinas.* **6** Referido a una montaña o a otra cosa elevada, alcanzar gran altura: *Al fondo se empina la torre de la iglesia.* □ ETIMOL. De *pino* (derecho). □ SINT. La acepción 4 se usa más en la expresión *empinar el codo.*

empingorotado, da adj. *col.* Referido a una persona, que tiene una posición social ventajosa, esp. si presume de ello: *Este restaurante es frecuentado por empingorotados ejecutivos.*

empingorotarse v.prnl. *col.* Adquirir una posición social elevada y mostrarse engreído por ello: *Mucha gente se empingorota en cuanto gana más dinero que el vecino.* □ ETIMOL. De *pingorote* (punta).

empíreo, a ▌adj. **1** Celestial o divino: *Según el cristianismo, los santos y los bienaventurados viven con Dios en las moradas empíreas.* ▌s.m. **2** Cielo o paraíso: *Según la Biblia, los demonios son ángeles expulsados por Dios del empíreo.* □ ETIMOL. Del griego *empýrios* (que está en el fuego), porque en la Antigüedad se colocaba en la parte más elevada del cielo el fuego puro y eterno. □ USO Su uso es característico del lenguaje culto.

empírico, ca ▌adj. **1** De la experiencia, fundado en ella o relacionado con ella: *conocimientos empíricos.* ▌adj./s. **2** Que procede basándose en la experiencia: *un método empírico.* □ ETIMOL. Del latín *empiricus*, y este del griego *empeirikós* (que se guía por la experiencia).

empirismo s.m. Procedimiento o método basados en la práctica o en la experiencia: *Frente a la filosofía, la ciencia se caracteriza por su empirismo.*

empirista adj.inv./s.com. Partidario o seguidor del empirismo: *El filósofo empirista Bacon decía que todo conocimiento cierto comienza con lo que percibimos por los sentidos.*

empitonar v. En tauromaquia, referido esp. a un torero, cogerlo el toro con los pitones: *El segundo toro de la corrida empitonó a un banderillero.*

empizarrar v. Referido esp. a un edificio o a una de sus partes, cubrir la superficie exterior de su techo con pizarras: *Aquí empizarran las casas porque es una región húmeda.*

emplastar ▌v. **1** Poner emplastos: *Un curandero le emplastó el tobillo que le dolía.* ▌prnl. **2** Mancharse o ensuciarse con una sustancia pegajosa: *Ten cuidado con la pared, no vayas a emplastarte.*

emplaste s.m. Pasta, generalmente de yeso, que se endurece rápidamente: *Para hacer emplaste tienes que deshacer unos polvos blancos en agua hasta que se convierta en una pasta.*

emplastecer v. Referido a una superficie, igualarla llenando sus desigualdades con emplaste o con otro material para poder pintar sobre ella: *Antes de pintar, hay que emplastecer la pared para tapar los agujeros.* □ MORF. Irreg. →PARECER.

emplasto s.m. **1** Preparado medicinal, sólido, moldeable y adhesivo, que se fabrica con materias grasas y se aplica externamente. **2** Cosa blanda, apelmazada y de mal aspecto: *Esta sopa fría con tantos fideos es un emplasto.* □ ETIMOL. Del latín *emplastrum*, y este del griego *émplastron*, de *emplásso* (yo modelo).

emplazamiento s.m. **1** Colocación o situación en un determinado lugar. **2** Concesión de un plazo a una persona para la ejecución de algo: *Lo vi tan harto que me sorprendió su emplazamiento para continuar en una próxima sesión.* **3** Citación a una persona en un tiempo y en un lugar determinados, generalmente para que dé razón de algo o para presentarse ante un juez. □ SEM. En la acepción 1, dist. de *enclave* (territorio incluido en otro más extenso).

emplazar v. **1** Colocar o situar en un determinado lugar: *Emplazar bien los cañones es fundamental para que su ataque sea eficaz.* **2** Referido a una persona, darle un plazo para la ejecución de algo: *El presentador emplazó a la invitada a continuar su conversación en un próximo programa.* **3** Referido a una persona, citarla en un tiempo y en un lugar determinados, esp. para que dé razón de algo o para que se presente ante un juez: *Lo emplazaron el próximo día 17, a las 10 horas, en el juzgado de lo penal, para declarar ante el juez.* □ ETIMOL. La acepción 1, de *plaza*. Las acepciones 2 y 3 de *plazo*. □ ORTOGR. La *z* se cambia en *c* delante de *e* →CAZAR. □ SINT. Constr. de la acepción 2: *emplazar* A *hacer algo.*

empleado, da s. **1** Persona que desempeña un trabajo a cambio de un sueldo. **2** ‖ **dar** algo **por bien empleado;** *col.* Conformarse gustosamente con ello, a pesar de lo desagradable que haya sido, por las consecuencias favorables que se derivan de ello: *Si apruebo la oposición, daré por bien empleado el sacrificio de estos años.* ‖ **empleado de hogar;** el que desempeña trabajos domésticos o ayuda en ellos. ‖ **estar bien empleado;** *col.* Referido esp. a algo, tenerlo merecido: *Si te han suspendido, te está bien empleado, por vago.*

emplear v. **1** Hacer servir como instrumento para un fin: *Empleó todo tipo de trucos para intentar engañarme.* □ SINÓN. *usar.* **2** Referido a una persona, ocuparla en una actividad o darle un empleo o puesto de trabajo: *Esta empresa emplea a unos doscientos trabajadores. Se empleó como vendedor en una inmobiliaria.* **3** Gastar, consumir o invertir: *Empleas demasiado tiempo en cosas muy poco prácticas.* □ ETIMOL. Del francés *employer*, y este del latín *implicare* (meter a alguno en alguna actividad).

empleo s.m. **1** Utilización de algo como instrumento para un fin. **2** Ocupación de una persona como empleado o para una actividad. **3** Puesto de trabajo. **4** Gasto, consumo o inversión que se hacen en una actividad: *Solo con el empleo de todas tus fuerzas podrás conseguir una meta tan alta.* **5** En el ejército, jerarquía o categoría personal: *Cuando se retiró, había alcanzado el empleo de coronel.*

emplomadura s.f. En zonas del español meridional, empaste: *Se me cayó la emplomadura de la muela.*

emplomar v. **1** Cubrir, soldar o asegurar con plomo: *Emplomó la tubería para reforzarla y evitar escapes de agua.* **2** Precintar con sellos de plomo: *Si mandas esas cajas en el barco debes emplomarlas.* **3** En zonas del español meridional, empastar: *Fui al dentista para que me emplomaran la muela.*

emplumar v. **1** Poner plumas: *En aquella película del Oeste, los indios emplumaban sus flechas.* **2** *col.* Condenar, arrestar o sancionar: *Lo han emplumado por robar.* **3** Referido a un ave, echar plumas: *Cuando los pollos de algunas aves empiezan a emplumar están muy feos.*

empobrecedor, -a adj. Que empobrece: *La falta de interés por aprender cosas nuevas es muy empobrecedor para el espíritu.*

empobrecer v. Hacer pobre o más pobre: *El paro ha empobrecido este barrio. Era rico pero se empobreció. Con el nuevo alcalde, la oferta cultural se ha empobrecido.* □ SINÓN. *depauperar.* □ MORF. Irreg. →PARECER.

empobrecimiento s.m. Transformación en pobre o en más pobre: *La caída de la bolsa causó el brusco empobrecimiento de muchos inversores.*

empoderamiento s.m. Adquisición de poder, emancipación o autonomía por parte de un grupo desfavorecido.

empollado, da adj. *col.* Referido a una persona, que está muy enterada o tiene muchos conocimientos en una materia: *Pregúntale lo que quieras de política, porque en eso está muy empollada.* □ SINT. Constr. *empollado* EN *una materia.*

empollar v. **1** Referido a un huevo de ave, calentarlo para que se desarrolle el embrión y salga el pollo: *Las aves cubren con su cuerpo los huevos que ponen para empollarlos. Los huevos de gallina se empollan durante veintiún días.* **2** *col.* Estudiar mucho: *Saca buenas notas porque se pasa el día empollando.* □ ETIMOL. De *pollo.*

empollón, -a adj./s. *col.* Referido a un estudiante, que estudia mucho, esp. si destaca más por su aplicación que por su inteligencia: *Mis amigos dicen que soy una empollona porque siempre apruebo todo con buenas notas.* □ USO Tiene un matiz despectivo.

empolvar v. **1** Cubrir de polvo: *El paso de tantos camiones empolvó los cristales. Le da rabia que al poco tiempo de limpiar el polvo se empolve todo otra vez.* **2** Referido esp. a una persona, echarle polvos de tocador: *Fue al baño a empolvarse la nariz. Cuando se empolva y se pinta un poco, parece mucho más joven.*

emponzoñamiento s.m. Envenenamiento o intoxicación.

emponzoñar v. **1** Dar ponzoña o infectar con alguna ponzoña o sustancia nociva: *El asesino emponzoñó la bebida con cianuro. El agua de la fuente se ha emponzoñado y no se puede beber.* **2** Corromper, dañar o echar a perder: *Consiguió emponzoñar a toda la directiva mediante sobornos. Su vieja amistad se emponzoñó por prestar oídos a habladurías malintencionadas.*

emporcar v. Ensuciar o llenar de porquería: *Si hacéis la fiesta aquí, tened cuidado de no emporcarlo todo.* □ ORTOGR. La *c* se cambia en *qu* delante de *e*. □ MORF. Irreg. →TROCAR.

emporio s.m. **1** Lugar que constituye un centro de comercio al que acuden comerciantes de diversas naciones: *un emporio fenicio.* **2** Lugar notable o destacado por su florecimiento en algún campo o actividad: *un emporio cultural.* □ ETIMOL. Del latín *emporium*, y este del griego *empórion* (mercado).

emporrado, da adj. *col.* Referido a una persona, que está bajo los efectos de haber fumado un porro.

emporrarse v.prnl. En el lenguaje de la droga, ponerse o estar bajo los efectos del porro: *Nunca se ha emporrado porque no fuma.*

empotrar v. **1** Meter en la pared o en el suelo, generalmente asegurando la colocación con trabajos de albañilería: *Queremos hacer algunas obras en la casa y empotrar armarios en todas las habitaciones.* **2** Encajar o meter en una superficie, generalmente al chocar contra ella: *La conductora perdió el control y empotró su coche contra un árbol. En el accidente, el coche se empotró contra el camión.* □ ETIMOL. Quizá del francés antiguo **empoutrer*, y este de *poutre* (viga).

empozar v. **1** Meter o echar en un pozo: *Si tienes sed, empoza ese caldero y saca toda el agua que quieras.* **2** Referido al agua, quedar detenida en el terreno, formando pozas o charcos: *Cuando regamos, el agua empoza en esta zona.* □ ORTOGR. La *z* se cambia en *c* delante de *e* →CAZAR.

emprendedor, -a adj./s. Referido a una persona, que tiene iniciativa y decisión para emprender acciones que entrañan dificultad o que resultan arriesgadas: *Es un joven muy emprendedor y llegará lejos en la vida.*

emprender v. **1** Referido a una actividad, iniciar su ejecución: *El Rey emprenderá viaje al país vecino esta tarde.* **2** ‖ **emprenderla con** alguien; *col.* Adoptar una actitud hostil frente a él, generalmente molestándolo o buscando riña: *Se enfadó y la emprendió a tortas con el que tenía más cerca.* □ ETIMOL. Del latín *in* (en) y *prendere* (coger).

empresa s.f. **1** Acción o tarea que entrañan dificultad y cuya ejecución requiere decisión y esfuerzo: *Ésa es una empresa que muy pocos podrían culminar con éxito.* **2** En comercio, entidad integrada por el capital y el trabajo como factores de la producción, y dedicada a actividades industriales, mercantiles o de prestación de servicios, generalmente con el fin de obtener beneficios económicos: *La ma-*

yoría de los autobuses urbanos pertenecen a la empresa municipal de transportes.

empresariado s.m. Conjunto de las empresas o de los empresarios: *En la Confederación de Organizaciones Empresariales está representado todo el empresariado del país.*

empresarial adj.inv. De la empresa, del empresario o relacionado con ellos: *Las organizaciones empresariales se opusieron a las propuestas de los sindicatos.*

empresario, ria s. **1** Propietario o directivo de una empresa, de una industria o de un negocio: *Los empresarios negocian con los sindicatos el convenio laboral.* **2** Persona que se encarga de la explotación de un espectáculo público: *El nuevo empresario de la plaza de toros aseguró que contrataría a las primeras figuras del toreo.*

empréstito s.m. **1** Préstamo que recibe el Estado o una corporación o empresa, esp. si está representado por bonos, pagarés, obligaciones u otro tipo de títulos negociables o al portador: *La empresa emitió un importante empréstito para abordar su plan de inversiones.* **2** Cantidad prestada de esta manera: *El empréstito emitido por el Gobierno se invirtió en la realización de obras públicas.* ☐ ETIMOL. Del latín *in* (en) y *praestitus* (prestado).

empujar v. **1** Referido esp. a un objeto, hacer fuerza contra él para moverlo, sostenerlo o rechazarlo: *No me empujes que me vas a tirar.* **2** Presionar o influir, generalmente para conseguir un fin o para impulsar a otro a hacer algo: *Su insistencia me empujó a contárselo todo.* **3** *vulg.* →**copular.** ☐ ETIMOL. Quizá del latín *impulsare.* ☐ ORTOGR. Conserva la *j* en toda la conjugación.

empuje s.m. **1** Fuerza que se aplica sobre algo para moverlo, sostenerlo o rechazarlo: *Según el principio de Arquímedes, todo cuerpo que se sumerge en un fluido experimenta un empuje hacia arriba equivalente al peso del fluido desalojado.* **2** Presión o influencia que se ejercen generalmente para conseguir un fin o para impulsar a otro a hacer algo: *El empuje que recibió de los suyos la ayudó a llegar hasta el fin.* **3** Arranque, resolución o brío para emprender acciones o para conseguir propósitos: *una mujer de gran empuje.* **4** Fuerza producida por el peso de una construcción o de una carga sobre las paredes que la sostienen: *el empuje de la bóveda.*

empujón s.m. **1** Impulso que se da con fuerza a algo para apartarlo o para moverlo: *Casi me caigo del empujón que me dio.* **2** Avance rápido y considerable que se da a lo que se está haciendo, trabajando con mayor dedicación y empeño en ello: *No salgo porque tengo que darle un buen empujón a la tesis si quiero terminarla en el plazo previsto.*

empuñadura s.f. En algunos objetos, esp. en un arma blanca, puño o parte por las que se agarran o sujetan con la mano: *Llevaba un bastón con engarces de piedras preciosas en la empuñadura.*

empuñar v. Referido a un objeto con empuñadura, cogerlo o sujetarlo por esta: *Empuñó el cuchillo de forma amenazadora.*

empurar v. *col.* Castigar o sancionar: *El sargento empuró al soldado por ir mal afeitado.*

emputar v. *col.* Enfadarse: *Se emputó porque le gastamos una broma pesada.* ☐ MORF. Se usa más como pronominal.

empute s.m. *col.* Enfado. ☐ SINT. Se usa más en la expresión *cogerse un empute.*

emputecer v. **1** Referido a una persona, dedicarla a la prostitución: *La sociedad debe ayudar a las personas que se emputecen.* ☐ SINÓN. *prostituir.* **2** Deshonrar o envilecer, generalmente por dinero o para lograr algún beneficio: *No está dispuesto a emputecerse aceptando un trabajo que no le parece ético, solo por que le pagan bien.* ☐ SINÓN. *prostituir.* ☐ MORF. Irreg. →PARECER.

emputecimiento s.m. Actividad de la persona que mantiene relaciones sexuales con otras a cambio de dinero. ☐ SINÓN. *prostitución.*

emú (pl. *emúes, emús*) s.m. Ave corredora parecida al avestruz, de plumaje ralo y de color grisáceo o pardo amarillento: *El emú vive en las llanuras de Australia.* ☐ ETIMOL. Del inglés *emu*, y este del portugués *ema.*

emulación s.f. **1** Imitación de las acciones de una persona, intentando igualarlas o superarlas: *El afán de emulación con su maestro lo llevó a conseguir grandes metas.* **2** En informática, imitación que un dispositivo hace del funcionamiento de otro de otra clase: *Puedo conectarme a tu ordenador gracias al programa de emulación que tengo.*

emulador, -a ▌adj./s. **1** Que emula o trata de igualar a otro. ▌s.m. **2** En informática, programa que se instala en un ordenador para darle características diferentes a las iniciales: *Un ordenador puede funcionar como una videoconsola con un emulador.*

emular v. Referido a una persona, imitarla en sus acciones, intentando igualarlas o superarlas: *Estudia mucho porque quiere emular a su hermano y llegar tan lejos como él. Intentaba emularse con el ilustre poeta, pero sus obras no estaban a la misma altura.* ☐ ETIMOL. Del latín *aemulari.* ☐ SINT. Constr. como pronominal: *emularse* CON *alguien.*

émulo, la s. Persona que compite con algo o que intenta aventajarlo: *La doctora ya tiene un émulo en su propio hijo.* ☐ ETIMOL. Del latín *aemulus* (el que trata de imitar o igualar a otro).

emulsión s.f. **1** Mezcla de dos líquidos insolubles entre sí, de tal manera que uno de ellos se distribuye en pequeñísimas partículas en el otro: *Las emulsiones de agua y aceite tienen un aspecto lechoso.* **2** En fotografía, suspensión de bromuro de plata en gelatina, que forma la capa sensible a la luz de las películas y otros materiales fotográficos: *Las nuevas emulsiones son cada vez más sensibles a la luz.* ☐ ETIMOL. Del latín *emulsus* (ordeñado), porque las emulsiones tienen un aspecto lácteo.

emulsionar v. Referido a una sustancia, esp. si es grasa, hacer que adquiera el estado de emulsión, mezclándola con un líquido en el que no llega a disolverse: *Se puede emulsionar el aceite en agua, removiendo con fuerza.*

emulsivo, va adj. Referido a una sustancia, que sirve para hacer emulsiones: *La gelatina es una sustancia emulsiva muy empleada en fotografía.*

en prep. **1** Indica el lugar en el que se realiza la acción del verbo: *Nací en Madrid. ¿Están en tu casa?* **2** Indica el tiempo durante el que se realiza la acción del verbo: *En primavera, el campo se llena de flores.* **3** Indica el modo en el que se realiza la acción del verbo: *Apareció en pijama.* **4** Indica el medio o el instrumento con el que se realiza la acción del verbo: *Suele viajar en avión.* **5** Indica la forma o el formato que algo tiene: *La película está rodada en 16 milímetros.* **6** Indica el término de un movimiento: *¿Entramos en casa?* **7** Sobre o encima de: *La cazuela está en el fuego.* **8** Introduce un complemento del verbo, esp. si es de materia: *Me he especializado en electrónica.* **9** Con un verbo de percepción y seguido de un sustantivo, indica causa: *Se lo noté en la voz. Te conocí en los andares.* **10** En combinación con la preposición 'de', indica paso o transcurso por fases sucesivas: *La noticia corrió de boca en boca.* **11** En combinación con la preposición 'de', y seguidas ambas de un mismo numeral, indica grupos de ese número de unidades: *Bajó los escalones de tres en tres.* □ ETIMOL. Del latín *in* (en, dentro de). □ SEM. No debe usarse en expresiones temporales con el significado de 'dentro de': *regreso {*en > dentro de} quince minutos.*

-ena Sufijo con valor colectivo: *docena, quincena.*

enagua s.f. **1** Prenda de ropa interior femenina, semejante a una falda, y que se lleva debajo de esta: *Coge el bajo de las enaguas para que no asomen por debajo de la falda.* **2** Prenda de ropa interior femenina, semejante a esta, pero que cubre también el torso: *Con las blusas escotadas, no me pongo enagua porque se me ve.* □ ETIMOL. Del antiguo *naguas*, vocablo de Santo Domingo (faldas de algodón hasta las rodillas que llevaban las indias). □ MORF. En la acepción 1, en plural tiene el mismo significado que en singular.

enagüillas s.f.pl. Especie de falda corta, que se pone a algunas imágenes de Cristo crucificado o que forma parte de algunos trajes tradicionales masculinos: *Las enagüillas son un elemento característico del traje regional griego.*

enajenable adj.inv. Que se enajena o que puede enajenarse.

enajenación s.f. **1** Transmisión a otra persona del dominio o de otro derecho que se tienen sobre algo: *Puede realizar una enajenación de bienes si él es el único dueño.* □ SINÓN. *enajenamiento.* **2** Acción de sacar a una persona fuera de sí o de trastornarle la razón o los sentidos: *Los nervios la tienen en un estado de enajenación preocupante.* □ SINÓN. *enajenamiento.* **3** Distracción, falta de atención o embeleso que hace olvidarse de todo lo demás: *La música clásica produce en él una enajenación próxima al éxtasis.* □ SINÓN. *enajenamiento.* **4** || **enajenación mental;** perturbación de las facultades mentales. □ SINÓN. *locura, enajenamiento.*

enajenado, da ▮ adj. **1** Referido esp. a una posesión o a un derecho, que han dejado de ser de un dueño para pasar a otro: *bienes enajenados; empresas enajenadas.* ▮ adj./s. **2** Que ha perdido el uso de la razón o que se ha vuelto loco permanente o transitoriamente.

enajenamiento s.m. →**enajenación.**

enajenar v. **1** Referido al dominio o a otro derecho sobre algo, pasarlos o transmitirlos a otra persona: *Durante su gobierno, enajenó bienes que pertenecían a la corona.* **2** Referido a una persona, sacarla fuera de sí o trastornarle la razón o los sentidos: *La ira lo enajenó y no pudo controlarse. Se enajenó cuando perdió a su hijo en un accidente.* □ SINÓN. *alienar.* □ ETIMOL. Del latín *in* (en) y *alienare* (perder el juicio).

enálage s.f. Figura retórica consistente en el empleo de una parte de la oración en funciones propias de otra: *La oración 'Tú te lo comes todo sin rechistar', empleada en lugar de 'Cómetelo todo sin rechistar', es un ejemplo de enálage.* □ ETIMOL. Del griego *enallagé* (inversión, cambio). □ SEM. Dist. de *hipálage* (aplicación a una palabra del adjetivo o del complemento que lógicamente corresponden a otra).

enalbardar v. **1** Referido a una caballería, echarle o ponerle la albarda: *Antes de colocarle la carga, enalbardaron al asno.* □ SINÓN. *albardar.* **2** Referido a un alimento, rebozarlo para freírlo: *Se me acabó la harina y no pude enalbardar el pescado.* □ SINÓN. *albardar.* **3** Referido a un alimento, esp. si es un ave, envolverlo en tocino para evitar que se seque al asarlo: *Siempre enalbardo las perdices antes de asarlas.* □ SINÓN. *albardar.*

enaltecedor, -a adj. Que enaltece.

enaltecer v. **1** Engrandecer o exaltar: *Tanta generosidad te enaltece. Los ánimos se enaltecieron cuando vieron tan cerca la victoria.* □ SINÓN. *ensalzar.* **2** Alabar o elogiar: *Siempre enaltece el trabajo de sus compañeros. Aprovecha cualquier situación para enaltecerse ante los demás.* □ SINÓN. *ensalzar.* □ ETIMOL. De *alto.* □ MORF. Irreg. →PARECER.

enaltecimiento s.m. **1** Engrandecimiento o exaltación de algo: *Consigue causar en sus lectores un enaltecimiento de las grandes pasiones.* □ SINÓN. *ensalzamiento.* **2** Alabanza o elogio: *El enaltecimiento que hizo de mis cualidades consiguió ruborizarme.* □ SINÓN. *ensalzamiento.*

enamoradizo, za adj. Inclinado a enamorarse con facilidad.

enamorado, da adj./s. **1** Que tiene o siente amor. **2** Muy aficionado a algo: *una enamorada de la naturaleza.*

enamorador, -a adj./s. Que enamora o despierta sentimientos de amor.

enamoramiento s.m. Aparición o excitación en una persona del sentimiento del amor: *Lo tuyo no es más que un enamoramiento pasajero.*

enamorar ▮ v. **1** Referido a una persona, despertar o excitar en ella el sentimiento del amor: *Con tan-*

tos regalos y palabras dulces, terminó por enamorarla. **2** Atraer, aficionar o hacer sentir entusiasmo: *La casa nos enamoró nada más verla. Cada día que paso aquí, me enamoro más de la vida en el campo.* ▌ prnl. **3** Referido a una persona, empezar a sentir amor por otra: *Me enamoré por primera vez a los quince años.* □ SINT. 1. Constr. como pronominal: *enamorarse* DE *algo.*

enamoriscarse v.prnl. *col.* Enamorarse superficialmente o de forma poco intensa: *Reconoce que solo estás enamoriscado, pero que no la quieres de verdad.* □ ORTOGR. La *c* se cambia en *qu* delante de *e* →SACAR.

enanismo s.m. Trastorno patológico del crecimiento, caracterizado por una estatura inferior a la que se considera normal en los individuos de la misma especie y edad: *El enanismo suele estar causado por un desequilibrio de las glándulas endocrinas.*

enano, na ▌ adj. **1** Diminuto en su clase o en su especie: *Los bonsáis son árboles enanos.* ▌ s. **2** Persona de muy baja estatura o de extraordinaria pequeñez, esp. si padece enanismo. **3** *col.* Niño: *Tengo en clase a veinticinco enanos maravillosos.* **4** En la tradición popular, ser fantástico con figura humana, de estatura muy baja y que suele estar dotado de poderes extraordinarios. **5** ‖ **como un enano;** *col.* Mucho o intensamente: *trabajar como un enano.* □ ETIMOL. Del latín *nanus.* □ MORF. En la acepción 4, se usa mucho el diminutivo *enanito.*

enarbolado s.m. Estructura de madera que forma la armadura de una torre, de una bóveda o de otra construcción semejante: *Cuando terminaron el enarbolado, empezaron a colocar los ladrillos.*

enarbolar v. Referido esp. a una bandera o a un estandarte, levantarlos en alto: *Los manifestantes de la primera fila enarbolaban banderas y pancartas.* □ SINÓN. *arbolar.* □ ETIMOL. De *árbol* (palo de un buque). □ ORTOGR. Dist. de *enherbolar* (poner veneno en una flecha o lanza).

enarcar v. Dar o adquirir forma de arco: *Enarcó las cejas en señal de asombro.* □ SINÓN. *arquear.* □ ORTOGR. La *c* se cambia en *qu* delante de *e* →SACAR.

enardecedor, -a adj. Que enardece.

enardecer v. Referido esp. a una pasión o a una disputa, excitarlas o avivarlas: *Aquellas ofensas enardecieron su orgullo y lo impulsaron a la pelea. Se enardece cuando habla de sus hazañas.* □ ETIMOL. Del latín *inardescere.* □ MORF. Irreg. →PARECER.

enardecimiento s.m. Excitación o avivamiento, esp. de una pasión o de una disputa: *El cabecilla de la revuelta intentó calmar el enardecimiento de sus secuaces.*

enarenación s.f. Mezcla de cal y de arena con que se preparan las paredes para pintarlas: *La enarenación tiene que ser suficientemente espesa para poder aplicarla.*

enarenar v. Cubrir de arena: *Enarenaron las aceras para que la gente no se resbalase con el hielo caído.* □ SINÓN. *arenar.*

enastar v. Referido esp. a un arma o a un instrumento, ponerles el mango o el asta: *Utilicé este palo para enastar el azadón.*

encabalgamiento s.m. En métrica, distribución en versos o en hemistiquios contiguos de una palabra o de una frase que normalmente forman una unidad fonética y léxica o sintáctica: *Se produce un encabalgamiento cuando una pausa del verso no coincide con una pausa de la frase.*

encabalgar v. **1** Descansar o apoyarse sobre algo: *Algunas tiras del parqué están mal colocadas, porque encabalgan sobre las de al lado.* **2** En métrica, distribuir en versos o en hemistiquios contiguos una palabra o una frase que normalmente forman una unidad fonética y léxica o sintáctica: *En los versos de Antonio Machado 'Yo voy soñando caminos / de la tarde. ¡Las colinas', el primer verso encabalga en el segundo.* □ ORTOGR. La *g* se cambia en *gu* delante de *e* →PAGAR.

encaballar v. Referido a una pieza, colocarla de modo que se sostenga sobre la extremidad de otra: *Para cubrir el tejado con tejas, hay que ir encaballándolas una sobre otra.* □ ETIMOL. De *caballo,* porque las tejas encaballadas montan unas sobre otras, como sobre un caballo.

encabestrar ▌ v. **1** Referido a un animal, ponerle un cabestro o correa para conducirlo o sujetarlo: *Encabestra el caballo para sacarlo de la cuadra.* **2** Referido a una res brava, hacer que siga a los cabestros o bueyes mansos para conducirla hasta donde se quiere: *Cuando un toro no sirve para la lidia, lo encabestran para sacarlo de la plaza.* **3** *desp.* Referido a una persona, atraerla o seducirla para que haga lo que otra desea: *No paró hasta que lo encabestró y lo tuvo a su entera disposición.* ▌ prnl. **4** Referido a un animal, enredarse una pata en el cabestro o cuerda con que está atado: *El mulo se encabestró y no dejaba de dar coces para soltarse.*

encabezamiento s.m. Fórmula que se pone al principio de un escrito: *Como encabezamiento de la carta, puedes poner la fecha y el asunto que vas a tratar.*

encabezar v. **1** Referido esp. a una lista, iniciarla o abrirla: *Nuestro equipo encabeza la clasificación.* **2** Referido a un escrito, ponerle un encabezamiento: *Encabecé la carta con un 'Muy señor mío'.* **3** Referido esp. a un movimiento o a una protesta, presidirlos, dirigirlos o ponerse al frente de ellos: *Los generales que encabezaron la rebelión fueron detenidos.* **4** Referido a un vino, mezclarlo con otro más fuerte, con aguardiente o con alcohol: *Al encabezar un vino se aumenta su graduación.* □ ORTOGR. La *z* se cambia en *c* delante de *e* →CAZAR.

encabritarse v.prnl. **1** Referido a un caballo, ponerse sobre las patas traseras y levantando las manos: *La yegua se encabritó al oír los disparos.* **2** Referido esp. a un vehículo, levantarse de repente su parte delantera: *La barca cogió mucha velocidad y se encabritó.* **3** *col.* Enojarse o enfadarse: *Tu amigo por poca cosa se encabrita.* □ ETIMOL. De *cabrito.*

encabronar v. *vulg.malson.* →**enojar.**

encachado s.m. **1** Revestimiento de piedra o de hormigón con el que se refuerza el cauce de una corriente de agua: *Están haciendo un encachado en todas las alcantarillas del pueblo.* **2** Capa de cimentación a base de piedras machacadas en el pavimento de una carretera o de una edificación: *El suelo del sótano se apoya sobre una capa de arena y esta, a su vez, sobre un encachado.* **3** Empedrado entre las vías del tren: *Siempre advierto a los niños que es peligroso jugar en el encachado de las vías.* **4** Enlosado irregular de piedra, con juntas de tierra en las que nace musgo o hierba: *Vete por el encachado que comunica la carretera con la casa.*

encachar v. **1** Referido esp. a un suelo o a un cauce, revestirlos de piedra o hacer un encachado en ellos: *Están encachando el suelo para que puedan venir las máquinas a asfaltar.* **2** Referido esp. a un cuchillo o a un arma, ponerles las cachas que forman su mango: *Tienes que llevar estos cuchillos a encachar.*

encadenación s.f. →**encadenamiento.**

encadenado, da ▮ adj. **1** Referido a una estrofa, que empieza con un verso que repite total o parcialmente el último de la estrofa precedente. **2** Referido a un verso, que comienza repitiendo la última palabra del verso anterior. ▮ s.m. **3** En cine, vídeo o televisión, efecto que consiste en la desaparición gradual de una imagen que se sustituye progresiva y simultáneamente por otra: *La transición entre las dos escenas se realiza mediante un encadenado muy sugerente.*

encadenamiento s.m. **1** Atadura o sujeción con cadenas: *El emperador ordenó el encadenamiento de los prisioneros.* □ SINÓN. *encadenación.* **2** Conexión y enlace de unas cosas con otras: *Sus conclusiones responden a un encadenamiento lógico de los datos analizados.* □ SINÓN. *encadenación.*

encadenar v. **1** Atar o sujetar con cadenas: *Encadena la moto a una farola para que no te la roben. Varios presos se encadenaron a las rejas en señal de protesta.* **2** Unir o enlazar, relacionando unas cosas con otras: *Al redactar hay que encadenar bien los pensamientos que se expresan. Los acontecimientos se encadenaron precipitadamente y dieron lugar a un desenlace fatal.*

encajable adj.inv. Que se puede encajar: *Todas las piezas de un puzle resultan perfectamente encajables si se colocan en el lugar adecuado.*

encajador, -a ▮ adj./s. **1** Que encaja: *No eres un buen encajador de críticas.* ▮ s. **2** Persona que encaja bien los golpes, esp. referido a un boxeador: *Ese boxeador es muy ágil, pero es mal encajador.* ▮ s.m. **3** Instrumento que sirve para encajar una cosa en otra: *Ayúdate de un encajador para colocar el cristal en el marco de la ventana.*

encajadura s.f. **1** Ajuste o introducción de un objeto en otro haciendo coincidir sus partes: *La encajadura de las tablas no estaba bien hecha y se han soltado.* □ SINÓN. *encaje.* **2** Sitio o hueco en el que se encaja algo: *Limpia todo el serrín que hay en la encajadura antes de introducir en ella la otra pieza.* □ SINÓN. *encaje.*

encajar ▮ v. **1** Referido a un objeto, meterlo dentro de otro, de manera que queden ajustados: *Encaja esta pieza en su agujero y ponle un tope para que no se vuelva a salir. Ese mueble es demasiado ancho y no encaja en este hueco.* **2** *col.* Referido a algo que se dice, introducirlo en una conversación o en un discurso: *Se hable de lo que se hable, él siempre se las ingenia para encajar las anécdotas de sus viajes.* **3** *col.* Referido a algo molesto o desagradable, recibirlo o aceptarlo: *Encajó muy bien la enfermedad de su madre.* **4** *col.* Ser apropiado o adaptarse al lugar o a la situación en la que se encuentra: *La nueva empleada ha encajado bien en la empresa.* **5** *col.* Coincidir o estar de acuerdo: *Las declaraciones de los dos testigos no encajaban, porque uno de ellos mentía.* ▮ prnl. **6** *col.* En zonas del español meridional, aprovecharse de una persona: *Siempre que lo invito, se encaja y trae a cinco amigos.* □ ETIMOL. De *caja.* □ ORTOGR. Conserva la *j* en toda la conjugación. □ SINT. La acepción 4 se usa más con los adverbios *bien, mal* o equivalentes.

encaje s.m. **1** Tejido hecho con calados que forman dibujos: *encajes de bolillos.* **2** Ajuste o introducción de un objeto en otro, haciendo coincidir sus partes. □ SINÓN. *encajadura.* **3** Sitio o hueco en el que se encaja algo. □ SINÓN. *encajadura.*

encajero, ra s. Persona que se dedica a la elaboración o a la venta de labores de encaje de bolillos o de ganchillo.

encajetillar v. Referido al tabaco, ponerlo en cajetillas: *Trabaja en la tabacalera, encajetillando cigarrillos.*

encajonamiento s.m. **1** Introducción, colocación o encierro dentro de cajones: *Los vaqueros ayudaron en el encajonamiento de los toros que había que mandar en camión.* **2** Introducción en un sitio estrecho. **3** Colocación de alguien en una situación apretada y difícil: *Tantos problemas me han llevado a un encajonamiento del que no es fácil salir.*

encajonar ▮ v. **1** Meter o guardar dentro de un cajón: *Ha encajonado todos los libros para hacer la mudanza.* **2** Introducir en un sitio estrecho: *Nos encajonaron a los cuatro en el asiento trasero del coche.* **3** En tauromaquia, referido a un toro, encerrarlo en cajones para su traslado: *Van a encajonar los toros de la corrida para llevarlos a la plaza.* ▮ prnl. **4** Referido a una corriente de agua, correr por un lugar estrecho: *El río se encajona en un profundo cañón.*

encalabrinar ▮ v. **1** Excitar, irritar o causar enfado: *Esa falta de respeto me encalabrina los nervios.* **2** Referido a una persona, hacerle concebir falsas ilusiones o esperanzas: *Me estuvo rondando hasta que me encalabrinó, pero luego desapareció de mi vida.* ▮ prnl. **3** *col.* Obstinarse o empeñarse en algo sin atender a razones: *¡No te encalabrines en ese capricho y haz caso de las advertencias de tu padre!* **4** *col.* Enamorarse perdidamente: *En cuanto conoció a esa chica, se encalabrinó y lo dejó todo para irse con ella.* □ ETIMOL. De *calabrina* (hedor intenso).

encalado s.m. Revestimiento o blanqueo hechos con cal: *El encalado de la tapia del jardín le da un aspecto más limpio.* □ SINÓN. *encaladura.*

encaladura s.f. →**encalado.**

encalar v. Cubrir o blanquear con cal: *En muchos pueblos andaluces es costumbre encalar las casas y dejarlas completamente blancas.*

encalladero s.m. Lugar en el que puede encallar una embarcación: *Cerca de la costa hay un encalladero en el que se han producido ya muchos accidentes.*

encalladura s.f. Tropiezo de una embarcación con un obstáculo, esp. con piedras o con arena, de forma que quede en ellas sin poder moverse: *La encalladura del petrolero en zona rocosa hacía temer un derramamiento de petróleo.*

encallar v. Referido a una embarcación, tropezar con un obstáculo, esp. piedras o arena, quedando en él sin movimiento: *El pesquero encalló en un banco de arena. El velero se encalló en las rocas de la costa.* □ ETIMOL. De *calle* (camino estrecho entre dos paredes). □ SINT. Constr. encallar(se) EN algo.

encallecer v. **1** Referido a la piel o a una parte del cuerpo, endurecerse o criar callos: *Sus manos encallecieron de tanto manejar el azadón.* **2** Endurecer o hacer insensible, esp. por efecto de la costumbre o de la reiteración: *Los muchos sufrimientos encallecieron su alma. Cuenta que, durante la guerra, tuvo que encallecerse para poder soportar tantas atrocidades.* □ MORF. Irreg. →PARECER.

encallejonar v. Meter o hacer entrar por un callejón o por un lugar largo y estrecho: *En los encierros, encallejonan los toros por calles muy estrechas.*

encalmar v. Tranquilizar, serenar o poner en calma: *El mar se encalmó después de la tempestad.*

encalomar ▮ v. **1** *arg.* Endosar o endilgar: *Me han encalomado un trabajo que nadie quería hacer.* **2** *arg.* Referido a una persona, someterla a la acción de la policía o de la justicia. ▮ prnl. **3** *arg.* Esconderse, esp. para robar.

encalvecer v. Quedarse calvo: *Mi primo encalveció muy joven, debido a una enfermedad.* □ MORF. Irreg. →PARECER.

encamado, da adj. Referido esp. a un enfermo, que tiene que guardar cama durante un largo período de tiempo: *Hay que evitar que a los enfermos encamados se les ulcere la piel.*

encamarse v.prnl. Echarse o meterse en la cama, esp. si es por causa de una enfermedad: *Con esa fiebre, cualquier médico te mandaría encamarte.*

encaminado, da adj. Orientado o dirigido hacia un propósito.

encaminar v. **1** Dirigir o conducir hacia un punto determinado: *Encaminaron sus pasos hacia el lugar de la cita. Cuando acabó la reunión, cada uno se encaminó hacia su casa.* **2** Poner en camino o enseñar por dónde se ha de ir: *Estaba desorientado y un taxista me encaminó hacia la carretera de salida.*

encamotarse v.prnl. *col.* En zonas del español meridional, enamorarse: *Se encamotó de una muchachita muy linda.*

encampanarse v.prnl. **1** Enorgullecerse o presumir: *Te encampanas mucho cuando hablas de las notas de tu hijo.* **2** En tauromaquia, referido a un toro, levantar la cabeza en actitud desafiante cuando está parado: *Al vernos, el toro dejó de pastar y se encampanó.* □ ETIMOL. De *campana.*

encanalar v. Referido a un líquido, esp. al agua, conducirlo a través de un canal: *Han encanalado el agua del río para poder regar las huertas.*

encanallamiento s.m. Envilecimiento de una persona o adopción del comportamiento propio de un canalla: *La obsesión por tener más poder es la causa de su progresivo encanallamiento.*

encanallar v. →**acanallar.**

encanarse v.prnl. Quedarse rígido y con la boca abierta por la fuerza del llanto o de la risa: *Este niño se encana de tal manera cuando coge una rabieta, que me asusta porque parece que nunca va a respirar.* □ ETIMOL. De *can* (perro).

encanastar v. Poner en una canasta: *Primero quitamos las manzanas del árbol y luego las encanastamos según el tamaño.*

encandecer v. **1** Poner incandescente: *encandecer una hoja en una herrería.* **2** Avivar o excitar: *Los últimos acontecimientos han encandecido el ánimo de los ciudadanos.* □ ETIMOL. Del latín *incandescere.* □ MORF. Irreg. →PARECER.

encandelillar v. En zonas del español meridional, encandilar.

encandilado, da adj. **1** Deslumbrado o embelesado de tal forma que se olvida de todo lo demás. **2** En zonas del español meridional, borracho.

encandilar v. **1** Deslumbrar, alucinar o producir una admiración o placer que hacen olvidarse de todo lo demás: *La encandiló con aquellas historias, pero todo era inventado. Se encandila con todo lo que sea arte.* **2** Referido a una persona, despertar o excitar en ella el sentimiento o el deseo amorosos: *Sus tiernas miradas me encandilaban. Se encandila cada vez que la ve pasar.* □ ETIMOL. Quizá de *candela* (fuego), porque el que mira fijamente la lumbre, se deslumbra.

encanecer v. Poner cano o envejecer: *Encaneció muy joven y todo el mundo le echaba más edad de la que tenía. Se te han encanecido las sienes.* □ MORF. Irreg. →PARECER.

encanecimiento s.m. Coloración blanca que toma el cabello cuando encanece: *Su encanecimiento prematuro se debe a causas hereditarias.*

encanijado, da adj. *col. desp.* Canijo o debilucho.

encanijar v. Referido esp. a un niño, ponerlo débil, flaco y enfermizo: *La falta de una alimentación adecuada ha encanijado a la población infantil tercermundista. Se encanijó cuando cogió aquella infección y le costó mucho recuperarse.* □ ETIMOL. De *canijo.* □ ORTOGR. Conserva la *j* en toda la conjugación.

encanillar v. Referido a un hilo, devanarlo o enrollarlo en una canilla o carrete: *Encanilla más hilo, porque para coser todo esto necesitarás bastante.*

encantado, da adj. Satisfecho o muy contento: *Está encantado con su nuevo coche.*

encantador, -a ▮ adj. **1** Que produce una impresión muy grata: *¿Dónde has encontrado a esa muchacha tan encantadora?* ▮ adj./s. **2** Referido a un persona, que se dedica a hacer encantamientos: *un encantador de serpientes.*

encantamiento s.m. **1** Sometimiento de algo a poderes mágicos, esp. para producir su conversión en algo diferente: *Cuando la princesa besó a la rana, se rompió el encantamiento y el príncipe recuperó su naturaleza.* **2** Atracción de la voluntad de una persona, conseguidos generalmente con atractivos naturales: *Ninguna muchacha podía resistirse al encantamiento de tan apuesto galán.*

encantar v. **1** Someter a poderes mágicos, esp. para producir una conversión en algo diferente: *El hada encantó al príncipe con su varita mágica y lo convirtió en rana.* **2** Referido a una persona, atraer o ganar su voluntad, generalmente con atractivos naturales: *Me encantó con su mirada y no pude dejar de pensar en él. El bailarín encantó al público con su arte.* **3** Gustar o atraer mucho: *Me encanta pasear por el campo.* ☐ ETIMOL. Del latín *incantare* (pronunciar fórmulas mágicas).

encanto ▮ s.m. **1** Lo que cautiva los sentidos o causa admiración: *Tu amiga es un encanto.* ▮ pl. **2** Atractivo de una persona, esp. el físico: *Desconfía y no te dejes seducir por sus encantos.* ☐ USO 1. Se usa como apelativo: *No te vayas todavía, encanto.* 2. Es innecesario el uso del galicismo *charme.*

encañada s.f. Cañada, garganta o paso entre dos montes: *El pastor conducía el rebaño por una encañada.*

encañado s.m. **1** Conducto, generalmente hecho de caños, que sirve para conducir el agua: *Un encañado lleva el agua hasta las zonas más alejadas del pueblo.* **2** Enrejado de cañas que se pone en los jardines para que se enreden en él las plantas, para protegerlas o para hacer divisiones en el terreno: *Varias enredaderas trepaban por el encañado.*

encañar v. **1** Referido al agua, conducirla por caños o por conductos: *Han encañado el agua desde un depósito hasta la casa.* **2** Referido a una planta, ponerle cañas para sostenerla: *Encaña los rosales para que crezcan rectos.* **3** Referido esp. a un cereal, empezar a formar caña sus tallos tiernos: *En estos terrenos el trigo ya ha encañado.*

encañizar v. Referido a un hueco entre dos cosas, cubrirlo con cañas entretejidas: *Primero encañizó el techo y luego lo cubrió de yeso.* ☐ ORTOGR. La *z* se cambia en *c* delante de *e* →CAZAR.

encañonado, da adj. Referido esp. al humo o al viento, que corre con fuerza por un lugar estrecho y largo: *En esta calle hay siempre un viento encañonado que te deja helado.*

encañonar v. **1** Apuntar con un arma de fuego: *Los atracadores encañonaron al cajero con sus pistolas.* **2** Dirigir para hacer pasar por un cañón o paso estrecho: *Han cavado surcos para encañonar el agua de las lluvias. El río se encañona al pasar entre esas montañas.*

encaperuzar v. Poner la caperuza: *Cuando empezó a llover, nos encaperuzamos para no mojarnos la cabeza.* ☐ ORTOGR. La *z* se cambia en *c* delante de *e* →CAZAR.

encapotadura s.f. →**encapotamiento.**

encapotamiento s.m. Cubrimiento del cielo con nubes oscuras: *El encapotamiento del cielo es señal de que pronto lloverá.* ☐ SINÓN. *encapotadura.*

encapotarse v.prnl. Referido al cielo, cubrirse de nubes oscuras: *Cuando el cielo se encapota de esa manera, es que va a haber tormenta.* ☐ MORF. Verbo unipersonal: se usa solo en tercera persona del singular y en las formas no personales (infinitivo, gerundio y participio).

encaprichamiento s.m. Empeño en conseguir un capricho: *Fue tal el encaprichamiento que le entró por el gorro, que lo compró ese mismo día.*

encapricharse v.prnl. **1** Referido a algo que se considera un capricho, empeñarse en conseguirlo: *Se encaprichó con una moto y dio la lata hasta que se la compraron.* **2** Enamorarse de forma poco seria: *Se ha encaprichado de una chica veinte años más joven que él.* ☐ SINT. Constr. *encapricharse {CON/DE} algo.*

encapsular v. Meter en una cápsula: *Para que el medicamento esté listo, solo falta encapsularlo.*

encapuchado, da adj./s. Referido a una persona, que va cubierta con capucha: *Me atracaron dos encapuchados.*

encapuchar v. Cubrir o tapar con capucha: *Encapucharon al prisionero para que no viera dónde estaba.*

encarado, da || **{bien/mal} encarado;** referido a una persona, de buen o mal aspecto, o de bellas o feas facciones: *Era un joven apuesto y bien encarado. Se le acercó un individuo mal encarado y se asustó.*

encaramar v. **1** Subir o poner en un lugar alto o difícil de alcanzar: *Encaramó la pecera en lo alto del armario para que no la alcanzara el gato. Se encaramó a un árbol para ver mejor el paisaje.* **2** col. Elevar a una posición importante o a un puesto honorífico: *Su capacidad para las relaciones públicas lo encaramó a un importante cargo diplomático. Ya con su primer disco, se encaramó en los primeros puestos de las listas de éxitos.* ☐ ETIMOL. Quizá de *incamarare*, y este de *camera* (bóveda).

encarar ▮ v. **1** Poner cara a cara o frente a frente: *Encara las mangas para ver si están igual de largas.* **2** Referido esp. a una dificultad, hacerle frente: *Sabe encarar sus problemas sin ponerse nervioso. Está decidido a encararse con lo que se le ponga por delante con tal de conseguir su propósito.* **3** Ponerse enfrente: *El jugador encaró la portería y regateó a varios jugadores antes de meter gol.* ▮ prnl. **4** Referido a una persona o a un animal, colocarse frente a otro en actitud violenta o agresiva: *Se en-*

caró con un chico para defender a su hermano. □ SINT. Constr. como pronominal: *encararse CON algo.*

encarcelación s.f. →**encarcelamiento.**

encarcelamiento s.m. Encierro o reclusión de una persona en la cárcel: *Sufrió pena de encarcelamiento durante tres años.* □ SINÓN. *encarcelación.*

encarcelar v. Referido a una persona, meterla en la cárcel: *Encarcelaron a la ladrona por orden judicial.*

encarecedor, -a adj./s. Que alaba o elogia mucho.

encarecer v. **1** Hacer más caro o subir de precio: *La mano de obra encarece el producto. Es alarmante cómo ha encarecido la vivienda. La gasolina se encareció como consecuencia de la crisis del petróleo.* **2** Alabar mucho o exagerar: *Me encareció tanto este hotel, que vinimos directamente sin mirar otros. La presidenta del jurado encareció las virtudes y méritos del premiado.* **3** Recomendar, encargar o pedir con empeño: *Si algo me pasara a mí, te encarezco y te suplico que cuides del niño.* □ MORF. Irreg. →PARECER.

encarecimiento s.m. **1** Aumento o subida del precio de algo. **2** Exageración o alabanza muy grande de algo: *El encarecimiento que tu jefa me hizo de tu trabajo era innecesario.* **3** Insistencia o empeño con que se pide o se ruega algo: *Me pidió con encarecimiento que no lo abandonase en aquel momento.*

encargado, da s. **1** Persona que tiene a su cargo un establecimiento, un negocio o un trabajo, en representación del dueño o del interesado: *Para cambiar los zapatos, hable usted con el encargado de la tienda.* **2** ‖ **encargado de negocios;** diplomático de categoría inferior a la de embajador, al cual puede reemplazar en el desempeño de sus funciones: *Cerraron la embajada y solo quedó allí un encargado de negocios.*

encargar ▌v. **1** Referido esp. a un asunto o a una tarea, mandar o confiar su realización: *Me encargó que te diera recuerdos de su parte. Siempre me encargan los trabajos más difíciles.* **2** Referido esp. a una compra, pedir que se haga llegar desde otro sitio: *Si no tienen el libro en la librería, encárgalo.* ▌prnl. **3** Hacerse cargo u ocuparse: *¿Te encargas tú de reservar mesa?* □ ETIMOL. De *cargar.* □ ORTOGR. La *g* se cambia en *gu* delante de *e* →PAGAR. □ SINT. Constr. de la acepción 3: *encargarse DE algo.*

encargo s.m. **1** Acción de mandar o de confiar la realización de algo: *¿Obedeciste mi encargo de regar las plantas en mi ausencia? Esa modista solo hace ropa por encargo.* **2** Petición de que se haga llegar algo, esp. una compra, desde otro sitio: *El tendero hizo el encargo de los artículos que le faltaban.* **3** Lo que se encarga: *El último día antes de volver, compré todos los encargos que me habían hecho.*

encariñarse v.prnl. Referido a algo, tomarle cariño: *Los niños se han encariñado contigo y lloran cuando te vas. Se encariñó con la casa y le costó mucho dejarla.* □ SINT. Constr. *encariñarse CON algo.*

encarnación s.f. **1** Adopción de una forma carnal o material por parte de una idea o de un ser espiritual: *La encarnación del Hijo de Dios es la unión de la naturaleza divina y humana en una sola persona.* **2** Personificación o representación de un concepto abstracto: *Ese régimen político es la encarnación de la injusticia.*

encarnado, da adj./s.m. De color más o menos rojo: *Tiene las mejillas encarnadas por el calor.* □ SINÓN. *colorado.*

encarnadura s.f. Facilidad que tienen los tejidos del cuerpo para cicatrizar o para curar las heridas: *Cualquier rasguño que se hace tarda mucho en desaparecerle, porque tiene muy mala encarnadura.* □ SINÓN. *carnadura.*

encarnar ▌v. **1** Referido a una idea o a un ser espiritual, tomar forma material: *Según la mitología, Júpiter encarnó en un toro para raptar a la ninfa Europa. El Hijo de Dios se encarnó y se hizo Hombre por obra del Espíritu Santo.* **2** Referido a un concepto abstracto, personificarlo o representarlo: *Ese amigo tuyo encarna la bondad misma.* **3** Referido a un personaje, representarlo en una obra dramática o de ficción: *Ese actor encarna a don Quijote en una serie de televisión.* ▌prnl. **4** Referido a una uña, introducirse, al crecer, en las partes blandas que la rodean produciendo alguna molestia: *Le duele el dedo porque se le ha encarnado la uña.* □ ETIMOL. Del latín *incarnare.* □ MORF. En la acepción 1, se usa más como pronominal.

encarnecer v. Engordar o hacerse más grueso: *Aunque coma mucho, no encarnezco.* □ MORF. Irreg. →PARECER. □ SEM. Dist. de *encarnizarse* (mostrarse cruel) y de *escarnecer* (hacer escarnio de alguien).

encarnizado, da adj. Referido esp. a un enfrentamiento, que es muy cruel, duro o violento: *La encarnizada batalla dejó muy mermados a los dos ejércitos.*

encarnizamiento s.m. **1** Adopción de una actitud cruel con otra persona, persiguiéndola o perjudicándola en su reputación o en sus intereses: *Tu encarnizamiento con los más débiles me parece inmoral.* **2** Crueldad con la que alguien se ceba en el daño de otro: *Con aquel acto de venganza, dio muestras de un encarnizamiento inhumano.* **3** Ensañamiento de un animal con su víctima: *El encarnizamiento del lobo con las ovejas fue horrible.*

encarnizarse v.prnl. **1** Referido a una persona, mostrarse cruel con otra, persiguiéndola o perjudicándola en su reputación o en sus intereses: *Se encarniza contigo porque sabe que no puedes defenderte.* **2** Referido a un animal, cebarse o ensañarse en su víctima: *El tigre se encarnizaba con la gacela.* □ ETIMOL. De *carniza* (carne muerta). □ ORTOGR. La *z* se cambia en *c* delante de *e* →CAZAR. □ SINT. Constr. *encarnizarse CON alguien.*

encarpetar v. **1** Referido esp. a un documento, guardarlo en una carpeta: *Encarpeta los contratos para que no se extravíen.* **2** Referido esp. a un asunto, archivarlo y no decir nada más de él: *Se ha encar-*

petado el expediente de ese asesinato, y pronto la gente se olvidará de él.

encarrilado, da adj. Encauzado o encaminado.

encarrilar v. **1** Referido a un tren o a un vehículo semejante, colocarlos sobre los carriles o rieles: *Tuvieron que emplear grúas para volver a encarrilar el tren que había descarrilado.* **2** Dirigir por el buen camino o por el rumbo que conduce al acierto: *Procura encarrilar a tu hijo para que llegue a ser un hombre de bien. Las conversaciones de paz se han encarrilado y pronto se firmará el tratado.*

encarroñar v. Corromper o pudrir: *La carne se encarroñó por no meterla en el frigorífico.*

encartar v. **1** Referido a una persona, incluirla entre las que van a ser juzgadas en un proceso: *Los dos arquitectos fueron encartados por el derrumbamiento del edificio.* **2** En algunos juegos de naipes, echar carta de un palo que otro jugador tiene que seguir: *Me encartaste porque tengo cartas del palo que tú acabas de echar.* ☐ ETIMOL. De *carta.*

encarte s.m. Hoja o folleto que se introduce entre las hojas de un libro o de una publicación periódica, generalmente para repartirlos con estos: *El periódico del domingo traía un encarte con publicidad de automóviles.*

encartonar v. Cubrir o proteger con cartones: *Encartonamos los muebles para que no se rozaran en la mudanza.*

encasillamiento s.m. Clasificación permanente y con criterios poco flexibles dentro de unas mismas características: *Los actores suelen huir de su encasillamiento en un mismo tipo de personajes.*

encasillar v. **1** Clasificar distribuyendo en los sitios que corresponden, generalmente en función de un criterio fijado: *Hizo un examen para determinar su grado de conocimientos de inglés y lo encasillaron en el nivel intermedio.* **2** Referido a una persona, considerarla o declararla, generalmente sin razones fundadas, como adicta a un partido o a una ideología: *Dijo una vez que no le gustaba el ejército y ya lo han encasillado como objetor de conciencia.* **3** Clasificar con criterios poco flexibles o simplistas: *Rechazó protagonizar otra película como galán, porque no quiere que lo encasillen en ese papel.*

encasquetar v. **1** Referido a un sombrero o a una prenda semejante, encajarlos bien en la cabeza: *Me encasqueté el sombrero de tal manera, que luego no me lo podía sacar.* **2** Referido esp. a una idea sin fundamento, metérsela a alguien en la cabeza: *¿Quién te ha encasquetado esa idea tan absurda?* **3** Referido esp. a una charla molesta, hacerla oír: *Cada vez que me encuentra, me encasqueta el mismo rollo de siempre.* **4** Referido a algo que estorba o supone una carga, endosarlo o hacer que alguien se haga cargo de ello: *Me encasquetó a sus hijos para que los cuidara justo cuando yo pensaba salir.* ☐ ETIMOL. De *casquete.*

encasquillarse v.prnl. **1** Referido a un arma de fuego, atascarse con el casquillo de la bala al disparar: *Se le encasquilló la pistola y no pudo seguir disparando.* **2** Referido a un mecanismo, atascarse o quedarse sin posibilidad de movimiento: *Se ha encasquillado la cerradura y no puedo abrir la puerta.* **3** *col.* Referido a una persona, atascarse al hablar o al razonar: *Si estás nerviosa, habla más despacio para no encasquillarte.*

encastado,da adj. Referido esp. a un toro, que tiene las características que se consideran propias de su casta.

encastar v. Referido esp. a una raza animal, mejorarla mediante el cruce con otros animales de mejor clase: *La ingeniería genética ha mejorado las técnicas para encastar toros.*

encaste s.m. Linaje o casta de una res o de una ganadería: *El toro mostró la viveza característica de su encaste.*

encastillarse v.prnl. Referido a una persona, mantenerse constante, y con tenacidad u obstinación, en una idea: *Si te encastillas en ideas ya superadas, pronto te verás sobrepasada por todos.*

encastrar v. Encajar, empotrar o meter dentro de otra cosa, generalmente de forma que quede ajustada la colocación: *Hemos encastrado el armario en el hueco que quedaba entre la pared y la chimenea.* ☐ ETIMOL. Del latín **incastrare.*

encausado, da adj./s. Referido a una persona, que tiene contra sí un proceso judicial: *Ha sido probada la inocencia de los encausados.*

encausar v. Referido a una persona, formarle causa o proceder judicialmente contra ella: *Lo encausaron por fraude.* ☐ SEM. Dist. de *encauzar* (conducir, encaminar).

encáustico, ca adj./s.m. Referido a una pintura o a un preparado, que están elaborados con ceras y aplicados al fuego, y que sirven para proteger de la humedad y dar brillo a las superficies sobre las que se aplican: *Las paredes de la gran sala estaban cubiertas con una pintura encáustica para proteger el interior de la humedad de la piedra.*

encausto || **pintar al encausto;** pintar con colores disueltos en cera fundida, que se aplican con calor. ☐ ETIMOL. Del griego *énkaustos* (pintado por medio del fuego).

encauzamiento s.m. **1** Conducción de una corriente de agua por un cauce. **2** Orientación o dirección de algo por buen camino: *Su mayor obsesión es el encauzamiento de sus hijos por el camino recto en la vida.*

encauzar v. **1** Referido a una corriente de agua, conducirla por un cauce o dotarla de cauce para que discurra por él: *Encauzaron el río para evitar nuevos desbordamientos.* **2** Encaminar o dirigir por buen camino: *Han encauzado muy bien las conversaciones y pronto firmarán el acuerdo.* ☐ ORTOGR. La *z* se cambia en *c* delante de *e* →CAZAR. ☐ SEM. Dist. de *encausar* (proceder judicialmente contra alguien).

encebollado s.m. Comida aderezada con mucha cebolla: *De segundo tomamos un encebollado de carne.*

encefalalgia s.f. En medicina, cefalea o dolor de cabeza: *Mis encefalalgias continuas no me dejan des-*

cansar ni un momento. □ ETIMOL. De *encéfalo* y *-algia* (dolor).

encefálico, ca adj. Del encéfalo o relacionado con este conjunto de órganos: *masa encefálica.*

encefalitis (pl. *encefalitis*) s.f. Inflamación del encéfalo: *Las encefalitis pueden tener causas infecciosas.* □ ETIMOL. De *encéfalo* e *-itis* (inflamación).

encéfalo s.m. En el sistema nervioso de un vertebrado, conjunto de órganos contenidos en la cavidad del cráneo: *El encéfalo está formado fundamentalmente por el cerebro, el cerebelo y el bulbo raquídeo.* □ ETIMOL. Del griego *enképhalon.*

encefalografía s.f. Radiografía del encéfalo que se obtiene después de extraer el líquido cefalorraquídeo e inyectar aire en su lugar: *Hicieron una encefalografía al herido para ver si el golpe le había producido una lesión interna.* □ ETIMOL. De *encéfalo* y *-grafía* (representación gráfica).

encefalograma s.m. →**electroencefalograma.**

encefalomielitis (pl. *encefalomielitis*) s.f. Enfermedad producida por la inflamación del sistema nervioso central.

encefalopatía s.f. **1** Enfermedad del encéfalo. **2** ‖ **encefalopatía espongiforme;** alteración neurológica producida por priones que hace que el cerebro adquiera un aspecto esponjoso: *La encefalopatía espongiforme bovina se conoce como 'el mal de las vacas locas'.* □ ETIMOL. De *encéfalo* y *-patía* (enfermedad).

enceguecer v. Cegar o dejar ciego: *La luz del sol me enceguenció por un momento.* □ MORF. Irreg. →PARECER.

encelamiento s.m. **1** Hecho de dar o de sentir celos. **2** En tauromaquia, hecho de arremeter el toro de forma reiterada contra el picador o de acudir a los engaños del torero: *El picador tuvo que luchar contra el tenaz encelamiento del toro.*

encelar ▮ v. **1** Dar celos: *Te gusta encelar a tus amigos enseñándoles los regalos que te hace tu padre.* ▮ prnl. **2** Sentir celos: *Mi amigo se enceló cuando le dije que no podía salir con él porque ya había quedado.* **3** Referido a un animal, entrar en celo: *Cuando los gatos se encelan, lanzan maullidos por las noches que parecen llantos de niños.*

encella s.f. Molde para hacer quesos y requesones. □ ETIMOL. Quizá del latín *fiscella* (cestilla).

encenagado, da adj. Lleno de barro o de lodo, como una ciénaga.

encenagarse (tb. *encenegarse*) v.prnl. **1** Meterse en el cieno o lodo y ensuciarse con él: *Las ruedas del carro se encenagaron y no pudimos continuar camino.* **2** Entregarse a un vicio o meterse en asuntos sucios: *Te has encenagado en el tráfico de drogas y no quiero volver a verte.* □ ORTOGR. La *g* se cambia en *gu* delante de *e* →PAGAR. □ SINT. Constr. de la acepción 2: *encenagarse* EN *algo.*

encendedor, -a ▮ adj./s. **1** Que enciende. ▮ s.m. **2** Aparato que sirve para encender una materia combustible: *Encendía la pipa con su encendedor de bolsillo.*

encender ▮ v. **1** Hacer arder, incendiar o prender fuego, generalmente para proporcionar luz o calor: *Encendió una vela para bajar al sótano. Si la leña está húmeda, tardará más en encenderse.* **2** Referido a un aparato o a un circuito eléctricos, conectarlos o ponerlos en funcionamiento: *Enciende la luz, que no se ve bien. Al motor del coche le cuesta más encenderse cuando está frío.* **3** Referido a una guerra o a otro enfrentamiento, suscitarlos u ocasionarlos: *Las disputas fronterizas encendieron la guerra entre las dos naciones. El enfrentamiento entre las dos familias se encendió con el reparto de la herencia.* **4** Referido esp. a un sentimiento o a una pasión, excitarlos, enardecerlos o hacerlos sentir intensamente: *Los éxitos de su rival encendieron su envidia. Se enciende de ira cuando le llevan la contraria.* ▮ prnl. **5** Ruborizarse o ponerse colorado: *Su rostro se encendía de timidez cada vez que le hablaba una persona mayor.* □ ETIMOL. Del latín *incendere* (quemar, incendiar). □ MORF. Irreg. →PERDER.

encendido, da ▮ adj. **1** Conectado o en funcionamiento: *No me puedo dormir si hay luces encendidas.* **2** De color rojo muy intenso o subido: *Llegó corriendo, con las mejillas encendidas.* **3** Enardecido o muy excitado. ▮ s.m. **4** En algunos motores de explosión, inflamación del carburante por medio de una chispa eléctrica. **5** En un motor de explosión, conjunto formado por la instalación eléctrica y los aparatos destinados a producir la chispa que da lugar a esta inflamación.

encenegarse v.prnl. →**encenagarse.**

encepar v. Enraizar o arraigar: *Esas plantas han encepado bien.*

encerado s.m. Superficie de material duro, de color generalmente negro o verde, que se utiliza para escribir en ella con tiza y poder borrar con facilidad, y que suele colgarse de una pared: *En todas las aulas del colegio hay un gran encerado.* □ SINÓN. *pizarra.*

encerador, -a ▮ adj./s. **1** Que encera. ▮ s. **2** Persona que se dedica profesionalmente a encerar pavimentos o suelos. ▮ s.f. **3** Máquina eléctrica que hace girar uno o varios cepillos para dar cera y brillo a los pavimentos: *Después de pasar la enceradora, el suelo parecía un espejo.*

enceradora s.f. Véase **encerador, -a.**

encerar v. Referido esp. a un suelo, cubrirlo con cera o aplicársela: *Después de limpiar el suelo del salón, lo encero para que brille más.* □ ETIMOL. Del latín *incerare.*

encerrar v. **1** Meter en una parte o en un lugar, impidiendo la salida fuera de ellos: *Encerraron a los prisioneros en el calabozo. Se encierra en su despacho para trabajar con más tranquilidad.* □ SINÓN. *cerrar.* **2** Incluir, contener o llevar implícito: *La película encierra un mensaje muy profundo que hay que saber entender.* **3** Referido a algo escrito, ponerlo dentro de ciertos signos, generalmente para separarlo del resto del texto: *Encierra esa oración entre paréntesis.* **4** En algunos juegos de tablero, referido al contrario, ponerlo en situación de no poder mover sus piezas: *Si mueves esa ficha, me encerrarás y la partida terminará en tablas.* ☐ ETIMOL. De *cerrar*. ☐ MORF. Irreg. →PENSAR.

encerrona s.f. Situación, preparada de antemano, en la que se coloca a una persona para obligarla a hacer algo contra su voluntad: *Me prepararon una encerrona y no tuve más remedio que aceptar sus condiciones.*

encestador, -a adj./s. En baloncesto, referido a un jugador, que encesta, esp. si lo hace con facilidad: *La máxima encestadora del partido consiguió treinta puntos.*

encestar v. En baloncesto, referido esp. al balón, introducirlo por el aro de la cesta o canasta contrarias: *Encestó solo uno de los dos tiros libres de que disponía. El equipo local encestó en el último segundo y ganó.*

enceste s.m. En baloncesto, introducción del balón a través del aro de la canasta: *El último enceste dio la victoria a su equipo.* ☐ SINÓN. *canasta.*

encharcamiento s.m. **1** Cubrimiento parcial de un terreno por el agua: *Cuando llueve, es frecuente el encharcamiento de las calles con el firme en mal estado.* **2** Acumulación excesiva de un líquido en un órgano del cuerpo: *El encharcamiento de los pulmones le ha producido serios problemas respiratorios.*

encharcar v. **1** Referido a un terreno, cubrirlo parcialmente de agua, formando charcos en él: *Abrió las compuertas para encharcar el arrozal. El campo de fútbol se encharcó por causa de la tormenta.* **2** Referido a un órgano, llenarlo de un líquido: *La sangre ha encharcado sus pulmones y los médicos se temen lo peor.*

enchastrar v. En zonas del español meridional, ensuciar: *Con esas botas tan sucias, enchastró todo el piso.*

enchilada s.f. Tortilla de maíz enrollada o doblada, frita y con un relleno variado, que se cubre con una salsa de chile.

enchilar ▮ v. **1** Untar con chile: *Primero tienes que dejar secar la carne y luego enchilarla.* **2** En zonas del español meridional, sentir picor: *Después de rellenar los chiles me froté los ojos y me enchilé.* ▮ prnl. **3** *col.* En zonas del español meridional, molestarse o enfadarse: *El jugador se enchiló cuando lo sacaron del partido de futbol.*

enchinar v. **1** En zonas del español meridional, rizar: *Fui al salón de belleza para que me enchinaran el cabello.* **2** *col.* En zonas del español meridional, poner la piel de gallina: *Cuando lo supe, se me enchinó la piel de la impresión.*

enchinchar v. *col.* En zonas del español meridional, molestar o hacer enfadar: *Siempre enchincha a su hermano, y no lo deja tranquilo.*

enchiquerar v. Referido a un toro, encerrarlo en el chiquero de la plaza, generalmente antes de comenzar la corrida: *Los toros que serán lidiados esta tarde ya han sido enchiquerados.*

enchironar v. *col.* Encarcelar o meter en chirona: *Lo enchironaron por robo.*

enchispar v. Referido a una persona, ponerla casi ebria o borracha: *No suelo beber alcohol, y con una cerveza me enchispo.* ☐ SINÓN. *achispar.*

enchuecar v. **1** *col.* En zonas del español meridional, curvar: *No hay que dejar los recipientes de plástico cerca de la estufa, porque se pueden enchuecar con el calor.* **2** *col.* En zonas del español meridional, torcer: *Un auto chocó contra un poste y lo enchuecó.* **3** *col.* En zonas del español meridional, complicar: *No me gusta trabajar con él porque todo lo enchueca y lo hace más difícil.* ☐ ORTOGR. La *c* se cambia en *qu* delante de *e* →SACAR.

enchufado, da s. Persona que ha conseguido un empleo o un beneficio por enchufe, y no por méritos propios: *Si le han ascendido nada más entrar, tiene que ser un enchufado del jefe.*

enchufar v. **1** Referido a un aparato eléctrico, conectarlo a la red, encajando las dos piezas del enchufe: *Enchufa la plancha y espera a que se caliente antes de empezar a planchar.* **2** Referido esp. a un tubo o a una pieza, conectarlos o ajustarlos por su extremo a otros: *Enchufa la manguera a la boca de riego, que tenemos que regar el césped.* **3** *col.* Referido esp. a algo que lanza un chorro de agua o de luz, dirigirlos hacia un punto determinado: *Enchufa aquí la linterna, que no veo nada.* **4** *col.* Referido a una persona, proporcionarle un empleo o un beneficio por medio de influencias y recomendaciones, esp. si dicha persona no tiene méritos para ello: *En época de crisis, aquí no se contrata a nadie, a menos que lo enchufe alguien importante.* ☐ ETIMOL. De origen onomatopéyico.

enchufe s.m. **1** Dispositivo que sirve para conectar un aparato eléctrico a la red y que consta generalmente de una parte fija, colocada en el terminal de la red, y de otra móvil, unida al cable del aparato: *Si metes los dedos mojados en un enchufe, te puedes electrocutar.* **2** Recomendación o influencia para conseguir un empleo o un beneficio sin hacer valer méritos propios: *Consiguió el cargo gracias al enchufe de un directivo que es pariente suyo.*

enchufismo s.m. *desp.* Práctica o costumbre de conceder empleos o beneficios atendiendo a influencias y recomendaciones, y no a los méritos propios: *Dicen que van a erradicar el enchufismo de la Administración.*

enchufista s.com. *col. desp.* Persona que consigue empleos o beneficios a través de influencias y recomendaciones y no por méritos propios: *Siempre consigue lo que quiere porque es un enchufista.*

enchumbado, da adj./s. *col.* En zonas del español meridional, húmedo o mojado.

encía s.f. Tejido que cubre interiormente las mandíbulas y protege la dentadura: *A veces me sangran las encías cuando me lavo los dientes.* ☐ ETIMOL. Del latín *gingiva.*

encíclica s.f. En la iglesia católica, carta solemne que el Papa dirige a todos los obispos y fieles, para tratar algún tema que afecta a la religión: *En esta encíclica el Papa habla de la doctrina social de la Iglesia.* ☐ ETIMOL. Del griego *enkýklios* (circular).

enciclopedia s.f. **1** Obra en la que se expone una gran cantidad de conocimientos sobre una ciencia o materia, o sobre todas ellas: *Tengo en casa una enciclopedia general que trata de todos los saberes.* **2** Diccionario en el que, además de las definiciones de los términos de una lengua, se incluye información sobre distintas materias, personajes o lugares: *He buscado en esta enciclopedia quién fue Fleming y ponía que fue el descubridor de la penicilina.* □ SINÓN. *diccionario enciclopédico.* □ ETIMOL. Del griego *en kýkloi paidéia* (educación en círculo, panorámica).

enciclopédico, ca adj. De la enciclopedia o relacionado con ella: *cultura enciclopédica.*

enciclopedismo s.m. Conjunto de ideas defendidas por los autores y seguidores de la 'Enciclopedia' (obra francesa publicada en el siglo XVIII), y caracterizadas por su defensa de la razón y de la ciencia por encima de la autoridad impuesta y del dogmatismo religioso: *Diderot y d'Alambert fueron los autores de la Enciclopedia y padres del enciclopedismo.*

enciclopedista adj.inv./s.com. Partidario o seguidor del enciclopedismo: *Las ideas enciclopedistas entraron en España en la segunda mitad del siglo XVIII.*

encierro s.m. **1** Introducción en un lugar, impidiendo la salida fuera de él, esp. si se realiza en señal de protesta o para reclamar un derecho: *Los mineros hicieron un encierro voluntario en la mina para exigir mayor seguridad en el trabajo.* **2** Lugar en el que se encierra: *Este despacho es su encierro preferido para concentrarse y estudiar.* **3** Fiesta popular en la que los toros son conducidos por un recorrido fijado hasta el lugar en el que serán lidiados: *En los encierros de San Fermín, multitud de pamplonicas corren delante de los toros para llevarlos hasta la plaza.*

encima adv. **1** En una posición o parte superior, o en una altura más elevada: *El plato está encima de la mesa. Solo hay dos jefes por encima de ella.* **2** Por si fuera poco: *La comida de ese restaurante es mala y, encima, cara.* **3** Sobre sí o sobre la propia persona: *No sé cómo puedes cargar tantos kilos encima.* **4** Muy cerca o muy próximo: *¡Ya tenemos encima la fecha del viaje y tú aún no has preparado nada!* **5** ‖ **echarse encima** algo; sobrevenir u ocurrir antes de lo que se esperaba o antes de haberse preparado para afrontarlo: *Tienes que estudiar, que los exámenes se echan pronto encima.* ‖ **echarse encima de** alguien; acosarlo, asediarlo o acometerlo: *Después de una larga persecución, la policía se echó encima de los ladrones.* ‖ **estar encima de** algo; vigilarlo o atenderlo con mucho cuidado: *Si quieres tener ganancias, tienes que estar encima del negocio.* ‖ **por encima de** algo; a pesar de ello o sin tenerlo en consideración: *Llegó a ser lo que quería, pero para ello tuvo que pasar por encima de su familia.* ‖ **por encima;** referido a la forma de hacer algo, superficialmente o sin profundizar: *Nos explicó el tema muy por encima, solo para que nos hiciéramos una idea.* □ ETIMOL. De *en* (preposición) y *cima.* □ ORTOGR. Dist. de *enzima.* □ SINT. Su uso seguido de un adjetivo posesivo es incorrecto: *Siéntate encima {*mío/de mí}.*

encimera s.f. Véase **encimero, ra.**

encimero, ra ▌adj. **1** Que está o se pone encima: *una sábana encimera.* ▌s.f. **2** Superficie plana, generalmente de un material resistente, que cubre la parte superior de los muebles de una cocina formando una especie de mostrador.

encina s.f. **1** Árbol de tronco grueso y corteza grisácea, que se divide en varios brazos que forman una copa grande y redonda, con hojas verdes por el haz y blanquecinas por el envés, y cuyo fruto es la bellota. □ SINÓN. *encino.* **2** Madera de este árbol: *un armario de encina.* □ SINÓN. *encino.* □ ETIMOL. Del latín *ilicina.*

encinal s.m. →**encinar.**

encinar (tb. *encinal*) s.m. Terreno poblado de encinas: *Los cerdos andaban sueltos por el encinar.*

encino s.m. →**encina.**

encinta adj. Referido a una mujer, que está preñada: *Mi hermana está encinta y tendrá el bebé en mayo.* □ SINÓN. *embarazada.* □ ETIMOL. Del latín *incinta* (desceñida). □ ORTOGR. Incorr. **en cinta.*

encintado s.m. **1** En una acera o en un andén, borde u orilla formados por una fila de piedras largas y estrechas, generalmente paralela a la pared: *He tropezado con el encintado de la acera, porque es más alto de lo normal.* □ SINÓN. *bordillo.* **2** Operación que consiste en hacer este borde: *Varios albañiles se ocupan del encintado de la avenida.*

encintar v. **1** Adornar con cintas: *Encintaron el techo del salón para la fiesta.* **2** Referido esp. a una acera o a un andén, ponerles el encintado o bordillo: *Los albañiles encintaban las aceras de la nueva calle.*

encizañar v. →**cizañar.**

enclaustramiento s.m. **1** Entrada o encierro en un claustro o en un convento, generalmente como religioso: *Antes de decidir tu enclaustramiento, tienes que estar seguro de que tu vocación es sólida.* **2** Apartamiento de la vida social, generalmente para llevar una vida retirada: *Dice que necesita un período de enclaustramiento para terminar el libro.*

enclaustrar ▌v. **1** Meter o encerrar en un claustro o en un convento, generalmente como religioso: *Hoy ya ningún padre enclaustra a su hija si sabe que esta no tiene vocación. Decidió enclaustrarse y dedicar su vida a la oración.* □ SINÓN. *inclaustrar.* ▌prnl. **2** Apartarse de la vida social, generalmente para llevar una vida retirada: *Se ha enclaustrado para preparar la oposición. Cuando le preocupa algo, se enclaustra en sí mismo y no hay quien lo saque de ahí.* □ SINÓN. *inclaustrar.*

enclavado, da adj. Referido a un lugar, que está encerrado o situado dentro del área de otro: *El camping está enclavado en uno de los parajes más hermosos de la sierra.*

enclavar v. Colocar, situar o emplazar: *El museo se enclava en una de las zonas más concurridas de la ciudad.*

enclave s.m. Territorio o grupo humano incluidos en otros más extensos y de características diferentes: *Treviño es un enclave burgalés situado en la provincia de Álava.* □ SEM. Dist. de *emplazamiento* (colocación o situación en un lugar).

enclavijar v. Trabar o entrelazar: *Las patas de la mesa están bien enclavijadas.* □ ORTOGR. Conserva la *j* en toda la conjugación.

enclenque adj.inv./s.com. Débil, enfermizo o muy flaco: *Es un niño muy enclenque y siempre están en el médico con él.* □ ETIMOL. De origen incierto. □ PRON. Incorr. *[enkéncle].

enclisis (pl. *enclisis*) s.f. En gramática, unión de una palabra con la que la precede, formando con ella una sola unidad léxica: *La forma verbal 'háblale' es una enclisis.* □ ETIMOL. Del griego *énklisis* (inclinación).

enclítico, ca adj. En gramática, referido a una partícula o a una parte de la oración, que se une con la palabra precedente, formando con ella una unidad léxica: *En 'sujétamelo', 'me' y 'lo' son pronombres enclíticos.* □ ETIMOL. Del griego *enklitikós* (inclinado).

enclocar (tb. *encluecar*) v. Referido a un ave, esp. a una gallina, ponerse clueca o echarse sobre los huevos para empollarlos: *Pronto tendremos pollitos, porque han enclocado varias gallinas.* □ ORTOGR. La *c* final se cambia en *qu* delante de *e*. □ MORF. Irreg. →CONTAR.

encluecar v. →**enclocar.** □ ORTOGR. La *c* final se cambia en *qu* delante de *e*.

-enco, -enca **1** Sufijo que indica origen, procedencia o patria: *ibicenco, flamenca.* **2** Sufijo que indica relación o semejanza: *azulenco.* **3** Sufijo con valor despectivo: *zopenco, mostrenca.* □ ETIMOL. Del germánico **-ing*.

encocorar v. *col.* Irritar, fastidiar o molestar en exceso: *¡No te encocores por esas tonterías!* □ ETIMOL. De *cócora* (persona molesta e impertinente).

encofrado s.m. **1** Molde o armazón, generalmente de madera o de metal, que sirve para contener y dar forma al hormigón mientras fragua y se endurece: *Vamos a desmontar el encofrado porque el hormigón ya está duro.* **2** En una mina o en una galería subterránea, estructura de madera o de metal que actúa como revestimiento y elemento de contención de paredes para evitar el derrumbamiento de estas: *No hay peligro de derrumbamiento, porque el encofrado es muy sólido.*

encofrador, -a s. Persona que se dedica profesionalmente a trabajar con encofrados.

encofrar v. **1** Referido esp. a una parte de una construcción, colocar su encofrado para verter en él el hormigón: *Ya han encofrado los pilares de la planta baja.* **2** Referido esp. a una galería de una mina, colocarle un encofrado para contener las tierras: *Están encofrando una parte de la mina como medida de seguridad.* □ ETIMOL. De *cofre*.

encoger ▮ v. **1** Disminuir de tamaño: *El vestido encogió al lavarlo con agua caliente. El cuero se encogió por tenerlo al sol.* **2** Referido al cuerpo o a una de sus partes, recogerlos o retirarlos contrayéndolos: *Encogió las piernas para dejarme pasar. Se encogió de hombros y dio a entender que no sabía nada.* ▮ prnl. **3** Acobardarse o carecer de coraje: *Cuando me gritan, me encojo y no respondo.* □ SINÓN. *arrugarse.* □ ETIMOL. De *coger*. □ ORTOGR. La *g* se cambia en *j* delante de *a*, *o* →COGER.

encogido, da ▮ adj. **1** Referido al cuerpo o a una de sus partes, recogidas sobre sí mismas o contraídas: *No debes sentarte con las piernas encogidas. Regresó con el corazón encogido por la pena.* ▮ adj./s. **2** Que carece de coraje o que es apocado.

encogimiento s.m. **1** Disminución de tamaño: *Lava la ropa en frío para evitar su encogimiento.* **2** Recogimiento o movimiento de contracción del cuerpo o de una de sus partes: *En gimnasia hacemos encogimientos y estiramientos.* **3** Escasez o cortedad de ánimo: *Pon más coraje y menos encogimiento en las situaciones difíciles.*

encolado s.m. **1** Operación de pegar con cola: *Creo que no hiciste un encolado muy bueno, porque se ha vuelto a despegar por el mismo sitio.* **2** Aplicación de cola en una superficie, generalmente para pegar algo sobre ella o para pintarla al temple: *Hicieron el encolado del muro antes de pintarlo.*

encolar v. **1** Pegar con cola: *Encoló la pieza rota con cola de contacto.* **2** Referido a una superficie, darle cola, generalmente para pegar algo sobre ella o para pintarla al temple: *Los empapeladores encolaron con cuidado las paredes para que el papel quede bien fijado.*

encolerizado, da adj. Muy enfadado o enfurecido.

encolerizar v. Poner colérico o hacer enfadar mucho: *Se encoleriza cuando alguien le desordena sus papeles.* □ ORTOGR. La *z* se cambia en *c* delante de *e* →CAZAR.

encomendar ▮ v. **1** Referido a una acción, encargar su realización: *He encomendado a mi madre que me solucione las gestiones del banco.* **2** Entregar y poner bajo el cuidado o bajo la responsabilidad de alguien: *Mientras estoy fuera, te encomiendo a mi hijo. Encomendé los documentos a mi abogado. Antes de morir, se arrepintió de sus pecados y encomendó su alma a Dios.* ▮ prnl. **3** Confiarse a alguien buscando su protección o su amparo: *Al iniciar un viaje, se encomienda a san Cristóbal, patrón de viajeros y caminantes.* □ ETIMOL. Del latín *commendare* (confiar algo, recomendar). □ MORF. Irreg. →PENSAR.

encomendero s.m. En el imperio colonial español, hombre que tenía indios en encomienda, por concesión de la autoridad competente: *A cambio del trabajo de los indios, los encomenderos se comprometían a evangelizarlos y protegerlos.*

encomiable adj.inv. Digno de encomio o elogio: *una labor encomiable.*

encomiar v. Elogiar o alabar encendidamente: *Siempre encomiaré su espíritu de sacrificio.* □ ORTOGR. La *i* nunca lleva tilde.

encomiasta s.com. Persona que alaba a otra de palabra o por escrito. □ SINÓN. *panegirista.*

encomiástico, ca adj. Que alaba o que contiene alabanza o encomio: *críticas encomiásticas.* □ ETIMOL. Del griego *enkomiastikós.*

encomienda s.f. **1** Encargo de la realización de algo: *Me dejó la encomienda de que cuidara de los suyos mientras él estuviera en el exilio.* **2** Durante el imperio colonial español, institución por la que se concedía a un colonizador el tributo o el trabajo de un grupo de indios, a cambio de que se comprometiera a protegerlos y evangelizarlos. **3** Beneficio o renta vitalicia que se concedían sobre un lugar o territorio. **4** En zonas del español meridional, paquete postal.

encomio s.m. Elogio o alabanza encendidos: *Su lealtad en los momentos difíciles es digna de encomio.* □ ETIMOL. Del griego *enkómion* (elogio, discurso panegírico).

enconado, da adj. Referido a un enfrentamiento, que es muy violento o encendido: *Mantenían una enconada discusión sobre política.*

enconamiento s.m. →**encono.**

enconar v. Irritar o enfurecer contra alguien: *Tus ofensas consiguieron enconarme. Hay que evitar que los ánimos de los que tienen que colaborar se enconen.* □ ETIMOL. Del latín *inquinare* (manchar, corromper).

encono s.m. Enemistad o rencor muy arraigados en el ánimo: *Habla con encono y resentimiento de algunos de sus compañeros.* □ SINÓN. *enconamiento.*

encontradizo, za || **hacerse el encontradizo;** salir al encuentro de otro sin que parezca que se ha hecho intencionadamente: *Aunque me hice la encontradiza, se dio cuenta de que había ido a buscarla.*

encontrado, da adj. Opuesto, contrario o enfrentado: *intereses encontrados.*

encontrar ▮ v. **1** Referido a algo que se busca, hallarlo o dar con ello: *Lo encontré donde me dijiste que podría estar. No encuentro la forma de decírselo sin que se moleste.* **2** Referido a algo que no se busca, descubrirlo o dar con ello inesperadamente: *Me encontré a tus padres en la calle y estuvimos charlando un rato. Hago la tesis sobre un manuscrito que encontré en la Biblioteca Nacional.* **3** Considerar, juzgar o valorar: *No lo encuentro tan interesante como dices.* ▮ prnl. **4** Estar o hallarse en la circunstancia que se indica: *El Museo del Prado se encuentra en Madrid. Me encuentro enfermo y tengo algo de fiebre.* **5** Referido a dos o más personas, reunirse o juntarse en un mismo lugar: *Si quedamos mañana, ¿dónde nos encontramos?* **6** Referido esp. a dos o más actitudes, coincidir o estar de acuerdo: *Perseguimos fines distintos y nuestras formas de ver la vida no se encuentran.* **7** Referido esp. a dos o más actitudes, oponerse o enfrentarse: *Nos llevamos muy bien, aunque en temas religiosos nuestras opiniones se encuentran.* **8** Coincidir o confluir en un punto: *Estas cuatro calles se encuentran en la plaza de allí abajo.* **9** || **encontrarse con** algo; descubrirlo o hallarlo por sorpresa: *Fui a ver la exposición y me encontré con que el museo estaba cerrado.* □ ETIMOL. Del latín *in contra.* □ MORF. Irreg. →CONTAR.

encontronazo s.m. *col.* Choque o golpe violentos entre dos cosas que se encuentran: *Al doblar la esquina, tuve un encontronazo con otro señor.*

encoñarse v.prnl. *vulg. desp.* Referido a una persona, sentirse atraído sexualmente y de forma obsesiva por otra persona: *Desde hace meses no se puede contar con él, porque se ha encoñado totalmente.*

encopetado, da adj. Que presume demasiado de sí mismo o de su alto copete o linaje: *Desde que es directora, se ha vuelto muy encopetada.*

encopetarse v.prnl. Envanecerse o engreírse: *Desde que presenta el programa de televisión se ha encopetado.*

encopresis s.f. En medicina, incapacidad de controlar la expulsión de las heces.

encorajinar v. Encolerizar o hacer enfadar: *Hizo una pifia conduciendo que encorajinó al conductor del coche de atrás. Me encorajino cuando te veo hacer el vago de esa manera.* □ ETIMOL. De *carajina.*

encorbatado, da adj. Que lleva corbata.

encorbatarse v.prnl. *col.* Ponerse corbata: *Se encorbató para ir a recoger el premio.*

encordar ▮ v. **1** Referido esp. a un instrumento musical o a una raqueta, ponerles las cuerdas: *He llevado la raqueta a encordar y ha quedado como nueva.* ▮ prnl. **2** En algunos deportes de montaña, atarse a la cuerda de seguridad: *Los cinco alpinistas se encordaron para iniciar el ascenso.* □ MORF. Irreg. →CONTAR.

encorsetar v. Limitar, oprimir o someter a unas normas excesivamente rígidas: *La excesiva cortesía encorseta su espontaneidad.* □ ETIMOL. De *corsé.*

encortinar v. Poner cortinas o adornar con ellas: *He encortinado todas las habitaciones de la casa.*

encorvadura s.f. →**encorvamiento.**

encorvamiento s.m. Operación de doblar algo, dándole forma curva: *un encorvamiento de la columna vertebral.* □ SINÓN. *encorvadura.*

encorvar ▮ v. **1** Doblar dando forma curva: *No he podido encorvar la barra de hierro.* □ SINÓN. *curvar.* ▮ prnl. **2** Referido a una persona, doblarse por la edad o por enfermedad: *A su edad, lo normal es que se vaya encorvando.* □ ETIMOL. Del latín *incurvare.*

encrespamiento s.m. **1** Reacción del pelo o del plumaje, que se erizan por alguna impresión fuerte, esp. por el miedo: *Si se asusta el canario, se lo notarás por el encrespamiento de las plumas de la cabeza.* **2** Enfurecimiento, irritación o producción de inquietud: *Su encrespamiento le hizo pronunciar palabras de las que ahora se arrepiente.* **3** Agitación del mar o levantamiento de sus olas: *Desistimos de dar el paseo en barca, por el encrespamiento del mar.*

encrespar ▌v. **1** Referido esp. al cabello, rizarlo o hacerle bucles: *El aire encrespó su flequillo. Con la humedad del mar, en seguida se me encrespa el pelo.* **2** Referido esp. al pelo o al plumaje, erizarlo por alguna impresión fuerte, esp. por el miedo: *Los gallos de pelea encrespan las plumas del cuello para intimidar al contrario. Al entrar en esa casa deshabitada, se me encrespó el vello.* **3** Enfurecer, irritar o inquietar: *Encrespa a cualquiera con sus impertinencias. Los ánimos se encresparon y la reunión acabó en pelea.* **4** Referido al mar, agitarlo o levantar sus olas: *El fuerte viento encrespó el mar.* □ SINÓN. *alborotar.* ▌prnl. **5** Referido esp. a un asunto, enredarse y dificultarse: *La negociación se encrespó y fue difícil llegar al acuerdo.* □ ETIMOL. Del latín *incrispare.* □ MORF. En la acepción 2, se usa más como pronominal.

encrestarse v.prnl. **1** Sentir gran soberbia: *No te encrestes porque hayas sacado mejores notas que yo.* □ SINÓN. *ensoberbecer, envararse.* **2** Referido al mar, agitarse o levantarse sus olas: *Con la tormenta que se avecina, el mar no tardará en encrestarse.* □ SINÓN. *ensoberbecerse.* **3** Referido a un ave, levantar la cresta: *El gallo se ha encrestado al ver a ese otro.*

encristalar v. →**acristalar.**

encrucijada s.f. **1** Lugar en el que se cruzan varios caminos. **2** Situación en la que resulta difícil decidir. **3** Trampa o engaño con intención de hacer daño: *Logré salir de la encrucijada que me preparaste.*

encuadernable adj.inv. Que se puede encuadernar: *Si empiezas una colección de fascículos, asegúrate de que son fácilmente encuadernables.*

encuadernación s.f. **1** Operación de coser o unir las hojas que van a formar un libro, y de ponerles una cubierta: *Me hicieron las fotocopias y la encuadernación de la tesis en el mismo taller.* **2** Cubierta o tapas que se ponen en esta operación para resguardar las hojas del libro: *Puedes comprar el libro con encuadernación en piel o en rústica.*

encuadernador, -a ▌adj./s. **1** Que encuaderna. ▌s. **2** Persona que se dedica profesionalmente a la encuadernación.

encuadernar v. Referido a un libro o a las hojas que lo van a formar, coser o unir estas y ponerles una cubierta: *Voy a encuadernar todas esas fotocopias para que no se me pierda ninguna.*

encuadramiento s.m. Inclusión dentro de unos límites: *El encuadramiento de medidas como esta en el plan de restricciones me parece discutible.*

encuadrar v. **1** Meter en un cuadro o marco: *Compró un marco dorado para encuadrar el dibujo.* □ SINÓN. *enmarcar.* **2** Incluir o encajar dentro de unos límites: *Las luchas sociales del siglo XIX encuadran la protesta sindical. La nueva ley se encuadra en el programa de reforma de la función pública.* □ SINÓN. *enmarcar.*

encuadre s.m. En cine, vídeo y fotografía, espacio que capta en cada toma el objetivo de una cámara: *Repetimos la foto porque no nos gustaba aquel encuadre.*

encubar v. Echar o meter en una cuba: *Ya hemos encubado el vino de este año.* □ ORTOGR. Dist. de *incubar.*

encubierto, ta part. irreg. de **encubrir.** □ MORF. Incorr. **encubrido.*

encubridor, -a adj./s. Que encubre: *Fue detenido por la policía como encubridor de aquel delito.*

encubrimiento s.m. Ocultación que se hace de algo, esp. de un delito, para impedir que quede de manifiesto o que llegue a descubrirse: *El encubrimiento de la verdad no beneficia a nadie.*

encubrir v. **1** Referido a algo que no se quiere mostrar, ocultarlo o no manifestarlo: *Su sonrisa encubría oscuras intenciones.* □ SINÓN. *celar.* **2** Referido esp. a un delincuente o a su delito, esconderlos o impedir que lleguen a descubrirse: *La familia encubrió al asesino la noche del crimen. Fue acusado de encubrir varias estafas.* □ MORF. Su participio es *encubierto.*

encucurucharse v.prnl. Encaramarse o trepar: *Nos encucuruchamos a un árbol para mirar a lo lejos.*

encuentro s.m. **1** Coincidencia de dos o más personas en un lugar. **2** Coincidencia en un punto de dos o más cosas, generalmente chocando una contra otra. **3** Reunión o entrevista entre dos o más personas, generalmente para tratar un asunto: *Se celebrará un encuentro sobre creación de empleo entre la patronal y los sindicatos.* **4** Competición deportiva.

encuerar v. *col.* Desnudar o quitar la ropa: *El actor se encueró en medio del escenario.*

encuesta s.f. **1** Recogida de datos obtenidos mediante la formulación de preguntas a un cierto número de personas sobre un tema determinado, generalmente para conocer el estado de opinión sobre él: *El resultado de la encuesta refleja un descontento generalizado de la población con la situación económica.* **2** Cuestionario en el que se recogen estas preguntas: *Ahora no tengo tiempo de rellenar la encuesta.* **3** ‖ **encuesta ómnibus;** la que hace una empresa de marketing sobre un tema genérico y se aprovecha para varios clientes. □ ETIMOL. Del francés *enquête.*

encuestador, -a s. Persona que realiza encuestas, esp. si esta es su profesión: *Trabajo como encuestadora para una empresa de publicidad.*

encuestalitis s.f. *col.* Dependecia del resultado de una encuesta. □ USO Tiene un matiz humorístico.

encuestar v. Referido a una persona, interrogarla para una encuesta: *Encuestaron a personas de todas las edades y condiciones para analizar cómo variaba la opinión en función de estas circunstancias.*

encular v. **1** *vulg.malson. desp.* →**sodomizar.** **2** *vulg.malson.* Fastidiar o molestar mucho.

encumbramiento s.m. Ensalzamiento o engrandecimiento de una persona, generalmente colocándola en puestos elevados: *Al éxito de la película siguió el inmediato encumbramiento de su director.*

encumbrar v. Referido a una persona, ensalzarla o engrandecerla, generalmente colocándola en puestos elevados: *Desconfía de la objetividad de quien solo encumbra a sus amigos y censura a sus enemigos. Se encumbró hasta la dirección de la empresa por sus propios méritos.* ☐ ETIMOL. De *cumbre.* ☐ SINT. Constr. como pronominal: *encumbrarse* {A/HASTA} *un lugar.*

encurdarse v.prnl. *col.* Emborracharse: *Si te encurdas no cojas el buga.*

encurtido s.m. Fruto o legumbre que se han conservado en vinagre: *Compré berenjenas en vinagre en una tienda de ultramarinos y encurtidos.* ☐ ETIMOL. De *encurtir* (conservar en vinagre). ☐ MORF. Se usa más en plural.

encurtir v. Referido a algunos frutos y hortalizas, meterlos en vinagre para conservarlos: *Encurtimos pepinillos que luego tomamos como aperitivo.* ☐ ETIMOL. De *curtir.*

ende ‖ **por ende;** por tanto: *Después de exponer las razones de su petición, el solicitante terminaba así su carta: «Por ende, solicito que me sea concedido...».* ☐ ETIMOL. Del latín *inde* (de allí). ☐ USO Su uso es característico del lenguaje culto.

endeble adj.inv. Débil o escaso de fuerza o de solidez: *Tus argumentos son endebles y no convencen a nadie.* ☐ ETIMOL. Del latín *indebilis* (flojo). ☐ MORF. Su superlativo es *endeblísimo*; incorr. **endebilísimo.*

endeblez s.f. Debilidad o escasez de fuerza o de solidez: *La prensa destacó la endeblez de las ideas que pretendía defender en su discurso.*

endecágono, na adj./s.m. En geometría, referido a un polígono, que tiene once lados y once ángulos: *La nueva iglesia es de planta endecágona.* ☐ ETIMOL. Del griego *héndeka* (once) y *-gono* (ángulo).

endecasílabo, ba ▮ adj. **1** Con endecasílabos o compuesto por este tipo de versos: *El cuarteto es una estrofa generalmente endecasílaba.* ▮ adj./s.m. **2** De once sílabas, esp. referido a un verso: *Un soneto clásico está compuesto por versos endecasílabos.* ☐ ETIMOL. Del griego *héndeka* (once) y *syllabé* (sílaba).

endecha s.f. Canción triste o de lamento: *Compuso una estremecedora endecha por la muerte de su padre.* ☐ ETIMOL. Del latín *indicta* (cosas proclamadas).

endemia s.f. Enfermedad que afecta a una comunidad de manera habitual o en fechas fijas: *En algunos países africanos, la malaria es una endemia.* ☐ ETIMOL. Del griego *endemía* (que afecta a un país). ☐ SEM. Dist. de *epidemia* (afecta de forma temporal y a gran número de individuos).

endémico, ca adj. **1** Referido esp. a una enfermedad, que afecta a una comunidad de manera habitual o en fechas fijas. **2** Referido esp. a un acto o a un suceso, que está muy extendido o que se repite frecuentemente: *El paro se ha convertido en un mal endémico en las sociedades capitalistas.* **3** Referido a una especie animal o vegetal, que es propia o exclusiva de una zona determinada: *La violeta del Teide es endémica de esa zona de las islas Canarias.*

endemoniado, da ▮ adj. **1** *col.* Sumamente malo, perverso o nocivo: *Tienes un genio endemoniado y no hay quien te aguante, guapo. ¡Cualquiera sale a la calle con este tiempo endemoniado!* ☐ SINÓN. *endiablado.* ▮ adj./s. **2** Poseído por el demonio: *Fue a hablar con el sacerdote porque creía que estaba endemoniada.* ☐ SINÓN. *demoniaco, demoníaco.*

endemoniar v. **1** Referido a una persona, introducirle demonios en el cuerpo: *Dicen que a ese lo endemoniaron en un ritual satánico.* **2** *col.* Irritar, enfadar o encolerizar: *Vas a endemoniar a tus padres si les cuentas que has vuelto a perder el dinero de la matrícula.* ☐ ORTOGR. La *i* nunca lleva tilde. ☐ MORF. En la acepción 2, se usa más como pronominal.

endentar v. Referido a una cosa, encajarla en otra, generalmente por medio de dientes o muescas: *Tengo que endentar la cadena de la bicicleta porque se ha salido.* ☐ MORF. Irreg. →PENSAR.

endentecer v. Referido a un niño, empezar a echar los dientes: *Cuando los niños endentecen suelen tener fiebre y bastantes molestias.* ☐ MORF. Irreg. →PARECER.

enderechar v. →**enderezar.**

enderezamiento s.m. Modificación de la dirección de algo torcido o inclinado, para ponerlo recto o vertical: *Los obreros llevaron a cabo el enderezamiento del poste de la luz que se había caído.*

enderezar v. **1** Referido a algo torcido o inclinado, ponerlo recto: *Endereza el alambre para que llegue hasta la pared. Endérezate y no vayas tan encogido, que parece que tienes chepa.* ☐ SINÓN. *enderechar.* **2** Corregir, dirigir por buen camino o poner en buen estado: *La nueva directora intentará enderezar la marcha de la empresa. ¡Ya te enderezaré yo a ti, sinvergüenza!* ☐ SINÓN. *enderechar.* ☐ ETIMOL. Del antiguo *derezar* (encaminar). ☐ ORTOGR. La *z* se cambia en *c* delante de *e* →CAZAR.

endermología s.f. Técnica de masaje mecánico que se utiliza en tratamientos contra la celulitis y en tratamientos posoperatorios de intervenciones quirúrgicas de adelgazamiento.

endeudar v. Llenar de deudas: *Se endeudó para comprarse una casa.* ☐ SINÓN. *empeñarse.*

endiablado, da adj. **1** *col.* Sumamente malo, perverso o nocivo: *Ese tipo tiene unas ideas endiabladas. No entiendo lo que pones porque tienes una letra endiablada.* ☐ SINÓN. *endemoniado.* **2** *col.* Que resulta desagradable o desproporcionado: *En la cima del monte soplaba un viento endiablado.*

endiablarse v.prnl. *col.* Irritarse, enfadarse o encolerizarse demasiado: *Aguanto mucho pero, cuando me endiablo, pierdo el control.*

endibia (tb. *endivia*) s.f. Hortaliza de sabor amargo, de la que se consume el cogollo de hojas puntiagudas, lisas y blanquecinas: *Me gustan las endibias con salsa de roquefort.* ☐ ETIMOL. De origen incierto.

endilgar v. *col.* Referido a algo que supone una carga o una molestia, hacer que alguien lo acepte o se haga cargo de ello: *Cuando no están mis padres en casa, mi hermana me endilga las tareas más desagra-*

dables. ☐ SINÓN. *colocar, endosar.* ☐ ETIMOL. De origen incierto. ☐ ORTOGR. La *g* se cambia en *gu* delante de *e* →PAGAR.

endiñar v. *col.* Referido esp. a un golpe, darlo o propinarlo: *Le endiñó tal bofetón, que lo tiró al suelo.* ☐ ETIMOL. De origen gitano.

endiosado, da adj. Muy altivo o muy soberbio.

endiosamiento s.m. Altivez o soberbia exageradas: *Tu endiosamiento se debe a que siempre estás recibiendo alabanzas.*

endiosar v. **1** Elevar a la categoría de dios: *Más que admirarlos, endiosa a sus ídolos deportivos.* **2** Referido a una persona, volverse altiva, soberbia o vanidosa: *Tantos premios terminarán por endiosarlo. Se ha endiosado y se cree superior a los demás.*

endivia s.f. →**endibia.**

endo- Elemento compositivo prefijo que significa 'dentro de' o 'en el interior': *endovenoso, endoscopia, endoesqueleto, endosfera.* ☐ ETIMOL. Del griego *éndon.*

endocardio s.m. En anatomía, tejido que tapiza las cavidades del corazón: *El endocardio está formado por dos capas.* ☐ ETIMOL. De *endo-* (dentro de, en el interior) y el griego *kardía* (corazón). ☐ ORTOGR. Dist. de *endocarpio.*

endocarditis (pl. *endocarditis*) s.f. Inflamación del endocardio: *La endocarditis le ha afectado a las válvulas cardíacas.* ☐ ETIMOL. De *endocardio* e *-itis* (inflamación).

endocarpio s.m. En botánica, en un fruto carnoso, parte más interna del pericarpio o envoltura externa: *En el melocotón, el endocarpio es el hueso.* ☐ ETIMOL. De *endo-* (dentro de, en el interior) y el griego *karpós* (fruto). ☐ ORTOGR. 1. Se usa también *endocarpo.* 2. Dist. de *endocardio.*

endocarpo s.m. →**endocarpio.**

endocéntrico, ca adj. En lingüística, referido a una construcción sintáctica, que puede desempeñar la misma función que su núcleo: *Un sintagma adjetival es endocéntrico porque su núcleo es un adjetivo.*

endocitosis s.f. Proceso biológico mediante el que una célula transporta partículas del exterior a su interior a través de su membrana.

endocrino, na ▮ adj. **1** De las hormonas o relacionado con estas sustancias o con las glándulas que las producen: *Le han dicho que su obesidad se debe a un problema endocrino.* ▮ s. **2** →**endocrinólogo.** ☐ ETIMOL. De *endo-* (dentro de, en el interior) y el griego *kríno* (yo separo).

endocrinología s.f. Parte de la medicina que estudia las glándulas endocrinas, la naturaleza de las sustancias que segregan y el efecto que estas producen en el organismo: *Ese tratado de endocrinología habla de los problemas de la glándula tiroides y de los efectos que produce su funcionamiento deficiente.* ☐ ETIMOL. De *endocrino* y *-logía* (estudio).

endocrinológico, ca adj. De la endocrinología o relacionado con esta parte de la medicina.

endocrinólogo, ga s. Médico especialista en endocrinología: *La endocrinóloga me ha puesto un régimen de adelgazamiento.* ☐ MORF. Se usa mucho la forma abreviada *endocrino.*

endocrinopatía s.f. Enfermedad del sistema endocrino. ☐ ETIMOL. De *endocrino* y *-patía* (enfermedad).

endodérmico adj. Del endodermo o relacionado con esta capa celular: *El epitelio urinario es un tejido endodérmico.*

endodermo s.m. En un embrión animal, capa celular interna: *El tubo digestivo de los vertebrados se forma a partir del endodermo.* ☐ ETIMOL. De *endo-* (dentro de) y el griego *dérma* (piel).

endodoncia s.f. **1** Parte de la odontología que estudia las enfermedades de la pulpa de los dientes. **2** Tratamiento de estas enfermedades: *Me han hecho una endodoncia para matarme el nervio del diente.* ☐ ETIMOL. De *endo-* (dentro) y el griego *odús* (diente).

endoesqueleto s.m. En los vertebrados, esqueleto interno formado por cartílagos y huesos: *El endoesqueleto consta de una parte que sirve de protección al sistema nervioso y de otra encargada de la locomoción.* ☐ ETIMOL. De *endo-* (dentro de) y *esqueleto.*

endogamia s.m. **1** En biología, cruce entre individuos que pertenecen a un mismo grupo, aislado de otras poblaciones de la misma especie: *La endogamia mantiene la pureza de una raza.* **2** Práctica social consistente en contraer matrimonio personas que tienen una ascendencia común o que son naturales de una población o de una comarca pequeñas: *Las tribus primitivas practicaban la endogamia.* **3** Actitud de rechazo a la incorporación de personas ajenas a un grupo o a una institución. ☐ ETIMOL. De *endo-* (dentro de) y el griego *gaméo* (me caso).

endogámico, ca adj. De la endogamia o relacionado con este comportamiento: *En las islas pequeñas se suelen dar cruzamientos endogámicos.*

endogénesis (pl. *endogénesis*) s.f. En biología, proceso de reproducción celular en el que las células hijas permanecen en el interior de la célula madre: *Algunos hongos se reproducen por endogénesis o multiplicación endógena.* ☐ ETIMOL. De *endo-* (dentro de) y *génesis* (creación).

endógeno, na adj. **1** Que se origina o que nace en el interior: *La rocas endógenas se forman en el interior de la corteza terrestre.* **2** Que está producido por una causa interna: *El médico me dijo que la intoxicación era endógena, debida a una fuerte infección.* ☐ ETIMOL. De *endo-* (dentro de) y *-geno* (que produce).

endolinfa s.f. En anatomía, líquido que llena el oído interno: *La endolinfa está relacionada con el sentido del equilibrio.* ☐ ETIMOL. De *endo-* (dentro de) y *linfa.*

endometrio s.m. Capa mucosa que recubre el interior de la cavidad uterina: *Después de la fecundación, el óvulo se implanta en el endometrio.* ☐ ETIMOL. De *endo-* (dentro de) y el griego *métra* (matriz).

endometriosis (pl. *endometriosis*) s.f. Asentamiento de las mucosas uterinas fuera del útero. ☐ ETIMOL. De *endometrio* y *-osis* (enfermedad).

endometritis (pl. *endometritis*) s.f. Inflamación de las mucosas uterinas. ☐ ETIMOL. De *endometrio* e *-itis* (inflamación).

endomingarse v.prnl. Vestirse o arreglarse con la ropa de fiesta: *Se ha endomingado para ir al teatro.* ☐ ORTOGR. La *g* se cambia en *gu* delante de *e* →PAGAR.

endoparásito, ta adj./s.m. Referido a un parásito, que vive en el interior de un organismo: *Las tenias o solitarias son endoparásitos.* ☐ ETIMOL. De *endo-* (dentro de) y *parásito*.

endorfina s.f. Sustancia que segrega el encéfalo y que ejerce una acción narcótica: *La secreción de endorfina es una respuesta del encéfalo ante los dolores muy agudos.*

endorreico, ca adj. Del endorreísmo o relacionado con él.

endorreísmo s.m. Afluencia de las aguas de un territorio hacia el interior de este, sin salida al mar.

endosar v. **1** *col.* Referido a algo que supone una carga o una molestia, hacer que alguien lo acepte o se haga cargo de ello: *¡Siempre me endosan a mí lo que no quiere hacer nadie!* ☐ SINÓN. *colocar, endilgar.* **2** Referido a un documento de crédito, cederlo su titular en favor de otro, haciéndolo constar en el dorso: *Al endosar un cheque, el titular tiene que firmar por detrás.* ☐ ETIMOL. Del francés *endosser*.

endoscopia s.f. En medicina, exploración visual del interior de una cavidad corporal o de un órgano hueco, mediante un endoscopio: *Me hicieron una endoscopia de esófago.* ☐ ETIMOL. De *endo-* (dentro de) y *-scopia* (exploración).

endoscopio s.m. En medicina, instrumento óptico generalmente en forma de tubo, dotado de un sistema de iluminación y que se utiliza para ver el interior de una cavidad corporal o de un órgano hueco: *La médica utilizó el endoscopio para ver la úlcera que tengo en el estómago.* ☐ ETIMOL. De *endo-* (dentro de) y *-scopio* (instrumento para ver).

endosfera s.f. Capa más interna de la Tierra, situada bajo la mesosfera y compuesta posiblemente por hierro y níquel: *Se cree que la endosfera tiene una parte externa fluida y una interna sólida y muy rígida.*

endoso s.m. **1** Cesión de un documento de crédito a otra persona: *Pude ingresar en mi cuenta un cheque nominativo a tu nombre, gracias al endoso que me hiciste.* **2** Lo que se escribe en el dorso de un documento de crédito para endosarlo: *El endoso lleva la firma del titular.*

endospermo s.m. En una semilla, tejido que le sirve de reserva alimenticia: *Durante la germinación, el embrión se alimenta del endospermo.* ☐ ETIMOL. De *endo-* (dentro de) y el griego *spérma* (semilla, simiente).

endotelio s.m. Tejido de células planas dispuestas en una sola capa, que recubre el interior de algunas cavidades internas de los vertebrados: *El endotelio recubre la parte interior de los vasos sanguíneos.* ☐ ETIMOL. De *endo-* (dentro de) y el griego *thelé* (pezón), por cruce con *epitelio*.

endotérmico, ca adj. **1** Referido a un proceso, que conlleva absorción de calor durante su desarrollo: *Una reacción química endotérmica es aquella que absorbe calor.* **2** Referido a un animal, de sangre caliente: *Los animales endotérmicos pueden mantener su temperatura corporal dentro de ciertos límites sin importar la temperatura ambiental a la que estén expuestos.*

endovenoso, sa adj. Que se localiza, se aplica u ocurre en el interior de una vena: *La enfermera le puso suero por vía endovenosa.* ☐ SINÓN. *intravenoso.* ☐ ETIMOL. De *endo-* (dentro de) y *venoso*.

endowment (ing.) s.m. Crédito a largo plazo que puede ser hipotecario o de otro tipo y que concede una entidad financiera a sus clientes o al mercado: *Me han concedido un endowment a veinticinco años al diez por ciento.* ☐ PRON. [endóument].

endriago s.m. Monstruo fantástico con facciones humanas y miembros de varias fieras: *Aquel capitel románico tiene un endriago con cuerpo de mono.* ☐ ETIMOL. Quizá del antiguo *hidria* (hidra, serpiente de muchas cabezas), por cruce con *drago* (dragón).

endrina s.f. Fruto del endrino, de pequeño tamaño, de color negro azulado y forma redondeada, que tiene un sabor áspero y que se utiliza para aromatizar algunos licores: *El pacharán se obtiene por maceración de endrinas en aguardiente anisado.* ☐ ETIMOL. Del latín *ater* (negro).

endrinal s.m. Terreno poblado de endrinos.

endrino s.m. Arbusto de hojas alargadas de color verde mate, con flores blancas y espinas en las ramas, y cuyo fruto es la endrina: *El endrino es un tipo de ciruelo.*

endrogar v. *col.* En zonas del español meridional, endeudar: *En vez de endrogarte comprando cosas que no necesitas, empieza a ahorrar y a cuidar tu dinero.* ☐ ORTOGR. La *g* se cambia en *gu* delante de *e* →PAGAR.

endulzadura s.f. Hecho de poner dulce: *Necesitamos un poco de miel para la endulzadura de estos pasteles.* ☐ SINÓN. *endulzamiento*.

endulzamiento s.m. →**endulzadura.**

endulzante adj.inv./s.m. Que endulza o pone dulce.

endulzar v. **1** Poner dulce o quitar el sabor amargo: *Endulza el café con un poco de azúcar. Metió la fruta en almíbar para que se endulzara.* **2** Referido a algo desagradable, suavizarlo o hacerlo más llevadero: *Las visitas de su familia endulzan su estancia en el hospital.* ☐ ORTOGR. La *z* se cambia en *c* delante de *e* →CAZAR.

endurecedor, -a ▮ adj./s. **1** Que endurece. ▮ s.m. **2** Producto que sirve para endurecer: *un endurecedor de uñas.*

endurecer v. **1** Poner duro: *El aire ha endurecido el pan y no hay quien lo coma. Si la arcilla se endurece, no podrás modelarla.* **2** Referido a un cuerpo o a una de sus partes, robustecerlos o acostumbrarlos a la fatiga: *Ir en bicicleta endurece las piernas. El cuerpo se endurece con el ejercicio físico.* **3** Hacer severo o exigente: *Las dos partes endurecieron sus posturas y acabaron rompiendo las negociaciones. La profesora se ha endurecido y suspende a mucha gente.* **4** Volver cruel, riguroso o insensible: *Las desgracias que se sufren endurecen el corazón. La vida me ha endurecido y ya no lloro por nada.* □ MORF. Irreg. →PARECER.

endurecimiento s.m. **1** Transformación por la que algo adquiere mayor dureza. **2** Fortalecimiento del cuerpo o de una de sus partes: *el endurecimiento de los músculos.* **3** Obstinación, tenacidad o aumento de exigencia o de rigor: *Con la nieve se produjo un endurecimiento de las condiciones de vida de los refugiados.*

ene s.f. Nombre de la letra *n*.

enea (tb. *anea*) s.f. Planta de tallos cilíndricos y sin nudos, hojas largas y estrechas y flores en forma de espiga vellosa, que crece en lugares pantanosos: *Las hojas de la enea se usan para fabricar cestos y sillas.*

eneágono, na adj./s.m. En geometría, referido a un polígono, que tiene nueve lados y nueve ángulos: *Esa columna es de sección eneágona.* □ SINÓN. *nonágono.* □ ETIMOL. Del griego *enneá* (nueve) y *-gono* (ángulo).

eneagrama s.m. Técnica de conocimiento personal, de origen sufí, basada en el descubrimiento de los nueve impulsos básicos que condicionan el comportamiento humano.

eneal s.m. Terreno poblado de eneas: *Los eneales suelen ser lugares húmedos y encharcados.*

eneasílabo, ba adj./s.m. De nueve sílabas, esp. referido a un verso: *El famoso verso de Rubén Darío '¡Juventud, divino tesoro' es un eneasílabo.* □ ETIMOL. Del griego *enneá* (nueve) y *syllabé* (sílaba).

enebral s.m. Terreno poblado de enebros: *Los niños se metieron en el enebral para coger enebrinas.*

enebrina s.f. Fruto del enebro, muy pequeño, de forma ovalada o redondeada y de color negro azulado: *La enebrina se usa en la fabricación de ginebra.*

enebro s.m. **1** Arbusto conífero, de abundantes ramas y copa espesa, hojas en grupos de tres, rígidas y punzantes, flores en espigas y de color pardo rojizo, que tiene por fruto bayas esféricas y cuya madera es fuerte, rojiza y olorosa: *Las hojas del enebro son blanquecinas por el haz y verdes por el envés.* □ SINÓN. *junípero.* **2** Madera de este arbusto: *La madera del enebro es muy apreciada en ebanistería.* □ ETIMOL. Del latín *iiniperus.* □ ORTOGR. Dist. de *enhebro* (del verbo *enhebrar*).

eneldo s.m. Planta herbácea de tallo ramoso, flores amarillas y semillas planas, que se usa como condimento y para infusiones digestivas: *El eneldo le va muy bien a los pescados para darles sabor.*

enema s.m. **1** Líquido que se introduce en el recto a través del ano, generalmente con fines terapéuticos o laxantes, o para facilitar una operación de diagnóstico: *Antes de la operación de intestino, la enfermera le aplicó un enema.* □ SINÓN. *lavativa, ayuda.* **2** Instrumento manual que se utiliza para aplicar este líquido. □ SINÓN. *lavativa, ayuda.* □ ETIMOL. Del latín *enema*, este del griego *énema*, y este de *eníemi* (yo echo adentro, yo inyecto). □ ORTOGR. Dist. de *edema.*

enemigo, ga ▮ adj. **1** Que se opone a algo: *El ejército enemigo fue derrotado.* □ SINÓN. *contrario.* ▮ s. **2** Respecto de una persona, otra que tiene inclinación desfavorable hacia ella o que le desea o hace algún mal: *Tiene muchos enemigos porque es una persona sin escrúpulos.* ▮ s.m. **3** En una guerra, bando contrario: *Hay que evitar que el enemigo se acerque a nuestra línea defensiva.* □ ETIMOL. Del latín *inimicus.* □ SINT. Constr. de la acepción 1: *enemigo* DE *algo.*

enemistad s.f. Aversión u odio entre personas: *Su enemistad surgió a raíz de una discusión profesional.* □ ETIMOL. Del latín **inimicitas.*

enemistar v. Referido esp. a dos o más personas, convertirlas en enemigas o hacer que pierdan su amistad: *El reparto de la herencia enemistó a los herederos. Los dos países se enemistaron por disputas territoriales.*

eneolítico, ca ▮ adj. **1** Del eneolítico o relacionado con esta etapa prehistórica: *Las pinturas rupestres eneolíticas tienen figuras humanas estilizadas.* □ SINÓN. *calcolítico.* ▮ adj./s.m. **2** Referido a una etapa del neolítico, que es la última de este período y que se caracteriza por el uso de útiles de piedra pulimentada, de cobre y de otros metales: *El eneolítico es un período de transición entre la Edad de Piedra y la de los Metales.* □ SINÓN. *calcolítico.* □ ETIMOL. Del latín *aeneus* (de bronce) y el griego *lithikós* (de piedra).

energético, ca adj. **1** De la energía o relacionado con ella: *Se están buscando nuevas fuentes energéticas.* **2** Que produce energía: *un alimento energético.*

energía s.f. **1** Eficacia o poder para obrar. **2** Fuerza de voluntad, vigor y tesón para llevar a cabo una actividad: *La oradora habló con energía.* **3** En física, causa capaz de transformarse en trabajo mecánico: *Estas placas transforman la energía solar en energía eléctrica.* □ ETIMOL. Del latín *energia*, y este del griego *enérgeia* (fuerza en acción).

enérgico, ca adj. Con energía o relacionado con ella: *Me dijo de forma enérgica que él no pensaba abandonar el proyecto.*

energizante adj.inv. Que da energía o vigor: *una bebida energizante.*

energúmeno, na s. Persona furiosa, alborotada o sin educación: *Unos energúmenos iban por ahí destrozando cabinas telefónicas.* □ ETIMOL. Del griego *energúmenos* (influido por un mal espíritu).

enero s.m. Primer mes del año, entre diciembre y febrero. □ ETIMOL. Del latín *ienuarius.*

enervación s.f. **1** Debilitamiento o privación de las fuerzas: *El médico le dijo que su enervación se debía a la larga enfermedad que estaba padeciendo.*

☐ SINÓN. *enervamiento.* **2** Irritación o crispación del ánimo: *Tus niñerías me producen enervación.* ☐ SINÓN. *enervamiento.* ☐ USO El uso de la acepción 2 es un galicismo.

enervamiento s.m. →**enervación.**

enervante adj.inv. Que enerva: *Tu actividad frenética me resulta enervante y agotadora.*

enervar v. **1** Poner nervioso: *La falta de puntualidad me enerva.* **2** Debilitar o quitar las fuerzas: *La fiebre alta enerva al enfermo. Después de varios días en huelga de hambre, sus músculos empezaban a enervarse.* ☐ ETIMOL. Del latín *enervare.*

enésimo, ma adj. **1** Que se ha repetido un número indeterminado de veces: *Es la enésima vez que te digo que no pienso ir contigo.* **2** En matemáticas, que ocupa un lugar indeterminado en una serie: *En este problema, tienes que elevar ese número a la enésima potencia.* ☐ ETIMOL. De *ene* (cantidad indeterminada). y *-ésimo* (terminación numeral).

enfadadizo, za adj. Que tiene facilidad para enfadarse o para ser enfadado.

enfadar v. **1** Causar o sentir enfado: *Si llegas tarde, enfadarás a tus padres. Se enfada cuando las cosas no salen como él quisiera.* **2** *col.* En zonas del español meridional, cansar o aburrir: *Ya me enfadé de estar haciendo lo mismo.* ☐ ETIMOL. Quizá del gallegoportugués *fado* (destino, esp. el desfavorable).

enfado s.m. **1** Enojo o disgusto, generalmente contra alguien: *¡Menudo enfado tiene porque no lo invité a mi fiesta de cumpleaños!* **2** *col.* En zonas del español meridional, cansancio o aburrimiento: *Sentí mucho enfado de tener que repetir la tarea.*

enfadoso, sa adj. Que causa enfado: *una tarea enfadosa.*

enfaenado, da adj. Metido de lleno en un trabajo: *Dile que me llame más tarde porque ahora estoy enfaenada y no puedo atenderlo.*

enfajar v. **1** Poner una faja: *Como ha ganado algunos kilos, ahora se enfaja. Han enfajado los libros de la segunda edición para indicar que ha sido actualizada.* **2** Envolver o rodear como una faja: *La muralla enfaja esa hermosa ciudad.*

enfaldado, da adj. Referido esp. a un niño, que está muy apegado a las mujeres de su casa.

enfangar ▌v. **1** Cubrir de fango o meter en él: *La inundación ha enfangado la ciudad. Al meterse en la charca, se enfangó las botas.* ▌prnl. **2** *col.* Mezclarse en actividades o negocios sucios: *Me contó que se había enfangado en un negocio ilegal y que la policía le seguía los pasos.* ☐ ORTOGR. La *g* se cambia en *gu* delante de *e* →PAGAR.

enfant terrible (fr.) s.com. ‖ Persona independiente, rebelde y contestataria. ☐ PRON. [ánfan terríbl].

enfardar v. Referido esp. a mercancías, empaquetarlas o hacer fardos con ellas: *En la fábrica, una máquina enfardaba en cajas los productos.*

énfasis (pl. *énfasis*) s.m. **1** Fuerza en la expresión o en la entonación para realzar lo que se dice: *El profesor de teatro me dijo que diera más énfasis a mi interpretación para hacerla más dramática.* **2** Intensidad, relieve o importancia que se conceden a algo: *La directora puso énfasis en que se debían conseguir los objetivos propuestos.* ☐ ETIMOL. Del latín *emphasis*, y este del griego *émphasis* (demostración, explicación).

enfático, ca adj. Que se expresa con énfasis, que lo denota o que lo implica: *una entonación enfática.*

enfatizante adj.inv. Que enfatiza: *La poesía de esta autora destaca por la riqueza de sus figuras retóricas y sus metáforas imaginativas y enfatizantes.*

enfatizar v. **1** Destacar o resaltar poniendo énfasis: *La alcaldesa enfatizó los esfuerzos que estaba llevando a cabo la corporación.* **2** Expresarse con énfasis: *Los actores tienen que aprender a enfatizar cuando declaman un texto.* ☐ ORTOGR. La *z* se cambia en *c* delante de *e* →CAZAR.

enfebrecido, da adj. *col.* Muy entusiasmado o exaltado: *El público aplaudía enfebrecido los goles de su equipo.*

enfermar v. Poner o ponerse enfermo: *Cuando enferma de la garganta, se queda completamente afónico. Enfermaron los frutales y apenas recogimos fruta. Intento ser paciente con los niños, pero me enferman sus pataletas.* ☐ MORF. En zonas del español meridional se usa como pronominal.

enfermedad s.f. **1** En un ser vivo, alteración de su buena salud. **2** Lo que daña o altera el estado o el buen funcionamiento de algo: *Esa afición desmedida al juego es una enfermedad en él.* **3** ‖ **(enfermedad de) Alzheimer;** atrofia cerebral que da lugar a un tipo de demencia senil. ☐ ETIMOL. Del latín *infirmitas.* ☐ PRON. Enfermedad de [alsáimer] o [alzéimer].

enfermería s.f. **1** Lugar o dependencia donde se atiende a enfermos y heridos, esp. donde se prestan primeros auxilios: *Instalaron la enfermería del campamento en una de las tiendas.* **2** Conjunto de disciplinas básicas relacionadas con la asistencia a enfermos y heridos: *Ha estudiado tres años en una escuela universitaria y es diplomado en enfermería.* ☐ SEM. En la acepción 1, dist. de *botiquín* (lugar o recipiente donde se guarda lo necesario para prestar primeros auxilios).

enfermero, ra s. Persona que se dedica profesionalmente a la asistencia de enfermos y heridos, esp. la que actúa como ayudante del médico.

enfermizo, za adj. **1** Que tiene poca salud o que enferma con frecuencia. **2** Capaz de causar enfermedades: *En el centro de la ciudad se respira un aire sucio y enfermizo.* **3** Propio de un enfermo: *Tiene una inclinación enfermiza hacia los juegos de azar.*

enfermo, ma adj./s. Que padece una enfermedad o un trastorno patológico. ☐ ETIMOL. Del latín *infirmus* (débil, endeble).

enfermoso, sa adj. En zonas del español meridional, enfermizo.

enfervorizar v. **1** Despertar un entusiasmo o un interés intensos: *En sus discursos sabía enfervorizar al auditorio. El público se enfervorizaba cuando* *su ídolo salía al escenario.* **2** Infundir fervor o devoción religiosos: *El sermón del sacerdote enfervorizó a los fieles.* ☐ ORTOGR. La *z* se cambia en *c* delante de *e* →CAZAR.

enfeudar v. Referido a un territorio, darlo en feudo: *En aquel tiempo, el monarca tenía derecho a enfeudar las tierras que estaban dentro de sus dominios.*

enfilar v. **1** Referido a un camino o a un punto de llegada, tomar su dirección: *El corredor enfiló la última recta con decisión. El barco salió del puerto y se enfiló hacia alta mar.* **2** Dirigir u orientar: *Cuando se cansó de vagar, enfiló sus pasos hacia su casa.* **3** Referido a un punto, ponerlo en línea con el punto de vista: *Para apuntar, enfila la mira de la escopeta y el blanco y, después, dispara.* **4** *col.* Referido a una persona, tomarle gran antipatía o ponerse en contra suya: *El jefe me enfiló el primer día y me hace la vida imposible.*

enfisema s.m. Infiltración gaseosa en el tejido pulmonar, en el celular o en la piel: *El enfisema pulmonar es característico de las personas con bronquitis crónica.* ☐ ETIMOL. Del griego *emphýsema* (hinchazón).

enfiteusis (pl. *enfiteusis*) s.f. Cesión temporal o indefinida del derecho a hacer uso de un inmueble a cambio de un pago anual: *La enfiteusis es un tipo de arrendamiento que aparece por primera vez en tiempos de los romanos y que se generalizó en la Edad Media.* ☐ ETIMOL. Del latín *emphyteusis*, y este del griego *emphytéuo* (yo injerto o planto en un lugar), porque se otorgaba este contrato al que labraba una finca rústica.

enflaquecer v. **1** Poner flaco o más delgado: *Desde que empezó el régimen, ha enflaquecido mucho. La enfermedad y los disgustos me han hecho enflaquecer.* ☐ SINÓN. *enmagrecer.* **2** Debilitar o perder fuerza: *Su voluntad fue enflaqueciendo con el paso de los años.* ☐ MORF. Irreg. →PARECER.

enflaquecimiento s.m. **1** Disminución o pérdida de peso: *Los disgustos y la depresión son la causa de tu progresivo enflaquecimiento.* **2** Debilidad o pérdida de fuerza: *Cuando estaba a punto de llegar a la cumbre, empezó a sentir enflaquecimiento.*

enfocar v. **1** Referido a una imagen, hacer que se vea clara y nítidamente: *Antes de hacer la foto, enfoca la imagen en el visor de la cámara para que no salga borrosa.* **2** Referido a un cuerpo o a un lugar, proyectar sobre ellos un haz de luz: *El vigilante nos enfocó con la linterna para ver quiénes éramos.* **3** Referido a un asunto, plantearlo o estudiarlo: *No eres capaz de solucionar el problema porque no lo enfocas bien.* ☐ ORTOGR. La *c* se cambia en *qu* delante de *e* →SACAR.

enfoque s.m. **1** Ajuste de una imagen para que se vea de forma clara y nítida. **2** Planteamiento o estudio de un asunto: *Para resolver un problema, es fundamental darle un enfoque adecuado.*

enfoscado s.m. **1** Capa de una masa compuesta principalmente por arena, conglomerante y agua con la que se reviste un muro: *Si el enfoscado está mal hecho, no recubrirá bien la pared.* **2** Revestimiento de un muro con esta masa: *El enfoscado de las paredes tardará varios días en terminarse.*

enfoscar ▌v. **1** Referido a un muro, revestirlo con una masa formada principalmente con arena, conglomerante y agua: *Han venido los albañiles a enfoscar las paredes del edificio.* ▌prnl. **2** Referido al cielo, cubrirse de nubes: *Hoy no saldremos, porque el cielo se ha enfoscado.* ☐ ETIMOL. Del latín *fuscus* (oscuro). ☐ ORTOGR. La *c* se cambia en *qu* delante de *e* →SACAR.

enfrascar ▌v. **1** Meter en frascos: *Enfrascó los tomates para hacer conservas.* ▌prnl. **2** Dedicarse con mucha intensidad o atención a una actividad: *Cuando se enfrasca en el trabajo, no oye nada.* ☐ ETIMOL. La acepción 1, de *frasco*. La acepción 2, quizá del italiano *infrascarsi* (internarse en la vegetación, enredarse). ☐ ORTOGR. La *c* se cambia en *qu* delante de *e* →SACAR. ☐ SINT. Constr. de la acepción 2: *enfrascarse* EN *algo.*

enfrentamiento s.m. Lucha o discusión: *Las dos naciones firmaron un acuerdo que evitó el enfrentamiento armado.*

enfrentar v. **1** Poner frente a frente: *Ese asunto ha enfrentado a los dos amigos. Si enfrentas dos espejos, se reflejarán uno en otro infinitas veces.* **2** Hacer frente, desafiar u oponerse: *Los púgiles se enfrentarán mañana. Me enfrenté a él y le exigí lo que era mío.* ☐ SINT. Constr. de la acepción 2: *enfrentarse {A/CON} algo.*

enfrente (tb. *en frente*) adv. **1** En la parte opuesta o en la parte que está delante: *Vivo enfrente del colegio. Estuve jugando con mis vecinos de enfrente.* **2** En contra o en lucha: *No me gustaría tener enfrente a una persona tan poderosa.* ☐ SINT. Su uso seguido de un adjetivo posesivo es incorrecto: *Está enfrente {*tuyo > de ti}.*

enfriamiento s.m. **1** Disminución de la temperatura. **2** Disminución de la intensidad, la actividad o la fuerza: *La diferencia de opiniones produjo el enfriamiento de sus relaciones. Mediante una subida de los tipos de interés, se consiguió el enfriamiento de la economía.* **3** Catarro o enfermedad ligeros ocasionados por frío: *En cuanto llega el invierno, temo los enfriamientos.*

enfriar ▌v. **1** Disminuir o hacer que disminuya la temperatura: *Puso el café en la ventana para enfriarlo. Si tardas en venir, se te enfriará la sopa.* **2** Referido esp. a un sentimiento, disminuir su intensidad o su fuerza: *La distancia no enfrió su amistad. A través de la política monetaria el Gobierno está intentando enfriar la economía y ralentizar el ritmo económico del país.* **3** Referido esp. a una persona, templar o suavizar su pasión: *El gol del contrario enfrió al equipo. El espectáculo era tan monótono, que el público se iba enfriando.* ▌prnl. **4** Acatarrarse o ponerse enfermo debido al frío: *Me empapé con la lluvia y me he enfriado.* ☐ ETIMOL. Del latín *infrigidare.* ☐ ORTOGR. La *i* lleva tilde en los presentes, excepto en las personas *nosotros* y *vosotros* →GUIAR.

enfundar ▮ v. **1** Meter en una funda: *Después de la pelea, enfundó el arma y se fue.* ▮ prnl. **2** Referido a una prenda de vestir, esp. si es ajustada, ponérsela o cubrirse con ella: *El día de la fiesta, se enfundó unos guantes que le llegaban al codo.*

enfurecer ▮ v. **1** Poner furioso: *Tu falta de puntualidad enfurece al más paciente. Cuando lo echaron del equipo, se enfureció.* ▮ prnl. **2** Alborotarse, agitarse o alterarse, esp. referido al mar: *Con la tormenta, el mar se enfureció y casi naufragamos.* □ MORF. Irreg. →PARECER.

enfurecido, da adj. Muy furioso o con furia.

enfurecimiento s.m. Irritación o agitación muy grandes: *El enfurecimiento de las olas atemorizaba a los navegantes.*

enfurruñamiento s.m. *col.* Enfado ligero: *Aunque ahora ponga mala cara, sus enfurruñamientos no le duran demasiado.*

enfurruñarse v.prnl. *col.* Enfadarse un poco: *Cuando se enfurruña, frunce el ceño.* □ ETIMOL. Quizá del francés antiguo *enfrogner* (poner mala cara).

engalanamiento s.m. Embellecimiento de algo, generalmente con adornos: *Antes de la feria, todos colaboraban en el engalanamiento de los balcones.*

engalanar v. Adornar o embellecer, generalmente de forma vistosa y con la intención de agradar: *Para las fiestas del pueblo engalanan las calles. Se engalanó con su mejor traje para ir al concierto.*

engallarse v.prnl. Adoptar una actitud arrogante o retadora: *Se engalló conmigo porque le llevé la contraria.* □ ETIMOL. De *gallo*.

enganchada s.f. Véase **enganchado, da**.

enganchado, da ▮ adj. **1** Unido con un gancho o con algo semejante, o colgado en él. **2** *col.* Adicto a muy aficionado a algo: *Los enganchados a los juegos de ordenador, como tú, no saben hablar de otra cosa.* **3** *col.* Enamorado. ▮ s.f. **4** *col.* Discusión, riña o pelea, esp. si se llega al enfrentamiento físico: *¡Menuda enganchada tuve el otro día con un tipo que me intentó timar!*

enganchar ▮ v. **1** Agarrar o prender con un gancho u objeto semejante, o colgar de ellos: *El vagón se enganchó a la locomotora. Le he puesto botones a la blusa porque los corchetes no enganchaban bien.* **2** *col.* Coger o atrapar: *Huyó, pero la policía lo volvió a enganchar enseguida.* **3** Referido esp. a un caballo, sujetarlo al carruaje para que tire de él: *El cochero enganchó caballos frescos para continuar el viaje.* **4** En tauromaquia, referido esp. a una persona, cogerla el toro y levantarla con los cuernos: *En un descuido del banderillero, lo enganchó el toro y lo volteó.* **5** *col.* Referido a una persona, atraerla o ganarse su afecto o su voluntad: *Su única obsesión es enganchar un novio rico.* **6** *col.* Referido esp. a una enfermedad, contraerla o adquirirla: *Este invierno enganché un resfriado que me duró dos semanas.* ▮ prnl. **7** *col.* Hacerse adicto o aficionarse mucho: *Se enganchó a la heroína muy joven y ahora está destrozado.* **8** *col.* Pelearse o enfrentarse: *Se engancharon y tuvimos que separarlos.* **9** Alistarse voluntariamente como soldado: *Se enganchó en infantería cuando terminó el bachillerato.* □ SINT. Constr. de la acepción 7: *engancharse* A *algo.*

enganche s.m. **1** Agarre que se hace por medio de un gancho o de un objeto semejante. **2** Colocación de un animal de tiro, sujetándolo al carruaje del que ha de tirar. **3** *col.* Adicción o afición desmedida: *Tiene un enganche con la televisión, que no es normal.* **4** Alistamiento como soldado: *Su enganche en la legión sorprendió a todos.* **5** Pieza o mecanismo que sirve para enganchar: *el enganche de una cadena.* **6** En zonas del español meridional, señal o cantidad de dinero que se paga como anticipo.

enganchón s.m. **1** Desgarrón o roto producidos por un enganche: *Cosió el enganchón que tenía en el jersey.* **2** *col.* Pelea, riña o enfrentamiento: *Se llevan tan mal que no me extrañaría que algún día tuvieran un enganchón.*

engañabobos (pl. *engañabobos*) ▮ s.com. **1** *col.* Persona que engaña a otra aprovechándose de su ingenuidad para obtener un beneficio: *Un engañabobos le vendió un reloj que no funciona.* ▮ s.m. **2** Lo que engaña con su apariencia: *Me parece que este supuesto robot para todo es un engañabobos.*

engañador, -a adj./s. Que engaña.

engañar ▮ v. **1** Referido a una persona, hacerle creer como cierto algo que no lo es: *Me juró que me quería, pero ahora veo que me engañaba.* **2** Producir una ilusión o una falsa impresión: *La cuesta parece suave, pero engaña. El balón llevaba tal efecto que engañó al portero.* **3** Referido esp. a una necesidad, distraerla o calmarla momentáneamente: *Tomamos un aperitivo para engañar el hambre hasta la hora de la comida.* **4** Referido a una persona, ganar su voluntad mediante halagos y mentiras para conseguir algo: *A ver a quién engaño para que me regale este caprichito.* □ SINÓN. *engatusar.* **5** Referido a un compañero sentimental, serle infiel: *Se separó de su marido porque la engañaba con otra mujer.* ▮ prnl. **6** No querer reconocer la verdad, por resultar más grata la mentira: *Deja de engañarte a ti mismo y admite que no vales para ese trabajo.* **7** Equivocarse o no acertar: *Me engañé contigo cuando te creí una persona de confianza.* □ ETIMOL. Del latín **ingannare* (escarnecer, burlarse de alguien).

engañifa s.f. Engaño artificioso con apariencia de utilidad: *Ese nuevo negocio que te ofrecen no es más que una engañifa para sacarte el dinero.*

engaño s.m. **1** Falta de verdad en algo para que no parezca falso: *Porque conozco la verdad de lo ocurrido, sé que hay engaño en lo que dices.* **2** Ilusión o falsa impresión: *Un espejismo es un engaño de la vista.* **3** Distracción o calma momentánea de una necesidad: *Los aperitivos son un engaño para el hambre.* **4** Obtención de la voluntad de alguien mediante mentiras o falsedades: *Para conseguir lo que quieres eres capaz de llegar al engaño.* **5** Infidelidad sentimental. **6** Equivocación o falta de acierto: *Sal de tu engaño y reconoce tu error.* **7** Lo que sirve para engañar: *Este anuncio es un engaño, porque el producto real no se parece en nada al pro-*

ducto anunciado. **8** En tauromaquia, muleta o capa que utiliza el torero para que el toro embista.

engañoso, sa adj. Que engaña o da ocasión a engañarse: *Me estafó con promesas engañosas y no volveré a confiar en él.*

engarabitar v. Trepar o subir a un lugar alto: *¿Quién se engarabita en el árbol para recuperar el balón?*

engarce s.m. **1** Unión de una cosa con otra para formar una cadena: *El engarce de esos eslabones tan pequeños requiere mucha paciencia.* **2** Encaje o introducción de un objeto en otro, esp. de una piedra preciosa en una montura de metal: *¿Cuánto me costaría el engarce de un topacio en esta diadema?* ☐ SINÓN. *engaste.* **3** Montura o armadura de metal que rodea y asegura la piedra preciosa engarzada: *El diamante va en un engarce de oro.* ☐ SINÓN. *engaste.*

engarrotar v. En zonas del español meridional, agarrotar: *Me quedé dormida sobre mi brazo y lo tuve engarrotado un rato.*

engarzador, -a adj./s. Que engarza.

engarzar v. **1** Referido a una cosa, unirla con otra u otras para formar una cadena: *Está engarzando eslabones para hacerse una pulsera. Los nervios me impedían engarzar ordenadamente las ideas del discurso.* **2** Referido esp. a una piedra preciosa, encajarla en una superficie: *Encargó que le engarzaran un rubí en el anillo.* ☐ SINÓN. *engastar.* ☐ ETIMOL. Quizá del mozárabe **engaçrar*, y este del latín *incastrare* (insertar). ☐ ORTOGR. La *z* cambia en *c* delante de *e* →CAZAR.

engastadura s.f. →**engaste.**

engastar v. Referido esp. a una piedra preciosa, encajarla en una superficie: *La joyera engastó pequeños diamantes en la diadema de oro.* ☐ SINÓN. *engarzar.* ☐ ETIMOL. Del latín **incastrare* (insertar, articular).

engaste s.m. **1** Encaje o introducción de un objeto en otro, esp. de una piedra preciosa en una montura de metal: *El engaste de piedras preciosas es un trabajo muy delicado y con frecuencia artesanal.* ☐ SINÓN. *engarce, engastadura.* **2** Montura o armadura de metal que rodea y asegura la piedra preciosa engastada: *El joyero montaba las esmeraldas en un engaste de platino.* ☐ SINÓN. *engarce, engastadura.*

engatillarse v.prnl. Referido a un arma de fuego portátil, fallarle el mecanismo de disparo o atascársele: *Cuando fue a disparar se le engatilló el fusil.*

engatusador, -a adj./s. *col.* Que embauca o engaña.

engatusamiento s.m. *col.* Utilización del halago y de la mentira para ganar la voluntad y la confianza de una persona: *Consigues siempre lo que quieres con mentiras y engatusamientos.*

engatusar v. *col.* Referido a una persona, ganar su voluntad mediante halagos y mentiras para conseguir algo: *No te dejes engatusar por ese liante.* ☐ SINÓN. *engañar.* ☐ ETIMOL. Quizá del antiguo *engaratusar*, por influencia de *engatar* (engañar con halagos).

engavillar v. Hacer gavillas o formar grupos de ramas atadas por el centro: *Después de segar el trigo, lo engavillaron.* ☐ SINÓN. *agavillar.*

engendramiento s.m. Creación o formación de algo: *Con la unión de un óvulo y un espermatozoide tiene lugar el engendramiento de un nuevo ser.*

engendrar v. **1** Referido a un ser humano o animal, producirlos un ser de su misma especie por medio de la reproducción: *Mi abuela engendró nueve hijos, pero solo sobreviven cuatro.* **2** Causar u originar: *Las guerras engendran odio.* ☐ ETIMOL. Del latín *ingenerare* (hacer nacer, crear).

engendro s.m. **1** *desp.* Persona muy fea. **2** *desp.* Plan u obra intelectual absurdos o mal concebidos.

englobar v. Referido a una o a varias cosas, incluirlas o considerarlas reunidas en una sola: *Esta cantidad engloba todos los gastos de la semana.*

-engo, -enga Sufijo que indica relación o pertenencia: *abadengo, realenga.* ☐ ETIMOL. Del germánico **-ing.*

engolado, da adj. **1** Referido al modo de hablar, que es exageradamente grave o enfático: *Sus discursos engolados pretenden dar a lo que dice una importancia que no tiene.* **2** Referido a una persona, que es engreída o presuntuosa: *Es una persona engolada y carente de la menor espontaneidad.*

engolamiento s.m. **1** Seriedad o énfasis excesivos que se muestran en el habla o en la actitud: *Me resulta insufrible el engolamiento de sus discursos.* **2** Dotación de resonancia gutural a la voz: *No me gusta ese cantante de ópera por el excesivo engolamiento de su voz.*

engolar v. Referido a la voz, darle resonancia gutural: *Algunos cantantes de ópera engolan la voz.*

engolfarse v.prnl. **1** Ocuparse intensamente de un asunto o entregarse a un pensamiento o a un afecto: *Se engolfa en la música y no se acuerda de que tiene que comer.* **2** Hacerse un golfo, adquiriendo malas costumbres y vicios: *Se engolfó yendo con esa panda de delincuentes.*

engolosinamiento s.m. Hecho de despertar el deseo de algo.

engolosinar ▮ v. **1** Referido a una persona, despertarle el deseo con algo atractivo: *No le gusta su trabajo pero le engolosina el sueldo tan alto que le pagan.* ▮ prnl. **2** Aficionarse a algo o tomar gusto por ello: *Se engolosinó con los sellos y ahora tiene una colección enorme.* ☐ ETIMOL. De *golosina.*

engomado s.m. Impregnación de una superficie con goma o con cola: *El engomado de las telas permite su impermeabilización.*

engomar v. Untar de cola o de pegamento: *Antes de colocar el papel, engómalo bien para que no se despegue.*

engominarse v.prnl. Darse gomina o fijador de cabello: *Se engominó para que no se le deshiciera el peinado.*

engordaderas s.f.pl. *col.* Granos pequeños que les salen en la cara a los bebés que se alimentan solo de leche.

engordar v. **1** Cebar o dar de comer mucho para poner gordo: *Estoy engordando los pavos para el día de Navidad.* **2** Aumentar mucho de peso o ponerse gordo: *En vacaciones siempre engordo, porque me inflo a comer.* **3** Aumentar o hacer crecer para dar una apariencia mejor o más importante: *La periodista engordó una noticia de escasa importancia.*

engorde s.m. Alimentación excesiva de un animal para engordarlo: *En esta granja se dedican al engorde de cerdos.*

engorro s.m. Fastidio, impedimento o molestia: *La lluvia es un engorro en las excursiones campestres.* ☐ ETIMOL. Del antiguo *engorrar* (fastidiar, ser molesto).

engorroso, sa adj. Que resulta fastidioso, molesto o difícil: *una tarea engorrosa.*

engoznar v. Poner un gozne o encajar en él: *Engoznó todas las puertas de la casa.*

engrama s.m. Huella que los impulsos nerviosos dejan en el cerebro y que se considera la base de la memoria.

engrampadora s.f. En zonas del español meridional, grapadora.

engrampar v. En zonas del español meridional, grapar: *Engrampé todos los documentos.*

engranaje s.m. **1** Encaje entre sí de los dientes de varias piezas dentadas: *Si falla el engranaje entre la cadena y el piñón de la bicicleta, no podrás andar en ella.* **2** Enlace o trabazón de ideas, de circunstancias o de hechos: *Pronunció un discurso redondo, con un perfecto engranaje de ideas.* **3** Sistema de piezas dentadas que engranan entre sí: *El reloj de la iglesia no funciona porque algunas piezas del engranaje están oxidadas.* **4** Conjunto de los dientes de este sistema de piezas. **5** Conjunto de los elementos de un grupo y de las relaciones que tienen entre sí: *El engranaje político del Gobierno está empezando a fallar.*

engranar v. **1** Referido esp. a dos o más piezas dentadas, encajar los dientes de una en los de la otra: *El reloj no funciona porque las ruedas de su mecanismo no engranan bien.* **2** Referido esp. a dos o más ideas, enlazarlas y relacionarlas entre sí: *Supo engranar las ideas de su exposición brillantemente.* ☐ ETIMOL. Del francés *engrener.*

engrandecedor, -a adj. **1** Que hace más grande o engrandece. **2** Que enaltece o ensalza.

engrandecer v. **1** Hacer grande o más grande: *La nueva disposición de los muebles engrandece el salón. Su fama se engrandeció tras conseguir el premio Nobel.* **2** Exaltar o elevar a una categoría o dignidad superiores: *La historia de la humanidad se ha engrandecido con vuestras hazañas.* ☐ MORF. Irreg. →PARECER.

engrandecimiento s.m. **1** Aumento del tamaño de algo. **2** Exaltación o elevación a una categoría superior: *Esta composición musical contribuirá al engrandecimiento de su creador.*

engrapadora s.f. En zonas del español meridional, grapadora: *Me dejó la engrapadora para unir unas hojas.*

engrapar v. En zonas del español meridional, grapar: *Engrapé estos papeles para tenerlos todos juntos.*

engrasar v. Untar con grasa, con aceite o con otra sustancia lubricante, generalmente para disminuir el rozamiento: *Engrasó las bisagras de la puerta para que no chirriaran.*

engrase s.m. Aplicación de aceite o de otra sustancia lubricante para disminuir el rozamiento: *Lleva el coche a que le hagan un engrase del motor.*

engreído, da adj./s. Referido a una persona, que está demasiado convencida de su valía: *Se ha vuelto muy engreída desde que le dieron aquel premio.*

engreimiento s.m. Envanecimiento u opinión excesivamente orgullosa de uno mismo: *Su engreimiento es absurdo porque nunca ha hecho nada importante.*

engreír v. **1** Infundir soberbia, vanidad o presunción: *Las continuas alabanzas que te prodigan te han engreído. Muchos que empiezan a conseguir triunfos acaban por engreírse.* ☐ SINÓN. *envanecer.* **2** En zonas del español meridional, malcriar: *Tu hermana engríe a los niños.* ☐ ETIMOL. Del antiguo *encreerse*, y este de *creer* (creerse superior). ☐ MORF. Irreg. →REÍR.

engrescarse v.prnl. Incitar a la riña o meter en ella: *Se engrescaron en una discusión.* ☐ ETIMOL. De *gresca.* ☐ ORTOGR. La *c* se cambia en *qu* delante de *e* →SACAR.

engripado, da adj. En zonas del español meridional, griposo: *Llevo ya casi una semana engripada.*

engrosamiento s.m. Aumento del grosor o de la cantidad de algo: *Con los años se producirá el engrosamiento de los troncos de los árboles del parque.*

engrosar v. Aumentar o hacer más numeroso: *Recibiremos refuerzos para engrosar nuestras filas. Los fondos de la biblioteca se han engrosado con numerosas donaciones.* ☐ MORF. 1. Irreg. →CONTAR. 2. Puede usarse también como regular.

engrudar v. Untar con engrudo: *Engrudó la pared y el cartel para que se pegara bien.*

engrudo s.m. Masa pegajosa, hecha generalmente con harina o con almidón cocidos en agua, y que se usa para pegar papeles y otras cosas ligeras: *Si se te acaba el pegamento no te preocupes, que yo sé preparar engrudo.* ☐ ETIMOL. Del latín *glus* (cola, goma).

engruesar v. Hacer más grueso: *Estoy haciendo gimnasia para engruesar las piernas.*

enguachinar v. Llenar de agua o mezclar con mucha agua: *El café que preparas no sabe a nada porque lo enguachinas.*

engualdrapar v. Referido a una caballería, ponerle la gualdrapa o cobertura larga que cubre sus ancas: *Engualdrapó el caballo para el desfile.*

enguantar v. Referido a una mano, cubrirla con un guante: *El caballero se enguantó al subir al caballo.*

enguarrar v. *col.* Ensuciar o emborronar: *No borres tanto porque estás enguarrando el dibujo.*

enguatar v. Poner guata o rellenar con guata: *La costurera enguató la colcha y ahora parece un edredón.*

enguirnaldar v. Adornar con guirnaldas: *En las fiestas de la patrona enguirnaldan calles y balcones.*

engullir v. Tragar con ansia y sin masticar: *En cinco minutos, engulló toda la comida y se fue.* □ ETIMOL. Del latín *gula* (garganta). □ MORF. Irreg. →PLAÑIR.

engurruñar v. Arrugar o encoger: *Le sentó tan mal la carta, que la engurruñó y la tiró. Guarda bien el cheque, que si se engurruña no sirve.*

enharinar v. Manchar o cubrir de harina: *Antes de freír el pescado, tienes que enharinarlo y bañarlo en huevo.*

enhebrador s.m. Aparato que sirve para enhebrar agujas.

enhebrar v. **1** Referido esp. a una aguja o a una cuenta, pasar una hebra por su agujero: *No veo bien y no puedo enhebrar la aguja.* **2** *col.* Referido esp. a una serie de dichos o de ideas, encadenarlos o enlazarlos sin orden: *A lo largo de toda la conversación, fue enhebrando mentira tras mentira.* □ SINÓN. *ensartar.*

enherbolar v. Referido esp. a una flecha o a una lanza, poner veneno en ellas: *Los indios enherbolaron las puntas de sus dardos.* □ ETIMOL. Del latín *herbula* (hierbecita), por el empleo de hierbas venenosas. □ ORTOGR. Dist. de *enarbolar* (llevar una bandera o un estandarte en alto).

enhiesto, ta adj. Levantado o derecho: *El poema habla de la enhiesta figura de un ciprés.* □ ETIMOL. Quizá del latín *infestus* (levantado).

enhollinarse v.prnl. Mancharse de hollín: *Se enhollinó al limpiar la chimenea del salón.*

enhorabuena ▮ s.f. **1** Manifestación de la satisfacción que alguien siente por algún suceso feliz que le ha ocurrido a otra persona: *Te doy mi enhorabuena por el nacimiento de tu hijo.* □ SINÓN. *norabuena, felicitación.* ▮ adv. **2** Con bien o con felicidad: *Los invitados iban diciendo al recién casado: «¡Que sea enhorabuena!».* □ SINÓN. *norabuena.* □ ORTOGR. Como adverbio, admite también las formas *en hora buena* y *en buena hora.* □ USO La acepción 1 se usa para expresar una felicitación: *¡Enhorabuena por tu aprobado!*

enhoramala adv. →**en hora mala.**

enhornar v. →**hornear.**

enigma s.m. Lo que resulta difícil de entender o de interpretar: *El origen de la vida sigue siendo un enigma.* □ ETIMOL. Del latín *aenigma*, y este del griego *áinigma* (frase equívoca u oscura).

enigmático, ca adj. Que encierra un enigma o que resulta difícil de comprender: *Continúan las investigaciones sobre la enigmática desaparición del empresario.*

enjabonado s.m. Aplicación de jabón y de agua para lavar o limpiar: *Para quitarte toda esa suciedad de los brazos y de las manos necesitas un buen enjabonado.* □ SINÓN. *enjabonadura, jabonada, jabonado, jabonadura.*

enjabonadura s.f. →**enjabonado.**

enjabonar v. Lavar o limpiar con jabón y agua: *Aclara bien la ropa después de enjabonarla.* □ SINÓN. *jabonar.*

enjaezar v. Referido a una caballería, ponerle los jaeces o adornos: *Enjaezó su yegua alazana para ir a la feria.* □ ORTOGR. La *z* se cambia en *c* delante de *e* →CAZAR.

enjalbegar v. Referido a una pared, blanquearla con cal, yeso o tierra blanca: *En las ciudades andaluzas, es una tradición enjalbegar las paredes exteriores de las casas.* □ SINÓN. *jalbegar.* □ ETIMOL. Del latín **exalbicare* (blanquear). □ PRON. Incorr. *[enjabelgár]. □ ORTOGR. La *g* se cambia en *gu* delante de *e* →PAGAR.

enjalma s.f. Especie de aparejo o almohadilla rellena de paja que se coloca en el lomo de la caballería de carga: *Le colocó la enjalma al asno y después le cargó la leña.* □ ETIMOL. Del latín *salma.*

enjalmar v. Referido a un animal de carga, ponerle la enjalma en el lomo: *El arriero enjalmó su mula antes de cargarla con los botijos.*

enjambrar v. **1** Referido a las abejas, encerrarlas en una colmena: *Enjambró a las abejas que andaban sueltas.* **2** Referido a un enjambre, sacarlo de una colmena cuando está muy poblada: *Enjambraron un enjambre para formar otro.* □ ETIMOL. Del latín *examinare.*

enjambre s.m. **1** Conjunto de abejas con su reina, que salen juntas de la colmena para formar otra nueva: *La producción de miel aumentará con el nuevo enjambre.* **2** Conjunto numeroso de personas, animales o cosas que van juntos: *Un enjambre de jóvenes se agolpaba a las puertas de la discoteca.* □ ETIMOL. Del latín *examen.*

enjaretar v. **1** Referido a una cinta o a un cordón, hacerlos pasar por una jareta o doblez: *Enjaretó la cinta para poder ceñir el vestido.* **2** *col.* Referido a un hecho o a un dicho, hacerlos o decirlos de manera precipitada: *Aunque le cogieron de improviso pudo enjaretar un pequeño discurso.* **3** *col.* Referido a algo molesto o inoportuno, endosárselo a alguien: *Enjaretó las tareas más difíciles de la oficina a su auxiliar.* **4** *col.* Referido a un golpe, propinarlo: *Enjaretó al niño un buen coscorrón.*

enjaular v. **1** Meter dentro de una jaula: *Enjaularon animales para llevarlos a un circo.* **2** *col.* Encarcelar: *Lo enjaularon por cometer un atraco.*

enjerir v. **1** Unir a una rama o al tronco de una planta un trozo de otra provisto de yemas para que brote: *Hemos enjerido varias ramas al rosal.* □ SINÓN. *injertar.* **2** En medicina, referido a una porción de tejido vivo, implantarla en una parte lesionada para que se produzca una unión orgánica: *A ese chico le han enjerido piel en las zonas del cuerpo en las que sufrió quemaduras.* □ SINÓN. *injertar.* **3** Meter una cosa en otra: *La bibliotecaria enjerió papeles azules en los libros.* **4** Referido a un texto, introducir en él una palabra, texto o nota: *Me gusta enjerir comentarios en las páginas de los libros.* □ ETIMOL. Del latín *inserere* (introducir, insertar, intercalar, injertar).

enjoyar v. Adornar con joyas: *Me parece ridículo enjoyar de esa manera a un niño. Se enjoyó para acudir a la recepción en palacio.*

enjuagar v. **1** Referido a algo enjabonado, aclararlo con agua clara y limpia: *Después de enjabonarlos, enjuagó los platos y los puso a escurrir.* **2** Referido esp. a la boca, limpiarla con agua o con un líquido adecuado: *Cuando la dentista terminó el empaste, me dijo que me enjuagara la boca. Enjuágate con este elixir después de lavarte los dientes.* **3** Lavar ligeramente: *Si tú ya has bebido, enjuaga el vaso y me lo das.* □ ETIMOL. Del antiguo *enxaguar*, y este del latín **exaquare* (lavar con agua). □ ORTOGR. La *g* se cambia en *gu* delante de *e* →PAGAR. □ SEM. Dist. de *enjugar* (quitar la humedad).

enjuagatorio s.m. →**enjuague.**

enjuague s.m. **1** Aclarado o lavado ligero con agua: *Le dio un enjuague al coche con la manguera.* **2** Limpieza de la boca y de la dentadura utilizando agua o un líquido adecuado: *Haz varios enjuagues hasta que te dejen de sangrar las encías.* **3** Agua o líquido que sirve para enjuagarse la boca o la dentadura: *Tomé un enjuague para las llagas, que me recetó el médico.* □ SINÓN. *enjuagatorio.*

enjugar v. **1** Referido esp. a algo húmedo, quitarle la humedad superficial, absorbiéndola con un paño o con algo semejante: *Enjugó el agua caída en el suelo con una fregona. Toma un pañuelo y enjúgate esas lágrimas.* **2** Referido a una deuda o a un déficit, cancelarlos o hacerlos desaparecer: *Las buenas ventas de los últimos meses enjugaron el déficit de la empresa. Si no dejas de gastar, nunca se enjugarán tus deudas.* □ ETIMOL. Del latín *exsucare* (dejar sin jugo). □ ORTOGR. La *g* se cambia en *gu* delante de *e* →PAGAR. □ SEM. En la acepción 1, dist. de *enjuagar* (lavar con agua).

enjuiciamiento s.m. **1** Sometimiento de una cuestión a examen, a discusión o a juicio para dar un opinión sobre ella: *No hay aun datos suficientes para realizar el enjuiciamiento de los sucesos ocurridos.* **2** En derecho, sometimiento de una persona a juicio: *La fiscal propuso el enjuiciamiento de una banda de traficantes de drogas.*

enjuiciar v. **1** Referido a una cuestión, someterla a examen, discusión y juicio: *Después del partido, el periodista enjuició la labor del árbitro.* **2** En derecho, referido a una persona, someterla a juicio: *Enjuiciaron a un empresario por estafa.* □ ORTOGR. La *i* nunca lleva tilde.

enjundia s.f. Lo que es más sustancioso e importante de algo inmaterial: *Es un libro entretenido y sin mucha enjundia.* □ ETIMOL. Del latín *axungia* (grasa de cerdo).

enjundioso, sa adj. Que tiene mucha enjundia o mucha importancia: *La gente aplaudió a la oradora tras escuchar su enjundioso discurso.*

enjuto, ta adj. Flaco o muy delgado: *En sus últimos años se le veía ya viejo y enjuto.* □ ETIMOL. Del latín *exsuctus* (secado).

enlace s.m. **1** Atadura, ligazón o unión de elementos distintos: *Construirán una variante para el enlace de las dos carreteras.* □ SINÓN. *enlazamiento.* **2** Unión, conexión o relación de una cosa con otra: *No hay enlace entre las partes del libro y por eso resulta incoherente.* □ SINÓN. *cohesión.* **3** Lo que enlaza una cosa con otra: *Una conjunción es un enlace para oraciones gramaticales.* □ SINÓN. *enlazamiento.* **4** Combinación de un medio de transporte con otro: *Hay dos enlaces al día entre entre el tren y los autobuses que van al pueblo.* □ SINÓN. *enlazamiento, empalme.* **5** Casamiento o boda: *El enlace tendrá lugar en la iglesia parroquial.* □ SINÓN. *enlazamiento.* **6** Persona que actúa como intermediaria entre otras, esp. dentro de una organización: *El capitán del equipo es el enlace entre los jugadores y el entrenador.* □ SINÓN. *contacto.* **7** En química, unión entre átomos o grupos de átomos de un compuesto químico, producida por la existencia de una fuerza de atracción entre ellos: *La ruptura de un enlace siempre conlleva desprendimiento de energía.* □ SINÓN. *enlazamiento.*

enladrillado s.m. **1** Suelo revestido o cubierto con ladrillos: *Si cruzas el jardín, vete por el enladrillado y no pises la hierba.* **2** Revestimiento con ladrillos: *El enladrillado del porche nos llevó toda la mañana.*

enladrillador, -a s. Persona que se dedica profesionalmente al revestimiento de suelos con ladrillos, losas o materiales semejantes: *Hasta que no coloque la última baldosa no pagaré al enladrillador.* □ SINÓN. *solador.*

enladrillar v. Revestir o cubrir con ladrillos: *El jardín les daba demasiado trabajo y decidieron enladrillar una parte.*

enlatado, da adj. *col.* Que no se emite en directo: *una música enlatada.*

enlatar v. Meter o envasar en latas: *En las fábricas de conservas se enlatan todo tipo de alimentos.*

enlazamiento s.m. →**enlace.**

enlazar v. **1** Unir, trabar o poner en relación: *Van a enlazar la carretera comarcal con la autopista. Aquel verano, sus vidas se enlazaron para siempre.* **2** Referido a un animal, atraparlo o aprisionarlo con un lazo: *El vaquero enlazó la res desde el caballo con gran habilidad.* **3** Referido a un medio de transporte colectivo, empalmar o combinarse con otro: *El tren procedente de Madrid enlaza en Toledo con el rápido.* □ ORTOGR. La *z* se cambia en *c* delante de *e* →CAZAR.

enlentecer v. Referido a un proceso, darle lentitud o disminuir su velocidad: *Se ha enlentecido el desarrollo demográfico del país.* □ SINÓN. *lentificar, ralentizar.* □ MORF. Irreg. →PARECER.

enlevitado, da adj. Que está vestido con levita: *En la fotografía antigua aparecía un caballero enlevitado y con sombrero de copa.*

enllantar v. Referido a la rueda de un vehículo, ponerle llanta: *La llanta quedó abollada y el mecánico tuvo que enllantar la rueda de nuevo.*

enlobreguecer v. Oscurecer o poner lóbrego: *Las nubes enlobreguecieron el día y no se veía nada.* ☐ MORF. Irreg. →PARECER.

enlodar v. **1** Manchar o cubrir con lodo: *Se cayó en la charca y se enlodó de arriba abajo.* ☐ SINÓN. *enlodazar.* **2** Referido esp. a una persona o a su reputación, cubrirlas de deshonra: *Se enlodó con sucios negocios y sus socios lo abandonaron.*

enlodazar v. →**enlodar.** ☐ ORTOGR. La *z* se cambia en *c* delante de *e* →CAZAR.

enlomar v. Referido a un libro, ponerle o hacerle el lomo: *Antes de enlomar un libro hay que coser los cuadernillos.*

enloquecedor, -a adj. Que hace enloquecer: *En la fotografía antigua aparecía un caballero enlevitado y con sombrero de copa.*

enloquecer v. Volver o volverse loco: *Tantas preocupaciones acabarán por enloquecerte. Don Quijote enloqueció leyendo libros de caballería. Se enloquece de gusto cada vez que piensa en las vacaciones.* ☐ MORF. Irreg. →PARECER.

enloquecimiento s.m. Pérdida del juicio o fuerte alteración del ánimo o de los nervios: *Su enloquecimiento obligó a ingresarlo en un psiquiátrico. En cuanto se va de vacaciones, se olvida del enloquecimiento que le produce el trabajo.*

enlosado s.m. Suelo revestido o cubierto con losas: *Para hacer gala de su riqueza puso un enlosado de mármol en el pórtico de la casa.*

enlosar v. Referido a un suelo, revestirlo o cubrirlo con losas: *Quiero enlosar el cuarto de baño con baldosas blancas.*

enlozar v. En zonas del español meridional, vitrificar.

enlucido s.m. **1** Capa de yeso, argamasa u otro material semejante, con la que se reviste un muro o un techo para alisarlos: *Para dar el enlucido utiliza un rodillo más grande.* **2** Revestimiento que se hace con este material: *El albañil ya ha terminado el enlucido de todos los tabiques.*

enlucir v. **1** Referido a un muro o a un techo, revestirlos o cubrirlos con una capa de yeso, argamasa u otro material semejante: *Levantaron un muro de ladrillos y luego procedieron a enlucirlo.* ☐ SINÓN. *lucir.* **2** Referido a una superficie, esp. si es metálica, limpiarla y sacarle brillo: *Para enlucir la plata, frótala con este producto.* ☐ MORF. Irreg. →LUCIR.

enlutar v. Cubrir o vestir de luto: *La noticia del fallecimiento del monarca enlutó al país entero. Se negó a enlutarse porque decía que ella llevaba el dolor por dentro.*

enmaderado s.m. **1** Obra hecha con madera o cubierta con ella: *Los albañiles ya han hecho el enmaderado del techo.* **2** Conjunto de maderas que forman parte de una construcción: *La casa se derrumbó porque el enmaderado era de mala calidad.*

enmaderar v. Cubrir con madera: *Han enmaderado las paredes del salón.*

enmadrado, da adj. Referido a esp. a un niño, que está excesivamente apegado a su madre.

enmadrarse v.prnl. Referido a una persona, esp. a un niño, encariñarse excesivamente con su madre: *Cuanto más lo mimes, más se enmadrará y más tardará en aprender a vivir su vida.*

enmagrecer v. Poner flaco o más delgado: *La enfermedad te ha enmagrecido.* ☐ SINÓN. *enflaquecer.* ☐ MORF. Irreg. →PARECER.

enmarañamiento s.m. **1** Enredo o lío. **2** Confusión o complicación: *El enmarañamiento de los documentos dificultó la investigación.*

enmarañar v. **1** Enredar o convertir en una maraña: *Cuando se me enmaraña el pelo, puedo tardar horas en desenredarlo.* **2** Hacer más confuso o complicado: *Tantas intrigas enmarañaron la situación y ahora todo son malentendidos. El argumento de la película se enmaraña tanto, que al final no queda claro el móvil del crimen.*

enmarcar v. **1** Meter en un marco o cuadro: *Enmarqué unas láminas para colgarlas en la habitación.* ☐ SINÓN. *encuadrar.* **2** Incluir o encajar dentro de unos límites: *La crítica enmarca su obra dentro de los movimientos de vanguardia. El tratado se enmarca en el ámbito de las colaboraciones que vienen manteniendo ambos países.* ☐ SINÓN. *encuadrar.* ☐ ORTOGR. La *c* se cambia en *qu* delante de *e* →SACAR.

enmaromar v. Referido esp. a un toro, atarlo con una maroma: *Nos costó toda la tarde enmaromar al toro.*

enmarronar v. *col.* Referido a una persona, meterla en problemas u obligarla a hacer algo que le desagrada o le resulta molesto: *Me amenazaron con enmarronarme si no colaboraba con ellos.*

enmascarado, da s. Persona que va disfrazada: *Unos enmascarados nos recibieron al llegar a la fiesta.* ☐ SINÓN. *máscara.*

enmascaramiento s.m. Cubrimiento de algo para disimularlo o disfrazarlo: *El enmascaramiento del problema no es la solución.*

enmascarar v. **1** Referido esp. al rostro, cubrirlo con una máscara: *Todos los asistentes al baile de disfraces enmascaraban sus rostros. Los atracadores se enmascararon para no ser reconocidos.* **2** Disimular o disfrazar: *Enmascara su ambición de poder diciendo que todo lo hace por el bien del país.*

enmasillar v. **1** Cubrir o rellenar con masilla: *Enmasillé el hueco que queda entre la pila y la pared para que no pase el agua.* **2** Sujetar con masilla: *El cristalero enmasilló los cristales después de colocarlos en la ventana.*

enmelar v. **1** Untar con miel: *La pastelera ha enmelado los buñuelos.* **2** Referido a una abeja, hacer miel: *Las abejas pronto empezarán a enmelar.* ☐ MORF. Irreg. →PENSAR.

enmendar v. **1** Referido esp. a un error o a quien lo comete, corregirlos o eliminar sus faltas: *Mi máquina de escribir tiene una cinta correctora para enmendar los errores. Después de aquella reprimenda, se enmendó y ahora su comportamiento es excelente.*

2 Referido a un daño, repararlo o compensarlo: *Quiso enmendar el daño que nos había causado dándonos dinero.* ☐ ETIMOL. Del latín *emendare.* ☐ MORF. Irreg. →PENSAR.

enmienda s.f. **1** Corrección o eliminación de errores: *Está arrepentida y ha hecho propósito de enmienda.* **2** Propuesta de modificación de algo, esp. de un texto legal: *La oposición presentó una enmienda al proyecto de ley del Gobierno.*

enmohecer ▮ v. **1** Cubrir o cubrirse de moho: *La humedad ha enmohecido las bisagras de las ventanas. En las zonas costeras, los muros enmohecen con más facilidad. Dejaste la fruta fuera de la nevera y se ha enmohecido.* ▮ prnl. **2** Inutilizarse o caer en desuso: *Piensas tan poco que se te va a enmohecer el cerebro de no usarlo.* ☐ MORF. Irreg. →PARECER.

enmohecimiento s.m. **1** Aparición de moho sobre una superficie: *La humedad ha provocado el enmohecimiento del pan.* **2** Inutilización o pérdida de la capacidad de uso: *Hay que ejercitar la inteligencia para evitar su enmohecimiento.*

enmoquetar v. Cubrir con moqueta: *Dudamos entre enmoquetar el suelo o poner parqué.* ☐ SINÓN. *moquetar.*

enmudecer v. **1** Hacer callar: *La vergüenza me enmudeció.* **2** Quedar mudo o perder el habla: *Enmudeció cuando era niño a consecuencia de una lesión cerebral.* **3** Dejar de producir sonido: *Al atardecer, las campanas enmudecieron.* ☐ ETIMOL. Del latín *immutescere.* ☐ MORF. Irreg. →PARECER.

enmudecimiento s.m. Pérdida del habla o interrupción de la emisión de sonidos: *Al conocerse la noticia, se produjo un estremecedor enmudecimiento en toda la sala.*

enmugrecer v. Cubrir de mugre o de suciedad: *El paso de los años ha enmugrecido todos estos retratos.* ☐ MORF. Irreg. →PARECER.

ennegrecer v. Poner de color negro o más oscuro: *El humo ha ennegrecido las paredes. El cielo se ennegreció y enseguida estalló la tormenta. La pintura ennegrece con el tiempo.* ☐ MORF. Irreg. →PARECER.

ennegrecimiento s.m. Oscurecimiento o adquisición de un color negro: *El ennegrecimiento de las fachadas de muchos edificios se debe a la contaminación atmosférica.*

ennoblecedor, -a adj. Que hace noble o ennoblece.

ennoblecer v. **1** Hacer noble: *Tu actitud humanitaria te ennoblece.* **2** Dar realce o comunicar esplendor y distinción: *Ese traje tan elegante ennoblece tu figura. Nuestra ciudad se ennoblece con la presencia de tan ilustre persona.* ☐ MORF. Irreg. →PARECER.

ennoblecimiento s.m. **1** Mejora en la dignidad o adquisición de esplendor: *La mejora de la sociedad comienza por el ennoblecimiento individual.* **2** Enriquecimiento o adorno distinguido: *Estos tapices contribuyen al ennoblecimiento de la decoración del palacio.*

ennoviarse v.prnl. *col.* Echarse novio: *Desde que te ennoviaste, no te hemos visto.*

-eno, -ena **1** Sufijo que indica origen, procedencia o patria: *agareno, chileno, eslovena.* **2** Sufijo que tiene un valor ordinal: *noveno, oncena.* ☐ ETIMOL. Del latín *-enus.*

enografía s.f. Estudio y descripción de los diferentes tipos de vinos: *Según un estudio de enografía, los vinos del sur son más suaves que los del norte.* ☐ ETIMOL. Del griego *ôinos* (vino) y *-grafía* (descripción).

enojadizo, za adj. Que se enoja con facilidad: *A la menor discusión que tengamos deja de hablarnos a todos porque es muy enojadizo.*

enojar v. Causar o sentir enojo: *Tu falta de educación me enoja. Se enojó con nosotros porque no la esperamos.* ☐ ETIMOL. Del latín *inodiare* (inspirar asco u horror). ☐ ORTOGR. Conserva la *j* en toda la conjugación.

enojo s.m. **1** Sentimiento que causa ira, disgusto o enfado contra alguien: *Su enojo por el suspenso le hacía insultar a todo el mundo.* **2** Molestia, trastorno o trabajo: *Me causa enojo tener que repetir tantas veces lo mismo.*

enojón, -a adj./s. En zonas del español meridional, enojadizo.

enojoso, sa adj. Que causa enojo: *Los trámites burocráticos siempre resultan enojosos.*

enología s.f. Conjunto de conocimientos sobre el vino, esp. los relacionados con su elaboración: *Un entendido en enología nos explicó que en un vino hay que apreciar su color, su olor y su sabor.* ☐ ETIMOL. Del griego *ôinos* (vino) y *-logía* (estudio, ciencia). ☐ ORTOGR. Dist. de *etnología.*

enológico, ca adj. De la enología o relacionado con este conjunto de conocimientos sobre el vino: *Los estudios enológicos atienden al color, al olor y al sabor de los vinos.* ☐ ORTOGR. Dist. de *etnológico.*

enólogo, ga s. Persona especializada en enología: *Los enólogos nos han aconsejado mantener el vino un año más en la barrica.* ☐ ORTOGR. Dist. de *etnólogo.* ☐ SEM. Dist. de *catador* y de *catavinos* (persona que cata los vinos para informar de su calidad y propiedades).

enorgullecer v. Llenar de orgullo: *¡Quién no se enorgullecería de un hijo así!* ☐ MORF. Irreg. →PARECER. ☐ SINT. Constr. como pronominal: *enorgullecerse* DE *algo.*

enorgullecimiento s.m. Sentimiento de orgullo producido por algo que satisface: *No veo motivo de enorgullecimiento en esa acción tan ruin.*

enorme adj.inv. **1** Desproporcionado, excesivo o mucho mayor de lo normal. **2** *col.* Espléndido, muy bueno o admirable: *Los aficionados dicen que es un torero enorme.* ☐ ETIMOL. Del latín *enormis.*

enormidad s.f. **1** Tamaño, cantidad o calidad excesivos o desmedidos. **2** ‖ **una enormidad;** *col.* Muchísimo: *Esa joya debe de valer una enormidad.*

enosis (pl. *enosis*) s.f. Unión de Chipre y Grecia (países mediterráneos).

enotecnia s.f. Técnica de la elaboración y de la comercialización de los vinos: *La enotecnia determina qué características se deben destacar en las etiquetas de los vinos.* □ ETIMOL. Del griego *ôinos* (vino) y *tékhne* (arte, industria).

enotécnico, ca adj. De la enotecnia o relacionado con esta técnica: *Un estudio enotécnico aconseja comercializar este vino en botellas de tres cuartos de litro.*

enquiciar v. **1** Poner o colocar en el quicio: *Nos costó enquiciar la puerta nueva porque era muy pesada.* **2** Poner en orden: *Quiso enquiciar los modales de sus hijos cuando ya era tarde.*

enquistamiento s.m. **1** Transformación en un quiste: *El enquistamiento del absceso dificulta un poco la operación.* **2** *col.* Estancamiento o estacionamiento de un proceso o de una situación: *Se teme el enquistamiento del conflicto de los trabajadores.* **3** En biología, formación de una envoltura dura que sirve de protección a un organismo cuando hay condiciones exteriores adversas.

enquistarse v.prnl. **1** Transformarse en un quiste: *El grano que tenía en el cuello se me ha enquistado y tienen que extirpármelo.* **2** Incrustarse profundamente: *Una espina se me enquistó en la planta del pie y no puedo sacármela.* **3** *col.* Estancarse, estacionarse o mantenerse sin solución: *Si nadie cede, las negociaciones se enquistarán y será muy difícil llevarlas a buen puerto.*

enrabiar v. *col.* Poner rabioso o muy impaciente y enfadado: *¡Deja de enrabiar a tu hermana y dale ya su muñeca!* □ ORTOGR. La *i* nunca lleva tilde.

enrabietarse v.prnl. Coger una rabieta: *Los niños mimados se enrabietan si no les das lo que piden.*

enrachado, da adj. Que tiene buena suerte.

enracimarse v.prnl. →**arracimarse.**

enraizamiento s.m. Arraigo, consolidación o fijación: *el enraizamiento de una costumbre.*

enraizar v. Arraigar o echar raíces: *El abeto ha enraizado muy bien en el jardín. El odio se enraizó en su corazón.* □ ORTOGR. 1. La *z* se cambia en *c* delante de *e*. 2. La *i* lleva tilde en los presentes, excepto en las personas *nosotros* y *vosotros* →ENRAIZAR.

enramada s.f. Conjunto de ramas frondosas y entrelazadas: *Nos sentamos a comer a la sombra de una enramada.*

enramar v. **1** Cubrir o adornar con ramas, esp. si están entrelazadas: *Para resguardarnos del sol hicimos un armazón y lo enramamos.* **2** Referido a un árbol, echar ramas: *Si este árbol no ha enramado todavía, es que está seco.*

enranciar v. Poner o hacer rancio: *El tocino se ha enranciado con el paso del tiempo.* □ ORTOGR. La *i* nunca lleva tilde.

enrarecer v. **1** Referido a un cuerpo gaseoso, dilatarlo haciéndolo menos denso: *La altitud puede enrarecer el aire atmosférico.* **2** Referido esp. al aire que se respira, contaminarlo o disminuir el oxígeno que hay en él: *Me lloran los ojos porque el humo de los cigarrillos ha enrarecido el ambiente. En los bares muy cerrados, el aire se enrarece rápidamente.* **3** Referido esp. a una situación, turbarla, deteriorarla o hacer que disminuyan la cordialidad y entendimiento que había en ella: *Las luchas por los ascensos enrarecen el clima de trabajo. Desde que te fuiste tú, las relaciones aquí se enrarecieron mucho.* □ ETIMOL. Del latín *rarescere.* □ MORF. Irreg. →PARECER.

enrarecimiento s.m. **1** Dilatación de un cuerpo gaseoso que produce una disminución de su densidad: *El enrarecimiento de la atmósfera puede producir alteraciones en los organismos vivos.* **2** Falta de oxígeno en el aire que se respira: *El humo de las fábricas contribuye al enrarecimiento de la atmósfera.* **3** Turbación o deterioro de una situación o de la relación que mantiene un grupo de personas: *Tu actitud intransigente contribuye al enrarecimiento del ambiente.*

enrasamiento s.m. →**enrase.**

enrasar v. **1** Referido a dos o más cosas con distinta altura, igualarlas para que estén al mismo nivel: *El albañil enrasó la pared nueva y la tapia vieja del jardín.* **2** Referido a una superficie, dejarla lisa y plana: *Van a enyesar el techo para enrasarlo.*

enrase s.m. **1** Igualación de la altura o el nivel de un objeto con el de otro: *Para hacer el enrase de estas paredes necesitarás bastantes ladrillos.* □ SINÓN. *enrasamiento.* **2** Alisamiento de una superficie: *Ahora el techo tiene desniveles, pero con el enrase quedará todo él por igual.* □ SINÓN. *enrasamiento.*

enredadera adj./s.f. Referido a una planta, que tiene los tallos largos, nudosos y trepadores, y las flores en campanilla: *La hiedra y la madreselva son enredaderas.*

enredador, -a adj./s. **1** Que enreda: *Es un enredador y siempre tiene que liarlo todo.* **2** *col.* Chismoso y embustero: *No te fíes de esa enredadora, porque le encanta meter cizaña entre todos.*

enredar ▌v. **1** Referido a una cosa, revolverla, entrelazarla o liarla con otra de forma desordenada: *Has enredado el cable de la antena con el del enchufe. Se enredaron los hilos de las bobinas y me costó mucho separarlos.* **2** Referido a una persona, hacerla participar en un asunto, esp. si es peligroso o si se la convence con engaño: *Me enredó para ir a la playa, cuando yo lo que quería era dormir.* **3** Referido a una persona, hacerla perder el tiempo o entretenerla: *Me enredé con tonterías y al final no hice lo que pensaba.* **4** Complicar o hacer más difícil: *La declaración del testigo enredó aún más la situación. Las cosas se enredaron y decidimos que era mejor terminarlo.* **5** Intrigar o crear discordias: *Por delante nos pone buena cara, pero por detrás enreda todo lo que puede.* **6** Hacer travesuras o manejar algo sin un fin determinado: *El niño no paró de enredar en toda la tarde. ¡Deja de enredar con el bolígrafo, que me estás poniendo nerviosa!* ▌prnl. **7** Hacerse un lío: *El gato se ha enredado entre la maleza.* **8** *col.* Establecer una relación amorosa o sexual sin llegar a formalizarla: *Se ha enredado* *con un chico bastante mayor que ella.* □ SINÓN. *liarse.* □ ETIMOL. De *red*, porque *enredar* antiguamente significaba *envolver en redes.*

enredijo s.m. *col.* En zonas del español meridional, enredo o maraña.

enredo s.m. **1** Lío que resulta de entrelazarse objetos flexibles, esp. los hilos o los cabellos. **2** Complicación o problema difíciles de solucionar: *Está metido en un buen enredo a causa de sus deudas.* **3** Confusión de ideas o falta de claridad de ellas: *¡Menudo enredo tienes en la cabeza!* **4** Intriga, mentira o engaño que ocasionan problemas. **5** En una obra narrativa o dramática, conjunto de sucesos entrelazados que preceden al desenlace. **6** *col.* Relación amorosa o sexual considerada ilícita por la sociedad. □ SINÓN. *lío.*

enredoso, sa adj. Que tiene muchos enredos, dificultades o complicaciones: *Poner al día todos los ficheros es un trabajo bastante enredoso.*

enrejado s.m. Conjunto de rejas: *Todo el enrejado de la casa es de hierro labrado.*

enrejar v. Tapar o cercar con rejas o con algo semejante: *Los vecinos del primero enrejaron las ventanas para evitar que entren ladrones.* □ ORTOGR. Conserva la *j* en toda la conjugación.

enrevesado, da adj. **1** Confuso o difícil de entender: *El argumento de la película era un poco enrevesado.* **2** Que tiene muchas vueltas o rodeos: *un camino enrevesado.*

enriquecedor, -a adj. Que enriquece: *una experiencia enriquecedora.*

enriquecer v. **1** Hacer rico: *La instalación de la fábrica enriqueció a toda la comarca. Se enriqueció gracias a su negocio de transportes.* **2** Referido a una cosa, mejorar o aumentar sus propiedades: *Aquella experiencia enriqueció su espíritu. El estilo literario se enriquece con el empleo de recursos expresivos.* □ MORF. Irreg. →PARECER.

enriquecimiento s.m. **1** Aumento de la riqueza. **2** Mejora o aumento de las propiedades de algo: *Las relaciones contribuyen al enriquecimiento de la personalidad.*

enriscado, da adj. Lleno de riscos o peñascos: *La subida por aquel camino enriscado fue muy accidentada.*

enriscar v.prnl. Resguardarse o meterse entre riscos o peñascos: *Las cabras se enriscan de una forma asombrosa.*

enristrar v. **1** Referido esp. a los ajos o a las cebollas, hacer ristras o trenzas con ellos: *Cuando enristres los ajos, cuélgalos de esa pared para que se sequen.* **2** Referido a una lanza, apoyarla en el ristre del peto de la armadura o ponerla en posición horizontal bajo el brazo para atacar: *El caballero enristró la lanza y se preparó para atacar.*

enrocar ▌ v. **1** En el juego del ajedrez, mover al mismo tiempo el rey y una torre del mismo bando, trasladando al rey dos casillas hacia la torre y poniendo la torre al lado del rey saltando por encima de él: *No se puede enrocar el rey si ha sido movido anteriormente.* ▌ prnl. **2** Referido a un objeto relacionado con la pesca, trabarse en las rocas del fondo del mar: *Se me enrocó el anzuelo y tuve que cambiarlo por otro.* □ ETIMOL. La acepción 1, de *roque* (torre del ajedrez). La acepción 2, de *roca.* □ ORTOGR. La *c* se cambia en *qu* delante de *e* →SACAR.

enrojecer v. **1** Poner de color rojo: *Enrojeció sus labios con carmín. Sus mejillas se enrojecieron por el esfuerzo.* **2** Referido a una persona, ponérsele el rostro de color rojo, esp. si es por un sentimiento de vergüenza: *Enrojeció al oír los halagos.* □ SINÓN. *ruborizarse, sonrojarse.* □ MORF. Irreg. →PARECER.

enrojecimiento s.m. **1** Coloración de rojo o adopción de este color: *Lo que más me gusta de las puestas de Sol es el enrojecimiento del cielo.* **2** Coloración del rostro tomando un color rojo, esp. por un sentimiento de vergüenza: *Cuando me dijo aquella grosería, no pude evitar un enrojecimiento.*

enrolamiento s.m. **1** Inscripción de una persona en la lista de tripulantes de un barco: *Su enrolamiento como técnico de comunicaciones del barco fue muy bien aceptado en su familia.* **2** Inscripción o alistamiento en un grupo o en una organización: *Nuestro partido ha conseguido el enrolamiento de varios intelectuales del momento.*

enrolar ▌ v. **1** Referido a una persona, inscribirla en la lista de tripulantes de un barco: *Lo han enrolado como cocinero. Se enroló en un barco mercante y está recorriendo el Mediterráneo.* ▌ prnl. **2** Inscribirse o alistarse en una organización, esp. en el ejército: *Se enroló en la marina.* □ ETIMOL. De *rol* (lista, nómina).

enrollado, da adj. **1** En forma de rollo: *Para adornar el brazo de gitano, cubre con una capa de chocolate el bizcocho enrollado.* **2** *col.* Ocupado en algo o dedicado plenamente a ello: *Está enrollado con el asunto del cine desde el año pasado.* **3** *col.* Que tiene facilidad para relacionarse con otras personas o para llegar a ellas: *Tu hermano es un chaval muy enrollado.*

enrollar ▌ v. **1** Poner o colocar en forma de rollo: *Enrolla la cinta métrica para guardarla.* **2** *col.* Convencer o confundir: *Me ha enrollado con su palabrería para que la llevase al cine.* **3** *col.* Gustar o interesar mucho: *Esa película enrolla cantidad.* ▌ prnl. **4** Extenderse demasiado al hablar o al escribir: *No te enrolles tanto y acaba ya el examen.* **5** *col.* Entretenerse o distraerse sin darse cuenta: *Me enrollé con las facturas y me acosté muy tarde.* **6** *col.* Establecer relaciones amorosas o sexuales superficiales y pasajeras: *Anoche se enrollaron y hoy ni siquiera se hablan.* □ SINÓN. *ligar.* **7** *col.* Tener facilidad para encajar en un ambiente o para entablar trato con la gente: *Tus amigos me caen bien porque saben enrollarse.*

enrolle s.m. **1** *col.* Interés hacia algo o dedicación intensa a ello: *Su enrolle con el aeromodelismo es total y él mismo construye las maquetas.* **2** *col.* Charla excesiva: *¡Menudo enrolle tiene tu amigo cuando se habla de algo que le interesa!*

enronquecer v. Poner o dejar ronco: *El frío de la noche me enronqueció. Enronqueces con frecuencia* *porque hablas muy alto. Se enronqueció de tanto gritar animando a su equipo.* ☐ MORF. Irreg. →PARECER.

enronquecimiento s.m. Afección de la laringe que produce el cambio del timbre de la voz a otro más áspero o grave y poco sonoro: *Ya ha dejado de toser, pero aún le dura el enronquecimiento.* ☐ SINÓN. *ronquera.*

enroque s.m. En el juego del ajedrez, movimiento simultáneo del rey y de una torre del mismo bando, según determinadas reglas: *El enroque corto es el que se hace con la torre del rey, y el enroque largo, el que se hace con la torre de la reina.*

enroscadura s.f. **1** Colocación o disposición en forma de rosca: *la enroscadura de un alambre.* ☐ SINÓN. *enroscamiento.* **2** Introducción a vuelta de rosca: *la enroscadura de una tuerca.* ☐ SINÓN. *enroscamiento.*

enroscamiento s.m. →**enroscadura.**

enroscar v. **1** Colocar en forma de rosca: *Enroscaron serpentinas en las columnas del salón para decorarlas. La serpiente se enroscó bajo un matorral.* **2** Referido a un objeto, introducirlo a vuelta de rosca o haciéndolo girar sobre sí mismo: *Enrosca el tornillo en su tuerca. Este tapón no se enrosca bien en esta botella.* ☐ ORTOGR. La *c* se cambia en *qu* delante de *e* →SACAR.

enrubiar v. Poner rubio: *El sol y la sal del mar te han enrubiado el pelo.*

enrudecer v. **1** Hacer rudo: *La vida en la selva lo ha enrudecido.* **2** Volver torpe: *El abandono de los estudios te ha enrudecido.* ☐ MORF. Irreg. →PARECER.

enrutamiento s.m. En zonas del español meridional, orientación o asignación de una ruta.

ensabanado, da adj. Referido a un toro, que tiene la piel blanca: *Lidió un toro ensabanado y le dieron una oreja.*

ensabanar v. Cubrir o envolver con sábanas: *Antes de dejar la casa por un tiempo, ensabanó los muebles.*

ensacar v. Meter en un saco: *En las oficinas de correos ensacan las cartas para transportarlas en los trenes.* ☐ ORTOGR. La *c* se cambia en *qu* delante de *e* →SACAR.

ensaimada s.f. Bollo formado por una tira alargada de pasta hojaldrada que se enrolla en espiral: *Las ensaimadas son un bollo típico de Mallorca.* ☐ ETIMOL. Del catalán *ensaïmada*, y este de *saïm*, variante mallorquina de *sasí* (grasa).

ensalada s.f. **1** Comida fría compuesta por una mezcla de distintas hortalizas crudas, troceadas y aderezadas generalmente con aceite, sal y vinagre. **2** Mezcla confusa de objetos que no guardan relación: *¡Menuda ensalada de fechas tienes en la cabeza!* **3** || **ensalada de frutas;** postre de frutas troceadas en almíbar. ☐ SINÓN. *macedonia.* || **ensalada rusa;** en zonas del español meridional, ensaladilla.

ensaladera s.f. Fuente honda en la que se sirve la ensalada: *Coloca la ensaladera en el centro de la mesa para que todos podamos pinchar.*

ensaladilla s.f. Comida fría preparada con trozos de patata cocida, atún, zanahoria, guisantes y otros ingredientes, que va cubierta por salsa mayonesa: *Esta ensaladilla tiene demasiada patata y poco atún.* ☐ USO Se usa más la expresión *ensaladilla rusa.*

ensalivar v. Llenar o empapar de saliva: *Ensalivé el sello para pegarlo en el sobre.* ☐ SEM. Dist. de *insalivar* (mezclar un alimento con saliva en la boca).

ensalmo s.m. **1** Oración o práctica a las que se atribuyen poderes curativos o beneficiosos. **2** || **(como) por ensalmo;** con gran rapidez y de forma desconocida: *En cuanto llegó su madre, se le pasaron todos los males como por ensalmo.*

ensalzamiento s.m. **1** Engrandecimiento o exaltación de algo. ☐ SINÓN. *enaltecimiento.* **2** Alabanza o elogio: *El presentador hizo un encendido ensalzamiento de la homenajeada.* ☐ SINÓN. *enaltecimiento.*

ensalzar v. **1** Engrandecer o exaltar: *Escritores de su calidad ensalzan la literatura.* ☐ SINÓN. *enaltecer.* **2** Alabar o elogiar: *El sacerdote ensalzó las virtudes del fallecido. No pierde ocasión de ensalzarse a sí mismo.* ☐ SINÓN. *enaltecer.* ☐ ETIMOL. Del latín **exaltiare.* ☐ ORTOGR. La *z* se cambia en *c* delante de *e* →CAZAR.

ensamblador, -a ▮ adj./s. **1** Que ensambla. ▮ s.m. **2** En informática, programa que traduce un lenguaje simbólico a otro que pueda ser entendido por un ordenador: *El ensamblador es el lenguaje de más bajo nivel.* ☐ ETIMOL. Del inglés *assembler.*

ensambladura s.f. →**ensamblaje.**

ensamblaje s.m. Unión o acoplamiento de dos o más piezas, esp. si son de madera: *Lo más costoso ha sido el ensamblaje de las patas en el tablero de la mesa.* ☐ SINÓN. *ensambladura, ensamble.*

ensamblar v. Referido esp. a dos o más piezas de madera, unirlas o acoplarlas, generalmente haciendo que encajen: *Para montar la estantería, solo tienes que ensamblar las tablas.* ☐ ETIMOL. Del francés antiguo *ensembler* (juntar, reunir).

ensamble s.m. →**ensambladura.**

ensanchamiento s.m. Aumento de la anchura o de la amplitud: *El ensanchamiento del puente permitirá la circulación en los dos sentidos.* ☐ SINÓN. *ensanche.*

ensanchar ▮ v. **1** Hacer más ancho o más amplio: *Como he engordado, me han tenido que ensanchar los pantalones. La calle se ensancha a partir de ese cruce.* ▮ prnl. **2** Mostrarse satisfecho u orgulloso: *Se ensancha cuando le dicen que juega muy bien al tenis.* ☐ ETIMOL. Del latín *examplare.*

ensanche s.m. **1** En una población, terreno dedicado a nuevas edificaciones en las afueras, y conjunto de edificios allí construidos: *Vive en el ensanche de Barcelona.* **2** →**ensanchamiento.**

ensangrentar v. Manchar o teñir de sangre: *El terrorismo ensangrentó la ciudad. Me cambié la venda porque la que llevaba se había ensangrentado.* ☐ MORF. Irreg. →PENSAR.

ensañamiento s.m. Deleite o placer en causar el mayor daño o dolor posibles a quien no está en condiciones de defenderse: *Las quince puñaladas que aparecieron en el cuerpo de la víctima probaban el ensañamiento del asesino.*

ensañarse v.prnl. Deleitarse o complacerse en causar el mayor daño y dolor posibles a quien no está en condiciones de defenderse: *Es cruel ensañarse con los más débiles.* ☐ ETIMOL. Del latín *insaniare* (enfurecer). ☐ SINT. Constr. *ensañarse* CON *alguien*.

ensartar v. **1** Referido a un objeto con un agujero, pasarle un hilo u otro filamento por dicho agujero: *Ensartó las cuentas para hacerse un collar.* **2** Referido a un cuerpo, atravesarlo con un objeto puntiagudo: *Para hacer un pincho moruno, ensarta trozos de carne en una varilla, y luego los asas.* **3** Referido esp. a una serie de dichos o de ideas, encadenarlos o enlazarlos sin orden: *Cuando bebe, empieza a ensartar disparates y no para.* ☐ SINÓN. *enhebrar.* **4** *col.* En zonas del español meridional, engañar: *Lo ensartó en la compra de perlas falsas.*

ensayar v. **1** Referido a un espectáculo, preparar su montaje y ejecución antes de ofrecerlo al público: *Antes del estreno, ensayaron la obra durante meses. No puedo quedar esta tarde porque tengo que ensayar con el coro.* **2** Referido a una actuación, prepararla y hacer la prueba, generalmente para comprobar sus resultados o para adquirir soltura en su realización: *Ensayó ante el espejo la reverencia que debía hacer al rey.* **3** Referido esp. a un material, someterlo a determinadas pruebas para determinar su calidad o comportamiento: *Están ensayando un nuevo medicamento para combatir el sida.*

ensayismo s.m. Género literario constituido por los ensayos o escritos en prosa en los que se exponen los pensamientos del autor sobre un tema: *Ortega y Gasset es uno de los maestros del ensayismo en España.* ☐ SINÓN. *ensayo.*

ensayista s.com. Escritor de ensayos: *Miguel de Unamuno fue un gran ensayista.*

ensayístico, ca adj. Del ensayo, del ensayismo o relacionado con ellos: *Algunas obras de escritores de la Ilustración tienen un carácter ensayístico.*

ensayo s.m. **1** Preparación de una actuación como prueba para comprobar sus resultados o para adquirir mayor soltura en su realización: *Hay que hacer un ensayo de la situación, que después siempre metes la pata.* **2** Preparación del montaje y de la ejecución de un espectáculo, antes de ofrecerlo al público: *La actriz tiene ensayo todas las mañanas.* **3** Escrito en prosa, generalmente breve y de carácter didáctico, en el que se exponen los pensamientos y meditaciones del autor sobre un tema, sin la extensión ni la precisión que requiere un tratado completo sobre la misma materia. **4** Género literario constituido por estos escritos. ☐ SINÓN. *ensayismo.* **5** Prueba o conjunto de pruebas para determinar la calidad o la eficacia de algo, esp. de un material: *Realizaron ensayos con este medicamento y se comprobó que no tiene efectos secundarios.* **6** En rugby, acción del jugador que consigue apoyar el balón contra el suelo tras la línea de marca contraria, ya sea con las manos, con los brazos o con el tronco. **7** || **ensayo general;** representación completa de una obra dramática antes de presentarla al público. ☐ ETIMOL. Del latín *exagium* (acto de pesar).

-ense 1 Sufijo que indica origen, procedencia o patria: *abulense, costarricense.* **2** Sufijo que indica relación o pertenencia: *castrense, cluniacense.* ☐ ETIMOL. Del latín *-ensis.*

ensebar v. Untar con sebo: *Ensebé el cuero para que no se agriete.*

enseguida (tb. *en seguida*) adv. Inmediatamente después, en el tiempo o en el espacio: *Espérame, que vuelvo enseguida. Si no coges esa salida en la autopista, enseguida hay otra.*

ensenada s.f. Entrada del mar en la tierra, menor que una bahía: *La ensenada constituye un refugio natural para las embarcaciones.* ☐ ETIMOL. De *seno* (concavidad, ensenada).

enseña s.f. Estandarte o insignia, esp. los que representan a una colectividad: *En el desfile, un representante de cada equipo portaba la enseña de su país.* ☐ ETIMOL. Del latín *insignia*, y este de *insignis* (que se distingue por alguna señal).

enseñante adj.inv./s.com. Referido a una persona, que se dedica profesionalmente a la enseñanza: *Los enseñantes pidieron una subida en sus retribuciones.*

enseñanza ▮ s.f. **1** Comunicación de conocimientos, de habilidades o de experiencias para que sean aprendidos: *enseñanza de idiomas.* **2** Lo que sirve como experiencia, ejemplo o advertencia: *Aprende a sacar enseñanzas de los fracasos.* **3** Conjunto de medios, personal y actividades destinados a la educación: *En el debate se hablará de la enseñanza en España.* **4** Sistema y método utilizado para enseñar o para aprender: *enseñanza a distancia.* ▮ pl. **5** Conjunto de principios, ideas o conocimientos que una persona transmite o enseña a otra: *Aún tengo presentes las enseñanzas de mi maestro.* **6** || **enseñanza media** o **segunda enseñanza;** la intermedia entre la primera y la superior, y que comprende los estudios de cultura general. || **(enseñanza) primaria** o **primera enseñanza;** la elemental y obligatoria. || **enseñanza superior;** la que comprende los estudios especializados de cada profesión o carrera: *La enseñanza universitaria es enseñanza superior.*

enseñar ▮ v. **1** Referido esp. a un conocimiento, comunicarlo para que sea aprendido: *La profesora de lengua nos enseña a escribir correctamente.* **2** Servir de ejemplo o de advertencia: *Esa caída te enseñará a ser más prudente.* **3** Indicar o dar señas: *Te enseñaré el camino.* **4** Mostrar o dejar ver, voluntaria o involuntariamente: *Nos enseñó su nueva* *casa. Abróchate la blusa, que vas enseñando la camiseta.* ▮ prnl. **5** En zonas del español meridional, acostumbrarse o habituarse a una cosa: *A mi hijo le está costando trabajo enseñarse a ir al baño.* □ ETIMOL. Del latín *insignare* (marcar, designar). □ SINT. Constr. de las acepciones 1 y 2: *enseñar* A *hacer algo.*

enseñorearse v.prnl. Hacerse dueño y señor: *Las tropas invasoras se enseñorearon de la región.* □ SINT. Constr. *enseñorearse* DE *algo.*

enseres s.m.pl. Útiles, muebles o instrumentos necesarios que hay en una casa o que son convenientes para una actividad: *Cuando viene aquí a estudiar, se trae todos sus enseres de trabajo.* □ ETIMOL. De *estar en ser* o *tener en ser*, porque estas locuciones solían emplearse en inventarios para distinguir los objetos encontrados de hecho, de los que debían haber estado.

ensiforme adj.inv. Con forma de espada o semejante a ella: *El sauce tiene hojas ensiformes.* □ ETIMOL. Del latín *ensiformis*, y este de *ensis* (espada) y *forma* (forma).

ensilladura s.f. Colocación de la silla de montar sobre una caballería: *Cuando acabes con la ensilladura de la yegua me avisas.*

ensillar v. Referido esp. a un caballo, ponerle la silla de montar: *Ensilló el caballo poco antes de iniciar la excursión.*

ensimismado, da adj. Que está sumido en los propios pensamientos y aislado de lo que ocurre alrededor.

ensimismamiento s.m. Concentración en los propios pensamientos, aislándose del mundo exterior: *Era tal su ensimismamiento, que no se dio cuenta de nuestra llegada.*

ensimismarse v.prnl. Sumirse o concentrarse en los propios pensamientos, aislándose del mundo exterior: *Se ensimismó mirando al techo y no se enteró de nada de lo que dijimos.* □ ETIMOL. De *sí mismo.*

ensoberbecer ▮ v. **1** Causar soberbia: *Es loable que tus éxitos no te hayan ensoberbecido.* □ SINÓN. *envararse, encrestarse.* ▮ prnl. **2** Referido al mar, agitarse o levantarse sus olas: *El mar se ensoberbeció y la tempestad produjo numerosas víctimas.* □ SINÓN. *encrestarse.* □ MORF. Irreg. →PARECER.

ensoberbecimiento s.m. Aparición de la soberbia en el carácter de una persona: *El exceso de poder ha producido su ensoberbecimiento.*

ensombrecer v. **1** Oscurecer o cubrir de sombra: *Los edificios ensombrecen el callejón. El día se ha ensombrecido y amenaza lluvia.* **2** Poner triste o melancólico: *La noticia de su enfermedad nos ensombreció a todos. Su rostro se ensombrece cuando le hablan del pasado.* □ MORF. Irreg. →PARECER.

ensoñación s.f. →**ensueño.**

ensoñar v. Tener ensueños o ilusiones: *Es una persona muy imaginativa y aficionada a ensoñar.* □ MORF. Irreg. →CONTAR.

ensopar v. *col.* En zonas del español meridional, mojar o empapar: *Con este chaparrón me voy a ensopar.*

ensordecedor, -a adj. Referido esp. a un sonido, que es muy intenso: *En esa discoteca, la música es ensordecedora.*

ensordecer v. **1** Causar sordera o quedarse sordo: *Ensordeció cuando era ya anciano.* **2** Incapacitar para oír momentáneamente: *El ruido de motores nos ensordeció.* **3** Referido a un sonido o a un ruido, disminuir su intensidad o hacerlos menos perceptibles: *La sordina ensordece los sonidos de los instrumentos musicales.* □ MORF. Irreg. →PARECER.

ensordecimiento s.m. Pérdida o disminución de la capacidad de oír: *La explosión nos produjo un ensordecimiento momentáneo.*

ensortijar ▮ v. **1** Referido esp. al pelo, rizarlo o darle forma de anillo: *Con la humedad del mar, enseguida se me ensortija el pelo.* ▮ prnl. **2** Ponerse sortijas o joyas: *Le gusta ensortijarse y arreglarse bien para ir a las fiestas.* □ ORTOGR. Conserva la *j* en toda la conjugación.

ensuciar ▮ v. **1** Manchar o cubrir de suciedad: *Las calumnias ensuciaron el honor de la familia. Si te pones ya el traje de la fiesta, procura no ensuciarte.* ▮ prnl. **2** Expulsar los excrementos de forma involuntaria o sin poderlo controlar: *Acabo de ponerle el pañal y ya ha vuelto a ensuciarse.* □ ORTOGR. La *i* nunca lleva tilde.

ensueño s.m. **1** Ilusión o fantasía: *El poema gira en torno a los ensueños del poeta.* □ SINÓN. *ensoñación.* **2** ‖ **de ensueño;** fantástico o magnífico: *una playa de ensueño.* □ ETIMOL. Del latín *insomnium.*

entablado s.m. **1** Armazón hecho con tablas: *el entablado de un escenario.* **2** Suelo formado por tablas: *Cada tres meses encero el entablado y está muy brillante.*

entablamento s.m. En arquitectura, conjunto de elementos horizontales que sirven como remate de una estructura y que están generalmente sostenidos por columnas o pilares: *En la arquitectura clásica, el entablamento está compuesto de arquitrabe, friso y cornisa.* □ SINÓN. *cornisamento.*

entablar v. Referido esp. a una conversación, a una relación o una disputa, iniciarlas o darles comienzo: *Es tan charlatán, que entabla conversación con cualquiera.*

entablillar v. Referido a un miembro fracturado del cuerpo, sujetarlo o inmovilizarlo con unas tablillas y un vendaje: *Le entablillaron el brazo roto antes de llevarlo al hospital, como cura de urgencia.*

entalegar v. **1** Meter en un talego o en una talega: *Yo me subiré al árbol y te daré las manzanas para que tú las entalegues.* **2** *col.* Encarcelar: *Espero que pillen pronto al ladrón y lo entaleguen.* □ ORTOGR. La *g* se cambia en *gu* delante de *e* →PAGAR.

entallado, da adj. Referido a una prenda de vestir, que se ajusta al talle o a la cintura.

entallar v. Referido a una prenda de vestir, ajustarla al talle o a la cintura: *Si me entallas un poco el vestido, no me quedará tan holgado.*

entallecer v. Referido a una planta, echar tallos: *El rosal entalleció con la primavera y pronto echará flores.* □ MORF. Irreg. →PARECER.

entarimado s.m. Suelo formado por tablas ensambladas: *El entarimado del salón es de roble y hay que encerarlo de vez en cuando.*

entarimar v. Referido esp. al suelo, cubrirlo con tablas o con tarima: *Acaban de entarimar el suelo y no se puede pisar.*

éntasis (pl. *éntasis*) s.m. Engrosamiento de una columna, generalmente hacia la mitad del fuste, para corregir determinados efectos ópticos: *El éntasis hace que las columnas se vean rectas en lugar de cóncavas.* □ ETIMOL. Del latín *entasis*, y este del griego *éntasis* (tensión, intensidad).

ente s.m. **1** Lo que es, lo que existe o lo que puede existir: *Los personajes de las novelas son entes de ficción.* **2** Organismo, institución o empresa: *Trabajo en un ente autonómico.* □ ETIMOL. Del latín *ens* (ser).

enteco, ca adj. Enfermizo, débil o flaco: *Un niño enteco pedía limosna.* □ ETIMOL. Del antiguo *entecarse* (caer víctima de una enfermedad crónica).

entelar v. Referido esp. a una pared, cubrirla con tela: *He entelado mi cuarto, porque así queda más acogedor que empapelado o pintado.*

entelequia s.f. Lo que es irreal y solo existe en la imaginación: *Tus ideas sobre el amor son pura entelequia.* □ ETIMOL. Del griego *entelékheia*, y este de *entelés* (acabado, perfecto) y *ékho* (yo tengo).

entenado, da (tb. *antenado, da*) s. Respecto de una persona, hijo o hija que su cónyuge ha tenido en una unión anterior. □ SINÓN. *hijastro.* □ ETIMOL. Del latín *ante natus* (nacido antes).

entendederas s.f.pl. *col.* Entendimiento: *tener pocas entendederas.*

entendedor, -a adj./s. Que entiende: *Como dice el refrán: A buen entendedor, pocas palabras bastan.*

entender ▮ v. **1** Comprender o percibir el sentido: *Entendió bien mis explicaciones. Para un español, el italiano se entiende bien.* **2** Referido esp. a una persona, conocer sus motivos, sus intenciones o su forma de ser: *No te justifiques conmigo, que te entiendo muy bien.* **3** Saber o tener conocimientos: *No entiendo nada de fútbol.* **4** Creer, opinar o deducir: *Entiendo que este no es momento de discusiones.* **5** Tener autoridad o competencia para intervenir en un asunto: *La Audiencia Nacional entiende en temas de delitos de narcotráfico.* **6** *col.* Ser homosexual: *A este local suele ir gente que entiende.* ▮ prnl. **7** Referido a una persona, llevarse bien con otra o ponerse fácilmente de acuerdo con ella: *Se entiende muy bien con su primo y se pasan el día jugando.* **8** Mantener una relación amorosa oculta o irregular: *Se entiende con el marido de su mejor amiga.* **9** ‖ **a {mi/tu/...} entender;** según la opinión o el modo de pensar de la persona que se indica: *A mi modesto entender, estás equivocado.* ‖ **entenderse con** algo; hacerse cargo de ello para manejarlo o sacarle rendimiento: *Entiéndete tú con el nuevo ordenador.* ‖ **entenderse con** alguien; tratar con él: *Yo haré el informe y tú te entiendes con el delegado.* ‖ **entendérselas;** *col.* Saber desenvolverse en una situación y resolver con tino los problemas: *Allá se las entienda, que a mí no me importa su vida.* □ ETIMOL. Del latín *intendere* (extender, dirigir hacia algo, esp. aplicado a la mente). □ MORF. Irreg. →PERDER. □ SINT. 1. Constr. de la acepción 3: *entender* DE *algo.* 2. Constr. de la acepción 5: *entender* EN *algo.* 3. Constr. de las acepciones 7 y 8: *entenderse* CON *alguien.*

entendido, da adj./s. Referido a una persona, que es especialista o experta en algo: *Dice que el arte actual solo lo comprenden los entendidos.*

entendimiento s.m. **1** Facultad de conocer, comprender y formar juicios nuevos a partir de otros conocidos: *El entendimiento distingue a las personas de los animales.* **2** Razón humana o sentido común: *No dejes que la ira nuble tu entendimiento.* **3** Acuerdo o relación amistosa, esp. entre pueblos o gobiernos: *llegar a un entendimiento.* □ USO En la acepción 3, es innecesario el uso del anglicismo *entente.*

entenebrecer v. Volver oscuro o tenebroso: *Esas nubes han entenebrecido el día.* □ MORF. Irreg. →PARECER.

entente s.f. Acuerdo o pacto, esp. entre Estados o gobiernos: *Fracasó la entente para el desarme.* □ ETIMOL. Del francés *entente.* □ USO Su uso es innecesario y puede sustituirse por *entendimiento* o *acuerdo.*

enteógeno, na adj./s.m. Que es alucinógeno y, según algunas creencias, puede proporcionar experiencias divinas: *una sustancia enteógena.*

enter (ing.) s.m. En el teclado de un ordenador, tecla que sirve para seleccionar una opción o para cambiar de línea: *Para entrar en ese fichero, tienes que dar al enter.* □ PRON. [énter].

enterado, da adj./s. Especialista, entendido o buen conocedor de algo: *¡No te hagas el enterado, que no sabes de qué va esto!*

enteralgia s.f. En medicina, dolor agudo del intestino. □ ETIMOL. Del griego *énteron* (intestino) y *-algía* (dolor).

enterar ▮ v. **1** Informar, hacer conocer o poner al corriente: *No entera a su madre de nada. Me enteré de tu boda por una amiga.* ▮ prnl. **2** Notar, darse cuenta o llegar a saber: *Hoy no me entero de nada porque tengo mucho sueño.* □ ETIMOL. Del latín *integrare* (reparar, rehacer), y este de *integer* (entero, íntegro). □ SINT. Constr. como pronominal: *enterarse* DE *algo.*

enterectomía s.f. Operación quirúrgica que consiste en la extirpación de parte del intestino: *Tiene un tumor y será sometido a una enterectomía para eliminar la parte afectada.* □ ETIMOL. Del griego *énteron* (intestino) y *ektomé* (corte, extirpación).

entereza s.f. **1** Fortaleza de ánimo o de carácter, esp. para soportar las desgracias: *En el entierro de sus hijos, dio muestras de gran entereza.* **2** Firmeza, rectitud o severidad: *La juez actuó con entereza.*

entérico, ca adj. Del intestino o relacionado con este conducto del aparato digestivo: *una enfermedad entérica.* □ ETIMOL. Del griego *énteron* (intestino).

enteritis (pl. *enteritis*) s.f. Inflamación de la membrana mucosa del intestino: *La enteritis se suele manifestar con cólicos y diarreas.* □ ETIMOL. Del griego *énteron* (intestino) e *-itis* (inflamación).

enterito (tb. *enterizo*) s.m. En zonas del español meridional, mono o prenda de vestir de una sola pieza: *La beba llevaba un enterito muy lindo.*

enterizo, za ▌adj. **1** De una sola pieza: *Le pedí al carnicero que me diese la carne enteriza.* ▌s.m. **2** En zonas del español meridional, mono o prenda de vestir de una sola pieza: *Me compré un enterizo negro para la fiesta.* □ ORTOGR. En la acepción 2, se usa también *enterito.*

enternecedor, -a adj. Que enternece: *Es realmente enternecedor tener a un niño pequeño en los brazos.*

enternecer v. Causar o sentir ternura: *La sonrisa de un bebé enternece a cualquiera. Se enterneció al verla llorar.* □ ETIMOL. Del latín *tenerescere* (ponerse tierno). □ MORF. Irreg. →PARECER.

enternecimiento s.m. Sentimiento de ternura: *Si piensas que el enternecimiento es propio de los débiles, es que tú eres insensible.*

entero, ra ▌adj. **1** Con todas las partes y sin que falte ningún trozo: *Estuvimos dos días enteros en su casa.* **2** Referido a una persona, que tiene entereza y fuerza de ánimo. **3** Sano o en perfecto estado: *El ciclista terminó la escalada muy entero.* ▌s.m. **4** →**número entero.** **5** En economía, centésima parte del valor nominal de una acción. □ ETIMOL. Del latín *integer* (intacto).

enterococo s.m. Estreptococo que se encuentra en el intestino y en otros órganos.

enterocolitis (pl. *enterocolitis*) s.f. Inflamación del intestino delgado, del ciego y del colon: *El médico especialista en el aparato digestivo me dijo que la diarrea que tengo se debe a una enterocolitis.* □ ETIMOL. Del griego *énteron* (intestino) y *colitis*.

enteropatía s.f. En medicina, alteración patológica del intestino. □ ETIMOL. Del griego *énteron* (intestino) y *-patía* (enfermedad).

enterovirus s.m. Virus que afecta al intestino. □ ETIMOL. Del griego *énteron* (intestino) y *virus*.

enterrador, -a ▌adj./s. **1** Que entierra. ▌s. **2** Persona que se dedica profesionalmente a abrir sepulturas y a enterrar cadáveres: *En este cementerio trabajan cinco enterradores.* □ SINÓN. *sepulturero*.

enterramiento s.m. **1** Hecho de enterrar un cadáver: *El sacerdote hizo una señal para que se procediera al enterramiento.* □ SINÓN. *entierro*. **2** Construcción generalmente de piedra y levantada sobre el suelo en la que se da sepultura a uno o varios cadáveres: *En esta región se han descubierto varios enterramientos prehistóricos.* □ SINÓN. *sepulcro*. **3** Lugar en el que se entierra un cadáver: *En su pueblo hay varios enterramientos excavados en la roca.* □ SINÓN. *sepultura*.

enterrar v. **1** Poner bajo tierra: *Los piratas enterraron el tesoro en algún lugar de la isla.* □ SINÓN. *soterrar*. **2** Referido a un cadáver, darle sepultura: *Murió el día 3 y lo enterramos el día 4.* **3** Referido a una cosa, hacerla desaparecer bajo otras: *Creo que has enterrado las cartas debajo de esos libros.* **4** Olvidar o arrinconar en el olvido: *Enterremos nuestras diferencias e intentemos ser amigos.* □ MORF. Irreg. →PENSAR.

entibación s.f. Apuntalamiento o sostenimiento con maderos o armazones de las paredes o del techo de una excavación: *Ante la amenaza de derrumbamiento, se procedió a la entibación de la galería de la mina.*

entibar v. En una excavación, referido a las paredes o al techo, apuntalarlos o sostenerlos con maderos o armazones: *Ya se puede pasar por el túnel porque está entibado.* □ ETIMOL. Del latín *instipare* (compactar).

entibiar v. **1** Poner tibio o templado: *La leche estaba tan caliente que la cambié de taza para entibiarla.* **2** Referido esp. a un sentimiento, moderarlo o suavizarlo: *Su odio se entibió con el paso de los años.* □ ORTOGR. La segunda *i* nunca lleva tilde.

entidad s.f. **1** Valor o importancia: *Comparados con el hambre en el mundo, mis problemas tienen muy poca entidad.* **2** Colectividad o empresa que se consideran como una unidad: *una entidad bancaria.* □ ETIMOL. Del latín *entitas*, y este de *ens* (ser).

entierro s.m. **1** Hecho de enterrar a un cadáver. □ SINÓN. *enterramiento*. **2** Grupo formado por un cadáver y por las personas que lo van a enterrar: *Desde su ventana vio pasar un entierro.* **3** ‖ **entierro de la sardina;** fiesta de carnaval consistente en un entierro burlesco que simboliza el paso a la cuaresma.

entintador, -a ▌adj. **1** Que entinta. ▌s. **2** Persona que se dedica a pasar a tinta bocetos o dibujos, esp. en un cómic.

entintar v. Manchar o cubrir con tinta: *Ten cuidado cuando escribas con pluma y no te entintes los dedos.*

-ento, -enta Sufijo que indica cualidad: *amarillento, avarienta.*

entoldado s.m. **1** Conjunto de toldos colocados para dar sombra o para proteger de la intemperie: *El entoldado de la terraza está desteñido por el sol.* **2** Lugar cubierto con toldos: *Tomamos un refresco en un entoldado del parque.*

entoldar v. Cubrir con un toldo: *Pensamos entoldar la terraza para poder comer a la sombra en verano.*

entomófilo, la ▌adj. **1** Referido a una planta, que se poliniza gracias a los insectos: *Las plantas entomófilas suelen tener flores aromáticas y de vistosos colores.* ▌adj./s. **2** Aficionado a los insectos: *Se reunió con diez entomófilos para crear una asocia-*

ción. □ ETIMOL. Del griego *éntomon* (insecto) y *-filo* (aficionado).

entomología s.f. Parte de la zoología que estudia los insectos: *Estudia entomología y le interesan especialmente los insectos transmisores de enfermedades.* □ ETIMOL. Del griego *éntomon* (insecto) y *-logía* (estudio, ciencia).

entomológico, ca adj. De la entomología o relacionado con esta parte de la zoología: *Está leyendo un tratado entomológico sobre coleópteros.*

entomólogo, ga s. Persona especializada en el estudio de los insectos: *Nuestra profesora de ciencias naturales es una buena entomóloga.*

entonación s.f. **1** Variación del tono de la voz según el sentido de lo que se dice, la emoción que expresa y el estilo o el acento con los que se habla: *Hablé con él por teléfono y, por su entonación, me pareció que estaba triste.* **2** En lingüística, secuencia sonora de los tonos con que se emite el discurso oral, y que puede contribuir al significado de este: *Las oraciones interrogativas se pronuncian con una entonación ascendente.* □ SINÓN. *tonalidad.* **3** Canto ajustado al tono: *Si no fallaras en la entonación, cantarías muy bien, porque tienes buena voz.*

entonar ▮ v. **1** Cantar con el tono adecuado o afinando la voz: *Entonaré una canción de despedida. No te han admitido en el coro porque no entonas bien.* **2** Empezar a cantar para dar el tono a los demás: *La directora del coro entonó las primeras notas y el coro la siguió.* **3** Referido esp. al organismo, darle tensión o vigor: *Este caldo caliente te entonará. La gimnasia ayuda a entonar los músculos.* □ SINÓN. *tonificar.* ▮ prnl. **4** *col.* Emborracharse ligeramente: *No está acostumbrado a beber y con un par de cervezas ya se entona.*

entonces adv. **1** En aquel tiempo o en aquella ocasión: *Entonces no había tantos coches como ahora. Le pregunté y fue entonces cuando me confesó lo que pensaba.* **2** En tal caso o siendo así: *Si no querías verme, ¿a qué has venido entonces?* **3** ‖ **(pues) entonces;** expresión que se usa para indicar a otra persona que no se queje por las consecuencias de sus actos: *¿No fuiste tú quien se empeñó en venir? ¡Pues entonces...!* □ ETIMOL. Del latín **intunce.* □ USO En la acepción 1, equivale a *en aquel entonces, para entonces* o *por aquel entonces.*

entontecer v. Volver o volverse tonto: *El golpe en la cabeza lo ha entontecido. Deja de ver tanta tele, si no quieres entontecer. Acabará por entontecerse con tanto jugar con el ordenador.* □ SINÓN. *atontar, atontolinar.* □ MORF. Irreg. →PARECER.

entontecimiento s.m. Pérdida del entendimiento o de la inteligencia: *La causa de su entontecimiento fue un fuerte golpe.*

entorchado s.m. Cuerda o hilo de seda cubiertos por otro de seda o de metal para darles consistencia, y que suelen usarse en los bordados y para la fabricación de cuerdas de instrumentos musicales: *Compra un entorchado para que te haga un bordado en la manga.*

entorchar v. Referido a un hilo o a una cuerda, cubrirlos enroscándoles un hilo de metal: *Entorcha una cuerda para ponerla en la guitarra.* □ ETIMOL. Del latín *intorquere* (torcer).

entorilar s.m. Referido a un toro, meterlo en el toril: *Entorilaron a los toros hasta que los lidiaron por la tarde.*

entornar v. **1** Referido a una puerta o a una ventana, volverlas hacia donde se cierran sin cerrarlas completamente: *Entorna la ventana para que no entre tanto aire.* **2** Referido a los ojos, cerrarlos a medias: *Acaricia al gato y verás cómo entorna los ojos.* □ ETIMOL. De *tornar.*

entorno s.m. Ambiente o conjunto de circunstancias, de personas o de cosas que rodean algo: *La gente de su entorno ha influido mucho en él.* □ ORTOGR. Dist. de *en torno.* □ SEM. Dist. de *contorno* (territorio que rodea algo).

entorpecer v. **1** Volver torpe física o intelectualmente: *El alcohol entorpece el entendimiento. Los músculos se entorpecen si no los ejercitas.* **2** Retardar o dificultar: *El camión mal aparcado entorpecía el paso. Las negociaciones se entorpecerán con tantas protestas.* □ MORF. Irreg. →PARECER.

entorpecimiento s.m. **1** Pérdida de agilidad. **2** Retraso o aumento de la dificultad en el desarrollo de algo: *El atentado supuso un entorpecimiento de las conversaciones de paz.*

entourage (fr.) s.m. Conjunto de asesores de una persona: *La ministra no quiso tomar una decisión sin consultar antes con su entourage.* □ PRON. [entóurach]. □ USO Su uso es innecesario y puede sustituirse por *grupo de asesores.*

entrada s.f. Véase **entrado, da.**

entradilla s.f. En prensa, radio y televisión, conjunto de las primeras frases de una información que resumen lo más importante: *En la entradilla de esa noticia han dicho que se esperan lluvias torrenciales.*

entrado, da ▮ adj. **1** Referido a un período de tiempo, que ya ha transcurrido en parte: *Les esperábamos de madrugada y no llegaron hasta bien entrada la mañana.* ▮ s.f. **2** Paso hacia el interior: *En esta exposición hay entrada libre.* **3** Espacio por el que se accede a un lugar: *la entrada de un aparcamiento.* **4** En un edificio o en una vivienda, vestíbulo o parte cercana a la puerta principal. **5** Ingreso de una persona en un grupo determinado: *la entrada de un nuevo miembro en una asociación.* **6** Afluencia de público a un espectáculo: *El concierto no tuvo mucha aceptación y solo hubo media entrada.* **7** Dinero que se recauda en un espectáculo: *La entrada del concierto se destinará a obras benéficas.* **8** Billete que da derecho a la asistencia a un espectáculo o a la visita de un lugar: *He perdido la entrada y no me dejan pasar.* **9** Señal que se hace a una persona que tiene que hablar o actuar en público para que inicie su intervención: *La solista esperó a que el director le diese la entrada.* **10** Conjunto de los primeros días de un período de tiempo, esp. de una estación: *La entrada de esta primavera ha sido* *algo fría.* **11** En un diccionario o en una enciclopedia, término que encabeza cada artículo y que es lo que se define. □ SINÓN. *lema.* **12** En la cabeza de una persona, zona lateral y superior que ha perdido el cabello. **13** En algunos deportes, esp. en fútbol, hecho de obstaculizar el movimiento de un contrario para quitarle el balón. **14** En una interpretación musical, comienzo de la intervención de un intérprete o de un instrumento: *Empezaron de nuevo la pieza porque uno de los violines había hecho su entrada a destiempo.* **15** En una comida, plato que se sirve antes del principal: *Como entrada, nos pondrán unos entremeses.* **16** Cantidad de dinero que se adelanta o que se entrega al formalizar una compra, un alquiler o una inscripción: *la entrada de un piso.* **17** Caudal o ingresos que entran en una caja o en un registro de cuentas: *Las entradas de esta semana han hecho disminuir el déficit que teníamos acumulado.* **18** En informática, dato o programa que puede ser introducido en el ordenador: *Este fichero tiene tres mil entradas.* **19** || **de entrada;** para empezar o en primer lugar: *De entrada nos dijo que no había sitio, pero después de insistir nos dejó pasar.*

entramado s.m. **1** Armazón o esqueleto de una obra de albañilería. **2** Conjunto de cosas entrelazadas o relacionadas entre sí y que forman un todo: *La policía desmontó un entramado golpista.*

entrambos, bas indef. pl. *ant.* →**ambos.** □ ETIMOL. De *entre ambos.*

entrampar ▮ v. **1** Referido a un animal, hacer que caiga en una trampa: *El conejo se entrampó en el cepo.* ▮ prnl. **2** Empeñarse o contraer deudas de dinero: *No te puedo prestar dinero porque me he entrampado comprando el piso.*

entrante ▮ adj.inv. **1** Que entra: *Te deseo todo lo mejor para el año entrante.* ▮ s.m. **2** En una comida, plato ligero que se toma en primer lugar: *Como entrante tomamos embutidos variados.* **3** Entrada del borde de una cosa hacia el interior de otra: *Una ría es un entrante del mar en la tierra.*

entraña ▮ s.f. **1** Órgano contenido en una de las principales cavidades del cuerpo. □ SINÓN. *víscera.* **2** Lo más íntimo o esencial: *Si llegas a la entraña del problema, te será más fácil solucionarlo.* ▮ pl. **3** Lo más oculto y escondido: *Los exploradores llegaron hasta las entrañas de la selva.* **4** Lo que está en medio o en el centro: *Por muy hondo que caves, no conseguirás llegar a las entrañas de la Tierra.* **5** Sentimientos o voluntad de ánimo de una persona, esp. si son positivos: *El crimen lo cometió una persona sin entrañas.* □ ETIMOL. Del latín *interanea* (intestinos). □ MORF. En la acepción 1, se usa más en plural.

entrañable adj.inv. Íntimo o muy afectuoso: *Nos conocemos de toda la vida y somos amigos entrañables.*

entrañar v. Contener, implicar o llevar dentro de sí: *El oficio de bombero entraña muchos riesgos.* □ ETIMOL. De *entraña.*

entrar v. **1** Ir o pasar de fuera adentro o al interior: *Según la policía, el ladrón entró por la ventana.* **2** Penetrar o introducirse: *Tuve que hacer fuerza para que la broca del taladro entrara en la pared.* **3** Encajar o poderse meter: *En este autobús entran sesenta pasajeros.* **4** Estar incluido, tener cabida o formar parte integrante: *En el precio del viaje no entran las excursiones. Entre los componentes de un óxido entra siempre el oxígeno.* **5** Ingresar o empezar a ser miembro: *No podía entrar en ese colegio porque no vivía en la zona.* **6** Intervenir o tomar parte: *Prefiero quedarme al margen y no entrar en discusiones tan acaloradas.* **7** Seguido de una expresión que indica estado o circunstancia, empezar a estar en ellos: *Tras la victoria, la afición entró en un estado de euforia colectiva.* **8** En algunos juegos de cartas, aceptar una apuesta: *Esta vez no entro porque tengo unas cartas muy malas.* □ SINÓN. *ir, jugar.* **9** En una interpretación musical, referido a un intérprete o a un instrumento, empezar su intervención: *En el tercer compás entran los violines.* **10** Referido a un período de tiempo, esp. a una estación, empezar o tener principio: *Cuando entra la primavera, empiezo a tener alergia.* **11** Referido esp. a una sensación o a una enfermedad, sobrevenir o empezar a dejarse sentir: *La película tiene escenas tan tiernas, que entran ganas de llorar.* **12** Referido a una comida o a una bebida, ser agradable de tomar: *Cuando hace calor, un helado entra estupendamente.* **13** Referido esp. a una prenda de vestir, resultar suficientemente amplia para podérsela poner: *Si esa falda no te entra, pide una talla mayor.* **14** Meter o introducir en el interior: *Entra la ropa tendida para que se acabe de secar con el calor de la habitación.* **15** Referido a un toro, acometer o embestir: *El toro entró al torero por el pitón izquierdo y lo volteó.* **16** Referido a una persona o a un asunto, abordarlos o empezar a tratarlos: *Me quiere pedir un favor y no sabe cómo entrarme.* **17** En algunos deportes, referido a un jugador, interceptarlo un adversario para quitarle el balón: *El defensa entró al delantero para evitar que marcara un gol.* **18** || **no entrar (ni salir) en un asunto;** *col.* Mantenerse al margen o no hacer consideraciones sobre ello: *Eso es asunto tuyo y yo ahí ni entro ni salgo.* □ ETIMOL. Del latín *intrare.* □ SINT. 1. Constr. de las acepciones 5, 6 y 7: *entrar* EN *algo.* 2. Su uso como transitivo es incorrecto aunque está muy extendido: **entra esto en casa* > *mete esto en casa.*

entre prep. **1** Indica situación, estado o punto intermedios: *Me senté a la mesa entre mis dos hermanos. Te espero en casa entre las cinco y las seis.* **2** Indica cooperación de dos o más personas o cosas: *Terminamos el ejercicio entre mi amigo y yo.* **3** Indica pertenencia a un grupo o a una colectividad: *Entre actores, el amarillo es el color de la mala suerte.* □ ETIMOL. Del latín *inter.* □ SINT. En la acepción 1, pese a ser preposición puede ir seguida de las formas pronominales *yo* y *tú* cuando el otro elemento es también un pronombre: *entre {*tú > ti} y tu hermana,* pero *entre {*ti > tú} y ella.* □ USO

Se usa para indicar la operación matemática de la división: *Diez entre dos son cinco.*

entre- 1 Prefijo que indica situación intermedia: *entrecejo, entreguerras, entreacto.* **2** Prefijo que indica cualidad o estado intermedios: *entrecano, entrefino.* **3** Prefijo que indica acción realizada a medias o de forma imperfecta: *entreabrir, entrever.* ☐ ETIMOL. De *entre.*

entreabierto, ta part. irreg. de **entreabrir**.

entreabrir v. Abrir un poco o a medias: *El niño dormía pero entreabrió los ojos cuando salí.* ☐ MORF. Su participio es *entreabierto.*

entreacto s.m. En un espectáculo, esp. en una representación dramática, pausa o intermedio entre dos partes: *En el entreacto, los asistentes comentaban la representación.* ☐ ETIMOL. De *entre-* (situación intermedia) y *acto.*

entrebarrera s.f. En una plaza de toros, espacio comprendido entre la valla que separa el ruedo y la primera fila de asientos. ☐ SINÓN. *callejón.*

entrecano, na adj. **1** Referido al cabello o a la barba, que está a medio encanecer: *Su barba entrecana tiene pelos negros y blancos mezclados.* **2** Referido a una persona, que tiene el cabello de esta manera: *Mi nuevo profesor es entrecano y muy alto.* ☐ ETIMOL. De *entre-* (situación intermedia) y *cano.*

entrecavar v. Cavar ligeramente sin profundizar: *Entrecavó el jardín antes de plantar los rosales.* ☐ ETIMOL. De *entre-* (situación intermedia) y *cavar.*

entrecejo s.m. Espacio que separa las dos cejas: *Parece que solo tiene una ceja, porque tiene el entrecejo poblado de pelo.* ☐ SINÓN. *ceño.* ☐ ETIMOL. Del latín *intercilium.*

entrecerrar v. Cerrar a medias: *Entrecerró la puerta para que no oyeran lo que hablábamos.*

entrechocar v. Referido a una cosa, chocar con otra, esp. si es de forma repetida: *El fuerte viento hacía entrechocar las ramas de los árboles.* ☐ ORTOGR. La *c* se cambia en *qu* delante de *e* →SACAR.

entreclaro, ra adj. Que tiene alguna claridad: *La habitación entreclara me dejaba ver que había alguien durmiendo.* ☐ ETIMOL. De *entre-* (situación intermedia) y *claro.*

entrecomillado s.m. Lo que está escrito entre comillas: *Los entrecomillados del texto corresponden a las frases textuales del entrevistado.*

entrecomillar v. Referido a una o a más palabras, escribirlas entre comillas: *Si escribes palabras no admitidas por la Real Academia Española, debes entrecomillarlas.*

entrecortado, da adj. Referido esp. a la voz o a un sonido, que se emiten con interrupciones: *El miedo le hacía hablar con palabras entrecortadas.*

entrecortar v. **1** Cortar sin acabar de dividir: *Entrecorta el trozo de carne para que se ase bien por dentro.* **2** Referido a la voz o a un sonido, interrumpirlos o hacer que se emitan con intermitencias: *Se le entrecorta la voz debido a su timidez.*

entrecot (pl. *entrecots, entrecotes*) s.m. Filete grueso, generalmente de carne de vacuno, esp. el que se corta de entre dos costillas: *De segundo plato pedí un entrecot muy hecho.* ☐ ETIMOL. Del francés *entrecôte.*

entrecruzamiento s.m. Cruce de varias cosas entre sí: *Una trenza se hace con el entrecruzamiento de varios mechones de pelo.*

entrecruzar v. Referido a dos o más cosas, cruzarlas entre sí: *Todas las líneas se entrecruzan y el dibujo parece un laberinto.* ☐ ORTOGR. La *z* se cambia en *c* delante de *e* →CAZAR.

entredicho s.m. Duda que pesa sobre algo o alguien, esp. sobre su honradez o su veracidad: *Al descubrirse el fraude, su credibilidad ha quedado en entredicho.* ☐ ETIMOL. Del latín *interdictus* (prohibido). ☐ USO Se usa más en la expresión *poner en entredicho.*

entredós s.m. Tira bordada o de encaje que se cose entre dos telas: *Los entredoses se emplean como adorno en los vestidos.* ☐ ETIMOL. Traducción del francés *entre-deux.*

entrefino, na adj. **1** De calidad media entre fino y basto: *lana entrefina.* **2** De grosor medio entre fino y grueso: *puros entrefinos.*

entreforro s.m. Tejido que se pone como refuerzo entre la tela y el forro de algunas partes de una prenda de vestir: *He puesto un entreforro a la chaqueta para que tenga más cuerpo.* ☐ SINÓN. *entretela.*

entrega s.f. **1** Puesta de algo a disposición de una persona: *Los secuestradores exigieron la entrega de un rescate.* **2** Dedicación completa a algo: *Se ocupa de los niños con verdadera entrega.* **3** Cada uno de los cuadernos que forman un libro publicado por partes o una serie coleccionable, y que salen a la venta periódicamente de forma independiente. ☐ SINÓN. *fascículo.* **4** Parte de un todo que se da de una vez: *Recibirás los seis mil euros en dos entregas de tres mil.*

entregador, -a adj./s. Que entrega: *La alcaldesa y los concejales serán los entregadores de las medallas y los diplomas a los participantes de la prueba.*

entregar ▮ v. **1** Dar o poner en poder de una persona: *La presidenta del tribunal me entregó el diploma. Es mejor que te entregues a la policía antes de que te detengan.* ▮ prnl. **2** Dedicarse enteramente a algo: *Se entrega a su profesión como si en ello le fuera la vida.* **3** Dejarse dominar por algo, esp. por un vicio o por un sentimiento: *Se entregó a la bebida y está totalmente alcoholizado.* **4** Rendirse o declararse vencido o sin fuerzas para continuar: *Cuando vio que su ejército no podía resistir, decidió entregarse.* ☐ ETIMOL. Del latín *integrare* (reparar, rehacer). ☐ ORTOGR. La *g* se cambia en *gu* delante de *e* →PAGAR. ☐ SINT. Constr. como pronominal: *entregarse* A *algo.*

entreguerras || **de entreguerras;** referido a un período de tiempo, que transcurre en paz entre dos guerras consecutivas, esp. entre la primera guerra mundial y la segunda: *En el período de entreguerras se desarrollan las escuelas literarias y artísti-*

cas de vanguardia. ☐ ORTOGR. Incorr. **de entre guerras.*

entrelazamiento s.m. Enlazamiento de dos o más cosas cruzándolas entre sí: *Cuando los veas juntos, fíjate en el entrelazamiento de sus manos.*

entrelazar v. Referido a dos o más cosas, enlazarlas cruzándolas entre sí: *Los dos novios entrelazaron sus manos con cariño.* ☐ ORTOGR. La *z* se cambia en *c* delante de *e* →CAZAR.

entrelínea s.f. **1** Escritura hecha entre dos renglones de escritura. **2** Espacio que queda entre dos líneas escritas o impresas. ☐ SINÓN. *interlínea.*

entremedias adv. Entre dos o más momentos, lugares o cosas: *Sufrió una cadena de desgracias, pero entremedias hubo algún momento de felicidad.* ☐ ETIMOL. De *entre-* (situación intermedia) y *medio.*

entremés s.m. **1** Plato variado y generalmente frío, que se sirve como aperitivo o antes de los platos fuertes: *Mientras van llegando los demás invitados, saca unos entremeses.* **2** Pieza teatral breve, en un solo acto, de carácter cómico o burlesco, en la que intervienen personajes populares, y que solía representarse entre los actos de una comedia o de una obra seria más extensa con la que no guardaba relación argumental: *Los entremeses formaban habitualmente parte de las representaciones teatrales de los siglos XVI y XVII.* ☐ ETIMOL. Del francés antiguo *entremès.* ☐ MORF. En la acepción 1, se usa más en plural.

entremeter ▌v. **1** Referido a una cosa, meterla entre otras: *Entremetió el dinero en la ropa que llevaba en la maleta.* ▌prnl. **2** →**entrometerse.**

entremetido, da adj./s. →**entrometido.**

entremetimiento s.m. →**entrometimiento.**

entremezclar v. Referido a cosas distintas, mezclarlas sin que formen un todo homogéneo: *Entremezcló varios hilos de colores para hacer la cinta. En ese local se entremezcla todo tipo de gentes.*

entrenador, -a s. Persona que se dedica al entrenamiento de personas o de animales, esp. si esta es su profesión: *El entrenador decide la alineación de sus jugadores en función de lo que hayan rendido en el entrenamiento.* ☐ USO Es innecesario el uso del anglicismo *coach* y de la forma castellanizada *míster.*

entrenamiento s.m. Adiestramiento o preparación que se hacen para realizar una actividad, esp. para la práctica de algún deporte: *Nuestro equipo de baloncesto tiene dos horas diarias de entrenamiento.* ☐ SINÓN. *entreno.* ☐ USO Es innecesario el uso del anglicismo *training.*

entrenar v. Adiestrar, preparar o prepararse, esp. si es para la práctica de un deporte: *Entrena a los galgos para las carreras. Nos entrenamos todos los días en el polideportivo.* ☐ ETIMOL. Del francés *entraîner.*

entrenervio s.m. En un libro, cada uno de los espacios comprendidos entre los nervios del lomo: *El tejuelo se coloca en uno de los entrenervios.*

entreno s.m. →**entrenamiento.**

entrenudo s.m. En el tallo de algunas plantas, parte comprendida entre dos nudos: *Las cañas tienen los entrenudos huecos.*

entreoír v. Oír sin entender perfectamente: *Solo entreoí la noticia porque estaba medio dormida.* ☐ MORF. Irreg. →OÍR.

entrepaño s.m. **1** En una pared, parte comprendida entre dos pilastras, entre dos columnas o entre dos huecos: *Voy a colgar un cuadro en el entrepaño que hay entre las dos puertas.* **2** En una estantería o en un armario, tabla horizontal que sirve para colocar objetos sobre ella: *Tiene todos los entrepaños llenos de libros.* ☐ ETIMOL. De *entre-* (situación intermedia) y *paño.*

entrepelado, da adj. Referido a un caballo, que tiene el pelaje con pelos blancos entremezclados en un fondo oscuro: *En su yeguada hay muchos caballos entrepelados.*

entrepierna s.f. **1** Parte interior de los muslos: *Está un poco gordo y al andar roza las entrepiernas.* **2** En un pantalón, parte que cubre esta zona de la pierna: *Se me ha roto la entrepierna de los pantalones y voy a coserle un refuerzo.* **3** *col.* En una persona, órganos genitales: *Se dio un golpe en la entrepierna y casi se desmaya de dolor.* **4** ‖ **pasarse** algo **por la entrepierna;** *vulg.* Despreciarlo o ignorarlo. ☐ ETIMOL. De *entre-* (situación intermedia) y *pierna.*

entreplanta s.f. Planta construida entre otras dos, quitando parte de la altura de una de ellas: *Como el almacén tiene un techo muy alto, hemos hecho una entreplanta que usamos como oficina.* ☐ SINÓN. *altillo.* ☐ SEM. Dist. de *entresuelo* (planta situada entre el bajo y el principal; planta baja situada a más de un metro del nivel del suelo).

entresacar v. **1** Sacar de entre otras cosas: *Voy a entresacar las frases más importantes de la conferencia y las escribiré en el cuaderno.* **2** Referido al pelo, cortar algunos mechones para que resulte menos espeso: *Tiene tanto pelo, que el peluquero suele entresacárselo un poco para que no abulte tanto.* ☐ ORTOGR. La *c* se cambia en *qu* delante de *e* →SACAR.

entresijo s.m. **1** Lo que está escondido o en el interior: *Me gustaría conocer los entresijos de esta empresa.* **2** *col.* Repliegue membranoso del peritoneo, que une el intestino a la pared del abdomen: *He ido a la carnicería a comprar entresijos de cerdo.* ☐ SINÓN. *mesenterio, redaño.* ☐ ETIMOL. De origen incierto.

entresuelo s.m. **1** En algunos edificios, planta situada entre el bajo y el principal: *Los entresuelos están situados a la misma altura que los primeros.* **2** En algunos edificios, planta baja situada a más de un metro sobre el nivel del suelo, y que debajo tiene sótanos o cuartos abovedados: *Vive en un entresuelo y ha puesto verjas para que no entren a robar desde la calle.* **3** En un cine o en un teatro, planta situada sobre el patio de butacas: *Como no quedaban entradas de butacas, tuvimos que subir al entresuelo.* ☐ SEM. Dist. de *entreplanta* (planta que se construye quitando parte de la altura de otra).

entretanto (tb. *entre tanto*) ▌s.m. **1** Tiempo de espera: *Tardaré un poco en llegar a comer, así que en el entretanto ve poniendo la mesa.* ▌adv. **2** Mientras o durante un tiempo indeterminado: *Tú ve haciendo la comida y, entretanto, yo pondré la mesa.* □ SINÓN. *en tanto.*

entretecho s.m. En zonas del español meridional, desván: *Guardé todas esas cosas en el entretecho.*

entretejer v. **1** Referido a un hilo, mezclarlo o meterlo en una tela para hacer un adorno: *Entreteje hilos de distintos colores en la colcha para hacer los dibujos.* **2** Referido a una cosa, trabarla y enlazarla con otra: *Entretejía los juncos para hacer un canasto.*

entretela ▌s.f. **1** Tejido que se pone como refuerzo entre la tela y el forro de algunas partes de una prenda de vestir. □ SINÓN. *entreforro.* ▌pl. **2** *col.* Lo más íntimo y profundo del corazón: *Este hijo de mis entretelas me va a matar a disgustos.*

entretener v. **1** Divertir o proporcionar entretenimiento: *Entretuvo a sus amigos haciéndoles trucos de magia. La niña se entretenía con sus juguetes.* **2** Referido a una persona, distraerla o retenerla impidiendo que haga algo o que continúe su camino: *Su compinche entretuvo al policía mientras él escapaba. Llegó tarde a la cita porque se entretuvo hablando con unos amigos.* **3** Hacer menos molesto y más llevadero: *Entretenía la espera viendo la televisión.* □ MORF. Irreg. →TENER. □ SINT. Constr. como pronominal: *entretenerse {CON/EN} algo.*

entretenido, da ▌adj. **1** Divertido o ameno: *una película entretenida.* ▌s. **2** Persona a la que su amante paga los gastos: *No entiendo que aceptes ser la entretenida de nadie.*

entretenimiento s.m. **1** Diversión o distracción con la que alguien pasa el tiempo: *Le gusta coleccionar mariposas por puro entretenimiento.* **2** Lo que sirve para divertirse: *Ir al cine es mi mejor entretenimiento.*

entretiempo s.m. Tiempo de primavera o de otoño cercano al verano y de temperatura suave: *Cuando llegue marzo, tendré que sacar del armario la ropa de entretiempo.*

entrever v. **1** Ver de manera confusa: *A pesar de la niebla, el capitán pudo entrever el puerto desde el barco. Desde la colina apenas se entreveía el pueblo.* **2** Referido a algo futuro, sospecharlo o adivinarlo: *Se entreveía hacía tiempo el fracaso de ese matrimonio.* □ MORF. Irreg.: 1. Su participio es *entrevisto.* 2. →VER.

entreverar ▌v. **1** Referido a una cosa, mezclarla o meterla en otra u otras: *Entreveré la carne con huevo y jamón.* ▌prnl. **2** *col.* En zonas del español meridional, mezclarse en un lío o en un desorden: *Tuvo cuidado de no entreverarse en ese asunto.* □ ETIMOL. Del latín *inter* (entre) y *variare* (variar).

entrevero s.m. *col.* En zonas del español meridional, lío o desorden: *Con este entrevero de papeles, no hay forma de encontrar nada.*

entrevía s.f. Espacio que queda entre los dos raíles de una vía férrea: *Al cruzar al otro andén no te quedes en la entrevía, que me da miedo que venga un tren.* □ ETIMOL. De *entre-* (situación intermedia) y *vía.*

entrevista s.f. Véase **entrevisto, ta**.

entrevistador, -a s. Persona que realiza una entrevista: *La entrevistadora hizo varias preguntas comprometedoras a su interlocutor.*

entrevistar ▌v. **1** Referido a una persona, hacerle una serie de preguntas encaminadas a informar al público sobre ella o sobre sus opiniones: *Tres periodistas entrevistarán al presidente del Gobierno en directo.* □ SINÓN. *interviuvar.* ▌prnl. **2** Referido a dos o más personas, reunirse para mantener una conversación o para tratar algún asunto: *La ministra de Asuntos Exteriores se entrevistará con su homólogo británico.*

entrevisto, ta ▌**1** part. irreg. de **entrever**. ▌s.f. **2** Reunión de dos o más personas para tratar sobre un asunto determinado: *En su entrevista, los dos jefes de Estado hablaron de las relaciones bilaterales entre sus países.* **3** Conversación con una persona, en la que se le hacen una serie de preguntas encaminadas a informar al público sobre ella o sobre sus opiniones: *Durante la entrevista, la famosa actriz habló de su próxima película.* □ ETIMOL. Las acepciones 2 y 3, del francés *entrevue.*

entripado s.m. **1** *col.* Dolor de tripa, esp. el producido por un empacho. **2** *col.* Enojo o sentimiento disimulados para que nadie los note: *Estarías mejor de los nervios si te dejases de tantos entripados y contaras lo que te ocurre.*

entristecedor, -a adj. Que entristece: *La entrevistadora hizo varias preguntas comprometedoras a su interlocutor.*

entristecer v. **1** Poner triste: *La muerte del cantante entristeció a todos sus seguidores. Se entristeció al oír aquellas críticas hirientes e infundadas.* **2** Dar un aspecto triste: *La tormenta entristeció el día.* □ MORF. Irreg. →PARECER.

entristecimiento s.m. Aparición de tristeza en el ánimo o en el aspecto: *La muerte de su padre es la causa de su entristecimiento.*

entrometerse (tb. *entremeterse*) v.prnl. Inmiscuirse o meterse en un asunto ajeno sin tener motivo o permiso para ello: *No te entrometas en mi vida y déjame en paz.* □ SINT. Constr. *entrometerse* EN *algo.*

entrometido, da (tb. *entremetido, da*) adj./s. Que tiende a meterse en asuntos ajenos sin tener motivo o permiso para ello: *No seas tan entrometida y ocúpate mejor de tus asuntos.*

entrometimiento (tb. *entremetimiento*) s.m. Intervención en un asunto ajeno sin tener motivo o permiso para ello: *Tu entrometimiento en esa pelea te va a costar un disgusto.* □ SINÓN. *intromisión.*

entromparse v.prnl. *col.* Emborracharse: *Se fue de copas con los amigos y se entrompó.*

entronar v. →**entronizar.**

entroncamiento s.m. **1** Existencia de una relación o dependencia: *El entroncamiento entre sus ideas políticas y las mías es evidente.* **2** Existencia de una relación de parentesco: *Este árbol genealógico muestra el entroncamiento de mi familia con un príncipe francés.*

entroncar v. **1** Tener una relación o dependencia: *Las ideas del Renacimiento entroncan con las de la Antigüedad clásica.* **2** Tener parentesco o contraerlo: *Su familia entronca con una de las ramas aristocráticas más importantes del país. Con esa boda, entroncarás con una familia noble.* ☐ ORTOGR. La *c* se cambia en *qu* delante de *e* →SACAR. ☐ SINT. Constr. *entroncar* CON *algo.*

entronización s.f. **1** Colocación de una persona en un trono. **2** Ensalzamiento o colocación de una persona en una posición muy elevada: *Este premio ha supuesto su entronización en el panorama literario nacional.* **3** Colocación de una imagen en un altar para adorarla.

entronizar v. **1** Referido a una persona, colocarla en el trono: *A la muerte del rey, entronizaron a su hijo.* ☐ SINÓN. *entronar.* **2** Referido a una persona, ensalzarla o colocarla en una posición muy elevada: *Sus éxitos teatrales lo entronizaron a uno de los primeros lugares entre los actores europeos.* ☐ SINÓN. *entronar.* **3** Referido a una imagen, colocarla en una altar para adorarla: *En la iglesia de mi pueblo, el día de la fiesta mayor entronizaron una nueva imagen del santo patrón.* ☐ SINÓN. *entronar.* ☐ ORTOGR. La *z* se cambia en *c* delante de *e* →CAZAR.

entronque s.m. Relación de parentesco entre personas que tienen un origen común: *Presume de su entronque con la Casa de los Austria, pero nadie ha visto un documento que lo certifique.*

entropía s.f. **1** En física, magnitud termodinámica que expresa el grado de desorden molecular de un sistema: *La entropía da un criterio para determinar cuáles son los estados inicial y final de una evolución termodinámica.* **2** *col.* Desorden caótico de algo: *No tengo tiempo para nada y la entropía invade mi casa.* ☐ ETIMOL. Del griego *entropía* (giro, vuelta hacia atrás).

entrullar v. *arg.* Encarcelar: *Lo entrullaron por robar en una gasolinera.*

entubar v. **1** Poner tubos: *Están entubando las calles del barrio para la conducción del gas.* **2** →**intubar.**

entuerto ▮ s.m. **1** Daño o perjuicio que se causa a alguien: *Intentó deshacer el entuerto invitándome a cenar a su casa.* ▮ pl. **2** Dolores de vientre que suelen sobrevenir a las mujeres después de haber parido. ☐ ETIMOL. Del latín *intortus.*

entumecer v. Referido esp. a un miembro del cuerpo, impedir o entorpecer su movimiento: *El frío me entumeció los pies y las manos. Si no haces ejercicio, se te entumecerán los músculos.* ☐ ETIMOL. Del latín *intumescere* (hincharse). ☐ MORF. Irreg. →PARECER.

entumecimiento s.m. Entorpecimiento o disminución de la capacidad de movimiento de una parte del cuerpo: *A mi edad, se empieza a sentir ya cierto entumecimiento de las articulaciones.*

entumirse v.prnl. Referido esp. a un miembro del cuerpo, entumecerse o perder movilidad por haber estado encogido o por tener comprimido algún nervio: *Los músculos se entumen a veces por la falta de movimiento durante horas.* ☐ ETIMOL. Del latín *intumere.*

enturbiamiento s.m. **1** Pérdida de la claridad o de la nitidez: *el enturbiamiento del agua.* **2** Alteración o trastorno de lo que estaba claro o en orden: *El enturbiamiento de su relación trajo como consecuencia el divorcio.*

enturbiar v. **1** Hacer o poner turbio: *No muevas el café, que tiene muchos posos y lo vas a enturbiar. El agua de los ríos se enturbia con las tormentas.* **2** Oscurecer, alterar o dar un aspecto desfavorable: *Los celos enturbiaron su amor. No dejes que tu tranquilidad se enturbie por cosas insignificantes.* ☐ ORTOGR. La *i* nunca lleva tilde.

entusiasmar v. Producir o sentir entusiasmo, admiración apasionada o vivo interés: *La orquesta entusiasmó al público. No te entusiasmes tan pronto, que luego vienen las decepciones.*

entusiasmo s.m. **1** Exaltación y emoción del ánimo, producidas por algo que se admira: *Desde muy joven, la música despertó en mí gran entusiasmo.* **2** Adhesión e interés que llevan a apoyar una causa o a trabajar en un empeño: *Pone gran entusiasmo en todo lo que hace.* ☐ ETIMOL. Del griego *enthusiasmós* (arrobamiento, éxtasis).

entusiasta ▮ adj.inv. **1** Del entusiasmo, con entusiasmo o relacionado con él: *Recibió entusiastas aplausos al terminar su actuación.* ☐ SINÓN. *entusiástico.* ▮ adj.inv./s.com. **2** Que siente entusiasmo o que se entusiasma con facilidad. ☐ ETIMOL. Del francés *entousiaste.*

entusiástico, ca adj. Del entusiasmo, con entusiasmo o relacionado con él: *La cantante fue recibida con gritos entusiásticos.* ☐ SINÓN. *entusiasta.*

enumeración s.f. **1** Exposición sucesiva y ordenada de las partes que forman un todo: *Me hizo una enumeración de todos los países que le gustaría visitar.* **2** Cálculo o cuenta numeral de algo: *Para hacer el inventario de los productos del almacén, antes hay que proceder a su enumeración.* **3** Figura retórica consistente en referir de manera rápida y ágil, generalmente mediante sustantivos o adjetivos, varias ideas o distintas partes de un concepto o de un pensamiento general: *La enumeración, empleada en descripciones, suele producir una imagen disgregada y que el lector tiene que recomponer.*

enumerar v. Exponer haciendo una enumeración: *Me enumeró una por una las razones de su comportamiento.* ☐ ETIMOL. Del latín *enumerare.* ☐ ORTOGR. Dist. de *numerar.*

enunciación s.f. **1** Exposición breve y sencilla de una idea: *Inició el discurso con la enunciación de los principales puntos de su programa electoral.* ☐ SINÓN. *enunciado.* **2** Planteamiento de un problema y exposición de los datos que permiten su resolución. ☐ SINÓN. *enunciado.*

enunciado s.m. **1** →**enunciación.** **2** En lingüística, conjunto de palabras emitidas en un acto de comunicación: *En la oración 'Yo corro', 'yo' designa distintas personas según quién emita ese enunciado.*

enunciar v. **1** Referido a una idea, expresarla o exponerla de manera breve y sencilla: *No desarrolló su programa, sino que se limitó a enunciar sus principios básicos.* **2** Referido a un problema, plantearlo y exponer los datos cuyo conocimiento permitirá su resolución: *Muchos problemas de matemáticas se enuncian con esta fórmula: 'Dado..., averiguar...'.* ☐ ETIMOL. Del latín *enuntiare.* ☐ ORTOGR. La *i* nunca lleva tilde.

enunciativo, va adj. Que enuncia o expresa una idea de forma breve y sencilla: *una oración enunciativa.*

enuresis (pl. *enuresis*) s.f. En medicina, incapacidad de controlar la expulsión de orina: *Muchos ancianos padecen enuresis.* ☐ ETIMOL. Del griego *en* (sobre) y *ouréo* (orinar). ☐ SEM. Dist. de *diuresis* (secreción de orina).

envainar v. **1** Referido a un arma blanca, enfundarla o meterla en su vaina: *Después de herir a su adversario, envainó su espada y se fue.* **2** Ceñir o envolver a modo de vaina: *Las hojas del trigo envainan el tallo.* ☐ ETIMOL. Del latín *invaginare.*

envalentonamiento s.m. Adopción de una postura valiente y arrogante: *Ese envalentonamiento ante los débiles no es más que una muestra de cobardía.*

envalentonar ▮ v. **1** Infundir valentía y arrogancia: *Saber que sus hijos estaban presentes lo envalentonó para contestar a aquellos insultos.* ▮ prnl. **2** Mostrarse valiente y desafiante: *El torero se envalentonó después de sacarle al toro unos espléndidos pases.*

envalijar v. Meter en una valija: *La embajadora envalijó los documentos de la sede diplomática.*

envanecer v. Infundir soberbia, vanidad o presunción: *Un éxito tan notorio envanece a cualquiera. No te envanezcas, porque los que ahora te alaban después te criticarán.* ☐ SINÓN. *engreír.* ☐ ETIMOL. Del latín *in* (en) y *vanescere* (desvanecerse). ☐ MORF. Irreg. →PARECER.

envanecimiento s.m. Adopción de una postura soberbia, vanidosa o presuntuosa: *Algunos premios solo consiguen el envanecimiento de los agraciados.*

envarado, da adj./s. Referido a una persona, que es orgullosa o que adopta una actitud de superioridad con respecto a los demás: *Un tipo altivo y envarado nos dijo que nosotros no podíamos entrar allí.*

envaramiento s.m. **1** Entorpecimiento del movimiento de un miembro del cuerpo. **2** Adopción de una actitud de gran soberbia: *hablar con envaramiento.*

envarar ▮ v. **1** Referido a un miembro del cuerpo, entorpecerlo o impedir su movimiento: *De estar tanto tiempo sin moverme se me han envarado las piernas.* ▮ prnl. **2** *col.* Sentir gran soberbia: *Se envaró tras conseguir aquel importante triunfo.* ☐ SINÓN. *ensoberbecerse, encrestarse.*

envasado s.m. Proceso por el que un producto se distribuye en envases para su conservación o transporte: *El envasado se ha hecho más rápido gracias a las modernas técnicas de mecanización.*

envasar v. Referido esp. a un producto, echarlo en un envase para su conservación o transporte: *En esa planta envasan la leche en botellas de cristal.*

envase s.m. Recipiente que se usa para guardar, conservar o transportar un producto: *Compra las cervezas en envases de cristal no retornables.*

envejecer v. Hacer o hacerse viejo: *El paso del tiempo nos envejece a todos. Las buenas películas no envejecen nunca. A partir del momento en que se quedó viudo, se envejeció mucho.* ☐ MORF. Irreg. →PARECER.

envejecimiento s.m. Transformación que hace más viejo o más antiguo: *La cirugía estética disimula el envejecimiento, pero no lo frena. Los vinos mejoran tras un período de envejecimiento.*

envenenado, da adj. Con intención de molestar o de perjudicar: *Lanzó una serie de preguntas envenenadas que el entrevistado esquivó hábilmente.*

envenenamiento s.m. **1** Administración o aplicación de veneno, o efecto causado por ello: *Lo acusaron del envenenamiento de la víctima. El consumo de setas produjo un envenenamiento masivo.* **2** Corrupción, daño o deterioro de algo: *el envenenamiento de una amistad.*

envenenar v. **1** Referido esp. a una persona o a un producto, administrarles o poner en ellos veneno: *Envenenaron el agua del río con sustancias tóxicas. La autopsia demostró que el suicida se envenenó con arsénico.* **2** Corromper, dañar o echar a perder: *Las malas compañías lo envenenaron. Nuestras relaciones fueron envenenándose por culpa de la cizaña que nos metían.*

enverar v. Referido a una fruta, esp. a las uvas, empezar a tomar el color de maduras: *Al final del verano las uvas comienzan a enverar.* ☐ ETIMOL. Del latín *in* (en) y *variare* (cambiar de color).

envergadura s.f. **1** En un ave, distancia entre las puntas de sus alas cuando están completamente abiertas. **2** En un avión, distancia entre los extremos de sus alas. **3** En una persona, distancia entre los extremos de sus brazos cuando están completamente extendidos en cruz. **4** En un barco, ancho de la vela en la parte por la que va unida a la verga del mástil. **5** Importancia, alcance o categoría de algo: *Está inmerso en un negocio de gran envergadura.* ☐ ETIMOL. De *envergar* (atar las velas a las vergas).

envergar v. Referido a una vela, sujetarla o atarla a las vergas o palos transversales del mástil: *El capitán ordenó a sus marineros que envergaran las velas.* ☐ ORTOGR. La *g* se cambia en *gu* delante de *e* →PAGAR.

envero s.m. Color de las uvas cuando empiezan a madurar. ☐ ETIMOL. De *enverar.*

envés s.m. En una hoja vegetal, cara inferior: *En el envés de una hoja, los nervios se notan más que en el haz.* ☐ ETIMOL. Del latín *inversus* (invertido).

envestir v. →**investir.** ☐ ETIMOL. Del latín *investire.* ☐ ORTOGR. Dist. de *embestir.*

enviado, da s. Persona que, por encargo de otra, lleva un mensaje o un recado: *El rey recibió a los enviados de las cortes extranjeras.*

enviar v. Hacer ir o hacer llegar: *Envió a un emisario a la corte. Envía una postal a tus padres.* □ SINÓN. *despachar.* □ ETIMOL. Del latín *inviare* (recorrer un camino). □ ORTOGR. La *i* de la raíz lleva tilde en los presentes, excepto en las personas *nosotros* y *vosotros* →GUIAR.

enviciar ▌v. **1** Referido a una persona, hacer que adquiera un vicio: *Las malas compañías te están enviciando. Se ha enviciado con el tabaco y no es capaz de dejarlo.* ▌prnl. **2** Aficionarse demasiado o darse con exceso a algo: *Se envició en el juego de las máquinas tragaperras y se está arruinando.* □ ORTOGR. La *i* nunca lleva tilde. □ SINT. Constr. como pronominal: *enviciarse {CON/EN} algo.*

envidar v. En algunos juegos de cartas, apostar o hacer un envite: *Envidó todo su dinero en la última jugada y lo perdió.* □ ETIMOL. Del latín *invitare* (invitar).

envidia s.f. **1** Tristeza, dolor o pesar que produce en alguien el bien ajeno. **2** Deseo de algo que no se posee: *Me dio envidia su nuevo reloj y me compré otro igual.* □ ETIMOL. Del latín *invidia*, y este de *invidere* (mirar con malos ojos).

envidiable adj.inv. Que se puede envidiar o desear: *A sus ochenta años, mi abuela tiene una salud envidiable.*

envidiar v. **1** Referido a una persona, tener o sentir envidia hacia ella: *Envidia a su vecino porque tiene una casa mejor y más grande que la suya.* **2** Referido a algo ajeno, desearlo o apetecerlo: *Envidio tu inteligencia y tu belleza.* □ ORTOGR. La *i* nunca lleva tilde.

envidioso, sa adj./s. Que tiene o siente envidia: *Es un ser envidioso e incapaz de alegrarse de los éxitos de otros.*

envilecer v. Hacer vil y despreciable: *Los vicios y las malas compañías te están envileciendo. Una mujer de su integridad es difícil que se envilezca.* □ MORF. Irreg. →PARECER.

envilecimiento s.m. **1** Adopción de un carácter vil y despreciable: *El ansia de poder y de dinero son la causa de su envilecimiento.* **2** Descenso o reducción del valor de una moneda, de un producto o de una acción de bolsa: *En los años de la dictadura militar se produjo el envilecimiento de la moneda.*

envío s.m. **1** Acción de mandar, de hacer ir o de hacer llegar a un lugar: *El envío de medicamentos al lugar del siniestro se realizó rápidamente.* **2** Lo que se envía: *La empresa de transportes nos comunicó la pérdida de tu envío.*

enviscar v. Referido a un animal, azuzarlo o incitarlo: *Enviscó su perro contra el mío, pero pude separarlos.* □ ORTOGR. La *c* se cambia en *qu* delante de *e* →SACAR.

envite s.m. **1** En algunos juegos de cartas, apuesta que se hace en una jugada y que permite ganar tantos extraordinarios: *Si supieras jugar bien al mus, no aceptarías todos los envites que te hacen.* **2** Ofrecimiento que se hace de algo: *Acepto tu envite y contaré contigo en cuanto necesite ayuda.* **3** Empujón, impulso o golpe brusco hacia adelante: *Un envite del toro derribó al caballo.* **4** ‖ **al primer envite;** *col.* De buenas a primeras o sin pensarlo dos veces: *Entró en la casa y, al primer envite, ya dijo que quería comprarla.* □ ETIMOL. Del catalán *envit.*

enviudar v. Quedarse viudo: *Enviudó al año y medio de casarse.*

envoltijo s.m. →**envoltorio.**

envoltorio s.m. **1** Lío desordenado que se hace de algo, generalmente de ropa: *Metió un envoltorio de ropa sucia en la lavadora.* □ SINÓN. *envoltijo.* **2** Lo que envuelve o cubre algo exteriormente: *Después de abrir los regalos, la habitación quedó llena de envoltorios.* □ SINÓN. *envoltura, envoltijo.*

envoltura s.f. Lo que envuelve o cubre algo exteriormente: *Si mandas la envoltura del detergente a un apartado de correos, entrarás en un sorteo.* □ SINÓN. *envoltorio, envoltijo.*

envolvente ▌adj.inv. **1** Que envuelve o rodea algo. ▌s.f. **2** Maniobra con la que se rodea o se acorrala a un oponente y que sirve para confundirle: *hacer la envolvente.*

envolver v. **1** Cubrir total o parcialmente, rodeando y ciñendo con algo: *Le envolvieron el pescado en papel de periódico. Una densa bruma envolvía el puerto. Se tumbó en el sofá y se envolvió en una manta.* **2** Referido a una persona, acorralarla en una conversación utilizando argumentos que la dejen sin saber qué responder: *Me envolvió con su palabrería y terminé dándole la razón.* **3** Referido a una persona, mezclarla o complicarla en un asunto, haciéndole tomar parte en él: *Envolvieron al empresario en un negocio ilegal. De repente, me di cuenta de que me había envuelto en un asunto de contrabando.* **4** Referido a una cosa, incluir o contener otra: *Sus amables palabras envolvían una amenaza.* **5** En zonas del español meridional, convencer o confundir: *La envolvió con sus mentiras y terminó creyéndolo.* □ ETIMOL. Del latín *involvere.* □ MORF. Irreg.: 1. Su participio es *envuelto*. 2. →VOLVER.

envuelto, ta part. irreg. de **envolver**.

enxebre (gall.) adj.inv. Puro o sin adulterar: *un vino enxebre.*

enyesado s.m. **1** Operación de cubrir o tapar con yeso: *La factura del enyesado de la fachada principal resultó excesivamente cara.* **2** Colocación de un vendaje endurecido con yeso o escayola para sostener en posición conveniente un hueso roto o dislocado: *Tras la operación el cirujano practicó el enyesado del brazo.*

enyesar v. **1** Cubrir o tapar con yeso: *El albañil enyesó la pared para igualarla.* **2** Referido esp. a un miembro fracturado o dislocado, ponerle un vendaje endurecido con yeso o escayola, para sostener en posición conveniente los huesos afectados: *Se rompió un brazo y se lo tuvieron que enyesar.* □ SINÓN. *escayolar.*

enzarzar ▌v. **1** Meter o implicar en una disputa: *Enzarzó a su amigo en la pelea porque él solo no podía defenderse. Los dos políticos se enzarzaron en una discusión que casi acaba a tortas.* ▌prnl. **2** Meterse o enredarse en un asunto complicado: *Se enzarzó en un negocio que la llevó a la ruina.* **3** Enredarse en las zarzas o en los matorrales: *Un pajarillo se enzarzó entre las matas.* □ ORTOGR. La *z* cambia en *c* delante de *e* →CAZAR. □ SINT. Constr. como pronominal: *enzarzarse EN algo.*

enzima s.amb. Molécula de gran tamaño producida por las células vivas y que actúa como catalizadora en las reacciones químicas del organismo: *Durante las reacciones químicas en las que intervienen, las enzimas ni se alteran ni se destruyen.* □ ETIMOL. Del griego *en-* (en, dentro de) y *zýme* (fermento). □ ORTOGR. Dist. de *encima.*

enzimático, ca adj. De la enzima o relacionado con esta molécula: *El jugo pancreático contiene sustancias que intervienen en el proceso enzimático de la digestión.*

enzimoterapia s.f. Empleo de enzimas para prevenir la aparición de tumores.

eñe s.f. Nombre de la letra *ñ.*

-eño, -eña **1** Sufijo que indica origen, procedencia o patria: *extremeño, isleña, panameña.* **2** Sufijo que indica semejanza: *trigueño, marfileña.* **3** Sufijo que indica relación: *marceño, navideña.* □ ETIMOL. Del latín *-ineus.*

-eo, -ea **1** Sufijo que indica cualidad: *pétreo, marmórea.* **2** Sufijo que indica relación o pertenencia: *arbóreo, lácteo.* □ ETIMOL. Del latín *-eus.*

eoceno, na ▌adj. **1** En geología, del segundo período de la era terciaria o cenozoica, o relacionado con él: *En unos terrenos eocenos se encontraron fósiles de mamíferos.* ▌adj./s.m. **2** En geología, referido a un período, que es el segundo de la era terciaria o cenozoica: *El eoceno es anterior al oligoceno.* □ ETIMOL. Del griego *eós* (aurora) y *kainós* (nuevo).

eólico, ca ▌adj. **1** Del viento, producido por el viento, o relacionado con él: *energía eólica.* □ SINÓN. *eolio.* ▌adj./s. **2** De la Eolia (antigua región de la costa occidental de Asia Menor), o relacionado con ella. □ SINÓN. *eolio.* □ ETIMOL. La acepción 1, de *Eolo,* dios griego del viento.

eolio, lia adj. →**eólico.**

eón s.m. **1** Período de tiempo de mil millones de años. **2** En el gnosticismo, inteligencia eterna o entidad divina de uno u otro sexo, que emana de la divinidad suprema. □ ETIMOL. Del inglés *eon,* y este del griego *aión* (tiempo, época).

eosina s.f. Colorante que tiñe de color rosado o rojo, esp. los hematíes y las fibras musculares.

eosinófilo s.m. Estructura, célula o tejido orgánico que se tiñen fácilmente con eosina.

epa interj. Expresión que se usa para indicar advertencia o precaución: *¡Epa, que se me cae!*

épale interj. Expresión que se usa para manifestar sorpresa, admiración o disgusto: *Épale, ¿a dónde vas con tanta prisa?*

epanadiplosis (pl. *epanadiplosis*) s.f. Figura retórica consistente en empezar y terminar una frase o uno de sus miembros con la misma palabra: *En el verso de Miguel Hernández 'Nardo tu tez para mi vista nardo' hay una epanadiplosis.* □ ETIMOL. Del griego *epanadíplosis* (duplicación, reiteración).

epanalepsis (pl. *epanalepsis*) s.f. Figura retórica consistente en repetir una palabra o un grupo de palabras para dar mayor fuerza a la expresión: *En los versos 'Abenámar, Abenámar, / moro de la morería' hay una reduplicación, que es un tipo de epanalepsis.* □ ETIMOL. Del griego *epanálepsis* (repetición).

epatar v. Asombrar o sorprender: *Nos quiso epatar con su vestuario pero no lo consiguió.* □ ETIMOL. Del francés *épater.* □ USO Su uso es innecesario.

epazote s.m. Planta de hojas lanceoladas, de olor y sabor fuertes, que crece de forma silvestre y se usa para condimentar algunos alimentos: *Los frijoles negros con epazote son exquisitos.*

epéntesis (pl. *epéntesis*) s.f. Adición de un sonido en el interior de una palabra: *La pronunciación [ingalatérra] en lugar de [inglatérra] es un ejemplo de epéntesis.* □ ETIMOL. Del griego *epénthesis* (acción de agregar en medio).

epentético, ca adj. Referido a un sonido, que se añade por epéntesis en el interior de una palabra: *Al pronunciar 'conglomerado' como '[congolomerádo]', la [o] que hay entre la [g] y la [l] es una [o] epentética.*

epi- Prefijo que significa 'sobre': *epidermis, epicentro.* □ ETIMOL. Del griego *epí.*

épica s.f. Véase **épico, ca.**

epicardio s.m. En anatomía, tejido que rodea el corazón: *Entre el epicardio y el miocardio hay un líquido que facilita el movimiento del corazón y disminuye los rozamientos.* □ ETIMOL. De *epi-* (sobre) y el griego *kardía* (corazón). □ ORTOGR. Dist. de *epicarpio.*

epicarpio s.m. En botánica, en un fruto carnoso, parte externa del pericarpio o envoltura externa: *El epicarpio del melocotón es su piel.* □ ETIMOL. De *epi-* (sobre) y *-carpio* (fruto). □ ORTOGR. Dist. de *epicardio.*

epiceno adj./s.m. En gramática, referido a un sustantivo, que designa seres de uno y otro sexo aunque su género gramatical es solo masculino o femenino: *'Víctima' y 'lince' son sustantivos epicenos.* □ ETIMOL. Del latín *epicoenus,* y este del griego *epíkoinos* (común).

epicentro s.m. En geología, punto o zona de la superficie terrestre que constituye el centro de un terremoto y que está situada encima de su hipocentro: *La mayor intensidad de un movimiento sísmico se da siempre en su epicentro.* □ ETIMOL. De *epi-* (sobre) y *centro.* □ SEM. Dist. de *hipocentro* (zona interior de la corteza terrestre donde se origina un terremoto).

épico, ca ▌adj. **1** De la épica, relacionado con ella o con rasgos propios de este género literario: *El 'Poema de Mio Cid' es un poema épico castellano.* **2**

col. Digno de figurar en un poema de este tipo, por el esfuerzo, la dedicación o el heroísmo que supone: *Tuvieron que hacer un esfuerzo épico para ganar el partido.* ▮ adj./s. **3** Referido a un poeta, que cultiva la poesía épica: *Los poetas épicos medievales suelen ser autores anónimos.* ▮ s.f. **4** Género literario al que pertenecen las epopeyas y la poesía heroica. □ ETIMOL. Del griego *epikós*, y este de *épos* (verso, esp. el épico).

epicureísmo s.m. **1** Doctrina filosófica expuesta por Epicuro (filósofo griego del siglo IV a. C.), que considera que la felicidad humana consiste en disfrutar de los placeres evitando los sufrimientos: *El epicureísmo busca ante todo el placer.* **2** Actitud del que busca el placer y evita cualquier dolor: *Cree que todo es maravilloso porque su epicureísmo le impide pensar en cosas desagradables.*

epicúreo, a ▮ adj. **1** De Epicuro o relacionado con este filósofo griego: *la doctrina epicúrea.* **2** Sensual, voluptuoso o entregado a los placeres. ▮ adj./s. **3** Que sigue o defiende el epicureísmo.

epidemia s.f. **1** Enfermedad que ataca a un gran número de individuos de una población, simultánea y temporalmente: *Una epidemia de peste equina causó la muerte de numerosos caballos.* **2** Lo que se extiende de manera rápida, esp. si se considera negativo: *El consumo de droga se ha convertido en una epidemia en las sociedades modernas.* □ ETIMOL. Del griego *epidemía* (residencia en un lugar o país). □ SEM. 1. En la acepción 1, dist. de *endemia* (afecta habitualmente o en fechas fijas) y de *epizootia* (afecta a los animales). 2. Su uso con el significado de *epizootia* es incorrecto aunque está muy extendido.

epidémico, ca adj. De la epidemia o relacionado con ella: *un brote epidémico de cólera ha alertado a las autoridades sanitarias.*

epidemiología s.f. Estudio de las epidemias: *Especialistas en epidemiología detectaron un brote de tuberculosis.* □ ETIMOL. De *epidemia* y *-logía* (ciencia, estudio).

epidemiológico, ca adj. De la epidemiología o relacionado con ella: *un estudio epidemiológico.*

epidemiólogo, ga s. Especialista en epidemiología: *Recientes estudios epidemiológicos previenen sobre la gripe del próximo invierno.*

epidérmico, ca adj. De la epidermis o relacionado con ella: *tejido epidérmico.*

epidermis (pl. *epidermis*) s.f. **1** Capa más externa de la piel: *La epidermis está formada por varias capas de células.* □ SINÓN. *cutícula.* **2** En botánica, membrana transparente e incolora, formada por una sola capa de células, que cubre el tallo y las hojas de algunas plantas: *Las células de la epidermis carecen de clorofila.* □ ETIMOL. Del griego *epidermís*, y este de *epi-* (sobre) y el griego *derma* (piel).

epidídimo s.m. En el aparato reproductor masculino, conducto situado sobre cada uno de los testículos: *El epidídimo tiene el aspecto de una madeja.* □ ETIMOL. De *epi-* (sobre) y *dídimo* (testículo).

epidural adj.inv./s.f. →**anestesia epidural.**

epifanía s.f. Manifestación o aparición. □ ETIMOL. Del latín *epiphania*, y este del griego *epifáneia* (manifestación). □ USO Se usa como nombre propio cuando se refiere a la festividad que celebra la iglesia católica el día 6 de enero para conmemorar la llegada de los tres reyes de Oriente para adorar al Niño Jesús recién nacido.

epifenómeno s.m. En psicología, fenómeno secundario que acompaña al fenómeno principal y sobre el que no tiene ninguna influencia.

epífisis (pl. *epífisis*) s.f. **1** En anatomía, estructura nerviosa situada en la base del encéfalo, y que tiene función endocrina: *La epífisis regula el desarrollo de los caracteres sexuales.* □ SINÓN. *glándula pineal.* **2** En anatomía, parte final de los huesos largos que, durante el período de crecimiento, está separada del cuerpo de estos por un cartílago que les permite crecer: *Las epífisis suelen estar formadas por tejido óseo esponjoso.* □ ETIMOL. Del griego *epíphysis* (excrecencia). □ SEM. En la acepción 1, dist. de *hipófisis* (glándula de la base del cráneo, que es el principal centro productor de hormonas). En la acepción 2, dist. de *apófisis* (parte saliente de un hueso).

epifito, ta adj. Referido a un vegetal, que vive sobre otro pero sin alimentarse a su costa: *Los musgos y los líquenes que cubren las cortezas de los árboles son plantas epifitas.* □ ETIMOL. De *epi-* (sobre) y el griego *phytón* (vegetal). □ SEM. Dist. de *parásito* (animal o vegetal que vive a costa de otro).

epifonema s.m. Figura retórica consistente en una exclamación con la que se comenta y cierra enfáticamente lo que anteriormente se ha dicho: *El poema termina con un epifonema estremecedor: «¡Dios mío, qué solos se quedan los muertos!».* □ ETIMOL. Del griego *epiphónema* (interjección). □ MORF. Se admite también como femenino.

epífora s.f. Lagrimeo abundante y persistente que se produce por enfermedad o por irritación de los ojos: *Las alergias pueden producir epífora.* □ ETIMOL. Del griego *epiphorá* (aflujo).

epigástrico, ca adj. En anatomía, del epigastrio o relacionado con la región superior del abdomen: *Tu dolor en la región epigástrica es de origen nervioso.*

epigastrio s.m. En anatomía, región superior del abdomen, que se extiende desde la punta del esternón hasta cerca del ombligo, y que está limitada a ambos lados por las costillas falsas: *El estómago se localiza en el epigastrio.* □ ETIMOL. Del griego *epigástrion*, y este de *epi-* (sobre) y *gastér* (vientre).

epigeo, a adj. Referido a una planta o a uno de sus órganos, que se desarrollan sobre el suelo: *En las plantas, la parte epigea suele ser de mayor tamaño que la que está enterrada en el suelo.* □ ETIMOL. Del griego *epígaios* (que está sobre la tierra).

epiglotis (pl. *epiglotis*) s.f. En anatomía, cartílago elástico de forma ovalada, cubierto por una membrana mucosa y sujeto a la parte posterior de la lengua, que cubre la glotis durante el paso de los alimentos desde la boca al estómago: *Durante la* *deglución, la epiglotis impide el paso de alimentos al aparato.* □ ETIMOL. Del griego *epiglottís*, y este de *epi-* (sobre) y *glottis* (lengua). □ PRON. Incorr. *[epíglotis].

epígono s.m. Persona que sigue las huellas de otra, esp. referido al seguidor de la escuela o del estilo de una generación anterior: *Estudiaremos a los grandes poetas de la Generación del 27 y, si nos queda tiempo, a algunos de sus epígonos.* □ ETIMOL. Del griego *epígonos* (nacido después).

epígrafe s.m. **1** En un texto, título o rótulo que lo encabezan: *Los epígrafes suelen ir destacados sobre el resto del texto.* **2** En un escrito, resumen o texto breve que figura en su encabezamiento, generalmente precediendo cada capítulo o apartado: *Al comienzo de cada capítulo de la novela figura una cita famosa como epígrafe.* **3** Inscripción grabada sobre piedra, metal u otro material semejante: *En la parte inferior de la estatua figura un epígrafe con el nombre del rey.* □ ETIMOL. Del griego *epigraphé* (inscripción, título).

epigrafía s.f. Ciencia que estudia e interpreta las inscripciones: *La epigrafía es una ciencia muy relacionada con la historia.*

epigráfico, ca adj. De la epigrafía o relacionado con esta ciencia: *Las investigaciones epigráficas han aportado muchos datos sobre las lenguas muertas.*

epigrafista s.com. Persona especializada en la epigrafía o que estudia e interpreta las inscripciones: *Una epigrafista descifró el texto grabado sobre la placa funeraria egipcia.*

epigrama s.m. **1** Composición poética breve en la que se expresa con precisión y agudeza un pensamiento, generalmente de carácter festivo o satírico: *Son famosos los epigramas del escritor latino Marcial.* **2** Pensamiento expresado de forma breve e ingeniosa, generalmente satírico: *En sus clases le gusta soltar de vez en cuando un epigrama o alguna anécdota para amenizar las explicaciones.* **3** Inscripción grabada sobre piedra o sobre metal: *En la lápida se leía un epigrama en recuerdo del difunto.* □ ETIMOL. Del latín *epigramma* (inscripción, pequeña composición en verso), y este del griego *epigrápho* (yo inscribo).

epigramatario s.m. Colección de epigramas: *El epigramatario publicado ahora en edición facsímil está atribuido a un famoso poeta del siglo XVII.*

epigramático, ca ▌adj. **1** Del epigrama, con epigramas o con la agudeza que caracteriza a estos poemas: *frases epigramáticas.* ▌adj./s. **2** Referido a una persona, que compone o emplea epigramas.

epigramatista s.com. →**epigramista.**

epigramista s.com. Persona que compone epigramas: *Quevedo fue un gran epigramista.* □ SINÓN. *epigramatista.*

epilepsia s.f. Enfermedad del sistema nervioso que se manifiesta generalmente por medio de ataques repentinos con pérdida de conciencia y convulsiones: *La epilepsia se produce por una actividad eléctrica anormal en la corteza cerebral.* □ ETIMOL. Del latín *epilepsia*, y este del griego *epilepsía* (interrupción brusca).

epiléptico, ca ▌adj. **1** De la epilepsia o relacionado con esta enfermedad: *ataque epiléptico.* ▌adj./s. **2** Que padece epilepsia.

epílogo s.m. **1** En algunas obras, parte final, desligada en cierto modo de las anteriores, y en la que se representa una acción o se refieren sucesos que son consecuencia de la acción principal o que están relacionados con ella. **2** En un discurso o en una obra literaria, recapitulación o resumen de lo dicho en ellos. **3** Lo que es final, consecuencia o prolongación de algo: *El epílogo de las guerras es siempre el hambre y la miseria.* □ ETIMOL. Del griego *epílogos*, y este de *epilégo* (añadir algo a lo dicho).

epipelágico, ca adj. **1** Referido a una zona marina, que tiene una profundidad aproximada de doscientos metros. **2** De esta zona marina: *animales epipelágicos.*

epirogénesis (pl. *epirogénesis*) s.f. En geología, movimiento lento de elevación o de hundimiento de la corteza terrestre que afecta a amplias zonas y que no altera la disposición de los estratos rocosos: *La epirogénesis se puede deber a corrientes de magma.* □ ETIMOL. Del griego *épeiros* (continente) y *génesis* (generación).

episcopado s.m. **1** Cargo de obispo: *Declaró que desde el episcopado seguiría sirviendo a Dios y luchando por paliar las necesidades de los más pobres.* **2** Tiempo durante el que un obispo ejerce su cargo: *Durante su episcopado se construyó la nueva catedral.* **3** Conjunto de obispos: *El episcopado español celebró la decisión papal de canonizar a la beata.* □ ETIMOL. Del latín *episcopatus*.

episcopal adj.inv. Del obispo o relacionado con este cargo eclesiástico: *Los fieles recibieron la bendición episcopal.* □ SINÓN. *obispal.* □ ETIMOL. Del latín *episcopalis*, y este de *episcopus* (obispo).

episcopaliano, na adj./s. Que admite la autoridad de la asamblea de obispos, pero no la autoridad papal: *la iglesia episcopaliana de Estados Unidos depende de la jurisdicción del obispo de Londres.*

episcopalismo s.m. Doctrina que defiende la autoridad suprema del episcopado en la Iglesia y, por tanto, excluye la supremacía del Papa: *El episcopalismo tuvo muchos adeptos entre los jansenistas.*

episódico, ca adj. **1** Del episodio o relacionado con él. **2** Que es pasajero o que resulta poco importante: *Aquella riña fue solo un hecho episódico.*

episodio s.m. **1** En una obra narrativa o dramática, acción secundaria o incorporada a la principal y enlazada con ella. **2** En una narración, esp. en una serie de radio o de televisión, parte diferenciada o dotada de autonomía: *el primer episodio de una serie de televisión.* **3** Suceso enlazado con otros con los que forma un todo, esp. si se considera por separado o si tiene poca trascendencia: *Para él, aquella relación fue solo un episodio en su vida.* **4** Suceso imprevisto y muy accidentado o complicado: *¡No veas qué episodio para salir de aquella jungla!* □ ETI-

MOL. Del griego *epeisódion* (parte de un drama entre otras dos, entrada del coro).

episteme s.f. **1** En filosofía, saber metodológico y universal. **2** *poét.* Conocimiento.

epistémico, ca adj. De la episteme o relacionado con ella.

epistemología s.f. Parte de la filosofía que estudia los fundamentos y los métodos del conocimiento científico: *La primera pregunta de la epistemología es si es posible alcanzar un conocimiento verdaderamente científico de la realidad.* □ ETIMOL. Del griego *epistéme* (ciencia) y *-logía* (ciencia, estudio).

epistemológico, ca adj. De la epistemología o relacionado con esta parte de la filosofía: *La comprobación de toda hipótesis es un principio epistemológico básico en las ciencias naturales.*

epístola s.f. Carta o misiva que se escribe a alguien: *Del Nuevo Testamento, la lectura que más me gusta es la Epístola de san Pablo a los Efesios.* □ ETIMOL. Del latín *epistula*, y este del griego *epistolé* (mensaje escrito, carta). □ USO Su uso es característico del lenguaje culto.

epistolar adj.inv. De la epístola o con sus características: *La novela tiene forma epistolar, y recoge las cartas enviadas por el protagonista a su padre.*

epistolario s.m. Libro en el que se recoge una colección de epístolas o cartas, de uno o de varios autores y escritas generalmente a distintas personas sobre materias diversas: *Leyendo el epistolario de un autor, se pueden llegar a conocer muchos datos sobre su biografía.*

epístrofe s.f. Figura retórica consistente en la repetición de una o varias palabras al final de un verso, de una estrofa o de un período gramatical: *En los versos 'Me están doliendo extraordinariamente los insectos, / porque no hay duda, estoy desconfiando de los insectos...' hay una epístrofe.* □ ETIMOL. Del latín *epistrophe*, y este del griego *epistrophé* (vuelta).

epitafio s.m. Texto o inscripción dedicados a un difunto y que generalmente se pone sobre su sepulcro: *El epitafio de su tumba decía: «Luchó contra la injusticia».* □ ETIMOL. Del latín *epitaphium*, y este del griego *epitáphios* (sobre una tumba).

epitalámico, ca adj. Del epitalamio o relacionado con esta composición poética: *Los músicos entonaron cantos epitalámicos en honor a los novios.*

epitalamio s.m. Composición poética hecha para celebrar una boda: *Los antiguos poetas griegos Safo, Píndaro y Anacreonte escribieron hermosos epitalamios.* □ ETIMOL. Del griego *epithalámion* (relativo a las nupcias). □ SEM. Dist. de *hipotálamo* (parte del encéfalo).

epitelial adj.inv. Del epitelio o relacionado con él: *tejido epitelial.*

epitelio s.m. En anatomía, tejido que recubre las estructuras y cavidades del organismo: *Las células del epitelio intestinal están provistas de vellosidades para facilitar el avance del bolo alimenticio.* □ ETIMOL. Del griego *epi-* (encima de) y *thelé* (pezón).

epitelioma s.m. Tumor formado por células epiteliales, derivadas de la piel y del revestimiento mucoso.

epitelización s.f. Regeneración espontánea de la piel en zonas donde hubo pérdida cutánea: *Me han recetado una pomada que favorece la epitelización de la zona quemada.*

epitelizante adj.inv./s.m. Que favorece la regeneración del epitelio o de la piel: *una pomada epitelizante.*

epíteto s.m. En gramática, adjetivo que expresa una cualidad característica del nombre al que acompaña: *En 'nieve blanca' o 'noche oscura', 'blanca' y 'oscura' son epítetos.* □ ETIMOL. Del griego *epítheton* (puesto de más, añadido).

epítome s.m. Resumen o compendio de una obra extensa: *Este epítome de gramática está muy bien hecho porque recoge solo ideas fundamentales.* □ ETIMOL. Del griego *epitomé* (corte, resumen).

epizootia s.f. Enfermedad que afecta a una o varias especies de animales, simultánea y temporalmente: *Los veterinarios recomendaban la vacunación como método de lucha frente a aquella epizootia.* □ ETIMOL. De *epidemia* y *zôion* (animal). □ PRON. Aunque la pronunciación correcta es [epizoótia], en círculos especializados se usa más [epizootía]. □ SEM. Dist. de *epidemia* (solo afecta a las personas).

epizootiología s.f. En veterinaria, estudio científico de las epizootias o epidemias de animales: *En este tratado de epizootiología se estudian las epizootias que han afectado al ganado vacuno en el último siglo.* □ ETIMOL. De *epizootia* y *-logía* (ciencia, estudio).

época s.f. **1** Espacio de tiempo que se considera en su conjunto por estar caracterizado de determinada manera: *Recuerdo con cariño la época de mi niñez.* **2** Espacio de tiempo que se distingue por algún suceso o acontecimiento histórico importantes: *La época napoleónica se caracteriza por la lucha de casi todos los países europeos contra Francia.* **3** ‖ **de época;** ambientado en un tiempo pasado: *Asistimos a una exposición de coches de época en la que todos los autos eran del siglo XIX.* ‖ **hacer época;** tener mucha resonancia: *Ha sido un robo de los que hacen época.* □ ETIMOL. Del griego *epoké* (período, era).

epodo s.m. En la poesía grecolatina, poema, generalmente satírico, formado por dísticos o combinaciones de dos versos, uno largo y otro corto. □ ETIMOL. Del griego *epoidós*.

epónimo, ma adj./s.m. Referido esp. a un personaje ilustre, que da nombre a algo, generalmente a un lugar o a una época: *Atenea es la diosa epónima de la ciudad de Atenas.* □ ETIMOL. Del griego *epónymos*, y este de *epí* (sobre) y *ónoma* (nombre).

epopeya s.f. **1** Poema narrativo extenso, de estilo elevado, que ensalza los hechos bélicos o gloriosos protagonizados por un pueblo o por sus héroes y en los que generalmente intervienen elementos fantásticos o sobrenaturales: *'La Eneida' de Virgilio es la* *gran epopeya de Roma.* **2** Conjunto de estos poemas que forman la tradición épica de un pueblo: *El 'Poema de Mio Cid' es la joya de la epopeya castellana.* **3** Conjunto de hechos heroicos o gloriosos, dignos de ser cantados en estos poemas: *Los historiadores de Indias relatan la epopeya del descubrimiento de América.* **4** Acción que se lleva a cabo con grandes sufrimientos o venciendo grandes dificultades: *El rescate de los prisioneros fue una verdadera epopeya.* ☐ ETIMOL. Del griego *epopoiía* (composición de un poema épico).

e-profesional s.com. Persona que desarrolla su actividad laboral a través de internet.

épsilon s.f. En el alfabeto griego clásico, nombre de la quinta letra: *La grafía de la épsilon es ε.*

equi- Elemento compositivo prefijo que significa 'igual': *equidistar, equivaler.* ☐ ETIMOL. Del latín *aequus.*

equiángulo adj. Referido a un cuerpo geométrico, que tiene todos los ángulos iguales: *Un triángulo equilátero es equiángulo porque sus tres ángulos tienen 60 grados.* ☐ ETIMOL. De *equi-* (igual) y *ángulo.*

equidad s.f. Justicia e imparcialidad para tratar a las personas o para dar a cada una lo que se merece de acuerdo con sus méritos o condiciones: *El reparto de premios se hizo con equidad.* ☐ ETIMOL. Del latín *aequitas.*

equidistancia s.f. Igualdad de distancia entre varios puntos u objetos: *En una circunferencia hay equidistancia entre cada uno de sus puntos y su centro.*

equidistante adj.inv. Que equidista: *En este problema debéis hallar la distancia que hay entre estos dos puntos equidistantes entre sí.*

equidistar v. Referido esp. a uno o a varios puntos, hallarse a la misma distancia de otro punto, o distar lo mismo entre sí: *El centro de un segmento equidista de los dos extremos.* ☐ ETIMOL. De *equi-* (igual) y *distar.*

equidna s.m. Mamífero insectívoro de cabeza pequeña, hocico afilado, lengua larga y patas cortas con dedos provistos de fuertes uñas, que tiene el cuerpo cubierto de pelo oscuro y púas en el dorso y en los costados semejantes a las del erizo: *El equidna es típico de Australia y suele vivir alrededor de cincuenta años.* ☐ ETIMOL. Del griego *ékhidna* (víbora), por confusión con *ekhînos* (erizo). ☐ MORF. Es un sustantivo epiceno: *el equidna {macho / hembra}.*

équido ▮ adj./s.m. **1** Referido a un mamífero, que es herbívoro y tiene las patas largas y terminadas en un solo dedo muy desarrollado y provisto de pezuña: *El caballo es un équido.* ▮ s.m.pl. **2** En zoología, familia de estos mamíferos: *El asno pertenece a los équidos.* ☐ ETIMOL. Del latín *equus* (caballo).

equilátero, ra adj. En geometría, que tiene los lados iguales: *un triángulo equilátero.* ☐ ETIMOL. Del latín *aequilaterus.*

equilibrado, da ▮ adj. **1** Imparcial, prudente o sensato: *una persona equilibrada.* ▮ s.m. **2** Colocación de un cuerpo en estado de equilibrio: *En el taller me han hecho un equilibrado de las ruedas del coche.*

equilibrar v. **1** Referido a un cuerpo, ponerlo en equilibrio: *Si no equilibras bien la estantería, volcará con el peso de los libros. Al sentarse dos niños de igual peso en cada extremo del balancín, este se equilibra.* **2** Referido a una cosa, disponerla de modo que no exceda ni supere a otra y se mantenga en una relación de igualdad con ella: *El déficit se mantendrá si conseguimos equilibrar el volumen de importaciones y el de exportaciones. Al final, las fuerzas se equilibraron y el partido resultó muy reñido.* ☐ ETIMOL. Del latín *aequilibrare.*

equilibrio ▮ s.m. **1** Estado de un cuerpo sometido a dos o más fuerzas que se contrarrestan: *La balanza permanece en equilibrio porque las pesas que hay en cada plato pesan lo mismo.* **2** Situación de un cuerpo que, a pesar de tener poca base de sustentación, se mantiene en una posición sin caerse: *La malabarista mantiene veinte copas en equilibrio sobre su dedo.* **3** Armonía entre cosas diversas: *En esta ciudad hay un gran equilibrio entre zonas edificadas y zonas verdes.* **4** Imparcialidad, prudencia o sensatez en la forma de pensar o de actuar: *Sabe mantener el equilibrio y la serenidad en las situaciones difíciles.* ▮ pl. **5** Lo que se hace para sostener una situación difícil: *¡Cuántos equilibrios para poder llegar a fin de mes!* ☐ ETIMOL. Del latín *aequilibrium*, y este de *aequus* (igual) y *libra* (balanza). ☐ SINT. La acepción 5 se usa más con el verbo *hacer.*

equilibrismo s.m. Actividad que consiste en realizar juegos o ejercicios difíciles sin perder el equilibrio: *Andar por la cuerda floja es el ejercicio de equilibrismo que más difícil me parece.*

equilibrista adj.inv./s.com. Referido a una persona, que realiza con destreza ejercicios de equilibrismo, esp. si esta es su profesión: *Para ser un buen equilibrista es necesario mucho tiempo de entrenamiento.*

equilicuá interj. Expresión que se usa para indicar que se ha encontrado la solución a un problema o que se ha acertado en alguna cuestión: *Cuando pensaba que nunca lo encontraría, equilicuá apareció entre unos papeles olvidados.* ☐ ETIMOL. Del italiano *eccolo quá* (helo aquí).

equimosis (pl. *equimosis*) s.f. Mancha amoratada o amarillenta que se produce en la piel, o en los órganos internos, esp. por efecto de un golpe o de una fuerte presión: *La equimosis es un pequeño derrame de sangre bajo la piel.* ☐ ETIMOL. Del griego *ekkhýmosis* (extravasación de sangre).

equino, na ▮ adj. **1** Del caballo o relacionado con este animal: *Asistimos a un concurso de doma equina.* ▮ s.m. **2** Caballo o mamífero que se domestican fácilmente y que se suelen emplear como montura o como animales de carga: *Este ganadero tiene una buena cuadra de equinos.* **3** En arte, en un capitel dórico, moldura saliente y de forma convexa que forma su cuerpo principal, y que lo separa del fuste. ☐ ETIMOL. Las acepciones 1 y 2, del latín *equinus.*

La acepción 3, del latín *echinus* (erizo). ☐ MORF. En la acepción 2, es un sustantivo epiceno: *el equino {macho/hembra}*.

equinoccial adj.inv. Del equinoccio o relacionado con esta época del año: *Cada año hay dos noches equinocciales, una en marzo, cuando empieza la primavera, y otra en septiembre, que da paso al otoño.*

equinoccio s.m. Época del año en que la duración de los días y de las noches es la misma en toda la Tierra, porque el Sol, en su trayectoria aparente, corta el plano del ecuador: *El equinoccio de primavera se produce entre el 20 y el 21 de marzo, y el equinoccio de otoño, entre el 22 y el 23 de septiembre.* ☐ ETIMOL. Del latín *aequinoctium*, y este de *aequus* (igual) y *nox* (noche).

equinococo s.m. Tenia intestinal de algunos carnívoros, esp. del perro, que puede pasar a las personas y a otros mamíferos y alojarse en su hígado o en sus pulmones: *El equinoccio de primavera se produce entre el 20 y el 21 de marzo, y el equinoccio de otoño, entre el 22 y el 23 de septiembre.* ☐ ETIMOL. Del griego *ekhînos* (erizo) y *kókkos* (gusanillo).

equinodermo ▮ adj./s.m. **1** Referido a un animal, que es marino, tiene un cuerpo con simetría radiada, la piel gruesa formada por placas calcáreas a veces provistas de espinas, y numerosos orificios o canales por los que circula el agua del mar: *La estrella de mar es un equinodermo.* ▮ s.m.pl. **2** En zoología, tipo de estos animales, perteneciente al reino de los metazoos: *El erizo de mar pertenece a los equinodermos.* ☐ ETIMOL. Del griego *ekhînos* (erizo) y *dérma* (piel).

equipación s.f. Traje completo de un equipo deportivo, esp. de fútbol, que se vende en las tiendas de deporte y que tiene carácter oficial: *Voy a regalarle a mi sobrino la equipación de su equipo de fútbol favorito.*

equipaje s.m. Conjunto de cosas que se llevan en los viajes: *Salgo hoy en avión y aún no he hecho el equipaje.* ☐ ETIMOL. De *equipar*.

equipal s.m. En zonas del español meridional, silla de varas entretejidas. ☐ ETIMOL. Del náhuatl *icpalli* (asiento o trono).

equipamiento s.m. **1** Suministro de lo necesario para una actividad o para una función determinadas: *Del equipamiento de nuestro equipo de fútbol se encarga el colegio.* **2** Conjunto de servicios e instalaciones necesarios para desarrollar una determinada actividad: *La ciudad cuenta con un equipamiento sanitario insuficiente.* ☐ SEM. No debe emplearse referido al equipo material (anglicismo): *El {*equipamiento > equipo} de este hospital está anticuado.*

equipar v. Proveer de lo necesario para una actividad o para una función determinadas: *Han equipado el buque de guerra con modernos torpedos. Los soldados se equiparon con uniformes de campaña.* ☐ ETIMOL. Del francés *équiper*, y este del escandinavo antiguo *skipa* (equipar un barco). ☐ SINT. Constr. *equipar {DE/CON} algo.*

equiparable adj.inv. Que se puede equiparar: *El caballero dijo a la dama: «Nada en el universo es equiparable con vuestra hermosura».*

equiparación s.f. Consideración de dos o más cosas como iguales o equivalentes: *Hay que llevar a cabo la equiparación de algunos títulos españoles con los extranjeros.*

equiparar v. Referido a dos o más cosas, considerarlas iguales o equivalentes: *Su talento se puede equiparar con el de cualquier intelectual del momento. El muy engreído, cree que nadie puede equipararse a él.* ☐ ETIMOL. Del latín *aequiparare*, y este de *aequus* (igual) y *parare* (disponer). ☐ SINT. Constr. *equiparar una cosa {A/CON} otra.*

equipo s.m. **1** Conjunto de objetos materiales necesarios para realizar una actividad o una función determinadas: *un equipo de submarinismo.* **2** Grupo de personas organizadas para realizar una actividad determinada: *un equipo de colaboradores.* **3** Conjunto de ropas y otros objetos materiales para el uso particular de una persona: *En septiembre, los padres compran a sus hijos el equipo de colegial.* **4** En algunos deportes, cada uno de los grupos que se disputan el triunfo. **5** ‖ **caerse con todo el equipo;** *col.* Fracasar o equivocarse totalmente: *Si firmas esa birria de contrato, te caerás con todo el equipo.* ‖ **en equipo;** en colaboración o coordinadamente entre varios: *un trabajo en equipo.*

equipolencia s.f. En matemáticas, igualdad que existe entre dos o más elementos, esp. en cuanto a su valor: *Entre esos dos vectores de igual magnitud, hay una relación de equipolencia.* ☐ ETIMOL. Del latín *aequipollentia* (equivalencia).

equipolente adj.inv. En matemáticas, referido a dos o más elementos, que tienen igual valor: *Los vectores equipolentes son los que tienen igual magnitud, dirección y sentido.*

equipotente adj.inv. En matemáticas, referido esp. a un conjunto, que tiene igual potencia, capacidad o efecto que otro: *Los conjuntos equipotentes pueden relacionarse biunívocamente.*

equis (pl. *equis*) ▮ adj.inv. **1** Referido a una cantidad, que es desconocida o que resulta indiferente: *Un número equis de personas se quedó sin entradas para el concierto.* ▮ s.f. **2** Nombre de la letra *x*.

equitación s.f. Arte o práctica de montar a caballo: *Para hacer equitación es necesario estar en buena forma física.* ☐ ETIMOL. Del latín *equitatio*.

equitativo, va adj. Que tiene equidad o que demuestra justicia e imparcialidad: *un reparto equitativo.*

équite s.m. En la antigua Roma, ciudadano que pertenecía a una clase intermedia entre los patricios y los plebeyos, y que servía en el ejército a caballo: *El équite Cayo Nasón fue un excelente jinete.* ☐ ETIMOL. Del latín *eques* (jinete).

equivalencia s.f. Igualdad en la estimación, en el valor o en la eficacia de dos o más cosas: *Entre 2 kilómetros y 20 hectómetros, la equivalencia es total.*

equivalente adj.inv./s.m. Que es igual en estimación, en valor o en eficacia: *Los significados de dos palabras sinónimas son equivalentes entre sí.* □ ETIMOL. Del latín *aequivalens*.

equivaler v. Ser igual en estimación, en valor o en eficacia: *Un kilómetro equivale a mil metros.* □ ETIMOL. Del latín *aequivalere.* □ MORF. Irreg. →VALER. □ SINT. Constr. *equivaler* A *algo*.

equivocación s.f. **1** Confusión de una cosa por otra, debido a un descuido, al desconocimiento o a un error: *Por equivocación, tomé la calle que no era.* □ SINÓN. *equívoco.* **2** Hecho o dicho equivocados: *Eso que has hecho es una equivocación que deberías intentar corregir cuanto antes.*

equivocado, da adj. Erróneo o poco adecuado: *Te he marcado las respuestas equivocadas. Has elegido un camino equivocado.*

equivocar v. **1** Referido esp. a una cosa, tomarla o tenerla por otra, debido a un descuido, al desconocimiento o a un error: *Equivoqué el camino y por eso tardé tanto en llegar. Si crees que me has convencido, te equivocas.* **2** Referido a una persona, confundirla o hacerle caer en un equívoco: *Fue la lectura de tu carta la que me equivocó y me hizo pensar lo que no era.* □ ORTOGR. La *c* se cambia en *qu* delante de *e* →SACAR. □ MORF. En la acepción 1, se usa más como pronominal.

equivocidad s.f. Posibilidad que tiene algo de ser entendido de forma equívoca: *La equivocidad de tu conducta no me permite saber si eres un verdadero amigo o un enemigo.*

equívoco, ca ▮ adj. **1** Que puede entenderse o interpretarse de varias maneras: *Para no comprometerse, contestó con una frase equívoca.* ▮ s.m. **2** →**equivocación. 3** Figura retórica consistente en el empleo de palabras que pueden entenderse en varios sentidos: *El texto está plagado de equívocos que producen una ambigüedad premeditada.* □ ETIMOL. Del latín *aequus* (igual) y *vocare* (llamar).

era s.f. **1** Período histórico extenso, caracterizado por un gran cambio en las formas de vida y de cultura, y que generalmente comienza con un suceso importante, a partir del cual se cuentan los años: *La era cristiana comienza con el nacimiento de Cristo.* **2** En geología, espacio de tiempo de gran duración en la evolución del mundo, esp. de la Tierra, y que a su vez se subdivide en períodos: *Desde el origen del mundo hasta nuestros días, se distinguen cinco eras geológicas.* **3** Espacio de tierra limpia y llana, que se utiliza para realizar distintas labores del campo, esp. para trillar la mies o el cereal maduro. **4** ‖ **era {antropozoica/cuaternaria/neozoica};** la quinta de la historia de la Tierra. □ SINÓN. *cuaternario, neozoico.* ‖ **era arcaica;** la primera de la historia de la Tierra. □ SINÓN. *arcaico.* ‖ **era {cenozoica/terciaria};** la cuarta de la historia de la Tierra. □ SINÓN. *cenozoico, terciario.* ‖ **era {mesozoica/secundaria};** la tercera de la historia de la Tierra. □ SINÓN. *mesozoico.* ‖ **era {paleozoica/primaria};** la segunda de la historia de la Tierra. □ SINÓN. *paleozoico.* □ ETIMOL. Las acepciones 1 y 2, del latín *aera* (número, cifra). La acepción 3, del latín *area* (lugar sin edificar).

-era 1 Sufijo que indica lugar en el que abunda algo: *escombrera, turbera.* **2** Sufijo que indica árbol: *morera, higuera.* **3** Sufijo que indica objeto o mueble: *jabonera, rinconera.* **4** Sufijo que indica defecto: *cojera, ceguera.* □ ETIMOL. Del latín *-arius*.

eral, -a s. Hijo del toro, de más de un año y de menos de dos: *En la dehesa pastaban varios erales.* □ ETIMOL. De origen incierto.

erario s.m. **1** Conjunto de haberes, rentas e impuestos del Estado: *Las nuevas medidas fiscales engrosarán considerablemente el erario.* □ SINÓN. *hacienda pública.* **2** Lugar en el que se guardan estos bienes o riquezas: *El dinero obtenido por la venta de las fincas se depositó en el erario municipal.* □ ETIMOL. Del latín *aerarium* (tesoro público), y este de *aes* (cobre, bronce), porque estos metales se empleaban para hacer monedas.

erasmismo s.m. Corriente filosófica representada por Erasmo de Rotterdam (humanista holandés del siglo XV) y caracterizada por el intento de volver a un cristianismo más sencillo y por la tolerancia hacia otras creencias: *El erasmismo tuvo una gran difusión en la Europa del siglo XVI.*

erasmista ▮ adj.inv. **1** Del erasmismo o relacionado con esta corriente filosófica: *La Universidad de Alcalá de Henares fue un importante foco erasmista en España.* ▮ adj.inv./s.com. **2** Partidario o seguidor de las doctrinas de Erasmo de Rotterdam (humanista holandés nacido a mediados del siglo XV): *Entre los intelectuales erasmistas españoles destacan Luis Vives y Miguel Servet.*

erbio s.m. Elemento químico, metálico y sólido, de número atómico 68, que se presenta en forma de polvo de color gris oscuro plateado, que es poco abundante en la naturaleza y que pertenece al grupo de los lantánidos: *El erbio es utilizado en la industria metalúrgica.* □ ETIMOL. De *Ytterby*, lugar de Suecia donde fue encontrado. □ ORTOGR. Su símbolo químico es *Er*.

ere s.f. Nombre de la letra *r* en su sonido suave. □ SEM. Dist. de *erre* (nombre de la letra *r* en su sonido fuerte).

erebo s.m. En la mitología griega, infierno o lugar al que iban las almas de los muertos: *Los poetas imaginaban el erebo como un lugar tenebroso.* □ ETIMOL. Del griego *Érebos* (el infierno).

erección s.f. Levantamiento o adquisición de rigidez, esp. los producidos en un órgano por la afluencia de sangre: *La erección del pene permite que el hombre pueda realizar el coito.* □ ETIMOL. Del latín *erectio*.

eréctil adj.inv. Que puede levantarse, enderezarse o ponerse rígido: *un órgano eréctil.*

erecto, ta adj. Levantado, enderezado o rígido: *La posición erecta al andar es propia del ser humano.* □ ETIMOL. Del latín *erectus* (levantado).

eremita s.com. **1** Persona que vive en una ermita y que cuida de ella: *El eremita nos enseñó la imagen del santo.* □ SINÓN. *ermitaño.* **2** Persona que vive en soledad: *Un eremita vivió en esta cueva durante más de veinte años.* □ SINÓN. *ermitaño.* □ ETIMOL. Del griego *eremítes*, y este de *éremos* (desierto).

eremítico, ca adj. Del eremita o ermitaño, o relacionado con él: *Después de una crisis espiritual decidió irse a un pueblo apartado y llevar vida eremítica.*

eremitorio s.m. Lugar en el que hay una o más ermitas: *En el mapa aparece señalado un eremitorio a seis kilómetros del pueblo.*

erg s.m. **1** →**ergio. 2** Extensa superficie arenosa formada por un conjunto de dunas: *En el desierto del Sáhara, al pie del monte Atlas, hay un importante erg.* □ ORTOGR. En la acepción 1, es la denominación internacional del *ergio*.

ergio s.m. En el sistema cegesimal, unidad de energía que equivale a 10^{-7} julios: *El ergio es el trabajo realizado por una dina cuando su punto de aplicación recorre un centímetro.* □ SINÓN. *erg.* □ ETIMOL. Del griego *érgon* (trabajo). □ ORTOGR. Su símbolo es *erg*, por tanto, se escribe sin punto.

ergo (lat.) conj. Por tanto o pues: *Esto es un ejemplo de silogismo: 'Los españoles son europeos, Juan es español, ergo Juan es europeo'.* □ USO Su uso es característico del lenguaje filosófico.

ergógrafo s.m. Instrumento que se utiliza para medir y estudiar la capacidad de trabajo muscular: *Han estudiado la potencia muscular del atleta con un ergógrafo.* □ ETIMOL. Del griego *érgon* (trabajo) y *-grafo* (que escribe).

ergometría s.f. Medida del trabajo realizado por algunos músculos o por el organismo en general: *A los deportistas les hacen pruebas de ergometría.* □ ETIMOL. Del griego *érgon* (trabajo) y *-metría* (medición).

ergonomía s.f. Estudio de la capacidad y de la psicología humanas en relación con el ambiente de trabajo y con el equipo que maneja el trabajador: *La ergonomía trata de reducir la fatiga física y psíquica producida en el período laboral.* □ ETIMOL. Del inglés *ergonomics*, y este del griego *érgon* (trabajo) y la terminación de *economics*.

ergonómico, ca adj. De la ergonomía o relacionado con ella: *un sillón ergonómico.*

ergónomo, ma s. Persona especializada en ergonomía.

erguido, da adj. Recto, derecho y levantado: *una planta de tallos erguidos.*

erguimiento s.m. Levantamiento y enderezamiento de algo, esp. de la cabeza o de otra parte del cuerpo: *Al niño le hace gracia el erguimiento del rabo del perro cuando su ama lo llama.*

erguir ▌ v. **1** Referido esp. a la cabeza o a una parte del cuerpo, levantarla y ponerla derecha: *Parecía que estaba dormido, pero oyó un ruido e irguió rápidamente la cabeza.* **▌** prnl. **2** Levantarse, ponerse derecho o sobresalir sobre lo que hay alrededor: *Estaba agachado y al erguirse se mareó. Si miras a la izquierda, verás cómo las montañas se yerguen sobre el valle.* **3** Engreírse o llenarse de soberbia, de vanidad o de orgullo: *No te yergas tanto por haber conseguido el puesto, porque tu suerte puede cambiar en cualquier momento.* □ ETIMOL. Del latín *erigere.* □ MORF. Irreg. →ERGUIR.

-ería 1 Sufijo que indica conjunto: *palabrería, chiquillería.* **2** Sufijo que indica cualidad, generalmente negativa: *holgazanería, sinvergonzonería, grosería.* **3** Sufijo que indica oficio o actividad: *albañilería, ganadería, piratería.* **4** Sufijo que indica lugar de trabajo o establecimiento donde se fabrica o se vende algo: *carnicería, dulcería, cervecería.* **5** Sufijo que indica acción o dicho característicos: *majadería, tontería.*

erial adj.inv./s.m. Referido a un terreno, que no está cultivado: *Ya no puede trabajar el campo y su finca se ha convertido en un erial.* □ ETIMOL. De *ería* (yermo, despoblado).

erigir v. **1** Levantar, fundar o instituir: *Mandó erigir un templo para conmemorar la victoria militar.* **2** Elevar a una categoría o a una condición que antes no se tenía: *Tras su victoria electoral, la erigieron alcaldesa. Se erigió en portavoz de la familia.* □ ETIMOL. Del latín *erigere.* □ ORTOGR. 1. Incorr. **eregir.* 2. La *g* se cambia en *j* delante de *a, o* →DIRIGIR. □ SINT. Constr. de la acepción 2: *erigirse* EN *algo.*

-erio 1 Sufijo que indica lugar: *ministerio, monasterio.* **2** Sufijo que indica acción y efecto: *sahumerio.* **3** Sufijo que indica situación o estado: *cautiverio, climaterio.*

-erío Sufijo que indica conjunto: *graderío, caserío.*

erisipela s.f. Infección de la piel que se manifiesta por su enrojecimiento y, generalmente, por la aparición de fiebre: *La erisipela es contagiosa, y puede afectar a personas y a animales.* □ ETIMOL. Del griego *erysípelas*, y este de *eréutho* (yo enrojezco) y *pélas* (cerca), por la propagación paulatina de esta infección. □ ORTOGR. Incorr. **irisipela.*

eritema s.m. **1** Inflamación superficial de la piel que se caracteriza por la aparición de manchas rojas: *Los eritemas se producen por la congestión de los vasos capilares.* **2** ‖ **eritema solar;** el producido por los rayos solares: *Se pone una crema hidratante para evitar el escozor del eritema solar que tiene en la espalda.* □ ETIMOL. Del griego *erýthema* (color rojizo).

eritematoso, sa adj. Del eritema o relacionado con esta inflamación de la piel: *manchas eritematosas.*

eritreo, a ▌ adj. **1** Del mar Rojo (situado entre las costas asiáticas y las africanas) o relacionado con él: *Las aguas eritreas separan Arabia Saudí del resto del continente africano.* **▌** adj./s. **2** De Eritrea o relacionado con este país africano. □ USO El uso de la acepción 1 es característico del lenguaje literario.

eritrocito s.m. Célula de la sangre de los vertebrados que contiene hemoglobina y cuya misión es transportar oxígeno a todo el organismo: *Los eritrocitos se forman en la médula ósea.* □ SINÓN. *glóbulo* *rojo, hematíe.* □ ETIMOL. Del griego *erythrós* (rojo) y *kýtos* (célula).

eritroderma s.f. Enrojecimiento anormal de la piel, que puede estar causado por alergia a algún medicamento. □ ETIMOL. Del griego *erythrós* (rojo) y *dérma* (piel).

eritropoyesis (pl. *eritropoyesis*) s.f. Formación de glóbulos rojos.

eritropoyetina s.f. Hormona formada en el riñón, que favorece la creación de glóbulos rojos: *Hicieron un análisis al corredor para saber el nivel de eritropoyetina que había en su organismo.*

erizado, da adj. Que está cubierto de púas o espinas: *El puerco espín tiene el cuerpo erizado.*

erizamiento s.m. Levantamiento ligero del pelo: *El miedo y el frío suelen producir el erizamiento del vello.*

erizar v. Referido esp. al pelo, levantarlo o ponerlo rígido: *El pánico me erizó el cabello. Cuando escucha esta música, se le eriza el vello.* □ ETIMOL. De *erizo.* □ ORTOGR. La *z* se cambia en *c* delante de *e* →CAZAR.

erizo s.m. **1** Mamífero insectívoro nocturno, con el dorso y los costados cubiertos de púas, de cabeza pequeña y hocico afilado: *El erizo, cuando se siente en peligro, se contrae formando una bola.* **2** En la castaña y en otros frutos, corteza espinosa que los recubre: *Dentro de este erizo había dos castañas.* **3** *col.* Persona de carácter áspero y difícil de tratar: *Tú dirás que es simpático, pero a mí ese chico me parece un erizo.* **4** ‖ **erizo {de mar/marino}**; animal marino con el cuerpo en forma de esfera aplanada y cubierto con una concha caliza llena de púas: *En la playa, pisé un erizo de mar y se me quedaron clavadas varias púas en el pie.* □ ETIMOL. Del latín *ericius.* □ MORF. En la acepción 1, es un sustantivo epiceno: *el erizo {macho/hembra}.*

ermita s.f. Capilla o iglesia pequeña, situada generalmente en un lugar despoblado o a las afueras de un pueblo, y en la que no suele haber culto permanente: *La romería termina en la ermita del santo.* □ ETIMOL. De *eremita.*

ermitaño, ña ▌s. **1** Persona que vive en una ermita y que cuida de ella: *Aquel ermitaño vivía dedicado a la oración y a la meditación.* □ SINÓN. *eremita.* **2** Persona que vive en soledad: *Abandonó familia y amigos, y se convirtió en un ermitaño.* □ SINÓN. *eremita.* ▌s.m. **3** →**cangrejo ermitaño.**

-erno, -erna Sufijo que indica relación o pertenencia: *materno, paterna.*

-ero 1 Sufijo que indica lugar en el que abunda algo: *basurero, hierbero, arenero.* **2** Sufijo que indica árbol: *limonero, melocotonero.* **3** Sufijo que indica utensilio o mueble: *monedero, escobero.* □ ETIMOL. Del latín *-arius.*

-ero, -era 1 Sufijo que indica oficio o actividad: *librero, ingeniera.* **2** Sufijo que indica relación: *verbenero, algodonera.* **3** Sufijo que indica cualidad: *pamplinero, embustera.* □ ETIMOL. Del latín *-arius.*

erógeno, na adj. Que produce excitación sexual o que es sensible a ella: *El lóbulo de la oreja es una zona erógena del cuerpo humano.* □ ETIMOL. Del griego *éros* (amor) y *-geno* (que genera o produce).

eros (pl. *eros*) s.m. Conjunto de impulsos y tendencias sexuales de la personalidad humana: *Los estudios psicoanalistas de Freud destacan la importancia del eros en nuestro comportamiento.* □ ETIMOL. Del griego *éros* (amor).

erosión s.f. **1** En una superficie, esp. en la terrestre, desgaste producido por la acción de agentes externos, esp. por el agua y el viento. **2** Desgaste o disminución de la importancia, del prestigio o de la influencia de algo inmaterial: *El partido que gobierna largo tiempo, acaba sufriendo la erosión que causa el ejercicio del poder.* □ ETIMOL. Del latín *erosio* (roedura).

erosionar v. **1** Referido a un cuerpo, producir su erosión: *Las corrientes de agua erosionan su cauce. Los agentes atmosféricos hacen que rocas y montañas se erosionen.* **2** Referido esp. a algo inmaterial, desgastarlo o disminuir su prestigio, su influencia o su importancia: *Ese turbio asunto puede erosionar su imagen pública. Su fortaleza se ha ido erosionando a fuerza de recibir golpes.*

erosivo, va adj. De la erosión o relacionado con ella: *La lluvia, el viento y el hielo son agentes erosivos.*

erótica s.f. Véase **erótico, ca.**

erótico, ca ▌adj. **1** Del erotismo o relacionado con este tipo de amor. **2** Que excita el deseo sensual. **3** Referido a una obra artística, que describe o muestra temas sexuales o amorosos. ▌s.f. **4** Atracción de una intensidad semejante a la sexual: *Dimitió a los pocos meses de asumir el cargo para no dejarse atrapar por la erótica del poder.* □ ETIMOL. Del griego *erotikós*, y este de *éros* (amor).

erotismo s.m. **1** Amor sensual. **2** Carácter de lo que tiene la capacidad de excitar el deseo sensual: *El erotismo de sus movimientos es inconsciente.* **3** Expresión del amor físico en el arte: *El erotismo del arte clásico responde a cánones muy distintos de los actuales.* □ SEM. En la acepción 3, dist. de *pornografía* (obscenidad o falta de pudor en la expresión de lo relacionado con el sexo).

erotización s.f. Concesión o adquisición de carácter erótico: *Algunas asociaciones de consumidores han denunciado la erotización de los productos por métodos publicitarios.*

erotizar v. Dar carácter erótico o comunicar erotismo: *La publicidad erotiza la presentación de sus productos para estimular su venta.* □ ORTOGR. La *z* se cambia en *c* delante de *e* →CAZAR.

erotomanía s.f. **1** Trastorno mental causado por un enamoramiento obsesivo y caracterizado por un delirio erótico: *Su erotomanía necesita tratamiento psiquiátrico.* **2** Agudización del deseo sexual: *Dice que tiene erotomanía y que todos los hombres la atraen.* □ ETIMOL. Del griego *éros* (amor) y *manía* (afición desmedida).

errabundo, da adj. Que anda vagando de una parte a otra sin tener lugar fijo: *Desde que se arruinó, vive errabundo y duerme cada día en un sitio.*

□ ETIMOL. Del latín *errabundus*, y este de *errare* (vagar).

erradicación s.f. Extracción de raíz o eliminación total de algo, esp. de lo que está extendido y se considera negativo: *la erradicación de la droga.* □ ORTOGR. Dist. de *radicación*.

erradicar v. Arrancar de raíz o eliminar por completo: *Se dictó una ley para erradicar los castigos corporales de las escuelas.* □ ETIMOL. Del latín *eradicare*, y este de *radix* (raíz). □ ORTOGR. 1. Dist. de *radicar*. 2. La *c* se cambia en *qu* delante de *e* →SACAR.

errado, da adj. Equivocado o erróneo.

erraj s.m. Carbón hecho de huesos de aceitunas machacados: *El erraj se utiliza como combustible para los braseros.*

errante adj.inv. Que va de un lugar a otro: *Los judíos han sido un pueblo errante durante muchos años.*

errar v. **1** Fallar, no acertar o equivocarse en lo que se hace: *El cazador erró el tiro y espantó la pieza. Erró en su elección y ahora se arrepiente.* **2** Andar vagando de una parte a otra: *El mendigo llevaba años errando por las calles y sin tener adónde ir.* **3** Referido esp. al pensamiento o a la atención, divagar o pasar de una cosa a otra: *Dejaba errar su imaginación y escribía lo que se le iba ocurriendo.* □ ETIMOL. Del latín *errare* (vagar, vagabundear, equivocarse). □ ORTOGR. Dist. de *herrar*. □ MORF. Irreg. →ERRAR.

errata s.f. Error material cometido en la escritura o en la impresión de un texto: *Es una errata que ponga 'infación' en lugar de 'inflación'.* □ ETIMOL. Del latín *errata* (cosas erradas).

errático, ca adj. Que vaga sin rumbo ni destino fijos: *Los cómicos llevaban una vida errática, siempre de pueblo en pueblo.* □ SEM. Dist. de *erróneo* (que contiene error).

errátil adj.inv. Que va errante o que sigue un rumbo incierto o variable: *He llevado una vida errátil y desorganizada hasta que te conocí.* □ ETIMOL. Del latín *erratilis*.

erre s.f. **1** Nombre de la letra *r* en su sonido fuerte. **2** ‖ **erre que erre**; *col.* De manera insistente u obstinada: *Le dije que no, pero él siguió erre que erre hasta que me convenció.* □ SEM. Dist. de *ere* (nombre de la letra *r* en su sonido suave).

-érrimo, -érrima Sufijo que indica grado superlativo: *paupérrimo, libérrimo.*

erróneo, a adj. Que contiene error: *un planteamiento erróneo.* □ SEM. Dist. de *errático* (que vaga sin rumbo fijo).

error s.m. **1** Concepto equivocado o juicio falso: *Sus teorías no se sostienen porque están construidas sobre errores de base.* **2** Equivocación o desacierto: *Al telefonearte, marqué otro número por error y me contestó una voz extraña.* **3** En una medida o en un cálculo, diferencia entre el valor real o exacto y el resultado obtenido: *Se calcula que en las primeras informaciones sobre el resultado electoral habrá un error de +/- 3 puntos.* □ ETIMOL. Del latín *error*.

ertzaina (eusk.) s.com. Miembro de la policía autonómica vasca: *Le pedí a un ertzaina que me indicara dónde estaba el ayuntamiento.* □ PRON. [ercháina].

ertzaintza (eusk.) s.f. Policía autonómica vasca: *agentes de la ertzaintza.* □ PRON. [erchánchа].

eructar v. Expulsar por la boca y haciendo ruido los gases del estómago: *Eructar en público es de mala educación.* □ SINÓN. *regoldar*. □ ETIMOL. Del latín *eructare* (eructar, vomitar). □ PRON. Incorr. *[eruptár].

eructo s.m. Expulsión por la boca y haciendo ruido de los gases del estómago: *El agua mineral con gas me produce eructos.* □ SINÓN. *regüeldo*. □ PRON. Incorr. *[erúpto].

erudición s.f. Conocimiento amplio y profundo adquirido mediante el estudio, esp. el relacionado con temas literarios o históricos y basado en el examen de fuentes y documentos: *El rigor y la erudición del ensayo presentado impresionó al tribunal.*

erudito, ta adj./s. Que tiene o demuestra erudición: *un erudito en un tema.* □ ETIMOL. Del latín *eruditus*, y este de *erudire* (quitar la rudeza, enseñar).

erupción s.f. **1** En medicina, aparición y desarrollo en la piel de granos, manchas u otras lesiones, generalmente por efecto de una enfermedad o como reacción del organismo. **2** Conjunto de estos granos y lesiones de la piel: *una erupción en la cara.* **3** En geología, emisión o salida a la superficie, generalmente de manera repentina y violenta, de materias sólidas, líquidas o gaseosas procedentes del interior de la tierra: *un volcán en erupción.* **4** Salida violenta de algo que estaba contenido: *Hay que tomar medidas contra la erupción de manifestaciones violentas en las calles.* □ ETIMOL. Del latín *eruptio*, y este de *erumpere* (precipitarse fuera).

eruptivo, va adj. De la erupción, con erupción o procedente de ella: *La urticaria es una enfermedad eruptiva.*

-és, -esa 1 Sufijo que indica origen, procedencia o patria: *francés, leonesa.* **2** Sufijo que indica relación: *montañés, burguesa.* □ ETIMOL. De *-ense*.

esa demos. f. de ese.

esbeltez s.f. Altura y delgadez, o proporción airosa y elegante en la figura: *Las columnas de los templos griegos me admiran por su esbeltez.*

esbelto, ta adj. Alto y delgado, o de figura proporcionada, airosa y elegante: *Es un muchacho esbelto y toda la ropa le sienta bien. Hace ejercicios para mantener el busto firme y esbelto.* □ ETIMOL. Del italiano *svelto*.

esbirro s.m. *desp.* Persona encargada de ejecutar las órdenes de una autoridad, esp. si para ello tiene que emplear la violencia: *El malo de la película contrata a un par de esbirros para que se carguen al policía.* □ ETIMOL. Del italiano *sbirro*.

esbozar v. **1** Referido a una obra de creación, hacer un primer proyecto de modo provisional, con los elementos esenciales y sin mucha precisión: *En dos minutos, esbozó mi retrato a carboncillo.* □ SINÓN.

bosquejar. **2** Referido esp. a una idea o a un plan, explicarlos brevemente y de un modo general y vago: *En la rueda de prensa, solo esbozó el tema de su próxima novela.* ☐ SINÓN. *bosquejar.* **3** Referido esp. a un gesto, insinuarlo, iniciarlo o hacerlo levemente: *Cuando me vio, esbozó una sonrisa.* ☐ ORTOGR. La *z* se cambia en *c* delante de *e* →CAZAR.

esbozo s.m. **1** Primer plan o proyecto, hecho de modo provisional, solo con los elementos esenciales y sin mucha precisión: *Estas líneas son el esbozo del paisaje que quiero pintar.* ☐ SINÓN. *bosquejo.* **2** Explicación breve, general y vaga, habitualmente acerca de una idea o de un plan: *Ayer nos hizo el esbozo del tema y hoy lo va a tratar en profundidad.* ☐ SINÓN. *bosquejo.* **3** Insinuación de un gesto: *En su cara asomó el esbozo de una sonrisa cuando le dije que vendrías.* ☐ ETIMOL. Del italiano *sbozzo.*

escabechar v. **1** Referido a un alimento, ponerlo en escabeche: *Escabecha las sardinas para que se conserven más tiempo.* **2** *col.* Matar violentamente, esp. si es con arma blanca: *El atracador decía que, si no le daba la cartera, lo escabechaba.*

escabeche s.m. **1** Salsa hecha con aceite, ajo, hojas de laurel, pimienta en grano y vinagre. **2** Alimento conservado en esta salsa: *atún en escabeche.* ☐ ETIMOL. Del árabe *sabkbay* (guiso de carne con vinagre).

escabechina s.f. **1** *col.* Abundancia de suspensos en un examen. **2** *col.* Daño, ruina o destrozo: *La primera vez que se afeitó se hizo tal escabechina, que parecía que lo habían acuchillado.*

escabel s.m. Tarima pequeña que se usa para apoyar los pies en ella mientras se está sentado: *Se sentó en el sillón y colocó los pies en el escabel.* ☐ ETIMOL. Del catalán antiguo *escabell.*

escabrosidad s.f. **1** Desigualdad, irregularidad o aspereza de un terreno. **2** Dificultad que presenta un asunto para manejarlo o resolverlo, de modo que requiere gran cuidado al tratarlo: *A pesar de la escabrosidad de la cuestión, no tengo más remedio que preguntar por la herencia.* **3** Proximidad a lo que se considera inconveniente, inmoral u obsceno: *No pude soportar la escabrosidad de la película, y me salí a la mitad.*

escabroso, sa adj. **1** Referido esp. a un terreno, que es desigual, irregular o muy accidentado. **2** Referido esp. a un asunto, que es difícil de manejar o de resolver, y que requiere mucho cuidado al tratarlo: *un tema escabroso.* **3** Que está al borde de lo que se considera inconveniente, inmoral u obsceno: *un chiste escabroso.* ☐ ETIMOL. Del latín *scabrosus* (desigual, áspero, tosco).

escabullirse v.prnl. **1** Salir o escaparse de un sitio sin que se note en el momento: *Eran las dos de la madrugada cuando conseguí escabullirme de la fiesta y volver a casa.* **2** Irse o escaparse de entre las manos: *Tenía agarrado al conejo, pero dio un tirón y se escabulló entre los matorrales.* ☐ ETIMOL. Quizá del latín *excapulare* (escaparse de un lazo). ☐ MORF. Irreg. →PLAÑIR.

escachar ▌v. **1** Aplastar o despachurrar: *Se me cayó el huevo y se escachó.* ▌prnl. **2** En zonas del español meridional, equivocarse: *Me he escachado de número y he llamado a otra casa.* ☐ ETIMOL. De *es-* y *cachar.*

escacharrar (tb. *descacharrar*) v. *col.* Romper, estropear o malograr: *Dio tal golpe al despertador, que lo escacharró. Se ha escacharrado la radio y hay que llevarla a arreglar.*

escachifollar v. *col.* Estropear o averiar: *Escachifolló la moto al chocarse con la farola.*

escafandra s.f. **1** Equipo formado por un traje impermeable y un casco perfectamente cerrado, que está provisto de unos orificios y tubos por los que se renueva el aire necesario para respirar, y que se utiliza para permanecer un tiempo prolongado debajo del agua: *El buzo se colocó la escafandra para sumergirse y reparar el casco del barco.* **2** *col.* Traje utilizado por los astronautas para salir al espacio: *Vimos por televisión a los astronautas con sus escafandras, y parecía que flotaban.* ☐ ETIMOL. Del francés *escaphandre*, y este del griego *skáphe* (barco pequeño) y *andrós* (de un hombre).

escafoides (pl. *escafoides*) s.m. →**hueso escafoides.** ☐ ETIMOL. Del griego *skáphe* (bote) y *-oides* (semejanza).

escagarruzarse v.prnl. *vulg.* Expulsar los excrementos involuntariamente: *Cambia los pañales al niño, que ha vuelto a escagarruzarse.* ☐ ORTOGR. La *z* se cambia en *c* delante de *e* →CAZAR.

escala s.f. **1** Serie ordenada de cosas distintas de la misma especie, esp. si su orden responde a un criterio: *En la escala de salarios, el mío ocupa un lugar intermedio.* **2** Graduación o división que tienen algunos instrumentos de medida: *La escala de este termómetro va desde los 35 a los 42 grados.* **3** En una representación gráfica o tridimensional de un objeto, proporción entre las dimensiones reales del objeto y las de la reproducción: *Si la escala del mapa es de 1/100, cada milímetro representa 100 metros de terreno.* **4** Tamaño o proporción en que se desarrolla un plan o una idea: *El próximo mes empezamos la venta del producto a gran escala.* **5** Escalera portátil formada por dos cuerdas laterales en las que se encajan los travesaños que sirven de escalones: *Escapó del castillo descolgándose por una escala.* **6** Lugar en el que un barco o un avión hacen una parada en su trayecto: *Este avión va de Nueva York a París, con escala en Madrid.* **7** En música, sucesión de notas en alturas sucesivas: *Los ejercicios de piano que más me cuestan son las escalas.* **8** En el ejército, escalafón o lista jerarquizada de sus componentes: *El grado de capitán se encuentra entre el de comandante y el de teniente en la escala.* **9** ‖ **escala (de) Richter;** la que mide la intensidad de un terremoto. ‖ **escala técnica;** la que se efectúa por necesidades de la navegación: *Era un vuelo muy largo y tuvimos que hacer una escala técnica para repostar.* ☐ ETIMOL. Del latín *scala* (escalón, escalera). *Escala Richter*, por alusión a Charles F. Richter, geofísico norteamericano que la creó.

escalabrar v. →**descalabrar.**

escalada s.f. **1** Subida o ascenso por una pendiente o hasta una gran altura: *El mal tiempo hizo que los montañeros abandonaran la escalada a mitad de trayecto.* **2** Aumento o intensificación rápidos y generalmente alarmantes de un fenómeno: *Se teme una escalada de la violencia en la zona del conflicto.* **3** Ascenso rápido a un cargo o a un puesto más elevados: *La escalada del equipo al segundo lugar de la clasificación sorprendió a todos.*

escalador, -a ▌adj. **1** Que escala. ▌s. **2** Deportista que practica la escalada: *Los escaladores alcanzaron el pico más alto de la cordillera.* **3** Ciclista especializado en pruebas de montaña: *En este equipo hay dos escaladores muy buenos que ganan todas las etapas de montaña.* □ USO En la acepción 2, es innecesario el uso del galicismo *grimpeur*.

escalafón s.m. Lista de los individuos de una corporación clasificados según un criterio, generalmente según la importancia de su cargo o su antigüedad: *La vicepresidenta ocupa el segundo lugar en el escalafón de la empresa.*

escalar ▌adj.inv. **1** Referido a una magnitud física, que carece de dirección o que se expresa solo por un número: *La temperatura es una magnitud escalar, y la fuerza, una magnitud vectorial.* ▌v. **2** Referido a algo de gran altura, subir o trepar por ello o hasta su cima: *Un equipo de montañeros escaló el pico más alto de la zona.* **3** Referido a un cargo o a una posición elevados, ascender hasta ellos: *Empezó siendo botones y fue escalando hasta llegar a presidente.*

escaldado, da adj. *col.* Receloso o escarmentado: *Salí escaldado de ese negocio y no quiero ni oír hablar de él.*

escaldar v. **1** Bañar con agua hirviendo: *En la granja escaldan los pollos y los pavos para desplumarlos fácilmente.* **2** Abrasar o quemar con fuego o con algo muy caliente: *¿Es que quieres escaldarnos sirviéndonos la comida tan caliente? No tomes todavía la sopa, que te escaldarás.* □ ETIMOL. Del latín *excaldare*.

escaldo s.m. Antiguo poeta escandinavo, autor de poemas épicos y de sagas: *Los escaldos cantaban en sus poemas las hazañas de sus héroes.* □ ETIMOL. Del escandinavo *skald* (cantor).

escaleno, na adj. **1** Referido a un triángulo, que tiene los tres lados desiguales. **2** Referido a un cono o a una pirámide, que tienen su eje oblicuo a la base: *Un cono escaleno da la impresión de estar inclinado hacia un lado.* **3** Referido a un músculo, que tiene forma de triángulo con los tres ángulos desiguales y que va de las vértebras cervicales a las costillas. □ ETIMOL. Del latín *scalenus*, y este del griego *skalenós* (cojo, oblicuo).

escalera s.f. **1** Serie de peldaños colocados uno a continuación de otro y a diferente altura, que sirve para subir y bajar y para comunicar pisos o niveles: *Como vivo en un primer piso, suelo subir por la escalera en vez de coger el ascensor.* **2** Armazón, generalmente de madera o de metal, con travesaños paralelos entre sí, y que se usa para alcanzar sitios altos: *Esta escalera es demasiado corta para pintar el techo.* **3** Reunión de cartas de valor correlativo: *Con la reina, el rey y el as que le has dado, ha completado su escalera.* **4** || **escalera de caracol;** la de forma en espiral: *A la torre del castillo se sube por una escalera de caracol.* || **escalera de color;** la formada por cartas del mismo palo: *Me ganó porque él tenía escalera de color de corazones y yo solamente escalera.* □ ETIMOL. Del latín *scalaria* (peldaños).

escalerilla s.f. Escalera de pocos escalones, esp. la móvil que se usa para subir o bajar de un avión: *Hasta que no coloquen la escalerilla, no podemos bajar.*

escaléxtric (tb. *scalextric*) s.m. **1** Juego de coches en miniatura, que se controlan con un mando a distancia y se hacen correr por unas pistas de plástico con curvas, puentes y pendientes: *Gané a mi hermana jugando al escaléxtric porque su coche se salió de la pista.* □ SINÓN. *slot*. **2** Sistema de cruces de carreteras a distintos niveles: *El escaléxtric que pasa sobre la plaza aligera mucho el tráfico de la zona.* □ ETIMOL. La acepción 1 es extensión del nombre de una marca comercial. □ USO En la acepción 2, su uso es innecesario y puede sustituirse por *paso elevado*.

escalfar v. Referido a un huevo, cocerlo sin cáscara en un líquido hirviendo: *Se tarda más en escalfar un huevo que en freírlo.* □ ETIMOL. Del latín **calfare*, y este de *calefacere* (calentar).

escalinata s.f. Escalera amplia y artística, generalmente de un solo tramo, construida en el exterior o en el vestíbulo de un edificio: *Los recién casados bajaban del brazo la escalinata de la iglesia.* □ ETIMOL. Del italiano *scalinata*, y este de *scalino* (escalón).

escalivada s.m. Plato de origen catalán, hecho con berenjenas, pimientos, cebollas y otras hortalizas, asados y aderezados con aceite y sal. □ ETIMOL. Del catalán *escalivada*.

escalo s.m. Agujero realizado para entrar en un lugar cerrado o salir de él: *Abrieron un escalo para penetrar en la cámara acorazada del banco.*

escalofriante adj.inv. Terrible, asombroso o sorprendente: *La frialdad con que acogió la noticia de la muerte de su padre me pareció escalofriante.*

escalofriar v. Producir o causar escalofríos: *Me escalofría la idea de tener que salir con el frío que hace.* □ ORTOGR. La *i* de la raíz lleva tilde en los presentes, excepto en las personas *nosotros* y *vosotros* →GUIAR.

escalofrío s.m. Sensación de frío, generalmente repentina, acompañada de contracciones musculares, y producida por la fiebre o por el miedo: *Me debe de estar subiendo la fiebre, porque siento escalofríos.* □ ETIMOL. De *calor* y *frío*.

escalón s.m. **1** En una escalera, cada una de las partes que sirve para apoyar el pie al subir o bajar por ella. □ SINÓN. *peldaño.* **2** Grado o rango, esp. en un empleo: *Sueña con alcanzar el escalón de directivo en su empresa.* **3** Paso o medio con que se avanza en la consecución de un fin: *Si apruebas este curso, habrás salvado otro escalón para conseguir el título.*

escalonado, da adj. **1** Con forma de escalón. **2** Lo que está organizado o se desarrolla de forma gradual: *La salida de vehículos de la ciudad se produjo de forma escalonada a lo largo de la primera jornada de vacaciones.*

escalonamiento s.m. **1** Colocación o disposición de algo de trecho en trecho: *El escalonamiento de los soldados permitió cubrir un terreno más amplio.* **2** Distribución o reparto de las diversas partes de una serie en tiempos sucesivos: *El escalonamiento de las vacaciones de los empleados permitirá que la empresa no cierre en agosto.*

escalonar v. **1** Situar ordenadamente de trecho en trecho: *Escalonaron teléfonos de socorro a lo largo de toda la autopista. Los soldados se escalonaron para cubrir toda la zona.* **2** Referido a las partes de una serie, distribuirlas o repartirlas en tiempos sucesivos: *Antes venía a diario, pero luego empezó a escalonar sus visitas y aparece cada dos o tres días.*

escalonia s.f. Bulbo o tallo subterráneo, parecido al ajo o a la cebolla, de color rojizo y que se usa como condimento: *Si a esta crema de espinacas le añades dos escalonias, te quedará riquísima.* □ SINÓN. *chalota, chalote.* □ ETIMOL. Del latín *ascalonia* (cebolla de Ascalón, ciudad palestina).

escalopa s.f. En zonas del español meridional, escalope: *Comí escalopa con salsa de champiñones.*

escalope s.m. Filete de carne de ternera o de vaca, empanado y frito: *De segundo, tomaré escalope de ternera con patatas fritas.* □ ETIMOL. Del francés *escalope.*

escalpelo s.m. Instrumento de cirugía en forma de cuchillo pequeño, de hoja estrecha y puntiaguda, y que se usa para hacer disecciones y autopsias: *La forense utilizó un escalpelo para hacer el examen del cadáver.* □ ETIMOL. Del latín *scalpellum*, y este de *scalprum* (escoplo, buril). □ ORTOGR. Dist. de *escarpelo.*

escama s.f. **1** Cada una de las pequeñas placas duras y ovaladas que recubren el cuerpo de algunos animales, esp. de los peces y de los reptiles: *Le dije a la pescadera que me limpiara de escamas el pescado.* **2** Laminilla formada por células epidérmicas, unidas y muertas, que se desprenden de la piel: *Ponte crema en los brazos, que tienes la piel seca y llena de escamas.* □ ETIMOL. Del latín *squama.*

escamar v. **1** *col.* Referido a una persona, hacer que entre en recelo o en desconfianza: *Me escamó que me dijera que vivía con lo justo, porque sospeché que no me iba a pagar. ¿No te escamaste cuando te dijo que no pasaba nada?* **2** Referido a un pez, quitarle las escamas: *Antes de cocinar la merluza hay que escamarla.* □ SINÓN. *descamar.*

escamochar v. Derrochar o desperdiciar: *No escamoches todo el dinero que ganes.*

escamoles s.m.pl. Huevecillos de cierto tipo de hormiga americana, que son comestibles.

escamón, -a adj. *col.* Referido a una persona, que desconfía, recela o se escama enseguida: *Es tan escamón que es imposible que alguien lo engañe.*

escamoso, sa adj. Con escamas: *Los reptiles son animales escamosos.*

escamotear v. **1** Suprimir de forma intencionada o arbitraria: *No escamoteó elogios hacia todos los asistentes.* **2** Hacer desaparecer de la vista por ilusión o por artificio: *La prestidigitadora metió la paloma bajo su chistera y la escamoteó ante la admiración del público.* **3** Robar con agilidad y con astucia: *Me escamotearon la cartera en el autobús y ni me enteré.* □ ETIMOL. Del francés *escamoter.*

escamoteo s.m. **1** Supresión intencionada o arbitraria. **2** Robo hecho con agilidad y astucia.

escampada s.f. *col.* En un día lluvioso, momento durante el cual deja de llover: *En una escampada salí corriendo del portal y llegué hasta el supermercado.*

escampar (tb. *descampar*) v. Aclararse el cielo nublado y dejar de llover: *Llovió toda la mañana, pero por la tarde escampó.* □ ETIMOL. De *campo.* □ MORF. Es unipersonal.

escanciador, -a adj./s. Que escancia: *Conocimos en Asturias a un experto escanciador de sidra.*

escanciar v. Referido al vino o a la sidra, servirlos o echarlos en los vasos: *Una camarera escanciaba el vino en las copas de los comensales. La sidra natural se escancia desde muy arriba para que se oxigene.* □ ETIMOL. Del germánico *skankjan* (dar de beber). □ ORTOGR. La *i* nunca lleva tilde.

escandalera s.f. *col.* Escándalo, jaleo o alboroto: *Cuando le robaron la cartera, armó tal escandalera que se enteró toda la calle.*

escandalizar ▮ v. **1** Referido a una persona, causarle escándalo: *Nos escandalizó verlo tirado en la calle y borracho. Si la película tiene escenas eróticas, seguro que hay quien se escandaliza.* ▮ prnl. **2** Mostrarse indignado u horrorizado por algo: *Me escandalicé al ver cómo había subido todo de precio.* □ ORTOGR. La *z* se cambia en *c* delante de *e* →CAZAR.

escandallar v. Referido al fondo acuático, sondearlo o tomar muestras de él con el escandallo: *Escandallaban el fondo marino en una zona próxima a la costa.*

escandallo s.m. **1** Parte de una sonda que se usa para reconocer o analizar un fondo acuático. **2** Prueba que consiste en tomar al azar o con ciertas condiciones, una o varias unidades de un conjunto, para determinar la calidad de este: *Hemos realizado el escandallo de estas naranjas analizando veinte unidades.* **3** Determinación del precio de coste o de venta de una mercancía teniendo en cuenta los factores que intervienen en su producción: *Ha subido la harina y en el último escandallo el precio del pan se ha disparado.* □ ETIMOL. Del catalán *escandall.*

escándalo s.m. **1** Hecho o dicho considerados contrarios a la moral social y que producen indignación, desprecio o habladurías maliciosas: *Fue un escándalo que se casara con alguien que le doblaba la edad.* **2** Situación producida por uno de estos hechos: *Dimitió como alcalde al verse envuelto en el escándalo financiero.* **3** Alboroto, tumulto o ruido grande: *Los vecinos arman tal escándalo, que no me dejan dormir.* □ ETIMOL. Del latín *scandalum*, y este del griego *skándalon* (trampa u obstáculo para que alguien caiga). □ SINT. La acepción 3 se usa más con el verbo *armar* o equivalentes.

escandaloso, sa ▮ adj. **1** Que causa escándalo: *La prensa se hizo eco de escandalosos casos de corrupción política.* ▮ adj./s. **2** Que es ruidoso o revoltoso: *No sé cómo soportas a esos niños tan escandalosos.*

escandinavo, va adj./s. De Escandinavia (región del norte europeo), o relacionado con ella: *El pueblo escandinavo ha alcanzado un alto grado de bienestar social.*

escandio s.m. Elemento químico, metálico y sólido, de número atómico 21, de color gris plateado, de escasa dureza y muy estable frente a la corrosión: *El escandio se encuentra en algunos minerales.* □ ETIMOL. Del latín *Scandia* (nombre latino de Escandinavia). □ ORTOGR. Su símbolo químico es *Sc*.

escaneado s.m. →**escaneo.**

escanear v. Referido a un cuerpo o a un objeto, pasarlos por un escáner: *Si escaneas la foto, la podrás recuperar en la pantalla y modificarla.*

escaneo s.m. Proceso mediante el que se escanea algo. □ SINÓN. *escaneado.*

escáner (pl. *escáneres*) s.m. **1** Aparato de rayos X que se usa para exploraciones médicas y que, con la ayuda de un ordenador, permite obtener la imagen completa de varias secciones transversales de la zona explorada. □ SINÓN. *escanógrafo.* **2** Aparato que, conectado a un ordenador, sirve para seccionar y analizar una imagen, o para explorar el interior de un objeto: *Me hicieron pasar el bolso por un escáner para comprobar que no llevaba objetos peligrosos.* □ SINÓN. *escanógrafo.* **3** Estudio, trabajo o exploración hechos con estos aparatos: *El escáner de la foto permitió ampliar aquel detalle que parecía insignificante.* □ ETIMOL. Del inglés *scanner* (el que explora o registra). □ USO Es innecesario el uso del anglicismo *scanner*.

escanógrafo s.m. →**escáner.**

escanograma s.f. Radiografía obtenida mediante el escáner: *En esta parte del escanograma se ven dos manchas que pueden ser dos pequeños tumores.* □ ETIMOL. De *escáner* y *-grama* (representación).

escaño s.m. **1** En una cámara parlamentaria, asiento, puesto o cargo de cada uno de sus miembros: *En la sesión de ayer en el Congreso de los Diputados, se veían muchos escaños vacíos. Su partido ha obtenido veinte escaños en las últimas elecciones.* **2** Banco en el que pueden sentarse tres o más personas. □ ETIMOL. Del latín *scamnum* (banco).

escapada s.f. **1** Salida que se hace deprisa o a escondidas: *Le compraré el regalo en una escapada a la hora del recreo.* **2** *col.* Viaje o salida breves que se realizan para divertirse o para descansar de las ocupaciones habituales: *hacer una escapada.* **3** En algunos deportes, adelantamiento de un deportista respecto del grupo en que está corriendo: *Una escapada de varios corredores sorprendió al pelotón.*

escapar ▮ v. **1** Salir o irse deprisa o a escondidas: *Cuando el ladrón oyó entrar al dueño, escapó por la puerta del jardín. Si puedo, me escapo un momento del trabajo y te llevo al aeropuerto.* **2** Salir o librarse de un peligro o de un encierro: *En el accidente, escapó de la muerte por casualidad. El león se escapó de su jaula.* **3** Referido esp. a un asunto, quedar fuera del dominio, de la influencia o del alcance: *No puedo solucionarte ese problema porque escapa de mi competencia.* **4** Referido esp. a una oportunidad, pasar o alejarse sin ser aprovechada: *Dejó escapar la ocasión de su vida. Se me escapó la oportunidad de realizar el viaje.* ▮ prnl. **5** Referido esp. a un error, pasar inadvertido: *Se le escaparon varias faltas de ortografía al corregir el escrito.* **6** Referido esp. a un medio de transporte, alejarse sin que sea alcanzado: *¡Corre, que se nos escapa el tren!* **7** Referido a un fluido contenido en un recipiente, salirse por algún resquicio: *Anuda bien el globo para que no se escape el aire.* **8** Referido a algo que está sujeto, soltarse: *Agarra bien al perro, que no se te escape.* **9** En algunos deportes, referido a una persona, adelantarse al grupo en el que está corriendo: *La corredora se escapó del pelotón y llegó a la meta en solitario.* **10** ‖ **escaparse** algo a alguien; **1** Decirlo o emitirlo involuntariamente: *Te lo cuento si después no se te escapa el secreto.* **2** No alcanzar a entenderlo: *Se me escapa lo que me quiso decir con ese gesto.* □ ETIMOL. Del latín **excappare* (salir de un obstáculo). □ SINT. Constr. de la acepción 2: *escapar* DE *algo.*

escaparate s.m. **1** Espacio acristalado que sirve para exponer mercancías y que se encuentra generalmente en la fachada del establecimiento en el que estas se venden. **2** *col.* Medio de promoción o de lucimiento: *La feria será un escaparate para el país ante el mundo entero.* **3** En zonas del español meridional, aparador. □ ETIMOL. Del holandés *schaprade* (armario, esp. el de cocina).

escaparatismo s.m. Arte o técnica de adornar y colocar los escaparates de un establecimiento: *Nunca se podrá dedicar al escaparatismo, porque tiene mal gusto y ningún sentido de la proporción.*

escaparatista s.com. Persona que se dedica profesionalmente a la ornamentación y colocación de los escaparates de un establecimiento: *Contrataremos un buen escaparatista para que disponga el escaparate de forma artística.*

escapatoria s.f. Salida, excusa o recurso para escapar de una situación de apuro: *La pillaron con las manos en la masa y no tuvo escapatoria.*

escape s.m. **1** Salida o vía de solución a una situación, esp. si esta es complicada o peligrosa: *No tienes escape, así que ríndete.* **2** Salida o fuga de un fluido por algún resquicio del recipiente que lo contiene: *La cocina olía a gas porque había un escape.* **3** En un motor de explosión, salida de los gases quemados: *tubo de escape.* **4** En el teclado de un ordenador, tecla que permite salir del programa. **5** || **a escape;** muy deprisa o rápidamente: *En cuanto tocaron el timbre, salió a escape para llegar a tiempo.* □ PRON. En la acepción 4, está muy extendida la pronunciación anglicista [eskéip].

escapismo s.m. **1** Tendencia a esquivar los problemas o a evadirse de la realidad: *Ese alcalde es un mal gestor y practica el escapismo político.* **2** Actividad que consiste en salir de un lugar del que parece imposible escaparse: *Vimos un número de escapismo que consistía en escapar de una caja fuerte.*

escapista adj.inv./s.com. **1** Que tiende a esquivar los problemas o a evadirse de la realidad: *Tu comportamiento escapista no es nada solidario.* **2** Referido a una persona, que realiza con destreza ejercicios de escapismo, esp. si esta es su profesión: *No sé cómo ese escapista pudo salir de la caja si estaba atado de pies y manos.*

escápula s.f. Cada uno de los dos huesos anchos, casi planos y de forma triangular, situados a uno y otro lado de la espalda, donde se articulan los húmeros y las clavículas: *En la escápula de un animal se insertan muchos músculos.* □ SINÓN. *omoplato, omóplato.* □ ETIMOL. Del latín *scapula* (hombro, omóplato).

escapulario s.m. Cinta de tela que se coloca de modo que cuelgue sobre el pecho y la espalda, y que se usa como distintivo de algunas órdenes religiosas o para sujetar una insignia religiosa: *Es devota de la Virgen del Carmen y lleva un escapulario con su imagen.* □ ETIMOL. Del latín *scapularis* (que cuelga sobre los hombros).

escaque s.m. Cada una de las casillas de un tablero, esp. del de ajedrez o del de damas: *Los escaques del ajedrez son unos cuadrados de color blanco o negro.* □ ETIMOL. Del árabe *as-sikak* (las filas de casas, las calles).

escaquearse v.prnl. *col.* Escabullirse o evitar una obligación o una situación comprometida: *Ese vago siempre se escaquea cuando hay trabajo.* □ SINT. Constr. *escaquearse* DE *algo.*

escaqueo s.m. *col.* Hecho de escabullirse de una obligación o de evitar una situación comprometida: *No te permito el escaqueo porque ya te habías comprometido a hacerlo.*

escara s.f. Costra de color oscuro en una cicatriz: *Las quemaduras me han dejado una escara en el brazo.*

escarabajear v. Hormiguear o producir una sensación molesta de picor: *Tengo vértigo y me escarabajea el cuerpo al pensar en cruzar ese puente.*

escarabajo s.m. **1** Insecto coleóptero, esp. el de cuerpo grande y patas cortas: *Algunos escarabajos hacen bolas de estiércol, en el interior de las cuales depositan los huevos.* **2** *col.* Cierto coche utilitario de formas redondeadas y fabricado por Volkswagen (firma alemana de coches): *No se quiere deshacer de su viejo escarabajo porque dice que es una reliquia.* □ ETIMOL. Del latín **scarabaius.* □ MORF. En la acepción 1, es un sustantivo epiceno: *el escarabajo {macho/hembra}.*

escaramujo s.m. **1** Planta leñosa, de tallo liso con espinas alternas, cuyo fruto es una baya ovalada que, cuando está madura, tiene color rojo: *El escaramujo es parecido al rosal silvestre.* **2** Fruto de esta planta: *Los escaramujos se utilizan en medicina.* □ SINÓN. *tapaculo.* □ ETIMOL. De origen incierto.

escaramuza s.f. **1** Combate de poca importancia, esp. el sostenido por las avanzadas de los ejércitos: *En las zonas fronterizas, eran constantes las escaramuzas entre moros y cristianos.* **2** Riña o discusión de poca importancia: *La policía detuvo a los que provocaron la escaramuza callejera.*

escarapela s.f. Adorno o distintivo en forma de disco o de roseta y hecho con plumas o con cintas: *El sombrero iba adornado con una escarapela.* □ ETIMOL. Del antiguo *escarapelarse* (reñir arañándose), porque en las escarapelas hay desacuerdo o separación entre los colores.

escarbadiente s.m. En zonas del español meridional, escarbadientes.

escarbadientes (pl. *escarbadientes*) s.m. Utensilio de pequeño tamaño, delgado y rematado en punta, que se utiliza para limpiar los restos de comida que quedan entre los dientes: *No utilizo escarbadientes porque prefiero lavarme los dientes al terminar de comer.* □ SINÓN. *mondadientes.*

escarbar v. **1** Referido esp. a la tierra, arañar, rasgar o remover su superficie ahondando un poco en ella: *El perro escarbó el suelo del jardín con las pezuñas para enterrar el hueso. Es de mala educación escarbarse en los dientes con un palillo.* **2** Investigar con el fin de hacer averiguaciones o descubrimientos: *Por más que escarbé, no logré enterarme de lo que pasó en ese viaje.* □ ETIMOL. De origen incierto.

escarcela s.f. En una armadura, parte que caía desde la cintura y cubría el muslo: *El caballero recibió un golpe en el muslo, pero la escarcela lo libró de resultar herido.* □ ETIMOL. Del italiano *scarsella* (bolsa).

escarceo s.m. **1** Prueba o tentativa antes de iniciar una acción o de dedicarse a una actividad: *Antes de hacerse pintora, tuvo sus escarceos con la literatura.* **2** || **escarceo (amoroso);** aventura amorosa superficial o que está en sus inicios.

escarcha s.f. Rocío de la noche congelado: *El césped apareció esta mañana cubierto de escarcha.* □ ETIMOL. De origen incierto.

escarchar v. **1** Formarse escarcha o congelarse el rocío que cae en las noches frías: *Esta noche ha escarchado.* **2** Referido esp. a una fruta, prepararla de forma que el azúcar cristalice en su superficie: *Hemos escarchado melocotones y peras para Navidad.* □ MORF. En la acepción 1, es unipersonal.

escardar v. Referido a un terreno sembrado, arrancarle los cardos y las malas hierbas: *El agricultor escardó el trigal para que el trigo creciera sano.*

escardilla s.f. →**escardillo.**

escardillo s.m. Herramienta semejante a una azada pequeña, con dos puntas en el extremo opuesto al corte, y que se usa para escardar la tierra y para trasplantar plantas pequeñas: *Escarda con escardillo en vez de con una herramienta mayor para no dañar las plantas.* □ SINÓN. *escardilla.*

escarificación s.f. **1** En medicina, producción de una escara. **2** En medicina, producción de cortes o incisiones poco profundos en determinadas partes del cuerpo, para permitir la entrada o salida de ciertos fluidos. **3** Dibujo que se hace en la piel mediante cortes que dejan cicatrices con la forma deseada.

escarificar v. **1** En medicina, hacer cortes o incisiones poco profundos en determinadas partes del cuerpo para permitir la entrada o salida de ciertos fluidos. **2** →**escarizar.** □ ETIMOL. Del latín *scarificare.* □ MORF. La *c* se cambia en *qu* delante de *e* →SACAR.

escarizar v. En medicina, quitar la escara que se hace alrededor de una llaga, para que quede limpia y se cure bien. □ SINÓN. *escarificar.* □ ORTOGR. La *z* se cambia en *c* delante de *e* →CAZAR.

escarlata adj.inv./s.m. De color rojo intenso, más brillante que el granate: *Le han salido en la cara unas manchas escarlatas por una reacción alérgica.* □ ETIMOL. Del árabe *'iskirlata* (tejido de seda bordado de oro).

escarlatina s.f. Enfermedad infecciosa y contagiosa, propia de la infancia, y cuyos síntomas son fiebre alta, anginas y aparición de manchas de color rojo escarlata en la piel: *Durante la guerra, una epidemia de escarlatina costó la vida a muchos niños.* □ ETIMOL. De *escarlata.*

escarmenar v. En zonas del español meridional, cardar: *Hay que escarmenar bien esas lanas.*

escarmentar v. **1** Extraer una enseñanza de errores ajenos o pasados, que sirva de advertencia para evitar repetirlos: *Desde que tuve el accidente, he escarmentado y conduzco con más prudencia. ¡Fíjate en lo que me ha pasado y escarmienta en cabeza ajena!* **2** Referido a una persona, reprenderla duramente o aplicarle una sanción para que no repita los errores o faltas cometidos: *Mi madre me prohibió salir durante un mes para escarmentarme.* □ SINÓN. *castigar.* □ MORF. Irreg. →PENSAR. □ SINT. Constr. de la acepción 1: *escarmentar* CON *algo* o *escarmentar* EN *alguien.*

escarmiento s.m. **1** Enseñanza que se extrae de errores ajenos o pasados y que sirve de advertencia para evitar repetirlos: *Aquel timo le sirvió de escarmiento y ya no se fía de nadie.* **2** Castigo que se da a una persona por los errores o faltas cometidos para evitar que los repita: *Como escarmiento por pisar el césped, le pusieron una multa.* □ ETIMOL. Del antiguo *escarnir* (hacer burla de otro).

escarnecer v. Referido a una persona, hacer escarnio de ella o insultarla de manera humillante: *Ese cobarde solo ataca y escarnece a los que son más débiles que él.* □ ETIMOL. Del antiguo *escarnir* (hacer burla de otro). □ MORF. Irreg. →PARECER.

escarnecimiento s.m. →**escarnio.**

escarnio s.m. Burla o muestra de desprecio groseras y muy humillantes: *Apareció con un traje extravagante que fue objeto del escarnio más despiadado.* □ SINÓN. *escarnecimiento.*

escarola s.f. Hortaliza semejante a la lechuga, de hojas abundantes, recortadas y muy rizadas, y que se suele comer en ensalada: *La escarola tiene un sabor ligeramente amargo.* □ ETIMOL. Del catalán y del provenzal *escarola.*

escarolado, da adj. Rizado de forma que recuerda las hojas de una escarola: *El niño tiene el pelo escarolado y muy gracioso.*

escarpa s.f. **1** Declive muy pronunciado del terreno. □ SINÓN. *escarpadura.* **2** Plano inclinado de una muralla. □ ETIMOL. Del italiano *scarpa.*

escarpado, da adj. **1** Referido a un terreno, con una gran pendiente. **2** Referido a un lugar, de acceso muy difícil: *un paraje escarpado.*

escarpadura s.f. →**escarpa.**

escarpe s.m. En una armadura, pieza que cubre el pie: *El caballero quedó enganchado por el escarpe en el estribo de su caballo.* □ ETIMOL. Del italiano *scarpa* (zapato).

escarpelo s.m. Herramienta de carpintería o de escultura, semejante a una lima dentada, que se usa para limpiar y raspar superficies: *Antes de volver a pintar la talla, el artesano eliminó los restos de pintura vieja con un escarpelo.* □ ETIMOL. Del latín *scalpellum,* y este de *scalprum* (escoplo). □ ORTOGR. Dist. de *escalpelo.*

escarpia s.f. Clavo en forma de ele mayúscula, que se utiliza para colgar cosas: *Pon dos escarpias en la pared para colgar el cuadro.* □ SINÓN. *alcayata.* □ ETIMOL. De origen incierto.

escarpín s.m. **1** Zapato ligero y flexible, de una pieza o con una sola suela y con una sola costura: *Con su disfraz de duende, llevaba escarpines.* **2** Prenda de abrigo para los pies, que se suele poner encima del calcetín o de la media: *Mi abuela me hizo unos escarpines para las noches de frío.* **3** Zapato de tacón alto que tiene el escote redondeado: *El escarpín es el clásico zapato de tacón alto que se suele llevar a juego con ropa de vestir.* □ ETIMOL. Del italiano *scarpino,* y este de *scarpa* (zapato).

escarzo s.m. Panal que tiene suciedad.

escasear v. Haber en cantidad escasa o insuficiente: *En el Tercer Mundo escasean los alimentos.*

escasez s.f. **1** Falta o poca cantidad: *una escasez de alimentos.* **2** Pobreza o falta de lo necesario para vivir: *Viven con una escasez que conmueve.* □ SEM. En plural se usa con el significado de 'apuros económicos': *En la guerra pasamos muchas escaseces.*

escaso, sa adj. **1** Poco, pequeño o insuficiente en cantidad o en número: *Su propuesta tuvo escaso éxito. Faltan escasos días para las vacaciones.* **2** Que le falta un poco para estar justo o completo: *Para la blusa necesitó dos metros escasos de tela.* □ ETIMOL. Del latín **excarsus* (entresacado).

escatimar v. Referido a algo que se da, darlo en la menor cantidad posible: *Si quieres que el trabajo salga bien, no escatimes medios.* □ ETIMOL. De origen incierto.

escatofagia s.f. Hábito de comer excrementos: *Algunos perros practican la escatofagia.* □ ETIMOL. Del griego *skór* (excremento) y *-fagia* (comer).

escatología s.f. **1** Conjunto de expresiones o manifestaciones groseras y relacionadas con excrementos y suciedades. **2** Conjunto de creencias y de doctrinas relacionadas con la vida de ultratumba: *La escatología estudia la muerte y lo que hay más allá de ella.* □ ETIMOL. La acepción 1, del griego *skór* (excremento) y *-logía* (estudio, ciencia). La acepción 2, del griego *éskhatos* (último) y *-logía* (estudio, ciencia).

escatológico, ca adj. **1** De los excrementos y suciedades o relacionado con ellos. **2** De la escatología o relacionado con este conjunto de creencias y de doctrinas: *En un tratado escatológico se hablaba del destino último y final del ser humano y del universo.*

escavar v. Referido a una tierra, cavarla superficialmente para ahuecarla y quitarle la maleza: *Mañana sin falta escavaré el jardín.* □ SEM. Dist. de *excavar* (hacer un hoyo o una perforación en un terreno).

escay s.m. Material sintético o plástico que imita la piel o el cuero y que se suele usar en tapicería: *un sofá de escay.* □ ETIMOL. Del inglés *skay.* □ ORTOGR. Se usan también *skay* y *eskay.*

escayola s.f. **1** Vendaje endurecido con yeso y destinado a sostener en posición conveniente los huesos rotos o dislocados: *Me fracturé el brazo y me pusieron una escayola.* **2** Material hecho con yeso y que, amasado con agua, se emplea para hacer moldes o para modelar figuras: *una moldura de escayola.* **3** Escultura realizada con este material. □ ETIMOL. Del italiano *scagliuola* (especie de estuco de yeso, adhesivo y resistente).

escayolar v. Referido esp. a un miembro fracturado o dislocado, ponerle un vendaje endurecido con yeso o escayola, para sostener en posición conveniente los huesos afectados: *Me escayolaron una pierna y para andar tengo que apoyarme en unos bastones.* □ SINÓN. *enyesar.*

escayolista s.com. Persona que se dedica profesionalmente a la realización o a la instalación de molduras de escayola para la decoración de las casas: *La factura del escayolista ha subido más que la del pintor.*

escena s.f. **1** En un teatro, parte en la que se representa el espectáculo. **2** En una obra teatral, cada una de las partes en las que se divide un acto y en la que generalmente intervienen los mismos personajes. **3** En una película, parte de la acción que tiene unidad en sí misma y que se desarrolla en un mismo lugar y con unos mismos personajes: *Tardaron varios días en rodar la escena del bosque.* **4** Suceso de la vida real que llama la atención o que conmueve: *Se produjeron escenas de violencia entre la policía y los manifestantes.* **5** Actuación que pretende impresionar y que parece teatral o fingida: *Me montó una escena de celos.* **6** Plano en el que se refleja lo más destacado o visible de una actividad: *Desapareció de la escena política para dedicarse a su oficio de abogado.* **7** Arte de la interpretación: *La actriz dedicó toda su vida a la escena.* **8** Teatro o literatura dramática. **9** || **poner en escena;** referido esp. a una obra teatral, prepararla y representarla. □ ETIMOL. Del latín *scaena* (escenario, teatro). □ SEM. Dist. de *secuencia* (sucesión de escenas).

escenario s.m. **1** En un local de espectáculos, parte en la que se realiza la representación de dicho espectáculo: *Están montando el escenario para el concierto de mañana.* **2** Lugar en el que ocurren o se desarrollan un hecho o una escena: *La llanura fue el escenario de la batalla. Están buscando escenarios para la nueva película.* **3** Ambiente o conjunto de circunstancias que rodean a una persona o un suceso: *Quizás un cambio de escenario la ayudaría a superar su depresión.* □ SEM. Su uso con el significado de 'contexto o panorama' es un anglicismo innecesario: **Mejorarán los escenarios económicos del año próximo > Mejorará el panorama económico del año próximo.*

escénico, ca adj. De la escena o relacionado con ella: *artes escénicas.*

escenificación s.f. Representación o puesta en escena, generalmente de una obra dramática: *En Semana Santa hicieron en el pueblo una escenificación de la Pasión de Cristo.*

escenificar v. **1** Referido a una obra teatral, representarla o ponerla en escena: *Escenificarán la obra en la fiesta de fin de curso.* **2** Referido a una obra literaria, darle forma dramática para ponerla en escena: *Escenificar esa novela sería difícil, porque tiene muchas descripciones y pocos diálogos.* **3** Representar o interpretar en público: *Cuando escenifica los chistes, nos partimos de risa.* □ ORTOGR. La *c* se cambia en *qu* delante de *e* →SACAR.

escenografía s.f. **1** Arte de proyectar o de realizar decorados para las representaciones escénicas. **2** Conjunto de decorados que se preparan o se utilizan para una representación. **3** Conjunto de circunstancias que rodean un hecho o una actuación: *La policía quiere reconstruir la escenografía del crimen.* □ ETIMOL. Del griego *skenographía.*

escenógrafo, fa s. Persona que se dedica a la escenografía, esp. si esta es su profesión: *La autora y el escenógrafo no acaban de ponerse de acuerdo sobre el decorado de algunas escenas.*

escepticismo s.m. Incredulidad, desconfianza o duda sobre la verdad o la eficacia de algo: *No es ateo, pero tiene un gran escepticismo en materia religiosa.*

escéptico, ca adj./s. Que no cree o que finge no creer en determinadas cosas: *Se mostró escéptico cuando le dije que iba a cambiar.* □ ETIMOL. Del griego *skeptikós* (que observa sin afirmar).

escifozoo ▌ adj./s.m. **1** Referido a un animal marino, que carece de esqueleto y tiene un ciclo vital en el que predomina la fase de medusa: *Las medusas son escifozoos.* □ SINÓN. *acalefo.* ▌ s.m.pl. **2** En zoología, clase de estos animales, perteneciente al grupo de los celentéreos: *Los escifozoos tienen células urticantes.* □ SINÓN. *acalefo.*

escindir v. **1** Separar o dividirse: *Escindieron su asociación y cada uno siguió por su cuenta. En el partido había dos tendencias tan distintas, que acabaron por escindirse.* **2** En física, referido a un núcleo atómico, romperlo en dos porciones aproximadamente iguales, con la consiguiente liberación de energía: *Es posible escindir un núcleo mediante un bombardeo con neutrones.* □ ETIMOL. Del latín *scindere* (rasgar, rajar, dividir).

escisión s.f. Separación o división: *El Partido Comunista surgió de la escisión de una rama del Partido Socialista.* □ ETIMOL. Del latín *scissio* (corte, división).

esclarecedor, -a adj. Que esclarece: *un reportaje esclarecedor.*

esclarecer v. **1** Referido a un asunto, ponerlo en claro o dilucidarlo: *Los investigadores se proponen esclarecer el misterio que envuelve el crimen.* **2** Referido esp. al entendimiento, iluminarlo o ilustrarlo: *Las buenas lecturas esclarecen la mente.* **3** Empezar a amanecer: *Al esclarecer el día, iniciaron la marcha.* □ ETIMOL. Del latín *clarescere* (hacerse claro). □ MORF. 1. Irreg. →PARECER. 2. En la acepción 3, es unipersonal.

esclarecido, da adj. Claro, ilustre o insigne: *un esclarecido poeta.*

esclarecimiento s.m. Puesta en claro o dilucidación de un asunto: *La policía trabaja en el esclarecimiento de los hechos.*

esclava s.f. Véase **esclavo, va.**

esclavina s.f. Capa corta que se ata al cuello y que cubre los hombros: *Los peregrinos llevaban bordón y esclavina.* □ ETIMOL. Del griego *sklavinós* (esclavo), por la vestidura que llevaban los esclavos en peregrinación a Roma y a Santiago de Compostela.

esclavista adj.inv./s.com. Partidario de la esclavitud: *En la guerra de Secesión americana se enfrentaron los estados del norte contra los esclavistas del sur.*

esclavitud s.f. **1** Situación y condición social del esclavo. **2** Fenómeno social basado en la existencia de esclavos: *En el siglo XIX se desarrolló un proceso encaminado a abolir la esclavitud.* **3** Sometimiento o sujeción excesiva a algo: *Los drogadictos mantienen con la droga una relación de esclavitud.*

esclavizar v. Referido a una persona, hacerla esclava o someterla a esclavitud: *En América esclavizaron a muchos africanos para utilizarlos como mano de obra. Entregarte así a tus ocupaciones es esclavizarte a ti mismo.* □ ORTOGR. La *z* se cambia en *c* delante de *e* →CAZAR.

esclavo, va ▌ adj./s. **1** Referido a una persona, que carece de libertad por estar bajo el dominio de otra. **2** Sometido o dominado excesivamente por algo: *ser un esclavo del trabajo.* ▌ s.f. **3** Pulsera de eslabones que tiene en su parte central una pequeña placa en la que se suele grabar un nombre de persona. □ SINÓN. *nomeolvides.* **4** Chancleta con dos tiras que se juntan entre el dedo gordo y el siguiente. □ ETIMOL. Del latín *sclavus* (esclavo).

esclerosis (pl. *esclerosis*) s.f. Endurecimiento patológico de un tejido orgánico o de un órgano, generalmente debido a un aumento anormal de tejido conjuntivo: *La esclerosis arterial es una dolencia grave.* □ ETIMOL. Del griego *sklérosis* (endurecimiento).

esclerótica s.f. Véase **esclerótico, ca.**

esclerótico, ca ▌ adj. **1** De la esclerosis o relacionado con esta enfermedad: *Las inflamaciones crónicas favorecen la aparición de procesos escleróticos.* ▌ s.f. **2** Membrana dura, opaca y de color blanquecino, que cubre el globo del ojo: *La parte anterior de la esclerótica es transparente y se llama 'córnea'.* □ ETIMOL. La acepción 2, del griego *sklerós* (duro).

esclerotizar v. Impedir o dificultar el funcionamiento de algo en gran medida: *La crisis de gobierno contribuyó a esclerotizar la Administración.*

esclusa s.f. En un canal de navegación, recinto construido entre dos tramos de diferente nivel y provisto de compuertas de entrada y salida que permiten aumentar o disminuir el nivel del agua para así facilitar el paso de los barcos: *En el documental explicaban el funcionamiento de las esclusas del canal de Panamá.* □ ETIMOL. Del latín *exclusa* (agua separada de la corriente).

escoba s.f. **1** Utensilio formado por un manojo de ramas flexibles o de filamentos de otro material atados al extremo de un palo, y que sirve para barrer. **2** Juego de cartas que consiste en intentar sumar quince puntos siguiendo ciertas reglas. **3** Medio empleado para recoger a quienes se quedan rezagados en una competición: *Un coche escoba recogió a los corredores que no pudieron terminar la maratón.* **4** Planta con numerosas ramas largas, delgadas y flexibles, hojas escasas y pequeñas, flores amarillas y fruto en vaina. □ SINÓN. *retama, hiniesta, genista.* □ ETIMOL. Del latín *scopa.* □ SINT. En la acepción 3, se usa en aposición, pospuesto a un sustantivo: *camión escoba.*

escobajo s.m. Raspa que queda del racimo de uvas después de quitadas estas: *Cuando termines de comerte las uvas, tira los escobajos a la basura.*

escobar v. Barrer con una escoba: *Tengo que escobar mi habitación antes de comer.* □ ETIMOL. Del latín *scopare.*

escobazo s.m. **1** Golpe dado con una escoba: *De un escobazo, echó al gato de la cocina.* **2** Barrido superficial hecho con una escoba: *dar un escobazo.*

escobero s.m. Armario o lugar en el que se guardan utensilios de limpieza, esp. escobas o cepillos: *El cepillo y la fregona están en el escobero de la cocina.*

escobilla s.f. **1** Escoba o cepillo de pequeño tamaño, esp. si están hechos de cerdas o de alambres:

La escobilla del váter la venden con un accesorio para colocarla. **2** En una máquina eléctrica, pieza que sirve para mantener el contacto entre una parte fija y otra móvil. **3** En un limpiaparabrisas, pieza de caucho que está en contacto con el cristal y limpia el agua. **4** || **escobilla de dientes;** en zonas del español meridional, cepillo de dientes.

escobillero s.m. Accesorio de baño para colocar la escobilla.

escobillón s.m. **1** Cepillo unido al extremo de un mango largo, que se usa para barrer: *Para barrer el garaje usa el escobillón.* **2** Utensilio formado por un palo largo que tiene en uno de sus extremos un cilindro con cerdas, y que se utiliza esp. para limpiar el interior del cañón de un arma de fuego: *A los reclutas se les enseña el uso del escobillón.* ☐ ETIMOL. Del francés *ecouvillon.*

escobón s.m. Escoba de palo largo y que se usa para barrer o para deshollinar: *Como no tenía tiempo para fregar el suelo, no hice más que pasarle el escobón.*

escocedura s.f. **1** Irritación o enrojecimiento de una parte del cuerpo, esp. por efecto del sudor o del roce: *Estos zapatos me han hecho escoceduras en los talones.* ☐ SINÓN. *escocimiento.* **2** Producción de escozor: *Este líquido es muy bueno para aliviar la escocedura de los ojos.* ☐ SINÓN. *escocimiento.*

escocer ▌v. **1** Producir escozor o sensación de picor doloroso: *Cuando me curan la herida, me escuece.* **2** Producir una impresión amarga o dolorosa en el ánimo: *Sé que mis críticas te escuecen, pero te las hago por tu bien.* ▌prnl. **3** Referido esp. a una parte del cuerpo, irritarse o enrojecerse, generalmente por efecto del sudor o del roce: *Al niño se le escuecen los muslos con el calor. Los bebés se escuecen si no les cambias los pañales a menudo.* ☐ ETIMOL. Del latín *excoquere.* ☐ ORTOGR. La *c* se cambia en *z* delante de *a, o.* ☐ MORF. Irreg. →COCER.

escocés, -a ▌adj. **1** Referido a un tela o a una prenda de vestir, con un dibujo a cuadros de distintos colores y generalmente de lana: *Llevaba un traje de chaqueta con una falda escocesa en tonos verdes.* ▌adj./s. **2** De Escocia (región británica), o relacionado con ella: *Las costas escocesas son frías y recortadas.*

escocia s.f. En arquitectura, moldura corrida y cóncava cuya sección está formada por dos arcos de circunferencia de distinto radio, siendo generalmente el mayor el de su parte inferior: *La basa de una columna jónica suele tener una escocia.* ☐ ETIMOL. Del latín *scotia*, y este del griego *skotía* (oscuridad, especie de gotera).

escocido, da adj. **1** Irritado o con sensación de escozor: *Necesito una crema para las zonas escocidas del bebé.* **2** Molesto u ofendido: *Tu prima sigue muy escocida por las críticas.*

escocimiento s.m. Irritación o enrojecimiento de una parte del cuerpo: *Date esta crema protectora para evitar el escocimiento de la piel.* ☐ SINÓN. *escocedura.*

escoda s.f. Especie de martillo con punta o corte en ambos lados y que sirve para labrar piedras y picar paredes: *Los canteros labran los bloques de granito con la escoda.*

escofina s.f. Lima con los dientes gruesos y triangulares, que se usa esp. para quitar las partes más bastas de algo que se va a labrar: *El carpintero iguala la madera con una escofina.* ☐ ETIMOL. Del latín **scoffina.*

escoger v. Referido a una persona o a una cosa, tomarlas de entre otras: *Escogió las peras más maduras para hacer la compota.* ☐ ETIMOL. Del latín *ex-* (fuera) y *colligere* (coger). ☐ ORTOGR. La *g* se cambia en *j* delante de *a, o* →COGER.

escogido, da adj. Que es o se considera lo mejor en relación con algo de la misma especie o clase: *A la fiesta real asistió lo más escogido de la nobleza.* ☐ SINÓN. *selecto.*

escolanía s.f. Conjunto de niños que en algunos monasterios son educados para el canto y para ayudar al culto: *El coro de la escolanía ensayaba los villancicos de Nochebuena.*

escolano s.m. Niño que, en algunos monasterios, es educado para el canto y para ayudar en el culto: *Los escolanos acudían todos los días a sus clases de música.* ☐ ETIMOL. De *escuela.*

escolapio, pia adj./s. De las Escuelas Pías (orden religiosa fundada en 1597 por san José de Calasanz), o relacionado con ellas: *Estudió bachillerato en un colegio de los escolapios.* ☐ SINÓN. *calasancio.*

escolar ▌adj.inv. **1** Del estudiante o de la escuela: *Un niño con seis años está en edad escolar.* ▌s.com. **2** Alumno que cursa estudios en una escuela, esp. referido a los estudiantes de enseñanza obligatoria: *Cuando los escolares salen al patio, el bullicio se oye por todo el barrio.* ☐ ETIMOL. Del latín *scholaris.*

escolaridad s.f. Período de tiempo durante el que se asiste a un centro de enseñanza, esp. para cursar los estudios de enseñanza obligatoria: *Ningún niño debería verse obligado a trabajar durante su escolaridad.* ☐ SEM. Dist. de *escolarización* (dotación de escuela para recibir enseñanza).

escolarización s.f. Dotación de escuela para recibir una enseñanza, esp. la obligatoria: *Con un colegio más, se conseguirá la escolarización de todos los niños del barrio.* ☐ SEM. Dist. de *escolaridad* (tiempo que se asiste a un centro de enseñanza).

escolarizar v. **1** Referido a un niño, proporcionarle escuela para que reciba la enseñanza obligatoria: *El Ministerio de Educación se propone escolarizar a todos los menores de dieciséis años.* **2** Referido a una persona, proporcionarle cualquier enseñanza incluida dentro del sistema académico oficial: *Con el programa de alfabetización de adultos, se consiguió escolarizar a muchos analfabetos funcionales.* ☐ ORTOGR. La *z* se cambia en *c* delante de *e* →CAZAR.

escolástica s.f. Véase **escolástico, ca.**

escolasticismo s.m. →**escolástica.**

escolástico, ca ▌adj. **1** De la escolástica o relacionado con esta escuela filosófica medieval: *Las* *teorías escolásticas usaban como método principal la argumentación con silogismos.* ▮ adj./s. **2** Partidario o seguidor de esta escuela filosófica medieval: *Muchos filósofos escolásticos fueron también teólogos.* ▮ s.f. **3** Escuela o corriente filosófica medieval que intenta sintetizar la doctrina de la Iglesia con la filosofía griega, esp. con la de origen aristotélico: *El principal representante de la escolástica es el filósofo italiano Tomás de Aquino.* ☐ SINÓN. *escolasticismo.* ☐ ETIMOL. Las acepciones 1 y 2, del griego *skholastikós*, y este de *skholé* (ocio, estudio, escuela).

escoliar v. Referido a un texto, ponerle escolios o notas explicativas: *Esta profesora ha escoliado algunos poemas de Quevedo para hacerlos más accesibles al lector actual.*

escolio s.m. Nota explicativa que se pone a un texto, generalmente al margen o a pie de página: *Se conservan textos medievales en latín con escolios en castellano, que prueban cómo iba creciendo el desconocimiento del latín.* ☐ ETIMOL. Del griego *skhólion* (explicación, comentario).

escoliosis (pl. *escoliosis*) s.f. Desviación lateral de la columna vertebral: *Algunas escoliosis pueden corregirse con ejercicios gimnásticos adecuados.* ☐ ETIMOL. Del griego *skoliós* (oblicuo, torcido).

escollera s.f. Obra hecha con grandes piedras o bloques de cemento, que protege contra la acción del mar y que se construye para formar diques de defensa contra el oleaje, para servir de cimiento a un muelle o para resguardar el pie de otra obra: *Las olas rompían con fuerza contra la escollera.*

escollo s.m. **1** Roca o peñasco poco visibles en la superficie del agua, que suponen un peligro para las embarcaciones. **2** Dificultad, obstáculo o riesgo: *Para llegar a su actual puesto ha tenido que salvar muchos escollos.* ☐ ETIMOL. Del italiano *scoglio*.

escolopendra s.f. Animal invertebrado de respiración traqueal, cuyo cuerpo alargado, brillante y dividido en anillos alcanza los veinte centímetros de largo, con numerosas patas dispuestas por parejas y dos uñas venenosas en la cabeza que pueden producir dolorosas picaduras: *La escolopendra es parecida al ciempiés y vive debajo de las piedras.* ☐ ETIMOL. Del latín *scolopendra*, y este del griego *skolópendra* (ciempiés). ☐ MORF. Es un sustantivo epiceno: *la escolopendra {macho/hembra}.* ☐ SEM. Dist. de *oropéndola* (pájaro).

escolta ▮ s.com. **1** Persona que acompaña o conduce algo o a alguien para protegerlo o para custodiarlo: *En el atentado resultó herido un escolta del ministro.* **2** En baloncesto, jugador que ayuda al base en la organización del juego y que a veces desempeña las funciones del alero. ▮ s.f. **3** Acompañamiento o conducción de algo o de alguien para protegerlos, custodiarlos u honrarlos: *La policía se encargará de la escolta del industrial amenazado.* **4** Conjunto de personas, de vehículos o de fuerzas militares destinados a realizar esta función: *Cortarán la circulación cuando llegue la escolta real.* ☐ ETIMOL. Del italiano *scorta* (acompañamiento).

escoltar v. **1** Referido a una persona o a una cosa, acompañarlas o conducirlas para protegerlas o para custodiarlas: *Dos policías escoltaban el furgón blindado con el dinero.* **2** Acompañar en señal de honra o de respeto: *Familiares y amigos escoltaban el féretro.*

escombrar v. →**desescombrar.** ☐ ETIMOL. Del latín **excomborare* (sacar estorbos).

escombrera s.f. Lugar en el que se tiran los escombros: *Ese descampado se ha convertido en una escombrera.*

escombro s.m. Material de desecho que queda de una obra de albañilería o del derribo de un edificio: *Después del bombardeo, solo quedaron los escombros de los edificios.* ☐ ETIMOL. De *escombrar* (quitar estorbos y escombros). ☐ MORF. Se usa más en plural.

esconder v. **1** Poner en un lugar secreto o en el que es difícil ser encontrado: *Escondió los documentos en la caja fuerte. Se escondió detrás del armario para que no la vieran.* **2** Incluir o guardar en el interior: *Su carácter malhumorado esconde un corazón de oro. En sus palabras se esconde una visión angustiada de la vida.* **3** Tapar o no dejar ver: *Los árboles esconden la pradera que hay tras ellos. Una hermosa visión se escondía detrás de aquella cortina.* ☐ ETIMOL. Del latín *abscondere*.

escondidillas s.f.pl. **1** En zonas del español meridional, juego del escondite: *A mis hijos les gusta mucho jugar a las escondidillas en casa de la abuelita.* **2** ‖ **a escondidillas;** *col.* A escondidas: *No me mientas, que tú te comiste los pasteles a escondidillas.*

escondido, da adj. **1** Fuera o lejos de los sitios frecuentados: *Lo encontramos en un rincón escondido del bosque.* **2** ‖ **a escondidas;** sin ser visto u ocultándose: *Cogí a escondidas el último trozo de chocolate.*

escondite s.m. **1** Lugar apropiado para esconder algo o para esconderse: *El ratón se metió en su escondite y no volvimos a verlo.* **2** Juego de niños que consiste en que uno de ellos busque a los otros, que previamente se han escondido. **3** ‖ **escondite inglés;** juego de niños que consiste en que uno de ellos, que está de espaldas al resto, se dé la vuelta cada cierto tiempo para tratar de sorprender a los demás en movimiento.

escondrijo s.m. Lugar apropiado para esconderse o para esconder o guardar algo en él: *Esa cueva parece un buen escondrijo y no creo que nadie nos busque aquí.*

escoñar ▮ v. **1** *vulg.malson.* →**estropear.** ▮ prnl. **2** *vulg.malson.* →**caerse.**

escopeta s.f. Arma de fuego portátil, con uno o dos cañones largos montados sobre una pieza de madera, y que se usa generalmente para cazar: *Salió con su escopeta a cazar conejos.* ☐ ETIMOL. Del italiano *schioppetto*.

escopetado, da adj. *col.* Con mucha prisa o muy rápido: *En cuanto suena el timbre, los alumnos salen escopetados de clase.*

escopetazo s.m. **1** Disparo hecho con una escopeta. **2** Noticia o suceso repentinos e inesperados, esp. si son desagradables: *El cierre de la empresa fue un escopetazo.*

escopladura (tb. *escopleadura*) s.f. Corte o agujero hecho con un escoplo, generalmente en una pieza de madera: *Para ensamblar las dos piezas debes meter la espiga en la escopladura.*

escopleadura s.f. →**escopladura.**

escoplo s.m. Herramienta formada por una barra de hierro acerado terminada en un corte oblicuo y generalmente unida a un mango de madera, que se utiliza para hacer cortes en la madera o para labrar la piedra: *El carpintero golpea con el martillo el mango del escoplo para introducirlo en la madera.* ☐ ETIMOL. Del latín *scalprum* (buril, podadera).

escora s.f. **1** Inclinación hacia un lado que toma una embarcación, generalmente producida por la fuerza del viento: *Para contrarrestar la escora llenaron de lastre el costado contrario.* **2** Puntal o pieza de material resistente que sostiene el costado de una embarcación que está fuera del agua o que aún está en construcción: *Cuando terminen el barco quitarán las escoras.* ☐ ETIMOL. Del francés antiguo *escore.*

escorar ▌v. **1** Referido a una embarcación, inclinarse de costado: *El transatlántico escoró tanto, que los pasajeros se asustaron. La nave se escoró por el peso de la carga.* ▌prnl. **2** Inclinarse hacia un lado o hacia una determinada posición: *Acusan al partido de centro de estar escorándose hacia la derecha.* ☐ ETIMOL. De *escora* (madero con que se apuntala una embarcación).

escorbuto s.m. Enfermedad producida por la carencia de ciertas vitaminas, esp. de la vitamina C, y que se manifiesta con debilidad muscular, hemorragias, encías sangrantes y manchas amoratadas en la piel: *Antes, el escorbuto era una enfermedad frecuente entre los navegantes que hacían largos viajes.* ☐ ETIMOL. Del francés *scorbut.*

escoria s.f. **1** Lo que se considera peor, más despreciable o más indigno: *En esos garitos se junta la escoria de la ciudad.* **2** Sustancia de aspecto vítreo formada por las impurezas de los metales y que flota cuando estos se funden. **3** Materia que desprende el hierro candente al ser golpeado con un martillo. **4** Residuo voluminoso que queda tras la combustión del carbón. **5** Lava ligera y voluminosa de los volcanes. ☐ ETIMOL. Del latín *scoria*, este del griego *skoría*, y este de *skór* (excremento).

escoriación s.f. →**excoriación.**

escoriar v. →**excoriar.** ☐ ORTOGR. La *i* nunca lleva tilde.

escornarse v.prnl. **1** *col.* Darse un golpe muy fuerte: *Átate los zapatos, que te vas a escornar.* **2** *vulg.* →**descornarse.** ☐ MORF. Irreg. →CONTAR.

escorpina s.f. Pez marino comestible, de color rojizo, cabeza gruesa y con una sola aleta dorsal con espinas. ☐ SINÓN. *rascacio.* ☐ ETIMOL. Del latín *scorpaena.* ☐ MORF. Es un sustantivo epiceno: *la escorpina {macho/hembra}.*

escorpio adj.inv./s.com. →**escorpión.** ☐ ETIMOL. Del latín *scorpius.*

escorpión ▌adj.inv./s.com. **1** Referido a una persona, que ha nacido entre el 24 de octubre y el 22 de noviembre aproximadamente. ☐ SINÓN. *escorpio.* ▌s.m. **2** Animal arácnido que tiene el abdomen prolongado en una cola dividida en segmentos y terminada en un aguijón venenoso en forma de gancho: *El escorpión común en España puede medir hasta ocho centímetros y es de color amarillento.* ☐ SINÓN. *alacrán.* ☐ ETIMOL. Del latín *scorpio.* ☐ MORF. En la acepción 2, es un sustantivo epiceno: *el escorpión {macho/hembra}.*

escorrentía s.f. **1** Agua de lluvia que pasa por la superficie de un terreno. **2** En un embalse, en una canalización o en otro tipo de depósito, vertedero o desagüe de aguas sobrantes, que evita su desbordamiento. ☐ SINÓN. *aliviadero.*

escorzar v. Referido a una figura, representarla o dibujarla en escorzo: *El dibujo de la sala da sensación de profundidad porque se han escorzado sus líneas.* ☐ ETIMOL. Del italiano *scorciare* (acortar). ☐ ORTOGR. La *z* se cambia en *c* delante de *e* →CAZAR.

escorzo s.m. **1** Representación de una figura que se extiende en sentido perpendicular u oblicuo al plano de la superficie sobre la que se pinta, acortando sus líneas de acuerdo con las reglas de la perspectiva: *El escorzo da sensación de profundidad.* **2** Figura o parte de la misma representada de este modo: *El pintor renacentista Mantegna pintó famosos escorzos.*

escota s.f. Cuerda con la que se sujetan las velas de un barco para que los vértices queden lo más cerca posible de la borda: *Este verano estuve haciendo un curso de vela y aprendí que la escota es un tipo de cabo.* ☐ ETIMOL. Del francés antiguo *escote.*

escotado, da adj. Con escote, esp. si es grande: *En verano suele ir muy escotada.*

escotadura s.f. **1** En una prenda de vestir, corte o abertura que se hace en la parte del cuello o de las mangas: *La escotadura de las dos mangas tiene que ser igual.* **2** En un teatro, abertura grande que se hace en el tablado del escenario para las tramoyas: *El decorado del fondo se recoge en la escotadura.*

escotar v. **1** Referido a una prenda de vestir, hacer un escote en ella: *Me voy a escotar un poco más este vestido, porque este cuello me da calor.* **2** Referido a una cantidad de dinero, pagarla cada miembro de un grupo que ha hecho un gasto en común: *No me importa adelantar el dinero, si después cada uno escota su parte.* ☐ ETIMOL. La acepción 1, quizá de *cota* (jubón). La acepción 2, de *escote* (cuota que corresponde a cada uno por un gasto común).

escote s.m. **1** En una prenda de vestir, corte o abertura hechos en la parte del cuello y que dejan al descubierto parte del pecho o de la espalda. **2** Parte del busto que queda descubierta por esta abertura: *Me abrocharé los botones de la camisa para que no se me vea el escote.* **3** ‖ **a escote;** pagando cada persona la parte que le corresponde de un gasto común: *Cuando vamos en grupo, lo que compramos para todos se paga a escote.* || **escote barco;** en una prenda de vestir, el que va de hombro a hombro. || **escote francés;** en una prenda de vestir, el que es rectangular o cuadrado, ajustado al busto. || **escote palabra de honor;** en una prenda de vestir, el que no tiene tirantes y deja cuello y hombros al descubierto. || **escote princesa;** en una prenda de vestir, el que es abierto por delante y cerrado por la parte posterior con una solapa. ☐ ETIMOL. Las acepciones 1 y 2, de *escotar* (cortar un cuerpo de vestido por la parte del cuello y de los hombros). La acepción 3, del francés antiguo *escot*.

escotilla s.f. **1** En un barco, cada una de las aberturas que hay en la cubierta: *Abrieron la escotilla de proa para bajar los barriles a la bodega.* **2** En un carro de combate, abertura que permite acceder a su interior: *Las escotillas del tanque se cierran herméticamente.* **3** En una lavadora, abertura por donde se introduce la ropa. ☐ ETIMOL. De origen incierto.

escotillón s.m. **1** Puerta o trampilla que hay en el suelo: *En la cocina hay un escotillón por el que se baja a la bodega.* **2** En el escenario de un teatro, parte de su piso que puede levantarse para dejar una abertura por la que salgan a escena o desaparezcan de ella personas u objetos: *La actriz se metió por el hueco del escotillón, simulando que bajaba a un sótano.*

escozor s.m. **1** Sensación de picor doloroso, parecida a la que produce una quemadura: *El humo me produce escozor en los ojos.* **2** Sentimiento causado por un disgusto o por una ofensa: *Al recordar sus crueles palabras sobre mí, no puedo evitar sentir cierto escozor.*

escriba s.m. En algunos pueblos de la Antigüedad, persona que copiaba textos o que los escribía al dictado: *Los escribas persas utilizaban un punzón para escribir sobre la piedra.* ☐ ETIMOL. Del latín *scriba*.

escribanía s.f. **1** Escritorio o mueble para guardar papeles: *En el palacio vimos una escribanía de marfil, regalada al monarca español por el rey de Francia.* **2** Juego de escritorio formado por un soporte sobre el que van colocadas varias piezas, generalmente una pluma, un tintero y un secante: *Tiene una bonita escribanía dorada sobre la mesa del despacho.* **3** En zonas del español meridional, notaría: *Para llevar a cabo la venta de la estancia, iré a una escribanía.* **4** En zonas del español meridional, notariado: *En Uruguay estudié escribanía.*

escribano, na ▮ s. **1** Persona que escribe con muy buena letra. ☐ SINÓN. *pendolista*. **2** En zonas del español meridional, notario: *Quiero estudiar leyes para ser escribana o abogada.* ▮ s.m. **3** Antiguamente, funcionario público que estaba autorizado para dar fe de las escrituras, de los documentos y de los demás actos que pasaban ante él. ☐ ETIMOL. Del latín *scriba*.

escribidor, -a s. **1** *ant.* Persona que escribe al dictado. **2** *col.* Persona que escribe mal o que es mal escritor.

escribiente s.com. Persona que se dedicaba profesionalmente a la copia o a la escritura de lo que se le dictaba: *La escribiente copiaba las cartas que se le encargaban.*

escribir v. **1** Representar por medio de letras o de otros signos gráficos convencionales: *Escribe tu nombre en esta hoja.* **2** Referido a un texto o a una obra musical, componerlos o crearlos: *Escribió su ópera inspirándose en una leyenda medieval.* **3** Comunicar por escrito: *En la carta me escribe las últimas novedades. Desde que son novios, se escriben tres veces por semana.* ☐ ETIMOL. Del latín *scribere*. ☐ MORF. Su participio es *escrito*.

escrito, ta ▮ **1** part. irreg. de **escribir**. ▮ s.m. **2** Carta, documento o cualquier otro papel manuscrito, mecanografiado o impreso: *Me han pedido un escrito que resuma lo que voy a tratar en la ponencia.* **3** Obra o composición científicas o literarias: *Ya en sus escritos de juventud daba muestras de ser un gran novelista.* **4** || **estar escrito** algo; estar dispuesto por el destino: *Me tocó la lotería porque estaba escrito.* || **por escrito;** por medio de la escritura: *Si no está usted de acuerdo, presente una queja por escrito.* ☐ MORF. En la acepción 1, incorr. **escribido*.

escritor, -a s. **1** Persona que se dedica a escribir obras literarias o científicas, esp. si esta es su profesión: *Esa chica es una conocida escritora de novelas de ciencia ficción.* **2** *arg.* Persona que pinta o dibuja graffiti.

escritorio s.m. Mueble con cajones y un tablero para escribir y guardar papeles, y que normalmente se puede cerrar: *Guarda sus cartas y sus cosas de escribir en el escritorio cerrado con llave.* ☐ ETIMOL. Del latín *scriptorium*.

escritura s.f. **1** Representación de palabras o de ideas por medio de letras o de otros signos gráficos convencionales: *ejercicios de lectura y de escritura.* **2** Sistema utilizado para escribir: *El español utiliza una escritura alfabética.* **3** Manera de escribir: *No entiendo lo que dice porque su escritura es poco clara.* **4** En derecho, documento en el que se hace constar una obligación o un acuerdo, y en el que firman los interesados: *las escrituras de un piso.*

escrituración s.f. Expedición de un documento legal en el que consta un acuerdo o una obligación: *Tenemos que hacer lo más pronto posible la escrituración del piso.*

escriturar v. En derecho, hacer constar mediante escritura pública o de forma legal: *Mañana escrituraremos la compraventa de la finca.*

escriturista s.com. Persona que se dedica al estudio de la Biblia: *Ese sacerdote es un buen escriturista.*

escrófula s.f. Abultamiento de los ganglios linfáticos del cuello que se da en enfermedades infecciosas, esp. en la tuberculosis: *La escrófula suele ir acompañada de un estado de debilidad general.* ☐ ETIMOL. Del latín *scrofulare* (paperas).

escroto s.m. En anatomía, bolsa de piel que cubre los testículos: *La piel del escroto tiene muchas glándulas sebáceas.* ☐ ETIMOL. Del latín *scrotum.*

escrúpulo s.m. **1** Duda o recelo que se tiene sobre si una acción es buena, moral o justa: *No tiene el menor escrúpulo en pasar por encima de quien sea para beneficiarse él.* **2** Asco o repugnancia hacia algo, esp. por temor a la suciedad o al contagio: *Me da escrúpulos ducharme en duchas públicas.* **3** Exactitud en la averiguación o en el cumplimiento de algo: *Es una persona muy metódica y cumplirá el encargo con el mayor escrúpulo.* ☐ ETIMOL. Del latín *scrupulus* (piedrecilla), porque las piedrecillas que se meten en los zapatos producen cierta preocupación o molestia. ☐ MORF. En las acepciones 1 y 2, se usa más en plural.

escrupulosidad s.f. Exactitud en el examen y en la averiguación de algo, y perfecta ejecución de lo que se emprende o desempeña: *Es una crítica exigente y analiza cada página del texto con escrupulosidad.*

escrupuloso, sa ▮ adj. **1** Que hace o cumple con exactitud y cuidado sus deberes: *Es muy escrupuloso en su trabajo y no deja nada sin rematar.* ▮ adj./s. **2** Que padece o que tiene escrúpulos: *Me gusta que todo esté muy limpio, porque soy muy escrupuloso.*

escrutador, -a ▮ adj. **1** Que escruta o examina cuidadosamente: *Su mirada escrutadora recorrió hasta el último rincón de aquella habitación.* ▮ adj./s. **2** Que realiza el escrutinio o el cómputo de los votos: *Como presidenta de mi mesa electoral, tengo que participar en el proceso escrutador de los votos.*

escrutar v. **1** Referido esp. a los votos de una elección, reconocerlos y contarlos: *No se darán a conocer datos sobre la votación hasta que no se termine de escrutar todos los votos.* **2** Explorar, indagar o examinar con mucha atención: *Me escrutó con la mirada, intentando recordar dónde me había visto antes.* ☐ ETIMOL. Del latín *scrutari* (escudriñar, explorar).

escrutinio s.m. **1** Reconocimiento y recuento de los votos de una elección o de los boletos de una apuesta: *En el escrutinio de las quinielas de esta semana ha aparecido un boleto con quince aciertos.* **2** Examen y averiguación exactas y cuidadosas de algo: *El escrutinio de sus papeles dio pistas a la policía sobre su paradero.* ☐ ETIMOL. Del latín *scrutinium* (acción de escudriñar o de visitar).

escuadra s.f. **1** Instrumento con figura de triángulo rectángulo o compuesto solamente por dos reglas que forman ángulo recto: *En dibujo se usa la escuadra para trazar líneas perpendiculares.* **2** Lo que tiene la forma de este instrumento: *El balón se coló por la escuadra de la portería.* **3** Conjunto de barcos de guerra que participan en una determinada misión bajo el mismo mando: *El Gobierno de la nación mandó una escuadra a la zona del conflicto.* ☐ SINÓN. *armada.* **4** Grupo de soldados a las órdenes de un cabo: *El teniente envió por delante una escuadra en misión de reconocimiento.* ☐ ETIMOL. De *escuadrar.* ☐ SEM. No debe emplearse con el significado de 'equipo de fútbol' (italianismo): *{*Ambas escuadras > Ambos equipos} ofrecieron un gran partido.*

escuadrar v. Referido a las caras planas de un objeto, disponerlas de modo que formen entre sí ángulos rectos: *Hay que escuadrar estos listones para hacer el marco del cuadro.* ☐ ETIMOL. Del latín **exquadrare.*

escuadrilla s.f. **1** Conjunto de aviones que realizan un mismo vuelo dirigidos por un jefe: *Una escuadrilla realizaba ejercicios de acrobacia aérea como exhibición.* **2** Escuadra o conjunto de barcos de pequeño tamaño: *Hacia la isla se dirigía una escuadrilla de patrulleras.*

escuadrón s.m. **1** En el ejército, unidad de caballería, mandada normalmente por un capitán: *El escuadrón de caballería es equiparable a la compañía en infantería o la batería en artillería.* **2** En el Ejército del Aire, unidad equiparable en importancia y en jerarquía al batallón o grupo terrestre: *Situaron un escuadrón de transporte aéreo en el centro de la Península.* **3** Unidad aérea formada por un número importante de aviones: *El desfile dio comienzo con un escuadrón de aviones alineados.* ☐ ETIMOL. De *escuadra.*

escualidez s.f. Flaqueza o delgadez extremas: *Está gravemente enfermo y su escualidez es más notoria día a día.*

escuálido, da adj. Flaco, delgado o esquelético: *Come más, hombre, que te vas a quedar escuálido.* ☐ ETIMOL. Del latín *squalidus* (tosco, áspero, descuidado).

escualo s.m. Pez con el cuerpo en forma de huso y con la boca muy grande situada en la parte inferior de la cabeza: *El tiburón es un escualo.* ☐ ETIMOL. Del latín *squalus.*

escucha s.f. **1** Percepción de sonidos, esp. si es atenta: *Había altavoces por toda la plaza para favorecer la escucha en los puntos más alejados del escenario.* **2** ‖ **a la escucha;** atento o dispuesto para escuchar: *La presentadora pidió al oyente que telefoneó que permaneciese unos minutos a la escucha.* ‖ **escucha telefónica;** percepción y grabación de las llamadas de teléfono de una persona sin que ella se dé cuenta. ☐ SINT. *A la escucha* se usa más con los verbos *estar* y *ponerse* o equivalentes.

escuchar v. **1** Referido a algo que se oye, prestarle atención: *Te oigo, pero prefiero no escuchar lo que me dices.* **2** Referido esp. a un consejo, atenderlo o hacer caso de él: *Escucha mis consejos, o te arrepentirás.* **3** Aplicar el oído para oír: *No escuches, que lo que están hablando es una conversación privada.* ☐ ETIMOL. Del latín **ascultare.* ☐ SEM. En la acepción 1, dist. de *oír* (percibir los sonidos sin intención deliberada).

escuchimizado, da adj. Muy flaco y débil: *Nos atendió un muchacho escuchimizado y de aspecto enfermizo.* ☐ ETIMOL. De origen incierto.

escudar ■ v. **1** Proteger o defender de un peligro que amenaza: *Si buscas siempre quien te escude, nunca aprenderás a valerte por ti mismo.* ■ prnl. **2** Valerse de algún medio para justificarse o para librarse de un riesgo o de un peligro: *Se escuda en que está enfermo para no trabajar.* □ SINT. Constr. como pronominal: *escudarse* EN *algo*.

escudella s.f. Guiso que se prepara con alubias, verdura, patatas, fideos gordos, arroz y otros ingredientes, todo ello cocido: *La escudella es un plato típico catalán.* □ ETIMOL. Del catalán *escudella*.

escudería s.f. En una competición automovilista o motociclista, conjunto de vehículos, pilotos y personal técnico que forman parte de un mismo equipo: *Ese piloto corre con una escudería italiana.*

escuderil adj.inv. Del escudero o relacionado con su empleo, con su condición o con sus costumbres: *Don Quijote consideraba que Sancho no era modelo de virtudes escuderiles.*

escudero s.m. **1** Antiguamente, criado que servía y asistía a una persona distinguida en determinadas ocasiones: *Era frecuente que toda persona noble o de posición tuviese su escudero.* **2** Paje o sirviente que llevaba el escudo y otras armas del caballero: *Sancho Panza era el fiel escudero de Don Quijote.* **3** Persona que por su sangre es noble o distinguida: *El escudero del 'Lazarillo de Tormes' se esforzaba por mantener su imagen distinguida a pesar de su pobreza.* □ ETIMOL. Del latín *scutarius*.

escudilla s.f. Vasija ancha y en forma de media esfera en la que se suele servir la sopa: *La mendiga tomaba un caldo en una escudilla de barro.* □ ETIMOL. Del latín *scutella* (copita, bandeja).

escudo s.m. **1** Arma defensiva que se lleva sujeta por un brazo para cubrir y proteger el cuerpo. **2** Amparo, defensa o protección: *Su madre es su mejor escudo.* **3** Unidad monetaria portuguesa hasta la adopción del euro. **4** Unidad monetaria de Cabo Verde (país africano). **5** Antigua moneda española. **6** Antigua moneda chilena. **7** || **escudo (de armas);** en heráldica, superficie u objeto con la forma de esta arma, donde se pintan las figuras o piezas que son distintivos de un reino, de una ciudad, de un linaje o de una persona. □ SINÓN. *armas, blasón.* □ ETIMOL. Del latín *scutum*.

escudriñar v. Examinar o indagar para averiguar detalles: *Escudriñó detenidamente el problema hasta que dio con la solución.* □ ETIMOL. Del latín **scrutiniare*, y este de *scrutinium* (acción de escudriñar o de visitar).

escuela s.f. **1** Establecimiento público en el que se imparte enseñanza primaria: *Todo lo que sabe lo aprendió en la escuela.* **2** Establecimiento público en el que se imparte cualquier tipo de instrucción: *Estudió tres años en una escuela universitaria para obtener el título de diplomado en enfermería.* **3** Enseñanza que se da o que se adquiere: *Es un actor joven y se nota que le falta escuela.* **4** Conjunto de discípulos, seguidores o imitadores de una persona, de una doctrina, de un estilo o de un arte: *Velázquez es el pintor más representativo de la escuela pictórica sevillana del siglo XVII.* **5** Lo que de alguna manera enseña o da ejemplo y experiencia: *En su padre tuvo una buena escuela para los negocios.* □ ETIMOL. Del latín *schola* (lección, escuela).

escuelero, ra s. En zonas del español meridional, maestro de escuela.

escuerzo s.m. *col.* Persona flaca y enclenque: *Después de la enfermedad me quedé hecha un escuerzo.*

escueto, ta adj. **1** Referido esp. al lenguaje, que es breve, sin rodeos o sin detalles superfluos e innecesarios: *Su escueta respuesta fue un simple 'no'.* **2** Que no tiene adornos. □ ETIMOL. De origen incierto.

escuincle, cla adj./s. *col.* En zonas del español meridional, muy joven o muy niño: *Mi prima aún está muy escuincla para casarse.*

escuintle s.m. Perro de origen mexicano, de pequeño tamaño, con la piel arrugada, manchas negras y poco pelo. □ ETIMOL. Del náhuatl *itzcuintli* (perro sin pelo).

esculcar v. En zonas del español meridional, registrar: *La policía esculcó varios departamentos.* □ ETIMOL. Del germánico **skulkan* (espiar, acechar). □ ORTOGR. La *c* se cambia en *qu* delante de *e* →SACAR.

esculpir v. **1** Labrar a mano, esp. en piedra, en madera o en metal: *Una famosa escultora fue la encargada de esculpir en mármol la imagen del alcalde.* **2** Grabar o labrar en hueco o en relieve: *Mandó esculpir en la lápida un sencillo epitafio.* □ ETIMOL. Del latín *sculpere*.

escultismo s.m. Movimiento juvenil internacional, fundado a principios del siglo XX por Baden-Powell (oficial británico), que pretende facilitar la formación integral de los jóvenes mediante actividades de grupo, realizadas generalmente en contacto con la naturaleza: *A los miembros del escultismo se les llama 'scouts'.* □ ETIMOL. Del inglés *scout* (explorar), con influencia del catalán *ascoltar*.

escultista adj.inv./s.com. Del escultismo o relacionado con este movimiento juvenil internacional.

escultor, -a s. Persona que se dedica al arte de la escultura: *Las tres estatuas de la plaza son obra del mismo escultor.* □ ETIMOL. Del latín *sculptor*.

escultórico, ca adj. De la escultura o relacionado con ella: *una obra escultórica.*

escultura s.f. **1** Arte o técnica de modelar, de tallar o de esculpir figuras en cualquier material: *Estudió escultura en una escuela de Bellas Artes.* **2** Obra hecha según este arte: *En el jardín tiene una escultura que representa a Hércules.* □ ETIMOL. Del latín *sculptura*.

escultural adj.inv. Con las proporciones o los rasgos de belleza propios de una escultura: *una figura escultural.*

escupidera s.f. Pequeño recipiente que se usa para escupir en él: *El vaquero escupió en la escupidera que había en un rincón del bar.*

escupir v. **1** Arrojar saliva por la boca: *Escupir en la calle es de mala educación.* **2** Despedir o echar fuera de sí, esp. si se hace violentamente: *El volcán sigue activo y aún escupe lava.* **3** Referido a algo que se tiene en la boca, echarlo fuera de ella: *En cuanto me metí la cereza en la boca, me di cuenta de que estaba mala y la escupí.* **4** *vulg.* Referido a algo que se sabe, contarlo o confesarlo: *A fuerza de amenazas, le hicieron escupir todo lo que sabía.* □ ETIMOL. Del latín **exconspuere.*

escupitajo s.m. Saliva, flema o sangre que se escupen o se expulsan por la boca: *Regañé a la niña porque estaba echando escupitajos desde el balcón.* □ SINÓN. *esputo, escupitinajo.*

escupitinajo s.m. →**escupitajo.**

escurialense adj.inv. Del monasterio madrileño de San Lorenzo de El Escorial, con sus características o relacionado con él: *La fachada de este edificio tiene influencia del estilo escurialense.* □ ORTOGR. Incorr. **escorialense.*

escurraja s.f. Desecho o desperdicio. □ ETIMOL. De *escurrir.* □ MORF. Se usa más en plural.

escurreplatos (pl. *escurreplatos*) s.m. Utensilio o mueble de cocina en los que se colocan los platos y vasijas fregados para que escurran: *Si ya están secos los platos del escurreplatos, guárdalos en el armario.* □ SINÓN. *escurridor.*

escurridero s.m. Lugar que sirve para poner a escurrir algo: *Esos alambres son un buen escurridero para la ropa.*

escurridizo, za adj. **1** Que se escurre o se desliza con facilidad: *Este pez tiene la piel muy escurridiza.* **2** Que hace escurrirse o deslizarse: *Ten cuidado, que acaban de fregar el suelo y está escurridizo.* **3** Que se escapa o se escabulle con facilidad: *Es muy escurridiza y aún no he conseguido hablar con ella sobre ese asunto.*

escurrido, da adj. Referido a una persona, que es muy delgada y de formas poco pronunciadas: *Es tan escurrida y con tan pocas caderas, que los vestidos le quedan fatal.*

escurridor, -a ▌adj./s. **1** Que sirve para escurrir. ▌s.m. **2** Colador de agujeros grandes: *Después de hervidos, pon los macarrones en el escurridor para quitarles el agua.* **3** Utensilio o mueble de cocina en los que se colocan los platos y vasijas fregados para que escurran: *Tiene el escurridor encima del fregadero.* □ SINÓN. *escurreplatos.*

escurridura s.f. Contenido líquido que queda en el fondo de un recipiente. □ MORF. Se usa más en plural.

escurrir ▌v. **1** Referido a algo mojado, quitarle o hacer que pierda el líquido que lo empapa: *Antes de tender la blusa, escúrrela bien.* **2** Referido a un líquido contenido en un recipiente, verterlo hasta sus últimas gotas: *Escurre bien el aceite de la botella antes de tirarla.* **3** Deslizar, resbalar o correr por encima de una superficie: *La suela de estos zapatos escurre. Al andar en calcetines por estas baldosas te escurres.* **4** Referido a algo empapado, soltar el líquido que contiene: *Las sábanas lavadas escurrían en el tendedero.* ▌prnl. **5** Referido a una cosa, deslizarse o escaparse de entre otras que la sujetan, esp. de las manos: *La anguila se me escurrió de las manos y volvió al río.* **6** Marcharse o escaparse con disimulo o con habilidad: *Me escurrí de la fiesta cuando llegaban sus tíos.* □ ETIMOL. Del latín *excurrere.*

escusado, da ▌adj. **1** Referido a un lugar, que es de carácter reservado o separado del uso común: *Podremos hablar sin que nos molesten en este rincón tan escusado.* ▌s.m. **2** Lugar para evacuar excrementos, esp. en establecimientos públicos: *Preguntó al camarero dónde estaba el escusado.* □ ETIMOL. De *escuso* (escondido). □ ORTOGR. En la acepción 1, se admite también *excusado.*

escúter s.f. Motocicleta de pequeña cilindrada que lleva en su parte delantera una plancha que protege las piernas y pies del que la conduce: *No le afectan los atascos porque va al trabajo en una escúter.* □ ETIMOL. Del inglés *scooter.* □ USO Es innecesario el uso del anglicismo *scooter.*

esdrújulo, la adj. **1** Referido a una palabra, que lleva el acento en la antepenúltima sílaba: *'Régimen', como todas las palabras esdrújulas, lleva tilde.* □ SINÓN. *proparoxítono.* **2** Referido a un verso, que termina en palabra acentuada en la antepenúltima sílaba: *Al hacer el cómputo métrico de un verso esdrújulo, se cuenta una sílaba menos de las que tiene realmente.* □ SINÓN. *proparoxítono.* □ ETIMOL. Del italiano *sdrucciolo.*

ese s.f. **1** Nombre de la letra *s.* **2** Lo que tiene la forma de esta letra: *Esa carretera de montaña es una cadena de eses.*

ese, sa (pl. *esos, esas*) demost. **1** Designa lo que está cerca, en el espacio o en el tiempo, de la persona a la que se habla: *En esa casa de mi infancia volvería a vivir yo. Ese de ahí es mi nuevo coche. Necesito unos zapatos como esos.* **2** Representa y señala lo ya mencionado o sobrentendido: *Tengo que ver esa película de la que hablabais. Esos que te insultan ahora te elogiarán cuando triunfes.* □ ORTOGR. Como pronombre demostrativo debe llevar tilde para diferenciarlo del adjetivo cuando pueda haber ambigüedad: *Veo a esa ministra (estoy viendo a una ministra concreta),* frente a *Veo a ésa ministra (veo que puede llegar a ser ministra).* □ USO Pospuesto a un sustantivo precedido del artículo determinado suele tener un matiz despectivo: *No soporto a la niña esa.*

esencia s.f. **1** Naturaleza de las cosas: *Muchos filósofos han intentado definir la esencia humana y la divina.* **2** Lo característico y más importante de algo: *La amistad es la esencia de su relación.* **3** Extracto líquido y concentrado de una sustancia, generalmente aromática: *esencia de vainilla.* **4** Sustancia volátil y de olor intenso que se extrae de ciertos vegetales: *La esencia de trementina se emplea en medicina y en la industria.* **5** ‖ **quinta esencia;** →**quintaesencia.** □ ETIMOL. Del latín *essentia.*

esencial adj.inv. **1** Que forma parte de la naturaleza de algo, o que es una de sus características inherentes: *La razón es esencial en el ser humano.* **2** De importancia tal que resulta imprescindible: *Deja a un lado los detalles, y cuéntame solo lo esen-*

cial. **3** De la esencia de una sustancia, esp. de las plantas: *Algunas plantas segregan aceites esenciales que se usan en farmacia o en perfumería.*

esfenoidal adj.inv. Del esfenoides o relacionado con este hueso de la cabeza.

esfenoides (pl. *esfenoides*) s.m. →**hueso esfenoides.** ☐ ETIMOL. Del griego *sphenoeidés* (de forma de cuña), y este de *sphén* (cuña) y *êidos* (figura).

esfera s.f. **1** Cuerpo geométrico limitado por una superficie curva cuyos puntos están todos a la misma distancia del punto interior llamado centro: *Una bola de billar es una esfera.* **2** En un reloj o en un objeto semejante, círculo o superficie en los que giran las manecillas. **3** Clase, rango o ámbito social: *Estudió con varios ministros y tiene amigos de las altas esferas.* **4** Espacio o ámbito a los que se extiende la acción o la influencia de algo o de alguien. **5** En zonas del español meridional, campo en el que se desarrolla una actividad: *la esfera política.* **6** || **esfera armilar;** representación de la esfera celeste en la que se representan las trayectorias de los astros mediante circunferencias o aros concéntricos y en cuyo centro suele colocarse la Tierra: *Los antiguos astrónomos utilizaban la esfera armilar.* || **esfera celeste;** superficie ideal, curva, cerrada y concéntrica a la Tierra, en la que se mueven aparentemente los astros: *El Sol recorre la esfera celeste a lo largo del día.* || **esfera {terráquea/terrestre};** representación de la Tierra con su misma forma en la que figura la disposición de sus tierras y de sus mares. ☐ SINÓN. *globo terráqueo, globo terrestre.* ☐ ETIMOL. Del latín *sphaera*, y este del griego *sphâira* (pelota).

esfericidad s.f. Conjunto de características que definen lo que es esférico: *La esfericidad de la Tierra no es absoluta.*

esférico, ca ▌adj. **1** De la esfera o con la forma de este cuerpo geométrico: *Las canicas son cuerpos esféricos.* ▌s.m. **2** En el lenguaje del deporte, balón: *El delantero golpeó el esférico de cabeza y marcó gol.*

esfero s.m. En zonas del español meridional, boli: *Perdí mi esfero y tuve que pedir uno prestado.* ☐ MORF. Es la forma abreviada de *esferográfico*.

esferográfico s.m. En zonas del español meridional, bolígrafo: *Nunca presta su esferográfico.* ☐ SINÓN. *esferógrafo.* ☐ MORF. Se usa mucho la forma abreviada *esfero*.

esferógrafo s.m. →**esferográfico.**

esferoide s.m. Cuerpo geométrico de forma parecida a la de la esfera: *La Tierra es un esferoide porque no es totalmente redonda.* ☐ ETIMOL. Del griego *sphairoeidés*, y este de *sphâira* (esfera) y *êidos* (figura).

esfinge s.f. Animal fabuloso, con cabeza, cuello y pecho humanos, y cuerpo y pies de león: *En nuestro viaje a Egipto, vimos la famosa escultura de la esfinge de Gizeh.* ☐ ETIMOL. Del latín *sphinx*, y este del griego *sphínx.* ☐ SEM. Dist. de *efigie* (imagen o representación de una persona).

esfínter s.m. En anatomía, músculo o conjunto de músculos que regulan la apertura o el cierre de algunos orificios del cuerpo: *Un bebé se hace pis y caca porque aún no sabe controlar los esfínteres.* ☐ ETIMOL. Del griego *sphinktér* (lazo).

esforzado, da adj. Valiente, animoso o de gran corazón: *Realiza una esforzada labor en favor de las personas con alguna discapacidad.*

esforzar ▌v. **1** Dar fuerza o someter a un esfuerzo: *Si lees con poca luz, tienes que esforzar la vista.* ▌prnl. **2** Hacer un esfuerzo físico, intelectual o moral para conseguir algo: *Nos esforzamos en terminar el trabajo para la fecha prevista.* ☐ ORTOGR. La *z* se cambia en *c* delante de *e.* ☐ MORF. Irreg. →FORZAR. ☐ SINT. Constr. de la acepción 2: *esforzarse {EN/POR} algo.*

esfuerzo s.m. **1** Empleo enérgico de la fuerza física o intelectual: *En el último mes de embarazo, no hagas esfuerzos. Estoy haciendo un esfuerzo para no enfadarme.* **2** Utilización de medios superiores a los normales para conseguir algo: *Las vacaciones de sus hijos supusieron un esfuerzo económico.*

esfumar ▌v. **1** En pintura, referido esp. al color, extenderlo restregándolo con el difumino: *Esfuma el color azul del cielo para que quede más uniforme.* **2** En pintura, reducir la intensidad de los contornos o del color: *He esfumado estas figuras para que parezca que están en un segundo plano.* ▌prnl. **3** Desaparecer poco a poco: *A medida que bajábamos la montaña, la niebla se iba esfumando.* **4** *col.* Marcharse o irse de un lugar con rapidez o con disimulo: *Cuando empezó la pelea, se esfumó.* ☐ ETIMOL. Del italiano *sfumare*.

esfuminar v. →**difuminar.**

esfumino s.m. →**difumino.** ☐ ETIMOL. Del italiano *sfumino*.

esgrafiado s.m. **1** Arte o técnica de esgrafiar: *El esgrafiado consiste en trazar dibujos en una superficie con dos capas o colores superpuestos, rascando en la capa externa para que aparezca el color de la interior.* **2** Obra realizada con esa técnica: *¿Te gusta el esgrafiado que he hecho?*

esgrafiar v. Trazar dibujos en una superficie con dos capas o colores superpuestos, rascando en la capa externa para que aparezca el color de la interior: *Para esgrafiar hace falta un punzón especial.* ☐ ETIMOL. Del italiano *sgraffiare.* ☐ ORTOGR. La *i* lleva tilde en los presentes, excepto en las personas *nosotros* y *vosotros* →GUIAR.

esgrima s.f. Deporte en el que dos personas combaten manejando la espada, el sable o el florete, y que se practica con un traje especial para proteger el cuerpo y la cara de posibles heridas: *En el lenguaje de la esgrima, se dice 'tirar' en vez de 'luchar' o 'combatir'.* ☐ ETIMOL. De *esgrimir*.

esgrimir v. **1** Referido a un arma, esp. a un arma blanca, sostenerla o empuñarla con intención de atacar o de defenderse: *Esgrimían sus espadas esperando la orden de ataque.* **2** Referido esp. a algo inmaterial, emplearlo como arma o medio para atacar o para defenderse: *Se retrasó y esgrimió la excusa de siempre.* □ ETIMOL. Del alemán *skirmyan* (proteger).

esguín s.m. Cría del salmón cuando todavía no ha llegado al mar: *Pescamos un esguín muy pequeño y lo volvimos a echar al río.* □ SINÓN. *murgón.* □ ETIMOL. Del euskera *izokin* (salmón).

esguince s.m. Lesión producida por la tensión violenta, a veces con rotura, de un ligamento de una articulación: *Se torció el tobillo y se hizo un esguince.* □ ETIMOL. Del latín **exquintrare* (rasgar, desgarrar).

esguinzarse v.prnl. *col.* Hacerse un esguince: *Jugando al tenis me esguincé.* □ ORTOGR. La *z* se cambia en *c* delante de *e* →CAZAR.

-ésimo, -ésima Elemento compositivo sufijo que indica cada una de las partes iguales en que está dividido un todo: *vigésimo, millonésima.*

eskay s.m. →**escay.**

eslabón s.m. **1** Cada uno de los aros o piezas que, enlazados unos con otros, forman una cadena. **2** Elemento imprescindible para el enlace de una sucesión de cosas, esp. de hechos o de ideas: *El ser humano es el último eslabón en la evolución de las especies animales.* **3** Hierro acerado que suelta chispas al chocar con un pedernal. □ ETIMOL. Del antiguo *esclavón* (esclavo), porque los eslabones, como los esclavos, no podían separarse de su cadena.

eslabonar v. Referido esp. a una serie de sucesos o de ideas, enlazarlos o encadenarlos: *A veces parece que las desgracias se eslabonan.*

eslalon s.m. Competición de esquí en la que los deportistas siguen un trazado con pasos obligados: *En el eslalon especial, el trazado está señalizado por medio de banderas.* □ ETIMOL. Del noruego *slalom.* □ ORTOGR. Incorr. **eslálom.* □ USO Es innecesario el uso del término noruego *slalom.*

eslavismo s.m. **1** Estudio de la lengua, la literatura y la cultura eslavas: *Asistirá a un congreso internacional de eslavismo.* **2** Tendencia que defiende la unión o la confederación entre los pueblos de origen eslavo: *El eslavismo ha tenido una gran influencia hasta las primeras décadas del siglo* XX. □ SINÓN. *paneslavismo.*

eslavista s.com. Persona especializada en el estudio de la lengua y de la cultura eslavas: *Esa profesora de literatura alemana es una importante eslavista.*

eslavo, va ▌adj./s. **1** De un antiguo grupo de pueblos indoeuropeos que ocupó el nordeste y centro europeos, o relacionado con él: *Rusia, Polonia y Bulgaria son pueblos eslavos.* ▌adj./s.m. **2** Del grupo de lenguas indoeuropeas de esta zona: *El eslavo se ramifica en los grupos oriental, meridional y occidental.*

eslip s.m. →**slip.**

eslogan (pl. *eslóganes*) s.m. Frase publicitaria breve, ingeniosa y fácil de recordar: *Aún no han decidido el eslogan para la campaña de lanzamiento del nuevo producto.* □ ETIMOL. Del inglés *slogan.* □ SEM. Dist. de *lema* (expresa una intención o una regla de conducta). □ USO Es innecesario el uso del anglicismo *slogan.*

eslora s.f. Longitud de un barco de proa a popa medida sobre la cubierta principal: *El pesquero tiene veinte metros de eslora.* □ ETIMOL. Del holandés *sloerie.*

esloti s.m. →**zloty.**

eslovaco, ca ▌adj./s. **1** De Eslovaquia o relacionado con este país europeo. ▌s.m. **2** Lengua eslava de este país: *El eslovaco es parecido al checo.* □ SEM. Dist. de *esloveno* (de Eslovenia).

esloveno, na ▌adj./s. **1** De Eslovenia o relacionado con este país europeo. ▌s.m. **2** Lengua eslava de este país. □ SEM. Dist. de *eslovaco* (de Eslovaquia).

esmachar v. En algunos deportes, dar un mate: *Esa jugadora de tenis suele esmachar muy bien.* □ ETIMOL. Del inglés *smash.* □ USO Su uso es innecesario.

esmaltar v. **1** Cubrir con esmalte: *En el taller aprendió a esmaltar porcelana.* **2** Adornar o embellecer: *Le gusta esmaltar sus frases con todo tipo de recursos expresivos.*

esmalte s.f. **1** Barniz o pasta brillante y dura, que se obtiene fundiendo polvo de vidrio coloreado con óxidos metálicos, y que se aplica generalmente sobre cerámica o metal. **2** Objeto cubierto o adornado con este barniz: *una colección de esmaltes.* **3** Materia dura y blanca que cubre la parte de los dientes que está fuera de las encías: *El esmalte protege los dientes de la caries.* **4** ‖ **esmalte (de uñas);** cosmético que sirve para dar color o brillo a las uñas. □ SINÓN. *pintaúñas, laca de uñas.* □ ETIMOL. Del germánico *smalts.*

esmerado, da ▌adj. **1** Hecho con esmero: *un esmerado trabajo.* ▌adj./s. **2** Referido a una persona, que se esmera o pone empeño al hacer algo: *Hace su trabajo muy bien porque es muy esmerada.*

esmeralda ▌adj.inv./s.m. **1** De color verde azulado brillante. ▌s.f. **2** Piedra preciosa de este color: *un collar de esmeraldas.* □ ETIMOL. Del latín *smaragdus.*

esmeraldino, na adj. Referido esp. a un color, que es semejante al de la esmeralda: *un verde esmeraldino.*

esmerarse v.prnl. Poner el máximo cuidado en lo que se hace, prestando especial atención a los más mínimos detalles: *Se esmeró para que todo quedara perfecto.* □ ETIMOL. Del latín **exmerare* (limpiar).

esmeril s.m. **1** Roca negruzca que se utiliza para pulimentar metales: *El esmeril raya todos los cuerpos, excepto el diamante.* **2** Piedra artificial, áspera y dura, que se usa para afilar herramientas metálicas y para desgastar el hierro: *Afila el cuchillo con esmeril.* □ ETIMOL. Del griego *smerí.*

esmerilar v. Referido a una superficie, pulirla o alisarla con esmeril: *En ese taller esmerilan cristales.*

esmero s.m. Máximo cuidado que se pone en lo que se hace, prestando especial atención a los más mínimos detalles: *Decoró la sala con esmero para crear un ambiente acogedor.*

esmiláceo, a ▮ adj./s. **1** Referido a una planta, de hojas pequeñas, reemplazadas a veces por ramos en forma de hilo, fruto en baya y raíz de tallo horizontal y subterráneo: *El espárrago y la zarzaparrilla son plantas esmiláceas.* ▮ s.f.pl. **2** En botánica, subfamilia de estas plantas: *Las esmiláceas pertenecen a la familia de las liliáceas.* □ ETIMOL. Del latín *smilax* (zarzaparrilla).

esmirriado, da (tb. *desmirriado, da*) adj. Muy flaco o poco desarrollado: *Es un muchacho esmirriado y debilucho.*

esmoquin (pl. *esmóquines*) s.m. Chaqueta masculina de etiqueta, con cuello largo y generalmente de seda: *Se casó de esmoquin.* □ ETIMOL. Del francés *smoking*, y este del inglés *smoking-jacket* (chaqueta de etiqueta). □ USO Es innecesario el uso del anglicismo *smoking*.

esmorecer v. En zonas del español meridional, desfallecer o perder el aliento, esp. a causa del llanto o de la risa: *Se rió hasta esmorecerse.* □ MORF. Se usa más como pronominal.

esnifar v. Referido a una droga en polvo, esp. a la cocaína, absorberla o aspirarla por la nariz: *Desde que se desintoxicó, no ha vuelto a esnifar cocaína.* □ ETIMOL. Del inglés *to sniff* (aspirar por la nariz).

esnob adj.inv./s.com. *desp.* Referido a una persona, que, por darse tono, sigue todo lo que está de moda o adopta costumbres, modas e ideas que considera distinguidas. □ SINÓN. *esnobista.* □ ETIMOL. Del inglés *snob.* □ USO 1. Es innecesario el uso del anglicismo *snob.* 2. Se usan los plurales *esnobs* y *esnob.*

esnobismo s.m. Exagerada admiración por todo lo que está de moda o inclinación a adoptar costumbres, modas e ideas porque se consideran distinguidas: *Se ha comprado un coche de importación por puro esnobismo.* □ USO Tiene un matiz despectivo.

esnobista adj.inv./s.com. →**esnob.**

eso pron.demost. Designa objetos o situaciones señalándolos sin nombrarlos: *Eso que está encima de la mesa es para ti. Eso de que me has llamado hoy no te lo crees ni tú.* □ ORTOGR. Nunca lleva tilde. □ MORF. No tiene plural.

ESO s.f. En el sistema educativo español, etapa de escolarización que abarca de los doce a los dieciséis años de edad. □ ETIMOL. Es el acrónimo de *educación secundaria obligatoria.*

esofagitis (pl. *esofagitis*) s.f. Inflamación del esófago. □ ETIMOL. De *esófago* e *-itis* (inflamación).

esófago s.m. En el sistema digestivo, conducto que va desde la faringe al estómago: *Cuando comemos, los alimentos pasan por el esófago.* □ ETIMOL. Del griego *oisophágos*, y este de *óiso* (yo llevaré) y *éphagon* (yo comí).

esos demos. pl. de **ese**.

esotérico, ca adj. **1** Oculto, secreto o reservado: *temas esotéricos.* **2** Que es incomprensible o de difícil acceso para la mente. □ ETIMOL. Del griego *esoterikós* (reservado para los adeptos). □ SEM. Dist. de *exotérico* (común, accesible o fácil de comprender).

esoterismo s.m. Lo que está oculto o resulta incomprensible para la mente: *Le interesan el esoterismo y la parapsicología.*

esotro, tra demost. *ant.* Ese otro: *Determinó el caballero marchar por esotro camino.*

espabilado, da s. Persona despierta y lista que está atenta a todo.

espabilar (tb. *despabilar*) v. **1** Despertar del todo o sacudir el sueño o la pereza: *La luz que entraba por la ventana me espabiló. Espabílate, que ya está preparado el desayuno.* **2** Quitar la torpeza o la excesiva ingenuidad: *Tienes que espabilar a este niño para que no le tomen tanto el pelo. Ya se espabilará cuando crezca.* **3** Aligerar o darse prisa: *¡Espabila, que llegas tarde!*

espachurramiento s.m. →**despachurramiento.**

espachurrar (tb. *despachurrar*) v. Referido esp. a algo blando, aplastarlo o reventarlo apretando con fuerza: *Le gusta espachurrar los garbanzos antes de comérselos. Los tomates se espachurraron en el camino.* □ SINÓN. *apachurrar, destripar.*

espaciado s.m. Separación espacial o temporal entre dos o más cosas: *Al espaciado de líneas se le llama interlineado.*

espaciador, -a ▮ adj. **1** Que pone un espacio entre dos o más cosas. ▮ s.m. **2** En el teclado de una máquina de escribir o de un ordenador, barra o tecla que se pulsan para dejar espacios en blanco: *El espaciador está en la parte inferior del teclado y se pulsa con el pulgar.*

espacial adj.inv. Del espacio o relacionado con él: *La ciencia avanza constantemente en la exploración espacial.*

espaciar v. **1** Referido esp. a dos o más cosas, separarlas o poner espacio entre ellas: *Espacia más las líneas para que sea más fácil leerlas.* **2** Referido esp. a dos o más acciones, aumentar el espacio de tiempo que transcurre entre ellas: *Ha espaciado sus visitas y ya solo viene una vez al mes.* □ ORTOGR. La *i* nunca lleva tilde.

espacio s.m. **1** Extensión en la que está contenida toda la materia existente: *No conocemos los límites del espacio.* **2** Parte de esta extensión situada más allá de los límites de la atmósfera terrestre: *Los astronautas viajan al espacio en naves espaciales.* **3** Porción delimitada de aquella extensión: *Tiene fobia a los espacios cerrados.* **4** Extensión que ocupa un cuerpo o que queda entre dos cuerpos: *Este armario ocupa demasiado espacio.* **5** Intervalo o porción de tiempo: *Podemos ocupar la sala por espacio de dos horas.* **6** En física, distancia que recorre un móvil en un tiempo determinado: *La velocidad es igual al cociente del espacio entre el tiempo.* **7** En música, separación que hay entre las rayas del pentagrama: *Un pentagrama está formado por cinco líneas y cuatro espacios.* **8** En un texto escrito a máquina, separación entre sus líneas o porción de página correspondiente a una pulsación de teclado: *El tra-*

bajo ocupa doscientas páginas a doble espacio. **9** En radio o televisión, programa o parte de la programación: *un espacio informativo.* **10** || **espacio aéreo;** parte de la atmósfera destinada al tráfico aéreo y sometida a la jurisdicción de un Estado. || **espacio vital;** territorio o medio necesarios para la vida y el desarrollo: *A medida que la selva se adueñaba del terreno, se reducía el espacio vital de los pobladores de la tribu.* ☐ ETIMOL. Del latín *spatium* (campo para correr, extensión, espacio).

espaciosidad s.f. Extensión de un lugar, esp. cuando es superior a lo habitual: *Lo que me gusta de este salón es su espaciosidad.*

espacioso, sa adj. Amplio o grande: *un salón espacioso.*

espada ▮ s.com. **1** En tauromaquia, torero o matador. **2** →**espadachín.** ▮ s.f. **3** Arma blanca larga y delgada, recta y afilada, con empuñadura: *Desenvainaron las espadas e iniciaron la lucha.* ☐ SINÓN. *hoja.* **4** En la baraja española, carta del palo que se representa con una o varias de estas armas: *Con la espada que me echaron, completé la escalera de color.* ▮ s.f.pl. **5** En la baraja española, palo que se representa con una o varias de esas armas: *Pinta en espadas.* **6** || **entre la espada y la pared;** *col.* En situación comprometida por tener que decidir entre dos opciones, sin posible escapatoria. || **espada de Damocles;** amenaza constante de un peligro: *El paro es la espada de Damocles para los trabajadores asalariados.* ☐ ETIMOL. Del latín *spatha* (espada ancha y larga, espátula). ☐ USO En la acepción 4, *una espada* designa a cualquier carta de espadas y *la espada* designa al as.

espadachín s.m. Persona que sabe manejar bien la espada: *Dicen que de joven fue un gran espadachín.* ☐ SINÓN. *espada.* ☐ ETIMOL. Del italiano *spadaccino* (espadín).

espadaña s.f. **1** Campanario formado por una sola pared con huecos en los que se colocan las campanas: *La iglesia de mi pueblo está coronada por una bonita espadaña.* **2** Planta herbácea de hojas en forma de espada y un tallo largo con una mazorca cilíndrica en el extremo, que suelta una especie de pelusa blanca cuando está seca: *Las hojas de la espadaña se emplean para hacer asientos de sillas.* ☐ SINÓN. *gladio.* ☐ ETIMOL. De *espada.*

espadín s.m. Espada de hoja muy estrecha que se usa como complemento de algunos uniformes: *El uniforme de gala de los cadetes se acompaña de un espadín.*

espadista s.com. *col.* Ladrón que utiliza llaves falsas o ganzúas para robar en las casas: *Está en la cárcel por espadista.*

espadón s.m. *col.* En algunas agrupaciones, esp. en el ejército, persona de elevada jerarquía: *Valle-Inclán describió a los espadones de la época de Isabel II.* ☐ USO Tiene un matiz despectivo.

espagat s.m. Ejercicio gimnástico que consiste en abrir completamente las piernas estando sentado en el suelo: *El espagat puede ser frontal o lateral.*

espagueti (pl. *espaguetis*) s.m. Pasta alimenticia en forma de cilindro largo y delgado hecha de harina de trigo: *Los espaguetis son más gruesos y más largos que los fideos.* ☐ ETIMOL. Del italiano *spaghetti.* ☐ MORF. Se usa más en plural. ☐ USO Es innecesario el uso del italianismo *spaghetti.*

espalda s.f. **1** En una persona, parte posterior de su cuerpo comprendida entre los hombros y la cintura. ☐ SINÓN. *espaldar.* **2** En un animal, parte posterior del tronco. ☐ SINÓN. *espaldar.* **3** En una prenda de vestir, parte que se corresponde con esa parte del cuerpo. **4** Parte posterior de algo: *La farmacia está en la espalda de aquel edificio.* **5** En natación, estilo que consiste en nadar boca arriba, haciendo movimientos circulares con los brazos y pendulares de arriba abajo con las piernas. **6** || **a espaldas de** alguien; en ausencia suya o a escondidas de él. || **dar la espalda** a alguien; retirarle la confianza o el apoyo: *No le perdono que nos diera la espalda cuando más necesitábamos su ayuda.* || **espalda mojada;** persona que intenta entrar ilegalmente en un país, esp. referido a los que cruzan la frontera de México a EEUU: *Mi amigo mejicano se fue como espalda mojada a Estados Unidos a intentar conseguir un trabajo.* || **guardar las espaldas** a alguien; protegerlo o defenderlo. ☐ ETIMOL. Del latín *spatula* (omóplato). ☐ MORF. En la acepción 1, en plural tiene el mismo significado que en singular.

espaldar s.m. **1** Respaldo de un asiento. **2** →**espalda.**

espaldarazo s.m. **1** Golpe dado en la espalda con una espada o con la mano: *En la Edad Media, el espaldarazo formaba parte de la ceremonia para armar caballero a alguien.* **2** Reconocimiento de la habilidad o del mérito de alguien en su profesión o en la actividad que realiza: *Con su última novela, ha conseguido el espaldarazo definitivo de la prensa.* **3** Ayuda o empuje que se da a alguien para conseguir un objetivo: *Llegó adonde está gracias al espaldarazo de su madre.*

espalderas s.f.pl. En gimnasia, aparato que se fija a una pared y que está formado por varias barras de madera horizontales: *En las espalderas hacemos ejercicios de estiramiento.*

espaldilla s.f. En algunos cuadrúpedos, cuarto delantero: *La espaldilla está formada por la pata delantera y por la parte del cuerpo donde se inserta.* ☐ SINÓN. *paletilla, paleta.*

espaldista s.com. Nadador especializado en el estilo *espalda*: *Tras ganar el último campeonato se ha convertido en el mejor espaldista de nuestro país.*

espanglish s.m. →**spanglish.**

espantada s.f. Huida o abandono rápidos y repentinos de un lugar, generalmente por el miedo: *La explosión produjo una espantada de pájaros.*

espantadizo, za adj. Que se espanta o se asusta con facilidad: *Es un perro muy espantadizo.*

espantajo s.m. **1** Lo que se pone para espantar o asustar: *Colocamos un espantajo en el huerto para espantar los pájaros.* **2** *col.* Persona de aspecto despreciable y estrafalario. ☐ ETIMOL. De *espanto.*

espantalobos (pl. *espantalobos*) s.m. Arbusto de flores amarillas y hojas compuestas con un número impar de hojuelas escotadas, y cuyos frutos en vaina producen ruido al chocar movidos por el viento: *El espantalobos es un arbusto mediterráneo.*

espantamoscas (pl. *espantamoscas*) s.m. Utensilio para espantar moscas: *Tengo un espantamoscas que es un conjunto de tiras de papel atadas a un palo.*

espantapájaros (pl. *espantapájaros*) s.m. **1** Muñeco, generalmente hecho de trapo y de paja, que se coloca en los sembrados y en los árboles para ahuyentar a los pájaros: *El espantapájaros que he puesto en el sembrado parece una persona.* **2** *col. desp.* Persona de aspecto ridículo o estrafalario.

espantar v. **1** Causar o sentir espanto: *Es de un feo que espanta. Con sus gritos nos espantó a todos. Me espanté al ver el accidente.* **2** Echar de un lugar: *Espanta las moscas para que no se posen en el pan.* □ ETIMOL. Del latín **expaventare*.

espantasuegras (pl. *espantasuegras*) s.m. En zonas del español meridional, matasuegras: *En la fiesta nos repartieron espantasuegras, sombreros de papel y serpentinas.*

espanto s.m. **1** Terror, asombro o turbación del ánimo: *La explosión causó espanto en todos los presentes.* **2** *col.* Lo que resulta muy molesto o desagradable: *Tener que coger el autobús cuando va tan lleno es un espanto.* **3** || **estar curado de {espanto/espantos};** *col.* No sorprenderse ante algo por estar ya acostumbrado a ello: *No me escandalizan sus groserías, porque con ese tipo ya estoy curada de espanto.*

espantoso, sa adj. **1** Que causa espanto: *un monstruo espantoso.* **2** Muy grande: *Tengo un hambre espantosa.* **3** Muy feo o muy desagradable: *Llevaba una camisa espantosa.*

español, -a ▌adj./s. **1** De España o relacionado con este país europeo. □ SINÓN. *hispánico, hispano.* ▌s.m. **2** Lengua románica de este y otros países: *El español se habla en muchos países americanos.* **3** || **hacerse** una mujer **una española;** *vulg.* →**masturbarse.** □ MORF. Cuando se antepone a una palabra para formar compuestos, adopta la forma *hispano-*.

españolada s.f. *desp.* Lo que exagera o falsea el carácter español.

españolear v. *col. desp.* Hacer una propaganda exagerada de España (país europeo): *Ese cantante suele españolear en todos los países en los que actúa.*

españolismo s.m. **1** Admiración o simpatía por todo lo español. **2** En lingüística, palabra, significado o construcción sintáctica del español empleados en otra lengua: *En inglés, la palabra 'machismo' es un españolismo.* □ SINÓN. *hispanismo.* **3** Carácter propio de los españoles.

españolista adj.inv./s.com. **1** Que siente admiración o simpatía por todo lo español: *Eres un españolista y nunca ves los defectos de los españoles.* **2** Del Español (club deportivo barcelonés) o relacionado con él: *A los socios españolistas las entradas para el partido les salían más baratas.*

españolizar v. Dar o adquirir características que se consideran propias de lo español o del español: *Los misioneros españolizaron amplias zonas americanas. La palabra francesa 'chauffeur' se españolizó en 'chófer'.* □ SINÓN. *hispanizar.* □ ORTOGR. La *z* se cambia en *c* delante de *e* →CAZAR.

esparadrapo s.m. Tira de tela o de papel con una de sus caras adhesiva, que se utiliza generalmente para sujetar vendajes: *Compré en la farmacia un rollo de esparadrapo.* □ ETIMOL. Quizá del italiano antiguo *sparadrappo*, y este de *sparare* (rajar) y *drappo* (trapo).

esparaván s.m. Ave rapaz diurna, de plumaje gris azulado y pardo, de alas redondeadas y cola larga, y que se alimenta de pequeños mamíferos y de otras aves: *La hembra del esparaván es de mayor tamaño que el macho.* □ SINÓN. *gavilán.* □ ETIMOL. De origen incierto. □ MORF. Es un sustantivo epiceno: *el esparaván {macho/hembra}.*

esparavel s.m. Red redonda para pescar en los ríos y parajes de poco fondo: *Para arrojar bien el esparavel, se necesita bastante fuerza en los brazos.* □ ETIMOL. Del provenzal *esparvier* (gavilán).

esparcimiento s.m. **1** Diversión o distracción: *Después de tantos días estudiando, necesito un poco de esparcimiento.* **2** Separación y extensión de algo que estaba junto: *El viento es agente del esparcimiento de las semillas.* **3** Divulgación de una noticia: *Las autoridades intentaron evitar el esparcimiento de la noticia para no alarmar a la población.*

esparcir v. **1** Referido a algo que está junto, separarlo y extenderlo: *Esparce las lentejas para ver si hay alguna piedrecita. Al caerse el azucarero, el azúcar se esparció por la mesa.* **2** Referido a una noticia, divulgarla o extenderla: *La radio esparció enseguida la noticia del accidente. El rumor se esparció rápidamente entre la población.* **3** Divertir o distraer: *Después del trabajo, es bueno esparcir un poco el ánimo. Voy a pasear un rato porque necesito esparcirme.* □ ETIMOL. Del latín *spargere*. □ ORTOGR. La *c* se cambia en *z* delante de *a, o* →ZURCIR.

espárido ▌adj./s.m. **1** Referido a un pez, que tiene el cuerpo oval y comprimido, con una sola aleta dorsal, larga y espinosa, provisto de una dentadura robusta, y que suele ser hermafrodita y omnívoro: *La mojarra y la dorada son espáridos.* ▌s.m.pl. **2** En zoología, familia de estos peces: *Los espáridos son peces muy apreciados por su carne.*

esparragal s.m. Terreno plantado de espárragos: *El abuelo ha ido a regar el esparragal que tiene en las afueras del pueblo.*

espárrago s.m. **1** Planta herbácea de flores de color blanco verdoso y fruto redondeado de color rojo, de cuyo tallo, horizontal y subterráneo, crecen unos brotes comestibles. □ SINÓN. *esparraguera.* **2** Brote comestible de la raíz de esta planta, que es delgado, recto y de color blanquecino: *Me gusta echar espárragos a la ensalada.* **3** Barrita de metal con rosca, que está fija por un extremo y que, por medio de una tuerca, sujeta una pieza: *Esa tapa quedaría bien cerrada con espárragos.* **4** || **espárrago triguero;** el silvestre que generalmente brota en los trigales. || **mandar a freír espárragos** algo; *col.* Rechazarlo o desentenderse de ello. ☐ ETIMOL. Del latín *asparagus* (brote, tallito).

esparraguera s.f. Planta herbácea de flores de color blanco verdoso y fruto redondeado de color rojo, de cuyo tallo, horizontal y subterráneo, crecen unos brotes comestibles: *La esparraguera crece espontáneamente en algunas regiones mediterráneas.* ☐ SINÓN. *espárrago.*

esparramar v. *col.* →**desparramar.**

esparrancarse v.prnl. *col.* Abrirse de piernas o separarlas: *La profesora de gimnasia nos mandó esparrancarnos.* ☐ ETIMOL. De *parra*, por comparación con la forma en que se extienden las ramas de la parra. ☐ ORTOGR. La *c* se cambia en *qu* delante de *e* →SACAR.

esparrin s.m. →**sparring.**

espartal s.m. Terreno plantado de espartos: *Fuimos al espartal a coger espartos para hacer sogas.* ☐ SINÓN. *espartizal.*

espartano, na ▮ adj. **1** Austero y severo: *una disciplina espartana.* ▮ adj./s. **2** De Esparta (antigua ciudad griega), o relacionado con ella. ☐ ETIMOL. La acepción 1, de *Esparta*, antigua ciudad griega que se caracterizaba por tener una organización social rígida y militarizada.

espartaquismo s.m. Movimiento revolucionario marxista que surgió en Alemania (país europeo) en 1914, y que era contrario al apoyo a la guerra y a la cooperación con el poder: *En 1919, el espartaquismo organizó un levantamiento que fue sofocado por el Ejército alemán.* ☐ ETIMOL. Del alemán *spartakist*, y este de Espartaco, esclavo romano que dirigió un levantamiento de esclavos y gladiadores.

esparteña s.f. Alpargata de esparto.

espartero, ra s. Persona que se dedica a la fabricación o a la venta de objetos de esparto: *Estas alpargatas se las compré a un espartero del pueblo.*

espartizal s.m. Terreno plantado de esparto: *Los espartizales son propios de las regiones mediterráneas.* ☐ SINÓN. *espartal.*

esparto s.m. **1** Planta herbácea de flores en panoja, semillas muy pequeñas y hojas largas, enrolladas sobre sí mismas y de gran resistencia. **2** Hoja de esta planta que se utiliza para la fabricación de sogas, esteras y otros objetos: *unas zapatillas de esparto.* ☐ ETIMOL. Del latín *spartum*.

espasmo s.m. Contracción brusca e involuntaria de los músculos: *Se le ha quedado la pierna agarrotada debido a un espasmo muscular.* ☐ ETIMOL. Del latín *spasmus.*

espasmódico, ca adj. Del espasmo o que se acompaña de este síntoma: *contracciones espasmódicas.*

espasticidad s.f. En medicina, alteración nerviosa caracterizada por una contracción de los músculos que puede provocar estado de rigidez o espasmos musculares involuntarios.

espatarrarse v.prnl. *col.* →**despatarrarse.**

espato s.m. **1** Mineral de estructura laminar: *El espato cristaliza en cristales de forma geométrica regular.* **2** || **espato de Islandia;** el calizo y muy transparente: *El espato de Islandia es una forma pura de calcita.* ☐ ETIMOL. Del alemán *spat.*

espátula s.f. Paleta, generalmente pequeña, con los bordes afilados y el mango largo: *Usa una espátula para rellenar de yeso las rendijas de la pared.* ☐ ETIMOL. Del latín *spatula* (omóplato).

especería s.f. →**especiería.**

especia s.f. Sustancia vegetal aromática que se usa principalmente para sazonar las comidas: *El clavo, el laurel y la pimienta son especias.* ☐ ETIMOL. Del latín *species* (artículo comercial, mercancía). ☐ ORTOGR. Dist. de *especie.*

especial adj.inv. **1** Particular o que se diferencia de lo normal o de lo general: *Va a una escuela especial porque tiene problemas de lenguaje.* **2** Muy adecuado o propio para algo: *Este arroz es especial para paellas.* ☐ ETIMOL. Del latín *specialis.*

especialidad s.f. **1** Rama de una ciencia, de un arte o de una actividad que se dedica de forma específica a una parte limitada de las mismas, y sobre la que se poseen conocimientos o habilidades muy precisos: *La dermatología es una especialidad médica.* **2** Respecto de una persona o de un lugar, producto o confección en cuya elaboración destacan: *Las chuletas a la brasa son la especialidad de este cocinero.*

especialista ▮ adj.inv./s.com. **1** Que cultiva una especialidad determinada de un arte o de una ciencia, y que sobresale en ella. **2** Que hace algo con habilidad: *Eres especialista en poner nervioso a los demás.* ▮ s.com. **3** En cine y televisión, persona que suele sustituir a los actores principales en las escenas peligrosas o que requieren cierta habilidad: *En la escena del accidente, lo sustituirá un especialista.* ☐ USO En la acepción 3, es innecesario el uso del galicismo *cascadeur.*

especialización s.f. **1** Adiestramiento o preparación específica en una determinada rama de una ciencia, de un arte o de una actividad. **2** Limitación a un uso o a un fin determinado: *El medio acuático en el que viven las focas ha dado lugar a la especialización de sus extremidades para nadar.*

especializar v. **1** Adiestrar o preparar de manera específica en una rama determinada de una ciencia, de un arte o de una actividad: *Esta escuela especializa a los alumnos en la reparación de ordenadores. Muchos abogados se especializan en Derecho Administrativo.* **2** Limitar a un uso o a un fin determinado: *La actividad que realiza el topo y el medio en el que vive han especializado sus extremidades para cavar.* . ☐ ORTOGR. La *z* se cambia en *c* delante de *e* →CAZAR.

especie s.f. **1** Conjunto de cosas con caracteres comunes: *Si él es tacaño, tú eres de su misma especie.* **2** En biología, en la clasificación de los seres vivos, categoría superior a la de raza e inferior a la de género: *La mayor parte de las especies de arañas son terrestres y de respiración aérea.* **3** || **en especie(s);** en productos o en géneros y no en dinero: *Cuando no existían las monedas, se pagaba en especie.* || **especies (sacramentales);** en el cristianismo, el pan y el vino que se han convertido en el cuerpo y la sangre de Jesucristo, una vez consagrados: *Comulgaron bajo las dos especies sacramentales.* || **una especie de** algo; algo parecido a ello: *Llevaba puesta una especie de gabardina extrañísima.* □ ETIMOL. Del latín *species* (tipo, aspecto, apariencia). □ ORTOGR. Dist. de *especia*. □ SEM. Dist. de *raza* (categoría inferior a la de especie).

especiería (tb. *especería*) s.f. Establecimiento en el que se venden especias: *Iré a la especiería a comprar un poco de clavo y de orégano.*

especiero, ra ▮ s. **1** Persona que se dedica a la compra o a la venta de especias: *El especiero me vendió pimentón.* ▮ s.m. **2** Armarito o estantería en el que se guardan las especias: *En el especiero encontrarás pimienta y orégano.*

especificación s.f. **1** Determinación de algo de forma precisa: *El profesor hizo especificación de la fecha del examen.* **2** Explicación detallada de algo: *Al principio de una receta de cocina, suele haber una especificación de todos los ingredientes necesarios.*

especificar v. **1** Fijar o determinar de modo preciso: *No especificó el día de su llegada. El adjetivo demostrativo 'este' especifica al sustantivo al que acompaña indicando su proximidad respecto del hablante.* **2** Explicar detalladamente: *El contrato especifica todas las condiciones de la compraventa de la casa.* □ ORTOGR. La *c* se cambia en *qu* delante de *e* →SACAR.

especificativo, va adj. Que especifica o que determina de modo preciso: *En 'Mira los pájaros que vuelan', 'que vuelan' es una oración de relativo especificativa.*

especificidad s.f. **1** Conjunto de propiedades que caracterizan y distinguen una especie o un elemento de otros: *La especificidad de las personas frente a los animales radica en la capacidad de razonar.* **2** Adecuación de algo para el fin específico al que se destina: *La especificidad de este medicamento para combatir la gripe hace que sea uno de los más recetados por los médicos.*

específico, ca adj. **1** Que es propio de algo y lo caracteriza y distingue de otra especie o de otro elemento: *El arco ojival es específico de la arquitectura gótica.* **2** Referido a un medicamento, que es apropiado para tratar una determinada enfermedad: *Este medicamento es específico contra la alergia.* □ ETIMOL. Del latín *specificus*.

espécimen (pl. *especímenes*) s.m. Modelo o ejemplar, generalmente con las características de su especie muy definidas: *El león del zoológico es un buen espécimen de su raza.* □ ETIMOL. Del latín *specimen* (prueba, indicio, muestra). □ PRON. Aunque la pronunciación correcta es [espécimen], está muy extendida [especímen].

especioso, sa adj. Que engaña, falso: *un razonamiento especioso.*

espectacular adj.inv. **1** Aparatoso, exagerado o impresionante: *un incendio espectacular.* **2** Con características propias de un espectáculo público: *Para conmemorar la victoria se organizó un acto solemne y espectacular.*

espectacularidad s.f. **1** Aparatosidad, exageración o capacidad de impresionar: *No hubo víctimas, pero todos quedamos asustados ante la espectacularidad del accidente.* **2** Propiedad de lo que tiene características propias de un espectáculo público: *Se utilizaron luces de colores para dar espectacularidad a la fiesta.*

espectáculo s.m. **1** Función o diversión públicas: *un espectáculo circense.* **2** Lo que atrae la atención y conmueve el ánimo de quien lo presencia: *La puesta de sol en el mar es un espectáculo grandioso.* **3** Lo que causa gran extrañeza o escándalo: *Con tantos gritos, disteis un buen espectáculo en medio de la calle.* □ ETIMOL. Del latín *spectaculum*, y este de *spectare* (contemplar, mirar). □ SINT. La acepción 3 se usa más con el verbo *dar*.

espectador, -a adj./s. **1** Que mira con atención: *Yo aquí sólo soy un espectador y no quiero intervenir.* **2** Que asiste a un espectáculo público: *Cuando terminó la función, los espectadores aplaudieron.* □ ETIMOL. Del latín *spectator*, de *spectare* (contemplar, mirar).

espectral adj.inv. Del espectro o relacionado con él: *Con la cara tan pálida, pareces una imagen espectral.*

espectro s.m. **1** Fantasma horrible o imagen estremecedora. **2** En física, resultado de la dispersión de fenómenos ondulatorios, de forma que resulten separados de los de distinta frecuencia: *En fonética experimental se estudian los espectros de los sonidos.* **3** En medicina, conjunto de especies de microorganismos que constituyen el campo sobre el que es capaz de actuar terapéuticamente una sustancia, esp. un antibiótico: *La penicilina es un antibiótico de amplio espectro.* **4** Banda que abarca toda una serie ordenada de elementos: *Este partido ocupa el centro del espectro político.* **5** || **espectro (luminoso);** banda de colores que resulta de la descomposición de la luz blanca al atravesar un prisma u otro cuerpo refractante: *En el espectro luminoso aparece la gama de colores del arco iris.* □ ETIMOL. Del latín *spectrum* (simulacro, aparición).

especulación s.f. **1** Meditación o reflexión que se hace sobre algo: *Se han hecho fundadas especulaciones sobre la existencia de vida fuera de la Tierra.* **2** Suposición o cábala hechas sin base real: *Lo que te he dicho no es más que una mera especulación que no sé si se cumplirá.* **3** Realización de operaciones comerciales, consistentes generalmente en adquirir bienes cuyo precio se espera que suba a corto plazo, con el único objetivo de vender en el momento oportuno y obtener un beneficio: *La es-*

peculación con el terreno ha disparado el precio de las viviendas.

especulador, -a ▌ adj./s. **1** Que especula. ▌ s. **2** Persona que especula o compra algo para venderlo pasado cierto tiempo aprovechando la subida de los precios: *En los últimos años se han enriquecido muchos especuladores inmobiliarios.*

especular ▌ adj.inv. **1** Del espejo o relacionado con él. **2** En óptica, referido a una imagen, que está reflejada en un espejo. ▌ v. **3** Meditar o reflexionar sobre algo: *Los filósofos seguidores de Aristóteles especulaban sobre el origen del conocimiento.* **4** Hacer cábalas o suposiciones sin base real: *En vez de especular sobre lo que pueda pensar o no pensar él, pregúntale directamente.* **5** Efectuar operaciones comerciales, generalmente adquiriendo bienes cuyo precio se espera que suba a corto plazo, con el único objetivo de vender en el momento oportuno y obtener un beneficio: *Unos especulan en bolsa, otros con pisos y terrenos edificables.* **6** Valerse de algún recurso para obtener provecho o ganancias fuera del campo comercial: *Me parece inmoral que especules con información obtenida por confidencias personales para ascender en la empresa.* ☐ ETIMOL. Las acepciones 3-6, del latín *speculari* (observar, acechar). ☐ SINT. 1. En la acepción 4, es incorrecto su uso como transitivo, aunque está muy extendido: {*especuló que > especuló con que} iban a destituir al director. 2. Constr. de las acepciones 5 y 6: *especular* CON *algo.*

especulativo, va adj. **1** De la especulación o relacionado con ella: *Consiguió enriquecerse gracias a sus actividades especulativas.* **2** Que procede de un conocimiento teórico y no ha sido reducido a la práctica: *Apoya su tesis en bases especulativas e indemostrables.* **3** Muy pensativo o inclinado a la especulación o a la reflexión: *Su mente especulativa le empuja a buscar un porqué para todo.*

espéculo s.m. En medicina, instrumento que se utiliza para examinar algunas cavidades del organismo: *El dentista me puso un espéculo en la boca para ver si tenía caries.* ☐ ETIMOL. Del latín *speculum* (espejo).

espejismo s.m. **1** Ilusión óptica debida a la reflexión total de la luz cuando atraviesa capas de aire de distinta densidad, y por la cual los objetos lejanos dan imágenes engañosas en cuanto a su posición y a su situación: *En las llanuras de los desiertos se producen frecuentemente espejismos.* **2** Ilusión de la imaginación: *Creíamos que con este negocio ganaríamos mucho dinero, pero todo fue un espejismo.* ☐ ETIMOL. De *espejo.*

espejo s.m. **1** Lámina de vidrio cubierta de mercurio por la parte posterior para que se refleje en ella lo que hay delante. **2** Lo que reproduce algo fielmente: *La novela realista busca ser un espejo de la sociedad.* **3** Lo que se toma como modelo o es digno de imitación: *Esa mujer es un espejo de bondad.* **4** En informática, servidor que obtiene información de otro servidor y que funciona más rápido que este: *El espejo funciona mejor que el servidor del que toma la información.* ☐ SINÓN. *repetidor, réplica.* **5** ‖ **(espejo) retrovisor;** el pequeño que va colocado en la parte delantera de un vehículo y permite al conductor ver la parte del camino que deja detrás de sí. ☐ ETIMOL. Del latín *speculum.*

espejuelo ▌ s.m. **1** Yeso cristalizado en láminas brillantes: *El espejuelo es una variedad transparente del yeso.* ☐ SINÓN. *selenita.* ▌ pl. **2** Gafas o lentes. ☐ ETIMOL. Del diminutivo de *espejo.*

espeleología s.f. **1** Deporte que consiste en la exploración de cavidades naturales subterráneas: *He comprado unas cuerdas especiales para practicar espeleología.* **2** Ciencia que estudia la naturaleza, origen y formación de las cavernas, así como su fauna y su flora: *La espeleología estudia las cavidades naturales de la superficie terrestre.* ☐ ETIMOL. Del griego *spélaion* (caverna) y *-logía* (estudio, ciencia).

espeleológico, ca adj. De la espeleología o relacionado con esta ciencia o con este deporte: *una exploración espeleológica.*

espeleólogo, ga s. Persona que se dedica a la espeleología, esp. si esta es su profesión: *En sus exploraciones, los espeleólogos se suelen encontrar corrientes de agua subterráneas.*

espelunca s.f. Cueva o gruta tenebrosas: *Según la mitología griega, Polifemo vivía en una oscura espelunca.* ☐ ETIMOL. Del latín *spelunca.*

espeluznante adj.inv. Que espeluzna o espanta: *una historia espeluznante.*

espeluznar v. Espantar o causar horror: *Me espeluzna ver imágenes sangrientas y de guerras.*

espeluzno s.m. *col.* Escalofrío o estremecimiento.

espera s.f. **1** Permanencia en un lugar, aguardando la llegada de alguien o de algo: *La espera en la consulta se prolongó porque la médica estaba atendiendo a otro paciente.* **2** Plazo que se señala o se concede para ejecutar una acción o cumplir con una obligación: *La juez estableció una espera de veinte días antes de proceder al desalojo.* **3** ‖ **estar {a la/en} espera** de algo; estar a la expectativa o en observación de que ocurra: *Estamos a la espera de los resultados del análisis para ver si conviene operar.*

esperanto s.m. Idioma creado artificialmente para que pudiese servir como lengua universal: *En el esperanto, las palabras están tomadas de lenguas románicas y del inglés.* ☐ ETIMOL. Por alusión a Esperanto, seudónimo del doctor L. Zamenhof, creador de este idioma.

esperanza s.f. **1** Confianza en que ocurra o en que se logre lo que se desea: *No he abandonado mi empeño porque todavía tengo esperanzas de conseguirlo.* **2** Lo que sustenta que ocurra lo que se desea: *Tú eres mi última esperanza y, si no me ayudas, estoy perdido.* **3** En el cristianismo, virtud teologal por la que se espera que Dios conceda los bienes prometidos: *La fe, la esperanza y la caridad son las tres virtudes teologales.* **4** ‖ **dar esperanza(s)** a alguien; darle a entender que puede lograr lo que desea. ‖ **esperanza de vida;** media de edad de vida que se alcanza en una población o en un tiempo determinado.

esperanzador, -a adj. Que da esperanza o que hace concebirla: *una noticia esperanzadora.*

esperanzar v. Dar o concebir esperanza: *Tus palabras de ánimo me han esperanzado. Me esperancé cuando leí tu carta.* □ ORTOGR. La *z* se cambia en *c* delante de *e* →CAZAR.

esperar v. **1** Referido a algo que se desea, tener esperanza de conseguirlo: *Espero aprobar todo en junio, porque he estudiado mucho.* **2** Referido a un suceso o a una acción, creer que va a suceder o que se va a producir: *Esta jugarreta no me la esperaba de ti.* **3** Referido a una persona o a un suceso, aguardar su llegada en el lugar donde se cree que se producirá: *Espérame en la puerta, que ahora voy.* **4** Detenerse o no empezar a actuar hasta que suceda algo: *El autobús esperó a que estuviésemos todos para arrancar.* **5** Referido esp. a algo desagradable, ser inminente o estar a punto de suceder: *Cuando llegue a casa me espera una buena regañina. Se esperan fuertes lluvias.* **6** || **de aquí te espero;** *col.* Extraordinario o muy grande: *Me pegó un susto de aquí te espero.* || **esperar sentado;** expresión que se utiliza para indicar que lo que se dice tardará mucho o no sucederá nunca: *Si crees que voy a ir yo, puedes esperar sentado, que no me pienso mover.* □ ETIMOL. Del latín *sperare* (tener esperanza). □ SINT. Constr. de la acepción 4: *esperar {A/HASTA} que suceda algo.*

esperma ▌ s.m. **1** Líquido que contiene los espermatozoides que se producen en el aparato genital masculino de los animales y del hombre. □ SINÓN. *semen.* ▌ s.f. **2** Sustancia grasa que se usa para hacer velas: *La esperma se extrae del cráneo del cachalote.* □ ETIMOL. Del latín *sperma*, y este del griego *spérma* (simiente, semilla).

espermaceti s.m. Esperma de las ballenas.

espermafito, ta adj./s.f. Referido a una planta, que se reproduce mediante semillas: *La patata y el trigo son espermafitas.* □ SINÓN. *fanerógamo.* □ ETIMOL. De *esperma* y el griego *phytón* (vegetal).

espermátida s.f. En biología, célula que procede de un espermatocito y que da origen a los espermatozoides: *Las espermátidas, al igual que los espermatozoides, son células haploides.*

espermatocito s.m. En el proceso de formación de los espermatozoides, célula que procede de una espermatogonia y que da origen a las espermátidas: *En el proceso de formación de los espermatozoides, los espermatocitos aparecen al final de la fase de crecimiento.* □ ETIMOL. Del griego *spérma* (simiente, semilla) y *kýtos* (célula).

espermatogénesis (pl. *espermatogénesis*) s.f. En biología, en un testículo, formación de los espermatozoides a partir de las espermatogonias: *La proliferación, el crecimiento y la maduración son las tres fases de la espermatogénesis.* □ ETIMOL. Del griego *spérma* (simiente, semilla) y *génesis* (creación).

espermatogonia s.f. En biología, célula germinal masculina que, tras una serie de divisiones, origina los espermatocitos que, a su vez, originarán espermatozoides: *Las espermatogonias son células redondeadas y diploides.* □ ETIMOL. Del griego *spérma* (simiente, semilla) y *goneía* (generación).

espermatozoide s.m. En los animales, célula sexual masculina que se forma en los testículos: *Los espermatozoides suelen tener un flagelo que les sirve para desplazarse.* □ SINÓN. *zoospermo.* □ ETIMOL. Del griego *spérma* (semilla), *zôion* (animal) y *-oide* (semejanza).

espermatozoo s.m. Espermatozoide animal.

espermicida adj.inv./s.m. Referido a una sustancia, que es de uso local y que destruye los espermatozoides: *Algunos espermicidas se aplican después de haber mantenido una relación sexual.*

espermiología s.f. Disciplina que se ocupa del análisis del esperma y de sus aplicaciones: *En este laboratorio de espermiología se realizan inseminaciones artificiales.*

espernada s.f. En una cadena, remate que suele consistir en un eslabón abierto y con las puntas dobladas, lo que permite engancharlo en una argolla: *Enganchó la espernada de la cadena en una argolla fija en la pared.* □ ETIMOL. De *pierna.*

esperpéntico, ca adj. Del esperpento o con los rasgos grotescos, absurdos o de otro tipo característicos de este género literario: *Su proyecto ha sido calificado de esperpéntico, por responder a una visión deformada de las necesidades reales.*

esperpento s.m. **1** *col.* Lo que se considera muy feo, ridículo, o de mala apariencia: *El individuo que la acompañaba era todo un esperpento.* **2** Género literario teatral creado por Ramón María del Valle-Inclán (escritor español de finales del siglo XIX y principios del XX) y que se caracteriza por buscar una deformación sistemática de la realidad, intensificando sus rasgos grotescos y absurdos, y por una degradación de los valores literarios consagrados. □ ETIMOL. De origen incierto.

espesamiento s.m. Compactación de un líquido o de una masa: *Deja hervir la salsa hasta conseguir su espesamiento.*

espesante ▌ adj.inv./s.m. **1** Referido a una sustancia, que sirve para espesar. ▌ s.m. **2** Sustancia que se añade a un barniz o a una pintura para darles cuerpo: *Echa un poco más de espesante porque la pintura aún está muy líquida.*

espesar v. **1** Referido a un líquido, hacerlo espeso o más espeso: *Has espesado poco la crema. No sé qué les pasa a estas natillas, que no espesan. El chocolate se espesó demasiado.* **2** Referido esp. a un todo, hacerlo más cerrado o tupido, uniendo y apretando los elementos que lo forman: *Utilizaron más hilos para espesar la tela y evitar que se claree. Por esa parte del monte, el bosque se espesa y apenas pasa luz entre los árboles.*

espeso, sa adj. **1** Referido a un líquido o a un gas, que es muy denso o que está muy condensado. **2** Formado por elementos que están juntos y apretados: *La ardilla se metió entre la espesa arboleda y la perdimos de vista.* **3** Grueso, macizo o con mucho cuerpo: *un espeso muro.* □ ETIMOL. Del latín *spissus* (apretado, compacto).

espesor s.m. **1** Grosor o anchura de un cuerpo sólido: *El espesor de este muro es de medio metro.* **2** Densidad o condensación de un fluido o de una masa: *Había un humo de tal espesor que no nos dejaba ver nada.*

espesura s.f. **1** Densidad o alta condensación de un líquido o de un gas: *Es difícil colar el aceite debido a su espesura.* **2** Carácter de lo que está formado por elementos muy juntos o apretados: *Cuanto mayor sea la espesura de la copa de un árbol, mayor sombra dará.* **3** Grosor, corpulencia o carácter macizo de algo: *Será difícil perforar una superficie de semejante espesura.* **4** Complicación, densidad o dificultad para ser comprendido: *Sus razonamientos eran de tal espesura, que me fue imposible seguirlos.* **5** Lugar muy poblado de árboles y matorrales: *Cuando el conejo se metió en la espesura, el cazador lo perdió.*

espetar v. *col.* Referido a algo sorprendente o molesto, decirlo, esp. si se hace con brusquedad: *Delante de todos, se levantó y me espetó que le debía dinero.* □ ETIMOL. Del antiguo *espeto* (hierro largo y delgado), porque *espetar* significaba *clavar en la punta del hierro del asador.*

espetera s.f. **1** Soporte con ganchos en el que se cuelgan utensilios de cocina y alimentos: *Las sartenes cuelgan de la espetera de la cocina.* **2** Conjunto de utensilios de cocina metálicos que se cuelgan en este soporte: *Este cazo forma parte de la espetera de cobre que tenía la abuela.* **3** *col.* Pecho de una mujer.

espetón s.m. Hierro largo, delgado y generalmente terminado en punta, que se utiliza para empujar, para mover o para pinchar algo con su extremo: *Para asar el conejo lo atravesó con el espetón.* □ ETIMOL. Del antiguo *espeto* (hierro largo y delgado).

espía s.com. **1** Persona que observa o que escucha con atención y disimulo lo que otros hacen o dicen para comunicarlo a quien desea saberlo: *Sé lo que ha ocurrido porque tengo mis espías en la empresa.* **2** Persona que trata de obtener información secreta, esp. si trabaja al servicio de un país extranjero: *Un espía ha pasado al enemigo los planos del nuevo avión de combate.* □ ETIMOL. Del gótico **spahía.* □ SINT. Se usa en aposición, pospuesto a un sustantivo: *avión espía.*

espiar v. **1** Referido a lo que otros hacen o dicen, observarlo o escucharlo con atención y disimulo: *¡Deja de espiarme y métete en tus asuntos!* **2** Referido esp. a un enemigo o a un contrario, tratar de obtener información secreta sobre él y sobre sus actividades: *Camuflaron a un agente secreto en el cuartel general enemigo para que espiara a sus altos mandos.* □ ORTOGR. 1. Dist. de *expiar*. 2. La *i* lleva tilde en los presentes, excepto en las personas *nosotros* y *vosotros* →GUIAR.

espicha s.f. **1** Acto de abrir un barril de sidra. **2** Festejo con abundante comida en el que se celebra la apertura de un barril de sidra.

espichar v. **1** Pinchar con un objeto agudo: *Alguien me ha espichado la rueda de la bicicleta.* **2** Referido esp. a un barril de sidra, abrirlo: *Mañana espicharemos un barril de sidra para celebrar el triunfo.* **3** *col.* Morir: *Le dio algo al corazón y espichó.* □ ETIMOL. De *espiche* (arma puntiaguda). □ SINT. La acepción 3 se usa más en la expresión *espicharla.*

espiche s.m. *col.* En zonas del español meridional, perorata: *Siempre está con el mismo espiche.* □ ETIMOL. Del inglés *speech*.

espídico, ca adj. *col.* Nervioso o con mucha energía: *A ver si paras ya, que te veo un poco espídico hoy.*

espiga s.f. **1** En botánica, inflorescencia formada por un conjunto de flores colocadas a lo largo de un tallo común: *una espiga de trigo.* **2** En un objeto, esp. en una herramienta o en un madero, parte cuyo espesor se ha disminuido para que encaje en la ranura de otra pieza: *Para montar la librería, debes meter las espigas de cada tabla en los agujeros de los listones verticales.* □ ETIMOL. Del latín *spica*.

espigado, da adj. Referido a una persona, que es alta y delgada: *Es tan espigado, que parece que va a doblarse como un junco.*

espigadora s.f. En carpintería, máquina o herramienta que se utiliza para labrar las espigas o partes que deben encajar en las ranuras de otra pieza: *El carpintero se cortó un dedo manejando la espigadora.*

espigar ▌v. **1** Referido a un terreno ya segado, recoger las espigas que han quedado en él: *Tras la siega, se espigan los trigales.* **2** Referido a un cereal, empezar a echar espiga: *Este año el trigo ha espigado muy pronto.* **3** Referido a una serie de datos, tomarlos de una o de varias fuentes de información, rebuscando aquí y allá: *Para su estudio, tuvo que espigar noticias en los periódicos y revistas de la época.* ▌prnl. **4** Referido a una persona, crecer mucho: *Tu hija se ha espigado mucho desde el verano pasado.* □ ORTOGR. La *g* se cambia en *gu* delante de *e* →PAGAR.

espigón s.m. Muro que se construye en la orilla de un río o del mar y que sirve generalmente para proteger esta orilla o para modificar la dirección de la corriente: *Están construyendo un nuevo espigón en el puerto.* □ ETIMOL. De *espiga*.

espigueo s.m. Recogida de las semillas que han quedado en un terreno que se ha segado: *Hasta hace no mucho tiempo el espigueo se hacía manualmente.*

espiguilla s.f. En un tejido, dibujo que semeja una espiga y que está formado por una línea que hace de eje y otras cuantas laterales, oblicuas a este eje y paralelas entre sí: *Ha comprado un tejido de espiguillas para hacerse un traje.*

espín s.m. En física, número cuántico que expresa el giro sobre sí mismas de las partículas elementales: *El espín puede tomar los valores 1/2 y -1/2.* □ ETIMOL. Del inglés *spin*.

espina s.f. **1** En una planta o en su fruto, pincho generalmente formado por la transformación de una hoja o de un brote: *Los rosales tienen espinas.* **2** En un pez, cada una de las piezas óseas que forman parte de su esqueleto, esp. si son largas y puntiagudas. **3** Astilla pequeña y puntiaguda: *Al coger la tabla, me clavé una espina en el dedo.* **4** Parte saliente, larga y delgada de un hueso. **5** Pesar o tristeza íntima y duradera: *Siempre tuvo la espina de no haber podido estudiar en su juventud.* **6** || **dar mala espina** algo; *col.* Hacer pensar o sospechar que puede ocurrir algo malo o desagradable: *Sus salidas nocturnas me dan muy mala espina.* || **espina bífida;** malformación congénita de la columna vertebral que da lugar a una mala soldadura de los arcos posteriores de las vértebras. || **espina dorsal;** columna vertebral. □ ETIMOL. Del latín *spina*.

espinaca s.f. Hortaliza con hojas verdes, estrechas y suaves, que nacen de la raíz y se utilizan para la alimentación: *Las espinacas se comen cocidas o en ensalada.* □ ETIMOL. Del árabe hispánico *ispinab.

espinal adj.inv. De la médula o de la columna vertebral: *la región espinal.* □ ETIMOL. Del latín *spinalis*.

espinar s.m. Terreno poblado de espinos: *Dejó la finca sin cultivar y al año siguiente se había convertido en un espinar.*

espinazo s.m. **1** Columna vertebral: *En un accidente se rompió el espinazo y quedó paralítico.* **2** || **doblar el espinazo; 1** *col.* Trabajar o esforzarse: *Cuando su padre deje de pasarle dinero, tendrá que doblar el espinazo como los demás.* **2** *col.* Humillarse y someterse de forma servil: *Siempre dobla el espinazo ante su jefe, porque está buscando un ascenso.* □ ETIMOL. De *espina*.

espinela s.f. En métrica, estrofa formada por diez versos octosílabos de rima consonante y cuyo esquema es *abbaaccddc*. □ SINÓN. *décima*. □ ETIMOL. De Vicente Espinel (1550-1624), poeta español que empleó dicha estrofa.

espineta s.f. Instrumento musical de cuerda y teclado, semejante al clavicordio, pero de tamaño más pequeño y con un solo registro: *La espineta puede tener la caja en forma de triángulo, de trapecio o de pentágono.* □ ETIMOL. Del italiano *spinetta*, probablemente por alusión al nombre del inventor Giovanni Spinetti, que las firmaba.

espingarda s.f. **1** Escopeta de chispa con el cañón muy largo: *Hasta comienzos del siglo XX, los guerreros norteafricanos usaban espingardas.* **2** Antiguo cañón de artillería que lanzaba bolas de hierro o de plomo: *En el siglo XV la espingarda se hizo portátil.* □ ETIMOL. Del francés antiguo *espingarde*.

espinilla s.f. **1** Parte delantera de la tibia o hueso de la pierna: *Le han dado una patada en la espinilla.* **2** Grano de pequeño tamaño que aparece en la piel por la obstrucción del conducto secretor de las glándulas sebáceas: *Las espinillas contienen materias sebáceas, polvo y otros elementos de la piel.*

espinillera s.f. Pieza generalmente acolchada que protege la pierna por la espinilla: *Los futbolistas suelen llevar espinilleras bajo las medias.*

espinillo s.m. Árbol con espinas en sus ramas y flores muy perfumadas, blancas o amarillas, según las especies: *El espinillo negro tiene las flores amarillas.*

espino s.m. **1** Arbusto con ramas espinosas, hojas sin pelo, flores blancas y olorosas, madera dura, y cuya corteza se usa en tintorería: *El espino crece sobre todo en zonas montañosas.* **2** || **espino (artificial);** alambrada con pinchos, esp. la que se utiliza como cerca: *Han puesto un espino artificial rodeando toda la finca.* □ ETIMOL. Del latín *spinus*.

espinoso, sa adj. **1** Referido esp. a una planta, que tiene espinas: *El rosal tiene ramas espinosas.* **2** Delicado, comprometido, o que presenta grandes dificultades: *Ten mucho tacto cuando le hables de ese asunto tan espinoso.*

espionaje s.m. **1** Actividad encaminada a obtener información secreta, esp. si se hace para servir a un país extranjero: *A través del espionaje industrial, algunas empresas acceden a los planes de la competencia.* **2** Organización y medios dedicados a obtener información secreta: *El espionaje internacional actúa muchas veces camuflado bajo tapaderas diplomáticas.* □ ETIMOL. Del francés *spionnage*, y este de *spion* (espía).

espira s.f. **1** Cada una de las vueltas de una espiral: *Los zarcillos con que se enredan algunas plantas crecen formando espiras.* **2** En geometría, línea en espiral: *Cada vuelta de la espira tiene un tamaño superior a la anterior e inferior a la posterior.* □ ETIMOL. Del latín *spira*, y este del griego *spêira* (espiral).

espiración s.f. Expulsión del aire de los pulmones: *La respiración consta de dos fases: inspiración y espiración.* □ ORTOGR. Dist. de *expiración*.

espiral ▌adj.inv. **1** De la espiral o con la forma de esta línea curva: *Un muelle es un alambre enrollado de forma espiral.* ▌s.f. **2** En geometría, línea curva que gira alrededor de un punto alejándose de este un poco más en cada vuelta: *La profesora de matemáticas trazó una espiral en la pizarra.* **3** Lo que tiene la forma de esta línea curva: *Tengo un cuaderno con espiral a un lado.* **4** Proceso que aumenta de una forma rápida, progresiva y no controlable: *La policía intenta frenar la espiral de violencia desencadenada en la ciudad.*

espirar v. **1** Referido al aire o a una sustancia gaseosa, expulsarla de los pulmones: *Cuando hacemos deporte, es conveniente espirar el aire por la boca. Si aspiras y espiras lentamente, te relajarás.* **2** Referido a un olor, despedirlo o exhalarlo: *Las rosas espiran una suave fragancia.* □ ETIMOL. Del latín *spirare*. □ ORTOGR. Dist. de *expirar*.

espiratorio, ria adj. De la espiración o relacionado con ella: *La fase espiratoria de la respiración es aquella en la que se expulsa el aire.*

espirilo s.m. Bacteria con forma de filamento alargado y enrollado en forma de espiral: *Algunas de* *las bacterias de mayor tamaño son espirilos.* □ ETIMOL. Del latín *spirillum*, y este de *spira* (espiral).

espiritismo s.m. **1** Creencia según la cual los espíritus de los muertos pueden entrar en comunicación con los vivos. **2** Conjunto de prácticas encaminadas a establecer comunicación con los espíritus de los muertos: *hacer espiritismo.*

espiritista ▌adj.inv. **1** Del espiritismo: *Sus amigos lo iniciaron en una serie de prácticas espiritistas.* ▌adj.inv./s.com. **2** Referido a una persona, que defiende y practica el espiritismo: *La voz del espiritista cambió cuando entró en trance.*

espiritoso, sa (tb. *espirituoso, sa*) adj. Referido esp. a una bebida, que contiene mucho alcohol: *Los licores son bebidas espiritosas.*

espiritrompa s.f. Aparato chupador de algunos insectos que consiste en un tubo largo que se enrolla en forma de espiral y que sirve para chupar el néctar de las flores: *Las mariposas tienen espiritrompa.*

espíritu s.m. **1** En una persona, parte inmaterial de la que dependen los sentimientos y las facultades intelectivas: *Su espíritu no estaba tranquilo porque sabía que había obrado mal.* **2** Alma de una persona muerta: *La médium intentó evocar los espíritus del más allá.* **3** Ser inmaterial dotado de inteligencia: *Según el catolicismo, los ángeles son espíritus celestes.* **4** *col.* Persona, generalmente considerada en cuanto a su inteligencia: *No dejó de estudiar nunca porque era un espíritu ansioso de saber.* **5** Ánimo, valor o fortaleza, esp. para actuar: *Sabe afrontar los problemas porque es una persona de mucho espíritu.* **6** Idea principal, carácter íntimo o esencia de algo: *El espíritu de la ley es proteger al ciudadano.* **7** Demonio infernal o ser sobrenatural maligno: *Cuando se le pone ese genio, parece poseído por los espíritus.* **8** ‖ **el espíritu {inmundo/maligno};** el diablo: *El espíritu maligno se apoderó de su cuerpo y le incitaba a hacer el mal.* ‖ **espíritu de contradicción;** tendencia de una persona a decir o a hacer lo contrario de lo que hacen los demás o de lo que se espera de ella: *Tu espíritu de contradicción te impide darme la razón, pero sé que estamos de acuerdo.* ‖ **pobre de espíritu;** tímido o apocado: *Es una persona pobre de espíritu y que se sonroja por nada.* □ ETIMOL. Del latín *spiritus* (soplo, aire). □ MORF. En la acepción 7, se usa más en plural.

espiritual ▌adj.inv. **1** Del espíritu, con espíritu, o relacionado con él: *Dice que la fe le da fuerza espiritual.* **2** Referido esp. a una persona, que es muy sensible y que tiene mayor interés por los sentimientos, los pensamientos y las cuestiones de religión, que por lo material: *Siempre fue una mujer muy espiritual y nunca se dejó deslumbrar por el lujo.* ▌s.m. **3** Canto religioso originario de la población negra del sur estadounidense: *Los espirituales me resultan estremecedores.*

espiritualidad s.f. **1** Propiedad de lo que es espiritual o manifiesta las características del espíritu: *Casi todas las religiones señalan como característica del alma su espiritualidad.* **2** Sensibilidad e inclinación de una persona hacia los sentimientos, los pensamientos y las cuestiones religiosas, más que hacia lo material: *Es una persona muy humana y de profunda espiritualidad.* **3** Conjunto de creencias y ejercicios relacionados con la vida espiritual: *En la sociedad medieval, la espiritualidad tenía mucho más peso que en la moderna.*

espiritualismo s.m. **1** Doctrina filosófica que afirma la existencia de una realidad distinta a la material y, generalmente, superior a esta. **2** Corriente filosófica que, frente al materialismo, defiende la esencia espiritual y la inmortalidad del alma. **3** Inclinación hacia lo que se considera propio del espíritu: *Siempre destacó el gran espiritualismo de las novelas de este autor.*

espiritualista ▌adj.inv. **1** Del espiritualismo o relacionado con esta doctrina o corriente filosófica: *Las posturas espiritualistas más extremas afirman que las cosas sensibles no son más que ideas del espíritu.* ▌adj.inv./s.com. **2** Que defiende o sigue la doctrina del espiritualismo: *Leibniz fue uno de los principales filósofos espiritualistas.*

espiritualizar v. Referido a algo que es corpóreo, considerarlo como espiritual, o dotarlo de las características que se consideran propias del espíritu: *En sus descripciones espiritualiza el paisaje para convertirlo en un símbolo de pureza.* □ ORTOGR. La *z* se cambia en *c* delante de *e* →CAZAR.

espirituoso, sa adj. →**espiritoso.**

espiroidal adj.inv. Con forma de espiral: *Un muelle es una pieza elástica espiroidal.*

espirómetro s.m. Instrumento que sirve para medir la capacidad respiratoria del pulmón: *A los deportistas les suelen hacer pruebas con el espirómetro.* □ ETIMOL. Del latín *spirare* (espirar) y *-metro* (medidor).

espiroqueta s.f. Bacteria flexible, con movimiento activo, y que tiene el cuerpo enrollado en forma de espiral: *El organismo causante de la 'enfermedad del sueño' es una espiroqueta.* □ ETIMOL. Del griego *spêira* (espiral) y *khaíte* (cabellera).

espita s.f. **1** En una cuba o en un recipiente semejante, canuto que se introduce en su agujero, generalmente provisto de una llave, para que salga por él el líquido: *El vino de la cuba se salía porque la espita no ajustaba bien en el agujero.* **2** Dispositivo semejante a este canuto que regula el paso de un fluido, esp. a través de un conducto: *Abre la espita del gas antes de encender el calentador.* □ ETIMOL. Del gótico *spitus (asador).

esplendente adj.inv. *poét.* Resplandeciente.

esplender v. *poét.* Resplandecer: *Las llamas esplendían de modo espectacular.*

esplendidez s.f. Abundancia, grandiosidad o gran generosidad: *En cada regalo que hace, da muestras de una esplendidez propia de príncipes.*

espléndido, da adj. **1** Magnífico o maravilloso: *un día espléndido.* **2** Generoso o desprendido. □ ETIMOL. Del latín *splendidus* (resplandeciente). □ PRON. Incorr. *[expléndido].

esplendor s.m. **1** Grandeza, hermosura o riqueza: *La entrega de premios se hizo en un acto de gran esplendor.* **2** Situación de lo que ha alcanzado un punto muy alto de su desarrollo o en sus cualidades: *En el siglo XVII, el estilo barroco estaba en todo su esplendor.* **3** Brillo o resplandor: *Solo el esplendor de la Luna iluminaba el bosque.* □ ETIMOL. Del latín *splendor*. □ PRON. Incorr. *[explendór].

esplendoroso, sa adj. **1** Que impresiona por su belleza o por su riqueza: *El siglo XVII es un momento esplendoroso en la literatura española.* **2** Que brilla o resplandece: *La esplendorosa luz del sol hacía brillar las aguas.* □ PRON. Incorr. *[explendoróso].

esplenectomía s.f. Operación quirúrgica que consiste en la extirpación total o parcial del bazo.

esplénico, ca adj. Del bazo o relacionado con este órgano: *la arteria esplénica.* □ ETIMOL. Del latín *splenicus*, este del griego *splenikós*, y este de *splén* (bazo).

esplenio s.m. Músculo largo y plano que une las vértebras cervicales con la cabeza: *El esplenio permite doblar la cabeza hacia atrás.* □ ETIMOL. Del latín *splenium*, y este del griego *splénion* (venda).

esplenitis (pl. *esplenitis*) s.f. Inflamación del bazo: *En las esplenitis hay un aumento de tamaño del bazo.* □ ETIMOL. Del griego *splén* (brazo) e *-itis* (inflamación).

esplenomegalia s.f. Aumento del volumen del bazo.

espliego s.m. **1** Arbusto de tallos leñosos, hojas estrechas y grisáceas, y flores azules en espiga y muy aromáticas: *De la flor del espliego se obtiene un aceite que se utiliza en perfumería.* □ SINÓN. *lavanda, lavándula.* **2** Semilla de este arbusto, que suele usarse para dar humo aromático: *Colocó espliego en el incensario para esparcir su aroma sobre el altar.* □ ETIMOL. Del latín *spiculum*, y este de *spicum* (espiga), porque el espliego suele venderse en ramilletes.

esplín s.m. Melancolía o estado de aburrimiento y de hastío por la vida: *En la mayoría de sus escritos, se percibe su peculiar esplín y desencanto por todo.* □ ETIMOL. Del inglés *spleen*. □ USO Es innecesario el uso del anglicismo *spleen*.

espolada s.f. Golpe dado con la espuela a una caballería para que ande: *El jinete daba fuertes espoladas a su caballo para hacerlo ir más rápido.* □ SINÓN. *espolazo.*

espolazo s.m. →**espolada.**

espoleadura s.m. Herida hecha con la espuela en una caballería: *En el vientre del caballo podían verse numerosas espoleaduras.*

espolear v. **1** Referido a una caballería, picarla el jinete con la espuela para que ande u obedezca: *El bandolero espoleó su caballo y huyó velozmente.* □ SINÓN. *picar.* **2** Referido a una persona, estimularla o animarla a hacer algo: *El éxito de su primera película sirvió para espolearla en su carrera.* □ SINÓN. *pinchar, picar.*

espoleta s.f. En un artefacto con carga explosiva, dispositivo que se coloca para producir la explosión de dicha carga: *Las granadas hacen explosión cuando su espoleta choca con la tierra.* □ ETIMOL. Del italiano *espoletta*.

espoliación s.f. →**expoliación.**

espoliador, -a adj./s. →**expoliador.**

espoliar v. →**expoliar.**

espolín s.m. Espuela que está fija en el tacón de la bota: *Este jinete no usa espuelas porque sus botas tienen espolines.*

espolio s.m. →**expolio.**

espolón s.m. **1** En algunas aves, esp. en un gallo, saliente óseo que aparece en el tarso o parte más delgada de sus patas. □ SINÓN. *garrón.* **2** En una caballería, saliente córneo en la parte posterior y baja de las patas. **3** Muro que se construye en la orilla de un río o del mar para contener las aguas, o al borde de un barranco o de un precipicio para asegurar el terreno. **4** En una embarcación, punta que remata la proa, esp. si es de hierro, puntiaguda y saliente, y que se utiliza para embestir barcos enemigos. **5** En un puente, construcción curva o en forma de ángulo que se añade a los pilares de cara a la corriente de agua para cortarla y disminuir su empuje. □ SINÓN. *tajamar.* □ ETIMOL. De *espuela*.

espolvorear v. Referido a una sustancia con consistencia de polvo, esparcirla sobre algo: *Espolvorea coco rallado sobre la tarta. Espolvoreó el pastel con azúcar glaseada.*

espondeo s.m. En métrica grecolatina, pie formado por dos sílabas largas: *El último pie de ese hexámetro es un espondeo.* □ ETIMOL. Del latín *spondeus*.

espondilolistesis (pl. *espondilolistesis*) s.f. Deslizamiento de una vértebra sobre otra.

espondilosis (pl. *espondilosis*) s.f. Inflamación y fusión de las vértebras de la columna vertebral: *La espondilosis provoca la rigidez de la columna vertebral.* □ ETIMOL. Del latín *spondylus* (vértebra) y *-sis* (enfermedad).

espongiario ▌adj./s.m. **1** Referido a un animal, que es invertebrado, acuático, con forma de saco o tubo con una sola abertura, y que tiene la pared del cuerpo reforzada por pequeñas piezas calcáreas o silíceas o por fibras cruzadas entre sí, y atravesada por numerosos conductos que se abren al exterior: *La esponja de mar es un espongiario.* □ SINÓN. *porífero.* ▌s.m.pl. **2** En zoología, grupo de estos animales: *Antiguamente, los espongiarios constituían un grupo taxonómico.* □ SINÓN. *porífero.* □ ETIMOL. Del latín *spongia* (esponja).

espongiforme adj.inv. En medicina, con las características de una esponja, como la porosidad: *La encefalopatía espongiforme bovina es conocida coloquialmente como el 'mal de las vacas locas'.* □ ETIMOL. Del latín *spongia* (esponja) y *-forme* (con forma).

esponja s.f. **1** Animal perteneciente al tipo de los espongiarios: *Las esponjas carecen de órganos diferenciados.* **2** Esqueleto de algunos de estos animales, formado por fibras córneas cruzadas entre sí, cuyo conjunto da lugar a una masa elástica llena de agujeros y que absorbe fácilmente los líquidos: *Las esponjas se preparan para ser utilizadas como utensilios de limpieza.* **3** Cuerpo con la elasticidad, la porosidad y la suavidad de estos esqueletos, y que se utiliza como utensilio de limpieza: *Para limpiar la bañera y el lavabo, utilizo una esponja.* ☐ ETIMOL. Del latín *spongia*.

esponjamiento s.m. Ahuecado de un cuerpo: *El esponjamiento de la masa se consigue gracias a la levadura.*

esponjar ▮ v. **1** Referido a un cuerpo, ahuecarlo o hacerlo más poroso: *Para esponjar la masa del pan, se le echa levadura. A medida que vaya cociendo el bizcocho, irá esponjándose.* ▮ prnl. **2** Envanecerse o ponerse orgulloso: *Se esponja cuando le hablan bien de su hijo.* ☐ ORTOGR. Conserva la *j* en toda la conjugación.

esponjera s.f. Recipiente en el que se coloca la esponja de baño: *He limpiado la esponjera porque estaba llena de espuma de jabón.*

esponjosidad s.f. Suavidad, ligereza y porosidad que presenta un cuerpo: *Se nota que el pan está reciente por su esponjosidad.*

esponjoso, sa adj. Referido a un cuerpo, que es muy poroso, hueco y ligero: *El tejido de las toallas suele ser muy esponjoso.*

esponsales s.m.pl. Promesa mutua que se hacen un hombre y una mujer de casarse el uno con el otro: *Mañana celebran sus esponsales, pero aún no sé la fecha de la boda.* ☐ ETIMOL. Del latín *sponsalis* (relativo a la promesa de casamiento).

espónsor s.com. →**patrocinador.** ☐ ETIMOL. Del inglés *sponsor* (patrocinador).

esponsorización s.f. →**patrocinio.** ☐ ETIMOL. Del inglés *sponsor* (patrocinador).

esponsorizar v. →**patrocinar.** ☐ ETIMOL. Del inglés *sponsor* (patrocinador).

espontaneidad s.m. Naturalidad y sinceridad o ausencia de artificio en la forma de actuar: *Lo que más me gusta de ti es la espontaneidad de tus actos.* ☐ PRON. Incorr. *[expontaneidád].

espontáneo, a ▮ adj. **1** Natural, sincero y sin premeditación, esp. en la forma de actuar: *una respuesta espontánea.* **2** Referido esp. a una planta, que se produce sin cultivo y sin cuidado de las personas. ▮ s. **3** Persona que asiste a un espectáculo público, esp. a una corrida de toros, como espectador y que, en un momento dado, interviene en él por propia iniciativa: *Muchos espontáneos saltan al ruedo para darse a conocer.* ☐ ETIMOL. Del latín *spontaneus*, y este de *sponte* (voluntariamente). ☐ PRON. Incorr. *[expontáneo].

espóntex s.f. →**spontex.**

espora s.f. Célula reproductora de algunos organismos con reproducción asexual: *Los helechos y los hongos se reproducen por esporas.* ☐ ETIMOL. Del griego *sporá* (semilla).

esporádico, ca adj. Ocasional o sin relación con otros casos: *Los casos de cólera detectados son esporádicos y no se puede hablar aún de epidemia.* ☐ ETIMOL. Del griego *sporadikós* (disperso).

esporangio s.m. En algunos organismos con reproducción asexual, órgano que produce o contiene las esporas o células reproductoras: *Los hongos tienen esporangios.* ☐ ETIMOL. De *sporá* (semilla) y *ángos* (vaso).

esporozoario s.m. →**esporozoo.**

esporozoo ▮ adj.inv./s.m. **1** Referido a un protozoo parásito, que en un determinado momento de su vida se reproduce por medio de esporas: *Los esporozoos tienen reproducción alternante, con fases sexuales y fases asexuales.* ▮ s.m.pl. **2** En zoología, clase de estos protozoos, perteneciente al reino de los protistas: *El productor del paludismo pertenece a los esporozoos.* ☐ ETIMOL. Del griego *sporá* (semilla) y *zôion* (animal).

esportear v. Echar o transportar en espuertas o cestas: *Los albañiles esporteaban los cascotes hasta el contenedor.*

esportilla s.f. Espuerta pequeña: *Coloqué las manzanas en una esportilla.*

esposar v. Referido esp. a un detenido, ponerle las esposas para que no pueda mover las manos: *La policía esposó a los atracadores.* ☐ ORTOGR. Dist. de *desposar*.

esposas s.f.pl. Véase **esposo, sa.**

esposo, sa ▮ s. **1** Respecto de una persona, otra que está casada con ella: *Esta pulsera se la regaló su esposo por el aniversario de su matrimonio.* ▮ s.f.pl. **2** Conjunto de dos aros de metal unidos por una cadena, que se utilizan para sujetar a los detenidos por las muñecas: *La policía lo condujo a la comisaría con las esposas puestas.* ☐ ETIMOL. La acepción 1, del latín *sponsus* (prometido). La acepción 2, de *esposa*, porque se dice tópicamente que la esposa nunca se separa del marido.

espot s.m. →**spot.**

espray (pl. *espráis*) s.m. →**aerosol.** ☐ ETIMOL. Del inglés *spray*.

espresso (it.) s.m. Café exprés: *Me gusta más el esprèsso que el capuchino.* ☐ PRON. [espréso]. ☐ USO Su uso es innecesario.

esprín s.m. →**sprint.**

esprint s.m. →**sprint.**

esprintar v. Realizar un sprint: *En los últimos metros el ciclista esprintó y ganó la etapa.* ☐ ETIMOL. Del inglés *sprint*.

esprínter s.com. Deportista especializado en correr una distancia a máxima velocidad: *Para el último relevo de la carrera han elegido a la mejor esprínter del equipo.* ☐ ETIMOL. Del inglés *sprinter*. ☐ ORTOGR. Se usa también *sprinter*.

espuela s.f. **1** Arco de metal, con una pieza alargada y terminada en una pequeña rueda dentada, que se ajusta al talón del jinete y se usa para picar a la cabalgadura: *El caballo corrió más cuando sintió la picadura de las espuelas.* **2** En zonas del español meridional, espolón de algunas aves: *Las espuelas de este gallo son muy grandes.* ☐ ETIMOL. Del gótico **spaúra*.

espuerta s.f. **1** Cesta de esparto, de palma o de otra materia, con dos asas pequeñas: *Llena la espuerta de escombros y tíralos al contenedor.* **2** || **a espuertas;** a montones o en gran cantidad: *Con el nuevo negocio, está ganando dinero a espuertas.* □ ETIMOL. Del latín *sporta.*

espulgar v. Limpiar de pulgas o de piojos: *Compramos un insecticida para espulgar al perro.* □ ORTOGR. 1. Dist. de *expurgar.* 2. La *g* se cambia en *gu* delante de *e* →PAGAR.

espuma s.f. **1** Conjunto de burbujas que se forman en la superficie de los líquidos: *la espuma del mar.* **2** Producto cosmético con consistencia semejante a la de estas burbujas: *espuma de afeitar.* **3** Tejido muy ligero y esponjoso: *medias de espuma.* **4** *col.* →**gomaespuma.** □ ETIMOL. Del latín *spuma.*

espumadera s.f. Utensilio de cocina en forma de paleta agujereada y con un mango largo: *Para sacar los fritos de la sartén, utilizo una espumadera.*

espumajear v. Arrojar o echar espumarajos o saliva abundante por la boca: *El perro estaba rabioso y espumajeaba.*

espumajo s.m. →**espumarajo.**

espumante adj.inv. →**espumeante.**

espumar (tb. *despumar*) v. **1** Referido a un líquido, quitarle la espuma: *Espumó la sopa antes de servirla.* □ SINÓN. *desespumar.* **2** Hacer o producir espuma: *Este jabón espuma mucho.*

espumarajo s.m. **1** Saliva arrojada en gran cantidad por la boca: *El perro rabioso echaba espumarajos.* □ SINÓN. *espumajo.* **2** || **echar espumarajos por la boca;** *col.* Estar colérico o muy enfadado: *Al ver que le habían robado el coche, echaba espumarajos por la boca.*

espumeante (tb. *espumante*) adj.inv. Que hace o que forma espuma: *Se bañaba en las espumeantes aguas de la playa.*

espumillón s.m. Tira con flecos, muy ligera y de colores vivos y brillantes, que se utiliza como adorno en las fiestas navideñas: *En Navidad decoramos el salón y el árbol con bolas y espumillones.*

espumoso, sa adj. Que tiene o que hace mucha espuma: *un vinos espumoso.*

espurio, ria adj. Falso, adulterado o no auténtico: *Los supuestos documentos medievales resultaron ser espurios.* □ ETIMOL. Del latín *spurio* (bastardo, ilegítimo). □ PRON. Incorr. *[espúreo].

espurrear (tb. *espurriar*) v. Rociar con agua o con otro líquido arrojados por la boca: *Si el niño no quiere comer, no le obligues, que nos va a espurrear a todos.*

espurriar v. →**espurrear.** □ ORTOGR. La *i* lleva tilde en los presentes, excepto en las personas *nosotros* y *vosotros* →GUIAR.

esputar v. Referido a flemas o a otras secreciones de las vías respiratorias, arrancarlas y arrojarlas por la boca: *Está acatarrado y toma un jarabe para esputar las flemas.*

esputo s.m. Saliva, flema o sangre que se escupen o se expulsan de una vez por la boca: *Lanza muchos esputos porque tiene un catarro tremendo.* □ SINÓN. *escupitajo, escupitinajo, lapo.* □ ETIMOL. Del latín *sputum,* y este de *spuere* (escupir).

esquejar v. Plantar esquejes: *He esquejado varios geranios en mi jardín.* □ ORTOGR. Conserva la *j* en toda la conjugación.

esqueje s.m. Tallo o brote de una planta que se injerta en otra o que se introduce en la tierra para que nazca una planta nueva: *Injertó un esqueje de geranio y le han salido un montón.* □ ETIMOL. Del latín *schidiae,* y este del griego *skhídia* (astillas).

esquela s.f. Aviso o notificación de la muerte de una persona, esp. los que aparecen en los periódicos: *Supe que había muerto porque vi su esquela en el periódico.* □ ETIMOL. Quizá del latín *scheda* (hoja de papel).

esquelético, ca adj. Muy flaco o muy delgado: *No adelgaces más, que te estás quedando esquelético.*

esqueleto s.m. **1** Conjunto de piezas duras y resistentes, generalmente trabadas o articuladas entre sí, que da consistencia al cuerpo de los animales, sosteniendo o protegiendo sus partes blandas: *El esqueleto de una persona está formado por más de doscientos huesos.* **2** Armazón que sostiene algo: *Los cimientos y las vigas son el esqueleto de un edificio.* **3** Esquema o conjunto de líneas básicas sobre los que se monta o hace algo: *Cuando ya tenga el esqueleto del trabajo, empezaré a redactarlo.* **4** En zonas del español meridional, formulario. **5** || **{menear/mover} el esqueleto;** *col.* Bailar, generalmente con música moderna. □ ETIMOL. Del griego *skeletós* (esqueleto, momia).

esquema s.m. **1** Resumen de una cosa atendiendo a sus ideas o caracteres más significativos: *Siempre estudia haciendo esquemas de las lecciones para organizar las ideas.* **2** Representación gráfica y simbólica de cosas materiales o inmateriales: *Éste es el esquema de cómo quiero que sea el nuevo local.* **3** *col.* Estructura que constituye la base de algo: *O cambias esos esquemas mentales tan llenos de prejuicios, o tendrás problemas para relacionarte con la gente.* **4** || **romper los esquemas;** *col.* Desconcertar o desorientar: *Su forma de actuar me sorprendió y me rompió los esquemas.* □ ETIMOL. Del latín *schema* (figura geométrica).

esquemático, ca adj. **1** Explicado o hecho de una manera simple, a rasgos generales y sin entrar en detalles: *Hizo una exposición muy clara y esquemática.* **2** Que tiene capacidad para elaborar esquemas: *Una mente esquemática ayuda a organizar las ideas.*

esquematismo s.m. Tendencia a utilizar esquemas, esp. en la exposición de doctrinas: *El esquematismo del profesor hacía que retuviéramos las ideas principales de sus explicaciones.*

esquematización s.f. Representación de algo en forma esquemática o con rasgos generales: *Su pintura se caracteriza por la esquematización de las figuras.*

esquematizar v. Representar de forma esquemática o con rasgos generales: *La profesora esque-*

matizó en un dibujo el funcionamiento del motor de explosión. ☐ ORTOGR. La *z* se cambia en *c* delante de *e* →CAZAR.

esquí (pl. *esquíes, esquís*) s.m. **1** Especie de patín formado por una tabla alargada que sirve para deslizarse sobre la nieve o sobre el agua: *Me caí en la bajada porque patiné y se me cruzaron los esquís.* **2** Deporte que se practica deslizándose sobre la nieve con estos patines: *El esquí es un deporte olímpico.* **3** ‖ **esquí acuático;** deporte que consiste en deslizarse rápidamente sobre el agua con estos patines y arrastrado por una lancha motora: *En verano, practica el esquí acuático en la playa.* ☐ ETIMOL. Del francés *ski*, y este del noruego *ski* (leño, tronco cortado). ☐ USO Es innecesario el uso del anglicismo *ski*.

esquiador, -a ▮ adj./s. **1** Que esquía. ▮ s. **2** Persona que practica el esquí, esp. si esta es su profesión: *Una esquiadora suiza ganó la prueba de descenso.*

esquiar v. Deslizarse con esquís sobre la nieve o sobre el agua: *Hice un curso en la misma estación de esquí para aprender a esquiar.* ☐ ORTOGR. La *i* lleva tilde en los presentes, excepto en las personas *nosotros* y *vosotros* →GUIAR.

esquife s.m. Bote que se lleva en un navío y que se usa esp. para saltar a tierra: *Para desembarcar utilizaron uno de los esquifes que llevaban en cubierta.* ☐ ETIMOL. Del alemán *skif*.

esquijama s.m. Pijama cerrado que se ciñe al cuerpo, hecho de tejido de punto y que se usa generalmente en invierno: *Un esquijama abriga más que un pijama normal.*

esquila s.f. **1** Cencerro pequeño en forma de campana: *Todas sus ovejas llevan una esquila al cuello.* **2** Corte del pelo o de la lana de un animal, esp. de una oveja: *Para la esquila de las ovejas, utilizaban una máquina eléctrica.* ☐ SINÓN. *esquileo.* ☐ ETIMOL. La acepción 1, del gótico **skilla*. La acepción 2, de *esquilar*.

esquilador, -a ▮ adj./s. **1** Que esquila: *una máquina esquiladora.* ▮ s. **2** Persona que se dedica profesionalmente a esquilar el ganado: *Los esquiladores cortan la lana a las ovejas cuando empieza el calor.* ▮ s.f. **3** Máquina que sirve para esquilar el ganado: *Ahora se utilizan esquiladoras eléctricas más rápidas.*

esquiladora s.f. Véase **esquilador, -a**.

esquilar v. Referido a un animal, esp. a una oveja, cortarle el pelo o la lana: *Después de esquilarla, la oveja abultaba la mitad.* ☐ SINÓN. *trasquilar.* ☐ ETIMOL. Del gótico **skaíran*.

esquileo s.m. **1** Corte del pelo o de la lana de un animal, esp. de una oveja. ☐ SINÓN. *esquila.* **2** Tiempo durante el que se corta el pelo o la lana de estos animales: *En este pueblo el esquileo se hace en el mes de junio.*

esquilmar v. **1** Referido esp. a una fuente de riqueza, agotarla o hacer que disminuya por explotarla más de lo debido: *Los pescadores furtivos han esquilmado esta parte del río y ya casi no hay peces.* **2** Referido a una persona, empobrecerla o sacarle el dinero abusivamente: *Esquilmó a su padre para pagar sus deudas de juego.* **3** Referido a un terreno, absorber con exceso los elementos nutritivos que contiene: *Los eucaliptos y otros árboles de crecimiento rápido esquilman el suelo.* ☐ ETIMOL. Del antiguo *esquimar* (dejar un árbol sin ramas).

esquimal ▮ adj.inv./s.com. **1** De un pueblo que habita en las regiones árticas americanas y asiáticas, o relacionado con él: *Vi en un documental cómo unos esquimales construían su iglú.* ▮ s.m. **2** Grupo de lenguas de este pueblo: *Algunas de las lenguas habladas en Alaska y Canadá pertenecen al esquimal.*

esquina s.f. Arista o parte exterior del lugar en que se juntan dos lados de algo, esp. las paredes de un edificio: *Mi casa está en la esquina de esas dos calles.* ☐ ETIMOL. Quizá del germánico **skina* (barrita, tibia, espinazo).

esquinado, da adj. *col.* Referido a una persona, que es de trato difícil o áspero: *No compro en esa tienda porque el dependiente es un poco esquinado.*

esquinar v. **1** Hacer o formar esquina: *Coincidimos mucho porque su casa esquina con la mía.* **2** Poner en esquina: *Si esquinas un poco la televisión, la veremos también desde aquí.*

esquinazo s.m. **1** Esquina de un edificio. **2** ‖ **dar esquinazo;** *col.* Referido a una persona, rehuirla, evitarla o abandonarla: *Cuando vi que se me acercaba ese pesado, decidí darle esquinazo.*

esquinera s.f. **1** Mueble de forma apropiada para ser colocado en un rincón: *Las esquineras suelen tener forma triangular.* ☐ SINÓN. *rinconera.* **2** *col. desp.* Prostituta que suele colocarse en las esquinas: *Este barrio por las noches se llena de esquineras.*

esquirla s.f. Astilla desprendida de algo duro, esp. de un hueso fracturado: *Le quitaron varias esquirlas óseas en la operación que le hicieron tras el accidente.* ☐ ETIMOL. De origen incierto.

esquirol s.m. *desp.* Persona que trabaja cuando hay huelga, o que sustituye a un huelguista: *Los huelguistas insultaban a los esquiroles por su falta de solidaridad.* ☐ ETIMOL. Del catalán *esquirol* (ardilla), que significó *hombrecillo, porque se mueve mucho y sin motivo*, y de ahí *persona insignificante, sin carácter*.

esquisto s.m. Roca metamórfica que se divide fácilmente en láminas y que resulta de la transformación de la arcilla sometida a grandes presiones orogénicas: *Los esquistos pueden ser negros, marrones o rosados.* ☐ ETIMOL. Del latín *schistos lapis*, y este del griego *skhistós* (rajado, partido).

esquite s.m. Grano de maíz tostado o cocido: *Me compré unos esquites con poquito chile.*

esquivar v. Evitar o rehusar con habilidad: *El boxeador esquivaba los golpes de su rival.* ☐ ETIMOL. Del germánico *skiuhan* (tener miedo).

esquivez s.f. Rechazo de las atenciones, de las muestras de afecto o del trato de otras personas:

No es propio de un padre tratar a sus hijos con esquivez.

esquivo, va adj. Que rehúye las atenciones, las muestras de afecto o el trato de otras personas: *En el trabajo se muestra esquiva y distante con sus compañeros.*

esquizofrenia s.f. En psiquiatría, enfermedad mental que se caracteriza por una pérdida de contacto con la realidad y por alteraciones de la personalidad: *La esquizofrenia altera el pensamiento, la emotividad y la conducta del enfermo.* □ ETIMOL. Del griego *skhízo* (yo parto, yo disocio) y *phrén* (inteligencia).

esquizofrénico, ca ▮ adj. **1** De la esquizofrenia o relacionado con esta enfermedad: *El paciente presenta un comportamiento esquizofrénico.* ▮ adj./s. **2** Que padece esquizofrenia: *En este psiquiátrico hay muchos esquizofrénicos.*

esquizoide adj.inv./s.com. Referido esp. a una persona, que tiene tendencia a sufrir esquizofrenia o está predispuesto a ella: *Su tendencia a la soledad y su dificultad para contactar con el exterior son propias de un esquizoide.* □ ETIMOL. Del griego *skhízo* (yo parto, yo disocio) y *-oide* (semejanza).

esrilanqués, -a (tb. *srilanqués*) adj./s. De Sri Lanka o relacionado con este país asiático, antes llamado *Ceilán*. □ SINÓN. *ceilandés.*

esta demos. f. de **este**.

estabilidad s.f. **1** Permanencia o duración en el tiempo, esp. si se produce sin cambios esenciales. **2** Firmeza o seguridad, esp. en el espacio, en la posición o en el rumbo: *Unos buenos cimientos dan estabilidad al edificio.* **3** Propiedad de un cuerpo o de un sistema de volver a su posición de equilibrio después de haber sido separados de ella: *Los amortiguadores de este coche garantizan una gran estabilidad en todos los terrenos.* **4** Situación meteorológica que se caracteriza por la resistencia a que se desarrollen cambios. □ ETIMOL. Del latín *stabilitas.*

estabilísimo, ma superlat. irreg. de **estable**. □ MORF. Incorr. **establísimo.*

estabilización s.f. Concesión o adquisición de un carácter estable: *La política del Gobierno pretende lograr la estabilización de los precios.*

estabilizador, -a ▮ adj./s. **1** Que estabiliza: *Ser padre fue una experiencia muy estabilizadora para mí.* ▮ s.m. **2** Mecanismo que se añade a un vehículo para evitar su balanceo y aumentar su estabilidad: *Algunas canoas llevan estabilizadores laterales.*

estabilizante adj.inv./s.m. Referido a una sustancia, que se añade a una disolución para impedir que precipite: *Algunos alimentos, como los helados, llevan estabilizantes.*

estabilizar v. Hacer estable: *Pasó una temporada muy nervioso, pero ha ido estabilizándose.* □ ORTOGR. La *z* se cambia en *c* delante de *e* →CAZAR.

estable adj.inv. **1** Constante, firme, permanente o duradero en el tiempo: *un empleo estable.* **2** En química, referido esp. a una sustancia, que no resulta fácil de descomponer por la acción de la temperatura o de agentes químicos. □ ETIMOL. Del latín *stabilis.* □ MORF. Su superlativo es *estabilísimo.*

establecer ▮ v. **1** Fundar, instituir o crear, generalmente con un propósito de continuidad: *Las dos naciones establecieron relaciones diplomáticas.* **2** Ordenar, mandar o decretar: *El código de la circulación establece que las bicicletas no pueden circular por las autopistas.* **3** Referido a un pensamiento, expresarlo o demostrar su valor general: *Newton estableció que todos los cuerpos de la Tierra están sometidos a la acción de la fuerza de la gravedad.* ▮ prnl. **4** Fijar la residencia: *No nací en esta ciudad, pero me establecí aquí al acabar los estudios.* **5** Abrir un negocio por cuenta propia: *Antes trabajaba aquí de dependiente, pero ahora se ha establecido en otro barrio.* □ ETIMOL. Del latín **stabiliscere.* □ MORF. Irreg. →PARECER.

establecimiento s.m. **1** Fundación, institución o creación de algo, generalmente con un propósito de continuidad: *El establecimiento del campamento al lado del río fue un acierto.* **2** Lugar en el que habitualmente se desarrolla una industria, una profesión o una actividad comercial: *Las tiendas son establecimientos comerciales.* **3** Colonia fundada en un país por naturales de otro: *Esta ciudad fue un antiguo establecimiento cartaginés.* **4** Fijación de la residencia o del trabajo en un lugar: *Desconozco las razones que motivaron su establecimiento definitivo en ese pueblo.*

establishment (ing.) s.m. Grupo social dominante que controla algún sector, esp. el político y económico: *El establishment cultural de ese país está formado por gente de izquierdas.* □ PRON. [estáblisment]. □ USO Su uso es innecesario y puede sustituirse por *grupo dominante.*

establo s.m. Lugar cubierto en el que se encierra o se guarda el ganado: *Ha construido un moderno establo para sus vacas.* □ ETIMOL. Del latín *stabulum.*

estabulación s.f. Cría y mantenimiento de los ganados en establo: *La dureza del clima en esta región hace necesaria la estabulación de las vacas durante el invierno.*

estabular v. Referido al ganado, criarlo y mantenerlo en establos: *Ha estabulado su ganado porque va a criarlo de forma intensiva.* □ ETIMOL. Del latín *stabulare.*

estaca s.f. **1** Palo acabado en punta para que pueda ser clavado: *Clavó una estaca junto al cerezo para enderezarlo.* **2** Palo grueso que puede manejarse como un bastón: *Subía la montaña apoyándose en una estaca.* □ ETIMOL. Del gótico **staka* (palo).

estacada ‖ **dejar en la estacada** a alguien; abandonarlo en un peligro o en una situación difícil: *No te perdonaría que me dejaras en la estacada en un momento de apuro.*

estacazo s.m. **1** Golpe dado con una estaca. **2** Golpe o choque muy fuertes: *Iba distraído y me di un tremendo estacazo contra una farola.*

estación s.f. **1** Cada uno de los cuatro grandes períodos de tiempo en que se divide el año: *Las cuatro estaciones son: primavera, verano, otoño e invierno.* **2** Período de tiempo señalado por una actividad o por ciertas condiciones climáticas: *Estamos en la estación de la fresa y por eso están tan baratas en el mercado.* **3** Sitio en el que habitualmente hace parada un medio de transporte público, esp. el tren o el metro, para recoger o dejar viajeros o mercancías durante el recorrido de su línea. **4** Conjunto de edificios y de instalaciones de un servicio de transporte público: *una estación de autobuses.* **5** Conjunto de instalaciones y de aparatos necesarios para realizar una actividad determinada: *una estación de esquí.* **6** En el vía crucis, cada una de las catorce escenas que representan la Pasión de Jesucristo. **7** Conjunto de oraciones que se rezan ante cada una de estas escenas. **8** En zonas del español meridional, emisora de radio o de televisión. **9** || **estación de servicio;** la que está provista de productos y servicios necesarios para el aprovisionamiento de los automovilistas y de sus vehículos. ☐ ETIMOL. Del latín *statio* (permanencia, lugar de estancia).

estacional adj.inv. Propio y característico de una estación del año: *El clima de esta región se caracteriza por sus lluvias estacionales de primavera.*

estacionalidad s.f. Relación que hay entre las ventas de un producto y la estación del año: *En noviembre hay baja estacionalidad para las fresas.*

estacionamiento s.m. **1** Detención de un vehículo en un lugar, en el que se deja parado y generalmente desocupado: *El estacionamiento en segunda fila está prohibido.* **2** Lugar donde puede estacionarse un vehículo, esp. referido a los recintos dispuestos para ello: *En esta zona hay varios estacionamientos públicos.* **3** Estancamiento o estabilización en una situación, sin que se produzcan avances ni retrocesos: *El estacionamiento de su estado ha hecho concebir esperanzas a los médicos.*

estacionar ▮ v. **1** Referido esp. a un vehículo, pararlo y dejarlo, generalmente desocupado, en un lugar: *Estacionó el camión a la puerta del mercado. Temo que me pongan una multa por estacionarme en zona prohibida.* ▮ prnl. **2** Estancarse o estabilizarse en una situación, sin experimentar avance ni retroceso: *Su enfermedad se ha estacionado y ni mejora ni empeora.*

estacionario, ria adj. Que permanece en el mismo estado o situación, sin avance ni retroceso: *La paciente continúa en estado estacionario, pero los médicos confían en una pronta mejoría.*

estada s.f. →**estadía.** ☐ ETIMOL. De *estar.*

estadía s.f. Estancia o permanencia durante cierto tiempo en un lugar determinado: *La escritora, durante su estadía en nuestra ciudad, pronunciará dos conferencias.* ☐ SINÓN. *estada.* ☐ ETIMOL. Del latín *stativa.*

estadio s.m. **1** Recinto con gradas para los espectadores y destinado generalmente a albergar competiciones deportivas: *un estadio de fútbol.* **2** En un proceso, cada una de sus etapas o fases: *La larva es uno de los estadios de la metamorfosis de un insecto.* ☐ ETIMOL. Del latín *stadium*, y este del griego *stádion* (medida determinada), porque los estadios debían tener esta medida como longitud fija.

estadista s.com. **1** Persona especializada en asuntos de Estado: *El presidente del Gobierno está considerado como un gran estadista.* **2** Jefe de Estado: *En la cumbre estarán presentes los estadistas de todos los países comunitarios.*

estadística s.f. Véase **estadístico, ca.**

estadístico, ca ▮ adj. **1** De la estadística o relacionado con esta ciencia: *un estudio estadístico.* ▮ s. **2** Persona que se dedica profesionalmente a la estadística. ▮ s.f. **3** Ciencia que se ocupa de la recogida y obtención de datos, y de su tratamiento para expresarlos numéricamente y poder extraer conclusiones a partir de ellos. **4** Conjunto de estos datos: *Según las últimas estadísticas, la situación económica ha mejorado.* ☐ ETIMOL. Del alemán *statistik.*

estado s.m. **1** Situación, circunstancia o condición en la que se encuentra algo sujeto a cambios: *Su estado de salud es satisfactorio.* **2** Clase o condición a la que está sujeta la vida de una persona: *Colgó los hábitos y abandonó el estado religioso.* **3** Estamento o grupo social en que se divide la sociedad: *En la sociedad medieval, la nobleza constituía uno de los estados privilegiados.* **4** En física, cada uno de los grados o de los modos de agregación o de unión de las moléculas de un cuerpo: *El hielo se encuentra en estado sólido.* **5** Conjunto de los órganos de gobierno de un país soberano: *La lotería y las quinielas son juegos que organiza el Estado.* **6** Territorio y población de cada país independiente: *Las elecciones tendrán lugar en todo el Estado.* **7** En un sistema federal, cada uno de los territorios que se rigen por leyes propias, aunque sometidos en determinados asuntos al Gobierno general: *La candidata a la presidencia del país presentó su programa político en su estado natal.* **8** Inventario, resumen o relación, generalmente por escrito, de las partidas o de los conceptos que permiten determinar la situación de algo: *Pidió al banco el estado de su cuenta corriente.* **9** En la Edad Media o en la Edad Moderna, país o dominio bajo la autoridad de un príncipe o de un señor feudal: *Muchos príncipes alemanes impusieron la religión luterana en sus estados.* **10** || **de estado;** referido a una persona, que tiene aptitud reconocida para dirigir los asuntos de una nación: *Es un hombre de estado y sabe anteponer los intereses del país a los de su partido.* || **en estado (de buena esperanza/interesante);** referido a una mujer, embarazada. || **estado (civil);** condición de cada persona en relación con los derechos y obligaciones civiles: *Mi estado civil es de soltera.* || **estado de bienestar;** sistema social en el que las deficiencias e injusticias de la economía de mercado se compensan con redistribuciones de la renta y prestaciones sociales para las clases menos favorecidas. || **estado de derecho;** aquel en el que los propios poderes públicos están sometidos a las leyes: *Actualmente, España es un estado de derecho.* || **estado de excepción;** en un territorio, situación declarada oficialmente como grave para el mantenimiento del orden público y que supone la suspensión de garantías constitucionales: *Se declaró el estado de excepción en todo el país tras el golpe de Estado.* || **estado de prevención;** situación anormal del orden público, que es la menos grave de las reguladas por la legislación. || **estado de sitio;** el que se da en una población en tiempo de guerra cuando se suspenden las garantías constitucionales y se sustituyen las autoridades civiles por las militares. || **estado del bienestar;** el de una población con un nivel de vida aceptable: *El subsidio de desempleo es un logro del estado del bienestar.* || **estado federal;** el que está formado por territorios particulares y en el que los poderes regionales gozan de autonomía e incluso de soberanía para su vida interna: *Estados Unidos es un estado federal.* □ SINÓN. *federación.* || **estado llano** o **tercer estado;** en la sociedad europea medieval, el formado por burgueses y campesinos: *Al estado llano pertenecían las personas más desfavorecidas de la sociedad.* || **estado mayor;** en el ejército, cuerpo de oficiales encargados de informar técnicamente a los jefes superiores, de distribuir las órdenes y de procurar y vigilar su cumplimiento: *El estado mayor de la división está preparando un plan de ataque.* □ ETIMOL. Del latín *status.* □ USO La acepción 5 se usa más como nombre propio.

estadounidense adj.inv./s.com. De los Estados Unidos de América o relacionado con este país americano: *La capital estadounidense es Washington.* □ SINÓN. *norteamericano, americano.*

estafa s.f. **1** Engaño hecho para conseguir una cantidad de dinero o algo valioso: *Este reloj es una estafa porque no funciona.* **2** En derecho, realización de alguno de los delitos que tienen como fin el lucro y que utilizan como medio el engaño o el abuso de confianza: *El cajero fue condenado a diez años de cárcel por estafa.*

estafador, -a s. Persona que comete estafas: *Han detenido a los estafadores que hicieron un desfalco del banco.*

estafar v. **1** Referido a una cantidad de dinero o a algo valioso, quitárselo a su dueño con engaño: *Estafó a su socio seis mil euros.* **2** En derecho, cometer alguno de los delitos que tienen como fin el lucro y que utilizan como medio el engaño o el abuso de confianza: *Denunciaron a la empresa por estafar a sus clientes vendiéndoles productos de calidad inferior.* □ ETIMOL. Del italiano *staffare* (sacar el pie del estribo), porque el estafado queda sin apoyo económico, de la misma manera que el jinete queda sin apoyo en el estribo.

estafermo s.m. *desp.* Persona que está parada y como embobada: *Estaba en medio de la acera como un estafermo.* □ ETIMOL. Del italiano *sta fermo* (está firme).

estafeta s.f. Oficina del servicio de correos, esp. si es sucursal de la central: *Puedes enviar un giro postal desde cualquier estafeta.* □ ETIMOL. Del italiano *staffetta,* y este de *corrierë a staffetta* (correo especial que viaja a caballo).

estafilococo s.m. Bacteria de forma redondeada, que se agrupa en racimos: *Algunos estafilococos son capaces de causar enfermedades en las personas.* □ ETIMOL. Del griego *staphylé* (racimo) y *kókkos* (grano).

estajanovismo s.m. Método para incrementar la productividad laboral y que se basa en el estudio individualizado del trabajo: *Los defensores del estajanovismo creían que este método era posible gracias a una adecuada serie de estímulos.* □ ETIMOL. Por alusión a Alexei Stajanov, minero ruso que extrajo gran cantidad de carbón en poco tiempo.

estajanovista adj.inv./s.com. Referido a un trabajador, que trabaja mucho y de forma efectiva: *La empresa premió a los trabajadores estajanovistas.*

estalactita s.f. En geología, formación calcárea, generalmente con forma de cono irregular y con la punta hacia abajo, que cuelga del techo de cavernas naturales: *Las estalactitas se forman por las filtraciones de agua con sales calizas o silíceas.* □ ETIMOL. Del griego *stalaktós* (que gotea). □ SEM. Dist. de *estalagmita* (con la punta hacia arriba).

estalagmita s.f. En geología, formación calcárea, generalmente con forma de cono irregular y con la punta hacia arriba, que se forma en el suelo de cavernas naturales: *Por el tamaño de las estalactitas y estalagmitas, se puede saber si es abundante la circulación de agua en una gruta.* □ ETIMOL. Del griego *stalagmós* (efecto de gotear). □ SEM. Dist. de *estalactita* (con la punta hacia abajo).

estaliniano, na adj. → **estalinista.**

estalinismo s.m. Teoría y práctica políticas propugnadas por Stalin (político y militar soviético de los siglos XIX y XX), y que se caracterizan principalmente por la rígida jerarquización de la vida social y por su dogmatismo: *El estalinismo supuso la puesta en práctica de las ideas de Lenin.*

estalinista ▌adj.inv. **1** Del estalinismo o relacionado con esta teoría y práctica políticas: *teorías estalinistas.* □ SINÓN. *estaliniano.* ▌adj.inv./s.com. **2** Partidario del estalinismo. □ SINÓN. *estaliniano.*

estallar v. **1** Romperse o reventar de golpe y con gran ruido: *La bomba que estalló causó varios heridos.* **2** Referido esp. a algo cerrado, abrirse o romperse debido a la presión o a la tirantez que soporta: *Al sentarme, la cremallera del pantalón estalló.* **3** Referido a un suceso, sobrevenir u ocurrir de manera violenta: *Un motín de presos estalló en la cárcel de máxima seguridad.* **4** Referido a una persona, sentir y manifestar de manera repentina y violenta una pasión o un afecto: *Estalló de alegría cuando supo que había ganado el premio.* □ ETIMOL. Del antiguo **astellar* (hacerse astillas). □ SINT. 1. Constr. de la acepción 4: *estallar* DE *algo.* 2. En las acepciones 1 y 2, es incorrecto su uso como verbo transitivo aunque está muy extendido: *vas a* {**es-*

tallar > hacer estallar} la falda. □ SEM. No debe emplearse con el significado de 'explosionar': *La policía {*estalló > explosionó} la bomba.*

estallido s.m. **1** Rotura o explosión producidas de golpe y con gran ruido: *el estallido de una bomba.* **2** Producción de un suceso de manera violenta: *el estallido de una rebelión.* **3** Sentimiento y manifestación repentinos y violentos de una pasión o de un afecto: *un estallido de ira.* **4** Ruido seco que produce un látigo o una honda al sacudirlos en el aire con fuerza.

estambre s.m. **1** En botánica, en algunas flores, órgano reproductor masculino, situado en el centro de estas, protegido por la corola, formado por una antera en la que se produce el polen, y sostenido generalmente por un filamento. **2** Hilo de lana: *El estambre se obtiene a partir de las hebras largas del vellón de lana.* **3** Tejido hecho con este hilo: *un pantalón de estambre.* □ ETIMOL. Del latín *stamen* (urdimbre).

estamental adj.inv. Del estamento, estructurado en estamentos, o relacionado con este grupo social: *La sociedad feudal era una sociedad estamental.*

estamento s.m. **1** En la sociedad europea medieval y hasta la Revolución Francesa, cada uno de los grupos que la constituían y que se caracterizaban por tener una función social y una condición jurídica definidas: *En el feudalismo, la nobleza y el clero eran los estamentos privilegiados.* **2** Cada uno de los grupos sociales formados por las personas que tienen un estilo de vida común o una función determinada dentro de la sociedad: *Los sacerdotes forman parte del estamento eclesiástico.* □ ETIMOL. Del latín *stamentum.*

estameña s.f. Tejido basto hecho con estambre o hebras largas del vellón de lana, y que se utiliza generalmente para confeccionar hábitos religiosos: *El ermitaño vestía un hábito de estameña.* □ ETIMOL. Del latín *texta staminea* (tejidos de estambre).

estampa s.f. **1** Imagen o figura impresas, esp. referido a las ilustraciones de una publicación. **2** Papel o tarjeta con la reproducción de una imagen, esp. si es de tema religioso. **3** Aspecto o figura total de una persona o de un animal: *El toro que salió en primer lugar tenía una bella estampa.* **4** *ant.* Imprenta o impresión. **5** || **maldecir la estampa de** alguien; *col.* Maldecirlo: *Cuando supe la faena que me había hecho, maldije su estampa.* || **ser la (viva) estampa de** alguien; *col.* Parecérsele mucho.

estampación s.f. →**estampado.**

estampado, da ▌adj. **1** Referido esp. a un tejido, que tiene diferentes labores o dibujos: *una camisa estampada.* ▌s.m. **2** Impresión, esp. de dibujos o de letras y generalmente sobre tela o sobre papel: *Para el estampado de tejidos utilizan sustancias que no destiñan.* □ SINÓN. *estampación.*

estampar v. **1** Referido esp. a dibujos o a letras, imprimirlos, generalmente sobre papel o tela: *Estamparon varias ilustraciones de flores en el libro. Las últimas palabras de su padre se estamparon en su mente para siempre.* **2** Referido a una firma o a un sello, ponerlos, generalmente al pie de un documento: *Estampó su firma en el contrato de trabajo.* **3** Referido a una cosa, señalarla o imprimirla en otra: *Estampó su pie en el cemento blando.* **4** *col.* Referido esp. a un objeto, arrojarlo con violencia haciéndolo chocar contra algo: *En un arrebato, estampó la copa de vino contra el suelo.* **5** Referido esp. a un golpe o a un beso, darlos con mucha fuerza: *Le estampó tal bofetada, que lo tiró al suelo.* □ ETIMOL. Del francés *estamper* (aplastar, machacar).

estampía || **de estampía;** de repente o de manera rápida e impetuosa: *Salió de estampía y me dejó con la palabra en la boca.* □ ETIMOL. De *estampida.*

estampida s.f. Huida rápida e impetuosa, esp. de un grupo de personas o de animales: *El incendio provocó una estampida de animales en el bosque.* □ ETIMOL. Del provenzal *estampida* (disputa ruidosa).

estampido s.m. Ruido fuerte y seco: *Los estampidos de los cañones se oían a miles de kilómetros.*

estampilla s.f. **1** Sello que permite estampar sobre un documento el letrero o la firma que lleva grabados: *El secretario del colegio utilizó una estampilla para imprimir su firma sobre todos los libros de calificación.* **2** En zonas del español meridional, sello de correos: *Me gusta coleccionar estampillas.*

estampillado s.m. Operación que consiste en marcar un documento con una estampilla: *El bibliotecario procedió al estampillado de los libros de cada departamento.*

estampillar v. Marcar con una estampilla: *Estampilló todos los documentos y los metió en sus sobres correspondientes.*

estancación s.f. →**estancamiento.**

estancamiento s.m. Detención o suspensión del curso de algo: *El último año se produjo un estancamiento del crecimiento económico.* □ SINÓN. *estancación.*

estancar v. **1** Referido a un líquido, detener y parar su curso: *Los embalses permiten estancar agua y almacenarla como reserva. Las alcantarillas estaban obstruidas y el agua de lluvia se estancó en las calles.* **2** Referido a un asunto, suspenderlo o detener su curso: *La subida de precios estancó la venta de coches. El proceso judicial se estancó por falta de pruebas.* □ ETIMOL. De origen incierto. □ ORTOGR. La *c* se cambia en *qu* delante de *e* →SACAR.

estancia s.f. **1** Permanencia en un lugar durante cierto tiempo: *Aprendió varios idiomas durante su estancia en el extranjero.* **2** Aposento o habitación de una vivienda: *Las estancias del castillo estaban llenas de muebles de época.* **3** En métrica, estrofa formada por una combinación variable de versos heptasílabos y endecasílabos, que riman generalmente en consonante al gusto del poeta, y cuya estructura se repite a lo largo del poema. **4** En zonas del español meridional, finca ganadera.

estanciero s.m. En zonas del español meridional, dueño de una estancia o finca ganadera: *El protagonista de aquella novela era un estanciero muy rico.*

estanco, ca ▌ adj. **1** Completamente cerrado y sin comunicación: *un compartimento estanco.* ▌ s.m. **2** Establecimiento en el que se vende tabaco, sellos y otros productos con los que está prohibido comerciar libremente y cuya venta se concede a determinadas personas o entidades. ☐ ETIMOL. De *estancar.*

estándar ▌ adj.inv. **1** Que sigue un modelo o que copia y repite un patrón muy extendido: *Se considera lengua estándar al nivel de lengua con unas características comunes a todos los hablantes.* ▌ s.m. **2** Tipo, modelo o patrón que se consideran un ejemplo digno de ser imitado: *En el estándar de vida actual no se concibe una casa sin televisión ni lavadora.* ☐ ETIMOL. Del inglés *standard.* ☐ MORF. 1. Como adjetivo es invariable en número. 2. Como sustantivo, su plural es *estándares.* ☐ USO Es innecesario el uso del anglicismo *standard.*

estandarización s.f. Adaptación de varias cosas semejantes a un tipo, a un modelo o a una norma comunes: *Se adoptaron medidas para la estandarización de los envases de algunos productos alimenticios.* ☐ SINÓN. *tipificación, normalización.*

estandarizar v. Referido a varias cosas semejantes, adaptarlas a un tipo, a un modelo o a una norma comunes: *La Real Academia Española se encarga de estandarizar nuestro idioma. La influencia de los medios de comunicación de masas hace que las costumbres se estandaricen.* ☐ SINÓN. *normalizar, tipificar.* ☐ ORTOGR. La *z* se cambia en *c* delante de *e* →CAZAR.

estandarte s.m. **1** Insignia o bandera de una corporación civil, militar o religiosa, consistente en un trozo de tela generalmente cuadrado, que pende de un asta y sobre el que figura un escudo u otro distintivo. **2** Lo que se convierte en representación o símbolo de un movimiento o de una causa: *Este hombre fue el estandarte del movimiento sindical en su tiempo.* ☐ ETIMOL. Del francés antiguo *estandart.*

estanflación s.f. En economía, situación de estancamiento de la economía con inflación: *A principios de la década de 1970, en la economía americana se sufrió una fase de estanflación.* ☐ ETIMOL. Del inglés *stagflation.*

estanque s.m. Depósito artificial de agua, que se construye con fines prácticos u ornamentales: *En el estanque del parque hay patos.* ☐ ETIMOL. De *estancar.*

estanqueidad s.f. →**estanquidad.**

estanquero, ra s. Persona que se dedica a la venta de tabaco y otros productos de estanco: *La estanquera me vendió sellos y un cartón de tabaco.*

estanquidad (tb. *estanqueidad*) s.f. Aislamiento total que impide cualquier comunicación del interior con el exterior. ☐ ETIMOL. De *estanco.*

estanquillo s.m. En zonas del español meridional, tienda pequeña en la que se venden productos de uso común: *Voy al estanquillo de la esquina a comprar refrescos.*

estante s.m. En un armario o en una estantería, tabla horizontal sobre la que se colocan las cosas: *Puso el libro en uno de los estantes de la librería.* ☐ SINÓN. *anaquel, balda.* ☐ ETIMOL. Del latín *stans* (que está fijo).

estantería s.f. Mueble formado por estantes: *Tiene una estantería solo para libros y discos.*

estantigua s.f. **1** Fantasma o procesión de fantasmas que se ven por la noche y que causan miedo: *Salió corriendo de la casona porque creyó ver una estantigua.* **2** *col. desp.* Persona muy alta y delgada, que va mal vestida: *Tan delgado y con esas pintas estás hecho una estantigua.* ☐ ETIMOL. Del antiguo *hueste antigua* (aplicado al diablo o a un ejército de demonios o de almas condenadas), y este del latín *hostis antiquus* (el viejo enemigo), porque los padres de la iglesia aplicaron este nombre al demonio.

estañar v. **1** Referido a una pieza hecha con un metal distinto al estaño, cubrirla o bañarla con estaño: *He mandado estañar un viejo jarrón de cobre.* **2** Soldar con estaño: *El fontanero estañó las dos tuberías.*

estaño s.m. Elemento químico, metálico y sólido, de número atómico 50, blanco, más duro, dúctil y brillante que el plomo, que cruje cuando se dobla y que, al frotarlo, despide un olor particular: *El estaño es un buen conductor de la electricidad.* ☐ ETIMOL. Del latín *stagnum.* ☐ ORTOGR. Su símbolo químico es *Sn.*

estaquear v. En zonas del español meridional, referido a una persona, castigarla atándola a cuatro estacas: *En aquella película, los bandidos estaqueaban a su prisionero.*

estar ▌ v. **1** Existir o hallarse en un lugar, en un tiempo, en una situación o en una condición: *España está en Europa. Para eso están los amigos.* **2** Permanecer o hallarse con cierta estabilidad en un lugar, en un tiempo, en una situación o en una condición: *Estaré siempre a tu lado.* **3** Seguido de una expresión que indica cualidad o condición, tener o sentir estas en el momento actual: *La casa está sucia. Estoy que no me tengo de cansancio.* **4** Consistir o radicar: *El mérito no está en parecer honrado, sino en serlo.* **5** Referido a una prenda de vestir, quedar o sentar: *Esa falda te está ancha.* **6** Seguido de 'al' y de un infinitivo, estar a punto de ocurrir lo que este expresa: *Espéralo aquí, que debe de estar al llegar.* ▌ prnl. **7** Detenerse, entretenerse o quedarse: *Se estuvo dos horas para pintarse las uñas.* **8** ‖ **estar a un precio;** costarlo: *¿A cuánto está la carne?* ‖ **estar al caer** algo; *col.* Estar a punto de llegar o de producirse. ‖ **estar con** alguien; **1** Ser novio o novia: *Estoy con esa chica desde hace un año.* **2** Verse o reunirse con él: *Enseguida estoy contigo.* ‖ **estar {con/por}** algo; estar de acuerdo con ello o a su favor: *Estoy con los que creen en la justicia.* ‖ **estar de; 1** Seguido de un sustantivo, encontrarse realizando la acción expresada por este: *Estamos de matanza en el pueblo.* **2** Seguido de un término con el que se asocian determinadas funciones, desempeñar estas: *Hoy está ella de jefa.* ‖ **estar en un asunto;**

atenderlo u ocuparse de él: *No he terminado tu encargo, pero estoy en ello.* || **estar en un hecho;** tener la convicción de que ocurrirá o de que será cierto: *Estoy en que no vendrá.* || **estar para** algo; tener disposición para ello: *No bromees conmigo, que no estoy para bromas.* || **estar por** alguien; *col.* Sentirse muy atraído por él: *Sé que estás por ella, porque te pones colorado cuando te mira.* || **estar por ver** algo; no haber certeza de que ocurra o de que sea cierto: *Está por ver que seas capaz de hacer lo que dices.* || **estar** alguien **que arde;** estar muy enfadado o excitado. || **estar** alguien o algo **que se sale;** *col.* Estar muy bien: *Esta tarta está que se sale.* || **(ya) estar bien de** algo; ser suficiente: *Nos pareció que ya estaba bien de tanto trabajar y nos fuimos.* □ ETIMOL. Del latín *stare* (estar en pie, estar firme, estar inmóvil). □ MORF. Irreg. →ESTAR. □ SINT. 1. Constr. de la acepción 4: *estar EN algo.* 2. La perífrasis *estar + gerundio* indica duración: *¿Todavía estás comiendo?* □ USO 1. Se usa mucho en forma interrogativa para pedir conformidad al oyente o para dar por terminada una cuestión: *He dicho que no sales, ¿estamos?* 2. La expresión *estamos a*, conjugada en los distintos tiempos, se usa para indicar fechas o temperaturas: *Estamos a 9 de mayo.*

estarcido s.m. Técnica que consiste en estampar sobre una superficie el dibujo que queda en el hueco de una plantilla recortada, pasando sobre ella una capa de pintura.

estarcir v. Estampar sobre una superficie el dibujo que queda en el hueco de una plantilla recortada, pasando sobre ella una capa de pintura. □ ETIMOL. Del latín *extergere* (enjugar). □ ORTOGR. La *c* se cambia en *z* delante de *a, o* →ZURCIR.

estárter s.m. En un vehículo con motor de explosión, mecanismo que regula la entrada de aire al carburador. □ ETIMOL. Del inglés *starter*. □ USO Es innecesario el uso del anglicismo *starter*.

estasis (pl. *estasis*) s.f. En medicina, estancamiento de sangre o de otro líquido en alguna parte del cuerpo: *estasis sanguínea.* □ ETIMOL. Del griego *stásis* (detención). □ ORTOGR. Dist. de *éxtasis*.

estatal adj.inv. Del Estado o relacionado con él o con sus órganos de gobierno: *Los ministerios son organismos estatales.*

estatalismo s.m. Tendencia que exalta la preeminencia y el poder del Estado sobre las demás entidades de un país: *El estatalismo se opone al espíritu de libre empresa propio del capitalismo.*

estatalización s.f. Administración por parte del Estado, esp. de una empresa o de un servicio privados: *La estatalización de los servicios públicos ha sido criticada por algunos economistas.* □ SINÓN. *estatificación*.

estatalizar v. Referido esp. a una empresa o a un servicio privados, ponerlos bajo la administración o intervención del Estado: *Un partido de tendencia comunista propuso estatalizar las televisiones privadas.* □ SINÓN. *estatificar*. □ ORTOGR. La *z* se cambia en *c* delante de *e* →CAZAR.

estática s.f. Véase **estático, ca**.

estático, ca ▌adj. **1** Que permanece en un mismo estado sin sufrir cambios: *Pasó horas sentado en un banco, estático y pensativo.* ▌s.f. **2** Parte de la física mecánica que estudia las leyes del equilibrio de los cuerpos: *Arquímedes fue un pionero de los estudios de estática.* □ ETIMOL. Del griego *statikós* (relativo al equilibrio de los cuerpos). □ ORTOGR. Dist. de *extático*. □ SEM. En la acepción 2, dist. de *dinámica* (estudio del movimiento de los cuerpos en relación con las fuerzas que lo producen).

estatificación s.f. Administración por parte del Estado, esp. de una empresa o de un servicio privados: *El Gobierno espera que la estatificación de algunos medios de comunicación reporte beneficios económicos.* □ SINÓN. *estatalización*.

estatificar v. Referido esp. a una empresa o a un servicio privados, ponerlos bajo la administración o intervención del Estado: *En esta legislatura estatificarán el servicio público de transportes.* □ SINÓN. *estatalizar*. □ ORTOGR. La *c* se cambia en *qu* delante de *e* →SACAR.

estatina s.f. Sustancia que se utiliza para reducir el colesterol: *El médico me ha recetado un medicamento con estatinas para controlar mi colesterol.*

estatismo s.m. Inmovilidad de lo que permanece en el mismo estado o posición: *El primer gol del partido se debió al estatismo de la defensa.*

estatización s.f. En zonas del español meridional, estatalización.

estatizar v. En zonas del español meridional, estatalizar. □ ORTOGR. La *z* se cambia en *c* delante de *e* →CAZAR.

estatua s.f. Escultura labrada a imitación del natural y hecha generalmente en piedra o en mármol: *En la plaza hay una estatua ecuestre de un famoso general.* □ ETIMOL. Del latín *statua*.

estatuaria s.f. Véase **estatuario, ria**.

estatuario, ria ▌adj. **1** Adecuado para una estatua, o que posee alguna de las características de esta: *una rigidez estatuaria.* **2** De la estatuaria o relacionado con este arte o técnica: *La escultora nos dio una charla sobre sus técnicas estatuarias.* ▌s.f. **3** Arte o técnica de hacer estatuas. □ ORTOGR. Dist. de *estatutario*.

estatuilla s.f. En cine, trofeo o premio.

estatuir v. **1** Referido esp. a una norma o a una ley, establecerla u ordenarla: *El código civil estatuye unas normas de convivencia.* **2** Referido a una doctrina o a un hecho, demostrarlo o asentarlo como verdad: *Einstein estatuyó la teoría de la relatividad.* □ ETIMOL. Del latín *statuere*. □ MORF. Irreg. →HUIR.

estatura s.f. **1** Altura de una persona desde los pies hasta la cabeza. **2** Mérito o valor: *Es una persona de gran estatura intelectual.* □ ETIMOL. Del latín *statura*.

estatus (pl. *estatus*) s.m. Posición que ocupa una persona en un grupo o en la sociedad. □ ETIMOL. Del latín *status*. □ ORTOGR. Se usa también *status*.

estatutario, ria adj. Relacionado con un estatuto o que ha sido concertado a través de él: *El Ayun-*

tamiento se comprometió a cumplir las normas estatutarias que se habían establecido. □ ORTOGR. Dist. de *estatuario*.

estatuto s.m. **1** Reglamento, ordenanza o conjunto de normas legales que regulan el funcionamiento de una entidad o de una colectividad: *el estatuto de los trabajadores.* **2** || **estatuto de autonomía;** en el Estado español, norma institucional básica de cada comunidad autónoma, que forma parte del cuerpo legislativo español. □ ETIMOL. Del latín *statutum*.

este interj. *col.* En zonas del español meridional, expresión que se usa cuando el hablante duda de lo que va a decir a continuación: *Este, bueno, en realidad, no sé muy bien dónde está.*

este, ta (pl. *estos, estas*) ▮ demost. **1** Designa lo que está más cerca, en el espacio o en el tiempo, de la persona que habla: *Ponte esta falda que acabo de planchar. Estos pueden ser nuestros últimos momentos juntos.* **2** Representa y señala lo ya mencionado o lo sobrentendido: *No conozco yo a esta cantante de la que habláis.* **3** En oposición a *aquel*, designa un término del discurso que se nombró en último lugar: *Quedaron con mi hermano y con Juan; este llegó tarde y aquel no llegó nunca.* ▮ s.m. **4** Punto cardinal que cae hacia donde sale el Sol: *La ventana del salón está orientada al Este, y entra el sol por las mañanas.* □ SINÓN. *levante.* **5** Respecto de un lugar, otro que cae hacia este punto: *En el este del país abunda el cultivo de regadío.* **6** Viento que sopla o viene de dicho punto: *Un este suave movía las olas.* □ SINÓN. *levante.* □ ETIMOL. Las acepciones 1-3, del latín *iste, ista* (ese). Las acepciones 4-6, del anglosajón *east*. □ ORTOGR. 1. Como pronombre demostrativo debe llevar tilde para diferenciarlo del adjetivo cuando pueda haber ambigüedad: *Veo a esta triunfadora (estoy viendo a una triunfadora concreta)*, frente a *Veo a ésta triunfadora (veo que puede llegar a ser triunfadora)*. 2. En la acepción 4, su símbolo es *E*, por tanto, se escribe sin punto. □ SINT. En las acepciones 4-6, se usa mucho en aposición, pospuesto a un sustantivo: *La entrada de servicio está en la fachada este.* □ USO 1. Como demostrativo, pospuesto a un sustantivo precedido del artículo determinado suele tener un matiz despectivo: *El niño este no deja de darme la lata.* 2. En la acepción 4, se usa más como nombre propio.

esteárico, ca adj. Referido a un ácido, que es graso, de color blanco e insoluble en agua: *El ácido esteárico se encuentra en muchas grasas vegetales y animales.* □ ETIMOL. Del griego *stéar* (sebo).

esteatita s.f. Mineral que es una variedad del talco, de color blanco y verdoso, suave, que se puede rayar con la uña y que se emplea como sustancia lubricativa: *Se llama 'jabón de sastre' a la esteatita que se utiliza para marcar las telas con los patrones.* □ ETIMOL. Del griego *stéar* (sebo).

esteatoescultura s.f. Modelado del cuerpo humano: *En ese centro de belleza hacen esteatoescultura.*

estegosaurio s.m. Reptil del grupo de los dinosaurios que existió en la era secundaria, herbívoro, con el dorso encorvado y cubierto de placas óseas sobresalientes, y con una larga cola terminada en dos pares de espinas: *Sus placas óseas y sus espinas servían a los estegosaurios para protegerse de los depredadores.* □ ETIMOL. Del griego *stégos* (techo) y *saurio*.

estela s.f. **1** Señal o rastro que deja tras de sí en el agua o en el aire un cuerpo en movimiento. **2** Rastro o huella que deja un suceso. **3** Monumento conmemorativo, generalmente de piedra, que se levanta sobre el suelo y que está adornado con inscripciones o con bajorrelieves: *una estela funeraria.* □ ETIMOL. Las acepciones 1 y 2, del latín *aestuaria*, y este de *aestuarium* (agitación del mar). La acepción 3, del griego *stéle*, y este de *hístemi* (yo coloco).

estelar adj.inv. **1** De las estrellas o relacionado con ellas: *la luz estelar.* **2** Extraordinario o de gran categoría: *una actuación estelar.* □ ETIMOL. Del latín *stellaris*.

estelífero, ra adj. *poét.* Estrellado o con muchas estrellas. □ ETIMOL. Del latín *stellifer* (que lleva estrellas).

estenografía s.f. Método de escritura en el que se utilizan signos y abreviaturas especiales y que permite escribir a la velocidad con que se habla: *La estenografía permite recoger el discurso de una persona que habla a una velocidad normal.* □ SINÓN. *taquigrafía.* □ ETIMOL. Del griego *stenós* (estrecho) y *-grafía* (escritura). □ SEM. Dist. de *estenotipia* (taquigrafía a máquina).

estenógrafo, fa s. Persona que se dedica profesionalmente a la escritura en estenografía: *Los estenógrafos del Congreso de los Diputados copian los discursos que allí se pronuncian.* □ SINÓN. *taquígrafo.*

estenordeste s.m. **1** Punto medio o lugar entre el Este y el Nordeste: *El Estenordeste está exactamente a la misma distancia del Este que del Nordeste.* **2** Viento que sopla o viene de este punto: *Algunos regatistas volcaron empujados por un fuerte estenordeste.* □ ORTOGR. Se usa también *estenoreste.* □ SINT. Se usa mucho en aposición, pospuesto a un sustantivo: *El fugitivo emprendió la escapada en dirección estenordeste.* □ USO En la acepción 1, se usa más como nombre propio.

estenoreste s.m. →**estenordeste.** □ SINT. Se usa mucho en aposición, pospuesto a un sustantivo: *El fugitivo emprendió la escapada en dirección estenoreste.*

estenosis (pl. *estenosis*) s.m. Estrechez o estrechamiento de un orificio o de un conducto del cuerpo: *una estenosis de aorta.* □ ETIMOL. Del griego *stenós* (estrecho).

estenotipia s.f. **1** Taquigrafía a máquina: *Está yendo a una academia para aprender estenotipia.* **2** Máquina de escribir con taquigrafía, cuyo teclado permite imprimir, con una sola pulsación, sílabas y palabras completas en una forma fonética simplificada: *La estenotipia es bastante más pequeña que* *la máquina de escribir normal.* ☐ ETIMOL. Del griego *stenós* (estrecho) y *týpos* (impresión, molde, huella). ☐ SEM. Dist. de *estenografía* (taquigrafía en escritura).

estenotipista s.com. Persona que se dedica profesionalmente a escribir en estenotipia: *He aprobado una oposición para trabajar como estenotipista en las Cortes.*

estentóreo, a adj. Referido a un sonido, esp. a la voz, que es muy fuerte y ruidoso o que retumba: *Nos llamó con unos gritos estentóreos que nos asustaron.* ☐ ETIMOL. Del latín *stentoreus*, y este del griego *stentóreios* (relativo a Sténtor, héroe de la Ilíada, cuya voz era tan potente como la de cincuenta hombres juntos). ☐ SEM. Dist. de *ostentoso* (aparatoso, lujoso).

estepa s.f. Gran extensión de tierra llana y no cultivada, esp. si es de terreno seco con poca vegetación: *El documental narra la vida de los campesinos mongoles que viven en la estepa.* ☐ ETIMOL. Del francés *steppe*, y este del ruso *step*.

estepario, ria adj. De la estepa o propio de ella: *La flora esteparia se caracteriza por su extremada pobreza.*

éster s.m. Compuesto químico que resulta de sustituir átomos de hidrógeno de un ácido orgánico o inorgánico por radicales alcohólicos: *Los lípidos son ésteres de ácidos grasos y glicerina.* ☐ ETIMOL. Del alemán *Ester*.

estera s.f. Tejido grueso hecho de esparto, de junco o de otro material semejante, y que se utiliza generalmente para cubrir el suelo de las habitaciones: *Colocó en la puerta una estera como felpudo.* ☐ ETIMOL. Del latín *storea*.

esterar v. Referido al suelo, cubrirlo con esteras: *Hemos esterado el salón de la casa de campo en lugar de poner alfombras.*

estercolar v. **1** Referido a un terreno, echarle estiércol: *He estercolado mis tierras para que el próximo año la cosecha sea mejor.* **2** Referido a un animal, expulsar el excremento o estiércol: *La yegua estercolaba en el prado.*

estercolero s.m. **1** Lugar en el que se recoge y se amontona el estiércol o la basura: *Hay un estercolero a las afueras del pueblo.* **2** Lugar muy sucio o falto de limpieza: *Toda la casa es un estercolero.*

estéreo adj.inv. →**estereofónico.** ☐ USO Es innecesario el uso del anglicismo *stereo*.

estereofonía s.f. Técnica de grabación y de reproducción del sonido por medio de dos o más canales que se reparten los tonos agudos y los graves, de modo que dan una sensación de relieve acústico: *La estereofonía se fundamenta en la capacidad del oído para distinguir las ondas sonoras según su intensidad.* ☐ ETIMOL. Del griego *stereós* (sólido) y *phoné* (voz).

estereofónico, ca adj. De la estereofonía o relacionado con esta técnica de grabación y reproducción del sonido: *sonido estereofónico.* ☐ MORF. Se usa mucho la forma abreviada *estéreo*.

estereoscopio s.m. Aparato óptico en el que, al mirar con ambos ojos, se ven dos imágenes de un objeto fundidas en una sola, de tal forma que producen sensación de relieve: *Las dos imágenes que se fusionan en el estereoscopio han sido tomadas con un ángulo diferente.* ☐ ETIMOL. Del griego *stereós* (sólido, duro, robusto) y *-scopio* (aparato para ver).

estereotipado, da adj. Referido esp. a una expresión, que se repite sin variación: *'Muy señor mío' es una fórmula estereotipada que se usa para encabezar cartas.*

estereotipar v. **1** Referido a un molde formado por caracteres móviles, fundirlo en una plancha, por medio del vaciado: *Hay que estereotipar la composición de esta página.* **2** Imprimir con esta plancha: *Hay que estereotipar la revista.* **3** Referido esp. a un gesto, una frase o un procedimiento artístico, fijarlos al repetirlos frecuentemente: *El cine ha estereotipado los ademanes de ese famoso actor.*

estereotipia s.f. **1** Procedimiento para reproducir una composición tipográfica que consiste en oprimir contra los tipos móviles un cartón especial o una lámina de otra materia, de forma que este cartón o esta lámina sirvan de molde para fundir en ellos el metal, y así obtener la plancha de imprimir. **2** Lugar donde se lleva a cabo este procedimiento: *Trabajo en una estereotipia.* **3** Máquina de estereotipar. **4** En psicología, repetición involuntaria e incontrolada de un gesto, de una acción o de una palabra: *La estereotipia aparece en algunos estados de demencia.* ☐ ETIMOL. Del griego *stereós* (sólido, robusto) y *týpos* (impresión, molde).

estereotipo s.m. Imagen o idea aceptadas comúnmente por un grupo o por una sociedad con carácter fijo e inmutable: *Sus ideas políticas responden a los estereotipos de la clase alta y no tienen originalidad.* ☐ ETIMOL. Del griego *stereós* (sólido) y *týpos* (impresión, molde).

estéril adj.inv. **1** Que no da fruto o que no produce nada: *un terreno estéril; un esfuerzo estéril.* **2** Referido a un ser vivo, que no puede reproducirse. **3** Libre de gérmenes que puedan causar enfermedades: *una gasa estéril.* ☐ ETIMOL. Del latín *sterilis*. ☐ SEM. En la acepción 2, dist. de *impotente* (que no puede realizar el acto sexual completo).

esterilidad s.f. **1** Incapacidad de fecundar en el macho y de concebir en la hembra: *Las paperas en un hombre adulto pueden producir su esterilidad.* **2** Ausencia de gérmenes que puedan causar enfermedades: *La esterilidad de los instrumentos quirúrgicos garantiza que no haya contagios.*

esterilización s.f. **1** Transformación de alguien o de algo en estéril: *La vasectomía es un procedimiento de esterilización masculina.* **2** Sometimiento de algo a un proceso de destrucción de gérmenes causantes de enfermedades: *la esterilización de un biberón.*

esterilizador, -a ▮ adj. **1** Que esteriliza. ▮ s.m. **2** Aparato que esteriliza utensilios o instrumentos destruyendo los gérmenes causantes de enfermedades: *Antes de utilizar los biberones introdúcelos en el esterilizador.*

esterilizar v. **1** Hacer infecundo o estéril: *Quieren esterilizar a la perra para que no tenga más cachorros.* **2** Limpiar de gérmenes causantes de enfermedades: *En las centrales lecheras esterilizan la leche sometiéndola a una elevada temperatura.* □ ORTOGR. La *z* se cambia en *c* delante de *e* →CAZAR.

esterilla s.f. **1** Estera pequeña, esp. la que se utiliza para tumbarse a tomar el sol: *Extendió la esterilla en la arena y se tumbó al sol.* **2** Colchoneta muy delgada que aísla del frío y que se utiliza esp. al aire libre o en una tienda de campaña. □ SINÓN. *aislante.*

esternocleidomastoideo s.m. Músculo del cuello que permite el giro y la inclinación lateral de la cabeza: *Los dos esternocleidomastoideos van desde el esternón y la clavícula hasta el hueso temporal.* □ ETIMOL. De *esterno-* (esternón), el griego *kléis* (clavícula) y *mastoideo* (de la apófisis mastoides).

esternón s.m. Hueso plano con forma alargada y terminado en punta, situado en la parte delantera del pecho, y en el cual se articulan los primeros siete pares de costillas: *El esternón está formado por distintos segmentos óseos.* □ ETIMOL. Del francés antiguo *sternon.*

estero s.m. **1** Zona costera o terreno inmediato a la orilla, que se inunda al subir la marea: *Cuando baja la marea los niños buscan conchas en el estero.* **2** En zonas del español meridional, arroyo: *En esta zona de Chile hay muchos esteros.* **3** En zonas del español meridional, terreno pantanoso que suele cubrirse con vegetación acuática: *Esa zona es un estero y no se puede cultivar nada.* □ ETIMOL. Del latín *aestuarium.*

esteroide s.m. Sustancia que tiene una estructura molecular formada por varios anillos y de la que se derivan compuestos como las hormonas: *Algunos esteroides se toman para aumentar el volumen muscular.* □ ETIMOL. Del griego *stereós* (sólido, duro, robusto) y *-oide* (semejanza).

esterol s.m. Esteroide muy abundante en animales, plantas y algunos microorganismos: *Los esteroles se encuentran principalmente en los animales y en las algas.* □ ETIMOL. Del griego *stereós* (sólido) y la terminación de *alcohol.*

estertor s.m. **1** Respiración jadeante y que se realiza con dificultad, que produce un sonido ronco o silbante y que es propia de los moribundos: *Agonizaba y ya sólo se oían sus últimos estertores.* **2** Movimiento final de un proceso. □ ETIMOL. Del latín *stertere* (roncar).

estesudeste s.m. **1** Punto medio o lugar entre el Este y el Sudeste: *El Estesudeste está exactamente a la misma distancia del Este que del Sudeste.* **2** Viento que sopla o viene de este punto: *Soplaba un estesudeste que agitaba las hojas de los árboles.* □ ORTOGR. 1. Se usa también *estesureste.* 2. En la acepción 1, se usa más como nombre propio. □ SINT. Se usa mucho en aposición, pospuesto a un sustantivo: *El barco navegaba con rumbo estesudeste.*

estesureste s.m. →**estesudeste.**

esteta s.com. **1** Persona que concede más importancia a la belleza que a otros de los aspectos que caracterizan una obra artística o una faceta de la vida. **2** Persona entendida en la manifestación de la belleza en las cosas: *Un esteta me ha recomendado que no me vista con colores oscuros.* □ ETIMOL. Del griego *aisthetés* (que percibe por los sentidos).

estética s.f. Véase **estético, ca**.

esteticismo s.m. Actitud caracterizada por conceder una importancia primordial a la belleza, anteponiéndola a los aspectos intelectuales, sociales, morales o de otra índole, esp. al crear o al valorar una obra literaria o artística: *El Modernismo en literatura se caracteriza por un marcado esteticismo.*

esteticista s.com. Persona que se dedica profesionalmente a cuidar y embellecer el cuerpo humano: *La esteticista me ha hecho una limpieza de cutis.* □ USO Para el femenino, es innecesario el uso del galicismo *esthéticienne.*

estético, ca ▌adj. **1** De la estética, de la belleza o relacionado con ellas: *La contemplación de un buen cuadro produce placer estético.* **2** Artístico o de bello aspecto: *El diseño de este palacio resulta muy estético.* ▌s.f. **3** Rama de la filosofía que trata de la belleza y de la teoría fundamental y filosófica del arte: *Cada estilo artístico tiene su sentido de la estética.* **4** Apariencia que algo presenta atendiendo a su belleza: *Al elegir los muebles, sacrificó la utilidad en favor de la estética.* □ ETIMOL. Del griego *aisthetikós* (que se puede percibir por los sentidos).

estetoscopio s.m. Instrumento médico utilizado para auscultar el pecho y otras partes del cuerpo: *Ahora, en lugar del estetoscopio se suele usar el fonendoscopio.* □ ETIMOL. Del griego *stêthos* (pecho) y *-scopio* (aparato para ver).

esteva s.f. En un arado, pieza trasera de forma curvada en la que el que ara coloca la mano para dirigir la reja o hundirla con mayor o menor intensidad en la tierra: *La esteva suele ser un madero con forma curva.* □ SINÓN. *mancera.* □ ETIMOL. Del latín **steva.*

estevado, da adj./s. Referido esp. a una persona, que tiene las piernas torcidas en arco, de forma que estando los pies juntos quedan separadas las rodillas: *Se reía de mí diciéndome que si montaba tanto a caballo terminaría estevada.* □ ETIMOL. De *esteva,* por la semejanza con la curvatura de esta.

esthéticienne (fr.) s.f. →**esteticista.** □ PRON. [esteticién].

estiaje s.m. Nivel más bajo o caudal mínimo que tienen una corriente o una extensión de agua en algunas épocas del año, como consecuencia de la sequía: *El estiaje de los ríos de esta región se produce en el mes de agosto.* □ ETIMOL. Del francés *étiage.*

estiba s.f. **1** Distribución adecuada de los pesos o de la carga de un barco: *El segundo oficial dirigía* *la estiba de las mercancías que eran embarcadas.* **2** Carga que se agrupa en un espacio de un barco, esp. en la bodega: *Si la estiba es desigual puede hacer que el barco escore.*

estibador, -a s. Persona que se dedica profesionalmente a la carga, descarga y distribución adecuada de las mercancías de los barcos: *Los estibadores suelen ayudarse de potentes grúas.* □ ETIMOL. De *estibar* (cargar o descargar un buque).

estibar v. **1** Referido a las mercancías de un barco, cargarlas, descargarlas o distribuir convenientemente sus pesos: *Van a empezar a estibar el azúcar del buque mercante.* **2** Referido a una serie de objetos, colocarlos de forma que ocupen el menor espacio posible: *Cuando se ensaca la lana hay que estibarla bien.* □ ETIMOL. Del latín *stipare* (meter de forma compacta, amontonar). □ ORTOGR. Dist. de *estribar*.

esticomitia s.f. **1** En métrica, verso en el que coinciden la unidad sintáctica y la unidad métrica. **2** Diálogo dramático en el que cada personaje emplea un solo verso para cada interlocución.

estiércol s.m. **1** Materia orgánica en descomposición que resulta de la mezcla de excrementos de animales con materias vegetales, y que se usa como abono: *El estiércol es el mejor abono natural.* □ SINÓN. *fimo, ciemo.* **2** Excremento de animal: *Saca a los caballos de la cuadra para limpiar el estiércol.* □ SINÓN. *fimo, ciemo.* □ ETIMOL. Del latín *stercus*.

estigma s.m. **1** Marca o señal en el cuerpo: *Antiguamente, se hacía a los esclavos un estigma marcado a hierro como signo de su esclavitud.* **2** Motivo de deshonra o de mala fama: *Ser madre soltera fue considerado un estigma en la sociedad de su época.* **3** En el cuerpo de algunos santos, huella o marca impresa de forma sobrenatural: *Se decía que la santa tenía estigmas en las manos y en los pies.* □ SINÓN. *llaga.* **4** En una flor, parte superior del pistilo, que recibe el polen en la fecundación. **5** En algunos animales con respiración traqueal, pequeña abertura de su abdomen por la que penetra el aire en su aparato respiratorio. □ ETIMOL. Del latín *stigma* (marca hecha con hierro candente, señal de infamia).

estigmatizar v. Marcar con un estigma: *En la ceremonia de iniciación, estigmatizaban a los nuevos miembros de la secta.* □ ORTOGR. La *z* se cambia en *c* delante de *e* →CAZAR.

estilar v. Usar, acostumbrar o estar de moda: *Ya no se estilan esas faldas tan cortas.* □ ETIMOL. De *estilo.* □ MORF. Se usa más como pronominal.

estilete s.m. **1** Puñal de hoja muy estrecha y aguda: *Antiguamente, algunos bastones ocultaban un agudo estilete en su interior.* **2** Punzón que se usaba antiguamente para escribir sobre tablas enceradas: *En el museo arqueológico se conservan estiletes de distintas culturas.* □ SINÓN. *estilo.* **3** En medicina, instrumento que sirve para reconocer ciertas heridas: *El estilete del cirujano era una pequeña barra metálica, delgada y flexible, que terminaba en una bolita.* □ ETIMOL. Del francés *stylet*.

estilismo s.m. Actividad profesional que consiste en cuidar el estilo y la imagen de una persona.

estilista s.com. **1** Escritor u orador que se distinguen por lo cuidado y elegante de su estilo: *Azorín es el gran estilista de la Generación del 98.* **2** Persona responsable de todo lo relacionado con el estilo y la imagen, esp. en revistas de moda y en espectáculos: *Trabaja como estilista en una revista de decoración.* □ ORTOGR. Dist. de *estilita*.

estilística s.f. Véase **estilístico, ca.**

estilístico, ca ▌adj. **1** Del estilo de un escritor o de un orador, o relacionado con él: *recursos estilísticos.* ▌s.f. **2** Estudio del estilo o de la expresión lingüística: *Es un experto en estilística y reconoció al momento la autoría del soneto.*

estilita adj.inv./s.com. Referido a un anacoreta, que, además de vivir de forma solitaria y entregado a la meditación, vivía sobre una columna, para mayor austeridad: *El más famoso estilita fue san Simeón.* □ ETIMOL. Del griego *stylítes* (anacoreta que vivía sobre una columna). □ ORTOGR. Dist. de *estilista*.

estilización s.f. Adelgazamiento de la silueta corporal: *La estilización que presentan algunas figuras del Greco hace que parezcan desproporcionadas.*

estilizar v. **1** *col.* Referido a la silueta corporal, adelgazarla: *Este traje estiliza tu silueta. Desde que empezó el régimen, se le ha estilizado mucho la figura.* **2** Referido esp. a un objeto, representarlo convencionalmente, haciendo sus rasgos más finos y delicados: *Los pintores realistas representan la realidad en toda su crudeza y evitando estilizarla.* □ ORTOGR. La *z* se cambia en *c* delante de *e* →CAZAR.

estilo s.m. **1** Manera o forma de hacer algo: *Viste con un estilo muy clásico.* **2** Carácter propio de algo: *La reconocí de lejos porque tiene un estilo inconfundible.* **3** Conjunto de rasgos que distinguen y caracterizan a un artista, a una obra o a un período artístico: *Los arcos ojivales son propios del estilo gótico.* **4** Clase, elegancia o personalidad: *Decoró la casa con mucho estilo.* **5** Forma de practicar un deporte: *Solo sé nadar a estilo braza.* **6** En botánica, en una flor, estructura en forma de tubo que parte del ovario y que sostiene al estigma: *La longitud del estilo varía según las especies.* **7** →**estilete.** **8** En un reloj de sol, indicador de las horas: *El reloj de sol de esa fachada tiene un estilo de bronce.* □ SINÓN. *gnomon, nomon.* **9** ‖ **por el estilo;** parecido o de la misma manera: *Dile que no fuiste porque estabas enfermo o algo por el estilo.* □ ETIMOL. Del latín *stilus* (arte de escribir, punzón para escribir).

estilóbato s.m. En arquitectura, base corrida sobre la que se apoya una columnata: *El estilóbato de algunos templos griegos clásicos consta de varias gradas.* □ ETIMOL. Del griego *stýlos* (columna) y *báino* (yo ando). □ PRON. Incorr. *[estilobáto].

estilográfica s.f. →**pluma estilográfica.** □ ETIMOL. Del inglés *stylographic*, y este del latín *stilus* (punzón para escribir) y el griego *grápho* (yo escribo).

estilógrafo s.m. **1** En zonas del español meridional, pluma estilográfica: *Me regalaron por mi cumpleaños un estilógrafo.* **2** Bolígrafo de gran precisión en el grosor del trazo: *Para hacer dibujo lineal utilizo un estilógrafo.*

estima s.f. Aprecio, afecto o consideración que se tienen hacia algo: *Te tengo en gran estima y me apena que te vayas.*

estimabilidad s.f. Propiedad de lo que es estimable: *Goza de gran estimabilidad entre mis amigos.*

estimabilísimo, ma superlat. irreg. de **estimable.** □ MORF. Incorr. **estimablísimo.*

estimable adj.inv. Digno de cariño, de consideración o de afecto: *Es una persona con cualidades muy estimables.* □ MORF. Su superlativo es *estimabilísimo.* □ SEM. Su uso con el significado de 'calculables' es un anglicismo innecesario: *Los daños {*estimables > calculables} en cientos de euros.*

estimación s.f. **1** Aprecio o valoración que se hace de algo: *Tu labor cuenta con mi más alta estimación.* **2** Juicio o consideración sobre algo: *Procura hacer una estimación objetiva de la situación.* □ SEM. Su uso con el significado de 'cálculo' es un anglicismo innecesario: *Según {*las últimas estimaciones > los últimos cálculos}.*

estimar v. **1** Apreciar o valorar: *Me molesta que no estimen mi trabajo. Te estimas en poco, porque estás acomplejado.* **2** Referido a una persona, sentir cariño o afecto por ella: *Estimo mucho a mis amigos.* **3** Juzgar o considerar: *Estimo que la situación económica es difícil.* □ ETIMOL. Del latín *aestimare* (evaluar, apreciar). □ SEM. Su uso con el significado de 'calcular' es un anglicismo innecesario: *Los daños {*se estiman > se calculan} en varios miles de euros.*

estimativo, va adj. Que estima, valora o considera: *unos datos estimativos; un precio estimativo.*

estimulación s.f. Incitación o excitación para iniciar o para avivar una actividad: *Las técnicas de estimulación precoz son utilizadas para mejorar las capacidades de los niños con deficiencias.*

estimulante adj.inv./s.m. **1** Que estimula. **2** Referido a una sustancia, esp. a un medicamento, que excita la actividad funcional de los órganos: *La cafeína es un estimulante.*

estimular ▌v. **1** Animar o incitar a hacer algo: *Tus consejos me estimularon para seguir estudiando.* □ SINÓN. *aguzar, aguijar.* **2** Referido esp. a un órgano o a una función orgánica, excitarlos para iniciar o para avivar su actividad: *El ejercicio al aire libre estimula el apetito.* ▌prnl. **3** Administrarse una droga o un estimulante para aumentar la propia capacidad de acción: *Se estimula con café para aguantar toda la noche trabajando.* □ ETIMOL. Del latín *stimulare* (pinchar, aguijonear).

estímulo s.m. **1** Lo que estimula o incita a hacer algo: *Este aumento de sueldo es un estímulo para que trabajemos más.* □ SINÓN. *aguijón.* **2** Agente o causa que provocan una reacción en un organismo o en una parte de él: *Los estímulos nerviosos se transmiten a través de los nervios.* □ ETIMOL. Del latín *stimulus* (aguijón).

estío s.m. Estación del año entre la primavera y el otoño, y que en el hemisferio norte transcurre aproximadamente entre el 21 de junio y el 21 de septiembre: *El estío es la estación más calurosa del año.* □ SINÓN. *verano.* □ ETIMOL. Del latín *aestiuum tempus* (estación veraniega). □ SEM. En el hemisferio sur, transcurre entre el 21 de diciembre y el 21 de marzo.

estipendio s.m. Cantidad de dinero que se paga a una persona por el trabajo realizado o por los servicios prestados: *La abogada cobró un alto estipendio por llevar ese caso.* □ ETIMOL. Del latín *stipendium* (contribución pecuniaria, sueldo).

estipulación s.f. **1** Convenio verbal: *Las condiciones de la venta se establecieron a través de una estipulación.* **2** Cada una de las disposiciones de un documento público o privado, esp. de un contrato o de un testamento: *Todas las estipulaciones del convenio han sido aceptadas.* □ SINÓN. *cláusula.*

estipular v. Convenir, concertar o decidir de común acuerdo: *No estás cumpliendo con lo que se estipuló en la reunión.* □ ETIMOL. Del latín *stipulari* (hacer prometer algo de forma verbal aunque solemnemente).

estirada s.f. Véase **estirado, da.**

estirado, da ▌adj. **1** Referido a una persona, que se da mucha importancia en el trato con los demás: *No habla con sus subordinados porque es muy estirado.* ▌s.f. **2** En algunos deportes, estiramiento que realiza el portero para alcanzar un balón que se dirige a la portería: *Gracias a las estiradas de nuestro portero, no nos meten ni un gol.*

estiramiento s.m. **1** Hecho de alisar o de eliminar las arrugas o los pliegues: *El estiramiento de la piel consiguió que aparentara menos años.* **2** Extensión de los miembros del cuerpo, generalmente para desentumecerlos o para quitarse la pereza: *Los gimnastas hacen ejercicios de estiramiento.*

estirar ▌v. **1** Referido a un objeto, alargarlo, esp. si se hace tirando de sus extremos con fuerza para que dé de sí: *Si estiras tanto la goma se va a romper. El jersey se ha estirado porque lo tendiste mojado.* **2** Alisar o planchar ligeramente para quitar las arrugas: *Si no haces la cama, al menos estira las sábanas. Lo propio de la piel es que se arrugue con el tiempo, no que se estire.* **3** Referido a una cantidad de dinero, gastarla con moderación para que dé más de sí: *Si quiero llegar a fin de mes, tengo que estirar el sueldo.* **4** Alargar más de lo debido: *Estiró la reunión para hacer tiempo hasta la hora de la cena.* **5** Referido a una persona, esp. a un niño, crecer: *Cuando tienen fiebre, los niños suelen estirar.* ▌prnl. **6** Extender los miembros del cuerpo para desentumecerse o quitarse la pereza: *Lo primero que hago cuando me levanto es estirarme.* □ SINÓN. *desperezarse.* □ ETIMOL. De *tirar.*

estireno s.m. Líquido incoloro de olor penetrante, insoluble en agua y soluble en alcohol y éter, que se emplea en la fabricación de polímeros plásticos y de resinas sintéticas: *El poliéster es una resina sintética que se fabrica con estireno.*

estirón s.m. **1** Movimiento para estirar o arrancar algo con fuerza: *Dio un estirón del cable y lo desenchufó.* **2** Crecimiento rápido y fuerte de una persona: *La niña ha dado un buen estirón y ya es tan alta como su padre.* □ SINT. Se usa más con los verbos *dar, pegar* o equivalentes.

estirpe s.f. Conjunto de ascendientes y descendientes de una persona: *Está orgullosa de la antigüedad y nobleza de su estirpe.* □ ETIMOL. Del latín *stirps* (base del tronco de un árbol).

estival adj.inv. Del estío o relacionado con esta estación del año: *Aunque estamos en primavera, hace ya una temperatura estival.* □ ETIMOL. Del latín *aestivalis*.

esto pron.demost. **1** Designa objetos o situaciones cercanos, señalándolos sin nombrarlos: *Solo necesito esto para apretar bien el tornillo. Ya me temía yo que iba a pasar esto.* **2** ‖ **a todo esto;** expresión que se usa para introducir un comentario al margen de la conversación: *...y me vine en taxi; a todo esto, ¿tú cómo regresaste?* ‖ **en esto;** entonces, o durante el transcurso de un hecho: *Me estaba contando lo ocurrido, pero en esto llamaron a la puerta y tuvimos que dejarlo.* ‖ **esto es;** expresión que se usa para introducir una explicación a lo anteriormente dicho: *El día 25, esto es, el próximo lunes, me voy de vacaciones a la playa.* □ ETIMOL. Del latín *istud* (eso). □ ORTOGR. Nunca lleva tilde. □ MORF. No tiene plural.

estocada s.f. Golpe o corte dados con un estoque o espada: *El torero mató al toro de una certera estocada.*

estocaje s.m. Almacenamiento de mercancías o de productos para su posterior venta. □ ETIMOL. Del inglés *stock*.

estocástico, ca adj. *poét.* Casual o fortuito.

estock s.m. →**stock**.

estofa s.f. *desp.* Clase, género o condición: *Era un bar cochambroso y lleno de gente de baja estofa.* □ ETIMOL. Del francés antiguo *estofe* (materiales de cualquier clase).

estofado s.m. Guiso que se hace cociendo en crudo y a fuego lento un alimento, generalmente carne, y condimentándolo con aceite, vino o vinagre, ajo, cebolla y diversas especias: *El estofado de ternera estaba riquísimo.*

estofar v. Referido a un alimento, esp. a la carne, cocerlo en crudo y a fuego lento, con aceite, vino o vinagre, ajo, cebolla y diversas especias: *Al estofar la carne, se te fue la mano con la sal.* □ ETIMOL. Del antiguo *estufar* (calentar como en una estufa).

estoicismo s.m. **1** Fortaleza de carácter y dominio de los sentimientos ante las dificultades: *Soporta su enfermedad con estoicismo.* **2** Doctrina filosófica que afirma que el bien moral de las personas consiste en vivir de acuerdo con la naturaleza: *El estoicismo fue fundado por Zenón de Citio en el siglo III a. C.*

estoico, ca adj./s. **1** Que muestra entereza y dominio de los sentimientos ante las dificultades: *una actitud estoica.* **2** Del estoicismo o relacionado con esta doctrina filosófica: *un filósofo estoico.* □ ETIMOL. Del latín *stoicus*, este del griego *stoikós*, y este de *stoá* (pórtico), que era el lugar de Atenas donde se reunían los filósofos del estoicismo.

estola s.f. **1** Prenda femenina de abrigo o de adorno, consistente en una tira generalmente de piel, y que se pone alrededor del cuello o sobre los hombros: *Iba muy elegante con su estola de visón.* **2** Banda larga y estrecha que el sacerdote se pone alrededor del cuello y dejando caer las puntas sobre el pecho: *Sobre la sotana lleva una estola con tres cruces bordadas.* □ ETIMOL. Del latín *stola* (vestido largo).

estolidez s.f. Falta de entendimiento y de razón: *Me molestan mucho su estolidez y su falta de sentido común.*

estólido, da adj. Corto de entendimiento: *En la comedia aparece un criado estólido que apenas sabe hablar.* □ ETIMOL. Del latín *stolidus*.

estolón s.m. En una planta, rama que nace de la base del tallo a ras del suelo, y que echa raíces dando lugar a una planta nueva: *La fresa es una planta con estolones.* □ ETIMOL. Del latín *stolo* (retoño).

estoma s.m. En las hojas de los vegetales, cada una de las aberturas microscópicas que hay en su epidermis para facilitar el intercambio de gases entre la planta y el exterior: *Algunos contaminantes atmosféricos alteran la función de los estomas de las plantas.* □ ETIMOL. Del griego *stóma* (boca).

estomacal adj.inv. Del estómago o relacionado con él: *La gastritis produce dolores estomacales.* □ SINÓN. *gástrico*.

estomagante adj.inv. *col.* Que resulta antipático o fastidioso: *Esa nueva muñeca me resulta cursi y estomagante.*

estomagar v. *col.* Causar fastidio o resultar insoportable: *Sus bromas pesadas me estomagan.* □ ORTOGR. La *g* se cambia en *gu* delante de *e* →PAGAR.

estómago s.m. **1** En el sistema digestivo, órgano en forma de bolsa, situado entre el esófago y el intestino, en el que se digieren o descomponen los alimentos para ser asimilados por el organismo. **2** *col.* En el cuerpo de una persona, parte exterior que se corresponde con dicho órgano, esp. si está ligeramente abultada: *No bebas tanta cerveza que vas a echar mucho estómago.* **3** Capacidad para hacer o para soportar cosas desagradables o humillantes: *No sé cómo tiene estómago para abandonar a su padre en una situación tan difícil.* □ ETIMOL. Del latín *stomachus* (esófago, estómago).

estomático, ca adj. **1** Del estómago o relacionado con él. **2** De la boca humana o relacionado con ella.

estomatitis (pl. *estomatitis*) s.f. Inflamación de la mucosa bucal: *Tiene una estomatitis en las encías.* □ ETIMOL. Del griego *stóma* (boca) e *-itis* (inflamación).

estomatología s.f. Parte de la medicina que se ocupa de las enfermedades de la boca: *Es especia-*

lista en estomatología y tiene una consulta como dentista. □ ETIMOL. Del griego *stóma* (boca) y *-logía* (ciencia, estudio).

estomatólogo, ga s. Médico especialista en estomatología: *La estomatóloga me recetó unos calmantes para el dolor de muelas.*

estonciarse v. *col.* Golpearse o caerse: *Sujétame, que no quiero estonciarme.* □ ORTOGR. La *i* nunca lleva tilde.

estoniano, na adj. →**estonio.**

estonio, nia ▌adj./s. **1** De Estonia o relacionado con este país europeo. □ SINÓN. *estoniano.* ▌s.m. **2** Lengua de este país: *El estonio es de la misma familia que el húngaro y el finés.*

estopa s.f. **1** Parte basta y gruesa del lino o del cáñamo, que se usa generalmente para la fabricación de telas y de cuerdas: *La estopa es buena para tapar las juntas de las tuberías.* **2** *col.* Castigo, paliza o serie de golpes: *dar estopa.* □ ETIMOL. Del latín *stuppa.* □ SINT. La acepción 2 se usa más con los verbos *dar*, *sacudir*, *arrear* o equivalentes.

estoposo, sa adj. De la estopa o con características de esta.

estoque s.m. **1** Espada estrecha que hiere solo por la punta: *El caballero ocultaba el estoque bajo la capa.* **2** En tauromaquia, espada que se usa para matar a los toros en las corridas: *El matador clavó el estoque hasta la empuñadura.* □ ETIMOL. Del francés antiguo *estoc* (punta de una espada).

estoqueador, -a s. En tauromaquia, torero que mata toros con estoque.

estoquear v. Referido a un toro, matarlo con el estoque, o herirlo para matarlo: *El torero estoqueó al toro y lo mató a la primera.*

estor s.m. **1** Cortina de una sola pieza y que se recoge verticalmente gracias al mecanismo que lleva incorporado: *Pondremos estores en las ventanas del salón.* **2** ‖ **estor veneciano;** el que se recoge verticalmente formando ondulaciones y pliegues muy ampulosos, y que está decorado al estilo de los palacios venecianos: *Estos estores venecianos le dan un ambiente muy palaciego a tu salón.* □ ETIMOL. Del francés *store.* □ USO Es innecesario el uso del galicismo *store.*

estorbar v. **1** Molestar o incomodar: *Me estorba el bolso y estoy deseando soltarlo. Me voy para no estorbar.* **2** Referido esp. a una acción o un propósito, ponerles obstáculos o dificultades: *Esta silla estorba el paso.* □ ETIMOL. Del latín *exturbare.*

estorbo s.m. Lo que estorba, molesta u obstaculiza: *Estos muebles viejos solo son un estorbo.*

estornino s.m. Pájaro de cabeza pequeña, plumaje negro con reflejos metálicos, pico cónico y amarillento, y que puede aprender a reproducir sonidos: *El estornino puede imitar el canto de otras aves.* □ ETIMOL. Del latín *sturnus.* □ MORF. Es un sustantivo epiceno: *el estornino {macho/hembra}.*

estornudar v. Expulsar violenta y ruidosamente por la nariz y por la boca el aire contenido en los pulmones: *Estoy acatarrada y no paro de estornudar.* □ ETIMOL. Del latín *sternutare.*

estornudo s.m. Expulsión violenta y ruidosa por la nariz y por la boca del aire contenido en los pulmones: *Esos estornudos son síntoma de que te estás constipando.*

estos demos. pl. de **este.**

estrábico, ca adj./s. Referido a una persona, que padece estrabismo y tiene los ojos desviados respecto de su posición normal: *Las personas estrábicas pueden ser operadas desde pequeñas para corregir sus problemas de visión.* □ SINÓN. *bisojo, bizco, ojituerto.*

estrabismo s.m. En medicina, desviación de un ojo respecto de su posición normal: *Una causa de estrabismo es la parálisis de los músculos motores del ojo.* □ SINÓN. *bizquera.* □ ETIMOL. Del griego *strabismós*, y este de *strabós* (bizco).

estrado s.m. En la sala donde se celebra un acto, lugar de honor, formado por una tarima o por un sitio elevado, donde se coloca un trono o se sitúa la presidencia: *El estrado estaba ocupado por el presidente y los directivos de la empresa.* □ ETIMOL. Del latín *stratum* (cama pobre, cubierta de la cama).

estrafalario, ria adj./s. **1** *col.* Desaliñado o descuidado en el aspecto o en la indumentaria: *Ese estrafalario no sé dónde consigue una ropa tan rara.* **2** *col.* Extravagante o raro en el modo de pensar o de actuar: *¿De dónde has sacado la estrafalaria idea de irte al polo Norte con una tienda de campaña?* □ ETIMOL. Del italiano *strafalario* (persona despreciable, desaliñada).

estragado, da adj. **1** Que tiene malestar estomacal por haber comido alimentos fuertes o en mucha cantidad. **2** Estropeado o deteriorado: *un edificio estragado.*

estragar v. Estropear o deteriorar: *Las comidas picantes me estragan el estómago.* □ ETIMOL. Del latín **stragare* (asolar, devastar). □ ORTOGR. La *g* se cambia en *gu* delante de *e* →PAGAR.

estrago s.m. Daño, ruina o destrozo, esp. los causados por una guerra o por una catástrofe: *Los bombardeos hicieron estragos entre la población.* □ MORF. Se usa más en plural.

estragón s.m. Planta herbácea de tallos delgados y con abundantes ramas, hojas enteras en forma de lanza y flores amarillentas, que se usa como condimento: *El estragón es originario del norte y centro de Asia.* □ ETIMOL. Del francés *estragon.*

estrambote s.m. Conjunto de versos que se añaden al final de una combinación métrica, esp. de un soneto: *Cervantes escribió un célebre soneto con estrambote, titulado 'Al túmulo de Felipe II'.* □ ETIMOL. De origen incierto.

estrambótico, ca adj. *col.* Extravagante, irregular o sin orden: *Es tan estrambótica que duerme durante el día y se pasa la noche leyendo.*

estramonio s.m. Planta herbácea de olor fuerte, con flores blancas en forma de embudo, fruto espinoso y hojas que contienen sustancias que se utilizan como medicamento: *El estramonio crece en lugares no cultivados.* □ ETIMOL. Del latín *stramonium.*

estrangulación s.f. →**estrangulamiento.**

estrangulador, -a adj./s. Que estrangula: *Leí una novela sobre un estrangulador que causó estragos en la ciudad de Boston.*

estrangulamiento s.m. **1** Asfixia producida por la opresión del cuello hasta impedir la respiración: *La muerte se produjo por estrangulamiento.* ☐ SINÓN. *estrangulación.* **2** Estrechamiento de una vía o de un conducto, que impide o dificulta el paso por estos: *El estrangulamiento de la calle en este punto hace que se formen atascos.*

estrangular v. **1** Ahogar oprimiendo por el cuello hasta impedir la respiración: *El asesino estranguló a su víctima con las manos. Se suicidó estrangulándose con una cuerda.* **2** Referido a una vía o a un conducto, dificultar o impedir el paso por ellos: *Las obras estrangulan la calle.* **3** En medicina, referido esp. a la circulación sanguínea, detenerla en una parte del cuerpo por medio de una ligadura o de presión: *El médico me ató una cinta al brazo para estrangular la vena y poder extraerme la sangre.* ☐ ETIMOL. Del latín *strangulare.*

estraperlear v. Negociar con productos de estraperlo: *La policía cogió a un grupo de personas que estraperleaban con tabaco.*

estraperlista s.com. Persona que se dedica al estraperlo: *Lo acusan de ser estraperlista de tabaco.*

estraperlo s.m. Comercio ilegal de productos, esp. de los que están sujetos a una tasa o de aquellos cuya venta está restringida al Estado: *Se dedica al estraperlo de tabaco americano.* ☐ ETIMOL. De *Straperlo* (especie de ruleta ideada por Strauss y Perlo), que era una ruleta ilegal, que podía ser manipulada por la banca.

estratagema s.f. **1** Acción de guerra destinada a conseguir un objetivo mediante el engaño o la astucia: *Diseñaron cuidadosamente la estratagema de ataque.* **2** Engaño hecho con astucia o con habilidad: *Siempre se sirve de estratagemas para conseguir sus propósitos.* ☐ ETIMOL. Del latín *strategema*, y este del griego *stratégema* (maniobra militar).

estratega s.com. Persona especializada en estrategia: *El general está considerado un gran estratega.* ☐ MORF. Se admite también el masculino *estratego.*

estrategia s.f. **1** Técnica de proyectar y dirigir operaciones militares: *Napoleón fue considerado un genio de la estrategia.* **2** Plan o técnica para dirigir un asunto o para conseguir un objetivo: *Han cambiado la estrategia comercial para aumentar las ventas.* ☐ ETIMOL. Del griego *strategía* (generalato, aptitudes de general).

estratégico, ca adj. **1** De la estrategia o relacionado con ella: *En la academia militar recibieron formación estratégica.* **2** Referido esp. a un lugar, que es clave o tiene una importancia decisiva para el desarrollo de algo: *España tiene una situación geográfica estratégica, porque está entre dos mares y entre dos continentes.*

estratego s.m. de **estratega.**

estratificación s.f. Disposición en estratos o en capas: *Los terrenos sedimentarios se caracterizan por la estratificación de sus materiales.*

estratificar v. Disponer en estratos o en capas: *Las diferencias socioeconómicas estratifican la sociedad. El suelo terrestre ha ido estratificándose a lo largo de las distintas eras geológicas.* ☐ ORTOGR. La *c* se cambia en *qu* delante de *e* →SACAR.

estratigrafía s.f. Parte de la geología que estudia la disposición y las características de las rocas sedimentarias estratificadas: *La estratigrafía permite reconstruir la historia de la Tierra.* ☐ ETIMOL. De *estrato* y *-grafía* (representación gráfica).

estratigráfico, ca adj. De la estratigrafía o relacionado con esta parte de la geología: *En un terreno, los estratos se depositan en series paralelas, que se llaman series estratigráficas.*

estrato s.m. **1** Masa mineral en forma de capa que forma los terrenos sedimentarios: *En un terreno, los estratos más profundos suelen ser más antiguos que los superficiales.* **2** Clase o nivel social: *Los estratos más bajos de la sociedad deberían recibir mayor ayuda del Estado.* **3** Conjunto de elementos que, con determinados caracteres comunes, se ha integrado con otros conjuntos previos o posteriores para formar un producto histórico: *Toda lengua pasa en su evolución por distintos estratos históricos.* **4** Nube baja con forma de banda paralela al horizonte: *Cirros, cúmulos y estratos son distintos tipos de nubes.* ☐ ETIMOL. Del latín *stratus* (manta).

estratocracia s.f. Estructura del poder cimentada en el dominio del Ejército sobre la vida política, social y económica del país: *Hay muchas dictaduras basadas en la estratocracia.*

estratocúmulo s.m. Capa continua de nubes que cubre una gran extensión del cielo: *Los estratocúmulos son nubes bajas y de lluvia.*

estratosfera s.f. En la atmósfera terrestre, zona que se extiende entre los diez y los cincuenta kilómetros de altura aproximadamente, y que está situada entre la troposfera y la mesosfera: *La capa de ozono se encuentra en la estratosfera.* ☐ ETIMOL. Del latín *stratus* (extendido) y *sphaera.*

estratosférico, ca adj. De la estratosfera o relacionado con esta zona de la atmósfera: *La zona estratosférica se compone de capas de distinta temperatura.*

estraza s.f. Trapo, pedazo o desecho de ropa basta: *Si usas esa estraza para limpiar, lo rayarás todo.* ☐ ETIMOL. Del antiguo *estrazar* (despedazar, romper).

-estre Sufijo que indica relación o pertenencia: *terrestre, campestre.*

estrechamiento s.m. **1** Reducción o disminución de la anchura: *estrechamiento de carretera.* **2** Apretón que se da como señal de afecto: *estrechamiento de manos.* **3** Profundización o intensificación de una relación: *estrechamiento de relaciones.*

estrechar ▮ v. **1** Referido esp. a un objeto o a un lugar, reducir su anchura: *Me han estrechado el pantalón porque he adelgazado. La calle se estrecha* *más adelante.* **2** Referido esp. a una relación, aumentar su intensidad o hacerla más íntima: *El encuentro entre los presidentes estrechó los lazos entre nuestras naciones. Nuestra amistad se estrechó aquel verano.* **3** Apretar con los brazos o con la mano en señal de afecto o de cariño: *Me estrechó entre sus brazos y me dijo que me quería.* ▮ prnl. **4** Apretarse o encogerse: *Si nos estrechamos, cabremos todos.*

estrechez s.f. **1** Escasez de anchura: *la estrechez de una calle.* □ SINÓN. *estrechura.* **2** Falta de amplitud intelectual o moral: *estrechez de miras.* **3** Escasez de recursos económicos o austeridad de vida: *pasar estrecheces.* □ SINÓN. *estrechura.* **4** Unión o enlace íntimos: *estrechez de unas relaciones.* □ SINÓN. *estrechura.* □ MORF. En la acepción 3, se usa más en plural.

estrecho, cha ▮ adj. **1** Que tiene poca anchura o menos anchura de la normal: *Fuimos por una carretera muy estrecha.* **2** Ajustado o apretado: *Esta camisa me queda estrecha.* **3** Rígido, riguroso o estricto: *El policía los sometió a una estrecha vigilancia.* **4** Referido esp. a una relación, que es muy íntima o que se asienta en fuertes vínculos: *Trabajamos en estrecha colaboración.* ▮ adj./s. **5** *col. desp.* Referido a una persona, que está reprimida sexualmente o que tiene ideas muy rígidas sobre las relaciones sexuales. ▮ s.m. **6** En el mar, extensión de agua que separa dos costas próximas y que comunica dos mares: *el estrecho de Gibraltar.* □ ETIMOL. Del latín *strictus*, y este de *stringere* (apretar, comprimir).

estrechura s.f. →**estrechez.**

estregar v. Referido a un objeto, frotarlo con otro: *Estregó los ceniceros de cobre con un paño para darles brillo.* □ ETIMOL. Quizá del latín **stricare.* □ ORTOGR. Aparece una *u* después de la *g* cuando le sigue *e.* □ MORF. Irreg. →REGAR.

estrella s.f. **1** Cuerpo celeste que brilla con luz propia: *Por las noches me gusta salir al balcón a contemplar las estrellas.* **2** Figura que consta de un punto central del que parten varias líneas que pueden o no formar picos entre sí: *Un asterisco es una pequeña estrella.* **3** En el ejército, insignia o emblema de esta forma, que indica la graduación de jefes y oficiales: *Sé que es capitán porque lleva en su uniforme tres estrellas de seis puntas.* **4** En un establecimiento hotelero, signo con esta forma y que indica su categoría: *Un hotel de tres estrellas es peor que uno de cinco.* **5** Suerte o destino, esp. si es favorable: *Nació con estrella y todo le va bien.* **6** Persona que sobresale en su profesión o que es muy popular, esp. referido a un actor de cine: *Una estrella del rock me firmó un autógrafo.* □ SINÓN. *astro.* **7** Lo que destaca en un lugar o en un grupo: *La estrella de la exposición es ese cuadro.* **8** En el lenguaje de la droga, droga derivada del ácido lisérgico, con forma de estrella. **9** || **estrella de mar;** animal marino invertebrado con forma de estrella, generalmente con cinco brazos, con el cuerpo aplanado y un esqueleto exterior calizo. || **estrella fugaz;** la que suele verse repentinamente en el cielo y se mueve y desaparece a gran velocidad. || **ver alguien las estrellas;** *col.* Sentir un dolor físico muy intenso. □ ETIMOL. Del latín *stella.* □ USO En la acepción 6, es innecesario el uso del anglicismo *star.*

estrelladera s.f. Arbusto con ramas arqueadas y flores pequeñas, rojizas y agrupadas en panículas colgantes: *La estrelladera es originaria de las islas Canarias.*

estrellado, da adj. **1** Con estrellas: *un cielo estrellado.* **2** Con forma de estrella: *un tornillo de cabeza estrellada.*

estrellar ▮ v. **1** *col.* Referido a un objeto, arrojarlo violentamente contra otro haciéndolo pedazos: *Lleno de ira, estrellé el jarrón contra la pared. Una copa se cayó y se estrelló contra el suelo.* ▮ prnl. **2** Referido al cielo, llenarse de estrellas: *Se hizo de noche y el cielo se estrelló.* **3** Sufrir un choque violento: *El conductor iba bebido y se estrelló contra un árbol.* **4** Fracasar por tropezar con dificultades insalvables: *Se estrelló con ese negocio por no haber calculado bien sus posibilidades.* □ ETIMOL. Las acepciones 1, 3 y 4 del antiguo *astellar* (hacer astillas). La acepción 2, de *estrella.*

estrellato s.m. Situación de una persona cuando es muy famosa o se ha convertido en una estrella: *Una campaña publicitaria la lanzó al estrellato.*

estremecedor, -a adj. Que estremece: *No pude soportar aquellas estremecedoras imágenes de niños mutilados por la guerra.*

estremecer ▮ v. **1** Conmover, alterar o hacer temblar: *El terremoto estremeció la ciudad. Los cimientos de la civilización se estremecen al contemplar tanta barbarie.* **2** Impresionar u ocasionar una alteración en el ánimo: *La noticia de su muerte nos estremeció. Me estremezco de miedo al pensar en fantasmas.* ▮ prnl. **3** Temblar con movimiento agitado y repentino: *Me he estremecido porque tengo frío.* □ ETIMOL. Del latín *tremiscere* (comenzar a temblar). □ MORF. Irreg. →PARECER.

estremecimiento s.m. **1** Conmoción o temblor: *Una explosión fue la causa del estremecimiento del suelo.* **2** Alteración en el ánimo: *Las imágenes del accidente me produjeron estremecimiento.* **3** Temblor del cuerpo con movimiento agitado y repentino: *Los estremecimientos que tienes se deben a la fiebre.*

estrenar v. **1** Usar por primera vez: *El domingo estrenaré la camisa que me acabo de comprar.* **2** Referido a un espectáculo público, representarlo, proyectarlo o ejecutarlo por primera vez en un lugar: *Este año se han estrenado muchas obras de teatro interesantes.* □ ETIMOL. Del antiguo *estrena*, y este del latín *strena* (regalo que se hace en alguna solemnidad).

estreno s.m. **1** Uso de algo por primera vez: *¿Llevarás un traje de estreno a la fiesta?* **2** Primera representación, proyección o ejecución que se hacen de un espectáculo público en un lugar: *La protagonista de la película asistirá al estreno.* □ USO En la acepción 2, es innecesario el uso del galicismo *première.*

estreñido, da adj./s. Que padece estreñimiento: *Si eres muy estreñido, te conviene comer alimentos con mucha fibra.*

estreñimiento s.m. Retención de los excrementos y dificultad para expulsarlos: *La médica me recomendó comer fruta y verduras para evitar el estreñimiento.*

estreñir v. Causar o padecer estreñimiento: *El arroz estriñe.* ☐ ETIMOL. Del latín *stringere* (estrechar). ☐ MORF. Irreg. →CEÑIR.

estrépito s.m. Estruendo o ruido fuerte: *La estantería con las botellas cayó al suelo con gran estrépito.* ☐ ETIMOL. Del latín *strepitus*, y este de *strepere* (hacer ruido, resonar).

estrepitoso, sa adj. **1** Que causa estrépito: *un ruido estrepitoso.* **2** Muy grande o espectacular: *un estrepitoso fracaso.*

estreptococo s.m. Bacteria de forma redondeada que se agrupa en forma de cadena: *Algunos estreptococos pueden producir afecciones respiratorias.* ☐ ETIMOL. Del griego *streptós* (trenzado redondeado) y *kókkos* (grano).

estreptomicina s.f. Antibiótico de gran eficacia para combatir enfermedades como la tuberculosis: *La estreptomicina tiene algunos efectos secundarios negativos.* ☐ ETIMOL. Del griego *streptós* (trenzado) y *mýke* (hongo).

estrés (pl. *estreses*) s.m. **1** Estado próximo a la enfermedad que presenta un organismo o una de sus partes por haberles exigido un rendimiento muy superior al normal: *El estrés en las personas se manifiesta con gran nerviosismo y ansiedad.* **2** || **estrés ecológico;** conjunto de cambios que desestabilizan el sistema ecológico y que se producen al desaparecer los mecanismos de regulación y de control. ☐ ETIMOL. Del inglés *stress*. ☐ USO Es innecesario el uso del anglicismo *stress*.

estresante adj.inv. Que estresa: *No sé cómo puedes soportar ese ritmo de vida tan estresante.*

estresar v. Causar o sentir estrés: *Las tensiones en el trabajo me estresan. Cuando se estresa, no hay quien lo aguante.*

estría s.f. **1** En una superficie, surco o hendidura: *Las ruedas de los coches tienen estrías que hacen su dibujo.* **2** En la piel, línea más clara que aparece cuando la piel ha sufrido un estiramiento excesivo y más o menos rápido. ☐ ETIMOL. Del latín *stria*.

estriar v. Referido esp. a una superficie, formar estrías en ella: *Se me ha estriado la piel y parece que tengo pequeñas cicatrices.* ☐ ORTOGR. La *i* lleva tilde en los presentes, excepto en las personas *nosotros* y *vosotros* →GUIAR.

estribación s.f. En una cordillera, conjunto de montañas laterales que derivan de ella y que son generalmente más bajas: *Estas montañas son las estribaciones de los Alpes.* ☐ MORF. Se usa más en plural.

estribar v. Fundarse o apoyarse: *La importancia de este invento estriba en la amplitud de sus aplicaciones.* ☐ ETIMOL. De *estribo*. ☐ ORTOGR. Dist. de *estibar*. ☐ SINT. Constr. *estribar EN algo.*

estribillo s.m. En algunas composiciones líricas, verso o conjunto de versos que se repiten después de cada estrofa y con los que a veces se abre también la composición: *De esa canción solo me sé el estribillo.* ☐ ETIMOL. De *estribo*.

estribo s.m. **1** En una silla de montar, cada una de las dos piezas que cuelgan a ambos lados y en las que el jinete apoya los pies. **2** En algunos vehículos, escalón que sirve para subir o para bajar de ellos. **3** Pieza en la que se apoyan los pies: *La escala que usan los alpinistas recibe el nombre de estribo.* **4** En anatomía, hueso del oído medio que se articula con el yunque. **5** En una plaza de toros, escalón que hay al pie de la barrera para poder saltar por encima de ella: *El torero esperó al toro sentado en el estribo.* **6** || **perder los estribos;** perder la paciencia o el dominio de uno mismo. ☐ ETIMOL. De origen incierto.

estribor s.m. En una embarcación, lado derecho, según se mira de popa a proa: *Vimos un barco que se acercaba por estribor.* ☐ ETIMOL. Del francés antiguo *estribord*. ☐ SINT. Constr. *{A/POR} estribor*. ☐ SEM. Dist. de *babor* (lado izquierdo).

estricnina s.f. Sustancia tóxica que se extrae de algunos vegetales y que puede utilizarse como estimulante cardíaco: *El envenenamiento por estricnina produce fuertes convulsiones.* ☐ ETIMOL. Del griego *strýkhnos* (nombre de varias plantas venenosas).

estricto, ta adj. Riguroso o que se ajusta completamente a la necesidad o a la ley y que no admite otra interpretación: *Es un árbitro muy estricto y sigue el reglamento al pie de la letra.* ☐ ETIMOL. Del latín *strictus*, y este de *stringere* (apretar, comprimir).

estridencia s.f. **1** Sonido estridente. **2** Violencia al expresarse o al actuar: *No me molestan sus protestas, sino la estridencia con que reclama.*

estridente adj.inv. **1** Referido a un sonido, que es agudo, desapacible y chirriante. **2** Que causa una sensación llamativa y molesta por su exageración o por su contraste: *Le gusta vestir de forma estridente.* ☐ ETIMOL. Del latín *stridens*, y este de *stridere* (chillar, producir un ruido estridente).

estriptís (tb. *estriptis*) (pl. *estriptís, estriptis*) s.m. →**striptease.**

estriquin s.m. →**streaking.**

estro s.m. **1** Período del celo de las hembras de los mamíferos: *La ovulación se produce durante el estro.* **2** Inspiración o estímulo del artista: *Cuando siente el estro, deja lo que está haciendo y se pone a escribir.* ☐ ETIMOL. Del latín *oestrus* y este del griego *ôistros* (tábano, delirio profético o poético).

estrofa s.f. En algunas composiciones poéticas, unidad estructural formada por un conjunto de versos, generalmente dispuestos según un esquema fijado, y cuya estructura suele repetirse a lo largo de la composición: *Un soneto se compone de cuatro estrofas: dos cuartetos y dos tercetos.* ☐ ETIMOL. Del latín *stropha*, y este del griego *strophé* (vuelta, evolución del coro en escena).

estrófico, ca adj. **1** De la estrofa o relacionado con ella. **2** Que está dividido en estrofas: *un poema estrófico.*

estrógeno s.m. Hormona sexual femenina que interviene en la formación y en el desarrollo de los órganos sexuales y de los caracteres sexuales secundarios: *Los estrógenos provocan el celo en los mamíferos.* □ ETIMOL. De *estro* (período de celo) y *-geno* (que genera o produce).

estroncio s.m. Elemento químico, metálico y sólido, de número atómico 38, de color amarillo, que puede ser deformado fácilmente y que se disuelve en los ácidos: *El estroncio es escaso en la naturaleza.* □ ETIMOL. Del inglés *strontian* (óxido de estroncio). □ ORTOGR. Su símbolo químico es *Sr*.

estropajo s.m. Trozo de un tejido o de una materia generalmente ásperos y que se utiliza para fregar: *Antes, los estropajos eran de esparto machacado.* □ ETIMOL. Quizá del latín *stuppa* (estopa).

estropajoso, sa adj. **1** *col.* Con la sequedad, aspereza y rugosidad propias del estropajo: *La carne está estropajosa y no se puede masticar.* **2** *col.* De aspecto desaseado y andrajoso: *Quítate esa camisa estropajosa y ponte una nueva.* **3** *col.* Referido a la forma de hablar, con una pronunciación confusa o deficiente: *Esa presentadora habla de forma estropajosa y no se le entiende nada.* □ SINÓN. *trapajoso.*

estropear v. **1** Maltratar, deteriorar o poner en malas condiciones: *Con esos golpes vas a estropear el juguete. El televisor se estropeó y no pudimos ver la película.* **2** Afear o quitar calidad: *La central nuclear ahí en medio estropea el paisaje.* **3** Referido esp. a un proyecto, malograrlo o echarlo a perder: *La lluvia estropeó nuestro plan de ir al campo. El negocio se estropeará por culpa de tu intransigencia.* □ ETIMOL. Del italiano *stroppiare*.

estropicio s.m. **1** *col.* Rotura o destrozo ruidosos, generalmente hechos sin premeditación: *Cuando tropecé y se me cayeron los platos hice un buen estropicio.* **2** Daño o trastorno de escasas consecuencias: *¡Menudo estropicio me ha hecho el perro metiéndose en la despensa!*

estructura s.f. **1** Distribución u orden que tienen las partes que forman un todo: *la estructura de un poema.* **2** En un edificio, armazón generalmente de acero o de hormigón armado y que, fijado al suelo, sirve para sustentarlo: *El terremoto dañó la estructura del edificio.* □ ETIMOL. Del latín *structura* (construcción, fábrica, arreglo).

estructuración s.f. Distribución u ordenación de las partes que forman un todo: *He decidido que la estructuración del trabajo sea en cuatro partes.*

estructural adj.inv. De la estructura o relacionado con ella: *un fallo estructural.*

estructuralismo s.m. Teoría y método científico que considera un conjunto de datos como una estructura o sistema de interrelaciones: *El estructuralismo se ha introducido en lingüística, en antropología, en economía y en otras ciencias.*

estructuralista ▮ adj.inv. **1** Del estructuralismo o relacionado con esta teoría científica: *una escuela estructuralista.* ▮ adj.inv./s.com. **2** Seguidor del estructuralismo.

estructurar v. Referido a un todo, distribuir sus partes u ordenarlas: *He estructurado mi discurso para que resulte más claro y fácil de seguir. Su libro se estructura en diez capítulos.*

estruendo s.m. Ruido grande: *He oído un estruendo en la calle, como si hubiera explotado algo.* □ ETIMOL. Del antiguo *atruendo*.

estruendoso, sa adj. Ruidoso o estrepitoso: *Al finalizar el concierto los espectadores aplaudieron de forma estruendosa.*

estrujamiento s.m. Presión fuerte que se hace sobre algo: *La causa del estrujamiento de la fruta ha sido el peso que has puesto encima.*

estrujar v. **1** Referido a algo que contiene líquido, apretarlo con fuerza para extraérselo: *He tenido que estrujar tres naranjas para hacer el zumo.* **2** Apretar y comprimir con fuerza y violencia: *Cuando vio la factura, la estrujó y la tiró a la papelera.* **3** *col.* Sacar todo el partido posible: *En esa fábrica estrujan a los trabajadores y les pagan un sueldo mísero.* □ SINÓN. *exprimir.* □ ETIMOL. Del latín **extorculare* (prensar). □ ORTOGR. Conserva la *j* en toda la conjugación.

estrujón s.m. Compresión fuerte y violenta: *Si vas en metro a las horas punta recibirás muchos estrujones.*

estuario s.m. Desembocadura de un río caudaloso en el mar, caracterizada por tener forma de embudo cuyos lados van apartándose en el sentido de la corriente: *La desembocadura del río Tajo en Lisboa es un estuario.* □ ETIMOL. Del latín *aestuarium* (desembocadura de un gran río).

estucado s.m. Operación que consiste en dar estuco a una superficie o colocar sobre ella piezas de estuco: *He contratado a un especialista para que haga el estucado de las habitaciones.*

estucar v. Referido esp. a una superficie, darle estuco o colocar sobre ella piezas de estuco: *El albañil levantó el muro y lo estucó, pero ahora hay que pintarlo.* □ ORTOGR. La *c* se cambia en *qu* delante de *e* →SACAR.

estuchar v. Referido esp. a un producto industrial, meterlo en un estuche: *Mi trabajo en la pastelería consiste en estuchar bombones.*

estuche s.m. Caja o envoltura que se usan para guardar o para proteger algo: *Guarda los lápices en el estuche.* □ ETIMOL. Del provenzal *estug*.

estuco s.m. Mezcla de distintos materiales que al secarse se endurece, y que se utiliza para revestir paredes interiores y para hacer molduras y reproducciones de figuras o de relieves: *El estuco tiene el inconveniente de ser muy frágil.* □ ETIMOL. Del italiano *stucco*.

estudiantado s.m. Conjunto de estudiantes, esp. los de un centro docente.

estudiante ▮ adj.inv./s.com. **1** Que estudia. ▮ s.com. **2** Persona que cursa estudios en un centro de enseñanza: *Los estudiantes universitarios se quejaban de la masificación de la enseñanza.* □ SINÓN.

discente. □ MORF. Se usa también el femenino coloquial *estudianta.*

estudiantil adj.inv. De los estudiantes o relacionado con ellos: *protestas estudiantiles.*

estudiantina s.f. Grupo de estudiantes, generalmente universitarios, que forman un grupo musical y que salen por las calles tocando instrumentos y cantando: *La guitarra, la bandurria y la pandereta son los instrumentos tradicionales de las estudiantinas.*

estudiar v. **1** Ejercitar el entendimiento para investigar, comprender o aprender: *Dedica dos horas al día a estudiar. Los actores tienen que estudiarse los guiones.* **2** Cursar estudios en un centro de enseñanza: *Estudia en un instituto público.* **3** Observar o examinar detenidamente: *Cuando le hagas la pregunta, estudia atentamente su reacción.* □ ORTOGR. La *i* nunca lleva tilde.

estudio ▮ s.m. **1** Esfuerzo y ejercicio del entendimiento para comprender o para aprender algo, esp. una ciencia o un arte: *Su profesora le dijo que debía dedicar más horas al estudio.* **2** Obra en la que se estudia o se investiga una cuestión: *Estoy leyendo un estudio muy interesante sobre la novela española actual.* **3** En una casa, sala en la que se trabaja o en la que se estudia: *En el estudio es donde tengo el ordenador y la biblioteca.* **4** Lugar de trabajo de un artista o de otros profesionales. **5** Dibujo o pintura que se hacen como preparación o como ensayo, antes de hacer los definitivos. **6** Composición musical escrita generalmente con fines didácticos: *Está aprendiendo piano y practica con unos estudios de Chopin.* **7** Conjunto de edificios, locales e instalaciones que se utilizan para el rodaje de películas cinematográficas o para la realización de programas y grabaciones audiovisuales. **8** Apartamento de pequeñas dimensiones. ▮ pl. **9** Conjunto de materias que se estudian para obtener una titulación: *Ya ha terminado sus estudios de ingeniería.* □ ETIMOL. Del latín *studium* (aplicación, celo, diligencia).

estudioso, sa ▮ adj. **1** Que estudia mucho o fácilmente: *un alumno muy estudioso.* ▮ s. **2** Persona que se dedica al estudio de algo: *Esa historiadora es una estudiosa del arte egipcio.*

estufa s.f. **1** Aparato que se utiliza para calentar espacios cerrados: *una estufa eléctrica.* **2** En zonas del español meridional, cocina. **3** ‖ **estufa catalítica;** la que funciona con gas butano. □ ETIMOL. Del latín **estufare* (escaldar).

estufar v. Someter a un proceso industrial mediante una estufa: *La masa de pan se estufa para que crezca.*

estulticia s.f. Necedad, estupidez o tontería.

estulto, ta adj./s. Necio o tonto: *Es tan estulto que no hay quien mantenga una conversación con él.* □ ETIMOL. Del latín *stultus* (necio).

estupa s.com. *arg.* En el lenguaje de la droga, policía de estupefacientes.

estupefacción s.f. Admiración, sorpresa o asombro muy grandes: *Me miraba con cara de estupefacción, sin creer lo que le estaba contando.* □ ETIMOL. Del latín *stupefactio*, y este de *stupefacere* (causar estupor).

estupefaciente adj.inv./s.m. Referido a una sustancia, que es narcótica, hace perder la sensibilidad y produce un estado de bienestar: *La cocaína y la morfina son estupefacientes.*

estupefacto, ta adj. Sorprendido o asombrado hasta el extremo de no saber cómo actuar: *Su insultante respuesta me dejó estupefacta.*

estupendo, da adj. Admirable o extraordinariamente bueno: *¿Cuándo celebramos la estupenda noticia?* □ ETIMOL. Del latín *stupendus* (sorprendente). □ SINT. *Estupendo* se usa también como adverbio de modo con el significado de 'muy bien': *En las últimas vacaciones lo pasamos estupendo.*

estupidez s.f. **1** Hecho o dicho propios de un estúpido: *Me parece una estupidez que no te atrevas a contármelo.* **2** Torpeza grande para comprender las cosas: *Se cree muy listo, pero su grado de estupidez es considerable.*

estúpido, da ▮ adj. **1** Propio de una persona de escasa inteligencia o sin sentido común: *Habla de una forma estúpida y arrogante.* ▮ adj./s. **2** Muy torpe para comprender las cosas: *Es tan estúpido que hay que repetirle todo varias veces.* □ ETIMOL. Del latín *stupidus* (aturdido, estupefacto). □ USO Se usa como insulto.

estupor s.m. Sorpresa, pasmo o asombro muy grandes: *Oí, llena de estupor, cómo anunciaban mi despido.* □ ETIMOL. Del latín *stupor*.

estuprar v. Cometer estupro o violación de un menor: *Lo acusaron de estuprar a una niña de trece años.*

estupro s.m. Relación sexual mantenida con una persona menor de edad mediante el engaño o valiéndose de la superioridad que se tiene sobre ella: *El estupro es un delito castigado con penas mayores que la violación.* □ ETIMOL. Del latín *stuprum*.

esturión s.m. Pez marino comestible, de color gris con pintas negras en el lomo, con el esqueleto cartilaginoso, el cuerpo cubierto de placas óseas, la cabeza pequeña y la mandíbula superior muy prominente, y de cuyas huevas se obtiene el caviar: *Los esturiones remontan los ríos para desovar.* □ ETIMOL. Del latín *sturio*. □ MORF. Es un sustantivo epiceno: *el esturión {macho/hembra}*.

esvástica s.f. Cruz que tiene los cuatro brazos doblados en ángulo recto, y que es el emblema de los pueblos arios y de los movimientos nazis: *Los seguidores de Hitler llevaban banderas con una gran esvástica en su centro.* □ SINÓN. *cruz gamada.* □ ETIMOL. Del sánscrito *svastika*. □ ORTOGR. Se usa también *swástica*.

eta s.f. En el alfabeto griego clásico, nombre de la séptima letra: *La grafía de la eta es* η.

-eta Sufijo que indica menor tamaño: *cubeta, lanceta.* □ ETIMOL. Del francés *-ette*.

et alia (lat.) ‖ En una enumeración de cosas, expresión que se usa para sustituir la parte final y evitar detallarlas todas: *En el inventario, la lista de libros, discos, fotografías et alia era innumerable.*

et alii (lat.) || En una enumeración de coautores, expresión que se usa para sustituir los nombres de algunos de ellos y evitar detallarlos todos: *Este libro fue escrito por Juan Pérez et alii.*

etano s.m. Hidrocarburo natural gaseoso, incoloro y combustible, que se encuentra en el gas natural y en el petróleo, y que se utiliza en la producción de otros hidrocarburos: *La fórmula del etano es* C_2H_6. ☐ ETIMOL. De *éter*.

etanol s.m. Hidrocarburo líquido, incoloro y soluble en agua, que se utiliza como disolvente y que es el componente fundamental de las bebidas alcohólicas: *La fórmula del etanol es* CH_3*-*CH_2OH. ☐ SINÓN. *alcohol etílico*. ☐ ETIMOL. De *etano*.

etapa s.f. **1** Trecho de camino que se recorre entre dos puntos: *Saldremos pronto y esperamos hacer la primera etapa del viaje en seis horas.* **2** Época o fase en el desarrollo de una acción o de un proceso: *La vejez es una etapa de la vida.* ☐ ETIMOL. Del francés *étape* (lugar donde duermen las tropas, distancia que se debe recorrer para llegar a él).

etario, ria adj. **1** Referido a varias personas, que tienen la misma edad. **2** De la edad de una persona o relacionado con ella: *Esa enfermedad es la cuarta causa de muerte en el grupo etario que comprende entre los 45 y 55 años de edad.* ☐ ETIMOL. Del latín *aetas* (edad).

etarra ▌adj.inv. **1** De ETA (organización terrorista 'Euskadi ta Askatasuna', que significa 'Patria vasca y libertad'), o relacionado con ella: *El atentado etarra solo produjo daños materiales.* ▌adj.inv./s.com. **2** Que es miembro de esta organización: *La policía detuvo a dos etarras.* ☐ ETIMOL. Del euskera *etarra*.

etcétera En una enumeración, expresión que se usa para sustituir su parte final y evitar detallarla: *En la verdulería venden acelgas, lechugas, tomates, etcétera.* ☐ ETIMOL. Del latín *et cetera* (y las demás cosas). ☐ ORTOGR. Su abreviatura es *etc.* ☐ USO Incorr. **y etcétera.*

-ete Sufijo que indica menor tamaño: *arete, palacete.* ☐ ETIMOL. Del francés *-et*.

-ete, -eta Sufijo con valor afectivo: *majete, regordeta.* ☐ ETIMOL. Del francés *-et*.

eteno s.m. →**etileno.**

éter s.m. Compuesto químico orgánico, que contiene un átomo de oxígeno unido a dos radicales de hidrocarburos: *Hay un tipo de éter que se utiliza como anestésico.* ☐ ETIMOL. Del latín *aether*, y este del griego *aithér* (cielo).

etéreo, a adj. **1** Sutil, vago o sublime: *Esa es una cuestión tan abstracta y etérea, que no acabo de comprenderla.* **2** Del éter o relacionado con esta sustancia: *Una característica etérea es la rapidez con que se volatiliza.*

eterio s.m. Fruto compuesto que está formado por un conjunto de pequeños frutos independientes entre sí pero procedentes de una misma flor: *La fresa y la mora son eterios.*

eternal adj.inv. *poét.* Que no tiene fin: *Un amor eternal nos unirá siempre.* ☐ ETIMOL. Del latín *aeternalis*.

eternidad s.f. **1** Duración o perpetuidad sin principio, sin sucesión y sin fin: *Nada material dura toda la eternidad.* **2** *col.* Espacio de tiempo excesivamente largo: *Llevo esperándote una eternidad, y ya empezaba a cansarme.* **3** En algunas religiones, vida del alma humana después de la muerte: *No debes temer a la muerte, porque después está la eternidad.*

eternizar ▌v. **1** Prolongar o hacer durar mucho tiempo: *Hablas tan despacio, que eternizas la historia más corta. Se me eternizó la película porque era muy aburrida.* **2** Perpetuar o hacer perdurar en el tiempo: *Las obras artísticas eternizan a sus autores.* ▌prnl. **3** Tardar mucho: *No te eternices hablando por teléfono, que soy yo quien paga la cuenta.* ☐ ORTOGR. La *z* se cambia en *c* delante de *e* →CAZAR.

eterno, na adj. **1** Que no tiene principio ni fin: *La religión católica considera que Dios es eterno.* **2** Permanente o que dura mucho tiempo: *La belleza interior es eterna.* **3** Que se repite con frecuencia e insistentemente: *Ya está otra vez con sus eternas quejas por todo.* ☐ ETIMOL. Del latín *aeternus*. ☐ MORF. No admite grados: incorr. **más eterno.*

ethno-techno (ing.) s.m. Música electrónica con ritmos y melodías étnicas. ☐ PRON. [étno-técno].

ética s.f. Véase **ético, ca.**

ético, ca ▌adj. **1** De la ética o relacionado con esta parte de la filosofía: *un comportamiento ético.* ▌s.f. **2** Parte de la filosofía que estudia la moral y las obligaciones de las personas: *La profesora de ética nos habló de varias obras de Aristóteles.* **3** Conjunto de reglas morales que regulan la conducta y las relaciones humanas: *Mi ética profesional me impide cobrar las visitas muy caras.* ☐ ETIMOL. Del latín *ethicus*, y este del griego *ethikós* (moral, relativo al carácter). ☐ ORTOGR. Dist. de *hético*.

etileno s.m. Hidrocarburo gaseoso, con un doble enlace, incoloro, muy inflamable y de sabor dulce, del que se obtiene el etanol: *La fórmula del etileno es* C_2H_4. ☐ SINÓN. *eteno*.

etílico, ca adj. Del etanol, de sus efectos, o relacionado con este hidrocarburo presente en las bebidas alcohólicas: *Una borrachera es una intoxicación etílica.*

etilismo s.m. Intoxicación aguda o crónica debida a la ingestión excesiva de bebidas alcohólicas: *Conducir en estado de etilismo es muy peligroso y está penado por la ley.*

etilo s.m. Radical químico que forma parte del alcohol etílico y de otros compuestos orgánicos: *El etilo es un producto químico muy inestable que se genera en el proceso de una reacción orgánica.* ☐ ETIMOL. De *éter* y el griego *hýle* (materia).

etilómetro s.m. Aparato que se utiliza para medir el nivel de alcohol en la sangre: *En ese bar han puesto un etilómetro para que la gente sepa si ha bebido mucho o no.*

étimo s.m. Raíz o palabra de la que derivan otras: *La palabra latina 'petra' es el étimo del que deriva 'piedra'.* □ ETIMOL. Del griego *étymon* (sentido verdadero).

etimología s.m. **1** Origen de las palabras y motivo de su existencia, de su significado y de su forma: *La mayoría de las palabras del español son de etimología latina.* **2** Parte de la lingüística que estudia estos aspectos de las palabras. □ ETIMOL. Del latín *etymologia* (origen de una palabra), este del griego *etymología* (sentido verdadero de una palabra), y este de *étymos* (verdadero, real) y *lógos* (palabra).

etimológico, ca adj. De la etimología o relacionado con ella: *un diccionario etimológico.*

etimologista s.com. Persona que se dedica al estudio del origen de las palabras: *Los etimologistas han demostrado que la mayor parte de las palabras del español proceden del latín.* □ SINÓN. *etimólogo.*

etimólogo, ga s. →**etimologista.**

etiología s.f. Estudio de las causas de algo: *etiología de una enfermedad.* □ ETIMOL. Del latín *aetiologia*, este del griego *aitiología*, y este de *aitía* (causa) y *lógos* (tratado). □ ORTOGR. Dist. de *etología.*

etiológico, ca adj. De la etiología o relacionado con las causas de las cosas: *Los investigadores han elaborado un estudio etiológico sobre el absentismo laboral.*

etíope adj.inv./s.com. De Etiopía o relacionado con este país africano: *La capital etíope es Addis Abeba.*

etiqueta s.f. **1** Trozo de papel o de otro material que se pega en un objeto para anotar sus características o sus referencias: *Para ver la composición de este pantalón, mira la etiqueta.* **2** Calificación que se da a una persona para identificarla o caracterizarla: *Le pusieron la etiqueta de intelectual porque siempre estaba leyendo.* **3** Ceremonial o conjunto de reglas que se siguen en los actos públicos, en los solemnes o en el trato con personas con las que no se tiene confianza: *No me trates con tanta etiqueta, que parece que no nos conozcamos.* **4** En informática, nombre que se da a una unidad de almacenamiento: *La etiqueta para nombrar un disco se suele introducir con el comando LABEL.* **5** ‖ **de etiqueta; 1** Referido a un acto, que es solemne y exige que se asista a él vestido adecuadamente: *Tengo que hacerme un vestido elegante, porque me han invitado a una fiesta de etiqueta.* **2** Referido a una prenda de vestir, que es adecuada para asistir a un acto de este tipo: *A esa boda hay que ir con traje de etiqueta.* □ ETIMOL. Del francés *étiquette* (rótulo), que se aplicaba esp. al rótulo que se ponía donde se guardaban los procesos judiciales, y que Carlos V extendió al protocolo escrito donde se ordenaba la etiqueta de corte.

etiquetado s.m. **1** Colocación de una etiqueta en un producto: *Después de varias horas trabajando, hemos conseguido terminar el etiquetado de estas cajas.* **2** En informática, asignación de un nombre a una unidad de almacenamiento.

etiquetadora s.f. Aparato que sirve para etiquetar productos.

etiquetaje s.m. Colocación de etiquetas en un producto: *En esta tienda se han introducido normas muy estrictas para el etiquetaje de los productos.*

etiquetar v. **1** Referido esp. a un producto, colocarle una etiqueta: *Una vez envasado el producto, se etiqueta.* **2** Referido a una persona, ponerle un calificativo que lo identifique o que lo caracterice: *Lo etiquetaron de tacaño porque una vez se negó a hacer un préstamo.* □ SINT. Constr. de la acepción 2: *etiquetar* DE *algo.*

etmoides (pl. *etmoides*) s.m. →**hueso etmoides.** □ ETIMOL. Del griego *ethmoeidés* (parecido a una criba), de *ethmós* (criba) y *êidos* (forma).

etnia s.f. Grupo de personas que pertenecen a un mismo pueblo o que comparten una misma cultura: *Los miembros de una etnia tienen afinidades físicas, sociales y culturales.* □ ETIMOL. Del griego *éthnos* (pueblo). □ SEM. Dist. de *raza* (categoría dentro de la clasificación de los seres vivos).

étnico, ca adj. De una nación o una etnia, o relacionado con ellas: *Un equipo de antropólogos ha hecho un estudio étnico de los habitantes de estas islas.* □ ETIMOL. Del griego *ethnikós* (perteneciente a las naciones).

etno- Elemento compositivo prefijo que significa 'raza' o 'pueblo': *etnografía, etnología, etnolingüística.* □ ETIMOL. Del griego *éthnos.*

etnocéntrico, ca adj. Que practica el etnocentrismo: *Tienes un punto de vista etnocéntrico y eso te impide comprender las formas de vida distintas a la tuya.*

etnocentrismo s.m. Tendencia a considerar la cultura propia como el único criterio para interpretar los comportamientos de otros grupos o sociedades: *El desprecio de culturas distintas a la propia es típico del etnocentrismo.* □ ETIMOL. De *etno-* (raza, pueblo) y *centrismo.*

etnocidio s.m. Destrucción de una etnia: *La tala masiva de árboles en el Amazonas está causando el etnocidio de los indios de la zona.* □ ETIMOL. De *etno-* (raza, pueblo) y *-cidio* (acción de matar).

etnografía s.f. Ciencia que estudia y describe los grupos étnicos y los pueblos: *Este tratado de etnografía describe las características de los pueblos asiáticos.* □ ETIMOL. De *etno-* (raza, pueblo) y *-grafía* (descripción).

etnográfico, ca adj. De la etnografía o relacionado con esta ciencia: *He hecho un estudio etnográfico sobre las tribus de esa zona.*

etnógrafo, fa s. Persona que se dedica profesionalmente al estudio y descripción de los distintos grupos étnicos, o que está especializada en etnografía: *Los etnógrafos suelen trabajar en contacto con los pueblos a los que estudian.*

etnolingüística s.f. Rama de la lingüística que estudia las relaciones e influencias mutuas entre los hechos lingüísticos y los hechos culturales: *En este libro de etnolingüística viene explicado el sig-*

nificado histórico de muchos dichos. ☐ ETIMOL. De *etno-* (raza, pueblo) y *lingüística.*

etnología s.f. Ciencia que estudia los grupos étnicos y los pueblos en todos sus aspectos y relaciones: *La etnología se basa en los datos proporcionados por la etnografía.* ☐ ETIMOL. De *etno-* (raza, pueblo) y *-logía* (estudio, ciencia). ☐ ORTOGR. Dist. de *etología* y de *enología.*

etnológico, ca adj. De la etnología o relacionado con esta ciencia: *Los estudios etnológicos tratan de establecer las leyes que determinan la evolución de un grupo humano.* ☐ ORTOGR. Dist. de *etológico* y de *enológico.*

etnólogo, ga s. Persona que se dedica profesionalmente al estudio de los grupos étnicos en todos sus aspectos, o que está especializada en etnología: *Mi amiga es una etnóloga especializada en culturas africanas.* ☐ ORTOGR. Dist. de *etólogo* y de *enólogo.*

etolio, lia adj./s. De Etolia (región de la antigua Grecia, al norte del golfo de Corinto), o relacionado con ella: *Los etolios se aliaron con Esparta y vencieron a Atenas en la guerra del Peloponeso.*

etología s.f. Ciencia que estudia el comportamiento y las costumbres de los animales, y sus relaciones con el medio ambiente: *La etología estudia, entre otras cosas, la organización de las abejas en las colmenas.* ☐ ETIMOL. Del griego *éthos* (costumbre) y *-logía* (ciencia, estudio). ☐ ORTOGR. Dist. de *etnología* y de *etiología.*

etológico, ca adj. De la etología o relacionado con esta ciencia: *Los estudios etológicos permiten conocer las respuestas de cada especie animal ante el ambiente que la rodea.* ☐ ORTOGR. Dist. de *etnológico.*

etólogo, ga s. Persona especializada en etología: *Algunos etólogos han estudiado las formas de vida de las comunidades de gorilas.* ☐ ORTOGR. Dist. de *etnólogo.*

etopeya s.f. En retórica, descripción del carácter, de los rasgos morales y de las acciones de una persona: *La etopeya que Galdós hace de Juanito Santa Cruz es la de un muchacho alocado e irresponsable.* ☐ ETIMOL. Del latín *ethopoeia*, y este del griego *ethopoiía* (descripción del carácter). ☐ SEM. Dist. de *prosopografía* (descripción de los rasgos exteriores de una persona o de un animal).

etrusco, ca ▌adj./s. **1** De la antigua Etruria (territorio del noroeste de la península italiana), o relacionado con ella: *El arte etrusco es uno de los antecedentes del arte romano.* ☐ SINÓN. *tirreno, tusco.* ▌s.m. **2** Lengua hablada por este pueblo: *El alfabeto del etrusco está tomado del griego.*

ETS s.f. **1** Centro de enseñanza universitaria donde se imparten disciplinas técnicas: *Estoy matriculado en la ETS de arquitectura.* **2** Enfermedad que se transmite por vía sexual. ☐ ETIMOL. En la acepción 1, es la sigla de *escuela técnica superior*. En la acepción 2, es la sigla de *enfermedad de transmisión sexual.*

ETT s.f. Empresa especializada en seleccionar y contratar a la persona adecuada para un puesto de trabajo temporal que otra empresa le solicita: *Me ha contratado una ETT para trabajar durante tres días como cajero en un centro comercial.* ☐ ETIMOL. Es la sigla de *empresa de trabajo temporal.*

EU s.f. Centro de enseñanza universitaria donde se imparten estudios de diplomatura: *Se ha matriculado en la EU de estadística.* ☐ ETIMOL. Es la sigla de *escuela universitaria.*

eubeo, a adj./s. De Eubea (isla griega situada en el mar Egeo), o relacionado con ella: *Algunos cultivos eubeos son la vid, el olivo y los cereales.*

eucalipto s.m. **1** Árbol de tronco recto que alcanza gran altura, de copa cónica, hojas lanceoladas muy olorosas y de color verde plateado: *El eucalipto es originario de Australia y tiene un crecimiento muy rápido.* ☐ SINÓN. *eucaliptus.* **2** Madera de este árbol: *El eucalipto es una madera muy utilizada en la fabricación de papel.* ☐ SINÓN. *eucaliptus.* **3** Esencia o sustancia extraída de las hojas de este árbol: *un caramelo de eucalipto.* ☐ SINÓN. *eucaliptus.* ☐ ETIMOL. Del griego *eu* (bien) y *kalyptós* (cubierto), por la forma capsular de su fruto.

eucaliptus (pl. *eucaliptus*) s.m. →**eucalipto.**

eucarionte adj.inv./s.m. Referido esp. a un organismo, que tiene las células con el núcleo separado del citoplasma por una membrana, y el material genético organizado en varios cromosomas: *Los eucariontes tienen una estructura compleja.* ☐ SINÓN. *eucariota, eucariótico.* ☐ ETIMOL. Del griego *eu* (bien) y *káryon* (núcleo). ☐ SEM. Dist. de *procarionte* o *procariota* (que carece de la membrana que envuelve al núcleo celular y tiene el material genético organizado en un solo cromosoma).

eucariota adj.inv./s.m. →**eucarionte.**

eucariótico, ca adj.→**eucarionte.**

eucaristía s.f. **1** En el cristianismo, sacramento en el que, a través de las palabras que el sacerdote pronuncia en la consagración, el pan y el vino se convierten en el cuerpo y la sangre de Jesucristo: *Jesucristo instituyó la eucaristía en la última cena con sus discípulos.* **2** Ceremonia en la que se celebra el sacrificio del cuerpo y la sangre de Jesucristo bajo las apariencias de pan y vino: *El obispo celebrará una eucaristía en la catedral.* ☐ SINÓN. *misa.* ☐ ETIMOL. Del griego *eukharistía* (acción de gracias), y este de *eukháristos* (agradecido).

eucarístico, ca adj. De la eucaristía o relacionado con este sacramento: *El momento culminante de la misa es la celebración eucarística.*

euclidiano, na adj. De Euclides (matemático griego del siglo III a. C.), de su método matemático o relacionado con ellos: *La geometría euclidiana se basa fundamentalmente en nueve axiomas.*

eufemismo s.m. Palabra o expresión suave con la que se sustituye otra que se considera violenta, grosera o malsonante: *'Rellenito' es un eufemismo que se utiliza en lugar de 'gordo'.* ☐ ETIMOL. Del griego *euphemismós*, de *euphemós* (que habla bien).

eufemístico, ca adj. Del eufemismo o relacionado con él: *'Tercera edad' es una expresión eufemística para referirse a la vejez.*

eufonía s.f. Efecto acústico agradable que resulta de la combinación de los sonidos de las palabras: *La suave aliteración del verso el ala aleve del leve abanico contribuye a su eufonía.* ☐ ETIMOL. Del griego *euphonía* (voz hermosa, sonidos armoniosos) y este de *eu* (bien) y *phoné* (sonido). ☐ SEM. Dist. de *cacofonía* (efecto acústico desagradable).

eufónico, ca adj. Con eufonía: *La musicalidad del verso se ha conseguido mediante combinaciones de sonidos eufónicos.*

euforbio s.m. Planta africana que tiene un tallo carnoso con espinas muy duras, que carece de hojas, y de la cual se obtiene por presión un zumo de sabor agrio que se empleaba como purgante: *El euforbio crece en Marruecos y en Canarias.* ☐ ETIMOL. Del latín *euphorbium*.

euforia s.f. Sensación intensa de alegría o de bienestar, producida generalmente por un buen estado de salud o por la administración de una droga: *Tras la primera botella de champán, la euforia se apoderó de todos.* ☐ ETIMOL. Del griego *euphoría* (fuerza para llevar o soportar algo).

eufórico, ca adj. De la euforia, con euforia o relacionado con esta sensación: *Está eufórico porque ha aprobado el examen.*

eugenesia s.f. Aplicación de las leyes biológicas de la herencia al perfeccionamiento de la especie humana: *La eugenesia busca la forma de mejorar el futuro genético humano.* ☐ ETIMOL. Del griego *eu* (bien) y *génesis* (creación).

eugenésico, ca adj. De la eugenesia o relacionado con ella: *Las prácticas eugenésicas intentan mejorar las cualidades hereditarias de las futuras generaciones.*

eunuco s.m. Hombre al que le han extirpado los órganos genitales: *Los harenes eran vigilados por eunucos.* ☐ ETIMOL. Del latín *eunuchus*, este del griego *eunûkhos*, y este de *euné* (lecho) y *ékho* (yo guardo).

eupepsia s.f. En medicina, digestión normal: *Una buena masticación favorece la eupepsia.* ☐ ETIMOL. Del griego *eupepsía*.

eupéptico, ca adj./s.m. Referido esp. a un medicamento, que ayuda a hacer la digestión: *El médico me recetó unas cápsulas eupépticas para evitar la pesadez de estómago.*

eurasiático, ca adj./s. →**euroasiático.**

eureka interj. Expresión que se usa para indicar que se ha encontrado o descubierto lo que se buscaba con afán: *¡Eureka, esta es la fórmula para resolver la ecuación!* ☐ ETIMOL. Del griego *eureka* (he hallado), interjección que se atribuye a Arquímedes cuando descubrió el peso específico de los cuerpos.

euribor (ing.) s.m. En economía, precio del dinero o tipo de interés básico en el mercado interbancario de la zona del euro. ☐ ETIMOL. Es el acrónimo del inglés *Euro Interbank Offered Rate* (tipo de interés ofertado en el mercado interbancario de la eurozona), por analogía con el *libor*. ☐ PRON. [euríbor].

euritmia s.f. **1** Armonía y equilibrio entre las distintas partes que forman una obra de arte: *Pese a ser un poema largo y con varias partes, en todo él se mantiene la euritmia.* **2** En medicina, regularidad del ritmo cardíaco: *La euritmia es una señal de que el corazón funciona normalmente.* ☐ ETIMOL. Del griego *eurythmía* (ritmo armonioso).

euro s.m. **1** Unidad monetaria de la Unión Europea (organización que agrupa a países europeos de régimen democrático y economía de mercado): *El euro entró en vigor el la mayoría de los países europeos en los primeros meses del año 2002.* **2** *poét.* Viento del Este: *El euro furioso arrastraba las naves.* ☐ ETIMOL. La acepción 2, del latín *eurus*.

euro- 1 Elemento compositivo prefijo que significa 'europeo': *euroasiático, eurotúnel.* **2** Elemento compositivo prefijo que significa 'de la Unión Europea': *euromoneda, eurodiputado.* **3** Elemento compositivo prefijo que significa 'de euro (moneda)': *eurocéntimo, eurocalculadora.*

euroafricano, na adj. De los continentes europeo y africano o relacionado con ellos.

euroasiático, ca (tb. *eurasiático, ca*) ▌adj. **1** Referido a una persona, que ha nacido de un europeo y de un asiático: *Ese chico euroasiático es de padre francés y madre vietnamita.* ▌adj./s. **2** De los continentes europeo y asiático o relacionado con ellos: *La estepa euroasiática se extiende desde Mongolia a Rumanía.*

eurobarómetro s.m. Encuesta mensual que se realiza en los distintos países de la Unión Europea (organización que agrupa a países europeos de régimen democrático y economía de mercado).

eurobono s.m. Bono emitido por un gobierno o una empresa de gran tamaño dentro del mercado europeo al margen de la legislación de un determinado país: *La colocación de los eurobonos se asegura por bancos internacionales.*

eurocalculadora s.f. Calculadora de doble pantalla que hace el cambio de una moneda a euros.

eurocámara s.f. Parlamento de la Unión Europea (organización que agrupa a países europeos de régimen democrático y economía de mercado). ☐ USO Se usa más como nombre propio.

eurocéntimo s.m. Moneda europea que equivale a la centésima parte de un euro.

eurocéntrico, ca adj. Del eurocentrismo o que defiende la tendencia a considerar la realidad desde el punto de vista europeo.

eurocentrismo s.m. Tendencia a considerar las manifestaciones históricas y culturales exclusivamente desde el punto de vista europeo: *El eurocentrismo ha motivado muchas veces el menosprecio de otras civilizaciones.*

eurocheque s.m. Cheque bancario que se puede cobrar en una red de bancos europea y que es considerado para todos los efectos como dinero en efectivo: *Utilicé eurocheques en mi último viaje por Europa.*

eurocomisario, ria s. Miembro de la Comisión de la Unión Europea (organización que agrupa a países europeos de régimen democrático y economía de mercado).

eurocomunismo s.m. Tendencia del movimiento comunista defendida por los partidos que actúan en los países capitalistas y que rechazan el modelo soviético: *El eurocomunismo admite la propiedad privada de algunos medios de producción.*

eurocomunista adj.inv./s.com. Partidario o seguidor del eurocomunismo: *Los eurocomunistas respetan las instituciones democráticas de los países occidentales.*

euroconector s.m. Clavija estándar que se utiliza para conectar transmisiones de imagen y de sonido: *Compré un euroconector para el vídeo.*

euroconversor s.m. Tarjeta u algo semejante en las que hay una serie de equivalencias entre una moneda y el euro.

eurocracia s.f. *desp.* Burocracia de la Unión Europea (organización que agrupa a países europeos de régimen democrático y economía de mercado): *Este político criticó ayer la excesiva eurocracia de la Unión Europea.*

eurócrata s.com. Funcionario de las instituciones comunitarias europeas: *Entre los eurócratas hay un gran número de traductores y economistas.*

eurodiputado, da s. Diputado del parlamento de la Unión Europea (organización que agrupa a países europeos de régimen democrático y economía de mercado): *Habrá elecciones en todos los países comunitarios para elegir eurodiputados.*

eurodivisa s.f. Divisa extranjera negociada o invertida en el ámbito europeo: *Suiza es un importante depósito de eurodivisas.*

eurodólar s.m. Dólar invertido en un banco o en una empresa instalados fuera del territorio estadounidense, y negociado en un mercado monetario internacional: *El eurodólar surgió tras la aparición de grandes déficit en la balanza de pagos estadounidense.*

euroescepticismo s.m. Rechazo o desconfianza ante los proyectos de la Unión Europea (organización que agrupa a países europeos de régimen democrático y economía de mercado).

euroescéptico, ca adj./s. Que rechaza los proyectos de la Unión Europea (organización que agrupa a países europeos de régimen democrático y economía de mercado) o desconfía de ellos.

euroetiqueta s.f. Distintivo que certifica que se ha cumplido la normativa de cambio sobre el euro: *Los comercios que tienen una euroetiqueta garantizan que el redondeo del cambio de la peseta al euro fue el normativo.*

euromoneda s.f. Moneda europea: *La euromoneda facilita el comercio entre los distintos países de la Unión Europea.*

euroorden s.f. Orden europea de busca y captura que permite detener y juzgar a los terroristas y delincuentes en los países comunitarios: *La llamada euroorden es fruto de la cooperación entre las policías y tribunales de los países miembros de la Unión Europea.*

europarlamentario, ria ▮ adj. **1** Del Parlamento europeo o relacionado con este órgano político de la Unión Europea (organización que agrupa a países europeos de régimen democrático y economía de mercado). ▮ s. **2** Miembro del Parlamento europeo.

europeidad s.f. **1** Carácter o conjunto de características que se consideran propios de lo europeo: *En las conferencias se puso en duda la europeidad de algunos pueblos considerados europeos.* **2** Pertenencia a Europa: *Todos los países miembros de la Unión Europea se caracterizan por su europeidad.*

europeísmo s.m. Defensa de la unificación de los Estados europeos: *Los partidarios del europeísmo defienden la existencia de una moneda común para toda Europa.*

europeísta adj.inv./s.com. **1** Partidario de la unidad europea o de su hegemonía o dominio en el mundo: *Los primeros programas europeístas surgieron en el período de entreguerras.* **2** Que simpatiza con todo lo europeo: *Esta historiadora ofrece un enfoque europeísta de la historia.*

europeización s.f. Difusión o adopción de la cultura o de las costumbres europeas: *Mi procedencia árabe no ha impedido la europeización de mis costumbres.*

europeizar v. Dar o adquirir características que se consideran propias de lo europeo: *La influencia política y económica de Europa ha contribuido a europeizar otros continentes. Los países norteafricanos se están europeizando cada vez más.* ☐ ORTOGR. 1. La *z* se cambia en *c* delante de *e*. 2. La *i* lleva tilde en los presentes, excepto en las personas *nosotros* y *vosotros* →ENRAIZAR.

europeo, a adj./s. De Europa (uno de los cinco continentes), o relacionado con ella: *Actualmente existen proyectos que tienden hacia la unidad europea.* ☐ MORF. Cuando se antepone a una palabra para formar compuestos, adopta la forma *euro-*.

europio s.m. Elemento químico, metálico y sólido, de número atómico 63, cuyas sales son de color rosa pálido, y que pertenece al grupo de los lantánidos: *El europio se usa como moderador de neutrones en la industria atómica.* ☐ ETIMOL. De *Europa*. ☐ ORTOGR. Su símbolo químico es *Eu*.

eurosocialismo s.m. Tendencia del movimiento socialista que se adapta a los países europeos.

eurosocialista ▮ adj.inv. **1** Del eurosocialismo o relacionado con él. ▮ adj.inv./s.com. **2** Que sigue o que defiende el eurosocialismo.

eurotúnel s.m. Túnel que une el continente europeo con las islas británicas: *Este verano iremos a Inglaterra en tren por el eurotúnel.*

eurotur s.m. Viaje de turismo por distintos países de Europa, esp. de la Unión Europea (organización que agrupa a países europeos de régimen democrático y economía de mercado): *Esa agencia de viajes anuncia un eurotur muy barato por Alemania, Bélgica y Países Bajos.*

euroventanilla s.f. Servicio de asesoramiento creado por el Estado para ayudar a las pequeñas y medianas empresas que desean establecer relaciones comerciales con países de la Unión Europea (organización que agrupa a países europeos de régimen democrático y economía de mercado): *He ido a una euroventanilla para informarme sobre el mercado alemán.*

eurovisión s.f. Conjunto de circuitos de imagen y sonido que permiten el intercambio de programas, de comunicaciones y de informaciones entre varios países europeos asociados: *El partido de fútbol fue transmitido por eurovisión.*

eurovisivo, va adj. **1** De Eurovisión (festival musical en el que participan representantes de países europeos) o relacionado con ella. **2** *col.* Con las características que se consideran propias de este festival: *una canción muy eurovisiva.*

eurozona s.f. Conjunto de países cuya moneda oficial es el euro.

euscalduna adj.inv./s.com. Referido a una persona, que habla euskera: *Estoy haciendo la tesis sobre la obra de un escritor euscalduna.* □ ETIMOL. Del euskera *euskalduna.* □ USO Es innecesario el uso del término euskera *euskaldún.*

euskaldún (eusk.) adj.inv./s.com. →**euscalduna.**

euskaldunización s.f. Difusión y adopción del euskera y de las características que se consideran propias de los vascos: *La euskaldunización es general en el País Vasco.*

euskara (eusk.) s.m. →**euskera.**

euskera (tb. *eusquera*) ▮ adj.inv. **1** De la lengua vasca o relacionado con ella: *Lehendakari es un término euskera.* ▮ s.m. **2** Lengua del País Vasco y de Navarra (comunidades autónomas) y del territorio vascofrancés: *Aún no se conoce bien la procedencia del euskera.* □ SINÓN. *vasco, vascuence.* □ ETIMOL. Del euskera. □ USO Es innecesario el uso del término euskera *euskara.*

eusquera adj./s.m. →**euskera.** □ ETIMOL. Del euskera *euskera.*

eutanasia s.f. Acortamiento de la vida de quien sufre una enfermedad incurable, para poner fin a sus sufrimientos, con su consentimiento o con el de alguna persona autorizada: *El código ético de los médicos no suele admitir la eutanasia.* □ ETIMOL. Del griego *euthanasía,* y este de *eu* (bien) y *thánatos* (muerte).

eutanásico, ca adj. De la eutanasia o relacionado con ella: *Existen distintos procedimientos eutanásicos.*

eutrapelia s.f. *poét.* Broma o dicho jocoso.

eutrofización s.m. Aumento de nutrientes en el agua que provoca el crecimiento rápido de las algas hasta que forman una espesa capa en la superficie: *El vertido de aguas residuales en los ríos y mares es responsable de la eutrofización.*

evacuación s.f. **1** Desocupación o desalojo de un lugar o de sus ocupantes: *La evacuación de los heridos se realizó en ambulancias.* **2** Expulsión de los excrementos o de otras secreciones del organismo: *Los alimentos ricos en fibra facilitan la evacuación.*

evacuar v. **1** Referido esp. a un lugar, desocuparlo o desalojarlo: *Las tropas enemigas evacuaron los territorios que iban ocupando.* **2** Referido a una persona, desalojarla o hacerla salir de un lugar, generalmente para evitar algún daño: *Los bomberos han evacuado a los inquilinos del edificio, porque se venía abajo.* **3** Referido a los excrementos o a otras secreciones, expulsarlos del organismo: *Estoy estreñido y no consigo evacuar. Una infección en la vejiga hace que me resulte doloroso evacuar la orina.* **4** Referido esp. a una gestión o a un trámite, cumplirlos o realizarlos: *Prolongó su horario de trabajo para evacuar los asuntos pendientes.* □ ETIMOL. Del latín *evacuare.* □ ORTOGR. La *u* nunca lleva tilde.

evacuatorio s.m. **1** Urinario público: *Entré a orinar en el evacuatorio del parque.* **2** Sustancia que facilita la evacuación de excrementos: *Las personas estreñidas a veces necesitan un evacuatorio.*

evadir ▮ v. **1** Referido esp. a una dificultad inminente, evitarla, esp. si se hace con habilidad y astucia: *Está buscando la forma de evadir el pago de sus deudas.* **2** Referido al dinero o a otros bienes, sacarlos del país ilegalmente: *Evadió grandes sumas de dinero para no pagar impuestos.* ▮ prnl. **3** Fugarse o escaparse: *Los presos se evadieron de la cárcel.* □ ETIMOL. Del latín *evadere* (escapar).

evaluable adj.inv. Que puede ser evaluado.

evaluación s.f. **1** Determinación o cálculo del valor de algo: *Al hacer la evaluación de su fortuna, no tuvieron en cuenta sus posesiones en el campo.* **2** Valoración de los conocimientos, de la actitud o del rendimiento de un alumno: *Hoy hay junta de evaluación en el instituto.* □ ORTOGR. Dist. de *valuación.*

evaluar v. **1** Valorar o calcular el valor: *Un perito ha evaluado los desperfectos de la avería.* **2** Referido a un alumno, valorar sus conocimientos, su actitud o su rendimiento: *La profesora evaluó a los alumnos y suspendió a la mitad de la clase.* □ ETIMOL. Del francés *évaluer.* □ ORTOGR. 1. La *u* lleva tilde en los presentes, excepto en las personas *nosotros* y *vosotros* →ACTUAR. 2. Dist. de *valuar.*

evanescencia s.f. Capacidad de algo para desvanecerse o esfumarse: *La evanescencia de las imágenes de los sueños nos hace dudar de su realidad.*

evanescente adj.inv. Que se desvanece o se esfuma: *El miedo me hizo ver sombras evanescentes entre las ramas de los árboles.* □ ETIMOL. Del latín *evanescere* (desvanecerse).

evangélico, ca adj. **1** Del evangelio o relacionado con él. **2** Referido a ciertas iglesias, que han surgido de la reforma del siglo XVI: *Las iglesias protestantes se denominan evangélicas para distinguirse de la iglesia católica.*

evangelio s.m. **1** Historia de la vida, doctrina y milagros de Jesucristo, contenida en los cuatro libros que llevan el nombre de los cuatro evangelistas y que componen el primer libro del Nuevo Testamento (segunda parte de la Biblia): *Hemos leído el relato del nacimiento de Jesús en el evangelio de san Lucas.* **2** Anuncio del mensaje de Jesucristo: *San Pablo predicó el evangelio a los paganos.* □ ETIMOL. Del latín *evangelium,* y este del griego *euangelium* (la buena nueva, las palabras de Jesucristo). □ USO La acepción 1 se usa mucho como nombre propio.

evangelista s.m. Cada uno de los cuatro discípulos de Jesucristo, con cuyo nombre se designan los cuatro evangelios: *Los evangelistas son san Mateo, san Marcos, san Lucas y san Juan.*

evangelización s.f. Predicación y propagación del evangelio y de la fe cristiana en un lugar: *En los siglos XVI y XVII se realizó la evangelización de América.*

evangelizador, -a adj./s. Que evangeliza: *La labor evangelizadora es más importante en unas órdenes religiosas que en otras.*

evangelizar v. Referido esp. a un lugar, predicar o dar a conocer en él el evangelio y la fe cristiana: *Los misioneros se ocupan de evangelizar los países donde no se conocen las enseñanzas de Jesús.* □ ORTOGR. La *z* se cambia en *c* delante de *e* →CAZAR.

evaporación s.f. **1** Conversión de un líquido en vapor: *El Sol produce la evaporación del agua de la superficie terrestre.* **2** Desaparición o desvanecimiento de algo: *Aquel fracaso supuso la evaporación de todas sus esperanzas.*

evaporador, -a adj./s.m. Referido esp. a un aparato, que sirve para evaporar.

evaporar ▌v. **1** Referido a un líquido, convertirlo en vapor: *El calor ha evaporado el agua de los charcos. El alcohol se ha evaporado.* **2** Desvanecer o desaparecer: *Aquel fracaso terminó por evaporar sus ilusiones. El dinero se evapora en sus manos.* ▌prnl. **3** *col.* Fugarse o desaparecer sin ser notado: *Los detenidos se evaporaron en las mismas narices de los vigilantes.* □ ETIMOL. Del latín *evaporare*.

evaporita s.f. Roca sedimentaria que se forma a partir de la cristalización de las sales minerales disueltas en el agua.

evaporización s.f. →**vaporización.**

evaporizar v. →**vaporizar.** □ ORTOGR. La *z* se cambia en *c* delante de *e* →CAZAR.

evasé adj.inv. Referido esp. a un vestido, que tiene vuelo y no se pega al cuerpo: *un vestido evasé.* □ ETIMOL. Del francés *evasée*.

evasión s.f. **1** Fuga o huida: *Para él, la bebida es una forma de evasión.* **2** Rechazo hábil y astuto que se hace de algo, esp. de una dificultad inminente: *La evasión del pago de impuestos está penada por la ley.* **3** ‖ **de evasión;** referido esp. a una obra literaria o cinematográfica, que tiene como finalidad principal divertir o entretener: *En vacaciones siempre leo literatura de evasión.* ‖ **evasión de capital;** transferencia ilegal de bienes, esp. de dinero, de un país a otro. □ ETIMOL. Del latín *evasio*.

evasiva s.f. Véase **evasivo, va.**

evasivo, va ▌adj. **1** Que trata de evitar una dificultad, un daño o un peligro: *una respuesta evasiva.* ▌s.f. **2** Recurso o medio para evitar una dificultad, un daño o un peligro: *No me vengas con evasivas y dime la verdad de una vez.*

evasor, -a adj./s. Que evade o se evade: *La ley castiga a los evasores de impuestos.*

evección s.f. Desigualdad periódica en la posición de la Luna en su órbita: *La evección está provocada por la atracción que el Sol ejerce sobre la Luna.* □ ETIMOL. Del latín *evectio* (acción de levantarse en el aire).

evento s.m. **1** Suceso, esp. el imprevisto o el que no es seguro que ocurra: *Si vas sin programar nada, debes estar preparada para cambios de planes y otros eventos.* **2** Acto programado, de carácter social, académico, artístico o deportivo, esp. el que va dirigido a un gran número de personas: *El organizador del evento está muy contento con la respuesta social que ha tenido.* □ ETIMOL. La acepción 1, del latín *eventus* (resultado, acontecimiento). La acepción 2, del inglés *event*.

eventual ▌adj.inv. **1** Que no es seguro o regular, o que se realiza en función de las circunstancias: *un contrato eventual.* ▌adj.inv./s.com. **2** Referido a un trabajador, que no forma parte de la plantilla de una empresa y solo trabaja en ella temporalmente.

eventualidad s.f. **1** Falta de seguridad o dependencia de las circunstancias que presenta algo: *Le preocupa la eventualidad de su trabajo.* **2** Hecho o circunstancia cuya realización es incierta o se basa en suposiciones: *Si por cualquier eventualidad llego tarde, espérame.*

evidencia s.f. **1** Certeza absoluta, tan clara y manifiesta que no admite duda: *La culpable reconoció su delito ante la evidencia de las pruebas.* **2** En un proceso jurídico, prueba determinante en un proceso. **3** ‖ **en evidencia;** en ridículo o en una situación comprometida: *Si te comportas mal, te pondrás en evidencia tú mismo.* □ SINT. La expresión *en evidencia* se usa más con los verbos *estar, poner, quedar* o equivalentes.

evidenciar v. Hacer evidente, claro y manifiesto: *Ese comportamiento evidencia su falta de educación.*

evidente adj.inv. Que se percibe claramente como cierto y no se puede poner en duda: *Es evidente que no ha venido nadie, porque la sala está vacía.* □ SINÓN. *indudable.* □ ETIMOL. Del latín *evidens*. □ USO Se usa para indicar asentimiento o conformidad: *Le pregunté si estaba a gusto y contestó: 'Evidente'.*

evisceración s.f. Extracción de las vísceras, esp. las de un animal muerto.

eviscerar v. Referido esp. a un animal muerto, extraerle las vísceras. □ ETIMOL. Del latín *eviscerare*.

evitación s.f. Prevención o impedimento de un daño o de una situación desagradable: *En evitación de mayores desgracias, se tomarán medidas de seguridad.*

evitar v. **1** Referido a un daño o a una situación desagradable, apartarlos, prevenirlos o impedir que sucedan: *La familia quería evitar el escándalo.* **2** Referido esp. a una acción, rehuir hacerla: *Los días de lluvia, evito salir de casa.* **3** Referido a una persona, rehuirla o apartarse de su comunicación: *Me evita para no tener que darme explicaciones.* □ ETIMOL. Del latín *evitare* (huir).

evocación s.f. **1** Representación en la memoria o en la imaginación: *La evocación de aquellos tiempos me puso melancólica.* **2** Llamada a un espíritu para que acuda y se haga perceptible: *En la sesión de espiritismo, hicieron una evocación al espíritu de un antepasado.*

evocador, -a adj. Que evoca: *un paisaje evocador.*

evocar v. Traer a la memoria o a la imaginación: *Cuando se reunían, evocaban los felices tiempos de su juventud.* □ ETIMOL. Del latín *evocare* (llamar para que algo salga). □ ORTOGR. La *c* se cambia en *qu* delante de *e* →SACAR.

evolución s.f. **1** Desarrollo o cambio por el que se pasa gradualmente de un estado a otro: *En los últimos años, se ha producido una gran evolución en la sociedad española.* **2** Movimiento que hacen las tropas, los barcos o los aviones para pasar de unas formaciones a otras: *La voz del sargento dirigía las evoluciones de la tropa.* **3** Desplazamiento que se hace describiendo curvas: *El público aplaudía entusiasmado las evoluciones de la bailarina.* □ ETIMOL. Del latín *evolutio* (acción de desenrollar, desenvolver, desplegar). □ MORF. En la acepción 3, se usa más en plural.

evolucionar v. **1** Desarrollarse o cambiar pasando gradualmente de un estado a otro: *La niña ha evolucionado mucho y ahora es más responsable.* **2** Referido a una tropa o a un grupo de barcos o de aviones, hacer evoluciones o movimientos para pasar de una formación a otra: *En las exhibiciones aéreas, los aviones evolucionan describiendo dibujos en el aire.* **3** Desplazarse describiendo líneas curvas: *Los patinadores evolucionan sobre el hielo.*

evolucionismo s.m. Teoría que sostiene que los seres vivos actuales proceden, por evolución y a través de cambios más o menos lentos, de antecesores comunes: *Darwin estableció los principios del evolucionismo moderno en el siglo XIX.*

evolucionista adj.inv./s.com. Partidario o seguidor del evolucionismo: *Darwin expuso sus ideas evolucionistas en el libro 'El origen de las especies'.*

evolutivo, va adj. De la evolución o relacionado con ella: *un proceso evolutivo.*

evónimo s.m. Arbusto de hojas muy verdes y flores blanquecinas que se usa para formar setos o cercas vegetales en jardines: *El evónimo florece en verano y se cultiva en los jardines de Europa.* □ ETIMOL. Del latín *evonymus*, y este del griego *eu* (bien) y *ónoma* (nombre).

ex ▮ **1** Prefijo que se antepone a un nombre o a un adjetivo para indicar que ya no se es lo que estos significan: *un ex ministro; una ex alumna.* ▮ s.com. **2** Persona que ya no es pareja sentimental de otra: *Mantengo una buena relación con mi ex.* □ ETIMOL. Del latín *ex.* □ ORTOGR. En la acepción 1, aunque es prefijo, no se escribe unido a la palabra con la que va. □ SEM. No siempre es sustituible por el adjetivo *antiguo*: *un antiguo colaborador* es distinto que *un ex colaborador.*

ex- **1** Prefijo que significa 'fuera': *exhumar, extraer.* **2** Prefijo que indica privación: *exánime, exculpar.*

exa- Elemento compositivo prefijo que significa 'trillón': *exabyte.* □ ORTOGR. Su símbolo es *E*-, y no se usa nunca aislado: *EB* (exabyte).

exabrupto s.m. Dicho o gesto bruscos e inconvenientes y manifestados con viveza: *Cuando le pedí explicaciones, me contestó con un exabrupto.* □ ETIMOL. Del latín *ex abrupto* (de repente). □ SEM. Dist. de *ex abrupto* (de repente).

ex abrupto (lat.) ‖ De repente, con viveza y de forma inesperada: *En cuanto llegué, se puso a insultarme ex abrupto.* □ SEM. Dist. de *exabrupto* (dicho o gesto brusco e inconveniente).

exacción s.f. **1** Exigencia del pago de un impuesto, de una multa, de una deuda o de algo semejante: *Si no pagas en el plazo convenido, la exacción de los impuestos se hará por vía judicial.* **2** Cobro injusto y violento: *Las organizaciones terroristas cometen una exacción al exigir el pago de impuestos.* □ ETIMOL. Del latín *exactio* (cobro). □ SEM. Dist. de *exención* (liberación de una carga o de una obligación).

exacerbación s.f. **1** Irritación o enfado grande. □ SINÓN. *exacerbamiento.* **2** Agravamiento o intensificación de algo, esp. de un sentimiento o de una enfermedad: *Un malentendido provocó la exacerbación de su odio.* □ SINÓN. *exacerbamiento.*

exacerbamiento s.m. →**exacerbación.**

exacerbar v. **1** Irritar o causar gran enfado: *Las medidas de la directiva exacerbaron el ánimo de los trabajadores. Me exacerbé cuando me dijeron que el viaje se suspendía.* **2** Referido esp. a un sentimiento o a una enfermedad, agravarlos o hacerlos más vivos: *Los ruidos de la calle exacerbaban su dolor de cabeza. Tu envidia se exacerba cada vez que yo consigo un logro.* □ ETIMOL. Del latín *exacerbare.*

exactitud s.f. Precisión, fidelidad o completo ajuste con otra cosa: *La exactitud de sus respuestas asombró al tribunal.*

exacto, ta adj. Preciso, fiel o ajustado en todo a otra cosa: *La testigo hizo un relato exacto de los hechos.* □ ETIMOL. Del latín *exactus* (cumplido, perfecto). □ SINT. *Exacto* se utiliza también como adverbio de afirmación con el significado de 'de forma exacta': *Le pregunté si era por eso por lo que estaba enfadada y me dijo: 'Exacto'.*

ex aequo (lat.) ‖ Con el mismo mérito: *Los dos políticos recibieron el premio ex aequo.* □ PRON. [exsékuo].

exageración s.f. Aumento desmedido o atribución de proporciones excesivas a algo: *El afecto que me tienes te empuja a la exageración de mis virtudes.*

exagerado, da ▮ adj. **1** Que es excesivo o que incluye en sí una exageración. ▮ adj./s. **2** Referido a una persona, que exagera: *¡Eres un exagerado comiendo!*

exagerar v. Aumentar mucho o dar proporciones excesivas: *La prensa exageró la gravedad del accidente. ¡No exageres, que no es para tanto!* □ ETIMOL. Del latín *exaggerare* (amplificar, engrosar). □ SEM. Dist. de *magnificar* (ensalzar en exceso).

exagonal adj.inv. →**hexagonal.**

exágono s.m. →**hexágono.**

exaltación s.f. **1** Alabanza excesiva, generalmente de una persona o de sus cualidades: *La mayor parte del discurso fue una exaltación del trabajo realizado por su equipo.* **2** Entusiasmo o excitación del que se deja llevar por los sentimientos: *Mi exaltación me impedía escuchar lo que me decían.*

exaltado, da adj./s. Que se exalta o que pierde la moderación.

exaltar ▌v. **1** Realzar o alabar en exceso: *El general exaltó en su discurso el heroísmo de su compañía.* **2** Referido esp. a un sentimiento, aumentarlo o avivarlo: *Sus palabras exaltaban la ira de los asistentes.* ▌prnl. **3** Dejarse llevar por un sentimiento perdiendo la moderación y la calma: *Se exalta cuando habla de política.* □ ETIMOL. Del latín *exaltare.*

examen s.m. **1** Prueba que se hace para valorar los conocimientos de una persona sobre una materia, o sus aptitudes para realizar determinada actividad: *He aprobado el examen final del curso.* **2** Investigación o estudio minuciosos de las cualidades y de las circunstancias de algo: *La junta directiva realizará un minucioso examen de todas las propuestas presentadas.* **3** ‖ **examen de conciencia;** meditación sobre la propia conducta con el fin de valorarla: *Antes de confesarte, haz examen de conciencia.* □ ETIMOL. Del latín *examen* (fiel de la balanza, acción de pesar). □ ORTOGR. Incorr. **exámen.*

examinador, -a s. Persona que examina: *Cuando me saqué el carné de conducir, la examinadora me dijo que no me pusiera tan nervioso.*

examinando, da s. Persona que se presenta para ser examinada: *Los examinandos cuyo apellido empiece por 'M' pueden pasar a la sala.*

examinar v. **1** Referido a una persona, someterla a un examen para comprobar sus conocimientos sobre una materia o sus aptitudes para determinada actividad: *Hoy examino a los alumnos que suspendieron en junio. Los opositores se examinarán mañana.* **2** Indagar, investigar o estudiar con minuciosidad y cuidado: *La abogada examinó el contrato antes de darnos su opinión.* □ ETIMOL. Del latín *examinare* (pesar, examinar).

exangüe adj.inv. **1** Desangrado o con poca sangre: *Encontraron al herido ya exangüe y murió poco después.* **2** Sin fuerzas o destruido por completo: *Exangüe por el esfuerzo realizado, pasé tres días en cama.* **3** Muerto o sin vida: *El ahogado yacía exangüe en la playa.* □ ETIMOL. Del latín *exsanguis*, y este de *ex-* (privación) y *sanguis* (sangre).

exánime adj.inv. **1** Que no da señales de vida, o que está sin vida: *Cuando lo sacaron del coche, ya estaba exánime.* □ SINÓN. *inánime.* **2** Muy debilitado o desmayado: *La atleta llegó exánime a la meta.* □ ETIMOL. Del latín *exanimis.*

exantema s.m. Erupción rojiza de la piel: *Los exantemas son un síntoma del sarampión, de la escarlatina y de otras enfermedades.* □ ETIMOL. Del latín *exanthema*, y este del griego *exánthema* (eflorescencia, conversión en polvo de ciertas sales).

exantemático, ca adj. Del exantema o que aparece acompañado de esta erupción: *El tifus exantemático se caracteriza por erupciones rojas que aparecen en el cuerpo del enfermo.*

exarca s.m. **1** En la iglesia ortodoxa griega, prelado u obispo que gobierna un territorio en nombre de un patriarca: *El exarca tiene una dignidad inmediatamente inferior a la del patriarca.* **2** En la época medieval, gobernador de los dominios bizantinos en Italia: *El exarca solía residir en Rávena.* □ ETIMOL. Del griego *éxarkhos* (jefe, presidente).

exasperación s.f. Irritación o enfurecimiento grandes: *Esa desfachatez suya me llena de exasperación.*

exasperante adj.inv. Que exaspera.

exasperar v. Irritar, enfurecer o dar motivo de gran enojo: *Tu falta de puntualidad me exaspera. Se exaspera cuando las cosas no salen como quiere.* □ ETIMOL. Del latín *exasperare.*

excarcelación s.f. Puesta en libertad de un preso por mandamiento judicial: *La amnistía dio lugar a la excarcelación de los presos políticos.*

excarcelar v. Referido a un preso, ponerlo en libertad por mandamiento judicial: *Lo excarcelarán sin acabar de cumplir su condena, por buena conducta.* □ SINÓN. *desencarcelar.*

ex cátedra (tb. *ex cáthedra*) ‖ **1** En la iglesia católica, expresión que se usa para designar los actos solemnes propios del magisterio extraordinario del Papa: *El papa Pío XII definió ex cátedra el dogma de la asunción de María.* **2** *col.* En tono magistral y con firmeza: *No me atrevo a discutirle nada a esta profesora porque habla ex cátedra.* □ ETIMOL. Del latín *ex cathedra* (desde la cátedra, con tono doctoral).

ex cáthedra ‖ →**ex cátedra.**

excavación s.f. **1** Ahondamiento o perforación del terreno: *Han comenzado ya las excavaciones para hacer el pozo.* **2** Hoyo o cavidad abiertos en un terreno: *Hemos visitado unas excavaciones arqueológicas.*

excavadora s.f. Máquina que sirve para excavar y que está formada por una gran pala mecánica, montada sobre un vehículo de gran potencia: *Antes de construir los cimientos de un edificio, tienen que ahondar el terreno con excavadoras.*

excavar v. **1** Referido esp. a un terreno, hacer un hoyo o una cavidad en él: *Un equipo de arqueólogos excavó la zona y encontró unas ruinas romanas.* **2** Referido a un hoyo o a una cavidad, hacerlos en una superficie sólida: *El conejo excava su madriguera entre los arbustos.* □ ETIMOL. Del latín *excavare.* □ SEM. Dist. de *escavar* (cavar superficialmente la tierra).

excedencia s.f. Situación del trabajador, esp. si es funcionario público, que deja de ejercer sus funciones temporalmente: *Pedí la excedencia para preparar una oposición e intentar subir de categoría.*

excedentario, ria adj. Que excede a la cantidad necesaria: *La Unión Europea estudia posibles salidas para los productos agrícolas excedentarios.*

excedente ▮ adj.inv./s.com. **1** Referido a un trabajador, esp. a un funcionario, que deja de trabajar o de ejercer sus funciones temporalmente: *Mientras ejerció el cargo de concejala estuvo excedente como profesora.* ▮ s.m. **2** Lo que excede o sobra: *Los excedentes agrícolas han originado una caída de precios.* **3** ‖ **excedente (de cupo);** joven libre de hacer el servicio militar por tener un número superior al del cupo establecido: *No hizo la mili porque salió excedente de cupo.* ☐ USO En la acepción 2, está muy extendido el uso eufemístico de la expresión *excedente empresarial* con el significado de *beneficios empresariales.*

exceder v. **1** Superar o aventajar en algo: *Esta niña excede en inteligencia a todos los de su edad.* **2** Sobrepasar cierto límite o ir más allá de lo que se considera lícito o razonable: *Firmar los cheques es una función que excede de tus obligaciones. No conviene excederse en la bebida.* ☐ ETIMOL. Del latín *excedere* (salir).

excelencia s.f. **1** Superioridad en la calidad o en la bondad de algo: *La excelencia de sus versos le hizo alcanzar gran fama.* **2** Tratamiento de cortesía que se da a determinadas personas. **3** ‖ **por excelencia;** expresión que se utiliza para indicar que el nombre común con el que se designa a una persona o un objeto les corresponde a estos con más propiedad que a las otras personas o los otros objetos a los que también se les puede aplicar: *Santiago de Compostela es la ciudad monumental gallega por excelencia.* ☐ ETIMOL. Del latín *excellentia.* ☐ USO La acepción 2 se usa más en la expresión *(Su / Vuestra) Excelencia.*

excelente adj.inv. Que sobresale por sus buenas cualidades, esp. por su bondad o por su mérito: *Es una persona excelente y muy estimada por todos.* ☐ ETIMOL. Del latín *excellens* (sobresaliente).

excelentísimo, ma adj. Tratamiento de cortesía que, antepuesto a *señor* o *señora*, se da a la persona a la que corresponde el tratamiento de excelencia: *La excelentísima señora embajadora ha hecho su entrada en la sala.*

excelsitud s.f. Categoría elevada o muy notable: *La excelsitud de sus virtudes lo han hecho merecedor de este homenaje.*

excelso, sa adj. De gran superioridad o de elevada categoría: *El excelso poeta cuenta con un reconocimiento general.* ☐ ETIMOL. Del latín *excelsus.*

excentricidad s.f. Rareza o extravagancia de una persona: *La excentricidad de sus costumbres provoca muchos comentarios maliciosos.*

excéntrico, ca ▮ adj. **1** En geometría, que está fuera del centro o que tiene un centro diferente: *Si una circunferencia está dentro de otra más grande y sus contornos se tocan, ambas circunferencias son excéntricas.* ▮ adj./s. **2** Que tiene un carácter raro, extravagante o fuera de lo habitual: *Es una excéntrica y no puede pasar inadvertida.*

excepción s.f. **1** Exclusión de algo que se aparta de la generalidad o de una regla común: *La ley debe aplicarse a todos sin excepción.* **2** Lo que se aparta de la regla o condición generales: *Los casos de jóvenes violentos son una excepción dentro de la juventud.* **3** ‖ **de excepción;** extraordinario o fuera de lo normal: *Hemos pasado unas vacaciones de excepción.* ☐ ETIMOL. Del latín *exceptio.*

excepcional adj.inv. **1** Que se aparta de la norma o condición generales: *Soy muy casera y salir de noche es algo excepcional para mí.* **2** Extraordinario o muy bueno: *El concierto de anoche me pareció excepcional.*

excepcionalidad s.f. Conjunto de características de lo que es excepcional.

excepto adv. A excepción de: *Hay teatro todos los días, excepto los lunes, que descansan.* ☐ SINÓN. *menos.* ☐ ETIMOL. Del latín *exceptus* (retirado, sacado).

exceptuar v. Excluir de la generalidad o de una regla común: *He dicho que salgáis todos y no exceptúo a nadie.* ☐ ETIMOL. Del latín *exceptus* (retirado, sacado). ☐ ORTOGR. La *u* lleva tilde en los presentes, excepto en las personas *nosotros* y *vosotros* →ACTUAR.

excesivo, va adj. Que excede o va más allá de lo que se considera normal o razonable: *Me parece excesivo que castigue sin comer a un niño de dos años.*

exceso s.m. **1** Superación de los límites de lo ordinario o de lo debido: *El exceso de trabajo no es bueno para la salud.* **2** Abuso, delito o crimen: *Los excesos se pagan tarde o temprano.* **3** ‖ **en exceso;** más de lo normal o de lo debido: *Tu mujer habla en exceso.* ‖ **por exceso;** por sobrepasar el mínimo suficiente: *Prefiero equivocarme por exceso que por defecto.* ☐ ETIMOL. Del latín *excessus* (salida). ☐ MORF. En la acepción 2, se usa más en plural.

excipiente s.m. Sustancia, generalmente inactiva, que se mezcla con los medicamentos para darles la consistencia, la forma u otras cualidades convenientes para su uso: *Algunos productos farmacéuticos contienen excipientes azucarados.* ☐ ETIMOL. Del latín *excipiens*, y este de *excipere* (recibir, sostener).

excitabilidad s.f. Capacidad o facilidad para ser excitado: *La excitabilidad de las células nerviosas permite la transmisión de las sensaciones.*

excitable adj.inv. Que se excita con facilidad: *Hay que tratar con cuidado a los niños que tienen el carácter excitable.*

excitación s.f. Estimulación o intensificación de la actividad o del sentimiento: *La excitación que me produce el café me impide dormir.*

excitante ▮ adj.inv. **1** Que excita. ▮ s.m. **2** Lo que produce excitación o estimula la actividad de un sistema orgánico: *El café es un excitante.*

excitar v. **1** Referido esp. a un sentimiento, estimularlo, motivarlo o provocarlo: *El discurso excitó la ira de los asistentes.* **2** Referido a un órgano o a un organismo, producir, mediante un estímulo, un aumento de su actividad: *Nos ponemos morenos por-*

que los rayos del sol excitan las células productoras de melanina. Al excitarse las terminaciones nerviosas, envían impulsos nerviosos al cerebro. **3** Provocar deseo sexual: *¿Qué es lo que más te excita de una persona?* □ ETIMOL. Del latín *excitare* (despertar).

exclamación s.f. **1** Palabra o expresión que se pronuncian con vehemencia y que indican una emoción o un sentimiento intensos: *No pudo evitar una exclamación de alegría cuando supo la nota.* **2** En ortografía, signo gráfico de puntuación que se coloca al principio y, en posición invertida, al final de una expresión exclamativa: *La exclamación se representa con los signos ¡!* □ SINÓN. *admiración.*

exclamar v. Decir o hablar con vehemencia para expresar la intensidad de lo que se siente: *El público exclamaba indignado: «¡Fuera!» Al oírlos exclamar, me acerqué a ver qué pasaba.* □ ETIMOL. Del latín *exclamare.*

exclamativo, va adj. Que implica, expresa o permite formular una exclamación: *'Qué', 'quién' y 'cuál' son pronombres exclamativos.* □ SINÓN. *exclamatorio.*

exclamatorio, ria adj. →**exclamativo.**

exclaustración s.f. Abandono autorizado u ordenado por un superior de la obligación de vivir en una congregación religiosa: *Decidió su exclaustración porque no se adaptaba a la disciplina religiosa.*

exclaustrar v. Referido a un religioso, permitirle u obligarle a vivir fuera de la congregación: *La autoridad eclesiástica exclaustró a varios religiosos.* □ ETIMOL. Del latín *ex-* (fuera de) y *claustro.*

excluir ▮ v. **1** Dejar fuera o quitar del lugar que se ocupaba: *No me excluyas de tu grupo de amigos. Con tu comportamiento, tú solo te excluiste de la herencia.* **2** Referido esp. a una posibilidad, descartarla, negarla o rechazarla: *El resultado de los análisis excluye la posibilidad de una enfermedad grave.* ▮ prnl. **3** Ser incompatible: *Piensa que trabajar y estudiar a la vez no se excluyen.* □ ETIMOL. Del latín *excludere* (cerrar afuera, cerrar la puerta). □ MORF. Irreg. →HUIR.

exclusión s.f. Eliminación o rechazo de algo, dejándolo fuera de su grupo: *Si las dos primeras respuestas son falsas, por exclusión la verdadera será la tercera.* □ ETIMOL. Del latín *exclusio.*

exclusiva s.f. Véase **exclusivo, va.**

exclusive adv. Indica que no se tienen en cuenta los límites que se citan: *Las vacaciones durarán del 15 al 30 ambos exclusive, es decir, el 15 y el 30 se trabaja.* □ MORF. Incorr. **exclusives.*

exclusividad s.f. Inexistencia de algo igual: *Ese caso no es significativo por su exclusividad.*

exclusivismo s.m. **1** Adhesión exagerada a algo, sin prestar atención a lo que debe ser tenido en cuenta: *Tu exclusivismo político te lleva a votar siempre al mismo partido.* **2** Actitud de alguien que no desea que determinadas personas formen parte de un grupo: *El exclusivismo de este grupo impedirá que te integres en él.*

exclusivista ▮ adj.inv. **1** Del exclusivismo o relacionado con él: *Ésa es una asociación exclusivista ya que solo admite mujeres.* ▮ adj.inv./s.com. **2** Referido a una persona, que muestra exclusivismo: *Demostró ser un exclusivista al no aceptarte como socio de su empresa.*

exclusivo, va ▮ adj. **1** Único, solo o sin igual. **2** Que excluye o que tiene capacidad para excluir algo: *Optó por una opción exclusiva de cualquier otra.* ▮ s.f. **3** Noticia o reportaje que se publican por un solo medio informativo, reservándose este los derechos de difusión: *vender una exclusiva.* **4** Privilegio por el que una persona o una entidad pueden hacer algo prohibido a las demás: *¿Es que te crees que por ser tú el padrino tienes la exclusiva de coger al niño?*

excluyente adj.inv. Que excluye, deja fuera o rechaza: *No entiendo a los que conciben un amigo como una relación excluyente de las demás personas.*

excogitación s.f. Descubrimiento mediante el discurso y la meditación: *Llegué a semejante excogitación tras horas de trabajo y reflexión.*

excogitar v. Descubrir mediante el discurso y la meditación: *La razón es la facultad que permite excogitar conclusiones al relacionar datos y conocimientos.* □ ETIMOL. Del latín *excogitare.*

excomulgar v. En la iglesia católica, referido a un fiel, apartarlo o excluirlo la jerarquía eclesiástica de su comunidad y del derecho a recibir los sacramentos: *El Papa excomulgó a varios herejes.* □ ETIMOL. Del latín *excommunicare.* □ ORTOGR. La *g* se cambia en *gu* delante de *e* →PAGAR.

excomunión s.f. En la iglesia católica, exclusión a la que la jerarquía eclesiástica somete a un fiel, apartándolo de su comunidad y del derecho a recibir los sacramentos: *El católico que no acata la autoridad papal puede ser castigado con pena de excomunión.* □ SINÓN. *anatema.*

excoriación (tb. *escoriación*) s.f. Levantamiento de la piel con aparición de escamas: *Se da una pomada para evitar la excoriación de la piel.*

excoriar (tb. *escoriar*) v. Referido esp. a una zona del cuerpo, escamarla y levantarle la piel, esp. la capa más superficial: *El roce con la pared le excorió el codo. La piel muy reseca se excoria fácilmente.* □ ETIMOL. Del latín *excoriare* (desollar). □ ORTOGR. La *i* nunca lleva tilde.

excrecencia (tb. *excrescencia*) s.f. Abultamiento que afecta a los tejidos de un organismo animal o vegetal y que altera la textura normal de su superficie: *Las verrugas son excrecencias de la piel.* □ ETIMOL. Del latín *excrescentia.*

excreción s.f. Expulsión de los excrementos: *La diarrea es un trastorno de la excreción.* □ ETIMOL. Del latín *excretio.*

excrementar v. Expulsar excrementos: *Es necesario concienciar a los dueños para que sus perros excrementen en los lugares adecuados.*

excremento s.m. Residuos del alimento que, tras haberse hecho la digestión, elimina el organismo por el ano: *Defecar es expulsar excrementos por el ano.* □ ETIMOL. Del latín *excrementum* (secreción).

excrescencia s.f. →**excrecencia.**

excretar v. **1** Expulsar los excrementos: *Los laxantes ayudan a excretar.* **2** Eliminar del cuerpo las sustancias elaboradas por las glándulas: *Algunos fármacos se excretan en la leche materna.* □ ETIMOL. Del latín *excretus* (separado, purgado).

excretor, -a adj. Referido a un órgano o a un conducto, que sirven para excretar: *Algunas glándulas tienen conductos excretores para eliminar las sustancias que elaboran.*

exculpación s.f. Liberación de una culpa: *Ante la falta de culpabilidad del reo, se produjo su exculpación.*

exculpar v. Descargar de una culpa: *La juez exculpó al acusado del cargo de robo a una tienda.* □ ETIMOL. Del latín *ex culpa* (sin culpa).

exculpatorio, ria adj. Que libera de una culpa: *La acusada consiguió la libertad gracias a la sentencia exculpatoria.*

excursión s.f. Viaje o salida a un lugar, generalmente como diversión, por deporte o con objeto de estudiar algo: *Estuve de excursión por la sierra y anduve más de seis horas.* □ ETIMOL. Del latín *excursio*, y este de *excurrere* (correr fuera).

excursionismo s.m. Ejercicio o práctica que consiste en hacer excursiones con un fin científico, artístico o deportivo: *El excursionismo le permite disfrutar de la naturaleza.*

excursionista s.com. Persona que hace excursiones: *En la puerta de la catedral había un autocar de excursionistas.*

excurso s.m. Ruptura del hilo de un discurso por tratar en él asuntos que no tienen conexión o relación con aquello de lo que se está tratando. □ SINÓN. *digresión.* □ ETIMOL. Del latín *excursus.*

excusa s.f. **1** Motivo o pretexto que se alegan para eludir una obligación o para disculpar una falta: *Aceptó sus excusas y quedaron como amigos.* **2** Descargo o justificación de una acción: *Lo que has hecho es un crimen y no tiene excusa.* □ SEM. *Pedir excusas* es una expresión incorrecta, aunque está muy extendida.

excusable adj.inv. **1** Que admite excusa o que es digno de ella: *El error que cometió es excusable ya que estaba muy nervioso.* **2** Que se puede omitir o evitar: *Consideré excusable tu presencia en el acto de entrega de premios porque estabas enfermo.*

excusado, da ▮ adj./s.m. **1** →**escusado.** ▮ s.m. **2** En zonas del español meridional, retrete: *El excusado de la estación no estaba limpio.*

excusar v. **1** Referido a una persona, alegar razones para justificarla por una culpa o para librarla de ella: *Excusó a uno de sus invitados diciendo que estaba enfermo. Se excusó ante todos por no llegar a tiempo a la cena.* **2** Referido a algo molesto o innecesario, evitarlo o impedir que suceda: *Si nos vemos luego, excuso decirte más cosas por teléfono.* **3** Eximir o liberar, generalmente del pago de un impuesto o de la prestación de un servicio: *Por problemas de salud, lo excusaron de hacer el servicio militar.* **4** Seguido de un infinitivo, poder evitar o poder dejar de hacer lo que este indica: *Si no has ido todavía, excusas ir, porque ya es tarde.* □ ETIMOL. Del latín *excusare* (disculpar). □ SINT. Constr. de la acepción 3: *excusar* DE *algo.*

execrable adj.inv. Digno de duras críticas y de fuerte reprobación: *Todo crimen es execrable.* □ ETIMOL. Del latín *exsecrabilis.*

execración s.f. Crítica o reprobación hechas con severidad.

execrar v. **1** Criticar o reprobar con severidad: *Execró el cruel comportamiento de algunas personas con los animales.* **2** Referido a algo que se considera censurable, sentir aversión o repugnancia hacia ello: *Es una persona sabia que execra los bienes materiales.* □ ETIMOL. Del latín *exsecrari* (maldecir, lanzar imprecaciones).

execratorio, ria adj. Que sirve para execrar o criticar duramente: *Escribí un artículo execratorio contra la actuación incontrolada de aquellos desalmados.*

exégesis (tb. *exegesis*) (pl. *exégesis, exegesis*) s.f. Explicación o interpretación de un texto, esp. del bíblico: *Desde antiguo, los doctores de la Iglesia han trabajado en la exégesis de las Sagradas Escrituras.* □ ETIMOL. Del griego *exégesis* (interpretación).

exégeta (tb. *exegeta*) s.com. Persona que explica o interpreta un texto: *Los exégetas de la Biblia suelen tener una gran preparación teológica y filológica.*

exegético, ca adj. De la exégesis o relacionado con esta explicación o interpretación de los textos: *Para hacer un estudio exegético de los textos sagrados, es conveniente tener conocimientos de hebreo.*

exención s.f. Liberación de una carga o de una obligación: *Las personas con unos ingresos inferiores a un límite fijado, gozan de exención de impuestos.* □ SEM. Dist. de *exacción* (exigencia de pago).

exento, ta adj. Libre de algo, generalmente de una carga, o no sometido a ello: *Lleva una vida tranquila y exenta de preocupaciones.* □ ETIMOL. Del latín *exemptus.* □ SINT. Constr. *exento* DE *algo.* □ SEM. No debe usarse con el significado de 'falto' o 'carente': *El partido estuvo {*exento > libre} de emoción.*

exequátur (pl. *exequátur*) s.m. **1** Autorización que da el jefe de un Estado a los agentes o a los funcionarios extranjeros para que puedan ejercer en este territorio las funciones propias de sus cargos: *El nuevo cónsul inglés recibió su exequátur.* **2** Autorización que da un Estado para la ejecución de una sentencia dictada por tribunales extranjeros: *Se recibió el exequátur y se pudo ejecutar la sentencia.* □ ETIMOL. Del latín *exequatur* (que ejecuta).

exequias s.f.pl. Conjunto de los oficios solemnes que se celebran por un difunto algunos días después del entierro o en cada aniversario de su muerte: *Muchos amigos y familiares acudieron a las exequias de mi hermano.* □ SINÓN. *funeral.* □ ETIMOL.

Del latín *exsequiae*, y este de *exsequi* (seguir el entierro).

exequible adj.inv. Que se puede realizar o que se puede llevar a cabo. □ ETIMOL. Del latín *exsequibilis* (que se puede ejecutar).

exéresis (pl. *exéresis*) s.f. En medicina, extirpación de algún órgano, miembro o tejido: *exéresis quirúrgica de un tumor.*

exfoliación s.f. **1** Separación en láminas o en escamas: *La mica y el yeso se caracterizan por su capacidad de exfoliación.* **2** Pérdida o caída de la epidermis en forma de escamas: *Un jabón irritante puede producir la exfoliación de la piel.*

exfoliante adj.inv./s.m. Referido a un cosmético, que limpia la piel de células muertas: *El exfoliante es un producto granulado que se aplica con agua.* □ SEM. Dist. de *defoliante* (producto que hace caer las hojas de las plantas).

exfoliar v. Dividir en láminas o en escamas: *La falta de humedad exfolia la piel. La corteza del árbol se exfolió.* □ ETIMOL. Del latín *exfoliare* (deshojar). □ ORTOGR. La *i* nunca lleva tilde. □ SEM. Dist. de *defoliar* (causar la pérdida de las hojas de una planta).

exfoliativo, va adj. Que divide en láminas o escamas: *dermatitis exfoliativa.*

exhalación s.f. **1** Lanzamiento de un suspiro o de una queja: *una exhalación de alivio.* **2** ‖ **como una exhalación;** muy rápido.

exhalar v. **1** Referido esp. a un gas o a un olor, despedirlos o echarlos: *Las rosas exhalan un suave perfume.* **2** Referido esp. a una queja o a un suspiro, lanzarlos o echarlos fuera: *Nunca le he oído exhalar una queja.* □ ETIMOL. Del latín *exhalare.*

exhaustividad s.f. Profundidad en la forma de hacer algo: *La exhaustividad del informe ha sido tal que no ha dejado al margen ni un solo dato.*

exhaustivo, va adj. Hecho de manera completa o muy a fondo: *Dio una explicación exhaustiva sobre las razones de su dimisión.* □ MORF. No admite grados; incorr. **más exhaustivo.*

exhausto, ta adj. Completamente agotado: *La corredora llegó exhausta a la meta.* □ ETIMOL. Del latín *exhaustus* (agotado).

exhibición s.f. Muestra o presentación en público: *No le gusta hacer exhibición de sus sentimientos.*

exhibicionismo s.m. **1** Comportamiento sexual que consiste en mostrar los órganos genitales en público: *A ese actor, hace años lo habían detenido por exhibicionismo y escándalo público.* **2** Deseo de exhibirse: *Hace todas esas tonterías con la bicicleta por puro exhibicionismo.*

exhibicionista adj.inv./s.com. Que practica el exhibicionismo: *Es tan exhibicionista que siempre está mostrando sus habilidades a todo el mundo. La policía detuvo a un exhibicionista que habían visto varias veces delante de un colegio.*

exhibidor, -a ▮ adj. **1** Que exhibe o muestra algo. ▮ s. **2** Persona que gestiona una sala de cine.

exhibir ▮ v. **1** Mostrar, enseñar o presentar en público: *Las modelos exhibieron la moda del próximo verano.* ▮ prnl. **2** Dejarse ver en público con el fin de llamar la atención: *Se exhibió por toda la ciudad con una rubia explosiva.* □ ETIMOL. Del latín *exhibere*, y este de *habere* (tener).

exhortación s.f. **1** Incitación por medio de palabras, de razones o de ruegos a hacer algo. **2** Sermón breve y familiar: *Nuestras exhortaciones para que vuelva temprano a casa no sirven para nada.*

exhortar v. Referido a una persona, incitarla con palabras, razones o ruegos a hacer algo: *Mi maestra me exhortaba a estudiar constantemente.* □ ETIMOL. Del latín *exhortari*, y este de *hortari* (animar, estimular). □ SINT. Constr. *exhortar* A *hacer algo.*

exhortativo, va adj. Que implica, expresa o permite formular una exhortación: *'Siéntate ahí' es una oración exhortativa.* □ SINÓN. *exhortatorio.*

exhortatorio, ria adj. →**exhortativo.**

exhorto s.m. En derecho, comunicación de un juez o de un tribunal a otros de la misma categoría, para que ordenen dar cumplimiento de lo que se pide: *Envió un exhorto a otro tribunal para que interrogase al detenido.* □ ETIMOL. De *yo exhorto* (fórmula que los jueces emplean en algunos despachos).

exhumación s.f. Desenterramiento de un cadáver o de algo enterrado: *La juez ordenó la exhumación del cuerpo para practicarle una autopsia.* □ SEM. Dist. de *inhumación* →**exhumar.**

exhumar v. **1** Referido esp. a un cadáver, desenterrarlo: *Exhumaron el cadáver del escritor para trasladarlo a su ciudad natal.* **2** Referido a algo largo tiempo olvidado, traerlo a la memoria o a la actualidad: *Exhumaron juntos los viejos recuerdos de la juventud.* □ SINÓN. *desenterrar.* □ ETIMOL. Del latín *exhumare* (desenterrar). □ SEM. En la acepción 1, dist. de *inhumar* (enterrar un cadáver).

exigencia s.f. **1** Petición imperiosa o enérgica de algo. **2** Requerimiento o necesidad forzosa: *Tuvo que prolongar su jornada laboral por exigencias del servicio.* **3** Pretensión caprichosa o desmedida: *¿Pero a qué vienen tantas exigencias, si tú no ofreces nada?* □ MORF. En la acepción 3, se usa más en plural.

exigente adj.inv./s.com. Que exige de manera caprichosa y autoritaria: *No seas tan exigente y confórmate con lo que tienes.*

exigible adj.inv. Que se puede o se debe exigir: *El respeto hacia los demás es algo exigible en cualquier sociedad actual.*

exigir v. **1** Referido a algo a lo que se tiene derecho, pedirlo imperiosamente: *No pido justicia, la exijo.* **2** Necesitar, precisar o requerir forzosamente: *Esta difícil situación exige una decisión inmediata.* □ ETIMOL. Del latín *exigere.* □ ORTOGR. La *g* se cambia en *j* delante de *a, o* →DIRIGIR. □ SEM. En la acepción 1, solo puede exigir quien posee alguna fuerza para alcanzar su demanda.

exigüidad s.f. Escasez o insuficiencia grandes: *Tuvieron que restringir el consumo de agua debido a su exigüidad.*

exiguo, gua adj. Escaso o insuficiente: *Con este sueldo tan exiguo no podemos vivir.* □ ETIMOL. Del latín *exiguus* (de pequeña talla, corto).

exilado, da adj./s. →**exiliado.**

exilar v. →**exiliar.**

exiliado, da (tb. *exilado, da*) adj./s. Que vive fuera de su patria, generalmente por motivos políticos: *Muchos exiliados vuelven a sus países cuando la situación política cambia.* □ SEM. Dist. de *refugiado* (que busca refugio fuera de su país huyendo de una guerra o de un desastre).

exiliar (tb. *exilar*) ▌v. **1** Expulsar de un territorio: *Durante la dictadura, lo exiliaron a causa de su militancia política.* ▌prnl. **2** Abandonar la patria, generalmente por motivos políticos: *Después de la guerra civil, muchos españoles se exiliaron a Francia.* □ ORTOGR. La *i* nunca lleva tilde. □ SINT. Constr. de la acepción 2: *exiliarse A un lugar.*

exilio s.m. **1** Abandono que una persona hace de su patria, generalmente por motivos políticos. **2** Situación o estado de la persona exiliada: *Su exilio duró hasta el final de sus días.* **3** Lugar en el que vive la persona exiliada: *Murió en el exilio.* □ ETIMOL. Del latín *exsilium*, y este de *exsilire* (saltar afuera).

eximente ▌adj.inv./s.m. **1** Que exime o libera de algo: *No le he puesto falta porque me ha presentado un justificante eximente.* ▌s.amb. **2** →**circunstancia eximente.**

eximio, mia adj. Que es muy ilustre o que sobresale por alguna cualidad: *El eximio doctor accedió a recibirnos.* □ ETIMOL. Del latín *eximius* (privilegiado, sacado de lo corriente).

eximir v. Librar de una carga, de una obligación o de algo semejante: *La ley exime del servicio militar a las personas no aptas físicamente. La ignorancia de la ley no exime de su cumplimiento.* □ ETIMOL. Del latín *eximere* (sacar fuera). □ MORF. Tiene un participio regular (*eximido*), que se usa en la conjugación, y otro irregular (*exento*), que se usa como adjetivo. □ SINT. Constr. *eximir DE algo.*

existencia ▌s.f. **1** Hecho o circunstancia de existir: *Desconocía la existencia de ese familiar.* **2** Vida humana: *Lleva una existencia tranquila desde que se jubiló.* ▌pl. **3** Conjunto de productos de los que aún no se ha hecho uso y que permanecen almacenados para su venta o para su consumo posteriores: *Tienen existencias de alimentos para una semana.*

existencial adj.inv. De la existencia o relacionado con ella: *una duda existencial.*

existencialismo s.m. Corriente filosófica que trata de establecer el conocimiento de toda realidad sobre la experiencia inmediata de la existencia propia: *La subjetividad, la finitud y la soledad humana son algunos temas del existencialismo.*

existencialista ▌adj.inv. **1** Del existencialismo o relacionado con esta corriente filosófica: *El movimiento existencialista surgió en Europa en la primera mitad del siglo XX.* ▌adj.inv./s.com. **2** Partidario o seguidor del existencialismo: *Para los existencialistas, el ser humano no es conciencia sino la realidad misma.*

existente adj.inv. Que existe: *Todas las especies existentes en esta región están en peligro de extinción.*

existir v. **1** Tener un ser real y verdadero: *No tengas miedo a los ogros porque no existen.* **2** Tener vida o estar vivo: *Sus padres ya no existen.* **3** Haber, estar o hallarse: *En esa biblioteca existen libros muy antiguos.* □ ETIMOL. Del latín *exsistere* (salir, nacer, aparecer).

éxito s.m. **1** Resultado feliz o muy bueno de algo: *Espero que tengas éxito en todo lo que intentes en la vida.* **2** Buena aceptación que algo tiene: *El éxito de esta película se debe en parte a la espectacularidad de sus imágenes.* **3** Lo que tiene buena aceptación: *He comprado un disco con los éxitos del momento.* □ ETIMOL. Del latín *exitus* (resultado, salida).

exitoso, sa adj. Que tiene éxito: *Su última película ha resultado muy exitosa.*

ex libris (lat.) (pl. *ex libris*) s.m. ‖ Etiqueta o sello grabado que se estampan generalmente en el reverso de la tapa de los libros para indicar el nombre de su dueño o el de la biblioteca a la que pertenecen: *Todos mis libros llevan mi ex libris para que, si los presto o los pierdo, me los devuelvan.*

exo- Elemento compositivo prefijo que significa 'fuera de' o 'en el exterior': *exoesqueleto.* □ ETIMOL. Del griego *exo.*

exocéntrico, ca adj. En lingüística, referido a una construcción sintáctica, que no tiene un núcleo que pueda desempeñar su misma función: *Para los estructuralistas, los sintagmas preposicionales y las oraciones son construcciones exocéntricas.* □ ETIMOL. De *exo-* (fuera de, en el exterior) y *céntrico.*

exocitosis (pl. *exocitosis*) s.f. Proceso biológico mediante el que una célula libera partículas al exterior a través de su membrana.

exocrino, na adj. Referido esp. a una glándula, que segrega sustancias que se expulsan al exterior o al tubo digestivo: *Las sustancias segregadas por las glándulas exocrinas salen de ellas a través de un conducto excretor.* □ ETIMOL. De *exo-* (fuera de) y el griego *kríno* (yo segrego).

éxodo s.m. Emigración de un pueblo o de una muchedumbre: *En el Antiguo Testamento se narra el éxodo del pueblo judío, que abandonó Egipto para ir a la Tierra Prometida.* □ ETIMOL. Del griego *éxodos* (salida).

exoesqueleto s.m. En algunos animales, capa externa gruesa o endurecida que se ha formado por la acumulación de materias quitinosas o calcáreas, o por la calcificación u osificación de la dermis: *El exoesqueleto de los peces son las escamas.* □ SINÓN. *dermatoesqueleto.* □ ETIMOL. De *exo-* (fuera de, en el exterior) y *esqueleto.*

exoftalmia (tb. *exoftalmía*) s.f. En medicina, situación saliente anormal del globo ocular: *La exoftalmia es un síntoma de algunas enfermedades.* □ ETIMOL. De *exo-* (fuera de) y el griego *opthalmós* (ojo).

exoftálmico, ca adj. De la exoftalmia o relacionado con esta situación anormal del globo ocular: *El bocio exoftálmico es una enfermedad relacionada con la glándula tiroides.*

exogamia s.f. **1** Norma o práctica sociales que consisten en contraer matrimonio personas de distinta tribu o ascendencia, o procedentes de distinta localidad o población. **2** En biología, cruzamiento entre individuos de diferente raza, grupo o población: *La exogamia conduce a una descendencia heterogénea.* □ ETIMOL. De *exo-* (fuera de, en el exterior) y el griego *gaméo* (me caso).

exogámico, ca adj. De la exogamia o relacionado con ella: *Los cruces exogámicos entre los animales conducen a la mezcla de razas.*

exógeno, na adj. **1** Que se origina o que nace en el exterior: *Las esporas de algunos hongos son exógenas.* **2** Que está producido por una causa externa: *La erosión de este terreno se ha producido por factores exógenos como la lluvia, el hielo y el viento.* □ ETIMOL. De *exo-* (fuera de) y *-geno* (que genera o produce).

exoneración s.f. **1** Privación o destitución de una persona de su cargo o de su empleo: *La exoneración de la ministra se produjo tras la entrada del nuevo gobierno.* **2** Alivio o descarga de un peso o de una obligación: *Se pide la exoneración del pago del impuesto de lujo en algunos productos.*

exonerar v. Aliviar o descargar de un peso o de una obligación: *Me han exonerado del pago de la multa porque no había pruebas contra mí.* □ ETIMOL. Del latín *exonerare* (descargar de un peso). □ SINT. Constr. *exonerar* DE *algo.*

exónimo s.m. Denominación autóctona de un topónimo extranjero: *'Londres' es un exónimo de 'London'.*

exoparásito, ta adj./s. Parásito que vive en el exterior del huésped: *Los piojos son exoparásitos.* □ ETIMOL. De *exo-* (en el exterior) y *parásito.*

exorbitante adj.inv. Que es excesivo o que sobrepasa lo que se considera normal: *un precio exorbitante.*

exorbitar v. Exagerar mucho o dar proporciones excesivas: *La prensa exorbitó los acontecimientos sociales del fin de semana.* □ ETIMOL. Del latín *exorbitare* (salirse del camino, separarse).

exorcismo s.m. Conjunto de palabras o de expresiones que se pronuncian para expulsar a un espíritu maligno de algún sitio: *El sacerdote realizó un exorcismo para curar al poseso.* □ ETIMOL. Del latín *exorcismus*, y este del griego *exorkismós* (acción de hacer prestar juramento).

exorcista ▮ s.com. **1** Persona que se dedica a hacer exorcismos: *Una exorcista libró a su hijo del demonio.* ▮ s.m. **2** En la iglesia católica, eclesiástico que tiene la potestad para exorcizar: *El exorcista realizó los ritos prescritos contra el espíritu maligno.*

exorcizar v. Someter a exorcismos para expulsar a un espíritu maligno: *El sacerdote exorcizó la casa que estaba endemoniada.* □ ORTOGR. La *z* se cambia en *c* delante de *e* →CAZAR.

exordio s.m. **1** Introducción o preámbulo de una obra literaria o de un discurso: *El exordio de su nuevo libro lo realizó un famoso escritor.* **2** Introducción a un razonamiento o a una conversación: *No te alargues mucho en el exordio y di lo que tengas que decir.* □ ETIMOL. Del latín *exordium*, y este de *exordiri* (empezar a tejer una tela).

exornar v. Referido esp. al lenguaje escrito o hablado, amenizarlo o embellecerlo con adornos retóricos: *Algunos escritores barrocos exornaron sus textos hasta extremos exagerados.* □ ETIMOL. Del latín *exornare.*

exorreico, ca adj. Del exorreísmo o relacionado con él.

exorreísmo s.m. Afluencia de las aguas de un territorio hacia el mar.

exosfera s.f. En la atmósfera terrestre, zona más exterior, que se encuentra entre los quinientos y los mil kilómetros de altura aproximadamente, y que es de densidad muy pequeña: *La exosfera está en contacto con el espacio interplanetario.* □ ETIMOL. De *exo-* (en el exterior) y *atmósfera.*

exotérico, ca adj. **1** Común, conocido o accesible: *No me acuses de ocultista porque mis teorías son totalmente exotéricas.* **2** Que es fácil de comprender: *Mis alumnos dicen que algunos principios filosóficos no son nada exotéricos.* □ ETIMOL. Del griego *exoterikós* (externo, extranjero, público). □ SEM. Dist. de *esotérico* (oculto o secreto; difícil de comprender; doctrina que solo se comunica a los iniciados en ella).

exotérmico, ca adj. Referido a un proceso, que conlleva desprendimiento de calor durante su desarrollo: *Una reacción química exotérmica es aquella que emite calor.*

exótico, ca adj. **1** Extranjero, esp. si es de un país lejano y desconocido: *Viajó por tierras exóticas y vivió increíbles aventuras.* **2** Extraño o raro: *No me gustan nada los cócteles exóticos, con mezclas extrañas de sabores rarísimos.* □ ETIMOL. Del latín *exoticus*, y este del griego *exotikós* (de fuera, externo).

exotismo s.m. **1** Procedencia de un país lejano o desconocido, o semejanza con ello: *Compró esas estatuas chinas por su exotismo.* **2** Tendencia a asimilar las formas y estilos artísticos de un país o de una cultura distintos del propio: *Los ambientes que recreaba aquella novela destacaban por su exotismo.*

expandir v. Extender, difundir o dilatar: *Expandieron la noticia por todo el pueblo. Los pulmones se expanden para tomar aire.* □ ETIMOL. Del latín *expandere* (extender, desplegar). □ MORF. Incorr. **expander.*

expansible adj.inv. Que puede extenderse o dilatarse: *Los materiales elásticos son expansibles.*

expansión s.f. **1** Propagación, extensión o dilatación de algo: *La expansión de la epidemia produjo numerosas muertes.* **2** Manifestación o desahogo efusivos de un afecto o de un pensamiento: *Su expansión de alegría contagió a toda la familia.* **3** Recreo o diversión: *Necesito un momento de expansión después del duro trabajo.* □ ETIMOL. Del latín *expansio*.

expansionar ▮ v. **1** Expandir, dilatar o ensanchar: *La baja presión expansiona los gases. La empresa creció y se expansionó por todo el país.* ▮ prnl. **2** Desahogarse o manifestar pensamientos o sentimientos íntimos: *Se expansiona conmigo y me cuenta todas sus penas.* **3** Divertirse o distraerse: *Mañana voy a la playa para expansionarme un poco.*

expansionismo s.m. Tendencia de un pueblo o de un país a extender su dominio político y económico a otros: *El expansionismo alemán acabó provocando la Segunda Guerra Mundial.*

expansionista adj.inv./s.com. Del expansionismo o relacionado con esta tendencia: *Actualmente los países expansionistas lo son principalmente en sentido económico.*

expansivo, va adj. **1** Que tiende a extenderse o a dilatarse, ocupando mayor espacio: *onda expansiva.* **2** Que es comunicativo o que manifiesta fácilmente su pensamiento: *un carácter expansivo.*

expatriación s.f. Abandono de la propia patria: *Mi expatriación no se debe a motivos políticos sino económicos.*

expatriado, da adj./s. Que vive fuera de su patria: *Tras la guerra, los expatriados han vuelto a su país.*

expatriar v. Hacer salir de la patria o abandonarla: *El Gobierno expatrió a varios opositores políticos. Tuvo que expatriarse para salvar su vida.* □ ETIMOL. De *ex-* (en el exterior) y *patria*. □ ORTOGR. La *i* lleva tilde en los presentes, excepto en las personas *nosotros* y *vosotros* →GUIAR.

expectación s.f. Espera, generalmente curiosa o tensa, de un acontecimiento que despierta interés: *El partido entre las dos selecciones ha producido una gran expectación.* □ ETIMOL. Del latín *expectatio*, y este de *exspectare* (esperar).

expectante adj.inv. Que espera observando, esp. si es con curiosidad o con tensión: *No sé nada de mi contrato, pero sigo expectante.*

expectativa s.f. **1** Esperanza o posibilidad de conseguir algo: *Con mi experiencia, tengo buenas expectativas de conseguir trabajo.* **2** ‖ **a la expectativa;** sin actuar ni tomar una determinación hasta ver qué sucede: *Está a la expectativa ante los rumores de ascenso en su empresa.*

expectoración s.f. En medicina, extracción y expulsión por la boca de las flemas y de las secreciones que se depositan en las vías respiratorias: *Hay jarabes que facilitan la expectoración.*

expectorante adj.inv./s.m. Referido a una sustancia o medicamento, que hace expectorar: *La doctora le recetó un expectorante en forma de jarabe para expulsar las flemas.*

expectorar v. En medicina, referido a las flemas y secreciones de las vías respiratorias, arrancarlas y expulsarlas por la boca: *Este jarabe te ayudará a expectorar las flemas de la garganta. Tose mucho y no consigue expectorar.* □ ETIMOL. Del latín *expectorare*, y este de *ex* (fuera de) y *pectus* (pecho).

expedición s.f. **1** Envío de una carta, de una mercancía o de algo semejante. **2** Realización por escrito de un documento, con las formalidades acostumbradas: *La expedición del título de bachillerato la realiza el Ministerio de Educación.* **3** Marcha o viaje que se realizan con un fin determinado, esp. si es científico o militar. **4** Conjunto de personas que realizan este viaje. □ ETIMOL. Del latín *expeditio*.

expedicionario, ria adj./s. Que forma parte de una expedición: *Los expedicionarios regresaron sanos y salvos.*

expedidor, -a adj./s. Que expide: *Para enviar este paquete por correo, tienes que firmar en la casilla destinada al expedidor.*

expedientar v. Referido a una persona, someterla a un expediente: *Me expedientaron por participar en la huelga y he denunciado a la empresa.*

expediente s.m. **1** Conjunto de los servicios prestados, de las incidencias ocurridas o de las calificaciones obtenidas en una carrera profesional o de estudios: *El expediente de esta alumna en el bachillerato es muy bueno.* **2** Conjunto de informes y documentos sobre un asunto o un negocio determinados: *Pidió a su secretario el expediente sobre las ventas del último año.* **3** Procedimiento administrativo en el que se enjuicia la actuación de alguien: *Su club le abrirá expediente por unas duras declaraciones que hizo a la prensa.* □ ETIMOL. Del latín *expediens*, y este de *expedire* (soltar, dar curso).

expedir v. **1** Enviar, remitir o mandar: *Para expedir paquetes certificados por correo hay que rellenar un impreso.* **2** Referido esp. a un documento, extenderlo o ponerlo por escrito con las formalidades acostumbradas: *Me expidieron el carné de identidad en una comisaría.* □ ETIMOL. Del latín *expedire* (desentorpecer, despachar). □ ORTOGR. Dist. de *expender*. □ MORF. Irreg. →PEDIR.

expeditivo, va adj. Que tiene facilidad o rapidez para dar salida a un asunto sin detenerse ante los obstáculos o inconvenientes: *Contrató a un abogado expeditivo para agilizar los trámites de su divorcio.* □ SEM. Dist. de *expedito* (rápido en actuar).

expedito, ta adj. **1** Libre o sin estorbos ni obstáculos: *Después de retirar toda la nieve, la carretera quedó expedita.* **2** Rápido en actuar: *Es una persona muy expedita y eficaz.* □ ETIMOL. Del latín *expeditus*. □ SEM. Dist. de *expeditivo* (que tiene facilidad para dar salida a un asunto).

expeler v. **1** Hacer salir del organismo: *Cuando respiras, expeles el aire por la boca.* **2** Arrojar o lanzar, generalmente con fuerza: *Un volcán en erupción puede expeler ceniza incandescente.* □ ETIMOL. Del latín *expellere*, y este de *pellere* (empujar).

expendedor, -a ▮ adj./s. **1** Que expende. ▮ s. **2** Persona que se dedica a la venta de productos al por menor, esp. tabaco, sellos, billetes o entradas: *El expendedor me dijo que no le quedaban sellos de treinta céntimos.*

expendeduría s.f. Establecimiento donde se venden al por menor productos que tienen prohibida la venta libre, generalmente tabaco y sellos, y cuya concesión se otorga a determinadas personas o entidades: *Los estancos son expendedurías de tabaco y de sellos.*

expender v. **1** Vender al por menor o por encargo del dueño de la mercancía: *Este producto solo se expende en farmacias.* **2** Referido esp. a una entrada o a un billete, despacharlos: *En la estación de tren han puesto máquinas que expenden billetes.* □ ETIMOL. Del latín *expendere* (pagar, pesar). □ ORTOGR. Dist. de *expedir*.

expensas ‖ **a expensas de** algo; por cuenta suya o a costa suya: *No trabaja y vive a mis expensas.* □ ETIMOL. Del latín *expensa pecunia* (dinero gastado). □ SEM. No debe emplearse con el significado de 'a la espera de' o 'a la expectativa': *El jugador está {*a expensas > a la espera} de lo que le diga el juez.*

experiencia s.f. **1** Enseñanza que se adquiere con el uso, con la práctica o con las propias vivencias: *La experiencia que dan los años es de gran valor.* **2** Operación para descubrir, comprobar o determinar fenómenos o principios, generalmente científicos: *Fuimos al laboratorio a hacer una experiencia de ciencias.* □ SINÓN. *experimento.* **3** Prueba práctica. □ SINÓN. *experimento.* □ ETIMOL. Del latín *experientia*.

experiencial adj.inv. Que está relacionado con las experiencias de cada uno: *En el libro del alumno había varias actividades experienciales.* □ SEM. Dist. de *experimental* (que se basa en los experimentos).

experienciar v. Vivir distintas experiencias: *En aquel viaje experienciamos un montón de cosas de las que aprendimos mucho.* □ SEM. Dist. de *experimentar* (hacer experimentos; probar y examinar con la práctica).

experimentación s.f. **1** Método científico de investigación que se basa en la producción intencionada de fenómenos para ser estudiados o comprobados: *La ciencia procede por experimentación.* **2** Sometimiento de algo a experimentos para probar y examinar sus características: *Esa vacuna no puede comercializarse porque está en fase de experimentación.*

experimentado, da adj. Que tiene experiencia: *Es un conductor experimentado que lleva más de veinte años conduciendo.*

experimental adj.inv. **1** Que se basa en la experiencia o en los experimentos: *La física y la química son ciencias experimentales.* **2** Que sirve de experimento con vistas a posibles perfeccionamientos o aplicaciones y a su posterior difusión: *Este año, varios institutos seguirán un plan de estudios experimental.* □ SEM. Dist. de *experiencial* (que está relacionado con las experiencias de cada uno).

experimentalismo s.m. Preferencia por el uso de métodos o técnicas experimentales: *Las escuelas literarias de vanguardia de la década de 1920 se caracterizan por su experimentalismo.*

experimentar v. **1** Hacer experimentos: *En su empresa experimentan para conseguir materiales de construcción más baratos.* **2** Probar y examinar con la práctica: *Experimentó la nueva batidora y se dio cuenta de que no funcionaba.* **3** Referido esp. a una sensación, notarla o sentirla en uno mismo: *Al verlo, experimenté una gran alegría.* **4** Referido esp. a un cambio, sufrirlo o padecerlo: *El precio de la gasolina experimentará una subida.* □ SEM. Dist. de *experienciar* (vivir distintas experiencias).

experimento s.m. **1** Operación para descubrir, comprobar o demostrar fenómenos o principios, generalmente científicos: *Los alumnos hicieron varios experimentos de química en el laboratorio.* □ SINÓN. *experiencia.* **2** Prueba práctica: *Nuestro experimento de estudiar juntos terminó mal, porque nos distraemos mucho.* □ SINÓN. *experiencia.* □ ETIMOL. Del latín *experimentum* (ensayo, prueba por la experiencia).

expertización s.f. Examen efectuado por un experto: *Una expertización minuciosa confirmó que la obra de arte era falsa.*

expertizar v. Examinar de manera experta y elaborar un informe: *Un especialista ha expertizado los cuadros de la exposición.*

experto, ta ▮ adj./s. **1** Que tiene gran experiencia o habilidad en una actividad: *Lleva años trabajando en esto y se ha convertido en una experta.* ▮ s. **2** Persona especialista en una materia: *Pertenece a la comisión de expertos en tecnología avanzada.* □ ETIMOL. Del latín *expertus* (que tiene experiencia).

expiación s.f. **1** Reparación de una culpa mediante el sacrificio o la penitencia: *Aquel penitente buscaba la expiación de sus culpas en el aislamiento y la soledad del monasterio.* **2** Cumplimiento de la pena impuesta por un delito: *Le quedan dos años para la expiación de su condena.*

expiar v. **1** Referido a una culpa, borrarla mediante el sacrificio o la penitencia: *Reza para expiar sus pecados.* **2** Referido a un delito, sufrir o cumplir la pena que ha sido impuesta por él: *Expió su crimen pasando 30 años en la prisión.* □ ETIMOL. Del latín *expiare*. □ ORTOGR. 1. Dist. de *espiar*. 2. La *i* lleva tilde en los presentes, excepto en las personas *nosotros* y *vosotros* → GUIAR.

expiatorio, ria adj. Que sirve para expiar una culpa: *Algunos pueblos primitivos sacrificaban animales como víctimas expiatorias.*

expiración s.f. Fin o término de la vida o de un período de tiempo: *La expiración del plazo cumple dentro de tres días.* □ ORTOGR. Dist. de *espiración*.

expirar v. **1** Dejar de vivir: *La enferma expiró a última hora de la tarde.* □ SINÓN. *morir.* **2** Referido esp. a un período de tiempo, acabar o concluir: *El plazo para pagar la contribución expira mañana.* □ ETIMOL. Del latín *exspirare* (exhalar). □ ORTOGR. Dist. de *espirar*.

explanación s.f. **1** Allanamiento, igualación o nivelación de una superficie: *Destinaremos estos terrenos al cultivo, después de que se lleve a cabo su explanación.* **2** Declaración o explicación de algo que no está claro o que necesita ser observado: *La explanación que descubrieron en el legajo no satisfizo su curiosidad investigadora.*

explanada s.f. Espacio de terreno llano o allanado: *Juegan al fútbol en una explanada a las afueras del pueblo.* □ ETIMOL. De *explanar* (allanar).

explanar v. **1** Referido a un terreno o a una superficie, ponerlos llanos o darles la nivelación deseada: *Explanaron el solar para utilizarlo como aparcamiento.* **2** Declarar o explicar: *Escribió un tratado para explanar sus ideas científicas.* □ ETIMOL. Del latín *explanare.*

explayar ▮ v. **1** Referido esp. al pensamiento o a la mirada, extenderlos o ensancharlos: *Explayaba su mirada por los campos de trigo. Su pensamiento se explayaba por lejanos horizontes.* ▮ prnl. **2** Extenderse demasiado al expresarse: *Se explayó tanto en su discurso que los demás oradores no pudieron intervenir.* **3** Divertirse o distraerse: *Iremos al campo con los niños para que se explayen.* □ ETIMOL. De *playa,* por el sentido de extenderse rápida y fácilmente como hace la marea por una playa llana.

expletivo, va adj. Referido a una palabra o a una expresión, que no es necesaria para el sentido de la frase, aunque añade valores expresivos: *En la oración 'Nunca jamás lo haré', 'jamás' es un adverbio expletivo.* □ ETIMOL. Del latín *explere* (rellenar).

explicable adj.inv. Que se puede explicar: *Su comportamiento es perfectamente explicable si tenemos en cuenta que últimamente está sometida a muchas presiones.*

explicación s.f. **1** Expresión o exposición claras o ejemplificadas de algo para hacerlo comprensible: *Me dio explicaciones precisas sobre cómo llegar hasta aquí.* **2** Justificación que se ofrece como disculpa: *No encuentro explicación a tu absurdo comportamiento.* **3** Dato que aclara la razón o el motivo de algo: *Como no me des alguna explicación más, no creo que me entere.* □ MORF. En la acepción 2, se usa mucho en la expresión *{dar/pedir} explicaciones.*

explicaderas s.f.pl. *col.* Forma de explicarse o de darse a entender cada persona: *Con esas explicaderas tuyas no entiendo nada.*

explicar ▮ v. **1** Referido esp. a algo de difícil comprensión, exponerlo de forma clara para hacerlo comprensible: *La profesora nos explica la lección.* **2** Declarar, manifestar o dar a conocer: *Explícame qué te pasa y no llores.* **3** Dar clase en un centro de enseñanza: *Explica química.* **4** Justificar ofreciendo una disculpa: *Sigo esperando que me expliques tu actitud.* ▮ prnl. **5** Llegar a comprender la razón de algo: *Ahora me explico por qué reaccionaste así.* **6** Hacerse entender: *Se explica bastante mal en español.* □ ETIMOL. Del latín *explicare* (desplegar, desenredar). □ ORTOGR. 1. Dist. de *explicitar*. 2. La *c* se cambia en *qu* delante de *e* →SACAR.

explicativo, va adj. Que explica o que introduce una explicación: *En 'Mis hermanos, que son mayores que yo, no vendrán', 'que son mayores que yo' es una oración de relativo explicativa.*

éxplicit (pl. *éxplicit*) s.m. En una descripción bibliográfica, término con que se designan las últimas palabras del texto propiamente dicho de un manuscrito o impreso antiguos: *'Vale' es el éxplicit de la segunda parte de 'El Quijote'.* □ ETIMOL. Del latín *explicit,* forma abreviada de *explicitus est liber* (el libro ha sido desenrollado hasta el final), porque en la Antigüedad los libros se enrollaban.

explicitar v. Hacer explícito: *El contrato explicita que los gastos de comunidad debe abonarlos el inquilino.* □ ORTOGR. Dist. de *explicar*.

explícito, ta adj. Que está claramente expreso, o que expresa algo con claridad: *El procedimiento de reelección está explícito en los estatutos.* □ ETIMOL. Del latín *explicitus.* □ SEM. Dist. de *implícito* (incluido sin necesidad de ser expresado).

explicotear v. *col.* Explicar con desenvoltura y expresividad: *Da gusto ver cómo se explicotea ya mi hija de ocho años.*

explicoteo s.m. *col.* Explicación expresiva y desenvuelta: *Me encanta ver cómo mueves las manos con tus explicoteos.*

exploración s.f. Examen o reconocimiento minuciosos o exhaustivos: *Al llegar a la isla, los expedicionarios comenzaron la exploración del terreno.*

explorador, -a ▮ adj./s. **1** Que explora. ▮ s. **2** Persona que explora un territorio lejano y poco conocido. **3** Miembro de una asociación educativa y deportiva que realiza actividades al aire libre. ▮ s.m. **4** Herramienta informática para internet que permite ver las páginas web: *He instalado un explorador en mi ordenador para poder navegar por internet.* □ SINÓN. *navegador.*

explorar v. **1** Referido esp. a un territorio, examinarlo o recorrerlo para tratar de descubrir lo que hay en él: *Antes de plantar la tienda de campaña, vamos a explorar la zona.* **2** Referido esp. a una parte del organismo, examinarla a fondo: *La oftalmóloga me exploró el ojo y dijo que todo estaba bien.* □ ETIMOL. Del latín *explorare* (observar, examinar).

exploratorio, ria adj. Que sirve para explorar, esp. referido al instrumental médico: *Le han hecho una punción exploratoria para conocer la naturaleza del tumor.*

explosión s.f. **1** Liberación brusca de una gran cantidad de energía encerrada en un volumen relativamente pequeño, que produce un incremento grande y rápido de la presión, con desprendimiento de calor, luz y gases, y que va acompañada de estruendo y rotura violenta del recipiente que la contiene. **2** Dilatación repentina de un gas contenido en un dispositivo mecánico con el fin de producir un movimiento: *un motor de explosión.* **3** Manifestación o desarrollo violentos o repentinos de algo: *En esos años hubo una explosión demográfica, y la población creció espectacularmente.* □ ETIMOL. Del latín *explosio* (abucheo, acción de expulsar ruidosamente). □ SEM. Dist. de *deflagración* (combustión sin explosión).

explosionar v. **1** Provocar una explosión: *Los artificieros de la policía explosionaron un paquete bomba.* **2** Hacer explosión: *La bomba explosionó en manos del terrorista que pretendía instalarla.* □ SINÓN. *explotar.*

explosiva s.f. Véase **explosivo, va.**

explosivo, va ▮ adj. **1** Que hace o que puede hacer explosión: *un artefacto explosivo.* **2** Que impresiona o que llama la atención: *un discurso explosivo; un chico explosivo.* **3** En fonética y fonología, referido esp. a una consonante, que forma sílaba con la vocal que la sigue: *La 's' de 'seta' es explosiva.* ▮ adj./s.m. **4** Referido a una sustancia, que se incendia con explosión: *La pólvora es un explosivo.* ▮ adj./s.f. **5** En fonética y fonología, referido a un sonido consonántico oclusivo, que se articula con una abertura súbita final: *En 'entonar', la 't' es explosiva.*

explotación s.f. **1** Conjunto de instalaciones destinadas a explotar un negocio o una industria: *una explotación vinícola.* **2** Aprovechamiento u obtención del beneficio o de las riquezas de algo: *La explotación de esta mina produce grandes beneficios.* **3** Utilización abusiva y en provecho propio de las cualidades o de los sentimientos de los demás: *Los empleados han hecho frente común ante la explotación a la que se ven sometidos por parte de su empresa.*

explotador, -a adj./s. **1** Que ocasiona una explosión. **2** Que saca beneficio o utilidad de algo. **3** Que explota a los demás o se aprovecha de ellos.

explotar v. **1** Hacer explosión: *Una bombona de butano explotó a primeras horas de la mañana.* □ SINÓN. *explosionar.* **2** Manifestarse violenta o repentinamente: *Yo soy muy paciente y aguanto mucho, pero como explote, te vas a enterar de lo que es bueno.* **3** Referido a algo que reporta beneficios, sacar utilidad o provecho de ello: *Van a volver a explotar esa antigua mina de carbón.* **4** Referido esp. a una persona, utilizar sus cualidades o sus sentimientos en provecho propio, generalmente de forma abusiva: *Explota a sus empleados pagándoles un sueldo mísero.* □ ETIMOL. Las acepciones 1, 2 y 3, de *explosión.* Las acepciones 3 y 4, del francés *exploiter* (sacar partido, esquilmar). □ SINT. En las acepciones 1 y 2, es incorrecto su uso como transitivo aunque está muy extendido: *el niño* {*explotó > hizo explotar} *el globo.*

expoliación (tb. *espoliación*) s.f. Apropiación injusta o violenta de lo que pertenece a otro: *No se demostró quiénes fueron los culpables de la expoliación de la tumba.* □ SINÓN. *espolio, expolio.*

expoliador, -a (tb. *espoliador, -a*) adj./s. Que expolia o que favorece la expoliación: *Los ecologistas consideran que algunas actividades humanas son expoliadoras porque nos despojan del patrimonio ecológico común.*

expoliar (tb. *espoliar*) v. Despojar con injusticia o con violencia: *Unos bandidos expoliaron el pueblo abandonado.* □ ETIMOL. Del latín *exspoliare*, y este de *spoliare* (despojar, saquear). □ ORTOGR. La *i* nunca lleva tilde.

expolio (tb. *espolio*) s.m. **1** Apropiación injusta o violenta de lo que pertenece a otro: *El expolio de las tiendas de la zona bombardeada fue inmediato en cuanto cesó el peligro.* □ SINÓN. *espoliación, expoliación.* **2** *col.* Alboroto, jaleo o bronca: *Armaron un expolio tremendo.*

exponencial adj.inv. Referido esp. a un crecimiento, que tiene un ritmo que aumenta cada vez más rápidamente: *La empresa está en un momento inmejorable con un crecimiento exponencial de beneficios.*

exponente ▮ adj.inv. **1** Que expone. ▮ s.m. **2** En una potencia matemática, número o expresión algebraica que se coloca en la parte superior derecha de otro número o de otra expresión, e indica el número de veces que estos han de multiplicarse por sí mismos: *En la expresión '3^2' el exponente es '^{2}', e indica que la operación debe ser '3 × 3'.* **3** Prototipo o ejemplo representativo de algo: *La música de ese grupo es el mejor exponente de la música inglesa actual.*

exponer v. **1** Mostrar al público o presentar para ser visto: *Esta pintora expone su obra en una importante galería de arte.* **2** Decir para dar a conocer: *Me expuso sus planes con todo lujo de detalles.* **3** Arriesgar o poner en peligro: *Conduciendo tan deprisa expones tu vida y la de tus hijos.* **4** Referido esp. a un objeto, colocarlo para que reciba la acción o la influencia de algo: *No expongas este medicamento al calor, que se estropea.* □ ETIMOL. Del latín *exponere.* □ MORF. Irreg.: 1. Su participio es *expuesto.* 2. →PONER.

exportación s.f. **1** Venta o envío de un producto nacional a un país extranjero: *Esos coches se venderán en el extranjero porque están destinados a la exportación.* **2** Conjunto de bienes exportados: *Este año han aumentado las exportaciones a los países del Norte.* □ SEM. Dist. de *importación* (introducción en un país de algo extranjero).

exportador, -a adj./s. Que exporta: *Soy la gerente comercial de una empresa exportadora de productos plásticos.*

exportar v. **1** Referido a un producto nacional, venderlo o enviarlo a un país extranjero: *España exporta naranjas a muchos países de Europa. Los franceses exportaron sus ideas revolucionarias.* **2** En informática, referido a un fichero, grabar la información que contiene con un formato determinado para que pueda ser leído por un programa o aplicación: *Voy a exportar este fichero para poder utilizarlo en el nuevo programa.* □ ETIMOL. Del latín *exportare* (sacar fuera). □ SEM. Dist. de *importar* (introducir algo en un sitio).

exposición s.f. **1** Exhibición y presentación al público de algo para que sea visto: *En el museo hay una exposición temporal de un famoso pintor alemán.* **2** Conjunto de los objetos que se exponen. **3** Explicación de un tema o de unas ideas para darlos a conocer. **4** Colocación de manera que se reciba la acción o la influencia de algo: *La prolongada exposición de la piel al sol provoca quemaduras.* **5** En fotografía, tiempo durante el que se expone a la luz un soporte fotográfico para que se impresione. □ ETIMOL. Del latín *expositio*.

exposímetro s.m. En fotografía, dispositivo que permite medir la intensidad de la luz y determinar el tiempo de exposición de una película.

expositivo, va adj. Que expone, declara o interpreta: *Hizo un discurso expositivo de su plan de gobierno.*

expósito, ta adj./s. Referido esp. a un recién nacido, que ha sido abandonado en algún lugar o confiado a un establecimiento benéfico: *Trabaja en un centro asistencial con niños expósitos.* □ ETIMOL. Del latín *expositus* (expuesto), porque se solía abandonar a los niños en las puertas de las iglesias, de las casas o de otros lugares públicos.

expositor, -a ▮ adj./s. **1** Referido a una persona o una entidad, que exhibe algo en una exposición: *Todas las empresas expositoras son del sector agrícola.* ▮ s.m. **2** Mueble en el que se coloca lo que se expone: *Quiero comprar el libro ue está en el expositor de la entrada.*

exprés (pl. *exprés*) ▮ adj.inv. **1** Referido a algunos electrodomésticos, que funcionan con rapidez utilizando una gran presión: *una olla exprés.* **2** Referido a un café, que está preparado en una cafetera de este tipo. □ SINÓN. *expreso.* **3** Referido esp. al correo, que se entrega con rapidez. ▮ s.m. **4** →**tren exprés.** □ USO En la acepción 2, es innecesario el uso del italianismo *esprèsso*.

expresable adj.inv. Que se puede expresar: *Soy tan feliz, que lo que siento no es expresable.*

expresar ▮ v. **1** Referido a algo que se quiere dar a conocer, manifestarlo con palabras, miradas, gestos o dibujos: *Me expresó su agradecimiento. A veces se expresan mejor la cosas con un gesto.* **2** Referido esp. a un estado de ánimo, mostrarlo o hacerlo ver con viveza y exactitud: *Esos cuadros expresan la angustia que sentía el pintor.* ▮ prnl. **3** Darse a entender por medio de la palabra: *Tu hijo se expresa muy bien para tener solo tres años.* □ ETIMOL. De *expreso* (claro). □ MORF. Tiene un participio regular (*expresado*), que se usa en la conjugación, y otro irregular (*expreso*), que se usa solo como adjetivo o sustantivo.

expresión s.f. **1** Declaración de lo que se quiere dar a conocer: *Mucha gente tímida tiene problemas para la expresión de sus sentimientos.* **2** Palabra o conjunto de palabras: *En sus libros utiliza muchas expresiones latinas.* **3** Forma o modo de expresarse: *La profesora me dijo que debía mejorar mi expresión oral.* **4** Viveza y exactitud con que se manifiestan los sentimientos o las sensaciones: *Es una persona sincera, con mucha expresión en los ojos.* **5** En matemáticas, conjunto de términos que representa una cantidad: *Los polinomios son expresiones algebraicas.*

expresionismo s.m. Movimiento artístico de origen europeo surgido en los últimos años del siglo XIX como reacción al impresionismo, y que se caracteriza por la intensidad de la expresión de los sentimientos y de las sensaciones, aun a costa del equilibrio formal: *Munch en pintura, Mahler en música y Kafka en literatura son representantes del expresionismo.*

expresionista ▮ adj.inv. **1** Del expresionismo o con rasgos propios de este movimiento artístico. ▮ adj.inv./s.com. **2** Que defiende o sigue el expresionismo: *Tiene varias obras expresionistas.*

expresividad s.f. Capacidad para manifestar o mostrar con viveza un pensamiento, un sentimiento o una sensación: *Tu cara tiene una gran expresividad y se te nota enseguida si estás triste o alegre.*

expresivo, va adj. Que manifiesta o muestra con viveza un pensamiento, un sentimiento o una sensación: *Me hizo un gesto muy expresivo y comprendí que no era el momento. El uso de interjecciones y exclamaciones es propio de la función expresiva del lenguaje.*

expreso adv. Expresamente o a propósito: *Lo hizo expreso para fastidiarnos.*

expreso, sa ▮ adj. **1** Claro, patente o especificado. **2** Referido a un café, que está preparado en una cafetera que funciona con una gran presión. □ SINÓN. *exprés.* ▮ adj./s.m. **3** →**tren expreso.** □ ETIMOL. Del latín *expressus*. □ USO En la acepción 2, es innecesario el uso del italianismo *esprèsso*.

exprimidor s.m. Aparato que se usa para sacar el zumo a las frutas: *Me hice un zumo de naranja con un exprimidor eléctrico.*

exprimir v. **1** Referido esp. a una fruta, sacarle el zumo estrujándola o retorciéndola: *Para llenar de zumo este vaso ha sido necesario exprimir tres naranjas.* **2** Referido a una persona, explotarla o aprovecharse de ella en beneficio propio: *En ese trabajo te están exprimiendo, porque te pagan muy poco.* **3** Sacar todo el partido posible: *Por más que se exprima el cerebro, es tan zoquete que no dará con la solución.* □ SINÓN. *estrujar.* □ ETIMOL. Del latín *exprimere* (exprimir, estrujar, expresar).

ex profeso (lat.) ‖ Expresamente o a propósito: *He venido ex profeso para saludarte.* □ ORTOGR. Incorr. **exprofeso*. □ SINT. Incorr. **de ex profeso*.

expropiación s.f. **1** Desposeimiento o privación de una propiedad, que se hace legalmente y por motivos de interés público: *El Ayuntamiento llevará a cabo la expropiación de esos solares para construir un parque.* **2** Lo que se expropia: *Por esa expropiación se pagó mucho dinero.*

expropiar v. Referido a una propiedad, quitársela legalmente a su propietario por motivos de interés público y generalmente a cambio de una indemnización: *El Ministerio de Obras Públicas expropiará unos terrenos para construir la autopista.* □ ETIMOL. De *ex-* (en el exterior) y *propio*. □ ORTOGR. La *i* nunca lleva tilde.

expuesto, ta ▮ **1** part. irreg. de **exponer.** ▮ adj. **2** Peligroso o arriesgado. □ ETIMOL. Del latín *expositus*. □ MORF. Incorr. **exponido*.

expugnable adj.inv. Que se puede expugnar.

expugnar v. Referido a una posición o a una plaza militar, conquistarlas por las armas: *Nuestras tropas expugnaron la fortaleza venciendo al enemigo.* □ ETIMOL. Del latín *expugnare.*

expulsar v. Hacer salir de un lugar o del interior de algo: *El maestro me expulsó de clase por charlatán.* □ ETIMOL. Del latín *expulsare.*

expulsión s.f. **1** Apartamiento o abandono obligatorio de un lugar o de un grupo: *El Gobierno ha ordenado la expulsión de los espías.* **2** Salida o lanzamiento hacia fuera: *El tubo de escape de un coche permite la expulsión de los gases de la combustión.*

expulsor, -a adj./s.m. Que echa fuera algo o que sirve para echar fuera algo: *Las armas de fuego llevan un expulsor para los cartuchos vacíos.*

expurgación s.f. **1** Limpieza o purificación de algo: *Hoy comenzaré la expurgación de todos estos papeles para dejar solo los importantes.* □ SINÓN. *expurgo.* **2** Censura o corrección de algunas partes de un escrito, hechas por orden de una autoridad competente: *En épocas de dictadura es frecuente la expurgación de obras literarias.* □ SINÓN. *expurgo.*

expurgar v. **1** Limpiar o purificar: *Expurgué mi biblioteca y tiré algunos folletos sin interés.* **2** Referido esp. a un escrito, censurar o corregir alguna de sus partes por orden de la autoridad competente, sin prohibir la lectura del resto: *'El Buscón' de Quevedo fue expurgado, porque algunos de sus fragmentos se consideraron inmorales.* □ ETIMOL. Del latín *expurgare.* □ ORTOGR. 1. Dist. de *espulgar.* 2. La *g* se cambia en *gu* delante *e* →PAGAR.

expurgatorio, ria adj. Que expurga o limpia: *'La Celestina' es una obra que estuvo durante mucho tiempo en índices expurgatorios.*

expurgo s.m. →**expurgación.**

exquisitez s.f. **1** Calidad, primor o gusto extraordinarios o singulares: *Su exquisitez en la forma de vestir contrasta con sus modales ordinarios.* **2** Lo que resulta exquisito: *Este postre es una verdadera exquisitez.*

exquisito, ta adj. De singular y extraordinaria calidad, primor o gusto: *Es un excelente cocinero y prepara una merluza exquisita. Ha sido educado al estilo inglés y tiene unos modales exquisitos.* □ ETIMOL. Del latín *exquisitus*, y este de *exquirere* (rebuscar).

extasiar v. Producir o sentir una admiración o un placer tan grandes que hacen olvidarse de todo lo demás: *La belleza del retablo extasía a los que la contemplan. Me extasío con la música de Bach.* □ SINÓN. *arrobar, embelesar.* □ ETIMOL. De *éxtasis.* □ ORTOGR. La *i* lleva tilde en los presentes, excepto en las personas *nosotros* y *vosotros.* →GUIAR.

éxtasis (pl. *éxtasis*) s.m. **1** En algunas religiones, estado en el que el alma alcanza una unión mística con Dios por medio de la contemplación y del amor: *Solo los santos pueden alcanzar el éxtasis.* □ SINÓN. *arrebatamiento, arrobamiento, arrobo, arrebato.* **2** Estado de la persona cautivada por visiones o sensaciones extremadamente bellas, agradables o placenteras: *Contempló con éxtasis aquella obra de arte.* □ SINÓN. *arrebatamiento, arrobamiento, arrobo.* **3** Droga sintética de efectos alucinógenos y afrodisíacos: *El éxtasis hace que las sensaciones que se reciben se sientan con mucha intensidad.* □ ETIMOL. Del griego *ékstasis* (desviación). □ ORTOGR. Dist. de *estasis.*

extático, ca adj. Que está en éxtasis, o que pasa por esta experiencia con frecuencia: *El cuadro representaba a santa Teresa extática, en plena levitación.* □ ORTOGR. Dist. de *estático.*

extemporaneidad s.f. **1** Falta de oportunidad de algo que se hace o dice en un momento que no es el apropiado: *Sus comentarios se caracterizan por su extemporaneidad, pues los hace cuando nadie se los pide.* **2** Falta de normalidad de algo porque ocurre en un tiempo que no es el suyo: *Este calor de otoño se caracteriza por su extemporaneidad.*

extemporáneo, a adj. **1** Impropio del tiempo: *El frío de este mes de junio es extemporáneo.* **2** Inoportuno o inconveniente: *Tu contestación es extemporánea porque no responde a mi pregunta y vuelve a plantear una cuestión zanjada.* □ ETIMOL. Del latín *extemporaneus* (improvisado).

extender ▌ v. **1** Referido a algo material, hacer que aumente su superficie o que ocupe más espacio: *Extiende bien el betún en los zapatos. La mancha de petróleo se extendió por el mar.* **2** Referido a algo que está junto o amontonado, esparcirlo o desparramarlo: *Extendió los papeles por toda la mesa. Los garbanzos se cayeron y se extendieron por el suelo.* **3** Referido esp. a una noticia o a una influencia, propagarlas o hacer que llegue a muchos lugares: *Los apóstoles extendieron el evangelio por el mundo. Empezó como una manía, y ahora se ha extendido hasta convertirse en una moda.* **4** Referido esp. a un documento, ponerlo por escrito y en la forma acostumbrada: *Extendió un cheque por valor de seis euros.* ▌ prnl. **5** Ocupar una cantidad de espacio o de terreno: *La llanura se extiende kilómetros y kilómetros.* **6** Durar cierto tiempo: *La entrevista se extendió durante casi dos horas.* □ ETIMOL. Del latín *extendere.* □ MORF. Irreg. →PERDER.

extensible adj.inv. Que se puede extender: *El sofá de mi salón tiene una cama extensible.*

extensión ▌ s.f. **1** Aumento del espacio que ocupa algo. **2** Acción consistente en desplegar o estirar algo: *Para que las aves vuelen, es imprescindible la extensión de sus alas.* **3** Difusión o propagación de una noticia, de una influencia o de algo semejante: *Me asombra la extensión que ha tenido ese absurdo rumor.* **4** Superficie, dimensión o espacio ocupado: *La finca ocupa una gran extensión.* **5** Cada una de las líneas telefónicas conectadas a una centralita: *Nuestro departamento tiene la extensión 311.* **6** En informática, conjunto de tres letras que identifican el código con el que está escrito un archivo: *La extensión de los archivos ejecutables es 'exe'.* ▌ pl. **7** Pelo postizo que se une al pelo natural para simular una melena más larga: *En la peluquería me pusieron unas extensiones.* **8** || **en toda la extensión de la**

palabra; en su sentido más amplio: *Le considero un vago, en toda la extensión de la palabra.* □ ETIMOL. Del latín *extensio*.

extensivo, va adj. Que se puede extender, comunicar o aplicar a otras cosas: *Hago extensivo mi agradecimiento al resto del equipo.*

extenso, sa adj. **1** Con extensión o con más extensión de lo normal: *La conferencia de prensa fue muy extensa porque duró cuatro horas.* **2** ‖ **por extenso;** con mucho detalle: *En su carta me contaba sus vacaciones por extenso.*

extensor, -a adj. Que se extiende o que hace que algo se extienda: *músculos extensores.*

extenuación s.f. Debilitamiento o cansancio máximos: *Su extenuación era tal que no lograba mantenerse en pie.*

extenuante adj.inv. Que extenúa: *El entrenamiento de ayer fue extenuante y todos terminamos rendidos.*

extenuar v. Debilitar o cansar al máximo: *Este último esfuerzo me ha extenuado. Se extenuó al subir la cuesta corriendo.* □ ETIMOL. Del latín *extenuare*. □ ORTOGR. La *u* lleva tilde en los presentes, excepto en las personas *nosotros* y *vosotros* →ACTUAR.

exterior ▮ adj.inv. **1** Que está fuera o en la parte de afuera. **2** Que se desarrolla fuera de un país o que se establece con otros países: *comercio exterior; relaciones exteriores.* ▮ adj.inv./s.m. **3** Referido a una vivienda o a sus dependencias, que tiene ventanas que dan a la calle. ▮ s.m. **4** Parte de fuera de una cosa, esp. de un edificio o de sus dependencias. **5** Aspecto o porte de alguien. ▮ s.m.pl. **6** En cine, vídeo y televisión, espacios al aire libre en los que se ruedan o se graban escenas. **7** En cine, vídeo y televisión, escenas rodadas en estos espacios. □ ETIMOL. Del latín *exterior*.

exterioridad s.f. **1** Lo que está por fuera: *La exterioridad del edificio es de ladrillo rojo.* **2** Aspecto o apariencia de algo: *Su crítica se queda únicamente en exterioridades y no profundiza lo suficiente.*

exteriorización s.f. **1** Manifestación o expresión hacia el exterior: *A la gente tímida le resulta difícil la exteriorización de sus sentimientos.* **2** Contratación de servicios externos por una empresa que no puede asumir todo su trabajo.

exteriorizar v. Mostrar al exterior o hacer patente: *Es muy introvertido y no exterioriza sus sentimientos.* □ ORTOGR. La *z* se cambia en *c* delante de *e* →CAZAR.

exterminación s.f. →**exterminio.**

exterminador, -a adj./s. Que extermina: *En este anuncio de televisión dicen que este detergente es el auténtico exterminador de las manchas.*

exterminar v. **1** Referido a algo existente, acabar por completo con ello: *Exterminamos todas las ratas del garaje con un veneno eficaz.* **2** Destruir o arrasar con las armas: *El ejército invasor exterminó la población aborigen.* □ ETIMOL. Del latín *exterminare*.

exterminio s.m. Destrucción o desaparición total de algo: *Con este insecticida conseguiremos el exterminio de moscas y mosquitos.* □ SINÓN. *exterminación.*

externado s.m. **1** Centro en el que residen personas externas, esp. alumnos. **2** Estado y régimen de una persona externa, esp. de un alumno. **3** Conjunto de alumnos externos.

externalización s.f. Concesión de carácter externo o ajeno a algo que es propio, esp. referido a un compromiso de una empresa: *Asistí a una conferencia sobre la externalización de los planes de pensiones.* □ USO Es innecesario el uso del anglicismo *outsourcing*.

externalizar v. Referido esp. a un compromiso de una empresa, hacerlo externo o ajeno: *Esta empresa hizo un plan para externalizar sus planes de pensiones.*

externo, na ▮ adj. **1** Que está, actúa, se manifiesta o se desarrolla en el exterior: *La cáscara es la parte externa de la naranja. La pomada es un medicamento de aplicación externa.* ▮ adj./s.m. **2** Referido a una persona, esp. un alumno, que no vive en el lugar en el que trabaja o en el que estudia: *Busco un trabajador externo para que venga cinco horas al día. Los externos van a comer a casa y vuelven a clase por las tardes.* □ ETIMOL. Del latín *externus*.

extinción s.f. **1** Hecho de sofocar un fuego o algo semejante. **2** Terminación total de algo que ha ido disminuyendo poco a poco: *especies en peligro de extinción.* □ ETIMOL. Del latín *extinctio*.

extinguidor s.m. En zonas del español meridional, extintor: *En mi oficina tenemos varios extinguidores.*

extinguir ▮ v. **1** Referido esp. a un fuego, apagarlo o hacer que cese: *Los bomberos extinguieron el incendio.* **2** Acabar totalmente después de haber disminuido poco a poco: *La distancia contribuyó a extinguir su amistad. Cuando la luz del día se extinga entraremos en casa.* ▮ prnl. **3** Referido esp. a un plazo, acabar o concluir: *El contrato se ha extinguido sin que ninguna de las partes pida su renovación.* □ ETIMOL. Del latín *extinguere* (apagar). □ ORTOGR. La *gu* se cambia en *g* delante de *a, o* →DISTINGUIR. □ MORF. En la acepción 2, se usa más como pronominal.

extinto, ta ▮ **1** part. irreg. de **extinguir**. ▮ s. **2** Difunto o muerto: *El ataúd fue transportado por los familiares del extinto.* □ USO La acepción 1 se usa más como adjetivo o sustantivo, frente al participio *extinguido*, que se usa más en la conjugación.

extintor s.m. Aparato que se usa para extinguir un fuego, y que contiene un líquido o un fluido que dificulta la combustión: *Debes enfocar el extintor a la base de la llama.*

extirpación s.f. Eliminación total de algo, para que deje de existir: *La extirpación del tumor fue un éxito.*

extirpar v. **1** Arrancar de cuajo o seccionar por la base: *Me han operado para extirparme un quiste del ovario.* **2** Referido esp. a algo fuertemente arraigado, acabar con ello del todo, de forma que cese de existir: *Hay que extirpar de nuestra sociedad el racismo, la intransigencia y la discriminación.* □ ETIMOL. Del latín *exstirpare* (desarraigar, arrancar).

extorsión s.f. Coacción que se ejerce sobre alguien para obtener dinero u otro beneficio: *El soborno es un tipo de extorsión.* ☐ ETIMOL. Del latín *extorsio*, y este de *extorquere* (sacar algo por la fuerza, arrancándolo).

extorsionar v. Usurpar o arrebatar por la fuerza o con intimidación: *Extorsiona a un líder político mediante el soborno y lo amenaza con divulgar unas cartas comprometedoras.*

extorsionista s.com. Persona que causa o que lleva a cabo una extorsión: *Un extorsionista le hizo chantaje durante seis meses con unas fotografías comprometedoras.*

extra ▮ adj.inv. **1** Extraordinario o de calidad superior a la normal: *calidad extra; aceite extra.* ▮ adj.inv./s.m. **2** Que se da o se hace por añadidura o como complemento: *hacer horas extras en el trabajo.* ▮ s.com. **3** En una representación teatral o cinematográfica, persona que interviene como figurante o parte del acompañamiento, sin tener una actuación destacada: *Contrataron como extras a todos los chicos del pueblo donde se rodó la película.* ▮ s.m. **4** *col.* →**extraordinario.** ▮ s.f. **5** *col.* →**paga extraordinaria.** ☐ ETIMOL. Del latín *extra*. ☐ MORF. En la acepción 4, se usa más en plural.

extra- **1** Prefijo que significa 'fuera de': *extrajudicial, extraterrestre, extracorpóreo.* **2** Prefijo que significa 'en grado sumo': *extraplano, extrafino, extraligero.* ☐ ETIMOL. Del latín *extra*.

extracción s.f. **1** Hecho de sacar algo fuera del lugar en el que estaba metido, incluido o situado: *La extracción de la muela no me produjo ningún dolor.* **2** Obtención de un valor o de un resultado: *No consigo hacer la extracción de esta raíz cúbica.* **3** Obtención de una sustancia por haberla separado del cuerpo o del compuesto que la contenía: *Nos explicarán el proceso de extracción de aceite de almendra.* **4** Origen o linaje de una persona: *Es de extracción humilde.* ☐ ETIMOL. Del latín *extractio*.

extracorpóreo, a adj. Que está situado fuera del cuerpo, o que ocurre fuera de él: *Tengo un amigo que dice que todos tenemos un aura extracorpórea y que solo algunas personas pueden verla.* ☐ ETIMOL. De *extra-* (fuera de) y *corpóreo*.

extractar v. Reducir a un extracto: *Extractó una lección de veinte páginas en apenas dos folios.*

extracto s.m. **1** Resumen de algo, esp. de un escrito, que expresa con términos precisos solo lo más importante: *Todos los meses me mandan del banco el extracto de los movimientos de mi cuenta corriente.* **2** Sustancia muy concentrada y generalmente sólida que se obtiene por evaporación de algunos líquidos: *extracto de lavanda.* ☐ ETIMOL. Del latín *extractus*, y este de *extrahere* (extraer, sacar).

extractor, -a ▮ adj. **1** Que extrae: *una campana extractora de humos.* ▮ s.m. **2** Aparato que se usa para extraer o sacar fuera: *un extractor de humos.*

extradición s.f. Entrega de una persona refugiada o detenida en un país a las autoridades de otro que la reclama: *El Gobierno español solicitó la extradición del narcotraficante.*

extradir v. →**extraditar.** ☐ USO Su uso es innecesario.

extraditar v. Referido a un refugiado o a un detenido en un país, entregarlo a las autoridades de otro país que lo reclama: *El Gobierno francés extraditará a varios terroristas para que sean juzgados en España.* ☐ USO Es innecesario el uso de *extradir*.

extraer v. **1** Referido a algo, ponerlo fuera del lugar en que está contenido o encerrado: *La dentista me extrajo la muela del juicio.* ☐ SINÓN. *sacar.* **2** Deducir o sacar como consecuencia: *A partir de los hechos, extrae tus propias conclusiones.* **3** Referido a una raíz matemática, averiguar su valor o su resultado: *Extrae la raíz cuadrada de 1 248.* **4** Referido esp. a una sustancia, obtenerla separándola del cuerpo o del compuesto que la contiene: *El mosto se extrae de la uva.* ☐ ETIMOL. Del latín *extrahere*. ☐ MORF. Irreg. →TRAER.

extraescolar adj.inv. Referido a una actividad, que se desarrolla fuera de la escuela y fuera del horario lectivo, pero que está dentro del programa de educación del alumno: *Los viajes culturales de mi colegio son actividades extraescolares.* ☐ ETIMOL. De *extra-* (fuera de) y *escolar*.

extrafino, na adj. Muy fino o de muy buena calidad: *He comprado un chocolate extrafino.* ☐ ETIMOL. De *extra-* (muy) y *fino*.

extraíble adj.inv. Que se puede extraer: *El radiocasete de mi coche es extraíble.*

extrajudicial adj.inv. Que se hace o se trata fuera de la vía judicial: *Este problema puede solucionarse de forma extrajudicial sin llegar a los tribunales.* ☐ ETIMOL. De *extra-* (fuera de) y *judicial*.

extraligero, ra adj. *col.* Muy ligero: *Me despierto con cualquier ruido porque tengo el sueño extraligero.* ☐ ETIMOL. De *extra-* (muy) y *ligero*.

extralimitación s.f. Abuso en el uso de facultades o de atribuciones: *Insultar a un empleado, aunque sea de inferior categoría, es una extralimitación inadmisible.*

extralimitarse v.prnl. Ir más allá del límite debido: *El portero se extralimitó en sus funciones cuando te prohibió la entrada en mi casa.* ☐ ETIMOL. De *extra-* (fuera de) y *límite*.

extralingüístico, ca adj. Que no es lingüístico: *El contexto extralingüístico de un enunciado es la situación real en la que este se emite.* ☐ ETIMOL. De *extra-* (fuera de) y *lingüístico*.

extramarital adj.inv. Que tiene lugar fuera del matrimonio: *En la película, el protagonista mantenía relaciones extramaritales con su vecina.* ☐ ETIMOL. De *extra-* (fuera de) y *marital*.

extramatrimonial adj.inv. Que tiene lugar fuera del matrimonio. ☐ SINÓN. *extramarital.* ☐ ETIMOL. De *extra-* (fuera de) y *matrimonial*.

extramuros adv. Fuera del recinto de una población: *Vive extramuros, en un cortijo aislado.* ☐ ETIMOL. Del latín *extra muros* (fuera de las murallas). ☐ SINT. Incorr. *(*en el extramuro > extramuros)*.

extramusical adj.inv. Que está fuera de lo musical: *Las notas de algunos instrumentos se asocian* *fácilmente a sonidos extramusicales.* ☐ ETIMOL. De *extra* (fuera de) y *musical.*

extranet s.f. Red informática que conecta varias empresas entre sí.

extranjería s.f. **1** Condición y situación legal de un extranjero que reside en un país y que no se ha nacionalizado en él. **2** Conjunto de normas reguladoras de la condición, los actos y los intereses de los extranjeros residentes en un país: *la ley de extranjería.*

extranjerismo s.m. En lingüística, palabra, significado o construcción sintáctica de una lengua empleados en otra: *Los galicismos son extranjerismos.*

extranjerizar v. Dar características que se consideran propias de lo extranjero: *Ha vivido dos décadas en distintos países europeos y se ha extranjerizado.* ☐ ORTOGR. La *z* se cambia en *c* delante de *e* →CAZAR.

extranjero, ra ▌adj./s. **1** De una nación que no es la propia: *Una extranjera me preguntó cómo se llegaba al museo.* ▌s.m. **2** País o conjunto de países distintos del propio: *Viaja mucho al extranjero por motivos de trabajo.* ☐ ETIMOL. Del francés antiguo *estrangier*, y este de *estrange* (extraño).

extranjis ‖ **de extranjis;** *col.* En secreto, ocultamente o clandestinamente: *Pasó el reloj de extranjis por la aduana, para no pagar impuestos.*

extrañamiento s.m. **1** En derecho, pena que consiste en la expulsión de un condenado del territorio nacional: *El extrañamiento de terroristas es una práctica habitual en muchos gobiernos.* **2** Actitud del investigador que ha de enfrentarse con objetividad al objeto de estudio: *Aunque sea tu hermana la pintora sobre la que quieres hacer tu tesis doctoral, debes conseguir un extrañamiento total.*

extrañar v. **1** Producir o causar sorpresa, admiración o extrañeza: *Me extraña que te lo haya contado ella, porque no creo que lo sepa. Se extrañó de que me hubieran dado el premio a mí y no a ti.* **2** Echar de menos o echar en falta: *Te extraño mucho cuando estás lejos de mí.* **3** Referido a un objeto, considerarlo nuevo, raro o distinto de lo normal: *No suelo dormir bien en los hoteles porque extraño la cama.* **4** En derecho, referido a un condenado, expulsarlo del territorio nacional: *La condena del juez consistió en extrañar a los presos.* ☐ ETIMOL. Del latín *extraneare.*

extrañeza s.f. **1** Conjunto de características que hacen que algo resulte extraño, raro o anómalo: *Me miró con extrañeza, como si no entendiese lo que le estaba contando.* **2** Sorpresa, admiración o asombro: *Mostró extrañeza al vernos allí, porque no nos esperaba.*

extraño, ña ▌adj. **1** Raro o distinto de lo normal: *Hoy tenías una expresión extraña y pensé que te pasaba algo.* **2** De una naturaleza o condición distinta a la de la cosa de la que forma parte: *Se me ha metido un cuerpo extraño en el ojo.* ▌adj./s. **3** De otra nación, de otra familia o de otra profesión: *Es una persona extraña a nuestro trabajo.* **4** Referido esp. a una persona, que no es conocido y no se sabe nada de ella: *Cuando vayas solo por la calle, no hagas caso a ningún extraño.* ▌s.m. **5** Movimiento súbito, inesperado o sorprendente: *La moto me ha hecho un extraño, pero afortunadamente he podido controlarla.* ☐ ETIMOL. Del latín *extraneus* (exterior, ajeno, extranjero).

extraoficial adj.inv. Oficioso o no oficial: *Aunque el nombramiento se conoce ya de forma extraoficial, no se hará público hasta el mes que viene.* ☐ ETIMOL. De *extra-* (fuera de) y *oficial.*

extraordinaria adj./s.f. →**paga extraordinaria.**

extraordinario, ria ▌adj. **1** Que excede lo normal o lo ordinario: *Fue testigo de un acontecimiento extraordinario.* **2** De tamaño, cantidad o calidad mayores de lo ordinario o de lo normal: *Es una obra de teatro extraordinaria y sé que te gustará.* ☐ SINÓN. *bárbaro.* **3** Añadido a lo ordinario o a lo normal: *Conseguí un permiso extraordinario en el trabajo para poder venir a tu boda.* ▌s.m. **4** Número especial de una publicación periódica: *Después de la edición diaria, el periódico sacó un extraordinario con los últimos datos de las elecciones.* **5** Gasto añadido al presupuesto normal o previsto: *Este año, con el extraordinario del coche, no podremos irnos de vacaciones.* ▌s.f. **6** →**paga extraordinaria.** ☐ ETIMOL. Del latín *extraordinarius.* ☐ MORF. En las acepciones 5 y 6, se usa mucho la forma abreviada *extra.*

extraparlamentario, ria adj. Que no tiene representación parlamentaria: *Ese político es miembro de un partido extraparlamentario que no consiguió diputados en las últimas elecciones.*

extraplano, na adj. Muy plano o muy delgado en relación con otro de su especie: *Esta calculadora extraplana es tan fina como un cartón.*

extrapolación s.f. **1** Aplicación de las conclusiones que se obtienen en un campo a otro diferente: *No se puede hacer una extrapolación de los problemas de esta sociedad a los de otra en la que las condiciones no son las mismas.* **2** Extracción de una frase o de una palabra de su contexto: *El análisis del texto hace pensar que hay una extrapolación del fragmento inicial al final del capítulo.*

extrapolar v. **1** Referido a una conclusión, aplicarla a un campo diferente a aquel en el que ha sido obtenida: *No se pueden extrapolar los resultados de unas elecciones municipales para decir quién será el vencedor en las generales.* **2** Referido esp. a una expresión, sacarla de su contexto: *Extrapolaron una frase de la entrevista para cambiar el sentido de lo que dijo.* ☐ ETIMOL. De *extra-* (fuera de) y la terminación de *interpolar.*

extrarradio s.m. Parte o zona exterior que rodea el casco urbano de una población: *Vive en el extrarradio y trabaja en el centro de la ciudad.* ☐ ETIMOL. De *extra-* (fuera de) y *radio.*

extrasensorial adj.inv. Que se percibe o que acontece sin la intervención de los órganos sensoriales o que queda fuera de la esfera de estos: *experiencias extrasensoriales.* ☐ ETIMOL. De *extra-* (fuera de) y *sensorial.*

extrasístole s.f. Latido anormal e irregular del corazón, seguido de una pausa en las contracciones y generalmente acompañado de sensación de angustia.

extrasolar adj.inv. Que está fuera del sistema solar.

extraterrestre ▌adj.inv. **1** Del espacio exterior a la Tierra, relacionado con él o procedente de él: *El espacio extraterrestre es conocido en una pequeñísima parte.* ▌adj.inv./s.com. **2** Que procede de otro planeta: *Esa parapsicóloga dice que ha tenido contactos con extraterrestres.* ☐ SINÓN. *alienígena.* ☐ ETIMOL. De *extra-* (fuera de) y *terrestre.*

extraterritorial adj.inv. Que está o que se considera fuera de los límites territoriales de una jurisdicción: *Las embajadas son recintos extraterritoriales dentro de la nación en la que se encuentran.* ☐ ETIMOL. De *extra-* (fuera de) y *territorial.*

extraterritorialidad s.f. Privilegio por el que los representantes diplomáticos y sus sedes se consideran pertenecientes al territorio de la nación que representan y no pueden ser sometidos a la legislación del país en el que se encuentran: *La extraterritorialidad obliga a que el suceso ocurrido en esta embajada sea juzgado por la ley de su país y no por la del nuestro.*

extratipo s.m. En economía, cantidad camuflada bajo distintos conceptos que se paga por encima del tipo de interés legalmente autorizado: *Desde la liberalización de los intereses han desaparecido los extratipos.*

extraurbano, na adj. **1** Entre dos o más ciudades, que les corresponde o que las relaciona. **2** Que se desarrolla fuera de la ciudad: *El consumo extraurbano de este coche es realmente bajo.*

extrauterino, na adj. Que está situado fuera del útero o que ocurre fuera él: *La ginecóloga diagnosticó un embarazo extrauterino.* ☐ ETIMOL. De *extra-* (fuera de) y *uterino.*

extravagancia s.f. Rareza que resulta extraña porque se aparta de lo considerado normal o razonable.

extravagante adj.inv./s.com. Raro y fuera de lo común, por ser excesivamente peculiar u original: *Esta escritora es una extravagante y escribe sus novelas metida en la bañera.* ☐ ETIMOL. Del latín *extravagans.*

extravasación s.f. En medicina, salida de un líquido del vaso o del conducto que lo contiene: *La hemorragia es una extravasación de sangre.*

extravasarse v.prnl. En medicina, referido a un líquido, salirse del vaso o del conducto que lo contiene: *La rotura de la vena hizo que la sangre se extravasara.* ☐ ETIMOL. De *extra-* (fuera de) y *vaso.*

extraversión s.f. →**extroversión.**

extravertido, da adj./s. →**extrovertido.**

extraviar v. **1** Referido a una cosa, perderla, no encontrarla en su sitio o no saber dónde está: *Me han extraviado una maleta en el aeropuerto. ¡No me digas que se te han extraviado esos documentos!* **2** Desviar del camino o perderlo: *Tantas indicaciones solo sirven para extraviar a los automovilistas. Se extraviaron en el bosque cuando se hizo de noche.* **3** Referido a la vista o a la mirada, no fijarla en un objeto determinado: *A muchos desequilibrados se les extravía la mirada.* ☐ ETIMOL. Del latín *extra-* (fuera de) y *via* (camino). ☐ ORTOGR. La *i* lleva tilde en los presentes, excepto en las personas *nosotros* y *vosotros* →GUIAR.

extravío s.m. **1** Pérdida de algo que no se encuentra o que no se sabe dónde está: *Denuncié la pérdida de importantes documentos, aún no sé si por extravío o por robo.* **2** Mal comportamiento o conducta desordenada: *Se lamentaba de sus extravíos de juventud.* ☐ MORF. En la acepción 2, se usa más en plural.

extravirgen adj.inv. Referido esp. a un aceite, que es de muy buena calidad y que no ha sido sometido a procesos artificiales en su elaboración.

extremado, da adj. Exagerado o destacado hasta el punto de salirse de lo normal o de llamar la atención: *Es una persona de una cortesía extremada.*

extremar ▌v. **1** Llevar al extremo o al grado máximo: *Cuando conduce de noche, extrema su prudencia.* ▌prnl. **2** Poner el esmero o el cuidado máximos: *Se extremó en los preparativos, y la fiesta resultó un éxito.* ☐ SINT. Constr. de la acepción 2: *extremarse* EN *algo.*

extremaunción s.f. En la iglesia católica, sacramento que se administra a fieles gravemente enfermos ungiéndolos o haciéndoles el signo de la cruz el sacerdote con óleo sagrado: *Está muy enfermo y el párroco le ha administrado la extremaunción.* ☐ ETIMOL. De *extrema* (última) y *unción.* ☐ ORTOGR. Incorr. **extrema unción.* ☐ MORF. Se usa mucho la forma abreviada *unción.*

extremeño, ña adj./s. De Extremadura (comunidad autónoma), o relacionado con ella: *La comunidad extremeña está formada por las provincias de Cáceres y Badajoz.*

extremidad s.f. **1** En una persona, cada uno de los brazos y piernas: *El cuerpo humano está formado por cabeza, tronco y extremidades.* **2** Parte extrema o última de una cosa: *Las uñas se encuentran en las extremidades de los dedos.* ☐ ETIMOL. Del latín *extremitas.*

extremismo s.m. Tendencia a adoptar ideas o actitudes extremas o exageradas.

extremista adj.inv./s.com. Que adopta ideas o actitudes extremas o exageradas: *La policía detuvo a un grupo de extremistas que irrumpió en el palacio presidencial.*

extremo, ma ▌adj. **1** Excesivo, enorme, o con el grado máximo de intensidad: *un frío extremo.* **2** Que se encuentra en el límite de algo: *un grupo de extrema derecha.* **3** Lejano o apartado en el espacio o en el tiempo. ☐ SINÓN. *distante.* ▌s.m. **4** Parte que está al principio o al final de una cosa: *El primero y el último de la lista ocupan los extremos de la fila.* **5** Asunto, punto o cuestión que se discute o se estudia. **6** En fútbol y otros deportes, jugador que tiene la misión de jugar por las bandas y crear ocasiones de gol. **7** Punto último o límite a los que puede llegar una cosa: *Amó a los suyos hasta el extremo.* **8** || **en extremo;** muchísimo o excesivamente. || **en último extremo;** en último caso, o si no hay otro remedio: *En último extremo, si vemos que el dinero no nos llega, podemos pedir un crédito al banco.* ☐ ETIMOL. Del latín *extremus*.

extremosidad s.f. Exageración en los sentimientos o en las acciones: *Conviene que evites la extremosidad en el comer y que mantengas la moderación.*

extremoso, sa adj. Que no se modera ni tiene término medio en sus sentimientos o en sus acciones: *Es muy extremoso y no se puede discutir con él.*

extrínseco, ca adj. Que no es propio o característico de algo, o que es externo a él: *El plan fracasó por motivos extrínsecos a él, no porque fuera malo.* ☐ ETIMOL. Del latín *extrinsecus*. ☐ SEM. Dist. de *intrínseco* (que es propio y característico).

extroversión (tb. *extraversión*) s.f. Comportamiento del individuo abierto al mundo exterior, que es locuaz y sociable y que tiene tendencia a manifestar sus sentimientos: *La extroversión de esta chica hace que siempre suela contar las cosas que le suceden.*

extrovertido, da (tb. *extravertido, da*) adj./s. Referido a una persona, que tiene un carácter abierto, locuaz y sociable, y que tiende a manifestar sus sentimientos: *A los extrovertidos se les notan enseguida los cambios de humor.*

extruir v. Referido a un material metálico o plástico, darle forma haciéndolo pasar por una ranura: *Hoy es posible extruir metales como el aluminio, el cobre, el plomo o el acero.* ☐ MORF. Irreg. →HUIR.

exuberancia s.f. Abundancia o desarrollo extraordinarios de algo: *La exuberancia de estas plantas se debe a que el jardín está bien abonado y bien cuidado.* ☐ ORTOGR. Incorr. **exhuberancia*.

exuberante adj.inv. Abundante o desarrollado extraordinariamente: *una vegetación exuberante.* ☐ ETIMOL. Del antiguo *exuberar* (ser muy abundante). ☐ ORTOGR. Incorr. **exhuberante*.

exudación s.f. Salida de un líquido poco a poco a través de los poros o las grietas del cuerpo que lo contiene: *En la herida ya no hay exudación y ha empezado a cicatrizar.*

exudado s.m. En medicina, líquido o sustancia que resulta de la exudación: *El enfermero le limpiaba el exudado con una gasa estéril.*

exudar v. Salir un líquido poco a poco fuera del cuerpo que lo contiene: *Esas paredes exudan humedad. Cuando vio que la herida exudaba fue al médico.* ☐ ETIMOL. Del latín *exudare*.

exultación s.f. Demostración de una alegría, una excitación o de una satisfacción grandes: *Las ganadoras recibieron el premio con exultación.*

exultante adj.inv. Que exulta o muestra gran alegría: *Los dos estaban exultantes de alegría, ante la llegada de su primer hijo.*

exultar v. Mostrar gran alegría, satisfacción o excitación: *Exultaba de alegría porque había ganado el primer premio del concurso.* ☐ ETIMOL. Del latín *exultare*.

exvoto s.m. En algunas religiones, ofrenda dedicada a Dios, a los santos o a alguna divinidad como agradecimiento por algún favor o beneficio recibidos: *Los exvotos por curación suelen ser figuras de la parte del cuerpo que ha sanado.* ☐ ETIMOL. Del latín *ex voto* (a consecuencia del voto).

eyaculación s.f. Expulsión potente y rápida del contenido de un órgano, de una cavidad o de un depósito, esp. del semen: *La eyaculación precoz puede ser debida a problemas psicológicos.*

eyacular v. Referido esp. al contenido de un órgano, de una cavidad o de un conducto, lanzarlo fuera con rapidez y con fuerza: *Cuando el macho eyacula, termina el acto sexual. Al eyacular el semen, los espermatozoides inician el recorrido hacia el óvulo femenino.* ☐ ETIMOL. Del latín *eiaculare*, y este de *iaculare* (arrojar).

eyaculatorio, ria adj. De la eyaculación o relacionado con ella: *El médico dijo que mi esterilidad se debía a problemas eyaculatorios.*

eyección s.f. En un avión reactor militar o experimental, expulsión automática del asiento del piloto cuando debe abandonar el aparato en el aire: *La eyección del piloto fue justo unos segundos antes de la explosión del avión.*

eyectar v. Impulsar con fuerza hacia fuera: *El asiento eyectó al piloto segundos antes de que el avión se estrellara.* ☐ ETIMOL. Del latín *eiectare*.

eyector s.m. Aparato que sirve para impulsar algo con fuerza hacia fuera. ☐ ETIMOL. Del latín *eiectus*.

eye liner (ing.) s.m. || Perfilador de ojos: *Este eye liner tiene la punta tan fina que es muy fácil pintarse la raya del ojo.* ☐ PRON. [ai láiner]. ☐ USO Su uso es innecesario.

-ez Sufijo que indica cualidad: *flacidez, brillantez.*

-eza Sufijo que indica cualidad: *belleza, dureza.*

e-zine s.f. Revista que se publica en internet. ☐ ETIMOL. De *electronic* y *fanzine*.

-ezno, -ezna Sufijo que significa 'cría': *osezno, lobezna.* ☐ ETIMOL. Del latín *-icinus*.

F f

f s.f. Sexta letra del abecedario. ☐ PRON. Representa el sonido consonántico labiodental fricativo sordo.

fa (pl. *fas*) s.m. En música, cuarta nota de la escala de do mayor: *En clave de sol, el fa se escribe en el primer espacio del pentagrama.* ☐ ETIMOL. De la primera sílaba de la palabra *famuli*, que aparece en el himno de San Juan Bautista, de donde se sacó el nombre de todas las notas musicales.

fabada s.f. Guiso que se prepara con alubias, tocino, morcilla y otros ingredientes: *La fabada es un plato típico de Asturias.* ☐ ETIMOL. De *faba* (judía).

fábrica s.f. **1** Lugar con las instalaciones necesarias para fabricar u obtener un producto: *una fábrica de coches.* **2** Construcción hecha de sillares o de ladrillos y argamasa o mortero: *Los muros del jardín son de fábrica.* ☐ ETIMOL. Del latín *fabrica* (taller, fragua, oficio de artesano).

fabricación s.f. **1** Producción en serie y generalmente por medios mecánicos: *Esa empresa se dedica a la fabricación de televisores.* **2** Construcción, preparación o creación de algo: *El cine alimenta la fabricación de ídolos.*

fabricante adj.inv./s.com. Referido a una persona o sociedad, que se dedica a la fabricación de productos: *Si el producto está defectuoso, para reclamar debes dirigirte al fabricante.*

fabricar v. **1** Producir en serie, generalmente por medios mecánicos: *Esta empresa fabrica tractores.* **2** Referido esp. a un producto, prepararlo, transformarlo o producirlo por medio del trabajo adecuado: *Los gusanos fabrican seda para hacer los capullos.* ☐ SINÓN. *elaborar.* **3** Levantar, construir, crear o dar forma: *En pocos años ha fabricado una fortuna.* ☐ ETIMOL. Del latín *fabricare* (componer, modelar, confeccionar). ☐ ORTOGR. La *c* se cambia en *qu* delante de *e* →SACAR.

fabril adj.inv. De las fábricas, de sus operarios o relacionado con ellos: *una barriada fabril.* ☐ ETIMOL. Del latín *fabrilis* (del artesano).

fábula s.f. **1** Composición literaria de carácter narrativo, generalmente breve y en verso, cuyos personajes suelen ser animales, y en la que se desarrolla una ficción con la que se pretende dar una enseñanza útil o moral, frecuentemente sintetizada en una moraleja final. **2** Relato falso o sin fundamento: *Esos rumores no son más que fábulas y habladurías.* **3** Mito o relato mitológico: *Góngora escribió un poema sobre la fábula griega de Polifemo y Galatea.* **4** || **de fábula;** *col.* Muy bien o muy bueno: *Este dibujo me ha salido de fábula. Ven a bañarte, que el agua hoy está de fábula.* ☐ ETIMOL. Del latín *fabula* (conversación, relato, cuento).

fabulación s.f. Invención o imaginación de una historia: *A ese niño no se le puede creer siempre porque tiende a la fabulación.*

fabulador, -a s. **1** →**fabulista. 2** Persona con facilidad para inventar historias fabulosas: *Es un gran fabulador y disfruta contando cuentos fantásticos a los niños.* ☐ ETIMOL. Del latín *fabulator*.

fabular v. Referido a una historia, inventarla o imaginarla: *A partir de un suceso real, fabuló un cuento de terror. Fabulas tan bien que tus novelas resultan muy amenas.*

fabulesco, ca adj. De la fábula o con características de este tipo de composiciones literarias: *personajes fabulescos.*

fabulista s.com. Persona que escribe fábulas literarias: *El griego Esopo y los españoles Iriarte y Samaniego fueron grandes fabulistas.* ☐ SINÓN. *fabulador.*

fabuloso, sa adj. Maravilloso, fantástico, extraordinario o con las características propias de una fábula: *Han sido unas vacaciones fabulosas.* ☐ ETIMOL. Del latín *fabulosus*. ☐ SINT. En la lengua coloquial *fabuloso* se usa también como adverbio de modo con el significado de 'muy bien': *Este fin de semana me lo he pasado fabuloso.*

faca s.f. Cuchillo grande y con punta, esp. si tiene la hoja curva: *Los bandidos llevaban la faca al cinto.* ☐ ETIMOL. Quizá del portugués *faca* (cuchillo).

facción s.f. **1** Bando de personas que se separa de un grupo, generalmente por tener ideas diferentes: *Una facción del ejército rebelde asaltó el palacio presidencial.* **2** Cada una de las partes del rostro humano: *Aunque eres europeo, tienes facciones orientales.* ☐ ETIMOL. Del latín *factio* (manera de hacer, corporación, partido). ☐ MORF. En la acepción 2, se usa más en plural.

faccioso, sa adj./s. Que pertenece a una facción o que causa disturbios y perturba la paz pública: *Tres facciosos rompieron una farola.* ☐ ETIMOL. Del latín *factiosus*. ☐ SEM. Dist. de *facineroso* (delincuente habitual o persona malvada).

faceta s.f. **1** Cada uno de los aspectos que se pueden considerar en un asunto: *La habilidad para dibujar es una de las facetas menos conocidas de mi personalidad.* **2** Cada una de las caras de un poliedro, si son pequeñas, esp. de una piedra preciosa tallada: *las facetas de un brillante.* ☐ ETIMOL. Del francés *facette*.

facetada s.f. En zonas del español meridional, chiste que carece de gracia o que es desagradable.

facha ▮ adj.inv./s.com. **1** *col. desp.* →**fascista.** ▮ s.f. **2** *col.* Aspecto o traza, esp. los de una persona: *Cámbiate de vestido porque con esa facha se van a reír de ti.* **3** Persona de aspecto extravagante o ridículo. ☐ ETIMOL. La acepción 2, del italiano *faccia* (rostro).

fachada s.f. **1** En un edificio, muro exterior, esp. el principal: *Esa catedral gótica tiene un rosetón en el segundo cuerpo de la fachada.* **2** Aspecto externo: *¡A saber qué esconde ese tipo detrás de esa fachada tan tranquila!* ☐ ETIMOL. Del italiano *facciata*.

fachenda s.f. *col.* Vanidad o presunción. □ ETIMOL. Del italiano *faccenda.*

fachendoso, sa adj. **1** *col.* Que tiene o que manifiesta fachenda. **2** En zonas del español meridional, descuidado.

facherío s.m. *col. desp.* Conjunto de personas con ideas políticas fascistas.

fachoso, sa adj. *col.* Con mal aspecto o poco cuidado: *Como vengas fachoso y despeinado no voy contigo.*

facial adj.inv. De la cara o relacionado con ella: *rasgos faciales.* □ ETIMOL. Del latín *facialis.*

fácil ▌ adj.inv. **1** Que se puede hacer sin mucho trabajo o sin mucha dificultad: *La profesora nos puso un problema muy fácil.* **2** Que tiene mucha probabilidad de suceder: *Con este catarro, es fácil que mañana no puedas ir a clase.* **3** *desp.* Referido a una persona, que se deja seducir sin oponer mucha resistencia: *Cree que podrá ligar con él porque tiene fama de hombre fácil.* **4** Dócil, manejable o que no presenta problemas: *El profesor estaba contento porque le había tocado un curso fácil.* ▌ adv. **5** Sin esfuerzo o con facilidad: *Esto es muy sencillo y se aprende fácil.* □ ETIMOL. Del latín *facilis* (que puede hacerse). □ SEM. No debe emplearse con el significado de 'hábil': *Es un jugador {*fácil > hábil} para el remate.*

facilidad ▌ s.f. **1** Disposición o aptitud para hacer algo sin trabajo o sin dificultad: *Tiene facilidad para la música y toca la guitarra muy bien.* **2** Ausencia de dificultad o de esfuerzo en la realización de algo: *El manejo de los electrodomésticos se aprende con facilidad.* ▌ pl. **3** Medios que hacen fácil o posible conseguir algo: *Nos dieron un préstamo con facilidades.*

facilitación s.f. **1** Disminución de dificultades en la realización de algo: *Las máquinas consiguen la facilitación del trabajo.* **2** Entrega o suministro de lo que se necesita: *La facilitación de los datos me ayudó a lograr el ascenso.*

facilitador, -a adj./s. Que facilita algo, haciéndolo posible o proporcionándolo: *Gracias a una actitud facilitadora por ambas partes, se pudo conseguir el acuerdo.*

facilitar v. **1** Hacer fácil o posible: *La nueva autopista facilitará el transporte por carretera.* **2** Proporcionar o entregar: *Yo puedo facilitarte las herramientas que necesitas.*

facilongo, ga adj. *col.* Muy fácil: *Tardé muy poco en resolver el acertijo porque era facilongo.*

facineroso, sa adj./s. Delincuente habitual: *Ese facineroso contrata a emigrantes y les paga una miseria.* □ ETIMOL. Del latín *facinorosus*, y este de *facinus* (hazaña, crimen). □ PRON. Incorr. *[facineróso]. □ SEM. Dist. de *faccioso* (que pertenece a una facción o que ocasiona disturbios).

facistol s.m. Atril de gran tamaño donde se ponen los libros para cantar en las iglesias: *En el coro de la catedral había un facistol de cuatro caras para poner varios libros.* □ ETIMOL. Del germánico *faldestol* (sillón). □ ORTOGR. Incorr. **fascistol.*

facón s.m. En zonas del español meridional, faca con la hoja recta: *El gaucho sacó su facón y amenazó a aquel hombre.*

facsímil (tb. *facsímile*) adj.inv./s.m. Referido esp. a una edición o a una reproducción, que copia o reproduce exactamente el original. □ ETIMOL. Del latín *fac simile* (haz una cosa semejante).

facsimilar adj.inv. Referido esp. a una edición, que reproduce exactamente el original: *Las reproducciones facsimilares suelen estar muy cuidadas.*

facsímile adj.inv./s.m. →**facsímil.**

factible adj.inv. Que se puede hacer: *Esta propuesta no es factible por los gastos que supone.* □ ETIMOL. De latín *factibilis.* □ SEM. No debe emplearse con el significado de 'posible' ni de 'susceptible': *Es {*factible > posible} que llueva esta tarde. Este trabajo es {*factible > susceptible} de mejora.*

fáctico, ca adj. **1** Basado en hechos o limitado a ellos: *Aunque no lo hayan firmado, entre las dos empresas hay un acuerdo fáctico de cooperación.* **2** De los hechos o relacionado con ellos: *Ejército, banca y clero son poderes fácticos porque en teoría no tienen poder político pero lo tienen en los hechos por su gran importancia.* □ SINÓN. *factual.* □ ETIMOL. Del latín *factum* (hecho).

factor s.m. **1** Elemento o circunstancia que contribuyen a producir un resultado: *los factores del éxito; los factores de riesgo.* **2** En una multiplicación matemática, cada una de las cantidades que se multiplican para calcular su producto: *Los factores de una multiplicación son el multiplicando y el multiplicador.* **3** En matemáticas, número que está contenido exactamente dos o más veces en otro: *El 3 es factor de 6 porque este lo contiene dos veces.* □ SINÓN. *divisor, submúltiplo.* **4** Empleado que en las estaciones de tren se ocupa de la recepción y la entrega de los equipajes, mercancías y animales transportados: *Mi abuelo trabajó de factor en la estación de mi pueblo.* **5** ‖ **factor Rh;** en medicina, antígeno cuya presencia o ausencia determinan la compatibilidad sanguínea en transfusiones o embarazos: *Mi grupo sanguíneo es 'A' y mi factor Rh es '+'.* □ ETIMOL. Del latín *factor.*

factoría s.f. **1** Fábrica o complejo industrial: *una factoría de coches.* **2** Antiguamente, establecimiento comercial, esp. el situado en una colonia: *Los fenicios crearon factorías en las costas mediterráneas.*

factorial s.m. En matemáticas, producto de todos los números naturales que anteceden a un número, incluido él mismo: *El factorial de 3 es 3 x 2 x 1, o sea, 6.* □ MORF. Se admite también como femenino. □ SINT. Constr. *factorial* DE *un número.*

factoring (ing.) s.m. Gestión y cobro de facturas que una empresa lleva a cabo para otras: *una empresa de factoring.* □ PRON. [fáctorin].

factótum s.com. **1** *col.* Persona que en una casa o en el trabajo se encarga de todo: *Como la dueña nunca está, me he convertido en el factótum de la tienda.* **2** Persona de confianza que se encarga de asuntos importantes por delegación de otra: *Los papeles los firma el secretario de la gerente, que es su* *factótum.* □ ETIMOL. Del latín *fac* (haz) y *totum* (todo).

factual adj.inv. De los hechos o relacionado con ellos: *A mí solo me valen las comprobaciones factuales, no las hipótesis.* □ SINÓN. *fáctico.* □ ETIMOL. Del latín *factum* (hecho).

factura s.f. **1** En una operación comercial, cuenta en la que se detallan las mercancías adquiridas o los servicios recibidos, y su importe: *Siempre que compro algo para la oficina, pido una factura para justificar los gastos.* **2** Ejecución o modo de hacer algo: *El delantero consiguió un gol de bella factura.* **3** En zonas del español meridional, conjunto de bollos que se venden en las panaderías. **4** || **pasar factura; 1** *col.* Pedir un favor en correspondencia por otro que se había hecho: *Me ayudó, pero me advirtió que ya me pasaría factura.* **2** *col.* Traer consecuencias negativas: *El abuso de alcohol siempre acaba pasando factura.* □ ETIMOL. Del latín *factura.*

facturación s.f. **1** Entrega y registro de un equipaje o de una mercancía para que sean enviados a su destino: *En la estación de autobuses hay un mostrador para la facturación de equipajes.* **2** Elaboración y tramitación de una factura: *La facturación de los libros que he comprado me la harán mañana.* **3** Conjunto de objetos facturados: *la facturación anual de una empresa.* □ USO En la acepción 1, es innecesario el uso del anglicismo *check-in.*

facturar v. **1** Referido al equipaje o a una mercancía, entregarlos y registrarlos para que sean enviados a su destino: *Hay que llegar al aeropuerto con tiempo para facturar el equipaje.* **2** Referido a una cantidad de dinero, extender o hacer las facturas correspondientes a su importe: *Esa empresa factura varios miles de euros al año.*

facultad s.f. **1** Capacidad, aptitud o potencia física o moral: *Cuando escribió su testamento estaba en plenas facultades mentales. Tiene muchas facultades para el dibujo.* **2** Poder, derecho o autorización: *Solo el presidente tiene facultad para convocar elecciones.* **3** En una universidad, sección que corresponde a una de las ramas del saber y en la que se estudian las carreras correspondientes: *facultad de Derecho.* □ ETIMOL. Del latín *facultas* (facilidad, facultad).

facultar v. Conceder o dar facultad, autorización o poder: *Este título me faculta para ejercer mi profesión en toda España.* □ SINT. Constr. *facultar* A *alguien* PARA *algo.*

facultativo, va ▌adj. **1** De la facultad o poder para hacer algo, o que depende de ellos: *La concesión de indulto es facultativa del Gobierno.* **2** Referido a un acto, que no es necesario, sino que libremente se puede hacer u omitir: *En esta asignatura, la asistencia a clase es facultativa, pero no falta ningún alumno.* □ SINÓN. *potestativo.* **3** Indicado, realizado o emitido por un médico: *Los médicos del hospital leyeron el parte facultativo del herido.* ▌adj./s. **4** Referido esp. a una persona, que ha realizado estudios superiores o universitarios y desempeña funciones al servicio del Estado: *Las bibliotecas públicas están atendidas por personal facultativo especializado.* ▌s. **5** Persona que ejerce la medicina o la cirugía: *Los facultativos aconsejan operar cuanto antes.*

facundia s.f. Facilidad en el hablar: *La facundia es una facultad indispensable para un buen orador.* □ SINÓN. *afluencia.*

facundo, da adj. Que tiene facilidad para hablar: *un facundo orador.* □ ETIMOL. Del latín *facundus* (hablador). □ ORTOGR. Dist. de *fecundo.*

fado s.m. Canción popular portuguesa de aire melancólico: *Cantó un fado acompañándose con guitarra.* □ ETIMOL. Del portugués *fado,* y este del latín *fatum* (destino).

faena s.f. **1** Trabajo, ocupación o tarea que han de hacerse: *las faenas del campo.* **2** Hecho que causa un perjuicio, esp. si es malintencionado: *Soy rencoroso y todavía me acuerdo de la faena que me hizo hace dos años.* □ SINÓN. *jugada.* **3** En una corrida de toros, labor del torero durante la lidia, esp. en el último tercio. **4** En zonas del español meridional, cuadrilla de obreros: *La faena que trabaja en mi estancia inició una huelga esta mañana.* **5** || **meterse en faena;** *col.* Comenzar a hacer un trabajo o una actividad: *Cuanto antes te metas en faena, antes acabarás.* □ ETIMOL. Del catalán antiguo *faena* (quehacer, trabajo). □ SINT. La acepción 2 se usa mucho en la expresión *hacer una faena.*

faenar v. **1** Pescar y hacer los trabajos de la pesca marina: *Estos barcos faenan en las costas del norte de Europa.* **2** Trabajar la tierra: *Madruga para ir a faenar al campo.*

faenero, ra adj. Que faena en el mar: *Los barcos faeneros se vieron sorprendidos por la tormenta.*

faetón s.m. Carruaje descubierto, de cuatro ruedas, alto y ligero: *El faetón fue un carruaje muy utilizado en el siglo* XIX. □ ETIMOL. Por alusión a Faetón, hijo del Sol según la mitología griega, que gobernó el carro de su padre.

fagáceo, a ▌adj./s.f. **1** Referido a una planta, que es leñosa, tiene flores masculinas y femeninas, hojas caducas, y fruto más o menos cubierto por una cúpula: *El castaño es una fagácea.* ▌s.f.pl. **2** En botánica, familia de estas plantas, perteneciente a la clase de las dicotiledóneas: *La encina y el alcornoque pertenecen a las fagáceas.* □ ETIMOL. Del latín *fagus* (haya).

-fagia Elemento compositivo sufijo que significa 'hecho de comer o de digerir': *antropofagia, aerofagia.* □ ETIMOL. Del latín *-phagia.*

fago- Elemento compositivo sufijo que significa 'que come': *fagocito.* □ ETIMOL. Del latín *-phagus.*

-fago, -faga Elemento compositivo sufijo que significa 'que come': *antropófago, necrófaga.* □ ETIMOL. Del latín *-phagus.*

fagocitar v. **1** Referido a algunas células, digerir o destruir partículas rodeándolas con los seudópodos: *Algunos leucocitos tienen la capacidad de fagocitar bacterias perjudiciales para el organismo.* **2** *col.* Referido a una persona, absorber, atraer o cautivar su atención: *El periodismo me fagocita y no puedo vivir sin él.*

fagocitario, ria adj. De los fagocitos o relacionado con estas células: *Los procesos fagocitarios se desencadenan al ser detectada la entrada de elementos extraños en el organismo.*

fagocito s.m. En la sangre o en algunos tejidos animales, célula móvil capaz de apoderarse de partículas nocivas o inútiles para el organismo, y de digerirlas: *Algunos glóbulos blancos son fagocitos.* □ ETIMOL. Del griego *phágos* (comilón) y *-cito* (célula).

fagocitosis (pl. *fagocitosis*) s.f. Proceso biológico por el que algunas células digieren o destruyen partículas rodeándolas con los seudópodos: *Las amebas son organismos unicelulares de vida libre que se alimentan por fagocitosis.* □ ETIMOL. De *fagocito*.

fagot (tb. *fagote*) (pl. *fagots, fagotes*) s.m. Instrumento musical de viento formado por un tubo de unos siete centímetros de grueso y de más de un metro de largo, con agujeros y llaves, y con una boquilla de caña por la que se sopla para hacerlo sonar: *En las orquestas, los fagotes se colocan en la zona central.* □ ETIMOL. Del francés antiguo *fagot* (haz de leña), porque el instrumento musical se podía desmontar en varias piezas.

fagotista s.com. Músico que toca el fagot: *Buscan un fagotista para la orquesta de la ciudad.*

fair play (ing.) s.m. **1** || **1** Participación honesta o que sigue las reglas, esp. en deporte: *En este partido de fútbol se ha echado de menos el fair play.* □ PRON. [férplei]. □ USO Su uso es innecesario y puede sustituirse por *juego limpio*.

faisán s.m. Ave del tamaño de un gallo, con un penacho de plumas en la cabeza y cola muy larga y tendida, cuyo macho tiene el plumaje de vistosos colores: *En el plumaje de la hembra del faisán dominan los tonos pardos, grises y rojizos.* □ ETIMOL. Del provenzal *faisan.* □ MORF. Es un sustantivo epiceno: *el faisán {macho/hembra}.*

faja s.f. **1** Prenda de ropa interior confeccionada con un material elástico, que cubre desde la cintura hasta las nalgas o hasta la parte superior del muslo. **2** Tira larga y estrecha de un material delgado y flexible que sujeta algo. □ SINÓN. *banda.* **3** Trozo largo y estrecho de tela o de punto que se utiliza para rodear la cintura, dando varias vueltas. **4** Superficie o trozo mucho más largos que anchos: *faja de terreno.* □ ETIMOL. Del latín *fascia* (venda).

fajador, -a s. Boxeador que suele pelear atacando y golpeando: *Este boxeador es un buen fajador y siempre gana los combates por K.O.*

fajar ▮ v. **1** Rodear o envolver con una faja: *En el almacén hay una persona que se encarga de fajar los libros.* **2** En zonas del español meridional, golpear o atacar: *Lo fajaron y lo dejaron malherido.* ▮ prnl. **3** En boxeo, esquivar y resistir bien los golpes: *El vencedor del combate de ayer supo fajarse bien.* □ ORTOGR. Conserva la *j* en toda la conjugación.

faje s.m. *col.* En zonas del español meridional, encuentro sexual entre dos personas, pero sin llegar al coito.

fajero s.m. Faja de tela que se utiliza para sujetar el pañal de los bebés.

fajín s.m. Faja de seda que usaban algunos cargos militares como distintivo: *El general se puso el fajín sobre el uniforme de gala.*

fajo s.m. Conjunto de cosas, generalmente largas y estrechas, puestas unas sobre otras y atadas: *un fajo de billetes.* □ ETIMOL. Del latín *fascis* (haz).

fajón s.m. →**arco fajón.**

falacia s.f. Engaño, fraude o mentira, esp. los que se utilizan para dañar a alguien: *¿Cómo has podido creerte semejante falacia?* □ ETIMOL. De latín *fallacia.*

falafel s.m. **1** Comida de origen árabe que consiste en croquetas de garbanzos o de otras legumbres. **2** Empanada que se hace con este alimento.

falange s.f. **1** Cada uno de los huesos de los dedos, esp. el primero o más cercano a la muñeca: *Todos los dedos de la mano, excepto el pulgar, tienen tres falanges.* **2** Cuerpo numeroso de tropas: *Las falanges del ejército enemigo asediaban la ciudad.* □ ETIMOL. Del latín *phalanx*, y este del griego *phálanx* (garrote, rodillo, línea de batalla).

falangeta s.f. Falange tercera de los dedos: *La falange en la que tenemos uña es la falangeta.*

falangina s.f. Falange segunda o media de los dedos: *Los dedos pulgares no tienen falangina.*

falangismo s.m. Movimiento político y social caracterizado por su tendencia nacionalista y por propugnar la desaparición de los partidos políticos y la protección oficial de la tradición religiosa española: *El fundador del falangismo fue José Antonio Primo de Rivera.*

falangista ▮ adj.inv. **1** Del falangismo o relacionado con este movimiento político y social: *escudo falangista.* ▮ adj.inv./s.com. **2** Que defiende o sigue este movimiento.

falansterio s.m. **1** En el sistema utópico de Fourier (sociólogo francés), comunidad autónoma de producción y consumo: *En España se organizaron algunos falansterios en el siglo XIX.* **2** Edificio en el que habitaría cada una de estas comunidades autónomas: *La vida en el falansterio estaba totalmente reglamentada.* **3** Alojamiento o residencia colectivos para mucha gente: *Un gran falansterio era el lugar de residencia de muchos mendigos.* □ ETIMOL. Del francés *phalanstère*, y este de *phalange* (grupo) y *monastère* (monasterio).

falasha adj.inv./s.com. Referido a un judío, que es de origen etíope: *Miles de falashas fueron trasladados desde Etiopía a Israel.* □ ETIMOL. De origen etíope.

falaz adj.inv. **1** Embustero, falso o mentiroso. **2** Que halaga y atrae con falsas apariencias: *Me dejé convencer por sus falaces alabanzas.* □ ETIMOL. Del latín *fallax* (engañoso).

falciforme adj.inv. Con forma de hoz: *En ciertas anemias los hematíes son falciformes.* □ ETIMOL. Del latín *falx* (hoz) y *-forme* (con forma).

falcónido, da ▮ adj./s.m. **1** Referido a un ave, que tiene el pico fuerte y ganchudo, las alas puntiagudas y los pies desnudos: *El cernícalo es un ave fal-*

cónida. ▌s.m.pl. **2** En zoología, familia de estas aves: *Las hembras de los falcónidos son de mayor talla que los machos.* □ ETIMOL. Del latín *falco* (halcón).

falconiforme ▌adj.inv./s.m. **1** Referido a un ave, que tiene el pico fuerte y ganchudo, las patas robustas y terminadas en garras, y que se alimenta de animales que caza: *El cernícalo y el halcón son aves falconiformes.* ▌s.m.pl. **2** En zoología, orden de estas aves: *Las aves que pertenecen a los falconiformes son rapaces diurnas.* □ ETIMOL. Del latín *falco* (halcón) y *-forme* (con forma). □ MORF. Se admite también como femenino.

falda ▌s.f. **1** Prenda de vestir, generalmente femenina, que cae desde la cintura. **2** En una prenda de vestir, parte que cae desde la cintura hacia abajo: *La falda del vestido era de una tela distinta a la del cuerpo.* **3** En una mesa camilla, cobertura que la reviste y que suele llegar hasta el suelo: *Las faldas de la mesa camilla son iguales que las cortinas.* **4** En un monte o en una sierra, parte baja o inferior: *la falda de la montaña.* **5** En una res, carne que cuelga desde las agujas sin pegarse al hueso ni a las costillas: *falda de ternera.* ▌pl. **6** *col.* Mujeres: *Con lo enamoradizo que es, siempre anda metido en algún lío de faldas.* **7** ‖ **estar pegado a las faldas** de una persona; *col.* Depender demasiado de ella: *Está tan pegado a las faldas de su madre que no se separa de ella.* □ ETIMOL. Del germánico **falda* (falda, pliegue). □ MORF. En la acepción 3, se usa más en plural.

faldellín s.m. Falda corta, que se pone generalmente sobre otra: *El Cristo de la procesión llevaba un faldellín de encaje.*

faldero, ra ▌adj. **1** De la falda o relacionado con ella: *unos patrones falderos.* **2** Aficionado a estar entre mujeres: *Siempre lo verás rodeado de chicas porque es muy faldero.* ▌s.m. **3** →**perro faldero.**

faldón s.m. **1** En algunas prendas de tela, parte inferior que cuelga: *Llevaba los faldones de la camisa fuera del pantalón.* **2** Falda larga y suelta que se pone a los bebés: *Mi faldón de bautizo era de encaje blanco.* **3** En una silla de montar, pieza de cuero que evita el roce de las piernas del jinete con los flancos del caballo.

faldriquera s.f. →**faltriquera.** □ ETIMOL. De *faldica* (diminutivo de *falda*).

fale s.f. Vivienda típica samoana, formada por una plataforma y un techado sujeto a postes de madera.

falena s.f. Mariposa que tiene el cuerpo delgado y cuyas orugas tienen dos pares de falsas patas abdominales.

falencia s.f. En zonas del español meridional, carencia. □ ETIMOL. Del latín *fallentis* (que engaña).

falible adj.inv. Que puede fallar o equivocarse: *Siento haberme equivocado pero todos somos falibles.* □ ETIMOL. Del latín *fallibilis.*

fálico, ca adj. Del falo o relacionado con esta parte de los órganos sexuales masculinos: *Las representaciones fálicas son muy frecuentes en culturas prehistóricas.*

falla ▌s.f. **1** En un terreno, fractura de un estrato producida por movimientos geológicos que ocasionan el desplazamiento de uno de los bloques con respecto al otro: *El terremoto ha causado grandes fallas en la zona.* **2** Defecto material de algo: *Esta tela me costó más barata porque tiene una falla en los hilos.* **3** Figura o conjunto de figuras de cartón piedra que representan de forma satírica y humorística personajes o escenas generalmente de actualidad, y que se construyen para ser quemadas en las calles durante las fiestas valencianas: *Las fallas se queman la noche de la víspera de San José, patrón de Valencia.* **4** En zonas del español meridional, fallo: *Una de las grandes fallas de esta sociedad es la intolerancia.* ▌pl. **5** Fiestas valencianas que se celebran el 19 de marzo y durante las que se queman estas figuras: *Este año he estado tres días en las fallas.* □ ETIMOL. La acepción 1, del francés *faille.* Las acepciones 2 y 4, del latín *falla* (defecto). Las acepciones 3 y 5, del catalán *falla*, y este del latín *facula* (antorcha).

fallar v. **1** No acertar o no conseguir lo que se espera: *Si fallas esta vez, no tendrás otra oportunidad. Falló tres de las cinco preguntas y suspendió.* **2** Referido esp. a un proceso judicial o a un premio, decidir su sentencia o su resultado el tribunal correspondiente: *El tribunal falló a mi favor y la constructora deberá indemnizarme. Mañana se falla el premio de poesía.* **3** Dejar de aguantar o de servir, o no dar el servicio esperado: *A sus años, es normal que le falle la memoria.* □ ETIMOL. Las acepciones 1 y 3, de *falla* (defecto). La acepción 2, del latín *afflare* (soplar, oler, encontrar).

falleba s.f. Vara larga y delgada, de hierro y doblada en sus extremos, que sirve para cerrar y asegurar ventanas o puertas: *Para cerrar la contraventana tienes que girar la falleba.* □ ETIMOL. Del árabe *jallaba* (palo de madera para cerrar puertas y ventanas).

fallecer v. Dejar de vivir: *El enfermo falleció esta mañana.* □ SINÓN. *morir.* □ ETIMOL. Del latín *fallere* (engañar, faltar). □ MORF. Irreg. →PARECER.

fallecido, da adj./s. Referido a una persona, que ha muerto: *El número de personas fallecidas en carretera ha descendido en los últimos meses.*

fallecimiento s.m. Muerte o terminación de la vida de una persona: *El fallecimiento de los seres queridos siempre es doloroso.*

fallero, ra ▌adj. **1** De las fallas valencianas o relacionado con ellas. ▌s. **2** Persona que se dedica a la construcción de las fallas valencianas, esp. si esta es su profesión: *Los falleros son grandes artesanos.* **3** Persona que participa en estas fiestas: *El acto estuvo presidido por la fallera mayor.*

fallido, da adj. Frustrado, fracasado o que no da el resultado pretendido: *Mis gestiones para conseguir el puesto resultaron fallidas.* □ ETIMOL. Del antiguo verbo *fallir* (faltar, engañar).

fallo s.m. **1** Falta, imperfección o error: *El primer gol se debió a un fallo del portero.* **2** Defecto o mal funcionamiento: *El apagón se produjo por un fallo* *en la instalación eléctrica.* **3** Sentencia o decisión definitivas, esp. las que toma un tribunal: *La abogada espera que el fallo del juez sea favorable a su cliente.*

falo s.m. Órgano genital masculino que permite la cópula y que forma parte del último tramo del aparato urinario: *Algunas tribus antiguas utilizaban en sus representaciones el falo como símbolo de masculinidad.* ☐ SINÓN. *pene.* ☐ ETIMOL. Del latín *phallus*, y este del griego *phallós* (emblema de la reproducción que se llevaba en las fiestas báquicas).

falocracia s.f. Supremacía del hombre sobre la mujer, esp. en la vida pública. ☐ ETIMOL. De *falo* y *-cracia* (poder).

falócrata adj.inv./s.com. Que considera al hombre superior a la mujer: *Una actitud tan falócrata como la suya hace que las mujeres lo detesten.* ☐ ETIMOL. De *falo* y *-crata* (que domina).

falsable adj.inv. En filosofía, referido esp. a una hipótesis, que puede ser desmentida o refutada por los hechos.

falsar v. En filosofía, referido a una hipótesis, contrastarla con los hechos de forma que exista la posibilidad de ser refutada: *Según algunos filósofos, las teorías solo son científicas si sus proposiciones pueden falsarse.*

falsario, ria adj./s. **1** Que falsea o falsifica algo: *Buscan al empleado falsario que firmó en lugar del director.* **2** Que miente o no dice la verdad: *No me creo nada de falsarios como tú.* ☐ ETIMOL. Del latín *falsarius.*

falseador, -a adj. Que falsea: *Fue acusada, desde la columna de un periódico, de falseadora de la realidad.*

falseamiento s.m. Adulteración o alteración de algo, esp. de la verdad: *Con el falseamiento de los datos ha tratado de que no nos diéramos cuenta de su mala gestión.*

falsear v. Referido esp. a algo verdadero, deformarlo o adulterarlo: *El testigo falseó los hechos, porque solo contó parte de la verdad.*

falsedad s.f. Falta de verdad o de autenticidad: *Todas esas acusaciones son embustes y falsedades.*

falseo s.m. Alteración o corrupción de algo que es verdadero o auténtico: *el falseo de los datos electorales.*

falsete s.m. Voz más aguda que la natural, que se produce al hacer vibrar las cuerdas vocales superiores de la laringe: *cantar en falsete.* ☐ ETIMOL. Del francés *fausset.*

falsía s.f. Falsedad, deslealtad o doblez: *Cuando descubrí su falsía dejé de hablarle.*

falsificación s.f. Copia que se hace de algo para hacerla pasar por verdadera o auténtica: *falsificación de billetes.*

falsificador, -a adj./s. Que falsifica: *un falsificador de obras de arte.*

falsificar v. Referido a algo auténtico, realizar una copia de ello para que pase por verdadera: *Falsificó la firma de su padre para hacer un justificante de ausencia.* ☐ ETIMOL. Del latín *falsificare.* ☐ ORTOGR. La *c* se cambia en *qu* delante de *e* →SACAR.

falsilla s.f. Hoja con líneas muy marcadas, que se pone debajo del papel en el que se va a escribir para que sirva de guía: *Pon una falsilla debajo del folio para no torcerte al escribir.* ☐ ETIMOL. De *falso.*

falso, sa ▮ adj. **1** Contrario a la verdad: *Si te basas en argumentos falsos, llegarás a una conclusión errónea.* **2** Engañoso, fingido, simulado o no auténtico: *Aunque sonreía, su alegría era falsa. Todas las joyas que llevo son falsas.* ▮ adj./s. **3** Que acostumbra a mentir o a simular la verdad: *Es mejor estar solo que con amigas tan falsas como tú.* **4** ‖ **en falso; 1** Con una intención contraria a la que se da a entender: *Declarar en falso ante un tribunal puede costarte la cárcel.* **2** Sin la debida seguridad o resistencia: *Al bajar el escalón, pisé en falso y me torcí el tobillo.* ☐ ETIMOL. Del latín *falsus.* ☐ SEM. No debe emplearse con el significado de 'torpe, inadecuado o equivocado' (galicismo): *El conductor hizo una {*falsa > inadecuada} maniobra y chocó contra la farola.*

falta s.f. Véase **falto, ta.**

faltar v. **1** No existir donde sería necesario, o haber menos de lo que debiera: *Desde que te fuiste, en esta casa falta alegría.* **2** No acudir a un sitio o a una obligación: *No me gusta faltar a clase.* **3** No estar en el lugar acostumbrado o debido: *Buscan a dos niños que faltan de su casa desde hace un mes.* **4** No cumplir con lo que se debe o con lo que se espera: *Me prometió que vendría, pero faltó a su palabra y no apareció.* **5** Referido a una persona, tratarla con desconsideración o sin el debido respeto: *Empezó a discutir y a faltarme sin motivo.* **6** Referido a un período de tiempo, tener que transcurrir para que se realice o suceda algo: *Faltan solo quince minutos para que comience el partido.* **7** Referido esp. a una acción, quedar por hacer o por realizar: *Solo falta cambiar la rueda y el coche estará listo.* **8** ‖ **no faltaba más** o **(no) faltaría más; 1** *col.* Expresión que se usa para enfatizar una afirmación: *¡Tú no sales esta noche, rica, pues no faltaba más!* **2** *col.* Desde luego o sin duda: *Cuando le pregunté si podía llevarme a casa, contestó: «¡No faltaba más!».* ☐ ETIMOL. De *falta.*

falto, ta ▮ adj. **1** Escaso o necesitado de algo: *El campo sigue falto de agua.* ▮ s.f. **2** Carencia o privación de algo, esp. de algo necesario o útil: *falta de dinero.* **3** Infracción o incumplimiento de una norma o de una obligación: *faltas de ortografía.* **4** Ausencia de una persona: *Aunque había mucha gente, noté tu falta en la fiesta.* **5** Imperfección o defecto: *Esta tela es más barata porque tiene una falta en la manga.* **6** Ausencia de la menstruación en la mujer, generalmente durante el embarazo: *Cree que está embarazada porque lleva dos faltas.* **7** En derecho, infracción voluntaria de la ley que se sanciona con pena leve: *Lo que ha hecho no se considera un delito, sino una falta que se castiga con multa.* **8** ‖ **a falta de** algo; careciendo de ello o en sustitución suya: *A falta de tornillos, nos arreglaremos con estos clavos.* || **echar en falta** algo; echarlo de menos o notar su ausencia: *Eché en falta las llaves del coche cuando fui a abrirlo.* || **hacer falta;** ser preciso o necesario: *Aquí hace falta gente competente.* || **sin falta;** puntualmente o con seguridad: *El martes voy a verte sin falta.* □ ETIMOL. La acepción 1, de *faltar*. Las acepciones 2-7, del latín **fallita*, y este de **fallitus* (faltado). □ SINT. Constr. como adjetivo: *falto* DE *algo.*

faltón, -a adj./s. **1** *col.* Que falta con frecuencia a sus deberes y obligaciones: *Es una faltona y siempre llega tarde.* **2** Que falta al respeto a los demás: *No seas faltón y no contestes así a ese anciano.*

faltriquera (tb. *faldriquera*) s.f. Pequeño bolso que se lleva atado a la cintura: *La frutera buscó en la faltriquera el dinero para darme las vueltas.* □ ETIMOL. De *faldriquera*.

falúa (tb. *faluca*) s.f. Pequeña embarcación que se emplea en los puertos, esp. para llevar a alguna autoridad: *El capitán fue llevado desde el transatlántico al puerto en una falúa.* □ ETIMOL. Quizá del árabe *faluka* (embarcación pequeña).

faluca s.f. →**falúa.**

falucho s.m. Embarcación costera de poca categoría, que tiene una vela latina o triangular: *Los faluchos han desaparecido ya de nuestras costas.*

fama s.f. **1** Situación o estado de lo que es muy conocido y apreciado por sus cualidades: *Con esa película alcanzó la fama.* **2** Juicio u opinión que se tienen sobre alguien o sobre algo: *No sé de dónde te viene esa fama de persona seria y formal.* □ ETIMOL. Del latín *fama* (rumor, voz pública).

famélico, ca adj. **1** Que tiene mucha hambre: *El perro estaba famélico y devoró la comida.* **2** Excesivamente delgado: *Antes estaba gordito, pero ahora se ha quedado famélico.* □ ETIMOL. Del latín *famelicus*.

familia s.f. **1** Grupo de personas emparentadas entre sí y que viven juntas bajo la autoridad de una de ellas: *En mi familia, cada uno tiene un horario y solo comemos juntos el domingo.* **2** Conjunto de ascendientes, descendientes y demás personas emparentadas directa o indirectamente entre sí: *Procede de una familia castellana de origen noble.* **3** Conjunto de hijos o descendientes de una persona: *Al año de casarse, tuvieron familia.* **4** Conjunto de personas o de cosas unidas por una característica o por una condición comunes: *Una familia de palabras está formada por todas las palabras que tienen la misma raíz.* **5** En biología, en la clasificación de los seres vivos, categoría superior a la de subfamilia e inferior a la de orden: *El toro pertenece a la familia de los bóvidos.* **6** Conjunto de fuentes tipográficas con diseño común: *La familia helvética consta de diferentes estilos.* **7** || **en familia;** en la intimidad o sin gente extraña. || **familia numerosa;** la que tiene tres o más hijos menores de edad, o mayores pero incapacitados para el trabajo. □ ETIMOL. Del latín *familia*. □ SEM. No debe emplearse con el significado de 'familiar' o 'pariente': *Ese chico es {*familia > familiar} mío.*

familiar ▮ adj.inv. **1** De la familia o relacionado con ella: *Has salido muy favorecido en este retrato familiar.* **2** Que se tiene muy sabido o que resulta conocido: *Debemos de estar cerca, porque esta zona ya me es familiar.* **3** Referido esp. al trato, llano, sencillo y sin ceremonia: *Nos dieron un trato familiar y estuvimos muy a gusto en su casa.* **4** Referido esp. al lenguaje, que se emplea en la conversación normal y corriente: *El acortamiento de algunas palabras es propio del lenguaje familiar.* **5** Referido a un producto de consumo, que tiene un tamaño grande o adecuado para el uso de una familia: *Compra el gel familiar, que nos durará más que el normal.* ▮ s.m. **6** Pariente o persona de la misma familia: *En ese pueblo tengo unos familiares lejanos.* **7** Ministro de la Inquisición (tribunal eclesiástico español que desde el siglo XV perseguía los delitos contra la fe): *Los familiares de la Inquisición tenían algunos privilegios jurídicos.* □ ETIMOL. Del latín *familiaris*.

familiaridad ▮ s.f. **1** Llaneza, sencillez y confianza en el trato: *tratarse con familiaridad.* ▮ pl. **2** Confianzas excesivas o inadecuadas en el trato: *Marca las distancias y no dejes que se tome esas familiaridades contigo.*

familiarizar ▮ v. **1** Acostumbrar o hacer que algo resulte familiar: *La televisión nos familiariza con lugares y costumbres muy lejanos.* ▮ prnl. **2** Llegar a tener trato familiar con alguien: *En dos días se familiarizó con todos y se integró perfectamente en el grupo.* □ ORTOGR. La *z* se cambia en *c* delante de *e* →CAZAR.

famoseo s.m. *col. desp.* Conjunto de la gente famosa, esp. la que aparece en la prensa rosa.

famoso, sa adj./s. Que tiene fama o que es muy conocido: *Oí una canción que fue famosa en los tiempos de mis padres.* □ SINÓN. *célebre, afamado.* □ ETIMOL. Del latín *famosus*.

fámulo, la s. *col.* Persona que se dedica al servicio doméstico: *El fámulo sirvió la mesa en el salón de la casa.* □ ETIMOL. Del latín *famulus* (criado).

fan s.com. Admirador entusiasta e incondicional de una persona o de una cosa. □ ETIMOL. Del inglés *fan.* □ USO Su uso es innecesario y puede sustituirse por *seguidor*.

fanal s.m. **1** Farol grande que se coloca en los puertos o en los barcos para que su luz sirva de señal: *El fanal de la torre del puerto sirvió de guía al barco durante la noche.* **2** Campana de cristal que sirve para resguardar lo que se cubre con ella del polvo, del aire o de la luz: *En su casa tiene una imagen de la Virgen dentro de un fanal.* □ ETIMOL. Del italiano *fanale*.

fanaticada s.m. En zonas de español meridional, hinchada.

fanático, ca adj./s. **1** Que defiende apasionadamente creencias, ideas u opiniones, esp. las religiosas o las políticas: *Ese grupo de fanáticos no tolera más religión que la suya.* **2** Preocupado o entusiasmado ciegamente por algo: *Es un fanático de la bi-*

cicleta y ha recorrido miles de kilómetros con ella. □ ETIMOL. Del latín *fanaticus* (inspirado, exaltado, frenético).

fanatismo s.m. Admiración y entrega apasionadas y desmedidas a una creencia, a una causa o a una persona: *fanatismo político.* □ ETIMOL. Del francés *fanatisme.*

fanatizar v. Provocar o causar fanatismo: *Sus discursos fanatizaban a los que lo escuchaban.* □ ORTOGR. La *z* se cambia en *c* delante de *e* →CAZAR.

fandango s.m. **1** Composición musical en compás de tres por cuatro o de seis por ocho que se acompaña con guitarra, cante y castañuelas y es de movimiento vivo y apasionado: *Los fandangos son típicamente andaluces.* **2** Baile que se ejecuta al compás de esta música: *Baila muy bien fandangos y sevillanas.* □ ETIMOL. De origen incierto.

fané (fr.) adj.inv. Que está estropeado, marchito, sobado o lacio: *El tango contaba la amarga historia de una mujer sola y fané, abandonada por su amor.* □ USO Su uso es innecesario.

faneca s.f. Pez marino comestible que tiene la mandíbula prominente y es de color pardusco en el lomo y blanco en el vientre: *La faneca vive en aguas templadas del Atlántico y Mediterráneo.* □ ETIMOL. Quizá del gallegoportugués *faneca.* □ ORTOGR. Dist. de *fanega.* □ MORF. Es un sustantivo epiceno: *la faneca {macho/hembra}.*

fanega s.f. **1** Unidad de capacidad para granos, legumbres y otros frutos secos que equivale aproximadamente a 55,5 litros: *Una fanega tiene 12 celemines.* **2** ‖ **fanega (de tierra);** unidad agraria de superficie que equivale aproximadamente a 6 460 metros cuadrados. □ ETIMOL. Del árabe *faniqa* (medida para áridos). □ ORTOGR. Dist. de *faneca.* □ USO Es una medida tradicional española cuyo valor varía según las regiones.

fanerógamo, ma adj./s.f. Referido a una planta, que se reproduce mediante semillas: *La flor es el órgano reproductor de las fanerógamas.* □ SINÓN. *espermafito.* □ ETIMOL. Del griego *phanerós* (manifiesto) y *gámos* (cópula, matrimonio).

fanfarria s.f. **1** Conjunto musical ruidoso, esp. el de instrumentos de metal: *La fanfarria recorría el pueblo tocando música alegre.* **2** Música interpretada por este conjunto: *Suenan fanfarrias porque el barrio está en fiestas.*

fanfarrón, -a adj./s. *col.* Que presume o que hace alarde de lo que no es: *Esos fanfarrones, cuando llega un peligro real, se esconden.* □ ETIMOL. De origen onomatopéyico.

fanfarronada s.f. →**fanfarronería.**

fanfarronear v. Hablar con arrogancia de lo que se tiene o presumir de lo que no se es: *Le gusta fanfarronear y dárselas de valiente, pero es un cobarde.*

fanfarronería s.f. **1** Modo de hablar y actitud propios de un fanfarrón: *Con su fanfarronería, les hizo creer que con él no correrían ningún riesgo.* **2** Hecho o dicho propios de un fanfarrón: *Fue una fanfarronería decir que podía saltar desde tanta altura.* □ SINÓN. *fanfarronada.*

fangal (tb. *fangar*) s.m. Lugar lleno de fango o barro: *Las lluvias han convertido el campo de fútbol en un fangal.*

fangar s.m. →**fangal.**

fango s.m. **1** Lodo pegajoso y espeso que se forma generalmente en los terrenos donde hay agua detenida. **2** Mala fama, deshonra o indignidad: *Sus robos cubrieron de fango el buen nombre de la familia.* □ ETIMOL. Del catalán *fang.*

fangoso, sa adj. Lleno de fango o con características de este: *La tierra del jardín está fangosa de tanto regarla.*

fangoterapia s.f. Tratamiento terapéutico que se basa en la aplicación de arcilla y aguas termales: *un balneario con sesiones de fangoterapia.*

fantasear v. Imaginar o dejar volar la fantasía: *Le gusta fantasear sobre cómo sería su vida en un palacio.*

fantasía s.f. **1** Capacidad de la mente para imaginar cosas pasadas, lejanas o inexistentes: *Se deja llevar de la fantasía y se olvida de la realidad.* **2** Imagen o ficción formadas por esta capacidad mental: *¡Ya estás con tus fantasías de que te va a tocar la lotería!* **3** En música, composición instrumental libre: *Algunas fantasías se basan en fragmentos de óperas.* **4** ‖ **de fantasía; 1** Referido esp. a una prenda de vestir, que lleva muchos adornos o está hecha de manera imaginativa y poco corriente: *Siempre lleva medias de fantasía con flores o lunares.* **2** Referido esp. a un adorno, que no es de material noble o que imita a una joya: *Compré unos pendientes de fantasía porque no me llegaba el dinero para unos de oro.* □ ETIMOL. Del griego *phantasía* (aparición, espectáculo, imaginación). □ MORF. En la acepción 2, se usa más en plural.

fantasioso, sa adj./s. Que tiene mucha fantasía o que se deja llevar por la imaginación: *Sus fantasiosos proyectos suelen acabar en nada.*

fantasma ▮ adj.inv. **1** Inexistente, dudoso o poco preciso: *Hablan de un buque fantasma que dicen que se ve en las noches de tormenta.* **2** Referido esp. a un lugar, que está abandonado o deshabitado: *La emigración convirtió esta aldea en un pueblo fantasma.* ▮ adj.inv./s.com. **3** Referido a una persona, que presume de méritos, hazañas o posesiones que generalmente no tiene: *Es tan fantasma que no puedes hablar de nada que no haya hecho ella antes.* ▮ s.m. **4** Imagen de una persona muerta que se aparece a los vivos: *La leyenda del castillo cuenta que el fantasma del conde se aparece de noche.* **5** Amenaza o existencia de algo negativo: *Después de meses de sequía, el fantasma del hambre empezó a atemorizar a los campesinos.* **6** Visión o sentimiento imaginarios o irreales: *El fantasma de los celos arruinó su relación.* **7** En zonas del español meridional, poste pequeño y luminoso en los márgenes de las carreteras: *En la nueva autopista pusieron miles de fantasmas.* **8** *col.* En zonas del español meridional, interferencia en un televisor: *Tienen que componer la* *tele, porque llevamos una semana viendo fantasmas en la imagen.* □ ETIMOL. Del griego *phántasma* (aparición, imagen).

fantasmada s.f. *col.* Hecho o dicho propios de una persona que presume de algo que generalmente no posee: *Fue una fantasmada decir que podías bucear tres minutos seguidos en la piscina.*

fantasmagoría s.f. Ilusión de los sentidos o figuración sin fundamento real: *Su mente enferma está llena de extrañas fantasmagorías.* □ ETIMOL. Del francés *fantasmagorie* (exhibición de ilusiones ópticas con la linterna mágica).

fantasmagórico, ca adj. De la fantasmagoría o relacionado con ella: *seres fantasmagóricos.*

fantasmal adj.inv. Del fantasma o relacionado con esta imagen irreal: *aspecto fantasmal.*

fantástico, ca adj. **1** De la fantasía, producido por ella o relacionado con ella: *Las hadas y las brujas son seres fantásticos.* **2** *col.* Magnífico, estupendo o maravilloso: *Es una playa fantástica, de arena fina y agua muy limpia.* □ ETIMOL. Del griego *phantastikós.* □ SINT. En la lengua coloquial se usa también como adverbio de modo con el significado de 'muy bien': *Lo pasamos fantástico el fin de semana.*

fantochada s.f. Hecho o dicho propios de un fantoche o de una persona presumida o ridícula: *Es una fantochada ir a una merienda campestre con frac.*

fantoche s.m. **1** *desp.* Persona de aspecto ridículo o grotesco: *Estás hecha un fantoche con ese abrigo tan grande.* **2** *desp.* Persona informal o que presume sin fundamento o con vanidad: *Ese tipo que se las da de saberlo todo no es más que un fantoche.* □ ETIMOL. Del francés *fantoche.*

fanzine (ing.) s.m. Revista hecha por aficionados y generalmente con pocos medios: *Los jóvenes del barrio hacen todos los meses un fanzine sobre sus problemas y sus gustos.* □ PRON. [fancíne].

FAQ (ing.) ▌s.m. **1** Sección que aparece en muchas páginas web, en la que se recogen las dudas o consultas más frecuentes junto con sus respuestas: *Esta página web dispone de un FAQ de mucha utilidad.* ▌s.f. **2** Pregunta o duda recogida en esta sección: *Voy a mirar las FAQ para ver si encuentro la información que busco.* □ ETIMOL. Es el acrónimo del inglés *Frequently Asked Questions* (preguntas más frecuentes). □ USO Es un anglicismo innecesario.

faquir ▌s.com. **1** Artista de circo que realiza números espectaculares con objetos que pueden dañar su cuerpo, sin sufrir daño ni sentir dolor: *El faquir se tragó una espada y se tumbó sobre una tabla con clavos.* ▌s.m. **2** En algunos países orientales, persona generalmente musulmana o hindú que lleva una vida de oración, vive de la limosna y realiza actos de gran austeridad y sacrificio: *Los faquires pasan horas meditando, sin preocuparse de las necesidades de su cuerpo.* □ ETIMOL. Del árabe *faqir* (pobre), aplicado a los santones mahometanos de la India.

farad s.m. →**faradio.** □ ORTOGR. Es la denominación internacional del *faradio.*

faradio s.m. En el Sistema Internacional, unidad básica de capacidad eléctrica que equivale a la capacidad de un condensador entre cuyas armaduras aparece una diferencia de potencial de un voltio, cuando está cargado con una cantidad de electricidad igual a un culombio. □ SINÓN. *farad.* □ ETIMOL. Por alusión a M. Faraday, químico y físico inglés. □ ORTOGR. Su símbolo es *F*, por tanto, se escribe sin punto.

faralá (pl. *faralaes*) s.m. Volante que adorna un vestido u otra ropa, esp. el del típico traje femenino andaluz: *traje de faralaes.* □ ETIMOL. Del francés *falbala.* □ MORF. Se usa más en plural.

farallón (tb. *farellón*) s.m. Roca alta y cortada verticalmente que sobresale en el mar o en la costa: *La tempestad empujó el barco hacia los farallones de la costa.* □ ETIMOL. Del catalán *faralló.*

faramalla s.f. *col.* Conversación con la que se pretende engañar a una persona. □ ETIMOL. Del antiguo *farmalio* (engaño).

farándula s.f. Profesión y ambiente de los actores y comediantes: *el mundo de la farándula y del espectáculo.* □ ETIMOL. Quizá del provenzal *farandoulo* (danza rítmica ejecutada por un grupo de personas).

faranduleo s.m. *col.* Actividad que se considera propia del ambiente de los actores y comediantes: *El actor permanece ajeno al faranduleo que lo rodea.*

farandulero, ra s. Antiguamente, persona que recitaba comedias: *Las compañías de faranduleros iban de pueblo en pueblo con sus representaciones.*

faraón s.m. Rey del antiguo Egipto (país africano): *La esposa del faraón Amenofis IV fue la reina Nefertiti.*

faraónico, ca adj. **1** Del faraón o relacionado con él: *tumbas faraónicas.* **2** Grandioso o fastuoso.

faraute s.m. **1** Persona que lleva y trae mensajes entre gente que confía en ella: *Esa embajadora actúa de faraute entre los dos jefes de Estado.* **2** *col.* Persona a la que le gusta organizar y dirigir todo, y que presume de ello: *En la peña de fútbol, tu primo es el gran faraute.* □ ETIMOL. Del francés *héraut* (heraldo).

fardada s.f. **1** *col.* Presunción o insolencia al hablar o al actuar: *No le hagas ni caso, solo dice fardadas.* **2** *col.* Hecho o cosa vistosas o admirables: *Tu coche nuevo es una fardada.*

fardar v. **1** *col.* Presumir mucho o darse importancia: *Vive en un chalé y está siempre fardando de casa.* **2** *col.* Resultar vistoso o causar admiración: *Tu nueva moto farda mucho.* □ ETIMOL. De *fardo.* □ SINT. Constr. de la acepción 1: *fardar* DE *algo.*

farde s.m. *col.* Lo que farda o luce mucho: *Esa chaqueta que te has comprado es un farde.*

fardel s.m. Saco o bolsa ancha y corta: *Un mendigo llevaba un fardel con la comida que le daban.* □ ETIMOL. Del francés antiguo *fardel* (fardo).

fardo s.m. Lío o paquete grande y muy apretado de ropa o de otra mercancía: *Hizo un fardo con la ropa sucia para llevarla a la lavandería.* ☐ ETIMOL. De origen incierto.

fardón, -a ▌adj. **1** *col.* Que farda o resulta vistoso y atractivo: *Le han regalado una muñeca muy fardona.* ▌adj./s. **2** *col.* Referido a una persona, que alardea o presume de algo: *Eres demasiado fardón con todo lo que te compras.*

farellón s.m. →**farallón.**

farero, ra s. Persona que se dedica profesionalmente al mantenimiento y vigilancia de un faro: *Los fareros pasan muchas horas en soledad.*

fárfara s.f. En el huevo de un ave, piel delgada y delicada que recubre la parte interior de la cáscara: *En un huevo cocido, la fárfara queda pegada a la clara.* ☐ SINÓN. *binza.* ☐ ETIMOL. De origen incierto.

farfolla s.f. **1** Envoltura de las panojas o mazorcas del maíz, del mijo y de otros cereales. **2** Lo que tiene mucha apariencia, pero poca entidad o valor: *Ese broche lleno de pedrería no es más que una farfolla.*

farfullar v. *col.* Hablar muy deprisa y de manera atropellada o confusa: *Farfulló una disculpa que apenas entendí, y se fue.* ☐ ETIMOL. De origen expresivo.

faria s.amb. Cigarro puro, de fabricación peninsular, hecho con hebras largas y más barato que los cubanos: *Muchos aficionados a los toros se fuman un faria en la corrida.* ☐ ETIMOL. Extensión del nombre de una marca comercial.

farináceo, a adj. Con las características de la harina o que se parece a ella: *Los polvos de maquillaje tienen una textura farinácea.* ☐ ETIMOL. Del latín *farinaceus.*

faringe s.f. En el sistema digestivo de algunos vertebrados, conducto de paredes generalmente musculosas, situado a continuación de la boca, que comunica las fosas nasales con la laringe y con el esófago: *La deglución de los alimentos tiene lugar en la faringe.* ☐ ETIMOL. Del griego *phárynx.* ☐ SEM. Dist. de *laringe* (órgano del sistema respiratorio).

faríngeo, a adj. De la faringe o relacionado con ella: *Las arterias faríngeas son las que llevan la sangre a la faringe.*

faringitis (pl. *faringitis*) s.f. Inflamación de la faringe: *La faringitis puede producir fiebre y ronquera de la voz.* ☐ ETIMOL. De *faringe* e *-itis* (inflamación).

faringotomía s.f. Operación quirúrgica que consiste en la realización de un corte en la faringe: *Le hicieron una faringotomía para extraerle de la faringe un cuerpo extraño que no podía expulsar.* ☐ ETIMOL. Del griego *phárynx* (faringe) y *-tomía* (corte, incisión).

fario ‖ **mal fario;** mala suerte: *Dicen que trae mal fario pasar por debajo de una escalera.*

farisaico, ca adj. De los fariseos o con sus características: *Tiene una postura farisaica y solo dice lo que le conviene.*

fariseísmo s.m. Fingimiento de cualidades, de ideas o de sentimientos contrarios a los que verdaderamente se tienen: *Conozco su fariseísmo y por eso no hago caso de sus alabanzas.* ☐ SINÓN. *hipocresía.*

fariseo, a ▌adj./s. **1** Hipócrita, esp. en lo religioso o en lo moral: *¡Dime claro si apruebas mi conducta y deja ya esa actitud farisea!* ▌s.m. **2** Miembro de una secta judía de los tiempos de Jesucristo caracterizada por su rigor y austeridad en el cumplimiento de la letra de la ley y en la atención a los aspectos externos de los preceptos religiosos: *En la Biblia, Jesús reprende varias veces a los fariseos.*

farla s.f. *arg.* →**farlopa.**

farlopa s.f. *arg.* En el lenguaje de la droga, cocaína. ☐ USO Se usa mucho la forma *farla.*

farmacéutico, ca ▌adj. **1** De la farmacia o relacionado con ella: *industria farmacéutica.* ▌s. **2** Persona legalmente autorizada para ejercer la farmacia.

farmacia s.f. **1** Ciencia que trata de la preparación de medicamentos y de las propiedades de sus componentes como remedio contra las enfermedades o para conservar la salud: *Después de estudiar farmacia, decidió hacer la carrera de medicina.* **2** Lugar en el que se elaboran y se venden medicinas: *He comprado el jarabe en la farmacia de la esquina.* ☐ SINÓN. *botica.* ☐ ETIMOL. Del griego *pharmakéia* (uso de los medicamentos).

fármaco s.m. Sustancia que sirve para prevenir, curar o aliviar una enfermedad o para reparar sus secuelas: *Hay muchos fármacos que se extraen de las plantas.* ☐ SINÓN. *medicamento, medicina.* ☐ ETIMOL. Del griego *phármakon* (medicamento).

farmacocinesis (pl. *farmacocinesis*) s.f. →**farmacocinética.**

farmacocinética s.f. Véase **farmacocinético, ca.**

farmacocinético, ca ▌adj. **1** De la farmacocinética o relacionado con este comportamiento de los medicamentos en el organismo. ▌s.f. **2** Comportamiento de los medicamentos en el organismo al ser absorbidos, distribuidos, transformados y eliminados. ☐ SINÓN. *farmacocinesis, farmacodinámica.*

farmacodependencia s.f. Adicción a los medicamentos o a las drogas.

farmacodependiente adj.inv./s.com. Adicto a los medicamentos o a las drogas.

farmacodinámica s.f. →**farmacocinética.**

farmacología s.f. Parte de la medicina que estudia los medicamentos, su composición y sus propiedades: *Los últimos estudios de farmacología recomiendan la no utilización de algunos medicamentos.* ☐ ETIMOL. De *fármaco* y *-logía* (ciencia, estudio).

farmacológico, ca adj. De la farmacología, de los fármacos o relacionado con ellos: *Las propiedades farmacológicas de este medicamento están descritas en el prospecto.*

farmacólogo, ga s. Persona especializada en farmacología o que se dedica profesionalmente a ella: *Este farmacólogo es profesor en la Facultad de Medicina.*

farmacopea s.f. **1** Libro que trata de las sustancias medicinales más comunes y del modo de prepararlas y de combinarlas: *Antiguamente se escribían farmacopeas sobre las propiedades curativas de los vegetales.* **2** Repertorio que publica oficialmente cada Estado como norma legal para todo lo relacionado con los medicamentos: *En la farmacopea de este año no figuran algunos medicamentos por ser peligrosos.* ☐ ETIMOL. Del griego *pharmakopoiía*, y este de *phármakon* (medicamento) y *poiéo* (yo hago).

faro s.m. **1** En las costas, torre alta que tiene en su parte superior una luz potente para que sirva de señal a los navegantes: *Gracias a la luz del faro, el capitán supo, a pesar de la niebla, que la costa estaba cerca.* **2** Proyector de luz potente, esp. el que llevan los vehículos en su parte delantera: *No se puede circular de noche con los faros estropeados.* ☐ ETIMOL. Del latín *pharus*, y este del griego *Pharos*, nombre de una isla en Alejandría, famosa por su faro.

farol s.m. **1** Caja de cristal o de otro material transparente con una luz en su interior para que alumbre. **2** Hecho o dicho exagerados o sin fundamento, con los que se pretende engañar, desconcertar o presumir: *Eso de que es capaz de andar cien kilómetros sin descansar es otro de sus faroles.* **3** En un juego de cartas, jugada o envite falsos hechos para desorientar: *Tenía muy malas cartas, pero fui de farol y gané.* **4** En zonas del español meridional, farola. ☐ ETIMOL. De *faro*. ☐ SINT. La acepción 2 se usa más con los verbos *marcarse* o *tirarse*.

farola s.f. Farol grande, puesto en alto sobre un pie o sobre un poste, y que se usa para el alumbrado público: *Las farolas iluminan de noche las calles de la ciudad.*

farolear v. *col.* Presumir o fanfarronear con vanidad: *¡Deja de farolear con tu valentía porque te metiste en la cueva sabiendo que no había peligro!*

farolero, ra ▮ adj./s. **1** *col.* Que fanfarronea o presume de forma ostentosa: *¡No hagas caso de lo que diga, que es un farolero!* **2** *col.* Que tiene costumbre de mentir. ▮ s. **3** Persona que se dedicaba profesionalmente al cuidado de los faroles del alumbrado público: *Al desaparecer las farolas de gas, desapareció también el oficio de farolero.*

farolillo s.m. **1** Farol de papel, celofán o plástico de colores, que se utiliza como adorno, generalmente en fiestas y verbenas: *Las casetas de la feria estaban adornadas con farolillos y cintas de colores.* **2** || **farolillo rojo;** *col.* En algunos deportes, persona o equipo que ocupan el último lugar en la clasificación: *El farolillo rojo de la primera división de fútbol descenderá a segunda.*

farolito s.m. En zonas del español meridional, farolillo: *En la fiesta del barrio, todas las calles estaban adornadas con farolitos de colores.*

farra s.f. Juerga o diversión animadas y ruidosas: *Se fueron de farra y no volvieron hasta la mañana siguiente.* ☐ ETIMOL. Quizá de origen onomatopéyico.

fárrago s.m. Conjunto de objetos o de ideas desordenados, inconexos o innecesarios: *un fárrago de papeles.* ☐ ETIMOL. Del latín *farrago*.

farragoso, sa adj. Desordenado, confuso y con cosas o ideas sin relación: *un texto farragoso.*

farruca s.f. Véase **farruco, ca**.

farruco, ca ▮ adj. **1** *col.* Obstinado, insolente o con una actitud desafiante: *ponerse farruco.* ▮ s.f. **2** Cante flamenco de origen gallego y de tono melancólico. **3** Baile que se ejecuta al compás de esta música. ☐ ETIMOL. La acepción 1, diminutivo popular de Francisco en Galicia y Asturias, porque se decía que los gallegos y asturianos eran tercos y valientes. ☐ USO En la acepción 1, se usa más en la expresión *ponerse farruco*.

farsa s.f. **1** Obra teatral, esp. la breve y de carácter cómico. **2** Enredo o trampa ingeniosos para ocultar algo o engañar: *Recurrió a una farsa para sacarte dinero.* ☐ SINÓN. *mascarada.* ☐ ETIMOL. Del francés *farce* (pieza cómica breve).

farsante, ta ▮ adj./s. **1** *col.* Referido a una persona, que finge lo que no siente o que se hace pasar por lo que no es: *Ése que se las da de santurrón no es más que un farsante.* ▮ s. **2** Persona que se dedicaba profesionalmente a la representación de farsas o de comedias: *En el siglo XVII eran frecuentes las compañías ambulantes de farsantes.* ☐ ETIMOL. Del italiano *farsante*.

fas || **por fas o por nefas;** *col.* Por una cosa o por otra: *Siempre se compromete, pero, por fas o por nefas, nunca hace lo que se le pide.* ☐ ETIMOL. Del latín *fas atque nefas* (lo lícito y lo ilícito).

fasces s.f.pl. En la antigua Roma, insignia formada por un haz de varas que sostenía en el centro un hacha: *Los fasces simbolizaban el poder de los magistrados sobre la vida de los ciudadanos romanos.* ☐ ETIMOL. 1. Del latín *fasces* (haces). 2. Aunque el género etimológico es el masculino, el uso ha impuesto el género femenino.

fasciculado, da adj. En biología, que está formado por elementos agrupados en haces: *Una raíz fasciculada está formada por muchas raicillas de parecido tamaño que se ramifican.*

fascículo s.m. Cada uno de los cuadernos que forman un libro publicado por partes o una serie coleccionable, y que salen a la venta periódicamente de forma independiente: *El primer volumen de la enciclopedia lo forman los diez primeros fascículos.* ☐ SINÓN. *entrega.* ☐ ETIMOL. Del latín *fasciculus* (hacecillo).

fascinación s.f. Atracción irresistible: *Nadie podía resistirse a la fascinación de aquellos ojos.*

fascinante adj.inv. Asombroso o sumamente atractivo: *Los cuadros de ese pintor me parecen fascinantes.*

fascinar v. Atraer, seducir o gustar de forma irresistible: *Su forma de cantar fascina al público.* □ ETIMOL. Del latín *fascinare* (embrujar).

fascismo s.m. **1** Movimiento político y social de carácter totalitario y nacionalista, fundado por el político italiano Benito Mussolini tras la Primera Guerra Mundial: *El fascismo es un movimiento contemporáneo del nazismo y del falangismo.* **2** Doctrina de este movimiento político italiano y de otros similares en otros países: *Durante la Segunda Guerra Mundial se combatió a los fascismos europeos.* □ ETIMOL. Del italiano *fascismo*.

fascista ▮ adj.inv. **1** Del fascismo o relacionado con él: *Las teorías fascistas arraigaron en la pequeña burguesía afectada por la crisis económica.* ▮ adj.inv./s.com. **2** Partidario de esta doctrina o movimiento social: *Los fascistas tienen una ideología totalitaria.* □ MORF. En la lengua coloquial se usa mucho la forma abreviada *facha*.

fascistoide adj.inv./s.com. *desp.* Que tiende al fascismo o que tiene alguna de sus características.

fase s.f. **1** Cada uno de los estados sucesivos que presenta algo en proceso de desarrollo o de evolución: *Durante la infancia, el ser humano está en fase de crecimiento.* **2** En astronomía, cada una de las diversas apariencias que presentan la Luna y algunos planetas según los ilumina el Sol: *La Luna hoy está en fase de cuarto menguante.* **3** En electricidad, cada una de las corrientes alternas que componen una corriente polifásica. □ ETIMOL. Del griego *phásis* (aparición de una estrella).

fashion (ing.) adj.inv. *col.* De última moda: *con su inconfundible toque fashion.* □ PRON. [fásion]. □ USO Su uso es innecesario.

fast food (ing.) s.m. || →**comida rápida.** □ PRON. [fas fud].

fastidiado, da adj. *col.* Enfermo o mal de salud: *Últimamente ando algo fastidiado del estómago.*

fastidiar ▮ v. **1** Enfadar, molestar o disgustar: *Me fastidia que llames para esas tonterías.* **2** *col.* Estropear o dañar material o moralmente: *El mal tiempo fastidió la excursión.* ▮ prnl. **3** Aguantarse o sufrir con paciencia un contratiempo inevitable: *Si llegas tarde, te fastidias y te quedas sin ver la película.* □ SINÓN. *chincharse.* **4** *col.* En zonas del español meridional, cansarse o aburrirse: *Llevo toda la tarde sin hacer nada y ya me fastidié.* □ ORTOGR. La *i* nunca lleva tilde.

fastidio s.m. **1** *col.* Disgusto o molestia causados por un contratiempo de poca importancia: *Es un fastidio tener que salir con esta lluvia.* **2** Enfado, cansancio o aburrimiento: *Sus constantes quejas por todo empiezan a producirme fastidio.* □ ETIMOL. Del latín *fastidio* (asco, repugnancia).

fastidioso, sa adj. Que causa fastidio: *Es fastidioso tener que trabajar hasta tan tarde.*

fasto ▮ s.m. **1** Lujo, pompa o esplendor extraordinarios: *vivir con gran fasto.* ▮ pl. **2** Libro en el que se recogen los acontecimientos más importantes ocurridos cada año. □ SINÓN. *anales.* □ ETIMOL. Del latín *fastus* (orgullo, soberbia). □ ORTOGR. Dist. de *fausto*.

fastuosidad s.f. Lujo, riqueza u ostentación: *La fastuosidad de la fiesta contrasta con el motivo benéfico por el que se celebra.*

fastuoso, sa adj. Hecho con lujo y riqueza: *El sultán construyó un fastuoso palacio para su esposa.* □ ETIMOL. Del latín *fastuosus*.

fatal adj.inv. **1** Desgraciado, infeliz o muy negativo: *El fatal accidente se produjo por un descuido del conductor.* **2** Muy malo o poco acertado: *Hoy hace un tiempo fatal para salir al campo.* **3** Inevitable o determinado por el destino: *La muerte es el destino fatal de todo ser vivo.* **4** Referido a una persona, esp. a una mujer, que ejerce una atracción sexual irresistible y que acarrea un final desgraciado para ella misma o para quienes atrae. □ ETIMOL. Del latín *fatalis*, y este de *fatum* (destino). □ SINT. Se usa también como adverbio de modo con el significado de 'muy mal': *Abuchearon al equipo porque jugó fatal.* □ SEM. No debe emplearse con el significado de 'mortal': *Por suerte, el accidente no ha sido (*fatal > mortal).*

fatalidad s.f. **1** Desgracia, desdicha o infelicidad: *Tuvo la fatalidad de caerse por las escaleras.* **2** Destino o fuerza desconocida que determina lo que ha de ocurrir: *Si os separasteis fue porque la fatalidad lo quiso así.*

fatalismo s.m. **1** Doctrina según la cual todos los acontecimientos son inevitables y han sido predeterminados por el destino: *Según el fatalismo no existe la libertad de elección.* **2** Actitud de la persona que considera inevitables todos los acontecimientos y que se somete a ellos sin intentar modificarlos: *Es tu fatalismo lo que hace que estés siempre deprimido.* □ ETIMOL. De *fatal* (inevitable).

fatalista ▮ adj.inv. **1** Del fatalismo o relacionado con esta actitud: *Pensar que nadie puede evitar nada de lo que sucede es una idea fatalista.* ▮ adj.inv./s.com. **2** Seguidor de la doctrina del fatalismo. **3** Que acepta todo lo que le depara el destino: *una actitud fatalista.*

fati adj./s. *col.* Gordo. □ ETIMOL. Del inglés *fatty* (gordinflón).

fatídico, ca adj. **1** Que anuncia el porvenir, esp. el que traerá desgracias: *un sueño fatídico.* **2** Desgraciado, nefasto o muy malo: *un fatídico accidente.* □ ETIMOL. Del latín *fatidicus* (lo que anuncia el destino).

fatiga s.f. **1** Sensación de cansancio, generalmente ocasionada por un esfuerzo físico o mental. **2** Molestia o dificultad al respirar: *La obesidad me causa fatiga.* **3** Penalidad, sufrimiento o trabajo intensos: *Pasé muchas fatigas para poder pagar esta casa.* **4** *col.* Miramiento, reparo o escrúpulo: *Me da fatiga llamarlo para una cosa tan tonta.* □ MORF. En la acepción 3, se usa más en plural. □ SINT. La acepción 4 se usa más con el verbo *dar* o equivalentes.

fatigar v. Causar fatiga o cansancio: *Estoy tan gordo que me fatigo por subir tres escaleras. ¡Cuánto fatigan los niños pequeños!* □ ETIMOL. Del latín *fa-*

tigare (agotar, extenuar, torturar). □ ORTOGR. La *g* se cambia en *gu* delante de *e* →PAGAR.

fatigoso, sa adj. **1** Que causa fatiga: *Hacia la mitad de aquella fatigosa subida, nos sentamos a descansar.* **2** Referido esp. a la respiración, que es difícil o agitada: *Subía las escaleras con respiración fatigosa.*

fatimí (pl. *fatimíes, fatimís*) adj.inv./s.com. De la dinastía que se consideraba descendiente de Fátima (hija del profeta Mahoma): *La dinastía fatimí reinó en Egipto del siglo* X *al* XII. □ SINÓN. *fatimita.*

fatimita adj.inv./s.com. →**fatimí.**

fatuidad s.f. **1** Presunción, superficialidad o vanidad ridícula: *Dio a sus palabras una fatuidad que desentonaba con la solemnidad del acto.* **2** Falta de razón o de entendimiento: *Esas incoherencias son producto de su fatuidad.* **3** Hecho o dicho imprudente o ignorante: *Dar a su jefe una contestación tan brusca fue una fatuidad.* □ ETIMOL. Del latín *fatuitas.*

fatum (lat.) s.m. *poét.* Destino: *Los personajes de la tragedia clásica están manejados por el fatum.*

fatuo, tua adj./s. **1** Presuntuoso o ridículamente engreído. **2** Carente de razón o de entendimiento: *No dice más que palabras fatuas e incoherentes.* □ ETIMOL. Del latín *fatuus* (soso, insípido, extravagante).

fatwa (ár.) s.f. Decreto religioso musulmán: *promulgar una fatwua.* □ PRON. [fátua].

fauces s.f.pl. En un mamífero, parte posterior de la boca, que se extiende desde el velo del paladar hasta el principio del esófago: *El león abrió la boca y enseñó sus fauces al domador.* □ ETIMOL. Del latín *faux* (garganta).

fauna s.f. **1** Conjunto de los animales que ocupan un lugar geográfico o que han vivido en un determinado período geológico: *la fauna africana.* **2** *col.* Grupo de gente, esp. si resulta peculiar o si hay una gran diversidad entre sus componentes: *En ese antro se junta una fauna de lo más raro.* □ ETIMOL. Por alusión a Fauna, diosa grecolatina de la fecundidad.

fáunico, ca adj. De la fauna o relacionado con ella: *El último estudio fáunico mundial muestra que el número de especies en vías de extinción ha aumentado.*

fauno s.m. En la mitología romana, divinidad que habitaba en los campos y en las selvas: *Los faunos se representaban con cuernos y patas de cabra.* □ ETIMOL. Del latín *faunus.*

fausto, ta ▮ adj. **1** Feliz o afortunado. ▮ s.m. **2** Lujo extraordinario o gran ornato y pompa exterior: *Todavía se recuerda en la ciudad los faustos de la celebración del centenario de su fundación.* □ ETIMOL. Del latín *faustus.* □ ORTOGR. Dist. de *fasto.*

fauvismo s.m. →**fovismo.** □ ETIMOL. Del francés *fauvisme.* □ PRON. Se usa mucho la pronunciación galicista [fovísmo].

fauvista ▮ adj.inv. **1** Del fovismo o relacionado con este movimiento pictórico: *Las pinturas fauvistas rompen con la realidad objetiva.* ▮ adj.inv./s.com. **2** Seguidor del fovismo: *Matisse es uno de los pintores fauvistas más conocidos.* □ PRON. Se usa mucho la pronunciación galicista [fovísta].

favela s.f. Chabola o barraca brasileñas: *Las afueras de Río de Janeiro están plagadas de favelas.* □ ETIMOL. Del portugués *favela.*

favor ▮ s.m. **1** Ayuda o socorro que se conceden: *hacer un favor.* **2** Confianza, apoyo o beneficio: *Goza del favor de un público incondicional.* **3** Primer lugar o preferencia en la gracia o en la confianza de una persona, esp. si esta es de elevada condición: *El conde-duque de Olivares gozó del favor del rey Felipe IV.* □ SINÓN. *privanza.* ▮ pl. **4** Consentimiento de una persona para mantener con ella una relación amorosa o sexual: *Sueña con el día en que una chica le conceda sus favores.* **5** || **{a/en} favor (de)** algo; **1** En su misma dirección: *Nadamos a favor del viento.* **2** En beneficio o utilidad suya: *Votaré a favor vuestro.* || **favor de;** en zonas del español meridional, seguido de una oración de infinitivo, se usa para realizar una petición cortés: *Favor de guardar silencio.* || **hacer el favor de** hacer algo o **por favor;** expresión de cortesía que se usa para pedir algo: *Haga el favor de salir de aquí. Por favor, pásame el pan.* □ ETIMOL. Del latín *favor* (simpatía, favor, aplauso).

favorable adj.inv. **1** Que favorece o que beneficia: *La victoria ha sido muy favorable para nuestro equipo.* **2** Inclinado a hacer algo o a conceder lo que se le pide: *Se mostró favorable a un cambio en la dirección de la empresa.* □ SINT. 1. Constr. de la acepción 1: *favorable {*A*/*PARA*} algo.* 2. Constr. de la acepción 2: *favorable* A *algo.*

favorecedor, -a adj./s. Que favorece: *Deberías hacerte un peinado un poco más favorecedor.*

favorecer v. **1** Ayudar, beneficiar o apoyar: *Si la suerte nos favorece, lo lograremos. Numerosos ciudadanos se favorecerán de la nueva medida.* **2** Referido esp. a un adorno, sentar bien o mejorar la apariencia: *Ese peinado te favorece y te hace más joven.* □ MORF. Irreg. →PARECER. □ SINT. Constr. de la acepción 1 como pronominal: *favorecerse* DE *algo.*

favoritismo s.m. Preferencia injusta por algo o por alguien, al margen de sus méritos: *El jurado fue acusado de favoritismo en la concesión del premio.*

favorito, ta ▮ adj./s. **1** Preferido o más estimado: *Me pongo mucho esta blusa porque es mi favorita.* **2** Referido a un participante en una competición, que es el que tiene mayores probabilidades de ganar: *En la Vuelta de este año, el favorito es un ciclista navarro.* ▮ s. **3** Persona que goza de preferencia en la gracia o en la confianza de una persona distinguida, esp. de un rey: *El duque de Uceda fue el favorito de Felipe III.* □ ETIMOL. Del francés *favori.*

fax s.m. **1** Sistema de transmisión que permite enviar información escrita a través del teléfono: *El fax utiliza la línea telefónica para un tipo de comunicación no oral.* **2** Aparato que permite realizar este tipo de transmisión: *El técnico ha traído el fax y lo está montando.* **3** Documento reproducido por medio de ese sistema: *El periódico recibió un* *fax de la agencia con nuevos datos sobre el accidente.* □ MORF. Es la forma abreviada y usual de *telefax.* □ USO Se usan los plurales *faxes* y *fax.*

faxear v. Referido a un mensaje, enviarlo por fax: *Te faxearé la documentación cuando la tenga preparada.*

faz s.f. **1** Rostro o cara. **2** Superficie, vista o lado de algo: *Los cambios políticos del siglo XX han cambiado la faz del mapa de Europa.* □ ETIMOL. Del latín *facies* (forma general, aspecto, rostro).

fe s.f. **1** En el cristianismo, virtud teologal que consiste en la adhesión a Jesucristo y a su mensaje. **2** Conjunto de creencias y doctrinas de una persona o de un grupo: *De joven abrazó la fe del socialismo.* **3** Confianza que se tiene en algo o en las posibilidades de una persona: *Tengo fe en ti y sé que lo conseguirás.* **4** || **{buena/mala} fe;** buena o mala intención: *Lo hice con toda mi buena fe, pensando que te ayudaba. Actuó de mala fe porque es un envidioso.* || **dar fe;** asegurar o certificar: *Numerosos testigos pueden dar fe de lo ocurrido.* || **fe de erratas;** en un texto, lista de las erratas que aparecen en él y de las correcciones correspondientes. || **fe de errores;** en un texto, lista de los errores que aparecen en él y de las correcciones correspondientes. □ ETIMOL. Del latín *fides* (fe, confianza). □ ORTOGR. Incorr. **fé.*

fealdad s.f. Conjunto de características que hacen que algo resulte feo: *La fealdad de su rostro asustaba a los niños.*

feble adj.inv. *poét.* Débil, flaco o endeble. □ ETIMOL. Del latín *febilis.*

febrero s.m. Segundo mes del año, entre enero y marzo: *El mes de febrero tiene veintiocho días, salvo en los años bisiestos, que tiene veintinueve.* □ ETIMOL. Del latín *februarius.*

febricitante adj.inv. Referido a una persona, que tiene fiebre o calentura.

febrícula s.f. Temperatura corporal entre los 37 y los 38 grados, generalmente de origen infeccioso o nervioso. □ ETIMOL. Del latín *febricula* (fiebre ligera).

febrífugo, ga adj./s.m. Que hace desaparecer o disminuir la fiebre, esp. la intermitente: *La aspirina es un buen febrífugo.* □ ETIMOL. Del latín *febris* (fiebre) y *-fugo* (que hace desaparecer).

febril adj.inv. **1** De la fiebre o relacionado con ella. □ SINÓN. *pirético.* **2** Muy agitado, desasosegado o intenso: *trabajar a un ritmo febril.*

fecal adj.inv. Del excremento intestinal o relacionado con él: *heces fecales.* □ ETIMOL. Del latín *faex* (hez, excremento).

fecha s.f. **1** Tiempo en que se hace o en que sucede algo: *La fecha de la boda aún no ha sido fijada.* □ SINÓN. *data.* **2** Indicación del lugar y del tiempo en que se hace o sucede algo, esp. la que se pone al principio o al final de un escrito. □ SINÓN. *data.* □ ETIMOL. Del antiguo participio de *hacer*, que se usaba con *carta* para fechar los documentos.

fechador s.m. En zonas del español meridional, matasellos.

fechar v. **1** Referido esp. a un escrito, poner la fecha en él: *Tiene la costumbre de fechar y firmar todo lo que escribe.* **2** Referido esp. a una obra o a un suceso, determinar su fecha: *Un especialista fechó este poema en torno a la segunda mitad del siglo XIV.*

fechoría s.f. Travesura o mala acción: *Los ladrones tendrán que dar cuenta de sus fechorías ante la justicia.* □ ETIMOL. Del antiguo *fechor* (el que hace algo).

fécula s.f. Hidrato de carbono que se encuentra como sustancia de reserva en las células vegetales de semillas, tubérculos y raíces de algunas plantas, y que se utiliza como alimento o con fines industriales: *La papilla del niño está hecha con fécula de arroz.* □ ETIMOL. Del latín *faecula* (sal que se forma en las paredes donde fermenta el vino).

fecundación s.f. **1** En biología, unión de un elemento reproductor masculino y uno femenino para dar origen a un nuevo ser: *la fecundación del óvulo.* □ SINÓN. *fertilización.* **2** || **fecundación artificial;** procedimiento que posibilita la unión de una célula sexual femenina con otra masculina utilizando el instrumental adecuado. □ SINÓN. *inseminación artificial.* || **fecundación in vitro;** la que se realiza mediante técnicas de laboratorio, habiendo extraído previamente el óvulo del ovario: *Una vez realizada la fecundación in vitro, la célula huevo es implantada en el útero de la hembra.* □ SINÓN. *fertilización in vitro.*

fecundante adj.inv. Que fecunda: *célula fecundante.*

fecundar v. En biología, referido a un elemento reproductor masculino, unirse a otro femenino para dar origen a un nuevo ser: *En la mayoría de las especies animales el macho fecunda a la hembra. Los óvulos de las flores se fecundan con el polen.* □ ETIMOL. Del latín *fecundare.*

fecundidad s.f. **1** Capacidad reproductora de un ser vivo: *problemas de fecundidad.* **2** Capacidad productiva o creadora: *La fecundidad de la imaginación infantil es asombrosa.*

fecundizar v. Fertilizar o hacer productivo: *Las crecidas del río Nilo fecundizan sus orillas.* □ ORTOGR. La *z* se cambia en *c* delante de *e* →CAZAR.

fecundo, da adj. **1** Que puede ser fecundado o que se reproduce por medios naturales. **2** Fértil, abundante o que produce en abundancia: *una tierra fecunda.* □ ETIMOL. Del latín *fecundus* (fértil, abundante). □ ORTOGR. Dist. de *facundo.*

fedatario, ria s. Funcionario con autoridad y competencia para asegurar la verdad o la autenticidad de algo: *Los notarios actúan como fedatarios en los contratos de compraventa.* □ ETIMOL. De *fe* (confianza, palabra dada) y *datario* (que da).

fedayin (ár.) s.m.pl. Combatientes palestinos: *Los fedayin han luchado contra Israel por la independencia de Palestina.* □ PRON. [fedayín]. □ MORF. El singular es *fedai.*

federación s.f. **1** Unión entre varios por alianza, liga o pacto: *Estados Unidos se formó como país a partir de una federación de estados.* **2** Organismo o entidad que resulta de esta alianza o de esta unión: *El fútbol español cuenta con una federación a la que pertenecen todos los clubes del país.* **3** Estado formado por territorios particulares, en el que los poderes regionales gozan de autonomía e incluso de soberanía para su vida interna. □ SINÓN. *estado federado.* □ ETIMOL. Del latín *foederatio* (alianza).

federal ▮ adj.inv. **1** →**federativo.** ▮ adj.inv./s.com. **2** →**federalista. 3** En la guerra de Secesión estadounidense, partidario de los Estados del norte: *Los federales ganaron la guerra, frente a los confederados.* □ SINÓN. *nordista.*

federalismo s.m. **1** Sistema de organización de una comunidad a través de la federación de distintas corporaciones o Estados: *El federalismo político se basa en el reparto del poder entre un Estado central y sus partes federadas.* **2** Doctrina que defiende este sistema político: *El federalismo cobró auge en España en la segunda mitad del siglo XIX.*

federalista ▮ adj.inv. **1** →**federativo.** ▮ adj.inv./s.com. **2** Partidario del federalismo: *Los partidos nacionalistas se agruparán en una organización federalista.* □ SINÓN. *federal.*

federar ▮ v. **1** Unir por alianza, liga, o pacto: *Los tres dirigentes son partidarios de federar sus partidos para presentarse juntos a las elecciones. Varios pequeños estados independientes estudian la posibilidad de federarse.* ▮ prnl. **2** Inscribirse en una federación: *Nuestro club de fútbol se federó el año pasado.* □ ETIMOL. Del latín *foederare* (unir por medio de una alianza).

federativo, va ▮ adj. **1** De la federación o relacionado con ella: *una sanción federativa.* □ SINÓN. *federal, federalista.* **2** Referido esp. a un sistema político o a un Estado, que está formado por varios estados con leyes propias, pero sujetos en algunos casos y circunstancias a las decisiones de un gobierno central. □ SINÓN. *federal, federalista.* ▮ s.m. **3** Miembro dirigente de una federación, esp. de las deportivas.

feedback (ing.) s.m. →**retroacción.** □ PRON. [fídbak]. □ ORTOGR. Dist. de *flash-back*.

feeling (ing.) s.m. Sentimiento, intuición o sensación: *Me gusta mucho esta balada porque tiene un feeling especial.* □ PRON. [fílin]. □ USO Su uso es innecesario.

feérico, ca adj. Relacionado con el mundo de las hadas: *relato feérico.* □ ETIMOL. Del francés *féerique*.

féferes s.m.pl. *col.* En zonas del español meridional, alimento.

fehaciente adj.inv. Digno de fe o que puede creerse como verdad: *pruebas fehacientes.*

feijoa s.f. Árbol con hojas de color verde oscuro por el haz y blanco por el envés, flores blancas y rosadas con estambres rojos que salen fuera de los pétalos, y fruto carnoso de color verde oscuro, muy oloroso y comestible: *Con el fruto de la feijoa se hace mermelada.* □ ETIMOL. Por alusión al botánico brasileño del siglo XIX, Silva Feijoa.

feijoada s.f. Plato de origen brasileño que se elabora con frijoles, arroz y carne de cerdo.

feísmo s.m. Tendencia artística que valora estéticamente lo feo: *El feísmo considera lo feo como una expresión de rasgos culturales.*

feje s.m. Haz, manojo o fajo, esp. de leña. □ ETIMOL. Del latín *fascis*.

felación s.f. Práctica sexual que consiste en la excitación de los órganos sexuales masculinos con la boca. □ ETIMOL. Del latín *fellatio*, y este de *fellare* (chupar, mamar). □ ORTOGR. Se usa también *felatio*.

felatio s.f. →**felación.**

feldespato s.m. Mineral compuesto principalmente por silicato de aluminio, de color blanco, amarillento o rojizo, brillo nacarado y gran dureza: *El feldespato es uno de los componentes del granito.* □ ETIMOL. Del alemán *feldspat*, y este de *feld* (campo) y *spat* (espato).

felicidad s.f. **1** Estado de ánimo del que se encuentra contento y satisfecho con las circunstancias de la vida: *Ahora le va todo bien y se le nota la felicidad en la cara.* □ SINÓN. *dicha, ventura.* **2** Satisfacción, gusto o contento: *Mi mayor felicidad es ver crecer a mis hijos.* □ SINÓN. *dicha.* □ ETIMOL. Del latín *felicitas*. □ USO En plural se usa para expresar una felicitación: *'¡Felicidades!', iban diciendo los invitados a los novios.*

felicitación s.f. **1** Manifestación de la satisfacción que alguien siente por algún suceso feliz que le ha ocurrido a otra persona: *Recibe mi felicitación por el nacimiento de tu hijo.* □ SINÓN. *enhorabuena.* **2** Palabras o tarjeta con las que se felicita: *En Navidad envío felicitaciones a los amigos.*

felicitar v. **1** Referido a una persona, manifestarle la satisfacción que se siente con motivo de algún suceso feliz para ella: *Te felicito por ese sobresaliente.* **2** Referido a una persona, expresarle el deseo de que sea feliz: *Este año no me felicitaste el día de mi santo.* □ ETIMOL. Del latín *felicitare* (hacer feliz).

félido ▮ adj./s.m. **1** Referido a un mamífero, que se caracteriza por ser carnívoro y por tener la cabeza redondeada, el hocico corto, las patas anteriores con cinco dedos y las posteriores con cuatro, y uñas grandes que generalmente puede sacar o esconder: *El gato es un félido.* ▮ s.m.pl. **2** En zoología, familia de estos mamíferos: *Los animales que pertenecen a los félidos tienen gran agilidad y flexibilidad.* □ ETIMOL. Del latín *feles* (gato). □ SEM. Dist. de *felino* (tipo de félido).

feligrés, -a s. **1** Persona que pertenece a una determinada parroquia: *Todos los feligreses acudieron a conocer al nuevo párroco.* **2** *col.* Cliente de un establecimiento, esp. si es habitual: *A la panadera le gusta conversar con todos sus feligreses.* □ ETIMOL. Del latín *fili eclesiae* (hijo de la iglesia).

feligresía s.f. **1** Conjunto de feligreses de una parroquia: *El nuevo párroco ya conoce a toda la feligresía.* □ SINÓN. *parroquia.* **2** Territorio que está bajo la jurisdicción espiritual de un párroco: *El párroco recorre su feligresía los viernes por la maña-*

na. □ SINÓN. *parroquia, curato.* **3** Parroquia rural, compuesta de diferentes barrios: *Cada pueblo suele tener una feligresía.*

felino, na ▮ adj. **1** Del gato, característico de él o relacionado con él: *una mirada felina.* ▮ adj./s.m. **2** Referido a un animal, que pertenece a la familia de los félidos: *El león es un felino que se alimenta de las presas que caza.* □ ETIMOL. Del latín *felinus*, y este de *feles* (gato). □ SEM. Dist. de *félido* (grupo al que pertenecen los felinos).

feliz adj.inv. **1** Con felicidad o dicha: *Lo más importante es vivir feliz y en paz con todo el mundo.* □ SINÓN. *dichoso.* **2** Que causa felicidad o dicha: *un suceso feliz.* □ SINÓN. *dichoso.* **3** Referido a algo que se piensa o que se expresa, que es oportuno, acertado o eficaz: *Gracias a aquella feliz ocurrencia tuya, salimos del apuro.* □ SINÓN. *dichoso.* □ ETIMOL. Del latín *felix*.

felón, -a adj./s. Que comete felonía o traición: *Un grupo de militares felones intentó dar un golpe de estado.* □ ETIMOL. Del francés *félon* (desleal).

felonía s.f. Deslealtad, traición o mala acción: *Fueron juzgados y condenados por sus felonías.*

felpa s.f. **1** Tejido de tacto suave con pelo por una de sus caras: *una camiseta de felpa.* **2** Diadema de tela elástica: *Llevaba una felpa azul para recogerse el pelo.* □ ETIMOL. De origen incierto.

felpar v. *col.* En zonas del español meridional, morir: *Ni cuenta nos dimos cuando el lorito felpó.*

felpear v. *col.* En zonas del español meridional, golpear. □ ETIMOL. De *felpa* (reprimenda).

felpudo s.m. **1** Alfombrilla que suele colocarse en la entrada de las casas: *Límpiate los zapatos en el felpudo antes de entrar en casa.* **2** *vulg.* →**vulva.**

femenil adj.inv. *poét.* De la mujer o relacionado con ella. □ ETIMOL. Del latín *feminilis*.

femenino, na ▮ adj. **1** De la mujer, relacionado con ella, o con rasgos que se consideran propios de ella: *una asociación femenina.* **2** Referido a un ser vivo, que está dotado de órganos de reproducción para ser fecundados: *Los frutos se desarrollan en el interior de las flores femeninas.* **3** De este tipo de seres vivos o relacionado con ellos: *El óvulo es la célula sexual femenina.* ▮ adj./s.m. **4** En lingüística, referido a la categoría gramatical del género, que es la de los nombres que significan seres vivos de sexo femenino y la de otros seres inanimados: *El femenino de 'chico' es 'chica', y el de 'actor', 'actriz'.* □ ETIMOL. Del latín *femeninus* (propio de hembra).

fementido, da adj. Falso y engañoso: *Me llamó falso y fementido, y me acusó de haber faltado a mi palabra.* □ ETIMOL. De *fe* y *mentido*.

fémina s.f. Persona de sexo femenino: *En mi empresa las féminas son mayoría.* □ SINÓN. *mujer.* □ ETIMOL. Del latín *femina*.

femineidad s.f. →**feminidad.** □ ETIMOL. De *femíneo* (femenino).

feminidad s.f. Conjunto de características que tradicionalmente se han considerado propias de la mujer, como la dulzura, la comprensión y el instinto maternal: *La dulzura en un hombre no tiene por qué ser considerada un rasgo de feminidad.* □ SINÓN. *femineidad.*

feminismo s.m. Doctrina y movimiento social que defienden a la mujer y le reconocen capacidades y derechos antes solo reservados a los hombres: *El feminismo no defiende la superioridad de la mujer frente al hombre, sino su igualdad.* □ ETIMOL. Del latín *femina* (mujer).

feminista ▮ adj.inv. **1** Del feminismo o relacionado con esta doctrina o movimiento social: *El movimiento feminista se desarrolló principalmente en el siglo XIX.* ▮ adj.inv./s.com. **2** Partidario del feminismo: *Las feministas exigen igualdad de salarios para hombres y mujeres.*

feminización s.f. **1** Transformación de un nombre que no tiene forma o género femeninos en uno que sí los tenga: *La feminización del sustantivo 'policía' puede hacerse añadiéndole el artículo femenino 'una'.* **2** Desarrollo de los caracteres sexuales femeninos: *La feminización de las niñas se produce en la pubertad.* **3** Tendencia de ciertas situaciones sociales, generalmente negativas, a producir más perjuicios a las mujeres que a los hombres: *feminización de la pobreza.*

feminoide adj.inv. Referido esp. a un hombre, que tiene algunos rasgos femeninos: *Su cara aniñada le hace tener un aspecto feminoide.* □ ETIMOL. Del latín *femina* (mujer) y *-oide* (semejanza).

femoral adj.inv. Del fémur o relacionado con este hueso: *fractura femoral.*

femto- Elemento compositivo prefijo que significa 'milbillonésima parte': *femtosegundo.* □ ETIMOL. Del noruego *femten* (quince). □ ORTOGR. Su símbolo es *f-*, y no se usa nunca aislado: *fs* (femtosegundo).

femtoquímica s.f. Rama de la química que estudia los fenómenos que ocurren en femtosegundos: *La femtoquímica vio la luz a principios de 1980.*

femtosegundo s.m. Milbillonésima parte de un segundo.

fémur s.m. En un vertebrado, hueso de la pierna que por un lado se articula con la cadera y, por el otro, con la tibia y el peroné: *En las personas, el fémur es el hueso más largo de la pierna.* □ ETIMOL. Del latín *femur* (muslo).

fendi s.m. →**efendi.**

fenec s.m. Mamífero parecido al zorro, con el pelaje de color arena, las orejas muy desarrolladas y la cola larga y espesa: *El fenec suele habitar en las dunas de los desiertos del norte de África.* □ MORF. Es un sustantivo epiceno: *el fenec {macho/hembra}.*

fenecer v. **1** Dejar de vivir: *Sus padres fenecieron en un accidente de coche.* □ SINÓN. *morir.* **2** Acabarse, terminarse o tener fin: *Todas las culturas acaban por fenecer en favor de otras.* □ ETIMOL. Del antiguo *fenir* o *finir* (terminar). □ MORF. Irreg. →PARECER.

feng shui s.m. ‖ Arte o técnica taoísta de colocar, escoger y diseñar un espacio, esp. una casa, de forma que promueva la salud, la prosperidad y la felicidad: *Por medio del feng shui se intenta conseguir* *un método para vivir en armonía con el medio ambiente.* □ PRON. [feng súi].

fenicio, cia ▌ adj./s. **1** De Fenicia (antiguo país asiático), o relacionado con ella: *En el levante español se han encontrado esculturas fenicias dedicadas a divinidades femeninas.* **2** *col. desp.* Referido a una persona, que es capaz de comerciar con cualquier cosa y de sacar el máximo beneficio de lo que vende a costa de lo que sea. ▌ s.m. **3** Antigua lengua de Fenicia: *El fenicio tiene un alfabeto del que se derivan la mayor parte de los del mundo occidental.*

fénico adj. Referido a un ácido, que es un tipo de fenol, tiene un olor muy fuerte y es muy venenoso: *El ácido fénico se utiliza como desinfectante.*

fénix (pl. *fénix*) s.m. Ave fabulosa, semejante a un águila, que cada vez que se quemaba en una hoguera renacía de sus propias cenizas: *El fénix forma parte de la mitología clásica.* □ ETIMOL. Del latín *phoenix*.

fenol s.m. Compuesto orgánico que se obtiene por destilación de los aceites de alquitrán: *El fenol se usa en medicina como antiséptico.* □ ETIMOL. Del griego *pháino* (yo brillo), porque este compuesto se obtiene durante la fabricación del gas de alumbrado.

fenomenal ▌ adj.inv. **1** *col.* Estupendo, admirable o muy bueno: *Te llevarás bien con él, porque es un chico fenomenal.* **2** Tremendo o muy grande: *Me diste un susto fenomenal cuando me agarraste por detrás.* ▌ adv. **3** Muy bien: *Lo pasamos fenomenal jugando al parchís.*

fenómeno, na ▌ adj. **1** *col.* Muy bueno o magnífico: *La actriz estaba fenómena en su papel.* ▌ s.m. **2** Manifestación o apariencia que se produce, tanto en el orden material como en el espiritual: *La nieve es un fenómeno meteorológico.* **3** Lo que es extraordinario y sorprendente: *Varias personas vieron un fenómeno para el que los científicos aún no tienen explicación.* **4** Persona que sobresale en algo: *Esa amiga tuya es un fenómeno tocando la guitarra.* **5** *col.* Monstruo: *Su extrema deformidad hace de ese animal un fenómeno.* □ ETIMOL. Del latín *phainomenon*, y este del griego *phacnómenon* (cosa que aparece). □ SINT. Se usa también como adverbio de modo con el significado de 'muy bien': *El día de tu cumpleaños lo pasamos fenómeno.*

fenomenología s.f. En filosofía, teoría y método que se centra en el estudio de los fenómenos o manifestaciones de algo: *Con la fenomenología, Husserl intentó convertir la filosofía en ciencia estricta.* □ ETIMOL. De *fenómeno* y *-logía* (estudio, ciencia). □ SEM. Es incorrecto su uso con el significado de 'conjunto de fenómenos', aunque está muy extendido: {**la fenomenología atmosférica* > *los fenómenos atmosféricos*}.

fenotípico, ca adj. Del fenotipo o relacionado con él: *rasgos fenotípicos.*

fenotipo s.m. En biología, manifestación externa de un genotipo en un determinado ambiente: *En España, el fenotipo más abundante de color de ojos es el castaño.* □ ETIMOL. De *pháino* (yo brillo, yo aparezco) y *týpos* (tipo, modelo).

feo, a ▌ adj. **1** Que carece de belleza y hermosura: *A ninguna madre le parecen feos sus hijos.* **2** Con aspecto malo o desfavorable: *No sabe cómo salir de ese feo asunto.* **3** Que causa horror o rechazo, o que se considera negativo: *Fue una fea acción por tu parte faltarle así al respeto.* ▌ s.m. **4** *col.* Desaire o desprecio manifiestos: *hacer un feo.* **5** ‖ **tocarle** a alguien **bailar con la más fea;** *col.* Tocarle la peor parte en un asunto: *Como siempre me toca a mí bailar con la más fea, me tuve que quedar a recogerlo todo.* □ ETIMOL. Del latín *foedus* (vergonzoso, repugnante, feo).

feracidad s.f. Fertilidad de una tierra o de un campo. □ ETIMOL. Del latín *feracitas*.

feraz adj.inv. Referido esp. a la tierra o al campo, fértil o abundante en frutos: *La agricultura de esta región es muy importante, porque sus tierras son muy feraces.* □ ETIMOL. Del latín *ferax*, y este de *ferre* (producir frutos). □ ORTOGR. Dist. de *feroz* y de *veraz*.

féretro s.m. Caja, generalmente de madera, en la que se coloca un cadáver para enterrarlo: *Cubrieron el féretro con coronas de flores.* □ SINÓN. *ataúd, caja.* □ ETIMOL. Del latín *feretrum* (instrumento para llevar).

feria s.f. **1** Mercado que se celebra en un lugar público al aire libre y en determinadas fechas, para la compra y venta de productos agrícolas y ganaderos: *una feria de ganado.* **2** Conjunto de instalaciones recreativas y de puestos de venta que se montan con ocasión de alguna fiesta. **3** Instalación en la que se exhiben cada cierto tiempo productos de un determinado ramo industrial o comercial para su promoción y venta: *la feria del libro.* **4** Fiesta popular que se celebra todos los años en una fecha determinada: *la feria de San Isidro.* □ ETIMOL. Del latín *feria* (día de fiesta).

feriado s.m. En zonas del español meridional, día festivo: *El próximo martes no hay que trabajar porque es feriado.*

ferial adj.inv. De la feria o relacionado con ella: *recinto ferial.*

feriante adj.inv./s.com. Que va a una feria para la compra o la venta de algo o para el establecimiento de un negocio: *Los feriantes ya han vendido todas sus reses en la feria del ganado.*

ferino, na adj. De las fieras, con sus características o relacionado con ellas: *un aullido ferino.* □ ETIMOL. Del latín *ferinus*.

fermentación s.f. Proceso bioquímico por el que una sustancia orgánica se transforma por la acción de microorganismos o de sistemas de enzimas: *El vino se obtiene por fermentación del zumo de las uvas.*

fermentar v. Producir o experimentar fermentación: *La levadura fermenta la masa del pan y hace que esta crezca y se esponje. Para que el zumo de uvas se haga vino, tiene que fermentar.*

fermento s.m. **1** Sustancia orgánica soluble en agua que interviene en diversos procesos bioquímicos sin haberse alterado al final de la reacción: *Las levaduras son fermentos.* **2** Causa o motivo de la excitación o alteración de los ánimos: *La grave crisis económica fue el fermento de las revueltas sociales.* ☐ ETIMOL. Del latín *fermentum*.

fermio s.m. Elemento químico, metálico y artificial, de número atómico 100, radiactivo y que pertenece al grupo de las tierras raras: *El fermio, junto con el einstenio, se encontró entre los restos de la primera bomba de hidrógeno.* ☐ ETIMOL. Por alusión al físico italiano E. Fermi. ☐ ORTOGR. Su símbolo químico es *Fm*.

fernandino, na ▌adj. **1** De Fernando VII (rey español del siglo XIX) o relacionado con él: *En la época fernandina se persiguió a los liberales opuestos a la política absolutista del rey.* ▌adj./s. **2** Partidario de este rey: *Los fernandinos proclamaron rey a Fernando VII en vida de su padre, Carlos IV.*

-fero, -fera **1** Elemento compositivo sufijo que significa 'que tiene' o 'que lleva': *plumífero, acuífero, lucífero.* **2** Elemento compositivo sufijo que significa 'que produce' o 'que contiene': *perlífero, petrolífero.* ☐ ETIMOL. Del latín *ferre* (llevar).

ferocidad s.f. Fiereza, dureza o crueldad: *Los tigres y los leones se caracterizan por su ferocidad.* ☐ ETIMOL. Del latín *ferocitas*.

ferodo s.m. Material formado con fibras de amianto e hilos metálicos que se usa generalmente para revestir las zapatas del freno de los automóviles: *El disco del freno tiene desgastado el ferodo.* ☐ ETIMOL. Extensión del nombre de una marca comercial.

feroés, -a adj./s. De las Islas Feroe o relacionado con estas islas del Atlántico.

feromona s.f. Sustancia química que excretan algunos animales y que influye sobre el comportamiento de otros de su especie: *Las hembras de algunos animales segregan feromonas para atraer a los machos.* ☐ ETIMOL. Del latín *ferre* (llevar) y *hormona*.

feroz adj.inv. **1** Que obra con fiereza y dureza: *Los animales salvajes son feroces.* **2** Cruel, violento o terrorífico: *Me asusté al ver su aspecto feroz.* **3** *col.* Muy grande o intenso: *tener un hambre feroz.* ☐ ETIMOL. Del latín *ferox*. ☐ ORTOGR. Dist. de *feraz*.

ferrallista s.com. Persona que se dedica profesionalmente a trabajar el hierro para formar la estructura de una obra de hormigón. ☐ ETIMOL. Del francés *ferraille* (chatarra).

férreo, a adj. **1** Muy duro, tenaz o resistente: *tener una voluntad férrea.* **2** Del ferrocarril o relacionado con él: *línea férrea.* **3** De hierro o con sus características: *una estructura férrea.* ☐ ETIMOL. Del latín *ferreus*.

ferretería s.f. Establecimiento en el que se venden principalmente herramientas, cacharros y otros objetos de metal: *Traje de la ferretería una cerradura, tornillos y clavos.*

ferretero, ra s. Propietario o encargado de una ferretería: *Pedí al ferretero que me mostrara varios modelos de enchufes.* ☐ ETIMOL. Del catalán *ferreter*.

férrico, ca adj. En química, referido a un compuesto del hierro, que tiene hierro con valencia tres: *óxido férrico.* ☐ ETIMOL. Del latín *ferrum* (hierro).

ferrobús s.m. Tren ligero con varios vagones de viajeros y con un motor de tracción en ambos extremos para evitar la maniobra de dar la vuelta a la máquina: *Para ir al pueblo de al lado puedes coger el ferrobús.* ☐ ETIMOL. De *ferrocarril* y *autobús*.

ferrocarril s.m. **1** Medio de transporte que circula sobre raíles, formado por varios vagones arrastrados por una locomotora. ☐ SINÓN. *tren.* **2** Conjunto de instalaciones, vehículos y equipos que constituyen este medio de transporte: *Durante la huelga, los empleados del ferrocarril harán servicios mínimos en las horas punta.* ☐ ETIMOL. Del latín *ferrum* (hierro) y *carril*.

ferroso, sa adj. En química, referido a un compuesto, que contiene hierro con valencia dos: *óxido ferroso.* ☐ ETIMOL. Del latín *ferrum* (hierro).

ferrovial adj.inv. →**ferroviario.**

ferroviario, ria ▌adj. **1** Del ferrocarril, de las vías férreas o relacionado con ellos: *red ferroviaria.* ☐ SINÓN. *ferrovial.* ▌s. **2** Persona que trabaja en una compañía de ferrocarril. ☐ ETIMOL. Del italiano *ferroviario*.

ferruginoso, sa adj. Que contiene hierro: *un mineral ferruginoso.* ☐ ETIMOL. Del latín *ferrugo* (herrumbre).

ferry (ing.) s.m. Buque transbordador que se utiliza para el transporte de materiales, de vehículos y de pasajeros, esp. entre las orillas de un río o de un estrecho: *Cogimos un ferry para ir de la isla al continente.* ☐ SINÓN. *ferry-boat.* ☐ PRON. [férri]. ☐ USO Su uso es innecesario y puede sustituirse por *transbordador*.

ferry-boat (ing.) s.m. →**ferry.** ☐ PRON. [férri bóut].

fértil adj.inv. **1** Que produce mucho: *una tierra fértil.* **2** Referido a una persona o a un animal, que pueden reproducirse. **3** Referido a un período de tiempo, que es muy productivo: *Espero que tengamos un año fértil en los campos.* ☐ ETIMOL. Del latín *fertilis*, y este de *ferre* (producir frutos).

fertilidad s.f. **1** Capacidad para producir mucho: *la fertilidad de una tierra.* **2** Capacidad para reproducirse: *La fecundación artificial soluciona algunos problemas de fertilidad.*

fertilización s.f. **1** En biología, unión de un elemento reproductor masculino con otro femenino de forma que den origen a un nuevo ser. ☐ SINÓN. *fecundación.* **2** Procedimiento para hacer fértil o productiva la tierra: *Los abonos se utilizan para la fertilización del campo.* **3** ‖ **fertilización in vitro;** la que se realiza mediante técnicas de laboratorio, habiendo extraído previamente el óvulo del ovario. ☐ SINÓN. *fecundación in vitro.*

fertilizante ▌ adj.inv. **1** Que fertiliza. ▌ s.m. **2** Sustancia que fertiliza o que hace productiva la tierra: *El estiércol es un fertilizante.* **3** || **fertilizante biológico;** producto que contiene células vivas y se aplica a las semillas o al suelo para mejorar el rendimiento de los cultivos. ☐ SINÓN. *biofertilizante.*

fertilizar v. Referido esp. a la tierra, hacerla fértil o productiva: *Fertilizaron el terreno con abono.* ☐ ORTOGR. La *z* se cambia en *c* delante de *e* →CAZAR.

férula s.f. **1** Aparato resistente, rígido o flexible, que sirve para inmovilizar un miembro del cuerpo que se ha fracturado. **2** Autoridad o poder abusivos: *Los esclavos trabajaban bajo la férula de sus amos.* ☐ ETIMOL. Del latín *ferula* (palmeta).

férvido, da adj. **1** Que hierve. **2** Que arde o causa ardor. ☐ ETIMOL. Del latín *fervidus*.

ferviente adj.inv. Que tiene o muestra fervor o gran entusiasmo: *Los fervientes seguidores del equipo jaleaban a los jugadores.* ☐ SINÓN. *fervoroso.*

fervor s.m. **1** Sentimiento religioso muy intenso y activo: *rezar con fervor.* **2** Entusiasmo e interés intensos: *Siente verdadero fervor por todo lo relacionado con los niños.* ☐ ETIMOL. Del latín *fervor*.

fervoroso, sa adj. Que tiene o muestra fervor o gran entusiasmo: *un católico fervoroso.* ☐ SINÓN. *ferviente.*

festejar v. **1** Celebrar con fiestas: *Festejó su santo con sus familiares y amigos.* **2** Referido a una persona, hacer festejos o fiestas en su honor: *En su ciudad natal, festejaron al campeón por todo lo alto.* ☐ ETIMOL. Del catalán *festejar*. ☐ ORTOGR. Conserva la *j* en toda la conjugación.

festejo ▌ s.m. **1** Fiesta que se realiza para celebrar algo: *Después de la boda, habrá un festejo.* ▌ pl. **2** Actos públicos que tienen ocasión durante las fiestas de una población: *El Ayuntamiento recortó el presupuesto para los festejos.*

festín s.m. Banquete espléndido, esp. el que se hace con motivo de una celebración y en el que suele haber baile o música: *En nuestras bodas de oro, daremos un festín al que invitaremos a toda la familia.* ☐ ETIMOL. Del francés *festin*.

festival s.m. **1** Conjunto de actuaciones o de manifestaciones dedicadas a un arte o a un artista: *festival de cine.* **2** Fiesta, esp. musical: *Todos los padres disfrutaron en el festival del colegio.* **3** Lo que resulta un gran espectáculo: *El partido de fútbol fue un festival de goles.* ☐ ETIMOL. Del inglés *festival*.

festivalero, ra adj. Característico de un festival: *En la verbena, la gente bailaba alegremente con las canciones festivaleras.* ☐ USO Tiene un matiz despectivo.

festividad s.f. Fiesta o solemnidad con las que se celebra algo, esp. las fijadas por la Iglesia para celebrar un misterio o a un santo: *La festividad de Nuestra Señora del Pilar es el 12 de octubre.*

festivo, va ▌ adj. **1** Alegre, divertido o chistoso: *El debate se desarrolló en un tono muy festivo.* ▌ s.m. **2** →**día festivo.** ☐ ETIMOL. Del latín *festivus*.

festón s.m. Bordado, dibujo o recorte en forma de ondas o de puntas que adorna el borde de algo: *Remató los bordes del mantel con un festón.* ☐ ETIMOL. Del italiano *festone*, y este de *festa* (fiesta), porque el festón se empleaba en las festividades como adorno.

festoneado, da adj. Con el borde en forma de festón o de onda: *Algunos tipos de olmos tienen las hojas festoneadas.*

festonear v. **1** Referido a una tela o a una prenda de vestir, bordarla con festones: *La costurera festoneó los bajos del vestido.* **2** Formar un borde ondulado: *Las almenas festoneaban las murallas.*

feta ▌ s.m. **1** Queso fresco de origen griego y elaborado con leche de cabra: *una ensalada con trocitos de feta.* ▌ s.f. **2** En zonas del español meridional, loncha de embutido o de queso, o de otra cosa. ☐ ETIMOL. La acepción 1, del griego *feta*. La acepción 2, del italiano *fetta*.

fetal adj.inv. Del feto o relacionado con él: *Siempre duermo en posición fetal, de lado y acurrucado.*

fetén adj.inv. *col.* Estupendo, excelente o auténtico: *Confío en él porque es un tío fetén.* ☐ SINT. En la lengua coloquial se usa también como adverbio de modo con el significado de 'muy bien': *Lo pasamos fetén en la fiesta.*

fetiche s.m. **1** Ídolo u objeto de culto al que se atribuyen poderes sobrenaturales: *En muchos pueblos primitivos, los fetiches eran adorados como auténticas divinidades.* **2** Objeto al que se atribuye la capacidad de traer buena suerte: *Dice que suspendió porque se le olvidó llevar su fetiche al examen.* ☐ ETIMOL. Del francés *fétiche*.

fetichismo s.m. **1** Culto a los fetiches: *En muchas culturas primitivas se practicaba el fetichismo.* **2** Admiración o veneración excesiva hacia algo: *En esta época de fetichismo tecnológico, parece que si no sabes utilizar el ordenador, eres un analfabeto.* **3** Conducta sexual que consiste en la observación o en la manipulación de algún objeto como fuente de excitación: *El fetichismo es uno de los fenómenos sexuales por el que se interesaron los psiquiatras del siglo XIX.*

fetichista ▌ adj.inv. **1** Del fetichismo o relacionado con él: *Muchos coleccionistas sienten una pasión casi fetichista por los objetos que coleccionan.* ▌ adj.inv./s.com. **2** Referido a una persona, que practica el fetichismo: *Muchos fetichistas adoraban a sus ídolos con una fe ciega.*

fetidez s.f. Olor desagradable y penetrante: *La fetidez de este basurero me está mareando.*

fétido, da adj. Que desprende un olor muy desagradable: *una bomba fétida.* ☐ SINÓN. *hediondo.* ☐ ETIMOL. Del latín *foetidus*.

feto s.m. **1** En algunos animales mamíferos, embrión, desde que se fija en el útero hasta el momento de su nacimiento: *En la ecografía se vio claramente que el feto era varón.* **2** *col. desp.* Persona muy fea: *No tienes ningún derecho a llamar feto a las personas que no te parecen guapas.* ☐ ETIMOL. Del latín *fetus* (producto de un parto).

fettuccini (it.) s.m. Pasta alimenticia en forma de cilindro largo y grueso hecha de harina o de trigo: *Cenamos en un restaurante italiano y yo pedí fettuccini de primero.* □ PRON. [fetuchíni].

feudal adj.inv. Del feudo, del feudalismo o relacionado con ellos: *Los señores feudales poseían grandes extensiones de tierra.*

feudalismo s.m. **1** En la Edad Media, sistema de gobierno y forma de organización política, económica y social, basados en la obligación de los vasallos de guardar fidelidad a sus señores a cambio de tierras o de rentas dadas en usufructo: *El feudalismo obligaba a los señores a proteger a sus vasallos.* **2** Época en la que rigió este sistema: *Durante el feudalismo, el sector económico predominante fue el agrario.*

feudatario, ria adj./s. Sometido a un señor feudal y obligado a pagar feudo: *En la Edad Media, los campesinos feudatarios entregaban parte de su cosecha al conde.*

feudo s.m. **1** En el feudalismo, contrato mediante el cual el rey y los grandes señores concedían tierras o rentas en usufructo, obligando al súbdito o al vasallo que las recibía a guardar fidelidad y a prestar determinados servicios: *El feudo establecía una relación de vasallaje.* **2** Tributo o renta que se pagaban para obtener este contrato: *Algunos vasallos pagaban el feudo en especie.* **3** Territorio concedido en usufructo por este contrato: *Los súbditos cultivaban los feudos que sus señores les concedían en régimen de explotación.* **4** Propiedad, zona o parcela en las que se ejercen una influencia o un poder exclusivos: *Esta región es un feudo electoral del partido centrista.* □ ETIMOL. Del latín *feudum*.

fez s.m. Gorro de fieltro rojo, con forma de cubilete, muy usado por norteafricanos y turcos: *El fez a veces lleva una borla que cuelga de la parte superior.* □ ETIMOL. Por alusión a Fez, ciudad de Marruecos donde se fabrican.

FF AA s.f.pl. Conjunto de los ejércitos de una nación. □ ETIMOL. Es la sigla de *Fuerzas Armadas*.

fi s.f. En el alfabeto griego clásico, nombre de la vigésima primera letra: *La grafía de la fi es* φ. □ ORTOGR. Se usa también *phi*.

fiabilidad s.f. **1** Confianza que inspira una persona: *Puedes contar con ellos, ya que son personas de total fiabilidad.* **2** Probabilidad de buen funcionamiento de algo: *Ese nuevo modelo de coche destaca por su fiabilidad y sólida construcción.*

fiable adj.inv. **1** Referido a una persona, que es digna de confianza. **2** Referido a un objeto, que ofrece seguridad: *datos fiables.*

fiaca ▌adj.inv./s.com. **1** *col.* En zonas del español meridional, perezoso. ▌s.f. **2** *col.* En zonas del español meridional, pereza. **3** En zonas del español meridional, hambre.

fiador, -a adj./s. Que fía: *Mi fiador no me cobra intereses.*

fiambre s.m. **1** Carne o pescado curados o que se comen fríos después de asados o cocidos: *El chorizo y el salchichón son dos tipos de fiambre.* **2** *col.* Cadáver. □ ETIMOL. De *friambre*, y este de *frío*.

fiambrera s.f. Recipiente que cierra herméticamente y que se usa para llevar la comida: *Cuando paso el día en el campo, llevo la comida en una fiambrera.*

fiana ▌s.com. **1** *col.* Miembro del cuerpo cubano de policía. ▌s.f. **2** *col.* Cuerpo cubano de policía.

fianza s.f. **1** Lo que se deja como garantía del cumplimiento de una obligación: *Cuando alquilamos el coche, tuvimos que dejar una fianza que luego nos devolvieron.* **2** Obligación que una persona contrae cuando se compromete a responder por otra: *libertad bajo fianza.*

fiar ▌v. **1** Vender sin exigir el pago inmediato del importe y aplazándolo para más adelante: *No me fían en ningún sitio porque saben que no tengo dinero.* ▌prnl. **2** Referido a una persona, tener confianza en ella: *No te fíes de él, porque te engañará en cuanto pueda.* **3** ‖ **ser de fiar**; ser merecedor de confianza: *Puedes hablar delante de ella, porque es de fiar.* □ ETIMOL. Del latín **fidare*. □ ORTOGR. La *i* de la raíz lleva tilde en los presentes, excepto en las personas *nosotros* y *vosotros* →GUIAR. □ SINT. Constr. de la acepción 2: *fiarse* DE *alguien.*

fiasco s.m. **1** Chasco o fracaso: *El concierto al aire libre resultó un fiasco debido a la lluvia.* **2** Fraude o estafa: *fiasco financiero.* □ ETIMOL. Del italiano *fiasco*.

fibra s.f. **1** Filamento largo y delgado que forma parte de algunos tejidos orgánicos o que se halla presente en algunos minerales: *Los músculos están formados por fibra muscular.* **2** Hilo que se obtiene de forma artificial y que se usa en la elaboración de telas: *una camiseta de fibra.* **3** En zonas del español meridional, rotulador. **4** ‖ **fibra óptica**; filamento de un material de gran eficacia para transmitir señales luminosas gracias a la reflexión interna: *El futuro de las comunicaciones se basa en la fibra óptica.* □ ETIMOL. Del latín *fibra* (filamento de las plantas).

fibrilación s.f. En medicina, contracción espontánea e incontrolada de las fibras del músculo cardíaco: *La fibrilación auricular es una patología cardíaca pasajera, aunque puede causar la muerte.*

fibrilar ▌adj.inv. **1** De la fibra o relacionado con ella: *Va a rehabilitación para tratar una rotura fibrilar.* ▌v. **2** Referido a las fibras musculares, esp. a las del corazón, contraerse irregular y espontáneamente: *Cuando el corazón comienza a fibrilar, late tan rápido que es incapaz de bombear sangre.*

fibrina s.f. Proteína insoluble en el agua, formada a partir de otra sustancia que se encuentra disuelta en la sangre: *La sangre se coagula gracias a la fibrina.* □ ETIMOL. De *fibra*.

fibrinógeno s.m. Proteína soluble del plasma sanguíneo que, por la acción de una enzima o fermento, se convierte en fibrina: *El fibrinógeno se origina en el hígado y es fundamental para que la sangre coagule.* □ ETIMOL. De *fibrina* y *-geno* (que genera).

fibroblasto s.m. Célula que conecta los diferentes tejidos del organismo.

fibrocartílago s.m. En anatomía, tejido cartilaginoso de color blanco, muy resistente y de una gran elasticidad: *Algunos tendones están formados por fibrocartílago.* ☐ ETIMOL. De *fibra* y *cartílago*.

fibroína s.f. Proteína extraída de la seda: *Esta nueva línea de productos cosméticos está basada en la fibroína.* ☐ ETIMOL. De *fibra*.

fibroma s.m. Tumor benigno formado por tejido fibroso: *A su madre le han extirpado un fibroma que le detectaron en el útero.* ☐ ETIMOL. De *fibra* y *-oma* (tumor).

fibroscopia s.f. En medicina, exploración visual por medio de fibras ópticas que se introducen en una cavidad corporal o en un órgano hueco para ver su interior.

fibroscopio s.m. En medicina, aparato que utiliza fibras ópticas para ver el interior de una cavidad corporal o de un órgano hueco.

fibrosis (pl. *fibrosis*) s.f. Formación patológica de tejido fibroso en un órgano: *El médico le diagnosticó una fibrosis pulmonar.* ☐ ETIMOL. De *fibra* y *-osis* (enfermedad).

fibroso, sa adj. Con mucha fibra: *tejido fibroso.*

fíbula s.f. Hebilla o broche, parecidos a un imperdible, que se usaban para sujetar las prendas de vestir: *Los griegos y los romanos usaban fíbulas para sujetar sus túnicas.* ☐ ETIMOL. Del latín *fibula*.

ficción s.f. **1** Invención, esp. si es literaria: *una novela de ficción.* **2** Presentación como verdadero o real de algo que no lo es: *Me parece que su pena es pura ficción y que no siente realmente lo sucedido.* ☐ ETIMOL. Del latín *fictio*. ☐ SEM. No debe emplearse con el significado de 'novela' (anglicismo): *Escribe hermosas {*ficciones > novelas} de aventuras.*

ficcional adj.inv. De la ficción o relacionado con ella: *Generalmente, las novelas se desarrollan en ámbitos ficcionales.*

ficha s.f. **1** Pieza pequeña, generalmente delgada y plana, a la que se asigna un valor convencional para emplearla con distintos usos: *las fichas del parchís; las fichas del dominó.* **2** Hoja de papel o de cartulina que sirve para anotar datos y poder archivarlos o clasificarlos después con otros anotados de la misma forma: *Todos los libros de la biblioteca tienen su ficha correspondiente.* **3** Tarjeta o pieza semejante que se utiliza para contabilizar el tiempo que ha estado trabajando un empleado: *Algunas fichas funcionan por medio de una banda magnética.* **4** En zonas del español meridional, persona peligrosa o de poco fiar: *Se casó con una ficha que lo explotó.* ☐ ETIMOL. Del francés *fiche* (estaca, taco).

fichaje s.m. **1** Contratación de una persona, esp. de un deportista: *El fichaje del nuevo defensa será un gran refuerzo para la línea defensiva del equipo.* **2** *col.* Persona contratada, esp. si es un deportista: *Esta directora de ventas es el mejor fichaje de la empresa en toda su historia.*

fichar v. **1** Referido a una persona o a un objeto, anotar en una ficha o cartulina datos útiles para su clasificación: *He fichado más de dos mil libros de la biblioteca.* **2** Referido a una persona, esp. a un deportista, contratarla: *Nuestro equipo ha fichado a dos delanteros extranjeros.* **3** *col.* Referido a una persona, considerarla con prevención y desconfianza: *Algo habrás hecho, para que todos te tengan fichado.* **4** Referido a una persona, entrar a formar parte de una empresa o de una entidad deportiva: *Nuestro antiguo entrenador ha fichado por un equipo regional.* **5** Introducir una ficha en un aparato que permite contabilizar el tiempo que un empleado ha estado trabajando: *Hay que fichar a la entrada y a la salida del trabajo.* ☐ SINT. Constr. de la acepción 4: *fichar* POR *una entidad.*

fichero s.m. **1** Lugar donde se clasifican y se guardan ordenadamente las fichas. **2** Conjunto ordenado de fichas: *fichero de clientes.* **3** En informática, conjunto de informaciones o de instrucciones, grabadas como una sola unidad de almacenamiento que puede manejarse en bloque: *Todo programa es un fichero de instrucciones.* ☐ SINÓN. *archivo.*

ficología s.f. Parte de la botánica que estudia las algas: *La ficología estudia, entre otras cosas, las propiedades nutritivas de las algas.* ☐ ETIMOL. Del griego *phykos* (alga) y *-logía* (estudio).

ficólogo, ga adj./s. Referido a una persona, que está especializada en ficología: *Estos días se celebra un congreso de ficólogos en el que se exponen nuevas aplicaciones de las algas.*

ficticio, cia adj. **1** Fingido, falso o irreal: *Muchos escritores se crean un mundo ficticio para huir de la realidad.* **2** Aparente o convencional: *El papel moneda tiene un valor ficticio.* ☐ ETIMOL. Del latín *fictitius*.

ficus (pl. *ficus*) s.m. Árbol con hojas grandes, fuertes y ovaladas, que puede cultivarse como planta de interior: *En mi despacho tengo un hermoso ficus.*

fidecomiso s.m.→**fideicomiso.**

fidedigno, na adj. Digno de fe o de ser creído: *fuentes fidedignas de información.* ☐ ETIMOL. Del latín *fide dignus* (digno de fe). ☐ PRON. Incorr. *[fidelígno].

fideicomisario, ria adj./s. **1** Referido a una persona, que recibe el encargo de un fideicomiso. **2** Del fideicomiso o relacionado con esta disposición testamentaria. ☐ ETIMOL. De latín *fideicommissarius*.

fideicomiso (tb. *fidecomiso*) s.m. Disposición testamentaria por la cual una persona deja encomendada a otra una herencia para que la transmita a un tercero o para que haga con ella lo que se le encarga: *Su padre le dejó unas tierras en fideicomiso, para que pasen a sus hijos cuando cumplan la mayoría de edad.* ☐ ETIMOL. Del latín *fidei commissum* (confiado a la fe).

fideísmo s.m. Doctrina que fundamenta las verdades metafísicas, morales y religiosas únicamente en la fe, dejando a un lado la razón: *El fideísmo se* *opone al racionalismo porque solo tiene en cuenta las creencias y los sentimientos.*

fidelidad s.f. **1** Lealtad o constancia en las ideas, en los afectos o en las obligaciones: *Una pareja debe guardarse mutua fidelidad.* **2** Exactitud o precisión en la ejecución de algo: *Las fotocopias reproducen el original con total fidelidad.* **3** || **alta fidelidad;** sistema de grabación o reproducción de sonidos con un gran nivel de perfección: *Mi equipo de música es de alta fidelidad.* □ USO Es innecesario el uso del anglicismo *hi-fi* en lugar de *alta fidelidad*.

fidelísimo, ma superlat. irreg. de **fiel**. □ MORF. Incorr. **fielísimo*.

fidelización s.f. Atracción o captación de un cliente de forma que se convierta en consumidor habitual de los productos de una empresa: *Las tarjetas de compra de los grandes almacenes tienen por objetivo la fidelización de sus clientes.*

fidelizar v. Referido esp. a un cliente, conseguir una empresa que este sea consumidor habitual de sus productos: *Con las tarjetas de compra, los grandes almacenes pretenden fidelizar a la clientela.* □ ORTOGR. La *z* se cambia en *c* delante de *e* →CAZAR.

fideo s.m. **1** Pasta alimenticia en forma de hilo grueso y hecha con harina de trigo: *sopa de fideos.* **2** *col.* Persona muy delgada: *¡A ver si comes más, que estás hecha un fideo!* □ ETIMOL. Quizá del antiguo *fidear* (crecer, rebosar), porque aumentan de tamaño al cocerlos. □ MORF. En la acepción 1, se usa más en plural.

fideuá s.f. Guiso hecho con fideos, pescado y marisco, que se cocina en una paella: *Cuando estuve en Levante, probé por primera vez la fideuá.* □ ETIMOL. Del valenciano *fideuà*.

fiduciario, ria ▮ adj. **1** Que tiene un valor ficticio que depende del crédito y de la confianza que merece la entidad emisora de dicho valor: *Los billetes de banco y las monedas son fiduciarios porque representan un valor que intrínsecamente no tienen.* ▮ adj./s. **2** Referido a una persona, que ha recibido una herencia a través de un testamento para que la transmita a alguien o para que haga con ella lo que se le encarga: *Te dejó la herencia en fideicomiso y tú eres el fiduciario de los bienes.* □ ETIMOL. Del latín *fiduciarius*.

fiebre s.f. **1** Aumento anormal de la temperatura del cuerpo, que es síntoma de algún trastorno o enfermedad: *tener fiebre.* □ SINÓN. *calentura.* **2** Enfermedad infecciosa cuyo síntoma fundamental es un aumento anormal de la temperatura: *Si vas a viajar a África, debes vacunarte contra las fiebres.* **3** Ansiedad o agitación con que se lleva a cabo una actividad: *Esa fiebre por ganar dinero te puede llevar a meterte en negocios sucios.* **4** || **(fiebre) aftosa;** enfermedad del ganado producida por un virus y que se manifiesta fundamentalmente por el desarrollo de ampollas en la boca y entre las pestañas. □ SINÓN. *glosopeda.* || **fiebre amarilla;** enfermedad infecciosa y fácilmente contagiosa, producida por un virus, que es propia de algunos países tropicales y que causa graves epidemias. || **fiebre de Malta;** enfermedad infecciosa transmitida a las personas por algunos animales, y caracterizada por fiebres muy altas, cambios bruscos de temperatura y sudores abundantes. □ SINÓN. *brucelosis.* || **fiebre del heno;** alergia que se presenta al aproximarse la primavera o el verano y que está producida por la inhalación del polen de algunas plantas. || **(fiebre) tifoidea;** enfermedad infecciosa muy contagiosa, causada por una bacteria, y que afecta al intestino delgado. □ ETIMOL. Del latín *febris*. □ MORF. En la acepción 2, se usa más en plural.

fiel ▮ adj.inv. **1** Referido a una persona, que es constante en sus ideas, afectos u obligaciones y que no defrauda la confianza depositada en ella: *un fiel amigo.* **2** Exacto o conforme a la verdad: *Hazme un relato fiel de los hechos.* **3** Adecuado para la función que se le asigna: *Esta balanza es muy fiel y pesa con un error muy pequeño.* ▮ adj.inv./s.com. **4** Referido a un creyente, esp. a un cristiano, que acata las normas de su iglesia: *El Papa habló a los fieles allí congregados.* ▮ s.m. **5** En una balanza, aguja que marca el peso. □ ETIMOL. Del latín *fidelis*. □ MORF. Su superlativo es *fidelísimo*. □ SINT. Constr. de las acepciones 1, 2 y 3: *fiel* A *algo*.

fielato s.m. Antiguamente, oficina establecida a la entrada de una población y en la que se pagaban los derechos de consumo: *En el fielato se pagaban los impuestos de los productos que se iban a vender en una población.* □ ETIMOL. De *fiel* (aguja de la balanza).

fieltro s.m. Paño que no está tejido, sino que resulta de conglomerar lana o pelo: *El fieltro se usa mucho para hacer sombreros.* □ ETIMOL. Del germánico *filt*.

fiera s.f. Véase **fiero, ra.**

fiereza s.f. Carácter fiero, violento o agresivo: *El viento agitaba con fiereza las copas de los árboles.*

fiero, ra ▮ adj. **1** De las fieras o relacionado con estos animales: *unos aullidos fieros.* **2** Áspero, cruel o de difícil trato: *un carácter fiero.* **3** Grande, intenso o excesivo: *Estaba poseído por una fiera envidia hacia su hermano.* ▮ s.f. **4** Animal salvaje: *Los tigres y los leones son fieras.* **5** Persona cruel o de carácter violento: *Esa fiera que tienes por marido me echó de tu casa.* **6** || **fiera corrupia; 1** Figura de animal, deforme y de aspecto espantoso, que suele hacerse desfilar en fiestas populares: *Para las fiestas del pueblo construyeron una fiera corrupia con cartón.* **2** *col.* Persona cruel o de muy mal carácter: *El último alcalde era una fiera corrupia con la que no se podía hablar.* || **hecho una fiera;** *col.* Muy irritado: *Cuando lo insultaron, se puso hecho una fiera.* || **ser {un/una} fiera {en/para} una actividad;** *col.* Destacar en ella: *Este chico es un fiera en matemáticas.* □ ETIMOL. Del latín *ferus* (silvestre). □ SINT. La expresión *hecho una fiera* se usa más con los verbos *estar*, *ponerse* o equivalentes.

fierro s.m. **1** En zonas del español meridional, hierro. **2** En zonas del español meridional, arma blanca: *heridas de fierro.* □ ETIMOL. Del latín *ferrum* (hierro).

fiesta s.f. **1** Reunión de personas para divertirse o para celebrar algún acontecimiento: *una fiesta de cumpleaños.* **2** Día en que no se trabaja por celebrarse alguna conmemoración religiosa o civil: *Hoy no hay colegio porque es la fiesta de nuestra comunidad autónoma.* **3** En la iglesia católica, día que se celebra con mayor solemnidad que otros, o que está dedicado a la memoria de un santo: *El 24 de junio es la fiesta de San Juan.* **4** Conjunto de actos organizados para la diversión del público, esp. como celebración de un acontecimiento o de una fecha señalada: *Las fiestas de mi pueblo duran tres días. En España, la fiesta de los toros es la fiesta nacional por antonomasia.* **5** Alegría, diversión o regocijo: *Tu visita es una fiesta para nosotros.* **6** Muestra de afecto que se hace a alguien para ganar su voluntad o expresarle cariño: *El abuelo no dejaba de hacer fiestas al niño.* **7** || **fiesta de {guardar/precepto};** día en que es obligatorio oír misa y descansar. || **{guardar/santificar} las fiestas;** emplearlas en el culto a Dios y no dedicarlas al trabajo: *Guardar las fiestas es uno de los mandamientos de la Iglesia.* || **hacer fiesta;** tomar como festivo un día laborable: *Hacemos fiesta mañana porque la empresa nos debe un día libre.* □ ETIMOL. Del latín *festa.* □ MORF. En las acepciones 4 y 6, se usa más en plural.

fiestero, ra adj./s. **1** *col.* Aficionado a las fiestas: *Eres una fiestera y siempre estás organizando jolgorios.* **2** *col.* →**bakaladero.**

fifiriche adj.inv./s.com. *col. desp.* Débil o muy flaco: *Si no comes te vas a quedar hecho un fifiriche toda tu vida.*

fifty-fifty (ing.) adv. Expresión que se utiliza para indicar que algo se reparte en dos partes iguales: *En el negocio que monté con mi socio, vamos fifty-fifty.* □ PRON. [fifti-fifti]. □ USO Su uso es innecesario y puede sustituirse por *a medias* o *al cincuenta por ciento.*

fígaro s.m. *poét.* Barbero. □ ETIMOL. De *Fígaro*, personaje creado por el dramaturgo francés Beaumarchais. □ USO Tiene un matiz humorístico.

figle s.m. Instrumento musical de viento que consta de un tubo largo de latón doblado por la mitad y provisto de llaves o pistones: *El figle tiene una sonoridad grave.* □ ETIMOL. Del francés *bugle.*

figón s.m. Establecimiento de poca categoría donde se servían comidas: *En el siglo XVII los figones eran muy.* □ ETIMOL. De *figo* (tumor anal), porque figón significó *sodomita pasivo*, y más tarde se aplicó como insulto a los dueños de algunos establecimientos de este tipo.

figura s.f. **1** Forma exterior de un cuerpo que permite diferenciarlo de otro: *He comprado unas chocolatinas con figura de pez. A pesar de sus años, su figura sigue siendo la de una persona joven.* **2** Estatua, pintura o representación de algo, esp. de una persona o de un animal: *una figura de porcelana.* **3** En geometría, espacio cerrado por líneas o por superficies: *El cuadrado es una figura de cuatro lados.* **4** Personaje de ficción, esp. el que representa un tipo o una serie de características: *Toda la obra gira en torno a la figura de la madre. Zorrilla y Tirso de Molina emplearon en sus obras la figura de don Juan.* **5** Persona que destaca en una actividad: *En esta competición vuelven a juntarse las figuras del atletismo español.* **6** En retórica, procedimiento lingüístico o estilístico que se aparta del modo común de hablar y que generalmente busca dar mayor expresividad al lenguaje: *El hipérbaton y la anáfora son figuras retóricas.* **7** En música, representación gráfica de una nota, que es indicativa de su duración: *La blanca es una figura que equivale a dos negras.* **8** Naipe que representa a una persona o a un animal: *En la baraja española las figuras son la sota, el caballo y el rey.* □ ETIMOL. Del latín *figura.* □ MORF. En la acepción 5, se usa también como sustantivo de género común: *el figura, la figura.*

figuración s.f. **1** Suposición, imaginación o representación de algo en la mente: *Esos fantasmas que dices que ves no son más que figuraciones tuyas.* **2** Conjunto de los figurantes de un espectáculo: *Mi tía forma parte de la figuración de varias películas.*

figurado, da adj. Referido esp. al significado de una palabra o de una expresión, que no se corresponde con el originario o literal: *La palabra 'zorro' tiene un significado figurado que es 'hombre astuto'.*

figurante adj.inv./s.com. **1** En algunos espectáculos, referido a una persona, que forma parte del acompañamiento o que tiene un papel poco importante o sin texto: *Empezó como figurante con una compañía que representaba comedias.* **2** Referido a una persona, que desempeña un papel poco importante en un asunto o en un grupo: *En la última conferencia nuestro embajador fue solo un figurante.*

figurar ▌v. **1** Aparentar, fingir o simular: *El general figuró una retirada de las tropas para engañar al enemigo.* **2** Estar presente en algún sitio o formar parte de un número determinado de personas o de cosas: *Tu examen figura entre los mejores.* **3** *col.* Referido esp. a una persona, destacar, brillar o sobresalir: *Va a todas las fiestas porque le encanta figurar y dejarse ver.* ▌prnl. **4** Referido a algo que no se conoce, imaginarlo o suponerlo: *Me figuro cuál habrá sido su reacción.* □ ETIMOL. Del latín *figurare* (dar forma, representar).

figurativo, va adj. **1** Que representa o figura otra cosa: *La escritura figurativa representa las palabras mediante un solo símbolo.* **2** Referido al arte o a un artista, que representan figuras y realidades concretas y reconocibles: *El arte figurativo se opone al arte abstracto.*

figurín s.m. **1** Dibujo que sirve como modelo para confeccionar prendas de vestir y adornos: *El jersey me lo hice siguiendo el figurín de una revista.* **2** Revista que contiene estos dibujos. **3** *col.* Persona joven que cuida mucho su aspecto y sigue rigurosamente la moda: *ir hecho un figurín.* □ ETIMOL. Del italiano *figurino.*

figurinista s.com. Persona que se dedica a hacer figurines, esp. si esta es su profesión: *Una conocida figurinista se encargó del diseño de los vestidos para la representación.*

figurón s.m. **1** *col. desp.* Hombre presumido y al que le gusta exhibirse y aparentar: *No te creas lo que cuenta de sus amoríos porque no es más que un figurón.* **2** En el teatro español del siglo XVII, protagonista de la llamada 'comedia de figurón', caracterizado por su personalidad ridícula o extravagante: *El figurón de la comedia 'El lindo don Diego' satiriza al hombre que se cree admirado por todas las mujeres.* **3** || **figurón de proa;** en el casco de una embarcación, figura que se coloca en la proa como adorno. □ SINÓN. *mascarón de proa.*

fijación s.f. **1** Colocación de un objeto sobre otro de forma que quede sujeto a este: *La fijación de anuncios se hace sobre vallas publicitarias.* **2** Estabilización de algo: *Siga moviendo el selector de canales hasta conseguir la fijación de la imagen.* **3** Determinación o establecimiento de algo de forma exacta: *Están discutiendo la fijación del nuevo horario.* **4** Obsesión o manía permanente: *La puntualidad se ha convertido en una fijación para él.* **5** Pieza que se coloca encima de los esquís y que sirve para fijar y enganchar las botas. □ MORF. En la acepción 5, se usa más en plural.

fijador, -a ▮ adj./s. **1** Que fija. ▮ s.m. **2** Producto que se utiliza para fijar: *La gomina es un tipo de fijador para el cabello.*

fijar ▮ v. **1** Referido a un objeto, asegurarlo o sujetarlo a otro: *Prohibido fijar carteles. Necesito ayuda para fijar la estantería a la pared.* **2** Hacer fijo o estable: *Fijaré mi domicilio en la capital.* **3** Determinar o establecer de forma exacta: *Ayer fijaron la fecha del examen. Te has fijado unas metas demasiado difíciles.* **4** Referido esp. a la atención o a la mirada, dirigirlas, centrarlas o aplicarlas intensamente sobre algo: *El niño fijó su atención en las láminas de colores.* ▮ prnl. **5** Darse cuenta de algo o prestarle atención: *¿Te has fijado en las ojeras que tiene?* □ ORTOGR. 1. Conserva la *j* en toda la conjugación. 2. Dist. de *fisgar.* □ MORF. Tiene un participio regular (*fijado*), que se usa en la conjugación, y otro irregular (*fijo*), que se usa como adjetivo. □ SINT. 1. Constr. de la acepción 1: *fijar algo {A/EN} algo.* 2. Constr. de la acepción 5: *fijarse EN algo.* □ USO El uso de *fíjate* como una interjección está muy gramaticalizado: *¡Fíjate en la pinta que llevas!*

fijeza s.f. Persistencia, firmeza o continuidad: *Cuando me mira con fijeza, me ruborizo.*

fijo adv. **1** Con certeza o con seguridad: *Fijo que ella ya lo sabe.* **2** || **de fijo;** seguro o sin duda: *No intentes mentirme porque lo sé de fijo.*

fijo, ja ▮ adj. **1** Firme, asegurado o inmóvil: *No puedo mover la mesa porque está fija al suelo.* **2** Permanente o que no está expuesto a ningún cambio o alteración: *No le conceden el crédito porque no tiene un trabajo fijo.* ▮ adj./s.m. **3** Referido a un teléfono, que está instalado a la red por medio de un cable: *Si no me localizas en el fijo llámame al móvil.* □ ETIMOL. Del latín *fixus* (clavado, fijo).

fila ▮ s.f. **1** Línea formada por personas o por objetos colocados uno detrás de otro o uno al lado de otro: *Los libros están colocados en filas sobre las estanterías.* **2** Línea formada por letras o signos colocados ordenadamente uno al lado de otro: *Los elementos de las matrices matemáticas están dispuestos en filas y en columnas.* ▮ pl. **3** Ejército o servicio militar: *llamar a filas.* **4** Colectivo o agrupación de personas, esp. si es de carácter político: *De joven militó en las filas de un partido revolucionario.* **5** || **cerrar filas;** referido a un grupo, mostrar unión para defenderse ante una situación difícil: *Toda la manada cerró filas ante la llegada de un animal depredador.* || **fila india;** la formada por varias personas colocadas una detrás de otra: *Cuando vayáis en bicicleta por la carretera, debéis ir en fila india.* || **romper filas;** deshacer una formación militar: *Cuando terminó de sonar el himno nacional los soldados rompieron filas.* □ ETIMOL. Del francés *file.*

filamento s.m. **1** Cuerpo o elemento en forma de hilo: *el filamento de una bombilla.* **2** En una flor, parte del estambre que sujeta la antera. □ ETIMOL. Del latín *filamentum.*

filandón s.m. Reunión nocturna de personas para hilar, coser o conversar: *Los filandones son propios de Asturias, Galicia y León.* □ ETIMOL. Del asturiano *filazón.*

filantropía s.f. Amor al género humano: *La filantropía se suele manifestar en la realización de actos humanitarios.* □ ETIMOL. Del griego *philantropía* (sentimiento de humanidad), y este de *philéo* (yo amo) y *ánthropos* (hombre, persona). □ SEM. Dist. de *misantropía* (rechazo hacia el trato con los demás).

filántropo, pa s. Persona que se caracteriza por su amor hacia el género humano y por su inclinación a realizar obras en favor de los demás: *El colegio se construyó con la generosa donación de un filántropo.* □ SEM. Dist. de *misántropo* (persona que siente gran rechazo hacia el trato con los demás).

filar v. Referido a una persona, descubrir su verdadera forma de ser o sus intenciones ocultas: *En cuanto lo vi, lo filé y supe que no era de fiar.*

filarmonía s.f. Pasión por la música: *La amplia colección de discos que hay en su casa es el fruto de la filarmonía de toda la familia.* □ ETIMOL. De *filo-* (amigo) y *armonía.*

filarmónica s.f. Véase **filarmónico, ca.**

filarmónico, ca ▮ adj. **1** Que siente pasión por la música. ▮ adj./s.f. **2** Referido a una orquesta, que se dedica a interpretar música clásica: *una orquesta filarmónica.*

filatelia s.f. Afición a coleccionar o a estudiar los sellos de correos: *Es un amante de la filatelia y tiene varias colecciones de sellos antiguos.* □ ETIMOL. De *filo-* (amigo) y el griego *atelés* (gratuito, exento de pago), porque el sello indicaba que el envío debía hacerse sin otro cobro.

filatélico, ca adj. De la filatelia o relacionado con esta afición.

filatelista adj.inv./s.com. Referido a una persona, que es aficionada a coleccionar o a estudiar los sellos de correos.

filete s.m. **1** Loncha de carne magra o pieza de pescado sin espinas: *un filete de ternera.* **2** En arquitectura, moldura pequeña y de sección recta, con forma de lista larga y estrecha, que separa generalmente otras dos: *En el orden dórico, el friso se halla separado de la cornisa por un filete.* ☐ SINÓN. *listel.* **3** Línea fina y alargada que sirve de adorno, esp. la que se coloca en los bordes de algo: *Algunas encuadernaciones de lujo llevan un filete dorado en los bordes.* **4** ‖ **darse el filete;** *vulg.* Referido a una pareja, besuquearse y toquetearse. ☐ ETIMOL. Del francés *filet.*

filetear v. **1** Referido a un alimento, cortarlo en filetes o lonchas: *Una vez frío el redondo de ternera, hay que filetearlo y añadirle la salsa.* **2** En zonas del español meridional, sobrehilar.

filfa s.f. *col.* Lo que resulta falso o engañoso.

filia s.f. Afición o simpatía hacia algo. ☐ ETIMOL. Del griego *philía* (amistad).

-filia Elemento compositivo sufijo que indica afición o gusto: *bibliofilia anglofilia.* ☐ ETIMOL. Del griego *philía* (amistad).

filiación s.f. **1** Dependencia de una persona o de una cosa con respecto a otras: *Algunos establecen una filiación clara entre delincuencia y desempleo.* **2** Afiliación a una corporación o dependencia de una doctrina: *Nunca ocultó su filiación al comunismo.*

filial ▮ adj.inv. **1** Del hijo o relacionado con él: *amor filial.* ▮ adj.inv./s.f. **2** Referido esp. a una empresa, que depende de otra principal que posee una participación mayoritaria de sus acciones. ☐ ETIMOL. Del latín *filialis.* ☐ PRON. Incorr. *[filiár].

filibusterismo s.m. Táctica política con la que se intenta retrasar la aprobación de una ley: *El filibusterismo utiliza todos los medios posibles para agotar los plazos de debate de una ley.*

filibustero s.m. En el siglo XVII, pirata que operaba en el mar de las Antillas (región insular centroamericana): *Los filibusteros atacaban a los navíos que comerciaban con las colonias españolas de América.* ☐ ETIMOL. Del francés *flibustier.*

filicida adj.inv./s.com. Referido a una persona, que ha dado muerte a su hijo. ☐ ETIMOL. Del latín *filius* (hijo) y *-cida* (que mata).

filicidio s.m. Muerte dada por una persona a un hijo suyo.

filiforme adj.inv. Con forma o apariencia de hilo. ☐ ETIMOL. Del latín *filum* (hilo) y *-forme* (forma).

filigrana s.f. **1** Dibujo o adorno de hilos de oro o de plata, unidos con perfección y delicadeza: *La capa llevaba unas filigranas preciosas.* **2** Lo que se hace con delicadeza o con habilidad: *Este trabajo de orfebrería es una verdadera filigrana. El delantero hacía filigranas con el balón.* ☐ ETIMOL. Del italiano *filigrana.*

filípica s.f. Reprimenda o reprensión duras contra alguien. ☐ ETIMOL. Del latín *philippica oratio,* (discurso relativo a Filipo, en memoria de los pronunciados por Demóstenes contra el rey de Macedonia).

filipino, na adj./s. De Filipinas o relacionado con este país asiático.

filisteo, a adj./s. De un antiguo pueblo que habitaba el oeste palestino y que era enemigo de los israelitas, o relacionado con él: *Los hebreos consideraban al pueblo filisteo como bárbaro y sin cultura.*

filling (ing.) s.m. Técnica de cirugía estética que consiste en rellenar una zona subcutánea con inyecciones de grasa, para estirar o modificar la apariencia de la piel: *un filling de colágeno.* ☐ PRON. [fílin].

filloa s.f. Torta hecha con harina, yemas de huevo, sal y leche: *Las filloas son un plato típico de Galicia.* ☐ ETIMOL. Del gallego *filloa.*

film (pl. *filmes*) s.m. **1** →**filme. 2** Película o capa muy fina de algo: *Esta crema de manos crea un film protector sobre la piel.* **3** Plástico transparente y muy fino que se utiliza para envolver y conservar alimentos: *He envuelto los bocadillos con film para llevárnoslos.* ☐ ETIMOL. Del inglés *film.*

filmación s.f. Registro o impresión de imágenes en una película cinematográfica: *La filmación de estas escenas se realizó en escenarios exteriores.*

filmar v. Registrar en película cinematográfica o impresionar esta con imágenes: *El padre de la novia filmó la boda con una cámara de vídeo. En cuanto lleguen los actores, empezaremos a filmar.* ☐ SINÓN. *cinematografiar.*

filme s.m. Película cinematográfica: *Vimos un filme del Oeste en la televisión.* ☐ SINÓN. *film.* ☐ ETIMOL. Del inglés *film.*

fílmico, ca adj. Del filme o relacionado con él: *lenguaje fílmico.*

filmina s.f. Fotografía sacada en película transparente y directamente en positivo, sin invertir los colores. ☐ SINÓN. *diapositiva.*

filmlet (ing.) s.m. Cortometraje publicitario de poca duración: *Para la nueva campaña de estos vaqueros se emitirá un filmlet ambientado en el Oeste americano.* ☐ PRON. [fílmlet].

filmografía s.f. Relación o conjunto de películas cinematográficas con una característica común, esp. la de la participación en ellas de un director o de un actor determinados: *La filmografía de esa actriz abarca más de cincuenta películas.* ☐ ETIMOL. De *film* (película) y *-grafía* (descripción, tratado).

filmoteca s.f. **1** Local en el que se conserva una colección organizada de filmes, generalmente ya apartados de los circuitos comerciales, para poder ser estudiados o vistos por los usuarios: *En la filmoteca encontrarás películas que ya no se proyectan en los cines comerciales.* ☐ SINÓN. *cinemateca.* **2** Local en el que se proyectan este tipo de filmes: *En la filmoteca nacional ponen este mes un ciclo de* *cine mudo.* ☐ SINÓN. *cinemateca.* **3** Colección de filmes, generalmente ordenada y que consta de un número considerable: *Poco a poco se ha ido haciendo con una selecta filmoteca.* ☐ SINÓN. *cinemateca.* ☐ ETIMOL. De *film* (película) y el griego *théke* (caja para depositar algo).

filo s.m. **1** Borde agudo o afilado de algo, esp. de un instrumento cortante: *Algunas espadas son armas de doble filo y cortan por los dos lados.* **2** En zonas del español meridional, cima: *el filo de una montaña.* **3** || **al filo de** algo; muy cerca o alrededor de ello: *Un buen periodista debe saber estar siempre al filo de la noticia. Llegaron a casa al filo de la medianoche.* ☐ ETIMOL. Del latín *filum* (hilo).

filo- Elemento compositivo prefijo que significa 'amigo o amante de': *filosoviético, filogermánico.* ☐ ETIMOL. Del griego *philéo* (yo amo).

-filo, -fila Elemento compositivo sufijo que significa 'aficionado a' o 'amante o amigo de': *cinéfilo, necrófila.* ☐ ETIMOL. Del griego *philéo* (yo amo).

filogénesis (pl. *filogénesis*) s.f. →**filogenia.**

filogenia s.f. Estudio del origen y del desarrollo evolutivo de las especies animales o vegetales a través del tiempo: *En un tratado de filogenia estudié la evolución de los carnívoros.* ☐ SINÓN. *filogénesis.* ☐ ETIMOL. Del griego *phýlon* (raza) y *geneá* (generación).

filogermánico, ca adj./s. Admirador de lo alemán. ☐ ETIMOL. De *filo-* (aficionado) y *germánico.*

filología s.f. Ciencia que estudia una cultura a través de su lengua y de su literatura, apoyándose fundamentalmente en los textos escritos: *En la carrera de filología clásica se estudia sobre todo latín y griego.*

filológico, ca adj. De la filología o relacionado con esta ciencia: *Hizo un estudio filológico sobre las antiguas lenguas americanas.*

filólogo, ga s. Persona que se dedica al estudio de una cultura a través de sus lenguas y de su literatura, esp. si es licenciada en filología: *Es filóloga y trabaja como profesora de lengua en un instituto.* ☐ ETIMOL. Del griego *philólogos* (aficionado a las letras o a la erudición), y este de *filéo* (yo amo) y *lógos* (obra literaria, lenguaje).

filón s.m. **1** Masa mineral que rellena una grieta o fisura de las rocas de un terreno: *Encontraron un filón de oro en la mina.* **2** Lo que resulta provechoso o da grandes ganancias: *Ese periodista es un filón para su periódico.* ☐ ETIMOL. Del francés *filon.*

filoso, sa adj. En zonas del español meridional, afilado: *El gaucho tenía un facón bien filoso.*

filosofal adj.inv. De la filosofía o relacionado con ella.

filosofar v. **1** Discurrir o reflexionar con razonamientos filosóficos: *En este libro, la autora filosofa sobre el sentido de la vida.* **2** *col.* Meditar o hacer reflexiones para uno mismo: *¡Deja de filosofar y de dar vueltas al asunto y pon manos a la obra de una vez!*

filosofía s.f. **1** Saber que trata sobre la esencia, las propiedades, las causas y los efectos de las cosas naturales: *La filosofía griega es el punto de partida del pensamiento occidental.* **2** Forma de pensar o de entender las cosas: *No nos entendemos porque tu filosofía de la vida es muy distinta de la mía.* **3** Tranquilidad o serenidad del ánimo ante las dificultades de la vida: *Se ha tomado la derrota con mucha filosofía.* ☐ SEM. No debe emplearse con el significado de 'fundamento, motivo, finalidad': *El ministro expuso {*la filosofía > los fundamentos, los motivos} de las nuevas medidas.*

filosófico, ca adj. De la filosofía o relacionado con ella: *Un pensamiento filosófico muy conocido es 'Pienso, luego existo', de Descartes.*

filósofo, fa s. **1** Persona que se dedica al estudio de la filosofía: *Ortega y Gasset fue un importante filósofo español.* **2** Persona con afición a filosofar: *Me gusta escuchar a mi abuela porque es una filósofa.* ☐ ETIMOL. Del griego *philósophos* (el que gusta de un arte o ciencia), y este de *philéo* (yo amo) y *sophía* (sabiduría, ciencia).

filosoviético, ca adj./s. Admirador de lo soviético. ☐ ETIMOL. De *filo-* (aficionado) y *soviético.*

filoterapia s.f. Tratamiento de las enfermedades mediante la utilización de las hojas de las plantas: *La filoterapia es una alternativa que propone la medicina natural.* ☐ ETIMOL. Del griego *phýllon* (hoja) y *-terapia* (tratamiento).

filoxera s.f. Insecto parecido al pulgón, con aparato bucal en forma de trompa y pico articulado, que ataca a las hojas y a los filamentos de las raíces de las vides: *Fumigó sus viñedos para acabar con la filoxera.* ☐ ETIMOL. Del griego *phýllon* (hoja) y *xerós* (seco). ☐ MORF. Es un sustantivo epiceno: *la filoxera {macho/hembra}.*

filtración s.f. **1** Paso de un líquido o de otro elemento a través de un filtro: *Es imprescindible la filtración del agua de este manantial antes de consumirla.* **2** Penetración de un líquido o de otro elemento en un cuerpo, a través de los poros o de pequeñas aberturas de este: *En el sótano hay filtraciones de agua cuando llueve.* **3** Divulgación o comunicación indebidas de una información reservada: *La periodista se enteró por una filtración de que se iba a destituir a un alto cargo.*

filtrado s.m. **1** Paso de un líquido por un filtro: *Para depurar el agua se realizan diversos filtrados.* **2** Líquido que ha pasado a través de un filtro: *En el laboratorio depuramos varios líquidos y guardamos los filtrados en probetas.*

filtrador, -a ▌adj./s. **1** Que filtra. ▌s.m. **2** Filtro o aparato que se utiliza para depurar un líquido: *La depuradora de su piscina tiene un filtrador que funciona con arena.*

filtrante adj.inv./s.m. Que filtra o que sirve de filtro: *un material filtrante.*

filtrar v. **1** Referido a un líquido, hacerlo pasar por un filtro: *Antes de beber el café de puchero, hay que filtrarlo. Si la depuradora no filtra bien, habrá que llamar al técnico.* **2** Referido esp. a un dato, seleccionarlo para configurar una información: *Filtramos todas las llamadas de nuestros oyentes antes de sa-*

carlos por antena. **3** Referido a una información reservada, divulgarla o comunicarla indebidamente: *Filtró a la prensa el nombre de los implicados en el negocio.* **4** Referido esp. a un líquido, penetrar en un cuerpo a través de los poros o de pequeñas aberturas de este: *Algunos terrenos filtran el agua de la lluvia. La luz se filtra por las rendijas de la persiana.*

filtro s.m. **1** Materia porosa que se utiliza para eliminar las impurezas de las sustancias que se hacen pasar a través de ella: *El filtro del cigarrillo retiene gran parte de la nicotina.* **2** Pantalla que se interpone al paso de la luz y que sirve para eliminar determinados rayos y dejar pasar otros: *Desde que le puse un filtro a la pantalla del ordenador, se me cansa menos la vista.* **3** En electrónica, dispositivo que sirve para eliminar determinadas frecuencias en la corriente que lo atraviesa: *Mi cadena de música tiene un filtro para eliminar el ruido de fondo de las grabaciones.* **4** *col.* Procedimiento o sistema que permite seleccionar lo que se considera mejor o más interesante: *Esta prueba preliminar es un filtro para que solo lleguen a la final los mejores ciclistas.* **5** Bebida a la que se atribuye la propiedad mágica de despertar el amor de quien la toma: *En la novela, la muchacha se enamora en cuanto bebe el filtro que había preparado una alcahueta.* □ ETIMOL. Las acepciones 1-4, del latín *filtrum* (fieltro), porque los filtros se podían hacer de este material. La acepción 5, del griego *phíltron*, y este de *philéo* (yo amo).

filudo, da adj. En zonas del español meridional, afilado: *un cuchillo filudo.*

fimo s.m. **1** Materia orgánica en descomposición que resulta de la mezcla de excrementos de animales con materias vegetales, y que se usa como abono: *El jardinero echó fimo en el jardín para fertilizar la tierra.* □ SINÓN. *ciemo, estiércol.* **2** Excremento de animal: *El mozo de cuadras limpiará el fimo de las caballerizas.* □ SINÓN. *ciemo, estiércol.* □ ETIMOL. Del latín *fimus* (estiércol).

fimosis (pl. *fimosis*) s.f. Estrechez del orificio del prepucio que impide la salida del glande: *La fimosis se corrige con una sencilla operación quirúrgica.* □ ETIMOL. Del griego *phímosis*, y este de *phimóo* (yo amordazo con bozal).

fin s.m. **1** Término de algo: *Ese escándalo supuso el fin de su carrera política.* **2** Objetivo o motivo por los que se realiza una acción: *Se organizó un concierto con fines benéficos.* **3** || **a fin de cuentas** o **al fin y {a la postre/al cabo};** después de todo: *No quiso cambiar de trabajo porque, a fin de cuentas, iba a cobrar lo mismo.* || **a fin de** hacer algo; para o con objeto de hacerlo: *Me callé a fin de evitarle un disgusto.* || **a {fin/fines} de** un período de tiempo; hacia su final: *El alquiler lo pago siempre a fin de mes.* || **en fin;** en resumen o en definitiva: *En fin, que no me esperes hoy para comer porque llegaré tarde.* || **fin de semana; 1** Período de tiempo que comprende el sábado y el domingo. **2** Maleta pequeña o bolso en los que cabe lo necesario para un viaje corto. || **un sin fin;** gran cantidad: *Hay un sin fin de razones que demuestran lo que te digo.* □ ETIMOL. Del latín *finis* (límite, fin). □ MORF. En la lengua coloquial se usa mucho la forma abreviada *finde* en lugar de *fin de semana.* □ USO Es innecesario el uso del anglicismo *week-end* en lugar de *fin de semana.*

finado, da s. Persona muerta: *La familia veló al finado la víspera del entierro.*

final ▌adj.inv. **1** Que termina, remata o pone fin: *el capítulo final de una novela.* **2** Que expresa finalidad: *En 'Te llamo para invitarte a cenar', 'para invitarte a cenar' es una oración final.* ▌s.m. **3** Fin o terminación de algo: *una película con final feliz.* ▌s.f. **4** En una competición deportiva o en un concurso, última fase: *llegar a la final.* □ ETIMOL. Del latín *finalis.*

final four (ing.) s.f. || En algunos deportes, fase final de una competición: *Nuestro equipo de baloncesto se clasificó para la final four.* □ PRON. [finál for] o [fáinal for]. □ USO Su uso es innecesario.

finalidad s.f. Fin que se persigue y por el que se hace algo: *La fiesta tenía como finalidad reunir a los antiguos compañeros de clase.*

finalísima s.f. En una competición eliminatoria, última fase, en la que se decide el vencedor.

finalista adj.inv./s.com. En un campeonato o en un concurso, referido a un participante, que ha llegado a la fase final: *Si hay un empate en la votación final, el premio se repartirá entre los dos finalistas.*

finalización s.f. Conclusión o extinción de algo: *La finalización de las obras del nuevo teatro se prevé para dentro de un año.*

finalizador s.m. Sustancia química que se administra a los animales destinados al consumo humano para engordarlos rápidamente antes de sacrificarlos: *Los finalizadores suelen ser sustancias prohibidas.*

finalizar v. **1** Referido a una obra o a una acción, concluirlas, acabarlas o darles fin: *Contrataron a más trabajadores para finalizar las obras en un plazo menor.* **2** Extinguirse, acabarse o llegar al fin: *Las vacaciones del colegio finalizan con el verano.* □ ORTOGR. La *z* se cambia en *c* delante de *e* →CAZAR.

financiación s.f. Aportación del dinero necesario para una actividad, o pago de los gastos que genera: *El dinero que se obtiene de los impuestos se utiliza para la financiación de obras y servicios públicos.*

financiar v. Referido esp. a una actividad, sufragar sus gastos: *El banco financiará las obras de ampliación del local.* □ ETIMOL. Del francés *financer.* □ ORTOGR. La *i* nunca lleva tilde.

financiero, ra ▌adj. **1** De las finanzas o relacionado con ellas: *actividades financieras.* ▌adj./s. **2** Referido esp. a una entidad, que financia: *Una entidad financiera le concedió el dinero que necesitaba para comprar la casa.* ▌s. **3** Persona especializada en finanzas o actividades relacionadas con la inversión del dinero: *Algunos financieros creen que se empieza a superar la crisis económica mundial.*

financista s.com. En zonas del español meridional, financiero: *Mi empresa ha contratado los servicios de una financista.*

finanzas s.f.pl. **1** Conjunto de actividades relacionadas con la inversión de dinero: *finanzas públicas.* **2** Capitales o bienes de los que se dispone: *Este año no me voy de vacaciones porque mis finanzas no andan muy bien.* **3** Hacienda pública: *El ministro de finanzas justificó la nueva subida de impuestos.*

finar v. *poét.* Morir: *Finó tras una larga enfermedad.*

finca s.f. Propiedad inmueble en el campo o en la ciudad: *Las casas son fincas urbanas. Se ha comprado una finca en el campo.* □ ETIMOL. Del antiguo *fincar* (permanecer, quedar).

fincar v. En zonas del español meridional, construir una casa: *Mis tíos compraron un terreno y comienzan a fincar el próximo mes.* □ ORTOGR. La *c* se cambia en *qu* delante de *e* →SACAR.

finde s.m. *col.* →**fin de semana.**

finés, -a ▮ adj./s. **1** De Finlandia o relacionado con este país europeo. □ SINÓN. *finlandés.* ▮ s.m. **2** Lengua de este país: *El finés presenta unos grupos consonánticos muy reducidos y limitados.* □ USO La acepción 1 no debe usarse en textos oficiales, donde es preferible *finlandés.*

fineza s.f. **1** Delicadeza o cuidado puestos en la realización de algo: *Es un bordado hecho con gran fineza.* **2** Hecho o dicho con el que una persona manifiesta su amor o su cariño a otra: *Le encanta que la alaben y le digan finezas.* □ ETIMOL. De *fino.*

finger (ing.) s.m. Tubo extensible que permite el acceso directo desde una terminal de aeropuerto a un avión: *El finger evita los desplazamientos en autobús por el aeropuerto.* □ PRON. [fínguer].

fingido, da ▮ adj. **1** Aparente, simulado o falso: *una alegría fingida.* ▮ adj./s. **2** Referido a una persona, que finge o engaña: *Yo no me fiaría de una persona tan fingida.*

fingimiento s.m. Simulación de algo que no es cierto: *Con lo envidioso que es, seguro que esas muestras de alegría por mi premio son puro fingimiento.*

fingir v. Referido esp. a algo que no es cierto, darlo a entender, simularlo o aparentarlo: *Fingió dolor por lo ocurrido, pero en el fondo no le afectó lo más mínimo. Se fingió enfermo para no acudir a la cita. ¡Deja de fingir y muéstrate como eres por una vez en tu vida!* □ SINÓN. *afectar.* □ ETIMOL. Del latín *fingere* (amasar, modelar, inventar). □ ORTOGR. La *g* se cambia en *j* delante de *a, o* →DIRIGIR.

finiquitar v. **1** Referido esp. a una cuenta o a una deuda, pagarlas o liquidarlas completamente: *Con este pago, finiquito la última letra de la lavadora.* **2** *col.* Terminar o dar por acabado: *Finiquitamos la reunión con un apretón de manos.*

finiquito s.m. Pago o liquidación, esp. de una cuenta o de una deuda. □ SINÓN. *quitanza.* □ ETIMOL. De *fin y quito* (libre).

finisecular adj.inv. Del final de un siglo o relacionado con él: *El modernismo fue un movimiento artístico finisecular.*

finito, ta adj. Que tiene fin o límite: *La vida de los seres vivos es finita.* □ ETIMOL. Del latín *finitus* (acabado, finalizado).

finitud s.f. Existencia de final o de límites: *La vida de los seres vivos se caracteriza por su finitud.*

finlandés, -a adj./s. De Finlandia o relacionado con este país europeo. □ SINÓN. *finés.*

finn (ing.) s.m. Barco velero de una plaza, que tiene una eslora de 4,30 metros y que se utiliza en competiciones de regatas: *una competición de finn.* □ SINT. Se usa más en aposición, pospuesto a un sustantivo: *clase finn.*

fino, na ▮ adj. **1** Delgado, sutil o de poco grosor: *Las hojas de este libro son muy finas.* **2** Referido esp. a una persona o a sus modales, que son corteses y muy educados: *Es una mujer de unos modales muy finos.* **3** Referido a un sentido corporal, que es agudo o rápido en percibir las sensaciones: *tener un oído muy fino.* **4** Suave, terso o sin asperezas: *Los bebés tienen la piel muy fina.* **5** Delicado y de buena calidad: *Me regaló un jarrón de porcelana fina.* **6** Astuto, sagaz o hábil: *Hay que ser muy fino para entender sus ironías.* **7** Referido a un metal, que está muy depurado o sin mezcla: *Le regalé unos pendientes de oro fino.* ▮ adj./s.m. **8** Referido al jerez, que es muy seco, de color claro, delicado y transparente: *Antes de comer suele tomar una copita de fino.* □ ETIMOL. De *fin* (lo sumo, lo perfecto).

finolis (pl. *finolis*) adj.inv./s.com. *col. desp.* Referido a una persona, que muestra una finura y una delicadeza exageradas.

finta s.f. En algunos deportes, movimiento rápido y ágil que se hace con intención de engañar al adversario: *El jugador hizo una finta, esquivó al contrario y encestó.* □ ETIMOL. Del italiano *finta* (ficción).

fintar v. En algunos deportes, hacer fintas o movimientos rápidos para engañar a alguien: *El extremo fintó al defensa que lo cubría y metió un gol.*

finura s.f. **1** Delgadez o escaso grosor: *La finura de esta tela hace que se transparente.* **2** Cortesía y buena educación de una persona: *Esa finura la adquirió en su estancia en colegios ingleses.* **3** Delicadeza y calidad de algo: *Esos muebles chinos son de una gran finura.* **4** Agudeza de un sentido corporal: *Para este trabajo se necesita a alguien con gran finura de oído.* **5** Suavidad, tersura o ausencia de asperezas: *El terciopelo se caracteriza por su finura.*

finústico, ca adj. *col. desp.* Finolis.

fiordo s.m. Valle glaciar rodeado por montañas escarpadas e invadido por el mar: *Los fiordos son propios de las costas noruegas.* □ ETIMOL. Del noruego *fjord.*

fique s.m. En zonas del español meridional, pita: *La fibra del fique se utiliza en la industria textil.*

firewall (ing.) s.m. →**cortafuego.** □ PRON. [fáirguol].

firma s.f. **1** Nombre y apellidos de una persona, generalmente acompañados de rúbrica, que se suelen poner al pie de un documento o de otro escrito: *Un cheque sin firma no tiene validez.* **2** Acto de firmar un conjunto de documentos: *El Rey presidió el acto de firma de los acuerdos entre los dos países.* **3** Empresa o denominación legal que tiene: *Esa mujer es directiva de una de las más prestigiosas firmas del sector del calzado.* **4** Estilo o marca característica de algo: *Esa película lleva la firma de su director.* **5** || **firma electrónica;** en internet, sistema de seguridad que permite a una persona hacer gestiones a través de la red informática, con garantía de autenticidad y sin posibilidad de que su identidad sea suplantada por otra persona: *La firma electrónica tiene el mismo valor jurídico que la firma manuscrita.* □ SEM. Dist. de *rúbrica* (trazos que acompañan al nombre en una firma).

firmamento s.m. Espacio en el que se mueven los astros y que, visto desde la Tierra, parece formar sobre ella una cubierta arqueada: *En las noches claras, las estrellas brillan en el firmamento.* □ SINÓN. *bóveda celeste, cielo.* □ ETIMOL. Del latín *firmamentum* (fundamento, apoyo).

firmante adj.inv./s.com. Que firma: *El abajo firmante ratifica todo lo señalado en este documento.*

firmar v. Poner o escribir la firma: *Firmé el contrato de trabajo para los próximos seis meses.* □ ETIMOL. Del latín *firmare* (afirmar, dar fuerza).

firme ▮ adj.inv. **1** Estable, fuerte o que no se mueve: *Las columnas que sostienen el edificio son muy firmes.* **2** Que permanece constante y sin dejarse dominar ni abatir: *mantenerse firme en una decisión.* ▮ s.m. **3** Capa de piedras pequeñas que sirve para consolidar el pavimento de una carretera: *Han cortado la carretera para arreglar el firme.* **4** Capa de terreno sólida sobre la que se puede edificar: *Levantaron una fábrica sobre el firme de un gran solar.* ▮ adv. **5** Con entereza o con constancia: *Estudió firme para aprobar todos los exámenes.* **6** || **de firme;** 1 Con constancia o sin parar: *Trabajó de firme para comprarse un coche.* 2 Con solidez o con seguridad: *Créete lo que te digo porque lo sé de firme.* 3 Con fuerza o con violencia: *El viento soplaba de firme y azotaba las copas de los árboles.* || **en firme;** referido a la forma de concertar una operación comercial, con carácter definitivo: *La venta del piso la hicieron en firme y ya no pueden desdecirse.* □ ETIMOL. Del latín *firmis.*

firmeza s.f. **1** Estabilidad o fortaleza: *la firmeza de unas vigas.* **2** Entereza o constancia del que no se deja dominar ni abatir: *Defendió con firmeza sus convicciones.*

fiscal ▮ adj.inv. **1** Del fisco o hacienda pública, o relacionado con él: *El pago de impuestos es una obligación fiscal.* **2** Del fiscal o relacionado con esta persona: *La abogada defensora y el representante del ministerio fiscal mantuvieron un duro enfrentamiento durante el juicio.* ▮ s.com. **3** Persona legalmente autorizada para acusar de los delitos ante los tribunales de justicia. □ ETIMOL. Del latín *fiscalis* (referente al fisco).

fiscalía s.f. **1** Profesión de fiscal: *Ejerce la fiscalía casi desde que acabó la carrera de Derecho.* **2** Oficina de un fiscal: *En la fiscalía se recibió una copia del sumario del caso para estudiarlo.*

fiscalidad s.f. Conjunto de los impuestos o de los tributos que deben pagar los ciudadanos y las empresas al Estado: *Con la fiscalidad se nutren los ingresos de los presupuestos del Estado.* □ SEM. Dist. de *fiscalización* (sometimiento a una inspección fiscal).

fiscalización s.m. Sometimiento de una persona o de una entidad a una inspección fiscal para comprobar si pagan sus impuestos: *El resultado de la fiscalización de su negocio le supuso el pago de una cuantiosa multa.* □ SEM. Dist. de *fiscalidad* (conjunto de los impuestos pagados al Estado).

fiscalizar v. **1** Referido a una persona o a sus acciones, investigarlas, criticarlas o enjuiciarlas: *¡Deja de fiscalizar mi vida y métete en tus asuntos!* **2** Referido a una persona o una entidad, someterlas a una inspección fiscal: *El Estado fiscalizará a todo sospechoso de defraudar al fisco.* □ ORTOGR. La *z* se cambia en *c* delante de *e* →CAZAR.

fisco s.m. **1** Estado, como recaudador de impuestos y tributos: *Una parte del sueldo que gano se lo lleva el fisco.* **2** Tesoro público o conjunto de bienes y de riquezas de un Estado: *El dinero que pagas de los impuestos va a parar al fisco.* □ ETIMOL. Del latín *fiscus* (tesoro público).

fisga s.f. Arpón con varias puntas o dientes, que sirve para pescar peces grandes: *La fisga se utiliza en la pesca manual.* □ ETIMOL. De *fisgar.*

fisgar v. Indagar, curiosear o investigar disimuladamente: *Ese entrometido todo lo tiene que fisgar y de todo se tiene que enterar. Si pillo a alguien fisgando entre mis papeles, me enfadaré.* □ ETIMOL. Del latín **fixicare* (clavar). □ PRON. En zonas del español meridional no debe confundirse con *fijar.* □ ORTOGR. 1. La *g* se cambia en *gu* delante de *e* →PAGAR. 2. Dist. de *fijar.*

fisgón, -a adj./s. *desp.* Que tiene por costumbre fisgar o curiosear los asuntos ajenos: *No seas fisgona y no te metas en lo que no te importa.*

fisgonear v. Indagar o investigar por costumbre, y con disimulo o maña: *Sé que te gusta fisgonear la vida de los vecinos. No me gusta la gente que anda siempre fisgoneando.* □ SINÓN. *curiosear.*

fisgoneo s.m. *desp.* Indagación o investigación disimuladas que se hacen por costumbre: *Ese cotilla se dedica al fisgoneo día y noche.*

fisiatra adj.inv./s.com. Partidario o seguidor de la fisiatría.

fisiatría s.f. Naturismo que se utiliza para curar enfermedades.

fisible adj.inv. En física, referido a un elemento químico, que puede sufrir un proceso de fisión o rotura de su núcleo atómico: *Algunos elementos químicos fisibles se usan para obtener energía nuclear.*

física s.f. Véase **físico, ca.**

físico, ca ▌ adj. **1** De la física o relacionado con esta ciencia: *La gravedad es un fenómeno físico.* **2** De la constitución y naturaleza de un cuerpo o de la materia, o relacionado con ellas: *No sufrió daño físico, pero sí psicológico. Los ríos, las montañas y los mares se estudian en geografía física.* ▌ s. **3** Persona que se dedica profesionalmente al estudio de la materia, de la energía y de los fenómenos que las rigen, o que está especializada en física: *Esa mujer trabaja como física en una central nuclear.* ▌ s.m. **4** Aspecto externo de una persona: *Su atractivo físico le permite ser un modelo muy cotizado.* ▌ s.f. **5** Ciencia que estudia la materia, la energía, sus propiedades y los fenómenos y leyes que las rigen o caracterizan: *física nuclear.* ☐ ETIMOL. Del latín *physicus* (relativo a las ciencias naturales).

fisicoquímica s.f. Véase **fisicoquímico, ca.**

fisicoquímico, ca ▌ adj. **1** De la fisicoquímica o relacionado con esta ciencia: *El decapado se basa en un proceso fisicoquímico.* ▌ s.f. **2** Ciencia que estudia los fenómenos comunes a la física y a la química: *Estudiaré física y me especializaré en fisicoquímica.*

fisiocracia s.f. Doctrina económica que atribuía el origen de la riqueza a la naturaleza, esp. a la agricultura: *El economista francés François Quesnay fue el principal pensador de la fisiocracia.* ☐ ETIMOL. Del griego *phýsis* (naturaleza) y *-cracia* (poder, dominio).

fisioculturismo s.m. Práctica sistemática de ejercicios gimnásticos y de pesas que, combinados con un determinado régimen alimenticio, desarrollan los músculos del cuerpo humano: *En ese gimnasio tienen máquinas para practicar fisioculturismo.* ☐ SINÓN. *culturismo.*

fisiología s.f. Ciencia que estudia las funciones de los seres vivos: *El funcionamiento del aparato digestivo se estudia en fisiología.* ☐ ETIMOL. Del griego *physiología* (estudio de la naturaleza).

fisiológico, ca adj. De la fisiología o relacionado con esta ciencia: *una necesidad fisiológica.*

fisiólogo, ga s. Persona que se dedica profesionalmente al estudio de las funciones de los seres vivos, o que está especializada en fisiología: *Esa famosa fisióloga investiga sobre la transmisión de los impulsos nerviosos.*

fisión s.f. División del núcleo de un átomo en dos o más fragmentos, acompañada de la liberación de una gran cantidad de energía: *fisión nuclear.* ☐ ETIMOL. Del inglés *fission.* ☐ SEM. Dist. de *fusión* (conversión de un sólido en líquido; unión de varias cosas en una sola).

fisionomía s.f. →**fisonomía.**

fisioterapeuta s.com. Persona especializada en la aplicación de la fisioterapia: *Voy a sesiones de fisioterapia para recuperar la movilidad de la pierna.* ☐ ETIMOL. Del griego *phýsis* (naturaleza) y *terapeuta.*

fisioterapia s.f. Tratamiento de enfermedades o de incapacidades físicas con técnicas basadas en el empleo de agentes y procedimientos naturales, esp. masajes, gimnasia y aplicación de agua o de calor: *Voy a sesiones de fisioterapia para recuperar la movilidad de la pierna.* ☐ ETIMOL. Del griego *phýsis* (naturaleza) y *-terapia* (curación).

fisípedo, da adj./s. Que tiene las pezuñas partidas. ☐ ETIMOL. Del latín *fissipedis.*

fisonomía (tb. *fisionomía*) s.f. **1** Aspecto característico del rostro de una persona: *Su nariz aguileña es lo más llamativo de su fisonomía.* **2** Aspecto externo de algo: *La fisonomía del barrio ha cambiado mucho con la construcción de la nueva carretera.* ☐ ETIMOL. De *fisónomo,* y este del griego *physiognómon* (el que sabe juzgar la naturaleza de una persona por sus facciones).

fisonómico, ca adj. De la fisonomía o relacionado con ella: *Entre sus rasgos fisonómicos destacan sus grandes ojos.*

fisonomista adj.inv./s.com. Referido a una persona, que tiene facilidad para recordar y distinguir a las personas por el aspecto de su rostro: *Es buen fisonomista y le basta haber visto una sola vez a una persona para no olvidarla.* ☐ PRON. Incorr. *[fisionomísta].

fistol s.m. En zonas del español meridional, alfiler que se coloca como adorno en la corbata. ☐ ETIMOL. Del italiano *fistolo.*

fístula s.f. Conducto anormal, estrecho, que se abre en la piel o en las membranas mucosas y que no se cierra espontáneamente: *Al cerrársele la herida infectada, se le ha producido una fístula por la que le sale pus.* ☐ ETIMOL. Del latín *fistula* (caño de agua, tubo).

fisura s.f. **1** Grieta, raja o hendidura entre cuyos bordes solo hay una ligera separación: *las fisuras en una pared.* **2** Lo que impide o debilita la unión o la cohesión de algo: *Su relación amistosa tenía ya tantas fisuras que terminó por romperse.* ☐ ETIMOL. Del latín *fissura.*

fitness (ing.) s.m. Tipo de gimnasia para mantenerse en forma: *Todos los días hago una hora de fitness en el gimnasio.* ☐ PRON. [fítnes]. ☐ USO Su uso es innecesario.

fito- Elemento compositivo prefijo que significa 'planta' o 'vegetal': *fitografía, fitología, fitosociología, fitosanitario, fitófago.* ☐ ETIMOL. Del griego *phytón.*

-fito, -fita Elemento compositivo sufijo que significa 'planta' o 'vegetal': *epifito, talofita.* ☐ ETIMOL. Del griego *phytón.*

fitófago, ga adj./s. Que se alimenta de materias vegetales: *Tanto las termitas como los elefantes son fitófagos.* ☐ ETIMOL. De *fito-* (planta, vegetal) y *-fago* (que come).

fitografía s.f. Parte de la botánica que se ocupa de la descripción de las plantas: *Se especializó en fitografía y acaba de publicar una guía de plantas medicinales.* ☐ ETIMOL. De *fito-* (planta) y *-grafía* (descripción).

fitolaca s.m. Planta herbácea con aspecto de árbol, de corteza gruesa y blanda, follaje abundante y flores en racimos más largos que las hojas. ☐ SINÓN. *ombú.*

fitología s.f. *ant.* →**botánica.** ☐ ETIMOL. De *fito-* (vegetal) y *plancton.*

fitopatología s.f. Estudio de las enfermedades de los vegetales: *Los avances en fitopatología han conseguido que muchas plantas resistan a algunas enfermedades.* ☐ ETIMOL. De *fito-* (vegetal) y *patología.*

fitoplancton s.m. Plancton marino formado por algas y otros organismos vegetales: *Las plantas marinas que forman el fitoplancton crecen donde la luz traspasa el agua.*

fitoquímica s.f. Véase **fitoquímico, ca.**

fitoquímico, ca ▌adj. **1** De los componentes químicos de las plantas o relacionado con ellos: *un estudio fitoquímico; un compuesto fitoquímico.* ▌s.m. **2** Compuesto químico que se encuentra en los vegetales. ▌s.f. **3** Parte de la bioquímica que estudia los componentes y los procesos químicos de las plantas.

fitorremediación s.f. Tecnología que aprovecha el metabolismo de las plantas para descontaminar el medio ambiente: *Cada vez se recurre más a la fitorremediación para eliminar contaminantes del suelo.*

fitosanitario, ria adj. Relacionado con la prevención y la curación de las enfermedades de las plantas: *Los avances fitosanitarios han evitado muchas enfermedades vegetales que causaban la pérdida de cosechas enteras.* ☐ ETIMOL. De *fito-* (vegetal) y *sociología.*

fitosociología s.f. Estudio de las comunidades vegetales en sí mismas o como parte del ecosistema: *La fitosociología estudia la relación entre las plantas.*

fitosterol s.m. Esterol presente en los hongos, las algas y otras plantas: *Los fitosteroles se relacionan frecuentemente con la reducción del colesterol en sangre.*

fitotecnia s.f. Parte de la botánica que estudia la mejora de los rendimientos en los cultivos y la producción de plantas de interés económico: *Gracias a la fitotecnia se han desarrollado variedades de plantas resistentes a algunas plagas.* ☐ ETIMOL. De *fito-* (planta, vegetal) y el griego *tékhne* (habilidad).

fitoterapeuta s.com. Persona que se dedica profesionalmente a la fitoterapia.

fitoterapia s.f. Tratamiento de las enfermedades mediante el empleo de plantas o de sustancias vegetales: *La fitoterapia es un método curativo que se conoce desde tiempos muy antiguos.* ☐ ETIMOL. Del griego *fito-* (planta, vegetal) y *-terapia* (curación).

fixing (ing.) s.m. En economía, tipo de cambio oficial diario al cierre de la bolsa: *El Banco de España estableció hoy un fixing en el mercado de divisas de 0,8882 euros por dólar.* ☐ PRON. [fíxin].

fiyiano, na adj./s. De las islas Fiyi o relacionado con este país de Oceanía (uno de los cinco continentes). ☐ SINÓN. *papú.*

flabelo s.m. Abanico grande y con mango largo: *Varios esclavos movían los flabelos para refrescar al emperador.* ☐ ETIMOL. Del latín *flabellum.*

flaccidez s.f. →**flacidez.**

fláccido, da adj. →**flácido.**

flacidez (tb. *flaccidez*) s.f. **1** Blandura, falta de consistencia o falta de fuerza: *Se hizo varias operaciones de cirugía para disimular la flacidez de su cuerpo.* **2** Debilidad muscular o flojedad: *La fuerte gripe me ha dejado en un estado de gran flacidez.*

flácido, da (tb. *fláccido, da*) adj. Blando, sin consistencia o sin fuerza: *Tiene las carnes flácidas porque es muy mayor.* ☐ ETIMOL. Del latín *flaccidus.*

flaco, ca adj. **1** Delgado y con pocas carnes: *Está tan flaco porque apenas come nada.* **2** Débil, frágil o sin fuerza: *Flaca memoria la tuya, si ya no te acuerdas de lo que hablamos ayer. Me has hecho un flaco favor contando esas cosas de mí.* ☐ ETIMOL. Del latín *flaccus* (flojo, flácido).

flagelación s.f. Azote reiterado con un flagelo: *El cuadro representa la flagelación de Jesucristo.*

flagelado, da adj./s.m. Referido a una célula o a un microorganismo, que está provisto de flagelos: *Los espermatozoides son células flageladas.*

flagelante adj.inv. Que flagela.

flagelar v. **1** Azotar o golpear con un flagelo: *Los soldados romanos flagelaron a Jesucristo antes de crucificarlo. En la procesión, un penitente se flagelaba como penitencia.* **2** Censurar, reprender o criticar con dureza: *Deja de flagelar a tus subordinados y procura motivarlos positivamente.*

flagelo s.m. **1** Instrumento que se usa para azotar y que generalmente está compuesto de un palo y de unas tiras largas: *Varios penitentes iban tras la procesión golpeándose en la espalda con un flagelo.* **2** En algunos microorganismos y células, prolongación o extremidad fina y muy móvil, que les sirve para moverse: *Los espermatozoides se mueven por medio de flagelos.* ☐ ETIMOL. Del latín *flagellum* (látigo, azote). ☐ SEM. En la acepción 1, dist. de *cilicio* (cinturón con cerdas o con púas que se ciñe al cuerpo como penitencia o sacrificio).

flagrante adj.inv. **1** Que está sucediendo o se está ejecutando actualmente: *Es un tema flagrante y que aparece en todos los periódicos del día.* **2** Que es claro y evidente, o que no necesita pruebas: *La culpabilidad del acusado era flagrante.* ☐ ETIMOL. Del latín *flagrans* y este de *flagrare* (arder). ☐ ORTOGR. Dist. de *fragante.*

flama s.f. **1** Resplandor o reflejo de una llama: *Las flamas del incendio iluminaban la noche.* **2** En algunas regiones, bochorno o calor ardiente: *Con cuarenta grados y esta flama no hay quien salga de casa.* ☐ ETIMOL. Del latín *flamma* (llama).

flamante adj.inv. **1** Resplandeciente o con muy buen aspecto, esp. por ser nuevo o recién estrenado: *Salió a dar una vuelta en su flamante coche deportivo.* **2** Nuevo o reciente: *Tras la boda, saludamos al flamante marido.* ☐ ETIMOL. Del italiano *fiammante.*

flambear v. Referido a un alimento, someterlo a la acción de la llama de un líquido inflamable: *Rocío la carne con coñac para luego flambearla.* □ ETIMOL. Del francés *flamber*.

flamboyán s.m. Árbol americano de tronco ancho, corteza delgada y copa amplia, y de flores rojas con forma de mariposa.

flamear v. **1** Despedir llamas: *Una antorcha flameaba en la oscuridad de la gruta.* **2** Referido esp. a una vela o a una bandera, ondear al viento: *Las banderas de los países participantes flameaban a las puertas del edificio.* □ ETIMOL. Del catalán *flamejar*.

flamenco, ca ▌ adj./s. **1** De Flandes (antigua región del norte europeo que se extendía por parte del actual territorio belga), o relacionado con ella. **2** *col.* Referido a una persona, esp. a una mujer, que tiene aspecto robusto, saludable y desenvuelto: *Se la veía tan flamenca que nunca me la habría imaginado postrada en una cama.* **3** *col.* Referido a una persona, que es pedante, presumida e insolente: *Se puso muy flamenco, diciendo que el sitio era suyo y que no se movía de allí.* ▌ adj./s.m. **4** Referido esp. a un cante o a un baile, que es de origen andaluz, popular y agitanado. ▌ s.m. **5** Variedad lingüística emparentada con el neerlandés y que se habla en la región belga de Flandes y en parte de Bruselas (capital belga). **6** Ave palmípeda y zancuda, de pico encorvado, patas y cuello largos, plumaje blanco, rosado y rojo, y que vive en grupos en las marismas: *El flamenco es parecido a la cigüeña.* □ MORF. En la acepción 6, es un sustantivo epiceno: *el flamenco {macho/hembra}*.

flamencología s.f. Estudio o conjunto de conocimientos sobre el cante y el baile flamencos: *El poeta Manuel Machado fue un gran aficionado a la flamencología.* □ ETIMOL. De *flamenco* y *-logía* (estudio).

flamenquería s.f. **1** Gracia o desenfado: *Esa niña tan pequeña baila con una flamenquería que deja a todos boquiabiertos.* **2** Actitud insolente o pretenciosa: *Ese chico se cree mejor que nadie y trata a todos con mucha flamenquería.*

flamenquín s.m. Comida hecha con un filete fino enrollado y generalmente relleno con queso, jamón o chorizo.

flamígero, ra adj. **1** *poét.* Que despide llamas: *Un dragón flamígero custodiaba la entrada de la cueva.* **2** Que tiene forma de llama: *La decoración flamígera es propia del gótico tardío.* □ ETIMOL. Del latín *flammiger*, y este de *flamma* (llama) y *gerere* (llevar).

flámula s.f. Bandera estrecha y de forma triangular que se suele colocar en los mástiles de los barcos como insignia. □ ETIMOL. Del latín *flammula*.

flan s.m. **1** Dulce elaborado con huevos, leche y azúcar, que se cuaja poniéndolo al baño María en un molde generalmente con forma de cono truncado, y que se suele tomar como postre. **2** ‖ **{como/hecho} un flan;** *col.* Tembloroso o muy nervioso: *Iba al examen como un flan.* □ ETIMOL. Del francés *flan*.

flanco s.m. **1** Cada una de la dos partes laterales de un cuerpo visto de frente: *El yudoca dejó sin guardia su flanco izquierdo.* **2** Lado o costado de una embarcación o de una formación militar: *El general esperaba el ataque enemigo por el flanco derecho.* □ ETIMOL. Del francés *flanc* (costado).

flanera s.f. Molde en el que se cuaja el flan: *Pon caramelo líquido en la flanera y luego echa la mezcla para hacer el flan.* □ SINÓN. *flanero*.

flanero s.m. →**flanera.**

flanquear v. **1** Estar colocado a los flancos o a los lados: *Dos centinelas flanquean la entrada al palacio.* **2** Proteger o atacar el flanco o lado: *El plan era flanquear al enemigo por la izquierda.* □ ORTOGR. Dist. de *franquear*.

flaquear v. **1** Ir perdiendo fuerza: *La memoria flaquea con los años.* □ SINÓN. *flojear*. **2** Desanimarse o aflojar en una actividad: *No podemos flaquear ahora que nos queda tan poco para conseguir nuestro objetivo.*

flaquencia s.f. En zonas del español meridional, flaqueza.

flaqueza s.f. **1** Debilitamiento o falta de carnes en el cuerpo: *La llevamos al médico porque su flaqueza nos tenía preocupados.* **2** Debilidad o falta de fuerza, de vigor o de resistencia: *Sacó fuerzas de flaqueza y aguantó hasta el final.* **3** Acción cometida por esta debilidad: *Decirle que sí fue una flaqueza de la que me arrepiento.*

flash (ing.) s.m. **1** En fotografía, dispositivo luminoso con un destello breve e intenso, que se utiliza cuando la luz ambiental es insuficiente: *El flash permite hacer fotografías en interiores con poca luz.* **2** Resplandor provocado por este dispositivo: *El flash es muy molesto para los ojos.* **3** En periodismo, avance muy breve o de última hora de una noticia importante: *No sé más datos del terremoto porque solo tenemos un flash de la agencia informativa.* **4** *col.* Impresión fuerte o sorprendente: *No me digas que tengo que tenerlo hecho para mañana, que me da un flash.* **5** *col.* Sensación intensa de bienestar o de euforia, esp. si es producida por una droga o por un estimulante. □ PRON. [flas].

flash-back (ing.) s.m. En una película cinematográfica o en una narración, secuencia o pasaje que suponen una vuelta atrás en el tiempo del relato y que se intercalan en la acción rompiendo su desarrollo lineal: *Al final de la película, hay un flashback sobre la infancia del protagonista, que permite comprender el porqué de su comportamiento como adulto.* □ PRON. [flásbak]. □ ORTOGR. Dist. de *feedback*. □ USO Su uso es innecesario y puede sustituirse por *escena retrospectiva*, *secuencia retrospectiva* o *salto atrás*.

flato s.m. Acumulación molesta de gases en el tubo digestivo: *Los flatos suelen ser dolorosos.* □ ETIMOL. Del latín *flatus* (soplo, flatulencia).

flatulencia s.f. Indisposición o molestia que produce la acumulación de gases en el tubo digestivo: *Las comidas abundantes suelen provocar flatulencia.*

flatulento, ta ▌ adj. **1** Que produce flatos: *una comida flatulenta.* ▌ adj./s. **2** Que padece flato: *una persona flatulenta.*

flauta ▌ s.com. **1** Persona que toca el instrumento del mismo nombre: *El primer flauta de la orquesta es un gran músico.* ▌ s.f. **2** Instrumento musical de viento formado por un tubo con embocadura y provisto de agujeros, que produce diversos sonidos cuando estos se tapan o se destapan: *Toca la flauta en la Orquesta Nacional.* **3** || **flauta {dulce/de pico};** la que tiene la embocadura en forma de boquilla. || **flauta {traversa/travesera};** la que tiene la embocadura lateral, cerca de un extremo y en forma de agujero ovalado, y que se toca colocándola horizontalmente, por lo general sobre el lado derecho de la cara. || **sonar la flauta;** *col.* Ocurrir algo de manera casual o haber un golpe de suerte: *Aunque no había estudiado, se presentó al examen por si sonaba la flauta.* □ ETIMOL. Quizá del provenzal *flauta.* □ USO La expresión *flauta traversa* es propia del español meridional.

flautín s.m. Flauta pequeña, de tono agudo y penetrante: *El flautín se usa principalmente en bandas militares.*

flautista s.com. Músico que toca la flauta: *Es flautista en la banda municipal.*

flavonoide s.m. Sustancia química que actúa como antioxidante y que se encuentra en productos como el té, el cacao, el vino y las cebollas: *En ese artículo se dice que los flavonoides evitan el aumento de la densidad de la sangre y, por lo tanto, la creación de coágulos.*

flayer s.m. →**flyer.** □ PRON. [fláyer].

flébil adj.inv. *poét.* Triste, lamentable o trágico. □ ETIMOL. Del latín *flebilis.* □ SEM. Dist. de *débil.*

flebitis (pl. *flebitis*) s.f. Inflamación de las venas: *La flebitis suele afectar fundamentalmente a las venas de las piernas.* □ ETIMOL. Del griego *phléps* (vena) e *-itis* (inflamación).

flebotomía s.f. Corte que se hace en una vena para que salga cierta cantidad de sangre: *En la Edad Media los médicos hacían flebotomías a los enfermos porque pensaban que así purificaban la sangre.* □ ETIMOL. Del griego *phlebotomía*, y este de *phléps* (vena) y *témno* (yo corto).

flecha s.f. **1** Arma arrojadiza formada por una varilla delgada y ligera con una punta triangular y afilada en su vértice, que se dispara con un arco: *Varios arqueros disparaban flechas desde las almenas del castillo.* □ SINÓN. *saeta.* **2** Signo con esta forma que se usa para indicar una dirección: *Si vas siguiendo las flechas, no te perderás.* **3** En arquitectura, distancia comprendida entre el vértice de un arco y la línea de arranque: *La flecha del arco apuntado es más grande que la del arco de medio punto.* **4** En zonas del español meridional, intermitente de un vehículo: *Siempre que se vaya a adelantar, hay que utilizar la flecha.* □ ETIMOL. Del francés *flèche.*

flechado, da adj. *col.* Muy deprisa o a gran velocidad: *Salgo flechado porque he dejado la comida en el fuego.*

flechazo s.m. **1** Lanzamiento de una flecha. **2** Corte o herida hechos con esta arma. **3** *col.* Enamoramiento repentino: *Lo suyo fue un flechazo y se casaron a los pocos días de conocerse.*

fleco s.m. **1** Adorno compuesto por una serie de hilos o cordoncillos colgantes: *Voy a ponerle unos flecos a este chaleco para que resulte más moderno.* **2** Borde deshilachado de una tela: *Los pantalones están tan usados que tienen rotos y flecos.* **3** Lo que falta por solucionar: *Mientras quede algún fleco suelto, no firmaré el contrato.* **4** En zonas del español meridional, flequillo. □ ETIMOL. Del latín *floccus* (copo de lana). □ MORF. En las acepciones 1-3, se usa más en plural.

fleje s.m. Tira de un material resistente en forma de aro que se usa generalmente para asegurar las maderas verticales de las cubas o barriles: *Los flejes de estos barriles están oxidados.* □ ETIMOL. Del catalán dialectal *fleix* (fresno), con influencia de *fleixir* (doblegar).

flema s.f. **1** Mucosidad de las vías respiratorias que se expulsa por la boca: *Está muy acatarrado y tiene flemas.* **2** Impasibilidad, calma excesiva o frialdad en la forma de actuar: *No pierde su flema ni en los momentos de máxima tensión.* □ ETIMOL. Del latín *phlegma*, y este del griego *phlégma* (mucosidad).

flemático, ca adj. Que actúa con flema o con una serenidad imperturbable: *una persona flemática.*

flemón s.m. Inflamación aguda y acompañada de infección en el tejido conjuntivo, esp. en el de la encía: *Tiene la cara hinchada porque le ha salido un flemón.* □ ETIMOL. Del griego *phlegmoné*, y este de *phlégo* (inflamar).

flequillo s.m. Mechón de cabello recortado que se deja caer sobre la frente: *Tienes el flequillo tan largo que casi te tapa los ojos.* □ ETIMOL. De *fleco.*

fletamento s.m. **1** Alquiler o contrato de un vehículo, generalmente destinado al transporte de personas o mercancías: *La propia agencia de viajes realizará el fletamento del avión.* **2** Embarque de mercancías o de personas para su transporte: *Mañana se realizará el fletamento de la maquinaria.* **3** Contrato mercantil en el que se acuerda el flete: *El fletamento fue firmado por un directivo de la compañía naviera.*

fletán s.m. Pez marino comestible, plano y muy voraz: *En las aguas canadienses abunda el fletán.* □ MORF. Es un sustantivo epiceno: *el fletán {macho/hembra}.*

fletar ▌ v. **1** Referido a un vehículo, alquilarlo o contratarlo, generalmente para el transporte de personas o de mercancías: *Cuando el equipo tiene que viajar, suelen fletar un avión para ellos solos.* **2** Referido a mercancías o a personas, embarcarlas para su transporte: *Fletaron alimentos y medicinas para las víctimas del terremoto.* ▌ prnl. **3** *col.* En zonas del español meridional, hacer algo que no resulta agradable: *Ayer me fleté dos horas lavando la ropa.* □

ETIMOL. De *flete* (precio estipulado por el alquiler de un barco).

flete s.m. **1** Precio que se paga por el alquiler de algunos vehículos o de parte de ellos: *El flete del barco resultó muy caro.* **2** Carga de una embarcación: *Acaba de llegar un barco con un flete de productos lácteos.* ☐ ETIMOL. Del francés *fret*.

flexibilidad s.f. **1** Capacidad para doblarse fácilmente, sin llegar a romperse: *El alambre y algunos plásticos tienen flexibilidad, a diferencia del cristal.* **2** Facilidad para adaptarse a las circunstancias o para ceder ante los deseos de otros: *Los jueces aplican la ley con flexibilidad y teniendo en cuenta las circunstancias de cada caso.* ☐ USO Está muy extendido el uso eufemístico de *flexibilidad de plantillas* con el significado de *facilidades de despido*.

flexibilizar v. Hacer flexible o dar mayor flexibilidad: *Al final flexibilizó su postura y permitió a su hijo ir de campamento.* ☐ ORTOGR. La *z* se cambia en *c* delante de *e* →CAZAR.

flexible adj.inv. **1** Que se dobla con facilidad, sin llegar a romperse. **2** Que se adapta fácilmente a las circunstancias o que cede ante los deseos de otros: *un horario flexible; una persona flexible.* ☐ ETIMOL. Del latín *flexibilis*, y este de *flectare* (doblar, encorvar).

flexión s.f. **1** Movimiento que consiste en doblar o en torcerse lo que estaba derecho, esp. el cuerpo o alguno de sus miembros: *En clase de gimnasia realizamos flexiones de brazos y piernas.* **2** En gramática, variación o alteración que experimenta una palabra para expresar mediante desinencias sus distintas funciones o relaciones de dependencia: *Las variaciones de los sustantivos debidas al género y al número constituyen la flexión nominal.* ☐ ETIMOL. Del latín *flexio*.

flexionador s.m. Aplicación informática que genera las formas flexivas de una palabra.

flexionar v. **1** Referido al cuerpo o a uno de sus miembros, doblarlos hasta encorvarlos: *Al agacharnos flexionamos las piernas.* **2** En gramática, referido a una palabra, modificarla en función de sus accidentes gramaticales: *Para flexionar un verbo hay que añadirle a la raíz las desinencias verbales de tiempo, modo y persona.*

flexivo, va adj. **1** De la flexión gramatical o relacionado con ella: *En español, el género y el número se expresan mediante morfemas flexivos.* **2** Que tiene flexión gramatical: *El español es una lengua flexiva porque los verbos llevan desinencias y los sustantivos, morfemas.*

flexo s.m. Lámpara de mesa con brazo flexible o articulado: *La luz del flexo daba directamente sobre el libro.* ☐ ETIMOL. Del latín *flexus* (curvado).

flexor, -a adj. Que permite un movimiento de flexión: *músculo flexor.*

flipar v. **1** *col.* Sorprender, deslumbrar, o producir o experimentar asombro: *Tu cazadora me flipa cantidad, tío. He flipado cuando me han dicho lo que voy a ganar.* **2** *col.* Equivocarse o desvariar: *Tú flipas si piensas que te voy a hacer el trabajo yo sola.* **3** *col.* Estar bajo el efecto de una droga: *Este se ha fumado un canuto y está flipando en colores.* **4** ‖ **fliparlo;** *col.* Expresión que se usa para indicar extrañeza, sorpresa, admiración o disgusto: *Macho, yo lo flipo contigo; quedamos a las tres y te has presentado una hora más tarde.*

flipe s.m. **1** *col.* Lo que flipa o gusta mucho: *Me tiré en paracaídas y fue un flipe.* **2** *col.* Estado producido por el consumo de una droga.

flipper (ing.) s.m. Máquina electrónica de juego, en forma de mesa y con un circuito por el que pasa una bola que se impulsa y se controla por medio de unos resortes laterales. ☐ PRON. [flíper].

flirt (ing.) s.m. →**ligue.** ☐ PRON. [flirt] o [flert].

flirtear v. *col.* Mantener una relación pasajera y superficial, generalmente de carácter amoroso: *Le gusta flirtear, pero le horroriza comprometerse formalmente con alguien.* ☐ ETIMOL. Del inglés *to flirt* (coquetear).

flirteo s.m. Juego amoroso superficial o pasajero: *Tuvo flirteos con una muchacha, pero no llegaron a nada.*

floema s.m. En algunas plantas, conjunto formado por los vasos liberianos y los tejidos que los acompañan: *El floema conduce la savia elaborada.* ☐ ETIMOL. Del griego *phloiós* (corteza).

flojear v. **1** Ir perdiendo fuerza: *Desde aquella desgracia, su buen humor flojea día a día.* ☐ SINÓN. *flaquear*. **2** Actuar con pereza y desgana, esp. en el trabajo: *No debes flojear en la última evaluación, porque te juegas el curso.*

flojedad s.f. *col.* →**flojera.**

flojera s.f. **1** Flaqueza o debilidad: *La enfermedad me ha dejado en un estado de extrema flojera.* ☐ SINÓN. *flojedad*. **2** Pereza, descuido y falta de interés en lo que se hace: *En el último capítulo, se nota una flojera impropia de ese escritor.* ☐ SINÓN. *flojedad*.

flojo, ja ▮ adj. **1** Mal atado, poco apretado o poco tirante: *Se te salen las zapatillas porque llevas los cordones flojos.* **2** Que tiene poca actividad o poca fuerza: *Sopla un viento demasiado flojo para navegar.* **3** Descuidado o con poco interés: *El examen estaba flojo y aprobé por los pelos.* ▮ adj./s. **4** Perezoso y vago: *Eres un flojo, y te gusta todo menos trabajar.* ☐ ETIMOL. Del latín *fluxus* (flojo, suelto).

floppy disk (ing.) s.m. ‖ →**disquete.** ☐ PRON. [flópi disk]. ☐ USO Se usa también *floppy*.

flor s.f. **1** En una planta, parte en la que se encuentran los órganos reproductores y que suele tener formas y colores vistosos: *La flor consta de cáliz y corola.* **2** Alabanza o piropo: *Si sigues echándome flores, me voy a poner colorada.* **3** Lo mejor o lo más selecto de algo: *Con treinta años, estás en la flor de la vida.* **4** En zonas del español meridional, alcachofa de una ducha o de una regadera. **5** Capa que se forma en la superficie de algunas bebidas alcohólicas, esp. del vino, durante el proceso de fermentación: *En algunas ocasiones la flor cubre completamente la superficie del vino.* **6** ‖ **a flor de piel;** muy impresionable o muy cercano a la superficie: *Llora por nada porque tiene una sensibilidad a flor de piel.* || **flor de la canela;** *col.* Lo que es muy bueno o excelente: *No debes tener queja, porque tu hijo es la flor de la canela.* || **(flor de) lis;** en heráldica, figura parecida a un lirio. || **flor de Pascua;** planta tropical con pequeñas flores amarillas rodeadas de grandes hojas rojas. || **la flor y nata;** lo mejor o lo más destacado en su especie: *Asistió a la fiesta la flor y nata de la sociedad.* || **ni flores;** *col.* Ni idea o nada en absoluto: *De lo prometido, ni flores.* □ ETIMOL. Del latín *flos.* □ MORF. En la acepción 2, se usa más en plural. □ USO El uso de *la crème de la crème* en lugar de *la flor y nata* es un galicismo innecesario.

flora s.f. **1** Conjunto de las plantas de un determinado territorio o de una determinada época: *flora alpina.* **2** Conjunto de bacterias y otros microorganismos que están adaptados a un medio determinado: *flora intestinal.* □ ETIMOL. Por alusión a Flora, diosa de las plantas según la mitología latina.

floración s.f. **1** Abertura de los capullos de una planta: *La floración de este rosal se produjo en abril.* □ SINÓN. *florescencia.* **2** Época en la que florecen las plantas: *Durante la floración los campos están cubiertos de flores.* **3** Tiempo que duran abiertas las flores de las plantas de una misma especie: *Los rosales en floración son muy hermosos.*

floral adj.inv. **1** De flores: *una ofrenda floral.* **2** En botánica, de la flor o relacionado con ella.

floreado, da adj. Adornado con flores: *Mi hermano lleva una camisa floreada.*

florear v. Tocar dos o tres cuerdas de la guitarra con tres dedos sucesivamente y sin parar, logrando así un sonido continuo: *Cuando tengas un poco más de técnica con la guitarra, aprenderás a florear mejor.*

florecer v. **1** Referido a una planta, echar flores: *La mayoría de las plantas florecen en primavera.* **2** Prosperar o crecer: *En la baja Edad Media floreció mucho el comercio europeo.* **3** Referido esp. a una persona o a un suceso importantes, existir o desarrollarse en un tiempo o lugar determinados: *El movimiento barroco floreció en Europa en el siglo XVII.* □ ETIMOL. Del latín *florescere.* □ MORF. Irreg. →PARECER.

floreciente adj.inv. **1** Que florece. **2** Favorable, que proporciona beneficios o que está en pleno desarrollo: *un negocio floreciente.*

florecimiento s.m. **1** Aparición de flores en una planta. **2** Desarrollo, prosperidad o crecimiento: *el florecimiento de las artes.*

florentino, na adj./s. De Florencia (ciudad italiana y ciudad colombiana) o relacionado con ella.

floreo s.m. **1** Dicho o movimiento que se hace como adorno: *El espadachín hizo un floreo con la espada para impresionar a su adversario.* **2** En música, toque sucesivo de dos o tres cuerdas de la guitarra con tres dedos para formar un sonido continuado: *Cuando este guitarrista interpreta la pieza hace un floreo al final.*

florería s.f. Establecimiento donde se venden flores y plantas de adorno: *En esta florería preparan unos ramos de flores muy bonitos.* □ SINÓN. *floristería.*

florero s.m. Recipiente para poner flores: *He colocado tus rosas en un florero de cristal.* □ SINÓN. *búcaro.*

florescencia s.f. Apertura de los capullos de una planta: *En julio se produce la florescencia de las adelfas.* □ SINÓN. *floración.* □ ORTOGR. Dist. de *fluorescencia.*

floresta s.f. Terreno frondoso y agradable, poblado de árboles: *En primavera es agradable pasear por la floresta del pueblo.* □ ETIMOL. Del francés *forêt* (selva).

florete s.m. Espada de hoja estrecha y sin filo cortante que se utiliza en competiciones de esgrima: *Los dos competidores empuñaron el florete y comenzaron a luchar.* □ ETIMOL. Del italiano *fioretto.*

floricultor, -a s. Persona que se dedica a la floricultura: *Un floricultor me aconsejó que podara los rosales cada año.*

floricultura s.f. Cultivo de las flores: *En Holanda, la floricultura tiene una gran importancia comercial.* □ ETIMOL. Del latín *flos* (flor) y *-cultura* (cultivo).

florido, da adj. **1** Con flores: *Los almendros floridos anuncian la llegada de la primavera.* **2** Referido esp. al lenguaje o al estilo, muy adornado o con muchos recursos retóricos: *Tiene una prosa demasiado florida y recargada.* **3** || **lo más florido** de algo; lo mejor y más escogido de ello: *Lo más florido de la ciudad acudió a la recepción.*

florilegio s.m. Colección de fragmentos literarios seleccionados: *Comenzó leyendo un florilegio de poemas de Antonio Machado y terminó leyéndose la obra completa.* □ ETIMOL. Del latín *flos* (flor) y *legere* (escoger).

florín s.m. **1** Unidad monetaria de los Países Bajos (país europeo) hasta la adopción del euro. **2** Unidad monetaria de distintos países: *El florín de Aruba tiene distinto valor que el florín surinamés.* **3** Antigua moneda de oro de la Corona de Aragón (reino español). □ ETIMOL. Del italiano *fiorino* (moneda florentina con el lirio de los Médicis).

floripondio s.m. **1** Adorno que se considera de mal gusto, esp. si está formado por una flor o por un conjunto de flores grandes: *Llevaba un chal con un floripondio espantoso en la espalda.* **2** Planta con hojas grandes y flores blancas muy olorosas en forma de embudo: *El floripondio es originario de Perú.* □ ETIMOL. De *flor* y un segundo elemento de origen incierto.

florista s.com. Persona que se dedica a la venta de flores y plantas, y a la confección de adornos florales: *La florista me preparó un bonito centro con rosas y clavellinas.*

floristería s.f. Establecimiento donde se venden flores y plantas de adorno: *He comprado una docena de claveles en la floristería.* □ SINÓN. *florería.*

floritura s.f. Adorno o añadido accesorios, esp. en el canto: *Algunas piezas barrocas no me gustan por-*

que tienen demasiadas florituras. Lo que afea el mueble es toda esa floritura que le han puesto en las esquinas. ☐ ETIMOL. Del italiano *fioritura* (adorno en el canto).

-floro, -flora Elemento compositivo sufijo que significa 'flor': *bifloro, multiflora.*

florón s.m. Adorno con forma de flor grande o de conjunto de hojas, muy utilizado en pintura y en arquitectura: *El centro de la bóveda está decorado con un florón de madera. En muchos libros antiguos, el lomo lleva un florón ornamental.*

flota s.f. **1** Conjunto de barcos pertenecientes a un mismo dueño, a una entidad o a una nación, esp. si están destinados a una actividad común: *la flota de guerra española.* **2** Conjunto de vehículos de un mismo tipo, esp. de aviones, pertenecientes a una empresa o a una nación: *una flota de autocares.* ☐ ETIMOL. Del francés *flotte.*

flotación s.f. Sostenimiento de un cuerpo en equilibrio sobre la superficie de un líquido: *La flotación del corcho se produce porque tiene menos peso que el agua. En un barco, se llama línea de flotación a la que separa la parte sumergida del casco de la que no lo está.* ☐ SINÓN. *flotamiento.*

flotador, -a ▮ adj. **1** Que flota. ▮ s.m. **2** Pieza hecha de un material flotante que se sujeta al cuerpo de una persona para evitar que se hunda en el agua. **3** Cuerpo que se hace flotar sobre un líquido con alguna finalidad, esp. para medir el nivel de dicho líquido o para regular su salida: *La cisterna lleva un flotador que cierra el conducto del agua cuando está llena.*

flotamiento s.m. →**flotación.**

flotante adj.inv. **1** Que flota. **2** Que no está fijo o estable, o que está sometido a variación: *La población flotante de una ciudad está formada por las personas que no viven en ella habitualmente.*

flotar v. **1** Referido a un cuerpo, sostenerse en equilibrio sobre la superficie de un líquido: *El corcho flota en el agua.* **2** Referido a un cuerpo, mantenerse en suspensión en un medio gaseoso: *El humo de los cigarrillos flotaba sobre las cabezas de los asistentes.* **3** Referido a algo inmaterial, estar en el ambiente o dejarse notar: *La desconfianza flotaba entre ellos e hizo imposible el acuerdo.* ☐ ETIMOL. Del francés *flotter.*

flote ‖ **a flote; 1** Flotando o en equilibrio sobre la superficie de un líquido: *Consiguieron reparar el barco y ponerlo a flote.* **2** A salvo de algún peligro o de algún apuro: *Con mucho trabajo, logramos superar la mala racha y salir a flote.* **3** A la luz o a la vista: *En aquella discusión salieron a flote los viejos rencores de la familia.*

flotilla s.f. Flota de barcos pequeños que se utilizan para un mismo fin: *una flotilla de lanchas guardacostas.*

flow (ing.) s.m. En el hip-hop, encanto o atractivo con los que se logra conectar con el público en las actuaciones. ☐ PRON. [flóu].

flow back (ing.) s.m. ‖ En economía, efecto de regreso de las acciones puestas en circulación a la entidad que las había emitido: *Por el efecto de flow back las acciones puestas en circulación retornaron a la empresa emisora.* ☐ PRON. [flóu bac].

fluctuación s.f. Crecimiento y disminución alternativos de la intensidad, del valor o de la cantidad de algo: *La fluctuación del valor de una moneda se debe en parte a la inestabilidad de la balanza de pagos.* ☐ SINÓN. *oscilación.*

fluctuar v. Referido al valor de algo, crecer y disminuir alternativamente con más o menos regularidad: *La especulación del terreno ha hecho fluctuar mucho el precio de los pisos.* ☐ SINÓN. *oscilar.* ☐ ETIMOL. Del latín *fluctuari* (agitarse el mar). ☐ ORTOGR. La *u* lleva tilde en los presentes, excepto en las personas *nosotros* y *vosotros* →ACTUAR.

fluidez s.f. **1** Facilidad y naturalidad en el lenguaje o en el estilo: *fluidez de palabra.* **2** Facilidad para discurrir o marchar sin ser obstaculizado: *circular con fluidez.* **3** Propiedad de la sustancia que tiene las moléculas con poca o con ninguna cohesión y cuya forma se adapta a la del recipiente que la contiene: *La fluidez del gas le permite expandirse por todas partes.*

fluidificante adj.inv. Que hace fluida una sustancia: *Me han recetado un jarabe fluidificante para la bronquitis.*

fluido, da ▮ adj. **1** Referido al lenguaje o al estilo, que es fácil y natural: *Me gusta el estilo fluido y conciso de este escritor.* **2** Que marcha o discurre con facilidad y sin obstáculos: *circulación fluida.* ▮ adj./s.m. **3** Referido a una sustancia, que tiene las moléculas con poca o con ninguna cohesión, y su forma se adapta a la del recipiente que la contiene: *Las moléculas de un fluido se mueven libremente.* ▮ s.m. **4** *col.* Corriente eléctrica: *La compañía eléctrica le cortó el fluido por no pagar.* ☐ ORTOGR. Incorr. **fluído.*

fluir v. **1** Referido a un líquido o a un gas, correr por algún lugar o brotar de él: *La sangre de nuestro cuerpo fluye por venas y arterias.* **2** Marchar o discurrir con facilidad y sin obstáculos: *Hoy el tráfico fluye con normalidad.* **3** Referido esp. a las palabras o a las ideas, brotar o aparecer con facilidad: *En cuanto le propusieron el proyecto, miles de ideas comenzaron a fluir de su mente.* ☐ ETIMOL. Del latín *fluere* (manar). ☐ MORF. Irreg. →HUIR.

flujo s.m. **1** Brote de un líquido o de un gas al exterior, o movimiento de estos a través de un lugar: *un flujo de sangre.* **2** Movimiento de personas o de cosas de un lugar a otro: *El flujo migratorio aumenta en épocas de crisis.* **3** Movimiento ascendente de la marea. ☐ ETIMOL. Del latín *fluxus* (acción de manar un líquido). ☐ SEM. 1. En la acepción 1, dist. de *aflujo* (llegada de una mayor cantidad de líquido orgánico a una determinada zona del organismo). 2. En la acepción 3, dist. de *reflujo* (movimiento descendiente de la marea).

flúor s.m. Elemento químico no metálico, gaseoso, de número atómico 9, de color amarillento, que ataca a casi todos los metales y que es muy tóxico: *Los compuestos de flúor se emplean para reforzar el es-*

malte dental. □ ETIMOL. Del latín *fluor* (flujo). □ ORTOGR. Su símbolo químico es *F*.

fluoración s.f. **1** Adición de flúor a una sustancia: *la fluoración de la leche.* **2** Tratamiento para que las piezas dentales tengan más flúor: *La fluoración suele aplicarse a niños con más frecuencia que a personas mayores.* □ USO Se usa también *fluorización*.

fluorado, da adj. Que contiene flúor: *El agua fluorada se usa para prevenir la caries.*

fluorar v. Referido a una sustancia, añadirle flúor: *fluorar el agua potable.*

fluorescencia s.f. Luminosidad que tienen algunas sustancias mientras reciben la acción de ciertas radiaciones: *Entre las propiedades del neón y de otros gases nobles está la fluorescencia.* □ ETIMOL. De *fluorita*, porque en este mineral se observó el fenómeno por primera vez. □ ORTOGR. Dist. de *florescencia.* □ SEM. Dist. de *fosforescencia*.

fluorescente ▮ adj.inv. **1** De la fluorescencia o relacionado con este tipo de luminosidad: *una luz fluorescente.* **2** De color muy llamativo o muy luminoso: *un rotulador fluorescente.* ▮ s.m. **3** Tubo de cristal que emite luz mediante el uso de una sustancia que posee este tipo de luminosidad: *Se ha roto uno de los fluorescentes de la cocina.* □ PRON. Incorr. *[florescénte].

fluorhídrico adj. Referido a un ácido, que se compone de flúor e hidrógeno, es muy venenoso y muy corrosivo: *El ácido fluorhídrico se utiliza para grabar sobre vidrio.*

fluorina s.f. →**fluorita.**

fluorita s.f. Mineral compuesto de flúor y calcio, transparente o translúcido, y de colores brillantes y variados: *La fluorita se utiliza en las artes decorativas.* □ SINÓN. *fluorina*.

fluorización s.f. →**fluoración.**

fluotane s.m. Anestésico que contiene un átomo de flúor en su molécula: *El fluotane puede producir una bajada brusca de la presión arterial.* □ ETIMOL. Extensión del nombre de una marca comercial.

fluvial adj.inv. De los ríos o relacionado con ellos: *navegación fluvial.* □ ETIMOL. Del latín *fluvialis*, y este de *fluvius* (río).

fluviómetro s.m. Aparato que sirve para medir el nivel del agua de un río: *Los técnicos utilizaron un fluviómetro para medir la crecida del río.* □ ETIMOL. Del latín *fluvius* (río) y *-metro* (medidor).

fluxión s.f. **1** Acumulación patológica de líquidos o de sustancias en un órgano: *La neumonía le produce una fluxión de líquidos en el aparato respiratorio.* **2** Constipado de nariz: *La fluxión le hace estar moqueando todo el día.* □ ETIMOL. Del latín *fluxio* (fluir de un líquido).

flyer (tb. *flayer*) (ing.) s.m. Hoja o impreso publicitarios, generalmente de pequeño formato: *Si entregas este flyer en el restaurante, te invitan a un refresco.* □ PRON. [fláier].

FM (ing.) s.f. **1** Emisión de radiodifusión que se realiza por medio de ondas hertzianas comprendidas en una banda de 88 a 108 megahercios: *En este valle no se capta bien la FM.* □ SINÓN. *frecuencia modulada.* **2** En un aparato de radio, posibilidad de captar esta emisión: *Tuve una radio que no tenía FM.* □ ETIMOL. Es la sigla del inglés *Frecuency Modulation* (modulación de frecuencia).

fob (ing.) s.m. Cláusula mercantil que obliga a un vendedor a pagar los gastos de transporte hasta el buque y la carga de las mercancías a bordo, pero no el flete ni el seguro: *En el contrato de exportación se fijó el precio fob de los productos que se vendían.* □ ETIMOL. Es el acrónimo del inglés *Free on Board* (entregado a bordo). □ SINT. Se usa mucho en aposición, pospuesto a un sustantivo: *el valor fob*.

fobia s.f. **1** Temor angustioso y obsesivo a algo: *Tengo fobia a los espacios cerrados.* **2** Odio o antipatía hacia algo: *Le tengo tal fobia a esa chica que no la puedo ni ver.* □ ETIMOL. Del griego *phobéomai* (yo temo).

-fobia Elemento compositivo sufijo que indica aversión: *claustrofobia, hidrofobia.* □ ETIMOL. Del griego *phobéomai* (yo temo).

fóbico, ca adj./s. Que padece una fobia o temor angustioso: *El fóbico debe recurrir al psiquiatra cuando su miedo no le deje llevar una vida normal.*

-fobo, -foba **1** Elemento compositivo sufijo que significa 'que siente fobia o rechazo patológico': *aerófobo, hidrófoba.* **2** Elemento compositivo sufijo que significa 'que siente antipatía u odio': *xenófobo, francófoba.* □ ETIMOL. Del griego *fobos*.

foca s.f. **1** Mamífero carnívoro adaptado a la vida acuática, con el cuerpo redondeado y alargado, pelaje corto, una gruesa capa de grasa bajo la piel que lo protege del frío y con las extremidades modificadas en aletas: *Las focas suelen vivir en zonas frías.* □ SINÓN. *lobo marino.* **2** *col. desp.* Persona muy gruesa: *No sé qué comerá ese chico, pero... ¡menuda foca!* □ ETIMOL. Del latín *phoca.* □ MORF. En la acepción 1, es un sustantivo epiceno: *la foca {macho/hembra}*.

focal adj.inv. Del foco o relacionado con él: *distancia focal.*

focalizar v. **1** Referido a cosas de distinta procedencia, encaminarlas hacia un determinado fin o concentrarlas en una dirección determinada: *El nuevo director ha focalizado sus esfuerzos en aquel antiguo proyecto olvidado.* **2** Referido esp. a un haz de luz o de partículas, hacerlo converger en un punto: *Han focalizado el haz por medio de lentes para concentrar la energía luminosa en una zona pequeña.* □ ORTOGR. La *z* se cambia en *c* delante de *e* →CAZAR.

focha s.f. Ave nadadora de plumaje negro, pico blanco y pies de color verdoso.

foco s.m. **1** Punto, aparato o cuerpo de donde parte un haz de rayos luminosos o caloríficos: *un foco de luz.* **2** Punto donde convergen los rayos tras atravesar una lente: *La distancia focal es la que media entre el foco y la lente.* **3** Lámpara eléctrica de luz muy potente: *El escenario estaba iluminado por grandes focos.* **4** Lugar en el que se desarrolla algo con gran intensidad y desde el cual se propaga o se ejerce influencia: *un foco de cultura; el foco de un terremoto.* **5** En zonas del español meridional, bombilla. **6** En zonas del español meridional, farola. **7** En zonas del español meridional, faro de un vehículo. □ ETIMOL. Del latín *focus* (hoguera, brasero).

fofo s.com. *col.* Persona que se dedica profesionalmente a la preparación de formadores: *Trabajé un año como fofo en un centro de formación de profesores.* □ ETIMOL. Es el acrónimo de *formador de formadores.* □ USO Tiene un matiz humorístico.

fofo, fa adj. Blando y con poca consistencia: *Tengo que hacer deporte para acabar con estos muslos tan fofos.* □ ETIMOL. De origen expresivo.

fogaje s.m. En zonas del español meridional, calor o bochorno. □ ETIMOL. De *fuego.*

fogarada s.f. Llama fuerte que surge del fuego: *Están quemando hierba en el campo y se ven las fogaradas desde el pueblo.*

fogata s.f. Fuego, generalmente hecho con leña, que levanta mucha llama: *Los que se perdieron hicieron una fogata para que pudiesen encontrarlos al ver el humo.*

fogón s.m. **1** En una cocina, esp. en las antiguas de leña o de carbón, sitio adecuado para hacer fuego y guisar: *La muchacha colocó el puchero sobre el fogón.* **2** En la caldera de una máquina de vapor o en un horno, lugar donde se quema el combustible: *Las ayudantes del maquinista del tren echaban carbón en los fogones.* □ ETIMOL. Del catalán *fogó.*

fogonazo s.m. **1** Llama instantánea que algunas materias producen al inflamarse: *Todos vimos el fogonazo que salió de su escopeta.* **2** Luz momentánea y muy fuerte: *Salí en la foto con los ojos cerrados porque el fogonazo del flash me deslumbró.*

fogonero, ra s. Persona que se dedica profesionalmente al cuidado del fogón de las calderas, esp. en las máquinas de vapor: *Mi bisabuelo trabajó como fogonero en una locomotora de vapor.*

fogosidad s.f. Viveza, ímpetu o apasionamiento en lo que se hace: *Pone en todo una fogosidad propia de su juventud.*

fogoso, sa adj. Que tiene o muestra gran ardor, viveza o apasionamiento: *Su discurso fue una fogosa defensa de la libertad de expresión.* □ ETIMOL. De *fuego.*

foguear v. **1** Referido a una persona o a un animal, acostumbrarlos al fuego o al ruido de la pólvora: *Antiguamente, fogueaban los caballos de los escuadrones antes de entrar en combate.* **2** Referido a una persona, acostumbrarla a las dificultades de un trabajo o de una situación: *Las adversidades la foguearon y ahora tiene un corazón de piedra.*

fogueo s.m. **1** Disparos con los que se acostumbra a las tropas y a los caballos al fuego y al ruido de la pólvora. **2** ‖ **de fogueo;** referido a una munición, que está hueca y se rompe a poca distancia de la boca del arma sin causar daño: *balas de fogueo.*

foie-gras (fr.) (tb. *foie gras*) s.m. Pasta comestible que se elabora con el hígado de algunos animales: *Untaron unos canapés con foie-gras y otros con mantequilla.* □ PRON. [fuagrás].

folato s.m. Componente indispensable en la síntesis del hierro, cuya deficiencia causa anemia.

folclor s.m. →**folclore.**

folclore s.m. **1** Conjunto de tradiciones de un pueblo: *Estos viejos cantos pertenecen al folclore andaluz.* □ SINÓN. *folclor.* **2** *col.* Juerga o jaleo: *¡Menudo folclore se armó cuando la señora intentó colarse en la panadería!* □ SINÓN. *folclor.* □ ETIMOL. Del inglés *folklore.* □ USO Es innecesario el uso del anglicismo *folklore.*

folclórico, ca ▌adj. **1** Del folclore o relacionado con él. ▌s. **2** Persona que se dedica al baile o al cante flamencos o a otros semejantes, esp. si esta es su profesión: *una folclórica famosa.* □ ORTOGR. Incorr. **folklórico.*

folclorista s.com. Persona especializada en el estudio del folclore: *El padre del poeta Antonio Machado fue un gran folclorista.* □ ORTOGR. Incorr. **folklorista.*

fólder s.m. En zonas del español meridional, carpeta: *El fólder en el que guardo los documentos se cierra con resorte.* □ ETIMOL. Del inglés *folder.*

folía ▌s.f. **1** Composición musical popular de las islas Canarias (comunidad autónoma), con un ritmo lento: *Las folías se acompañan con la guitarra.* **2** Baile que se ejecuta al compás de esta música: *Un grupo folclórico de Gran Canaria bailó una folía.* ▌pl. **3** Baile de origen portugués que se baila entre muchas personas: *Las folías pasaron a Europa a través de España.* □ ETIMOL. Del francés *folie.*

foliáceo, a adj. **1** De las hojas de las plantas o relacionado con ellas: *Vimos en el microscopio la estructura foliácea del trigo y del chopo.* **2** Que tiene estructura o disposición en láminas: *La mica es un mineral foliáceo.* □ ETIMOL. Del latín *foliaceus* (de las hojas).

foliación s.f. **1** Numeración de los folios o de las hojas de un libro o cuaderno. **2** Aparición de las hojas de una planta: *En los almendros, la floración es anterior a la foliación.* **3** Época en que se produce el brote de las hojas de las plantas: *Estos árboles tienen las hojas estropeadas porque durante la foliación hubo heladas.*

foliar ▌adj.inv. **1** De la hoja o relacionado con ella. ▌v. **2** Referido a un libro o a un cuaderno, numerar sus folios o sus hojas: *Esa fábula se encontró en un manuscrito sin foliar.* □ ORTOGR. Como verbo, la *i* nunca lleva tilde.

fólico adj. Referido a un ácido, que pertenece al grupo de las vitaminas hidrosolubles del complejo B y cuya deficiencia puede ocasionar malformaciones en la columna vertebral y en el sistema nervioso: *El ácido fólico es la vitamina B9.*

folicular adj.inv. Con forma de folículo: *una cavidad folicular.*

foliculitis (pl. *foliculitis*) s.f. Proceso inflamatorio de un folículo piloso o glandular: *La foliculitis es un tipo de infección de la piel.* □ ETIMOL. De *folículo* e *-itis* (inflamación).

folículo s.m. **1** En anatomía, estructura en forma de pequeño saco, esp. la que está situada en el espesor de la piel o de las mucosas: *El folículo piloso rodea la raíz del pelo.* **2** En botánica, fruto sencillo y seco, que se abre por un solo lado y que tiene una cavidad que normalmente encierra varias semillas: *El fruto de la peonía es un folículo.* □ ETIMOL. Del latín *folliculus* (saquito).

folio s.m. **1** Hoja de papel de 31,5 centímetros de largo por 21,5 de ancho: *La redacción le ocupó un folio por las dos caras.* **2** Hoja de un libro o de un cuaderno: *La obra se conserva en un manuscrito de 20 folios.* **3** || **tirarse el folio;** *col.* Presumir o darse importancia. □ SINÓN. *tirarse el moco.* □ ETIMOL. Del latín *folium* (hoja).

folíolo (tb. *foliolo*) s.m. En una planta, cada una de las hojas que forman parte de una hoja compuesta: *En una hoja compuesta, salen varios foliolos del mismo peciolo.* □ SINÓN. *hojuela.* □ ETIMOL. Del latín *foliolum* (hoja pequeña).

folk s.m. Género musical que tiene sus raíces en las canciones populares: *un concierto folk.* □ ETIMOL. Del inglés *folk.* □ SINT. Se usa en aposición, pospuesto a un sustantivo: *música folk.*

folklore (ing.) s.m. →**folclore.**

follaje s.m. Conjunto de ramas y hojas de los árboles y otras plantas, esp. si es abundante: *El follaje del bosque proporciona buena sombra en verano.* □ SINÓN. *verde.* □ ETIMOL. Del provenzal *follatge.*

follar v. *vulg.malson.* →**copular.**

folletín s.m. **1** Escrito que aparece en una publicación periódica, bien en la parte inferior de sus páginas, bien como cuadernillo, que trata de materias ajenas al objeto principal de dicha publicación, y que suele constituir una novela por entregas: *Los folletines aparecieron como forma de atraer al lector y asegurar la compra diaria del periódico.* **2** Relato u obra de otro género con características similares a las de las novelas publicadas de esta manera, esp. un argumento complicado, con mucha intriga, tono marcadamente sentimental y poco verosímil. **3** Situación o suceso insólitos y que poseen características propias de estos relatos: *La historia que ha vivido esa chica con el padre de sus hijos es un auténtico folletín.*

folletinesco, ca adj. Del folletín o con las características propias de este tipo de relato: *una situación folletinesca.*

folleto s.m. Obra impresa, no periódica, que consta de más de cuatro páginas y de menos de cincuenta: *En la oficina de turismo me han dado un folleto sobre los monumentos más importantes de la región.* □ ETIMOL. Del italiano *foglietto.*

follón s.m. **1** Situación confusa, agitada o embarazosa, esp. si va acompañada de gran alboroto y tumulto: *Los conductores empezaron a insultarse y terminó organizándose un buen follón.* □ SINÓN. *lío.* **2** Conjunto desordenado, revuelto y enredado: *¡No sé cómo puedes aclararte con este follón de papeles!* □ SINÓN. *lío.* □ ETIMOL. De *hollar.*

follonero, ra adj./s. *col.* Que se divierte armando follones o metiéndose en ellos: *Eres una follonera y siempre estás metida en jaleos.*

fomentar v. Promover, impulsar, avivar o aumentar la intensidad: *Hay que fomentar la lectura entre los jóvenes. Con tu actitud fomentas las habladurías.*

fomento s.m. Promoción, impulso o aumento de la intensidad de una actividad: *El Gobierno aprobará medidas para el fomento del ahorro y de la inversión.* □ ETIMOL. Del latín *fomentum* (calmante, bálsamo).

fonación s.f. Emisión de la voz o de la palabra: *Las cuerdas vocales son uno de los principales elementos que intervienen en la fonación.* □ ETIMOL. Del griego *phoné* (voz).

fonador, -a adj. Referido esp. a un órgano corporal, que interviene en la emisión de la voz: *La laringe es un importante órgano fonador.* □ ETIMOL. Del griego *phoné* (voz).

fonda s.f. **1** Establecimiento público en el que se da hospedaje y se sirven comidas: *La categoría de las fondas suele ser inferior a la de los hoteles.* **2** En zonas del español meridional, restaurante pequeño y económico: *A veces comemos en la fonda de doña Lupe.* □ ETIMOL. De origen incierto.

fondeadero s.m. Lugar con la profundidad suficiente para que pueda fondear en él una embarcación: *Amarramos las barcas en el fondeadero porque se avecinaba una tempestad.*

fondear v. Referido esp. a una embarcación, sujetarla por medio de anclas que se agarren al fondo del agua o de grandes pesos que descansen en él: *Los muchachos fondearon la barca cerca de la orilla. El pesquero fondeó en la ría.*

fondillos s.m.pl. Parte trasera de los calzones o de los pantalones: *El pantalón está tan viejo que tiene desgastados los fondillos.*

fondista s.com. Deportista que participa en carreras de largo recorrido: *Los corredores de los 10 000 metros lisos son fondistas.*

fondo s.m. **1** En algo hueco o cóncavo, parte inferior: *Los libros pesaban tanto que se rompió el fondo de la caja y se cayeron.* **2** Distancia que hay entre esta parte inferior y su borde superior: *Este baúl es muy práctico porque tiene mucho fondo.* □ SINÓN. *hondura, profundidad.* **3** Parte opuesta a la entrada de un lugar o a la posición en que se encuentra la persona que habla: *La biblioteca está al fondo del edificio.* **4** Distancia que hay entre esta parte y la posición desde la que se considera: *Esta estantería tiene medio metro de fondo.* **5** Referido esp. al mar o a un lago, superficie sólida sobre la cual está el agua: *El ancla del barco se clavó en el fondo del mar.* □ SINÓN. *lecho.* **6** Base sobre la que se destaca algo: *Ha pintado a su perro sobre un fondo verde. Esta triste historia tiene un fondo romántico.* **7** Índole o carácter natural propios de una persona: *Pese a esos arrebatos de mal genio, tiene muy buen fondo.* **8** Lo principal y esencial de algo: *Déjate de rodeos y vamos al fondo del problema.* **9** Conjunto de dinero o de bienes que se poseen o que se destinan para un fin concreto: *fondos de inversión.* **10** Conjunto de libros, de documentos o de obras de arte que posee una entidad, esp. una biblioteca o un museo: *Los fondos de la biblioteca municipal superan los 50 000 libros.* **11** En deporte, resistencia física para soportar esfuerzos prolongados: *Este corredor puede ganar, porque tiene mucho fondo.* **12** En deporte, referido a un tipo de competición, que se basa en esta capacidad de resistencia y que consiste generalmente en carreras de largo recorrido: *En las carreras de fondo de atletismo, el corredor debe recorrer más de 5 000 metros.* **13** En zonas del español meridional, combinación: *Me puse fondo porque la falda se transparenta.* **14** ‖ **a fondo;** enteramente o hasta el límite de las posibilidades: *En el libro se analiza a fondo la época medieval.* ‖ **bajos fondos;** barrios o sectores de las grandes ciudades en los que actúan o viven delincuentes: *La policía ha hecho una redada por los bajos fondos.* ‖ **fondo de armario;** ropa básica que sirve para diversas ocasiones y que no pasa de moda: *En mi fondo de armario no faltan un pantalón negro y una camisa gris.* ‖ **fondo ético;** producto financiero para invertir dinero en empresas acordes con las convicciones éticas del cliente: *Algunos fondos éticos destinan parte de sus comisiones a fundaciones de carácter social.* ‖ **fondo perdido;** capital que ha sido prestado con la condición de que sean pagados solo los intereses: *Los agricultores compraron maquinaria gracias a un préstamo a fondo perdido.* ‖ **tocar fondo;** llegar al punto más bajo o a la fase final: *Cuando la depresión toque fondo, empezarás a recuperarte.* □ ETIMOL. Del latín *fundus*. □ MORF. En las acepciones 9 y 10, se usa más en plural.

fondón, -a adj. *col.* Referido a una persona, que ha perdido agilidad y rapidez de movimientos por haber engordado: *Debes hacer más ejercicio, porque te estás poniendo fondón.*

fondue (fr.) s.f. **1** Comida, generalmente de queso fundido o de carne, que se prepara en el momento de comerla en un hornillo especial: *La fondue de queso se toma untando trozos de pan en el queso fundido.* **2** Hornillo con el que se prepara este plato: *Pincha un trozo de carne cruda y mételo en la fondue cuando el aceite hierva.* □ PRON. [fondí].

fonema s.m. En lingüística, unidad fonológica mínima que en el sistema de una lengua puede oponerse a otras unidades en contraste distintivo: *El fonema /t/ se opone al fonema /l/ y nos permite distinguir 'pata' de 'pala'.* □ ETIMOL. Del griego *phónema* (sonido de la voz).

fonemática s.f. Véase **fonemático, ca.**

fonemático, ca ▌adj. **1** Del fonema, del sistema fonológico, o relacionado con ellos: *En este libro encontrarás un inventario fonemático del español.* ▌s.f. **2** Parte de la fonología que estudia los fonemas: *La fonemática establece el inventario de los fonemas de una lengua.*

fonendo s.m. →**fonendoscopio.**

fonendoscopio s.m. Aparato utilizado en medicina para auscultar y que, por medio de dos tubos con auriculares que se introducen en los oídos, permite oír los sonidos del organismo amplificados: *La doctora me auscultó con un fonendoscopio y me pidió que respirara hondo.* □ ETIMOL. Del griego *phoné* (voz), *éndon* (adentro) y *skopéo* (yo examino). □ MORF. Se usa mucho la forma abreviada *fonendo*.

fonética s.f. Véase **fonético, ca.**

fonético, ca ▌adj. **1** De la fonética, de los sonidos del lenguaje o relacionado con ellos: *una transcripción fonética.* **2** Referido a un sistema de escritura, que se caracteriza porque sus letras o símbolos representan los sonidos de cuya combinación resultan las palabras: *La escritura egipcia no era fonética, sino jeroglífica.* ▌s.f. **3** Parte de la lingüística que estudia los sonidos de una lengua describiendo sus características fisiológicas y acústicas. **4** Conjunto de sonidos de una lengua: *Hablo inglés con muy mal acento porque me resulta muy difícil su fonética.* □ ETIMOL. Del griego *phonetikós* (relativo al sonido).

fonetismo s.m. Conjunto de caracteres fonéticos de una lengua: *El fonetismo vocálico español es más sencillo que el inglés.*

fonetista s.com. Lingüista especializado en fonética: *Tomás Navarro Tomás fue un excelente fonetista español.*

foniatra s.com. Médico especializado en foniatría: *El foniatra aconsejó a la cantante que procurase no forzar la voz en unos días.*

foniatría s.f. Parte de la medicina que trata las enfermedades que afectan a los órganos fonadores: *En el servicio de foniatría me dijeron que tengo varios nódulos en las cuerdas vocales.* □ ETIMOL. Del griego *phoné* (voz) e *iatreía* (curación, tratamiento).

fónico, ca adj. De la voz o del sonido: *Las características fónicas son diferentes en cada lengua.*

fono- Elemento compositivo prefijo que significa 'voz' o 'sonido': *fonología, fonógrafo, fonotecnia.* □ ETIMOL. Del griego *phoné*.

-fono, -fona 1 Elemento compositivo sufijo que significa 'sonido': *alófono, homófona.* **2** Elemento compositivo sufijo que significa 'hablante': *anglófono, francófona.* □ ETIMOL. Del griego *-fonos*.

fonoabsorbente adj.inv./s.m. Que absorbe el sonido: *En algunos coches se usan materiales con propiedades fonoabsorbentes para amortiguar el ruido del motor.*

fonográfico, ca adj. Del fonógrafo o relacionado con este aparato: *Los modernos sistemas fonográficos permiten grabar discos con una gran calidad de sonido.*

fonógrafo s.m. Aparato que registra y reproduce las vibraciones de la voz humana o de cualquier otro sonido: *Los antiguos gramófonos, antecedentes del tocadiscos, eran un tipo de fonógrafos.* □ ETIMOL. De *fono-* (voz) y *-grafo* (que escribe).

fonología s.f. Parte de la lingüística que estudia los fonemas atendiendo a su valor funcional dentro del sistema propio de cada lengua: *La fonología es-*

tablece que /r/ y /l/ son fonemas distintos porque permiten distinguir, por ejemplo, 'pala' de 'para'. □ ETIMOL. De *fono-* (voz) y *-logía* (ciencia).

fonológico, ca adj. De la fonología o relacionado con esta parte de la lingüística: *En la descripción fonológica de una lengua se define cada fonema y se exponen las combinaciones que aparecen.*

fonometría s.f. Estudio de la intensidad de los sonidos: *La fonometría estudia el nivel de ruido en las grandes ciudades.* □ ETIMOL. De *fono-* (sonido) y *-metría* (medición).

fonómetro s.m. Aparato que se usa para medir un sonido: *Vi un fonómetro en la consulta del logopeda.*

fonoteca s.f. **1** Colección de discos y otros documentos sonoros que consta de un número considerable de ejemplares: *En el centro de documentación cuentan con una buena fonoteca.* **2** Local en el que se conserva esta colección para poder ser consultada o escuchada por los usuarios: *En la fonoteca municipal tienen cintas magnetofónicas y discos que ya no se encuentran en el mercado.* □ ETIMOL. De *fonó-* (voz) y *théke* (caja para guardar algo). □ SEM. En la acepción 1, dist. de *discoteca* (colección solo de discos).

fonotecnia s.f. Estudio de las formas de obtener, transmitir, registrar y reproducir sonidos: *La fonotecnia ha avanzado mucho en los últimos años.* □ ETIMOL. De *fono-* (sonido) y el griego *tékhne* (técnica).

fontana s.f. Fuente o manantial de agua: *El idílico palacio del rey moro tenía unos jardines con una fontana de oro.* □ ETIMOL. Del italiano *fontana*, y este del latín *fontana* (agua, agua de fuente).

fontanal s.m. Lugar en el que abundan manantiales. □ ETIMOL. Del latín *fontanalis*.

fontanela s.f. Cada uno de los espacios membranosos que hay en el cráneo de un recién nacido antes de que se osifique por completo: *La función de las fontanelas es facilitar la salida de la cabeza del recién nacido durante el parto.* □ ETIMOL. Del francés *fontanelle*.

fontanería s.f. **1** Profesión de fontanero: *Dudó entre dedicarse a la fontanería o a la albañilería.* **2** Conjunto de conductos y aparatos necesarios para la canalización de agua o para la colocación de instalaciones sanitarias: *La fontanería de esta casa es de buena calidad.* **3** Establecimiento en el que se venden estos conductos y aparatos: *Compré los grifos en una fontanería.* **4** Servicio que se ocupa de arreglar de forma discreta asuntos difíciles o poco claros: *Ese tecnócrata desempeña labores fundamentales en la fontanería del Gobierno.*

fontanero, ra s. **1** Persona que se dedica profesionalmente a la colocación, mantenimiento y reparación de conducciones de agua y de instalaciones y aparatos sanitarios. □ SINÓN. *plomero.* **2** Persona que, de forma discreta, se ocupa de arreglar asuntos difíciles o poco claros: *Esa maniobra corrió a cargo de dos fontaneros del presidente del Gobierno.* □ ETIMOL. De *fontana*.

footing (fr.) s.m. Ejercicio físico que consiste en correr a ritmo moderado y constante: *Hace footing todos los días para mantenerse en forma.* □ ETIMOL. Del francés *footing*, y este del inglés *foot* (pie). □ PRON. [fútin].

foque s.m. En una embarcación, vela triangular, esp. la principal de la proa: *Se desgarró el foque y no pudimos ganar la regata.* □ ETIMOL. Del neerlandés *fok*, y este de *fokken* (izar una vela).

forajido, da adj./s. Referido a una persona, que comete delitos y vive fuera de los lugares poblados huyendo de la justicia: *Un grupo de forajidos asaltó la diligencia.* □ ETIMOL. De *fuera exido* (salido afuera).

foral adj.inv. De los fueros o relacionado con ellos: *Esta historiadora conoce bien el derecho foral de varias ciudades medievales.*

foralismo s.m. Tendencia que defiende el mantenimiento de los fueros: *Los partidarios del foralismo quieren conservar los privilegios tradicionales.*

foramen s.m. Agujero, orificio o cavidad. □ ETIMOL. Del latín *foramen*.

foráneo, a adj. Que es de fuera o de otro lugar: *Las modas foráneas están invadiendo nuestra sociedad.* □ ETIMOL. Del latín *foraneus*.

forastero, ra adj./s. Que es o que viene de otro lugar: *Cuando llegan las fiestas, la ciudad se llena de forasteros.* □ ETIMOL. Del catalán *foraster*.

forcejear v. **1** Hacer fuerza para vencer una resistencia o para desprenderse de una sujeción: *El prisionero forcejeó para desatarse las ligaduras de las muñecas.* **2** Oponerse con fuerza o contradecir tenazmente: *Los representantes sindicales forcejearon con el empresario para conseguir mejoras laborales.* □ ETIMOL. De *forcejo* (acción de forcejear).

forcejeo s.m. **1** Uso de la fuerza hecho para vencer una resistencia o para desprenderse de una sujeción: *Después de un forcejeo con sus atacantes, logró escapar.* **2** Acción de oponerse con fuerza o de contradecir tenazmente: *Mantuvieron un forcejeo en el que cada parte defendió su postura sin ceder un ápice.*

fórceps (pl. *fórceps*) s.m. Instrumento médico con forma de tenazas que se usa para facilitar la salida del bebé en un parto difícil: *La tocóloga asió la cabeza del niño con el fórceps.* □ ETIMOL. Del latín *forceps* (tenazas).

forense ▮ adj.inv. **1** De los tribunales y administración de justicia, o relacionado con ellos: *Quiere especializarse en medicina forense porque, además de la medicina, le interesan los temas jurídicos.* ▮ s.com. **2** →**médico forense.** □ ETIMOL. Del latín *forensis*.

forestación s.f. Plantación de un terreno con plantas forestales: *La forestación del valle se realizó con especies autóctonas.*

forestal adj.inv. De los bosques o relacionado con ellos: *guardia forestal.* □ ETIMOL. De *foresta* (terreno con plantas).

forestar v. Referido a un terreno, poblarlo con plantas forestales: *Forestarán con encinas los terrenos que ya no se cultivan.*

forfait (fr.) s.m. Abono o vale de precio invariable que permite disfrutar de un número indefinido de actividades en un tiempo limitado: *Con el forfait semanal, puedes montar en cualquiera de los remontes de la estación de esquí las veces que quieras.* ☐ PRON. [forfáit].

forint (pl. *forintos*) s.m. Unidad monetaria húngara.

forja s.f. **1** Trabajo del metal para darle forma, generalmente a golpes y en caliente: *La forja del hierro se hace cuando este está al rojo vivo.* **2** Taller en el que se forjan y trabajan los metales: *En esa forja fabrican espadas decorativas.* **3** Creación y formación de algo: *Los maestros ayudan a sus discípulos en la forja de su carácter.*

forjado s.m. En construcción, armazón o entramado con el que se rellenan los huecos existentes entre las vigas para hacer las separaciones entre los pisos de un edificio: *Abrieron un hueco en el forjado para instalar una escalera de caracol.*

forjar v. **1** Referido a un metal, darle forma, generalmente a golpes y en caliente: *El herrero forja el hierro para hacer rejas.* **2** Crear y formar: *Con años de trabajo consiguió forjar una fortuna. Su férreo carácter se forjó a fuerza de disciplina.* **3** Imaginar, inventar, o fingir: *Forjó una historia increíble para justificar su ausencia.* ☐ ETIMOL. Del francés *forger*. ☐ ORTOGR. Conserva la *j* en toda la conjugación.

forma ▌s.f. **1** Figura o conjunto de características exteriores de algo: *Las naranjas tienen forma esférica.* **2** Modo o manera de ser, de hacer o de suceder algo: *Indique la forma de pago que prefiera. Esa no es forma de comportarse.* **3** Estado físico o mental de una persona: *encontrarse en baja forma.* **4** Hoja delgada y redonda de pan ázimo o sin levadura que el sacerdote consagra y los fieles comulgan en el sacrificio de la misa: *la sagrada forma.* ☐ SINÓN. *hostia.* **5** En zonas del español meridional, formulario. ▌pl. **6** Maneras o modo de comportarse según las conveniencias sociales: *Los diplomáticos deben saber guardar las formas en todo momento.* **7** || **dar forma;** concretar con precisión y organización: *Tengo algunas ideas sobre el proyecto, pero no sé cómo darles forma.* || **de forma que;** enlace gramatical subordinante con valor consecutivo: *Tú lo has roto, de forma que tú tienes que arreglarlo.* || **de todas formas;** a pesar de todo: *Aunque no llegue a la hora, tú espérame de todas formas.* || **en forma;** en buenas condiciones físicas o mentales: *El deporte ayuda a mantenerse en forma.* ☐ ETIMOL. Del latín *forma* (figura, forma, imagen). ☐ USO *De todas formas* se usa mucho para retomar un tema que ya ha salido en la conversación.

formación s.f. **1** Configuración de las características exteriores de algo: *La formación del relieve terrestre es un proceso en constante evolución.* **2** Creación o constitución: *la formación de una asociación.* **3** Instrucción, educación o enseñanza: *Tiene una buena formación musical.* **4** Colocación o disposición ordenada de personas en filas uniformes: *La banda militar marchaba en formación.* **5** Conjunto de personas así colocadas: *Ahora desfila una formación de paracaidistas.* **6** En geología, conjunto de rocas o masas minerales con caracteres geológicos o paleontológicos comunes: *una formación rocosa.*

formador, -a ▌adj./s. **1** Que forma. ▌s. **2** Persona que se dedica a formar o instruir a otros: *Además de una buena científica, es una gran formadora de jóvenes investigadores.*

formal adj.inv. **1** De la forma o relacionado con ella: *Desde un punto de vista formal, la frase es correcta, pero no tiene sentido.* **2** Referido a una persona, que tiene formalidad o que es seria y responsable. **3** Que cumple con los requisitos o formalidades establecidos: *Presentamos queja formal por el mal trato que nos dieron en el hospital.* ☐ ETIMOL. Del latín *formalis* (referente a la forma).

formaldehído s.m. Gas incoloro, inflamable y venenoso, soluble en agua, y que se utiliza esp. para la fabricación de insecticidas y colorantes: *La fórmula del formaldehído es 'HCHO'.* ☐ ETIMOL. De *fórmico* y *aldehído*.

formalidad s.f. **1** Seriedad, buen comportamiento o responsabilidad en el cumplimiento de lo que se debe hacer: *En ese taller no tienen ninguna formalidad y nunca tienen reparado el coche el día que habían dicho.* **2** Requisito necesario para la realización de algo: *A la entrada tuvimos que rellenar un impreso con nuestros datos como una mera formalidad.* ☐ MORF. En la acepción 2, se usa más en plural.

formalismo s.m. **1** Tendencia a cumplir o a aplicar de forma rigurosa las normas, las tradiciones o el método recomendados: *Tu formalismo te lleva a dar más importancia a los detalles superficiales que a los contenidos.* **2** Corriente crítica que estudia la obra artística atendiendo principalmente a sus rasgos formales.

formalista ▌adj.inv. **1** Del formalismo o relacionado con él: *una actitud formalista.* ▌adj.inv./s.com. **2** Partidario o seguidor del formalismo.

formalización s.f. **1** Concesión de un carácter de seriedad y estabilidad a lo que antes no lo tenía: *La ceremonia de pedida supuso la formalización de su noviazgo.* **2** Concesión de un carácter legal o reglamentario, cumpliendo con los requisitos necesarios: *Ya se ha llevado a cabo la formalización del expediente sancionador.*

formalizar v. **1** Dar carácter serio o estable: *Formalizaron su relación y al poco tiempo se casaron.* **2** Dar carácter legal o reglamentario, cumpliendo con los requisitos necesarios: *Mañana formalizaremos ante notario el contrato de compraventa.* ☐ ORTOGR. La *z* se cambia en *c* delante de *e* →CAZAR.

formar v. **1** Dar forma: *Formamos un gran muñeco de nieve. La personalidad del individuo se forma a* *lo largo de los años.* **2** Crear o constituir: *Formamos una asociación de antiguos alumnos. Se formaron nubes y el sol dejó de lucir.* **3** Instruir, educar o enseñar: *El profesor pretende formar a sus alumnos, y no solo transmitirles conocimientos. Se formó con un gran maestro de canto.* **4** Referido esp. a un grupo de personas, colocarlo en formación o disponerlo en determinado orden: *El sargento formó a los reclutas en el patio del cuartel. Los soldados formaron para iniciar el desfile.* □ ETIMOL. Del latín *formare*.

formatear v. Referido esp. a un disco informático, prepararlo dándole una estructura utilizable por el ordenador: *Antes de grabar los datos, debes formatear el disquete.*

formateo s.m. Preparación de un disco informático dándole una estructura utilizable por el ordenador: *Para poder grabar los datos en los disquetes, es indispensable su formateo.*

formativo, va adj. Que forma o que sirve para formar: *Leer es una actividad muy formativa.*

formato s.m. **1** Tamaño de un libro, de una fotografía o de otros objetos semejantes: *Este libro tiene un formato de bolsillo. La película está rodada en formato de 16 milímetros.* **2** En informática, disposición que se asigna a los datos para su almacenamiento, visualización o impresión: *Tengo que modificar el formato de pie de página del documento.* **3** En informática, estructura de un disco que permite almacenar la información: *Lo primero que tienes que hacer es dar formato al disco.* □ ETIMOL. Del francés *format* o del italiano *formato*.

-forme Elemento compositivo sufijo que significa 'con forma': *campaniforme, cruciforme.* □ ETIMOL. Del latín *-formis*.

formenterano, na adj./s. De Formentera (isla balear) o relacionado con ella: *Las salinas formenteranas son muy importantes para la economía de la isla.*

formero s.m. →**arco formero.**

formica s.f. Lámina plástica, resistente y brillante, con la que se forran o protegen algunas maderas: *Puse los muebles de la cocina de formica, porque se limpian muy bien.* □ ETIMOL. Extensión del nombre de una marca comercial.

fórmico adj. Referido a un ácido, que se obtiene por oxidación del alcohol metílico, y es un líquido incoloro y de olor muy picante: *El ácido fórmico tiene muchas aplicaciones industriales.* □ ETIMOL. Del latín *formica* (hormiga), porque el ácido fórmico se encontró en las hormigas.

formidable adj.inv. De tamaño, cantidad o calidad mayores de lo normal. □ SINÓN. *extraordinario.* □ ETIMOL. Del latín *formidabilis* (temible, pavoroso).

formio s.m. **1** Planta herbácea americana, muy resistente, de hoja perenne y flores en espiga de color rojo o amarillo. **2** Fibra muy resistente que se extrae de esta planta.

formol s.m. Líquido de olor fuerte y penetrante, que se usa como desinfectante y para conservar en él seres orgánicos muertos y evitar su descomposición: *En el laboratorio tenían una lagartija muerta en un bote con formol.*

formón s.m. Herramienta de carpintería, parecida al escoplo, pero más ancha y menos gruesa: *El formón es muy utilizado en carpintería para hacer cajas.* □ ETIMOL. De *forma*.

fórmula s.f. **1** Modo práctico propuesto para resolver algo discutido o difícil: *La directiva estudia una fórmula de participación para que intervengan todos los empleados.* **2** Manera establecida de redactar o de expresar algo: *'Atentamente' es una fórmula de despedida.* **3** Receta o escrito con las indicaciones necesarias para preparar algo, esp. un medicamento: *La farmacéutica hizo el preparado siguiendo la fórmula que me había dado el médico.* **4** Expresión de una ley física o matemática mediante signos: *La fórmula de la longitud de la circunferencia es* $2\pi r$. **5** En química, expresión de la composición de una molécula mediante los símbolos de los cuerpos simples que la componen y de otros signos: *La fórmula del agua es* H_2O. **6** En automovilismo, cada una de las categorías en las que se dividen las competiciones: *En fórmula 1 compiten los coches de carreras más potentes y veloces.* **7** ‖ **fórmula magistral;** medicamento que solo se prepara por prescripción facultativa: *En esta farmacia me preparan la fórmula magistral que me recetó el médico.* □ ETIMOL. Del latín *formula* (marco, regla).

formulación s.f. **1** Expresión o manifestación de algo, esp. si se hace en términos claros y precisos: *la formulación de una quejas.* **2** Expresión de algo por medio de una fórmula: *Este manual explica los principios de la formulación química.*

formular v. **1** Expresar o manifestar, esp. si se hace en términos claros y precisos: *El libro formula una nueva tesis sobre el origen de la vida. Los condenados a muerte tienen derecho a formular un último deseo.* **2** Expresar por medio de una fórmula: *Para aprender a formular en química tienes que conocer el símbolo de cada elemento.*

formulario, ria ▌adj. **1** De la fórmula o relacionado con ella. ▌s.m. **2** Impreso con espacios en blanco que deben rellenarse: *Para solicitar la beca, tienes que rellenar este formulario con todos tus datos.*

formulismo s.m. **1** Seguimiento estricto de las fórmulas o de las maneras establecidas en la resolución o en la realización de algo: *El formulismo de la administración alarga inútilmente la tramitación de un documento.* **2** Tendencia a preferir la apariencia externa de las cosas frente a su esencia: *Esas buenas palabras me parecieron puro formulismo porque no creo que le interese nada nuestro problema.*

formulista adj.inv./s.com. Partidario o seguidor del formulismo: *Eres tan formulista que atiendes más a las apariencias que a los contenidos.*

fornicación s.f. Mantenimiento de relaciones sexuales fuera del matrimonio: *En algunos textos religiosos se condena la fornicación.*

fornicar v. Mantener una relación sexual fuera del matrimonio: *Se acusó ante su confesor de haber fornicado.* □ ETIMOL. Del latín *fornicare* (tener relaciones sexuales con una prostituta). □ ORTOGR. La *c* se cambia en *qu* delante de *e* →SACAR.

fornido, da adj. Fuerte, robusto o de gran corpulencia: *Un fornido vigilante custodiaba la entrada del recinto.* □ ETIMOL. Del antiguo *fornir* (abastecer, proveer).

fornitura s.f. **1** Antiguo correaje que usaban los soldados de infantería: *Las fornituras se usaban en el siglo XIX para sostener las cartucheras y el machete.* **2** En una prenda de vestir, conjunto de botones y otros accesorios que se usan en su confección: *Llevaba un vestido decorado con rica fornitura.* □ ETIMOL. Del francés *fourniture.* □ MORF. En la acepción 1, se usa más en plural.

foro s.m. **1** En las antiguas ciudades romanas, plaza pública donde se celebraban reuniones y donde tenían lugar algunos juicios. **2** Coloquio o reunión en los que se habla sobre un tema ante un auditorio que puede intervenir en la discusión: *Se celebrará un foro sobre la reforma de la enseñanza en nuestro país.* □ SINÓN. *fórum.* **3** En el escenario de un teatro, fondo o parte más alejada de los espectadores. □ ETIMOL. Del latín *forum.*

forofo, fa s. Seguidor incondicional o entusiasta, esp. de una actividad deportiva: *Es un forofo del fútbol y siempre que puede va a ver un partido.*

forraje s.m. Pasto o hierba con los que se alimenta al ganado. □ ETIMOL. Del francés *fourrage* (hierba de prados que se emplea como pienso).

forrajero, ra adj. Referido a una planta, que se usa como forraje para el ganado: *El trébol y la alfalfa son plantas forrajeras.*

forrar ▮ v. **1** Cubrir con forro: *Forré el libro con plástico para que no se estropeara.* **2** *col.* Referido a una persona, darle una paliza: *Tuvieron que llevarlo al hospital porque lo forraron a palos.* ▮ prnl. **3** *col.* Hacerse muy rico: *En pocos años se forró con los negocios.* □ ETIMOL. Del francés antiguo *forrer* o del catalán *folrar.* □ SINT. Constr. de la acepción 2: *forrar a alguien* A *golpes.*

forro s.m. **1** Cubierta con la que se protege el exterior o el interior de un objeto: *Dame el libro que tiene el forro de plástico. Se te ve el forro por debajo de la falda.* **2** ‖ **forro {ártico/polar}; 1** Tejido que protege mucho del frío y que se utiliza en la confección de ropa de abrigo: *una sudadera de forro polar.* **2** Prenda de abrigo confeccionada con este tejido: *un forro polar con capucha.* ‖ **ni por el forro;** *col.* Ni por asomo o en absoluto: *Suspendió porque no se había mirado el examen ni por el forro.*

fortachón, -a adj. *col.* Referido a una persona, que es físicamente muy fuerte o robusta.

fortalecer v. Hacer más fuerte o vigoroso: *El ejercicio fortalece los músculos. Las relaciones entre los dos países se fortalecieron con la firma del tratado.* □ MORF. Irreg. →PARECER.

fortalecimiento s.m. Aumento de la fuerza o del vigor: *Aquella experiencia de trabajo en común contribuyó al fortalecimiento de nuestra amistad.*

fortaleza s.f. **1** Fuerza o capacidad para vencer las contrariedades: *fortaleza física; fortaleza de ánimo.* **2** Recinto fortificado, esp. si está amurallado como un castillo. □ SINÓN. *alcázar.* **3** En bolsa, estabilidad de una moneda. □ ETIMOL. Del provenzal *fortalessa.*

forte (it.) s.m. **1** En música, grado de intensidad alto con que se ejecuta un sonido o un pasaje: *El forte es uno de los grados de intensidad más fuertes.* **2** En una composición musical, pasaje que se ejecuta con esta intensidad: *La percusión interpretó un forte breve e impactante.*

fortificación s.f. **1** Aumento de la fuerza o del vigor: *Sus palabras de consuelo contribuyeron a la fortificación de mi espíritu.* **2** Protección de un lugar construyendo alguna obra para su defensa: *La amenaza enemiga hizo aconsejable la fortificación de la ciudad.* **3** Conjunto de obras hechas para esta protección: *Las fortificaciones que defendían la plaza eran tan sólidas que resistieron el bombardeo.*

fortificante adj.inv. Que da fuerza o vigor: *Me sentí mucho mejor después de aquel fortificante descanso.*

fortificar v. **1** Dar fuerza o vigor, material o moralmente: *El apoyo de los amigos fortificó su alma.* **2** Referido a un lugar, protegerlo o hacerlo más fuerte construyendo alguna obra para su defensa: *El ejército fortificó la aldea con fosos y alambradas.* □ ETIMOL. Del latín *fortificare.* □ ORTOGR. La *c* se cambia en *qu* delante de *e* →SACAR.

fortín s.m. Fortaleza o fuerte pequeño.

fortísimo, ma superlat. irreg. de **fuerte**.

fortran (ing.) s.m. En informática, lenguaje de programación que se utiliza principalmente para resolver problemas científicos o técnicos: *El fortran se usa sobre todo para la realización de cálculos matemáticos.* □ ETIMOL. Es el acrónimo del inglés *Formula Translator* (traductor de fórmulas). □ PRON. [fórtran].

fortuito, ta adj. Que sucede casualmente o sin esperarlo: *Hubo un choque fortuito entre dos jugadores y uno quedó lesionado.* □ ETIMOL. Del latín *fortuitus.*

fortuna s.f. **1** Circunstancia o causa indeterminada a la que se atribuye un suceso bueno o malo: *Estuvimos muy cerca, pero no quiso la fortuna que nos encontráramos.* **2** Buena suerte: *Por fortuna, el accidente no fue grave.* **3** Hacienda o gran cantidad de posesiones y riquezas: *Su fortuna personal alcanza una cantidad elevadísima.* **4** Éxito o rápida aceptación: *Este libro tendrá fortuna entre los jóvenes.* □ ETIMOL. Del latín *fortuna* (suerte, fortuna, azar).

fórum s.m. →**foro.** □ ETIMOL. Del latín *forum.* □ SINT. Se usa más en aposición, pospuesto a un sustantivo: *Asistimos a una sesión de cine fórum.*

forúnculo (tb. *furúnculo*) s.m. Abultamiento de la piel, pequeño, puntiagudo y doloroso, con pus en su interior: *Que los forúnculos supuren es buena señal, porque indica que están a punto de desaparecer.* □ SINÓN. *divieso.* □ ETIMOL. Del latín *furunculus.*

forward (ing.) s.m. **1** En un vídeo o en un casete, tecla que, al ser pulsada, hace girar rápidamente una cinta hacia adelante: *Dale al forward para oír la última canción de esta cara de la cinta.* **2** *col.* Reenvío de un correo electrónico: *Si haces un forward de un mensaje de correo electrónico, conviene que borres las direcciones del mensaje anterior.* **3** Contrato de compraventa que las partes firmantes se comprometen a llevar a cabo en un futuro. **4** En zonas del español meridional, referido a un futbolista, delantero. □ PRON. [fórguar].

forwardear v. Referido a un mensaje electrónico, reenviarlo. □ ETIMOL. Del inglés *forward* (hacia adelante). □ PRON. [forguardeár]. □ USO Su uso es innecesario y puede sustituirse por *reenviar.*

forzado, da adj. Poco natural o sin espontaneidad: *una sonrisa forzada.*

forzamiento s.m. **1** Operación que consiste en hacer ceder un objeto mediante la fuerza o la violencia: *Para entrar en la casa, los ladrones recurrieron al forzamiento de la puerta.* **2** Mantenimiento por la fuerza de una relación sexual con otra persona: *Fue acusado del forzamiento de una menor.* **3** Intento de que algo ocurra de forma distinta a la natural o a la prevista: *El forzamiento de esa situación no conducirá a nada bueno.*

forzar v. **1** Referido a un objeto, esp. a un mecanismo, hacerlo ceder o vencer su resistencia utilizando la fuerza: *Perdió la llave y tuvo que forzar la cerradura para entrar.* **2** Referido a una persona, obligarla a hacer algo contra su voluntad: *No quiero forzarte a comer si no te gusta.* **3** Referido a una persona, obligarla a mantener una relación sexual utilizando la fuerza o la violencia: *La joven dijo que los agresores la forzaron en un descampado.* **4** Referido esp. a una situación, someterla a una presión para intentar que sea o que evolucione de forma distinta a como lo haría normalmente: *Si fuerzas la situación, se podría desencadenar una crisis.* □ ETIMOL. Del latín **fortiare.* □ ORTOGR. La *z* se cambia en *c* delante de *e.* □ MORF. Irreg. →FORZAR. □ SINT. Constr. de la acepción 2: *forzar a alguien* A *hacer algo.*

forzoso, sa adj. Obligatorio, necesario o inevitable: *Es forzoso que todos arrimemos el hombro si queremos superar este bache.*

forzudo, da adj. Que tiene mucha fuerza física: *Levanta cincuenta kilos como si nada porque es muy forzudo.*

fosa s.f. **1** Hoyo cavado en la tierra para enterrar uno o más cadáveres: *La fosa estaba cubierta con una plancha de mármol con una cruz.* **2** En el cuerpo humano o en el de algunos animales, cavidad o hueco: *las fosas nasales.* **3** En geología, zona hundida de la corteza terrestre o del fondo marino: *una fosa tectónica.* **4** ‖ **fosa común;** lugar en el que se entierran los cadáveres que no pueden enterrarse en una sepultura particular. □ ETIMOL. Del latín *fossa* (excavación, fosa, tumba).

fosca s.f. Véase **fosco, ca.**

fosco, ca ▮ adj. **1** Referido al pelo, que está alborotado o ahuecado: *No hay quien peine este pelo tan fosco que tienes.* ▮ s.f. **2** Oscuridad del ambiente: *Aquella noche, salí de la casa y me sumergí en la fosca.*

fosfatado, da adj. Que tiene fosfato: *Han abonado las plantas con un fertilizante fosfatado.*

fosfatar v. **1** Referido a una sustancia, combinarla con fosfato: *Hay compuestos que se fosfatan para ser usados como abonos.* **2** Referido a una tierra de cultivo, echarle fosfato: *Los agricultores suelen fosfatar las tierras en primavera.*

fosfatina ‖ **estar hecho fosfatina;** *col.* Referido a una persona, estar muy cansada, abatida o enferma. ‖ **hacer fosfatina;** *col.* Estropear, perjudicar o causar un gran daño: *Dio un martillazo sobre la mesa y la hizo fosfatina.*

fosfato s.m. Sal formada por la combinación del ácido fosfórico con una o más bases: *Los fosfatos de potasio son abonos de gran rendimiento.* □ ETIMOL. De *fósforo.*

fosforecer v. →**fosforescer.** □ MORF. Irreg. →PARECER.

fosforera s.f. Véase **fosforero, ra.**

fosforero, ra ▮ adj. **1** Del fósforo, de los fósforos o relacionado con ellos: *Una parte de la industria fosforera se dedica a la fabricación de cerillas.* ▮ s.f. **2** Fábrica de cerillas o fósforos: *Muchos jóvenes del pueblo trabajan en la fosforera.*

fosforescencia s.f. Propiedad de emitir una luz muy débil que persiste cuando desaparece su causa: *La fosforescencia es una propiedad que poseen algunos sulfuros metálicos.* □ SEM. Dist. de *fluorescencia* (propiedad de una sustancia para emitir luz mientras recibe una radiación).

fosforescente adj.inv. Que tiene o produce un brillo luminoso que lo hace visible en la oscuridad: *Mi despertador tiene los números fosforescentes para poder ver la hora de noche.* □ SEM. En la lengua coloquial se usa mucho la forma *fosforito.*

fosforescer (tb. *fosforecer*) v. Manifestar fosforescencia o emitir una luz débil que persiste cuando ha desaparecido la causa que la produce: *Las sustancias que fosforescen emiten, con una longitud de onda distinta, las radiaciones electromagnéticas que han absorbido.* □ MORF. Irreg. →PARECER.

fosfórico, ca adj. Que contiene fósforo: *El ácido fosfórico se utiliza en la industria farmacéutica.*

fosforilación s.f. En química, adición de un grupo fosfato compuesto de fósforo y cuatro átomos de oxígeno a una molécula orgánica.

fosforito adj.inv. **1** *col.* Muy llamativo o muy luminoso: *un rotulador amarillo fosforito.* **2** ‖ **ser un fosforito;** *col.* Enfadarse con facilidad.

fósforo s.m. **1** Elemento químico no metálico y sólido, de número atómico 15, que luce en la oscuridad sin desprendimiento apreciable de calor, y que es muy combustible y venenoso: *El fósforo se encuentra en los huesos y en otros componentes del organismo animal.* **2** Palito de madera, papel encerado u otro material, con un extremo recubierto de esta sustancia que se prende al frotarlo con ciertas superficies: *una caja de fósforos.* □ SINÓN. *cerilla.* □ ETIMOL. Del griego *phosphóros* (que lleva la luz). □ ORTOGR. En la acepción 1, su símbolo químico es *P*.

fósil adj.inv./s.m. Referido a una sustancia de origen orgánico, que está más o menos petrificada en las capas terrestres y que pertenece a una época geológica anterior: *Los fósiles de los animales prehistóricos han aportado muchos datos sobre la evolución de la vida en la Tierra.* □ ETIMOL. Del latín *fossilis* (que se saca cavando la tierra).

fosilífero, ra adj. *poét.* Que contiene fósiles: *terrenos fosilíferos.* □ ETIMOL. De *fósil* y *-fero* (que tiene).

fosilización s.f. **1** Conversión en fósil de un cuerpo orgánico: *En el proceso de fosilización, un tejido orgánico se transforma en mineral.* **2** Encasillamiento o estancamiento de una persona o de una actividad: *Hay que evitar la fosilización de las instituciones políticas.*

fosilizarse v.prnl. Convertirse en fósil: *Se siguen encontrando restos de animales que se fosilizaron hace millones de años.* □ ORTOGR. La *z* se cambia en *c* delante de *e* →CAZAR.

foso s.m. **1** Hoyo grande y generalmente de forma alargada: *Cuando terminen de excavar el foso, empezarán a construir los cimientos del edificio.* **2** Excavación profunda y alargada que rodea una fortaleza: *El castillo está rodeado por un foso lleno de agua.* **3** En un teatro, zona situada debajo del escenario y en la que suele colocarse la orquesta. **4** En un garaje o en un taller mecánico, cavidad desde la que se arregla o se limpia más cómodamente la máquina colocada encima: *El mecánico se metió en el foso para revisar los bajos del coche.* **5** En deporte, lugar donde caen los saltadores de longitud y de triple salto después de realizar su ejercicio. □ ETIMOL. Del italiano *fosso*.

fotero, ra adj./s. *col.* Aficionado a la fotografía: *Tenemos un amigo muy fotero que se encargó de hacer todas las fotografías de la boda.*

fotinia s.f. Arbusto con hojas de color verde oscuro y brillante, flores blancas y pequeñas, agrupadas en racimos, y fruto pequeño y redondo de color rojo: *Las fotinias son frecuentes en jardines y parques.*

foto s.f. **1** *col.* →**fotografía.** **2** || **foto de familia;** imagen o representación de los asistentes a una reunión: *la foto de familia de los presidentes autonómicos.* || **foto fija;** imagen o representación de algo en un momento dado: *El balance que nos han hecho es una foto fija de la situación de la empresa actualmente.*

foto- **1** Elemento compositivo prefijo que significa 'luz': *fotofobia, fotosensible, fotoquímica, fotómetro.* **2** Elemento compositivo prefijo que indica relación con la fotografía: *fotogénico, fotocomposición, fotonovela.* □ ETIMOL. Del griego *photo-*, y este de *phós* (luz).

fotocarcinogénesis (pl. *fotocarcinogénesis*) s.f. Desarrollo de un cáncer por la acción nociva de los rayos solares: *La radiación ultravioleta es generalmente la responsable de la fotocarcinogénesis.*

fotocomposición s.f. Técnica de componer textos, basada en un proceso fotográfico y en la que se prescinde de los tipos metálicos: *La fotocomposición es una técnica más avanzada que la impresión tradicional.* □ ETIMOL. De *foto-* (fotografía) y *composición.*

fotocopia s.f. Reproducción que se hace de forma instantánea y sobre papel, mediante un procedimiento fotoeléctrico: *Hazme tres fotocopias del carné de identidad.* □ ETIMOL. De *foto-* (luz) y *copia.*

fotocopiadora s.f. Máquina que sirve para hacer fotocopias: *De la reparación de la fotocopiadora se encarga el servicio de mantenimiento.*

fotocopiar v. Reproducir mediante fotocopiadora: *Voy a fotocopiar tus apuntes de clase.* □ ORTOGR. La *i* nunca lleva tilde.

fotodegradable adj.inv. Referido esp. a un material, que puede degradarse o descomponerse por la acción de la luz: *Los plásticos fotodegradables son más ecológicos.* □ ETIMOL. De *foto-* (fotografía) y *degradable.*

fotodiodo s.m. Diodo o válvula electrónica que produce variaciones en la corriente eléctrica cuando inciden en él los rayos luminosos: *En los lectores de los discos compactos hay un fotodiodo que lee la información.* □ ETIMOL. De *foto-* (luz) y *diodo.*

fotoelectricidad s.f. Electricidad producida por el desprendimiento de electrones bajo la acción de la luz: *La apertura automática de algunas puertas se basa en la fotoelectricidad.* □ ETIMOL. De *foto-* (luz) y *electricidad.*

fotoeléctrico, ca adj. **1** De la acción de la luz en ciertos fenómenos eléctricos, o relacionado con ella: *Al incidir algunas radiaciones luminosas sobre determinados cuerpos, se produce un efecto fotoeléctrico con desprendimiento de electrones.* **2** Referido a un aparato, que utiliza esta acción: *La puerta del ascensor se abre automáticamente gracias a una célula fotoeléctrica.* □ ETIMOL. De *foto-* (luz) y *eléctrico.*

fotoelectrón s.m. Electrón emitido por un átomo cuando inciden sobre él determinadas radiaciones electromagnéticas: *La luz que incide sobre ciertas superficies metálicas libera fotoelectrones.* □ ETIMOL. De *foto-* (luz) y *electrón.*

fotoenvejecimiento s.m. Envejecimiento de la piel causado por los efectos nocivos de la radiación solar: *Algunos productos permiten retrasar el fotoenvejecimiento del cutis.* □ ETIMOL. De *foto-* (luz) y *envejecimiento.*

foto finish s.f. || →**photofinish.** □ PRON. [fotofínis].

fotofobia s.f. Rechazo patológico a la luz. □ ETIMOL. De *foto-* (luz) y *-fobia* (aversión).

fotogenia s.f. Condición favorable para ser fotografiado o para salir favorecido en las fotografías.

fotogénico, ca adj. Que tiene buenas condiciones para ser fotografiado o para salir favorecido en las fotografías. □ ETIMOL. De *foto-* (fotografía) y el griego *gennáo* (yo produzco).

fotograbado s.m. **1** Arte o técnica de grabar, mediante la acción química de la luz, en planchas metálicas que sirven para imprimir: *Para la impresión de periódicos se suelen utilizar técnicas de fotograbado.* **2** Plancha para imprimir que se obtiene por este procedimiento: *Con un fotograbado pueden obtenerse varias copias.* **3** Grabado obtenido por este procedimiento: *Me han enseñado todos los fotograbados de la revista.* □ ETIMOL. De *foto-* (luz) y *grabado*.

fotografía s.f. **1** Arte o técnica de fijar y reproducir, por medio de reacciones químicas y en una superficie sensible a la luz, las imágenes que son recogidas en el fondo de una cámara oscura: *La fotografía se basa en la acción química de la luz.* **2** Reproducción obtenida por medio de esta técnica: *Me enseñó todas sus fotografías del verano.* **3** Representación o descripción hecha con mucho detalle y exactitud: *Todo el libro es una fotografía de su manera de pensar.* □ ETIMOL. De *foto-* (luz) y *-grafía* (representación gráfica). □ USO En la acepción 2, en la lengua coloquial se usa mucho la forma abreviada *foto*.

fotografiar v. Reproducir por medio de la fotografía: *He fotografiado a los niños que jugaban en el parque.* □ ORTOGR. La *i* lleva tilde en los presentes, excepto en las personas *nosotros* y *vosotros* →GUIAR.

fotográfico, ca adj. **1** De la fotografía o relacionado con ella. **2** Con la precisión de imagen u otras características propias de la fotografía: *memoria fotográfica.*

fotógrafo, fa s. Persona que se dedica a hacer fotografías, esp. si esta es su profesión.

fotograma s.m. Cada una de las imágenes que se suceden en una película cinematográfica: *Tengo un póster que reproduce un fotograma de la película.* □ ETIMOL. De *foto-* (fotografía) y *-grama* (representación).

fotoinducido, da adj. Que es producido u originado por la luz: *Algunos cánceres de la piel son fotoinducidos.*

fotolisis (tb. *fotólisis*) (pl. *fotolisis, fotólisis*) s.f. Descomposición química de una sustancia por la acción de la luz: *La fotólisis es fundamental en la fotosíntesis.* □ ETIMOL. De *foto-* (luz) y el griego *lýsis* (disolución).

fotolito s.m. Cliché fotográfico de un original que se utiliza en algunas formas de impresión, esp. en el huecograbado: *El fotolito se hace sobre un soporte transparente.* □ ETIMOL. Por acortamiento de *fotolitografía*.

fotolitografía s.f. **1** Arte o técnica de fijar y reproducir dibujos hechos en una piedra adecuada, mediante la acción química de la luz: *La fotolitografía es un procedimiento que actualmente casi no se utiliza.* □ SINÓN. *litofotografía.* **2** Reproducción obtenida por medio de esta técnica: *He ido a ver una exposición de fotolitografías.* □ SINÓN. *litofotografía.* □ ETIMOL. De *foto-* (luz) y *litografía*.

fotoluminiscencia s.f. Emisión de luz como consecuencia de la absorción previa de una radiación: *La fluorescencia y la fosforescencia son casos de fotoluminiscencia.* □ ETIMOL. De *foto-* (luz) y *luminiscencia*.

fotomatón s.m. Cabina equipada convenientemente para hacer fotografías, generalmente de pequeño formato, y entregarlas en pocos minutos: *Me hice las fotografías para el carné de conducir en un fotomatón porque no tenía mucho tiempo.* □ ETIMOL. Extensión del nombre de una marca comercial.

fotomecánica s.f. **1** Procedimiento de reproducción de imágenes que utiliza generalmente clichés fotográficos: *En la actualidad la fotomecánica utiliza el rayo láser para la lectura de la imagen.* **2** Taller o lugar donde se lleva a cabo este procedimiento: *Hay que llevar a fotomecánica estos originales antes del viernes.* □ ETIMOL. De *foto-* (fotografía) y *mecánica*.

fotometría s.f. Parte de la óptica que se ocupa de las leyes relativas a la intensidad de la luz y de los métodos para medirla: *Los conocimientos de fotometría son muy útiles para la fotografía.* □ ETIMOL. De *foto-* (luz) y *-metría* (medición).

fotométrico, ca adj. Del fotómetro, de la fotometría o relacionado con ellos: *Los instrumentos fotométricos son esenciales en fotografía.*

fotómetro s.m. Instrumento que se utiliza para medir la intensidad de la luz: *El fotómetro permite saber qué abertura debemos dar al diafragma de la cámara de fotos.*

fotomontaje s.f. Composición fotográfica en la que se utilizan diversas fotografías para hacer una nueva imagen: *He hecho un fotomontaje en el que se ve a un delfín en bicicleta.* □ ETIMOL. De *foto-* (relacionado con la fotografía) y *montaje*.

fotón s.m. Partícula mínima de energía luminosa que se propaga en el vacío a la velocidad de la luz: *El flujo de fotones forma el rayo luminoso.* □ ETIMOL. Del griego *phós* (luz) y la terminación de *electrón*.

fotonovela s.f. Relato, generalmente de tema amoroso, formado por una sucesión de fotografías acompañadas de texto breve o de diálogos que permiten seguir el argumento: *Las fotonovelas suelen tener poca calidad literaria.*

fotoprotección s.f. Protección contra los efectos nocivos de la luz solar: *La fotoprotección es fundamental para evitar algunas enfermedades de la piel.* □ ETIMOL. De *foto-* (luz) y *protección*.

fotoprotector, -a adj./s.m. Referido esp. a un producto cosmético, que protege de los efectos nocivos de la radiación solar: *He usado una crema fotoprotectora para tomar el sol.*

fotoquímica s.f. Véase **fotoquímico, ca**.

fotoquímico, ca ▮ adj. **1** De la fotoquímica o relacionado con esta parte de la química. ▮ s.f. **2** Parte de la química que estudia la interacción de las radiaciones luminosas con las moléculas, y los cambios físicos o químicos que resultan de ella: *La fotoquímica ha permitido el desarrollo de células de energía solar.* □ ETIMOL. De *foto-* (luz) y *química*.

fotorrobot s.f. Retrato de una persona elaborado a partir de los detalles fisonómicos descritos por otras personas: *Una fotorrobot elaborada por la policía ayudó a identificar al delincuente.* □ ETIMOL. De *foto-* (relacionado con la fotografía) y *robot*.

fotosensibilidad s.f. Respuesta exagerada de la piel a la luz solar, que se manifiesta con lesiones como enrojecimiento, vesículas o placas.

fotosensible adj.inv. Sensible a la luz: *La pupila del ojo es fotosensible y se dilata o se contrae según la intensidad de la luz.* □ ETIMOL. De *foto-* (luz) y *sensible*.

fotosfera s.f. Zona luminosa y más interna de la envoltura gaseosa del Sol: *La fotosfera solar corresponde a la superficie brillante y luminosa que se ve desde la Tierra.* □ ETIMOL. De *foto-* (luz) y el griego *sphâira* (pelota, esfera).

fotosíntesis (pl. *fotosíntesis*) s.f. Proceso metabólico de algunos organismos vegetales por el que estos sintetizan y elaboran sus propias sustancias orgánicas a partir de otras inorgánicas, utilizando la energía luminosa: *Las plantas que carecen de clorofila no pueden llevar a cabo la fotosíntesis.* □ ETIMOL. De *foto-* (luz) y *síntesis*. □ SEM. Dist. de *quimiosíntesis* (proceso metabólico realizado por algunos microorganismos, utilizando la energía derivada de procesos químicos).

fotosintetizar v. Referido a un organismo vegetal, realizar la fotosíntesis: *Las plantas verdes fotosintetizan las sustancias orgánicas que necesitan.* □ ORTOGR. La *z* se cambia en *c* delante de *e* →CAZAR.

fototactismo s.m. Movimiento de desplazamiento de un organismo vivo como respuesta a un estímulo luminoso: *Algunos protozoos tienen fototactismo positivo.* □ SINÓN. *fototaxismo*. □ SEM. Dist. de *fototropismo* (respuesta de un vegetal ante la luz).

fototaxismo s.m. →**fototactismo.** □ ETIMOL. De *foto-* (luz) y el griego *táxis* (ordenación, arreglo).

fototipia s.f. **1** Procedimiento para reproducir clichés fotográficos sobre una superficie de cristal o de cobre cubierta por una capa de gelatina adecuadamente preparada: *La fototipia se emplea para hacer grabados que necesitan gran precisión de detalles.* **2** Lámina obtenida por este procedimiento: *Las fototipias de esta revista son reproducciones de mis dibujos.* □ ETIMOL. De *foto-* (relacionado con la fotografía) y el griego *týpos* (tipo, modelo, carácter grabado).

fototropismo s.m. Respuesta de un organismo vegetal ante un estímulo luminoso: *El tallo de las plantas tiene fototropismo positivo, y la raíz, negativo.* □ ETIMOL. De *foto-* (luz) y *tropismo*. □ SEM. Dist. de *fototactismo* (movimiento de respuesta ante la luz).

fotovoltaico, ca adj. Que puede transformar la energía luminosa en otro tipo de energía, esp. eléctrica: *células fotovoltaicas.* □ ETIMOL. De *foto-* (luz) y *voltaico*.

fotuto s.m. Instrumento musical de viento parecido a la trompa.

foul (ing.) s.m. En zonas del español meridional, falta: *El gol que dio la victoria a nuestro equipo fue consecuencia de un foul muy discutido.* □ PRON. [fául] o [ful].

foulard (fr.) s.m. →**fular.** □ PRON. [fulár].

fourreau (fr.) s.m. Prenda de vestir ajustada, parecida a un vestido, que se pone sobre un pantalón o una falda. □ PRON. [furó].

fovismo s.m. Movimiento pictórico que se desarrolló en París (capital francesa) a comienzos del siglo XX y que se caracteriza principalmente por la exaltación del color puro: *El fovismo ha sido una de las revoluciones artísticas de nuestro siglo.* □ ETIMOL. Del francés *fauvisme*. □ ORTOGR. Se usa también *fauvismo*.

fox terrier adj.inv./s.m. ‖ Referido a un perro, de la raza que se caracteriza por tener poca altura, el cráneo ancho, la cara pequeña, orejas lacias y pelaje generalmente de color blanco con manchas negras y castañas: *Existen dos variedades de fox terrier, una de pelo duro y otra de pelo liso.* □ ETIMOL. Del inglés *fox-terrier*.

foxtrot (tb. *fox-trot*) s.m. **1** Composición musical en compás de cuatro por cuatro, de ritmo cortado y alegre: *Del foxtrot se derivó posteriormente el charlestón.* **2** Baile de pareja que se ejecuta al compás de esta música y que consta de pasos rápidos y lentos: *El foxtrot se bailaba en Europa y América en la década de 1920.* □ ETIMOL. Del inglés *fox-trot* (paso del zorro).

FP s.f. En el sistema educativo español, etapa de educación, articulada en distintos niveles, para capacitar a los alumnos para el desempeño cualificado de determinadas profesiones: *Estudio automoción en un módulo de FP.* □ ETIMOL. Es la sigla de *formación profesional*.

frac (tb. *fraque*) s.m. Prenda masculina de etiqueta, semejante a una chaqueta, que por delante termina en dos picos y llega hasta la cintura y por detrás se prolonga en dos largos faldones, y que suele combinarse con un pantalón del mismo color: *El director de la orquesta iba de frac.* □ ETIMOL. Del francés *frac*. □ SEM. Dist. de *chaqué* (prenda que a la altura de la cintura se abre por delante y se prolonga hacia atrás).

fracasado, da adj./s. Referido a una persona, que está desprestigiada a causa de sus fracasos o que ha tenido fracasos en los aspectos importantes de su vida: *Tantos tropiezos en su vida sentimental y en la profesional lo han convertido en un fracasado.*

fracasar v. **1** Tener un resultado adverso en lo que se hace: *Fracasó en los negocios y se arruinó.* **2** Referido a una pretensión, frustrarse o salir mal: *El proyecto fracasó por falta de medios económicos.* □ ETIMOL. Del italiano *fracassare* (destrozar).

fracaso s.m. Resultado adverso en lo que se hace o en lo que se intenta: *Su último libro fue un fracaso, porque apenas se vendió.*

fracción s.f. **1** Cada una de las partes en que se divide un todo y que se consideran de forma separada: *Una fracción del campo está sembrada de trigo.* **2** En matemáticas, expresión que indica las partes en que se ha dividido la unidad y las que se han tomado de ella: *La fracción 3/4 indica que, de una unidad dividida en cuatro partes, se han tomado tres.* □ SINÓN. *número fraccionario, número quebrado.* □ ETIMOL. Del latín *fractio* (acción de romper).

fraccionamiento s.m. División en partes o en fracciones: *El fraccionamiento de nuestro partido puede hacernos perder las elecciones.*

fraccionar v. Dividir en fracciones o partes: *Los intereses particulares acabarán fraccionando la unidad del grupo. El bloque de piedra se ha fraccionado en tres grandes trozos.*

fraccionario, ria ▌adj. **1** De la fracción o relacionado con ella: *La moneda de 50 céntimos es una moneda fraccionaria del euro.* ▌s.m. **2** →**número fraccionario.**

fractal adj.inv./s.m. Referido esp. a una forma geométrica, que muestra una estructura compleja independientemente de la ampliación con que sea observada: *Los fractales se pueden usar para describir fenómenos naturales complejos no explicables tradicionalmente.* □ ETIMOL. Del latín *fractus* (roto).

fractura s.f. Rotura de un material sólido y resistente, esp. de un hueso: *Le han escayolado la pierna porque tiene una fractura de tibia.* □ ETIMOL. Del latín *fractura*, y este de *frangere* (romper).

fracturar v. Referido a algo duro y resistente, esp. a un hueso, romperlo con violencia o con brusquedad: *Los cambios de temperatura pueden fracturar una roca. Al caerse, se le fracturó el fémur.*

fraga s.f. Lugar en el que abundan las breñas o terrenos quebrados entre peñas y poblados de maleza: *Los cazadores caminaban con dificultad por la fraga.* □ SINÓN. *breñal, breñar.* □ ETIMOL. Del latín *frangere* (romper).

fragancia s.f. Olor suave y agradable: *La fragancia de las rosas se extiende por el jardín.*

fragante adj.inv. Que tiene o despide fragancia: *Las flores daban un olor fresco y fragante a toda la sala.* □ SINÓN. *bienoliente.* □ ETIMOL. Del latín *fragans*, y este de *fragare* (echar olor). □ ORTOGR. Dist. de *flagrante*.

fragata s.f. **1** Barco de guerra menor que el destructor y destinado generalmente a dar escolta: *Las fragatas suelen estar provistas de armas antisubmarinas y antiaéreas.* **2** Barco de vela de tres palos, con plataformas en su parte alta y vergas o palos horizontales para sujetar las velas en todos ellos: *La fragata se empleaba antiguamente como barco de guerra.* **3** ‖ **fragata ligera;** antiguo barco de guerra con tres palos y vela cuadrada, semejante a este, pero de menor tamaño: *Enviaron dos fragatas ligeras para inspeccionar la zona.* □ SINÓN. *corbeta.* □ ETIMOL. Del italiano *fregata*.

frágil adj.inv. **1** Que se quiebra o se rompe con facilidad. **2** Débil, poco resistente o que se estropea con facilidad: *Dada la frágil situación económica, este no es momento para hacer inversiones.* □ ETIMOL. Del latín *fragilis*.

fragilidad s.f. **1** Facilidad para romperse: *La fragilidad del cristal exige que se trate con mucho cuidado.* **2** Debilidad, escasez de resistencia o facilidad para estropearse: *La fragilidad de su salud preocupa a los médicos.*

fragmentación s.f. División en fragmentos o en trozos pequeños: *La invasión de los pueblos bárbaros produjo la fragmentación del Imperio Romano en varias naciones.*

fragmentar v. Dividir en fragmentos o en partes pequeñas: *He mandado fragmentar el rubí para hacer con él dos pendientes. Algunas piedras arcillosas se fragmentan con facilidad.*

fragmentario, ria adj. **1** Del fragmento o relacionado con él: *La estructura fragmentaria de esta novela hace que parezca una sucesión de relatos.* **2** Incompleto o no acabado: *Sobre esos hechos solo poseemos datos fragmentarios.*

fragmento s.m. Trozo fragmentado o separado de un todo: *En la excavación se encontraron fragmentos de antiguas vasijas griegas. La escritora leyó fragmentos de su nueva novela.* □ ETIMOL. Del latín *fragmentum*.

fragor s.m. Ruido o estruendo, esp. si es fuerte y prolongado: *Los niños sintieron miedo por el fragor de la tormenta.* □ ETIMOL. Del latín *fragor* (ruido de algo que se rompe, estruendo).

fragoroso, sa adj. Que produce estruendo o mucho ruido: *La población civil permaneció en sus casas mientras duró el fragoroso combate.*

fragosidad s.f. **1** Aspereza y espesura de los montes: *La fragosidad del bosque nos obligaba a caminar con cuidado.* **2** Camino o terreno abruptos e irregulares: *No se puede pasear a gusto por estas fragosidades.*

fragoso, sa adj. **1** Referido esp. a un terreno, que es abrupto y está formado por zonas quebradas e irregulares: *Un fragoso camino hacía que los excursionistas caminasen despacio.* **2** De mucho ruido o estrepitoso: *La fragosa tempestad asustó a los pasajeros del barco.* □ ETIMOL. Del latín *fragosus* (quebrado y ruidoso).

fragua s.f. Fogón o lugar donde se hace fuego y se calientan los metales para forjarlos: *El herrero calentaba en la fragua barras de hierro para forjar la verja.* □ ETIMOL. De **fravga*, y este del latín *fabrica* (arte del herrero, fábrica).

fraguado s.m. Endurecimiento o trabado de mezclas como la cal, el yeso o algo semejante: *Utilizamos un cemento de fraguado rápido para que se endureciera enseguida.*

fraguar v. **1** Referido a una pieza de metal, forjarla o darle forma: *Los talleres toledanos fraguan hermosas espadas ornamentales.* **2** Referido esp. a un proyecto, idearlo o planearlo: *En aquella reunión se fraguó el proyecto de expansión comercial.* **3** Referido esp. a una idea, tener éxito o ser aceptada: *Sus ideas innovadoras no podían fraguar en una sociedad tan conservadora.* **4** Referido al cemento o a una masa semejante, trabarse y endurecerse de forma consistente en la obra en que han sido empleados: *Cuando fragüe la masa pondremos otra hilera de ladrillos.* ☐ ETIMOL. Del latín *fabricari* (modelar). ☐ ORTOGR. 1. La *u* lleva diéresis cuando le sigue *e*. 2. La *u* permanece siempre átona →AVERIGUAR.

fraile s.m. Miembro de algunas órdenes religiosas: *La orden de los frailes franciscanos es mendicante.* ☐ ETIMOL. Del provenzal *fraire* (hermano). ☐ MORF. Ante nombre propio de persona se usa la apócope *fray*.

frailecillo s.m. Ave de plumaje negro en el dorso y blanco en el pecho, con el pico grande, comprimido lateralmente y de color rojo, azul y amarillo, y que se alimenta de peces, crustáceos y moluscos: *Los frailecillos viven y anidan en grandes colonias.* ☐ MORF. Es un sustantivo epiceno: *el frailecillo {macho/hembra}*.

fraileño, ña adj. *col.* De los frailes o relacionado con ellos: *Lleva una vida fraileña porque apenas sale de su casa.* ☐ SINÓN. *frailesco*.

frailero, ra adj. Propio de los frailes: *Su habitación es tan pequeña y recogida que parece una celda frailera.*

frailesco, ca adj. *col.* De los frailes o relacionado con ellos: *Ha vuelto a sus costumbres frailescas y se pasa el día leyendo y sin salir de casa.* ☐ SINÓN. *fraileño*.

frailuno, na adj. *col.* Propio o característico de los frailes: *Estoy preparando una oposición y llevo una vida frailuna sin pisar la calle siquiera.* ☐ USO Tiene un matiz despectivo.

frambuesa s.f. Fruto parecido a la fresa, pero un poco velloso, de color rojo más oscuro y sabor agridulce: *Con las frambuesas se hacen mermeladas y confituras.* ☐ ETIMOL. Del francés *framboise*.

frambueso s.m. Planta de tallos delgados y espinosos, con hojas verdes por el haz y blancas por el envés, flores blancas, y cuyo fruto es la frambuesa: *Los frambuesos pueden alcanzar hasta dos metros de altura.*

frame (ing.) s.m. En internet, cada una de las zonas o marcos, en que se puede dividir una página web y que funciona de forma independiente cuando se pulsa con el ratón: *Los frames son una forma de dividir el espacio que ve el usuario de internet.* ☐ PRON. [fréim]. ☐ USO Su uso es innecesario y puede sustituirse por *marco*.

francachela s.f. *col.* Reunión de personas para comer y divertirse de forma ruidosa y desordenada: *Anoche estuvimos de francachela y nos acostamos cuando ya estaba amaneciendo.* ☐ ETIMOL. De origen incierto.

francés, -a ▮ adj./s. **1** De Francia o relacionado con este país europeo. ☐ SINÓN. *galo*. ▮ s.m. **2** Lengua románica de este y de otros países: *El francés es la segunda lengua de algunos países africanos.* **3** *col.* Práctica sexual que consiste en la estimulación de los órganos sexuales masculinos con la boca. **4** *arg.* En el lenguaje de la droga, mezcla de heroína y cocaína. **5** ‖ **a la francesa;** referido a la forma de marcharse, sin despedirse: *No me enteré de cuándo se fue porque se marchó a la francesa.* ☐ MORF. Cuando se antepone a otra palabra para formar compuestos, adopta la forma *franco-* o *galo-*.

francesada s.f. *desp.* Lo que refleja los rasgos que se consideran típicos franceses: *Desde que vino de París no dice más que francesadas.*

franchute, ta s. *col.* Francés. ☐ USO Tiene un matiz despectivo y humorístico.

francio s.m. Elemento químico metálico y líquido, de número atómico 87, radiactivo, y cuyo núcleo es muy inestable: *El francio es un metal alcalino.* ☐ ETIMOL. De *Francia*, donde se descubrió. ☐ ORTOGR. Su símbolo químico es *Fr*.

franciscano, na ▮ adj. **1** Con la paciencia, la humildad u otras características que se consideran propias de san Francisco de Asís (fraile italiano): *La profesora explica una y otra vez la lección con una paciencia franciscana.* ▮ adj./s. **2** De la orden de San Francisco de Asís (fraile italiano que fundó dicha orden a principios del siglo XIII), o relacionado con ella: *Los franciscanos visten un sayo de color marrón.*

francmasón, -a s. Miembro de la asociación secreta de la francmasonería: *Los francmasones ejercieron una importante actividad política en el siglo XIX.* ☐ SINÓN. *masón*. ☐ ETIMOL. Del francés *francmaçon*, y este del inglés *free mason* (albañil libre), porque los francmasones se cobijaron al principio bajo los privilegios concedidos a la corporación de los albañiles.

francmasonería s.f. Sociedad secreta de personas unidas por principios de fraternidad y de ayuda mutuas, que se organizan o reúnen en entidades o en grupos llamados *logias*: *La francmasonería es una sociedad internacional.* ☐ SINÓN. *masonería*.

francmasónico, ca adj. De la francmasonería o relacionado con esta sociedad secreta: *Los ritos y las actividades francmasónicas se mantienen en un riguroso secreto.* ☐ SINÓN. *masónico*.

franco, ca ▮ adj. **1** Sincero, patente, claro o que no ofrece duda: *Seré franco contigo, pero luego no te ofendas. La situación económica se encuentra en franca decadencia.* **2** Sin obstáculos o impedimentos: *En esta casa siempre hubo entrada franca para los amigos.* **3** En economía, libre de impuestos o de contribución: *En un puerto franco se pueden depositar los productos importados del extranjero sin pagar impuestos.* **4** Referido a una lengua o a un idioma, que permite la comunicación entre personas con lenguas maternas diferentes: *El inglés se ha convertido en la lengua franca de los científicos.* ▮ adj./s. **5** De los pueblos germánicos que conquistaron la Galia (región del Imperio Romano) y dieron nombre a la actual Francia (país europeo), o relacionado con ellos. ▮ s.m. **6** Unidad monetaria de distintos países. **7** Unidad monetaria francesa y de otros países hasta la adopción del euro. ☐ ETI-

MOL. Del germánico *frank* (franco). ☐ MORF. Es la forma que adopta *francés* cuando se antepone a otra palabra para formar compuestos: *francófilo, francocanadiense.*

francocanadiense adj.inv./s.com. Canadiense de ascendencia o de lengua francesas.

francófilo, la adj./s. Que siente gran admiración y simpatía por todo lo francés: *Muchos ilustrados españoles del siglo XVIII fueron francófilos.* ☐ SINÓN. *galófilo.* ☐ ETIMOL. De *franco* (francés) y *-filo* (amigo, amante de).

francófobo, ba adj./s. Que siente gran antipatía por todo lo francés. ☐ SINÓN. *galófobo.* ☐ ETIMOL. De *franco* (francés) y *-fobo* (que siente horror u odio).

francófono, na adj./s. De habla francesa: *Los territorios de las antiguas colonias francesas son francófonos.* ☐ ETIMOL. De *franco* (francés) y *-fono* (sonido, hablante).

francolín s.m. Ave parecida a la perdiz, pero con plumaje negro en la cabeza, en el pecho y en el vientre, y con un collar rojizo: *Los francolines hacen nidos en hoyos del suelo.* ☐ ETIMOL. De origen incierto. ☐ MORF. Es un sustantivo epiceno: *el francolín {macho/hembra}.*

francotirador, -a s. Persona que dispara sobre un blanco con gran precisión y desde un lugar oculto y alejado: *El autor del atentado fue un francotirador que estaba en la azotea del edificio.* ☐ ETIMOL. Del francés *franc-tireur.*

franela s.f. **1** Tejido fino de lana o de algodón, ligeramente cardado por una de sus caras: *Las camisas de franela abrigan mucho.* **2** En zonas del español meridional, gamuza: *No pude limpiar el polvo porque no tenía franela.* ☐ ETIMOL. Del francés *flanelle.*

franglais (fr.) s.m. Modalidad lingüística de la lengua francesa muy influida por el inglés: *En algunas zonas de Canadá se habla franglais.* ☐ PRON. [franglé].

franja s.f. Superficie más larga que ancha y que se distingue del resto: *La bandera española está formada por dos franjas rojas y una amarilla.* ☐ ETIMOL. Del francés *frange.*

franjirrojo, ja adj./s. *col.* De cualquier equipo deportivo cuya camiseta esté cruzada por una franja roja: *El portero franjirrojo paró los tres penaltis pitados contra el Rayo Vallecano.*

franklin s.f. En el sistema cegesimal, unidad de carga eléctrica que equivale a la carga que ejerce sobre otra igual, colocada en el vacío a la distancia de un centímetro, la fuerza de una dina. ☐ ETIMOL. Por alusión a B. Franklin, científico y político estadounidense. ☐ ORTOGR. Su símbolo es *Fr*, por tanto, se escribe sin punto.

franquear v. **1** Referido esp. a algo que sigue un curso, abrirle paso o apartar lo que estorbe o impida dicho curso: *Varios soldados se adelantaron para franquear el avance de las tropas.* **2** Referido esp. a un lugar, pasar al otro lado de él o atravesarlo, esp. si se hace con esfuerzo o venciendo una dificultad: *Para llegar hasta la frontera, tuvieron que franquear las posiciones del enemigo.* **3** Referido a un envío postal, ponerle los sellos para enviarlo: *Para mandar una carta por correo, hay que franquearla primero.* ☐ ETIMOL. De *franco.* ☐ ORTOGR. Dist. de *flanquear.*

franqueo s.m. **1** Colocación a un envío postal de los sellos necesarios para mandarlo por correo: *El franqueo de un paquete se hace en una oficina de correos.* **2** Cantidad que se paga por estos sellos: *El franqueo para envíos al extranjero ha subido.*

franqueza s.f. Sinceridad, claridad o falta de duda: *Dame tu opinión con franqueza y sin tapujos.*

franquía s.f. Situación en la que un barco tiene paso libre para hacerse a la mar o para tomar determinado rumbo: *Al retirarse los pesqueros, el petrolero ya tenía franquía para salir del puerto.* ☐ ETIMOL. De *franco* (libre, exento).

franquicia s.f. **1** Privilegio que se concede a una persona o a una entidad para que quede libre del pago de impuestos por introducir o sacar mercancías o por el aprovechamiento de un servicio público: *Los organismos oficiales gozan de franquicia postal y no tienen que pagar sus envíos por correo.* **2** Contrato mediante el que una empresa autoriza a una persona a utilizar su marca y a vender sus productos, bajo determinadas condiciones: *He solicitado una franquicia a una famosa marca para poner una tienda.* **3** Establecimiento que está bajo las condiciones de este contrato: *En ese centro comercial hay muchas franquicias.* ☐ ETIMOL. De *franco.*

franquiciado, da adj./s. Que tiene una franquicia o ha firmado un contrato de uso de marca y venta de productos: *Ha aumentado notablemente el número de franquiciados de esta empresa.*

franquiciador, -a adj./s. Que concede franquicias o cede sus derechos de uso de marca y de venta de sus productos: *El número de empresas franquiciadoras se ha duplicado en pocos años.*

franquiciar v. Referido a un negocio, ponerlo a disposición de alguien por medio de un contrato de franquicia: *El dueño de esa agencia de viajes está pensando en franquiciarla.* ☐ ORTOGR. La *i* nunca lleva tilde.

franquismo s.m. Régimen político de carácter totalitario, implantado en el territorio español por el general Francisco Franco (militar que ejerció el poder entre 1939 y 1975): *El franquismo se apoyaba en un cuerpo teórico de derechas.*

franquista ▮ adj.inv. **1** Del franquismo o relacionado con este régimen político: *La ideología franquista defendía los valores tradicionales.* ▮ adj.inv./s.com. **2** Que defiende o sigue el franquismo: *Los franquistas siguen conmemorando la muerte del general Franco.*

frappé (fr.) adj.inv. →**granizado.**

fraque s.m. →**frac.**

frasca s.f. Recipiente de vidrio, con la base cuadrangular y el cuerpo bajo, que se usa para el vino: *Mi abuela guardaba el vino en grandes frascas.*

frasco s.m. Recipiente de cuello estrecho, más pequeño que una botella: *un frasco de colonia.* ☐ ETIMOL. Del gótico **flasko* (funda de mimbres para una botella).

frase s.f. **1** Conjunto de palabras que tiene sentido. **2** || **frase hecha;** la que se usa coloquialmente y tiene una forma fija: *'A vivir, que son dos días' y 'que si quieres arroz, Catalina' son frases hechas.* ☐ ETIMOL. Del latín *phrasis* (dicción, estilo).

fraseo s.m. En música, técnica de cantar o ejecutar una composición expresando las frases con nitidez: *Un buen fraseo debe fijarse en la correcta distribución de los acentos y no solamente en las indicaciones del compositor.*

fraseología s.f. **1** Conjunto de los modos de expresión propios de una lengua, de una persona, de una época o de una colectividad: *Este extranjero sabe palabras sueltas, pero no domina la fraseología del castellano.* **2** Conjunto de expresiones rebuscadas, pretenciosas o inútiles: *No te dejes impresionar por su fraseología porque en el fondo es un inepto.* ☐ ETIMOL. Del inglés *phraseology*.

frastero, ra adj./s. *col.* En zonas del español meridional, forastero.

fraternal adj.inv. Con el afecto, la confianza u otras características que se consideran propias de hermanos: *una relación fraternal.*

fraternidad s.f. Buena relación o afecto entre hermanos o entre los que se tratan como tales: *Nos unía una relación, más que de amistad, de fraternidad.*

fraternizar v. Establecer una relación de afecto y confianza, como la que hay entre hermanos: *Estudiaron juntos tantos años que terminaron por fraternizar.* ☐ ORTOGR. La *z* se cambia en *c* delante de *e* →CAZAR.

fraterno, na adj. De los hermanos o relacionado con ellos: *Su sentimiento fraterno era mayor hacia su hermano que hacia sus hermanas.* ☐ ETIMOL. Del latín *fraternus*.

fratricida adj.inv./s.com. Que mata a un hermano: *Toda guerra civil acaba siendo un enfrentamiento fratricida.* ☐ ETIMOL. Del latín *fratricida*, y este de *frater* (hermano) y *caedere* (cortar). ☐ PRON. Incorr. *[fraticída], *[fatricída].

fratricidio s.m. Muerte dada a un hermano: *La Biblia cuenta el fratricidio cometido por Caín en la persona de Abel.* ☐ PRON. Incorr. *[fraticídio].

fraude s.m. Engaño con el que se perjudica a otro para beneficiarse uno mismo: *fraude fiscal.* ☐ ETIMOL. Del latín *fraus* (mala fe, engaño).

fraudulento, ta adj. Que es engañoso o que supone un fraude: *Esa publicidad es fraudulenta, porque da una idea del producto que no se corresponde con la realidad.*

fray s.m. →**fraile.** ☐ MORF. Apócope de *fraile* ante nombre propio de persona.

frazada s.f. Manta de cama con mucho pelo: *La frazada abriga mucho.* ☐ ETIMOL. Del catalán *flassada*.

freak (ing.) adj.inv./s.com. Referido esp. a una persona, que lleva un tipo de vida diferente a lo habitual y generalmente considerada como extravagante, con sus propios valores, su propia cultura y su propia música: *Es frecuente que se relacione a los grupos freak con el consumo de drogas.* ☐ PRON. [frik].

freático, ca adj. **1** Referido al agua, que está acumulada en el subsuelo sobre una capa impermeable y que puede aprovecharse por medio de pozos: *En algunos puntos del terreno, para la extracción de las aguas freáticas no es necesario motor.* **2** Referido a una capa de subsuelo, que contiene estas aguas: *Los estratos superiores de las capas freáticas son permeables.* ☐ ETIMOL. Del griego *phréar* (pozo).

frecuencia s.f. **1** Repetición de un acto o de un suceso: *Nos vemos con mucha frecuencia, porque somos muy amigas.* **2** Número de veces que algo se repite en un período de tiempo determinado: *La frecuencia de llegada de trenes en las horas punta es de un tren cada cinco minutos.* **3** En física, en un movimiento periódico, número de ciclos completos realizados en una unidad de tiempo: *La unidad de frecuencia es el hercio, que equivale a un ciclo por segundo.* **4** || **frecuencia modulada;** Emisión de radiodifusión que se realiza por medio de ondas hertzianas comprendidas en una banda de 88 a 108 megahercios. ☐ SINÓN. *FM.* ☐ ETIMOL. Del latín *frequentia*.

frecuentación s.f. **1** Ida o visita frecuentes o habituales a un lugar: *No me parece aconsejable la frecuentación de esos lugares de mala reputación.* **2** Repetición frecuente de una acción: *La frecuentación de la lectura de los clásicos es básica para tu formación como escritora.*

frecuentar v. **1** Referido a un lugar, ir a él con frecuencia: *Suele frecuentar los locales de moda.* **2** Referido a una persona, tratarla con frecuencia: *Desde que nos conoció, no ha dejado de frecuentarnos.*

frecuentativo, va adj. En lingüística, que indica una acción que se repite: *'Pisotear' es un verbo frecuentativo porque significa 'pisar repetidas veces'.* ☐ SINÓN. *iterativo.*

frecuente adj.inv. **1** Que se repite a menudo o de manera habitual: *Las averías de este viejo televisor son ya frecuentes.* **2** Que es usual, común o normal: *Hoy ya no es frecuente que una familia tenga más de dos hijos.* ☐ ETIMOL. Del latín *frequens* (numeroso, frecuentado, populoso).

free (ing.) s.m. →**free jazz.** ☐ PRON. [fri].

free jazz (ing.) (tb. *free, free-jazz*) s.m. || Variedad de jazz con gran libertad melódica y en la que cada músico improvisa de forma individual al mismo tiempo que los otros músicos: *John Coltrane tiene varios discos de free jazz.* ☐ PRON. [fri yas].

free lance (ing.) adj.inv./s.com. || Que trabaja por su cuenta y colabora con una o varias empresas sin que tenga con ellas contrato laboral: *Cuando necesitan alguna traducción, la encargan fuera de la empresa a un free lance.* ☐ PRON. [frílans]. ☐ USO Su uso es innecesario y puede sustituirse por *autónomo*.

freeware (ing.) s.m. Programa informático que se distribuye gratuitamente desde internet y que incluye normalmente una licencia de uso. ☐ PRON. [frigüer].

freezer (ing.) s.m. En zonas del español meridional, congelador: *En verano, es mejor guardar la carne en el freezer.* ☐ PRON. [fríser].

fregadero s.m. Pila provista de grifo y desagüe, generalmente instalada en la cocina, y que se utiliza para fregar: *Al terminar de comer, friego los cacharros en el fregadero.*

fregado, da ▌adj. **1** *col.* En zonas del español meridional, molesto o pesado: *Es fregado no tener un empleo.* **2** *col.* En zonas del español meridional, referido a una persona, fastidiada: *Estoy fregado porque siempre me toca hacer la limpieza del baño.* ▌s.m. **3** Limpieza que se hace restregando con un estropajo u otro utensilio empapados en agua y jabón o en otra sustancia: *El fregado del suelo de la cocina me lleva más de diez minutos.* **4** *col.* Asunto complicado o difícil: *¡En menudo fregado te has metido aceptando ese encargo!*

fregar v. **1** Limpiar restregando con un estropajo u otro utensilio empapados en agua y jabón o en otra sustancia limpiadora: *Mientras tú friegas los platos, yo friego el suelo.* **2** *col.* En zonas del español meridional, molestar: *¡Deja ya de fregarnos con tus impertinencias!* ☐ ETIMOL. Del latín *fricare* (frotar, restregar). ☐ ORTOGR. Aparece una *u* después de la *g* cuando le sigue *e*. ☐ MORF. Irreg. →REGAR.

fregona s.f. **1** Utensilio formado por un mango largo con un manojo de tiras de un tejido absorbente en uno de sus extremos, y que se usa para fregar el suelo: *La fregona permite fregar los suelos sin tener que arrodillarse.* **2** *desp.* Criada que se ocupa de la cocina y de fregar.

fregotear v. *col.* Fregar deprisa y de cualquier manera: *Quedaron restos de grasa en los platos porque los fregoteó en dos minutos.*

fregoteo s.m. Fregado que se hace deprisa y de cualquier manera: *Espérame un minuto, que le doy un fregoteo al suelo y voy contigo.*

freidora s.f. Electrodoméstico que sirve para freír productos alimenticios: *Las patatas se fríen antes en la freidora que en la sartén.* ☐ PRON. Incorr. *[freidéra].

freidura s.f. Preparación de un alimento en aceite o grasa hirviendo: *Haré la freidura de los filetes poco antes de comer.* ☐ SEM. Dist. de *fritura* o *fritada* (conjunto de alimentos fritos).

freiduría s.f. Establecimiento en el que se fríen alimentos, esp. pescado, para su venta: *Haré la freidura de los filetes poco antes de comer.*

freír ▌v. **1** Referido a un alimento, cocinarlo poniéndolo al fuego en aceite o grasa hirviendo: *Fríe el filete en la sartén y con poco aceite.* **2** *col.* Referido a una persona, acribillarla o matarla a tiros: *Los soldados rodearon a los indios y los frieron.* **3** *col.* Mortificar o molestar mucho a alguien: *Los periodistas freían a la ministra a preguntas.* ▌prnl. **4** *col.* Pasar mucho calor: *A esta hora, en la playa te fríes.* ☐ ETIMOL. Del latín *frigere.* ☐ MORF. 1. Tiene un participio irregular (*frito*) que es el usual, y uno regular (*freído*) que se usa a veces en la conjugación. 2. Irreg. →REÍR. ☐ SINT. Constr. de la acepción 3: *freír a alguien* A *algo.*

fréjol (tb. *fríjol*) s.m. **1** Planta leguminosa, con tallos delgados de unos tres metros de longitud, hojas grandes compuestas y acorazonadas, flores blancas y fruto en vainas verdes y aplastadas, terminadas en dos puntas: *Hemos plantado fréjoles en nuestro huerto.* ☐ SINÓN. *judía.* **2** Fruto comestible de esta planta: *Pronto podremos recoger los fréjoles.* ☐ SINÓN. *judía.* **3** Semilla de este fruto, que tiene forma de riñón: *Comeremos un guiso de fréjoles.* ☐ SINÓN. *judía.* ☐ ETIMOL. De *frijol.*

frenado s.m. Moderación o detención del movimiento de un vehículo con el freno: *Para evitar los accidentes hay que tener en cuenta que la distancia de frenado aumenta con la velocidad.*

frenar v. **1** Referido a un vehículo, moderar su marcha o pararlo con el freno: *El conductor no pudo frenar el coche y se salió de la curva. Frena un poco, que vamos demasiado deprisa.* **2** Referido esp. a una persona o a sus actos, moderarlos, contenerlos o detenerlos: *Frénate y no le digas nada, que es el jefe. Con la edad ha aprendido a frenar sus impulsos.* ☐ ETIMOL. De *freno.*

frenazo s.m. Moderación de la marcha o detención bruscas, esp. las de un vehículo al echar el freno: *Dio un frenazo para no atropellar al peatón.*

frenesí (pl. *frenesíes, frenesís*) s.m. **1** Exaltación violenta de una pasión o de un sentimiento. **2** Locura o delirio exaltados: *Trabaja con verdadero frenesí y se olvida hasta de comer.* ☐ ETIMOL. Del latín *phrenesis.*

frenético, ca adj. **1** Delirante, enloquecido o poseído de frenesí: *¿Cómo puedes mantener un ritmo de trabajo tan frenético?* **2** Furioso, rabioso o muy enfadado: *Se pone frenético si no obedeces inmediatamente.* ☐ ETIMOL. Del latín *phreneticus.*

frenillo s.m. Membrana que se forma en determinados puntos del organismo y que limita el movimiento de algún órgano: *No pronuncia bien porque tiene el frenillo de la lengua muy desarrollado.* ☐ ETIMOL. De *freno.*

freno s.m. **1** Dispositivo que se usa para moderar o parar un movimiento: *Pisa el freno, que te van a poner una multa por exceso de velocidad.* **2** Lo que modera o detiene algo, esp. un proceso o un impulso: *La subida del precio del petróleo será un freno para el crecimiento industrial.* **3** Instrumento de hierro que se ajusta a la boca de un caballo para sujetarlo y dirigirlo. ☐ SINÓN. *bocado.* ☐ ETIMOL. Del latín *frenum* (freno, bocado).

frenología s.f. Teoría psicológica según la cual las funciones intelectivas y psíquicas de una persona están localizadas en determinadas áreas del cerebro que se corresponden con la forma del cráneo: *Según la frenología, el carácter de una persona se puede reconocer por los relieves del cráneo.* ☐ ETI-

MOL. Del griego *phrén* (inteligencia, pensamiento) y *-logía* (ciencia, estudio).

frenopático s.m. *col.* Manicomio: *Como sigas haciendo tonterías te van a ingresar en el frenopático.*

frente ▮ s.f. **1** Parte superior de la cara, desde las cejas hasta el inicio del cuero cabelludo: *El flequillo le tapa toda la frente.* ▮ s.m. **2** Parte delantera de algo: *Están restaurando el frente de la catedral.* **3** Zona o franja de terreno en las que luchan los ejércitos: *Al iniciarse la guerra, lo reclutaron y lo enviaron al frente.* □ SINÓN. *línea.* **4** En meteorología, línea teórica que separa dos masas de aire de diferentes características en su superficie, esp. en cuanto a la temperatura: *un frente cálido.* **5** En política, coalición entre partidos u organizaciones: *el frente democrático.* **6** ‖ **al frente; 1** Al mando o en la dirección: *Está al frente del negocio.* **2** Hacia adelante: *Los voluntarios, que den un paso al frente.* ‖ **con la frente muy alta;** sin avergonzarse o con la conciencia tranquila: *No me arrepiento de nada y me presentaré ante ellos con la frente muy alta.* ‖ **de frente; 1** Con ímpetu o sin rodeos: *Abordó el asunto de frente para atajar las habladurías.* **2** Hacia adelante: *Sigue de frente y tuerce a la derecha en la primera calle.* ‖ **en frente;** →**enfrente.** ‖ **frente a; 1** Ante o enfrente de: *Vivo frente a la iglesia.* **2** En oposición a, o en contra de: *Frente a los que dicen que no vale nada, a mí el cuadro me parece bueno.* ‖ **frente a frente; 1** De manera abierta y directa: *Hablemos frente a frente y terminemos con todas estas intrigas.* **2** En presencia y delante de otro: *Deberíamos vernos, porque estos asuntos hay que tratarlos frente a frente.* ‖ **hacer frente** a algo; enfrentarse, oponerse o resistirse a ello: *No huyas de las dificultades y hazles frente.* □ ETIMOL. Del latín *frons.* □ USO Es innecesario el uso del galicismo *tête à tête* en lugar de *frente a frente.*

fresa ▮ adj.inv./s.m. **1** De color rojo, semejante al del fruto de la fresa. ▮ s.f. **2** Planta herbácea, de tallos rastreros, hojas compuestas y flores blancas o amarillas, que da un fruto rojo, comestible y muy sabroso, formado por una agrupación de pequeños granos: *Hemos plantado fresas en el jardín.* **3** Fruto de esta planta: *La tarta era de nata y fresas.* **4** Herramienta con una serie de cuchillas y buriles que, al girar, perforan, alisan o labran piezas de metal: *Para hacer tornillos utilizan una fresa.* □ ETIMOL. Las acepciones 1-3, del francés *fraise.* La acepción 4, de *fresar* (labrar metales). □ USO En la acepción 3, no debe usarse el anglicismo *fresa salvaje* en lugar de *fresa silvestre.*

fresador, -a ▮ s. **1** Persona que se dedica profesionalmente al manejo de las máquinas que se usan para fresar o trabajar las piezas de metal: *Mi padre es fresador y ha hecho cientos de tornillos.* ▮ s.f. **2** Máquina que se usa para perforar, alisar o labrar piezas de metal: *No podemos trabajar porque se ha roto el cabezal de la fresadora.*

fresadora s.f. Véase **fresador, -a.**

fresal s.m. Terreno plantado de fresas: *El fresal está en la parte de atrás del huerto.*

fresar v. Referido a una pieza de metal, perforarla, alisarla o labrarla con la fresa o con la fresadora: *Fresaremos esta plancha de metal para hacer en ella agujeros.* □ ETIMOL. Del francés *fraiser.*

fresca s.f. Véase **fresco, ca.**

frescachón, -a adj. Muy sano y robusto.

frescales (pl. *frescales*) s.com. *col.* Fresco o descarado: *Ten cuidado con ese frescales porque se toma demasiadas confianzas.*

fresco, ca ▮ adj. **1** Que tiene una temperatura moderada o agradablemente fría: *En mi casa, el agua del grifo sale fresca.* **2** Referido esp. a un alimento, que acaba de ser obtenido o que no está curado: *Hay lechugas frescas de la huerta.* **3** Referido a un alimento, que no ha sido congelado: *Aunque sea más cara, prefiero que compres la merluza fresca.* **4** Referido esp. a una prenda de vestir o a una tela, que no da calor o que es ligera y delgada: *Esta camisa de seda es muy fresca.* **5** Referido esp. a un olor, que es suave y refrescante: *una colonia fresca.* **6** Referido esp. a una pintura, que aún no se ha secado: *No toques la puerta porque la pintura está fresca y te vas a manchar.* **7** Referido esp. a un acontecimiento, que acaba de suceder o que es inédito: *Me pasé por allí y traigo noticias frescas.* **8** Espontáneo o sin artificio: *Tiene un estilo fresco y natural.* **9** Que es joven y sano o que no ha empezado a deteriorarse físicamente: *Tiene cuarenta años, pero conserva una belleza fresca y lozana.* **10** Referido a una persona, que está descansada y no da muestras de fatiga: *Prefiero trabajar por las mañanas porque estoy más fresca y despejada.* **11** Referido a una persona, que está tranquila o que no se inmuta: *La vi después de la riña, pero estaba tan fresca.* ▮ adj./s. **12** Referido a una persona, que es descarada o desvergonzada. ▮ s.m. **13** Frío moderado. **14** Pintura que se hace en paredes y techos con colores disueltos en agua de cal y extendidos sobre una capa de estuco sin secar: *Esa iglesia tiene unos bonitos frescos pintados por Goya.* ▮ s.f. **15** Frío moderado o agradable de las primeras o de las últimas horas del día: *Cortaré el césped con la fresca, porque a mediodía hace demasiado calor.* **16** *col.* Lo que se dice con descaro o insolencia y resulta molesto u ofensivo: *Como vuelva a meterse conmigo, le voy a decir cuatro frescas.* **17** ‖ **al fresco;** a la intemperie durante la noche: *Le cerraron la puerta y tuvo que pasarse la noche al fresco.* □ SINÓN. *al sereno.* ‖ **estar fresco;** *col.* Expresión que se usa para indicar que alguien tiene esperanzas que no se van a realizar: *¡Está fresco si piensa que le voy a volver a ayudar!* ‖ **traerle** a alguien algo **al fresco;** *col.* No importarle: *Me trae al fresco que venga.* □ ETIMOL. Del germánico *frisk* (nuevo, joven).

frescor s.m. Temperatura moderada o agradablemente fría: *El frescor de la brisa acariciaba su cara.*

frescura s.f. **1** Temperatura moderada o agradablemente fría: *Después de la tormenta se nota la* *frescura en el ambiente.* **2** Aspecto joven y sano, que no ha empezado a deteriorarse: *Su rostro sigue conservando la frescura de los veinte años.* **3** Propiedad de los alimentos que están recién obtenidos o sin curar: *Cuando las hortalizas llegan al mercado, ya han perdido gran parte de su frescura.* **4** Aroma suave y refrescante: *Me gusta la frescura de este perfume.* **5** Descaro, desvergüenza o desenfado: *Tuvo la frescura de comerse todos los pasteles que me habían regalado.*

fresh (ing.) adj.inv. Referido esp. a una persona, que tiene estilo o buen gusto: *Esta revista del corazón se dedica a elogiar a la gente fresh de la alta sociedad.* □ PRON. [frech], con *ch* suave. □ USO Su uso es innecesario.

fresno s.m. Árbol con abundantes ramas, de hojas caducas, tronco grueso y corteza grisácea, cuya madera blanca es muy apreciada por su elasticidad: *La madera del fresno se emplea en la fabricación de muebles.* □ ETIMOL. Del latín *fraxinus*.

fresón s.m. Fruto parecido a una fresa, de mayor tamaño y de sabor más ácido: *De postre tomaremos fresones con nata.*

fresquera s.f. Mueble o espacio situados en un lugar fresco y ventilado, en los que se conservan los alimentos: *Guarda la fruta y la leche en la fresquera que hay en el sótano.*

fresquilla s.f. Variedad del melocotón, generalmente más pequeña y más jugosa que este: *Como estaban tan caros los melocotones, he comprado fresquillas.*

freudiano, na ▮ adj. **1** De Freud (psiquiatra austriaco nacido a mediados del siglo XIX), de sus doctrinas, o relacionado con ellos: *Las teorías freudianas suponen el inicio del psicoanálisis.* ▮ adj./s. **2** Partidario o seguidor de las doctrinas de este psiquiatra: *Los psiquiatras freudianos afirman que la represión de los instintos se libera a través de los sueños.* □ PRON. [froidiano].

frevo s.m. **1** Ritmo musical brasileño, de compás binario: *El frevo es típico de Pernambuco.* **2** Baile individual y multitudinario que se ejecuta al compás de este ritmo: *Durante el carnaval bailamos frevo y maracatú.*

freza s.f. Puesta de huevos o huevas por parte de las hembras de los peces o de los anfibios. □ SINÓN. *desove.*

frezar v. Referido a las hembras de los peces o de los anfibios, soltar sus huevos: *Hay veda de truchas porque las hembras frezan en esta época del año.* □ SINÓN. *desovar.* □ ETIMOL. Del latín **frictiare* (rozar, restregar). □ ORTOGR. La *z* se cambia en *c* delante de *e* →CAZAR.

friabilidad s.f. Facilidad de un material para romperse o desmenuzarse: *Una de las características del yeso es la friabilidad.*

friable adj.inv. Que se desmenuza con facilidad: *El barro seco no cocido es un material muy friable.* □ ETIMOL. Del latín *friabilis* (que se puede desmenuzar).

frialdad s.f. **1** Sensación que proviene de la falta de calor: *La frialdad en manos y pies puede deberse a un problema circulatorio.* **2** Indiferencia o falta de interés o de reacción en la forma de actuar: *Nos recibió con frialdad y sin la menor muestra de afecto.*

fricación s.f. En fonética y fonología, roce del aire con el canal vocal en la articulación de un sonido: *En la pronunciación del sonido [f] se produce fricación.*

fricandó s.m. Guiso que se prepara con carne de ternera mechada y cocida en su jugo y con setas: *El fricandó es un plato típico de la cocina francesa y de la catalana.* □ ETIMOL. Del francés *fricandeau*.

fricativa s.f. Véase **fricativo, va.**

fricativo, va ▮ adj. **1** En lingüística, referido a un sonido consonántico, que se articula de forma que el aire pasa rozando el canal de la boca: *En español, el sonido de la ese y el de la jota son fricativos.* ▮ s.f. **2** Letra que representa este sonido: *La 'f' es una fricativa.* □ ETIMOL. Del latín *fricare* (restregar, frotar).

fricción s.f. **1** Frotamiento de una superficie repetidas veces y con fuerza: *Unas buenas fricciones con estas manos de santo, y verás cómo se te pasa el dolor.* **2** Roce de dos superficies en contacto: *La fricción del viento sobre el coche hace disminuir la velocidad de este.* **3** Enfrentamiento o desacuerdo entre personas: *Alguna fricción debe de haber habido entre ellos, porque no se hablan.* □ ETIMOL. Del latín *frictio*. □ MORF. En la acepción 3, se usa más en plural.

friccionar v. Frotar o dar friegas: *El masajista le friccionó los músculos con alcohol para relajarlos.*

friega s.f. Fricción o masaje dados sobre una parte del cuerpo, generalmente con alguna sustancia y con fines curativos: *Las friegas de alcohol son buenas para bajar la fiebre.* □ ETIMOL. De *fregar* (restregar).

friegaplatos (pl. *friegaplatos*) s.m. *col.* Lavavajillas: *He comprado un nuevo detergente para el friegaplatos.* □ PRON. Incorr. *[fregaplátos].

frigidez s.f. **1** Ausencia anormal de excitación y de satisfacción al realizar el acto sexual: *El sexólogo le dijo que su frigidez se debía a problemas emocionales.* **2** *poét.* Frialdad: *La frigidez de sus manos era testimonio de su muerte.*

frígido, da adj. **1** Insensible a la excitación sexual, esp. referido a una mujer. **2** *poét.* Frío o helado. □ ETIMOL. Del latín *frigidus* (frío).

frigio, gia adj./s. De la antigua Frigia (región situada en el noroeste asiático), o relacionado con ella: *Entre los frigios, la diosa Cibeles simbolizaba la Tierra y su poder.*

frigo s.m. *col.* →**frigorífico.**

frigoría s.f. Unidad calorífica empleada para medir el frío y que equivale a la absorción de una kilocaloría: *La producción de frío de los congeladores se mide en frigorías.*

frigorífico, ca ▮ adj. **1** Que produce frío o que mantiene algo frío: *un camión frigorífico.* ▮ s.m. **2** Electrodoméstico que sirve para conservar fríos los alimentos y las bebidas. ☐ SINÓN. *nevera.* ☐ ETIMOL. Del latín *frigorificus* (que enfría). ☐ MORF. En la acepción 2, en la lengua coloquial se usa mucho la forma abreviada *frigo.*

frigorista s.com. Persona que trabaja comerciando con cámaras refrigeradoras: *Trabajo como frigorista y esta es mi furgoneta de reparto.*

frijol s.m. En zonas de español meridional, judía. ☐ ETIMOL. Del latín *faseolus.*

fríjol s.m. →**fréjol.**

friki adj.inv./s.com. **1** *col.* Que es raro o extravagante: *Es la habitación más friki y estrambótica que he visto.* **2** *col.* Referido a una persona, que está obsesionada con un tema o una afición: *Mi hermano es un friki de la tecnología.* ☐ ETIMOL. Del inglés *freak* (monstruo).

frío, a ▌adj. **1** Con temperatura inferior a la normal o a la conveniente: *En verano, desayuno leche fría.* **2** Que produce sensación de frialdad o que no conserva el calor: *Este pantalón de viscosa es muy frío.* **3** Referido a una persona, que es poco afectuosa o que se muestra indiferente ante estímulos y sensaciones: *Es una mujer fría, distante y muy seria.* **4** *col.* Sin pasión o sin mostrar emoción o afecto: *No me gusta este pintor porque sus cuadros son fríos y cerebrales.* **5** Referido a un color, que tiene como base el azul. **6** *col.* En zonas del español meridional, referido a una persona, que está muerta. ▌s.m. **7** Sensación que experimenta el cuerpo con una bajada de temperatura: *Se puso una chaqueta porque tenía frío.* **8** Temperatura ambiental baja: *En invierno suele hacer frío y en verano, calor.* ▌interj. **9** Expresión que se usa para indicar a alguien que está lejos de encontrar lo que busca: *Frío, frío, que por ahí no está.* **10** ‖ **en frío; 1** Sin estar bajo la presión del momento o de las circunstancias: *tomar una decisión en frío.* **2** *col.* Sin preparación: *Tuvo que dar el discurso en frío.* ‖ **frío industrial;** el que se utiliza para la conservación de productos perecederos o para su aplicación a algunos procesos industriales. ‖ **quedarse frío;** quedarse sorprendido o sin capacidad de reacción. ☐ ETIMOL. Del latín *frigidus.*

friolento, ta adj. En zonas del español meridional, friolero: *Siempre duermo con varias frazadas porque soy muy friolenta.*

friolera s.f. Véase **friolero, ra.**

friolero, ra ▌adj. **1** Muy sensible al frío: *una persona friolera.* ▌s.f. **2** *col.* Gran cantidad de algo, esp. de dinero: *Ese diamante cuesta la friolera de cien mil euros.*

friqui s.m. En fútbol, lanzamiento directo, a balón parado en castigo por una falta hecha cerca del área: *El único gol del partido fue de friqui.* ☐ ETIMOL. Del inglés *free kick.*

frisar v. Referido a una edad, acercarse o aproximarse a ella: *Su padre frisa los sesenta, aunque parece más joven.*

frisbee s.m. Disco, generalmente de plástico, que se lanza con un movimiento de rotación hacia una persona para que lo coja en el aire: *jugar al frisbee. Me han regalado un frisbee.* ☐ ETIMOL. Extensión del nombre de una marca comercial. ☐ PRON. [frísbi].

friso s.m. **1** En la arquitectura clásica, franja decorativa horizontal que forma parte del entablamento y que está situada entre el arquitrabe y la cornisa: *El friso de los templos dóricos está dividido en triglifos y metopas.* **2** Banda o franja horizontal que suele instalarse o pintarse en la parte inferior de las paredes: *Hemos puesto un friso de granito, porque el mármol es más caro.* ☐ SINÓN. *rodapié, zócalo.* ☐ ETIMOL. De origen incierto.

frisón, -a adj./s. Referido a un caballo, que pertenece a una raza caracterizada por tener las patas y los pies fuertes y anchos, y el pelaje negro: *Los frisones tienen las crines y la cola muy largos.*

fritada s.f. →**fritura.**

fritanga s.f. *desp.* Conjunto de alimentos fritos, esp. si se han cocinado con mucha grasa: *En ese bar huele mucho a fritanga.*

fritar v. En zonas del español meridional, freír: *Me voy a fritar un buen bife.*

frito, ta ▌**1** part. irreg. de **freír.** ▌adj. **2** *col.* Profundamente dormido: *Después de comer, se quedó frito en el sillón.* **3** *col.* Muerto: *El atracador le metió un tiro y lo dejó frito.* **4** *col.* En zonas del español meridional, referido a una persona, que está en mala situación: *Está frita, no tenía dinero y además se quedó sin trabajo.* ▌s.m. **5** Alimento cocinado al fuego con aceite o grasa hirviendo. ☐ MORF. Las acepciones 2 y 3 se usan más con los verbos *quedarse* y *estar.* ☐ USO En la acepción 1, se usa más como adjetivo, frente al participio regular *freído,* que se usa más en la conjugación.

fritura s.f. Conjunto de alimentos fritos: *una fritura de pescado.* ☐ SINÓN. *fritada.* ☐ SEM. Dist. de *freidura* (preparación de alimentos fritos).

frivolidad s.f. Ligereza o falta de profundidad y de seriedad, esp. en el comportamiento: *No se puede hablar de problemas tan graves con esa frivolidad.*

frívolo, la ▌adj. **1** Ligero, superficial o de poca importancia: *Con ese chico solo se puede hablar de temas frívolos.* ▌adj./s. **2** Referido a una persona o a su comportamiento, que manifiestan inconstancia, despreocupación o ligereza. ☐ ETIMOL. Del latín *frivolus* (insignificante).

fronda s.f. Conjunto de hojas o de ramas que forman una espesura: *La fronda que hay en la orilla del río proporciona una agradable sombra.* ☐ ETIMOL. Del latín *frons* (follaje, fronda). ☐ SEM. No debe emplearse con el significado de 'arboleda': *Dimos un paseo por la {*fronda > arboleda} del pueblo.*

fronde s.m. Hoja del helecho: *En el envés de los frondes hay unos pequeños puntos llamados soros, que producen las esporas.* ☐ ETIMOL. Del latín *frons* (follaje).

frondosidad s.f. Abundancia de hojas y ramas: *La frondosidad del sauce invitaba a sentarse bajo sus ramas.*

frondoso, sa adj. **1** Referido a una planta, esp. a un árbol, abundante en hojas y ramas: *Nos sentamos a comer bajo un frondoso castaño.* **2** Referido a un lugar, que tiene gran abundancia de árboles que forman espesura: *Lo que más me gusta de este pueblo es el frondoso bosque que lo rodea.*

frontal ▮ adj.inv. **1** De la frente o relacionado con ella: *Tiene una cicatriz en la zona frontal de la cara.* **2** Del frente o parte delantera de algo, o relacionado con él: *la fachada frontal de un edificio.* **3** Referido esp. a un enfrentamiento, que se produce de forma abierta y directa: *Esta huelga supone un ataque frontal a la política económica del Gobierno.* ▮ s.m. **4** →**hueso frontal. 5** En un radiocasete de coche, parte delantera, generalmente extraíble: *Nunca dejo el frontal del radiocasete en el coche.* □ SINÓN. *carátula.*

frontenis (pl. *frontenis*) s.m. Deporte que se juega en un frontón y en el que se utilizan raquetas y pelotas semejantes a las del tenis: *La modalidad más habitual de frontenis es la de parejas.*

frontera s.f. **1** Límite entre dos Estados: *España tiene fronteras con Francia, Portugal y Marruecos.* **2** Límite o fin de algo: *¿Quién sabe dónde está la frontera entre el bien y el mal?* □ ETIMOL. Del antiguo *fronte* (frente). □ MORF. En la acepción 2, se usa más en plural.

fronterizo, za adj. **1** De la frontera o relacionado con ella: *línea fronteriza.* **2** Referido a un lugar, esp. a un país, que tiene frontera con otro.

frontis (pl. *frontis*) s.m. Fachada o parte delantera de algo: *En el frontis de la casa hay una inscripción con la fecha en que se terminó.* □ ETIMOL. Abreviación de *frontispicio.*

frontispicio s.m. **1** Fachada o parte delantera de algo, esp. de un edificio: *En el frontispicio del palacio aparecía esculpido el escudo familiar.* **2** Frontón o remate triangular de una fachada: *Los templos griegos y romanos estaban coronados por un frontispicio.* □ ETIMOL. Del latín *frons* (frente) y *spicere* (ver, examinar).

frontón s.m. **1** En arquitectura, remate triangular o curvo que se coloca sobre fachadas, pórticos, puertas o ventanas: *El interior del frontón se llama 'tímpano'.* **2** Lugar dispuesto para jugar a la pelota vasca y a otros juegos semejantes: *Casi todos los pueblos vascos tienen un frontón.* **3** Actividad deportiva que se practica con raqueta o pala en este lugar: *Hemos jugado al frontón toda la mañana.* □ ETIMOL. Del antiguo *fronte* (frente).

frotación s.f. →**frotamiento.**

frotadura s.f. →**frotamiento.**

frotamiento s.m. Pasada de algo sobre una superficie, repetidamente y con fuerza: *Una forma de sacar brillo a algunos metales es mediante frotamiento.* □ SINÓN. *frotación, frotadura, frote.*

frotar v. Referido a una superficie, pasar algo sobre ella repetidas veces y con fuerza: *Frótame la espalda con la esponja.* □ ETIMOL. Del francés *frotter.*

frote s.m. →**frotación.**

frottage (fr.) s.m. Técnica que consiste en frotar con lápiz o con carboncillo un papel colocado sobre una superficie irregular, esp. una moneda: *Mediante el frottage se pueden hacer copias de dibujos en relieve.* □ PRON. [frotách], con *ch* suave.

fructífero, ra adj. Que produce fruto: *Mis gestiones han sido muy fructíferas y el problema ya está resuelto.* □ ETIMOL. Del latín *fructifer*, y este de *fructus* (fruto) y *ferre* (llevar).

fructificación s.f. Producción de fruto: *Tras la fructificación hay que esperar a que el fruto se madure en la planta.* □ ETIMOL. Del latín *fructus* (fruto) y *facere* (hacer).

fructificar v. **1** Referido a una planta, dar fruto: *El peral ya ha fructificado y pronto podremos coger las peras.* **2** Producir utilidad o dar buenos resultados: *Si las conversaciones de paz fructifican, pronto acabará la guerra.* □ ETIMOL. Del latín *fructificare.* □ ORTOGR. La *c* se cambia en *qu* delante de *e* →SACAR.

fructosa s.f. Azúcar que se encuentra principalmente en la miel y en las frutas: *La fresa es una fruta rica en fructosa.*

fructuoso, sa adj. Que da fruto o que produce provecho o utilidad: *Tras unas fructuosas investigaciones, el detective descubrió al asesino.*

frufrú (pl. *frufrús*) s.m. Ruido característico del roce de la seda o de otra tela semejante. □ ETIMOL. De origen onomatopéyico.

frugal adj.inv. **1** Moderado en la comida y en la bebida: *Desde que estuvo enfermo se ha vuelto muy frugal en la mesa.* **2** Moderado o poco abundante, esp. referido a la comida: *una comida frugal.* □ ETIMOL. Del latín *frugalis* (sobrio).

frugalidad s.f. Moderación en la comida y en la bebida: *La frugalidad es la mejor receta para no engordar.*

frugívoro, va adj. Referido a un animal, que se alimenta de frutos: *El tucán es un ave frugívora.* □ ETIMOL. Del latín *frux* (fruto de la tierra) y *-voro* (que come).

fruición s.f. Goce o placer intenso: *La madre leía con fruición las cartas que le enviaban sus hijos.* □ ETIMOL. Del latín *fruitio.* □ PRON. Incorr. *[fruicción].

frumentario, ria adj. De los cereales, esp. del trigo, o relacionado con ellos: *cultivo frumentario.* □ ETIMOL. Del latín *frumentum* (trigo, grano).

frumenticio, cia adj. →**frumentario.**

frunce s.m. Pliegue o conjunto de pliegues pequeños y paralelos que se hacen en una superficie, esp. en una tela o en un papel: *Hazle unos frunces a la falda para que se te ajuste mejor.* □ SINÓN. *fruncido.*

fruncido s.m. →**frunce.**

fruncir v. **1** Referido esp. a la frente o a las cejas, arrugarlas en señal de sorpresa, de enfado o de preocupación: *Cuando la regañan, frunce el entrecejo y se va a su cuarto sin decir nada.* **2** Referido esp. a una tela o a un papel, hacerles frunces o pliegues pequeños y paralelos: *Frunce la parte de abajo de las mangas para que te queden ajustadas al brazo.* □

ETIMOL. Quizá del francés *froncer.* □ ORTOGR. La *c* se cambia en *z* delante de *a, o* →ZURCIR.

fruslería s.f. Lo que se considera sin importancia o de poco valor: *Cómprale cualquier fruslería al niño para que se calle.* □ SINÓN. *tontería.* □ ETIMOL. Del antiguo *fruslera* (latón de poca consistencia).

frustración s.f. **1** Fracaso en el intento de obtener determinado resultado: *Aquel accidente supuso la frustración de todos sus sueños.* **2** En psicología, situación personal causada por la imposibilidad de satisfacer una necesidad física o espiritual: *La frustración suele provocar un estado de angustia o de depresión.* □ PRON. Incorr. *[fustración].

frustrante adj.inv. Que frustra: *Es frustrante no poder hacer nada ante una injusticia como esta.* □ PRON. Incorr. *[fustránte].

frustrar v. **1** Referido a una persona, dejarla sin lo que esperaba o producirle un sentimiento de frustración: *Cada propuesta que me niegas me frustra un poco más. Inténtalo de nuevo y no te frustres tan pronto.* **2** Referido esp. a un proyecto, hacer que fracase o malograrlo: *La lluvia frustró nuestros planes de salir al campo. El atraco se frustró por la llegada de la policía.* □ ETIMOL. Del latín *frustrari* (engañar). □ PRON. Incorr. *[fustrár].

fruta s.f. **1** Fruto comestible de algunas plantas: *La piña y el plátano son frutas tropicales.* **2** || **fruta de sartén;** dulce hecho con una masa que se fríe. || **fruta seca;** en zonas del español meridional, fruto seco. □ ETIMOL. Del latín *fructa.*

frutal ▌adj.inv. **1** De la fruta o relacionado con ella: *adornos frutales.* ▌adj.inv./s.m. **2** Referido a una planta, esp. a un árbol, que produce fruta.

frutería s.f. Establecimiento donde se vende fruta: *Ya hay fresas en la frutería.*

frutero, ra ▌s. **1** Persona que se dedica a la venta de frutas: *El frutero me vendió un melón jugosísimo.* ▌s.m. **2** Recipiente para colocar o para servir la fruta: *Hemos comprado un frutero de cristal muy bonito.*

frutícola adj.inv. De la fruta, de su cultivo y comercialización, o relacionado con ellos: *actividad frutícola.* □ ETIMOL. De *fruto* y *-cola* (que cultiva).

fruticultura s.f. **1** Cultivo de las plantas que producen fruta: *La fruticultura es fácil en terrenos de regadío.* **2** Técnica de este cultivo: *En la escuela agrícola recibió nociones básicas de fruticultura.* □ ETIMOL. De *fruto* y *-cultura* (cultivo).

frutilla s.f. En zonas del español meridional, fresa o fresón: *Hoy vamos a comer dulce de frutilla.*

fruto s.m. **1** Producto del desarrollo del ovario fecundado de una flor, en el que están contenidas las semillas, y que está formado por envolturas protectoras de diversos tipos: *Todas las frutas son frutos, pero frutos como las almendras o las nueces no son frutas.* **2** Respecto de una pareja o de una mujer, su hijo: *Los padres contemplaban orgullosos el fruto de su amor.* **3** Producto de las plantas y de la tierra: *La tierra nos da sus frutos como recompensa al trabajo realizado.* **4** Producto o resultado obtenido: *Este libro es el fruto de tres años de trabajo.* **5** Utilidad y provecho: *Aprende a sacar fruto de tus experiencias.* **6** || **fruto prohibido;** lo que no está permitido hacer o usar: *Los pasteles son fruto prohibido para mí, mientras siga con la dieta.* || **fruto seco;** el que carece de jugo, naturalmente o por haber sido desecado para favorecer su conservación, esp. referido a los que tienen cáscara dura y no son carnosos: *Las avellanas y los cacahuetes son frutos secos.* □ ETIMOL. Del latín *fructus* (producto).

FTP (ing.) s.m. Protocolo informático que permite enviar y recibir ficheros desde un ordenador a otro a través de internet. □ ETIMOL. Es la sigla del inglés *File Transfer Protocol* (protocolo de transferencia de ficheros).

fu || **ni fu ni fa;** *col.* Expresión que se utiliza para indicar que algo resulta indiferente o que no se considera ni bueno ni malo: *Cuando le pregunté si le había gustado el libro me dijo que ni fu ni fa, que era una novela de tantas.*

fuagrás s.m. *col.* Foie-gras: *Me voy a comer un bocata de fuagrás.*

fucilazo s.m. Relámpago visible en el horizonte durante la noche: *Las tormentas lejanas iluminaban con fucilazos la noche de verano.*

fucsia ▌adj.inv./s.m. **1** De color rosa fuerte: *El fucsia es un color muy alegre.* ▌s.f. **2** Arbusto con hojas ovales y flores colgantes en forma de campanillas que tienen este color: *La fucsia es una planta originaria de América del Sur.* □ ETIMOL. Por alusión a L. Fuchs, botánico alemán.

fuego s.m. **1** Calor y luz que se desprenden de la combustión de un cuerpo: *Siéntate al fuego para calentarte.* **2** Materia en combustión que arde con o sin llama: *Preparamos un fuego para hacer la comida.* **3** Esta materia, cuando es de grandes proporciones y destruye lo que no está destinado a arder: *Los bomberos apagaron un fuego que se declaró en el garaje.* □ SINÓN. *incendio.* **4** Disparo de un arma de fuego: *El policía hizo fuego y los atracadores salieron huyendo.* **5** Ardor, pasión o entusiasmo de un sentimiento: *El fuego de la rabia lo devoraba por dentro.* **6** En una cocina, cada uno de los puntos que da calor: *Mi cocina tiene tres fuegos de gas y uno eléctrico.* **7** En zonas del español meridional, calentura: *Me salió un fuego en los labios y me duele cuando me río.* **8** || **abrir fuego;** empezar a disparar: *Abrieron fuego contra el enemigo.* || **alto el fuego;** suspensión momentánea o definitiva de las acciones militares en un enfrentamiento bélico: *Los dos ejércitos negociarán un alto el fuego para celebrar unas conversaciones de paz.* || **{atizar/avivar} el fuego;** *col.* Fomentar una contienda o una discordia. || **echar fuego por los ojos;** manifestar gran furor o ira. || **entre dos fuegos;** en medio de dos bandos enfrentados o con opiniones distintas: *Al enfrentarse entre sí los directivos de la empresa, los trabajadores se quedaron entre dos fuegos.* || **fuego amigo;** disparos que causan daños a miembros del propio bando: *En las guerras, es frecuente que se produzcan bajas por fuego amigo.*

|| **fuego cruzado;** disparos que se intercambian dos bandos enemigos: *La ciudad sitiada es muy peligrosa por el fuego cruzado de los francotiradores.* || **fuego fatuo;** resplandor que se ve a poca distancia de la tierra, procedente de la combustión de ciertas materias que se desprenden de las sustancias orgánicas en descomposición: *Los fuegos fatuos son propios de los cementerios y de zonas pantanosas.* || **fuegos {artificiales/de artificio};** cohetes y otros artificios de pólvora que producen detonaciones y luces de colores, y que se hacen como espectáculo. || **jugar con fuego;** realizar, por diversión, algo peligroso o que puede causar un daño. ☐ ETIMOL. Del latín *focus* (hoguera, brasero). ☐ USO En el ejército se usa para mandar a la tropa disparar las armas de fuego: *Los soldados dispararon cuando el sargento gritó: '¡Fuego!'.*

fuel s.m. Producto combustible líquido, obtenido por refinado y destilación del petróleo natural, y que generalmente se utiliza para la calefacción y en las centrales térmicas: *La calefacción del edificio funciona con fuel.* ☐ SINÓN. *fuelóleo.* ☐ ETIMOL. Del inglés *fuel* (combustible). ☐ USO Es innecesario el uso del anglicismo *fuel oil.*

fuelle s.m. **1** Utensilio que sirve para aspirar el aire del exterior y expulsarlo con fuerza en una dirección determinada, y que generalmente está formado por una caja de laterales flexibles o plegados: *Aviva el fuego de la chimenea con el fuelle.* **2** En algunos instrumentos musicales, dispositivo que produce y gradúa la presión del aire para hacer vibrar los elementos sonoros: *El fuelle del acordeón se maneja de forma manual.* **3** *col.* Capacidad respiratoria y de resistencia física de una persona. ☐ ETIMOL. Del latín *follis* (fuelle para el fuego).

fuel oil (ing.) s.m. || →**fuel.** ☐ PRON. [fuelóil].

fuelóleo s.m. →**fuel.**

fuente s.f. **1** Manantial de agua que brota de la tierra: *He bebido agua de la fuente que hay entre esas rocas.* **2** Construcción que permite hacer salir el agua por uno o más caños: *En los jardines había preciosas fuentes escultóricas.* **3** Principio, fundamento u origen de algo: *El carbón y el petróleo son fuentes de energía.* **4** Documento, material o medio que proporcionan información o inspiración: *Para hacer su tesis ha consultado numerosas fuentes.* **5** Recipiente grande, generalmente de forma ovalada, que se usa para servir los alimentos: *Necesito una fuente para el asado.* **6** Tipo y familia de letra: *En este diccionario, la fuente utilizada en los lemas es distinta de la fuente utilizada en definiciones y ejemplos.* **7** || **fuente de soda;** en zonas del español meridional, cafetería. ☐ ETIMOL. Del latín *fons.* ☐ MORF. En la acepción 4, se usa más en plural.

fuer || **a fuer de;** *ant.* En razón de, en virtud de, a manera de: *A fuer de nuestra amistad, he de decirte lo que pienso.* ☐ ETIMOL. Por acortamiento de *fuero.* ☐ SINT. Su uso seguido de un verbo es incorrecto: **A fuer de estudiar tan a fondo las propuestas, hemos concluido que ninguna nos interesa.* ☐ SEM. No debe emplearse como sinónimo de *a fuerza de* ni *a base de.*

fuera ▮ adv. **1** Hacia la parte exterior o en el exterior: *Sal fuera un momento, por favor. Has dejado la leche fuera de la nevera. En verano viene al pueblo mucha gente de fuera.* **2** No comprendido entre unos límites o no incluido en cierta actividad: *Presentó la instancia fuera de plazo y no se la admitieron. Nos dejaron fuera del negocio para no repartir las ganancias con nosotros.* ▮ interj. **3** Expresión que se usa para ordenar a alguien retirarse de un lugar: *¡Fuera, que nadie me moleste!* ☐ SINÓN. *afuera.* **4** || **fuera de;** con excepción de: *Fuera de esos pequeños fallos, todo estaba bien.* || **fuera de sí;** referido a una persona, sin control sobre sí misma o muy alterada: *Estaba fuera de sí y no podía dejar de llorar.* ☐ ETIMOL. Del latín *foras* (fuera). ☐ SINT. 1. Precedido de la preposición *a*, se escribe como una sola palabra: *Id a jugar afuera.* 2. A diferencia de *afuera, fuera* no admite gradación; incorr. **más fuera.* ☐ USO En la acepción 3, lo usa el público en espectáculos y reuniones para expresar desaprobación: *Los espectadores gritaban al árbitro: '¡Fuera!, ¡fuera!'.*

fueraborda ▮ s.m. **1** Motor provisto de una hélice, que se coloca en la parte posterior y exterior de una embarcación. ▮ s.amb. **2** Embarcación provista de este tipo de motor: *Dimos un paseo por el mar en una fueraborda.* ☐ SINT. En la acepción 2, se usa mucho en aposición, pospuesto a un sustantivo: *motor fueraborda.*

fuereño, ña s. En zonas del español meridional, forastero.

fuerista adj.inv./s.com. Referido esp. a una persona, que defiende los fueros o que entiende mucho de este tipo de derechos territoriales: *Los políticos fueristas siempre han defendido el mantenimiento de los fueros provinciales.*

fuero s.m. **1** En la Edad Media, ley que el monarca otorgaba a un territorio o a una localidad. **2** Conjunto de privilegios y de derechos concedidos a un territorio o a una persona. **3** Obra que reúne una serie de leyes: *El llamado 'Fuero Juzgo' contenía las leyes romanas y visigodas.* **4** Autoridad o poder al que corresponde juzgar un caso: *fuero civil; fuero eclesiástico.* **5** || **fuero {interior/interno} de** alguien; su propia conciencia: *No lo reconoce, pero en su fuero interno sabe que se equivocó.* ☐ ETIMOL. Del latín *forum* (los tribunales de justicia).

fuerte ▮ adj.inv. **1** Que es robusto, corpulento y con mucha fuerza: *Dice que no está gordo, sino fuerte.* **2** Que es resistente y no se daña ni se estropea con facilidad: *un calzado fuerte.* **3** Que tiene ánimo o valentía: *Tienes que ser fuerte y no rendirte ante las adversidades.* **4** De características o efectos muy intensos, vivos o eficaces: *dolores fuertes; colores fuertes.* **5** Asombroso, excesivo o que tiene gran importancia: *Me dijo cosas muy fuertes que me dolieron. Maneja fuertes sumas de dinero.* **6** Que tiene solidez, poder o autoridad: *Su posición en la empresa es muy fuerte.* **7** Firme, sujeto o apretado de forma que no se puede quitar, o que es difícil de mover: *No puedo deshacer el nudo porque está muy fuerte.* **8** Que tiene capacidad de impactar, esp. por reflejar con gran realismo situaciones inmorales o violentas: *La película tenía escenas tan fuertes que tenía que taparme los ojos.* **9** Referido al carácter de una persona, que se irrita y se enfada con facilidad: *Tiene un genio muy fuerte, pero enseguida se le pasan los enfados.* **10** Referido a un lugar, que está protegido con obras de defensa para resistir los ataques del enemigo: *La muralla y los torreones hacían de la ciudad una verdadera plaza fuerte.* **11** Referido a un material, que es duro y difícil de labrar o de trabajar. ▮ s.m. **12** Lugar o recinto fortificados: *Los indios atacaban el fuerte de los soldados.* **13** Actividad o conocimiento en el que destaca una persona: *Su fuerte son las matemáticas.* ▮ adv. **14** Con fuerza o con intensidad: *Está lloviendo fuerte.* **15** Mucho o con exceso: *Almorzad fuerte porque volveremos tarde a casa.* **16** || **estar muy fuerte en** algo; saber mucho de ello: *Está muy fuerte en ortografía y rara vez comete una falta.* || **hacerse** alguien **fuerte;** 1 Protegerse en un lugar construyendo obras de defensa: *Los guerrilleros se hicieron fuertes en las montañas.* 2 Resistirse a ceder en algo: *La dueña se ha hecho fuerte y no hay quien la convenza para que nos venda la casa.* □ ETIMOL. Del latín *fortis*. □ MORF. Como adjetivo, sus superlativos son *fuertísimo* y *fortísimo*.

fuerza ▮ s.f. **1** Capacidad para realizar un esfuerzo, para soportar una presión o para mover algo que ofrezca resistencia: *El motor de un camión tiene mucha fuerza. Cuando estuvo enfermo, se quedó sin fuerzas.* **2** Aplicación de esta capacidad: *Tira de la soga con fuerza. Tuve que hacer fuerza para abrir la puerta, porque se había encajado.* **3** En física, causa capaz de modificar la forma o el estado de reposo o de movimiento de un cuerpo: *La unidad de fuerza en el Sistema Internacional es el newton.* **4** Violencia física: *Si no me das buenas razones, por la fuerza no conseguirás nada.* **5** Capacidad para impactar o para producir un efecto: *Sus argumentos tienen la suficiente fuerza para convencerme.* **6** Intensidad con que se manifiesta algo: *La fuerza de su amor era tan grande que lo dejó todo por él.* **7** Energía eléctrica aplicada a usos industriales o domésticos: *Si vas a instalar tantos ordenadores, necesitas contratar más fuerza.* ▮ pl. **8** Conjunto de tropas militares y de su equipamiento: *El ejército desplegará más fuerzas de ataque en la frontera.* **9** Conjunto de personas que comparten y defienden unidas una misma ideología o unos mismos intereses: *Todas las fuerzas políticas condenaron el atentado terrorista.* **10** || **a fuerza de;** seguido de un sustantivo o de un verbo, empleando con insistencia lo que estos indican: *Todo lo ha conseguido a fuerza de mucho trabajo.* || **a la fuerza** o **por fuerza;** 1 Violentamente o contra la voluntad de alguien: *Yo no quería, pero me hicieron venir a la fuerza.* 2 Por necesidad: *Tienes que aceptar por fuerza, ya que no hay otra opción.* || **fuerza bruta;** la que se aplica sin derecho o sin inteligencia: *Si usaras más la cabeza y menos la fuerza bruta, todo te resultaría más fácil.* || **fuerza de voluntad;** capacidad de una persona para imponerse esfuerzos y obligaciones: *Estudia todos los días, porque tiene mucha fuerza de voluntad.* || **fuerza electromotriz;** magnitud física que se manifiesta por la diferencia de potencial que origina entre los extremos de un circuito abierto o por la corriente que produce en un circuito cerrado. || **fuerza mayor;** la que, por no poderse prever o vencer, excusa del cumplimiento de una obligación: *Faltó al trabajo por razones de fuerza mayor.* || **fuerza pública** o **fuerzas de orden (público);** conjunto de agentes de la autoridad destinados a mantener el orden: *Las fuerzas de orden público detuvieron a varios manifestantes violentos.* || **fuerzas armadas;** conjunto formado por los Ejércitos de Tierra y del Aire y por la Armada de un país: *El Rey presidió el desfile conmemorativo del día de las Fuerzas Armadas.* || **fuerzas de choque;** unidades militares que, por sus cualidades, instrucción o armamento, se suelen utilizar para el ataque: *Las fuerzas de choque se desplegaron para el ataque en primera línea.* || **fuerzas vivas;** 1 Conjunto de las personas y grupos sociales que impulsan la actividad y la prosperidad en un país o en una localidad: *Los empresarios que reinvierten sus beneficios son parte fundamental de las fuerzas vivas del país.* 2 Conjunto de las personas y grupos sociales más representativos de un lugar por la autoridad o por la influencia que ejercen sobre él: *Las fuerzas vivas de la ciudad se oponen a la demolición del histórico edificio.* || **írsele** a alguien **la fuerza por la boca;** *col.* Decir con altivez o con presunción cosas que luego no se respaldan con hechos. || **sacar fuerzas de flaqueza;** hacer un esfuerzo extraordinario. □ ETIMOL. Del latín *fortia*.

fuet s.m. Embutido parecido al salchichón pero más estrecho, típico de la región catalana: *He merendado un bocadillo de fuet.* □ ETIMOL. Del catalán *fuet*.

fuete s.m. En zonas del español meridional, látigo: *Aquel gaucho hizo una demostración de cómo usar el fuete.* □ ETIMOL. Del francés *fouet*.

fuga s.f. **1** Huida o abandono de un lugar, generalmente de forma apresurada: *Los vigilantes impidieron la fuga del recluso.* **2** Salida de un líquido o de un gas por un orificio o abertura producidos accidentalmente en el recipiente o en el conducto que los contenía: *La explosión se produjo por una fuga de butano.* **3** Composición musical basada en la repetición sucesiva de un mismo tema por las distintas voces. □ ETIMOL. Del latín *fuga*.

fugacidad s.f. Duración breve o paso y desaparición veloces de algo: *El poema habla de la fugacidad de la vida y de lo pronto que llega la muerte.* □ ETIMOL. Del latín *fugacitas*.

fugarse v.prnl. Escaparse o huir, esp. si es de forma inadvertida: *Se fugó de su casa porque se sentía incomprendido.* □ ETIMOL. Del latín *fugare*. □ ORTOGR. La *g* se cambia en *gu* delante de *e* →PAGAR.

fugaz adj.inv. **1** Que pasa y desaparece con velocidad: *estrella fugaz.* **2** Que dura muy poco: *una visita fugaz.* □ ETIMOL. Del latín *fugax.*

fugitivo, va adj./s. Que huye o se esconde: *Los fugitivos pasaron la frontera y se refugiaron en el país vecino.* □ ETIMOL. Del latín *fugitivus.*

-fugo, -fuga 1 Elemento compositivo sufijo que significa 'que ahuyenta' o 'que hace desaparecer': *febrífugo, vermífuga.* **2** Elemento compositivo sufijo que significa 'que impide': *hidrófugo, ignífuga.* **3** Elemento compositivo sufijo que significa 'que huye': *lucífugo, prófuga.* □ ETIMOL. Del latín *-fugus.*

fuguillas s.com. *col.* Persona muy activa, impaciente e intranquila: *Mi primo es un fuguillas y nunca para quieto.*

führer (al.) s.m. *desp.* Dictador o persona autoritaria: *Acusaron al presidente de ser un führer.* □ ETIMOL. Por alusión al *Führer*, título del dictador alemán A. Hitler. □ PRON. [fírer].

ful (pl. *ful*) adj.inv./s.f. *col.* Falso, sin el resultado esperado, o de mala calidad: *El trabajo de mi primo es una ful.* □ ETIMOL. De origen gitano. □ USO Se suele utilizar también la expresión *ful de Estambul.*

fulana s.f. Véase **fulano, na**.

fulano, na ▌ s. **1** Una persona cualquiera: *Siempre criticando lo que dice Fulano o Mengano, y él nunca opina.* **2** *desp.* Persona cuya identidad se ignora o no se quiere decir: *Se presentó un fulano diciendo que te conocía.* □ SINÓN. *individuo.* ▌ s.f. **3** *col.* Prostituta. □ ETIMOL. Del árabe *fulan* (un tal). □ USO En la acepción 1, se usa más como nombre propio y en la expresión *Fulano, Mengano, Zutano y Perengano.*

fular s.m. Bufanda o pañuelo largo para el cuello, de tela muy fina: *un fular de seda.* □ ETIMOL. Del francés *foulard.* □ USO Es innecesario el uso del galicismo *foulard.*

fulbito s.m. En zonas del español meridional, futbolín.

fulero, ra adj. **1** *col.* Chapucero o poco útil: *trabajos fuleros.* **2** *col.* Referido a una persona, que es falsa, embustera, o que habla mucho y sin pensar. □ ETIMOL. De *ful.*

fulgente adj.inv. *poét.* Brillante o que resplandece: *Quedó deslumbrado por los fulgentes rayos del sol.* □ SINÓN. *fúlgido.*

fúlgido, da adj. *poét.* →**fulgente.**

fulgir v. *poét.* Resplandecer o brillar con mucha intensidad: *La armadura del caballero fulgía en medio de la batalla.* □ ETIMOL. Del latín *fulgere* (relampaguear). □ ORTOGR. La *g* se cambia en *j* delante de *a, o* →DIRIGIR.

fulgor s.m. Resplandor o brillo intenso: *La noche se iluminaba con el fulgor de los fuegos artificiales.* □ ETIMOL. Del latín *fulgor* (relámpago, brillantez, resplandor).

fulgurante adj.inv. **1** Muy brillante: *estrellas fulgurantes; una personalidad fulgurante.* **2** Con muchos éxitos conseguidos en poco tiempo: *Hizo una carrera fulgurante y llegó a directora general muy joven.*

fulgurar v. **1** Brillar o resplandecer intensamente: *Las estrellas fulguran en la noche.* **2** Destacar por su brillantez: *En el panorama científico internacional, fulgura un grupo de científicos de aquí.* □ ETIMOL. Del latín *fulgurare* (relampaguear), y este de *fulgor* (relámpago).

full (ing.) s.m. En el póquer, combinación de una pareja y un trío. □ PRON. [ful].

full contact (ing.) s.m. ‖ Deporte mezcla de boxeo, de taekwondo y de kárate, en el que se puede golpear con los puños y con los pies por encima de la cintura. □ PRON. [ful cóntac].

full disclosure (ing.) s.f. ‖ Revelación completa hecha por una persona ante la justicia: *El testigo hizo una full disclosure ante el tribunal.* □ PRON. [ful disclóser]. □ USO Su uso es innecesario y puede sustituirse por *revelación completa.*

fullería s.f. **1** Trampa y engaño que se cometen en el juego: *Ese tahúr hace todo tipo de fullerías para ganar las partidas.* **2** Astucia con que se pretende engañar: *Nos lió con sus fullerías y faltó poco para que nos timara.*

fullero, ra adj./s. Que hace trampas o engaños, esp. en el juego: *¡Eres la jugadora más fullera y sucia que he conocido en mi vida!* □ ETIMOL. De origen incierto.

full time (ing.) ‖ Referido al modo de trabajar, a tiempo completo o en régimen de dedicación exclusiva: *Antes trabajaba full time en la empresa, pero ahora tengo horario de media jornada.* □ PRON. [ful táim]. □ USO Su uso es innecesario y puede sustituirse por *con dedicación exclusiva.*

fulminante adj.inv. **1** Que fulmina. **2** Muy rápido y de efecto inmediato: *un éxito fulminante.*

fulminar v. **1** Dañar, destruir o causar la muerte, esp. si se hace con un rayo o con un arma, o de forma muy rápida: *Un rayo fulminó al hombre en un segundo.* **2** Referido a una persona, dejarla abatida o muy impresionada, esp. con una mirada intensa o airada: *Cuando hizo aquella impertinente pregunta, le eché una mirada de desprecio y lo fulminé.* □ ETIMOL. Del latín *fulminare* (lanzar el rayo).

fumada s.f. *col.* Véase **fumado, da.**

fumadero s.m. Local o sitio destinado a fumar: *La película se desarrolla en varios fumaderos de opio de la antigua China.*

fumado, da ▌ adj. **1** *col.* Que ha fumado hachís o marihuana y está bajo sus efectos: *estar fumado.* ▌ s.f. **2** *col.* Reunión para fumar droga.

fumador, -a adj./s. **1** Que tiene costumbre de fumar: *Estaré en el vagón de los no fumadores.* **2** ‖ **fumador pasivo;** el que no fuma, pero respira habitualmente el humo de personas fumadoras que están a su alrededor: *Soy fumadora pasiva, porque en mi oficina todo el mundo fuma continuamente menos yo.*

fumar ▌ v. **1** Aspirar y despedir el humo del tabaco o de otras sustancias: *Le gusta fumar en pipa. De joven fumaba marihuana.* ▌ prnl. **2** *col.* Gastar o consumir rápida o indebidamente: *Se fumó la herencia en menos de dos años.* **3** *col.* Referido a una obligación, faltar a ella o dejar de hacerla: *Se fumaba las clases de lengua porque no soportaba al profesor.* ☐ ETIMOL. Del francés *fumer*.

fumarada s.f. Cantidad de humo que sale de una vez: *Al abrir el horno salió una gran fumarada.*

fumareda s.f. Abundancia de humo producida generalmente por el humo del tabaco.

fumarola s.f. Emisión de gases y vapores a elevada temperatura, procedentes de un conducto volcánico o de un flujo de lava. ☐ ETIMOL. Del italiano *fumarola*.

fumata (it.) s.f. Columna de humo que procede de la combustión de las papeletas de votación de un cónclave o asamblea de cardenales que se reúnen para elegir papa: *La fumata blanca indica que ya hay un nuevo Papa.*

fumeque s.m. *col.* Hecho de fumar: *Hace tiempo que dejé el fumeque.*

fumeta adj.inv./s.com. *col.* Que fuma porros de forma habitual. ☐ SINÓN. *porrero*.

fumetear v. *col.* Fumar.

fumeteo s.m. *col.* Consumo de tabaco o de alguna droga que se fuma: *Abre la ventana, porque con tanto fumeteo, el ambiente está muy cargado.*

fumigación s.f. Desinfección por medio de humo, gas, vapores, o de productos adecuados, esp. para combatir las plagas de insectos o de otros organismos nocivos: *La fumigación de las cosechas se llevará a cabo con avionetas.*

fumigador, -a ▮ adj. **1** Que fumiga: *Contratamos los servicios de una empresa fumigadora.* ▮ s. **2** Persona que fumiga: *Trabajo como fumigador desde hace muchos años.* ▮ s.m. **3** Aparato que se emplea para fumigar: *Cuando bajéis a la huerta, no os olvidéis de coger el fumigador.*

fumigar v. Desinfectar por medio de humo, gas, vapores u otros productos, esp. para combatir las plagas de insectos y organismos nocivos: *El Ayuntamiento ordenó fumigar la casa para alejar el peligro de contagio.* ☐ ETIMOL. Del latín *fumigare*. ☐ ORTOGR. La *g* se cambia en *gu* delante de *e* →PAGAR.

fumista s.com. Persona que se dedica profesionalmente a arreglar o limpiar cocinas, chimeneas o estufas, generalmente antiguas: *La chimenea funciona perfectamente desde que el fumista desatascó el tiro.* ☐ ETIMOL. Del francés *fumiste*.

fun (ing.) s.m. →**funboard.** ☐ PRON. [fan].

funambulesco, ca adj. Que resulta muy raro, grotesco o extravagante: *En esa comedia de enredo había muchas situaciones funambulescas.*

funámbulo, la s. Persona que se dedica a hacer ejercicios sobre la cuerda floja o sobre el alambre: *La atracción de circo que más me gusta es la de los funámbulos.* ☐ ETIMOL. Del latín *funambulus* (el que anda en la maroma), y este de *funis* (cuerda) y *ambulare* (andar).

funboard (ing.) s.m. Modalidad de windsurf que se practica sobre una tabla con determinadas características: *El funboard consiste en saltar y hacer todo tipo de piruetas con la tabla.* ☐ PRON. [fánbord]. ☐ MORF. En la lengua coloquial se usa mucho la forma abreviada *fun*.

función s.f. **1** Acción o actividad propias de algo o del cargo o la profesión que se tienen: *La función de las pestañas es impedir que entren partículas extrañas en los ojos. Mi función como profesora es educar y enseñar a mis alumnos.* **2** Representación, proyección o puesta en escena de una película o de un espectáculo: *Llegamos al circo cuando la función ya había comenzado.* **3** En gramática, papel que desempeña un elemento morfológico, léxico o sintáctico dentro de la estructura de la oración: *Un sintagma nominal puede desempeñar la función de sujeto.* **4** En matemáticas, relación entre dos magnitudes de manera que a cada valor de una de ellas corresponde determinado valor de la otra: *Una función puede expresarse como 'y=f(x)'.* **5** ‖ **en función de algo;** dependiendo de ello o de acuerdo con ello: *Las decisiones se tomarán en función de lo que decida la mayoría.* ‖ **en funciones;** en sustitución del titular del cargo: *En ausencia del presidente, el vicepresidente actúa como presidente en funciones.* ‖ **función pública;** conjunto de los órganos de administración del Estado. ☐ ETIMOL. Del latín *functio* (cumplimiento, ejecución). ☐ SINT. Incorr. *Actuaremos en función {*a/de} los resultados.*

funcional adj.inv. **1** De las funciones, esp. de las biológicas o psíquicas, o relacionado con ellas: *Tiene problemas funcionales en las piernas, derivados de un accidente.* **2** Que ha sido concebido atendiendo principalmente a la utilidad, a la facilidad de uso o a la adecuación a unos fines: *unos muebles funcionales.*

funcionalidad s.f. Conjunto de características como la utilidad, la comodidad o la facilidad de manejo, que hacen que algo sea funcional: *Actualmente se valora más la funcionalidad del mobiliario que su faceta artística.*

funcionalismo s.m. **1** Método de análisis y estudio lingüístico que estudia la estructura del lenguaje atendiendo a la función que desempeñan sus elementos: *Uno de los grandes cultivadores del funcionalismo fue el lingüista Jakobson.* **2** Corriente arquitectónica que da prioridad a las funciones de una construcción y que considera la estética subordinada a dichas funciones: *El funcionalismo surge en el primer cuarto del siglo* XX.

funcionalista ▮ adj.inv. **1** Del funcionalismo o relacionado con él: *las teorías lingüísticas funcionalistas.* ▮ adj.inv./s.com. **2** Seguidor o partidario del funcionalismo: *arquitectos funcionalistas.*

funcionamiento s.m. Realización de la función que se tiene como propia: *Desde que me arreglaron el reloj, su funcionamiento es perfecto.*

funcionar v. **1** Realizar o desempeñar la función que es propia: *El ascensor no funcionaba y tuve que subir andando.* **2** *col.* Marchar o resultar bien: *Nuestra relación ya no funcionaba y preferimos separarnos.*

funcionariado s.m. Conjunto de funcionarios: *El funcionariado solicita mejoras salariales.*

funcionarial adj.inv. Del empleo del funcionario o relacionado con él: *Algunos trabajos funcionariales conllevan la realización de numerosas tareas burocráticas.*

funcionario, ria s. Persona que desempeña un empleo en uno de los cuerpos de la Administración pública: *Prepara oposiciones para ser funcionario del cuerpo de archiveros del Estado.* □ ETIMOL. Del francés *fonctionnaire*.

funda s.f. **1** Cubierta con la que se envuelve algo para protegerlo o conservarlo: *una funda de gafas.* **2** || **funda nórdica;** la que tiene un relleno de plumas que se utiliza como sustituto de la colcha. □ ETIMOL. Del latín *funda* (bolsa).

fundación s.f. **1** Establecimiento, edificación o creación de algo, esp. de una ciudad o de una empresa: *Celebramos el aniversario de la fundación de nuestra organización.* **2** Institución creada con fines benéficos, culturales o religiosos, y que continúa y cumple la voluntad de su fundador: *Una fundación le concedió una beca para que estudiara en el extranjero.*

fundacional adj.inv. De la fundación o relacionado con ella: *Todos los socios defendieron los intereses fundacionales sin buscar el lucro personal.*

fundador, -a adj./s. Que funda: *Santa Teresa de Jesús fue la fundadora de la orden de las carmelitas descalzas.*

fundamentación s.f. Apoyo de algo con razones, argumentos o datos: *Esta teoría no me convence porque carece de una fundamentación clara.*

fundamental adj.inv. Básico, principal o que constituye un fundamento: *La profesora resumió las ideas fundamentales del tema.* □ MORF. No admite grados: incorr. **más fundamental.*

fundamentalismo s.m. **1** Integrismo religioso, esp. el islámico: *El fundamentalismo islámico se basa en la interpretación literal de los textos sagrados.* **2** Actitud radical e intransigente: *El fundamentalismo de tus ideas políticas hace que nadie se atreva a llevarte la contraria.* □ SEM. Dist. de *integrismo* (tendencia al mantenimiento estricto de la tradición).

fundamentalista ▌adj.inv. **1** Del fundamentalismo o relacionado con él. ▌adj.inv./s.com. **2** Partidario o seguidor del fundamentalismo. **3** Radical e intransigente: *Tu reacción me parece visceral, intransigente y hasta fundamentalista.* □ SEM. Dist. de *integrista* (partidario del mantenimiento estricto de la tradición).

fundamentar v. Establecer, asegurar y hacer firme: *Empleó todo tipo de datos para fundamentar su tesis. Su buena relación se fundamenta en el profundo conocimiento que tienen el uno del otro.*

fundamento s.m. **1** Principio o base sobre los que se apoya o afianza algo: *Si desconoces los fundamentos de la física, no podrás entender teorías tan complejas. Esa acusación está realizada sin ningún fundamento.* **2** Seriedad o formalidad de una persona: *Yo no me fiaría de él, porque es una persona sin fundamento.* □ ETIMOL. Del latín *fundamentum*.

fundar v. **1** Referido esp. a una ciudad o a una empresa, establecerlas, edificarlas o crearlas: *Los conquistadores fundaron varias ciudades junto a la costa.* **2** Referido esp. a una opinión, apoyarla con fundamentos, razones o argumentos: *Funda su teoría en datos irrebatibles. Su afirmación se funda en un sólido conocimiento del caso.* □ ETIMOL. Del latín *fundare* (poner los fundamentos).

fundente adj.inv./s.m. Que facilita la fundición de un sólido, esp. de un metal: *Para conseguir la fundición de ciertos metales se les añade una sustancia fundente.*

fundible adj.inv. Que se puede fundir: *El hierro es un metal fundible.*

fundición s.f. **1** Derretimiento y transformación en líquido de un cuerpo sólido, esp. de un metal: *la fundición del hierro.* **2** Lugar en el que se funden los metales: *Trabaja en los altos hornos de una fundición.*

fundir ▌v. **1** Referido a un cuerpo sólido, esp. a un metal, derretirlos y convertirlos en líquidos: *En esta empresa siderúrgica funden hierro. Los metales se funden a temperaturas muy altas.* **2** Referido a dos o más cosas diferentes, reducirlas o unirlas en una sola: *Decidieron fundir sus intereses para tener más fuerza. Se fundieron en un largo abrazo.* **3** *col.* Referido a una cantidad de dinero, gastarla o despilfarrarla: *Fundió todo su dinero en las fiestas.* ▌prnl. **4** Referido esp. a un aparato eléctrico, estropearse o quemarse, generalmente por un exceso de corriente o por un cortocircuito: *La bombilla se fundió y nos quedamos a oscuras.* □ ETIMOL. Del latín *fundere* (derretir, fundir).

fundo s.m. Finca rústica: *Su tatarabuelo tenía un fundo que se repartió entre sus descendientes.* □ ETIMOL. Del latín *fundus*.

fúnebre adj.inv. **1** Relacionado con los difuntos: *un coche fúnebre.* **2** Muy triste, o que produce pena o dolor: *Vivía en un caserón de aspecto fúnebre y sombrío.* □ ETIMOL. Del latín *funebris*.

funeral ▌adj.inv. **1** Del entierro de una persona o de las ceremonias relacionadas con él: *una misa funeral.* □ SINÓN. *funerario.* ▌s.m. **2** Conjunto de los oficios solemnes que se celebran por un difunto algunos días después del entierro o en cada aniversario de su muerte: *Los funerales por su alma se celebrarán el próximo viernes.* □ SINÓN. *exequias.* □ ETIMOL. Del latín *funeralis.* □ MORF. En la acepción 2, en plural tiene el mismo significado que en singular.

funerala || **a la funerala;** en el ejército, referido a la forma de llevar las armas los militares, con las bocas o las puntas hacia abajo, en señal de duelo: *Los soldados escoltaron el cadáver del general llevando los fusiles a la funerala.*

funeraria s.f. Véase **funerario, ria**.

funerario, ria ▌adj. **1** Del entierro de una persona o de las ceremonias relacionadas con él: *El acto funerario estuvo presidido por la viuda.* □ SI-

NÓN. *funeral.* ▌s.f. **2** Empresa encargada de facilitar los ataúdes, coches fúnebres y otros elementos necesarios para un entierro: *Un coche de la funeraria llevó el cuerpo del difunto desde el hospital al cementerio.*

funesto, ta adj. Triste, desgraciado o de consecuencias dramáticas: *Murió en un funesto accidente de moto.* □ ETIMOL. Del latín *funestus* (funerario).

fungible adj.inv. Que se consume con el uso: *Los materiales de oficina se consideran bienes fungibles.* □ ETIMOL. Del latín *fungi* (consumir).

fungicida (tb. *funguicida*) adj.inv./s.m. Referido a una sustancia o a un producto, que sirve para destruir los hongos: *una crema fungicida.* □ ETIMOL. Del latín *fungus* (hongo) y *-cida* (que mata).

fungir v. **1** Desempeñar un empleo o cargo: *A partir de mañana, fungirá de presidente. Necesito a alguien que funja como directora.* **2** Consumir con el uso: *El material de oficina se funge.* □ ETIMOL. Del latín *fungi.* □ ORTOGR. La *g* se cambia en *j* delante de *a, o.* □ SINT. Constr. de la acepción 1: *fungir [DE/COMO] algo.*

funguicida adj.inv./s.m. →**fungicida.**

funicular adj.inv./s.m. Referido a un vehículo o a una cabina, que se desplazan arrastrados por una cuerda, un cable o una cadena: *Este funicular sube hasta la parte alta de la ciudad.* □ ETIMOL. Del latín *funiculus* (cordón, cuerdecita).

funk (ing.) s.m. →**funky.** □ PRON. [fank].

funky (ing.) s.m. Música moderna popular, parecida al jazz y de ritmo fuerte: *Tus amigos van a una discoteca donde solo ponen funky.* □ SINÓN. *funk.* □ PRON. [fánki].

furcia s.f. *col. desp.* Prostituta: *No consiento que en mi presencia digas de ella que es una furcia.*

furgón s.m. **1** Vehículo cerrado, de cuatro ruedas, que se usa para el transporte, generalmente de equipajes o de mercancías: *un furgón policial.* **2** En un tren, vagón destinado al transporte de la correspondencia, de equipajes o de mercancías: *furgón postal.* **3** ‖ **furgón de cola;** último vagón del tren. □ ETIMOL. Del francés *fourgon.*

furgoneta s.f. Vehículo cubierto, más pequeño que un camión, destinado al reparto de mercancías: *El panadero utiliza una furgoneta para hacer el reparto de pan por los pueblos.* □ ETIMOL. Del francés *fourgonnette.*

furia s.f. **1** Ira o enfado exaltados: *Su furia estalló cuando vio que intentaban engañarlo.* **2** Persona muy irritada o colérica: *ponerse hecho una furia.* **3** Violencia o gran agitación con que se produce algo: *La furia del viento derribó varios árboles.* **4** Ímpetu, fuerza y velocidad en lo que se hace: *El equipo atacó con furia hasta el final.* □ ETIMOL. Del latín *furia* (delirio furioso, violencia).

furibundo, da adj. **1** Airado o inclinado a enfurecerse: *Tiene un carácter furibundo que lo hace intratable.* **2** Que expresa furor o ira: *una mirada furibunda.* **3** Muy entusiasta o partidario de algo: *Es una furibunda seguidora de ese político.* □ ETIMOL. Del latín *furibundus.*

furioso, sa adj. **1** Lleno de furia: *ponerse furioso.* **2** Terrible o violento: *Una furiosa tempestad hizo naufragar el barco.*

furor s.m. **1** Cólera o ira exaltada: *Los insultaba lleno de furor.* **2** Actividad y violencia con las que se produce algo: *Desde la terraza pudimos contemplar el furor de las olas contra los acantilados.* **3** Rapidez e ímpetu en lo que se hace: *Trabaja con furor para presentar el proyecto a tiempo.* **4** Momento en el que una moda o una costumbre se manifiestan con mayor intensidad: *En la década de 1960 asistimos al furor de la minifalda.* **5** ‖ **furor uterino;** deseo sexual irrefrenable en la mujer. ‖ **hacer furor;** ponerse o estar muy de moda. □ ETIMOL. Del latín *furor.*

furriel (tb. *furrier*) s.m. En el ejército, militar, esp. un cabo, encargado de distribuir el material y de repartir los servicios a los soldados de su compañía: *El furriel distribuyó el correo entre los soldados.* □ ETIMOL. Del francés *fourrier* (oficial encargado de la distribución del forraje).

furrier s.m. →**furriel.**

furtivismo s.m. **1** Acción por la que se caza o pesca sin permiso en un coto vedado: *El furtivismo de algunos cazadores está castigado por la ley.* **2** Ocultación o realización de algo a escondidas: *El furtivismo de sus miradas indicaba que había algo más que una amistad entre ellos.*

furtivo, va ▌adj. **1** Que se hace a escondidas: *un encuentro furtivo.* ▌adj./s. **2** Que actúa a escondidas, esp. referido a la persona que caza o pesca sin permiso o en un coto vedado. □ ETIMOL. Del latín *furtivus.*

furúnculo s.m. →**forúnculo.** □ SEM. Es sinónimo de *divieso.*

fusa s.f. En música, nota que dura la mitad de una semicorchea y que se representa con un círculo relleno, una barrita vertical pegada a uno de sus lados y tres pequeños ganchos en el extremo de esta: *Una fusa equivale a dos semifusas.* □ ETIMOL. Del italiano *fusa.*

fuseau (fr.) s.m. Pantalón ajustado a las piernas y que se mantiene tenso gracias a una cinta elástica que pasa por debajo del pie: *Llevaba un fuseau y una blusa larga a juego.* □ PRON. [fusó].

fuselaje s.m. En un avión, cuerpo o parte donde van los pasajeros y las mercancías: *El tren de aterrizaje de un avión está situado bajo el fuselaje.* □ ETIMOL. Del francés *fuselage* (cuerpo de avión de figura fusiforme).

fusible ▌adj.inv. **1** Que puede fundirse: *No todos los metales son fusibles a las mismas temperaturas.* ▌s.m. **2** En una instalación eléctrica, hilo o chapa metálicos que se funden con facilidad y que se colocan para que interrumpan la corriente cuando esta sea excesiva: *Los fusibles saltaron e impidieron que se quemara toda la instalación.* □ ETIMOL. De *fundir.*

fusiforme adj.inv. Con forma redondeada, alargada y más estrecha en los extremos, como la de un huso: *El bíceps es un músculo fusiforme.* □ SINÓN.

ahusado. □ ETIMOL. Del latín *fusus* (huso) y *-forme* (con forma).

fusil s.m. **1** Arma de fuego portátil, con un cañón de hierro o de acero montado en una culata de madera, y provista de un mecanismo con el que se disparan las balas: *fusil automático.* **2** || **fusil submarino;** el que sirve para lanzar arpones a gran velocidad bajo la superficie del agua. □ ETIMOL. Del francés *fusil.*

fusilamiento s.m. Muerte dada a una persona con una descarga de fusil: *Goya pintó los fusilamientos de aquel famoso 2 de mayo en la Moncloa.*

fusilar v. **1** Referido a una persona, matarla con una descarga de fusil: *Fusilaron al condenado al amanecer.* **2** *col.* Referido a una obra o a una idea ajenas, copiarlas sin citar el nombre de su autor: *Denunciará por plagio al que fusiló una de sus canciones.*

fusilería s.f. **1** Conjunto de fusiles: *La fusilería de la compañía se guarda en el armero.* **2** Conjunto de fusileros o soldados de infantería armados con fusiles: *Presenciamos un desfile de la fusilería.* **3** Conjunto de disparos de fusil realizados de manera simultánea: *La fusilería se oía en todo el campamento.*

fusilero, ra s. En el ejército, soldado de infantería armado de fusil: *La unidad elemental de infantería es el pelotón de fusileros.*

fusión s.f. **1** Conversión de un sólido en líquido: *La fusión del hielo se produce por efecto del calor.* **2** Unión de dos o más cosas en una sola: *La coalición responde a la fusión de los intereses de ambas partes.* **3** Tipo de música que mezcla el jazz y el rock: *Los músicos de fusión tuvieron gran popularidad en la década de 1970.* **4** || **fusión (nuclear);** reacción nuclear, producida por la unión de los núcleos de dos átomos, que da lugar a un núcleo más pesado, y en la que hay un gran desprendimiento de energía. □ ETIMOL. Las acepciones 1 y 2, del latín *fusio.* La acepción 3, del inglés *fusion.* □ SINT. En la acepción 3, se usa mucho en aposición, pospuesto a un sustantivo: *música fusión.* □ SEM. Dist. de *fisión* (división del núcleo de un átomo).

fusionar v. Referido a dos o más cosas, unirlas en una sola: *Fusionaron las dos compañías para hacer frente a la competencia de las multinacionales. Los dos partidos se fusionarán para presentarse con más fuerza a las elecciones.*

fusta s.f. Vara flexible con una correa redonda sujeta a uno de sus extremos, que se utiliza para castigar o estimular a las caballerías: *El jinete golpeaba al caballo con la fusta para que corriera más.* □ ETIMOL. Del latín *fustis* (bastón, garrote).

fustal s.m. →**fustán.**

fustán s.m. **1** Tejido grueso de algodón, con pelo por una de sus dos caras: *El fustán es una tela muy resistente.* □ SINÓN. *bombasí.* **2** En zonas del español meridional, combinación: *Siempre uso fustanes de color blanco.* □ ETIMOL. De origen incierto. □ ORTOGR. En la acepción 1, se admite también *fustal.*

fuste s.m. **1** En una columna, parte situada entre el capitel y la basa. **2** Importancia, entidad o valor: *una persona de mucho fuste.* □ ETIMOL. Del latín *fustis* (bastón, garrote).

fustigar v. **1** Azotar o golpear, esp. con una fusta: *La amazona fustigaba al caballo para que corriera más.* **2** Censurar o criticar con dureza: *La autora del artículo fustiga sin piedad a los políticos.* □ ETIMOL. Del latín *fustigare,* y este de *fustis* (palo). □ ORTOGR. La *g* se cambia en *gu* delante de *e* →PAGAR.

futbito s.m. Modalidad de fútbol sala: *El campeonato de futbito se celebrará en el polideportivo.*

futbol s.m. En zonas del español meridional, fútbol. □ ETIMOL. Del inglés *football.*

fútbol s.m. **1** Deporte que se juega entre dos equipos de once jugadores y en el que estos intentan introducir un balón en la portería del equipo contrario sin tocarlo con las manos: *Un partido de fútbol dura noventa minutos.* □ SINÓN. *balompié.* **2** || **fútbol americano;** deporte popular estadounidense, parecido al rugby, y que se practica entre dos equipos de once jugadores: *El fútbol americano es más dinámico y violento que el rugby.* || **fútbol sala;** el que se juega entre dos equipos de cinco jugadores y en un campo reducido: *En los partidos de fútbol sala solo hay un árbitro.* □ ETIMOL. Del inglés *football.* □ USO Es innecesario el uso del anglicismo *soccer.*

futbolero, ra adj./s. *col.* Que es aficionado al fútbol o que practica este deporte.

futbolín s.m. Juego que imita un partido de fútbol, que se juega sobre un tablero que representa el campo de juego, y en el que, mediante unas barras, se mueven unas figuras que representan a los jugadores y que golpean la bola con la que se juega: *Cuando jugamos al futbolín yo siempre muevo al portero.* □ ETIMOL. Extensión del nombre de una marca comercial.

futbolista s.com. Persona que practica el fútbol, esp. si esta es su profesión.

futbolístico, ca adj. Del fútbol: *jerga futbolística.* □ SINÓN. *balompédico.*

futbolito s.m. En zonas del español meridional, futbolín: *Para jugar futbolito hay que mover a la vez todos los jugadores de una fila.*

futesa s.f. Lo que se considera sin importancia o de poco valor: *No te enfades por esa futesa.* □ ETIMOL. Del francés *foutaise* (fruslería).

fútil adj.inv. De poca importancia o seriedad: *una conversación fútil.* □ ETIMOL. Del latín *futilis* (frívolo).

futilidad s.f. **1** Poca o ninguna importancia: *Dada la futilidad del incidente, no merece la pena seguir pensando en ello.* **2** Lo que no tiene importancia o tiene muy poca: *Solo sabe hablar de futilidades.*

futón s.m. Colchoneta plegable que se utiliza como cama y se apoya directamente sobre el suelo: *Como vive en una casa muy pequeña, duerme en un futón que se puede plegar y convertir en una especie de sillón.*

futre s.m. *col. desp.* En zonas del español meridional, lechuguino. □ ETIMOL. Del francé *foutre.*

futurible ▮ adj.inv./s.com. **1** Referido a una persona, que puede ser nombrada para ocupar determinado cargo: *Hay una lista de futuribles para ocupar el ministerio de Defensa.* ▮ adj.inv./s.m. **2** Que ocurrirá en un futuro si se dan determinadas condiciones, esp. referido a un acontecimiento o a un suceso: *Algunos consideran que la caída del dictador es futurible.* □ ETIMOL. Del latín *futuribilis*.

futurismo s.m. **1** Actitud ideológica, cultural o artística que se orienta hacia el futuro: *El futurismo de sus diseños hace que no guste a todo el mundo.* **2** Movimiento ideológico y artístico vanguardista, de origen italiano, surgido a principios del siglo XX, que destaca todo lo relacionado con el mundo moderno e industrial: *El poeta italiano Marinetti escribió el manifiesto del futurismo en 1909.*

futurista ▮ adj.inv. **1** Del futurismo o relacionado con él: *Todos los edificios construidos por este arquitecto tienen un aire futurista.* ▮ adj.inv./s.com. **2** Partidario o seguidor del futurismo: *La supresión de la puntuación es característica de los poetas futuristas.*

futuro, ra ▮ adj. **1** Que está por llegar o por suceder: *No cree en la existencia de una vida futura.* ▮ adj./s.m. **2** En gramática, referido a un tiempo verbal, que indica que la acción del verbo no se ha realizado todavía: *La oración 'Mañana vendrá' está en tiempo futuro.* ▮ s.m. **3** Lo que está por llegar o por suceder: *Prefiere vivir el presente y no pensar en el futuro.* ▮ s.m.pl. **4** En economía, bienes que se comercian en un contrato, cuyo precio y transacción quedan fijados para una fecha posterior a la de la firma de dicho contrato: *Los contratos de futuros son característicos de los mercados de divisas, acciones y materias primas.* □ ETIMOL. Del latín *futurus*.

futurología s.f. Conjunto de estudios que se proponen predecir científicamente el futuro de la vida humana: *La futurología prevé que los adelantos científicos mejorarán la calidad de vida de las personas en el siglo XXI.* □ ETIMOL. De *futuro* y *-logía* (ciencia, estudio).

futurólogo, ga s. Persona que se dedica a la futurología: *Los futurólogos estudian las causas científicas, económicas y sociales que influyen en la evolución del mundo.*

fututo, ta adj. En zonas del español meridional, borracho.

futvoley s.m. Deporte con características del fútbol y del voleibol, que se juega entre equipos de dos jugadores que pueden tocar el balón con cualquier parte del cuerpo a excepción del brazo y de la mano, y que se juega en un terreno de arena dividido por una red: *La final del campeonato de futvoley se jugará el sábado a las once.* □ ETIMOL. De *fútbol* y *voley*.

G g

g s.f. Séptima letra del abecedario. ☐ PRON. 1. Ante *e*, *i* representa el sonido consonántico velar fricativo sordo, y se pronuncia como [j]: *gente*. 2. En posición inicial absoluta o precedida de nasal o lateral representa el sonido consonántico velar oclusivo sonoro: *gota*, *gusto*, *grande*, en las demás posiciones representa el sonido consonántico velar fricativo sonoro: *pago*, *pegar*, *rogar*. 3. Este mismo sonido ante *e*, *i* se representa con la grafía *gu*, con *u* muda: *guerra*, *guitarra*. 4. En las grafías *güe*, *güi*, se pronuncia la *u*: *cigüeña*.

gabacho, cha adj./s. *col. desp.* Francés: *No debes llamar gabacho a un francés, porque es una falta grave de respeto.* ☐ ETIMOL. Del provenzal *gavach* (montañés, grosero).

gabán s.m. Abrigo, esp. el de tela fuerte. ☐ ETIMOL. Del árabe *qaba* (túnica de hombre con mangas).

gabanear v. En zonas del español meridional, robar.

gabardina s.f. **1** Prenda de vestir amplia y generalmente larga, hecha de tela impermeable. **2** Tela de tejido diagonal, muy tupido, con la que se hace esta y otras prendas de vestir: *un pantalón de gabardina.* **3** *col.* Envoltura, generalmente de harina o de pan rallado, con la que se rebozan algunos pescados o mariscos: *gambas a la gabardina.* ☐ ETIMOL. De *gabán*, por cruce con *tabardina* (diminutivo de *tabardo*).

gabarra s.f. Barco pequeño de forma achatada, que se utiliza para la carga y descarga en los puertos: *En aquella zona salina cargaban la sal en gabarras.* ☐ ETIMOL. Del euskera *gabarra*.

gabato, ta s. Cría del ciervo o de la liebre desde que nacen hasta el año de edad. ☐ ETIMOL. De origen incierto.

gabela s.f. Impuesto, tributo o contribución: *Los gastos de esa guerra obligaron al establecimiento de nuevas gabelas.* ☐ ETIMOL. Del italiano *gabella*. ☐ SEM. No debe emplearse con el significado de *ingresos* o de *ganga*.

gabinete s.m. **1** Habitación destinada al estudio o a recibir visitas. **2** Cuerpo de ministros de un Estado: *El Gabinete ha decidido en su reunión de hoy la subida del precio de la gasolina.* **3** Departamento que atiende determinados asuntos del gobierno de un Estado: *Esas medidas de seguridad deben ser aprobadas por el Gabinete de Industria.* ☐ SINÓN. *ministerio*. **4** Despacho o local que se utiliza para el ejercicio de una profesión: *En el colegio hay un gabinete de psicólogos para atender a los alumnos.* ☐ ETIMOL. Del francés antiguo *gabinet*. ☐ USO En las acepciones 2 y 3 se usa mucho como nombre propio.

gabonés, -a adj./s. De Gabón o relacionado con este país africano.

gacela s.f. Mamífero herbívoro muy ágil, de color marrón claro en el dorso y blanco en el vientre, de cabeza pequeña con cuernos encorvados en forma de lira, y con ojos grandes y negros: *La gacela es un animal de tamaño parecido al de un corzo.* ☐ ETIMOL. Del árabe *gazala*. ☐ MORF. Es un sustantivo epiceno: *la gacela {macho/hembra}*.

gaceta s.f. Publicación periódica en la que se dan noticias, generalmente no políticas: *Sus primeros poemas aparecieron en la gaceta literaria de su ciudad natal.* ☐ ETIMOL. Del italiano *gazzetta*.

gacetilla s.f. Noticia corta publicada en un periódico. ☐ ETIMOL. De *gaceta* (periódico).

gacetillero, ra s. Persona que se dedica a la redacción de gacetillas, esp. si esta es su profesión: *Es una periodista famosa que empezó siendo gacetillera de sucesos.*

gachas s.f.pl. Véase **gacho, cha**.

gacheta s.f. Palanca pequeña, que se encaja en el pestillo de una cerradura y que sirve para sujetarlo: *El pestillo no se mueve porque está echada la gacheta.* ☐ ETIMOL. Del francés *gâchette*.

gachí (pl. *gachís, gachíes*) s.f. *col.* Mujer: *La gachí se puso el mantón de Manila para ir a la verbena.* ☐ ETIMOL. De *gachó*.

gacho, cha ▌adj. **1** Encorvado o inclinado hacia la tierra: *Se fue avergonzado y con la cabeza gacha.* ▌s.f.pl. **2** Comida hecha de harina cocida con agua y sal, que se puede condimentar con leche, con miel o con otro aliño. ☐ SINÓN. *poleadas, puches.* ☐ ETIMOL. La acepción 1, de *agachar*. La acepción 2, de origen incierto.

gachó (pl. *gachós*) s.m. *col.* Hombre: *El gachó paseaba por la plaza con su gachí cogida del brazo.* ☐ ETIMOL. De origen gitano.

gachupín, -a s. *col. desp.* En zonas del español meridional, español.

gadget (ing.) s.m. **1** En publicidad, elemento que se incluye como regalo al comprar un producto. **2** Dispositivo mecánico o electrónico de pequeño tamaño: *una tienda de gadgets.* ☐ PRON. [gádyet].

gaditano, na adj./s. De Cádiz o relacionado con esta provincia española o con su capital: *Mi familia veranea en la ciudad gaditana de Rota.* ☐ ETIMOL. Del latín *Gaditanus*.

gadolinio s.m. Elemento químico, metálico y sólido, de número atómico 64, de color blanco plateado, fácilmente deformable y que pertenece al grupo de los lantánidos: *El gadolinio es utilizado en la industria nuclear y en los tubos de los televisores.* ☐ ETIMOL. Por alusión a Gadolin, químico finlandés. ☐ ORTOGR. Su símbolo químico es *Gd*.

gaélico, ca adj./s.m. Referido a una lengua, que pertenece al grupo de lenguas célticas que se hablan en ciertas comarcas irlandesas y escocesas: *El influjo del inglés redujo mucho la fuerza del grupo de lenguas gaélicas.*

gafa ▌s.f. **1** Enganche o varilla que sirve para sujetar algo. ▌pl. **2** Conjunto formado por dos lentes o cristales, generalmente graduados, montados en una armadura que se coloca delante de los ojos apoyada en la nariz y sujeta a las orejas con unas patillas. **3** Lo que se usa para proteger los ojos o para ver mejor: *Los soldadores utilizan unas gafas especiales para que las chispas no les quemen los ojos.* □ ETIMOL. De origen incierto. □ MORF. En las acepciones 2 y 3, es incorrecto su uso en singular: **gafa*.

gafar v. *col.* Transmitir mala suerte: *Aquella intervención tuya tan inoportuna me gafó el negocio. No soy supersticiosa y no creo que la mirada de un tuerto pueda gafar a nadie.* □ ETIMOL. De *gafe*.

gafe adj.inv./s.com. Que lleva consigo la mala suerte: *Tu amigo es un gafe, porque siempre que viene con nosotros nos pasa algo malo.* □ ETIMOL. De origen incierto.

gafedad s.f. Contracción permanente de los dedos, que impide su movimiento: *Siempre dice que se le caen muchas cosas al suelo por la gafedad de sus manos.*

gafete s.m. En zonas del español meridional, tarjeta de identificación que va sujeta a la ropa o colgada del cuello: *Todas las personas que participaron en la reunión traían gafete.*

gafotas (pl. *gafotas*) s.com. *col. desp.* Persona que usa gafas.

gafudo, da adj./s. *col. desp.* Que usa gafas.

gag s.m. Representación de una situación cómica o graciosa: *Los humoristas hicieron un gag muy divertido.* □ ETIMOL. Del inglés *gag*.

gagá adj.inv. *col.* Referido a una persona, que está muy achacosa o que chochea: *Ha cumplido los noventa y está un poco gagá.*

gagaku s.m. Música japonesa relacionada con cultos religiosos sintoístas.

gagman (ing.) s.m. Hombre que se dedica profesionalmente a divertir al público mediante la representación de situaciones cómicas: *Anoche fuimos a ver el espectáculo de un famoso gagman norteamericano.* □ USO Su uso es innecesario y puede sustituirse por *humorista*.

gaita s.f. **1** Instrumento musical de viento formado por un fuelle o bolsa de cuero que contiene el aire y que tiene acoplados tres tubos, cada uno de ellos con una función: *La gaita es un instrumento propio de la música folclórica gallega y asturiana.* **2** *col.* Lo que resulta molesto, fastidioso o importuno: *Conducir de noche y con tanta lluvia es una gaita.* □ SINÓN. *incordio.* **3** ‖ **templar gaitas;** *col.* Ceder o interceder para que alguien no se enfade o se moleste: *Consiguió que no se enfadaran porque sabe cómo templar gaitas.* □ ETIMOL. Quizá del gótico *gaits* (cabra), porque de su pellejo se hacía el fuelle de las gaitas.

gaitero, ra s. Músico que toca la gaita.

gaje ‖ **gajes del oficio;** *col.* Molestias o inconvenientes que lleva consigo un cargo, un empleo o una profesión: *Este actor odia las fiestas, pero siempre acude a ellas porque son gajes del oficio.* □ ETIMOL. Del francés *gaje* (prenda, sueldo).

gajo s.m. **1** Cada una de las partes en las que está dividido naturalmente el interior de algunos frutos, esp. los cítricos: *un gajo de naranja.* **2** Cada uno de los grupos de uvas en que se divide un racimo: *Cortó dos gajos del racimo de uvas para tomarlos de postre.* □ ETIMOL. Del latín **galleus* (semejante a una agalla de roble o de encina).

gal s.com. Miembro de la organización terrorista GAL (Grupo Antiterrorista de Liberación).

gala s.f. Véase **galo, la**.

galáctico, ca adj. **1** De una galaxia o relacionado con ella: *Tres son los elementos galácticos fundamentales: estrellas, gases y polvo cósmico.* **2** *col.* Excepcional o de muy buena calidad: *un equipo galáctico.* □ ETIMOL. Del griego *galaktikós* (lechoso), porque las galaxias vistas desde la Tierra parecen manchas lechosas.

galactófago, ga adj./s. Que se alimenta de leche: *Los mamíferos en la primera etapa de su vida son galactófagos.* □ ETIMOL. Del griego *gála* (leche) y *-fago* (que come).

galactómetro s.m. Aparato que sirve para medir la densidad de la leche: *El galactómetro permite comprobar si a la leche se le ha añadido agua de forma fraudulenta.* □ SINÓN. *lactómetro.* □ ETIMOL. Del griego *gála* (leche) y *-metro* (medidor).

galaico, ca adj. De Galicia (comunidad autónoma), o relacionado con ella: *El relieve galaico es suave y sin grandes alturas.*

galaicoportugués, -a (tb. *galaico-portugués, -a*) adj./s.m. →**gallegoportugués.**

galán ▮ adj.inv. **1** →**galano.** ▮ s.m. **2** Hombre apuesto y atractivo: *Cuando te arreglas, eres un auténtico galán.* **3** Actor que representa un papel principal, generalmente de hombre joven y atractivo: *Es uno de los mejores galanes del teatro español actual.* **4** Hombre que pretende a una mujer: *Varios galanes se disputaban el amor de la primogénita del conde.* **5** ‖ **galán de noche;** perchero con pie en el que se colocan prendas de vestir, esp. las masculinas. □ ETIMOL. Del francés *galant*.

galano, na adj. **1** Adornado de forma vistosa: *La casa estaba muy galana, llena de flores y con todas las luces encendidas.* □ SINÓN. *galán.* **2** Que viste bien o que cuida mucho su aspecto: *Dijo que le era muy agradable estar en tan galana compañía.* □ SINÓN. *galán.* **3** Elegante y gallardo: *El estilo de esta escritora es muy galano, aunque a veces resulta un poco afectado.* □ SINÓN. *galán.* □ ETIMOL. De *galán*.

galante adj.inv. **1** Amable, atento y cortés, esp. en el trato con las mujeres: *Fue muy galante al ceder a aquella viejecita su asiento en el autobús.* **2** Referido esp. a un tipo de literatura, que trata con picardía un tema amoroso: *La literatura galante ha gustado mucho en ambientes cortesanos de distintas épocas.* □ ETIMOL. Del francés *galant*.

galanteador, -a adj./s. Que galantea.

galantear v. Referido a una persona, tratarla de forma amable y cortés, esp. si es para seducirla o para iniciar una relación sentimental: *La protagonista de la novela era galanteada por varios jóvenes que pretendían su mano.* □ SINÓN. *cortejar.*

galanteo s.m. Trato amable y cortés que recibe una persona de otra, esp. cuando esta intenta seducirla o iniciar una relación sentimental: *Me confesó que estaba harta de los galanteos de aquel joven.*

galantería s.f. Hecho o dicho amables, atentos o corteses: *Tuvo la galantería de regalar a su compañera de trabajo un ramo de flores el día de su cumpleaños.*

galantina s.f. Carne de ternera o de ave, deshuesada y cocinada con gelatina, que se come en fiambre. □ ETIMOL. Del francés *galantine.*

galanura s.f. Gracia, gentileza y elegancia: *La galanura de sus movimientos despertó la admiración de todos.*

galápago s.m. Reptil quelonio de vida acuática, parecido a la tortuga, pero con los dedos unidos por membranas interdigitales: *Los galápagos bucean con gran agilidad.* □ ETIMOL. Quizá de origen prerromano. □ MORF. Es un sustantivo epiceno: *el galápago {macho/hembra}.*

galardón s.m. Premio o recompensa por méritos o servicios. □ ETIMOL. Del germánico **widarlón* (recompensa).

galardonado, da adj./s. Que ha recibido un galardón o premio.

galardonar v. Referido a una persona, premiarla o remunerarla sus méritos o servicios: *Fue galardonada con una condecoración por sus años de dedicación a la enseñanza.*

gálata adj.inv./s.com. De un antiguo pueblo que habitaba en Asia Menor: *San Pablo escribió una epístola dirigida a los gálatas.*

galaxia s.f. Sistema formado por estrellas, polvo interestelar, gas y partículas que giran alrededor de un núcleo central: *La Vía Láctea es una galaxia.* □ ETIMOL. Del griego *galaxías* (relativo a la leche).

galbana s.f. *col.* Pereza, desidia o pocas ganas de hacer algo. □ ETIMOL. Del árabe *galbana* (tristeza, descontento, desánimo).

galdosiano, na adj. De Benito Pérez Galdós (escritor español del siglo XIX y comienzos del XX) o con características de sus obras: *Los diálogos del relato están llenos de casticismos que les dan un aire galdosiano.*

gálea s.f. Casco de piel con protecciones a ambos lados de la cara que usaban los soldados romanos: *Los legionarios romanos protegían su cabeza con la gálea.* □ ETIMOL. Del latín *galea.*

galena s.f. Mineral compuesto de azufre y plomo, blando, de color gris y de brillo intenso: *La galena es la mejor mena del plomo.* □ ETIMOL. Del latín *galena.*

galeno s.m. *poét.* Médico. □ ETIMOL. Por alusión a Galeno, célebre médico griego.

galeón s.m. Antigua embarcación grande de vela con tres o cuatro palos: *Los galeones se usaron desde el siglo XV hasta el XVII para el comercio de España con América.* □ ETIMOL. Del antiguo *galea* (galera).

galeote s.m. Antiguamente, persona condenada a remar en las galeras: *Don Quijote liberó a unos galeotes después de preguntarles cuáles eran sus delitos para merecer ese castigo.*

galera ▌s.f. **1** Embarcación antigua de vela y remo. **2** En zonas del español meridional, chistera. ▌pl. **3** Antiguamente, condena que consistía en remar en las galeras reales y que se imponía a ciertos delincuentes: *Los condenados a galeras solían ser malhechores habituales.* □ ETIMOL. Del griego *galéa* (tiburón), porque se comparó esta embarcación con la rapidez y agilidad de este pez.

galerada s.f. En imprenta, prueba de la composición de un texto que se saca para hacer sobre ella las correcciones oportunas. □ ETIMOL. De *galera*, que significó *tabla con listones para poner las líneas de letras que compone el cajista.*

galería ▌s.f. **1** Habitación larga y espaciosa con muchas ventanas, sostenida por columnas o pilares, que se usa generalmente para pasear por ella o para colocar cuadros y otros objetos de adorno: *En la galería del palacio están expuestos los retratos de la familia.* **2** Corredor que da luz a las habitaciones interiores: *La galería del claustro está cerrada por una arquería con arcos de medio punto.* **3** Camino subterráneo, generalmente largo y estrecho: *Las vagonetas transportan el carbón por las galerías de la mina.* **4** Público o gente en general: *Vive de cara a la galería y solo le preocupa lo que los demás digan de él.* **5** Pasaje interior con varios establecimientos comerciales: *una galería de alimentación.* **6** En zonas del español meridional, anfiteatro de un cine o de un teatro. ▌pl. **7** Tienda o almacén de cierta importancia: *Compró vuestros regalos en unas galerías muy famosas del centro de la ciudad.* **8** ‖ **galería de arte;** establecimiento comercial en el que se exponen y se venden cuadros, esculturas y otros objetos de arte. □ ETIMOL. Del latín *galilaea* (atrio o claustro), y este de *Galilea*, porque se comparó esta región pagana de Palestina con el pórtico o galería de una iglesia, que era donde permanecía el pueblo por convertir, mientras el coro se comparaba con Judea.

galerista s.com. Persona que dirige una galería de arte o que es su propietaria.

galerístico, ca adj. De la galería de arte o relacionado con ella.

galerna s.f. Viento súbito y borrascoso que suele soplar en la costa norte de España con dirección oeste o noroeste: *Los pesqueros no salieron al mar hasta que no pasó la galerna.* □ ETIMOL. Del francés *galerne* (viento del Noroeste). □ SEM. No debe usarse para describir ese fenómeno atmosférico en otras zonas geográficas distintas de la costa norte de España.

galerón s.m. En zonas del español meridional, cobertizo.

galés, -a ▌adj./s. **1** De Gales (región británica), o relacionado con ella. ▌s.m. **2** Lengua céltica de este país: *El galés cuenta con una tradición literaria casi ininterrumpida desde el siglo XI.*

galga s.f. Véase **galgo, ga.**

galgo, ga ▌ adj./s. **1** Referido a un perro, de la raza que se caracteriza por tener el cuerpo delgado, la cabeza pequeña y el cuello, las patas y la cola largos: *Estuvimos en una carrera de galgos españoles.* **▌** s.f. **2** Piedra grande que se desprende y cae rodando desde lo alto de una cuesta. ☐ ETIMOL. La acepción 1, del latín *canis Gallicus* (perro de Galia). La acepción 2, de *galgo*, porque se compara su movimiento rápido con el de estas piedras.

gálibo s.m. Figura que marca las dimensiones máximas autorizadas para que un vehículo con carga pueda pasar por un túnel o bajo un paso elevado: *Si el camión tiene una altura mayor al gálibo de este túnel no puede pasar.* ☐ ETIMOL. Del árabe *qalib* (molde).

galicanismo s.m. Doctrina que defendía la disminución del poder del Papa en favor de la iglesia nacional francesa y de la Monarquía: *El galicanismo se inició en Francia en el siglo* XV.

galicismo s.m. En lingüística, palabra, significado o construcción sintáctica del francés empleados en otra lengua: *'Cabaré' es un galicismo (cabaret) adaptado al español.* ☐ SEM. Dist. de *galleguismo* (del gallego).

galicista adj.inv. **1** Del galicismo, con galicismos o relacionado con él: *'Barco a vapor' es un ejemplo de construcción galicista.* **2** Que emplea frecuentemente galicismos: *Algunos escritores españoles del siglo* XVIII *fueron tildados de galicistas.* ☐ SEM. Dist. de *galleguista* (del gallego).

gálico, ca adj. De la Galia (zona que se correspondía aproximadamente con el actual territorio francés), o relacionado con ella: *En las guerras gálicas, el emperador romano Julio César conquistó la Galia para Roma.* ☐ SINÓN. *galo.* ☐ ETIMOL. Del latín *Gallicus.*

galileo, a adj./s. De Galilea o relacionado con esta antigua región palestina.

galillo s.m. Campanilla del velo del paladar.

galimatías (pl. *galimatías*) s.m. *col.* Lo que resulta confuso, desordenado e incomprensible: *La reunión era un auténtico galimatías porque todos hablaban a la vez.* ☐ ETIMOL. Del francés *galimatias* (discurso o escrito embrollado).

galio s.m. Elemento químico, metálico y sólido, de número atómico 31, de color gris azulado o blanco brillante, fácilmente fusible, muy usado en odontología: *El galio es un metal parecido al aluminio.* ☐ ETIMOL. De *Galia* (Francia), donde se descubrió. ☐ ORTOGR. Su símbolo químico es *Ga.*

galipote s.m. Brea o alquitrán que se usa para tapar las junturas de las embarcaciones. ☐ ETIMOL. Del francés *galipot.*

galladura s.f. En un huevo de gallina, pequeño coágulo de sangre que indica que está fecundado.

gallar (tb. *gallear*) v. Referido a una gallina, fecundarla el gallo: *En esa granja tienen un gallo para gallar a las gallinas.*

gallardear v. Mostrar gallardía y desenvoltura en la forma de actuar: *Le gusta gallardear delante de las chicas para que lo miren.*

gallardete s.m. Bandera estrecha y de forma triangular que se suele colocar en los mástiles de los barcos como insignia, adorno o señal. ☐ ETIMOL. Del provenzal antiguo *galhardet* (banderola de adorno).

gallardía s.f. **1** Valor y decisión en la forma de actuar: *Su gallardía en la difícil misión le valió una medalla.* ☐ SINÓN. *bizarría.* **2** Elegancia y garbo, esp. en el movimiento: *Ese buen mozo monta a caballo con gallardía.*

gallardo, da adj. **1** Que actúa con valor, con ánimo y con decisión: *Hay que ser gallardo y afrontar los peligros de forma desenvuelta.* ☐ SINÓN. *bizarro, valiente.* **2** Que resulta elegante y galán, o que actúa con desenvoltura: *Los modelos suelen ser guapos y gallardos.* ☐ ETIMOL. Del francés *gaillard* (vigoroso).

gallear v. **1** *col.* Mostrarse presuntuoso ante los demás y alardear para intentar sobresalir: *Gallea mucho delante de todos, pero cuando hay peligro es el primero en huir.* **2** Referido a una gallina, fecundarla el gallo: *Ese gallo negro gallea a todas las gallinas del corral.* ☐ ORTOGR. En la acepción 2, se admite también *gallar.*

gallego, ga ▌ adj./s. **1** De Galicia (comunidad autónoma), o relacionado con ella: *El clima gallego es lluvioso.* **2** *col. desp.* En zonas del español meridional, español: *Tengo unos primos argentinos que dicen que Buenos Aires es una ciudad llena de gallegos.* **▌** s.m. **3** Lengua románica de Galicia: *El español y el gallego son lenguas oficiales en Galicia.*

gallegohablante adj.inv./s.com. Que habla el gallego sin dificultad, esp. si esta es su lengua materna.

gallegoportugués, -a ▌ adj. **1** Del gallegoportugués o relacionado con esta lengua medieval: *Muchas composiciones de la lírica gallegoportuguesa se conservan en cancioneros.* ☐ SINÓN. *galaicoportugués.* **▌** s.m. **2** Lengua medieval romance de la región que comprende el actual territorio gallego y parte del norte portugués: *El gallegoportugués fue una lengua principalmente poética.* ☐ SINÓN. *galaicoportugués.*

galleguismo s.m. **1** En lingüística, palabra, significado o construcción sintáctica del gallego empleados en otra lengua: *La palabra 'queimada' es un galleguismo en castellano.* **2** Movimiento que defiende los valores históricos y culturales gallegos y generalmente es partidario de la autonomía política gallega: *El galleguismo se ha desarrollado en el siglo* XX. ☐ SEM. Dist. de *galicismo* (del francés).

galleguista adj.inv./s.com. Partidario o seguidor del galleguismo como movimiento. ☐ SEM. Dist. de *galicista* (del francés).

galleguizar v. Dar características que se consideran propias de lo gallego o del gallego: *Cuando habla castellano, galleguiza algunos tiempos verbales.*

☐ ORTOGR. La *z* se cambia en *c* delante de *e* →CAZAR.

gallera s.f. Véase **gallero, ra**.

gallero, ra ▌s. **1** Persona que se dedica a la cría de gallos de pelea. ▌s.f. **2** Lugar en el que se crían gallos de pelea o en el que se celebran este tipo de peleas. **3** Jaula en la que se transporta a los gallos de pelea.

galleta s.f. **1** Pasta delgada y seca, compuesta de harina, azúcar y otros ingredientes, y cocida al horno: *Al mojarlas en leche, las galletas se ablandan.* **2** *col.* Golpe dado con la palma de la mano, esp. en la cara. **3** *col.* Golpe fuerte o violento. **4** || **galleta maría;** la de forma redonda. ☐ ETIMOL. Del francés *galette*. La expresión *galleta maría* es extensión del nombre de una marca comercial. ☐ USO En la acepción 1, es innecesario el uso del galicismo *biscuit*.

galletero s.m. Recipiente que se utiliza para conservar y servir las galletas: *Me han regalado un galletero metálico y de forma redondeada.*

galley (ing.) s.m. Cocina o despensa de un avión o de un barco: *En el galley se guarda la comida que se va a consumir durante el vuelo.* ☐ PRON. [gálei].

galliforme ▌adj.inv./s.f. **1** Referido a un ave, que tiene el pico corto y algo curvado, patas robustas, alas cortas y costumbres terrestres: *La perdiz y la gallina son aves galliformes.* ▌s.f.pl. **2** En zoología, orden de estas aves: *Algunas especies de las galliformes se han domesticado y se utilizan como aves de corral.*

gallina ▌adj.inv./s.com. **1** *col.* Referido a una persona, que es cobarde, apocada o tímida: *No seas tan gallina y atrévete a entrar en la cueva.* ▌s.f. **2** Hembra del gallo. **3** || **gallina ciega;** juego infantil en el que una persona con los ojos vendados trata de coger a alguien y de adivinar quién es. || **la gallina de los huevos de oro;** *col.* Fuente inagotable de grandes beneficios. ☐ ETIMOL. Del latín *gallina*. La expresión *la gallina de los huevos de oro*, por alusión a un cuento popular.

gallináceo, a ▌adj./s.f. **1** De la gallina, con sus características o relacionado con ella: *El pavo es una gallinácea.* ▌s.f.pl. **2** En zoología, grupo de estas aves: *En clasificaciones antiguas, las gallináceas eran un orden.*

gallinaza s.f. Excremento o estiércol de las gallinas: *La gallinaza es un abono muy bueno.*

gallinazo s.m. Buitre americano con el plumaje negro que se alimenta de carroña: *El gallinazo vive en grandes bandadas en algunas zonas de América.*

gallinejas s.f.pl. Comida hecha de tripas de gallina o de otros animales: *Las gallinejas son un plato típico madrileño.*

gallinero s.m. **1** Lugar en el que duermen las aves de corral. **2** *col.* Lugar en el que hay mucho ruido y jaleo. **3** *col.* En algunos teatros y cines, conjunto de asientos del piso más alto. ☐ SINÓN. *paraíso, cazuela.*

gallineta s.f. Gallina americana, algo mayor que la común, con el plumaje de color negro azulado con manchas blancas.

gallipato s.m. **1** Batracio que vive cerca de los estanques y de las fuentes. **2** En mitología, monstruo mitad gallo, mitad pato y que es de color azul.

gallito, ta adj./s. Referido a una persona, que presume exageradamente de algo: *Es un gallito y dice que es más listo que nadie.*

gallo ▌adj./s.m. **1** Referido a un hombre, que se considera superior a los demás o que presume de valiente: *Ese gallito siempre anda armando bronca.* ▌s.m. **2** Ave doméstica de plumaje abundante y lustroso, pico corto y curvado, que posee una cresta roja y erguida, un par de carnosidades pendientes a ambos lados de la cara y patas armadas con potentes espolones. **3** Pez marino comestible, parecido al lenguado pero de carne menos sabrosa. **4** *col.* Nota falsa y chillona emitida por una persona al hablar o al cantar: *Cuando empezó a cantar, el tenor hizo un gallo y fue abucheado.* **5** *col.* Compinche de un timador que se mezcla entre el público y anima a la gente a que caiga en el engaño: *Desmantelaron una red de timadores gracias a que un gallo fue descubierto por la policía.* **6** En zonas del español meridional, serenata: *Le va a llevar gallo a su novia hoy en la noche.* **7** || **en menos que canta un gallo;** *col.* En muy poco tiempo. || **otro gallo cantaría** u **otro gallo {me/te/...} cantara;** *col.* Otra cosa sería o sucedería: *Si lo hubiéramos sabido a tiempo, otro gallo cantaría.* ☐ ETIMOL. Del latín *gallus*. ☐ ORTOGR. Dist. de *gayo*. ☐ MORF. 1. En la acepción 1, se usa mucho el diminutivo *gallito*. 2. En la acepción 2, la hembra se designa con el femenino *gallina*. 3. En la acepción 3, es un sustantivo epiceno: *el gallo {macho/hembra}*.

gallofa s.f. Chismorreo o cotilleo.

galo, la ▌adj./s. **1** De la Galia (zona que se correspondía aproximadamente con el actual territorio francés), o relacionado con ella: *La economía gala estaba basada en la explotación de los bosques y en los productos de la tierra.* ☐ SINÓN. *gálico*. **2** De Francia o relacionado con este país europeo. ☐ SINÓN. *francés*. ▌s.m. **3** Antigua lengua de la Galia: *El galo era una lengua céltica.* ▌s.f. **4** Vestido elegante, lucido y lujoso: *Los asistentes a la fiesta lucían galas esplendorosas.* **5** Fiesta o ceremonia que, por su carácter solemne, requiere este tipo de vestuario: *Diversos líderes políticos estuvieron presentes en la gala de la embajada.* **6** Ceremonia o actuación artística de carácter excepcional: *La cantante realizará cuarenta galas este verano.* ▌s.f.pl. **7** Trajes, joyas y demás complementos de lujo: *Se puso sus mejores galas y deslumbró a todos en la fiesta.* **8** || **de gala;** referido a una prenda de vestir, que es adecuada para asistir a esta fiesta o ceremonia. || **hacer gala de** algo; **1** Presumir de ello: *En ese restaurante hacen gala de amables, y es verdad que tratan muy bien a sus clientes.* **2** Mostrarlo o lucirlo: *Aunque criticaban su forma de vestir, hizo gala de su educación y no contestó.* || **tener a gala** algo; presumir en exceso de ello. ☐ ETIMOL. Las acepciones 4-8, del francés antiguo *gale* (placer, diversión). ☐ MORF. Es la forma que adopta *francés* cuando se antepone a otra palabra para formar compuestos: *galorromano, galofobia, galófilo.*

galocha s.f. Calzado de madera con refuerzos de hierro que se usa para andar por la nieve, por el lodo o por un suelo muy mojado. ☐ ETIMOL. Quizá del francés *galoche* o del provenzal antiguo *galocha.*

galófilo, la adj./s. Que siente gran admiración y simpatía por todo lo francés. ☐ SINÓN. *francófilo.* ☐ ETIMOL. De *galo* (francés) y *-filo* (aficionado, amigo, amante).

galofobia s.f. Antipatía por todo lo francés. ☐ ETIMOL. De *galo* (francés) y *-fobia* (aversión).

galófobo, ba adj./s. Que siente gran antipatía por todo lo francés. ☐ SINÓN. *francófobo.* ☐ ETIMOL. De *galo* (francés) y *-fobo* (que siente horror u odio).

galón s.m. **1** Tejido fuerte y estrecho, semejante a una cinta, que se usa generalmente como adorno en una prenda de vestir: *Ha puesto galones en los volantes de la falda.* **2** Distintivo que llevan en la bocamanga o en el brazo las diferentes graduaciones del ejército o de otra organización jerarquizada: *Los galones de sargento son tres cintas de tela amarilla.* **3** En el sistema anglosajón, unidad de capacidad que equivale aproximadamente a 4,5 litros: *En Estados Unidos un galón equivale a 3,8 litros.* ☐ ETIMOL. Las acepciones 1 y 2, del francés *galon.* La acepción 3, del inglés *gallon.*

galopada s.f. Carrera a galope.

galopante adj.inv. **1** Que galopa. **2** Referido esp. a una enfermedad, que avanza y se desarrolla muy rápidamente: *Una tuberculosis galopante acabó con su vida en poco tiempo.*

galopar v. Ir a galope: *La yegua galopaba con elegancia. El jinete cayó del caballo mientras galopaba.*

galope s.m. Modo de marchar de una caballería, más rápido que el trote: *En las carreras del hipódromo, los caballos van a galope.* ☐ ETIMOL. Del francés *galop.*

galopín s.m. Muchacho travieso o pícaro. ☐ ETIMOL. Del francés *galopin* (muchacho recadero).

galorromano, na adj./s. Del territorio galo en la época en la que este formaba parte del Imperio Romano, o relacionado con él: *Los galorromanos acabaron hablando latín.* ☐ ETIMOL. De *galo* (francés) y *romano.*

galpón s.m. En zonas del español meridional, cobertizo: *Usábamos el galpón como depósito de mercaderías.*

galucha s.f. En zonas del español meridional, galope.

galvánico, ca adj. Del galvanismo o relacionado con este tipo de electricidad: *Algunas pilas eléctricas producen corrientes galvánicas.*

galvanismo s.m. **1** Electricidad producida por el contacto de dos metales diferentes entre los que se ha interpuesto un líquido: *Los metales que se utilizan con mayor frecuencia para producir galvanismo son el cobre y el cinc.* **2** Propiedad de excitar los nervios y los músculos mediante corrientes eléctricas: *El galvanismo se utiliza con fines terapéuticos.* ☐ ETIMOL. De Galvani, físico italiano.

galvanización s.f. **1** Cubrimiento de un metal con una capa de otro, empleando el galvanismo: *El cromado de algunos objetos metálicos se realiza mediante una galvanización.* ☐ SINÓN. *galvanizado.* **2** Reactivación súbita de una actividad humana: *La llegada del nuevo jugador ha conseguido la galvanización del juego del equipo.* ☐ SINÓN. *galvanizado.*

galvanizado s.m. →**galvanización.**

galvanizar v. **1** Referido a un metal, cubrirlo con una capa de otro utilizando el galvanismo para ello: *Ha galvanizado el alambre con cinc para que no se oxide.* **2** Referido esp. a una actividad, reactivarla súbitamente: *Este entrenador sabe cómo galvanizar el juego de su equipo.* ☐ ORTOGR. La *z* se cambia en *c* delante de *e* →CAZAR.

galvanómetro s.m. Instrumento que sirve para medir la intensidad de pequeñas corrientes eléctricas y determinar su sentido: *El galvanómetro tiene una aguja imantada cuya desviación indica la intensidad de la corriente eléctrica.* ☐ ETIMOL. De Galvani (físico italiano descubridor del galvanismo) y *-metro* (medidor).

galvanoplastia s.f. Técnica de recubrir un cuerpo sólido con una capa de un metal disuelto en un líquido, utilizando corrientes eléctricas: *La galvanoplastia se utiliza en artes gráficas.* ☐ ETIMOL. De *galvano* (relacionado con la corriente eléctrica) y el griego *plastós* (modelado).

galvanoplástico, ca adj. De la galvanoplastia o relacionado con ella.

gama s.f. **1** Escala musical: *El teclado abarca una gama de cuatro octavas.* **2** Escala o gradación de colores: *En otoño los bosques tienen toda la gama de ocres.* **3** Serie o conjunto de cosas distintas, pero de la misma clase: *Esta marca de coches presenta una gran gama de modelos.* ☐ ETIMOL. De *gamma*, nombre de la letra griega con que se designó la nota más baja de la moderna escala musical. ☐ SEM. En la acepción 3, no debe emplearse con el significado de *conjunto, clase, cantidad* o *serie*: *Los ciudadanos tendrán acceso a una amplia {*gama > cantidad} de servicios.*

gamba s.f. **1** Crustáceo marino comestible parecido al langostino, pero de menor tamaño: *Las gambas son de color grisáceo, pero se vuelven rojas cuando se cuecen.* **2** ‖ **meter la gamba;** *col.* Hacer o decir algo poco acertado: *Has metido la gamba al acusarme, porque yo no he sido.* ☐ ETIMOL. La acepción 1, del catalán *gamba.* La acepción 2, del italiano *gamba* (pierna). ☐ MORF. En la acepción 1, es un sustantivo epiceno: *la gamba {macho / hembra}.*

gambado, da adj. En zonas del español meridional, patizambo. ☐ ETIMOL. Del italiano *gamba* (pierna).

gambear v. *col.* Pasear: *Me gusta gambear por la calle mientras miro los escaparates.*

gamberrada s.f. Hecho o dicho propios de un gamberro.

gamberrear v. *col.* Hacer gamberradas: *En lugar de gamberrear toda la tarde, deberías dedicarte a estudiar.*

gamberrismo s.m. Conducta propia de un gamberro.

gamberro, rra adj./s. Referido esp. a una persona, que es grosera o poco cívica: *Unos gamberros quemaron las papeleras del parque.* □ ETIMOL. De origen incierto.

gambeta s.f. En danza, movimiento que se hace con las piernas cruzándolas en el aire: *Para que la gambeta esté bien hecha las piernas se han de entrecruzar con rapidez.* □ ETIMOL. Del italiano *gambettare*.

gambiano, na adj./s. De Gambia o relacionado con este país africano.

gambito s.m. En el ajedrez, jugada que consiste en sacrificar alguna pieza al principio de la partida para lograr una posición favorable: *No dudé en hacer un gambito de dama con el fin de lograr una salida para mi ataque.* □ ETIMOL. Del italiano *gambetto* (zancadilla).

gambusino s.m. **1** En zonas del español meridional, persona que busca yacimientos de oro. **2** En zonas del español meridional, persona que busca aventuras. **3** Pez americano de agua dulce, que acaba con las larvas de los mosquitos.

game (ing.) s.m. En tenis, cada una de las partes en que se divide un set: *Seis games componen un set.* □ PRON. [guéim]. □ USO Su uso es innecesario y puede sustituirse por *juego*.

gamella s.f. **1** Cajón de madera que sirve para dar de comer y beber a los animales, para fregar y lavar o para otros usos domésticos: *Las vacas comían el pienso y la paja de la gamella.* **2** Arco que se forma en cada extremo del yugo que se pone a los animales de tiro: *Los dos bueyes, emparejados bajo el yugo, caminaban fieles a la gamella.*

gameto s.m. Célula sexual masculina o femenina de una planta o de un animal: *El óvulo es el gameto femenino.* □ ETIMOL. Del griego *gameté* (esposa) o *gametés* (esposo).

gametogénesis (pl. *gametogénesis*) s.f. En algunos seres vivos, proceso de formación de los gametos: *En los animales superiores, la gametogénesis tiene lugar en los ovarios y en los testículos.*

gamín s.m. En zonas del español meridional, niño vagabundo: *Los gamines pedían por las calles de la ciudad.*

gamitar v. Referido a un gamo, dar gamitidos o emitir su voz característica: *El gamo gamitaba para atraer a la hembra.*

gamitido s.m. Voz característica del gamo.

gamma s.f. En el alfabeto griego clásico, nombre de la tercera letra: *La grafía de la gamma es* γ.

gammaglobulina s.f. Proteína del suero sanguíneo que actúa en los procesos inmunitarios: *La gammaglobulina es un anticuerpo que se opone a la acción biológica de los antígenos.*

gammagrafía s.f. Radiografía de las sombras que produce un cuerpo atravesado por rayos gamma: *Las gammagrafías sirven para comprobar el estado de los edificios.* □ ETIMOL. De *rayos gamma* y *-grafía* (representación gráfica).

gamo s.m. Mamífero rumiante que tiene el pelaje rojizo oscuro con pequeñas manchas blancas, los cuernos en forma de pala y las nalgas y la parte inferior de la cola blancas: *Los gamos son originarios del sur de Europa.* □ ETIMOL. Del latín *gammus*. □ MORF. Es un sustantivo epiceno: *el gamo {macho/hembra}*.

gamonal s.m. En zonas del español meridional, cacique.

gamopétalo, la adj. Referido a una flor o a su corola, que tiene los pétalos total o parcialmente unidos: *Las petunias son flores gamopétalas.* □ ETIMOL. Del griego *gámos* (unión de los sexos) y *pétalo*. □ SEM. Dist. de *monopétalo* (que tiene un solo pétalo).

gamosépalo, la adj. Referido a una flor o a su cáliz, que tiene los sépalos soldados, al menos en la base: *Una especie de salvia tiene las flores gamosépalas.* □ ETIMOL. Del griego *gámos* (unión de los sexos) y *sépalo*. □ SEM. Dist. de *monosépalo* (que tiene un solo sépalo).

gamusino s.m. Animal imaginario con el que generalmente se gastan bromas a cazadores novatos: *Me tomaron el pelo y me hicieron levantarme a las cuatro de la mañana para ir a cazar gamusinos.* □ USO Tiene un matiz humorístico.

gamuza s.f. **1** Mamífero rumiante del tamaño de una cabra, que tiene las astas negras, lisas y solo curvadas en sus extremos, patas largas, gran agilidad para los saltos, y que habita en zonas de rocas escarpadas. □ SINÓN. *rebeco, robezo*. **2** Piel curtida de este animal, caracterizada por ser muy flexible, tener aspecto aterciopelado y ser de color amarillo pálido: *Aunque parece una chaqueta de gamuza, es de piel sintética.* **3** Tejido o paño de aspecto semejante a esta piel, usado para la limpieza: *Quité el polvo de la mesa con una gamuza.* □ ETIMOL. Del latín *camox*. □ MORF. En la acepción 1, es un sustantivo epiceno: *la gamuza {macho/hembra}*.

gamuzado, da adj. Parecido a la gamuza, con aspecto aterciopelado o con el color amarillo propio de esta piel: *una camisa gamuzada.*

gana s.f. **1** Deseo, apetito o voluntad de algo: *Tengo muchas ganas de ir al cine. No mostró ninguna gana de volver a verlo.* **2** *col.* Hambre o apetito: *Si tienes gana, comemos ya.* **3** ‖ **con ganas;** *col.* Con intensidad: *Este niño es malo con ganas.* ‖ **dar** a alguien **la (real) gana** de algo; *col.* Querer hacerlo por deseo propio, con razón o sin ella: *Si lo hace mal es porque le da la gana, no porque no sepa.* ‖ **de {buena/mala} gana;** *col.* Con buena o mala disposición: *Si vas a hacerlo de mala gana, prefiero que no lo hagas.* ‖ **tener ganas** a alguien**;** *col.* Desear tener la oportunidad de perjudicarlo o hacerle daño: *Desde que discutimos sé que me tiene unas ganas...* □ ETIMOL. De origen incierto. □ MORF. 1. En plural tiene el mismo significado que en singular. 2. Se usa más en plural. □ SINT. Constr. *gana* DE *algo*.

ganadería s.f. **1** Crianza de ganado para su comercio o su explotación. **2** Raza especial de ganado, esp. la que pertenece a un ganadero: *Los toros de la corrida eran de dos ganaderías distintas.*

ganadero, ra ▮ adj. **1** Del ganado, de la ganadería o relacionado con ellos: *industria ganadera.* ▮ s.m. **2** Propietario de ganado. **3** Persona que cuida del ganado.

ganado s.m. **1** Conjunto de animales cuadrúpedos que pastan juntos y se crían para la explotación: *El pastor sale todas las mañanas con el ganado.* **2** *col. desp.* Grupo numeroso de personas. **3** ‖ **ganado de cerda;** el formado por cerdos. □ ETIMOL. De *ganar*, primitivamente relacionado solo con *ganancia* o *bienes*, por la importancia de la riqueza pecuaria en la economía.

ganador, -a adj./s. Que gana: *Un conocido mío ha sido el único ganador de la lotería de este sábado.*

ganancia s.f. **1** Beneficio o provecho que se obtienen de algo, esp. el económico: *La buena marcha del negocio les proporcionó grandes ganancias.* **2** ‖ **no arrendar la ganancia** a alguien; no envidiar su posición por entenderse que saldrá perjudicado de ella: *Dices que tu trabajo es maravilloso, pero, sinceramente, no te arriendo la ganancia.* □ MORF. Se usa más en plural.

ganancial ▮ adj.inv. **1** De la ganancia o relacionado con ella: *El recuento ganancial arrojó una cifra mucho menor de la esperada.* ▮ s.m.pl. **2** →**bienes gananciales.**

ganancioso, sa adj. Que ocasiona ganancias o que las obtiene: *Llegó a un acuerdo muy ganancioso para su empresa.*

ganapán s.m. *col.* Hombre rudo y tosco.

ganapierde s.m. En las damas y otros juegos, forma de jugar en la que gana quien consigue perder todas las piezas. □ ETIMOL. De *ganar* y *perder*.

ganar ▮ v. **1** Referido a un bien o a una riqueza, adquirirlos o aumentarlos: *Trabajando seriamente ha ganado dinero y fama.* **2** Referido a un sueldo, cobrarlo en un trabajo: *El primer sueldo que gané me lo gasté en regalos para mi familia.* **3** Referido a algo que está en juego, obtenerlo o lograrlo: *Ganó una buena cantidad de dinero en la lotería. No consiguió ganar la plaza por oposición, pero entró como interina.* **4** Referido esp. a un sentimiento ajeno, obtenerlo o atraerlo: *Con sus palabras, logró ganar la atención del auditorio. Se ganó el cariño de todos nosotros.* **5** Referido a una persona, conseguir u obtener su afecto o su confianza: *Lo ganaron para la causa en aquella reunión clandestina. Se ganó a mis padres desde el primer día.* **6** Referido a un territorio, conquistarlo o tomarlo: *Los romanos ganaron Numancia después de un fuerte asedio.* **7** Referido al lugar de destino, llegar a él: *El náufrago ganó la costa a nado.* **8** Referido a una persona, aventajarla, superarla o excederla: *Nos gana a todos en eficacia.* **9** Mejorar o cambiar favorablemente: *Cuando te maquillas, ganas mucho.* ▮ prnl. **10** Conseguir por propio merecimiento: *Te has portado tan bien que te has ganado un helado.* □ ETIMOL. Del germánico *waidanjan* (cosechar, ganar). □ SINT. En la acepción 3, incorr. *ganar {*de > por} tres puntos.*

ganchillo s.m. **1** Aguja de unos veinte centímetros de largo, que tiene uno de sus extremos más delgado y terminado en gancho, y que se usa para hacer labores de punto. □ SINÓN. *aguja de gancho.* **2** Labor que se hace con este tipo de aguja: *hacer ganchillo.* □ SINÓN. *croché.*

ganchito s.m. Aperitivo ligero y crujiente hecho con patata, maíz u otros ingredientes, y que tiene forma alargada o de gancho.

gancho s.m. **1** Instrumento o pieza curvos y generalmente puntiagudos, que sirven para coger, sujetar o colgar algo: *El carnicero cuelga sus piezas de carne en unos ganchos. Colgó su chaqueta en el gancho que hay detrás de la puerta. En la tintorería cogen las perchas colgadas del techo con un palo terminado en un gancho.* **2** *col.* Compinche de un vendedor ambulante o de un estafador, que se mezcla entre el público y anima a la gente a que compre o a que caiga en el engaño: *La gente empezó a comprar el crecepelo después de que el gancho se llevara cinco botellas.* **3** *col.* Atractivo que cautiva: *Es una persona con muchísimo gancho entre los más jóvenes.* **4** Puñetazo que se da con el brazo doblado: *El boxeador derribó a su contrincante con un buen gancho.* **5** En baloncesto, tiro a canasta que se realiza arqueando el brazo sobre la cabeza: *Este pívot es especialista en ganchos.* **6** En zonas del español meridional, grapa. **7** En zonas del español meridional, horquilla. **8** En zonas del español meridional, pinza de la ropa. **9** En zonas del español meridional, percha. **10** ‖ **gancho (de nodriza);** en zonas del español meridional, imperdible. □ ETIMOL. De origen incierto. □ MORF. En la acepción 6, se usa mucho el diminutivo *ganchito*.

ganchudo, da adj. Con forma de gancho.

gandul, -a adj./s. *col.* Que es un holgazán y no tiene honradez ni vergüenza. □ ETIMOL. Del árabe *gandur* (fatuo, ganapán).

gandulear v. Vivir como un gandul: *Estás todo el día ganduleando y vas a suspender todo.*

gandulería s.f. Falta de ganas de trabajar, de honradez y de vergüenza.

gang (ing.) s.m. Banda de delincuentes o de malhechores: *Un gang asaltó ayer ese banco.* □ USO Su uso es innecesario y puede sustituirse por *banda de criminales*.

ganga s.f. **1** Ave parecida a la perdiz, con el cuerpo negro y pardo, y un lunar rojo en la pechuga: *La carne de la ganga es dura y poco sustanciosa.* **2** Lo que es apreciable y se adquiere de forma ventajosa o sin esfuerzo. □ SINÓN. *chollo.* **3** Materia inútil que se separa de los minerales: *Al lado de la mina había unas instalaciones en las que separaban la ganga de la mena del hierro.* □ ETIMOL. La acepción 1, de origen onomatopéyico. La acepción 2 deriva de la 1, porque la ganga era difícil de cazar y dura de comer, y se decía en sentido irónico. La acepción 3, del francés *gangue*, y este del alemán *gang* (filón metálico). □ MORF. En la acepción 1, es un sustantivo epiceno: *la ganga {macho/hembra}.*

ganglio s.m. Pequeño abultamiento que se encuentra en el trayecto de las vías linfáticas o en un nervio: *Los ganglios nerviosos están formados por acumulación de células nerviosas.* ☐ ETIMOL. Del latín *ganglion*.

gangosidad s.f. Forma de hablar caracterizada por las resonancias nasales: *Muchos humoristas imitan la gangosidad cuando cuentan chistes.*

gangoso, sa adj./s. Que habla con resonancias nasales, generalmente como consecuencia de un defecto en los conductos de la nariz. ☐ ETIMOL. De origen onomatopéyico.

gangrena s.f. Muerte del tejido orgánico de una persona o de un animal producida por una lesión, por la infección de una herida o por la falta de riego sanguíneo: *La gangrena es un proceso muy doloroso.* ☐ ETIMOL. Del latín *gangraena*. ☐ PRON. Incorr. *[cangréna].

gangrenarse v.prnl. Referido a un tejido orgánico, padecer gangrena: *Se le gangrenó la pierna y tuvieron que amputársela.* ☐ PRON. Incorr. *[cangrenárse].

gangrenoso, sa adj. Con gangrena.

gangsta rap (ing.) s.m. || Rap cuyas letras se caracterizan por tratar temas de la vida de los suburbios urbanos.

gangster (ing.) s.m. →**gánster.** ☐ PRON. [gánster].

ganja (ing.) s.f. *arg.* En el lenguaje de la droga, marihuana o hachís. ☐ PRON. [gánya].

ganoso, sa adj. Que tiene gana o deseo de algo.

gansada s.f. Hecho o dicho propios de una persona gansa: *Tus gansadas demuestran que no pones ningún interés en lo que haces. Se pasó toda la noche haciendo gansadas y después se disculpó diciendo que había bebido mucho.*

gansear v. *col.* Hacer o decir gansadas: *Se pasa el día ganseando y diciendo tonterías.*

ganso, sa ▮ adj./s. **1** Referido a una persona, que es patosa, torpe o descuidada: *Es muy ganso y rompe todo lo que coge.* **2** Referido a una persona, que presume de chistosa o de aguda: *Es bastante gansa y nos reímos mucho con ella.* **3** *col.* Grande o de proporciones desmesuradas: *Un colega de mi barrio se ha comprado un coche muy ganso.* ▮ s. **4** Ave palmípeda con la parte superior del cuerpo de color ceniciento, los bordes de las alas y de las plumas más claros y la parte inferior blanca, que se alimenta de vegetales y vive en zonas pantanosas. ☐ SINÓN. *ánsar, oca.* ☐ ETIMOL. Del gótico **gans*.

gánster (pl. *gánsteres*) s.com. Miembro de una banda organizada de malhechores o delincuentes que tiene negocios clandestinos y actúa en las grandes ciudades: *El protagonista de la película era un gánster que controlaba todos los casinos de juego de la ciudad.* ☐ ETIMOL. Del inglés *gangster*. ☐ ORTOGR. 1. Dist. de *hámster*. 2. Es innecesario el uso del anglicismo *gangster*.

gansterismo s.m. Conducta propia de un gánster.

ganzúa s.f. Alambre fuerte doblado por un extremo, que se utiliza para abrir cerraduras en lugar de hacerlo con la llave: *Los ladrones abrieron la puerta con una ganzúa.* ☐ ETIMOL. Del euskera *gantzua*.

gañafón s.m. En tauromaquia, cornada que da un toro cuando embiste de forma violenta y rápida: *En un gañafón, el toro estuvo a punto de herir al torero en la cara.*

gañán s.m. **1** Mozo de labranza. **2** *desp.* Hombre rudo o tosco. ☐ ETIMOL. Quizá del francés antiguo *gaaignant* (labrador).

gañido s.m. Quejido característico del perro.

gañil s.m. Agalla de los peces. ☐ USO Se usa más en plural.

gañir v. **1** Referido a un perro, dar gañidos o emitir quejidos: *El perro que tenía la pata rota gañía sin parar.* **2** Referido a un ave, graznar, dar graznidos o emitir su voz característica: *Los grajos gañían al amanecer.* ☐ ETIMOL. Del latín *gannire* (gañir, aullar el zorro). ☐ MORF. Irreg. →PLAÑIR.

gañote s.m. *col.* Parte interior de la garganta. ☐ SINÓN. *gaznate.* ☐ ETIMOL. Del antiguo *cañón* (tráquea), por influencia de *gaznate*.

gap s.m. Distancia o diferencia excesiva entre dos elementos que tienen relación: *El gap de inflación entre Alemania y España es de un tres por ciento.* ☐ ETIMOL. Del inglés *gap*. ☐ USO Su uso es innecesario y puede sustituirse por *diferencial*.

garabatear v. Hacer garabatos o trazos irregulares: *Garabateó su firma en el documento. Su madre lo regañó por garabatear en la pared.*

garabato s.m. Trazo irregular que se hace con cualquier instrumento que sirva para escribir, esp. el hecho por los niños pequeños sin que represente nada: *Me mandó una nota, pero no pude entender sus garabatos.* ☐ ETIMOL. De origen prerromano.

garaje s.m. **1** Local, generalmente cubierto, destinado a guardar automóviles. **2** Taller en el que se reparan automóviles. **3** Movimiento musical y juvenil que se manifiesta en una música ruidosa y de ritmo fuerte. ☐ ETIMOL. Las acepciones 1 y 2, del francés *garage*. La acepción 3 del inglés *garage*. ☐ PRON. En la acepción 3, se usa mucho la pronunciación anglicista [gárach]. ☐ ORTOGR. Incorr. **garage*.

garambaina ▮ s.f. **1** Adorno que se considera innecesario y de mal gusto: *Esta pulsera lleva demasiadas garambainas.* ▮ pl. **2** *col.* Tonterías o pamplinas: *Déjate de garambainas y ponte a trabajar de una vez.* ☐ MORF. En la acepción 1, se usa más en plural.

garambuyo s.m. **1** Cactus mexicano de pequeño tamaño y de fruto comestible. **2** Fruta de este cactus.

garante adj.inv./s.com. Que da garantía: *La directora de personal fue la garante del cumplimiento del convenio.* ☐ ETIMOL. Del francés *garant*.

garantía s.f. **1** Seguridad que se da del cumplimiento o realización de algo estipulado o convenido: *Me dio garantía de que iría.* **2** Fianza o prenda: *Para concederles el préstamo, el banco les exigió la hipoteca de la casa como garantía de pago.* **3** Lo que asegura o protege contra un riesgo o una necesidad: *No decírselo es la mejor garantía para que no desvele el secreto.* **4** Compromiso, generalmente temporal, por el que un fabricante o un vendedor se obligan a reparar gratuitamente algo vendido: *El frigorífico tiene garantía por dos años.* **5** Documento que acredita este compromiso: *Perdimos la garantía y tuvimos que pagar la reparación.* **6** || **garantía social;** programa de formación laboral para jóvenes sin cualificación profesional y que no hayan alcanzado los objetivos de la Educación Secundaria Obligatoria ni que posean titulación de Formación Profesional: *Los programas de garantía social están destinados a chicos de 16 a 21 años.* □ ETIMOL. Del francés *garantie.*

garantir v. Dar garantía. □ ETIMOL. De *garante.* □ SINT. Verbo defectivo: solo se usan las formas que presentan *i* en su desinencia →ABOLIR.

garantizar v. Dar garantía: *Las lluvias garantizan el abastecimiento de agua. Te garantizo que se portará bien.* □ ORTOGR. La *z* se cambia en *c* delante de *e* →CAZAR.

garañón s.m. Caballo o asno destinados a la reproducción. □ ETIMOL. Del germánico *wranjo* (caballo semental).

garapiña s.f. →**garrapiña.**

garapiñar v. →**garrapiñar.**

garbancero, ra ▌adj. **1** Del garbanzo o relacionado con él: *Es un buen terreno garbancero y la cosecha será abundante.* ▌adj./s. **2** *desp.* Referido a una persona, que resulta simple, ordinaria o vulgar.

garbanzal s.m. Terreno plantado de garbanzos.

garbanzo s.m. **1** Planta herbácea de tallo duro y abundante en ramas, con hojas compuestas de bordes aserrados, flores blancas o rojas, y semilla comestible. **2** Semilla de esta planta, de aproximadamente un centímetro de diámetro, de color amarillento y de forma redonda con una pequeña hendidura en uno de sus polos: *potaje de garbanzos.* **3** || **buscarse los garbanzos;** *col.* Buscar y encontrar los medios económicos suficientes para vivir. || **garbanzo negro;** en un grupo, persona mal considerada por sus condiciones morales: *Ese incompetente es el garbanzo negro que está desprestigiando nuestra profesión.* □ ETIMOL. De origen incierto.

garbeo s.m. *col.* Paseo: *Voy a dar un garbeo por la plaza.* □ SINT. Se usa más con el verbo *dar.*

garbo s.m. Desenvoltura, gracia o buena disposición, esp. en la forma de actuar o de andar. □ ETIMOL. Del italiano *garbo* (plantilla, modelo, forma).

garboso, sa adj. Que tiene garbo o desenvoltura.

garceta s.f. Ave zancuda de plumaje blanco, con un penacho en la cabeza, del que salen dos plumas largas y muy finas, pico recto, negro y largo, cuello muy delgado, y patas negras. □ ETIMOL. De *garza.* □ MORF. Es un sustantivo epiceno: *la garceta {macho/hembra}.*

garcilla s.f. **1** Ave parecida a la garza, pero de menor tamaño. **2** || **garcilla bueyera;** la que tiene el plumaje blanco, con algunas plumas de color ocre en la nuca y el dorso. || **(garcilla) cangrejera;** la que tiene el plumaje marrón, con las partes inferiores blancas. □ ETIMOL. Del diminutivo de *garza.* □ MORF. Es un sustantivo epiceno: *la garcilla {macho/hembra}.*

garçon (fr.) || **a lo garçon;** referido a un peinado de mujer, con el pelo corto y la nuca despejada: *Mi abuela causó un gran revuelo en su época cuando se cortó el pelo a lo garçon y se puso pantalones.* □ PRON. [a lo garsón].

gardenia s.f. **1** Arbusto de tallos espinosos que llegan a medir unos dos metros de altura, de hojas lisas, grandes y ovaladas, de color verde brillante y con flores blancas y olorosas de pétalos gruesos: *La gardenia es originaria de Asia oriental.* **2** Flor de este arbusto: *Las gardenias son muy apreciadas como flores ornamentales.* □ ETIMOL. Por alusión a Garden, naturalista escocés a quien se dedicó esta planta.

garduña s.f. Véase **garduño, ña.**

garduño, ña ▌s. **1** *col.* Ratero o ladrón que roba con habilidad y con disimulo cosas de poco valor: *Un garduño le sopló la cartera.* ▌s.f. **2** Mamífero carnicero de cabeza pequeña, orejas redondas, cuello largo y patas cortas, que busca alimento durante la noche destruyendo crías de muchos animales. □ ETIMOL. La acepción 1, de *garduña.* La acepción 2, de origen prerromano. □ MORF. En la acepción 2, es un sustantivo epiceno: *la garduña {macho/hembra}.*

garete || **irse al garete;** *col.* Referido esp. a un proyecto, fracasar o malograrse. □ ETIMOL. De origen incierto.

garfa s.f. En algunos animales, cada una de las uñas fuertes y curvas de las manos. □ ETIMOL. Del árabe hispánico *garfa* (cantidad que se coge con una mano).

garfio s.m. Gancho o instrumento curvo y puntiagudo, generalmente de hierro, que sirve para agarrar o sujetar algo: *El pirata tenía un brazo de palo que terminaba en un garfio.* □ ETIMOL. Del latín *graphium* (punzón para escribir).

gargajear v. Arrojar gargajos o flemas: *Es repugnante porque no para de gargajear.*

gargajo s.m. Saliva o flema que se escupe o se expulsa por la boca. □ ETIMOL. De origen onomatopéyico.

garganta s.f. **1** En el cuerpo de una persona o de un animal, parte anterior o delantera del cuello: *Si vas a salir con ese resfriado, ponte un pañuelo que te cubra bien la garganta.* **2** En el cuerpo de una persona o de un animal, espacio interno comprendido entre el velo del paladar y la entrada del esófago y de la laringe: *Me duele la garganta y me cuesta tragar.* **3** Paso estrecho entre montes, ríos y otros parajes. □ ETIMOL. De origen onomatopéyico.

gargantilla s.f. Collar corto que rodea el cuello.

gargantúa (fr.) s.com. Persona comilona, glotona, muy grande y gorda. □ ETIMOL. Por alusión al personaje literario de un gigante muy voraz creado por el escritor francés Rabelais.

gárgara s.f. **1** Acción de mantener un líquido en la garganta, con la boca hacia arriba, sin tragarlo, y expulsando el aire para moverlo: *Haz gárgaras con agua caliente con miel y verás cómo te mejora la ronquera.* **2** || **mandar a hacer gárgaras** algo; *col.* Rechazarlo o desentenderse de ello. □ ETIMOL. De origen onomatopéyico. □ MORF. Se usa más en plural.

gargarismo s.m. **1** Acción de hacer gárgaras: *Se me curó el dolor de garganta haciendo gargarismos con miel y limón.* **2** Líquido medicinal que se usa para hacer gárgaras. □ ETIMOL. Del griego *gargarismós*.

gárgola s.f. En un tejado o en una fuente, parte final del canal de desagüe o del caño, esp. la que está esculpida en forma de figura humana o animal: *Muchas construcciones góticas tienen gárgolas que representan cabezas de dragones o de seres fantásticos.* □ ETIMOL. Del francés antiguo *gargoule*, y este de *gargouiller* (producir un ruido como el de un líquido en un tubo).

garguero s.m. Parte superior de la tráquea. □ ETIMOL. De origen onomatopéyico.

garimpeiro (port.) s.m. Buscador de oro o de piedras preciosas: *Muchos garimpeiros se concentran en la cuenca del Amazonas.* □ PRON. [garimpéiro].

garita s.f. Torrecilla, caseta o cuarto que sirve de resguardo o de protección a personas que vigilan: *Los turistas se fotografiaron al lado de un miembro de la guardia real situado delante de la garita.* □ ETIMOL. Del francés antiguo *garite* (refugio, garita de centinela).

garito s.m. **1** Casa de juego no autorizada: *La policía detuvo a todos los que encontró en el garito.* **2** *col. desp.* Establecimiento público de diversión, esp. si no tiene buena reputación: *Este garito abre solo de una a seis de la madrugada.* □ ETIMOL. De *garita*.

garlito s.m. **1** Red de pesca que tiene en la parte más estrecha una malla dispuesta de tal forma que, una vez que entra el pez, no puede volver a salir: *pesca con garlito.* **2** *col.* Trampa que se prepara para molestar o hacer daño a alguien: *Cayó en el garlito y no tuvo más remedio que acompañarnos.* □ ETIMOL. De origen incierto. □ SINT. La acepción 2 se usa más en la expresión *caer en el garlito*.

garlopa s.f. En carpintería, cepillo largo y con mango utilizado para igualar y afinar las superficies ya cepilladas: *Para alisar la tabla, el carpintero primero pasa el cepillo y después la garlopa.* □ ETIMOL. Del provenzal *garlopo*.

garnacha ▌adj.inv./s.f. **1** Referido a la uva, de la variedad que se caracteriza por ser muy fina y dulce, y tener un color rojizo que tira a morado: *La garnacha forma racimos no muy grandes.* ▌s.f. **2** Vino que se obtiene de esta uva: *La garnacha es muy dulce.* **3** En zonas del español meridional, tortilla de maíz gruesa que se toma con salsas y otros alimentos: *En el tianguis que se pone cerca de mi casa hay un puesto de garnachas muy ricas.* □ ETIMOL. Del italiano *vernaccia* (quizá del pueblo de Vernazza, en Liguria, comarca famosa por sus vinos).

garra ▌s.f. **1** En algunos animales vertebrados, mano o pie con dedos terminados en uñas fuertes, curvas y cortantes: *El águila cogió a su presa con las garras y se la llevó volando.* **2** Cada una de las uñas fuertes, curvas y afiladas de estos animales: *El león tiene garras muy afiladas.* **3** *col. desp.* En una persona, mano. **4** Fuerza o atractivo: *Esta novela tiene garra para los lectores más jóvenes.* ▌pl. **5** Influencia o poder que se consideran negativos y perjudiciales: *Cayó en las garras de un estafador.* **6** En peletería, piel que corresponde a las patas del animal y que es poco apreciada. □ ETIMOL. De origen incierto. □ MORF. En la acepción 2, se usa más en plural. □ SINT. 1. La acepción 4 se usa más con el verbo *tener*. 2. La acepción 5 se usa más con los verbos *caer*, *sacar*, *estar* o equivalentes.

garrafa s.f. **1** Vasija esférica de cuello largo y estrecho, generalmente con asa: *Este vino lo venden en garrafas con un revestimiento de mimbre.* **2** En zonas del español meridional, bombona. **3** || **de garrafa;** *col.* Referido a una bebida alcohólica, que se distribuye a granel y es de mala calidad. □ ETIMOL. De origen incierto.

garrafal adj.inv. Referido a una falta, enorme o muy grave: *un error garrafal.* □ SINT. Se usa también como adverbio de modo: *No es que hiciera el examen mal, es que lo hice garrafal.*

garrafón s.m. **1** Vasija redondeada para contener líquidos, generalmente de vidrio, con el cuello corto y protegida por un revestimiento: *En la despensa hay un garrafón de vino.* **2** Bebida alcohólica de mala calidad: *Han denunciado a varios bares de la zona por servir garrafón.* **3** || **de garrafón;** *col. desp.* Referido a una bebida alcohólica, que se distribuye a granel y es de mala calidad: *Whisky de garrafón.*

garrapata s.f. Artrópodo de unos seis milímetros de largo, de forma ovalada y con patas terminadas en dos uñas mediante las cuales se agarra al cuerpo de ciertos mamíferos o aves sobre los que vive parásito y a los que chupa la sangre: *Este perro abandonado está lleno de garrapatas.* □ ETIMOL. De *caparra* (garrapata).

garrapatear v. Escribir las letras muy mal: *Sobre el contrato garrapateó una firma ilegible.*

garrapatos s.m.pl. Letras o rasgos mal hechos: *No entiendo la receta del médico porque ha escrito una serie de garrapatos.*

garrapiña (tb. *garapiña*) s.f. Estado del líquido que se solidifica formando grumos: *El almíbar recubre la almendra y se solidifica en garrapiña.*

garrapiñado, da adj. Referido esp. a una almendra, que está recubierta o bañada con una capa de azúcar hecha caramelo: *almendras garrapiñadas.*

garrapiñar (tb. *garapiñar*) v. Referido esp. a una almendra, recubrirla o bañarla con un líquido, normalmente almíbar, que se solidifica formando grumos: *En Alcalá de Henares garrapiñan muy bien las almendras.* □ ETIMOL. Del latín *carpiniare, que primero significó *arrancar, arañar, desgarrar*, luego *formar bultos en la piel* y finalmente *formar grumos*.

garraspera s.f. En zonas del español meridional, carraspera.

garrido, da adj. Gallardo, elegante, hermoso o bien parecido: *Un garrido mozo se ofreció a llevarla en su carruaje.* □ ETIMOL. Quizá de *garrir*, y este del latín *garrire* (charlar, parlotear).

garrir v. Referido a un loro, gritar o emitir su voz característica: *Los loros garrían sin cesar desde sus jaulas.*

garrocha s.f. **1** Vara larga, esp. la terminada en punta que se usa para picar toros: *La puya es la punta acerada de la garrocha.* **2** En zonas del español meridional, pértiga: *Es campeona de salto de garrocha.* □ ETIMOL. De *garra*.

garrochazo s.m. Golpe dado con una garrocha.

garrochista s.com. Caballista que usa la garrocha para acosar a los toros: *En las ganaderías de toros de lidia hay expertos garrochistas.*

garrón s.m. En algunas aves, esp. en un gallo, saliente óseo que aparece en el tarso o parte más delgada de sus patas. □ SINÓN. *espolón.* □ ETIMOL. De *garra*.

garrota s.f. **1** Palo grueso y fuerte que puede manejarse como un bastón: *Es más cómodo andar por el monte si se lleva una garrota.* □ SINÓN. *garrote.* **2** Bastón cuyo extremo superior es curvo: *Recuerdo a mi abuelo siempre apoyado en su garrota.* □ SINÓN. *cachava, cachavo, cayado.*

garrotazo s.m. Golpe dado con un garrote.

garrote s.m. **1** Palo grueso y fuerte que puede manejarse como un bastón. □ SINÓN. *garrota.* **2** Instrumento de tortura que consiste en un palo aplicado a una cuerda que, al ser retorcida, comprime un miembro del cuerpo: *No confesó a pesar de que le aplicaron el garrote.* **3** || **garrote (vil); 1** Pena de muerte o procedimiento para ejecutar a un condenado estrangulándolo mediante una soga retorcida por un palo o mediante un instrumento mecánico de similar efecto: *En la plaza el verdugo dio garrote a los reos.* **2** Este instrumento: *El garrote vil consta de un aro de hierro que rodeaba la garganta del reo y se accionaba con una manivela.* □ ETIMOL. De origen incierto.

garrotillo s.m. *col.* Antiguamente, cierta enfermedad respiratoria, como la difteria: *Antiguamente, muchos niños morían de garrotillo.*

garrotín s.m. Baile popular andaluz que estuvo de moda a finales del siglo XIX y principios del XX.

garrucha s.f. Rueda que gira alrededor de un eje y que tiene un canal o hundimiento en su perímetro por el que se hace pasar una cuerda, que sirve para disminuir el esfuerzo necesario para mover un cuerpo: *Se ha roto la garrucha del tendedero y no puedo mover la cuerda.* □ SINÓN. *polea.* □ ETIMOL. Del antiguo *carrucha* (polea).

garrulería s.f. **1** Charla de persona gárrula: *Su garrulería me da dolor de cabeza.* **2** Torpeza, basteza o tosquedad: *Me tienes harta con tu garrulería sin límites.*

garrulo, la adj./s. Referido a una persona, que es torpe o que actúa con tosquedad. □ ORTOGR. Dist. de *gárrulo*.

gárrulo, la adj. Referido a una persona, que es muy habladora o charlatana. □ ETIMOL. Del latín *garrulus.* □ ORTOGR. Dist. de *garrulo*.

garúa s.f. En zonas del español meridional, llovizna. □ ETIMOL. Del portugués *caruja* (niebla).

garufa s.f. *col.* En zonas del español meridional, diversión.

garum (lat.) adj.inv./s.m. Referido esp. a una salsa, preparada con diversos pescados fermentados y otros ingredientes: *La salsa garum era una receta romana.*

garza s.f. Véase **garzo, za**.

garzo, za ▮ adj. **1** De color azulado, esp. referido a los ojos o a la persona que los tiene de este color: *ojos garzos.* ▮ s.f. **2** Ave zancuda que vive en las orillas de ríos y pantanos, de cabeza pequeña con moño largo y gris, pico prolongado, cuello alargado y cuerpo de color grisáceo o pardo. **3** En zonas del español meridional, cerveza que se sirve en un vaso alto, con forma de cono invertido. **4** || **garza real;** la de moño negro y brillante, manchas negruzcas en el pecho, pico largo y amarillo más oscuro en la punta, que abunda en la península Ibérica. □ ETIMOL. De origen incierto. □ MORF. En la acepción 2, es un sustantivo epiceno: *la garza {macho/hembra}.* □ SEM. Dist. de *glauco* (verde claro).

gas ▮ s.m. **1** Fluido que tiende a expandirse indefinidamente y que se caracteriza por su baja densidad: *El aire es un gas.* **2** Combustible en este estado: *una bombona de gas.* **3** *col.* Velocidad, fuerza o intensidad: *Nuestro equipo perdió gas en la segunda parte.* ▮ pl. **4** Restos gaseosos producidos en el aparato digestivo: *Las judías me producen gases.* **5** || **gas ciudad;** el combustible que se suministra por tuberías para uso doméstico o industrial. || **gas mostaza;** el tóxico que ataca los ojos y las vías respiratorias, empleado con fines bélicos. || **gas natural;** el combustible que procede de depósitos subterráneos naturales. || **(gas) sarín;** el tóxico y altamente venenoso, que se emplea como arma química. □ ETIMOL. Del latín *chaos* (caos).

gasa s.f. **1** Tela muy ligera y transparente, generalmente de seda o de hilo: *una falda de gasa.* **2** Tejido poco tupido y generalmente de algodón, esp. el que se usa para poner vendas o hacer curas: *La gasa que me pusieron en la herida estaba esterilizada.* □ ETIMOL. De origen incierto.

gascón, -a adj./s. De Gascuña (antigua región del sudoeste francés), o relacionado con ella: *El territorio gascón estaba situado entre el océano Atlántico, el río Garona y los montes Pirineos.*

gasear v. **1** Referido a un líquido, esp. al agua, hacer que absorba cierta cantidad de gas: *Esa empresa gasea y embotella agua mineral.* **2** Someter a la acción de un gas tóxico o dañino: *Los manifestantes fueron gaseados con gases lacrimógenos para dispersarlos.*

gaseiforme adj.inv. Que se encuentra en estado gaseoso: *Los desodorantes que se pulverizan son gaseiformes.* □ ETIMOL. Del francés *gaséiforme.*

gaseoducto s.m. →**gasoducto.**

gaseosa s.f. Véase **gaseoso, sa**.

gaseoso, sa ▌adj. **1** Que se encuentra en estado de gas: *El vapor de agua es agua en estado gaseoso.* **2** Que contiene o desprende gases: *La combustión de la gasolina es un proceso gaseoso.* ▌s.f. **3** Bebida refrescante y efervescente hecha con agua azucarada: *vino con gaseosa.* □ ORTOGR. Dist. de *caseoso.*

gásfiter s.m. En zonas del español meridional, fontanero. □ ETIMOL. Del inglés *gasfitter.*

gasfitería s.f. En zonas del español meridional, fontanería.

gasificación s.f. **1** Conversión o paso de un líquido o de un sólido a estado de gas: *Al abrir la llave de una bombona, se produce la gasificación del butano.* **2** Disolución de gas carbónico en un líquido: *La gaseosa es el resultado de la gasificación de agua azucarada.*

gasificar v. **1** Referido a un cuerpo sólido o líquido, convertirlo en gas, aumentando su temperatura o sometiéndolo a reacciones químicas: *Haciendo el vacío se pueden gasificar los gasóleos.* **2** Referido a un líquido, aplicarle gas carbónico: *En esta planta gasifican el agua mineral procedente de un manantial cercano.* □ ORTOGR. La *c* se cambia en *qu* delante de *e* →SACAR.

gasista adj.inv. Perteneciente o relativo al gas. □ SINÓN. *gasístico.*

gasístico, ca adj. Perteneciente o relativo al gas. □ SINÓN. *gasista.*

gasoducto s.m. Tubería muy gruesa y de gran longitud que se usa para conducir a largas distancias un gas combustible: *Este gasoducto va desde Rusia hasta Francia.* □ SINÓN. *gaseoducto.* □ ETIMOL. De *gas,* y del latín *ductus* (conducción).

gasofa s.f. *col.* Gasolina.

gasógeno s.m. Aparato que produce gas combustible combinando materiales sólidos o líquidos con aire, oxígeno o vapor: *Instalaron un gasógeno en algunos coches para producir carburo de hidrógeno que sirviera como carburante.* □ ETIMOL. De *gas* y *-geno* (que produce).

gasoil s.m. →**gasóleo.** □ ETIMOL. Del inglés *gas oil.* □ PRON. [gasóil].

gasóleo s.m. Mezcla de hidrocarburos líquidos obtenida por la destilación del petróleo crudo que se purifica esp. para eliminar el azufre y que se usa como combustible: *Los motores Diesel y muchas calefacciones funcionan con gasóleo.* □ SINÓN. *gasoil.* □ ETIMOL. De *gas* y *óleo.*

gasolina s.f. Mezcla de hidrocarburos líquidos obtenida generalmente por la destilación del petróleo crudo, que es inflamable, se evapora con facilidad y se usa como combustible en motores de combustión: *Muchos coches funcionan con gasolina.* □ ETIMOL. Del francés *gazoline.*

gasolinera s.f. Véase **gasolinero, ra.**

gasolinero, ra ▌s. **1** Persona que se dedica profesionalmente a atender a los clientes de una gasolinera. ▌s.f. **2** Establecimiento en el que se vende gasolina y otros combustibles.

gasometría s.f. **1** Método del análisis químico, basado en la medición de los gases desprendidos en las reacciones. **2** En medicina, medición de los gases contenidos en la sangre para saber la concentración de elementos como el oxígeno o el bióxido de carbono.

gasómetro s.m. **1** Instrumento para medir el volumen de un gas: *En nuestro laboratorio tenemos un gasómetro.* **2** Aparato o tanque esp. diseñados para poder almacenar gas a presión: *El gasómetro está conectado a la red de distribución.* **3** Lugar o edificio en el que está instalado este aparato: *A las afueras de la ciudad hay un gasómetro.* □ ETIMOL. De *gas* y *-metro* (medidor).

gastador, -a ▌adj./s. **1** Que gasta mucho dinero: *No ahorra un céntimo porque es muy gastador.* ▌s.m. **2** Soldado encargado de cavar trincheras o de abrir paso en las marchas: *Los gastadores iban cargados con palas, hachas y picos.*

gastar v. **1** Referido al dinero, emplearlo en algo: *Gastó una fortuna en esa casa. Es poco ahorrador y siempre está gastando.* **2** Consumir, acabar o deteriorar por el uso o por el paso del tiempo: *Este coche gasta mucha gasolina. Se me ha gastado la punta del lápiz.* **3** Usar, emplear o llevar habitualmente: *Mi abuelo gasta sombrero. No me gusta que gastes esas bromas.* **4** Referido esp. a una actitud negativa, tenerla habitualmente: *Gasta unos aires de grandeza insoportables.* **5** ‖ **gastarlas;** *col.* Proceder o comportarse: *No sé de qué te extrañas, si ya te advertí que aquí las gastamos así.* □ ETIMOL. Del latín *vastare* (arruinar, devastar).

gasterópodo ▌adj./s.m. **1** Referido a un molusco, que tiene una cabeza provista de tentáculos sensoriales y un pie carnoso con el cual se arrastra, y generalmente está protegido por una concha de una pieza: *El caracol es un gasterópodo.* ▌s.m.pl. **2** En zoología, clase de estos moluscos: *La lapa y la babosa pertenecen a los gasterópodos.* □ ETIMOL. Del griego *gastér* (estómago) y *-podo* (pie).

gasto s.m. **1** Empleo de dinero en algo: *El gasto de este mes en ropa ha sido excesivo.* **2** Consumo o deterioro por el uso o por el paso del tiempo: *No sé si podrás soportar tanto gasto de energía.* **3** Lo que se gasta: *En una casa, todos los meses hay muchos gastos fijos.*

gastralgia s.f. En medicina, dolor de estómago. □ ETIMOL. De *gastr-* (estómago) y *-algia* (dolor).

gástrico, ca adj. En medicina, del estómago o relacionado con él: *Está a dieta porque tiene una úlcera gástrica.* □ SINÓN. *estomacal.* □ ETIMOL. Del griego *gastér* (estómago, vientre).

gastritis (pl. *gastritis*) s.f. Inflamación de las mucosas del estómago: *La gastritis suele producir vómitos y un fuerte dolor de estómago.* □ ETIMOL. Del griego *gastér* (estómago) e *-itis* (inflamación).

gastroentérico, ca adj. Del estómago y los intestinos, o relacionado con estos órganos: *Muchos medicamentos son absorbidos en el tracto gastroentérico.* □ SINÓN. *gastrointestinal.*

gastroenteritis (pl. *gastroenteritis*) s.f. Inflamación simultánea de la membrana mucosa del estómago y de la del intestino: *Su gastroenteritis ha sido debida a la ingestión de un alimento en mal estado.* □ ETIMOL. Del griego *gastér* (estómago) y *enteritis.*

gastroenterología s.f. Parte de la medicina que se ocupa del aparato digestivo y de sus enfermedades. □ ETIMOL. Del griego *gastér* (estómago), *énteron* (intestino) y *-logía* (estudio, ciencia).

gastroenterólogo, ga s. Médico especializado en gastroenterología.

gastrointestinal adj.inv. Del estómago y los intestinos o relacionado con estos órganos: *Los vómitos, las náuseas y la diarrea son procesos gastrointestinales.* □ SINÓN. *gastroentérico.*

gastrolito s.m. Piedra encontrada en esqueletos de reptiles fósiles: *Se cree que los gastrolitos eran piedras que se tragaban para ayudar a hacer la digestión.* □ ETIMOL. Del griego *gáster* (estómago) y *-lito* (piedra).

gastronomía s.f. **1** Arte o técnica de preparar una buena comida: *Prefiero la gastronomía española a la francesa.* **2** Afición a comer bien: *A veces, la gastronomía no es compatible con la economía.* □ ETIMOL. Del griego *gastronomía* (tratado de la glotonería).

gastronómico, ca adj. De la gastronomía o relacionado con este arte de cocinar o comer.

gastrónomo, ma s. **1** Especialista en gastronomía. **2** Persona aficionada a comer bien. □ USO Es innecesario el uso del galicismo *gourmet.*

gastropatía s.f. Enfermedad del estómago: *Las úlceras gástricas son un tipo muy común de gastropatía.* □ ETIMOL. Del griego *gastér* (estómago, vientre) y *-patía* (enfermedad).

gástrula s.f. En el desarrollo de un embrión, fase en la que se esbozan las hojas o capas embrionarias: *La gástrula es la fase posterior a la blástula.* □ ETIMOL. Del latín *gastrula* (estómago pequeño).

gatear v. **1** *col.* Andar a gatas: *El bebé ya gatea y pronto se soltará a andar.* **2** Trepar como lo hacen los gatos: *El niño gateó por el tronco y logró alcanzar el nido.*

gateo s.m. Hecho de andar a gatas: *Mi sobrino ya ha empezado sus primeros gateos.*

gatera s.f. En una pared, un tejado o una puerta, agujero para diversos usos, esp. el hecho para que entren y salgan los gatos.

gateway (ing.) s.m. Dispositivo informático que permite la conexión entre dos redes de ordenadores de características diferentes: *Un gateway funciona como una puerta de enlace para acceder a otra red.* □ PRON. [guéitgüei].

gatillazo s.m. **1** Golpe que da el gatillo de un arma de fuego, esp. cuando no sale el tiro. **2** Frustración de la esperanza puesta en alguien o algo: *La junta directiva dimitió en bloque tras el gatillazo del nuevo proyecto.* **3** Fracaso del hombre en la realización del acto sexual. □ SINT. Las acepciones 2 y 3 se usan más con los verbos *dar* y *pegar.*

gatillo s.m. En un arma de fuego, pieza que se presiona con el dedo para disparar. □ ETIMOL. De *gato.*

gato, ta ▌s. **1** Mamífero felino y carnicero, doméstico, de cabeza redonda, lengua muy áspera y pelaje espeso y suave, que es muy hábil cazando ratones: *A los gatos les gusta el pescado.* **2** *col.* Persona que ha nacido en la ciudad de Madrid: *A los madrileños castizos se les llama gatos.* ▌s.m. **3** Máquina compuesta de un engranaje, que sirve para levantar grandes pesos a poca altura: *Para cambiar la rueda pinchada hay que levantar el coche con el gato.* □ SINÓN. *cric.* **4** ‖ **a gatas;** *col.* Apoyando las manos y las rodillas en el suelo: *El niño todavía no sabe andar y va a gatas.* ‖ **cuatro gatos;** poca gente. ‖ **dar gato por liebre;** *col.* Engañar dando una cosa de poca calidad por otra mejor. ‖ **gato de Angora;** el de la raza que se caracteriza por tener el pelo muy largo. ‖ **gato montés;** mamífero felino y carnicero, de mayor tamaño que el gato doméstico, de color gris con rayas más oscuras. ‖ **haber gato encerrado;** *col.* Haber algo oculto o secreto. ‖ **llevarse el gato al agua;** *col.* En un enfrentamiento, triunfar o salir victorioso: *La tenista estuvo a punto de perder, pero al final se llevó el gato al agua.* □ ETIMOL. Del latín *cattus* (gato silvestre). □ USO *Cuatro gatos* tiene un matiz despectivo.

gatopardo s.m. Mamífero felino y carnicero domesticable, de pelaje claro con manchas oscuras, que vive en algunos desiertos asiáticos y africanos: *En Persia domesticaban a los gatopardos y los usaban para cazar gacelas.* □ SINÓN. *guepardo, onza.* □ ETIMOL. Del italiano *gattopardo.* □ MORF. Es un sustantivo epiceno: *el gatopardo {macho/hembra}.*

gatuno, na adj. Del gato, con sus características, o relacionado con este animal: *una mirada gatuna.*

gatuña s.f. Planta herbácea de tallos duros y espinosos, y raíces de gran longitud, que aparece en los sembrados: *Ya arranqué las gatuñas del sembrado.* □ ETIMOL. De *gato* y *uña*, porque se comparan las espinas de esta planta con las uñas de los gatos.

gatuperio s.m. *col.* Embrollo o intriga: *Corre el rumor de que ha conseguido el ascenso por medio de un gatuperio.* □ ETIMOL. Por alteración del latín *vituperium* (vituperio).

gauchada s.f. *col.* En zonas del español meridional, favor.

gauchear v. Actuar como un gaucho.

gauchesco, ca adj. De los gauchos o relacionado con ellos: *El 'Martín Fierro', del argentino José Hernández, está considerado como la obra cumbre de la literatura gauchesca.*

gauchismo s.m. Corriente literaria argentina surgida a finales del siglo XIX y prolongada en el primer tercio del XX, cuya temática gira en torno a la figura del gaucho, sus costumbres y su vida en la pampa: *En el gauchismo, el gaucho se presenta como la encarnación de los valores nacionales argentinos.*

gaucho, cha ▮ adj. **1** Del gaucho o relacionado con este campesino: *Las boleadoras son un instrumento gaucho.* ▮ s.m. **2** Campesino de las llanuras de Argentina, Uruguay y Brasil (países americanos): *Los gauchos vigilaban y conducían los rebaños montados a caballo.*

gaudiniano, na adj. De Gaudí (arquitecto modernista catalán de los siglos XIX y XX), relacionado con él o con características de sus obras.

gauss s.f. En el sistema cegesimal, unidad de inducción magnética que equivale a una diezmilésima de tesla. □ ETIMOL. Por alusión al físico y astrónomo alemán C. F. Gauss. □ ORTOGR. Su símbolo es *Gs*, por tanto, se escribe sin punto.

gaveta s.f. **1** En algunos muebles, cajón corredizo que se utiliza para guardar lo que se quiere tener a mano: *Guarda estos papeles en la gaveta del escritorio.* **2** Mueble que tiene uno o varios de estos cajones: *Me he comprado una gaveta para tener ordenados estos documentos.* □ ETIMOL. Del latín *gavata* (vasija).

gavia s.f. En algunas embarcaciones, vela que se coloca en algunos mástiles: *Debido al fuerte viento, los marineros recogieron las gavias.* □ ETIMOL. Del latín *cavea* (jaula, cavidad).

gavial s.m. Reptil parecido al cocodrilo, que tiene el hocico muy largo y puntiagudo y las membranas de los pies dentadas: *Los gaviales viven en los ríos hindúes.* □ ETIMOL. Del francés *gavial.* □ MORF. Es un sustantivo epiceno: *el gavial {macho/hembra}*.

gavilán s.m. Ave rapaz diurna, de plumaje gris azulado y pardo, de alas redondeadas y cola larga, y que se alimenta de pequeños mamíferos y de otras aves: *La hembra del gavilán tiene el plumaje más claro que el macho.* □ SINÓN. *esparaván.* □ ETIMOL. De origen incierto. □ MORF. Es un sustantivo epiceno: *el gavilán {macho/hembra}*.

gavilla s.f. Conjunto de cañas, ramas o cosas semejantes, colocadas longitudinalmente y atadas por el centro: *Una gavilla es mayor que un manojo y menor que un haz.* □ ETIMOL. De origen incierto.

gaviota s.f. Ave acuática palmípeda, con el plumaje blanco y gris, el pico anaranjado y las patas rojizas, que se alimenta de peces: *Las gaviotas pueden medir un metro de envergadura.* □ ETIMOL. Del latín *gavia.* □ MORF. Es un sustantivo epiceno: *la gaviota {macho/hembra}*.

gavota s.m. **1** Composición musical en compás de cuatro por cuatro y con movimiento alegre: *La gavota muchas veces formaba parte de la suite barroca.* **2** Baile de pareja que se ejecuta al compás de esta música: *La gavota es un baile de origen francés.* □ ETIMOL. Del francés *gavotte*.

gay (pl. *gais*) ▮ adj.inv. **1** De la homosexualidad o relacionado con ella: *El colectivo gay defiende la dignidad de los homosexuales.* ▮ s.m. **2** Hombre homosexual. □ ETIMOL. Del inglés *gay.* □ PRON. [gái] o [guéi].

gayo, ya adj. *poét.* Alegre o vistoso. □ ETIMOL. Quizá del provenzal *gai* (alegre). □ ORTOGR. Dist. de *gallo*.

gayola s.f. **1** *col.* Cárcel. **2** ‖ **hacerse** alguien **una gayola;** *vulg.* →**masturbarse.** □ ETIMOL. Del latín *caveola*.

gayomba s.f. Arbusto con ramas estriadas, verdes y con aspecto de junco, flores grandes, olorosas y amarillas, agrupadas en ramos que cuelgan. □ SINÓN. *piorno.* □ ETIMOL. De origen incierto.

gayumbos s.m.pl. *col.* Calzoncillo.

gazapera s.f. Madriguera de los conejos.

gazapo s.m. **1** Cría del conejo: *La coneja estaba en la madriguera con los gazapos.* **2** *col.* Yerro o equivocación que se comete al hablar o al escribir: *El corrector de la revista no pudo evitar que se le escapara algún gazapo.* □ ETIMOL. De origen incierto. □ MORF. En la acepción 1, es un sustantivo epiceno: *el gazapo {macho/hembra}*.

gazmiarse v.prnl. *col.* Quejarse o resentirse: *¿Qué te pasa que llevas todo el día gazmiándote?*

gazmoñería s.f. Actitud de quien finge devoción, escrúpulos o virtudes que no posee: *A nadie engaña ya su gazmoñería, porque todos sabemos que sus escrúpulos son falsos.*

gazmoño, ña adj./s. Que finge devoción, escrúpulos o virtudes que no posee.

gaznápiro, ra adj./s. Simple, torpe o corto de entendimiento: *No seas tan gaznápiro y no creas todo lo que te dicen.* □ ETIMOL. De origen incierto.

gaznate s.m. *col.* Parte interior de la garganta. □ SINÓN. *gañote.* □ ETIMOL. De origen incierto.

gazpacho s.m. Sopa que se toma fría y cuyos ingredientes principales son tomate, aceite, vinagre, pan, ajo y cebolla: *El gazpacho es una comida típica de las zonas del sur de España.* □ ETIMOL. De origen incierto.

gazuza s.f. *col.* Hambre. □ ETIMOL. De origen incierto.

ge s.f. Nombre de la letra *g*.

geada (tb. *gheada*) s.f. Pronunciación del fonema /g/ como /x/: *La geada es un fenómeno típico del habla de algunas zonas de Galicia. La pronunciación de [jallo] por [gallo] es un ejemplo de geada.*

géiser s.m. Fuente natural intermitente de agua caliente, en forma de surtidor: *En mi viaje a Islandia vi muchos géiseres.* □ ETIMOL. Del islandés *geysir*.

geisha (jap.) s.f. Mujer japonesa que se dedica profesionalmente a amenizar reuniones de hombres con danza, música, canto o conversación: *Las geishas interpretan canciones y danzas tradicionales.* □ PRON. [guéisa].

gel s.m. **1** Estado de una materia en el que la parte sólida se separa de la líquida formando partículas: *Una materia en estado de gel tiene un aspecto semejante al de la gelatina.* **2** Producto que tiene una consistencia parecida. **3** Jabón líquido. □ SINÓN. *gel de baño*.

gelamonita s.f. Tipo de explosivo de aspecto gelatinoso hecho a base de nitrato amónico: *Los terroristas prepararon una bomba de gelamonita.*

gelatería s.f. En zonas del español meridional, heladería.

gelatina s.f. **1** Sustancia sólida, incolora y transparente, que se obtiene de la cocción del tejido conjuntivo, de los huesos y de los cartílagos: *La gelatina es insípida y no tiene olor.* **2** Preparado alimenticio que tiene esa consistencia: *De postre hay gelatina de fresa.* □ ETIMOL. Del italiano *gelatina.*

gelatinoso, sa adj. Con gelatina o con sus características: *Este pegamento es gelatinoso.*

gélido, da adj. Helado o muy frío: *un viento gélido; un gélido saludo.* □ ETIMOL. Del latín *gelidus.*

gelivación s.f. Fragmentación de una roca o del suelo debida a la presión que ejerce el agua en los poros y en las grietas al congelarse: *La gelivación es un tipo de erosión relacionada con los cambios de temperatura.*

gema s.f. Piedra preciosa: *La esmeralda es una gema.* □ ETIMOL. Del latín *gemma.*

gemación s.f. **1** En una planta, desarrollo de una yema para la formación de una rama, de una hoja o de una flor: *El período de gemación de muchas plantas es en primavera.* **2** Reproducción asexual de algunas plantas y de algunos animales inferiores en la que el nuevo individuo se desarrolla a partir de una yema o de un grupo de células del cuerpo del progenitor: *Las hidras y los corales se reproducen por gemación.*

gemebundo, da adj. Que gime profundamente: *Recogieron a un perrito gemebundo que alguien había abandonado.* □ ETIMOL. Del latín *gemebundus.*

gemela s.f. Véase **gemelo, la.**

gemelo, la ▌adj. **1** Referido a dos o más elementos, que son iguales, esp. si colocados por pares cooperan para un mismo fin: *camas gemelas.* ▌adj./s. **2** Que ha nacido del mismo parto y se ha originado del mismo óvulo: *Los gemelos siempre son del mismo sexo.* ▌s.m. **3** Adorno compuesto de dos piezas unidas por una cadenita, que se usa para cerrar el puño de la camisa sustituyendo al botón: *Las camisas preparadas para usar gemelos tienen dos ojales en cada puño.* **4** Cada uno de los dos músculos que forman la pantorrilla: *Me dio un calambre en los gemelos.* ▌s.m.pl. **5** Aparato óptico formado por dos tubos que contienen en su interior una combinación de lentes, y que sirve para mirar por los dos ojos y ver ampliados los objetos lejanos. □ SINÓN. *anteojos.* ▌s.f. **6** Apuesta que se hace sobre dos carreras de caballos, y que consiste en elegir a los que se cree que serán los dos primeros clasificados de cada carrera: *En una gemela no importa el orden de llegada de los dos primeros caballos.* □ ETIMOL. Del latín *gemellus.* □ SEM. En la acepción 5, dist. de *binoculares* (cualquier aparato formado por dos tubos con lentes).

gemido s.m. Sonido o voz lastimeros que expresan pena o dolor: *Era angustioso oír sus gemidos de dolor.*

geminación s.f. **1** Duplicación o repetición de un elemento: *En el claustro de esta iglesia románica se puede apreciar la geminación de las columnas.* **2** En lingüística, repetición inmediata, en la pronunciación o en la escritura, de un sonido, de una palabra o de otro elemento lingüístico: *En el verso de Garcilaso 'Amor, amor, un hábito vestí' hay una geminación de la palabra 'amor'.* □ ETIMOL. Del latín *geminatio.*

geminado, da adj. **1** Que está repetido o duplicado: *En la frase 'Dilo, dilo, no tengas miedo', hay una construcción geminada.* **2** Que está partido o dividido: *Las ventanas geminadas del castillo están divididas en dos partes iguales por una columna central.*

geminar v. Repetir o multiplicarse algo de forma que sea doble: *Las células se geminan para reproducirse.* □ ETIMOL. Del latín *geminare*, y este de *geminus* (duplicado, repetido).

géminis (pl. *géminis*) adj.inv./s.com. Referido a una persona, que ha nacido entre el 22 de mayo y el 21 de junio aproximadamente: *Dice que tiene doble personalidad porque es géminis.* □ ETIMOL. Del latín *Geminis* (hermanos gemelos) que es el tercer signo zodiacal.

gemir v. **1** Emitir gemidos: *Acongojaba verlo gemir de pena.* **2** Aullar o emitir un sonido semejante al gemido humano: *El viento gimió durante toda la noche.* □ ETIMOL. Del latín *gemere.* □ MORF. Irreg. →PEDIR.

gemología s.m. Ciencia que estudia las gemas o piedras preciosas: *Este geólogo se ha especializado en gemología.* □ ETIMOL. De *gema* y *-logía* (estudio, ciencia).

gemólogo, ga s. Persona que se dedica profesionalmente al estudio de la gemas o piedras preciosas, o que está especializado en gemología: *Esta gemóloga trabaja en una joyería.*

gémula s.f. En botánica, en el embrión de una planta, yema pequeña que originará el botón de crecimiento en longitud de la planta: *Al abrir por la mitad una judía se ve perfectamente la gémula.* □ ETIMOL. Del latín *gemmula* (yema pequeña).

gen s.m. En un cromosoma, fragmento de ácido desoxirribonucleico que constituye la más pequeña unidad funcional: *Los genes son los responsables de la transmisión hereditaria de los caracteres.* □ ETIMOL. Del latín *genus.*

genciana s.f. Planta de aproximadamente un metro de altura, con hojas grandes y flores amarillas, y que se emplea en medicina como tónico o para bajar la fiebre: *La raíz de la genciana es de sabor amargo.* □ ETIMOL. Del latín *gentiana.*

gendarme s.m. En Francia (país europeo) y en otros países, agente de policía destinado a mantener la seguridad y el orden públicos: *Dos gendarmes nos pidieron la documentación.* □ ETIMOL. Del francés *gendarme*, y este de *gens d'armes* (gente de armas).

gendarmería s.f. **1** Cuartel o puesto de gendarmes: *Cuando estuve en París, me robaron el bolso y lo denuncié en una gendarmería.* **2** Cuerpo de tropa de los gendarmes: *La gendarmería goza en Francia de mucho prestigio.*

genealogía s.f. Serie de progenitores y ascendientes de una persona o de un animal: *En la genealogía de mi familia hay un conde, un bandolero y dos santos.* ☐ ETIMOL. Del griego *genealogía*, y este de *geneá* (generación) y *lógos* (tratado).

genealógico, ca adj./s. De la genealogía o relacionado con ella: *un estudio genealógico.*

genealogista s.com. Persona especializada en genealogías y linajes, y que escribe sobre ellos: *He pedido a un genealogista que confeccione un árbol genealógico de mi familia.*

generación s.f. **1** Conjunto de las personas que, por haber nacido en fechas próximas y haber recibido una educación o una influencia social semejante, se comportan de una forma parecida o comparten características comunes: *Machado y Unamuno son escritores de la que se conoce como 'Generación del 98'.* **2** Conjunto de todos los seres vivientes contemporáneos: *Debemos cuidar el planeta para dejárselo en buen estado a las próximas generaciones.* **3** Serie de descendientes en línea directa: *En mi casa vivimos tres generaciones: mis abuelos, mis padres y yo.* **4** Producción de seres de la misma especie por medio de la reproducción: *La generación espontánea, es decir, sin proceder de otro ser vivo, es imposible.* **5** Producción o creación: *Prometieron la generación de nuevos puestos de trabajo.* **6** Serie de máquinas u otros objetos que derivan de otros anteriores y que suponen un avance notable: *Los ordenadores que han traído son de última generación.* ☐ ETIMOL. Del latín *generatio* (reproducción).

generacional adj.inv. De una generación de contemporáneos o relacionado con ella: *Padre e hijo no se llevan muy bien porque entre ellos hay una diferencia generacional.*

generador, -a ▌adj./s. **1** Que genera. ▌s.m. **2** En una máquina, parte que produce la fuerza o la energía: *En una máquina de vapor, el generador es la caldera.* ☐ MORF. En la acepción 1, registra también la forma del femenino *generatriz*.

general ▌adj.inv. **1** Que es común a todos los individuos que forman un todo: *La opinión general es favorable a estas medidas.* **2** Que ocurre o se utiliza con mucha frecuencia o de forma usual: *De forma general, como fuera de casa.* **3** Referido esp. a una explicación, que no entra en detalles o que no especifica: *No había tiempo de entrar en detalles y me dio una explicación general.* **4** Referido a una persona, que es el responsable máximo de la dirección de un organismo, de una empresa o de una sección: *La directora general se reunió con el comité de empresa.* ▌s.m. **5** Prelado máximo de una orden religiosa: *El general de los jesuitas está alojado estos días en este colegio.* ▌s.com. **6** En los Ejércitos de Tierra y del Aire y en algunos cuerpos de la Armada, persona cuya categoría militar es superior a la de coronel: *La categoría de general comprende los empleos de capitán general, teniente general, general de división y general de brigada en los Ejércitos de Tierra y del Aire.* **7** ‖ **{en/por lo} general; 1** Con frecuencia o por lo común: *Por lo general, salgo del trabajo a las tres.* **2** Sin especificar o sin dar detalles: *En general, la película está bien, aunque hay escenas que no me gustan.* ☐ ETIMOL. Del latín *generalis.* ☐ SEM. Como adjetivo es dist. de *genérico* (común a muchas especies y relacionado con el género gramatical).

generala s.f. En el ejército, toque de corneta, de tambor o de clarín para que las fuerzas de una guarnición o de una plaza se preparen y formen con las armas: *Cuando tocan generala tienes que dejar lo que estés haciendo, ir por tu arma y acudir a formar.*

generalato s.m. **1** En los Ejércitos de Tierra y del Aire, empleo o cargo del general: *Napoleón alcanzó el generalato siendo muy joven.* **2** Conjunto de generales de uno o de varios ejércitos: *La prensa no tuvo acceso a la reunión del generalato.*

generalidad ▌s.f. **1** Mayoría o conjunto que comprende a casi todos los componentes de una clase: *La generalidad de los trabajadores estuvo de acuerdo con la huelga.* **2** Vaguedad o falta de precisión en lo que se dice o escribe: *El político contestó a las preguntas de los periodistas con generalidades.* ▌pl. **3** Conocimientos generales relacionados con una ciencia: *De este tema no estoy bien informada y solo sé generalidades.*

generalista ▌adj.inv. **1** Que es de carácter general o global: *una cadena de televisión generalista.* ▌adj.inv./s.com. **2** Referido a una persona, que tiene conocimientos generales de muchas especialidades: *Para este trabajo, necesitamos un generalista que pueda dar un enfoque global al proyecto.*

generalizable adj.inv. Que puede generalizarse: *Tus afirmaciones no son en absoluto generalizables a todos los que estamos aquí escuchándote.*

generalización s.f. **1** Extensión o propagación de algo: *La generalización del uso del transporte privado está causando atascos en las grandes ciudades.* **2** Aplicación a una generalidad de lo que es propio de un individuo: *En las generalizaciones es fácil cometer errores.*

generalizar v. **1** Extender, propagar o hacer público o común: *La cultura generaliza las medidas de higiene entre la población. La práctica del deporte se ha generalizado.* **2** Aplicar a una generalidad lo que es propio de un individuo: *Es injusto que el profesor generalice y diga que todos somos malos alumnos.* ☐ ORTOGR. La *z* se cambia en *c* delante de *e* →CAZAR.

generar v. Producir, originar o causar: *Los problemas raciales generan odios.* ☐ ETIMOL. Del latín *generare*, y este de *genus* (origen, nacimiento).

generativo, va adj. Que es capaz de generar, engendrar u originar: *Los rayos de sol de la primavera son una fuerza generativa para el crecimiento de nuevas plantas.*

generatriz adj./s.f. En matemáticas, referido a una línea o a una figura, que engendran una figura o un sólido geométrico respectivamente: *La línea gene-*

ratriz de un cilindro es una línea paralela al eje y que une las dos circunferencias que forman las bases. La generatriz de un cono va desde el vértice a un punto cualquiera de la circunferencia que forma la base. □ ETIMOL. Del latín *generatrix*.

genérico, ca ▌adj. **1** Común a los elementos de un conjunto: *'Árbol' es una palabra genérica que incluye al pino, al manzano, al cerezo y a otros.* **2** Del género o relacionado con él: *En la palabra 'perro', la desinencia genérica es '-o'.* ▌adj./s.m. **3** Referido a un medicamento, que no tiene marca de laboratorio y se vende con el nombre de la medicina que lo compone: *Los medicamentos genéricos son más baratos.* □ SEM. Dist. de *general* (común a todos los individuos, frecuente, usual).

género s.m. **1** Conjunto de seres que tienen uno o varios caracteres comunes: *el género humano.* **2** Forma o modo de hacer algo: *No me gusta el género de vida que llevas.* **3** Naturaleza o índole: *No tengo dudas de ningún género sobre esto.* □ SINÓN. *clase.* **4** Clase de tela: *Los géneros de algodón son muy frescos.* **5** En el comercio, cualquier mercancía: *Voy siempre a esa carnicería porque tienen un género muy bueno.* **6** En biología, en la clasificación de los seres vivos, categoría superior a la de especie e inferior a la de subfamilia: *El género 'Felis' comprende a los gatos salvajes y a los domésticos.* **7** En arte y literatura, categoría en la que se agrupan las obras que tienen rasgos comunes de forma y de contenido: *Los tres géneros literarios clásicos son la lírica, la dramática y la épica.* **8** En gramática, categoría gramatical propia del nombre, del pronombre y del artículo, que está fundada en la distinción natural de los sexos, o en una distinción puramente convencional: *Las lenguas indoeuropeas tienen tres formas de género: masculino, femenino y neutro. El adjetivo concuerda en género y en número con el sustantivo al que acompaña.* **9** ‖ **género ambiguo;** el de los nombres que se emplean como masculinos o femeninos sin que varíe su significado: *'Mar' es un sustantivo de género ambiguo porque se puede decir 'el mar está tranquilo' o 'la mar está tranquila'.* ‖ **género chico;** clase de obras teatrales ligeras, generalmente musicales y de carácter popular, a la que pertenecen sainetes, comedias y zarzuelas de uno o de dos actos. ‖ **género común;** el de los nombres que exigen concordancia en masculino o en femenino para señalar la diferencia de sexo: *'Artista' es un sustantivo de género común porque se dice 'el artista' y 'la artista'.* □ ETIMOL. Del latín *genus* (linaje, especie, género). □ SEM. Dist. de *sexo* (alude a la diferenciación entre macho y hembra).

generosidad s.f. **1** Inclinación a dar lo que se tiene sin buscar el propio interés: *Los organizadores de la subasta benéfica agradecieron a los asistentes su generosidad en las compras.* **2** Nobleza o grandeza del ánimo: *Su generosidad le hizo perdonar a aquellos que lo habían ofendido.*

generoso, sa adj. **1** Inclinado a dar lo que tiene sin buscar el propio interés: *Es muy generoso y comparte todo con sus amigos.* **2** Que muestra nobleza y grandeza de ánimo: *Fue muy generoso de tu parte ayudarme en aquel trance.* **3** Excelente en relación con algo de la misma especie o clase: *Heredé unas tierras generosas que dan abundantes cosechas.* **4** Referido a un vino, que es fuerte y añejo. □ ETIMOL. Del latín *generosus* (linajudo, noble).

genesíaco, ca (tb. *genesiaco, ca*) adj. De la génesis o relacionado con ella: *La conferenciante habló sobre las últimas teorías genesíacas de la Tierra.* □ SEM. Dist. de *genésico* (de la generación o relacionado con ella).

genésico, ca adj. De la generación o relacionado con ella: *El instinto sexual se denomina también instinto genésico.* □ ORTOGR. Dist. de *genético*.

génesis (pl. *génesis*) s.f. **1** Origen o principio de algo: *Hoy en día, la génesis del universo es aún un misterio.* **2** Serie encadenada de hechos y de causas que conducen a un resultado: *Los científicos distinguen varias etapas en la génesis de la Tierra.* □ ETIMOL. Del griego *génesis* (creación).

genética s.f. Véase **genético, ca.**

genético, ca ▌adj. **1** De la genética o relacionado con esta parte de la biología. **2** De los genes o relacionado con ellos. **3** De la génesis u origen de algo, o relacionado con ellos: *Un estudio crítico de la obra y de los diferentes manuscritos conservados revela que tuvo un complicado proceso genético.* ▌s.f. **4** Parte de la biología que estudia la herencia o la naturaleza y los mecanismos de transmisión de los caracteres hereditarios de los organismos. □ ETIMOL. Del griego *gennetikós* (propio de la generación). □ ORTOGR. Dist. de *genésico*.

genetista s.com. Persona que se dedica al estudio de la genética, esp. si esta es su profesión: *Esta bióloga es una gran genetista y ha logrado crear estirpes de estos cereales, más resistentes a las plagas.*

genial ▌adj.inv. **1** Que posee genio creador o que lo manifiesta: *'El Quijote' es una novela genial.* **2** Muy bueno, estupendo o extraordinario: *Lo que propones me parece una idea genial.* ▌adv. **3** Muy bien o de forma extraordinaria: *Esa pareja baila genial.*

genialidad s.f. **1** Propiedad de lo que posee genio creador o lo manifiesta: *La genialidad de este pintor queda fuera de toda duda.* **2** Propiedad de lo que es muy bueno, estupendo o extraordinario: *No dudo de la genialidad de la propuesta, pero me parece difícil de llevar a la práctica.* **3** Hecho o dicho geniales: *Otra de sus genialidades fue vender el coche nuevo y quedarse con el viejo.* □ USO La acepción 3 se usa mucho con un sentido irónico.

genio s.m. **1** Índole o inclinación que guía generalmente el comportamiento de alguien: *Es una persona agradable y de genio tranquilo.* **2** Estado de ánimo habitual o pasajero: *Su buen genio le permite aceptar bien las bromas.* **3** Firmeza de ánimo, energía o temperamento: *Suele reaccionar bruscamente porque tiene mucho genio.* □ SINÓN. *carácter.* **4** Disposición o habilidad para la realización de algo: *Mozart tuvo un extraordinario genio musical.* **5** Facultad o fuerza intelectual para crear o inventar cosas nuevas y admirables: *Todas estas pinturas son obra de su gran genio creador.* **6** Persona que posee esta facultad: *Lope de Vega fue un gran genio de nuestra literatura.* **7** En la mitología grecolatina, divinidad creadora, esp. la que presidía el nacimiento de una persona y tenía como misión esencial acompañarla a lo largo de su vida y velar por ella. **8** Ser fantástico que aparece en leyendas y cuentos. □ ETIMOL. Del latín *genius* (deidad que velaba por cada persona y se identificaba con su suerte).

genista s.f. Planta con numerosas ramas largas, delgadas y flexibles, hojas escasas y pequeñas, flores amarillas y fruto en vaina. □ SINÓN. *hiniesta, retama, escoba.* □ ETIMOL. Del latín *genesta.*

genital ▮ adj.inv. **1** Que sirve para la generación: *Los órganos genitales masculinos son diferentes de los femeninos.* ▮ s.m.pl. **2** Órganos sexuales externos: *El defensa recibió un balonazo en los genitales.* □ ETIMOL. Del latín *genitalis.*

genitivo s.m. →**caso genitivo.** □ ETIMOL. Del latín *genitivus* (natural, de nacimiento, caso genitivo).

genitourinario, ria adj. De las vías y órganos genitales y urinarios, o relacionado con ellos: *El aparato genitourinario del hombre es diferente al de la mujer.* □ SINÓN. *urogenital.*

genízaro s.m. →**jenízaro.**

-geno, -gena **1** Elemento compositivo sufijo que significa 'que genera o produce': *alérgeno, lacrimógeno.* **2** Elemento compositivo sufijo que significa 'que es producido': *endógeno, exógena.* □ ETIMOL. De la raíz griega *gen* (generar).

genocida adj.inv./s.com. Que causa el exterminio de un grupo social por motivos raciales, políticos o religiosos.

genocidio s.m. Exterminio o eliminación sistemática de un grupo social por motivos raciales, políticos o religiosos: *El asesinato de miles de judíos por los nazis en campos de concentración fue un genocidio.* □ ETIMOL. Del griego *génos* (estirpe) y *-cidio* (acto de matar).

genoma s.m. Conjunto de los cromosomas de una célula o de un organismo: *El genoma humano está formado por 23 parejas de cromosomas.* □ ETIMOL. De *gen* y *cromosoma.*

genómica s.f. Véase **genómico, ca.**

genómico, ca ▮ adj. **1** Del genoma o relacionado con el conjunto de cromosomas celulares. ▮ s.f. **2** Parte de la ciencia que estudia los genomas.

genoterapia s.f. En medicina, terapia que consiste en la inserción en las células del paciente de genes específicos capaces de luchar contra algunas enfermedades: *La genoterapia es una nueva técnica que se beneficia de los avances de la genética.* □ ETIMOL. De *gen* y *-terapia* (curación).

genotípico, ca adj. Del genotipo o relacionado con este conjunto de genes: *Las radiaciones nucleares pueden producir alteraciones genotípicas en los individuos que las reciben.*

genotipo s.m. En biología, conjunto de los genes existentes en cada uno de los núcleos celulares de los individuos que pertenecen a una determinada especie vegetal o animal: *Los caracteres del genotipo que se manifiestan en un individuo constituyen el fenotipo.* □ ETIMOL. De *gen* y *tipo.*

gente s.f. **1** Conjunto de personas: *Hoy ha venido poca gente al teatro. La gente aún no conoce el peligro que entraña esta droga.* **2** Cada una de las clases o grupos sociales que pueden distinguirse en la sociedad: *Estos barrios están llenos de gente de mal vivir. Su familia es gente de dinero.* **3** *col.* Familia o parentela: *Se ha ido de vacaciones con su gente.* **4** *col.* Precedido de algunos adjetivos, individuo o persona: *Confío en él, porque es buena gente.* **5** ‖ **gente de bien;** la que es honrada y actúa con buena intención. ‖ **gente de la calle;** la que no tiene especial relevancia social, ni especial significación en relación con el asunto de que se trata. ‖ **gente guapa;** *col.* La adinerada, famosa y moderna. ‖ **gente menuda;** *col.* Niños y niñas. □ ETIMOL. Del latín *genus* (raza, familia, tribu). □ SEM. 1. No debe usarse el plural *gentes* con el significado de 'personas': *Son {*gentes > personas} extrañas.* 2. Es un nombre colectivo; incorr. *un grupo de {*gente > personas}.*

gentecilla s.f. *desp.* Gente vulgar o despreciable.

gentil ▮ adj.inv. **1** Amable o cortés: *Nos atendió un oficinista muy gentil.* **2** Elegante, gracioso o de buena presencia: *Un gentil mozo galanteaba a la pastorcilla.* ▮ adj.inv./s.com. **3** Que adoraba ídolos o deidades diferentes de los considerados verdaderos, esp. referido a los que tenían una religión diferente de la cristiana: *Los apóstoles predicaron el cristianismo entre los gentiles.* □ ETIMOL. Del latín *gentilis* (propio de una familia, pagano, perteneciente a la nación).

gentileza s.f. **1** Amabilidad, cortesía o atención: *Tuvo la gentileza de acompañarme a casa.* **2** Gracia o desenvoltura para hacer algo: *Cabalgaba con tal gentileza que todos se volvían a contemplarlo.* **3** Lo que se hace o se ofrece por cortesía: *Esta jarrita fue una gentileza del restaurante donde comimos.*

gentilhombre s.m. Antiguamente, persona que servía en la corte o que acompañaba a un personaje importante: *El duque se hacía acompañar de un gentilhombre de confianza.* □ ETIMOL. Del francés *gentilhomme.* □ ORTOGR. Se usa también *gentil hombre.*

gentilicio adj./s.m. Referido a un adjetivo o a un sustantivo, que expresa el origen o la patria: *'Abulense' es el gentilicio que se aplica a los oriundos de 'Ávila'.*

gentilidad s.f. Conjunto de gentiles: *Los primeros cristianos fueron objeto de escarnio entre la gentilidad romana.*

gentío s.m. Aglomeración de gente: *Un gran gentío esperaba al cantante en el aeropuerto.*

gentleman (ing.) s.m. Hombre que se caracteriza por su distinción, elegancia y comportamiento educado: *Cuando lleva traje, sombrero y bastón va hecho un auténtico gentleman.* □ PRON. [yéntelman].

gentuza s.f. *desp.* Gente despreciable: *En este garito solo se reúne gentuza.*

genuflexión s.f. Flexión de una rodilla, bajándola hacia el suelo, que se hace generalmente en señal de reverencia: *Al pasar por delante del sagrario hizo una genuflexión.* □ ETIMOL. Del latín *genus flexio* (flexión de rodilla).

genuino, na adj. Puro, natural, o que conserva sus características propias. □ ETIMOL. Del latín *genuinus* (auténtico, natural, innato).

geo s.com. Miembro de la organización G.E.O. (Grupo Especial de Operaciones), que está esp. preparado para operaciones de alto riesgo: *Un geo fue herido en un atentado terrorista.*

geo- 1 Elemento compositivo prefijo que significa 'tierra': *geofagia, geomancia.* **2** Elemento compositivo prefijo que significa 'la Tierra': *geografía, geocéntrico, geopolítica, geoquímica, geodinámica.* □ ETIMOL. Del griego *gê*.

geocéntrico, ca adj. **1** Del centro de la Tierra o relacionado con él: *A través del sismógrafo se pueden detectar los movimientos geocéntricos.* **2** Referido a un sistema astronómico, que considera que la Tierra es el centro del universo: *El sistema geocéntrico de Tolomeo resumía los conocimientos griegos sobre el tema.* □ ETIMOL. De *geo-* (tierra) y *céntrico*.

geocentrismo s.m. Teoría astronómica que sostenía que la Tierra era el centro del universo y que los planetas giraban alrededor de ella: *El astrónomo griego Tolomeo fue uno de los principales defensores del geocentrismo.*

geoda s.f. Hueco de una roca cubierto por una sustancia mineral, generalmente cristalizada: *En su despacho tiene una geoda de cuarzo que utiliza como pisapapeles.* □ ETIMOL. Del griego *geódes* (terroso, semejante a la tierra).

geodesia s.f. Ciencia matemática que se ocupa de determinar la figura y las dimensiones del globo terrestre o de una parte de él, y de su representación en mapas: *En su despacho tiene una geoda de cuarzo que utiliza como pisapapeles.* □ ETIMOL. Del griego *geodaisía* (división de la tierra), y este de *gê* (tierra) y *dáio* (yo divido).

geodésico, ca adj. De la geodesia o relacionado con esta ciencia: *Los estudios geodésicos permiten elaborar los mapas terrestres.*

geodesta s.com. Persona especializada en los estudios geodésicos, esp. si esta es su profesión: *Los geodestas miden la superficie terrestre con instrumentos especiales.*

geodinámica s.f. Parte de la geología que estudia las alteraciones de la corteza terrestre: *La geodinámica externa estudia los procesos de erosión.* □ ETIMOL. De *geo-* (tierra) y *dinámica*.

geoestacionario, ria adj. Referido a un satélite artificial, que viaja de Oeste a Este a una altura superior a los 36 000 kilómetros sobre el Ecuador y a la misma velocidad que la rotación de la Tierra: *Los satélites artificiales geoestacionarios parecen inmóviles al contemplarlos desde la Tierra.* □ ETIMOL. De *geo-* (tierra) y *estacionario*.

geofagia s.f. Hábito patológico de comer tierra y otras sustancias no nutritivas: *Aunque tu bebé a veces se lleva tierra a la boca, no creo que sea un síntoma de geofagia.* □ ETIMOL. De *geo-* (tierra) y *-fagia* (comer).

geofísica s.f. Véase **geofísico, ca.**

geofísico, ca ▌ adj. **1** De la geofísica o relacionado con esta parte de la geología: *Los estudios geofísicos incluyen la meteorología.* **▌** s.f. **2** Parte de la geología que estudia la física terrestre: *Del estudio de los movimientos sísmicos se ocupa la geofísica.* □ ETIMOL. De *geo-* (tierra) y *física*.

geografía s.f. **1** Ciencia que se ocupa de la descripción de la Tierra y de la distribución en el espacio de los diferentes elementos y fenómenos que se desarrollan sobre la superficie terrestre. **2** Territorio, zona o región: *La geografía de este país es muy montañosa.* □ ETIMOL. Del griego *geographía*.

geográfico, ca adj. De la geografía o relacionado con esta ciencia: *En el atlas geográfico encontrarás mapas con los ríos y montañas de cada región.*

geógrafo, fa s. Persona que se dedica profesionalmente al estudio de la geografía o que está especializada en esta ciencia: *Un equipo de geógrafos trabajó en la elaboración de este atlas.*

geoide s.m. Forma teórica de la Tierra determinada por la ciencia de la geodesia: *El geoide se determina con la ayuda de los datos aportados por los satélites artificiales.* □ ETIMOL. Del griego *gê* (tierra) y *-oide* (semejante).

geología s.f. Ciencia que estudia la forma interior y exterior del globo terrestre, la naturaleza de las materias que lo componen, su formación, su transformación y su disposición actual: *La geología estudia los minerales y rocas que aparecen en la Tierra y los procesos que han dado lugar a su formación.* □ ETIMOL. De *geo-* (tierra) y *-logía* (ciencia, estudio).

geológico, ca adj. De la geología o relacionado con esta ciencia: *La historia de la Tierra se divide en eras y períodos geológicos.*

geólogo, ga s. Persona que se dedica profesionalmente al estudio de la geología o que está especializada en esta ciencia: *Los geólogos afirman que en esta comarca hay yacimientos de carbón.*

geomagnético, ca adj. Del geomagnetismo o relacionado con este conjunto de fenómenos.

geomagnetismo s.m. Conjunto de los fenómenos relacionados con las propiedades magnéticas de la Tierra: *El movimiento de la aguja de una brújula hacia el Norte es un fenómeno debido al geomagnetismo.* □ ETIMOL. De *geo-* (tierra) y *magnetismo*.

geomancia (tb. *geomancía*) s.f. Adivinación a través de la interpretación de los cuerpos terrestres, o a través de la interpretación de líneas, círculos o puntos hechos en la tierra: *A través de la geomancia el general romano supo que iba a perder la batalla.* □ ETIMOL. De *geo-* (tierra) y *-mancia* (adivinación).

geomántico, ca ▌adj. **1** De la geomancia o relacionado con esta técnica de adivinación: *Este libro explica cómo hacer interpretaciones geománticas a partir de la disposición de las piedras.* ▌s. **2** Persona que practica la geomancia: *En la película, el geomántico predijo el terremoto que destruyó el poblado.*

geómetra s.com. Persona que se dedica profesionalmente al estudio de la geometría o que está especializada en esta parte de las matemáticas: *Este matemático es un buen geómetra.*

geometría s.f. Parte de las matemáticas que estudia las propiedades y medidas de puntos, líneas, planos y volúmenes, y las relaciones que entre ellos se establecen: *En la clase de geometría hemos aprendido a distinguir los tipos de triángulos.* ☐ ETIMOL. Del griego *geometría* (medición de la tierra), y este de *gê* (tierra) y *métron* (medida).

geométrico, ca adj. De la geometría o relacionado con esta parte de las matemáticas: *figuras geométricas; motivos geométricos.*

geomorfología s.f. Ciencia que estudia las formas del relieve terrestre y su evolución: *La geomorfología estudia la formación de montañas y cordilleras.* ☐ ETIMOL. De *geo-* (tierra) y *morfología.*

geopolítica s.f. Véase **geopolítico, ca.**

geopolítico, ca ▌adj. **1** De la geopolítica o relacionado con esta ciencia: *La independencia de esta región a lo largo de la historia se explica por una razón geopolítica: las cordilleras que la rodean la protegen de los invasores.* ▌s.f. **2** Disciplina que estudia las relaciones de la política nacional o internacional con los factores geográficos, económicos y raciales. ☐ ETIMOL. De *geo-* (tierra) y *política.*

geoquímica s.f. Véase **geoquímico, ca.**

geoquímico, ca ▌adj. **1** De la geoquímica o relacionado con este estudio: *Los estudios geoquímicos se ocupan de la composición química de los estratos terrestres.* ▌s.f. **2** Estudio de la distribución, proporción y asociación de los elementos químicos de la corteza terrestre, y de las leyes que las condicionan: *Según la geoquímica, la combinación de elementos químicos más frecuente en la litosfera terrestre es la que da lugar a la sílice.* ☐ ETIMOL. De *geo-* (tierra) y *química.*

georama s.m. Gran esfera hueca sobre cuya superficie interior está trazado el mapa de la Tierra, y que puede ser observado por un espectador que se coloca en el centro de dicha esfera: *Al visitar el centro geográfico nos enseñaron un georama.* ☐ ETIMOL. De *geo-* (tierra) y el griego *hórama* (lo que se ve).

georgiano, na ▌adj./s. **1** De Georgia o relacionado con este país europeo: *El territorio georgiano fue parte de la Unión Soviética.* ▌s.m. **2** Lengua hablada en este país: *Existe una abundante literatura en georgiano.*

geórgica s.f. Véase **geórgico, ca.**

geórgico, ca ▌adj. **1** Del campo o relacionado con él. ▌s.f. **2** Obra, generalmente literaria, que trata de la agricultura o de la vida en el campo: *Las geórgicas por antonomasia son las escritas por el poeta latino Virgilio.* ☐ ETIMOL. Del latín *georgico*, y este del griego *georgós* (agricultor). ☐ MORF. En la acepción 2, se usa más en plural.

geosfera s.f. Zona terrestre que comprende los materiales rocosos de la Tierra. ☐ ETIMOL. De *geo-* (tierra) y *esfera.*

geosinclinal s.m. Zona de la corteza terrestre de gran extensión en la que se acumulan gran cantidad de sedimentos procedentes de otras áreas, y que está en proceso de hundimiento: *El plegamiento de un geosinclinal da lugar a una formación montañosa.* ☐ ETIMOL. De *geo-* (tierra) y *sinclinal.*

geotecnia s.f. →**geotécnica.** ☐ ETIMOL. De *geo-* (tierra) y el griego *tékhne* (arte, industria).

geotécnica s.f. Aplicación de los principios de la ingeniería al estudio de las características de los materiales de la corteza terrestre para determinar las posibilidades de construcción sobre esta: *La geotécnica realiza estudios para saber qué peso puede soportar un terreno sobre el que se va a edificar.* ☐ SINÓN. *geotecnia.* ☐ ETIMOL. De *geo-* (tierra) y *técnica.*

geotectónico, ca adj. De la forma, disposición y estructura de las rocas y terrenos que constituyen la corteza terrestre, o relacionado con ellos: *Un estudio geotectónico muestra el tipo de plegamientos que se dan en esta zona.* ☐ ETIMOL. De *geo-* (tierra) y el griego *tektonikós* (del carpintero).

geoterapia s.f. Tratamiento de las enfermedades mediante el empleo de arcillas y barros. ☐ ETIMOL. Del *geo-* (tierra) y *-terapia* (curación).

geotermal adj.inv. Referido al agua, que se calienta al pasar por zonas profundas del suelo: *Los baños en aguas geotermales son buenos para prevenir el reúma.*

geotermia s.f. Estudio de los fenómenos térmicos que tienen lugar en el interior del globo terrestre: *La geotermia ayuda a conocer el estado de los materiales del interior de la Tierra.* ☐ ETIMOL. De *geo-* (tierra) y el griego *thermós* (caliente).

geotérmico, ca adj. De la geotermia o relacionado con el estudio de los fenómenos térmicos del interior de la Tierra: *Los manantiales geotérmicos pueden aprovecharse como fuente de energía.*

geotropismo s.m. Respuesta de un organismo ante el estímulo de la fuerza de la gravedad: *En una planta, la raíz tiene geotropismo positivo, ya que se dirige hacia el suelo.* ☐ ETIMOL. De *geo-* (tierra) y *tropismo.*

geranio s.m. **1** Planta que tiene hojas de borde ondeado, generalmente grandes, flores de vivos y variados colores reunidas en umbelas, y que se utiliza como adorno: *El geranio se cultiva en jardines y en macetas.* **2** Flor de esta planta: *El geranio se cultiva en jardines y en macetas.* ☐ ETIMOL. Del griego *geránion* (pico de grulla), porque se compararon sus formas.

gerbo s.m. →**jerbo.**

gerencia s.f. **1** Cargo de gerente: *Le han dado la gerencia de unos grandes almacenes.* **2** Tiempo durante el que un gerente ejerce su cargo: *Durante su gerencia las ventas se duplicaron.* **3** Oficina del gerente: *Pásese por la gerencia para firmar el contrato.*

gerente s.com. Persona que dirige los negocios y lleva la gestión en una sociedad o empresa mercantil, de acuerdo con lo establecido en la constitución de la misma: *La nueva gerente de la empresa multinacional tiene mucha experiencia en comercio exterior.* □ ETIMOL. Del latín *gerens* (el que gestiona o lleva a cabo).

geriatra s.com. Médico especializado en geriatría: *La geriatra le ha mandado a mi abuelo una dieta rica en vitaminas.*

geriatría s.f. Parte de la medicina que estudia la vejez y sus enfermedades: *La geriatría tiene mucha importancia, porque cada vez hay más personas ancianas.* □ ETIMOL. Del griego *gêras* (vejez) e *-iatría* (medicina).

geriátrico, ca ▮ adj. **1** De la geriatría o relacionado con esta parte de la medicina: *Las personas mayores precisan tratamiento geriátrico.* ▮ adj./s.m. **2** Referido a un sanatorio o una residencia, que acoge a personas ancianas y se ocupa de su cuidado: *Acuden al geriátrico todas las semanas para visitar a su anciana madre.*

gerifalte s.m. *col.* Persona que destaca o que sobresale en una actividad: *A la inauguración del museo acudieron todos los gerifaltes de la política local.* □ ETIMOL. Del francés antiguo *girfalt*.

germanía s.f. **1** Variedad lingüística o jerga que usan entre sí ladrones y rufianes y que se compone de voces del idioma a las que se les ha cambiado su significado, y de otros vocablos de orígenes muy diversos: *En los siglos XVI y XVII, los pícaros utilizaban una germanía muy peculiar.* **2** En el antiguo reino de Valencia, hermandad o reino: *Las germanías valencianas se sublevaron durante el reinado de Carlos I.* □ ETIMOL. Del latín *germanus* (hermano).

germánico, ca ▮ adj. **1** De Germania (antigua zona centroeuropea ocupada por pueblos de origen indoeuropeo), de los germanos o relacionado con ellos: *Los visigodos eran un pueblo germánico. La sociedad germánica se organizaba en estamentos.* **2** De Alemania o relacionado con este país europeo. □ SINÓN. *alemán, germano, tudesco.* ▮ adj./s.m. **3** Referido a una lengua, que pertenece a un grupo de lenguas indoeuropeas que eran habladas por los pueblos germanos: *El alemán, el inglés y el neerlandés son lenguas germánicas.*

germanio s.m. Elemento químico, semimetálico y sólido, de número atómico 32, de color blanco, que se oxida a temperaturas muy elevadas y es resistente a los ácidos y a las bases: *El germanio se utiliza en la fabricación de transistores.* □ ETIMOL. Del latín *Germania* (Alemania), donde se descubrió. □ ORTOGR. Su símbolo químico es *Ge*.

germanismo s.m. En lingüística, palabra, significado o construcción sintáctica del alemán o de las lenguas habladas por los germanos, empleados en otra lengua: *Muchos germanismos se incorporaron al latín antes de la desmembración del Imperio Romano.*

germanista s.com. Persona especializada en el estudio de la lengua y de la cultura alemanas o germánicas: *Se celebró un congreso de germanistas para estudiar la literatura romántica alemana.*

germanización s.f. Difusión o adopción de las características que se consideran propias de lo alemán o de lo germánico: *La expansión del imperio alemán intentó conseguir la germanización de las zonas conquistadas.*

germanizar v. Dar características que se consideran propias de lo alemán o de lo germánico: *Su educación en Alemania lo ha germanizado.* □ ORTOGR. La *z* se cambia en *c* delante de *e* →CAZAR.

germano, na adj./s. **1** De la antigua Germania (zona centroeuropea ocupada por pueblos de origen indoeuropeo): *El pueblo germano no utilizó la moneda.* **2** De Alemania o relacionado con este país europeo: *La industria germana experimentó un gran desarrollo tras la Segunda Guerra Mundial.* □ SINÓN. *alemán, germánico, tudesco.* □ MORF. Es la forma que adopta *alemán* cuando se antepone a una palabra para formar compuestos: *germanófilo, germanofobia, germanoespañol.*

germanoespañol, -a adj./s. De Alemania y España (países europeos) conjuntamente: *Hoy se firmará un acuerdo germanoespañol sobre exportación.*

germanofilia s.f. Admiración y simpatía por todo lo alemán. □ ETIMOL. De *germano* (alemán) y *-filia* (afición, gusto, amor).

germanófilo, la adj./s. Que siente gran admiración y simpatía por todo lo alemán.

germanofobia s.f. Antipatía por todo lo alemán. □ ETIMOL. De *germano* (alemán) y *-fobia* (aversión).

germanófobo, ba adj./s. Que siente gran antipatía por todo lo alemán.

germen s.m. **1** Célula o conjunto de células que dan origen a un nuevo ser orgánico: *Tras la fecundación, el espermatozoide y el óvulo darán lugar al germen que originará un nuevo ser.* **2** Parte de la semilla de la que se forma la planta: *El germen del trigo es el embrión que dará lugar a la nueva planta.* **3** Primer tallo que brota de una semilla: *Planta una judía, riégala y dentro de poco verás aparecer el germen.* **4** Principio u origen de algo: *La filosofía griega es el germen de muchos sistemas filosóficos posteriores.* **5** ‖ **germen (patógeno);** microorganismo que puede causar o propagar una enfermedad: *Hay que limpiar la herida para eliminar todos los gérmenes.* □ ETIMOL. Del latín *germen* (yema de planta).

germicida adj.inv./s.m. Que destruye gérmenes, esp. los dañinos: *El cloro es el germicida que se utiliza para el agua de las piscinas.* □ ETIMOL. De *germen* y *-cida* (que mata).

germinación s.f. **1** Inicio del desarrollo de la semilla de un vegetal: *Tras estar sumergida varios días en agua, se produjo la germinación de la semilla.* **2** Brote y comienzo del crecimiento de una planta: *La primavera es la época de la germinación de muchas plantas.* **3** Desarrollo o comienzo de las manifestaciones de algo no material: *Se dice que la pereza favorece la germinación de todos los vicios.*

germinador, -a adj./s. Que hace germinar: *En este laboratorio están trabajando en varios germinadores experimentales que aceleren el proceso de germinación de las plantas.*

germinal adj.inv. Del germen o relacionado con él: *Es un gran proyecto, aunque está en estado germinal.*

germinar v. **1** Referido a una semilla, comenzar a desarrollarse: *Para que estas semillas germinen, necesitan calor y un ambiente húmedo.* **2** Referido a una planta, brotar y comenzar a crecer: *El trigo ya está empezando a germinar.* **3** Referido a algo no material, desarrollarse o empezar a manifestarse: *Las ideas más geniales germinaban continuamente en su mente creadora.* □ ETIMOL. Del latín *germinare* (brotar).

germinativo, va adj. **1** De la germinación o relacionado con ella: *Durante el proceso germinativo la nueva planta se alimenta de las sustancias de reserva de la semilla.* **2** Que puede germinar o causar germinación: *El calor y la humedad actúan como agentes germinativos en el desarrollo de las semillas.*

germinicida adj.inv./s.m. Referido a un producto químico, que es capaz de destruir la capacidad germinativa de las semillas: *Debes utilizar un germinicida para terminar con las malas hierbas de tus huertos.*

germoplasma s.m. Material genético que se transmite en la reproducción, por medio de los gametos o células reproductoras: *El germoplasma constituye la base física de las cualidades heredadas de un organismo.*

gerocultor, -a s. Persona que cuida a ancianos que están débiles o enfermos: *En esta residencia de ancianos necesitan tres gerocultores.* □ ETIMOL. Del griego *géron* (anciano) y *-cultor* (que cuida).

gerontocracia s.f. Sistema de gobierno en el que el poder reside en las personas ancianas: *La gerontocracia fue el sistema de gobierno de muchos pueblos prehistóricos.* □ ETIMOL. Del griego *géron* (anciano) y *-cracia* (dominio, poder).

gerontócrata s.com. Miembro de la gerontocracia o gobierno de ancianos: *Los gerontócratas gobernaban las tribus de algunos pueblos primitivos.*

gerontología s.f. Ciencia que estudia la vejez y los fenómenos que la caracterizan: *La gerontología estudia los problemas de adaptación de los ancianos en la sociedad actual.* □ ETIMOL. Del griego *géron* (anciano) y *-logía* (estudio, ciencia).

gerontólogo, ga s. Persona especializada en gerontología: *Los gerontólogos valoran mucho la situación afectiva en que viven los ancianos.*

geropsiquiatría s.f. Ciencia que estudia las enfermedades mentales en los ancianos: *Lo que más me interesa de la psiquiatría es la geropsiquiatría.* □ ETIMOL. Del griego *gêras* (vejez) y *psiquiatría.*

geropsiquiátrico, ca ▌adj. **1** De la geropsiquiatría o relacionado con la ciencia que estudia las enfermedades mentales en los ancianos: *Mi abuelo está recibiendo un tratamiento geropsiquiátrico para recuperarse de la depresión.* ▌s.m. **2** Servicio hospitalario de psiquiatría que se ocupa de los ancianos: *Se ha aumentado la plantilla en el geropsiquiátrico para poder atender a todos los ancianos.*

gerundense adj.inv./s.com. De Gerona o relacionado con esta provincia española o con su capital: *El golfo de Rosas está en la costa gerundense.*

gerundio s.m. Forma no personal del verbo, que presenta la acción en su curso de desarrollo y que generalmente tiene una función adverbial: *'Habiendo comido' es el gerundio compuesto del verbo 'comer'.* □ ETIMOL. Del latín *gerundium*, y este de *gerundus* (el que se debe llevar a cabo).

gerundivo s.m. Participio latino de futuro pasivo que posee flexión casual: *El gerundivo latino termina en '-ndus', '-nda' o '-ndum'.* □ ETIMOL. Del latín *gerundivus.*

gesta s.f. Conjunto de hazañas o de hechos memorables de una persona o de un pueblo: *Los más viejos del lugar aún recuerdan las gestas de sus antepasados.* □ ETIMOL. Del latín *gesta* (hechos señalados).

gestación s.f. **1** Desarrollo del feto dentro del cuerpo de la madre: *El período de gestación varía según las distintas especies animales.* **2** Desarrollo o formación de algo no material: *La lectura da lugar a la gestación de nuevas ideas.* □ ETIMOL. Del latín *gestatio* (acción de llevar).

gestante adj.inv./s.f. Referido a una mujer, que está embarazada: *Este medicamento no debe ser administrado a una mujer gestante sin consultar antes a su médico.*

gestar ▌v. **1** Referido a una hembra, llevar y alimentar en el vientre al feto hasta el momento del parto: *Las mujeres gestan a sus hijos durante nueve meses.* ▌prnl. **2** Referido a algo no material, formarse o desarrollarse: *El alzamiento popular se gestó en reuniones clandestinas.* □ ETIMOL. Del latín *gestare* (llevar encima).

gestero, ra adj. Que hace muchos gestos.

gesticulación s.f. Realización de gestos: *Las mujeres gestan a sus hijos durante nueve meses.*

gesticular v. Hacer gestos: *Al hablar gesticula mucho con las manos.* □ ETIMOL. Del latín *gesticulari.*

gestión s.f. **1** Realización de las acciones oportunas para conseguir el logro de un asunto o de un deseo: *Su gestión para intentar ascender de categoría no le dio el resultado que esperaba.* **2** Cada una de estas acciones: *No sé si podré verte, porque tengo que realizar ciertas gestiones y no sé a qué hora acabaré.* **3** Organización y dirección de algo, esp. de una empresa o de una institución: *La propia dueña se ocupa de la gestión de la fábrica.* □ ETIMOL. Del latín *gestio* (acción de llevar a cabo).

gestionar v. Referido a un fin, realizar las gestiones oportunas para conseguir su resolución: *Ha gestionado su traslado a una ciudad más pequeña.*

gesto s.m. **1** Movimiento del rostro o de las manos con el que se expresa algo: *Con un gesto me dio a entender que no dijera nada.* **2** Movimiento exagerado del rostro que se hace por hábito o por enfermedad: *Los continuos gestos de su cara son debidos a un tic nervioso.* **3** Rostro o semblante: *Cuando volvió a casa traía el gesto alegre.* **4** Acción que se realiza obedeciendo a un impulso o sentimiento: *Felicitar al rival por su victoria es un gesto que te honra.* **5** || **torcer el gesto;** *col.* Mostrar enfado o enojo en el rostro. □ ETIMOL. Del latín *gestus* (actitud o movimiento del cuerpo).

gestor, -a ▌adj./s. **1** Que gestiona: *Un gestor se hará cargo de la empresa hasta que se nombre el nuevo gerente.* ▌s. **2** Miembro de una sociedad mercantil que participa en su administración: *La gestora ha elaborado los presupuestos de la empresa para el próximo año.* ▌s.f. **3** Empresa que gestiona asuntos en nombre de sus clientes: *Pasaré todos los papeles a la gestora.* **4** || **gestor (administrativo);** persona que se dedica profesionalmente a solucionar asuntos particulares o de sociedades en las oficinas públicas. □ ETIMOL. Del latín *gestor* (administrador).

gestora s.f. Véase **gestor, -a.**

gestoría s.f. Oficina de un gestor: *Una gestoría me está tramitando la renovación del carné de conducir.*

gestual adj.inv. **1** De los gestos o relacionado con ellos: *La crítica ha alabado la riqueza gestual de la actriz.* **2** Que se hace con gestos: *lenguaje gestual.*

ghanés, -a adj./s. De Ghana o relacionado con este país africano.

gheada (gall.) s.f. →**geada.** □ PRON. [jeáda].

giba s.f. **1** Corvadura anómala de la columna vertebral, del pecho o de ambos a la vez: *Debes hacer gimnasia para corregir esa giba.* □ SINÓN. *joroba.* **2** Bulto dorsal de algunos animales, esp. el de los camellos y los dromedarios, en el que almacenan grasa: *En esta foto aparezco sentado entre las dos gibas del camello.* □ SINÓN. *joroba.* □ ETIMOL. Del latín *gibba.*

gibar v. *col.* Fastidiar o molestar: *¡No te giba, ahora dice que no le apetece salir de casa!* □ ETIMOL. De *giba.*

gibelino, na adj./s. En la época medieval, partidario de la autoridad de los emperadores del imperio alemán sobre Italia: *El partido gibelino terminó siendo derrotado.* □ ETIMOL. Del italiano *ghibellino.* □ SEM. Dist. de *güelfo* (partidario de la autoridad del papa sobre Italia).

gibón s.m. Mono que habita en los árboles, camina erguido, tiene los brazos muy largos y carece de cola: *El gibón vive en el sur de Asia.* □ ETIMOL. Del inglés *gibbon.* □ MORF. Es un sustantivo epiceno: *el gibón {macho/hembra}.*

gibosidad s.f. Abultamiento en forma de giba: *Los camellos tienen dos gibosidades y los dromedarios, una.*

giboso, sa adj./s. Que tiene giba: *En el museo vimos el retrato de un giboso que era bufón de Felipe IV.*

gibraltareño, ña adj./s. De Gibraltar o relacionado con esta población.

gif (ing.) s.m. **1** En informática, sistema de compresión de archivos de gráficos. **2** Imagen comprimida con este formato: *En esta página web hay varios gif animados.* □ ETIMOL. Es el acrónimo del inglés *Graphics Interchange Format* (formato gráfico de intercambio).

giga ▌s.f. **1** Composición musical en compás de seis por ocho, con movimiento acelerado. **2** Baile popular que se ejecuta al compás de esta música. ▌s.m. **3** →**gigabyte.** □ ETIMOL. Las acepciones 1 y 2, del francés antiguo *gigue.* □ ORTOGR. En las acepciones 1 y 2, se admite también *jiga.*

giga- Elemento compositivo prefijo que significa 'mil millones': *gigavatio.* □ ETIMOL. Del griego *gígas* (gigante). □ ORTOGR. Su símbolo es *G-*, y no se usa nunca aislado: *GW* (gigavatio).

gigabyte (ing.) s.m. En informática, unidad de almacenamiento de información que equivale a mil millones de bytes aproximadamente. □ PRON. [jigabáit]. □ ORTOGR. Su símbolo es *GB*, por tanto, se escribe sin punto. □ MORF. Se usa mucho la forma abreviada *giga.* □ SEM. Dist. de *gigavatio* (mil millones de vatios).

gigahercio s.m. Unidad de frecuencia que equivale a mil millones de hercios. □ ETIMOL. De *giga-* (mil millones) y *hercio.* □ ORTOGR. Su símbolo es *GHz*, por tanto, se escribe sin punto.

gigante adj.inv. →**gigantesco.**

gigante, ta ▌s. **1** Persona de estatura mucho mayor que la normal: *En los cuentos infantiles aparecen muchos gigantes.* **2** Figura que representa a una persona de gran altura y que suele desfilar en algunos festejos populares: *En las fiestas de mi pueblo hay desfiles de gigantes y cabezudos.* □ SINÓN. *gigantón.* ▌s.m. **3** Persona que destaca por actuar de modo extraordinario o por poseer alguna cualidad en grado muy alto: *Cervantes fue un gigante de la literatura.* **4** Empresa que destaca por su tamaño económico y por su liderazgo: *Esta empresa es un gigante dentro de su sector.* □ ETIMOL. Del latín *gigas.*

gigantesco, ca adj. **1** Excesivo, muy sobresaliente o de dimensiones muy superiores a las normales: *La habitación de mi prima es gigantesca porque es tan grande como mi apartamento.* □ SINÓN. *gigante, ciclópeo.* **2** Con características que se consideran propias de un gigante: *Este chico sería buen jugador de baloncesto porque tiene una altura gigantesca.* □ SINÓN. *gigante.*

gigantismo s.m. Trastorno del crecimiento caracterizado por una estatura mayor a la que se considera normal en los individuos de la misma especie y de la misma edad: *El gigantismo se debe a un mal funcionamiento de la glándula hipófisis.*

gigantomaquia s.f. Relato de la lucha que, según la mitología clásica, tuvo lugar entre los gigantes y los dioses: *El poeta Fernando de Herrera escribió una gigantomaquia que no se conserva.* □ ETIMOL. Del griego *gigantomachía*, y este de *gígas* (gigante) y *mákhomai* (yo peleo).

gigantón, -a s. Figura que representa a una persona de gran altura y que suele desfilar en algunos festejos populares: *Después del pregón de las fiestas, salieron los gigantones y los cabezudos, acompañados por la banda municipal.* □ SINÓN. *gigante.*

gigatón s.m. Unidad de medida de energía de una bomba nuclear, que equivale a mil millones de toneladas de trilita. □ SINÓN. *gigatonelada.*

gigatonelada s.f. →**gigatón.**

gigavatio s.m. En el Sistema Internacional, unidad de potencia que equivale a mil millones de vatios. □ ORTOGR. Su símbolo es *GW*, por tanto, se escribe sin punto. □ SEM. Dist. de *gigabyte* (mil millones de bytes).

gigoló s.m. Hombre joven que tiene relaciones sexuales con una mujer, generalmente de más edad, que lo mantiene. □ ETIMOL. Del francés *gigolo*. □ PRON. [yigoló].

gil, -a s. *col.* En zonas del español meridional, tonto.

gilí (pl. *gilís*) adj.inv./s.com. *col.* →**gilipollas.** □ USO Se usa como insulto.

gilipollada s.f. *vulg.malson.* →**tontería.**

gilipollas (pl. *gilipollas*) adj.inv./s.com. *vulg.malson. desp.* Tonto, de poco valor o de poca importancia. □ MORF. En la lengua coloquial se usa mucho la forma abreviada *gilí*. □ USO Se usa como insulto.

gilipollez s.f. *vulg.malson.* →**tontería.**

gilipuertas (pl. *gilipuertas*) adj.inv./s.com. *euf.* →**gilipollas.**

gilitonto, ta adj./s. *euf.* →**gilipollas.**

gillete (tb. *gillette*) s.f. Maquinilla desechable para afeitarse. □ ETIMOL. Extensión del nombre de una marca comercial. □ PRON. [yilét]. □ USO Su uso es innecesario y puede sustituirse por *maquinilla desechable.*

gillette s.f. →**gillete.** □ ETIMOL. Extensión del nombre de una marca comercial. □ PRON. [yilét]. □ USO Su uso es innecesario y puede sustituirse por *maquinilla desechable.*

gim-jazz (ing.) s.m. Tipo de gimnasia que se practica con música de jazz. □ PRON. [yim-yas].

gimlet (ing.) s.m. Cóctel elaborado con ginebra, zumo de lima y una guinda verde como adorno. □ ETIMOL. Por alusión a Sir T.O. Gimlette, médico británico que lo elaboró por primera vez. □ PRON. [yímlet].

gimnasia s.f. **1** Conjunto de ejercicios que se realizan para desarrollar, fortalecer y dar flexibilidad al cuerpo o a alguna parte de él. **2** Práctica o ejercicio que adiestra en cualquier actividad: *gimnasia mental.* **3** || **gimnasia de mantenimiento;** la que se hace para mantener una buena forma física general. || **gimnasia pasiva;** la que se hace con máquinas diseñadas para mover cada parte del cuerpo. || **gimnasia rítmica;** la que se hace acompañada de música, pasos de danza y, a veces, de algunos accesorios. || **gimnasia sueca;** la que se hace sin aparatos.

gimnasio s.m. Local provisto de las instalaciones y de los aparatos adecuados para practicar gimnasia y otros deportes: *En el gimnasio del colegio hay potro, plinto, espalderas, colchonetas y canastas de baloncesto.* □ ETIMOL. Del latín *gymnasium*, este del griego *gymnásion*, y este de *gymnázo* (hago ejercicio físico).

gimnasta s.com. Deportista que practica algún tipo de gimnasia: *Esta gimnasta consiguió dos medallas en la pasada Olimpiada.*

gimnástico, ca adj. De la gimnasia o relacionado con ella: *Todas las mañanas realizo algunos ejercicios gimnásticos.*

gimnospermo, ma ▌ adj./s.f. **1** Referido a una planta, que tiene flores solo masculinas o solo femeninas, y las semillas al descubierto: *El pino, el ciprés y el cedro son árboles gimnospermos.* ▌ s.f.pl. **2** En botánica, división de estas plantas, perteneciente al reino de las metafitas: *Las flores femeninas de las plantas que pertenecen a las gimnospermas carecen de pétalos.* □ ETIMOL. Del griego *gymnós* (desnudo) y *spérma* (simiente).

gimotear v. Llorar sin fuerza y por una causa leve, o simular un llanto débil sin llegar a llorar de verdad: *Aunque gimotees así, no te voy a comprar el osito de peluche.*

gimoteo s.m. Llanto débil, o gemido leve e insistente: *Los gimoteos del bebé se calmaron en cuanto lo cogí en brazos.*

gin (ing.) s.m. **1** →**ginebra. 2** || **gin tonic;** →**gin-tonic.** □ PRON. [yin]. □ USO Su uso es innecesario.

gincana s.f. →**gymkhana.** □ PRON. [yincána].

ginebra s.f. Bebida alcohólica, transparente, obtenida de semillas y aromatizada con las bayas del enebro. □ ETIMOL. Del francés *genièvre* (enebro). □ USO Es innecesario el uso del anglicismo *gin.*

gineceo s.m. **1** En una flor, pistilo o parte femenina: *En el gineceo están los óvulos.* **2** En la antigua Grecia, parte de la casa destinada a las mujeres: *Las mujeres griegas se quedaban en el gineceo y no acudían a los juegos olímpicos.* □ ETIMOL. Del latín *gynaeceum*, este del griego *gynaikêion*, y este de *gyné* (mujer).

ginecocracia s.f. Supremacía de la mujer sobre el hombre. □ ETIMOL. Del griego *gyné* (mujer) y *-crácia* (poder).

ginecología s.f. Parte de la medicina que estudia los órganos sexuales y reproductores de la mujer, las enfermedades de estos y sus tratamientos. □ ETIMOL. Del griego *gyné* (mujer) y *-logía* (estudio, ciencia).

ginecológico, ca adj. De la ginecología o relacionado con esta parte de la medicina: *Cada año le realizan un completo examen ginecológico.*

ginecólogo, ga s. Médico especializado en ginecología.

ginefobia s.f. Aversión o rechazo obsesivos hacia las mujeres. ☐ ETIMOL. Del griego *gyné* (mujer) y *-fobia* (aversión).

gineta s.f. →**jineta.** ☐ MORF. Es un sustantivo epiceno: *la gineta {macho/hembra}*.

ginger-ale (ing.) s.m. Bebida efervescente elaborada con jengibre y que generalmente se mezcla con otras bebidas. ☐ PRON. [yínyer éil].

gingival adj.inv. De las encías o relacionado con ellas: *La odontóloga me ha dicho que tengo una infección gingival.* ☐ ETIMOL. Del latín *gingiva* (encía).

gingivitis (pl. *gingivitis*) s.f. Inflamación de las encías: *Me duelen las encías porque tengo gingivitis.* ☐ ETIMOL. Del latín *gingiva* (encía) e *-itis* (inflamación).

gingko s.m. →**ginkgo.** ☐ PRON. [yínko].

ginkgo (jap.) (tb. *gingko*) s.m. Árbol originario del norte de Asia que tiene las hojas con forma de abanico y los frutos en drupa: *El ginkgo se cultiva en Europa como árbol ornamental.* ☐ PRON. [yínko].

ginogénesis (pl. *ginogénesis*) s.f. Desarrollo de un embrión a partir de cromosomas femeninos sin intervención masculina: *Si la ginogénesis fuese posible, una mujer podría tener una hija a partir de un óvulo suyo exclusivamente.* ☐ ETIMOL. Del griego *gyné* (mujer) y *génesis* (generación).

ginseng (jap.) s.m. **1** Arbusto originario de Asia, a cuya raíz se atribuyen propiedades curativas. **2** Raíz de este arbusto. ☐ PRON. [yínsen] o [yinsén].

gin-tonic (ing.) s.m. Combinado de tónica y ginebra. ☐ PRON. [yintónic]. ☐ ORTOGR. Se usa también *gin tonic*.

gira s.f. **1** Serie de actuaciones sucesivas de un artista o de una compañía artística en diferentes lugares: *Cinco músicos acompañan a la cantante en su gira americana.* **2** Viaje o excursión por distintos sitios volviendo al lugar de partida: *Estuve de gira turística con mi familia por la costa mediterránea.* ☐ ORTOGR. Dist. de *jira*. ☐ USO En la acepción 1, es innecesario el uso del galicismo *tournée*.

giradiscos (pl. *giradiscos*) s.m. En un tocadiscos, pieza circular giratoria sobre la que se coloca el disco. ☐ SINÓN. *plato*.

giralda s.f. Veleta con figura humana o de animal, que se coloca sobre una torre: *En la torre de una casa de mi pueblo la giralda tiene forma de gallo.*

girándula s.f. Rueda llena de cohetes que gira despidiéndolos: *En la verbena había tracas, cohetes y girándulas.* ☐ ETIMOL. Del italiano *girandola*.

girar v. **1** Mover sobre un eje o un punto, o dar vueltas sobre ellos: *No gires el volante todavía. La Tierra gira alrededor de sí misma y alrededor del Sol. Gírate para que pueda verte la cara.* **2** Referido a una cantidad de dinero, enviarla por giro telegráfico o postal: *Si tienes problemas de dinero, llámame y te giro lo que necesites.* **3** Referido esp. a una letra de cambio, extenderla y enviarla a la persona a cargo de la cual se ha emitido: *Nuestra empresa gira letras de cambio a noventa días para pagar a los proveedores.* **4** Desviar o cambiar la dirección inicial: *En el próximo cruce tienes que girar a la derecha. El camino giraba antes de lo que me habías dicho y casi nos perdemos.* ☐ ETIMOL. Del latín *gyrare*.

girasol s.m. **1** Planta herbácea de tallo largo, de hojas alternas y acorazonadas, con flores grandes de color amarillo, y cuyo fruto tiene muchas semillas negruzcas comestibles: *Los girasoles se cultivan para obtener aceite y pipas.* ☐ SINÓN. *mirasol.* **2** Flor de esta planta: *Los girasoles se mueven siguiendo la luz del sol.* ☐ SINÓN. *mirasol.* ☐ ETIMOL. De *girar* y *sol*, porque su flor gira siguiendo la dirección del sol.

giratorio, ria adj. Que gira o se mueve alrededor de algo: *El movimiento de traslación de la Tierra es un movimiento giratorio de esta alrededor del Sol.*

girl (ing.) s.f. Mujer que actúa como bailarina de conjunto en un espectáculo de variedades: *Necesitamos contratar una girl más para completar este número.* ☐ PRON. [guerl], con *r* suave.

girl scout (ing.) s.f. || →**scout.** ☐ PRON. [guerl escáut], con *r* suave.

giro s.m. **1** Movimiento circular o sobre un eje o un punto: *El giro de la Tierra sobre sí misma dura aproximadamente un día. Al llegar a la plaza haces un giro a la derecha.* **2** Dirección que se da a una conversación o a un asunto: *Su llegada hizo que la conversación tomara un giro más informal.* **3** Envío de una cantidad de dinero que se hace por medio del servicio de correos o de telégrafos: *Fui a la oficina de correos a mandarle un giro postal a mi hijo para pagar la matrícula.* **4** En lingüística, estructura especial u ordenación de las palabras de una frase: *Es inglesa y, aunque sabe mucho español, a veces emplea giros muy ingleses.* **5** Extensión y envío de un recibo, factura o letra de cambio: *El giro de esas letras de cambio se realizó la semana pasada.* **6** || **giro copernicano;** cambio muy marcado o acentuado: *Con los años has sufrido un giro copernicano en tu manera de pensar.* ☐ ETIMOL. Del latín *gyrus*, y este del griego *gŷros* (círculo, circunferencia).

girola s.f. En una iglesia, nave de forma semicircular, que rodea por detrás el altar y que da acceso a pequeñas capillas: *La girola de esta catedral es continuación de las dos naves laterales.* ☐ ETIMOL. Del francés antiguo *charole*.

girómetro s.m. Instrumento para medir la velocidad de rotación de una máquina: *Algunas máquinas están dotadas de girómetros.* ☐ ETIMOL. De *giro* y *-metro* (medidor).

girondino, na adj./s. De un partido político que surgió durante la Revolución Francesa o relacionado con él: *El partido girondino se llamó así porque en él se distinguieron principalmente los diputados de la región de la Gironda.* ☐ ETIMOL. Del francés *girondin* (del departamento francés de la Gironda), porque la mayoría de los miembros de este partido procedían de dicho departamento.

giroscopio s.m. →**giróscopo.** □ ETIMOL. De *giro* y *-scopio* (aparato para ver).

giróscopo s.m. Aparato que consiste en un disco circular que gira sobre un eje y que tiende a conservar el plano de rotación reaccionando contra cualquier fuerza que lo aparte de dicho plano: *Los aviones tienen giróscopos para mantener el rumbo.* □ SINÓN. *giroscopio.*

gis s.m. En zonas del español meridional, tiza: *Uso el gis para escribir en el pizarrón.* □ ETIMOL. Del latín *gypsum* (yeso).

gitanada s.f. *desp.* Lo que se considera propio de los gitanos.

gitanear v. *desp.* Tratar de engañar en una compra o en una venta: *Una cosa es saber regatear el precio y otra, gitanear.*

gitanería s.f. **1** *desp.* Hecho o dicho que se consideran propios de un gitano. **2** Reunión o conjunto de gitanos.

gitanesco, ca adj. Que es o parece propio de los gitanos: *Tiene unos rasgos gitanescos muy marcados, como la tez morena y el pelo negro.*

gitanismo s.m. **1** Conjunto de los valores históricos y culturales propios de los gitanos: *En algunos poemas de García Lorca se entrevé un profundo conocimiento del gitanismo.* **2** En lingüística, palabra, significado o construcción sintáctica característicos del lenguaje gitano: *'Gachí' y 'gachó' son gitanismos en el idioma español.*

gitano, na ▮ adj. **1** De los gitanos o con las características de estos. ▮ adj./s. **2** De una etnia o pueblo de origen hindú que se extendió por grandes zonas europeas y africanas, que mantiene en gran parte su nomadismo y que conserva sus rasgos físicos y culturales propios: *El pueblo gitano tiene un sentido de clan familiar muy arraigado.* **3** Referido a una persona, esp. a una mujer, que tiene gracia y arte para ganarse a los demás: *Es tan gitana que no puedo enfadarme con ella.* **4** *col. desp.* Que estafa o que actúa con engaño: *No se debe llamar gitano a cualquier persona que engaña.* ▮ s.m. **5** Lengua del pueblo gitano: *'Camelar' es una palabra del gitano.* **6** ‖ **que no se lo salta un gitano;** *col.* Expresión que se utiliza para alabar o ponderar el carácter extraordinario de algo: *Se comió un plato de judías que no se lo salta un gitano.* □ ETIMOL. De *egiptano* (de Egipto), porque se creyó que procedían de este país.

glaciación s.f. En geología, invasión de hielo producida en extensas zonas del globo terráqueo debida a un descenso acusado de las temperaturas: *Desde la era cuaternaria hasta nuestros días se han dado cuatro glaciaciones, separadas entre sí por períodos de clima más benigno.*

glacial adj.inv. **1** Extremadamente frío o helado: *un tiempo glacial; un saludo glacial.* **2** Referido a una zona, que está situada en los círculos polares. □ ETIMOL. Del latín *glacialis*, y este de *glacies* (hielo). □ ORTOGR. Dist. de *glaciar.*

glaciar ▮ adj.inv. **1** Del glaciar o relacionado con esta masa de hielo: *El circo glaciar es la zona rodeada de montañas donde se acumula la nieve.* ▮ s.m. **2** Masa de hielo acumulada en las zonas de las cordilleras por encima del límite de las nieves perpetuas y cuya parte inferior se desliza muy lentamente como si fuera un río. □ ETIMOL. Del francés *glacier*. □ ORTOGR. Dist. de *glacial.*

glaciarismo s.m. Conjunto de fenómenos relacionados con la forma y evolución de los glaciares: *He hecho un estudio sobre el glaciarismo en la era cuaternaria.*

gladiador s.m. En la antigua Roma, hombre que luchaba contra otro o contra una fiera en el circo: *Los gladiadores podían ir armados con redes para inmovilizar a sus rivales o a las fieras.* □ ETIMOL. Del latín *gladiator*, y este de *gladius* (espada).

gladio s.m. Planta herbácea de hojas en forma de espada y un tallo largo con una mazorca cilíndrica en el extremo, que suelta una especie de pelusa blanca cuando está seca. □ SINÓN. *espadaña.* □ ETIMOL. Del latín *gladius* (espada).

gladiolo (tb. *gladíolo*) s.m. **1** Planta de terrenos húmedos, con hojas en forma de espada que nacen de la raíz, y con flores en espiga muy larga: *He comprado varios bulbos de gladiolo para plantarlos.* **2** Flor de esta planta: *El altar estaba adornado con ramos de gladiolos.* □ ETIMOL. Del latín *gladiolus* (espada pequeña), porque las hojas verdes de los gladiolos tienen forma de espada.

glam (ing.) adj.inv. Referido a la música, estridente, ruidosa: *El aire glam de este grupo me resulta desagradable.* □ PRON. [glam].

glamour (ing.) s.m. Atractivo, encanto o fascinación: *Es una actriz con mucho glamour.* □ ETIMOL. Del inglés *glamour*, y este del francés. □ PRON. [glamúr]. □ ORTOGR. Se usa también *glamur.* □ USO 1. Su uso es innecesario y puede sustituirse por *encanto.*

glamouroso, sa (tb. *glamuroso, sa*) adj. Que tiene encanto: *La actriz llevaba un vestido glamouroso en la entrega de premios.* □ PRON. Aunque la pronunciación correcta es [glamouróso], está muy extendida [glamuróso].

glamur s.m. →**glamour.**

glamuroso, sa adj. →**glamouroso.**

glande s.m. En el órgano genital masculino, parte final de forma abultada: *El orificio por el que sale la orina está en el glande.* □ SINÓN. *balano, bálano.* □ ETIMOL. Del latín *glans* (bellota).

glándula s.f. **1** En una planta o en un animal, órgano unicelular o pluricelular que segrega sustancias de diversos tipos: *El sudor se elimina por las glándulas sudoríparas.* **2** ‖ **glándula endocrina;** la que elabora hormonas que se incorporan a la sangre. ‖ **glándula exocrina;** la que segrega sustancias que se expulsan al exterior o al tubo digestivo. ‖ **(glándula) paratiroides;** la que está situada cerca del tiroides y es de secreción interna. ‖ **glándula pineal;** en anatomía, estructura nerviosa situada en la base del encéfalo, y que tiene función endocrina. □ SINÓN. *epífisis.* ‖ **glándula pituitaria;** en anatomía, la de secreción interna que está situada en la base del cráneo y que es el principal centro productor de hormonas. □ SINÓN. *hipófisis.* || **(glándula) tiroides;** la que está situada debajo y a los lados de la tráquea y que produce una hormona que actúa sobre el metabolismo e influye en el crecimiento. □ ETIMOL. Del latín *glandula* (amígdala).

glandular adj.inv. De la glándula, con sus características o relacionado con ella: *El retraso en el crecimiento puede ser debido a problemas glandulares.*

glasé s.m. Tafetán de mucho brillo: *Se puso una blusa de glasé para la fiesta.* □ ETIMOL. Del francés *taffetas glacé*, y este de *glacer* (dar un barniz semejante a la superficie de hielo).

glasear v. En pastelería, recubrir con una mezcla de almíbar y azúcar derretido que, al secarse, queda como una capa brillante: *Una vez cocido el bizcocho, lo glaseé para darle un aspecto más vistoso.* □ ETIMOL. De *glasé.*

glasnost (rus.) s.f. Transparencia política que caracterizó a la *perestroika*: *Muchos políticos piensan que dos grandes logros de la perestroika soviética fueron la glasnost y la política exterior.* □ PRON. [glásnost].

glauco, ca adj. *poét.* Verde claro: *Era una dama de cabellos de oro y ojos glaucos.* □ ETIMOL. Del latín *glaucos*, y este del griego *glaukós* (brillante, verde claro). □ SEM. Dist. de *garzo* (azulado).

glaucoma s.m. Enfermedad de los ojos que se caracteriza por un aumento de la presión intraocular, dureza del globo del ojo, atrofia de la retina y del nervio óptico y pérdida de la visión: *El glaucoma es un proceso muy doloroso.* □ ETIMOL. Del griego *glaúkoma*, y este de *glaukós* (verde claro).

gleba s.f. **1** Montón de tierra que se levanta con el arado. **2** Tierra o campo, esp. los cultivados: *En la Edad Media, los siervos de la gleba pertenecían a la tierra que trabajaban y si esta cambiaba de dueño, ellos también lo hacían.* □ ETIMOL. Del latín *gleba.*

glera s.f. Terreno con piedras pequeñas o con fragmentos de piedra: *El carro anda mejor en la glera que en el barrizal.* □ ETIMOL. Del latín *glarea* (terreno con muchos cantos).

glicerina s.f. Líquido incoloro, espeso, de sabor dulce, que se encuentra en todos los lípidos como base de su composición: *La glicerina se usa en farmacia, en perfumería y en la fabricación de explosivos.* □ SINÓN. *glicerol.* □ ETIMOL. Del griego *glykerós* (de sabor dulce).

glicerol s.m. Líquido incoloro, espeso, de sabor dulce, que se encuentra en todos los lípidos como base de su composición: *El glicerol se utiliza para preparar la base de la dinamita.* □ SINÓN. *glicerina.* □ ETIMOL. Del griego *glykerós* (con sabor dulce).

glicina s.f. →**glicinia.**

glicinia s.f. Planta de jardín, de origen chino, que puede alcanzar gran tamaño y que produce racimos de flores perfumadas azuladas o malvas: *Las flores de la glicinia son muy perfumadas.* □ SINÓN. *glicina.* □ ETIMOL. Del francés *glycine.*

glicósido s.m. Compuesto vegetal que, mediante hidrólisis, produce un azúcar y otra sustancia orgánica. □ ETIMOL. Del inglés *glycoside* y este del griego *glykýs* (dulce).

gliosis (pl. *gliosis*) s.f. Reproducción patológica del tejido nervioso en el cerebro o en la médula espinal. □ ETIMOL. Del griego *glía* (mugre, sustancia viscosa) y *-osis* (enfermedad).

gliptoteca s.f. Galería o museo en los que se exponen esculturas. □ ETIMOL. Del griego *glíptós* (grabado) y *-teca.*

global adj.inv. **1** Que se toma en conjunto, sin dividirlo en partes: *Ese libro ofrece una visión global de la Edad Media.* **2** Mundial o que se refiere a todo el planeta: *Actualmente se usa mucho la expresión 'aldea global' para hacer referencia al mundo. El calentamiento global de la Tierra supone un incremento de la temperatura media mundial.*

globalista ▮ adj.inv. **1** De la globalización o relacionado con ella: *una teoría económica globalista.* **2** Global o que tiene en cuenta el conjunto y no las partes: *una visión globalista.* ▮ adj.inv./s.com. **3** Referido a una persona, que sigue o defiende la globalización: *¿Qué modelo económico defienden los globalistas?*

globalización s.f. **1** Extensión de los mercados y de las empresas, para alcanzar una dimensión mundial, por encima de las fronteras nacionales: *la globalización de la economía.* □ SINÓN. *mundialización.* **2** Integración de una serie de datos o de hechos en un planteamiento global o general: *la globalización de un problema.*

globalizador, -a adj. Que globaliza.

globalizar v. Referido a una serie de datos o de hechos, integrarlos en un planteamiento global o general: *globalizar la economía; globalizar un problema.* □ ORTOGR. La *z* se cambia en *c* delante de *e* →CAZAR.

globo s.m. **1** Especie de bolsa de goma o de otro material flexible que se llena de aire o de un gas ligero y que se utiliza generalmente para jugar o para adornar: *Se me explotó el globo.* **2** Objeto de forma más o menos esférica, generalmente de cristal, con el que se cubre una luz como adorno o para que no moleste: *La lámpara tiene un globo opaco.* **3** En un dibujo, texto enmarcado por una línea, que expresa lo que dice o piensa el personaje al que señala. □ SINÓN. *bocadillo.* **4** En algunos deportes, trayectoria semicircular que describe la pelota al ser lanzada muy alto. **5** *col.* Mentira. **6** || **globo (aerostático);** aeronave formada por una gran bolsa, más o menos esférica, llena de un gas de menor densidad que el aire atmosférico, de la que cuelga una barquilla o cesto en la que van los viajeros y la carga. || **globo celeste;** esfera en cuya superficie se representan las constelaciones principales con una situación semejante a la que ocupan en el espacio. || **(globo) dirigible;** aeronave formada por una gran bolsa con forma de huso y que lleva una o dos barquillas con motores y hélices para impulsarlo y un timón para dirigirlo. □ SINÓN. *zepelín.* || **globo ocular;** en anatomía, el ojo, desprovisto de los músculos y de los demás tejidos que lo rodean. || **globo sonda;** el globo aerostático pequeño y no tripulado que lleva aparatos registradores y que se eleva generalmente a gran altura. || **globo (terráqueo/terrestre); 1** Tierra o planeta en el que vivimos: *La Luna gira alrededor del globo terrestre, y este gira alrededor del Sol.* **2** Representación de la Tierra con su misma forma en la que figura la disposición de sus tierras y de sus mares. □ SINÓN. *esfera terráquea, esfera terrestre.* □ ETIMOL. Del latín *globus* (bola, esfera, montón). □ MORF. El plural de *globo sonda* es *globos sonda.*

globoso, sa adj. Con forma de globo: *Los leucocitos son células globosas y sin color que se encuentran en la sangre.*

globular adj.inv. **1** Con forma de glóbulo: *estructura globular.* **2** Que está compuesto de glóbulos: *El análisis globular de la sangre permite saber si una persona tiene anemia.*

globulina s.f. Proteína insoluble en agua y soluble en disoluciones salinas, que forma parte del suero sanguíneo: *Algunas globulinas actúan como anticuerpos.* □ ETIMOL. De *glóbulo.*

glóbulo s.m. **1** Cuerpo pequeño de forma esférica o redondeada: *En la leche hay glóbulos grasos.* **2** || **glóbulo blanco;** célula globosa e incolora de la sangre de los vertebrados con un núcleo y un citoplasma que puede ser granular o no: *Los glóbulos blancos son de mayor tamaño que los glóbulos rojos.* □ SINÓN. *leucocito.* || **glóbulo rojo;** célula de la sangre de los vertebrados que contiene hemoglobina y cuya misión es transportar oxígeno a todo el organismo: *Los glóbulos rojos se originan en la médula roja de los huesos y en el bazo.* □ SINÓN. *eritrocito, hematíe.* □ ETIMOL. Del latín *globulus.*

globuloso, sa adj. Que se compone de glóbulos o que tiene forma de globo.

glomérulo s.m. Red o agrupación de vasos sanguíneos, esp. en la corteza renal: *A partir del glomérulo renal, se filtran las sustancias que penetran en las células fundamentales del riñón.* □ ETIMOL. Del latín *glomerulus,* y este de *glomus* (madeja).

gloria ▌s.m. **1** En la iglesia católica, oración o cántico de la misa que empieza con la palabra *gloria.* **2** En la iglesia católica, oración que empieza con la palabra *gloria* y que se reza después de otras oraciones. ▌s.f. **3** Goce eterno que disfrutan las almas en presencia de Dios: *Los que mueren limpios de pecado alcanzan la gloria.* □ SINÓN. *bienaventuranza, cielo.* **4** Reputación o fama que se alcanzan por las buenas acciones o por los méritos: *Después de publicar su segunda novela consiguió la gloria como escritor.* **5** Lo que ennoblece o hace conseguir esta reputación o fama: *Velázquez es una de las glorias de la pintura española.* **6** Gusto, placer o satisfacción: *Iba tan limpio y tan arreglado que daba gloria verlo.* **7** Majestad, grandeza o esplendor: *Bajo su reinado el país vivió un período de gloria.* **8** || **en la gloria;** *col.* Muy a gusto: *Contigo siempre estoy en la gloria.* || **saber a gloria** algo; *col.* Gustar mucho o ser muy agradable: *Esta tortilla me sabe a gloria.* □ ETIMOL. Del latín *gloria.*

gloriar ▌v. **1** Alabar o ensalzar: *Gloriaba a Dios por las gracias que le había otorgado.* □ SINÓN. *glorificar.* ▌prnl. **2** Preciarse o presumir demasiado de algo: *No debes gloriarte de tus éxitos delante de los demás.* □ ORTOGR. La *i* lleva tilde en los presentes, excepto en las personas *nosotros* y *vosotros* →GUIAR. □ SINT. Constr. como pronominal: *gloriarse* DE *algo.*

glorieta s.f. Plaza en la que desembocan varias calles o alamedas: *En esta glorieta se cruzan cuatro calles.* □ ETIMOL. Del francés *gloriette.*

glorificación s.f. Proclamación y reconocimiento de las buenas acciones o de los méritos de algo: *Los cantares de gesta llevan a cabo una glorificación de los grandes héroes nacionales.*

glorificar v. **1** Dar gloria, honor o fama: *Sus poemas glorifican el nombre de la patria.* **2** Alabar o ensalzar: *Este salmo glorifica la grandeza de Dios.* □ SINÓN. *gloriar.* □ ETIMOL. Del latín *glorificare.* □ ORTOGR. La *c* se cambia en *qu* delante de *e* →SACAR.

glorioso, sa adj. **1** Digno de gloria, de honor y de alabanza: *La batalla de Lepanto fue un hecho glorioso para la Armada española.* **2** En la iglesia católica, de la gloria eterna o relacionado con ella: *Los fieles entonaron un canto en honor de la gloriosa Virgen María.*

glosa s.f. **1** Explicación o comentario de un texto oscuro o difícil de entender: *El primer documento del castellano escrito lo constituyen unas glosas que aparecen en el margen de un texto latino.* **2** Composición poética de extensión variable, elaborada a partir de un texto breve en verso que se desarrolla, amplifica y comenta a lo largo de varias estrofas: *En el siglo* XV *se empezaron a escribir glosas a partir de pequeñas cancioncillas, bajo la influencia de la forma del zéjel y del villancico.* □ ETIMOL. Del latín *glossa* (palabra de sentido oscuro y explicación de la misma).

glosador, -a adj./s. Que glosa: *Mi tesis doctoral tratará sobre el trabajo de los glosadores de los monasterios medievales.*

glosar v. **1** Añadir glosas o explicaciones a un texto oscuro o difícil: *Algunos traductores medievales glosaban en romance textos latinos que no se entendían porque ya no se hablaba latín.* **2** Referido a palabras propias o ajenas, comentarlas ampliándolas: *Los periodistas glosaron en sus artículos la conferencia del profesor.*

glosario s.m. Catálogo de palabras con definición o explicación de cada una de ellas: *Al final del libro hay un glosario de términos técnicos.* □ ETIMOL. Del latín *glossarium.* □ SEM. Dist. de *léxico* (conjunto de palabras de una lengua; inventario de palabras de un idioma con definición).

glosopeda s.f. Enfermedad del ganado producida por un virus y que se manifiesta fundamentalmente por el desarrollo de ampollas en la boca y entre las pezuñas: *Los animales con glosopeda sufren cojeras y dificultad para ingerir alimentos.* □ SINÓN. *fiebre aftosa.* □ ETIMOL. Del griego *glóssa* (lengua) y el latín *pes* (pie).

glótico, ca adj. De la glotis o relacionado con ella.

glotis (pl. *glotis*) s.f. Orificio o abertura superior de la laringe: *Cuando respiramos de una forma normal, la glotis está ampliamente abierta.* □ ETIMOL. Del griego *glottís* (úvula).

glotón, -a adj./s. Que come con exceso y con ansia: *Es muy glotona y le tengo que quitar el biberón para que respire y no se ahogue.* □ ETIMOL. Del latín *glutto.*

glotonear v. Comer mucho y con ansia: *Te atragantas porque glotoneas y no te da tiempo a respirar.*

glotonería s.f. Afán desmedido y ansioso por comer: *Creo que su gordura se debe a su glotonería.*

glucemia s.f. Cantidad de glucosa que hay en la sangre: *Para determinar los niveles de glucemia de un organismo hay que hacer un análisis de sangre en ayunas.* □ ETIMOL. Del francés *glycémie.*

glúcido s.m. Compuesto orgánico formado por carbono, hidrógeno y oxígeno, en el que el hidrógeno está en doble proporción que el oxígeno: *Los alimentos formados por glúcidos proporcionan energía al organismo.* □ SINÓN. *hidrato de carbono, sacárido.* □ ETIMOL. Del griego *glykýs* (dulce) y *êidos* (forma).

glucógeno s.m. Hidrato de carbono de reserva, que se encuentra en los animales y que está compuesto por moléculas de glucosa: *El glucógeno se almacena en los músculos y en el hígado.* □ ETIMOL. Del francés *glycogène*, y este del griego *glykýs* (dulce) y *génos* (nacimiento).

glucosa s.f. Hidrato de carbono de color blanco, cristalizable, de sabor muy dulce, muy soluble en agua y poco soluble en alcohol, que se halla presente en la miel, en la fruta y en la sangre de los animales: *La diabetes se caracteriza por una presencia mayor de lo normal de glucosa en la sangre.* □ ETIMOL. Del francés *glucose*, y este del griego *glykús* (dulce).

glucosuria s.f. Presencia de glucosa en la orina: *Los enfermos de diabetes suelen presentar glucosuria.* □ ETIMOL. Del griego *glykýs* (dulce) y *uréo* (yo orino).

glutamato s.m. En química, sal derivada del ácido glutámico: *El glutamato se suele emplear en los alimentos deshidratados como potenciador del sabor.*

glutámico adj. Referido a un ácido, que es un aminoácido que está presente en muchas proteínas: *El ácido glutámico es un sólido de color blanco, soluble en agua.* □ ETIMOL. De *gluten* y *amida.*

glutamina s.f. Aminoácido que se utiliza como fuente de energía de las células en etapa de proliferación.

gluten s.m. Conjunto de sustancias que forman la parte proteica de las semillas de las gramíneas: *El gluten constituye una reserva nutritiva que el embrión de la semilla utiliza durante su desarrollo.* □ ETIMOL. Del latín *gluten* (cola, engrudo).

glúteo, a ▮ adj. **1** De la nalga o relacionado con esta parte: *El médico le preguntó si el dolor le venía desde la región glútea.* ▮ s.m. **2** Cada uno de los tres músculos que forman la nalga: *Los glúteos permiten mantener la posición erecta.* □ ETIMOL. Del griego *glutós* (trasero, nalgas).

glutinoso, sa adj. Que sirve para pegar o juntar algo. □ ETIMOL. Del latín *glutinosus.*

gneis (tb. *neis*) (pl. *gneis*) s.m. Roca de estructura parecida a la de la pizarra e igual composición que el granito: *El gneis está compuesto fundamentalmente de cuarzo, feldespato y mica.* □ ETIMOL. Del alemán *gneis.* □ PRON. [néis].

gnéisico, ca (tb. *néisico, ca*) adj. Del gneis o relacionado con este tipo de roca: *La estructura gnéisica presenta capas alternas de colores claros y oscuros.* □ PRON. [néisico].

gnómico, ca (tb. *nómico, ca*) ▮ adj. **1** Referido esp. a un tipo de poesía, que se caracteriza por expresar, en pocos versos, sentencias, consejos o reglas morales: *Los refranes y los proverbios forman parte de la literatura gnómica.* ▮ adj./s. **2** Referido a un poeta, que escribe o compone poesías de este tipo. □ ETIMOL. Del griego *gnomikós*, y este de *gnóme* (sentencia). □ PRON. [nómico].

gnomo (tb. *nomo*) s.m. Ser fantástico con figura de enano y dotado generalmente de poderes mágicos: *En la mitología germánica, los gnomos son guardianes de importantes tesoros ocultos en grutas del bosque.* □ ETIMOL. Del latín *gnomus*, este del griego **genómos*, y este de *gê* (tierra) y *némomai* (yo habito). □ PRON. [nómo].

gnomon (tb. *nomon*) s.m. En un reloj de sol, indicador de las horas: *La sombra del gnomon marca las ocho.* □ SINÓN. *estilo.* □ ETIMOL. Del latín *gnomon.*

gnoseología s.f. Parte de la filosofía que se ocupa del conocimiento en general y que estudia su origen y su naturaleza: *La gnoseología tiene especial importancia en la filosofía moderna.* □ ETIMOL. Del griego *gnôsis* (conocimiento) y *-logía* (estudio). □ SEM. Dist. de *nosología* (parte de la medicina que describe y clasifica las enfermedades).

gnosis (pl. *gnosis*) s.f. Conocimiento absoluto e intuitivo, esp. el de la divinidad: *Para los gnósticos, la gnosis es el conocimiento supremo, superior incluso a la fe.* □ ETIMOL. Del griego *gnôsis* (conocimiento).

gnosticismo (tb. *nosticismo*) s.m. Doctrina filosófica y religiosa, mezcla de cristianismo y de creencias judaicas y orientales, que fundaba la salvación en el conocimiento intuitivo y misterioso de las cosas divinas: *El gnosticismo surgió como herejía durante los primeros siglos del cristianismo.* □ ORTOGR. Dist. de *agnosticismo.*

gnóstico, ca (tb. *nóstico, ca*) ▮ adj. **1** Del gnosticismo o relacionado con esta doctrina: *Las escuelas gnósticas se desarrollaron sobre todo en el siglo II.* ▮ adj./s. **2** Partidario o seguidor del gnosticismo: *Durante el siglo II, los gnósticos de Alejandría fue-*

ron perseguidos por sus planteamientos heréticos. □ ETIMOL. Del griego *gnostikós*, y este de *gignósko* (yo conozco). □ ORTOGR. Dist. de *agnóstico*.

goal average (ing.) (tb. *gol average*) s.m. ‖ En algunos deportes, promedio que se establece entre los goles hechos y los goles recibidos: *Si hay empate, la eliminatoria se decidirá mediante el goal average.* □ PRON. [gol averách], con *ch* suave. □ USO Su uso es innecesario y puede sustituirse por *diferencia de goles*.

goalball (ing.) s.m. Deporte paralímpico para personas ciegas o deficientes visuales, que se juega entre dos equipos de tres jugadores y que consiste en hacer rodar un balón con cascabeles en su interior para que sobrepase la línea de gol del equipo contrario: *En los partidos de goalball todos los jugadores llevan los ojos tapados para estar en igualdad de condiciones.* □ PRON. [gólbol].

gobernabilidad s.f. **1** Facilidad para ser gobernado. **2** Modo de gobernar que trata de conseguir el desarrollo institucional, económico y social manteniendo el equilibrio necesario entre el Estado, la economía y la sociedad.

gobernación s.f. **1** Dirección del funcionamiento de una colectividad con autoridad. **2** Conducción o dirección de un vehículo: *El patrón se encarga de la gobernación de la nave.*

gobernador, -a ▌ adj./s. **1** Que gobierna. ▌ s. **2** En una provincia o un territorio, jefe superior: *gobernador civil; gobernador militar.* **3** En una entidad pública, representante del gobierno: *Será nombrado un nuevo gobernador del Banco de España.*

gobernalle s.m. Timón de un barco. El barco iba a la deriva porque se había roto el gobernalle. □ ETIMOL. Del catalán *governall*.

gobernanta s.f. Véase **gobernante, ta.**

gobernante ▌ adj.inv. **1** Que gobierna. ▌ s.com. **2** Persona que gobierna un país o que forma parte de un gobierno.

gobernante, ta ▌ adj./s. **1** *col.* Referido a una persona, que se mete a gobernar incluso aquello que no le corresponde: *No seas tan gobernante y deja que decida yo lo que me conviene.* ▌ s.f. **2** En un establecimiento hotelero, mujer encargada del servicio, de la limpieza y del orden. **3** En una casa o una institución, mujer encargada de la administración.

gobernar ▌ v. **1** Referido a una colectividad, regirla o dirigir su funcionamiento con autoridad: *Este presidente gobierna un Estado democrático.* **2** Referido a una persona, guiarla o influir en ella: *No se deja gobernar por nadie. Te gobiernas de acuerdo con unas normas morales demasiado rígidas.* **3** Referido a un vehículo, conducirlo o dirigirlo: *El timonel gobierna el barco.* ▌ prnl. **4** *col.* Manejarse o administrarse: *Se gobierna muy mal, a pesar de que lleva varios años viviendo solo.* □ ETIMOL. Del latín *gubernare* (gobernar, conducir). □ MORF. Irreg. →PENSAR.

gobierno s.m. **1** Dirección del funcionamiento de una colectividad: *El gobierno de la empresa está en manos del accionista mayoritario. Su forma de gobierno fue criticada por todos los sectores sociales.* **2** Conjunto de personas y organismos que dirigen un Estado, esp. referido al formado por el presidente, los vicepresidentes y los ministros: *El Gobierno ejerce la función ejecutiva de acuerdo con la Constitución y las leyes.* **3** Lugar o edificio en el que tiene su despacho y oficinas la persona que gobierna: *Pasé por el Gobierno Civil para solicitar un permiso de armas.* **4** Conducción o dirección de un vehículo: *El timón es una pieza fundamental para el gobierno de un barco.* □ USO En la acepción 2, se usa mucho como nombre propio.

gobio s.m. Pez de pequeño tamaño, cuyas aletas abdominales están unidas formando un pequeño embudo o ventosa, que tiene reflejos amarillos, pardos y azules, y vive en los ríos o en las costas litorales: *El gobio es comestible y abunda en la costa española.* □ ETIMOL. Del latín *gobius*. □ MORF. Es un sustantivo epiceno: *el gobio {macho/hembra}*.

goce s.m. Sentimiento intenso de placer, alegría o satisfacción: *Sentí un goce tremendo al saber de tus éxitos.*

gocho s.m. *col.* Cerdo.

godo, da ▌ adj./s. **1** De un antiguo pueblo germánico que invadió gran parte del Imperio Romano o relacionado con él. ▌ s. **2** *col. desp.* Persona nacida en la España peninsular: *Tengo unos primos canarios que siempre se meten con nosotros y nos llaman godos a los que vivimos en la Península.*

gofio s.m. Harina tostada de maíz, trigo o cebada: *Cuando fui a Canarias, comí gofio con plátano machacado.* □ ETIMOL. De origen guanche.

gofre s.m. Dulce en forma rectangular con relieve de rejilla, que se toma caliente: *Me gustan mucho los gofres con chocolate líquido y nata.* □ ETIMOL. Extensión del nombre de una marca comercial.

gogó s.com. **1** Persona que baila en un grupo musical, en una sala de fiestas o en algo semejante para animar al público: *Las gogós de la discoteca se encargan de que no decaiga la fiesta.* **2** ‖ **a gogó;** en abundancia: *Esta noche tendremos música y canciones a gogó.* □ ETIMOL. La acepción 1, del inglés *go-go girl*.

gol s.m. **1** En un deporte, esp. en el fútbol, introducción del balón en la portería: *Ganaron por dos goles a uno. El centrocampista metió el gol del empate.* **2** ‖ **gol average;** →**goal average.** ‖ **meter un gol** a alguien; *col.* Conseguir un triunfo sobre alguien que no lo espera, esp. mediante algún engaño: *No leí bien el contrato y me metieron un gol.* □ ETIMOL. Del inglés *goal* (meta) y *goal average*.

gola s.f. **1** Adorno que se ponía alrededor del cuello y que generalmente estaba hecho de tela plegada o rizada: *Los caballeros de los siglos XVI y XVII llevaban gola.* □ SINÓN. *gorguera*. **2** En una armadura, pieza que protegía la garganta: *La gola evitaba heridas que solían ser mortales.* **3** En arquitectura, moldura que tiene un perfil ondulado en forma de *S*: *La gola de este edificio daba a la fachada mucho realce.* □ ETIMOL. Del latín *gula* (garganta).

goleada s.f. En un deporte, esp. en el fútbol, gran cantidad de goles que un equipo marca al otro: *Ganaron por goleada.*

goleador, -a adj./s. Referido esp. a un jugador de fútbol, que marca muchos goles o que tiene facilidad para ello: *Nuestro equipo necesita un delantero centro goleador.*

golear v. En un deporte, esp. en el fútbol, marcar un gol o marcar varios goles: *Nos golearon y ganaron por seis a cero.*

goleta s.f. Embarcación de vela con dos o tres mástiles, ligera y con bordes poco elevados: *Las goletas se utilizaron para la pesca y el comercio.* ☐ ETIMOL. Del francés *goélette* (golondrina de mar).

golf s.m. Deporte que consiste en introducir una pequeña pelota en unos hoyos muy separados y situados correlativamente golpeándola con un bastón, y que se juega en un extenso terreno cubierto normalmente de césped: *En el golf gana el jugador que hace el recorrido con el menor número de golpes.* ☐ ETIMOL. Del inglés *golf.*

golfa s.f. *col. desp.* Véase **golfo, fa**.

golfante s.m. *col.* Golfo o sinvergüenza: *Ese golfante se acuesta todos los días cuando los demás empezamos a trabajar.*

golfear v. Vivir o portarse como un golfo: *¿Cuándo vas a dejar de golfear y vas a convertirte en un hombre de provecho?*

golfería s.f. Hecho propio de un golfo: *No lo disculpes, porque sus golferías son casi delitos.*

golfista s.com. Persona que practica el golf, esp. si esta es su profesión: *Este golfista ha ganado varios campeonatos esta temporada.*

golfístico, ca adj. Del golf o relacionado con este deporte: *En nuestro país está creciendo la afición golfística.*

golfo, fa ▮ adj./s. **1** Referido a una persona, que vive de forma desordenada, que actúa en contra de las normas sociales o que es deshonesta en su comportamiento sexual: *¡La muy golfa me tomó el pelo y me prometió lo que nunca pensó cumplir!* ▮ s.m. **2** Entrante grande del mar en la tierra entre dos cabos. ▮ s.f. **3** *col. desp.* Prostituta. ☐ ETIMOL. Las acepciones 1 y 3, del antiguo *golfín* (salteador, bribón), y este de *golfín* (delfín, pez), porque se comparó la aparición brusca de los salteadores con los saltos de los delfines. La acepción 2, del latín *colphus* (ensenada grande), y este del griego *kólpos* (seno de una persona).

goliardesco, ca adj. De los goliardos o relacionado con ellos: *Los famosos 'Carmina Burana' son poemas goliardescos.*

goliardo s.m. En la época medieval, clérigo o estudiante que llevaba una vida desordenada, licenciosa y generalmente vagabunda: *Los goliardos proliferaron en el siglo* XIII *con la aparición de las primeras universidades.* ☐ ETIMOL. Del francés antiguo *gouliard*, y este del latín *gens Goliae* (gente del demonio).

golilla s.f. Adorno para el cuello, que usaban antiguamente los hombres y que estaba formado por una tira de tela negra sobre la que se ponía una tela blanca almidonada: *Antiguamente los jueces y los abogados llevaban golilla.*

gollería s.f. **1** Comida exquisita y delicada. **2** *col.* Lo que es innecesario y supone un exceso de delicadeza o de refinamiento: *Adáptate a los medios que tienes y no pidas gollerías.* ☐ ETIMOL. De origen incierto.

golletazo s.m. **1** Golpe que se da en el cuello o gollete de una botella para romperla y sacar su contenido: *Como no tenía sacacorchos, abrió la botella de un golletazo.* **2** En tauromaquia, estocada que se da en la parte baja del cuello del toro, de forma que penetra el pecho y atraviesa los pulmones: *Los golletazos no se merecen la concesión de orejas.*

gollete s.m. **1** Parte superior de la garganta por donde se une a la cabeza: *Lo amenazaron diciendo que le iban a retorcer el gollete.* **2** En una vasija, esp. en una botella, cuello o estrechamiento superior: *Al intentar verter el líquido se formaron burbujas en el gollete.* ☐ ETIMOL. Del francés *goulet* (paso estrecho).

golondrina s.f. **1** Pájaro de pico negro y corto, cuerpo negro azulado por encima y blanco por debajo, alas largas y puntiagudas y cola en forma de horquilla, que vive en países de clima templado: *Las golondrinas llegan a España a principios de la primavera y cuando pasa el verano emigran a países más cálidos.* **2** Pequeña embarcación con motor que se utiliza para el transporte de pasajeros en trayectos cortos y que generalmente suele llevar un toldo: *Dimos un paseo por el puerto en una golondrina.* ☐ ETIMOL. Del latín *hirundo.* ☐ MORF. En la acepción 1, es un sustantivo epiceno: *la golondrina {macho/hembra}.*

golondrino s.m. **1** Cría de la golondrina: *El nido estaba lleno de golondrinos.* **2** Bulto en la axila producido por la inflamación de una glándula sudorípara: *El golondrino se trata con antibióticos.* ☐ MORF. En la acepción 1, es un sustantivo epiceno: *el golondrino {macho/hembra}.*

golosina s.f. Alimento delicado, generalmente dulce, que se suele comer sin necesidad y solo para dar gusto al paladar. ☐ SINÓN. *chuchería.*

golosinar v. →**golosinear.**

golosinear v. Comer golosinas habitualmente: *Comes mal porque golosineas mucho.* ☐ SINÓN. *golosinar, gulusmear.*

goloso, sa ▮ adj. **1** Muy apetecible o muy codiciable: *No pensaba vender la casa, pero le han hecho una oferta muy golosa.* ▮ adj./s. **2** Aficionado a comer golosinas. ☐ ETIMOL. Del latín *gulosus.* ☐ ORTOGR. Dist. de *guloso.*

golpe s.m. **1** Encuentro brusco y violento de un cuerpo contra otro. **2** Efecto producido por este encuentro: *El golpe que me di contra la puerta todavía me duele.* **3** Disgusto o contrariedad repentinos. **4** Robo o atraco. **5** Fuerte impresión o gran sorpresa: *Ese romance va a ser un auténtico golpe para la sociedad.* **6** Ocurrencia graciosa y oportuna en el curso de una conversación: *Parece serio, pero tie-*

ne unos golpes buenísimos. **7** Ataque, acceso o aparición repentina y muy fuerte de algo, esp. de un estado físico o moral: *un golpe de tos.* **8** En algunos deportes, esp. en golf, lanzamiento de la pelota por parte de un jugador: *Empleó tres golpes para llegar al hoyo.* **9** || **dar el golpe;** causar sorpresa o admiración: *Se vistió de una forma tan llamativa que dio el golpe en la fiesta.* || **de golpe;** de repente o de una vez: *De golpe me di cuenta de lo ocurrido.* || **de golpe y porrazo;** *col.* De forma inesperada o brusca: *De golpe y porrazo se levantó y abandonó el banquete.* || **de un golpe;** de una sola vez o en una sola acción: *¿Por qué no invitamos a todos de un golpe y nos evitamos tantas cenas?* || **golpe bajo; 1** En boxeo, el dado por debajo de la cintura: *El golpe bajo es antirreglamentario.* **2** Hecho o dicho malintencionados y no admitidos socialmente, esp. si con ellos se perjudica a alguien: *Tus críticas a mis espaldas han sido un golpe bajo.* || **golpe de efecto;** acción inesperada que sorprende o impresiona. || **golpe de Estado;** toma ilegal y por la fuerza del gobierno de un país. || **golpe de {fortuna/suerte};** suceso muy favorable que ocurre de forma repentina. || **golpe de gracia; 1** El que se da para rematar al que está gravemente herido: *Dio al caballo el golpe de gracia para evitarle sufrimientos innecesarios.* **2** Lo que completa la desgracia o la ruina de una persona. || **golpe de mano;** acción violenta, rápida e inesperada que altera una situación en provecho de quien la realiza: *Dio un golpe de mano y logró arrebatarle el negocio.* || **golpe de mar;** ola de gran tamaño o muy fuerte que rompe contra un buque, un peñasco o una costa. || **golpe de pecho;** gesto de arrepentimiento, esp. el que hace una persona golpeándose el pecho con el puño. || **golpe de timón;** cambio de planes de una forma repentina o brusca. || **golpe de vista;** percepción rápida de algo: *El mecánico localizó la avería al primer golpe de vista.* || **golpe franco;** en fútbol, penalización con que se castiga la obstrucción de una jugada en las proximidades del área de penalti, y que permite el tiro directo a gol. || **no {dar/pegar} golpe;** *col.* No trabajar nada. □ ETIMOL. Del latín *colaphus* (puñetazo).

golpeadero s.m. **1** Lugar donde se golpea: *En el trastero, tengo una mesa vieja que utilizo como golpeadero para mis trabajos de bricolaje.* **2** Lugar donde choca el agua.

golpear v. Dar uno o más golpes: *Golpeó la puerta con los nudillos. La vida me ha golpeado duramente.*

golpeo s.m. Hecho de dar uno o más golpes: *Se oía el incesante golpeo de las gotas de lluvia en los cristales.*

golpetazo s.m. Golpe fuerte: *Es tan alto que, al entrar, se dio un golpetazo contra el marco de la puerta.*

golpetear v. Dar varios golpes poco fuertes: *La lluvia golpeteaba contra los cristales de la ventana.*

golpeteo s.m. Serie de golpes poco fuertes: *En la oscuridad de la noche oíamos el golpeteo del granizo sobre el tejado.*

golpismo s.m. **1** Actitud favorable al golpe de Estado: *El golpismo toma fuerza en las épocas de crisis.* **2** Actividad de los que preparan o ejecutan golpes de Estado: *El golpismo quedó desmantelado tras el descubrimiento de la base de operaciones.*

golpista ▮ adj.inv. **1** Del golpe de Estado o relacionado con él: *La intentona golpista no triunfó.* ▮ adj.inv./s.com. **2** Que participa en un golpe de Estado o que lo apoya: *Los golpistas se rindieron y entregaron sus armas a las fuerzas leales al Gobierno.*

golpiza s.f. *col.* En zonas del español meridional, paliza: *Los ladrones le propinaron una golpiza.*

goma s.f. **1** Sustancia viscosa que se extrae de algunas plantas, y que después de seca es soluble en agua e insoluble en alcohol y éter: *Si haces unas pequeñas incisiones en este tronco verás cómo fluye la goma.* **2** Pegamento líquido, esp. el fabricado a partir de esta sustancia vegetal. **3** Tira o hilo elástico que se usa generalmente para sujetar cosas: *Lleva la coleta sujeta con una goma.* **4** *col.* Manguera: *Compró una goma para regar el jardín.* **5** *col.* Preservativo. **6** *col.* En el lenguaje de la droga, hachís de buena calidad. **7** En zonas del español meridional, laca para el pelo. **8** || **de goma;** *col.* Muy ágil: *Esos gimnastas son de goma.* || **goma 2;** explosivo plástico, impermeable e insensible a los golpes y al fuego. || **goma arábiga;** la que se obtiene a partir de una acacia africana y que se emplea en farmacia y para la fabricación de pegamentos. || **goma (de borrar);** utensilio hecho de caucho o goma elástica que se usa para borrar la tinta o el lápiz, esp. de un papel. □ SINÓN. *borrador.* || **goma de mascar;** golosina que se mastica pero no se traga, de sabor agradable. □ SINÓN. *chicle.* || **goma (elástica);** sustancia elástica, impermeable, resistente a la abrasión y a las corrientes eléctricas, que se obtiene por procedimientos químicos o a partir del látex o jugo lechoso de algunas plantas tropicales: *Lleva unos zapatos muy fuertes con suela de goma.* □ SINÓN. *caucho.* □ ETIMOL. Del latín *gumma.* □ SINT. *De goma* se usa más con los verbos *ser, parecer* o equivalentes.

gomaespuma s.f. Caucho natural o sintético caracterizado por su esponjosidad y elasticidad: *La gomaespuma se usa en la fabricación de colchones.* □ MORF. En la lengua coloquial se usa mucho la forma abreviada *espuma.*

gomero, ra ▮ adj./s. **1** De La Gomera (isla canaria) o relacionado con ella: *El silbo gomero es una forma peculiar de comunicación.* ▮ s.m. **2** En zonas del español meridional, recolector de caucho: *Los gomeros trabajaban hasta el anochecer.* **3** En zonas del español meridional, árbol del caucho: *La plantación de gomeros era inmensa.*

gomet (cat.) (pl. *gomets*) s.m. Pegatina para hacer dibujos y ejercicios escolares: *Los gomets suelen te-*

ner forma geométrica, y se usan mucho en educación infantil. □ PRON. [gomét].

gomina s.f. Producto cosmético que se usa para fijar el cabello: *Utiliza gomina para que el pelo no se le alborote.* □ ETIMOL. De *goma.* □ SEM. Dist. de *brillantina* (para dar brillo al cabello).

goming (ing.) s.m. Actividad que consiste en lanzarse al vacío desde una grúa a la que se está sujeto con una cuerda elástica. □ PRON. [gómin].

gominola s.f. Dulce pequeño y blando que generalmente está cubierto de azúcar.

gomorresina s.f. Jugo lechoso de algunas plantas que se compone generalmente de resina mezclada con una materia gomosa y un aceite o esencia volátil: *A veces, para obtener gomorresina hay que hacer pequeñas incisiones a la planta.*

gomoso, sa adj. Que contiene goma o que se parece a ella: *Este juguete está hecho de una sustancia gomosa para que puedan cogerlo y morderlo los niños.*

gónada s.f. Glándula sexual masculina o femenina que produce los gametos o células sexuales: *Los testículos son las gónadas masculinas y los ovarios, las femeninas.* □ ETIMOL. Del griego *goné* (generación).

gonadotropina s.f. Hormona que regula la actividad de las gónadas: *Las gonadotropinas son muy importantes en la regulación del ciclo menstrual.*

góndola s.f. **1** Embarcación con la popa y la proa salientes y puntiagudas, movida por un solo remo colocado generalmente en la popa, y que es característica de la ciudad italiana de Venecia: *Paseamos en góndola por los canales mientras un guitarrista tocaba bonitas melodías.* **2** En el lenguaje comercial, estantería en la que se sitúan los productos destinados a la comercialización en los establecimientos de venta al público: *La colocación de los productos en la góndola tiene mucha importancia para la venta de los productos expuestos.* **3** En zonas del español meridional, autobús: *Tomé una góndola para viajar por Bolivia.* □ ETIMOL. Del italiano *gondola.*

gondolero, ra s. Persona que se dedica profesionalmente a conducir una góndola: *El gondolero nos llevó por canales alejados de las tradicionales rutas turísticas.*

gong s.m. Instrumento de percusión formado por un disco que, suspendido de un soporte, resuena fuertemente al ser golpeado por una maza: *En los combates de boxeo, el gong sirve para anunciar el comienzo y el fin de los asaltos.* □ SINÓN. *batintín, gongo.* □ ETIMOL. Del inglés *gong,* y este del malayo *gong.*

gongo s.m. →**gong.**

gongorino, na ▮ adj. **1** De Luis de Góngora (poeta español de los siglos XVI y XVII) o con características de sus obras: *La poesía gongorina es el máximo exponente del culteranismo barroco.* ▮ adj./s. **2** Partidario o seguidor del estilo de este poeta: *Algunos autores de la Generación del 27 se declararon gongorinos.*

gongorismo s.m. Estilo literario iniciado por la poesía de Luis de Góngora (poeta español de los siglos XVI y XVII) y que se caracteriza fundamentalmente por su refinamiento y complicación formal y por el abundante uso de cultismos, de metáforas y de otros recursos retóricos: *La estética del gongorismo, y del culteranismo en general, se opone en muchos puntos a la del conceptismo.*

goniómetro s.m. Instrumento que sirve para medir ángulos: *Los morteros llevan un goniómetro que permite apuntar al blanco.* □ ETIMOL. Del griego *gonía* (ángulo) y *-metro* (medidor).

-gono, -gona Elemento compositivo sufijo que significa 'ángulo': *polígono, hexágona.* □ ETIMOL. Del griego *gonía* (ángulo).

gonococo s.m. Bacteria de forma ovoide, que se suele presentar en parejas o en grupos, y que produce una enfermedad infecciosa de transmisión sexual, caracterizada por la inflamación de las vías urogenitales: *Pude ver por el microscopio los gonococos de aquel enfermo de gonorrea.* □ ETIMOL. Del griego *gónos* (esperma) y *kókkos* (granito).

gonorrea s.f. Flujo mucoso patológico de la uretra: *Algunas enfermedades infecciosas de transmisión sexual producen gonorrea.* □ ETIMOL. Del griego *gonórroia* (flujo seminal), y este de *gónos* (esperma) y *rhéo* (yo fluyo).

gonzo adj.inv. →**periodismo gonzo.** □ ORTOGR. Dist. de *bonzo.*

gorda s.f. Véase **gordo, da.**

gordal adj.inv. Que excede en gordura a las cosas de su especie: *aceitunas gordales.*

gordinflas (pl. *gordinflas*) adj.inv./s.com. *col.* Gordo: *De pequeña, yo era una niña gordinflas y mofletuda. Ese gordinflas tiene cara de buena persona.* □ USO Tiene un matiz humorístico.

gordinflón, -a adj./s. *col.* Gordo: *Tiene dos hijos gordinflones iguales que su marido.* □ USO Tiene un matiz humorístico.

gordo, da ▮ adj. **1** Grueso, abultado o voluminoso: *Este jersey es muy gordo y abriga mucho.* **2** Grave, importante o fuera de lo corriente: *Tengo un problema bastante gordo.* ▮ adj./s. **3** Referido a una persona o a un animal, que tiene muchas carnes o grasas: *Si no estuvieras tan gordo no te fatigarías tanto.* ▮ s.m. **4** →**premio gordo. 5** *col.* Grasa de la carne animal: *Dejó el gordo del filete en el plato.* ▮ s.f. **6** En zonas del español meridional, tortilla de maíz más gruesa y más pequeña que la común: *Voy a preparar gorditas de frijoles para merendar.* **7** ‖ **armarse la gorda;** *col.* Organizarse un alboroto: *Cuando vino el jefe y vio que el trabajo no estaba hecho, se armó la gorda.* ‖ **caer gordo;** *col.* Referido a una persona, resultar antipática: *No sé por qué, pero me cae gordo.* ‖ **ni gorda;** *col.* Nada o casi nada: *Sin gafas no veo ni gorda.* □ ETIMOL. Del latín *gurdus* (embotado). □ MORF. En la acepción 6, se usa mucho el diminutivo *gordita.*

gordura s.f. **1** Exceso o abundancia de carnes y grasas en una persona o en un animal: *He decidido acabar con mi gordura y he empezado un régimen* *de adelgazamiento.* **2** En zonas del español meridional, nata de la leche.

gore (ing.) adj.inv. Referido a una película, que tiene muchas escenas sangrientas: *Este director americano está especializado en hacer películas gore con mucha sangre y violencia.* □ PRON. [góre]. □ USO Su uso es innecesario y puede sustituirse por *sangrienta*.

goretex s.m. Material formado por una mezcla de microfibras que permite el paso de la transpiración sin que penetre el agua: *Muchas prendas deportivas están hechas de goretex.* □ ETIMOL. Extensión del nombre de una marca comercial.

gorgojo s.m. Insecto coleóptero, con la cabeza ovalada y prolongada en un pico o una trompa en cuyo extremo se encuentran las mandíbulas, y que se alimenta de vegetales. □ SINÓN. *coco.* □ ETIMOL. Del latín *gurgulio*.

gorgonzola (it.) s.m. Queso de pasta azul, elaborado con leche a la que se le añade un tipo de moho que se desarrolla durante la maduración: *El gorgonzola se vende en piezas cilíndricas envueltas en papel de aluminio.*

gorgoritear v. *col.* Hacer gorgoritos o quiebros con la voz en la garganta, esp. en el canto: *Antes de salir a escena la soprano gorgoriteó.*

gorgorito s.m. *col.* Quiebro que se hace con la voz en la garganta, esp. al cantar: *La soprano hizo varios gorgoritos imitando el canto del ruiseñor.* □ ETIMOL. De origen onomatopéyico. □ MORF. Se usa más en plural.

gorgotear v. Referido a un líquido o a un gas, hacer ruido al moverse en el interior de una cavidad: *El agua de la calefacción gorgotea al pasar por esos tubos.*

gorgoteo s.m. Ruido producido por un líquido o un gas al moverse en el interior de una cavidad: *¿No oyes el gorgoteo del agua en las cañerías?*

gorguera s.f. Adorno que se ponía alrededor del cuello y que generalmente estaba hecho de tela plegada o rizada. □ SINÓN. *gola.* □ ETIMOL. Del latín *gurga* (garganta).

gorigori s.m. *col.* Canto fúnebre de un entierro: *Si no te cuidas más, pronto te cantaremos el gorigori.*

gorila s.m. **1** Mono de estatura semejante a la de una persona, cuerpo velludo, pies prensiles y patas cortas, que no es arborícola y se alimenta de vegetales: *El gorila vive en los bosques húmedos de África ecuatorial.* **2** *col.* Guardaespaldas: *Varios gorilas escoltaban al famoso cantante.* **3** *col.* En zonas del español meridional, alto jefe militar que interviene en la política de un país: *Los gobiernos de gorilas se extendieron por muchos países.* □ ETIMOL. Del griego *gorílla*, palabra con la que el viajero cartaginés Hannón denominó a los miembros de una tribu africana cuyos cuerpos estaban cubiertos de vello. □ MORF. En la acepción 1, es un sustantivo epiceno: *el gorila {macho/hembra}*.

gorjear v. Referido a un pájaro o a una persona, hacer quiebros o cambios de voz con la garganta: *Al amanecer, se oye gorjear a los pájaros.* □ SINÓN. *trinar.* □ ETIMOL. De *gorja* (garganta).

gorjeo s.m. **1** Quiebro o cambio de voz hecho con la garganta: *Se oían los gorjeos y las risas del bebé.* **2** Canto o voz de algunos pájaros: *Me gusta despertarme oyendo el gorjeo de los pájaros.* □ SINÓN. *trino.*

gorra s.f. **1** Prenda de vestir que se usa para cubrir la cabeza, sin copa ni alas, y generalmente con visera: *Cuando voy a la playa me pongo una gorra para protegerme del sol.* **2** || **con la gorra;** *col.* Fácilmente o sin esfuerzo: *Esa plaza que hay vacante la sacas tú con la gorra.* || **de gorra;** *col.* Gratis o a costa ajena: *Comí de gorra porque fui a casa de mi hermano.* || **gorra de plato;** la de visera que tiene una parte cilíndrica de poca altura y sobre ella otra más ancha y plana. □ ETIMOL. De origen incierto.

gorrear v. En zonas del español meridional, timar.

gorrilla s.m. *col.* Persona que distribuye el aparcamiento de los coches a cambio de propinas.

gorrinada s.f. **1** Hecho que causa un perjuicio, esp. si es malintencionado: *Me hizo tal gorrinada que me dieron ganas de estrangularlo.* □ SINÓN. *faena, gorrinería.* **2** Lo que está sucio o mal hecho: *No sé cómo puedes comerte esa gorrinada de guiso.* □ SINÓN. *guarrada, gorrinería.* **3** Lo que se considera indecoroso o contrario a la moral establecida: *Se pasa el día contando gorrinadas y chistes verdes.* □ SINÓN. *guarrada, gorrinería.*

gorrinera s.f. Establo para los cerdos. □ SINÓN. *pocilga, zahúrda, cochiquera.*

gorrinería s.f. →**gorrinada.**

gorrino, na ▌adj./s. **1** Sucio o falto de limpieza: *No seas gorrina y límpiate la boca antes de hablar.* □ SINÓN. *cerdo.* **2** Referido a una persona, que tiene mala intención o carece de escrúpulos: *Demostró ser un gorrino lleno de mala intención.* □ SINÓN. *cerdo.* ▌s. **3** Cerdo, esp. el que no llega a cuatro meses: *El granjero tiene varios gorrinos en la pocilga.* □ ETIMOL. De origen onomatopéyico.

gorrión, -a s. Pájaro de plumaje pardo o castaño con manchas negras o rojizas, pico fuerte, cónico y algo doblado en la punta, que no emigra en invierno y es muy común en la península Ibérica. □ SINÓN. *pardal.* □ ETIMOL. De origen incierto.

gorro s.m. **1** Prenda de vestir que se usa para cubrir y abrigar la cabeza, esp. la que tiene forma redonda y carece de alas y visera. **2** *col.* En baloncesto, tapón: *¡Menudo gorro me pusiste cuando yo intenté encestar!* **3** || **estar hasta el gorro;** *col.* Estar harto o no aguantar más. || **gorro frigio;** el que es semejante al que usaban los frigios y fue considerado como emblema de la libertad por los revolucionarios franceses en 1793.

gorrón, -a adj./s. Referido a una persona, que gorronea: *Es tan gorrón que sus amigos ya no quieren salir con él.* □ ETIMOL. De *vivir de gorra*, por lo mucho que un gorrón saluda, quitándose el sombrero o la gorra.

gorronear v. **1** Referido a algo ajeno, usarlo o consumirlo para no gastar dinero propio: *Gorronea tabaco a los amigos para no comprarse un paquete.* **2** Comer o vivir a costa ajena: *¿Cuándo vas a dejar de gorronear a tus amigos y te vas a poner a trabajar?*

gorronería s.f. Lo que se considera propio de un gorrón: *Esta vez invitas tú, porque tanta gorronería por tu parte empieza a cansarme.*

gospel (ing.) s.m. Estilo musical religioso propio de las comunidades negras estadounidenses: *El gospel surgió de los cantos que se realizaban durante los actos religiosos.* □ PRON. [góspel].

gota ▮ s.f. **1** Partícula de un líquido que adopta una forma parecida a la de una esfera: *Le caían gotas de sudor por la frente.* **2** *col.* Trozo o cantidad muy pequeñas: *Para que esté a mi gusto, a la sopa le falta una gota de sal.* □ SINÓN. *pizca.* **3** Enfermedad producida por un exceso de ácido úrico en el organismo y caracterizada por la inflamación dolorosa de algunas articulaciones: *Cree que tiene gota porque siente pinchazos en el dedo gordo del pie.* ▮ pl. **4** Sustancia líquida medicinal que se toma o aplica en muy pequeñas cantidades: *El médico me ha recetado unas gotas para los oídos.* **5** ‖ **cuatro gotas;** lluvia escasa y breve. ‖ **gota a gota; 1** En medicina, método para administrar lentamente una solución por vía intravenosa: *Para las transfusiones sanguíneas se utiliza el gota a gota.* **2** Aparato para aplicar este método: *Trae el gota a gota para poner suero al enfermo.* ‖ **gota fría;** en meteorología, masa de aire muy frío que provoca el desplazamiento en altura y el enfriamiento del aire cálido, y que causa una gran perturbación atmosférica. ‖ **ni gota;** *col.* Nada: *Sin las gafas no veo ni gota.* ‖ **ser la gota que colma el vaso** o **ser la última gota;** *col.* Ser lo que colma la paciencia. ‖ **sudar la gota gorda;** *col.* Esforzarse mucho. □ ETIMOL. Del latín *gutta.*

gotear v. **1** Referido a un líquido, caer o dejarlo caer gota a gota: *Puse un barreño para recoger el agua que goteaba del techo. La bolsa está rota y gotea.* **2** Caer gotas pequeñas y espaciadas cuando empieza a llover o cuando deja de hacerlo: *Coge el paraguas, que está empezando a gotear.* □ MORF. En la acepción 2, es unipersonal.

gotelé s.m. Técnica para pintar paredes que consiste en esparcir pintura espesa sobre ellas para que queden rugosas o granuladas: *Vamos a quitar el papel de las paredes y las vamos a pintar con gotelé.* □ ETIMOL. Del francés *gouttelette* (gotita).

goteo s.m. **1** Caída de un líquido gota a gota: *El incesante goteo de la cisterna no me ha dejado dormir.* **2** Lo que se da o se recibe en pequeñas cantidades y de forma intermitente: *Las reparaciones de este coche viejo son un constante goteo de dinero.* **3** En medicina, aparato que sirve para administrar lentamente una solución por vía intravenosa: *Ya estoy mejor y hoy me quitan el goteo.*

gotera s.f. **1** Filtración de agua en un techo: *Tenemos una gotera porque la teja está rota.* **2** Grieta por la que se filtra el agua: *He llamado al albañil para que tape la gotera.* **3** Señal que deja el agua que se filtra: *Esa mancha amarillenta que ves en el techo es la gotera.* **4** *col.* Achaque propio de la vejez: *Ya empieza a estar mayor y a tener algunas goteras.* □ MORF. En la acepción 4, se usa más en plural.

goterón s.m. Gota grande de agua de lluvia: *No salgas ahora, porque menudos goterones están cayendo...*

gótico, ca ▮ adj. **1** De los godos o relacionado con ellos: *El pueblo gótico procedía del norte de Europa.* **2** Del gótico o con rasgos propios de este estilo: *El arco ojival y la bóveda por arista son elementos góticos.* **3** Referido esp. a un tipo de letra, que se usaba antiguamente y que tiene formas rectilíneas y angulosas. ▮ s.m. **4** Estilo artístico que se desarrolló en el occidente europeo desde el siglo XII hasta el Renacimiento: *Las grandes vidrieras son típicas del gótico.* **5** Antigua lengua germánica hablada por el pueblo godo: *Los visigodos hablaban gótico.* **6** ‖ **gótico {flamígero/florido};** el del último período, que se caracteriza por la decoración exuberante y por los adornos en forma de llama.

gotoso, sa adj./s. Que padece gota: *Los gotosos sufren hinchazón de algunas articulaciones.*

gouache (fr.) s.m. Técnica pictórica que se caracteriza por el empleo de colores que se diluyen en agua sola o en agua mezclada con goma arábiga, miel u otras sustancias, y que son más espesos y más opacos que los de la acuarela: *La pintura al gouache requiere mucha destreza en el preparado de sus colores.* □ SINÓN. *aguada.* □ PRON. [guach], con *ch* suave.

gouda (hol.) s.m. Queso de leche de vaca con forma de rueda y originario de Gouda (ciudad holandesa): *Tomamos de postre un buen trozo de gouda con miel.* □ PRON. [góuda] o [gúda].

gourde s.m. Unidad monetaria haitiana. □ PRON. [gúrde].

gourmand (fr.) s.com. Persona comilona o aficionada a la buena cocina: *El almuerzo se convirtió en una reunión de gourmands.* □ PRON. [gurmán]. □ SEM. Dist. de *gourmet* (entendido en comida).

gourmet (fr.) s.com. →**gastrónomo.** □ PRON. [gurmé]. □ SEM. Dist. de *gourmand* (comilón).

goya s.m. **1** Premio cinematográfico que anualmente concede la Academia de Cine Español. **2** Busto de bronce que se entrega a los ganadores de este premio.

goyesco, ca adj. **1** De Goya (pintor español de los siglos XVIII y XIX) o relacionado con él: *Han hecho una exposición con una selección de pintura goyesca.* **2** Con las características propias de la pintura de Goya: *Para carnavales me vestiré de maja goyesca, con la falda, el corpiño, la redecilla y los mitones.*

gozada s.f. *col.* Goce o placer intensos: *Es una gozada no tener que madrugar mañana.*

gozar v. **1** Sentir placer o alegría: *Se nota que gozas oyendo buena música.* □ SINÓN. *disfrutar.* **2** Referido a algo positivo, tenerlo, poseerlo o disfrutarlo:

A pesar de su avanzada edad, goza de una salud envidiable. **3** Referido a una persona, realizar el acto sexual con ella: *El muy canalla la gozó y la abandonó.* **4** || **gozarla;** *col.* Pasarlo bien o disfrutar: *La gozamos anoche en la fiesta.* ☐ ORTOGR. La *z* se cambia en *c* delante de *e* →CAZAR. ☐ SINT. Constr. de la acepción 2: *gozar* DE *algo.*

gozne s.m. Mecanismo metálico articulado que une las hojas de las puertas o de las ventanas al quicio para que se abran y se cierren girando sobre él: *Tengo que engrasar los goznes de la puerta para que no chirríe.* ☐ ETIMOL. Del antiguo *gonce* (pernio, gozne).

gozo ▮ s.m. **1** Sentimiento de placer o de alegría causado por algo agradable o apetecible: *¡Qué gozo ver que por fin eres feliz!* ▮ pl. **2** Composición poética que alaba a la Virgen María (madre de Jesucristo) o a los santos, que se divide en coplas, seguidas cada una por un estribillo. ☐ ETIMOL. Del latín *gaudium* (placer, contento).

gozoso, sa adj. **1** Que siente gozo: *Estaba gozoso por el nacimiento de su hijo.* **2** Que produce gozo: *He disfrutado mucho con esta gozosa representación operística.* **3** En la iglesia católica, de determinados episodios de la vida de la Virgen María o relacionado con ellos: *La Anunciación es el primer misterio gozoso del rosario.*

gozque adj.inv./s. →**perro gozque.** ☐ ETIMOL. De origen onomatopéyico.

GPS (ing.) s.m. Tecnología que permite conocer la localización aproximada de determinados cuerpos móviles en el espacio terrestre. ☐ ETIMOL. Es la sigla del inglés *Global Positioning System* (sistema de posicionamiento global). ☐ SINT. Se usa mucho en aposición, pospuesto a un sustantivo: *receptor GPS.*

grabación s.f. **1** Recogida e impresión de imágenes, de sonidos o de informaciones, generalmente en un disco o en una cinta magnética: *Estuve de espectadora en la grabación de ese programa musical de televisión.* **2** Disco o cinta magnética que contienen esta impresión: *Ya está a la venta la última grabación de este conjunto musical.*

grabado s.m. **1** Arte o técnica de grabar una imagen o una superficie: *Este artista está experimentando el grabado en materiales plásticos.* **2** Procedimiento para grabar: *En el grabado al agua fuerte, se echa ácido nítrico sobre una lámina.* **3** Estampa que se produce mediante la impresión de láminas grabadas: *En el salón de mi casa tengo un grabado hecho por un amigo mío.*

grabador, -a ▮ adj. **1** Que graba: *un aparato grabador.* **2** Del grabado o relacionado con esta técnica: *industria grabadora.* ▮ s. **3** Persona que se dedica profesionalmente al grabado. **4** Persona que se dedica profesionalmente a grabar datos, generalmente por procedimientos informáticos. ▮ s.f. **5** Aparato capaz de grabar y de reproducir sonidos en una cinta magnética. ☐ SINÓN. *magnetófono, magnetofón.*

grabadora s.f. Véase **grabador, -a.**

grabar v. **1** Señalar mediante incisiones, o labrar en hueco o en relieve: *Quiere grabar la pulsera con su nombre.* **2** Referido esp. a imágenes, sonidos o informaciones, recogerlos e imprimirlos mediante un disco, una cinta magnética u otro procedimiento para poderlos reproducir: *Este cantante ha grabado ya muchos discos.* **3** Referido esp. a un recuerdo o a un sentimiento, fijarlos profundamente en el ánimo: *Se me ha grabado la imagen del accidente y no consigo quitármela de la cabeza.* ☐ ETIMOL. Del francés *graver.* ☐ ORTOGR. Dist. de *gravar.*

graben (al.) s.m. En geología, depresión formada por una serie de fallas escalonadas: *Un graben es un fosa tectónica.* ☐ PRON. [gráben]. ☐ SEM. Dist. de *horst* (pilar tectónico).

gracejo s.m. Gracia al hablar o al escribir: *Tiene mucho gracejo contando anécdotas.* ☐ ETIMOL. De *gracia.*

gracia ▮ s.f. **1** Lo que resulta divertido o hace reír: *Nadie se ríe de sus gracias, porque es bastante grosero.* **2** Capacidad de divertir, de hacer reír o de sorprender: *Los chistes de este humorista tienen mucha gracia.* **3** En el cristianismo, don gratuito que Dios da a las personas para que puedan alcanzar la gloria: *Los sacramentos son signos visibles instituidos por Jesucristo para darnos la gracia.* **4** Conjunto de características que hacen agradable a una persona o a las cosas que las poseen: *La gracia y bondad de su carácter le han granjeado muchas amistades.* **5** Garbo, donaire y soltura al hacer algo: *bailar con gracia.* **6** En los rasgos de la cara de una persona, atractivo independiente de la hermosura: *No es guapo, pero tiene cierta gracia.* **7** Lo que resulta molesto e irritante: *Que se nos averiara el coche ayer fue una gracia.* **8** Perdón o indulto de una pena que concede el jefe del Estado o el poder público competente: *El preso llevaba un año esperando la gracia del jefe del Estado.* **9** Beneficio, don o favor que se otorgan sin merecimiento: *Dios me ha dado la gracia de la inteligencia.* **10** Nombre de una persona: *El funcionario de la ventanilla me preguntó cuál era mi gracia.* ▮ pl. **11** Divinidades mitológicas que personificaban la belleza y la armonía físicas y espirituales: *Las tres gracias eran hijas de Zeus y de Eurinome.* **12** || **caer en gracia;** resultar simpático o agradable: *Tus amigos me han caído en gracia.* ☐ ETIMOL. Del latín *gratia,* y este de *gratus* (agradable, agradecido).

gracias interj. **1** Expresión que se usa para expresar agradecimiento: *Gracias por haberme ayudado.* **2** || **dar {gracias/las gracias};** manifestar agradecimiento por un beneficio recibido: *¿Has dado las gracias a esta señora por el regalo?* || **gracias a algo;** por causa de algo que produce un bien o evita un mal: *Gracias a sus horas de estudio, aprobó todas las asignaturas.* || **gracias a Dios;** expresión que se usa para indicar alegría por algo que se esperaba con ansia, o alivio al desaparecer un temor o un peligro: *¡Gracias a Dios que has llegado!* ☐ SEM. Es inadecuado el uso de *gracias a* para referirse a algo que se considera negativo: *Murió {*gracias a > a causa de} un infarto.*

grácil adj.inv. Delgado, delicado o menudo: *Las bailarinas de ballet clásico tienen una figura grácil.* ☐ ETIMOL. Del latín *gracilis* (delgado, flaco). ☐ SEM. Dist. de *gracioso* (con gracia o con garbo).

gracilidad s.f. Delgadez o delicadeza: *Los dedos de la pianista eran de una extraordinaria gracilidad.*

graciosamente adv. Como una gracia que se concede o como favor: *Me lo concedió graciosamente ya que no me correspondía.*

gracioso, sa ▮ adj. **1** Que tiene gracia: *Es muy gracioso contando chistes. Tiene unos andares muy graciosos.* **2** Tratamiento honorífico que se da a los reyes de Gran Bretaña (país europeo). ▮ s.m. **3** En el teatro español de los siglos XVI y XVII, personaje que se caracteriza por su ingenio y su socarronería: *El gracioso solía ser un criado.* ☐ SEM. Dist. de *grácil* (delgado, delicado o menudo). ☐ USO La acepción 2 se usa más en la expresión *Su Graciosa Majestad.*

grada s.f. **1** Asiento en forma de escalón largo o seguido: *Llegamos tarde al partido y nos tuvimos que sentar en la última grada.* **2** En algunos lugares públicos, conjunto de estos asientos: *las gradas de un estadio.* **3** Instrumento formado por una reja o parrilla con púas grandes, que sirve para allanar la tierra después de arada. ☐ SINÓN. *rastra.* ☐ ETIMOL. De *grado* (graduación, rango, escalón).

gradación s.f. **1** Disposición o ejecución de algo en grados sucesivos, ascendentes o descendentes: *En la explicación de los temas seguiré una gradación, empezando por los fáciles y terminando por los complejos.* **2** Serie ordenada gradualmente o por grados: *Entre el blanco y el negro hay una gradación de grises.* **3** Figura retórica consistente en juntar palabras o frases que van ascendiendo o descendiendo en cuanto a su significado, de modo que cada una de ellas exprese algo más o algo menos que la anterior: *En los versos de Miguel Hernández 'En mis manos levanto una tormenta / de piedras, rayos y hachas estridentes', hay un ejemplo de gradación ascendente o clímax.* ☐ ETIMOL. Del latín *gradatio.* ☐ ORTOGR. Dist. de *graduación.*

gradén s.m. Mueble con cajones que se coloca en el interior de los armarios: *Cuando compramos el piso tuvimos que poner gradenes en todos los armarios.* ☐ ETIMOL. Del francés *gradin.*

gradería s.f. Conjunto o serie de gradas: *El público romano aclamaba al gladiador desde la gradería del anfiteatro.*

graderío s.m. **1** Conjunto de gradas, esp. en un campo de deporte o en una plaza de toros: *En el graderío no quedaba una sola localidad libre.* **2** Público que ocupa este conjunto de gradas: *El graderío puesto en pie pedía la oreja para el diestro.*

gradiente s.m. Grado de variación de una magnitud con respecto de la unidad: *El gradiente barométrico indica la variación de presión por unidad de distancia.* ☐ ETIMOL. Del latín *gradiens* (el que anda).

grado s.m. **1** Voluntad o gusto: *Lo haré encantada y de buen grado.* **2** Cada uno de los estados, valores o calidades que, de menor a mayor, puede tener algo: *Los heridos en el incendio tenían quemaduras de tercer grado.* **3** Cada una de las generaciones que marcan el parentesco entre las personas: *Somos primos en segundo grado.* **4** En las enseñanzas secundaria y superior, título que se obtiene al superar determinados niveles de estudio: *Tiene el grado de licenciado.* **5** En algunas escuelas, cada una de las secciones en las que se agrupan los alumnos según la edad y sus conocimientos: *Los alumnos de segundo grado salen al recreo más tarde.* **6** En un escalafón, grupo constituido por personas de saber o de condiciones similares: *Los tenientes pertenecen al grado de los oficiales.* ☐ SINÓN. *jerarquía.* **7** Cada lugar que este grupo ocupa en el escalafón: *La tropa es el primer grado en la jerarquía militar.* **8** En una ecuación matemática o en un polinomio en forma racional y entera, exponente más alto de una variable: *En las ecuaciones de segundo grado el exponente más alto es el dos.* **9** Unidad de ángulo plano que equivale a la nonagésima parte de un ángulo recto: *La circunferencia tiene 360 grados.* **10** En gramática, forma de expresar la intensidad relativa de los adjetivos: *'Alto' es un adjetivo en grado positivo, frente a 'altísimo', que está en grado superlativo.* **11** En derecho, cada uno de los niveles de privación de libertad establecidos para los detenidos o condenados: *Un tribunal ha revocado el tercer grado al detenido.* **12** ‖ **grado {centígrado/Celsius};** el de la escala de temperatura que marca con 0 el punto de fusión del hielo y con 100 el punto de ebullición del agua. ‖ **grado Fahrenheit;** el de la escala de temperatura que marca con 32 el punto de fusión del hielo y con 212 el punto de ebullición del agua. ☐ ETIMOL. La acepción 1, del latín *gratum* (agradecimiento). Las acepciones 2-11, del latín *gradus* (peldaño, graduación, paso, marcha). ☐ ORTOGR. En la expresión *grado centígrado*, su símbolo es *°C*, por tanto, se escribe sin punto.

graduable adj.inv. Que se puede graduar: *Esta calefacción es graduable con un termostato.*

graduación s.f. **1** Control del grado o de la calidad que corresponde a algo: *Este mando sirve para la graduación del sonido de la radio.* **2** División u ordenación en grados o estados correlativos: *Sin una adecuada graduación del esfuerzo, no llegarás al final de una carrera tan larga.* **3** Señalización de los grados en que se divide algo, esp. un objeto: *El termómetro es tan viejo que ya no se lee la graduación.* **4** Medición de la calidad o del grado de algo: *Para la graduación de la vista voy al oftalmólogo.* **5** Cantidad proporcional de alcohol que contienen las bebidas alcohólicas: *una bebida de alta graduación.* **6** Categoría profesional de un militar: *Los oficiales de menor graduación deben saludar a los de graduación mayor.* **7** Obtención de un grado o de un título: *Los estudiantes hicieron una fiesta para celebrar su graduación.* ☐ ORTOGR. Dist. de *gradación.*

graduado || **graduado en educación secundaria;** título que se obtiene al cursar con éxito los estudios de Educación Secundaria Obligatoria. || **graduado escolar;** título que se obtenía al cursar con éxito los estudios primarios exigidos por la ley.

gradual adj.inv. Por grados o de grado en grado: *Durante la semana habrá un aumento gradual de las temperaturas.*

graduar v. **1** Dar el grado o la calidad que corresponde: *Gradúa la temperatura del radiador para que haga menos calor.* **2** Dividir u ordenar en grados o estados correlativos: *La entrenadora graduó los ejercicios para que hiciéramos los más suaves al principio y los más fuertes al final.* **3** Dar u obtener un grado o un título: *Graduaron a su padre de comandante. Se graduó en derecho en una famosa universidad extranjera.* **4** Referido esp. a un objeto, señalar los grados en que se divide: *Al graduar el mapa vimos que España está aproximadamente a 42° latitud Norte.* **5** Referido a la calidad o al grado de algo, medirlos o evaluarlos: *La oculista me ha graduado la vista y tengo dos dioptrías en cada ojo.* ☐ ORTOGR. La *u* lleva tilde en los presentes, excepto en las personas *nosotros* y *vosotros* →ACTUAR.

grafema s.m. Unidad mínima e indivisible de la escritura de una lengua: *'S' es un grafema, pero 'll' no lo es, ya que se puede dividir en 'l' y 'l'.* ☐ ETIMOL. Del griego *grápho* (yo escribo).

grafémica s.f. Parte de la gramática que estudia las reglas del sistema gráfico de una lengua: *La ortografía forma parte de la grafémica.*

graffitero, ra s. →**grafitero.**

graffiti (it.) s.m. **1** Arte o técnica de hacer letreros murales de carácter popular, escritos o pintados a mano: *Es un artista heterogéneo que practica la fotografía, la danza y el graffiti.* **2** →**grafito.** ☐ PRON. [grafíti]. ☐ MORF. 1. Aunque *graffiti* es un plural italiano, en español se usa como plural (*unos graffiti*) y como singular (*un graffiti*). 2. También se usa el plural *graffitis.*

grafía s.f. Letra o conjunto de letras con que se representa un sonido en la escritura: *'M' es la grafía del sonido consonántico bilabial nasal sonoro.* ☐ ETIMOL. Del griego *graphé* (escritura).

-grafía **1** Elemento compositivo sufijo que significa 'descripción' o 'tratado': *geografía, bibliografía.* **2** Elemento compositivo sufijo que significa 'escritura': *caligrafía, telegrafía.* **3** Elemento compositivo sufijo que significa 'imagen reproducida': *fotografía, radiografía.* **4** Elemento compositivo sufijo que significa 'conjunto': *discografía, filmografía.* ☐ ETIMOL. Del griego *graphé* (escritura).

grafiar v. **1** Representar mediante gráficos: *Después de las últimas inundaciones van a grafiar toda la zona para comenzar las tareas de reconstrucción.* **2** Referido a una palabra, darle una representación gráfica determinada: *Podemos grafiar la palabra 'armonía' de dos formas: con 'h' y sin 'h'.* ☐ ETIMOL. Del inglés *to graph*. ☐ ORTOGR. La *i* lleva tilde en los presentes, excepto en las personas *nosotros* y *vosotros* →GUIAR.

gráfica s.f. Véase **gráfico, ca.**

gráfico, ca ▌adj. **1** De la escritura y de la imprenta o relacionado con ellas: *Estudia artes gráficas.* **2** Referido a la forma de expresarse, que es clara o fácil de comprender: *Nos lo explicó de una forma muy gráfica y lo entendimos a la primera.* ▌adj./s. **3** Que se representa por medio de figuras o de signos: *Los organigramas son gráficos que representan la organización jerárquica de una entidad.* ▌s. **4** Representación de datos numéricos por medio de líneas que hacen visible la relación que guardan entre sí estos datos: *La profesora nos mandó representar la gráfica de una ecuación.* ☐ ETIMOL. Del latín *graphicus*, y este del griego *graphikós* (referente a la escritura).

grafiosis (pl. *grafiosis*) s.f. Enfermedad de los olmos causada por un hongo y que es transmitida por un insecto: *Los olmos afectados por la grafiosis se secan y mueren.* ☐ ETIMOL. De *Graphius ulmi* (hongo que causa esta enfermedad).

grafismo s.m. **1** Conjunto de características gráficas de la letra de una persona: *El grafismo de la letra de la carta que recibí me indicó que el remitente era una persona nerviosa.* **2** Diseño gráfico o forma de disponer los elementos gráficos de un libro, de un anuncio, o de algo semejante: *Necesitamos un especialista en grafismo para diseñar un logotipo.* ☐ ETIMOL. Del griego *grápho* (yo dibujo, escribo).

grafista s.com. Persona que se dedica profesionalmente al grafismo o diseño gráfico: *Necesitan un grafista para diseñar los carteles.*

grafitero, ra (tb. *graffitero, ra*) s. Persona que se dedica a hacer pintadas: *Un grafitero ha sido detenido por pintar un vagón de metro.*

grafito s.m. **1** Variedad de carbono cristalizado, compacto, opaco, de color negro y de brillo metálico: *Las minas de los lápices son de grafito.* **2** Letrero o conjunto de letreros murales de carácter popular, escritos o pintados a mano. ☐ ETIMOL. La acepción 1, del griego *grápho* (yo dibujo, escribo). La acepción 2, del italiano *graffito.* ☐ USO En la acepción 2, se usa también el plural italiano *graffiti.*

grafo- Elemento compositivo prefijo que significa 'escritura': *grafología.* ☐ ETIMOL. Del griego *gráphein* (escribir).

-grafo Elemento compositivo sufijo que significa 'aparato que escribe o registra': *telégrafo, fonógrafo, sismógrafo.* ☐ ETIMOL. Del griego *-graphós*, y este de *gráphein* (escribir).

-grafo, -grafa **1** Elemento compositivo sufijo que significa 'que describe': *geógrafo, lexicógrafa.* **2** Elemento compositivo sufijo que significa 'que escribe': *mecanógrafo, taquígrafa.* **3** Elemento compositivo sufijo que indica profesión: *camarógrafo, fotógrafa.* ☐ ETIMOL. Del griego *grápho* (yo escribo).

grafología s.f. Arte y técnica de averiguar las cualidades psicológicas de una persona por su letra: *La grafología me permite afirmar que el autor de esta* *carta es una persona nerviosa.* □ ETIMOL. Del griego *grápho* (yo escribo) y *-logía* (estudio, ciencia).

grafológico, ca adj. De la grafología o relacionado con esta técnica: *Me han hecho un estudio grafológico para determinar cómo es mi personalidad.*

grafólogo, ga s. Persona que se dedica profesionalmente a la grafología: *La policía llamó a un grafólogo para que examinara el anónimo.* □ SEM. Dist. de *calígrafo* (persona que escribe a mano con letra bien hecha).

gragea s.f. Porción pequeña y generalmente redondeada de una sustancia medicinal, que está recubierta de una capa de una sustancia de sabor agradable: *Las grageas suelen ser de colores brillantes.* □ ETIMOL. Del francés *dragée*.

grajear v. Referido a un grajo o a un cuervo, emitir su voz característica: *Los cuervos grajearon cuando les ladró el perro.*

grajilla s.f. Ave parecida a la graja, pero de plumaje negro con la parte posterior de la cabeza gris, y que forma grandes bandadas: *Las grajillas suelen alimentarse de gusanos, insectos y pequeños roedores.* □ MORF. Es un sustantivo epiceno: *la grajilla {macho/hembra}*.

grajo, ja s. Ave parecida al cuervo, pero de menor tamaño, que tiene el plumaje negro irisado, la cara blancuzca y el pico negro y afilado: *Los grajos anidan en las copas de los árboles.* □ ETIMOL. Del latín *graculus*.

grama s.f. Planta herbácea de tallo cilíndrico con hojas cortas y agudas, y flores en forma de espiga: *Hay una pradera cubierta de grama a la salida del pueblo.* □ ETIMOL. Del latín *gramina* (hierbas).

-grama Elemento compositivo sufijo que significa 'escrito', 'gráfico' o 'imagen': *telegrama, ideograma, diagrama, angiograma, fotograma.* □ ETIMOL. Del griego *grámma* (letra).

gramaje s.m. Peso en gramos de un papel por metro cuadrado: *Cuanto mayor es el gramaje más grueso es el papel.*

gramática s.f. Véase **gramático, ca**.

gramatical adj.inv. **1** De la gramática o relacionado con esta ciencia: *Creo que los ejercicios gramaticales son muy útiles cuando se aprende una lengua.* **2** Que respeta las reglas de la gramática: *'Los niños juegan en el parque' es una oración gramatical.*

gramaticalidad s.f. Cualidad de la oración que se ha formado respetando las reglas de la gramática: *La concordancia incorrecta es la causa de la falta de gramaticalidad de la oración *Los niños corre.*

gramaticalizarse v.prnl. Referido a una expresión, fijar su uso en la lengua: *La interjección 'vaya' es un ejemplo de cómo una forma del verbo 'ir' se ha gramaticalizado.*

gramático, ca ▮ s. **1** Persona que se dedica al estudio de la gramática, esp. si esta es su profesión: *Varrón fue un importante gramático romano.* ▮ s.f. **2** Ciencia que estudia los elementos de una lengua y sus combinaciones: *Morfología y sintaxis son dos partes fundamentales de la gramática.* **3** Libro en el que se contienen estos conocimientos de una lengua: *He comprado una gramática de francés para aprender mejor este idioma.* **4** Conjunto de normas y de reglas para hablar y escribir correctamente una lengua: *La Real Academia Española fija la gramática del idioma español.* **5** Obra en la que se enseña este arte: *Nebrija publicó la primera gramática de la lengua castellana en 1492.* **6** || **gramática estructural;** modelo gramatical que considera que la lengua es una estructura o un sistema de interrelaciones: *Soussure fue el creador de la gramática estructural.* || **gramática generativa;** modelo gramatical que trata de generar o producir todas las oraciones posibles y aceptables de un idioma a partir de un número finito de elementos: *Chomsky elaboró la gramática generativa para dar cuenta de la creatividad del hablante, de su capacidad de emitir y comprender oraciones inéditas.* || **gramática parda;** *col.* Habilidad para desenvolverse en la vida: *Es muy difícil engañarlo porque sabe mucha gramática parda.* || **gramática tradicional;** la que recoge las ideas que sobre el lenguaje y su estudio aportaron los griegos y que siguió desarrollándose en los siglos posteriores hasta la primera mitad del siglo XX: *Los estudios de gramática tradicional sirven de punto de partida para estudios gramaticales con una orientación más moderna.* □ ETIMOL. Del latín *grammaticus*, y este del griego *grammatikós* (gramático, crítico literario, escritor). □ USO *Gramática parda* tiene un matiz despectivo.

gramatología s.f. Ciencia que se ocupa del estudio de la escritura: *Con la gramatología se pueden estudiar las múltiples variedades de escritura que existen.*

gramatólogo, ga s. Persona que se dedica al estudio de la gramática: *Han encargado la elaboración de esta gramática a un equipo de gramatólogos de la universidad.*

gramema s.m. Morfema o elemento de la lengua que solo aporta información gramatical y que se puede pronunciar unido a otro elemento o formando un término independiente: *La '-a' de 'niña' y la preposición 'para' son gramemas.*

gramíneo, a ▮ adj./s.f. **1** Referido a una planta, que tiene el tallo cilíndrico y generalmente hueco, hojas alternas que lo abrazan, flores sencillas en espiga o en panoja, y cuyo fruto tiene un solo cotiledón: *El maíz es una gramínea.* ▮ s.f.pl. **2** En botánica, familia de estas plantas, perteneciente a la clase de las monocotiledóneas: *La avena, el trigo y el arroz pertenecen a las gramíneas.* □ ETIMOL. Del latín *gramineus*, y este de *gramen* (hierba, césped).

grammy (ing.) s.m. Premio musical estadounidense que se concede anualmente a un cantante, a un grupo o a un compositor: *Recibió un grammy honorífico por su larga trayectoria musical.* □ PRON. [grámi].

gramo s.m. En el Sistema Internacional, unidad de masa que equivale a la milésima parte de un kilogramo: *Un cuarto de kilo son 250 gramos.* □ ETIMOL. Del francés *gramme*, y este del griego *grámma* (peso). □ ORTOGR. Su símbolo es *g* (incorr. **gr*), por tanto, se escribe sin punto.

gramofónico, ca adj. Del gramófono o relacionado con este aparato: *Ayer escuchamos en la radio una reproducción gramofónica de música de la década de 1920.*

gramófono s.m. Aparato que reproduce las vibraciones de cualquier sonido, inscritas previamente en un disco giratorio: *Los gramófonos tienen una bocina exterior para ampliar el sonido.* □ ETIMOL. Extensión del nombre de una marca comercial.

gramola s.f. **1** Gramófono portátil que lleva la bocina en el interior: *La gramola lleva un brazo articulado que puede replegarse dentro de la caja.* **2** Gramófono eléctrico en el que al introducir una moneda se hace sonar el disco seleccionado: *En la década de 1960, las gramolas eran habituales en los bares y otros establecimientos públicos.* □ ETIMOL. Es extensión del nombre de una marca comercial.

grampa s.f. En zonas del español meridional, grapa: *Uní los papeles con una grampa.*

gran adj.inv. **1** →**grande.** **2** Referido a un cargo, principal o primero en una jerarquía: *Llegó a ser gran maestre de la orden.* □ MORF. En la acepción 1, es apócope de *grande* ante sustantivo singular.

grana ▮ adj.inv./s.f. **1** De color rojo oscuro: *El traje más típico de los toreros es grana y oro.* ▮ s.f. **2** Formación y crecimiento del grano de los frutos en algunas plantas: *Con la grana, los campos empiezan a cubrirse de espigas verdes.* □ SINÓN. *granazón.* **3** Tiempo en el que se produce esta formación y crecimiento del grano: *Este año la grana de los trigales se ha retrasado.* □ ETIMOL. Del latín *grana* (semilla de los vegetales), que se aplicó a la *grana de la coscoja*, que es una agalla o bulto producido por un insecto en este tipo de arbusto y del que se extraía una sustancia de color rojo que se usaba para teñir.

granada s.f. Véase **granado, da.**

granadero s.m. **1** Soldado de infantería armado con granadas de mano: *En el siglo XIX los granaderos fueron figuras destacadas de los combates.* **2** En zonas del español meridional, miembro de un cuerpo especial de la policía: *Los granaderos llegaron a disolver el mitin estudiantil.*

granadina s.f. Véase **granadino, na.**

granadino, na ▮ adj./s. **1** De Granada o relacionado con esta provincia española o con su capital: *La Alhambra y el Generalife son monumentos granadinos.* **2** De Granada o relacionado con este país americano. ▮ s.f. **3** Refresco hecho con zumo de granada: *La granadina es una bebida muy dulce.* **4** Variedad del cante andaluz propia de la provincia de Granada: *Para animar la fiesta cantaron y bailaron unas granadinas.*

granado, da ▮ adj. **1** Notable, señalado o principal: *En la fiesta estaba lo más granado de la ciudad.* ▮ s.m. **2** Árbol que alcanza los seis metros de altura, con tronco liso y tortuoso, ramas delgadas, hojas brillantes y flores grandes de color rojo. ▮ s.f. **3** Fruto de este árbol, con forma redondeada, de color amarillo rojizo y que encierra numerosos granos comestibles de color rojo. **4** Artefacto explosivo de pequeño tamaño, lleno de pólvora, que dispone de una espoleta o dispositivo para provocar la explosión de la carga. □ ETIMOL. La acepción 1, de *granar*. La acepción 2, de *granada*. Las acepciones 3 y 4, del latín *granatum* (fruto con granos).

granar v. Formarse y crecer el grano de los frutos en algunas plantas: *Las espigas de trigo ya empiezan a granar.*

granate ▮ adj.inv./s.m. **1** De color rojo oscuro: *un jersey granate.* ▮ s.m. **2** Mineral de silicato de aluminio y de otros metales y de colores muy diversos: *El granate es un mineral que se suele usar en joyería.* □ ETIMOL. Del provenzal antiguo *granat*.

granazón s.f. Formación y crecimiento del grano de los frutos en algunas plantas: *La helada destruyó el maíz que ya estaba en granazón.* □ SINÓN. *grana.*

grancanario, ria adj./s. De Gran Canaria (isla canaria), o relacionado con ella.

grande ▮ adj.inv. **1** De mayor tamaño, importancia, cualidad o intensidad que algo de su misma especie: *una casa muy grande; una pena muy grande.* **2** De dimensiones mayores a las necesarias o convenientes: *Esta falda te queda muy grande.* **3** *col.* Referido a una persona, de edad adulta: *Cuando sea grande quiere ser médico.* ▮ s.m. **4** Persona de elevada jerarquía o nobleza. **5** ‖ **a lo grande;** con mucho lujo: *Celebró su aniversario a lo grande.* ‖ **en grande;** *col.* Muy bien: *Estas vacaciones lo hemos pasado en grande.* ‖ **grande de España;** persona que tiene el grado máximo de la nobleza española. □ ETIMOL. Del latín *grandis* (grandioso, de edad avanzada). □ MORF. Como adjetivo: 1. Ante sustantivo singular se usa la apócope *gran*. 2. Su comparativo de superioridad es *mayor*. 3. Sus superlativos son *grandísimo* y *máximo*.

grandeza s.f. **1** Importancia en el tamaño, en la intensidad o en la cualidad de algo: *Nadie sabe la grandeza de su fortuna.* **2** Excelencia, elevación o nobleza de espíritu: *Aceptó la derrota con grandeza de ánimo y felicitó al vencedor.* **3** Poder y majestad: *La grandeza de su reinado quedó recogida por los cronistas de la época.* **4** Dignidad nobiliaria de grande de España: *Gracias a sus victorias militares accedió a la grandeza.* **5** Conjunto de los grandes de España: *La grandeza no apoyaba las reformas de Carlos III.*

grandilocuencia s.f. **1** Gran capacidad para deleitar, conmover o persuadir mediante el uso eficaz de la palabra. **2** Estilo sublime o muy elevado: *expresarse con grandilocuencia.* □ PRON. Incorr. *[grandielocuéncia].

grandilocuente adj.inv. Que habla o escribe con grandilocuencia: *Estuvo tan grandilocuente en su discurso que nos emocionó a todos.* □ ETIMOL. Del latín *grandis* (grande) y *loquens* (que habla). □ PRON. Incorr. *[grandielocuénte].

grandiosidad s.f. Grandeza admirable, magnificencia o capacidad que algo tiene para impresionar por sus grandes dimensiones o por sus cualidades: *Es digna de elogio la grandiosidad de su gesto con su adversario.*

grandioso, sa adj. Magnífico, o que destaca o impresiona por su tamaño o por sus cualidades: *El cantante acompañó su actuación de un espectáculo grandioso.*

grandor s.m. Tamaño de las cosas: *No puedo calcular el grandor de la casa.*

grand prix (fr.) s.m. ‖ Competición deportiva que consiste en una carrera, generalmente de automóviles, motocicletas o caballos: *El vencedor del grand prix de este año era muy poco conocido entre el público.* ☐ PRON. [gran pri]. ☐ USO Su uso es innecesario y puede sustituirse por *gran premio.*

grand slam (ing.) s.m. ‖ En golf y en tenis, torneo o competición en la que participan los mejores deportistas de cada año. ☐ PRON. [gran eslám]. ☐ MORF. En la lengua coloquial se usa mucho la forma abreviada *slam.*

grandullón, -a adj./s. *col.* Referido esp. a un muchacho, que está muy crecido para su edad: *Unos grandullones jugaban al fútbol en la playa.*

graneado, da adj. **1** Con forma de granos: *Esta cartera de cuero tiene la superficie graneada.* **2** Cubierto de pintas: *El ganador de la carrera fue un caballo graneado.*

granear v. Referido a una materia, esp. a la pólvora, convertirla en grano: *Granearon la pasta de pólvora con varias cribas.*

granel ‖ **a granel; 1** Referido a un producto, sin envase o sin empaquetar: *venta a granel.* **2** En gran cantidad o en abundancia: *Hubo comida a granel y no faltó de nada.* ☐ ETIMOL. Del catalán *granell.*

granero s.m. Lugar en el que se guarda el grano: *Los hórreos son los graneros característicos de Galicia y de Asturias.*

granítico, ca adj. Del granito o que tiene semejanza con esta roca: *Esta montaña es una inmensa masa granítica.*

granito s.m. Roca plutónica o consolidada en el interior de la corteza terrestre, que está compuesta fundamentalmente de feldespato, cuarzo y mica: *El granito es un material muy empleado en la construcción de casas y monumentos.* ☐ ETIMOL. Del italiano *granito.*

granívoro, ra adj. Referido a un animal, que se alimenta de grano: *La mayoría de los pájaros son granívoros.* ☐ ETIMOL. Del latín *granivorus*, y este de *granum* (grano) y *vorare* (comer).

granizada s.f. Véase **granizado, da.**

granizado, da ▮ adj./s. **1** Referido a un refresco, que está hecho con hielo picado y alguna bebida, esp. zumo de frutas: *un granizado de limón.* ▮ s.f. **2** Caída o precipitación de granizo. **3** Gran número de cosas que caen o se manifiestan de forma continua y abundante: *Los vaqueros recibieron a los indios con una granizada de balas.* ☐ USO En la acepción 1, es innecesario el uso del galicismo *frappé.*

granizar v. Caer granizo: *Granizó tanto que se estropeó la cosecha.* ☐ ORTOGR. La *z* se cambia en *c* delante de *e* →CAZAR. ☐ MORF. Es unipersonal.

granizo s.m. Agua congelada que se desprende de las nubes y que cae con fuerza sobre la superficie terrestre en forma de granos de hielo: *El granizo de las tormentas primaverales puede estropear las cosechas.* ☐ ETIMOL. De *grano.*

granja s.f. **1** Finca de campo con una casa y edificios dependientes para la gente y el ganado: *Vivir en una granja me permite dedicarme a la agricultura y a la ganadería.* **2** Conjunto de instalaciones dedicadas a la cría de animales domésticos: *una granja de cerdos.* **3** Establecimiento dedicado a la venta de leche y sus derivados. **4** ‖ **granja escuela;** la que se utiliza para enseñar y hacer actividades de convivencia en el campo. ☐ ETIMOL. Del francés *grange* (casa de campo, granja).

granjearse v.prnl. Referido esp. a un sentimiento ajeno, captarlo, atraerlo o lograrlo: *Con su trabajo se granjeó el respeto de todos.* ☐ ETIMOL. De *granja.*

granjería s.f. Beneficio o ganancia que se obtiene de algo, esp. el que produce una granja: *Este año hemos obtenido una mayor granjería porque no se ha muerto ningún cerdo.*

granjero, ra s. Persona que posee una granja o que cuida de ella: *La granjera recogía los huevos que habían puesto las gallinas.*

grano s.m. **1** Semilla y fruto de los cereales y de otras plantas: *El grano del trigo se muele para obtener la harina.* **2** Cada uno de los frutos o semillas que con otros iguales forman un racimo: *Termínate el racimo de uvas y no lo dejes con cuatro granos.* **3** Parte muy pequeña de algo: *Se me ha metido un grano de arena en el zapato.* **4** Bulto muy pequeño que aparece sobre la piel: *Me ha salido un grano en la nariz.* **5** Cada una de las pequeñas partículas que se aprecian en la masa o en la superficie de algo: *Tienes que lijar más la madera porque aún tiene granos.* **6** ‖ **grano de arena;** ayuda pequeña con la que alguien contribuye a una obra o a un fin determinados: *Yo también aporté mi granito de arena poniendo la mesa.* ‖ **ir al grano;** *col.* Atender a lo fundamental de un asunto sin dar rodeos. ☐ ETIMOL. Del latín *granum.*

granoso, sa adj. Que tiene granos: *La piel de algunas variedades de pera es granosa.*

granuja adj.inv./s.com. Referido a una persona, que no tiene honradez y que engaña a otra en provecho propio: *Es tan granuja que, si no estás atento, te engañará.* ☐ ETIMOL. De *grano* (uva desgranada), de ahí *conjunto de personas sin importancia*, y de ahí *pícaro.*

granujada s.f. Hecho propio de un granuja: *Su socio le hizo una buena granujada cuando se marchó con el dinero de la caja fuerte.* ☐ SINÓN. *granujería.*

granujería s.f. **1** Conjunto de granujas: *En esta tasca se reúne toda la granujería del barrio.* **2** Hecho propio de un granuja: *Ten cuidado, porque es-*

tas granujerías pueden llevarte a la cárcel. □ SINÓN. *granujada.*

granujiento, ta adj. Referido esp. a una persona o a un animal, que tiene muchos granos.

granulación s.f. Desmenuzamiento en granos muy pequeños: *La granulación del estaño se hace con fines industriales.*

granulado, da ▌adj. **1** Referido a una sustancia, que tiene una masa formada por granos pequeños: *El granito es un mineral de aspecto granulado.* □ SINÓN. *granuloso.* ▌s.m. **2** Preparado farmacéutico presentado en forma de granos: *La médica me recetó un granulado vitamínico.*

granular ▌adj.inv. **1** Referido esp. a una sustancia, que está formada por granos o por porciones muy pequeñas. ▌v. **2** Desmenuzar en granos muy pequeños: *El estaño y el plomo son metales que se pueden granular.*

gránulo s.m. **1** Grano o bola muy pequeños: *Este detergente está formado por gránulos blancos y azules.* **2** Pequeña bola de alguna sustancia que aglutina una dosis muy pequeña de medicamento: *Algunos jarabes vienen en gránulos que hay que reconstituir con agua en el momento de su utilización.* □ ETIMOL. Del latín *granulum.*

granulocito s.m. Leucocito con gránulos en su citoplasma, que constituye la primera línea defensiva del organismo contra las infecciones: *Los granulocitos se producen en la médula ósea.*

granuloso, sa adj. Referido a una sustancia, que tiene una masa formada por granos pequeños: *Las natillas te han quedado granulosas porque no las has batido bien.* □ SINÓN. *granulado.*

granza ▌s.f. **1** Carbón mineral lavado y clasificado, cuyos trozos tienen un tamaño reglamentario comprendido entre los quince y los veinticinco milímetros. ▌pl. **2** Restos que quedan del trigo y de otros cereales después de aventarlos y cribarlos: *Las granzas están formadas por paja, espigas y granos sin descascarillar.* **3** Desechos que salen del yeso cuando se cierne o se pasa por un cedazo: *Al pasar el yeso por el cedazo, las granzas se quedan sobre la tela.* **4** Residuos de un metal: *En el taller en el que hacen ventanas siempre hay granzas de aluminio por el suelo.* □ ETIMOL. Del latín *grandia* (harina basta).

grao s.m. Playa que sirve de desembarcadero: *Los botes de remos casi llenaban el grao.* □ ETIMOL. Del catalán *grau*, y este del latín *gradus* (peldaño).

grapa s.f. **1** Pieza de metal cuyos dos extremos, doblados y acabados en punta, se clavan y se cierran para unir o sujetar varios objetos: *Une todas estas fotocopias con una grapa.* **2** En zonas del español meridional, aguardiente: *Se bebió de un trago un vaso de grapa.* □ ETIMOL. La acepción 1, del germánico *krappa* (gancho). La acepción 2, del italiano *grappa.*

grapadora s.f. Utensilio que sirve para grapar: *Necesito una grapadora para unir estos papeles y tenerlos todos juntos.*

grapar v. Sujetar o unir con grapas: *Grápame estos folios para que no se pierdan.*

grapo s.com. Miembro de la organización GRAPO (Grupo de Resistencia Antifascista Primero de Octubre): *La policía ha detenido a dos grapos cuando colocaban una bomba.*

grasa s.f. Véase **graso, sa.**

grasiento, ta adj. Con mucha grasa: *Las comidas grasientas me sientan mal.*

graso, sa ▌adj. **1** Que tiene grasa o que está formado por ella. ▌s.f. **2** Sustancia orgánica existente en ciertos tejidos animales y vegetales, formada por la combinación de glicerina y algunos ácidos, y que generalmente forma las reservas energéticas de los seres vivos: *Las personas gordas tienen mucha grasa bajo la piel.* **3** Sustancia utilizada para engrasar: *He puesto grasa en la cadena de la bicicleta para que funcione mejor.* □ ETIMOL. La acepción 1, del latín *crassus* (gordo). Las acepciones 2 y 3, del latín *crassa*, y este de *crassus* (gordo). □ SEM. Dist. de *magro* (con poca grasa).

grasoso, sa adj. Impregnado de grasa: *No me gusta comer en ese restaurante porque la comida es muy grasosa.*

gratén s.m. →**gratín.** □ ETIMOL. Del francés *gratin.*

gratificación s.f. Lo que se da para agradecer o recompensar algo, esp. un servicio eventual: *Por quedarme a trabajar dos tardes, me han dado una gratificación económica.*

gratificador, -a adj./s. →**gratificante.**

gratificante adj.inv. Que gratifica. □ SINÓN. *gratificador.*

gratificar v. **1** Referido a una persona, recompensarla con una gratificación: *Si colaboras en esto, serás generosamente gratificado.* **2** Gustar o complacer: *A tus padres les gratifica que estudies con tanto empeño.* □ ETIMOL. Del latín *gratificari* (mostrarse agradable, generoso). □ ORTOGR. La *c* se cambia en *qu* delante de *e* →SACAR.

gratín (tb. *gratén*) s.m. Forma de cocinar un alimento, de manera que su parte superior se recubre con una capa de salsa, de pan rallado o de queso, que se dora en el horno: *Me gustan las pastas al gratín.* □ ETIMOL. Del francés *gratin.*

gratinador s.m. Dispositivo situado en la parte superior del horno, que gratina los alimentos.

gratinar v. Referido a un alimento, tostarlo por encima en el horno: *Cubre los canelones con besamel y gratínalos para que sepan mejor.* □ ETIMOL. Del francés *gratiner.*

gratis ▌adj.inv. **1** *col.* Que no cuesta dinero: *Me han regalado dos pases gratis para la exposición.* □ SINÓN. *gratuito.* ▌adv. **2** Sin pagar o sin cobrar nada: *Entré gratis al teatro porque mi primo trabaja de acomodador.* **3** ‖ **gratis et amore;** *col.* De forma gratuita o sin cobrar nada: *Dice que le han cedido el chalé gratis et amore.* □ SINÓN. *por amor al arte.* □ ETIMOL. Del latín *gratis*, y este de *gratiis* (por las gracias, gratuitamente). □ MORF. Como adjetivo es invariable en número. □ SINT. Incorr. **de gratis.*

gratitud s.f. Sentimiento que obliga a estimar un favor o un beneficio que se ha hecho y a corresponder a él de alguna manera: *Le debo gratitud eterna porque ella fue quien me dio mi primera oportunidad.* □ SINÓN. *reconocimiento.*

grato, ta adj. Que produce gusto o agrado: *Tuvimos una grata conversación sobre nuestra época de juventud.* □ ETIMOL. Del latín *gratus* (agradable, agradecido).

gratuidad s.f. **1** Concesión o uso de algo sin tener que pagar nada por ello: *En todos los países se tiende a la gratuidad de la enseñanza obligatoria.* **2** Falta de base o de fundamento: *Me enfadó la gratuidad de sus críticas.*

gratuito, ta adj. **1** Que no cuesta dinero. □ SINÓN. *gratis.* **2** Sin base o sin fundamento: *Eso es una acusación gratuita porque no tienes pruebas contra mí.* □ ETIMOL. Del latín *gratuitus.*

grava s.f. **1** Conjunto de piedras pequeñas, esp. si proceden de la erosión de otras rocas: *El viento había ido depositando la grava al borde del camino.* **2** Piedra machacada que se utiliza para cubrir y allanar el suelo o para hacer hormigón: *Saltó una china de grava y me rompió el parabrisas del coche.* □ ETIMOL. Del céltico *grava* (arena gruesa).

gravamen s.m. Carga o impuesto sobre un inmueble o sobre un caudal: *La contribución urbana es un gravamen que tienen las viviendas.*

gravar v. Imponer un gravamen o impuesto: *Esta casa está gravada con una fuerte hipoteca.* □ ETIMOL. Del latín *gravare.* □ ORTOGR. Dist. de *agravar* y *grabar.*

grave adj.inv. **1** Que tiene mucha entidad o importancia: *Estamos atravesando una grave crisis económica.* **2** Serio o que causa respeto: *Llegó preocupada y con una expresión grave.* **3** Referido a una persona, que está muy enferma: *El paciente está todavía muy grave.* **4** Referido a una palabra, que lleva el acento en la penúltima sílaba: *'Toro' y 'ángel' son palabras graves aunque solo lleve tilde la última.* □ SINÓN. *llano, paroxítono.* **5** Referido a un verso, que termina en palabra acentuada en la penúltima sílaba: *El verso de Bécquer 'Por una mirada un mundo' es un octosílabo grave.* □ SINÓN. *llano, paroxítono.* **6** Referido esp. a una obra artística o a su estilo, de carácter serio y elevado: *En sus conferencias, emplea siempre un estilo grave y algo solemne.* **7** Referido a un sonido, a una voz o a un tono musical, que tienen una frecuencia de vibraciones pequeña: *Los hombres tienen la voz más grave que las mujeres.* □ SINÓN. *bajo.* □ ETIMOL. Del latín *gravis* (grave, pesado).

gravedad s.f. **1** Importancia que algo tiene: *Este asunto es de máxima gravedad y debe resolverse cuanto antes.* **2** Seriedad y compostura en la forma de hablar o de actuar: *Dio la conferencia con su acostumbrada gravedad y sin permitirse ninguna broma.* **3** En física, manifestación de la atracción que ejercen entre sí dos cuerpos con masa, esp. la que ejercen la Tierra y los cuerpos que están sobre su superficie o próximos a ella: *Todos los cuerpos caen porque son atraídos por la fuerza de gravedad de la Tierra.* □ ETIMOL. Del latín *gravitas.*

gravidez s.f. Embarazo de la mujer: *La gravidez dura aproximadamente nueve meses.*

gravídico, ca adj. Del embarazo de una mujer o relacionado con él: *el malestar gravídico matutino.* □ ETIMOL. De *gravidez* (embarazo de una mujer).

grávido, da adj. **1** Lleno, cargado o abundante: *El poeta cantaba con el pecho grávido de amor a su dama.* **2** Referido a una mujer, que está embarazada: *Las mujeres grávidas deben controlar su peso y su tensión arterial.* □ ETIMOL. Del latín *gravidus.* □ USO El uso de la acepción 1 es característico del lenguaje poético y del científico.

gravilla s.f. Grava muy fina, que se utiliza para cubrir y allanar el suelo.

gravimetría s.f. Estudio de la gravitación terrestre y medición de sus variaciones en los diversos lugares: *La gravimetría es uno de los principales métodos indirectos de estudio de la estructura interna de la Tierra.* □ ETIMOL. Del latín *gravis* (pesado) y *-metría* (medición).

gravímetro s.m. Instrumento que sirve para medir la aceleración de la gravedad en la superficie terrestre: *Algunos péndulos son utilizados como gravímetros.*

gravitación s.f. **1** En física, fenómeno de atracción mutua que ejercen entre sí dos masas separadas por una determinada distancia: *Según la ley de la gravitación universal, dos cuerpos se atraen en razón directa al producto de sus masas y en razón inversa al cuadrado de las distancias que los separan.* **2** Movimiento de un cuerpo por la atracción gravitatoria de otro: *La gravitación de la Luna se produce alrededor de la Tierra.*

gravitacional adj.inv. De la gravitación o relacionado con ella: *El movimiento de traslación de la Tierra alrededor del Sol es gravitacional.*

gravitar v. **1** Referido a un cuerpo, esp. a un astro, moverse por la atracción gravitatoria de otro: *La Tierra gravita alrededor del Sol.* **2** Referido a un cuerpo, descansar o hacer fuerza sobre otro: *Todo el peso de la casa gravita sobre los muros de carga.* □ ETIMOL. Del latín *gravitas* (peso).

gravitatorio, ria adj. De la gravitación o relacionado con este fenómeno: *Los cuerpos con más masa ejercen una mayor fuerza gravitatoria.*

gravoso, sa adj. **1** Que ocasiona mucho gasto: *Mantener a la población de parados resulta gravoso para la economía de un país.* **2** Molesto, pesado o incómodo: *¿Te importaría hacerme este favor, si no te resulta muy gravoso?* □ ETIMOL. De *grave* (pesado).

gray s.m. En el Sistema Internacional, unidad de radiación ionizante absorbida. □ ETIMOL. Por alusión a S. Gray, físico inglés. □ ORTOGR. Su símbolo es *Gy*, por tanto, se escribe sin punto.

graznar v. Referido a algunas aves, dar graznidos o emitir su voz característica: *¿Oyes graznar a los cuervos?* □ ETIMOL. Del latín **gracinare*.

graznido s.m. Voz característica de algunas aves: *Los graznidos de los grajos me resultan muy desagradables.*

greba s.f. En una armadura, pieza que cubre la pierna desde la rodilla hasta el comienzo del pie: *La greba estaba entre la rodillera y el escarpe.* □ ETIMOL. Del francés antiguo *greve* (saliente que la tibia forma en la parte anterior de la pierna).

greca s.f. Véase **greco, ca.**

greco, ca ▌adj./s. **1** De Grecia: *Los romanos tomaron muchos elementos de la cultura greca.* ▌s.f. **2** Adorno formado por una franja en la que se repite la misma combinación de elementos decorativos, esp. la compuesta por líneas rectas que vuelven sobre sí mismas y forman ángulos rectos. □ ETIMOL. La acepción 2, de *greco*. □ MORF. Es la forma que adopta *griego* cuando se antepone a una palabra para formar compuestos: *grecolatino, grecorromano.*

grecolatino, na adj. De las culturas griega y latina, o relacionado con ellas: *La literatura grecolatina es la base de la literatura occidental.*

grecorromano, na adj. De los pueblos griego y romano, o relacionado con ellos: *La actual lucha grecorromana se inspira en la forma de pelear de griegos y romanos.*

greda s.f. Arcilla arenosa, generalmente de color blanquecino: *Con la lluvia, la greda resulta muy resbaladiza.* □ ETIMOL. Del latín *creta*.

gredal s.f. Terreno en el que abunda la greda, que es un tipo de arcilla arenosa y generalmente de color blanco azulado: *En las afueras de este pueblo hay un gredal.* □ SINÓN. *blanquizal, blanquizar.*

gredera s.f. En zonas del español meridional, mujer que hace objetos de greda o arcilla: *Las grederas de algunas regiones chilenas hacen cántaros con figura de mujer que representa a la guitarrera de Quinchamalí.*

gredoso, sa adj. De la greda o relacionado con este tipo de arcilla.

green (ing.) s.m. En golf, espacio con césped muy cuidado situado alrededor de cada hoyo: *El green facilita el desplazamiento de la pelota para introducirla en el hoyo.* □ PRON. [grin].

greenfreeze (ing.) s.m. Frigorífico ecológico que utiliza un sistema de enfriamiento mediante elementos no contaminantes que no perjudican el medio ambiente: *El greenfreeze comenzó a fabricarse en Alemania y ya se está exportando a otros países europeos.* □ PRON. [grínfris].

green shoe (ing.) s.m. ‖ En economía, en una oferta pública de adquisición de acciones, opción que permite al emisor distribuir una mayor cantidad de acciones que la inicialmente convenida. □ PRON. [grin chu], con *ch* suave.

gregal adj.inv. Agrupado con otros de su misma especie, esp. referido a los animales que viven en rebaño: *Las ovejas son animales gregales.* □ ETIMOL. Del latín *gregalis* (de rebaño).

gregario, ria ▌adj. **1** Referido a un animal, que vive en rebaño o en manada: *Los lobos son animales gregarios.* **2** Referido a una persona, que sigue fielmente las ideas e iniciativas ajenas, porque no las tiene propias. ▌s.m. **3** En ciclismo, corredor encargado de ayudar al jefe de equipo o a otro ciclista de categoría superior a la suya. □ ETIMOL. Del latín *gregarius*.

gregarismo s.m. **1** Tendencia de algunos animales a vivir en sociedad: *El gregarismo es una característica de los bisontes, de los jabalíes y de los grajos.* **2** Seguimiento fiel de las ideas e iniciativas ajenas, porque no se tienen propias: *Lo hace por simple gregarismo, y no se plantea si está bien o mal.*

gregoriano, na ▌adj. **1** De alguno de los papas llamados Gregorio o relacionado con ellos: *Para medir los días y los meses empleamos el calendario gregoriano, que fue reformado por el papa Gregorio XIII en el siglo* XVI. ▌s.m. **2** →**canto gregoriano.**

greguería s.f. Agudeza o imagen expresadas brevemente y en prosa, en las que se plasma una visión de la realidad sorprendente y con frecuencia crítica o humorística, y cuyo modelo fue inventado por Ramón Gómez de la Serna (escritor español del siglo XX): *'La pistola es el grifo de la muerte' es una greguería.*

greguescos (tb. *gregüescos*) s.m.pl. En los siglos XVI y XVII, prenda de vestir parecida a un pantalón bombacho que llegaba hasta debajo de la rodilla: *Los personajes de la obra de teatro clásico que vimos ayer llevaban greguescos.* □ ETIMOL. De *griego*, porque el vestido nacional de los griegos tiene esta forma.

gregüescos s.m.pl. →**greguescos.**

greifrut s.m. →**greifruta.**

greifruta s.f. En zonas del español meridional, pomelo: *En Colombia probé unas greifrutas muy jugosas.* □ SINÓN. *greifrut.* □ ETIMOL. Del inglés *grapefruit*.

grelo s.m. Hoja o brote de la planta del nabo, que se caracteriza por ser tierna y comestible: *La especialidad de este restaurante gallego es el lacón con grelos.* □ ETIMOL. Del gallego *grelo*.

gremial adj.inv. De un gremio o relacionado con un oficio o profesión: *Las jornadas de información sobre derecho laboral han sido organizadas por distintas asociaciones gremiales.*

gremialismo s.m. Tendencia a formar gremios o al predominio de ellos sobre otros sectores sociales: *La excesiva especialización de la sociedad actual no favorece el gremialismo.*

gremialista ▌adj.inv./s.com. **1** Que defiende o sigue el gremialismo. ▌s.com. **2** En zonas del español meridional, persona que dirige un gremio o forma parte de él.

gremio s.m. **1** Agrupación formada por personas que tienen el mismo oficio o profesión, en sus distintas categorías, y regida por un estatuto especial: *Los gremios medievales fueron asociaciones de ar-*

tesanos propias de las ciudades. **2** Conjunto de personas que están en la misma situación o que tienen la misma profesión o estado social: *Afortunadamente, ya no estoy en el gremio de los parados.* ☐ ETIMOL. Del latín *gremium* (regazo, seno).

greña s.f. **1** Pelo revuelto o mal arreglado. **2** ‖ **a la greña;** *col.* referido a dos o más personas, reñir o estar siempre en disposición de hacerlo: *Estos hermanos siempre están a la greña, pero luego no pueden vivir el uno sin el otro.* ☐ ETIMOL. De origen incierto.

greñudo, da adj. Con greñas: *Tengo que ir a cortarme el pelo, porque estoy hecho un greñudo.*

gres s.m. Pasta cerámica de arcilla plástica y arena que contiene cuarzo, con la que se fabrican objetos que, cocidos a temperaturas muy elevadas, son resistentes, impermeables y soportan bien el calor: *Las baldosas de la cocina son de gres.* ☐ SINÓN. *gresite.* ☐ ETIMOL. Del francés *grès* (arenisca).

gresca s.f. Alboroto, riña o discusión: *Se montó una buena gresca y acabaron a guantazos.* ☐ ETIMOL. Del latín *graeciscus* (griego), porque los griegos de la República romana tuvieron fama de libertinos.

gresite s.m. →**gres.** ☐ ETIMOL. Extensión del nombre de una marca comercial.

grey s.f. **1** Rebaño o ganado: *El pastor reunía a su grey con ayuda de dos perros.* **2** Conjunto de fieles cristianos agrupados bajo la dirección de un sacerdote: *El párroco hablaba a su grey desde el púlpito.* ☐ ETIMOL. Del latín *grex* (rebaño).

grial s.m. Vaso o copa que, según los libros de caballería medievales, sirvió a Jesucristo durante la Última Cena para instituir el sacramento de la eucaristía: *El rey Arturo y los caballeros de la Tabla Redonda iban en busca del Santo Grial.* ☐ ETIMOL. De origen incierto. ☐ ORTOGR. Dist. de *brial.* ☐ SEM. Se usa más como nombre propio.

griego, ga ▮ adj./s. **1** De Grecia o relacionado con este país europeo. ☐ SINÓN. *helénico, heleno.* ▮ s.m. **2** Lengua indoeuropea de este y otros países: *El griego tiene un alfabeto distinto al latino.* **3** *arg.* Coito anal. **4** ‖ **(griego) demótico;** modalidad del griego, de origen popular y apartada de la lengua culta, que se ha convertido en lengua oficial de Grecia. ☐ MORF. Cuando se antepone a una palabra para formar compuestos, adopta la forma *greco-*.

grieta s.f. **1** Abertura larga y estrecha: *una pared con grietas.* **2** Lo que amenaza la estructura o la solidez de algo: *La falta de cohesión puede ser la grieta que inicie la crisis.* ☐ ETIMOL. Del latín **crepta.*

grifa s.f. Marihuana, esp. la de origen marroquí: *Nunca he fumado grifa.* ☐ ETIMOL. De *grifo* (intoxicado con la marihuana).

grifería s.f. Conjunto de grifos y llaves que sirven para regular el paso del agua: *El fontanero cambió toda la grifería de la casa.*

grifero, ra s. En zonas del español meridional, empleado de una gasolinera: *El grifero me atendió inmediatamente.*

grifo s.m. **1** Utensilio o dispositivo que sirve para abrir, cerrar o regular el paso de un líquido contenido en un depósito: *La cañería está atascada y, aunque abras el grifo, no saldrá agua.* **2** Animal fabuloso con cabeza y alas de águila y cuerpo de león: *Muchas gárgolas de catedrales medievales tienen forma de grifo.* **3** En zonas del español meridional, gasolinera: *Detuve el auto en un grifo.* **4** ‖ **{cerrar/cortar} el grifo;** *col.* Referido al dinero, dejar de darlo: *Su padre se cansó de comprarles todos los caprichos y decidió cerrar el grifo.* ☐ ETIMOL. Del latín *gryphus*, y este del griego *grýs* (grifo, animal fabuloso); la acepción 1 se explica por la costumbre de adornar las bocas de agua de las fuentes, con cabezas de personas o de animales.

grill s.m. **1** →**parrilla.** **2** En algunos hornos, dispositivo situado en la parte superior para gratinar o dorar los alimentos: *Enciende el grill para tostar el asado.* ☐ ETIMOL. Del inglés *grill.* ☐ PRON. [gril].

grilla s.f. Véase **grillo, lla.**

grillado, da adj./s. *col.* Loco o trastornado.

grillarse (tb. *guillarse*) v.prnl. *col.* Volverse loco o perder el juicio: *Dicen que se grilló tras la muerte de su marido y sus dos hijos en un accidente.*

grillera s.f. **1** Jaula para grillos: *Mi hijo tiene dos grillos en una grillera.* **2** *col.* Lugar en el que se habla mucho y nadie se entiende: *La reunión de vecinos era una grillera porque todos hablaban al mismo tiempo.*

grillete s.m. Arco de metal casi semicircular, con dos agujeros, uno en cada extremo, por los que se hace pasar una pieza alargada metálica, y que se utilizaba esp. para asegurar una cadena en el tobillo de un presidiario: *Los grilletes le produjeron grandes heridas.* ☐ ETIMOL. De *grillos* (cadenas para los presos).

grillo, lla ▮ s. **1** Insecto de unos tres centímetros, de color negro rojizo, cabeza redonda y ojos prominentes, cuyo macho, cuando está tranquilo, sacude y roza los élitros o alas interiores produciendo un sonido agudo y monótono: *Me gusta oír cantar a los grillos en verano.* ▮ s.m.pl. **2** Conjunto de dos grilletes unidos por una cadena, que se colocaba en los pies de los presidiarios para impedirles andar: *Me disfracé de preso y me hice los grillos con cartulina negra.* ▮ s.f. **3** *col.* En zonas del español meridional, acuerdo o discusión entre varias personas de un grupo: *En el salón se armó la grilla cuando elegimos al representante del grupo.* ☐ ETIMOL. Del latín *gryllus*; la acepción 2 se explica por comparación del ruido metálico que producen los grillos del preso cuando anda, con el ruido agudo del insecto.

grima s.f. **1** Desazón, irritación o disgusto producidos por algo: *Tanta injusticia me da grima.* **2** Sensación desagradable que se nota en los dientes, esp. cuando se oyen chirridos o cuando se toman sustancias agrias: *No rasgues esas telas delante de mí, que me da grima.* ☐ SINÓN. *dentera.* ☐ ETIMOL. Quizá del gótico *grimms* (horrible).

grimoso, sa adj. Que causa grima.

grimpeur (fr.) s.m. →**escalador.** ☐ PRON. [grimpér].

grímpola s.f. **1** Bandera pequeña, triangular y muy corta, que se usa en un barco generalmente para conocer la dirección del viento: *En el puerto, se veían ondear las grímpolas de los yates.* **2** Antigua insignia militar de paño y con forma triangular: *Los caballeros solían llevar su grímpola al campo de batalla.* ☐ ETIMOL. Del francés antiguo *guimple* (velo de mujer, tela que se ataba a la lanza).

gringo, ga s. *desp.* Persona nacida en los Estados Unidos de América: *Tengo unos primos suramericanos que nunca llaman gringos a los estadounidenses, porque sería una falta de respeto.* ☐ ETIMOL. De origen incierto.

griot (fr.) s.m. Persona que viaja por los pueblos cantando o recitando historias de su tribu: *Los griots son miembros con mucha reputación en algunas tribus de África occidental.* ☐ PRON. [griót].

gripa s.f. En zonas del español meridional, gripe: *Me pasó la gripa.*

gripal adj.inv. De la gripe o relacionado con esta enfermedad: *Está en cama porque padece una afección gripal.*

griparse v.prnl. Referido a un motor, engancharse en alguna de sus piezas internas, generalmente por falta de lubricante: *El motor se gripó y tuve que llevarlo al taller.* ☐ ETIMOL. Del francés *gripper*.

gripe s.f. Enfermedad infecciosa aguda, producida por un virus y cuyos síntomas más frecuentes son la fiebre, el catarro y el malestar generalizado: *Los pacientes con riesgo de padecer gripe deberían vacunarse.* ☐ SINÓN. *influenza.* ☐ ETIMOL. Del francés *grippe*.

griposo, sa adj. Que padece gripe o que tiene síntomas parecidos a los de esta enfermedad: *Prefirió no salir porque estaba griposo.*

gris ▮ adj.inv. **1** Que no destaca ni se distingue: *una personalidad gris.* **2** Referido al tiempo atmosférico, sin sol, frío o lluvioso: *un día gris.* ▮ adj.inv./s.m. **3** Del color que resulta de mezclar el blanco con el negro o el azul: *El cielo es gris cuando está nublado.* ▮ s.m. **4** *col.* Miembro de la Policía Nacional, cuando esta llevaba un uniforme de este color. **5** || **(gris) marengo;** el oscuro, cercano al negro. || **gris perla;** el claro, cercano al blanco. ☐ ETIMOL. Quizá del provenzal antiguo *gris*.

grisáceo, a adj. De color semejante al gris o con tonalidades grises: *Me he comprado un traje estampado en tonos grisáceos.*

grisear v. Tomar un color gris: *El pelo de mi padre empieza a grisear con la edad.*

gríseo, a adj. De color gris.

grisoso, sa adj. En zonas del español meridional, grisáceo: *El cielo estuvo grisoso toda la mañana.*

grisú (pl. *grisúes, grisús*) s.m. En una mina de carbón, mezcla de gases, compuesta principalmente por metano, que se desprende espontáneamente y que se inflama al mezclarse con el aire: *El grisú fue el causante de la violenta explosión en la que murieron cinco mineros.* ☐ ETIMOL. Del francés *grisou*.

gritadera s.f. En zonas del español meridional, griterío.

gritar v. **1** Levantar la voz más de lo acostumbrado, esp. si se hace para regañar a alguien o para manifestar desagrado: *No grites, que no soy sorda. No soporto que nadie me grite por algo que no es culpa mía.* **2** Dar uno o varios gritos: *Me asustaron y grité.* ☐ ETIMOL. Del latín *quiritare*.

gritería s.f. →**griterío.**

griterío s.m. Conjunto de voces altas y desentonadas que producen mucho ruido: *Vámonos a un sitio más tranquilo, que aquí hay mucho griterío.* ☐ SINÓN. *vocerío, gritería.*

grito s.m. **1** Sonido que se emite fuerte y violentamente: *Se asustó y dio un grito. El herido lanzaba gritos de dolor.* **2** Palabra o expresión breve que se emite de esta forma: *Mantuvo siempre el recuerdo del grito de los espectadores diciendo: «¡Bravo, bravo!».* **3** || **a grito {limpio/pelado};** dando voces: *Lo llamamos a grito pelado, pero no nos oyó.* || **el último grito;** lo más moderno o lo último: *Este disco es el último grito en música moderna.* || **pedir a gritos;** necesitar urgentemente: *Esta puerta pide a gritos una mano de pintura.* || **poner el grito en el cielo;** mostrar gran enfado o indignación: *Cada vez que le mandas hacer algo, pone el grito en el cielo.*

gritón, -a adj./s. *col.* Que grita mucho: *Habla más bajo y no seas tan gritón.*

groenlandés, -a adj./s. De Groenlandia o relacionado con esta isla del Atlántico.

grog s.m. Ron mezclado con agua: *El grog se puede tomar con azúcar y limón.* ☐ ETIMOL. Del inglés *grog*.

grogui (pl. *groguis*) adj.inv. **1** *col.* Atontado o casi dormido: *A estas horas de la noche yo ya estoy grogui.* **2** En algunos deportes de combate, esp. en boxeo, tambaleante o aturdido a consecuencia de los golpes: *Los golpes del campeón dejaron grogui a su adversario.* ☐ ETIMOL. Del inglés *groggy*.

groopie (ing.) s.com. Admirador entusiasta de una persona famosa, generalmente un cantante, al que sigue a todas partes. ☐ PRON. [grúpi].

groove (ing.) adj.inv. Referido esp. a la música, que incita a bailar o que es muy rítmica. ☐ PRON. [gruf].

grosella ▮ adj.inv./s.m. **1** De color rojo vivo: *El color grosella es más claro que el granate.* ▮ s.f. **2** Fruto en baya de este color y de sabor agridulce y cuyo jugo es medicinal. ☐ ETIMOL. Del francés *groseille*.

grosellero s.m. Arbusto de tronco abundante en ramas, hojas alternas y divididas en cinco lóbulos con festones en el margen, flores de color amarillo verdoso en racimos y cuyo fruto es la grosella: *El grosellero es propio de las regiones de clima templado.*

grosería s.f. Descortesía o falta de educación o delicadeza: *En nuestra cultura, eructar en público es considerado como una grosería. Compórtate y no digas más groserías.*

grosero, ra adj./s. Que es descortés o que no demuestra educación ni delicadeza: *No seas grosero y cédele el asiento a ese anciano.* □ ETIMOL. De *grueso.*

grosísimo, ma superlat. irreg. de **grueso.** □ MORF. Es la forma culta de *gruesísimo.*

grosor s.m. Anchura o espesor de un cuerpo: *Ese muro de hormigón tiene un grosor considerable.*

grosso modo (lat.) || Aproximadamente, a grandes rasgos, o poco más o menos: *No entres en detalles y cuéntame grosso modo lo que pasó.* □ SINT. Incorr. **a grosso modo.*

grotesco, ca adj. Que se considera ridículo, extravagante o de mal gusto: *Resultaba grotesco verlo vestido de forma tan estrafalaria en un acto tan solemne.* □ ETIMOL. Del italiano *grottesco* (adorno que imita lo tosco de las grutas).

groupie (ing.) s.f. Joven admiradora de un grupo o un cantante de rock, a los que sigue incondicionalmente: *Aquella groupie ha ido a todos los conciertos de su grupo favorito.* □ PRON. [grúpi].

groupware (ing.) s.m. Programa informático que facilita el trabajo en grupo: *Con el nuevo groupware, resulta más sencillo compartir la información.* □ PRON. [grúpgüer].

grúa s.f. **1** Máquina que consta de una estructura metálica con un brazo del que cuelgan cables y poleas, y que se usa para elevar grandes pesos y transportarlos a distancias cortas: *Están descargando el barco con ayuda de una gran grúa.* **2** Vehículo automóvil con una estructura similar a la de esta máquina, que se usa para remolcar otros vehículos: *Dejé el coche mal aparcado y se lo llevó la grúa.* □ ETIMOL. Del latín *grua* (grulla), porque se comparó la forma de la grúa con el aspecto de una grulla al levantar el pico del agua.

grueso, sa ▮ adj. **1** Corpulento y abultado, esp. porque tiene muchas carnes o grasas: *Debes adelgazar, porque estás muy gruesa.* **2** Que excede de lo normal: *Obtuvo gruesos beneficios.* **3** En zonas del español meridional, rudo o grosero: *Se quedó llorando porque le dijiste cosas muy gruesas.* ▮ s.m. **4** Grosor de una cosa: *¿Sabes cuánto mide el grueso de esta columna?* **5** Parte principal o más importante de un todo: *El grueso del batallón inició la retirada.* □ ETIMOL. Del latín *grossus.* □ MORF. Sus superlativos son *gruesísimo* y *grosísimo.*

gruista s.com. Persona que maneja la pluma de una grúa: *El gruista hizo bajar el brazo de la grúa para depositar en el suelo los bultos que estaban descargando.*

grulla s.f. Ave zancuda de gran tamaño, de pico cónico y prolongado, cuello largo y negro, alas grandes y redondas, cola pequeña y plumaje de color gris, que suele mantenerse sobre un solo pie cuando se posa: *En España, las grullas son aves de paso.* □ ETIMOL. De origen incierto. □ MORF. Es un sustantivo epiceno: *la grulla {macho/hembra}.*

grullo s.m. *col. desp.* Paleto o palurdo: *Cuando emigré a la capital, lo pasé muy mal porque muchos me decían que siempre sería un grullo.*

grumete s.m. Muchacho que aprende el oficio de marinero ayudando a la tripulación en sus faenas: *Se embarcó como grumete cuando solo tenía catorce años.* □ ETIMOL. De origen incierto.

grumo s.m. En una masa líquida, parte que se coagula o se hace más compacta: *No has movido bien la besamel y te ha quedado con grumos.* □ ETIMOL. Del latín *grumus* (montoncito de tierra).

grumoso, sa adj. Lleno de grumos: *Echa más leche y remueve bien el chocolate, o te quedará grumoso.*

grumpie (ing.) s.m. Persona madura y con una posición económica elevada, que tiene que competir con la nueva generación de jóvenes profesionales: *Para el grumpie, el aspecto juvenil es sinónimo de éxito.* □ PRON. [grúmpi].

grunge (ing.) ▮ adj.inv./s.com. **1** Del grunge o con características de este movimiento musical y juvenil. ▮ s.m. **2** Movimiento juvenil de origen estadounidense, que surge en la década de 1990 y que se manifiesta en una música ruidosa y depresiva que utiliza sonidos distorsionados y en una moda de apariencia pobre y descuidada. □ PRON. [grunch], con *ch* suave.

gruñido s.m. **1** Voz característica del cerdo: *El cerdo emitía gruñidos cuando la veterinaria intentaba ponerle la inyección.* **2** Voz ronca del perro o de otros animales cuando amenazan: *Hasta que llegó su dueño, el perro no dejó de emitir gruñidos.* **3** Sonido no articulado y ronco, o palabra que emite una persona como señal de protesta o de mal humor: *Llegué tarde y me recibió con un gruñido.*

gruñir v. **1** Referido a un cerdo, dar gruñidos o emitir su voz característica: *Los cerdos gruñían en sus pocilgas.* **2** Referido esp. a un perro, dar gruñidos o emitir una voz ronca en señal de advertencia: *El perro nos gruñó porque no nos conocía.* **3** Referido a una persona, mostrar disgusto, quejarse o protestar, esp. si lo hace murmurando entre dientes: *No gruñas tanto y pon buena cara, mujer.* □ ETIMOL. Del latín *grunnire.* □ MORF. Irreg. →PLAÑIR.

gruñón, -a adj./s. *col.* Que gruñe con frecuencia.

grupa s.f. Parte superior y posterior de una caballería: *El pequeño pidió al jinete que le diera un paseo montado a la grupa.* □ ETIMOL. Del francés *croupe.*

grupal adj.inv. Del grupo o relacionado con él: *Es un individualista y no tiene espíritu grupa.*

grupo s.m. **1** Conjunto de personas, animales o cosas que están o se consideran juntas. **2** En pintura o escultura, conjunto de figuras: *La figura central de ese grupo escultórico es un Cristo yacente.* **3** Unidad del ejército compuesta de varios escuadrones o baterías, y mandada generalmente por un comandante: *Las maniobras del grupo están previstas para el próximo otoño.* **4** En química, cada una de las columnas del sistema periódico que contiene elementos de propiedades semejantes: *El grupo de los gases nobles está formado por el helio, el neón, el argón, el criptón, el xenón y el radón.* **5** || **grupo electrógeno;** conjunto formado por un motor de explosión y un generador de electricidad, que se usa en algunos establecimientos para suplir la falta de corriente procedente de las centrales. || **grupo sanguíneo;** cada uno de los tipos en que se clasifica la sangre en función de los antígenos y de los anticuerpos presentes en los glóbulos rojos sanguíneos: *Mi grupo sanguíneo es A positivo.* ☐ ETIMOL. Del italiano *gruppo*.

grupúsculo s.m. Organización, generalmente política, formada por un reducido número de miembros, esp. si son agitadores y radicales: *La ministra dijo que la organización terrorista no era más que un grupúsculo aislado que no representaba el sentir de la mayoría.*

gruta s.f. En peñas o lugares subterráneos, cavidad natural más o menos profunda: *Visitamos una gruta llena de estalactitas y estalagmitas.* ☐ ETIMOL. Del napolitano o siciliano *grutta*, este del latín **crupta*, y este del griego *krýte* (cripta, bóveda subterránea).

gruyer s.m. Queso suave, de color amarillo pálido y con agujeros en su interior, elaborado con leche de vaca y cuajo triturado, y originario de Gruyère (región suiza): *De postre tomamos un trocito de gruyer.* ☐ ETIMOL. De *Gruyère* (región suiza).

GSM (ing.) s.m. Sistema de comunicación digital que se utiliza en telefonía móvil. ☐ ETIMOL. Es la sigla del inglés *Global Systemfor Mobile Communications* (sistema global de comunicaciones móviles). ☐ SINT. Se usa mucho en aposición, pospuesto a un sustantivo: *telefonía GSM*.

gua s.m. **1** Juego de las canicas: *En el recreo jugamos al gua.* **2** En el juego de las canicas, hoyo pequeño que se hace en el suelo: *Por fin conseguí meter la bola en el gua.* ☐ ETIMOL. De origen incierto.

guaca (tb. *huaca*) s.f. Tumba de los antiguos indios americanos: *Las guacas de los incas solían contener objetos de valor.*

guacal s.m. **1** En zonas del español meridional, cesta hecha con tiras de madera. **2** *col.* En zonas del español meridional, casa. **3** *col.* En zonas del español meridional, tórax de un pollo, esp. si está preparado como alimento. ☐ ETIMOL. Del náhuatl *huacalli*.

guácala interj. *col.* En zonas del español meridional, expresión que se usa para manifestar desprecio o asco.

guacamaya s.f. →**guacamayo.** ☐ MORF. Es un sustantivo epiceno: *la guacamaya {macho/hembra}*.

guacamayo s.m. Ave de origen americano, parecida al papagayo, que se caracteriza por tener una cola muy vistosa y un plumaje de variados y vivos colores: *El guacamayo es rojo, azul, verde y amarillo.* ☐ SINÓN. *guacamaya.* ☐ MORF. Es un sustantivo epiceno: *el guacamayo {macho/hembra}*.

guacamole s.m. Ensalada de aguacate molido o picado, con cebolla, tomate y otros ingredientes: *En México, probé el guacamole con nachos.*

guacarear v. *col.* En zonas del español meridional, vomitar: *Comió mucho y ahora tiene ganas de guacarear.*

guácatela interj. *col.* En zonas del español meridional, expresión que se usa para manifestar desprecio o asco.

guachada s.f. *col.* En zonas del español meridional, canallada: *Me hizo una guachada imperdonable.*

guachafita s.f. *col.* En zonas del español meridional, alboroto: *Los muchachos organizaron una gran guachafita en clase.*

guachimán s.m. En zonas del español meridional, vigilante: *Los guachimanes vigilaron toda la noche.* ☐ ETIMOL. Del inglés *watchman*. ☐ ORTOGR. Se usa también *huachimán*.

guachinango s.m. Pez marino americano, de color rosado y cuya carne es muy apreciada. ☐ ETIMOL. Del náhuatl *huachinanco*.

guacho, cha adj./s. *col.* En zonas del español meridional, referido a un niño, que ha sido abandonado por sus padres o que es huérfano: *Era un guacho de diez años que vivía en la calle.* ☐ ORTOGR. Se usa también *huacho*.

guácima s.f. Árbol americano que tiene la corteza del tronco resbaladiza.

guaco (tb. *huaco*) s.m. Objeto de valor encontrado en una guaca o tumba india americana: *Se encontraron numerosos guacos en las guacas incaicas de Perú.*

guadalajareño, ña adj./s. De Guadalajara o relacionado con esta provincia española o con su capital: *La Alcarria es una región guadalajareña.*

guadamecí (tb. *guadamecil*) (pl. *guadamecíes, guadamecís*) s.m. Cuero curtido y adornado con dibujos pintados o en relieve: *Me han regalado una bonita cartera de guadamecí.* ☐ ETIMOL. Del árabe *gadamasí*, que significa *de la ciudad de Gadames*, lugar donde se preparaba este cuero.

guadamecil s.m. →**guadamecí.**

guadaña s.f. Herramienta formada por un mango largo al que se sujeta una cuchilla curva, larga y puntiaguda por un extremo, y que se utiliza para segar a ras de tierra: *La muerte se suele representar con la figura de una mujer vieja con una guadaña, porque va segando vidas.*

guadañar v. Segar con la guadaña: *Ya han empezado a guadañar la hierba del prado.*

guadarnés s.m. **1** Lugar en el que se guardan las sillas, las guarniciones y otros objetos relacionados con las caballerías: *En el guadarnés había muchas sillas de montar.* **2** Persona que cuida de estos objetos: *El guadarnés comprobaba si las sillas de montar estaban en buen estado.* ☐ ETIMOL. De *guardar* y *arnés*.

guaflex (pl. *guaflex*) s.m. Material de encuadernación de lujo, plastificado y adhesivo por una de sus caras: *Esta enciclopedia está encuadernada con tapas duras de guaflex.* ☐ PRON. [guáfles].

guagua s.f. **1** En zonas del español meridional, autobús: *Cuando estuve en Canarias, cogía la guagua para ir del hotel a la playa.* **2** En zonas del español meridional, bebé: *Tengo una guagua de cuatro meses.*

guaguancó s.m. Música popular de origen cubano.

guai adj.inv. →**guay.**

guajira s.f. Véase **guajiro, ra.**

guajiro, ra ▌s. **1** Campesino cubano: *En 1898, los guajiros deseaban la independencia de Cuba.* ▌s.f. **2** Canto popular de los campesinos cubanos: *Las guajiras se hicieron populares en la España de la segunda mitad del siglo XIX.*

guajolote s.m. En zonas del español meridional, pavo: *El guajolote es originario de México.*

guakandés, -a adj./s. De Guakanda o relacionado con esta región africana.

gualdo, da adj. De color amarillo dorado: *La bandera española es roja y gualda.*

gualdrapa ▌s.com. **1** Referido a una persona, que es descuidada en su aspecto: *Con esas pintas que llevas siempre, estás hecho un gualdrapa.* ▌s.f. **2** Cobertura larga que cubre y adorna las ancas de las caballerías. ☐ ETIMOL. De origen incierto. ☐ ORTOGR. En la acepción 1, se usa también *gualtrapa.*

gualtrapa s.com. →**gualdrapa.**

guámara s.f. Arbusto mexicano de raíz fibrosa que tiene las hojas reunidas en la base, las flores en racimo y el fruto en cápsulas o bayas.

guamazo s.m. En zonas del español meridional, golpe fuerte.

guamito s.m. Palmera con el tronco liso de color grisáceo cubierto de fibras que desaparecen con la edad.

guampa s.f. En zonas del español meridional, cuerno: *Encontró unas guampas de vaca en el campo.*

guampudo, da adj. En zonas del español meridional, que tiene cuernos: *Cientos de animales guampudos pastaban por la hacienda.*

guamúchil s.m. **1** Árbol americano de tronco grueso, con espinas en las ramas, flores amarillas y vainas con semillas en su interior. **2** Fruto de este árbol. ☐ ETIMOL. Del náhuatl *cuauhmochitl.*

guanábana s.f. Fruto del guanábano, que tiene la corteza verdosa, y la pulpa blanca y dulce con semillas negras: *Tomé un helado de guanábana.*

guanábano s.m. Árbol tropical de gran altura, con el tronco liso y gris oscuro, y las hojas de color verde intenso por el haz y blanquecinas por el envés: *El guanábano es originario de las Antillas.*

guanaco s.m. Mamífero rumiante parecido a la llama pero de mayor tamaño, que vive salvaje en la zona andina suramericana, y cuya lana es muy apreciada: *La carne de guanaco sirve de alimento a los indígenas de la zona.* ☐ MORF. Es un sustantivo epiceno: *el guanaco {macho/hembra}.*

guanajo s.m. *col.* En zonas del español meridional, pavo.

guanche ▌adj.inv./s.com. **1** Del antiguo pueblo que habitaba las islas Canarias cuando fueron conquistadas por los españoles en el siglo XV, o relacionado con ellos: *Los guanches se dedicaban a la agricultura y la ganadería.* ▌s.m. **2** Lengua hablada por este pueblo: *El guanche desapareció en torno al siglo XVI.* ☐ MORF. En la acepción 1, se usa también la forma de femenino *guancha.*

guanera s.f. Lugar donde se encuentra o donde abunda el guano: *En las costas peruanas hay numerosas guaneras.*

guango, ga adj. **1** En zonas del español meridional, holgado. **2** || **venirle guango** algo a alguien; *col.* En zonas del español meridional, importarle muy poco o nada: *Tus amenazas le vienen guangas.*

guanina s.f. Base nitrogenada que forma parte de los ácidos ribonucleico y desoxirribonucleico: *La adenina, la guanina, la citosina, la timina y el uracilo son las cinco bases nitrogenadas que forman los ácidos nucleicos.*

guano s.m. **1** Materia formada por la acumulación de excrementos de aves marinas, que se encuentra en gran cantidad en las costas de Perú y del norte de Chile (países americanos) y que se usa como abono: *El guano es muy rico en nitrógeno y fósforo.* **2** Abono mineral fabricado a imitación de esta materia: *En el almacén de fertilizantes venden sacos de guano.*

guantada s.f. →**guantazo.**

guantazo s.m. **1** Golpe dado con la mano abierta: *Le pegó un guantazo y le dejó la cara roja.* ☐ SINÓN. *guantada.* **2** *col.* Golpe fuerte o violento: *Iba a toda velocidad y se pegó un guantazo tremendo contra un árbol.* ☐ SINÓN. *guantada.*

guante s.m. **1** Prenda para cubrir o para proteger la mano, que suele tener una funda para cada dedo: *En invierno uso guantes de lana.* **2** || **arrojar el guante** a alguien; desafiarlo o provocarlo para que luche o compita: *Le arrojó el guante a su oponente, pero este se fue sin querer discutir.* || **colgar los guantes;** retirarse de una actividad, esp. del boxeo. || **como un guante;** *col.* Muy dócil u obediente: *Desde que le echaste esa bronca está como un guante.* || **de guante blanco;** referido esp. a un ladrón, que actúa sin violencia y con gran corrección. ☐ ETIMOL. Del germánico *want.*

guantelete s.m. En una armadura, pieza que cubre y protege la mano: *La lanza rompió el guantelete e hirió la mano del caballero.* ☐ SINÓN. *manopla.* ☐ ETIMOL. Del francés *gantelet.*

guantera s.f. En un automóvil, espacio cerrado situado en el salpicadero y que sirve para guardar objetos: *En la guantera llevo la póliza del seguro y unas gafas de sol.*

guapachoso, sa adj./s. En zonas del español meridional, de ritmo tropical o alegre.

guapamente adv. *col.* Muy bien: *Con los dos sueldos viven tan guapamente.*

guaperas (pl. *guaperas*) adj.inv./s.com. *col.* Guapo, esp. si presume de ello: *Estoy harta de guaperas y presuntuosos.*

guaperío s.m. *col.* Grupo de personas famosas y de alto nivel económico y social: *El guaperío suele ir a los sitios de moda.*

guapetón, -a adj./s. *col.* Referido a una persona, que es muy guapa: *Estás muy guapetón con ese corte de pelo.*

guapeza s.f. Belleza o buen aspecto físico.

guapo, pa ▮ adj. **1** Referido a una persona, que es físicamente atractiva o que tiene una cara bella. **2** Bien vestido o arreglado. **3** *col.* Bonito, bueno o que resulta interesante: *Tiene una casa muy guapa.* ▮ adj./s. **4** *col.* Persona decidida y valiente: *¿Quién es el guapo que se atreve a pedirle un aumento al jefe?* ☐ ETIMOL. Del latín *vappa* (bribón, granuja).

guapura s.f. *col.* Guapeza.

guaracha s.f. **1** Composición musical originaria de Cuba y Puerto Rico (islas caribeñas): *Esta orquesta interpreta muy bien las guarachas.* **2** Baile que se ejecuta al compás de esta música, de movimiento rápido, y semejante al zapateado: *Me gusta mucho bailar la guaracha.*

guarache s.m. Sandalia tosca de cuero: *Muchos campesinos mejicanos usan guaraches.*

guaraná (pl. *guaranás*) s.f. **1** Arbusto de origen americano, con tallos de tres a cuatro metros de longitud, flores blancas y fruto en cápsula, cuyas semillas son negras y del tamaño de un guisante. **2** Pasta que se obtiene a partir de estas semillas. **3** Bebida refrescante preparada con esta pasta, que es eficaz contra la fiebre y tiene propiedades desinfectantes, diuréticas y antihemorrágicas. ☐ ETIMOL. De origen americano.

guarangada s.f. *col.* En zonas del español meridional, grosería: *No dejó de decir guarangadas.*

guarango, ga adj. *col.* En zonas del español meridional, grosero: *Es un joven guarango y bastante descarado.*

guaraní (pl. *guaraníes, guaranís*) ▮ adj.inv./s.com. **1** De un pueblo amerindio suramericano que se extendía, dividido en diferentes grupos, entre el río Amazonas y el Río de la Plata, o relacionado con él: *Actualmente perviven grupos de guaraníes en Paraguay y en Brasil.* ▮ s.m. **2** Lengua americana de este pueblo, hablada hoy en Paraguay (país americano) y en otras regiones limítrofes: *El guaraní y el español son las lenguas oficiales de Paraguay.* **3** Unidad monetaria paraguaya.

guarapo s.m. **1** Jugo de la caña de azúcar exprimida: *Del guarapo se obtiene el azúcar por vaporización.* **2** Bebida fermentada hecha con este jugo: *Nos tomamos unos guarapos antes de comer.*

guarda ▮ s.com. **1** Persona que tiene a su cargo el cuidado o la conservación de algo: *Los guardas forestales evitan muchos incendios en los bosques.* ▮ s.f. **2** Cuidado, conservación o defensa de algo: *Un notario es el encargado de la guarda y custodia de estos documentos.* **3** Autoridad legal que se concede a una persona adulta para que cuide de un menor o de una persona legalmente incapacitada: *Al morir el padre, la madre es la única encargada de la guarda y custodia de los hijos.* ☐ SINÓN. *tutela.* **4** En un libro encuadernado, cada una de las dos hojas que se ponen al principio y al final unidas a las cubiertas: *En muchas encuadernaciones de lujo, los libros llevan guardas de cartulina.* **5** ‖ **guarda jurado;** el que jura su cargo y sus responsabilidades ante la autoridad, pero puede ser contratado por empresas particulares. ☐ ETIMOL. Quizá del germánico *warda* (acto de buscar con la vista). ☐ ORTOGR. Dist. de *guardia.* ☐ MORF. En la acepción 4, se usa más en plural.

guardabanderas (pl. *guardabanderas*) s.m. Marinero que se encarga del cuidado de las brújulas, de las banderas y de otros objetos de navegación: *El guardabanderas comprobó que las banderas de señales estaban preparadas.*

guardabarrera s.com. En las líneas de ferrocarril, persona encargada de la vigilancia de un paso a nivel: *El guardabarrera acciona las barreras para que los coches se detengan cuando el tren va a pasar por la vía.*

guardabarros (pl. *guardabarros*) s.m. En algunos vehículos, pieza curva que está situada sobre cada una de sus ruedas para evitar las salpicaduras: *La bici no tenía guardabarros en la rueda trasera, y llegué con la espalda salpicada de barro.* ☐ SINÓN. *aleta, salvabarros.*

guardabosque s.com. →**guardabosques.**

guardabosques (pl. *guardabosques*) s.com. Persona que cuida y vigila los bosques: *El guardabosques nos dijo que no podíamos acampar en esa zona.* ☐ SINÓN. *guardabosque.*

guardacantón s.m. Bloque de piedra que protege las esquinas de los edificios de los golpes de los vehículos, o que se coloca para impedir el paso de estos a través de un camino o paseo: *Al comienzo de esta calle han puesto guardacantones para impedir el paso de los coches.*

guardacoches (pl. *guardacoches*) s.com. Persona que aparca y vigila los automóviles en un aparcamiento: *En algunos establecimientos hay guardacoches que vigilan los coches de los clientes.*

guardacostas (pl. *guardacostas*) s.m. Barco pequeño destinado a la vigilancia de las costas, esp. el dedicado a la persecución del contrabando: *El guardacostas ha apresado una lancha que transportaba droga.*

guardaespaldas (pl. *guardaespaldas*) s.com. Persona que se dedica profesionalmente a acompañar a otra para protegerla: *Desde que sufrió un atentado, siempre va acompañada por sus guardaespaldas.*

guardaesquís (pl. *guardaesquís*) s.m. Armario donde se dejan los esquís después de esquiar: *Quítate los esquís y ponlos en el guardaesquís antes de entrar en la casa.*

guardagujas (pl. *guardagujas*) s.com. Persona encargada del manejo de las agujas en los cambios de vía de los ferrocarriles.

guardainfante s.m. Armazón redondo hecho de alambres con cintas, que se ponían las mujeres en la cintura y bajo la falda para ahuecarla: *En el cuadro de 'Las Meninas', la infanta lleva guardainfante.* ☐ ETIMOL. De *guardar* e *infante*, porque con el guardainfantes las mujeres podían ocultar que estaban embarazadas. ☐ ORTOGR. Se usa también *guardainfantes.*

guardainfantes (pl. *guardainfantes*) s.m. →**guardainfante.**

guardamano s.m. En una espada, guarnición o defensa que se pone junto al puño para proteger la mano. ☐ ORTOGR. Se usa también *guardamanos.*

guardamanos (pl. *guardamanos*) s.m. →**guardamano.**

guardameta s.com. En algunos deportes de equipo, jugador que debe evitar que el balón entre en la portería: *En fútbol, el guardameta es el único jugador que puede tocar el balón con las manos.* ☐ SINÓN. *portero.* ☐ MORF. Se usa mucho la forma abreviada *meta.*

guardamuebles (pl. *guardamuebles*) s.m. Local destinado a guardar muebles: *Al mudarnos a una casa más pequeña, tuvimos que dejar varios muebles en un guardamuebles.*

guardapelo s.m. Joya en forma de caja plana en la que se guardan pequeños objetos de recuerdo: *El caballero guardaba un mechón de pelo de su amada en un guardapelo de plata.*

guardapiés (pl. *guardapiés*) s.m. Antiguo vestido femenino de tela lujosa, que cubría hasta los pies: *El vestuario de la obra teatral incluía varios guardapiés de terciopelo.* ☐ SINÓN. *brial.*

guardapolvo s.m. **1** Prenda de vestir amplia, larga y con mangas, hecha de tela ligera, que se pone sobre el traje para que no se ensucie. **2** Funda con que se cubre algo para evitar que se llene de polvo: *Cuando terminó de coser, cubrió la máquina con un guardapolvo.*

guardar ▌v. **1** Cuidar, vigilar o defender: *El perro ayuda al pastor a guardar el ganado.* **2** Colocar en un lugar seguro o apropiado: *Guardó el dinero en la caja fuerte.* **3** Conservar o retener: *Guardo un buen recuerdo de ellos.* **4** Referido a algo a lo que se está obligado, cumplirlo o acatarlo: *Todos tenemos que guardar las normas de nuestra comunidad.* **5** Ahorrar o no gastar: *Guarda parte de su asignación semanal para comprarse una moto.* ▌prnl. **6** Referido a algo que encierra un daño o un peligro, precaverse de ello: *Guárdate de los falsos amigos, porque te traicionarán.* **7** Referido a una acción, dejar de hacerla o evitar su realización: *Me guardaré muy bien de asistir a esa reunión.* **8** ‖ **guardársela** a alguien; *col.* Esperar el momento oportuno para vengarse de él: *Ésta se la guardo, y algún día me pagará la faena que me ha hecho.* ☐ ETIMOL. Del germánico *wardon* (montar guardia, aguardar). ☐ SINT. Constr. como pronominal: *guardarse* DE *algo.*

guardarraíl s.m. Protección que se coloca en algunas carreteras para separar los carriles, o como medida de seguridad en las zonas peligrosas: *El accidente se produjo porque el conductor chocó contra el guardarraíl.*

guardarraya s.f. En zonas del español meridional, camino estrecho entre dos espacios cultivados.

guardarropa s.m. **1** En un local público, habitación donde se dejan los abrigos y otros objetos. **2** Conjunto de prendas de vestir de una persona: *Lo único que le falta a tu guardarropa es un traje de chaqueta.*

guardarropía s.f. En teatro, cine y televisión, conjunto de trajes y de objetos que se emplean en las representaciones o en los rodajes: *La guardarropía de muchas películas históricas se confecciona con el asesoramiento de historiadores.*

guardavía s.com. Persona encargada de la vigilancia de un tramo de la vía férrea: *El guardavía comunicó que no había ocurrido ningún incidente a lo largo de la mañana.*

guardería s.f. Centro en el que se cuida a niños pequeños que aún no están en edad escolar: *Los padres que trabajan suelen llevar a sus hijos a la guardería.*

guardés, -a s. Persona encargada de guardar una casa o una finca: *La guardesa de la finca nos impidió el paso porque no nos conocía.* ☐ SEM. Dist. de *guardia* (persona que pertenece a algún cuerpo encargado de la defensa o de la vigilancia) y de *guardián* (persona que guarda algo y cuida de ello).

guardia ▌s.com. **1** Persona que pertenece a alguno de los cuerpos encargados de determinadas funciones de vigilancia o de defensa: *Una guardia de tráfico me puso una multa por aparcar mal el coche. Los guardias civiles visten uniforme de color verde.* ▌s.f. **2** Cuidado, vigilancia, protección o defensa: *Dos policías se ocupan de la guardia del ministerio.* **3** Conjunto de personas armadas que se encargan de la defensa o vigilancia de una persona o de un lugar: *La ministra siempre iba escoltada por tres guardaespaldas que constituían su guardia personal.* **4** Cuerpo encargado de determinadas funciones de vigilancia o de defensa: *La guardia municipal es la encargada de mantener el orden en cada Ayuntamiento.* **5** Servicio de defensa o de vigilancia: *Durante la noche haremos guardias para vigilar el campamento.* **6** Servicio especial que se presta fuera del horario de trabajo obligatorio: *Las farmacias de guardia están abiertas los días festivos.* **7** Postura y actitud de defensa: *Mantente en guardia, porque creo que se está tramando algo contra ti.* **8** ‖ **bajar la guardia;** descuidar la defensa o la vigilancia. ‖ **guardia civil;** cuerpo de seguridad español destinado principalmente a mantener el orden público en las zonas rurales y a vigilar las costas, las fronteras, las carreteras y los ferrocarriles: *La guardia civil fue creada en 1844.* ‖ **guardia de Corps;** la destinada a proteger al Rey: *La guardia de Corps fue introducida en España por Felipe V.* ‖ **guardia marina;** →**guardiamarina.** ‖ **guardia suiza;** la que da escolta al Papa y se ocupa del mantenimiento del orden en la ciudad del Vaticano: *La guardia suiza está formada por católicos suizos.* ‖ **poner en guardia** a alguien; llamarle la atención sobre un posible riesgo o peligro. ‖ **vieja guardia;** en una organización, esp. en un partido político, sector que se aferra a la ideología originaria y se resiste a admitir cambios: *La vieja guardia se opuso a las nuevas reformas dentro del partido.* ☐ ETIMOL. Del gótico *wardja* (el que monta la guardia, centinela, vigía). ☐ ORTOGR. Dist. de *guarda.* ☐ MORF. El plural de *guardia civil* es *guardias civiles.*

☐ SEM. Dist. de *guardés* (persona encargada de guardar una casa o una finca) y de *guardián* (persona que guarda algo y cuida de ello).

guardiamarina (tb. *guardia marina*) s.com. Alumno que cursa los dos últimos años en una escuela naval militar: *Los guardiamarinas pasan muchos meses en alta mar.*

guardián, -a s. Persona que guarda algo y cuida de ello: *El guardián del almacén oyó ruidos extraños y llamó a la policía.* ☐ ETIMOL. Del gótico *wardjan*, y este de *wardja* (centinela, vigía). ☐ SEM. Dist de *guardés* (persona encargada de guardar una casa o una finca) y de *guardia* (persona que pertenece a algún cuerpo encargado de la defensa o de la vigilancia).

guardilla s.f. →**buhardilla.**

guarecer ▌v. **1** Proteger de un daño o peligro: *La vieja choza nos guareció de la tormenta.* ▌prnl. **2** Refugiarse en un lugar para librarse de un daño o peligro: *Nos guarecimos en los soportales hasta que pasó la lluvia.* ☐ ETIMOL. Del antiguo *guarir* (resguardar, proteger, curar). ☐ ORTOGR. Dist. de *guarnecer.* ☐ MORF. Irreg. →PARECER. ☐ SINT. Constr. *guarecer(se)* DE *algo.*

guarida s.f. **1** Lugar resguardado en el que se refugian los animales: *El oso herido se escondió en su guarida.* **2** Refugio o lugar oculto al que acude una persona para librarse de un daño o peligro: *Los ladrones tenían su guarida en una casa abandonada.* ☐ ETIMOL. Del antiguo *guarir* (resguardar).

guarismo s.m. **1** Signo con que se representa un número: *El número 980 está formado por tres guarismos.* ☐ SINÓN. *cifra.* **2** Expresión de una cantidad con dos o más de estos signos: *Una docena se expresa numéricamente con el guarismo 12.*

guarnecedor, -a adj./s. Que guarnece.

guarnecer v. **1** Poner guarnición: *Guarneció los puños de la blusa con unos encajes.* **2** Referido a un lugar, protegerlo o defenderlo: *La tropa que guarnecía el castillo fue aniquilada por el enemigo.* **3** Referido a una pared, revocarla o revestirla: *Después de poner los ladrillos debes guarnecer la pared con yeso.* ☐ ETIMOL. Del antiguo *guarnir.* ☐ ORTOGR. Dist. de *guarecer.* ☐ MORF. Irreg. →PARECER.

guarnición ▌s.f. **1** Alimento o conjunto de alimentos que se sirven como complemento con la carne y el pescado: *Nos sirvió la ternera con una guarnición de guisantes y pimientos.* **2** Adorno, esp. el que se pone sobre una prenda de vestir o sobre una colgadura: *El vestido de fiesta lleva una guarnición de lentejuelas brillantes.* **3** Tropa que protege o defiende un lugar: *Fue necesario reforzar la guarnición de la plaza con dos compañías más.* **4** En un arma blanca, esp. en una espada, defensa que se pone junto al puño para proteger la mano: *La guarnición de esta espada está finamente labrada.* ▌pl. **5** Conjunto de correas y otros objetos que se ponen a las caballerías para que tiren de un carruaje, para montarlas o para cargarlas: *La silla de montar, la collera y las riendas forman parte de las guarniciones.* ☐ ETIMOL. Del antiguo *guarnir* (guarnecer).

guarnicionería s.f. Lugar en el que se fabrican o se venden guarniciones para las caballerías y otros objetos de cuero: *En la guarnicionería puedes comprar nuevas correas para los caballos.*

guarnicionero, ra s. **1** Persona que fabrica objetos de cuero: *Este guarnicionero hace cinturones para una tienda de mi barrio.* **2** Persona que fabrica o vende guarniciones para las caballerías: *Las sillas de montar que hace este guarnicionero tienen un acabado perfecto.*

guarrada s.f. **1** Hecho que causa un perjuicio, esp. si es malintencionado: *Nunca le perdonaré la guarrada que me hizo.* ☐ SINÓN. *faena.* **2** Lo que está sucio o mal hecho: *Daba asco estar en esa guarrada de local.* ☐ SINÓN. *cerdada, cochinada, gorrinada, guarrería, marranada.* **3** Lo que se considera indecoroso o contrario a la moral establecida: *El anciano decía que aquel espectáculo era una guarrada.* ☐ SINÓN. *cerdada, cochinada, gorrinada, guarrería, marranada.*

guarrazo s.m. *col.* Golpe que se da alguien al caer: *¡Menudo guarrazo se metió cuando resbaló con la cáscara del plátano!*

guarrear v. Manchar, ensuciar o hacer guarrerías: *A todos los niños les encanta jugar guarreando con el barro.*

guarreras (pl. *guarreras*) adj.inv./s.com. *col.* Referido a una persona, que es muy sucia: *Va por ahí lleno de mugre y hecho un guarreras.*

guarrería s.f. **1** →**guarrada. 2** Suciedad o basura: *¡A ver si limpias toda esta guarrería!* ☐ SINÓN. *porquería.*

guarrindongo, ga adj./s. *col.* Guarro: *No seas guarrindonga y lávate los dientes después de comer.*

guarro, rra ▌adj./s. **1** *col.* Sucio o falto de limpieza: *No sé cómo puedes vivir en un lugar tan guarro.* ☐ SINÓN. *cerdo.* **2** *col.* Referido a una persona, que tiene mala intención o carece de escrúpulos: *El tío guarro ha ido poniéndome verde a mis espaldas.* ☐ SINÓN. *cerdo.* ▌s. **3** Mamífero doméstico de cuerpo grueso, cola en forma de espiral, patas cortas y cabeza grande con un hocico casi cilíndrico, que se cría para aprovechar su carne: *En el campo vimos unos guarros sueltos comiendo bellotas.* ☐ SINÓN. *cerdo.* **4** ‖ **no tener ni guarra;** *vulg.* No saber absolutamente nada. ☐ ETIMOL. De origen onomatopéyico.

guasa s.f. Véase **guaso, sa.**

guasca (tb. *huasca*) s.f. Tira de cuero o soga que se suele emplear como látigo: *Usé la guasca para domar el caballo.*

guasearse v.prnl. Burlarse o tomarse a guasa: *Me sienta muy mal que se guasee de mi timidez delante de todos.* ☐ SINT. Constr. *guasearse* DE *algo.*

guásima s.f. Árbol americano que tiene la corteza del tronco resbaladiza. ☐ ETIMOL. Del taíno *guasuma.*

guaso, sa ▌adj./s. **1** En zonas del español meridional, campesino. ▌s.f. **2** *col.* Broma, burla o intención burlesca: *No sé si creerlo, porque lo dijo con mucha* *guasa*. □ ORTOGR. En la acepción 1, se usa también *huaso*.

guasón, -a adj./s. Que tiene guasa o que es aficionado a hacer uso de bromas: *No tomes en serio sus respuestas porque es una guasona.*

guata s.f. **1** Lámina gruesa de algodón, preparada para servir como acolchado o como material de relleno: *El edredón de mi cama está relleno de guata.* **2** *col.* En zonas del español meridional, barriga. □ ETIMOL. La acepción 1, del árabe *wadd'a* (poner entretela o forro en el vestido). La acepción 2, del mapuche *huata*.

guateado, da adj. Que está relleno con guata: *una bata guateada.*

guatear v. Rellenar con guata: *Voy a guatear esta bata para que me abrigue más.*

guatemalteco, ca adj./s. De Guatemala o relacionado con este país americano: *La capital guatemalteca es Ciudad de Guatemala.*

guatemaltequismo s.m. En lingüística, americanismo propio de Guatemala (país americano): *En ese diccionario se han recogido muchos guatemaltequismos.*

guateque s.m. Fiesta particular, celebrada generalmente en una casa, en la que se come y se baila: *Los guateques eran muy populares entre los jóvenes de la década de 1960.*

guatero s.m. En zonas del español meridional, bolsa de agua caliente: *Me puse un guatero en los pies.*

guatón, -a adj./s. *col.* En zonas del español meridional, barrigudo: *A ella no le gustan nada los guatones.*

guau interj. Expresión que se usa para indicar admiración o alegría: *¡Guau, hemos vuelto a ganar!*

guay (pl. *guay*) adj.inv. *col.* Muy bueno o excelente: *Subir hasta la cima de la montaña fue una experiencia guay.* □ ORTOGR. Se usa también *guai*. □ SINT. Se usa también como adverbio de modo: *Estas vacaciones lo hemos pasado guay.*

guayaba s.f. Fruto comestible del guayabo, que tiene un tamaño parecido al de una pera, sabor dulce y la carne llena de semillas pequeñas: *La guayaba es una fruta muy rica en vitaminas.*

guayabera s.f. Chaqueta o camisa sueltas y de tela ligera, cuyas faldas suelen llevarse por encima del pantalón: *La guayabera es una prenda veraniega.*

guayabo s.m. **1** Árbol americano que tiene el tronco torcido y con muchas ramas, hojas puntiagudas, ásperas y gruesas, y flores blancas y olorosas: *El fruto del guayabo es la guayaba.* **2** Mujer joven y atractiva: *Mi abuela dice que mi hermana y yo ya estamos hechas unos verdaderos guayabitos.* **3** En zonas del español meridional, resaca tras la borrachera: *Ayer tomé mucho y hoy tengo guayabo.*

guayacán s.m. Árbol propio de América tropical, de tronco grande, ramoso y torcido, y con flores de color blanco azulado: *La madera del guayacán es muy dura y se emplea en ebanistería.*

guayanés, -a adj./s. De Guayana Francesa o relacionado con este país americano: *Cayenne es la capital guayanesa.* □ SEM. Dist. de *guyanés* (de Guyana).

guayín s.amb. En zonas del español meridional, vehículo utilizado para transportar carga o pasajeros y con una puerta en la parte de atrás.

guayuco s.m. Prenda de vestir usada por los indígenas americanos y que consiste en un taparrabo o en una especie de pantalón corto hasta la rodilla: *Algunos indios se cubrían con un guayuco.*

guayule s.m. Planta americana que produce caucho. □ ETIMOL. Del náhuatl *cuahuitl* (árbol) y *uli* (hule).

gubernamental adj.inv. **1** Del gobierno del Estado: *medidas gubernamentales.* **2** Partidario del Gobierno o favorecedor del principio de autoridad: *partidos gubernamentales.*

gubernamentalista adj.inv. Que es partidario del gobierno: *Se acusó al programa de televisión de ser gubernamentalista.*

gubernativo, va adj. Referido esp. a una orden o a una normativa, que proceden del Gobierno: *orden gubernativa.*

gubia s.f. Herramienta formada por una barra de hierro acerado, con la punta en bisel, que se utiliza para labrar superficies curvas: *La gubia es una herramienta muy utilizada por carpinteros y ebanistas.* □ ETIMOL. Del latín *gubia* (formón).

gudari (eusk.) s.m. Guerrero o soldado: *Aquel gudari luchó en la guerra.*

guedeja s.f. **1** Mechón de pelo: *El suelo pronto se cubrió con las guedejas que el peluquero iba cortando.* **2** Cabellera larga: *La dama peinaba su guedeja con un peine de marfil.* **3** Melena del león: *El león tiene cubiertas la cabeza y la parte anterior del cuerpo por una espesa guedeja.* □ ETIMOL. Del latín *viticula* (vid pequeña), que pasó a significar *zarcillo de vid*, y de ahí *tirabuzón o rizo en espiral*.

guelde s.m. En zonas del español meridional, pejerrey. □ MORF. Es un sustantivo epiceno: *el guelde {macho/hembra}*.

güelfo, fa adj./s. En la época medieval, partidario de la autoridad del papa sobre Italia: *Las luchas civiles entre güelfos y gibelinos ensangrentaron Italia entre los siglos XII y XV.* □ ETIMOL. De *Welf* (nombre de una familia alemana partidaria de los papas). □ SEM. Dist. de *gibelino* (partidario de la autoridad de los emperadores del imperio alemán sobre Italia).

guepardo s.m. Mamífero felino y carnicero domesticable, de pelaje claro con manchas oscuras, que vive en algunos desiertos asiáticos y africanos: *El guepardo es un animal muy veloz que puede alcanzar los 100 km/h.* □ SINÓN. *gatopardo, onza.* □ ETIMOL. Del francés *guépard*. □ MORF. Es un sustantivo epiceno: *el guepardo {macho/hembra}*.

güerco, ca s. En zonas del español meridional, muchacho.

güero, ra adj. **1** →**huero.** **2** En zonas del español meridional, rubio.

guerra s.m. **1** Lucha armada entre naciones o entre grupos contrarios: *Todas las guerras resultan crueles para vencedores y vencidos.* **2** Pugna o lucha, esp. la que se produce entre dos o más personas: *Los dos novelistas siguen con su guerra de descalificaciones mutuas.* **3** || **dar guerra;** *col.* Causar molestia, esp. referido a un niño: *Pórtate bien y no des guerra a los abuelos.* || **de antes de la guerra;** *col.* Muy antiguo. || **guerra civil;** la que se produce entre los habitantes de un mismo pueblo o nación: *La última guerra civil española se produjo entre 1936 y 1939.* || **guerra {de nervios/psicológica};** la que se desarrolla sin violencia física entre los adversarios y solo recurre a procedimientos para desmoralizar al contrario: *La guerra psicológica se sirve con frecuencia de propaganda engañosa contra el enemigo.* || **guerra fría;** situación de hostilidad y de tensión entre dos naciones o grupos de naciones, esp. la que surgió entre los bloques capitalista y socialista tras la Segunda Guerra Mundial: *La guerra fría dio lugar a una rápida formación de bloques militares enfrentados.* || **guerra santa;** la que se hace por motivos religiosos, esp. la que hacen los musulmanes contra los que no lo son. || **guerra sin cuartel;** aquella en la que los contendientes están dispuestos a luchar hasta morir: *Esas dos familias de mafiosos llevan tiempo luchando en una guerra sin cuartel.* || **guerra sucia;** conjunto de acciones violentas que se realizan contra la población civil, sin tener en cuenta el derecho establecido. □ ETIMOL. Del germánico **werra* (pelea, tumulto).

guerrear v. Hacer la guerra: *Los señores feudales guerreaban unos contra otros.*

guerrera s.f. Véase **guerrero, ra.**

guerrero, ra ▮ adj. **1** De la guerra o relacionado con ella: *Los celtas fueron un pueblo guerrero.* □ SINÓN. *bélico.* **2** *col.* Travieso o revoltoso, esp. referido a un niño: *Con este niño tan guerrero no se puede ir a ninguna parte.* ▮ s. **3** Persona que lucha en la guerra: *Los guerreros íberos resistieron con valentía la invasión romana.* ▮ s.f. **4** Chaqueta ajustada y abrochada desde el cuello que forma parte de algunos uniformes militares.

guerrilla s.f. Grupo de personas armadas no pertenecientes al ejército que, al mando de un jefe particular y aprovechando su conocimiento del terreno y su facilidad de maniobra, luchan contra el enemigo mediante ataques por sorpresa: *Durante la Guerra de la Independencia, los españoles se organizaron en guerrillas para luchar contra los ejércitos de Napoleón.*

guerrilleiro, ra (gall.) ▮ adj. **1** De la organización terrorista 'Exército Guerrilleiro do Pobo Galego Ceibe', o relacionado con ella. ▮ adj./s. **2** Que es miembro de esta organización.

guerrillero, ra s. Persona que sirve en una guerrilla o que es jefe de ella: *Espoz y Mina fue un guerrillero de la Guerra de Independencia española.*

gueto s.m. **1** Minoría de personas con un mismo origen, que vive marginada del resto de la sociedad: *El gueto musulmán se rebela contra la opresión que encuentra en los países europeos.* **2** Barrio en el que vive esta minoría de personas: *Una bula pontificia del siglo XVI obligaba a los judíos a vivir en guetos.* □ ETIMOL. Del italiano *ghetto.* □ USO Es innecesario el uso del italianismo *ghetto.*

güevón, -a (tb. *huevón, -a*) s.m. *vulg.malson.* En zonas del español meridional, imbécil. □ USO Se usa como insulto.

güey s.m. **1** *col. desp.* En zonas del español meridional, persona tonta. **2** *col.* En zonas del español meridional, persona cuya identidad se ignora o no se quiere decir.

guía ▮ s.com. **1** Persona que conduce a otras, les muestra algo o da explicaciones sobre ello, esp. si está legalmente autorizada para realizar este trabajo: *El guía explicó a los turistas las distintas partes de la catedral.* ▮ s.f. **2** Lo que dirige, encamina o sirve de orientación: *La profesora nos ha dado una guía de lectura para 'Fuenteovejuna'.* **3** Tratado en el que se marcan determinadas pautas de comportamiento: *En esta 'Guía del buen agricultor' se indican las épocas adecuadas para sembrar cada producto.* **4** Lista impresa de datos o noticias referentes a una determinada materia: *Encontré tu número en la guía de teléfonos.* □ SINT. En la acepción 2, se usa mucho en aposición, pospuesto a un sustantivo: *libro guía; palabra guía.*

guiar ▮ v. **1** Ir delante mostrando el camino: *La tradición cuenta que una estrella guió a los Reyes Magos hasta el portal de Belén.* **2** Dirigir mediante enseñanzas y consejos: *Siempre me ha guiado el buen ejemplo de mis padres.* **3** Referido esp. a un vehículo, conducirlo: *Si no sabes guiar una bicicleta de carreras no la cojas.* ▮ prnl. **4** Dejarse dirigir o llevar: *Es muy intuitiva y se guía por corazonadas.* □ ETIMOL. De origen incierto. □ ORTOGR. La *i* lleva tilde en los presentes, excepto en las personas *nosotros* y *vosotros* →GUIAR. □ SINT. Constr. como pronominal: *guiarse* POR *algo.*

guija s.f. **1** Piedra lisa y pequeña que se encuentra en las orillas y cauces de los ríos: *Las guijas son pulidas y arrastradas por el agua.* **2** Planta herbácea con el tallo ramoso, hojas en forma de punta de lanza, flores moradas y blancas, y cuyo fruto es una legumbre: *La guija era frecuente en el campo español.* □ SINÓN. *almorta, muela, tito.* **3** Fruto o semilla de esta planta: *Las guijas tienen forma de muela.* □ SINÓN. *almorta, muela, tito.* □ ETIMOL. De origen incierto.

guijarro s.m. Piedra pequeña y lisa desgastada por la erosión: *Los guijarros abundan en las orillas de los ríos.*

guijo s.m. Conjunto de guijas o piedras pequeñas: *El guijo se usa para consolidar y rellenar los caminos.*

güila ▮ adj./s.f. **1** *col. desp.* En zonas del español meridional, referido a una mujer, que se deja seducir con facilidad. ▮ s.f. **2** En zonas del español meridional, escarabajo de gran tamaño, que es negro por encima y amarillo hacia atrás.

guillarse v.prnl. **1** *col.* →**grillarse. 2** *col.* Fugarse o irse: *Dos de los rehenes se guillaron durante la noche.* □ ETIMOL. De *guiñarse* (irse, huir), con influencia del catalán *esquitllarse* (escabullirse). □

SINT. La acepción 2 se usa mucho en la expresión *guillárselas*.

guillomo s.m. Arbusto con hojas dentadas, flores blancas en racimo, y fruto comestible del tamaño de un guisante: *Las flores del guillomo salen antes que las hojas.*

guillotina s.f. **1** Máquina compuesta por una cuchilla que resbala por un armazón de madera, y que se usaba para cortar la cabeza a los condenados a muerte: *La guillotina fue inventada en Francia.* **2** En imprenta, instrumento utilizado para cortar papel: *Si necesitas cuartillas, corta estos folios por la mitad con la guillotina.* ☐ ETIMOL. Del francés *guillotine*, y este de *Guillotin*, nombre del inventor de esta máquina.

guillotinar v. **1** Referido a una persona, decapitarla o cortarle la cabeza con la guillotina: *El rey de Francia Luis XVI fue guillotinado en la época de la Revolución Francesa.* **2** Cortar de forma parecida a como lo hace la guillotina: *Guillotinó las hojas para que quedaran todas del mismo tamaño.*

güilo s.m. En zonas del español meridional, pavo. ☐ ETIMOL. Del náhuatl *huilotl*.

güilota s.f. *col.* En zonas del español meridional, tórtola.

guinche s.m. En zonas del español meridional, grúa: *Se descompuso el guinche del taller.* ☐ ETIMOL. Del inglés *winch*.

guinda s.f. **1** Fruto comestible del guindo, de forma redonda, pequeño y generalmente de sabor ácido. **2** *col.* Lo que remata, culmina o colma algo: *Aquellos insultos fueron la guinda que terminó con mi paciencia.* ☐ ETIMOL. De origen incierto.

guindalera s.f. Terreno plantado de guindos: *El paseo por la guindalera con todos los guindos en flor fue inolvidable.*

guindar v. *col.* Robar: *Le guindó el reloj mientras estaba despistado.*

guindilla s.f. **1** Variedad de pimiento, de tamaño pequeño y muy picante: *No tomes guindillas, que te va a doler el estómago.* **2** *col.* Policía municipal: *En la zarzuela, dos guindillas bailaban con dos chulapas.* ☐ USO En la acepción 2, tiene un matiz despectivo o humorístico.

guindo s.m. **1** Árbol frutal que tiene las hojas dentadas de color oscuro y las flores blancas, y cuyo fruto es la guinda. **2** ‖ **caerse** alguien **del guindo;** *col.* Darse cuenta de lo que sucede: *Menos mal que se cayó del guindo y se enteró de que lo estaban engañando.*

guinea s.f. Antigua moneda inglesa de oro: *Una guinea equivalía a veintiún chelines.* ☐ ETIMOL. Del inglés *guinea* (moneda que se hacía con oro procedente de Guinea).

guineano, na adj./s. **1** De Guinea o relacionado con este país africano. ☐ SINÓN. *guineo.* **2** De Guinea Ecuatorial o relacionado con este país africano. ☐ SINÓN. *ecuatoguineano.* **3** De Guinea-Bissau o relacionado con este país africano.

guineo, a ▮ adj./s. **1** De Guinea o relacionado con este país africano. ☐ SINÓN. *guineano.* ▮ s.m. **2** Tipo de plátano americano.

guiñada s.f. →**guiño.**

guiñapo s.m. **1** Trapo o prenda de vestir rotos, sucios, arrugados o estropeados: *Dobla bien la camisa, que la has dejado hecha un guiñapo.* **2** Persona débil, enfermiza o decaída moralmente: *La gripe me ha dejado hecha un guiñapo.* ☐ ETIMOL. Del antiguo *gañipo*, con influencia de *harapo*.

guiñar v. **1** Referido a un ojo, cerrarlo brevemente mientras el otro permanece abierto: *Guiñar el ojo a otra persona suele ser signo de complicidad.* **2** Referido a los ojos, cerrarlos ligeramente, esp. por efecto de la luz o por mala visión: *Ponte las gafas y deja de guiñar los ojos.* ☐ ETIMOL. De origen expresivo.

guiño s.m. **1** Cierre breve de un ojo mientras el otro permanece abierto: *Ese que me hace guiños es un compañero de clase.* ☐ SINÓN. *guiñada.* **2** Mensaje que no se expresa claramente: *Aquella llamada de teléfono fue un guiño para que supiera que podía confiar en él.* ☐ SINÓN. *guiñada.*

guiñol s.m. **1** Representación teatral por medio de muñecos o títeres manejados por una persona que introduce su mano en el interior de los mismos y que se oculta tras el escenario. **2** Muñeco o títere con los que se hace esta representación teatral. ☐ ETIMOL. Del francés *guignol*.

guión (tb. *guion*) s.m. **1** Escrito esquemático en el que se apuntan de forma breve y ordenada algunas ideas y que sirve como ayuda o como guía para algo, esp. para desarrollar un tema: *Está preparando el guión de la conferencia.* **2** Texto que contiene los diálogos, las indicaciones técnicas y los detalles necesarios para la realización de una película o de un programa de radio o de televisión: *Esta película se llevó el premio al mejor guión.* **3** En ortografía, signo gráfico de puntuación formado por una pequeña raya horizontal que se coloca a la altura del centro de la letra y que se usa generalmente para partir palabras al final de un renglón o como separación de fechas o de componentes de palabras compuestas: *El signo - es un guión.* ☐ ETIMOL. Quizá del antiguo francés *guion* (el que guía). ☐ ORTOGR. Se escribe con tilde si se pronuncia como bisílabo: *gui-ón*. Se escribe sin tilde si se pronuncia como monosílabo: *guion*.

guionista s.com. Persona que se dedica a escribir guiones de películas o de programas de radio o televisión, esp. si esta es su profesión: *Algunos grandes escritores fueron guionistas de cine.*

guionizable adj.inv. Que puede ser adaptado según las características de un guión: *literatura guionizable.*

guionizador s.m. Aplicación informática que separa las palabras en sílabas.

guionizar v. **1** Adaptar dando la forma y las condiciones de un guión: *Para hacer esta película, han guionizado una novela muy famosa.* **2** Escribir un guión: *Esa serie de televisión la guioniza una amiga* *mía.* ☐ ORTOGR. La *z* se cambia en *c* delante de *e* →CAZAR.

guipar v. *col.* Ver o descubrir: *Aunque me hice el tonto, lo guipé rápidamente.*

guipuchi adj.inv./s.com. *col. desp.* Guipuzcoano.

guipur s.m. Tejido de encaje de malla gruesa: *El vestido que se hizo para la fiesta era de guipur.* ☐ ETIMOL. Del francés *guipure.*

guipuzcoano, na adj./s. De Guipúzcoa o relacionado con esta provincia española: *La ría guipuzcoana del Bidasoa hace frontera con Francia.*

guiri s.com. **1** *col. desp.* Extranjero: *No debes llamar guiri a un extranjero, porque es una falta de respeto.* **2** *col. desp.* Miembro de la guardia civil. ☐ ETIMOL. La acepción 2, del euskera *Guiristino* (cristino, partidario de la regente María Cristina), porque los vascos carlistas consideraban extranjeros a los españoles cristinos.

guirigay (pl. *guirigáis*) s.m. *col.* Alboroto, lío o follón: *Con tanta gente y tanto ruido la fiesta era un guirigay.* ☐ ETIMOL. De origen onomatopéyico.

guirlache s.m. Dulce o pasta comestible hechos con almendras tostadas y caramelo: *turrón de guirlache.* ☐ SINÓN. *crocante.* ☐ ETIMOL. Quizá del francés antiguo *grillage* (manjar tostado).

guirnalda s.f. Tira hecha con flores, hojas u otras cosas entretejidas, que se usa como adorno: *Adornaba su cabeza con una guirnalda de flores a modo de corona.* ☐ ETIMOL. Del antiguo *guirlanda.*

guisa s.f. Modo, manera o semejanza con algo: *¿Cómo se te ocurre presentarte vestido de esa guisa?* ☐ ETIMOL. Del germánico *wisa.*

guisado s.m. Plato preparado generalmente con trozos de carne, patatas, verduras u otros ingredientes, cocidos y con salsa: *Tomamos un guisado calentito que nos sentó muy bien.* ☐ SINÓN. *guiso.*

guisante s.m. **1** Planta trepadora, cuya semilla está dentro de una vaina, es de forma casi esférica y muy apreciada para la alimentación humana: *El guisante de la huerta ya está en flor.* **2** Semilla de esta planta: *De primer plato tomaré guisantes con jamón.* ☐ ETIMOL. Del mozárabe *bissáut*, con influencia de *guisar* y de *guija* (almorta).

guisar ▮ v. **1** Referido a un alimento, prepararlo sometiéndolo a la acción del fuego, esp. si se hace cociéndolo en una salsa después de rehogarlo: *Guisa muy bien la carne. Cuando se pone a guisar, se pasa toda la mañana en la cocina.* ▮ prnl. **2** Disponer, preparar u organizar: *Intuyo que aquí se está guisando un negocio que me interesa.* ☐ ETIMOL. De *guisa* (forma de hacer algo).

guiso s.m. **1** Plato preparado generalmente con trozos de carne, patatas, verduras u otros ingredientes, cocidos y con salsa: *un guiso de ternera.* ☐ SINÓN. *guisado.* **2** Modo de cocinar que consiste en añadir una salsa al plato que se está cocinando: *Si no has puesto sal a las lentejas, échala ahora en el guiso.*

güisquería s.f. →**whiskería.**

güisqui s.m. →**whisky.** ☐ ETIMOL. Del inglés *whisky.*

guita s.f. **1** Cuerda delgada de cáñamo: *Ese macetero colgante es de guita.* **2** *col.* Dinero: *Montar un negocio cuesta mucha guita.* ☐ ETIMOL. De origen incierto.

guitarra s.f. **1** Instrumento musical de cuerda que se compone de una caja de madera en forma de ocho, con un agujero central y seis cuerdas sujetas a un puente fijo que se prolongan por un brazo o mástil en cuyo extremo superior se sitúan seis clavijas con las que se tensan las cuerdas: *El cantautor se acompañaba con una guitarra.* **2** ‖ **guitarra eléctrica;** aquella en la que la vibración de las cuerdas se recoge y amplifica mediante un equipo electrónico: *El sonido de la guitarra eléctrica es fácilmente modificable.* ☐ ETIMOL. Del árabe *quitara*, y este del griego *khitára* (cítara).

guitarreo s.m. Toque de guitarra repetido y monótono: *A la hora de la siesta, se oía un lejano guitarreo.*

guitarrería s.f. Lugar en el que se fabrican o en el que se venden guitarras y otros instrumentos musicales de cuerda: *En la guitarrería compramos una guitarra, una bandurria y un laúd.*

guitarrero, ra s. **1** Persona que hace o vende guitarras: *Si quieres una buena guitarra, yo conozco al mejor guitarrero.* **2** Persona que toca la guitarra: *Por la ventana del patio se oía a un guitarrero tocando siempre la misma melodía.* ☐ USO La acepción 2 tiene un matiz despectivo.

guitarrillo s.m. Instrumento musical de cuatro cuerdas, parecido a una guitarra muy pequeña: *Toca el guitarrillo y otros instrumentos en un grupo folclórico.*

guitarrista s.com. Músico que toca la guitarra: *Cantaba flamenco acompañado de un gran guitarrista.*

guitarro s.m. Guitarra pequeña.

güito s.m. Hueso más o menos redondeado, esp. el de las aceitunas o el de frutas como el albaricoque: *No tires los güitos al suelo y ponlos en aquel platito.*

gula s.f. **1** Exceso en la comida o en la bebida: *No comas con gula, y toma sólo lo que necesites.* **2** Sucedáneo de la angula. ☐ ETIMOL. La acepción 1, del latín *gula* (garganta). La acepción 2, es extensión del nombre de una marca comercial.

gulag s.m. Campo de concentración soviético: *En la época estalinista, muchos disidentes políticos estaban recluidos en el gulag.* ☐ ETIMOL. Del ruso *gulag.* ☐ PRON. [gulág], con la *g* final suave.

gulasch s.m. Estofado de carne y hortalizas hecho con una especia que le da un sabor muy picante: *El gulasch es un plato típico de Hungría.* ☐ ETIMOL. Del húngaro *gulyás.* ☐ PRON. [gulách], con *ch* suave.

guloso, sa adj./s. Que tiene gula: *Mi hermano es un guloso y se pasa el día comiendo a todas horas.* ☐ ORTOGR. Dist. de *goloso.*

gulusmear v. Comer golosinas habitualmente: *No gulusmees antes de las comidas.* ☐ SINÓN. *golosinear.* ☐ ETIMOL. De *gula* y *husmear.*

gulusmero, ra adj. Que gulusmea.

gumia adj.inv./s.com. *col.desp.* Tacaño: *Este tío es un gumia, no paga nunca.*

gumía s.f. Arma blanca, de hoja ancha, corta y ligeramente curva, muy usada por los moros: *En el desfile de moros y cristianos, los que hacían de moros llevaban gumías.* □ ETIMOL. Del árabe *kummiyya* (faca, cuchillo de punta curva).

gurí, -sa s. *col.* En zonas del español meridional, niño o muchacho: *Los gurises corrían por la calle.*

guripa s.m. *col.* Soldado o guardia. □ ETIMOL. Quizá de *gura* (la justicia).

gurriato s.m. Cría del gorrión: *El nido estaba lleno de gurriatos.* □ ETIMOL. De *gorrión.* □ MORF. En la acepción 1, es un sustantivo epiceno: *el gurriato {macho/hembra}.*

gurrumina s.f. En zonas del español meridional, cansancio o flojera.

gurruño s.m. Lo que está arrugado o encogido: *Te has sentado encima de la camisa y la has dejado hecha un gurruño.* □ ETIMOL. De *gurruñar* (arrugar, encoger). □ ORTOGR. Se usa también *burruño.*

gurú (pl. *gurúes, gurús*) s.m. **1** Jefe o director espiritual de un grupo religioso de inspiración oriental, esp. si es hinduista: *Las comunidades religiosas del brahmanismo están dirigidas por un gurú.* **2** Persona que, en determinadas actividades profesionales, predice lo que va a ocurrir: *Predijo la crisis económica actual porque es un gurú de las finanzas.* □ ETIMOL. De origen sánscrito.

gurumelo s.m. Seta comestible de color pardo y con el pie compacto y macizo: *El gurumelo es una seta de primavera que se da en zonas de encinas.* □ ETIMOL. Del portugués *cogumelo.*

gusa s.f. *col.* Hambre: *Vamos a comer, que tengo una gusa...*

gusanillo s.m. **1** Hilo, alambre o plástico enrollados en espiral: *Encuaderné el informe con gusanillo para que las hojas no se desperdigaran.* **2** *col.* Hambre. **3** *col.* Intranquilidad o desazón.

gusano s.m. **1** Animal de cuerpo alargado, cilíndrico, blando, sin esqueleto ni extremidades, de vida libre o parásito, y que se desplaza contrayendo y estirando el cuerpo: *La tenia y la lombriz son gusanos.* **2** Larva de algunos insectos u oruga de ciertas mariposas: *Los alimentos en descomposición crían gusanos.* **3** *col. desp.* Persona despreciable o mala: *Al negarme su ayuda se comportó como un vil gusano.* **4** *col. desp.* Persona insignificante, humilde o abatida: *Nos desprecia tanto que nos hace sentirnos auténticos gusanos.* **5** Espiral de alambre o de plástico que une las hojas de algunos cuadernos: *Los cuadernos de gusano permiten escribir por las dos caras de las hojas con mayor facilidad.* **6** En informática, programa informático que causa daño a las unidades de memoria del ordenador y que se introduce y se transmite esp. a través de la red telefónica. **7** *col. desp.* En zonas del español meridional, refugiado cubano: *A los refugiados cubanos en Miami se les llamó peyorativamente gusanos.* **8** || **gusano de seda;** oruga de la mariposa de seda: *El gusano de seda hace un capullo de seda dentro del cual se transforma primero en crisálida y después en mariposa adulta.* □ ETIMOL. De origen incierto. □ MORF. En las acepciones 1 y 2, es un sustantivo epiceno: *el gusano {macho/hembra}.* □ USO En la acepción 6, es innecesario el uso del anglicismo *worm.*

gusarapo s.m. Animal con forma de gusano que se cría en los líquidos: *La charca estaba llena de gusarapos.* □ ETIMOL. De origen incierto.

gustar v. **1** Resultar agradable o atractivo, o parecer bien: *La fruta que más me gusta es el melocotón. ¿Te gustaría ir de excursión?* **2** Sentir agrado o afición por algo: *Gusta de leer hasta altas horas de la noche.* **3** Referido esp. a un alimento, probarlo o percibir su sabor: *Gusté una pizca para ver si estaba en su punto.* **4** Probar o experimentar: *Se marchó de casa para gustar emociones fuertes.* □ ETIMOL. Del latín *gustare* (catar, probar). □ SINT. Constr. de la acepción 2: *gustar* DE *algo.* □ SEM. En forma interrogativa se usa como fórmula de cortesía para ofrecer a alguien de lo que se está comiendo o bebiendo.

gustativo, va adj. Del sentido del gusto o relacionado con él: *Distinguimos lo dulce y lo amargo gracias a las papilas gustativas de la lengua.*

gustazo s.m. *col.* Satisfacción o placer muy grandes que alguien se da a sí mismo haciendo algo no habitual: *El día de mi cumpleaños me di el gustazo de ir a un restaurante lujoso a cenar.* □ USO Se usa mucho en la expresión *darse el gustazo.*

gustillo s.m. **1** Ligero sabor que queda en la boca después de comer algo o que acompaña a otro sabor más fuerte: *Este bombón tiene gustillo a coñac.* **2** Sensación o impresión dejadas por algo: *La discusión me dejó un gustillo amargo.*

gusto s.m. **1** Sentido corporal que permite percibir y distinguir los sabores: *En los animales vertebrados, los órganos del gusto están en la lengua.* **2** Sabor de las cosas que se percibe a través de este sentido: *El café tiene un gusto amargo.* **3** Placer o deleite que se experimenta con algún motivo o que se recibe de algo: *Trabaja con gusto, porque el ambiente es bueno. Me da mucho gusto que me rasquen la espalda.* **4** Voluntad, decisión o determinación propias: *Si vienes, que sea por tu gusto.* **5** Forma propia que tiene una persona de apreciar las cosas: *Nunca nos ponemos de acuerdo, porque nuestros gustos son diferentes.* **6** Capacidad que tiene alguien para sentir o apreciar lo bello y lo feo: *Ha decorado su casa con mucho gusto.* **7** Cualidad que hace bella o fea una cosa: *Me parece un chiste grosero y de mal gusto.* **8** Estilo o tendencia artísticos: *Este salón rococó sigue el gusto francés.* **9** || **a gusto;** bien, cómodamente o sin problemas: *Nos llevamos bien y estamos a gusto juntos.* || **al gusto;** referido a un alimento, condimentado según la preferencia de quien lo va a consumir: *Alíñese la ensalada al gusto.* || **con mucho gusto;** expresión de cortesía que se usa para acceder a una petición: *Iré a buscarte al aeropuerto con mucho gusto.* || **{mucho/tanto} gusto;** expresión que se utiliza para corresponder a una presentación. ☐ ETIMOL. Del latín *gustus* (acción de catar, sabor de una cosa).

gustoso, sa adj. Referido a una persona, que hace algo con gusto: *Te acompañaré muy gustoso hasta tu casa.*

gutapercha s.f. **1** Goma vegetal translúcida, sólida, flexible e insoluble en agua, que se emplea como aislante eléctrico y para impermeabilizar tela, papel u otras materias: *La gutapercha se obtiene haciendo incisiones en el tronco de cierto árbol de la India.* **2** Tela barnizada con esta sustancia: *Las sillas están tapizadas con gutapercha.* ☐ ETIMOL. Del inglés *gutta-percha*, y este del malayo *gata* (goma) y *perca* (árbol de donde se extrae la gutapercha).

gutural ▮ adj.inv. **1** De la garganta o relacionado con ella: *Solo emitía unos sonidos guturales totalmente incomprensibles.* **2** En lingüística, referido a un sonido, que se articula acercando el dorso de la lengua a la parte posterior del velo del paladar y formando una estrechez por la que pasa el aire espirado: *[g], [j] y [k] son sonidos guturales.* ▮ s.f. **3** Letra que representa este sonido: *La 'j' es una gutural.* ☐ ETIMOL. Del latín *guttur* (garganta).

guyanés, -a adj./s. De Guyana o relacionado con este país americano. ☐ SEM. Dist. de *guayanés* (de Guayana Francesa).

gymkhana (ing.) (tb. *gincana, yincana*) s.f. Competición o prueba en la que los participantes deben salvar obstáculos y dificultades, esp. la que se realiza con un vehículo automovilístico: *Después de quedar embarrado, atravesó la rampa rodeada de llamas y ganó la gymkhana.* ☐ PRON. [yincána].

H h

h s.f. Octava letra del abecedario. ☐ PRON. 1. No representa ningún sonido, excepto en algunas palabras extranjeras o de origen extranjero, en las que se aspira: *hippy*, *hall*. 2. En algunas zonas del español está muy extendida su pronunciación aspirada, aunque la norma culta la rechace.

haba s.f. **1** Planta herbácea anual con tallo de aproximadamente un metro, con hojas de color verde azulado y flores amariposadas blancas o rosáceas: *El haba es una planta leguminosa.* **2** Fruto de esta planta, en forma de vaina grande y aplastada, que se consume como alimento: *Las habas secas se utilizan como pienso para el ganado.* **3** Semilla de este fruto: *Las habas estofadas son muy nutritivas.* **4** || **ser habas contadas; 1** *col.* Ser escaso o quedar en muy poca cantidad: *Las becas que concedieron eran habas contadas.* **2** *col.* Ser cierto y claro: *¡O trabajas o te despido, son habas contadas!* ☐ ETIMOL. Del latín *faba*. ☐ MORF. Por ser un sustantivo femenino que empieza por *a* tónica o acentuada, va precedido de *el*, *un*, *algún*, *ningún* y de las formas femeninas del resto de los determinantes.

habanera s.f. Véase **habanero, ra**.

habanero, ra ▌adj./s. **1** De La Habana (capital cubana), o relacionado con ella: *La rumba es un baile habanero.* ▌s.f. **2** Composición musical de compás binario y ritmo cadencioso: *La habanera es de origen cubano.* **3** Baile que se ejecuta al compás de esta música: *Estoy aprendiendo a bailar tangos, rumbas y habaneras.*

habano s.m. Cigarro puro elaborado en Cuba (isla caribeña). ☐ ORTOGR. Dist. de *abano*.

hábeas corpus s.m. || En derecho, procedimiento por el que todo detenido que se considera ilegalmente privado de libertad solicita ser llevado ante un juez para que este decida su ingreso en prisión o su puesta en libertad: *Lo detuvieron y solicitó que se le aplicara el hábeas corpus.* ☐ ETIMOL. Del latín *habeas corpus ad subiiciendum* (que tengas el cuerpo de alguien para que comparezca), que es la frase con que comienza el auto de comparecencia.

haber ▌s.m. **1** Conjunto de posesiones y riquezas: *Entre sus haberes destaca una colección de cuadros.* **2** Dinero que se cobra periódicamente por la realización de un trabajo o por la prestación de un servicio: *El abogado recibe sus haberes cada primero de mes.* **3** En una cuenta, parte en la que se apuntan las cantidades o ingresos a favor del titular: *Ya han incluido en mi haber el dinero del premio.* **4** Lista imaginaria donde se lleva cuenta de los aciertos o méritos de alguien: *Tiene en su haber muchas virtudes.* ▌v. **5** Ocurrir, tener lugar o producirse: *Ayer hubo un apagón en todo el barrio. Hoy hay concierto en el auditorio.* **6** Estar presente o encontrarse: *En la fiesta solo había veinte personas.* **7** Existir: *Había razones de peso que apoyaban mi decisión. Tiene un genio que no hay quien lo aguante.* **8** *poét.* Referido a un período de tiempo, haber transcurrido: *Cinco años ha que dejó estas tierras para no volver.* ☐ SINÓN. *hacer.* **9** || **de lo que no hay** o **como hay pocos;** excepcional o con una cualidad, generalmente negativa, en alto grado: *Tiene un hijo de lo que no hay, que siempre lo estropea todo.* || **habérselas con** alguien; tratar o enfrentarse con él: *Si quiere ese puesto, tendrá que habérselas conmigo primero.* || **no haber tal;** no ser cierto: *Me acusa de haberlo engañado, pero no hay tal.* || **no hay de qué;** expresión que se usa para corresponder a un agradecimiento. || **qué hay;** expresión que se usa como saludo. || **todo lo habido y por haber;** muchas cosas y de todo tipo. ☐ ETIMOL. Las acepciones 1-4, del verbo *haber*. Las acepciones 5-9, del latín *habere* (tener, poseer). ☐ ORTOGR. Dist. de *a ver*. ☐ MORF. 1. En las acepciones 1 y 2, se usa más en plural. 2. Excepto cuando actúa como auxiliar, es unipersonal; incorr. *{*Hubieron > Hubo} muchas personas en la reunión. {*Habían > Había} varios coches aparcados.* 3. Irreg. →HABER. ☐ SINT. 1. En la perífrasis *haber + participio*, se usa como auxiliar para formar los tiempos compuestos de los verbos correspondientes: *He venido sola.* 2. La perífrasis *haber + de + infinitivo* indica obligación o necesidad: *Has de terminar enseguida.* 3. La perífrasis *haber + que + infinitivo* indica obligación, necesidad o conveniencia; *haber* debe ir en tercera persona del singular: *Hay que tener cuidado al cruzar la calle.* ☐ SEM. En las acepciones 3 y 4, dist. de *debe* (apunte de las cantidades que debe el titular; lista de los fallos o deudas de alguien). ☐ USO La acepción 8, fuera del lenguaje poético, se considera un arcaísmo.

habichuela s.f. **1** Planta leguminosa, con tallos delgados de unos tres metros de longitud, hojas grandes compuestas y acorazonadas, flores blancas y fruto en vainas verdes y aplastadas, terminadas en dos puntas. ☐ SINÓN. *judía.* **2** Fruto de esta planta, que es comestible: *Hoy comemos habichuelas con tomate.* ☐ SINÓN. *judía.* **3** Semilla de este fruto, que tiene forma de riñón: *Las habichuelas se pueden comer frescas o secas.* ☐ SINÓN. *judía.* **4** En zonas del español meridional, judía verde.

hábil adj.inv. **1** Que tiene capacidad para hacer algo con facilidad. **2** Que resulta apropiado, útil o adecuado para algo: *Usó una hábil estratagema para engañarnos.* **3** Que es legalmente apto para algo: *Los domingos, las fiestas nacionales y las fiestas comarcales no son días hábiles.* ☐ ETIMOL. Del latín *habilis* (manejable, bien adaptado, apto).

habilidad s.f. **1** Capacidad o destreza para hacer algo bien o con facilidad. **2** Lo que alguien realiza con facilidad, gracia y destreza: *Los niños disfrutaron con las habilidades del mago.*

habilidoso, sa adj. Que tiene habilidad: *Ella te arreglará la plancha, porque es muy habilidosa.*

habilitación s.f. **1** Capacitación o adecuación para determinado fin: *Se llevó a cabo la habilitación de unos viejos locales para oficinas.* **2** En derecho, autorización que se concede a una persona para realizar un acto jurídico, otorgándole capacidad de obrar: *Se acordó la habilitación del abogado a petición del cliente ante el juzgado.* **3** Concesión del dinero necesario para determinado fin hecha por la Administración pública: *Se dio luz verde a la habilitación de los créditos necesarios para la construcción de autopistas.* **4** Conversión de un día festivo en laborable a efectos jurídicos, a petición de las partes de los juzgados y tribunales, por razones de urgencia.

habilitado, da s. Persona legalmente autorizada para gestionar y efectuar el pago de cantidades asignadas por el Estado: *Los habilitados pagan los sueldos a los funcionarios.*

habilitar v. **1** Referido a una persona o a una cosa, hacerla apta o capaz para lo que antes no lo era: *Habilitó ese viejo garaje como sala de juegos.* **2** En derecho, reconocer legalmente apto o capacitar para determinado fin: *Pidió que la habilitaran para su nuevo cargo. Habilitaron el domingo para celebrar la vista.* **3** En economía, referido a una cantidad de dinero, darla o concederla la Administración pública para un fin determinado: *Se habilitarán los créditos necesarios para las nuevas viviendas.* □ ETIMOL. De *hábil.*

habiloso, sa adj. *col.* En zonas del español meridional, despierto e inteligente.

habitabilidad s.f. Capacidad para ser habitado: *condiciones de habitabilidad.*

habitable adj.inv. Que se puede habitar porque reúne las condiciones necesarias: *No es un piso muy cómodo pero sí habitable.*

habitación s.f. En una vivienda, cada uno de los espacios o departamentos en que está dividida, esp. los destinados a dormir: *Mi casa tiene cinco habitaciones.* □ SINÓN. *cuarto.*

habitáculo s.m. **1** Edificio o lugar destinados a ser habitados: *Las pocilgas son el habitáculo de los cerdos.* **2** En un vehículo, parte que ocupan el conductor y los viajeros.

habitante ▮ adj.inv. **1** Que habita. ▮ s.m. **2** Individuo que forma parte de la población de un lugar: *En mi aldea solo quedan doce habitantes.*

habitar v. Referido a un lugar, ocuparlo y hacer vida en él: *El oso habita su cueva durante todo el invierno. Yo habito en un pueblo, pero nací en una ciudad.* □ ETIMOL. Del latín *habitare* (ocupar un lugar, vivir en él).

hábitat (pl. *hábitats*) s.m. Área geográfica con unas condiciones naturales determinadas y en la que vive una especie animal o vegetal: *El hábitat de los gorilas es la selva.* □ ETIMOL. Del latín *habitat* (habita). □ SEM. Dist. de *biotopo* (área en la que vive una comunidad de varias especies).

hábito s.m. **1** Modo de actuar adquirido por la frecuente práctica de un acto: *Tengo el hábito de levantarme temprano.* □ SINÓN. *costumbre.* **2** Facilidad para realizar algo adquirida con la práctica: *hábito de estudio.* **3** Vestidura característica de los miembros de una corporación, esp. si es una orden religiosa o militar. **4** En medicina, situación de dependencia respecto de ciertas drogas: *La nicotina crea hábito.* □ ETIMOL. Del latín *habitus* (manera de ser, aspecto externo, vestido).

habituación s.f. Adquisición de un hábito o de una costumbre: *La habituación de los jóvenes al tabaco preocupa a las autoridades sanitarias.* □ SINÓN. *habituamiento.*

habitual adj.inv. Que se hace por hábito o que es frecuente, ordinario o usual: *Cantar en la ducha es muy habitual. Es un cliente habitual de la empresa.*

habituamiento s.m. →**habituación.**

habituar v. Acostumbrar o hacer adquirir un hábito: *Mi madre me habituó a dormir siete horas diarias. Si te habitúas a tomar ese medicamento no te hará efecto.* □ ETIMOL. Del latín *habituare.* □ ORTOGR. La *u* lleva tilde en los presentes, excepto en las personas *nosotros* y *vosotros* →ACTUAR.

habla s.f. **1** Facultad o capacidad de hablar o de comunicarse con palabras: *El habla nos permite exteriorizar nuestras ideas. Una lesión cerebral le ha afectado al habla.* **2** Expresión lingüística del pensamiento o emisión de palabras: *La escritura es la realización escrita del habla.* **3** En lingüística, utilización individual que los hablantes hacen de la lengua: *El habla es la realización del sistema lingüístico.* **4** En un sistema lingüístico, variedad propia de una comunidad, caracterizada por determinados rasgos peculiares o diferenciales: *El habla de la zona norte de esta región es distinta del habla de la zona sur.* **5** ‖ **al habla;** expresión que se usa al contestar una llamada telefónica para indicar que se está preparado para escuchar. □ ETIMOL. Del latín *fabula* (conversación, cuento). □ MORF. Por ser un sustantivo femenino que empieza por *a* tónica o acentuada, va precedido de *el, un, algún, ningún* y de las formas femeninas del resto de los determinantes.

hablador, -a adj./s. Que habla demasiado: *Me llamaron la atención por ser muy habladora.*

habladuría s.f. Dicho o rumor sin fundamento: *No hagas caso de esas habladurías.* □ MORF. Se usa más en plural.

hablante ▮ adj.inv. **1** Que habla. ▮ s.com. **2** Persona que habla, esp. referido al usuario de una determinada lengua: *En el acto de comunicación el hablante comunica un mensaje al oyente.*

hablar v. **1** Pronunciar o decir palabras para comunicarse: *El niño ya habla bastante bien.* **2** Mantener una conversación: *Hablé con mi madre de ese asunto.* □ SINÓN. *conversar.* **3** Referido a una lengua, conocerla lo suficiente como para usarla: *Hablo francés, alemán e inglés.* **4** Pronunciar un discurso: *En el mitin de ayer habló la presidenta del partido.* **5** Referido a un asunto, concertarlo o ponerse de acuerdo sobre él: *Antiguamente los padres hablaban las bodas de sus hijos.* **6** Manifestar o expresar una opinión: *A mis amigos y a mí nos encanta hablar de literatura. Me tiene tanta envidia que siempre habla mal de mí.* **7** Dirigir la palabra: *Desde que repartieron la herencia no habla a su hermano. Se hablaron a voces.* **8** Comunicarse mediante signos distintos de la palabra: *Los sordomudos hablan con las manos.* **9** Dar a entender algo del modo que sea: *La expresión de su cara habla de su gran paciencia.* **10** || **hablar mal;** decir palabras malsonantes: *Cada vez que habla mal su padre lo castiga.* || **hablar por** alguien; rogar o interceder por él: *Habló por él al director y no lo expulsaron del colegio.* || **ni hablar;** expresión que se usa para indicar que no se acepta algo: *De ir todos juntos de vacaciones, ni hablar.* || **no se hable más;** expresión que se usa para dar por terminado un asunto: *No saldrás por la noche, y no se hable más.* ☐ ETIMOL. Del latín *fabulari* (conversar, hablar). ☐ SINT. Constr. de la acepción 6: *hablar {DE/SOBRE} algo.*

hablilla s.f. Rumor o mentira que se difunde entre la gente: *No te enfades por unas hablillas.*

hablista s.com. Persona que destaca por la pureza y la elegancia de su lenguaje.

habón s.m. Bulto que se forma en la piel a causa de una alergia o de la picadura de un insecto: *Me pica mucho el habón que me ha salido en la pierna.* ☐ SINÓN. *roncha.*

hacedero, ra adj. Que se puede hacer: *Terminar el trabajo en tan poco tiempo no es hacedero.*

hacedor, -a adj./s. Que hace algo: *Según la Biblia, Dios es el Supremo Hacedor porque creó el mundo en seis días y descansó el séptimo.* ☐ USO Es muy frecuente, en las religiones cristianas, su uso referido a Dios como creador del mundo. En este sentido, como sustantivo, se usa como nombre propio.

hacendado, da adj./s. **1** Que tiene fincas y tierras en cantidad: *Este joven pertenece a una familia hacendada de mi pueblo.* **2** En zonas del español meridional, dueño de una hacienda: *La protagonista de aquella novela era una rica hacendada.*

hacendista s.com. Persona especializada en la administración y en la hacienda pública.

hacendístico, ca adj. De la hacienda pública o relacionado con ella: *estudios hacendísticos.*

hacendoso, sa adj. Que hace de buena gana y con cuidado las tareas de la casa: *Es tan hacendoso que él solo arregla todo lo de su casa.* ☐ ETIMOL. De *hacienda.*

hacer ▌v. **1** Crear o dar existencia: *Según la Biblia, Dios hizo el cielo y las estrellas.* **2** Fabricar, construir o dar forma: *En ese solar harán casas. El carácter se hace ante los problemas.* **3** Componer o formar, esp. referido a un producto de la mente: *El poeta hace versos. No te hagas ilusiones.* **4** Causar o producir: *El zapato le hizo una herida. Sus críticas me hacen daño.* **5** Conseguir, ganar o generar: *Su abuelo hizo una fortuna en América. El pívot hizo veinte puntos.* **6** Ejecutar o llevar a cabo: *Hace lo que quiere.* **7** Disponer, preparar o arreglar: *Yo hago las camas y tú el salón. Hizo una ensalada en un momento.* **8** Acostumbrar o amoldar: *No consigo hacerme al nuevo horario.* **9** Aparentar o dar a entender: *Hizo como que no lo sabía, pero estaba enterado de todo. Hace que trabaja, pero no da ni golpe.* **10** Volver o transformar: *Lo que me dices me hace feliz. El jarrón se cayó y se hizo añicos.* **11** Referido esp. a una edad, cumplirla: *Pronto haré treinta años.* **12** Referido a una velocidad, alcanzarla: *Esta moto hace una media de 120 km/h.* **13** Referido a un espectáculo, actuar en él o representarlo: *Hizo una película como protagonista.* **14** Referido a una actividad, esp. a un deporte, dedicarse a ella o practicarla: *Está tan fuerte porque hace pesas. Empezó a hacer teatro en el colegio.* **15** Referido esp. a un curso académico, cursarlo: *Este año hago segundo de inglés.* **16** Referido a una parte del cuerpo, ejercitarla: *Se ha apuntado a un gimnasio para hacer músculos.* **17** Referido a una distancia o a un camino, recorrerlos: *Hace todos los días varios kilómetros para estar en forma.* **18** Referido a un alimento, cocerlo, asarlo o freírlo: *¿Puedes hacer un poco más la carne?* **19** Referido a una persona, suponerla en las circunstancias o en el estado que se indica: *Yo la hacía en casa, pero llamé y no estaba.* **20** Referido a excrementos, expulsarlos: *Papá, quiero hacer caca.* **21** Actuar o proceder: *Haces bien tomando precauciones.* **22** Hacer parecer: *Este traje te hace gordo.* **23** Importar o concernir: *Por lo que hace a ese asunto, no tengo más que decir.* **24** *col.* Agradar, apetecer o convenir: *¿Hace un parchís?* **25** Referido a dos o más cantidades, sumar o dar como resultado: *Tres más dos hacen cinco.* **26** Referido al tiempo atmosférico, presentarse como se indica: *Hace frío. Mañana hará buen día.* **27** Referido a un período de tiempo, haber transcurrido: *Hace años que no nos hablamos.* **28** Seguido de un sustantivo, realizar la acción expresada por este: *Siempre está haciendo bromas. Los indios hacen señales de humo.* **29** Seguido de un sustantivo con el que se identifica determinado comportamiento, tenerlo o fingirlo: *Estate quieto y no hagas el bestia. Se hace la sorda, pero se entera de todo.* **30** Seguido de un numeral, ocupar esa posición dentro de una serie: *Hace el décimo de cincuenta.* **31** Seguido de una expresión de lugar, apartar o retirar hacia él: *El camión se hizo un poco a la derecha para que pudiera adelantarlo.* **32** Dirigir el cuerpo en una dirección determinada: *Hazte para allá para que quepamos todos.* ▌prnl. **33** Llegar a ser o convertirse: *Se hizo pastor. ¿Un actor nace o se hace?* **34** Referido a un organismo, crecer o desarrollarse: *Con las últimas lluvias, las mieses se harán antes.* **35** || **hacer** alguien **de las suyas;** actuar como es propio de él, esp. si lo que hace resulta censurable: *Como me hagas otra de las tuyas, te vas a enterar.* || **hacer de menos;** menospreciar: *Ser rico no te da derecho a hacer de menos a nadie.* || **hacer de;** seguido de un término que designa un papel o un oficio, desempeñarlos o ejercerlos, esp. con carácter temporal: *Hizo de galán en la última función.* || **hacer por** hacer algo; procurarlo o intentarlo: *Haré por llegar a tiempo.* || **hacer y deshacer;** referido a una persona, obrar según su criterio o su voluntad y sin tener en cuenta otras opiniones: *Desde que es jefa, hace y deshace sin dar explicaciones.* || **hacerla (buena);** *col.* Realizar algo que se considera perjudicial, equivocado o censurable: *¡Buena la hicimos comprando ese trasto!* || **hacerse con** algo; **1** Proveerse de ello o apropiárselo: *Los excursionistas se hicieron con víveres para el camino.* **2** Dominarlo o controlarlo: *No pudo hacerse con el coche y se estrelló.* || **hacerse con** alguien; ganarse su admiración o su favor: *El acusado se hizo con el tribunal con solo soltar unas lágrimas.* || **hacerse fuerte;** mantenerse o resistir frente a los ataques: *Se hace fuerte en sus decisiones y no hay quien le haga rectificar.* || **hacérsele** a alguien algo; en zonas del español meridional, imaginarse algo o suponerlo: *Se me hace que me engaña.* || **qué le {voy/vas/...} a hacer;** expresión que se usa para indicar resignación: *¡Tendré que aguantarme, a ver qué le voy a hacer! Si sale mal, qué se le va a hacer, pero al menos inténtalo.* ☐ ETIMOL. Del latín *facere.* ☐ MORF. Irreg.: 1. Su participio es *hecho.* 2. →HACER. 3. En las acepciones 23 y 24, es verbo defectivo: solo se usa en tercera persona y en las formas no personales (infinitivo, gerundio y participio). 4. En las acepciones 26 y 27, es unipersonal; incorr. *{*Hacen > Hace} treinta grados centígrados bajo cero.* ☐ SINT. 1. Seguido de infinitivo o de una oración introducida por *que* indica que el sujeto no realiza la acción por sí mismo sino que ordena o provoca que otros la realicen: *La presidenta hizo desalojar la sala. Hizo que todo estuviera preparado para su llegada.* 2. Incorr. *hacer {*de rabiar > rabiar}.* ☐ USO El empleo abusivo de las acepciones 2, 3, 4 y 28 en lugar del verbo correspondiente indica pobreza de lenguaje.

hach (ár.) s.m. **1** Peregrinación a la Meca (ciudad santa para los musulmanes). **2** Musulmán que hace esta peregrinación. ☐ PRON. [hach], con *h* aspirada.

hacha s.f. **1** Herramienta formada por un mango al que se sujeta una hoja metálica ancha y fuerte, con corte por uno de sus lados, y que se utiliza generalmente para cortar leña: *El leñador tala los árboles con el hacha.* **2** Vela gruesa de cera con cuatro pábilos, esp. si la mecha es de esparto y alquitrán: *Un capuchino con un hacha encendida encabezaba la procesión.* ☐ SINÓN. *hachón.* **3** || **desenterrar el hacha de guerra;** *col.* Declarar abierto un enfrentamiento o una enemistad: *Ya no soporto más la situación y voy a desenterrar el hacha de guerra.* || **ser un hacha;** *col.* Destacar o sobresalir en una actividad: *Es un hacha en natación y ha ganado tres medallas.* ☐ ETIMOL. La acepción 1, del francés *hache.* La acepción 2, del latín *facula* (antorcha pequeña). ☐ MORF. Por ser un sustantivo femenino que empieza por *a* tónica o acentuada, va precedido de *el, un, algún, ningún* y de las formas femeninas del resto de los determinantes.

hachazo s.m. **1** Golpe dado con un hacha o corte producido con esta. **2** *col.* En algunos deportes, golpe que un jugador da a un contrario intencionadamente.

hache s.f. **1** Nombre de la letra *h.* **2** || **por hache o por be;** *col.* Por una u otra razón: *Por hache o por be, siempre vamos donde tú dices.* ☐ MORF. A pesar de ser un sustantivo femenino que empieza por *a* tónica o acentuada, va precedido de *la, una, ninguna* y *alguna* y del resto de las formas femeninas de los determinantes.

hachear v. **1** Referido a un madero, rasparlo o labrarlo con el hacha: *El leñador ha hacheado el tronco.* **2** Dar golpes con el hacha: *Lleva todo el día hacheando en el jardín.*

hachemí (pl. *hachemíes, hachemís*) adj.inv./s.com. →**hachemita.** ☐ PRON. [hachemí], con *h* aspirada.

hachemita adj.inv./s.com. Descendiente de la dinastía árabe fundada por Hasim ibn Abd Manaf (antecesor de Mahoma): *La dinastía hachemíta es muy antigua y conserva unas costumbres muy rigurosas.* ☐ SINÓN. *hachemí.* ☐ PRON. [hachemíta], con *h* aspirada.

hachero s.m. **1** Candelero que se utiliza para colocar el hachón o vela. **2** Persona que se dedica profesionalmente a cortar o labrar maderas con el hacha.

hachís (pl. *hachís*) s.f. Sustancia obtenida a partir de las flores del cáñamo índico y que, mezclada con otros productos, se utiliza como estupefaciente. ☐ SINÓN. *quif.* ☐ ETIMOL. Del árabe *hasis* (hierba seca). ☐ PRON. Está muy extendida la pronunciación [hachís], con *h* aspirada.

hachón s.m. Vela gruesa de cera con cuatro pábilos, esp. si la mecha es de esparto y alquitrán: *La procesión discurrió en silencio a la luz de los hachones.* ☐ SINÓN. *hacha.*

hacia prep. **1** Indica la dirección de un movimiento con respecto al punto de su término: *Voy hacia tu casa. Mira hacia la cámara.* ☐ SINÓN. *para.* **2** Indica tiempo o lugar aproximado: *Llegaron a casa hacia las seis de la mañana. Mi casa está hacia allá.* ☐ ETIMOL. Del antiguo *faze a* (cara a). ☐ SINT. Incorr. *hacia {*bajo > abajo}.*

hacienda s.f. **1** Finca agrícola. **2** Conjunto de posesiones y riquezas: *El Ministerio de Hacienda es el que administra los bienes del Estado.* **3** En zonas del español meridional, finca ganadera. **4** En zonas del español meridional, ganado vacuno: *Toda mi hacienda está en esos corrales.* **5** || **hacienda pública;** conjunto de haberes, rentas e impuestos del Estado. ☐ SINÓN. *erario.* ☐ ETIMOL. Del latín *facienda* (cosas por hacer).

hacina s.f. Conjunto de haces colocados unos sobre otros de forma apretada y ordenada: *Después de trillar, colocaron la paja en hacinas.* ☐ ETIMOL. Del latín *fascis* (haz).

hacinamiento s.m. Aglomeración de un número de personas o de animales que se considera excesivo en un mismo lugar: *El hacinamiento de ani-*

males en una granja facilita la propagación de enfermedades.

hacinar v. Amontonar o acumular: *Hacinó la leña en el cobertizo. En el metro los viajeros se hacinan en el vagón durante las horas punta.*

hack (ing.) s.m. En informática, entrada en un programa o en un sistema para alterar o mejorar su funcionamiento. ☐ PRON. [hák], con *h* aspirada.

hackear v. Referido a un programa o a un sistema informático, acceder a él de manera ilegal para manipularlo: *No he podido ver tus mensajes porque me han hackeado la cuenta de correo electrónico.* ☐ ETIMOL. Del inglés *to hack*. ☐ PRON. [hakeár], con *h* aspirada. ☐ USO Su uso es innecesario y puede sustituirse por *piratear*.

hacker (ing.) s.com. Persona con una afición desmedida por los ordenadores, que puede llegar a actuar ilegalmente en programas o sistemas informáticos: *Un hacker fue detenido por piratear información de la red informática del Ejército.* ☐ PRON. [háker], con *h* aspirada. ☐ USO Su uso es innecesario y puede sustituirse por *pirata informático*.

hacktivismo s.m. Movimiento social que utiliza la tecnología para modificar ilegalmente programas o sistemas informáticos como forma de protesta: *Una de las principales formas de hacktivismo consiste en bloquear la página web de una empresa importante para causarle pérdidas económicas.*

hada s.f. Ser fantástico con forma de mujer y dotado de poderes mágicos: *El hada tocó la calabaza con su varita mágica y la convirtió en carroza.* ☐ ETIMOL. Del latín *fata*, y este de *fatum* (destino). ☐ MORF. Por ser un sustantivo femenino que empieza por *a* tónica o acentuada, va precedido de *el, un, algún, ningún* y de las formas femeninas del resto de los determinantes.

hado s.m. *poét.* Destino: *¡Que los hados te sean propicios!* ☐ ETIMOL. Del latín *fatum* (destino). ☐ MORF. Se usa más en plural.

hadofobia s.f. Temor anormal a viajar en cualquier medio de transporte que se desplaza a mucha velocidad: *No puede montar en avión porque tiene hadofobia.*

hadopelágico, ca adj. **1** Referido a una zona marina, que tiene una profundidad de cinco mil metros o más: *La zona hadopelágica es la más profunda del océano.* **2** De esta zona marina o relacionado con ella: *Hay que dudar de la existencia de fauna hadopelágica.*

hafnio s.m. Elemento químico, metálico y sólido, de número atómico 72, fácilmente deformable y poco abundante en la corteza terrestre: *El hafnio, debido a su escasez, tiene un precio muy elevado.* ☐ ETIMOL. De *Hafnia* (nombre latino de Copenhague), porque el hafnio se descubrió en este lugar. ☐ ORTOGR. Su símbolo químico es *Hf*.

hagiografía s.f. Historia o relato de la vida de un santo: *Es muy aficionado a leer hagiografías del siglo* XV. ☐ ETIMOL. Del griego *hágios* (santo) y *-grafía* (descripción).

hagiográfico, ca adj. De la hagiografía: *Hizo un estudio hagiográfico de la época medieval.*

hagiógrafo, fa ▌ s. **1** Persona que se dedica a escribir hagiografías o vidas de santos: *Un hagiógrafo debe documentar bien su trabajo.* ▌ s.m. **2** Autor de cualquiera de los libros de la Biblia (libro sagrado del cristianismo): *No se conoce el nombre del hagiógrafo del Génesis.*

haiga s.f. *vulg.* Coche lujoso y de gran tamaño.

haikai (jap.) s.m. →**haiku.** ☐ PRON. [haikái], con *h* aspirada.

haiku (jap.) (tb. *haikai*) s.m. Estrofa japonesa de tres versos sin rima, que relaciona una impresión de la naturaleza con otra de la condición humana: *El haiku es la forma poética japonesa más breve.* ☐ PRON. [haikú], con *h* aspirada.

haitiano, na adj./s. De Haití o relacionado con este país americano.

haka s.amb. Danza guerrera de los indígenas maoríes: *El equipo nacional de rugby de Nueva Zelanda interpretó el haka antes del partido.*

hakim (ár.) s.m. Sabio árabe. ☐ PRON. [hakím], con *h* aspirada.

hala (tb. *alá, ale, hale*) interj. Expresión que se usa para indicar sorpresa, extrañeza o disgusto, o para dar ánimos: *¡Hala, cuánto saltas! ¡Hala, que llegas tarde!* ☐ ETIMOL. De origen expresivo. ☐ ORTOGR. Dist. del sustantivo *ala*.

halagador, -a adj. Que halaga.

halagar v. **1** Dar motivo para satisfacer el orgullo y la vanidad: *Me halaga que vengas desde tan lejos para verme.* **2** Referido a una persona, adularla o decirle interesadamente cosas que le agraden: *Halagué a mi tía hasta que conseguí que me llevara de viaje con ella.* ☐ ETIMOL. Del árabe *jalaqa* (mentir, pulir una cosa). ☐ ORTOGR. 1. Dist. de *alagar*. 2. La *g* se cambia en *gu* delante de *e* →PAGAR.

halago s.m. **1** Demostración de afecto: *Siempre que me ve me colma de halagos.* **2** Adulación o alabanza con un fin interesado: *Dime lo que quieres y deja ya los halagos.*

halagüeño, ña adj. **1** Que da motivos de satisfacción: *Son unas perspectivas muy halagüeñas.* **2** Que lisonjea o adula: *unas palabras halagüeñas.*

halar v. **1** Referido a un cabo, a una lona o a un remo, tirar de ellos: *El capitán ordenó halar los cabos de las velas.* **2** En zonas del español meridional, tirar: *No me hales el pelo, porque me haces daño.* ☐ ETIMOL. Del francés *haler* (tirar algo por medio de un cabo). ☐ PRON. La acepción 2 se pronuncia [jalár]. ☐ ORTOGR. 1. Dist. de *alar*. 2. En la acepción 2, se admite también *jalar*.

halcón s.m. **1** Ave rapaz diurna, de casi un metro de envergadura, con pico fuerte y curvo y con alas puntiagudas, que puede ser domesticada para la caza de cetrería: *Los caballeros medievales utilizaban halcones para cazar.* **2** Persona que es partidaria de la línea dura en un partido u organismo: *Los halcones de aquel gobierno son partidarios de la política de rearme y militarización.* ☐ ETIMOL.

Del latín *falco*. □ MORF. En la acepción 1, es un sustantivo epiceno: *el halcón {macho/hembra}*.

halconero, ra s. Persona que se dedica profesionalmente al cuidado y adiestramiento de halcones.

hale interj. **1** →**hala. 2** ‖ **hale hop;** expresión que se usa para indicar que algo ocurre repentinamente: *El niño no dejaba de chillar, pero en cuanto saqué los caramelos, hale hop, paró en seco.* □ PRON. [halehóp], con *h* aspirada.

halfcourt (ing.) s.m. Deporte parecido al tenis, que se practica en una pista de tamaño más pequeño: *El halfcourt se introdujo en España en la década de los noventa.* □ PRON. [hafcórt], con *h* aspirada.

halfpipe (ing.) s.m. Pista concava de gran profundidad preparada para esquiar o patinar por sus paredes. □ PRON. [hafpáip], con *h* aspirada. □ USO Se usa mucho la forma abreviada *pipe*.

halita s.f. Mineral de sal común: *La halita es cloruro de sodio.* □ ETIMOL. Del griego *háls* (sal).

hálito s.m. **1** Aire que sale de la boca al respirar: *En las mañanas de invierno, el hálito de los transeúntes parece vapor.* □ SINÓN. *aliento.* **2** *poét.* Soplo suave y apacible del aire: *Un ligero hálito refrescaba la noche de verano.* □ ETIMOL. Del latín *halitus* (vapor, aliento, respiración).

halitosis (pl. *halitosis*) s.f. Mal olor del aliento: *Las caries pueden provocar halitosis.* □ ETIMOL. Del latín *halitus* (soplo) y *-osis* (enfermedad).

hall (ing.) s.m. →**vestíbulo.** □ PRON. [hol], con *h* aspirada.

hallado, da ‖ **bien hallado;** expresión que se usaba para saludar a alguien y manifestarle la alegría que producía su encuentro: *A mi '¡Bienvenido!', contestó: '«¡Bien hallado!»'.* □ USO Solía usarse para corresponder al saludo de *¡bienvenido!*

hallar ▌v. **1** Referido a algo, encontrarlo o verlo, esp. si se está buscando: *Hallé el libro debajo de tu cama. No pararé hasta hallar lo que busco.* **2** Descubrir por medio del ingenio y de la meditación, o por casualidad: *Los médicos no han hallado el medicamento para acabar con esa enfermedad.* **3** Ver o notar: *Hallé a tu padre muy cambiado después de tanto tiempo.* **4** Conocer o entender tras una reflexión: *Por más que pienso en el problema, no lo hallo.* ▌prnl. **5** Estar o encontrarse: *Me hallo en la mejor época de mi vida.* **6** ‖ **no hallarse** alguien; no encontrarse a gusto: *Aunque lo he intentado todo, en este trabajo no me hallo.* □ ETIMOL. Del latín *afflare* (soplar), porque se aplicaba esp. al perro que rastrea la pieza. □ ORTOGR. Dist. de *haya, hayas, hayan*, etc. (del verbo *haber*).

hallazgo s.m. **1** Descubrimiento, encuentro o averiguación, generalmente de algo que se está buscando: *Comuniqué en comisaría el hallazgo de doce mil euros.* **2** Lo que se descubre o se encuentra, esp. si es muy conveniente: *Los hallazgos arqueológicos han sido trasladados al museo.*

halo s.m. **1** Fenómeno atmosférico luminoso que a veces aparece rodeando algunos cuerpos celestes, esp. la Luna y el Sol. □ SINÓN. *cerco, corona.* **2** Resplandor, disco o círculo luminoso que se presenta detrás de la cabeza de las imágenes de los santos. □ SINÓN. *aureola, corona.* **3** Fama o prestigio que rodea a una persona o a un ambiente: *A esa familia la rodea un halo maldito.* □ ETIMOL. Del latín *halos*.

halo- Elemento compositivo prefijo que significa 'sal': *halógeno, halófilo, halotecnia.* □ ETIMOL. Del griego *háls*.

halobacteria s.f. Microorganismo que prolifera en altas concentraciones de sal: *Algunas halobacterias pueden proliferar en el bacalao en salazón.* □ ETIMOL. De *halo-* (sal) y *bacteria*.

halófilo, la adj. En botánica, referido a una planta, que necesita altas concentraciones de sal para vivir: *Los mangles son plantas halófilas.* □ ETIMOL. De *halo-* (sal) y *-filo* (aficionado, amigo). □ SEM. Dist. de *halófito* (que puede vivir en terrenos salinos).

halófito, ta adj. En biología, referido esp. a una planta, que puede desarrollarse en terrenos salinos: *En las marismas suelen vivir plantas halófitas.* □ ETIMOL. De *halo-* (sal) y el griego *phytón* (vegetal). □ SEM. Dist. de *halófilo* (que necesita altas concentraciones de sal para vivir).

halogenado, da adj. Referido a una sustancia, que contiene un halógeno: *El cloruro de sodio es una sal halogenada.*

halógeno, na adj./s. **1** Referido a un elemento químico, que pertenece al grupo séptimo de la clasificación periódica y que forma sales al combinarse directamente con un metal: *El flúor, el cloro, el bromo, el yodo y el astato son halógenos.* **2** Referido a una luz eléctrica, que utiliza uno de estos elementos químicos o que lo contiene en forma de gas: *Hemos puesto un halógeno porque da una luz más blanca.* □ ETIMOL. De *halo-* (sal) y el *-geno* (que produce). □ ORTOGR. Dist. de *alógeno*.

halogenuro s.m. Compuesto químico formado por la combinación de un elemento halógeno con otro elemento metálico o con otro compuesto químico orgánico: *El cloruro sódico o sal gema es un halogenuro inorgánico.* □ ETIMOL. De *halógeno*.

haloideo, a adj. En química, referido a una sal, que está formada por la combinación de un metal con un metaloide sin ningún otro elemento: *La sal común es un compuesto haloideo.* □ ETIMOL. De *halo-* (sal) y *-oideo* (relación, semejanza).

halón s.m. Compuesto químico formado con sustancias halógenas: *Se ha firmado un acuerdo internacional para reducir las emisiones de halones a la atmósfera.*

haloperidol s.m. Fármaco muy utilizado en psiquiatría: *El haloperidol provoca una sedación psicomotora.*

halotecnia s.f. Técnica de la extracción de las sales industriales: *Los conocimientos de química son esenciales para la halotecnia.* □ ETIMOL. De *halo-* (sal) y el griego *tékhone* (técnica).

haltera ▌s.com. **1** *col.* Persona que practica la halterofilia: *Hay distintas categorías de halteras, según su peso.* □ SINÓN. *halterófilo.* ▌s.f. **2** Barra que se usa en halterofilia y a cuyos extremos se acoplan discos de metal de diversos pesos: *La haltera rebotó en el suelo cuando el forzudo la soltó.*

halterofilia s.f. Deporte que consiste en el levantamiento de unos pesos dispuestos de forma equilibrada a ambos lados de una barra: *La halterofilia es un deporte olímpico desde la década de 1920.* □ ETIMOL. Del griego *altêres* (pesos de plomo en los extremos de una barra) y *-filia* (afición, gusto).

halterófilo, la ▮ adj. **1** De la halterofilia o relacionado con este deporte: *un campeonato halterófilo.* ▮ s. **2** Persona que practica la halterofilia. □ SINÓN. *haltera.*

haluro s.m. Ácido inorgánico formado por la combinación de un halógeno con el hidrógeno: *El ácido clorhídrico es un haluro de hidrógeno.*

hamaca s.f. **1** Rectángulo de red o de tela resistentes que, colgado de sus extremos, se utiliza como cama o como columpio: *Buscó dos árboles para colgar la hamaca y se tumbó a leer.* **2** Asiento que consta de un armazón graduable, generalmente en tijera, en el que se sujeta una tela que sirve de asiento y de respaldo: *Como ya no daba el sol, cerró la hamaca y se fue.*

hamamelis (lat.) s.m. Arbusto ramoso de hojas ovaladas y flores amarillas y aromáticas, que tiene propiedades medicinales: *El extracto de hamamelis se utiliza para tratar problemas circulatorios.*

hamartoma s.m. En medicina, tumor formado por una mezcla anormal de los elementos de un tejido: *La presencia de hamartomas es detectable a través de una biopsia.* □ ETIMOL. Del griego *hamartía* (error, falta) y *-oma* (tumor).

hambre s.f. **1** Sensación producida por la necesidad de comer: *Tengo hambre, ¿a qué hora comemos?* **2** Escasez de alimentos esenciales: *Hay que buscar soluciones para paliar el hambre en el mundo.* **3** Deseo intenso de algo: *hambre de libertad.* **4** ‖ **hambre canina;** ganas de comer exageradas. ‖ **más listo que el hambre;** *col.* Muy listo. □ ETIMOL. Del latín **famen.* □ MORF. 1. Por ser un sustantivo femenino que empieza por *a* tónica o acentuada, va precedido de *el, un, algún, ningún* y de las formas femeninas del resto de los determinantes. 2. Incorr. su uso como masculino: *Pasamos {*mucho > mucha} hambre.*

hambreador, -a adj./s. *col. desp.* En zonas del español meridional, explotador: *Aquel dictador era un hambreador del pueblo.*

hambrear v. En zonas del español meridional, referido a una persona, explotarla: *Los trabajadores se quejaron porque consideraban que la empresa los hambreaba.*

hambriento, ta adj./s. Con hambre, deseo o necesidad de algo: *Está hambriento de cariño. Eres un hambriento, siempre estás pidiendo comida.*

hambrón, -a adj./s. *col.* Muy hambriento.

hambruna s.f. Hambre o escasez de alimentos generalizadas: *Está hambriento de cariño. Eres un hambriento, siempre estás pidiendo comida.*

hamburguesa s.f. **1** Filete de carne picada y forma redondeada: *Cené huevos fritos con hamburguesas.* **2** Bocadillo hecho con un pan redondo y muy blando, generalmente relleno con esta carne: *Compré pan para hacer hamburguesas.* □ ETIMOL. Del inglés americano *hamburger.*

hamburguesera s.f. Electrodoméstico que sirve para hacer hamburguesas.

hamburguesería s.f. Establecimiento en el que se sirven hamburguesas y otro tipo de comida rápida: *Cené en una hamburguesería.* □ USO Es innecesario el uso del anglicismo *burger.*

hampa s.f. Conjunto de maleantes, pícaros y rufianes que viven al margen de la ley o que se dedican a cometer delitos: *El hampa de esta ciudad se dedica al tráfico de drogas.* □ ETIMOL. De origen incierto. □ MORF. Por ser un sustantivo femenino que empieza por *a* tónica o acentuada, va precedido de *el, un, algún, ningún* y de las formas femeninas del resto de los determinantes.

hampón ▮ adj. **1** Que muestra valentía o bravura sin tenerlas: *Utiliza un lenguaje hampón y bravucón.* ▮ adj./s.m. **2** Que vive al margen de la ley: *Ayer vi una película en la que la policía de Chicago luchaba contra varios hampones de la mafia.* □ ETIMOL. De *hampa.* □ USO Tiene una matiz despectivo.

hámster s.m. Mamífero roedor parecido a un ratón, pero de cuerpo macizo, rechoncho y con la cola corta, que se suele utilizar como animal de laboratorio: *En muchos países, el hámster es un animal doméstico.* □ ETIMOL. Del alemán *Hamster.* □ PRON. [hámster], con *h* aspirada. □ ORTOGR. Dist. de *gángster.* □ MORF. Es un sustantivo epiceno: *el hámster {macho/hembra}.*

handicap (ing.) s.m. **1** →**obstáculo. 2** Prueba deportiva, esp. si es hípica, en la que algunos participantes reciben una ventaja para igualar las condiciones de la competición: *En este handicap los tres mejores caballos llevan jinetes con lastre.* □ PRON. [hándicap], con *h* aspirada.

handling (ing.) s.m. Servicios prestados por unas compañías a otras en un lugar específico, esp. los que prestan los aeropuertos a las compañías aéreas. □ PRON. [hándlin], con *h* aspirada. □ USO Su uso es innecesario y puede sustituirse por *servicios de asistencia.*

hangar s.m. Cobertizo grande, generalmente utilizado para guardar, revisar o reparar aviones. □ ETIMOL. Del francés *hangar.* □ PRON. Incorr. *[hángar].

hangout (ing.) s.m. Lugar donde se reúnen personas con una misma afición: *Este fin de semana hemos ido a un hangout de estilo cubano.* □ PRON. [hangáut], con *h* aspirada.

hanguear v. →**janguear.** □ PRON. [hanguear], con *h* aspirada.

hansa (al.) s.f. Antigua asociación de ciudades alemanas que se estableció para proteger y fomentar su comercio: *La hansa vivió su momento de esplendor en el siglo* XV. □ ETIMOL. Del alemán *Hansa* (compañía). □ PRON. Está muy extendida la pronunciación germanista [jánsa].

hanseático, ca (tb. *anseático, ca)* adj. De la hansa o relacionado con esta asociación: *Las ciudades de la liga hanseática protegían sus intereses comerciales.* ☐ PRON. Está muy extendida la pronunciación germanista [janseático].

hápax s.m. En lingüística, palabra, forma o construcción documentadas una sola vez en la lengua o en el conjunto de textos que se consideran: *Los editores discuten si ese término es un hápax en la obra del autor o una errata.* ☐ ETIMOL. Del griego *hápax legomenon* (dicho una sola vez).

haploclamídeo, a adj. Referido a una flor, que tiene la envoltura externa formada solo por un periantio o conjunto de cáliz y corola: *La ortiga es una flor haploclamídea.* ☐ ETIMOL. Del griego *haplûs* (sencillo) y *clamídeo*.

haplofase s.f. En la reproducción sexual de los vegetales, fase caracterizada por la naturaleza haploide de sus células: *En su reproducción, los helechos pasan por un período de haplofase.* ☐ ETIMOL. Del griego *haplûs* (sencillo) y *fase*.

haploide adj.inv. Referido a un organismo o a su fase de desarrollo, que tiene una dotación simple de cromosomas: *Los óvulos y los espermatozoides son células haploides.* ☐ ETIMOL. Del griego *haplûs* (simple) y *-oide* (relación, semejanza).

happening (ing.) s.m. Manifestación, generalmente artística, en forma de espectáculo y caracterizada por la participación espontánea de los asistentes: *Ha sido interesante el happening de ese grupo teatral vanguardista.* ☐ PRON. [hápenin], con *h* aspirada.

happy end (ing.) s.m. ‖ Final feliz. ☐ PRON. [hápi end], con *h* aspirada. ☐ USO Su uso es innecesario.

happy hour (ing.) s.f. ‖ →**hora feliz.** ☐ PRON. [hápi áuer], con *h* aspirada.

haptonomía s.f. Técnica para conseguir la comunicación afectiva con el feto: *En los cursillos para embarazadas es habitual explicar algunas nociones de haptonomía.*

haragán, -a adj./s. Que evita trabajar y pasa el tiempo sin hacer nada que se considere provechoso: *A ese haragán le gusta estar siempre tumbado.* ☐ ETIMOL. De origen incierto.

haraganear v. Dejar pasar el tiempo sin hacer nada que se considere provechoso y evitando trabajar: *No estudia nada y está todo el día haraganeando.*

haraganería s.f. Actitud del que evita el trabajo o no hace nada que se considere provechoso: *Se quedó sin empleo por su haraganería.*

harakiri (jap.) s.m. →**haraquiri.** ☐ PRON. [arakíri].

harapiento, ta adj./s. Lleno de harapos: *Aunque vayas limpio, con esa ropa tan vieja vas hecho un harapiento.*

harapo s.m. Trozo desgarrado de ropa muy usado y muy viejo: *una chaqueta llena de harapos.* ☐ SINÓN. *andrajo.* ☐ ETIMOL. Del antiguo *harpar* (desgarrar).

haraposo, sa adj. Andrajoso o lleno de harapos: *LLevaba unas ropas haraposas y sucias.*

haraquiri s.m. Suicidio ritual de origen japonés que consiste en abrirse el vientre con algo cortante: *El samuray se hizo el haraquiri por una cuestión de honor.* ☐ ETIMOL. Del japonés *hara-kiri.* ☐ PRON. Incorr. *[jaraquíri]. ☐ ORTOGR. Se usa también *harakiri.*

harca s.f. **1** En Marruecos (país norteafricano), expedición o incursión militares de tropas indígenas con una organización irregular. **2** Grupo armado de árabes rebeldes frente a los antiguos protectorados español y francés del noroeste africano: *Hubo un duro combate entre unas harcas marroquíes y las tropas españolas.* ☐ ETIMOL. Del árabe *hárka* (expedición militar). ☐ PRON. [hárca], con *h* aspirada. ☐ ORTOGR. Dist. de *arca.*

hard bop (ing.) (tb. *hard-bop)* s.m. ‖ Estilo de música de jazz nacido a finales de la década de 1950 y que se caracteriza por un ritmo suelto y cierta agresividad en la interpretación musical: *Horace Silver es un buen exponente del hard bop.* ☐ PRON. [har bop], con *h* aspirada.

hardcore (ing.) ▮ adj. **1** Del hardcore o relacionado con este género musical. ▮ s.m. **2** Género musical que deriva del punk y que es agresivo, de ritmo acelerado y con sonidos distorsionados. **3** Pornografía muy realista y obscena. ☐ PRON. [hárcor], con *h* aspirada.

hard discount (ing.) s.m. ‖ **1** Establecimiento que ofrece productos a bajo precio. **2** Tipo de comercialización que reduce gastos en infraestructura y organización para ofrecer productos a bajo precio. ☐ PRON. [har discóun], con *h* aspirada.

hardware (ing.) s.m. Conjunto de elementos físicos que constituyen un equipo informático: *El monitor, la impresora y el teclado forman parte del hardware.* ☐ PRON. [hárdgüer], con *h* aspirada y con la *e* muy abierta. ☐ USO Su uso es innecesario y puede sustituirse por *soporte físico.*

harekrisna (sánscr.) s.com. Persona que sigue el Hare Krisna (doctrina religiosa de origen hinduista que se basa en la invocación a Krisna, séptimo avatar o encarnación del dios Visnú): *Los harekrisnas van vestidos con túnicas amarillas, llevan la cabeza afeitada, y cantan y bailan al son de címbalos.* ☐ PRON. [harecrísna], con *h* aspirada.

harem s.m. →**harén.**

harén (tb. *harem)* s.m. **1** En la cultura musulmana, conjunto de mujeres que viven bajo la dependencia de un mismo jefe de familia: *El sultán tenía un harén de más de cien mujeres.* **2** En las viviendas musulmanas, parte reservada a las mujeres: *Los niños conviven con las mujeres en el harén.* ☐ SINÓN. *serrallo.* ☐ ETIMOL. Del árabe *harim* (lugar vedado, gineceo).

harina s.f. **1** Polvo que resulta de moler el trigo u otras semillas. **2** Polvo al que quedan reducidas algunas materias sólidas: *harina de pescado.* **3** ‖ **estar metido en harina;** *col.* Estar entregado o dedicado a un asunto por completo. ‖ **ser algo harina de otro costal;** *col.* Ser muy distinto o resultar ajeno al asunto que se trata. ☐ ETIMOL. Del latín *farina*.

harinoso, sa adj. **1** Que tiene mucha harina. **2** Con características propias de la harina: *manzanas de textura harinosa*.

harmonía s.f. →**armonía.**

harmónico, ca adj. →**armónico.**

harmonio s.m. →**armonio.**

harmonioso, sa adj. →**armonioso.**

harnero s.m. Utensilio formado por un aro de madera al que se fijan un cuero o una plancha metálica agujereados o una malla metálica, y que se utiliza para cribar o limpiar de impurezas el trigo u otras semillas o para separar las partes menudas de las gruesas: *Usé el harnero para quitar el polvo y la tierra de la cebada.* ☐ SINÓN. *criba.* ☐ ETIMOL. Del latín *cribum farinarium* (cribo de harina).

harpa s.f. →**arpa.**

harpía s.f. →**arpía.**

harpillera s.f. →**arpillera.**

harre interj. →**arre.**

harrijasotzaile (eusk.) s.m. Deportista que practica el levantamiento de piedras: *He visto a un harrijasotzaile levantar doscientos kilos.* ☐ PRON. [harrijasotsáile], con *h* aspirada. ☐ USO Su uso es innecesario y puede sustituirse por *levantador de piedras*.

hartada s.f. Cantidad suficiente para hartarse: *Trajo una hartada de pescado y no pudimos comernos todo.*

hartar v. **1** Saciar en exceso el hambre o la sed: *El perro está tumbado porque lo han hartado de comida. Beberé agua hasta hartarme.* **2** Referido esp. a un deseo, saciarlo o satisfacerlo por completo: *Dijo que le gustaba el campo y lo han hartado de paseos. Es incansable y no se harta de bailar.* **3** Molestar, cansar o aburrir: *Creo que tus mimos hartan al gato. Ya me he hartado de prestarte dinero.* **4** Dar o recibir en abundancia: *Han hartado al animalito de besos. El día de mi cumpleaños me hartaron de libros.* ☐ SINT. Constr. *hartar* DE *algo*.

hartazgo s.m. Satisfacción completa o excesiva, esp. de un deseo o de una necesidad, que suele causar molestias, cansancio o aburrimiento: *He oído contar esa misma historia hasta el hartazgo.* ☐ SINÓN. *hartazón, hartón, hartura.*

hartazón s.m. →**hartazgo.**

harto adv. Muy o bastante: *Están harto cansados.*

harto, ta adj. **1** Bastante, sobrado o grande: *Tengo hartos motivos para protestar.* **2** Molesto, cansado o aburrido en exceso: *Estoy harta de hacer siempre lo mismo.* **3** Que ha saciado su apetito o su hambre: *Me he quedado harto de tanto comer.* ☐ ETIMOL. Del latín *fartus* (relleno).

hartón s.m. *col.* →**hartazgo.**

hartura s.f. **1** →**hartazgo. 2** Abundancia excesiva: *Había tal hartura de bebidas, que sobraron más de la mitad.*

hash (ing.) s.m. *arg.* En el lenguaje de la droga, hachís. ☐ PRON. [hach], con *h* aspirada y *ch* suave.

hassio s.m. Elemento químico radiactivo, de número atómico 108, que se obtiene mediante bombardeo del plomo con iones de hierro. ☐ ETIMOL. Por alusión a Hassia, nombre latino del Estado de Hesse, en Alemania. ☐ ORTOGR. Su símbolo químico es *Hs*.

hasta ▮ prep. **1** Indica el término o el límite de lugares, acciones, cantidades y tiempo: *Fui hasta la puerta de la iglesia. Me puedo gastar hasta seis euros.* **2** Indica que el dato que a continuación se aporta se considera sorprendente: *Hasta mi padre se divierte con este juego.* ☐ SINÓN. *incluso.* ▮ conj. **3** Seguida de 'cuando' o de un gerundio, enlace gramatical coordinante copulativo con valor incluyente: *Habla hasta durmiendo. Trabaja hasta cuando está de vacaciones.* **4** Seguida de 'que', enlace gramatical coordinante copulativo con valor excluyente: *El bebé llora hasta que come.* **5** ‖ **hasta {ahora/después/luego};** expresión que se usa como despedida si la ausencia va a ser breve: *Cuando se fue a comprar el periódico dijo: «Hasta ahora».* ‖ **hasta {más ver/otra};** expresión que se usa como despedida de alguien a quien se espera volver a ver: *Me lo pasé tan bien con ellos que me despedí diciendo: «Hasta otra».* ‖ **hasta nunca;** expresión que denota enfado y que se usa como despedida violenta de alguien a quien no se desea volver a ver: *Hemos terminado, ¡hasta nunca!* ‖ **hasta siempre;** expresión que se usa como despedida de alguien a quien se quiere demostrar que siempre será bien recibido: *Mientras se alejaba en el tren, me decía: «Hasta siempre».* ☐ ETIMOL. Del árabe *hatta*. ☐ ORTOGR. Dist. de *asta*.

hastial s.m. **1** En la fachada de un edificio de dos vertientes, parte superior triangular sobre la que descansan el tejado o la cubierta: *Hemos hecho una ventana en el hastial para dar luz al desván.* **2** En una excavación minera, pared lateral: *En este hastial hay una veta de carbón.* ☐ ETIMOL. Del latín *fastigium* (pendiente, inclinación, tejado de dos vertientes).

hastiar v. Causar hastío o provocar aburrimiento o repugnancia: *Me hastían las películas largas en las que no ocurre nada. Me sentaron mal las fresas que comí, y ahora me hastían.* ☐ ORTOGR. La *i* lleva tilde en los presentes, excepto en las personas *nosotros* y *vosotros* →GUIAR.

hastío s.m. Aburrimiento, cansancio o repugnancia: *La obra de teatro produjo un enorme hastío entre el público.* ☐ ETIMOL. Del latín *fastidium* (asco, repugnancia).

hatajo s.m. Grupo o conjunto: *Ha dicho un hatajo de bobadas sin sentido.* ☐ SINÓN. *atajo.* ☐ SEM. Su uso como sinónimo de *atajo* con el significado de 'camino más corto' es incorrecto. ☐ USO Tiene un matiz despectivo.

hatchback (ing.) adj.inv./s.m. Referido a un coche, que tiene un portón trasero por el que se puede acceder al habitáculo. ☐ PRON. [háchbak].

hatillo s.m. Pequeño paquete formado por ropa y útiles personales envueltos en un paño: *La anciana llevaba su ropa en un hatillo.*

hato s.m. **1** Ropa y objetos personales, esp. si está liada o recogida en un envoltorio. **2** Rebaño o conjunto de ganado. **3** En zonas del español meridional, finca ganadera. ☐ ETIMOL. De origen incierto. ☐ ORTOGR. Dist. de *ato* (del verbo *atar*).

hat trick (ing.) s.m. ‖ En fútbol, conjunto de tres goles marcados por un jugador en un solo partido: *El jugador brasileño culminó una gran actuación en el torneo consiguiendo un hat trick en la final.* ☐ PRON. [hát trík], con *h* aspirada.

hawaiano, na ▮ adj./s. **1** De Hawai o relacionado con este archipiélago del océano Pacífico. ▮ s.m. **2** Lengua malayo-polinesia que se habla en este archipiélago. ☐ PRON. [hauaiáno], con *h* aspirada.

haya s.f. **1** Árbol de gran altura, con tronco grueso y liso, ramas altas que forman una copa redonda y espesa, hojas alargadas, de punta aguda y borde dentado: *Las hayas son propias de climas húmedos.* **2** Madera de este árbol: *Tengo una cofre de haya que no pesa nada y es muy resistente.* ☐ ETIMOL. Del latín *materia fagea* (madera de haya). ☐ ORTOGR. Dist. de *halla* (del verbo *hallar*) y de *aya*. ☐ MORF. Por ser un sustantivo femenino que empieza por *a* tónica o acentuada, va precedido de *el*, *un*, *algún*, *ningún* y de las formas femeninas del resto de los determinantes.

hayal s.m. →**hayedo.**

hayedo s.m. Terreno poblado de hayas: *Los hayedos son propios de las regiones húmedas de clima templado.* ☐ SINÓN. *hayal.*

hayek s.m. Prenda de vestir femenina, que consiste en un manto que cubre el cuerpo de la cabeza a los pies, junto con un pañuelo rectangular que oculta la boca. ☐ PRON. [hayék], con *h* aspirada.

hayuco s.m. Fruto del haya: *El hayuco es parecido a la bellota.*

haz ▮ s.m. **1** Conjunto de cosas alargadas, esp. mieses, leña o lino, colocadas longitudinalmente y atadas. **2** Conjunto de rayos luminosos que proceden de un mismo punto: *un haz de luz.* **3** En biología, conjunto de células alargadas o de fibras que se agrupan en disposición paralela: *un haz nervioso.* **4** En geometría, conjunto de rectas que pasan por un punto o de planos que concurren en una misma recta. ▮ s.f. **5** En una hoja vegetal, cara superior. ☐ ETIMOL. Las acepciones 1-4, del latín *fascis* (porción atada de leña). La acepción 5, del latín *facies* (cara). ☐ MORF. En la acepción 5, por ser un sustantivo femenino que empieza por *a* tónica o acentuada, va precedido de *el*, *un*, *algún*, *ningún* y de las formas femeninas del resto de los determinantes.

haza s.f. Porción de tierra de cultivo. ☐ ETIMOL. Del latín *fascia* (faja).

hazaña s.f. Hecho importante, esp. el que requiere mucho valor y esfuerzo. ☐ ETIMOL. Quizá del árabe *hasana* (buena obra).

hazmerreír s.m. *col.* Persona o conjunto de personas que son objeto de burla, esp. por su aspecto o su comportamiento ridículos: *Vestidos así seréis el hazmerreír de la fiesta.* ☐ USO Se usa solo en singular, esp. en la expresión *ser el hazmerreír*.

HD-DVD (ing.) s.m. Formato de DVD, con características parecidas al estándar inicial, que tiene una mayor capacidad de almacenamiento y una mejor calidad de imagen: *El HD-DVD y el blu-ray son dos formatos de DVD.* ☐ ETIMOL. Es la sigla del inglés *High Definition Digital Versatile Disc* (disco digital polivalente de alta definición).

HDL (ing.) s.m. Complejo macromolecular que reduce el riesgo de enfermedades cardiovasculares y coronarias: *El HDL es coloquialmente conocido como colesterol bueno.* ☐ ETIMOL. Es la sigla del inglés *High Density Lipoprotein* (lipoproteína de alta densidad).

he ▮ adv. **1** Expresión que se usa delante de un adverbio de lugar, y combinada a veces con un pronombre átono, para señalar o presentar lo que se dice después: *He ahí la respuesta a tu pregunta. Henos aquí, preparados para la lucha.* ▮ interj. **2** Expresión que se usa para llamar a alguien. ☐ ETIMOL. Del árabe *he* (he aquí). ☐ ORTOGR. En la acepción 1, dist. de *e* y *eh*.

head-hunter (ing.) s. →**cazatalentos.** ☐ PRON. [hed-hánter], con las dos *h* aspiradas.

heavy (ing.) ▮ adj.inv./s.com. **1** Del 'heavy', con sus características o relacionado con él: *música heavy.* ▮ s.m. **2** Movimiento juvenil que se caracteriza por la actitud agresiva y rebelde de sus miembros. **3** ‖ **(heavy) metal;** género musical que deriva del heavy y en el que cobra importancia el sonido metálico de los instrumentos eléctricos. ☐ PRON. [hébi] y [hébi métal], con *h* aspirada.

hebdomadario, ria ▮ adj. **1** Semanal, esp. referido a una publicación: *La nueva editorial quiere comenzar con una publicación hebdomadaria.* ▮ s.m. **2** →**semanario.** ☐ ETIMOL. Del griego *hebdomán* (semana).

hebilla s.f. En una correa, en un cinturón o en otro tipo de cintas, pieza que sirve para unir sus extremos o para ajustar la cinta que pasa por ella: *Se ajustó bien el abrigo, apretando el cinturón y sujetándolo con la hebilla.* ☐ ETIMOL. Del latín **fibella*.

hebillaje s.m. Conjunto de hebillas, esp. las que forman parte de un vestido o de un adorno: *La dama eligió un hebillaje de oro para los zapatos.*

hebra s.f. **1** Porción de hilo, que suele utilizarse para coser. **2** Filamento de una materia textil. **3** Porción de materia vegetal o animal, de forma delgada y alargada semejante a un hilo: *Cuando cortes las judías verdes, quítales las hebras.* **4** ‖ **pegar la hebra;** *col.* Entablar conversación y mantenerla prolongadamente. ☐ ETIMOL. Del latín *fibra* (filamento de las plantas).

hebraico, ca adj. →**hebreo.**

hebraísmo s.m. **1** Religión basada en la ley de Moisés (profeta israelita), que se caracteriza por el monoteísmo y por la espera de la llegada del Mesías (según la Biblia, el Hijo de Dios): *El hebraísmo sigue los diez mandamientos de la ley de Dios y* *otras leyes morales.* □ SINÓN. *judaísmo.* **2** En lingüística, palabra, significado o construcción sintáctica del hebreo empleados en otra lengua: *La palabra amén es un hebraísmo en español.*

hebraísta s.com. Persona que se dedica al estudio de la lengua y literatura hebreas: *Han encargado a un prestigioso hebraísta una traducción de textos bíblicos.*

hebraizar v. En lingüística, utilizar palabras, significados o construcciones sintácticas del hebreo en otra lengua: *Es de familia judía y hebraíza cuando habla.* □ ORTOGR. 1. La *z* se cambia en *c* delante de *e*. 2. La *i* de la raíz lleva tilde en los presentes, excepto en las personas *nosotros* y *vosotros* →ENRAIZAR. □ SEM. Dist. de *judaizar* (practicar los ritos y ceremonias judíos).

hebreo, a ▌adj. **1** Del hebraísmo o relacionado con esta religión: *Heredé la fe hebrea de mis padres.* □ SINÓN. *hebraico, israelita, judío.* ▌adj./s. **2** De un antiguo pueblo semita que conquistó y habitó Palestina (territorio situado en el oeste asiático), o relacionado con él: *El pueblo hebreo ha sufrido muchas persecuciones.* □ SINÓN. *hebraico, israelita, judío.* **3** Que tiene como religión el hebraísmo: *Los niños hebreos son circuncidados.* □ SINÓN. *hebraico, israelita, judío.* ▌s.m. **4** Lengua semítica de ese pueblo: *El hebreo tiene una escritura en la que normalmente solo se anotan las consonantes.*

hecatombe s.f. Desastre, catástrofe o suceso en el que hay muchos daños o muchos perjudicados: *Las inundaciones han sido una auténtica hecatombe.* □ ETIMOL. Del griego *hecatómbe* (sacrificio de cien reses vacunas), y este de *hekatón* (ciento) y *bûs* (buey).

hechiceresco, ca adj. De la hechicería o relacionado con ella: *Siempre sospeché que le atraían las prácticas hechicerescas.*

hechicería s.f. Conjunto de conocimientos y poderes sobrenaturales con los que se pretende dominar los acontecimientos y las voluntades: *En la Edad Media se persiguió duramente la hechicería.*

hechicero, ra ▌adj. **1** Que atrae irresistiblemente: *una mirada hechicera.* □ SINÓN. *brujo.* ▌adj./s. **2** Referido a una persona, que utiliza conocimientos y poderes supuestamente sobrenaturales para intentar dominar los acontecimientos y las voluntades.

hechizar v. **1** Ejercer una influencia sobrenatural, esp. si es dañina o maléfica, mediante poderes mágicos: *La bruja hechizó a Blancanieves con una manzana.* **2** Despertar una atracción que provoca afecto, admiración, fascinación o deseo: *La bailarina hechizó al público con su arte.* □ ORTOGR. La *z* se cambia en *c* delante de *e* →CAZAR.

hechizo s.m. **1** Lo que se utiliza o lo que se hace para conseguir un fin por medios sobrenaturales o mágicos: *hechizo de amor.* **2** Atracción que provoca admiración o fascinación: *Esa cantante ejerce gran hechizo sobre su público.* □ ETIMOL. Del latín *facticius.*

hecho, cha ▌**1** part. irreg. de **hacer**. ▌adj. **2** Que ha alcanzado el desarrollo completo, que está terminado o que ha llegado a la madurez: *Hasta finales de verano estas peras no estarán hechas. Nos pagan según el trabajo hecho.* ▌s.m. **3** Acción u obra: *Menos palabras y más hechos.* **4** Lo que ocurre o sucede: *Los hechos tuvieron lugar al atardecer.* **5** Asunto o materia: *El hecho es que no sé cómo hacerlo.* **6** ‖ **de hecho; 1** En realidad: *Te prometí que vendría y de hecho aquí estoy.* **2** En derecho, sin ajustarse a una norma: *Aunque no nos hemos casado, somos marido y mujer de hecho.* ‖ **hecho a sí mismo;** referido a una persona, que se ha hecho rica o famosa por sus propios méritos y esfuerzos. ‖ **hecho y derecho;** referido a una persona, que es adulta y se comporta como tal: *Hace tanto que no veo a tu hija, que ya será una mujer hecha y derecha.* □ ORTOGR. Dist. de *echo* (del verbo *echar*). □ MORF. En la acepción 1, incorr. **hacido.* □ USO *Hecho* se usa para indicar que se concede o se acepta lo que se pide o propone: *–¿Quieres que te cuide los niños esta noche? –¡Hecho!*

hechor, -a s. En zonas del español meridional, malhechor.

hechura s.f. **1** Confección o realización de una prenda de vestir. **2** Referido a una persona o a un animal, configuración o disposición de su cuerpo: *El quinto toro de la tarde era un animal de buenas hechuras.* □ MORF. En la acepción 2, se usa más en plural.

hectárea s.f. Unidad de superficie que equivale a diez mil metros cuadrados: *He comprado dos hectáreas de terreno cerca del río.* □ ETIMOL. De *hecto-* (cien) y *área.* □ ORTOGR. Su símbolo es *ha*, por tanto, se escribe sin punto.

hecto- Elemento compositivo prefijo que significa 'cien': *hectogramo, hectómetro, hectovatio.* □ ETIMOL. Del griego *hekatón.* □ ORTOGR. Su símbolo es *h-*, y no se usa nunca aislado: *hl* (hectolitro).

hectogramo s.m. En el Sistema Internacional, unidad de masa que equivale a cien gramos: *Un kilo tiene diez hectogramos.* □ ETIMOL. De *hecto-* (cien) y *gramo.* □ PRON. Incorr. *[hectógramo]. □ ORTOGR. Su símbolo es *hg*, por tanto, se escribe sin punto.

hectolitro s.m. Unidad de volumen que equivale a cien litros: *Ese barril contiene dos hectolitros de vino.* □ ETIMOL. De *hecto-* (cien) y *litro.* □ PRON. Incorr. *[hectólitro]. □ ORTOGR. Su símbolo es *hl*, por tanto, se escribe sin punto.

hectómetro s.m. En el Sistema Internacional, unidad de longitud que equivale a cien metros: *Un kilómetro tiene diez hectómetros.* □ ETIMOL. De *hecto-* (cien) y *metro.* □ PRON. Incorr. *[hectométro]. □ ORTOGR. Su símbolo es *hm*, por tanto, se escribe sin punto.

hectovatio s.m. En el Sistema Internacional, unidad de potencia que equivale a cien vatios: *Una bombilla de un hectovatio ilumina bastante una habitación media.* □ ETIMOL. De *hecto-* (cien) y *vatio.* □ ORTOGR. Su símbolo es *hW*, por tanto, se escribe sin punto.

heder v. Despedir muy mal olor: *El pescado podrido hiede.* □ ETIMOL. Del latín *foetere.* □ MORF. Irreg. →PERDER.

hediento, ta adj. →**hediondo.**

hediondez s.f. **1** Olor desagradable y penetrante: *La hediondez del pescado podrido es insoportable.* **2** Lo que resulta muy molesto, repugnante o desagradable: *Ese espectáculo pornográfico me parece una hediondez sin nada de arte.*

hediondo, da adj. **1** Que desprende un olor muy desagradable. □ SINÓN. *fétido, hediento.* **2** Que resulta repugnante por su suciedad o por su obscenidad: *No soporto la hedionda moral de las personas sin escrúpulos.* □ SINÓN. *hediento.* **3** Que resulta muy molesto o intolerable: *Sus continuos halagos me parecen hediondos.* □ SINÓN. *hediento.* □ ETIMOL. Del latín **foetibundus,* y este de *foetere* (heder).

hedónico, ca adj. Del hedonismo o de los hedonistas: *pensamiento hedónico.* □ SINÓN. *hedonístico.*

hedonismo s.m. Concepción filosófica que considera que la felicidad obtenida a través del placer es el fin último de la vida: *El hedonismo afirma que, a veces, para conseguir un placer es preciso superar etapas de dolor.* □ ETIMOL. Del griego *hedoné* (placer).

hedonista ▌adj.inv. **1** Del hedonismo o relacionado con esta concepción filosófica: *La filosofía hedonista busca destruir todas las angustias humanas.* ▌adj.inv./s.com. **2** Que busca el placer o que defiende el hedonismo: *Para un hedonista, el placer físico es menos apreciado por ser menos duradero.*

hedonístico, ca adj. Del hedonismo o de los hedonistas: *La filosofía hedonística estima sobre todo los placeres espirituales.* □ SINÓN. *hedónico.*

hedor s.m. Olor desagradable y penetrante, generalmente producido por materia orgánica en descomposición: *El hedor de las basuras me mareó.* □ ETIMOL. Del latín *foetor.*

hegelianismo s.m. Sistema filosófico fundado por Hegel (alemán del siglo XIX), según el cual, lo Absoluto o Idea se manifiesta necesariamente como naturaleza y espíritu, en un proceso dialéctico: *El hegelianismo afirma que todo lo que existe es la misma realidad en manifestaciones diferentes.* □ PRON. [heguelianísmo], con *h* aspirada.

hegeliano, na ▌adj. **1** Del hegelianismo o relacionado con este sistema filosófico: *pensamiento hegeliano.* ▌adj./s. **2** Partidario o seguidor del hegelianismo. □ PRON. [hegueliáno], con *h* aspirada.

hegemonía s.f. Supremacía o dominio, esp. los que un Estado ejerce sobre otros: *Es clara la hegemonía de los países desarrollados sobre los menos desarrollados.* □ ETIMOL. Del griego *hegemonía* (dirección, jefatura).

hegemónico, ca adj. De la hegemonía o relacionado con ella: *Siempre hubo una clase hegemónica que gozó de mayores privilegios.*

hegemonizar v. Referido esp. a un Estado, ejercer supremacía o dominio sobre otro: *Esa nación hegemonizó varios años al país vecino.* □ ORTOGR. La *z* se cambia en *c* delante de *e* →CAZAR.

hégira (tb. *héjira*) s.f. En la cronología musulmana, era o fecha desde la cual se empiezan a contar los años (por ser la fecha de la huida del profeta Mahoma de la ciudad de La Meca hacia la ciudad de Medina): *La hégira comienza en el año 622 de la era cristiana.* □ ETIMOL. Del árabe *hiyra* (emigración). □ SEM. Dist. de *egida* o *égida* (escudo que se llevaba en el brazo izquierdo; amparo o protección).

héjira s.f. →**hégira.**

helada s.f. Véase **helado, da.**

heladera s.f. Véase **heladero, ra.**

heladería s.f. Establecimiento en el que se fabrican o se venden helados: *Siempre que paso por esta heladería, entro a tomarme un helado de chocolate.*

heladero, ra ▌s. **1** Persona que vende o fabrica helados: *El heladero todavía no ha abierto su quiosco.* ▌s.f. **2** En zonas del español meridional, nevera: *Guardé el agua en la heladera.*

helado, da ▌adj. **1** Muy frío o con una temperatura mucho más baja de lo normal: *Llegué con los pies helados.* **2** Muy frío o muy distante y con desdén: *una mirada helada.* ▌s.m. **3** Dulce hecho generalmente con leche, azúcar y zumos o esencias de frutos, cuyos ingredientes están en cierto grado de congelación: *un helado de fresa.* ▌s.f. **4** Fenómeno atmosférico que consiste en la congelación del agua por un descenso persistente de la temperatura: *Con este frío, seguro que cae una helada esta noche.*

heladora s.f. Máquina para hacer helados: *Desde que tenemos la heladora, nos pasamos el día comiendo helados caseros.*

helamiento s.m. Congelación o conversión en hielo, esp. si es causada por el frío: *El helamiento del río nos permite patinar sobre él.*

helar ▌v. **1** Referido esp. a un líquido, congelarlo o convertirlo en sólido por la acción del frío, esp. el agua en hielo: *El frío heló la nieve que cayó esta mañana. Hace tanto frío que se han helado los charcos.* **2** Referido a una persona, sobrecogerla o dejarla sorprendida o pasmada: *La noticia de su muerte me dejó helada.* **3** Referido esp. al ánimo, frustrarlo o hacerlo decaer: *Su negativa heló mis ilusiones.* **4** Referido a una planta o a sus frutos, dañarlos o secarlos el frío por congelación de su savia y de sus jugos: *El frío ha helado los brotes de los árboles. Este invierno se han helado los geranios.* **5** Hacer una temperatura ambiental inferior a cero grados, con lo que se congelan los líquidos: *Esta noche ha helado.* ▌prnl. **6** Pasar mucho frío o ponerse muy frío: *Me voy a helar esperando en la parada del autobús.* □ ETIMOL. Del latín *gelare.* □ MORF. 1. Irreg. →PENSAR. 2. En la acepción 5, es unipersonal.

helechal s.m. Terreno poblado de helechos: *Los helechales son propios de climas húmedos.*

helecho s.m. Planta herbácea, sin flores, con el tallo subterráneo horizontal del que nacen por un lado numerosas raíces y por el otro hojas verdes, grandes, perennes y ramificadas, en cuya cara inferior se forman las esporas, en dos filas paralelas al nervio medio: *Los helechos crecen en bosques húmedos y son muy frondosos.* □ ETIMOL. Del latín *filictum* (matorral de helechos).

helénico, ca adj. **1** De Grecia o relacionado con este país europeo. □ SINÓN. *griego, heleno.* **2** De la antigua Grecia o Hélade, o de sus habitantes: *La cultura helénica fue fuente de inspiración en la época renacentista.* □ SEM. En la acepción 1, se usa referido esp. a cosas, frente a *heleno*, que se prefiere para personas.

helenismo s.m. **1** Período de la cultura y de la civilización griegas que abarca desde la muerte de Alejandro Magno (rey macedonio) en el siglo IV hasta la dominación romana en el siglo I a. C.: *Durante el helenismo, las artes alcanzaron un gran desarrollo.* **2** Influencia ejercida por la cultura griega clásica en otras civilizaciones: *El período renacentista se caracteriza por su helenismo.* **3** En lingüística, palabra, significado o construcción sintáctica del griego, esp. los empleados en otra lengua: *Muchos de los términos científicos que se usan en español son helenismos.*

helenista s.com. Persona especializada en el estudio de la lengua y de la cultura griegas: *Habla del arte griego con la autoridad de un helenista.*

helenístico, ca adj. Del helenismo, de los helenistas o relacionado con ellos: *Esta historiadora es especialista en la época helenística.*

helenización s.f. Adopción de la cultura y de la civilización griegas: *La helenización de la sociedad romana fue paulatina.*

helenizarse v.prnl. Adoptar la cultura y la civilización griegas: *Los conquistadores romanos terminaron por helenizarse.* □ ORTOGR. La *z* se cambia en *c* delante de *e* →CAZAR.

heleno, na ▮ adj./s. **1** De Grecia o relacionado con este país europeo. □ SINÓN. *griego, helénico.* ▮ s. **2** Persona perteneciente a los pueblos aqueo, dorio, jonio o eolio, cuya instalación en diversas zonas del litoral mediterráneo dio lugar a la civilización griega antigua: *Los helenos se instalaron en Grecia, Sicilia y otras zonas mediterráneas.* □ SEM. *Heleno* se usa referido esp. a personas y *helénico*, a cosas.

helero s.m. En una montaña, masa de hielo o de nieve situada en una zona inferior a la de las nieves perpetuas: *No creo que este verano haya sido el más caluroso del siglo, porque los heleros no se han derretido.*

hélice s.f. **1** Instrumento formado por dos o más aletas o aspas curvas que giran alrededor de un eje movidas por un motor, y que se utiliza como propulsor de barcos y aviones. **2** En la oreja humana, parte más externa y periférica, que comienza en el orificio exterior del conducto auditivo y la contornea hasta el lóbulo. □ SINÓN. *hélix.* **3** En geometría, curva espacial que corta las generatrices o líneas que unen las bases de un cilindro circular formando ángulos iguales: *El tornillo tiene una parte en forma de hélice.* □ ETIMOL. Del latín *helix*, y este del griego *hélix* (espiral). □ MORF. En la acepción 1, cuando se antepone a una palabra para formar compuestos, adopta la forma *helico-*.

helicoidal adj.inv. En forma de hélice: *Las aspas de este ventilador tienen forma helicoidal.* □ ETIMOL. Del griego *hélix* (espiral, objeto en espiral).

helicón s.m. **1** Instrumento musical de viento, de la familia de los metales, de gran tamaño, y en forma de tubo circular que se coloca alrededor del cuerpo del músico apoyándolo sobre su hombro: *El helicón es utilizado en las bandas militares americanas.* **2** *poét.* Lugar fantástico en el que reside la inspiración poética: *Visitemos el helicón para que las musas nos inspiren.* □ ETIMOL. Quizá del griego *helikós* (torcido, sinuoso). La acepción 2, por alusión al monte Helicón, lugar donde vivían las musas. □ USO En la acepción 2, se usa más como nombre propio.

helicóptero s.m. Aeronave que se eleva y se sostiene en el aire gracias a una gran hélice de eje vertical movida por un motor y situada en la parte superior: *Los helicópteros aterrizan y despegan verticalmente.* □ ETIMOL. Del griego *hélix* (espiral) y *-ptero* (ala).

heliesquí s.m. Deporte que consiste en subir a las montañas nevadas en helicóptero y descender esquiando.

helio s.m. Elemento químico, no metálico y gaseoso, de número atómico 2, muy ligero, incoloro, insípido y de poca actividad química: *El helio forma parte de la atmósfera solar. El helio es un gas noble.* □ ETIMOL. Del griego *hélios* (sol). □ ORTOGR. Su símbolo químico es *He*.

helio- Elemento compositivo prefijo que significa 'sol': *heliocentrismo, heliofísica, heliomotor, helioscopio.* □ ETIMOL. Del griego *hélios*.

heliocéntrico, ca adj. En astronomía, referido a un sistema, que considera el Sol como centro del universo: *Copérnico defendió las teorías heliocéntricas de los seguidores de Pitágoras.* □ ETIMOL. De *helio-* (sol) y *céntrico*.

heliocentrismo s.m. Teoría que considera que el Sol es el centro del universo: *Copérnico fue el impulsor del heliocentrismo en el siglo XV.*

heliodinámica s.f. Parte de la física que estudia el calor solar y sus aplicaciones: *He seguido unas conferencias sobre heliodinámica.* □ ETIMOL. De *helio-* (sol) y *dinámica*.

heliofísica s.f. Tratado de la naturaleza física del sol: *Mi abuelo tiene en su biblioteca una heliofísica muy antigua.* □ ETIMOL. De *helio-* (sol) y *física*.

heliogábalo s.m. Persona dominada por la gula: *En la novela aparecía un grupo de heliogábalos que vivía obsesionado con la comida.* □ ETIMOL. Por alusión a Heliogábalo, emperador romano del siglo III d. C.

heliografía s.f. **1** Sistema de transmisión de señales por medio del heliógrafo: *El marinero utilizó un espejo para transmitir el mensaje por medio de la heliografía.* **2** Fotografía del Sol: *En una de las exposiciones permanentes del planetario tienen va-*

rias heliografías. □ ETIMOL. De *helio-* (sol) y *-grafía* (representación gráfica).

heliográfico, ca adj. Del heliógrafo, de la heliografía, o relacionado con ellos: *El capitán de la embarcación descifró el mensaje heliográfico.*

heliógrafo s.m. Aparato que se utiliza para emitir señales telegráficas mediante la reflexión de rayos solares sobre un espejo plano que se mueve para producir destellos cortos o largos agrupados de diversas maneras: *Desde nuestra embarcación recibimos el mensaje que transmitieron desde el velero con un heliógrafo.* □ ETIMOL. De *helio-* (sol) y *-grafo* (aparato para escribir).

heliomotor s.m. Aparato que se utiliza para transformar la energía solar en energía mecánica: *En las prácticas de física hicimos un heliomotor casero.* □ ETIMOL. De *helio-* (sol) y *motor*.

helioscopio s.m. Lente o aparato óptico adaptable al telescopio y a los anteojos, que permite ver el Sol sin que se dañe la vista: *Adapté un helioscopio a mi telescopio para poder ver el eclipse.* □ ETIMOL. De *helio-* (sol) y *-scopio* (aparato para ver).

heliosismología s.f. Estudio de los temblores y de las vibraciones que se producen en el Sol: *La heliosismología estudia cómo el Sol se expande y se contrae.* □ ETIMOL. De *helio-* (sol) y *sismología*.

heliotecnia s.f. Técnica para la conversión de la luz solar en energía eléctrica: *Ese científico se ha especializado en heliotecnia.* □ ETIMOL. De *helio-* (sol) y el griego *tékhne* (arte, industria, habilidad).

helioterapia s.f. Tratamiento curativo de algunas enfermedades, que consiste en la exposición de la parte enferma a la acción de los rayos solares: *Algunos médicos recomiendan la helioterapia para el reúma.* □ ETIMOL. De *helio-* (sol) y *-terapia* (curación).

heliotropismo s.m. Fenómeno que se produce en las plantas cuando orientan sus tallos, sus flores o sus hojas hacia la luz del Sol: *El heliotropismo es muy característico de los girasoles.* □ ETIMOL. De *helio-* (sol) y *tropismo*.

heliotropo s.m. Planta de jardín con tallo leñoso de muchas ramas, hojas rugosas y alternas y flores pequeñas de color blanco o azulado en forma de espiga, y olor a vainilla: *El heliotropo es una planta de origen peruano.* □ ETIMOL. De *helio-* (sol) y el griego *trépo* (doy vueltas).

helipuerto s.m. Pista destinada al aterrizaje y despegue de helicópteros: *En la azotea del hospital hay un helipuerto.* □ ETIMOL. De *helicóptero* y *aeropuerto*.

helipunto s.m. Lugar acondicionado provisionalmente para que aterricen y despeguen helicópteros: *El helicóptero se desvió de su rumbo y tuvieron que establecer un nuevo helipunto para el aterrizaje.*

helitransportado, da adj. Que es transportado en helicóptero: *Las fuerzas helitransportadas llegaron a tiempo al asalto de la zona montañosa.*

hélix s.m. En la oreja humana, parte más externa y periférica, que comienza en el orificio exterior del conducto auditivo y la contornea hasta el lóbulo: *Tiene un corte en la hélix de la oreja derecha.* □ SINÓN. *hélice.* □ ETIMOL. Del griego *hélix* (espiral).

helmintiasis (pl. *helmintiasis*) s.f. Enfermedad producida por la existencia de gusanos parásitos en el organismo: *El análisis de las deposiciones del niño demostró que tenía una helmintiasis.* □ ETIMOL. Del griego *hélmins* (gusano, lombriz) e *iázo* (yo tengo).

helminto s.m. Gusano, esp. el que es parásito de las personas y de los animales: *La tenia y la triquina son helmintos.* □ ETIMOL. Del griego *hélmins* (gusano, lombriz).

helmintología s.f. Parte de la zoología que estudia los gusanos, esp. los que son parásitos de las personas y de los animales: *Este tratado de helmintología habla de las tenias.* □ ETIMOL. Del griego *hélmins* (gusano, lombriz) y *-logía* (estudio, ciencia).

helvecio, cia adj./s. **1** De la antigua Helvecia (zona que se corresponde aproximadamente con el actual territorio suizo) o relacionado con ella: *Los helvecios eran un pueblo celta.* □ SINÓN. *helvético.* **2** De Suiza o relacionado con este país europeo. □ SINÓN. *suizo, helvético.*

helvético, ca adj./s. →**helvecio.**

hema- Elemento compositivo prefijo que significa 'sangre': *hemangioma.* □ ETIMOL. Del griego *hâima*.

hemangioma s.m. Mancha de color rojizo que aparece en la piel y que tiende a desaparecer con el tiempo.

hemat- Elemento compositivo prefijo que significa 'sangre': *hematuria, hematemesis, hemático.* □ ETIMOL. Del griego *hâima*.

hematemesis (pl. *hematemesis*) s.f. Vómito de sangre causado por una lesión de la mucosa digestiva: *La úlcera de estómago puede provocar hematemesis.* □ ETIMOL. Del griego *hâima* (sangre) y *émesis* (vómito).

hemático, ca adj. De la sangre o relacionado con ella: *Este medicamento alcanza concentraciones hemáticas muy altas.*

hematíe s.m. Célula de la sangre de los vertebrados que contiene hemoglobina y cuya misión es transportar oxígeno a todo el organismo: *La sangre es de color rojo a causa de la hemoglobina de los hematíes.* □ SINÓN. *eritrocito, glóbulo rojo.* □ ETIMOL. Del griego *hâima* (sangre). □ SEM. Dist. de *hematites* (mineral de hierro oxidado).

hematites (pl. *hematites*) s.f. Mineral de hierro oxidado, de color rojizo o pardo, y de gran dureza: *La hematites se utiliza para bruñir metales.* □ ETIMOL. Del griego *haimatítes* (sanguíneo). □ SEM. Dist. de *hematíe* (célula de la sangre).

hemato- Elemento compositivo prefijo que significa 'sangre': *hematología, hematológico, hematófago.* □ ETIMOL. Del griego *hâima*.

hematocrito s.m. En medicina, índice que señala el volumen de glóbulos respecto al volumen total de sangre: *Un hematocrito más alto de lo normal puede indicar la utilización de alguna sustancia estimulante.*

hematófago, ga adj. Referido a un animal, que se alimenta de sangre. □ ETIMOL. De *hemato-* (sangre) y *-fago* (que come).

hematología s.f. Estudio de la sangre y de los órganos que la producen: *El estudio de los análisis de sangre lo realizan especialistas en hematología.* □ SINÓN. *hemología.* □ ETIMOL. De *hemato-* (sangre) y *-logía* (estudio, ciencia).

hematológico, ca adj. De la hematología o relacionado con esta parte de la medicina: *La sección hematológica del hospital cuenta con varias unidades móviles para facilitar las donaciones de sangre.*

hematólogo, ga s. Médico especializado en el estudio de la sangre, esp. si esta es su profesión: *La hematóloga hizo un estudio exhaustivo de mis análisis de sangre.*

hematoma s.m. Acumulación de sangre en un tejido debida a un derrame: *Lo atropelló una moto y sufre varios hematomas y contusiones.* □ ETIMOL. De *hemato-* (sangre) y *-oma* (tumor).

hematopatía s.f. →**hemopatía.**

hematopoyesis (pl. *hematopoyesis*) s.f. Formación de células sanguíneas. □ ETIMOL. De *hemato-* (sangre) y el griego *poiesis* (acción, creación).

hematosis (pl. *hematosis*) s.f. Conversión de la sangre venosa en sangre arterial: *La hematosis se produce en el pulmón durante la respiración al eliminar de la sangre el dióxido de carbono y recibir el oxígeno.* □ ETIMOL. Del griego *aimátosis* (cambio en sangre o conversión en sangre).

hematuria s.f. Presencia de sangre en la orina: *Algunas enfermedades del riñón producen hematuria.* □ ETIMOL. Del griego *hâima* (sangre) y *ûron* (orina).

hembra s.f. **1** Animal de sexo femenino: *Las hembras de los caballos son las yeguas.* **2** En las plantas que tienen los órganos reproductores masculinos y femeninos en individuos distintos, el que tiene los femeninos: *Las hembras de las palmeras dan dátiles.* **3** *col.* Mujer. **4** En un objeto que consta de dos piezas encajables, la que tiene el orificio por el que la otra se introduce: *la hembra de un enchufe.* □ ETIMOL. Del latín *femina.* □ SINT. En la acepción 1, se usa en aposición, pospuesto a un sustantivo, para designar el sexo femenino de los sustantivos epicenos: *el gorila hembra.*

hembrilla s.f. Pieza pequeña en que otra se introduce o asegura: *Los corchetes se abrochan enganchando una de sus partes a la hembrilla.*

hemerálope adj.inv./s.com. Referido a una persona, que pierde total o parcialmente la vista cuando disminuye la luz ambiente: *Los hemerálopes no deben conducir de noche.*

hemeralopía s.f. Defecto de la visión consistente en la pérdida total o parcial de la vista cuando disminuye la luz ambiente: *La hemeralopía es síntoma de falta de vitamina A.* □ ETIMOL. Del griego *heméra* (día) y *óps* (vista).

hemeroteca s.f. Local en el que se conserva una colección organizada de diarios y de otras publicaciones periódicas para poder ser consultados, estudiados o leídos por los usuarios: *Fui a la hemeroteca a ver qué noticias había publicado la prensa el día en que yo nací.* □ ETIMOL. Del griego *heméra* (día) y *théke* (depósito).

hemi- Elemento compositivo prefijo que significa 'medio': *hemiciclo, hemiplejia, hemisferio.* □ ETIMOL. Del griego *hémi.*

hemiatrofia s.f. Atrofia o disminución de una parte del cuerpo o de la mitad de un órgano: *El médico está estudiando la hemiatrofia cerebral del paciente.* □ ETIMOL. De *hemi-* (medio) y *atrofia.*

hemiciclo s.m. **1** Espacio semicircular provisto de gradas, esp. el de la sala de sesiones del Congreso de los Diputados: *Los diputados han ocupado sus asientos en el hemiciclo.* **2** En geometría, cada una de las dos mitades del círculo separadas por un diámetro: *La suma del área de los dos hemiciclos es el área del círculo.* □ SINÓN. *semicírculo.* □ ETIMOL. Del latín *hemicyclium.*

hemiesferoidal adj.inv. Con forma de media esfera: *El bazo tiene forma hemiesferoidal y su color es rojizo.*

hemión s.m. Asno silvestre que vive en Asia occidental: *El hemión vive en manadas.* □ SINÓN. *hemíono.* □ ETIMOL. Del griego *hemíonos* (mulo), y este de *hemi-* (medio) y *ónos* (asno). □ MORF. Es un sustantivo epiceno: *el hemión {macho/hembra}.*

hemíono s.m. →**hemión.** □ MORF. Es un sustantivo epiceno: *el hemíono {macho/hembra}.*

hemiplejia (tb. *hemiplejía*) s.f. Parálisis de un lado del cuerpo, generalmente producida por una lesión en el encéfalo o en la médula espinal: *Sufre una hemiplejia y no puede valerse por sí mismo.* □ ETIMOL. Del griego *hemiplegés* (medio herido), y este de *hémi-* (medio) y *plésso* (yo hiero).

hemipléjico, ca ▮ adj. **1** De la hemiplejia o con características de este tipo de parálisis: *Esta enferma sufre un proceso hemipléjico.* ▮ adj./s. **2** Referido a una persona, que padece hemiplejia: *Este hemipléjico utiliza una silla de ruedas.*

hemíptero ▮ adj./s.m. **1** Referido a un insecto, que tiene pico articulado, chupador o perforador, generalmente con cuatro alas, y que se forma a partir de una metamorfosis sencilla: *La chinche, la cigarra y el pulgón son insectos hemípteros.* ▮ s.m.pl. **2** En zoología, orden de estos insectos, perteneciente al tipo de los artrópodos: *Los hemípteros transmiten muchas enfermedades víricas.* □ ETIMOL. De *hemi-* (medio) y *-ptero* (ala).

hemisférico, ca adj. Del hemisferio o con forma de este: *una cúpula hemisférica.*

hemisferio s.m. **1** En geografía, mitad de la esfera terrestre dividida por un círculo máximo imaginario: *El Ecuador divide la Tierra en los hemisferios norte y sur.* **2** En geometría, cada una de las dos mitades de una esfera dividida por un plano que pasa por su centro: *Esta lámina muestra cómo un plano divide la esfera en dos hemisferios.* □ SINÓN. *semiesfera.* **3** En anatomía, cada una de las dos mitades laterales en que se dividen el cerebro o el cerebelo: *Las lesiones en el hemisferio derecho del cerebro afectan al lado izquierdo del cuerpo.* □ ETIMOL. Del griego *hemispháirion*, y este de *hémi-* (medio) y *sphâira* (bola).

hemistiquio s.m. En un verso, cada una de las dos divisiones métricas determinadas por la pausa interna: *Este verso de dieciséis sílabas se divide en dos hemistiquios octosílabos.* □ ETIMOL. Del griego *hemistíkhion*, y este de *hémi-* (medio) y *stíkhos* (verso).

hemo- Elemento compositivo prefijo que significa 'sangre': *hemodiálisis, hemopatía, hemorragia.* □ ETIMOL. Del griego *hâima*.

hemocianina s.f. Sustancia de color azulado que se encuentra disuelta en la sangre de algunos artrópodos y moluscos, y que transporta el oxígeno: *La hemocianina tiene las mismas funciones que la hemoglobina de los vertebrados.* □ ETIMOL. De *hemo-* (sangre) y el griego *kýanos* (azul).

hemoderivado s.m. Sustancia derivada de la sangre o de su plasma: *Los hemofílicos exigen mayor control de los hemoderivados.* □ ETIMOL. De *hemo-* (sangre) y *derivado*.

hemodiálisis (pl. *hemodiálisis*) s.f. En medicina, técnica terapéutica que consiste en eliminar artificialmente las sustancias nocivas de la sangre, haciéndola pasar a través de una membrana semipermeable: *Tiene un problema renal y debe ir periódicamente al hospital para que le hagan una hemodiálisis.* □ ETIMOL. De *hemo-* (sangre) y *diálisis*. □ MORF. En la lengua coloquial se usa mucho la forma abreviada *diálisis*.

hemodinámica s.f. Véase **hemodinámico, ca**.

hemodinámico, ca ▌adj. **1** De la hemodinámica o relacionado con ella. **2** En medicina, referido a una prueba, que estudia el flujo sanguíneo en el sistema vascular: *Como tenía problemas circulatorios, me hicieron una prueba hemodinámica.* ▌s.f. **3** Parte de la medicina que estudia los mecanismos de circulación de la sangre. □ ETIMOL. De *hemo-* (sangre) y *dinámica*.

hemodonación s.f. Donación de sangre: *La hemodonación es fundamental para los grandes hospitales.* □ ETIMOL. De *hemo-* (sangre) y *donación*.

hemofilia s.f. Enfermedad hereditaria que se caracteriza por la dificultad de coagulación de la sangre: *La hemofilia es una enfermedad hereditaria que aumenta su frecuencia con la consanguinidad.* □ ETIMOL. De *hemo-* (sangre) y *-filia* (afición, amor).

hemofílico, ca ▌adj. **1** De la hemofilia o relacionado con esta enfermedad: *El enfermo presenta un cuadro hemofílico.* ▌adj./s. **2** Referido a una persona, que padece esta enfermedad: *Los hemofílicos corren el riesgo de desangrarse con cualquier pequeña herida, porque su sangre coagula con dificultad.*

hemoglobina s.f. Pigmento contenido en los hematíes o en el plasma sanguíneo, que transporta el oxígeno a las células y que da a la sangre su color rojo característico: *La molécula de la hemoglobina tiene una parte proteínica.* □ ETIMOL. De *hemo-* (sangre) y la raíz de *glóbulo*.

hemolinfa s.f. En los invertebrados, líquido interno, generalmente incoloro, que contiene sustancias nutrientes pero no oxígeno: *La hemolinfa de los invertebrados equivale a la sangre de los vertebrados.* □ ETIMOL. De *hemo-* (sangre) y *linfa*.

hemólisis (pl. *hemólisis*) s.f. Destrucción de los hematíes sanguíneos con liberación de la hemoglobina que contienen: *La hemólisis produce anemia.* □ ETIMOL. De *hemo-* (sangre) y el griego *lýsis* (disolución).

hemología s.f. →**hematología.**

hemopatía s.f. Enfermedad de la sangre: *La anemia y la leucemia son hemopatías.* □ SINÓN. *hematopatía.* □ ETIMOL. De *hemo-* (sangre) y *-patía* (enfermedad). □ SEM. Dist. de *homeopatía* (un tipo de tratamiento de enfermedades).

hemoptisis (pl. *hemoptisis*) s.f. Expulsión de sangre por la boca, procedente de los órganos del sistema respiratorio, esp. de los pulmones o de los bronquios: *La tuberculosis puede provocar hemoptisis.* □ ETIMOL. De *hemo-* (sangre) y el griego *ptýsis* (acción de escupir).

hemorragia s.f. Salida de la sangre de los vasos sanguíneos, esp. cuando se produce en grandes cantidades: *Sufre una hemorragia cerebral y ha entrado en estado de coma. Tiene frecuentes hemorragias por la nariz.* □ ETIMOL. Del griego *haimorrhagía*, y este de *hâima* (sangre) y *rhégnymi* (yo broto).

hemorroide s.f. Pequeño tumor sanguíneo que se forma en el ano o en la parte final del recto por una excesiva dilatación de las venas en esa zona: *El médico le ha recomendado operarse de las hemorroides.* □ SINÓN. *almorrana.* □ ETIMOL. Del griego *haimorrhoís*, de *hâima* (sangre) y *rhéo* (yo fluyo). □ MORF. Incorr. su uso como masculino {**los* > *las*} *hemorroides*.

hemostasia s.f. Detención natural o provocada de una hemorragia: *Cuando se coagula la sangre se produce una hemostasia.* □ SINÓN. *hemostasis.*

hemostasis (pl. *hemostasis*) s.f. →**hemostasia.** □ ETIMOL. De *hemo-* (sangre) y el griego *stásis* (detención).

hemostático, ca adj./s.m. Referido esp. a un medicamento, que sirve para detener una hemorragia: *El agua oxigenada es una sustancia hemostática.*

hemoterapia s.f. Tratamiento de las enfermedades mediante el empleo de la sangre: *Para curar mi anemia me sometieron a una hemoterapia en el hospital.* □ ETIMOL. De *hemo-* (sangre) y *-terapia* (curación).

hemotóxico, ca adj./s.m. Referido a una sustancia, que es tóxica para la sangre: *Algunas serpientes tienen venenos hemotóxicos.* □ ETIMOL. De *hemo-* (sangre) y *tóxico*.

henal s.m. Lugar donde se guarda el heno: *No seas insensato y no fumes en el henal, si no quieres provocar un incendio.* □ SINÓN. *henil.*

henar s.m. Terreno plantado de heno: *Hay un henar en las afueras del pueblo.*

henchidura s.f. Llenado de un espacio vacío, esp. si con ello aumenta su volumen: *Una inspiración profunda provoca la henchidura de los pulmones.*

henchir ▌v. **1** Referido a un espacio vacío, llenarlo con algo, esp. si al hacerlo aumenta su volumen: *Aprovechaos y henchid vuestros pulmones de aire puro.* ▌prnl. **2** Hartarse de comida o de bebida: *Comimos dulces hasta henchirnos.* ☐ ETIMOL. Del latín *implere.* ☐ MORF. Irreg. →PEDIR.

hendedura s.f. →**hendidura.**

hender v. →**hendir.** ☐ ETIMOL. Del latín *findere.* ☐ MORF. Irreg. →PERDER.

hendido, da adj. **1** Referido al labio o a la pezuña de algunos animales, que tienen una abertura que no llega a dividirlos del todo: *La vaca y la oveja tienen pezuña hendida.* **2** Referido a una hoja vegetal, que tiene el limbo dividido en lóbulos irregulares: *El diente de león tiene hojas hendidas.*

hendidura (tb. *hendedura*) s.f. **1** En un cuerpo sólido, abertura o corte profundos que no llega a dividirlo en dos: *Las poleas tienen una hendidura por la que pasa la cuerda.* **2** En una superficie, grieta más o menos profunda: *Ha aparecido una hendidura en la pared.*

hendija s.f. Rendija o hendidura pequeña: *Tras el terremoto, las paredes quedaron llenas de hendijas.*

hendimiento s.m. Aparición de aberturas o de grietas en una superficie: *Se ha producido un hendimiento de la pared.*

hendir (tb. *hender*) v. **1** Hacer una hendidura: *Hendió con su espada la armadura del caballero que le había ofendido. Con tanto peso se ha hendido el tablero de la estantería.* **2** Referido a un fluido, atravesarlo o cortar su superficie algo que se mueve avanzando: *El halcón hendía el aire. Las naves hendían las aguas tranquilas del mar.* ☐ MORF. Irreg. →DISCERNIR.

henequén s.m. **1** Variedad de la pita que tiene las pencas con espinas. **2** Fibra que se obtiene de las pencas de esta planta. ☐ ETIMOL. De origen maya.

henil s.m. Lugar donde se guarda el heno: *Junto al establo hay un cobertizo que se utiliza como henil.* ☐ SINÓN. *henal.*

henna (ár.) s.f. →**alheña.** ☐ PRON. [jéna].

heno s.m. **1** Planta gramínea, con tallo herbáceo en forma de caña, hojas estrechas y cortas, flores en espiga abierta, y con una arista en la cascarilla que envuelve el grano: *Mañana comenzaremos la siega del heno.* **2** Hierba segada y seca que se utiliza para alimento del ganado: *Cuando las vacas no salen a pastar al prado, comen heno en el establo.* ☐ ETIMOL. Del latín *fenum.*

henrio s.m. En el Sistema Internacional, unidad básica de inductancia: *La inductancia de este circuito es de dos henrios.* ☐ SINÓN. *henry.* ☐ ETIMOL. Por alusión a J. Henry, físico estadounidense que estudió la inducción electromagnética. ☐ ORTOGR. Su símbolo es *H*, por tanto, se escribe sin punto.

henry s.m. →**henrio.** ☐ ORTOGR. Es la denominación internacional del *henrio.*

heñir v. Referido a una masa, amasarla con los puños: *Después de echar más harina a la masa, hay que heñirla para que se mezcle bien.* ☐ ETIMOL. Del latín *fingere* (amasar, modelar). ☐ MORF. Irreg. →CEÑIR.

hepatalgia s.f. Dolor localizado en el hígado: *Si queremos averiguar a qué se deben sus frecuentes hepatalgias, debe someterse a todas estas pruebas médicas.* ☐ ETIMOL. Del griego *hêpar* (hígado) y *-algia* (dolor).

hepático, ca ▌adj. **1** Del hígado: *Le han detectado una enfermedad hepática.* ▌adj./s. **2** Referido a una persona, que tiene problemas en esta víscera: *Los hepáticos suelen tener la piel amarillenta.* ☐ ETIMOL. Del latín *hepaticus*, este del griego *hepatikós*, y este de *hêpar* (hígado).

hepatitis (pl. *hepatitis*) s.f. Inflamación del hígado: *Debe permanecer tres meses en cama porque tiene hepatitis.* ☐ ETIMOL. Del griego *hêpar* (hígado) e *-itis* (inflamación).

hepato- Elemento compositivo prefijo que significa 'hígado': *hepatología.* ☐ ETIMOL. Del griego *hépatos* (hígado). ☐ MORF. Ante vocal adopta la forma *hepat-*: *hepatitis.*

hepatograma s.m. Conjunto de pruebas de laboratorio que registran el funcionamiento hepático: *Mi médica me ha mandado un análisis de sangre con hepatograma porque tengo problemas en el hígado.* ☐ ETIMOL. De *hepato-* (hígado) y *-grama* (representación).

hepatología s.f. Rama de la medicina que se ocupa del hígado y de las vías biliares: *La hepatología estudia las causas de la formación de los cálculos biliares.* ☐ ETIMOL. De *hepato-* (hígado) y *-logía* (estudio, ciencia).

hepatomegalia s.f. En medicina, aumento del volumen del bazo.

hepatotoxicidad s.f. Alteración de las funciones del hígado producida por el efecto tóxico de una sustancia: *Este fármaco puede producir hepatotoxicidad con dosis altas o en tratamientos prolongados.*

hepatotóxico, ca adj. Referido a una sustancia, que es perjudicial para el hígado: *un medicamento hepatotóxico.*

hepatotoxina s.f. Sustancia capaz de dañar el hígado: *Algunos alimentos contienen hepatotoxinas.* ☐ ETIMOL. De *hepato-* (hígado) y *toxina.*

hepta- Elemento compositivo prefijo que significa 'siete': *heptágono, heptasílabo, heptámetro.* ☐ ETIMOL. Del griego *heptá.*

heptacordo s.m. **1** Escala musical compuesta de las siete notas *do, re, mi, fa, sol, la, si*: *Tienes que aprender a solfear el heptacordo.* **2** Intervalo de una nota a la séptima ascendente o descendente en la escala musical: *Aquí convendría hacer un heptacordo.* ☐ ETIMOL. Del griego *heptákhordos*, y este de *heptá* (siete) y *khordé* (cuerda). ☐ ORTOGR. Incorr. **heptacordio.*

heptaedro s.m. Cuerpo geométrico limitado por siete polígonos o caras: *El heptaedro es un poliedro* *irregular.* □ ETIMOL. De *hepta-* (siete) y *-edro* (cara).

heptagonal adj.inv. Con forma de heptágono: *Tiene una curiosa bandeja heptagonal.*

heptágono s.m. En geometría, polígono que tiene siete lados y siete ángulos: *Dibuja un heptágono dentro de la circunferencia.* □ ETIMOL. Del griego *heptágonos*, y este de *heptá* (siete) y *gonía* (ángulo).

heptámetro adj./s.m. Referido a un verso, que consta de siete pies métricos: *El heptámetro se usó mucho en la lírica grecolatina.* □ ETIMOL. De *hepta-* (siete) y *-metro* (medidor).

heptasilábico, ca adj. Del heptasílabo, en heptasílabos o relacionado con este tipo de verso: *Ha hecho una composición heptasilábica.*

heptasílabo, ba adj./s.m. De siete sílabas, esp. referido a un verso: *El heptasílabo es un verso con siete sílabas métricas.* □ ETIMOL. De *hepta-* (siete) y *sílaba.*

heptatlón s.m. Competición atlética que consta de siete pruebas, realizadas por un mismo deportista. □ ETIMOL. De *hepta-* (siete) y del griego *âthlon* (premio de una lucha, lucha). □ ORTOGR. Incorr. **heptalón.*

heráldica s.f. Véase **heráldico, ca.**

heráldico, ca ▌adj. **1** De la heráldica o relacionado con este arte. ▌s.f. **2** Arte de explicar y describir los escudos de armas. □ SINÓN. *blasón.*

heraldista s.com. Persona especialista en la heráldica o arte de explicar y describir los escudos de armas: *Esta historiadora es heraldista.*

heraldo s.m. **1** En las cortes medievales, caballero que transmitía los mensajes, ordenaba las grandes ceremonias y llevaba los registros de la nobleza. **2** Lo que anuncia con su presencia la llegada de algo: *El presidente volvió a su país como un heraldo de paz.* □ ETIMOL. Del francés *heraut.*

herbáceo, a adj. Con la naturaleza o las cualidades propias de la hierba: *La remolacha es una planta herbácea.* □ ETIMOL. Del latín *herbaceus.*

herbaje s.m. Conjunto de hierbas que crecen en los prados y en las dehesas: *En las zonas húmedas, el ganado se suele alimentar de herbaje.*

herbario s.m. Colección de plantas secas y clasificadas, generalmente fijadas a hojas de papel, que se usa para el estudio de la botánica: *Estoy haciendo un herbario con todas las especies de mi jardín.*

herbazal s.m. Terreno poblado de hierbas: *Esta finca lleva años sin cultivar y se ha convertido en un herbazal.*

herbicida adj./s.m. Referido a un producto químico, que destruye las hierbas o impide su desarrollo: *El empleo excesivo de herbicidas puede provocar una fuerte contaminación.* □ ETIMOL. Del latín *herba* (hierba) y *-cida* (que mata).

herbívoro, ra adj./s.m. Referido a un animal, que se alimenta de vegetales, esp. de hierbas: *Algunos herbívoros son rumiantes.* □ ETIMOL. Del latín *herba* (hierba) y *-voro* (que come).

herbodietética s.f. Tienda especializada en plantas medicinales dietéticas: *Este producto es de venta exclusiva en herbodietéticas.*

herbolar v. Untar con veneno: *Algunas tribus herbolan las lanzas con jugos de hierbas venenosas.*

herbolario, ria ▌s. **1** Persona que se dedica a recoger y vender hierbas y plantas medicinales: *Un herbolario me ha recomendado tomar infusiones de hierba luisa.* □ SINÓN. *herborista.* **2** Persona que tiene un establecimiento en el que vende hierbas y plantas medicinales: *La herbolaria me ha pesado mal la manzanilla.* □ SINÓN. *herborista.* ▌s.m. **3** Establecimiento en el que se venden hierbas y plantas medicinales: *En el herbolario me han vendido una mezcla de hierbas para los nervios.* □ SINÓN. *herboristería.* □ ETIMOL. Del latín *herbola* (hierbecita).

herborista s.com. →**herbolario.**

herboristería s.f. Establecimiento en el que se venden hierbas y plantas medicinales: *Como soy vegetariana, compro mucho en herboristerías.* □ SINÓN. *herbolario.*

herboso, sa adj. Que está poblado de hierba: *En esta zona, las orillas del río son muy herbosas.*

herciano, na adj. →**hertziano.**

herciniano, na adj. En geología, del movimiento orogénico producido durante los últimos períodos de la era paleozoica y que dio lugar a numerosos relieves: *El plegamiento herciniano dio lugar al macizo francés de los Vosgos.* □ ETIMOL. De *Hercynia silva* (nombre latino de las montañas del centro de Alemania y de la República Checa).

hercio s.m. En el Sistema Internacional, unidad de frecuencia que equivale a una vibración por segundo: *Esta emisora se sintoniza en la longitud de onda de 9 metros y 1 200 hercios.* □ SINÓN. *hertz.* □ ETIMOL. De *E. R. Hertz*, físico alemán, que fue su inventor. □ ORTOGR. Su símbolo es *Hz*, por tanto, se escribe sin punto.

hercúleo, a adj. De Hércules (héroe de las mitologías griega y romana al que se le atribuía mucha fuerza), relacionado con él o con sus características: *Los levantadores de pesas suelen ser muchachos hercúleos.*

hércules (pl. *hércules*) s.m. Hombre con mucha fuerza: *Desde que derribó la puerta de un puñetazo, decimos que es un hércules.* □ ETIMOL. Por alusión a Hércules, héroe de la mitología romana que tenía una gran fuerza.

heredad s.f. **1** Terreno cultivado que pertenece a un solo dueño: *Mi heredad colinda con la del alcalde.* **2** Conjunto de fincas y otras posesiones que pertenecen a una persona o entidad: *Aún conservo mis heredades en el pueblo.* □ ETIMOL. Del latín *hereditas* (acción de heredar, herencia). □ MORF. En la acepción 2, en plural tiene el mismo significado que en singular.

heredar v. **1** Referido a los bienes, obligaciones y derechos de una persona, recibirlos por ley o por testamento al morir esta: *Al morir sus padres heredó todo el patrimonio familiar. Heredé el título de no-*

bleza de mi tío. **2** Referido esp. a un carácter biológico, recibirlo por vía genética: *Ha heredado los ojos azules de su abuela.* **3** Recibir de los antepasados o de una situación anterior: *El nuevo comité de empresa ha heredado los problemas que no solucionó el anterior.* **4** *col.* Referido a las pertenencias de otra persona, recibirlas para uso propio: *La hermana pequeña hereda la ropa de la mayor.* ☐ ETIMOL. Del latín *hereditare.* ☐ SINT. Constr. *heredar algo* DE *alguien.*

heredero, ra adj./s. **1** Referido a una persona, que tiene derecho a una herencia o que disfruta de ella. **2** Que tiene las mismas cualidades o características que sus ascendientes o antepasados: *Mi hermano es el heredero de la altura del abuelo.* **3** Que recibe una característica procedente de una situación o un estado anteriores: *Este músico es el heredero de la técnica de su maestra.* ☐ ETIMOL. Del latín *hereditarius* (referente a la herencia).

hereditario, ria adj. De la herencia o adquirido a través de ella: *enfermedad hereditaria; bienes hereditarios.* ☐ ETIMOL. Del latín *hereditarius* (referente a la herencia).

hereje s.com. **1** Cristiano que en materia de fe defiende doctrinas u opiniones que se apartan de los dogmas de la iglesia católica: *Los herejes fueron duramente perseguidos por las autoridades religiosas.* **2** Respecto de una religión, persona que se aparta de alguno de sus dogmas, o que es creyente de otra religión distinta: *Las cruzadas eran guerras que hacían los cristianos contra los herejes.* **3** *col.* Persona desvergonzada o atrevida, esp. si su comportamiento denota falta de respeto: *Se presentó en la fiesta blasfemando contra todos, como el perfecto hereje que es.* ☐ ETIMOL. Del provenzal *eretge.* ☐ SEM. En las acepciones 1 y 2, dist. de *apóstata* (que abandona o niega sus ideas o creencias).

herejía s.f. **1** Doctrina u opinión que en materia de fe se aparta de los dogmas de la iglesia católica: *La herejía de Lutero fue la causa de su excomunión.* **2** Posición que se aparta de los principios aceptados en cualquier cuestión, ciencia o arte: *Negar la influencia de los poetas simbolistas en la poesía del siglo* XX *es una herejía.* **3** *col.* Disparate, hecho o dicho sin sentido común: *Pintar de amarillo brillante la fachada de la casa es una herejía.* **4** Daño causado injustamente a una persona o a un animal: *El niño no paraba de hacerle herejías al pobre perro.*

herencia s.f. **1** Derecho de heredar: *La casa me corresponde por herencia.* **2** Conjunto de bienes, obligaciones y derechos que se heredan a la muerte de una persona: *El título de duquesa es herencia de mi madre.* **3** En biología, transmisión de caracteres genéticos de una generación a la siguiente: *Las unidades de herencia biológica son los genes.* **4** En biología, conjunto de caracteres de los seres vivos que se transmiten de esta manera: *El pelo blanco de este perro es herencia de su madre.* **5** Lo que se transmite a los descendientes o a los continuadores. ☐ ETIMOL. Del latín *haerentia* (pertenencias).

heresiarca s.m. Autor de una herejía: *Los heresiarcas fueron excomulgados por la jerarquía eclesiástica.* ☐ ETIMOL. Del griego *hairesiárkhes*, y este de *háiresis* (secta, herejía) y *árkho* (yo comienzo).

herético, ca adj. De la herejía, del hereje o relacionado con ellos: *Siempre ha habido movimientos heréticos dentro de la Iglesia.* ☐ ETIMOL. Del latín *haereticus*, y este del griego *hairetikós* (partidista, sectario).

hereu (cat.) s.m. En Cataluña, hijo primogénito que recibe la herencia de sus padres: *Mi primo Jordi es el hereu de su familia.*

herida s.f. Véase **herido, da**.

herido, da ▮ adj./s. **1** Con heridas: *En el accidente hubo dos heridos leves.* ▮ s.f. **2** En el tejido de los seres vivos, perforación o desgarro, generalmente sangrantes, producidos por un golpe o por un corte: *Tengo una herida en la rodilla.* **3** Pena o daño producidos en el ánimo, esp. por una ofensa: *Deja de hurgar en la herida y olvida ya lo que te hizo.*

herir v. **1** Referido a un ser vivo o a una parte de su organismo, dañarlos por algún medio violento, esp. con un golpe o con un corte: *Lo hirieron con un disparo de bala.* **2** Referido esp. a una persona o a su ánimo, conmoverlos o causarles un fuerte sentimiento, esp. si es doloroso: *Su dramática historia hirió la sensibilidad de los oyentes.* **3** Referido esp. a una persona, ofenderla o agraviarla: *Aquel desprecio me hirió en lo más hondo.* **4** Referido a un sentido, esp. a la vista o al oído, causar una impresión o un efecto desagradable en él: *Esta música atronadora hiere mis oídos.* **5** *poét.* Referido esp. a las cuerdas de un instrumento musical, hacerlas sonar o pulsarlas para producir sonido: *Sus manos herían las cuerdas del arpa y la sala se llenaba de música.* **6** *poét.* Referido esp. al aire, atravesarlo velozmente y produciendo un zumbido: *Una flecha hería el aire de aquella cálida mañana.* ☐ ETIMOL. Del latín *ferire.* ☐ MORF. Irreg. →SENTIR.

hermafrodita ▮ adj.inv. **1** Que tiene los órganos reproductores de los dos sexos, más o menos desarrollados: *Las personas hermafroditas presentan anomalías anatómicas.* **2** En botánica, referido a una planta o a su flor, que tiene reunidos en esta los estambres y el pistilo: *Las rosas son flores hermafroditas.* **3** En zoología, referido a un animal, que tiene los dos sexos: *La lombriz de tierra es hermafrodita.* ▮ adj.inv./s.com. **4** Referido a una persona, que tiene rasgos propios de los dos sexos, esp. si ello se debe a que sus órganos genitales están formados por tejido masculino y femenino: *Algunas estatuas griegas representan a jóvenes hermafroditas.* ☐ ETIMOL. Del latín *Hermaphroditus*, y este del griego *Hermaphróditos* (personaje de la mitología griega que tenía ambos sexos).

hermafroditismo s.m. En biología, en un ser vivo, presencia de órganos reproductores masculinos y femeninos o manifestación conjunta de rasgos propios de los dos sexos: *En los invertebrados es frecuente el hermafroditismo.*

hermanable adj.inv. Que puede hermanarse.

hermanado, da adj. Equivalente o igual a algo.

hermanamiento s.m. **1** Unión armónica: *Su gran ilusión es el hermanamiento de todas las razas.* **2** Consideración de hermano en sentido espiritual: *Pasar tanto tiempo juntos trajo como consecuencia el hermanamiento de los participantes.* **3** Vinculación institucional entre dos localidades: *Mañana se celebrará solemnemente el hermanamiento entre la ciudad española y la hispanoamericana.*

hermanar v. **1** Unir con armonía o juntar haciendo compatible: *En una ciencia deben hermanarse teoría y práctica.* **2** Referido a una persona, hacerla hermana de otra en sentido espiritual: *Al hacer sus votos se hermanó con todos los miembros de la comunidad.* **3** Referido a dos localidades, establecer institucionalmente un vínculo entre ellas: *Los alcaldes hermanaron las dos ciudades con un acto simbólico.* □ SINT. Constr. como pronominal: *hermanarse* CON *algo.*

hermanastro, tra s. Respecto de una persona, otra que tiene solo el mismo padre o solo la misma madre, o es hija solo de uno de los dos cónyuges: *Mi hermanastra nació del segundo matrimonio de mi padre.*

hermandad s.f. **1** Parentesco que existe entre hermanos. **2** Relación caracterizada por el afecto y la solidaridad propios de hermanos: *Se ha celebrado un acto por la hermandad de los pueblos.* □ SINÓN. *confraternidad.* **3** Asociación autorizada que algunos devotos forman con fines piadosos: *Es famosa la procesión que en Semana Santa realiza esa hermandad.* □ SINÓN. *cofradía.* **4** Asociación de personas con unos mismos intereses, esp. si estos son profesionales o altruistas: *Todo el pueblo pertenece a la hermandad de pescadores.*

hermano, na s. **1** Respecto de una persona, otra que tiene sus mismos padres o solo el mismo padre o la misma madre. **2** Persona que vive en una comunidad religiosa o pertenece a ella sin tener ninguna de las órdenes clericales. **3** Respecto de una persona, otra a la que está unida por algún vínculo ideológico o espiritual: *Los cristianos son hermanos en Cristo.* **4** Miembro de una hermandad, de una cofradía o de una comunidad religiosa. **5** Respecto de una cosa, otra a la que es semejante: *No encuentro el hermano de este calcetín.* **6** || **hermano de leche;** respecto de una persona, hijo de la nodriza que lo amamantó, y viceversa. || **hermano de sangre;** 1 Hermano carnal. 2 *col.* Amigo íntimo. || **(hermanos) siameses;** los gemelos que nacen unidos por alguna parte de su cuerpo. || **medio hermano;** respecto de una persona, otra que tiene solo el mismo padre o solo la misma madre: *Los medio hermanos que tienen el mismo padre se llaman consanguíneos, y los que tienen la misma madre, uterinos.* □ ETIMOL. Del latín *frater germanus* (hermano carnal). □ SEM. En la acepción 2, el femenino *hermana* es sinónimo de *sor.*

hermeneuta s.com. Persona que se dedica a la hermenéutica o arte de interpretación de textos: *Es el mejor hermeneuta de los clásicos griegos.*

hermenéutica s.f. Véase **hermenéutico, ca.**

hermenéutico, ca ▌adj. **1** De la hermenéutica o relacionado con este arte de interpretar textos: *Los trabajos hermenéuticos ayudan a conocer mejor los textos sagrados.* ▌s.f. **2** Arte o técnica de interpretar textos, esp. si son textos sagrados, para fijar su verdadero sentido: *Este sacerdote es especialista en hermenéutica bíblica.* □ ETIMOL. Del griego *hermeneutikós* (relativo a la interpretación).

hermético, ca ▌adj. **1** Que se cierra de modo que no permite el paso de gases ni de líquidos: *un envase hermético.* **2** Impenetrable, cerrado o muy difícil de entender: *una persona hermética.* ▌s.m. **3** Recipiente de plástico con cierre hermético y que se usa para llevar la comida. □ SINÓN. *táper.* □ ETIMOL. Del latín *hermeticus* (relacionado con la Alquimia, por alusión a Hermes Trismegistos, personaje egipcio fabuloso supuestamente autor de estas doctrinas), porque *hermético* se aplicó al cerramiento que impedía el paso del aire, por efectuarse mediante un procedimiento químico.

hermetismo s.m. Carácter de lo que es impenetrable, cerrado o difícil de entender: *El hermetismo de esta teoría filosófica me impide llegar a comprenderla.*

hermosear v. Hacer o poner hermoso: *Hermosearon la fachada del edificio.*

hermoso, sa adj. **1** Que resulta bello o agradable al ser percibido por la vista o por el oído: *Hace un hermoso día.* □ SINÓN. *precioso.* **2** Grande o abundante: *Su casa tiene un hermoso salón.* **3** Noble, excelente o digno de elogio: *Ayudar a los necesitados es una hermosa acción.* **4** *col.* Referido a una persona, que está sana, fuerte o robusta: *Después de dar el estirón, tu hijo se ha puesto muy hermoso.* □ ETIMOL. Del latín *formosus.*

hermosura s.f. **1** Conjunto de cualidades bellas o agradables para la vista o el oído: *Me enamoró la hermosura del lugar.* **2** Lo que destaca por ser hermoso: *Ese niño es una hermosura. ¡Qué hermosura de tarta!*

hernia s.f. Tumor blando que se produce por la salida de una víscera o de otra parte blanda fuera de su cavidad natural: *hernia discal.* □ ETIMOL. Del latín *hernia.*

herniarse v.prnl. **1** Causarse o sufrir una hernia: *Se hernió al hacer un esfuerzo brusco.* **2** *col.* Trabajar demasiado: *Ayúdame, que no vas a herniarte por echarme una mano.* □ ORTOGR. La *i* nunca lleva tilde.

héroe s.m. **1** Persona famosa y admirada por sus hazañas o por sus méritos: *Ese deportista es un héroe nacional.* **2** Persona que realiza una acción heroica. **3** En una obra de ficción, personaje principal o protagonista, esp. el que está dotado de cualidades positivas. **4** En la Antigüedad clásica, hijo de una divinidad y de un ser humano. □ ETIMOL. Del latín *heros*, y este del griego *héros* (semidiós). □ MORF. En las acepciones 1, 2 y 3, su femenino es *heroína.*

heroicidad s.f. **1** Carácter extraordinario, admirable o digno de admiración: *La heroicidad de su* *comportamiento provocó la admiración de todos.* **2** Acción admirable o extraordinaria por el valor que requiere: *Considero una heroicidad que se enfrente a ese energúmeno.*

heroico, ca adj. **1** Admirable, famoso o extraordinario por el valor que requiere o por sus méritos: *Fue una lucha heroica por la libertad.* **2** En literatura, esp. referido a la poesía, que narra o canta sucesos admirables o memorables. ☐ ETIMOL. Del griego *heroikós*.

heroína s.f. **1** s.f. de **héroe**. **2** Droga derivada de la morfina, de aspecto semejante al azúcar pero con sabor amargo, que tiene acción analgésica y crea fácilmente adicción.

heroinómano, na adj./s. Referido a una persona, que es adicta a la heroína. ☐ ETIMOL. De *heroína-* y *-mano* (adicto).

heroísmo s.m. Valor extraordinario o conjunto de cualidades propias de un héroe: *El pueblo demostró un gran heroísmo durante la invasión extranjera.*

herpe s.amb. →**herpes.** ☐ MORF. Se usa más como masculino.

herpes (tb. *herpe*) (pl. *herpes*) s.amb. **1** Erupción en la piel, generalmente acompañada de escozor, causada por un virus y debida al agrupamiento de pequeñas ampollas que, al romperse, rezuman un humor que forma costras cuando se seca. **2** ‖ **(herpes) zóster;** Enfermedad vírica, eruptiva e infecciosa, que se caracteriza por la inflamación de ciertos ganglios nerviosos, y por una serie de vesículas a lo largo del nervio afectado, y que suele ser muy dolorosa. ☐ ETIMOL. Del latín *herpes*, este del griego *hérpes*, y este de *hérpo* (yo me arrastro), por ser una enfermedad que se extiende a flor de piel. ☐ MORF. Se usa más como masculino.

herpético, ca ▮ adj. **1** Del herpes o relacionado con esta erupción de la piel: *La piel presentaba un claro aspecto herpético.* **▮** adj./s. **2** Que padece herpes: *Las personas herpéticas tienen serios problemas de piel.*

herrada s.f. Cubo de madera, más ancho por la base que por la boca y reforzado con aros metálicos: *Trajo una herrada llena de agua fría.* ☐ ETIMOL. Del latín *ferrata* (herrada), por sus cercos de hierro.

herradero s.m. **1** Operación de marcar la piel del ganado con un hierro candente. **2** Lugar en el que se realiza esta operación: *Llevaron las reses al herradero.* **3** Época en la que se realiza esta operación: *Hay que ir reuniendo todo el ganado porque se acerca el herradero.* **4** *col. desp.* En tauromaquia, corrida en la que la lidia de los toros transcurre con desorden y abandono.

herrador, -a s. Persona que se dedica profesionalmente a poner herraduras a las caballerías: *Al caballo se le había caído una herradura y tuve que llevarlo al herrador.*

herradura s.f. Pieza en forma de 'U' que se clava a las caballerías en los cascos para que no se dañen al marchar: *El caballo perdió una herradura y empezó a cojear.*

herraje s.m. Conjunto de piezas de hierro o de acero con las que se decora, se refuerza o se asegura un objeto: *Este baúl tiene unos herrajes muy buenos.*

herramienta s.f. **1** Objeto con el que se desempeña un oficio o con el que se realiza un trabajo manual: *La pluma es mi herramienta de trabajo.* **2** Elemento útil para realizar un trabajo: *la barra de herramientas de un ordenador.* ☐ ETIMOL. Del latín *ferramenta.* ☐ USO En la acepción 2, es innecesario el uso del anglicismo *utilidad*.

herrar v. **1** Referido esp. a una caballería, ponerle herraduras: *Han herrado mal este caballo, y cojea.* **2** Referido esp. al ganado, marcarle la piel con un hierro candente: *En una tarde herraron cien vacas.* ☐ ETIMOL. De *hierro*. ☐ ORTOGR. Dist. de *errar*. ☐ MORF. Irreg. →PENSAR.

herrén s.m. Forraje con que se alimenta al ganado: *Después de ordeñar las vacas, les eché herrén para que comiesen.* ☐ ETIMOL. Del latín *ferrago*.

herreño, ña adj./s. De El Hierro (isla canaria) o relacionado con ella.

herrería s.f. **1** Taller o tienda del herrero. **2** Oficio del herrero: *Le gusta la herrería y no ha querido dedicarse a otra cosa.* **3** Taller o fábrica en que se funde y se forja el hierro: *Todavía quedan varias herrerías en el norte del país.*

herreriano, na adj. **1** De Juan de Herrera (arquitecto español del siglo XVI) o con características de sus obras: *El Monasterio de El Escorial es un claro ejemplo de estilo herreriano.* **2** De Fernando de Herrera (poeta español del siglo XVI) o con características de sus obras: *La poética herreriana está recogida en las 'Anotaciones a Garcilaso'.*

herrerillo s.m. Pájaro insectívoro de pequeño tamaño y plumaje de colores: *El herrerillo es un pájaro europeo muy común.* ☐ ETIMOL. De *herrero*, por el sonido metálico del canto del ave. ☐ MORF. Es un sustantivo epiceno: *el herrerillo {macho/hembra}*.

herrero, ra s. Persona que se dedica profesionalmente a trabajar el hierro: *El herrero fundió dos espadas para hacer otra más grande.* ☐ ETIMOL. Del latín *ferrarius*.

herrete s.m. Remate de metal que se pone en los extremos de una cinta o de un cordón para que pasen mejor por un agujero: *Los herretes de los cordones de estos zapatos están muy viejos.* ☐ ETIMOL. Del francés *ferret*.

herrumbrar v. Causar herrumbre: *La lluvia herrumbró la verja.*

herrumbre s.f. **1** Óxido de hierro, esp. el que se forma en algunos metales al estar expuestos al aire o a la humedad: *Para que no se forme herrumbre en la verja, le daré minio antes de pintarla de blanco.* **2** Gusto o sabor a hierro: *El agua de esta fuente sabe a herrumbre, porque el caño de hierro está oxidado.* ☐ ETIMOL. Del latín *ferrumen*.

herrumbroso, sa adj. Con herrumbre o con características de este óxido: *Hay que pintar esa verja herrumbrosa.*

hertz s.m. →**hercio.** □ ORTOGR. Es la denominación internacional del *hercio.*

hertziano, na (tb. *herciano, na*) adj. Referido a una onda electromagnética, que se usa en la comunicación radiofónica: *Las ondas hertzianas son un tipo de ondas electromagnéticas que están moduladas.*

hervidera s.f. →**hervidor.**

hervidero s.m. Conjunto abundante y ruidoso de personas o de animales, esp. si están en movimiento: *La manifestación era un hervidero de jóvenes.*

hervidor s.m. Aparato que sirve para hervir líquidos. □ SINÓN. *hervidera.*

hervir v. **1** Referido a un líquido, moverse agitadamente y formando burbujas por efecto de la alta temperatura o de la fermentación: *El agua hierve a distinta temperatura que el aceite.* □ SINÓN. *bullir.* **2** Referido a una persona, sentir un afecto o una pasión con intensidad y vehemencia: *Tu hermana hierve de envidia al verme.* **3** Tener en abundancia: *Este pueblo hierve en cotilleos.* **4** Referido a un líquido, hacer que alcance la temperatura de ebullición: *¿Has hervido ya el agua para el biberón del bebé?* **5** Referido esp. a un alimento, cocerlo o someterlo a la acción de un líquido en ebullición: *Herví el arroz con un poquito de laurel.* □ ETIMOL. Del latín *fervere.* □ MORF. Irreg. →SENTIR. □ SINT. 1. Constr. de la acepción 2: *hervir* DE *algo.* 2. Constr. de la acepción 3: *hervir* EN *algo.*

hervor s.m. Movimiento agitado y con burbujas que se produce en un líquido al elevarse su temperatura o al ser sometido a fermentación: *dar un hervor.* □ SINÓN. *ebullición.* □ ETIMOL. Del latín *fervor.*

hespérico, ca adj. **1** De las penínsulas Ibérica o Itálica: *Para los antiguos griegos, las tierras hespéricas eran las occidentales.* **2** De la antigua Hesperia (actuales España e Italia) o relacionado con ella: *Los comerciantes hespéricos gozaban de gran prestigio.* □ SINÓN. *hesperio.*

hespérides s.f.pl. En la mitología griega, ninfas que guardaban el jardín de las manzanas de oro: *Las hespérides cantaban a coro junto a las fuentes que manaban ambrosía.* □ ETIMOL. Del latín *Hesperides*, y este del griego *Hesperídes* (hijas de Atlas y Hésperis).

hesperio, ria adj./s. De la antigua Hesperia (actuales España e Italia) o relacionado con ella: *La riqueza hesperia era envidiada por los invasores.* □ SINÓN. *hespérico.*

hetaira s.f. **1** En la antigua Grecia, dama cortesana de elevada condición: *La hetaira tenía varias esclavas.* □ SINÓN. *hetera.* **2** Prostituta: *En esta novela, se tratan los amores desgraciados de una hetaira de la corte.* □ SINÓN. *hetera.* □ ETIMOL. Del griego *hetaíra* (compañera, amiga, cortesana).

hetera s.f. →**hetaira.**

hetero adj.inv./s.com. *col.* →**heterosexual.**

hetero- 1 Elemento compositivo prefijo que significa 'otro' o 'diferente': *heterodoxo, heterónimo, heterosexual.* **2** Elemento compositivo prefijo que significa 'desigual': *heterogéneo, heterocariosis.* □ ETIMOL. Del griego *héteros.*

heterocariosis (pl. *heterocariosis*) s.f. Presencia de dos núcleos genéticamente diferentes en un citoplasma común: *La heterocariosis es muy frecuente en los hongos.*

heterocerco, ca adj. **1** Referido a la aleta caudal de un pez, que está formada por dos lóbulos desiguales: *Los tiburones tienen la aleta caudal heterocerca.* **2** Referido a un pez, que tiene este tipo de aleta caudal o cola: *El esturión es un pez heterocerco.* □ ETIMOL. De *hetero-* (desigual) y el griego *kérkos* (cola). □ SEM. Dist. de *homocerco* (con lóbulos iguales y simétricos).

heterocíclico, ca adj. En química, del heterociclo o relacionado con esta estructura cíclica o en anillo. □ ETIMOL. De *hetero-* (distinto) y *cíclico.*

heterociclo s.m. En química, estructura cíclica o en anillo, en la que uno o varios de los átomos que la constituyen no son de carbono. □ ETIMOL. De *hetero-* (distinto) y *ciclo.*

heterocigótico, ca adj./s.m. Referido a una célula o a un individuo, que tienen distintos los genes que rigen un determinado carácter: *Un individuo heterocigótico para el color del pelo tiene distintos el gen paterno y el gen materno que expresan ese color.* □ SINÓN. *heterozigoto, heterocigoto.* □ ETIMOL. De *hetero-* (desigual) y *cigoto.* □ SINT. Constr. *heterocigótico* PARA *algo.* □ USO En círculos especializados se usa también *heterozigótico.*

heterocigoto, ta (tb. *heterozigoto, ta*) adj./s.m. →**heterocigótico.**

heteroclamídeo, a adj. Referido a una flor, que tiene claramente diferenciados el cáliz y la corola: *El clavel es una flor heteroclamídea.* □ ETIMOL. De *hetero-* (otro, desigual) y *clámide.* □ SEM. Dist. de *homoclamídeo* (con el cáliz y la corola no diferenciados).

heteróclito, ta adj. **1** Irregular o extraño. **2** En lingüística, referido a una palabra o a una locución, que aparentemente están formadas sin seguir las reglas regulares de la gramática: *'Óptimo' es un superlativo heteróclito de bueno.* □ ETIMOL. Del griego *heteróklitos*, y este de *héteros* (otro) y *klíno* (yo declino).

heterocronía s.f. Cambio evolutivo producido por alteraciones en el ritmo de desarrollo de algún órgano.

heterodeterminación s.f. Situación en la que un pueblo o un Estado sufren coacción externa y no pueden decidir libremente sus actos: *Un pueblo padece heterodeterminación cuando otro pueblo decide por él.*

heterodoxia s.f. **1** Disconformidad con la doctrina de la religión de que se trata o con alguno de sus dogmas: *La heterodoxia divide a los miembros de una misma religión.* **2** Oposición o disconformidad con una doctrina o práctica aceptadas mayoritariamente: *Su heterodoxia lo separó de la cúpula del partido.*

heterodoxo, xa adj./s. **1** Que está en desacuerdo con la doctrina de la religión de que se trata o con alguno de sus dogmas: *He leído una historia de los* *heterodoxos españoles.* **2** Que se opone a una doctrina o práctica aceptadas mayoritariamente: *Los heterodoxos del partido están en contra de las últimas propuestas de la dirección.* □ ETIMOL. Del griego *heteródoxos* (que piensa de otro modo), y este de *héteros* (otro) y *dóxa* (opinión).

heterogeneidad s.f. Composición o mezcla en un todo de partes de diversa naturaleza o de elementos diferentes: *Dada la heterogeneidad del grupo, es muy difícil complacer a todos.*

heterogéneo, a adj. Formado por partes de diversa naturaleza o por elementos diferentes: *La obra de esta pintora es muy heterogénea y variada.* □ ETIMOL. Del latín *heterogeneus*, este del griego *heterogenés*, y este de *héteros* (desigual) y *génos* (género).

heteromancia (tb. *heteromancía*) s.f. Adivinación a través de las aves: *La heteromancia permitió a los romanos saber cuál sería el desenlace de la batalla.* □ ETIMOL. De *hetero-* (desigual) y *-mancía* (adivinación), porque se refiere al vuelo de las aves que van de uno a otro lado.

heteronimia s.f. En lingüística, fenómeno por el que palabras de gran proximidad semántica proceden de étimos diferentes: *Un caso de heteronimia es el par 'caballo-yegua'.*

heterónimo s.m. **1** En lingüística, palabra de gran proximidad semántica con otra pero de étimo diferente: *'Toro' y 'vaca' son heterónimos.* **2** Nombre con el que un autor firma parte de su obra cuando adopta una personalidad fingida. □ ETIMOL. De *hetero-* (otro) y la terminación de *homónimo.* □ SEM. En la acepción 2, dist. de *seudónimo* (nombre falso utilizado por un autor para encubrir su nombre real).

heterónomo, ma adj. Que depende de algún poder ajeno que impide su desarrollo natural: *El sistema autonómico permite que las regiones dejen de ser heterónomas.* □ ETIMOL. De *hetero* (otro) y el griego *nómos* (ley, costumbre).

heteroplastia s.f. Implantación de injertos orgánicos que proceden de un individuo de distinta especie: *Los cerdos han sido muy utilizados para realizar heteroplastias en las personas.* □ ETIMOL. De *hetero-* (otro) y *plastia.*

heterosexismo s.m. Discriminación en favor de las personas heterosexuales: *Las asociaciones de homosexuales protestan contra el heterosexismo imperante en nuestra sociedad.*

heterosexual ▌adj.inv. **1** De la heterosexualidad o relacionado con esta inclinación sexual: *Las relaciones heterosexuales permiten la reproducción de los mamíferos.* ▌adj.inv./s.com. **2** Que siente atracción sexual por individuos del sexo opuesto: *Los homosexuales se manifestaron para reivindicar los mismos derechos que los heterosexuales.* □ ETIMOL. De *hetero-* (otro) y *sexual.* □ MORF. En la lengua coloquial se usa también la forma abreviada *hetero.*

heterosexualidad s.f. **1** Atracción sexual hacia individuos del sexo opuesto: *La heterosexualidad marca la relación entre hombres y mujeres.* **2** Práctica de relaciones sexuales con individuos del sexo opuesto: *La heterosexualidad permite la reproducción.*

heterótrofo, fa adj./s. Referido a un organismo, que es incapaz de elaborar su propia materia orgánica a partir de sustancias inorgánicas: *Los heterótrofos se alimentan de materia elaborada por otros seres vivos.* □ ETIMOL. De *hetero-* (otro) y el griego *trophós* (alimenticio).

heterozigótico, ca adj./s.m. →**heterocigótico.**

heterozigoto, ta (tb. *heterocigoto, ta*) adj./s.m. →**heterocigótico.**

hético, ca adj./s. **1** Que padece tisis: *Estaba hético y no tenía fuerza. En la montaña hay un sanatorio para héticos.* □ SINÓN. *tísico.* **2** Que está muy delgado y casi en los huesos: *A ver si comes un poco más, porque estás hético.* □ ETIMOL. Del griego *hektikós pyretós* (fiebre constante, tisis). □ ORTOGR. Dist. de *ético.*

heurística s.f. Véase **heurístico, ca.**

heurístico, ca ▌adj. **1** De la heurística o relacionado con este arte o esta búsqueda: *Para llegar a esa conclusión, utilicé el método heurístico.* ▌s.f. **2** Búsqueda o investigación de documentos o fuentes históricas: *La historia medieval debe mucho a la heurística.* **3** Arte de inventar o descubrir: *La heurística es habitual en la elaboración de los principios matemáticos.* □ ETIMOL. Del griego *heurísko* (hallo, descubro).

hexa- Elemento compositivo prefijo que significa 'seis': *hexagonal, hexápodo, hexasílabo.* □ ETIMOL. Del griego *héxa.*

hexaedro s.m. Cuerpo geométrico limitado por seis polígonos o caras: *El cubo es un hexaedro regular.* □ ETIMOL. De *hexa-* (seis) y *-edro* (cara).

hexagonal (tb. *exagonal*) adj.inv. Con forma de hexágono: *Las baldosas del suelo son hexagonales.*

hexágono (tb. *exágono*) s.m. En geometría, polígono que tiene seis lados y seis ángulos: *Dibuja un hexágono regular.* □ ETIMOL. Del griego *hexágonos*, y este de *héxa* (seis) y *gonía* (ángulo).

hexalite s.m. Sustancia amortiguadora usada esp. en la fabricación de zapatillas deportivas: *Ha llegado el nuevo modelo de zapatillas con hexalite.*

hexámetro s.m. En métrica grecolatina, verso que consta de seis pies métricos: *La 'Odisea' está escrita en hexámetros.* □ ETIMOL. Del latín *hexametrus.*

hexápodo adj./s.m. Referido a un animal, que tiene seis patas: *Muchos insectos son hexápodos.* □ ETIMOL. De *hexa-* (seis) y *-podo* (pie).

hexasílabo, ba adj./s.m. De seis sílabas, esp. referido a un verso: *El hexasílabo es uno de los versos más cortos.* □ ETIMOL. De *hexa-* (seis) y *sílaba.*

hez ▌s.f. **1** Sedimento o parte de desperdicio de un preparado líquido que queda depositado en el fondo de un recipiente: *Apuró la copa de vino hasta las heces.* **2** Lo más vil y despreciable. ▌pl. **3** Excrementos que expulsa el cuerpo por el ano: *Hoy saben los resultados del análisis de heces y de orina.* □ ETIMOL. Del latín *fex* (poso, impurezas). □ USO En la acepción 1, se usa más en plural.

hiato s.m. **1** Contacto de dos vocales que forman sílabas distintas: *En 'tranvía' hay un hiato.* **2** En métrica, licencia que consiste en pronunciar separadas la vocal final de una palabra y la inicial de la palabra siguiente. ☐ ETIMOL. Del latín *hiatus*, de *hiare* (rajarse, separarse). ☐ SEM. 1. En la acepción 1, dist. de *diptongo* (conjunto de dos vocales que se pronuncian en una misma sílaba). 2. En la acepción 2, dist. de *sinalefa* (pronunciación en una misma sílaba de la vocal final de una palabra y de la inicial de la palabra siguiente).

hibernación s.f. **1** En ciertos animales, estado que se presenta como adaptación al invierno y que consiste en un descenso de la temperatura corporal y de la actividad metabólica: *La hibernación es como un sueño que dura todo el invierno.* **2** En una persona, estado semejante que se consigue de modo artificial mediante el frío y el uso de ciertos fármacos: *Dicen que un famoso dibujante americano está en estado de hibernación esperando que los adelantos científicos puedan revivirlo.*

hibernal adj.inv. →**invernal.**

hibernar v. **1** Referido a un animal, pasar el invierno en estado de hibernación: *El lirón hiberna en los meses fríos.* **2** Referido a un organismo, conservarlo artificialmente mediante su enfriamiento progresivo y el uso de ciertos fármacos: *En su testamento pidió que lo hibernaran, por si en un futuro era posible hacerlo vivir de nuevo.* ☐ ETIMOL. Del latín *hibernare*. ☐ ORTOGR. Dist. de *invernar*.

hibisco s.m. Planta de grandes flores, generalmente rojas.

hibridación s.f. **1** Producción artificial de híbridos mediante el cruce de individuos de distinto género o de distinta especie: *Esta profesora investiga la hibridación de la ciruela y el melocotón.* **2** Mezcla de elementos de distintos orígenes: *hibridación cultural; hibridación literaria.*

hibridar v. Producir híbridos de modo artificial mediante el cruce de individuos de distinto género o de distinta especie: *En este laboratorio se hibridan frutas.*

hibridismo s.m. Carácter de lo que es híbrido: *La genética estudia el hibridismo de células y especies.*

híbrido, da adj./s.m. **1** Referido a un animal o a un vegetal, que procede del cruce de dos individuos de distinto género o distinta especie: *El mulo es un híbrido de burro y yegua.* **2** Que es producto de elementos de distinta naturaleza o está formado por ellos: *La mezcla de verso y prosa hace que sea un poema híbrido.* ☐ ETIMOL. Del latín *hybrida* (producto del cruce de dos animales diferentes).

hibridoma s.m. Célula híbrida creada por la fusión de un anticuerpo producido por un linfocito con una célula de un tumor, que permite obtener anticuerpos monoclonales frente a antígenos seleccionados: *Los hibridomas crecen como las células tumorales y segregan anticuerpos.* ☐ ETIMOL. De *híbrido* y *-oma* (tumor).

hic et nunc (lat.) ‖ Aquí y ahora: *Debemos actuar hic et nunc si queremos evitar la catástrofe.*

hidalgo, ga ▌adj. **1** Del hidalgo o relacionado con este miembro de la baja nobleza: *Su educación hidalga le impedía trabajar.* **2** Noble y generoso: *Con su hidalgo comportamiento ha resuelto las situaciones más delicadas.* ▌s. **3** Persona que por su sangre es de una clase noble y distinguida: *Los hidalgos pertenecían a la antigua baja nobleza y vivían de sus propiedades.* ☐ ETIMOL. De *fijo dalgo* (hijo de hombre de dinero o de persona acomodada).

hidalguía s.f. **1** Condición social del hidalgo: *La hidalguía eximía del pago de tributos.* **2** Nobleza y generosidad de carácter: *Se comportó con hidalguía y reconoció su error.*

hidátide s.f. **1** Larva de una tenia intestinal del perro que puede pasar a las personas y alojarse en su hígado o en sus pulmones formando quistes: *Este quiste se ha formado en los tejidos por el crecimiento de hidátides.* **2** Vesícula o quiste que contiene esta larva: *Operaron al niño para extirparle las hidátides.* ☐ ETIMOL. Del griego *hydatís* (especie de ampolla llena de agua).

hidatídico, ca adj. De la hidátide, esp. referido al quiste formado por esta larva: *Puede formarse un quiste hidatídico en los pulmones o en el hígado.*

hidatidosis (pl. *hidatidosis*) s.f. Enfermedad parasitaria producida por la larva de un tipo de tenia: *Las autoridades sanitarias realizarán una campaña para prevenir la hidatidosis.* ☐ ETIMOL. De *hidátide* y *-osis* (enfermedad).

hide (ing.) s.m. Refugio camuflado que se utiliza para observar y fotografiar animales en libertad. ☐ PRON. [háid], con *h* aspirada.

hidra s.f. Animal cuyo cuerpo, parecido a un tubo, contiene una sola cavidad que comunica con el exterior por un orificio rodeado de tentáculos que le sirve de boca y de ano, y que vive en charcas adherido a las plantas acuáticas: *La hidra se reproduce por gemación.* ☐ ETIMOL. Del griego *hýdra* (serpiente acuática).

hidrácido s.m. Ácido inorgánico que resulta de la combinación de hidrógeno con elementos químicos no metálicos: *El ácido sulfhídrico es un hidrácido.* ☐ ETIMOL. De *hidro-* (agua) y *ácido*.

hidractivo, va adj. Que convierte la fuerza hidráulica en trabajo mecánico: *Ha salido un coche con suspensión hidractiva.*

hidratación s.f. **1** Combinación de un cuerpo o de un compuesto químico con agua: *De la hidratación de ácidos fuertes se desprende calor.* **2** Restablecimiento del grado de humedad normal de la piel: *Conviene beber mucha agua para una correcta hidratación del cuerpo.*

hidratado, da adj. **1** Referido esp. a la piel, que tiene el grado de humedad normal: *Esta crema es para pieles hidratadas, pero sensibles.* **2** En química, referido esp. a un cuerpo, que contiene agua en su estructura molecular.

hidratante adj.inv./s.f. Referido a una sustancia o a un producto, que hidrata la piel: *crema hidratante.*

hidratar v. **1** Referido a un cuerpo, combinarlo con agua: *Cuando se hidrata la cal viva, desprende ca-*

lor. **2** Restablecer el grado de humedad normal de la piel: *Esta crema broncea e hidrata.* **3** Referido esp. al organismo, aumentar la proporción de agua que contiene: *Cuando hagas deporte, bebe mucho líquido para hidratar el organismo.* □ ETIMOL. Del radical de *hidrógeno*.

hidrato s.m. **1** Compuesto químico que resulta de combinar una sustancia con una o varias moléculas de agua: *Los hidratos inorgánicos pierden moléculas de agua cuando se calientan.* **2** || **hidrato de carbono;** compuesto orgánico formado por carbono, hidrógeno y oxígeno, en el que el hidrógeno está en doble proporción que el oxígeno: *Una dieta equilibrada debe incluir grasas, proteínas e hidratos de carbono.* □ SINÓN. *glúcido, sacárido.* □ ETIMOL. Del radical de *hidrógeno*.

hidráulica s.f. Véase **hidráulico, ca.**

hidráulico, ca ▮ adj. **1** De la hidráulica o relacionado con ella: *energía hidráulica.* **2** Que se mueve o funciona por medio del agua o de otro líquido: *frenos hidráulicos.* ▮ s.f. **3** Parte de la física que estudia el equilibrio y el movimiento del agua y otros fluidos. **4** Técnica de conducir, contener, elevar y aprovechar las aguas. □ ETIMOL. Del griego *hydraulikós*, y este de *hydraulís* (órgano musical movido por el agua). □ SEM. Dist. de *hidrológico* (relacionado con la hidrología) y de *hídrico* (relacionado con el agua).

hídrico, ca adj. Del agua o relacionado con ella: *recursos hídricos.* □ ETIMOL. Del griego *hýdor* (agua). □ SEM. Dist. de *hidráulico* (relacionado con la hidráulica) y de *hidrológico* (relacionado con la hidrología).

hidro- Elemento compositivo prefijo que significa 'agua': *hidroavión, hidrocarburo, hidroelectricidad, hidrosoluble, hidrotermal.* □ ETIMOL. Del griego *hýdor-*.

hidroavión s.m. Avión que lleva unos flotadores que le permiten posarse en el agua o despegar de ella: *Los hidroaviones son muy utilizados en la extinción de incendios.* □ SINÓN. *hidroplano.* □ ETIMOL. De *hidro-* (agua) y *avión*.

hidrobob (ing.) s.m. Descenso por aguas bravas con una embarcación alargada: *Por este río se puede practicar el hidrobob en primavera.* □ PRON. [hidrobób].

hidrocaína s.f. Sustancia derivada de la cocaína: *El consumo reiterado de hidrocaína crea adicción.*

hidrocarburo s.m. Compuesto químico formado por carbono e hidrógeno: *La gasolina es un hidrocarburo.* □ ETIMOL. De *hidro-* (agua) y *carburo*.

hidrocefalia s.f. En medicina, acumulación anormal de líquido cefalorraquídeo en las cavidades cerebrales: *La hidrocefalia es una lesión congénita que puede producir trastornos nerviosos.* □ ETIMOL. De *hidro-* (agua) y el griego *kephalé* (cabeza). □ PRON. Incorr. *[hidrocefalía].

hidrocéfalo, la adj. Que padece hidrocefalia: *Las personas hidrocéfalas suelen tener la cabeza anormalmente grande.*

hidrocele s.m. Acumulación anormal de líquido en las membranas que rodean el testículo: *El hidrocele produce un aumento de tamaño del testículo.* □ ETIMOL. Del latín *hydrocele*, este del griego *hydrokéle*, y este de *hýdor* (agua) y *kéle* (tumor).

hidrodinámica s.f. Véase **hidrodinámico, ca.**

hidrodinámico, ca ▮ adj. **1** De la hidrodinámica o relacionado con esta parte de la física: *En física se hacen estudios hidrodinámicos.* ▮ s.f. **2** Parte de la física que estudia el movimiento de los fluidos y de los cuerpos sumergidos en ellos: *Los estudios de hidrodinámica han permitido construir submarinos.* □ ETIMOL. De *hidro-* (agua) y *dinámica*.

hidroelectricidad s.f. Energía eléctrica obtenida por la fuerza del agua en movimiento: *Los embalses producen hidroelectricidad.* □ ETIMOL. De *hidro-* (agua) y *electricidad*.

hidroeléctrico, ca adj. De la energía eléctrica obtenida por la fuerza del agua en movimiento o relacionado con ella: *Los embalses producen energía hidroeléctrica.* □ ETIMOL. De *hidro-* (agua) y *eléctrico*.

hidroenergía s.f. Energía obtenida por la fuerza del agua: *La hidroelectricidad es un tipo de hidroenergía.* □ ETIMOL. De *hidro-* (agua) y *energía*.

hidroestable adj.inv. Referido a una sustancia, que no pierde sus características al ponerla en contacto con el agua: *Las emulsiones hidroestables son aconsejables para pieles secas o frágiles.* □ ETIMOL. De *hidro-* (agua) y *estable*.

hidrófilo, la adj. **1** Referido a una sustancia, que absorbe el agua con facilidad: *algodón hidrófilo.* **2** Referido a un organismo, que vive en ambientes húmedos: *plantas hidrófilas.* □ ETIMOL. De *hidro-* (agua) y *-filo* (aficionado, amigo).

hidrofobia s.f. **1** Temor enfermizo al agua: *No se baña porque tiene hidrofobia.* **2** Enfermedad infecciosa producida por un virus, que padecen algunos animales y que se transmite a las personas o a otros animales por mordedura: *Los zorros juegan un papel importante en la difusión de la hidrofobia.* □ SINÓN. *rabia.* □ ETIMOL. De *hidro-* (agua) y *-fobia* (aversión).

hidrofóbico, ca adj. **1** De la hidrofobia o relacionado con ella. **2** Que padece hidrofobia. □ SINÓN. *hidrófobo*.

hidrófobo, ba adj./s. Que padece hidrofobia. □ SINÓN. *hidrofóbico*.

hidrofoil (ing.) s.m. Embarcación que se desplaza sobre el agua sustentado por una capa de aire a presión que se genera por una turbina: *El hidrofoil tiene unos pequeños flotadores para apoyarse en el agua cuando no está en marcha.* □ PRON. [idrofóil].

hidrófugo, ga adj./s.m. Referido a una sustancia, que evita la humedad o las filtraciones: *Tuvimos que construir el muro con hormigón hidrófugo para evitar que se filtrara el agua.* □ ETIMOL. De *hidro-* (agua) y *-fugo* (que hace desaparecer).

hidrogenación s.f. Proceso por el que se añade hidrógeno a un compuesto orgánico no saturado: *La* *hidrogenación de las grasas insaturadas las transforma en saturadas.*

hidrogenar v. Referido a una sustancia, combinarla con hidrógeno: *Se pueden fabricar aceites minerales hidrogenando la hulla.*

hidrógeno s.m. Elemento químico, no metálico, gaseoso, de número atómico 1, y que combinado con el oxígeno forma el agua: *El hidrógeno es catorce veces más ligero que el aire.* □ ETIMOL. De *hidro-* (agua) y *-geno* (que produce). □ ORTOGR. Su símbolo químico es *H*.

hidrogeología s.f. Parte de la geología que estudia las aguas dulces, esp. las subterráneas, y su aprovechamiento: *Los estudios de hidrogeología han permitido abrir nuevos pozos en la zona.* □ ETIMOL. De *hidro-* (agua) y *geología*.

hidrogeológico, ca adj. De la hidrogeología o relacionado con esta parte de la geología: *Están realizando estudios hidrogeológicos en este valle.*

hidrografía s.f. **1** Parte de la geografía que trata de la descripción de los mares, de los lagos y de las corrientes de agua: *Un especialista en hidrografía demostró que el río había cambiado su curso.* **2** Conjunto de los lagos y de las corrientes de agua de un territorio: *La hidrografía de la zona norte del país es mayor que la de la zona sur.* □ ETIMOL. De *hidro-* (agua) y *-grafía* (representación gráfica).

hidrográfico, ca adj. De la hidrografía o relacionado con ella: *Dejé en blanco la pregunta sobre las características hidrográficas de nuestro país.*

hidrógrafo, fa ▌s. **1** Persona que se dedica a la hidrografía, esp. si esta es su profesión: *El hidrógrafo fue a mi pueblo para estudiar el lago.* ▌s.m. **2** Aparato que sirve para medir y registrar el nivel de las corrientes de agua: *El hidrógrafo muestra una subida de medio metro en el nivel del embalse.*

hidrojardinera s.f. Macetero con un depósito de agua que permite mantener la humedad de la tierra: *Las hidrojardineras evitan que las plantas se sequen.*

hidrojet s.m. En una embarcación, sistema de propulsión que funciona lanzando agua hacia atrás: *El hidrojet de ese barco le permite alcanzar grandes velocidades.* □ PRON. [idroyét].

hidrolipídico, ca adj. Que está formado por agua y grasa o que está relacionado con estos componentes: *La piel del bebé tiene una capa hidrolipídica constituida principalmente por agua y sebo.*

hidrólisis (tb. *hidrolisis*) (pl. *hidrólisis, hidrolisis*) s.f. En química, división o descomposición de un compuesto producidos por la acción del agua, de un ácido o de un fermento: *Durante la digestión, las grasas sufren una hidrólisis.* □ ETIMOL. De *hidro-* (agua) y el griego *lýsis* (disolución).

hidrolizado, da adj. Referido a un compuesto, que ha sido desdoblado o descompuesto por la acción del agua, de un ácido o de un fermento: *Los cereales hidrolizados son de más fácil digestión.*

hidrolizar v. Efectuar la hidrólisis: *Los cereales se hidrolizan para que su digestión sea más fácil.* □ ORTOGR. La *z* se cambia en *c* delante de *e* →CAZAR.

hidrología s.f. Estudio de la distribución del agua en la Tierra, de sus propiedades y de su utilización: *La hidrología entra dentro del campo de estudio de las ciencias naturales.* □ ETIMOL. De *hidro-* (agua) y *-logía* (estudio, ciencia).

hidrológico, ca adj. De la hidrología o relacionado con este estudio: *un informe hidrológico.* □ SEM. Dist. de *hidráulico* (relacionado con la hidráulica) y de *hídrico* (relacionado con el agua).

hidrólogo, ga adj./s. **1** Persona que se dedica a la hidrología, esp. si esta es su profesión: *Esa profesora es hidróloga y está haciendo un estudio del agua del lago.* **2** Persona entendida en aguas de riego: *El técnico hidrólogo ha dicho que estas aguas no son buenas para el riego.*

hidromancia (tb. *hidromancía*) s.f. Adivinación a través de las señales y las observaciones del agua. □ ETIMOL. Del griego *hýder* (agua) y *manteía* (adivinación).

hidromasaje s.m. Masaje que se efectúa con chorros de agua caliente y de aire: *El hidromasaje estimula la circulación sanguínea.* □ ETIMOL. De *hidro-* (agua) y *masaje*.

hidromel s.m. →**hidromiel.**

hidrometría s.f. Parte de la hidrodinámica que estudia el modo de medir el caudal, la velocidad o la fuerza de los líquidos en movimiento: *La hidrometría permite establecer cuál es el caudal de un río.* □ ETIMOL. De *hidrómetro*.

hidrómetro s.m. Aparato que sirve para medir el caudal, la velocidad o la fuerza de los líquidos en movimiento: *Los datos del hidrómetro indican que el caudal del río ha aumentado con las lluvias de las últimas semanas.* □ ETIMOL. De *hidro-* (agua) y *-metro* (medidor).

hidromiel (tb. *hidromel*) s.m. Bebida hecha con agua y miel: *En los pueblos con muchas colmenas vendían hidromiel.* □ SINÓN. *aguamiel.* □ ETIMOL. De *hidro-* (agua) y *miel*.

hidromineral adj.inv. Del agua mineral o relacionado con ella: *Los componentes hidrominerales son beneficiosos para la salud.* □ ETIMOL. De *hidro-* (agua) y *mineral*.

hidromodelismo s.m. Técnica de construcción de modelos reducidos de barcos, canales y presas: *Es muy aficionado al hidromodelismo.* □ ETIMOL. De *hidro-* (agua) y *modelismo*.

hidroneumático, ca adj. Que funciona mediante agua y aire: *frenos hidroneumáticos.* □ ETIMOL. De *hidro-* (agua) y *neumático*.

hidronimia s.f. Parte de la toponimia que estudia el origen y el significado de los nombres de los accidentes geográficos relacionados con el agua: *Este libro de hidronimia dice que 'Guadarrama' significa 'río de arena'.* □ ETIMOL. De *hidrónimo*.

hidrónimo s.m. Nombre propio de un río, de un lago o de otro accidente geográfico relacionado con el agua: *'Atlántico' es un hidrónimo.* □ ETIMOL. De *hidro-* (agua) y *ónoma* (nombre).

hidropedal s.m. Embarcación compuesta por dos flotadores paralelos unidos por dos o más travesaños y movida por un sistema de paletas accionado por pedales. □ SINÓN. *patín*.

hidropesía s.f. Acumulación anormal de líquido segregado por algunas membranas en cualquier cavidad o tejido del organismo: *Tener el vientre muy hinchado puede ser síntoma de hidropesía.* □ ETIMOL. Del latín *hydropisia*.

hidrópico, ca ▮ adj. **1** Sediento en exceso: *Se pasa el día bebiendo agua porque es hidrópico.* ▮ adj./s. **2** Que padece hidropesía o acumulación anormal de líquido seroso: *Sospecha que está hidrópico porque tiene el vientre hinchado.* □ ETIMOL. Del griego *hydropikós*, y este de *hýdrops* (hidropesía) y *óps* (aspecto).

hidropínico, ca adj. Referido a un tratamiento, que se basa en la ingestión de agua: *Este balneario ofrece curas hidropínicas.* □ SEM. Dist. de *hidropónico* (que se cultiva en una sustancia acuosa).

hidroplano s.m. **1** Embarcación provista de unas aletas que, por efecto de la reacción que el agua ejerce contra ellas, levantan ligeramente la nave, con lo que disminuye el frotamiento y se puede alcanzar gran velocidad: *La policía costera utilizó un hidroplano para dar alcance a los contrabandistas.* **2** Avión que lleva unos flotadores que le permiten posarse en el agua o despegar de ella: *Amerizamos en el lago con el hidroplano.* □ SINÓN. *hidroavión*. □ ETIMOL. De *hidro-* (agua) y la terminación de *aeroplano*.

hidropónico, ca adj. Referido a un cultivo, que se realiza en una sustancia acuosa con sales disueltas y sin tierra: *En los cultivos hidropónicos, las raíces de las plantas están sumergidas en una disolución acuosa.* □ ETIMOL. De *hidro-* (agua) y el griego *pónos* (labor). □ SEM. Dist. de *hidropínico* (que se trata mediante ingestión de agua).

hidroscopia s.f. Técnica para descubrir la existencia de aguas ocultas: *La hidroscopia nos fue útil para hacer el pozo de agua.* □ ETIMOL. De *hidro-* (agua) y *-scopia* (exploración).

hidroscopio s.m. Aparato que se utiliza para descubrir la presencia de agua: *Utilizó un hidroscopio para hallar el manantial.* □ ETIMOL. De *hidro-* (agua) y *-scopio* (aparato para ver).

hidrosfera s.f. Capa de la Tierra, situada entre la atmósfera y la litosfera, y que está compuesta por el conjunto de todas las aguas terrestres: *Lagos, mares, océanos y ríos forman la hidrosfera, junto con los hielos y las aguas subterráneas.* □ ETIMOL. De *hidro-* (agua) y el griego *sfaira* (esfera). □ PRON. Incorr. *[hidrósfera].

hidrosoluble adj.inv. Que se disuelve en el agua: *La vitamina C es hidrosoluble.* □ ETIMOL. De *hidro-* (agua) y *soluble*.

hidrospeed (ing.) s.m. Deporte que consiste en descender por los rápidos de los ríos agarrado a una tabla protectora y con aletas en los pies. □ PRON. [idrospíd].

hidrostática s.f. Véase **hidrostático, ca.**

hidrostático, ca ▮ adj. **1** De la hidrostática o relacionado con esta parte de la física: *En clase de física nos explicaron el funcionamiento de la balanza hidrostática.* ▮ s.f. **2** Parte de la física que estudia el equilibrio de los fluidos y de los cuerpos sumergidos en ellos: *La hidrostática estudia las fuerzas que se ejercen sobre los fluidos y viceversa.* □ ETIMOL. De *hidro-* (agua) y *estática*.

hidroterapia s.f. Tratamiento de las enfermedades mediante la aplicación del agua: *La hidroterapia se practica en balnearios.* □ ETIMOL. De *hidro-* (agua) y *-terapia* (curación).

hidroterápico, ca adj. De la hidroterapia o relacionado con este tratamiento: *Estoy siguiendo un tratamiento hidroterápico para la artritis.*

hidrotermal adj.inv. Del agua termal, que tiene una temperatura superior a la normal: *Los procesos hidrotermales modifican la composición y la estructura de los sedimentos subterráneos.* □ ETIMOL. De *hidro-* (agua) y *termal*.

hidrotropismo s.m. Movimiento de orientación de un organismo, esp. de un vegetal o de una de sus partes, como respuesta al estímulo de la humedad: *La raíz de una planta busca la humedad a causa del hidrotropismo.* □ ETIMOL. De *hidro-* (agua) y *tropismo*.

hidróxido s.m. Compuesto químico inorgánico que contiene el hidroxilo o radical formado por un átomo de hidrógeno y otro de oxígeno: *Los hidróxidos de los metales forman bases y los de los no metales, ácidos.* □ ETIMOL. De *hidro-* (agua) y *óxido*.

hidroxilo s.m. Radical químico formado por un átomo de hidrógeno y otro de oxígeno: *El hidroxilo forma parte de los alcoholes.* □ ETIMOL. De *hidro-* (agua) y el griego *hýle* (materia).

hidrozoo ▮ adj./s.m. **1** Referido a un animal, que carece de esqueleto, tiene la cavidad gástrica sencilla, y pasa por las fases de pólipo y de medusa: *La hidra de agua dulce es un animal hidrozoo.* ▮ s.m.pl. **2** En zoología, clase de estos animales, perteneciente al tipo de los celentéreos: *La mayoría de los animales que pertenecen a los hidrozoos producen urticaria si los tocas.* □ ETIMOL. De *hidro-* (agua) y *zôion* (animal).

hidruro s.m. Compuesto químico formado por la combinación del hidrógeno con otro elemento químico: *El amoniaco es un hidruro de nitrógeno.*

hiedra (tb. *yedra*) s.f. Planta trepadora, siempre verde, de flores verdosas en umbela, frutos negros, y de cuyos troncos y ramas nudosos brotan pequeñas raíces que se adhieren a las superficies en las que se apoyan: *La pared está cubierta de hiedra.* □ ETIMOL. Del latín *hedera*.

hiel ▮ s.f. **1** En el sistema digestivo de algunos animales, líquido viscoso de color verdoso o amarillento que es segregado por el hígado y que interviene en la digestión junto con el jugo pancreático. □ SINÓN. *bilis*. **2** Sentimiento de irritación o de amargura: *Esas críticas tan duras son pura hiel.* □ SINÓN. *bilis*. ▮ pl. **3** Circunstancias desagradables o adversas: *Para triunfar tuvo que soportar antes las hieles de los entrenamientos.* □ ETIMOL. Del latín *fel*.

hielera s.f. En zonas del español meridional, nevera portátil.

hielo s.m. **1** Agua solidificada a causa de un descenso suficiente de la temperatura: *Con cero grados de temperatura esta agua en estado líquido se convertiría en hielo.* **2** Indiferencia o frialdad en los sentimientos: *Me lanzó una mirada de hielo.* **3** || **{quebrar/romper} el hielo;** *col.* En una relación, romper la reserva, el recelo, el embarazo o la frialdad existentes: *La conversación era muy tensa y rompió el hielo contando un chiste.* □ ETIMOL. Del latín *gelu.*

hiena s.f. **1** Mamífero carnívoro propio de los continentes asiático y africano, de pelo áspero y grisáceo, que se alimenta fundamentalmente de carroña: *La hiena produce un sonido parecido a la risa humana.* **2** Persona cruel y de malos instintos: *Es una hiena y siempre se aprovecha de los demás.* □ ETIMOL. Del latín *hyaena.* □ MORF. En la acepción 1, es un sustantivo epiceno: *la hiena {macho/hembra}.*

hierático, ca adj. **1** Referido a un estilo artístico, que es de rasgos rígidos y majestuosos: *La antigua escultura egipcia era hierática.* **2** Referido a un gesto, que no deja ver ningún sentimiento: *Tus ademanes hieráticos te convierten en una persona distante.* □ ETIMOL. Del griego *hieratikós* (sacerdotal).

hieratismo s.m. Rigidez, majestuosidad o severidad en el aspecto exterior: *El hieratismo es una característica del arte egipcio, griego y bizantino.*

hierba (tb. *yerba*) ▮ s.f. **1** Planta anual, de pequeño tamaño y que carece de tallo leñoso persistente. **2** Conjunto de estas plantas que crecen en un terreno, esp. el que sirve de alimento al ganado. **3** *arg.* En el lenguaje de la droga, marihuana. ▮ pl. **4** *col.* Conjunto de plantas usadas como condimento, para hacer infusiones o para la elaboración de algunos productos. **5** || **como la mala hierba;** *col.* Referido a algo perjudicial o desagradable, muy deprisa: *Aquellos rumores crecieron como la mala hierba y no hubo modo de pararlos.* || **finas hierbas;** las que se pican muy menudas y se usan como condimento: *paté a las finas hierbas.* || **hierba buena;** →**hierbabuena.** || **(hierba) luisa;** →**hierbaluisa.** □ ETIMOL. Del latín *herba.* □ SINT. *Como la mala hierba* se usa más con los verbos *crecer, extenderse* o equivalentes.

hierbabuena (tb. *hierba buena, yerbabuena*) s.f. Planta herbácea de olor agradable que se emplea como condimento: *Me gusta el té con hierbabuena.*

hierbajo (tb. *yerbajo*) s.m. *desp.* Hierba sin ningún valor y que crece sola.

hierbaluisa (tb. *hierba luisa, yerbaluisa*) s.f. Planta herbácea de olor agradable, cuyas hojas se toman como infusión tónica, estomacal y digestiva: *La hierbaluisa se cultiva en jardines.* □ SINÓN. *luisa.*

hierbero, ra ▮ s. **1** En zonas del español meridional, persona que vende hierbas medicinales. **2** En zonas del español meridional, persona que utiliza hierbas para curar. **3** s.m. Lugar en el que se guarda y conserva la hierba seca o el heno.

hiero s.m. →**yero.**

hierra s.f. En zonas del español meridional, herradero. □ ETIMOL. De *herrar.*

hierro s.m. **1** Elemento químico, metálico y sólido, de número atómico 26, dúctil, maleable y de color gris azulado, muy utilizado en la industria y en el arte: *Estas rejas son de hierro forjado.* **2** Arma, instrumento o pieza hechos con este metal: *Mientras unos juntaban el ganado para marcarlo, otros calentaban los hierros.* **3** En tauromaquia, ganadería de toros de lidia: *Se llevó el premio de la feria al mejor hierro.* **4** || **de hierro;** dotado de gran fortaleza y resistencia, esp. referido a la salud o al carácter de una persona: *Tiene una salud de hierro y nunca se resfría.* || **quitar hierro;** *col.* Referido a algo que parece grave, exagerado o peligroso, quitarle importancia: *Quitó hierro al problema para que los demás no se preocuparan.* □ ETIMOL. Del latín *ferrum.* □ ORTOGR. 1. Dist. de *yerro.* 2. En la acepción 1, su símbolo químico es *Fe.*

hifa s.f. En un hongo, filamento blanco y ramificado que se encuentra en el interior de la tierra y que forma el micelio o aparato vegetativo: *Cada hifa encierra en su interior una sustancia celular y muchos núcleos.* □ ETIMOL. Del griego *hyphé* (tejido).

hi-fi (ing.) s.m. →**alta fidelidad.** □ ETIMOL. Es el acrónimo del inglés *High Fidelity* (alta fidelidad).

higa s.f. **1** Amuleto con figura de puño con el dedo pulgar asomando entre el índice y el corazón. **2** Gesto que se hace cerrando la mano y mostrando el dedo pulgar entre el índice y el corazón. **3** || **una higa;** Muy poco o nada: *Me importa una higa que no me salude.* □ ETIMOL. De *higo,* y este de *fica* (nombre de la vulva en varias lenguas), porque se compara su forma con la de la vulva. □ SINT. La acepción 3 se usa más con los verbos *importar, valer* o equivalentes, y en expresiones negativas.

higadilla s.f. →**higadillo.**

higadillo s.m. Hígado de los animales de pequeño tamaño, esp. el de las aves: *Me gustan los higadillos de pollo fritos.* □ SINÓN. *higadilla.*

hígado s.m. **1** En el sistema digestivo de los animales vertebrados, órgano glandular, situado en la parte anterior derecha del abdomen, que produce la bilis y que desempeña funciones metabólicas importantes. **2** En el sistema digestivo de algunos animales invertebrados, glándula parecida a este órgano. **3** *col.* Ánimo o valor: *Tiene que tener muchos hígados para ofrecerse a llevar toda la responsabilidad.* **4** || **echar los hígados;** *col.* Realizar un gran esfuerzo. □ ETIMOL. Del latín *ficatum,* y este de *iecur* (hígado) y *ficatum* (alimentado con higos), porque antiguamente se alimentaba con higos a los animales cuyo hígado se comía. □ MORF. En la acepción 3, se usa más en plural.

high-tech (ing.) s.m. Alta tecnología: *una empresa del sector del high-tech.* □ ETIMOL. Es el acrónimo del inglés *high technology* (alta tecnología). □ PRON. [hái-ték]. □ USO 1. Se usa mucho en aposición, pospuesto a un sustantivo: *un coche high-tech*. 2. Su uso es innecesario.

higiene s.f. Aseo o limpieza que tiene por objeto la conservación de la salud y la prevención de enfermedades: *En el colegio enseñan a los niños higiene bucal.* □ ETIMOL. Del francés *hygiène*, y este del griego *hygieinón* (salud, salubridad).

higiénico, ca adj. De la higiene o relacionado con ella: *La recogida de la basura es una medida higiénica que evita malos olores.*

higienista adj.inv./s.com. Que se dedica profesionalmente al estudio de la higiene: *Varios médicos higienistas dieron una conferencia sobre la nueva normativa de higiene laboral.*

higienización s.f. Dotación de condiciones higiénicas: *La inspectora obligó a realizar la higienización del edificio.*

higienizar v. Dotar de condiciones higiénicas: *Hay que higienizar los establecimientos públicos.* □ ORTOGR. La *z* se cambia en *c* delante de *e* →CAZAR.

higo s.m. **1** Fruto de la higuera, blando, dulce, de carne blanca o más o menos rojiza y con muchas semillas, cuya piel es de color verde, violáceo o negro según las especies. **2** *vulg.* →**vulva. 3** ‖ **de higos a brevas;** *col.* Con poca frecuencia. ‖ **hecho un higo;** *col.* Estropeado o arrugado. ‖ **higo chumbo;** fruto de la chumbera. ‖ **un higo;** muy poco o nada: *Me importa un higo que vengas o no.* □ ETIMOL. Del latín *ficus* (higo, higuera). □ SINT. *Un higo* se usa más con los verbos *importar*, *valer* o equivalentes, y en expresiones negativas.

higro- Elemento compositivo prefijo que significa 'humedad': *higrometría, higroscopio.* □ ETIMOL. Del griego *hygrós*.

higrometría s.f. Parte de la física que estudia las causas que producen la humedad atmosférica y la medida de sus variaciones: *La higrometría está relacionada con la meteorología.* □ SINÓN. *higroscopia.* □ ETIMOL. De *higro-* (agua) y *-metría* (medida).

higrométrico, ca adj. De la higrometría, del higrómetro o relacionado con ellos: *Hay que hacer un análisis de las condiciones higrométricas de la atmósfera.*

higrómetro s.m. Instrumento que sirve para medir la humedad del aire atmosférico: *La profesora nos explicó los distintos tipos de higrómetros.* □ SINÓN. *higroscopio.* □ ETIMOL. De *higro-* (humedad) y *-metro* (medidor).

higroscopia s.f. Parte de la física que estudia las causas que producen la humedad atmosférica y la medida de sus variaciones: *La higroscopia está relacionada con la meteorología.* □ SINÓN. *higrometría.* □ ETIMOL. De *hidro-* (agua) y *-scopia* (exploración).

higroscópico, ca adj. Que tiene la propiedad de absorber y de exhalar la humedad según las circunstancias: *El café soluble es higroscópico y si dejas el bote abierto, se humedece fácilmente.*

higroscopio s.m. Instrumento que sirve para medir la humedad del aire atmosférico: *Tengo un higroscopio casero con un fraile que se cubre con la capucha cuando llueve.* □ SINÓN. *higrómetro.* □ ETIMOL. De *higro-* (humedad) y *-scopio* (instrumento para ver).

higuana s.f. →**iguana.** □ MORF. Es un sustantivo epiceno: *la higuana {macho/hembra}*.

higuera s.f. **1** Árbol frutal de savia lechosa, con hojas grandes de color verde brillante y cuyos frutos son los higos: *Las higueras tienen la savia muy amarga.* **2** ‖ **estar en la higuera;** *col.* Estar distraído o ajeno a lo que sucede alrededor: *No te has enterado de la conversación porque estabas en la higuera.* ‖ **(higuera) breval;** árbol cuyos frutos son las brevas y los higos: *La higuera breval tiene las hojas grandes y verdosas.* ‖ **higuera chumba;** planta muy carnosa, con tallos a modo de hojas y en forma de paletas ovales con espinas, y cuyo fruto es el higo chumbo: *Los frutos de la higuera chumba tienen el tamaño de un huevo de gallina.* □ SINÓN. *chumbera, nopal.*

higueral s.m. Terreno plantado de higueras: *Fuimos a merendar al higueral, porque en la sombra se estaba muy fresquito.*

hijaputa *vulg.malson. desp.* s.f. de **hijoputa**.

hijastro, tra s. Respecto de una persona, hijo o hija que su cónyuge ha tenido en una unión anterior: *Tiene un hijastro porque su marido aportó un hijo al matrimonio.* □ SINÓN. *entenado.* □ ETIMOL. De *hijo*.

hijear v. En zonas del español meridional, retoñar. □ ORTOGR. Conserva la *j* en toda la conjugación.

hijo, ja ▌s. **1** Respecto de una persona, otra engendrada por ella: *Al mes de casarse se quedó embarazada de su primer hijo.* **2** Respecto de un suegro, su nuera o su yerno: *Al anciano le emociona ver la buena pareja que hacen sus hijos.* **3** Respecto de una persona, miembro de las generaciones que descienden de ella: *Según la Biblia, todos somos hijos de Adán y Eva.* **4** Respecto de un lugar geográfico, persona nacida en él: *Soy hija de Madrid.* **5** Lo que es resultado de algo: *Su destreza es hija de la experiencia.* ▌s.m. **6** Respecto de un ser, esp. de una planta, lo que nace o brota de él: *A la palmera que compré le está saliendo un hijo.* **7** ‖ **hijo {de confesión/espiritual};** respecto de un director espiritual, persona a la que este guía en materia de religión y de conciencia. ‖ **hijo de leche;** respecto de un ama de cría, persona que ha sido amamantada por ella. ‖ **hijo de papá;** *col.* Persona que satisface sus necesidades y deseos gracias al respaldo paterno y sin hacer esfuerzos o merecimientos propios. ‖ **hijo de {perra/puta};** *vulg.malson. desp.* Persona a la que se considera malvada o despreciable. ‖ **hijo de {su madre/tal};** *euf. desp.* Hijo de puta. ‖ **hijo de vecino;** *col.* Persona normal y corriente: *Le gusta la diversión, como a cualquier hijo de vecino.* ‖ **hijo ilegítimo;** en derecho, el no reconocido legalmente. ‖ **hijo legítimo;** en derecho, el reconocido legalmente. ‖ **hijo natural;** en derecho, el ilegítimo, esp. el de padres que están libres para contraer matrimonio. ‖ **hijo pródigo;** el que regresa al hogar de los padres después de haberlo abandonado. □ ETIMOL.

Del latín *filius*. La expresión *hijo pródigo*, por alusión a la parábola bíblica del mismo nombre. □ MORF. En la acepción 3, se usa más en plural. □ USO 1. Se usa como apelativo: *Mi hermana me dijo: '¡Ay, hija, no sé cómo lo aguantas!'*. 2. Las expresiones *hijo de {perra/puta}* e *hijo de {su madre/tal}* se usan como insulto.

hijodalgo (pl. *hijosdalgo*) s.m. *ant.* →**hidalgo.**

híjole interj. *col.* En zonas del español meridional, expresión que se usa para expresar sorpresa, preocupación o pena: *¡Híjole, ya es muy tarde!*

hijoputa s.m. *vulg.malson. desp.* →**hijo de puta.** □ MORF. Su femenino es *hijaputa*.

hijuela s.f. **1** Documento en el que se detallan los bienes que corresponden a cada uno de los herederos de una herencia: *Según la hijuela os han tocado varias fincas.* **2** Conjunto de estos bienes: *El primogénito recibió una hijuela mayor que las de sus hermanos.* **3** Lo que depende de algo central o principal o está subordinado a ellos: *Esta sección es hijuela del departamento administrativo.* **4** En zonas del español meridional, finca rústica que se forma a partir de la división de otra mayor. □ ETIMOL. De *hija*, porque hijuela significó primero *reguero pequeño*, y de ahí *finca rústica*, que se forma por subdivisión.

hijueputa s.com. *vulg.malson.* En zonas del español meridional, persona despreciable. □ USO Se usa como insulto.

hilacha s.f. **1** En una tela, hilo que se ha desprendido y cuelga de ella: *Se rasgó el pantalón y le colgaban hilachas.* □ SINÓN. *hilacho.* **2** Resto o porción insignificante: *Aún quedan por hacer algunas hilachas del trabajo.* □ SINÓN. *hilacho.*

hilachento, ta adj. En zonas del español meridional, harapiento.

hilacho s.m. →**hilacha.**

hilachoso, sa adj. Que tiene muchas hilachas: *Están muy de moda los pantalones vaqueros hilachosos.*

hilada s.f. Conjunto de elementos colocados en línea: *El río estaba bordeado por una hilada de árboles.* □ SINÓN. *hilera.*

hiladillo s.m. Cinta estrecha de hilo, de seda o de algodón: *Puso hiladillo en el bajo de la falda para que no se deshilachara.*

hilado s.m. **1** Transformación de una materia textil en hilo: *El hilado de la seda requiere una técnica compleja.* **2** Porción de materia textil que ha sido sometida a esta transformación: *Los hilados de lana se vendieron a buen precio.* □ SINÓN. *hilaza.*

hilador, -a ▮ adj./s. **1** Referido a una máquina o a una herramienta, que se usan para hilar: *Las hiladoras modernas son eléctricas.* ▮ s. **2** Persona que se dedica a hilar, esp. la que hila seda: *Antiguamente las hiladoras usaban rueca.*

hilandería s.f. **1** Arte o técnica de hilar: *La hilandería se ha practicado durante siglos de manera artesanal.* **2** Fábrica de hilados: *En las modernas hilanderías se confeccionan tejidos por procedimientos muy automatizados.*

hilandero, ra s. Persona que se dedica profesionalmente a hilar: *El pintor español Velázquez inmortalizó a las hilanderas en un famoso cuadro.*

hilar v. **1** Referido a una materia textil, transformarla en hilo: *Aún quedan artesanos que hilan con rueca. Con la lana que hilaron hicieron varios ovillos.* **2** Referido a cosas sin relación aparente, relacionarlas de modo que se llegue a una deducción a partir de ellas: *Después de hilar todos los datos, se dio cuenta de lo que realmente sucedía.* **3** Referido a un animal, esp. a una araña o a un gusano de seda, producir o segregar una hebra de hilo: *El gusano de seda hila para formar el capullo. La araña hila una sustancia líquida con la que teje sus telas.* **4** ‖ **hilar {delgado/fino};** proceder con exactitud, minuciosidad o sutileza, esp. en las apreciaciones subjetivas: *Cuando le expongas tus críticas tendrás que hilar fino para no ofenderla.* □ ETIMOL. Del latín *filare*.

hilarante adj.inv. Que produce gran alegría o ganas de reír: *una situación hilarante.* □ ETIMOL. Del latín *hilarans*, y este de *hilarare* (alegrar).

hilaridad s.f. Risa ruidosa y prolongada que se provoca en una reunión: *La ocurrencia del payaso causó gran hilaridad entre los niños.*

hilatura s.f. Arte, técnica o industria de transformar materias textiles en hilo: *La hilatura es conocida desde la Antigüedad.*

hilaza s.f. Porción de materia textil transformada en hilo: *Tejieron la tela con hilaza de lino.* □ SINÓN. *hilado.*

hilemorfismo (tb. *hilomorfismo*) s.m. Concepción filosófica defendida por Aristóteles (filósofo griego del siglo IV a. C.), según la cual toda sustancia está constituida por dos principios esenciales, que son la materia y la forma: *La mayoría de los filósofos medievales escolásticos admitían el hilemorfismo.* □ ETIMOL. Del griego *hýle* (materia) y *morphé* (forma).

hilera ▮ s.f. **1** Conjunto de elementos colocados en línea: *En cada estante había una hilera de libros. En el desfile los soldados marchaban en hilera.* □ SINÓN. *hilada.* **2** En metalurgia o en orfebrería, máquina o instrumento para reducir los metales a hilos o alambres: *Con las hileras se fabrica el hilo de plata que se emplea en artesanía.* ▮ pl. **3** En una araña o en otro animal hilador, conjunto de apéndices o abultamientos agrupados alrededor del ano y en los que se localizan las glándulas productoras del líquido con el que forman los hilos: *Las arañas tienen seis hileras, provistas de numerosos tubitos por los que sale la seda.* □ ETIMOL. De *hilo*.

hilo s.m. **1** Fibra o conjunto de fibras retorcidas, largas y delgadas que se obtienen de una materia textil, esp. las que se usan para coser: *Cogí aguja e hilo para coser un botón. He comprado unas madejas de hilo para hacerme un jersey fresquito.* **2** Tela confeccionada con esta fibra: *sábanas de hilo.* **3** Hebra que segregan algunos animales, esp. las arañas y los gusanos de seda. **4** Filamento o alambre muy delgados y flexibles: *un hilo de cobre.* **5** Cable transmisor: *hilo telefónico.* **6** Chorro muy delgado de un líquido: *De la fuente salía un hilo de* *agua.* **7** Lo que da continuidad a lo que se dice o a lo que ocurre, esp. a una conversación: *Un suceso inesperado precipitó el hilo de los acontecimientos.* **8** || **al hilo de;** expresión que se usa para indicar que lo que se menciona ha sugerido o recordado la idea de hablar de otra cosa: *Al hilo de lo que dijeron los ecologistas, salieron nuevos proyectos de investigación para la mejora del medio ambiente.* || **{colgar/pender} de un hilo;** estar en situación de gran inseguridad o riesgo. || **hilo conductor;** asunto que otorga sentido y unidad a un discurso o a un argumento: *En esa película, el hilo conductor es la búsqueda de la identidad del protagonista.* || **hilo de voz;** voz muy débil o apagada. || **hilo musical;** sistema de transmisión del sonido que permite escuchar programas a través de un receptor conectado al cable telefónico y sin impedir el uso del teléfono. ☐ ETIMOL. Del latín *filum*.

hilomorfismo s.m. →**hilemorfismo.**

hilozoísmo s.m. Doctrina filosófica según la cual la materia es animada, sensible y está dotada de capacidad para actuar espontáneamente: *El hilozoísmo fue defendido por algunos filósofos griegos.* ☐ ETIMOL. Del griego *hýle* (materia) y *zoé* (vida).

hilván s.m. **1** Costura provisional de puntadas largas, con la que se unen y preparan las telas para su cosido definitivo: *Pruébate los pantalones con cuidado para no deshacer el hilván.* ☐ SINÓN. *embaste.* **2** Cada una de esas puntadas: *No hace falta que hagas los hilvanes tan pequeños.* **3** Hilo o hebra con los que se hace esa costura: *Cuando lo hayas cosido a máquina, saca los hilvanes.*

hilvanado s.m. Cosido provisional hecho con puntadas largas: *El hilvanado de las dos piezas evita que se muevan y facilita su costura.*

hilvanar v. **1** Referido a una tela, coserla con hilvanes para preparar su cosido definitivo: *Hilvana la camisa y pruébatela para ver cómo te sienta.* ☐ SINÓN. *embastar.* **2** Referido esp. a ideas o a palabras, enlazarlas o coordinarlas: *Si hilvanas bien todos los datos, podrás sacar conclusiones acertadas.* **3** *col.* Preparar con precipitación o de manera imprecisa: *El consejo solo hilvanó un plan que ahora deben desarrollar los expertos.* ☐ ETIMOL. De *hilo vano* (hilo distanciado o ralo).

himalayo, ya adj./s. Del Himalaya (cadena montañosa asiática) o relacionado con ella.

himen s.m. En una mujer o en las hembras de algunos animales, repliegue membranoso que cierra parcialmente el orificio externo de la vagina y que se desgarra en la primera relación sexual: *El himen se ha considerado tradicionalmente una prueba de virginidad.* ☐ SINÓN. *virgo.* ☐ ETIMOL. Del latín *hymen*, y este del griego *hymén* (membrana).

himeneo s.m. **1** *poét.* Boda: *La poesía bucólica relata los amores e himeneos pastoriles.* **2** Composición lírica destinada a ser cantada en una boda: *El poema de Antonio Machado 'Bodas de Francisco Romero' es un himeneo.* ☐ ETIMOL. Del latín *hymenaeus*, y este del griego *hyménaios* (canto nupcial, bodas).

himenóptero ▮ adj./s.m. **1** Referido a un insecto, que se caracteriza por tener un aparato bucal masticador, con frecuencia adaptado también para lamer y chupar, y por disponer normalmente de dos pares de alas membranosas: *Las hormigas son insectos himenópteros.* ▮ s.m.pl. **2** En zoología, orden de estos insectos, perteneciente al tipo de los artrópodos: *Algunas de las especies que pertenecen a los himenópteros, como las avispas, tienen aguijón.* ☐ ETIMOL. Del griego *hymén* (membrana) y *-ptero* (ala).

himnario s.m. Colección de himnos: *El sacerdote tenía un himnario con todos los cantos de la liturgia.*

himno s.m. Composición poética o musical de alabanza o de exaltación, de tono solemne, esp. la que se hace en honor de la divinidad o para representar a una colectividad: *un himno a la Virgen; himno nacional.* ☐ ETIMOL. Del latín *hymnus*.

hincadura s.f. Introducción o apoyo de una cosa en otra, de manera que se fije o se clave: *La hincadura de los postes del cercado nos llevó toda la mañana.*

hincapié || **hacer hincapié en** algo; *col.* Recalcarlo o insistir esp. en ello: *El médico hizo mucho hincapié en que debes evitar cualquier esfuerzo.*

hincar ▮ v. **1** Referido esp. a algo con punta, clavarlo o introducirlo en otra cosa mediante presión: *Hincó el tenedor en el filete y se lo echó en su plato.* **2** Apoyar con fuerza o con firmeza en algo: *El acróbata hincó sus manos en el suelo y empezó a andar boca abajo.* ▮ prnl. **3** Arrodillarse: *El sacerdote se hincó ante el altar mayor.* ☐ ETIMOL. Del latín **figicare.* ☐ ORTOGR. La *c* se cambia en *qu* delante de *e* →SACAR.

hincha ▮ s.com. **1** Partidario entusiasta o apasionado de alguien, esp. de un equipo deportivo o de una persona famosa. ▮ s.f. **2** *col.* Sentimiento de odio o de rechazo contra alguien: *Desde que me hizo aquella faena, le tengo una hincha que no lo puedo ver.* ☐ ETIMOL. La acepción 1, de *hinchar*. La acepción 2, del latín *inflare.* ☐ USO En la acepción 1, es innecesario el uso del anglicismo *supporter*.

hinchable adj.inv. Que se puede hinchar: *Si vas a la playa, no te olvides del colchón hinchable.*

hinchada s.f. Véase **hinchado, da.**

hinchado, da ▮ adj. **1** Referido esp. al lenguaje o al estilo, que abunda en palabras y expresiones afectadas y exageradas: *Redacta de una manera tan hinchada y poco natural que resulta cursi.* ▮ s.f. **2** Conjunto de hinchas: *La hinchada del equipo local estuvo cantando durante todo el partido.*

hinchador s.m. Aparato que sirve para hinchar. ☐ SINÓN. *inflador.*

hinchamiento s.m. **1** Aumento de volumen, generalmente por efecto de un golpe o de la introducción de una sustancia: *El hinchamiento de los globos nos llevó casi dos horas.* **2** Exageración o ampliación, esp. si resultan afectadas y poco naturales: *Un estilo sencillo no requiere hinchamientos ni afectación.*

hinchar ▌v. **1** Referido a un cuerpo, llenarlo o hacer que aumente su volumen introduciendo en él una sustancia, esp. un fluido: *Hincha más el balón para que bote mejor. Comimos hasta hincharnos.* □ SINÓN. *inflar.* **2** Referido esp. a un suceso, exagerarlo o ampliarlo: *La radio hinchó el incidente y lo presentó como un escándalo.* □ SINÓN. *inflar.* ▌prnl. **3** Referido a una parte del cuerpo, aumentar su volumen, esp. por efecto de una herida, de un golpe o de una acumulación de líquido: *Después del golpe se me hinchó el codo.* **4** *col.* Referido a una actividad, hacerla en exceso: *Me he hinchado a trabajar y estoy agotado.* □ SINÓN. *inflar.* **5** Mostrarse presuntuoso u orgulloso de las propias cualidades y obras: *Cuando habla de sus estudios se hincha.* □ SINÓN. *inflar.* □ ETIMOL. Del latín *inflare* (soplar dentro de algo). □ SINT. Constr. de la acepción 4: *hincharse {A/DE} algo.*

hinchazón s.f. Aumento de volumen de una parte del cuerpo, esp. el que se produce por efecto de una herida, de un golpe o de una acumulación de líquido: *Con este linimento te bajará la hinchazón del tobillo.* □ SINÓN. *intumescencia, tumefacción.*

hindi s.m. Lengua indoeuropea de la India (país asiático): *El hindi y el inglés son las dos lenguas oficiales de la India.* □ PRON. Aunque la pronunciación correcta es [índi], está muy extendida la pronunciación [indí]. □ ORTOGR. Dist. de *hindú* y de *indi.*

hindú (pl. *hindúes, hindús*) adj.inv./s.com. **1** Que tiene como religión el hinduismo: *Los hindúes creen en la transmigración de las almas.* □ SINÓN. *hinduista.* **2** De la India o relacionado con este país asiático: *Mi amiga vestía un traje hindú.* □ SINÓN. *indio.* □ ORTOGR. Dist. de *hindi.*

hinduismo s.m. Religión mayoritaria en la India (país asiático), en la que se engloba un conjunto poco unificado de ritos y cultos que responden a creencias comunes determinantes de una cultura y una actitud vital: *Según el hinduismo, las almas deben reencarnarse sucesivamente hasta alcanzar la inmortalidad.*

hinduista ▌adj.inv. **1** Del hinduismo o relacionado con esta religión: *ritos hinduistas.* ▌adj.inv./s.com. **2** Que tiene como religión el hinduismo. □ SINÓN. *hindú.*

hiniesta s.f. Planta con numerosas ramas largas, delgadas y flexibles, hojas escasas y pequeñas, flores amarillas y fruto en vaina: *En muchos lugares se usa la hiniesta para hacer escobas.* □ SINÓN. *retama, genista, escoba.* □ ETIMOL. Del latín *genesta.*

hinojal s.m. Lugar poblado de hinojos: *En los países mediterráneos abundan los hinojales.*

hinojo s.m. **1** Planta herbácea aromática, de hasta dos metros de altura, de hojas recortadas y flores amarillas agrupadas, muy usada en medicina por sus propiedades digestivas y como condimento por su sabor dulce y anisado: *Echó un poco de hinojo para suavizar el guiso.* **2** ‖ **de hinojos;** de rodillas: *Cayó de hinojos a sus pies y le imploró perdón.* □ ETIMOL. La acepción 1, del latín *fenuculum*, y este de *fenum* (heno). La acepción 2, del latín *genuculum* (rodilla).

hinterland (al.) s.m. En geografía, entorno o zona de influencia, esp. económica, de un puerto o de una ciudad importantes: *Muchos habitantes del hinterland trabajan en industrias relacionadas con la actividad del puerto.* □ PRON. [hínterlan], con *h* aspirada.

hioides (pl. *hioides*) s.m. →**hueso hioides.** □ ETIMOL. Del griego *hyoeidés* (que tiene forma de U).

hipálage s.f. Figura retórica que consiste en aplicar a una palabra el adjetivo o el complemento que lógicamente corresponden a otra: *En 'El guerrero empuñó el vengativo puñal' hay una hipálage porque 'vengativo' correspondería a 'guerrero'.* □ ETIMOL. Del griego *hypallagé* (cambio). □ SEM. Dist. de *enálage* (empleo de una parte de la oración en funciones propias de otra).

hipar v. **1** Tener hipo: *Le di un susto para que dejara de hipar.* **2** Llorar con sollozos semejantes al hipo: *El niño hipaba porque quería irse con su padre.* □ ETIMOL. De origen onomatopéyico.

hiper- **1** Elemento compositivo prefijo que significa 'con exceso': *hiperrealismo, hipersensible, hipertensión, hipervitaminosis.* **2** Elemento compositivo prefijo que significa 'muy grande': *hipermercado.* **3** *col.* Elemento compositivo prefijo que significa 'muy': *hipercontento, hiperrápido, hiperlejos.* □ ETIMOL. Del griego *hypér.*

híper (pl. *híper*) s.m. *col.* →**hipermercado.**

hiperactividad s.f. **1** Actividad excesiva. **2** En psicología, enfermedad que se caracteriza por un exceso de inquietud e impaciencia y por la incapacidad para desarrollar una actividad continuada: *Los estudios sobre hiperactividad han aumentado en los últimos años.*

hiperactivo, va adj./s. Que tiene una actividad excesiva: *Las personas hiperactivas suelen tener problemas para concentrarse.*

hiperacusia s.f. Aumento anormal de la capacidad auditiva: *Percibe sonidos que los demás no oyen porque tiene hiperacusia.* □ ETIMOL. Del griego *akoúsis* (acción de oír). □ SEM. Dist. de *hipoacusia* (disminución de la capacidad auditiva).

hipérbaton (pl. *hipérbatos*) s.m. Figura retórica consistente en la alteración del orden lógico o normal de las palabras o de las oraciones: *La oración 'De verdes sauces hay una espesura' es un hipérbaton.* □ ETIMOL. Del latín *hyperbaton*, y este del griego *hyperbatón* (transposición).

hipérbola s.f. En geometría, curva plana y simétrica que resulta de cortar una superficie cónica por un plano paralelo a su eje: *El enunciado del problema pedía que encontrásemos la ecuación de la hipérbola.* □ ETIMOL. Del griego *hyperbolé.* □ ORTOGR. Dist. de *hipérbole.*

hipérbole s.f. Figura retórica consistente en exagerar aquello de lo que se habla: *'Érase un naricísimo infinito' es una hipérbole de Quevedo.* □ ETIMOL. Del griego *hyperbolé.* □ ORTOGR. Dist. de *hipérbola.*

hiperbólico, ca adj. **1** En literatura, de la hipérbole, con hipérboles o relacionado con esta figura retórica: *Cuando habla de su ídolo, todo son grandes alabanzas y expresiones hiperbólicas.* **2** En geometría, de la hipérbola o con la forma de esta curva: *Al representar la función sobre los ejes de coordenadas obtuvimos una figura hiperbólica.*

hiperbolizar v. Utilizar hipérboles o exageraciones: *Sus relatos resultan poco creíbles por su tendencia a hiperbolizar demasiado.* □ ORTOGR. La *z* se cambia en *c* delante de *e* →CAZAR.

hiperbóreo, a adj. De las zonas muy septentrionales o próximas al polo Norte: *la vegetación hiperbórea.* □ ETIMOL. Del latín *Hyperboreus*, este del griego *Hiperbóreios*, y este de *hypér* (más allá) y *Boréas* (norte).

hiperclorhidria s.f. En medicina, exceso de ácido clorhídrico en el jugo gástrico: *Toma bicarbonato para paliar su hiperclorhidria.* □ ETIMOL. De *hiper-* (con exceso) y *clorhídrico*.

hipercloridia s.f. En medicina, acidez de estómago.

hipercolesterolemia s.f. En medicina, aumento de la cantidad normal de colesterol contenida en la sangre: *Mi amigo no puede tomar grasas porque tiene hipercolesterolemia.* □ ETIMOL. De *hiper-* (con exceso), *colesterol* y *-emia* (sangre).

hipercolesterolémico, ca adj./s. Que tiene exceso de colesterol: *un paciente hipercolesterolémico; una dieta hipercolesterolémica.*

hiperenlace s.m. →**hipervínculo.**

hiperespacio s.m. *col.* En ciencia ficción, espacio de más de tres dimensiones: *La nave surcó el hiperespacio en dirección a su galaxia.* □ ETIMOL. De *hiper-* (muy grande) y *espacio*.

hiperestesia s.f. En medicina, sensibilidad excesiva, patológica y molesta: *Tiene hiperestesia en esa zona del brazo y al rozarlo siente un gran dolor.* □ SINÓN. *hipersensibilidad.* □ ETIMOL. De *hiper-* (con exceso) y el griego *áisthesis* (sensibilidad).

hiperestésico, ca adj. En medicina, de la hiperestesia o relacionado con esta patología de la sensibilidad: *Los trastornos hiperestésicos pueden deberse a una lesión en algún nervio.* □ SINÓN. *hipersensible.*

hiperfunción s.f. En medicina, aumento de la actividad normal de un órgano, esp. de una glándula: *La hiperfunción del tiroides ocasiona un aumento del tamaño de esta glándula.* □ ETIMOL. De *hiper-* (con exceso) y *función*. □ SEM. Dist. de *hipofunción* (disminución de la actividad normal).

hiperglucemia s.f. En medicina, aumento de la cantidad normal de glucosa contenida en la sangre: *Una falta de insulina puede producir hiperglucemia.* □ ETIMOL. De *hiper-* (con exceso) y *glucemia*. □ SEM. Dist. de *hipoglucemia* (disminución de la cantidad normal de glucosa).

hiperlumínico, ca adj. Que tiene una velocidad mayor que la de la luz: *Según la teoría de la Relatividad, es imposible alcanzar una velocidad hiperlumínica.*

hipermedia adj.inv./s.m. Referido a un sistema de difusión de la información, que integra gráficos, sonido, texto y otros contenidos digitales mediante hipervínculos: *un documento hipermedia.*

hipermenorrea s.f. En medicina, menstruación muy abundante y de larga duración: *La ginecóloga le puso un tratamiento para corregir su hipermenorrea.* □ ETIMOL. De *hiper-* (con exceso) y *menorrea* (menorragia). □ SEM. Dist. de *hipomenorrea* (disminución de las menstruaciones).

hipermercado s.m. Establecimiento de grandes dimensiones, en el que la venta se realiza por autoservicio y generalmente a precios bajos, que suele estar situado en las afueras de las ciudades y que dispone de grandes aparcamientos para sus clientes: *Fuimos al hipermercado con el coche y cargamos compra para un mes.* □ ETIMOL. De *hiper-* (muy grande) y *mercado*. □ MORF. En la lengua coloquial se usa mucho la forma abreviada *híper*.

hipermétrope adj.inv./s.com. Referido a una persona, que padece de hipermetropía: *Las personas hipermétropes ven borrosos los objetos cercanos.* □ ETIMOL. Del griego *hypérmetros* (desmesurado) y *óps* (vista).

hipermetropía s.f. Defecto de la visión consistente en ver de manera confusa lo que está cerca, por formarse la imagen de los objetos más allá de la retina: *La hipermetropía se corrige con gafas.*

hiperónimo, ma adj./s.m. En lingüística, referido a un término, que tiene un significado general que incluye al de otro término más específico: *'Flor' es el hiperónimo de 'rosa', 'margarita' y 'clavel'.* □ ETIMOL. De *hiper-* (con exceso) y el griego *ónoma* (nombre). □ SEM. Dist. de *hipónimo* (que tiene un significado más específico e incluido en el de otro término más general).

hiperparásito s.m. En zoología, parásito de otro parásito: *Algunos microorganismos pueden ser hiperparásitos, ya que parasitan a otros organismos que también lo son.* □ ETIMOL. De *hiper-* (con exceso) y *parásito*.

hiperplasia s.f. En medicina, aumento excesivo del número de células normales en un órgano o en un tejido. □ ETIMOL. De *hiper-* (grande) y del griego *plásis* (formación). □ SEM. Dist. de *hipoplasia* (desarrollo insuficiente o defectuoso de un órgano o tejido).

hiperrealismo s.m. **1** Movimiento artístico de origen estadounidense, desarrollado en la segunda mitad del siglo XX y caracterizado por la reproducción fiel y minuciosa de la realidad: *Muchos cuadros del hiperrealismo parecen fotografías.* **2** Forma de ver las cosas con rasgos propios de este movimiento: *Describió el accidente con un hiperrealismo que nos puso los pelos de punta.* □ ETIMOL. De *hiper-* (con exceso) y *realismo*.

hiperrealista ▮ adj.inv. **1** Del hiperrealismo o con rasgos propios de este movimiento artístico: *estética hiperrealista.* ▮ adj.inv./s.com. **2** Que defiende o sigue el hiperrealismo.

hipersecreción s.f. En medicina, aumento excesivo de secreción: *En algunos pacientes, el cuadro de asma se manifiesta con tos e hipersecreción mucosa.*

hipersensibilidad s.f. **1** Sensibilidad muy acentuada a los estímulos afectivos o a las emociones: *Tienes una hipersensibilidad tan pronunciada que cualquier cosa te molesta.* **2** En medicina, sensibilidad excesiva, patológica y molesta: *Este medicamento está contraindicado en pacientes con hipersensibilidad a alguno de sus componentes.* □ SINÓN. *hiperestesia.*

hipersensible adj.inv. **1** Referido a una persona, que es muy sensible a los estímulos afectivos o a las emociones. **2** En medicina, de la hiperestesia o relacionado con esta patología de la sensibilidad: *Tiene la piel hipersensible y no le puede rozar nada.* □ SINÓN. *hiperestésico.* □ ETIMOL. De *hiper-* (con exceso) y *sensible.*

hipersónico, ca adj. Referido a una velocidad o a una aeronave, que puede superar los seis mil kilómetros por hora: *Este país ha conseguido fabricar aviones hipersónicos para el transporte de pasajeros.*

hipersustentación s.f. Aumento momentáneo de la fuerza de sustentación de las alas de una aeronave: *La hipersustentación es necesaria en el despegue y en el aterrizaje.*

hipersustentador, -a adj./s. De la hipersustentación o relacionado con ella: *Los aviones llevan elementos hipersustentadores en las alas.*

hipertensión s.f. En medicina, tensión sanguínea excesivamente alta: *La doctora me prohibió la sal porque tengo hipertensión.* □ ETIMOL. De *hiper-* (con exceso) y *tensión.* □ SEM. Dist. de *hipotensión* (tensión sanguínea excesivamente baja).

hipertensivo, va adj./s. De la hipertensión o relacionado con este trastorno: *crisis hipertensivas.*

hipertenso, sa adj./s. Que tiene la tensión alta: *A las personas hipertensas el médico les suele prohibir la sal.* □ SEM. Dist. de *hipotenso* (que tiene la tensión baja).

hipertermia s.f. En medicina, fiebre o aumento de la temperatura del cuerpo por encima de lo normal: *Su hipertermia está causada por una fuerte infección de garganta.* □ ETIMOL. De *hiper-* (con exceso, muy grande) y el griego *thermós* (caliente). □ SEM. Dist. de *hipotermia* (descenso de la temperatura normal).

hipertexto s.m. En informática, sistema que permite acceder a toda la información escrita contenida en el ordenador y manipularla según se necesite: *Con el hipertexto se puede buscar la misma palabra en todos los documentos que se hayan archivado.*

hipertextual adj.inv. En informática, del hipertexto o relacionado con este tipo de enlace: *enlaces hipertextuales.*

hipertiroidismo s.m. En medicina, aumento de la actividad de la glándula tiroides: *El hipertiroidismo se caracteriza por un aumento del tamaño del tiroides, ojos saltones y una extrema delgadez.* □ ETIMOL. De *hiper-* (muy grande, con exceso) y *tiroides.* □ SEM. Dist. de *hipotiroidismo* (insuficiencia en la actividad de la glándula tiroides).

hipertrofia s.f. **1** En medicina, aumento excesivo del volumen de un órgano o de un tejido orgánico: *hipertrofia muscular.* **2** Desarrollo excesivo, esp. si tiene efectos perjudiciales: *La hipertrofia de la burocracia, lejos de mejorar el servicio, lo complica y entorpece.* □ ETIMOL. De *hiper-* (con exceso) y el griego *trophós* (alimenticio). □ SEM. Dist. de *atrofia* (falta de desarrollo o disminución de tamaño).

hipertrofiar v. Producir hipertrofia o un desarrollo excesivo: *El ejercicio excesivo hipertrofia los músculos. A los tenistas se les hipertrofia el brazo con el que cogen la raqueta.* □ ORTOGR. La *i* nunca lleva tilde. □ SEM. Dist. de *atrofiar* (impedir el desarrollo).

hiperuricemia s.f. En medicina, aumento de la cantidad normal de ácido úrico contenida en la sangre: *Los enfermos de gota suelen padecer hiperuricemia.* □ ETIMOL. De *hiper-* (con exceso) y *uricemia.*

hipervínculo s.m. En internet, enlace que permite ir de una página web a otras relacionadas con ella: *Estuve en una página web que trataba sobre cine y tenía muchos hipervínculos.* □ SINÓN. *vínculo, hiperenlace.* □ USO Es innecesario el uso del anglicismo *link.*

hipervitaminosis (pl. *hipervitaminosis*) s.f. **1** Exceso de determinadas vitaminas en el organismo: *La hipervitaminosis es tan perjudicial como la falta de vitaminas.* **2** En medicina, estado producido por este exceso de vitaminas. □ ETIMOL. De *hiper-* (con exceso), *vitamina* y *-osis* (enfermedad). □ SEM. Dist. de *avitaminosis* (carencia o escasez de vitaminas).

hip-hop (ing.) s.m. Movimiento cultural popular que surgió en la década de 1970 en Estados Unidos (país americano): *El rap y el graffiti son algunas de las manifestaciones culturales del hip-hop.* □ PRON. [híp-hóp], con *h* aspirada.

hiphopero, ra s. Persona que canta o baila hip-hop. □ PRON. [híp-hopéro], con *h* aspirada.

hípica s.f. Véase **hípico, ca**.

hípico, ca ▮ adj. **1** Del caballo o relacionado con él: *una competición hípica.* ▮ s.f. **2** Deporte que se practica a caballo y cuyas pruebas presentan distintas modalidades. □ ETIMOL. Del griego *hippikós* (perteneciente al caballo).

hipido s.m. Gimoteo leve e insistente: *Daba pena verlo llorar dando hipidos.* □ PRON. Está muy extendida la pronunciación [hipído], con *h* aspirada.

hipismo s.m. Conjunto de conocimientos y técnicas para la cría y doma de caballos: *El hipismo está muy desarrollado en las regiones andaluzas.* □ ETIMOL. Del griego *hippós* (caballo). □ ORTOGR. Dist. de *hippismo.*

hipnosis (pl. *hipnosis*) s.f. Estado semejante al sueño, producido artificialmente por medio de la sugestión y caracterizado por el sometimiento de la voluntad a las órdenes de quien lo produce: *Sus ojos seguían el movimiento del péndulo y poco a poco fue cayendo en una hipnosis profunda.* □ ETI-

MOL. Del griego *hýpnos* (sueño). ☐ SEM. Dist. de *hipnotismo* (método para producir la hipnosis).

hipnoterapia s.f. Tratamiento de las enfermedades mediante el hipnotismo: *Ese psiquiatra utiliza la hipnoterapia para curar a sus pacientes.* ☐ ETIMOL. Del griego *hýpnos* (sueño) y *-terapia* (curación).

hipnótico, ca ▮ adj. **1** Del hipnotismo o relacionado con él: *una sesión hipnótica.* ▮ adj./s.m. **2** Referido esp. a un medicamento, que produce sueño. ☐ ETIMOL. Del griego *hypnotikós* (somnoliento).

hipnotismo s.m. Conjunto de teorías y procedimientos que se ponen en práctica para producir hipnosis: *Algunos psiquiatras recurren al hipnotismo para acceder al subconsciente de sus pacientes.* ☐ SEM. Dist. de *hipnosis* (estado producido por el hipnotismo).

hipnotista adj.inv./s.com. Que es especialista en hipnotismo: *Un famoso hipnotista dio una conferencia sobre los últimos adelantos en hipnotismo.*

hipnotización s.f. Aplicación del método del hipnotismo: *La hipnotización de una persona por un profano puede resultar peligrosa.*

hipnotizador, -a ▮ adj./s. **1** Que hipnotiza. ▮ s. **2** Persona que se dedica a producir hipnosis: *Entre los magos hay muchos hipnotizadores.*

hipnotizar v. **1** Producir hipnosis: *El mago hipnotizó a un grupo de espectadores.* **2** Producir gran fascinación o asombro: *Su presencia me hipnotiza y no me deja pensar en otra cosa.* ☐ ORTOGR. La *z* se cambia en *c* delante de *e* →CAZAR.

hipo s.m. **1** Movimiento convulsivo involuntario del diafragma, que produce un ruido característico debido a la expulsión interrumpida y brusca del aire de los pulmones. **2** ‖ **quitar el hipo;** *col.* Sorprender o asombrar, generalmente a causa de la belleza o de las buenas cualidades: *Es una película de quitar el hipo.* ☐ ETIMOL. De origen onomatopéyico.

hipo- **1** Elemento compositivo prefijo que significa 'debajo de': *hipocentro, hipodermis, hipogeo.* **2** Elemento compositivo prefijo que significa 'escaso': *hipoalergénico, hipotensión, hipofunción.* **3** Elemento compositivo prefijo que significa 'caballo': *hipódromo, hipogrifo, hipología.* ☐ ETIMOL. La acepciones 1 y 2, del griego *hypó* (debajo). La acepción 3, del griego *hippós* (caballo).

hipoacusia s.f. Disminución de la capacidad auditiva: *El médico le detectó una grave hipoacusia y por eso deberá llevar un audífono.* ☐ ETIMOL. De *hipo-* (debajo) y el griego *akoúsis* (acción de oír). ☐ SEM. Dist. de *hiperacusia* (aumento de la capacidad auditiva).

hipoacústico, ca ▮ adj. **1** De la hipoacusia o relacionado con esta disminución de la capacidad auditiva: *síntomas hipoacústicos.* ▮ adj./s. **2** Que padece hipoacusia.

hipoalergénico, ca adj. →**hipoalérgico.** ☐ ETIMOL. De *hipo-* (escaso) y *alérgico.*

hipoalérgico, ca adj. Con bajo riesgo de producir reacciones alérgicas: *maquillajes hipoalérgicos.* ☐ SINÓN. *hipoalergénico.* ☐ ETIMOL. De *hipo-* (escaso) y *alérgico.*

hipocalórico, ca adj. Que contiene o que proporciona un bajo número de calorías: *La endocrinóloga me recomendó un régimen hipocalórico para adelgazar.* ☐ ETIMOL. De *hipo-* (debajo) y *calórico.*

hipocampo s.m. Pez marino que nada en posición vertical y tiene la cabeza semejante a la del caballo: *Los hipocampos miden entre 4 y 30 centímetros de longitud.* ☐ SINÓN. *caballito de mar.* ☐ ETIMOL. Del griego *hippókampos*, y este de *hippós* (caballo) y *kampé* (curvatura). ☐ MORF. Es un sustantivo epiceno: *el hipocampo {macho/hembra}.*

hipocentro s.m. En geología, punto o zona interior de la corteza terrestre donde se origina un terremoto: *La profundidad del hipocentro varía en cada seísmo.* ☐ ETIMOL. De *hipo-* (debajo de) y *centro.* ☐ SEM. Dist. de *epicentro* (zona de la superficie terrestre que cae encima del hipocentro).

hipocinético, ca adj. Que disminuye la actividad funcional de un ser vivo: *El ejercicio físico es bueno para prevenir la degeneración hipocinética.* ☐ ETIMOL. De *hipo-* (debajo) y *cinético.*

hipoclorhidria s.f. En medicina, disminución de la cantidad normal de ácido clorhídrico en el jugo gástrico: *La hipoclorhidria dificulta la absorción de ciertas sustancias y entorpece la digestión.*

hipocondría s.f. En medicina, depresión anímica caracterizada por una preocupación obsesiva por la propia salud y por el convencimiento de estar padeciendo graves enfermedades: *Por los síntomas que me describió, supuse que padecía hipocondría.* ☐ ETIMOL. De *hiponcondrio*, porque se creía que esta enfermedad se originaba en los hipocondrios. ☐ PRON. Incorr. *[hipocóndria].

hipocondríaco, ca (tb. *hipocondriaco, ca*) ▮ adj. **1** De la hipocondría o relacionado con esta depresión anímica: *síntomas hipocondríacos.* ▮ adj./s. **2** Que padece hipocondría.

hipocondrio s.m. En anatomía, cada una de las dos partes situadas en la región del abdomen, debajo de las costillas falsas: *El bazo está en el hipocondrio izquierdo.* ☐ ETIMOL. Del griego *hypokhóndrion*, y este de *hypó* (debajo) y *khóndros* (cartílago).

hipocorístico, ca adj./s.m. En gramática, referido esp. a un nombre, que se usa de forma cariñosa, familiar o eufemística: *'Concha' es un hipocorístico de 'Concepción'.* ☐ ETIMOL. Del griego *hypokoristikós* (que acaricia), diminutivo de *hypokorízomai* (yo hablo a la manera de los niños).

hipocrático, ca adj. De Hipócrates (médico de la antigua Grecia), de sus doctrinas médicas o relacionado con ellas: *El juramento hipocrático es el código ético que rige la profesión médica.*

hipocresía s.f. Fingimiento de cualidades, de ideas o de sentimientos contrarios a los que verdaderamente se tienen: *Es tal su hipocresía que, cuando yo estoy delante, me pone por las nubes, y cuando me doy la vuelta, me pone verde.* ☐ SINÓN. *fariseísmo.* ☐ ETIMOL. Del griego *hypokrisía* (acción de desempeñar un papel teatral).

hipócrita adj.inv./s.com. Que finge cualidades, ideas o sentimientos contrarios a los que verdaderamente tiene: *Son unos hipócritas porque dicen lo que no sienten.* ☐ ETIMOL. Del latín *hypocrita*, y este del griego *hypokrités* (actor teatral).

hipodérmico, ca adj. Que está o se pone debajo de la piel: *Le pusieron una vacuna en el brazo con una aguja hipodérmica.* ☐ ETIMOL. De *hipo-* (debajo de) y el griego *dérma* (piel).

hipodermis (pl. *hipodermis*) s.f. Capa más profunda de la piel, situada bajo la dermis: *Las células adiposas se acumulan en la hipodermis.*

hipódromo s.m. **1** Lugar destinado a la celebración de carreras de caballos. **2** Cinta transportadora que sirve para distribuir las maletas en un aeropuerto. ☐ ETIMOL. Del griego *hippódromos*, y este de *hippós* (caballo) y *édramon* (yo corrí).

hipófisis (pl. *hipófisis*) s.f. En anatomía, glándula de secreción interna que está situada en la base del cráneo y que es el principal centro productor de hormonas: *La hipófisis es del tamaño de un garbanzo y consta de dos lóbulos.* ☐ SINÓN. *glándula pituitaria.* ☐ ETIMOL. Del griego *hypóphysis* (excrecencia por debajo). ☐ SEM. Dist. de *epífisis* (pequeña glándula situada en el encéfalo, relacionada con el desarrollo de los caracteres sexuales).

hipofunción s.f. En medicina, disminución de la actividad normal de un órgano, esp. de una glándula: *Una hipofunción del páncreas puede producir diabetes.* ☐ ETIMOL. De *hipo-* (escaso) y *función.* ☐ SEM. Dist. de *hiperfunción* (aumento de la actividad normal).

hipogástrico, ca adj. Del hipogastrio o relacionado con esta parte del abdomen: *Los vasos hipogástricos se localizan en la zona abdominal.*

hipogastrio s.m. En anatomía, parte inferior del abdomen: *El hipogastrio se sitúa más abajo del ombligo.* ☐ ETIMOL. Del griego *hypogástrion*, y este de *hipó* (debajo) y *gastér* (estómago, vientre).

hipogénico, ca adj. En geología, referido a un terreno o a una roca, que se ha formado en el interior de la Tierra: *Estas rocas hipogénicas proceden de la consolidación del magma.*

hipogeo, a ▮ adj. **1** Referido a una planta o a alguno de sus órganos, que se desarrolla bajo tierra: *Las raíces son las partes hipogeas de los árboles.* ▮ s.m. **2** Sepultura subterránea abovedada en la que antiguamente se conservaban los cadáveres sin quemarlos: *Son conocidos los hipogeos egipcios.* **3** Capilla o edificio subterráneos: *En esa iglesia se descubrió un hipogeo.* ☐ ETIMOL. Del griego *hypó* (debajo) y *gê* (tierra).

hipoglucemia s.f. En medicina, disminución de la cantidad normal de glucosa contenida en la sangre: *La hipoglucemia produce mareos.* ☐ ETIMOL. De *hipo-* (escaso) y *glucemia.* ☐ SEM. Dist. de *hiperglucemia* (aumento de la cantidad normal de glucosa).

hipogonadismo s.m. En medicina, disminución de la secreción de las hormonas sexuales.

hipogrifo s.m. Animal fabuloso que se representaba mitad caballo y mitad grifo con alas: *Los hipogrifos suelen aparecer en los libros de caballerías.* ☐ ETIMOL. Del italiano *ippogrifo.* ☐ PRON. Incorr. *[hipógrifo].

hipología s.f. Estudio general del caballo: *En una librería antigua encontré una hipología del siglo pasado.* ☐ ETIMOL. De *hipo-* (caballo) y *-logía* (estudio).

hipomenorrea s.f. En medicina, disminución de la frecuencia y de la cantidad de las menstruaciones: *Un desarreglo hormonal puede producir hipomenorrea.* ☐ ETIMOL. De *hipo-* (escaso) y *menorrea* (menorragia). ☐ SEM. Dist. de *hipermenorrea* (menstruación muy abundante).

hipónimo, ma adj./s.m. En lingüística, referido a un término, que tiene un significado más específico y que está incluido en el de otro término más general: *'Mesa', 'silla' y 'armario' son términos hipónimos de mueble.* ☐ ETIMOL. De *hipo-* (debajo de) y el griego *ónoma* (nombre). ☐ SEM. Dist. de *hiperónimo* (que tiene un significado más general y que incluye el de otro término más específico).

hipoplasia s.f. En medicina, desarrollo insuficiente o defectuoso de un órgano o de un tejido: *Nació con hipoplasia de la tibia y el peroné, y necesita un alza para andar.* ☐ ETIMOL. De *hipo-* (debajo) y del griego *plásis* (formación). ☐ SEM. Dist. de *hiperplasia* (aumento del número de células de un órgano o tejido).

hipopótamo s.m. Mamífero de gran tamaño, con patas cortas, cabeza y boca grandes y la piel gruesa y negruzca, que suele vivir en los grandes ríos del continente africano: *Los hipopótamos tienen los ojos, las orejas y los orificios nasales en la parte alta de la cabeza.* ☐ ETIMOL. Del griego *hippopótamos*, y este de *hippós* (caballo) y *potamós* (río). ☐ MORF. Es un sustantivo epiceno: *el hipopótamo {macho/hembra}.*

hiposo, sa adj. Que tiene hipo: *Mi abuelo dice que, cuando estás hiposo, lo mejor es beber agua a sorbitos y sin respirar.*

hiposódico, ca adj. Que tiene un bajo contenido en sal: *un régimen hiposódico.*

hipóstasis (pl. *hipóstasis*) s.f. En el cristianismo, cada una de las tres personas de la Santísima Trinidad: *El cristianismo defiende que el Padre, el Hijo y el Espíritu Santo son un solo Dios y tres hipóstasis.* ☐ ETIMOL. Del griego *hypóstasis* (sustancia). ☐ SEM. Dist. de *hipotaxis* (relación gramatical que hay entre dos oraciones, cuando una depende de la otra).

hipostático, ca adj. En el cristianismo, de la hipóstasis o relacionado con cada una de las tres personas de la Santísima Trinidad: *Habló de la unión hipostática entre la naturaleza divina y la naturaleza humana de Jesucristo.*

hipóstilo, la adj. Referido esp. a un templo, que tiene una cubierta sujeta con columnas: *Muchos templos griegos son hipóstilos.* ☐ ETIMOL. Del griego *hipóstylos*, y este de *hypó* (debajo) y *stýlos* (columna).

hipotálamo s.m. En el encéfalo, parte que está situada en la base del cerebro y que desempeña un papel importante en la regulación de la vida vegetativa: *Las hormonas que produce el hipotálamo controlan la secreción de otras hormonas que, a su vez, regulan el organismo.* □ ETIMOL. De *hipo-* (debajo de) y el griego *thálamos* (tálamo). □ SEM. Dist. de *epitalamio* (composición poética).

hipotaxis (pl. *hipotaxis*) s.f. Relación gramatical que se establece entre dos oraciones cuando una depende de la otra y esta funciona como principal: *En la oración compuesta 'Dile que venga', entre 'que venga' y 'dile' hay hipotaxis.* □ SINÓN. *subordinación.* □ ETIMOL. Del griego *hypótaxis* (dependencia). □ SEM. Dist. de *hipóstasis* (cada una de las tres personas de la Santísima Trinidad) y de *parataxis* (coordinación).

hipoteca s.f. En derecho, contrato o derecho real que grava determinados bienes o recae sobre ellos, esp. sobre los inmuebles, como garantía para el cumplimiento de una obligación: *Obtuvo el préstamo del banco con una hipoteca de su casa.* □ ETIMOL. Del griego *hypothéke* (prenda, fundamento).

hipotecar v. **1** En derecho, referido esp. a bienes inmuebles, gravarlos como garantía para el cumplimiento de una obligación: *Hipotecó sus fincas para pagar sus deudas.* **2** Condicionar, obstaculizar o poner limitaciones: *Hipotecó su vida al aceptar aquel trabajo.* □ ORTOGR. La *c* se cambia en *qu* delante de *e* →SACAR.

hipotecario, ria adj. De la hipoteca o relacionado con esta: *préstamo hipotecario.*

hipotensión s.f. En medicina, tensión sanguínea excesivamente baja: *La hipotensión puede ocasionar desmayos.* □ ETIMOL. De *hipo-* (escaso) y *tensión.* □ SEM. Dist. de *hipertensión* (tensión sanguínea excesivamente alta).

hipotenso, sa adj./s. Que tiene la tensión baja: *Las personas hipotensas suelen tener mareos.* □ SEM. Dist. de *hipertenso* (que tiene la tensión alta).

hipotenusa s.f. En un triángulo rectángulo, lado opuesto al ángulo recto: *La hipotenusa es el lado más largo de un triángulo rectángulo.* □ ETIMOL. Del latín *hypotenusa.*

hipotermia s.f. En medicina, descenso de la temperatura del cuerpo por debajo de lo normal: *Este medicamento produce hipotermia como efecto secundario.* □ ETIMOL. De *hipo-* (escaso, debajo de) y el griego *thermós* (caliente). □ SEM. Dist. de *hipertermia* (aumento de la temperatura normal).

hipótesis (pl. *hipótesis*) s.f. Suposición o afirmación no demostrada a partir de las cuales se extrae una conclusión o una consecuencia: *Hay diversas hipótesis sobre el origen del universo.* □ ETIMOL. Del griego *hypóthesis* (suposición).

hipotético, ca adj. De la hipótesis, que la expresa o que está basado en ella: *'Si vienes, me quedaré' es una oración hipotética.*

hipotiroidismo s.m. En medicina, descenso de la actividad de la glándula tiroides: *En los recién nacidos o en los jóvenes el hipotiroidismo puede producir enanismo.* □ ETIMOL. De *hipo-* (escaso, debajo de) y *tiroides.* □ SEM. Dist. de *hipertiroidismo* (actividad excesiva de la glándula tiroides).

hipotónico, ca adj. Referido a una disolución, que tiene menos presión osmótica que otra con la que se compara.

hipovolemia s.f. En medicina, disminución del volumen de la sangre que circula en el organismo: *La hipovolemia puede estar causada por una deshidratación.*

hipovolémico, ca adj. Que causa una gran disminución del volumen sanguíneo: *un shock hipovolémico.*

hipoxemia s.f. En medicina, escasez de oxígeno en la sangre.

hipoxia s.f. En medicina, escasez de oxígeno en un organismo. □ ETIMOL. De *hipo-* (escaso) y el griego *oxís* (oxígeno).

hippie (ing.) adj.inv./s.com. →**hippy.** □ PRON. [hípi], con *h* aspirada.

hippioso, sa adj./s. *col.* Con características propias del movimiento hippy o relacionado con él: *Con esas melenas y sin afeitar, tienes un aspecto hippioso que me encanta.* □ PRON. [hipióso], con *h* aspirada.

hippismo s.m. Tendencia o movimiento cultural surgido en la década de 1970 y que se caracteriza por el inconformismo y por la defensa del pacifismo y de la vida en comunas: *Fui a una comuna que todavía mantiene el hippismo en sus costumbres.* □ PRON. [hipísmo], con *h* aspirada. □ ORTOGR. Dist. de *hipismo.*

hippy (ing.) (pl. *hippies*) ▮ adj.inv. **1** Referido a un movimiento cultural, que surgió en la década de 1970 y se caracteriza por el inconformismo y por la defensa del pacifismo, de la vida en comunas y de la vuelta a la naturaleza: *El movimiento hippy era un movimiento principalmente juvenil.* ▮ adj.inv./s.com. **2** De este movimiento o relacionado con él: *Se ha ido a vivir a una comuna de hippies.* □ PRON. [hípi], con *h* aspirada. □ ORTOGR. Se usa también la forma castellanizada *jipi.*

hipsilofóntido s.m. Dinosaurio gacela: *Los hipsilofóntidos son un tipo de dinosaurios que se encontraron en Australia.*

hiriente adj.inv. Que hiere: *palabras hirientes.*

hirsuto, ta adj. **1** Referido al pelo, que es duro y áspero: *barba hirsuta.* □ SINÓN. *híspido.* **2** Que está cubierto por este tipo de pelo, por púas o por espinas. □ ETIMOL. Del latín *hirsutus.*

hisopar v. →**hisopear.**

hisopear v. En algunas ceremonias de la religión católica, echar el sacerdote agua bendita con el hisopo sobre alguien o sobre algo: *El sacerdote hisopeó los ramos de olivo de sus feligreses.* □ SINÓN. *asperger, asperjar, hisopar.*

hisopo s.m. **1** Planta con hojas pequeñas en forma de punta de lanza, tallos leñosos y flores en espiga, que se utiliza en medicina y en perfumería: *El hisopo es una planta muy aromática.* **2** Instrumento utilizado en el culto religioso católico, formado por un palo corto y redondo en uno de cuyos extremos hay una bola hueca agujereada que, al ser agitada, deja salir el agua bendita: *El sacerdote bendijo a los fieles con el hisopo.* ☐ ETIMOL. Del latín *hisopum* (hisopo, planta); la acepción 2, se explica porque se empleaban pequeños ramos de hisopo para esparcir el agua bendita.

hispalense adj.inv./s.com. Sevillano, esp. de la antigua Híspalis (ciudad romana correspondiente a la actual Sevilla andaluza): *La Giralda es uno de los monumentos hispalenses más famosos.*

hispánico, ca adj. **1** De España o relacionado con este país europeo: *La Giralda es uno de los monumentos hispalenses más famosos.* ☐ SINÓN. *español, hispano.* **2** De Hispania (nombre dado por los romanos a la península Ibérica), relacionado con ella o con sus habitantes: *Los pueblos hispánicos fueron romanizados.* ☐ SINÓN. *hispano.*

hispanidad s.f. **1** Conjunto de países o pueblos de cultura o de lengua hispánicas: *La hispanidad celebra su fiesta el día 12 de octubre.* **2** Conjunto de características comunes de estos países o pueblos: *La marcada hispanidad de esta novela no impide su reconocimiento internacional.*

hispanismo s.m. **1** Estudio de la lengua y de la cultura hispánicas. **2** En lingüística, palabra, significado o construcción sintáctica del español empleados en otra lengua: *En inglés, la palabra 'guerrilla' es un hispanismo.* ☐ SINÓN. *españolismo.*

hispanista s.com. Persona especializada en el estudio de la lengua y de la cultura hispánicas: *Hubo un congreso de hispanistas sobre literatura del siglo XX.*

hispanización s.f. Adquisición de las características que se consideran propias de lo español o del español: *A partir del siglo XVI se produce la hispanización de grandes zonas de América.*

hispanizar v. Dar o adquirir características que se consideran propias de lo español o del español: *Las misiones españolas hispanizaron las tribus americanas. Se hispanizó durante su estancia en España.* ☐ SINÓN. *españolizar.* ☐ ORTOGR. La *z* se cambia en *c* delante de *e* →CAZAR.

hispano, na ▮ adj. **1** De Hispania (nombre dado por los romanos a la península Ibérica), relacionado con ella o con sus habitantes: *'Híspalis' es el nombre hispano de la ciudad andaluza de Sevilla.* ☐ SINÓN. *hispánico.* ▮ adj./s. **2** De España o relacionado con este país europeo: *Las sevillanas son un baile hispano.* ☐ SINÓN. *español, hispánico.* **3** De las naciones americanas que tienen como lengua oficial el español, o relacionado con ellas: *Existen muchos inmigrantes hispanos con nacionalidad estadounidense.* ☐ SINÓN. *hispanoamericano.* ☐ MORF. Es la forma que adopta la forma *español* cuando se antepone a una palabra para formar compuestos: *hispanofrancés, hispanohablante, hispanófilo.*

hispanoamericano, na ▮ adj. **1** De los españoles y los americanos o con elementos propios de ambos: *El acuerdo hispanoamericano entre España y Estados Unidos se firmó ayer.* ▮ adj./s. **2** De las naciones americanas que tienen como lengua oficial el español o relacionado con ellas: *Durante algún tiempo, la arquitectura hispanoamericana tuvo influencia española.* ☐ SINÓN. *hispano.* ☐ SEM. Dist. de *iberoamericano* (de los países americanos de habla española o portuguesa) y de *latinoamericano* (de los países americanos con lenguas de origen latino).

hispanoárabe adj.inv./s.com. De la España musulmana o relacionado con ella: *La cultura hispanoárabe tuvo gran influencia en el arte andaluz.*

hispanofilia s.f. Admiración y simpatía por todo lo español: *El novelista estadounidense Hemingway se caracterizó por su hispanofilia.* ☐ ETIMOL. De *hispano* y *-filia* (afición, gusto).

hispanófilo, la adj./s. Que siente gran admiración y simpatía por todo lo español: *Este sueco es un gran hispanófilo y un buen conocedor de nuestra cultura.*

hispanofobia s.f. Antipatía por todo lo español: *Hay un artículo en esta revista que habla sobre la hispanofobia de algunos emigrantes.* ☐ ETIMOL. De *hispano* y *-fobia* (aversión).

hispanófobo, ba adj./s. Que siente gran antipatía por todo lo español: *El sentimiento hispanófobo se extendió por las zonas de dominación española.*

hispanofrancés, -a adj. De España y de Francia conjuntamente: *Se ha firmado un acuerdo hispanofrancés sobre pesca.*

hispanohablante adj.inv./s.com. Que tiene como lengua materna u oficial el español, o que habla esta lengua. ☐ SINÓN. *hispanoparlante.*

hispanomusulmán, -a adj./s. De los musulmanes establecidos antiguamente en la península Ibérica: *El arte hispanomusulmán tuvo gran influencia en la cultura hispana.*

hispanoparlante adj.inv./s.com. →**hispanohablante.**

hispanorromano, na adj./s. De la península Ibérica en la época en la que esta formaba parte del Imperio Romano, o relacionado con ella: *Los hispanorromanos nos dejaron importantes obras arquitectónicas.*

híspido, da adj. Referido al pelo, que es duro y áspero: *Impresionaba verlo, con sus espaldas macizas y su pelo híspido y rojo.* ☐ SINÓN. *hirsuto.* ☐ ETIMOL. Del latín *hispidus.*

histamina s.f. Compuesto orgánico que interviene en algunos procesos biológicos, como la producción del jugo gástrico o las reacciones alérgicas: *La histamina es un potente dilatador vascular.* ☐ ETIMOL. Del griego *histós* (tejido) y *amina* (compuesto químico).

histamínico, ca adj. De la histamina o relacionado con este compuesto orgánico: *La reacción alérgica es un proceso histamínico.*

histeralgia s.f. Dolor en el útero: *La histeralgia es un dolor neurálgico.* ☐ ETIMOL. Del griego *hystéra* (matriz) y *-algia* (dolor).

histerectomía s.f. Operación quirúrgica que consiste en la extirpación total o parcial del útero y que se realiza por vía abdominal o por vía vaginal: *A causa de un tumor le hicieron una histerectomía.* ☐ ETIMOL. Del griego *hystéra* (matriz) y *ektomé* (corte, extirpación).

histeria s.f. **1** Enfermedad nerviosa que se caracteriza por frecuentes cambios emocionales, ansiedad y, a veces, ataques convulsivos: *La histeria provoca crisis nerviosas y trastornos psicológicos.* ☐ SINÓN. *histerismo.* **2** Estado de gran excitación nerviosa producido por una situación anómala o irregular: *Los seguidores del cantante lo recibieron dando muestras de histeria.* ☐ SINÓN. *histerismo.*

histérico, ca adj./s. Que padece o tiene histeria o histerismo: *No quiero discutir con ese histérico que enseguida se pone a gritar.* ☐ ETIMOL. Del latín *hystericus*, y este del griego *hysterikós* (relativo a la matriz y a sus enfermedades), porque se atribuía a la matriz la causa del histerismo.

histerismo s.m. →**histeria.**

hístico, ca adj. En medicina, de los tejidos o relacionado con ellos: *la estructura hística de un músculo.*

histidina s.f. Aminoácido que se encuentra en las proteínas.

histocompatibilidad s.f. Semejanza entre los tejidos de un donante y los de un receptor de un injerto o de un trasplante: *La histocompatibilidad es necesaria para que se lleve a cabo un trasplante.* ☐ ETIMOL. Del griego *histós* (tejido) y *compatibilidad.*

histograma s.m. Representación gráfica de una distribución de frecuencias por medio de rectángulos: *En estadística y en meteorología se utiliza el histograma.* ☐ ETIMOL. Del griego *histós* (telar) y *-grama* (representación).

histología s.f. Parte de la anatomía que estudia los tejidos orgánicos: *En histología es esencial un buen microscopio.* ☐ ETIMOL. Del griego *histós* (tejido) y *-logía* (estudio, ciencia).

histológico, ca adj. De la histología o relacionado con esta parte de la anatomía: *Ese laboratorio se dedica a estudios histológicos de vegetales.*

histólogo, ga s. Persona que se dedica a la histología o estudio de los tejidos orgánicos: *Un eminente histólogo me dio clases en la facultad de biología.*

histopatología s.f. Parte de la histología que estudia los tejidos enfermos: *Mi hermana es médica y ha hecho una tesis sobre histopatología.* ☐ ETIMOL. Del griego *histós* (tejido) y *patología.*

histopatológico, ca adj. De la histopatología o relacionado con esta parte de la histología que estudia los tejidos enfermos: *El estudio que se hizo a la enferma confirmó que tenía una alteración histopatológica.*

historia s.f. **1** Narración o exposición de acontecimientos pasados y hechos memorables: *Me encanta oír contar a mi abuelo la historia de su familia.* **2** Conjunto de sucesos o acontecimientos pasados: *La invasión árabe marcó la historia española.* **3** Ciencia o disciplina que estudia estos acontecimientos: *Soy profesora de historia.* **4** Narración de cualquier suceso, esp. si es inventado: *Me contó una historia fantástica de duendes y brujas.* **5** Cuento, enredo o chisme, esp. si no tienen fundamento y sirven de pretexto: *Déjate de historias y cuéntame de verdad por qué lo hiciste.* **6** ‖ **hacer historia;** marcar un hito: *Esos atletas hicieron historia en los campeonatos mundiales.* ‖ **historia clínica;** conjunto de datos relativos a un paciente. ‖ **historia natural;** estudio de los reinos animal, vegetal y mineral. ‖ **historia {sacra/sagrada};** conjunto de narraciones bíblicas. ‖ **pasar a la historia; 1** Tener mucha importancia: *Escucha atentamente, que lo que dice pasará a la historia.* **2** Perder actualidad o interés: *No sé por qué me lo recuerdas, si sabes que eso ya ha pasado a la historia.* ☐ ETIMOL. Del latín *historia*, y este del griego *historía* (búsqueda, averiguación, historia).

historiado, da adj. Recargado de adornos o de colores mal combinados: *un vestido historiado.*

historiador, -a s. Persona que se dedica a escribir historia, esp. si esta es su profesión: *Ese historiador ha escrito un libro sobre la civilización maya.*

historial s.m. Conjunto de datos y circunstancias referentes a la actividad de una persona o de una entidad: *historial académico.*

historiar v. Referido a un suceso real o inventado, escribirlo o narrarlo de forma ordenada y detallada: *Historió las guerras civiles europeas del siglo XX.* ☐ ORTOGR. La *i* nunca lleva tilde.

historicidad s.f. Existencia real y verdadera de algo pasado: *Muchos ponen en duda la historicidad de la Atlántida.*

historicismo s.m. Tendencia filosófica que interpreta los hechos y los acontecimientos humanos como producto de la historia y que trata de establecer las leyes del desarrollo histórico para predecir los acontecimientos futuros: *El historicismo defiende el carácter histórico de toda realidad, especialmente de la realidad humana.*

historicista ▮ adj.inv. **1** Del historicismo o relacionado con esta tendencia filosófica: *pensamiento historicista.* ▮ adj.inv./s.com. **2** Que defiende o sigue el historicismo.

histórico, ca adj. **1** De la historia o relacionado con ella: *un estudio histórico.* **2** Acontecido, cierto o sucedido en la realidad: *un hecho histórico.* **3** Digno de formar parte de la historia: *El equipo consiguió un triunfo histórico.* **4** Referido a una obra literaria o cinematográfica, que tiene el argumento centrado en una época pasada y recrea su ambiente, sus ideales y alguno de sus personajes: *una novela histórica.*

historieta s.f. **1** Historia desarrollada por medio de viñetas o dibujos. **2** Narración o relato cortos que describen hechos de poca importancia.

historietista s.com. Persona que dibuja historietas, esp. si esta es su profesión: *Ayer estuve en una* *exposición sobre los historietistas actuales más conocidos.*

historiografía s.f. **1** Técnica o arte de escribir la historia: *Los cronistas medievales crearon una historiografía propia.* **2** Estudio bibliográfico y crítico de escritos que tratan sobre historia y sus fuentes, y de los autores que han tratado estas materias: *La historiografía actual concede gran importancia a los cambios políticos.*

historiográfico, ca adj. De la historiografía o relacionado con ella: *Necesito un compendio historiográfico del siglo pasado.*

historiógrafo, fa s. Persona que se dedica a la historia o a la historiografía, esp. si esta es su profesión: *Es un gran historiógrafo de la época contemporánea.* □ ETIMOL. Del griego *historiográphos*, y este de *historía* (historia) y *grápho* (yo escribo).

histrión s.m. **1** En el teatro grecolatino, actor que representaba disfrazado: *Los histriones solían salir a escena con máscaras.* **2** Actor de teatro, esp. el que actúa de forma exagerada: *Es un histrión y ridiculiza los personajes que representa.* **3** Persona que se expresa de forma teatral, exagerada y ridícula: *Eres un histrión y no me creo que te haya hecho tanto daño.* □ ETIMOL. Del latín *histrio* (comediante, actor, mimo). □ MORF. Su femenino es *histrionisa*.

histriónico, ca adj. Del histrión o con características de este tipo de actor: *gestos histriónicos.*

histrionisa s.f. de **histrión**.

histrionismo s.m. Afectación o exageración expresiva que caracterizan a un histrión: *Su histrionismo resulta ridículo en los momentos más dramáticos.*

hit (ing.) s.m. En el mundo del espectáculo, obra o producto de éxito: *En dos semanas su disco se ha convertido en un hit.* □ PRON. [hit], con *h* aspirada. □ USO Su uso es innecesario y puede sustituirse por *éxito*.

hitita ▌adj.inv./s.com. **1** De un antiguo pueblo indoeuropeo que constituyó un gran imperio en Anatolia (región asiática turca): *Los hititas vivieron en el segundo milenio a. C.* ▌s.m. **2** Lengua indoeuropea de este pueblo: *Se conservan documentos del hitita en escritura cuneiforme.*

hitleriano, na adj. De Hitler (gobernante y líder nazi alemán del siglo XX), o relacionado con él: *El pensamiento hitleriano queda plasmado en la autobiografía de Hitler.* □ PRON. [hitleriáno], con *h* aspirada.

hitlerismo s.m. Movimiento o doctrina política que sigue las teorías de Hitler (gobernante y líder nazi alemán del siglo XX), de ideas totalitaristas y antisemitas que proclaman la superioridad del pueblo ario: *En nombre del hitlerismo fueron asesinados miles de judíos y de gitanos en los campos de concentración nazis.* □ PRON. [hitlerísmo], con *h* aspirada.

hito s.m. **1** Acontecimiento o hecho importantes: *Mi boda marcó un hito en mi vida.* **2** Poste que sirve para señalar la distancia y la dirección de un camino o los límites de un territorio. □ SINÓN. *mojón.* **3** ‖ **mirar de hito en hito;** mirar con atención y sin perder detalle.

hit-parade (ing.) (tb. *hit parade*) s.m. Lista en la que figuran los más destacados de estos productos por orden de popularidad: *Esta emisora pone cada semana el hit-parade de la música moderna.* □ PRON. [hit-paréid], con *h* aspirada. □ USO Su uso es innecesario y puede sustituirse por *lista de éxitos.*

hiyab s.m. Pañuelo que usan algunas mujeres para cubrirse la cabeza: *Algunas mujeres musulmanas usan el hiyab.* □ PRON. [hiyáb], con *h* aspirada.

hoax s.m. **1** En informática, falsa alerta de virus. **2** Bulo que, a base de ser repetido, llega a ser considerado como una verdad indiscutible.

hobby (ing.) s.m. Afición o entretenimiento preferidos para pasar el tiempo libre: *Mi hobby es coleccionar sellos.* □ PRON. [hóbi], con *h* aspirada. □ USO Su uso es innecesario y puede sustituirse por *afición* o *pasatiempo*.

hocicar v. Mover y levantar la tierra con el hocico, esp. referido al cerdo o al jabalí: *El cerdo hocicaba buscando bellotas.* □ SINÓN. *hociquear, hozar.* □ ETIMOL. De *hozar.* □ ORTOGR. La segunda *c* se cambia en *qu* delante de *e* →SACAR.

hocico s.m. **1** En la cabeza de algunos animales, parte más o menos abultada en la que se encuentran la boca y los orificios nasales: *El perro se lamió el hocico al oler la comida.* □ SINÓN. *morro.* **2** *vulg.* En una persona, boca, esp. si tiene los labios muy abultados: *No seas guarro y límpiate esos hocicos.* **3** ‖ **meter el hocico en** algo; *vulg.* Curiosear o cotillear: *Estoy harta de que siempre metas el hocico en mis asuntos.* □ USO En la acepción 2, tiene un matiz despectivo.

hocicón, -a adj. →**hocicudo.**

hocicudo, da adj. Que tiene el hocico muy abultado o la boca muy saliente: *Me gustan mucho los perros hocicudos.* □ SINÓN. *hocicón.*

hociquear v. →**hocicar.**

hockey (ing.) s.m. Deporte que se juega entre dos equipos rivales y que consiste en intentar introducir una bola o un disco en la portería contraria, con ayuda de un bastón curvo en uno de sus extremos: *El hockey se practica generalmente en campo de hierba o en pista de hielo.* □ PRON. [hókei], con *h* aspirada. □ SEM. Dist. de *jockey*, *yóquey* y *yoqui* (jinete profesional).

hodierno, na adj. Moderno o actual. □ ETIMOL. Del latín *hodiernus*.

hogaño (tb. *ogaño*) adv. *ant.* En este año o en esta época: *'Ya en los nidos de antaño, no hay pájaros hogaño' fueron las palabras de don Quijote antes de morir.* □ ETIMOL. Del latín *hoc anno* (en este año). □ SEM. Dist. de *antaño* (en un tiempo pasado).

hogar s.m. **1** Lugar donde se vive, esp. si es acogedor. **2** En una casa o en una cocina, sitio en el que se hace lumbre: *Todas las noches nos sentamos al calor del hogar.* □ SINÓN. *lar.* **3** Familia o conjunto de personas con las que se vive, esp. si la convivencia es agradable: *Nos casaremos y formaremos un hogar.* **4** || **hogar del pensionista;** lugar de recreo y esparcimiento para jubilados. □ ETIMOL. Del latín *focaris*, y este de *focus* (fuego).

hogareño, ña adj. **1** Del hogar o relacionado con él: *un ambiente hogareño.* **2** Referido a una persona, que es amante del hogar o de la vida en familia.

hogaza s.f. Pan grande de forma redondeada: *La hogaza tiene mucha miga.* □ ETIMOL. Del latín *focacia* (panecillos cocidos bajo la ceniza del hogar).

hoguera s.f. Fuego con mucha llama, esp. el que se hace en el suelo al aire libre: *En este pinar está prohibido encender hogueras porque hay peligro de incendio.* □ ETIMOL. Del latín **focaria*, y este de **focarius* (del fuego).

hoja s.f. **1** En una planta, parte que nace de su tallo o de sus ramas y que generalmente es verde, delgada y plana. **2** Conjunto de estas partes de una planta: *La hoja del pino es perenne.* **3** En una flor, cada una de las láminas de colores que forman la corola: *Las hojas de la amapola son rojas.* □ SINÓN. *pétalo.* **4** En un libro o en un cuaderno, cada una de las partes iguales que resultan al doblar el papel para formar el pliego: *Una hoja tiene dos páginas.* **5** Lámina delgada de cualquier material: *Esta mesa es de contrachapado, con una fina hoja de madera por encima.* **6** En una herramienta o en un arma blanca, cuchilla: *La hoja de la navaja está muy afilada.* **7** Arma blanca larga y delgada, recta y afilada, con empuñadura: *Desenvainó la hoja y le desafió.* □ SINÓN. *espada.* **8** En una puerta o en una ventana, parte movible que se abre y se cierra: *La puerta del comedor tiene dos hojas.* □ SINÓN. *batiente.* **9** || **de hoja caduca;** referido a un árbol, que pierde sus hojas al llegar el otoño. □ SINÓN. *caducifolio.* || **de hoja perenne;** referido a un árbol, que cambia sus hojas gradualmente. □ SINÓN. *perennifolio.* || **hoja bipinnada;** la que es compuesta y dos veces pinnada o con el peciolo ramificado en peciolillos a su vez ramificados en folíolos u hojuelas. || **hoja compuesta;** la que tiene más de un limbo. || **hoja de afeitar;** lámina de acero muy fina que corta generalmente por dos de sus lados y que, colocada en una maquinilla, se usa para afeitar. || **hoja de cálculo;** programa informático que permite realizar con mucha rapidez operaciones matemáticas de distinta complejidad: *La hoja de cálculo permite visualizar tablas.* || **hoja de lata;** →**hojalata.** || **hoja de ruta;** documento que justifica un transporte o un viaje: *El camionero anotó el trayecto y la mercancía en la hoja de ruta.* || **hoja de servicios;** documento en el que se recogen todos los datos profesionales de un funcionario público y las incidencias en el ejercicio de su profesión. || **hoja entera;** la que tiene el borde del limbo continuo y sin recortes. || **hoja envainadora;** la que no tiene peciolo y rodea completamente al tallo envolviéndolo como una vaina. || **hoja hendida;** la que tiene el limbo dividido en partes desiguales. || **hoja imparipinnada;** la que es compuesta y pinnada, y que tiene un número impar de folíolos u hojuelas. || **hoja palmado-compuesta;** la que es compuesta y sus folíolos u hojuelas nacen de un punto común y se separan como los dedos de una mano abierta. || **hoja palminervia;** la que tiene las nerviaciones principales que parten del punto de unión entre el limbo y el peciolo. || **hoja paralelinervia;** la que tiene las nerviaciones paralelas entre sí. || **hoja paripinnada;** la que es compuesta y pinnada, y tiene un número par de folíolos u hojuelas. || **hoja partida;** la que tiene el borde del limbo con hendiduras que llegan al nervio principal. || **hoja penninervia;** la que tiene un nervio central principal del que parten oblicuamente los secundarios: *Las nerviaciones de una hoja penninervia tienen forma de pluma de pájaro.* || **hoja pinnada;** la que es compuesta y sus folíolos u hojuelas nacen de ambos lados del peciolo. || **hoja {sencilla/simple};** la que tiene un solo limbo. || **hoja {sentada/sésil};** la que carece de peciolo o rabillo que la une al tallo. || **hoja trifoliada;** la que es compuesta y tiene tres folíolos u hojuelas. || **hoja uninervia;** la que tiene un solo nervio. || **poner** a alguien **como hoja de perejil;** *col.* Criticarlo e insultarlo. □ ETIMOL. Del latín *folia* (hojas).

hojalata (tb. *hoja de lata*) s.f. Lámina delgada de hierro o de acero, cubierta de estaño por sus dos caras para preservarla de la corrosión: *Los botes de conserva son de hojalata.* □ SINÓN. *lata.*

hojalatería s.f. Taller o establecimiento donde se fabrican, se venden o se reparan objetos de hojalata: *En la actualidad quedan muy pocas hojalaterías.*

hojalatero, ra s. Persona que se dedica profesionalmente a la fabricación, a la venta o a la reparación de objetos de hojalata: *Llevaré este cazo al hojalatero para que me lo arregle.*

hojaldrado, da ▮ adj. **1** De hojaldre o semejante a él: *Los bollos hojaldrados pesan menos que los que están rellenos de crema.* ▮ s.m. **2** Pastel hecho con masa de hojaldre: *He comprado unos hojaldrados con chocolate.*

hojaldrar v. Referido a una masa, elaborarla dándole aspecto de hojaldre: *Para hojaldrar la masa hay que sobarla con manteca.*

hojaldre s.m. **1** Masa hecha con harina, agua, manteca y otros ingredientes y que, al ser cocida en el horno, se separa formando numerosas láminas muy delgadas y superpuestas: *pasteles de hojaldre.* **2** Pastel hecho con esta masa: *una caja de hojaldres.* □ ETIMOL. Del latín *massa foliatilis* (masa de hojas).

hojarasca s.f. **1** Conjunto de las hojas caídas de los árboles: *En otoño los parques se llenan de hojarasca.* **2** En una planta, exceso de hojas: *Hay que podar la hojarasca de este arbusto.* **3** Lo que resulta inútil o tiene poca importancia, pero está muy adornado, esp. referido a las palabras o a las promesas: *Es un libro con mucha hojarasca y sin tema de fondo.*

hojear v. Referido esp. a un libro, pasar las hojas o leerlo rápida y superficialmente: *Antes de comprar* *estos libros, los estuve hojeando en la librería.* □ SEM. Dist. de *ojear* (mirar de manera rápida y superficial).

hojoso, sa adj. Que tiene muchas hojas: *La hiedra es una planta hojosa.* □ ORTOGR. Dist. de *ojoso.*

hojuela s.f. **1** Dulce que se hace friendo una masa fina y extendida: *Las hojuelas se suelen comer cubiertas de miel.* **2** En una planta, cada una de las hojas que forman parte de una hoja compuesta: *La hoja trifoliada tiene tres hojuelas.* □ SINÓN. *foliolo, folíolo.*

hola interj. **1** *col.* Expresión que se usa como saludo: *¡Hola!, ¿cómo te va?* **2** Expresión que se usa para indicar extrañeza: *¡Hola, hola, no me lo puedo creer!* □ ETIMOL. De origen expresivo. □ ORTOGR. Dist. de *ola.*

holán s.m. En zonas del español meridional, volante que adorna un vestido u otra prenda de ropa.

holanda s.f. Tela muy fina de lino, de cáñamo o de algodón, que se usa generalmente para hacer sábanas y camisas: *Durmió en sábanas de holanda.* □ ETIMOL. Por alusión a Holanda, lugar del que se importaba esta tela.

holandés, -a ▮ adj./s. **1** De Holanda (región de los Países Bajos europeos, cuyo nombre se usa generalmente también para denominar a los Países Bajos en su totalidad), o relacionado con ella. ▮ s.m. **2** Lengua germánica de este y otros países: *El holandés se sigue hablando en las Antillas y antiguas colonias de Holanda.* □ SINÓN. *neerlandés.* ▮ s.f. **3** Hoja de papel para escribir, de 27,50 centímetros de largo por 21,50 de ancho: *La holandesa es más pequeña que el folio.* □ USO La acepción 1 no debe usarse como gentilicio de los Países Bajos en textos oficiales.

holandesa s.f. Véase **holandés, -a.**

holding (ing.) s.m. Forma de organización de empresas, en la que una sociedad financiera controla otras empresas mediante la adquisición de la mayoría de sus acciones, bien directamente o bien a través de otras sociedades: *Un holding tiene un único órgano directivo.* □ PRON. [hóldin], con *h* aspirada.

holgado, da adj. **1** Ancho o más amplio de lo necesario para lo que ha de contener: *Se me mueve la falda porque me queda muy holgada.* **2** Con desahogo o con recursos más que suficientes: *No corras, que vamos holgados de tiempo.*

holganza s.f. Ociosidad o descanso: *Durante aquellos días de holganza, la joven contempló la belleza del campo.*

holgar ▮ v. **1** Referido a un hecho o a un dicho, sobrar, estar de más o ser innecesarios: *Huelga decir que te ayudaré cuando lo necesites.* **2** Estar ocioso o no trabajar: *Llevas holgando todo el día, y ya es hora de que hagas algo.* ▮ prnl. **3** *ant.* Alegrarse o sentir alegría: *Quevedo cuenta que el Dómine Cabra se holgaba de ver comer a sus pupilos.* **4** *ant.* Divertirse o entretenerse: *La gente de la aldea se holgaba con las acrobacias del saltimbanqui.* □ ETIMOL. Del latín *follicare* (soplar, respirar). □ ORTOGR. Aparece una *u* después de la *g* cuando le sigue *e.* □ MORF. Irreg. →COLGAR.

holgazán, -a adj./s. Que no quiere trabajar y elude cualquier actividad. □ ETIMOL. Del antiguo *holgazar* (pasarlo bien, no querer trabajar), y este de *holgar.*

holgazanear v. Estar voluntariamente sin hacer nada y eludir cualquier actividad: *A clase no se viene a holgazanear.* □ SINÓN. *vaguear.*

holgazanería s.f. Inactividad voluntaria, o ausencia de ganas de trabajar: *Ponte a estudiar, porque ya no te consiento tanta holgazanería.*

holgorio s.m. *col.* →**jolgorio.** □ ETIMOL. De *holgar.*

holgura s.f. **1** Amplitud o espacio mayor de lo necesario: *Has aprobado con holgura.* **2** Espacio vacío o falta de ajuste entre piezas que han de encajar. **3** Desahogo, bienestar o disfrute de más recursos de los necesarios: *Me han subido el sueldo y ahora podremos vivir con más holgura.* □ ETIMOL. De *holgar.*

holismo s.m. Doctrina filosófica que propugna la concepción de la realidad como un todo distinto de la suma de las partes que lo componen.

holístico, ca adj. En filosofía, del holismo o relacionado con esta doctrina: *Según una teoría holística, no se podrán comprender las características globales de un sistema analizando por separado las partes que lo componen.*

holladura s.f. **1** Marca o huella: *Quedaron en el barro las holladuras de sus botas.* **2** Pisoteo o aplastamiento de algo con los pies: *la holladura de la uva.*

hollar v. **1** Referido esp. a un lugar, pisarlo o dejar huella en él: *Quedan aún sin hollar muchas zonas de nuestro planeta.* **2** Comprimir con los pies: *En algunas zonas, aún se saca el mosto hollando las uvas.* □ ETIMOL. Del latín *fullare* (pisotear). □ MORF. Irreg. →CONTAR.

hollejo s.m. En algunas frutas o en algunas legumbres, piel fina que las cubre: *Quita el hollejo y las pepitas a las uvas para no atragantarte.* □ ETIMOL. Del latín *folliculus* (saquito).

hollín s.m. Polvo denso y negro que deja el humo en la superficie de los cuerpos: *El hollín ha atascado la chimenea.* □ ETIMOL. Del latín *fulligo.*

hollywoodiano, na adj. →**hollywoodiense.** □ PRON. [holibudiáno], con *h* aspirada.

hollywoodiense adj.inv. Con las características que se consideran propias del estilo de Hollywood (ciudad de Estados Unidos, símbolo del cine estadounidense): *El estreno de la película se hizo al mejor estilo hollywoodiense.* □ SINÓN. *hollywoodiano.* □ PRON. [holibudiénse], con *h* aspirada.

holmio s.m. Elemento químico, metálico y sólido, de número atómico 67, que se encuentra generalmente en los minerales del itrio y que pertenece al grupo de los lantánidos: *El holmio se usa en los reactores nucleares.* □ ETIMOL. Del latín *Holmia* (Estocolmo), porque así lo llamó su descubridor. □ ORTOGR. Su símbolo químico es *Ho.*

holocausto s.m. **1** Masacre o matanza de seres humanos. **2** Sacrificio religioso en el que se quemaba a la víctima, esp. el realizado entre los judíos: *Ofreció a Dios en holocausto el mejor cordero de su rebaño.* **3** Sacrificio personal o entrega de uno mismo que se hace por amor en beneficio de los demás: *Jesucristo se ofreció en holocausto para salvar al mundo.* ☐ ETIMOL. Del griego *holókaustos* (sacrificio en el que se quema a la víctima por entero), y este de *hólos* (todo) y *káio* (yo abraso).

holoceno adj./s.m. En geología, referido a un período, que es el segundo de la era cuaternaria: *El holoceno abarca los últimos 10 000 años.* ☐ ETIMOL. Del griego *hólos* (entero) y *kainós* (nuevo).

holografía s.f. **1** Técnica fotográfica que consiste en la utilización del rayo láser para reproducir una imagen, y con la que se logra un efecto óptico tridimensional. **2** Imagen óptica tridimensional que se obtiene mediante esta técnica: *Vi una holografía de un tigre y, según lo miraba de un lado o de otro, abría o cerraba la boca.* ☐ SINÓN. *holograma.* ☐ ETIMOL. Del griego *hólos* (entero) y *-grafía* (representación gráfica).

holográfico, ca adj. De la holografía o relacionado con esta técnica fotográfica o con este tipo de imagen: *La técnica holográfica necesita el láser.*

hológrafo, fa (tb. *ológrafo, fa*) adj./s.m. Referido a un testamento o a una memoria testamentaria, que han sido escritos por el propio testador: *El hológrafo apareció en un cajón del despacho del difunto.* ☐ ETIMOL. Del latín *holographus*, y este del griego *hólos* (entero) y *grápho* (yo escribo).

holograma s.m. **1** Placa fotográfica que se obtiene mediante la técnica holográfica: *El holograma estaba mal impresionado y tuvo que repetirlo.* **2** Imagen óptica tridimensional que se obtiene mediante la técnica holográfica: *El holograma reproducía a una persona que sonreía cuando te acercabas.* ☐ SINÓN. *holografía.* ☐ ETIMOL. Del griego *holós* (entero) y *-grama* (representación).

holográmico, ca adj. Del holograma o relacionado con esta técnica fotográfica o imagen óptica: *Se han hecho unas postales de este monumento con la técnica holográmica, que permite verlo en tres dimensiones.*

holoturia s.f. Animal equinodermo con el cuerpo blando y alargado, y los extremos redondeados: *Algunas holoturias arrojan sus vísceras al enemigo para defenderse y luego las regeneran.* ☐ ETIMOL. Del griego *holothúria*.

holoturoideo ▮ adj./s.m. **1** Referido a un animal marino, que tiene el cuerpo blando y alargado con los extremos redondeados, unos tentáculos alrededor de la boca y un esqueleto atrofiado de placas calizas: *Los animales holoturoideos tienen la boca y el ano en los extremos opuestos de su cuerpo.* ▮ s.m.pl. **2** En zoología, clase de estos animales, perteneciente al tipo de los equinodermos: *La fecundación de los holoturoideos es externa.* ☐ ETIMOL. De *holoturia* y *-oideo* (relación, semejanza).

holter s.m. En medicina, aparato portátil que registra durante veinticuatro horas los sucesos cardíacos sobresalientes: *Ese enfermo del corazón lleva un holter.* ☐ PRON. [hólter], con *h* aspirada.

hombracho s.m. Hombre fuerte y robusto: *Esos hombrachos que lo acompañan son sus guardaespaldas.*

hombrada s.f. Acción que se considera propia de un hombre valiente y animoso: *Aunque era peligroso, hizo la hombrada de llegar a la isla a nado.*

hombre ▮ s.m. **1** Persona de sexo masculino: *Los hombres no pueden parir.* ☐ SINÓN. *varón.* **2** Persona adulta de sexo masculino: *Este hombre despreciable fue un niño encantador.* **3** Respecto de una mujer, compañero sentimental: *Se casaron en marzo, pero todavía no conozco a su hombre.* **4** Miembro de la especie humana: *Los hombres formamos la especie animal más evolucionada de la Tierra.* ▮ interj. **5** Expresión que se usa para indicar extrañeza, sorpresa, admiración o disgusto. **6** ‖ **de hombre a hombre;** de igual a igual, francamente o con sinceridad: *Habla con su hijo de hombre a hombre.* ‖ **gentil hombre;** →**gentilhombre.** ‖ **hombre anuncio;** persona vestida expresamente para hacer publicidad. ‖ **hombre bueno;** en derecho, mediador en actos de conciliación: *Se nombró a un hombre bueno para resolver un conflicto laboral.* ‖ **hombre de Cromañón;** tipo humano que vivió en el paleolítico superior y que se caracteriza por andar totalmente erguido y por tener el mentón bien desarrollado y la frente recta. ‖ **hombre de Neanderthal;** tipo humano que vivió en el paleolítico medio y que se caracteriza por andar erguido pero con las rodillas algo flexionadas y por tener poco mentón y la frente inclinada hacia atrás. ‖ **hombre de paja;** el que actúa según el dictado de otro al que no le interesa figurar en un primer plano. ‖ **hombre de pelo en pecho;** *col.* El que es fuerte y osado. ‖ **hombre del saco;** en la tradición popular, personaje imaginario que se lleva en un saco a los niños que no se portan bien. ‖ **hombre del tiempo;** el que aparece en la noticias televisivas dando la previsión del tiempo. ‖ **hombre fuerte;** en un grupo, el más representativo. ‖ **hombre objeto;** *col.* El considerado solo como un objeto que produce placer. ‖ **hombre orquesta;** persona que lleva encima varios instrumentos musicales y puede tocarlos al mismo tiempo. ‖ **hombre rana;** buzo que puede permanecer de forma autónoma bajo el agua. ‖ **muy hombre;** *col.* Con las características que tradicionalmente se han considerado propias de las personas de sexo masculino. ☐ ETIMOL. Del latín *homo.* ☐ MORF. 1. En las acepciones 1 y 2, su femenino es *mujer*. 2. El plural de las locuciones formadas por *hombre* + *sustantivo* se forma añadiendo una *s* a la palabra *hombre*: *hombres rana*; incorr. **hombres ranas.* ☐ USO Se usa como apelativo: *No se ponga usted así, buen hombre, e intentemos arreglar las cosas con calma.*

hombrera s.f. **1** Pieza que se adapta al hombro y que se usa para realzarlo o como protección. **2** En algunas prendas de ropa, cinta o tira de tela con que se suspenden de los hombros: *un sujetador sin hombreras.* **3** En un uniforme militar, cordón, franja o pieza de paño o metal que, sobrepuesta a los hombros, sirve generalmente de adorno o de sujeción para correas o cordones, o como indicación de la jerarquía.

hombretón s.m. *col.* Hombre fornido o corpulento.

hombría s.f. Conjunto de características que se consideran positivas y propias de un hombre: *Su hombría le ayudó a conservar la entereza.*

hombro s.m. **1** En algunos vertebrados, parte en la que se une el tórax con las extremidades superiores o las extremidades delanteras: *Me saludó con una palmada en el hombro.* **2** En una prenda de vestir, parte que cubre la zona en la que nace el brazo: *El hombro de esta camisa me queda holgado.* **3** || **{a/en} hombros;** sobre los hombros o sobre la espalda: *Los jugadores pasearon en hombros a su entrenador.* || **{arrimar/poner} el hombro;** ayudar, esp. si se trabaja intensamente. || **cargado de hombros;** referido a una persona, con la parte superior de la columna vertebral más curvada de lo normal. || **encoger los hombros** o **encogerse de hombros;** moverlos en señal de indiferencia o de extrañeza. || **hombro {a/con} hombro;** conjuntamente o a la vez. || **mirar por encima del hombro;** *col.* Desdeñar a alguien por considerarlo inferior. □ ETIMOL. Del latín *humerus.* □ SEM. *En hombros* se usa referido esp. a personas, frente a *a hombros,* que se usa tanto para personas como para cosas.

hombruno, na adj. Que tiene las características que se consideran propias del varón: *Mi vecina tiene gestos muy hombrunos.*

homeland (ing.) s.m. Territorio creado por el sistema político del *apartheid* para la residencia obligada de ciudadanos aborígenes de piel negra: *El homeland supuso un sistema de discriminación racial en la política de Suráfrica.* □ PRON. [hómland], con *h* aspirada.

homeless (ing.) s.com. Persona que vive en la calle y que suele mantenerse de la mendicidad: *El otro día leí en el periódico un artículo sobre unos homeless que vivían en la calle.* □ PRON. [hómles], con *h* aspirada. □ USO 1. Se usa más en plural. 2. Su uso es innecesario y puede sustituirse por *sin techo.*

homenaje s.m. **1** Acto celebrado en honor o en memoria de alguien: *Tras su jubilación, se le tributó un caluroso homenaje.* **2** Muestra de respeto, veneración o sumisión: *Rindieron homenaje a la patria el día de la jura de bandera.* **3** Juramento solemne de fidelidad, que un vasallo hacía a su rey o a su señor. □ ETIMOL. Del provenzal antiguo *homenatge,* y este de *home* (hombre con el sentido de vasallo).

homenajear v. Rendir homenaje: *Homenajearemos a nuestro viejo profesor.*

homeo- Elemento compositivo prefijo que significa 'semejante' o 'parecido': *homeopatía, homeotermia.* □ ETIMOL. Del griego *hómoios.*

homeópata adj.inv./s.com. Especialista en el método curativo de la homeopatía: *Los homeópatas consideran fundamental la prevención de las enfermedades.*

homeopatía s.f. Método curativo que consiste en administrar a un enfermo una pequeña cantidad de sustancias que, tomadas en mayores cantidades, producirían a cualquier individuo sano los síntomas que se pretenden combatir. □ ETIMOL. De *homeo-* (semejante, parecido) y *-patía* (medicina). □ SEM. Dist. de *hemopatía* (enfermedad de la sangre).

homeopático, ca adj. De la homeopatía o relacionado con este método curativo: *Estoy en tratamiento homeopático para eliminar la alergia.*

homeostasia s.f. →**homeostasis.**

homeostasis (pl. *homeostasis*) s.f. Tendencia de un sistema biológico a mantener un equilibrio dinámico mediante la actuación de mecanismos reguladores: *Por la homeostasis, los mamíferos mantienen una temperatura del cuerpo independiente del entorno ambiental.* □ SINÓN. *homeostasia.* □ ETIMOL. De *homeo-* (semejante, parecido) y el griego *stásis* (posición, estabilidad).

homeostático, ca adj. De la homeostasis o relacionado con ella.

homeotermia s.f. En un ser vivo, capacidad que le permite mantener la temperatura del cuerpo constante e independiente de la temperatura ambiental: *Una de las cualidades de los mamíferos es la homeotermia.* □ ETIMOL. De *homeo-* (semejante, parecido) y el griego *thermós* (caliente). □ SEM. Dist. de *poiquilotermia* (incapacidad de regulación de la temperatura corporal).

homeotérmico, ca adj. →**homeotermo.**

homeotermo, ma adj. De la homeotermia o relacionado con esta capacidad animal: *Los animales de sangre caliente son homeotermos.* □ SINÓN. *homeotérmico.* □ SEM. Dist. de *poiquilotérmico.*

home page (ing.) (tb. *homepage, home-page*) s.amb. || Página principal de un sitio web: *Esa información la puedes encontrar en la home page del ministerio.* □ PRON. [hóm péich], con *h* aspirada. □ USO Su uso es innecesario.

homérico, ca adj. De Homero (poeta griego clásico) o con características de sus obras: *'La Odisea' y 'La Ilíada' son poemas homéricos.*

homicida adj.inv./s.com. Que ocasiona la muerte de una persona: *En el lugar del crimen, encontraron el arma homicida.* □ SINÓN. *victimario.* □ ETIMOL. Del latín *homicida,* y este de *homo* (hombre) y *caedere* (matar). □ SEM. Dist. de *asesino* (que mata con premeditación o con otras circunstancias agravantes).

homicidio s.m. Muerte causada a una persona por otra: *Lo condenaron por homicidio.* □ ETIMOL. Del latín *homicidium.* □ SEM. Dist. de *asesinato* (muerte causada con premeditación o con otras circunstancias agravantes).

homilía s.f. En la misa católica, explicación o discurso dirigido a los fieles sobre temas religiosos: *El sacerdote pronunció su homilía después de leer el* *evangelio.* □ ETIMOL. Del griego *homilía* (reunión, conversación familiar).

homínido ▮ adj./s.m. **1** Referido a un primate, que tiene postura erguida, las extremidades anteriores liberadas y gran capacidad craneana: *El único homínido que pervive es el ser humano actual.* ▮ s.m.pl. **2** En zoología, familia de estos primates, perteneciente a la clase de los mamíferos: *La característica más notable de los homínidos es la gran capacidad craneana.* □ ETIMOL. Del latín *homo* (hombre).

homo adj.inv./s.com. *col.* →**homosexual.**

homo- Elemento compositivo prefijo que significa 'igual': *homogéneo, homonimia, homófono, homólogo.* □ ETIMOL. Del griego *homós.*

homocerco, ca adj. **1** Referido a la aleta caudal de un pez, que está formada por dos lóbulos iguales y simétricos: *El salmón, la carpa, el atún y la merluza tienen la cola homocerca.* **2** Referido a un pez, que tiene este tipo de aleta caudal: *El besugo, la trucha, la sardina y el barbo son peces homocercos.* □ ETIMOL. De *homo-* (igual) y el griego *kerkós* (cola). □ SEM. Dist. de *heterocerco* (con lóbulos desiguales).

homocigótico, ca adj./s.m. Referido a una célula o a un individuo, que tiene idénticos los genes que rigen un determinado carácter: *Los individuos que tienen los ojos azules son homocigóticos para ese carácter.* □ SINÓN. *homozigoto, homocigoto.* □ SINT. Constr. *homocigótico* PARA *algo.* □ USO En círculos especializados se usa también *homozigótico.*

homocigoto, ta (tb. *homozigoto, ta*) adj./s.m. →**homocigótico.**

homoclamídeo, a adj. Referido a una flor, que no tiene claramente diferenciados el cáliz y la corola: *El lirio es una flor homoclamídea.* □ ETIMOL. De *homo-* (igual) y *clámide.* □ SEM. Dist. de *heteroclamídeo* (con el cáliz y la corola diferenciados).

homo erectus (lat.) s.m. ‖ Tipo humano que vivió en el paleolítico inferior, y que se caracterizaba por caminar erguido, por tener la cara prominente y la frente inclinada hacia atrás, y por carecer de mentón: *El Homo Erectus era cazador y recogía frutos silvestres.* □ USO Se usa más como nombre propio.

homoerótico, ca adj. Que representa escenas eróticas entre homosexuales: *Varios fotógrafos y pintores exponen en esta sala sus obras homoeróticas.* □ ETIMOL. De *homosexual* y *erótico.*

homofobia s.f. Aversión o rechazo obsesivos hacia los homosexuales: *Esta escritora habla en sus memorias de la homofobia que existía en la sociedad en la que vivió.* □ ETIMOL. Del inglés *homophobia*, y este de *homosexual* y *-phobia* (odio).

homofóbico, ca adj. De la homofobia o relacionado con este odio hacia los homosexuales.

homófobo, ba adj. Que siente odio o rechazo hacia los homosexuales. □ ETIMOL. De *homosexual* y *-fobo* (que siente odio).

homofonía s.f. Identidad de sonidos: *Entre 'basto' y 'vasto' hay homofonía.* □ ETIMOL. Del griego *homophonía*, y este de *homós* (igual) y *phoné* (sonido).

homófono, na adj. **1** Referido a un signo gráfico, que representa el mismo fonema que otro: *'B' y 'v' son letras homófonas, porque ambas representan el fonema /b/.* **2** Referido a una palabra, que se pronuncia igual que otra de significado distinto. **3** Referido a una música o a un canto, que tiene todas sus voces con el mismo sonido.

homogeneidad s.f. **1** Igualdad o semejanza en la naturaleza, la condición o el género de varios elementos: *La homogeneidad de ambos comportamientos revela que han tenido una educación semejante.* **2** Referido a una sustancia o a una mezcla, uniformidad de su composición o de su estructura: *No conseguirás la homogeneidad de la pasta si no bates bien sus componentes.*

homogeneización s.f. **1** Hecho de dar carácter homogéneo: *Están intentando la homogeneización de los horarios entre los distintos departamentos.* **2** Tratamiento al que son sometidos algunos líquidos para evitar la separación de sus componentes: *Casi toda la leche que se vende para el consumo ha pasado por un proceso de homogeneización.*

homogeneizar v. Referido a un compuesto o a una mezcla de elementos diversos, hacerlos homogéneos por medios físicos o químicos: *La leche se homogeneiza para evitar la separación de sus componentes.* □ ORTOGR. La *z* se cambia en *c* delante de *e* →CAZAR.

homogéneo, a adj. **1** Formado por partes de igual naturaleza o por elementos iguales: *un grupo homogéneo.* **2** Referido a una sustancia o a una mezcla, que tienen una composición o una estructura uniformes: *una masa homogénea.* □ ETIMOL. Del latín *homogeneus*, y este del griego *homogenés*, de *homós* (igual) y *génos* (linaje, género).

homografía s.f. Identidad de grafías entre palabras de distinto significado: *Entre las palabras 'vino', como bebida, y 'vino', del verbo 'venir', hay homografía.* □ ETIMOL. De *homo-* (igual) y *-grafía* (escritura).

homógrafo, fa adj. Referido a una palabra, que se escribe igual que otra de significado distinto: *'Cazo', del verbo 'cazar' y 'cazo', como 'recipiente', son palabras homógrafas.* □ ETIMOL. De *homo-* (igual) y *-grafo* (que escribe).

homologable adj.inv. Que puede homologarse.

homologación s.f. **1** En derecho, equiparación de una cosa a otra: *La homologación de sus salarios con los del resto de los trabajadores de la empresa fue difícil.* **2** En deporte, registro y confirmación del resultado de una prueba por parte de un organismo autorizado: *La homologación de ese récord tardó unos meses en realizarse.* **3** Verificación por parte de la autoridad oficial del cumplimiento de determinadas características: *Rechazaron mi solicitud por la falta de homologación de mis estudios de idiomas.*

homologar v. **1** Referido a una cosa, ponerla en relación de igualdad o de semejanza con otra: *Hemos de homologar nuestros medios de transporte con los de los países más avanzados.* **2** Referido a un objeto o a una acción, verificar la autoridad oficial, que cumple determinadas características: *El Ministerio de Educación homologó mi colegio el año pasado.* **3** En deporte, referido al resultado de una prueba, registrarlo y confirmarlo el organismo autorizado: *Para que este salto sea homologado, su realización debe cumplir ciertas normas.* □ ORTOGR. La *g* cambia en *gu* delante de *e* →PAGAR.

homología s.f. Parecido, semejanza o equivalencia que hay entre dos o más cosas: *La homología que existe entre algunos organismos indica que tuvieron un mismo origen.*

homólogo, ga ▮ adj. **1** En un ser vivo, referido a una parte del cuerpo o a un órgano, que son semejantes a los de otros por su origen embrionario o por su estructura, aunque su aspecto y función sean diferentes: *Las alas de las aves y las extremidades anteriores de los mamíferos son homólogas.* **2** En una figura geométrica, referido esp. a uno de sus lados, que está colocado en el mismo orden o posición que otro en otra figura semejante: *Las hipotenusas de dos triángulos rectángulos son homólogas entre sí.* **3** En lógica, referido a un término, que significa lo mismo que otro: *El término 'Sócrates es hombre' es homólogo de 'Sócrates es mortal'.* ▮ adj./s. **4** Referido a una persona, que desempeña funciones semejantes a otra: *El presidente se entrevistó con su homólogo francés.* □ ETIMOL. Del griego *homólogos*, y este de *homós* (igual) y *légo* (yo digo).

homonimia s.f. **1** En lingüística, identidad ortográfica o de pronunciación entre palabras con distinto significado y distinto origen: *La homonimia puede ser total ('haya', nombre de árbol o forma del verbo 'haber') o parcial ('halla', 'haya' y 'aya').* **2** Identidad de nombres: *Entre el nombre del país de México y el de su capital hay homonimia.* □ SEM. Dist. de *polisemia* (pluralidad de significados de una misma palabra) y de *sinonimia* (coincidencia de significado en varias palabras).

homónimo, ma ▮ adj. **1** Referido a una persona o a una cosa, que tienen el mismo nombre que otra: *La ciudad española de 'Guadalajara' es homónima de la 'Guadalajara' mejicana.* ▮ adj./s.m. **2** Referido a una palabra, que tiene la misma forma que otra de significado y origen etimológico distintos: *'Hoz', con el significado de herramienta, y 'hoz', como 'curva de un río', son palabras homónimas.* □ ETIMOL. Del griego *homónymos*, y este de *homós* (igual) y *ónoma* (nombre). □ SEM. En la acepción 1, cuando se refiere a personas es sinónimo de *tocayo*.

homóptero, ra ▮ adj./s.m. **1** Referido a un insecto, que no tiene alas o tiene cuatro alas membranosas y un pico recto introducido en la parte inferior de la cabeza: *Hay homópteros sin alas, como el pulgón o la chinchilla.* ▮ s.m.pl. **2** En zoología, suborden de estos insectos, perteneciente al orden de los hemípteros: *Algunas especies que pertenecen a los homópteros transmiten enfermedades.* □ ETIMOL. De *homo-* (igual) y *pterón* (ala).

homo sapiens (lat.) s.m. ‖ Tipo humano que corresponde al ser humano actual y que también incluye al hombre de Neanderthal y al hombre de Cromañón: *El Homo Sapiens realizaba esculturas, grabados y pinturas rupestres.* □ USO Se usa más como nombre propio.

homosexual ▮ adj.inv. **1** De la homosexualidad o relacionado con esta inclinación sexual: *Estos dos hombres mantienen relaciones homosexuales.* ▮ adj.inv./s.com. **2** Que siente atracción sexual por individuos de su mismo sexo: *El sida puede afectar por igual a homosexuales y a heterosexuales.* □ ETIMOL. De *homo-* (igual) y *sexual*. □ MORF. En la lengua coloquial se usa también la forma abreviada *homo*.

homosexualidad s.f. **1** Atracción sexual por individuos del mismo sexo: *La homosexualidad se da tanto entre mujeres como entre hombres.* **2** Práctica de relaciones sexuales con individuos del mismo sexo: *En algunas sociedades aún se persigue la homosexualidad.*

homosociabilidad s.f. Tolerancia hacia la homosexualidad.

homozigótico, ca adj./s.m. →**homocigótico.**

homozigoto, ta (tb. *homocigoto, ta*) adj./s.m. →**homocigótico.**

homúnculo s.m. Ser deforme con algunas características humanas, esp. el que ha sido creado por medios artificiales: *La novela de terror que leí estaba llena de homúnculos y monstruos.* □ ETIMOL. Del latín *homunculus* (hombrecito).

honda s.f. Véase **hondo, da.**

hondazo s.m. Tiro de honda.

hondear v. **1** Referido a un fondo acuático, reconocerlo con la sonda o con el sonar: *Los investigadores hondearon el fondo del mar desde el barco.* **2** Disparar la honda: *Hondeó con puntería y dio con la piedra en el blanco.* □ ETIMOL. La acepción 1, de *hondo*. □ ORTOGR. Dist. de *ondear*.

hondero s.m. Soldado que usaba la honda para combatir: *En los ejércitos cartagineses había honderos.*

hondo, da ▮ adj. **1** Referido a un recipiente o a una cavidad, con el fondo muy distante del borde superior: *un plato hondo.* □ SINÓN. *profundo.* **2** Referido a un terreno, que tiene la parte inferior mucho más abajo que lo circundante: *Esa parte de la poza es tan honda que no se puede tocar el fondo.* □ SINÓN. *profundo.* **3** Que penetra mucho o va hasta muy adentro: *El corte fue muy hondo y la herida tardará mucho en cicatrizar.* □ SINÓN. *profundo.* **4** Difícil de penetrar o de comprender: *Se me sinceró y me contó sus hondos pensamientos.* □ SINÓN. *profundo.* ▮ s.f. **5** Tira de cuero o de otro material semejante que se usa para tirar piedras con violencia. □ ETIMOL. Las acepciones 1-4, del latín *fundus*. La acepción 5, del latín *funda*.

hondón s.m. **1** Hondonada o lugar más profundo que lo que lo rodea. **2** Ojo o agujero de una aguja. □ ETIMOL. De *hondo*.

hondonada s.f. Espacio de terreno que está más bajo que todo lo que lo rodea.

hondura s.f. **1** Distancia que hay entre el fondo de algo y su borde superior: *Los cimientos de un edificio alto deben tener mucha hondura.* ☐ SINÓN. *profundidad, fondo.* **2** Intensidad o sinceridad de un sentimiento: *La hondura de su pena se refleja en la tristeza de su expresión.* ☐ SINÓN. *profundidad.* **3** Viveza o capacidad de penetración del pensamiento: *Es muy inteligente y es innegable la hondura de sus ideas.* ☐ SINÓN. *profundidad.* **4** || **meterse en honduras;** *col.* Tratar de temas difíciles y complicados.

hondureñismo s.m. En lingüística, americanismo propio de Honduras (país americano): *En ese diccionario de americanismos se recogen muchos hondureñismos.*

hondureño, ña adj./s. De Honduras o relacionado con este país americano.

honestidad s.f. **1** Respeto de los principios morales y seguimiento de lo que se consideran buenas costumbres: *Mi honestidad me impide acusar a nadie.* **2** Decencia, rectitud y justicia en las personas o en su manera de actuar: *Su honestidad le impide robar.*

honesto, ta adj. **1** Que respeta los principios morales, que sigue lo que se consideran buenas costumbres o que no hiere el pudor de los demás: *Me ha dado un honesto beso en la frente.* **2** Que actúa con rectitud y justicia: *Es una persona honesta y, cuando se equivoca, no le importa reconocerlo.* **3** Que actúa con honradez: *Es un honesto trabajador que cumple con su tarea.* ☐ SINÓN. *honrado.* **4** Que se realiza de forma honrosa: *Tenía pocos medios pero consiguió hacer un trabajo honesto.* ☐ SINÓN. *honrado.* ☐ ETIMOL. Del latín *honestus* (honorable, honesto). ☐ SEM. No debe emplearse con el significado de 'franco' o 'claro': *Te hablaré de forma (*honesta > clara).*

hongkonés, -a adj./s. De Hong Kong o relacionado con este territorio de China (país asiático).

hongo ▮ s.m. **1** Organismo que no tiene clorofila, no forma tejidos, es incapaz de transformar la materia inorgánica en orgánica y tiene reproducción asexual y sexual, generalmente alternadas: *Algunos hongos, como el champiñón o el níscalo, son comestibles.* **2** Lo que tiene forma de seta: *El hongo de la explosión de la bomba atómica se vio a muchos kilómetros de distancia.* **3** →**sombrero hongo.** **4** En zonas del español meridional, seta. ▮ pl. **5** En botánica, reino de estos organismos: *Las levaduras pertenecen a los hongos.* ☐ ETIMOL. Del latín *fungus.*

honor ▮ s.m. **1** Actitud moral que impulsa a las personas a cumplir con sus deberes: *Mi honor no me permite engañar a nadie.* **2** Gloria, prestigio o buena reputación adquiridos por un mérito, una virtud o una acción heroica: *Cedió el dinero del premio porque solo le interesa el honor de vencer.* **3** Referido a una mujer, honestidad, recato y buena opinión que estas cualidades producen en los demás: *El teatro de Calderón de la Barca destaca el valor del honor de la mujer.* **4** Dignidad, cargo o empleo: *Aspira a los más altos honores dentro de la empresa.* **5** Lo que hace que una persona se sienta enaltecida, alabada o elogiada: *Tu visita es un honor para mí.* ▮ pl. **6** Ceremonia con que se celebra a una persona por cortesía o como reconocimiento a sus méritos: *La banda de música rindió honores al presidente.* **7** || **en honor de** alguien; como obsequio o como alabanza hacia esa persona: *Se celebró una fiesta en su honor.* || **hacer honor a** algo; *col.* Ponerlo de manifiesto o dejarlo en buen lugar: *Hizo honor a su fama de generosa y nos invitó.* || **hacer los honores; 1** En una fiesta, agasajar a los invitados: *Los dueños de la casa hacían los honores a los invitados.* **2** Referido a la comida o a la bebida, alabarlas o apreciarlas: *Los comensales hicieron los honores a la comida y casi todos repitieron.* ☐ ETIMOL. Del latín *honor.* ☐ MORF. En la acepción 4, se usa más en plural.

honorabilidad s.f. Condición de la persona que es digna de ser honrada o respetada: *Su honorabilidad no le permitió aceptar el soborno.*

honorable adj.inv. **1** Que es digno de ser honrado o respetado: *No tiene problemas con la ley porque sus negocios son muy honorables.* **2** Tratamiento honorífico que corresponde a determinados cargos: *El presidente de la Generalitat de Cataluña recibe el tratamiento de honorable.* ☐ ETIMOL. Del latín *honorabilis.*

honorario, ria ▮ adj. **1** Que sirve para honrar: *Como es un cargo honorario, no recibirá ningún sueldo.* **2** Referido a una persona, que tiene los honores de una dignidad o de un empleo pero no su propiedad: *la presidenta honoraria de un club deportivo.* ▮ s.m. **3** En las profesiones liberales y en algún arte, remuneración que se da por la realización de un trabajo: *La abogada me dijo que ya me pasaría sus honorarios.* ☐ MORF. En la acepción 3, se usa más en plural.

honorífico, ca adj. Que da honor, mérito o fama: *cargo honorífico.*

honoris causa (lat.) || Referido a un título académico, esp. al doctorado, que se concede de manera honorífica como reconocimiento de grandes méritos: *Esta investigadora es doctora honoris causa por varias universidades extranjeras.*

honra ▮ s.f. **1** Respeto o estima de la propia dignidad: *Esa familia defiende su honra por encima de todo.* **2** Reconocimiento público o demostración de aprecio que se hace de alguien por su virtud o sus méritos: *La honra de haber sido invitado a esta ceremonia me llena de orgullo.* **3** Buena opinión o fama adquiridas por un mérito o una virtud: *La honra hay que ganarla.* **4** Referido a una mujer, pudor y recato, esp. en lo concerniente a cuestiones sexuales: *El conde juró matar al hombre que hizo perder la honra a su hija.* ▮ pl. **5** Oficio solemne que se celebra por los difuntos algunos días después del entierro o en cada aniversario de su muerte: *Toda la familia acudió a las honras del anciano.* **6** || **tener** algo **a mucha honra;** *col.* Presumir y enorgullecerse de ello: *Tiene a mucha honra haber sacado adelante a sus hijos.*

honradez s.f. Respeto de unos valores morales, rectitud de ánimo e integridad en la forma de actuar: *Su honradez le impide robar, engañar y estafar. Demostró su honradez profesional como abogado.* □ SINÓN. *probidad.*

honrado, da adj. **1** Que actúa con honradez: *Es demasiado honrado para mezclarse en asuntos ilegales.* □ SINÓN. *honesto.* **2** Que se realiza de forma honrosa: *Ese empleo es un trabajo honrado del que deberías sentirte orgulloso.* □ SINÓN. *honesto.*

honrar ▮ v. **1** Referido a una persona, respetarla: *Debes honrar siempre a tus padres.* **2** Referido a una persona, reconocer o premiar su mérito: *Me honraron con un homenaje por mis años de trabajo.* **3** Dar honor, celebridad o fama o ser motivo de orgullo: *Las grandes hazañas honran a los que las realizan.* ▮ prnl. **4** Sentirse orgulloso o tener como motivo de orgullo: *Me honro en presentaros a este gran escritor.* □ ETIMOL. Del latín *honorare.* □ SINT. Constr. como pronominal: *honrarse {CON/EN} algo.*

honrilla s.f. Vergüenza o amor propio que impulsan a una persona a actuar por la opinión que de ello puedan tener los demás: *Aunque solo sea por la honrilla, tenemos que ganar este partido.* □ ETIMOL. De *honra.*

honroso, sa adj. Que da honra y estimación: *Terminé la carrera en un honroso cuarto puesto.*

hontanar s.m. Lugar en el que nacen fuentes o manantiales: *Esas vacas van al hontanar a beber agua.* □ ETIMOL. Del antiguo *hontana* (fuente).

hooligan (ing.) s.com. Hincha inglés que se caracteriza por sus actos vandálicos y violentos: *La policía detuvo a un hooligan por arrojar una botella al guardameta del equipo contrario.* □ PRON. [húligan], con *h* aspirada.

hopalanda s.f. Vestidura grande y pomposa, esp. la que usaban los estudiantes que iban a las universidades: *Las estudiantes del siglo XV se vestían con hopalandas.* □ ETIMOL. De origen incierto. □ MORF. Se usa más en plural.

hoplita s.m. En la antigua Grecia, soldado de infantería que usaba armas pesadas: *Los hoplitas fueron famosos guerreros en toda la zona mediterránea.* □ ETIMOL. Del griego *hoplítes*, y este de *hóplon* (arma).

hoploteca s.f. →**oploteca.** □ ETIMOL. Del griego *hoplothéke*, de *hóplon* (arma) y *théke* (depósito).

hora ▮ s.f. **1** En el Sistema Internacional, unidad de tiempo que equivale a sesenta minutos: *El día se divide en veinticuatro horas.* **2** Momento oportuno y determinado para algo: *¡Ya era hora de que vinieras!* **3** Momento determinado del día: *¿Qué hora es?* **4** Últimos instantes de la vida: *En la cama del hospital le llegó su hora.* ▮ pl. **5** Libro o devocionario que contiene el oficio o los rezos consagrados a la Virgen (según la Biblia, la Madre de Dios) y a otras devociones religiosas: *Mi abuelo siempre llevaba las horas a la iglesia.* **6** Este oficio o rezo: *Por la noche, reza las horas en su habitación.* **7** ‖ **a buena hora** o **a buenas horas mangas verdes;** *col.* Expresión que se usa para indicar que algo resulta inútil porque llega fuera de tiempo. ‖ **a última hora;** en el último momento o cuando está a punto de finalizar un plazo. ‖ **en hora buena** o **en buena hora;** con bien o con felicidad: *¡Que la boda sea en buena hora!* □ SINÓN. *enhorabuena.* ‖ **en hora mala** o **en mala hora;** expresión que se usa para indicar desaprobación o disgusto por algo: *En mala hora se juntó con esos maleantes.* □ SINÓN. *enhoramala.* ‖ **entre horas;** entre las horas de las comidas: *comer entre horas.* ‖ **hacer horas;** trabajar al margen de la jornada laboral. ‖ **hacerse hora de** algo; llegar el momento oportuno para realizarlo. ‖ **hora feliz;** tiempo en el que es gratis la segunda consumición en un bar. ‖ **hora H;** la fijada para realizar algo complicado o arriesgado, esp. una acción militar. ‖ **hora {pico/punta};** aquella en la que se produce un mayor uso de un servicio público. ‖ **hora suprema;** *poét.* La de la muerte. ‖ **horas canónicas;** conjunto de las partes en que se divide el oficio o rezo diario al que están obligados los eclesiásticos y que se distribuyen en distintas horas del día. ‖ **horas muertas;** tiempo que transcurre o que se dedica a una actividad sin tener conciencia de su paso: *Se pasa las horas muertas viendo la televisión.* ‖ **la hora de la verdad;** *col.* Momento decisivo: *Promete muchas cosas pero, a la hora de la verdad, nunca cumple nada.* ‖ **poner en hora;** referido a un reloj, hacer que marque la misma hora que otro que se toma como patrón. ‖ **sonar la hora;** *col.* Ser o llegar el momento oportuno. □ ETIMOL. Del latín *hora*, y este del griego *hóra* (rato, división del día). □ ORTOGR. 1. Dist. de *ora*. 2. En la acepción 1, su símbolo es *h*, por tanto, se escribe sin punto. □ MORF. El plural de *hora punta* es *horas punta*; incorr. **horas puntas.* □ SINT. La acepción 4 se usa más con el verbo *llegar.* □ USO 1. Es innecesario el uso del anglicismo *happy hour* en lugar de *hora feliz*. 2. La expresión *hora pico* es propia del español meridional.

horaciano, na adj. De Horacio (poeta latino del siglo I a. C.), o con características de sus obras: *La obra horaciana influyó en muchos poetas renacentistas.*

horadar v. Hacer agujeros atravesando de parte a parte: *Cogí el taladro para horadar la madera.* □ ETIMOL. Del latín *foratus* (perforación).

horario, ria ▮ adj. **1** De las horas: *señal horaria.* ▮ s.m. **2** Cuadro que indica las horas en que deben realizarse determinados actos. **3** Distribución o reglamentación de las horas de una jornada laboral: *horario de trabajo.*

horca s.f. **1** Mecanismo con el que se ejecuta a una persona colgándola del cuello con una cuerda: *En el Oeste americano condenaban a la horca a los ladrones de caballos.* **2** Instrumento de labranza formado por una vara terminada en dos o más puntas por uno de sus extremos, que se utiliza generalmente para hacinar y remover las mieses y la paja:

El labrador usó la horca para aventar la paja y separarla del grano. **3** Instrumento formado por una vara terminada en dos puntas, que se utiliza para sostener, colgar o descolgar algo: *Sujeta la rama con una horca para que no se parta con el peso de la fruta.* ☐ SINÓN. *horquilla.* **4** Antiguo instrumento de tortura en el que se introduce el cuello de un condenado para pasearlo por las calles antes de su ejecución: *Todos se burlaban al ver pasar al acusado con la horca.* ☐ ETIMOL. Del latín *furca* (horca del labrador). ☐ ORTOGR. Dist. de *orca*.

horcajada || **a horcajadas;** referido a la manera de sentarse, con una pierna a cada lado del objeto en el que se está sentado: *cabalgar a horcajadas.*

horcajadura s.f. Ángulo que forman las dos piernas en su nacimiento: *la horcajadura de un pantalón.* ☐ ETIMOL. De *horcajo*.

horcajo s.m. **1** Unión o confluencia de dos ríos: *En el horcajo de los dos arroyos hay una poza donde nos bañamos.* **2** Punto de unión entre dos montañas o cerros: *La carretera pasa por el horcajo de esos dos cerros.* ☐ ETIMOL. De *horca*.

horchata s.f. Bebida refrescante de color blanco hecha con chufas machacadas y disueltas en agua con azúcar: *La horchata es una bebida típica valenciana.* ☐ ETIMOL. Del catalán *orxata*, y este del latín *hordeata* (hecha con cebada), porque la *horchata* solía hacerse con agua de cebada.

horchatería s.f. Establecimiento donde se elabora o se vende horchata.

horchatero, ra s. Persona que se dedica profesionalmente a la venta o a la elaboración de horchata.

horco s.m. →**orco.**

horda s.f. **1** Conjunto de personas de pueblos sin civilizar y de vida primitiva, que viven en comunidad y sin morada fija: *La invasión de las hordas bárbaras contribuyó al fin del Imperio Romano.* **2** Grupo de personas que actúa sin control y sin disciplina: *La policía logró contener a las hordas de alborotadores.* **3** Grupo armado que no forma parte de un ejército regular: *Los ataques de las hordas enemigas no han podido acabar con nuestro ejército.* ☐ ETIMOL. Del francés *horde*, y este del tártaro *urdu* (campamento).

horizontal adj.inv./s.f. **1** Paralelo al horizonte o que tiene todos sus puntos a la misma altura: *Las líneas de este diccionario son horizontales.* **2** || **coger la horizontal;** *col.* Acostarse o dormir: *Me voy a coger la horizontal, que estoy muy cansado.*

horizontalidad s.f. Posición paralela a la línea del horizonte: *La horizontalidad de la barra en una balanza romana marca el peso correcto.*

horizonte s.m. **1** Línea límite de la superficie terrestre que alcanza la vista, y en la que la tierra o el mar parece que se juntan con el cielo: *Vimos ponerse el Sol en el horizonte.* **2** Espacio circular de la superficie terrestre encerrado en esta línea: *Había muchas nubes de tormenta en el horizonte.* **3** Conjunto de posibilidades o de perspectivas: *El cambio de trabajo me abrió nuevos horizontes.* ☐ ETIMOL. Del latín *horizon*. ☐ MORF. En la acepción 3, se usa más en plural.

horma s.f. **1** Instrumento que sirve de molde para dar forma a un objeto, esp. a zapatos y sombreros: *Si te aprietan los zapatos, ponlos en la horma para que den de sí.* **2** || **encontrar** alguien **la horma de su zapato;** *col.* Hallar lo que le conviene, esp. si es otra persona que entienda sus mañas o que sepa hacerle frente: *Encontró la horma de su zapato y tuvo que ceder.* ☐ ETIMOL. Del latín *forma* (forma, figura, configuración).

hormiga s.f. **1** Insecto de pequeño tamaño con el cuerpo de color oscuro o rojizo dividido, por dos estrechamientos, en cabeza, tórax y abdomen, que vive en hormigueros o galerías subterráneas: *Algunas hormigas tienen alas.* **2** || **ser una {hormiga/hormiguita};** *col.* Ser trabajador y ahorrativo: *Es una hormiguita y ahorra todo lo que gana.* ☐ ETIMOL. Del latín *formica*. ☐ MORF. Es un sustantivo epiceno: *la hormiga {macho/hembra}.*

hormigón s.m. **1** Masa compacta de gran dureza y resistencia que se usa en la construcción y que está formada por un conglomerado de grava, piedras pequeñas, arena, agua y cemento o cal: *El hormigón comprimido es muy resistente.* **2** || **hormigón armado;** el que está reforzado con varillas de acero o con tela metálica: *Esta casa tiene los cimientos de hormigón armado.* ☐ SINÓN. *cemento armado.* ☐ ETIMOL. De *hormigos* (plato hecho con almendras o avellanas machacadas y miel) porque el hormigón tiene un aspecto parecido a él.

hormigonera s.f. Máquina que se utiliza para mezclar los materiales con que se fabrica el hormigón: *La hormigonera está compuesta por un tambor que gira mecánicamente sobre su eje.*

hormiguear v. **1** Referido a una parte del cuerpo, experimentar una sensación molesta de picor o de cosquilleo: *Me hormiguean los pies por el cansancio.* **2** Referido a una multitud de personas o de animales, moverse de un lado para otro, esp. si es de forma agitada: *La gente hormigueaba en el mercadillo.* ☐ SEM. No debe emplearse con el significado de 'abundar' (galicismo): *En ese barrio {*hormiguean > abundan} los emigrantes.*

hormigueo s.m. **1** Sensación molesta en una parte del cuerpo, esp. si es de picor o cosquilleo: *Se me ha dormido la pierna y siento un hormigueo.* **2** Movimiento bullicioso y desordenado de una multitud de personas o de animales: *Desde mi balcón veo el hormigueo de la gente.*

hormiguero s.m. **1** Lugar en el que habitan las hormigas. **2** Conjunto de hormigas que habitan en este lugar. **3** Lugar en el que hay mucha gente en movimiento: *Los alrededores del estadio antes del partido eran un hormiguero.*

hormiguillo s.m. Sensación que producen las cosquillas u otra cosa semejante. ☐ SINÓN. *cosquilleo.*

hormilla s.f. Pieza pequeña que, forrada, forma un botón: *La tela del botón está rota y se ve la hormilla de madera.* ☐ ETIMOL. De *horma*.

hormona s.f. Sustancia segregada por determinados órganos y que, transportada por la sangre en algunos animales y por la savia en las plantas, regula la actividad de otros órganos: *Las hormonas sexuales producen los cambios físicos que sufren los niños al convertirse en adultos.* □ ETIMOL. Del griego *hormôn.*

hormonal adj.inv. De las hormonas o relacionado con ellas: *una alteración hormonal.*

hormonar v. Referido a una persona o a un animal, tratarlos con hormonas: *Se hormona desde hace seis años.*

hormonoterapia s.f. Tratamiento de las enfermedades mediante el empleo de hormonas: *La hormonoterapia es uno de los métodos para el tratamiento del cáncer de mama.*

hornacina s.f. En un muro, cavidad en forma de arco, generalmente usada para colocar una escultura o un objeto decorativo: *En la hornacina de la fachada de la iglesia está la imagen del santo patrón.* □ ETIMOL. Del latín **fornicina*, y este de *fornix* (roca agujereada).

hornada s.f. **1** Cantidad de pan o de otras cosas que se cuecen de una vez en el horno. **2** *col.* Conjunto de personas que acaban los estudios o consiguen un trabajo o un cargo al mismo tiempo: *Soy de una hornada de estudiantes anterior a la tuya.*

hornazo s.m. Rosca o torta adornada con huevos, que se cuece en el horno y suele estar rellena de chorizo y jamón: *El hornazo es una comida típica salmantina y de otras ciudades castellanas.* □ SINÓN. *mona.*

hornear v. Meter en el horno para asar o cocer: *Después de preparar la carne, hornéala durante diez minutos.* □ SINÓN. *ahornar, enhornar.*

hornero, ra s. Persona que se dedica profesionalmente al servicio o al cuidado de un horno: *El hornero se levanta muy temprano para que el pan esté listo a primera hora.*

hornija s.f. Leña menuda que se utiliza para encender o mantener el fuego del horno: *Antes de poner el tronco, enciende el fuego con hornija.*

hornilla s.f. En zonas del español meridional, quemador de una cocina: *Siempre lavo bien la hornilla cuando termino de cocinar.*

hornillo s.m. Horno pequeño, manual y generalmente portátil, esp. el empleado para cocinar: *un hornillo de gas.*

horno s.m. **1** Aparato o construcción de albañilería fabricados para generar calor, que se utilizan para caldear, cocer o fundir una materia que se introduce en su interior. **2** En una cocina, aparato que se usa para asar los alimentos. **3** Establecimiento donde se cuece y se vende el pan. □ SINÓN. *panificadora, tahona.* **4** *col.* Lugar donde hace mucho calor: *En verano, esta habitación es un horno.* **5** || **alto horno;** en metalurgia, el que está destinado para fundir minerales de hierro. || **horno crematorio;** el que está destinado a la incineración de cadáveres. || **no estar el horno para bollos;** *col.* No ser el mejor momento para algo: *Déjame en paz, que hoy no está el horno para bollos.* □ ETIMOL. Del latín *furnus.*

horóscopo s.m. **1** Predicción del futuro que los astrólogos realizan y deducen de la posición de los astros del sistema solar en relación con los signos zodiacales en un momento dado. **2** Escrito que recoge estas predicciones: *Esta revista no trae el horóscopo.* **3** Cada uno de los signos zodiacales: *¿Qué horóscopo eres?* □ ETIMOL. Del griego *hPróskopos* (que observa la hora).

horqueta s.f. En un árbol, parte donde una rama se junta con el tronco, formando un ángulo agudo: *Se subió al árbol y se sentó en la primera horqueta.*

horquilla s.f. **1** Pequeña pieza de peluquería, generalmente formada por un alambre doblado por el medio, que se utiliza para sujetar el pelo. **2** Instrumento formado por una vara terminada en dos puntas, que se utiliza para sostener, colgar o descolgar algo. □ SINÓN. *horca.* **3** En una bicicleta o en una motocicleta, tubo que va desde la rueda delantera hasta el manillar. **4** Espacio comprendido entre dos cantidades o medidas: *Los precios de estos productos de importación deberán estar dentro de la horquilla de máximos y mínimos que establece el Gobierno.* □ ETIMOL. De *horca.*

horrendo, da adj. **1** Que causa horror. □ SINÓN. *horroroso, horrible.* **2** *col.* Muy feo, muy malo o muy desagradable: *un traje horrendo.* □ SINÓN. *horroroso, horrible.* **3** *col.* Muy grande o muy intenso: *Hace un frío horrendo.* □ SINÓN. *horroroso, horrible.* □ ETIMOL. Del latín *horrendus* (que hace erizar los cabellos).

hórreo s.m. Construcción, generalmente de madera, sostenida por pilares, que se usa para guardar el grano y otros productos agrícolas: *El suelo del hórreo no toca la tierra para evitar la humedad y los roedores.* □ ETIMOL. Del latín *horreum* (granero).

horribilísimo, ma superlat. irreg. de **horrible**. □ MORF. Incorr. **horriblísimo.*

horrible adj.inv. **1** Que causa horror. □ SINÓN. *horrendo, horroroso.* **2** *col.* Muy feo, muy malo o muy desagradable: *Es horrible tener que madrugar tanto.* □ SINÓN. *horrendo, horroroso.* **3** *col.* Muy grande o muy intenso: *tener un hambre horrible.* □ SINÓN. *horrendo, horroroso.* □ ETIMOL. Del latín *horribilis.* □ MORF. Su superlativo es *horribilísimo.*

horripilación s.f. Transmisión de horror, esp. si se eriza el vello de la piel: *En el cine, la horripilación fue general en aquellas escenas tan desagradablemente violentas.*

horripilante adj.inv. **1** Que causa horror: *Escuché en las noticias los horripilantes asesinatos que cometió aquel psicópata.* **2** Muy feo: *En aquella película, un monstruo horripilante y deforme secuestraba a la protagonista.*

horripilar v. Causar horror: *Me horripila pensar en el accidente.* □ SINÓN. *horrorizar.* □ ETIMOL. Del latín *horripilare* (hacer erizar los cabellos), y este de *horror* (erizamiento) y *pilus* (pelo).

horrísono, na adj. Que causa horror o molestia con su sonido: *El horrísono sonido de la taladradora me ha levantado dolor de cabeza.* □ ETIMOL. Del latín *horrisonus*.

horror s.m. **1** Miedo muy intenso: *El horror me paralizó y no pude moverme hasta que me tranquilicé.* **2** Sentimiento de temor, antipatía, aversión o repugnancia: *Tanta suciedad me produce horror.* **3** Lo que produce una fuerte impresión, esp. si es de miedo, temor, antipatía, aversión o repugnancia: *Este libro describe los horrores de la guerra.* **4** ‖ **un horror;** *col.* Gran cantidad: *Tengo un horror de deudas.* □ ETIMOL. Del latín *horror* (erizamiento, estremecimiento). □ SINT. En la lengua coloquial, en plural y en la expresión *un horror* se usa mucho como adverbio de cantidad con el significado de 'mucho': *El cine me gusta horrores. Me he cansado un horror.*

horrorizar v. Causar horror: *Me horroriza pensar que este año no tengo vacaciones. Se horrorizó cuando vio los precios de las camisas.* □ SINÓN. *horripilar.* □ ORTOGR. La *z* se cambia en *c* delante de *e* →CAZAR.

horroroso, sa adj. **1** Que causa horror. □ SINÓN. *horrendo, horrible.* **2** *col.* Muy feo, muy malo o muy desagradable: *hacer un tiempo horroroso.* □ SINÓN. *horrendo, horrible.* **3** *col.* Muy grande o muy intenso: *¡Qué calor más horroroso!* □ SINÓN. *horrendo, horrible.*

hórror vacui s.m. ‖ Tendencia a llenar todos los espacios vacíos, esp. con elementos ornamentales: *El hórror vacui está presente en la obra de numerosos artistas medievales.* □ ETIMOL. Del latín *horro vacui.* □ PRON. [hórror vácui].

horst (al.) s.m. En geología, conjunto de los bloques centrales y más elevados formados por una serie de fallas escalonadas: *El Sistema Central es un horst.* □ PRON. [horst], con *h* aspirada. □ SEM. Dist. de *graben* (fosa tectónica).

hortaliza s.f. Planta comestible que se cultiva en una huerta: *La lechuga y la zanahoria son hortalizas.* □ ETIMOL. De *huerto*.

hortelana s.f. Véase **hortelano, na**.

hortelano, na ▮ adj. **1** De la huerta o relacionado con este terreno de cultivo: *Los agricultores hortelanos necesitan mucha agua para sus tierras.* ▮ s. **2** Persona que se dedica profesionalmente al cultivo de una huerta: *Ayudé al hortelano a plantar tomates.* ▮ s.f. **3** En algunas zonas, hierbabuena. □ ETIMOL. Del latín *hortulanus*, y este de *hortulus* (huertecillo). □ SEM. Dist. de *huertano* (habitante de una huerta o comarca de regadío).

hortense adj.inv. De las huertas: *productos hortenses.*

hortensia s.f. **1** Arbusto ornamental de jardín, con hojas de color verde brillante y flores agrupadas que pierden poco a poco su color rosa o azulado hasta quedar casi blancas: *Tengo una hortensia en la terraza de mi casa.* **2** Flor de esta planta: *Puso un ramo de hortensias en el jarrón.* □ ETIMOL. Por alusión a Hortense, dama francesa a quien se le dedicó esta planta.

hortera adj.inv./s.com. Que se considera feo y de mal gusto por su carácter vulgar y ordinario: *Lleva una camisa muy hortera.* □ ETIMOL. De origen incierto.

horterada s.f. Lo que se considera feo y de mal gusto por su carácter vulgar y ordinario: *Lo que para ti es una horterada para mí es el colmo de la elegancia.*

hortícola adj.inv. De la horticultura o relacionado con ella: *Un estudio hortícola nos hizo ver que aquella zona era muy seca y no resultaba apta para huerta.* □ ETIMOL. Del latín *hortus* (huerto).

horticultor, -a s. Persona que se dedica a la horticultura: *He contratado a una horticultora para que me diga qué debo cultivar en mi huerta.*

horticultura s.f. **1** Cultivo de las huertas y de los huertos: *En sus ratos libres se dedica a la horticultura.* **2** Técnica de este tipo de cultivo: *La horticultura es una rama de la agricultura.* □ ETIMOL. Del latín *hortus* (huerto) y *-cultura* (cultivo).

hortofrutícola adj.inv. De las hortalizas y de los árboles frutales o relacionado con su cultivo: *Los cultivos hortofrutícolas son una parte importante de la economía mediterránea.*

hortofruticultura s.f. **1** Cultivo de las hortalizas y de los árboles frutales. **2** Técnica de este tipo de cultivo: *Mi amigo quiere estudiar hortofruticultura y jardinería.*

hosanna s.m. **1** En la liturgia católica, himno de alabanza a Dios que se canta el Domingo de Ramos (último domingo de cuaresma): *El hosanna es un canto muy emotivo.* **2** En la liturgia católica, exclamación o expresión de júbilo: *El himno empezaba con un hosanna.* □ ETIMOL. Del latín *hosanna*, y este del hebreo *hosi'anna* (sálvanos).

hosco, ca adj. **1** Poco sociable, o desagradable y áspero en el trato con los demás. **2** Referido al tiempo o a un lugar, que resultan desagradables, amenazadores o poco acogedores: *un ambiente muy hosco.* □ ETIMOL. Del latín *fuscus* (oscuro). □ ORTOGR. Dist. de *osco*.

hospedador, -a adj./s. **1** Que hospeda. **2** En biología, referido a un organismo, que sirve de base para la vida de un parásito: *En el hospedador intermediario se desarrolla la fase larvaria de un parásito.* □ MORF. Como sustantivo es sinónimo de *huésped*.

hospedaje s.m. **1** Alojamiento y asistencia que se prestan a una persona que vive en un lugar de forma temporal: *Busco a alguien que me dé hospedaje hoy y mañana.* **2** Dinero que se paga por un alojamiento temporal: *Del sueldo tengo que descontar el hospedaje.*

hospedar v. Dar o tomar alojamiento, esp. si es de forma temporal: *Busco una casa en la que hospeden estudiantes. Me hospedé en casa de mis tíos.* □ SINÓN. *alojar.* □ ETIMOL. Del latín *hospitare*.

hospedería s.f. **1** Establecimiento donde se admiten huéspedes que pagan por su alojamiento y asistencia: *La hospedería estaba situada en el ba-*

rrio antiguo. **2** En algunas comunidades religiosas, conjunto de habitaciones destinadas al alojamiento de viajeros o de peregrinos: *Los monjes benedictinos tienen una hospedería en este monasterio.*

hospedero, ra s. Persona que tiene a su cargo una hospedería: *Siempre nos alojamos aquí, porque los hospederos son muy amables.*

hospiciano, na adj./s. Que está o ha estado interno en un hospicio: *Han adoptado a una niña hospiciana.*

hospicio s.m. **1** Institución donde se recoge a niños huérfanos, abandonados o pobres para su cuidado y educación: *Estuvo en el hospicio hasta los diez años.* **2** Establecimiento destinado a albergar a peregrinos y pobres: *En este hospicio se ofrece todos los días a mediodía un plato de comida caliente a quien la solicite.* □ ETIMOL. Del latín *hospitium* (alojamiento).

hospital s.m. **1** Establecimiento donde se diagnostica y se trata a los enfermos: *Después de ser operado estuvo tres días en el hospital.* **2** || **hospital de (primera) sangre;** en una guerra, lugar donde se hace la primera cura a los heridos: *Los medios de que dispone el hospital de sangre son escasos.* □ ETIMOL. Del latín *hospitalis* (albergue).

hospitalario, ria adj. **1** Referido a una persona o a un grupo, que acoge o socorre con amabilidad a forasteros o a necesitados. **2** Referido a un lugar, que resulta agradable y acogedor. **3** Del hospital o relacionado con él: *un centro hospitalario.*

hospitalidad s.f. Asistencia y acogida que se proporciona a los forasteros y necesitados, dándoles alojamiento y ayuda: *Agradeceré siempre la hospitalidad con la que me trataron en aquel país.*

hospitalización s.f. Ingreso de un paciente en un hospital: *Una operación de apendicitis requiere la hospitalización del enfermo.*

hospitalizar v. Referido a una persona, ingresarla en un hospital o una clínica: *Me han hospitalizado para hacerme unas pruebas médicas.* □ ORTOGR. La *z* cambia en *c* delante de *e* →CAZAR.

hosquedad s.f. **1** Aspereza o falta de amabilidad en el trato con los demás: *La hosquedad de su comportamiento lo aísla de la gente.* **2** Carácter desagradable, amenazador o poco acogedor de un lugar o del tiempo atmosférico: *La hosquedad del tiempo nos estropeó las vacaciones.*

host (ing.) s.m. En un sistema informático, dispositivo que, conectado a una red, proporciona a sus usuarios información y servicios. □ PRON. [hóst], con *h* aspirada.

hostal s.m. Establecimiento público donde se da comida o alojamiento a cambio de dinero: *Fuimos a comer al hostal y nos quedamos a dormir.* □ SINÓN. *hostería.* □ ETIMOL. Del latín *hospitalis* (habitación para huésped).

hostelería s.f. Conjunto de servicios que proporcionan principalmente comida y alojamiento a huéspedes y viajeros, a cambio de dinero: *La huelga de hostelería me impidió salir de vacaciones.*

hostelero, ra ■ adj. **1** De la hostelería o relacionado con ella: *La capacidad hostelera española es grande porque es un país turístico.* ■ s. **2** Persona que tiene a su cargo un hostal: *La hostelera me dio la mejor habitación.* □ ETIMOL. Del francés *hôtelier*.

hostería s.f. Establecimiento público donde se da comida o alojamiento a cambio de dinero: *Comimos en la hostería, pero no dormimos allí.* □ SINÓN. *hostal.* □ ETIMOL. Del italiano *osteria*.

hostia s.f. **1** Hoja delgada y redonda de pan ázimo o sin levadura que el sacerdote consagra y los fieles comulgan en el sacrificio de la misa: *El sacerdote guardó las hostias consagradas en el sagrario.* □ SINÓN. *forma.* **2** *vulg.malson.* →**golpe.** **3** || **ser la hostia;** *vulg.malson.* →**ser el colmo.** □ ETIMOL. Del latín *hostia* (víctima de un sacrificio religioso). □ USO Se usa mucho como palabra comodín en expresiones vulgares malsonantes.

hostiar v. *vulg.malson.* Dar una paliza o pegar violentamente.

hostiario s.m. **1** Caja en la que se guardan las hostias sin consagrar: *El párroco dejó el hostiario en la sacristía.* **2** Molde en el que se hacen las hostias: *Las monjas tenían hostiarios de dos tamaños.*

hostias (tb. *hostia*) interj. *vulg.malson.* Expresión que se usa para indicar extrañeza, sorpresa, admiración o disgusto.

hostigamiento s.m. **1** Azote o golpe dado con un látigo, con una vara o con algo parecido: *El caballo no pudo resistir el hostigamiento del jinete.* **2** Acoso o molestia continuados que se hacen a una persona, generalmente con el fin de conseguir algo: *El hostigamiento del sindicato a la patronal logró una subida de sueldo.*

hostigar v. **1** Azotar con un látigo, con una vara o con algo parecido: *Hostigó al caballo para que corriera más rápido.* **2** Referido esp. a una persona, molestarla o acosarla, esp. si es con el fin de conseguir que haga algo: *Las guerrillas hostigaban al ejército oficial.* **3** En zonas del español meridional, empalagar: *Me hostiga el sabor de estos dulces.* □ ETIMOL. Del latín *fustigare* (azotar con bastón). □ ORTOGR. La *g* se cambia en *gu* delante de *e* →PAGAR.

hostil adj.inv. Que muestra oposición o enemistad: *Me lanzó una mirada hostil y llena de odio.* □ ETIMOL. Del latín *hostilis*.

hostilidad s.f. **1** Enemistad, oposición o animadversión. **2** Cualquier acción u operación desde la declaración de guerra o desde la iniciación de la lucha hasta la firma de la paz: *No sé si cesarán las hostilidades entre israelíes y palestinos.* **3** || **romper las hostilidades;** iniciar la guerra con un ataque al enemigo, invadiendo su territorio.

hostilizar v. Referido al enemigo, ocasionarle daños con acciones sistemáticas y frecuentes, pero sin la violencia de un ataque directo: *La guerrilla hostilizaba con sus acciones al ejército invasor.* □ ORTOGR. La *z* se cambia en *c* delante de *e* →CAZAR.

hosting (ing.) s.m. Servicio que permite obtener un espacio en un servidor de internet para publicar una página web: *contratar un hosting para colgar* *en internet la página de la empresa.* ☐ PRON. [hóstin], con *h* aspirada. ☐ USO Su uso es innecesario y puede sustituirse por *alojamiento web*.

hot dog (ing.) s.m. ‖ →**perrito caliente.** ☐ PRON. [hot dog], con *h* aspirada.

hotel s.m. **1** Establecimiento público destinado a alojar personas a cambio de dinero: *Un hotel es de mayor categoría que un hostal.* **2** Vivienda unifamiliar aislada total o parcialmente de otras viviendas, generalmente rodeada de un terreno ajardinado: *Los fines de semana los paso en un hotelito que tengo en la sierra.* ☐ ETIMOL. Del francés *hôtel*, y este del latín *hospitale* (habitación para huéspedes). ☐ MORF. En la acepción 2, se usa mucho el diminutivo *hotelito*.

hotelero, ra ▮ adj. **1** Del hotel o relacionado con este establecimiento de hostelería: *El número de estrellas determina la categoría hotelera.* ▮ s. **2** Persona que posee un hotel o que lo dirige: *Los hoteleros dicen que este año han venido menos turistas.*

hotentote, ta adj./s. De un pueblo indígena que habitó la zona sudoeste del continente africano: *El pueblo hotentote habitaba cerca del cabo de Buena Esperanza.*

hot line (ing.) s.f. ‖ Línea telefónica en la que se ofrecen servicios de atención directa al cliente, esp. de carácter erótico: *Esta asociación ha creado un servicio de hot line para atender a mujeres maltratadas.* ☐ PRON. [hótlain], con *h* aspirada. ☐ USO Su uso es innecesario y puede sustituirse por *línea caliente*.

house (ing.) s.m. Estilo de música que se caracteriza por la utilización de sonidos pregrabados y manipulados con sintetizadores y otros medios: *Los seguidores de la música house retoman el vestuario y los valores del movimiento psicodélico de los años sesenta.* ☐ PRON. [háus], con *h* aspirada.

hovercraft (ing.) s.m. Vehículo que puede desplazarse a gran velocidad sobre la tierra o sobre el agua al ir sustentado por una capa de aire a presión: *El hovercraft se desplaza sobre superficies lisas.* ☐ SINÓN. *hoverfoil*, *jet-foil*. ☐ PRON. [overcráf].

hoverfoil (ing.) s.m. →**hovercraft.** ☐ PRON. [overfóil].

hovero, ra adj. →**overo.**

hoy ▮ s.m. **1** Tiempo actual: *Hay que aprender a vivir el hoy sin olvidarse ni del mañana ni del ayer.* ▮ adv. **2** En el día actual: *Hoy me he levantado temprano.* **3** En esta época o en la actualidad: *Hoy hay más comodidades que hace cien años.* **4** ‖ **de hoy {a/para} mañana;** de manera rápida y en poco tiempo: *Son muy eficientes y te lo resuelven todo de hoy para mañana.* ‖ **hoy (en) día;** en la época actual: *Hoy en día es fácil salir al extranjero.* ‖ **hoy por hoy;** en el momento actual: *Hoy por hoy no se puede viajar a través del tiempo.* ☐ ETIMOL. Del latín *hodie*.

hoya s.f. **1** Concavidad u hondura grandes en la tierra: *Cubrió con tierra una hoya que había en un extremo del huerto.* **2** Concavidad que se hace en la tierra para enterrar un cadáver: *Me impresionó ver cómo introducían el ataúd en la hoya.* ☐ SINÓN. *hoyo, huesa, sepultura.* **3** Llanura extensa rodeada de montañas: *En las hoyas de Andalucía oriental se practica una agricultura de regadío.* ☐ ETIMOL. Del latín *fovea* (hoyo, excavación). ☐ ORTOGR. Dist. de *olla*.

hoyada s.f. Terreno bajo que no se descubre hasta estar cerca de él: *A la salida del desfiladero descubrimos una hoyada impresionante.*

hoyo s.m. **1** En una superficie, esp. en la tierra, concavidad formada natural o artificialmente. **2** Concavidad que se hace en la tierra para enterrar un cadáver. ☐ SINÓN. *hoya, huesa, sepultura.* **3** ‖ **hacer un hoyo;** en golf, hacer el recorrido necesario hasta introducir la pelota en cada agujero reglamentario del campo: *Gana el jugador que consigue hacer más hoyos en menos golpes.*

hoyuelo s.m. Hoyo que tienen algunas personas en el centro de la barbilla o que se forma en las mejillas al reír: *Qué hoyuelos más graciosos te salen cuando ríes.*

hoz s.f. **1** Herramienta que sirve para segar, formada por un mango y una hoja curva afilada o dentada en su parte cóncava: *Mi abuelo afilaba las hoces antes de empezar a segar.* **2** Angostura o paso estrecho que forma un valle profundo o un río que corre entre dos sierras: *El río ha formado unas hoces muy profundas.* ☐ ETIMOL. La acepción 1, del latín *falx*. La acepción 2, del latín *faux* (garganta).

hozadero s.m. Lugar donde van a hozar los animales, esp. los cerdos o los jabalíes: *En el monte hay un hozadero de jabalíes al lado de la fuente.*

hozadura s.f. Hoyo o señal que deja un animal al hozar: *Por las hozaduras supimos que el jabalí había estado allí.*

hozar v. Mover y levantar la tierra con el hocico, esp. referido al cerdo o al jabalí: *Los cerdos hozan para encontrar trufas.* ☐ SINÓN. *hocicar.* ☐ ETIMOL. Del latín *fodiare* (cavar). ☐ ORTOGR. La *z* se cambia en *c* delante de *e* →CAZAR.

HTML (ing.) s.m. Lenguaje informático en el que se escriben las páginas web disponibles en internet. ☐ ETIMOL. Es la sigla del inglés *HyperText Markup Language* (lenguaje de marcado de hipertexto).

HTTP (ing.) s.m. Protocolo informático que se emplea para la transferencia de hipertextos en internet. ☐ ETIMOL. Es la sigla del inglés *HyperText Transfer Protocol* (protocolo de transferencias de hipertexto).

huaca s.f. →**guaca.**

huacal s.m. **1** En zonas del español meridional, cesta hecha con tiras de madera. **2** *col.* En zonas del español meridional, casa. **3** *col.* En zonas del español meridional, tórax de un pollo, esp. si está preparado como alimento.

huachafería s.f. *col.* En zonas del español meridional, cursilería: *Mi amigo peruano siempre está diciendo que todo le parece una huachafería.*

huachafo, fa adj. *col.* En zonas del español meridional, cursi: *Mi amiga peruana dice que estos encajes le parecen huachafos.*

huachimán (tb. *guachimán*) s.m. En zonas del español meridional, vigilante: *Un huachimán vigila mi empresa durante la noche.* ☐ ETIMOL. Del inglés *watchman*.

huachinango s.m. Pez marino americano, de color rosado y cuya carne es muy apreciada. ☐ ETIMOL. Del náhuatl *huachinanco*.

huacho, cha adj./s. *col.* →**guacho.**

huaco s.m.→**guaco.**

huaico s.m. Alud de piedras y de barro: *Cuando estuvimos en un pueblo de Perú, todos nos decían que tuviéramos cuidado con los huaicos.*

huaino s.m. Canción y baile tradicionales, propios de algunos países americanos: *Me gusta oírle cantar huainos en quechua.*

huamúchil s.m. **1** Árbol americano de tronco grueso, con espinas en las ramas, flores amarillas y vainas con semillas en su interior. **2** Fruto de este árbol. ☐ ETIMOL. Del náhuatl *cuauhmochitl*.

huapango s.m. Música, canción y baile populares americanos: *La bamba es un huapango que se baila mucho en Veracruz.*

huarache s.m. **1** En zonas del español meridional, sandalia hecha con tiras y suela de cuero. **2** Comida mexicana que consiste en una tortilla que lleva encima frijoles, salsa, queso y algún otro alimento.

huasca (tb. *guasca*) s.f. Tira de cuero o soga que se suele emplear como látigo: *Todos los huasos que trabajan en la estancia saben manejar muy bien la huasca.*

huasipungo s.m. Pedazo de tierra que un hacendado proporciona a un indio para que la cultive: *Huasipungo es el título de una famosa novela del ecuatoriano Jorge Icaza.*

huaso, sa s. →**guaso.**

huautli s.m. Planta americana de tallo rojizo, con flores pequeñas y fruto comestible.

huauzontle s.m. Planta americana comestible con flores de color verde. ☐ ETIMOL. Del náhuatl *huautli* (bledo) y *zontli* (cabellera).

huayno s.m. Canción y baile tradicionales, propios de algunos países americanos: *En Perú es frecuente escuchar unos huaynos muy lindos.*

hub (ing.) s.m. →**concentrador.** ☐ PRON. [háb], con *h* aspirada.

hucha s.f. Recipiente cerrado, con una ranura estrecha por la que se mete dinero para guardarlo y ahorrar: *Me han regalado una hucha con forma de cerdito.* ☐ ETIMOL. Del francés *huche* (cofre para guardar harina).

hueco, ca ▮ adj. **1** Vacío o sin relleno: *Siempre uso pendientes huecos para que no pesen y no me duelan las orejas.* **2** Referido esp. al lenguaje o al estilo, que es pedante o expresa conceptos vanos y triviales: *un discurso hueco.* **3** Referido a una persona, que manifiesta una actitud presumida u orgullosa: *Cuando me felicitaron me puse más hueca...* **4** Referido a un sonido, que es retumbante y profundo: *Nos impresionó su voz hueca y solemne.* **5** Que es mullido, esponjoso o ahuecado: *Me voy a cardar el pelo para que me quede más hueco.* **6** Que no está ajustado o pegado a lo que hay en su interior: *Déjate la camisa más hueca.* ▮ s.m. **7** Abertura o cavidad: *Se le cayeron las llaves por el hueco del ascensor.* **8** *col.* Lugar no ocupado: *Busco un hueco para aparcar.* **9** Intervalo de tiempo: *Si tengo un hueco esta tarde, te llamo, ¿vale?* **10** ‖ **hacer (un) hueco;** correrse en un asiento para hacer sitio: *Hicieron hueco y pude sentarme.* ☐ ETIMOL. Del latín *occare* (rastrillar la tierra para que quede mullida o hueca).

huecograbado s.m. **1** Procedimiento de grabado mediante el cual las figuras o los trazos quedan en hueco en una plancha o en un cilindro de cobre, de forma que, al llenarlos de tinta, se plasman sobre el papel: *El huecograbado es el procedimiento contrario a la tipografía.* **2** Imagen obtenida por este procedimiento: *Algunos periódicos tienen páginas de huecograbado.*

huéhuetl s.m. Tambor largo que se hace con un tronco de árbol y un trozo de piel que cubre uno de sus lados: *El huéhuetl es un instrumento de origen mexicano que se toca golpeándolo con las manos.*

huelga s.f. **1** Interrupción del trabajo hecha de común acuerdo para conseguir mejoras laborales: *Cuando estos trabajadores están en huelga organizan paros de doce horas.* **2** ‖ **huelga a la japonesa;** la que se hace trabajando más horas de las establecidas en la jornada laboral para crear un excedente de producción en la empresa: *Mañana empezamos una huelga a la japonesa para conseguir nuestras reivindicaciones.* ‖ **huelga de brazos caídos;** la que se lleva a cabo en el lugar de trabajo: *Pasaron dos días encerrados en la oficina en huelga de brazos caídos.* ‖ **huelga de celo;** la que se hace aplicando literalmente todas las disposiciones y requisitos laborales para que disminuya el rendimiento y se retrasen los servicios: *Los aviones tienen mucho retraso porque los controladores aéreos están en huelga de celo.* ‖ **huelga de hambre;** abstinencia total de alimentos que se impone una persona para demostrar que está dispuesta a morir si no consigue lo que pretende: *El recluso que se declaró en huelga de hambre está ahora en la enfermería.* ‖ **huelga general;** la que se plantea al mismo tiempo en todos los oficios de un país o de una localidad: *Una huelga general paraliza un país.* ‖ **huelga revolucionaria;** la que se hace por motivos políticos más que por motivos laborales: *Los estudiantes hicieron una huelga revolucionaria para conseguir más libertades.* ‖ **huelga salvaje;** la que no cumple los servicios mínimos: *La huelga convocada para la próxima semana amenaza con ser una huelga salvaje.* ☐ ETIMOL. De *holgar* (descansar).

huelguista s.com. Persona que participa en una huelga: *Los huelguistas pedían una jornada laboral de menos horas.*

huelguístico, ca adj. De la huelga, de los huelguistas o relacionado con ellos: *Los sindicatos con-*

trolan las acciones huelguísticas de los trabajadores afiliados.

huella s.f. **1** En una superficie, marca que queda después del contacto con algo: *Seguimos las huellas de las ruedas del coche.* **2** Rastro o vestigio que deja algo: *Su cara mostraba las huellas del llanto.* **3** Impresión profunda y duradera que deja algo en una persona: *Las enseñanzas de la profesora dejaron huella en sus alumnos.* **4** || **seguir las huellas** de alguien; seguir su ejemplo. □ ETIMOL. De *hollar.* □ MORF. En la acepción 2, se usa más en plural.

huemul s.m. Ciervo andino: *He leído un libro muy interesante sobre el huemul de los Andes.* □ MORF. Es un sustantivo epiceno: *el huemul {macho/hembra}.*

huerco, ca s. En zonas del español meridional, muchacho. □ ETIMOL. Del latín *Orcus* (dios de los infiernos).

huérfano, na ▮ adj. **1** Falto de algo necesario, esp. de protección o de ayuda: *Esos niños están huérfanos de amor y cariño.* ▮ adj./s. **2** Referido a una persona de poca edad, que ya no tiene padre, madre o ninguno de los dos, porque han muerto. □ ETIMOL. Del latín *orphanus.*

huero, ra (tb. *güero, ra*) adj. **1** Referido a un huevo, que no produce cría por no estar fecundado por el macho. **2** Que no tiene contenido o sustancia: *Fue un discurso largo, huero y aburrido.* □ ETIMOL. Del castellano dialectal *gorar* (empollar, incubar).

huerta s.f. **1** Terreno en el que se cultivan legumbres, verduras y árboles frutales. **2** Tierra de regadío: *la huerta valenciana.* □ SEM. Dist. de *huerto* (más pequeño y con más árboles que verdura).

huertano, na adj./s. Que vive en la huerta o comarca de regadío: *Mis padres son huertanos porque nacieron en un pueblo murciano.* □ SEM. Dist. de *hortelano* (persona que se dedica al cultivo de una huerta).

huerto s.m. **1** Terreno de pequeñas dimensiones en el que se cultivan legumbres, verduras y árboles frutales. **2** || **llevarse** a alguien **al huerto; 1** *col.* Engañarlo: *En esta tienda te llevan al huerto en cuanto te despistas.* **2** *vulg.* Conseguir una relación sexual. □ ETIMOL. Del latín *hortus* (jardín, huerto). □ SEM. Dist. de *huerta* (más grande y con más verduras que árboles).

huesa s.f. Concavidad que se hace en la tierra para enterrar un cadáver: *El ataúd fue introducido en la huesa.* □ SINÓN. *hoya, hoyo, sepultura.* □ ETIMOL. Del latín *fossa* (fosa).

huesillo s.m. Melocotón secado al sol: *El mote con huesillos es una bebida chilena muy dulce.*

hueso ▮ s.m. **1** Cada una de las piezas duras y blanquecinas que forman parte del esqueleto de los vertebrados. **2** En algunos frutos, parte interna, dura y leñosa, dentro de la cual se encuentra la semilla. **3** *col.* Profesor que suspende a muchos alumnos: *La profesora de matemáticas de este año es un hueso.* **4** *col.* Lo que causa trabajo o molestia: *Esta asignatura es un hueso.* **5** *col.* Persona difícil de tratar y de carácter desagradable: *Ese es un hueso y no se puede hablar con él.* **6** Color blanco amarillento. ▮ pl. **7** *col.* Cuerpo de una persona: *El vagabundo dio con sus huesos en el parque.* **8** || **{calado/empapado} hasta los huesos;** *col.* Muy mojado. || **{dar/pinchar} en hueso;** *col.* Fallar en el intento de lograr algo: *Si intentas convencerlo, darás en hueso.* || **en los huesos;** *col.* Muy delgado: *Ha vuelto del viaje en los huesos.* || **hueso cuadrado;** en una persona, el situado en la segunda fila del carpo o de la muñeca. || **(hueso) cuboides;** en el pie, el situado en el borde externo del tarso. || **(hueso) cuneiforme;** en el pie, cada uno de los tres situados en la parte anterior de la segunda fila del tarso. || **hueso de santo;** dulce de mazapán en forma de rollito, generalmente relleno de yema. || **(hueso) escafoides; 1** El situado en la parte externa de la primera fila del carpo o de la muñeca. **2** En el pie, el situado en la parte interna media del tarso. || **(hueso) esfenoides;** el situado en el cráneo y que forma parte de las fosas nasales y de las órbitas de los ojos. || **(hueso) etmoides;** el que forma parte de la base del cráneo, de las fosas nasales y de las órbitas de los ojos. || **(hueso) frontal;** el que forma la parte anterior y superior del cráneo. || **(hueso) ganchudo;** el que tiene figura de gancho y forma parte del carpo o de la muñeca. || **(hueso) hioides;** el situado en la base de la lengua y encima de la laringe. || **(hueso) malar;** el que forma la parte saliente de las mejillas. □ SINÓN. *pómulo.* || **(hueso) maxilar;** cada uno de los tres que forman parte de las mandíbulas superior e inferior. || **(hueso) occipital;** el que forma parte del cráneo y lo une a las vértebras del cuello. || **hueso orbital;** el que forma parte de las órbitas de los ojos. || **(hueso) parietal;** el que forma la parte media y lateral del cráneo. || **hueso piramidal;** el que tiene figura de pirámide y forma parte del carpo o de la muñeca. || **(hueso) pisiforme;** el cuarto de la primera fila del carpo o de la muñeca. || **(hueso) sacro;** el situado en la parte inferior de la columna vertebral y que está formado por vértebras soldadas. || **(hueso) semilunar;** el segundo de la primera fila del carpo o de la muñeca. || **(hueso) temporal;** el del cráneo que está situado en la región del oído. || **(hueso) trapecio;** el primero de la segunda fila del carpo o de la muñeca. || **(hueso) trapezoide;** el segundo de la segunda fila del carpo o de la muñeca. || **la sin hueso;** *col.* La lengua: *Es un charlatán y siempre le está dando a la sin hueso.* □ ETIMOL. Del latín *ossum.* □ ORTOGR. *La sin hueso* admite también la forma *la sinhueso.* □ SINT. En la acepción 6, se usa más en aposición, pospuesto a un sustantivo: *color hueso.*

huésped, -a s. **1** Persona que se aloja en un hotel o en casa ajena: *Tengo a mis primos en casa como huéspedes.* **2** En biología, referido a un organismo, que sirve de base para la vida de un parásito: *En el huésped definitivo se desarrolla la fase adulta de un parásito.* □ SINÓN. *hospedador.* □ ETIMOL. Del latín *hospes* (hospedador, hospedado). □ MORF. Aunque el femenino es *huéspeda*, está muy extendido su uso como sustantivo de género común: *el huésped, la huésped.*

hueste s.f. Conjunto de los partidarios o defensores de una misma causa: *El político habló ante sus huestes.* ☐ ETIMOL. Del latín *hostis* (enemigo, especialmente el que hace la guerra). ☐ MORF. Se usa más en plural.

huesudo, da adj. Con mucho hueso o con los huesos muy marcados: *A ver si engordas un poco, que estás demasiado huesuda.*

hueva s.f. En algunos peces, masa que forman los huevecillos dentro de una bolsa oval: *Nos pusieron de aperitivo huevas adobadas.* ☐ ETIMOL. Del latín *ova* (huevos). ☐ MORF. Se usa más en plural.

huevada s.f. *vulg.malson.* En zonas del español meridional, tontería.

huevamen s.m. *vulg.malson.* →**testículos.**

huevazos (pl. *huevazos*) adj./s.m. *vulg.malson. desp.* →**calzonazos.**

huevear v. *vulg.malson.* En zonas del español meridional, hacer o decir tonterías.

huevera s.f. Véase **huevero, ra.**

huevería s.f. Establecimiento en el que se venden huevos.

huevero, ra ▮ s. **1** Persona que se dedica a la venta de huevos: *El huevero me ha regalado un huevo de paloma.* ▮ s.f. **2** Utensilio con forma de copa pequeña que se utiliza para colocar el huevo cocido o pasado por agua: *Pon las hueveras en la mesa, que hoy desayunaremos huevos pasados por agua.* **3** Recipiente que se utiliza para transportar o guardar huevos: *Los huevos suelen venderse en hueveras de plástico o de cartón.*

huevina s.f. Sucedáneo del huevo: *El uso de la huevina en los restaurantes evita el riesgo de salmonelosis.*

huevo s.m. **1** En biología, célula procedente de la unión del gameto masculino con el femenino en la reproducción sexual de animales y plantas: *La división celular del huevo produce el embrión.* **2** Cuerpo en forma más o menos esférica, resultado de la fecundación de un óvulo por un espermatozoide y que contiene el germen del individuo y las sustancias con las que se alimenta durante las primeras fases de su desarrollo: *Las hembras de las aves y de los reptiles ponen huevos.* **3** Referido a algunos animales, esp. a los peces y a los anfibios, óvulo que es fecundado por los espermatozoides del macho después de haber salido del cuerpo de la hembra. **4** Cualquier cosa que tenga forma más o menos esférica: *Me ha salido un huevo en la cabeza.* **5** *vulg.malson.* →**testículo.** **6** ‖ **a huevo;** de la mejor manera posible o de forma que resulte fácil conseguir algo: *Te he dejado la partida a huevo para que puedas ganarla. Ese sitio vacío está a huevo para que aparques el coche.* ‖ **huevo de {Colón/Juanelo};** *col.* Lo que parece difícil pero no lo es. ‖ **huevo de zurcir;** utensilio duro en forma ovalada que se utiliza para zurcir medias y calcetines. ‖ **huevo duro;** el que se cuece con cáscara en agua hirviendo hasta que se cuajen completamente la yema y la clara. ‖ **huevo estrellado;** el que se fríe sin batirlo antes y sin tostarlo por arriba. ‖ **huevo frito;** el que se fríe sin batirlo. ‖ **huevo hilado;** el que se mezcla con azúcar y se sirve en forma de hilos. ‖ **huevo pasado por agua;** el que se cuece con cáscara en agua hirviendo sin que cuajen completamente la clara y la yema. ‖ **huevo tibio;** en zonas del español meridional, huevo pasado por agua. ‖ **huevos al plato;** los que están cocidos con calor suave, sin cáscara y sin batir, y se sirven en el mismo recipiente en el que se han cocinado. ‖ **huevos revueltos;** los que se fríen sin batirlos, con poco aceite y revolviéndolos hasta que se cuajen. ‖ **parecerse como un huevo a una castaña;** *col.* Diferenciarse mucho. ‖ **pisando huevos;** *col.* Referido a la forma de andar, muy despacio y con cierto cuidado. ‖ **un huevo;** *vulg.* Mucho. ☐ ETIMOL. Del latín *ovum.* ☐ USO En la acepción 4, se usa mucho como palabra comodín en expresiones vulgares malsonantes.

huevón, -a adj./s. **1** *vulg.malson.* Referido a una persona, que es excesivamente tranquila y perezosa. **2** *vulg.malson.* En zonas del español meridional, imbécil. ☐ ORTOGR. En la acepción 2, se usa también *güevón.* ☐ USO En la acepción 2, se usa como insulto.

huevonada s.f. *vulg.malson.* En zonas del español meridional, flojedad o pereza.

hugonote, ta adj./s. Seguidor francés de las doctrinas protestantes calvinistas: *Los hugonotes se organizaron como movimiento en el siglo XVI.* ☐ ETIMOL. Del francés *huguenot.*

huida s.f. Véase **huido, da.**

huidizo, za adj. Que huye o que tiende a huir: *una mirada huidiza.*

huido, da ▮ adj./s. **1** Referido a una persona, que se ha escapado de un lugar en el que está recluida. ▮ s.f. **2** Alejamiento rápido de lo que se considera molesto o perjudicial, para evitar un daño, un disgusto o una molestia: *El incendio del bosque provocó la huida de los animales.* **3** *poét.* Paso rápido del tiempo: *la huida de los años.*

huipil s.m. Prenda sin mangas que utilizan las mujeres indígenas americanas y que cubre desde los hombros hasta más abajo de la cintura. ☐ ETIMOL. Del náhuatl *huipilli.*

huir v. **1** Apartarse deprisa de lo que se considera molesto o perjudicial, para evitar un daño, un disgusto o una molestia: *El ladrón huyó entre la multitud. Debes huir de los vicios.* **2** Referido a una persona, esquivarla o evitarla: *Cuando me ve, me huye.* **3** *poét.* Referido al tiempo, pasar rápidamente: *Los días huyen sin que me dé cuenta.* ☐ ETIMOL. Del latín *fugere.* ☐ MORF. Irreg. →HUIR. ☐ SINT. Constr. de la acepción 1: *huir DE algo.*

huisache (tb. *huizache*) s.m. Planta americana y leguminosa que tiene espinas, flores amarillas y vainas con frutos en su interior. ☐ ETIMOL. Del náhuatl *hitztli* (espina) e *ixachi* (abundante).

huitlacoche (tb. *cuitlacoche*) s.m. Hongo comestible de la mazorca del maíz, que cuando madura es de color negro: *Ayer cené dos quesadillas de huitlacoche.*

huizache s.m. →**huisache.**

hujier s.m. →**ujier.**

hula (haw.) s.m. →**hula-hula.** ☐ PRON. [húla], con *h* aspirada.

hula-hoop s.m. Aro que se hace girar alrededor de la cintura al hacer movimientos circulares: *Hay que saber moverse para bailar el hula-hoop.* ☐ ETIMOL. Extensión del nombre de una marca comercial. ☐ PRON. [hulahóp], con las dos *h* aspiradas.

hula-hula (haw.) s.m. Danza hawaiana de origen ritual que se caracteriza por el movimiento circular de caderas, brazos y cabeza, sin desplazar el resto del cuerpo: *Las danzarinas de hula-hula van vestidas con faldas de hierbas.* ☐ PRON. [húla-húla], con *h* aspirada. ☐ MORF. Se usa mucho la forma abreviada *hula*.

hule s.m. **1** Caucho o goma elástica: *la industria del hule.* **2** Cierto árbol americano del que se extrae este tipo de caucho. **3** Tela recubierta por una de sus caras con un material plástico o pintada con óleo y barnizada para hacerla flexible e impermeable: *Limpia el hule con un paño mojado.* ☐ ETIMOL. De origen incierto.

hulla s.f. Carbón mineral de color negro intenso y gran poder calorífico, que se utiliza como combustible y para la obtención de gas ciudad y alquitrán: *La hulla tiene más poder calorífico que el lignito.* ☐ ETIMOL. Del francés *houille*.

hullero, ra adj. De la hulla, o que contiene esta variedad del carbón: *yacimientos hulleros.*

humanidad ▌s.f. **1** Conjunto de todos los seres humanos. **2** Sensibilidad, compasión o comprensión hacia los demás: *No tienes humanidad si eres capaz de tratar tan cruelmente a un niño.* ☐ SINÓN. *humanitarismo.* **3** *col.* Corpulencia o gordura: *Tropezó y dio con su humanidad en el suelo.* ▌pl. **4** Conjunto de disciplinas que giran en torno al ser humano y que no tienen aplicación práctica inmediata: *La literatura, la historia y la filosofía son parte de las humanidades.* ☐ SINÓN. *letras.* **5** ‖ **oler a humanidad;** *col.* Referido a un recinto cerrado, oler de forma desagradable por la escasa ventilación y la presencia de gente. ☐ ETIMOL. Del latín *humanitas*.

humanismo s.m. **1** Movimiento cultural que se desarrolló en Europa entre los siglos XIV y XVI y que se caracterizó por su consideración del ser humano como centro de todas las cosas y por su defensa de un ideal de formación integral apoyada en el conocimiento de los modelos grecolatinos: *El humanismo actuó como impulsor del Renacimiento.* **2** Formación intelectual obtenida a partir del estudio de las humanidades y que potencia el desarrollo de las cualidades esenciales del ser humano: *Una parte de nuestra sociedad lucha por la vuelta al humanismo.*

humanista ▌adj.inv. **1** Del humanismo o con características de este movimiento cultural: *La pedagogía humanista propugna el estudio de las ciencias humanas.* ▌adj.inv./s.com. **2** Que se dedica al estudio de las humanidades. ☐ ETIMOL. Quizá del italiano *umanista*.

humanístico, ca adj. Del humanismo o de las disciplinas que giran en torno al ser humano: *Tiene una buena formación humanística y conoce a los escritores clásicos griegos y latinos.*

humanitario, ria adj. **1** Que busca el bien de todos los seres humanos: *una organización humanitaria.* **2** Bondadoso y caritativo. **3** Que trata de aliviar los efectos que causa la guerra en las personas que las padecen. ☐ ETIMOL. Del francés *humanitaire*. ☐ SEM. Dist. de *humano* (del hombre o de la mujer).

humanitarismo s.m. Sensibilidad, compasión o comprensión hacia los demás: *La solidaridad con los más necesitados es una cuestión de humanitarismo.* ☐ SINÓN. *humanidad.*

humanización s.f. Adquisición de un carácter más humano, más agradable, menos cruel o menos duro: *la humanización del trabajo.*

humanizar v. Hacer más humano, más agradable, menos cruel o menos duro: *Un poco más de educación humanizaría la vida en las ciudades. Era muy inflexible, pero con la edad se ha humanizado.* ☐ ORTOGR. La *z* se cambia en *c* delante de *e* →CAZAR.

humano, na ▌adj. **1** De las personas o con las características que se consideran propias de ellas: *Llorar es muy humano.* **2** Que posee o manifiesta buenos sentimientos, o que se muestra solidario y comprensivo con los demás: *Es muy humano y ayuda a los demás siempre que puede.* ▌s.m. **3** Individuo perteneciente al conjunto de las personas. ☐ ETIMOL. Del latín *humanus* (relativo al hombre, humano). ☐ SEM. Dist. de *humanitario* (altruista, filantrópico).

humanoide adj.inv./s.com. Que tiene forma o rasgos del ser humano: *En la película unos humanoides invadían la Tierra.*

humarada s.f. →**humareda.**

humareda s.f. Abundancia de humo: *El tubo de escape del coche desprendía una humareda horrible.* ☐ SINÓN. *humarada.*

humazo s.m. Humo muy espeso y muy abundante.

humeante adj.inv. Que echa humo.

humear v. **1** Desprender humo o vapor: *La sopa debe de quemar, porque humea mucho.* **2** Referido a algo pasado, estar vivo o no haberse olvidado del todo: *Su vieja enemistad todavía humea, y discuten por el menor motivo.*

humectación s.f. Acción por la que algo se pone húmedo o se moja ligeramente: *En el curso de ortofonía, estamos estudiando la importancia de las funciones de filtración, calefacción y humectación de la respiración nasal.* ☐ ETIMOL. Del latín *humectatio*.

humectador s.m. Aparato que contiene agua y que, al hacer que esta se evapore, sirve para mantener húmedo el ambiente. ☐ SINÓN. *humidificador.*

humectante adj.inv. Que humedece: *un producto humectante para las lentillas.*

humedad s.f. **1** Presencia de agua o de otro líquido en un cuerpo o en el aire. **2** Agua que impregna un cuerpo o está mezclada en el aire: *manchas de humedad.* **3** En meteorología, cantidad de vapor de agua de la atmósfera. ☐ ETIMOL. Del latín *umiditas.*

humedal s.m. Zona de marismas, pantanos o turberas, con agua salobre o salada, que fluye o no, y que incluye aguas marinas de poca profundidad. ☐ ORTOGR. Dist. de *humeral.*

humedecer v. Poner húmedo o mojar ligeramente: *Para planchar las sábanas es conveniente humedecerlas.* ☐ ETIMOL. De *húmedo.* ☐ MORF. Irreg. →PARECER.

húmedo, da adj. **1** Del agua o con características propias de ella: *Toqué una rana y noté una sensación húmeda.* **2** Que está ligeramente mojado: *No te pongas la falda, porque aún está húmeda.* **3** Referido esp. a la atmósfera o al ambiente, que están cargados de vapor de agua. **4** Referido a un lugar o a un clima, con abundantes lluvias y con un alto grado de humedad en el aire. **5** || **la húmeda;** *col.* La lengua: *No le des tanto a la húmeda y ponte a trabajar.* ☐ ETIMOL. Del latín *humidus.*

humeral ▌ adj.inv. **1** Del húmero o relacionado con este hueso: *la arteria humeral.* ▌ s.m. **2** Paño que el sacerdote se pone sobre los hombros y con cuyos extremos se cubre las manos para coger la custodia o el copón. ☐ SINÓN. *cendal.* ☐ ORTOGR. Dist. de *humedal.*

húmero s.m. Hueso largo que está entre el hombro y el codo: *Se rompió el húmero y le han escayolado todo el brazo.* ☐ ETIMOL. Del latín *umerus* (hombro).

humidificador, -a ▌ adj./s. **1** Que humidifica. ▌ s.m. **2** Aparato que contiene agua y que, al hacer que esta se evapore, sirve para mantener húmedo el ambiente. ☐ SINÓN. *humectador.*

humidificar v. Referido a un ambiente, aumentar su grado de humedad: *Estos helechos crecen bien en casa porque humidifico el ambiente.* ☐ ORTOGR. La *c* se cambia en *qu* delante de *e* →SACAR.

humildad s.f. **1** Actitud derivada del conocimiento de las propias limitaciones y que lleva a obrar sin orgullo: *La humildad permite reconocer los propios errores.* **2** Condición baja o inferioridad de algo, esp. de la clase social: *Llegó a lo más alto y nunca se avergonzó de la humildad de su cuna.* ☐ ETIMOL. Del latín *humilitas.*

humilde adj.inv. **1** Que tiene humildad: *Es una persona humilde y nada orgullosa.* **2** Que no pertenece a la nobleza: *Los condes no querían emparentar con una persona humilde.* ☐ ETIMOL. Del latín *humilis.*

humillación s.f. Hecho por el cual se pierde la dignidad o el orgullo: *Sus enemigos lo sometieron a graves humillaciones.*

humilladero s.m. Lugar que suele haber a la entrada de los pueblos o en los caminos, y que generalmente está marcado por una cruz sobre un pedestal: *Los humilladeros son lugares devotos.*

humillante adj.inv. Que humilla: *Es humillante que no se respeten tus derechos.*

humillar ▌ v. **1** Referido a una persona, hacerle perder el orgullo o la dignidad: *Lo humilló delante de todos señalando su error en público.* **2** Referido a una parte del cuerpo, inclinarla en señal de acatamiento o de sumisión: *Humilló la cabeza ante el rey.* **3** En tauromaquia, referido a un toro, bajar la cabeza como precaución defensiva: *Cuando el toro humilló, el torero entró a matar.* ▌ prnl. **4** Hacer un acto de humildad, esp. si este se considera excesivo: *No entiendo que te humilles por ese cretino.* ☐ ETIMOL. Del latín *humiliare.*

humita s.f. Comida preparada con granos de maíz triturados y otros ingredientes, que se envuelve en hojas y se cocina al vapor: *Cuando estuvimos en Perú comimos una humita muy rica.*

hummus (ár.) s.m. Comida árabe elaborada con puré de garbanzos, zumo de limón, pasta de semillas de sésamo y aceite de oliva. ☐ PRON. [úmus].

humo ▌ s.m. **1** Producto gaseoso que se desprende de la combustión incompleta de una materia: *El humo se compone sobre todo de vapor de agua y de pequeñas partículas de carbón.* **2** Vapor que desprende un líquido al hervir o un cuerpo en una reacción química: *El agua está hirviendo y echa humo.* ▌ pl. **3** Orgullo, vanidad o presunción: *No va a soportar ese desprecio porque tiene muchos humos.* **4** || **bajar los humos** a alguien; *col.* Refrenar su orgullo. || **echar** alguien **humo;** *col.* Estar muy enfadado: *Desde que lo despidieron está que echa humo.* || **hacerse humo;** *col.* Desaparecer. || **irse todo en humo;** desvanecerse lo que encerraba grandes esperanzas. || **subírsele los humos** a alguien; *col.* Envanecerse o enorgullecerse. ☐ ETIMOL. Del latín *fumus.*

humor s.m. **1** Estado de ánimo, esp. si se manifiesta ante los demás: *Su humor es muy variable y tan pronto lo ves contento como triste.* **2** Buena disposición de una persona para hacer algo: *No estoy de humor para aguantar tonterías.* **3** Capacidad para ver o para mostrar las cosas desde un punto de vista gracioso o ridículo: *No le gastes bromas porque no tiene sentido del humor.* **4** Expresión o estilo que manifiesta lo cómico o lo divertido de las cosas: *Tómate la vida con más humor.* ☐ SINÓN. *humorismo.* **5** Antiguamente, cualquiera de los líquidos del cuerpo de las personas o de los animales: *La palidez se decía que la causaban los malos humores.* **6** || **buen humor;** inclinación a mostrar un carácter alegre y complaciente. || **humor {ácueo/acuoso};** en el globo del ojo, líquido incoloro y transparente que se halla delante del cristalino. || **humor blanco;** el que no resulta ofensivo para nadie. || **humor de perros;** inclinación a mostrar un carácter desagradable e irritable. || **humor negro;** capacidad para descubrir aspectos graciosos en lo que de por sí es triste o trágico. || **humor vítreo;** en el globo del ojo, sustancia de aspecto gelatinoso que se encuentra detrás del cristalino. || **mal humor; →malhumor.** ☐ ETIMOL. Del latín *humor* (líquido).

humorada s.f. Véase **humorado, da.**

humorado, da s.f. **1** Hecho o dicho chistoso o extravagante con el que alguien pretende hacer reír. **2** || **bien humorado;** referido a una persona, que tiene buen humor. || **mal humorado; →malhumorado.**

humoral adj.inv. De los humores o relacionado con estos líquidos: *Los anticuerpos forman parte fundamental de la inmunidad humoral.*

humorismo s.m. **1** Expresión o estilo que manifiesta lo cómico o lo divertido de las cosas: *Me divierten las novelas con humorismo.* ☐ SINÓN. *humor.* **2** Actividad profesional enfocada hacia la diversión del público: *La gente que se dedica al humorismo suele tener una gran capacidad de imitación.*

humorista s.com. Persona que se dedica profesionalmente a divertir o a hacer reír al público: *Este humorista es muy bueno imitando a personajes famosos.* ☐ SINÓN. *cómico.* ☐ USO Es innecesario el uso del anglicismo *gagman.*

humorístico, ca adj. **1** Del humor o relacionado con este estilo o esta forma de expresión: *Tengo una antología humorística española.* **2** Que expresa o contiene humor: *Las caricaturas son dibujos humorísticos.*

humus (pl. *humus*) s.m. Materia orgánica formada por restos descompuestos de vegetales y de animales, que ocupa la capa superior del suelo y se utiliza como abono: *El humus de este bosque es rico en minerales.* ☐ SINÓN. *mantillo.* ☐ ETIMOL. Del latín *humus* (tierra). ☐ USO Su uso es característico del lenguaje científico.

hundimiento s.m. **1** Introducción de algo en un líquido o en otra materia hasta que quede cubierto o hasta que llegue al fondo: *el hundimiento de un barco.* **2** Agobio o pérdida del ánimo o de la fuerza física: *Tanta presión en el trabajo está provocando mi hundimiento.* **3** Derrota o fracaso: *el hundimiento de un negocio.* **4** Destrucción o derrumbamiento de una construcción: *el hundimiento de un edificio.* **5** Deformación de una superficie hacia dentro: *El choque contra el árbol produjo el hundimiento de la parte delantera del coche.*

hundir v. **1** Referido esp. a un cuerpo, meterlo en un líquido o en otra cosa hasta que quede cubierto o llegue al fondo: *Hundió el puñal en su pecho. Las ruedas del carro se hundieron en el barro.* **2** Agobiar, abrumar o hacer perder el ánimo o la fuerza física: *No dejes que los problemas te hundan.* **3** Derrotar o vencer, esp. si es con razones: *Me hunde la moral que nadie me publique lo que escribo.* **4** Referido a una construcción, destruirla o derrumbarla: *La riada hundió el puente. El edificio se hundió porque no tenía cimientos profundos.* **5** Hacer fracasar o arruinarse: *La crisis económica hundió su negocio. La empresa se hundió cuando dimitió el director.* **6** Referido esp. a una superficie, deformarla desde fuera hacia adentro: *Has hundido el capó del coche por subirte encima.* ☐ ETIMOL. Del latín *fundere* (derramar, fundir).

húngaro, ra ▮ adj./s. **1** De Hungría o relacionado con este país europeo. ▮ s.m. **2** Lengua de este país y otras regiones: *El húngaro se escribe con el alfabeto latino más unos cuantos signos especiales.* ☐ SINÓN. *magiar.*

huno, na adj./s. De un antiguo pueblo nómada de origen asiático: *Los hunos lucharon contra los romanos en el siglo* V. ☐ ORTOGR. Dist. de *uno.*

hura s.f. Cueva o agujero pequeños y estrechos, en los que viven algunos animales: *Hemos llenado de agua las huras del jardín y han salido todos los grillos.* ☐ ETIMOL. Del latín *forare* (agujerear).

huracán s.m. **1** Viento muy fuerte que gira en grandes círculos como un torbellino: *El huracán arrasó muchas casas.* ☐ SINÓN. *ciclón.* **2** Viento extraordinariamente fuerte: *Antes de la tormenta hubo un huracán que tiró dos árboles.*

huracanado, da adj. Con la fuerza o con las características propias de un huracán: *Un viento huracanado derribó varios árboles.*

huracanarse v.prnl. Referido al viento, hacerse violento hasta convertirse en huracán: *Cerrad bien puertas y ventanas, porque el viento se ha huracanado.*

huraño, ña adj./s. Que huye y se esconde de la gente o evita su trato: *No habla con sus compañeros porque es muy huraño.* ☐ ETIMOL. Del latín *foraneus* (forastero), por influencia de *hurón* (animal muy arisco).

hurgador, -a ▮ adj. **1** Que hurga. ▮ s.m. **2** Utensilio que se utiliza para remover y avivar la lumbre. ☐ SINÓN. *hurgón.*

hurgar v. **1** Tocar repetidamente o remover con los dedos o con un utensilio: *Deja de hurgar en la herida, que se te va a infectar. Es de mala educación hurgarse en la nariz.* **2** Revolver entre varias cosas: *Hurgué dentro del bolso hasta encontrar las llaves.* **3** Curiosear y fisgar en los asuntos de los demás: *Ese cotilla se pasa el día hurgando en la vida de sus vecinos.* ☐ ETIMOL. Quizá del latín *furicare.* ☐ ORTOGR. La *g* se cambia en *gu* delante de *e* →PAGAR.

hurgón s.m. Utensilio que se utiliza para remover y avivar la lumbre: *El hurgón estaba tan caliente que me quemé al cogerlo.* ☐ SINÓN. *hurgador.*

hurí (pl. *huríes, hurís*) s.f. En el Corán (libro fundamental del islamismo), mujer de gran belleza que habita en el paraíso: *Para un musulmán, morir en la guerra santa supone vivir eternamente con hermosas huríes.* ☐ ETIMOL. Del persa *huri*, y este del árabe *hawra* (la de ojos muy hermosos).

hurón, -a ▮ s. **1** Mamífero carnicero de pequeño tamaño, con el cuerpo alargado y flexible y las patas cortas, que despide un olor desagradable y que se emplea para cazar conejos. ▮ s.m. **2** *col.* Persona muy hábil en descubrir lo escondido y lo secreto: *Esa chica es un hurón, y solo piensa en descubrir los pequeños secretos de sus amigos.* **3** *col.* Persona huraña que huye del trato y de la conversación con los demás: *En el trabajo no habla con nadie porque es un hurón.* □ ETIMOL. Del latín *furo*, y este de *fur* (ladrón), porque el hurón roba los conejos.

huronear v. **1** Cazar con hurón: *Está prohibido huronear en la caza de conejos.* **2** *col.* Intentar saber o descubrir con habilidad todo lo que pasa: *Es un cotilla y le gusta huronear en la vida de los demás.*

huroneo s.m. *col.* Intento de saber y de descubrir todo lo que pasa: *Estoy harto de tanto huroneo y de tanto cotilleo sin sentido.*

huronera s.f. Véase **huronero, ra**.

huronero, ra ▮ s. **1** Persona que se dedica al cuidado de los hurones: *El huronero adiestró a un grupo de hurones.* ▮ s.f. **2** Madriguera o jaula del hurón: *El cazador furtivo escondió la huronera cuando vio llegar al guarda.* **3** *col.* Lugar en el que se esconde una persona: *La huronera del ladrón estaba en las afueras de la ciudad.*

huroniano, na adj. En geología, del movimiento orogénico producido durante los períodos precámbricos: *El movimiento huroniano es característico de terrenos canadienses.* □ ETIMOL. De *Hurón*, lago de Canadá.

hurra interj. Expresión que se usa para indicar alegría y satisfacción: *¡Hurra, nos vamos al campo!* □ ETIMOL. Del inglés *hurrah*.

hurraca s.f. →**urraca.**

hurtadillas ‖ **a hurtadillas;** referido a la forma de hacer algo, a escondidas y sin que nadie se entere: *Me pescó fumando a hurtadillas en el cuarto de baño.*

hurtar v. **1** Referido a bienes ajenos, tomarlos o retenerlos en contra de la voluntad de su dueño y sin violencia ni fuerza: *Le hurtaron el monedero en el autobús.* **2** Apartar, esconder o desviar de lo que se considera molesto o peligroso: *Hurtó su cuerpo de las miradas de la gente. Se hurtó tras una cortina para no ser visto.* **3** Referido al mar o a un río, llevarse tierras: *El río va hurtando poco a poco el terreno de sus orillas.*

hurto s.m. **1** Apropiación de objetos sin usar la violencia ni la fuerza: *El hurto puede ser una falta o un delito, según el valor de lo sustraído.* **2** Lo que ha sido sustraído sin el uso de la violencia o de la fuerza: *Todos los hurtos los escondía en su casa.* □ ETIMOL. Del latín *furtum* (robo). □ SEM. Dist. de *robo* (violencia o fuerza por parte del que roba).

húsar s.m. Antiguo soldado de caballería ligera de origen húngaro: *El uniforme de los húsares era muy vistoso.* □ ETIMOL. Del francés *housard*.

husky s.m. **1** Prenda de vestir parecida a un anorak y que está acolchada en forma de rombos: *Al principio el husky era solo de color verde y luego se hicieron de otros colores.* **2** ‖ **husky (siberiano);** perro de una raza que se caracteriza por tener las orejas en punta, los ojos pardos o azules y el pelaje suave y muy espeso, generalmente de color blanco y gris: *Un husky siberiano es un perro que soporta muy bien el frío.* □ ETIMOL. La acepción 1 es extensión del nombre de una marca comercial. □ PRON. [háski], con *h* aspirada. □ MORF. En la acepción 2 es epiceno: *el husky siberiano {macho/hembra}.*

husmear v. **1** Rastrear o buscar con el olfato: *El perro husmeaba dentro del cubo de basura.* **2** *col.* Referido a una persona, indagar o investigar con disimulo y con maña: *Le gusta husmear la vida de los demás.* □ ETIMOL. Del griego *osmáomai* (yo huelo, husmeo).

husmeo s.m. **1** Rastreo o búsqueda con el olfato: *Este perro es muy bueno en el husmeo de droga.* **2** Indagación o investigación hecha con disimulo y con maña: *Las revistas del corazón son especialistas en el husmeo de vidas ajenas.*

huso s.m. **1** Instrumento de forma redondeada y alargada, más estrecho en los extremos, que se utiliza en el hilado a mano para enrollar en él la hebra hilada. **2** En una máquina de hilar, pieza que lleva el carrete o bobina. **3** ‖ **huso esférico;** en geometría, parte de la superficie de una esfera que se encuentra entre dos semicírculos máximos: *El huso esférico es como la cáscara que corresponde al gajo de una naranja.* ‖ **huso horario;** cada una de las veinticuatro partes imaginarias e iguales en que se divide la superficie terrestre, y en las cuales rige la misma hora. □ ETIMOL. Del latín *fusus*. □ ORTOGR. Dist. de *uso* (del verbo *usar*).

hutu adj.inv./s.com. De un grupo étnico que habita en Ruanda y Burundi (países africanos) o relacionado con él: *Los hutus y los tutsis protagonizan una sangrienta guerra civil en Ruanda.*

huy interj. Expresión que se usa para indicar extrañeza, sorpresa, admiración o disgusto: *¡Huy, casi me caigo! ¡Huy, qué raro...!*

I i

i (pl. *íes*) s.f. **1** Novena letra del abecedario. **2** ‖ **i griega;** nombre de la letra 'y'. □ SINÓN. *ye.* ‖ **i (latina);** nombre de la letra 'i'. □ PRON. En la acepción 1, representa el sonido vocálico anterior o palatal y de abertura mínima.

i- →**in-.** □ ORTOGR. Es la forma que adopta el prefijo *in-* cuando se antepone a palabras que empiezan por *l* o *r*: *irreconocible, ilegal, ilógico, irreconciliable.*

-í **1** Sufijo que indica origen, procedencia o patria: *ceutí, somalí.* **2** Sufijo que indica relación o pertenencia: *alfonsí, nazarí.*

-ía **1** Sufijo que indica situación, estado, cualidad o condición: *cercanía, soltería, gallardía, picardía.* **2** Sufijo que indica cargo o dignidad: *abogacía, concejalía.* **3** Sufijo que indica lugar: *abadía, alcaldía.* **4** Sufijo que indica profesión: *fiscalía, clerecía.*

-iatra Elemento compositivo sufijo que significa 'médico especialista': *pediatra, psiquiatra.*

-iatría Elemento compositivo sufijo que significa 'especialidad médica': *geriatría, pediatría.*

iatrogenia s.f. Conjunto de daños o problemas causados por un médico a su paciente, ya sea por negligencia, por ignorancia o por mala fe.

iatrogénico, ca adj. Referido esp. a un daño en un enfermo, que está causado por su médico: *daños iatrogénicos.* □ ETIMOL. Del griego *iatrós* (médico) y *-geno* (que produce).

ibérico, ca ■ adj. **1** De la península Ibérica (territorio peninsular hispano-portugués) o relacionado con ella. **2** De la antigua Iberia (zona que se correspondía aproximadamente con el actual territorio peninsular hispano-portugués o con el litoral mediterráneo español), o relacionado con ella. □ SINÓN. *ibero, íbero.* ■ adj./s.m. **3** Referido esp. a un cerdo, que es de una raza que se caracteriza por la piel de color negro. **4** Referido a un producto, esp. un embutido, que procede de un cerdo de esta raza: *lomo ibérico; jamón ibérico.*

iberismo s.m. **1** Conjunto de estudios sobre la civilización íbera. **2** En lingüística, palabra, significado o construcción sintáctica del antiguo íbero empleados en otra lengua: *'Vega' es un iberismo.*

iberista adj.inv./s.com. Referido a una persona portuguesa, que es partidaria de la unión de España y Portugal.

ibero, ra (tb. *íbero, ra*) ■ adj./s. **1** De la antigua Iberia (zona que se correspondía aproximadamente con el actual territorio peninsular hispano-portugués o con el litoral mediterráneo español), o relacionado con ella: *Los íberos y los celtas habitaban la península Ibérica antes de la llegada de los romanos.* □ SINÓN. *ibérico.* ■ s.m. **2** Antigua lengua de esta zona: *El íbero es una lengua muerta.*

iberoamericano, na adj./s. **1** De Iberoamérica (conjunto de países americanos de habla española y portuguesa), o relacionado con ella: *La geografía iberoamericana abarca tierras polares y tropicales.* **2** De la colectividad formada por estos países junto con España y Portugal (países europeos), o relacionado con ella: *El presidente portugués y el argentino propusieron un tratado de cooperación iberoamericana.* □ SEM. Dist. de *hispanoamericano* (de los países americanos de habla española) y de *latinoamericano* (de los países americanos con lenguas de origen latino).

ibertext s.m. →**videotexto.**

ibex s.m. En economía, índice de la bolsa de Madrid formado por los valores más líquidos negociados en el mercado bursátil español: *El año pasado el ibex cayó y los beneficios de las sociedades y agencias de valores retrocedieron.* □ USO Se usa más como nombre propio.

íbice s.m. Cabra montés propia de la alta montaña europea: *Los cuernos del íbice son más nudosos que los de la cabra montés hispánica.* □ ETIMOL. Del latín *ibex.* □ MORF. Es un sustantivo epiceno: *el íbice {macho/hembra}.*

ibicenco, ca adj./s. De Ibiza (isla balear), o relacionado con ella.

ibídem adv. En una nota a pie de página, allí mismo o en el mismo lugar: *'Ibídem' se utiliza para remitir a una obra citada anteriormente.* □ ETIMOL. Del latín *ibidem.*

ibis (pl. *ibis*) s.m. Ave zancuda de pico largo, delgado y curvo, que vive en zonas pantanosas y que se alimenta principalmente de moluscos fluviales: *Los egipcios consideraban al ibis un ave sagrada.* □ ETIMOL. Del latín *ibis.* □ MORF. Es un sustantivo epiceno: *el ibis {macho/hembra}.*

ibo ■ adj.inv./s.com. **1** De un conjunto de pueblos indígenas que vive en el sudeste de Nigeria (país africano) o relacionado con él. ■ s.m. **2** Lengua de estos pueblos.

ibón s.m. Lago característico del paisaje pirenaico aragonés.

ibuprofeno s.m. Compuesto químico muy usado en medicamentos para combatir la inflamación y el dolor.

-ica Sufijo con valor despectivo: *llorica, acusica, quejica.*

icáreo, a adj. De Ícaro (personaje de la mitología griega que se escapó del laberinto de Creta utilizando unas alas hechas con cera) o relacionado con él: *La ambición icárea de llegar al Sol fue lo que hizo que fracasara su escapada.* □ SINÓN. *icario.*

icario, ria adj. →**icáreo.**

iceberg (pl. *icebergs*) s.m. Masa de hielo que se ha desprendido de un glaciar y que flota en el mar arrastrada por las corrientes: *Los icebergs son muy peligrosos para la navegación.* □ ETIMOL. Del inglés *iceberg.*

-icio, -icia Sufijo que indica relación: *catedralicio, alimenticia.* □ ETIMOL. Del latín *-itius.*

icnita s.f. Resto fósil de la huella de un animal.

-ico, -ica **1** Sufijo que indica menor tamaño: *librico, casica.* **2** Sufijo que indica relación: *alcohólico, periodística.* □ MORF. Puede adoptar las formas *-cico, -cica* (*cochecico, mujercica*), *-ecico, -ecica* (*solecico, florecica*) o *-cecico, -cecica* (*piececico*).

iconicidad s.f. Propiedad de los signos que guardan semejanza con aquello que representan.

icónico, ca adj. Del icono o relacionado con él.

icono (tb. *ícono*) s.m. **1** Imagen religiosa pintada al estilo bizantino. **2** Signo que tiene alguna relación de semejanza con lo que representa: *Algunas señales de tráfico, como la que indica una curva a la derecha, son iconos.* **3** En informática, símbolo que sirve para activar un enlace. □ ETIMOL. Del griego *eikón* (imagen). □ SEM. Dist. de *ídolo* (representación de un ser al que se rinde culto; lo amado y admirado).

iconoclasia s.f. Doctrina que rechaza el culto a las imágenes sagradas: *La iconoclasia se desarrolló sobre todo en el imperio bizantino.*

iconoclasta adj.inv./s.com. **1** Que rechaza el culto a las imágenes sagradas. **2** Que no respeta las normas o los valores admitidos por la tradición: *Es un iconoclasta y sus teorías han revolucionado la filosofía moderna.* □ ETIMOL. Del griego *eikón* (imagen) y *kláo* (yo rompo).

iconografía s.f. **1** En arte, estudio descriptivo de los temas, los signos y las imágenes de las artes figurativas: *La iconografía permite clasificar las obras pictóricas según el tema.* **2** En arte, colección de imágenes y otras representaciones figurativas: *La iconografía sobre la mitología clásica es muy variada.* □ ETIMOL. Del latín *iconographia*, y este del griego *eikón* (imagen) y *grápho* (yo dibujo, yo describo). □ SEM. Dist. de *iconología* (representación simbólica o figurativa).

iconográfico, ca adj. De la iconografía o relacionado con ella: *Las series iconográficas más importantes del arte occidental son la mitología clásica y la cristiana.*

iconolatría s.f. Adoración de las imágenes: *Algunas religiones condenan la iconolatría.* □ ETIMOL. Del griego *eikón* (imagen) y *-latría* (adoración). □ SEM. Dist. de *idolatría* (adoración de un ídolo o de una divinidad).

iconología s.f. **1** En arte, representación simbólica de temas morales o naturales por medio de figuras humanas: *En la iconología de algunos capiteles medievales la mujer representaba el mal.* **2** En arte, estudio del significado de las imágenes o de las formas teniendo en cuenta su valor simbólico o alegórico. □ ETIMOL. Del griego *eikonología*, de *eikón* (imagen) y *légo* (yo digo). □ SEM. Dist. de *iconografía* (descripción de las representaciones simbólicas o figurativas).

iconológico, ca adj. De la iconología o relacionado con ella: *Los estudios iconológicos explican qué simbolizan las figuras.*

iconostasio s.m. En una iglesia, mampara decorada con imágenes sagradas, que separa el presbiterio de la nave: *El iconostasio es propio de las iglesias orientales, por las exigencias del rito ortodoxo de ocultar al oficiante en la consagración.* □ SINÓN. *iconostasis.* □ ETIMOL. Del griego *eikón* (imagen) y *stásis* (acción de poner).

iconostasis (pl. *iconostasis*) s.m. →**iconostasio.**

icosaedro s.m. Cuerpo geométrico limitado por veinte polígonos o caras: *Todas las caras de un icosaedro regular son triángulos equiláteros.* □ ETIMOL. Del griego *éikosi* (veinte) y *hédra* (costado).

ictericia s.f. En medicina, coloración amarillenta de la piel y de las membranas mucosas, que suele ser síntoma de algunas enfermedades hepáticas: *La ictericia se debe a un aumento de los pigmentos biliares en la sangre.* □ ETIMOL. De *ictérico* (que padece ictericia), este del latín *ictericus*, y este del griego *íkteros* (ictericia).

ictiofagia s.f. En zoología, alimentación basada fundamentalmente en el consumo de peces: *La ictiofagia no aporta las vitaminas necesarias para el desarrollo de un ser humano.*

ictiófago, ga adj./s. Que se alimenta de peces: *El pelícano es un ave ictiófaga.* □ SINÓN. *piscívoro.* □ ETIMOL. Del griego *ikhtyophágos* (que se alimenta de peces).

ictiografía s.f. Parte de la zoología que se ocupa de la descripción de los peces: *Este libro de ictiografía describe los peces cartilaginosos.* □ ETIMOL. Del griego *ikhthýs* (pez, pescado) y *-grafía* (descripción).

ictiología s.f. Rama de la zoología que estudia los peces: *La ictiología estudia el comportamiento y la fisiología de los peces.* □ ETIMOL. Del griego *ikhthýs* (pez, pescado) y *-logía* (ciencia, estudio).

ictiológico, ca adj. De la ictiología o relacionado con esta rama de la zoología: *Se está realizando un análisis ictiológico del mar Mediterráneo.*

ictiólogo, ga s. Persona que se dedica a la ictiología o estudio de los peces, esp. si esta es su profesión: *Esta ictióloga hizo su tesis doctoral sobre los tiburones.*

ictiosauro s.m. Reptil fósil marino, de tamaño gigantesco, con cuerpo en forma de pez, cuatro aletas y cráneo prolongado en unas mandíbulas muy largas: *Los ictiosauros vivieron en la era secundaria.* □ ETIMOL. Del griego *ikhthýs* (pez, pescado) y *sâuros* (lagarto). □ MORF. Incorr. **ictiosaurio.*

ictus (pl. *ictus*) s.m. **1** Accidente vascular en el cerebro que da lugar a un cuadro de apoplejía. **2** Pronunciación destacada de una sílaba en la estructura métrica de un verso. □ ETIMOL. Del latín *ictus* (golpe).

I+D s.amb. Departamento de una empresa o de un organismo público dedicado a crear nuevos productos o a mejorar los ya existentes. □ ETIMOL. Es la sigla de *investigación y desarrollo.*

ida s.f. Véase **ido, da.**

-ida Sufijo que indica acción y efecto: *cogida, partida.*

-idad →**-dad.**

idea s.f. **1** Conocimiento abstracto de algo: *Convénceme con hechos y no con ideas.* **2** Imagen o representación que se forman en la mente: *Antiguamente, se tenía la idea errónea de que el mundo era plano y no redondo.* **3** Intención o propósito de hacer algo: *Mi idea es salir el sábado.* **4** Plan o esquema mental para la realización de algo: *No estoy de acuerdo con vuestra idea para la distribución del producto.* **5** Opinión o juicio formados sobre algo: *Tienes una idea equivocada de él.* **6** Creencia o convicción: *Defendió firmemente sus ideas, pero no fue entendido por sus coetáneos.* **7** || **hacerse a la idea de** algo; aceptarlo o resignarse a ello. || **idea de bombero;** la que resulta descabellada: *tener ideas de bombero.* || **mala idea;** intención de hacer daño: *Lo has hecho con mala idea y para fastidiar.* || **no tener (ni) idea;** *col.* No saber absolutamente nada. □ ETIMOL. Del griego *idéa* (forma, apariencia). □ MORF. En la acepción 6, se usa más en plural.

ideación s.f. Formación y enlace de las ideas en la mente: *La obra plasma gráficamente la ideación de su creadora.*

ideal ▮ adj.inv. **1** De las ideas o relacionado con ellas: *La existencia de los unicornios es solo ideal.* **2** Que es o que se considera perfecto: *unas vacaciones ideales.* ▮ s.m. **3** Prototipo o modelo de perfección: *El ideal de belleza ha ido cambiando a lo largo de la historia.* **4** Aquello a lo que se tiende o a lo que se aspira por considerarlo positivo para una persona o para la colectividad: *Mi ideal es irme a vivir al campo.*

idealismo s.m. **1** Disposición que se tiene para idealizar o mejorar la realidad al describirla o al representarla: *Tu visión del matrimonio es puro idealismo.* **2** Tendencia a actuar guiado más por ideales que por consideraciones prácticas. **3** Índole o naturaleza de los sistemas filosóficos que consideran la idea como principio del ser o del conocer.

idealista adj.inv./s.com. **1** Que tiende a idealizar la realidad o que actúa guiado más por ideales que por consideraciones prácticas: *De joven eras una idealista, pero los años y el poder te han cambiado.* **2** Partidario o seguidor de la doctrina filosófica del idealismo: *Los idealistas se basan en principios contrarios a los de los realistas.*

idealización s.f. Consideración o presentación de algo como mejor o más bello de lo que en realidad es: *La idealización es un proceso subjetivo.*

idealizar v. Referido a algo real, considerarlo o presentarlo mejor o más bello de lo que en realidad es: *Si idealizas a las personas, te decepcionarán.* □ ORTOGR. La *z* cambia en *c* delante de *e* →CAZAR.

idear v. **1** Referido a ideas, formarlas o darles forma en la mente: *Ideó su teoría y la plasmó en su mejor obra.* **2** Referido esp. a un proyecto, inventarlo, crearlo o trazarlo: *El mecanismo que ideó ha sido utilizado por la industria.*

ideario s.m. Repertorio de las principales ideas de un autor o de una colectividad referentes a uno o varios temas: *El pasado enero debatimos el ideario de nuestra asociación.*

ídem adv. **1** Lo mismo: *Si tú vas a la piscina yo ídem. En una nota a pie de página, 'ídem' se utiliza para evitar repetir el autor citado inmediatamente antes.* **2** || **ídem de {ídem/de lienzo};** *col.* Lo mismo que se ha dicho o hecho antes: *Sobre ese asunto pienso ídem de ídem que tú.* □ ETIMOL. Del latín *idem*.

idéntico, ca adj. Igual o muy parecido: *Nuestros vestidos eran idénticos. Es idéntico a su abuelo.* □ ETIMOL. De *ídem*.

identidad s.f. **1** Conjunto de características o de datos que permiten individualizar, identificar o distinguir algo: *Se desconoce la identidad del ladrón.* **2** Igualdad o alto grado de semejanza: *No existe identidad de criterios entre ellos.* **3** En matemáticas, igualdad que se cumple siempre, independientemente del valor que tomen sus variables: '$x^2 = x \cdot x$' *es una identidad.* □ ETIMOL. Del latín *identitas*, y este de *idem* (igual).

identificación s.f. **1** Consideración de dos o más cosas distintas como si fueran la misma: *No se debe hacer una identificación entre mendicidad y delincuencia.* **2** Reconocimiento de algo como lo que se supone o lo que se busca: *Ayer se produjo la identificación del arma homicida.* **3** Referido a una persona, hecho o circunstancia de darse a conocer, esp. con algún documento que lo acredite: *Procedí a mi identificación ante el guardia de seguridad.* **4** Documento de identidad: *El policía me pidió la identificación.*

identificador, -a adj./s. **1** Que identifica: *Necesito un documento identificador para entrar en la embajada.* **2** Contraseña que permite acceder a un buzón de voz o a una cuenta de correo de internet: *Mi identificador para poder leer los mensajes nuevos es 'tristram'.*

identificar ▮ v. **1** Referido a dos o más cosas distintas, hacer que parezcan idénticas o considerarlas como la misma: *Aunque identifiques el atractivo con la belleza, son cosas diferentes.* **2** Referido a algo supuesto o buscado, reconocer que es lo que se supone o lo que se busca: *Identificaron al asesino por sus huellas.* ▮ prnl. **3** Dar los datos personales necesarios para ser reconocido, esp. mediante algún documento que lo acredite: *Para que me permitieran entrar me identifiqué ante el portero.* **4** Estar de acuerdo o solidarizarse: *Me identifico plenamente con tu forma de ver la vida.* □ ETIMOL. De *idéntico.* □ ORTOGR. La *c* se cambia en *qu* delante de *e* →SACAR. □ SINT. Constr. de la acepción 4: *identificarse* CON *algo.*

identikit (ing.) s.m. En zonas del español meridional, retrato robot. □ PRON. [identikít].

identitario, ria adj. De la identidad o relacionado con este conjunto de características individuales: *Para establecer las normas de convivencia se tendrán en cuenta tanto aspectos comunitarios como identitarios.*

ideografía s.f. Representación de ideas, morfemas, palabras o frases por medio de ideogramas: *Me compré un libro sobre la ideografía egipcia.* □ ETI-

MOL. Del griego *idéa* (imagen ideal de un objeto) y *-grafía* (representación gráfica). ☐ PRON. Incorr. *[idiografía].

ideográfico, ca adj. De la ideografía, de los ideogramas o relacionado con ellos: *escritura ideográfica.* ☐ PRON. Incorr. *[idiográfico].

ideograma s.m. En algunos sistemas de escritura, símbolo que representa un morfema, una palabra o una frase: *La escritura china y la japonesa utilizan ideogramas.* ☐ ETIMOL. Del griego *idéa* (forma, apariencia) y *-grama* (escrito).

ideología s.f. Conjunto de ideas o valores que caracterizan una forma de pensar o que marca una línea de actuación: *Esta asociación es de ideología conservadora.* ☐ ETIMOL. Del griego *idéa* (forma, apariencia) y *-logía* (estudio).

ideológico, ca adj. De la ideología o relacionado con este conjunto de valores: *Me compré un libro sobre la ideografía egipcia.*

ideologización s.f. Implantación o influencia excesiva de una ideología: *La ideologización de los cabecillas radicalizó el conflicto.*

ideologizado, da adj. Que está impregnado de una determinada ideología: *una película ideologizada.*

ideologizar v. Dar determinada ideología o adquirirla: *En mi juventud me ideologicé demasiado.* ☐ ORTOGR. La *z* se cambia en *c* delante de *e* →CAZAR.

ideólogo, ga s. Persona que se dedica a la elaboración o a la difusión de una ideología: *Los ideólogos del partido se reunirán en el próximo congreso.*

id est (lat.) ‖ Es decir, o esto es: *La abreviatura de 'id est' en notas bibliográficas o en textos es 'i.e.'.*

idílico, ca adj. Agradable, hermoso y tranquilo: *un paisaje idílico.* ☐ SEM. Dist. de *idóneo* (oportuno, adecuado).

idilio s.m. Relación amorosa, esp. si es romántica y muy intensa: *Esta pareja vive un idilio permanente.* ☐ ETIMOL. Del latín *idyllium*, y este del griego *eidyllion* (obrita), que en el Renacimiento tomó el sentido de obra amorosa entre pastores.

idiolecto s.m. En lingüística, modo característico que cada hablante tiene de emplear su lengua: *Aunque nuestro idioma es común, cada uno tiene su propio idiolecto.* ☐ ETIMOL. Del griego *ídios* (propio, peculiar) y la terminación de *dialecto.* ☐ SEM. Dist. de *dialecto* (modalidad lingüística propia de una colectividad).

idioma s.m. Lengua de un pueblo o nación: *El idioma oficial de Francia es el francés.* ☐ ETIMOL. Del latín *idioma*, y este del griego *idíoma* (propiedad privada).

idiomático, ca adj. Que se considera propio y peculiar de un idioma determinado: *Lleva viviendo en España muchos años, pero sigue utilizando construcciones idiomáticas francesas.*

idiopático, ca adj. En medicina, que tiene una causa desconocida: *una cardiopatía idiopática.*

idiosincrasia s.f. Manera de ser propia y distintiva de un individuo o de una colectividad: *Se dice que la hospitalidad forma parte de la idiosincrasia de los pueblos mediterráneos.* ☐ ETIMOL. Del griego *idiosynkrasía*, y este de *ídios* (propio) y *sýnkrasis* (temperamento).

idiosincrásico, ca adj. De la idiosincrasia o relacionado con ella: *rasgos idiosincrásicos.*

idiota adj.inv./s.com. Que manifiesta ignorancia o poca inteligencia: *No hagas preguntas tan idiotas.* ☐ ETIMOL. Del griego *idiótes* (profano, ignorante). ☐ USO Se usa como insulto.

idiotez s.f. **1** Hecho o dicho propios de un idiota: *Es una idiotez comprarte un coche si no vas a utilizarlo.* **2** Anormalidad originada por un deficiente desarrollo de la capacidad intelectual que provoca un comportamiento psíquico correspondiente a una edad inferior a los tres años. ☐ SINÓN. *idiotismo.*

idiotipo s.m. **1** Conjunto de todos los factores hereditarios que se transmiten a través de estructuras citoplásmicas, como las mitocondrias. **2** Parte de un anticuerpo que varía según las características del invasor, y que puede actuar como antígeno: *La región del anticuerpo contra la gripe que es diferente de la del anticuerpo contra el virus de inmunodeficiencia humana es un idiotipo.* ☐ ETIMOL. Del griego *ídios* (propio, particular) y *tipo.*

idiotismo s.m. **1** Expresión propia de una lengua, pese a ser contraria a sus reglas gramaticales: *'A ojos vista' es un idiotismo del español, y significa 'claramente'.* ☐ SINÓN. *modismo.* **2** En medicina, anormalidad originada por un deficiente desarrollo de la capacidad intelectual que provoca un comportamiento psíquico correspondiente al de una edad inferior a los tres años. ☐ SINÓN. *idiotez.* **3** *col.* Ignorancia o poca inteligencia. ☐ ETIMOL. Del latín *idiotismus* (locución propia de una lengua), y este del griego *idiotismós* (habla del vulgo).

idiotizar v. Volver idiota o atontar: *Te estás idiotizando de ver la tele a todas horas.* ☐ ORTOGR. La *z* se cambia en *c* delante de *e* →CAZAR.

ido, da ▮ adj. **1** Referido a una persona, que tiene disminuidas sus facultades mentales o que está muy distraída: *El asunto de la boda os tiene completamente idos.* ▮ s.f. **2** Desplazamiento de un lugar a otro: *Vive lejos y pierde mucho tiempo entre idas y venidas.*

-ido 1 Sufijo que indica acción y efecto: *tendido, cosido.* **2** Sufijo que indica sonido: *mugido, zumbido, silbido.*

-ido, -ida Sufijo que indica cualidad: *florido, descolorida.*

idólatra adj.inv./s.com. Que adora o admira a un ídolo, como si fuera un dios: *Los primeros cristianos consideraban idólatras a los practicantes de la religión romana.* ☐ ETIMOL. Del griego *eidololátres*, y este de *éidolon* (imagen) y *latréuo* (yo sirvo).

idolatrar v. **1** Referido a un ídolo, rendirle culto o adorarlo: *Muchos pueblos antiguos idolatraban estatuillas de sus dioses.* **2** Amar o admirar con exceso: *Idolatra a su esposa y siente por ella auténtica adoración.*

idolatría s.f. **1** Adoración de la representación de una divinidad, esp. si se trata de una deidad considerada falsa: *Muchas sectas han sido acusadas de idolatría.* **2** Amor o admiración excesivos hacia algo: *Lo que esa chica siente por ti más que amor es idolatría.* □ SEM. Dist. de *iconolatría* (adoración de las imágenes).

idolátrico, ca adj. De la idolatría o relacionado con ella: *Es socióloga, y está realizando un estudio sobre ritos idolátricos.*

ídolo s.m. **1** Representación o imagen de una divinidad, a la que se rinde culto o adoración: *Esas grandes piedras con forma de cabeza eran los ídolos de la tribu.* **2** Lo que es amado o admirado con exceso: *Este actor es el ídolo de mi hermana.* □ ETIMOL. Del latín *idolum*, y este del griego *éidolon* (imagen). □ SEM. Dist. de *icono* (imagen religiosa; signo semejante a lo que representa).

idoneidad s.f. Reunión de las condiciones necesarias para determinada función: *Su idoneidad para el cargo ha quedado demostrada por su eficiencia.* □ ETIMOL. Del latín *idoneitas*.

idóneo, a adj. Oportuno y adecuado, o con las condiciones necesarias para algo: *Este valle es el lugar idóneo para acampar.* □ ETIMOL. Del latín *idoneus* (adecuado, apropiado). □ SEM. Dist. de *idílico* (hermoso, tranquilo).

idos s.m.pl. →**idus.**

idumeo, a adj./s. De la antigua Idumea (antigua región asiática), o relacionado con ella.

idus (tb. *idos*) s.m.pl. En el antiguo calendario romano y en el eclesiástico, día quince de los meses de marzo, mayo, julio y octubre, y día 13 del resto de los meses: *Los idus dividían el mes en dos partes aproximadamente iguales.* □ ETIMOL. Del latín *idus*.

-iego, -iega 1 Sufijo que indica origen, procedencia o patria: *griego.* **2** Sufijo que indica relación o pertenencia: *veraniego, palaciega.*

-iense 1 Sufijo que indica origen, procedencia o patria: *canadiense, ateniense.* **2** Sufijo que indica relación o pertenencia: *cisterciense.* □ ETIMOL. Del latín *-ensis*.

IES s.m. Centro estatal de enseñanza donde se siguen los estudios de enseñanza secundaria. □ SINÓN. *instituto.* □ ETIMOL. Es la sigla de *instituto de educación secundaria*.

-ificar Sufijo que indica conversión o cambio: *pacificar, dulcificar.*

iftar (ár.) s.m. Cena con la que los musulmanes ponen fin al ayuno que practican durante el ramadán.

iglesia s.f. **1** Comunidad formada por todos los cristianos que viven la fe de Jesucristo. **2** Cada una de las confesiones cristianas: *La iglesia ortodoxa sigue el rito griego.* **3** Conjunto de fieles cristianos de una época o de una zona geográfica determinadas: *la Iglesia española.* **4** Edificio destinado al culto cristiano. □ ETIMOL. Del latín *ecclesia*, y este del griego *ekklesía* (asamblea). □ USO En las acepciones 1 y 3, se usa más como nombre propio.

iglú (pl. *iglúes, iglús*) s.m. Vivienda de forma semiesférica propia de los esquimales, construida con bloques de hielo: *Los esquimales pasan el invierno en el iglú.* □ ETIMOL. De origen esquimal.

ignaro, ra adj. Que no tiene noticia de algo: *Es persona ignara en esa materia.* □ ETIMOL. Del latín *ignarus*. □ USO Su uso es característico del lenguaje culto.

ígneo, a adj. **1** De fuego o con sus características: *El volcán desprendía una masa ígnea.* **2** En geología, referido a una roca volcánica, que procede de la masa en fusión que hay en el interior de la Tierra: *El basalto es una roca ígnea.* □ ETIMOL. Del latín *igneus*, y este de *ignis* (fuego).

ignición s.f. Iniciación de la combustión de una sustancia: *En el motor de explosión, la chispa del encendido provoca la ignición de la mezcla de combustible.* □ ETIMOL. Del latín *ignire* (encender).

ignícola adj.inv./s.com. Que adora el fuego: *Muchos pueblos antiguos eran ignícolas.*

ignífero, ra adj. *poét.* Que arroja fuego o que lo contiene: *El dragón abrió su ignífera boca pero no logró asustar al valiente príncipe.* □ ETIMOL. Del latín *ignifer*, y este de *ignis* (fuego) y *ferre* (llevar).

ignífugo, ga adj. Referido esp. a una sustancia, que protege contra el fuego: *materiales ignífugos.* □ ETIMOL. Del latín *ignis* (fuego) y *-fugo* (que ahuyenta o hace desaparecer).

ignominia s.f. Situación o estado de quien ha perdido el respeto de los demás, generalmente por su conducta o por sus actos vergonzosos: *Cayó en la más absoluta ignominia al descubrirse su oscuro pasado.* □ ETIMOL. Del latín *ignominia* (mal nombre).

ignominioso, sa adj. Que produce ignominia o que hace perder el respeto de los demás: *Es ignominioso abandonar a los amigos en las dificultades.*

ignorancia s.f. **1** Falta general de instrucción o educación. **2** Desconocimiento de una materia o de un asunto: *No puedo asegurarte nada porque mi ignorancia en ese asunto es total.*

ignorante adj.inv./s.com. Que carece de instrucción o que desconoce una materia o un asunto: *Soy un absoluto ignorante en materia de economía.*

ignorar v. **1** Referido a un asunto, desconocerlo o no tener noticia de él: *Ignoro cuál es su nuevo trabajo.* **2** No hacer caso o no prestar atención: *Me ignoró durante toda la fiesta.* □ ETIMOL. Del latín *ignorare* (no saber).

ignoto, ta adj. Desconocido o sin descubrir: *un origen ignoto.* □ ETIMOL. Del latín *ignotus* (desconocido).

igual ▌adj.inv. **1** Referido a una cosa, que tiene la misma naturaleza, cantidad o cualidad que otra: *Si superpones dos figuras geométricas y coinciden exactamente son iguales.* **2** Muy parecido, semejante o con las mismas características: *Tu hija es igual que su padre.* **3** Proporcionado o que está en adecuada relación: *La empresa quebró porque las pérdidas no eran iguales a los beneficios, sino mayores.* ▌adj.inv./s.com. **4** Referido a una persona, que es de la misma clase social, de la misma condición o de la misma categoría que otra. ▮ s.m. **5** En matemáticas, signo gráfico formado por dos rayas horizontales paralelas y que se utiliza para indicar la equivalencia entre dos cantidades o dos funciones: *El signo = es un igual.* ▮ adv. **6** *col.* Quizá: *No lo sé todavía, pero igual me acerco a verte.* **7** ‖ **sin igual;** único o extraordinario. ☐ ETIMOL. Del latín *aequalis* (del mismo tamaño o edad). ☐ SINT. 1. En expresiones comparativas, es incorrecto el uso de **igual como*: *Es igual {*como > que} su hermano.* 2. En la lengua coloquial, se usa también como adverbio de modo: *Los dos se mueven igual.* ☐ USO La expresión *igual a* se usa para indicar una igualdad matemática: *Dos más tres igual a cinco.*

iguala s.f. **1** Contrato de un servicio, esp. si es sanitario, mediante una cantidad establecida y para un período de tiempo determinado. **2** Cantidad que se paga por este contrato: *Este año nos han subido la iguala.* **3** En construcción, listón de madera que se usa para comprobar la llanura de una superficie.

igualación s.f. **1** Consecución de la igualdad, la uniformidad o la semejanza entre varias cosas: *La igualación del resultado del partido dio al equipo su paso a la eliminatoria.* **2** Equiparación de algo con respecto a otra cosa.

igualada s.f. **1** En tauromaquia, referido al toro, postura que adopta con las cuatro extremidades perpendiculares y paralelas entre sí: *La igualada del toro permite al torero entrar a matar.* **2** *col.* En deporte, empate: *El equipo de casa consiguió la igualada en los últimos minutos.*

igualar v. **1** Referido a dos o más personas o cosas, hacerlas de la misma naturaleza, cantidad o cualidad: *Nos han igualado los sueldos y ahora todos cobramos lo mismo. En este país el burgués y el noble ya se han igualado.* **2** Referido a una superficie de tierra, ponerla llana o lisa: *Hay que igualar el camino antes de echarle alquitrán.*

igualatorio, ria adj. Que establece igualdad o tiende a crearla: *Por su carácter igualatorio, los uniformes son típicos de ciertas colectividades.* ☐ SEM. Dist. de *igualitario* (que contiene igualdad).

igualdad s.f. **1** Semejanza o correspondencia de una cosa con otra: *La igualdad de derechos es esencial en nuestra sociedad.* **2** En matemáticas, expresión de la relación de equivalencia entre dos cantidades o dos funciones: *La expresión matemática 'x - y = z' es una igualdad.*

igualitario, ria adj. Que contiene igualdad o tiende a ella, esp. referido a cuestiones sociales: *Los derechos y los deberes deben ser igualitarios.* ☐ SEM. Dist. de *igualatorio* (que establece igualdad o tiende a crearla).

igualitarismo s.m. Tendencia política que defiende la igualdad entre las personas que integran una sociedad: *El igualitarismo se opone a cualquier tipo de discriminación social.*

igualmente adv. También, además o por añadidura: *Haz la traducción y, después, estudia igualmente los verbos.* ☐ USO Se usa para corresponder a un deseo o a una felicitación: *-¡Que te diviertas! -Igualmente, gracias.*

iguana (tb. *higuana*) s.f. Reptil con el cuerpo cubierto de escamas, cuatro extremidades, una papada muy grande, párpados móviles y una cresta espinosa desde la cabeza hasta el final de la cola, que se alimenta de vegetales: *La iguana es un animal protegido.* ☐ ETIMOL. Del araucano de las Antillas. ☐ MORF. Es un sustantivo epiceno: *la iguana {macho / hembra}.*

iguánido ▮ adj./s.m. **1** Referido a un reptil, que tiene cuatro extremidades con cinco dedos, cuerpo comprimido y cubierto de escamas, párpados completos, mandíbula con dientes, lengua carnosa que no puede proyectarse mucho fuera de la boca, y que son principalmente herbívoros y arborícolas: *La iguana común es un iguánido.* ▮ s.m.pl. **2** En zoología, familia de estos reptiles: *Los iguánidos son los reptiles saurios americanos.* ☐ ETIMOL. De *iguana.*

iguanodonte s.m. Reptil herbívoro del grupo de los dinosaurios que existió en la era secundaria, tenía una larga cola, las extremidades con tres dedos y se erguía sobre las extremidades posteriores, mucho más largas que las delanteras: *El iguanodonte llegó a medir hasta doce metros de largo.* ☐ ETIMOL. De *iguana* y la terminación de *mastodonte.*

ijada s.f. **1** Cada uno de los dos espacios situados simétricamente entre las últimas costillas y los huesos de las caderas, esp. en un animal: *Este caballo tiene una herida en la ijada derecha.* **2** En un pez, parte anterior e inferior del cuerpo: *Hoy hemos comido ijadas de bonito.* ☐ ETIMOL. Del latín **iliata* (el bajo vientre).

ijar s.m. En una persona y en algunos mamíferos, ijada o cada uno de los dos espacios simétricos que quedan entre las últimas costillas y los huesos de las caderas: *En la zona de los ijares están situados los intestinos.* ☐ SINÓN. *vacío.* ☐ ETIMOL. Del latín *ilia* (bajo vientre).

-ijo Sufijo con valor despectivo: *revoltijo, amasijo.* ☐ ETIMOL. Del latín *-iculus.*

ijow adj.inv./s.com. De una de las etnias que habita Nigeria (país africano), o relacionado con ella. ☐ PRON. [íjou].

ikastola s.f. Escuela de carácter popular en la que las clases se imparten en euskera: *Mi sobrino está estudiando en una ikastola.* ☐ ETIMOL. Del euskera *ikastola.*

ikebana (jap.) s.m. Arte y técnica de colocar las flores de forma decorativa: *Algunos psicólogos recomiendan la práctica del ikebana como técnica de relajación.* ☐ PRON. [ikebána].

ikurriña s.f. Bandera oficial del País Vasco (comunidad autónoma): *La ikurriña tiene aspas verdes y blancas sobre fondo rojo.* ☐ ETIMOL. Del euskera *ikurriña.*

-il **1** Sufijo que indica relación: *mujeril, pastoril.* **2** Sufijo que indica menor tamaño: *tamboril.* ☐ ETIMOL. Del latín *-ilis.*

ilación s.f. **1** En un discurso, coherencia y relación entre las ideas o entre las distintas partes que lo componen: *El conferenciante no supo dar ilación a los temas que trató.* **2** En lógica, enlace entre una proposición consiguiente y las premisas que la han originado: *Este silogismo no es correcto porque no hay ilación entre las premisas y la conclusión.* ☐ ETIMOL. Del latín *illatio*.

ilativo, va adj. Que expresa ilación o consecuencia lógica, o que tiene relación con ella: *En la frase 'Pienso, luego existo', 'luego existo' es una expresión ilativa.* ☐ ETIMOL. Del latín *illativus*.

ilegal adj.inv. Que no es legal: *En este país han declarado ilegal el consumo de drogas.* ☐ ETIMOL. De *in-* (negación) y *legal*.

ilegalidad s.f. **1** Falta de legalidad: *Ten cuidado, porque tus negocios rayan la ilegalidad.* **2** Acción ilegal que es contraria a la ley o se aparta de ella: *Al falsificar los cheques han cometido una ilegalidad.*

ilegalización s.f. Declaración de algo como ilegal: *Mi partido ha propuesto la ilegalización de las escuchas telefónicas a altos cargos políticos.*

ilegalizar v. Declarar ilegal: *Si se ilegaliza un partido, su funcionamiento, público o clandestino, pasa a ser un delito.* ☐ ORTOGR. La *z* se cambia en *c* delante de *e* →CAZAR.

ilegibilidad s.f. Imposibilidad de ser leído: *No han dado por bueno este cheque a causa de la ilegibilidad de la firma.*

ilegible adj.inv. Que no puede leerse: *Tiene tan mala letra que sus cartas son ilegibles.* ☐ ORTOGR. Incorr. **ileíble*.

ilegislable adj.inv. Que no se puede legislar: *Los sentimientos de la persona son ilegislables.*

ilegitimar v. Privar de la legitimidad: *La juez consideró que el testamento era falso y lo ilegitimó.*

ilegitimidad s.f. Falta de legitimidad: *La ilegitimidad de estos documentos imposibilita cualquier trámite.*

ilegítimo, ma adj. Que no es legítimo: *una unión ilegítima.* ☐ ETIMOL. Del latín *illegitimus*.

íleo s.m. Enfermedad aguda que puede provocar un bloqueo intestinal. ☐ ETIMOL. Del latín *ileus*.

íleon s.m. Parte final del intestino delgado de los mamíferos, que termina donde comienza el intestino grueso: *El duodeno, el yeyuno y el íleon son las tres partes en que se divide el intestino delgado.* ☐ ETIMOL. Del griego *eileós*, y este de *eiléo* (yo retuerzo, yo enrollo).

ilerdense adj.inv./s.com. De Lérida o relacionado con esta provincia española o con su capital: *La agricultura es una importante actividad ilerdense.* ☐ SINÓN. *leridano*.

ileso, sa adj. Referido a una persona o a un animal, que no ha sufrido ninguna lesión: *Salió ileso del accidente.* ☐ ETIMOL. Del latín *ilaesus*.

iletrado, da adj./s. **1** Referido a una persona, que no sabe leer ni escribir: *En algunos países el número de personas iletradas es todavía muy elevado.* ☐ SINÓN. *analfabeto*. **2** Referido a una persona, que no tiene cultura: *Es necesario que las personas iletradas reciban una educación.* ☐ SINÓN. *analfabeto*. ☐ ETIMOL. De *in-* (negación) y *letrado*.

ilíaco, ca (tb. *iliaco, ca*) adj. **1** En medicina, del íleon o relacionado con esta parte del intestino delgado: *un tumor ilíaco.* **2** En medicina, del ilion o relacionado con este hueso. **3** →**iliense.**

ilícito, ta adj. Que no es lícito o no está permitido legal ni moralmente: *tenencia ilícita de armas.* ☐ ETIMOL. Del latín *illicitus*.

ilicitud s.f. Falta de licitud: *Han detenido a un banquero por la ilicitud de sus negocios.*

iliense adj.inv./s.com. Troyano: *Se dice que los griegos derrotaron a los ilienses metiendo un gran caballo de madera en Troya.* ☐ SINÓN. *iliaco, ilíaco.* ☐ ETIMOL. Del latín *iliensis*, y este de *Ilios*, fundador de la antigua ciudad asiática de Ilión o Troya.

ilimitado, da adj. Que no tiene límites: *No tengo prisa porque la fecha de entrega del trabajo es ilimitada.* ☐ ETIMOL. Del latín *illimitatus*.

ilion s.m. En anatomía, cada uno de los dos huesos que en los vertebrados forman la parte anterior de la pelvis y, en la especie humana, la parte superior: *En la radiografía de la cadera se veía una fractura del ilion.* ☐ ETIMOL. Del latín *ilum* (ijar). ☐ PRON. [ílion].

-illo, -illa Sufijo que indica menor tamaño: *cuadernillo, mesilla.* ☐ ETIMOL. Puede adoptar las formas *-cillo, -cilla* (*cochecillo, mujercilla*), *-ecillo, -ecilla* (*solecillo, florecilla*) o *-cecillo, -cecilla* (*piececillo*).

-ilo Sufijo que significa 'radical químico': *etilo, acetilo.*

ilocalizable adj.inv. Imposible de localizar: *Después de saltar a la luz pública aquella noticia, el empresario se encontraba ilocalizable.*

ilógico, ca adj. Que no tiene lógica: *Es ilógico que no te pongas un jersey cuando tienes frío.*

ilota s.com. En la antigua Esparta (ciudad griega), esclavo que era propiedad de la ciudad: *Los ilotas formaban las tropas ligeras de infantería.* ☐ ETIMOL. Del latín *Ilota*, y este del griego *Eilótes*.

iluminación s.f. **1** Proyección o dotación de luz: *De la iluminación de la sala me encargo yo.* **2** Cantidad de luz que hay en un lugar: *No se puede leer aquí porque hay una iluminación muy mala.*

iluminado, da adj./s. **1** Partidario o seguidor del movimiento religioso español del siglo XVI llamado *iluminismo*: *Muchos escritores de la época renacentista fueron considerados iluminados.* ☐ SINÓN. *alumbrado, iluminista.* **2** Referido a una persona, que pertenecía a una sociedad secreta fundada en el siglo XVIII que defendía un sistema moral contrario al establecido en cuanto a la religión, la propiedad y la familia: *Se cree que el escritor alemán Goethe era un poeta iluminado.* **3** Referido a una persona, que cree poseer un poder sobrenatural que le permite hacer algo que los demás no pueden: *Un terrorista iluminado quería salvar el mundo a fuerza de bombas.* ☐ MORF. En las acepciones 1 y 2, se usa más en plural.

iluminador, -a ▮ adj./s. **1** Que ilumina. ▮ s. **2** Persona que se dedica profesionalmente a la iluminación o a la disposición de luces, esp. para crear ambientes: *En cine y televisión son esenciales los iluminadores.* **3** Persona que ilumina o colorea las letras y los dibujos de un escrito: *Muchos monjes medievales fueron excelentes iluminadores de manuscritos.*

iluminar v. **1** Alumbrar, dar luz o bañar de resplandor: *El Sol ilumina la Tierra durante el día.* **2** Adornar con luces: *En época navideña, el Ayuntamiento ilumina las calles de la ciudad.* **3** Clarificar o explicar y facilitar la comprensión o el conocimiento: *Ese ejemplo ilumina muy bien tu teoría. De repente, se me iluminó la mente y lo entendí todo.* **4** Referido esp. a un libro, dar color a sus figuras o a sus letras: *Los monjes iluminaban los manuscritos.* **5** En zonas del español meridional, colorear: *Iluminaste tu dibujo con colores lindos.* **6** Subrayar, esp. si se hace con rotuladores fosforescentes: *Cuando estudio, ilumino con fosforito lo más importante.* □ ETIMOL. Del latín *illuminare*.

iluminaria s.f. →**luminaria.** □ MORF. Se usa más en plural.

iluminativo, va adj. Que ilumina o que es capaz de iluminar: *un ejemplo iluminativo.*

iluminismo s.m. **1** Movimiento religioso español del siglo XVI que defendía la posibilidad de llegar a un estado de total perfección mediante la oración, sin necesidad de practicar rito alguno: *El iluminismo fue condenado como herejía a mediados del siglo XVI.* **2** Creencia en la posesión de un poder sobrenatural: *El iluminismo de este dictador llevó a la guerra a todo un pueblo.*

iluminista adj.inv./s.com. →**iluminado.**

ilusión s.f. **1** Falsa representación de la realidad provocada en la mente por la imaginación o por una interpretación errónea de los datos que aportan los sentidos: *Los exploradores creyeron ver un oasis en el desierto, pero solo era una ilusión.* **2** Esperanza generalmente sin fundamento real. **3** Sentimiento de alegría y de satisfacción: *¡Qué ilusión volver a verte!* □ ETIMOL. Del latín *illusio* (engaño).

ilusionado, da adj. Optimista, esperanzado o con ilusiones.

ilusionar v. **1** Crear ilusiones o esperanzas, generalmente con poco fundamento real: *El nacimiento de su primer hijo los ilusionó mucho. Me ilusiona oírte hablar de proyectos.* **2** Crear satisfacción o alegría: *Tu regreso le ilusiona enormemente. Se ilusiona con cualquier cosa.*

ilusionismo s.m. Técnica de producir efectos ilusorios o aparentemente sobrenaturales mediante trucos: *Ese mago es una estrella del ilusionismo.*

ilusionista s.com. Persona que se dedica a la práctica del ilusionismo, esp. si esta es su profesión: *Una ilusionista hizo aparecer un conejo en una chistera.*

iluso, sa adj./s. **1** Que se deja engañar con facilidad: *Soy tan ilusa que me creo todas sus bromas.* **2** Que se ilusiona con cosas imposibles. □ ETIMOL. Del latín *illusus*, y este de *illudere* (burlar).

ilusorio, ria adj. Engañoso, irreal o que no tiene ningún valor: *¿Pero no te das cuenta de que tus esperanzas son ilusorias?*

ilustración s.f. **1** Decoración de un texto o de un impreso por medio de dibujos o láminas que generalmente sirven para aclararlos: *Este libro tiene una ilustración muy buena.* **2** Cada uno de estos dibujos o láminas: *Este libro lleva ilustraciones en blanco y negro.* **3** Esclarecimiento o aclaración de un tema: *La ilustración de esa teoría científica con ejemplos de la vida normal la hace más comprensible.* **4** Movimiento cultural europeo del siglo XVIII que defendía que la razón, la ciencia y la educación eran elementos esenciales para el progreso. □ USO En la acepción 4, se usa más como nombre propio.

ilustrado, da adj./s. De la Ilustración o relacionado con este movimiento cultural: *Los ilustrados decían que las leyes de la naturaleza debían ser descubiertas a través de la razón.*

ilustrador, -a ▮ adj./s. **1** Que ilustra. ▮ s. **2** Persona que se dedica profesionalmente a la ilustración de textos o de impresos: *Esa ilustradora de cuentos infantiles ha obtenido varios premios internacionales.*

ilustrar v. **1** Referido a un texto o a un impreso, adornarlo con dibujos o láminas, generalmente relacionados con él y que sirven para aclararlos: *Ilustró el trabajo con fotografías de periódicos.* **2** Referido a un tema, esclarecerlo dando información sobre él: *Ilustró su explicación con datos estadísticos.* **3** Referido a una persona, proporcionarle conocimientos o cultura: *En clase disfruta ilustrando a sus alumnos. Ha hecho un largo viaje al extranjero para ilustrarse.* □ ETIMOL. Del latín *illustrare*.

ilustrativo, va adj. Que ilustra: *Me gusta cómo explica esta profesora porque sus ejemplos son muy ilustrativos.*

ilustre adj.inv. **1** Que tiene un origen distinguido: *una familia ilustre.* **2** Célebre o famoso: *Leí un libro de una ilustre escritora.* **3** Tratamiento honorífico que corresponde a determinados cargos. □ ETIMOL. Del latín *illustris*.

ilustrísima s.f. Véase **ilustrísimo, ma.**

ilustrísimo, ma ▮ adj. **1** Tratamiento honorífico que corresponde a determinados cargos: *A la inauguración del curso asistió el ilustrísimo señor decano.* ▮ s.f. **2** Tratamiento honorífico que correspondía a los obispos: *Su Ilustrísima recibió a los canónigos de la diócesis.* □ USO La acepción 2 se usa más en la expresión *{Su/Vuestra} Ilustrísima.*

im- →**in-.** □ ORTOGR. Es la forma que adopta el prefijo *in-* cuando se antepone a palabras que empiezan por *b* o *p* (*imborrable, impensable*).

imagen s.f. **1** Figura o representación de algo, esp. si es de una divinidad o de un personaje sagrado: *En esta iglesia se venera una imagen de san Antonio.* **2** Apariencia, aspecto o consideración ante los demás: *La imagen de esa actriz se deterioró mucho después del escándalo.* **3** Recurso expresivo que consiste en reproducir o suscitar una intuición o visión poética por medio del lenguaje: *Las imágenes de los poetas surrealistas son muy expresivas.* **4** En física, reproducción de la figura de un objeto por la combinación de los rayos de luz: *En la retina del ojo se representan las imágenes de los objetos.* **5** || **ser la viva imagen de** alguien; *col.* Parecérsele mucho. ☐ ETIMOL. Del latín *imago* (representación, retrato).

imaginable adj.inv. Que se puede concebir, imaginar o comprender.

imaginación s.f. **1** Facultad de representar algo real o irreal en la mente: *Los juegos educativos fomentan la imaginación de los niños.* **2** Apreciación falsa de algo que no existe: *Nadie te odia, solo son imaginaciones tuyas.* **3** Facilidad para formar nuevas ideas o crear nuevos proyectos: *No tengo imaginación para inventar juegos.* ☐ MORF. En la acepción 2, se usa más en plural.

imaginar v. **1** Inventar o representar en la mente: *Imaginó la forma de salir de casa sin ser visto. Imagínate que nos toca la lotería.* **2** Sospechar o suponer, teniendo como base indicios o hechos reales: *Imagino que no irás al cine, con todo el trabajo que tienes. Me imaginé lo que pasaba al verte tan nervioso.* ☐ ETIMOL. Del latín *imaginari*.

imaginaria ▌s.m. **1** Soldado que vigila durante la noche en cada dormitorio de un cuartel: *El imaginaria ha sido sancionado por dormirse durante su turno de dos horas de servicio.* ▌s.f. **2** Guardia de reserva nombrada para sustituir en un servicio a otra que no puede desempeñarlo: *La guardia de imaginaria entrará de servicio con dos horas de anticipación.* **3** Servicio de vigilancia por turnos que se hace en los dormitorios de un cuartel durante la noche: *Esta noche he tenido que hacer un turno de imaginaria.*

imaginario, ria ▌adj. **1** Que solo existe en la imaginación. ▌s.m. **2** Conjunto de imágenes y estereotipos propios de un grupo social: *El imaginario social suele mantener los valores más tradicionales.*

imaginativa s.f. Véase **imaginativo, va**.

imaginativo, va ▌adj. **1** De la imaginación o relacionado con ella: *una persona imaginativa.* ▌s.f. **2** Capacidad o facultad de imaginar: *Los publicitarios suelen tener mucha imaginativa.*

imaginería s.f. **1** Arte y técnica de tallar o de pintar imágenes religiosas. **2** Conjunto de imágenes características de un autor o de una obra.

imaginero, ra s. Persona que se dedica profesionalmente a la talla o a la pintura de imágenes, esp. si son religiosas: *Muchos imagineros tallaban las imágenes en madera.*

imailear v. *col.* Comunicarse mediante correo electrónico: *Imaileo en un cibercafé que hay cerca de mi casa.* ☐ SINÓN. *emailear.*

imam (pl. *imanes*) s.m. →**imán.** ☐ ETIMOL. Del árabe *imam* (el que está delante, el que preside, jefe).

imán s.m. **1** Mineral u otra materia que tiene la propiedad de atraer determinados metales: *Los imanes atraen el hierro y el acero.* **2** En una persona, lo que atrae la voluntad o el interés de los demás: *Su simpatía es un imán para sus compañeros de oficina.* **3** En la religión musulmana, guía o jefe religioso, o persona que preside la oración pública: *El imán se coloca delante de los fieles para dirigir la oración.* ☐ ORTOGR. En la acepción 3, se admite también *imam*.

imanación s.f. →**imantación.**

imanar v. →**imantar.** ☐ ETIMOL. De *imán*.

imantación s.f. Comunicación de las propiedades del imán a un cuerpo: *Para conseguir la imantación de este alfiler, frótalo con el imán.* ☐ SINÓN. *imanación, magnetización.*

imantar v. Referido a un cuerpo, comunicarle las propiedades del imán: *Se han imantado la agujas del reloj y ahora no funciona bien.* ☐ SINÓN. *imanar, magnetizar.* ☐ ETIMOL. Del francés *aimanter*.

imbatibilidad s.f. Inexistencia de derrotas en un determinado período de tiempo: *Metieron un gol al portero y acabaron con su imbatibilidad en esta temporada.*

imbatible adj.inv. Que no puede ser batido, derrotado o superado: *Ese equipo es imbatible y probablemente ganará la liga.*

imbatido, da adj. Que no ha sido batido, derrotado o superado: *Su marca, imbatida el año pasado, ha sido superada este.*

imbebible adj.inv. Que no se puede beber: *Has hecho mal la horchata y está imbebible.*

imbécil adj.inv./s.com. *col.* Referido a una persona o a su comportamiento, que resultan simples, con poca inteligencia o con poco juicio: *Estoy imbécil hoy y no doy una a derechas.* ☐ ETIMOL. Del latín *imbecillis* (muy débil). ☐ USO Se usa como insulto.

imbecilidad s.f. **1** Falta o escasez de inteligencia o de juicio: *¡Qué imbecilidad la tuya si has rechazado esa oferta!* **2** Hecho o dicho propios de un imbécil: *Ha sido una imbecilidad enfadarte por eso.*

imberbe adj.inv./s.m. Que todavía no tiene barba o que tiene poca, esp. referido a un joven: *Es un muchacho imberbe de unos catorce años.* ☐ ETIMOL. Del latín *imberbis.* ☐ SEM. Dist. de *barbilampiño* (varón adulto sin barba o con poca).

imbornal s.m. En una terraza o en una calle, agujero por el que se da salida al agua de lluvia o de riego: *Los imbornales de los bordillos de las aceras conducen el agua hacia las alcantarillas.* ☐ ETIMOL. Del catalán *embornal*, y este del griego *ombrinà trémata* (agujeros para la lluvia).

imborrable adj.inv. Que no se puede borrar: *Tengo recuerdos imborrables de cuando vivía en el extranjero.* ☐ ETIMOL. De *in-* (negación) y *borrar*.

imbricación s.f. Superposición parcial de unas piezas sobre otras: *Para que no haya goteras, la imbricación de las tejas debe estar bien hecha.*

imbricado, da adj. **1** Referido a escamas, a hojas o a semillas, que están sobrepuestas parcialmente unas sobre otras: *Las escamas imbricadas de los peces parecen las tejas de los tejados.* **2** Referido a una concha, que tiene la superficie ondulada: *Los* *berberechos tienen la concha imbricada.* □ ETIMOL. Del latín *imbricatus* (dispuesto a manera de tejas).

imbricar v. Referido a un conjunto de cosas iguales, superponerlas parcialmente de forma semejante a las escamas de los peces: *Imbricó las cartas de la baraja para hacernos un truco de magia.* □ ORTOGR. La *c* se cambia en *qu* delante de *e* →SACAR.

imbuir v. Referido a una idea o a un sentimiento, inculcarlos o infundirlos: *No sé quién ha podido imbuirte tantas tonterías. Se imbuyó de las nuevas tendencias artísticas.* □ ETIMOL. Del latín *imbuere* (inculcar). □ MORF. Irreg. →HUIR. □ SINT. Constr. como pronominal: *imbuirse* DE *algo.*

imitable adj.inv. Que se puede imitar o es digno de ser imitado: *Ese comportamiento heroico es imitable.* □ ETIMOL. Del latín *imitabilis.*

imitación s.f. **1** Representación o realización de algo a semejanza de un modelo: *Esa humorista hace muy buenas imitaciones de cantantes famosas.* **2** Lo que guarda gran parecido o semejanza con otra cosa: *Mi pañuelo es una imitación de una marca conocida.* □ SINT. Constr. *imitación* DE *algo*; incorr. *imitación {*a > de} algo.*

imitador, -a adj./s. Que imita: *Saltó a la fama por ser uno de los mejores imitadores de voces de personajes populares.*

imitamonas (pl. *imitamonas*) adj.inv./s.com. →**imitamonos.** □ USO Tiene un matiz despectivo.

imitamonos (pl. *imitamonos*) adj.inv./s.com. Referido a una persona, que imita a otra en todo lo que hace o dice: *No seas tan imitamonos y deja de copiar mis gestos.* □ SINÓN. *imitamonas.* □ USO Tiene un matiz despectivo.

imitar v. **1** Referido a una acción, realizarla a semejanza de un modelo: *El cómico imitó la forma de hablar de un político famoso.* **2** Referido a algo inanimado, parecerse en el aspecto: *El tapizado de estas sillas imita al cuero.* □ ETIMOL. Del latín *imitari* (reproducir, representar).

imitativo, va adj. De la imitación o relacionado con ella: *capacidad imitativa.* □ ETIMOL. Del latín *imitativus.*

impaciencia s.f. Falta de paciencia o intranquilidad producidas por algo que molesta o que no acaba de llegar: *Siento una gran impaciencia por saber la nota de este examen.* □ ETIMOL. Del latín *impatientia.*

impacientar ▮ v. **1** Causar intranquilidad o nerviosismo: *Me impacienta su tardanza, porque siempre es puntual.* ▮ prnl. **2** Perder la paciencia: *No te impacientes, que ya voy.*

impaciente ▮ adj.inv. **1** Referido a una persona, que está intranquila por el desconocimiento de algo que no acaba de llegar: *Está impaciente por conocerte.* ▮ adj.inv./s.com. **2** Referido a una persona, que no tiene paciencia.

impactante adj.inv. Que impacta: *Las imágenes de aquel accidente de coche eran impactantes.*

impactar v. **1** Referido a un objeto, chocar violentamente contra otro: *La bala impactó en el muro de la finca.* **2** Referido a un acontecimiento, causar una gran impresión o un gran desconcierto: *La llegada del ser humano a la Luna impactó al mundo.*

impacto s.m. **1** Choque violento de un objeto con otro, esp. si es un proyectil. **2** Huella o señal que deja este choque. **3** Fuerte impresión producida en el ánimo por una noticia, un acontecimiento o un suceso sorprendentes: *Las declaraciones del presidente causaron gran impacto en la opinión pública.* **4** || **impacto {ambiental/medioambiental};** conjunto de los efectos negativos que la acción de las personas produce sobre el medio ambiente. □ ETIMOL. Del latín *impactus* (acción de chocar).

impagable adj.inv. **1** Que no se puede pagar. **2** Que tiene tanto valor que no se puede pagar con nada: *El apoyo de mis padres en estos momentos tan difíciles es impagable.*

impagado, da adj. Referido esp. a una deuda, que no ha sido pagada: *Esa empresa se ha hundido por el volumen tan alto de letras impagadas por sus clientes.*

impago s.m. En economía, omisión del pago de una deuda: *impago de impuestos.* □ ETIMOL. De *in-* (privación) y *pago.*

impala s.m. Mamífero africano de la familia de los bóvidos, con pelaje castaño rojizo, y cuyos cuernos, en los machos, están dispuestos en forma de lira: *Los impalas son un tipo de antílopes.* □ MORF. Es un sustantivo epiceno: *el impala {macho/hembra}.*

impalpable adj.inv. **1** Que no produce sensación al tacto o que produce muy poca. **2** Ligero, sutil o difícil de apreciar: *Las diferencias que existen entre ambos son tan impalpables, que no hay quien los distinga.* □ ETIMOL. De *in-* (negación) y *palpable.*

impar s.m. →**número impar.** □ ETIMOL. Del latín *impar.*

imparable adj.inv. Imposible de parar o muy difícil de detener: *La ascensión de ese político dentro de su partido fue imparable.*

imparcial ▮ adj.inv. **1** Que posee imparcialidad o independencia de cualquier opinión: *un artículo imparcial.* ▮ adj.inv./s.com. **2** Que juzga o procede con imparcialidad o con independencia de cualquier opinión: *Un buen periodista debe ser imparcial cuando informa.* **3** Que no se identifica con ninguna ideología o con ninguna opinión. □ ETIMOL. De *in-* (negación) y *parcial.*

imparcialidad s.f. Ausencia de prejuicios e independencia de opinión: *En la rueda de prensa, el equipo perdedor puso en duda la imparcialidad del árbitro.*

imparipinnado, da adj. →**hoja imparipinnada.**

imparisílabo, ba adj. **1** Referido esp. a una palabra o a un verso, que tiene un número impar de sílabas. **2** En latín o en griego, referido a un nombre, que tiene algunos casos con más sílabas que en el nominativo: *'Dux' es un nombre latino imparisílabo porque su acusativo es 'ducem'.*

impartir v. Repartir, comunicar o transmitir entre los demás: *Los jueces imparten justicia. La profe-*

sora imparte clases. ☐ ETIMOL. Del latín *impartiri* (repartir, conceder).

impasibilidad s.f. **1** Indiferencia o ausencia de alteración: *La impasibilidad de su rostro ante la trágica noticia fue desconcertante.* **2** Incapacidad para padecer o sufrir: *No puedo soportar la dureza y la impasibilidad de tu corazón.*

impasible adj.inv. Que permanece indiferente o sin manifestar ninguna alteración: *Recibió la noticia de su aprobado con el gesto impasible.* ☐ ETIMOL. Del latín *impassibilis*, y este de *in-* (negación), y *passus*, de *pati* (sufrir). ☐ SEM. Dist. de *impávido* (tranquilo y sereno de ánimo).

impasse (fr.) s.m. Situación sin salida: *Las negociaciones de paz están en un impasse y no avanzan.* ☐ PRON. [impás]. ☐ USO Su uso es innecesario y puede sustituirse por una expresión como *punto muerto.*

impavidez s.f. Valor y serenidad de ánimo ante los peligros: *Durante la tempestad, el capitán gobernó el barco mostrando gran impavidez.*

impávido, da adj. Sin miedo o con serenidad de ánimo ante un peligro: *El valiente soldado esperaba impávido la entrada en combate.* ☐ ETIMOL. Del latín *impavidus.* ☐ SEM. Dist. de *impasible* (sin alteración).

impeachment (ing.) s.m. En la legislación anglosajona, petición de procesamiento de un alto cargo público, por parte del Congreso: *El procedimiento de la legislación española más similar al impeachment es la moción de censura.* ☐ PRON. [impíchmen].

impecable adj.inv. Que no tiene ningún defecto o imperfección: *un traje impecable.* ☐ ETIMOL. Del latín *impeccabilis*, y este de *in-* (negación) y un derivado de *peccare* (tropezar).

impedancia s.f. En física, resistencia de un circuito al flujo de la corriente eléctrica alterna: *En un problema de física tuvimos que hallar la impedancia de un circuito.* ☐ SINÓN. *impediencia.* ☐ ETIMOL. Del francés *impédance.*

impedido, da adj./s. Referido a una persona, que no puede usar alguno de sus miembros: *Aunque es una impedida de las piernas, se mueve con soltura apoyándose en las muletas.* ☐ SINT. Constr. *impedido* DE *un miembro del cuerpo.*

impediencia s.f. →**impedancia.** ☐ ETIMOL. Del latín *impedire.*

impedimenta s.f. Equipo que lleva el ejército y que le impide moverse con rapidez: *Los alcanzó el enemigo porque llevaban mucha impedimenta.* ☐ ETIMOL. Del latín *impedimenta* (impedimentos).

impedimento s.m. Obstáculo o estorbo que imposibilita la realización de algo: *Por más impedimentos que me pongas, conseguiré mi propósito.*

impedir v. Referido a una acción, estorbarla, dificultarla o imposibilitarla: *Se puso delante y me impidió salir.* ☐ ETIMOL. Del latín *impedire* (estorbar, trabar por los pies a alguien). ☐ MORF. Irreg. →PEDIR.

impelente adj.inv. Que hace fuerza o presión sobre algo para moverlo: *Una bomba impelente sube el agua desde el pozo hasta la casa.*

impeler v. **1** Dar empuje de modo que se produzca un movimiento: *La tormenta impelía los barcos contra las rocas.* ☐ SINÓN. *impulsar.* **2** Incitar o estimular: *Con sus palabras lo impelía a trabajar.* ☐ ETIMOL. Del latín *impellere.*

impenetrabilidad s.f. **1** Imposibilidad de ser penetrado o de ser entendido: *Las religiones, a veces, son difíciles de entender dada la impenetrabilidad de algunos dogmas.* **2** Imposibilidad de ocupar dos cuerpos un mismo lugar al mismo tiempo: *La impenetrabilidad es una cualidad de la materia.*

impenetrable adj.inv. **1** Imposible de penetrar o de entender: *una fortaleza impenetrable.* **2** Referido a una persona o a su comportamiento, que no deja ver lo que sabe, lo que cree o lo que siente. ☐ ETIMOL. Del latín *impenetrabilis.*

impenitencia s.f. **1** Obstinación en el pecado y falta de arrepentimiento: *El cura de mi pueblo habló en el sermón de las consecuencias de la impenitencia.* **2** || **impenitencia final;** la que se mantiene hasta la muerte: *La impenitencia final del protagonista de la película lo llevó a morir en pecado mortal.* ☐ ETIMOL. Del latín *impaenitentia.*

impenitente adj.inv. Que se obstina en algo, esp. si se considera negativo, e insiste en ello sin arrepentirse ni intentar corregirse: *un fumador impenitente.* ☐ ETIMOL. Del latín *impaenitens*, y este de *in-* (negación) y *paenitens* (penitente).

impensable adj.inv. **1** Que racionalmente no puede pensarse por ser ilógico o absurdo: *Me resulta impensable que pretendas hacer ese viaje con tan poco dinero.* **2** Imposible de realizar: *Por el momento, es impensable viajar a través del tiempo.*

impensado, da adj. Que sucede sin haber pensado en ello o de manera inesperada: *Aquel negocio fue algo impensado que salió muy bien.* ☐ ETIMOL. De *in-* (negación) y *pensado.*

impepinable adj.inv. *col.* Que no admite duda ni discusión: *Tiene razón y sus argumentos son impepinables.*

imperante adj.inv. **1** Que impera. **2** En astrología, referido a un signo zodiacal, que domina durante el año: *Está preocupado porque dice que el signo imperante en este año no le es favorable.*

imperar v. Mandar, dominar o predominar: *El miedo imperaba en la ciudad ocupada.* ☐ ETIMOL. Del latín *imperare* (mandar, ordenar).

imperativo, va ▮ adj./s.m. **1** Que manda o que expresa mandato u obligación: *'Ven aquí' es una oración imperativa.* ▮ s.m. **2** →**modo imperativo. 3** Mandato, imposición u obligación: *No estaba de acuerdo con ese decreto, pero tuvo que acatarlo por ser imperativo legal.*

imperceptibilidad s.f. Imposibilidad de captar o de percibir algo con cualquiera de los cinco sentidos: *Los microbios se caracterizan por su imperceptibilidad al ojo humano, y solo se ven si se utiliza un microscopio.*

imperceptible adj.inv. Imposible de percibir: *Algunos sonidos son imperceptibles al oído humano.*

imperdible s.m. Alfiler doblado que se abrocha metiendo uno de sus extremos en un gancho o en un cierre para que no pueda abrirse fácilmente: *Ese niño lleva el chupete prendido a la blusa con un imperdible.*

imperdonable adj.inv. Imposible de perdonar: *No intentes disculparte, porque tu mal comportamiento es imperdonable.*

imperecedero, ra adj. Que no perece ni acaba: *alimentos imperecederos.*

imperfección s.f. **1** Falta de perfección. **2** Defecto o falta moral de carácter leve: *Es de sabios reconocer las propias imperfecciones y disculpar las de los demás.* ☐ ETIMOL. Del latín *imperfectio.*

imperfectivo, va adj. En lingüística, que expresa la acción en su desarrollo, sin haberse terminado: *El pretérito imperfecto es un tiempo imperfectivo.*

imperfecto, ta ▌adj. **1** Sin perfección: *Es un estudio imperfecto porque no cita la bibliografía utilizada.* ▌s.m. **2** →**pretérito imperfecto.** ☐ ETIMOL. Del latín *imperfectus.*

imperforación s.f. En medicina, cierre de un orificio o conducto natural del organismo: *La imperforación es un tipo de atresia, pero en menor grado.*

imperial adj.inv. Del emperador, del imperio o relacionado con ellos: *territorio imperial.*

imperialismo s.m. **1** Teoría política y económica que defiende la extensión del dominio de un país sobre otros por medio de la fuerza: *El imperialismo tuvo su mayor desarrollo a finales del siglo XIX y principios del XX.* **2** Teoría política que defiende el régimen imperial: *El imperialismo ruso sobrevivió a pesar de las revoluciones liberales.* ☐ ETIMOL. Del inglés *imperialism.*

imperialista ▌adj.inv. **1** Del imperialismo o con características de esta teoría: *Los planteamientos imperialistas se basan en el dominio de extensos territorios.* ▌adj.inv./s.com. **2** Que defiende o practica esta teoría: *Los imperialistas se amparan en la fuerza.*

impericia s.f. Falta de pericia o de habilidad: *La impericia del conductor provocó el accidente.* ☐ ETIMOL. Del latín *imperitia.*

imperio s.m. **1** Forma de organización de un Estado que domina a otros pueblos sometidos a él con mayor o menor independencia. **2** Nación que tiene gran importancia política y económica. **3** Tiempo durante el que gobierna un emperador. **4** Período histórico durante el que gobernaron los emperadores de un territorio: *el imperio bizantino.* **5** Conjunto de Estados bajo el dominio de un emperador o de un país: *El Imperio español fue muy extenso en el siglo XVI.* **6** Gobierno o dominio hecho con autoridad: *El mundo moderno se basa en el imperio de la razón.* ☐ ETIMOL. Del latín *imperium* (orden, soberanía, gobierno imperial).

imperioso, sa adj. **1** *col.* Forzoso, necesario o urgente: *Siento la necesidad imperiosa de salir a tomar el aire.* **2** Que contiene autoritarismo o que abusa de autoridad: *un tono imperioso.* ☐ ETIMOL. Del latín *imperiosus*, y este de *imperium* (imperio).

impermeabilidad s.f. Imposibilidad de ser penetrado por un líquido, esp. por el agua: *la impermeabilidad de un terreno.*

impermeabilización s.f. Preparación de algo para evitar que un líquido, esp. el agua, pueda atravesarlo: *la impermeabilización de un tejado.*

impermeabilizante adj.inv. Que impermeabiliza o evita que se filtre un líquido, esp. el agua: *un material impermeabilizante.*

impermeabilizar v. Hacer impermeable: *Impermeabilizaron el tejado para evitar las goteras.* ☐ ORTOGR. La *z* se cambia en *c* delante de *e* →CAZAR.

impermeable ▌adj.inv. **1** Que no puede ser atravesado por el agua o por otros líquidos: *un tejido impermeable.* ▌s.m. **2** Prenda de vestir amplia y generalmente larga, hecha con un material que impide el paso del agua, y que se pone sobre la ropa. ☐ ETIMOL. De *in-* (negación) y *permeable.*

impermutable adj.inv. Que no puede permutarse o cambiarse: *En mi trabajo las vacaciones de verano son impermutables.*

impersonal adj.inv. **1** Que no tiene personalidad propia ni originalidad. **2** Que no se dirige a nadie en particular: *Habló a toda la clase de forma impersonal, sin mirar a nadie.* **3** En gramática, referido esp. a una oración, que tiene un sujeto indeterminado: *La oración 'Se vive bien aquí' es impersonal porque no tiene sujeto . Se llama verbo impersonal al que no admite sujeto, como por ejemplo, 'llover' o 'nevar'.* ☐ ETIMOL. Del latín *impersonalis*, y este de *in-* (negación) y *personalis* (personal).

impersonalidad s.f. Falta de personalidad: *La impersonalidad con que se ha decorado esta oficina no me parece lo más adecuado para crear un clima de trabajo.*

impertérrito, ta adj. Que no se altera ni se asusta ante situaciones difíciles o peligrosas: *Se mantuvo impertérrita ante las amenazas.* ☐ ETIMOL. Del latín *imperterritus.*

impertinencia s.f. Hecho o dicho impertinente o molesto: *En cuanto bebes de más, empiezas a decir impertinencias y no hay quien te aguante.*

impertinente ▌adj.inv./s.com. **1** Que molesta porque resulta inadecuado o poco oportuno: *Eres un impertinente y deberías tener más respeto a tus mayores.* ▌s.m.pl. **2** Anteojos con una varilla lateral larga y delgada para colocarlos delante de los ojos: *Mi abuela usaba los impertinentes en el teatro para ver de cerca a los actores.* ☐ ETIMOL. Del latín *impertinens* (impertinente).

imperturbabilidad s.f. Ausencia de perturbación o alteración de ánimo: *Recibió con imperturbabilidad la mala noticia.* ☐ SINÓN. *ataraxia.*

imperturbable adj.inv. Que no se perturba ni altera: *rostro imperturbable.* ☐ ETIMOL. Del latín *imperturbabilis.*

impétigo s.m. En medicina, enfermedad inflamatoria e infecciosa de la piel que se caracteriza por la aparición de ampollas pequeñas con pus o con líquido: *El impétigo es una enfermedad bacteriana contagiosa.* □ ETIMOL. Del latín *impetigo*.

impetrar v. Pedir algo, como un favor o una gracia, con mucha humildad, fuerza y constancia: *En la sentencia se impetró el perdón al Ministerio de Justicia.* □ ETIMOL. Del latín *impetrare*.

ímpetu s.m. Fuerza, energía o violencia: *Empujó la puerta con tanto ímpetu que la rompió.* □ SINÓN. *impetuosidad.* □ ETIMOL. Del latín *impetus* (acción de dirigirse hacia algo).

impetuosidad s.f. →**ímpetu.**

impetuoso, sa ▮ adj. **1** Que tiene ímpetu o violencia: *un viento impetuoso.* ▮ adj./s. **2** Referido a una persona, que actúa de forma precipitada o irreflexiva.

impiedad s.f. Falta de piedad o de devoción religiosa: *El mal trato a los prisioneros demuestra la impiedad de sus carceleros.* □ ETIMOL. Del latín *impietas*.

impío, a adj./s. **1** Que no tiene piedad ni compasión: *Esos impíos permanecieron imperturbables ante el sufrimiento ajeno.* **2** Que no tiene religión o no guarda el respeto debido a la religión: *Ese chismoso dice que soy una impía porque ayer no me vio en misa.* □ ETIMOL. Del latín *impius*.

implacable adj.inv. Que no se puede aplacar o moderar: *La fuerza implacable del destino rige nuestras vidas.* □ ETIMOL. Del latín *implacabilis*.

implantación s.f. **1** Establecimiento de una innovación para que empiece a funcionar o a regir: *La implantación de la democracia es un logro de todos los ciudadanos.* **2** En medicina, colocación por medios quirúrgicos de un órgano o de una pieza artificial en un ser vivo.

implantar v. **1** Referido a una innovación, establecerla y hacer que empiece a funcionar o a regir: *Las nuevas generaciones implantan nuevas costumbres.* **2** En medicina, referido a un órgano o a una pieza artificial, colocarlos en un ser vivo por medios quirúrgicos: *Sigo vivo gracias a que me implantaron el riñón de un donante recién fallecido.* □ ETIMOL. Del latín *in-* (hacia adentro) y *plantar*.

implante s.m. Pieza u órgano que se implanta en un ser vivo: *Tengo dos implantes de titanio en la dentadura.*

implantología s.f. Parte de la medicina que estudia el implante de prótesis dentales.

implantológico, ca adj. De la implantología o relacionado con esta parte de la medicina.

implementación s.f. Suministro de los medios necesarios para llevar algo a cabo.

implementar v. Referido a algo que se quiere realizar, facilitar los medios necesarios para llevarlo a cabo: *Esta empresa va a implementar todo el material necesario para la mejora del servicio informático en mi oficina.*

implemento s.m. **1** Utensilio, instrumento o herramienta: *Prepararon los implementos para la expedición.* **2** En algunas escuelas lingüísticas, función sintáctica de complemento directo: *En 'Compré un coche', 'un coche' es el implemento.* □ ETIMOL. Del inglés *implement.* □ MORF. En la acepción 1, se usa más en plural.

implicación s.f. **1** Participación, enredo o complicación en un asunto, esp. en un delito. **2** Repercusión o consecuencia: *La declaración del testigo tuvo graves implicaciones para el acusado.* **3** Participación activa en algo: *La reunión fue un éxito gracias a la implicación de todos los participantes.*

implicar v. **1** Conllevar, significar o tener como consecuencia: *Estudiar una carrera universitaria implica mucho esfuerzo.* **2** Referido a una persona, enredarla en un asunto o involucrarla en él: *Lo implicaron para que organizara el curso. Me impliqué en el asunto sin darme cuenta.* **3** Hacer participar activamente en algo: *Nos implicó a todos en la tarea.* □ ETIMOL. Del latín *implicare* (envolver en pliegues). □ ORTOGR. La *c* se cambia en *qu* delante de *e* →SACAR. □ SINT. Constr. de la acepción 2: *implicar* EN *algo.*

implicatorio, ria adj. Que implica o conlleva una implicación: *una pista implicatoria.*

implícito, ta adj. Referido esp. a una información, que está incluida sin necesidad de ser expresada: *La imagen de un niño hambriento lleva implícita la idea de injusticia.* □ ETIMOL. Del latín *implicitus* (implicado). □ SEM. 1. Dist. de *explícito* (que es claramente expresado). 2. No debe emplearse con los significados de *implicado* o *metido*: *Mi equipo está {*implícito > metido, implicado} en un bache desde que empezó la temporada.*

imploración s.f. Petición de algo mediante ruegos y lágrimas: *Me conmovieron las imploraciones de aquellos mendigos que pedían limosna.*

implorar v. Pedir con ruegos o con lágrimas: *Imploraba la caridad de la gente en la puerta de la iglesia.* □ ETIMOL. Del latín *implorare*, y este de *in-* (consecuencia) y *plorare* (lamentarse).

implosión s.f. **1** En fonética y fonología, primer momento en la articulación de una consonante oclusiva, en el que los órganos salen de su estado de reposo y alcanzan la posición requerida para pronunciar ese sonido: *El momento de implosión de la 'b' es el instante en que los labios se aproximan y se unen.* **2** Rotura de las paredes de una cavidad, que se produce de manera estruendosa y hacia dentro cuando la presión interior es inferior a la del exterior: *Cuando se rompe el tubo de un aparato de televisión, se produce una implosión porque dentro está hecho el vacío.* □ ETIMOL. De *explosión*, con cambio de prefijo.

implosiva s.f. Véase **implosivo, va.**

implosivo, va ▮ adj. **1** En fonética y fonología, referido esp. a una consonante, que está situada en final de sílaba: *La 's' de 'abstracto' es implosiva.* ▮ adj./s.f. **2** En fonética y fonología, referido a un sonido consonántico oclusivo, que se articula sin la abertura súbita final que le es característica: *En 'acto', la 'c' es implosiva por ser final de sílaba.*

implume adj.inv. Que no tiene plumas: *Las personas son animales implumes.*

impluvio s.m. En una casa de la antigua Roma, recinto o depósito descubiertos generalmente situados en el atrio, que servía para recoger el agua de lluvia: *Las columnas que rodeaban el impluvio están en ruinas.* □ ETIMOL. Del latín *impluvium* (lugar destinado a recoger la lluvia). □ ORTOGR. Se usa también *impluvium.*

impluvium s.m. →**impluvio.**

impoluto, ta adj. Limpio y sin mancha: *En la cima de la montaña la nieve estaba impoluta.* □ ETIMOL. Del latín *impollutus*, este de *impolluere*, y este de *in-* (negación) y *polluere* (ensuciar). □ SEM. Dist. de *incólume* (que no ha sufrido daño).

imponderable ▮ adj.inv. **1** Que no se puede pesar, medir o precisar: *El daño producido por las lluvias es imponderable.* **2** Que excede a toda ponderación o alabanza por ser de gran valor: *Tu colaboración en este trabajo ha resultado imponderable.* ▮ s.m. **3** Factor o elemento imprevisibles o de difícil evaluación que intervienen en el desarrollo normal de un asunto: *Ciertos imponderables de última hora impidieron su presencia en la rueda de prensa.* □ ETIMOL. De *in-* (negación) y *ponderable.* □ MORF. En la acepción 3, se usa más en plural.

imponente ▮ adj.inv. **1** Formidable o extraordinario: *un aspecto imponente.* ▮ adj.inv./s.com. **2** Que impone: *un respeto imponente.*

imponer ▮ v. **1** Hacer obligatorio, hacer aceptar o hacer cumplir: *Impuso silencio antes de empezar a hablar. Me impuse la tarea de estudiar todos los días.* **2** Producir respeto, miedo o asombro: *Saltar en paracaídas me impone un gran respeto.* **3** Referido a un nombre, asignárselo a una persona: *Al recién nacido le impusieron el nombre de su abuelo.* **4** Colocar o asignar: *Le impusieron la medalla al mérito militar. El primer miércoles de Cuaresma se impone la ceniza a los católicos.* ▮ prnl. **5** Prevalecer o hacer valer la autoridad o la superioridad: *Su poderío físico le ayudó a imponerse en la carrera.* **6** Predominar o destacar: *El rojo se ha impuesto como color de moda este año.* □ ETIMOL. Del latín *imponere* (poner encima). □ MORF. 1. Su participio es *impuesto*. 2. Irreg. →PONER.

imponible adj.inv. En economía, que se puede gravar con un impuesto o con un tributo: *la base imponible.* □ ETIMOL. De *imponer.*

impopular adj.inv. Que no gusta o no agrada a la multitud o a una mayoría: *leyes impopulares.* □ ETIMOL. De *in-* (negación) y *popular*.

impopularidad s.f. Falta de aceptación o falta de conformidad que algo produce en una mayoría: *Las huelgas demuestran la impopularidad de las nuevas medidas económicas.*

importación s.f. **1** Introducción en un país de un producto extranjero: *La importación de coches se ha reducido en los últimos años.* **2** Conjunto de productos importados: *Ha aumentado el déficit de la balanza comercial por el aumento de las importaciones.* □ SEM. Dist. de *exportación* (envío de un producto nacional a un país extranjero).

importador, -a adj./s. Que importa de fuera: *Este país es el principal importador de petróleo.*

importancia s.f. **1** Valor, interés o influencia. **2** Referido a una persona, categoría o influencia sociales: *Es una persona de gran importancia en el mundo de los negocios.* **3** ‖ **darse** alguien **importancia;** creerse superior: *Se da mucha importancia desde que se compró el coche.*

importante adj.inv. Que tiene importancia: *Ganó un premio importante en el mundo de la literatura.*

importar v. **1** Ser conveniente o tener valor, interés o influencia: *No te preocupes, no importó que no vinieras.* **2** Referido esp. a un producto extranjero, introducirlo en un país: *Los países europeos importan petróleo de los países árabes.* **3** En informática, leer la información contenida en un fichero para que pueda ser utilizado por un programa o aplicación: *He importado el fichero de datos bancarios y ya puedo usarlo en mis programas.* □ ETIMOL. Del latín *importare* (introducir, llevar dentro). □ SEM. En la acepción 2, dist. de *exportar* (enviar un producto nacional al extranjero).

importe s.m. Cantidad de dinero o cuantía de un precio, de un crédito, de una deuda o de algo semejante: *Pagué el importe de la factura en la caja central.*

importunación s.f. Petición molesta y obstinada: *Tus continuas importunaciones me aburren.*

importunar v. Molestar con peticiones insistentes o inoportunas: *Los periodistas me importunaron con preguntas indiscretas.*

importunidad s.f. **1** Molestia o incomodidad causadas por una petición: *Me molesta continuamente con preguntas e importunidades.* **2** →**inoportunidad.** □ ETIMOL. Del latín *importunitas.*

importuno, na adj./s. →**inoportuno.** □ ETIMOL. Del latín *importunus.*

imposibilidad s.f. Falta de posibilidad para existir o para ser realizado: *Ante la imposibilidad de ser recibido en su despacho, la llamé por teléfono a su casa.* □ ETIMOL. Del latín *impossibilitas.*

imposibilitado, da adj. Referido a una persona o a un miembro de su cuerpo, que están privados de movimiento: *Va en silla de ruedas porque tiene las piernas imposibilitadas.* □ SINÓN. *tullido.*

imposibilitar v. Referido a una acción, quitar la posibilidad de realizarla: *El accidente la imposibilitó para el trabajo.* □ ETIMOL. De *in-* (negación) y *posibilitar.*

imposible ▮ adj.inv. **1** *col.* Inaguantable o intratable: *Este niño se pone imposible cuando tiene sueño.* ▮ adj.inv./s.m. **2** No posible o sumamente difícil: *Con esta nevada es imposible que lleguen a la cima de la montaña.* **3** ‖ **hacer lo imposible;** *col.* Agotar todos los medios para lograr algo. □ SINT. La acepción 1 se usa más con los verbos *estar* o *ponerse.*

imposición s.f. **1** Establecimiento de algo que debe ser aceptado o cumplido obligatoriamente: *la imposición de sanciones.* **2** Exigencia desmedida que se obliga a realizar: *Tengo tantos derechos* *como tú, así que no te admito imposiciones.* **3** Ingreso de dinero en una entidad bancaria: *Ya he recibido el comprobante de la imposición que hice en mi cuenta ayer.* **4** Colocación de una cosa sobre otra: *La alcaldesa asistió al acto de imposición de medallas.* **5** Impuesto o tributo que se impone. ☐ ETIMOL. Del latín *impositio*.

impositivo, va adj. **1** Que se impone. **2** Del impuesto público o relacionado con él: *período impositivo.*

impositor, -a adj./s. Que ingresa dinero en una cuenta bancaria: *El impositor de esta cuenta corriente es también el titular.*

imposta s.f. Hilada de sillares o piedras labradas sobre la que se inicia la curvatura de un arco o de una bóveda y que sobresale ligeramente del muro: *Las impostas pueden estar labradas con o sin molduras.* ☐ ETIMOL. Del italiano *imposta*.

impostación s.f. Emisión de la voz con un sonido uniforme sin vacilación ni temblor: *En el curso de técnica vocal para profesores nos hablaron de la importancia de la impostación.*

impostar v. En música, referido a la voz, hacer que salga con un sonido uniforme sin vacilación ni temblor: *Para impostar bien la voz debes saber llevar el aire a las cuerdas vocales.* ☐ ETIMOL. Del italiano *impostare*.

impostergable adj.inv. Que no se puede postergar ni aplazar: *Mi viaje es impostergable porque mañana tengo que estar allí sin falta.*

impostor, -a adj./s. **1** Que engaña con apariencia de verdad: *Lo que me contó ese impostor de su viaje era falso.* **2** Referido a una persona, que se hace pasar por lo que no es: *Era una impostora que ejercía de doctora sin título.* **3** Que atribuye falsamente algo a alguien: *Ese impostor me ha acusado de un delito que no he cometido.* ☐ ETIMOL. Del latín *impostor*, y este de *imponere* (engañar).

impostura s.f. **1** Imputación o acusación falsa y maliciosa: *Es una impostura decir que yo, que siempre llego a la hora, soy impuntual.* **2** Fingimiento o engaño con apariencia de verdad: *No me hables con esa impostura, que te conozco muy bien.* ☐ ETIMOL. Del latín *impostura*.

impotencia s.f. **1** Falta de potencia, de fuerza o de poder para hacer algo: *Contempló con impotencia cómo ardía su casa.* **2** En un hombre, incapacidad de realizar el acto sexual completo.

impotente ▮ adj.inv. **1** Que no tiene potencia, fuerza o poder para hacer algo: *Me siento impotente ante el sufrimiento humano.* ▮ adj.inv./s.m. **2** Referido a un hombre, que no es capaz de realizar el acto sexual completo: *Está en tratamiento médico porque es impotente.* ☐ SEM. En la acepción 2, dist. de *estéril* (que no puede tener hijos).

impracticable adj.inv. **1** Que no se puede poner en práctica ni llevar a cabo. **2** Referido a un camino o a un lugar, que son de difícil paso o están en mal estado: *La lluvia hizo impracticable el terreno de juego.* ☐ ETIMOL. De *in-* (negación) y *practicable*.

imprecación s.f. Palabra o expresión que manifiesta vivamente el deseo de que alguien reciba algún daño: *Se retiró del campo de fútbol con imprecaciones contra el árbitro.* ☐ SEM. Dist. de *increpación* (reprensión o advertencia severas).

imprecar v. Referido a una persona, dirigirle palabras con las que se expresa vivamente el deseo de que reciba algún daño: *Imprecaron e insultaron al que estuvo a punto de atropellarlos.* ☐ ETIMOL. Del latín *imprecari* (desear). ☐ ORTOGR. La *c* se cambia en *q* delante de *e* →SACAR. ☐ SEM. Dist. de *increpar* (reprender o reñir duramente).

imprecatorio, ria adj. Que implica o expresa el deseo de que alguien reciba algún daño: *un texto imprecatorio.*

imprecisión s.f. Falta de precisión: *La imprecisión de las fechas hace este informe poco fiable.*

impreciso, sa adj. Que no es preciso, no es exacto o es poco definido: *No llegué a ninguna conclusión porque los datos eran imprecisos.*

impredecible adj.inv. Que no se puede predecir o que no se anuncia antes de que suceda: *El número del premio gordo de la lotería es impredecible.*

impregnación s.f. **1** Empapamiento de una cosa porosa con un líquido hasta que no admita más: *impregnación del suelo.* **2** Influencia profunda o presencia marcada: *La impregnación de las ideas más radicales en la juventud se ha dado siempre a lo largo de la historia.* **3** En biología, proceso de aprendizaje de los animales jóvenes, desarrollado durante un período corto de receptividad, y del que resulta una forma estereotipada de reacción ante un objeto. ☐ SINÓN. *impronta*.

impregnar v. **1** Referido a algo poroso, empaparlo o mojarlo con un líquido hasta que no admita más: *Impregna la mecha con alcohol para que prenda fuego. La arcilla aumenta su volumen al impregnarse de agua y, al secarse, se agrieta.* **2** Influir profundamente o tener una presencia marcada: *Estas nuevas tendencias de la moda impregnan todo el panorama cultural.* ☐ ETIMOL. Del latín *impraegnare* (preñar).

impremeditación s.f. Falta de premeditación: *Las personas reflexivas no hacen nada con impremeditación.*

impremeditado, da adj. **1** No premeditado o no pensado previamente. **2** Que se hace o se dice sin reflexionar en las consecuencias: *un acto impremeditado.* ☐ SINÓN. *irreflexivo*.

imprenta s.f. **1** Arte o técnica de reproducir textos o ilustraciones por medio de presión mecánica u otros procedimientos: *La invención de la imprenta favoreció la difusión de la cultura.* ☐ SINÓN. *tipografía*. **2** Taller o lugar en el que se imprime: *En esta imprenta trabajan veinte empleados.* ☐ SINÓN. *prensa*. ☐ ETIMOL. Del catalán *emprenta* (huella de un sello, de un pie o de otra cosa).

imprescindible adj.inv. Que es muy necesario o que no puede prescindirse de ello: *La harina es un elemento imprescindible para la elaboración del pan.*

impresscriptible adj.inv. Referido esp. a un derecho o a una responsabilidad legal, que no puede prescribir o desaparecer: *En un régimen democrático, la libertad de expresión es imprescriptible.*

impresentable adj.inv./s.com. Que no es digno de ser presentado: *Va con un vestido impresentable que está pasado de moda.*

impresión s.f. **1** Reproducción de un texto o de una ilustración aplicando los procedimientos de la imprenta u otros similares: *Encargó la impresión de su libro a una imprenta de confianza.* □ SINÓN. *tirada, tiraje.* **2** Estampación o huella producidas por medio de presión: *La impresión del matasellos en la carta era muy clara.* **3** Calidad gráfica y forma de letra con las que se imprime una obra: *Para la nueva edición hay que mejorar la impresión.* **4** Efecto o alteración causados en una persona o en un animal: *El agua fría le produjo tal impresión que salió rápidamente de la piscina.* **5** Opinión o idea formadas sobre algo: *Tu comportamiento hizo que me llevara una mala impresión de ti.* □ ETIMOL. Del latín *impressio*.

impresionable adj.inv. Que se impresiona con facilidad: *Le ocultamos aquella triste noticia porque es una persona muy impresionable.*

impresionante adj.inv. Que impresiona: *Era impresionante la belleza de aquel paisaje.*

impresionar v. **1** Causar una impresión o una emoción profundas: *El libro sobre los marginados sociales me impresionó. ¡Te impresionas con cada tontería...!* **2** Fijar sonidos o imágenes en una superficie convenientemente tratada para que puedan ser reproducidas por medios fonográficos o fotográficos: *La cámara de fotos está estropeada y la película no se impresionó.*

impresionismo s.m. **1** Movimiento artístico de origen europeo y de finales del siglo XIX que se caracteriza por la reproducción de impresiones subjetivas de manera imprecisa y sugerente: *El impresionismo fue muy importante en pintur.* **2** Forma de expresión con rasgos propios de este movimiento: *En sus poemas practica un personal impresionismo de frases cortas y adjetivación colorista.*

impresionista ▮ adj.inv. **1** Del impresionismo o con rasgos propios de este movimiento artístico: *la pintura impresionista.* ▮ adj.inv./s.com. **2** Que defiende o sigue el impresionismo. □ ETIMOL. Del francés *impressioniste*, porque así se tituló una crítica despectiva basada en el cuadro de Monet *Impression soleil levant*.

impreso, sa ▮ **1** part. irreg. de **imprimir**. ▮ s.m. **2** Libro, folleto u hoja suelta reproducidos con los procedimientos de la imprenta: *En esta biblioteca hay manuscritos e impresos del siglo XVI.* **3** Formulario que hay que rellenar para realizar un trámite: *No me he podido matricular porque he perdido el impreso.* **4** ‖ **impreso (postal);** el que cumple determinados requisitos para ser enviado por correo en condiciones especiales de distribución y franqueo: *Si envías ese libro como impreso, te saldrá más barato que si lo envías como paquete.* □ USO La acepción 1 se usa más como adjetivo, frente al participio regular *imprimido*, que se usa más en la conjugación.

impresor, -a ▮ s. **1** Propietario de una imprenta: *En el colofón del libro figura el nombre del impresor.* **2** Persona que se dedica profesionalmente a la impresión de textos o de ilustraciones: *Mi padre trabaja de impresor en un periódico.* ▮ s.f. **3** En informática, máquina que se conecta a un ordenador y que reproduce en papel la información que recibe de este: *No tengo impresora y no puedo sacar en papel los datos del ordenador.*

impresora s.f. Véase **impresor, -a**.

imprestable adj.inv. Que no se puede prestar: *Este libro es imprestable porque solo hay un ejemplar en la biblioteca.*

imprevisible adj.inv. Que no se puede prever: *Lo que me ocurrirá dentro de un mes es imprevisible.*

imprevisión s.f. Falta de previsión de lo que pueda ocurrir: *La imprevisión de los directores llevó a la empresa a la bancarrota.*

imprevisor, -a adj. Que no prevé lo que puede ocurrir: *Por imprevisor se ha quedado sin entradas para el concierto.*

imprevisto, ta adj./s.m. Que no está previsto o que resulta inesperado: *una visita imprevista.*

imprimación s.f. **1** Preparación, con los ingredientes necesarios, de algo que va a ser pintado o teñido: *No tardé mucho en la imprimación de esta tabla con aceite.* **2** Conjunto de ingredientes con los que se prepara una superficie que va a ser pintada o teñida: *La imprimación que usé en esta puerta era de mala calidad y se ha resquebrajado la pintura.*

imprimar v. Referido a algo que va a ser pintado o teñido, prepararlo con los ingredientes necesarios: *Voy a imprimar la mesa con un aceite especial antes de darle el barniz.* □ ETIMOL. Del francés *imprimer* (imprimir).

imprimátur (pl. *imprimátur*) s.m. Licencia de la autoridad eclesiástica para imprimir un escrito: *Los libros antiguos solían tener el imprimátur en las páginas iniciales.* □ ETIMOL. Del latín *imprimatur*, y este de *imprimere* (imprimir), en la tercera forma del singular del presente del subjuntivo pasivo.

imprimir v. **1** Referido a un texto o a una ilustración, reproducirlos aplicando los procedimientos de la imprenta u otros similares: *En las modernas imprentas se imprime por medios informáticos.* **2** Referido a una obra impresa, confeccionarla: *En este taller imprimen libros de texto.* **3** Referido esp. a una característica o a un aspecto, darlos o proporcionarlos: *Ese traje imprime un aire de seriedad a su aspecto.* □ ETIMOL. Del latín *imprimere* (hacer presión, marcar una huella). □ MORF. Tiene un participio regular (*imprimido*), que se usa más en la conjugación, y otro irregular (*impreso*), que se usa más como adjetivo o sustantivo.

improbabilidad s.f. Falta de probabilidad: *La improbabilidad de que ganes esa apuesta es muy grande.*

improbable adj.inv. **1** Que no es probable, no es verosímil ni es demostrable: *No temo sus acusaciones porque son totalmente improbables.* **2** Que es muy difícil que ocurra: *Hace dos siglos era improbable que el ser humano pudiera llegar a la Luna.*

ímprobo, ba adj. Referido esp. a un esfuerzo, que es excesivo o continuado: *Me ha costado un trabajo ímprobo que me publiquen el libro.* ☐ ETIMOL. Del latín *improbus* (malo, extraordinario, muy fuerte).

improcedencia s.f. **1** Falta de conformidad con la ley o con la norma: *La empresa ha sido multada por la improcedencia de sus despidos.* **2** Falta de conveniencia o de oportunidad. ☐ ETIMOL. De *in-* (privación) y *procedencia.*

improcedente adj.inv. **1** Sin conformidad con la ley o con la norma: *despido improcedente.* **2** Que no es conveniente o es inoportuno.

improductivo, va adj. Que no produce o que no produce lo suficiente: *un negocio improductivo.*

improfanable adj.inv. Que no se debe profanar: *Los lugares sagrados son improfanables.*

improlongable adj.inv. Que no se puede prolongar: *Tengo que irme porque las vacaciones son improlongables.*

impromptu s.m. Composición musical breve, de carácter instrumental, generalmente pianístico, que se improvisa mientras se ejecuta o que presenta una estructura indeterminada y con un aire de improvisación: *En el Romanticismo, Chopin y Schubert compusieron famosos impromptus para piano.* ☐ ETIMOL. Del francés *impromptu* (improvisación), y este del latín *in promptu* (de pronto). ☐ SEM. Dist. de *in promptu* (de repente, sin pensarlo o de modo no deliberado).

impronta s.f. **1** Marca o huella que quedan en algo: *En ti reconozco la impronta de tus maestros.* **2** Aprendizaje de los animales jóvenes, desarrollado durante un período corto de receptividad, y del que resulta una forma estereotipada de reacción ante un objeto. ☐ SINÓN. *impregnación.* ☐ ETIMOL. Del italiano *impronta.*

impronunciable adj.inv. **1** Imposible de pronunciar: *un apellido impronunciable.* **2** Que no debe ser dicho para no ofender o herir.

improperio s.m. Injuria o insulto grave de palabra, esp. si se dice para ofender o acusar: *Se enfadó conmigo y empezó a soltarme improperios.* ☐ ETIMOL. Del latín *improperium.* ☐ PRON. Incorr. *[impropério].

impropiedad s.f. **1** Imprecisión o falta de propiedad en el uso de las palabras: *Hablas con mucha impropiedad de temas que no conoces.* **2** Falta de conveniencia o de oportunidad: *No te perdono la impropiedad de tu proceder delante de todos.* ☐ ETIMOL. Del latín *improprietas.*

impropio, pia adj. **1** Falto de las cualidades que se consideran convenientes según las circunstancias: *Llevaba un traje impropio para una boda tan elegante.* **2** Que es extraño, ajeno o no parece propio: *Es tan serio que es impropio de él contar chistes.*

improrrogable adj.inv. Que no se puede prorrogar: *plazo de entrega improrrogable.*

improvisación s.f. Acción repentina, sin ninguna preparación previa y que se realiza valiéndose solo de los medios de que se dispone: *tener capacidad de improvisación.*

improvisar v. Hacer o realizar en el momento, sin un plan previo y valiéndose solo de los medios de que se dispone: *Le pidieron que hablara e improvisó unas palabras de agradecimiento.* ☐ ETIMOL. Del francés *improviser.*

improviso ‖ **de improviso;** de manera repentina o inesperada: *El suceso ocurrió tan de improviso que nos sorprendió a todos.* ☐ ETIMOL. Del latín *de improviso.*

imprudencia s.f. **1** Falta de prudencia. **2** Hecho o dicho imprudentes. **3** ‖ **imprudencia temeraria;** en derecho, la que lleva a ejecutar hechos que pueden constituir falta o delito según el resultado que tengan: *Conducir borracho es una imprudencia temeraria.*

imprudente adj.inv./s.com. Que no tiene prudencia: *Tenía un socio muy imprudente que contaba a cualquiera todos los proyectos.* ☐ ETIMOL. Del latín *imprudens.*

impúber adj.inv./s.com. Que no ha llegado aún a la pubertad: *un joven impúber.* ☐ SINÓN. *impúbero.* ☐ ETIMOL. Del latín *impubes.*

impúbero, ra adj./s. →**impúber.**

impublicable adj.inv. Que no se puede publicar: *Al recibir el original de mi novela, el editor opinó que era impublicable porque nadie se lee una historia de más de tres mil páginas.*

impudicia s.f. Descaro o falta de vergüenza o de pudor: *Miente con impudicia.*

impúdico, ca adj./s. Que no tiene pudor: *Mi abuela dice que esa película le parece impúdica y amoral.* ☐ ETIMOL. Del latín *impudicus.*

impudor s.m. **1** Falta de pudor: *Demuestras tu impudor al enseñar a todos las fotos en las que estás sin nada de ropa.* **2** Cinismo o falta de vergüenza al defender o realizar cosas censurables: *El entrevistado confesó con impudor que había sido infiel muchas veces en su matrimonio.*

impuesto, ta ▮ **1** part. irreg. de **imponer.** ▮ s.m. **2** Tributo o cantidad de dinero que se paga al Estado, a las comunidades autónomas o a los ayuntamientos de manera obligatoria para contribuir al sostenimiento del gasto público. **3** ‖ **impuesto de sociedades;** el impuesto directo que se aplica sobre los beneficios de las empresas. ‖ **impuesto directo;** el que se aplica sobre la renta o el patrimonio. ‖ **impuesto indirecto;** el que se aplica sobre los intercambios de productos o sobre la retribución de servicios, repercutiendo después en el consumidor: *En la factura del fontanero ya está incluido el IVA, que es un impuesto indirecto.* ‖ **impuesto revolucionario;** cantidad de dinero que exige un grupo terrorista mediante amenazas. ‖ **impuesto sobre la renta;** el que se aplica sobre los ingresos del contribuyente, tras las deducciones oportunas. □ MORF. En la acepción 1, incorr. *imponido*.

impugnable adj.inv. **1** Que se puede impugnar. **2** Que no se puede conquistar.

impugnación s.f. Rechazo o solicitud de anulación de algo, esp. de una decisión oficial: *La impugnación de las actas hizo que se reuniera el comité de competición.*

impugnar v. Referido esp. a una decisión oficial, combatirla o solicitar su invalidación: *Impugnaron el testamento de la abuela alegando locura.* □ ETIMOL. Del latín *impugnare* (atacar).

impugnativo, va adj. Que impugna o que sirve para combatir algo, esp. una decisión oficial, o para solicitar su invalidación: *un recurso impugnativo.*

impulsador, -a adj. →**impulsor.**

impulsar v. **1** Dar empuje de modo que se produzca un movimiento: *Súbete al columpio, que yo te impulso.* □ SINÓN. *impeler.* **2** Referido a una acción o a una actividad, estimularla o promoverla: *Tus consejos me impulsaron a acabar los estudios.* □ ETIMOL. Del latín *impulsare* (empujar). □ SINT. Constr. de la acepción 2: *impulsar* A *algo.*

impulsividad s.f. Comportamiento o actitud de quien se deja llevar por sus impulsos y actúa de forma irreflexiva o impremeditada: *No te dejes llevar por la impulsividad y contesta con calma a la pregunta.*

impulsivo, va adj./s. Referido a una persona o a su forma de actuar, que es irreflexiva y obedece a impulsos: *Eres muy impulsivo y deberías reflexionar antes de tomar una decisión.*

impulso s.m. **1** Empuje o fuerza con el que se produce un movimiento: *El impulso de las olas acercó la barca a la playa.* **2** Fuerza que lleva algo que se mueve, crece o se desarrolla: *Llevaba tanto impulso que no pude frenar al dar la curva.* **3** Motivo afectivo o deseo que lleva a actuar de manera súbita o irreflexiva: *Me pones tan nervioso que no sé si podré contener el impulso de darte una bofetada.* **4** ‖ **tomar impulso;** correr antes de dar un salto o de realizar un lanzamiento, con el fin de llegar más lejos.

impulsor, -a adj./s. Que impulsa o que estimula una acción o una actividad: *Se le acusa de haber sido la impulsora del crimen.* □ SINÓN. *impulsador.*

impune adj.inv. Que queda sin castigo: *Los familiares de la víctima reclamaban a la justicia que no dejase impune aquel crimen.* □ ETIMOL. Del latín *impunis.* □ ORTOGR. Dist. de *inmune.*

impunidad s.f. Falta de castigo: *Ese asesinato no puede quedar en la impunidad.* □ ORTOGR. Dist. de *inmunidad.*

impuntual adj.inv. Que no es puntual: *Este cliente es muy impuntual en sus pagos.* □ ETIMOL. De *in-* (negación) y *puntual.*

impuntualidad s.f. Falta de puntualidad: *Perderé el tren por culpa de tu impuntualidad.*

impureza s.f. **1** Materia extraña a un cuerpo que suele deteriorar alguna de sus cualidades: *No bebas esa agua porque tiene muchas impurezas.* **2** Falta de pureza o castidad: *El sexto mandamiento de la religión católica condena la impureza.*

impurificar v. Hacer impuro: *Fumar impurifica el ambiente.* □ ORTOGR. La *c* se cambia en *qu* delante de *e* →SACAR.

impuro, ra adj./s. Que no es puro o no está limpio: *aire impuro.* □ ETIMOL. Del latín *impurus.*

imputación s.f. Atribución de una culpa, de un delito o de una acción: *la imputación de un delito.*

imputar v. Referido esp. a una culpa o a un delito, atribuírselo o achacárselo a alguien: *La policía ha imputado el atentado a un grupo terrorista.* □ ETIMOL. Del latín *imputare* (inscribir en una cuenta).

imputrescible adj.inv. Que no se pudre fácilmente: *La carne congelada es imputrescible.* □ ETIMOL. Del latín *imputescere.*

in (ing.) (pl. *in*) adj.inv. Que está de moda o de actualidad: *Va a los bares más in de su ciudad.* □ USO Su uso es innecesario.

in- 1 Prefijo que indica negación: *increíble, inacabable, inalterable, inconfesable.* **2** Prefijo que indica privación: *injusticia, inexpresivo, infidelidad, inactividad.* □ ETIMOL. Del latín *in-.* □ ORTOGR. 1. Ante *b* o *p* adopta la forma *im-* (*imposible, impagable, imborrable*), y ante *l* o *r* adopta la forma *i-* (*ilegalizar, ilimitado, irracional, irrealizable*). 2. Las palabras que comienzan por este prefijo admiten separación a final de línea por el prefijo (*in-aceptable*), salvo que la palabra que quede aislada no sea una palabra independiente en la lengua actual (incorr. **in-erme*).

-ín, -ina 1 Sufijo que indica menor tamaño o afecto: *besín, chiquitina.* **2** Sufijo que indica origen, procedencia o patria: *mallorquín, menorquina.* **3** Sufijo que indica agente: *bailarín, andarina.* □ MORF. Puede adoptar las formas *-cín, -cina* (*cochecín, mujercina*), *-ecín, -ecina* (*solecín, florecina*) o *-cecín, -cecina* (*piececín*).

-ina Sufijo que indica acción repentina y violenta: *regañina, azotaina.*

inabarcable adj.inv. Que no se puede abarcar: *El tronco de este árbol es tan gordo que es inabarcable.*

inabordable adj.inv. Que no se puede abordar: *Desde que la ascendieron es inabordable hasta para sus amigos.*

inacabable adj.inv. Que no se puede acabar o que parece que no se acaba: *un trabajo inacabable.*

inaccesibilidad s.f. Imposibilidad de acceder a algo o a alguien: *La inaccesibilidad a esos documentos hizo que no pudiera incluirlos en mi estudio.* □ ETIMOL. Del latín *inaccessibilitas.*

inaccesible adj.inv. Que no resulta accesible: *La cima de la montaña es inaccesible por este lado.* □ ETIMOL. Del latín *inaccessibilis.* □ SEM. Dist. de *inasequible* (que no se puede conseguir o alcanzar).

inacción s.f. Falta de acción: *No me gustó la película por su inacción.*

inacentuado, da adj. Referido a una vocal, a una sílaba o a una palabra, que se pronuncian sin acento de intensidad: *La sílaba inacentuada de 'mesa' es 'sa'.* □ SINÓN. *átono.*

inaceptable adj.inv. Que no se puede aceptar: *Las razones que te hicieron actuar así me parecen inaceptables.*

inactivar v. Desactivar o detener un proceso: *El nuevo medicamento trata de inactivar la enfermedad.*

inactividad s.f. Falta de actividad: *Como está acostumbrada a trabajar mucho, no soporta la inactividad.*

inactivo, va adj. Que no tiene acción, no tiene actividad o no tiene movimiento: *Ese cuerpo militar ha permanecido inactivo desde la última guerra.*

inactual adj.inv. Que pertenece al pasado o que no tiene actualidad.

inadaptable adj.inv. Que no se puede adaptar: *Esta novela es inadaptable al cine.*

inadaptación s.f. Falta de adaptación: *La inadaptación de algunos animales a un medio en cautividad hace que sea difícil evitar la extinción de su especie.*

inadaptado, da adj./s. Que no se adapta a una serie de condiciones o circunstancias: *Los inadaptados no se integran en el medio en que viven.*

inadecuación s.f. Falta de adecuación: *Este trabajo no sirve por su inadecuación a las normas establecidas en el concurso.*

inadecuado, da adj. Que no es adecuado: *Este libro es inadecuado para niños de esa edad.*

inadmisible adj.inv. Que no se puede admitir: *un comportamiento inadmisible.*

inadoptable adj.inv. Que no se puede adoptar: *Unas propuestas tan costosas son inadoptables con este presupuesto tan pequeño.*

inadvertencia s.f. Falta de advertencia o de atención: *Si me he colado en la fila ha sido por inadvertencia, y no por mala intención.*

inadvertido, da adj. **1** Sin ser advertido ni notado: *El suceso pasó inadvertido para la prensa.* **2** Referido a una persona, que no se da cuenta de cosas que debería advertir: *La estudiante, inadvertida, fue a hacer la matrícula cuando ya había finalizado el plazo.* □ SINT. La acepción 1 se usa más con el verbo *pasar*. □ USO El uso de *inapercibido* en lugar de *inadvertido* es un galicismo innecesario.

in aeterno (lat.) (tb. *in aeternum*) ‖ Por siempre o para siempre: *Lo nuestro es un amor in aeterno.* □ PRON. [in etérno].

in aeternum ‖ →**in aeterno.** □ PRON. [in etérnum].

inagotable adj.inv. Que no se agota: *conocimientos inagotables.*

inaguantable adj.inv. Que no se puede aguantar o sufrir: *un carácter inaguantable.*

inalámbrico, ca ▮ adj. **1** Referido a un sistema de comunicación eléctrica, que no tiene alambres o hilos conductores: *telefonía inalámbrica.* ▮ adj./s.m. **2** Referido a un teléfono, que está formado por una parte fija, conectada a la red por medio de cables, y otra portátil desde la que se puede hablar.

in albis (lat.) ‖ En blanco o sin comprender: *No te enteras de qué hablo porque estás in albis.* □ SINT. Se usa más con los verbos *dejar*, *estar* y *quedarse*.

inalcanzable adj.inv. Que no se puede alcanzar: *Era tan ambiciosa que siempre se fijaba metas inalcanzables.*

inalienable adj.inv. En derecho, que no se puede enajenar o transmitir a otra persona, esp. referido a un derecho o a algo que está fuera del ámbito comercial: *Los derechos fundamentales son inalienables.*

inalterabilidad s.f. Imposibilidad de ser alterado: *Ciertas resinas son muy utilizadas como revestimientos por su inalterabilidad.*

inalterable adj.inv. Que no se puede alterar o que no manifiesta alteración: *un contrato inalterable.* □ SEM. Dist. de *inalterado* (que no tiene alteración).

inalterado, da adj. Que no tiene alteración: *productos inalterados.* □ SEM. Dist. de *inalterable* (que no se puede alterar).

inamovible adj.inv. Que no puede ser movido: *una resolución inamovible.*

inamovilidad s.f. Imposibilidad de ser movido: *La inamovilidad de su puesto de trabajo le permite tomar decisiones muy arriesgadas para la empresa.*

inanalizable adj.inv. Que no se puede analizar: *Es un tema tan complejo que me resulta inanalizable.*

inane adj.inv. Inútil, sin valor o sin importancia: *Ha sido un esfuerzo inane porque no ha valido para nada.* □ ETIMOL. Del latín *inanis* (vacío).

inanición s.f. Debilidad extrema producida generalmente por la falta de alimento: *estado de inanición.* □ ETIMOL. Del latín *inanición*, y este de *inanire* (vaciar, agotar).

inanidad s.f. Inutilidad o condición de lo que carece de valor o de importancia: *Desistió de tal empresa ante la inanidad de sus esfuerzos.* □ ETIMOL. Del latín *inanitas*.

inanimado, da adj. Que no tiene alma o que no tiene vida: *Los minerales son seres inanimados.*

inánime adj.inv. Que no da señales de vida, o que está sin vida: *Los enfermeros recogieron el cuerpo inánime del accidentado.* □ SINÓN. *exánime.* □ ETIMOL. Del latín *inanimis*, y este de *in-* (negación) y *ánima* (aliento, alma).

inapagable adj.inv. Que no puede apagarse: *Las dimensiones del incendio eran tales que parecía inapagable.*

inapelable adj.inv. **1** Referido esp. a una sentencia, que no se puede apelar o recurrir: *El fallo de la juez sobre tu caso es inapelable.* **2** Irremediable o inevitable: *Si seguimos jugando así, nuestra victoria es inapelable.*

inapercibido, da adj. →**inadvertido.**

inapetencia s.f. Falta de apetito o de ganas de comer: *Tengo inapetencia porque estoy enferma.*

inapetente adj.inv. Que no tiene apetencia o ganas de comer: *Llevo dos meses inapetente y estoy adelgazando demasiado.* □ ETIMOL. De *in-* (negación) y el latín *appetens* (que apetece).

inaplazable adj.inv. Que no se puede aplazar: *La fecha de mi boda es inaplazable porque ya está todo preparado para ese día.*

inaplicable adj.inv. Que no se puede aplicar a algo determinado o en una situación concreta: *Esa teoría es inaplicable en la práctica.*

inapreciable adj.inv. **1** Que se considera muy valioso: *Entre los dos existe una amistad inapreciable.* **2** Que no se puede apreciar o percibir, generalmente por su pequeñez: *No te preocupes por ese defecto porque es inapreciable.*

inaprensible adj.inv. **1** Que no se puede coger: *La niebla es inaprensible.* **2** Imposible de comprender o entender. ☐ SINÓN. *incomprensible.*

inapropiado, da adj. Que no es apropiado: *Es un vestido inapropiado para esta época del año.*

inaprovechado, da adj. Que no está aprovechado: *En este trabajo eres un talento inaprovechado.*

inapto, ta adj./s. Que no es apto: *considerar a una persona inapta para un puesto de trabajo.* ☐ SEM. Dist. de *inepto* (que no tiene aptitud).

inarmónico, ca adj. Falto de armonía: *Eso no es una melodía, sino una sucesión inarmónica de sonidos.*

inarrugable adj.inv. Que no se arruga: *Tengo una blusa inarrugable y no necesito plancharla.*

inarticulable adj.inv. Que no se puede articular: *un muñeco inarticulable.*

inarticulado, da adj. **1** Que no está articulado: *Me has presentado un conjunto de datos inarticulados.* **2** Referido a sonidos de la voz, que no forman palabras.

in artículo mortis || En derecho, en ocasión de muerte, en el último extremo o en el trance final: *Se casó in artículo mortis, pero después se recuperó y vivió felizmente casado casi veinte años.* ☐ ETIMOL. Del latín *in articulo mortis.* ☐ ORTOGR. Incorr. **en artículo mortis*.

inasequible adj.inv. Que no se puede conseguir o alcanzar: *Nunca logra sus propósitos porque se fija metas inasequibles.* ☐ SEM. Dist. de *inaccesible* (de entrada o de trato difíciles).

inasible adj.inv. Que no se puede asir o coger: *Es una impresión tan sutil que me resulta inasible.*

inasistencia s.f. Falta de asistencia: *La reunión tendrá que repetirse por la inasistencia de tres miembros de la junta de dirección.*

inastillable adj.inv. Que no se astilla al romperse, esp. referido al vidrio que cuando se rompe no se deshace en hojas o láminas cortantes: *Los cristales de los coches son inastillables porque al romperse se hacen añicos.*

inatacable adj.inv. Que no puede ser atacado: *Se considera inatacable, aunque ella puede meterse con todo el mundo.*

inatención s.f. Falta de atención: *Considero una inatención que no me llamaras para felicitarme.*

inatento, ta adj. Que no es atento: *Estuvo muy inatento conmigo y me he enfadado con él.*

inaudible adj.inv. Que no se puede oír: *Hablas tan bajo que tus palabras son inaudibles.*

inaudito, ta adj. Sorprendente, increíble o nunca oído, esp. si es por su carácter atrevido o escandaloso: *Nos conocemos desde niños y es inaudito que digas que jamás me has visto.* ☐ ETIMOL. Del latín *inauditus.* ☐ SEM. Dist. de *insólito* (poco frecuente, no común o fuera de lo habitual).

inauguración s.f. **1** Inicio de una actividad, esp. si se hace con un acto solemne: *El Rey asistirá a la inauguración de esas jornadas por la paz.* **2** Apertura al público por primera vez, esp. de un establecimiento: *En enero está prevista la inauguración del hospital.* ☐ PRON. Incorr. *[inaguración].

inaugural adj.inv. De la inauguración o relacionado con ella: *acto inaugural.* ☐ PRON. Incorr. *[inagurál].

inaugurar v. **1** Dar inicio, esp. si es con un acto solemne: *Con unas palabras de bienvenida, la rectora inauguró el curso.* **2** Referido esp. a un establecimiento, abrirlo al público por primera vez: *Mañana se inaugura una exposición de esculturas al aire libre.* ☐ ETIMOL. Del latín *inaugurare* (observar los agüeros), porque cuando se inauguraba algo se interpretaban determinadas señales para adivinar el futuro. ☐ PRON. Incorr. *[inagurár].

inca adj.inv./s.com. De un antiguo pueblo indígena que se estableció en el oeste suramericano o relacionado con él: *Los incas fabricaban cerámica con motivos decorativos geométricos.*

incaico, ca adj. De los incas o relacionado con este antiguo pueblo: *Esta antropóloga es una gran conocedora de la cultura incaica.*

incalculable adj.inv. **1** Que no se puede calcular. **2** Muy grande: *Este cuadro es de un valor incalculable.*

incalificable adj.inv. **1** Que no se puede calificar: *La película era tan mala que es incalificable.* **2** Referido esp. a una forma de actuar, que se considera despreciable o rechazable.

incandescencia s.f. Estado de un cuerpo, esp. si es de metal, al ponerse rojo o blanco por la acción del calor: *El hierro en incandescencia toma un color rojo intenso.*

incandescente adj.inv. Referido a un cuerpo, esp. si es metálico, que está rojo o blanco por la acción del calor: *Al encender una bombilla, el filamento que tiene se pone incandescente.* ☐ SINÓN. *candente.* ☐ ETIMOL. Del latín *incandescere* (ponerse incandescente).

incansable adj.inv. Que no se cansa o que resiste mucho sin cansarse: *Su hermano es un vago, pero ella es una trabajadora incansable.* ☐ SINÓN. *infatigable.*

incapacidad s.f. **1** Falta de capacidad o aptitud: *Tiene una incapacidad en las piernas que le obliga a utilizar muletas.* **2** En derecho, falta de capacidad o aptitud legales para ejecutar algunos actos, para ejercer determinados derechos civiles o para desempeñar un cargo público: *incapacidad laboral.* ☐ ETIMOL. Del latín *incapacitas.*

incapacitación s.f. **1** Privación legal de la capacidad para ejercer determinados derechos o para desempeñar determinados cargos públicos: *Puedo demostrar tu incapacitación para ejercer la abogacía.* **2** Privación o pérdida de alguna capacidad: *Al perder la vista, mi incapacitación para la pintura es total.*

incapacitado, da adj./s. Referido a una persona, que tiene disminuidas sus facultades físicas o psíquicas, esp. si se le reconoce de manera legal: *Es una mujer incapacitada para ciertos trabajos a causa de su sordera.*

incapacitar v. **1** Hacer incapaz o privar de una capacidad: *La pérdida de la mano lo ha incapacitado para realizar los trabajos domésticos.* **2** En derecho, referido a una persona mayor de edad, decretar su falta de capacidad legal para ejercer determinados derechos civiles: *Una juez la incapacitó para administrar su herencia debido a su estado psíquico.* **3** En derecho, referido a una persona, decretar su falta de capacidad para desempeñar un cargo público: *La ley incapacita a los militares para ser diputados.*

incapaz ▮ adj.inv. **1** Falto de capacidad o aptitud. **2** En derecho, referido a una persona, que carece de capacidad o aptitud legales para ejercer determinados derechos civiles o para desempeñar un cargo público: *Ha sido declarado incapaz para administrar su fortuna.* ▮ s.com. **3** *desp.* Persona considerada inútil o necia. □ ETIMOL. Del latín *incapax*. □ SINT. Constr. de la acepción 1: *incapaz* DE *hacer algo.*

incardinación s.f. **1** Incorporación, esp. de una persona o de un concepto abstracto, a algo que está previamente organizado: *La incardinación de los nuevos en la asociación no ha ocasionado problemas.* **2** Vinculación estable de un sacerdote a una diócesis determinada: *Los trámites para su incardinación fueron cortos.*

incardinar v. **1** Referido esp. a una persona o a un concepto abstracto, incorporarlos a algo que está previamente organizado: *Su liberalismo se incardina en los últimos proyectos económicos.* **2** Referido a un sacerdote, vincularlo de manera estable a una diócesis determinada: *El obispo lo incardinó a su diócesis.* □ ETIMOL. Del latín *incardinare* (considerar jefe de una circunscripción religiosa, poner a un eclesiástico en posesión de esta circunscripción).

incasable adj.inv. **1** Que no se puede casar: *Estas piezas son incasables porque no son de este rompecabezas.* **2** Referido a una persona, que difícilmente llegará a casarse.

incautación s.f. Toma de posesión de mercancías o de bienes por parte de la autoridad competente: *El resultado de la redada policial fue la incautación de tres kilos de cocaína.*

incautarse v.prnl. Referido a mercancías o a bienes, tomar posesión de ellos la autoridad competente, como consecuencia de la relación de estos con un delito, falta o infracción administrativa: *La policía se ha incautado de un alijo de heroína.* □ ETIMOL. Del latín *incautare* (fijar una pena en dinero). □ ORTOGR. La *u* nunca lleva tilde. □ SINT. 1. Constr. *incautarse* DE *algo*. 2. Su uso como transitivo es incorrecto, aunque está muy extendido: *La guardia civil {*incautó > se incautó de} un cargamento de armas.*

incauto, ta adj./s. Sin cautela, sin malicia y fácil de engañar: *Se aprovechó de la ignorancia de aquel joven incauto.*

incendiar v. Referido a algo que no está destinado a arder, prenderle fuego: *Un pirómano ha incendiado el bosque. El edificio se ha incendiado a causa de un cortocircuito.* □ ORTOGR. La *i* nunca lleva tilde.

incendiario, ria ▮ adj. **1** Que sirve para incendiar o que puede causar un incendio: *flechas incendiarias.* ▮ adj./s. **2** Que provoca un incendio voluntariamente.

incendio s.m. Fuego de grandes proporciones que destruye lo que no está destinado a arder: *Los bomberos sofocaron el incendio.* □ SINÓN. *fuego.* □ ETIMOL. Del latín *incendium*.

incensar v. Referido a lo que es objeto de alabanza, dirigir el humo del incensario hacia ello: *El sacerdote incensaba el altar mayor.* □ ETIMOL. Del latín *incensare*. □ MORF. Irreg. →PENSAR.

incensario s.m. Recipiente hondo, circular y con tapa, que cuelga de cadenas y que se usa para quemar incienso y esparcir su aroma, esp. en ceremonias religiosas: *Entre los tesoros de la catedral hay varios incensarios.* □ SINÓN. *turíbulo.*

incentivar v. **1** Referido a una persona, estimularla con gratificaciones para la obtención de mejores rendimientos: *Las posibilidades de ascenso incentivan a los empleados.* **2** Referido a una actividad, impulsarla o promover su realización mediante gratificaciones: *El Gobierno incentiva el ahorro y la creación de empresas.*

incentivo, va ▮ adj./s.m. **1** Que impulsa o estimula la realización de una actividad o la mejora de los rendimientos: *Esta empresa da incentivos a sus trabajadores cada tres meses.* ▮ s.m. **2** Lo que resulta gratificante e impulsa a hacer o a desear algo: *Leer es uno de los incentivos del fin de semana.* □ SINÓN. *acicate.* □ ETIMOL. Del latín *incentivum*.

incertidumbre s.f. Duda o falta de certeza, esp. si provoca ansiedad o inquietud: *Me preocupa la incertidumbre de no saber cuál va a ser mi futuro.*

incertísimo, ma superlat. irreg. de **incierto**.

incesante adj.inv. **1** Que no cesa: *Fui al médico ante mi incesante dolor de cabeza.* **2** Repetido y frecuente: *Sé que le gusta la pintura por sus incesantes visitas al museo.*

incesto s.m. Relación sexual entre familiares que están emparentados en línea directa: *Lo condenaron por incesto por mantener relaciones sexuales con su hija.* □ ETIMOL. Del latín *incestus*.

incestuoso, sa adj. Del incesto o relacionado con este tipo de relación sexual: *Las relaciones incestuosas no se toleran en nuestra sociedad.*

incidencia s.f. **1** Suceso que se produce en el transcurso de un asunto y que no es parte esencial de él: *Llámame y te contaré las incidencias del fin de semana.* **2** En estadística, número de casos ocurridos, generalmente expresados en tanto por ciento: *La incidencia de la gripe este año ha sido del sesenta por ciento.* **3** Influencia o repercusión de un fenómeno: *Se estudió la incidencia de la contaminación en los problemas respiratorios.* □ ETIMOL. Del latín *incidentia*.

incidental adj.inv. **1** Que constituye un incidente. **2** De poca importancia o no esencial: *una cuestión incidental.* **3** En lingüística, que modifica a una oración pero no depende del núcleo verbal de esta: *En 'Por desgracia, no llegamos a tiempo', 'por desgracia' es incidental.*

incidentalmente adv. De modo accidental o casual: *Me encontré con un amigo incidentalmente.*

incidente s.m. **1** Suceso que repercute en el transcurso de un asunto del que no forma parte: *En el aeropuerto se produjeron algunos incidentes que retrasaron el vuelo.* **2** Pelea, disputa o riña, esp. si son de poca importancia: *Tuvieron un pequeño incidente, pero ya han hecho las paces.* □ SEM. Dist. de *accidente* (acción casual que resulta dañina para alguien).

incidir v. **1** Referido esp. a una falta o a un error, caer en ellos: *Espero que esta vez no incidas en el error de dejarlo todo para el último día.* **2** Recalcar o hacer hincapié: *Los pedagogos inciden en la importancia de los padres en la educación infantil.* **3** Influir, causar efecto o tener trascendencia en algo posterior: *La subida de los salarios incidirá en el aumento de los precios.* □ SINÓN. *repercutir.* **4** Caer sobre una superficie: *La luz incidía en el espejo.* □ ETIMOL. Del latín *incidere.* □ SINT. Constr. *incidir* EN *algo.*

incienso s.m. Resina gomosa y aromática que se extrae de diversos árboles originarios de los continentes asiático y africano y que se utiliza generalmente como perfume en ceremonias religiosas: *El botafumeiro esparcía el incienso por toda la catedral.* □ ETIMOL. Del latín *incensum*.

incierto, ta adj. **1** Poco seguro: *La hora de su llegada es incierta, pero probablemente llegue antes de que anochezca.* **2** Desconocido, ignorado o poco claro: *El futuro del ser humano es incierto.* □ MORF. Su superlativo es *incertísimo*.

incineración s.f. Quema de algo, esp. de un cadáver, hasta reducirlo a cenizas: *La incineración de cadáveres se realiza en hornos crematorios.*

incinerador, -a adj./s. Referido a un aparato o a una instalación, que sirve para incinerar o quemar hasta reducir a cenizas, esp. cadáveres: *Instalarán un incinerador en el cementerio.*

incinerar v. Referido esp. a un cadáver, quemarlo hasta reducirlo a cenizas: *Cuando muera, no quiero que me entierren, sino que me incineren.* □ ETIMOL. Del latín *incinerare* (volver cenizas). □ SEM. Dist. de *inhumar* (enterrar un cadáver).

incipiente adj.inv. Que está empezando: *una calvicie incipiente.* □ ETIMOL. Del latín *incipiens*, y este de *incipere* (emprender).

íncipit (pl. *íncipit*) s.m. En una descripción bibliográfica, término con que se designan las primeras palabras del texto propiamente dicho de un manuscrito o impreso antiguos: *'Íncipit' significa 'comienza'.* □ ETIMOL. Del latín *incipere* (empezar), tercera persona del singular del presente de indicativo.

incircunciso, sa adj. Que no está circuncidado. □ ETIMOL. Del latín *incircumcisus*.

incisión s.f. Corte o hendidura que se hace en algunos cuerpos con un instrumento cortante: *La cirujana hizo una incisión con el bisturí.* □ ETIMOL. Del latín *incisio*.

incisivo, va ▮ adj. **1** Que sirve para abrir o cortar: *La herida que le causó la muerte fue hecha con un instrumento incisivo.* **2** Que critica de forma hiriente e ingeniosa: *Eres muy incisivo en tus críticas.* ▮ s.m. **3** →**diente incisivo.**

inciso s.m. **1** Relato o comentario que se intercala en un discurso o en una conversación y que tiene poca relación con el tema central: *hacer un inciso.* **2** En una oración, miembro intercalado que va generalmente entre comas o paréntesis y que encierra un sentido parcial: *En la oración 'Tú, dicho en honor a la verdad, nunca me has fallado', 'dicho en honor a la verdad' es un inciso.* □ ETIMOL. Del latín *incisus*, y este de *incidere* (hacer un corte).

incitación s.f. Provocación o estímulo para hacer algo: *El discurso del líder se consideró como una incitación a la revuelta.* □ SINT. Constr. *incitación* A *algo.*

incitador, -a adj./s. Que impulsa a realizar una acción.

incitante adj.inv. **1** Que incita o impulsa a realizar una acción: *palabras incitantes.* **2** Que es atractivo o que estimula: *En aquel folleto de cruceros aparecían unas incitantes fotografías del Caribe.*

incitar v. Referido a una acción, impulsar a realizarla: *Esa película ha sido muy criticada porque incita a la violencia.* □ ETIMOL. Del latín *incitare.* □ SINT. Constr. *incitar* A *algo.*

incívico, ca adj. Que actúa contra las normas mínimas de convivencia social: *un comportamiento incívico.* □ SINÓN. *incivil.*

incivil adj.inv. Que actúa contra las normas mínimas de convivencia social: *un comportamiento incivil.* □ SINÓN. *incívico.* □ ETIMOL. Del latín *incivilis.*

incivilidad s.f. Falta de civismo, de educación, o actitud del que actúa contra las normas mínimas de convivencia social: *Tirar papeles al suelo es una muestra de incivilidad.*

incivilizado, da adj. Que está sin civilizar o que actúa contra las normas mínimas de convivencia social: *Aunque se haya criado en el monte, no es niño incivilizado.*

incivismo s.m. Falta de civismo: *Tirar basuras o papeles en la calle es una demostración de incivismo.*

inclasificable adj.inv. Que no se puede clasificar: *Esta obra es inclasificable dentro de un género, ya que tiene elementos característicos del teatro y de la novela.*

inclaustración s.f. Ingreso en una orden monástica: *Después de mucho pensarlo, decidió su inclaustración en los franciscanos.* □ ETIMOL. Del latín *in* (hacia adentro) y *claustro*.

inclaustrar v. →**enclaustrar.**

inclemencia s.f. **1** Referido al tiempo atmosférico, fenómeno que resulta desagradable por su rigor o intensidad. **2** Falta de clemencia: *A causa de la inclemencia del juez le han impuesto la pena máxima.*

inclemente adj.inv. **1** Que no tiene clemencia. **2** Referido esp. al tiempo atmosférico, que resulta duro, desapacible o desagradable por su rigor: *Este invierno está haciendo un tiempo inclemente.* □ ETIMOL. Del latín *inclemens*.

inclinación s.f. **1** Desviación de la posición vertical u horizontal. **2** Tendencia o propensión hacia algo. **3** Afición o cariño especial: *inclinación por la lectura.* **4** Reverencia que se hace inclinando la cabeza o el cuerpo hacia adelante.

inclinar ▌v. **1** Desviar de la posición vertical u horizontal: *El peso del abrigo ha inclinado el perchero hacia la derecha. Los invitados al baile se inclinaron al entrar el rey.* **2** Referido a una persona, persuadirla para que diga o haga algo sobre lo que antes dudaba: *El testimonio del último testigo inclinó al juez a absolver al acusado.* ▌prnl. **3** Mostrar tendencia, afición o propensión hacia algo: *Me inclino a pensar que todo ha sido una farsa. Se inclinó por el azul.* □ ETIMOL. Del latín *inclinare* (apartar de la posición vertical).

inclinómetro s.m. Aparato que permite ver la inclinación de un vehículo con respecto al plano horizontal: *El coche que me he comprado tiene elevalunas eléctrico, cierre centralizado e inclinómetro.*

ínclito, ta adj. Ilustre o famoso: *La ínclita profesora recibió emocionada el premio a su labor.* □ ETIMOL. Del latín *inclitus*. □ USO Su uso es característico del lenguaje culto.

incluir v. **1** Poner dentro de algo o hacer formar parte de ello: *Incluyó una carta en el paquete que me envió. Me incluyo entre tus amigos íntimos.* **2** Referido a una parte, comprenderla un todo: *La península Ibérica incluye España y Portugal.* **3** Contener o llevar implícito: *El precio del coche incluye todos los impuestos.* □ ETIMOL. Del latín *includere* (encerrar dentro de algo). □ MORF. Irreg. →HUIR.

inclusa s.f. Véase **incluso, sa**.

inclusero, ra adj./s. *col.* Que se cría o se ha criado en una inclusa.

inclusión s.f. Introducción de algo en una cosa o conversión de algo en parte de un todo: *Mi inclusión en el grupo de los que han sido becados me llenó de alegría.*

inclusive adv. Indica que se tienen en cuenta los límites que se citan: *Estaré de vacaciones del 1 al 15, ambos inclusive.* □ ETIMOL. Del latín *inclusive* (con inclusión). □ MORF. Incorr. **inclusives*.

inclusivo, va adj. Que incluye o que tiene capacidad para incluir algo: *Entre los conjuntos 'A' y 'B' existe una relación inclusiva, es decir, el conjunto 'B' está incluido en 'A'.*

incluso ▌adv. **1** Con inclusión de: *El concierto gustó a todos, incluso a los más jóvenes.* ▌prep. **2** Indica que el dato que a continuación se aporta se considera sorprendente: *Me gustó incluso a mí, que odio ese tipo de espectáculos.* □ SINÓN. *hasta.* **3** En una comparación, indica énfasis: *Si ayer hizo bueno, hoy hace mejor, incluso.* **4** En una gradación, indica un grado más: *Estás muy pálida, incluso amarilla.* ▌conj. **5** Enlace gramatical con valor concesivo: *Incluso sabiéndolo, no te dirá nada.* □ SINÓN. *aun.* □ SINT. Como preposición, cuando precede a los pronombres de primera y segunda persona de singular, estos no toman las formas *mí, ti,* sino *yo, tú.*

incluso, sa ▌**1** part. irreg. de **incluir.** ▌s.f. **2** Institución donde se recoge para su cuidado y educación a niños abandonados, huérfanos o con padres incapacitados: *Su madre estaba en un hospital psiquiátrico y él, en una inclusa.* □ ETIMOL. *Inclusa* del nombre de *Nuestra Señora de la Inclusa,* que era una imagen de la Virgen que se trajo de la isla holandesa de *L'Écluse* y que se colocó en la casa de expósitos de Madrid.

incluyente adj.inv. Que incluye: *Un conjunto es incluyente de sus subconjuntos.*

incoación s.f. En derecho, inicio de una actuación oficial: *Antes de la incoación del proceso, es necesario reunir todos los documentos relacionados con el fraude.* □ ORTOGR. Incorr. **incohación*, **incoacción*.

incoar v. En derecho, referido a una actuación oficial, iniciarla: *Las denuncias obligaron al Ayuntamiento a incoar expediente.* □ ETIMOL. Del latín *incohare* (empezar).

incoativo, va adj. En lingüística, que indica el inicio de una acción, esp. si es progresiva: *'Anochecer' es un verbo incoativo porque significa 'empezar a hacerse de noche'.*

incobrable adj.inv. Que no se puede cobrar: *Esa factura es incobrable porque el deudor está en paradero desconocido.*

incoercible adj.inv. Que no puede ser coercido o contenido: *Ante aquella humillación reaccionó con una ira incoercible.* □ ORTOGR. Incorr. **incohercible*. □ USO Su uso es característico del lenguaje culto.

incógnita s.f. Véase **incógnito, ta**.

incógnito, ta ▌adj. **1** No conocido: *Anduvo errante por incógnitos lugares.* ▌s.f. **2** En una ecuación matemática, cantidad desconocida cuyo valor hay que determinar y que se representa con una letra: *Las incógnitas se representan generalmente con las letras 'x', 'y', 'z'.* **3** Lo que se desconoce: *Su decisión es una incógnita para mí.* **4** ‖ **de incógnito;** sin darse a conocer u ocultando la verdadera identidad: *ir de incógnito.* □ ETIMOL. La acepción 1, del latín *incognitus,* y este de *in-* (negación) y *cognitus* (conocido). Las acepciones 2 y 3, del latín *incognita,* y este de *incognitus* (incógnito).

incognoscible adj.inv. Que no se puede conocer: *Los límites de la mente humana son incognoscibles.* □ ETIMOL. Del latín *incognoscibilis*.

incoherencia s.f. **1** Falta de coherencia: *La incoherencia entre su forma de pensar y sus actos hacen dudar de su honradez.* **2** Hecho o dicho falto de coherencia o carente de sentido: *Estaba muy borracho y no decía más que incoherencias.*

incoherente adj.inv. Sin coherencia o carente de sentido: *Estaba tan nerviosa que solo pudo balbucear frases incoherentes.* ☐ ETIMOL. Del latín *incohaerens.*

incoloro, ra adj. Sin color: *El agua es una sustancia incolora.*

incólume adj.inv. Que no ha sufrido daño o deterioro: *Afortunadamente, los viajeros salieron incólumes del accidente.* ☐ ETIMOL. Del latín *incolumis.* ☐ SEM. Dist. de *impoluto* (sin mancha).

incombinable adj.inv. Que no se puede combinar: *Ese color es incombinable con el rojo.*

incombustibilidad s.f. Propiedad de lo que no se puede quemar: *El amianto se utiliza en la confección de trajes especiales por su incombustibilidad.*

incombustible adj.inv. **1** Que no se puede quemar: *El líquido de los extintores es incombustible.* ☐ SINÓN. *calorífugo.* **2** Referido a una persona, que no se agota a pesar del tiempo o de las dificultades: *A pesar de llevar treinta años en la política, es incombustible.*

incomible adj.inv. Que no se puede comer, esp. por estar mal cocinado o condimentado: *Aquella tarta estaba incomible, porque en vez de poner azúcar, le puse sal.*

incomodar v. Molestar o causar o sentir enfado: *Las preguntas personales incomodaron al entrevistado. Incomodarse cuando te dicen una verdad es propio de una persona inmadura.* ☐ ETIMOL. Del latín *incommodare.*

incomodidad s.f. Molestia o falta de comodidad: *Las mudanzas siempre ocasionan incomodidades.* ☐ SINÓN. *incomodo.*

incomodo s.m. Molestia o falta de comodidad. ☐ SINÓN. *incomodidad.* ☐ ORTOGR. Dist. de *incómodo.*

incómodo, da adj. **1** Que no es o no resulta cómodo: *una cama incómoda.* **2** Que incomoda, molesta o disgusta: *Me resulta muy incómodo estar con dos personas que se llevan muy mal entre ellas.* ☐ ORTOGR. Dist. de *incomodo.*

incomparable adj.inv. Que no tiene o no admite comparación: *La incomparable belleza del lugar nos sobrecogió.* ☐ ETIMOL. Del latín *incomparabilis.*

incomparecencia s.f. Falta de asistencia a un acto o a un lugar en que se debe estar presente: *Ante la incomparecencia del testigo, la juez suspendió la sesión hasta el día siguiente.*

incompatibilidad s.f. **1** Incapacidad para unirse o para existir conjuntamente: *Nuestra relación fracasó a causa de la incompatibilidad de caracteres.* **2** Imposibilidad o desautorización legal para ejercer dos o más cargos al mismo tiempo: *La ley de incompatibilidades afecta a los funcionarios públicos con dedicación exclusiva.* ☐ ETIMOL. De *in-* (negación) y *compatibilidad.*

incompatibilizar v. Hacer incompatible: *La nueva ley incompatibiliza los empleos públicos con los privados.* ☐ ORTOGR. La *z* se cambia en *c* delante de *e* →CAZAR.

incompatible adj.inv. Que no es compatible o sin posibilidad de existir, hacerse u ocurrir con otro: *Dejó su antiguo trabajo porque era incompatible con el actual.* ☐ SINT. Constr. *incompatible* CON *algo.*

incompensable adj.inv. Que no se puede compensar: *El favor que me hiciste es incompensable.*

incompetencia s.f. Falta de competencia, aptitud o capacidad legal: *La empresa no funciona por la incompetencia del director.*

incompetente adj.inv./s.com. Que no es competente: *¿Cómo se te ocurre encargarle el proyecto a semejante incompetente?* ☐ ETIMOL. Del latín *incompetens.*

incompleto, ta adj. Que no está completo: *Como la solicitud estaba incompleta, me preguntaron los datos que faltaban.* ☐ ETIMOL. Del latín *incompletus.*

incomprendido, da adj./s. Referido a una persona, mal comprendida, esp. si no cuenta con el reconocimiento o la valoración de su mérito: *Fue una incomprendida, ya que nadie consideró la importancia de sus investigaciones.*

incomprensibilidad s.f. Imposibilidad o dificultad de ser entendido o comprendido: *Esa autora es famosa por la oscuridad y la incomprensibilidad de su estilo.* ☐ SEM. Dist. de *incompresibilidad* (imposibilidad de ser comprimido).

incomprensible adj.inv. Imposible de comprender o entender: *Tus explicaciones son incomprensibles para los que no sabemos filosofía.* ☐ SINÓN. *inaprensible.* ☐ SEM. Dist. de *incompresible* (que no puede ser comprimido).

incomprensión s.f. Falta de comprensión hacia los demás: *Cuando tuve aquel problema, sentí una total incomprensión por parte de algunos amigos.*

incomprensivo, va adj. Referido a una persona, que es incapaz de comprender los sentimientos o la conducta de los demás o que es intolerante: *Es tan incomprensivo que de nada sirve que le des todo tipo de explicaciones.* ☐ ETIMOL. De *in-* (privación) y *comprensivo.*

incompresibilidad s.f. Imposibilidad de comprimir o reducir a menor volumen: *No hay ningún fluido que se caracterice por su total incompresibilidad.* ☐ SEM. Dist. de *incomprensibilidad* (imposibilidad de ser entendido).

incompresible adj.inv. Que no puede ser comprimido o reducido a menor volumen: *El gas ideal es incompresible.* ☐ SEM. Dist. de *incomprensible* (que no puede ser entendido).

incomunicabilidad s.f. Imposibilidad de entendimiento, de trato o de comunicación: *No serán nunca amigos porque no son capaces de superar su incomunicabilidad.*

incomunicable adj.inv. **1** Referido a un lugar o a una persona, que no se pueden comunicar o permanecen aislados de su entorno: *Mientras no se construya una carretera, esos dos pueblos son incomunicables.* **2** Referido esp. a ideas, experiencias o sentimientos, que no se pueden transmitir o dar a conocer a otros: *Una alegría tan grande resulta incomunicable.*

incomunicación s.f. **1** Aislamiento o falta de comunicación. **2** En derecho, aislamiento temporal, esp. de un detenido o de un testigo, que ha sido ordenado por un juez: *La incomunicación de los procesados terminará después del careo ante el tribunal.*

incomunicar v. Aislar o privar de comunicación: *Han incomunicado a los tres presos que se pelearon ayer.* □ ORTOGR. La *c* se cambia en *qu* delante de *e* →SACAR.

inconcebible adj.inv. Que no se puede concebir, imaginar o comprender, debido esp. a su carácter asombroso: *Es inconcebible que te vuelva a pedir dinero sin devolverte lo que te debía.*

inconciliable adj.inv. Que no se puede conciliar o armonizar: *Como las posturas de los sindicatos y de la patronal son inconciliables, habrá huelga.*

inconcluso, sa adj. Que no está concluido: *Al morir, dejó inconclusa su última obra.*

inconcreto, ta adj. Impreciso o que no es concreto: *Necesito más detalles porque lo que me dices es muy inconcreto.*

inconcuso, sa adj. Que no admite duda o contradicción. □ ETIMOL. Del latín *inconcussus.*

incondicional ▮ adj.inv. **1** Absoluto o sin limitaciones ni condiciones: *una amistad incondicional.* ▮ adj.inv./s.com. **2** Partidario o seguidor de algo sin limitación ni condición alguna.

inconexión s.f. Falta de conexión: *El proyecto no es bueno por la inconexión entre sus partes.* □ ETIMOL. Del latín *inconnexio.*

inconexo, xa adj. Que no tiene conexión: *Si no lo estructuras y organizas, no será más que un conjunto de pensamientos inconexos.* □ ETIMOL. Del latín *inconnexus.*

inconfesable adj.inv. Que no se puede confesar o declarar, esp. por ser vergonzoso o deshonroso: *Siento una inconfesable envidia de mi compañero.*

inconfeso, sa adj. Referido esp. a un presunto culpable, que no confiesa el delito del que se le acusa. □ ETIMOL. Del latín *inconfesus.*

inconforme adj.inv./s.com. **1** Que no está conforme. □ SINÓN. *desconforme, disconforme.* **2** →**inconformista.**

inconformidad s.f. Desacuerdo o falta de conformidad: *Le manifesté mi inconformidad con esas ideas tan absurdas que propone.*

inconformismo s.m. **1** Actitud consistente en la falta de conformismo o de aceptación de lo establecido: *El inconformismo es característico de la juventud.* **2** Actitud consistente en la falta de conformidad o de acuerdo: *Mostró su inconformismo ante el suspenso.*

inconformista adj.inv./s.com. Que tiene o muestra inconformismo: *Es un inconformista y aspira a construir una sociedad más justa.* □ SINÓN. *inconforme.*

inconfundible adj.inv. Que se distingue claramente o que no se puede confundir: *Es un inconformista y aspira a construir una sociedad más justa.*

incongruencia s.f. **1** Falta de congruencia, de relación o de correspondencia: *Por la incongruencia de tu respuesta deduzco que no estabas atento a lo que te he preguntado.* **2** Hecho o dicho falto de congruencia o carente de sentido: *En su delirio no dejó de decir incongruencias y disparates.*

incongruente adj.inv. Sin congruencia o sin sentido: *Tu comportamiento es incongruente con tu forma de pensar.* □ ETIMOL. Del latín *incongruens.*

inconmensurable adj.inv. **1** Que no está sujeto a medida o a valoración: *El cosmos es inconmensurable.* **2** *col.* Inmenso, enorme o grandísimo. □ ETIMOL. Del latín *incommensurabilis.*

inconmovible adj.inv. Imposible o muy difícil de conmover o alterar: *Es inconmovible y por mucho que le ruegues no conseguirás nada.*

inconmutabilidad s.f. Imposibilidad de ser conmutado, cambiado o sustituido: *A pesar de la inconmutabilidad de la pena, puso un recurso ante el Tribunal Supremo.*

inconmutable adj.inv. **1** Que no se puede conmutar o sustituir: *La pena que le han impuesto es inconmutable.* **2** →**inmutable.** □ ETIMOL. Del latín *incommutabilis.*

inconquistable adj.inv. Imposible de conquistar: *Debido a lo abrupto del terreno y a la fiereza de las tribus, la región resultaba inconquistable.*

inconsciencia s.f. **1** Falta de consciencia: *Su inconsciencia le llevó a alquilar una casa que ahora no puede pagar.* **2** Hecho o dicho falto de consciencia: *Cruzar la calle sin mirar si vienen coches me parece una inconsciencia.* □ ETIMOL. Del latín *inconscientia.*

inconsciente ▮ adj.inv./s.com. **1** No consciente: *A causa de una bajada de tensión, estuvo varios minutos inconsciente.* ▮ s.m. **2** En psicología, conjunto de procesos mentales del individuo que escapan a la consciencia: *Para Freud, el inconsciente es una de las partes que estructuran la psique.*

inconsecuencia s.f. **1** Falta de consecuencia en lo que se hace o dice: *No le votaré para representante por la inconsecuencia de sus palabras.* **2** Hecho o dicho inconsecuente o que no se corresponde con lo que se hace o dice: *Defender la igualdad de todos sin renunciar a los privilegios parece una inconsecuencia.*

inconsecuente ▮ adj.inv. **1** Que no es deducible: *Ese resultado es inconsecuente con el planteamiento inicial.* ▮ adj.inv./s.com. **2** Referido esp. a una persona, que no procede en consecuencia o de acuerdo con sus ideas: *un comportamiento inconsecuente.* □ ETIMOL. Del latín *inconsequens.*

inconsideración s.f. Falta de consideración. □ ETIMOL. Del latín *inconsideratio.*

inconsistencia s.f. Falta de consistencia: *la inconsistencia de tu teoría.*

inconsistente adj.inv. Sin consistencia: *Si no aportas pruebas, lo que dices es inconsistente.*

inconsolable adj.inv. Imposible de consolar: *¿Qué padres no sienten una pena inconsolable ante la muerte de un hijo?* ☐ ETIMOL. Del latín *inconsolabilis.*

inconstancia s.f. Falta de constancia: *la inconstancia en el trabajo.*

inconstante adj.inv. Que no es constante: *Es tan inconstante que cada vez que lo veo está empezando unos estudios distintos.* ☐ ETIMOL. Del latín *inconstans.*

inconstitucional adj.inv. Referido esp. a una ley o a un decreto, que no es conforme o no se ajusta a la Constitución o leyes fundamentales del Estado: *La oposición considera inconstitucional el proyecto de ley presentado por el Gobierno.* ☐ SEM. Dist. de anticonstitucional (contrario a la Constitución).

inconstitucionalidad s.f. Falta de constitucionalidad: *Ese decreto será derogado por su inconstitucionalidad.*

inconsútil adj.inv. Sin costuras, esp. referido a la túnica de Jesucristo: *Encontraron una túnica muy antigua, blanca e inconsútil, y creyeron que era la de Jesucristo.* ☐ ETIMOL. Del latín *inconsutilis* (que no se puede coser).

incontable adj.inv. Imposible de contar, debido esp. a su carácter desagradable o a su gran número: *Tienen tal éxito las consultas telefónicas que el número de llamadas es incontable.*

incontaminado, da adj. Que no está contaminado: *Estuve en un valle aún incontaminado a pesar de su cercanía a la ciudad.* ☐ ETIMOL. Del latín *incontaminatus.*

incontenible adj.inv. Imposible de contener: *Cuando me hacen cosquillas, me entra una risa incontenible.*

incontestable adj.inv. Que no admite contestación o discusión: *Me has convencido porque tus argumentos son incontestables.*

incontestado, da adj. Que no ha sido contestado o que no ha encontrado oposición: *Sus argumentos aún son incontestados.*

incontinencia s.f. **1** Falta de continencia, de moderación en los deseos y pasiones o de abstinencia sexual: *Su incontinencia con la bebida lo ha llevado al alcoholismo.* **2** En medicina, trastorno que consiste en la expulsión involuntaria de heces u orina: *A veces la incontinencia necesita un tratamiento psicológico.*

incontinente ▮ adj.inv. **1** Incapaz de reprimir sus deseos o pasiones: *No padece obesidad sino que es un comilón incontinente.* ▮ adj.inv./s.com. **2** En medicina, que padece incontinencia: *Muchas personas mayores son incontinentes.* ☐ ETIMOL. Del latín *incontines*, este de *in-* (negación) y *continens*, y este de *continere* (contener).

incontrastable adj.inv. **1** Que no se puede contrastar: *Somos totalmente diferentes, así que es lógico que nuestra visión de las cosas sea incontrastable.* **2** Que no se puede negar o impugnar con fundamento: *La abogada presentó pruebas incontrastables en el juicio.*

incontrolable adj.inv. Que no se puede controlar: *Cuando se enfurece, es incontrolable y capaz de hacer cualquier brutalidad.*

incontrolado, da adj./s. Que actúa o funciona sin control: *La venta incontrolada de alimentos está prohibida.*

incontrovertible adj.inv. Que no admite duda o discusión: *Las pruebas contra el acusado son incontrovertibles y su culpabilidad es clara.*

inconveniencia s.f. **1** Falta de conveniencia: *Cuando celebró su cumpleaños, no pensó en la inconveniencia de juntar a todos en un sitio tan pequeño.* **2** Hecho o dicho inconveniente o inoportuno: *Ya no lo invito a ninguna fiesta porque en la última estuvo todo el tiempo diciendo inconveniencias.* ☐ ETIMOL. Del latín *inconvenientia.*

inconveniente ▮ adj.inv. **1** Que no es conveniente: *Me denegó lo que le pedí porque dijo que era una solicitud inconveniente.* ▮ s.m. **2** Impedimento o dificultad que existe en la realización de algo: *A pesar de los inconvenientes haré todo lo posible para verte.* **3** Daño o perjuicio que resulta de la realización de algo: *Esas amistades no te han traído más que inconvenientes.*

incordiar v. *col.* Molestar, fastidiar o importunar: *Con sus gritos incordia a toda la vecindad.* ☐ ORTOGR. La *i* nunca lleva tilde.

incordio s.m. *col.* Lo que resulta molesto, fastidioso o importuno: *Es un incordio tener que madrugar.* ☐ ETIMOL. Del latín *antecordium*, y este de *ante* (delante) y *cor* (corazón), porque originalmente un incordio era un tumor en el pecho de los caballos.

incorporación s.f. **1** Agregación o integración en un todo. **2** Levantamiento de la cabeza o de la parte superior del cuerpo. **3** Comienzo de las actividades en un puesto de trabajo: *fecha de incorporación.*

incorporal adj.inv. →**incorpóreo.** ☐ ETIMOL. Del latín *incorporalis.*

incorporar ▮ v. **1** Agregar o integrar en un todo: *He incorporado ejercicios prácticos en cada tema. Grupos ecologistas se han incorporado a la protesta de los trabajadores.* **2** Levantar o erguir la cabeza o la parte superior del cuerpo: *El perro incorporó la cabeza cuando oyó a su amo. El enfermo se ha incorporado en la cama para comer.* ▮ prnl. **3** Referido a una persona, presentarse en su puesto de trabajo para tomar posesión de su cargo o para empezar a desempeñar sus funciones: *El capitán se incorporó al regimiento al que había sido destinado.* ☐ ETIMOL. Del latín *incorporare.* ☐ SINT. 1. Constr. de la acepción 1: *incorporar {A/EN} algo.* 2. Constr. de la acepción 3: *incorporarse* A *una actividad.*

incorporeidad s.f. Falta de corporeidad: *El alma no se ve por su incorporeidad.*

incorpóreo, a adj. **1** Que no tiene cuerpo ni consistencia: *Según la religión católica, los ángeles son* *incorpóreos.* ☐ SINÓN. *incorporal.* **2** Que no tiene materia: *Es difícil definir el amor porque es incorpóreo.* ☐ SINÓN. *incorporal.* ☐ ETIMOL. Del latín *incorporens.*

incorrección s.f. **1** Falta de corrección: *Las faltas de ortografía son incorrecciones de la escritura.* **2** Hecho o dicho incorrectos: *Ir de visita a la hora de la comida es una incorrección.*

incorrecto, ta adj. Que no es correcto: *Los cálculos que has realizado son incorrectos.* ☐ ETIMOL. Del latín *incorrectus.*

incorregible adj.inv. **1** Imposible de corregir: *un defecto incorregible.* **2** Que no quiere enmendarse. ☐ ETIMOL. Del latín *incorrigibilis.*

incorrupción s.f. Ausencia de corrupción: *El hielo mantuvo el cuerpo en estado de incorrupción.* ☐ ETIMOL. Del latín *incorruptio.*

incorruptibilidad s.f. Imposibilidad de corromperse.

incorruptible adj.inv. Que no puede corromperse: *No intentes sobornarla porque es una mujer incorruptible.*

incorrupto, ta adj. Que permanece sin corrupción: *un político incorrupto.* ☐ ETIMOL. Del latín *incorruptus.*

incredibilidad s.f. Imposibilidad de ser creído o falta de credibilidad: *La incredibilidad de sus palabras lo desprestigió ante todos.* ☐ ETIMOL. Del latín *incredibilitas.*

incredulidad s.f. **1** Imposibilidad o dificultad para creer algo: *Mi incredulidad ante las historias de aparecidos es total.* **2** Falta de fe y de creencias religiosas: *Pese a su incredulidad, ha educado a sus hijos en la religión.*

incrédulo, la adj./s. **1** Que no cree fácilmente: *Soy una incrédula porque me han engañado muchas veces.* **2** Que no tiene fe ni creencias religiosas: *Es un joven incrédulo, pero apoya los movimientos humanitarios.* ☐ ETIMOL. Del latín *incredulus.*

increíble adj.inv. Imposible de creer: *una historia increíble.* ☐ ETIMOL. Del latín *incredibilis.*

incrementar v. Aumentar o hacer mayor: *Las lluvias han incrementado el caudal del río. Las ventas se incrementan en épocas navideñas.*

incremento s.m. Crecimiento en tamaño, en cantidad, en cualidad o en intensidad: *Gracias al incremento de la calidad se han disparado las ventas.* ☐ SINÓN. *aumento.* ☐ ETIMOL. Del latín *incrementum*, y este de *increscere* (acrecentarse).

increpación s.f. Reprensión o advertencia severas: *Mis increpaciones no sirvieron para que dejara las malas compañías.* ☐ SEM. Dist. de *imprecación* (palabra o expresión que manifiesta el deseo de que alguien sufra algún daño).

increpar v. Referido a una persona, reprenderla o reñirla duramente: *Su madre lo increpó por haberle cogido el coche sin permiso.* ☐ ETIMOL. Del latín *increpare.* ☐ SEM. Dist. de *imprecar* (dirigir palabras en las que se expresa el deseo de que alguien sufra algún daño).

incriminación s.f. Acusación de un delito o de una falta graves: *No se puede realizar una incriminación sin tener pruebas evidentes.*

incriminar v. Referido a una persona, acusarla de un delito o una falta graves: *Lo han incriminado de un asesinato.* ☐ ETIMOL. Del latín *incriminare* (acusar).

incruento, ta adj. Que no es sangriento o que se produce sin derramamiento de sangre: *La misa es el sacrificio incruento del cuerpo y de la sangre de Cristo.* ☐ ETIMOL. Del latín *incruentus.*

incrustación s.f. **1** Introducción de materiales en una superficie lisa y dura para adornarla. **2** Penetración violenta de un cuerpo en otro o fuerte adhesión a él. **3** Lo que se incrusta: *las incrustaciones del broche.*

incrustar v. **1** Referido esp. a piedras, metales o maderas, introducirlas en una superficie lisa y dura para adornarla: *Para adornar la caja han incrustado trozos de nácar en la tapa.* **2** Referido a un cuerpo o a una sustancia, hacer que penetre en algo con violencia o que quede adherido a ello: *Disparó e incrustó la bala en la pared. La suciedad se ha incrustado en el suelo y no hay quien quite la mancha.* ☐ ETIMOL. Del latín *incrustare* (clavar en la corteza).

incubación s.f. **1** Proceso en el que se calientan los huevos de los animales ovíparos, esp. de las aves, mediante calor natural o artificial para que se desarrolle el embrión. **2** En medicina, desarrollo de una enfermedad infecciosa hasta que se manifiestan sus efectos: *la incubación de la gripe.* **3** Desarrollo oculto de algo, esp. de una tendencia o de un movimiento social, hasta su plena manifestación: *la incubación de un conflicto.*

incubadora s.f. **1** Máquina o lugar utilizados para incubar huevos de modo artificial, esp. los de aves domésticas: *En la granja de pollos hemos instalado dos nuevas incubadoras.* **2** Cámara acondicionada para facilitar el desarrollo de los niños prematuros o nacidos en circunstancias anormales: *Tuvieron al bebé un mes en la incubadora porque era sietemesino.*

incubar ▌v. **1** Referido a los huevos que pone un animal ovíparo, empollarlos o calentarlos durante el tiempo necesario para que se desarrolle el embrión: *La gallina incuba los huevos durante veintiún días.* **2** Referido a una enfermedad, desarrollarla desde que se contagian los gérmenes nocivos hasta que se manifiestan sus efectos: *Creo que estoy incubando la gripe, porque empiezo a sentirme mal.* ▌prnl. **3** Referido esp. a una tendencia o un movimiento social, iniciarse su desarrollo de forma oculta hasta su plena manifestación: *La revolución se fue incubando durante la larga crisis económica.* ☐ ETIMOL. Del latín *incubare* (estar acostado sobre algo). ☐ ORTOGR. Dist. de *encubar.*

íncubo adj./s. Referido a un demonio, que toma la apariencia de un varón para tener relaciones sexuales con una mujer: *Tuve una pesadilla con ín-*

cubos y monstruos. □ ETIMOL. Del latín *incubus* (el que se echa sobre alguien).

incuestionable adj.inv. Que no es cuestionable o discutible: *Lo que dijo ayer es algo incuestionable, porque todos sabemos que tiene razón.*

inculcación s.f. Fijación firme y duradera en el ánimo, generalmente de ideas, conceptos o sentimientos: *la inculcación de unos principios morales.*

inculcar v. Referido esp. a un sentimiento o a una idea, fijarlos firmemente en el ánimo o en la memoria: *La profesora inculcó a sus alumnos el sentido del deber.* □ ETIMOL. Del latín *inculcare* (meter algo pateándolo, hacer penetrar). □ ORTOGR. La *c* se cambia en *qu* delante de *e* →SACAR. □ SEM. Dist. de *conculcar* (quebrantar una ley).

inculpabilidad s.f. Falta de culpabilidad: *La abogada supo demostrar la inculpabilidad del acusado.*

inculpación s.f. Acusación o atribución de un delito: *Una inculpación por estafa acabó con su carrera.*

inculpado, da s. Persona que ha sido acusada de un delito: *Los inculpados deberán responder ante el juez.*

inculpar v. Referido a una persona, acusarla o atribuirle un delito: *Lo inculpan de varios hurtos y estafas.* □ ETIMOL. Del latín *inculpare*.

incultivable adj.inv. Que no se puede cultivar: *Ese campo tan pedregoso es totalmente incultivable.*

inculto, ta ▌adj. **1** Que no está cultivado: *terrenos incultos.* ▌adj./s. **2** Referido a una persona o a un grupo, que no tienen cultura. □ ETIMOL. Del latín *incultus*, este de *in-* (negación) y *cultus* (cultivado).

incultura s.f. Falta de cultura o de cultivo: *Un país debe acabar con la incultura de su población. La incultura de las tierras ocasionó la ruina del pueblo.*

inculturación s.f. Integración en otra cultura: *Esa historiadora es especialista en el estudio de la inculturación de los romanos en la cultura griega.*

incumbencia s.f. Función u obligación que corresponde a una persona o entidad, generalmente por su cargo o su situación: *La educación y el cuidado de los hijos es incumbencia de los padres.* □ SINÓN. *competencia.*

incumbir v. Referido esp. a un asunto o una obligación, estar a cargo de alguien: *El bienestar social incumbe al Estado. Tus problemas no me incumben.* □ ETIMOL. Del latín *incumbere* (dejarse caer sobre algo, inclinarse, dedicarse a algo). □ MORF. Verbo defectivo: solo se usa en las terceras personas de cada tiempo y en las formas no personales (infinitivo, gerundio y participio).

incumplimiento s.m. Falta de cumplimiento: *El desconocimiento de una ley no justifica su incumplimiento.*

incumplir v. Referido a algo legislado o acordado, no cumplirlo: *Si pasas con el semáforo en rojo incumples un artículo del código de la circulación.*

incunable adj.inv./s.m. Referido a un texto impreso, que está hecho en el período que va desde la invención de la imprenta hasta principios del siglo XVI: *Ha adquirido varios incunables españoles para la biblioteca.* □ ETIMOL. Del francés *incunable*, y este del latín *incunabula* (cuna, pañales).

incurabilidad s.f. Imposibilidad de ser curado: *la incurabilidad de una enfermedad.*

incurable ▌adj.inv. **1** Que no se puede corregir o moderar: *Es un lector incurable de novelas románticas.* ▌adj.inv./s.com. **2** Imposible de curar: *Las enfermedades crónicas son incurables.* □ ETIMOL. Del latín *incurabilis*.

incuria s.f. Negligencia, dejadez o falta de cuidado: *Tu incuria está arruinando el jardín.* □ ETIMOL. Del latín *incuria*.

incurrir v. Referido a una falta o a un delito, cometerlos: *Incurrió en el error de reprochar la actuación de su jefa.* □ ETIMOL. Del latín *incurrere* (correr hacia, meterse en). □ MORF. Tiene un participio regular (*incurrido*), que se usa más en la conjugación, y otro irregular (*incurso*), que se usa más como adjetivo. □ SINT. Constr. *incurrir EN algo.*

incursión s.f. **1** Penetración de un ejército o de parte de él en un territorio para realizar un ataque: *Un comando armado hizo una incursión nocturna en el pueblo vecino.* **2** Penetración en un terreno o en un ámbito desconocido o nuevo: *La incursión de este poeta en la novela ha resultado un éxito.*

incursionar v. **1** Referido a un lugar, penetrar en él de forma momentánea, esp. si es una acción militar: *La tropa incursionó en el territorio enemigo de madrugada.* **2** Referido a una actividad que no es habitual, dedicación a ella durante un período breve de tiempo: *Su labor como historiador no le impidió incursionar en la política durante unos años.*

incurso, sa part. irreg. de **incurrir**. □ USO Se usa más como adjetivo, frente al participio regular *incurrido*, que se usa más en la conjugación.

incursor, -a adj./s. **1** Que hace una incursión. **2** Que se dedica a un campo o a una materia que no son los suyos.

incuso, sa adj. Referido esp. a una medalla o a una moneda, que tienen la misma imagen por las dos caras, en una en relieve y en la otra en hueco: *En las excavaciones encontraron monedas incusas.* □ ETIMOL. Del latín *incusus*.

indagación s.f. Investigación hecha para descubrir algo desconocido: *Haré indagaciones para averiguar dónde vive.*

indagador, -a adj./s. Que indaga: *preguntas indagadoras.*

indagar v. Referido a algo desconocido, tratar de llegar a su conocimiento mediante razonamientos o suposiciones: *La policía indagaba el paradero del ladrón.* □ ETIMOL. Del latín *indagare* (seguir la pista de un animal). □ ORTOGR. La *g* se cambia en *gu* delante de *e* →PAGAR.

indagatoria s.f. Véase **indagatorio, ria**.

indagatorio, ria ▌adj. **1** Que sirve para indagar: *proceso indagatorio.* ▌s.f. **2** Declaración sin juramento que se toma al procesado sobre el delito que se está investigando.

indalo s.m. Representación prehistórica que se grababa en los hogares para ahuyentar los maleficios: *El indalo es una figura humana muy esquemática.*

indebido, da adj. Que no se debe hacer por considerarse ilícito, injusto o desconsiderado: *Fue un despido indebido ya que era un buen trabajador.*

indecencia s.f. **1** Falta de decencia. **2** Hecho o dicho indecente: *Es una indecencia que los niños tengan que pedir limosna.* □ ETIMOL. Del latín *indecentia.*

indecente adj.inv./s.com. Que no cumple lo que se considera decente o decoroso: *Ponte otros zapatos porque esos están indecentes.*

indecible adj.inv. Que no se puede decir o explicar: *En algunas religiones el nombre de la divinidad es indecible.*

indecisión s.f. Falta de decisión: *La indecisión del conductor provocó el accidente.*

indeciso, sa adj./s. Referido a una persona, que duda o que no se decide fácilmente: *Está indeciso entre uno y otro.* □ ETIMOL. De *in-* (negación) y el latín *decisus* (decidido).

indeclinable adj.inv. **1** Que no se puede rehusar o rechazar: *una invitación indeclinable.* **2** En gramática, que no se declina: *En español, al contrario que en latín, los sustantivos son indeclinables.* □ ETIMOL. Del latín *indeclinabilis.*

indecoroso, sa adj. Que no tiene dignidad ni honradez o que atenta contra ellas: *un comportamiento indecoroso.* □ ETIMOL. Del latín *indecorosus.*

indefectible adj.inv. Que no puede faltar o dejar de ser: *Llegó el invierno con su indefectible mal tiempo.*

indefendible adj.inv. Imposible de defender: *una teoría indefendible.*

indefensión s.f. Falta de defensa o situación del que está indefenso: *Es preocupante la indefensión del consumidor ante la publicidad engañosa.*

indefenso, sa adj./s. Sin defensa o sin protección: *Recogió de la calle un cachorrito indefenso.* □ ETIMOL. Del latín *indefensus.*

indefinible adj.inv. Imposible de definir: *Los conceptos como el alma y la felicidad son indefinibles.* □ SEM. Dist. de *indefinido* (que no está definido).

indefinición s.f. Falta de definición o de claridad: *La indefinición de tus palabras hace imposible adivinar tus intenciones.*

indefinido, da ▮ adj. **1** Que no está definido o precisado: *un color indefinido.* **2** Que no tiene término o límite determinado: *Le dejé mi casa por un tiempo indefinido.* ▮ s.m. **3** →**pretérito indefinido.** **4** →**pronombre indefinido.** □ ETIMOL. Del latín *indefinitus.* □ SEM. Dist. de *indefinible* (imposible de definir).

indeformable adj.inv. Imposible de deformar: *Necesito una estantería indeformable que soporte el peso de todos mis libros.*

indehiscente adj.inv. Referido a un fruto, que no se abre espontáneamente para liberar las semillas: *Las nueces, las avellanas y las almendras son indehiscentes.*

indeleble adj.inv. Que no se puede borrar o quitar: *una mancha indeleble.* □ ETIMOL. Del latín *indelebilis,* que es el negativo de *delere* (borrar).

indelegable adj.inv. Que no se puede delegar: *Mis funciones son indelegables y debo estar presente en la reunión.*

indeliberado, da adj. Que se ha hecho o se ha dicho sin deliberación o sin reflexión: *No tomes en serio lo que dijo porque sus palabras fueron indeliberadas.* □ ETIMOL. Del latín *indeliberatus.*

indelicadeza s.f. **1** Falta de delicadeza o de cortesía: *Ofendes a todo el mundo con tu indelicadeza.* **2** Hecho o dicho poco delicado o descortés: *Preguntarle si tiene deudas ha sido una indelicadeza por tu parte.*

indelicado, da adj. Que tiene poca delicadeza.

indemne adj.inv. Libre de daños o de perjuicios: *Tuvo suerte y salió indemne del accidente.* □ ETIMOL. Del latín *indemnis* (que no ha sufrido daño).

indemnización s.f. **1** Compensación por el daño recibido: *Está tramitando la indemnización por el error judicial de que fue objeto.* **2** Cosa con que se indemniza o se compensa el daño recibido: *La indemnización no fue suficiente para pagar los desperfectos.*

indemnizar v. Referido a una persona, compensarla por los daños que ha sufrido: *Indemnizarán a los heridos en el accidente.* □ ETIMOL. Del francés *indemniser.* □ ORTOGR. La *z* se cambia en *c* delante de *e* →CAZAR.

indemnizatorio, ria adj. De la indemnización o relacionado con ella: *acuerdo indemnizatorio.*

indemorable adj.inv. Que no se puede demorar o dejar para más tarde: *La resolución de este asunto es ya indemorable.*

indemostrable adj.inv. Que no se puede demostrar: *La acusación era indemostrable y la presunta culpable fue puesta en libertad.* □ ETIMOL. Del latín *indemonstrabilis.*

independencia s.f. **1** Falta de dependencia: *Haré lo que considere oportuno, con independencia de lo que piensen los demás.* **2** Libertad o autonomía de actuación. **3** En política, condición de un Estado que se gobierna autónomamente y no está sometido a otro.

independentismo s.m. Movimiento político que defiende o exige la independencia de un territorio: *El independentismo es un movimiento muy arraigado en la población de algunas regiones.*

independentista ▮ adj.inv. **1** Del independentismo o relacionado con este movimiento político: *Unos guerrilleros encabezaban la manifestación independentista.* ▮ adj.inv./s.com. **2** Que defiende o sigue el independentismo: *Los independentistas buscaban el apoyo de otros países.*

independiente ▮ adj.inv. **1** Que tiene independencia. ▮ adj.inv./s.com. **2** Referido a una persona, que actúa con libertad y autonomía, sin dejarse presionar. ▮ adv. **3** Con independencia: *Independiente de las condiciones atmosféricas, se dará la salida de la carrera.*

independizar v. Hacer independiente: *Hizo un tabique en el salón para independizarlo del comedor. Me he independizado y ya no vivo con mis padres.* □ ORTOGR. La *z* se cambia en *c* delante de *e* →CAZAR.

inderogabilidad s.f. Imposibilidad de ser derogado o anulado: *Todos los artículos de esa ley se caracterizan por su inderogabilidad.*

inderogable adj.inv. Que no puede ser derogado o anulado: *El derecho al descanso del trabajador es inderogable.*

indescifrable adj.inv. Imposible de descifrar: *Tienes una letra indescifrable y no hay manera de entender lo que pones.*

indescriptible adj.inv. Imposible de describir: *Es un paisaje de una belleza indescriptible.*

indeseable ▮ adj.inv. **1** Imposible de ser deseado: *No sé como aguanta en ese trabajo tan indeseable.* ▮ adj.inv./s.com. **2** Referido a una persona, que es considerada indigna de trato por sus condiciones morales: *Su padre no quiere verlo con indeseables.* **3** Referido a una persona, esp. a un extranjero, que es considerada no deseable en un país a causa de las circunstancias políticas: *Durante la dictadura de aquel país, los escritores considerados indeseables tuvieron que emigrar.*

indeseado, da adj. Que no es querido ni deseado: *Te pido perdón porque mis palabras han producido un efecto indeseado.*

indesignable adj.inv. Imposible de designar o señalar: *Es indesignable para formar parte del jurado porque ya lo fue el año pasado.*

indesmallable adj.inv. Referido a un tejido, que no se rompe o es difícil que se rompa, si se suelta algún punto: *unas medias indesmallables.* □ ETIMOL. Del francés *indémaillable*, y este de *in-* (negación) y *démailler* (deshacer los puntos de una malla).

indestructibilidad s.f. Imposibilidad de ser destruido: *La indestructibilidad absoluta de un material es discutible.*

indestructible adj.inv. Imposible de destruir: *La puerta de la caja fuerte estaba hecha de un material indestructible.*

indeterminable adj.inv. Que no se puede determinar: *En la bandada había un número indeterminable de aves.* □ ETIMOL. Del latín *indeterminabilis*.

indeterminación s.f. Falta de determinación, de resolución o de decisión: *Todavía no sabemos el resultado, debido a la indeterminación de los miembros del tribunal.*

indeterminado, da adj. **1** Que no está determinado o no implica determinación. **2** Poco concreto o poco definido: *un color indeterminado.* □ ETIMOL. Del latín *indeterminatus*.

indeterminismo s.m. **1** Pensamiento opuesto al determinismo, y que considera los actos de la voluntad como espontáneos o no determinados. **2** Doctrina que defiende que la voluntad humana no está determinada por la voluntad divina: *El indeterminismo defiende que el ser humano es responsable de sus actos.*

indeterminista ▮ adj.inv. **1** Del indeterminismo o relacionado con este pensamiento filosófico: *una teoría indeterminista.* ▮ adj.inv./s.com. **2** Que defiende o sigue el indeterminismo.

indexación s.f. En informática, indización o elaboración de índices: *Este procesador de textos permite la indexación automática.*

indexar v. En informática, referido a un conjunto de datos, indizarlo u ordenarlo y elaborar un índice de ellos: *Este programa informático indexa automáticamente las palabras utilizadas.*

indi adj.inv./s.com. →**indie.** □ ORTOGR. Dist. de *hindi*.

indiada s.f. Conjunto de indios: *La indiada se adentró en la selva.*

indianismo s.m. **1** Estudio de las lenguas y de la literatura de la India (país asiático). **2** En lingüística, palabra, significado o construcción sintáctica de las lenguas de la India (país asiático) empleados en otra lengua: *Hablé sobre la importancia de los indianismos en las lenguas occidentales.*

indianista s.com. Persona especializada en el estudio de la lengua y de la literatura de la India (país asiático): *Para ilustrar la conferencia la indianista leyó un párrafo de un libro indostánico.*

indiano, na ▮ adj. **1** De las Indias occidentales (costa atlántica del continente americano que fue española), o relacionado con este territorio. ▮ adj./s. **2** Referido a una persona, que se hizo rica en la zona americana que fue española y vuelve a España: *El indiano que vive enfrente vino rico de América el año pasado.*

indicación s.f. **1** Explicación, demostración o comunicación con indicios y señales: *Por la indicación que me hizo, deduje que quería que fuera con ellos.* **2** Lo que sirve para indicar: *la indicación de un camino.* **3** Receta o recomendación hechas por un médico sobre el tratamiento que se debe seguir.

indicado, da adj. Que es bueno, conveniente o adecuado para algo. □ SINÓN. *Este medicamento es el más indicado para hacer bajar la fiebre.*

indicador, -a ▮ adj./s. **1** Que indica. ▮ s.m. **2** Dispositivo o señal que sirven para poner de manifiesto un hecho: *Los intermitentes de un vehículo son los indicadores de dirección.* **3** ‖ **indicador económico;** el que refleja los principales rasgos de la situación económica en un momento concreto.

indicar v. **1** Dar a entender con indicios y señales: *Un niño me indicó dónde estaba la parada del autobús.* **2** Referido esp. a un médico, aconsejar o recetar un remedio: *La doctora le indicó que no comiera dulces.* □ ETIMOL. Del latín *indicare*. □ ORTOGR. La *c* se cambia en *qu* delante de *e* →SACAR.

indicativo, va ▮ adj. **1** Que indica o que sirve para indicar: *un gesto indicativo.* ▮ s.m. **2** →**modo indicativo.**

índice s.m. **1** →**dedo índice.** **2** Indicio o señal de algo, esp. de intensidad o de importancia: *La inflación es un índice de la crisis económica.* **3** Lista ordenada de capítulos, libros, autores o materias. **4** Número que se obtiene de la relación entre dos o más dimensiones o cantidades: *El índice de natalidad expresa la relación entre los nacidos vivos y el total de la población. Yo uso una crema con un índice de protección muy alto.* **5** En matemáticas, en una raíz, número o letra que indica su grado: *El índice de una raíz cúbica es tres.* ☐ ETIMOL. Del latín *index* (indicador). Se aplica al dedo porque es el que se usa para señalar.

indiciado, da adj./s. En zonas del español meridional, referido a una persona, que es sospechosa de haber cometido algún delito.

indiciario, ria adj. Procedente de un indicio o derivado de él: *prueba indiciaria; datos indiciarios; perspectiva indiciaria.*

indicio s.m. **1** Hecho que permite conocer o deducir la existencia de otro que es desconocido: *El humo es indicio de que hay fuego.* **2** Cantidad muy pequeña o restos: *Murió envenenado, porque se encontraron indicios de veneno en las vísceras.* ☐ ETIMOL. Del latín *indicium* (indicación, signo, prueba).

índico, ca adj. De la India (país asiático), del sudeste asiático o relacionado con estos territorios: *La zona índica sufre inundaciones periódicamente.*

indie (ing.) (tb. *indi*) adj.inv./s.com. Que se desarrolla de forma independiente o al margen de las grandes compañías. ☐ PRON. [índi].

indiferencia s.f. Falta de interés, de sentimientos o de preferencias: *Recibió la noticia con tanta indiferencia que ni siquiera parpadeó.*

indiferenciación s.f. Desaparición de las características diferenciales entre varias cosas: *La masificación genera indiferenciación entre unos individuos y otros.*

indiferenciado, da adj. Que no se diferencia o que no tiene caracteres diferentes: *Muchos animales en su primera etapa tienen los órganos sexuales indiferenciados.*

indiferenciar v. Hacer desaparecer las características diferenciales: *La masificación indiferencia a las personas.* ☐ ORTOGR. La *i* nunca lleva tilde.

indiferente adj.inv. **1** Que no despierta interés o afecto: *Me es indiferente que vengas o no.* **2** Que puede ser o hacerse de varios modos, sin que importe cuál: *El orden de la suma es indiferente, porque no altera el resultado.* ☐ ETIMOL. Del latín *indifferens*, y este de *in-* (negación) y *differens* (diferente).

indígena adj.inv./s.com. Originario o propio de un lugar: *Los indígenas del Amazonas conservan muchas de sus costumbres ancestrales.* ☐ ETIMOL. Del latín *indigena*, y este de *inde* (de allí) y *genus* (origen, nacimiento).

indigencia s.f. Falta de medios para subsistir o situación del que no los tiene: *Es difícil salir de la indigencia sin ayuda.*

indigenismo s.m. **1** Estudio de los pueblos indígenas iberoamericanos que hoy forman parte de las naciones en las que predomina la civilización europea: *La conferencia sobre indigenismo fue muy interesante.* **2** Movimiento que apoya reivindicaciones políticas, sociales y económicas para los indígenas y mestizos de los países iberoamericanos: *El indigenismo es frecuente en la novela hispanoamericana.*

indigenista ▮ adj.inv. **1** Del indigenismo o relacionado con este estudio o con este movimiento: *El movimiento indigenista pretende la igualdad de oportunidades para los indígenas.* ▮ adj.inv./s.com. **2** Que defiende o sigue el indigenismo: *En el congreso se reunieron los indigenistas más destacados del país.*

indigente adj.inv./s.com. Referido a una persona, que no tiene los medios suficientes para subsistir: *Los indigentes se reunían en la puerta de la iglesia para pedir comida.* ☐ ETIMOL. Del latín *indigens*, y este de *indigere* (carecer). ☐ ORTOGR. Dist. de *ingente*.

indigerible adj.inv. **1** *col.* Indigesto: *comida indigerible.* **2** *col.* Imposible o muy difícil de entender o de aguantar: *una novela indigerible.*

indigestarse v.prnl. **1** Referido a una comida, sentar mal: *Se le indigestaron los pasteles porque los comió muy deprisa.* **2** *col.* Resultar molesto y desagradable: *Se me ha indigestado la física y no podré aprobarla.*

indigestible adj.inv. →**indigesto.** ☐ ETIMOL. Del latín *indigestibilis.*

indigestión s.f. Digestión anómala que produce un trastorno en el organismo: *Los alimentos fuertes producen indigestión.*

indigesto, ta adj. Imposible de digerir: *Los pimientos fritos pueden resultar indigestos.* ☐ SINÓN. *indigestible.* ☐ ETIMOL. Del latín *indigestus.*

indignación s.f. Irritación o enfado violentos por un hecho que se considera reprochable: *¡Qué indignación me produjo ver que nadie nos ayudaba!*

indignante adj.inv. Que indigna: *Es indignante que no me hagas caso cuando te estoy hablando.*

indignar v. Irritar o enfadar intensamente: *Indignó a sus padres cuando los desobedeció. Me indigné cuando oí sus falsas acusaciones.* ☐ ETIMOL. Del latín *indignari* (indignarse, irritarse).

indignidad s.f. **1** Degradación, falta de mérito o calidad: *Su indignidad le hacía despreciable.* **2** Hecho o dicho indigno: *Es una indignidad que le suspendan la asignatura si realmente la había aprobado.*

indigno, na adj. **1** Referido a un hecho o a un dicho, que no se corresponde con la categoría social o moral de la persona que lo hace o que lo dice. **2** Que degrada o humilla: *Estoy harta de tus mentiras indignas.* **3** Sin mérito o calidad suficientes para algo: *Después de lo que has hecho eres indigno de mi confianza.* ☐ ETIMOL. Del latín *indignus.* ☐ SINT. Constr. de las acepciones 1 y 3: *indigno* DE *algo.*

índigo ▮ adj.inv./s.m. **1** De color azul intenso con tonalidades violetas: *Mis pantalones vaqueros nuevos son de color índigo.* ▮ s.m. **2** Arbusto de flores rojizas en espiga, de cuyas hojas y tallo se obtiene una sustancia de color azul oscuro muy utilizada como colorante: *Machacó hojas de índigo e hizo una pasta con la que tiñó una camisa.* □ ETIMOL. Del latín *Indicus* (de la India), porque de ahí se traía esta sustancia.

indino, na adj. *col.* Travieso o descarado: *Es una niña muy graciosa y algo indina.*

indio, dia ▮ adj./s. **1** De la India o relacionado con este país asiático: *Me han regalado un pañuelo indio.* □ SINÓN. *hindú.* **2** De la antigua población indígena del continente americano y de sus descendientes. **3** *col.* Aficionado del Atlético de Madrid (club deportivo madrileño). ▮ s.m. **4** Elemento químico, metálico y sólido, de número atómico 49, maleable y fácilmente deformable: *El indio es parecido al estaño.* **5** ‖ **hacer el indio;** *col. desp.* Hacer tonterías para divertirse o divertir a los demás. □ ETIMOL. La acepción 4, del latín *indicum* (índigo), porque el indio tiene dos líneas de color índigo en su espectro. □ ORTOGR. En la acepción 4, su símbolo químico es *In.* □ MORF. En la acepción 1, cuando se antepone a una palabra para formar compuestos, adopta la forma *indo-*.

indirecta s.f. Véase **indirecto, ta**.

indirecto, ta ▮ adj. **1** Que no va directamente a su fin, sino dando un rodeo: *preguntas indirectas.* **2** Que se hace a través de un intermediario o de forma no directa: *Los impuestos indirectos son los que ya van incluidos en el precio de una compra. Me enteré de manera indirecta al oír a unos vecinos.* ▮ s.f. **3** Medio que se utiliza para dar a entender algo sin expresarlo con claridad: *Su mirada fue una indirecta para decirme que nos fuéramos de allí.* □ ETIMOL. Del latín *indirectus*.

indiscernible adj.inv. Que no se puede discernir o distinguir: *Las diferencias entre el original y la copia eran indiscernibles para los no entendidos en arte.*

indisciplina s.f. Falta de disciplina: *Debido a su indisciplina sus padres lo castigaron sin salir.* □ ETIMOL. Del latín *indisciplina*.

indisciplinar v. Causar indisciplina o no mostrar la disciplina debida: *Cuando estuve en la mili, me suspendieron el permiso por indisciplinarme ante el capitán.*

indiscreción s.f. **1** Falta de discreción: *Considero la indiscreción como el mayor de los defectos.* **2** Hecho o dicho carente de discreción: *Me parece una indiscreción por su parte que me pregunte cosas de mi vida privada.* □ PRON. Incorr. *[indiscrección].

indiscreto, ta ▮ adj. **1** Que se hace sin discreción o que no la tiene: *una pregunta indiscreta.* ▮ adj./s. **2** Referido a una persona, que actúa sin discreción. □ ETIMOL. Del latín *indiscretus*.

indiscriminado, da adj. Que no hace discriminación o distinción: *Disparó de forma indiscriminada contra la multitud.* □ ETIMOL. Del inglés *indiscriminate*.

indisculpable adj.inv. Que no se puede disculpar: *No me pidas perdón porque tu comportamiento ha sido indisculpable.*

indiscutible adj.inv. Que no se puede discutir por ser evidente: *Es el vencedor indiscutible de la etapa porque llegó diez minutos antes que el pelotón.*

indisociable adj.inv. Que no se puede disociar o separar: *El fondo y la forma de una obra literaria son indisociables.*

indisolubilidad s.f. Imposibilidad de ser disuelto o desunido: *La iglesia católica defiende la indisolubilidad del matrimonio.*

indisoluble adj.inv. Que no se puede disolver o desunir: *De acuerdo con la religión católica, el matrimonio es indisoluble.* □ ETIMOL. Del latín *indissolubilis*, y este de *in-* (negación) y *dissolubilis* (soluble).

indispensable adj.inv. Absolutamente necesario o imprescindible: *El agua es indispensable para la vida.*

indisponer v. **1** Referido a una persona, ponerla a mal con otra o procurarle el menosprecio de esta: *Va hablando mal de ti para indisponerte con todo el mundo. Los dos amigos se indispusieron por culpa de una chica.* □ SINÓN. *malmeter, malquistar.* **2** Referido a una persona, producirle o experimentar un malestar o una enfermedad leves y pasajeros: *Los viajes en barco me indisponen. La cena era tan fuerte que nos indispusimos todos.* □ MORF. Irreg.: 1. Su participio es *indispuesto*. 2. →PONER. 3. En la acepción 2, se usa más como pronominal. □ SINT. Constr. de la acepción 1: *indisponer a una persona [CON/CONTRA] otra.*

indisposición s.f. Malestar o enfermedad leves y pasajeros: *Comió algo en mal estado que le produjo una ligera indisposición.*

indispuesto, ta part. irreg. de **indisponer**. □ MORF. Incorr. **indisponido*.

indisputable adj.inv. Que no se puede discutir o cuestionar.

indistinción s.f. Falta de distinción: *La indistinción de los colores que ha empleado le quita viveza al cuadro.*

indistinguible adj.inv. Imposible de distinguir: *A lo lejos se intuían dos sombras indistinguibles.*

indistinto, ta adj. **1** Que no se distingue o diferencia de otra cosa: *Después de tantos años juntos, sus gustos son indistintos, por no decir idénticos.* **2** Que no se distingue o percibe con claridad: *Sin gafas solo veo bultos y figuras indistintas.* **3** Indiferente o que no ofrece motivo de preferencia: *Con tal de salir, me es indistinto ir al cine o al teatro.* **4** Referido a una cuenta o a un depósito bancarios, que están a nombre de dos o más personas y cualquiera de ellas puede disponer por igual de sus fondos: *Ya antes de casarse abrieron una cuenta indistinta para ahorrar juntos.* □ ETIMOL. Del latín *indistinctus*.

individual adj.inv. **1** Del individuo o relacionado con él: *derechos individuales.* **2** Para una sola persona: *Venden las tartas enteras o en raciones individuales.* **3** Particular y característico de un individuo: *Sus rasgos individuales más destacados son la bondad y la inteligencia.*

individualidad s.f. **1** Propiedad por la que algo es conocido como tal y puede ser distinguido: *Cuenta con un equipo homogéneo en el que nadie destaca por su individualidad.* **2** Persona brillante o que destaca por su valía.

individualismo s.m. **1** Tendencia a pensar y a actuar al margen de los demás o sin atenerse a las normas generales: *Su marcado individualismo dificulta su integración en el equipo.* **2** Tendencia a anteponer el propio interés al de los demás: *Los sociólogos observan un individualismo creciente en nuestra sociedad.*

individualista adj.inv./s.com. Que tiende a pensar y a actuar al margen de los demás o sin atenerse a las normas generales: *La asociación no funcionará si sus miembros actúan de manera tan individualista.*

individualización s.f. Diferenciación que se hace atribuyendo características distintivas: *La comprensión del tema requiere la individualización y análisis separado de cada punto.*

individualizar v. Referido a un ser, diferenciarlo atribuyéndole características distintivas: *Su talento y su inteligencia lo individualizan de todos sus compañeros.* □ ORTOGR. La *z* se cambia en *c* delante de *e* →CAZAR.

individuo, dua ▌s. **1** Persona cuya identidad se ignora o no se quiere decir: *Cuatro individuos encapuchados atracaron la sucursal de este banco esta mañana.* □ SINÓN. *tipo, sujeto.* **2** *desp.* Persona a la que se considera despreciable: *Sale con un individuo al que no soporto.* ▌s.m. **3** Persona considerada en sí misma e independientemente de los demás: *Todo individuo tiene derecho a una vida digna.* **4** Ser organizado o elemento que pertenece a una especie o a una clase y se diferencia de sus semejantes: *Se declararán protegidas las especies animales de las que queden pocos individuos.* □ ETIMOL. Del latín *individuus* (individual, persona).

indivisibilidad s.f. Imposibilidad de ser dividido: *Ningún científico defiende ya la indivisibilidad del átomo.*

indivisible adj.inv. Que no puede ser dividido: *El poema es un todo indivisible y no lo entenderás si no lo lees entero.* □ ETIMOL. Del latín *indivisibilis.*

indiviso, sa adj. Que se mantiene unido y sin dividir, aun siendo divisible: *Ha mantenido toda su herencia indivisa.* □ ETIMOL. Del latín *indivisus.*

indización s.f. Elaboración de índices: *indización de todos los datos.*

indizar v. **1** Referido esp. a un texto, dotarlo de índice: *Solo faltaba indizar el libro antes de su publicación.* **2** Referido a un conjunto de datos o de informaciones, ordenarlo y elaborar un índice de ellos: *Indizó todos los datos que tenía sobre el tema para manejarlos con comodidad.* □ ORTOGR. La *z* se cambia en *c* delante de *e* →CAZAR.

indoario, ria adj./s.m. Del subgrupo de lenguas indoeuropeas pertenecientes al grupo indoiranio: *El bengalí es una lengua indoaria.*

indoblegable adj.inv. Imposible de someter o de doblegar, esp. la voluntad o la opinión: *Intentamos que cambiara de opinión, pero se mostró indoblegable.*

indócil adj.inv. Que no es dócil: *Desde que tiene esas amistades se ha vuelto indócil y contestona.* □ ETIMOL. Del latín *indocilis.*

indocilidad s.f. Falta de docilidad: *Esta profesora se queja de la indocilidad y rebeldía de sus alumnos.* □ ETIMOL. Del latín *indocilitas.*

indocto, ta adj./s. Que no es docto o es falto de cultura: *La experiencia convierte en sabias a personas indoctas.* □ ETIMOL. Del latín *indoctus.*

indocumentado, da ▌adj. **1** Que no ha sido documentado o respaldado con documentación: *un trabajo indocumentado.* ▌adj./s. **2** Referido a una persona, sin documentación oficial. **3** Ignorante o poco enterado.

indoeuropeo, a ▌adj./s. **1** De un conjunto de antiguos pueblos de origen asiático que, a finales del neolítico, se extendieron desde el actual territorio indio hasta el occidente europeo: *Los pueblos indoeuropeos emigraron en sucesivas oleadas hacia Europa.* ▌adj./s.m. **2** De la lengua hipotética de la que descenderían las lenguas de estos pueblos, la mayoría de las actuales europeas y algunas de las asiáticas: *Las lenguas románicas y eslavas son indoeuropeas.* □ SINÓN. *indogermánico.*

indogermánico, ca adj./s.m. De la lengua hipotética de la que descenderían las lenguas de los pueblos indoeuropeos, la mayoría de las actuales europeas y algunas de las asiáticas: *El indogermánico era una lengua flexiva.* □ SINÓN. *indoeuropeo.*

indoiranio, nia adj./s.m. Del grupo de lenguas indoeuropeas que comprende las familias índica e irania: *El hindi y el persa son lenguas indoiranias.*

índole s.f. **1** Carácter o inclinación natural propios de una persona. **2** Naturaleza o rasgo característico: *un problema de índole sentimental.* □ ETIMOL. Del latín *indoles* (disposición natural de un individuo). □ MORF. Es siempre femenino: incorr. *problemas de índole (*político > política).*

indolencia s.f. **1** Insensibilidad o incapacidad para conmoverse o para sentir dolor: *Tu indolencia ante los problemas ajenos es inhumana.* **2** Pereza, dejadez o tendencia a evitar cualquier esfuerzo: *Si no te sacudes esa indolencia de encima, nunca lograrás nada.* □ ETIMOL. Del latín *indolentia* (insensibilidad).

indolente adj.inv./s.com. **1** Perezoso, dejado o que evita cualquier esfuerzo. **2** Que no se conmueve. **3** Que no siente dolor. □ ETIMOL. Del latín *indolens* (insensible).

indoloro, ra adj. Que no produce dolor: *El médico le puso un tratamiento indoloro.*

indomable adj.inv. **1** Que no se puede domar: *La domadora no consiguió amansar al indomable león.* **2** Que no se deja someter, dominar o trabajar: *El inconformismo indomable de aquella líder política* *asombró a toda la nación.* □ ETIMOL. Del latín *indomabilis.*

indomeñable adj.inv. Que no se puede domeñar o someter: *Impone por su seguridad en sí mismo y su carácter indomeñable.*

indomesticable adj.inv. Que no se puede domesticar: *Ese caballo es indomesticable y nunca lograrás montarlo.*

indómito, ta adj. **1** Que no está domado o que no se puede domar: *Ningún vaquero consiguió montar al indómito animal.* **2** Difícil de someter o de dominar: *Ningún poblador se estableció en aquellas indómitas tierras.* □ ETIMOL. Del latín *indomitus.*

indonesio, sia adj./s. De Indonesia o relacionado con este país asiático.

indoor (ing.) ▌adj. **1** En deportes, cubierto o de interior: *Esa corredora ha tenido muy buenos resultados en las pistas indoor.* ▌s.m. **2** En deportes, pista o sala interiores o lugar cubierto: *Los resultados de este tenista son peores en indoor.* □ PRON. [indór]. □ USO Su uso es innecesario.

indostánico, ca adj. Del Indostán (región india), o relacionado con él.

indubitable adj.inv. Que no admite duda: *Para los cristianos, la existencia de Dios es una verdad indubitable.* □ ETIMOL. Del latín *indubitabilis.*

inducción s.f. **1** Provocación para hacer algo: *Él no fue el asesino, pero fue condenado por inducción al asesinato.* **2** Método de razonamiento que consiste en partir del estudio y análisis de datos particulares conocidos y avanzar lógicamente hasta alcanzar un principio general desconocido: *La inducción es característica de las ciencias empíricas.* **3** En física, producción de un fenómeno eléctrico que un cuerpo electrizado causa en otro situado a cierta distancia de él: *Existen bobinas de inducción para transmitir energía eléctrica.* □ SEM. En la acepción 2, dist. de *deducción* (método que, partiendo de un principio general, alcanza una conclusión particular).

inducido s.m. En una máquina eléctrica, parte o circuito giratorios y acoplados al inductor en los que, por efecto de la rotación, se produce una fuerza electromotriz capaz de originar corrientes eléctricas: *Hay que reparar el inducido de ese motor.*

inducir v. **1** Referido a una acción, provocar o mover a realizarla: *Su socio lo indujo al delito.* **2** Referido a un principio general, alcanzarlo por medio de la inducción: *Para inducir una ley no basta con observar los hechos, sino que hay que seguir un método riguroso.* □ ETIMOL. Del latín *inducere.* □ MORF. Irreg. →CONDUCIR. □ SINT. 1. Constr. de la acepción 1: *inducir* A *algo.* 2. Constr. de la acepción 2: *inducir una cosa* DE *otra.* □ SEM. En la acepción 2, dist. de *deducir* (alcanzar una conclusión particular a partir de un principio general).

inductancia s.f. Propiedad de un circuito eléctrico para generar corrientes inducidas: *La inductancia se mide en henrios.* □ ETIMOL. Del francés *inductance.*

inductivo, va adj. De la inducción o relacionado con este método de razonamiento: *A partir de la experiencia podemos adquirir conocimientos inductivos.*

inductor, -a ▌adj./s. **1** Que induce a algo, esp. a cometer un delito: *Los inductores del crimen han sido detenidos.* ▌s.m. **2** En una máquina eléctrica, parte fija que produce una fuerza electromotriz sobre el inducido: *Este motor tiene un inductor demasiado viejo.*

indudable adj.inv. Que se percibe claramente como cierto y no puede ponerse en duda: *Es indudable que tuvo que estudiar mucho para aprobar esa oposición.* □ SINÓN. *evidente.* □ ETIMOL. Del latín *indubitabilis.*

indulgencia s.f. **1** Buena disposición para perdonar o tolerar faltas o para conceder gracias: *La juez lo trató con indulgencia y le conmutó la pena.* **2** En la iglesia católica, perdón que concede la autoridad eclesiástica de las penas correspondientes a los pecados cometidos: *El Papa concedió a todos los asistentes la indulgencia de los pecados veniales.* **3** || **indulgencia plenaria;** aquella por la que se perdona toda la pena: *En año jacobeo, puedes conseguir la indulgencia plenaria en la catedral de Santiago.* □ ETIMOL. Del latín *indulgentia* (miramiento, complacencia).

indulgente adj.inv. Tolerante con las faltas o inclinado a conceder gracias: *El verdadero sabio se muestra indulgente con los ignorantes.* □ ETIMOL. Del latín *indulgens,* y este de *indulgere* (mostrarse benévolo).

indultar v. Referido a una persona, perdonarla o conmutarle la pena legal que le fue impuesta quien tiene autoridad para ello: *Si el Consejo de Ministros lo indulta, su pena se reducirá a quince años de cárcel.*

indulto s.m. Perdón total o parcial de una pena, o conmutación de la misma, que la autoridad competente concede a una persona: *El Gobierno le concedió el indulto en atención a su avanzada edad y a su buen comportamiento en prisión.* □ ETIMOL. Del latín *indultus* (concesión, perdón). □ SEM. Dist. de *amnistía* (perdón total que se concede a todo el que cumple una pena).

indumentaria s.f. Véase **indumentario, ria.**

indumentario, ria ▌adj. **1** De la indumentaria o relacionado con este conjunto de prendas de vestir: *el aliño indumentario.* ▌s.f. **2** Conjunto de prendas de vestir que se llevan puestas o que se poseen: *indumentaria de trabajo.* □ ETIMOL. Del latín *indumentum* (vestido).

industria s.f. **1** Actividad económica consistente en realizar operaciones de obtención, transformación o transporte de productos: *La industria es el sector económico más pujante del país.* **2** Empresa o fábrica dedicadas a esa actividad: *Trabaja en la única industria de calzado que hay en su ciudad.* **3** Conjunto de estas empresas con una característica común, esp. si constituyen un ramo: *La industria siderometalúrgica atraviesa una grave crisis.* **4**

|| **industria ligera;** la que trabaja con pequeñas cantidades de materia prima y elabora productos destinados directamente al consumo: *La elaboración de productos alimenticios es propia de la industria ligera.* || **industria pesada;** la que trabaja con grandes cantidades de materia prima pesada y fabrica productos semielaborados o bienes de equipo: *La construcción de maquinaria es una actividad característica de la industria pesada.* □ ETIMOL. Del latín *industria* (actividad, asiduidad).

industrial ▌adj.inv. **1** De la industria o relacionado con ella: *polígono industrial.* **2** Referido a una persona, que pertenece a una ingeniería relacionada con la industria: *un ingeniero industrial.* ▌s.com. **3** Empresario o propietario de una industria: *Un famoso industrial compró una cadena de tiendas que iban a ser cerradas.* **4** Persona que se dedica profesionalmente al comercio o a otra actividad industrial: *Los industriales de la hostelería creen que será un buen año para el turismo.*

industrialismo s.m. Tendencia a conceder excesiva importancia al desarrollo industrial o a los intereses industriales o mercantiles.

industrialización s.f. **1** Creación o desarrollo de industrias con carácter predominante en la economía de un país: *En los países pobres aún no se ha producido una industrialización fuerte.* **2** Sometimiento a un proceso industrial o aplicación de métodos industriales: *La fundición es necesaria en el proceso de industrialización del acero.*

industrializar v. **1** Referido a un lugar, crear o desarrollar en él industrias de manera preponderante: *El Gobierno aprobó un plan para industrializar el país.* **2** Referido a una actividad o a un producto, someterlos a un proceso industrial o aplicarles los métodos de la industria: *Razones de rentabilidad han obligado a industrializar muchos procesos artesanales. La producción lechera se ha industrializado para hacerse más competitiva.* □ ORTOGR. La *z* se cambia en *c* delante de *e* →CAZAR.

industriarse v.prnl. **1** Ingeniarse o procurarse algo con habilidad: *No sé cómo ha conseguido industriarse un libro que lleva años agotado.* **2** || **industriárselas;** *col.* Encontrar uno mismo la solución a un problema o el modo de salir adelante en la vida: *Si surge algún inconveniente, ya se las industriará él para superarlo.* □ ETIMOL. De *industria.* □ ORTOGR. La *i* nunca lleva tilde.

industrioso, sa adj. **1** Muy laborioso o trabajador: *Las hormigas son animales especialmente industriosos.* **2** Que hace las cosas con ingenio y habilidad.

inecuación s.f. Desigualdad matemática entre unas cantidades conocidas y otras desconocidas o incógnitas: *La expresión '5x-5 > 0' es una inecuación.*

inédito, ta ▌adj. **1** Referido a un escritor, que no ha publicado nada. **2** Nuevo o desconocido: *una técnica inédita.* ▌adj./s.m. **3** Referido a un escrito, que no ha sido publicado: *una novela inédita.* □ ETIMOL. Del latín *ineditus*, y este de *in-* (negación) y *editus* (publicado). □ SEM. No debe emplearse con el significado de 'inactivo', 'imbatido': *el portero quedó* [**inédito > imbatido*] *en el partido.*

inefabilidad s.f. Imposibilidad de ser explicado con palabras: *La inefabilidad de los sentimientos que intenta expresar lo convierte en un poeta incomprensible.* □ ETIMOL. Del latín *ineffabilitas.*

inefable adj.inv. Que no se puede explicar con palabras: *Experimenté una alegría inefable al encontrarme con él.* □ SINÓN. *inenarrable.* □ ETIMOL. Del latín *ineffabilis*, y este de *-in* (negación) y *effabilis* (expresable). □ SEM. Dist. de *infalible* (que no puede fallar o equivocarse; cierto, seguro).

inefectivo, va adj. Que no es efectivo o eficaz.

ineficacia s.f. Falta de eficacia: *La empresa quebró por la ineficacia de la campaña publicitaria.*

ineficaz adj.inv. Que no es eficaz: *Ese insecticida es ineficaz contra las cucarachas.* □ ETIMOL. Del latín *ineficax.*

ineficiencia s.f. Falta de eficiencia: *La ineficiencia de algunos miembros del equipo retrasa el trabajo de todos.*

ineficiente adj.inv. Que no es eficiente: *En esta oficina no tienen cabida las personas vagas e ineficientes.*

inelegancia s.f. Falta de elegancia, esp. en el comportamiento: *La inelegancia de tu respuesta ofendió a tu interlocutor.*

inelegante adj.inv. Que no es elegante, esp. en el comportamiento: *un gesto inelegante.*

ineluctable adj.inv. Que no se puede evitar: *La muerte es el final ineluctable de todo ser vivo.* □ ETIMOL. Del latín *ineluctabilis.*

ineludible adj.inv. Que no se puede eludir o evitar: *El cuidado de los hijos es deber ineludible de los padres.*

inembargable adj.inv. Que no puede ser objeto de embargo o de retención judicial: *El salario mínimo interprofesional es inembargable y los acreedores no pueden tocarlo.*

inenarrable adj.inv. Que no se puede explicar con palabras: *Fue una experiencia inenarrable y maravillosa.* □ SINÓN. *inefable.* □ ETIMOL. Del latín *inenarrabilis.*

-íneo, -ínea Sufijo que indica semejanza o relación: *apolíneo, sanguínea.* □ ETIMOL. Del latín *-ineus.*

ineptitud s.f. Falta de aptitud: *Se arruinó por su ineptitud para los negocios.*

inepto, ta adj./s. Referido a una persona, que no tiene aptitud o no sirve para nada: *Le despidieron del trabajo porque era un inepto.* □ ETIMOL. Del latín *ineptus.*

inequidad s.f. Falta de igualdad: *La crisis del país ha provocado un aumento de la inequidad social.* □ SEM. Dist. de *iniquidad* (injusticia o crueldad).

inequívoco, ca adj. Que no admite duda o equivocación: *Hizo un gesto inequívoco de desagrado cuando probó la comida.* □ ETIMOL. De *in-* (negación) y *equívoco.*

inercia s.f. **1** Pereza o tendencia a continuar una actividad sin introducir cambios que supongan un esfuerzo: *Quiero cambiar de piso, pero no lo hago por inercia.* **2** Actitud de una persona que se deja llevar por lo que otros dicen o hacen: *Se inscribió en la academia con sus amigos por inercia.* **3** Resistencia que opone un cuerpo a variar su estado de reposo o a cambiar las condiciones de su movimiento: *Cuando vas en coche y frenas bruscamente, el cuerpo tiende a ir hacia adelante por inercia.* □ ETIMOL. Del latín *inertia*.

inerme adj.inv. Sin armas o sin defensas: *La población inerme se rindió a las tropas enemigas.* □ ETIMOL. Del latín *inermis*. □ ORTOGR. Dist. de *inerte*.

inerte adj.inv. **1** Sin vida o sin movimiento: *cuerpos inertes.* **2** En química, referido a un cuerpo, que es inactivo o carece de capacidad para reaccionar al combinarse con otro. □ ETIMOL. Del latín *iners* (inactivo, sin capacidad, sin talento). □ ORTOGR. Dist. de *inerme*.

inervación s.f. En fisiología, estímulo o acción producidos por el sistema nervioso sobre un órgano o sobre una parte del cuerpo: *La lesión en ese nervio le ha producido la falta de inervación en la zona.*

inervar v. Referido a una zona del organismo, actuar sobre ella un nervio: *Las ramas del nervio ciático inervan las piernas.*

inescrupuloso, sa adj./s. En zonas del español meridional, desaprensivo: *No confío en ese inescrupuloso.*

inescrutable adj.inv. Que no se puede saber ni averiguar: *Sus planes secretos son un misterio inescrutable.* □ ETIMOL. Del latín *inscrutabilis*. □ ORTOGR. Incorr. **inexcrutable*. □ SEM. Dist. de *inextricable* (muy enredado o difícil de entender).

inesperado, da adj. Que no es esperado o que no está previsto: *Todo sucedió de una manera inesperada y sorprendente.*

inestabilidad s.f. **1** Falta de estabilidad, de firmeza o de equilibrio: *La inestabilidad del andamio fue la causa del accidente.* **2** || **inestabilidad atmosférica;** en meteorología, situación caracterizada por la superposición de aire frío sobre aire caliente y por el desarrollo de movimientos verticales que provocan lluvias y cambios bruscos en el tiempo: *Se prevé inestabilidad atmosférica debido a la presencia de una borrasca.*

inestable adj.inv./s.com. Que no tiene estabilidad, firmeza o equilibrio: *Tiene un carácter tan inestable que nunca sé como va a reaccionar.*

inestimable adj.inv. Que no se puede estimar o valorar debidamente, esp. por ser de gran valor: *En los momentos más difíciles recibí la ayuda inestimable de mis amigos.* □ ETIMOL. Del latín *inaestimabilis*.

inestimado, da adj. **1** Sin valorar o sin tasar: *Se ha descubierto un mosaico romano de valor aún inestimado.* **2** No estimado debidamente o como merece: *La Historia hará justicia a ese genio inestimado.* □ ETIMOL. Del latín *inaestimatus*.

inevitable adj.inv. Que no se puede evitar: *Con los frenos rotos el accidente era inevitable.* □ ETIMOL. Del latín *inevitabilis*.

inexactitud s.f. **1** Falta de exactitud: *Tu reloj funciona con tal inexactitud que llegarías más puntual si no lo miraras.* **2** Hecho o dicho faltos de exactitud: *Las inexactitudes en la declaración del testigo confundieron al jurado.*

inexacto, ta adj. Sin exactitud: *El periódico dio una versión parcial e inexacta de los hechos.* □ ETIMOL. De *in-* (privación) y *exacto*.

inexcusable adj.inv. **1** Que no se puede excusar o disculpar. **2** Que no se puede eludir o dejar de hacer: *una tarea inexcusable.* □ ETIMOL. Del latín *inexcusabilis*.

inexistencia s.f. Falta de existencia: *La inexistencia de petróleo en nuestro país nos obliga a importarlo.*

inexistente adj.inv. Sin existencia: *Las hadas de los cuentos son seres imaginarios e inexistentes.*

inexorabilidad s.f. **1** Imposibilidad de compadecerse o dejarse convencer por ruegos: *La inexorabilidad del juez es una garantía de su imparcialidad.* **2** Condición de lo que ocurrirá o continuará con certeza y a pesar de la resistencia que se le oponga: *La inexorabilidad de la muerte es indiscutible.*

inexorable adj.inv. **1** Que no se compadece o no se deja convencer por ruegos. **2** Que sucederá o continuará con certeza y a pesar de la resistencia que se oponga: *el paso inexorable de los años.* □ ETIMOL. Del latín *inexorabilis*.

inexperiencia s.f. Falta de experiencia: *Su inexperiencia lo convierte en un candidato poco idóneo para el puesto.*

inexperto, ta adj./s. Falto de experiencia: *Dudo que un profesor inexperto pueda hacerse con un curso tan difícil.* □ ETIMOL. Del latín *inexpertus*.

inexpiable adj.inv. Referido esp. a una culpa, que no se puede expiar o borrar con el cumplimiento de un castigo: *Cometió un crimen inexpiable y le pesará mientras viva.* □ ETIMOL. Del latín *inexpiabilis*.

inexplicable adj.inv. Que no se puede explicar, comprender ni justificar: *Tuvo una reacción inexplicable e impropia de una persona tan educada.* □ ETIMOL. Del latín *inexplicabilis*.

inexplicado, da adj. Sin la debida explicación: *En el futuro, la ciencia aclarará misterios que hoy permanecen inexplicados.*

inexplorado, da adj. Que no está explorado: *La expedición llegó a tierras vírgenes e inexploradas hasta entonces.* □ ETIMOL. Del latín *inexploratus*.

inexpresable adj.inv. Que no se puede expresar: *Cuando supe la noticia sentí una alegría inexpresable.*

inexpresivo, va adj. Sin expresión o sin expresividad: *Es una persona tan distante e inexpresiva que nunca se sabe lo que está pensando.*

inexpugnable adj.inv. **1** Que no se puede expugnar o conquistar por las armas: *un castillo inexpugnable.* **2** Que no se deja vencer ni persuadir. **3**

Que impide o dificulta mucho el acceso: *sistemas de seguridad inexpugnables.* □ ETIMOL. Del latín *inexpugnabilis.*

in extenso (lat.) ‖ Por extenso o de forma extensa: *Hablaremos in extenso con el presidente acerca de nuestros proyectos.*

inextinguible adj.inv. **1** Que no se puede extinguir, acabar o hacer desaparecer: *un incendio inextinguible.* **2** Eterno o muy duradero: *un amor inextinguible.* □ ETIMOL. Del latín *inextinguibilis.*

in extremis (lat.) ‖ En los últimos momentos de la vida o en una situación peligrosa y comprometida: *El médico que lo atendió en urgencias lo operó y consiguió salvarlo in extremis.*

inextricable adj.inv. Muy enredado o difícil de desenredar o de entender: *un misterio inextricable.* □ ETIMOL. Del latín *inextricabilis.* □ SEM. Dist. de *inescrutable* (que no se puede saber ni averiguar).

infalibilidad s.f. Imposibilidad de fallar o de equivocarse: *Los jueces son humanos y no tienen el don de la infalibilidad.*

infalible adj.inv. **1** Que no puede fallar o equivocarse: *un método infalible.* **2** Seguro o cierto: *Es infalible: siempre que intento ser amable me contesta con un desprecio.* □ ETIMOL. De *in-* (negación) y *falible* (que puede fallar). □ SEM. Dist. de *inefable* (inexplicable con palabras).

infalsificable adj.inv. Que no se puede falsificar: *Una firma tan rara es infalsificable.*

infamación s.f. Deshonra o privación de la buena fama y de la estimación: *Los delitos de su hijo suponen para él una infamación personal.* □ ETIMOL. Del latín *infamatio.*

infamar v. Referido esp. a una persona, quitarle la buena fama, la honra y la estimación: *No pierde ocasión de calumniar e infamar a sus enemigos. Te infamas tú mismo contando esas mentiras.* □ ETIMOL. Del latín *infamare*, y este de *in-* (negación) y *fama* (fama).

infamatorio, ria adj. Que infama, ofende o deshonra: *La revista publicó un artículo infamatorio contra el alcalde.*

infame ▮ adj.inv. **1** Muy malo en su tipo: *un día infame.* ▮ adj.inv./s.com. **2** Que carece de buena fama, de honra o de estimación. □ ETIMOL. Del latín *infamis*, y este de *in-* (negación) y *fama* (buena fama).

infamia s.f. **1** Deshonra, descrédito o pérdida de la buena fama o de la estimación: *La infamia cayó sobre la familia cuando se descubrió el escándalo.* **2** Hecho o dicho infames o despreciables: *Lo que publicaron sobre mi padre es una infamia.*

infancia s.f. **1** Primer período de la vida de una persona, desde que nace hasta la adolescencia. □ SINÓN. *niñez.* **2** Conjunto de los niños: *una asociación de ayuda a la infancia.* □ ETIMOL. Del latín *infantia.*

infando, da adj. Infame e indigno de que se hable de ello: *Fue un crimen infando y horripilante.* □ ETIMOL. Del latín *infandus.*

infantado s.m. **1** Título de infante: *El infantado corresponde a los hijos de rey no primogénitos.* □ SINÓN. *infantazgo.* **2** Territorio sobre el que un infante real ejercía su autoridad: *Heredó de su padre el rey un infantado muy extenso y rico.* □ SINÓN. *infantazgo.*

infantazgo s.m. →**infantado.**

infante, ta ▮ s. **1** En España y en Portugal (países europeos), hijo legítimo del rey que no tiene la condición de príncipe heredero: *Si la princesa tiene un hermano varón, este será príncipe y ella se convertirá en infanta.* **2** Pariente del rey que, por gracia real, obtiene un infantado meramente honorífico y que no conlleva autoridad sobre un territorio. **3** Niño que aún no ha cumplido los siete años. ▮ s.m. **4** Soldado o miembro del arma de infantería. **5** En la Edad Media, hijo primogénito del rey. □ ETIMOL. Del latín *infans* (niño pequeño).

infantería s.f. Arma del ejército que tiene como misión ocupar el terreno durante la ofensiva y mantenerlo cuando se está en situación defensiva: *La infantería constituye el núcleo principal del Ejército de Tierra.* □ ETIMOL. De *infante* (soldado de a pie).

infanticida adj.inv./s.com. Que mata a un niño: *Un psiquiatra descubrió en el infanticida un odio patológico a los niños.* □ ETIMOL. Del latín *infans* (infante) y *-cida* (que mata).

infanticidio s.m. Muerte dada a un niño, esp. a un recién nacido. □ ETIMOL. Del latín *infans* (niño) y *-cidio* (acción de matar).

infantil ▮ adj.inv. **1** De la infancia o relacionado con ella: *literatura infantil.* **2** Con la inocencia, la candidez o el comportamiento propios de la infancia: *una sonrisa infantil.* ▮ adj.inv./s.com. **3** Referido a un deportista, que, por edad, pertenece a la categoría posterior a la de alevín y anterior a la de cadete. □ ETIMOL. Del latín *infantilis.*

infantilidad s.f. Inocencia y candidez propias de la edad infantil.

infantilismo s.m. Persistencia de los caracteres físicos y mentales propios de la infancia en adolescentes o adultos: *El infantilismo de tu actitud demuestra que eres un inmaduro.*

infantilización s.f. Concesión o adquisición de las características que se consideran propias de la infancia: *El hecho de llevar a la pantalla grandes héroes del cómic ha supuesto la infantilización del cine más reciente.*

infantilizar v. Dar o adquirir características que se consideran propias de la infancia: *Ese corte de pelo te infantiliza la cara.* □ ORTOGR. La *z* se cambia en *c* delante de *e* →CAZAR.

infantiloide adj.inv./s.com. *desp.* Con las características que se consideran propias de un niño: *Esos berrinches y rabietas son muestra de un carácter infantiloide.*

infanzón, -a s. En la Edad Media, noble hidalgo que en sus propiedades tenía un poder limitado y sometido a una autoridad superior: *Los infanzones eran nobles de sangre y se dedicaban al arte de las* *armas.* ☐ ETIMOL. Del latín **infantio* (joven noble ya crecido).

infartado, da adj./s. Que ha sufrido un infarto: *un ganglio infartado; una persona infartada.*

infartar v. En medicina, referido esp. a un órgano o a una parte del cuerpo, provocarle un infarto: *La ruptura de una arteria puede infartar el órgano que riega.*

infarto s.m. **1** Muerte de un tejido o de un órgano provocada por la falta de riego sanguíneo que deriva de la obstrucción de la arteria correspondiente: *un infarto de miocardio.* **2** Aumento del tamaño de un órgano: *el infarto de un ganglio.* ☐ ETIMOL. Del latín *infartus* (lleno, atiborrado).

infatigable adj.inv. Que no se fatiga o que resiste mucho sin fatigarse: *Está en forma porque es un deportista infatigable.* ☐ SINÓN. *incansable.* ☐ ETIMOL. Del latín *infatigabilis.*

infatuar v. Referido a una persona, envanecerla o hacer que se vuelva fatua, engreída o presuntuosa: *Los éxitos lo han infatuado.* ☐ ETIMOL. Del latín *infatuare.* ☐ ORTOGR. La *u* lleva tilde en los presentes, excepto en las personas *nosotros* y *vosotros* →ACTUAR.

infausto, ta adj. Referido a un acontecimiento, desdichado o que conlleva o produce una desgracia: *El accidente supuso un final infausto para su carrera.* ☐ ETIMOL. Del latín *infaustus.*

infección s.f. **1** Transmisión o desarrollo de gérmenes que infectan o contaminan. **2** Enfermedad o trastorno producido por gérmenes. **3** En informática, contaminación de un ordenador con un virus informático. **4** || **infección oportunista;** en medicina, la causada por microorganismos que suelen estar presentes en el organismo o en el ambiente, pero que solo producen enfermedad cuando pueden multiplicarse al disminuir las defensas. ☐ ETIMOL. Del latín *infectio.*

infeccioso, sa adj. De la infección o que la produce: *un foco infeccioso.*

infectar ▮ v. **1** Causar infección o contaminar con gérmenes de una enfermedad: *Una caries me ha infectado la encía. Se infectó de sida cuando le hicieron una transfusión.* ☐ SINÓN. *inficionar.* **2** En informática, referido a un ordenador, contaminarlo con un virus informático: *Me prestaron un disquete y ahora mi ordenador se ha infectado con un virus.* ▮ prnl. **3** Referido a una lesión, desarrollar gérmenes infecciosos: *La herida se ha infectado y me sale pus.* ☐ ETIMOL. Del latín *infectare.* ☐ ORTOGR. Dist. de *infestar.*

infecto, ta adj. Que está infectado o corrompido por gérmenes o por influencias nocivas: *Vive en una habitación infecta y en condiciones infrahumanas.* ☐ ETIMOL. Del latín *infectus*, y este de *inficere* (infectar).

infectocontagioso, sa adj. En medicina, referido a un proceso patológico, que es infeccioso y fácilmente contagioso: *El sarampión es una enfermedad infectocontagiosa.*

infecundidad s.f. Falta de fecundidad o de fertilidad. ☐ ETIMOL. Del latín *infecunditas.*

infecundo, da adj. Que no es fecundo o que no es fértil: *De esa tierra infecunda no sacan fruto alguno.* ☐ ETIMOL. Del latín *infecundus.*

infelicidad s.f. Desgracia, suerte adversa o falta de felicidad: *Tras la muerte de su mujer cayó en un estado de infelicidad y desconsuelo.*

infeliz adj.inv./s.com. **1** No feliz o de suerte adversa: *Los problemas de su casa la hacen profundamente infeliz.* **2** *col.* De carácter débil y bondadoso o sin malicia: *Soy una infeliz y me creo todo lo que me cuentan.* **3** En zonas del español meridional, malvado: *Ese muchacho es un infeliz.* ☐ ETIMOL. Del latín *infelix*, de *in-* (negación) y *felix* (feliz).

inferencia s.f. Deducción de un juicio desconocido a partir de otro conocido: *'Estoy despierto, luego esto no es un sueño' es una inferencia.*

inferior ▮ adj.inv. **1** comp. de superioridad de **bajo**. **2** Que es menor en calidad o en cantidad. **3** Referido a un ser vivo, que tiene una organización más sencilla y que se supone es más primitivo que otro: *Las bacterias son organismos inferiores.* ▮ adj.inv./s.com. **4** Referido a una persona, que está subordinada a otra. ☐ ETIMOL. Del latín *inferior* (que se halla más abajo). ☐ SINT. 1. Incorr. *(*más inferior > inferior)*. 2. Constr. *inferior* A *algo.*

inferioridad s.f. Estado de lo que es más bajo en cantidad o en calidad: *estar en inferioridad de condiciones.*

inferir v. **1** Referido a una conclusión o a un resultado, extraerlos o alcanzarlos por medio del razonamiento: *De tu herida en la rodilla infiero que te has dado un golpe.* ☐ SINÓN. *deducir.* **2** Referido a un daño, hacerlo o causarlo: *Con tales palabras le infirió una grave ofensa.* ☐ ETIMOL. Del latín *inferre* (llevar a una parte, formular un razonamiento). ☐ MORF. Irreg. →SENTIR. ☐ SINT. En la acepción 1, constr. *inferir* DE *algo.*

infernal adj.inv. **1** Del infierno o relacionado con él: *Tuve una pesadilla en la que aparecían demonios y seres infernales.* **2** *col.* Muy malo, perjudicial, desagradable o que causa disgusto o enfado: *Mi padre dice que la música actual es infernal.* ☐ ETIMOL. Del latín *infernalis.*

infernillo s.m. →**infiernillo.**

infértil adj.inv. Que no es fértil: *Esta tierra infértil no produce nada ni abonándola bien.*

infertilidad s.f. Falta de fertilidad: *Cada vez hay más técnicas de reproducción artificial que intentan subsanar la infertilidad humana.*

infestación s.f. **1** En medicina, invasión de animales parásitos: *Me tengo que comprar algún producto para prevenir la infestación de mi perro.* **2** Invasión masiva de personas, de animales o de cosas: *La infestación de termitas hace inservible la madera.* **3** Corrupción con malas doctrinas o con malos ejemplos: *Las malas compañías han tenido la culpa de la infestación de ese joven.*

infestar v. **1** Referido a un lugar, llenarlo o invadirlo gran cantidad de personas, de animales o de cosas:

Los periodistas infestaban el lugar del accidente. **2** Referido a un lugar, invadirlo o causarle daños los animales o las plantas perjudiciales: *Las langostas infestaron los campos de maíz.* **3** Corromper con malas doctrinas o con malos ejemplos: *Mi abuelo dice que las ideas revolucionarias infestan a la juventud. Al principio se resistió a las herejías, pero al final se infestó de ellas.* □ ETIMOL. Del latín *infestare.* □ SINT. Constr. *infestar* DE *algo.* □ SEM. Su uso como sinónimo de *infectar* ('contaminar con los gérmenes de una enfermedad') es incorrecto.

infibulación s.f. Colocación de un anillo u otro obstáculo en los órganos genitales para impedir el coito: *La infibulación de una persona es una práctica que va en contra de varios derechos humanos fundamentales.* □ ETIMOL. De *fíbula.*

infibular v. Colocar un anillo u otro obstáculo en los órganos genitales para impedir el coito: *En algunas culturas se infibula a las niñas, pero es una práctica no admitida por gran número de países ya que va en contra de varios derechos humanos fundamentales.* □ ETIMOL. De *fíbula.*

inficionar v. **1** Corromper con malas doctrinas o con malos ejemplos: *Las malas compañías que frecuentó en su juventud lo inficionaron.* **2** Causar infección o contaminar con gérmenes de una enfermedad: *Limpia bien la herida para que no se inficione con la suciedad.* □ SINÓN. *infectar.* □ ETIMOL. Del antiguo *infición* (infección).

infidelidad s.f. Falta de fidelidad: *Su infidelidad fue la causa de la separación.* □ ETIMOL. Del latín *infidelitas.*

infidelísimo, ma superlat. irreg. de **infiel.** □ MORF. Incorr. **infielísimo.*

infiel ▮ adj.inv. **1** Falto de exactitud: *una traducción infiel.* **2** Desleal o falto de fidelidad: *un amigo infiel.* ▮ adj.inv./s.com. **3** Que no profesa o no tiene la fe que se considera verdadera. □ ETIMOL. Del latín *infidelis.* □ MORF. Su superlativo es *infidelísimo.*

in fíeri ‖ En vías de hacerse o en formación: *El proyecto que tenemos está todavía in fíeri.* □ ETIMOL. Del latín *in fieri.*

infiernillo (tb. *infernillo*) s.m. Aparato portátil productor de calor por medio de una resistencia eléctrica: *Tengo un infiernillo para cocinar cuando se me acaba el gas.*

infierno s.m. **1** Lugar en el que, según la tradición cristiana, penan los que han muerto en pecado mortal. **2** En mitología, lugar donde iban las almas de los muertos. □ SINÓN. *averno.* **3** Lugar o situación donde hay alboroto, desorden, desacuerdo o malestar. **4** ‖ **al infierno con** algo; *col.* Expresión que se usa para indicar el enfado o la impaciencia que causa: *¡Al infierno con el trabajo, me tomo unas vacaciones!* ‖ **irse al infierno** un asunto; *col.* Fracasar. ‖ **mandar al infierno** algo; *col.* Rechazarlo o desentenderse de ello: *Me mandó al infierno porque no lo dejaba dormir.* □ ETIMOL. Del latín *infernum* (estancia de los dioses subterráneos, infierno).

infijo, ja adj./s.m. En lingüística, referido a un morfema, que se introduce en el interior de una palabra o de su raíz para formar derivados o palabras compuestas: *El infijo '-ar-' forma derivados como 'humareda' y 'polvareda'.* □ SINÓN. *interfijo.* □ SEM. Dist. de *prefijo* (que se une por delante) y de *sufijo* (que se une por detrás).

infiltración s.f. **1** Introducción secreta de una persona en algún lugar o en alguna organización, esp. si se hace para averiguar lo que se mantiene oculto: *Fue descubierta la infiltración de un espía en el Gobierno.* **2** Introducción de una idea o de una doctrina en la mente de una persona o de un grupo, esp. si se hace de manera encubierta o poco clara: *Se sospecha que hay una infiltración de ideas subversivas en el ejército.* **3** Penetración de un líquido entre los poros de un sólido: *La madera se pudrirá por las infiltraciones de agua.*

infiltrado, da adj./s. Referido a una persona, que se ha introducido en un lugar o en una organización de manera oculta o a escondidas, esp. si lo hace para averiguar lo que se mantiene en secreto: *Un infiltrado descubrió documentos que culpaban al acusado.*

infiltrar ▮ v. **1** Referido a un líquido, introducirlo entre los poros de un sólido: *Me han infiltrado calmantes en el pie para evitar el dolor. El agua se infiltra por las paredes y produce humedad.* **2** Referido a una idea, introducirla en la mente de una persona o de un grupo, esp. si se hace de manera encubierta o poco clara: *El líder infiltró sus ideas entre los más jóvenes. Las ideas liberales se infiltraron en los escritores románticos.* ▮ prnl. **3** Referido a una persona, penetrar en algún lugar o en alguna organización de manera oculta o a escondidas, esp. si se hace para averiguar lo que se mantiene en secreto: *Dos policías se infiltraron en la banda de narcotraficantes para desarticularla.* □ ETIMOL. Del latín *in-* (hacia dentro) y *filtrar.*

ínfimo, ma ▮ **1** superlat. irreg. de **malo.** ▮ **2** superlat. irreg. de **bajo.** □ ETIMOL. Del latín *infimus* (lo que está más abajo de todo, lo más humilde). □ SINT. Incorr. **más ínfimo* o **infimísimo.*

infinidad s.f. Gran cantidad o multitud: *En el concierto había infinidad de personas.* □ ETIMOL. Del latín *infinitas,* y este de *infinitus* (infinito).

infinitesimal adj.inv. Referido a una cantidad, que es infinitamente pequeña o que está muy próxima a 0: *0,0000000001 es una cantidad infinitesimal.* □ ETIMOL. Del francés *infinitésimal.*

infinitivo s.m. Forma no personal del verbo, que expresa la acción sin matiz temporal: *'Pensar', 'hacer' y 'dormir' son infinitivos.*

infinito adv. *col.* Muchísimo o en exceso: *Lamento infinito no poder ayudarte.*

infinito, ta ▮ adj. **1** Que no tiene límites o que no tiene fin. **2** Muy numeroso o muy grande y enorme: *En el desierto hay infinitos granos de arena.* ▮ s.m. **3** En matemáticas, signo gráfico con forma de ocho tendido que expresa un valor mayor que cualquier cantidad: *El signo de infinito es ∞.* **4** Lugar indefinido y lejano: *mirar al infinito.* □ ETIMOL. Del latín *infinitus*, y este de *in-* (negación) y *finitus* (acabado, finalizado). □ MORF. Como adjetivo no admite grados: incorr. **más infinito.*

infinitud s.f. Ausencia o carencia de límites: *El párroco de mi pueblo dice que la bondad divina se caracteriza por su infinitud.*

inflación s.f. Subida del nivel general de precios que produce una disminución del valor del dinero: *La inflación ocasiona un desequilibrio económico difícil de solucionar.* □ ETIMOL. Del latín *inflatio.* □ PRON. Incorr. *[inflacción]. □ ORTOGR. Dist. de *infracción.* □ SEM. Dist. de *deflación* (descenso del nivel de los precios).

inflacionario, ria adj. De la inflación monetaria o relacionado con ella: *El fenómeno inflacionario es un problema de la economía capitalista.* □ SINÓN. *inflacionista.*

inflacionismo s.m. Tendencia a la inflación económica: *El inflacionismo descontrolado puede desequilibrar la economía de un país.*

inflacionista adj.inv. De la inflación monetaria, o relacionado con ella: *Los últimos movimientos económicos marcan una clara tendencia inflacionista.* □ SINÓN. *inflacionario.*

inflador, -a ▌adj./s. **1** Que infla: *válvula infladora.* ▌s.m. **2** Aparato que sirve para inflar. □ SINÓN. *hinchador.*

inflagaitas (pl. *inflagaitas*) s.com. *vulg.* Persona estúpida o necia. □ USO Se usa como insulto.

inflamable adj.inv. Que se enciende con facilidad y desprende llamas de forma inmediata: *La gasolina y el alcohol son sustancias inflamables.* □ SEM. Dist. de *combustible* (que arde fácilmente).

inflamación s.f. **1** Alteración de una parte del organismo, caracterizada generalmente por dolor, enrojecimiento, hinchazón y aumento de la temperatura: *la inflamación de una encía.* **2** Combustión repentina y con llamas de una sustancia inflamable.

inflamar ▌v. **1** Referido a una sustancia, arder o hacer que arda bruscamente y desprendiendo llamas: *Una chispa inflamó el bidón de gasóleo. El butano se inflamó y todo saltó por los aires.* **2** Referido a una persona o a un grupo, estimular o avivar sus ánimos: *El político inflama a las masas con promesas de justicia y bienestar. Se inflamó de rabia y salió gritando.* ▌prnl. **3** Referido a una parte del cuerpo, producirse una inflamación en ella: *Se le inflamó el tobillo derecho a consecuencia de la caída.* □ ETIMOL. Del latín *inflammare.*

inflamatorio, ria adj. **1** Que causa o produce inflamación: *Necesito una pomada para evitar el proceso inflamatorio.* **2** Que procede de una inflamación: *Le hicieron una punción para extraer el infiltrado inflamatorio.*

inflamiento s.m. **1** Llenado de un cuerpo o aumento de su volumen por la introducción de una sustancia, esp. de un fluido: *el inflamiento de una rueda.* **2** Exageración o ampliación de una noticia o de un texto.

inflar ▌v. **1** Referido a un cuerpo, llenarlo o hacer que aumente su volumen introduciendo en él una sustancia, esp. un fluido: *Ínflame el flotador, por favor, que me voy al agua.* □ SINÓN. *hinchar.* **2** *col.* Referido esp. a un suceso, exagerarlo o ampliarlo: *A este periódico le gusta inflar las noticias para vender más ejemplares.* □ SINÓN. *hinchar.* **3** *col.* Referido a una persona, fastidiarla o hartarla: *Me estás inflando con tanto lloriqueo.* ▌prnl. **4** *col.* Referido a una actividad, hacerla en exceso: *Durante las vacaciones me inflo a leer.* □ SINÓN. *hinchar.* **5** Mostrarse presuntuoso u orgulloso de las propias cualidades y obras: *Cuando habla de su triunfo, se infla.* □ SINÓN. *hinchar.* □ ETIMOL. Del latín *inflare* (hinchar). □ SINT. Constr. de la acepción 4: *inflarse* A *hacer algo.*

inflexibilidad s.f. **1** Imposibilidad de algo para doblarse: *La inflexibilidad de estos materiales los hace poco aptos para la construcción de puentes.* **2** Constancia y firmeza para no conmoverse ni doblegarse: *Cuando tomo una decisión, mi inflexibilidad es absoluta, y no suelo volverme atrás.*

inflexible adj.inv. **1** Que no se puede torcer ni doblar: *un material inflexible.* **2** Que no se conmueve, no se doblega o no rectifica: *una persona inflexible.* □ ETIMOL. Del latín *inflexibilis.*

inflexión s.f. **1** Variación que experimenta la entonación al pasar de un tono a otro: *La actriz leyó el poema con numerosas inflexiones.* **2** En matemáticas, punto en el que una curva pasa del valor máximo al mínimo. □ ETIMOL. Del latín *inflexio* (dobladura).

infligir v. Referido a una pena o a un castigo, imponerlos, aplicarlos o causarlos: *Lo denunciaron por infligir castigos crueles a sus hijos.* □ ETIMOL. Del francés *infliger*, y este del latín *infligere* (herir, golpear). □ ORTOGR. La *g* se cambia en *j* delante de *a*, *o* →DIRIGIR. □ SEM. Dist. de *infringir* (desobedecer o quebrantar una ley o una orden).

inflorescencia s.f. En botánica, conjunto de flores nacidas sobre un mismo eje: *La margarita es una inflorescencia compuesta por multitud de flores amarillas.* □ ETIMOL. Del latín *inflorescens.* □ ORTOGR. Dist. de *eflorescencia.*

influencia s.f. **1** Efecto producido: *El clima tiene gran influencia sobre la vegetación.* □ SINÓN. *influjo.* **2** Poder, autoridad o dominio: *Tus amigos tienen una enorme influencia en tus decisiones.* □ SINÓN. *influjo.* **3** Contacto o relación capaces de proporcionar algo: *Ha conseguido la licencia gracias a sus influencias en el Ayuntamiento.* □ MORF. En la acepción 3, se usa más en plural.

influenciar v. Referido a una persona, ejercer influencia sobre ella: *No te dejes influenciar por las malas personas.* □ ORTOGR. La *i* nunca lleva tilde.

influenza s.f. Enfermedad infecciosa aguda, producida por un virus y cuyos síntomas más frecuentes son la fiebre, el catarro y el malestar generalizado: *Este medicamento está indicado para el tratamiento del resfriado común e influenza.* □ SINÓN. *gripe.* □ ETIMOL. Del italiano *influenza.*

influir v. Causar o producir un efecto o un cambio: *El calor influye en el comportamiento animal.* ☐ ETIMOL. Del latín *influere* (desembocar en). ☐ MORF. Irreg. →HUIR.

influjo s.m. →**influencia.** ☐ ETIMOL. Del latín *influxus.*

influyente adj.inv. Que tiene influencia o poder: *Aunque ya no es ministra, sigue siendo una persona influyente en el Gobierno.*

infoartista s.com. Persona que produce y crea imágenes artísticas con el ordenador.

infografía s.f. Arte o técnica que consiste en la aplicación de la informática al diseño gráfico y a la animación: *Utilizaron las técnicas de infografía avanzada para realizar los dibujos de esta película.* ☐ ETIMOL. De *informática* y *-grafía* (reproducción, imagen). Extensión del nombre de una marca comercial.

infográfico, ca adj. De la infografía o relacionado con ella: *La cabecera de este programa de televisión fue diseñada mediante técnicas infográficas.*

infolio s.m. Libro con el formato o el tamaño de un folio: *Hay una exposición de infolios encuadernados en piel.* ☐ ETIMOL. Del latín *in folio.*

infolítico, ca adj./s.m. Referido a un período histórico, que se caracteriza por el uso generalizado de la información.

infopista s.f. Sistema o red que permiten poner en contacto, mediante un *modem*, una serie de ordenadores por todo el mundo: *La infopista permite que un particular o una empresa puedan estar en contacto con otros ordenadores a través de la línea telefónica.* ☐ SINÓN. *autopista de información.*

información s.f. **1** Noticia o conjunto de noticias o de datos: *La información que me pides no se consigue fácilmente.* **2** Transmisión o recepción de una noticia o de un informe: *Esta periodista está dedicada a la información deportiva.* **3** Lugar o establecimiento donde se consiguen datos generales o referencias sobre algo: *En información le dirán lo que usted quiere saber.*

informador, -a ▮ adj./s. **1** Que informa. ▮ s. **2** Persona que se dedica profesionalmente a la difusión o comunicación de la información: *El periódico envió dos informadores al frente de guerra.* ☐ SINÓN. *periodista.*

informal ▮ adj.inv. **1** Que no sigue las normas establecidas o no tiene solemnidad: *ropa informal.* ▮ adj.inv./s.com. **2** Referido a una persona, que no cumple con sus obligaciones o con sus compromisos. ☐ ETIMOL. De *in-* (negación) y *formal.*

informalidad s.f. **1** Incumplimiento de las normas establecidas o falta de solemnidad: *Me asombró la informalidad del acto pese a la importancia de los asistentes.* **2** Incumplimiento de las obligaciones o de los compromisos: *No me gusta su informalidad en el trabajo.*

informante adj.inv./s.com. Referido a una persona, que informa: *La encuesta se realizó sobre más de cinco mil informantes.*

informar v. **1** Referido esp. a una noticia o a un dato, transmitirlos o recibirlos: *Los periódicos informan de la actualidad. ¿Dónde puedo informarme de las bases del concurso?* **2** Referido a un órgano o a una persona competentes, opinar, hacer un juicio o dictaminar: *Este consejo informa favorablemente la petición solicitada.* ☐ ETIMOL. Del latín *informare* (dar forma, describir). ☐ SINT. Constr. de la acepción 1: *informar* DE *algo.*

informática s.f. Véase **informático, ca**.

informático, ca ▮ adj. **1** De la informática o relacionado con esta forma de tratamiento de la información: *Por un problema informático, las nóminas tendrán que hacerse este mes de forma manual.* ▮ adj./s. **2** Referido a una persona, que se dedica a la investigación o al trabajo en la informática, esp. si esta es su profesión: *Sin los informáticos, esta empresa no podría salir adelante.* ▮ s.f. **3** Conjunto de conocimientos científicos y técnicos que posibilitan el tratamiento automático de la información mediante el uso de ordenadores: *Los avances de la informática en los últimos años son espectaculares.* ☐ ETIMOL. La acepción 3, del francés *informatique*, y este de *information* y la terminación de *électronique* o *mathématique.*

informativo, va ▮ adj. **1** Que informa: *El próximo boletín informativo será dentro de una hora.* ▮ s.m. **2** En radio y televisión, programa dedicado a transmitir información de actualidad o de interés general: *En nuestro próximo informativo mantendremos un debate con varios representantes del Gobierno.*

informatización s.f. Aplicación de medios informáticos a un sistema de organización: *La informatización de una biblioteca es esencial para que pueda funcionar eficazmente.*

informatizar v. Referido a la información, organizarla por medios informáticos: *Informatizó la contabilidad de la empresa.* ☐ ORTOGR. La *z* se cambia en *c* delante de *e* →CAZAR.

informe ▮ adj.inv. **1** Que no tiene una forma bien determinada. ▮ s.m. **2** Noticia o conjunto de datos: *Tiene buenos informes de las empresas en las que ha trabajado antes.* **3** Exposición, generalmente ordenada y exhaustiva, sobre un tema o sobre el estado de una cuestión, esp. si es objetiva o si se basa en hechos documentados o probados: *informe policial.* ☐ ETIMOL. La acepción 1, del latín *informis*, y este de *in-* (negación) y *forma* (forma). Las acepciones 2 y 3, de *informar.* ☐ MORF. En la acepción 2, se usa más en plural. ☐ USO En la acepción 3, es innecesario el uso del galicismo *rapport.*

informidad s.f. Falta de forma determinada y precisa: *La informidad de las imágenes de la fotografía imposibilitó la identificación del lugar.* ☐ ETIMOL. Del latín *informitas.*

informulable adj.inv. Que no puede formularse.

infortunado, da adj. Sin fortuna o con mala suerte: *Un infortunado ciclista fue atropellado por un camión.*

infortunio s.m. Suerte, hecho o suceso desgraciados o situación del que los padece. □ ETIMOL. Del latín *infortunium*, y este de *in-* (negación) y *fortuna*.

infovía s.f. Red de comunicación para ordenadores, de ámbito internacional, a la que se accede a través del servicio telefónico, y que permite el intercambio de información entre los usuarios: *Accedí a una empresa de seguros de Argentina a través de infovía.*

infra- 1 Elemento compositivo prefijo que significa 'debajo': *infrascrito, infraestructura.* **2** Elemento compositivo prefijo que indica un nivel inferior a un determinado límite: *infrahumano, infravalorar, infrautilizar.* □ ETIMOL. Del latín *infra* (debajo).

infracción s.f. Desobediencia o incumplimiento de algo establecido, esp. de una ley, de una orden o de una norma: *Las infracciones de tráfico se sancionan con multas.* □ ETIMOL. Del latín *infractio.* □ ORTOGR. Dist. de *inflación.*

infractor, -a adj./s. Que desobedece o no cumple algo establecido, esp. una ley, una orden o una norma: *En el partido de ayer expulsaron al infractor que insultó al árbitro.*

infraestructura s.f. Conjunto de medios o instalaciones que son necesarios para la creación y funcionamiento de una organización, una actividad o un servicio: *La infraestructura turística relaciona muchos sectores de un país.* □ ETIMOL. De *infra-* (debajo) y *estructura.*

infraestructural adj.inv. De la infraestructura o relacionado con ella: *Las medidas infraestructurales para la mejora del transporte urbano se han puesto en marcha a partir de hoy.*

in fraganti (tb. *infraganti*) || En el momento en que se está cometiendo un delito o una acción censurables: *Los pillaron in fraganti cuando estaban robando el examen de la sala de profesores.* □ ETIMOL. Del latín *in flagranti crimine.*

infrahumano, na adj. Que no es conveniente para los seres humanos o que no se considera digno de ellos: *condiciones infrahumanas.* □ ETIMOL. De *infra-* (debajo) y *humano.*

infrangible adj.inv. Que no se puede quebrantar o quebrar. □ ETIMOL. Del latín *infrangibilis.*

infranqueable adj.inv. Imposible de franquear o atravesar: *una puerta infranqueable.* □ ETIMOL. De *in-* (negación) y *franqueable.*

infrarrojo, ja adj./s.m. Referido a una radiación, que se encuentra más allá del rojo visible y se caracteriza por tener efectos caloríficos pero no luminosos ni químicos. □ SINÓN. *ultrarrojo.* □ ETIMOL. De *infra-* (debajo) y *rojo* (color del espectro luminoso).

infrascrito, ta ▮ adj. **1** Dicho debajo o después de un escrito: *Lea la cláusula infrascrita para evitar sorpresas.* **▮** adj./s. **2** Referido a una persona, que firma al final de un escrito: *El infrascrito autoriza a su hijo para hacer las gestiones oportunas.* □ ETIMOL. De *infra-* (debajo) y *escrito.* □ ORTOGR. Incorr. **infraescrito.*

infrasonido s.m. Onda sonora de muy baja frecuencia que no puede ser captada por el oído humano. □ ETIMOL. De *infra-* (debajo) y *sonido.*

infrasonoro, ra adj. De los infrasonidos o relacionado con ellos: *Los sonidos que están por debajo del umbral infrasonoro no son percibidos por el oído humano.*

infrautilización s.f. Utilización de algo por debajo de sus posibilidades: *Desde que la facultad fue trasladada a otro lugar, se ha producido la infrautilización de este edificio, que solo sirve para la celebración de cursos esporádicos.*

infrautilizar v. Utilizar por debajo de las capacidades o de las posibilidades: *No infrautilices tu ordenador utilizándolo solo para jugar.* □ ETIMOL. De *infra-* (debajo) y *utilizar.* □ ORTOGR. La *z* cambia en *c* delante de *e* →CAZAR.

infravaloración s.f. Atribución a algo de menor valor del que tiene o del que merece: *En el mundo de la pintura se suele producir la infravaloración de muchos artistas.*

infravalorar v. Dar menor valor del que tiene o del que merece: *Me infravaloras si crees que no podré hacerlo.* □ SINÓN. *subvalorar.* □ ETIMOL. De *infra-* (debajo) y *valorar.*

infravivienda s.f. Vivienda que no reúne las condiciones mínimas para ser habitada: *Esta chabola es una infravivienda sin condiciones higiénicas.*

infrecuente adj.inv. Que no es frecuente: *Es infrecuente que te toque la lotería.* □ ETIMOL. Del latín *infrequens.*

infringir v. Referido a algo establecido, esp. a una ley, a una orden o a una norma, desobedecerlas o no cumplirlas: *Le retiraron el carné de conducir por infringir gravemente las normas de circulación.* □ ETIMOL. Del latín *infringere.* □ ORTOGR. La *g* se cambia en *j* delante de *a, o* →DIRIGIR. □ SEM. Dist. de *infligir* (imponer, aplicar o causar una pena o un castigo).

infructífero, ra adj. Que no produce frutos: *una tierra infructífera; un esfuerzo infructífero.* □ ETIMOL. De *in-* (negación) y *fructífero.*

infructuosidad s.f. Fracaso en los resultados esperados: *La infructuosidad de la operación quedó demostrada ya que los terroristas huyeron.* □ ORTOGR. Dist. de *anfractuosidad.*

infructuoso, sa adj. Que no produce los resultados esperados: *La búsqueda resultó infructuosa y la policía no consiguió hacerse con el botín.* □ ETIMOL. Del latín *infructuosus*, y este de *in-* (negación) y *fructuosus* (que da utilidad). □ ORTOGR. Dist. de *anfractuoso.*

infrutescencia s.f. Conjunto de frutos agrupados de forma que parecen uno solo, y que se desarrolla a partir de una inflorescencia: *La frambuesa, el higo y la mora son infrutescencias.*

ínfulas s.f.pl. **1** Presunción o soberbia. **2** || **darse ínfulas;** *col.* Darse importancia: *No te des tantas ínfulas y demuestra lo que vales.* □ ETIMOL. Del latín *infulae.* □ ORTOGR. Dist. de *ínsula.*

infumable adj.inv. Imposible de aprovecharse o de mala calidad, esp. referido al tabaco: *una película infumable.*

infundado, da adj. Sin fundamento real o racional: *Con sospechas infundadas no puedes acusar a nadie.*

infundio s.m. Mentira, rumor o noticia falsa, esp. si se difunde con mala intención: *No te lo creas, porque es un infundio divulgado por mis enemigos.*

infundir v. **1** Referido esp. a un sentimiento, producirlo o inspirarlo: *Con esa cara tan seria infundes respeto.* **2** En teología, referido a un don o a una gracia, comunicarlos Dios al alma: *Dios infundió una gracia especial a Adán.* □ ETIMOL. Del latín *infundere* (echar un líquido en un recipiente).

infusión s.f. **1** Introducción en agua hirviendo de plantas, esp. de hojas o de semillas, para extraer sus principios activos: *Lávate la cara con agua en la que hayas hecho una infusión de hojas de rosa.* **2** Líquido que resulta de esta operación: *Las infusiones de tila calman los nervios.* □ ETIMOL. Del latín *infusio*, y este de *infundere* (echar un líquido en un recipiente).

infuso, sa part. irreg. de **infundir**. □ SEM. Se usa solo referido a gracias y dones que Dios infunde en el alma. □ USO Se usa solo como adjetivo, frente al participio regular *infundido*, que se usa en la conjugación.

infusorio s.m. En biología, célula o microorganismo que se mueve en un líquido mediante cilios: *Para ver los infusorios necesitamos un microscopio.* □ ETIMOL. Del latín *infusorium*.

ingeniar v. **1** Idear o inventar utilizando la facultad del ingenio: *Ha ingeniado un sistema de alarma antirrobo para coches.* **2** || **ingeniárselas;** encontrar el modo de solucionar uno mismo un problema o de salir adelante en la vida: *No sé cómo te las ingenias para salir de todos los apuros con una sonrisa.* □ ORTOGR. La *i* nunca lleva tilde.

ingeniería s.f. **1** Conjunto de conocimientos y técnicas que permiten aplicar el saber científico a los recursos naturales para aprovecharlos en beneficio de las personas: *Gracias a la ingeniería se puede aprovechar la energía.* **2** || **ingeniería financiera;** en economía, conjunto de técnicas que permiten una mejora de los resultados financieros: *La ingeniería financiera diseña operaciones para la financiación de cualquier proyecto económico.* || **ingeniería genética;** conjunto de técnicas que permiten la manipulación de los genes y la creación de material genético nuevo: *La finalidad de la ingeniería genética es la mejora de las especies.*

ingeniero, ra s. Persona que se dedica profesionalmente a la ingeniería, esp. si es licenciado: *Los ingenieros aeronáuticos han presentado los planos de la nueva pista de aterrizaje.* □ ETIMOL. De *ingenio* (máquina o artificio mecánico). □ USO El masculino también se usa para designar el femenino: *Esa señora es ingeniero.*

ingenio s.m. **1** Facultad mental para discurrir, crear o inventar con rapidez: *Con su ingenio, pronto encontrará la solución adecuada.* **2** Invento o creación, esp. si son mecánicos: *¡Algún día mis ingenios se pagarán con oro!* **3** Habilidad, gracia o maña para realizar algo: *Cuenta los chistes con mucho ingenio.* □ ETIMOL. Del latín *ingenium* (cualidades innatas).

ingenioso, sa adj. Que tiene o que manifiesta ingenio: *Sus respuestas fueron muy ingeniosas.*

ingente adj.inv. Muy grande: *una ingente cantidad de dinero.* □ ETIMOL. Del latín *ingens*. □ ORTOGR. Dist. de *indigente*.

ingenuidad s.f. **1** Sinceridad, inocencia o ausencia de malicia: *Lo han timado en varias ocasiones por su ingenuidad.* **2** Hecho o dicho que demuestra inocencia o falta de malicia: *Es tan pesimista que considera una ingenuidad creer que la injusticia desaparecerá.*

ingenuo, nua adj./s. Sincero, inocente o sin malicia: *Es muy ingenua y nunca piensa que la quieran engañar.* □ ETIMOL. Del latín *ingenuus* (noble, generoso).

ingerir v. Referido esp. a comida o a un medicamento, introducirlos en el estómago a través de la boca: *La doctora le ha dicho que no debe ingerir bebidas alcohólicas.* □ ETIMOL. Del latín *ingerere*, y este de *in-* (hacia dentro) y *gerere* (llevar). □ ORTOGR. Dist. de *injerir*. □ MORF. Irreg. →SENTIR.

ingesta s.f. Introducción en el estómago de alimentos, medicamentos u otras sustancias a través de la boca: *La ingesta de este tipo de ácidos puede producir rechazo en el paciente.* □ SINÓN. *ingestión.*

ingestión s.f. Introducción en el estómago de alimentos, medicamentos u otras sustancias a través de la boca: *La ingestión de algunos medicamentos puede producir efectos secundarios.* □ SINÓN. *ingesta.*

ingle s.f. En el cuerpo de algunos animales, esp. en el humano, cada una de las dos partes en las que se unen los muslos con el vientre: *Para ver si tengo fiebre mi madre me pone el termómetro en la ingle.* □ ETIMOL. Del latín *inguen*.

inglés, -a ▮ adj./s. **1** De Inglaterra (región británica), o relacionado con ella. ▮ s.m. **2** Lengua germánica de esta región y de otros países: *El inglés se habla en Estados Unidos, Gran Bretaña, Canadá y otros lugares.* □ SEM. En la acepción 1, dist. de *británico* (del Reino Unido de Gran Bretaña e Irlanda del Norte).

inglesismo s.m. En lingüística, palabra, significado o construcción sintáctica del inglés empleados en otra lengua: *En español, barman es un inglesismo.* □ SINÓN. *anglicismo.*

inglete s.m. **1** Unión en ángulo recto de dos piezas de corte de cuarenta y cinco grados, esp. las de una moldura: *Da más cola a este inglete porque se va a despegar.* **2** En albañilería, pieza esp. de baldosa o de azulejo, rebajada por uno de sus lados, que se utiliza para cubrir las esquinas: *Necesitamos seis metros cuadrados de azulejos y dos de ingletes.* □ ETIMOL. Del francés *anglet*.

ingobernabilidad s.f. Imposibilidad o dificultad para gobernar: *Los disturbios continuos están causando la ingobernabilidad de la nación.*

ingobernable adj.inv. Imposible de gobernar: *Las continuas revueltas hacían que el país fuera ingobernable.*

ingratitud s.f. Falta de gratitud o de reconocimiento por los beneficios recibidos: *Su ingratitud le llevó a olvidar muy pronto los favores que le hicimos.* □ SINÓN. *desagradecimiento.* □ ETIMOL. Del latín *ingratitudo.*

ingrato, ta ▮ adj. **1** Que resulta desagradable o causa disgusto y malestar. **2** Referido a una tarea o a un trabajo, que no se corresponde con la recompensa o gratificación recibida. ▮ adj./s. **3** Que no agradece los beneficios recibidos o no corresponde a ellos. □ SINÓN. *desagradecido, malagradecido.* □ ETIMOL. Del latín *ingratus.*

ingravidez s.f. **1** Estado de un cuerpo material que no está sometido a un campo de gravedad. **2** Ligereza, poco peso o poca sustancia: *Me gusta la ingravidez de los movimientos de esa bailarina.*

ingrávido, da adj. **1** Referido a un cuerpo material, que no pesa porque no está sometido a ningún campo de gravedad. **2** Ligero, con poco peso o con poca sustancia: *¿Has visto cómo se mueven las nubes ingrávidas sobre nosotros?* □ ETIMOL. De *in-* (negación) y *grave* (que pesa).

ingrediente s.m. **1** Sustancia que forma parte de un compuesto: *Lee en la receta qué ingredientes necesitamos para hacer el pastel.* **2** Elemento que contribuye a caracterizar una situación o un hecho: *Parece que en el cine actual, el sexo y la violencia son dos ingredientes básicos.* □ ETIMOL. Del latín *ingrediens*, y este de *ingredi* (entrar en).

ingresar v. **1** Referido a una persona, entrar a formar parte de un grupo, de una sociedad o de una corporación, generalmente después de haber cumplido algún requisito: *Ingresó en la universidad el año pasado.* **2** Referido a una persona, entrar en un centro sanitario para someterse a un tratamiento: *El enfermo ingresó en el hospital con quemaduras leves.* **3** Referido esp. al dinero, depositarlo en una entidad, esp. si es bancaria: *He ingresado el cheque en mi cuenta corriente.* □ SINT. Constr. *ingresar* EN *un sitio.*

ingresivo, va adj. En lingüística, referido a un verbo, que presenta una acción en su momento inicial: *La construcción perifrástica 'se echó a reír' tiene un valor ingresivo.* □ ETIMOL. Del latín *ingressus* (entrada, inicio).

ingreso ▮ s.m. **1** Entrada en un grupo, en una corporación o en un centro sanitario, generalmente para formar parte de ellos: *Apoyaremos tu ingreso en la comisión.* **2** Acto de ser admitido como miembro en algunas sociedades: *Hoy a las seis de la tarde es el ingreso del nuevo académico.* **3** Depósito de dinero en una entidad, esp. si es bancaria: *El ingreso puedo realizarlo en cualquier sucursal.* ▮ pl. **4** Cantidad de dinero que se recibe regularmente: *Este mes, los ingresos han sido menores porque ha habido menos ventas.* □ ETIMOL. Del latín *ingressus* (entrada). □ SINT. Constr. *ingreso* EN *un sitio.*

íngrimo, ma adj. En zonas del español meridional, solo o abandonado: *Desde que te fuiste, estoy íngrimo y solo.* □ ETIMOL. Del portugués *íngreme.*

inguinal adj.inv. De la ingle o relacionado con esta parte del cuerpo humano: *una hernia inguinal.* □ SINÓN. *inguinario.* □ ETIMOL. Del latín *inguinalis.*

inguinario, ria adj. →**inguinal.** □ ETIMOL. Del latín *inguinarius.*

ingurgitar v. En biología, tragar o engullir: *Tuvimos que dar de comer al polluelo durante días porque no tenía la capacidad de ingurgitar.* □ ETIMOL. Del latín *ingurgitare.*

ingush adj.inv./s.com. **1** De un pueblo que habita el norte del Cáucaso (cordillera asiática) o relacionado con él. **2** Lengua hablada por este pueblo.

inhábil adj.inv. **1** Falto de habilidad o de aptitud: *Lo declararon inhábil para desempeñar cargos públicos.* **2** Referido a un período de tiempo, que no es laborable salvo por disposición expresa: *Los domingos son días inhábiles.* □ ETIMOL. Del latín *inhabilis.*

inhabilidad s.f. Falta de habilidad: *Su inhabilidad para los deportes hace que se niegue a practicarlos.*

inhabilitación s.f. **1** Incapacitación para realizar una función determinada: *la inhabilitación de una vivienda.* **2** En derecho, pena grave que inhabilita para el ejercicio de ciertos derechos o empleos durante un período de tiempo determinado.

inhabilitar v. **1** En derecho, referido a una persona, declararla no apta para desempeñar cargos públicos o para ejercer sus derechos civiles o políticos: *La condena inhabilita al acusado para ejercer la medicina durante siete años.* **2** Referido a una persona o a una cosa, incapacitarla para realizar una función determinada: *La parálisis lo inhabilita para conducir.* □ ETIMOL. De *in-* (privación) y *habilitar.* □ SINT. Constr. *inhabilitar* A *alguien* PARA *algo.*

inhabitable adj.inv. Que no es habitable: *Esa parte de la casa es inhabitable porque hay mucha humedad.* □ ETIMOL. Del latín *inhabitabilis.*

inhabitado, da adj. Que nunca ha sido habitado: *Nos perdimos en un desierto inhabitado.* □ SEM. Dist. de *deshabitado* (que estuvo habitado y ya no lo está).

inhalación s.f. Aspiración de un gas, de un vapor o de una sustancia pulverizada, esp. si se hace con fines medicinales: *Le receté inhalaciones de vapor antes de acostarse para humedecer las vías respiratorias.*

inhalador s.m. Aparato que se usa para hacer inhalaciones: *Los enfermos de asma toman inhalaciones de oxígeno mediante un inhalador.*

inhalar v. Referido a un gas, a un vapor o a una sustancia pulverizada, aspirarlos, esp. si se hace con fines medicinales: *Cuando estoy resfriado, inhalo vapores de eucalipto para descongestionarme.* □ ETIMOL. Del latín *inhalare.*

inherencia s.f. Unión inseparable por su naturaleza o solo separable mentalmente: *La inherencia del bien y del mal en el ser humano es estudiada en muchas filosofías.*

inherente adj.inv. Propio o característico de algo o que está unido a ello de manera que no se puede separar: *La contaminación es un problema inherente al desarrollo industrial.* □ ETIMOL. Del latín *inhaerens*, y este de *inhaerere* (estar adherido a). □ SINT. Constr. *inherente* A *algo*. □ SEM. Dist. de *inmanente* (propio de la naturaleza de un ser) y de *innato* (que no es aprendido y se tiene desde el nacimiento).

inhibición s.f. **1** Represión o impedimento en la realización o en el desarrollo de algo, esp. de una acción o de un impulso: *La inhibición de algunos impulsos puede producir frustración.* **2** Abstención de actuar o de intervenir en una actividad: *Mi inhibición ante vuestras peleas es absoluta.* **3** En medicina, suspensión o disminución de una función o de una actividad del organismo mediante un estímulo: *Las drogas pueden producir la inhibición de algunas capacidades cerebrales.*

inhibidor, -a adj./s. En medicina, que inhibe o produce suspensión de alguna función orgánica: *Tomo un medicamento inhibidor del apetito.*

inhibir ▮ v. **1** Referido esp. a una acción o a un impulso, impedir o reprimir su realización o su desarrollo: *Es muy vengativo porque nunca inhibe sus deseos de venganza. Me inhibo mucho cuando estoy con desconocidos.* **2** En medicina, referido a una función o a una actividad orgánica, suspenderlas o disminuirlas mediante un estímulo: *Este compuesto inhibe algunas reacciones en las que intervienen enzimas.* ▮ prnl. **3** Dejar de actuar o abstenerse de intervenir: *Prefiere inhibirse de todo y dejar que sus padres decidan por él.* □ ETIMOL. Del latín *inhibere* (mantener dentro, impedir). □ SINT. Constr. como pronominal: *inhibirse {DE/EN} algo.*

inhibitoria s.f. Véase **inhibitorio, ria**.

inhibitorio, ria adj./s.f. En derecho, referido esp. a un documento, que decreta que un juez no prosiga con una causa por no ser de su competencia: *La juez no está conforme con la inhibitoria que se le envió.*

in honorem (lat.) ‖ En honor: *El recital poético in honorem García Lorca fue todo un éxito.* □ PRON. [in honórem]. □ SINT. Incorr. **in honorem de: Estudios {*in honorem de > in honorem} alguien.*

inhospitalario, ria adj. **1** Falto de hospitalidad o poco grato con los extranjeros. **2** Que no ofrece seguridad ni protección: *un inhospitalario caserón.* □ SINÓN. *inhóspito.*

inhospitalidad s.f. Falta de hospitalidad: *Temíamos volver al poblado por la inhospitalidad de aquella gente.* □ ETIMOL. Del latín *inhospitalitas*.

inhóspito, ta adj. **1** Referido esp. a un lugar, poco grato, incómodo o desagradable: *El desierto es un lugar inhóspito.* **2** Que no ofrece seguridad ni protección: *Los exploradores se encontraron con un paisaje inhóspito y solitario.* □ SINÓN. *inhospitalario.* □ ETIMOL. Del latín *inhospitus*, y este de *in-* (negación) y *hospes* (huésped).

inhumación s.f. Enterramiento de un cadáver: *Tras realizarse la autopsia del cuerpo se procedió a su inhumación.* □ SEM. Dist. de *exhumación* →**inhumar**.

inhumanidad s.f. Crueldad o falta de humanidad: *Tu inhumanidad cuando pegas a los niños es incomprensible.* □ ETIMOL. Del latín *inhumanitas*.

inhumano, na adj. Falto de humanidad, muy duro, cruel o insoportable: *Me parece inhumano maltratar a los niños.*

inhumar v. Referido a un cadáver, enterrarlo: *El cadáver fue inhumado en el cementerio del pueblo.* □ ETIMOL. Del latín *inhumare*, este de *in-* (consecuencia) y *humare*, y este de *humus* (tierra). □ SEM. Dist. de *exhumar* (desenterrar un cadáver) y de *incinerar* (quemar un cadáver).

iniciación s.f. **1** Comienzo de algo: *la iniciación de una obra.* **2** Primeros conocimientos que se aportan o que se adquieren: *un curso de iniciación a la fotografía.* **3** Admisión de una persona en las prácticas o en el conocimiento de algo secreto: *una prueba de iniciación.*

iniciado, da adj./s. Referido a una persona, que participa de las prácticas o de los conocimientos de algo, esp. si es secreto: *Es un iniciado en ciencias ocultas.*

iniciador, -a adj./s. Que inicia: *Aquella escritora fue una de las principales iniciadoras de la época de esplendor literario de su país.*

inicial ▮ adj.inv. **1** Del origen o del comienzo de algo: *La escena inicial de la película es en un castillo medieval.* ▮ s.f. **2** Letra con la que empieza una palabra: *Me han regalado un colgante con la inicial de mi nombre.*

inicialar v. En zonas del español meridional, firmar solo con las iniciales del nombre y el apellido. □ SEM. Dist. de *inicializar* (establecer los valores iniciales de un programa informático).

inicializar v. **1** En informática, referido a una variable de un programa informático, asignarle un valor inicial: *El programa falló porque había una variable sin inicializar.* **2** En informática, referido a un programa informático, preparar o configurar sus elementos técnicos para después trabajar con él: *El ordenador no me permite iniciar el programa porque al inicializarlo no pusimos los parámetros adecuados.* □ ETIMOL. Del inglés *initialize*. □ SEM. Dist. de *iniciar*.

iniciar v. **1** Comenzar o empezar: *La presidenta inició la sesión parlamentaria con un discurso. La fiesta se inició cuando dejó de llover.* **2** Referido a una persona, aportarle los primeros conocimientos sobre algo: *Su madre lo inició en la lectura cuando era muy pequeño. Me inicié en la medicina con una enciclopedia médica.* **3** Referido a una persona, admitirla en las prácticas de algo, esp. si es o se considera oculto, o introducirla en sus secretos: *Algunas tribus conservan ritos para iniciar a los adolescentes en la madurez.* □ ETIMOL. Del latín *initiare* (empezar). □ ORTOGR. La *i* nunca lleva tilde. □ SINT. 1. Constr. como pronominal: *iniciarse* EN *algo.* 2. Constr. de las acepciones 2 y 3: *iniciar* A *alguien* EN *algo.*

iniciático, ca adj. Que inicia o que da a conocer lo que es desconocido o secreto: *un viaje iniciático; un rito iniciático.*

iniciativa s.f. Véase **iniciativo, va**.

iniciativo, va ▮ adj. **1** Que da inicio o comienzo a algo. ▮ s.f. **2** Propuesta o idea que inicia algo: *La iniciativa del proyecto fue mía.* **3** Capacidad para idear, inventar o empezar algo: *Le gustan los empleados con iniciativa y que deciden por sí mismos.* **4** || **tomar la iniciativa;** anticiparse una persona a las demás en la realización de algo: *Ella fue quien tomó la iniciativa de salir al campo.*

inicio s.m. Principio o comienzo con el que algo se inicia. □ ETIMOL. Del latín *initium*, y este de *inire* (empezar).

inicuo, cua adj. **1** Injusto o no equitativo: *La decisión de la directiva es inicua porque solo beneficia a algunos departamentos.* **2** Malvado o cruel: *Los niños te odian por tu comportamiento inicuo con ellos.* □ ETIMOL. Del latín *iniquus.* □ MORF. Su superlativo es *iniquísimo.* □ SEM. Dist. de *inocuo* (que no hace daño).

inigualable adj.inv. Que no puede ser igualado: *Este lugar es de una belleza inigualable.*

in illo témpore || En otro tiempo o hace mucho tiempo: *Mi abuelo dice que in illo témpore estaba hecho todo un conquistador.* □ ETIMOL. Del latín *in illo tempore.* □ PRON. [in ílo témpore].

inimaginable adj.inv. Imposible de imaginar.

inimitable adj.inv. Que no puede imitarse: *Su firma es tan original que resulta inimitable.* □ ETIMOL. Del latín *inimitabilis.*

ininflamable adj.inv. Que no puede inflamarse o no puede arder con llamas: *El acero es ininflamable.*

ininteligibilidad s.f. Imposibilidad de ser entendido o interpretado: *Hay escritores que buscan la ininteligibilidad en sus obras para parecer más interesantes.*

ininteligible adj.inv. Imposible de entender o de interpretar: *Te expresas tan mal que tus frases resultan ininteligibles.* □ ETIMOL. Del latín *inintelligibilis.*

ininterrumpido, da adj. Continuo o sin interrupciones: *Con tantos anuncios en televisión no es posible ver una película de forma ininterrumpida.*

iniquidad s.f. Injusticia o crueldad grandes: *El hambre en el mundo me parece una iniquidad.* □ ETIMOL. Del latín *iniquitas.* □ SEM. Dist. de *inequidad* (falta de igualdad).

iniquísimo, ma superlat. irreg. de **inicuo.** □ MORF. Incorr. **inucuísimo.* □ USO Su uso es característico del lenguaje culto.

in itínere || En el camino o en el trayecto de un lugar a otro: *Los accidentes que se producen mientras se va o se viene del trabajo se llaman accidentes in itínere.* □ ETIMOL. Del latín *in itinere.*

injerencia s.f. Intromisión o intervención de una persona en un asunto ajeno: *Creo que tu injerencia en los asuntos de la familia no es bien recibida.*

injerir ▮ v. **1** Referido a una cosa, meterla en otra: *En esa ciudad tratan de injerir una tradición en otra.* **2** Referido esp. a un texto, introducirlo en otro: *Esa compositora recoge coplas tradicionales para injerirlas en textos no tradicionales.* ▮ prnl. **3** Entrometerse o intervenir en un asunto ajeno: *Es mejor que dejes a tu hermana decidir sola y que no te injieras en su vida.* □ ETIMOL. Del latín *ingerere* (introducir, llevar). □ ORTOGR. Dist. de *ingerir.* □ MORF. Irreg. →SENTIR. □ SINT. Constr. *injerirse* EN *algo.*

injertar v. **1** Unir a una rama o al tronco de una planta un trozo de otra provisto de yemas para que brote: *Ha injertado los naranjos para mejorar la calidad de los frutos.* □ SINÓN. *enjerir.* **2** En medicina, referido a una porción de tejido vivo, implantarla en una parte lesionada para que se produzca una unión orgánica: *Le han injertado piel de un brazo en la mano que se quemó.* □ SINÓN. *enjerir.* □ ETIMOL. Del latín *insertare.* □ MORF. Tiene un participio regular (*injertado*), que se usa más en la conjugación, y otro irregular (*injerto*), que se usa solo como sustantivo.

injerto s.m. **1** Unión del fragmento de una planta provisto de yemas a una rama o al tronco de otra para que brote: *Mañana haremos el injerto de estos frutales.* **2** Planta o fruto que es resultado de esta operación: *La nectarina es un injerto de ciruelo y melocotonero.* **3** Fragmento de una planta provisto de yemas, que se une a una rama o al tronco de otra para que brote: *Reserva esos injertos para los árboles de la otra finca.* **4** En medicina, implantación de una porción de tejido vivo en una parte lesionada para que se produzca una unión orgánica: *El injerto de cabello ha dado resultado y ya no está calvo.* □ ETIMOL. Del latín *insertus* (introducido).

injuria s.f. Ofensa contra el honor de una persona que se hace con palabras o con hechos, esp. si son injustos: *Se indignó y comenzó a proferir injurias contra todos.* □ ETIMOL. Del latín *iniuria* (injusticia, ofensa). □ SEM. Dist. de *calumnia* (acusación falsa).

injuriante adj.inv. Que injuria: *No olvidé nunca aquellas palabras injuriantes que pronunció acerca de mí.*

injuriar v. **1** Ofender o insultar gravemente, esp. con acusaciones injustas: *Fue una discusión terrible porque se injuriaron de forma despiadada.* □ SINÓN. *denigrar.* **2** Dañar, estropear o menoscabar: *Con las acusaciones que me haces no conseguirás injuriar mi reputación.* □ ORTOGR. La *i* nunca lleva tilde. □ SEM. Dist. de *calumniar* (atribuir falsamente palabras, actos o malas intenciones; acusar falsamente de un delito).

injurioso, sa adj. Que causa ofensa o daño graves: *Sus palabras injuriosas me ofendieron mucho.*

injusticia s.f. **1** Falta de justicia: *El premio se falló con injusticia porque no leyeron todos los originales* *presentados al concurso.* **2** Dicho o hecho contrarios a la justicia: *Me parece una injusticia que haya gente que se muera de hambre mientras otros tiran la comida.* ☐ ETIMOL. Del latín *iniustitia*.

injustificable adj.inv. Que no se puede justificar: *No busques excusas porque tu actitud es injustificable.* ☐ ETIMOL. De *in-* (negación) y *justificable*.

injustificado, da adj. Que no está justificado: *Tus temores son injustificados porque los análisis han demostrado que no estás enfermo.*

injusto, ta adj./s. Que no es justo: *Esta profesora es muy injusta en sus calificaciones.* ☐ ETIMOL. Del latín *iniustus*.

in loco citato (lat.) ‖ En el libro o en las páginas ya citados: *En las referencias bibliográficas se utiliza mucho la locución latina 'in loco citato'.* ☐ PRON. [in lóco citáto].

inmaculado, da adj. Sin mancha o sin tacha: *Lleva siempre las camisas inmaculadas.* ☐ ETIMOL. Del latín *immaculatus*, de *in-* (negación) y *maculatus* (manchado).

inmadurez s.f. Falta de madurez: *La inmadurez de tu hermano me sorprende porque ya tiene veinte años.*

inmaduro, ra adj./s. Falto de madurez: *Eres tan inmaduro que no puedes comprender lo que me está pasando.* ☐ ETIMOL. De *in-* (privación) y *maduro*.

inmanejable adj.inv. Que no se puede dirigir o manejar.

inmanencia s.f. Unión inseparable por ser propia de una naturaleza y no dependiente de algo externo: *Es innegable la inmanencia de las emociones en las personas.*

inmanente adj.inv. Inherente a un ser o propio de su naturaleza y no dependiente de algo externo: *El peso y la extensión son cualidades inmanentes a los cuerpos.* ☐ ETIMOL. Del latín *immanens*, y este de *immanere* (permanecer). ☐ SINT. Constr. *inmanente* A *algo*. ☐ SEM. Dist. de *inherente* (propio o característico de algo o unido a ello de manera inseparable) y de *innato* (que no es aprendido y se tiene desde el nacimiento).

inmarcesible adj.inv. *poét.* Imposible de marchitarse: *La doncella era de una belleza inmarcesible.* ☐ SINÓN. *inmarchitable.* ☐ ETIMOL. Del latín *inmarcescibilis*.

inmarchitable adj.inv. →**inmarcesible.**

inmaterial adj.inv. Que no tiene materia: *La mayoría de los filósofos admite que las ideas son inmateriales.*

inmaterialidad s.f. Carencia de materia: *La inmaterialidad del alma ha sido muy debatida por los filósofos.*

inmaterialismo s.m. Corriente filosófica que niega la existencia de la materia: *El inmaterialismo solo admite la existencia del espíritu.*

inmediaciones s.f.pl. Terrenos que rodean un lugar: *En las inmediaciones de la casa había un riachuelo.*

in medias res (lat.) ‖ En medio de la acción: *Algunas narraciones comienzan in medias res, para sorprender y mantener la atención del lector.*

inmediatez s.f. Proximidad en el espacio o en el tiempo: *El fax es muy útil por la inmediatez con que se reciben los documentos.*

inmediato, ta adj. **1** Que sucede enseguida: *Cuando me vio llegar su reacción fue inmediata y vino corriendo.* **2** Que está justo al lado: *El asiento inmediato al mío está ocupado.* **3** ‖ **de inmediato;** enseguida o cuanto antes: *Cuando llegó al hospital lo atendieron de inmediato.* ‖ **la inmediata;** la primera reacción, rápida y sin pensar: *Cuando se enteró de que le había tocado la lotería, la inmediata fue invitarnos a todos.* ☐ ETIMOL. Del latín *immediatus*. ☐ SINT. Constr. *inmediato* A *algo*. ☐ SEM. No debe emplearse con el significado de 'reciente': *La historia {*inmediata > reciente} es la de esta última década.*

inmejorable adj.inv. Imposible de mejorar: *Se recuperó totalmente de su enfermedad y tiene un aspecto inmejorable.*

inmemorable adj.inv. →**inmemorial.** ☐ ETIMOL. Del latín *immemorabilis*.

inmemorial adj.inv. Tan antiguo que no se recuerda cuándo comenzó: *Esta fiesta se celebra en nuestro pueblo desde tiempos inmemoriales.* ☐ SINÓN. *inmemorable.* ☐ ETIMOL. Del latín *immemorialis*.

in memóriam ‖ En memoria o en recuerdo de: *Cada autor ha escrito un texto in memóriam para homenajear al investigador desaparecido.* ☐ ETIMOL. Del latín *in memoriam*. ☐ SINT. Incorr. **in memóriam de*: *Homenaje {*in memóriam de > in memóriam} Valle-Inclán.*

inmensidad s.f. **1** Extensión tan grande que no tiene principio ni fin: *Es fascinante imaginar una nave atravesando la inmensidad del océano.* **2** Cantidad o número muy grandes: *En el firmamento hay una inmensidad de estrellas.*

inmenso, sa adj. Muy grande o muy difícil de medir: *Estuve en una casa inmensa con más de doce habitaciones.* ☐ ETIMOL. Del latín *immensus* (no medido).

inmensurable adj.inv. Imposible de medir: *En las noches de verano se puede ver una cantidad inmensurable de estrellas.* ☐ ETIMOL. Del latín *immensurabilis*.

in mente (lat.) ‖ En la mente o en el pensamiento: *Tenía in mente regalarte lo que tú te acabas de comprar.*

inmerecido, da adj. Que no es merecido: *Es muy modesta y dice que fueron unos aplausos inmerecidos.*

inmersión s.f. **1** Introducción total en un líquido, esp. en agua: *Vi desde las rocas la inmersión en el mar de un buceador.* **2** Profundización en un campo del conocimiento: *Hizo un curso de inmersión en griego porque le atraía ese idioma.* ☐ ETIMOL. Del latín *immergere* (meter en el agua).

inmerso, sa adj. **1** Sumergido en algo, esp. en un líquido, o cubierto totalmente por él: *La buceadora estuvo inmersa en el agua hasta que se le acabó el oxígeno.* **2** Concentrado o abstraído en un asunto o en una materia: *Estaba inmerso en mis pensamientos y no oí el timbre.* □ SINT. Constr. *inmerso* EN *algo.*

inmigración s.f. Movimiento de población que consiste en la llegada de personas a un lugar para establecerse en él: *En las grandes ciudades, la inmigración causa la aparición de barrios periféricos.* □ SEM. Dist. de *emigración* y de *migración* →**inmigrar**.

inmigrante ❚ adj.inv. **1** Que inmigra. ❚ s.com. **2** Persona que llega a un lugar para establecerse en él. □ SEM. Dist. de *emigrante* →**inmigrar**.

inmigrar v. Llegar a un lugar para establecerse en él: *Los países ricos acogen a gente que inmigra de zonas menos desarrolladas.* □ ETIMOL. Del latín *immigrare* (introducirse). □ SEM. Dist. de *emigrar* (salir de un lugar) y de *migrar* (desplazarse para cambiar de lugar de residencia).

inmigratorio, ria adj. De la inmigración o relacionado con este movimiento de población: *Esa geógrafa ha estudiado los movimientos inmigratorios en nuestra ciudad.* □ SEM. Dist. de *emigratorio* y *migratorio* →**inmigrar**.

inminencia s.f. Proximidad de un suceso, esp. de un riesgo: *La inminencia de la tormenta nos decidió a no salir de casa.* □ ORTOGR. Dist. de *eminencia*.

inminente adj.inv. Que está próximo a suceder o a punto de ocurrir: *Estaba nervioso por la inminente llegada de la directora.* □ ETIMOL. Del latín *imminens*, y este de *imminere* (amenazar). □ ORTOGR. Dist. de *eminente*.

inmisario, ria adj. Referido a un curso de agua, que desemboca en otro mayor, en un lago o en el mar: *Si se secan los ríos inmisarios, se secará el lago.* □ ETIMOL. Del latín *immissarium*.

inmiscuirse v.prnl. Meterse en temas o asuntos ajenos sin tener razón o autoridad para ello: *No me gusta inmiscuirme en la vida de los demás.* □ ETIMOL. Del latín *immiscuere*. □ MORF. Irreg. →HUIR. □ SINT. Constr. *inmiscuirse* EN *algo*. □ SEM. Dist. de *involucrarse* (verse complicado en un asunto).

inmisericorde adj.inv. Que no tiene misericordia: *Los prisioneros fueron tratados de forma inmisericorde y cruel.*

inmobiliaria s.f. Véase **inmobiliario, ria**.

inmobiliario, ria ❚ adj. **1** De los inmuebles o edificios, o relacionado con ellos: *un negocio inmobiliario.* ❚ s.f. **2** Empresa o sociedad que construye, vende, arrienda y administra viviendas.

inmoderación s.f. Falta de moderación: *La inmoderación en la comida puede producir obesidad.* □ ETIMOL. Del latín *immoderatio*.

inmoderado, da adj. Falto de moderación: *Tiene un deseo inmoderado de riqueza.*

inmodestia s.f. Falta de modestia: *Siempre está alabándose y esa inmodestia lo hace insoportable.*

inmodesto, ta adj./s. Falto de modestia: *Las personas inmodestas presumen con demasiado orgullo de sus cualidades.* □ ETIMOL. Del latín *immodestus*.

inmodificable adj.inv. Que no se puede modificar: *Las condiciones del contrato son inmodificables.*

inmolación s.f. **1** Sacrificio de una víctima degollándola como ofrenda a una divinidad: *En algunas civilizaciones antiguas se realizaban inmolaciones humanas.* **2** Sacrificio hecho en beneficio de una persona o de una causa: *La inmolación de esos soldados salvó a todo el ejército.*

inmolar ❚ v. **1** Referido a una víctima, sacrificarla degollándola, esp. si es como ofrenda a una divinidad: *Antiguamente inmolaban animales para obtener el favor de los dioses.* ❚ prnl. **2** Sacrificarse o dar la vida, generalmente por una causa o por una persona: *Se inmoló en medio de la plaza para protestar por tanta injusticia.* □ ETIMOL. Del latín *immolare*, y este de *mola* (harina con que se espolvoreaban las víctimas antes de sacrificarlas).

inmoral adj.inv./s.com. Que se opone a la moral o a lo que se consideran buenas costumbres: *Robar es una acción inmoral.* □ ETIMOL. De *in-* (negación) y *moral*. □ SEM. Dist. de *amoral* (que carece de sentido o de propósito moral).

inmoralidad s.f. **1** Falta de moralidad o incumplimiento de lo que se consideran buenas costumbres: *Me horrorizan tu inmoralidad y tu falta de escrúpulos.* **2** Hecho o dicho inmoral: *Creo que defender la mentira es una inmoralidad.*

inmortal ❚ adj.inv. **1** Que dura un tiempo indefinido: *Sus escritos le dieron una fama inmortal.* ❚ adj.inv./s.com. **2** Que no es mortal: *Esta filósofa defiende que el alma es inmortal.* □ ETIMOL. Del latín *immortalis*.

inmortalidad s.f. **1** Duración indefinida o ilimitada en la memoria de las personas: *La inmortalidad de las obras de este escritor hace que todavía resulten actuales.* **2** Imposibilidad de morir: *En la tertulia discutían sobre la inmortalidad del alma.* □ ETIMOL. Del latín *immortalitas*.

inmortalizar v. Hacer perdurar en la memoria de las personas a través de los tiempos: *El pintor inmortalizó a la modelo en un magnífico cuadro. Esa escritora se inmortalizó con sus obras.* □ ORTOGR. La *z* se cambia en *c* delante de *e* →CAZAR.

inmotivado, da adj. Sin motivo o sin motivación: *Tu enfado es inmotivado ya que no sabes por qué se ha producido.* □ ETIMOL. De *in-* (negación) y *motivado*.

inmóvil adj.inv. Sin movimiento: *El accidentado estaba inmóvil en el suelo.* □ ETIMOL. De *in-* (negación) y *móvil*.

inmovilidad s.f. Falta de movimiento: *La inmovilidad de sus piernas lo obligaba a estar en una silla de ruedas.* □ ETIMOL. Del latín *immobilitas*.

inmovilismo s.m. Oposición a todo cambio que afecte a lo ya establecido: *El inmovilismo de ese partido hace que tenga poco apoyo popular.*

inmovilista adj.inv./s.com. Que defiende o sigue el inmovilismo: *Los inmovilistas se opusieron a la reforma del partido.*

inmovilización s.f. Hecho de imposibilitar un movimiento: *La escayola posibilita la inmovilización del brazo mientras se suelda la fractura.* ☐ USO No debe usarse con el sentido de *prohibición o paralización del traslado*: *Las autoridades ya han levantado la [*inmovilización>prohibición de traslado] del la partida de aceite. Se recomienda la [*inmovilización>paralización del traslado] del ganado hasta saber las causas del problema.*

inmovilizado s.m. En economía, conjunto de bienes patrimoniales permanentes de una empresa: *El inmovilizado material comprende activos como los terrenos, edificios o instalaciones.*

inmovilizar v. Imposibilitar el movimiento: *Una hemiplejia le inmovilizó el lado izquierdo del cuerpo.* ☐ ORTOGR. La *z* se cambia en *c* delante de *e* →CAZAR. ☐ USO No debe usarse con el sentido de *paralizar el traslado*: *Las autoridades recomendaron [*inmovilizar>paralizar el traslado de] todo el ganado hasta tener los resultado de los análisis.*

inmueble s.m. Casa o edificio: *Desalojaron el inmueble porque había amenaza de bomba.* ☐ ETIMOL. Del latín *immobilis*, y este de *in-* (negación) y *mobilis* (que se mueve).

inmundicia s.f. Suciedad, porquería o basura: *Nunca limpias y esto está lleno de inmundicias.*

inmundo, da adj. **1** Muy sucio, asqueroso o repugnante. **2** Muy impuro: *pensamientos inmundos.* ☐ ETIMOL. Del latín *immundus* (impuro).

inmune adj.inv. **1** Referido a un ser vivo, que no es atacable por una determinada enfermedad: *Es inmune al sarampión, porque fue vacunada cuando era pequeña.* **2** Que está libre de ciertos cargos u obligaciones: *Los diputados y senadores españoles son inmunes y solo pueden ser juzgados si lo autorizan sus respectivas cámaras.* **3** Referido a una persona, que no se resiente de la acción de algo que se considera negativo: *Esa actriz está muy segura de sí misma y es inmune a las críticas adversas.* ☐ ETIMOL. Del latín *immunis* (libre de cualquier cosa). ☐ ORTOGR. Dist. de *impune*. ☐ SINT. Constr. *inmune A algo.*

inmunidad s.f. **1** Estado del organismo que lo hace resistente a una determinada enfermedad. **2** Privilegio por el que determinadas personas o determinados lugares quedan libres de ciertas obligaciones, penas o cargos: *inmunidad diplomática.* ☐ ORTOGR. Dist. de *impunidad*.

inmunitario, ria adj. En medicina, de la inmunidad o relacionado con este estado: *Su nivel inmunitario es tan bajo que siempre está enfermo.* ☐ SEM. Dist. de *inmunológico* (de la inmunología o relacionado con esta ciencia).

inmunización s.f. Dotación de inmunidad u obtención del carácter inmune: *La inmunización frente a la gripe se realiza por medio de vacunas.*

inmunizar v. Hacer inmune: *Hay que vacunar a los niños para inmunizarlos frente a la poliomielitis. Ha padecido tanto que se ha inmunizado contra cualquier sufrimiento.* ☐ ORTOGR. La *z* se cambia en *c* delante de *e* →CAZAR.

inmuno- Elemento compositivo que indica relación con los mecanismos inmunitarios: *inmunodeficiente, inmunodepresor.* ☐ ETIMOL. De *inmune*.

inmunocompetencia s.f. Capacidad de un organismo, en condiciones normales, para responder inmunológicamente a un antígeno.

inmunocompetente adj.inv. Que puede responder inmunológicamente a un antígeno: *células inmunocompetentes.*

inmunocomprometido, da adj. Referido esp. a una persona, que tiene un sistema inmune cuya capacidad de respuesta está por debajo de lo normal: *un enfermo inmunocomprometido.*

inmunodeficiencia s.f. Estado que se caracteriza por la disminución de las defensas inmunitarias de un organismo: *Un organismo con inmunodeficiencia es menos resistente a las enfermedades infecciosas.* ☐ ETIMOL. De *inmune* y *deficiencia*.

inmunodeficiente adj.inv./s.com. Que padece inmunodeficiencia: *Mi hermana es inmunodeficiente y con frecuencia acude al hospital para hacerse pruebas.*

inmunodepresión s.f. Disminución de las defensas del organismo.

inmunodepresor, -a adj./s.m. Referido a una sustancia o a un método, que disminuyen o anulan las reacciones inmunitarias de un organismo: *Le inyectaron medicamentos inmunodepresores antes y después del trasplante de hígado.* ☐ ETIMOL. De *inmune* y *depresor*.

inmunodeprimido, da adj. Que tiene las defensas muy bajas: *enfermos inmunodeprimidos.*

inmunoestimulador, -a adj. Que mejora las defensas del organismo: *efecto inmunoestimulador.*

inmunoestimulante adj.inv./s.m. Referido esp. a una sustancia, que mejora las defensas del organismo.

inmunogenicidad s.f. Capacidad que tiene un agente para estimular la producción de antígenos o de otras células del sistema inmunológico.

inmunogénico, ca adj. Que estimula la producción de antígenos o de otras células del sistema inmunológico: *proteínas inmunogénicas.* ☐ SINÓN. *inmunógeno.*

inmunógeno, na adj. →**inmunogénico.**

inmunoglobulina s.f. Proteína con función defensiva: *Algunas inmunoglobulinas tienen importancia en las infecciones y otras, en los procesos alérgicos.* ☐ ETIMOL. De *inmune* y *globulina*.

inmunología s.f. Parte de la medicina que estudia las reacciones inmunitarias del organismo: *En el laboratorio de inmunología se investigaba sobre una nueva vacuna.* ☐ ETIMOL. De *inmune* y *-logía* (ciencia, estudio).

inmunológico, ca adj. De la inmunología o relacionado con esta parte de la medicina: *Se hacen continuos estudios inmunológicos para curar enfer-*

medades inmunitarias. □ SEM. Dist. de *inmunitario* (de la inmunidad o relacionado con este estado).

inmunólogo, ga s. Persona especializada en inmunología.

inmunomodulación s.f. Regulación de las funciones inmunológicas.

inmunomodulador, -a adj./s.m. Referido esp. a una sustancia, que regula las funciones inmunológicas.

inmunosupresión s.f. Eliminación o disminución de la respuesta inmunológica del organismo: *La inmunosupresión es necesaria para evitar el rechazo de un órgano trasplantado.* □ ETIMOL. De *inmune* y *supresión.*

inmunosupresor, -a adj. Referido a un medicamento, que elimina o disminuye la respuesta inmunológica del organismo: *Un grupo de doctores de este hospital está trabajando en un nuevo producto inmunosupresor.*

inmunoterapia s.f. Administración de anticuerpos, generalmente contenidos en un suero, con fines curativos: *La inmunoterapia suele ser eficaz en los perros con la enfermedad del moquillo.* □ ETIMOL. De *inmune* y *terapia.*

inmutabilidad s.f. Imposibilidad de cualquier cambio o alteración: *Nunca pierde su inmutabilidad de ánimo y su cara no refleja emoción alguna.* □ ETIMOL. Del latín *immutabilitas.*

inmutable adj.inv. Que no se inmuta o que no cambia: *Permaneció inmutable mientras oía la mala noticia.* □ SINÓN. *inconmutable.* □ ETIMOL. Del latín *inmutabilis.*

inmutación s.f. Manifestación de un cambio, esp. de una emoción: *La inmutación de su rostro fue tan evidente que todos advirtieron su disgusto.*

inmutado, da adj. Sin alteración: *Su rostro permaneció inmutado al oír la noticia.* □ SEM. Dist. del participio del verbo *inmutar.*

inmutar v. Alterar o mostrar alteración, esp. en el semblante o en la voz: *El miedo no inmuta a los valientes. Recibió la noticia de su despido sin inmutarse.* □ ETIMOL. Del latín *immutare*, y este de *in* (en) y *mutare* (mudar, transformar). □ USO Se usa más en expresiones negativas.

innatismo s.m. Doctrina filosófica que defiende que las ideas en su totalidad o algunas de ellas no son aprendidas sino que nacen con el individuo: *Platón defiende el innatismo de las ideas.*

innato, ta adj. Que no es aprendido y se tiene desde el nacimiento: *Tiene una facilidad innata para el dibujo.* □ ETIMOL. Del latín *innatus* (que ya estaba al nacer). □ SEM. Dist. de *inherente* (propio o característico de algo o unido a ello de manera inseparable) y de *inmanente* (propio de la naturaleza de un ser).

innatural adj.inv. Que no es natural: *El ambiente de la película era innatural porque todo eran decorados.* □ ETIMOL. Del latín *innaturalis.*

innavegable adj.inv. Referido a un mar, a un río o a un lago, que no son navegables: *A partir de aquí hay que ir andando, porque el río es innavegable.* □ ETIMOL. Del latín *innavigabilis.*

innecesario, ria adj. Que no es necesario: *La sociedad de consumo nos empuja a comprar cosas innecesarias.*

innegable adj.inv. Que no se puede negar: *Después de lo que nos ha ayudado, es innegable que es una gran persona.* □ ETIMOL. De *in-* (negación) y *negable.*

innegociable adj.inv. Que no se puede negociar: *Mi sueldo es innegociable y no admitiré ninguna reducción.*

innoble adj.inv. Que no es noble: *Fue innoble no ayudar a aquel anciano.* □ ETIMOL. De *in-* (negación) y *noble.*

innocuidad s.f. →**inocuidad.**

innocuo, cua adj. →**inocuo.** □ ETIMOL. Del latín *innocuus.*

innombrable adj.inv. Que no se puede nombrar: *En su casa su tío era innombrable porque les había robado la herencia.* □ SINÓN. *innominable.*

innominable adj.inv. →**innombrable.**

innominado, da adj. Que no tiene un nombre particular: *La novelista situó la acción en un barrio innominado de la ciudad.* □ ETIMOL. Del latín *innominatus.*

innovación s.f. Cambio que supone una novedad: *En nuestro siglo se han producido grandes innovaciones técnicas.*

innovador, -a adj./s. Que innova: *Destaca por ser una diseñadora de tendencias innovadoras.*

innovar v. Referido a algo ya establecido, introducirle un cambio que supone una novedad: *Los vanguardistas innovan las artes al usar nuevas técnicas.* □ ETIMOL. Del latín *innovare.*

innumerable adj.inv. **1** Imposible de contar: *Hay innumerables estrellas en el cielo.* □ SINÓN. *innúmero.* **2** Abundante o muy numeroso: *Tengo una innumerable cantidad de amigos.* □ SINÓN. *innúmero.* □ ETIMOL. Del latín *innumerabilis.* □ MORF. Solo se usa en singular con sustantivos colectivos: *innumerable ejército, innumerables soldados.*

innúmero, ra adj. →**innumerable.** □ ETIMOL. Del latín *innumerus*, y este de *in-* (negación) y *numerus* (número).

-ino, -ina 1 Sufijo que indica origen, procedencia o patria: *bilbaíno, santanderina.* **2** Sufijo que indica relación o semejanza: *marino, diamantina.* □ ETIMOL. Del latín *-inus.*

inobjetable adj.inv. Que no admite objeción: *Todos estuvimos de acuerdo con ella porque sus argumentos eran inobjetables.*

inobservable adj.inv. Que no puede observarse: *La cara oculta de la Luna es inobservable desde la Tierra.* □ ETIMOL. Del latín *inobservabilis.*

inobservancia s.f. Falta de observancia o cumplimiento de una norma: *La inobservancia de las leyes se penaliza.*

inocencia s.f. **1** Simplicidad o falta de malicia: *Todos se aprovechan de su inocencia y él no se da* *cuenta.* **2** Falta de culpabilidad: *Estas pruebas demuestran la inocencia del acusado.*

inocentada s.f. Broma o engaño en los que se cae por descuido o por falta de malicia, esp. las que se gastan el 28 de diciembre (día de los Santos Inocentes): *gastar una inocentada.* ☐ ETIMOL. Por alusión a la festividad de los Santos Inocentes, que se celebra el día 28 de diciembre para conmemorar la matanza de niños, paradigma de seres inocentes, ordenada por el rey judío Herodes.

inocente ▌adj.inv. **1** Que no produce daño porque no tiene malicia: *No te enfades, que es una broma inocente.* ▌adj.inv./s.com. **2** Libre de culpa o de pecado: *Lo detuvieron, pero era inocente del crimen que se le imputaba.* **3** Simple, falto de malicia o fácil de engañar: *Es tan inocente que se cree todo lo que le dicen.* **4** Referido a un niño, que no ha llegado aún a la edad de la razón. ☐ ETIMOL. Del latín *innocens.*

inocuidad (tb. *innocuidad*) s.f. Incapacidad de hacer daño: *La inocuidad de este medicamento lo hace apto para niños.*

inoculación s.f. Introducción de una sustancia en un organismo: *La inoculación de vacunas se hace para inmunizar frente a las enfermedades.*

inocular v. **1** Referido a una sustancia, introducirla artificialmente en un organismo: *En el laboratorio inoculan sustancias a ratones para buscar remedios a enfermedades humanas.* **2** Referido a una sustancia, esp. a un veneno, introducirla de forma natural en un organismo el animal que la posee: *Al morderle, la víbora le inoculó el veneno. No es cierto que ese arácnido se inocule su propio veneno clavándose el aguijón.* ☐ ETIMOL. Del latín *inolulare* (injertar).

inocultable adj.inv. Imposible de ocultarse: *El miedo es inolcultable y se nota en la mirada.*

inocuo, cua (tb. *innocuo, cua*) adj. Que no hace daño: *un medicamento inocuo.* ☐ SEM. Dist. de *inicuo* (injusto, cruel).

inodoro, ra ▌adj. **1** Que no tiene olor: *Quiero un desodorante inodoro, que simplemente quite el olor corporal.* ▌s.m. **2** Recipiente conectado con una tubería y provisto de una cisterna con agua, que sirve para evacuar los excrementos: *En este cuarto de baño hay un lavabo, una bañera y un inodoro.* ☐ SINÓN. *retrete, váter.* ☐ ETIMOL. Del latín *inodorus*, y este de *in-* (negación) y *odorus* (que emite olor).

inofensivo, va adj. Que no puede causar daño ni molestia: *No tengas miedo, porque es un perro inofensivo.*

inolvidable adj.inv. Imposible de olvidarse: *Este viaje ha constituido una experiencia inolvidable.*

inoperable adj.inv. En medicina, que no puede ser operado: *Este cáncer es inoperable porque está muy extendido.*

inoperancia s.f. Falta de eficacia.

inoperante adj.inv. Ineficaz o que no sirve para lo que se quería: *Las medidas contra la inflación han sido inoperantes, porque los precios no han bajado.*

inopia ‖ **estar en la inopia;** *col.* Estar distraído o ajeno a lo que sucede alrededor: *No supo contestar a la profesora porque estaba en la inopia.* ☐ ETIMOL. Del latín *inopia.*

inopinado, da adj. Inesperado o que sucede sin haber pensado en ello: *La solución al problema se nos ocurrió de forma inopinada.*

inoportunidad s.f. Falta de oportunidad o de conveniencia: *Las declaraciones del ministro se han caracterizado por su inoportunidad.* ☐ SINÓN. *importunidad.*

inoportuno, na adj./s. Que no es oportuno: *Le hicieron una pregunta inoportuna que no quiso contestar.* ☐ SINÓN. *importuno.* ☐ ETIMOL. Del latín *inopportunus.*

inorgánico, ca adj. **1** Que no tiene vida ni órganos para la vida. **2** En química, referido a un compuesto de origen mineral, que no es orgánico o que no tiene el carbono como elemento fundamental. **3** Mal organizado y sin orden: *Ese libro es un conjunto inorgánico de capítulos sin relación entre ellos.* ☐ ETIMOL. De *in-* (negación) y *orgánico.*

inoxidable adj.inv. Que no se oxida: *acero inoxidable.* ☐ ETIMOL. De *in-* (negación) y *oxidable.*

in péctore ‖ *col.* Expresión que se usa para indicar el secreto o la reserva con que se guarda una resolución, como si se mantuviera dentro del pecho: *Se habla de 'cardenales in péctore' para designar a aquellos que seguramente van a ser promovidos a tal dignidad según las intenciones que se adivinan en el Papa.* ☐ ETIMOL. Del latín *in pectore.*

in perpétuum ‖ Por siempre o para siempre: *Bajo un muérdago, prometimos amarnos in perpétuum.* ☐ ETIMOL. Del latín *in perpetuum.*

in promptu (lat.) ‖ De repente, sin pensarlo o de modo no deliberado: *Fue una expedición iniciada in promptu y sin un plan previo.* ☐ SEM. Dist. de *impromptu* (composición musical que se improvisa mientras se ejecuta).

input (ing.) s.m. **1** En informática, término que se utiliza para introducir datos desde un periférico: *Con el input introduzco datos, con el output el ordenador me los muestra.* **2** En economía, producto, elemento o factor productivo que se usan en un determinado proceso de producción: *El input principal de la industria de salazones es la sal.* ☐ PRON. [ímput]. ☐ USO Su uso es innecesario y puede sustituirse, en la acepción 1, por *datos de entrada* o *introducción de datos* y en la acepción 2, por *insumo.*

inquebrantable adj.inv. Que no puede quebrantarse: *Tengo una confianza inquebrantable en mis amigos.* ☐ ETIMOL. De *in-* (negación) y *quebrantable.*

inquietante adj.inv. Que inquieta: *Es un poco inquietante que no haya llegado todavía.*

inquietar v. Quitar la tranquilidad o el sosiego: *El accidente del padre inquietó a toda la familia. Se inquieta por cualquier problema.* ☐ ETIMOL. Del latín *inquietare.*

inquieto, ta adj. **1** Que no puede estar quieto: *Es una niña muy inquieta y traviesa.* **2** Agitado, sin tranquilidad ni reposo: *Estaba inquieto esperando las notas finales del curso.* **3** Interesado por descubrir o conocer cosas nuevas: *Estos jóvenes inquietos siempre andan intentado aprender algo distinto.*

inquietud s.f. **1** Falta de quietud o de sosiego: *Tu tardanza me causó cierta inquietud.* **2** Inclinación o interés de tipo intelectual, esp. en el campo artístico: *Es un muchacho apático sin inquietudes de ningún tipo.* □ MORF. En la acepción 2, se usa más en plural.

inquilinismo s.m. En zoología, asociación de dos especies animales diferentes en la que una de las especies obtiene el beneficio de ser cobijada por la otra que no obtiene ni beneficio ni perjuicio: *En el inquilinismo entre las anémonas y ciertos peces, estos se cobijan entre sus tentáculos sin recibir descargas tóxicas.* □ SEM. Dist. de *comensalismo* (el beneficio obtenido por una de las especies puede ser de diversos tipos).

inquilino, na s. Persona que ha alquilado una casa o parte de ella para habitarla: *Vive como inquilino en una casa antigua.* □ ETIMOL. Del latín *inquilinus*, y este de *incolere* (habitar).

inquina s.f. Antipatía o mala voluntad hacia alguien: *La inquina que siente por él hace que siempre intente fastidiarlo.* □ ETIMOL. De origen incierto.

inquirir v. Indagar o investigar para conseguir una información: *La policía inquiría las causas del asesinato.* □ ETIMOL. Del latín *inquirere.* □ MORF. Irreg. →ADQUIRIR. □ SEM. No debe emplearse con el significado de 'preguntar': *Me {*inquirió > preguntó} la solución.*

inquisición s.f. Indagación o investigación hechas para conseguir información: *Las inquisiciones del detective no aclararon los móviles del crimen.*

inquisidor, -a ▮ adj./s. **1** Que indaga o investiga para conseguir información, esp. si lo hace de forma apremiante o exigente: *Nunca le contesta cuando se comporta como un inquisidor.* ▮ s.m. **2** Antiguamente, en el Tribunal de la Santa Inquisición (institución eclesiástica dedicada a la persecución de la herejía), juez que instruía y sentenciaba los procesos de herejía, asistía a los tormentos y predicaba la fe: *El inquisidor Torquemada era consejero de los Reyes Católicos.*

inquisitivo, va adj. Que indaga o averigua de forma apremiante o exigente: *Pasó su mirada inquisitiva por todas las caras buscando al culpable.*

inquisitorial adj.inv. **1** Del inquisidor o de la Inquisición (antigua institución eclesiástica que perseguía la herejía) o relacionado con ellos: *En el proceso inquisitorial se le acusó de brujería.* **2** Referido a un procedimiento investigador, que tiene las características que se consideran propias del tribunal de la Inquisición, como la dureza, la severidad y la agresividad: *Me preguntó de forma inquisitorial lo que ganaba al mes.*

inquisitorio, ria adj. Que puede inquirir o indagar: *Ese departamento tiene competencias inquisitorias sobre la labor del resto de los departamentos.*

inri ‖ **para más inri;** *col.* Por si fuera poco: *Se me rompió el coche, tuve que ir andando y para más inri perdí las llaves de casa.* □ SINÓN. *encima.* □ ETIMOL. Por acortamiento de *Iesus Nazarenus Rex Iudaeorum* (Jesús de Nazaret, rey de los judíos), inscripción irónica que Pilatos puso en la cruz donde murió Jesús.

insaciabilidad s.f. Imposibilidad de satisfacción: *Tu insaciabilidad por conseguir riquezas te llevará a meterte en negocios turbios.*

insaciable adj.inv. Imposible de saciar o satisfacer: *una sed insaciable.* □ ETIMOL. Del latín *insatiabilis*.

insaculación s.f. Introducción de papeletas, de números o de algo semejante en un saco o en una urna, para sacar uno o varios al azar: *El sorteo de los premios se realizará por insaculación de los nombres de los candidatos.*

insacular v. Referido a una papeleta, a un número o a algo semejante, meterlos en un saco o en una urna para sacar uno o varios por azar: *Insaculó los papeles con nuestros nombres y el primero que sacó fue el ganador.* □ ETIMOL. Del latín *insacculare*, y este de *in* (en) y *sacculus* (saquito).

insalivación s.f. Mezcla de los alimentos con la saliva en la boca: *Durante la masticación se produce la insalivación de los alimentos.*

insalivar v. Referido a un alimento, mezclarlo con la saliva en la boca: *La primera fase de la digestión consiste en masticar e insalivar.* □ ETIMOL. Del latín *in* (en) y *saliva.* □ SEM. Dist. de *ensalivar* (llenar o empapar de saliva).

insalubre adj.inv. Perjudicial para la salud: *Tengo reúma y los ambientes húmedos son insalubres para mí.* □ ETIMOL. Del latín *insalubris*.

insalubridad s.f. Falta de salubridad o de las condiciones necesarias para conservar la salud: *Han cerrado la fuente por la insalubridad de sus aguas.*

insalvable adj.inv. Imposible de salvar o de superar: *No nos hablamos porque nuestras diferencias son insalvables.*

insania s.f. Locura: *Está en un manicomio debido a su insania.*

insano, na adj. Que no es sano: *Está comprobado que fumar es insano.* □ ETIMOL. Del latín *insanus.* □ SEM. No debe emplearse con el significado de 'enfermo': *Estoy {*insana > enferma} y por eso no me encuentro bien.*

insatisfacción s.f. Falta de satisfacción: *Manifestó su insatisfacción por el resultado de la reunión.*

insatisfactorio, ria adj. Que no produce satisfacción: *El empate del encuentro fue insatisfactorio para los dos equipos.*

insatisfecho, cha adj. Que no está satisfecho: *Quedó insatisfecha por el pobre resultado de su examen.*

insaturado, da adj. Referido a una estructura química, que posee uno o varios enlaces covalentes múltiples: *En general, en una dieta sana debe haber alimentos ricos en grasas insaturadas, como el aceite de oliva crudo y el pescado azul.*

inscribir v. **1** Incluir en una lista para un determinado fin: *Inscribió a su hijo para participar en el concurso. Se inscribió en una excursión a la mon-*

taña. **2** Grabar en metal, piedra u otra materia: *La autora de la escultura inscribió su nombre en ella.* **3** Tomar nota de los actos y de los documentos en un registro público, generalmente para legalizarlos: *Inscribieron sus nombres en el registro civil.* **4** Referido a una figura geométrica, trazarla en el interior de otra de manera que estén las dos en contacto en varios de los puntos de su contorno: *Inscribió un triángulo en una circunferencia.* □ ETIMOL. Del latín *inscribere.* □ MORF. Su participio es *inscrito.*

inscripción s.f. **1** Inclusión de un nombre en una lista para un determinado fin: *Se acabó el plazo de inscripción de matrícula para la oposición.* **2** Escrito que está grabado en metal, en piedra o en otra materia: *Encontró una inscripción latina labrada en una excavación.* **3** Anotación que se toma de los actos y de los documentos en un registro público, generalmente para legalizarlos: *Cuando se casaron tuvieron que hacer la inscripción en el registro.*

inscrito, ta part. irreg. de **inscribir**. □ MORF. Incorr. **inscribido.*

insecticida adj.inv./s.m. Referido a una sustancia o a un producto, que sirven para matar insectos: *Cierra la puerta cuando eches el insecticida.* □ ETIMOL. De *insecto* y *-cida* (que mata).

insectívoro, ra ▮ adj./s. **1** Referido a un ser vivo, que se alimenta de insectos: *Hay plantas insectívoras.* ▮ adj./s.m. **2** Referido a un mamífero, que se caracteriza por apoyar toda la planta del pie en el suelo y por tener el cuerpo pequeño, las garras con los dedos terminados en uñas y los dientes especializados para masticar insectos: *El topo es un insectívoro.* ▮ s.m.pl. **3** En zoología, orden de estos mamíferos: *Los animales que pertenecen a los insectívoros suelen ser de costumbres nocturnas.* □ ETIMOL. Del latín *insectus* (insecto) y *-voro* (que come).

insecto ▮ adj./s.m. **1** Referido a un animal artrópodo, que tiene respiración por tráqueas, el cuerpo dividido en cabeza, tórax y abdomen, dos antenas, seis patas y dos o cuatro alas: *La mosca y la hormiga son insectos.* ▮ s.m.pl. **2** En zoología, clase de estos artrópodos, perteneciente al reino de los metazoos: *Se ha especializado en el estudio y la clasificación de los insectos.* **3** ‖ **insecto palo;** el que es largo y delgado, de color pardo y de cuerpo cilíndrico, que parece un tallo cortado: *Cuando un insecto palo está quieto, es muy fácil confundirlo con un palito.* □ ETIMOL. Del latín *insectus*, y este de *insecare* (hacer una incisión), por las incisiones que tienen los cuerpos de los insectos.

in sécula ‖ →**in sécula seculórum.** □ ETIMOL. Del latín *in saecula.*

in sécula seculórum ‖ Por los siglos de los siglos: *Con lo impuntual que es, nos va a tener esperando in sécula seculórum.* □ ETIMOL. Del latín *in saecula saeculorum.* □ ORTOGR. Se admite también *in sécula.*

inseguridad s.f. Falta de seguridad: *Una de las funciones de la policía es acabar con la inseguridad ciudadana.*

inseguro, ra adj. Falto de seguridad: *Esa viga está insegura y puede caerse.*

inseminación s.f. **1** Llegada del semen del macho al óvulo de la hembra para fecundarlo: *La inseminación natural se produce después de una unión sexual.* **2** ‖ **inseminación artificial;** procedimiento que posibilita la unión de una célula sexual femenina con otra masculina utilizando el instrumental adecuado: *La inseminación artificial se utiliza en ganadería para cruzar las reses.* □ SINÓN. *fecundación artificial.* □ ETIMOL. De *in-* (adentro) y el latín *seminatio* (fecundación). □ ORTOGR. Dist. de *diseminación.*

inseminar v. En biología, hacer llegar el semen del macho al óvulo de la hembra para fecundarlo: *Esta mujer pidió que se la inseminara artificialmente.* □ ORTOGR. Dist. de *diseminar.*

insensatez s.f. **1** Falta de sensatez: *Tu insensatez te hace cometer continuos errores.* **2** Hecho o dicho faltos de sensatez: *Fue una insensatez conducir a tanta velocidad.*

insensato, ta adj./s. Falto de sensatez: *Me da miedo ir en coche contigo porque eres un insensato.* □ ETIMOL. Del latín *insensatus.*

insensibilidad s.f. Falta de sensibilidad: *El frío me produjo insensibilidad en las manos.*

insensibilización s.f. Pérdida o desaparición de la sensibilidad: *Con la anestesia local se consigue la insensibilización de una zona determinada.*

insensibilizar v. Referido a algo sensible, quitarle la sensibilidad: *La anestesia insensibilizó la zona que iba a ser operada.* □ SINÓN. *desensibilizar.* □ ETIMOL. De *in-* (privación) y *sensibilis* (sensible). □ ORTOGR. La *z* se cambia en *c* delante de *e* →CAZAR.

insensible ▮ adj.inv. **1** Imposible de percibir: *Ha habido un aumento insensible del nivel del río porque ha llovido poco.* ▮ adj.inv./s.com. **2** Que no tiene sensibilidad: *Tengo insensible la zona que me he quemado.*

inseparable adj.inv. **1** Imposible de separar: *El aprendizaje de la lectura y de la escritura son inseparables.* **2** Referido a una persona, que está unida a otra por una relación de amor o de amistad: *amigos inseparables.* □ ETIMOL. Del latín *inseparabilis.*

insepulto, ta adj. Referido esp. a un cadáver, que no está sepultado: *Todavía se veían cadáveres insepultos en el campo de batalla.* □ ETIMOL. Del latín *insepultus.*

inserción s.f. **1** Introducción de una cosa en otra: *La inserción de un anuncio en un periódico es muy cara.* **2** Unión de un órgano en otro, esp. de un músculo en un hueso: *La inserción de los músculos en los huesos permite el movimiento.*

insertar ▮ v. **1** Referido a una cosa, incluirla en otra, esp. un texto en otro: *El texto que insertaron en el artículo salió con otra letra.* ▮ prnl. **2** Referido a un órgano, introducirse entre las partes de otro, o adherirse a su superficie: *Los músculos se insertan en los huesos.* □ ETIMOL. Del latín *insertare* (injerir). □ MORF. Irreg.: Tiene un participio regular (*inser-*

tado), que se usa más en la conjugación, y otro irregular (*inserto*), que se usa más como adjetivo.

inserto, ta adj. Referido esp. a un texto, que está incluido en otro. ☐ USO Se usa solo como adjetivo, frente al participio regular *insertado*, que se usa más en la conjugación.

inservible adj.inv. Que no sirve: *El tornillo resultó inservible porque era pequeño para el agujero.*

insider (ing.) s.com. Persona que tiene acceso privilegiado a fuentes de información y de poder. ☐ PRON. [insáider].

insidia s.f. **1** Engaño para perjudicar. ☐ SINÓN. *asechanza.* **2** Lo que se dice o se hace con mala intención. ☐ ETIMOL. Del latín *insidiae* (emboscada). ☐ MORF. Se usa más en plural.

insidioso, sa adj. Malicioso o dañino pese a su apariencia inofensiva: *Hizo un comentario insidioso sobre la edad que tengo.*

insigne adj.inv. Célebre o famoso: *Una insigne catedrática dio una conferencia en la universidad.* ☐ ETIMOL. Del latín *insignis* (señalado, distinguido).

insignia s.f. Imagen, medalla o símbolo distintivos: *Siempre lleva en la solapa la insignia de su asociación.* ☐ ETIMOL. Del latín *insignia*, y este de *insignis* (señalado).

insignificancia s.f. Pequeñez, escaso valor o falta de importancia: *Eres tonto si te enfadas por esas insignificancias.*

insignificante adj.inv. Pequeño o de poca importancia: *La subida de precios fue insignificante y apenas se notó.* ☐ ETIMOL. De *in-* (negación) y *significante*.

insinceridad s.f. Falta de sinceridad: *La insinceridad de tus elogios es patente porque sé que me criticas cuando no estoy delante.*

insincero, ra adj. Que no es sincero: *Su felicitación es insincera porque es un envidioso que no se alegra del éxito ajeno.* ☐ ETIMOL. Del latín *insincerus*.

insinuación s.f. **1** Indicación disimulada y sutil: *Déjate de insinuaciones y dime las cosas claras.* **2** *col.* Demostración indirecta del deseo de entablar relaciones amorosas: *No me hagas más insinuaciones porque no te daré una cita.*

insinuante adj.inv. Que insinúa: *una mirada insinuante.*

insinuar ▮ v. **1** Dar a entender de manera sutil o disimulada: *Insinué que su libro no era bueno, pero no lo critiqué abiertamente.* ▮ prnl. **2** *col.* Mostrar de manera indirecta el deseo de entablar relaciones amorosas: *Se insinuó a la chica que le gustaba dándole su número de teléfono.* ☐ ETIMOL. Del latín *insinuare* (introducir en el interior). ☐ ORTOGR. La *u* lleva tilde en los presentes, excepto en las personas *nosotros* y *vosotros* →ACTUAR. ☐ SINT. Constr. de la acepción 2: *insinuarse {A/CON} alguien.*

insipidez s.f. **1** Falta de sabor. **2** Falta de gracia o de viveza: *No sé cómo te hacen gracia comentarios de tanta insipidez.*

insípido, da ▮ adj. **1** Sin sabor o con poco sabor. ▮ adj./s. **2** Sin gracia o sin viveza: *Es un libro aburrido e insípido.* ☐ ETIMOL. Del latín *insipidus*, y este de *in-* (negación) y *sapidus* (que tiene sabor). ☐ MORF. 1. Incorr. **insaboro.*

insistencia s.f. Repetición reiterada y firme: *Llamé con insistencia, pero nadie abrió la puerta.*

insistente adj.inv. Que insiste: *Sus súplicas fueron tan insistentes que consiguió lo que pedía.*

insistir v. **1** Repetir una petición o una acción varias veces: *Insiste hasta que te oigan.* **2** Hacer hincapié: *Los pediatras insisten sobre la importancia de la medicina preventiva.* **3** Mostrar firmeza: *Insistía en su postura y no escuchaba otras opciones.* ☐ ETIMOL. Del latín *insistere.* ☐ SINT. Constr. *insistir {EN/SOBRE} algo.*

in situ (lat.) ‖ En el sitio o en el lugar: *Los periodistas fueron al lugar del suceso para hacer un reportaje in situ.*

insobornable adj.inv. Que no puede ser sobornado: *Los jueces deben ser insobornables.*

insociabilidad s.f. Comportamiento que se caracteriza por evitar el trato o la relación con los demás: *El egoísmo y la introversión son características de la insociabilidad.*

insociable adj.inv. Que evita el trato o la relación con los demás: *No tiene amigos porque es muy insociable.* ☐ ETIMOL. Del latín *insociabilis*.

insolación s.f. **1** Malestar o trastorno producidos por una prolongada exposición a los rayos solares: *Tiene una insolación grave porque se durmió tomando el sol.* ☐ SINÓN. *tabardillo.* **2** Nivel de exposición de una superficie a los rayos solares: *En este mapa se indican las diferencias de insolación según el momento del día.* **3** En meteorología, tiempo durante el que hace sol sin haber nubes en el cielo: *En la zona mediterránea hay más horas de insolación que en el norte de Europa.*

insoldable adj.inv. Que no se puede soldar: *Sin el equipo adecuado, el hierro es insoldable.*

insolencia s.f. **1** Atrevimiento o falta de respeto en el trato: *Le dijo con insolencia que estaba harto de sus consejos.* **2** Hecho o dicho ofensivos o insultantes: *¿Es que solo sabes decir insolencias?*

insolentarse v.prnl. Mostrarse insolente con alguien tratándolo sin respeto ni consideración: *Al no prestarle el dinero se insolentó conmigo y me llamó tacaño.*

insolente adj.inv./s.com. Que ofende o molesta por ser irrespetuoso, atrevido, insultante o soberbio: *Me castigó por dar una contestación insolente.* ☐ ETIMOL. Del latín *insolens* (desacostumbrado, excesivo).

insolidaridad s.f. Falta de solidaridad: *La insolidaridad no es posible entre verdaderos amigos.*

insolidario, ria adj./s. Que no se solidariza: *No cuentes con ella si tienes un problema, porque es una insolidaria.*

insólito, ta adj. Poco frecuente, no común o fuera de lo habitual: *Llegar tan tarde es algo insólito en ti.* ☐ ETIMOL. Del latín *insolitus*, y este de *in-* (negación) y *solitus* (acostumbrado). ☐ SEM. Dist. de *inaudito* (increíble o nunca oído por ser atrevido o escandaloso).

insolubilidad s.f. **1** Imposibilidad de disolverse o de diluirse: *En el laboratorio comprobamos la insolubilidad de esa sustancia en agua fría.* **2** Imposibilidad de resolución o de aclaración: *Se archivó el caso policial debido a su insolubilidad.*

insoluble adj.inv. **1** Que no se puede disolver ni diluir: *Las grasas son insolubles en el agua.* **2** Imposible de solucionar: *El paro es un problema insoluble por ahora.* □ ETIMOL. Del latín *insolubilis*.

insolvencia s.f. Situación del que no puede hacer frente a una obligación, esp. a una deuda: *El negocio se hundió por la insolvencia de su propietario.* □ ETIMOL. De *in-* (negación) y *solvencia*.

insolvente adj.inv./s.com. Que no puede hacer frente a una obligación, esp. a una deuda: *Esa mujer se declaró insolvente y no pagó la indemnización que le habían impuesto.*

insomne adj.inv. Sin sueño o sin dormir: *Permaneció insomne esperando a que llegara.* □ ETIMOL. Del latín *insomnis*, y este de *in-* (negación) y *somnus* (sueño).

insomnio s.m. Dificultad para conciliar el sueño cuando se debe dormir: *El café me produce insomnio.*

insondable adj.inv. Imposible de averiguar o de conocer a fondo: *Leí un libro sobre los misterios insondables del más allá.*

insonoridad s.f. Imposibilidad de transmitir o de producir sonidos: *La insonoridad de algunos materiales los hace apropiados para el aislamiento acústico.*

insonorización s.f. **1** Acondicionamiento de un lugar para aislarlo de sonidos o de ruidos: *La insonorización de este local está hecha con planchas de corcho.* **2** Amortiguación de un sonido: *Antes de la insonorización de la maquinaria teníamos que hablar a gritos.*

insonorizar v. **1** Referido a un lugar, acondicionarlo para aislarlo de sonidos o de ruidos: *Insonoricé el local antes de poner el bar para no molestar a los vecinos.* **2** Referido a una máquina, hacer que funcione con el menor ruido posible: *Tengo que insonorizar la moto porque hace demasiado ruido.* □ ORTOGR. La *z* se cambia en *c* delante de *e* →CAZAR.

insonoro, ra adj. Que no produce o no transmite el sonido: *Mi teléfono tiene un dispositivo luminoso para dar avisos insonoros.* □ ETIMOL. De *in-* (negación) y *sonoro*.

insoportable adj.inv. Imposible de soportar: *Tengo la calefacción al máximo porque hace un frío insoportable.*

insoslayable adj.inv. Que no puede soslayarse o eludirse: *una obligación insoslayable.*

insospechable adj.inv. Imposible de sospechar: *El final de la película era insospechable.*

insospechado, da adj. No sospechado: *Durante mi viaje descubrí cosas insospechadas.*

insostenibilidad s.f. Incapacidad para sostener algo durante largo tiempo: *la insostenibilidad económica.*

insostenible adj.inv. **1** Que no se puede sostener: *Hemos aguantado mucho, pero esta situación es insostenible.* **2** *col.* Que no se puede defender con razones: *Se nota que no sabes lo que dices porque tus argumentos son insostenibles.*

inspección s.f. **1** Examen o reconocimiento realizados con atención y detenimiento: *Los policías realizaron una exhaustiva inspección en el lugar del crimen.* **2** Profesión de inspector: *Hace cinco años que trabajo en la inspección.* **3** Lugar de trabajo de un inspector: *¿Podría decirme dónde está la inspección?* □ ETIMOL. Del latín *inspectio*, y este de *inspicere* (mirar adentro).

inspeccionar v. Examinar o reconocer con atención: *La policía inspeccionó el lugar del crimen buscando huellas.*

inspector, -a s. Persona legalmente autorizada para examinar y vigilar las actividades que se realizan dentro del campo al que pertenece: *Aprobé la oposición y ahora soy inspectora de trabajo.*

inspiración s.f. **1** Aspiración o introducción de aire en los pulmones. **2** Estímulo o influencia que permite la creación artística: *No he pintado nada nuevo porque me falta inspiración.* **3** Iluminación o movimiento sobrenatural que Dios transmite al ser humano: *Conocer la solución fue inspiración divina.* **4** Lo que ha sido inspirado: *Fue una inspiración traerte el libro, porque no sabía que te iba a ver.*

inspirar v. **1** Referido esp. al aire, aspirarlo para introducirlo en los pulmones: *Inspiró profundamente la brisa marina.* **2** Referido esp. a un sentimiento, producirlo en el ánimo: *Tu sonrisa me inspira confianza.* **3** Sugerir o producir ideas para la creación artística: *La belleza de este lugar inspiró a muchos pintores. Este poeta se inspira en la literatura medieval.* □ ETIMOL. Del latín *inspirare* (soplar dentro de algo, infundir ideas). □ SINT. Constr. de la acepción 3: *inspirarse* EN *algo.*

inspirativo, va adj. Que produce inspiración: *Este paisaje tan bello es inspirativo de grandes obras de arte.*

inspiratorio, ria adj. De la inspiración respiratoria, que la permite o que está relacionado con ella: *El diafragma es un músculo inspiratorio.*

inspirómetro s.m. Aparato que se usa para medir el volumen de aire que se inspira de una sola vez: *A esta nadadora le hicieron una prueba con el inspirómetro para comprobar su capacidad pulmonar.*

instalación s.f. **1** Colocación en el lugar y forma adecuados para una función: *¿Quién se encarga de la instalación de los altavoces?* **2** Colocación de los instrumentos y servicios necesarios para poder utilizar un lugar: *Han tardado dos días en hacer la instalación del polideportivo.* **3** Establecimiento o acomodo de una persona, esp. si es para fijar su residencia: *La instalación de los refugiados fue muy problemática.* **4** Conjunto de cosas instaladas: *La instalación eléctrica del local es muy segura.* **5** Recinto o lugar acondicionados con todo lo necesario para realizar un servicio o una función: *Celebrarán los campeonatos de gimnasia en estas instalaciones deportivas.* **6** En el arte contemporáneo, obra artística cuyos elementos individuales se disponen de forma específica según el lugar en el que se instala: *En una instalación, el entorno forma parte de la obra artística.*

instalacionista s.com. →**instalador.**

instalador, -a ▮ adj./s. **1** Que instala. ▮ s. **2** Persona que se dedica profesionalmente a la instalación o puesta en funcionamiento de algo: *El instalador de la antena vendrá mañana.* **3** En el arte contemporáneo, persona que realiza instalaciones. ☐ SINÓN. *instalacionista.*

instalar v. **1** Colocar en el lugar y forma adecuados para una función: *¿Han venido a instalar el teléfono?* **2** Referido a un lugar, esp. a un edificio, colocar los instrumentos y los servicios necesarios para poder ser utilizado: *Han instalado una nueva tienda al otro lado de la calle.* **3** Referido a una persona, colocarla o acomodarla, esp. si es para fijar su residencia: *Instalaron a los prisioneros en barracones. ¿Dónde piensas instalarte hasta que encuentres piso?* ☐ ETIMOL. Del francés *installer.*

instancia s.f. **1** Petición solicitada por escrito según determinadas fórmulas, esp. la que se hace a una autoridad: *Haré una instancia pidiendo una beca de estudios.* **2** Documento en que figura esta petición: *Para reclamar rellene la instancia, por favor.* **3** Cada uno de los grados jurisdiccionales que la ley tiene establecidos para examinar y sentenciar juicios y pleitos: *En el orden civil y penal existen dos instancias.* **4** ‖ **a instancia(s) de** alguien; por sus ruegos o por su petición: *La pianista interpretó una pieza más a instancias del público.* ‖ **en última instancia;** como último recurso o en definitiva: *En última instancia siempre puedes pedírselo a tu padre.* ☐ ETIMOL. Del latín *instantia.*

instantánea s.f. Véase **instantáneo, a.**

instantáneo, a ▮ adj. **1** Que se produce o se prepara en el momento: *El accidente le causó la muerte instantánea y no sufrió.* **2** Que solo dura un instante: *En mi sueño apareciste en una imagen instantánea.* ▮ s.f. **3** Fotografía que se obtiene en el momento: *Tengo una instantánea de la celebración de tu cumpleaños.*

instante s.m. **1** Porción de tiempo que se considera muy breve, esp. en relación con otra: *Te ha llamado tu padre hace un instante.* ☐ SINÓN. *momento.* **2** ‖ **(a) cada instante;** con frecuencia o continuamente: *Me llama a cada instante, y no me deja en paz un momento.* ‖ **al instante;** enseguida o inmediatamente: *Siempre que le pido algo me lo hace al instante.* ☐ ETIMOL. Del latín *instans* (lo presente).

instar v. Referido a una acción, insistir en su rápida ejecución: *Me instaban a que entregara el informe en el tiempo señalado.* ☐ ETIMOL. Del latín *instare* (estar encima). ☐ SINT. Constr. *instar* A *algo.*

in statu quo (lat.) ‖ En el mismo estado o en la misma situación en que se hallaba antes: *El proyecto sigue in statu quo y ya solo podemos esperar.* ☐ PRON. [in estátu kúo].

instauración s.f. Establecimiento, fundación, creación o institución de algo, esp. de leyes, de costumbres o de formas de gobierno: *La instauración de la monarquía en ese país duró hasta su guerra civil.*

instaurar v. Referido esp. a una ley, a una costumbre o a una forma de gobierno, establecerlas, fundarlas, crearlas o instituirlas: *Esa ministra instauró el plan de estudios que tenemos ahora.* ☐ ETIMOL. Del latín *instaurare.*

instigación s.f. Incitación o provocación para hacer algo, esp. si es negativo: *Aquellas palabras eran una instigación al crimen.*

instigador, -a adj./s. Que instiga: *Los instigadores de la revuelta han sido detenidos.*

instigar v. Referido a una acción, esp. si es negativa, incitar o inducir a realizarla: *Le instigaban a que robara los mapas secretos del ejército.* ☐ ETIMOL. Del latín *instigare* (incitar, estimular). ☐ ORTOGR. La *g* se cambia en *gu* delante de *e* →PAGAR. ☐ SINT. Constr. *instigar* A *algo.*

instilación s.f. Vertido de un líquido gota a gota: *Me recetaron una instilación de ese medicamento en el oído cada cuatro horas.*

instilar v. **1** Referido a un líquido, verterlo gota a gota: *Mi madre me instiló colirio en los ojos para curarme la conjuntivitis.* **2** Referido a un sentimiento o a una idea, infundirlos o causarlos en el ánimo de manera imperceptible: *La madre instiló en su hijo un sentimiento de fraternidad hacia las demás personas.* ☐ ETIMOL. Del latín *instillare*, y este de *in* (en) y *stilla* (gota).

instintivo, va adj. Que se hace por instinto o sin que aparentemente intervenga la razón: *Los animales conocen al enemigo de forma instintiva.*

instinto s.m. **1** En un animal o en una persona, conducta innata, hereditaria y no aprendida, que los lleva a actuar de igual manera ante los mismos estímulos y que es común a todos los individuos de una misma especie: *Los instintos obedecen más a impulsos internos que a estímulos del medio ambiente.* **2** Impulso interior que origina una acción o un sentimiento y que obedece a una razón que desconoce quien lo siente: *Cada vez que veo un niño, mi instinto maternal me empuja a jugar con él.* ☐ ETIMOL. Del latín *instinctus* (provocación, instigación).

institución s.f. **1** Establecimiento o fundación de algo: *A esta editorial se le debe la institución de un importante premio novelístico.* **2** Lo que se ha establecido o fundado: *Los concursos artísticos son instituciones que no deben desaparecer.* **3** Organismo que desempeña una función de interés público, esp. benéfico o de enseñanza: *Trabajo en una institución médica para la prevención del cáncer.* **4** En un Estado, una nación o una sociedad, cada una de sus organizaciones o de sus leyes fundamentales: *Las* *instituciones deben respaldar y proteger al ciudadano.* **5** ‖ **ser** alguien **una institución;** gozar de un prestigio largamente reconocido: *Lleva tantos años trabajando en esta empresa que es una institución.* □ ETIMOL. Del latín *institutio*.

institucional adj.inv. De una institución, relacionado con ella o con características que le son propias: *El plan se llevará a cabo porque tiene apoyo institucional.*

institucionalidad s.f. Carácter institucional o carácter legal: *La institucionalidad de estas medidas es clara porque las dicta un ministerio.*

institucionalización s.f. Concesión de carácter institucional: *La institucionalización de las mafias es algo que debe perseguir todo Gobierno.*

institucionalizar v. **1** Convertir en institucional: *Los intelectuales quieren volver a institucionalizar las tertulias. Con el tiempo, algunas costumbres se institucionalizan.* **2** Dar carácter legal o de institución: *Algunos gobiernos han institucionalizado el divorcio.* □ ORTOGR. La *z* se cambia en *c* delante de *e* →CAZAR.

instituir v. **1** Referido esp. a algo de interés público, fundarlo, establecerlo o crearlo: *La alcaldesa anterior instituyó un premio de poesía juvenil.* **2** Referido a un cargo, a una ley o a una costumbre, establecerlos de nuevo o por primera vez: *La nueva directora ha instituido un horario más cómodo.* □ ETIMOL. Del latín *instituere*. □ MORF. Irreg. →HUIR.

instituto s.m. **1** Centro estatal de enseñanza donde se siguen los estudios de enseñanza secundaria: *Cuando iba al instituto suspendía siempre matemáticas.* **2** Corporación científica, benéfica, social o cultural: *Acudió al Instituto de la Mujer a pedir asesoramiento jurídico.* **3** Establecimiento público en el que se presta un tipo específico de servicios o de cuidados: *Fui a un instituto de belleza para que me hicieran una limpieza de cutis.* **4** Cierto cuerpo militar o cierta asociación y congregación religiosa: *La guardia civil es un instituto militar armado.* □ ETIMOL. Del latín *institutum*.

institutriz s.f. Mujer que se dedica a la educación y formación de uno o varios niños en el hogar de estos: *La institutriz de mi abuela le enseñaba francés y buenos modales.* □ ETIMOL. Del francés *intitutrice* (maestra de primeras letras).

instrucción ▮ s.f. **1** Enseñanza de los conocimientos necesarios para una actividad: *Se dedica a la instrucción de los nuevos empleados.* **2** Conjunto de conocimientos adquiridos: *Es una persona culta y de gran instrucción.* **3** En derecho, curso o desarrollo que sigue un proceso o un expediente: *Durante la instrucción del sumario, el juez fue reuniendo todo lo necesario para resolver el caso.* ▮ pl. **4** Indicaciones o reglas para conseguir un fin: *Para montar la estantería sigue las instrucciones.* **5** Órdenes que se dictan a los agentes diplomáticos o a los jefes de las fuerzas navales: *El embajador recibió las instrucciones de su ministro antes de marchar a su destino.* **6** ‖ **instrucción (militar);** conjunto de enseñanzas y de prácticas que se llevan a cabo para la formación del soldado: *Hicieron la instrucción militar en el patio del cuartel.* □ ETIMOL. Del latín *instructio*.

instructivo, va adj. Que instruye o sirve para enseñar: *Tiene un juego instructivo para empezar a leer.*

instructor, -a s. Persona que se dedica profesionalmente a la enseñanza de algún tipo de actividad, esp. deportiva o militar: *El otro día volé en la avioneta sin mi instructor de vuelo.*

instruido, da adj. Que ha adquirido gran cantidad de conocimientos: *Es una persona muy culta e instruida.*

instruir v. **1** Proporcionar conocimientos teóricos o prácticos: *El teniente instruía a los soldados en el manejo de las armas. Antes de comprar el coche, me instruí sobre mecánica.* **2** Informar o comunicar algo, esp. reglas de conducta: *Los viajes instruyen mucho. Se instruyó en un colegio bilingüe.* **3** En derecho, referido a un proceso o a un expediente, realizar todas las actuaciones necesarias encaminadas a conocer la inocencia o la culpabilidad de un encausado: *Se instruyó una causa contra mi vecino por tráfico de drogas.* □ ETIMOL. Del latín *instruere* (enseñar, informar). □ MORF. Irreg. →HUIR. □ SINT. Constr. *instruir {EN/SOBRE} algo.*

instrumentación s.f. **1** Arreglo de una composición musical para que sea interpretada por varios instrumentos: *El maestro compuso la melodía, pero encargó su instrumentación a otra persona.* **2** Estudio de los instrumentos musicales en función de sus características y posibilidades: *Para llegar a director de orquesta necesita hacer varios cursos de instrumentación.* **3** Disposición de un plan o de una solución con los medios necesarios para su ejecución: *Los sindicatos exigen la instrumentación inmediata de un plan para la mejora de la enseñanza.*

instrumental ▮ adj.inv. **1** Del instrumento, esp. del musical, o relacionado con él: *música instrumental.* **2** Que sirve de instrumento o que tiene la función de este: *Es un cínico que entiende la amistad como una relación instrumental.* ▮ s.m. **3** Conjunto de instrumentos, esp. los destinados a un fin determinado: *La enfermera repasó el instrumental antes de la operación.*

instrumentalización s.f. Utilización de una persona o de una cosa para conseguir un fin.

instrumentalizar v. Referido a una persona o a una cosa, utilizarlas como instrumento para conseguir un fin: *Me parece censurable que instrumentalices a las personas en tu propio beneficio.* □ ORTOGR. La *z* se cambia en *c* delante de *e* →CAZAR.

instrumentar v. **1** Referido a una composición musical, arreglarla para que sea interpretada por varios instrumentos o añadir a su partitura las partes correspondientes a estos: *Instrumentó para piano y flauta un concierto que había sido escrito para guitarra.* **2** Referido esp. a un plan o a una solución, disponerlos y poner los medios para su ejecución: *El Gobierno instrumentará medidas para combatir el paro.* **3** En tauromaquia, realizar las diferentes suertes de la lidia: *El torero instrumentó unos naturales estupendos con la mano derecha.*

instrumentista s.com. **1** Músico que toca un instrumento: *El trompeta y el batería del conjunto son grandes instrumentistas.* **2** Fabricante de instrumentos: *Este instrumentista fabrica un instrumental quirúrgico de gran calidad.*

instrumento s.m. **1** Objeto simple o formado por una combinación de piezas, y que es adecuado para un uso concreto, esp. para la realización de operaciones manuales técnicas o delicadas: *Ahí tienes los instrumentos necesarios para restaurar el arcón.* **2** Lo que sirve como medio para conseguir un fin: *Tu hermano fue solo un instrumento para que yo entrara en su empresa.* **3** Objeto adecuado para producir sonidos musicales: *Me gustaría aprender a tocar algún instrumento.* **4** || **instrumento de cuerda;** el que suena al pulsar, golpear o frotar las cuerdas tensadas que posee. || **instrumento de percusión;** el que suena al golpearlo, generalmente por medio de badajos, baquetas o varillas. || **instrumento de viento;** el que suena al pasar el aire a través de él. ☐ ETIMOL. Del latín *instrumentum.*

insubordinación s.f. Sublevación o falta de subordinación a los superiores: *La desobediencia a las órdenes del capitán se juzgó como un acto de insubordinación.*

insubordinado, da adj./s. Referido a una persona, que falta a la obediencia debida a sus superiores: *Los militares insubordinados fueron arrestados.*

insubordinar ▮ v. **1** Referido a un subordinado, hacer que desobedezca a sus superiores o que se subleve: *Las malas condiciones laborales insubordinaron a los empleados.* ▮ prnl. **2** Quebrantar la subordinación a los superiores o sublevarse: *La tripulación se insubordinó ante el racionamiento de comida ordenado por el capitán.*

insubstancial adj.inv. →**insustancial.** ☐ ETIMOL. Del latín *insusbstantialis.*

insubstancialidad s.f. →**insustancialidad.**

insubstituible adj.inv. →**insustituible.**

insuficiencia s.f. **1** Escasez o carencia. **2** En medicina, incapacidad de un órgano para realizar adecuadamente las funciones que le corresponden: *insuficiencia cardíaca.* **3** Falta de suficiencia o de inteligencia. ☐ ETIMOL. Del latín *insufficientia.*

insuficiente ▮ adj.inv. **1** Que no es suficiente. ▮ s.m. **2** Calificación académica que indica que no se ha superado el nivel exigido: *He sacado dos insuficientes en la última evaluación.*

insuflar v. **1** Referido a un gas, a un líquido o a una sustancia pulverizada, introducirlos a soplos o inyectarlos en un órgano o en una cavidad: *La respiración artificial se hace insuflando aire en los pulmones.* **2** Referido esp. a un estímulo, aportarlo o transmitirlo: *Sus palabras nos insuflaron ánimo para seguir adelante.* ☐ ETIMOL. Del latín *insufflare* (soplar adentro).

insufrible adj.inv. Imposible de sufrir o de soportar: *Los niños caprichosos me resultan insufribles.* ☐ ETIMOL. De *in-* (negación) y *sufrible.*

ínsula s.f. *poét.* Isla: *Don Quijote prometió a Sancho Panza el gobierno de una ínsula.* ☐ ETIMOL. Del latín *insula* (isla). ☐ ORTOGR. Dist. de *ínfulas.*

insular adj.inv./s.com. De una isla o relacionado con ella: *Esos insulares viajaron al continente en barco.* ☐ SINÓN. *isleño.* ☐ ETIMOL. Del latín *insularis,* y este de *insula* (isla). ☐ SEM. *Isleño* se prefiere para referirse a lo que es característico de una isla.

insularidad s.f. Conjunto de características propias de una isla: *La insularidad del país favoreció su aislamiento del resto del continente.*

insulina s.f. **1** Hormona producida por el páncreas y encargada de regular la cantidad de glucosa de la sangre: *La deficiencia de insulina en el organismo es causa de diabetes.* **2** Medicamento preparado con esta hormona, y que se emplea en el tratamiento contra la diabetes: *Los diabéticos necesitan inyectarse insulina periódicamente.* ☐ ETIMOL. Del latín *ínsula* (isla), porque la insulina se extrae de las isletas de Langerhans, que se encuentran en el páncreas.

insulsez s.f. **1** Falta de gracia, de viveza o de interés: *¡No sé cómo ha llegado a ser un famoso actor con la insulsez de su expresión!* **2** Lo que es o resulta insulso: *La historia que cuenta el libro es una insulsez sin atractivo ninguno.*

insulso, sa ▮ adj. **1** Soso o falto de sabor: *La comida sin sal ni especias resulta insulsa.* ▮ adj./s. **2** Falto de gracia, de viveza o de interés: *La novela me resultó tan insulsa que no la acabé.* ☐ ETIMOL. Del latín *insulsus* (sin sal).

insultante adj.inv. Que insulta: *Me parece insultante que pienses que te miento.*

insultar v. Ofender, esp. si es por medio de palabras agresivas: *Me insultó delante de todos acusándome de irresponsable y estúpido.* ☐ ETIMOL. Del latín *insultare* (saltar contra, ofender).

insulto s.m. Lo que se dice o se hace para ofender a una persona, esp. si son palabras agresivas: *De su boca salieron los insultos más hirientes.*

insumable adj.inv. Que no se puede sumar o que es difícil de sumar.

insumergible adj.inv. Que no se puede sumergir: *El corcho es un material insumergible.*

insumir v. En economía, referido a una cantidad de dinero, invertirla o emplearla: *Con el nuevo proyecto habrá que insumir gran parte del capital de la compañía.* ☐ ETIMOL. Del latín *insumere.*

insumisión s.f. **1** Falta de sumisión o de obediencia: *La insumisión es propia de los rebeldes.* **2** Negativa a realizar el servicio militar o cualquier otro servicio social que lo sustituya.

insumiso, sa adj./s. **1** Que no se somete o que no obedece: *Lo han despedido porque es una persona conflictiva e insumisa.* **2** Que se niega a realizar el servicio militar o cualquier servicio social sustitutorio: *Varios insumisos se han declarado en huelga* *de hambre.* □ SEM. En la acepción 2, dist. de *objetor* (que se niega a realizar el servicio militar, pero no a prestar otro servicio sustitutorio).

insumo s.m. En economía, bien que se usa para la producción de otro bien: *El papel que se usa para producir libros es un insumo.*

insuperable adj.inv. Imposible de superar, generalmente por la dificultad o por la calidad: *La insuperable calidad del producto justifica su alto precio.* □ ETIMOL. Del latín *insuperabilis*.

insurgencia s.f. **1** Sublevación en contra de la autoridad: *El Gobierno movilizó al ejército ante la posibilidad de una insurgencia armada.* **2** Grupo que se subleva contra la autoridad.

insurgente adj.inv./s.com. Que se subleva o se rebela: *Aquella revolución se inició con las revueltas protagonizadas por la masa insurgente de campesinos.* □ ETIMOL. Del antiguo *insurgir* (sublevarse).

insurrección s.f. Sublevación o levantamiento de una colectividad contra la autoridad: *La insurrección del ejército aceleró la caída del presidente.*

insurreccional adj.inv. De la insurrección o relacionado con ella: *La prensa destacó el carácter insurreccional de la manifestación.*

insurreccionar v. Referido a una colectividad, levantarla o sublevarla contra la autoridad: *Los líderes de la resistencia insurreccionaron al pueblo contra la dictadura.*

insurrecto, ta adj./s. Sublevado o levantado contra la autoridad: *El Rey salió del país obligado por los insurrectos.* □ ETIMOL. Del latín *insurrectus*, y este de *insurgere* (alzarse, sublevarse).

insustancial (tb. *insubstancial*) adj.inv. Falto de sustancia, de interés o de sabor: *Tus comentarios sobre la película me parecen insustanciales.*

insustancialidad (tb. *insubstancialidad*) s.f. **1** Falta de sustancia o de interés: *Dada la insustancialidad de la conferencia, me marché en el descanso.* **2** Lo que está falto de sustancia o de interés: *Parece mentira que te interese esa insustancialidad.*

insustituible (tb. *insubstituible*) adj.inv. Imposible de sustituir, esp. por su valor: *Tu cariño es insustituible para mí.*

intachable adj.inv. Que no admite tacha o reproche: *Es una persona recta y de moral intachable.*

intacto, ta adj. **1** Que no ha sido tocado: *No teníamos hambre y dejamos la comida intacta.* **2** Que no ha sido alterado, dañado o estropeado: *Dio un golpe espectacular al reloj, pero quedó intacto.* □ ETIMOL. Del latín *intactus*, y este de *in-* (negación) y *tactus* (tocado).

intangibilidad s.f. **1** Imposibilidad de ser tocado, esp. por no tener realidad física: *Las ideas se caracterizan por su intangibilidad.* **2** Inconveniencia o prohibición de ser modificado o atacado: *La ley establece la intangibilidad del derecho a la libertad.*

intangible adj.inv. Que no se puede tocar: *Los sentimientos son intangibles.* □ ETIMOL. De *in-* (negación) y *tangible*.

integérrimo, ma superlat. irreg. de **íntegro**.

integrable adj.inv. Que puede entrar a formar parte de un todo.

integración s.f. **1** Formación o composición de un todo: *La entrenadora decidirá cuál será la integración del equipo.* **2** Incorporación o unión a un todo, esp. si se consigue la adaptación a él: *Algunas instituciones benéficas trabajan por la integración social de los marginados.*

integracionista adj.inv./s.com. Partidario o defensor de la integración social de una comunidad en otra: *Los movimientos integracionistas defienden la igualdad de derechos entre las personas.*

integrador, -a adj. **1** Que integra o hace que alguien o algo se una a un todo, esp. si se consigue su adaptación a él: *un proceso integrador.* **2** Que recoge todos los aspectos de algo.

integral ▌adj.inv. **1** Completo o global. **2** Referido a un alimento, esp. al pan, que está elaborado con harina rica en salvado. ▌s.f. **3** En matemáticas, operación por medio de la cual se obtiene una función cuya derivada es la función dada. **4** Obra completa de un autor: *Acaban de publicar la integral de las cantatas de Bach.* □ ETIMOL. Del latín *integralis*.

integrante adj.inv./s.com. Que integra algo o lo constituye: *Uno de los integrantes de la banda terrorista fue detenido por la policía.*

integrar v. **1** Referido a un todo, formarlo o componerlo: *Cinco jugadores integran el equipo.* **2** Referido esp. a una persona, incorporarla o unirla a un todo, esp. si se consigue su adaptación a él: *Es necesario integrar en nuestra sociedad a las minorías étnicas. Su origen aristocrático le impide integrarse en ambientes populares.* □ ETIMOL. Del latín *integrare*, y este de *integer* (íntegro).

integridad s.f. Honradez y rectitud en la forma de actuar: *Su demostrada integridad lo libra de toda sospecha.*

integrismo s.m. Tendencia al mantenimiento estricto de la tradición y oposición a toda evolución o apertura: *El integrismo religioso puede rayar en el fanatismo.* □ SEM. Dist. de *fundamentalismo* (integrismo religioso islámico).

integrista ▌adj.inv. **1** Del integrismo o relacionado con esta tendencia: *Me asustan sus ideas integristas en política.* ▌adj.inv./s.com. **2** Partidario o seguidor del integrismo: *La policía detuvo a un integrista acusado de cometer actos terroristas.* □ SEM. Dist. de *fundamentalista* (integrista religioso islámico).

íntegro, gra adj. **1** Entero o con todas sus partes. **2** Honrado y recto en la forma de actuar: *una persona íntegra.* □ ETIMOL. Del latín *integer* (intacto, entero). □ MORF. Sus superlativos son *integrísimo* e *integérrimo*.

intelectivo, va adj. Del intelecto o relacionado con esta facultad humana: *Su capacidad intelectiva es superior a la media.*

intelecto s.m. Facultad humana de comprender, conocer y razonar: *Para resolver este problema tendrás que usar el intelecto.* □ ETIMOL. Del latín *intellectus*.

intelectual ▮ adj.inv. **1** Del intelecto o relacionado con esta facultad: *El estudio es una actividad intelectual.* ▮ adj.inv./s.com. **2** Referido a una persona, que se dedica profesionalmente al estudio o a actividades que requieren un empleo prioritario de la inteligencia: *Se dice que los intelectuales son la conciencia de un país.*

intelectualidad s.f. *col.* Conjunto de los intelectuales: *La intelectualidad del país en bloque critica la nueva política cultural.*

intelectualismo s.m. **1** En filosofía, teoría del conocimiento que afirma la primacía de las funciones intelectuales, a las cuales se subordinan las demás funciones, como la afectividad y la voluntad: *El intelectualismo reduce todos los hechos psíquicos a hechos de conocimiento.* **2** Doctrina psicológica que defiende que los procesos intelectuales son fundamento y origen de los demás procesos psíquicos: *El intelectualismo se opone al voluntarismo.* **3** En filosofía, doctrina ética que defiende que la voluntad moral solo se determina por motivos intelectuales, es decir, cuando comprende el fin: *El intelectualismo crítico se opone al voluntarismo.*

intelectualista ▮ adj.inv. **1** Del intelectualismo o relacionado con él: *Su obra tiene un marcado carácter intelectualista.* ▮ adj.inv./s.com. **2** Partidario o seguidor del intelectualismo: *Tomás de Aquino es un representante de la filosofía intelectualista.*

intelectualización s.f. Adquisición de características intelectuales.

intelectualizar v. **1** Dar características intelectuales o adquirirlas: *La nueva ministra se propone fomentar la cultura e intelectualizar el país.* **2** Interpretar o analizar desde un punto de vista predominantemente racional: *Intelectualizas hasta tus sentimientos y no eres nada espontáneo.* □ ORTOGR. La *z* se cambia en *c* delante de *e* →CAZAR.

intelectualoide adj.inv./s.com. *desp.* Intelectual: *No me importan las críticas de esos cuatro intelectualoides.*

inteligencia s.f. **1** Facultad de comprender, conocer y razonar: *La inteligencia hace al ser humano diferente a los animales.* **2** Habilidad o acierto: *Juega al tenis con una inteligencia y unos reflejos sorprendentes.* **3** →**servicio de inteligencia.** **4** ‖ **inteligencia artificial;** aplicación de los conocimientos sobre la inteligencia humana al desarrollo de sistemas informáticos que reproduzcan o aventajen su funcionamiento. ‖ **inteligencia emocional;** capacidad para conocer las propias emociones y así poder controlarlas y utilizarlas como forma de automotivación, y como ayuda para reconocer las emociones de los demás y saber mantener relaciones sociales. □ ETIMOL. Las acepciones 1 y 2, del latín *intelligentia.*

inteligente adj.inv. **1** Dotado de la facultad de la inteligencia. **2** Que tiene o manifiesta mucha inteligencia: *Hizo una apreciación acertada e inteligente.* **3** Referido a algo que ofrece un servicio, que está dotado de mecanismos, generalmente electrónicos o informáticos, que determinan su funcionamiento en función de las circunstancias: *un edificio inteligente.* **4** Referido a una sustancia o a un producto, que actúan localmente para conseguir un determinado resultado: *medicinas inteligentes.* □ ETIMOL. Del latín *intelligens* (el que entiende, perito).

inteligibilidad s.f. Posibilidad de ser entendido con claridad: *El estilo de esa escritora se caracteriza por su sencillez y su inteligibilidad.*

inteligible adj.inv. Que puede ser entendido: *Por fin lo has redactado de forma clara e inteligible.*

intemerata ‖ **la intemerata;** *col.* Gran cantidad de cosas, hechos o datos hasta resultar una exageración: *Conseguir terminar este trabajo nos va a costar la intemerata.* □ ETIMOL. Del latín *intemerata* (no deshonrada), que es el comienzo de un himno que se cantaba en honor a la Virgen y que resultaba extremadamente largo.

intemperancia s.f. Falta de templanza o de moderación: *La intemperancia de sus peticiones me pone nervioso.* □ ETIMOL. Del latín *intemperantia.*

intemperante adj.inv. Sin templanza o sin moderación: *El abuso intemperante de bebidas alcohólicas destruye la salud.*

intemperie ‖ **a la intemperie;** al aire libre, sin ningún techado o protección: *Nos robaron las tiendas de campaña y pasamos la noche a la intemperie.* □ ETIMOL. Del latín *intemperies* (mal tiempo, rigor atmosférico).

intempestivo, va adj. Que está fuera de tiempo o es inoportuno o inconveniente: *¿Cómo se te ocurre venir a estas horas intempestivas?* □ ETIMOL. Del latín *intempestivus.*

intemporal adj.inv. Que no está dentro de límites temporales o que es independiente del paso del tiempo: *El instinto de supervivencia en los animales es intemporal.* □ ETIMOL. Del latín *intemporalis.*

intemporalidad s.f. Independencia del paso del tiempo o de límites temporales: *El verdadero arte se caracteriza por su intemporalidad.*

intención s.f. **1** Propósito o pensamiento de hacer algo. **2** Malicia con que se habla o se actúa porque se da a entender algo distinto de lo que se dice o se hace. **3** ‖ **{segunda/doble} intención;** *col.* Propósito o finalidad ocultos y generalmente malévolos: *Estoy segura de que tiene segundas intenciones.* □ ETIMOL. Del latín *intentio.* □ SEM. Dist. de *intencionalidad* (premeditación o clara intención).

intencionado, da adj. **1** Que tiene una intención determinada, esp. si está disimulada: *Fueron preguntas intencionadas para dejarme en ridículo.* **2** Realizado a propósito: *No fue sin querer, lo hice de forma intencionada después de pensarlo bien.*

intencional adj.inv. **1** Deliberado, premeditado o hecho a propósito: *Las preguntas comprometidas que hace esa entrevistadora son siempre intencionales.* **2** De la intención o relacionado con ella: *Es difícil conocer las motivaciones intencionales de ciertos comportamientos.*

intencionalidad s.f. Premeditación o clara intención con las que se realiza algo: *La intencionalidad de un delito es una circunstancia agravante.* □ SEM.

Dist. de *intención* (propósito o voluntad de hacer algo).

intendencia s.f. **1** En el ejército, cuerpo encargado del abastecimiento de las tropas y del servicio de caudales y ordenación de pagos. **2** Dirección, control y administración de algún servicio o del abastecimiento de una colectividad: *la intendencia de un campamento.* **3** Cargo de intendente. **4** Lugar de trabajo u oficina del intendente. ☐ USO En la acepción 2, es innecesario el uso del anglicismo *backoffice*.

intendente, ta ▮ s. **1** En una colectividad, persona encargada del abastecimiento: *El intendente del asilo hizo la compra de la semana.* ▮ s.m. **2** En la Administración pública, jefe superior de algunos servicios económicos o de empresas dependientes del Estado: *Esa factura tiene que entregársela al intendente.* **3** En el ejército, militar que pertenece al cuerpo de intendencia: *En la fiesta de la patrona de los intendentes de Tierra, había miembros de los demás cuerpos del ejército.* **4** En el ejército, jefe superior de los servicios de administración militar: *La categoría jerárquica del intendente está asimilada a la de general de división o de brigada.* **5** En zonas del español meridional, gobernador o alcalde: *En este asunto medió el intendente municipal.* ☐ ETIMOL. Del francés *intendant*. ☐ USO En la acepción 1, el masculino también se usa para designar el femenino: *Mi prima es intendente.*

intensidad s.f. **1** Energía o fuerza con la que se manifiesta un fenómeno o se realiza una acción: *Fue un terremoto de escasa intensidad.* **2** Referido a un estado anímico, vehemencia, apasionamiento o profundidad con que se manifiesta: *No dudo de la intensidad de tu amor.* **3** Cantidad de electricidad que circula por un conductor durante un segundo: *La intensidad se mide en amperios.* **4** Propiedad de un fenómeno sonoro que determina sus condiciones de audición y que depende de la amplitud de sus ondas.

intensificación s.f. Aumento de intensidad: *La intensificación de los trabajos permitirá terminar las obras a tiempo.*

intensificador, -a adj./s. Que intensifica: *La entonación con que pronunció aquellas palabras era marcadamente intensificadora.*

intensificar v. Aumentar la intensidad: *Intensifica el azul del cielo para diferenciarlo del mar. Su enfado se intensificaba por momentos.* ☐ ORTOGR. La *c* se cambia en *qu* delante de *e* →SACAR.

intensivo, va adj. **1** Que intensifica o hace adquirir mayor intensidad: *El adjetivo 'ultrarrápido' tiene un matiz intensivo que no tiene 'rápido'.* **2** Que se realiza de forma intensa o en un espacio de tiempo inferior a lo normal: *He hecho un curso intensivo de inglés que duró dos semanas.*

intenso, sa adj. Con intensidad, energía o fuerza: *El dolor es muy intenso.* ☐ ETIMOL. Del latín *intensus*.

intentar v. Referido a una acción, hacer todo lo posible para realizarla aunque no se tenga la certeza de conseguirlo: *Intenta adelgazar siguiendo una dieta.* ☐ ETIMOL. Del latín *intentare*.

intento s.m. **1** Propósito o intención de realizar algo aunque no se tenga la certeza de conseguirlo: *intento de asesinato.* **2** Lo que se intenta: *Hizo varios intentos y, al no lograrlo, desistió.* ☐ ETIMOL. Del latín *intentus* (acción de tender hacia algo).

intentona s.f. *col.* Intento que conlleva peligro o imprudencia, esp. si resulta frustrado: *La policía frustró la intentona de los atracadores.*

inter- 1 Prefijo que significa 'entre' o 'en medio': *intertropical, intervocálico, intercelular, interdental, interdigital.* **2** Prefijo que significa 'entre varios': *interactivo, internacional, intercomunicación, interprofesional, intercambiar, intercontinental, interdisciplinario.* ☐ ETIMOL. Del latín *inter*.

interacadémico, ca adj. De varias academias o que las relaciona: *La reunión interacadémica se celebrará en marzo.*

interacción s.f. Acción o influencia recíprocas: *La interacción entre algunos medicamentos disminuye su eficacia.* ☐ ETIMOL. De *inter-* (entre) y *acción*.

interaccionar v. Participar conjuntamente dos o más personas en un proyecto común.

interaccionismo s.m. Participación de dos o más partes en una sola cosa.

interactividad s.f. Posibilidad de relación recíproca entre varias cosas que se complementan: *La interactividad de este programa de ordenador hace que sea muy educativo para los niños.*

interactivo, va adj. **1** Que puede relacionarse de forma recíproca con varias cosas que se complementan: *La doctora me dijo que este medicamento podía ser interactivo con otros y perder su efectividad.* **2** Referido a un sistema, que permite la interacción con el usuario: *programa informático interactivo; televisión interactiva.*

interactuar v. Relacionarse de forma recíproca con varias cosas, esp. si es entre un ordenador y su usuario: *En algunos programas informáticos, el usuario puede interactuar con los elementos que se le ofrecen en pantalla.* ☐ ORTOGR. La *u* lleva tilde en los presentes, excepto en las personas *nosotros* y *vosotros* →ACTUAR.

interamericano, na adj. Entre dos o más países americanos o que los relaciona: *La conferencia trató de las relaciones interamericanas en los últimos años.*

interbancario, ria adj. Entre dos o más bancos, o que los relaciona: *La conferencia trató de las relaciones interamericanas en los últimos años.*

intercalación s.f. Colocación de una cosa entre otras: *Con la intercalación de ilustraciones en el texto, el libro resultará más ameno.* ☐ SINÓN. *intercaladura*.

intercaladura s.f. →**intercalación.**

intercalar v. Referido a un elemento, ponerlo entre otros, esp. si forman una serie: *Intercaló la foto entre las demás.* ☐ ETIMOL. Del latín *intercalare*.

intercambiable adj.inv. Que se puede intercambiar: *Los cuatro neumáticos de las ruedas del coche son intercambiables.*

intercambiador, -a ▮ adj./s. **1** Que intercambia o sirve para intercambiar. ▮ s.m. **2** Lugar o instalación que permite a un pasajero cambiar de un medio de transporte a otro: *Con el intercambiador tienes al alcance de la mano cualquier medio de transporte que quieras utilizar.*

intercambiar v. Cambiar entre sí: *Los componentes de los dos equipos se intercambiaron las camisetas después del partido.* ☐ ORTOGR. La *i* nunca lleva tilde.

intercambio s.m. **1** Cambio mutuo: *El congreso facilitó el intercambio de opiniones.* **2** Reciprocidad de servicios o actividades entre organismos, entidades o países: *El intercambio cultural entre España y Francia fue un éxito.* ☐ ETIMOL. De *inter-* (entre) y *cambio*.

interceder v. Referido a una persona, mediar en su favor: *Mi hermana mayor siempre intercedía ante mis padres para que no me castigaran.* ☐ ETIMOL. Del latín *intercedere* (ponerse en medio, intervenir). ☐ SINT. Constr. *interceder* ANTE *una persona* POR *otra*.

intercelular adj.inv. Que está entre las células: *La separación intercelular solo puede apreciarse con un microscopio.*

intercepción s.f. →**interceptación.**

interceptación s.f. **1** Detención, apropiación o destrucción de algo, esp. de un objeto, antes de llegar a su destino: *La operación de interceptación de la heroína por parte de la policía fue un éxito.* ☐ SINÓN. *intercepción.* **2** Obstrucción de un lugar, esp. de una vía de comunicación: *La huelga de camioneros fue la causa de la interceptación de la carretera.* ☐ SINÓN. *intercepción.*

interceptar v. **1** Referido esp. a un objeto, detenerlo, apoderarse de él o destruirlo antes de que llegue a su destino: *Los servicios de espionaje interceptaban su correspondencia.* **2** Referido esp. a una vía de comunicación, obstruirla de forma que se dificulte o se impida el paso: *Unos bultos interceptaban la salida del garaje.* ☐ ETIMOL. Del latín *interceptus*, y este de *intercipere* (quitar, interrumpir). ☐ SEM. No debe emplearse referido a personas: *La policía {*interceptó a los traficantes > interceptó un alijo de armas}.*

interceptor, -a adj./s. Que intercepta o que impide o dificulta el movimiento o la comunicación: *Los aviones interceptores que se usan para detener a los aviones enemigos, alcanzan enormes velocidades.*

intercesión s.f. Intervención en favor de alguien: *El recluso recibió el indulto gracias a la intercesión del Rey.* ☐ ORTOGR. Dist. de *intersección*.

intercesor, -a adj./s. Que intercede o media en favor de alguien: *No necesito ningún intercesor para conseguir el trabajo.*

intercity s.m. Tren rápido de largo recorrido que une ciudades: *Para ir de Madrid a Valencia suelo viajar en el intercity.* ☐ PRON. [intercíti].

interclasista adj.inv. Entre varias clases sociales o que las relaciona: *Ese partido político propugna el diálogo interclasista.*

intercomunicación s.f. **1** Comunicación recíproca: *Ambos hemos cambiado mucho y ya no es posible la intercomunicación entre nosotros.* **2** Comunicación interna, esp. la telefónica: *En una gran empresa, la intercomunicación es básica.*

intercomunicador s.m. Aparato que sirve para la comunicación interna en un lugar: *Se ha roto el intercomunicador del despacho del jefe.*

intercomunicar v. **1** Comunicar de forma recíproca: *Quieren intercomunicar estos dos pueblos para favorecer el acceso de los turistas.* **2** Referido esp. a las diferentes dependencias de un edificio, dotarlas de comunicación telefónica: *Están intercomunicando todos los despachos de mi empresa.* ☐ ORTOGR. La *c* se cambia en *qu* delante de *e* →SACAR.

interconectividad s.f. En informática, conexión de actividades entre varias redes.

interconexión s.f. Enlace entre varias partes.

intercontinental adj.inv. Entre dos o más continentes o que los relaciona: *El vuelo intercontinental duró más de diez horas.*

intercooler (ing.) s.m. En un vehículo con motor de explosión, radiador para la toma de aire. ☐ PRON. [intercúler].

intercostal adj.inv. Que está entre dos costillas: *Los músculos intercostales permiten la respiración.* ☐ ETIMOL. De *inter-* (entre) y *costal* (de las costillas).

intercultural adj.inv. Entre dos o más culturas o que las relaciona: *convivencia intercultural.*

interculturalidad s.f. Relación entre varias culturas: *Es importante fomentar la interculturalidad y el respeto a las realidades culturales diferentes a la propia.* ☐ SINÓN. *multiculturalismo.*

interculturalismo s.m. →**interculturalidad.**

intercurrente adj.inv. En medicina, referido a una enfermedad, que aparece durante el curso de otra: *La debilidad producida por el catarro facilitó la aparición de otra enfermedad intercurrente.* ☐ ETIMOL. Del latín *intercurrens*.

interdental ▮ adj.inv. **1** En lingüística, referido a un sonido, que se pronuncia colocando la punta de la lengua entre los incisivos superiores y los inferiores: *La letra 'z' representa un sonido interdental en español.* **2** Que está entre los dientes: *espacio interdental.* ▮ s.f. **3** Letra que representa el sonido que se pronuncia colocando la punta de la lengua entre los incisivos superiores y los inferiores: *La 'z' es una interdental en español.*

interdependencia s.f. Dependencia recíproca: *La amistad de esos dos jóvenes se basa en la interdependencia.*

interdependiente adj.inv. De la interdependencia o relacionado con ella: *Estas dos compañías son totalmente interdependientes.*

interdicción s.f. **1** Prohibición o privación de algún derecho, esp. por orden judicial: *La interdicción obligó a interrumpir las obras del nuevo edificio.* **2** || **interdicción civil;** en derecho, privación definida por la ley de un derecho civil: *La interdicción civil incapacita o restringe la personalidad jurídica y se deriva de la imposición de una pena.* □ ETIMOL. Del latín *interdictio.*

interdicto s.m. En derecho, juicio breve y de trámites sencillos en el que se decide provisionalmente la posesión de algo o la reclamación de un daño inminente: *Interpusieron un interdicto de obra nueva para parar la construcción de la casa de enfrente.*

interdigital adj.inv. Que está entre los dedos: *Los patos tienen membranas interdigitales para nadar mejor.*

interdisciplinar adj.inv. →**interdisciplinario.**

interdisciplinariedad s.f. Relación entre varias disciplinas: *Los nuevos planes de estudio están basados en la interdisciplinariedad.*

interdisciplinario, ria adj. Entre varias disciplinas o con su colaboración: *La enseñanza interdisciplinaria es útil y completa.* □ SINÓN. *interdisciplinar.*

interempresarial adj.inv. Que se realiza entre varias empresas, esp. si son de distintos países, o que las relaciona.

interés ▮ s.m. **1** Provecho o utilidad que se pueden obtener: *Sé que lo dices por mi propio interés.* **2** Valor o importancia que tiene algo en sí mismo o para alguien: *Es un descubrimiento de gran interés para la ciencia.* **3** Inclinación, curiosidad o afición hacia algo: *Pon más interés en los estudios y aprobarás.* **4** Ganancia que produce un capital: *En cuentas a plazo fijo obtendrás un mayor interés.* **5** Cantidad que se paga por el uso de un dinero recibido como préstamo: *Pedimos un préstamo en el banco y pagamos unos intereses bastante altos.* ▮ pl. **6** Bienes y propiedades que se poseen: *Ese negociante tiene intereses en el extranjero.* **7** Conveniencias o necesidades de una persona o de un colectivo: *Si no defiendes tus intereses nadie los defenderá por ti.* □ ETIMOL. Del latín *interesse* (interesar, importar). □ SINT. Constr. de la acepción 3: *interés {EN/POR} algo.*

interesado, da adj./s. **1** Que tiene interés o que lo muestra: *Tus amigos están muy interesados por tu salud.* **2** Que actúa solo por interés y buscando su propio beneficio: *Ese interesado no te regalará ni un minuto de su tiempo.*

interesante adj.inv. **1** Que interesa o que tiene interés: *Es una película interesante por la problemática social que refleja.* **2** || **hacerse {el/la} interesante;** *col.* Comportarse de una forma especial para llamar la atención: *Se hace el interesante para que todos nos fijemos en él.*

interesar ▮ v. **1** Producir interés o cautivar o atraer la atención o el ánimo: *Le interesa mucho la política. Ese chico me interesa.* **2** Despertar interés: *Trato de interesar a mis hijos en la lectura.* **3** Ser motivo de interés: *Ese asunto no interesa nada. ¿Te interesa venir?* ▮ prnl. **4** Mostrar interés o inclinación: *Se interesa mucho por el futuro de su sobrino.*

interestatal adj.inv. Entre dos o más Estados, o que los relaciona: *Es necesaria la colaboración interestatal para acabar con el tráfico de drogas.*

interestelar adj.inv. Referido al espacio, que está comprendido entre dos o más astros: *El espacio interestelar es inmenso.* □ SINÓN. *intersideral.*

interface (ing.) s.m. →**interfaz.** □ PRON. [interféis].

interfase s.f. Intervalo entre dos fases sucesivas, esp. entre las fases de la división del núcleo de una célula: *En el núcleo en interfase no son visibles los cromosomas.*

interfaz (pl. *interfaces*) s.f. Lo que sirve de enlace para permitir la comunicación entre dos sistemas distintos o entre las personas y las máquinas: *La mayoría de las televisiones y de los vídeos tienen una interfaz para programarlas.* □ ETIMOL. Del inglés *interface* (superficie de contacto). □ USO Es innecesario el uso del anglicismo *interface.*

interfecto, ta ▮ adj./s. **1** En derecho, referido a una persona, que ha muerto de forma violenta, esp. si ha sido víctima de una acción delictiva. ▮ s. **2** *col.* Persona de la que se está hablando: *En ese momento llegó el interfecto, y todos nos callamos.* □ ETIMOL. Del latín *interfectus,* y este de *interficio* (matar).

interferencia s.f. **1** Alteración del curso normal de algo en desarrollo o en movimiento por la interposición de un obstáculo. **2** Introducción de una señal extraña o perturbadora en la recepción de otra señal y perturbación resultante. **3** En física, acción recíproca de las ondas, que a veces tiene como consecuencia un aumento, una disminución o una neutralización del movimiento ondulatorio: *La interferencia de las ondas puede darse en el agua, en la propagación del sonido o de la luz, etc.* □ ETIMOL. Del inglés *interference* (inmiscuirse, entrometerse).

interferir v. **1** Referido esp. a algo en desarrollo, alterar su curso normal por la interposición de un obstáculo: *Los manifestantes iban por la carretera para interferir el tráfico.* **2** Producir una interferencia: *Un radioaficionado interfirió una transmisión policial.* **3** Referido a una señal, introducirse en la recepción de otra señal, perturbándola: *Una emisión pirata está interfiriendo nuestro programa.* □ MORF. Irreg. →SENTIR.

interferón s.m. Proteína producida por células animales que, al entrar en contacto con un virus, actúa impidiendo su proliferación: *El interferón se ha utilizado para aumentar las defensas orgánicas.* □ ETIMOL. Del inglés *interferon.*

interfijo s.m. →**infijo.**

interfoliar v. Referido a una hoja en blanco, intercalarla entre las hojas impresas de un libro: *El editor ha interfoliado una hoja delante de cada ilustración.* □ SINÓN. *interpaginar.* □ ETIMOL. De *inter-*

(entre) y el latín *folium* (hoja). □ ORTOGR. La *i* nunca lleva tilde.

interfono s.m. Sistema telefónico que se utiliza para las comunicaciones internas: *Comunicó la decisión al capitán del barco por medio del interfono.* □ ETIMOL. De *interior* y *teléfono*.

intergaláctico, ca adj. Entre galaxias: *Por el momento solo se pueden hacer viajes intergalácticos con la fantasía.*

interglaciar adj.inv. Que está entre dos glaciaciones consecutivas: *En los períodos interglaciares las temperaturas aumentan.* □ ORTOGR. Incorr. **interglacial*.

intergubernamental adj.inv. Entre dos o más gobiernos, que les corresponde o que los relaciona: *El terrorismo es un problema intergubernamental.*

intergubernamentalismo s.m. Tendencia a apoyar las relaciones entre gobiernos de distintos países.

ínterin (pl. *ínterin*) s.m. **1** Intervalo de tiempo que transcurre entre dos hechos: *Aprovechó el ínterin entre los dos actos para llamar por teléfono.* **2** Tiempo que dura el desempeño de un cargo sustituyendo al titular: *El ínterin en que el subsecretario sustituyó a la ministra duró dos semanas.* □ ETIMOL. Del latín *interim* (mientras tanto). □ PRON. En zonas del español meridional, [interín].

interinato s.m. En zonas del español meridional, interinidad: *Obtuve el interinato hace tiempo.*

interinidad s.f. **1** Tiempo en el que una persona desempeña una función sustituyendo a otra: *Durante su interinidad puso al día todo el trabajo del bedel enfermo.* **2** En la Administración pública, cargo de la persona que ocupa el puesto de un funcionario de carrera sin serlo: *Consiguió la interinidad hace tres años.* **3** Tiempo durante el que un interino ejerce su cargo: *Este año he tenido tres interinidades.*

interino, na ▮ adj./s. **1** Referido a una persona, que sustituye temporalmente a otra en una función. ▮ s. **2** En la Administración pública, persona que cubre una plaza de funcionario de carrera sin serlo, debido a una urgente necesidad del órgano administrativo: *Estuvo de interina hasta que se incorporó la persona a la que sustituía por enfermedad.* □ ETIMOL. De *ínterin* (interinidad).

interinsular adj.inv. Entre dos o más islas, o que las relaciona: *Esa compañía aérea realiza vuelos interinsulares.*

interior ▮ adj.inv. **1** Que está en la parte de dentro o que está dentro de algo: *el bolsillo interior de una chaqueta.* □ SINÓN. *interno*. **2** Que es espiritual o que solo se desarrolla en la conciencia de una persona: *una vida interior.* □ SINÓN. *interno*. **3** Que se desarrolla dentro de una zona geográfica o de un lugar determinados: *El comercio interior del país decayó tras la crisis económica.* □ SINÓN. *interno*. ▮ adj.inv./s.m. **4** Referido a una vivienda o a sus dependencias, que no tiene ventanas que den a la calle: *No me gustan las habitaciones interiores porque tienen poca luz.* ▮ s.m. **5** Parte de dentro de una cosa, esp. de un edificio o de sus dependencias: *Él mismo se encargó de la decoración del interior.* **6** Ánimo, conciencia o pensamientos íntimos de alguien: *En mi interior no estoy conforme por haber cedido.* **7** En un lugar, esp. en un país, parte central que se opone a las zonas costeras o fronterizas: *Tras recorrer la costa pasamos al interior.* **8** En algunos deportes, esp. en el fútbol, jugador que se coloca entre el delantero centro y el extremo. **9** En zonas del español meridional, calzoncillo. ▮ s.m.pl. **10** En cine, vídeo y televisión, escenas que se ruedan o se graban en un estudio o en un escenario natural cerrado: *Los interiores de la película se rodaron en un palacio.* □ ETIMOL. Del latín *interior*.

interioridad s.f. **1** Situación o desarrollo de algo en la parte interna o central: *Nadie conoce la interioridad de sus pensamientos.* **2** Intimidad o conjunto de asuntos privados y generalmente secretos de una persona o de una corporación: *A ti no te incumben las interioridades de la empresa.* □ MORF. La acepción 2 se usa más en plural.

interiorismo s.m. Estudio de la organización espacial y de la decoración de espacios interiores: *Algunas tendencias empiezan a asociar el interiorismo al mundo del arte.*

interiorista s.com. Persona que se dedica a la decoración y organización de interiores, esp. si esta es su profesión: *Un interiorista se encargó de la decoración del salón.*

interiorización s.f. **1** Hecho de no manifestar un sentimiento: *La interiorización de esos disgustos puede perjudicar tu salud.* **2** Asentamiento en la conciencia de un pensamiento o de una creencia: *Tu amiga cambió su vida tras la interiorización de esa doctrina.* **3** En psicología, proceso de asimilación de las percepciones o de las formas del lenguaje y del pensamiento: *Aún no se ha producido la interiorización de las referencias espaciales en el niño.*

interiorizar v. **1** Referido esp. a un sentimiento, no manifestarlo: *No se desahoga porque interioriza sus penas.* **2** Referido esp. a un pensamiento o a una creencia, hacerlos muy íntimos o asentarlos en la conciencia: *Para consolidar el aprendizaje hay que interiorizar lo aprendido.* □ ORTOGR. La *z* se cambia en *c* delante de *e* →CAZAR.

interjección s.f. En gramática, parte invariable de la oración que equivale a una oración completa y que, dotada de la entonación apropiada, sirve para expresar un estado de ánimo o para llamar la atención del oyente: *'¡Ay!', '¡olé!' y '¡canastos!' son interjecciones.* □ ETIMOL. Del latín *interiectio* (intercalación). □ ORTOGR. Las interjecciones deben escribirse entre signos de admiración.

interjectivo, va adj. **1** De la interjección o relacionado con ella: *entonación interjectiva.* **2** En gramática, que funciona como una interjección: *'¡Ay de mí!' es una locución interjectiva.*

interleucina s.f. →**interleuquina.**

interleukina s.f. →**interleuquina.**

interleuquina (tb. *interleucina, interleukina*) s.f. Proteína segregada por los linfocitos, que activa la reacción inmunitaria.

interlínea s.f. **1** Espacio que queda entre dos líneas escritas o impresas: *En las interlíneas de un texto se puede escribir o subrayar.* □ SINÓN. *entrelínea.* **2** En imprenta, tira de metal que se utiliza para espaciar los renglones: *Coloca la interlínea en posición horizontal.* □ SINÓN. *regleta.*

interlineación s.f. **1** Escritura que se hace en las interlíneas o espacios que quedan entre dos líneas de un texto: *Haz las interlineaciones con lápiz.* **2** En imprenta, distribución de las líneas de un texto: *Vamos a componer este párrafo con una interlineación de doce puntos.*

interlineado s.m. Conjunto de las interlíneas o espacios que quedan entre dos líneas de un texto: *El interlineado de este texto es de seis puntos.*

interlineal adj.inv. Que está entre dos líneas: *Entre las líneas de un mismo párrafo es recomendable dejar un espacio interlineal más bien amplio.*

interlinear v. **1** Escribir en las interlíneas o espacios que quedan entre dos líneas de un texto: *Cuando leo un libro, me gusta interlinear los comentarios que me sugieren las frases.* **2** En imprenta, poner espacios entre los renglones de un texto: *Antes se utilizaban regletas para interlinear los párrafos.* □ ETIMOL. De *inter-* (entre) y *línea.*

interlocución s.f. Diálogo o conversación entre dos o más personas: *Van a emitir una interlocución entre el presidente y los dirigentes de los sindicatos.*

interlocutor, -a s. Persona que interviene en una conversación: *En un debate, cada interlocutor debe esperar su turno para hablar.* □ ETIMOL. Del latín *interloqui* (interrumpirse mutuamente).

interlocutorio, ria adj./s.m. En derecho, referido a un auto o a una sentencia, que se da antes de la definitiva y que solo decide sobre cuestiones secundarias: *Hoy leerán la sentencia interlocutoria.*

interludio s.m. Composición musical breve y generalmente de carácter coral, que sirve como introducción o que se inserta entre dos piezas de mayor duración o entre dos actos, esp. si son operísticos o teatrales: *Después del segundo acto, mientras la orquesta tocaba un interludio, cambiaron el decorado.* □ ETIMOL. Del latín *interludere* (jugar a ratos).

interlunio s.m. En astronomía, tiempo en el que no se ve la Luna desde la Tierra como resultado del movimiento de este astro: *A partir del interlunio la Luna empieza a ser creciente.* □ ETIMOL. Del latín *interlunium.*

intermediación s.f. **1** Mediación entre dos o más partes que están en conflicto: *La intermediación de mi abogada hizo que llegáramos a un acuerdo mi vecino y yo.* **2** En economía, función desempeñada por los intermediarios financieros que consiste en la canalización de dinero de unidades excedentes económicamente hacia unidades necesitadas de financiación: *Esta empresa reducirá gastos con la reducción de los costes de intermediación.*

intermediador, -a adj./s. Referido esp. a una empresa, que media en los mercados financieros: *He contratado los servicios de una intermediadora para que nos lleve todo lo relacionado con los valores en bolsa.*

intermediar v. **1** Interponerse entre dos o más partes en conflicto para intentar que se reconcilien o que lleguen a un acuerdo: *El ministro intermedió en el conflicto entre los empresarios y los representantes sindicales.* □ SINÓN. *mediar.* **2** Estar entre dos o más cosas: *Entre las dos casas intermedia un jardín.* □ SINÓN. *mediar.* □ ORTOGR. La *i* nunca lleva tilde.

intermediario, ria adj./s. **1** Que media entre dos o más partes en conflicto para intentar que se reconcilien o que lleguen a un acuerdo: *Para arreglar sus problemas necesitan un intermediario que sea objetivo.* **2** Que hace llegar las mercancías desde el productor hasta el consumidor a cambio de un beneficio: *Esto es más barato porque se compra directamente en la fábrica, sin intermediarios.*

intermedio, dia ▮ adj. **1** Que está situado entre dos o más cosas o entre los extremos de una gradación: *Quiero un jarrón de tamaño intermedio.* ▮ s.m. **2** Espacio que hay entre dos acciones o entre dos tiempos: *En el intermedio entre el robo y la detención, el ladrón ocultó las joyas.* **3** En un espectáculo, una representación o un programa, espacio de tiempo que los interrumpe: *Durante los intermedios de la televisión, ponen anuncios publicitarios.* □ SINÓN. *descanso.* □ ETIMOL. Del latín *intermedius* (que está en el medio).

intermezzo (it.) s.m. **1** Composición musical de carácter instrumental que se interpreta al comienzo o en el entreacto de una ópera antes de levantar el telón: *Los personajes salieron a escena cuando la orquesta terminó el intermezzo.* **2** Composición musical de concierto, breve y de carácter independiente: *En el concierto interpretaron un intermezzo del compositor alemán Brahms.* **3** Ópera cómica, de corta duración y en un solo acto, que en el siglo XVIII se representaba en los entreactos de una ópera seria: *Los intermezzos fueron el origen de las óperas bufas.* □ PRON. [interméts o].

interminable adj.inv. Que no tiene o que no parece tener término: *Tardaste tanto en venir que la espera se me hizo interminable.* □ ETIMOL. Del latín *interminabilis.*

interministerial adj.inv. Entre dos o más ministerios, que les corresponde o que los relaciona: *Los trámites se retrasaron a causa de un problema interministerial.*

intermisión s.f. Interrupción de una acción durante un tiempo determinado: *Se produjo una intermisión en el suministro eléctrico y estuvimos una hora sin luz.* □ ETIMOL. Del latín *intermissio.*

intermitencia s.f. Interrupción y continuación sucesivas, y generalmente a intervalos regulares: *Los dolores de este enfermo se repiten con intermitencia.*

intermitente ▮ adj.inv. **1** Que se interrumpe y prosigue, generalmente a intervalos regulares: *un* *sonido intermitente.* ▌ s.m. **2** En un automóvil, luz lateral que se enciende y se apaga sucesivamente para indicar un cambio de dirección o una avería. ☐ ETIMOL. Del latín *intermittens.*

intermolecular adj.inv. Entre una molécula y otra: *Los gases tienen muy poca cohesión intermolecular.*

internacional ▌ adj.inv. **1** Entre dos o más naciones, que les corresponde o que las relaciona: *La tarifa telefónica internacional es más cara que la nacional.* ▌ adj.inv./s.com. **2** Referido a un deportista, que participa en competiciones entre distintas naciones representando a su país: *Esa chica es una corredora internacional que ha ganado varios premios.*

internacionalidad s.f. **1** Pertenencia a distintas naciones: *La internacionalidad de los participantes es una prueba de la importancia de la reunión.* **2** Condición del deportista que participa representando a su país en una competición entre distintas naciones: *La internacionalidad de nuestros jugadores da prestigio al equipo.*

internacionalismo s.m. **1** Tendencia que antepone los intereses internacionales a los propios de cada país: *El excesivo internacionalismo de ciertos políticos fue criticado en los medios de comunicación.* **2** Movimiento social que defiende la unidad de los obreros de todos los países para luchar por sus intereses: *El internacionalismo pretende la mejora de las condiciones de trabajo.*

internacionalista adj.inv./s.com. **1** Del internacionalismo o relacionado con esta tendencia y movimiento social: *En el congreso obrero predominaron las posturas internacionalistas.* **2** Referido a una persona, que está especializada en derecho internacional: *Una abogada internacionalista se ocupará de la defensa de ese diplomático.*

internacionalización s.f. **1** Sometimiento a la autoridad conjunta de varias naciones: *La internacionalización de las aguas posibilita la pesca de varios países en el mismo lugar.* **2** Extensión de un asunto determinado a otras naciones: *La internacionalización de esa guerra civil es inminente.*

internacionalizar v. **1** Someter a la autoridad conjunta de varias naciones: *Van a internacionalizar el canal para que lo controlen los tres países que limitan con él.* **2** Hacer internacional o afectar a varias naciones: *Se teme que el conflicto bélico se internacionalice.* ☐ ORTOGR. La *z* se cambia en *c* delante de *e* →CAZAR.

internada s.f. En algunos deportes, esp. en fútbol, acción individual de un jugador que se adentra en el campo contrario, esp. en el área, sorteando a sus rivales: *La internada del delantero terminó en gol.*

internado s.m. **1** Centro en el que residen personas internas, esp. alumnos: *Estudió en un internado porque sus padres trabajaban.* ☐ SINÓN. *pensionado.* **2** Estado y régimen de una persona interna, esp. de un alumno: *En los años de internado conoció a sus actuales amigos.* **3** Conjunto de alumnos internos: *El internado ha hecho varias propuestas que debemos considerar.*

internamiento s.m. **1** Avance hacia el interior de un lugar: *El internamiento del comando en el país se produjo hace un año.* **2** Traslado o reclusión de una persona en un lugar, esp. en una institución, para que viva o permanezca allí: *La juez decretó el internamiento del acusado en prisión.*

internar ▌ v. **1** Conducir o trasladar al interior de un lugar: *La policía internó a los perros en el bosque para que buscaran al desaparecido. Llegué en tren a la frontera y me interné en el país andando.* **2** Referido esp. a una persona, dejarla o meterla en un lugar, esp. en una institución, para que viva o permanezca allí: *Internó a su hijo en un colegio. Se internó en una clínica para adelgazar.* ▌ prnl. **3** Referido esp. a una materia o al conocimiento de una persona, profundizar en ellos: *Se internó en el estudio de la época medieval.* **4** En algunos deportes, esp. en fútbol, adentrarse en el campo contrario, esp. en el área, sorteando a los rivales: *El delantero se internó regateando a todos los defensas y marcó el gol de la victoria.* ☐ ETIMOL. De *interno.* ☐ SINT. Constr. *internar* EN *algo.*

internauta s.com. Persona que utiliza una red mundial de comunicación: *Los internautas se comunican a través de las autopistas de la información.* ☐ ETIMOL. De *internet* y *nauta* (navegante).

internet s.amb. Conjunto de redes de comunicación al que se puede acceder desde un ordenador y que permite el intercambio de información entre todos los usuarios. ☐ ETIMOL. Es el acrónimo del inglés *International Network.* ☐ USO Se usa mucho como nombre propio.

internético, ca adj. *col.* De internet o relacionado con esta red de comunicación.

internista adj.inv./s.com. Referido a un médico, que está especializado en el estudio y en el tratamiento de las enfermedades que afectan a los órganos internos: *La internista le diagnosticó cálculos en el riñón.*

interno, na ▌ adj. **1** Que está en la parte de dentro o que está dentro de algo: *El hígado es un órgano interno del cuerpo de muchos animales.* ☐ SINÓN. *interior.* **2** Espiritual o que solo se desarrolla en la conciencia de una persona: *Sus vivencias internas eran muy profundas.* ☐ SINÓN. *interior.* **3** Que se desarrolla dentro de una zona geográfica o de un lugar determinados: *La oposición ha criticado la política interna del Gobierno.* ☐ SINÓN. *interior.* ▌ adj./s. **4** Referido a una persona, esp. a un alumno, que vive en el lugar en el que trabaja o en el que estudia: *Los internos vuelven a sus casas en vacaciones.* **5** Referido esp. a un médico, que realiza su especialización o sus prácticas en una cátedra o en un hospital: *Los médicos internos piden una mejora de sus condiciones.* ▌ s. **6** Persona que cumple condena en un establecimiento penitenciario: *Dos de los internos saldrán de la cárcel mañana.* ☐ ETIMOL. Del latín *internus.*

ínter nos || Entre nosotros o en confianza: *Esto debe quedar ínter nos, sin que lo sepa nadie más.* ☐ ETIMOL. Del latín *inter nos.* ☐ PRON. [ínter nos].

internuncio s.m. Representante de la iglesia católica en los países en que esta no tiene nunciatura: *El internuncio se reunirá con los diplomáticos.* ☐ ETIMOL. Del latín *internuntius*.

interoceánico, ca adj. Entre dos océanos o que los comunica: *un canal interoceánico.*

interoperativo, va adj. Que puede funcionar en distintos sistemas informáticos: *Algunas tarjetas de débito son interoperativas porque se pueden usar en cualquier cajero.*

interóseo, a adj. Situado entre un hueso y otro: *En la mano se encuentran los músculos interóseos.*

interpaginar v. Referido a una hoja en blanco, intercalarla entre las hojas impresas de un libro: *El niño arrancó las hojas del álbum que habías interpaginado.* ☐ SINÓN. *interfoliar*. ☐ ETIMOL. De *inter-* (entre) y *página*.

interparlamentario, ria adj. Entre los órganos parlamentarios o legislativos de varios países o que los relaciona: *una asamblea interparlamentaria.*

interpelación s.f. **1** Exigencia o petición de explicaciones, esp. si se hace con autoridad o con derecho: *La interpelación de los periodistas puso nerviosa a la ministra.* **2** En un parlamento, planteamiento por parte de uno de sus miembros de una discusión ajena a los proyectos de ley o de las proposiciones: *La interpelación del senador se centró en la detención de los terroristas.*

interpelar v. **1** Pedir explicaciones o exigirlas, esp. si se hace con autoridad o con derecho: *El inspector interpeló a toda la familia, pero nadie confesó.* **2** En un parlamento, plantear uno de sus miembros una discusión ajena a los proyectos de ley o a las proposiciones: *La diputada interpeló al Gobierno sobre el adelanto de las elecciones.* ☐ ETIMOL. Del latín *interpellare*.

interpersonal adj.inv. Que se produce entre personas: *Las relaciones interpersonales entre los miembros de mi empresa son fantásticas.*

interplanetario, ria adj. Entre dos o más planetas: *Se ha lanzado una nave sin tripulantes que hará un viaje interplanetario por el sistema solar.*

interpolación s.f. Situación o colocación de una cosa entre otras, esp. de palabras o de frases en un texto ajeno: *La interpolación de palabras del editor dificulta el conocimiento de la obra original.*

interpolar v. Referido a una cosa, esp. a palabras o frases, ponerlas o situarlas entre otras: *El copista interpoló frases propias al copiar el manuscrito.* ☐ ETIMOL. Del latín *interpolare* (cambiar, alterar).

interponer v. **1** Poner entre dos cosas o dos personas: *Han interpuesto la estantería entre tu mesa y la mía. Se interpuso entre los dos para evitar que se pegaran.* **2** Referido a una persona, ponerla como mediadora entre otras: *El Gobierno ha interpuesto un delegado para negociar con los sindicatos.* **3** En derecho, referido a un recurso, formalizarlo por medio de un escrito que se presenta ante un juez: *Los acusados interpusieron un recurso tras la sentencia.* ☐ ETIMOL. Del latín *interponere*, y este de *inter* (entre) y *ponere* (poner). ☐ MORF. Irreg.: 1. Su participio es *interpuesto*. 2. →PONER.

interposición s.f. **1** Situación de una persona o de una cosa entre otras. **2** Situación de una persona como mediadora entre otras. **3** En derecho, formalización de un recurso por medio de un escrito que se presenta ante un juez: *la interposición de una demanda.*

interpretación s.f. **1** Explicación del sentido o del significado de algo: *La interpretación de los sueños puede revelar la personalidad.* **2** Concepción o expresión personal: *Me gusta la interpretación que el arquitecto ha hecho de mi idea.* **3** Representación de un papel o de un texto dramáticos: *La crítica destaca la buena interpretación del joven actor.* **4** Ejecución de una composición musical o de un baile: *La pianista mejoró bastante en la segunda interpretación.*

interpretar v. **1** Referido a algo, explicar su significado o darle un sentido: *Cada escritor interpreta la realidad a su manera.* **2** Referido a un dicho o a un hecho, concebirlos o realizarlos una persona según los deseos de otra: *El programador informático interpretó muy bien mis necesidades.* **3** Referido a un papel o a un texto dramáticos, representarlos: *Esa actriz interpreta muy bien el papel de ingenua.* **4** Referido a una composición musical o a un baile, ejecutarlos: *La orquesta interpretó dos obras de Falla.* ☐ ETIMOL. Del latín *interpretare*.

interpretativo, va adj. De la interpretación o relacionado con ella: *Es un actor con capacidad interpretativa para los personajes cómicos.*

intérprete ▌s.com. **1** Persona que se dedica a la interpretación de textos, de papeles dramáticos o de composiciones musicales, esp. si esta es su profesión: *Es una buena intérprete de papeles cómicos.* **2** Persona que se dedica profesionalmente a traducir para otros de forma oral y generalmente simultánea: *Consiguió un trabajo de intérprete en la embajada.* ▌s.m. **3** En informática, programa que traduce las instrucciones del usuario. ☐ ETIMOL. Del latín *interpres* (mediador, intérprete).

interprofesional adj.inv. Que afecta a varias profesiones: *Se está negociando la subida del salario mínimo interprofesional.*

interpuesto, ta part. irreg. de **interponer**. ☐ MORF. Incorr. **interponido*.

interracial adj.inv. Que se produce entre diferentes razas: *Los conflictos entre grupos étnicos no deben ser calificados de conflictos interraciales, puesto que todos los seres humanos, sea cual sea nuestra cultura, pertenecemos a la raza humana.*

inter-rail s.m. **1** Billete de tren que permite viajar durante un mes por la mayoría de los países europeos: *El inter-rail está destinado principalmente a jóvenes, puesto que para comprarlo no se puede superar un límite de edad.* **2** Viaje que se realiza utilizando este tipo de billete: *El verano pasado hicimos un inter-rail y viajamos por toda Europa.* ☐ ETIMOL. De *internacional* y el inglés *rail* (ferrocarril).

interregno s.m. **1** Período de tiempo en el que un Estado no tiene soberano: *Durante el interregno, la madre del futuro monarca se ocupó de la regencia.* **2** || **interregno parlamentario;** intervalo de tiempo desde que se interrumpen hasta que se reanudan las sesiones de las Cortes: *La intentona golpista ocurrió durante un interregno parlamentario.* □ ETIMOL. Del latín *interregnum.*

interrelación s.f. Relación entre dos o más personas o cosas de forma que se condicionan recíprocamente: *Es indudable la interrelación entre drogodependencia y delito.*

interrelacionar v. Referido a dos o más cosas, relacionarlas entre sí: *Las redes informáticas mundiales permiten interrelacionar a todos los usuarios.*

interrogación s.f. **1** Formulación de una cuestión o demanda de información: *La interrogación del detenido duró varias horas.* □ SINÓN. *pregunta.* **2** En ortografía, signo gráfico de puntuación que se coloca al principio o, en posición invertida, al final de una expresión interrogativa: *La interrogación se representa con los signos ¿ ?* □ ORTOGR. No debe omitirse el signo inicial de una interrogación.

interrogador, -a adj./s. Que interroga: *El detenido no dejaba de sentirse acosado por las insistentes preguntas del interrogador.*

interrogante ▌adj.inv. **1** Que interroga: *Me miró con ojos interrogantes cuando le pregunté acerca de su futuro.* ▌s.amb. **2** Cuestión dudosa o no aclarada: *El conocimiento del origen del mundo plantea serios interrogantes.* □ MORF. Se usa más como masculino.

interrogar v. Referido a una persona, hacerle preguntas, esp. con intención de esclarecer un asunto: *La policía interrogó a los detenidos. Interrógate sobre lo sucedido, y después me das una explicación.* □ ETIMOL. Del latín *interrogare.* □ ORTOGR. La *g* se cambia en *gu* delante de *e* →PAGAR.

interrogativo, va adj. Que implica, expresa o permite formular una interrogación: *Tienes que dar a la frase una entonación interrogativa.*

interrogatorio s.m. Formulación de preguntas, generalmente con la intención de esclarecer un asunto: *La policía sometió al detenido a un interrogatorio para averiguar quiénes eran sus compinches.*

interrumpir v. **1** Referido esp. a una acción, impedirlo o suspender su continuación: *Los árboles derribados sobre la carretera interrumpían el paso. La carretera se interrumpe a la altura del puente.* **2** Cortar una conversación porque se habla cuando lo está haciendo otra persona: *No me interrumpas, porque todavía no he terminado de hablar.* □ ETIMOL. Del latín *interrumpere.*

interrupción s.f. Suspensión o detención de la continuación de algo: *Estuvo hablando dos horas sin interrupción.*

interruptor, -a ▌adj. **1** Que interrumpe: *El corte de luz fue un incidente interruptor del acto.* ▌s.m. **2** Aparato que se utiliza para abrir o cerrar el paso de corriente eléctrica en un circuito. □ ETIMOL. Del latín *interruptor.*

intersección s.f. **1** En geometría, encuentro de dos líneas, dos planos o dos cuerpos que se cortan: *Un punto es el lugar de intersección entre dos rectas.* **2** Punto o lugar en el que se cortan dos líneas, dos planos o dos volúmenes: *La intersección de dos superficies es una línea.* **3** En matemáticas, conjunto formado por los elementos comunes de varios conjuntos: *Entre el conjunto de los números pares y el de los números naturales menores de 5, la intersección es el 2 y el 4.* □ ETIMOL. Del latín *intersectio.* □ ORTOGR. Dist. de *intercesión.*

intersexual adj.inv. Que manifiesta conjuntamente caracteres sexuales masculinos y femeninos: *Algunas larvas pasan por una fase intersexual en las primeras etapas de su desarrollo.*

intersexualidad s.f. Fenómeno biológico que consiste en la existencia de estados intermedios entre el de macho y el de hembra: *La intersexualidad va asociada muchas veces a la esterilidad.*

intersideral adj.inv. Referido al espacio, que está comprendido entre dos o más astros: *Este libro pone en duda la existencia del vacío intersideral.* □ SINÓN. *interestelar.*

intersindical adj.inv. Que está formado por varios sindicatos, o que afecta a varios sindicatos.

intersticial adj.inv. Que ocupa los intersticios que hay en un cuerpo o en los tejidos o en las partes de un órgano.

intersticio s.m. Espacio pequeño entre dos cuerpos o entre las partes de un mismo cuerpo: *Por el intersticio que queda entre la puerta y la pared entra un haz de luz.* □ ETIMOL. Del latín *interstitium* (intervalo, distancia).

intertextualidad s.f. Relación o conexión que existe entre dos o más textos.

intertropical adj.inv. De la zona comprendida entre los dos trópicos o relacionado con ella o con sus habitantes: *Los climas intertropicales son muy cálidos.*

interurbano, na adj. Entre dos o más ciudades, o entre dos o más barrios, o que los relaciona: *¿Cuál es la tarifa interurbana de teléfonos?*

intervalo s.m. **1** Espacio o distancia que hay entre dos momentos o entre dos puntos. **2** Conjunto de valores que toma una magnitud entre dos límites dados: *un intervalo de temperaturas.* **3** En música, distancia de tono existente entre dos notas y que se mide por el número de notas correlativas y de tonos y semitonos que median entre ellas en la escala, ambas incluidas: *Entre 'do' y 'mi' hay un intervalo de tercera ascendente y entre 're' y 'do', de segunda descendente.* □ ETIMOL. Del latín *intervallum.* □ PRON. Incorr. *[intérvalo].

intervención s.f. **1** Participación o actuación en un asunto. **2** Vigilancia y control de algo por parte de la autoridad: *La intervención de su correspondencia se hizo por orden judicial.* **3** Oficina del interventor. **4** Operación quirúrgica. **5** Apropiación por parte de la policía de una mercancía ilegal que estaba en poder de alguien: *La intervención del alijo de cocaína se realizó gracias a la colaboración ciudadana.* **6** En zonas del español meridional, ocupación militar de un país.

intervencionismo s.m. **1** Política internacional basada en la intervención habitual en asuntos internos de otros países: *Los países no alineados criticaron el intervencionismo de las grandes potencias.* **2** Sistema político que propugna la actuación del Estado en la economía y en la realidad social: *El intervencionismo propone la acción del Estado frente a la iniciativa privada.*

intervencionista ▌adj.inv. **1** Del intervencionismo o relacionado con él: *El Estado siguió una línea intervencionista al fijar los precios de los productos de primera necesidad.* ▌adj.inv./s.com. **2** Partidario o seguidor del intervencionismo: *Los intervencionistas votaron a favor de la actuación militar en el país vecino.*

intervenir v. **1** Tomar parte en un asunto: *Intervino en la conversación para apoyar mis ideas.* **2** Referido a una persona o a una entidad, interponer su autoridad en un asunto: *Tuvo que intervenir la policía para disolver la manifestación.* **3** Interceder o mediar por alguien: *Intervino para que me ascendieran.* **4** Referido a una comunicación privada o a un teléfono, controlarlos o vigilarlos la autoridad: *Intervinieron el teléfono del traficante.* **5** Referido a un paciente, practicarle una operación quirúrgica: *Lo intervinieron de urgencia porque estaba muy grave.* ☐ SINÓN. *operar.* **6** Referido a una mercancía ilegal, apoderarse de ella la autoridad: *La policía ha intervenido un cargamento de tabaco de contrabando.* ☐ ETIMOL. Del latín *intervenire.* ☐ MORF. Irreg. →VENIR.

interventor, -a s. **1** Persona que controla y autoriza las cuentas u otras operaciones para que se hagan con legalidad: *La interventora examinó los libros de cuentas y no encontró fallos.* **2** En unas elecciones, persona designada por el candidato para vigilar y autorizar, junto a los demás miembros de la mesa, el resultado de la votación: *El interventor de mi partido impugnó la votación porque detectó irregularidades.* **3** Persona que comprueba y controla los billetes en el tren: *El interventor nos pidió los billetes a la hora del viaje.* ☐ ETIMOL. Del latín *interventor.*

intervertebral adj.inv. Que está entre una vértebra y otra: *Los discos intervertebrales permiten los movimientos de la columna vertebral.*

interviú (pl. *interviús, interviúes*) s.amb. Entrevista periodística: *Esta semana se publica la interviú hecha al presidente del Gobierno.* ☐ ETIMOL. Del inglés *interview.* ☐ MORF. Se usa más como femenino.

interviuvar v. Referido a una persona, hacerle una serie de preguntas encaminadas a informar al público sobre ella o sobre sus opiniones: *La periodista interviuvó a un conocido político.* ☐ SINÓN. *entrevistar.* ☐ ETIMOL. De *interviú.*

ínter vivos ‖ Entre vivos, esp. referido a una donación o cesión de bienes que se realiza entre personas vivas: *Las donaciones ínter vivos están sujetas al pago de determinados impuestos a Hacienda.* ☐ ETIMOL. Del latín *inter vivos.*

intervocálico, ca adj. Que está entre dos vocales: *La 'p' de 'capa' es una consonante intervocálica.*

intestado, da adj./s. En derecho, que muere sin hacer testamento válido: *La famosa escritora ha muerto intestada y sus bienes se repartirán entre sus hijos.* ☐ ETIMOL. Del latín *intestatus.*

intestinal adj.inv. Del intestino o relacionado con este conducto: *Me han operado de una obstrucción intestinal.*

intestino, na ▌adj. **1** Que está o se desarrolla en el interior: *Las guerras intestinas han acabado con la economía del país.* ▌s.m. **2** En el aparato digestivo de muchos animales, conducto membranoso que se extiende desde el estómago hasta el ano y en el que se completa la digestión y se absorben los productos útiles resultantes de la misma. **3** ‖ **intestino delgado;** en los mamíferos, el que comienza en el estómago y termina en el intestino grueso y en el que se realiza la digestión intestinal y la absorción de la mayor parte de las sustancias útiles. ‖ **intestino grueso;** en los mamíferos, el que, teniendo mayor diámetro que el intestino delgado, comienza al acabar este y termina en el ano. ☐ ETIMOL. Del latín *intestinus* (interior).

inti s.m. Antigua unidad monetaria peruana.

intifada s.f. Rebelión popular palestina: *La intifada se inició el 9 de diciembre de 1987 en los territorios ocupados por Israel.* ☐ ETIMOL. Del árabe *intifada* (sublevación).

intimar v. Entablar una amistad íntima: *En la mili intimó con los compañeros y ahora salen juntos los fines de semana.* ☐ ETIMOL. Del latín *intimare* (llevar adentro de algo, dar a conocer). ☐ SEM. Dist. de *intimidar* (infundir miedo).

intimidación s.f. Provocación o inspiración de miedo: *un robo con intimidación.*

intimidad ▌s.f. **1** Amistad íntima o muy estrecha. **2** Parcela privada de la vida de una persona: *Violaron su intimidad al hacerle las fotos sin que se diera cuenta.* **3** Carácter privado o reservado: *En la intimidad de la noche confesó que la amaba.* ▌pl. **4** Asuntos o sentimientos de la vida privada de una persona. **5** En una persona, órganos sexuales externos.

intimidar v. Causar o infundir miedo: *Tu seriedad intimida a los niños y no te quieren.* ☐ ETIMOL. Del latín *intimidare.* ☐ SEM. Dist. de *intimar* (entablar una amistad íntima).

intimidatorio, ria adj. Que causa o infunde miedo: *Me asustaron sus palabras intimidatorias.*

intimismo s.m. Tendencia que muestra predilección por asuntos de la vida íntima o familiar: *La poesía amorosa se caracteriza por su intimismo.*

intimista adj.inv. Referido a una obra artística, que expresa temas de la vida íntima o familiar: *Sus cuadros están llenos de escenas intimistas.* ☐ SEM. No debe emplearse con el significado de 'íntimo': *Sus sentimientos más {*intimistas > íntimos} no se los cuenta a nadie.*

íntimo, ma ▮ adj. **1** De la intimidad o relacionado con ella: *La decoración de la casa resultaba íntima y acogedora.* **2** Profundo, interno o reservado: *Me descubrió sus sentimientos más íntimos.* ▮ s. **3** Amigo de confianza: *A la celebración solo fuimos los íntimos.* ☐ ETIMOL. Del latín *intimus* (de más adentro de todo).

intitular v. Titular o dar un título: *El sabio caballero intituló su obra antes de terminar de escribirla.* ☐ ETIMOL. Del latín *intitulare.* ☐ USO Su uso es característico del lenguaje literario.

intocable ▮ adj.inv. **1** Que no se puede tocar: *A ese no lo detendrán porque es un hombre intocable y tiene muchas influencias.* ▮ adj.inv./s.com. **2** Referido a una persona, que pertenece a alguna de las castas inferiores de la sociedad india.

intolerable adj.inv. Que no se puede tolerar: *El comportamiento de ese hombre es intolerable porque se dedica a maltratar a los niños.* ☐ ETIMOL. Del latín *intolerabilis.*

intolerancia s.f. Falta de tolerancia, esp. hacia ideas u opiniones ajenas: *Tu intolerancia hacia otras creencias te ha convertido en una fanática.* ☐ ETIMOL. Del latín *intolerantia.*

intolerante adj.inv./s.com. Que no es tolerante: *No seas tan intolerante y acepta que los demás no piensen como tú.*

intonso, sa adj. **1** Que no tiene cortado el pelo. **2** Referido a un libro, que se encuaderna sin haber cortado los pliegos de que se compone: *Los ejemplares intonsos tienen los bordes irregulares.* ☐ ETIMOL. Del latín *intonsus.*

intoxicación s.f. Envenenamiento o trastorno producido por una sustancia tóxica: *Los alimentos en mal estado causan intoxicaciones.*

intoxicar v. Envenenar o administrar una sustancia tóxica: *El humo del incendio intoxicó a un bombero. Me intoxiqué por beber agua del río.* ☐ ETIMOL. De *in-* (en) y el latín *toxicum* (veneno). ☐ ORTOGR. La *c* se cambia en *qu* delante de *e* →SACAR.

intra- Prefijo que significa 'dentro de' o 'en el interior': *intramuros, intracelular, intramuscular, intravenoso.* ☐ ETIMOL. Del latín *intra.*

intracardíaco, ca (tb. *intracardiaco, ca*) adj. Que se localiza, se aplica u ocurre en el interior del corazón: *Las aurículas y los ventrículos son cavidades intracardíacas.*

intracelular adj.inv. Que se localiza u ocurre en el interior de las células: *En la clase de biología nos explicaron las reacciones intracelulares.*

intradérmico, ca adj. Que se localiza, se aplica u ocurre en el interior de la dermis: *La vacuna no me dolió porque era una inyección intradérmica.*

intradía adj.inv. Que se realiza en un mismo día o en una misma sesión: *una operación intradía.*

intradós s.m. En un arco o en una bóveda, superficie cóncava que queda a la vista por su parte interior: *El intradós de la bóveda de la iglesia estaba pintado al fresco.* ☐ ETIMOL. Del francés *intrados.*

intraducible adj.inv. Que no se puede traducir de un idioma a otro: *La expresividad de este texto original es intraducible a cualquier otra lengua.* ☐ ETIMOL. De *in-* (negación) y *traducible.*

intragable adj.inv. *col.* Que no se puede tragar, aceptar o tolerar: *Me salí del cine porque la película era un tostón intragable.*

intrahistoria s.f. Vida cotidiana que sirve de fondo y de marco a los acontecimientos históricos: *El término intrahistoria fue acuñado por el escritor Miguel de Unamuno.*

intramuros adv. Dentro de las murallas de una ciudad, de una villa o de un lugar: *En las ciudades medievales las catedrales estaban situadas intramuros.* ☐ ETIMOL. De *intra-* (entre) y el latín *muros* (murallas).

intramuscular adj.inv. Que se localiza, se aplica u ocurre en el interior de una masa muscular: *No puedo sentarme porque me han puesto una inyección intramuscular muy dolorosa.*

intranet s.f. Red informática dentro de una misma empresa.

intranquilidad s.f. Inquietud o falta de tranquilidad: *La víspera de la revolución se notaba una gran intranquilidad en el ambiente.*

intranquilizador, -a adj. Que intranquiliza: *Es intranquilizador no haber recibido noticias suyas desde hace más de dos días.*

intranquilizar v. Quitar o perder la tranquilidad: *Aunque intento evitarlo, cuando tardas me intranquilizo.* ☐ ORTOGR. La *z* se cambia en *c* delante de *e* →CAZAR.

intranquilo, la adj. Falto de tranquilidad: *Estoy intranquilo porque hace días que no sé nada de ella.*

intransferible adj.inv. Que no puede ser transferido o traspasado: *Este cheque es intransferible y solo yo puedo cobrarlo.*

intransigencia s.f. Falta de transigencia o de tolerancia: *Por culpa de tu intransigencia, vas a perder a todos tus amigos.*

intransigente adj.inv./s.com. Que no transige o no cede en su postura: *Eres una intransigente, y por eso no admites que tengo razón.*

intransitable adj.inv. Referido a un lugar, que no puede ser transitado o recorrido: *Aquel camino tan estrecho y abrupto era intransitable.*

intransitivar v. →**intransitivizar.**

intransitividad s.f. Falta o ausencia de transitividad: *La intransitividad del verbo 'yacer' es absoluta porque nunca admite complemento directo.*

intransitivizar v. Referido a un verbo transitivo, hacerlo intransitivo. □ SINÓN. *intransitivar.* □ ORTOGR. La *z* se cambia en *c* delante de *e* →CAZAR.

intransitivo, va adj. En lingüística, referido esp. a un verbo o a una oración, que se construye sin complemento directo: *El verbo 'ir' es intransitivo.* □ ETIMOL. Del latín *intransitivus.*

intransmisible (tb. *intrasmisible*) adj.inv. Que no puede ser transmitido: *Algunos rasgos genéticos son individuales e intransmisibles.* □ ETIMOL. De *in-* (negación) y *transmisible.*

intransmutable adj.inv. Que no se puede transmutar o convertir en otra cosa: *A pesar de las creencias de los alquimistas medievales, las piedras son intransmutables en oro.*

intraocular adj.inv. Del interior del ojo o relacionado con él: *El glaucoma es un trastorno caracterizado por un aumento de la presión intraocular.*

intrapartidista adj.inv. Que sucede dentro de un partido político.

intrascendencia s.f. Falta de trascendencia, de importancia o de consecuencias: *No merece la pena que leas este artículo, dada la intrascendencia del tema que trata.*

intrascendental adj.inv. Que no es trascendental o que no tiene importancia: *Me aburren las conversaciones intrascendentales.*

intrascendente adj.inv. Sin trascendencia o sin consecuencias: *Aquel fue un suceso intrascendente y ningún periódico lo comentó.*

intrasmisible adj.inv. →**intransmisible.**

intratable adj.inv. **1** Que no puede ser tratado. **2** Insociable o que tiene un carácter áspero. **3** Que destaca o está por encima de los demás: *El ciclista está intratable.* □ ETIMOL. Del latín *intractabilis.*

intrauterino, na adj. Que se localiza, se aplica u ocurre dentro del útero: *La ginecóloga le ha dicho que padece un trastorno intrauterino.*

intravenoso, sa adj. Que se localiza, se aplica u ocurre en el interior de una vena: *Padecía tal deshidratación que le inyectaron suero intravenoso.* □ SINÓN. *endovenoso.*

intrepidez s.f. Valor y arrojo ante el peligro o ante las dificultades: *Nos sorprendió tu intrepidez cuando te vimos trepar por el acantilado.*

intrépido, da adj. Que no se detiene ante el peligro o ante las dificultades: *Un intrépido bombero nos salvó del incendio.* □ ETIMOL. Del latín *intrepidus*, y este de *in-* (negación) y *trepidus* (trémulo).

intricar v. →**intrincar.** □ ETIMOL. Del latín *intricare* (enmarañar, enredar). □ ORTOGR. La *c* se cambia en *qu* delante de *e* →SACAR.

intriga s.f. **1** Acción que se ejecuta con astucia y de forma oculta para conseguir un fin: *Sus intrigas le han permitido subir al poder.* **2** Enredo o lío: *¡Menudas intrigas te traes para preparar la fiesta!* **3** En una narración, conjunto de acontecimientos que constituyen la trama o el nudo, esp. si despiertan o mantienen vivo el interés: *La intriga de la novela es muy buena, aunque no está bien escrita.* **4** Interés o intensa curiosidad que produce algo: *El título de la película despertó mi intriga y fui al cine a verla.*

intrigante adj.inv./s.com. Que intriga o que participa en una intriga: *Estoy leyendo una novela de misterio muy intrigante. No confíes demasiado en él, porque es un intrigante de cuidado.*

intrigar v. **1** Actuar con astucia y de forma oculta para conseguir un fin: *Intrigó con las potencias extranjeras hasta lograr derrocar al presidente.* **2** Producir interés o intensa curiosidad: *Su extraño comportamiento de estos días me intriga.* □ ETIMOL. Del italiano *intrigare* (enmarañar, embrollar). □ ORTOGR. La *g* se cambia en *gu* delante de *e* →PAGAR.

intrincado, da adj. Enredado, difícil o confuso: *Tardamos mucho en encontrar la solución a un asunto tan intrincado.*

intrincar (tb. *intricar*) v. Enredar o hacer difícil y complicado: *El camino se intrincaba a medida que avanzábamos.* □ ETIMOL. De *intricar*. □ ORTOGR. La *c* se cambia en *qu* delante de *e* →SACAR.

intríngulis (pl. *intríngulis*) s.m. *col.* Dificultad o complicación que presenta una cosa: *Cuando descubra el intríngulis del asunto, todo irá sobre ruedas.* □ ETIMOL. De origen incierto.

intrínseco, ca adj. Propio y característico de algo por sí mismo y no por causas exteriores: *El estudio es un deber intrínseco del estudiante.* □ ETIMOL. Del latín *intrinsecus* (interiormente). □ SEM. Dist. de *extrínseco* (que no es propio o característico).

introducción s.f. **1** Colocación en el interior de algo o entre varias cosas: *Tú te encargarás de la introducción del relleno en las almohadas.* **2** Aceptación de una persona en un ambiente o en un grupo social: *Su introducción en el club fue todo un éxito.* **3** Aparición de algo que no había o de algo nuevo: *La introducción de este producto en el mercado ha tenido una gran campaña publicitaria.* **4** Lo que sirve de preparación, de explicación o de inicio: *En la introducción explica el motivo por el que escribió el libro.*

introducir v. **1** Meter o hacer entrar en el interior de algo o entre varias cosas: *Introdujo la moneda en el teléfono y marcó el número. Se ha introducido agua en el reloj.* **2** Referido a una persona, acompañarla o conducirla al interior de un lugar: *El aco-*

modador introdujo al muchacho en el cine. Me introduje en su casa cuando no había nadie. **3** Referido a una persona, meterla o incorporarla a un ambiente o a un grupo social: *Introduje a mi primo en la sociedad de la que formo parte. Aunque ha tenido que luchar mucho, ya se ha introducido en el mundo de la moda.* **4** Referido a algo no conocido o no extendido, ponerlo en uso: *Gracias a la publicidad pudo introducir sus productos en el mercado. Esa costumbre se introdujo en España en la década de 1960.* □ ETIMOL. Del latín *introducere.* □ MORF. Irreg. →CONDUCIR.

introductor, -a adj./s. Que introduce: *Pronunció unas palabras introductoras muy elogiosas del discurso que iban a oír.*

introductorio, ria adj. Que sirve para introducir: *Este libro de fotografías tiene un texto introductorio para explicar el hilo conductor de las imágenes.* □ ETIMOL. Del latín *introductorius.*

introito s.m. **1** Principio de un escrito: *Léeme otra vez el introito del texto.* **2** En el teatro antiguo, prólogo en el que se solía explicar el argumento de la obra y se pedía el favor del público: *En el teatro del siglo XVI, el personaje que representaba a un pastor solía recitar el introito.* □ ETIMOL. Del latín *introitus* (entrada).

intromisión s.f. Intervención en un asunto ajeno sin tener motivo o permiso para ello: *Perdonad mi intromisión, pero os he oído y creo que estáis equivocados.* □ SINÓN. *entrometimiento.* □ ETIMOL. Del latín *intromissus* (entrometerse).

introspección s.f. Observación y análisis de la propia conciencia o de los propios pensamientos y sentimientos: *El conocimiento de uno mismo se logra por medio de la introspección.* □ ETIMOL. Del latín *introspicere* (mirar en el interior).

introspectivo, va adj. De la introspección o relacionado con ella: *El examen de conciencia supone un análisis introspectivo.*

introversión s.f. Tendencia a concentrarse en el propio mundo interior y a evitar exteriorizarlo: *Si no haces nada para remediar tu introversión, te vas a quedar muy solo.*

introvertido, da adj./s. Referido a una persona, que tiende a concentrarse en su mundo interior y a evitar exteriorizarlo: *Nunca habla de sus sentimientos porque es muy introvertido.*

intrusión s.f. Acción de introducirse sin derecho en un cargo, en una jurisdicción o en un oficio: *Esa joven fue despedida por intrusión y tiene pendiente un proceso judicial.*

intrusismo s.m. Ejercicio de una actividad profesional por parte de alguien que no está legalmente autorizado para ello: *Ese hombre fue acusado de intrusismo porque ejercía como abogado sin tener el título.*

intruso, sa adj./s. Que se ha introducido sin derecho, sin autorización o sin consentimiento: *Unos intrusos entraron en casa y lo desordenaron todo.* □ ETIMOL. Del latín *intrusus*, y este de *intrudere* (introducir).

intubación s.f. En medicina, introducción de un tubo en una cavidad orgánica, esp. en la tráquea, para permitir la entrada de aire en los pulmones: *La doctora ordenó la intubación del paciente cuando vio que se estaba asfixiando.*

intubar (tb. *entubar*) v. En medicina, referido a una persona, introducirle un tubo en una cavidad orgánica, esp. en la tráquea, para permitir la entrada de aire en los pulmones: *Tiene problemas respiratorios y lo han tenido que intubar.*

intuición s.f. **1** Conocimiento claro y directo de una idea o de una realidad sin necesidad de razonamientos: *En filosofía, la intuición es una forma de conocimiento admitida por muchos.* **2** *col.* Capacidad para comprender algo rápidamente o para darse cuenta de ello antes que los demás: *Tiene mucha intuición y sabe captar las intenciones de la gente.* □ ETIMOL. Del latín *intuitio* (imagen, mirada), que en el latín escolástico tomó un sentido filosófico.

intuicionismo s.m. Doctrina filosófica que basa el conocimiento de la realidad en la intuición: *El filósofo francés Bergson propone el intuicionismo como único procedimiento adecuado para conocer la vida.*

intuicionista adj.inv./s.com. Que defiende o sigue el intuicionismo: *Las distintas tendencias intuicionistas creen que la intuición es básica para el conocimiento.*

intuir v. **1** Percibir o comprender mediante la intuición: *Intuyó que era un buen negocio y por eso se arriesgó.* **2** Presentir o tener la impresión: *Intuyo que hoy me van a llamar por teléfono.* □ MORF. Irreg. →HUIR.

intuitivo, va adj. **1** De la intuición o relacionado con ella: *Lo sé de una forma intuitiva, sin que tú me lo hayas dicho.* **2** Referido a una persona, que actúa llevada más por la intuición que por el razonamiento: *Es tan intuitivo que parece que lee el pensamiento.*

intumescencia s.f. En medicina, aumento de volumen de una parte del cuerpo, esp. por efecto de una herida, de un golpe o de una acumulación de líquido: *La acumulación de líquido sinovial le ha producido una intumescencia en la rodilla.* □ SINÓN. *hinchazón, tumefacción.*

intumescente adj.inv. Que se va hinchando: *La paciente sufre un proceso intumescente en el tobillo como consecuencia del golpe recibido.* □ ETIMOL. Del latín *intumescens.*

inundación s.f. **1** Cubrimiento de un lugar con agua. **2** Invasión o afluencia masiva de algo: *Protestaron por la inundación del mercado con productos japoneses.*

inundar v. **1** Referido a un lugar, cubrirlo el agua: *La crecida del río inundó el valle. Se salió el agua de la lavadora y se inundó la cocina.* ☐ SINÓN. *anegar.* **2** Referido a un lugar, llenarlo completamente: *Los turistas inundan las playas. La habitación se inunda de sol al amanecer.* ☐ ETIMOL. Del latín *inundare.*

inusitado, da adj. Extraño o poco habitual: *Aunque llegó tarde, no me enfadé, porque es algo inusitado en él.* ☐ ETIMOL. Del latín *inusitatus*, y este de *in-* (negación) y *usitare* (emplear con frecuencia).

inusual adj.inv. Que no es usual: *Nos sorprendió su depresión, porque no habíamos notado nada inusual en su comportamiento.*

inútil adj.inv./s.com. **1** Que no resulta útil o que no sirve para aquello a lo que está destinado: *Voy a hacer limpieza y a tirar todos los trastos inútiles.* **2** Referido a una persona, que no puede trabajar o valerse por sí misma a causa de un impedimento físico: *Los tribunales médicos me han declarado inútil y me han dado la jubilación anticipada.* ☐ ETIMOL. Del latín *inutilis.*

inutilidad s.f. **1** Falta de utilidad: *Me pone nerviosa la inutilidad de tantas reuniones.* **2** Imposibilidad de trabajar o de valerse por uno mismo a causa de un impedimento físico: *La inutilidad del brazo derecho impide que ese chico pueda trabajar aquí.* **3** Persona torpe o no apta para realizar una actividad: *Mi hermano es una inutilidad conduciendo.*

inutilización s.f. Privación o pérdida de la utilidad de algo: *La falta de aceite puede producir la total inutilización del motor de un coche.*

inutilizar v. Referido a algo, hacer que ya no sirva para lo que estaba destinado: *El rayo que cayó ha inutilizado la instalación eléctrica.* ☐ ORTOGR. La *z* se cambia en *c* delante de *e* →CAZAR.

invadir v. **1** Referido a un lugar, entrar en él por la fuerza y ocuparlo: *El ejército invadió el país vecino y se ha declarado la guerra.* **2** Referido a algo delimitado, traspasar su límite: *La actriz no pudo evitar que los fotógrafos invadieran su intimidad.* **3** Referido a una sensación o a un estado de ánimo, sobrevenirle a alguien dominándolo por completo: *Después de comer, me invade una sensación de modorra.* **4** Llenar u ocupar todo ocasionando molestias: *Los bañistas invaden la playa cada verano.* ☐ ETIMOL. Del latín *invadere* (penetrar violentamente).

invalidación s.f. Privación de la validez o anulación del valor o del efecto: *El abogado solicitó la invalidación del proceso judicial.*

invalidante adj.inv. **1** Que invalida: *una circunstancia invalidante.* **2** Referido esp. a una enfermedad, que produce invalidez: *una enfermedad invalidante; lesiones invalidantes.*

invalidar v. Quitar la validez o dar por nulo: *Los jueces han invalidado la carrera porque hubo irregularidades.*

invalidez s.f. Incapacidad de una persona para realizar ciertas actividades a causa de una deficiencia física o psíquica. ☐ USO Tiene un matiz despectivo, y por ello resulta preferible el término *discapacidad.*

inválido, da adj./s. *desp.* Referido a una persona, que tiene una deficiencia física o psíquica que le impide la realización de ciertas actividades. ☐ ETIMOL. Del latín *invalidus.* ☐ USO Resulta preferible la expresión *persona con discapacidad.*

invariabilidad s.f. Falta de variación o imposibilidad de sufrir cambios: *Las gráficas muestran la invariabilidad de la actual situación económica.*

invariable adj.inv. Que no sufre variación: *El estado del enfermo permanece invariable.* ☐ ETIMOL. De *in-* (negación) y *variable.*

invariante s.f. En un sistema, parte a la que no afectan las variaciones que dicho sistema admite en otras partes: *Aunque haya cambiado la situación económica, el paro se mantiene como una invariante.*

invasión s.f. **1** Entrada en un lugar por la fuerza y ocupación del mismo. **2** Traspaso y violación de los límites establecidos: *La grabación de esa conversación supone una invasión de mi intimidad.* **3** Ocupación total de un lugar de forma que se ocasionan molestias: *En el mundo de la canción hay una invasión de chicos guapos que cantan mal.*

invasor, -a adj./s. Que invade un lugar entrando en él por la fuerza, traspasando sus límites o llegando a ocuparlo por completo: *Los invasores declararon suyo el territorio conquistado.*

invectiva s.f. Discurso o escrito crítico y violento contra algo: *Lanzó una invectiva contra el plan económico del Gobierno.* ☐ ETIMOL. Del latín *oratio invectiva* (discurso violento contra alguien). ☐ ORTOGR. Dist. de *inventiva.*

invencibilidad s.f. Capacidad para no ser vencido.

invencible adj.inv. Que no puede ser vencido: *Mi equipo de baloncesto es invencible.* ☐ ETIMOL. Del latín *invincibilis.*

invención s.f. **1** Creación o descubrimiento de algo nuevo o desconocido por medio del ingenio y la meditación o por casualidad: *la invención de la imprenta.* ☐ SINÓN. *invento.* **2** Lo que es creado o descubierto de esta manera: *El teléfono es una gran invención.* ☐ SINÓN. *invento.* **3** Fingimiento o presentación como real de algo falso: *Estoy ocupado en la invención de una excusa para que no me reprendan.* ☐ SINÓN. *invento.* **4** Hecho o dicho falsos que se fingen o se presentan como reales: *Que le haya tocado la lotería es una invención, porque sé que no tiene ni un céntimo.* ☐ SINÓN. *invento.*

invendible adj.inv. Que no puede ser vendido: *El coche estaba tan viejo que era invendible.* ☐ ETIMOL. Del latín *invendibilis.*

inventar v. **1** Referido a algo nuevo o desconocido, crearlo o descubrirlo por medio del ingenio y la meditación o por casualidad: *Los novelistas inventan historias para contárselas a sus lectores. Me he inventado un modo de combatir la calvicie.* **2** Referido a algo falso, fingirlo o presentarlo como real: *Todos los días inventa una excusa para explicar su retraso. Se inventó una historia increíble para que no lo castigaran.* □ ETIMOL. De *invento*.

inventariar v. Hacer inventario: *Tuve que inventariar el género del almacén.* □ ORTOGR. La segunda *i* lleva tilde en los presentes, excepto en las personas *nosotros* y *vosotros* →GUIAR.

inventario s.m. **1** Relación ordenada y detallada del conjunto de bienes y demás cosas pertenecientes a una persona, una entidad o una comunidad: *No voy a hacer ahora el inventario de tus errores.* **2** Documento en el que está escrita esta relación: *Le entregó el inventario de todas sus pertenencias.* □ ETIMOL. Del latín *inventarium* (lista de lo hallado).

inventiva s.f. Capacidad o facilidad que se tiene para inventar: *Tiene una gran inventiva para contar historias.* □ ORTOGR. Dist. de *invectiva*.

invento s.m. **1** Creación o descubrimiento de algo nuevo o desconocido por medio del ingenio y la meditación o por casualidad: *El invento de la rueda fue fundamental en la historia del ser humano.* □ SINÓN. *invención*. **2** Lo que es creado o descubierto de esta manera: *Se hizo famosa después de comercializar su invento.* □ SINÓN. *invención*. **3** Fingimiento o presentación como real de algo falso: *Me ha traído más problemas el invento de la mentira que haber dicho la verdad.* □ SINÓN. *invención*. **4** Hecho o dicho falsos que se fingen o se presentan como reales: *Tu enfermedad es un invento para no ir al colegio.* □ SINÓN. *invención*. □ ETIMOL. Del latín *inventum* (invención).

inventor, -a adj./s. Que inventa o que se dedica a inventar: *Los inventores deben registrar sus patentes.*

inverecundia s.f. *poét.* Desvergüenza o desfachatez: *Por culpa de su inverecundia, el vasallo hubo de abandonar el reino.* □ ETIMOL. Del latín *inverecundia*.

inverecundo, da adj./s. *poét.* Referido a una persona, que no tiene vergüenza: *Un guiño de ojos selló aquel inverecundo acuerdo.* □ ETIMOL. Del latín *inverecundus*.

invernáculo s.m. Lugar cubierto en el que se crean las condiciones ambientales adecuadas para el cultivo de plantas fuera de su ámbito natural: *Hizo construir un invernáculo en su jardín debido a su afición por las flores.* □ SINÓN. *invernadero*. □ ETIMOL. Del latín *hibernaculum*.

invernada s.f. Tiempo en el que transcurre el invierno: *Los murciélagos de cueva sienten gran querencia por sus lugares de invernada.*

invernadero s.m. Lugar cubierto en el que se crean las condiciones ambientales adecuadas para el cultivo de plantas fuera de su ámbito natural: *Tengo orquídeas en el invernadero.* □ SINÓN. *invernáculo*.

invernal adj.inv. Del invierno o relacionado con él: *Abrígate porque hace un frío invernal.* □ SINÓN. *hibernal*.

invernar v. Pasar el invierno en un lugar: *Muchas aves europeas invernan en el norte de África.* □ ETIMOL. Del latín *hibernare*. □ ORTOGR. Dist. de *hibernar*. □ MORF. Se usa como regular, aunque es irregular y la *e* debiera diptongar en *ie* en los presentes, excepto en las personas *nosotros* y *vosotros*→PENSAR.

inverosímil adj.inv. Que no es verosímil o que no tiene apariencia de verdad: *Me cuentas cosas tan inverosímiles que no puedo creerlas.* □ ETIMOL. De *in-* (negación) y *verosímil*.

inverosimilitud s.f. Falta de verosimilitud o de apariencia de verdad: *No me gustó la película por su inverosimilitud.*

inversión s.f. **1** Alteración del orden, de la dirección o del sentido de algo: *En español, en las preguntas directas hay una inversión del orden sujeto-verbo en verbo-sujeto.* **2** Empleo de una cantidad de dinero con la intención de obtener beneficios: *La modernización de la empresa ha sido posible gracias a la inversión de capital extranjero.* **3** Ocupación de un período de tiempo: *En un proyecto a largo plazo siempre hay una gran inversión de tiempo.*

inversionista adj.inv./s.com. Referido a una persona, que invierte una cantidad de dinero: *Los inversionistas necesitan estar al corriente de los movimientos bursátiles.*

inverso, sa adj. **1** Alterado o contrario en el orden, la dirección o el sentido. **2** ‖ **a la inversa;** al contrario: *Yo me ducho primero y después me lavo la cabeza y tú lo haces a la inversa.*

inversor, -a adj./s. Que invierte, esp. referido a la persona que invierte una cantidad de dinero: *Busco un inversor para mi nuevo negocio.*

invertebrado, da ▮ adj. **1** Sin consistencia o sin estructura interna: *Criticaron mi proyecto diciendo que resultaba invertebrado e incoherente.* ▮ adj./s.m. **2** Referido a un animal, que no tiene columna vertebral: *El gusano es un invertebrado.* ▮ s.m.pl. **3** En zoología, grupo de estos animales: *En clasificaciones antiguas, se dividía a los animales en vertebrados e invertebrados.*

invertido adj./s.m. Referido a un hombre, que siente atracción sexual por individuos de su mismo sexo: *Debido a su amaneramiento, hay quien dice que es un invertido.* □ USO Tiene un matiz despectivo.

invertir v. **1** Referido al orden, a la dirección o al sentido de algo, trastornarlos o alterarlos: *Si inviertes el orden del abecedario, la primera letra es la 'z'.* **2**

Referido a una cantidad de dinero, emplearla con la intención de obtener beneficios: *Invirtió todo su capital en la compra de un piso.* □ SINÓN. *colocar.* **3** Referido a un período de tiempo, ocuparlo en algo: *Invirtió dos años de su vida en ese trabajo de investigación.* □ ETIMOL. Del latín *invertere.* □ MORF. 1. Tiene un participio regular (*invertido*), que se usa en la conjugación, y otro irregular (*inverso*), que se usa solo como adjetivo. 2. Irreg. →SENTIR. □ SINT. Constr. *invertir algo* EN *algo.*

investidura s.f. Concesión de una dignidad o de un cargo importante: *Los Reyes han asistido a la sesión de investidura del nuevo presidente.*

investigación s.f. **1** Empleo de los medios necesarios para aclarar o descubrir algo: *una investigación policial.* **2** Trabajo en un campo de estudio con el fin de aclarar o descubrir ciertas cuestiones: *Su última publicación es producto de años de investigación.*

investigador, -a adj./s. Que investiga: *Un grupo de investigadores ha descubierto una nueva vacuna.*

investigar v. **1** Referido a algo desconocido, hacer lo necesario para aclararlo o descubrirlo: *Varios policías investigan el crimen.* **2** Referido a un campo de estudio, trabajar en él a fondo con el fin de aclarar o descubrir determinadas cuestiones: *Les han concedido una ayuda económica para investigar sobre el cáncer.* □ ETIMOL. Del latín *investigare* (seguir la pista o la huella). □ ORTOGR. La *g* se cambia en *gu* delante de *e* →PAGAR.

investir (tb. *envestir*) v. Referido a una persona, concederle o asignarle una dignidad o un cargo importante: *Invistió al ex ministro con el título de marqués.* □ ETIMOL. Del latín *investire* (revestir). □ MORF. Irreg. →PEDIR. □ SINT. Constr. *investir a alguien* {DE/CON} *algo.*

inveterado, da adj. Muy antiguo o arraigado: *Sigue con su hábito inveterado de morderse las uñas.*

inviabilidad s.f. Imposibilidad de ser llevado a cabo: *No se puso en marcha el proyecto por su inviabilidad.*

inviable adj.inv. **1** Que no tiene posibilidades de ser llevado a cabo: *El plan es inviable por falta de medios.* **2** Referido a un embrión, a un feto o a un recién nacido, que no tiene capacidad de vivir: *Debido a las malformaciones que presentaba, el feto era inviable.* □ ETIMOL. Del francés *inviable.*

invicto, ta adj./s. Que no ha sido vencido: *Este equipo sigue invicto y ocupa el primer puesto de la clasificación.* □ ETIMOL. Del latín *invictus* (no vencido).

invidencia s.f. Falta del sentido de la vista: *Mi amiga es ciega, pero no permite que la invidencia limite su vida.*

invidente adj.inv./s.com. Privado de la vista: *El braille es un método de lectura para invidentes.* □ SINÓN. *ciego.*

invierno s.m. Estación del año entre el otoño y la primavera, y que en el hemisferio norte transcurre aproximadamente entre el 21 de diciembre y el 21 de marzo: *En invierno los días son más cortos que las noches.* □ ETIMOL. Del latín *hibernum*, y este de *tempus hibernum* (estación invernal). □ SEM. En el hemisferio sur transcurre aproximadamente entre el 21 de junio y el 21 de septiembre.

inviolabilidad s.f. **1** Carácter de lo que no puede o no debe ser violado o profanado. **2** || **inviolabilidad parlamentaria;** privilegio de que gozan los diputados y los senadores con respecto a las opiniones manifestadas en el ejercicio de sus funciones: *La inviolabilidad parlamentaria exime a un parlamentario de ser detenido, salvo en caso de flagrante delito.*

inviolable adj.inv. Que no se debe o no se puede violar o profanar: *La Constitución establece que el domicilio es inviolable.* □ ETIMOL. Del latín *inviolabilis.*

invisibilidad s.f. Imposibilidad de ser visto: *La invisibilidad de la curva a causa de la niebla fue la causa del accidente.*

invisible adj.inv. Que no puede ser visto: *Cuando se tomó aquella pócima, se volvió invisible, y salía y entraba sin ser visto.* □ ETIMOL. Del latín *invisibilis.*

invitación s.f. **1** Ofrecimiento para participar en una celebración o en un acontecimiento: *No sé si aceptaré su invitación de ir al cine.* **2** Pago de lo que otros consumen: *Rechacé su invitación y me pagué yo el café.* **3** Incitación a hacer algo: *una invitación a la reflexión.* **4** Tarjeta o escrito con los que se invita: *una invitación de boda.*

invitado, da s. Persona que recibe una invitación: *A la boda asistieron todos los invitados.*

invitar v. **1** Comunicar el deseo de que se participe en una celebración o en un acontecimiento: *Me han invitado al acto de presentación del libro.* **2** Pagar lo que otros consumen: *Guarda el dinero, que hoy invito yo.* **3** Referido a una acción, incitar o estimular a hacerla: *Este calor invita a ir a la piscina.* **4** *col.* Referido a una acción, mandar o pedir con firmeza y educación que se haga: *El portero invitó a los gamberros a salir de la discoteca para que no armaran jaleo.* □ ETIMOL. Del latín *invitare.* □ SINT. Constr. *invitar a alguien* A *algo.*

in vitro (lat.) || En el vidrio o tubo de ensayo, y no por procedimientos naturales: *La fecundación in vitro supone la unión del óvulo y del espermatozoide en el laboratorio, fuera del organismo humano.*

in vivo (lat.) || En seres vivos: *Tras el éxito de los ensayos in vitro, los científicos realizarán un estudio in vivo.* □ PRON. [in vívo]. □ SEM. Dist. de *en vivo* (en persona o en directo).

invocación s.f. **1** Llamada o apelación mediante ruegos, esp. las que se dirigen a una divinidad o a un espíritu. **2** Mención que se hace de algo con autoridad para ampararse o respaldarse en ello: *La periodista hizo una invocación a la libertad de expresión como rechazo de la censura.* **3** Palabra o conjunto de palabras con las que se invoca.

invocar v. **1** Referido esp. a una divinidad, llamarla o dirigirse a ella con ruegos: *Invocó la ayuda de Dios antes de decidirse.* **2** Referido a una autoridad legal o ética, mencionarla para ampararse o respaldarse en ella: *Invocó sus años de matrimonio para solicitar comprensión.* ☐ ETIMOL. Del latín *invocare* (llamar a un lugar). ☐ ORTOGR. La *c* se cambia en *qu* delante de *e* →SACAR.

invocatorio, ria adj. Que sirve para invocar: *un método invocatorio.*

in voce (lat.) ‖ De palabra, de viva voz: *Fue absuelto in voce del delito de desobediencia a un juez que le atribuía la fiscal.* ☐ PRON. [in vóce].

involución s.m. Retroceso en la marcha o en la evolución de un proceso: *El golpe de Estado supuso la involución política del país.* ☐ ETIMOL. Del latín *involutio* (acción de volver).

involucionar v. Referido a un proceso, retroceder o volver atrás: *La situación política del país involucionó a raíz del golpe de Estado.*

involucionismo s.m. Tendencia a frenar o a hacer retroceder el desarrollo de un proceso: *La oposición criticó el involucionismo económico del Gobierno.*

involucionista ▌adj.inv. **1** De la involución, del involucionismo o relacionado con ellos: *El descontento generalizado provocó la aparición de tendencias involucionistas.* ☐ SINÓN. *involutivo.* ▌adj.inv./s.com. **2** Partidario o seguidor del involucionismo: *El descontento generalizado provocó la aparición de tendencias involucionistas.*

involucración s.f. Implicación comprometida en un asunto: *Ese capitán fue juzgado por su involucración en la intentona golpista.*

involucrar v. Referido a una persona, complicarla en un asunto o comprometerla en él: *Involucró a su hermano en la estafa y lo han detenido. No se involucró en aquel negocio porque le parecía ilegal.* ☐ ETIMOL. Del latín *involucrum* (envoltura). ☐ SINT. Constr. *involucrar a alguien* EN *algo.* ☐ SEM. Como pronominal, dist. de *inmiscuirse* (entrometerse sin razón o autoridad).

involuntariedad s.f. Falta de voluntariedad: *Los actos reflejos se caracterizan por su involuntariedad.*

involuntario, ria adj. Que sucede independientemente de la voluntad: *Respirar es un acto involuntario.*

involutivo, va adj. De la involución o relacionado con ella: *Sufrió un proceso involutivo en su enfermedad y vuelve a tener fiebre.* ☐ SINÓN. *involucionista.*

invulnerabilidad s.f. Imposibilidad de ser herido o de ser afectado por algo: *Soy tan sensible a las críticas, que envidio la invulnerabilidad de algunas personas.*

invulnerable adj.inv. Que no puede ser herido o que no puede ser afectado por algo: *En esa película, la espada hacía invulnerable a quien la poseyera.* ☐ ETIMOL. Del latín *invulnerabilis.*

inyección s.f. **1** Introducción a presión de una sustancia, esp. de un fluido, en un cuerpo o en una cavidad: *motores de inyección.* **2** Sustancia que se inyecta. **3** Aportación que puede servir de estímulo: *La visita de su nieto supuso una inyección de vitalidad para ella.* ☐ ETIMOL. Del latín *iniectio*, y este de *iniicere* (echar en algo). ☐ SEM. En la acepción 2, dist. de *jeringa* y de *jeringuilla* (instrumentos que sirven para inyectar).

inyectable adj.inv./s.m. Referido a una sustancia, que ha sido preparada para poder ser inyectada: *El médico le recetó unos inyectables de penicilina.*

inyectado, da adj. Referido a los ojos, que están enrojecidos por la afluencia de sangre: *ojos inyectados en sangre.*

inyectar v. **1** Referido a una sustancia, esp. a un fluido, introducirla a presión en un cuerpo o en una cavidad: *Los albañiles inyectaron hormigón a los muros para reforzarlos. Yo sola me inyecto la vacuna.* **2** Referido a algo que pueda servir de estímulo, aportarlo o transmitirlo: *Los nuevos mercados han inyectado capital a la empresa.* ☐ ETIMOL. Del latín *iniectare.*

inyector s.m. Dispositivo que permite introducir a presión un fluido en una cavidad. Los motores de inyección llevan incorporado un inyector.

-iño, -iña Sufijo que indica menor tamaño o afecto: *bobiño, casiña.* ☐ MORF. Puede adoptar las formas *-ciño, -ciña* (*cocheciño, mujerciña*), *-eciño, -eciña* (*soleciño, floreciña*) o *-ceciño, -ceciña* (*piececiño*).

-ío Sufijo que indica conjunto: *mujerío, gentío.*

-ío, -ía Sufijo que indica relación: *cabrío, sombría.*

iodo s.m. →**yodo.**

ion (tb. *ión*) s.m. Átomo o agrupación de átomos que tienen carga eléctrica por la pérdida o por la ganancia de electrones y que resultan de la descomposición de moléculas: *En la disolución acuosa de la sal (Na Cl), el ion Cl^- tiene carga negativa y el ion Na^+ tiene carga positiva.* ☐ ETIMOL. Del griego *ión* (que va), porque los iones se separan de las sustancias. ☐ ORTOGR. Se escribe con tilde si se pronuncia como bisílabo: *i-ón.* Se escribe sin tilde si se pronuncia como monosílabo: *ion.*

-ión Sufijo que indica acción y efecto: *propulsión, confesión.*

iónico, ca adj. De los iones o relacionado con ellos: *La disociación iónica de las moléculas da lugar a iones positivos e iones negativos.*

ionización s.f. **1** En química, transformación de un átomo o de una molécula en ion por pérdida o por ganancia de electrones: *La disolución de sal común en agua da lugar a la ionización de Na Cl en Cl^- y Na^+.* **2** ‖ **ionización atmosférica;** en meteorología, estado de algunas zonas de la atmósfera que, por la presencia de gran cantidad de iones, son conductoras de electricidad: *La ionización atmosférica facilita la propagación de las ondas radiofónicas.*

ionizante adj.inv. Que ioniza: *En clase de física nos explicaron el efecto de las radiaciones ionizantes.*

ionizar v. En física y química, referido a un átomo o a una molécula, transformarlos en ion por pérdida o por ganancia de electrones: *La radiación solar es capaz de ionizar moléculas de algunas capas de la atmósfera.* □ ORTOGR. La *z* se cambia en *c* delante de *e* →CAZAR.

ionoféresis (pl. *ionoféresis*) s.f. →**ionoforesis.**

ionoforesis (pl. *ionoforesis*) s.f. Tratamiento terapéutico que consiste en la introducción de iones de sustancias diversas en los tejidos orgánicos: *En la ionoforesis se utiliza una corriente eléctrica para disociar los iones.* □ SINÓN. *ionoféresis.*

ionosfera s.f. En la atmósfera, zona que, a partir de los ochenta kilómetros de altitud aproximadamente, se caracteriza por la abundancia de iones a causa de la radiación solar: *La ionosfera tiene un papel determinante en la propagación de ondas radioeléctricas.* □ ETIMOL. De *ion* y la terminación de *atmósfera.*

iota s.f. En el alfabeto griego clásico, nombre de la novena letra: *La grafía de la iota es* ι.

IP (ing.) s.m. En informática, protocolo que emplean los elementos que transfieren información en internet. □ ETIMOL. Es la sigla del inglés *Internet Protocol* (protocolo de internet). □ SINT. Se usa en aposición, pospuesto a un sustantivo: *una dirección IP.*

IPC (pl. *IPC*) s.m. Cifra que indica el incremento de los precios durante un período de tiempo respecto a otro período anterior. □ ETIMOL. Es la sigla de *índice de precios al consumo.*

iPod s.m. Aparato portátil que sirve para almacenar y reproducir música u otro tipo de archivos digitales. □ ETIMOL. Extensión del nombre de una marca comercial. □ PRON. [áipod] o [ípod].

ípsilon s.f. En el alfabeto griego clásico, nombre de la vigésima letra: *La grafía de la ípsilon es* υ.

ipso facto (lat.) ‖ De manera inmediata, en el acto o por el mismo hecho: *Entré en la oficina y me atendieron ipso facto.*

ir ▌v. **1** Dirigirse a un lugar o moverse de un lugar a otro: *Voy a mi casa andando. Se fue al hotel en taxi.* **2** Asistir a un lugar o frecuentarlo: *Éste es el último año que voy al colegio.* **3** *col.* Funcionar o marchar: *Tu reloj va retrasado.* **4** Actuar o desenvolverse: *¿Qué tal vas en el trabajo?* **5** Arreglarse, vestirse o llevar como adorno: *Siempre voy con falda.* **6** Estar o hallarse en el estado o en la situación que se expresa: *Esto va al lado de aquello.* **7** Alcanzar el estado que se expresa: *El negocio se fue a la quiebra por tu falta de discreción.* **8** Corresponder o tener relación: *Este sobre va con esta carta, no te confundas.* **9** Ser adecuado, acomodarse o armonizar: *No te va nada ese peinado.* **10** Convenir o gustar: *Me va mucho eso de pasear en bici.* **11** Importar: *¿Qué te va a ti en eso?* **12** Existir diferencia entre dos términos que se comparan: *Del 3 al 7 van 4.* **13** En algunos juegos de cartas, aceptar una apuesta: *Siempre que juego al mus y me envidan a la chica, yo voy con cinco más.* □ SINÓN. *entrar, jugar.* **14** Referido a un asunto, desarrollarse como se indica: *Sus amenazas iban en serio.* **15** Referido esp. a un camino, llevar determinada dirección: *¿Adónde va este sendero?* **16** Referido a un espacio comprendido entre dos puntos, extenderse entre ellos: *Esta costa va desde mi pueblo hasta el tuyo.* **17** Referido a algo que se fija de antemano, apostarlo: *¿Cuánto va a que corro más que tú?* ▌prnl. **18** Abandonar un lugar por decisión propia: *Me fui de aquel trabajo porque no lo aguantaba más.* □ SINÓN. *marcharse.* **19** Desaparecer o borrarse: *La mancha de tinta se fue al echarle leche.* **20** Morirse: *Cuando vimos que el abuelo se nos iba, rompimos a llorar.* **21** Gastarse o consumirse: *El dinero se me va en tonterías.* **22** *euf.* Ventosear o expulsar los excrementos involuntariamente: *¿Quién se ha ido, que huele fatal?* **23** ‖ **el no va más;** *col.* Lo mejor que puede existir, imaginarse o desearse: *Se ha comprado una casa que es el no va más.* ‖ **ir** alguien **a lo suyo;** *col.* Ocuparse solo de sus asuntos: *Es una egoísta y solo va a lo suyo.* ‖ **ir con;** ser partidario de: *Yo voy con este equipo.* ‖ **ir de;** *col.* Seguido de una expresión que identifica determinado comportamiento, tenerlo o adoptarlo: *Va de guapo, pero a mí no me gusta nada.* ‖ **ir {de/sobre};** tratar o versar: *¿De qué va ese libro?* ‖ **ir {detrás de/por}** algo; *col.* Inclinarse o mostrar inclinación hacia ello: *Mi hermano va detrás de un coche.* ‖ **ir lejos;** *col.* Llegar a una situación extrema: *Las cosas han ido demasiado lejos.* ‖ **ir para;** seguido de una profesión, estar aprendiéndola: *Mi primo va para militar.* ‖ **qué va;** *col.* Expresión que se usa para negar lo que otro afirma: *¡Qué va, no fui yo!* □ ETIMOL. Del latín *ire.* □ MORF. 1. Irreg. →IR. 2. En el imperativo, incorr. *{*Ves > Ve} a casa de tu tía*; *{*Iros > Idos} de aquí ahora mismo* . 3. En las acepciones 9, 10 y 11, es verbo unipersonal y defectivo. □ SINT. 1. La perífrasis *ir + a + infinitivo* tiene valor incoativo, es decir, indica intención de realizar la acción que se expresa o inicio de esta: *Ya va a empezar la película.* 2. La perífrasis *ir + gerundio* indica la actual ejecución de la acción que se expresa: *Ya voy estando cansada.* 3. Seguido de *y + un verbo*, sirve para poner de relieve la acción expresada por este: *Ahora va y se pone a llover.*

ira s.f. **1** Enfado o sentimiento de indignación violentos: *Descargó su ira contra mí.* **2** *poét.* Furia o violencia de los elementos de la naturaleza: *El viento soplaba con ira antes de la tormenta.* □ ETIMOL. Del latín *ira.*

iracundia s.f. **1** Inclinación a la ira: *Su iracundia lo lleva a enemistarse con todo el mundo.* **2** Cólera, enfado o enojo muy violentos: *Le dije lo que pensaba y me contestó con iracundia que me callara.* □ ETIMOL. Del latín *iracundia.*

iracundo, da adj./s. Inclinado a la ira o que está dominado por ella: *Con ese iracundo es imposible convivir.* □ ETIMOL. Del latín *iracundus.*

iraní (pl. *iraníes, iranís*) adj.inv./s.com. De Irán o relacionado con este país asiático.

iranio, nia adj. Del Irán antiguo (país asiático), o relacionado con él.

iraquí (pl. *iraquíes, iraquís*) adj.inv./s.com. De Iraq o relacionado con este país asiático.

irascibilidad s.f. Facilidad para enfadarse mucho: *Tu irascibilidad hace que nadie quiera tratar contigo.*

irascible adj.inv. Que se irrita o se enfada fácilmente: *No tiene muchos amigos porque es muy irascible.*

iridáceo, a ▮ adj./s.f. **1** Referido a una planta, que es herbácea, perenne y que tiene las semillas encerradas dentro del fruto y las hojas estrechas y enteras: *El azafrán es una iridácea.* □ SINÓN. *irídeo.* ▮ s.f.pl. **2** En botánica, familia de estas plantas, perteneciente a la clase de las monocotiledóneas: *El lino y el lirio pertenecen a las iridáceas.* □ SINÓN. *irídeo.*

irídeo, a adj./s.f. →**iridáceo.**

iridiado, da adj. Mezclado con iridio: *platino iridiado.*

iridio s.m. Elemento químico, metálico y sólido, de número atómico 77, quebradizo y que se funde muy difícilmente: *La punta de muchas plumas estilográficas es de iridio.* □ ETIMOL. Del griego *îris* (arco iris), porque los compuestos del iridio tienen colores variados. □ ORTOGR. Su símbolo químico es *Ir.*

iridiscente adj.inv. **1** Que muestra o refleja los colores del arco iris: *Cayó gasolina en el suelo y se formó una mancha iridiscente.* **2** Que brilla o que produce destellos: *El diamante despide reflejos iridiscentes cuando le da la luz.* □ ETIMOL. Del latín *iris* (iris).

iridología s.f. Método para diagnosticar una enfermedad a través de la observación del iris: *La iridología es una medicina alternativa creada en Alemania.* □ ORTOGR. Se usa también *irodología.*

iris (pl. *iris*) s.m. **1** En el ojo, disco membranoso situado entre la córnea y el cristalino, que puede tener distintas coloraciones y en cuyo centro está la pupila: *El iris de mis ojos es castaño.* **2** →**arco iris.** □ ETIMOL. Del latín *iris.*

irisación s.f. Reflejo de luz con los colores del arco iris o con alguno de ellos: *Al esconderse el sol, contemplamos las irisaciones de las nubes.*

irisado, da adj. Que brilla o destella como los colores del arco iris: *Encontré en la playa una concha de nácar con reflejos irisados.*

irisar v. **1** Presentar franjas o reflejos de luz con los colores del arco iris: *La cascada del río irisaba cuando le daba el sol.* **2** Hacer adquirir los colores del arco iris: *La luz del sol irisa el cristal después de la lluvia.*

irlandés, -a ▮ adj./s. **1** De Irlanda o relacionado con este país europeo. ▮ s.m. **2** Lengua céltica de este país: *El irlandés es lengua oficial de Irlanda junto con el inglés.* □ MORF. Dist. de *islandés.*

irodología s.f. →**iridología.**

ironía s.f. **1** Burla ingeniosa y disimulada: *Soltó un par de ironías que me ofendieron.* **2** Tono con que se dice esta burla: *Me dijo con mucha ironía que no esperaba menos de mí.* **3** Lo que resulta ilógico o inesperado y parece una broma pesada: *Fue una ironía de la vida que se fuera cuando más la necesitaba.* **4** Figura retórica consistente en dar a entender lo contrario de lo que se dice: *La ironía es un uso figurado del lenguaje.* □ ETIMOL. Del latín *ironia*, y este del griego *eironéia* (disimulo, pregunta fingiendo ignorancia).

irónico, ca adj. Que muestra, expresa o implica ironía: *Me molesta que te pongas irónica cuando estamos hablando en serio.*

ironizar v. Ridiculizar o hablar con ironía: *Este novelista ironiza las costumbres de sus contemporáneos. No ironices sobre la situación, porque es bastante triste.* □ ORTOGR. La *z* se cambia en *c* delante de *e* →CAZAR.

iroqués, -a adj./s. De un pueblo indígena del norte de América (uno de los cinco continentes), o relacionado con él.

IRPF s.m. Impuesto directo que se aplica sobre los ingresos del contribuyente, tras las deducciones oportunas. □ ETIMOL. Es la sigla de *impuesto sobre la renta de las personas físicas.*

irracional adj.inv. **1** Que no razona o que carece de capacidad para razonar: *Los animales son seres irracionales.* **2** Opuesto o ajeno a la razón: *un impulso irracional.* □ ETIMOL. Del latín *irrationalis.*

irracionalidad s.f. **1** Falta de racionalidad: *La psicóloga me ha convencido de la irracionalidad de mis temores.* **2** Hecho o dicho irracional u opuesto o ajeno a la razón: *Esa chica soltó tal sarta de irracionalidades que todos pensamos que estaba loca.*

irracionalismo s.m. **1** Tendencia filosófica y artística que niega el valor de la razón: *El irracionalismo está presente en muchas vanguardias.* **2** Actitud que da preferencia a lo irracional sobre lo racional: *Se comportó con gran irracionalismo, chillando y rompiendo cuanto encontraba a su paso.*

irracionalista ▮ adj.inv. **1** Del irracionalismo o con características de esta tendencia: *Algunas personas adoptan una actitud irracionalista ante la vida.* ▮ adj.inv./s.com. **2** Que defiende o practica el irracionalismo: *Esa filósofa es irracionalista porque propone un conocimiento intuitivo de la realidad.*

irradiación s.f. **1** Emisión y propagación de luz, de calor o de otro tipo de energía: *la irradiación solar.* □ SINÓN. *radiación.* **2** Transmisión, difusión o propagación de algo, esp. si se trata de sentimientos o de pensamientos. □ SINÓN. *radiación.*

irradiar v. **1** Referido a la luz, el calor u otro tipo de energía, despedirlos o emitirlos un cuerpo: *Las personas aprovechan la energía que irradia el Sol.* **2** Referido esp. a un sentimiento o a un pensamiento, transmitirlos, difundirlos o propagarlos: *Estaba tan sonriente que irradiaba optimismo a sus compañeros.* □ ETIMOL. Del latín *irradiare.* □ ORTOGR. La *i* nunca lleva tilde.

irrazonable adj.inv. Que no es razonable. □ ETIMOL. Del latín *irrationabilis.*

irreal adj.inv. Que no es real o que está falto de realidad: *En mis pesadillas siempre aparecen seres monstruosos e irreales.*

irrealidad s.f. Falta de realidad: *Al despertar me di cuenta de la irrealidad de mi sueño.*

irrealizable adj.inv. Imposible de realizar: *Mi plan es irrealizable porque carezco de los medios necesarios para llevarlo a cabo.* □ ORTOGR. Incorr. **inrealizable.*

irrebatible adj.inv. Que no se puede rebatir o rechazar: *un planteamiento irrebatible.* □ ORTOGR. Incorr. **inrebatible.*

irreconciliable adj.inv. **1** Referido a una persona, que no quiere reconciliarse o que no puede hacerlo: *Nuestras familias son irreconciliables desde que nuestros abuelos discutieron por las tierras.* **2** Referido esp. a una idea, que no es compatible con otra o que no puede darse a la vez que otra: *Existir y no existir son irreconciliables.* □ ETIMOL. Del latín *irreconciliabilis.* □ ORTOGR. Incorr. **inreconciliable.*

irreconocible adj.inv. Imposible de reconocer: *He salido tan mal en la foto que estoy irreconocible.* □ ORTOGR. Incorr. **inreconocible.*

irrecuperable adj.inv. Imposible de recuperar: *La policía dice que las joyas que me robaron son irrecuperables.* □ ETIMOL. Del latín *irrecuperabilis.* □ ORTOGR. Incorr. **inrecuperable.*

irrecusable adj.inv. Que no se puede recusar o rechazar justificadamente: *Esta juez es irrecusable, ya que se ha probado su honestidad e imparcialidad.* □ ETIMOL. Del latín *irrecusabilis.*

irredentismo s.m. Corriente política que pretende la anexión de un territorio que considera suyo, generalmente por razones históricas o culturales: *El irredentismo italiano propugnaba anexionar territorios de lengua italiana que pertenecían a otras potencias.*

irredentista adj.inv./s.com. Del irredentismo o relacionado con este movimiento político: *Las ideas irredentistas surgieron en el siglo XIX con la unificación italiana.*

irredento, ta adj. **1** Referido a un territorio, que es reclamado por una nación como suyo, generalmente por razones históricas: *El fin del conflicto armado se consiguió tras llegar a un acuerdo sobre los territorios irredentos.* **2** No redimido: *Jesucristo vino a salvar a los hombres y las mujeres irredentos.* □ ETIMOL. Del italiano *irredento* (no redimido).

irredimible adj.inv. Que no se puede redimir: *Pedían que las penas por terrorismo fueran irredimibles y que los condenados cumplieran las condenas sin reducciones.*

irreducible adj.inv. →**irreductible.**

irreductibilidad s.f. Imposibilidad de ser reducido: *El Gobierno tuvo que ceder ante la irreductibilidad de la guerrilla.*

irreductible adj.inv. Que no se puede reducir: *un ejército irreductible.* □ SINÓN. *irreducible.*

irreemplazable adj.inv. Que no se puede reemplazar o sustituir: *Es un jugador tan bueno que es irreemplazable en este equipo.* □ ORTOGR. Incorr. *irremplazable.*

irreflexión s.f. Falta de reflexión: *Perdí mucho dinero por mi irreflexión al meterme en ese negocio.*

irreflexivo, va ■ adj. **1** Que se hace o se dice sin reflexionar en las consecuencias: *Tienes problemas porque tomas decisiones irreflexivas.* □ SINÓN. *impremeditado.* ■ adj./s. **2** Que no reflexiona: *Es un chico irreflexivo e inmaduro.*

irreformable adj.inv. Que no se puede reformar: *Hay que preparar un nuevo proyecto de ley porque este es irreformable.* □ ETIMOL. Del latín *irreformabilis.*

irrefragable adj.inv. Que no se puede contrarrestar o resistir: *La fuerza irrefragable del destino nos llevó a la situación en que nos encontramos.* □ ETIMOL. Del latín *irrefragabilis*, y este de *refragari* (oponerse a alguno).

irrefrenable adj.inv. Imposible de refrenar o contener: *un deseo irrefrenable.* □ ETIMOL. Del latín *irrefrenabilis.*

irrefutable adj.inv. Que no se puede refutar o rebatir: *unas pruebas irrefutables.* □ ETIMOL. Del latín *irrefutabilis.*

irregular adj.inv. **1** Que no es regular: *'Ser' y 'sentir' son verbos irregulares. Llevo un horario de comidas muy irregular.* **2** No conforme a la ley, a la regla o a un uso establecido: *Se ha enriquecido de una forma un tanto irregular.* **3** Que no ocurre ordinariamente: *Es una situación tan irregular que necesita un planteamiento distinto.* □ ETIMOL. Del latín *irregularis.*

irregularidad s.f. **1** Falta de regularidad: *Si no corriges tu irregularidad en el estudio no conseguirás sacar la carrera.* **2** Lo que es irregular: *Los inspectores de la hacienda pública han descubierto numerosas irregularidades en el pago de impuestos.*

irrelevancia s.f. Falta de relevancia o de importancia: *Dada la irrelevancia del tema, no asistiré a la reunión.*

irrelevante adj.inv. Sin relevancia o importancia: *Esos datos son irrelevantes para el asunto que nos ocupa.*

irreligioso, sa adj. **1** Contrario al espíritu de la religión: *Destrozar las imágenes de culto es un acto irreligioso.* **2** Sin religión: *No sé cómo con una familia tan irreligiosa, él puede ser tan creyente.* □ ETIMOL. Del latín *irreligiosus.*

irremediable adj.inv. Que no se puede remediar: *un error irremediable.* □ ETIMOL. Del latín *irremediabilis.*

irremisible adj.inv. Que no se puede perdonar: *Para la religión católica ningún pecado es irremisible.* □ ETIMOL. Del latín *irremisibilis.*

irrenunciable adj.inv. Que debe ser aceptado y no puede ser rechazado: *un derecho irrenunciable.*

irreparable adj.inv. Que no se puede reparar: *una avería irreparable.* □ ETIMOL. Del latín *irreparabilis.*

irrepetible adj.inv. Que no se puede repetir: *Fue una actuación genial e irrepetible.*

irreprensible adj.inv. Que no merece reprensión o censura: *Su conducta fue ejemplar e irreprensible.* □ ETIMOL. Del latín *irreprehensibilis.*

irrepresentable adj.inv. **1** Referido esp. a una obra teatral, que no se puede escenificar. **2** Que no se puede representar en la imaginación ni fuera de ella: *Lo inmaterial es irrepresentable.*

irreprimible adj.inv. Imposible de reprimir: *un deseo irreprimible.*

irreprochable adj.inv. Que no puede ser reprochado: *un comportamiento irreprochable.*

irrescindible adj.inv. Referido esp. a un contrato, que no puede rescindirse o anularse: *El contrato es irrescindible y, si no lo cumples, podrían demandarte.*

irresistible adj.inv. **1** Que no se puede aguantar o dominar: *El dolor que me hacen estos zapatos es irresistible.* **2** Que ejerce una atracción a la que es imposible resistirse: *Tienes una sonrisa irresistible.*

irresoluble adj.inv. Imposible o muy difícil de resolver: *un problema irresoluble.* □ ETIMOL. Del latín *irresolubilis.*

irresolución s.f. Falta de resolución o decisión: *Tu irresolución te ha hecho perder una buena oferta de trabajo.*

irresoluto, ta adj./s. Referido a una persona, que no se decide a algo porque le cuesta mucho tomar cualquier decisión: *Permaneció irresoluto hasta que sus padres le dieron su opinión.* □ ETIMOL. Del latín *irresolutus.*

irrespetuoso, sa adj. Que no es respetuoso: *No debes comportarte de manera irrespetuosa con nadie.*

irrespirable adj.inv. **1** Que no se puede respirar o que es difícilmente respirable: *Nos fuimos pronto del local porque con tanto humo el aire resultaba irrespirable.* **2** Referido a un entorno o a un ambiente social, que hace que alguien se encuentre a disgusto o sienta repugnancia: *Las envidias en mi empresa han generado un ambiente irrespirable.* □ ETIMOL. Del latín *irrespirabilis.*

irresponsabilidad s.f. **1** Falta de responsabilidad: *Tu inexperiencia no justifica tu irresponsabilidad.* **2** Acto irresponsable: *Conducir después de haber tomado bebidas alcohólicas es una irresponsabilidad.*

irresponsable ▮ adj.inv. **1** Referido a un acto, que resulta de una falta de previsión o de meditación. ▮ adj.inv./s.com. **2** Referido a una persona, que actúa sin reflexión o sin medir las consecuencias de lo que hace. **3** Referido a una persona, que no puede responder de sus actos por sus condiciones personales: *El niño es irresponsable del accidente.*

irretroactividad s.f. En derecho, principio legislativo y jurídico por el que las leyes no afectan a los hechos anteriores a su promulgación o publicación formal, salvo que se exprese lo contrario: *En el derecho penal la irretroactividad es un principio a favor del reo o acusado.*

irreverencia s.f. **1** Falta de reverencia o respeto: *No tienes derecho a hablar con tal irreverencia de mis ideas religiosas.* **2** Hecho o dicho irreverentes: *Mi abuela considera que entrar en una iglesia con pantalones cortos es una irreverencia.*

irreverente adj.inv./s.com. Sin la reverencia o el respeto debidos: *La película tenía unas escenas que me parecieron irreverentes.* □ ETIMOL. Del latín *irreverens.*

irreversibilidad s.f. Imposibilidad de volver al estado o condición inicial: *Son hechos consumados y su irreversibilidad es evidente.*

irreversible adj.inv. Que no es reversible: *Es una situación irreversible a la que no veo salida.*

irrevocable adj.inv. Que no se puede revocar o anular: *una decisión irrevocable.* □ ETIMOL. Del latín *irrevocabilis.*

irrigación s.f. **1** Riego de un terreno: *un sistema de irrigación.* **2** En medicina, aporte de sangre a los tejidos orgánicos. **3** En medicina, introducción de un líquido en una cavidad, esp. en el intestino, a través del ano. **4** En medicina, líquido introducido de esta manera.

irrigador, -a adj./s.m. **1** Que sirve para irrigar: *las venas irrigadoras.* **2** Que sirve para regar: *Han instalado un sistema de irrigadores para evitar incendios.*

irrigar v. **1** Referido a un terreno, regarlo: *Instaló un nuevo sistema para irrigar mejor la huerta.* **2** En medicina, referido a un tejido orgánico, aportarle sangre los vasos sanguíneos: *Las venas y las arterias irrigan los tejidos del cuerpo.* **3** En medicina, introducir un líquido en una cavidad, esp. en el intestino a través del ano: *La enfermera irrigó a la paciente antes de hacerle la radiografía.* □ ETIMOL. Del latín *irrigare* (regar, rociar). □ ORTOGR. La *g* se cambia en *gu* delante de *e* →PAGAR.

irrisión s.f. *col.* Lo que provoca o mueve a risa y burla: *Con ese traje era la irrisión de la fiesta.* □ ETIMOL. Del latín *irrisio*, y este de *irridere* (burlarse).

irrisorio, ria adj. **1** Que provoca risa y burla: *Lo que contó no tenía ni pies ni cabeza y resultó irrisorio.* **2** Referido esp. a una cantidad de dinero, insignificante o muy pequeña: *Como es un piso de renta antigua, pago un alquiler irrisorio.*

irritabilidad s.f. Facilidad para irritarse: *Su irritabilidad hace que sea una persona intratable.*

irritable adj.inv. Que se irrita con facilidad: *Es muy irritable y se enfada por cualquier cosa. Tengo que usar una crema especial porque tengo la piel muy irritable.*

irritación s.f. **1** Enfado o enojo: *Su irritación era tan grande que creí que me iba a pegar.* **2** Reacción de un órgano o de una parte del cuerpo, que se caracteriza por enrojecimiento, escozor o dolor: *Las ortigas me produjeron irritación en la piel.*

irritante adj.inv. Que irrita: *Cuando te pones así de pesada, eres irritante.*

irritar v. **1** Causar ira o sentirla: *Su falta de responsabilidad me irrita. Se irrita cuando llego tarde a casa.* **2** Referido a un órgano o a una parte del cuerpo, provocarle una reacción caracterizada por enrojecimiento, escozor o dolor: *Los gases irritan los ojos. Cuando estoy resfriada, se me irrita la nariz.* □ ETIMOL. Del latín *irritare*.

irritativo, va adj. Que produce irritación: *Sufre un proceso irritativo en la cara y no le dejan tomar el sol.*

irrogar v. Referido a un daño o perjuicio, ocasionarlo o causarlo: *Son muchos los perjuicios que se irrogan de tu actuación irresponsable.* □ ETIMOL. Del latín *irrogare*.

irrompible adj.inv. Imposible de romper: *Es un niño tan travieso que hay que regalarle juguetes irrompibles.*

irrumpir v. **1** Entrar violentamente o con ímpetu en un lugar: *Los alborotadores irrumpieron en el bar y causaron varios destrozos.* **2** Aparecer con fuerza o de repente: *Esa moda irrumpió en nuestro país a principios de los ochenta.* □ ETIMOL. Del latín *irrumpere*. □ SINT. Constr. *irrumpir* EN *algo*. □ SEM. Dist. de *prorrumpir* (exteriorizar un sentimiento violenta o repentinamente).

irrupción s.f. **1** Invasión o entrada violenta o impetuosa de algo en un lugar: *La irrupción de los manifestantes en la plaza produjo un atasco.* **2** Aparición que se produce con fuerza o de repente: *La irrupción del verano trajo las noches de insomnio por el calor.* □ ETIMOL. Del latín *irruptio*.

-is Sufijo que indica valor humorístico: *finolis, locatis.*

isa s.f. **1** Composición musical popular de las islas Canarias (comunidad autónoma) en compás de tres por cuatro: *A mi madre le gustan mucho las isas.* **2** Baile que se ejecuta al compás de esta música: *Los componentes de la escuela de danza nos recibieron bailando una isa.*

isabelino, na adj. De cualquiera de las reinas españolas o inglesas que se llamaron Isabel, o relacionado con ellas: *Con el reinado isabelino surgió en la primera mitad del siglo XIX el movimiento carlista.*

ísatis (pl. *ísatis*) s.m. Zorro de pelo blanco en invierno y pardo en verano y que habita en zonas frías: *El ísatis es más pequeño que el zorro europeo.* □ SINÓN. *zorro ártico.* □ ETIMOL. De origen incierto. □ PRON. Aunque la pronunciación correcta es [ísatis], está muy extendida [isátis]. □ MORF. Es un sustantivo epiceno: *el ísatis {macho/hembra}.*

isba s.f. Vivienda rural de madera, característica de los pueblos del norte del continente europeo: *Los campesinos rusos vivían en isbas.* □ ETIMOL. Del francés *isba*, y este del ruso *izbá* (casa rural).

ISBN (pl. *ISBN*) s.m. **1** Sistema internacional que registra todos los libros publicados dotándolos de un número para su identificación y clasificación: *Gracias al ISBN los libros se identifican correctamente.* **2** Número que identifica cada libro dentro de este sistema. □ ETIMOL. Es la sigla del inglés *International Standard Book Number* (número internacional normalizado de libros).

isidrada s.f. Conjunto de corridas de toros que se celebran en la ciudad de Madrid durante las fiestas de San Isidro (patrón de esta ciudad): *No pudo asistir a ninguna corrida de la isidrada porque ya no quedaban entradas.* □ SINÓN. *sanisidros.*

-ísimo, -ísima Sufijo que indica grado superlativo: *buenísima, calentísimo.* □ ETIMOL. Del latín *-issimus*.

isla s.f. **1** Porción de tierra rodeada de agua por todas partes. **2** En un lugar, zona o parte claramente delimitadas o diferenciadas de lo que las rodea: *Frente al jaleo que hay en el edificio, la biblioteca es una isla de paz.* □ ETIMOL. Del latín *insula*.

islam s.m. **1** →**islamismo.** **2** Conjunto de los pueblos que tienen como religión el islamismo: *En la Edad Media, el islam dominó las costas mediterráneas occidentales.* □ ETIMOL. Del árabe *islam* (entrega a la voluntad de Dios).

islámico, ca adj. Del islam o relacionado con esta religión: *Las mezquitas son templos islámicos. La población islámica suele ser la más numerosa en los países árabes.* □ SEM. Dist. de *árabe* (referente a la cultura).

islamismo s.m. Religión monoteísta cuyos dogmas y preceptos fueron predicados por Mahoma (profeta árabe de finales del siglo VI y principios del VII) y recogidos en el libro sagrado del Corán: *Uno de los* *preceptos del islamismo es rezar cinco veces al día.* □ SINÓN. *islam, mahometismo.*

islamista adj.inv./s.com. Del integrismo islámico o relacionado con él.

islamita ▌adj.inv. **1** De Mahoma (profeta árabe), o relacionado con su religión: *El libro sagrado de la religión islamita es el Corán.* □ SINÓN. *musulmán.* ▌adj.inv./s.com. **2** Que tiene como religión el islamismo: *Los islamitas se descalzan antes de entrar a orar en las mezquitas.* □ SINÓN. *musulmán.*

islamización s.f. Difusión o adopción de la religión, de la cultura o de las costumbres islámicas: *La islamización de España comenzó con la invasión árabe del siglo VIII.*

islamizar v. **1** Convertir a la religión islámica: *Han islamizado a los países que están bajo su influencia política.* **2** Dar características que se consideran propias de la cultura islámica: *En cuanto emigró a Oriente, islamizó su forma de vestir.* □ ORTOGR. La *z* se cambia en *c* delante de *e* →CAZAR.

islamólogo, ga s. Persona especializada en cuestiones relacionadas con el islam: *Conozco a una islamóloga que estudia la condición de la mujer en los países árabes.*

islandés, -a ▌adj./s. **1** De Islandia o relacionado con este país europeo. ▌s.m. **2** Lengua germánica de este país. □ MORF. Dist. de *irlandés.*

isleño, ña adj./s. De una isla o relacionado con ella: *Recibir a los extraños con guirnaldas de flores era una de las costumbres isleñas.* □ SINÓN. *insular.* □ SEM. Se usa referido esp. a lo que es característico de una isla.

isleta s.f. En una calzada, zona delimitada que generalmente sirve para determinar la dirección de los vehículos o como refugio para los peatones: *Aparqué el coche en una isleta y me pusieron una multa.*

islote s.m. **1** Isla pequeña y despoblada: *El náufrago recorrió el islote hasta el que había sido arrastrado por las olas.* **2** Peñasco grande que sobresale en el mar o en otra superficie: *Los marineros temían que el oleaje empujara el barco contra el islote.*

ismael s.m. *col.* Correo electrónico: *He recibido un ismael con un vídeo de mi sobrina recién nacida.* □ SINÓN. *emilio.*

ismaelita adj.inv./s.com. Descendiente de Ismael (personaje bíblico hijo de Abraham), esp. referido a los árabes: *Se denomina ismaelitas a los árabes porque se considera que a partir de los doce hijos de Ismael surgieron las tribus árabes.*

ismo s.m. Tendencia o movimiento de orientación innovadora, esp. artístico, que se opone a lo ya existente: *El modernismo fue uno de los ismos literarios más importantes de finales del siglo XIX.*

-ismo **1** Sufijo que indica sistema, doctrina, movimiento o escuela: *comunismo, aristotelismo, modernismo.* **2** Sufijo que indica actitud o tendencia: *individualismo, altruismo, fanatismo.* **3** Sufijo que indica actividad deportiva: *atletismo, ciclismo, senderismo.* **4** Sufijo que indica afición: *sevillismo, celtismo.* **5** Sufijo que indica modismo lingüístico: *anglicismo, latinismo.* **6** Sufijo que indica característica: *exotismo, leísmo, laconismo.* □ ETIMOL. Del latín *-ismus.*

ISO (ing.) s.f. Sistema de normalización internacional para productos de áreas diversas. □ ETIMOL. Es el acrónimo del inglés *International Organization for Standardization* (organización internacional de estandarización). □ SINT. Se usa en aposición, pospuesto a un sustantivo: *la calidad ISO.*

iso- Elemento compositivo prefijo que significa 'igual': *isomorfo, isocromático, isosilábico, isotermo.* □ ETIMOL. Del griego *ísos.*

isobara (tb. *isóbara*) s.f. En un mapa meteorológico, línea que une los puntos de la Tierra que tienen la misma presión atmosférica: *Señaló las isobaras para que viéramos el anticiclón.* □ ETIMOL. De *iso-* (igual) y el griego *báros* (pesadez).

isobárico, ca adj. **1** En un mapa meteorológico, referido a una línea, que une dos o más lugares que tienen la misma presión atmosférica media: *El meteorólogo nos dijo que aquellas líneas isobáricas indicaban una borrasca.* □ SINÓN. *isobaro.* **2** Referido a dos o más lugares, que tienen la misma presión atmosférica media: *Dada esta tabla de presiones, señala en el mapa los puntos isobáricos.* □ SINÓN. *isobaro.*

isobaro, ra adj. →**isobárico.** □ ETIMOL. De *iso-* (igual) y el griego *báros* (pesadez).

isocromático, ca adj. Con el mismo color o con el color uniforme: *Necesitamos una superficie isocromática como fondo para esta fotografía.*

isócrono, na adj. Referido a un movimiento, que se realiza en tiempos de igual duración que otro: *Los movimientos del péndulo son isócronos.* □ ETIMOL. De *iso-* (igual) y el griego *khrónos* (tiempo).

isodáctilo, la adj. Referido a un animal, que tiene los dedos iguales: *La mayor parte de los animales no son isodáctilos.*

isoédrico, ca adj. En geología, referido a un cristal, que tiene todas las caras iguales: *Los cristales de la sal común son isoédricos.* □ ETIMOL. De *iso-* (igual) y *-edro* (cara, plano).

isoflavón s.m. →**isoflavona.**

isoflavona s.f. Sustancia de origen vegetal presente en las semillas de la soja: *Algunos estudios cuestionan los efectos beneficiosos que se atribuyen a las isoflavonas.* □ MORF. Se usa también el masculino *isoflavón.*

isofonía s.f. Igualdad de sonoridad: *La isofonía de sus voces era perfecta.*

isoglosa s.f. En un mapa lingüístico, línea imaginaria que señala los límites de una determinada peculiaridad fonética, gramatical o léxica: *La isoglosa divide en dos esta región, ya que en una zona es ca-*

racterístico el ceceo y en la otra, el seseo. □ ETIMOL. De *iso-* (igual) y el griego *glôssa* (lenguaje).

isómero, ra adj./s. Referido a un compuesto, que tiene la misma composición química que otro, pero distinta configuración espacial de moléculas o de átomos y, por tanto, diferentes propiedades físicas y químicas: *Estos compuestos son isómeros porque el modo de unión de sus átomos es distinto.* □ ETIMOL. De *iso-* (igual) y el griego *méros* (parte).

isometría s.f. Igualdad en el número de sílabas de una estrofa o de un poema.

isomorfo, fa adj. En mineralogía, referido a un cuerpo, que tiene distinta composición química e igual forma cristalina que otro y que puede cristalizar asociado a él: *Las propiedades de los minerales isomorfos varían de manera continua entre los dos extremos de composición química.* □ ETIMOL. De *iso-* (igual) y *-morfo* (forma).

isópodo, da ▌adj./s. **1** Referido a un crustáceo, que tiene el cuerpo pequeño, ovalado y aplanado, de color oscuro y sin caparazón: *Los isópodos pueden vivir en ambientes terrestres o acuáticos.* ▌s.m.pl. **2** En zoología, orden de estos crustáceos, perteneciente al tipo de los artrópodos: *Algunas especies de isópodos son parásitos de crustáceos marinos.* □ ETIMOL. De *iso-* (igual) y *-podo* (pie).

isóptero, ra ▌adj./s.m. **1** Referido a un insecto, que tiene boca masticadora, dos pares de alas membranosas iguales y que vive formando sociedades: *La termita es un isóptero.* ▌s.m.pl. **2** En zoología, orden de estos insectos, perteneciente al tipo de los artrópodos: *Los isópteros suelen vivir en zonas tropicales y templadas.* □ ETIMOL. De *iso-* (igual) y *-ptero* (ala).

isósceles (pl. *isósceles*) adj.inv. Referido a una figura geométrica, que tiene solo dos lados iguales: *un triángulo isósceles.* □ ETIMOL. Del griego *isoskelés*, y este de *ísos* (igual) y *skélos* (pierna).

isosilábico, ca adj. Del isosilabismo o con sus características: *Gonzalo de Berceo tendió a respetar la medida isosilábica.* □ ETIMOL. De *iso-* (igual) y el griego *syllabikós* (silábico).

isosilabismo s.m. **1** Igualdad en el número de sílabas, esp. entre dos versos. **2** Sistema de versificación que se apoya en este principio de igualdad: *El isosilabismo es característico de la poesía culta medieval.*

isostasia s.f. Teoría que defiende la tendencia al equilibrio entre la parte exterior de la Tierra y el material que subyace en el interior de ella: *La isostasia explica que la pérdida de masa por erosión se compensa con la elevación de esa zona de la corteza terrestre.* □ ETIMOL. De *iso-* (igual) y el griego *stásis* (estabilidad).

isostoquio s.m. Hemistiquio con un mismo número de sílabas en cada parte.

isoterma s.f. Véase **isotermo, ma**.

isotérmico, ca adj. Referido a un proceso, que tiene una temperatura constante durante su desarrollo: *La evaporación del agua es isotérmica.*

isotermo, ma ▌adj. **1** De igual temperatura. **2** Referido esp. a un contenedor o a un recipiente, que están aislados térmicamente: *La leche se transporta en tanques isotermos para mantenerla a temperatura constante.* ▌adj./s.f. **3** En un mapa meteorológico, referido a una línea, que une los puntos de igual temperatura media anual. □ ETIMOL. De *iso-* (igual) y el griego *thermós* (caliente).

isotónico, ca adj. Referido a dos soluciones químicas, que ejercen la misma presión osmótica una con respecto a la otra: *Algunos cosméticos tienen soluciones isotónicas con respecto a los fluidos de la piel.* □ ETIMOL. Del griego *isótonos* (de igual tensión).

isótopo s.m. Átomo que tiene el mismo número atómico que otro, y por tanto pertenecen al mismo elemento químico, pero distinta masa atómica: *Todos los isótopos de un elemento químico ocupan la misma casilla que este en el sistema periódico.* □ ETIMOL. De *iso-* (igual) y el griego *tópos* (lugar).

isotropía s.f. En física, cualidad de un sistema según la cual este presenta las mismas propiedades, independientemente de la dirección en que se midan: *La isotropía es un concepto fundamental en la cosmología moderna.*

isótropo, pa adj. Que presenta isotropía o las mismas propiedades, independientemente de la dirección en que se midan: *Según algunas teorías cosmológicas, el universo es isótropo.* □ ETIMOL. De *iso-* (igual) y el griego *trópos* (dirección).

isoyeta s.f. En un mapa meteorológico, línea que une los puntos de la Tierra con igual índice de pluviosidad media anual: *Para trazar las isoyetas hay que tener en cuenta la precipitación en litros por metro cuadrado.* □ ETIMOL. De *iso-* (igual) y el griego *hyetós* (lluvia).

isquemia s.f. En medicina, falta de riego sanguíneo en una parte del cuerpo causada por una alteración de las arterias que irrigan esa zona: *La isquemia produce falta de oxígeno y de nutrientes en la zona afectada.* □ ETIMOL. Del griego *ískho* (yo detengo) y *-emia* (sangre).

isquiático, ca adj. Del isquion o relacionado con este hueso: *El golpe en la cadera le produjo una fractura isquiática.*

isquion s.m. En anatomía, cada uno de los dos huesos que en los vertebrados forman la porción posterior de la pelvis y, en la especie humana, la parte inferior de esta: *El coxal está formado por tres huesos: el ilion, el pubis y el isquion.* □ ETIMOL. Del griego *iskhíon*. □ PRON. Incorr. *[iskión].

isquiotibial adj.inv./s.m. →**músculo isquiotibial.**

israelí (pl. *israelíes, israelís*) adj.inv./s.com. De Israel o relacionado con este país asiático. □ SEM. Dist. de *israelita* (del judaísmo o relacionado con esta religión).

israelita ▌ adj.inv. **1** Del judaísmo o relacionado con esta religión. □ SINÓN. *hebreo, judío.* ▌ adj.inv./s.com. **2** De un antiguo pueblo semita que conquistó y habitó Palestina (territorio situado en el oeste asiático), o relacionado con él. □ SINÓN. *hebreo, judío.* **3** Que tiene como religión el judaísmo. □ SINÓN. *hebreo, judío.* **4** Del antiguo reino de Israel o relacionado con este. ▌ s.f. **5** En unas elecciones, encuesta realizada sobre las primeras papeletas contabilizadas tras la apertura de las urnas. □ SEM. Dist. de *israelí* (de Israel o relacionado con este país asiático).

ISSN (ing.) s.m. **1** Sistema internacional que registra todas las publicaciones periódicas dotándolas de un número para su identificación y clasificación: *El ISSN cumple una función análoga a la del ISBN en los libros.* **2** Número que identifica cada publicación periódica dentro de este sistema. □ ETIMOL. Es la sigla del inglés *International Standard Serial Number* (número internacional normalizado de publicaciones seriadas).

-ista 1 Sufijo que indica tendencia o relación: *socialista, impresionista, europeísta.* **2** Sufijo que indica cualidad o actitud: *optimista, vitalista, arribista.* **3** Sufijo que indica profesión o actividad: *lingüista, pianista, taxista, paracaidista.* **4** Sufijo que indica inclinación o afición: *deportista, valencianista.* **5** Sufijo que indica característica: *laísta, galicista.*

-ístico, -ística Sufijo que indica relación o pertenencia: *característico, paisajística.*

istmeño, ña adj./s. Del istmo o relacionado con él: *La cultura de los pueblos istmeños era más avanzada que la de los pueblos del interior.*

ístmico, ca adj. Del istmo o relacionado con este accidente geográfico.

istmo s.m. Franja de tierra que une dos continentes o una península y un continente: *Con la construcción de un canal en el istmo de Panamá se unieron los océanos Atlántico y Pacífico.* □ ETIMOL. Del latín *isthmus.* □ PRON. Incorr. *[ítsmo].

-ita 1 Sufijo que indica origen, procedencia o patria: *moscovita, israelita.* **2** Sufijo que indica relación o pertenencia: *carmelita, ismaelita.* □ ETIMOL. Del latín *-ita.*

itacate s.m. En zonas del español meridional, porción de alimento que se suele llevar a un viaje o paseo: *Vives tan lejos que, para irte a visitar, tengo que llevarme un itacate.*

italianini s. *col.* Italiano. □ USO Tiene un matiz humorístico o despectivo.

italianismo s.m. En lingüística, palabra, significado o construcción sintáctica del italiano empleados en otra lengua: *'Pizza' es un italianismo común al inglés y al español.*

italianista s.com. Persona especializada en el estudio de la lengua y de la cultura italianas: *En el congreso se reunieron los mejores italianistas del mundo.*

italianizar v. Dar o adquirir características que se consideran propias de lo italiano: *El diseñador italianizó el estilo de sus creaciones.* □ ORTOGR. La *z* se cambia en *c* delante de *e* →CAZAR.

italiano, na ▌ adj./s. **1** De Italia o relacionado con este país europeo. ▌ s.m. **2** Lengua románica de este y otros países: *Muchos términos musicales se escriben en italiano.* □ MORF. Cuando se antepone a una palabra para formar compuestos, adopta la forma *italo-*.

italianófilo, la adj./s. Que siente gran admiración y simpatía por todo lo italiano: *Soy una italianófila redomada y viajo a Italia siempre que puedo.* □ ETIMOL. De *italiano* y *-filo* (amigo).

itálica adj./s.f. →**letra itálica.**

itálico, ca ▌ adj. **1** Italiano, esp. de la Italia antigua: *Los historiadores hablaron de los pueblos itálicos.* ▌ s.f. **2** →**letra itálica.**

ítalo, la adj./s. *poét.* Italiano: *Le gustaba leer poemas que narraran las batallas de los ítalos.*

ítem s.m. **1** Cada uno de los artículos o capítulos en que se divide un documento: *No acepté el tercer ítem del contrato.* **2** Cada uno de los elementos o partes de que se compone un cuestionario o test: *Contesté hasta el último ítem en el tiempo que tenía.* **3** Lo que se añade a algo para completarlo: *Hay que incluir las aclaraciones en un ítem al final del documento.* □ ETIMOL. Del latín *item* (también, del mismo modo). □ USO Se usan los plurales *ítems, ítemes* e *ítem.*

iteración s.f. *poét.* Repetición. □ ETIMOL. Del latín *iterationis.*

iterativo, va adj. En lingüística, que indica una acción que se repite: *'Hojear' es un verbo iterativo porque significa 'pasar hojas muchas veces'.* □ SINÓN. *frecuentativo.* □ ETIMOL. Del latín *iterativus*, y este de *iterare* (repetir).

iterbio s.m. Elemento químico, metálico y sólido, de número atómico 70, brillante, fácilmente deformable y que pertenece al grupo de los lantánidos: *Los principales yacimientos de iterbio están en la península escandinava.* □ ETIMOL. Por alusión a Ytterby, población sueca donde fue descubierto este elemento. □ ORTOGR. 1. Su símbolo químico es *Yb*. 2. Dist. de *terbio.*

itinerancia s.f. Desplazamiento o movimiento de algo que cambia de lugar: *La exposición inicia su itinerancia en Sevilla.*

itinerante adj.inv. Que va de un lugar a otro sin establecerse en un sitio fijo: *una exposición itinerante.*

itinerario s.m. **1** Descripción detallada de las características de un camino, de una ruta o de un viaje: *El itinerario que nos dieron no estaba completo porque no hablaba de los alojamientos.* **2** Trayecto que se sigue para llegar a un lugar: *Me explicó el itinerario que debía seguir para llegar a su* *pueblo.* ☐ SINÓN. *ruta.* ☐ ETIMOL. Del latín *itinerarius*, y este de *iter* (camino).

-itis Elemento compositivo sufijo que significa 'inflamación': *faringitis, gastritis.* ☐ ETIMOL. Del griego *-itis*.

-ito Sufijo que significa 'sal química': *sulfito, nitrito.*

-ito, -ita Sufijo que indica menor tamaño: *zapatito, tacita.* ☐ ETIMOL. Del latín **-ittus*. ☐ MORF. Puede adoptar las formas *-cito, -cita* (*cochecito, mujercita*), *-ecito, -ecita* (*solecito, florecita*) o *-cecito, -cecita* (*piececito*).

itrio s.m. Elemento químico, metálico y sólido, de número atómico 39, inflamable y que se descompone con el agua: *El itrio se emplea en aleaciones y en tecnología nuclear.* ☐ ETIMOL. Por alusión a Ytterby, población sueca donde fue descubierto este elemento. ☐ ORTOGR. Su símbolo químico es *Y*.

ITV s.f. **1** Inspección de vehículos periódica y obligatoria cuyo fin es certificar que las condiciones técnicas del vehículo son aptas para circular con seguridad: *Mi coche tenía los frenos en mal estado y no consiguió pasar la ITV.* **2** Taller en el que se lleva a cabo esta inspección: *Ayer llevé mi coche a la ITV que hay cerca de aquí.* ☐ ETIMOL. Es la sigla de *inspección técnica de vehículos*.

itzcuintli s.m. Perro de origen mexicano, de pequeño tamaño y de piel arrugada, con manchas negras y poco pelo.

IVA (pl. *IVA*) s.m. Impuesto indirecto de carácter obligatorio que grava el consumo a través de las transacciones comerciales. ☐ ETIMOL. Es el acrónimo de *impuesto sobre el valor añadido*.

IVE s.f. Aborto provocado quirúrgicamente dentro de un marco jurídico que reglamenta las situaciones en que puede tener lugar: *El Congreso de los diputados debate hoy la modificación de la legislación que regula la IVE.* ☐ ETIMOL. Es el acrónimo de *interrupción voluntaria del embarazo*.

-ivo, -iva 1 Sufijo que indica capacidad o inclinación: *llamativo, compasiva.* **2** Sufijo que indica profesión, cargo o actividad: *administrativo, directiva.* ☐ ETIMOL. Del latín *-ivus*.

ixtle s.m. En zonas del español meridional, fibra vegetal que se usa para fabricar cuerdas y otros objetos. ☐ ETIMOL. Del náhuatl *ixtli*.

ixtlero, ra ▮ adj. **1** Del ixtle o relacionado con esta fibra vegetal. ▮ s. **2** En zonas del español meridional, persona que trabaja o cultiva el ixtle.

-iza Sufijo que indica lugar: *caballeriza, porqueriza.*

izado s.m. →**izamiento.**

izamiento s.m. Subida de una bandera o de una vela de barco tirando de la cuerda de la que está sujeta: *Todos guardaron silencio ante el izamiento de la bandera.* ☐ SINÓN. *izado.*

izar v. Referido esp. a una bandera o a una vela de barco, hacerla subir tirando del cabo de la que está sujeta: *Los soldados izaron la bandera mientras sonaba la corneta.* ☐ ETIMOL. Del francés *hisser*. ☐ ORTOGR. La *z* se cambia en *c* delante de *e* →CAZAR.

-izar Sufijo que indica conversión o cambio de estado: *europeizar, esclavizar, agudizar.*

-izo Sufijo que indica lugar: *cobertizo, saledizo.*

-izo, -iza 1 Sufijo que indica semejanza o cualidad: *rojizo, cobrizo, resbaladiza, huidiza.* **2** Sufijo que indica tendencia o propensión: *enfermizo, caedizo, olvidadiza.*

izote s.m. Árbol americano de tallo ramificado, hojas punzantes en abanico, flores de color blanco o verde muy olorosas, y capullos carnosos comestibles. ☐ ETIMOL. Del náhuatl *iczotl* (palmera de las montañas).

izquierda s.f. Véase **izquierdo, da.**

izquierdazo s.m. Golpe dado con la mano o con el pie izquierdos.

izquierdista ▮ adj.inv. **1** De la izquierda o relacionado con estas ideas políticas: *Los votos izquierdistas han decidido la votación.* ▮ adj.inv./s.com. **2** Partidario o seguidor de estas ideas políticas: *En la última asamblea, los izquierdistas de la asociación se han hecho notar.*

izquierdo, da ▮ adj. **1** Referido a una parte del cuerpo, que está situada en el lado del corazón: *Sabe escribir con la mano izquierda.* **2** Que está situado en el mismo lado que el corazón del observador: *En carretera, los peatones deben circular por el lado izquierdo de la calzada.* **3** Referido a un objeto, que, respecto de su parte delantera, está situado en el mismo lado que correspondería al del corazón de una persona: *Trabajo en el ala izquierda del edificio.* ▮ s.f. **4** Mano o pierna que están situadas en el lado del corazón: *Siempre chuta con la izquierda porque es zurdo.* **5** Dirección o situación correspondiente al lado izquierdo: *Prohibido torcer a la izquierda.* **6** Conjunto de personas o de organizaciones políticas de tendencias contrarias a las ideas conservadoras: *La izquierda se ha hecho eco de las reivindicaciones de los trabajadores.* **7** || **extrema izquierda;** la más radical y extremista en sus ideas. ☐ ETIMOL. Quizá del euskera *esquerra*. ☐ MORF. Precedido del número de planta de un edificio, se usa siempre la forma femenina: *Vivo en el segundo izquierda.*

izquierdoso, sa adj./s. *col.* Izquierdista: *Siempre defendió sus ideas izquierdosas.*

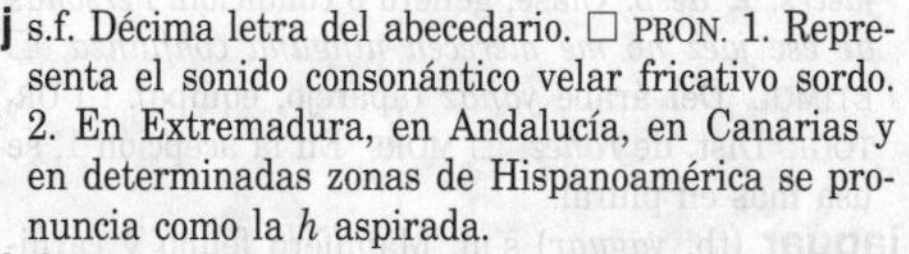

j s.f. Décima letra del abecedario. ☐ PRON. 1. Representa el sonido consonántico velar fricativo sordo. 2. En Extremadura, en Andalucía, en Canarias y en determinadas zonas de Hispanoamérica se pronuncia como la *h* aspirada.

jab (ing.) s.m. En boxeo, puñetazo directo. ☐ PRON. [yab].

jabalcón s.m. Pieza que se pone de forma oblicua para asegurar la inmovilidad de una construcción o de un armazón. ☐ ETIMOL. Del árabe hispánico **jamalún*.

jabalí (pl. *jabalíes, jabalís*) s.m. Mamífero salvaje parecido al cerdo, de cabeza aguda y hocico prolongado, con orejas tiesas, pelaje muy tupido y fuerte, y colmillos grandes que le sobresalen de la boca: *El jabalí es muy común en los montes españoles.* ☐ ETIMOL. Del árabe *yabali* (montaraz). ☐ MORF. La hembra se designa con el femenino *jabalina*.

jabalina s.f. **1** Hembra del jabalí. **2** En atletismo, vara que se usa en una de las pruebas deportivas de lanzamientos. ☐ ETIMOL. Del francés *javeline*, y este de *javelot* (pica empleada en la guerra).

jabato, ta ▌adj./s. **1** *col.* Valiente o atrevido: *Esa joven jabata no se asusta por nada.* ▌s.m. **2** Cría del jabalí. ☐ MORF. En la acepción 2, es un sustantivo epiceno: *el jabato {macho/hembra}*.

jábega s.f. **1** Embarcación pesquera más pequeña que el jabeque: *La jábega es muy usada en el sur de España.* **2** Red de pesca, muy larga y compuesta de un saco y dos bandas, de las cuales se tira desde tierra por medio de dos cabos muy largos. ☐ SINÓN. *bol.* ☐ ETIMOL. La acepción 1, de *jabeque* (embarcación). La acepción 2, del árabe *sabaka* (red).

jabeque s.m. Embarcación con tres palos y velas triangulares o latinas, con la que también se podía navegar a remo: *Los jabeques se usaban para navegar por la costa.* ☐ ETIMOL. Del árabe *sabbak* (barco para pescar con red).

jabillo s.m. Árbol americano con espinas en las ramas, flores de color rojo oscuro y fruto muy venenoso: *La madera del jabillo se usa para hacer canoas.*

jabón s.m. **1** Producto que se usa para lavar con agua y que resulta de la combinación de un álcali con grasas o aceites. **2** ‖ **dar jabón** a alguien; *col.* Adularlo o elogiarlo con fines interesados: *Jamás se cansa de dar jabón a su jefe.* ‖ **jabón de olor;** el que se usa para el aseo personal. ‖ **jabón de sastre;** pastilla hecha con una variedad de talco y que se utiliza para marcar en las telas el lugar por donde estas se han de cortar o coser. ☐ SINÓN. *jaboncillo.* ☐ ETIMOL. Del latín *sapo*.

jabonada s.f. →**enjabonado.**

jabonado s.m. →**enjabonado.**

jabonadura s.f. **1** →**enjabonado. 2** Espuma que se forma al mezclar el agua con jabón.

jabonar v. →**enjabonar.**

jaboncillo s.m. Pastilla hecha con una variedad de talco y que se utiliza para marcar en las telas el lugar por donde estas se han de cortar o coser: *El sastre marcó con jaboncillo la forma del patrón.* ☐ SINÓN. *jabón de sastre.*

jabonera s.f. Véase **jabonero, ra.**

jabonería s.f. Fábrica de jabón.

jabonero, ra ▌adj. **1** Relacionado con el jabón: *industria jabonera.* **2** Referido a un toro, que tiene la piel de color blanco sucio. ▌s.f. **3** Recipiente en el que se pone o se guarda el jabón que se utiliza para el aseo personal.

jabonoso, sa adj. Con jabón o con características de este: *agua jabonosa.*

jabugo s.m. Jamón de muy buena calidad originario de Jabugo (pueblo onubense): *Hemos tomado de aperitivo un jabugo riquísimo.*

jaca s.f. **1** Hembra del caballo. ☐ SINÓN. *yegua.* **2** Caballo o yegua de poca alzada. ☐ ETIMOL. Del francés antiguo *haque*.

jácara s.f. **1** Composición poética, generalmente con forma de romance o de entremés, en la que se narran, en tono alegre y en lenguaje picaresco, hechos relacionados con la vida de los pícaros: *En los siglos XVI y XVII se cantaban jácaras en los entreactos de la comedia o a su término.* **2** Música y danza popular con que se acompaña la recitación de estas composiciones: *En el entreacto salió a escena un grupo de pícaros bailando unas jácaras.* ☐ ETIMOL. Quizá de *jácaro* (valentón, perdonavidas).

jacarandá s.m. Árbol tropical americano, frondoso y con flores de color azul y morado: *Los jacarandás florecen en primavera.* ☐ PRON. Está muy extendida la pronunciación [jacaránda].

jacarandoso, sa adj. *col.* Con donaire, alegría o desenvoltura: *una persona jacarandosa.* ☐ ETIMOL. Del antiguo *jacarando* (valentón).

jácena s.f. Viga sobre la que se apoyan otras: *Las jácenas suelen tener más canto que las vigas que se apoyan sobre ellas.* ☐ SINÓN. *viga maestra.* ☐ ETIMOL. Del árabe *hasina* (que fortalece o defiende).

jacetano, na adj./s. De un antiguo pueblo indígena prerromano que habitaba la zona de la actual Jaca (ciudad de la provincia de Huesca), o relacionado con él: *Hay una exposición sobre arqueología jacetana.* ☐ ETIMOL. Del latín *Iacetanus*.

jacinto s.m. **1** Planta herbácea con tallo subterráneo en forma de bulbo, hojas largas y lustrosas, flores olorosas agrupadas en racimo, y fruto en forma de cápsula: *Los jacintos tienen un uso ornamental.* **2** Flor de esta planta: *Hay jacintos blancos, azules, rosas y amarillos.* ☐ ETIMOL. Del latín *hyacinthus*.

jacket (ing.) s.f. Torre petrolífera fija en el mar. ☐ PRON. [yáket].

jaco s.m. **1** Caballo de mal aspecto. **2** *arg.* En el lenguaje de la droga, heroína.

jacobeo, a adj. Relacionado con el apóstol Santiago (discípulo de Jesucristo): *Conocí Galicia cuando fui en peregrinación al santuario jacobeo.* ☐ SEM. Dist. de *jacobino* (partidario de la doctrina política del jacobinismo).

jacobinismo s.m. Corriente política surgida durante la Revolución Francesa, y que defendía el radicalismo revolucionario y violento: *Robespierre y Danton son algunas de las grandes figuras del jacobinismo.*

jacobino, na adj./s. Partidario o seguidor del jacobinismo: *Los jacobinos intentaron instaurar una república democrática basada en el sufragio universal y en una cierta igualdad.* ☐ ETIMOL. Del francés *jacobin*, porque los jacobinos se reunían en la calle parisina de San Jacobo. ☐ SEM. Dist. de *jacobeo* (relacionado con el apóstol Santiago).

jacoyote s.com. En zonas del español meridional, hijo menor de una familia. ☐ ETIMOL. Del náhuatl *coyotl* (coyote).

jacquard (fr.) s.m. Adorno de algunos tejidos que consiste en la repetición de motivos geométricos de diferentes colores: *un jersey de jacquard.* ☐ PRON. [yacár].

jactancia s.f. Presunción o alabanza excesivas de algo que se posee o se disfruta: *hablar con jactancia.*

jactancioso, sa adj./s. Que presume o se alaba con exceso: *un tono jactancioso.*

jactarse v.prnl. Referido a algo que se posee o se disfruta, presumir excesivamente de ello: *Nunca te jactes de nada si no quieres ser tachado de engreído.* ☐ ETIMOL. Del latín *iactare* (alabar). ☐ SINT. Constr. *jactarse* DE *algo.*

jaculatoria s.f. Oración breve: *Mi abuela me enseñó las jaculatorias que rezo siempre antes de dormirme.* ☐ ETIMOL. Del latín *iaculari* (arrojar).

jacuzzi s.m. Baño con un sistema de corrientes de agua caliente que se utiliza para hidromasajes. ☐ ETIMOL. Extensión del nombre de una marca comercial. ☐ PRON. [yacúdsi].

jade s.m. Mineral muy duro, de aspecto jabonoso y color blanquecino o verdoso, muy estimado en joyería: *El jade es una piedra semipreciosa.* ☐ ETIMOL. Del francés *jade*, y este del castellano *piedra de la ijada*, porque los conquistadores de América aplicaban el jade contra el cólico nefrítico o dolor de la ijada.

jadeante adj.inv. **1** Que jadea: *Acaba de pasar por la meta otro jadeante corredor.* **2** Referido esp. a la respiración, que resulta trabajosa: *una respiración jadeante; una voz jadeante.*

jadear v. Respirar trabajosamente o con dificultad, generalmente a causa del cansancio: *No digas que estás en forma si no puedes subir diez escalones sin jadear.* ☐ SINÓN. *acezar.* ☐ ETIMOL. De *ijadear* (mover las ijadas al respirar aceleradamente por cansancio).

jadeo s.m. Respiración que se realiza con dificultad, generalmente a causa del cansancio.

jaez s.m. **1** Adorno que se pone a las caballerías, esp. referido a las cintas con las que se trenzan las crines: *Los caballos desfilaban con sus cascabeles y jaeces.* **2** *desp.* Clase, género o condición: *Personas de ese jaez no me merecen ninguna confianza.* ☐ ETIMOL. Del árabe *yahaz* (aparejo, equipo). ☐ ORTOGR. Dist. de *rahez.* ☐ MORF. En la acepción 1, se usa más en plural.

jaguar (tb. *yaguar*) s.m. Mamífero felino y carnicero, de gran tamaño, con cabeza redondeada y hocico corto, de piel amarilla con manchas circulares de color negro: *El jaguar es propio de la fauna americana.* ☐ MORF. Es un sustantivo epiceno: *el jaguar {macho/hembra}.*

jaguarete s.m. En zonas del español meridional, jaguar. ☐ MORF. Es un sustantivo epiceno: *el jaguarete {macho/hembra}.*

jaguarundí (pl. *jaguarundíes, jaguarundís*) s.m. Mamífero americano, felino y carnicero, de pelaje rojizo o gris, cuerpo alargado, patas cortas y orejas pequeñas y redondeadas.

jagüey s.m. **1** Árbol tropical, de hojas alternas y tallos largos y delgados, que se enrollan a otro árbol. **2** En zonas del español meridional, zanja, pozo o abrevadero llenos de agua. ☐ ETIMOL. Del maya *ja* (agua) y *aui* (acá).

jai s.f. *arg.* Mujer. ☐ ETIMOL. Del caló *jai.*

jai alai (eusk.) s.m. ‖ Juego de pelota vasca. ☐ USO Su uso es innecesario y puede sustituirse por *pelota vasca* o *frontón.*

jaiba s.f. Tipo de cangrejo americano: *arroz con jaibas.*

jaima s.f. Tienda de campaña de los pueblos nómadas o de los que viven en el desierto: *Los tuaregs plantaron sus jaimas cerca del oasis.* ☐ ETIMOL. Del árabe *haymah.*

jaimitada s.f. Gamberrada o tontería que se hacen para que se rían los demás: *hacer jaimitadas.* ☐ ETIMOL. Por alusión a Jaimito, que es un personaje típico de chistes y de gamberradas.

jalado, da adj. En zonas del español meridional, borracho.

jalapeño s.m. Variedad de chile, menos picante, de color verde, tamaño pequeño y piel lisa.

jalar v. **1** *col.* Comer con mucho apetito: *Estás tan gordo porque jalas mucho. Se jaló todo lo que le pusieron.* **2** *col.* En zonas del español meridional, correr o andar muy deprisa: *Tenía tanto miedo que salió jalando sin mirar atrás.* **3** *col.* Tirar o atraer: *No me jales los cabellos.* ☐ ETIMOL. De *halar*, y este del francés *haler* (tirar de algo por medio de un cabo). ☐ ORTOGR. En la acepción 3, se admite también *halar.*

jalbegar v. →**enjalbegar.** ☐ ORTOGR. La *g* se cambia en *gu* delante de *e* →PAGAR.

jalde adj.inv./s.m. De color amarillo intenso. ☐ ETIMOL. Del francés antiguo *jalne*, y este del latín *galbinus* (de color verde claro).

jalea s.f. **1** Conserva dulce de aspecto gelatinoso, hecha con el zumo de algunas frutas. **2** ‖ **jalea real;** sustancia segregada por las glándulas salivales de las abejas para alimentar a las larvas y a las reinas: *La jalea real es muy rica en vitaminas y se toma como reconstituyente.* □ ETIMOL. Del francés *gelée* (gelatina).

jalear v. **1** Animar con palmadas y gritos: *El público jaleaba a los atletas. Los guitarristas jaleaban a los bailaores.* **2** Referido a un perro, animarlo con voces a continuar la caza: *Los ojeadores jaleaban a sus perros durante la cacería.* □ ETIMOL. De *¡hala!* (interjección).

jaleo s.m. **1** *col.* Situación confusa, agitada o embarazosa, esp. si va acompañada de gran alboroto o tumulto: *Armó tal jaleo en la calle que todos se asomaron a la ventana.* □ SINÓN. *lío.* **2** *col.* Conjunto desordenado, revuelto y enredado: *Tiene un jaleo de ideas que no se aclara.* □ SINÓN. *lío.*

jalifa s.m. En el antiguo protectorado español de Marruecos (país norteafricano), autoridad suprema que ejercía las funciones de sultán: *El jalifa ejercía su poder por delegación del sultán y con la intervención del alto comisario de España.* □ ETIMOL. Del árabe *jalifa.*

jalón s.m. **1** Hecho o situación importantes que sirven de punto de referencia en la vida de alguien o en el desarrollo de algo: *El paso por la universidad será un jalón esencial en mi vida.* **2** Vara con punta metálica que se clava en la tierra para señalar puntos fijos cuando se traza el plano de un terreno: *Clavó los jalones en el campo con una separación de varios metros entre sí.* **3** En zonas del español meridional, tirón: *Pasaron dos muchachos en una moto y el que iba detrás le dio el jalón a una señora. Me leí el libro de un jalón.* □ ETIMOL. Las acepciones 1 y 2, del francés *jalon.*

jalonar v. **1** Señalar con jalones: *El topógrafo midió y jalonó el terreno.* **2** Referido a un hecho o a una situación importantes, marcar una etapa en la vida de alguien o en el desarrollo de algo: *Diversos éxitos jalonan su carrera artística.*

jalufa s.f. *col.* Hambre.

jam (ing.) s.f. || **jam (session);** sesión de música improvisada, esp. de jazz: *Según avanzaba la velada, varios músicos fueron subiendo a tocar en la jam session.* □ PRON. [yam sésion].

jamacuco s.m. *col.* Indisposición repentina y de poca gravedad: *Al ver su nombre en la lista de premiados le dio un jamacuco de la emoción.*

jamaicano, na adj./s. De Jamaica o relacionado con este país americano.

jamar v. *col.* Comer: *Jamó la tortilla rápidamente. Se jamó el filete en un momento.* □ ETIMOL. Quizá de origen gitano.

jamaro s.m. *arg.* En el lenguaje de la droga, heroína.

jamás adv. En ningún momento: *No he ido jamás a un concierto. Eso es mentira, porque jamás he escrito nada semejante.* □ SINÓN. *nunca.* □ ETIMOL. Del latín *iam magis* (ya más). □ SEM. En las expresiones *nunca jamás, siempre jamás* o *jamás de los jamases* tiene un matiz intensivo.

jamba s.f. En una puerta o ventana, cada una de las dos piezas laterales que sostienen el dintel. □ ETIMOL. Del francés *jambe* (pierna).

jambo s.m. →**yambo.**

jambolero s.m. Árbol de corteza grisácea y hojas de color verde oscuro brillante, cuyo fruto es la pomarrosa. □ SINÓN. *yambo, jambo, pomarrosa.*

jamelgo s.m. *col.* Caballo flaco y de mal aspecto. □ ETIMOL. Del latín *famelicus* (hambriento).

jamón s.m. **1** Pata trasera del cerdo: *Compró un jamón para asarlo.* **2** Carne curada de esta parte del cerdo: *Deme doscientos gramos de jamón en lonchas muy finas.* **3** *col.* Parte superior de la pierna o del brazo de una persona, esp. si es gruesa. **4** || **estar jamón** alguien; *col.* Ser físicamente atractivo: *Esa modelo está jamón.* || **jamón de pata negra;** el del cerdo criado en el campo y alimentado con bellotas. || **jamón {de York/york};** el cocido y preparado como fiambre. || **jamón (en) dulce;** el cocido con vino blanco y preparado como fiambre. || **jamón serrano;** el curado y no cocido. || **un jamón (con chorreras);** *col.* Expresión que se usa para indicar negación o rechazo: *Le dijo que fuera a comprar el pan y le contestó: «¡Y un jamón!».* □ ETIMOL. Del francés *jambon.*

jamona adj./s.f. *col.* Referido a una mujer, que es gruesa y de edad madura.

jamonería s.f. Establecimiento donde se venden jamones.

jamonero, ra ▮ adj./s.m. **1** Referido a un cuchillo, que se utiliza para cortar jamón curado: *Hemos comprado un jamonero muy afilado para poder cortar el jamón.* ▮ s.m. **2** Soporte que se utiliza para colocar un jamón y poder cortarlo fácilmente: *En ese bar tienen el jamón colocado en un jamonero de madera.*

janguear (tb. *hanguear*) v. En zonas del español meridional, pasar el rato de forma despreocupada. □ ETIMOL. Del inglés *hang out.*

jansenismo s.m. Movimiento religioso, basado en las teorías de Cornelio Jansen (teólogo y obispo holandés del siglo XVII), que defiende que la salvación del ser humano solo puede alcanzarse con la intervención de la gracia divina: *El jansenismo suponía la limitación del libre albedrío.*

jansenista ▮ adj.inv. **1** Del jansenismo o con características de este movimiento religioso: *Los jesuitas criticaron las ideas jansenistas.* ▮ adj.inv./s.com. **2** Partidario o seguidor del jansenismo: *Los jansenistas defendían la autoridad de los obispos.*

japonés, -a ▮ adj./s. **1** De Japón o relacionado con este país asiático. □ SINÓN. *nipón.* ▮ s.m. **2** Lengua de este país: *El japonés me parece un idioma muy difícil porque en su representación gráfica se utilizan ideogramas.*

japuta s.f. Pez marino, de cabeza pequeña, boca redonda con dientes finos y largos, cuerpo aplastado y de forma ovalada, que vive en aguas mediterráneas: *La japuta es comestible.* □ SINÓN. *palometa.*

☐ ETIMOL. Del árabe *sabbut*. ☐ MORF. Es un sustantivo epiceno: *la japuta {macho/hembra}*.

jaque s.m. **1** En el juego del ajedrez, jugada en la que se amenaza con una pieza al rey o a la reina del contrario: *Cuando se hace jaque al rey, hay que avisarlo.* **2** || **(jaque) mate;** el que supone el final de la partida porque el rey amenazado no puede escapar ni protegerse: *Después de dos horas de juego consiguió darme jaque mate.* || **{poner/tener/traer} en jaque;** perturbar, inquietar o intranquilizar: *Con tu última locura, nos tienes en jaque a toda la familia.* ☐ ETIMOL. Del persa *sah* (rey).

jaqueca s.f. Dolor intenso de cabeza que solo afecta a un lado o a una parte de ella. ☐ SINÓN. *migraña.* ☐ ETIMOL. Del árabe *šaqiqa* (migraña).

jaquecoso, sa adj. **1** Que causa molestia. **2** Referido a una persona, que padece una jaqueca: *Hoy me levanté un poco jaquecoso.* **3** De la jaqueca o relacionado con este intenso dolor de cabeza: *Si tu dolor de cabeza no es jaquecoso no debes tomar este medicamento.*

jáquima ▌ s.com. **1** En zonas del español meridional, borracho. ▌ s.f. **2** Conjunto de correas delgadas que se pone en la cabeza a las caballerías y que sirve para atarlas y arrearlas. ☐ ETIMOL. Del árabe hispánico *sakíma*.

jara s.f. Arbusto de ramas de color pardo rojizo, hojas pegajosas, flores grandes con corola blanca y fruto en cápsula, muy abundante en la zona mediterránea: *Las jaras son muy aromáticas.* ☐ ETIMOL. Del árabe *sa'ra'* (mata).

jarabe s.m. **1** Preparado medicinal, líquido y pegajoso, generalmente de sabor dulce. **2** Bebida cuya base se hace cociendo azúcar en agua hasta que se espese. **3** Bebida muy dulce. **4** Baile popular típico de diversos pueblos americanos: *El jarabe puede ser un baile zapateado.* **5** || **jarabe de palo;** *col.* Paliza que se da como medio de disuasión o de castigo. ☐ ETIMOL. Del árabe *sarab* (bebida).

jaral s.m. Terreno poblado de jaras: *Los jarales son típicos de zonas mediterráneas.*

jaramago s.m. Planta herbácea, con tallo ramoso desde la base, hojas grandes y arrugadas, y flores amarillas y pequeñas, en espigas terminales muy largas: *El jaramago suele crecer entre los escombros.* ☐ ETIMOL. De origen incierto.

jarana s.f. **1** *col.* Juerga o diversión animada y ruidosa en la que intervienen varias personas: *ir de jarana; estar de jarana.* **2** *col.* Riña o pelea: *Montaron tal jarana que tuvo que acudir la policía.* **3** En zonas del español meridional, guitarra pequeña. **4** En zonas del español meridional, música, canción y baile populares: *En el norte y en el sur de México se cantan y bailan las jaranas.* ☐ ETIMOL. De origen incierto.

jaranear v. *col.* Ir de jaranas.

jaranero, ra adj. Aficionado a las jaranas.

jarapa s.f. Tela hecha entrelazando tiras de diversos tejidos: *Llevaremos una jarapa para sentarnos a la orilla del río.* ☐ ETIMOL. De *harapo*.

jarcha s.f. Estrofa breve, de carácter popular y escrita en mozárabe, que aparece como parte final de una composición de carácter culto escrita en árabe o hebreo y llamada *moaxaja*: *Las jarchas son la primera manifestación conocida de la lírica romance.*

jarcia s.f. Conjunto de aparejos y cabos de un barco. ☐ ETIMOL. Del griego *exártia*, plural de *exártion* (aparejos de un buque). ☐ MORF. Se usa más en plural.

jardín s.m. **1** Terreno en el que se cultivan plantas ornamentales. **2** || **jardín botánico;** lugar destinado al cultivo de plantas que son objeto de estudio por parte de los investigadores: *Los jardines botánicos suelen tener plantas exóticas.* || **jardín de infancia;** centro escolar para niños pequeños, a los que todavía no se enseña a leer o a escribir. ☐ ETIMOL. Del francés *jardin.* ☐ USO Es innecesario el uso del germanismo *kindergarten* en lugar de *jardín de infancia.*

jardinera s.f. Véase **jardinero, ra.**

jardinería s.f. Arte o técnica de cultivar las plantas y los jardines: *Este libro de jardinería explica cómo se podan los árboles.*

jardinero, ra ▌ s. **1** Persona que se dedica al cuidado y al cultivo de un jardín, esp. si esta es su profesión. ▌ s.f. **2** Recipiente o soporte en el que se cultivan plantas de adorno o en el que se colocan las macetas donde estas se cultivan: *En esta jardinera caben tres macetas.*

jaredim (pl. *jaredim*) adj.inv./s.com. Judío ultraortodoxo. ☐ ETIMOL. Del hebreo *jaredim* (piadoso, temeroso de Dios).

jareta s.f. **1** En una prenda de vestir, doblez cosido con un pespunte paralelo, y que generalmente sirve de adorno: *Tiene una blusa con toda la pechera llena de jaretas finitas.* **2** En una tela, dobladillo hueco por el que se puede meter una cinta, una goma o algo semejante: *La jareta de la bolsa del pan se ha roto y se ha salido la cinta.* ☐ ETIMOL. Del árabe *sarit* (cuerda, cinta, trenza).

jaretón s.m. Dobladillo muy ancho.

jari s.m. *arg.* Lío o jaleo.

jarra s.f. **1** Recipiente de cuello y boca anchos, con una o más asas, que se usa para contener un líquido: *Llené la jarra de agua. Se bebió de un trago una jarra de cerveza.* **2** || **{de/en} jarras;** con las manos en la cintura y los codos separados del cuerpo: *Se puso en jarras de modo desafiante.* ☐ ETIMOL. Del árabe *yarra* (vasija de barro para agua).

jarrear v. Llover con fuerza y de forma abundante: *Llegaron empapados, porque estaba jarreando.* ☐ MORF. Es unipersonal.

jarrete s.m. En una persona o en un animal, parte alta y carnosa de la pantorrilla: *He comprado un jarrete de ternera para asarlo.* ☐ ETIMOL. Del francés *jarret* (corva, corvejón).

jarretera s.f. **1** Liga con hebilla que servía para sujetar la media o el calzón al jarrete de la pierna: *Las jarreteras ya no se usan.* **2** Orden militar inglesa cuya insignia es una liga: *La jarretera fue* *fundada en la mitad del siglo XIV por el rey inglés Eduardo III.* ☐ ETIMOL. Del francés *jarretière*.

jarro s.m. **1** Jarra con una sola asa, esp. si es de barro o de loza. **2** Unidad de capacidad para el vino, que equivale aproximadamente a 0,24 litros. **3** || **jarro de agua fría;** *col.* Noticia o suceso generalmente repentinos y que producen una impresión fuerte y desagradable o decepcionante: *Me echó un jarro de agua fría cuando me dijo que no iría conmigo de viaje.* ☐ SINÓN. *ducha de agua fría.* || **llover a jarros;** *col.* Llover con fuerza y de forma abundante: *Empezó chispeando, pero ahora llueve a jarros.* ☐ USO La acepción 2 es una medida tradicional española.

jarrón s.m. Recipiente más alto que ancho, que se usa como objeto decorativo o para contener flores.

jaspe s.m. Variedad de cuarzo, opaca, de grano fino y color generalmente rojo, amarillo o pardo, que se usa en ornamentación: *El jaspe suele tener vetas de colores diferentes al suyo.* ☐ ETIMOL. Del latín *iaspis*.

jaspeado, da adj. Con vetas o manchas parecidas a las del jaspe: *lana jaspeada.*

jaspear v. Pintar imitando las vetas del jaspe: *Mi padre ha jaspeado los azulejos blancos para que parezcan de mármol.*

jato, ta s. Cría de la vaca: *Durante el tiempo que mama el jato, no se ordeña la vaca.* ☐ SINÓN. *choto, ternero.*

jauja s.f. Lugar o situación ideales en los que se cumplen todos los deseos: *No pidas un coche para tu cumpleaños porque esto no es jauja.* ☐ ETIMOL. Por alusión a Jauja, pueblo y provincia peruanos, célebres por su buen clima y su riqueza.

jaula s.f. **1** Caja hecha con listones o barrotes separados entre sí, que sirve para encerrar o transportar animales. **2** *col.* Cárcel. **3** *col.* || **jaula de grillos;** lugar en el que hay un ruido intenso que resulta molesto: *Aquella reunión terminó convirtiéndose en una jaula de grillos en la que todos hablábamos a la vez.* ☐ ETIMOL. Del francés antiguo *jaole* (calabozo).

jauría s.f. Conjunto de perros que participan juntos en una cacería. ☐ ETIMOL. De origen incierto.

java s.m. Lenguaje informático que tiene un código fácilmente ejecutable por distintos sistemas operativos. ☐ ETIMOL. Extensión del nombre de una marca comercial. ☐ USO Se usa mucho como nombre propio.

javascript (tb. *JavaScript*) s.m. Lenguaje informático que se utiliza para escribir programas que se insertan dentro de las páginas web. ☐ ETIMOL. Extensión del nombre de una marca comercial. ☐ PRON. [javaescríp]. ☐ USO Se usa mucho como nombre propio.

jayán, -a ▌s. **1** Persona muy alta y con mucha fuerza. **2** Persona grosera y de muy mala educación. ▌s.m. **3** Gigante mitológico: *Góngora describe a Polifemo como un jayán.* ☐ ETIMOL. Del francés antiguo *jayant*, y este del latín *gigas* (gigante).

jazmín s.m. **1** Arbusto con tallos trepadores, verdes, delgados y flexibles, con hojas alternas y compuestas, y flores en forma de embudo con cinco pétalos, blancas o amarillas y muy olorosas: *El jazmín aguanta bien las temperaturas frías.* **2** Flor de este arbusto: *El jazmín se usa en perfumería por su intenso aroma.* ☐ ETIMOL. Del árabe *yasimin*.

jazz (ing.) s.m. Género musical caracterizado por tener ritmos muy marcados y cambiantes y por conceder gran importancia a la improvisación, que tiene su origen en la música negra norteamericana a finales del siglo XIX. ☐ PRON. [yas].

jazz-band (ing.) s.f. Conjunto de jazz. ☐ PRON. [yasbán]. ☐ USO Su uso es innecesario y puede sustituirse por *banda de jazz*.

jazzero, ra ▌adj. **1** Del jazz o relacionado con él: *La música jazzera me gusta mucho.* ▌s. **2** *col.* Persona aficionada al jazz: *Mi primo el jazzero me ha recomendado este concierto.* **3** *col.* Persona que interpreta música jazz, esp. si esta es su profesión: *En el concierto de esta noche actúa un famoso jazzero americano.* ☐ SINÓN. *jazzista.* ☐ ETIMOL. Del inglés *jazz*. ☐ PRON. [yaséro].

jazzista s.com. Persona que interpreta música jazz, esp. si esta es su profesión. ☐ SINÓN. *jazzero.* ☐ PRON. [yasísta].

jazzístico, ca adj. Del jazz o relacionado con este tipo de música: *Los instrumentos jazzísticos más genuinos son el saxo y la trompeta.* ☐ PRON. [yasístico].

jazzman (ing.) s.m. Músico que toca jazz. ☐ PRON. [yásman].

jeans (ing.) s.m.pl. →**pantalón vaquero.** ☐ PRON. [yins].

jebe s.m. En zonas del español meridional, goma elástica: *Con el jebe y una piedra puedes hacer una honda.*

jeep s.m. Vehículo ligero y resistente que se adapta a todo tipo de terreno y se emplea para el transporte. ☐ ETIMOL. Extensión del nombre de la marca comercial *Jeep*®. ☐ PRON. [yip]. ☐ USO Su uso es innecesario y puede sustituirse por *todoterreno*.

jefatura s.f. **1** Cargo de jefe: *Aceptó la jefatura del departamento de tesorería.* **2** Oficina o edificio donde están instalados determinados organismos oficiales: *Denunció un robo en la jefatura de policía.*

jefazo, za s. *col.* Persona que desempeña funciones de mando y que tiene mucha responsabilidad o que es demasiado autoritaria.

jefe s.com. **1** En los ejércitos de Tierra y del Aire, persona cuya categoría militar es superior a la de oficial e inferior a la de general: *La categoría de jefe comprende los empleos de comandante, teniente coronel y coronel.* **2** En la Armada, persona cuya categoría militar es superior a la de oficial e inferior a la de almirante: *La categoría de jefe comprende los empleos de capitán de corbeta, de fragata y de navío.* ☐ ETIMOL. Del francés *chef*, y este del latín *caput* (cabeza).

jefe, fa s. **1** Persona que manda o dirige a un grupo: *Para esas cuestiones económicas habla con la* *jefa del departamento de contabilidad. El jefe nos va a aumentar el sueldo.* **2** Representante o líder de un grupo: *La jefa hablará en representación de todos nosotros.* **3** *col.* Padre o madre: *Esta tarde hay una fiesta en mi casa, porque los jefes no están.* **4** *col.* Tratamiento que se da a una persona que tiene algún tipo de autoridad: *Jefe, póngame cuando pueda unas aceitunas.* **5** || **jefe de Estado;** autoridad superior de un país: *En España, el jefe de Estado es el Rey.* || **jefe de Gobierno;** persona que preside y dirige el Consejo de Ministros: *Cuando el partido gane las elecciones generales, su secretario general será el jefe de Gobierno.* || **jefe de producto;** persona responsable de un producto o de una línea de productos desde su creación hasta su comercialización: *Como jefa de producto, también eres responsable de marcar las pautas de la campaña de promoción.* □ MORF. En la acepción 1, el masculino también se usa para designar el femenino: *Mi hermana es jefe de producto.* □ USO Es innecesario el uso del anglicismo *product manager* en lugar de *jefe de producto.*

jemer ▮ adj.inv./s.com. **1** Del pueblo que habita en Camboya (país del sudeste asiático) o relacionado con él: *Los jemeres rojos tomaron el poder en Camboya en 1975.* ▮ s.m. **2** Lengua de este pueblo: *El jemer es una lengua asiática.* □ USO Es innecesario el uso del término del hindi *khmer.*

jengibre s.m. Planta herbácea con hojas lanceoladas, flores en espiga de color púrpura, y un rizoma muy aromático y de sabor picante del que nacen las raíces: *El jengibre se usa en medicina y también como especia.* □ ETIMOL. Del latín *zingiber.*

jenízaro (tb. *genízaro*) s.m. Antiguo soldado de infantería turco que pertenecía a la guardia del sultán: *Entre los siglos XVI y XVII, los jenízaros eran los soldados de élite del ejército turco.* □ ETIMOL. Del turco *yeniÿeri[k]* (tropa nueva).

jeque s.m. En los países musulmanes, jefe que gobierna un territorio: *Los jeques árabes tienen fama de vivir muy bien.* □ ETIMOL. Del árabe *saij* (anciano, señor, jefe).

jerarca s.com. En una agrupación, persona que tiene una categoría elevada: *Los jerarcas del partido ocupan los primeros lugares en las listas electorales. En el concilio había jerarcas de todo el mundo que trataron la acomodación de la liturgia.*

jerarquía s.f. **1** Clasificación u organización en rangos de distinta categoría: *La jerarquía de la sociedad medieval era muy rígida.* **2** En un escalafón, grupo constituido por personas de saber o de condiciones similares: *El Ejército está compuesto por cinco jerarquías: tropa, suboficiales, oficiales, jefes y generales.* □ SINÓN. *grado.* **3** Persona importante dentro de una organización: *El gobernador civil y otras jerarquías provinciales visitaron mi pueblo.* □ ETIMOL. Del latín *hierarchia* (jerarquía eclesiástica), y este del griego *hierós* (sagrado) y *árkhomai* (yo mando).

jerárquico, ca adj. De la jerarquía o relacionado con ella: *organización jerárquica; estructura jerárquica.*

jerarquización s.f. Clasificación u organización en rangos de distinta categoría: *La directora impuso su criterio en la jerarquización de la empresa.*

jerarquizar v. Clasificar u organizar en rangos de distinta categoría: *El dinero es lo que realmente jerarquiza la sociedad actual en distintos grupos.* □ ORTOGR. La *z* se cambia en *c* delante de *e* →CAZAR.

jerbo (tb. *gerbo*) s.m. Mamífero roedor con el pelaje amarillo y blanco, que tiene las extremidades posteriores muy largas y las anteriores muy cortas: *El jerbo habita en el norte de África.*

jeremiada s.f. Lamentación exagerada de dolor. □ ETIMOL. Por alusión al profeta Jeremías, célebre por sus lamentaciones.

jerez s.m. Vino blanco, seco, de fina calidad y de alta graduación alcohólica, originario de Jerez de la Frontera (ciudad gaditana): *De aperitivo tomé un jerez y unas aceitunas.* □ USO Es innecesario el uso del anglicismo *sherry.*

jerga s.f. **1** Variedad de lengua que usan entre sí las personas pertenecientes a un mismo grupo profesional o social: *La jerga médica es difícil de entender si no eres médico.* □ SINÓN. *argot.* **2** En zonas del español meridional, bayeta: *Limpié con una jerga el agua que se cayó.* □ ETIMOL. La acepción 1, del francés *jargon.* La acepción 2, de origen incierto. □ SEM. En la acepción 1, *jerga* se aplica esp. al lenguaje de grupos profesionales, frente a *argot,* que se prefiere para el lenguaje que usan ciertos grupos sociales con intención de no ser entendidos por los demás o de diferenciarse de ellos.

jergal adj.inv. De la jerga o relacionado con esta forma de lenguaje: *El vocabulario jergal es incomprensible para el que no lo conozca.*

jergón s.m. Colchón de paja, hierba o esparto, sin bastas o ataduras que mantengan el relleno repartido y sujeto: *Pasé muy mala noche porque dormí en un jergón directamente sobre el suelo.* □ ETIMOL. De *jerga* (tela gruesa y tosca).

jeribeque s.m. Gesto o movimiento exagerado. □ MORF. Se usa más en plural.

jerigonza (tb. *jeringonza*) s.f. Lenguaje difícil de entender: *No sabe bien el idioma y utiliza una jerigonza que nadie comprende.* □ ETIMOL. Del provenzal *gergons.*

jeringa s.f. Instrumento formado por un tubo con un émbolo en su interior y estrechado por un extremo, que se utiliza para aspirar o para expulsar líquidos o materias blandas: *El practicante desinfectó la jeringa y la aguja antes de poner la inyección.* □ ETIMOL. Del latín *syringa* (jeringa, lavativa). □ SEM. Dist. de *inyección* (sustancia que se inyecta).

jeringar v. **1** *col.* Molestar o enfadar: *Me jeringan las preguntas impertinentes.* **2** Inyectar con una jeringa: *Mi abuelo me contó que, cuando era joven, tuvo que jeringarse una vez para purgarse el intes-*

tino. □ ORTOGR. La *g* se cambia en *gu* delante de *e* →PAGAR.

jeringonza s.f. →**jerigonza.**

jeringuilla s.f. Jeringa pequeña que se usa para inyectar sustancias medicamentosas en los tejidos orgánicos: *El practicante tiró la jeringuilla después de ponerme la inyección.* □ SEM. Dist. de *inyección* (sustancia que se inyecta).

jeroglífico, ca ▮ adj. **1** Referido a un sistema de escritura, que se caracteriza por representar las palabras con figuras o símbolos, y no con signos fonéticos o alfabéticos: *Los egipcios utilizaron la escritura jeroglífica.* ▮ s.m. **2** Símbolo o figura empleados en este tipo de escritura: *Conozco el significado de algunos jeroglíficos egipcios.* **3** Pasatiempo o juego de ingenio que consiste en un conjunto de signos y figuras de los cuales hay que deducir una palabra o una frase: *El jeroglífico de hoy es el dibujo de una cama y de un león, y hay que adivinar de qué animal se trata.* **4** Lo que es difícil de entender o de interpretar: *No puedo armar este mueble, porque las instrucciones son un jeroglífico.* □ ETIMOL. Del latín *hieroglyphicus*, y este del griego *hierós* (sagrado) y *glýpto* (yo grabo), porque los sacerdotes egipcios eran quienes utilizaban los jeroglíficos.

jerónimo, ma adj./s. Referido a un religioso, que pertenece a la orden de San Jerónimo (fundada en el siglo XIV por unos ermitaños): *El hábito de los monjes jerónimos es pardo.*

jersey (pl. *jerséis*) s.m. Prenda de vestir, generalmente de punto y con manga larga, que cubre el cuerpo desde el cuello hasta más abajo de la cintura. □ SINÓN. *suéter.* □ ETIMOL. Del inglés *jersey*.

jesuita ▮ adj.inv./s.m. **1** Referido a un religioso, que pertenece a la Compañía de Jesús (orden fundada por el santo español Ignacio de Loyola en el siglo XVI): *Los jesuitas tienen el voto especial de la obediencia directa al Papa.* ▮ s.com. **2** *col. desp.* Hipócrita y astuto.

jesuítico, ca adj. **1** De la Compañía de Jesús (orden fundada por el santo español Ignacio de Loyola en el siglo XVI), o relacionado con ella: *La labor jesuítica en la educación ha sido muy importante durante siglos.* **2** *col. desp.* Referido a la forma de actuar, hipócrita o poco clara.

jesuitina adj./s.f. Referido a una religiosa o a una congregación, que pertenece a la Compañía de las Hijas de Jesús (orden fundada en el siglo XIX): *La congregación jesuitina se dedica a las misiones y a la educación. Estudié en un colegio de jesuitinas.*

jet (ing.) ▮ s.m. **1** Reactor o avión de reacción: *El jet privado del presidente llegó a la hora prevista.* ▮ s.f. **2** →**jet set.** □ PRON. [yet].

jeta ▮ adj.inv./s.com. **1** *col.* Referido a una persona, que es fresca, desvergonzada o cínica: *Es un tío jeta y se cuela en todos sitios.* ▮ s.f. **2** *col.* Desfachatez, descaro o cinismo: *Tienes una jeta tremenda y siempre logras que te inviten.* **3** *col.* Cara o parte anterior de la cabeza: *No me pongas esa jeta porque tengo razón.* **4** En un cerdo, hocico: *En ese bar sí que saben preparar la jeta de cerdo.* □ ETIMOL. Del árabe *jatm* (hocico, pico, nariz).

jet-foil (ing.) s.m. Vehículo que puede desplazarse a gran velocidad sobre la tierra o sobre el agua al ir sustentado por una capa de aire a presión. □ SINÓN. *hovercraft, hoverfoil.* □ PRON. [yetfóil].

jet lag (ing.) s.m. ‖ Desfase temporal de las funciones físicas y psíquicas del cuerpo humano tras haber realizado un largo viaje en avión con varios cambios horarios: *El vuelo de San Francisco a Madrid me produjo un jet lag del que tardé un día en recuperarme.* □ PRON. [yétlag]. □ USO Su uso es innecesario y puede sustituirse por *desfase horario*.

jet set (ing.) (tb. *jet*) s.f. ‖ Grupo internacional de personas ricas, famosas y con éxito, que viajan mucho y llevan una vida placentera: *Asistí a una fiesta de la jet set.* □ PRON. [yet set].

jet-ski (ing.) s.m. Deporte que se practica sobre una moto acuática: *una competición de jet-ski.* □ PRON. [yet-esquí].

jetudo, da adj. *col.* Referido a un animal, que tiene el morro o el hocico grande.

jevo, va s. *col.* En zonas del español meridional, muchacho: *A esas jevas les gusta mucho bailar merengue.*

ji s.f. En el alfabeto griego clásico, nombre de la vigésima segunda letra: *La grafía de la ji es* χ.

jíbaro, ra adj./s. **1** De un pueblo indígena de Ecuador y de Perú (países americanos), o relacionado con él: *Los jíbaros reducen el tamaño de las cabezas de sus enemigos.* **2** En zonas del español meridional, campesino blanco. □ ETIMOL. De origen incierto.

jibia s.f. **1** Molusco cefalópodo marino, de cuerpo oval y con diez tentáculos, parecido al calamar: *La jibia es comestible y de sabor parecido al calamar.* □ SINÓN. *sepia.* **2** Concha caliza que se encuentra en el interior de este molusco: *Compré una jibia a mi periquito para que se le endurezca el pico.* □ ETIMOL. Del latín *sepia*. □ MORF. En la acepción 1, es un sustantivo epiceno: *la jibia {macho/hembra}.*

jibión s.m. Pieza caliza de la jibia que se usa en algunos procesos industriales.

jícara s.f. **1** Taza pequeña, generalmente utilizada para tomar chocolate: *Tomaron el chocolate en jícaras de loza.* **2** En zonas del español meridional, vasija pequeña para beber: *Cuando estuve en México, compré una jícara de madera.*

jienense adj.inv./s.com. →**jiennense.**

jiennense (tb. *jienense*) adj.inv./s.com. De Jaén o relacionado con esta provincia española o con su capital: *El río Guadalquivir nace al este de la provincia jiennense.*

jifero, ra ▮ adj. **1** Del matadero o relacionado con él. **2** *col.* Sucio o soez. ▮ s.m. **3** Cuchillo con el que se matan y se descuartizan las reses. **4** Persona que se dedica profesionalmente a matar y descuartizar reses. □ SINÓN. *matarife, matachín.*

jiga s.f. →**giga.**

jijona s.m. Turrón blando y grasiento, hecho de almendras molidas y miel, de color ocre y originario de Jijona (ciudad alicantina): *En casa comemos mucho jijona en Navidad.*

jilguero, ra s. Pájaro cantor muy vistoso, con el plumaje pardo, amarillo y negro, y la cabeza blanca con una mancha roja en torno al pico y otra negra en lo alto: *Los jilgueros son pájaros muy apreciados por su canto.* □ ETIMOL. Del antiguo *sirguero*, y este de *sirgo* (paño de seda), porque los colores del pájaro recuerdan los de este tejido.

jilote s.m. En zonas del español meridional, mazorca de maíz tierna. □ ETIMOL. Del náhuatl *xilotl* (cabello).

jiloteo s.m. En zonas del español meridional, aparición de la flor o de la espiga de la caña de maíz.

jincho, cha s. **1** *col. desp.* Drogadicto. **2** *col. desp.* Persona que tiene un aspecto exterior muy descuidado. **3** *col. desp.* Ladrón o delincuente.

jineta (tb. *gineta*) s.f. Mamífero carnívoro de cabeza pequeña, patas cortas y pelaje de color blanco en la garganta, pardo amarillento con manchas en fajas negras por el cuerpo, y anillos blancos y negros en la cola: *La jineta es un animal de costumbres nocturnas.* □ ETIMOL. Del árabe *yarnait* (variedad del gato de algalia). □ MORF. Es un sustantivo epiceno: *la jineta {macho/hembra}*. □ SEM. Dist. de *amazona* (mujer que monta a caballo).

jinete s.m. Hombre que monta a caballo, esp. si es diestro en la equitación. □ ETIMOL. Del árabe *zeneti* (individuo de Zeneta, tribu bereber famosa por su caballería ligera). □ MORF. Su femenino es *amazona*.

jineterismo s.m. En zonas del español meridional, prostitución que se dirige a los turistas extranjeros.

jinetero, ra s. *desp.* En zonas del español meridional, persona que se dedica a la prostitución.

jingle (ing.) s.m. Canción que acompaña a un anuncio publicitario y que suele ser muy pegadiza. □ PRON. [yíngel].

jinjolero s.m. Árbol parecido al magnolio, con espinas en las ramas y un fruto comestible de color rojizo. □ SINÓN. *azufaifo*.

jiñar v. *vulg.* →**defecar.**

jipa s.f. En zonas del español meridional, jipijapa: *La jipa es un sombrero de ala ancha.*

jipato, ta adj. *col.* En zonas del español meridional, pálido.

jipi adj.inv./s.com. →**hippy.**

jipiar v. *col.* Ver: *Desde la azotea jipiaban todo lo que pasaba en la calle.* □ ORTOGR. La *i* nunca lleva tilde.

jipido s.m. →**jipío.**

jipijapa s.m. Sombrero de ala ancha hecho con un tejido de paja muy fino y flexible: *El jipijapa es originario de América del Sur.* □ ETIMOL. Por alusión a Jipijapa, ciudad de Ecuador donde se fabrican estos sombreros.

jipío (tb. *jipido*) s.m. En el cante flamenco, grito, quejido o lamento característico que se intercala en la copla.

jira s.f. **1** Comida o merienda campestre entre amigos, que se desarrolla con regocijo y bulla: *Lo pasamos muy bien en la jira al lado del río.* **2** Trozo grande y largo que se corta o que se rasga de una tela: *Rompió en jiras la sábana para usarlas como vendas.* □ ETIMOL. La acepción 1, del francés antiguo *chiere* (comida de calidad), y este de la locución *faire bone chiere* (dar bien de comer). La acepción 2, de *jirón*. □ ORTOGR. Dist. de *gira*.

jirafa s.f. **1** Mamífero rumiante de gran altura, con el cuello muy largo, la cabeza pequeña con dos cuernos acabados en forma redondeada, y con el pelaje de color amarillento con manchas oscuras: *Para las jirafas, es más fácil comer las hojas de los árboles que la hierba del suelo.* **2** En cine, vídeo y televisión, brazo articulado que permite mover un micrófono y ampliar su alcance: *Hay que repetir la toma, porque ha salido la jirafa en imagen.* **3** *col.* Persona muy alta. □ ETIMOL. Del árabe *zurafa*. □ MORF. En la acepción 1, es un sustantivo epiceno: *la jirafa {macho/hembra}*.

jirón s.m. **1** Trozo desgarrado de una prenda de vestir o de una tela: *El viento ha hecho jirones la bandera.* **2** Parte pequeña de un todo: *Esa guerra significó la pérdida de los últimos jirones coloniales de este país.* **3** En zonas del español meridional, calle: *En este jirón vivo yo.* □ ETIMOL. Del francés antiguo *giron* (pedazo de un vestido cortado en punta).

jitanjáfora s.f. Texto carente de sentido pero dotado de valor estético por la sonoridad y el poder evocador de las palabras, reales o inventadas, que lo constituyen: *El escritor Alfonso Reyes llamó jitanjáforas a textos como 'Viernes, vírgula, virgen / enano verde'.*

jitomate s.m. En zonas del español meridional, tomate: *Me gusta la ensalada de lechuga y jitomate.*

jiu-jitsu s.m. Deporte de origen japonés que procede de un sistema de lucha basado en dar golpes sin utilizar armas: *En el jiu-jitsu se aprovecha la inercia de los movimientos del contrario para vencerlo.* □ ETIMOL. De origen japonés. □ PRON. [yíu yítsu].

jo interj. *col. euf.* Expresión que se usa para indicar extrañeza, sorpresa, admiración o disgusto: *¡Jo, qué rabia no poder ir contigo! ¡Jo, menudo sitio has elegido!* □ ETIMOL. Eufemismo por *joder*.

jobar interj. *col. euf.* Expresión que se usa para indicar extrañeza, sorpresa, admiración o disgusto: *¡Jobar, qué daño me has hecho! ¡Jobar, vaya coche que te has comprado!*

jockey (ing.) s.m. →**yóquey.** □ PRON. [yókei]. □ SEM. Dist. de *hockey* (un deporte).

jocoque s.m. Alimento mexicano hecho a base de leche agria. □ ETIMOL. Del náhuatl *xococ* (agrio).

jocosidad s.f. **1** Facilidad o capacidad para hacer reír: *La jocosidad de sus movimientos nos hizo reír.* **2** Hecho o dicho graciosos o chistosos: *Sus anécdotas y jocosidades nos alegraron la tarde.* □ SEM. Dist. de *jocundidad* (serenidad y tranquilidad).

jocoso, sa adj. Gracioso o chistoso: *Sus comentarios jocosos nos hicieron reír.* □ ETIMOL. Del latín *iocosus*. □ SEM. Dist. de *jocundo* (agradable y apacible).

jocundidad s.f. Alegría, serenidad y tranquilidad. ☐ SEM. Dist. de *jocosidad* (capacidad para hacer reír).

jocundo, da adj. Alegre, agradable y apacible. ☐ ETIMOL. Del latín *iocundus*. ☐ SEM. Dist. de *jocoso* (gracioso o chistoso).

joda s.f. **1** *col.* En zonas del español meridional, fiesta o juerga: *irse de joda.* **2** *col.* En zonas del español meridional, lo que resulta pesado o molesto: *Levantarse temprano es una joda.*

joder ▌v. **1** *vulg.malson.* →**copular. 2** *vulg.malson.* Fastidiar o molestar mucho. ▌interj. **3** *vulg.malson.* Expresión que se usa para indicar extrañeza, sorpresa, admiración o disgusto. ☐ ETIMOL. Del latín *futuere.*

jodido, da adj. **1** *vulg.malson.* Difícil o complicado. **2** *vulg.malson.* Enfermo, achacoso o muy cansado.

jodienda s.f. *vulg.malson.* Incomodidad, engorro o incordio.

jofaina s.f. Vasija de gran diámetro y de poca profundidad, que se utiliza esp. para lavarse la cara y las manos: *Cuando no había agua corriente lo normal era lavarse en jofainas.* ☐ SINÓN. *palancana, palangana.* ☐ ETIMOL. Del árabe *yufaina* (platillo hondo, escudilla).

jogging (ing.) s.m. Ejercicio físico que consiste en correr a ritmo moderado y constante: *hacer jogging.* ☐ PRON. [yóguin].

joint venture (ing.) s.f. ‖ Grupo de empresas que se asocia y comparte los riesgos: *Esas dos multinacionales han constituido una joint venture para crecer en el mercado.* ☐ SINÓN. *coventure.* ☐ PRON. [yóin vénchur], con *ch* suave. ☐ USO Su uso es innecesario y puede sustituirse por *empresa mixta* o *empresa en participación.*

jojoba s.f. **1** Arbusto americano de semillas comestibles de las que se extrae aceite: *Las semillas de jojoba tienen un uso industrial.* **2** Semilla de este arbusto: *Esta crema hidratante tiene aceite de jojoba.* ☐ PRON. Aunque la pronunciación correcta es [jojóba], está muy extendida [yoyóba]. ☐ ORTOGR. Se usa también *yoyoba.*

jojoto s.m. En zonas del español meridional, maíz tierno: *Almorcé jojoto.*

joker (ing.) s.m. En la baraja francesa, comodín o carta sin valor fijo. ☐ PRON. [yóker]. ☐ USO Su uso es innecesario y puede sustituirse por *comodín.*

jolgorio (tb. *holgorio*) s.m. *col.* Animación o diversión alegre y ruidosa: *Celebró su cumpleaños con un gran jolgorio. El jolgorio de la verbena se oía desde mi casa.*

jolín interj. *col. euf.* Expresión que se usa para indicar extrañeza, sorpresa, admiración o disgusto: *¡Jolín, ya he vuelto a perder la llave!*

jolines interj. *col. euf.* Expresión que se usa para indicar extrañeza, sorpresa, admiración o disgusto: *¡Jolines, qué día llevo!*

jolote s.m. En zonas del español meridional, mano o mazo del mortero.

jónico, ca ▌adj. **1** De Jonia (región de la antigua Grecia), o relacionado con ella: *Los filósofos jónicos se ocupaban de la naturaleza, el origen y la causa de lo real.* ☐ SINÓN. *jonio.* **2** En arte, del orden jónico: *El capitel jónico está adornado con volutas.* ▌s.m. **3** →**orden jónico.**

jonio, nia adj./s. De Jonia (región de la antigua Grecia), o relacionado con ella: *La ciudad de Mileto fue el gran centro cultural y económico jonio.* ☐ SINÓN. *jónico.*

jonrón s.m. En zonas del español meridional, en béisbol, jugada en la que un bateador da un golpe que le permite hacer un circuito completo entre las bases y ganar una carrera. ☐ ETIMOL. Del inglés *home run.*

jopé (tb. *jope*) interj. *col. euf.* Expresión que se usa para indicar extrañeza, sorpresa, admiración o disgusto.

jopelines interj. *col. euf.* Expresión que se usa para indicar extrañeza, sorpresa, admiración o disgusto: *¡Jopelines, como quema la sopa!*

jordano, na adj./s. De Jordania o relacionado con este país asiático.

jornada s.f. **1** Tiempo dedicado al trabajo diario o semanal: *Mi jornada es de siete horas. Los sindicatos intentan negociar la reducción de jornada.* **2** Período de tiempo de 24 horas aproximadamente: *Estas son las noticias más importantes de la jornada.* **3** Distancia que se puede recorrer normalmente en un día: *El siguiente pueblo está a tres jornadas a caballo.* **4** En una obra de teatro clásico español, acto o parte en que se divide su desarrollo, esp. la que abarca un día en la vida de los personajes: *La comedia clásica del siglo XVII está dividida en tres jornadas.* **5** ‖ **jornada de reflexión;** día anterior a unas elecciones generales: *El último día de campaña electoral es la víspera de la jornada de reflexión.* ‖ **jornada intensiva;** la que se realiza en un horario continuado y sin parar para comer: *Tengo las tardes libres porque hago jornada intensiva. En mi empresa tenemos jornada intensiva de 8 a 15.30.* ☐ ETIMOL. Quizá del provenzal *jornada*, este de *jorn* (día), y este del latín *diurnus* (diurno, que ocurre durante el día).

jornal s.m. Salario que recibe el trabajador por cada día de trabajo. ☐ ETIMOL. Del provenzal *jornal*, y este de *jorn* (día).

jornalero, ra s. Persona que trabaja a jornal o por un salario diario, esp. si lo hace en el campo: *La mecanización del trabajo agrícola dejó sin trabajo a muchos jornaleros.*

joroba ▌s.f. **1** Corvadura anómala de la columna vertebral, del pecho, o de ambos a la vez: *Si sigues sentándote tan torcida, te va a salir joroba.* ☐ SINÓN. *chepa, corcova, giba.* **2** Bulto dorsal de algunos animales, esp. el de los camellos y los dromedarios, en el que almacenan grasa: *Los camellos tienen dos jorobas y los dromedarios solamente una.* ☐ SINÓN. *giba.* ▌interj. **3** *col.* Expresión que se usa para indicar extrañeza, sorpresa, admiración o disgusto: *¡Joroba, este no es el regalo que quería! ¡Jo-*

roba, qué bien te queda ese vestido! □ ETIMOL. Del árabe *huduba* (chepa).

jorobado, da adj./s. Que tiene joroba o corcova. □ SINÓN. *corcovado*.

jorobar v. *col.* Molestar o fastidiar: *Me joroba tener que madrugar. Si está mal, tendremos que jorobarnos y repetirlo.*

joropear v. Bailar el joropo: *Mis primos venezolanos me enseñaron a joropear.*

joropo s.m. Danza popular venezolana y colombiana: *El joropo es un baile zapateado y por parejas.*

josefino, na adj./s. **1** Referido a una persona, que pertenece a alguna de las congregaciones devotas de San José (según la Biblia, padre terrenal de Jesucristo): *Ha hecho sus votos como religiosa josefina.* **2** Partidario de José I Bonaparte (rey impuesto a España por Napoleón a principios del siglo XIX): *Los josefinos defendían la monarquía impuesta por Napoleón en España.*

jota s.f. **1** Nombre de la letra *j.* **2** Composición musical popular de varias provincias españolas: *Me gusta la letra de esta jota segoviana.* **3** Baile que se ejecuta al compás de esta música: *Mi prima me enseñó a bailar la jota.* **4** || **ni jota;** nada o casi nada: *No entiendo ni jota de alemán. Se me sentó un señor muy alto delante, y no vi ni jota de la película.* □ ETIMOL. Las acepciones 2 y 3, del antiguo *sotar* (bailar).

jote s.m. Buitre americano con el plumaje de color negro, excepto en la cabeza y el cuello: *El jote es propio de Chile.* □ MORF. Es un sustantivo epiceno: *el jote {macho/hembra}.*

jotero, ra s. Persona que compone, canta o baila jotas.

joule (ing.) s.m. →**julio.** □ ORTOGR. Es la denominación internacional del *julio.* □ PRON. [yul].

joven ▮ adj.inv. **1** Con las características que se consideran propias de la juventud: *moda joven; mente joven.* **2** De poca edad o que se encuentra en las primeras etapas de su existencia o de su desarrollo: *Fíjate en el tamaño del tronco y verás que es un árbol joven.* ▮ adj.inv./s.com. **3** Referido a una persona, que está en la juventud o en la etapa intermedia entre la niñez y la edad adulta: *Cuando mis padres eran jóvenes venían mucho a este cine.* □ SINÓN. *mozo.* □ ETIMOL. Del latín *iuvenis.* □ MORF. Su superlativo es *jovencísimo.*

jovenzuelo, la adj./s. *col.* Joven. □ USO Tiene un matiz despectivo.

jovial adj.inv. Alegre, de buen humor o inclinado a la diversión. □ ETIMOL. Del latín *Iovialis* (perteneciente a Júpiter), porque Júpiter era el planeta que se creía que influía positivamente en los nacidos bajo su signo.

jovialidad s.f. Alegría, buen humor o inclinación a la diversión.

joviano, na adj. De Júpiter (planeta del sistema solar) o relacionado con él. □ ETIMOL. Del latín *Iovis* (Júpiter).

joya s.f. **1** Objeto de adorno personal, hecho con piedras y metales preciosos. □ SINÓN. *alhaja.* **2** Lo que es de gran valía o tiene excelentes cualidades: *¡Qué joya de ordenador, lo hace todo! Este hombre es una verdadera joya.* □ SINÓN. *alhaja.* □ ETIMOL. Del francés antiguo *joie.*

joyel s.m. Joya pequeña.

joyería s.f. **1** Establecimiento en el que se fabrican o se venden joyas: *¿En qué joyería te has comprado ese anillo?* **2** Arte, técnica o industria de fabricar joyas: *Es diseñador en una importante empresa de joyería.*

joyero, ra ▮ s. **1** Persona que se dedica profesionalmente a la fabricación o a la venta de joyas: *Encargué al joyero que me agrandara el anillo.* ▮ s.m. **2** Caja en la que se guardan joyas: *Siempre se me olvida cerrar el joyero con llave.*

joystick (ing.) s.m. Palanca de control de algunos mecanismos electrónicos, que puede moverse en todas direcciones. □ PRON. [yóistic].

jrivnia s.m. Unidad monetaria ucraniana.

juanete s.m. Deformación o inflamación crónica en la base del hueso del dedo gordo del pie: *Hoy me duele mucho el juanete.* □ ETIMOL. De *Juanete*, y este de *Juan*, que era el nombre que se le daba a la gente rústica, de la que se decía que tenía juanetes en los pies.

juan lanas s.m. || *col.* Hombre de poco carácter que se presta con facilidad a todo lo que se quiere hacer de él.

jubete s.m. Prenda de vestir de ante y cubierta de malla de hierro, que protegía el cuerpo, ciñéndolo hasta la cintura: *Los soldados españoles utilizaban el jubete en el siglo XV.*

jubilación s.f. **1** Retirada definitiva de un trabajo, generalmente por haber cumplido la edad determinada por la ley o por sufrir una incapacidad física: *Le concedieron la jubilación anticipada por desequilibrio mental.* **2** Cantidad de dinero que cobra un jubilado: *Con la jubilación que recibe, apenas puede vivir.*

jubilado, da adj./s. Referido a una persona, que está retirada definitivamente del trabajo, generalmente por haber cumplido la edad determinada por la ley o por sufrir una incapacidad física: *Muchos jubilados se dedican a hacer las cosas que no podían cuando estaban trabajando.*

jubilar ▮ adj.inv. **1** Del jubileo o relacionado con este: *En los años jubilares la fiesta de Santiago Apóstol cae en domingo.* ▮ v. **2** Referido a una persona, retirarla de su trabajo, generalmente por haber cumplido la edad determinada por la ley o por sufrir una incapacidad física, dándole una pensión de por vida: *Jubilaron a dos compañeros que llevaban muchos años en la empresa. Me jubilé a los sesenta y cinco años.* **3** *col.* Referido a un objeto, desecharlo por inservible: *Hay que jubilar este frigorífico, porque ya no enfría.* □ ETIMOL. Las acepciones 2 y 3, del latín *iubilare* (lanzar gritos de júbilo).

jubileo s.m. **1** En el cristianismo, indulgencia plenaria, solemne y universal, concedida por el Papa en determinados momentos: *Fue a la catedral para ganar el jubileo.* **2** Entrada y salida de mucha gente en un lugar: *La oficina de reclamaciones era un jubileo.* □ ETIMOL. Del latín *iubilaeus* (solemnidad judía celebrada cada cincuenta años).

júbilo s.m. Alegría intensa, esp. si se manifiesta con signos exteriores. □ ETIMOL. Del latín *iubilum*.

jubiloso, sa adj. Lleno de júbilo o de alegría: *una sonrisa jubilosa.*

jubón s.m. Antigua prenda de vestir ajustada al cuerpo, que cubría desde los hombros hasta la cintura: *El jubón podía tener o no tener mangas.*

judaico, ca adj. De los judíos o relacionado con ellos: *La circuncisión de los niños es un rito religioso judaico.*

judaísmo s.m. Religión basada en la ley de Moisés (profeta israelita), que se caracteriza por el monoteísmo y por la espera de la llegada del Mesías (según la Biblia, el Hijo de Dios). □ SINÓN. *hebraísmo.* □ ETIMOL. Del latín *Iudaismus*.

judaizante adj.inv./s.com. Referido a un cristiano, que practica los ritos y las ceremonias del judaísmo: *En España, durante el siglo XVI, había judaizantes que seguían practicando a escondidas ritos judíos.*

judaizar v. Practicar los ritos y las ceremonias del judaísmo: *La Inquisición condenó a muchas personas que judaizaban.* □ ORTOGR. La *z* se cambia en *c* delante de *e* →CAZAR. □ SEM. Dist. de *hebraizar* (utilizar palabras, significados o construcciones sintácticas del hebreo en otra lengua).

judas (pl. *judas*) s.m. *desp.* Persona malvada y traidora. □ ETIMOL. Por alusión a Judas, discípulo que vendió a Jesucristo.

judeocristiano, na adj. Referido esp. a la cultura o a la moral, que deriva de la tradición judía y de la cristiana: *La moral judeocristiana es muy tradicionalista.*

judeoespañol, -a ▌adj. **1** De los sefardíes o judíos españoles, o relacionado con ellos: *La comunidad judeoespañola conserva la cultura de sus antepasados.* ▌s.m. **2** Variedad del español hablada por estos judíos: *El judeoespañol conserva rasgos del castellano medieval.* □ ORTOGR. Se usa también *judeo-español.*

judería s.f. En una ciudad, barrio en el que habitaban los judíos: *La judería de esta ciudad castellana es de época medieval.*

judía s.f. Véase **judío, a**.

judiada s.f. *desp.* Acción malintencionada o perjudicial.

judicatura s.f. **1** Cargo o profesión de juez: *Celebró su acceso a la judicatura después de aprobar la oposición.* **2** Tiempo durante el que un juez ejerce su cargo: *Durante su judicatura condenó a muchos criminales.* **3** Cuerpo o conjunto de los jueces de un país: *Es un miembro de la judicatura española.* □ ETIMOL. Del latín *iudicatura*.

judicial adj.inv. Del juicio, de la administración de justicia o de la judicatura: *un poder judicial; el error judicial.* □ ETIMOL. Del latín *iudicialis*.

judicialización s.f. Hecho de llevar un asunto por la vía judicial.

judicializar v. Referido a un asunto, llevarlo por vía judicial. □ ORTOGR. La *z* se cambia en *c* delante de *e* →CAZAR.

judiciaria s.f. →**astrología judiciaria.**

judiciario, ria ▌adj. **1** De la astrología judiciaria o relacionado con ella. **2** *ant.* →**judicial.** ▌s.f. **3** →**astrología judiciaria.**

judío, a ▌adj. **1** Del judaísmo o relacionado con esta religión: *Se casó según el rito judío.* □ SINÓN. *hebreo, israelita.* ▌adj./s. **2** Que tiene como religión el judaísmo: *Los judíos celebran sus ceremonias religiosas en las sinagogas.* □ SINÓN. *hebreo, israelita.* **3** De un antiguo pueblo semita que habitó Palestina (territorio situado en el oeste asiático), o relacionado con él: *A la muerte de Salomón, el reino judío de Israel quedó dividido en dos.* □ SINÓN. *hebreo, israelita.* **4** De Judea (antiguo país asiático), o relacionado con él: *La región judía está entre el mar Muerto y el Mediterráneo.* ▌s. **5** *col. desp.* Usurero: *Ese prestamista será un usurero, pero no debes llamarlo 'judío' por esa razón.* ▌s.f. **6** Planta leguminosa, con tallos delgados, hojas grandes compuestas y acorazonadas, flores blancas y fruto en vainas de color verde y aplastadas, que terminan en dos puntas: *La judía se cultiva en las huertas.* □ SINÓN. *alubia, fréjol, frijol, fríjol, habichuela.* **7** Fruto de esta planta, que es comestible: *Trocea unas judías verdes para hacer la comida.* □ SINÓN. *alubia, fréjol, frijol, fríjol, habichuela.* **8** Semilla de este fruto, que tiene forma de riñón: *Ayer comí judías blancas con chorizo.* □ SINÓN. *alubia, fréjol, frijol, fríjol, habichuela.* □ ETIMOL. Las acepciones 1-5, del latín *Iudaeus*. Las acepciones 6-8, de origen incierto.

judión s.m. Variedad de judía, de hoja mayor y más redonda, y con vainas más anchas, cortas y fibrosas: *Los judiones son más duros que las judías.*

judo (tb. *yudo*) s.m. Deporte de origen japonés en el que se enfrentan dos personas, y cuya finalidad es el derribo y la inmovilización del adversario sin el uso de armas: *El judo es un buen sistema de defensa personal.* □ ETIMOL. Del japonés *yudo*. □ PRON. [júdo] o [yúdo].

judoca (jap.) s.com. →**yudoca.** □ PRON. [yudóca].

juego ▌s.m. **1** Acción que se realiza como diversión o entretenimiento: *A los niños les encanta el juego.* **2** Actividad recreativa que se realiza bajo determinadas reglas: *El parchís y la oca son juegos de mesa. Los crucigramas son juegos de ingenio.* **3** Práctica de actividades recreativas en las que se realizan apuestas: *El juego ha arruinado a mucha gente.* **4** Participación en una diversión, en un entretenimiento o en un deporte: *Sin entrenamiento no se puede tener buen juego.* **5** Participación en un sorteo o en un juego de azar con el fin de ganar dinero: *Hagan juego, señores, la ruleta se va a poner en movimiento.* **6** Conjunto de elementos que se usan o se combinan juntos para un determinado fin: *Toma un juego de llaves para que vengas a casa cuando quieras.* **7** Combinación de elementos que generalmente produce un efecto estético: *El juego* *de luces de este espectáculo es muy vistoso.* **8** Disposición con la que dos elementos están unidos de manera que puedan tener movimiento sin separarse: *Esa puerta tiene roto el juego del gozne.* **9** Movimiento que tienen estos elementos: *La inflamación del tendón no me permite el juego de la rodilla.* **10** Plan, esp. si es secreto, para conseguir algo: *Descubrieron su juego y no pudo llevar a cabo el plan previsto.* **11** En un deporte o en una actividad recreativa, cada una de las partes en que se divide un partido o una partida: *En el partido de tenis conseguí sólo tres juegos. Aún faltan tres juegos para acabar esta partida de cartas.* **12** En una partida de cartas, conjunto de estas que se reparten a cada jugador: *Con el juego que me has dado, pierdo seguro.* ▌pl. **13** En la Antigüedad clásica, fiestas y espectáculos públicos que se celebraban en los circos o lugares destinados para ellos: *El público romano disfrutaba en los juegos con la lucha de los gladiadores.* **14** || **a juego;** en buena combinación o en armonía: *Las cortinas van a juego con la colcha.* || **crear juego;** en algunos deportes de equipo, esp. en fútbol, proporcionar un jugador a sus compañeros oportunidades de atacar y conseguir tantos: *El centrocampista trataba de crear juego por la banda derecha.* || **dar juego** alguien o algo; **1** Ofrecer muchas posibilidades o dar buen resultado: *Ese programa infantil da juego y gusta mucho a los niños.* **2** Dar lugar a muchos comentarios: *La boda del famoso torero dio mucho juego en las revistas.* || **en juego; 1** En acción o en marcha: *Puso en juego sus influencias para conseguirle un trabajo.* **2** En una situación arriesgada o en peligro: *Está en juego tu vida si no pagas tus deudas.* || **fuera de juego;** en algunos deportes de equipo, esp. en fútbol, posición antirreglamentaria de un jugador, que se sanciona con falta a su equipo: *estar en fuera de juego.* || **hacer el juego** a alguien; favorecer sus intereses, esp. si es de forma involuntaria: *Esa huelga está haciendo el juego a la oposición porque crea descontento en la población.* || **hacer juego;** combinar bien o armonizar: *El granate no hace juego con el rojo.* || **juego de {azar/suerte};** el que no se basa en la destreza ni en la inteligencia del jugador sino en el azar o en la suerte. || **juego de manos;** el que se realiza para hacer aparecer o desaparecer algo mediante la agilidad de las manos: *El mago hizo un juego de manos y sacó un conejo de su chistera.* || **juego de niños;** actividad o asunto que no tiene dificultad ni importancia: *Arreglar el motor del coche es para mí un juego de niños.* || **juego de palabras;** figura retórica o procedimiento del lenguaje consistente en un uso ingenioso de las palabras basado, bien en el doble y equívoco sentido de alguna de ellas, bien en el parecido formal entre varias: *Cuando dijo que más que casada se sentía cazada, hizo un juego de palabras.* || **juego de rol;** el que consiste en desempeñar el papel de un personaje con unas características determinadas en el transcurso de una aventura o de una historia novelada: *En este juego de rol la historia transcurre en una mansión encantada, y yo hago el papel de un científico que la investiga.* || **juego de sociedad;** el que se realiza en reuniones sociales como mero entretenimiento: *Los animadores de grupo saben muchos juegos de sociedad.* || **juego malabar;** ejercicio de agilidad y destreza que consiste en mantener algunos objetos en equilibrio o en lanzarlos al aire y recogerlos de diversas formas: *Hizo un juego malabar lanzando y recogiendo alternativamente cuatro bolas de colores.* || **juegos florales;** concurso poético en el que el vencedor recibe como premio simbólico una flor: *Los primeros juegos florales fueron organizados por los trovadores para revitalizar la vida literaria.* ☐ ETIMOL. Del latín *iocus* (broma, diversión). ☐ SINT. *En juego* se usa más con los verbos *andar*, *entrar*, *estar* y *poner* o equivalentes. ☐ USO 1. El uso de *offside* en lugar de *fuera de juego* es un anglicismo innecesario. 2. El uso de *orsay* en lugar de *fuera de juego* es innecesario.

juerga s.f. **1** Diversión ruidosa y muy animada en la que suele cometerse algún exceso: *Estuvo toda la noche de juerga y hoy no hay quien lo levante.* **2** || **correrse** alguien **una juerga;** *col.* Participar en ella: *En las fiestas de mi pueblo nos corrimos una buena juerga.* ☐ ETIMOL. De *huelga*.

juerguista adj.inv./s.com. Aficionado a la juerga.

jueves (pl. *jueves*) s.m. **1** Cuarto día de la semana, entre el miércoles y el viernes: *Tengo una cita de trabajo el próximo jueves.* **2** || **no ser** algo **nada del otro jueves;** *col.* No ser extraordinario: *A pesar de haber obtenido tres premios, la película no era nada del otro jueves.* ☐ ETIMOL. Del latín *Iovis dies* (día consagrado a Júpiter).

juez s.com. **1** Persona legalmente autorizada para juzgar, sentenciar y hacer ejecutar la sentencia: *El juez lo condenó a veinte años de cárcel.* **2** En un certamen público, esp. si es literario, persona autorizada para vigilar y cuidar las bases que lo rigen y para distribuir los premios: *Uno de los jueces del concurso literario dio a conocer el nombre del ganador.* **3** Persona elegida para resolver una duda o una discusión: *Tú, que eres una persona objetiva, serás la juez en nuestra discusión.* **4** En una competición deportiva, persona que posee la máxima autoridad y que tiene diferentes funciones y atribuciones según sea su especialidad: *El juez declaró nulo el salto del atleta.* **5** || **juez de instrucción;** el que instruye los asuntos penales que le atribuye la ley: *Denunció malos tratos ante la juez de instrucción.* || **juez de línea;** en algunos deportes, esp. en el fútbol, auxiliar del árbitro principal, encargado de controlar el juego desde fuera de las bandas del campo: *El juez de línea levantó la bandera para señalarle al árbitro un fuera de juego.* ☐ SINÓN. *linier.* || **juez de paz;** persona legalmente autorizada para instruir asuntos penales y civiles de menor importancia en los municipios en los que no existen juzgados de primera instancia ni de instrucción: *El juez de paz casó a una pareja de jóvenes.* || **juez de primera instancia;** el que conoce de los asuntos civiles que le atribuye la ley: *El juez de primera instancia no* *se declaró competente en un caso de injurias.* || **juez de silla;** en algunos deportes de red, esp. en tenis o en voleibol, el que hace cumplir las reglas de la competición: *El juez de silla no dio como bueno el primer servicio del tenista.* || **juez ordinario;** el que conoce en primera instancia las causas y los pleitos: *Tuvo que responder ante el juez ordinario por el robo cometido.* || **ser juez y parte;** juzgar algo ante lo que no se puede ser neutral: *No eres objetivo porque eres juez y parte en la disputa.* □ ETIMOL. Del latín *iudex.* □ MORF. Se admite también el femenino *jueza.*

jueza s.f. de **juez**.

jugada s.f. **1** En un juego, intervención de un jugador cuando le toca su turno: *Estuvo tres jugadas sin tirar el dado.* **2** Lance o circunstancia notable del juego: *No repitieron la jugada del gol.* **3** Hecho o dicho malintencionados que causan un perjuicio: *Le hicieron una jugada y lo acusaron de un delito no cometido.* □ SINÓN. *faena.*

jugador, -a ▮ adj./s. **1** Que juega. ▮ s. **2** Persona que se dedica profesionalmente a jugar, esp. si es en deporte: *Los jugadores de baloncesto suelen ser muy altos.* **3** Persona muy aficionada a los juegos de azar o muy hábil en ellos: *Gasta todo su dinero en el bingo porque es un jugador empedernido.*

jugar ▮ v. **1** Hacer algo para divertirse o entretenerse: *¡Deja de jugar y cómete el bocadillo! Está jugando en la calle.* **2** Enredar o hacer travesuras: *No juegues con cerillas, que te quemarás.* **3** Referido a un juego o a un deporte, participar en ellos: *Jugaron a policías y ladrones en el patio del colegio. Me gusta mucho jugar al baloncesto.* **4** Referido a un sorteo o a un juego de azar, participar en ellos con el fin de ganar dinero: *Juega a la lotería todas las semanas.* **5** Referido a algo serio o importante, tomarlo a broma o quitarle importancia: *Detesto a los que juegan con los sentimientos de los demás.* **6** Referido a una persona, no tomarla en consideración o burlarse de ella: *No juegues conmigo o lo lamentarás.* **7** En el desarrollo de un juego, intervenir por ser el turno: *Tira el dado, que te toca jugar.* **8** En algunos juegos de cartas, aceptar una apuesta: *Yo juego y doblo la apuesta.* □ SINÓN. *entrar, ir.* **9** Referido a las cartas de una baraja o a las fichas de un juego, utilizarlas: *Jugué la reina y di jaque mate al rey.* **10** Referido a un juego o a una competición, llevarlos a cabo: *Jugó un mus con los amigos.* □ SINÓN. *echar.* ▮ prnl. **11** Arriesgar o poner en peligro: *Te juegas la vida cada vez que te lanzas en paracaídas.* **12** Referido a algo que se fija de antemano, apostarlo: *Me juego lo que quieras a que llego antes que tú.* **13** || **jugar fuerte;** arriesgar grandes cantidades de dinero: *Ganó mucho dinero en la ruleta porque jugó fuerte.* || **jugar limpio;** no hacer trampas ni engaños: *Siempre juega limpio cuando propone algún negocio.* || **jugar sucio;** utilizar trampas y engaños: *Jugó sucio para conseguir el ascenso.* || **jugársela a alguien;** *col.* Gastarle una mala pasada: *Yo creía que me lo decía de buena fe, pero me la jugó.* □ ETIMOL. Del latín *iocari* (bromear). □ ORTOGR. Aparece una *u* después de la *g* cuando le sigue *e.* □ MORF. Irreg. →JUGAR. □ SINT. 1. Constr. de las acepciones 3 y 4: *jugar* A *algo.* 2. En la acepción 3, incorr. *jugar {*a > al} fútbol, jugar {*a > al} tenis.* 3. Constr. de las acepciones 5 y 6: *jugar* CON *algo.* □ SEM. No debe emplearse con el significado de 'desempeñar, representar o llevar a cabo' (galicismo): *En su empresa {*juega > desempeña} un papel importante.*

jugarreta s.f. *col.* Hecho o dicho malintencionados que causan un perjuicio: *Menuda jugarreta me has hecho contándole mis planes a todos.* □ SINÓN. *faena.*

juglar s.m. **1** En la Edad Media, artista ambulante que divertía al público con bailes, juegos, interpretaciones u otras habilidades: *Los juglares iban de pueblo en pueblo, actuando en calles, plazas y castillos.* **2** En la Edad Media, artista con cierta preparación cultural, que sabía tocar un instrumento y que actuaba en ambientes cortesanos, recitando o cantando poemas épicos o trovadorescos: *Los juglares recitaban de memoria poemas compuestos por ellos mismos o por un trovador.* □ ETIMOL. Del latín *iocularis* (gracioso, risible). □ MORF. Su femenino es *juglaresa.*

juglaresa s.f. de **juglar**.

juglaresco, ca adj. Del juglar, característico de él o relacionado con él: *La métrica de la literatura juglaresca se diferencia de la métrica culta por su irregularidad.*

juglaría s.f. Actividad u oficio de juglar: *El canto de poemas épicos forma parte de la juglaría.*

jugo s.m. **1** Líquido que se extrae de sustancias animales o vegetales por presión, cocción o destilación: *Hemos hecho carne en su jugo. Extrajo el jugo de la naranja.* **2** En zonas del español meridional, zumo: *Bebí jugo de naranja.* **3** En biología, líquido orgánico que segrega una célula o una glándula: *El jugo gástrico es esencial para la realización de la digestión.* **4** Utilidad o provecho: *Es un libro muy interesante y con mucho jugo.* **5** || **sacar (el) jugo;** obtener toda la utilidad y el provecho posibles: *Si queremos ganar dinero hay que sacarle el jugo a este negocio.* □ ETIMOL. Del latín *sucus* (jugo o savia de los vegetales).

jugosidad s.f. **1** Abundancia de jugo o de sustancia: *La sandía es muy refrescante por su jugosidad.* **2** Cantidad o valor importantes: *La jugosidad de la herencia recibida lo ha sacado de la miseria.*

jugoso, sa adj. **1** Que tiene jugo: *La naranja es una fruta jugosa.* **2** Referido a un alimento, que es sustancioso: *Necesitas tomar carnes nutritivas y jugosas.* **3** Valioso, estimable o abundante: *Hizo jugosos comentarios.*

juguete s.m. **1** Objeto, generalmente infantil, que sirve para jugar: *Sus juguetes preferidos son los balones y las construcciones. Tiene un pie tan pequeño que sus zapatos parecen de juguete.* **2** Persona u objeto dominado o manejado por una fuerza material o moral superior: *La barca era juguete de las olas en medio de la tormenta.* **3** Pieza musical o teatral breve y ligera: *El dúo de Papageno y Papagena en la ópera 'La flauta mágica' de Mozart es un juguete escénico y musical.*

juguetear v. Entretenerse jugando de forma intrascendente: *Mientras hablaba conmigo jugueteaba con las llaves.*

jugueteo s.m. Juego intrascendente que produce entretenimiento.

juguetería s.f. **1** Establecimiento en el que se venden juguetes: *Compraron los regalos en una juguetería.* **2** Industria o actividad relacionada con los juguetes: *La juguetería produce grandes beneficios en la comunidad valenciana.*

juguetero, ra ▮ adj. **1** De los juguetes o relacionado con ellos: *industria juguetera.* ▮ s. **2** Persona que se dedica profesionalmente a la fabricación o a la venta de juguetes. ▮ s.m. **3** Mueble destinado a guardar juguetes: *Mis hijos tienen un baúl como juguetero.*

juguetón, -a adj. Que juega y retoza con frecuencia: *Es una gata muy juguetona, y le encanta perseguir a las moscas corriendo sin parar de un lado a otro.*

juicio s.m. **1** Facultad mental de distinguir y valorar racionalmente: *El juicio y la inteligencia distinguen a las personas de los animales.* **2** Opinión o valoración que se forman o emiten sobre algo: *A mi juicio, esta es la mejor novela de la autora. Si te fías de la primera impresión, puedes formarte un juicio equivocado.* **3** Sensatez o cordura en la forma de actuar: *Si tuvieras un poco de juicio no harías esos disparates.* **4** En derecho, proceso que se celebra ante un juez o ante un tribunal y en el que estos intentan esclarecer unos hechos y dictan sentencia sobre ellos: *El reparto de la herencia se decidió en un juicio de testamentaría.* **5** En lógica, relación que se establece entre dos conceptos afirmando o negando el uno al otro, y que suele expresarse en forma de proposición: *En un juicio se distinguen el sujeto, el predicado que se afirma de él y la cópula que los relaciona.* **6** || **estar** alguien **en su (sano) juicio;** estar en plena posesión de sus facultades mentales y actuar en consecuencia y de manera sensata: *Una persona que piensa esas barbaridades no está en su sano juicio.* || **juicio de faltas;** el que versa sobre transgresiones leves del código penal: *Su hermano tendrá un juicio de faltas como consecuencia de la pelea que tuvo en la discoteca.* || **juicio {declarativo/ordinario};** el de carácter civil que trata sobre hechos dudosos o discutibles y que debe terminar con una declaración inequívoca del juez al respecto: *En función de la cantidad que se reclama, los juicios declarativos se dividen en juicios de mayor cuantía, de menor cuantía y verbales.* || **juicio {final/universal};** en el cristianismo, el que realizará Dios en el fin de los tiempos para juzgar a los vivos y a los muertos: *Dios tendrá buena cuenta de tus obras en el juicio final.* || **juicio sumario;** el de carácter civil en el que se prescinde de algunas formalidades y se limitan las actuaciones de los abogados para hacerlo más rápido: *Como querían demoler su casa, inició un juicio sumario.* || **juicio sumarísimo;** el de carácter militar, que se celebra con gran rapidez por juzgarse en él delitos muy claros o esp. graves: *Los cabecillas de la intentona golpista fueron condenados en juicio sumarísimo.* || **perder el juicio;** volverse loco: *Los psiquiátricos están llenos de personas que han perdido el juicio.* ☐ ETIMOL. Del latín *iudicium*.

juicioso, sa adj./s. Con juicio o sensatez.

jula s.m. *vulg. desp.* →**julandrón.**

julái s.m. *vulg. desp.* →**julandrón.**

julandrón s.m. **1** *vulg. desp.* Persona tonta, incauta o muy fácil de engañar. ☐ SINÓN. *julay, julái, jula.* **2** *vulg. desp.* Persona homosexual. ☐ SINÓN. *julay, julái, jula.*

julay s.m. *vulg. desp.* →**julandrón.**

julepe s.m. **1** Juego de cartas en el que se reparten cinco a cada jugador, una se deja de triunfo, y ganan los que consiguen, al menos, dos bazas. **2** *col.* Esfuerzo o trabajo excesivo para una persona: *Menudo julepe me di haciendo la limpieza general. Mañana nos espera un buen julepe en la oficina.* **3** Bebida medicinal elaborada con agua destilada, jarabes y otras sustancias: *El julepe de menta es bueno para curar el catarro.* ☐ ETIMOL. Del árabe *yullab* (agua de rosas, jarabe).

juliana s.f. **1** Verdura troceada en tiras finas: *Preparé una juliana de apio y zanahorias como adorno para el filete.* **2** || **en juliana;** referido a un alimento, esp. a las verduras, cortado en tiras finas: *El guiso lleva cebolla en juliana.*

julio s.m. **1** Séptimo mes del año, entre junio y agosto: *Julio tiene treinta y un días.* **2** En el Sistema Internacional, unidad de trabajo y de energía que equivale al trabajo producido por una fuerza de un newton, cuyo punto de aplicación se desplaza un metro en la dirección de la fuerza: *El julio equivale a diez millones de ergios.* ☐ SINÓN. *joule.* ☐ ETIMOL. La acepción 1, del latín *Iulius* (mes dedicado a Julio César). La acepción 2, del inglés *joule*, por alusión al físico inglés J. P. Joule. ☐ ORTOGR. En la acepción 2, su símbolo es *J*, por tanto, se escribe sin punto.

juma s.f. Véase **jumo, ma.**

jumarse v.prnl. *col.* En zonas del español meridional, emborracharse.

jumbo (ing.) s.m. Tipo de avión de pasajeros de grandes dimensiones: *'Jumbo' es el nombre coloquial del 'Boeing 747'.* ☐ PRON. [yúmbo].

jumento, ta s. Mamífero cuadrúpedo, doméstico, más pequeño que el caballo, con largas orejas, pelo áspero y normalmente grisáceo, y que se suele emplear como montura o como animal de carga o de tiro. ☐ SINÓN. *asno.* ☐ ETIMOL. Del latín *iumentum* (bestia de carga).

jumera s.f. *col.* Borrachera.

jumil s.m. Insecto de color verdoso o amarillento en la parte dorsal, con manchas pardas y alas transparentes, que produce un líquido de olor fétido, y que se come en algunas regiones mexicanas. ☐ ETIMOL. Del náhuatl *xomitl*.

jumilla s.m. Vino de alta graduación, mezcla de seco y dulce, y originario de Jumilla (comarca de la provincia de Murcia): *El jumilla puede ser tinto o rosado.*

jumo, ma ▮ adj. **1** *col.* En zonas del español meridional, borracho. ▮ s.f. **2** *col.* En zonas del español meridional, borrachera.

jumpear v. En informática, hacer una conexión o un puente con una pieza llamada 'jumper': *Cuando estudiaba informática, nos enseñaban cómo jumpear ordenadores.* ☐ PRON. [yampeár].

jumper (ing.) s.m. En informática, pieza pequeña usada para hacer una conexión eléctrica o un puente: *Vas a necesitar un jumper cuando instales la tarjeta de sonido.* ☐ PRON. [yámper].

juncáceo, a ▮ adj./s.f. **1** Referido a una planta, que es herbácea, tiene hojas alternas que envuelven el tallo, largo y cilíndrico, y flores poco visibles: *El junco es una juncácea.* ▮ s.f.pl. **2** En botánica, familia de estas plantas, perteneciente a la clase de las monocotiledóneas: *Las juncáceas son propias de terrenos húmedos.* ☐ ETIMOL. Del latín *iuncus* (junco).

juncal adj.inv. Esbelto, gallardo o airoso: *El torero, orgulloso y juncal, dio una vuelta al ruedo.*

juncar s.m. Lugar poblado de juncos. ☐ SINÓN. *junqueral.*

juncia s.f. Planta herbácea, olorosa, de tallo triangular, hojas largas y estrechas, de bordes ásperos, flores verdosas en espigas terminales y fruto en granos secos: *La chufa es el tubérculo de la juncia.* ☐ ETIMOL. Del latín *iuncea* (semejante al junco).

junco s.m. **1** Planta herbácea con tallos largos, lisos, cilíndricos y flexibles, de color verde oscuro por fuera y blancos y esponjosos en el interior, hojas reducidas a vainas delgadas, y que abunda en lugares húmedos: *La rana se escondió entre los juncos de la orilla.* ☐ SINÓN. *junquera.* **2** Tallo de esta planta: *Hace cestas y sillas con juncos secos.* **3** Embarcación pequeña y ligera, con velas rectangulares reforzadas con listones de bambú, y que es utilizada esp. en el sudeste asiático. ☐ ETIMOL. Las acepciones 1 y 2, del latín *juncus.* La acepción 3, del portugués *junco*, y este del malayo *jung.*

jungla s.f. **1** Terreno cubierto de espesa y exuberante vegetación y que es propio de zonas de clima tropical de tierras americanas y del sudeste asiático. **2** Lugar caótico o lleno de peligros y dificultades y en el que la ley de la fuerza se impone a la de la razón o el orden: *Se dice que la ciudad es una jungla de asfalto.* ☐ ETIMOL. Del inglés *jungle.*

jungle (ing.) s.m. Estilo de música que combina ritmos de la música africana con efectos de percusión. ☐ PRON. [yánguel].

junio s.m. Sexto mes del año, entre mayo y julio: *Junio tiene treinta días.* ☐ ETIMOL. Del latín *Iunius* (mes dedicado a Junio Bruto).

junior (ing.) ▮ adj.inv. **1** Referido a una persona, que es más joven que otra de su familia con el mismo nombre. ▮ adj.inv./s.com. **2** Referido a un deportista, que, por edad, pertenece a la categoría posterior a la de juvenil y anterior a la de sénior. **3** Referido a una persona, que no tiene experiencia en una actividad profesional. ☐ ETIMOL. Del inglés *junior*, y este del latín *iunior* (el más joven). ☐ PRON. [yúnior].

júnior s.com. Religioso joven que, aunque ya ha hecho el noviciado, todavía no ha profesado o no tiene los votos definitivos: *Estos juniores se ordenarán muy pronto.* ☐ ETIMOL. Del latín *iunior* (el más joven). ☐ MORF. Se usa también la forma de femenino *juniora.*

juniorado s.m. Período intermedio entre el noviciado y la profesión solemne o la toma de los votos definitivos: *Durante el juniorado estuvo viviendo en una casa de la congregación.* ☐ PRON. Incorr. *[yuniorádo].

junípero s.m. Arbusto conífero, de tronco abundante en ramas y copa espesa, hojas en grupos de tres, rígidas y punzantes, flores en espigas y de color pardo rojizo, que tiene por fruto bayas esféricas y cuya madera es fuerte, rojiza y olorosa: *De algunas especies de junípero se extrae un aceite usado en dermatología.* ☐ SINÓN. *enebro.* ☐ ETIMOL. Del latín *iuniperus.*

junquera s.f. Planta herbácea con tallos largos, lisos, cilíndricos y flexibles, de color verde oscuro por fuera y blancos y esponjosos en el interior, hojas reducidas a vainas delgadas, y que abunda en lugares húmedos: *Con las junqueras se hacen cestas y otros objetos artesanos.* ☐ SINÓN. *junco.*

junqueral s.m. Lugar poblado de juncos. ☐ SINÓN. *juncar.*

junquillo s.m. Moldura delgada y de forma redondeada. ☐ ETIMOL. De *junco.*

junta s.f. Véase **junto, ta.**

juntar ▮ v. **1** Agrupar o poner de manera que se forme un conjunto: *Junta toda la ropa sucia para echarla a lavar.* **2** Referido a dos o más cosas, acercarlas entre sí o ponerlas contiguas: *Junta las sillas para que quede más espacio libre. Si os juntáis un poco, cabrá una persona más en el sofá.* **3** Acumular o reunir en gran cantidad: *En pocos años juntó mucho dinero.* **4** Reunir en un mismo sitio o hacer acudir a él: *Juntó a toda la familia el día de su boda. Se juntaron en el bar para discutir el asunto.* ▮ prnl. **5** Relacionarse o mantener amistad: *Ahora se junta con las hijas del médico.* **6** Referido a una persona, vivir con otra con la que mantiene relaciones sexuales sin estar casada con ella: *Se ha juntado con su novia.* ☐ SINÓN. *amancebarse, abarraganarse.* ☐ ETIMOL. De *junto.* ☐ MORF. Tiene un participio regular (*juntado*), que se usa más en la conjugación, y otro irregular (*junto*), que se usa solo como adjetivo o adverbio. ☐ SINT. Constr. de las acepciones 5 y 6: *juntarse* CON *alguien.*

junto adv. **1** En una posición próxima o inmediata: *Tengo una casa junto a la playa.* **2** Al mismo tiempo o a la vez: *No sé cómo puedes hacer junto tantas cosas: leer, escuchar música y atender a la conversación. Junto con el libro, me mandó una carta.* ☐ SINT. 1. Constr. de la acepción 1: *junto* A *algo.* 2. Constr. de la acepción 2: *junto* CON *algo.*

junto, ta ▮ adj. **1** Unido, cercano, agrupado o reunido: *Tienes que coser juntos estos dos bordes. Me agobia ver a tanta gente junta en un local cerrado.* **2** En compañía, en colaboración o a un tiempo: *Les gusta trabajar juntos.* ▮ s.f. **3** Reunión de personas para tratar un asunto: *Hoy es la junta de vecinos para decidir si se pinta la escalera.* **4** Conjunto de personas elegidas para dirigir los asuntos de una colectividad: *La junta directiva se reúne todos los viernes.* **5** Lugar en el que se reúne este grupo de personas: *Van a trasladar la junta de distrito a otra calle.* **6** Parte o lugar en el que se juntan y unen dos o más cosas: *Está soldando la junta de las tuberías.* □ SINÓN. *juntura.* **7** Pieza que se coloca entre dos tubos o dos partes de un aparato para efectuar su unión: *Se ha roto la junta de goma del grifo y no puedo cerrarlo.* □ SINÓN. *juntura.* **8** En construcción, espacio, generalmente relleno de mortero o de yeso, que queda entre dos sillares o ladrillos contiguos de una pared: *En las juntas de dilatación se sustituye el mortero por un material elástico.* **9** En construcción, superficie de este espacio: *Cuando el muro esté acabado, pintaremos los ladrillos de un color y las juntas de otro.* □ ETIMOL. Las acepciones 1 y 2, del latín *iunctus*, y este de *iungere* (juntar). Las acepciones 3-9, de *juntar*.

juntura s.f. **1** Parte o lugar en el que se juntan y unen dos o más cosas: *El agua se escapa por la juntura de las dos tuberías.* □ SINÓN. *junta.* **2** Pieza que se coloca entre dos tubos o dos partes de un aparato para efectuar su unión: *Esta juntura no sirve porque no encaja.* □ SINÓN. *junta.* □ ETIMOL. Del latín *iunctura*.

jura s.f. **1** Compromiso solemne, y con juramento de fidelidad y obediencia, de cumplir con las obligaciones o exigencias que conllevan un cargo o unos principios: *La jura de los nuevos ministros se realizará en presencia del rey.* **2** Ceremonia en la que se realiza este compromiso: *En la jura de Santa Gadea, el Cid hizo jurar a Alfonso VI que no había participado en la muerte de su hermano, Sancho II.* □ ETIMOL. De *jurar*.

jurado, da ▮ adj. **1** Que ha prestado juramento para desempeñar su cargo o su función: *Han solicitado los servicios de un intérprete jurado.* ▮ s.m. **2** En un proceso judicial, tribunal formado por ciudadanos y cuya función es determinar la culpabilidad o la inocencia del acusado: *No es competencia del jurado, sino de los magistrados, imponer las penas al reo.* **3** En un concurso o en una competición, tribunal formado por un grupo de personas competentes en una materia y cuya función es examinar y calificar algo: *Todos los miembros del jurado puntuaron con un diez el ejercicio de la gimnasta.* **4** Miembro de de un tribunal: *Fui jurado en un concurso de poesía.*

juramentar ▮ v. **1** Referido a una persona, tomarle juramento: *Hoy se procederá a juramentar a los nuevos ministros.* ▮ prnl. **2** Referido a varias personas, comprometerse u obligarse mediante juramento a hacer algo: *Nos hemos juramentado para acabar con esta injusticia.*

juramento s.m. **1** Afirmación o promesa rotundas, esp. las que se hacen de forma solemne y poniendo por testigo algo sagrado o valioso: *Es hombre de palabra y cumplió su juramento.* **2** Blasfemia o palabra ofensiva y malsonante: *Por el patio oí los insultos y juramentos de mi vecino.* □ ETIMOL. Del latín *iuramentum*.

jurar v. **1** Afirmar o prometer rotundamente, esp. si se hace de forma solemne y poniendo por testigo algo sagrado o valioso: *Te juro que se lo diré. Me juró por su honor que él no había sido.* **2** Referido esp. a un cargo o a unos principios, comprometerse solemnemente y con juramento de fidelidad y obediencia a cumplir con las obligaciones o exigencias que estos conllevan: *El presidente ha jurado hoy el cargo. Los diputados electos juraron la Constitución.* **3** Decir palabras ofensivas: *¿Quieres dejar de jurar y de decir tacos?* **4** ‖ **{jurársela/jurárselas}** a alguien; *col.* Prometer venganza contra él: *Me la ha jurado porque dice que ofendí a su familia.* □ ETIMOL. Del latín *iurare*, y este de *ius* (derecho, ley).

jurásico, ca ▮ adj. **1** En geología, del segundo período de la era secundaria o mesozoica, o de los terrenos que se formaron en él: *En la región francesa del Jura hay sedimentos jurásicos.* ▮ adj./s.m. **2** En geología, referido a un período, que es el segundo de la era secundaria o mesozoica: *En el jurásico se empiezan a delimitar las masas continentales.* □ ETIMOL. De *Jura* (región de Francia) y la terminación de *triásico*.

jurel s.m. Pez marino, de cuerpo rollizo y de color azul o verdoso por el lomo y blanco rojizo por el vientre, cabeza corta, escamas pequeñas y muy unidas a la piel, excepto a lo largo de los costados, donde son fuertes y agudas, con dos aletas dorsales provistas de grandes espinas y una cola extensa y en forma de horquilla: *El jurel es un pescado azul.* □ SINÓN. *chicharro.* □ ETIMOL. Del catalán *sorell*. □ MORF. Es un sustantivo epiceno: *el jurel {macho/hembra}*.

jurídico, ca adj. Que se refiere al derecho o a las leyes, o que se ajusta a ellos: *Este asunto se resolverá por vía jurídica. Las Cortes Generales han fijado el marco jurídico para la aplicación del derecho a la huelga.* □ ETIMOL. Del latín *iuridicus*, y este de *ius* (derecho) y *dicere* (decir).

jurisconsulto, ta s. **1** Persona que, con el debido título, se dedica a la ciencia del derecho: *Ulpiano fue un famoso jurisconsulto del derecho romano.* **2** Persona especializada en cuestiones legales, esp. en derecho civil y canónico, aunque no participe en los pleitos. □ SINÓN. *jurisperito.* □ ETIMOL. Del latín *iurisconsultus*, y este de *ius* (derecho, ley) y *consulere* (pedir consejo).

jurisdicción s.f. **1** Autoridad, poder o competencia para gobernar y para hacer cumplir las normas, esp. las legales: *Los jueces no tienen jurisdicción para elaborar las leyes, solo para aplicarlas. Este* *asunto entra dentro de la jurisdicción eclesiástica.* **2** Territorio o demarcación administrativos, esp. los que están sometidos a la competencia de una autoridad: *Esa finca no entra dentro de esta jurisdicción municipal.* □ ETIMOL. Del latín *iurisdictio* (acto de decir el derecho).

jurisdiccional adj.inv. De la jurisdicción: *competencia jurisdiccional.*

jurispericia s.f. Conocimiento o ciencia del derecho. □ ETIMOL. Del latín *iuris peritia.*

jurisperito, ta s. Persona especializada en cuestiones legales, esp. en derecho civil y canónico, aunque no participe en los pleitos: *El jurisperito nos aconsejó que fuésemos a juicio y nos recomendó a una abogada.* □ SINÓN. *jurisconsulto.* □ ETIMOL. Del latín *iuris peritus* (perito en derecho).

jurisprudencia s.f. **1** Ciencia del derecho: *Estudio jurisprudencia para llegar a ser abogado.* **2** Conjunto de sentencias de los tribunales: *Buscó en la jurisprudencia un precedente a su caso, pero no lo encontró.* **3** Doctrina o enseñanza que se desprende de este conjunto de sentencias, esp. de las del Tribunal Supremo: *La juez tuvo más en cuenta la jurisprudencia que las alegaciones de los abogados.* **4** Criterio o norma sobre un problema jurídico, establecidos por una serie de sentencias concordes o relacionadas: *Las omisiones de la ley ante nuevos delitos se suplen con la jurisprudencia.*

jurisprudente s.com. Persona especializada en cuestiones legales.

jurista s.com. Persona que se dedica al estudio o a la interpretación de las leyes o del derecho, esp. si esta es su profesión: *La jurista de la empresa nos informará sobre el tema de las deducciones.*

justa s.f. Véase **justo, ta.**

justamente adv. Precisamente o en el preciso momento o lugar: *Llegó justamente cuando yo me iba y casi no pudimos hablar. Está justamente detrás de ti, y por eso no lo ves.*

justedad s.f. →**justeza.**

justeza s.f. Rectitud, equidad o precisión en las acciones: *La juez sentenció con justeza al acusado. Has repartido las ganancias con justeza.* □ SINÓN. *justedad.*

justicia s.f. **1** Inclinación a dar y reconocer a cada uno lo que le corresponde: *Actuó con justicia y sin dejarse llevar de favoritismos.* **2** Lo que debe hacerse según el derecho o la razón: *El pueblo espera justicia de sus gobernantes.* **3** Organismo o autoridad encargados de aplicar las leyes y de castigar su incumplimiento: *El delincuente cayó en manos de la justicia. Presentó un recurso y la justicia sentenció a su favor.* **4** || **administrar justicia;** dictar sentencia aplicando las leyes en un juicio y hacer que se cumpla: *El Tribunal Supremo será el encargado de administrar justicia en este caso.* || **hacer justicia** a alguien; tratarlo como le corresponde por sus propios méritos o condiciones: *Por fin le hicieron justicia y le concedieron un premio tan merecido. Ese retrato no te hace justicia, tú eres más guapa.* || **justicia de Aragón;** defensor del pueblo en Aragón (comunidad autónoma): *El Justicia de Aragón defiende a los ciudadanos aragoneses de los abusos de la Administración autonómica.* || **ser de justicia;** ser como corresponde según el derecho o la razón: *Es de justicia que la Administración te devuelva lo que te cobró de más.* || **tomarse** alguien **la justicia por su mano;** aplicar él mismo el castigo que cree justo: *En vez de denunciarlo, decidió tomarse la justicia por su mano y le dio una paliza.* □ ETIMOL. Del latín *iustitia.* □ USO *Justicia de Aragón* se usa más como nombre propio.

justicialismo s.m. Movimiento político argentino relacionado con el populismo latinoamericano y de carácter nacionalista, fundado por el general Juan Domingo Perón (presidente argentino entre 1946 y 1955): *El justicialismo ha recibido también el nombre de 'peronismo'.*

justicialista ▮ adj.inv. **1** Del justicialismo o relacionado con este movimiento político: *La política justicialista se desarrolló en Argentina.* ▮ adj.inv./s.com. **2** Partidario del justicialismo: *Los justicialistas son antiimperialistas.*

justiciero, ra adj. Que acata y hace acatar estrictamente la justicia, esp. en lo relacionado con el castigo de los delitos.

justificable adj.inv. Que se puede justificar.

justificación s.f. **1** Aportación de razones para hacer parecer una acción oportuna, válida o adecuada: *Estoy esperando una justificación de tu actitud.* **2** Demostración por medio de pruebas: *Si no presentas la justificación de los gastos no te pagaré lo que dices que te debo.* **3** Argumento, motivo o prueba que justifican: *El recibo sirve como justificación de que te has matriculado.* **4** En tipografía, igualación del largo de las líneas de un texto impreso: *Olvidaste hacer la justificación y han quedado las líneas desiguales.*

justificado, da ▮ adj. **1** Con motivos o razones válidos o justos: *Si no quieres hacer gimnasia, debes darme una explicación justificada de tu negativa.* ▮ s.m. **2** En tipografía, hecho de igualar la longitud de las líneas de un texto impreso: *El apéndice de locuciones de este diccionario tiene el justificado a la izquierda de las columnas.*

justificante adj.inv./s.m. Que justifica: *un documento justificante; un justificante del médico.*

justificar v. **1** Referido a una acción, aportar razones para hacerla parecer oportuna, válida o adecuada: *Que estuviera borracho no justifica su actitud.* **2** Demostrar con pruebas, esp. con razones, con testigos o con documentos: *Los gastos de empresa se justifican con facturas.* **3** Referido a una persona, defenderla o demostrar su inocencia: *Siempre justifica al niño ante su padre. Se justificó diciendo que él no sabía lo que iba a ocurrir.* **4** En tipografía, referido a las líneas de un texto impreso, igualar su longitud: *Ese procesador de textos justifica automáticamente por la derecha.* □ ETIMOL. Del latín *iustificare.* □ ORTOGR. La *c* se cambia en *qu* delante de *e* →SACAR.

justificativo, va adj. Que sirve para justificar.

justillo s.m. Prenda de ropa interior sin mangas, que cubre desde los hombros hasta la cintura y que se ajusta mucho al cuerpo: *En el desván encontré un justillo de los que usaba mi abuela debajo de la camisa.* □ ETIMOL. De *justo*.

just-in-time (ing.) s.m. En economía, sistema de gestión y producción de una empresa para minimizar los inventarios, planificando las necesidades y negociando los envíos de los proveedores: *En el just-in-time, la mercancía necesaria para la producción llega en el momento justo y al lugar donde se necesita.* □ PRON. [yast in taim].

justipreciación s.f. Valoración o tasación rigurosas.

justipreciar v. Valorar o tasar con rigor: *Los peritos se encargaron de justipreciar sus bienes antes de subastarlos.* □ ETIMOL. De *justo* y *precio*. □ ORTOGR. La *i* nunca lleva tilde.

justiprecio s.m. Valoración o tasación que se determinan de forma rigurosa.

justo adv. Exactamente o en el preciso momento o lugar: *Llegó justo cuando yo salía. Estoy justo en medio de la calle.*

justo, ta ▮ adj. **1** Como debe ser según la justicia, el derecho o la razón: *El tribunal dictó una sentencia justa e irreprochable. Es justo que se te reconozcan tus méritos.* **2** Exacto en medida o en número: *Las medidas justas del cuadro son 15 x 20 cm. Me queda el dinero justo para llegar a fin de mes.* **3** Preciso, atinado o adecuado: *Dio con la solución justa a mis problemas.* **4** Apretado o ajustado: *Desde que engordé, la ropa me queda muy justa.* ▮ adj./s. **5** Que obra con justicia: *Una persona justa no toma decisiones arbitrarias.* **6** En el cristianismo, que tiene la gracia de Dios y que vive según su ley: *Según las bienaventuranzas, los justos verán a Dios.* ▮ s.f. **7** En la Edad Media, combate en el que dos contendientes se enfrentaban a caballo y con lanza, esp. si se hacía como exhibición y para amenizar las fiestas: *El vencedor de las justas recibió el galardón de la dama.* **8** Certamen o competición literaria, esp. la de carácter poético: *El ganador de la justa poética publicará sus poesías de juventud.* □ ETIMOL. Las acepciones 1-6, del latín *iustus* (conforme a derecho). Las acepciones 7 y 8, del antiguo *justar* (pelear). □ SEM. En la acepción 2, en plural equivale a 'el número exacto o necesario': *Me quedan los clavos justos para sujetar el cuadro. Estamos los justos para echar una partida.*

juvenil ▮ adj.inv. **1** De la juventud o relacionado con esta fase del desarrollo del ser vivo: *aspecto juvenil; ropa juvenil; acné juvenil.* ▮ adj.inv./s.com. **2** Referido a un deportista, que, por edad, pertenece a la categoría posterior a la de cadete y anterior a la de júnior. □ ETIMOL. Del latín *iuvenilis*.

juventud ▮ s.f. **1** Período de la vida de una persona que media entre la niñez y la edad adulta: *Durante la juventud se consolida la personalidad del individuo.* **2** Conjunto de las características físicas y mentales, esp. la energía y la frescura, que caracterizan este período de la vida humana: *Sus cincuenta años aún están llenos de juventud.* **3** Conjunto de los jóvenes: *La juventud actual está mejor preparada académicamente.* **4** Primeros tiempos o etapas del desarrollo de algo: *Sus novelas de juventud las escribió con cuarenta años.* ▮ pl. **5** Organización juvenil de un partido político: *Las juventudes del partido protestan porque quieren más participación.* □ ETIMOL. Del latín *iuventus*.

juzgado s.m. **1** Lugar en el que se celebran juicios: *El cliente y su abogada se citaron en el juzgado un poco antes del juicio.* **2** Órgano judicial constituido por un solo juez: *He recibido una citación del juzgado para declarar.* **3** Territorio bajo la jurisdicción o competencia de este juez: *Este caso pertenece al juzgado de otra provincia.* **4** Conjunto de jueces que dictan una sentencia: *Los juzgados de causas especiales suelen estar formados por eminentes juristas.* **5** ‖ **de juzgado de guardia;** *col.* Intolerable o contrario a lo que debe hacerse en justicia: *La faena que me ha hecho es de juzgado de guardia.*

juzgamundos (pl. *juzgamundos*) s.com. *col.* Persona que se dedica a criticar a los demás censurando sus acciones.

juzgar v. **1** Creer o considerar: *Se fue del pueblo porque juzgó que allí no tenía futuro. Te juzgo capaz de todo.* **2** Referido esp. a una persona, valorar sus acciones o sus condiciones y emitir dictamen o sentencia sobre ellas quien tiene autoridad para ello: *La magistrada que juzgó al sospechoso lo declaró culpable. Tú no eres el más indicado para juzgar lo que hago.* **3** ‖ **a juzgar por** algo; según se deduce de ello: *A juzgar por la letra, el que escribió esto estaba muy nervioso.* □ ETIMOL. Del latín *iudicare*. □ ORTOGR. La *g* se cambia en *gu* delante de *e* →PAGAR.

K k

k s.f. Undécima letra del abecedario. ☐ PRON. Representa el sonido consonántico velar oclusivo sordo.

ka s.f. Nombre de la letra *k*.

kabuki (jap.) s.m. Modalidad de teatro japonés, de carácter tradicional y popular, en la que se combinan el recitado, el canto y el baile, y cuyos intérpretes son actores masculinos: *En el kabuki, la mímica tiene un papel fundamental.*

kafkiano, na adj. Referido a una situación, que resulta angustiosa y absurda: *Viví una situación kafkiana cuando me detuvieron por error.* ☐ ETIMOL. Por alusión al mundo opresivo e irreal que el escritor checo Kafka describe en sus novelas.

káiser s.m. Emperador del II Reich (imperio germánico de finales del siglo XIX y principios del XX): *No ha habido káiseres desde la Primera Guerra Mundial.* ☐ ETIMOL. Del alemán *Kaiser*.

kaizen (jap.) s.m. Sistema o enfoque empresarial que trata de mejorar continuamente el proceso de producción.

kalashnikov s.m. Fusil ruso de gran fiabilidad y resistencia. ☐ ETIMOL. Por alusión a Mijail Kalashnikov, combatiente ruso de la Segunda Guerra Mundial, que lo diseñó. ☐ PRON. [kalasnikóv].

kale borroka (eusk.) s.f. ‖ Violencia callejera en el País Vasco (comunidad autónoma). ☐ USO Su uso es innecesario y puede sustituirse por *violencia callejera*.

kamikaze ▮ adj.inv./s.com. **1** Que arriesga su vida en una misión suicida, esp. referido a los pilotos japoneses de la Segunda Guerra Mundial: *Murieron más de dos mil kamikazes japoneses durante la Segunda Guerra Mundial.* ▮ s.com. **2** Persona que realiza acciones temerarias: *un conductor kamikaze.* ▮ s.m. **3** En la Segunda Guerra Mundial, piloto japonés que tripulaba un avión cargado de explosivos, cuya misión consistía en estrellarse voluntariamente contra un objetivo enemigo: *Los kamikazes iban pilotados por voluntarios suicidas.* ☐ ETIMOL. Del japonés *kamikaze* (viento divino). ☐ ORTOGR. Se usa también *camicace*.

kan (tb. *can*) s.m. Jefe o príncipe de los tártaros o de los persas: *Algunos kanes asiáticos fueron sometidos por los zares.* ☐ ETIMOL. Del turco antiguo *jan* (título que en distintos países ha designado al soberano).

kantiano, na adj./s. De Kant (filósofo alemán de finales del siglo XVIII), o de su sistema filosófico: *En la 'Crítica de la razón pura' se expone la teoría kantiana del conocimiento.*

kantismo s.m. Sistema filosófico creado por Kant (filósofo alemán de finales del siglo XVIII) y que parte del sometimiento de la razón a un juicio crítico como requisito para hacer posible el conocimiento científico: *El kantismo supera tanto el dogmatismo como el escepticismo respecto al conocimiento.*

kantista s.com. Partidario o defensor del kantismo.

kapok s.m. Fibra sedosa, impermeable y elástica, que se extrae de las bayas del ceibo: *un colchón de kapok.*

kappa (tb. *cappa*) s.f. En el alfabeto griego clásico, nombre de la décima letra: *La grafía de la kappa es* κ.

karakul (rus.) adj.inv./s.m. →**caracul.**

karaoke s.m. **1** Actividad que consiste en interpretar en público una canción con la ayuda del acompañamiento musical grabado y la letra que aparece en una pantalla: *Me he presentado a un concurso de karaoke.* **2** Local público donde los clientes pueden realizar este tipo de actividad: *Fuimos todos los amigos al karaoke y fui el que peor lo hizo.* **3** Aparato que permite interpretar canciones mediante un acompañamiento musical grabado y las letras de las canciones: *Me voy a comprar un karaoke para hacer fiestas en casa.* ☐ ETIMOL. Del japonés *karaoke*, y este de *kara* (vacío) y *oke*, acortamiento de *okesutora* (orquesta).

kárate (tb. *karate*) s.m. Deporte de origen japonés en el que se enfrentan dos luchadores que intentan derribarse mediante golpes secos dados con las manos, con los codos o con los pies: *El kárate es un arte marcial que comenzó siendo un sistema de defensa personal.* ☐ ETIMOL. De origen japonés.

karateca s.com. Persona que practica el kárate: *Los karatecas llevan quimonos blancos de tela muy resistente.* ☐ ETIMOL. De origen japonés. ☐ ORTOGR. Se usa también *karateka*.

karateka (jap.) s.com. →**karateca.**

karma s.m. En el hinduismo, creencia según la cual los actos que un ser realiza en una vida influirán en sus vidas sucesivas: *El karma es el dogma en que se basa la teoría de la reencarnación.*

karst s.m. Relieve típico de terrenos con rocas calizas o fácilmente solubles y caracterizado por la abundancia de grietas, galerías y formas originadas por la acción erosiva o disolvente del agua. ☐ ETIMOL. Por alusión a Karst, región de la antigua Yugoslavia en que se da este relieve. ☐ ORTOGR. Se usa también *carst*.

kárstico, ca adj. Del karst o con características de este tipo de relieve: *En los paisajes kársticos se descubren formas que parecen esculturas.* ☐ SINÓN. *cárstico*.

kart (ing.) s.m. Coche de carreras de una sola plaza, de pequeña cilindrada y sin carrocería ni sistema de suspensión.

karting (ing.) s.m. **1** Carrera de karts: *En el karting del domingo participarán los corredores más rápidos.* **2** Deporte consistente en competir en estas carreras: *Es campeón de karting en su ciudad.* ☐ PRON. [kártin].

kasba s.f. Casco antiguo de una ciudad árabe: *Esa ciudad conserva una kasba medieval con callejuelas* *llenas de recovecos.* □ ETIMOL. Del francés *casbah* y este del árabe *qasabah* (ciudadela). □ PRON. [kásba].

kastán s.m. Turbante turco: *El kastán forma parte del traje tradicional turco.*

katiuska s.f. Bota de goma impermeable que llega hasta media pierna o hasta la rodilla: *Las katiuskas son un calzado apropiado para protegerse de la lluvia.* □ ETIMOL. De origen ruso.

kayak s.m. **1** Embarcación muy ligera, formada por un armazón de madera recubierto con un tejido impermeable, larga, estrecha y casi cerrada, con una abertura para el tripulante: *El kayak tradicional es la canoa de pesca de los esquimales.* **2** Deporte de competición que se practica con estas embarcaciones y con remos provistos de palas a ambos lados: *La modalidad K-4 de kayak es la que se practica con embarcaciones de cuatro tripulantes.* □ ETIMOL. Del inglés *kayak*. □ PRON. [kayák].

kazajo, ja adj./s. →**kazako.**

kazako, ka adj./s. **1** Del Kazajstán o relacionado con este país asiático. **2** Del grupo étnico mayoritario en este país, o relacionado con él. □ ORTOGR. Se usa también *kazajo*.

kebab s.m. Comida que se prepara asando una masa de carne picada que está ensartada en una varilla: *Cuando viajé a Marruecos, comí kebab en un zoco.* □ ETIMOL. Del árabe *kabab*.

kéfir s.m. Leche fermentada artificialmente, de fuerte sabor agridulce: *El kéfir es una bebida típicamente rusa.* □ ETIMOL. De origen caucásico.

keirin (jap.) s.m. Competición deportiva de ciclismo de pista: *En Japón, el keirin es muy popular y se hacen apuestas sobre los ganadores.* □ PRON. [kéirin].

keli s.f. *col.* Casa.

kelo s.f. *col.* Casa.

kelvin s.m. En el Sistema Internacional, unidad básica de temperatura termodinámica: *La temperatura puede expresarse en grados Kelvin o en grados Celsius.* □ SINÓN. *kelvinio*. □ ETIMOL. Por alusión a Kelvin, físico irlandés que formuló la escala absoluta de temperaturas. □ ORTOGR. 1. Es la denominación internacional del *kelvinio*. 2. Su símbolo es *K*, por tanto, se escribe sin punto.

kelvinio s.m. →**kelvin.**

ken s.m. Juego de cartas que consiste en intentar reunir cuatro cartas iguales.

kendo s.m. Deporte de origen japonés, semejante a la esgrima, que se practica con espadas de madera: *El kendo es una de las artes marciales defensivas.* □ ETIMOL. Del japonés *Kendo*, y este de *ken* (espada), y *do* (camino).

keniano, na adj./s. →**keniata.**

keniata adj.inv./s.com. De Kenia o relacionado con este país africano. □ SINÓN. *keniano*.

kentia s.f. Palmera de tronco verde, con anillas en un tono ocre, y hojas de color verde oscuro: *El tronco de las kentias puede alcanzar los diez metros de altura.*

kepí (pl. *kepíes, kepís*) s.m. →**quepis.**

kepis (pl. *kepis*) s.m. →**quepis.**

kermes s.m. →**quermes.** □ ORTOGR. Dist. de *kermés*.

kermés (tb. *quermés*) s.f. Fiesta popular que se celebra al aire libre, con bailes, rifas y otras diversiones, y generalmente con fines benéficos: *La recaudación de la kermés se destinará a la ayuda para los refugiados. En esta crónica costumbrista del siglo XVIII se describe una kermés.* □ ETIMOL. Del francés *kermesse*. □ ORTOGR. Dist. de *kermes*.

kerosén s.m. En zonas del español meridional, queroseno. □ SINÓN. *kerosene*.

kerosene s.m. En zonas del español meridional, queroseno. □ SINÓN. *kerosén*.

keroseno s.m. →**queroseno.**

ketamina s.f. Anestésico general con propiedades analgésicas que se utiliza como droga.

ketchup (ing.) s.m. Salsa de tomate condimentada con vinagre, azúcar y especias. □ SINÓN. *catsup, catchup*. □ PRON. [kétchup].

khmer (hind.) adj.inv./s.com. →**jemer.** □ PRON. [jémer] o [jemér].

kibutz (pl. *kibutz*) s.m. Granja agraria israelí, de propiedad estatal, que el Estado arrienda a una comunidad para su explotación en régimen de cooperativa: *Con los kibutz se ha conseguido una agricultura de alta calidad y rentabilidad.* □ ETIMOL. Del francés *kibboutz*, y este de origen hebreo. □ PRON. [kibúz].

kickar (ing.) v. *col.* Dar una patada: *El jugador kickó la pelota.* □ PRON. [quicár]. □ USO Su uso es innecesario.

kick boxing (ing.) s.m. ‖ Modalidad de arte marcial, en la que, además de usar los puños con guantes, está permitido golpear con los pies desnudos y con las espinillas: *El kick boxing es un deporte muy violento.* □ PRON. [kic bóxin].

kif s.m. →**quif.**

kiko s.m. Maíz tostado. □ ETIMOL. Extensión del nombre de una marca comercial.

kilim s.m. **1** Tela típicamente oriental, de vivos colores y decorada con motivos geométricos: *Entre otros objetos exóticos, destacaba un sofá tapizado en kilim.* **2** Alfombra o tapiz de pequeñas dimensiones confeccionados con esta tela: *Tengo un kilim puesto de tapiz en la pared.* □ PRON. [kílim].

kilo s.m. **1** →**kilogramo. 2** *col.* Millón de pesetas: *Este coche cuesta más de tres kilos.*

kilo- Forma compositiva que significa 'mil': *kilocaloría, kilohercio, kilolitro, kilovatio.* □ ETIMOL. Del griego *khílion*. □ ORTOGR. Su símbolo es *k-* (incorr. **K-*), y no se usa nunca aislado: *km* (kilómetro). □ MORF. Puede adoptar la forma *quilo-*: *quilogramo, quilolitro, quilómetro.*

kilobyte (ing.) s.m. En informática, unidad de almacenamiento de información que equivale a mil bytes aproximadamente: *Al kilobyte se le suele llamar 'K'.* □ PRON. [kilobáit].

kilocaloría s.f. Unidad de energía calorífica que equivale a mil calorías: *La caldera de la calefacción tiene una potencia calorífica de varias kilocalorías.*

☐ ETIMOL. De *kilo-* (mil) y *caloría.* ☐ ORTOGR. Su símbolo es *kcal*, por tanto, se escribe sin punto.

kilogramo (tb. *quilogramo*) s.m. **1** En el Sistema Internacional, unidad básica de masa: *Un kilogramo equivale a la masa de mil centímetros cúbicos de agua destilada a cuatro grados centígrados al nivel del mar.* **2** ‖ **kilogramo fuerza;** unidad de fuerza que equivale a la atracción que la Tierra ejerce sobre la masa de un kilogramo sometido a una aceleración de la gravedad al nivel del mar. ☐ SINÓN. *kilopondio.* ☐ ETIMOL. De *kilo-* (mil) y *gramo.* ☐ ORTOGR. En la acepción 1, su símbolo es *kg*, por tanto, se escribe sin punto. ☐ MORF. Se usa mucho la forma abreviada *kilo.*

kilohercio s.m. En el Sistema Internacional, unidad de frecuencia que equivale a mil hercios: *Las radios de onda media emiten en kilohercios.* ☐ ETIMOL. De *kilo-* (mil) y *hercio.* ☐ ORTOGR. Su símbolo es *kHz*, por tanto, se escribe sin punto.

kilolitro (tb. *quilolitro*) s.m. Unidad de volumen que equivale a mil litros: *Un kilolitro equivale a un metro cúbico de agua.* ☐ ETIMOL. De *kilo-* (mil) y *litro.* ☐ ORTOGR. Su símbolo es *kl*, por tanto, se escribe sin punto.

kilometraje s.m. **1** Medida de una distancia en kilómetros, esp. si se hace marcando el límite de estos con postes, mojones u otras señales: *El kilometraje de la nueva autovía se realizará con señales reflectantes.* **2** Número de kilómetros recorridos: *Aunque parece un coche nuevo, tiene mucho kilometraje.*

kilometrar v. Referido a una distancia, medirla en kilómetros, esp. si se hace marcando los límites de estos con postes, mojones u otras señales: *Han kilometrado el nuevo tramo de la carretera con postes reflectantes.*

kilométrico, ca (tb. *quilométrico, ca*) adj. **1** Del kilómetro o relacionado con esta unidad de longitud: *Esta guía turística indica la distancia kilométrica y el tiempo aproximado del viaje.* **2** col. Muy largo: *Corta unas hebras kilométricas para coser y siempre se le enredan.*

kilómetro (tb. *quilómetro*) s.m. **1** En el Sistema Internacional, unidad de longitud que equivale a mil metros: *Mi pueblo está a trescientos kilómetros de aquí.* **2** ‖ **kilómetro cuadrado;** en el Sistema Internacional, unidad de superficie que equivale a un millón de metros cuadrados. ☐ ETIMOL. De *kilo-* (mil) y *metro.* ☐ ORTOGR. El símbolo de *kilómetro* es *km*, el de *kilómetro cuadrado* es km^2.

kilopondio s.m. Unidad de fuerza que equivale a la atracción que la Tierra ejerce sobre la masa de un kilogramo sometido a una aceleración de la gravedad al nivel del mar: *Un kilopondio equivale a 9,80665 newtons en el Sistema Internacional.* ☐ SINÓN. *kilogramo fuerza.* ☐ ETIMOL. De *kilo-* (mil) y el latín *pondus* (peso). ☐ ORTOGR. Su símbolo es *kp*, por tanto, se escribe sin punto.

kilovatio s.m. **1** En el Sistema Internacional, unidad de potencia que equivale a mil vatios. **2** ‖ **kilovatio hora;** unidad de trabajo o energía que equivale a la energía producida o consumida por una potencia de un kilovatio durante una hora: *El consumo de energía eléctrica se mide en kilovatios hora.* ☐ ETIMOL. De *kilo-* (mil) y *vatio.* ☐ ORTOGR. En la acepción 1, su símbolo es *kW*, por tanto, se escribe sin punto.

kilovoltio s.m. En el Sistema Internacional, unidad de tensión eléctrica, de potencial eléctrico y de fuerza electromotriz que equivale a mil voltios. ☐ ETIMOL. De *kilo-* (mil) y *voltio.* ☐ ORTOGR. Su símbolo es *kV*, por tanto, se escribe sin punto.

kilt (ing.) s.m. Falda de tela de cuadros, corta y con pliegues, que usan los hombres escoceses como parte de su traje nacional.

kimbo s.m. Aperitivo que consta de una aceituna sin hueso, con un pepinillo dentro.

kimono (jap.) s.m. →**quimono.**

kina s.f. Unidad monetaria papú.

kínder s.m. En zonas del español meridional, escuela para niños de cuatro a seis años. ☐ ETIMOL. Del alemán *kindergarten.*

kindergarten (al.) s.m. →**jardín de infancia.** ☐ PRON. [kindergárten].

kinésica s.f. →**cinésica.**

kinesiología s.f. →**quinesiología.**

kinesiólogo, ga s. →**quinesiólogo.**

kinesioterapia s.f. →**quinesiterapia.**

kinesiterapia s.f. →**quinesiterapia.**

kinesofobia s.f. →**kinetofobia.**

kinetofobia (tb. *kinesofobia*) s.f. Temor anormal y angustioso a los movimientos bruscos o inusuales. ☐ ETIMOL. Del griego *kínesis* (movimiento) y *-fobia* (aversión).

kiosco s.m. →**quiosco.**

kiowa adj.inv./s.com. **1** De un conjunto de pueblos indígenas que vivían en las llanuras centrales de los actuales Estados Unidos de América (país americano), o relacionado con él. **2** Tipo de mocasín o calzado sin cordones ni hebillas. ☐ PRON. [kióva].

kip s.m. Unidad monetaria laosiana.

kipá s.f. Bonete semiesférico que usan los judíos, esp. para las ceremonias religiosas: *Antes de entrar en la sinagoga, se cubrió con la kipá.* ☐ SINÓN. *yarmulke.* ☐ ETIMOL. Del francés *kippa* y este del hebreo.

kirguís ▮ adj.inv./s.com. **1** De Kirguizistán o relacionado con este país asiático. ☐ SINÓN. *kirguiso.* **2** Del grupo étnico mayoritario en este país, o relacionado con él. ☐ SINÓN. *kirguiso.* ▮ s.m. **3** Lengua de este país.

kirguiso, sa adj./s. **1** De Kirguizistán o relacionado con este país asiático. ☐ SINÓN. *kirguís.* **2** Del grupo étnico mayoritario en este país, o relacionado con él. ☐ SINÓN. *kirguís.*

kiribatí (pl. *kiribatíes, kiribatís*) adj.inv./s.com. →**kiribatiano.**

kiribatiano, na adj./s. De Kiribati o relacionado con este país de Oceanía (uno de los cinco continentes). ☐ SINÓN. *kiribatí.*

kirie (tb. *quirie*) s.m. Parte de la misa en la que se hace una invocación al Señor con esta palabra griega: *La parte que más me gusta de la 'Misa de la coronación' de Mozart es el kirie.*

kirsch (al.) s.m. Aguardiente elaborado con cerezas amargas fermentadas: *El kirsch es un licor alemán típico.* ☐ PRON. [kirs].

kit (ing.) s.m. **1** Equipo formado por un conjunto de artículos destinados a un uso determinado: *un kit de oficina; un kit de limpieza.* **2** Conjunto de las piezas de un objeto que se venden con instrucciones para que puedan ser fácilmente montadas: *He comprado un kit de rejilla para hacerme una estantería.* ☐ USO En la acepción 1, su uso es innecesario y puede sustituirse por *lote* o *equipo*.

kitesurf (ing.) s.m. Actividad deportiva individual que se practica sobre una tabla y gracias al impulso de una cometa sujeta al cuerpo mediante un arnés: *El kitesurf se practica con una tabla de surf en el mar, con una tabla con ruedas en tierra y con una tabla de snowboard en la nieve.* ☐ PRON. [káitsurf].

kitsch (al.) ▮ adj.inv. **1** Referido esp. a un objeto decorativo, que resulta cursi o desfasado: *Me envió una postal kitsch horrorosa.* ▮ s.m. **2** Estilo o tendencia estética caracterizados por la mezcla de elementos que se consideran cursis y desfasados: *Para muchos críticos de arte, el kitsch es una estética decadente.* ☐ PRON. [kich].

kiwi s.m. **1** Arbusto trepador de flores blancas o amarillas y frutos en forma de huevo, de piel parda y peluda y pulpa verde: *El kiwi es propio de climas cálidos.* ☐ SINÓN. *quivi.* **2** Fruto comestible de este arbusto: *El kiwi es una fruta típica de tierras neozelandesas.* ☐ SINÓN. *quivi.* **3** Ave nocturna, corredora, de pico largo y curvado, patas fuertes, plumaje pardo oscuro y alas poco desarrolladas que no le permiten volar: *El kiwi es un animal propio de Nueva Zelanda.* ☐ PRON. [kívi]. ☐ MORF. En la acepción 3, es un sustantivo epiceno: *el kiwi {macho/hembra}.*

kleenex (tb. *clínex*) s.m. Pañuelo de papel. ☐ ETIMOL. Extensión del nombre de una marca comercial. ☐ PRON. [klínex]. ☐ USO Su uso es innecesario.

knock out (ing.) ‖ Fuera de combate: *El boxeador dejó knock out a su contrincante.* ☐ PRON. [nocáut]. ☐ ORTOGR. Se usa también la forma castellanizada *nocaut*. ☐ MORF. Se usa mucho la sigla inglesa *KO*, pronunciada [káo]. ☐ USO Su uso es innecesario.

know-how (ing.) s.m. Procedimientos o tecnología que una empresa tiene para fabricar o gestionar: *El know-how puede ser vendido o exportado.* ☐ PRON. [nóu-háu], con *h* aspirada.

KO (ing.) ▮ adj.inv. **1** *col.* Derrotado y sin fuerzas para continuar: *Tras recibir el segundo gol, el equipo visitante quedó KO.* ▮ s.m. **2** En boxeo, derrota de uno de los púgiles por permanecer más de diez segundos en el suelo: *El campeón mundial venció a su contrincante por KO en el tercer asalto.* ☐ ETIMOL. Es la sigla del inglés *Knock Out* (fuera de combate). ☐ SINT. La acepción 1 se usa más con los verbos *estar*, *quedar*, *dejar* o equivalentes.

koala s.m. Mamífero trepador australiano de pequeño tamaño, que carece de cola, tiene orejas grandes y hocico ancho, corto y de color oscuro, pelaje gris rojizo y cuya hembra tiene una especie de bolsa en la espalda en donde transporta a sus crías los seis primeros meses de vida: *El koala trepa lentamente por los eucaliptos y se alimenta de sus hojas.* ☐ ORTOGR. Se usa también *coala.* ☐ MORF. Es un sustantivo epiceno: *el koala {macho/hembra}.*

koiné s.f. Lengua común originada a partir de la unificación de diversas variedades dialectales, esp. referido a la adoptada por los griegos a partir del siglo V a. C.: *La koiné griega se formó con elementos de todos los dialectos griegos.* ☐ SINÓN. *coiné.* ☐ ETIMOL. Del griego *koiné.*

kokotxa (eusk.) s.f. →**cococha.** ☐ PRON. [cocócha].

koljós (rus.) (tb. *koljoz*) s.m. En el régimen socialista soviético, explotación agraria de carácter cooperativo en la que el trabajo, la tierra y los medios de producción estaban socializados y pertenecían al común de sus miembros: *Cada miembro del koljós estaba obligado a cumplir una función.* ☐ SEM. Dist. de *sovjós* (explotación de propiedad estatal).

koljoz (rus.) s.m. →**koljós.**

kopek s.m. →**cópec.** ☐ ETIMOL. De origen ruso. ☐ PRON. [kópek].

koré (gr.) (pl. *korai*) s.f. En el arte griego antiguo, escultura de mujer joven y vestida: *Las primeras korés aparecen en el período arcaico del arte griego.*

kosovar adj.inv./s.com. De Kósovo o relacionado con esta provincia serbia.

krausismo s.m. Doctrina filosófica de Krause (filósofo alemán del siglo XIX), de carácter marcadamente ético y conciliador entre el racionalismo y la moral religiosa: *Las ideas del krausismo animaron en España la fundación de la Institución Libre de Enseñanza.*

krausista ▮ adj.inv. **1** Del krausismo o relacionado con esta doctrina filosófica: *Muchos intelectuales hicieron suya la defensa krausista de la tolerancia y de la razón.* ▮ adj.inv./s.com. **2** Partidario o seguidor del krausismo: *Los krausistas españoles defendieron las tesis republicanas.*

kril (tb. *krill*) s.m. Conjunto de pequeños crustáceos que forman parte del plancton marino: *Algunas ballenas se alimentan de kril.* ☐ ETIMOL. Del inglés *krill*, y este del noruego *krill* (alevín).

krill s.m. →**kril.**

kriptón (tb. *criptón*) s.m. Elemento químico, no metálico y gaseoso, de número atómico 36, inerte e incoloro, que se encuentra en muy bajas proporciones en el aire: *El kriptón es un gas noble que se encuentra en los gases volcánicos y en algunas aguas termales.* ☐ ETIMOL. Del griego *kryptós* (oculto). ☐ ORTOGR. Su símbolo químico es *Kr*.

kuchen s.m. En zonas del español meridional, tarta. ☐ ETIMOL. Del alemán *Kuchen.* ☐ PRON. [kújen].

kufía (ár.) s.f. Tocado masculino típico de los países árabes: *Muchos palestinos llevan kufía.*

kulak (rus.) s.m. En la sociedad eslava tradicional, campesino rico propietario de la tierra que trabajaba: *El kulak desapareció después de la revolución socialista.* ☐ PRON. [kulák].

kuna s.f. Unidad monetaria croata.

kung-fu s.m. Arte marcial de origen chino que consiste en luchar cuerpo a cuerpo, con una gran concentración mental y usando las manos y los pies: *El kung-fu es un sistema de defensa personal de origen budista.* □ ETIMOL. De origen chino. □ PRON. [kunfú].

kurdo, da (tb. *curdo, da*) ▮ adj./s. **1** Del Kurdistán (región asiática), o relacionado con él. ▮ s.m. **2** Lengua indoeuropea de esta región: *El kurdo tiene varios dialectos.*

kurós (gr.) (pl. *kuroi*) s.m. En el arte griego antiguo, escultura de hombre joven y desnudo: *El kurós se representa de pie y en actitud frontal.*

kuru s.m. Enfermedad detectada en la década de 1950 entre unas tribus de lugares de Papúa Nueva Guinea (isla del continente oceánico), y cuyos síntomas son la demencia y la pérdida de coordinación: *El kuru prácticamente desapareció al abandonar esas tribus las prácticas caníbales.*

kuwaití (pl. *kuwaitíes, kuwaitís*) adj.inv./s.com. De Kuwait o relacionado con este país asiático. □ PRON. [kuvaití].

kwacha s.m. Unidad monetaria malaui y zambiana. □ PRON. [kuácha].

kwanza s.m. Unidad monetaria angoleña. □ PRON. [kuánza].

kyat s.m. Unidad monetaria birmana. □ PRON. [kiát].

Ll

l s.f. Duodécima letra del abecedario. □ PRON. 1. Representa el sonido alveolar lateral sonoro. 2. La grafía *ll* representa el sonido lateral palatal sonoro (*llama, calle*), aunque está muy extendida su pronunciación fricativa como [y] →**yeísmo.** □ ORTOGR. 1. La grafía *ll* es indivisible al final de línea: incorr. **cal-le* > *ca-lle*. 2. La grafía mayúscula de *ll* es *Ll*: incorr. **LLoro* > *Lloro*.

la ▌**1** pron.pers. f. de **lo.** ▌**2** art.determ. s.f. de **el.** ▌s.m. **3** En música, sexta nota de la escala de do mayor. □ ETIMOL. Las acepciones 1 y 2, del latín *illa*. La acepción 3, de la primera sílaba de la palabra *labii*, que aparece en el himno de San Juan Bautista, de donde se sacó el nombre de todas las notas musicales. □ SINT. También en la acepción 3 su plural es *las*.

lábaro s.m. **1** Estandarte de los emperadores romanos y sobre el cual, desde la época de Constantino (emperador romano del siglo IV), se puso la cruz acompañada de las dos primeras letras del nombre de Cristo en griego. **2** Símbolo de Cristo, que consiste en las dos primeras letras de este nombre en griego: *El lábaro contiene las letras griegas 'X' y 'P'.* □ SINÓN. *crismón*. □ ETIMOL. Del latín *labarum*.

laberíntico, ca adj. **1** Del laberinto o relacionado con él. **2** Confuso o enredado: *La contabilidad de esta empresa es laberíntica.*

laberinto s.m. **1** Lugar formado por numerosos caminos cruzados entre sí o dispuestos de forma que es difícil encontrar la salida: *El casco antiguo de la ciudad es un laberinto de callejuelas.* **2** Lo que es confuso y está enredado: *Su mente es un laberinto de obsesiones y miedos.* **3** En los vertebrados, conjunto de canales y cavidades que forman el oído interno: *Sufre vértigo a causa de una infección en el laberinto.* □ ETIMOL. Del griego *labýrinthos* (construcción llena de rodeos y encrucijadas donde es muy difícil orientarse).

labia s.f. *col.* Facilidad de palabra y gracia al hablar: *Como tiene tanta labia, siempre nos convence.* □ SINÓN. *parla*. □ ETIMOL. Del latín *labia* (labios).

labiado, da ▌adj. **1** Referido a una flor o a su corola, que están divididas en dos partes, una superior formada por dos pétalos, y una inferior formada por tres: *La flor del tomillo es labiada.* ▌adj./s.f. **2** Referido a una planta, que tiene esta flor: *La menta y la lavanda son labiadas.* ▌s.f.pl. **3** En botánica, familia de estas plantas, perteneciente a la clase de las dicotiledóneas: *Muchas especies de labiadas poseen sustancias aromáticas.*

labial ▌adj.inv. **1** De los labios: *un protector labial.* **2** En lingüística, referido a un sonido consonántico, que se articula con los labios: *Los fonemas labiales pueden ser, a su vez, bilabiales o labiodentales.* ▌s.f. **3** Letra que representa este sonido: *Algunas labiales en castellano son la 'b', la 'p' y la 'f'.*

labialización s.f. **1** Movimiento de redondeo de los labios que se realiza para producir los sonidos labiales: *La labialización es necesaria para pronunciar la [p].* **2** Propagación del carácter labial de un sonido a otros sonidos inmediatos: *Al pronunciar la palabra 'papá', se produce la labialización de las 'aes'.*

labializar v. En lingüística, referido a un sonido, darle carácter labial: *Las aes de 'baba' se hallan labializadas.* □ ORTOGR. La *z* se cambia en *c* delante de *e* →CAZAR.

labiérnago s.m. Arbusto de corteza gris y hojas de color verde oscuro, que tiene un fruto negro azulado.

lábil adj.inv. **1** *poét.* Que resbala o que se desliza fácilmente: *La gelatina es una sustancia lábil.* **2** *poét.* Frágil, caduco o débil: *Lo bonito de una rosa es que sea tan lábil.* **3** Referido a un compuesto químico, que es fácil de transformar en otro más estable: *El monóxido de carbono es un contaminante lábil porque evoluciona fácilmente a dióxido de carbono.* □ ETIMOL. Del latín *labilis* (resbaladizo).

labilidad s.f. **1** Fragilidad, caducidad o debilidad: *La labilidad de algunas bacterias las hace sensibles a los cambios de temperatura.* **2** Inestabilidad de carácter y facilidad para cambiar: *Sus opiniones se caracterizan por su labilidad.*

labio s.m. **1** En una persona o en algunos animales, cada uno de los bordes carnosos y movibles de la boca: *Se pintó los labios de rojo.* **2** Borde exterior de una abertura o de algunas cosas, esp. si tienen la forma de este: *Es importante desinfectar bien los labios de la herida. Engánchalo bien con los labios del clip.* **3** ‖ **labio leporino;** el superior cuando tiene una malformación congénita consistente en una fisura o hendidura parecida a la del labio de la liebre. ‖ **morderse los labios;** *col.* Contenerse o hacer esfuerzos para no hablar o no reírse: *Deberías haberte mordido los labios y no haberle contado toda esa historia.* ‖ **no despegar los labios;** *col.* No hablar o mantenerse callado. ‖ **sellar los labios;** impedir hablar o que se diga algo: *Las amenazas han sellado los labios del testigo.* □ ETIMOL. Del latín *labium*.

labiodental ▌adj.inv. **1** En lingüística, referido a un sonido consonántico, que se articula acercando el labio inferior al borde de los incisivos superiores: *El fonema /f/ es labiodental.* ▌s.f. **2** Letra que representa este sonido.

labor s.f. **1** Trabajo, tarea u ocupación: *Mi labor consiste en pasar las facturas a la base de datos.* **2** Trabajo agrícola, esp. el destinado a la preparación o al cultivo de la tierra: *las labores del campo.* **3** Obra o trabajo que se hacen a mano o a máquina con alguna materia textil, esp. si son de costura o de bordado: *Está aprendiendo a hacer labores de punto.* **4** ‖ **estar por la labor;** estar dispuesto a hacer algo: *Cuando pido un voluntario para bajar la basura, ninguno está por la labor.* || **sus labores;** expresión que se usa para designar la dedicación exclusiva y no remunerada de la mujer a las tareas domésticas de su hogar: *Mi madre se dedica a sus labores.* □ ETIMOL. Del latín *labor* (trabajo, tarea). □ USO *Estar por la labor* se usa más en expresiones negativas.

laborable ▮ adj.inv. **1** Que se puede laborar o trabajar: *un terreno laborable.* ▮ s.m. **2** →**día laborable.**

laboral adj.inv. Del trabajo o relacionado con él, esp. en sus aspectos económico, jurídico y social: *derecho laboral.*

laboralista adj.inv./s.com. Que se dedica profesionalmente al derecho laboral o que está especializado en él: *un abogado laboralista.*

laborar v. **1** Referido a la tierra, trabajarla o faenar en ella: *Cada día hay menos gente que labora los campos.* **2** Esforzarse para conseguir algo: *Es una organización humanitaria que labora en beneficio de los más pobres.* □ ETIMOL. Del latín *laborare* (trabajar).

laboratorio s.m. Lugar equipado con los instrumentos, los aparatos y los productos necesarios para realizar una investigación científica o un trabajo técnico: *un laboratorio farmacéutico; un laboratorio fotográfico.* □ ETIMOL. Del latín *laborare* (trabajar).

laborear v. **1** Trabajar la tierra: *Aunque hay ganadería en la zona, la mayor parte de la población se dedica a laborear los campos.* **2** Hacer excavaciones en una mina: *Al laborear han encontrado una veta de plata.*

laboreo s.m. **1** Cultivo del campo: *Mi abuelo vivió en un pueblo y se dedicaba al laboreo de sus tierras.* **2** Técnica de explotación de minas haciendo en ellas las labores o excavaciones necesarias: *La ingeniera de minas que contrataron para dirigir el laboreo es muy competente.*

laboriosidad s.f. **1** Dedicación, constancia y cuidado en el trabajo: *Las hormigas almacenan la comida para el invierno con gran laboriosidad.* **2** Dificultad o complejidad: *Estos trabajos de artesanía se caracterizan por su laboriosidad y su perfecto acabado.*

laborioso, sa adj. **1** Que es muy trabajador, o que es constante y cuidadoso en el trabajo: *una persona laboriosa.* **2** Que cuesta o causa mucho trabajo: *No es una tarea difícil, pero sí muy laboriosa.* □ ETIMOL. Del latín *laboriosus.*

laborismo s.m. En Gran Bretaña (país europeo) y en algunas de sus antiguas colonias, doctrina y movimiento político, de carácter moderado y socialista: *La base social del laborismo es la clase trabajadora.*

laborista ▮ adj.inv. **1** Del laborismo o relacionado con él: *un partido laborista.* ▮ adj.inv./s.com. **2** Partidario o seguidor del laborismo.

labra s.f. Trabajo que se hace en una materia, esp. en piedra o en mármol: *La labra de esta escultura la realizó un escultor muy famoso.*

labradío, a adj. →**labrantío.**

labrado s.m. Trabajo que se hace de una materia para darle forma o para grabarla o decorarla: *Los orfebres se dedican al labrado de metales preciosos.*

labrador, -a ▮ adj./s. **1** Que se dedica a las tareas agrícolas, esp. si cultiva tierras de su propiedad. ▮ adj./s.m. **2** Referido a un perro, de la raza que es originaria del Labrador (península de Canadá).

labrantío, a adj./s.m. Referido a una tierra o a un campo, que es de cultivo o que se puede cultivar. □ SINÓN. *labradío.*

labranza s.f. **1** Cultivo de los campos: *los aperos de labranza.* **2** Tierra de cultivo.

labrar v. **1** Referido a una materia, trabajarla para darle forma o para grabarla o decorarla: *Labra la madera con una navaja y hace todo tipo de figuras con ella. Labrar la piedra con un cincel es un trabajo muy laborioso.* **2** Cultivar la tierra: *Como llevo varios años labrando esta finca, este año la voy a dejar en barbecho.* **3** Hacer surcos en la tierra para sembrarla después: *Actualmente casi nadie labra con arado.* □ SINÓN. *arar.* **4** Conseguir o preparar: *Debes trabajar duro para labrarte un buen futuro. Con esa conducta se está labrando su ruina.* □ ETIMOL. Del latín *laborare* (trabajar).

labriego, ga s. Persona que cultiva la tierra y que vive en el medio rural.

laburar v. *col.* En zonas del español meridional, trabajar o currar: *Se pasa todo el día laburando.*

laburo s.m. *col.* En zonas del español meridional, trabajo o curre.

laca s.f. **1** Sustancia semejante a la resina, obtenida de algunos árboles asiáticos, y que se usa para la fabricación de barnices y colorantes: *La laca se forma en las ramas de algunos árboles con la exudación producida por las picaduras de ciertos insectos.* **2** Barniz duro y brillante que se fabrica con esta y otras sustancias: *Muchos muebles chinos antiguos van recubiertos por una capa de laca.* **3** Objeto barnizado con este producto, esp. si es artístico: *Compró una colección de lacas.* **4** Cosmético que se aplica sobre el cabello para fijar el peinado: *En el envase de esta laca ponía que no destruye la capa de ozono.* **5** || **laca de uñas;** cosmético que sirve para dar color o brillo a las uñas. □ SINÓN. *esmalte de uñas, pintaúñas.* □ ETIMOL. Del árabe *lakk* (sustancia que tiñe de rojo).

lacar v. **1** Pintar o barnizar con laca: *Ha lacado la librería del salón.* □ SINÓN. *laquear.* **2** Referido a un alimento, untarlo con algún aderezo mantecoso: *Lacamos el pato con una mezcla de miel, salsa de soja y pimentón.* □ SINÓN. *laquear.* □ ORTOGR. La *c* se cambia en *qu* delante de *e* →SACAR.

lacayo s.m. **1** Antiguo criado vestido con librea cuya principal ocupación era acompañar a su amo: *El lacayo abrió a su señor la portezuela del coche de caballos.* **2** *col.* Persona servil y aduladora: *Más que su colaborador, eres su lacayo.* □ ETIMOL. De origen incierto.

lacedemonio, nia adj./s. De Lacedemonia (ciudad y comarca de la antigua Grecia), o relacionado con ella: *La ciudad más importante en la que vivían los lacedemonios era Esparta.*

laceración s.f. Hecho de lacerar.

lacerante adj.inv. Que lacera o hiere.

lacerar v. **1** Herir, lastimar o magullar: *Se laceró las rodillas al caerse.* **2** Dañar o producir un perjuicio o un daño: *El escándalo laceró su reputación.* ☐ ETIMOL. Del latín *lacerare* (desgarrar, despedazar, torturar).

lacería s.f. En arte, adorno geométrico consistente en una serie de molduras o de líneas que se enlazan y se cruzan entre sí alternativamente formando figuras estrelladas y con forma de polígono: *La bóveda del claustro tiene lacerías árabes.*

lacero, ra s. **1** Persona que maneja hábilmente el lazo para atrapar animales: *En el rancho contrataron varios laceros.* **2** Cazador, generalmente furtivo, que captura animales de caza menor con una trampa de lazo: *El juez impuso una multa al lacero.* **3** Empleado municipal que se encarga de recoger perros vagabundos atrapándolos con un lazo: *El lacero introdujo los perros en la jaula de la camioneta.*

lacetano, na adj./s. De la antigua Lacetania (zona que comprendía parte de las actuales provincias de Barcelona, Lérida y Tarragona), o relacionado con ella: *Los lacetanos, tras la conquista romana, pasaron a formar parte de la Tarraconense.*

lacha s.f. *col.* Vergüenza o reparo. ☐ ETIMOL. Del sánscrito *lajja* (vergüenza).

lacio, cia adj. **1** Referido al cabello, que es liso y cae sin formar ondas ni rizos. **2** Marchito o mustio: *una flor lacia.* **3** Flojo, débil o sin fuerza: *músculos lacios.* ☐ ETIMOL. Del latín *flaccidus* (flojo, caído, lánguido).

lacón s.m. Parte de la pata delantera del cerdo, esp. cuando está cocida o salada y curada: *El lacón con grelos es un plato típico gallego.* ☐ ETIMOL. Del latín *lacca* (tumor en las patas de las caballerías).

lacónico, ca adj. **1** Breve o conciso: *un estilo lacónico.* **2** Referido a una persona, que habla o que escribe de esta manera: *una persona lacónica.* ☐ ETIMOL. Del latín *Laconicus* (propio de Laconia), porque los hablantes de esta región de Grecia preferían el habla concisa.

laconio, nia ▮ adj./s. **1** De Laconia (región de la antigua Grecia), o relacionado con ella: *El pueblo laconio fue invadido por los aqueos, los dorios y los godos.* ▮ s.m. **2** Antiguo dialecto de esta zona: *El laconio era un dialecto del griego antiguo.*

laconismo s.m. Carácter breve o conciso: *Lo único destacable de su última carta es su laconismo.*

lacra s.f. **1** Señal que deja en alguien una enfermedad o un daño físico: *Estos dolores me han quedado como lacra de la lesión de espalda que sufrí.* **2** Defecto, tara o vicio: *La mendicidad es una lacra de nuestra sociedad.* ☐ ETIMOL. De origen incierto.

lacrar v. Cerrar con lacre: *Lacró el sobre para que nadie pudiera curiosear lo que había escrito en la carta.*

lacre s.m. Pasta sólida hecha con goma, laca y trementina y que, derretida, se utiliza para cerrar o sellar documentos, sobres o paquetes: *El lacre se vende en barras y es normalmente de color rojo.* ☐ ETIMOL. Del portugués *lacre*.

la crème de la crème (fr.) ‖ Lo mejor de lo mejor: *A la fiesta asistió la crème de la crème de la sociedad.* ☐ PRON. [la crem de la crem]. ☐ USO Su uso es innecesario y puede sustituirse por *la flor y nata.*

lacrimal adj.inv. De las lágrimas o relacionado con ellas: *glándulas lacrimales; conductos lacrimales.* ☐ ORTOGR. Dist. de *lagrimal*.

lacrimógeno, na adj. **1** Referido esp. a un gas, que produce lágrimas: *La policía dispersó a los manifestantes con gases lacrimógenos.* **2** Referido esp. a una narración, que pretende tocar la fibra sensible del lector, espectador u oyente, y que incita a llorar: *Todo el mundo salía con los ojos enrojecidos de aquella lacrimógena película.* ☐ ETIMOL. Del latín *lacrima* (lágrima) y *-geno* (que genera o produce). ☐ ORTOGR. Incorr. **lagrimógeno.*

lacrimoso, sa adj. **1** Con lágrimas. **2** Que incita a llorar: *Ayer vi una película triste y lacrimosa.* ☐ SINÓN. *lagrimoso.* **3** Que llora o se lamenta con facilidad. ☐ ETIMOL. Del latín *lacrimosus*.

lactación s.f. Hecho de dar de mamar: *Durante la lactación, la madre debe tener un aporte extra de calcio.*

lactancia s.f. **1** Acción de mamar: *Estos meses tiene derecho a salir antes del trabajo para la lactancia de su hijo.* **2** Primer período de la vida de los mamíferos, durante el que se alimentan de leche, esp. de la producida por las glándulas mamarias de sus madres: *La lactancia de mi hijo duró seis meses.* **3** Forma de alimentación durante este período: *Los médicos recomiendan la lactancia materna.*

lactante ▮ adj.inv./s.com. **1** Referido a un niño o a un mamífero, que se halla en el período de lactancia. ▮ adj.inv./s.f. **2** Referido a una mujer o a un mamífero hembra, que amamanta.

lactar v. **1** Referido esp. a un bebé, amamantarlo o criarlo con la propia leche: *Mi madre lactó a todos sus hijos.* **2** Referido a un bebé o a un cachorro, mamar o alimentarse con leche, esp. cuando la toma del seno de su madre: *Tiene ocho meses pero todavía lacta.* ☐ ETIMOL. Del latín *lactare*.

lacteado, da adj. Mezclado con leche: *harina lacteada.*

lácteo, a adj. De la leche o derivado de ella: *un producto lácteo.* ☐ ETIMOL. Del latín *lacteus*.

láctico, ca adj. En química, de la leche o relacionado con esta: *El ácido láctico se produce cuando la lactosa, que es el azúcar de la leche, fermenta por la acción de un bacilo.*

lactitol s.m. Sustancia que se obtiene de forma sintética a partir de la lactosa, y que se utiliza como edulcorante: *El lactitol tiene menos calorías que el azúcar y efectos laxantes en determinadas dosis.*

lactobacilo s.m. Bacteria presente en las vías gastrointestinales, que se utiliza para la fermentación:

Algunas especies de lactobacilo se usan en la fabricación de yogures y queso.

lactómetro s.m. Aparato que sirve para medir la densidad de la leche: *El lactómetro permite conocer la riqueza nutritiva de la leche.* □ SINÓN. *galactómetro.* □ ETIMOL. Del latín *lac* (leche) y *-metro* (medidor).

lactosa s.f. Hidrato de carbono, de sabor dulce, que abunda en la leche: *La lactosa es insoluble en alcohol.*

lactovegetariano, na ▌adj. **1** Que contiene vegetales y productos lácteos: *una dieta lactovegetariana.* ▌adj./s. **2** Referido a una persona vegetariana, que consume productos lácteos además de productos vegetales.

lacunario s.m. En arquitectura, hueco o cavidad de un techo artesonado que se forma a consecuencia del cruce de las vigas o de las molduras: *En este techo, cada uno de los lacunarios del artesonado tiene un motivo decorativo distinto.* □ SINÓN. *lagunar.* □ ETIMOL. Del latín *lacunarium.*

lacustre adj.inv. De los lagos o relacionado con ellos: *Los patos son aves lacustres. Los antiguos poblados lacustres se levantaban sobre pilares encima del agua.* □ ETIMOL. Del latín *lacus* (lago) y la terminación de *palustre.*

ladear v. Inclinar o torcer hacia un lado: *Ladea el cuadro un poco hacia la derecha, que está torcido. No quiso saludarnos y, al vernos, ladeó la cabeza. Se ladeó para dejarme pasar.*

ladeo s.m. Inclinación o torcimiento hacia un lado.

ladera s.f. Pendiente de una montaña por cualquiera de sus lados.

ladilla s.f. **1** Insecto chupador, sin alas, de pequeño tamaño y que vive parásito en la zonas vellosas de los órganos genitales de las personas. **2** *col.* En zonas del español meridional, persona fastidiosa. □ ETIMOL. Del latín *latus* (ancho), porque las ladillas tienen forma achatada.

ladillo s.m. En imprenta, anotación en el margen de un texto, esp. cuando explica el contenido de este: *La letra de los ladillos suele ser más pequeña que la del texto.* □ ETIMOL. De *lado.*

ladino, na ▌adj. **1** Que actúa con astucia y disimulo para conseguir lo que quiere: *una persona ladina.* ▌s.m. **2** Lengua religiosa de los sefardíes: *El ladino es calco de los textos bíblicos hebreos y se escribe con letras latinas.* **3** Lengua románica de Suiza (país europeo): *El ladino se habla en la zona que correspondió a la antigua Retia.* □ SINÓN. *rético, retorromano.* □ ETIMOL. Del latín *latinus* (latino), que se aplicaba a la lengua romance para contraponerla a la árabe y a las obras literarias escritas en lengua culta.

lado s.m. **1** En una persona o en un animal, costado o parte del cuerpo comprendida entre el brazo y el hueso de la cadera: *Se dio un golpe en el lado derecho y se rompió una costilla.* **2** En un cuerpo simétrico, costado o mitad derecha o izquierda: *El volante está en el lado izquierdo del coche.* **3** En un espacio delimitado o en un cuerpo, zona o parte próximas a los extremos: *La cama estaba situada en el lado de la ventana.* **4** Referido a algo con bordes o con límites, zona contigua a ellos por la derecha o por la izquierda: *El lado derecho del río está cultivado.* **5** Respecto de un lugar o de un cuerpo, zona diferenciada que forma parte de su entorno: *Los caballos se acercaban por el lado norte del campamento.* **6** En un cuerpo plano, cada una de sus caras: *La moneda está grabada por ambos lados.* **7** Sitio o lugar: *Hazme un lado en el sofá, que estoy agotada. ¿Quieres que vayamos a otro lado?* **8** Aspecto que se destaca en la consideración de algo o punto de vista que se adopta en ello: *Es mejor mirar el lado positivo de las cosas. Por un lado, lleva razón en lo que dice.* **9** Vía o camino que se toman, esp. para alcanzar un propósito: *Si no me admiten en la Universidad, seguiré por otro lado.* **10** Rama o línea de parentesco: *Es primo mío por el lado materno.* **11** En geometría, cada una de las líneas que limitan y forman un ángulo, un polígono o la cara de un poliedro regular: *Un cuadrado tiene cuatro lados iguales.* **12** ‖ **al lado** de algo; **1** Muy cerca de ello o junto a ello: *La farmacia que busca esta ahí al lado. Las gafas están al lado de la radio.* **2** En comparación con ello: *A tu lado, ese chico no vale nada.* ‖ **dar de lado** a alguien; *col.* Rechazarlo, ignorarlo o apartarse de su trato o compañía: *Se comportaron bastante mal al darte de lado en la fiesta.* ‖ **de (medio) lado;** ladeado o torcido: *Si te colocas el sombrero de medio lado, te quedará mejor.* ‖ **de un lado para otro;** sin parar o en continua actividad: *Llevo todo el día de un lado para otro, y estoy muy cansado.* ‖ **dejar {a un lado/de lado};** prescindir o no tomar en cuenta: *La dejaron a un lado en el negocio. Deja de lado tus preocupaciones y diviértete.* ‖ **{estar/ponerse} del lado de** algo; ser partidario suyo o estar a su favor: *Desconfío de ellos porque no sé de qué lado están.* ‖ **ir** alguien **por su lado;** *col.* Seguir su camino sin ponerse de acuerdo con otro: *No conseguiremos hacer una labor de equipo si cada uno va por su lado.* ‖ **ir de lado;** *col.* Estar muy equivocado o ir descaminado en un propósito: *Si crees que contándome esas historias voy a tener miedo, vas de lado.* ‖ **mirar de (medio) lado;** mirar con desprecio o con disimulo: *Es muy orgulloso y siempre nos mira de medio lado. Aunque me miró de lado, noté que me observaba.* □ ETIMOL. Del latín *latus.*

ladrador, -a adj. Que ladra.

ladrar v. **1** Referido a un perro, dar ladridos o emitir su voz característica: *Cuando el perro ladra hace 'guau'.* **2** *col.* Referido a una persona, hablar o expresarse de una forma desagradable, esp. si se hace gritando: *No soporto que me des las órdenes ladrando.* **3** *col.* Amenazar, sin llegar a actuar: *Mi madre ladra mucho pero, a la hora de la verdad, es incapaz de hacer daño a nadie.* □ ETIMOL. Del latín *latrare.*

ladrido s.m. **1** Voz característica del perro. **2** *col.* Lo que se dice gritando o de forma desagradable.

ladrillar s.m. Lugar donde se fabrican ladrillos: *A las afueras del pueblo hay un ladrillar.*

ladrillazo s.m. Golpe dado con un ladrillo.

ladrillo s.m. **1** Pieza de arcilla cocida en forma de prisma rectangular que se usa en construcción, esp. para hacer muros o tabiques. **2** *col.* Lo que resulta pesado, aburrido o difícil de soportar: *Esta novela es un ladrillo.* ☐ ETIMOL. Del latín *later.*

ladrón, -a ▮ adj./s. **1** Que roba o que hurta: *Han detenido al ladrón que robó en la joyería.* ▮ s.m. **2** *col.* Enchufe que, al ser colocado en una toma de corriente, permite que sean enchufados a la vez varios aparatos: *Para enchufar a la vez la lámpara, el calefactor y la radio, tienes que colocar un ladrón en el enchufe de la pared.* **3** En un río o en una acequia, portillo que se hace en el cauce para extraer el agua o para desviarla: *Han multado al hortelano que colocó un ladrón en el río para llevar el agua a su finca.* ☐ ETIMOL. Del latín *latro* (bandido, ladrón en cuadrilla).

ladronera s.f. **1** Lugar donde se ocultan los ladrones. **2** En un muro, en una torre o en una puerta fortificada, obra que sobresale en lo alto, con parapeto y aberturas en el suelo, construida con fines defensivos. ☐ SINÓN. *matacán.*

ladronzuelo, la s. Persona, esp. un niño, que hurta con astucia cosas de poco valor.

lady (ing.) s.f. En algunos países, esp. en el Reino Unido, título nobiliario o tratamiento honorífico que se otorga a una mujer. ☐ PRON. [léidi].

lagaña s.f. En zonas del español meridional, legaña.

lagar s.m. **1** Recipiente en el que se pisa la uva para obtener el mosto, se prensa la aceituna para obtener el aceite o se machaca la manzana para obtener la sidra: *Se descalzó porque se iba a meter en el lagar a pisar la uva.* **2** Edificio o lugar destinados a esas labores: *Estuvimos de visita en un lagar asturiano y nos invitaron a probar la sidra.* ☐ ETIMOL. Del latín *lacus* (depósito de líquidos).

lagarta s.f. *col. desp.* Véase **lagarto, ta**.

lagartija s.f. Reptil de pequeño tamaño, con cuatro extremidades cortas, mandíbula con dientes, cola y cuerpo largos, muy ágil y espantadizo, que se alimenta de invertebrados, vive esp. en los huecos de las paredes y que abunda en la península Ibérica: *Si una lagartija pierde la cola, es capaz de regenerarla.* ☐ MORF. Es un sustantivo epiceno: *la lagartija {macho/hembra}.*

lagarto, ta ▮ adj./s. **1** *col.* Referido a una persona, que es pícara o astuta: *No creo que la hayas engañado, porque es muy lagarta. Ten cuidado, porque menudo lagarto te has echado como socio.* ▮ s.m. **2** Reptil con cuatro extremidades cortas, mandíbula con dientes, cola y cuerpo largos, de color verdoso, y piel cubierta de escamas. ▮ s.f. **3** *col. desp.* Mujer de vida licenciosa. ☐ ETIMOL. Del latín **lacartus.* ☐ MORF. En la acepción 2, es un sustantivo epiceno: *el lagarto {macho/hembra}.* ☐ USO *Lagarto* se usa para ahuyentar la mala suerte: *Cuando empezamos a hablar del diablo, la abuela, que es muy supersticiosa, dijo: '¡Lagarto, lagarto!'.*

lager (ing.) adj./s.f. Referido a la cerveza, que es de sabor suave, color dorado y en el proceso de elaboración la fermentación es lenta, en frío y la levadura queda en el fondo de la cuba: *La cerveza lager se envejece durante un máximo de seis meses.* ☐ PRON. [láguer].

lago s.m. Gran masa de agua, generalmente dulce, depositada en una depresión del terreno. ☐ ETIMOL. Del latín *lacus* (estanque, lago).

lagomorfo ▮ adj./s. **1** Referido a un mamífero, que es de pequeño tamaño, herbívoro y parecido a los roedores, pero con dos pares de incisivos superiores: *El conejo es un mamífero lagomorfo.* ▮ s.m.pl. **2** En zoología, orden de estos mamíferos: *La liebre se incluye en los lagomorfos.* ☐ ETIMOL. Del griego *lagós* (liebre) y *-morfo* (forma).

lágrima ▮ s.f. **1** Cada una de las gotas acuosas segregadas por las glándulas situadas entre el globo ocular y la órbita: *Las lágrimas lubrifican y protegen la córnea.* **2** Lo que tiene la forma de esta gota acuosa: *Al limpiar la araña del salón, he roto una lágrima de cristal.* **3** Cantidad muy pequeña de licor: *Con el postre se tomó una lágrima de anís.* ▮ pl. **4** Penas, dolores o sufrimientos: *Me costó muchas lágrimas despedirme de mi familia.* **5** ‖ **lágrimas de cocodrilo;** las que se derraman fingiendo dolor o pena. ‖ **llorar a lágrima viva;** *col.* Llorar mucho y desconsoladamente. ‖ **saltársele** a alguien **las lágrimas;** enternecerse o emocionarse hasta asomar estas a los ojos. ☐ ETIMOL. Del latín *lacrima.* ☐ MORF. En la acepción 1, se usa más en plural.

lagrimal ▮ adj.inv. **1** Que segrega o expele lágrimas: *la glándula lagrimal.* ▮ s.m. **2** Extremo del ojo próximo a la nariz: *Cuando me maquillo, me pinto la raya hasta el lagrimal.* ☐ ORTOGR. Dist. de *lacrimal.*

lagrimear v. Segregar lágrimas con facilidad o involuntariamente: *El ojo derecho no me paraba de lagrimear, y fui al oftalmólogo.*

lagrimeo s.m. Flujo o secreción persistente de lágrimas, generalmente motivado por causas patológicas.

lagrimoso, sa adj. **1** Referido a los ojos, que presentan un aspecto húmedo y brillante. **2** Referido a una persona o a un animal, que tiene los ojos en este estado. **3** Que incita a llorar: *una historia lagrimosa.* ☐ SINÓN. *lacrimoso.* ☐ ETIMOL. Del latín *lacrimosus.*

laguna s.f. **1** Masa de agua depositada de forma natural en una depresión del terreno, y generalmente de menor extensión que un lago. **2** En un impreso o en una exposición, lo que falta o se omite: *Las lagunas que presenta el manuscrito impiden conocer con exactitud toda la historia.* **3** Lo que se desconoce o no se recuerda. **4** En un conjunto o en una serie, espacio vacío o sin ocupar: *Mi biblioteca tiene grandes lagunas, sobre todo en materia filosófica y científica.* ☐ ETIMOL. Del latín *lacuna* (hoyo, agujero).

lagunar s.m. En arquitectura, hueco o cavidad de un hueco artesonado que se forma a consecuencia del cruce de las vigas o de las molduras: *Los lagunares de este techo se doraron en el siglo* XV. □ SINÓN. *lacunario.* □ ETIMOL. Del latín *lacunar*.

lagunoso, sa adj. Con muchas lagunas.

laicado s.m. **1** Estado o situación de los laicos o fieles de la Iglesia que no han recibido órdenes religiosas. **2** Conjunto de estos fieles.

laicalizar v. →**laicizar.** □ ORTOGR. La *z* se cambia en *c* delante de *e* →CAZAR. □ USO Su uso es innecesario.

laicidad s.f. Carácter de la persona, de la sociedad o del Estado que son independientes de la influencia religiosa.

laicismo s.m. Doctrina o tendencia que defiende la independencia individual, social o estatal respecto de la influencia religiosa o eclesiástica: *En España, los liberales del siglo* XIX *fueron partidarios del laicismo.*

laicista adj.inv./s.com. Partidario o seguidor del laicismo.

laicización s.f. Ruptura de la dependencia de toda influencia religiosa.

laicizar v. Hacer laico o romper con toda influencia religiosa: *Al suprimir la asignatura de religión, se pretende laicizar la enseñanza. Un pueblo no se laiciza desde el poder.* □ ORTOGR. La *z* se cambia en *c* delante de *e* →CAZAR. □ USO Es innecesario el uso de *laicalizar*.

laico, ca ▮ adj. **1** Independiente de la influencia religiosa: *Yo estudio en un colegio de monjas y ella, en un colegio laico. El país se convirtió en un Estado laico tras la entrada en vigor de la nueva Constitución.* ▮ adj./s. **2** Que no ha recibido órdenes religiosas o que no tiene estado religioso: *El coro de esta parroquia está constituido por laicos.* □ SINÓN. *seglar.* □ ETIMOL. Del latín *laicus* (que no es clérigo).

laísmo s.m. En gramática, uso de las formas femeninas del pronombre personal de tercera persona *la* y *las* como complemento indirecto, en lugar de *le* y *les*: *En la oración 'Dila que me llame' hay un caso de laísmo.*

laísta adj.inv./s.com. Que hace uso del laísmo: *Los laístas tienen dificultades para analizar sintácticamente las oraciones y reconocer cuál es el objeto directo.*

laja s.f. Piedra lisa y de poco grosor, de origen natural. □ SINÓN. *lancha, lastra.* □ ETIMOL. Quizá del portugués *lage* o *laja*.

lama ▮ s.m. **1** Sacerdote o monje del budismo tibetano. ▮ s.f. **2** Barro blando, pegajoso y de color oscuro que se halla en el fondo del mar o de los ríos, o en lugares en los que ha habido agua durante largo tiempo: *Cuando baja la marea, se ve la lama de la desembocadura del río.* **3** Lámina, tira de un material duro o plancha de metal: *Se ha roto una de las lamas de la persiana.* □ ETIMOL. La acepción 1, del tibetano *blama*. La acepción 2, del latín *lama* (lodo, charco). La acepción 3, del francés *lame*.

lamaísmo s.m. Rama del budismo propia de la zona del Tíbet (región del sudoeste chino).

lamaísta ▮ adj.inv. **1** Del lamaísmo o relacionado con esta rama del budismo. ▮ adj.inv./s.com. **2** Que tiene como religión el budismo tibetano.

lambada s.f. Baile de pareja, de origen brasileño, que se ejecuta con movimientos sensuales.

lambda s.f. En el alfabeto griego clásico, nombre de la undécima letra: *La grafía de la lambda es* λ.

lamber v. **1** En zonas del español meridional, lamer: *Me gusta tanto el chocolate que suelo lamber hasta la taza.* **2** En zonas del español meridional, adular: *Se la pasa lambiendo al jefe.*

lambiscón, -a adj./s. *col.* En zonas del español meridional, adulador.

lambrucear v. Aprovechar los restos de comida que quedan en un recipiente: *Deja ya de lambrucear y sírvete otro poco.*

lambswool (ing.) s.m. Tejido de lana de cordero. □ PRON. [lámsvul]. □ USO Su uso es innecesario.

lamé s.f. Tejido hecho con hilos de seda y de oro o plata. □ ETIMOL. Del francés *lamé*.

lameculos (pl. *lameculos*) s.com. *vulg. desp.* Persona aduladora y servil.

lamedura s.f. Deslizamiento de la lengua sobre algo repetidas veces.

lamelibranquio ▮ adj./s.m. **1** Referido a un molusco, que es acuático, de concha con dos valvas, cabeza no diferenciada, branquias laterales en forma de láminas y que vive enterrado en el limo o fijo en las rocas: *La ostra es un lamelibranquio.* ▮ s.m.pl. **2** En zoología, clase de estos moluscos: *El mejillón y la almeja pertenecen a los lamelibranquios.* □ ETIMOL. Del latín *lamella* (laminilla) y *branquia*.

lamentable adj.inv. **1** Digno de ser lamentado o que merece causar pena o disgusto: *una injusticia lamentable.* □ SINÓN. *lamentoso.* **2** Estropeado, deplorable o que produce mala impresión.

lamentación s.f. **1** Queja acompañada de llanto o de otras muestras de dolor: *Cuando tienes problemas, soy yo quien escucha siempre tus lamentaciones.* □ SINÓN. *lamento.* **2** Expresión de dolor, pena o sentimiento: *Su carta está llena de lamentaciones sobre su desgracia.* □ SINÓN. *queja.* □ MORF. Se usa más en plural.

lamentar ▮ v. **1** Referido a un hecho, sentir pena, contrariedad o disgusto por él: *Lamento mucho la muerte de tu abuelo. Lamentarás la faena que me has hecho.* ▮ prnl. **2** Quejarse o expresar pena, contrariedad o disgusto: *¿De qué sirve lamentarse si no haces nada para remediar la situación?* □ ETIMOL. Del latín *lamentari* (gemir, lamentarse). □ SINT. Constr. como pronominal: *lamentarse {DE/POR} algo.*

lamento s.m. Queja acompañada de llanto o de otras muestras de dolor. □ SINÓN. *lamentación.* □ ETIMOL. Del latín *lamentum* (gemido, lamento).

lamentoso, sa adj. **1** Propenso al lamento o que lo contiene: *un tono lamentoso.* **2** Digno de ser lamentado o que causa pena: *El bajo nivel cultural de ese país me parece lamentoso.* □ SINÓN. *lamentable.*

lamer v. **1** Pasar la lengua repetidas veces sobre algo: *El perro se lame la herida de la pata.* **2** Tocar o rozar suavemente: *Las olas lamen la arena de la playa con su vaivén.* □ ETIMOL. Del latín *lambere.*

lamerón, -a adj. *col.* Aficionado a comer golosinas. □ SINÓN. *lameruzo.* □ ETIMOL. De *lamer.*

lameruzo, za adj. *col.* Aficionado a comer golosinas. □ SINÓN. *lamerón.* □ ETIMOL. De *lamer.*

lametada s.f. →**lametón.**

lametazo s.m. →**lametón.**

lametear v. Lamer o chupar repetidas veces: *El niño lameteó la taza del chocolate hasta dejarla limpia.*

lameteo s.m. Deslizamiento de la lengua sobre algo repetidas veces: *Mientras el perro se entretenga en el lameteo del hueso, no nos molestará.*

lametón s.f. Cada una de las pasadas de la lengua al lamer, esp. si se hacen con fuerza o ansia: *El niño no sabe besar y da lametones a su madre.* □ SINÓN. *lametada, lametazo.*

lamia s.f. En la mitología grecolatina, ser fabuloso que se representaba con cabeza de mujer y cuerpo de dragón: *Los antiguos romanos creían que las lamias robaban a los niños para devorarlos.* □ ETIMOL. Del griego *lamía.*

lamido, da adj. **1** Referido a una persona o a una parte de su cuerpo, que es excesivamente delgada: *Ese chico tiene la cara muy lamida.* **2** Afectado o excesivamente aseado o esmerado, esp. en los modales: *Es extraño encontrar niños tan ordenaditos y lamidos.* □ SINÓN. *relamido.* **3** Desgastado por el uso o por el roce: *La tela de esta bata vieja está toda lamida.* **4** Referido al cabello, que cae liso, sin volumen y pegado a la cara: *El pelo tan lamido no te queda bien.* □ USO En la acepción 2, tiene un matiz despectivo.

lámina s.f. **1** Pieza o porción plana y delgada de una materia: *una lámina de acero.* **2** Plancha, esp. de metal, en la que se ha grabado un dibujo para estamparlo o reproducirlo después: *La imprenta ya ha preparado las láminas de cobre con las ilustraciones del libro.* **3** Estampa, grabado o figura impresos: *Las láminas de ese libro son en blanco y negro.* **4** Aspecto o figura total de una persona o de un animal: *El quinto toro de la tarde era cárdeno y de bella lámina.* □ SINÓN. *estampa.* □ ETIMOL. Del latín *lamina* (hoja o plancha de metal).

laminación s.f. →**laminado.**

laminado s.m. **1** Reducción de un material a láminas: *En esta industria también se realiza el laminado de metales.* □ SINÓN. *laminación.* **2** Cubrimiento con láminas: *El laminado del cofre se está ahuecando.* □ SINÓN. *laminación.*

laminador, -a ▮ adj. **1** Que lamina. ▮ s. **2** Máquina compuesta esencialmente de dos cilindros que giran en sentido contrario y que comprimen los metales u otras sustancias maleables para convertirlas en láminas: *Algunas laminadoras tienen los cilindros acanalados para que se formen barras en lugar de láminas.*

laminar ▮ adj.inv. **1** Con forma de lámina: *La figurilla tiene un recubrimiento laminar de oro.* **2** Referido a la estructura de un cuerpo, que está formada por láminas o capas sobrepuestas y paralelamente colocadas: *Las micas tienen una estructura laminar.* ▮ v. **3** Referido a un material, reducirlo a láminas o transformarlo en ellas: *En esa fábrica laminan acero y hierro.* **4** Cubrir con láminas: *En el colegio laminábamos en estaño las cajas de cerillas.*

laminaria s.f. Alga de gran tamaño, con forma de cinta o de lámina, que vive fija en el fondo de los mares templados y fríos.

laminoso, sa adj. Referido a un cuerpo, que tiene textura laminar.

lampar v. *col.* Pedir o mendigar, esp. dinero: *Ese chico está siempre lampando a la puerta de la iglesia.*

lámpara s.f. **1** Aparato o utensilio destinados a producir luz artificial: *lámpara halógena; lámpara de petróleo.* **2** Aparato que sirve de soporte a los que producen luz: *La lámpara del salón tiene ocho brazos.* **3** En un aparato de radio o de televisión, dispositivo electrónico parecido a una bombilla: *No se veía nada en la pantalla de la televisión porque se había fundido una lámpara.* **4** *col.* Mancha en la ropa, esp. si es de grasa. □ ETIMOL. Del latín *lampas* (antorcha). □ MORF. En la acepción 4, se usa mucho el aumentativo *lamparón.*

lamparería s.f. Establecimiento en el que se fabrican o se venden lámparas.

lamparilla s.f. **1** Mecha sujeta a un trozo de corcho que flota sobre aceite: *Encendió unas lamparillas ante la imagen de la Virgen, como signo de devoción.* □ SINÓN. *mariposa.* **2** Recipiente en el que se pone esta mecha: *Hay poco aceite en las lamparillas.* **3** En zonas del español meridional, bombilla.

lamparita s.f. En zonas del español meridional, bombilla.

lamparón s.m. Mancha en la ropa, esp. si es de grasa. □ MORF. Es aumentativo de *lámpara.*

lampazo s.m. **1** Planta compuesta con flores de color púrpura y con cáliz con pinchos, cuya raíz tiene propiedades medicinales. □ SINÓN. *bardana.* **2** En zonas del español meridional, trapo para limpiar.

lampiño, ña adj. **1** Referido a un hombre, que no tiene barba: *Era un muchacho aún lampiño.* **2** Que tiene poco pelo o vello: *Por las mangas asomaban sus brazos lampiños.* **3** En botánica, referido esp. a la hoja o al tallo, que no tiene pelos: *Las hojas del manzano tienen el haz lampiño y el envés piloso.* □ ETIMOL. De origen incierto.

lampista s.com. Persona que se dedica profesionalmente a labores de fontanería y de electricidad.

lampo s.m. *poét.* Resplandor intenso y fugaz. □ ETIMOL. Del latín *lampare* (brillar).

lamprea s.f. Pez de cuerpo alargado y cilíndrico, piel sin escamas, boca desprovista de mandíbulas y en forma de ventosa, que vive asido a las rocas y que tiene una carne muy apreciada en gastronomía: *La lamprea de río mide alrededor de cuarenta centímetros.* □ ETIMOL. Del latín *naupreda*, alterado en *lampreda*, quizá por influencia de *lambere* (lamer), porque las lampreas se adhieren a las rocas y a los barcos con la boca. □ MORF. Es un sustantivo epiceno: *la lamprea {macho/hembra}.*

lamprear v. Referido a un alimento, esp. la carne o el pescado, cocinarlo friéndolo o asándolo primero, y cociéndolo después en vino o en agua preparados con miel o azúcar y con especias finas: *Voy a lamprear el cordero para que sepa más apetitoso.*

lampuga s.f. Pez marino de varios colores, y cuerpo comprimido lateralmente, que tiene las aletas dorsal y anal muy largas y cuya carne, aunque comestible, es poco apreciada: *La lampuga vive principalmente en mares de las zonas cálidas.* □ ETIMOL. De origen incierto. □ MORF. Es un sustantivo epiceno: *la lampuga {macho/hembra}.*

lana s.f. **1** Pelo que cubre el cuerpo de algunos animales, esp. de la oveja y del carnero, y que se usa como materia textil: *Cuando esquilen todas las ovejas, venderán la lana.* **2** Hilo elaborado a partir de este pelo: *Compraré más lana para terminar el jersey.* **3** Tejido confeccionado con este hilo: *Lleva un bonito abrigo de lana.* **4** *col.* Cabello, esp. si es largo y está revuelto: *¡A ver si te cortas esas lanas que llevas!* **5** *col.* En zonas del español meridional, dinero. **6** || **cardarle la lana** a alguien; *col.* Reprenderlo severamente: *Ya me encargaré de cardarle la lana a tu hijo cuando vuelva.* □ ETIMOL. Del latín *lana*. □ USO La acepción 4 se usa más en plural.

lanar adj.inv. Referido esp. al ganado, que tiene lana.

lance s.m. **1** Suceso o acontecimiento interesantes o importantes que ocurren en la vida real o en la ficción: *Te gustarán los lances cómicos de la novela.* **2** Momento o situación difícil: *En su corta vida ya ha tenido que superar varios lances.* **3** Pelea o riña: *Los lances entre caballeros son característicos de las novelas de caballería.* **4** En un juego, esp. si es de cartas, cada una de las acciones o jugadas importantes que se producen en su transcurso: *Ganó porque todos los lances de la partida fueron a su favor.* **5** En tauromaquia, pase que el torero da al toro con la capa: *Con dos lances colocó al toro ante el caballo del picador.* **6** || **de lance;** que se compra a buen precio, aprovechando una ocasión especial: *En esa pequeña librería podrás comprar libros de lance, porque van a traspasar el negocio.* || **lance de fortuna;** casualidad o accidente inesperado: *Conseguí el trabajo gracias a un lance de fortuna.* || **lance de honor;** desafío hecho para solucionar una cuestión de honor: *Solo un lance de honor puede borrar tantas injurias.*

lanceado, da adj. →**lanceolado.**

lancear v. **1** Dar lanzadas o herir con la lanza: *Los caballeros medievales lanceaban a sus enemigos en las batallas.* **2** En tauromaquia, referido al torero, ejecutar cualquier acto de la lidia, esp. con la capa: *El torero mostró su buen estilo al lancear el toro.* □ ORTOGR. En la acepción 1, se admite también *alancear*.

lanceolado, da adj. Referido esp. a la hoja de una planta, que tiene forma semejante a la punta de una lanza: *El eucalipto tiene hojas lanceoladas.* □ SINÓN. *lanceado.* □ ETIMOL. Del latín *lanceola* (lanza pequeña).

lancería s.f. **1** Conjunto de lanzas. **2** Antiguamente, unidad de tropas de lanceros.

lancero s.m. **1** Soldado armado con lanza. **2** Persona que se dedica profesionalmente a hacer lanzas. □ ETIMOL. Del latín *lancearius*.

lanceta s.f. **1** Instrumento quirúrgico de acero, con hoja triangular con corte por ambos lados y punta muy aguda, que se utiliza para hacer pequeñas incisiones: *El cirujano utilizó la lanceta para agrandar un poco la abertura de la herida.* **2** En zonas del español meridional, aguijón. □ ETIMOL. De *lanza*.

lancha s.f. **1** Barca grande, generalmente de motor, que se utiliza para los servicios auxiliares en buques, puertos y costas: *Las lanchas pueden ser motoras, de vela o de remos.* **2** Embarcación pequeña, sin cubierta y con unas tablas atravesadas que sirven de asiento: *Dimos un paseo por el lago en una lancha neumática.* □ SINÓN. *bote, batel.* **3** Embarcación pequeña que se usa para navegar, pescar o llevar mercancías, generalmente en un río o cerca de la costa: *Estos pueblos utilizaban lanchas para el comercio.* □ SINÓN. *barca.* **4** Piedra lisa y de poco grosor, de origen natural: *Las aceras de mi pueblo están hechas con lanchas.* □ SINÓN. *laja, lastra.* □ ETIMOL. Las acepciones 1-3, del portugués *lancha*. La acepción 4, de origen incierto.

lanchero s.m. Persona que conduce o dirige una lancha.

lancinante adj.inv. Referido a un dolor, que es punzante y agudo, como producido por una lanza: *El enfermo siente un dolor lancinante en el abdomen.* □ ETIMOL. Del antiguo *lacinar*, y este del latín *lacinare* (punzar, desgarrar).

land (al.) (pl. *länder*) s.m. Cada uno de los Estados que forman Alemania (país europeo): *Baviera es un land de la República Federal de Alemania.* □ PRON. [land].

landa s.f. Gran extensión de terreno llano en la que abundan las plantas silvestres: *Las landas son propias de las regiones de clima oceánico.* □ ETIMOL. Del céltico *landa (lugar llano y despejado).

landó s.m. Carruaje de cuatro ruedas tirado por caballos, con una capota plegable por delante y por detrás que puede unirse para que quede cubierto: *La escena, que reflejaba la vida del siglo XIX, reproducía un paseo en landó por las calles de la ciudad.* □ ETIMOL. Del francés *landau*, y este de *Landau* (ciudad alemana donde se fabricaba).

land rover s.m. || Automóvil preparado para la circulación por el campo: *Cuando van de caza suelen llevarse el land rover.* □ ETIMOL. Extensión del nombre de una marca comercial. □ PRON. [lanróber]. □ USO Su uso es innecesario y puede sustituirse por *todoterreno*.

lanería s.f. Establecimiento en el que se vende lana.

lanero, ra ▮ adj. **1** De la lana o relacionado con ella: *industria lanera.* ▮ s. **2** Persona que se dedica profesionalmente al comercio de lana. ▮ s.m. **3** Almacén en el que se guarda la lana.

langosta s.f. **1** Crustáceo marino con cinco pares de patas terminadas en pequeñas uñas, cuatro antenas, ojos prominentes, cuerpo alargado y casi cilíndrico, cola larga y gruesa, y cuya carne es muy apreciada en gastronomía: *La langosta vive en alta mar.* **2** Insecto saltador, masticador, que se alimenta de vegetales y se multiplica con tal rapidez que puede llegar a formar plagas de efectos devastadores para la agricultura: *Las langostas se desplazan formando espesas nubes que arrasan comarcas enteras.* □ ETIMOL. Del latín *locusta* (saltamontes). □ MORF. Es un sustantivo epiceno: *la langosta {macho/hembra}.*

langostero, ra adj./s. Referido esp. a una embarcación, que se utiliza para la pesca de langosta.

langostino s.m. Crustáceo marino con cinco pares de patas, dos antenas, cefalotórax con tres crestas longitudinales, cuerpo alargado y comprimido lateralmente, caparazón poco consistente y cuya carne es muy apreciada en gastronomía: *El langostino es de mayor tamaño que la gamba.* □ MORF. Es un sustantivo epiceno: *el langostino {macho/hembra}.*

languidecer v. **1** Debilitarse o perder fuerza o intensidad: *El fuego de la chimenea languidecía según iba transcurriendo la noche.* **2** Desanimarse o perder el ánimo, el valor o la alegría: *Mi abuelo languideció rápidamente cuando lo trajeron a vivir a la ciudad.* □ MORF. Irreg. →PARECER.

languidez s.f. **1** Falta de ánimo, de valor o de alegría. **2** Flaqueza, debilidad o falta de fuerzas.

lánguido, da adj. **1** Falto de ánimo, de valor o de alegría: *una conversación lánguida y aburrida.* **2** Flaco, débil o sin fuerzas: *Es un muchacho delgado, pálido y lánguido.* □ ETIMOL. Del latín *languidus* (debilitado, enfermizo).

lanífero, ra adj. Que lleva o que tiene lana. □ ETIMOL. Del latín *lanifer.*

lanilla s.f. **1** Pelillo que tiene el paño por el derecho. **2** Tejido poco consistente hecho con lana fina: *un traje de lanilla.*

lanolina s.f. Sustancia grasa que se obtiene de la lana de las ovejas y que se utiliza en perfumería y en farmacia: *jabón de lanolina.* □ ETIMOL. Del inglés *lanoline.*

lanosidad s.f. Pelusa que tienen algunas frutas y las hojas de algunas plantas.

lanoso, sa adj. Que tiene mucha lana o mucho vello, o que posee sus características. □ SINÓN. *lanudo.*

lantánido ▮ adj./s.m. **1** Referido a un elemento químico, que tiene un número atómico comprendido entre el 57 y el 71, ambos inclusive: *Los lantánidos se presentan en la naturaleza en forma de óxidos y sales.* ▮ s.m.pl. **2** Grupo formado por estos elementos químicos: *El holmio pertenece a los lantánidos.* □ ETIMOL. De *lantano.*

lantano s.m. Elemento químico, metálico y sólido, de número atómico 57, de color plomizo, que arde al contacto con el aire y que pertenece al grupo de los lantánidos: *El lantano es maleable y arde fácilmente.* □ ETIMOL. Del griego *lantháno* (yo estoy oculto), porque el lantano es un elemento muy escaso. □ ORTOGR. Su símbolo químico es *La.*

lanudo, da adj. Que tiene mucha lana o mucho vello, o que posee sus características. □ SINÓN. *lanoso.*

lanuginoso, sa adj. Que tiene pelusa o vello. □ ETIMOL. Del latín *lanuginosus.*

lanza ▮ s.com. **1** *col.* En zonas del español meridional, ratero: *Un lanza me robó en la calle.* ▮ s.f. **2** Arma ofensiva formada por una barra larga en cuyo extremo está sujeta una punta aguda y cortante: *Los caballeros medievales luchaban con lanza y con espada.* **3** En un carruaje, vara de madera que va unida por uno de sus extremos a la parte delantera y que sirve para darle dirección: *La gran velocidad del coche de caballos causó la rotura de la lanza y el consiguiente accidente.* **4** ‖ **con la lanza en ristre;** preparado para acometer un asunto. ‖ **romper una lanza por** algo; salir en su defensa o en su apoyo: *Hay que romper una lanza por la libertad y por la paz.* □ ETIMOL. Del latín *lancea.*

lanzacabos (pl. *lanzacabos*) adj.inv./s.m. Que sirve para lanzar cabos o cables.

lanzacargas (pl. *lanzacargas*) s.m. Máquina para lanzar cargas de profundidad o explosivos con los que destruir submarinos sumergidos.

lanzacohetes (pl. *lanzacohetes*) adj.inv./s.m. Que sirve para lanzar cohetes.

lanzada s.f. Véase **lanzado, da.**

lanzadera s.f. **1** Instrumento con un carrete de hilo en su interior que utilizan los tejedores para fabricar tejidos: *La lanzadera de los telares pasa de un lado a otro de la trama formando el tejido.* **2** Aeronave espacial que se utiliza para transportar una carga al espacio, y que puede regresar al punto de partida: *Las lanzaderas aterrizan como los aviones y pueden volver a ser usadas.*

lanzado, da ▮ adj. **1** *col.* Muy rápido: *Salió lanzado y dispuesto a ganar la carrera.* ▮ adj./s. **2** *col.* Decidido, impetuoso o atrevido: *Es muy lanzada y hace las cosas sin pensarlas dos veces.* ▮ s.f. **3** Golpe dado con una lanza, o corte producido por esta. □ SINÓN. *lanzazo.*

lanzador, -a ▮ adj./s. **1** Que lanza. ▮ s. **2** Deportista que practica algún tipo de lanzamiento: *Las lanzadoras de jabalina tienen los brazos muy fuertes.* **3** En ciclismo, corredor que prepara la llegada al sprint de un compañero de equipo, llevándolo a rueda hasta llegar a pocos metros de la línea de meta: *El papel de los lanzadores es fundamental en las llegadas masivas al sprint.*

lanzagranadas (pl. *lanzagranadas*) s.m. Arma portátil que consiste en un tubo abierto en los dos extremos, que se apoya en el hombro y se usa para lanzar proyectiles, generalmente contra los carros de combate. □ SINÓN. *bazuca.*

lanzallamas (pl. *lanzallamas*) s.m. Arma portátil que se usa para lanzar a corta distancia un chorro de líquido inflamado.

lanzamiento s.m. **1** Impulso que se da a algo de modo que salga despedido con fuerza en una dirección: *Realizaron el lanzamiento del transbordador espacial con tres tripulantes a bordo. Nuestro equipo tuvo mala suerte porque realizó muchísimos lanzamientos a puerta pero no marcó ningún gol.* **2** Anuncio o propaganda que se hace de algo, esp. si es una novedad: *El lanzamiento del nuevo coche deportivo no tuvo éxito.* **3** En atletismo, prueba que consiste en lanzar un determinado objeto: *El lanzamiento de peso, el de disco, el de martillo y el de jabalina son deportes olímpicos.*

lanzamisiles (pl. *lanzamisiles*) adj.inv./s.m. Que sirve para lanzar misiles.

lanzaplatos (pl. *lanzaplatos*) s.m. En el deporte del tiro al plato, aparato para lanzar al aire los platos a los que se debe acertar con los disparos.

lanzar ▮ v. **1** Referido a un objeto, darle impulso para soltarlo después, de modo que salga despedido con fuerza en una dirección: *Le lanzó una lata a la cabeza y le produjo una herida. El atleta lanzó la jabalina con fuerza.* □ SINÓN. *arrojar.* **2** Referido esp. a un cohete espacial, hacerlo partir: *El satélite fue lanzado desde una aeronave espacial.* **3** Referido esp. a un sonido o a una palabra, pronunciarlos, decirlos o dirigirlos contra alguien: *Lanzó insultos airados contra sus enemigos. El boxeador lanzó una mirada de odio a su adversario.* **4** Referido esp. a una novedad, hacerle propaganda con una gran campaña publicitaria: *Lanzaron al mercado una nueva marca de colonia.* **5** En zonas del español meridional, referido a una persona, desahuciarla: *Lanzaron a aquellos inquilinos de la casa en la que vivían.* ▮ prnl. **6** Empezar o emprender una acción con ánimo, con valentía o con irreflexión: *Se lanzaron a protestar a la calle porque no estaban de acuerdo con la política gubernamental.* **7** Dirigirse o precipitarse contra algo, esp. si es de manera rápida o violenta: *Los aviones se lanzaron en picado para destruir el objetivo militar.* □ ETIMOL. Del latín *lanceare* (manejar la lanza). □ ORTOGR. La *z* se cambia en *c* delante de *e* →CAZAR. □ SINT. Constr. de la acepción 6: *lanzarse* A *hacer algo.*

lanzaroteño, ña adj./s. *col.* De Lanzarote (isla canaria), o relacionado con ella.

lanzatorpedos (pl. *lanzatorpedos*) adj.inv./s.m. Que sirve para lanzar torpedos.

lanzazo s.m. Golpe dado con una lanza, o corte producido por esta. □ SINÓN. *lanzada.*

laña s.f. Grapa o pieza de metal que se usa para unir o sujetar dos piezas o dos superficies: *El restaurador arregló con una laña el jarrón de porcelana que se había roto.* □ ETIMOL. De origen incierto.

laosiano, na adj./s. De Laos o relacionado con este país asiático.

lapa s.f. **1** Molusco marino comestible, de concha cónica lisa o con estrías, que vive adherido a las rocas de las costas: *Es difícil despegar las lapas de las rocas.* **2** *col.* Persona muy insistente, inoportuna y pesada: *Eres una lapa, siempre pegado a mí y sin dejarme ni a sol ni a sombra.* **3** Bomba que se coloca en los bajos de un coche: *El comando colocó una lapa en el coche y la accionó a distancia.* □ ETIMOL. De origen incierto. □ SINT. En la acepción 3, se usa mucho en aposición, pospuesto al sustantivo *bomba.*

laparoscopia s.f. En medicina, exploración directa de la cavidad abdominal, mediante la introducción de un laparoscopio. □ ETIMOL. Del griego *lapára* (costado, lado del vientre) y *-scopia* (exploración).

laparoscópico, ca adj. De la laparoscopia o relacionado con este tipo de exploración abdominal: *cirugía laparoscópica.*

laparoscopio s.m. En medicina, instrumento óptico que se introduce en la cavidad abdominal a través de un pequeño corte, para explorar directamente la zona. □ ETIMOL. Del griego *lapára* (costado, lado del vientre) y *-scopio* (instrumento para ver).

laparotomía s.f. En medicina, operación quirúrgica que consiste en abrir las paredes abdominales y el peritoneo. □ ETIMOL. Del griego *lapára* (costado, lado del vientre) y *-tomía* (corte o incisión).

lapicera s.f. **1** En zonas del español meridional, bolígrafo. **2** ‖ **lapicera (fuente);** en zonas del español meridional, pluma estilográfica.

lapicero s.m. →**lápiz.**

lápida s.f. Piedra llana en la que generalmente se pone una inscripción conmemorativa: *En la fachada del edificio hay una lápida conmemorativa. En las sepulturas se coloca una lápida con el nombre de las personas allí enterradas.* □ ETIMOL. Del latín *lapis* (piedra).

lapidación s.f. Lanzamiento de piedras contra alguien hasta conseguir su muerte: *En algunas culturas, el adulterio se castigaba con la lapidación.*

lapidar v. Matar a pedradas: *Antiguamente, en algunas civilizaciones se lapidaba a los criminales.* □ SINÓN. *apedrear.* □ ETIMOL. Del latín *lapidare.*

lapidario, ria ▮ adj. **1** Referido esp. a una frase, que parece digna de ser la inscripción de una lápida por su solemnidad y concisión: *Habla con frases lapidarias y rimbombantes para dárselas de culto. Algunos refranes encierran pensamientos lapidarios.* **2** De las piedras preciosas o relacionado con ellas: *Es un rubí muy valorado en círculos lapidarios.* ▮ s. **3** Persona que se dedica profesionalmente a la talla de piedras preciosas o al comercio de estas: *Acudió a un lapidario para comprar una esmeralda.* **4** Persona que se dedica profesionalmente a la fabricación y grabación de lápidas: *Pidió al lapidario que esculpiera unas palabras de recuerdo al gran pintor.* ▮ s.m. **5** Libro que trata de las piedras preciosas, sus características y sus propiedades: *Uno de los lapidarios medievales más famosos es el de Alfonso X el Sabio.*

lapilli (it.) s.m. En geología, producto expulsado por un volcán en erupción, que está compuesto por fragmentos pequeños de mineral: *El lapilli se deposita en las zonas cercanas al foco de emisión.* ☐ PRON. [lapíli].

lapislázuli s.m. Mineral de color azul intenso, que se usa mucho en objetos de adorno. ☐ ETIMOL. Del italiano *lapislazzuli*.

lápiz s.m. **1** Cilindro o prisma de madera que contiene una barra de grafito en su interior y que, convenientemente afilado por uno de sus extremos, sirve para escribir y dibujar. ☐ SINÓN. *lapicero*. **2** Barrita de diferentes formas y colores que se usa para maquillar: *un lápiz de ojos; un lápiz de labios.* **3** || **lápiz óptico;** dispositivo electrónico con esta forma, capaz de captar una señal y transmitirla a una pantalla de vídeo, de ordenador o de un aparato semejante. ☐ ETIMOL. Del italiano *lapis*, y este del latín *lapis* (piedra), porque los lápices se hacen con grafito y otras sustancias minerales.

lapo s.m. *col.* Saliva, flema o sangre que se escupe o se expulsa de una vez por la boca. ☐ SINÓN. *esputo*.

lapón, -a adj./s. De Laponia (región europea más septentrional), o relacionado con ella: *Los renos abundan en las regiones laponas.*

lapso s.m. **1** Transcurso de un período de tiempo: *En el lapso de una semana, resolverán su petición.* **2** →**lapsus.** ☐ ETIMOL. Del latín *lapsus* (deslizamiento, caída).

lapsus (pl. *lapsus*) (lat.) s.m. **1** Equivocación que se comete por descuido: *Sufrí un lapsus y se me olvidó decirle que no podía acudir a nuestra cita.* ☐ SINÓN. *lapso*. **2** || **lapsus linguae;** equivocación que se comete al hablar: *He tenido un lapsus linguae al decir 'infracción' en vez de 'inflación'.* ☐ SEM. No debe emplearse con el significado de 'lapso de tiempo': *Dejamos un {*lapsus > lapso} para publicidad.*

laptop (ing.) s.m. Tipo de ordenador portátil: *El laptop es suficientemente ligero para apoyarlo en las rodillas.* ☐ PRON. [láptop]. ☐ USO Su uso es innecesario y puede sustituirse por *ordenador portátil*.

laquear v. **1** Pintar o barnizar con laca: *Están laqueando la mesa.* ☐ SINÓN. *lacar*. **2** Referido a un alimento, untarlo con algún aderezo mantecoso: *Antes de asarlas, hay que laquear las pechugas por todos sus lados.* ☐ SINÓN. *lacar*.

lar ▌ s.m. **1** En la mitología romana, divinidad menor, fundadora del hogar y protectora de la familia, esp. en lo referente a la casa material, en cuyos umbrales y puertas permanecía: *En el atrio de cada casa se veneraban las imágenes de sus lares.* **2** En una casa o en una cocina, sitio en el que se hace lumbre: *El fuego del lar de la chimenea calentaba toda la cocina.* ☐ SINÓN. *hogar*. ▌ pl. **3** *poét.* Casa propia u hogar. ☐ ETIMOL. Del latín *lar* (dios familiar, hogar doméstico). ☐ MORF. En la acepción 1, se usa más en plural.

larga s.f. Véase **largo, ga**.

largar ▌ v. **1** *col.* Decir de forma inoportuna, inconveniente o pesada: *Me largó una sarta de insultos. Nos largó un discurso de más de dos horas.* **2** Referido a un golpe, darlo o propinarlo: *Le largó un puñetazo que le tumbó en el suelo.* **3** *col.* Referido a una persona, echarla, expulsarla o despedirla de un lugar, empleo u ocupación: *Hace un mes me largaron del trabajo y ahora estoy en el paro.* **4** En náutica, referido esp. a amarras o cabos, aflojarlos o irlos soltando poco a poco: *Los marineros largaron amarras para que zarpase el barco.* **5** *col.* Hablar mucho, esp. si es con indiscreción: *Me amenazaron diciendo: «Como largues más de la cuenta te vamos a rajar».* ▌ prnl. **6** *col.* Marcharse: *Discutimos y se largó dando un portazo. Me largué de allí en cuanto pude.* ☐ ETIMOL. De *largo*. ☐ ORTOGR. La *g* se cambia en *gu* delante de *e* →PAGAR.

largavista s.m. En zonas del español meridional, gemelos o anteojos. ☐ MORF. En plural tiene el mismo significado que en singular.

largo ▌ adv. **1** Sin escasez o con abundancia: *Hablamos largo de nuestros planes para el futuro. Nos reímos largo de sus tonterías.* **2** *vulg.* Lejos o situado a distancia: *Tu casa está muy largo de la mía.* ▌ interj. **3** Expresión que se usa para echar bruscamente a alguien de un lugar: *¡Largo de aquí, no quiero volver a verte!* **4** || **largo y tendido;** durante mucho tiempo: *Hablamos largo y tendido sobre la situación actual.*

largo, ga ▌ adj. **1** Que tiene mucha longitud o más de la normal o de la necesaria: *Después de la curva hay una recta muy larga. Tiene una camisa de manga larga. El abrigo me queda largo.* **2** Dilatado o extenso: *El relato me resultó largo y aburrido. Ayer no pude acabar la novela porque era muy larga. Fue una película demasiado larga.* **3** Referido a una cantidad, que es más de lo que indica: *Ledesma está a 30 kilómetros largos de Salamanca. Vivió en aquel pueblo treinta años largos.* **4** Referido a una persona, generosa o dadivosa: *Es larga en invitar a los buenos amigos.* **5** Referido a una prenda de vestir, que llega hasta los pies: *En la recepción las mujeres iban con vestidos largos. Antes, los hombres llevaban pantalones largos y los niños, cortos.* ▌ s.m. **6** En una superficie, dimensión más grande: *El largo de una sábana es mayor que el de la cama.* **7** En natación, recorrido del lado mayor de una piscina: *Acabó muy cansado después de nadar cuatro largos.* **8** Referido a un tejido, trozo de una determinada longitud: *Para la falda necesitas dos largos de cincuenta centímetros.* **9** En música, aire o velocidad muy pausados con que se ejecutan una composición o un pasaje: *El largo es un aire más reposado que el adagio.* ☐ SINÓN. *lento*. **10** En música, composición o pasaje que se ejecutan con este aire: *El segundo movimiento de la sonata era un largo.* ▌ s.f. **11** En un automóvil, luz de mayor alcance: *Pon la larga si no ves bien la carretera. Las largas pueden deslumbrar a los otros conductores.* **12** En tauromaquia, lance que consiste en sacar al toro del caballo con el capote extendido en toda su longitud:

El torero hizo una larga y el toro lo embistió. **13** || **a la larga;** después de haber pasado algún tiempo: *Si estudias, a la larga, tendrás un gran futuro profesional.* || **a lo largo;** en sentido longitudinal: *Corta la tabla a lo largo.* □ SINÓN. *longitudinalmente.* || **a lo largo de;** durante, o en el transcurso de: *A lo largo de mi vida he visto muchas cosas.* || **dar largas;** retrasar de manera intencionada: *El Ayuntamiento da largas a su proyecto urbanístico cada vez que lo presenta.* || **de largo; 1** Con vestidura hasta los pies: *A esta fiesta debes ir vestida de largo.* **2** Desde hace mucho tiempo: *No te hagas el sorprendido porque ese problema viene de largo.* || **para largo;** para dentro de mucho tiempo: *No te impacientes, porque eso va para largo.* □ ETIMOL. Las acepciones 1-11, del latín *largus* (abundante, generoso, ancho). La acepción 12, de *largo* (adverbio). □ SEM. Como adjetivo, en plural y seguido de una expresión de tiempo, equivale a 'muchos': *Viví largos años en el extranjero.*

largometraje s.m. Película cinematográfica que sobrepasa los sesenta minutos de duración.

larguero s.m. **1** En una obra de carpintería, cada uno de los dos palos que se colocan a lo largo de ella: *Se rompió un larguero de la cama y me caí al suelo.* **2** En una portería deportiva, palo superior y horizontal que une los dos postes. □ SINÓN. *travesaño.* □ ETIMOL. De *largo.*

largueza s.f. Generosidad o desprendimiento, esp. si llevan a dar algo sin esperar recompensa: *Me recompensó con largueza.* □ SINÓN. *liberalidad.*

larguirucho, cha adj./s. *col.* Demasiado largo respecto de su anchura o de su grosor. □ USO Tiene un matiz despectivo.

largura s.f. En una superficie, longitud o dimensión mayor: *La largura de los vestidos es lo que más cambia con las modas.*

lari s.m. Unidad monetaria georgiana.

laringe s.f. En el sistema respiratorio de algunos vertebrados, órgano en forma de tubo, constituido por varios cartílagos, que se sitúa entre la faringe y la tráquea: *La laringe forma parte del aparato fonador de las personas.* □ ETIMOL. Del griego *lárynx* (parte superior de la tráquea). □ MORF. Cuando se antepone a una palabra para formar compuestos, adopta la forma *laringo-.* □ SEM. Dist. de *faringe* (órgano del sistema digestivo).

laríngeo, a adj. De la laringe o relacionado con ella: *La cavidad laríngea tiene forma de tubo.*

laringitis (pl. *laringitis*) s.f. Inflamación de la laringe: *Está ronco porque tiene laringitis.* □ ETIMOL. De *laringe* e *-itis* (inflamación).

laringología s.f. Parte de la medicina que estudia las enfermedades de la laringe y su tratamiento. □ ETIMOL. Del griego *lárynx* (laringe) y *-logía* (ciencia, estudio).

laringológico, ca adj. De la laringología o relacionado con esta parte de la medicina.

laringólogo, ga s. Persona especializada en el estudio y tratamiento de las enfermedades de la laringe, esp. si esta es su profesión.

laringoscopia s.f. En medicina, exploración de la laringe, mediante la introducción de un laringoscopio. □ ETIMOL. De *laringe* y *-scopia* (exploración).

laringoscopio s.m. Instrumento óptico que se utiliza en medicina para examinar internamente la laringe. □ ETIMOL. De *laringe* y *-scopio* (instrumento para ver).

laringotomía s.f. En medicina, operación quirúrgica en la que se realiza un corte en la laringe. □ ETIMOL. De *laringe* y *-tomía* (corte, incisión).

larva s.f. En zoología, animal joven en estado de desarrollo cuando ha salido del huevo y es muy diferente del adulto: *El renacuajo es la larva de la rana, y la oruga, la larva de la mariposa.* □ ETIMOL. Del latín *larva* (fantasma).

larvado, da adj. **1** Referido a una enfermedad, que se presenta con síntomas que no permiten determinar su verdadera naturaleza. **2** Que no se manifiesta de forma externa: *Parece que se llevan bien, pero en la mirada se les nota un odio larvado que algún día aflorará.*

larvario, ria adj. De las larvas, de sus fases o relacionado con ellas: *Muchos insectos tienen un estadio larvario antes de ser adultos.*

larvicida adj.inv./s.m. Referido esp. a un compuesto químico, que destruye las larvas. □ ETIMOL. De *larva* y *-cida* (que mata).

las ▮ **1** art.determ. s.f.pl. de **el.** ▮ **2** pron.pers. f.pl. de **la.** □ ETIMOL. Del latín *illas.*

lasaña s.f. Comida elaborada con sucesivas capas de carne o pescado, besamel y queso, separadas por finas láminas de pasta de forma cuadrada o rectangular: *La lasaña es un plato de origen italiano.* □ ETIMOL. Del italiano *lasagna.*

lasca s.f. Trozo pequeño y plano desprendido de una piedra: *La pizarra se rompe en lascas.* □ ETIMOL. De origen incierto.

lascivia s.f. Inclinación de una persona habitualmente dominada por un deseo sexual exagerado: *Me ofenden esos gestos llenos de lascivia.*

lascivo, va adj./s. Con lascivia o dominado exagerada y habitualmente por el deseo sexual: *una mirada lasciva.* □ ETIMOL. Del latín *lascivus* (juguetón, petulante).

láser (pl. *láseres*) s.m. **1** Aparato electrónico que genera haces luminosos intensos y de un solo color debido a la emisión estimulada de radiación por parte de las moléculas del gas que contiene en su cavidad: *Han equipado el hospital con un láser para tratar tumores cancerosos.* **2** Haz de luz que genera este aparato: *Durante el concierto, el láser se movía al ritmo de la música. El rayo láser se usa mucho en medicina.* **3** || **láser disc;** aparato reproductor de discos compactos que tienen imagen y sonido digital: *Vio unos vídeos musicales en el láser disc.* □ ETIMOL. Es el acrónimo del inglés *Light Amplification by Stimulated Emission of Radiation* (luz amplificada por la emisión estimulada de radiación). □ SINT. En la acepción 2, se usa mucho en aposición, pospuesto a un sustantivo: *rayo láser; impresora láser.*

laserterapia s.f. Terapia que se basa en el uso del láser. ☐ ETIMOL. De *láser* y *-terapia* (curación).

lasik (ing.) s.m. Láser específico para cirugía ocular: *La cirugía lasik ha sido una revolución para corregir la deficiencia visual.* ☐ ETIMOL. Es el acrónimo del inglés *Laser-Assisted in Situ Keratomileusis*. ☐ SINT. Se usa mucho en aposición, pospuesto a un sustantivo: *cirugía lasik; técnica lasik.*

lasitud s.f. Debilidad, cansancio o falta de fuerza extremados. ☐ ETIMOL. Del latín *lassitudo*, y este de *lassus* (cansado). ☐ ORTOGR. Dist. de *laxitud.*

laso, sa adj. **1** Cansado, desfallecido o decaído: *Se desplomó en la cama, laso y al límite de sus fuerzas.* **2** Referido al pelo, lacio y sin rizos. ☐ ETIMOL. Del latín *lassus*. ☐ ORTOGR. Dist. de *laxo.*

lástima ▮ s.f. **1** Sentimiento de compasión que se tiene hacia los que sufren desgracias o males: *Me inspira mucha lástima la gente sin hogar que duerme en la calle.* **2** Lo que produce este sentimiento: *Es una lástima que tengas que marcharte ya.* ▮ interj. **3** Expresión que se usa para indicar pena por algo que no sucede tal como se esperaba: *¡Lástima, por un número no me ha tocado la lotería!* **4** || **hecho una lástima;** muy estropeado o muy dañado: *El abrigo quedó hecho una lástima después de teñirlo.* ☐ SINT. La acepción 1 se usa más en la expresión *dar lástima.*

lastimar v. **1** Herir o hacer daño físico: *Una pedrada le lastimó el brazo. Me lastimé una pierna cuando me caí por las escaleras.* ☐ SINÓN. *mancar.* **2** Referido a una persona, agraviarla u ofenderla: *Me han lastimado mucho tus críticas.* ☐ ETIMOL. Del latín *blastemare*, y este del griego *blasteméo* (digo blasfemias).

lastimero, ra adj. Que inspira lástima o compasión: *Sus quejas lastimeras me conmovieron. Deja salir al perro, porque no soporto más sus aullidos lastimeros.* ☐ SINÓN. *lastimoso.*

lastimoso, sa adj. **1** Que inspira lástima o compasión: *Un lastimoso mendigo pedía limosna a la salida de la iglesia.* ☐ SINÓN. *lastimero.* **2** *col.* Con un aspecto deplorable y muy estropeado: *Tras el golpe, el coche quedó en un estado lastimoso.*

lastra s.f. Piedra lisa y de poco grosor, de origen natural. ☐ SINÓN. *laja, lancha.* ☐ ETIMOL. De origen incierto.

lastrar v. **1** Referido a una embarcación, ponerle peso para que se hunda en el agua lo necesario para ser estable: *El oleaje hizo volcar la lancha porque no la habían lastrado.* **2** Referido a algo que está en desarrollo, obstaculizarlo: *La incompetencia de mis ayudantes está lastrando el trabajo.*

lastre s.m. **1** En una embarcación, peso que se coloca en su fondo para que se hunda en el agua lo suficiente como para conseguir estabilidad. **2** En un globo aerostático, peso que se lleva en la barquilla para ascender con más rapidez al soltarlo. **3** Impedimento para llevar algo a buen fin: *La falta de dinero me supone un lastre importante para poder comprarme una casa.* ☐ SINÓN. *rémora.* ☐ ETIMOL. De origen germánico.

lata s.f. Véase **lato, ta.**

latencia s.f. **1** Período de incubación de una enfermedad: *Una enfermedad en estado de latencia no presenta síntomas.* **2** Existencia de lo que permanece oculto y sin manifestarse: *La revolución estalló tras un largo período de latencia.*

latente adj.inv. Referido a algo existente, que está oculto y escondido, o que no se manifiesta de forma visible: *Entre ambos existe un odio latente que acabará estallando.* ☐ ETIMOL. Del latín *latens*, y este de *latere* (estar escondido). ☐ SEM. Dist. de *patente* (manifiesto, visible).

lateral ▮ adj.inv. **1** Que está situado en un lado: *Vieron la representación desde uno de los palcos laterales.* **2** Con una importancia menor: *Olvida ahora las cuestiones laterales y hablemos de lo esencial.* **3** Que no viene por línea directa: *Tiene un parentesco lateral conmigo, porque es la mujer de mi hermano.* **4** En lingüística, referido a un sonido, que se articula de modo que el aire salga por los lados de la lengua: *El sonido [l] es un sonido lateral.* ▮ s.m. **5** En un lugar o en un objeto, parte que está próxima a cada extremo: *Los peatones deben circular por el lateral izquierdo de la carretera. En los laterales del campo había dos filas de gradas.* **6** En algunos deportes, esp. en el fútbol, jugador que cubre una de las bandas del campo con función generalmente defensiva: *Un lateral evitó el gol.* ▮ s.f. **7** Letra que representa un sonido articulado de modo que el aire sale por los lados de la lengua: *La 'll' es una lateral.* ☐ ETIMOL. Del latín *lateralis.*

-látero, -látera Elemento compositivo sufijo que significa 'lado': *equilátero, cuadrilátera.*

látex (pl. *látex*) s.m. Líquido de aspecto lechoso que se obtiene de los cortes hechos a diferentes plantas: *El látex, al coagularse, produce sustancias como el caucho.* ☐ ETIMOL. Del latín *latex* (líquido, licor).

latido s.m. Cada uno de los golpes producidos por el movimiento rítmico de contracción y dilatación del corazón contra la pared del pecho, o de las arterias contra los tejidos que las cubren: *Apoyé la cabeza en su pecho y pude oír los latidos de su corazón.*

latifundio s.m. Finca agraria de gran extensión, propiedad de un solo dueño. ☐ ETIMOL. Del latín *latifundium*, y este de *latus* (ancho) y *fundus* (propiedad rústica). ☐ SEM. Dist. de *minifundio* (finca de reducida extensión).

latifundismo s.m. Sistema de explotación agraria basado en la distribución de la propiedad de la tierra en grandes latifundios: *El latifundismo es característico de algunas partes de la mitad sur de España.*

latifundista ▮ adj.inv. **1** Del latifundismo o relacionado con este sistema de explotación agraria: *La explotación latifundista de la tierra requiere grandes inversiones en maquinaria.* ▮ s.com. **2** Persona que posee uno o varios latifundios: *Los latifundistas suelen delegar la gestión de la empresa agraria en un capataz.*

latigazo s.m. **1** Golpe dado con un látigo. **2** Chasquido o sonido producido al agitar el látigo en el aire: *El animal se asustó al oír los latigazos.* **3** Dolor brusco, breve y agudo: *Pisé mal, y sentí un latigazo en el tobillo.* **4** Hecho o dicho impensado e inesperado que hiere o produce dolor: *La muerte de su novia fue un latigazo para él.* **5** *col.* Trago de bebida alcohólica. ☐ SINÓN. *lingotazo, pelotazo.*

látigo s.m. **1** Instrumento formado por una vara en cuyo extremo va sujeta una cuerda o correa, y que se utiliza para avivar la marcha de las caballerías o para azotar: *El domador utilizó el látigo para defenderse del ataque del león.* **2** Atracción de feria formada por una serie de coches o de vagonetas que recorren un circuito eléctrico, aumentando su velocidad en las curvas para producir bruscas sacudidas: *No se subió en el látigo porque se marea.* **3** || **usar el látigo;** *col.* Actuar con mucha dureza o severidad. ☐ ETIMOL. De origen incierto.

latiguillo s.m. **1** En una conversación, palabra o expresión que, de tanto repetirse, pierden su fuerza expresiva: *Me pone nervioso cada vez que habla, porque no soporto sus latiguillos.* ☐ SINÓN. *muletilla.* **2** Tubo delgado y flexible, generalmente con una rosca en sentido inverso en cada extremo, que sirve para comunicar una cosa con otra. ☐ SINÓN. *racor.* ☐ SEM. En la acepción 1, dist. de *coletilla* (añadido a lo que se dice o se escribe).

latín s.m. **1** Lengua indoeuropea hablada en el antiguo Imperio Romano y de la que derivan el español y las demás lenguas romances: *El francés, el italiano y el rumano son lenguas que proceden del latín.* **2** || **saber (mucho) latín;** *col.* Ser listo, astuto y despierto: *No hagas negocios con él, porque sabe latín y te puede engañar.*

latinado, da adj. Referido a una persona, esp. a un árabe, que hablaba o escribía en lengua romance durante la dominación árabe en la península Ibérica.

latinajo s.m. *col. desp.* Palabra o construcción latinas empleadas en castellano. ☐ MORF. Se usa más en plural. ☐ USO Tiene un matiz despectivo.

latinidad s.f. **1** Conjunto de países o pueblos de origen latino. **2** Cultura latina.

latiniparla s.f. Variedad del lenguaje de los que usan palabras o construcciones latinas en un idioma que no es el latín: *Quevedo decía que la lengua de Góngora era pura latiniparla.* ☐ ETIMOL. De *latín* y *parlar*. ☐ USO Tiene un matiz humorístico.

latinismo s.m. En lingüística, palabra, significado o construcción sintáctica del latín, esp. los empleados en otra lengua: *'In extremis' y 'per cápita' son dos latinismos del español.*

latinista ▮ adj.inv. **1** Con las características propias del latín: *En los textos medievales españoles hay muchas palabras y construcciones latinistas.* ▮ s.com. **2** Persona especializada en el estudio de la lengua, la literatura y la cultura latinas: *La traducción de esa obra de Cicerón la hizo un latinista de renombre mundial.*

latinización s.f. **1** Adaptación de un término o de un texto no latinos a las formas latinas: *Mi ejercicio literario consistió en la latinización de un poema contemporáneo.* **2** Difusión de la lengua y de la cultura latinas: *La expansión del Imperio Romano produjo la latinización de extensos territorios.*

latinizar v. **1** Referido a un término o a un texto no latinos, darles forma latina: *Hoy en día, resulta pedante que alguien latinice su vocabulario para parecer más culto.* **2** Dar o adquirir características que se consideran propias de la cultura latina: *Los romanos latinizaron las culturas de los pueblos a los que vencieron. Algunos territorios se latinizaron de tal modo bajo la dominación romana que perdieron su primitiva identidad.* ☐ ORTOGR. La *z* se cambia en *c* delante de *e* →CAZAR.

latin lover (ing.) s.m. || Amante apasionado y considerado como muy atractivo. ☐ PRON. [látin lóver].

latino, na ▮ adj. **1** Del latín o con características propias de esta lengua: *En sus obras literarias aparecen numerosas palabras y expresiones latinas.* **2** Que tiene algunas de las características tradicionalmente relacionadas con los países hispanoamericanos: *música latina.* ▮ adj./s. **3** De los países en los que se hablan lenguas derivadas del latín o relacionado con ellos: *Gran parte de la población estadounidense está formada por latinos.* **4** Del Lacio (región central italiana), de los pueblos italianos que formaron parte del Imperio Romano, o relacionado con ellos: *Muchas comarcas latinas fueron incorporadas a Roma.*

latinoamericano, na ▮ adj. **1** De los países americanos que fueron colonizados por España, Portugal o Francia (países europeos), o relacionados con ellos: *Numerosos escritores y artistas acudieron a un encuentro cultural latinoamericano.* ▮ adj./s. **2** De Latinoamérica (conjunto de países americanos con lenguas de origen latino), o relacionado con ella: *Los pueblos latinoamericanos se pueden comunicar con el español, el francés y el portugués.* ☐ SEM. Dist. de *hispanoamericano* (de los países americanos de habla española) y de *iberoamericano* (de los países americanos de habla española o portuguesa).

latir v. **1** Referido esp. al corazón o a las arterias, dar latidos: *Le dieron un susto y su corazón empezó a latir aceleradamente.* **2** Estar vivo o presente pero sin manifestarse de forma evidente: *Aunque nadie lo diga, entre los empleados late el descontento.* ☐ ETIMOL. Del latín *glattire* (lanzar ladridos agudos).

latitud s.f. **1** Distancia que existe desde un punto de la superficie terrestre hasta el paralelo del Ecuador, y que se mide en grados, en minutos y en segundos a lo largo de un meridiano. **2** *col.* Lugar, zona o región, esp. si se considera en relación con su distancia al paralelo del Ecuador: *¡Cuánto tiempo sin verte por estas latitudes!* **3** Extensión de un lugar tanto de ancho como de largo: *La latitud de sus tierras era tal que no se veían los límites.* **4** En astronomía, distancia en grados que existe a cualquier punto al norte y al sur del círculo máximo de la esfera celeste: *La latitud de la estrella Polar respecto al polo es variable.* □ ETIMOL. Del latín *latitudo.* □ MORF. En la acepción 2, se usa más en plural.

latitudinal adj.inv. Que se extiende a lo ancho.

lato, ta ▮ adj. **1** Extenso, dilatado: *La llanura se extiende por un lato territorio.* ▮ s.f. **2** Lámina delgada de hierro o de acero, cubierta de estaño por sus dos caras para preservarla de la corrosión: *Los botes de cerveza están hechos de lata.* □ SINÓN. *hojalata.* **3** Recipiente hecho de este material: *Metían los mejillones en las latas y, una vez cerradas, las etiquetaban.* **4** *col.* Lo que resulta molesto, fastidioso o importuno: *Es una lata que tengamos que volvernos tan pronto.* □ SINÓN. *incordio.* **5** *col.* Coche. **6** ‖ **dar la lata;** *col.* Molestar, fastidiar o importunar. ‖ **en sentido lato;** en un sentido más amplio del que correspondería exacta, literal o rigurosamente: *Esas afirmaciones las hizo en sentido lato y sin precisar.* □ ETIMOL. Del latín *latus* (ancho).

latón s.m. Aleación de cobre y de cinc, maleable, fácil de pulir y de abrillantar y resistente a la corrosión atmosférica. □ ETIMOL. Del árabe *latun.*

latoso, sa adj./s. Molesto, pesado o fastidioso.

-latra Elemento compositivo sufijo que significa 'que adora': *idólatra, ególatra.*

-latría Elemento compositivo sufijo que significa 'adoración': *idolatría, egolatría.* □ ETIMOL. Del griego *-latreía.*

latrocinio s.m. Robo o fraude, esp. el que se comete contra los intereses públicos. □ ETIMOL. Del latín *latrocinium.*

lats (pl. *lati*) s.m. Unidad monetaria letona.

latvio, via ▮ adj./s. **1** De Letonia o relacionado con este país europeo. □ SINÓN. *letón.* ▮ s.m. **2** Lengua indoeuropea de este país. □ SINÓN. *letón.*

laucha s.f. En zonas del español meridional, ratón.

laúd s.m. **1** Instrumento musical de cuerda, parecido a la guitarra pero con el cuerpo ovalado y con un número variable de cuerdas que se agrupan por pares: *El laúd se suele tocar pulsando sus cuerdas con una púa.* **2** Embarcación de vela, pequeña y con dos palos: *El laúd era una embarcación característica de las aguas mediterráneas.* □ ETIMOL. Del árabe *al-'ud.*

laudable adj.inv. Digno de alabanza. □ SINÓN. *loable.* □ ETIMOL. Del latín *laudabilis.*

láudano s.m. Preparación compuesta de vino blanco, opio, azafrán y otras sustancias: *Antiguamente, el láudano se utilizaba como medicamento para calmar los dolores.* □ ETIMOL. Del griego *ládanon* (goma de la jara), que en la historia de la medicina pasó a designar un medicamento a base de opio.

laudatorio, ria adj. Que alaba o que contiene alabanza.

laudes s.m.pl. En la iglesia católica, segunda de las horas canónicas: *Los laudes se rezan después de los maitines.* □ ETIMOL. Del latín *laudis* (alabanzas). □ ORTOGR. Dist. de *laúdes* (pl. de *laúd*).

laudo s.m. En derecho, fallo o resolución que dictan los árbitros en un conflicto: *Un laudo es una resolución de obligado cumplimiento por las partes en conflicto.* □ ETIMOL. De *laudar* (dictar sentencia).

lauráceo, a ▮ adj./s.f. **1** Referido a una planta, que tiene hojas sencillas, duras y persistentes y flores generalmente amarillas: *El laurel y el aguacate son árboles lauráceos.* ▮ s.f.pl. **2** En botánica, familia de estas plantas, perteneciente a la clase de las dicotiledóneas: *Las plantas que pertenecen a las lauráceas generalmente son leñosas.* □ ETIMOL. De *lauro* (laurel).

laureada s.f. Véase **laureado, da.**

laureado, da ▮ adj./s. **1** Referido a un militar, que ha sido recompensado con honor y gloria por su comportamiento, esp. si ha sido condecorado con la cruz de San Fernando. ▮ s.f. **2** Insignia con la que se condecora a estos militares.

laurear v. **1** Coronar con laurel: *En el fresco aparece un personaje desconocido laureando al dios Apolo.* **2** Premiar o distinguir con un galardón: *Se celebró un acto solemne para laurear al gran poeta.* □ ETIMOL. De *lauro* (laurel).

lauredal s.m. Terreno poblado de laureles.

laurel s.m. **1** Árbol de corteza delgada y lisa, fruto carnoso de color negro y hojas alternas verdes muy empleadas como condimento por sus propiedades aromáticas: *Unas hojas de laurel le dan buen sabor al guiso.* □ SINÓN. *lauro.* **2** Premio o gloria obtenidos por un éxito o por un triunfo: *Si te esfuerzas, saborearás los laureles de la victoria.* **3** ‖ **dormirse en los laureles;** *col.* Reducir el esfuerzo por confiarse en el éxito ya obtenido: *La actual campeona se ha dormido en los laureles y no está en condiciones de renovar el título.* □ ETIMOL. Del provenzal *laurier.* □ MORF. En la acepción 2, se usa más en plural.

laurencio s.m. →**lawrencio.**

láureo, a adj. De laurel o con hojas de laurel.

laureola (tb. *lauréola*) s.f. Corona de laurel, esp. aquella con la que se premiaba a los héroes o se coronaba a los sacerdotes paganos: *Los antiguos griegos creían que el olor penetrante de la laureola daba el don de la profecía.*

laurisilva s.f. Bosque húmedo en el que abundan laureles y plantas de la misma familia: *Actualmente solo quedan zonas de laurisilva en las Canarias, las Azores y Madeira.*

lauro s.m. →**laurel.**

lauroceraso s.m. Árbol de tronco ramoso, copa espesa, hojas brillantes de color verde oscuro, flores blancas en espigas y fruto semejante a la cereza. □ SINÓN. *loro.* □ ETIMOL. Del latín científico *laurocerasus*, derivado del latín *laurus* (laurel) y *cerasus* (cerezo).

laus Deo (lat.) ‖ Expresión que significa 'Gloria a Dios', y que suele encontrarse al final de códices y libros.

lava s.f. Material fundido e incandescente vertido por un volcán en erupción, y que, al enfriarse, se solidifica y forma rocas. □ ETIMOL. Del italiano *lave*, y este del latín *labes* (caída).

lavable adj.inv. Referido esp. a un tejido, que no se encoge ni pierde sus colores al lavarlo.

lavabo s.m. **1** Pila provista de grifo y desagüe, generalmente instalada en el cuarto de baño, y que se utiliza para el lavado personal de manos y cara. **2** Cuarto con una de estas pilas y destinado al aseo corporal: *¿Está ocupado el lavabo?* □ ETIMOL. Del latín *lavabo* (yo lavaré), que era el comienzo del salmo que pronuncia el oficiante cuando se lava las manos después del ofertorio.

lavacoches (pl. *lavacoches*) s.com. Persona que trabaja lavando coches.

lavada s.f. En zonas del español meridional, lavado.

lavadero s.m. **1** Lugar o recipiente en los que se lava, esp. el preparado para lavar ropa. **2** En una mina, conjunto de instalaciones para el lavado o la preparación de minerales.

lavado s.m. **1** Limpieza que se hace con agua o con otro líquido. **2** Limpieza o reparación de ofensas, faltas u otras manchas morales: *Sintió la necesidad de hacer un lavado de conciencia y confesar sus culpas.* **3** || **lavado de cara;** *col.* modificación de la apariencia externa de algo sin cambiar su contenido: *Le hemos dado un lavado de cara al proyecto y ahora parece otra cosa.* || **lavado de cerebro;** *col.* anulación o modificación profunda de la mentalidad de una persona: *El lavado de cerebro es un tipo de manipulación psicológica.* || **lavado de dinero;** transformación del dinero negro o ilegal en dinero legal: *Hay países y bancos que se dedican al negocio ilegal del lavado de dinero.*

lavadora s.f. Electrodoméstico que sirve para lavar ropa.

lavafrutas (pl. *lavafrutas*) s.m. Recipiente que se saca con agua a la mesa para lavar la fruta.

lavamanos (pl. *lavamanos*) s.m. **1** Recipiente o depósito con agua que se utiliza para lavarse las manos o los dedos. **2** En zonas del español meridional, lavabo.

lavanda s.f. **1** Arbusto de tallos leñosos, hojas estrechas y grisáceas, y flores azules en espiga y muy aromáticas: *La lavanda se usa mucho en perfumería.* □ SINÓN. *espliego, lavándula.* **2** Perfume que se obtiene de este arbusto: *Utilizo una lavanda muy refrescante.* **3** Flor de este arbusto. □ ETIMOL. Del francés *lavande* o del italiano *lavanda*.

lavandera s.f. Véase **lavandero, ra.**

lavandería s.f. Establecimiento donde se lava ropa: *El hotel dispone de lavandería y servicio de plancha.*

lavandero, ra ▮ s. **1** Persona que se dedica profesionalmente a lavar ropa: *Las lavanderas iban hasta el río con el cesto de ropa a la cabeza.* ▮ s.f. **2** Pájaro terrestre de colores variados, larga cola, pico y patas muy finos, y que corre y anda con gran viveza: *Las lavanderas suelen anidar en las rocas o en las grietas.*

lavandina s.f. En zonas del español meridional, lejía.

lavándula s.f. Arbusto de tallos leñosos, hojas estrechas y grisáceas, y flores azules en espiga y muy aromáticas. □ SINÓN. *espliego, lavanda.* □ ETIMOL. Del latín *lavandula*.

lavaojos (pl. *lavaojos*) s.m. Pequeño recipiente cuyo borde se adapta a la órbita del ojo y que se usa para aplicar a este un líquido limpiador o medicinal.

lavaplatos (pl. *lavaplatos*) s.m. **1** *col.* Electrodoméstico que sirve para lavar platos o útiles de cocina. □ SINÓN. *lavavajillas.* **2** En zonas del español meridional, fregadero.

lavar v. **1** Referido a algo sucio, limpiarlo mojándolo con agua o con otro líquido: *Lava la ropa con detergente. Está prohibido lavar el coche en la vía pública. Se lavó la cara y las manos. Utiliza un producto especial para lavar las manchas de grasa.* **2** Referido esp. al honor o a la conciencia, limpiarlos de ofensas, faltas u otras manchas: *Con esa noble acción lavó su honor y recuperó su buena fama.* **3** Referido al dinero, blanquearlo: *Se descubrió que el negocio era una tapadera para lavar dinero procedente del narcotráfico.* **4** En arte, referido a un dibujo, darle color o sombra con aguadas o con tinta diluida en agua: *Lavó el dibujo para difuminar los contornos de las figuras.* **5** *col.* Referido a un tejido, resistir el lavado: *Llevaré esta chaqueta a la tintorería porque no lava bien.* □ ETIMOL. Del latín *lavare*.

lavativa s.f. **1** Líquido que se introduce en el recto a través del ano, generalmente con fines terapéuticos o laxantes, o para facilitar una operación de diagnóstico: *Le pusieron una lavativa de agua hervida porque llevaba varios días estreñido.* □ SINÓN. *enema.* **2** Instrumento manual que se utiliza para aplicar este líquido: *Usó como lavativa una jeringa.* □ SINÓN. *enema.*

lavatorio s.m. **1** En la iglesia católica, ceremonia que se celebra en los oficios del Jueves Santo y en la que el sacerdote lava los pies a doce personas, en recuerdo del acto semejante que Jesucristo realizó con sus apóstoles la víspera de su muerte: *El lavatorio es un símbolo de la humildad predicada por Jesucristo.* **2** Hecho de lavar o lavarse. □ SINÓN. *ablución.* **3** En zonas del español meridional, lavabo. □ ETIMOL. Del latín *lavatorium*.

lavavajillas (pl. *lavavajillas*) s.m. **1** Electrodoméstico que sirve para lavar platos o útiles de cocina. □ SINÓN. *lavaplatos.* **2** Detergente que se usa para lavar la vajilla.

lavotear v. *col.* Lavar aprisa y de cualquier manera: *¡Lo lavotea todo en un momento, y así le luce!*

lavoteo s.m. Lavado que se hace aprisa y de cualquier manera.

lawrencio (tb. *laurencio*) s.m. Elemento químico, metálico, artificial y radiactivo, de número atómico 103, que pertenece al grupo de las tierras raras: *El lawrencio se usa para estudiar la fisión espontánea.* □ ETIMOL. De *Lawrence*, físico norteamericano. □ PRON. [lauréncio]. □ ORTOGR. Su símbolo químico es *Lw* o *Lr*.

laxante adj.inv./s.m. Referido a un medicamento o producto, que facilita la defecación o evacuación del vientre.

laxar v. **1** Referido esp. al vientre, aflojarlo o facilitar la defecación por medio de sustancias que producen este efecto: *Por las mañanas toma unas hierbas para laxar el vientre. Si sigues tan estreñido necesitarás laxarte.* **2** Referido a algo tenso, aflojarlo, relajarlo o disminuir su tensión: *Un masaje te ayudará a laxar los músculos.* ☐ ETIMOL. Del latín *laxare* (ensanchar, aflojar, relajar).

laxativo, va adj./s.m. Que laxa: *unas hierbas laxativas; un masaje laxativo.* ☐ ETIMOL. Del latín *laxativus.*

laxitud s.f. **1** Flojedad o falta de tensión: *la laxitud de los músculos.* **2** Falta de severidad y de firmeza o excesiva relajación moral: *la laxitud de las costumbres.* ☐ ORTOGR. Dist. de *lasitud.*

laxo, xa adj. **1** Flojo o sin la tensión que le correspondería. **2** Referido esp. a la actitud moral, que es excesivamente relajada o poco estricta. ☐ ETIMOL. Del latín *laxus* (flojo, laxo). ☐ ORTOGR. Dist. de *laso.*

lay (pl. *layes*) s.m. Composición poética medieval, de origen provenzal y de carácter narrativo, generalmente de versos cortos, que relata una leyenda o una historia de amor: *El lay refleja la concepción del amor cortés.* ☐ ETIMOL. Del francés *lai.*

laya s.f. Clase, género o condición. ☐ ETIMOL. Quizá del portugués *laia*. ☐ USO Tiene un matiz despectivo.

lazada s.f. **1** Lazo que se deshace con facilidad tirando de uno de sus cabos: *Se ata los zapatos con doble lazada para que no se le aflojen.* **2** Lazo de adorno: *Con una lazada bonita, el paquete quedará más vistoso.*

lazareto s.m. **1** Lugar destinado a la observación de individuos que pueden tener una enfermedad contagiosa o que presentan los síntomas de esta: *Antiguamente, la gente que llegaba de un lugar apestado tenía que hacer la cuarentena en un lazareto.* **2** Hospital de leprosos. ☐ SINÓN. *leprosería.* ☐ ETIMOL. Del italiano *lazzaretto*, y este del nombre de Santa María de Nazaret (isla veneciana donde había un hospital de leprosos en el siglo XVI), con influencia de *Lázaro.*

lazarillo s.m. Persona o animal que guían a un ciego o a una persona necesitada: *En este centro adiestran perros para que hagan de lazarillos.* ☐ ETIMOL. Por alusión a Lazarillo de Tormes, personaje de una novela picaresca española publicada en el siglo XVI.

lazarino, na adj./s. Que padece el mal de San Lázaro o elefantiasis. ☐ ETIMOL. De *lázaro.*

lázaro s.m. **1** Mendigo u hombre muy pobre y andrajoso: *Dale limosna a ese pobre lázaro.* **2** ‖ **estar hecho un lázaro;** estar lleno de llagas: *Tenía una enfermedad infecciosa tan avanzada que ya estaba hecho un lázaro.* ☐ ETIMOL. Por alusión a Lázaro, mendigo que aparece en una parábola evangélica.

lazo s.m. **1** Atadura que se hace con una cinta o con un cordón, esp. la que se hace para sujetar o para adornar y se deshace con facilidad tirando de uno de sus cabos: *Envolvió el regalo en papel de colores y le puso un lazo de cinta roja.* **2** Lo que tiene la forma de esta atadura: *Me gustan los lazos de hojaldre con mucha miel.* **3** Cinta o cordón empleados para hacer esas ataduras, esp. los que se ponen en la cabeza como adorno o para sujetar el pelo: *Lleva un lazo de terciopelo a modo de diadema.* **4** Cuerda con un nudo corredizo en uno de sus extremos y que se utiliza para sujetar o atrapar animales: *Una de las pruebas del rodeo consistía en atrapar una res lanzándole el lazo.* **5** Corbata consistente en una cinta que se anuda con dos lazadas en el cierre del cuello: *Antiguamente se usaba lazo en vez de corbata de nudo.* **6** Vínculo u obligación contraídos: *Nos unen fuertes lazos de amistad.* **7** *col.* Engaño o trampa que se tiende: *Le preparamos una encerrona y el muy tonto cayó en el lazo.* **8** En arte, dibujo o motivo decorativo que se repite encadenadamente y forma una lacería: *La lacería del friso estaba formada por lazos en forma de rombos.* **9** ‖ **echar el lazo** a alguien; *col.* Atraparlo o ganarse su voluntad: *Dijiste que no te casarías nunca, pero al final te han echado el lazo.* ☐ ETIMOL. Del latín *laqueus.* ☐ MORF. En la acepción 6, se usa más en plural.

LCD (ing.) s.m. Sistema que se utiliza para mostrar información visual en determinadas pantallas electrónicas. ☐ ETIMOL. Es la sigla del inglés *Liquid Cristal Display* (representación visual por cristal líquido). ☐ SINT. Se usa en aposición, pospuesto a un sustantivo: *una pantalla LCD.*

LDL (ing.) s.m. Complejo macromolecular que aumenta el riesgo de enfermedades cardiovasculares y coronarias: *El LDL es coloquialmente conocido como 'colesterol malo'.* ☐ ETIMOL. Es la sigla del inglés *Low Density Lipoprotein* (lipoproteína de baja densidad).

le (pl. *les*) pron.pers. Forma de la tercera persona que corresponde a la función de complemento indirecto sin preposición: *A mi hija le dieron un premio. Diles que tengan mucho cuidado. Déjales a tus hermanas el libro de cuentos.* ☐ ETIMOL. Del latín *illi.* ☐ MORF. No tiene diferenciación de género.

lead (ing.) s.m. En un periódico, entradilla o primer párrafo de una noticia: *El lead normalmente recoge la información esencial de la noticia.* ☐ PRON. [lid]. ☐ USO Su uso es innecesario y puede sustituirse por *entradilla* o *encabezamiento.*

leal ▮ adj.inv. **1** Referido a una persona, que es fiel o digna de confianza en su forma de actuar porque nunca engaña ni traiciona: *un amigo leal.* **2** Referido a un animal, que obedece o sigue fielmente a su amo: *El perro es un animal muy leal.* ▮ adj.inv./s.com. **3** Partidario fiel e incondicional: *Los ministros leales al presidente apoyaron todas sus propuestas.* ☐ ETIMOL. Del latín *legalis* (leal).

lealtad s.f. **1** Referido a una persona, fidelidad y sentido del honor en la forma de actuar: *Actuaste con* *mucha lealtad al advertirme de que conspiraban contra mí.* **2** Referido a un animal, obediencia o fidelidad incondicionales hacia su amo: *El perro es un animal de gran lealtad.*

leandra s.f. *col.* Peseta.

leasing (ing.) s.m. Régimen de financiación, generalmente de bienes de equipo, por el que se dispone de estos durante un período de tiempo en el que se paga una cuota y al final del cual se suele tener opción de compra: *El transportista tiene un camión en leasing.* □ PRON. [lísin]. □ USO Su uso es innecesario y puede sustituirse por *arrendamiento con opción de compra.*

lebeche s.m. Viento cálido y seco procedente del sudoeste, que sopla en el litoral mediterráneo: *El lebeche arrastra polvo procedente del desierto del Sáhara.* □ ETIMOL. Del árabe *labay* (viento entre poniente y ábrego).

lebrato s.m. Cría de la liebre o liebre todavía no adulta. □ MORF. Es un sustantivo epiceno: *el lebrato {macho/hembra}.*

lebrel adj.inv./s.m. Referido a un perro, de la raza que se caracteriza por ser de gran tamaño y tener el labio superior y las orejas caídos, el lomo largo y recto, y las patas retiradas hacia atrás. □ ETIMOL. Del catalán *llebrer.*

lebrillo s.m. Recipiente de metal, más ancho por el borde que por el fondo, y que sirve esp. para lavar ropa. □ ETIMOL. De origen incierto.

lebruno, na adj. De la liebre o con sus características.

lección s.f. **1** Exposición o explicación, generalmente orales, que se hacen sobre un tema: *¿Han publicado ya la lección que pronunció con motivo de su ingreso en esta institución? En sus oposiciones a cátedra, la lección versó sobre energía solar.* **2** Conjunto de conocimientos teóricos o prácticos que un maestro imparte de una vez: *No estuve en la lección del lunes porque fui al médico. Aprendió a conducir con pocas lecciones.* **3** En un libro de texto, cada una de las partes en que se divide, generalmente numeradas y con semejanza formal: *En la próxima evaluación veremos hasta la lección 20.* **4** Parte de una materia que se estudia o que se aprende de una vez: *No puedo salir porque tengo mucha lección para mañana.* **5** Lo que enseña o escarmienta: *El accidente fue una lección para él y ya no va haciendo el loco por la carretera.* **6** || **dar la lección;** decirla el alumno al profesor: *Hoy me han sacado a dar la lección.* || **dar una lección; 1** Hacer comprender una falta, de manera hábil o dura: *Es tan engreído y orgulloso que necesita que le den una lección.* **2** Dar buen ejemplo: *Me dio una lección de honradez al devolverme el dinero que yo le había pagado de más.* || **lección inaugural;** la de carácter solemne, con la que se inicia un curso académico: *El catedrático más antiguo de la Universidad pronunció la lección inaugural.* || **lección magistral;** la de carácter solemne, que se pronuncia con motivo de una conmemoración: *El día de la entrega de premios, el director de la Academia pronunció una lección magistral.* || **tomar la lección;** oírla el maestro al alumno, para ver si se la sabe: *Mi madre me ayuda a hacer los deberes tomándome la lección.* □ ETIMOL. Del latín *lectio* (acción de leer).

lechada s.f. **1** En construcción, masa líquida formada por agua y algún material conglomerante, muy usada para blanquear paredes o para dar uniformidad y protección a las juntas o a otras superficies: *Alicataron el baño y le echaron una lechada para proteger las juntas de los azulejos.* **2** Líquido que tiene en disolución cuerpos insolubles muy divididos: *El joyero preparó la lechada de magnesia para pulir la plata.*

lechal adj.inv./s.m. Referido a un animal, esp. a un cordero, que todavía mama.

lechazo s.m. Cordero lechal.

leche ▮ s.f. **1** Líquido blanco y opaco que se forma en las mamas de la hembra de un mamífero y es usado por esta para alimentar a sus crías. **2** Jugo blanco segregado por algunos tipos de plantas, frutos o semillas: *La leche de almendra tiene muchas vitaminas.* **3** Cosmético en forma de crema líquida: *Me han recomendado una nueva leche limpiadora.* **4** *vulg.* →**golpe. 5** *vulg.* Lo que resulta molesto, fastidioso o importuno. □ SINÓN. *incordio.* ▮ interj. **6** *vulg.* Expresión que se usa para indicar extrañeza, sorpresa, admiración o disgusto. **7** || **a toda leche;** *vulg.* A toda velocidad. || **de leche; 1** referido a la cría de un mamífero, que aún mama: *un ternero de leche.* **2** referido a un mamífero hembra, que se cría para aprovechar su leche: *una vaca de leche.* □ SINÓN. *lechero.* **3** referido a un diente, que es de la primera dentición: *un diente de leche.* || **leche condensada;** la mezclada con azúcar y sometida a un proceso de evaporación por el que pierde el agua. || **leche de paloma;** secreción del epitelio del buche de las palomas, que sirve para criar a los pichones. || **leche entera;** la que, después de tratada, conserva su grasa y sus sustancias nutritivas. || **leche frita;** dulce elaborado con una masa de leche y harina que se fríe rebozada. || **leche merengada;** bebida refrescante elaborada con leche, azúcar, canela y clara de huevo. || **leche solar;** crema que protege contra los rayos del sol. || **mala leche;** *vulg.* Mala intención. || **ser la leche;** *vulg.* Ser el colmo. □ ETIMOL. Del latín *lac.* □ USO Se usa mucho como palabra comodín en expresiones vulgares malsonantes.

lechecillas s.f.pl. Mollejas, esp. las del cordero y el cabrito. □ ETIMOL. Del diminutivo de *leche.*

lechera s.f. Véase **lechero, ra.**

lechería s.f. Establecimiento en el que se vende leche.

lechero, ra ▮ adj. **1** *col.* De la leche o relacionado con ella: *la industria lechera.* **2** Referido a un mamífero hembra, que se cría para aprovechar su leche: *una vaca lechera.* □ SINÓN. *de leche.* ▮ s. **3** Persona que se dedica profesionalmente a la venta o al reparto de la leche. ▮ s.f. **4** Recipiente para transportar, guardar o servir leche. **5** *col.* Furgoneta de la policía.

lechigada s.f. Conjunto de animales que han nacido en el mismo parto y que se crían juntos: *Estos dos cerditos son de la misma lechigada.* □ ETIMOL. Del latín *lectica* (camilla).

lecho s.m. **1** Cama con la ropa necesaria para descansar o para dormir. **2** Lugar preparado para que el ganado descanse o duerma: *Hicimos en el establo un lecho de paja.* **3** Referido a un río, cauce o lugar por donde corren sus aguas: *El lecho de este río es muy profundo.* **4** Referido esp. al mar o a un lago, superficie sólida sobre la cual está el agua: *El lecho del mar está lleno de algas.* □ SINÓN. *fondo.* **5** Superficie plana sobre la que se asienta algo: *Sirvió la carne sobre un lecho de lechuga.* □ ETIMOL. Del latín *lectus* (cama).

lechón, -a ▮ s. **1** Cerdo adulto. ▮ s.m. **2** Cerdo que todavía mama. □ ETIMOL. De *leche.*

lechosa s.f. Véase **lechoso, sa.**

lechoso, sa ▮ adj. **1** Que tiene la apariencia de la leche: *una crema lechosa.* **2** Referido a una planta o a un fruto, que desprende un jugo semejante a la leche. ▮ s.m. **3** Árbol americano de flores amarillas: *El lechoso se puede cultivar incluso en suelos arenosos.* ▮ s.f. **4** En zonas del español meridional, papaya.

lechucear v. *col.* Estar continuamente comiendo golosinas: *Deja de lechucear, que ya vamos a cenar.*

lechuga s.f. **1** Hortaliza de hojas verdes que se agrupan alrededor de un tronco, y que se suele comer en ensalada. **2** || **lechuga iceberg;** variedad de hojas replegas sobre sí mismas, y de color verde muy claro. || **lechuga romana;** variedad de grandes hojas alargadas. || **como una lechuga;** *col.* Con aspecto fresco y saludable. □ ETIMOL. Del latín *lactuca.*

lechuguino, na s. *col. desp.* Persona joven que se arregla o se acicala en exceso.

lechuza s.f. Véase **lechuzo, za.**

lechuzo, za ▮ adj./s.m. **1** *col.* Tonto. ▮ s.f. **2** Ave rapaz nocturna, de plumaje blanco y dorado con manchas pardas, cabeza redonda, ojos grandes y pico corto y curvo: *La lechuza caza de noche pájaros y roedores pequeños.* □ SINÓN. *coruja.* □ ETIMOL. La acepción 1, de *lechuza.* La acepción 2, del antiguo *nechuza.* □ MORF. En la acepción 2, es un sustantivo epiceno: *la lechuza {macho/hembra}.*

lecitina s.f. Lípido que se encuentra en los tejidos animales y vegetales, y que suele usarse con fines terapéuticos: *lecitina de soja.*

lectivo, va adj. Referido a un período de tiempo, destinado a impartir clases en los centros de enseñanza.

lectoescritura s.f. Enseñanza y aprendizaje de la lectura y la escritura: *Los nuevos métodos de lectoescritura intentan superar las deficiencias de la enseñanza tradicional.*

lector, -a ▮ adj./s. **1** Que lee o es aficionado a la lectura: *Este periódico ha publicado una encuesta para conocer la opinión de sus lectores.* ▮ s. **2** Profesor que enseña su lengua materna en el extranjero, generalmente en una universidad o en un instituto de segunda enseñanza: *Trabaja como lectora de español en una universidad francesa.* **3** En una editorial, persona encargada de leer originales para asesorar sobre su posible publicación: *El lector fue felicitado porque la obra que aconsejó publicar obtuvo el premio nacional.* ▮ s.m. **4** Aparato que capta las señales o marcas grabadas en un soporte y las transforma o las reproduce: *El nuevo lector de discos compactos ya está en el mercado.* **5** || **lector óptico;** aparato electrónico que permite identificar e interpretar marcas y caracteres escritos de acuerdo con cierto código. □ ETIMOL. Del latín *lector.*

lectorado s.m. Cargo del profesor que enseña su lengua materna en el extranjero.

lectura s.f. **1** Actividad consistente en comprender un texto escrito o impreso después de haber pasado la vista o el tacto por él: *El sistema de lectura de los ciegos es el braille.* **2** Lo que se lee o lo que se debe leer. **3** Interpretación del sentido de un texto: *Esa frase tiene una lectura distinta de la que le han dado los periodistas.* **4** Comprensión o interpretación de cualquier tipo de signo: *Tras la lectura de los posos del café, la pitonisa me echó las cartas.* **5** Exposición ante un tribunal de un ejercicio redactado o escrito previamente: *La lectura de la tesis será mañana.* **6** En informática, acceso a alguna de las unidades de almacenamiento de un ordenador para recuperar o visualizar la información contenida en ella: *Este ordenador solo tarda dos minutos en realizar la lectura del disco.* **7** || **lectura activa;** la que se realiza mediante libros en los que se fomenta la participación directa del lector mediante diversos juegos.

LED (ing.) s.m. Dispositivo semiconductor que emite luz cuando es atravesado por una corriente eléctrica: *Muchos aparatos eléctricos cuentan con un LED que indica si están apagados o encendidos.* □ ETIMOL. Es el acrónimo del inglés *Light Emitting Diode* (diodo emisor de luz). □ SINT. Se usa mucho en aposición, pospuesto a un sustantivo: *diodo LED; indicador LED.*

leer v. **1** Referido a signos escritos o impresos, pasar la vista o el tacto por ellos para entender su significado: *Siempre leo un rato antes de dormir. Leyó el poema en voz alta. Cuando se quedó ciego aprendió a leer en braille.* **2** Referido a cualquier tipo de signo, comprender su significado: *Los adivinos leen las rayas de la mano. Es sordo, pero sabe leer los movimientos de los labios.* **3** Referido a lo que ocurre en el interior de una persona, llegar a conocerlo: *En tu cara leo que eres feliz.* **4** Referido a un texto, entenderlo o interpretarlo: *Me escribió una carta de amor pero yo leí un reproche.* **5** Realizar ante un tribunal la lectura de un ejercicio redactado o escrito previamente: *Los opositores cuyo apellido empieza por 'M' leen mañana. Leerá la tesis el mes que viene.* **6** En informática, referido a un ordenador, acceder a alguna de sus unidades de almacenamiento para recuperar o visualizar información contenida en ella: *No teclees nada ahora, porque está leyendo.* □ ETIMOL.

Del latín *legere*. □ ORTOGR. En las formas cuya desinencia contiene un diptongo *ie*, *io*, esta *i* se cambia en *y* →LEER.

lega s.f. Véase **lego, ga**.

legación s.m. **1** Cargo o facultad representativa del legado de una autoridad, esp. los del representante de un Gobierno ante otro Gobierno extranjero: *La actual embajadora ha ejercido diversas legaciones a lo largo de su carrera diplomática.* **2** Misión o mensaje que lleva este legado: *La legación era un mensaje personal del rey.* **3** Conjunto de empleados a las órdenes de dicho legado: *Toda la legación fue convocada para recibir al nuevo embajador.* **4** Sede o conjunto de oficinas de una representación diplomática, esp. de una embajada: *La legación española está en una céntrica calle de la capital.* □ ETIMOL. Del latín *legatio*.

legado s.m. **1** Lo que se deja en herencia o se dona a través de un testamento. **2** Lo que se deja o transmite a los sucesores o a la posteridad: *Dentro del legado de Roma al mundo moderno, destacan los principios del derecho.* **3** Persona enviada por una autoridad civil o eclesiástica para que la represente o actúe en su nombre.

legajo s.m. Conjunto de papeles atados o reunidos por guardar relación con un mismo asunto: *Los legajos que se conservan en los archivos contienen documentos originales.* □ ETIMOL. De *ligar* (atar).

legal adj.inv. **1** De la ley, del derecho o relacionado con ellos: *El derecho a la libertad de expresión está recogido en el marco legal de la Constitución. Una especialista en medicina legal determinó la hora aproximada en que se produjo el asesinato.* **2** Establecido por la ley o de acuerdo con ella: *Los ciudadanos tienen la obligación legal de pagar impuestos. Todos sus negocios son legales.* **3** Referido a la persona que desempeña un cargo, que cumple recta y fielmente sus funciones: *Toda su vida fue un funcionario legal y nunca tuvieron que llamarle la atención.* **4** Que no está fichado por la policía: *La policía todavía no tiene ningún dato del comando legal que actuó en el atentado ocurrido ayer.* **5** *col.* Referido a una persona, que es leal o digna de confianza: *Mis amigos son gente legal, y nunca me han fallado.* □ ETIMOL. Del latín *legalis*.

legalidad s.f. **1** Conjunto o sistema de leyes que rigen la vida de un país: *Los tribunales vigilan el cumplimiento de la legalidad vigente.* **2** Adecuación o conformidad con lo que establece la ley: *La legalidad del acuerdo es más que discutible.*

legalismo s.m. **1** Tendencia a anteponer a cualquier otra consideración la aplicación estricta de la ley. **2** Formalidad o tecnicismo legales que constituyen un obstáculo o un condicionante.

legalista adj.inv./s.com. Que antepone a cualquier otra consideración la aplicación estricta de la ley.

legalización s.f. **1** Concesión del estado o carácter legales: *Tras la legalización del juego se abrieron numerosos casinos.* **2** Certificación de la autenticidad de una firma o de un documento: *Un notario se encargó de la legalización de las firmas de los socios.*

legalizar v. **1** Dar estado o carácter legal: *Han decidido casarse para legalizar su unión.* **2** Referido a una firma o a un documento, certificar su autenticidad: *Un notario legalizó el contrato de compraventa.* □ SINÓN. *legitimar*. □ ORTOGR. La *z* se cambia en *c* delante de *e* →CAZAR.

légamo s.m. Barro que se forma en el fondo de las aguas. □ ETIMOL. Quizá de la raíz céltica *leg-* (estar echado, formar una capa).

legaña s.f. Sustancia procedente de la secreción de las glándulas de los párpados y que se seca en los bordes y ángulos internos de los ojos, generalmente durante el sueño. □ SINÓN. *pitaña*. □ ETIMOL. De origen incierto. □ MORF. Se usa más en plural.

legañoso, sa adj./s. Con muchas legañas. □ SINÓN. *pitañoso*.

legar v. **1** Referido a los bienes de una persona, dejarlos en herencia por medio de un testamento o de un codicilo: *Ha legado todos sus bienes a una institución benéfica.* **2** Referido esp. a ideas o a costumbres, transmitirlas a los que siguen en el tiempo: *Las culturas clásicas nos legaron su forma de entender el mundo.* **3** Referido a una persona, enviarla como legado o representante: *La presidenta legó a su secretario para que la sustituyera en la reunión.* □ ETIMOL. Del latín *legare* (enviar, delegar, dejar en testamento. □ ORTOGR. La *g* se cambia en *gu* delante de *e* →PAGAR.

legatario, ria s. En derecho, persona o grupo de personas favorecidas en un testamento o en un codicilo.

legato (it.) s.m. →**ligado.**

legendario, ria ▌adj. **1** De las leyendas, con sus características o relacionado con ellas: *un héroe legendario.* **2** *col.* Que ha alcanzado gran fama y popularidad: *Tengo un autógrafo de un actor legendario de películas de vaqueros.* ▌s.m. **3** Libro que reúne varias leyendas.

legging (ing.) s.m. Prenda de vestir que consiste en un malla ceñida al cuerpo desde la cintura a los tobillos. □ PRON. [léguin]. □ USO Su uso es innecesario y puede sustituirse por *malla*.

legibilidad s.f. Posibilidad de ser leído, esp. por tener la suficiente claridad: *La profesora nos pidió que cuidásemos la legibilidad de nuestros escritos.*

legible adj.inv. Que se puede leer.

legión s.f. **1** En el ejército, cuerpo de élite formado por soldados profesionales y esp. adiestrados para actuar como fuerza de choque. **2** En el ejército de la antigua Roma, formación muy variable integrada por tropas de infantería y de caballería. **3** Multitud de personas o de animales: *Una legión de admiradores rodeó a la artista.* □ ETIMOL. Del latín *legio* (cuerpo de tropa romana), y este de *legere* (reclutar).

legionario, ria ▌adj. **1** De la legión. ▌s.m. **2** Soldado de una legión.

legionela s.f. **1** Bacteria que puede causar una enfermedad que se caracteriza por la presencia de fiebre, congestión, neumonía y a veces por producir la muerte: *Decían que en el hospital el aire acondicionado había favorecido la propagación de la legionela.* **2** Enfermedad causada por esta bacteria: *Han detectado un brote de legionela en un cuartel.* ☐ SINÓN. *legionelosis.* ☐ ETIMOL. Del latín *legionella.*

legionelosis (pl. *legionelosis*) s.f. Enfermedad causada por la bacteria legionela, que se difunde esp. por el agua y por el uso de nebulizadores: *Para evitar brotes de legionelosis, una de las recomendaciones es desinfectar con regularidad los conductos del aire acondicionado.* ☐ SINÓN. *legionela.*

legislación s.f. **1** Conjunto de leyes por las que se gobierna un Estado o por las que se rige una actividad o una materia: *legislación laboral.* **2** Ciencia o estudio de las leyes. **3** Elaboración o establecimiento de leyes: *Una comisión del Parlamento trabaja en la legislación fiscal.*

legislador, -a adj./s. Que legisla. ☐ ETIMOL. Del latín *legislator,* y este de *legis,* que es el genitivo de *lex* (ley), y *lator* (el que lleva).

legislar v. Dar, elaborar o establecer leyes: *En los regímenes democráticos los parlamentos son los encargados de legislar.*

legislativo, va adj. **1** De la legislación, de los legisladores, o relacionado con ellos: *un código legislativo.* **2** Referido esp. a un organismo, que tiene la facultad o la misión de elaborar o establecer leyes: *el poder legislativo.*

legislatura s.f. **1** Período de tiempo que transcurre desde que se constituyen el poder ejecutivo y los órganos legislativos del Estado hasta que se disuelven, generalmente entre dos elecciones, y durante el cual desarrollan sus actividades. **2** Conjunto de los órganos legislativos que desarrollan sus actividades durante este período: *La nueva mayoría reformará varias leyes aprobadas por la anterior legislatura.*

legista s.com. Persona que se dedica al estudio e interpretación de las leyes.

legítima s.f. Véase **legítimo, ma**.

legitimación s.f. **1** Concesión del carácter legítimo: *Solo unas elecciones libres dan legitimación al poder político.* **2** Demostración o certificación de la autenticidad de un documento o de un acto, de su certeza o de su correspondencia con lo que indica la ley: *La legitimación de un testamento no requiere trámites complicados.* **3** Capacitación que se otorga a una persona para desempeñar una función o un cargo: *La abogada presentó un documento que acreditaba su legitimación para representar a su cliente.* **4** Reconocimiento como legítimo de un hijo que no lo era: *Decidió iniciar cuanto antes los trámites de legitimación de su hijo natural.*

legitimar v. **1** Dar carácter legítimo: *El régimen democrático legitimó los partidos prohibidos durante la dictadura.* **2** Referido esp. a un acto o a una persona, probar o certificar su certeza o su correspondencia con lo que indica la ley: *Un notario legitimó la renuncia voluntaria del candidato al puesto que le correspondía.* **3** Referido a una firma o a un documento, certificar su autenticidad: *El notario legitimó las firmas de los contratantes.* ☐ SINÓN. *legalizar.* **4** Referido a una persona, capacitarla o dotarla de legítima autoridad para desempeñar una función o un cargo: *Legitimó a su abogado para que actuase en su nombre.* **5** Referido a un hijo ilegítimo, reconocerlo como legítimo: *En cuanto se casó, legitimó al hijo que su esposa tuvo de soltera.*

legitimario, ria ▌adj. **1** De la legítima o relacionado con esta parte de una herencia. ▌adj./s. **2** Referido a un heredero, que tiene derecho a esta parte de la herencia.

legitimidad s.f. **1** Conformidad con la ley. **2** Derecho que, de acuerdo con la ley, tiene un poder político para ejercer su autoridad: *En democracia, la legitimidad para gobernar se gana en las urnas.* **3** Carácter de lo que es justo desde el punto de vista de la razón o de la moral: *El famoso filósofo defendió la legitimidad de la aspiración humana a una vida digna.* **4** Autenticidad o carácter verdadero: *Un experto comprobó la legitimidad de la firma que aparecía en el cuadro.*

legitimismo s.m. Postura política que defiende que los derechos al trono de determinada dinastía o de uno de sus miembros son legítimamente superiores a los de la dinastía o la persona reinantes: *El legitimismo español en el siglo* XIX *defendía el derecho a reinar de don Carlos de Borbón y sus descendientes.*

legitimista adj.inv./s.com. Partidario o defensor de determinada dinastía o de uno de sus miembros frente a la dinastía o a la persona reinantes, por considerar que los derechos al trono de los primeros son legítimamente superiores: *Los legitimistas franceses defendieron el derecho a reinar de los Borbones frente a la rama segunda de la casa de Orleans.*

legítimo, ma ▌adj. **1** De acuerdo con la ley: *Aunque llevan años separados, él sigue siendo su esposo legítimo.* **2** Justo, desde el punto de vista de la razón o de la moral: *Todos tenemos el legítimo derecho de intentar mejorar nuestra vida.* ☐ SINÓN. *lícito.* **3** Auténtico o verdadero: *Lo que parecía la firma legítima resultó ser una falsificación.* ▌s.f. **4** Parte de la herencia de la que la persona que hace testamento no puede disponer libremente porque la ley la asigna a determinados herederos forzosos. ☐ ETIMOL. Del latín *legitimus.*

lego, ga ▌adj./s. **1** Referido a una persona, que carece de formación o de conocimientos: *Sobre esa materia pregunta a otro, porque yo soy completamente lega.* ▌adj./s.m. **2** En un convento, referido a un religioso, que siendo profeso no tiene opción a recibir las órdenes sagradas: *Los legos del convento se encargaban de repartir la comida a los pobres.* ▌adj./s.f. **3** En un convento, referido a una monja, que se dedica a las tareas caseras: *En el convento hay varias legas, pero la mayoría de las monjas se dedica a la enseñanza.* ☐ ETIMOL. Del latín *laicus* (que no es clérigo).

legón s.m. Herramienta de labranza semejante a una azada pequeña. □ ETIMOL. Del latín *ligo* (azadón).

legra s.f. **1** Instrumento de cirugía que se usa para hacer legrados. **2** Herramienta en forma de cucharilla, formada por un mango y una cuchilla curvada y cortante en su extremo, y que se utiliza para labrar la madera. □ ETIMOL. Del latín *ligula* (cuchara, lengüeta).

legrado s.m. Operación quirúrgica consistente en raspar una zona del organismo, esp. la cavidad uterina o un hueso, para limpiarlos de sustancias adheridas o para obtener muestras de estas. □ SINÓN. *raspado*.

legrar v. En medicina, referido a una zona del organismo, rasparla para limpiarla de sustancias adheridas o para obtener muestras de ella: *Después de un aborto, hay que legrar la matriz para eliminar los restos de placenta.* □ ETIMOL. De *legra* (instrumento de cirugía).

legua s.f. **1** Unidad de longitud que equivale a 5 572,7 metros: *Una legua tiene 20 000 pies.* **2** ‖ **a la legua** o **a cien leguas;** *col.* Desde muy lejos o de forma clara o evidente: *Aunque se las da de enterado, se le nota a la legua que no tiene ni idea.* ‖ **legua {marina/marítima};** unidad marítima de longitud que equivale a 5 555,55 metros: *Una legua marina tiene tres millas.* □ ETIMOL. Del latín *leuga*. □ SINT. Las expresiones *a la legua* y *a cien leguas* se usan más con los verbos *ver*, *notar* o equivalentes. □ USO En la acepción 1, es una medida tradicional española.

legui s.m. Polaina de cuero o de tela, de una sola pieza: *Cuando voy a cazar, me pongo los leguis de cuero.* □ ETIMOL. Del inglés *legging* (polaina). □ MORF. Se usa más en plural.

leguleyo, ya s. *desp.* Persona que se ocupa de cuestiones legales sin tener el conocimiento o la especialización suficientes. □ ETIMOL. Del latín *leguleius*.

legumbre s.f. **1** Fruto en forma de vaina, característico de las plantas leguminosas: *Las judías verdes son legumbres que se consumen frescas.* **2** Grano o semilla que se cría en esta vaina: *Los guisantes, las habas y los garbanzos son legumbres.* □ ETIMOL. Del latín *legumen*.

legúmina s.f. Proteína vegetal que se extrae de las semillas de algunas leguminosas: *La legúmina se extrae del guisante.*

leguminoso, sa ▮ adj./s.f. **1** Referido a una planta, que tiene flores amariposadas, hojas generalmente alternas y compuestas, y frutos en vaina o legumbre con varias semillas en su interior: *El garbanzo es una leguminosa muy empleada en la cocina mediterránea.* ▮ s.f.pl. **2** En botánica, familia de estas plantas, perteneciente a la clase de las dicotiledóneas: *La producción de leguminosas es uno de los pilares de nuestra agricultura.* □ ETIMOL. Del latín *leguminosus*.

lehendakari (eusk.) s.com. →**lendakari.** □ PRON. [leendakári].

leída s.f. Véase **leído, da.**

leído, da ▮ adj. **1** Referido a una persona, que tiene una gran cultura y erudición por haber leído mucho: *Me gusta hablar con ella porque es una mujer muy leída que sabe de todo.* ▮ s.f. **2** *col.* Actividad consistente en leer un texto escrito o impreso después de haber pasado la vista o el tacto por él. □ SINÓN. *lectura*.

leishmaniasis (pl. *leishmaniasis*) s.f. Enfermedad infecciosa causada por ciertos parásitos que puede afectar a la piel o a órganos como el hígado y el bazo: *La leishmaniasis es una enfermedad de origen tropical.* □ SINÓN. *leishmaniosis*.

leishmaniosis (pl. *leishmaniosis*) s.f. →**leishmaniasis.**

leísmo s.m. En gramática, uso de las formas del pronombre de tercera persona *le* y *les* como complemento directo, en lugar de *lo*, *la*, *los*, *las*: *En la oración 'A tus hermanos les vi en el cine' hay un caso de leísmo.*

leísta adj.inv./s.com. Que hace uso del leísmo: *La zona centro de España es leísta.*

leitmotiv (al.) (pl. *leitmotiv, leitmotivs*) s.m. **1** Idea central o que se repite insistentemente en una obra, en una conversación o en el transcurso de un hecho: *El tema de la decadencia de España es un leitmotiv en la obra de Quevedo.* **2** En una composición musical, tema característico, que se asocia a una idea extramusical y que se repite insistentemente: *Wagner utilizaba distintos leitmotiv para identificar a sus personajes.* □ PRON. [leitmotíf] o [laitmotíf]. □ MORF. Se usa también el pl. alemán *leitmotiven*.

leixaprén s.m. Recurso poético típico de la lírica gallegoportuguesa, consistente en tomar como primeros versos de un par de estrofas, respectivamente, los segundos versos del par anterior: *En una cantiga con leixaprén, coinciden el segundo verso de la primera estrofa con el primero de la tercera, y el segundo de la segunda estrofa, con el primero de la cuarta.*

lejanía s.f. **1** Parte remota o distante de un lugar, de un paisaje o de una vista panorámica: *En la lejanía se divisaba una enorme columna de humo.* **2** *col.* Distancia: *En la lejanía, los problemas se ven con otra perspectiva.*

lejano, na adj. **1** Que está a gran distancia o apartado: *países lejanos.* **2** Referido esp. a una relación o a un parentesco, que se asientan sobre lazos débiles o indirectos: *primos lejanos.*

lejía s.f. **1** Producto líquido que se obtiene de la disolución en agua de sales alcalinas, sosa cáustica u otras sustancias semejantes, y que se utiliza para blanquear la ropa y para destruir los gérmenes. **2** En zonas del español meridional, cloro. □ ETIMOL. Del latín *aqua lixiva* (agua de lejía), y este de *lixivus* (que se emplea en la colada de ceniza), porque antiguamente se blanqueaba con agua con ceniza.

lejísimos superlat. irreg. de **lejos.**

lejos adv. **1** A gran distancia o en un punto apartado: *Mi casa queda lejos de aquí. Aquello está ya* *muy lejos en el recuerdo.* **2** || **{a lo/de/desde} lejos;** a larga distancia o desde ella: *A lo lejos, los sembrados parecen una tela de cuadros.* || **lejos de;** seguido de infinitivo, sirve para introducir una expresión que indica que se hace o sucede lo contrario de lo expresado por dicho infinitivo: *Lejos de enfadarse, agradeció sus críticas.* □ ETIMOL. Del latín *laxius* (de forma más dispersa o más separada). □ MORF. Su superlativo es *lejísimos.* □ SINT. Su uso seguido de un pronombre posesivo es incorrecto: *Queda muy lejos {*tuyo > de ti}.*

lek s.m. Unidad monetaria albanesa.

lelo, la adj./s. Referido a una persona, que está atontada o que tiene poca viveza de entendimiento. □ ETIMOL. De origen expresivo. □ USO Se usa como insulto.

lema s.m. **1** Frase que expresa una intención o una regla de conducta: *El lema de este negocio es que el cliente siempre tiene razón.* **2** En un emblema, en un escudo o en un estandarte, leyenda o letrero que figura en ellos: *El lema del escudo de ese caballero andante era el nombre de su dama.* **3** Tema de un discurso: *El lema de la conferencia fue el bilingüismo en Cataluña.* **4** En una obra literaria, texto breve que aparece al principio como resumen de su argumento o de su idea central: *El lema que encabeza el libro es una cita famosa sobre la amistad.* **5** En un diccionario o en una enciclopedia, término que encabeza cada artículo y que es lo que se define: *Los lemas de los diccionarios suelen ir en letra negrita para destacar.* □ SINÓN. *entrada.* **6** En un concurso, palabra, texto o cualquier combinación de caracteres que se utiliza como contraseña en los trabajos presentados para mantener oculto el nombre de su autor: *El primer premio se concedió a la obra presentada bajo el lema 'Sol de medianoche'.* □ ETIMOL. Del latín *lemma* (título, epígrafe). □ SEM. En la acepción 1, dist. de *eslogan* (frase publicitaria).

lemario s.m. En un diccionario, lista de lemas o de palabras que se definen: *El lemario de este diccionario está ordenado alfabéticamente.*

lematización s.f. Ordenación de un grupo de palabras de manera que cada una de ellas se corresponda con una de las posibles formas convencionalmente determinada como lema: *Tras la lematización, las formas 'puedo', 'pudo' y 'podría' del texto quedan reducidas a 'poder'.*

lematizador s.m. Aplicación informática que identifica la forma convencionalmente determinada como lema de cada una de las palabras de un texto: *Para extraer los posibles lemas de un texto largo, es imprescindible un lematizador.*

lematizar v. **1** Ordenar en forma de lemario: *En este diccionario, los verbos se lematizan en infinitivo, y los adjetivos, en masculino singular.* **2** Referido esp. a un texto, ordenar todas sus palabras haciendo corresponder cada una de ellas con una de las posibles formas convencionalmente determinada como lema: *Para lematizar este texto hemos pasado todos los plurales a singular y todos los femeninos a masculino.* □ ORTOGR. La *z* se cambia en *c* delante de *e* →CAZAR.

lemming (ing.) s.m. Mamífero roedor que tiene la cola y las orejas muy cortas, el pelaje largo, las patas cortas y robustas, y las uñas adaptadas para cavar: *El lemming vive en las zonas árticas y subárticas.* □ PRON. [lémin]. □ MORF. Es un sustantivo epiceno: *el lemming {macho/hembra}.*

lemnáceo, cea ▮ adj./s.f. **1** Referido a una planta, que es acuática, con el tallo y las hojas transformados en una fronda verde en forma de disco que flota libremente y tiene flores muy pequeñas y unidas: *La lenteja de agua es una planta lemnácea.* ▮ s.f.pl. **2** En botánica, familia de estas plantas perteneciente a la subclase de las monocotiledóneas: *Las lemnáceas viven en las aguas dulces de regiones con clima templado o tropical.* □ ETIMOL. Del griego *lémna* (lenteja de agua).

lemon grass (ing.) s.m. || Planta herbácea con intenso aroma a limón: *El lemon grass se usa mucho como condimento en la cocina oriental.* □ PRON. [lémon gras].

lempira s.f. Unidad monetaria hondureña. □ ETIMOL. De *Lempira*, nombre de un jefe indio famoso por su lucha contra los españoles.

lémur s.m. Mamífero de extremidades acabadas en cinco dedos, cola larga y ancha, dientes incisivos en la mandíbula inferior inclinados hacia delante y hocico alargado, y que se alimenta de frutos: *Los lémures abundan en la isla de Madagascar.* □ ETIMOL. Del latín *lemures.* □ PRON. Incorr. *[lemúr]. □ MORF. Es un sustantivo epiceno: *el lémur {macho/hembra}.*

lencería s.f. **1** Ropa interior femenina. **2** Ropa de cama, de baño o de mesa: *Todos los días lavamos la lencería del restaurante.* **3** Establecimiento o sección en los que se vende este tipo de ropa: *Se ha comprado un camisón de seda en la lencería del barrio.* **4** Industria y comercio de esta clase de ropa: *Últimamente la lencería nos aporta grandes beneficios.*

lencero, ra s. Persona que se dedica profesionalmente a la confección o a la venta de productos de lencería.

lendakari s.com. Presidente del Gobierno autónomo vasco. □ ETIMOL. Del euskera *lehendakari.* □ USO Es innecesario el uso del término euskera *lehendakari.*

lendrera s.f. Peine con púas muy finas y muy juntas: *A este niño hay que peinarlo con una lendrera para quitarle los piojos.* □ ETIMOL. De *liendre.*

lengua s.f. **1** En las personas o en algunos animales, órgano muscular movible situado en el interior de la boca, que participa en la masticación y deglución de los alimentos y en la articulación de sonidos: *El perro jadeaba con la lengua fuera. Sacar la lengua es un gesto de burla. ¿Has probado alguna vez lengua de ternera estofada?* **2** Lo que tiene la forma estrecha y alargada de este órgano: *Aquello que ves a lo lejos es una lengua de tierra que se adentra en el mar.* **3** Sistema de signos orales que utiliza una comunidad humana para comunicarse: *Después de vivir varios años allí, llegó a dominar la lengua del país.* **4** Variedad lingüística característica de ciertos hablantes o de ciertas situaciones: *La lengua del poeta barroco Góngora es rica en latinismos.* **5** En una campana, badajo: *Si tiras de esta cuerda, la lengua golpea la campana.* **6** || **andar en lenguas;** *col.* Ser objeto de murmuraciones: *Soy enemigo de escandalizar y de andar en lenguas.* || **atar la lengua** a alguien; obligarle a callar o impedirle revelar algo: *El respeto al secreto de confesión ata la lengua al sacerdote.* || **con la lengua afuera;** *col.* Con gran cansancio o atropelladamente debido al esfuerzo realizado. || **darle a la lengua;** *col.* Hablar mucho. || **hacerse lenguas de** algo; *col.* Alabarlo mucho: *No deja de hacerse lenguas de tus virtudes.* || **irse de la lengua;** *col.* Hablar o decir más de lo debido, esp. si se hace de forma involuntaria. || **lengua de {estropajo/trapo}** o **media lengua;** *col.* La de la persona que pronuncia mal o de manera deficiente, esp. la de los niños que aún no hablan bien: *Con su lengua de trapo, mi hijo dice 'aba' en vez de 'agua'.* || **lengua de gato;** chocolatina o pequeño bizcocho duro de forma semejante a la lengua de un gato. || **(lengua de) oc;** conjunto de dialectos romances que en la época medieval se hablaban en la zona sur francesa. □ SINÓN. *occitano, provenzal.* || **(lengua de) oíl;** conjunto de dialectos romances que se hablaban en la zona francesa del norte del río Loira. || **lengua {de víbora/viperina};** persona murmuradora que acostumbra a hablar mal de los demás: *Ten cuidado con lo que le cuentas, porque es una lengua de víbora.* || **lengua madre;** la que al evolucionar ha dado lugar a otras: *El latín es la lengua madre de las lenguas románicas.* || **lengua {materna/natural};** **1** La del país en el que ha nacido una persona: *Nuestra lengua materna es el español.* **2** La primera o primeras que aprende un niño: *Tiene dos lenguas maternas porque su madre es francesa y su padre español.* || **lengua muerta;** la que ya no se habla: *El latín es una lengua muerta.* || **lengua oficial;** la que puede ser utilizada en todo el territorio de un Estado, a todos los efectos y por todos los ciudadanos: *En España, el castellano es la lengua oficial común a toda la nación.* || **lengua viva;** la que es utilizada por una comunidad de hablantes. || **lenguas hermanas;** las que proceden de un tronco común: *El catalán, el castellano y el gallego son lenguas hermanas.* || **malas lenguas;** *col.* Gente que murmura y habla mal de cuestiones ajenas: *Las malas lenguas decían que tenía relaciones con una mujer casada.* || **morderse la lengua;** contenerse para no decir lo que se tiene en mente. || **segunda lengua;** la que se adquiere además de la que se aprendió de los padres: *Su segunda lengua es el inglés porque lo estudió desde pequeña.* || **tener la lengua muy larga;** *col.* Tener tendencia a hablar más de lo debido o a decir inconveniencias. || **tirar de la lengua** a alguien; *col.* Provocarlo para sonsacarle información o hacerle decir lo que no quiere. || **trabarse la lengua;** pronunciar mal o con dificultad ciertas combinaciones de palabras o de sonidos: *Se me trabó la lengua y, en lugar de decir 'pamplinas', dije 'plimpanas'.* □ ETIMOL. Del latín *lingua*.

lenguado s.m. Pez marino de cuerpo casi plano y más largo que ancho, que tiene los dos ojos y las mandíbulas en un solo lado del cuerpo, y que vive siempre echado del mismo lado: *El lenguado abunda en aguas mediterráneas y atlánticas.* □ ETIMOL. De *lengua*, porque el lenguado tiene esa forma. □ MORF. Es un sustantivo epiceno: *el lenguado {macho/hembra}.*

lenguaje s.m. **1** Facultad humana que permite la comunicación y la expresión del pensamiento: *Una lesión cerebral puede impedir el desarrollo del lenguaje.* **2** Sistema utilizado por una colectividad para comunicarse, esp. referido al conjunto de sonidos articulados empleados por el ser humano: *Está haciendo estudios sobre el lenguaje de las abejas. Un niño de un año aún no domina el lenguaje.* **3** Modo particular de hablar, característico de ciertos hablantes o de ciertas situaciones: *El lenguaje médico contiene numerosos tecnicismos que los profanos no entendemos.* **4** En informática, conjunto de símbolos o caracteres que, ordenados de acuerdo con unas reglas, permite dar instrucciones a un ordenador: *Para ser un buen programador debes aprender varios lenguajes.* **5** || **lenguaje de alto nivel;** el de programación que facilita la comunicación con un ordenador porque utiliza signos y estructuras similares a los del lenguaje humano: *Para que el ordenador pueda reconocer las órdenes dadas en lenguaje de alto nivel, se necesita un programa que lo traduzca.* || **lenguaje (de) máquina;** el que está formado por unos y ceros, de modo que el ordenador lo entiende directamente: *El ordenador traduce el lenguaje de programación a lenguaje máquina.* || **lenguaje natural;** el utilizado por las personas: *La lengua escrita es una convención creada a partir del lenguaje natural.*

lenguaraz adj.inv./s.com. Referido a una persona, que habla con descaro y desvergüenza.

lengüeta s.f. **1** En un instrumento musical de viento, lámina fina y pequeña situada en la boquilla, hecha generalmente de caña o de metal, y cuya vibración con el paso del aire produce el sonido: *Los clarinetes y oboes llevan lengüeta.* **2** En un zapato de cordones, tira que refuerza la parte del empeine: *Estira bien la lengüeta antes de atarte los cordones.* **3** Pieza, moldura o instrumento con forma de lengua. □ ETIMOL. De *lengua*.

lengüetada s.f. →**lengüetazo.**

lengüetazo s.m. Movimiento de la lengua para lamer o para coger algo con ella. □ SINÓN. *lengüetada.*

lengüetería s.f. En un órgano musical, conjunto de tubos cuyo sonido se produce por medio de una lengüeta batiente situada en su abertura.

lenidad s.f. Blandura para castigar las faltas o para exigir el cumplimiento de los deberes: *Hay delitos tan graves que deben ser castigados sin leni-*

dad. □ ETIMOL. Del latín *lenitas*, y este de *lenis* (suave, liso, templado).

lenificación s.f. Suavización o aplacamiento, esp. referido a un sufrimiento o a un exceso de rigor: *Con esta pomada, la lenificación del picor es inmediata.*

lenificar v. Referido esp. a un sufrimiento o a un exceso de rigor, suavizarlos o aplacarlos: *Esta pomada lenifica el picor que produce la urticaria.* □ ETIMOL. Del latín *lenificare.* □ ORTOGR. La *c* se cambia en *qu* delante de *e* →SACAR.

leninismo s.m. **1** Teoría política aportada al marxismo por Lenin (político y teórico ruso de finales del siglo XIX y comienzos del siglo XX), que constituyó la rama más ortodoxa del comunismo soviético. **2** Conjunto de los partidarios de esta teoría política: *El leninismo entró en crisis tras los últimos cambios ocurridos en la antigua URSS.*

leninista ▌adj.inv. **1** Del leninismo, o relacionado con esta teoría política: *teorías leninistas.* ▌adj.inv./s.com. **2** Partidario del leninismo.

lenitivo, va ▌adj./s.m. **1** Referido esp. a un medicamento, que sirve para aplacar o aliviar un dolor: *una crema lenitiva.* ▌s.m. **2** Lo que sirve para aliviar un sufrimiento o una inquietud: *La lectura es un buen lenitivo para sus preocupaciones.* □ ETIMOL. Del latín *lenire* (suavizar, calmar).

lenocinio s.m. Mediación o intervención de una tercera persona en el establecimiento de relaciones amorosas o sexuales entre un hombre y una mujer: *Celestina realizaba funciones de lenocinio entre Calisto y Melibea.* □ ETIMOL. Del latín *lenocinium* (oficio de alcahuete).

lente ▌s.amb. **1** Pieza de cristal o de otro material transparente, limitada por dos caras de las que al menos una es cóncava o convexa, y con la que se consigue un determinado efecto óptico: *Algunos defectos de visión se pueden corregir con lentes.* **2** Cristal graduado e instalado sobre una armadura para facilitar su manejo: *La lupa es una lente de aumento.* ▌pl. **3** Cristales graduados instalados sobre una armadura que permite sujetarlos con la mano o en la nariz: *Las gafas y los anteojos son dos tipos de lentes.* **4** ‖ **lente de contacto;** disco pequeño con graduación óptica, cóncavo por un lado y convexo por el otro, que se aplica directamente sobre la córnea del ojo. □ SINÓN. *lentilla, microlentilla.* □ ETIMOL. Del latín *lens* (lenteja), porque las lentes tienen esa forma.

lenteja s.f. **1** Planta herbácea anual con flores blancas y fruto en vaina. **2** Fruto de esta planta, cuyas semillas, en forma de disco pequeño y de color oscuro, se emplean como alimento: *Las lentejas son muy nutritivas porque tienen mucho hierro.* □ ETIMOL. Del latín *lenticula* (lentejita).

lentejar s.m. Terreno plantado de lentejas.

lentejuela s.f. Pequeña lámina redonda de material brillante, que se cose a la ropa como adorno. □ ETIMOL. De *lenteja.* □ USO Es innecesario el uso del galicismo *paillette.*

lenticular ▌adj.inv. **1** Que tiene la forma de una lenteja. **2** Referido a la rueda de una bicicleta, que tiene dos piezas planas a modo de radios: *Las ruedas lenticulares se emplean en las pruebas contrarreloj.* ▌s.m. **3** En anatomía, hueso del oído medio, de pequeño tamaño, que se articula con el yunque y con el estribo.

lentificar v. Referido a un proceso, darle lentitud o disminuir su velocidad: *La oposición lentificó la aprobación de la nueva normativa en las Cámaras.* □ SINÓN. *ralentizar, enlentecer.* □ ORTOGR. La *c* se cambia en *qu* delante de *e* →SACAR.

lentilla s.f. Disco pequeño con graduación óptica, cóncavo por un lado y convexo por el otro, que se aplica directamente sobre la córnea del ojo. □ SINÓN. *lente de contacto, microlentilla.* □ ETIMOL. Del francés *lentille.*

lentiscal s.m. Terreno poblado de lentiscos. □ ORTOGR. Incorr. **lentiscar.*

lentisco s.m. Arbusto de hoja perenne, de hojas compuestas y flores pequeñas, de madera rojiza y dura muy empleada en ebanistería, característico de zonas calcáreas de la región mediterránea: *De las ramas del lentisco se obtiene una resina amarillenta.* □ ETIMOL. Del latín *lentiscus.*

lentitud s.f. Tardanza con la que ocurre un suceso o se ejecuta una acción.

lentivirus (pl. *lentivirus*) s.m. Retrovirus que puede permanecer en estado de latencia durante mucho tiempo, sin causar daño aparente, pero que, pasado un tiempo, se multiplica y provoca daños evidentes: *El virus de inmunodeficiencia humana es un lentivirus.*

lento, ta ▌adj. **1** Tardo o pausado en el movimiento o en la acción: *Eres muy lento comiendo y siempre terminas el último.* **2** Poco enérgico o poco eficaz: *Asa las manzanas a fuego lento.* ▌s.m. **3** En música, aire o velocidad muy pausados con que se ejecutan una composición o un pasaje: *El lento es un aire más reposado que el adagio.* □ SINÓN. *largo.* **4** En música, composición o pasaje que se ejecutan con este aire: *El lento de la sinfonía me emocionó.* □ ETIMOL. Del latín *lentus.* □ SINT. En la lengua coloquial, *lento* se usa también como adverbio de modo: *Los acompañantes caminaban lento detrás de los novios.*

leña s.f. **1** Madera de árboles y matas que, cortada en trozos, se emplea para hacer fuego. **2** *col.* Castigo, paliza o golpes: *Creo que el otro día hubo leña en la taberna.* **3** ‖ **{añadir/echar} leña al fuego;** *col.* Dar más motivos para continuar o acrecentar un mal o una pasión. ‖ **dar leña;** *col.* En deporte, jugar duro y de forma violenta. □ ETIMOL. Del latín *ligna*, plural de *lignum* (madero, madera).

leñador, -a s. Persona que se dedica profesionalmente a cortar o vender leña.

leñazo s.m. **1** Golpe fuerte, esp. si se da con un palo o algo parecido. **2** *col.* Colisión o choque fuertes. □ ETIMOL. De *leño.*

leñe interj. *col.* Expresión que se usa para indicar extrañeza, sorpresa, admiración o disgusto.

leñera s.f. Véase **leñero, ra.**

leñero, ra ▮ adj./s. **1** En algunos deportes, referido a un jugador, que es agresivo en su forma de juego. ▮ s.f. **2** Lugar en el que se guarda leña. ☐ MORF. En la acepción 2, se usa también en masculino.

leño s.m. **1** Trozo de árbol cortado y limpio de ramas. **2** En las plantas superiores, conjunto de vasos leñosos: *El leño conduce la savia bruta o ascendente.* **3** En un árbol, parte sólida y fibrosa debajo de su corteza: *El leño del pino es de color muy claro.* ☐ SINÓN. *madera.* **4** *col.* Persona torpe o de poco talento: *Para las matemáticas soy un leño.* **5** *col.* Lo que resulta pesado, insufrible o inaguantable: *No pude acabar ese libro porque es un leño.* **6** || **como un leño;** referido a la forma de dormir, profundamente o sin moverse. ☐ ETIMOL. Del latín *lignum* (madero, madera).

leñoso, sa adj. **1** Referido esp. a una planta o a una de sus partes, que tienen la dureza y la consistencia de la madera: *un tronco leñoso.* **2** Referido esp. a un vaso que forma parte de un tejido vegetal, que conduce la savia bruta o ascendente: *Los vasos leñosos están formados por células muertas.*

leo adj.inv./s.com. Referido a una persona, que ha nacido entre el 23 de julio y el 22 de agosto aproximadamente. ☐ ETIMOL. Del latín *Leo* (quinto signo zodiacal).

león, -a s. **1** Mamífero felino y carnicero de pelaje amarillo rojizo, cola larga y dientes y uñas fuertes, cuyo macho presenta una larga melena en la nuca y en el cuello, y que es propio de África: *La leona es de menor tamaño que el león.* **2** Persona valiente y atrevida: *Los soldados eran unos leones y ganaron la batalla.* **3** *col.* Jugador o aficionado del Athletic Club de Bilbao (club de fútbol vasco): *Los leones han ganado la final de fútbol.* **4** || **león marino;** mamífero marino de cuerpo en forma de huso, extremidades transformadas en aletas, que generalmente se alimenta de peces: *Una de las diferencias entre las focas y los leones marinos es que estos tienen orejas visibles y las focas no.* ☐ ETIMOL. Del latín *leo.* ☐ MORF. En la acepción 4, es un sustantivo epiceno: *el león marino {macho/hembra}.*

leonado, da (tb. *aleonado, da*) adj. De color rubio oscuro, semejante al del pelo del león.

leone s.m. Unidad monetaria sierraleonesa.

leonera s.f. **1** Lugar en el que se tiene encerrados a los leones. **2** Habitación o casa con mucho desorden.

leonés, -a ▮ adj./s. **1** De León o relacionado con esta provincia española o con su capital: *El Bierzo es una comarca leonesa.* **2** Del antiguo reino de León o relacionado con él: *Durante cierto período de la época medieval, el reino leonés estuvo constituido por Galicia, Asturias y León.* ▮ s.m. **3** Dialecto romance que se hablaba en zonas que actualmente corresponden a León, Zamora, Salamanca y Asturias: *El leonés medieval tuvo un uso jurídico.* ☐ SINÓN. *asturleonés.*

leonesismo s.m. En lingüística, palabra, significado o construcción sintáctica característicos del leonés: *Este manuscrito medieval contiene muchos leonesismos.*

leonino, na adj. **1** De los leones o con características de estos: *una melena leonina.* **2** Referido a un contrato, que no es equitativo porque favorece a una de las partes: *Esta cláusula del contrato de alquiler es leonina, porque beneficia al arrendador.*

leontina s.f. Cadena de reloj de bolsillo. ☐ ETIMOL. Del francés *léontine.*

leopardo s.m. Mamífero felino y carnicero, de pelaje amarillento con manchas negras regularmente distribuidas, propio de los continentes africano y asiático: *El aspecto de un leopardo es el de un gato grande.* ☐ ETIMOL. Del latín *leopardus.* ☐ MORF. Es un sustantivo epiceno: *el leopardo {macho/hembra}.*

leotardo s.m. **1** Prenda de ropa interior que se ajusta a las piernas y las cubre desde la cintura a los pies. **2** En zonas del español meridional, body. ☐ ETIMOL. Por alusión a J. Léotard, acróbata francés. ☐ MORF. En la acepción 1, en plural tiene el mismo significado que en singular.

lepidóptero ▮ adj./s.m. **1** Referido a un insecto, que tiene cuatro alas cubiertas de escamas, boca chupadora en forma de tubo en espiral, un par de antenas y un par de ojos compuestos: *La mariposa es un lepidóptero.* ▮ s.m.pl. **2** En zoología, orden de estos insectos, perteneciente al tipo de los artrópodos: *Los lepidópteros tienen metamorfosis completa.* ☐ ETIMOL. Del griego *lepís* (escama) y *-ptero* (ala).

lepisma s.f. Insecto nocturno, originario de América, que tiene largas antenas y un cuerpo cilíndrico cubierto de escamas plateadas. ☐ ETIMOL. Del griego *lépis* (escama).

lepórido ▮ adj./s.m. **1** Referido a un mamífero, que tiene el cuerpo alargado, el labio superior partido en dos y las patas traseras más desarrolladas que las delanteras: *La liebre es un lepórido.* ▮ s.m.pl. **2** En zoología, familia de estos mamíferos, perteneciente al orden de los lagomorfos: *El conejo pertenece a los lepóridos.*

leporino, na adj. **1** De la liebre o relacionado con ella. **2** →**labio leporino.** ☐ ETIMOL. Del latín *leporinus.*

lepra s.f. **1** Enfermedad infecciosa causada por una bacteria y caracterizada por lesiones cutáneas y nerviosas. **2** Mal que se considera contagioso y difícilmente controlable: *El racismo es la lepra de nuestra sociedad.* ☐ ETIMOL. Del latín *lepra.*

leprosería s.f. Hospital de leprosos. ☐ SINÓN. *lazareto.*

leproso, sa adj./s. Que padece lepra.

leptina s.f. Hormona que produce el tejido adiposo en función del nivel de grasa acumulada.

leptón s.m. Partícula elemental de masa menor que la de un mesón: *Los electrones y los neutrinos son leptones.*

lerdo, da adj./s. *desp.* Referido a una persona, que es lenta y torpe para comprender o para hacer algo. ☐ ETIMOL. De origen incierto. ☐ USO Se usa como insulto.

leridano, na adj./s. De Lérida o relacionado con esta provincia española o con su capital: *La provincia leridana no tiene costa.* ☐ SINÓN. *ilerdense.*

les pron.pers. pl. de **le.** ☐ ETIMOL. Del latín *illis.*

lesbiana s.f. Véase **lesbiano, na.**

lesbianismo s.m. Homosexualidad femenina.

lesbiano, na ▌adj. **1** Del lesbianismo o relacionado con esta inclinación sexual: *Esta novela trata de una pasión lesbiana entre dos mujeres de principios de siglo.* ☐ SINÓN. *lésbico.* ▌adj./s.f. **2** Referido a una mujer, que siente atracción por personas de su mismo sexo: *La novela relata la pasión entre dos lesbianas.*

lésbico, ca adj. Del lesbianismo o relacionado con esta inclinación sexual: *amor lésbico.* ☐ SINÓN. *lesbiano, sáfico.* ☐ ETIMOL. De *Lesbos* (isla griega), porque en este lugar vivió la poetisa Safo, de quien se decía que era lesbiana.

lesera s.f. *col.* En zonas del español meridional, tontería. ☐ USO Se usa más en plural.

lesión s.f. **1** Daño corporal causado por una herida, por un golpe o por una enfermedad: *El defensa será operado mañana de su lesión en la rodilla.* **2** Cualquier daño o perjuicio: *Esas fotos comprometedoras suponen una seria lesión de su fama.* ☐ ETIMOL. Del latín *laesio*, y este de *laedere* (herir).

lesionar v. Causar o producir lesión o daño: *Ese contrato lesionó su economía. Me lesioné el tobillo jugando al tenis.*

lesivo, va adj. Que causa o puede causar lesión, daño o perjuicio.

leso, sa adj. En derecho, que ha sido agraviado, ofendido o lastimado: *crimen de lesa patria.* ☐ ETIMOL. Del latín *laesus* (herido, ofendido).

lesothense adj.inv./s.com. De Lesotho o relacionado con este país africano.

letal adj.inv. Que ocasiona o puede ocasionar la muerte física: *un gas letal.* ☐ SINÓN. *mortífero.* ☐ ETIMOL. Del latín *letalis* (mortal). ☐ SEM. Se aplica esp. a sustancias tóxicas.

letanía s.f. **1** Oración formada por una serie de invocaciones o de súplicas que recita una persona y que son repetidas o contestadas por las demás: *Al final del rosario, rezamos la letanía de la Virgen.* **2** *col.* Enumeración, lista o retahíla larga e interminable: *Me sé de memoria la letanía de los reyes godos.* ☐ ETIMOL. Del latín *litania*, y este del griego *litanéia* (plegaria). ☐ MORF. En la acepción 1, se usa más en plural.

letárgico, ca adj. Del letargo o relacionado con este estado: *estado letárgico.*

letargo s.m. **1** En medicina, estado de profunda somnolencia o pesadez y torpeza de los sentidos motivado por el sueño, y que es síntoma de ciertas enfermedades nerviosas, infecciosas o tóxicas: *La enfermedad le produjo tal fiebre que estuvo en letargo tres días.* **2** Sueño artificial provocado por sugestión o por medio de fármacos: *Los hipnotizadores pueden producir el letargo.* **3** Estado de sopor o de inactividad y de reposo en que viven algunos animales durante determinadas épocas: *Los reptiles pasan el invierno en letargo.* **4** *col.* Modorra, sopor o inactividad: *La nueva novela de este autor rompe un período de letargo de cinco años.* ☐ ETIMOL. Del griego *léthargos* (letárgico, olvidadizo, perezoso).

letífico, ca adj. *poét.* Que alegra. ☐ ETIMOL. Del latín *laetificus*.

letón, -a ▌adj./s. **1** De Letonia o relacionado con este país europeo. ☐ SINÓN. *latvio.* ▌s.m. **2** Lengua indoeuropea de este país: *La primera gramática del letón apareció en el siglo XVIII.* ☐ SINÓN. *latvio.*

letra ▌s.f. **1** Signo gráfico con que se representa un sonido del lenguaje: *La palabra 'mesa' tiene cuatro letras.* **2** Forma de este signo o modo particular de escribirlo: *Escribes con letra muy pequeña.* **3** En imprenta, pieza con este u otro signo en relieve para que pueda estamparse: *Tengo que limpiar las letras de mi máquina de escribir porque no se marcan bien.* ☐ SINÓN. *tipo.* **4** En una composición musical, conjunto de palabras que se cantan: *la letra de una canción.* **5** Sentido propio y no figurado de las palabras de un texto: *No puedes quedarte con la letra de la noticia, tienes que profundizar en ella.* **6** En un diccionario, conjunto de los artículos que empiezan por el mismo signo gráfico: *'Uso' y 'huso' no están en la misma letra del diccionario.* ▌pl. **7** Conjunto de disciplinas que giran en torno al ser humano y que no tienen aplicación práctica inmediata: *En bachillerato escogí las optativas de letras. Es mujer de letras, siempre ávida de lectura.* ☐ SINÓN. *humanidades.* **8** ‖ **a la letra;** literalmente: *Cumplió su promesa a la letra.* ‖ **atarse a la letra;** ceñirse al sentido literal de un texto: *Si te atas a la letra de esa parábola no entenderás nada.* ‖ **girar una letra;** en economía, expedir o extender una letra de cambio: *Para pagar el resto de mi deuda prefiero que me giren una letra a treinta días.* ‖ **(letra) {bastarda/bastardilla/cursiva/itálica};** la que es inclinada a la derecha e imita a la manuscrita. ‖ **letra (de cambio);** en economía, documento mercantil por el que una persona o entidad extiende una orden de pago a cargo de otra por un importe concreto que ha de efectuarse en una fecha y en un lugar determinados. ‖ **letra de imprenta;** la mayúscula escrita a mano. ‖ **letra de molde;** la impresa: *Presumía de que su nombre iba a aparecer en letra de molde.* ‖ **letra del tesoro;** título de deuda pública hasta un año emitido por el Banco de España para obtener recursos financieros y por el que se remunera al comprador con unos intereses fijados en su compra. ‖ **letra doble;** conjunto de dos signos que representa un sonido o un fonema: *La 'll' es una letra doble.* ☐ SINÓN. *dígrafo, digrama.* ‖ **letra historiada;** la mayúscula con adornos y figuras. ‖ **(letra) {mayúscula/versal};** la que tiene figura propia y tamaño grande y se utiliza al principio de nombre propio y después de punto. ‖ **letra {menuda/pequeña};** en un documento, parte que está escrita en un tipo menor y que suele pasar inadvertida: *Antes de firmar el contrato, lee bien la letra menuda para que sepas lo que firmas.* ‖ **(letra) minúscula;** la que tiene figura propia y tamaño pequeño y se utiliza comúnmente. || **(letra) {negrilla/negrita};** la que es de trazo grueso y se utiliza para destacar. || **letra por letra;** enteramente, sin quitar ni poner nada: *Se sabe la lección letra por letra.* || **(letra) {redonda/redondilla};** la que es derecha y circular. || **(letra) versalita;** la mayúscula del mismo tamaño que la minúscula. || **primeras letras;** primeros estudios, esp. de lectura y de escritura: *En esta escuela aprendí mis primeras letras.* || **protestar una letra;** en economía, requerir ante notario a la persona a cuyo nombre está emitida una letra de cambio y que no quiere aceptarla o pagarla, para recobrar su importe: *El banco me ha protestado una letra porque no tenía fondos en la cuenta el día del vencimiento.* || **ser letra muerta;** referido esp. a una norma o a una ley, haber dejado de cumplirse o de tener efecto: *Por mucho que lo diga la ley, esa norma es ya letra muerta y nadie la respeta.* □ ETIMOL. Del latín *littera.*

letrado, da ▌adj. **1** Referido a una persona, que es culta o instruida: *Es una mujer letrada y con mucha cultura.* ▌s. **2** Persona legalmente autorizada para defender a sus clientes en los juicios o aconsejarlos sobre cuestiones legales. □ SINÓN. *abogado.* □ USO En la acepción 2, el masculino también se usa para designar el femenino: *Mi hermana es letrado.*

letrero s.m. Escrito que se coloca en un lugar determinado para dar a conocer algo: *un letrero luminoso.*

letrilla s.f. Composición poética estrófica, de versos octosílabos o hexasílabos, con un estribillo que se repite al final de cada estrofa, y de tema generalmente burlesco o satírico: *'Poderoso caballero / es don Dinero' es el estribillo de una letrilla de Quevedo.*

letrina s.f. **1** Lugar para evacuar excrementos, esp. en cuarteles o en campamentos. **2** *col.* Cosa o lugar sucio y asqueroso. □ ETIMOL. Del latín *latrina* (retrete).

leu (rum.) (pl. *lei, leus*) s.m. Unidad monetaria rumana y moldava.

leucemia s.f. Enfermedad que se caracteriza por el aumento anormal del número de leucocitos o glóbulos blancos que circulan por la sangre. □ ETIMOL. Del griego *leukós* (blanco) y *-emia* (sangre).

leucémico, ca ▌adj. **1** De la leucemia o relacionado con esta enfermedad. ▌adj./s. **2** Que padece esta enfermedad.

leucocito s.m. Célula globosa e incolora de la sangre de los vertebrados con un núcleo y con un citoplasma que puede ser granular o no: *Los leucocitos son uno de los componentes principales del sistema inmunitario.* □ SINÓN. *glóbulo blanco.* □ ETIMOL. Del griego *leukós* (blanco) y *-cito* (célula).

leucocitosis (pl. *leucocitosis*) s.f. Aumento del número de leucocitos o glóbulos blancos de la sangre: *La leucocitosis puede deberse a una infección.* □ ETIMOL. De *leucocito* y *-sis* (enfermedad).

leucoma s.m. En medicina, mancha u opacidad blanca en la córnea del ojo: *Tengo un leucoma en el ojo a consecuencia de una herida.* □ ETIMOL. Del griego *leukós* (blanco) y *-oma* (tumor).

leucopenia s.f. En medicina, disminución del número de leucocitos o glóbulos blancos: *La leucopenia puede ser signo diagnóstico de alguna enfermedad.* □ ETIMOL. Del griego *leukós* (blanco) y *penía* (escasez).

leucoplaquia s.f. Enfermedad que se caracteriza por la aparición de placas blancas en la boca y en la lengua: *La leucoplaquia puede deberse a una infección de la boca.* □ SINÓN. *leucoplasia.* □ ETIMOL. Del griego *leukós* (blanco) y *pláx* (placa).

leucoplasia s.f. →**leucoplaquia.**

leucorrea s.f. En medicina, secreción blanquecina de las vías genitales femeninas. □ ETIMOL. Del griego *leukós* (blanco) y *-rrea* (flujo, emanación).

leudar v. Referido a la masa o al pan, fermentar por efecto de la levadura: *Después de hacer la masa, la tapé y la dejé leudar.* □ ETIMOL. De *leudo* (masa fermentada con levadura).

lev s.m. Unidad monetaria búlgara. □ SINÓN. *leva.* □ ETIMOL. Del búlgaro *lev.*

leva s.f. **1** Reclutamiento de personas para un servicio estatal, esp. para el militar: *Antiguamente, las levas para la guerra dejaban los pueblos sin hombres.* **2** Partida de las embarcaciones del puerto: *La leva de la flota tendrá lugar cuando todos los barcos estén reparados.* **3** En mecánica, pieza que gira alrededor de un punto que no es su centro y que transforma el movimiento circular continuo en rectilíneo alternativo: *el árbol de leva.* **4** →**lev.** □ ETIMOL. Las acepciones 1-3, de *levar*. La acepción 4, del búlgaro *lev.*

levadizo, za adj. Que se puede levantar: *el puente levadizo.*

levadura s.f. **1** En botánica, hongo unicelular que provoca la fermentación alcohólica de los hidratos de carbono. **2** Sustancia constituida por estos hongos y que es capaz de hacer fermentar el cuerpo con el que se la mezcla: *Para que la tarta suba hay que echar levadura a la masa.* □ ETIMOL. De *levar* (levantar).

levantador, -a adj./s. Que levanta.

levantamiento s.m. **1** Movimiento de abajo hacia arriba o colocación en un nivel más alto: *levantamiento de pesos.* **2** Sublevación o movimiento de protesta en contra de una autoridad: *levantamiento militar.* **3** Construcción de una edificación o de un monumento: *el levantamiento de un edificio.* **4** Supresión de una prohibición o de una pena por parte de quien tiene autoridad para ello: *el levantamiento de la veda.* **5** Retirada y traslado de algo montado: *el levantamiento de un campamento.* **6** En geología, elevación de la corteza terrestre en una zona más o menos grande: *Esta cordillera se originó por el levantamiento del terreno.* **7** En topografía, conjunto de operaciones necesarias para trazar un plano o un mapa: *Se ha hecho un estudio del terreno para proceder al levantamiento del mapa de la zona.* **8**

|| **levantamiento del cadáver;** trámite que llevan a cabo un médico forense y un juez y que consiste en el reconocimiento y orden de traslado de un cadáver en el mismo lugar en el que ha sido encontrado.

levantar ▮ v. **1** Mover de abajo hacia arriba: *Los que estéis de acuerdo conmigo levantad la mano. Si tiras de la cuerda, la persiana se levanta.* □ SINÓN. *alzar.* **2** Poner en un nivel más alto: *El paquete pesaba tanto que no fui capaz de levantarlo del suelo. La empresa se levantó gracias al esfuerzo de todos.* **3** Referido esp. a algo caído o en posición horizontal, ponerlo derecho o en posición vertical: *Levanta la papelera, que se ha volcado. La cabecera de la cama se levanta girando la manivela hacia la derecha.* **4** Referido esp. a la mirada o al espíritu, dirigirlos o impulsarlos hacia lo alto: *Las lecturas religiosas levantan el alma hacia Dios.* □ SINÓN. *elevar.* **5** Referido a algo que descansa sobre otra cosa o que está adherido a ella, separarlo o desprenderlo de esta: *La humedad levanta el papel de la pared del salón. Hay que arreglar estos baldosines que se han levantado.* **6** Referido a algo que tapa o cubre otra cosa, quitarlo para que esta quede visible: *Levanté las faldas de la mesa para ver cómo era.* **7** Referido esp. a una edificación o a un monumento, hacerlos o construirlos: *Levantaron una estatua al alcalde en mitad de la plaza.* □ SINÓN. *alzar.* **8** Producir o dar lugar: *Sus continuos viajes levantaban sospechas. La música tan alta me levanta dolor de cabeza. Cuando me quemé, se me levantaron ampollas.* **9** Crear o fundar: *Entre todos los hermanos levantaron un gran negocio.* **10** Sublevar o provocar un estado de revolución: *La grave situación levantará al pueblo contra el Gobierno.* **11** Referido a una prohibición o a una pena, suprimirlos o ponerles fin quien tiene autoridad para ello: *Me han levantado el castigo y ya puedo quedar contigo esta noche.* **12** Referido a algo montado o instalado, desmontarlo para retirarlo o para trasladarse con lo que había en ello: *Hay que madrugar para levantar el campamento antes de la excursión. Harto de la ciudad, levantó la casa y se fue a vivir al campo.* **13** Referido a la voz, emitirla con mayor intensidad o hacer que suene más: *No tienes razón, por mucho que levantes la voz.* **14** Referido esp. al ánimo, fortalecerlo o darle vigor o empuje: *Tus palabras me levantan la moral.* □ SINÓN. *elevar.* **15** Referido a algo falso, atribuírselo a alguien o difundirlo: *Todo esto es consecuencia de las calumnias que han levantado mis enemigos.* **16** Referido a la caza, hacer que salga del sitio en el que estaba: *En esta zona, la liebre se levanta con ojeadores.* **17** Referido a un plano o un mapa, realizarlos o trazarlos: *Hay que levantar el plano de esta zona.* **18** Referido a la baraja con la que se juega, cortarla o dividirla en dos o más partes: *Si no te fías de mí, levanta la baraja y así no habrá trampas.* **19** Referido a una carta echada en el juego, echar otra que le gane: *¡A ver si puedes levantar mi as!* **20** Referido esp. al día o a las nubes, aclararse o mejorar atmosféricamente: *Si no levantan las nubes, no habrá luz para hacer la foto.* **21** *col.* Robar: *Me han levantado la cartera en el metro.* ▮ prnl. **22** Sobresalir en altura sobre una superficie o sobre un plano: *Estas montañas se levantan sobre la llanura.* **23** Dejar la cama después de haber dormido o tras una enfermedad: *Todos los días me levanto a las ocho.* **24** Referido esp. al viento o al oleaje, empezar a producirse: *Por las tardes se levanta una suave brisa.* □ ETIMOL. De *levante*, y este de *levar* (levantar).

levante s.m. Este: *Al levante de estas regiones reina siempre un clima envidiable. El barco era azotado por un fuerte levante.* □ ETIMOL. De *levar* (levantar), porque es por el levante por donde el Sol se eleva. □ SINT. Se usa mucho en aposición, pospuesto a un sustantivo: *Se empezó a sentir un viento levante muy cálido.*

levantino, na adj./s. De levante, esp. el español, o relacionado con este punto geográfico.

levantisco, ca adj. De genio inquieto, indómito o rebelde: *un carácter levantisco.* □ ETIMOL. De *levantar* (amotinar).

levar v. Referido a un ancla, arrancarla del fondo y subirla: *Unos minutos antes de zarpar, el capitán ordenó levar anclas.* □ ETIMOL. Del latín *levare* (levantar).

leve adj.inv. **1** De poco peso: *Tiene dolor de espalda y no puede levantar ni el más leve paquete.* □ SINÓN. *ligero, liviano.* **2** Sin importancia o de poca gravedad: *una falta leve.* □ SINÓN. *ligero, liviano.* **3** Suave o de poca intensidad: *una leve sonrisa.* □ SINÓN. *ligero.* □ ETIMOL. Del latín *levis* (ligero). □ ORTOGR. Dist. de *aleve.*

levedad s.f. **1** Poco peso: *La levedad de la bailarina tenía asombrados a los espectadores.* □ SINÓN. *ligereza, liviandad.* **2** Poca importancia o poca gravedad: *Debido a la levedad de su enfermedad, no está tomando ningún medicamento.* □ SINÓN. *liviandad.* **3** Suavidad o poca intensidad: *Me asusté, a pesar de la levedad de aquel ruido.*

leviatán s.m. Lo que es de gran tamaño o difícil de controlar. □ ETIMOL. Por alusión a un monstruo marino bíblico inhumano y destructor.

levigar v. Referido a una materia en polvo o granular, desleírla en un líquido para separar las partículas de pequeño tamaño de las más gruesas: *Al levigar la arena, las partículas de mayor grosor se depositan en el fondo del recipiente.* □ ETIMOL. Del latín *levigare* (suavizar, pulverizar). □ ORTOGR. La *g* se cambia en *gu* delante de *e* →PAGAR.

levita s.f. Antigua prenda de abrigo masculina, ajustada al talle y con faldones largos que llegaban a cruzarse por delante: *La levita se usó mucho como traje de etiqueta en el siglo* XIX. □ ETIMOL. 1. La primera acepción, del latín *levita*, y este del hebreo *Leví*. 2. La segunda acepción, del francés *lévite*, por parecerse a la prenda que llevaban los levitas (israelitas) en las representaciones teatrales.

levitación s.f. Elevación y suspensión en el aire sin ayuda de agentes físicos conocidos.

levitar v. Elevarse y mantenerse en el aire sin ayuda de agentes físicos conocidos: *Aquel místico en estado de éxtasis religioso levitaba. Un mago hacía levitar los objetos que miraba.*

levítico, ca adj. **1** De los israelitas de la tribu de Leví (personaje bíblico, tercer hijo de Jacob), o relacionado con ellos: *las leyes levíticas.* **2** Muy clerical o muy influenciado por el clero. □ ETIMOL. Del latín *Leviticus*.

levógiro, ra adj. En química, referido a un cuerpo o a una sustancia, que desvía hacia la izquierda el plano de polarización de la luz al ser atravesado por ella: *Algunos glúcidos o hidratos de carbono son levógiros.* □ ETIMOL. Del latín *laevus* (izquierdo) y *gyrus* (giro). □ SEM. Dist. de *dextrógiro* (que desvía el plano hacia la derecha).

lexema s.m. En lingüística, unidad léxica mínima que posee significado propio: *El lexema de la palabra 'perro' es 'perr' y el de 'descorchar' es 'corch'.* □ ETIMOL. Del griego *léxis* (palabra). □ SEM. Dist. de *morfema* (unidad mínima con significado gramatical).

lexemático, ca adj. Del lexema o relacionado con él.

lexicalización s.f. **1** Conversión de una expresión en una unidad léxica capaz de funcionar gramaticalmente como una sola palabra: *Las expresiones 'no pegar ojo' y 'no dar pie con bola' son dos lexicalizaciones.* **2** Incorporación de una metáfora de origen individual al sistema general de la lengua: *La expresión 'Viajé a lo largo de toda la geografía española' es un ejemplo de lexicalización, porque se usa 'geografía' con el sentido de 'territorio' en vez de 'ciencia'.*

lexicalizar v. **1** Referido a una expresión, convertirla en una unidad léxica capaz de funcionar gramaticalmente como una sola palabra: *El uso ha lexicalizado 'hombre rana' porque funciona igual que 'submarinista'. El sonido onomatopéyico 'tictac' se ha lexicalizado y se usa a veces como sustantivo.* **2** Referido a una metáfora de origen individual, incorporarla al sistema general de la lengua: *Los medios de comunicación ayudan a lexicalizar expresiones personales.* □ ORTOGR. La *z* se cambia en *c* delante de *e* →CAZAR.

léxico, ca ▌adj. **1** Del vocabulario de una lengua o región, o relacionado con él: *Los diccionarios definen los significados léxicos de las palabras.* ▌s.m. **2** Conjunto de palabras que componen una lengua o que pertenecen a una región, a una persona o a un campo determinados: *el léxico de una región; el léxico de la caza.* □ SINÓN. *vocabulario.* **3** Inventario en el que se recogen y definen las palabras de un idioma, generalmente por orden alfabético: *Cuando vaya a París, me llevaré un léxico francés.* □ SINÓN. *diccionario.* □ ETIMOL. Del griego *lexikós*, y este de *léxis* (palabra). □ SEM. Como sustantivo, dist. de *glosario* (conjunto de palabras desusadas o de palabras técnicas, y sus definiciones).

lexicografía s.f. **1** Técnica de composición de diccionarios o de léxicos. **2** Parte de la lingüística que estudia los principios teóricos para la elaboración de diccionarios: *La lexicografía es una parte de la lexicología.* □ ETIMOL. Del griego *lexikón* (léxico) y *-grafía* (descripción, tratado). □ SEM. Dist. de *lexicología* (estudio del léxico).

lexicográfico, ca adj. De la lexicografía o relacionado con la técnica de elaboración de los diccionarios. □ SEM. Dist. de *lexicológico* (del estudio del léxico).

lexicógrafo, fa s. Persona especializada en la lexicografía o estudio y elaboración de diccionarios. □ SINÓN. *diccionarista.* □ SEM. Dist. de *lexicólogo* (estudioso del léxico).

lexicología s.f. Parte de la lingüística que se dedica al estudio de las unidades léxicas y de las relaciones que se establecen entre ellas: *La lexicología estudia cómo se relacionan las palabras y los significados en un momento dado de la historia.* □ ETIMOL. Del griego *lexikón* (léxico) y *-logía* (estudio). □ SEM. Dist. de *lexicografía* (estudio y elaboración de diccionarios).

lexicológico, ca adj. De la lexicología o relacionado con esta parte de la lingüística que estudia las unidades léxicas. □ SEM. Dist. de *lexicográfico* (del estudio y la elaboración de diccionarios).

lexicólogo, ga s. Persona especializada en la lexicología o estudio del vocabulario. □ SEM. Dist. de *lexicógrafo* (especializado en el estudio y la elaboración de diccionarios).

lexicón s.m. Léxico o diccionario, esp. si es de una lengua antigua.

ley (pl. *leyes*) s.f. **1** Regla o norma constante e invariable de las cosas que está determinada por sus propias cualidades o condiciones o por su relación con otras cosas: *La muerte es ley de vida. Hay que respetar la ley de la naturaleza. Por la ley de la oferta y la demanda, cuando un producto escasea aumenta su precio.* **2** Norma, precepto o conjunto de ellos establecidos por una autoridad para regular, prohibir o mandar algo: *Le han puesto una multa por infringir una ley de tráfico. La ley militar no es idéntica a la civil.* **3** Conjunto de normas éticas obligatorias: *La ley moral obliga a todos los seres que tienen la capacidad de elegir.* **4** En un régimen constitucional, disposición votada por las Cortes y sancionada por el jefe del Estado: *La ley se aprobó por mayoría absoluta.* **5** Religión o culto dado a la divinidad: *Los niños judíos tienen obligatoriamente que asistir a las clases del rabino para aprender la ley judía.* **6** ‖ **con todas las de la ley;** con todos los requisitos necesarios: *No puedes reprocharme nada porque estoy actuando con todas las de la ley.* ‖ **de {buena/mala} ley;** de buenas o de malas condiciones morales o materiales: *No salgas con él porque dicen que es de mala ley.* ‖ **de ley; 1** Como se considera que debe ser o debe hacerse: *Son amigos desde la infancia y su amistad es de ley.* **2** Referido a una persona, que tiene cualidades morales que se consideran positivas: *una persona de ley.* **3** Referido a un metal precioso, que tiene la cantidad de este fijada por las normas legales:

oro de ley. || **ley antigua;** en el cristianismo, la que Dios dio a Moisés (profeta bíblico): *La ley antigua estaba escrita en dos tablas.* ☐ SINÓN. *mosaísmo.* || **ley de Dios;** lo que se atiene a la voluntad de Dios. || **ley de la ventaja;** en algunos deportes, ventaja que da el árbitro a un equipo cuando este tiene el control del balón, no pitando una falta que se ha cometido a alguno de sus jugadores. || **ley del embudo;** *col.* La que se emplea con desigualdad y se aplica estrictamente a unos y ampliamente a otros. || **ley de Murphy;** *col.* La que, en una situación azarosa, desencadena el peor de los resultados posibles: *Si se te cae una tostada, por ley de Murphy caerá por el lado de la mermelada.* || **ley fundamental;** la que sirve de fundamento de todas las otras: *La Constitución es la ley fundamental española.* || **ley marcial;** la que rige durante el estado de guerra: *Al empezar la guerra se impuso la ley marcial y nadie podía salir de casa por la noche.* || **ley natural;** la que emana de la razón: *Para algunos filósofos, la ley natural ordena y regula la conducta humana.* || **ley nueva;** la que Cristo dejó en el Nuevo Testamento. || **ley orgánica;** la dictada para desarrollar los derechos fundamentales reconocidos en la Constitución de un Estado: *Tres de las leyes orgánicas son la ley orgánica del derecho a la educación, la ley orgánica del poder judicial y la ley orgánica de la objeción de conciencia.* || **ley sálica;** la que excluía del trono a las mujeres y a sus descendientes: *Aunque en España no hay ley sálica, tienen preferencia al trono los varones.* || **ley seca;** la que prohíbe el tráfico y el consumo de bebidas alcohólicas. || **{tener/tomar} ley** a alguien; tenerle afecto o ser leal o fiel: *Le tengo ley a mi amigo y nunca le haría una jugarreta.* ☐ ETIMOL. Del latín *lex.* ☐ USO *Ley de Murphy* tiene un matiz humorístico.

leyenda s.f. **1** Narración de sucesos fabulosos o imaginarios, generalmente basados en un hecho real: *Los viejos del lugar conocen muchas leyendas.* **2** *col.* Lo que se considera inalcanzable, o persona que es considerada un ídolo: *Se ha convertido en una leyenda en el mundo del baloncesto.* **3** Inscripción que acompaña a una imagen: *Leyó emocionado la leyenda de la medalla que acababa de recibir.* **4** || **leyenda negra;** opinión negativa generalizada que se tiene de algo, normalmente infundada: *La leyenda negra de esta casa dice que aquí se cometieron varios asesinatos.* ☐ ETIMOL. Del latín *legenda* (cosas que deben leerse, que se leen).

lezna s.f. Herramienta formada por un hierro terminado en punta afilada, generalmente con un mango, que utilizan esp. los zapateros para agujerear, coser y pespuntear. ☐ SINÓN. *subilla.* ☐ ETIMOL. Del germánico **alisna.*

lía s.f. **1** Cuerda gruesa de esparto tejida como una trenza. **2** Residuo que se produce tras la fermentación del vino y que se deposita en el fondo del recipiente: *Para separar las lías, hay que trasegar y filtrar el vino.* ☐ ETIMOL. 1. La acepción 1, de *liar.* 2. La acepción 1, quizá del latín **lega-, *liga-* (sedimento). ☐ USO En la acepción 2, se usa más en plural.

liado, da adj. Muy atareado u ocupado: *Ahora estoy liado y no puedo atenderte.*

liana s.f. Planta de la selva tropical, de tallo largo, delgado y flexible, que trepa sobre los árboles hasta las zonas altas, en las que se ramifica: *Tarzán se desplazaba por la selva colgándose de las lianas.* ☐ ETIMOL. Del francés *liane.*

liante adj.inv./s.com. *col.* Referido a una persona, que lía y enreda a otra en algún asunto: *Yo no quería ir, pero este liante me convenció.* ☐ MORF. Se usa mucho el femenino coloquial *lianta.*

liar ▌v. **1** Referido a un fardo o a una carga, atarlos o asegurarlos con lías u otras cuerdas: *Lió los libros para poderlos llevar mejor.* **2** Envolver con papeles, cuerdas o algo semejante: *Lió el bocadillo muy deprisa y salió hacia el colegio.* **3** Referido a un cigarrillo, hacerlo envolviendo la picadura en un papel de fumar: *Mi abuelo lía los cigarrillos con gran habilidad.* **4** *col.* Referido a una persona, convencerla por medio de la persuasión, de la insistencia o del engaño: *Lió a mi hermano para que lo acompañara. Me liaron y al final accedí a organizar la fiesta. La próxima vez no me lías para esto.* **5** Enrollar dando vueltas sucesivas: *Lía la lana y haz un ovillo.* **6** Mezclar de manera desordenada: *No lo entiendes porque has liado los conceptos. Los hilos se han liado y no encuentro los cabos.* **7** *col.* Confundir o complicar, por estar las ideas poco claras o por haber demasiados detalles: *No líes al niño con tantos datos. Quería que entendiéramos el problema pero al final nos liamos.* ▌prnl. **8** Referido a una actividad, ejecutarla con ímpetu o con violencia: *Se lió a trabajar y solo salió de la habitación para cenar.* **9** Referido a golpes, darlos: *Se liaron a patadas y nadie podía separarlos.* **10** Establecer una relación amorosa o sexual sin llegar a formalizarla: *Pidió el divorcio cuando se enteró de que su marido se había liado con otra.* **11** || **liarla;** *col.* Realizar algo que se considera perjudicial, equivocado o censurable: *Como la líes otra vez, nos echarán y no nos dejarán volver.* ☐ ETIMOL. Del latín *ligare* (atar). ☐ ORTOGR. La *i* de la raíz lleva tilde en los presentes, excepto en las personas de *nosotros* y *vosotros* →GUIAR. ☐ SINT. 1. Constr. de las acepciones 8 y 9: *liarse* A *algo.* 2. Constr. de la acepción 10: *liarse* CON *alguien.*

libación s.f. **1** Succión suave de un jugo: *Las mariposas realizan la libación del néctar de las flores mediante la espiritrompa.* **2** En la Antigüedad, ceremonia que consistía en llenar un vaso con un licor y derramarlo después de haberlo probado. **3** Prueba o degustación de un licor. ☐ USO La acepción 3 suele tener un matiz humorístico.

libanés, -a adj./s. Del Líbano o relacionado con este país asiático.

libar v. **1** Referido a un insecto, chupar el néctar de las flores: *Me gusta ver cómo las abejas liban el néctar de las flores. Una abeja estaba libando en una rosa.* **2** En la Antigüedad, referido esp. al vino, beberlo ritualmente el sacerdote: *El sacerdote libó el vino como sacrificio a los dioses.* **3** *poét.* Referido a un licor, probarlo o degustarlo: *Os invito a libar esta exótica bebida que he traído de mi viaje a Oriente.* □ ETIMOL. Del latín *libare* (probar, ofrecer en libación a los dioses). □ USO La acepción 3, en la lengua coloquial suele tener un matiz humorístico.

libelista s.com. Escritor de libelos o escritos difamatorios.

libelo s.m. Escrito que contiene difamaciones e injurias, en el que se critica algo duramente. □ ETIMOL. Del latín *libellus* (librillo, escrito breve).

libélula s.f. Insecto de vuelo rápido con cuatro alas estrechas, cuerpo cilíndrico muy fino y largo, que suele vivir junto a estanques y ríos: *Las libélulas se diferencian de los caballitos del diablo en que no pliegan las alas cuando están posadas.* □ ETIMOL. Del latín científico *libellula*, este de *libella*, y este de *libra* (balanza), porque la libélula se mantiene en equilibrio en el aire. □ MORF. Es un sustantivo epiceno: *la libélula {macho/hembra}.*

líber s.m. En las plantas superiores, conjunto de los vasos liberianos: *El líber conduce la savia elaborada o descendente.* □ ETIMOL. Del latín *liber* (parte interior de la corteza de las plantas).

liberación s.f. **1** Puesta en libertad o fin de un sometimiento o de una dependencia: *la liberación de un secuestrado; la liberación de la mujer.* **2** En economía, cancelación de las hipotecas y de las cargas impuestas sobre un inmueble.

liberado, da adj./s. Referido a un miembro de una asociación, que tiene dedicación exclusiva a ella y recibe una remuneración a cambio: *Han detenido a un miembro liberado de una organización terrorista.*

liberador, -a adj./s. Que libera: *Que aquel terrible secreto saliera por fin a la luz, fue para ellos una experiencia liberadora.*

liberal ▌adj.inv. **1** Que actúa con liberalidad o generosamente: *Presume de liberal, pero en realidad es un tacaño.* **2** Referido a una profesión, que requiere principalmente el ejercicio intelectual o la creatividad: *Muchos profesionales liberales trabajan por cuenta propia.* ▌adj.inv./s.com. **3** Que defiende o sigue el liberalismo: *Los liberales se reunieron para hablar del estado de los derechos humanos en algunos países.* **4** Tolerante o respetuoso con las ideas y prácticas de los demás: *Mis padres son muy liberales y no intervienen en mi vida privada.* **5** Que tiene costumbres libres y abiertas: *Choco con él por sus ideas liberales en cuestiones de sexo.* □ ETIMOL. Del latín *liberalis* (propio de quien es libre, noble).

liberalidad s.f. **1** Generosidad o desprendimiento, esp. si llevan a dar algo sin esperar recompensa: *Agradecí su liberalidad cuando me invitó al cine.* □ SINÓN. *largueza.* **2** Respeto y consideración de las ideas nuevas o de las ideas distintas a las propias: *Acepta las críticas con mucha liberalidad y sin enfadarse.*

liberalismo s.m. **1** Corriente intelectual que proclama la libertad de los individuos, esp. la política, y la mínima intervención del Estado en la vida social y económica. **2** Actitud del que es liberal o de mente abierta y tolerante: *Demostró su liberalismo al aceptar las opiniones de los demás.*

liberalización s.f. Transformación que hace más liberal o más abierto, esp. en el orden político o económico: *la liberalización del comercio.*

liberalizar v. Hacer más liberal o más abierto, esp. en el orden político o económico: *Ha liberalizado sus costumbres y ya no es tan estricto. Al liberalizarse la política han surgido nuevos partidos.* □ ORTOGR. La *z* se cambia en *c* delante de *e* →CAZAR.

liberar v. **1** Poner en libertad o dejar libre: *¿Por qué no abres la jaula y liberas al pájaro? Consiguió liberarse cortando las cuerdas con una navaja.* **2** Librar de una atadura moral, de una obligación o de una carga: *Me liberó de la promesa que le había hecho. Le costó liberarse de la responsabilidad de dirigir la empresa.* **3** Desprender o dejar escapar: *Le energía que libera esta reacción química se aprovecha para producir calor. Están en alerta porque se han liberado unos gases tóxicos.* □ ETIMOL. Del latín *liberare.* □ SINT. Constr. de la acepción 2: *liberar* DE *algo.*

liberatorio, ria adj. Que libera o exime, esp. de alguna obligación: *Este examen es liberatorio y, si lo apruebo, no volveré a examinarme de estas lecciones.*

liberiano, na ▌adj. **1** Referido a un vaso que forma parte de un tejido vegetal, que conduce la savia elaborada o descendente: *Los vasos liberianos están formados por células muertas.* □ SINÓN. *criboso.* ▌adj./s. **2** De Liberia o relacionado con este país africano.

líbero s.m. En fútbol, jugador de la defensa que no tiene encomendados ni marcaje ni posición fijos. □ SINÓN. *libre.* □ ETIMOL. Del italiano *libero.*

libérrimo, ma superlat. irreg. de **libre**. □ MORF. Incorr. **librísimo.*

libertad ▌s.f. **1** Facultad natural de las personas para obrar o no obrar o para elegir la forma de hacerlo: *La libertad es un derecho de todos los seres humanos. Los derechos salvaguardan la libertad.* **2** Condición o situación del que no es esclavo, no está preso o no está sometido: *No quiere casarse porque dice que perderá su libertad. Salió de la cárcel y ahora está en libertad bajo fianza.* **3** Permiso para realizar algo: *No tengo libertad para contratar a quien yo quiera.* **4** Derecho para ejercer una actividad libremente y sin intervención de la autoridad: *Si hay libertad de conciencia se puede profesar cualquier religión. En una democracia hay libertad siempre que no se vaya en contra de la ley.* **5** Confianza o familiaridad en el trato: *Confía en mí y háblame con toda libertad.* **6** Desenvoltura o naturalidad en los movimientos: *Los pantalones me dan libertad de movimiento cuando voy en bicicleta.* ▌pl. **7** Familiaridades excesivas e inadecuadas: *Para ser la primera vez que nos veía, se tomó de-*

masiadas libertades con nosotros. **8** || **libertad bajo palabra;** la provisional que se le concede a un procesado bajo la garantía de su declaración de comparecer ante la autoridad correspondiente siempre que sea citado. || **libertad condicional;** la que se puede conceder a los penados que están cumpliendo los últimos períodos de su condena. || **libertad de cátedra;** la que tiene un profesor para expresarse y enseñar lo que él considera la verdad, sin temor a recibir represalias. || **libertad provisional;** la que se puede conceder a los procesados y les permite no estar sometidos a prisión preventiva durante la causa. □ ETIMOL. Del latín *libertas*.

libertador, -a adj./s. Que libera.

libertar v. **1** Soltar o poner en libertad: *¿Han libertado ya a los rehenes?* **2** Dejar libre de una atadura moral o de una obligación: *Debes libertar tu conciencia de ese absurdo sentimiento de culpa.*

libertario, ria adj./s. Que defiende la libertad absoluta y la supresión de los gobiernos y de las leyes.

libertinaje s.m. **1** Abuso de la propia libertad sin tener en cuenta la de los demás: *El libertinaje interfiere en los derechos de los demás.* **2** Falta de respeto a la religión y a las leyes.

libertino, na adj./s. Que actúa con libertinaje o abusando de la propia libertad en perjuicio de los derechos de los demás. □ ETIMOL. Del francés *libertin*.

liberto, ta s. Persona libre que antes fue un esclavo: *Los libertos generalmente seguían manteniendo algún vínculo con sus antiguos amos.* □ ETIMOL. Del latín *libertus*.

libídine s.f. Deseo o actividad sexual inmoderados. □ SINÓN. *lujuria*. □ ETIMOL. Del latín *libidinis*.

libidinosidad s.f. Manifestación de un deseo sexual exagerado: *la libidinosidad de una mirada.*

libidinoso, sa adj./s. Que tiene propensión exagerada a los placeres sexuales.

libido s.f. En psicología, deseo sexual: *Algunos psicólogos consideran la libido como la base del comportamiento humano.* □ ETIMOL. Del latín *libido* (deseo, apetito desordenado, sensualidad). □ PRON. Incorr. *[líbido]. □ ORTOGR. Dist. de *lívido*.

libio, bia adj./s. De Libia o relacionado con este país africano.

libor (ing.) s.m. Precio del dinero o tipo de interés básico en el mercado interbancario de Londres (capital británica). □ ETIMOL. Es el acrónimo del inglés *London Interbanking Offered Rate* (tipo de interés ofertado en el mercado interbancario de Londres). □ PRON. [líbor].

libra ▌adj.inv./s.com. **1** Referido a una persona, que ha nacido entre el 23 de septiembre y el 23 de octubre aproximadamente: *Los libra son muy equilibrados.* ▌s.f. **2** Unidad monetaria de distintos países: *La libra libanesa tiene distinto valor que la libra chipriota.* **3** Unidad monetaria irlandesa hasta la adopción del euro. **4** Unidad de peso que tenía distinto valor según las zonas. **5** Unidad de capacidad que contenía ese peso de un líquido. **6** En el sistema anglosajón, antigua unidad básica de peso que equivalía aproximadamente a 453,6 gramos: *Una libra tiene 16 onzas.* **7** *col.* Cien pesetas: *¿Me dejas una libra para el autobús?* **8** || **libra esterlina;** unidad monetaria británica. □ ETIMOL. La acepción 1, del latín *Libra* (séptimo signo zodiacal). Las acepciones 2-6, del latín *libra* (libra de peso, balanza). □ ORTOGR. En la acepción 4, su símbolo es *lb*, por tanto, se escribe sin punto. □ USO En las acepciones 3 y 4, es una medida tradicional española.

librado, da s. **1** En economía, persona o entidad a cargo de las cuales se libra o emite una letra de cambio, un cheque o documentos semejantes: *La letra de cambio vencía a los treinta días y el librado no tenía fondos para pagarla.* **2** || **salir {bien/mal} librado;** *col.* Obtener un resultado positivo o negativo: *No pude estudiar mucho, pero creo que saldré bien librado del examen.*

librador, -a ▌adj./s. **1** Que libra o libera. ▌s. **2** En economía, persona o entidad que expiden o giran una letra de cambio, un cheque o documentos semejantes: *Los principales libradores de recibos siguen siendo las compañías eléctricas y las de seguros.* □ SINÓN. *dador*.

libramiento s.m. Orden de pago que se da a alguien, generalmente por escrito, para que pague con fondos del que la expide. □ SINÓN. *libranza*.

libranza s.f. →**libramiento.**

librar v. **1** Sacar o preservar de lo que se considera desagradable o negativo: *Le dije que me encontraba mal y me libró de los trabajos pesados. Salí antes de que empezara la tormenta y me libré de la lluvia.* **2** En derecho, referido esp. a una sentencia, darla, expedirla o comunicarla: *La juez libró la sentencia el martes pasado.* **3** En economía, referido esp. a una orden de pago, expedirla o emitirla: *He librado todos los cheques a cargo del mismo banco.* **4** Referido a algo que implique lucha, sostenerla: *Después de librar una dura batalla contra el enemigo, regresaron a la base.* **5** *col.* Referido a un trabajador, tener el día libre: *En mi nuevo empleo, trabajo los domingos y libro los martes.* □ ETIMOL. Del latín *liberare* (libertar, despachar). □ SINT. Constr. de la acepción 1: *librar* DE *algo*.

libre ▌adj.inv. **1** Que tiene libertad para obrar o no obrar o para elegir la forma de hacerlo: *Eres libre de pensar lo que quieras. Todas las personas nacemos libres y los condicionamientos sociales nos van esclavizando.* **2** Que no está sometido a ninguna condición, a ninguna presión ni a ninguna prohibición: *entrada libre; barra libre.* **3** Que no es esclavo, no está preso o no está sometido: *Cuando salió de la cárcel y se vio libre, prometió no volver a ella. Es una nación libre desde que consiguió la independencia.* **4** Referido a una persona, que está soltera y sin compromiso: *Le preguntó si estaba casada y ella le contestó que era libre.* **5** Exento de una culpa, un daño o una obligación: *libres de culpa; libre de impuestos.* **6** Referido a los sentidos o a los miembros del cuerpo, que pueden ejercer sus funciones sin ningún obstáculo: *Si tienes las manos libres coge la bandeja.* **7** Referido esp. a un alumno, que tiene un tipo de matrícula que no lo obliga a asistir a las clases: *Los alumnos libres solo es necesario que vayan al instituto para hacer los exámenes.* **8** Referido esp. a un lugar, que no está ocupado o no ofrece obstáculos para ser utilizado: *un asiento libre; un taxi libre.* **9** Referido esp. a un espacio de tiempo, que no está dedicado al trabajo: *tener un rato libre.* **10** Que no sigue ninguna norma o ninguna regla: *Tiene una forma de vestir muy libre y desenfadada.* **11** Referido a una traducción, que no se ciñe completamente al texto original: *Es una traducción libre pero mantiene el sentido del libro.* **12** Referido a una prueba de una competición, que no tiene una forma de realización obligatoria: *Cuando nado los cien metros libres elijo el estilo más rápido.* ▮ s.com. **13** →**líbero.** **14** ‖ **por libre;** *col.* De forma independiente o sin contar con la opinión de los demás: *No sé si vendrá, porque va por libre y hace solo lo que le apetece.* □ ETIMOL. Del latín *liber.* □ MORF. Su superlativo es *libérrimo.* □ SINT. 1. Constr. de la acepción 5: *libre* DE *hacer algo.* 2. *Por libre* se usa más con los verbos *actuar, andar* e *ir.* □ USO En la acepción 13, es innecesario el uso del italianismo *líbero.*

librea s.f. **1** Uniforme de gala usado por algunos trabajadores, generalmente ujieres, porteros y conserjes. **2** Pelaje o plumaje de algunos animales: *El armiño tiene una librea invernal blanca y otra de verano, marrón.* □ ETIMOL. Del francés *livrée* (cosa entregada al criado).

librecambio (tb. *libre cambio*) s.m. Sistema económico basado en la libre circulación de las mercancías entre los distintos países: *El librecambio defiende la supresión de las trabas aduaneras.*

librecambismo s.m. Doctrina que defiende el sistema económico del librecambio: *El librecambismo favorece el comercio exterior.*

librecambista ▮ adj.inv. **1** Del librecambio o relacionado con este sistema económico: *ideas librecambistas.* ▮ adj.inv./s.com. **2** Que defiende o sigue el librecambio.

librepensador, -a adj./s. Referido a una persona, que defiende o sigue el librepensamiento.

librepensamiento s.m. Doctrina que se basa en la independencia de la razón individual frente al pensamiento dogmático: *El librepensamiento rechaza las interpretaciones del mundo que no procedan de una razón autónoma.* □ ETIMOL. Del francés *libre pensée* (pensamiento libre).

librería s.f. **1** Establecimiento comercial en el que se venden libros. **2** Mueble o estantería para colocar libros. □ SINÓN. *biblioteca.*

librero, ra ▮ s. **1** Persona que se dedica profesionalmente a la venta de libros. ▮ s.m. **2** En zonas del español meridional, estantería.

libresco, ca adj. Inspirado o basado en los libros. □ USO Tiene un matiz despectivo.

libreta s.f. **1** Cuaderno pequeño que se utiliza generalmente para hacer anotaciones. **2** Pieza de pan de forma redondeada que pesa aproximadamente una libra: *Las libretas son más pequeñas que las hogazas.* **3** ‖ **libreta (de ahorros);** la expedida por una entidad bancaria al titular de una cuenta de ahorros. □ ETIMOL. La acepción 1, de *libro.* La acepción 2, de *libra.*

libretista s.com. Escritor de libretos musicales.

libreto s.m. Texto de una obra musical operística o de carácter vocal: *El libreto de esta zarzuela reproduce fielmente el lenguaje popular.* □ SINÓN. *libro.* □ ETIMOL. Del italiano *libretto.*

librillo s.m. **1** Conjunto de hojas de papel de fumar enganchadas entre sí: *Al tirar de una hoja del librillo, la siguiente queda colocada para poder sacarla.* **2** En el estómago de los rumiantes, parte que se encuentra entre la redecilla y el cuajar, en la que se reabsorben los líquidos. □ SINÓN. *libro, omaso.*

libro s.m. **1** Conjunto de hojas de papel, generalmente impresas, cosidas o pegadas, que están encuadernadas y que forman un volumen: *Pon los libros en la estantería.* **2** Obra científica o literaria con la suficiente extensión para formar un volumen, que aparece impresa o en cualquier otro soporte: *un libro de cuentos; un libro electrónico.* **3** En algunas obras escritas de gran extensión, cada una de las partes en las que suelen dividirse: *Lee el primer párrafo del segundo libro de esta obra.* **4** En el estómago de los rumiantes, parte que se encuentra entre la redecilla y el cuajar, en la que se reabsorben los líquidos. □ SINÓN. *librillo, omaso.* **5** Texto de una obra musical operística o de carácter vocal. □ SINÓN. *libreto.* **6** ‖ **como un libro (abierto);** referido a la forma de expresarse, con corrección y claridad: *Sus clases se comprenden perfectamente porque se expresa como un libro abierto.* ‖ **de libro;** con las características que se consideran típicas: *Cometió un penalti de libro y no se lo pitaron.* ‖ **libro blanco;** proyecto o propuesta elaborados sobre un tema concreto para su posterior discusión: *Un equipo de expertos ha elaborado un libro blanco de la enseñanza.* ‖ **libro de caballerías;** el que cuenta las aventuras de los antiguos caballeros andantes: *En 'El Quijote', Cervantes parodia los libros de caballerías.* □ SINÓN. *novela de caballerías.* ‖ **libro de cabecera; 1** El que se prefiere: *La novela que me regalaste me gustó tanto que ahora es mi libro de cabecera.* **2** El que se tiene como guía intelectual o moral: *Tenía 'El Capital' de Carlos Marx como libro de cabecera de su partido.* ‖ **libro de coro;** el de gran tamaño, con las hojas generalmente de pergamino, que contiene la letra y la música de los himnos religiosos que se cantaban en las iglesias, y que solía colocarse sobre un atril en el coro. □ SINÓN. *cantoral.* ‖ **libro {de escolaridad/escolar};** el que recoge las calificaciones obtenidas por el alumno en cada curso. ‖ **libro de estilo;** el que contiene las normas editoriales de una empresa. ‖ **libro de familia;** el que tiene anotados los nacimientos, los cambios de estado y las defunciones que suceden a los miembros de una familia: *Cuando se tiene un hijo hay que ir al Registro Civil para inscribirlo en el libro de familia.*

|| **libro de horas;** el que contiene los rezos correspondientes a las horas canónicas. || **libro de oro;** el que tiene las dedicatorias firmadas de las personalidades que visitan un lugar. || **(libro de) texto;** el que se usa en las aulas como guía de estudio. || **libro {digital/electrónico};** 1 Versión digitalizada de una obra impresa, que puede estar almacenada en un disquete, en un CD-ROM o en internet, y que puede leerse desde un ordenador o desde otros dispositivos especiales: *Los editores de libros electrónicos no están satisfechos con la venta de títulos en CD-ROM.* 2 Ordenador portátil de pequeño tamaño, que está diseñado para permitir la lectura de estas obras en formato electrónico: *Acaba de salir un nuevo modelo de libro electrónico.* □ ETIMOL. Del latín *liber.* □ SINT. *Como un libro (abierto)* se usa más con los verbos *explicarse, expresarse* o *hablar.* □ USO Es innecesario el uso del anglicismo *e-book* en lugar de *libro digital* o *libro electrónico.*

librojuego s.m. Libro infantil en el que se fomenta la participación directa del lector mediante diversos juegos.

licantropía s.f. **1** Transformación de una persona en lobo: *La licantropía es el tema central de algunas películas de terror.* **2** Enfermedad que se caracteriza porque el enfermo se imagina que está transformado en lobo: *Los enfermos afectados por licantropía suelen imitar los aullidos del lobo.* □ ETIMOL. Del griego *lýkos* (lobo) y *ánthropos* (hombre, persona).

licántropo, pa adj./s. Referido a una persona, que está afectada de licantropía.

licencia ▌s.f. **1** Permiso o autorización, esp. si son legales, para hacer algo: *Mientras no le den la licencia no puede edificar. El vasallo pidió licencia para ver al rey.* **2** Permiso temporal para estar ausente de un empleo: *La empresa le ha dado una licencia de un año para que realice estudios de especialización.* **3** Documento en el que consta uno de estos permisos: *licencia de armas.* **4** En un libro, texto preliminar en el que se declara expresamente la autorización para ser publicado por no atentar contra los principios eclesiásticos y civiles: *En el Siglo de Oro, todos los libros llevaban, junto a otros preliminares administrativos, las licencias.* **5** Libertad excesiva: *Mi abuelo dice que la licencia de la juventud de hoy no conduce a nada bueno.* ▌pl. **6** En la iglesia católica, permisos que los superiores dan a los eclesiásticos para que puedan realizar sus funciones: *El obispo dio las licencias a los sacerdotes recién ordenados.* **7** || **licencia (absoluta);** la que se concede a los militares liberándolos completa y permanentemente del servicio. || **licencia fiscal;** impuesto directo que debían pagar las empresas por el hecho de ejercer sus actividades. || **licencia poética;** la que puede permitirse un autor literario contra las leyes del lenguaje o del estilo, por exigencia de la métrica o por necesidades expresivas. || **tomarse la licencia de** algo; hacerlo sin pedir permiso: *Me he tomado la licencia de llamarlo para contárselo, antes de que tú dijeras nada.* □ ETIMOL. Del latín *licentia* (libertad, facultad).

licenciado, da s. **1** Persona que tiene el título universitario de licenciatura: *una licenciada en medicina.* **2** Soldado que ha obtenido la licencia y deja el servicio activo para volver a la vida civil: *Los licenciados pueden ser llamados a filas si hay una guerra.* □ SINT. Constr. de la acepción 1: *licenciado* EN *una carrera.*

licenciamiento s.m. Concesión de licencias colectivas a la tropa.

licenciar v. **1** En el ejército, conceder u obtener la licencia absoluta o temporal: *Lo licenciaron sin acabar el servicio militar porque le descubrieron un problema óseo. Dentro de un mes se licencia y volverá a su trabajo.* **2** Conceder u obtener el título académico de licenciatura: *El Ministerio de Educación y Ciencia ha licenciado este año a más estudiantes que el año pasado. Se ha licenciado en biología.* □ ORTOGR. La segunda *i* nunca lleva tilde. □ SINT. Constr. de la acepción 2: *licenciar* EN *una carrera.*

licenciatura s.f. **1** Título que se obtiene al acabar los estudios universitarios de segundo ciclo: *La licenciatura es el título universitario superior a la diplomatura.* **2** Acto en el que se recibía este título: *La licenciatura tuvo lugar en el salón de actos.*

licencioso, sa adj. Que no cumple lo que se considera moralmente aceptable, esp. en el terreno sexual: *vida licenciosa.*

liceo s.m. **1** Sociedad cultural o de recreo. **2** En algunos países, instituto de enseñanza media: *En Francia, tras acabar los estudios en el liceo se accede a la universidad.* □ ETIMOL. Del latín *Lyceum*, y este del griego *Lýkeion* (escuela donde enseñaba Aristóteles).

lichi s.m. Fruta comestible de origen tropical y de color blanco.

licitación s.f. Oferta que se hace en una subasta pública, esp. de un contrato de obra o de servicio.

licitador, -a s. Persona que licita en una subasta.

licitante adj.inv./s.com. Que licita en una subasta.

licitar v. Ofrecer precio en una subasta: *Se llevó el cuadro la persona que licitó la cantidad más elevada.*

lícito, ta adj. **1** Que está permitido por la ley. **2** Justo, desde el punto de vista de la razón o de la moral: *Es lícito querer vivir mejor y con más comodidades.* □ SINÓN. *legítimo.* □ ETIMOL. Del latín *licitus* (permitido).

licitud s.f. Conformidad o acuerdo con la ley, la razón o la moral.

licopeno s.m. Sustancia de origen vegetal, de color rojo, que se encuentra en los tomates, las sandías y otros frutos: *He leído que el licopeno tiene propiedades antioxidantes.*

licopodio s.m. Planta, generalmente rastrera, que crece en lugares húmedos y sombríos: *Las esporas del licopodio se utilizan en farmacia.* □ ETIMOL. Del griego *lýkos* (lobo) y *pús* (pie).

licor s.m. Bebida alcohólica obtenida por destilación: *El anís es un licor.* □ ETIMOL. Del latín *liquor* (líquido).

licorera s.f. **1** Botella artísticamente decorada en la que se guardan o se sirven los licores. **2** Mueble o lugar que sirve para guardar bebidas alcohólicas.

licorería s.f. Lugar en el que se elaboran o se venden licores.

licra s.f. →**lycra.** □ ETIMOL. Extensión del nombre de una marca comercial.

licuable adj.inv. Que se puede licuar.

licuación s.f. **1** *col.* Transformación de un cuerpo sólido en un líquido. **2** En química, paso de un cuerpo en estado gaseoso a estado líquido: *La licuación del aire se consigue por compresión y enfriamiento hasta temperaturas inferiores a los puntos de ebullición de sus componentes principales.* □ SINÓN. *licuefacción.*

licuado s.m. En zonas del español meridional, batido.

licuadora s.f. Electrodoméstico que sirve para licuar alimentos, esp. frutas y verduras.

licuar v. **1** Referido a un cuerpo sólido o gaseoso, convertirlo en líquido: *Como me encantan los zumos, me he comprado una licuadora para licuar la fruta.* **2** En química, referido a un cuerpo en estado gaseoso, hacerlo pasar a estado líquido: *Para extraer oxígeno de la atmósfera hay que licuar el aire.* □ ETIMOL. Del latín *liquare* (tornar líquido). □ ORTOGR. La *u* puede llevar tilde en los presentes, excepto en las personas *nosotros* y *vosotros* →ACTUAR, o no llevarla nunca.

licuefacción s.f. *ant.* →**licuación.** □ ETIMOL. Del latín *liquefactum.*

lid ▌s.f. **1** Lucha, combate o enfrentamiento: *Los caballeros medievales eran diestros en las lides.* □ SINÓN. *liza.* ▌pl. **2** Asuntos, actividades u ocupaciones: *No se me da bien vender porque no soy experta en estas lides.* **3** ‖ **en buena lid;** por medios lícitos: *Consiguió el puesto en buena lid, respaldada solo por sus méritos.* □ ETIMOL. Del latín *lis* (disputa, pleito). □ USO El uso de la acepción 1 es característico del lenguaje literario.

líder s.com. **1** En un grupo, persona que lo dirige o que tiene influencia sobre él: *En el Congreso, el líder del partido habló de los presupuestos.* **2** En una clasificación, persona o entidad que ocupa el primer puesto: *Mi equipo es el líder de su grupo. Esta fábrica es líder de ventas.* □ ETIMOL. Del inglés *leader* (guía). □ SINT. Se usa mucho en aposición, pospuesto a un sustantivo: *la empresa líder.*

liderar v. **1** Referido a un grupo, dirigirlo o influir en él: *Este prestigioso político ha liderado varios partidos.* **2** Referido esp. a una clasificación, ocupar la primera posición en ella: *Está orgulloso de liderar la carrera ciclista durante tantas etapas. Nuestra empresa lidera el sector de las ventas de lavadoras.*

liderato s.m. Condición de líder, o ejercicio de las actividades propias de este. □ SINÓN. *liderazgo.*

liderazgo s.m. **1** Condición de líder, o ejercicio de las actividades propias de este: *Nuestro equipo arrebató el liderazgo al campeón.* □ SINÓN. *liderato.* **2** Situación de dominio ejercido en un ámbito determinado: *Una nueva empresa ha acabado con el liderazgo de la nuestra.*

lidia s.f. Conjunto de acciones que se realizan para esquivar al toro, siguiendo las reglas del toreo, hasta darle muerte: *En la lidia también intervienen los banderilleros y los picadores.*

lidiar v. **1** Referido a un toro, esquivarlo siguiendo las reglas del toreo, hasta darle muerte: *Lidiaron seis toros de una buena ganadería.* **2** Luchar o reñir para conseguir algo: *Estuvo lidiando con su madre para poder volver más tarde a casa. Está acostumbrado a lidiar con los clientes más pesados.* □ ETIMOL. Del latín *litigare* (disputar, pelearse con palabras). □ ORTOGR. La segunda *i* nunca lleva tilde. □ SINT. Constr. de la acepción 2: *lidiar* CON *alguien.*

liebre s.f. **1** Mamífero parecido al conejo, de largas orejas, pelo suave y carne apreciada, que tiene las extremidades posteriores más largas que las anteriores y suele vivir en terrenos llanos sin hacer madrigueras. **2** En atletismo, corredor encargado de imponer un ritmo rápido en la carrera. **3** En zonas del español meridional, microbús. **4** ‖ **levantar la liebre;** *col.* Llamar la atención sobre algo oculto: *En el asunto del desfalco, un periódico levantó la liebre y la policía comenzó a investigar.* □ ETIMOL. Del latín *lepus.* □ MORF. En la acepción 1, es un sustantivo epiceno: *la liebre {macho/hembra}.*

liechtensteiniano, na adj./s. De Liechtenstein o relacionado con este país europeo.

lied (al.) (pl. *lieder*) s.m. Canción melódica breve, esp. la de concierto compuesta para solista y acompañamiento instrumental: *Schubert convirtió el lied en una de las cumbres del romanticismo alemán.* □ PRON. [lid].

liendre s.f. Huevo de algunos parásitos, esp. del piojo: *Las liendres de los piojos son de color blanquecino.* □ ETIMOL. Del latín *lendis.*

lienzo s.m. **1** Tejido fuerte que está preparado para pintar sobre él: *He comprado un lienzo para pintar un bodegón al óleo.* □ SINÓN. *tela.* **2** Pintura hecha sobre este tejido: *La exposición constaba de veinte lienzos de diversos pintores.* □ SINÓN. *tela.* **3** Tela que se fabrica con lino, con cáñamo o con algodón: *Se secó el sudor con un pañuelo de lienzo.* □ ETIMOL. Del latín *linteum* (tela de lino).

liftado adj./s.m. En tenis, golpe que imprime a la pelota un movimiento rotatorio y que la hace coger altura al botar.

lifting (ing.) s.m. Operación de cirugía estética que consiste en estirar la piel para eliminar las arrugas: *Algunas personas se someten a algún lifting para parecer más jóvenes.* □ PRON. [líftin]. □ USO Su uso es innecesario y puede sustituirse por *estiramiento.*

liga s.f. **1** Cinta o tira elástica que sirve para sujetar algo, esp. las medias o los calcetines a la pierna. **2** Unión o asociación entre personas, grupos o entidades que tienen algo en común. **3** Competición deportiva en la que cada uno de los participantes debe jugar sucesivamente con todos los demás de su categoría. **4** Sustancia pegajosa que contienen las semillas de algunos vegetales, con la que se untan las trampas para cazar pájaros: *La liga se obtiene frecuentemente del muérdago.* **5** En algunas zonas, cordón de zapato: *las ligas de los tenis.* □ ETIMOL. De *ligar*.

ligado s.m. **1** Unión o enlace de las letras al escribir: *La profesora enseñó a sus alumnos a realizar correctamente el ligado.* **2** En música, modo de ejecutar un pasaje encadenando sus notas y sin interrupción del sonido entre ellas: *Un ligado da continuidad a la frase musical.* □ USO En círculos especializados se usa también el italianismo *legato*.

ligadura s.f. **1** Sujeción hecha con una cuerda o algo parecido, que sirve para atar: *En las muñecas tenía las marcas de las ligaduras que le hicieron.* **2** Cuerda, correa u otro material que sirve para atar: *Rompió las ligaduras de sus brazos y huyó.* **3** Impedimento, obligación o compromiso moral que hacen difícil la realización de algo: *ligaduras familiares.* **4** En medicina, atadura que consiste en anudar un vaso sanguíneo o un órgano hueco con un hilo de sutura: *No podrá tener más hijos porque le hicieron una ligadura de trompas.* **5** || **ligadura (de expresión);** en música, signo gráfico que indica que un pasaje se debe ejecutar encadenando sus notas y sin interrupción del sonido entre ellas: *Es una sonata difícil de interpretar por las numerosas frases con ligaduras de expresión que tiene.* || **ligadura (de prolongación);** en música, signo gráfico que se escribe entre dos notas de la misma altura e indica que se debe sumar la duración de ambas: *Dos negras unidas por una ligadura de prolongación equivalen a una blanca.*

ligamento s.m. En medicina, cordón fibroso que une los huesos de las articulaciones: *Me torcí el tobillo y tuve una distensión de ligamentos.*

ligar v. **1** Tener fuerza o autoridad suficientes para imponer lo que se ordena: *El contrato liga a las partes que lo firman.* □ SINÓN. *obligar*. **2** Unir, enlazar o relacionar: *La amistad liga a las personas. Los recuerdos me ligan a esta ciudad.* **3** Referido a las cartas de una baraja, reunir las que sean adecuadas para conseguir una buena jugada: *En esta partida no he podido ligar nada.* **4** Referido a dos o más metales, alearlos o mezclarlos fundiendo sus componentes: *Ligaron cobre con plata para hacer este anillo.* **5** En tauromaquia, ejecutar los pases de manera continuada y sin interrupción: *Consiguió dos orejas después de ligar una gran faena.* **6** Referido a varias sustancias, conseguir que formen una masa homogénea: *Para hacer ricos pasteles debes ligar bien los ingredientes. Bate el azúcar, la leche y los huevos hasta que liguen.* **7** *col.* Establecer relaciones amorosas o sexuales superficiales y pasajeras: *Se pasa el día ligando, en lugar de dedicarse a cosas más serias.* **8** || **ligarla** o **ligársela;** *col.* En algunos juegos infantiles, ser el encargado de perseguir, buscar o atrapar a los demás: *Se cansó de jugar al escondite porque siempre la ligaba. ¿Quién se la liga?* □ ETIMOL. Del latín *ligare* (atar). □ ORTOGR. La *g* se cambia en *gu* delante de *e* →PAGAR.

ligazón s.f. Unión o relación muy estrechas de una cosa con otra.

ligereza s.f. **1** Poco peso: *Este abrigo es de gran ligereza pero abriga mucho.* □ SINÓN. *levedad, liviandad.* **2** Rapidez o agilidad de movimientos: *Los bailarines se desplazaban con ligereza.* **3** Hecho o dicho irreflexivos o poco meditados: *Tus continuas ligerezas te van a costar un disgusto.* **4** Falta de seriedad en la forma de actuar: *No decidas con esa ligereza cosas tan trascendentes.*

ligero, ra ▌adj. **1** De poco peso: *No cojas las maletas y lleva esas bolsas, que son más ligeras.* □ SINÓN. *leve, liviano.* **2** Sin importancia o de poca gravedad: *un ligero resfriado.* □ SINÓN. *leve, liviano.* **3** Suave o de poca intensidad: *un sueño muy ligero; una comida ligera.* □ SINÓN. *leve.* **4** Rápido o ágil de movimientos: *paso ligero; mente ligera.* **5** Referido a un tejido o a una prenda de vestir, que abriga poco: *Las noches de verano en el pueblo hay que ponerse un jersey ligerito.* **6** Referido al armamento, que es de poco peso o que resulta fácil de desplazar: *Las pistolas, las ametralladoras y los subfusiles forman parte del armamento ligero.* **7** *col.* Referido a una persona, que es inconstante y poco formal en sus opiniones y actitudes: *No es mal chico, aunque sí un poco ligero.* □ SINÓN. *voluble.* ▌adv. **8** En zonas del español meridional, rápidamente: *Me dijo que viniera ligero porque estaban apurados.* **9** || **a la ligera;** sin pensar ni reflexionar: *No te tomes este asunto tan a la ligera.* □ ETIMOL. Del francés *léger* (leve, poco pesado).

light (ing.) adj.inv. **1** Referido a alimentos, que tiene menos proporción de lo habitual de algunos de sus ingredientes: *turrón light; tabaco light.* **2** Que no tiene alguna de las características que debería tener: *una vida light.* □ PRON. [láit]. □ USO Su uso es innecesario y puede sustituirse por *bajo en calorías, ligero* o *suave*.

lignificar v. Dar o tomar consistencia de madera: *Muchas plantas herbáceas se lignifican al desarrollarse.* □ ORTOGR. La *c* se cambia en *qu* delante de *e* →SACAR.

lignito s.m. Carbón mineral, poco compacto, de escaso poder calorífico, que se utiliza como combustible: *El azabache es una variedad de lignito.* □ ETIMOL. Del latín *lignum* (madera).

ligón, -a adj./s. *col.* Que intenta establecer relaciones amorosas superficiales y pasajeras.

ligotear v. *col.* Intentar establecer relaciones amorosas o sexuales superficiales y pasajeras: *¿Quieres dejar de ligotear con todo el que se pone por delante?*

ligoteo s.m. *col.* Intento de establecer relaciones amorosas o sexuales superficiales y pasajeras.

ligue s.m. **1** *col.* Relación amorosa superficial y pasajera: *Fue un ligue que duró poco tiempo.* **2** *col.* Persona con la que se establece esta relación amorosa: *¿Conoces ya a su nuevo ligue?* □ USO Es innecesario el uso del anglicismo *flirt*.

liguero, ra ▮ adj. **1** De una liga deportiva o relacionado con esta competición: *un campeonato liguero.* ▮ s.m. **2** Prenda de ropa interior femenina que consiste en una faja estrecha que se coloca alrededor de la cintura, de la que cuelgan dos o más cintas con enganches para sujetar el extremo superior de las medias.

liguilla s.f. En una competición deportiva, fase en la que intervienen pocos participantes o equipos y en la que juegan todos contra todos.

ligur adj.inv./s.com. De Liguria (región del norte italiano), de un antiguo pueblo europeo que vivía en esta zona, o relacionado con ellos: *Los romanos consiguieron someter a la población ligur a costa de largas campañas militares.*

ligustro s.m. Arbusto de hojas lisas, brillantes y de forma ovalada, que tiene las flores blancas y pequeñas y el fruto negro y redondeado. ☐ SINÓN. *alheña, aligustre.* ☐ ETIMOL. Del latín *ligustrum.*

lija s.f. **1** Papel fuerte que por una de sus caras tiene pegados materiales ásperos y abrasivos, y que se usa para alisar y pulir materiales duros: *Antes de pintar la silla, tienes que quitar la pintura vieja con la lija.* **2** Pez marino, carnicero y muy voraz, con una piel áspera sin escamas cubierta de granillos muy duros: *La lija habita en aguas atlánticas y mediterráneas.* ☐ SINÓN. *pintarroja.* ☐ ETIMOL. De origen incierto. ☐ MORF. En la acepción 2, es un sustantivo epiceno: *la lija {macho / hembra}.*

lijado s.m. Operación de alisar o de pulir un objeto con lija o con cualquier otro material abrasivo.

lijadora s.f. Máquina que sirve para lijar o pulir.

lijar v. Referido a un objeto, alisarlo y pulirlo con lija o con cualquier otro material abrasivo: *Hay que lijar la puerta antes de pintarla, para quitar los restos de pintura vieja.* ☐ ORTOGR. Conserva la *j* en toda la conjugación.

likembe s.m. Instrumento musical de percusión formado por una serie de hilos metálicos sujetos a una caja de resonancia, que se pulsan con los pulgares: *El likembe es uno de los instrumentos más representativos de la música africana.*

lila ▮ adj.inv./s.m. **1** De color morado claro: *una blusa lila.* **2** *col. desp.* Tonto y fácil de engañar: *Le timaron seiscientos euros porque es un lila.* ▮ s.f. **3** Flor del lilo. ☐ ETIMOL. Del francés *lilas.*

lilangeni (pl. *emalengeni*) s.m. Unidad monetaria suazi.

liliáceo, a ▮ adj./s. **1** Referido a una planta, que tiene la raíz tuberculosa o bulbosa, flores generalmente en racimo y fruto capsular: *Las cebollas y los tulipanes son plantas liliáceas.* ▮ s.f.pl. **2** En botánica, familia de estas plantas, perteneciente a la clase de las monocotiledóneas: *Algunas plantas de las liliáceas se usan en la alimentación.* ☐ ETIMOL. Del latín *liliaceus* (del lirio).

liliputiense adj.inv./s.com. Referido a una persona, de estatura muy baja. ☐ ETIMOL. Por alusión a los diminutos habitantes de Liliput descritos por Swift en su obra 'Los viajes de Gulliver'.

lilo s.m. Arbusto de hojas acorazonadas y flores pequeñas y olorosas moradas o blancas: *El lilo se cultiva como planta ornamental.*

lima s.f. **1** Herramienta, generalmente de acero, con la superficie estriada o rayada en uno o en dos sentidos, que sirve para desgastar o alisar metales y otras materias duras: *El cerrajero pulió la cerradura de la puerta con una lima. Las limas que se usan para las uñas suelen ser de cartón.* **2** Hecho de desgastar, pulir o alisar una superficie con esta herramienta. **3** *col.* Persona que come mucho: *Este chico es una lima con los pasteles.* **4** Corrección y remate final de una obra: *El artículo que escribiste necesita la lima de nuestros correctores.* **5** Árbol frutal de flores blancas, pequeñas y olorosas, y de hojas aserradas y duras: *La lima tiene poca resistencia al frío.* ☐ SINÓN. *limero.* **6** Fruto de este árbol. **7** Bebida hecha con este fruto: *un chorrito de lima.* ☐ ETIMOL. Las acepciones 1-4, del latín *lima.* Las acepciones 5-7, del árabe *lima.*

limaco s.m. Molusco terrestre, alargado, sin concha o de concha rudimentaria, con una especie de ventosa en el vientre que le permite moverse, y que segrega en su marcha abundante baba: *Los limacos viven en zonas húmedas.* ☐ SINÓN. *babosa, limaza.*

limado s.m. →**limadura.**

limadura ▮ s.f. **1** Hecho de alisar o pulir con la lima o con cualquier otro material abrasivo: *La limadura del pestillo hará que encaje mejor.* ☐ SINÓN. *limado.* ▮ pl. **2** Partículas o restos menudos que se desprenden al limar: *El suelo del taller está lleno de limaduras de hierro.* ☐ SINÓN. *limado.*

limalla s.f. Conjunto de limaduras: *El suelo estaba lleno de limalla.* ☐ ETIMOL. Del francés *limaille.*

limanda s.f. Pez marino, semejante al lenguado, de escamas pequeñas y colores brillantes en el vientre. ☐ MORF. Es un sustantivo epiceno: *la limanda {macho / hembra}.*

limar v. **1** Referido a un objeto, alisarlo o pulirlo con la lima o con cualquier otro material abrasivo: *Limó los barrotes de la ventana de la cárcel para escaparse. En el salón de belleza me han limado las uñas de las manos.* **2** Referido a una obra, pulirla o perfeccionarla: *Tengo ya una idea para la novela, pero aún tengo que limarla un poco.* **3** Referido a un fallo o un defecto, debilitarlo o eliminarlo: *La entrenadora limó los pequeños defectos que tenía el equipo.* ☐ ETIMOL. Del latín *limare.*

limaza s.f. Molusco terrestre, alargado, sin concha o de concha rudimentaria, con una especie de ventosa en el vientre que le permite moverse, y que segrega en su marcha abundante baba: *Las limazas tienen cierto parecido a los caracoles.* ☐ SINÓN. *babosa, limaco.* ☐ ETIMOL. Del latín *limax* (babosa).

limbo s.m. **1** En la tradición cristiana, lugar al que se decía que iban las almas de los niños que morían sin bautizar. **2** En botánica, parte ensanchada y aplanada de las hojas de los vegetales: *El color verde del limbo se debe a la clorofila.* **3** ‖ **estar** alguien **en el limbo;** *col.* Estar distraído, sin enterarse de lo que ocurre alrededor. □ ETIMOL. Del latín *limbus* (lugar apartado en el otro mundo).

limeño, ña adj./s. De Lima (capital peruana), o relacionado con ella.

limerick (ing.) s.m. Composición poética de cinco versos y de tono generalmente humorístico: *En el limerick riman el primero, el segundo y el quinto verso.* □ PRON. [límerik].

limero s.m. Árbol frutal, de flores blancas, pequeñas y olorosas, y de hojas aserradas y duras: *El limero, de origen asiático, necesita un clima cálido.* □ SINÓN. *lima.*

limeta s.f. Botella de cuerpo ancho y corto y cuello muy alargado.

liminal adj.inv. En psicología, que se halla dentro de los límites de lo que se puede percibir: *Muchos mensajes publicitarios no son liminales sino subliminales, porque escapan al ámbito de lo consciente.* □ ETIMOL. Del inglés *liminal*, y este del latín *limen* (umbral).

liminar adj.inv. →**preliminar.**

limitación s.f. **1** Establecimiento o fijación de límites: *Es necesaria la limitación del poder para evitar abusos de autoridad.* **2** Acortamiento o restricción: *La limitación del tiempo previsto nos ha perjudicado.* **3** Impedimento que dificulta el desarrollo de algo o impide su perfección: *Todos tenemos limitaciones que debemos disculparnos unos a otros.*

limitar ▌v. **1** Poner límites, esp. referido a un terreno: *He limitado la finca con unas vallas. Para hacer una tesis es fundamental limitar bien el campo de estudio.* **2** Acortar, ceñir o restringir: *La profesora limitó el tiempo del examen porque tenía prisa.* **3** Referido esp. a la jurisdicción, autoridad, derechos y facultades de alguien, fijarles los límites máximos: *El Parlamento limitó los poderes militares del ministro de Defensa.* **4** Referido esp. a lugares, tener un límite común o estar contiguos: *España limita al norte con Francia.* ▌prnl. **5** Referido esp. a una acción, ceñirse a ella: *Limítate a hacer lo que te dije.* □ ETIMOL. Del latín *limitare* (rodear de fronteras). □ SINT. 1. Constr. de la acepción 4: *limitar* CON *algo*. 2. Constr. de la acepción 5: *limitarse* A *algo*.

límite ▌s.com. **1** En psicología, persona que está en la frontera entre la normalidad y la deficiencia mental: *Cuando las personas límite han sido educadas de forma adecuada, pueden llevar una vida completamente normal.* ▌s.m. **2** En un terreno, línea o borde que lo delimita: *el límite de un campo.* □ SINÓN. *linde, lindero.* **3** Fin, extremo o punto máximo al que puede llegar algo: *al límite de las fuerzas; el límite de velocidad; una situación límite.* **4** En matemáticas, valor fijo al que se aproximan los términos de una sucesión infinita de magnitudes: *El límite de los números naturales 1, 1/2, 1/3... es 0.* □ ETIMOL. Del latín *limes* (sendero entre dos campos, frontera). □ SINT. Se usa mucho en aposición, pospuesto a un sustantivo: *una situación límite.* □ USO En la acepción 1, es innecesario el uso del anglicismo *borderline*.

limítrofe adj.inv. Referido esp. a un lugar, que limita con otro: *países limítrofes.* □ ETIMOL. Del latín *limitrophus* (campo que se daba a los soldados de las fronteras para atender a su subsistencia), y este del latín *limes* (frontera, límite) y el griego *trépho* (yo alimento).

limo s.m. Barro que se encuentra en el fondo de las aguas o que se forma en el suelo con la lluvia: *El limo que dejan las crecidas de los ríos fertiliza los campos.* □ ETIMOL. Del latín *limus*.

limón s.m. **1** Árbol frutal de hoja perenne, espinoso, de flores olorosas, y con un fruto comestible de sabor ácido. □ SINÓN. *limonero, citrón.* **2** Fruto de este árbol. □ SINÓN. *citrón.* **3** Bebida hecha con este fruto: *Me tomé un limón frío.* □ ETIMOL. Del árabe *laimun*.

limonada s.f. Bebida refrescante hecha con agua, azúcar y zumo de limón.

limonar s.m. Terreno plantado de limoneros.

limoncillo s.m. Árbol tropical con hojas que huelen a limón y cuya madera es muy empleada en ebanistería: *La madera del limoncillo es amarillenta.*

limonero, ra ▌adj. **1** Del limón o relacionado con este fruto: *la producción limonera.* ▌s. **2** Persona que se dedica a la producción o a la venta de limones. ▌s.m. **3** Árbol frutal de hoja perenne, espinoso, de flores olorosas, y con un fruto comestible de sabor ácido. □ SINÓN. *limón.*

limonita s.f. Mineral blando y opaco, de color amarillo pardo, constituido por hidróxido de hierro: *La limonita es un mineral de origen sedimentario.*

limosna s.f. **1** Lo que se da por caridad, generalmente dinero: *dar limosna.* **2** Cantidad de dinero pequeña o insuficiente que se da para pagar un trabajo: *Cobró una limosna por pegar los carteles publicitarios.* □ ETIMOL. Del latín *eleemosyna*.

limosnera s.f. Véase **limosnero, ra.**

limosnero, ra ▌adj. **1** Referido esp. a una persona, que da limosna con frecuencia. ▌adj./s. **2** En zonas del español meridional, mendigo. ▌s.f. **3** Bolsa pequeña en la que se lleva dinero para dar como limosna.

limoso, sa adj. Lleno de limo o lodo.

limousine (fr.) s.f. →**limusina.** □ PRON. [limusín]. □ USO Su uso es innecesario.

limpia ▌s.com. **1** *col.* →**limpiabotas.** ▌s.f. **2** Véase **limpio, a.**

limpiabarros (pl. *limpiabarros*) s.m. Felpudo u otro utensilio que suele ponerse a la entrada de las casas para quitar el barro de los zapatos antes de entrar.

limpiabotas (pl. *limpiabotas*) s.com. Persona que se dedica profesionalmente a limpiar y a dar brillo a las botas y a los zapatos. □ SINÓN. *betunero.* □ MORF. En la lengua coloquial se usa mucho la forma abreviada *limpia*.

limpiacoches (pl. *limpiacoches*) s.com. Persona que limpia coches.

limpiacristales (pl. *limpiacristales*) ▌adj./s.m. **1** Referido esp. a un líquido, que sirve para limpiar superficies acristaladas. ▮ s.com. **2** Persona que se dedica profesionalmente a limpiar cristales.

limpiador, -a ▮ adj./s. **1** Que limpia: *La leche limpiadora sirve para quitar el maquillaje.* ▮ s.m. **2** Producto o instrumento que sirve para limpiar: *Necesito un limpiador para la plata.*

limpiafondos (pl. *limpiafondos*) s.m. Instrumento que sirve para limpiar el fondo de una piscina.

limpiahogar s.m. Producto de limpieza doméstica que puede emplearse sobre distintos tipos de superficie.

limpiaparabrisas (pl. *limpiaparabrisas*) s.m. En un vehículo, aparato formado por unas varillas articuladas que limpia automáticamente los cristales.

limpiar v. **1** Referido a la suciedad, quitarla o eliminarla: *Este detergente limpia muy bien la grasa. ¿Te limpio las gafas para que veas bien? Se limpió de barro las botas en el felpudo.* **2** Purificar o dejar sin lo que estorba o resulta perjudicial: *La policía limpió de rateros las calles del centro. Limpié el pescado y ya no tiene espinas. Su alma se limpió de pecados con la confesión.* **3** *col.* Dejar sin dinero o sin riquezas mediante engaño, arte o violencia: *Me limpiaron jugando a las cartas, y no tengo ni para una cerveza. Vimos cómo unos ladrones limpiaban una joyería.* ☐ ORTOGR. La *i* nunca lleva tilde.

limpidez s.f. *poét.* Limpieza, claridad o transparencia.

límpido, da adj. *poét.* Limpio, claro o transparente. ☐ ETIMOL. Del latín *limpidus* (claro, límpido).

limpieza s.f. **1** Ausencia de mancha, de suciedad, de mezcla o de accesorios: *No tengo queja de la limpieza del hotel.* **2** Eliminación de la suciedad, de lo perjudicial o de lo impuro: *Hace limpieza general solo los fines de semana.* **3** *col.* Pérdida o robo de bienes: *Le hicieron una buena limpieza en el casino y perdió todo su dinero.* **4** Destreza, precisión o perfección con las que se realiza una acción: *La atleta saltó con limpieza todas las vallas.* **5** En el juego y en el deporte, cumplimiento de las reglas que se imponen: *jugar con limpieza.* **6** || **limpieza de sangre;** antiguamente, estado de una familia que no se había mezclado con otra que perteneciera a un grupo social distinto y considerado inferior o impuro. || **limpieza en seco;** la que se efectúa por medio de un procedimiento en el que no se usa agua ni líquidos acuosos, sino una mezcla de hidrocarburos o compuestos químicos altamente disolventes de la grasa. || **limpieza étnica;** *euf.* Intento, por parte de una población, de acabar con otra, en razón de las diferencias sociales y culturales existentes entre ambas.

limpio adv. Con limpieza o con corrección: *El árbitro expulsó a un defensa por no jugar limpio.*

limpio, pia ▮ adj. **1** Que no tiene mancha o suciedad: *Todos los días me pongo una camisa limpia.* **2** Referido esp. a una persona, que es aseada y cuidadosa con su higiene, con su aspecto y con sus cosas. **3** Referido esp. al grano, que no tiene mezcla de otra cosa: *Para que el arroz quede limpio hay que quitarle la cascarilla.* **4** Libre de lo accesorio, de lo superfluo o de lo inútil: *Leyó un discurso limpio y sencillo.* **5** *col.* Referido a una persona, sin dinero, generalmente porque lo ha perdido: *Me dejaron limpio en el casino.* **6** *col.* Referido a una cantidad de dinero, libre de los descuentos que le corresponden: *mil euros limpios.* **7** Libre de impurezas o de lo que daña y perjudica: *Después de la lluvia el aire quedó limpio.* **8** Honrado y decente: *una mirada limpia.* **9** Claro, bien definido o bien delimitado: *En la niebla, los contornos no son limpios.* ☐ SINÓN. *neto.* **10** *col.* Referido a una persona, que carece de conocimientos sobre una materia: *No le hagas preguntas de filosofía, porque está limpio.* ▮ s.f. **11** Eliminación o sustracción de algo hasta el punto de hacerlo disminuir notablemente: *Cuando llega a casa hace tal limpia en la nevera que la deja vacía.* **12** || **en limpio; 1** Una vez separados los gastos y los descuentos de una cantidad de dinero: *Con el negocio ganó una enorme cantidad de dinero en limpio.* **2** Sin enmiendas ni tachones: *No tengo los apuntes en limpio.* || **pasar a limpio;** referido a un texto, redactarlo o copiarlo en su forma definitiva y sin tachaduras. || **sacar en limpio;** obtener ideas o conclusiones claras y concretas de algo: *Después de hablar con él, saqué en limpio que necesitaba mi dinero.* ☐ ETIMOL. Del latín *limpidus* (claro, límpido). ☐ SINT. En expresiones adverbiales como *a tiro limpio* o *a grito limpio*, tiene un valor intensivo o de cantidad y equivale a *con muchos tiros* y *con muchos gritos*, respectivamente.

limusín s.f. →**limusina.**

limusina s.f. **1** Automóvil lujoso de gran tamaño, generalmente con un cristal de separación entre los asientos delanteros y los asientos traseros. ☐ SINÓN. *limusín.* **2** Antiguo carruaje cerrado para los asientos traseros y abierto para los asientos del conductor: *El cochero de las limusinas iba al descubierto.* ☐ SINÓN. *limusín.* ☐ ETIMOL. Del francés *limousine.* ☐ USO Es innecesario el uso del galicismo *limousine.*

lináceo, a ▮ adj./s.f. **1** Referido a una planta, que es herbácea o leñosa, con hojas simples, enteras y estrechas, frutos en forma de cápsula y flores regulares: *El lino es una planta linácea.* ▮ s.f.pl. **2** En botánica, familia de estas plantas, perteneciente a la clase de las dicotiledóneas: *De algunas plantas de las lináceas se obtiene el aceite de linaza.* ☐ ETIMOL. De *lino.*

linaje s.m. **1** Conjunto de antepasados y descendientes de una persona, esp. de la que tiene un título de nobleza: *Pertenece a una familia de linaje ilustre, ya que su abuelo fue conde.* **2** Clase, condición o especie: *Aquí vive gente de los más variados linajes.* ☐ ETIMOL. Del catalán *llinatge.*

linajudo, da adj./s. Que pertenece a un alto linaje o que presume de ello.

linaza s.f. Semilla del lino: *aceite de linaza.*

lince ▮ adj.inv./s.com. **1** *col.* Referido a una persona, que es astuta y sagaz: *Ese detective es un lince, ya que con pocas pistas descubrió al asesino.* ▮ s.m. **2** Mamífero felino y carnicero, de pelaje gris rojizo, con manchas oscuras en el cuello y en la cabeza y con las orejas puntiagudas terminadas en un mechón de pelos negros: *El lince es una especie muy protegida en España.* □ ETIMOL. Del latín *lynx.* □ MORF. En la acepción 2, es un sustantivo epiceno: *el lince {macho/hembra}.*

linchamiento s.m. Muerte con la que una muchedumbre castiga a una persona sospechosa sin un juicio previo.

linchar v. Referido a una persona, castigarla una muchedumbre, generalmente con la muerte y sin juicio previo: *La policía impidió que la multitud linchase al asesino.* □ ETIMOL. Del inglés *lynch,* y este de *Lynch* (hacendado francés de Virginia que instituyó tribunales privados para juzgar a los criminales).

lindante adj.inv. Que linda: *Todos aquellos terrenos lindantes a los míos son de mi hermana.*

lindar v. **1** Referido esp. a lugares, tener una linde común o estar contiguos: *Ese campo de fútbol linda con las pistas de tenis.* **2** Estar muy cerca de lo que se expresa: *Tus duras palabras lindan con la mala educación.* □ ETIMOL. Del latín *limitare* (limitar). □ SINT. Constr. *lindar* CON *algo.*

linde s.amb. En un terreno, línea o borde que lo delimita. □ SINÓN. *límite, lindero.* □ ETIMOL. Del latín *limes* (sendero entre dos campos, límite, frontera). □ MORF. Se usa más el femenino.

lindero, ra ▌adj. **1** Que linda o limita. ▌s.m. **2** →**linde.**

lindeza s.f. **1** Belleza que resulta agradable a la vista: *Los bordados dorados de tu falda son de una gran lindeza.* **2** Hecho o dicho agradables o elogiosos: *La cantante agradeció todas aquellas lindezas que le gritaba su público.* **3** Dicho ofensivo o desagradable contra alguien: *Entre otras muchas lindezas, les dijo que eran unos impresentables.* □ USO En la acepción 3, tiene un matiz irónico.

lindo, da adj. **1** Que resulta bello o hermoso: *El traje de noche que llevas es muy lindo.* **2** En zonas del español meridional, bueno o entretenido: *Fue una fiesta muy linda.* **3** ‖ **de lo lindo;** *col.* Mucho o en exceso: *Nos divertimos de lo lindo en el parque de atracciones.* □ ETIMOL. Del latín *legitimus* (legítimo, puro).

línea s.f. **1** Sucesión continua de puntos en el espacio: *Una línea recta es la distancia más corta entre dos puntos. Una circunferencia es una línea cerrada.* **2** Extensión geométrica considerada solo en longitud: *La línea discontinua de una carretera indica que está permitido adelantar.* **3** Trazo o marca delgados y alargados: *las líneas de la mano.* □ SINÓN. *raya.* **4** En un escrito, conjunto de palabras o de caracteres comprendidos en una horizontal. □ SINÓN. *renglón.* **5** Raya real o imaginaria que señala un límite o un término: *Si el agua sobrepasa la línea de flotación, el barco puede hundirse.* **6** En algunos deportes de equipo, conjunto de jugadores que suelen desempeñar una función semejante: *No sé qué jugadores formarán la línea delantera.* **7** Serie de personas o de cosas situadas una detrás de otra o una al lado de otra: *Sigue la línea de hormigas y llegarás al hormiguero.* **8** Servicio o ruta regulares de transporte: *una línea aérea.* **9** Serie de individuos enlazados por parentesco: *Éstos son primos míos por línea materna.* **10** En una persona, figura armoniosa, esbelta o delgada: *Si comes tanto, perderás la línea.* **11** Contorno o diseño de un objeto: *Quiero un armario de líneas clásicas.* **12** En un cuadro, dibujo o trazado de los contornos: *Hay pintores que cuidan más las líneas de sus cuadros que el color.* **13** Conducta, comportamiento o dirección que se siguen: *Si no cambias esa línea tan agresiva, vas a tener problemas.* **14** Orientación, tendencia o estilo: *Esos proyectos no entran en mi línea de pensamiento.* **15** Conjunto de los aparatos y de los hilos que conducen la energía eléctrica o permiten la comunicación telefónica o la telegráfica: *Los bandidos cortaron la línea del telégrafo.* **16** Comunicación telefónica o telegráfica: *No puedo llamar a casa porque no hay línea.* **17** En televisión, conjunto de puntos elementales alineados en que se descompone una imagen para su codificación: *Cuantas más líneas tenga la imagen de televisión, más nítida será.* **18** Categoría, clase u orden de valor: *Es un escritor de tercera línea.* **19** Serie de productos con características comunes o semejantes y que ofrece una cierta variedad: *¿Has probado la nueva línea de cosméticos de esta marca?* **20** Formación de tropas en orden de batalla: *Se reordenaron las líneas después del ataque.* **21** Zona o franja de terreno en las que luchan los ejércitos: *Para escapar, tuvo que atravesar las líneas enemigas camuflado.* □ SINÓN. *frente.* **22** ‖ **en línea;** en informática, que es accesible en cualquier momento, esp. si lo es a través de la red telefónica: *servicio de información en línea.* ‖ **en líneas generales;** esquemáticamente o sin pormenorizar: *No lo he visto con detalle pero, en líneas generales, está bastante bien.* ‖ **en toda la línea;** del todo o completamente: *Este tenista es un campeón en toda la línea.* ‖ **leer entre líneas;** suponer, a partir de lo que se dice, lo que intencionadamente se calla: *En los países con censura hay que buscar la verdad leyendo entre líneas.* ‖ **línea blanca;** industria de electrodomésticos: *La línea blanca de este grupo empresarial tiene prestigio internacional.* ‖ **línea caliente;** *col.* La telefónica que ofrece determinados servicios e informaciones, esp. si estos son de atención directa al cliente o de carácter erótico. ‖ **línea {colateral/transversal};** la que viene de un ascendiente común, pero que no va de padres a hijos: *Mis primos en línea colateral y yo tenemos la misma abuela.* ‖ **línea de fuego;** posición o situación de las tropas que hacen fuego sobre el enemigo y soportan el de este. ‖ **línea de tiro;** prolongación del eje de un arma cuando está dispuesta para efectuar un disparo: *Con esa línea de tiro no darás nunca en la diana.* ‖ **línea {directa/recta};** orden y sucesión de generaciones de padres a hijos: *Yo soy pariente de mi abuelo en línea recta.* ‖ **línea equinoccial;** en geografía, círculo máximo imaginario que está a igual distancia de los dos polos de la Tierra. □ SINÓN. *ecuador.* ‖ **línea**

mixta; la formada por rectas y curvas. || **línea quebrada;** la que, sin ser recta, está formada por varias rectas: *La letra 'M' es una línea quebrada.* □ ETIMOL. Del latín *linea* (raya, rasgo). □ USO 1. Es innecesario el uso del anglicismo *on line* en lugar de *en línea*. 2. Es innecesario el uso del anglicismo *hot line* en lugar de *línea caliente*.

lineal ▌adj.inv. **1** De la línea, con líneas o relacionado con ellas: *dibujo lineal.* **2** Que se desarrolla en una sola dirección o en una sola dimensión: *Estas cifras demuestran un crecimiento lineal y progresivo de las ventas.* **3** Con forma semejante a una línea: *El pino tiene hojas lineales.* ▌s.m. **4** Expositor en grandes superficies: *Para la campaña de publicidad de nuestros libros hemos contratado varios lineales.* □ ETIMOL. Del latín *linealis*.

linealidad s.f. **1** Sucesión ordenada y regular de algo que se desarrolla: *Los procesos caóticos no tienen linealidad.* **2** Disposición lineal de los elementos de una narración: *La linealidad de este relato lo hace algo monótono.*

linfa s.f. Líquido orgánico claro e incoloro con gran cantidad de glóbulos blancos, que recorre los vasos linfáticos: *La mayor parte de los glóbulos blancos que circulan por la linfa son linfocitos.* □ ETIMOL. Del latín *lympha* (agua).

linfático, ca ▌adj. **1** De la linfa o relacionado con este líquido orgánico: *los vasos linfáticos.* ▌adj./s. **2** Referido a una persona, sin energía y excesivamente pasiva: *carácter linfático.*

linfocito s.m. Leucocito o glóbulo blanco que se caracteriza por su movilidad y por su gran núcleo, y que es producido principalmente en la médula ósea: *Algunos linfocitos funcionan en el sistema inmunitario formando anticuerpos.* □ ETIMOL. Del latín *lympha* (agua) y *-cito* (célula).

linfoide adj.inv. De los linfocitos o relacionado con este tipo de glóbulos blancos: *El tejido linfoide es importante en el sistema inmunitario.* □ ETIMOL. Del latín *lympha* (agua) y *-oide* (relación, semejanza).

linfoma s.m. Tumor de los tejidos linfoides.

linfopenia s.f. En medicina, disminución del número de linfocitos en la sangre. □ ETIMOL. De *linfo-* (linfocito) y el griego *penía* (escasez).

lingotazo s.m. *col.* Trago de bebida alcohólica. □ SINÓN. *latigazo, pelotazo.*

lingote s.m. Trozo o barra de metal en bruto fundido, esp. si es de oro, plata o platino. □ ETIMOL. Del francés *lingot*.

lingual adj.inv. De la lengua o relacionado con este órgano muscular. □ ETIMOL. Del latín *lingua* (lengua).

lingüista s.com. Persona que se dedica al estudio del lenguaje y de las lenguas, esp. si esta es su profesión. □ ETIMOL. Del latín *lingua* (lengua).

lingüística s.f. Véase **lingüístico, ca.**

lingüístico, ca ▌adj. **1** De la lingüística o relacionado con esta ciencia: *Estoy realizando un estudio lingüístico comparado entre estas dos variedades dialectales.* **2** De la lengua o relacionado con este sistema de signos: *La comunicación verbal es posible gracias a los elementos lingüísticos.* ▌s.f. **3** Ciencia que estudia el lenguaje y las lenguas: *La lingüística comparada estudia y confronta las lenguas para establecer sus relaciones de parentesco.* **4** || **lingüística del texto;** la que considera el texto como la unidad básica de análisis: *La lingüística del texto estudia el lenguaje en diálogos, monólogos y textos literarios.*

linier s.com. →**juez de línea.**

linimento s.m. Medicamento de uso externo compuesto por aceites y por bálsamos y que se aplica dando masajes: *Los ciclistas reciben masajes con linimento para evitar contracciones musculares.* □ ETIMOL. Del latín *linimentum* (acto de embadurnar).

link (ing.) s.m. →**hipervínculo.**

linkar v. *col.* Crear enlaces entre diversas páginas de internet: *Estoy haciendo una página web y ya solo me falta linkar con otras.* □ ETIMOL. Del inglés *link* (enlace). □ USO Su uso es innecesario y puede sustituirse por *crear enlaces* o *enlazar*.

linker (ing.) s.m. Programa informático que traduce un idioma computacional a otro. □ PRON. [línker].

lino s.m. **1** Planta herbácea anual, de raíz fibrosa, con tallos rectos y huecos y con flores azuladas. **2** Fibra que se extrae de los tallos de esta planta: *Con el lino se hacen tejidos resistentes.* **3** Tela confeccionada con esta fibra: *ropa de lino.* □ ETIMOL. Del latín *linum*.

linografía s.f. Arte o técnica de estampar sobre tela. □ ETIMOL. De *lino* y *-grafía*.

linóleo s.m. Material impermeable de origen orgánico, muy utilizado en forma de láminas para cubrir suelos, por su gran resistencia: *El linóleo se hace con un tejido de yute y corcho en polvo, amasado con aceite de linaza.* □ ETIMOL. Del inglés *linoleum*, y este del latín *linum* (lino) y *oleum* (aceite).

linón s.m. Tela de hilo ligera y clara, impregnada de goma para que resulte rígida: *Este sombrero está forrado con linón para que no se doble.* □ ETIMOL. De *lino*.

linotipia s.f. **1** En imprenta, máquina que se utilizaba para componer textos de modo que cada línea salía en una sola pieza: *La linotipia tiene un teclado parecido al de la máquina de escribir.* □ SINÓN. *linotipo.* **2** Arte o técnica de componer textos con esta máquina: *Sé un poco de linotipia porque trabajé en una imprenta.* □ ETIMOL. Del inglés *linotype*, y este de *line of type* (línea de composición tipográfica).

linotipista s.com. Persona que se dedica profesionalmente al manejo de la linotipia.

linotipo s.amb. →**linotipia.** □ ETIMOL. Extensión del nombre de una marca comercial.

linterna s.f. **1** Utensilio manual y portátil provisto de una bombilla, que funciona con pilas eléctricas y que sirve para proyectar luz: *Salí de noche al jardín alumbrándome con una linterna.* **2** En arquitectura, construcción con ventanas que remata una cúpula, una torre o una cubierta, y que sirve para iluminar o para ventilar el espacio interior: *La linterna de esta catedral es octogonal con ventanas rectangulares.* ☐ ETIMOL. Del latín *lanterna.*

linyera s.m. *col.* En zonas del español meridional, vagabundo. ☐ ETIMOL. Del italiano *lingera.*

lío s.m. **1** Situación confusa, agitada o embarazosa, esp. si va acompañada de gran alboroto y tumulto: *Cuando se supo la verdad, se armó un buen lío.* ☐ SINÓN. *tremolina, embrollo, jaleo, alboroto, cacao, follón, bulla, bullicio.* **2** Conjunto desordenado, revuelto y enredado: *La profesora repetía que la geografía es algo más que un lío de nombres.* ☐ SINÓN. *embrollo, jaleo, alboroto, cacao, follón, bulla, bullicio.* **3** Conjunto de cosas atadas, esp. de ropa: *Hizo un lío con la ropa sucia para llevarla a la lavandería.* **4** *col.* Mentira: *A mí no me vengas con líos y dime lo que de verdad ha pasado.* **5** *col.* Relación amorosa o sexual considerada ilícita por la sociedad: *Se dice que tiene un lío con una antigua compañera.* **6** ‖ **lío de faldas;** Relación amorosa, considerada ilícita por la sociedad, que se mantiene con una mujer: *No pienso poner en riesgo mi matrimonio por meterme en un lío de faldas.* ☐ ETIMOL. De *liar.*

liofilización s.f. Método de deshidratación que consiste en congelar una sustancia y hacer pasar su agua a vapor sometiéndola a presiones cercanas al vacío, para obtener un material fácilmente soluble: *El puré de patatas de sobre se consigue por un proceso de liofilización.*

liofilizar v. Referido a una sustancia previamente congelada, deshidratarla haciendo que su agua pase a vapor mediante presiones cercanas al vacío: *El café instantáneo ha sido liofilizado.* ☐ ORTOGR. La *z* se cambia en *c* delante de *e* →CAZAR.

lioso, sa ▮ adj. **1** Complicado, enredado o confuso. ▮ adj./s. **2** Chismoso o con tendencia a enredar las cosas o a indisponer a unas personas con otras.

liotab s.m. Pastilla de medicamento que se deshace con gran facilidad en la boca: *Para extraer el liotab de su celdilla, hay que abrirla sin presionar y sacarlo con los dedos secos.*

lipemia s.f. Presencia de grasas en la sangre: *Una comida abundante produce una lipemia natural.* ☐ ETIMOL. Del griego *lípos* (grasa) y *-emia* (sangre).

lípido s.m. Sustancia orgánica insoluble en agua que generalmente forma las reservas energéticas de los seres vivos: *Una dieta equilibrada debe incluir lípidos, proteínas e hidratos de carbono.*

lipo- Elemento compositivo prefijo que significa 'grasa': *liposoluble, lipoproteína.* ☐ ETIMOL. Del griego *lípos.*

lipoescultura s.f. Técnica quirúrgica para modelar y adelgazar el cuerpo.

lipólisis (tb. *lipolisis*) (pl. *lipólisis, lipolisis*) s.f. Descomposición de las grasas en ácidos grasos y glicerol: *La célula puede obtener energía gracias al mecanismo de lipolisis.*

lipoma s.m. Tumor benigno formado por acumulación de tejido adiposo o grasa. ☐ ETIMOL. Del griego *lípos* (grasa) y *-oma* (tumor).

lipoproteína s.f. Proteína cuyos componentes no proteínicos son lípidos.

liposoluble adj.inv. Soluble en las grasas: *Las vitaminas A, E y D son liposolubles.*

liposoma s.m. Pequeño órgano membranoso con forma de bolsa en el que se acumulan determinados compuestos químicos, generalmente proteínas, enzimas o medicamentos: *Las cremas cosméticas para la cara suelen tener liposomas.*

liposucción s.f. Técnica quirúrgica para succionar la grasa existente debajo de la piel: *La liposucción es una técnica quirúrgica de adelgazamiento, que debe ser llevada a cabo por un especialista.*

liposuccionador adj./s.m. Que se usa para la liposucción.

lipotimia s.f. Pérdida súbita y pasajera del sentido y del movimiento: *Tuvo una bajada de tensión y sufrió una lipotimia.* ☐ ETIMOL. Del griego *lipothymía*, de *léipo* (yo dejo) y *thymós* (ánimo).

lipovitamínico, ca adj. Que contiene grasas y vitaminas.

liquen ▮ s.m. **1** Organismo formado por la simbiosis de un hongo y de un alga, y que vive en terrenos húmedos: *En el tronco de ese árbol hay un liquen gris en forma de costra.* ▮ pl. **2** En botánica, tipo de estos organismos perteneciente al reino de los protistas: *Los líquenes crecen sobre las rocas o sobre las cortezas de los árboles.* ☐ ETIMOL. Del latín *lichen.*

liquenología s.f. Ciencia que estudia los líquenes. ☐ ETIMOL. De *liquen* y *-logía* (estudio, ciencia).

liquenólogo, ga s. Persona que se dedica profesionalmente al estudio de líquenes, o que está especializado en liquenología.

líquida s.f. Véase **líquido, da.**

liquidación s.f. **1** Pago de una cuenta o de una deuda por entero: *Hoy he hecho la liquidación de los libros que encargué.* **2** Venta de las existencias de un comercio a un precio muy rebajado: *La zapatería está de liquidación porque van a cerrar por obras.* **3** Conversión en dinero efectivo de algún bien: *La liquidación de los activos de la empresa no llegará para pagar a los acreedores.* **4** Finalización o terminación definitivas: *Este acuerdo supone la liquidación de nuestros enfrentamientos.* **5** Dinero que se paga a un empleado o trabajador cuando deja de prestar sus servicios: *Con el dinero de la liquidación montaré un pequeño negocio.*

liquidámbar s.m. **1** Árbol de hoja caduca, cuyo tronco exuda una resina muy aromática. ☐ SINÓN. *ocozol.* **2** Bálsamo de color amarillo rojizo, muy aromático que se extrae de este árbol. ☐ ETIMOL. De *líquido* y *ámbar.*

liquidar v. **1** Terminar, poner fin o acabar: *Liquidaron sus diferencias y son amigos otra vez.* **2** Referido a una cuenta o a una deuda, saldarlas o pagarlas enteramente: *Ya he liquidado lo que le debía al sastre.* **3** Gastar o consumir por completo: *Liquidó* *el sueldo de un mes en un solo día de compras.* **4** *col.* Matar: *El jefe de la banda mandó liquidar al soplón.* **5** Referido a las existencias de un comercio, venderlas a un precio rebajado: *Se liquidan todos los artículos por cambio de negocio.* ☐ ETIMOL. De *líquido.*

liquidativo, va adj. De la liquidación o venta, o relacionado con ella.

liquidatorio, a adj. De la liquidación o relacionado con ella.

liquidez s.f. **1** En economía, capacidad de hacer frente de forma inmediata a las obligaciones financieras: *Aunque tengo mucho dinero invertido, ahora mismo no tengo liquidez.* **2** En una sustancia, falta de cohesión entre sus moléculas y posibilidad de adaptación de su forma a la del recipiente que la contenga.

líquido, da ▌adj. **1** Referido a una cantidad de dinero, libre de los descuentos que le corresponden: *mil euros líquidos.* ☐ SINÓN. *neto.* **2** En lingüística, referido a un sonido consonántico, que tiene a la vez carácter consonántico y vocálico: *La palabra 'lira' tiene dos consonantes líquidas.* ▌adj./s.m. **3** Referido esp. a una sustancia, que tiene las moléculas con poca cohesión y se adapta a la forma del recipiente que la contiene: *Se rompió la botella y todo el líquido se extendió por el suelo.* **4** En economía, referido a un saldo o a una cantidad, que resultan de comparar el debe con el haber: *En esta cuenta hay un saldo líquido de tres millones.* **5** Referido a una cantidad de dinero, disponible porque no está invertida: *¿De cuánto líquido dispondrías para esta operación financiera?* ▌s.f. **6** Letra que representa un sonido consonántico que tiene a la vez carácter consonántico y vocálico: *En la primera sílaba de 'brazo' hay una bilabial, una líquida y una vocal.* ☐ ETIMOL. Del latín *liquidus.*

lira s.f. **1** Unidad monetaria de distintos países: *lira turca; lira maltesa.* **2** Unidad monetaria italiana hasta la adopción del euro. **3** Antiguo instrumento musical de cuerda, con forma de 'U', que se tocaba pulsando las cuerdas con ambas manos o con una púa. **4** En métrica, estrofa formada por cinco versos, endecasílabos el primero y el quinto y heptasílabos los demás, de rima consonante y cuyo esquema es aBabB: *La lira tomó su nombre en español de la oda de Garcilaso que empieza 'Si de mi baja lira'.* ☐ ETIMOL. Las acepciones 1 y 2, del italiano *lira.* Las acepciones 3 y 4, del latín *lyra.*

lírica s.f. Véase **lírico, ca.**

lírico, ca ▌adj. **1** De la lírica, relacionado con ella, o con rasgos propios de este género literario: *una composición lírica.* **2** Característico de este género literario o apto para él: *El amor es uno de los temas líricos por excelencia.* **3** Que produce un sentimiento íntimo, intenso o sutil, semejante al que busca producir la poesía de este género literario: *una melodía lírica.* **4** Referido a una composición musical, que es total o parcialmente cantada y está destinada a ser puesta en escena: *La ópera, la opereta y la zarzuela son tipos de composiciones líricas.* **5** De este tipo de composiciones o relacionado con ellas: *un cantante lírico.* ▌adj./s. **6** Referido a un poeta, que cultiva la poesía lírica: *Juan Ramón Jiménez es uno de nuestros poetas líricos más famosos.* ▌s.f. **7** Género literario al que pertenecen las obras escritas generalmente en verso y caracterizadas por predominar en ellas la expresión de los sentimientos íntimos del autor: *Según la poética clásica, los tres grandes géneros literarios son la lírica, la dramática y la épica.* ☐ ETIMOL. Del griego *lyrikós* (relativo a la lira, que toca la lira), porque los poetas líricos en la Antigüedad recitaban la poesía acompañados de una lira.

lirio s.m. **1** Planta de jardín, herbácea, con tallos largos y verdes, hojas que salen de la base y flores grandes y de colores vistosos: *Me regalaron un lirio con la flor morada.* ☐ SINÓN. *lis.* **2** Flor de esta planta: *Puse en un jarrón el lirio que cogí en el estanque.* **3** ‖ **lirio de agua; 1** Planta ornamental con una piña alargada de flores amarillas que sale del centro de una hoja blanca en forma de cucurucho: *Los lirios de agua crecen en zonas húmedas.* ☐ SINÓN. *cala.* **2** Flor de esta planta. ☐ SINÓN. *cala.* ☐ ETIMOL. Del latín *lilium.*

lirismo s.m. Carácter de lo que es lírico o de lo que tiene capacidad para inspirar un sentimiento íntimo, intenso o sutil.

lirón s.m. **1** Mamífero roedor de pequeño tamaño, muy parecido al ratón, que se alimenta esp. de los frutos de los árboles. **2** *col.* Persona dormilona o que duerme mucho. ☐ SINÓN. *marmota.* ☐ ETIMOL. Del latín *glis.* ☐ MORF. En la acepción 1, es un sustantivo epiceno: *el lirón {macho/hembra}.*

lis s.f. **1** Planta de jardín, herbácea, con tallos largos y verdes, hojas que salen de la base y flores grandes y de colores vistosos: *He plantado un bulbo de lis en el jardín.* ☐ SINÓN. *lirio.* **2** En heráldica, figura parecida a un lirio: *El escudo de los Maldonado tiene cinco lises.* ☐ SINÓN. *flor de lis.* ☐ ETIMOL. Del francés *lis*, y este del latín *lilium* (lirio).

lisa s.f. Véase **liso, sa.**

lisboeta adj.inv./s.com. De Lisboa (capital portuguesa), o relacionado con ella.

lisérgico, ca adj. Referido esp. a un ácido, que se ha extraído de los alcaloides del centeno y que tiene sustancias alucinógenas.

lisiado, da adj./s. Referido a una persona, que padece una lesión permanente, esp. en las extremidades. ☐ USO Tiene un matiz despectivo.

lisiar v. Producir una lesión en alguna parte del cuerpo, esp. si es permanente: *Lo lisiaron en la guerra y no puede trabajar.* ☐ ETIMOL. Del latín *laesio*, y este de *laedere* (herir). ☐ ORTOGR. La *i* nunca lleva tilde.

lisímetro s.m. Aparato que se utiliza para medir la cantidad de agua que hay en el suelo.

lisis (pl. *lisis*) s.f. **1** En medicina, terminación lenta y favorable de una enfermedad. **2** En química, descomposición o disolución de una sustancia. ☐ ETIMOL. Del griego *lýsis* (disolución).

-lisis Elemento compositivo que significa 'disolución': *hidrólisis, hemólisis.* □ ETIMOL. Del griego *lysis.*

liso, sa ▮ adj. **1** Sin desigualdades, sin desniveles, sin arrugas o sin obstáculos: *Después de subir a la montaña, anduvimos por una zona muy lisa y llana. La tela estaba muy arrugada, pero la planché hasta que quedó lisa. Va a empezar la carrera de cien metros lisos.* **2** Sin adornos, sin decoración o de un solo color: *El papel pintado me gusta liso, sin flores ni dibujos.* **3** Referido al pelo, que es lacio y sin rizos. ▮ adj./s. **4** En zonas del español meridional, grosero: *Es un liso insoportable.* ▮ s.f. **5** Pez marino, de cuerpo alargado, cabeza aplastada y labios muy gruesos, que abunda en aguas mediterráneas y es muy apreciado como alimento. □ SINÓN. *mújol.* □ ETIMOL. De origen incierto. □ MORF. En la acepción 5, es un sustantivo epiceno: *la lisa {macho/ hembra}.*

lisonja s.f. *poét.* Alabanza que se hace interesada e hipócritamente para ganarse la voluntad de alguien. □ ETIMOL. Del provenzal antiguo *lauzenja.*

lisonjear v. Referido a una persona, decirle o hacerle de manera intencionada y generalmente desmedida lo que se cree que puede agradarle: *Aunque te pases el día lisonjeándome, no vas a conseguir nada de mí.* □ SINÓN. *adular.*

lisonjero, ra ▮ adj. **1** Que agrada o satisface: *Este crítico es amigo de la escritora y escribió un artículo muy lisonjero sobre el libro.* ▮ adj./s. **2** Que lisonjea, adula o halaga: *No seas tan lisonjero con ellos si no quieres que piensen que les estás haciendo la pelota.*

lisozima s.f. Enzima que se encuentra en la saliva y que, en condiciones de laboratorio, ha demostrado cierta actividad contra el virus del sida.

lista s.f. Véase **listo, ta.**

listado, da ▮ adj. **1** Con listas o líneas de varios colores. ▮ s.m. **2** En informática, información obtenida por cualquiera de los dispositivos de salida de información de un ordenador.

listar v. En informática, referido a los datos o a un programa, obtenerlos por cualquiera de los dispositivos de salida de información de un ordenador: *Tengo que listar estos ficheros para revisarlos en casa.*

listel s.m. En arquitectura, moldura pequeña y de sección recta, con forma de lista larga y estrecha, que separa generalmente otras dos: *Las basas corintias se componen de canales y listeles.* □ SINÓN. *filete.* □ ETIMOL. Del francés antiguo *listel.*

listeriosis (pl. *listeriosis*) s.f. Enfermedad infecciosa, de origen bacteriológico, esp. peligrosa para mujeres embarazadas y bebés.

listeza s.f. **1** Capacidad para asimilar las cosas con facilidad y comprenderlas bien. **2** Habilidad para hacer algo o para saber ver lo que le conviene y sacar provecho de ello.

listillo, lla adj./s. *col.* Referido a una persona, que presume de saber mucho. □ USO Tiene un matiz despectivo.

listín s.m. Lista de teléfonos o de direcciones.

listo, ta ▮ adj. **1** Que asimila las cosas con facilidad y las comprende rápidamente: *Va muy bien en los estudios porque es una chica muy lista.* **2** Dispuesto o preparado para hacer algo: *Ya estamos listos para ir al cine.* ▮ adj./s. **3** Referido a una persona, hábil para hacer algo, o capaz de ver lo que le conviene y de sacar provecho de ello: *No es buen organizador, pero es muy listo para conseguir clientes.* ▮ s.f. **4** Relación o enumeración de personas, de cosas o de sucesos, hecha generalmente en forma de columna: *la lista de la compra.* **5** Línea de color distinto, esp. en una tela: *un traje a listas negras y blancas.* **6** Trozo largo y estrecho de un material delgado y flexible: *Decoró el techo con listas de papel de colores.* □ SINÓN. *tira.* **7** ‖ **{estar/ir} listo;** *col.* Estar muy equivocado o ir descaminado en un propósito: *Si crees que portándote tan mal te voy a dejar ir a la fiesta, vas lista.* ‖ **lista de boda;** la que contiene los objetos elegidos por los novios para que se los regalen sus invitados. ‖ **lista de {correo/distribución};** en internet, la que está formada por direcciones de correo electrónico y se utiliza para que todos los miembros suscritos reciban la información que se envía: *Estoy suscrito a una lista de correo en la que recibo todo tipo de información sobre lingüística.* ‖ **lista de correos;** servicio que permite a los clientes recibir la correspondencia en una oficina: *Como todavía no sé cuánto tiempo viviré aquí he decidido contratar una lista de correos.* ‖ **lista negra;** la que contiene las personas o las cosas contra las que se tiene algo. ‖ **pasar lista;** leer en voz alta una relación de nombres de personas para comprobar si se hallan presentes. ‖ **pasarse de listo;** *col.* Equivocarse en lo que no se conoce pero que se cree conocer. □ ETIMOL. Las acepciones 1-3, de origen incierto. Las acepciones 4-6, del germánico *lista* (tira). □ USO 1. En la acepción 4, es innecesario el uso del anglicismo *ranking.* 2. *Listo* se usa para indicar que algo ya está terminado o preparado: *¡Listo!, ya te he arreglado la bicicleta.*

listón s.m. **1** Moldura de sección cuadrada y poco saliente: *Las puertas de este armario tienen listones como adorno.* **2** Trozo de tabla estrecho: *El carpintero sacó de un mismo tablón varios listones.* **3** En deporte, barra colocada horizontalmente sobre dos soportes y que marca la altura que se debe sobrepasar en las pruebas de salto: *La atleta saltó el listón al tercer intento.* **4** En zonas del español meridional, cinta de seda: *Con ese vestido te queda mejor un listón verde que uno rojo.* **5** ‖ **poner el listón alto;** *col.* Exigir demasiado o marcar un límite difícil de superar: *Nunca está satisfecha con su trabajo porque se pone el listón muy alto.*

listura s.f. *col.* Listeza. □ USO Tiene un matiz humorístico.

lisura s.f. **1** Ausencia de desigualdades, de desniveles, de arrugas o de obstáculos. **2** En zonas del español meridional, grosería: *No se deben decir lisuras en voz alta.* **3** En zonas del español meridional, descaro o desfachatez: *Tuvo la lisura de decir lo que pensaba.*

litas (pl. *litai*) s.m. Unidad monetaria lituana.

litera s.f. **1** Mueble formado por dos o más camas superpuestas. **2** Cada una de las camas, generalmente estrechas y sencillas, que forman este mueble: *Yo duermo en la litera de abajo.* **3** Vehículo antiguo para una o dos personas, formado por una especie de cabina con dos varas delante y dos detrás para ser llevado por personas o por caballerías: *En el antiguo Egipto, los esclavos llevaban al faraón en una litera.* ☐ ETIMOL. Del catalán *llitera*, y este de *llit* (cama).

literal adj.inv. **1** Que sigue el sentido exacto y propio de las palabras: *Si alguien dice que se muere de alegría, no debes entenderlo en el sentido literal.* **2** Que sigue o respeta fielmente las palabras del original: *Una cita literal debe ir entre comillas.* ☐ ETIMOL. Del latín *litteralis*.

literalidad s.f. Respeto absoluto al sentido exacto de las palabras o a las palabras de un original: *La literalidad de 'no dar un palo al agua' no tiene nada que ver con su sentido coloquial de 'no trabajar'.*

literario, ria adj. De la literatura o relacionado con este arte.

literato, ta s. Persona que se dedica al ejercicio de la literatura o que está especializada en su estudio, esp. si esta es su profesión.

literatura s.f. **1** Arte o técnica cuyo medio de expresión es la palabra, esp. la escrita: *El dominio del lenguaje es esencial en literatura.* **2** Conjunto de obras o de escritos creados según este arte, esp. si tienen una característica común: *En vacaciones le gusta leer solo literatura y olvidarse de los periódicos.* **3** Teoría que estudia estas obras y sus autores: *Un especialista en literatura medieval me recomendó esta edición del 'Libro de Buen Amor'.* **4** Conjunto de las obras escritas sobre una materia o un asunto específicos: *La literatura sobre el cáncer es ya muy extensa.* **5** ‖ **hacer literatura;** *col.* Hablar con mucha palabrería sobre un tema sin tocarlo a fondo: *Es fácil hacer literatura con el problema del hambre, pero lo difícil es ofrecer soluciones.* ☐ ETIMOL. Del latín *litteratura*.

litiasis (pl. *litiasis*) s.f. Presencia o formación de cálculos en una cavidad o conducto del organismo, esp. en las vías urinarias y biliares. ☐ ETIMOL. Del griego *lithíasis*, y este de *líthos* (piedra).

lítico, ca adj. De la piedra o relacionado con ella. ☐ ETIMOL. Del griego *lithikós*, y este de *líthos* (piedra).

litigante adj.inv./s.com. Que litiga.

litigar v. **1** Pleitear o disputar en un juicio: *Litigó la cuestión de la herencia hasta que consiguió que le reconocieran su parte. Litigaba contra su empresa para que le concedieran una indemnización.* **2** Discutir, debatir o contender: *No me gusta litigar sobre ese asunto contigo porque tú eres parte interesada en él.* ☐ ETIMOL. Del latín *litigare* (disputar, pelearse con palabras).

litigio s.m. **1** Pleito o disputa en juicio: *Los dos hermanos han comenzado un litigio por unas tierras.* ☐ SINÓN. *causa.* **2** Discusión, riña o contienda: *Te doy la razón para no entrar en litigios contigo.* ☐ ETIMOL. Del latín *litigium*.

litigioso, sa adj. **1** Que está en pleito o que está en duda y se disputa. **2** Inclinado a mover pleitos y litigios.

litio s.m. Elemento químico, metálico y sólido, de número atómico 3, de color blanco, blando y muy ligero: *El litio se utiliza en aleaciones con aluminio para fabricar ciertos vidrios.* ☐ ETIMOL. Del griego *lithíon* (piedrecita). ☐ ORTOGR. Su símbolo químico es *Li*.

lito- Elemento compositivo prefijo que significa 'piedra': *litófago, litofotografía, litosfera.* ☐ ETIMOL. Del griego *líthos* (piedra).

-lito Elemento compositivo sufijo que significa 'piedra': *aerolito, monolito.* ☐ ETIMOL. Del griego *líthos* (piedra).

litoclasa s.f. Grieta o solución de continuidad en una roca que no origina separación en varias partes. ☐ ETIMOL. Del francés *lithoclase*.

litófago, ga adj./s.m. Referido a un molusco, que perfora las rocas para vivir en ellas: *Los moluscos litófagos ablandan la madera con ayuda de secreciones ácidas.* ☐ ETIMOL. De *lito-* (piedra) y *-fago* (que come).

litofotografía s.f. **1** Arte o técnica de fijar y reproducir dibujos hechos en una piedra adecuada, mediante la acción química de la luz. ☐ SINÓN. *fotolitografía.* **2** Reproducción obtenida por medio de esta técnica: *Iré a ver una exposición de litofotografías.* ☐ SINÓN. *fotolitografía.* ☐ ETIMOL. De *lito* (piedra) y *fotografía*.

litogenesia s.f. Parte de la geología que estudia la formación de las rocas: *La litogenesia establece fases en el proceso de formación de las rocas.* ☐ SINÓN. *litogénesis.* ☐ ETIMOL. De *lito-* (piedra) y el griego *génesis* (origen).

litogénesis (pl. *litogénesis*) s.f. →**litogenesia.**

litografía s.f. **1** Arte o técnica de imprimir imágenes previamente grabadas en una piedra calcárea o en una plancha metálica: *La litografía permite obtener unas cien pruebas de una sola piedra.* **2** Reproducción obtenida mediante esta técnica: *Han inaugurado una exposición de litografías de Goya.* **3** Taller donde se realizan estas reproducciones: *Hemos ido a la litografía para encargar unas estampas.* ☐ ETIMOL. De *lito-* (piedra) y *-grafía* (representación gráfica).

litográfico, ca adj. De la litografía o relacionado con esta técnica de impresión.

litógrafo, fa s. Persona que se dedica a la litografía o impresión de imágenes en piedra o metal, esp. si esta es su profesión.

litología s.f. Parte de la geología que estudia las rocas. ☐ ETIMOL. De *lito-* (piedra) y *-logía* (estudio, ciencia).

litoral ▌ adj.inv. **1** De la orilla del mar o de su costa: *zonas litorales.* ▌ s.m. **2** Franja de terreno que toca con el mar. ☐ ETIMOL. Del latín *litoralis* (costeño).

litosfera s.f. Capa exterior sólida de la Tierra, situada entre la atmósfera y la astenosfera, que está compuesta principalmente por silicatos: *La litosfera engloba la corteza terrestre y una pequeña parte del manto.* ☐ ETIMOL. De *lito-* (piedra) y la terminación de *atmósfera*.

litote (tb. *litotes, lítotes*) s.f. Figura retórica consistente en no manifestar expresamente todo lo que se quiere dar a entender, generalmente negando lo contrario de lo que se quiere afirmar: *Si para decir que te parece feo dices que no es muy bonito, estás empleando una litote.* ☐ ETIMOL. Del latín *litotes*, este del griego *litótes*, y este de *litós* (tenue).

lítotes (tb. *litotes*) (pl. *lítotes, litotes*) s.f. →**litote.**

litotricia s.f. En medicina, destrucción de los cálculos renales para posibilitar su eliminación por la orina: *En la litotricia se utilizan ondas de choque para destruir los cálculos.* ☐ ETIMOL. De *lito-* (piedra) y el latín *tritium*, y este de *terere* (triturar).

litri adj.inv. *col.* Referido a una persona, que es pedante, excesivamente pulcra o cursi.

litro s.m. Unidad de volumen que equivale al contenido de un decímetro cúbico. ☐ ORTOGR. Su símbolo es *l* o *L* (incorr. **lit* o **Lit*), por tanto, se escribe sin punto.

litrona s.f. *col.* Botella de cerveza de un litro.

lituano, na ▮ adj./s. **1** De Lituania o relacionado con este país europeo. ▮ s.m. **2** Lengua indoeuropea de este país: *Los primeros textos escritos en lituano datan del siglo XVI.*

liturgia s.f. Orden y forma interna de los oficios y ritos con que cada religión rinde culto a su divinidad: *La liturgia católica prevé las lecturas correspondientes a cada domingo del año.* ☐ ETIMOL. Del latín *liturgia*, y este del griego *leiturgía* (servicio del culto).

litúrgico, ca adj. De la liturgia o relacionado con ella.

liturgista adj.inv./s.com. **1** Referido a una persona, que estudia y enseña la liturgia, o que la conoce bien. **2** Partidario de seguir estrictamente la liturgia.

liviandad s.f. **1** Poco peso. ☐ SINÓN. *ligereza, levedad.* **2** Inconstancia o facilidad para el cambio. **3** Poca importancia o poca gravedad. ☐ SINÓN. *levedad.* **4** Hecho o dicho livianos: *Esas liviandades son propias de su juventud.*

liviano, na ▮ adj. **1** De poco peso. ☐ SINÓN. *leve, ligero.* **2** Sin importancia o de poca gravedad: *Las comedias suelen ser obras livianas pero entretenidas.* ☐ SINÓN. *leve, ligero.* **3** Inconstante o que cambia con facilidad: *un comportamiento liviano.* ▮ s.m. **4** Pulmón, esp. el de la res destinada al consumo. ☐ ETIMOL. Del latín **levianus*, y este de *levis* (ligero); en la acepción 4, por el poco peso que tienen los pulmones. ☐ MORF. En la acepción 4, se usa más en plural.

lividecer v. Ponerse lívido: *Al enterarse del trágico suceso livideció.* ☐ MORF. Irreg. →PARECER.

lividez s.f. **1** En una persona, palidez extrema: *una lividez cadavérica.* **2** Coloración parecida al morado o con tonos morados.

lívido, da adj. **1** Referido a una persona, que está muy pálida: *Al recibir la triste noticia se quedó lívida.* **2** De color rojo amoratado: *El cielo se tornó lívido en el crepúsculo.* ☐ ETIMOL. Del latín *lividus* (azulado negruzco, de color plomizo). ☐ ORTOGR. Dist. de *libido*.

living (ing.) s.m. En zonas del español meridional, cuarto de estar. ☐ PRON. [lívin].

liza s.f. **1** Campo preparado para un combate: *Los caballeros se colocaron en los extremos de la liza para empezar la lucha.* **2** Lucha, combate o enfrentamiento: *Los dos candidatos mantuvieron una dura liza.* ☐ SINÓN. *lid.* ☐ ETIMOL. Del francés *lice*.

ll s.f. Véase l.

llaga s.f. **1** En el cuerpo de una persona o de un animal, herida abierta o sin cicatrizar: *Se enjuaga la boca con un producto antiséptico para prevenir las llagas.* ☐ SINÓN. *úlcera.* **2** Daño o desgracia que causan sufrimiento o dolor moral: *A pesar de los años, la llaga que me dejó tu marcha aún permanece.* **3** En el cuerpo de algunos santos, huella o marca impresa de forma sobrenatural: *Santa Teresa de Jesús tuvo llagas en las manos.* ☐ SINÓN. *estigma.* ☐ ETIMOL. Del latín *plaga* (herida, golpe).

llagar v. Producir llagas: *Tres meses en la cama han llagado su cuerpo. Iba descalza y se llagó los pies por la caminata.* ☐ ORTOGR. La *g* se cambia en *gu* delante de *e* →PAGAR.

llama s.f. **1** Masa gaseosa que arde y se eleva desprendiendo luz y calor: *Las llamas del incendio arrasaron varias hectáreas.* **2** Referido esp. a un sentimiento, viveza o intensidad: *Mantenían viva la llama de su amor.* **3** Mamífero rumiante con pelaje de color marrón claro y orejas largas y erguidas, que se utiliza como animal de carga y del que se obtiene leche, carne y lana. ☐ ETIMOL. Las acepciones 1 y 2, del latín *flamma*. La acepción 3, del quechua *llama*. ☐ MORF. En la acepción 3, es un sustantivo epiceno: *la llama {macho/hembra}.*

llamada s.f. **1** Captación de la atención de una persona o de un animal, generalmente por medio de la voz o de los gestos, para establecer una comunicación: *Yo le gritaba, pero él no atendía mi llamada.* **2** Establecimiento de una comunicación telefónica: *En el contestador automático se han grabado dos llamadas.* **3** Voz, gesto, sonido o señal con los que se intenta atraer la atención de una persona o de un animal: *Ese timbre es la llamada para entrar en clase.* **4** En un texto, señal que se pone para remitir al lector a otro lugar de la misma obra, en el que generalmente se facilitan explicaciones o datos complementarios. ☐ SINÓN. *reclamo.* **5** Atracción que algo ejerce sobre una persona: *De joven sintió la llamada de las letras y escribió bellos poemas.* **6** En el ejército, toque de corneta reglamentario que se da generalmente para que la tropa tome las armas y se ponga en formación: *La llamada es un toque que debe ser obedecido inmediatamente.*

llamado s.m. **1** En zonas del español meridional, llamamiento. **2** En zonas del español meridional, llamada telefónica.

llamador s.m. **1** Utensilio que se coloca en una puerta y que se utiliza para llamar: *Golpeó varias veces con el llamador, pero nadie salió a abrir.* **2** Botón de un timbre eléctrico: *Si pulsas el llamador que hay en la cabecera de la cama, vendrá la enfermera.*

llamamiento s.m. Convocatoria, petición o incitación: *El presidente hizo un llamamiento a la calma.*

llamar v. **1** Referido esp. a una persona o a un animal, dirigirse a ellos, esp. por medio de la voz o de gestos, para captar su atención o para establecer comunicación: *Lo llamé por señas pero no me vio. Llama al perro, a ver si te hace caso.* **2** Telefonear o solicitar una comunicación telefónica: *Te llamé, pero estuviste comunicando toda la tarde.* **3** Convocar, citar o hacer ir o venir: *Ayer me llamaron a filas. Levanta la mano para llamar un taxi.* **4** Invocar o pedir ayuda: *¡Llama a un guardia, que me roban! Si necesita llamar a la enfermera, pulse el timbre.* **5** Nombrar, dar nombre o tenerlo: *¿Cómo vas a llamar al perro? Yo no me llamo así.* **6** Designar con una palabra: *Me ha llamado tonta. ¿Cómo llaman a esto en tu pueblo?* **7** Atraer o gustar: *Si al chico no le llama el estudio, déjalo. Hoy no me llama la comida.* **8** Golpear una puerta o hacer funcionar un dispositivo que sirva de aviso, esp. un timbre: *Sal a abrir, que están llamando. Llamen antes de entrar.* □ ETIMOL. Del latín *clamare* (gritar, clamar, exclamar).

llamarada s.f. **1** Llama grande que surge de forma repentina y se apaga rápidamente: *La casa ardía y salían llamaradas por puertas y ventanas.* **2** Enrojecimiento repentino y momentáneo de la cara, generalmente producido por un sentimiento de vergüenza: *Cuando le dije que la quería, una llamarada cubrió su rostro.* **3** Manifestación repentina y pasajera de un sentimiento: *Temo tus llamaradas de ira.*

llamativo, va adj. Que llama mucho la atención.

llamear v. Echar llamas: *El fuego de la chimenea llameaba al arder la leña seca.*

llana s.f. Véase **llano, na.**

llaneador, -a adj./s. **1** Que llanea. **2** Referido esp. a un ciclista, que corre muy bien por terrenos llanos: *Los buenos llaneadores suelen ser malos escaladores.* □ SINÓN. *rodador.*

llanear v. **1** Andar por un terreno llano evitando las pendientes y las irregularidades: *Cuando salimos de marcha, me gusta más llanear que subir a las cumbres.* **2** Correr con facilidad por terrenos llanos: *Los ciclistas que llanean tienen ventaja hoy porque la etapa es llana.*

llanero, ra s. Persona que habita en las llanuras: *Los llaneros colombianos montan muy bien a caballo.*

llaneza s.f. **1** Sencillez, moderación o familiaridad en el trato con otras personas: *Me sigue tratando con la misma llaneza que cuando no era ministra.* **2** Sencillez y naturalidad de estilo: *Este autor gusta al público joven porque escribe con llaneza.*

llanito, ta adj./s. *col.* Gibraltareño.

llano, na ▌adj. **1** Liso, igual, sin desniveles o sin desigualdades: *Este terreno llano es bueno para jugar al balón.* **2** Referido a una palabra, que lleva el acento en la penúltima sílaba: *'Azúcar' y 'antes' son palabras llanas aunque solo lleve tilde la primera.* □ SINÓN. *grave, paroxítono.* **3** Referido a un verso, que termina en palabra acentuada en la penúltima sílaba: *El verso de fray Luis 'Del monte en la ladera' es llano.* □ SINÓN. *grave, paroxítono.* **4** Referido a un grupo social, que tiene poca importancia o que no goza de privilegios: *El pueblo llano estaba obligado a pagar tributos.* **5** Sencillo, accesible, natural, sin presunción o sin adornos: *A pesar de su fama, es una persona llana y agradable.* **6** Claro, fácil de entender o que no presenta dificultades: *El estilo llano de este novelista gusta a mucha gente.* ▌s.m. **7** Extensión de terreno sin desniveles: *Paramos en un llano para comer.* ▌s.f. **8** Herramienta de albañilería formada por una plancha metálica sujeta a un asa, que se utiliza para extender el yeso o la argamasa. **9** ‖ **dar de llana;** pasar esta herramienta sobre el yeso o la argamasa para extenderlos. □ ETIMOL. Del latín *planus* (plano).

llanta s.f. **1** En una rueda neumática, cerco exterior, generalmente metálico, sobre el que se montan los neumáticos: *Un golpe ha deformado la llanta, y el neumático no encaja bien en ella.* **2** En una rueda, esp. la de un carro, cerco metálico exterior que la protege: *La llanta del carro está muy gastada, y está empezando a estropearse la madera.* **3** En zonas del español meridional, rueda. **4** En zonas del español meridional, neumático. **5** En zonas del español meridional, flotador. **6** *col.* En zonas del español meridional, michelín: *Dice que se va a poner a hacer ejercicio para bajar las llantas.* □ ETIMOL. Quizá del francés *jante* (cada uno de los trozos de madera que formaban las ruedas de los carros).

llantén s.m. Planta herbácea, de flores pequeñas en espiga, fruto en cápsula y hojas anchas, gruesas y ovaladas muy utilizadas en medicina: *La infusión de hojas de llantén se toma para curar la diarrea.* □ ETIMOL. Del latín *plantago*, y este de *planta* (planta del pie), quizá porque los cinco nervios de las hojas del llantén se compararon con los cinco dedos y nervios del pie.

llantera s.f. *col.* →**llantina.**

llantina s.f. *col.* Llanto fuerte y persistente. □ SINÓN. *llorera, llantera.*

llanto s.m. Derramamiento de lágrimas, generalmente acompañado de lamentos o de sollozos: *El llanto del bebé despertó a los vecinos.* □ SINÓN. *lloro.* □ ETIMOL. Del latín *planctus* (lamentación).

llanura s.f. **1** Extensión de terreno muy grande y sin desniveles. **2** Igualdad en la superficie: *la llanura de un terreno.* □ ETIMOL. De *llano.*

llar s.f. Cadena de hierro que está sujeta en el hogar de la chimenea y que tiene un gancho del que se cuelga un recipiente, generalmente una caldera. □

ETIMOL. Del leonés *llar* (hogar), donde se colgaban las cadenas para sostener las calderas en las que se cocinaba. □ USO Se usa más en plural.

llave s.f. **1** Utensilio, generalmente metálico y de forma alargada, que se utiliza para abrir o cerrar una cerradura. **2** Utensilio que sirve para dar cuerda a un mecanismo: *Con una llave doy cuerda a mi cajita de música.* **3** Herramienta que sirve para apretar o aflojar tuercas o tornillos: *Se utilizan diferentes llaves según el tamaño de las tuercas.* **4** Mecanismo que sirve para facilitar o para impedir el paso de un fluido o de la electricidad: *Abre la llave del gas y enciende el fuego.* **5** En un instrumento musical de viento, pieza que abre o cierra el paso del aire para producir distintos sonidos: *Algunas flautas van provistas de llaves para poder tapar o destapar los agujeros a los que no llega la mano.* **6** En algunos deportes, movimiento con el que se consigue inmovilizar o derribar al adversario: *una llave de judo.* **7** En un texto escrito, signo gráfico que tiene la forma de paréntesis con un pico en el centro, y que se coloca al principio y, en posición invertida, al final de un texto, cuyo contenido es generalmente la clasificación o el desarrollo de lo que se escribe al otro lado de este signo: *Los signos { } son llaves.* **8** Lo que permite el acceso: *La asignatura de lengua de este curso es llave para la lengua del curso próximo.* **9** Medio para conseguir o para saber algo: *Solo tú tienes la llave para solucionar el problema.* **10** || **bajo llave** o **bajo siete llaves;** encerrado, bien guardado u oculto. || **echar la llave;** cerrar con ella. || **llave de contacto;** la que pone en funcionamiento un mecanismo, esp. un vehículo. || **llave (de paso);** la que se intercala en una tubería para regular el paso de un fluido, esp. del agua. || **llave en mano;** referido a una vivienda, que es de nueva construcción y está totalmente terminada y preparada para ser habitada cuando se compra. || **llave falsa;** la que se hace a escondidas para utilizarla sin permiso: *El ladrón utilizó una llave falsa para entrar en la casa.* || **llave inglesa;** la que tiene un dispositivo que permite adaptarla a tuercas de distintos tamaños. || **llave maestra;** la que sirve para distintas cerraduras: *El guarda tiene una llave maestra con la que abre todos los despachos.* □ ETIMOL. Del latín *clavis.*

llavero s.m. Utensilio en el que se guardan y se llevan las llaves.

llavín s.m. Llave pequeña que sirve para abrir una cerradura.

llegada s.f. **1** Aparición o entrada en un lugar: *Todo cambió con tu llegada a la ciudad. Su llegada a este puesto fue muy discutida. La llegada del tren se producirá a las tres.* □ SINÓN. *arribo.* **2** Comienzo o inicio: *Con la llegada de la primavera florecen los campos.* **3** Lugar en el que termina una carrera deportiva: *La llegada de esta etapa ciclista es la plaza del Ayuntamiento.* □ SINÓN. *meta.*

llegador, -a adj./s. Referido esp. a un ciclista, con buena aceleración final: *Varios llegadores participaron en el sprint.*

llegar ▌v. **1** Empezar a estar en un lugar o aparecer en él: *Hoy he llegado tarde al trabajo. Tus padres han llegado ya.* **2** Alcanzar el final de un recorrido: *El tren llegará a su destino mañana. La corredora con el número cinco llegó la primera.* **3** Referido a un momento determinado, durar hasta él: *Como sigas así, no llegas a cumplir los treinta.* **4** Empezar, producirse o tener lugar: *Llegó la hora de decirle la verdad. Cuando llegue la cosecha iré a ayudarte.* **5** Referido esp. a un objetivo, conseguirlo o lograrlo: *Aquel chico llegó a ser ministro. No llego a entenderlo.* **6** Referido esp. a una situación o a una cantidad, alcanzarla o estar muy cerca de ella: *Si sigues derrochando, llegarás a la miseria. La factura no llegó a seis euros.* **7** Referido esp. a una profesión o a un cargo, conseguir serlo: *Estudia y llegarás a catedrático.* **8** Referido a un punto determinado, tocarlo o extenderse hasta él: *El agua me llega por la cintura. La cola del cine llega hasta la esquina.* **9** Ser suficiente: *Ese dinero no te llega para nada. Los caramelos no llegaron para todos.* **10** Causar una gran impresión en el ánimo, esp. si es positiva, y conseguir interesar: *La novela no me llega, porque trata problemas que desconozco.* **11** Referido a una acción, conseguir hacerla aunque parezca increíble: *Se enfadó tanto que llegó a decir que me odiaba. Perdóname que llegara a creer esas mentiras.* ▌prnl. **12** Referido a un punto, acercarse a él o alcanzarlo: *Llégate hasta la fuente y trae agua.* **13** || **llegar** alguien **lejos;** alcanzar el éxito en lo que se ha propuesto: *Sé que tú llegarás lejos.* □ ETIMOL. Del latín *plicare*, de *applicare* (arrimar). □ ORTOGR. La *g* se cambia en *gu* delante de *e* →PAGAR. □ MORF. En la acepción 4, es unipersonal. □ SINT. 1. Constr. de las acepciones 5, 6 y 7: *llegar* A *algo*. 2. Constr. de la acepción 10: *llegar* A *alguien*. 3. Constr. de la acepción 11: *llegar* A *hacer algo*.

llenado s.m. Ocupación total o parcial de un espacio vacío o de un recipiente: *Tras el llenado de las botellas, se procede a la colocación del corcho.*

llenar ▌v. **1** Referido a un espacio vacío o a un recipiente, ocuparlos total o parcialmente: *Llena el vaso solo hasta la mitad. El público llenaba la sala. Este autobús se llena en las horas punta.* **2** Referido esp. a muestras de aprecio o de desprecio, darlas o dispensarlas en abundancia: *Me llenó de ofensas sin que yo le diera motivo. Nos llenó de regalos.* □ SINÓN. *colmar.* **3** Satisfacer plenamente: *La película no me llenó demasiado.* **4** Referido esp. a un impreso, escribir los datos que se solicitan en los espacios destinados para ello: *Llena el impreso y entrégalo en la ventanilla.* □ SINÓN. *rellenar.* **5** Reunir lo necesario para ocupar con dignidad un lugar o un empleo: *Tú no llenas ese puesto porque te faltan muchos conocimientos.* ▌prnl. **6** *col.* Hartarse de comida o de bebida: *Me he llenado con el asado, y ya no me cabe el postre.* □ SINT. Constr. de la acepción 2: *llenar* DE *algo*.

llenazo s.m. *col.* Lleno total, esp. en espectáculos o instalaciones deportivas: *El estadio de fútbol presentaba un llenazo impresionante.*

lleno, na ❚ adj. **1** Ocupado total o parcialmente por algo, o con abundancia de ello: *La jarra está llena de agua. El teatro estaba lleno. Tengo la mesa llena de papeles. Me envió una carta llena de promesas.* **2** Referido a una persona, que está un poco gorda: *No está gordo, pero sí algo llenito.* **3** Satisfecho o harto de comida o de bebida: *Estoy lleno y no puedo comer más.* ❚ s.m. **4** Asistencia de público a un espectáculo de forma que se ocupan todas las localidades: *La obra de teatro conseguía el lleno todas las tardes.* **5** ‖ **de lleno;** entera o totalmente: *El balonazo le ha dado de lleno en la cara.* □ ETIMOL. Del latín *plenus.* □ MORF. 1. En la acepción 2, se usa mucho el diminutivo *llenito.* 2. En la acepción 4, se usa mucho el aumentativo *llenazo.* □ SINT. La acepción 3 se usa más con los verbos *estar, sentirse* o equivalentes.

llevadero, ra adj. Fácil de sufrir o de tolerar.

llevar ❚ v. **1** Transportar o trasladar a otro lugar: *Te llevo en coche hasta casa. Llévate todos tus libros.* **2** Conducir o dirigir hacia un determinado lugar, hacia una opinión o hacia una circunstancia: *Este sendero lleva al pueblo. ¿No te das cuenta de que te lleva por donde quiere? Tus palabras me llevan a pensar que no me crees.* **3** Vestir o lucir: *¿Qué vestido llevabas ayer? Lleva una flor en la solapa.* **4** Tener, poseer o contener: *Llevo seis euros en el bolso. Llevas razón en lo que dices. Dame los frascos que lleven etiqueta. El pastel lleva leche y huevos.* **5** Cortar o amputar violentamente: *La segadora le llevó el brazo.* **6** Tolerar, sufrir o soportar: *Lleva muy bien sus cincuenta años. Llevo muy mal los madrugones.* **7** Dar o aportar: *Tu presencia llevará alegría a tu familia. El padre y la madre son los que llevan dinero a casa.* **8** Necesitar, consumir o exigir: *La instalación del aparato llevó dos horas. El vestido llevará más tela de la que crees.* **9** *col.* En una operación aritmética, referido a las decenas, reservarlas para agregarlas al resultado del orden superior inmediato: *5 por 4, 20, y llevas 2.* **10** Referido a una actividad, esp. si conlleva una responsabilidad, encargarse de ella, dirigirla o administrarla: *Una excelente contable lleva las cuentas de la empresa. ¿Cómo puedes llevar a la vez el trabajo y la casa?* **11** Referido a un medio de transporte, conducirlo o guiarlo: *Ya llevas muy bien el coche.* **12** Referido esp. al ritmo, seguirlo, mantenerlo o acomodarse a él: *Llevaban el ritmo dando palmas. Cuando oigo música, me gusta llevar el compás con el pie.* **13** Referido esp. a una persona, tratarla de la forma adecuada: *Un buen profesor debe saber llevar a los alumnos conflictivos.* **14** Referido a una cantidad de dinero, cobrarla: *¿Cuánto me lleva por cortarme el pelo?* **15** Referido a una cantidad de tiempo, pasarla haciendo algo: *Lleva tres años en esta empresa. Llevo dos días buscándote.* **16** Referido a una cantidad, exceder o sobrepasar en ella: *Mi padre lleva dos años a mi madre. Estos sacos se llevan tres kilos.* **17** Referido esp. a una trayectoria, seguirla, mantenerla o sostenerla: *Lleva camino de ser famoso. Llevo una vida un tanto desordenada.* **18** Seguido del participio de un verbo transitivo, haber realizado la acción que este indica: *Llevo contadas quince mariposas.* ❚ prnl. **19** Referido a una emoción o un sentimiento, experimentarlos: *Se llevó una sorpresa cuando nos vio allí.* **20** Estar de moda: *Este año se lleva el rojo.* **21** Referido a dos o más personas, congeniar o tratarse y entenderse: *No me llevo bien con sus amigos. Todos los hermanos nos llevamos muy bien.* **22** Obtener o conseguir: *Tu cuento se ha llevado la mejor puntuación.* **23** ‖ **llevar adelante** algo; conseguir realizarlo o continuarlo. ‖ **llevar las de {ganar/perder};** *col.* Estar frente a otros en una situación favorable o desfavorable, respectivamente: *Está tranquila porque sabe que, si vamos a juicio, lleva las de ganar. No te enfrentes a ese matón, que llevas las de perder.* ‖ **llevarse a matar;** *col.* Tener muy malas relaciones. ‖ **llevarse por delante** algo; *col.* Arrastrarlo con fuerza, atropellarlo o matarlo: *El viento se llevó por delante la antena de la televisión. Un coche se la llevó por delante.* ‖ **llevarlo claro;** *col.* Tener muy pocas posibilidades de conseguir algo: *Lo llevas claro si piensas que el banco te va a dar un préstamo con el sueldo tan bajo que tienes.* ‖ **no llevarlas todas consigo;** *col.* Tener algún recelo o temor: *Aunque me diga que no me engaña, no las llevo todas conmigo.* □ ETIMOL. Del latín *levare* (levantar, desembarazar).

llorar v. **1** Derramar lágrimas: *Esta vez lloraba de alegría. Con tanto humo, me lloran los ojos.* **2** Referido a un suceso desgraciado, lamentarlo o sentirlo profundamente: *Toda la ciudad lloró la muerte de la alcaldesa.* **3** Referido esp. a una adversidad, exagerarla generalmente buscando algún interés: *Siempre está llorando sus desdichas para provocar nuestra compasión.* □ ETIMOL. Del latín *plorare.*

llorera s.f. *col.* Llanto fuerte y persistente. □ SINÓN. *llantera, llantina.*

llorica s.com. *col.* Persona que llora con frecuencia y por cualquier motivo. □ USO Tiene un matiz despectivo.

lloriquear v. Simular un llanto débil sin llorar de verdad: *No lloriquees más, porque te he dicho que no, y es que no.* □ USO Tiene un matiz despectivo.

lloriqueo s.m. Llanto sin fuerza y sin motivo suficiente.

lloro s.m. **1** Derramamiento de lágrimas, generalmente acompañado de lamentos o de sollozos: *Sus lloros cesaron en cuanto te vio aparecer.* □ SINÓN. *llanto.* **2** Lamento o sentimiento triste y profundo motivado por un suceso desgraciado: *El lloro por la pérdida de tan ilustre persona fue compartido por todos.* **3** *col.* Exageración de las adversidades o de las necesidades, generalmente buscando algún interés: *Sus lloros me ablandaron y le di el dinero que me pedía.*

llorón, -a ❚ adj. **1** Del llanto, que lo denota o con sus características: *voz llorona.* ❚ adj./s. **2** Referido a una persona, que llora mucho y con facilidad, o que se queja con frecuencia.

lloroso, sa adj. **1** Con señales de haber llorado o de estar a punto de llorar: *ojos llorosos.* **2** Que causa llanto o tristeza: *una historia llorosa.*

llovedizo, za adj. Referido esp. a un techo o a una cubierta, que dejan pasar el agua de la lluvia porque son defectuosos: *En el ático tenemos un tejado llovedizo y pasa toda la humedad.*

llover ▮ v. **1** Caer agua de las nubes en forma de gotas: *En otoño llueve bastante aquí. Cuando hay mucho polvo en el ambiente parece que llueve barro.* **2** Caer o sobrevenir en abundancia: *Tiene mucha suerte y le llueven los trabajos.* ▮ prnl. **3** Referido esp. a un techo u otra cubierta, calarse con la lluvia: *El techo se llueve, así que hay que arreglarlo.* **4** || **como llovido (del cielo);** de forma inesperada e imprevista: *No invité a nadie pero aparecieron todos como llovidos.* || **como quien oye llover;** *col.* Sin prestar atención o sin hacer caso: *Me escucha como quien oye llover, así que es la última vez que le doy mi opinión.* || **haber llovido mucho;** *col.* Haber transcurrido mucho tiempo: *Ha llovido mucho desde que nos vimos la última vez.* || **llover sobre mojado; 1** Sobrevenir algo que agrava una situación ya desagradable o molesta: *Me dices que no es para tanto, pero es que llueve sobre mojado.* **2** Repetirse algo que resulta enojoso o molesto: *No es la primera vez que discutimos, y en realidad, llueve sobre mojado.* ☐ ETIMOL. Del latín *pluere.* ☐ MORF. 1. Irreg. →MOVER. 2. En la acepción 1, es unipersonal.

llovizna s.f. Lluvia muy fina que cae de forma suave.

lloviznar v. Llover de forma suave con gotas muy finas: *Llévate el paraguas, que está lloviznando.* ☐ MORF. Es unipersonal.

lluvia s.f. **1** Caída o precipitación de gotas de agua de las nubes: *La lluvia es un fenómeno atmosférico.* **2** Agua o gotas de agua que caen de las nubes. **3** *col.* Gran cantidad o abundancia: *una lluvia de regalos.* **4** En zonas del español meridional, alcachofa de la ducha. **5** || **lluvia ácida;** la que presenta un alto contenido de sustancias contaminantes, esp. ácido sulfúrico, como consecuencia de las emanaciones que producen algunos procesos industriales. || **lluvia de estrellas;** aparición momentánea de muchas estrellas fugaces en una zona del cielo. || **lluvia meona;** la que tiene las gotas muy finas. ☐ ETIMOL. Del latín *pluvia.*

lluvioso, sa (tb. *pluvioso, sa*) adj. Con lluvias frecuentes.

lo ▮ pron.pers. n. **1** Forma de la tercera persona del singular que corresponde a la función de complemento directo sin preposición y de predicado nominal: *¡Ya lo creo que es listo! Lo que me dijiste lo sabía él antes que tú. Adivínalo. -¿Esa muchacha es lista? -Sí, lo es.* ▮ art.determ. n. **2** Se usa para sustantivar un sintagma adjetivo, un sintagma adverbial o un sintagma preposicional: *Lo mejor fue la cara de susto que puso. ¡Hay que ver lo bien que te conservas! Lo de tu trabajo es un escándalo.* ☐ ETIMOL. Del latín *illum.* ☐ MORF. No tiene plural.

lo, la (pl. *los, las*) pron.pers. Forma de la tercera persona que corresponde a la función de complemento directo sin preposición: *Lo vi cuando salíamos de mi casa. La visité en el hospital. Lee esta poesía y coméntala. Si te gustan estos pantalones, cómpralos. Estas cuestiones de fonética las estudié el año pasado.*

loa s.f. **1** Elogio, alabanza o reconocimiento público de méritos o de cualidades: *Todas sus palabras fueron loas para sus colaboradores.* **2** En el teatro español de los siglos XVI y XVII, composición dramática breve con la que se abría la representación teatral y que servía como introducción o preludio a la comedia o al poema dramático: *La loa cobra un papel fundamental en los autos sacramentales de Calderón de la Barca.* **3** Composición poética, generalmente breve, en la que se alaba a una persona o se celebra un acontecimiento: *Muchos poetas del reino celebraron en sus loas la coronación del monarca.*

loable adj.inv. Digno de alabanza. ☐ SINÓN. *laudable.* ☐ ETIMOL. Del latín *laudabilis.*

loar v. Elogiar, reconocer o dar muestras de admiración: *El discurso loaba el valor de los soldados.* ☐ SINÓN. *alabar.* ☐ ETIMOL. Del latín *laudare* (alabar).

lob (ing.) s.m. En tenis, pelota bombeada que pasa por encima del adversario. ☐ USO Su uso es innecesario y puede sustituirse por *globo* o *pelota alta.*

lobagante s.m. Crustáceo marino comestible, con cuerpo alargado y de gran tamaño, y cinco pares de patas con pinzas grandes y fuertes en el primer par. ☐ SINÓN. *bogavante, lubigante.* ☐ ETIMOL. Quizá del latín **lucopante*, variación de *lucuparta* (lobagante). ☐ MORF. Es un sustantivo epiceno: *el lobagante {macho/hembra}.*

lobanillo s.m. **1** Tumor superficial, generalmente indoloro, que se forma en algunas partes del cuerpo: *Los lobanillos suelen ser acumulaciones de grasa.* **2** En el tronco o en las ramas de un árbol, abultamiento leñoso cubierto de corteza: *El perímetro del árbol era mucho mayor a la altura del lobanillo.* ☐ ETIMOL. Del latín *lupus* (lobo), porque se comparó el destrozo causado por un animal voraz con el lobanillo cuando se extendía, ya que se creía que este podía degenerar en cáncer.

lobato s.m. Cría del lobo. ☐ SINÓN. *lobezno.* ☐ MORF. Es un sustantivo epiceno: *el lobato {macho/hembra}.*

lobby (ing.) s.m. Grupo de personas influyentes que tienen capacidad de presión, generalmente en cuestiones políticas: *Un lobby presiona a los parlamentarios para que cambien un artículo del proyecto de ley.* ☐ PRON. [lóbi]. ☐ USO Su uso es innecesario y puede sustituirse por *grupo de presión.*

lobelia s.f. **1** Planta herbácea de flores pequeñas y numerosas de color azul pálido o violeta claro: *La lobelia tiene propiedades expectorantes y sedantes.* **2** Planta herbácea con hojas de color verde oscuro por el haz y púrpura por el envés, que se usa mucho como planta para acuarios. ☐ ETIMOL. Por alusión al médico y botánico holandés del siglo XVI, Matthias Von Lobel.

lobera s.f. Véase **lobero, ra**.

lobería s.f. **1** Grupo numeroso de lobos. **2** Cacería organizada para matar lobos.

lobero, ra ▮ adj. **1** Del lobo o relacionado con este mamífero. ▮ s. **2** Persona que caza lobos, esp. si por ello obtiene una recompensa. ▮ s.f. **3** Guarida o cueva donde viven lobos.

lobezno s.m. **1** Cría del lobo. ☐ SINÓN. *lobato*. **2** Lobo pequeño. ☐ ETIMOL. Del latín *lupicinus*, y este de *lupus* (lobo). ☐ MORF. Es un sustantivo epiceno: *el lobezno {macho/hembra}*.

lobo, ba s. **1** Mamífero carnicero salvaje, de aspecto parecido al de un perro grande, con hocico alargado, orejas cortas y larga cola, que vive formando grupos y se suele reunir en manadas para cazar. **2** || **lobo de mar;** *col.* Marinero veterano y con experiencia en su profesión. || **lobo marino;** mamífero carnívoro adaptado a la vida acuática, con el cuerpo redondeado y alargado, pelaje corto, una gruesa capa de grasa bajo la piel que lo protege del frío y con las extremidades modificadas en aletas. ☐ SINÓN. *foca*. || **lobos de {una/la misma} camada;** *col.* Personas que tienen en común opiniones o intereses que les llevan a defenderse unos a otros. || **menos lobos;** *col.* Expresión que se usa para indicar que se exagera en lo que se cuenta: *¡Menos lobos, que tú no eres tan valiente como cuentas!* ☐ ETIMOL. Del latín *lupus*. ☐ MORF. *Lobo marino* es epiceno y la diferencia de sexo se señala mediante la oposición *el lobo marino {macho/hembra}*.

lobotomía s.f. Incisión total o parcial de un lóbulo del cerebro. ☐ ETIMOL. Del griego *lobós* y *-tomía* (incisión).

lóbrego, ga adj. **1** Oscuro, sombrío o tenebroso: *un sótano lóbegro*. **2** Triste o melancólico: *una cara lóbrega*. ☐ ETIMOL. Del latín *lubricus* (resbaladizo).

lobreguez s.f. **1** Oscuridad o falta de luz: *La lobreguez de la casa nos hizo sentir miedo*. ☐ SINÓN. *lobregura*. **2** En un bosque, densidad sombría. ☐ SINÓN. *lobregura*.

lobregura s.f. →**lobreguez.**

lobulado, da adj. **1** Con forma de lóbulo o semejante a ella. ☐ SINÓN. *lobular*. **2** Con lóbulos: *hojas lobuladas*. ☐ SINÓN. *lobular*.

lobular adj.inv. **1** Del lóbulo o relacionado con él. **2** →**lobulado.**

lóbulo s.m. **1** En un objeto, parte con forma redondeada que sobresale: *Las hojas del trébol están formadas por tres lóbulos*. **2** En un órgano de un ser vivo, parte redondeada y saliente, generalmente separada de las demás por un pliegue o por una hendidura: *el lóbulo de una oreja*. ☐ ETIMOL. De *lobo* (lóbulo).

lobuno, na adj. Del lobo, con sus características o relacionado con este mamífero.

loca s.f. Véase **loco, ca**.

locación s.f. Cesión o adquisición de algo para usarlo durante cierto tiempo, a cambio del pago de una cantidad de dinero. ☐ SINÓN. *arrendamiento, arriendo*. ☐ ETIMOL. Del latín *locatio* (acto de alquilar).

local ▮ adj.inv. **1** Propio o característico de un lugar: *Las ferias de los pueblos están llenas de colorido local*. **2** De un territorio, de un municipio, de una región o relacionado con ellos: *periódico local; elecciones locales*. **3** Que pertenece o que afecta solo a una parte de un todo: *anestesia local*. ▮ s.m. **4** Lugar cubierto y cerrado, generalmente situado en la parte baja de un edificio: *Ha alquilado un local para poner una tienda*. ☐ ETIMOL. Del latín *localis*.

localidad s.f. **1** Lugar poblado. **2** En un local destinado a espectáculos públicos, plaza o asiento para un espectador: *En la localidad contigua a la tuya se sentó un actor famoso*. **3** Billete que da derecho a ocupar una de estas plazas: *Se han agotado las localidades para el partido*.

localismo s.m. **1** Interés o preferencia por lo que es característico de un determinado lugar: *El localismo de este periodista hace que sea subjetivo al escribir sobre su ciudad*. **2** Palabra o expresión propias de un lugar o de una localidad: *Su lenguaje está lleno de localismos*.

localista ▮ adj.inv. **1** Del localismo o relacionado con él: *Critican el empleo localista de la lengua en tus artículos*. ▮ adj.inv./s.com. **2** Referido esp. a un artista, que se interesa por temas locales o los refleja en sus obras: *Es una pintora localista y todos sus cuadros son paisajes de su región*. **3** Que muestra interés o preferencia por lo que es característico de un determinado lugar.

localización s.f. **1** Averiguación o determinación del lugar en el que algo se halla: *La localización propuesta para la nueva central nuclear ha sido muy criticada*. **2** Reducción a una extensión, a un punto o a unos límites determinados: *Una vez conseguida la localización del incendio, extinguirlo será fácil*. **3** Adaptación de soportes, programas y aplicaciones informáticos a las necesidades propias de un país o de una actividad: *Han creado una agencia especializada en la localización de software*.

localizador, -a ▮ adj. **1** Que localiza. ▮ s.m. **2** Aparato que sirve para indicar el lugar en el que se encuentra una persona o una cosa: *El coche lleva instalado un localizador para que se puedan seguir todos sus movimientos*. **3** Herramienta de internet que permite hacer búsquedas en la red informática. ☐ SINÓN. *buscador. un localizador de referencias bibliográficas*. **4** Clave numérica que sirve para acceder a una página de internet: *¿Podrías enviarme un mensaje con el localizador de la página?*

localizar v. **1** Referido a algo o a alguien en paradero desconocido, averiguar o determinar el lugar en el que se halla: *Ya han localizado a los náufragos. ¿Has localizado el museo en el mapa? La policía consiguió localizar la llamada de los secuestradores*. **2** Fijar o reducir a una extensión, a un punto o a unos límites determinados: *Han conseguido localizar la epidemia para que no se extienda. Muchas poblaciones se localizan cerca de los ríos*. **3** En informática, referido a un soporte o a un programa, adaptarlos por completo a la lengua y cultura de un país. ☐ ORTOGR. La *z* se cambia en *c* delante de *e* →CAZAR.

locatario, ria adj./s. Que recibe algo en arrendamiento o en alquiler. ☐ SINÓN. *arrendatario.* ☐ ETIMOL. Del latín *locatarius*.

locatis (pl. *locatis*) adj.inv./s.com. *col.* Referido a una persona, que es alocada o que tiene poco juicio.

locativo s.m. →**caso locativo.**

locha s.f. Pez comestible de agua dulce, con el cuerpo cilíndrico, varias barbillas alrededor de la boca y cuya carne es muy fina: *La locha se cría en lagos, ríos y arroyos.* ☐ SINÓN. *loche.* ☐ ETIMOL. Quizá del francés *loche.* ☐ MORF. Es sustantivo epiceno: *la locha {macho/hembra}.*

loche s.m. →**locha.** ☐ MORF. Es sustantivo epiceno: *el loche {macho/hembra}.*

loción s.f. **1** Lavado o masaje dado sobre una parte del cuerpo con una sustancia medicinal o un cosmético: *Deberías darte lociones de leche hidratante para que no se te reseque la piel.* **2** Líquido o sustancia que se usa para el cuidado de la piel y del cabello: *loción para después del afeitado.* ☐ ETIMOL. Del latín *lotio* (acción de lavar).

lock-out (ing.) s.m. Cierre de una empresa por parte de la patronal, o despido masivo de los obreros como forma de presión y respuesta a las reivindicaciones de los trabajadores o a una huelga de estos: *La directora de la fábrica amenazaba a los huelguistas con el lock-out.* ☐ PRON. [locáut]. ☐ USO Su uso es innecesario y puede sustituirse por *cierre patronal*.

lockpicking (ing.) s.m. Técnica para abrir cerraduras mediante el uso de ganzúas u otros objetos: *un taller de lockpicking.* ☐ PRON. [lokpíkin].

loco, ca ▌adj. **1** *col.* Muy grande o que excede a lo normal: *Tengo unas ganas locas de viajar.* **2** Muy ajetreado o movido: *Llevo un día loco, sin parar un momento.* **3** Referido a un mecanismo o a una parte de él, que no funciona bien: *La brújula está loca, porque has acercado un imán.* **4** Referido esp. a una persona, llena, colmada o henchida: *loco de contento.* **5** Referido esp. a una persona, con mucho interés o con mucho afecto: *Este perro está loco por salir a la calle. Sigue loca por ese chico.* ▌adj./s. **6** Referido a una persona, que no tiene sanas sus facultades mentales: *Tras el accidente se volvió loco y lo ingresaron en un sanatorio.* **7** Imprudente o poco juicioso: *Ese loco se ha saltado el semáforo en rojo.* ▌s.m. **8** Molusco de carne sabrosa y dura, con una concha casi oval y gruesa. ▌s.f. **9** *col. desp.* Hombre homosexual muy afeminado. **10** ‖ **a lo loco;** sin pensar o sin reflexionar: *Contestó todas las preguntas a lo loco y no acertó ninguna.* ‖ **hacer el loco;** *col.* Divertirse armando mucho escándalo: *En las fiestas siempre acaba haciendo el loco.* ‖ **hacerse el loco;** *col.* Fingir que no se ha advertido algo: *No te hagas el loco, y paga lo que te corresponde.* ‖ **ni loco;** *col.* De ninguna manera. ‖ **volver loco** a alguien; **1** *col.* Gustar mucho: *Los coches deportivos lo vuelven loco.* **2** *col.* Molestarlo o aturdirlo: *Los gritos de los vecinos me están volviendo loca.* ☐ ETIMOL. De **laucu*, y este de origen incierto. ☐ SINT. 1. Constr. de la acepción 4: *loco* DE *algo*. 2. Constr. de la acepción 5: *loco* POR *algo*.

loco citato (lat.) ‖ En un texto, esp. en una cita bibliográfica, expresión que se usa para remitir a un lugar o a un texto ya citado: *'Loco citato' suele aparecer en las citas y en las referencias de textos.*

locomoción s.f. **1** Traslación o movimiento de un lugar a otro: *los medios de locomoción.* **2** En algunos seres vivos, esp. en los animales, facultad de trasladarse de un lugar a otro: *La locomoción requiere la coordinación de distintos órganos.* ☐ ETIMOL. Del latín *locus* (lugar) y *motio* (movimiento).

locomotor, -a ▌adj. **1** De la locomoción, que la produce o que la permite: *el aparato locomotor.* ▌s.f. **2** En un tren, vagón en el que está montado el motor, que arrastra o mueve los demás vagones enganchados a él. ☐ SINÓN. *máquina.* ☐ ETIMOL. Del inglés *locomotive.* ☐ MORF. Como adjetivo admite también la forma de femenino *locomotriz*.

locomotora s.f. Véase **locomotor, -a.**

locomotriz adj. f. de **locomotor.**

locomóvil adj.inv./s.f. Referido esp. a una máquina de vapor, que puede llevarse de un sitio a otro: *Las grúas de este puerto son locomóviles y se mueven sobre raíles.* ☐ ETIMOL. Del latín *locus* (lugar) y *móvil*.

locuacidad s.f. Tendencia o inclinación a hablar mucho.

locuaz adj.inv. Que habla mucho o demasiado. ☐ ETIMOL. Del latín *loquax* (hablador).

locución s.f. **1** Modo de hablar: *La locución de ese orador es espléndida.* **2** Combinación fija de palabras que forman un solo elemento oracional y cuyo significado no es siempre el de la suma de significados de sus miembros: *La expresión 'lobo de mar' es una locución.* **3** Grabación de voz que sirve para dar una información: *Si llamas a ese número de teléfono, te saldrá una locución que dice: 'El número marcado no existe'.* ☐ ORTOGR. Dist. de *alocución* y de *elocución*.

locuela s.f. Véase **locuelo, la.**

locuelo, la ▌adj./s. **1** *col.* Travieso y alocado. ▌s.f. **2** Modo particular de hablar de cada uno: *Me criticó diciendo que le horrorizaba mi locuela de arrabal.* ☐ ETIMOL. La acepción 1, de *loco*; la acepción 2, del latín *loquela* (habla).

locura s.f. **1** Perturbación de las facultades mentales: *Las alucinaciones que tiene son fruto de su locura.* ☐ SINÓN. *enajenación mental.* **2** Hecho o dicho imprudentes o insensatos: *Es una locura gastarse tanto dinero ahora.* **3** Afecto, interés, entusiasmo o intensidad muy grandes: *Te quiero con locura.* **4** ‖ **de locura;** *col.* Extraordinario o fuera de lo normal.

locutar v. En zonas del español meridional, hablar en la radio o en la televisión.

locutor, -a s. Persona que se dedica profesionalmente a transmitir noticias o sucesos, en la radio o en la televisión, hablando a los oyentes por medio de un micrófono. ☐ ETIMOL. Del latín *locutor* (el que habla). ☐ USO Es innecesario el uso del anglicismo *speaker*.

locutorio s.m. **1** En una cárcel o en un convento, habitación en la que se reciben las visitas y que generalmente tiene una reja o un cristal que separa a los interlocutores: *El preso bajó al locutorio para hablar con su abogado.* **2** Departamento o cabina en los que hay teléfonos públicos destinados al uso individual: *El locutorio de la playa solo funciona durante el verano.* **3** En una emisora de radio, habitación acondicionada para realizar la emisión de programas: *Los locutorios deben estar insonorizados.* ☐ ETIMOL. Del latín *locutor* (el que habla).

lodazal (tb. *lodazar*) s.m. Terreno lleno de lodo.

lodazar s.m. →**lodazal.**

loden (al.) s.m. Abrigo confeccionado con un tejido grueso de lana que impide el paso del agua: *El loden es muy usado por los cazadores, porque es muy cómodo.* ☐ PRON. [lóden].

lodge (ing.) s.m. Pequeño albergue generalmente situado en zonas de naturaleza virgen: *un lodge en plena selva amazónica.* ☐ PRON. [loch].

lodo s.m. **1** Barro que se forma al mezclarse agua, esp. de la lluvia, con la tierra del suelo. **2** Deshonra o mala reputación: *Esa acción indigna llenará de lodo a nuestra familia.* ☐ ETIMOL. Del latín *lutum* (barro).

loess (al.) s.m. Depósito de materiales, arcillosos o calcáreos muy finos y de color amarillento que han sido transportados por el viento: *Los terrenos formados por loess son muy fértiles.* ☐ PRON. [lóes].

loft (ing.) s.m. Tipo de vivienda o estudio adaptado a partir de un almacén o espacio industrial, esp. en un ático: *El loft es típico de Nueva York.* ☐ PRON. [loft].

log (ing.) s.m. Archivo informático que registra la actividad de un programa o de un servidor: *He estado revisando el log con los errores.*

logarítmico, ca adj. De los logaritmos o relacionado con ellos.

logaritmo s.m. Exponente a que se debe elevar un número o base positivos para obtener una cantidad determinada: *El logaritmo de 100 en base 10 es el número 2, porque si elevas la base 10 al cuadrado, el resultado es 100.* ☐ ETIMOL. Del griego *lógos* (relación) y *arithmós* (número).

logia s.f. **1** Asamblea o agrupación de masones. **2** Local donde se reúne esta asamblea o esta agrupación. ☐ ETIMOL. Del italiano *loggia*.

-logía Elemento compositivo sufijo que significa 'estudio' o 'ciencia': *filología, biología.* ☐ ETIMOL. Del griego *-logía*.

lógica s.f. Véase **lógico, ca.**

lógico, ca ▌adj. **1** De la lógica, relacionado con ella o conforme con sus planteamientos. **2** Normal o natural, por ser conforme a la razón o al sentido común: *Si tú eres el culpable, es muy lógico que le pidas perdón.* **3** Referido a una persona, que razona y estructura todos sus pensamientos y sus acciones: *Es un chico muy lógico y no le gusta improvisar nada.* ▌adj./s. **4** Referido a una persona, que se dedica al estudio de la lógica o que es especialista en esta ciencia: *Este filósofo es sobre todo un gran lógico.* ▌s.f. **5** Ciencia que se ocupa de las leyes, los modos y las formas del conocimiento humano y científico: *La lógica es una ciencia auxiliar de las demás ciencias.* **6** Razonamiento, método o sentido común: *Por lógica, siguiendo el río llegaremos a la desembocadura.* **7** || **lógica {borrosa/difusa};** la que acepta grados y matices de veracidad: *La lógica difusa emplea expresiones que no son ni completamente ciertas ni totalmente falsas.* || **lógica matemática;** la que emplea el método y los símbolos de las matemáticas. ☐ SINÓN. *logística.* ☐ ETIMOL. Del latín *logicus*, y este del griego *logikós* (relativo al razonamiento).

logista s.com. Persona especializada en métodos de organización para llevar algo a cabo.

logística s.f. Véase **logístico, ca.**

logístico, ca ▌adj. **1** De la logística o relacionado con ella: *El aprovisionamiento de alimentos y municiones para las tropas es una actividad logística.* ▌s.f. **2** Parte del arte militar que se ocupa de la situación, del movimiento y de la alimentación de las tropas en campaña: *El éxito de la batalla se debió al eficaz apoyo de la logística.* **3** Método, organización o medios necesarios para llevar algo a cabo: *Si falla la logística y no recibimos ayuda exterior habrá que cerrar la fábrica.* **4** Lógica que emplea el método y los símbolos de las matemáticas: *Este trimestre estudiaremos logística en clase de filosofía.* ☐ SINÓN. *lógica matemática.* ☐ ETIMOL. Las acepciones 2-4, del francés *logistique*.

logo s.m. *col.* →**logotipo.**

-logo, -loga Elemento compositivo sufijo que significa 'estudioso' o 'especialista': *grafólogo, neuróloga.* ☐ ETIMOL. Del latín *-logus*, y este del griego *-lógos*.

logógrafo, fa s. **1** En la antigua Grecia, persona que se dedicaba a escribir la historia tradicional en prosa: *Gracias a los logógrafos, se han preservado muchos datos de la época griega.* **2** En la antigua Grecia, persona que se dedicaba a escribir textos de defensa que después se aprendía de memoria: *Antifonte y Demóstenes fueron excelentes logógrafos.*

logogrifo s.m. Pasatiempo que consiste en adivinar una palabra a partir de otras palabras con las que tiene letras en común: *Resolver un logogrifo resulta muy complicado.* ☐ ETIMOL. Del griego *lógos* (palabra) y *grîphos* (red, enigma).

logomaquia s.f. Discusión en la que se atiende solo a las palabras y no a lo esencial del asunto. ☐ ETIMOL. Del griego *logomakhía*, y este de *lógos* (palabra) y *mákhomai* (yo peleo).

logopeda s.com. Persona especializada en logopedia: *La logopeda intenta corregir los defectos de pronunciación del niño.*

logopedia s.f. Conjunto de conocimientos que tratan de conseguir la corrección de los defectos de pronunciación y otros trastornos del lenguaje. ☐

ETIMOL. Del griego *lógos* (palabra) y *-pedia* (educación).

logos (pl. *logos*) s.m. En la filosofía griega, esp. en la platónica, razón o cualquiera de sus manifestaciones: *Para algunos filósofos el logos hace posible la comprensión del mundo.* ☐ ETIMOL. Del griego *lógos* (palabra).

logotipo s.m. Distintivo o emblema formado generalmente por letras y gráficos: *Si es una carta oficial, escríbela en papel con el logotipo de la empresa.* ☐ ETIMOL. Del griego *lógos* (palabra) y *tipo*. ☐ MORF. Se usa mucho la forma abreviada *logo*.

logrado, da adj. Bien hecho: *El retrato que has hecho a la abuela está muy logrado.*

lograr ▮ v. **1** Referido a algo que se intenta o se desea, conseguirlo: *Por fin logró disfrutar de unas buenas vacaciones. Logré un buen trabajo cerca de mi casa.* ▮ prnl. **2** Alcanzar la perfección o llegar a desarrollarse: *¡A ver si hay suerte y se nos logra lo que queremos!* ☐ ETIMOL. Del latín *lucrari* (ganar).

logrero, ra s. Persona sin escrúpulos que saca beneficio de las circunstancias a costa de los demás.

logro s.m. **1** Obtención de lo que se desea o pretende: *El logro de nuestros propósitos no es fácil.* **2** Éxito o realización perfecta: *La organización del festival fue todo un logro.*

logroñés, -a adj./s. De Logroño o relacionado con esta ciudad riojana.

loísmo s.m. En gramática, uso de las formas masculinas del pronombre personal de tercera persona *lo* y *los* como complemento indirecto, en lugar de *le* y *les*: *En la oración 'Lo dieron una patada' hay un caso de loísmo.*

loísta adj.inv./s.com. Que hace uso del loísmo: *Los loístas suelen confundir las funciones de complemento directo e indirecto.*

lola s.f. *col.* Véase **lolo, la**.

lolailo, la adj. *col. desp.* Aflamencado.

lolita s.f. Mujer adolescente, atractiva y que provoca el deseo sexual. ☐ ETIMOL. Por alusión al personaje de una novela de Nabokov.

lolo, la ▮ adj./s. **1** *col.* En zonas del español meridional, chico adolescente. ▮ s.f. **2** *col.* Menstruación.

loma s.f. Elevación pequeña y prolongada de un terreno: *Ni una sola loma interrumpía la llanura.* ☐ ETIMOL. De *lomo*.

lombarda s.f. Véase **lombardo, da**.

lombardero s.m. Soldado que disparaba las lombardas.

lombardo, da ▮ adj./s. **1** De un antiguo pueblo germánico establecido en el norte de Italia (país europeo), o relacionado con él. ☐ SINÓN. *longobardo*. ▮ s.f. **2** Planta herbácea comestible, de forma redondeada y de color morado, muy parecida al repollo. **3** Antigua pieza de artillería de gran calibre: *La lombarda era un cañón antiguo de gran calibre.* ☐ SINÓN. *bombarda*.

lombricida adj.inv./s.m. Referido a una sustancia o a un producto, que mata las lombrices. ☐ ETIMOL. De *lombriz* y *-cida* (que mata).

lombriguera s.f. **1** Agujero que hacen en la tierra las lombrices. **2** *col.* Lugar en el que hay muchas lombrices.

lombriz s.f. **1** Gusano con el cuerpo blando y casi cilíndrico, alargado y con anillos transversales, de color blanco o rojizo, y con múltiples y pequeñísimos pelos rígidos en la parte inferior que le sirven para desplazarse: *Las lombrices de tierra son beneficiosas para la agricultura porque mezclan y airean la tierra.* **2** ‖ **lombriz (intestinal);** parásito parecido a un gusano, de cuerpo cilíndrico, que vive en el intestino de las personas y de otros animales. ☐ SINÓN. *ascáride*. ☐ ETIMOL. Del latín *lumbrix*. ☐ MORF. En la acepción 2, es un sustantivo epiceno: *la lombriz intestinal {macho/hembra}*.

lomera s.f. En algunas encuadernaciones, pieza, generalmente de piel o de tela, que se coloca en el lomo del libro.

lometa s.f. Cerro de poca altura que se eleva sobre un terreno llano. ☐ ETIMOL. De *loma*.

lomo s.m. **1** En un cuadrúpedo, parte superior del cuerpo, comprendida entre el cuello y las patas traseras. **2** Carne de esta parte del animal, esp. si es un cerdo: *lomo adobado.* **3** *col.* En una persona, espalda, esp. si es la parte inferior y central. **4** En un libro, parte opuesta al corte de las hojas, en la que van cosidos o pegados los pliegos. **5** En un instrumento cortante, parte opuesta al filo. **6** ‖ **a lomo(s) de** un animal; sobre esta parte del animal. ☐ ETIMOL. Del latín *lumbus*. ☐ SINT. *A lomos de* se usa más con los verbos *traer*, *llevar* o equivalentes.

lona s.f. **1** Tela fuerte e impermeable, generalmente de algodón o cáñamo: *Los toldos están confeccionados con lona.* **2** En algunos deportes, esp. en boxeo o en lucha libre, piso o suelo sobre el que se disputa una competición: *En el centro de la lona estaba el boxeador tendido.* ☐ ETIMOL. De *Olonne*, ciudad francesa donde se fabricaba esta tela.

loncha s.f. Pieza ancha, alargada y de poco grosor que se separa o se corta de otra pieza mayor.

lonchera s.f. En zonas del español meridional, tartera.

lonchería s.f. En zonas del español meridional, bar o cafetería. ☐ ETIMOL. Del inglés *lunch* (comida).

londinense adj.inv./s.com. De Londres (capital británica), o relacionado con ella: *El Támesis es el río londinense.*

loneta s.f. Tejido resistente más delgado que la lona.

longanimidad s.f. Entereza o firmeza de ánimo ante las adversidades: *Has sido muy fuerte para soportar esa desgracia con tanta longanimidad.* ☐ ETIMOL. Del latín *longanimitas*.

longánimo, ma adj. Entero y firme de ánimo ante las adversidades.

longaniza s.f. Embutido con forma alargada y delgada, elaborado con carne de cerdo picada y adobada. ☐ ETIMOL. Del latín *lucanicia*, porque se hacía en Lucania, en el sur de Italia.

longboard (ing.) s.m. **1** Surf que se practica en una tabla más larga de lo normal: *hacer longboard.* **2** Tabla en la que se practica este deporte: *Un* *longboard puede llegar a medir tres metros y medio.* □ PRON. [lóngbord].

longevidad s.f. Larga duración de la vida.

longevo, va adj. Muy anciano, de larga edad o que puede vivir mucho tiempo: *Las tortugas y los loros son animales longevos.* □ ETIMOL. Del latín *longaevus* (de larga vida), de *longus* (largo) y *aevus* (edad). □ SEM. **Edad longeva* es una expresión redundante e incorrecta, aunque está muy extendida.

longitud s.f. **1** En una superficie o en un cuerpo planos, dimensión mayor: *Esta piscina tiene veinticinco metros de longitud y diez de anchura.* **2** Distancia que existe desde un punto de la superficie terrestre hasta el meridiano cero y que se mide sobre la línea ecuatorial en grados, en minutos y en segundos: *La longitud tiene dirección Este-Oeste, y la latitud, Norte-Sur.* **3** *col.* Distancia entre dos puntos o magnitud de una línea: *Mide la longitud que tiene este mueble de ancho, de largo y de alto. El metro es la unidad de las medidas de longitud.* **4** || **longitud de onda;** distancia entre dos puntos que corresponden a una misma fase en dos ondas consecutivas: *Las diferentes longitudes de onda determinan los tipos de radiación electromagnética.* □ ETIMOL. Del latín *longitudo*.

longitudinal adj.inv. **1** De la longitud o relacionado con esta dimensión o distancia: *El metro es una medida longitudinal.* **2** Hecho o colocado en el sentido de la longitud: *Una raya longitudinal separa ambos lados de la carretera.*

longobardo, da ▮ adj./s. **1** De un antiguo pueblo germánico establecido en el norte de Italia (país europeo), o relacionado con él: *Las invasiones longobardas ayudaron a la ruptura del Imperio Romano.* □ SINÓN. *lombardo.* ▮ s.m. **2** Lengua de este pueblo: *Esta lingüista está haciendo un estudio sobre el longobardo.*

long play (ing.) s.m. || →**elepé.** □ PRON. [lóng pléi], con *g* suave.

longui || **hacerse el longui(s);** *col.* Hacerse el distraído: *A la hora de pagar, siempre se hace el longuis y tenemos que pagar los demás.*

lonja s.f. **1** Edificio en el que se realizan transacciones comerciales, esp. ventas al por mayor: *El pescado más fresco es el que se vende en las lonjas de los puertos.* **2** *col.* En zonas del español meridional, michelín: *Empecé a hacer ejercicio porque ya tenía lonjas.* □ ETIMOL. La acepción 1, del catalán *llotja*.

lontananza s.f. **1** Parte de un cuadro que está más alejada del plano principal: *La lontananza del cuadro está pintada en tonos más suaves.* **2** || **en lontananza;** a lo lejos o en la lejanía: *En lontananza se veía un rebaño de ovejas.* □ ETIMOL. Del italiano *lontananza*, y este de *lontano* (lejano).

look (ing.) s.m. Aspecto, imagen exterior o estilo personal. □ PRON. [luk]. □ USO Su uso es innecesario y puede sustituirse por *imagen* o *aspecto*.

looping (ing.) s.m. **1** Acrobacia, esp. si es aérea, en la que se realiza en el aire un círculo completo en sentido vertical: *La avioneta realizó un looping ante la mirada de los espectadores.* **2** En una montaña rusa, círculo que describen los raíles. □ PRON. [lúpin].

loor s.m. **1** Alabanza, elogio o reconocimiento públicos de méritos y cualidades: *Su buen comportamiento merece loores por parte de todos.* **2** Conjunto de palabras con las que se expresa esta alabanza: *En la estampa viene escrito un loor a la Virgen.* **3** || **en loor de multitudes;** aclamado por muchas personas: *El cantante llegó al aeropuerto en loor de multitudes.* □ ETIMOL. De *loar*.

lopesco, ca adj. De Lope de Vega (escritor español de los siglos XVI y XVII) o con características de sus obras: *El tema del honor es una constante en el teatro lopesco.* □ SEM. Dist. de *lopista* (especializado en la obra lopesca).

lopista adj.inv./s.com. Especializado en el estudio de Lope de Vega (escritor español de los siglos XVI y XVII). □ SEM. Dist. de *lopesco* (de Lope de Vega).

loqueras (pl. *loqueras*) adj.inv./s.com. *col.* Alocado, insensato o imprudente.

loquero, ra ▮ s. **1** *col.* Persona que se dedica profesionalmente a cuidar de los locos. ▮ s.m. **2** *col.* En zonas del español meridional, manicomio.

lora s.f. En zonas del español meridional, loro: *Las loras suelen ser de color verde claro.*

lord (pl. *lores*) s.m. En algunos países, esp. en el Reino Unido, título nobiliario o tratamiento honorífico. □ ETIMOL. Del inglés *lord* (señor).

lordosis (pl. *lordosis*) s.f. Curvatura anómala de la columna vertebral, con la convexidad hacia adentro. □ ETIMOL. Del griego *lórdosis*, y este de *lordós* (encorvado, jorobado).

loriga s.f. Armadura, generalmente de acero, formada por láminas pequeñas sobrepuestas parcialmente unas sobre otras: *Los guerreros medievales se protegían con lorigas.* □ ETIMOL. Del latín *lorica*, y este de *lorum* (cuero), porque las corazas antiguas se hacían de este material. □ PRON. Incorr. *[lóriga].

lorigado, da adj./s. Armado con una loriga o armadura: *En las guerras medievales, los caballos solían ir lorigados.*

loro s.m. **1** Ave tropical trepadora, con el pico fuerte, grueso y encorvado, patas prensoras y plumaje de colores vistosos, que se alimenta de semillas y frutos y que aprende a repetir palabras y frases. □ SINÓN. *papagayo.* **2** Árbol de tronco ramoso, copa espesa, hojas brillantes de color verde oscuro, flores blancas en espigas y fruto semejante a la cereza. □ SINÓN. *lauroceraso.* **3** *col.* Persona fea y de aspecto estrafalario. **4** *col.* Persona muy habladora. □ SINÓN. *cotorra.* **5** *col.* Aparato de radio o radiocasete. **6** || **al loro;** *col.* Expresión que se utiliza para llamar la atención del interlocutor: *Al loro, mira quién viene por allí.* || **estar al loro;** *col.* Estar informado o al corriente: *Desde que lee el periódico está al loro de todo lo que ocurre en el país.* □ ETIMOL. La acepción 1, del caribe *roro*. La acepción 2, del latín *laurus* (laurel), por el color oscuro de sus hojas y sus frutos. □ MORF. En la acepción 1, es un sustantivo epiceno: *el loro {macho/hembra}*.

lorquiano, na adj. De Federico García Lorca (escritor español del siglo XX) o con características de sus obras: *Una de las características del teatro lorquiano es su marcado simbolismo.*

lorza s.f. **1** En una tela, esp. en una prenda de vestir, jareta o doblez cosido con un pespunte paralelo, y que generalmente sirve de adorno. ☐ SINÓN. *alforza.* **2** *col.* Acumulación de grasa en forma de pliegue, que se tiene en determinadas partes del cuerpo. ☐ ETIMOL. De *alforza.*

los ▮ **1** art.determ. s.m.pl. de **el.** ▮ **2** pron.pers. pl. de **lo.** ☐ ETIMOL. Del latín *illos.*

losa s.f. **1** Piedra delgada y plana que sirve generalmente para pavimentar o cubrir el suelo. **2** *col.* Lo que supone una dura carga difícil de soportar: *Confesó el crimen porque no soportaba tal losa sobre su conciencia.* ☐ ETIMOL. De origen incierto.

losange s.m. Rombo colocado en posición vertical. ☐ ETIMOL. Del francés *losange.*

losar v. Referido a un suelo, revestirlo o cubrirlo con losas: *Hoy empiezan a losar la acera de mi calle.*

loseta s.f. Pieza fina hecha con un material duro, de forma generalmente cuadrangular, que se usa para cubrir suelos. ☐ SINÓN. *baldosa.*

lote s.m. **1** Conjunto de cosas que tienen características similares: *Por comprar la cubertería me han regalado un lote de vasos.* **2** Cada una de las partes en las que se divide un todo: *Para que sus hijos no se peleen, ha dividido sus bienes en lotes iguales.* **3** En zonas del español meridional, parcela o solar. **4** || **{darse/pegarse} el lote;** *vulg.* Referido a una pareja, besuquearse y toquetearse. ☐ ETIMOL. Del francés *lot* (parte que toca a cada uno en un reparto).

lotería s.f. **1** Juego público de azar en el que se premian los billetes cuyos números coinciden con otros extraídos de unos bombos: *Juego a la lotería todos los sábados.* **2** Participación con que se juega a esto: *¿Has comprado lotería?* **3** Asunto en el que intervienen la suerte o la casualidad: *Comprar artículos de esa marca es una lotería, ya que nunca sabes el resultado que te van a dar.* **4** || **{caer/tocar}** a alguien **la lotería;** sucederle algo muy beneficioso. || **lotería (nacional);** la administrada por el Estado y en la que el premio máximo se obtiene cuando los cinco números del billete coinciden con los extraídos de los bombos. || **(lotería) primitiva;** la administrada por el Estado y en la que el premio máximo se obtiene cuando los seis números marcados en la papeleta coinciden con los extraídos del bombo. ☐ SINÓN. *loto.* ☐ ETIMOL. De *lote.*

lotero, ra s. Persona que vende lotería, esp. si tiene a su cargo un despacho de billetes.

loti (pl. *maloti*) s.m. Unidad monetaria de Lesoto (país africano).

lotiforme adj.inv. Con forma de la planta del loto o de su flor: *Los capiteles lotiformes son característicos de la arquitectura egipcia.*

loto ▮ s.m. **1** Planta acuática de grandes hojas y fruto globoso, que abunda en las orillas del Nilo (río africano). **2** Flor de esta planta: *El loto es blanco y oloroso.* **3** Fruto de esta planta: *Los lotos se comen después de tostados y molidos.* ▮ s.f. **4** →**lotería primitiva.** ☐ ETIMOL. Las acepciones 1-3, del latín *lotus.*

lounge (ing.) adj.inv./s.m. Referido esp. a un tipo de música, que es de ritmo tranquilo y acompasado. ☐ PRON. [láunch].

loza s.f. **1** Barro fino, cocido y barnizado con el que se fabrican vajillas: *una vajilla de loza.* **2** Conjunto de los objetos fabricados con este barro: *fregar la loza.* ☐ ETIMOL. Del latín *lautia* (ajuar).

lozanía s.f. **1** Referido a una persona o a un animal, vigor o aspecto saludable: *Al ver sus rosadas mejillas, nadie dudaba de su lozanía.* **2** Referido a una planta, verdor y abundancia de ramas y de hojas: *El abono proporciona lozanía a las plantas.*

lozano, na adj. **1** Referido a una persona, que tiene vigor o muestra un aspecto saludable: *Tras la enfermedad, vuelve a tener un aspecto lozano.* **2** Referido a una planta, que está verde y frondosa: *Los árboles del jardín están lozanos porque los riego a menudo.* ☐ ETIMOL. Quizá del latín **lautianus*, y este de *lautia* (ajuar), con influencia de *lautus* (suntuoso).

LSD (ing.) s.m. Droga alucinógena que procede del ácido lisérgico. ☐ ETIMOL. Es la sigla del inglés *Lysergyc Acid Diethylamide* (dietilamida del ácido lisérgico).

lubigante s.m. Crustáceo marino comestible, con cuerpo alargado y de gran tamaño, y cinco pares de patas con pinzas grandes y fuertes en el primer par. ☐ SINÓN. *bogavante, lobagante.* ☐ MORF. Es un sustantivo epiceno: *el lubigante {macho/hembra}.*

lubina s.f. Pez marino, de cuerpo alargado y color plateado, que vive en las costas rocosas de la desembocadura de los ríos, comestible y de carne muy apreciada. ☐ SINÓN. *róbalo.* ☐ ETIMOL. De *lobina*, y este de *lobo* (pez). ☐ MORF. Es un sustantivo epiceno: *la lubina {macho/hembra}.*

lubricación s.f. Aplicación de una sustancia para disminuir el rozamiento. ☐ SINÓN. *lubrificación.*

lubricán s.m. *poét.* Crepúsculo: *al lubricán de la tarde.*

lubricante adj.inv./s.m. Referido a una sustancia, que se utiliza para lubricar o hacer resbaladizo. ☐ SINÓN. *lubrificante.*

lubricar v. **1** Hacer resbaladizo: *Para la cucaña hay que lubricar el palo.* ☐ SINÓN. *lubrificar.* **2** Referido a un mecanismo, aplicarle una sustancia para disminuir el rozamiento entre sus piezas: *Si no lubricas bien el motor, el rozamiento hará que aumente el desgaste de sus piezas.* ☐ SINÓN. *lubrificar.* ☐ ETIMOL. Del latín *lubricare* (hacer resbaladizo). ☐ ORTOGR. La *c* se cambia en *qu* delante de *e* →SACAR.

lubricativo, va adj. Que sirve para lubricar.

lubricidad s.f. **1** Propensión a la lujuria o provocación de este deseo sexual. **2** Capacidad de deslizamiento, esp. mediante la aplicación de una sustancia resbaladiza: *La lubricidad de las piezas debe ser completa para mantener el buen estado del motor.*

lúbrico, ca adj. **1** Propenso a la lujuria o que la provoca. **2** Que resbala o se escurre fácilmente: *El aceite es una sustancia lúbrica.* ☐ SINÓN. *resbaladizo, resbaloso.* ☐ ETIMOL. Del latín *lubricus* (resbaladizo).

lubrificación s.f. →**lubricación.**

lubrificante adj.inv./s.m. →**lubricante.**

lubrificar v. →**lubricar.** ☐ ORTOGR. La *c* se cambia en *qu* delante de *e* →SACAR.

lucense adj.inv./s.com. De Lugo o relacionado con esta provincia española o con su capital: *Mondoñedo es un pueblo lucense.*

lucerío s.m. *col.* Abundancia de luces.

lucerna s.f. Abertura alta que sirve para dar luz y ventilación a una habitación: *En la buhardilla, la luz entra por dos lucernas del tejado.* ☐ ETIMOL. Del latín *lucerna* (candil, lámpara).

lucero s.m. **1** Astro que aparece grande y brillante en el firmamento: *Le gusta salir a pasear por la noche y ver los luceros del cielo.* **2** *poét.* Ojo. **3** En algunos animales, lunar grande y blanco en la frente. **4** ‖ **lucero {del alba/de la mañana/de la tarde};** segundo planeta del sistema solar: *El lucero del alba es Venus.* ☐ ETIMOL. De *luz.*

lucha s.f. **1** Combate en el que generalmente se utilizan la fuerza o las armas: *La lucha entre los dos ejércitos produjo innumerables bajas. La guerrilla firmó el cese de la lucha armada.* **2** Trabajo o esfuerzo para conseguir algo: *¡Qué lucha tengo con estos niños para que ordenen su cuarto! La lucha por la supervivencia es propia de todos los seres vivos.* **3** Oposición o enfrentamiento, esp. entre ideas o fuerzas: *Esta lucha interna entre el amor y el odio me está volviendo loca.* **4** ‖ **lucha de clases;** la que tiene lugar entre la clase obrera y la capitalista. ‖ **lucha grecorromana;** deporte en el que pelean sin armas dos personas y el vencedor es el que consigue que su adversario mantenga la espalda en contacto con el suelo durante unos segundos. ‖ **lucha libre;** deporte en el que pelean sin armas dos personas utilizando llaves y golpes, y que termina cuando uno de los contrincantes se rinde.

luchador, -a ▮ adj./s. **1** Que lucha. ☐ SINÓN. *agonista.* ▮ s. **2** Deportista que practica algún tipo de lucha.

luchar v. **1** Pelear o combatir, generalmente utilizando la fuerza o las armas: *Los ejércitos luchaban a las puertas de la ciudad. En mi cabeza luchan la angustia y el coraje.* **2** Afanarse, trabajar o esforzarse mucho para conseguir algo, generalmente venciendo dificultades u oposiciones: *Varios equipos luchan para conseguir el campeonato. En la vida hay que luchar mucho.* ☐ ETIMOL. Del latín *luctari.* ☐ SINT. Su uso como transitivo es incorrecto, aunque está muy extendido. *El jugador {*luchó un balón al* > *luchó por un balón con} el defensa del equipo contrario.*

lucidez s.f. Claridad mental: *Cuando tengas un problema, tienes que ser capaz de analizarlo con lucidez.*

lucido, da adj. Con lucimiento: *¡Qué arreglada y lucida vienes!* ☐ ORTOGR. Dist. de *lúcido.*

lúcido, da adj. **1** Claro en el razonamiento: *Ha sido una decisión lúcida y muy acertada.* **2** Capaz de razonar con facilidad y con rapidez: *A pesar de su locura, a veces tiene momentos lúcidos.* ☐ ETIMOL. Del latín *lucidus.* ☐ ORTOGR. Dist. de *lucido.*

luciente adj.inv. Que luce.

luciérnaga s.f. Insecto volador que despide una luz verdosa, y cuya hembra carece de alas, tiene las patas cortas y el abdomen formado por anillos: *La luz que despiden las hembras de las luciérnagas es mucho más potente que la que despiden los machos.* ☐ SINÓN. *noctiluca.* ☐ ETIMOL. Del latín *lucerna* (lámpara, candil). ☐ MORF. Es un sustantivo epiceno: *la luciérnaga {macho/hembra}.*

luciferino, na adj. De Lucifer (nombre dado al demonio, o nombre dado al lucero de la mañana), con sus características o relacionado con él: *Esa maldad luciferina asusta a cualquiera. Al amanecer se veía la luz luciferina en lo alto del cielo.*

lucífero, ra adj. *poét.* Que da luz: *Los enamorados se decían palabras de amor bajo la lucífera luna.* ☐ ETIMOL. Del latín *lucifer* (portador de luz).

lucífugo, ga adj. *poét.* Que huye de la luz. ☐ ETIMOL. Del latín *lucifugus*, y este del *lux* (luz) y *-fugo* (que ahuyenta).

lucimiento s.m. **1** Exhibición o muestra de cualidades, esp. si se hace para presumir: *Esta partitura está escrita para facilitar el lucimiento del solista.* **2** Buena impresión o rendimiento brillante: *Nunca obtiene el lucimiento que su esfuerzo merece.* **3** Brillo o esplendor: *La presencia de Sus Majestades dará mayor lucimiento al acto.*

lucio s.m. Pez de cuerpo alargado, carne grasa, boca picuda, que vive en los ríos y en los lagos, y que se alimenta de otros peces, de ranas y de sapos: *El lucio es un pez muy voraz.* ☐ ETIMOL. Del latín *lucius.* ☐ MORF. Es un sustantivo epiceno: *el lucio {macho/hembra}.*

lucir ▮ v. **1** Brillar suavemente: *Las estrellas aparecen como pequeños puntos que lucen en el cielo.* **2** Dar luz y claridad: *Cambiaré la bombilla para que la lámpara luzca bien.* **3** Referido esp. a un esfuerzo, rendir o dar el resultado correspondiente: *Tus malas notas muestran que no te lucen las horas de estudio.* **4** Destacar o sobresalir, esp. si es aventajando a otros: *Mi hermana era la que más lucía en* *la fiesta.* **5** Dar importancia o prestigio: *En algunos ambientes luce mucho tener un coche deportivo.* **6** Exhibir o mostrar presumiendo: *Va a las fiestas para lucir las joyas. Le gusta lucirse ante las personas que todavía no lo conocen.* **7** Llevar a la vista: *La ciclista ganadora lucía el dorsal número 11.* **8** Referido a una pared, blanquearla con yeso: *Al lucir las paredes del patio, entra más luz en la casa.* □ SINÓN. *enlucir.* ▌prnl. **9** Quedar muy bien o causar buena impresión: *Cocino tan bien que siempre me luzco cuando doy una cena. Te has lucido al decirle esa impertinencia...* □ ETIMOL. Del latín *lucere.* □ MORF. Irreg. →LUCIR. □ USO La acepción 9 se usa mucho con un sentido irónico.

lucrarse v.prnl. Obtener un beneficio de un negocio o de un encargo: *No me parece ético que la gente se meta en política con el único afán de lucrarse.* □ ETIMOL. Del latín *lucrari* (ganar).

lucrativo, va adj. Que produce ganancias o beneficios: *un negocio muy lucrativo.*

lucro s.m. Ganancia o beneficio que se obtiene en un asunto, esp. en un negocio: *afán de lucro.* □ ETIMOL. Del latín *lucrum* (ganancia).

luctuoso, sa adj. Que produce tristeza o pena: *La muerte de un ser querido es siempre un hecho luctuoso.* □ ETIMOL. Del latín *luctuosus.*

lucubración s.f. →**elucubración.**

lucubrar v. →**elucubrar.** □ ETIMOL. Del latín *lucubrare.*

lúcuma s.f. Fruto del lúcumo, parecido a una manzana pequeña: *La lúcuma se guarda algún tiempo en paja antes de comerla.*

lúcumo s.m. Árbol frutal alto, de tronco recto y con la copa frondosa: *El lúcumo es propio de las regiones más cálidas de Chile y Perú.*

ludibrio s.m. Mofa, burla o desprecio crueles, que se hacen con palabras o acciones: *Para mayor ludibrio, le pusieron unas orejas de burro.* □ ETIMOL. Del latín *ludibrium* (burla, irrisión).

lúdico, ca (tb. *lúdicro, cra*) adj. Del juego, del tiempo libre o relacionado con ellos: *actividades lúdicas.* □ ETIMOL. Del latín *ludus* (juego).

lúdicro, cra adj. →**lúdico.**

ludólogo, ga s. Persona que estudia el juego y sus efectos sociales o psíquicos: *Los ludólogos estudian el fenómeno de la ludopatía desde distintos puntos de vista.* □ ETIMOL. Del latín *ludus* (juego) y *-logo* (estudioso, especialista).

ludópata s.com. Persona que padece ludopatía o adicción patológica al juego: *La curación de los ludópatas se consigue con un tratamiento psicológico adecuado.*

ludopatía s.f. Adicción patológica al juego: *Debido a su ludopatía, sus familiares han pedido en el bingo que no se le permita la entrada.* □ ETIMOL. Del latín *ludus* (juego) y *-patía* (enfermedad).

ludoteca s.f. Lugar en el que se conserva una colección de juegos y de juguetes para poder ser utilizados por los usuarios: *Casi todas las guarderías cuentan con una ludoteca.* □ ETIMOL. Del latín *ludus* (juego) y el griego *théke* (caja para depositar algo).

luego ▌adv. **1** En un lugar o en un tiempo posteriores: *En la lista de clase, primero voy yo y luego tú. Luego vendré y te ayudaré a terminar el trabajo.* □ SINÓN. *después.* **2** *col.* En zonas del español meridional, pronto: *Me dijo que no me fuera tan luego.* ▌conj. **3** Enlace gramatical subordinante con valor consecutivo: *Hay muchas nubes, luego va a llover.* **4** ‖ **desde luego;** expresión que se utiliza para indicar asentimiento, conformidad o entendimiento: *Le dije que me esperara y él me respondió que desde luego.* ‖ **hasta luego;** expresión que se utiliza como señal de despedida: *¿Por qué me dices 'hasta luego', si no nos vamos a ver hasta dentro de seis meses?* □ ETIMOL. Del latín *loco.*

luengo, ga adj. *ant.* →**largo.** □ ETIMOL. Del latín *longus* (largo).

lugar s.m. **1** Espacio ocupado o que puede ser ocupado: *Cuando termines, deja cada cosa en su lugar, por favor. Has llegado tarde y ya no hay lugar para ti.* □ SINÓN. *sitio.* **2** Paraje, sitio, terreno adecuado para algo, o parte de un espacio: *Ese valle es buen lugar para acampar. En algún lugar del mundo debe de haber lo que busco.* **3** Población pequeña: *Los más ancianos del lugar nos contaron antiguas anécdotas.* **4** Ocasión o momento oportunos para realizar o conseguir algo: *Me lo contarás cuando haya lugar. Esta fiesta no es lugar para tratar asuntos tan serios.* **5** En una serie ordenada, posición o sitio ocupados: *En primer lugar, debo darles las gracias por haber venido. ¿En qué lugar has terminado la carrera?* **6** ‖ **dar lugar a** algo; causarlo o motivarlo: *Su buena actuación dio lugar a una gran ovación.* ‖ **en {buen/mal} lugar;** bien o mal considerado: *No me dejes en mal lugar, y pórtate bien.* ‖ **en lugar de** algo; en su sustitución o en vez de ello: *En lugar de estar jugando, ven a ayudarme.* ‖ **estar fuera de lugar;** ser inoportuno: *Lo que has dicho está fuera de lugar.* ‖ **lugar común; 1** Expresión trivial o muy utilizada: *Déjate de lugares comunes y di algo de tu propia cosecha.* **2** Tópico literario: *Presume de original, pero su novela está llena de lugares comunes.* ‖ **no ha lugar;** en derecho, expresión que indica que no se accede a lo pedido: *A la propuesta, el juez dijo: «No ha lugar».* ‖ **sin lugar a dudas;** de manera evidente. ‖ **tener lugar;** ocurrir o suceder. □ ETIMOL. Del latín *localis* (local, del lugar).

lugareño, ña adj./s. De una población pequeña, de sus habitantes, o relacionado con ellos: *Un lugareño nos dijo cómo llegar a la autopista al salir del pueblo.*

lugarteniente s.com. Persona capacitada para sustituir a otra en un cargo o en un empleo: *La directora dijo que mientras ella estuviese ausente, el* *subdirector sería su lugarteniente.* ☐ ETIMOL. Del latín *locum tenens* (el que ocupa el lugar de otro).

luge s.m. Carrera de trineos en la que los participantes van tumbados boca arriba: *En el luge doble, hay dos personas en cada trineo.*

lúgubre adj.inv. **1** Triste o melancólico: *No pongas esa cara tan lúgubre, hombre, que todos los problemas tienen solución.* **2** Fúnebre o relacionado con la muerte: *Le gusta contar historias lúgubres para asustarnos.* ☐ ETIMOL. Del latín *lugubris*, y este de *lugere* (llorar, lamentarse).

luis s.m. Antigua moneda francesa de oro o de plata: *Los luises se empezaron a acuñar en el siglo XVIII durante el reinado de Luis XIII.*

luisa s.f. →**hierbaluisa.**

lujo s.m. **1** Abundancia o exhibición de riqueza o de comodidad: *Vive con mucho lujo.* **2** Lo que pone de manifiesto abundancia de tiempo, de dinero o de cosas semejantes: *Ese coche con tapicería de piel es un lujo.* **3** Abundancia de cosas que adornan o enriquecen pero que no son necesarias: *un hotel de lujo; con todo lujo de detalles.* **4** ‖ **lujo asiático;** *col.* El excesivo. ☐ ETIMOL. Del latín *luxus* (exceso).

lujoso, sa adj. Con lujo manifiesto.

lujuria s.f. Deseo o actividad sexuales inmoderados. ☐ SINÓN. *libídine.* ☐ ETIMOL. Del latín *luxuria* (vida voluptuosa).

lujuriante adj.inv. Referido esp. a la vegetación, muy verde, frondosa y abundante: *Los jardines del palacio tenían una vegetación lujuriante.*

lujurioso, sa adj./s. De la lujuria o relacionado con ella.

lulú (pl. *lulúes, lulús*) s.m. Perro de compañía, de tamaño pequeño, pelo abundante y orejas rectas.

lumbago s.m. Dolor en la región lumbar: *Tiene un lumbago de tipo reumático.* ☐ SINÓN. *lumbalgia.* ☐ ETIMOL. Del latín *lumbago.*

lumbalgia s.f. →**lumbago.** ☐ ETIMOL. De *lumbago* y *-algia* (dolor).

lumbar adj.inv. De la zona o región del cuerpo que está situada en la parte baja de la espalda, entre las últimas costillas y la cresta ilíaca.

lumbre s.f. **1** Fuego encendido voluntariamente, generalmente para hacer la comida o calentarse: *Nos quedamos toda la noche a la luz de la lumbre.* **2** Materia combustible encendida, con o sin llama: *Dame lumbre para encender la hoguera.* ☐ SINÓN. *candela.* ☐ ETIMOL. Del latín *lumen* (cuerpo que despide luz).

lumbrera s.f. *col.* Persona que destaca por su inteligencia o por su saber. ☐ ORTOGR. Se usa también *lumbreras.*

lumbreras (pl. *lumbreras*) s.f. *col.* →**lumbrera.**

lumen s.m. En el Sistema Internacional, unidad de flujo luminoso. ☐ ETIMOL. Del latín *lumen* (luz). ☐ ORTOGR. Su símbolo es *lm*, por tanto, se escribe sin punto.

lumi s.f. *arg.* Prostituta: *Esa esquina suele llenarse de lumis por las noches.*

lumia s.f. *arg.* Prostituta.

luminaria s.f. **1** Luz que se coloca en balcones, calles y monumentos como adorno para fiestas y ceremonias públicas: *En las fiestas del santo patrón, el pueblo entero se llena de luminarias.* **2** En una iglesia, luz que arde continuamente delante del Santísimo Sacramento (Jesucristo en la eucaristía): *La luminaria suele ser una lámpara de aceite o una vela de color rojo.* ☐ ETIMOL. Del latín *luminaria.* ☐ ORTOGR. En la acepción 1, se admite también *iluminaria.*

lumínico, ca adj. De la luz o relacionado con esta forma de energía: *potencia lumínica.* ☐ ETIMOL. Del latín *lumen* (luz).

luminiscencia s.f. Propiedad de emitir una luz débil y visible casi exclusivamente en la oscuridad, sin elevación de temperatura: *la luminiscencia de las luciérnagas.*

luminiscente adj.inv. Que emite luz sin elevar la temperatura o sin llegar a la incandescencia: *El fósforo es luminiscente.*

luminosidad s.f. **1** Emisión o abundancia de luz: *la luminosidad de la costa mediterránea.* **2** Claridad o brillantez: *Este detergente da gran luminosidad a los colores.*

luminoso, sa adj. **1** Que despide luz: *un cartel luminoso.* **2** Que tiene mucha luz natural: *El salón es muy luminoso, porque tiene dos grandes ventanales.* **3** Referido esp. a una idea, acertada, clara o brillante: *Irnos de excursión es una ocurrencia luminosa.* **4** *col.* Alegre o vivo: *Tiene una sonrisa franca y luminosa. Me gusta vestir con colores luminosos.*

luminotecnia s.f. Arte o técnica de la iluminación con luz artificial, generalmente para fines industriales o artísticos. ☐ ETIMOL. Del latín *lumen* (luz) y el griego *tékhne* (arte, habilidad).

luminotécnico, ca ▮ adj. **1** De la luminotecnia o relacionado con esta técnica de iluminación: *una empresa luminotécnica.* ▮ s. **2** Persona que se dedica profesionalmente a la luminotecnia.

lumpen s.m. Grupo social urbano que está formado por las personas socialmente más marginadas y sin los mínimos recursos económicos: *Mendigos, vagabundos e indigentes forman parte del lumpen.* ☐ ETIMOL. De origen alemán.

luna s.f. **1** Cuerpo celeste que gira alrededor de un planeta: *La Luna tarda veintiocho días en dar la vuelta alrededor de la Tierra. El planeta Júpiter tiene doce lunas.* ☐ SINÓN. *satélite.* **2** Luz del Sol reflejada por la Luna, que se percibe por la noche: *La luna entra por la ventana entreabierta.* **3** Período de tiempo comprendido entre una conjunción de la Luna con el Sol y la siguiente: *En los seres humanos, la gestación dura aproximadamente nueve lunas.* ☐ SINÓN. *lunación.* **4** Lámina de cristal:

la luna de un espejo; la luna de un escaparate. **5** || **a la luna de Valencia;** *col.* Sin haber podido cumplir lo que se esperaba: *Mientras tú lo consigues todo, yo me quedo a la luna de Valencia.* || **en la luna;** *col.* Distraído o ajeno a lo que sucede alrededor. || **ladrar a la Luna;** *col.* Manifestar inútilmente ira o enojo: *Deja de ladrar a la Luna, porque no te va a servir de nada.* || **luna creciente;** fase lunar durante la cual la Luna se percibe desde la Tierra como medio disco iluminado, en forma de 'D'. || **luna de miel; 1** Primera etapa de un matrimonio, generalmente de especial intimidad y armonía. **2** Viaje que hacen los recién casados después de la boda: *Están de luna de miel en La Habana.* || **luna llena;** fase lunar durante la cual la Luna se percibe desde la Tierra como un disco completo iluminado. □ SINÓN. *plenilunio.* || **luna menguante;** fase lunar durante la cual la Luna se percibe desde la Tierra como un medio disco iluminado, en forma de 'C'. || **luna nueva;** fase lunar durante la cual la Luna no se percibe desde la Tierra. □ SINÓN. *novilunio.* || **media luna;** →**medialuna.** || **pedir la Luna;** *col.* Pedir algo imposible. □ ETIMOL. Del latín *luna*. □ SINT. 1. *A la luna de Valencia* se usa más con los verbos *dejar*, *estar*, *quedar* o equivalentes. 2. *Pedir la Luna* se usa también con los verbos *ofrecer*, *prometer*, *querer* o equivalentes. □ USO En la acepción 1, referido al satélite de la Tierra, es nombre propio.

lunación s.f. Período de tiempo comprendido entre una conjunción de la Luna con el Sol y la siguiente: *Una lunación dura 29 días, 12 horas, 44 minutos y 2,9 segundos.* □ SINÓN. *luna*.

lunar ▌adj.inv. **1** De la Luna o relacionado con este satélite terrestre. ▌s.m. **2** En la piel humana, pequeña mancha redondeada y de color oscuro producida por acumulación de pigmentos. **3** Dibujo o mancha en forma de círculo que destaca del fondo: *una tela de lunares.* □ ETIMOL. Las acepciones 2 y 3, de *luna*, porque los lunares se atribuían al influjo de la Luna o porque tenían su forma. □ MORF. En la acepción 3, se usa más en plural.

lunático, ca adj./s. Referido a una persona, que tiene cambios bruscos de carácter o sufre ataques de locura. □ SINÓN. *alunado.* □ ETIMOL. Del latín *lunaticus*, porque la locura de los lunáticos se atribuía al influjo de la luna.

lunch (ing.) s.m. Comida ligera o refrigerio que se ofrece a los invitados a una ceremonia. □ PRON. [lanch].

lunes (pl. *lunes*) s.m. Primer día de la semana, entre el domingo y el martes: *Algunos museos cierran los lunes.* □ ETIMOL. Del latín *dies lunae* (día consagrado a la luna).

luneta s.f. **1** En un automóvil, cristal de la ventana trasera. **2** || **luneta térmica;** la preparada con unos hilos conductores de modo que, mediante el calor, se elimine el vaho.

lunfardo s.m. Jerga propia de los barrios bajos y de los delincuentes de Buenos Aires (capital de Argentina): *En los tangos hay muchas palabras tomadas del lunfardo.*

lúnula s.f. En una uña, parte inferior, semicircular y blanquecina de la base: *No te comas tanto las uñas, que a este paso vas a llegar a la lúnula.* □ ETIMOL. Del latín *lunula* (lunita).

lupa s.f. **1** Lente de aumento, generalmente provista de un soporte o un mango adecuados para su uso. **2** || **con lupa;** referido al modo de hacer algo, detenidamente o a conciencia, esp. si se hace con intención de encontrar el más mínimo defecto: *Corrigió los exámenes con lupa.* □ ETIMOL. Del francés *loupe*. □ SINT. *Con lupa* se usa más con el verbo *mirar* o equivalentes.

lupanar s.m. Establecimiento público en el que se ejerce la prostitución. □ SINÓN. *prostíbulo.* □ ETIMOL. Del latín *lupanar*, y este de *lupa* (cortesana).

lúpulo s.m. Planta herbácea trepadora, cuyo fruto desecado se utiliza en la fabricación de la cerveza para aromatizarla y darle sabor amargo: *Este champú anticaspa tiene lúpulo.* □ ETIMOL. Del latín *lupulus*.

luquete s.m. Rodajita de naranja o de limón que se añade en alguna bebida. □ ETIMOL. Del árabe *al-waqid* (la mecha), porque incita a beber como si encendiera la sed.

lúrex s.m. Tejido sintético, muy elástico, formado por una hebra con una base de aluminio y un recubrimiento plástico y usado generalmente en prendas de vestir. □ ETIMOL. Extensión del nombre de una marca comercial.

lusismo s.m. →**lusitanismo.**

lusista adj.inv./s.com. Partidario, conocedor o defensor de lo portugués.

lusitanismo s.m. En lingüística, palabra, significado o construcción sintáctica del portugués empleados en otra lengua: *La palabra 'cachimba' es un lusitanismo.* □ SINÓN. *portuguesismo, lusismo.*

lusitano, na adj./s. **1** De un antiguo pueblo prerromano establecido en la franja comprendida entre los ríos Duero y Tajo del actual Portugal (país europeo) y de las provincias españolas de Cáceres y Badajoz, o relacionado con él: *El pueblo lusitano se dedicaba a la ganadería.* **2** De la antigua Lusitania (provincia romana que agrupó a este pueblo), o relacionado con ella: *Mérida fue la capital de la cultura lusitana.* **3** De Portugal o relacionado con este país europeo. □ SINÓN. *luso, portugués.*

luso, sa adj./s. De Portugal o relacionado con este país europeo. □ SINÓN. *lusitano, portugués.* □ MORF. Es la forma que adopta *portugués* cuando se antepone a una palabra para formar compuestos: *lusofrancés*.

lusófilo, la adj./s. Que siente gran admiración y simpatía por todo lo portugués. □ ETIMOL. De *luso* (portugués) y *-filo* (amigo, amante de).

lusófobo, ba adj./s. Que siente gran antipatía por todo lo portugués. □ ETIMOL. De *luso* (portugués) y *-fobo* (que siente horror u odio).

lusofrancés, -a adj./s. De Portugal y de Francia (países europeos) conjuntamente.

lusohablante adj.inv./s.com. Que tiene como lengua materna u oficial el portugués, o que habla esta lengua. □ ETIMOL. De *luso* (portugués) y *hablante*.

lustrabotas (pl. *lustrabotas*) s.m. En zonas del español meridional, limpiabotas. □ SINÓN. *lustrador*.

lustrador s.m. →**lustrabotas.**

lustrar v. Referido a una superficie, darle brillo frotándola con insistencia: *Me lustré bien los zapatos y quedaron relucientes.* □ ETIMOL. Del latín *lustrare* (iluminar).

lustre s.m. **1** En una superficie, brillo, esp. el que se consigue después de limpiarla o frotarla con insistencia. **2** Esplendor o aspecto brillante: *¡Qué buen lustre tiene esta manzana!* **3** Prestigio o distinción: *La presencia de tantos famosos dio mucho lustre a la ceremonia.*

lustrín s.m. **1** En zonas del español meridional, limpiabotas. **2** En zonas del español meridional, cajón de limpiabotas.

lustro s.m. Período de tiempo de cinco años. □ SINÓN. *quinquenio.* □ ETIMOL. Del latín *lustrum* (sacrificio expiatorio), porque las purificaciones rituales se cumplían cada cinco años.

lustroso, sa adj. **1** Con lustre o brillo: *unos zapatos lustrosos.* **2** De aspecto sano y saludable, esp. por el color y tersura de la piel: *Tiene dos niños gorditos y lustrosos.*

lutecio s.m. Elemento químico, metálico y sólido, de número atómico 71, de color rojo y que pertenece al grupo de los lantánidos: *El lutecio es un metal muy escaso en la naturaleza.* □ ETIMOL. De *Lutetia* (nombre latino de París), porque en esta ciudad nació G. Urbain, descubridor del lutecio. □ ORTOGR. Su símbolo químico es *Lu*.

luteranismo s.m. **1** Doctrina religiosa protestante, basada en las teorías de Lutero (reformador religioso alemán del siglo XVI): *El luteranismo defiende la libre interpretación de la Biblia.* **2** Comunidad o conjunto de personas que siguen esta doctrina: *El luteranismo abolió el celibato sacerdotal.*

luterano, na ▮ adj. **1** De Lutero (reformador religioso alemán del siglo XVI), del luteranismo o relacionado con ellos: *doctrina luterana.* ▮ adj./s. **2** Que defiende o sigue el luteranismo.

luthier (fr.) s.m. Persona que se dedica profesionalmente a la fabricación o a la reparación de instrumentos musicales de cuerda: *Llevé la guitarra al luthier para que me reparara el mástil.* □ PRON. [lutié]. □ USO Su uso es innecesario y puede sustituirse por *violero*.

luto s.m. **1** Signo exterior de tristeza o de dolor por la muerte de una persona, esp. los que se ponen en ropas, adornos u objetos: *Las banderas ondearán a media asta como luto por el presidente fallecido.* **2** Ropa de color negro que se usa como señal de dolor por la muerte de una persona cercana: *Lleva luto por su padre.* **3** Período de tiempo que dura la manifestación social de este dolor: *Estuvo tres años de luto.* **4** Tristeza o dolor moral: *Intenta parecer animado, pero el luto lo lleva por dentro.* **5** ‖ **aliviar el luto;** vestirse de medio luto: *Para aliviar el luto, mi abuela se ha comprado un vestido negro con lunares blancos pequeñitos.* ‖ **medio luto;** el que no es riguroso: *Viste de gris porque ya está de medio luto.* □ ETIMOL. Del latín *luctus*, y este de *lugere* (llorar, lamentarse).

lux s.m. En el Sistema Internacional, unidad de iluminación: *Un lux equivale a la iluminación de una superficie que recibe un flujo luminoso de un lumen, uniformemente repartido sobre un metro cuadrado de la superficie.* □ ETIMOL. Del latín *lux* (luz). □ ORTOGR. Su símbolo es *lx*, por tanto, se escribe sin punto.

luxación s.f. En medicina, resultado de dislocarse un hueso: *luxación de cadera.* □ ETIMOL. Del latín *luxatio*.

luxar v. En medicina, referido a un hueso, dislocarlo o sacarlo de su sitio: *El médico me dijo que me había luxado el codo.* □ ETIMOL. Del latín *luxare* (dislocar un hueso).

luxemburgués, -a ▮ adj./s. **1** De Luxemburgo o relacionado con este país europeo. ▮ s.m. **2** Lengua germánica de este país: *En Luxemburgo se habla francés, alemán y luxemburgués.*

luz ▮ s.f. **1** Forma de energía que ilumina y hace posible la visión: *La luz se propaga por medio de los fotones. De noche nos iluminamos con luz eléctrica.* **2** Claridad o destello que despiden algunos cuerpos: *La luz de las llamas es roja y amarilla.* **3** Aparato que sirve para alumbrar, o dispositivo que pone en marcha este aparato: *Se ha fundido la luz. Trae una luz, que no veo nada.* **4** Corriente eléctrica: *Les cortaron la luz porque no pagaban.* **5** Modelo que sirve de ejemplo o de guía: *Mi mujer es la luz de mi vida.* **6** Aclaración o ayuda: *Estos documentos arrojan nueva luz sobre el asunto.* **7** *col.* Iluminación: *La luz preparada para el bodegón es insuficiente.* **8** En construcción, cada una de las ventanas o troneras por donde se da luz a un edificio: *Es conveniente incorporar luces en la pared derecha.* **9** En construcción, referido a un vano, a un arco o a una habitación, su dimensión horizontal interior: *Son ventanas muy estrechas, apenas tienen medio metro de luz. ¿Cuántos metros de luz tiene el arco romano de Medinaceli?* ▮ pl. **10** Claridad mental: *Demuestras tener pocas luces si te has creído esa mentira.* **11** ‖ **a la luz de** algo; teniéndolo en cuenta: *A la luz de los hechos, es indudable que ya no* *me quieres.* || **a todas luces;** de cualquier forma o sin ninguna duda: *Es a todas luces imposible que hayas preparado el examen si has estado en la discoteca.* || **dar a luz;** parir: *A las tres de la tarde dio a luz a un precioso niño. Por fin dio a luz su esperada novela.* || **hacer luz de gas;** *col.* Confundir o desconcertar: *Dime la verdad y no me hagas luz de gas.* || **luz cenital;** la que entra por el techo. || **luz {corta/de cruce};** en un vehículo, la que puede iluminar de manera eficaz unos cuarenta metros de camino. || **luz de Bengala;** artefacto con pólvora, que se usa como señal luminosa en operaciones de búsqueda, salvamento o semejantes: *Cuando los marineros advirtieron el boquete en el casco, lanzaron varias luces de Bengala como aviso.* ☐ SINÓN. *bengala.* || **luz {de carretera/larga};** en un vehículo, la que puede iluminar de manera eficaz unos cien metros de camino. || **luz de posición;** en un vehículo, la que sirve para que este sea visto en lugares poco iluminados. || **luz natural;** la del Sol. || **luz roja;** prohibición o señal de alarma: *El alto índice de paro es una luz roja para la economía española.* || **luz verde;** *col.* Permiso o libertad de actuación: *Ya tienes luz verde para realizar tu propuesta.* || **sacar a la luz;** hacer público: *La periodista sacó a la luz el resultado de sus investigaciones.* || **salir a (la) luz;** hacerse público: *Fue un escándalo que salieran a la luz sus problemas conyugales.* || **ver la luz;** nacer: *Vio la luz en Madrid. Su último libro ha visto la luz.* ☐ ETIMOL. Del latín *lux*. La expresión *hacer luz de gas*, por alusión al título de una película en la que el protagonista intentaba volver loca a su mujer. ☐ SINT. La acepción 7 se usa más con los verbos *arrojar*, *echar* o equivalentes.

lycra s.f. Tejido sintético, muy elástico y brillante, usado generalmente en prendas de vestir: *Los bañadores de lycra se ajustan al cuerpo.* ☐ ETIMOL. Extensión del nombre de una marca comercial. ☐ PRON. [lícra]. ☐ ORTOGR. Se usa también *licra*.

M m

m s.f. Decimotercera letra del abecedario. □ PRON. Representa el sonido consonántico bilabial nasal sonoro.

maca s.f. Señal, marca o desperfecto de poca importancia: *una manzana con macas.*

macabro, bra adj. Relacionado con la muerte en su aspecto más feo y repulsivo: *un relato macabro.* □ ETIMOL. Del francés *macabre*, y este de *danse macabre* (danza de la muerte).

macaco, ca s. **1** Mono de costumbres diurnas, ágil y de pelaje amarillento, que habita en los bosques europeos, africanos y asiáticos: *Los monos de Gibraltar son macacos.* **2** Persona insignificante física o moralmente: *No me digas que tienes miedo de que te pegue ese macaco.* □ ETIMOL. Del portugués *macaco.* □ USO En la acepción 2, referido a niños, tiene un matiz cariñoso.

macadam (tb. *macadán*) s.m. Pavimento de piedra machacada y arena que, una vez tendidas, se comprimen con un rodillo: *Para hacer el macadam, antes de pasar el rodillo es conveniente regar el firme.* □ ETIMOL. Por alusión a McAdam, ingeniero escocés que lo inventó.

macadán s.m. →**macadam.**

macahuil s.m. En zonas del español meridional, machete de madera con filo de pedernal. □ ETIMOL. Del náhuatl *macuáhuitl*, y este de *maitl* (mano) y *cuáhuitl* (árbol).

macana s.f. **1** *col.* En zonas del español meridional, mentira o disparate. **2** *col.* En zonas del español meridional, situación que ocasiona peligros o complicaciones. **3** En zonas del español meridional, porra: *Los policías llevan una macana.*

macanear v. *col.* En zonas del español meridional, decir o hacer macanas: *Siempre le digo que deje ya de macanear porque a mí no me engaña.*

macanudo, da adj. *col.* Admirable o extraordinariamente bueno. □ SINT. *Macanudo* se usa también como adverbio de modo con el significado de 'muy bien': *Lo pasamos macanudo con esa gente tan divertida.*

macarra ▮ adj.inv./s.com. **1** Que se considera vulgar y de mal gusto: *Pero qué camisa más macarra llevas...* **2** *col.* Que resulta agresivo y chulo en su aspecto o en su comportamiento: *Me cambié de acera porque se acercaban cinco macarras.* ▮ s.m. **3** *vulg.* Hombre que trafica con prostitutas y vive de sus ganancias. □ SINÓN. *chulo.*

macarrón s.m. **1** Pasta alimenticia en forma de canuto hecha de harina de trigo: *macarrones con tomate.* **2** Tubo fino flexible y resistente, generalmente de plástico, que sirve para recubrir algo o conducir fluidos: *Los cables de alta tensión van protegidos por macarrones aislantes.* □ ETIMOL. Del italiano *maccherone.* □ MORF. En la acepción 1, se usa más en plural.

macarrónico, ca adj. Referido esp. a una lengua, que se usa de forma defectuosa o incorrecta: *Habla un francés macarrónico.* □ ETIMOL. Del italiano *maccheronico.*

macarse v.prnl. Referido a la fruta, empezar a pudrirse debido a los golpes que ha recibido: *Separa la manzana que se está macando para que no se estropeen también las demás.* □ ETIMOL. De origen incierto. □ ORTOGR. La *c* se cambia en *qu* delante de *e* →SACAR.

macartismo (tb. *maccarthysmo*) s.m. **1** Política estadounidense de delación y de persecución contra personas acusadas de ser simpatizantes del comunismo, que se llevó a cabo en la década de 1950. **2** Seguimiento o persecución que se ejerce contra alguien por prejuicios sociales o políticos. □ SINÓN. *caza de brujas.* □ ETIMOL. De Joseph McCarthy (senador estadounidense).

macasar s.m. Tapete, generalmente de encaje o de tela, que se coloca en el respaldo y en los brazos de los asientos, esp. de los tapizados, para protegerlos del roce.

maccarthysmo s.m. →**macartismo.**

macear v. Golpear con una maza o con un mazo: *Si quieres clavar bien la estaca, debes macear más fuerte.*

macedonia s.f. Véase **macedonio, nia**.

macedónico, ca adj. →**macedonio.**

macedonio, nia ▮ adj./s. **1** De Macedonia o relacionado con este país europeo. □ SINÓN. *macedónico.* ▮ s.m. **2** Lengua eslava de este país. ▮ s.f. **3** Postre de frutas troceadas en almíbar: *He hecho una macedonia con manzana, pera, piña, plátano, melocotón y zumo de naranja.* □ SINÓN. *ensalada de frutas.*

macelo s.m. Lugar en el que se matan animales para el consumo público. □ SINÓN. *matadero.* □ ETIMOL. Del latín *macellum* (mercado de comestibles).

maceración s.f. Ablandamiento de una sustancia sólida golpeándola o sumergiéndola en un líquido: *Para hacer agua de rosas, pon unas cuantas en maceración durante unas horas.* □ SINÓN. *maceramiento.*

maceramiento s.m. →**maceración.**

macerar v. **1** Ablandar estrujando o golpeando: *Macera bien el pulpo antes de cocerlo para que no quede duro.* **2** Referido a una sustancia sólida, mantenerla sumergida en un líquido a temperatura ambiente para ablandarla o para extraer sus partes solubles: *Para hacer licor con las cerezas, tienes que macerarlas en aguardiente durante un tiempo.* □ ETIMOL. Del latín *macerare.*

macero, ra s. Persona que asiste a determinados actos solemnes llevando una maza o precediendo a alguna personalidad: *Al entrar en la sala, el alcalde iba precedido por unos maceros.*

maceta s.f. **1** Recipiente, generalmente de barro cocido y más ancho por la boca que por el fondo, que sirve para cultivar plantas. □ SINÓN. *tiesto.* **2** Conjunto formado por este recipiente, la tierra y la planta que contiene: *regar una maceta.* □ SINÓN. *tiesto.* □ ETIMOL. Quizá del italiano *mazzetto* (ramillete).

macetero s.m. **1** Recipiente en el que se cultivan plantas de adorno. **2** Soporte en el que se colocan macetas donde se cultivan plantas decorativas. **3** *col.* Jarra con doce litros de cerveza.

macfarlán s.m. →**macferlán.**

macferlán (tb. *macfarlán*) s.m. Prenda de abrigo sin mangas y con una capa corta que cubre los hombros: *El protagonista de la película era un detective vestido con un macferlán, que fumaba en pipa.* □ ETIMOL. Por alusión a MacFarlane, presunto creador escocés de esta prenda.

mach s.m. En aeronáutica, unidad de velocidad que equivale a la del sonido: *Un avión supersónico que alcance una velocidad de 2 mach se desplaza a una velocidad dos veces superior a la del sonido.* □ ETIMOL. Por alusión al físico austriaco E. Mach. □ ORTOGR. Dist. de *match* (enfrentamiento entre dos jugadores o dos equipos en un deporte).

macha s.f. Molusco de mar comestible, con la concha triangular y alargada: *Las machas son muy abundantes en los mares de Chile y Perú.*

machaca s.com. **1** *col. desp.* Persona pesada que molesta con su conversación aburrida e insistente: *Es un machaca y no hay quien lo aguante.* **2** *col.* Persona que trabaja muchísimo: *Ten la seguridad de que te acabarán a tiempo el trabajo porque son unos machacas.* **3** *arg.* Persona que vigila en un lugar donde se vende droga.

machacante s.m. *col.* Duro o moneda de cinco pesetas.

machacar v. **1** Deshacer o aplastar a golpes: *Si no tienes pimienta molida, machaca la que está en grano.* □ SINÓN. *machucar.* **2** *col.* Destruir, derrotar o vencer de forma arrolladora: *Nuestro equipo machacó al contrario con un seis a cero.* **3** *col.* Estudiar con insistencia: *Machaca bien las matemáticas, porque es la asignatura en la que peores notas sacas.* **4** *col.* Referido a un asunto o a un tema, insistir mucho sobre ellos: *No sigas machacando el tema de las vacaciones, que me tienes mareado.* □ SINÓN. *machucar.* **5** *col.* Cansar o agotar: *Trabajar tantas horas seguidas machaca a cualquiera.* **6** En baloncesto, meter el balón en la canasta con ímpetu y empujándolo hacia abajo: *Cuando el pívot machacó, se rompió el tablero.* □ ETIMOL. De *machar* (golpear para quebrar algo). □ ORTOGR. La *c* se cambia en *qu* delante de *e* →SACAR.

machacón, -a adj./s. Referido esp. a una persona, que insiste con pesadez o que se repite mucho: *Eres tan machacona que, por no oírte, te daré lo que pides.*

machaconería s.f. *col.* Insistencia o pesadez: *El anuncio repite la misma frase con machaconería.*

machada s.f. **1** *col.* Acción valiente: *El salvamento del niño que se estaba ahogando ha sido una machada que ha terminado bien.* **2** Necedad, imprudencia o presunción: *Ha sido una machada el atreverte a decirle a la cara lo que piensas de él.*

machadiano, na adj. De Antonio Machado (escritor español de finales del siglo XIX y comienzos del XX), o con características de sus obras: *La soledad es uno de los grandes temas de la poesía machadiana.*

machamartillo ‖ **a machamartillo;** con firmeza, con seguridad o con solidez: *Lleva el régimen de adelgazamiento a machamartillo.* □ ETIMOL. De *machar* y *martillo.* □ ORTOGR. Se admite también *a macha martillo.*

machaque s.m. →**machaqueo.**

machaquear v. En zonas del español meridional, machacar o moler.

machaqueo s.m. **1** Aplastamiento o destrucción de algo a base de golpes repetidos: *El machaqueo de las gotas de lluvia en la ventana me desveló.* □ SINÓN. *machaque.* **2** Insistencia que se pone en un tema o en la realización de algo: *El machaqueo de tus preguntas me está poniendo nerviosa.* □ SINÓN. *machaque.* **3** Derrota arrolladora: *Con el machaqueo de ayer, nuestro equipo se coloca en cabeza de la tabla.* □ SINÓN. *machaque.* **4** Agotamiento o cansancio intensos: *¡Menudo machaqueo me en el gimnasio...!* □ SINÓN. *machaque.*

machar v. Referido esp. a un fruto, machacarlo: *Mientras machas el ajo, yo puedo ir haciendo la salsa.* □ ETIMOL. De *macho* (mazo grande).

macheta s.f. Hacha pequeña. □ ETIMOL. De *macho* (mazo grande).

machetazo s.m. Golpe dado con un machete o corte producido con él.

machete s.m. **1** Cuchillo grande y fuerte que sirve para eliminar la maleza, para cortar la caña de azúcar y para otros usos: *Se abría paso entre la espesura de la selva con un machete.* **2** Arma blanca, más corta que la espada y más larga que el puñal, pesada, de hoja ancha y de un solo filo: *El soldado murió desangrado porque le cortaron la yugular con un machete.* □ ETIMOL. Quizá de *macho* (mazo grande).

machetear v. Dar machetazos: *Los exploradores que iban delante eran los que macheteaban las ramas bajas para abrirse camino.*

machetero, ra ▮ adj./s. **1** *col.* En zonas del español meridional, referido a una persona, que estudia mucho pero no entiende: *Mi compañera de la universidad era muy machetera, pero no lograba sacar buenas calificaciones.* ▮ s. **2** Persona que abre caminos con el machete: *En la expedición, el machetero iba en primer lugar.* **3** Persona que trabaja cortando cañas de azúcar en una plantación: *El machetero de la plantación manejaba el machete con gran habilidad.* **4** En zonas del español meridional, persona que trabaja cargando cosas: *Mi hermano trabaja como machetero en una compañía de mudanzas.*

machi s.com. Curandero mapuche que trata a los enfermos con cantos, bailes, rezos y plantas medicinales: *Entre los mapuches, el machi era una especie de médico adivino.*

machicha s.f. Baile propio de Brasil que se puso de moda a principios del siglo XX: *La machicha es un baile propio de los carnavales.*

machihembrar v. Referido a dos piezas de madera, ensamblarlas o unirlas de modo que la espiga o lengüeta de una encaje en el hueco o ranura de la otra: *Después de machihembrar las patas y el tablero de la mesa, lo reforzó con clavos.* ☐ ETIMOL. De *macho* y *hembra*.

machina s.f. Grúa de grandes dimensiones que se utiliza en los puertos. ☐ ETIMOL. Del francés *machine*.

machismo s.m. Actitud o tendencia discriminatoria que considera al hombre superior a la mujer: *El machismo considera que la mujer debe encargarse exclusivamente de la casa y de los hijos.*

machista ▮ adj.inv. **1** Del machismo o relacionado con esta actitud discriminatoria: *una sociedad machista.* ▮ adj.inv./s.com. **2** Referido a una persona, que considera al hombre superior a la mujer.

macho ▮ adj. **1** Con la fuerza, el vigor, la valentía u otras características consideradas tradicionalmente como propias del sexo masculino: *Se cree más macho que nadie, pero hay un montón de hombres con más fuerza y valor que él.* ▮ s.m. **2** Animal de sexo masculino: *El macho de la gallina es el gallo. Vi en el zoo una jirafa macho.* **3** Planta que fecunda a otra de su especie con el polen de sus estambres: *Los machos de las palmeras, a diferencia de las hembras, no dan frutos.* **4** En un objeto que consta de dos piezas encajables, la que se introduce en la otra: *El cable de los aparatos eléctricos tiene en su extremo un macho de enchufe para poder conectarlos a la red.* **5** Mazo grande: *En las herrerías hay machos para forjar el hierro.* **6** ‖ **{apretarse/atarse} los machos;** *col.* Prepararse para afrontar o para soportar una situación o un asunto difíciles. ‖ **macho cabrío;** el que es la pareja de la cabra. ☐ SINÓN. *cabrón.* ☐ ETIMOL. Las acepciones 1-4, del latín *masculus* (del sexo masculino). La acepción 5, de origen incierto. ☐ SINT. En la acepción 2, se usa como aposición, pospuesto a un sustantivo, para designar el sexo masculino: *el gorila macho.* ☐ USO Se usa como apelativo: *Venga, macho, invítame a una copita.*

machón s.m. En construcción, pilar que sostiene un techo o un arco o que se pega o se incrusta en una pared para reforzarla: *Los machones colocados en los ángulos de un edificio reciben el peso de este.* ☐ ETIMOL. De *macho*.

machona s.f. *col.* En zonas del español meridional, marimacho.

machorra s.f. **1** Hembra estéril: *El término 'machorra' se aplica solo a animales.* **2** *vulg. desp.* Mujer que tiene aspecto o modales que se consideran masculinos. ☐ SINÓN. *marimacho, machota.*

machota s.f. *col.* Véase **machote, ta.**

machote, ta ▮ adj./s. **1** *col.* Referido a una persona, fuerte y valiente: *Está hecha una machota, y seguro que se atreve a atravesar a nado ese profundo río.* ▮ s.f. **2** *col.* Mujer con aspecto o modales que se consideran masculinos. ☐ SINÓN. *machorra, marimacho.*

machucar v. **1** →**machacar.** **2** *col.* En zonas del español meridional, atropellar pasando por encima: *Un taxi machucó al gato de mi hermana.* ☐ ORTOGR. La *c* se cambia en *qu* delante de *e* →SACAR. ☐ MORF. En la acepción 1, en zonas del español meridional, se usa mucho como pronominal.

machucho, cha adj. *col.* Referido a una persona, entrada en años.

macilento, ta adj. Delgado, pálido o triste: *una piel macilenta.* ☐ ETIMOL. Del latín *macilentus*.

macillo s.m. En un piano, pieza de madera parecida a un mazo que, al pulsar una tecla, es impulsada por esta y golpea la cuerda correspondiente haciéndola vibrar y sonar: *El sonido en un piano se produce cuando un macillo percute una cuerda.*

macis (pl. *macis*) s.f. Corteza rojiza y olorosa que cubre la nuez moscada: *Una vez seca, la macis se usa en gastronomía y en perfumería.* ☐ ETIMOL. Del latín *macis*.

macizar v. **1** Referido a un hueco, rellenarlo con material unido y apretado: *He comprado más relleno para macizar bien la almohada.* **2** Hacer que quede macizo: *Con las nuevas urbanizaciones creen que se macizará esta zona y que habrá problemas de tráfico.* ☐ ORTOGR. La *z* se cambia en *c* delante de *e* →CAZAR.

macizo, za ▮ adj. **1** *col.* Referido a una persona, que tiene la carne y los músculos duros. **2** Que no tiene huecos en su interior: *una medalla de plata maciza.* ▮ adj./s. **3** *col.* Referido a una persona, que tiene un cuerpo que se considera sexualmente atractivo: *El protagonista de la película está macizo.* ▮ s.m. **4** En un terreno, elevación generalmente rocosa o grupo de montañas. **5** En un jardín, agrupación de plantas que sirve como decoración: *un macizo de margaritas.* **6** En una pared, parte entre dos vanos o huecos. ☐ ETIMOL. Del latín *massa* (masa, amontonamiento).

macla s.f. En mineralogía, asociación de dos o más cristales de la misma especie, con un eje o plano común: *Los cristales que forman una macla son simétricos respecto a un eje, a un plano o a un centro.* ☐ ETIMOL. Del francés *macle*.

macoca s.f. **1** Golpe dado con los nudillos en la cabeza. **2** ‖ **hacerse** alguien **una macoca;** *vulg.* →**masturbarse.**

macramé s.m. Tejido hecho a mano con hilos muy gruesos trenzados o anudados: *El macramé tiene estructura de red. Compró macramé para hacerse una hamaca.* ☐ ETIMOL. Del francés *macramé*.

macro s.f. En informática, conjunto de comandos que se pueden ejecutar de una vez y consecutivamente con solo hacer una referencia: *El uso de macros elimina la realización de tareas repetitivas.* ☐ MORF. Es la forma abreviada y usual de *macroinstrucción* o de *macrofunción*.

macro- Elemento compositivo prefijo que significa 'grande': *macrocefalia, macroestructura, macrofotografía, macroconcierto.* □ ETIMOL. Del griego *makrós*.

macró s.m. *col.* Proxeneta. □ ETIMOL. Del francés *maquereau.*

macrobiótica s.f. Véase **macrobiótico, ca.**

macrobiótico, ca ▮ adj. **1** Que posibilita una vida duradera o que está relacionado con ella: *alimentos macrobióticos.* ▮ adj./s. **2** Que practica o que sigue la alimentación macrobiótica: *restaurante macrobiótico.* ▮ s.f. **3** Alimentación basada en el consumo de vegetales y de productos elaborados a partir de ellos para intentar conseguir una vida más duradera. □ ETIMOL. De *macro-* (grande) y el griego *biotiké* (relativo a la vida).

macrocefalia s.f. Condición del animal que tiene la cabeza de un tamaño mayor de lo normal: *Este animal tiene macrocefalia porque tiene la cabeza demasiado grande con relación a la especie a la que pertenece.*

macrocéfalo, la adj./s. Referido a un animal, que tiene la cabeza de un tamaño mayor de lo normal: *Su tesis trata sobre los macrocéfalos y el origen de esta anomalía congénita.* □ ETIMOL. De *macro-* (grande) y el griego *kephalé* (cabeza). □ MORF. Incorr. **macrocefálico.*

macroconcierto s.m. Concierto que se realiza para un público multitudinario: *Este verano se organizarán en el estadio de fútbol tres macroconciertos.*

macrocosmo s.m. →**macrocosmos.**

macrocosmos (tb. *macrocosmo*) (pl. *macrocosmos*) s.m. El universo, entendido como un ser semejante al ser humano: *Para este filósofo, el macrocosmos, al igual que el ser humano o microcosmos, está dotado de cuerpo y alma.* □ ETIMOL. De *macro-* (grande) y el griego *kósmos* (mundo).

macroeconomía s.f. Estudio de los sistemas económicos de una zona como un conjunto, empleando magnitudes colectivas o globales como la renta nacional, el empleo, la inversión o el consumo: *Los tratados de macroeconomía estudian los factores que determinan el origen y el empleo de los recursos de un país.* □ SEM. Dist. de *microeconomía* (estudio de la economía de los individuos, de pequeños grupos individuales o de empresas tomadas individual o sectorialmente).

macroeconómico, ca adj. De la macroeconomía o relacionado con este estudio: *Han realizado un estudio macroeconómico de esta región para impulsar su desarrollo.*

macroencuesta s.f. Encuesta que se hace a un número muy elevado de personas.

macroestructura s.f. Estructura general que engloba otras estructuras: *El Estado es una macroestructura que engloba los diversos ministerios.*

macrófago s.m. Célula de gran tamaño que destruye por fagocitosis todo tipo de partículas extrañas: *Hay macrófagos fijos y libres.* □ ETIMOL. De *macro-* (grande) y *-fago* (que come).

macrofestival s.m. Festival, esp. musical, de larga duración, con un gran número de participantes y una asistencia multitudinaria de público.

macrofiesta s.f. Fiesta con gran cantidad de personas que se suele realizar en un local público.

macrofotografía s.f. **1** Fotografía de algo muy pequeño, ampliada directamente por el objetivo de la cámara: *En esa macrofotografía, se veía gigantesca la cabeza de la mosca.* **2** Técnica que se usa para obtener este tipo de fotografía: *La macrofotografía requiere mucha habilidad y unos aparatos especiales.*

macrofunción s.f. →**macro.**

macrogameto s.m. En algunas especies animales, óvulo o gameto femenino: *En los mamíferos, el macrogameto es esférico y de mayor tamaño que el espermatozoide.*

macroinstrucción s.f.→**macro.**

macromolécula s.f. Molécula formada por muchos átomos: *Las proteínas son macromoléculas.*

macromolecular adj.inv. De las macromoléculas o relacionado con ellas.

macroproceso s.m. Proceso judicial que se alarga mucho en el tiempo y en el que están involucrados un gran número de encausados.

macroscópico, ca adj. Que se ve a simple vista: *Las garrapatas son unos parásitos macroscópicos.* □ ETIMOL. De *macro-* (grande) y el griego *scopéo* (yo examino).

macruro, ra ▮ adj./s. **1** Referido a un crustáceo decápodo, que tiene el abdomen grande y que termina en forma de cola: *Los bogavantes son crustáceos macruros.* ▮ s.m.pl. **2** En zoología, suborden de estos crustáceos, perteneciente al grupo de los decápodos: *La langosta marina pertenece a los macruros.* □ ETIMOL. De *macro-* (grande) y el griego *urá* (cola).

macsura s.f. En una mezquita, recinto reservado para el califa o para el imán, o para contener el sepulcro de un santo: *La macsura generalmente precede al mihrab, y está cercada y coronada por una o varias cúpulas.* □ ETIMOL. Del árabe *maqsura* (recinto reservado, clausura).

macuache s.com. *col. desp.* En zonas del español meridional, indígena que no ha recibido instrucción o enseñanza. □ ETIMOL. Del náhuatl *macuachitl.*

mácula s.f. Mancha: *Tiene una hoja de servicios sin mácula.* □ USO Su uso es característico del lenguaje culto.

macuto s.m. Mochila, esp. la que llevan los soldados: *Estoy metiendo la ropa en el macuto porque me han concedido varios días de permiso.* □ ETIMOL. De origen incierto.

madalena s.f. →**magdalena.**

madama s.f. *col.* Dueña o encargada de un prostíbulo. □ ETIMOL. Del francés *madame* (señora).

madapolán s.m. Tejido blanco de algodón de gran calidad: *El madapolán es un tejido originario de la India.* □ ETIMOL. De *Madapolam,* localidad india donde se fabricaba este tejido.

made in (ing.) ‖ Fabricado en o manufacturado en: *Es un televisor made in Taiwan.* □ PRON. [méid in].

□ USO Su uso es innecesario y puede sustituirse por *hecho en*.

madeira s.m. Vino ligeramente dulce, originario de Madeira (isla portuguesa): *¿Te apetece un madeira de aperitivo?*

madeja s.f. **1** Hilo recogido en vueltas iguales y generalmente grandes para que se puedan hacer ovillos fácilmente: *Yo sujetaba la madeja de lana con las dos manos mientras mi madre iba enrollando el ovillo.* **2** || **{enredar/liar} la madeja;** complicar un asunto. □ ETIMOL. Del latín *mataxa* (hilo, seda cruda).

madera s.f. **1** En un árbol, parte sólida y fibrosa debajo de su corteza: *El pino tiene una madera blanda.* □ SINÓN. *leño.* **2** Esta materia, utilizada en carpintería: *He comprado madera para hacer unas estanterías.* **3** *col.* Capacidad o aptitud naturales que tiene una persona para realizar determinada actividad: *Ya desde pequeño tenía madera de artista.* **4** En música, en una orquesta, conjunto de los instrumentos de viento hechos generalmente de ese material y que se tocan soplando a través de una boquilla o de una o dos lengüetas: *La madera estaba formada por flautas, fagotes y oboes.* **5** || **tocar madera;** expresión que se usa cuando se teme que algo traiga mala suerte o salga mal: *¡Toca madera, no vaya a ser que el viaje se fastidie!* □ ETIMOL. Del latín *materia* (madera de árbol). □ MORF. En la acepción 4, en plural tiene el mismo significado que en singular.

maderable adj.inv. Referido a un árbol o a un bosque, que pueden ser aprovechados para obtener madera útil para obras de carpintería: *Los pinos son árboles maderables.*

maderaje s.m. →**maderamen.**

maderamen s.m. Conjunto de maderas empleadas en la construcción de una obra: *El camión descargó el maderamen para la construcción del edificio.* □ SINÓN. *maderaje.*

maderería s.f. Establecimiento en el que se recoge y almacena madera para su venta: *e a la maderería y compra unas tablas para hacer la estantería.*

maderero, ra adj. De la madera o relacionado con ella: *industria maderera.*

madero s.m. **1** Pieza larga de madera, esp. la utilizada en carpintería: *Algunos de los maderos del carro estaban podridos.* **2** *col.* Miembro del cuerpo español de policía: *Un madero nos pidió la documentación.* □ ETIMOL. La acepción 2, por alusión al color marrón del antiguo uniforme de la policía. □ USO La acepción 2, tiene un matiz despectivo.

maderón s.m. Material obtenido a partir de cáscara molida de frutos secos mezclado con resinas, al que se aplica un tratamiento de presión y enfriamiento y se adapta a la forma de un molde para obtener una pieza sólida y resistente: *Algunos féretros están hechos de maderón.*

madona s.f. En arte, imagen o representación de la Virgen María (madre de Jesucristo): *Los renacentistas italianos pintaron hermosas madonas.* □ ETIMOL. Del italiano *madonna.*

madrasa s.f. →**madraza.**

madrastra s.f. **1** Respecto de los hijos llevados por un hombre al matrimonio, actual mujer de este: *Se casó con un viudo que tenía un hijo y ahora es madrastra de este.* **2** Madre que trata mal a sus hijos. □ MORF. En la acepción 1, su masculino es *padrastro.*

madraza s.f. **1** *col.* Madre muy buena y cariñosa con sus hijos. **2** Escuela musulmana de estudios superiores. □ SINÓN. *madrasa.* □ ETIMOL. La acepción 1, de *madre.* La acepción 2, del árabe hispánico *madrása*, y este del árabe clásico *madrasah.* □ PRON. En la acepción 2, es frecuente la pronunciación [madrása]. □ MORF. En la acepción 1, su masculino es *padrazo.*

madre s.f. **1** Respecto de un hijo, hembra que lo ha parido: *El ternerito seguía a su madre. Mi madre es la persona a la que más quiero en el mundo.* **2** Hembra que ha parido: *No puede ser madre, porque le han extirpado la matriz.* **3** Causa u origen de donde algo proviene: *Se dice que la envidia es la madre de todos los vicios.* **4** Tratamiento que se da a las religiosas de determinadas congregaciones: *La madre que está en la enfermería del colegio es muy simpática.* **5** *col.* Persona muy protectora con los demás: *Esa profesora es una madre con sus alumnos.* **6** Referido a un río o a un arroyo, cauce por donde corren sus aguas: *El río se salió de madre e inundó todo el valle.* **7** Restos del mosto, vino o vinagre, que se quedan en el fondo de la cuba. **8** || **de puta madre;** *vulg.malson.* Muy bueno o muy bien. || **la madre del cordero;** *col.* La razón real de un hecho o de un suceso: *¿No me digas que esa tontería es la madre del cordero?* || **la madre que {me/te/...} parió;** *col.* Expresión que se usa para indicar enfado con alguien. || **madre de alquiler;** mujer que se presta para desarrollar en su útero un embarazo, generalmente iniciado por fecundación artificial, que ha sido encargado por una pareja que quiere adoptar el bebé tras el nacimiento. || **madre de leche;** mujer que ha amamantado a un niño sin ser suyo. □ SINÓN. *ama de cría, ama de leche, nodriza.* || **madre (mía)** o **{mi/tu/su} madre;** *col.* Expresión que se usa para indicar extrañeza, sorpresa, admiración o disgusto. || **mentar la madre** a alguien; nombrarla de manera injuriosa para insultar a su hijo: *¡Ni se te ocurra mentar a mi madre...!* || **sacar de madre** a alguien; *col.* Irritarlo o hacerle perder la paciencia: *Me saca de madre que sea tan pesado.* || **salirse** alguien **de madre;** *col.* Excederse o pasarse de lo acostumbrado o de lo normal. □ ETIMOL. Del latín *mater.* □ MORF. En las acepciones 1 y 2, su masculino es *padre.* □ SINT. En la acepción 3, se usa mucho en aposición, pospuesto a un sustantivo: *células madre.*

madreña s.f. →**almadreña.** □ ETIMOL. De **maderueña*, y este de *madera.* □ SEM. Es sinónimo de *zueco.*

madreperla s.f. Molusco marino de concha casi circular, que se pesca para recoger las perlas que suele tener en su interior y aprovechar el nácar de la concha: *Estos botones son artesanos y están hechos con nácar de concha de madreperla.*

madrépora s.f. Pólipo o animal celentéreo propio de los mares cálidos, que vive en colonias, y cuyo esqueleto exterior calcáreo, cuando se solidifica, llega a formar escollos o islas de coral en forma de árbol: *Las madréporas se agrupan en colonias numerosísimas.* □ ETIMOL. Del italiano *madrepora*.

madrepórico, ca adj. De la madrépora o relacionado con este pólipo: *Los atolones del océano Pacífico son islas madrepóricas.*

madreselva s.f. **1** Planta trepadora, de tallos largos, hojas opuestas y flores olorosas: *Las madreselvas del jardín desprenden un aroma muy agradable.* **2** Flor de esta planta: *Las madreselvas se disponen en la terminación de las ramas formando espigas alargadas.* □ ETIMOL. De *madre* y *selva*, porque con sus ramas abraza otras plantas.

madridismo s.m. Afición por el Real Madrid Club de Fútbol (club deportivo madrileño).

madridista adj.inv./s.com. Del Real Madrid Club de Fútbol (club deportivo madrileño) o relacionado con él: *El blanco es el color madridista.*

madrigal s.m. **1** En literatura, composición poética generalmente breve, de tema amoroso o de sentimientos delicados, formada por una combinación de versos heptasílabos y endecasílabos rimados y distribuidos en estrofas libremente: *Gutierre de Cetina compuso en el siglo XVI un famoso madrigal que comienza: «Ojos claros, serenos...».* **2** En música, composición, generalmente para varias voces, con o sin acompañamiento instrumental, sobre un texto lírico de carácter profano y en lengua vernácula: *La coral interpretó varios madrigales del siglo XVI.* □ ETIMOL. Del italiano *madrigale*.

madrigalesco, ca adj. Del madrigal o relacionado con esta composición poética o musical: *Los primeros poemas madrigalescos aparecen en Italia en el siglo XIV.*

madrigalista s.com. Persona que se dedica a la composición de madrigales o a cantarlos: *Barahona de Soto fue uno de los grandes madrigalistas del siglo XVI.*

madriguera s.f. **1** Cueva pequeña y estrecha en la que viven algunos animales: *El conejo cayó en la trampa que le pusieron a la salida de su madriguera.* **2** *col.* Lugar en el que se esconden los delincuentes: *Los ladrones escondieron el botín en su madriguera.* □ ETIMOL. Del latín *matricaria*.

madrileño, ña adj./s. De Madrid o relacionado con esta comunidad autónoma, con su provincia o con su capital: *Carabanchel es un barrio madrileño.*

madrina s.f. **1** Respecto de una persona, mujer que la presenta o la asiste al recibir ciertos sacramentos o algún honor: *madrina de boda.* **2** Mujer que patrocina o preside ciertos actos y ceremonias. □ MORF. Su masculino es *padrino*.

madrinazgo s.m. Función o cargo de madrina: *El madrinazgo de mujeres de la alta sociedad hace posible la existencia de esta institución benéfica.*

madroñal s.m. Terreno poblado de madroños: *Los madroñales abundan en las zonas de clima suave.*

madroño s.m. **1** Arbusto de hojas simples en forma lanceolada, y con flores generalmente blancas que nacen en ramilletes: *El escudo de Madrid tiene una osa apoyada en un madroño.* **2** Fruto de este arbusto: *El madroño es comestible y de forma esférica, rojo por fuera y amarillo por dentro.* □ ETIMOL. De origen incierto.

madrugada s.f. **1** Momento inicial del día, en que aparece la primera luz antes de salir el Sol: *Llegó de madrugada.* □ SINÓN. *alba, amanecer, amanecida.* **2** Período de tiempo comprendido entre la medianoche y el alba: *El tren salió de la estación a las tres de la madrugada.* **3** ‖ **de madrugada;** al amanecer o al comienzo de un nuevo día.

madrugador, -a ▌adj. **1** *col.* Que tiene lugar muy pronto: *El equipo visitante marcó un gol madrugador cuando solo habían transcurrido dos minutos de juego.* ▌adj./s. **2** Que tiene costumbre de madrugar. □ SINÓN. *tempranero.*

madrugar v. **1** Levantarse al amanecer o muy temprano: *Madrugo todos los días para ir a trabajar.* **2** *col.* Anticiparse o adelantarse a los demás en la ejecución o en la solicitud de algo: *Si quieres conseguir que te firmen ese contrato, tendrás que madrugar más que nadie.* **3** Ocurrir o tener lugar muy pronto o al principio de algo: *El primer premio de la lotería madrugó mucho en el sorteo de ayer.* □ ETIMOL. Del latín **maturicare*, y este de *maturare* (darse prisa, hacer madurar). □ ORTOGR. La *g* se cambia en *gu* delante de *e* →PAGAR.

madrugón s.m. *col.* Acción de levantarse muy temprano: *Si vas a coger el autobús de las cinco de la mañana, tendrás que darte un madrugón.*

maduración s.f. Desarrollo total, referido esp. a un fruto, a una persona o a una idea: *La maduración de las uvas marca la época de la vendimia.* □ SEM. Se usa referido esp. al desarrollo físico, frente a *madurez*, que se prefiere para el desarrollo moral.

madurar v. **1** Referido a un fruto, adquirir la madurez o el desarrollo completo: *Esas naranjas están verdes y todavía no han madurado.* **2** Referido a una persona, crecer y desarrollarse física, intelectual y emocionalmente: *No madurarás nunca si no eres capaz de asumir tus propias decisiones.* **3** Referido a un fruto, hacer que adquiera la madurez o el desarrollo completo: *El calor madura las frutas.* **4** Referido esp. a una idea, meditarla: *Tienes que madurar el proyecto un poco más, antes de presentarlo para su aprobación.* □ ETIMOL. Del latín *maturare*.

madurativo, va adj. Que madura o hace madurar: *proceso madurativo.*

madurez s.f. **1** Desarrollo completo de un fruto: *En esta época del año, los frutos alcanzan la madurez.* **2** Desarrollo físico, intelectual y emocional de una persona, caracterizado generalmente por el buen juicio a la hora de actuar: *Dio muestras de gran madurez al admitir su responsabilidad en el asunto.* **3** Período de la vida de una persona, desde el final de la juventud hasta el principio de la vejez:

Hace tiempo que alcanzó la madurez porque tiene cincuenta años. ☐ SEM. Se usa referido esp. al desarrollo moral, frente a *maduración*, que se prefiere para el desarrollo físico.

maduro, ra adj. **1** Referido a un fruto, que ha alcanzado su desarrollo completo. **2** Referido a una persona, entrada en años. **3** Referido a una persona, sensata o experimentada. **4** Referido esp. a una idea, muy meditada: *Su proyecto ya está maduro.* ☐ ETIMOL. Del latín *maturus*.

maelstrom (hol.) s.m. Remolino muy violento en las costas noruegas: *El maelstrom es peligroso para la navegación.* ☐ PRON. [máelstrom].

maese s.m. Tratamiento de respeto que se daba antiguamente a los hombres que tenían determinados oficios: *Visitó la ciudad en la que vivía el famoso barbero maese Nicolás.* ☐ ETIMOL. Del latín *magister* (jefe, director). ☐ SINT. Se usaba antepuesto a un nombre propio de persona.

maestranza s.f. **1** Conjunto de talleres e instalaciones donde se construyen y se reparan las piezas de artillería y otros armamentos: *Trabajaba en una maestranza reparando cañones.* **2** Conjunto de personas que trabajan en estos talleres e instalaciones: *Formó parte durante muchos años de la maestranza de arsenales navales.*

maestrazgo s.m. **1** En una orden militar, cargo de maestre: *Ejerció el maestrazgo de la orden de Santiago.* **2** Territorio sobre el que antiguamente un maestre ejercía su autoridad: *Esa villa perteneció, durante la Edad Media, al maestrazgo de Alcántara.*

maestre s.m. **1** En una orden militar, superior o jefe: *Fue nombrado maestre de la orden templaria.* **2** || **maestre de campo;** antiguamente, oficial de grado superior que mandaba un número determinado de tropas y cuya graduación equivale en la actualidad a la de coronel: *El maestre de campo pasó revista a las tropas acampadas en retaguardia.* ☐ ETIMOL. Del catalán y del provenzal antiguo *maestre*, y estos del latín *magister* (jefe, director).

maestresala ▌s.com. **1** En los comedores de hoteles y en algunos restaurantes, jefe de camareros que dirige el servicio de las mesas: *El maestresala observaba desde la puerta de la cocina el trabajo de sus camareros.* ▌s.m. **2** Antiguamente, criado principal que servía la mesa de un señor: *El maestresala murió envenenado después de probar la comida del rey.*

maestrescuela s.m. Antiguamente, persona que se dedicaba a enseñar las ciencias eclesiásticas en las catedrales: *El maestrescuela de la catedral de Burgos era famoso por su sabiduría.*

maestría s.f. **1** Destreza o habilidad para enseñar o para hacer algo: *Marcó el gol con gran maestría.* **2** Título u oficio de maestro, esp. en una profesión manual: *Sólo le queda un curso para conseguir la maestría en electricidad.*

maestro, tra ▌adj. **1** Referido a un elemento arquitectónico, que es el principal en su clase: *Las paredes y las vigas maestras sostienen el resto del edificio.* **2** Referido esp. a una obra de creación, que destaca entre las de su clase por ser de gran perfección: *Esta sinfonía es una de las piezas maestras de este compositor.* ▌s. **3** Profesor de educación infantil o primaria. **4** Persona que enseña una ciencia, un arte o un oficio, esp. si está titulada para ejercerlo. **5** Persona que ha adquirido gran experiencia, habilidad o conocimiento en un arte, en una actividad o en una materia: *Es un maestro en evitar situaciones comprometidas.* **6** Persona que dirige las operaciones de una actividad o el desarrollo de un acto: *maestro de ceremonias.* **7** Lo que instruye, alecciona o enseña: *La experiencia es la mejor maestra.* ▌s.m. **8** Músico o director de orquesta. **9** En tauromaquia, matador de toros. ☐ ETIMOL. Del latín *magister* (el que enseña).

mafia s.f. **1** Organización criminal clandestina surgida en Sicilia (isla mediterránea italiana), que impone su propia ley mediante la violencia. **2** Grupo que emplea métodos ilegítimos o que no deja participar a otros en una actividad: *Esa asociación era una auténtica mafia.* ☐ ETIMOL. Del italiano *maffia.* ☐ USO En la acepción 1, se usa más como nombre propio.

mafioso, sa adj./s. De la mafia o relacionado con ella: *El tribunal condenó al mafioso a treinta años de cárcel.*

magacín (tb. *magazín*) s.m. **1** Revista ilustrada de información general: *En el magacín leí la entrevista hecha al ministro de exteriores.* **2** Programa de televisión o de radio en el que se combinan entrevistas, reportajes y variedades: *Se inició el magacín con un pase de modelos.* ☐ ETIMOL. Del inglés *magazine.* ☐ USO Es innecesario el uso del anglicismo *magazine*.

magaña s.f. Engaño, argucia o artificio. ☐ ETIMOL. Del italiano *magagna*.

magarza s.f. →**matricaria.**

magazín s.m. →**magacín.**

magazine (ing.) s.m. →**magacín.** ☐ PRON. [magasín].

magdalena (tb. *madalena*) s.f. Bollo pequeño hecho con harina, aceite, leche y huevo y que se cuece generalmente en moldes de papel: *Desayuno todos los días un vaso de leche y dos magdalenas.* ☐ ETIMOL. Quizá por alusión a santa Magdalena, que siempre se representa con lágrimas en el rostro, porque al mojar una magdalena, gotea como si llorara.

magdaleniense adj.inv./s.m. Referido a una cultura prehistórica, que se desarrolló durante el paleolítico superior, es posterior al solutrense, y que se caracteriza por el apogeo de las pinturas rupestres y de los útiles hechos de hueso: *Las famosas pinturas de Altamira están datadas en el magdaleniense.* ☐ ETIMOL. Del francés *magdalénien*, y este de *La Madeleine*, que es el lugar donde se encontró un importante yacimiento de esta cultura.

magenta adj.inv./s.m. De color rosa oscuro fuerte: *El magenta es un color base en imprenta.* ☐ ETIMOL. Del italiano *magenta*, por alusión a la sangre derramada en la batalla de Magenta (4 junio de

1859), porque este color se puso de moda después de esta. ☐ SINT. Se usa más en aposición, pospuesto a un sustantivo: *color magenta.*

magia s.f. **1** Conjunto de conocimientos y prácticas que permiten la manipulación de las fuerzas ocultas de la naturaleza o la invocación de espíritus para conseguir fenómenos sobrenaturales: *Los encantamientos y los males de ojo pertenecen a la magia.* **2** Habilidad para hacer algo maravilloso e irreal mediante trucos: *un número de magia.* **3** Encanto o atractivo irresistibles, esp. si parecen irreales o no se sabe bien en qué consisten: *la magia de un lugar.* **4** || **magia {blanca/natural};** la que por medio de causas naturales produce efectos que parecen sobrenaturales pero no son nunca negativos. || **magia negra;** la que invoca a los espíritus del mal, esp. al diablo, para conseguir fenómenos sobrenaturales. ☐ SINÓN. *nigromancia, nigromancía.* ☐ ETIMOL. Del latín *magia.*

magiar ▮ adj.inv./s.com. **1** De un grupo étnico que habita en Hungría (país europeo) y Transilvania (región rumana), o relacionado con él: *Los magiares penetraron en Europa en el siglo IX.* ▮ s.m. **2** Lengua de Hungría (país europeo) y de otras regiones: *Antes de distribuirla, doblaron al castellano una película en magiar.* ☐ SINÓN. *húngaro.*

mágico, ca adj. **1** De la magia o relacionado con ella: *una pócima mágica.* **2** Maravilloso, estupendo o fascinante: *una noche mágica.* ☐ ETIMOL. Del latín *magicus.*

magín s.m. *col.* Imaginación o capacidad para pensar o para imaginar cosas: *Todas esas historias fantásticas son obra de su magín.* ☐ ETIMOL. Del antiguo *maginar* (imaginar).

magíster (pl. *magísteres*) ▮ s.m. **1** En zonas del español meridional, máster o curso de especialización para licenciados. ▮ s.com. **2** En zonas del español meridional, persona con un grado universitario inmediatamente inferior al de doctor. ☐ ETIMOL. Del latín *magister* (maestro).

magisterio s.m. **1** Profesión de maestro. **2** Conjunto de estudios que se realizan para la obtención del título de maestro de enseñanza infantil o primaria. **3** Enseñanza, autoridad e influencia moral e intelectual que alguien ejerce sobre sus discípulos: *Los católicos aceptan el magisterio del Papa en lo que se refiere a la interpretación de la Biblia.* ☐ ETIMOL. Del latín *magisterium* (función de maestro, jefatura).

magistrado, da ▮ s. **1** Miembro de un tribunal colegiado: *Es magistrado del Tribunal Constitucional.* ▮ s.m. **2** Superior en el orden civil, esp. los ministros de Justicia: *En la antigua República romana, los cónsules, pretores y censores eran magistrados.* ☐ ETIMOL. Del latín *magistratus* (magistratura, funcionario público).

magistral adj.inv. Hecho con maestría: *una faena magistral.* ☐ ETIMOL. Del latín *magistralis.*

magistratura s.f. **1** Cuerpo o conjunto de magistrados: *La magistratura se opuso a la nueva ley de seguridad ciudadana.* **2** Cargo o profesión de magistrado: *Vive con desahogo económico gracias a su magistratura.* **3** Tiempo durante el que un magistrado ejerce su cargo: *Durante su magistratura, nunca tuvo serios problemas laborales.* **4** || **llevar a magistratura;** referido esp. a un conflicto de tipo laboral, denunciarlo ante este tribunal de justicia.

maglia rosa (it.) s.f. || Camiseta rosa que luce el primer clasificado en el Giro (carrera ciclista italiana): *vestirse la maglia rosa.* ☐ PRON. [málla rósa].

magma s.m. En geología, masa de rocas fundidas existente en el interior de la Tierra y sometida a presión y temperatura muy elevadas: *El magma se solidifica por enfriamiento.* ☐ ETIMOL. Del griego *mágma* (pasta, ungüento).

magmático, ca adj. Del magma o relacionado con esta masa en fusión: *rocas magmáticas.*

magmatismo s.m. En geología, conjunto de fenómenos relacionados con la formación y la actividad del magma: *El fenómeno de magmatismo más evidente lo constituyen las erupciones volcánicas.*

magnanimidad s.f. Generosidad y grandeza de espíritu, esp. para perdonar las ofensas recibidas: *Al galán se le exigía nobleza de sangre, valentía y magnanimidad.*

magnánimo, ma adj. Generoso y con grandeza de espíritu, esp. en el perdón de las ofensas recibidas: *Era un rey justo y magnánimo con sus súbditos.* ☐ ETIMOL. Del latín *magnanimus,* de *magnus* (grande) y *animus* (ánimo).

magnate s.com. Persona que tiene un alto cargo y mucho poder en el mundo de los negocios, de la industria o de las finanzas: *Los magnates de la industria se oponen a los planes económicos del Gobierno.* ☐ ETIMOL. Del latín *magnates.*

magnesia s.f. Sustancia terrosa, alcalina, de color blanco, que, combinada con determinados ácidos, forma sales muy usadas en medicina: *La magnesia es óxido de magnesio.* ☐ ETIMOL. Del griego *Magnesía líthos* (piedra de Magnesia). ☐ ORTOGR. Dist. de *magnesio.*

magnésico, ca adj. Del magnesio o relacionado con este elemento químico: *Algunos ácidos magnésicos tienen propiedades laxantes.*

magnesio s.m. Elemento químico, metálico y sólido, de número atómico 12, de color blanco plateado, fácilmente deformable y ligero, que arde con facilidad y produce una luz clara y brillante: *El magnesio se emplea en fotografía.* ☐ ETIMOL. De *magnesia,* porque el magnesio se obtiene de esta piedra. ☐ ORTOGR. 1. Su símbolo químico es *Mg.* 2. Dist. de *magnesia.*

magnético, ca adj. Del imán o con características de este: *El funcionamiento de la brújula se basa en la atracción magnética.* ☐ ETIMOL. Del latín *magneticus,* y este del griego *magnetikós* (relativo al imán).

magnetismo s.m. **1** Agente físico por cuya acción los imanes y las corrientes eléctricas producen un conjunto de fenómenos magnéticos: *La producción de corriente eléctrica inducida es un fenómeno posible gracias al magnetismo.* **2** Fuerza de atracción del imán: *Comprobaron que el mineral analizado poseía menos magnetismo de lo que se pensaba.* **3** Atractivo o poder que posee una persona para atraer la voluntad o el interés de los demás: *el magnetismo de una mirada.*

magnetita s.f. Mineral de hierro muy pesado que tiene la propiedad de atraer determinados metales: *La magnetita es uno de los principales minerales de los que se extrae el hierro.* □ SINÓN. *calamita.*

magnetización s.f. Comunicación de las propiedades del imán a un cuerpo: *En ese laboratorio se realiza la magnetización de ciertos metales.* □ SINÓN. *imantación.*

magnetizador, -a s. **1** Cuerpo que comunica las propiedades del imán. **2** Persona que atrae o fascina.

magnetizar v. **1** Referido a un cuerpo, comunicarle las propiedades del imán: *Magnetizó el hierro poniéndolo en contacto con un imán.* □ SINÓN. *imantar.* **2** Referido a una persona, atraerla o fascinarla: *Con su encanto me magnetizó.* □ ORTOGR. La *z* se cambia en *c* delante de *e* →CAZAR.

magneto s.f. Generador de corriente eléctrica formado por uno o varios imanes permanentes que la inducen o transmiten a un dispositivo: *El coche no funciona porque tiene motor de explosión y se ha roto la magneto.* □ ETIMOL. Forma abreviada de *máquina magnetoeléctrica.* □ MORF. Se usa también como masculino.

magneto- Elemento compositivo prefijo que significa 'magnetismo': *magnetófono, magnetoterapia.* □ ETIMOL. Del griego *mágnes* (imán).

magnetofón s.m. *col.* →**magnetófono.** □ ETIMOL. Extensión del nombre de una marca comercial.

magnetofónico, ca adj. Del magnetófono o relacionado con este aparato: *una cinta magnetofónica.*

magnetófono s.m. Aparato capaz de grabar y de reproducir sonidos en una cinta magnética: *Mi primer magnetófono era casi tan grande como toda mi cadena musical de ahora.* □ SINÓN. *grabadora, magnetofón.* □ ETIMOL. Extensión del nombre de una marca comercial.

magnetoscopio s.m. Aparato capaz de grabar y de reproducir imágenes y sonidos de la televisión en una cinta magnética: *A los magnetoscopios todo el mundo los llama vídeos por influencia del inglés.* □ SINÓN. *vídeo.* □ ETIMOL. Del griego *mágnes* (imán) y *-scopio* (aparato para ver).

magnetosfera s.f. Zona espacial que está sometida al efecto del campo magnético de un astro: *En los casos de la Tierra, Júpiter y Saturno, la magnetosfera contiene partículas eléctricas procedentes del Sol.* □ ETIMOL. Del griego *mágnes* (imán) y *sphâira* (esfera).

magnetoterapia s.f. Tratamiento de las enfermedades por medio del magnetismo: *A veces se recurre a la magnetoterapia para tratar enfermedades de la piel.* □ ETIMOL. Del griego *mágnes* (imán) y *-terapia* (curación).

magnicida adj.inv./s.com. Referido a una persona, que asesina a otra que es importante por su cargo o por su poder.

magnicidio s.m. Asesinato de una persona muy importante por su cargo o por su poder: *Detuvieron a varios sospechosos relacionados con el magnicidio del presidente del país.* □ ETIMOL. Del latín *magnus* (grande) y *-cidio* (acción de matar).

magnificar v. Ensalzar o elogiar en exceso: *El crítico magnificó la representación teatral, y, sin embargo, ha sido un fracaso.* □ ETIMOL. Del latín *magnificare.* □ ORTOGR. La *c* se cambia en *qu* delante de *e* →SACAR. □ SEM. Dist. de *exagerar* (aumentar excesivamente).

magníficat s.m. Cántico que dirigió a Dios la Virgen María (madre de Jesucristo) en la visita a su prima Isabel, y que se reza o canta al final de las vísperas. □ ETIMOL. Del latín *magnificat* (alaba, magnifica), que es la palabra con que comienza este canto.

magnificencia s.f. **1** Grandiosidad, ostentación o abundancia de lujo: *Quedé impresionado por la magnificencia de la mansión en la que vivía mi amigo.* **2** Generosidad o buena disposición para realizar grandes gastos o prestarse a grandes empresas: *Se ha agradecido a los voluntarios de la Cruz Roja la magnificencia de su gesto.* □ ETIMOL. Del latín *magnificentia.* □ ORTOGR. Incorr.: **magnificiencia.*

magnificente adj.inv. Que muestra magnificencia o generosidad: *Donar tanto dinero ha sido un gesto magnificente por tu parte.* □ MORF. Incorr. **magnificiente.*

magnífico, ca adj. **1** Muy bueno o con grandes cualidades: *un libro magnífico.* **2** Espléndido, grandioso o con gran lujo: *un magnífico paisaje.* **3** Tratamiento honorífico que corresponde a los rectores universitarios. □ ETIMOL. Del latín *magníficus*, y este de *magnus* (grande) y *facere* (hacer).

magnitud s.f. **1** Tamaño o importancia de algo: *la magnitud de una catástrofe.* **2** Lo que puede ser objeto de medida, esp. referido a una propiedad física: *La fuerza y la temperatura son dos magnitudes físicas.* □ ETIMOL. Del latín *magnitudo.*

magno, na adj. *poét.* Grande: *La celebración de los Juegos Olímpicos es un magno acontecimiento.* □ ETIMOL. Del latín *magnus.*

magnolia s.f. **1** Árbol de copa ancha, tronco de corteza lisa, grandes hojas correosas y persistentes y flores blancas muy olorosas: *La magnolia es originaria de América.* □ SINÓN. *magnolio.* **2** Flor de este árbol: *Las magnolias son flores de grandes y carnosos pétalos.* □ ETIMOL. Por alusión a P. Magnol, botánico francés a quien se dedicó este árbol.

magnoliáceo, a ▌adj./s. **1** Referido a un árbol o a un arbusto, que tiene hojas alternas y sencillas, flores terminales grandes y olorosas y frutos en cápsula con semillas de albumen carnoso: *Las magnoliáceas son propias de regiones tropicales.* ▌s.f.pl. **2** En botánica, familia de estas plantas, perteneciente a la clase de las dicotiledóneas: *Se conocen unas cien especies de magnoliáceas.*

magnolio s.m. →**magnolia.**

magnum ▌s.m. **1** En un arma de fuego, corta o larga, tipo de cartucho cuyo poder es superior al de un cartucho normal del mismo calibre. ▌s.f. **2** Arma de fuego que funciona con este tipo de cartuchos: *La policía encontró una magnum 44 en el domicilio del sospechoso.* ☐ PRON. [mágnum]. ☐ ORTOGR. Dist. de *mágnum*.

mágnum s.amb. Botella, generalmente de champán o licor, que es el doble de grande que las normales: *Compraron un mágnum del mejor champán para celebrar la ocasión.* ☐ ORTOGR. Dist. de *magnum.* ☐ SINT. Se usa mucho en aposición, pospuesto a un sustantivo: *una botella mágnum.*

mago, ga s. **1** Persona que practica la magia. **2** Persona que tiene especial habilidad para realizar una actividad: *Es un mago de las finanzas.* **3** En zonas del español meridional, campesino. ☐ ETIMOL. Del latín *magus.*

magosto s.m. Hoguera para asar castañas al aire libre, esp. en la época en que se recolectan: *En Galicia se celebra todos los años la fiesta del magosto.*

magrear v. *vulg.* Sobar o manosear con intención sexual: *Pero guapo, ¿tú quién te has creído que eres para intentar magrearme?*

magrebí (pl. *magrebíes, magrebís*) adj.inv./s.com. Del Magreb (región africana que se extiende aproximadamente por Marruecos, Argelia y Túnez), o relacionado con él. ☐ ORTOGR. Se usa también *mogrebí.*

magreo s.m. *vulg.* Manoseo o toqueteo de una persona con intención sexual: *Había una pareja en el parque dándose un magreo.*

magret (fr.) s.m. Pechuga de ave, esp. de pato o de oca, preparada para guisarla y comerla fileteada: *Preparó un exquisito magret de pato con coulis de mango.*

magro, gra ▌adj. **1** Con poca grasa o sin ella: *carne magra.* ▌s.m. **2** Carne de cerdo sin grasa y próxima al lomo: *magro adobado.* ☐ ETIMOL. Del latín *macer* (delgado). ☐ SEM. Dist. de *graso* (con grasa).

maguer conj. *ant.* →**aunque.** ☐ ETIMOL. Del griego *makárie* (feliz, bienaventurado), porque *maguer* o significó primero *ojalá*, y luego tomó un valor concesivo como fingimiento a favor de lo que el interlocutor objeta.

maguera conj. *ant.* →**aunque.** ☐ ETIMOL. Del griego *makárie* (feliz, bienaventurado), porque *maguera* significó primero *ojalá*, y luego tomó un valor concesivo como fingimiento a favor de lo que el interlocutor objeta.

maguey (pl. *magueyes*) s.m. En zonas del español meridional, pita: *La fibra del maguey se utiliza para hacer cuerdas.*

magulladura s.f. Daño que sufre una parte del cuerpo al haber sido comprimida o golpeada violentamente: *Tras el atropello, sufre magulladuras en todo el cuerpo.* ☐ SINÓN. *magullamiento.*

magullamiento s.m. →**magulladura.**

magullar v. **1** Referido esp. a una parte del cuerpo, dañarla sin llegar a herirla al comprimirla o golpearla violentamente: *Al asirme tan fuerte del brazo, me lo magulló. Se magulló cuando se cayó rodando.* ☐ SINÓN. *contusionar.* **2** En zonas del español meridional, referido a una fruta, apretarla para ver si está madura: *Si no va a comprar, no magulle la fruta.* ☐ ETIMOL. Del latín *maculare* (manchar, tocar), por cruce con *abollar.*

magullón s.m. En zonas del español meridional, magulladura.

mahatma s.m. Título honorífico que se da en la India a una autoridad espiritual: *El mahatma Gandhi defendió la lucha sin violencia.* ☐ PRON. [mahátma], con *h* aspirada.

mah jong (ch.) (tb. *majong, mahjong*) s.m. ‖ Juego de origen chino consistente en una pirámide formada por piezas, que hay que ir levantando de dos en dos, siguiendo determinadas reglas, hasta que no quede ninguna: *Las fichas que se utilizan en el mahjong se llaman 'tejas'.* ☐ PRON. [mayón].

mahometano, na ▌adj. **1** De Mahoma (profeta árabe), o relacionado con su religión: *la ideología mahometana.* ☐ SINÓN. *musulmán.* ▌adj./s. **2** Que tiene como religión el islamismo. ☐ SINÓN. *musulmán.*

mahomético, ca adj. De Mahoma (profeta árabe de finales del siglo VI y principios del VII) o relacionado con él.

mahometismo s.m. Religión monoteísta cuyos dogmas y preceptos fueron predicados por Mahoma (profeta árabe de finales del siglo VI y principios del VII) y recogidos en el libro sagrado del Corán: *El mahometismo es la religión predominante en los territorios árabes.* ☐ SINÓN. *islam, islamismo.*

mahometista adj.inv./s.com. Que tiene como religión el islamismo: *Los mahometistas peregrinan a La Meca al menos una vez en la vida.* ☐ SINÓN. *musulmán.*

mahón s.m. Tela fuerte de algodón: *El mahón es una tela que no da calor.* ☐ ETIMOL. De *Mahón* (ciudad menorquina), porque en este lugar hacían escala los buques que llevaban cargamentos con mahón y otros objetos.

mahonesa s.f. →**mayonesa.**

mai s.m. *arg.* Cigarrillo de hachís, marihuana u otra droga.

maiceado, da adj. En zonas del español meridional, borracho.

maicena s.f. Harina fina de maíz: *Le he puesto maicena al chocolate para que espese.* ☐ ETIMOL. Extensión del nombre de una marca comercial.

maicero, ra adj. Del maíz o relacionado con él: *la producción maicera.* ☐ ORTOGR. Incorr. **maizero.*

mail (ing.) s.m. →**correo electrónico.** ☐ PRON. [méil].

mailbombing (ing.) s.m. **1** Envío de un mismo correo electrónico a una dirección determinada con el objetivo de bloquearla. **2** Programa informático que permite llevar a cabo esta actividad. **3** Correo electrónico enviado de forma masiva a una dirección determinada: *La empresa ha recibido un mailbombing como señal de protesta por las declaraciones de su director general.* □ PRON. [meilbómbin].

mailing (ing.) s.m. Envío de información o de propaganda por correo a partir de una lista, lo más amplia posible, de personas que pudieran estar interesadas: *Esta empresa ha hecho un mailing para darse a conocer en todo el país.* □ PRON. [méilin]. □ USO Su uso es innecesario y puede sustituirse por *envío postal*.

maillot s.m. Prenda de vestir deportiva, elástica y fina, que se ajusta a una o varias partes del cuerpo. □ ETIMOL. Del francés *maillot*. □ PRON. Está muy extendida [mallót].

mailnews (ing.) s.m. **1** Servicio personalizado que permite al usuario recibir por correo electrónico las noticias de las áreas que le interesan: *Me he suscrito a un mailnews de noticias internacionales.* **2** Mensaje electrónico con noticias, que recibe un usuario suscrito a este servicio: *Esta semana no he recibido los mailnews.* □ PRON. [meilniús].

mainel s.m. En arquitectura, elemento vertical, largo y estrecho, que divide un vano en dos partes: *Uno de los maineles de la catedral de Compostela tiene adosada una escultura románica.* □ SINÓN. *parteluz*.

mainframe (ing.) s.m. Ordenador central con una gran memoria interna y una gran capacidad de almacenamiento externo. □ PRON. [méinfreim].

mainstream (ing.) s.m. Tendencia artística o de pensamiento que se ha generalizado. □ PRON. [méinstrim]. □ SINT. Se usa mucho en aposición, pospuesto a un sustantivo: *un artista mainstream*; *música mainstream*.

maitines s.m.pl. En la iglesia católica, primera de las horas canónicas: *Los maitines se rezan antes del amanecer.* □ ETIMOL. Del catalán *maitines*, y este del latín *matutinum tempus* (hora de la mañana).

maître (fr.) s.m. En un restaurante, jefe de comedor: *El maître nos recomendó que tomásemos el postre de la casa.* □ PRON. [métre].

maíz s.m. **1** Cereal de tallo alto y recto, hojas grandes, alargadas y alternas, flores masculinas en racimo y femeninas en mazorcas con granos gruesos y amarillos muy nutritivos: *El maíz es un cereal propio de la América tropical.* **2** Grano de este cereal: *Las palomitas son maíz tostado.*

maizal s.m. Terreno plantado de maíz: *No encontraron a los presos evadidos porque se habían escondido en los maizales.*

majada s.f. Lugar en el que se recoge el ganado por la noche y se refugian los pastores: *La zagala juntó a las ovejas para llevarlas a la majada.* □ ETIMOL. Quizá del latín **maculata*, y este de *macula* (tejido de mallas), porque el lugar donde duerme el ganado está rodeado de redes.

majadería s.f. **1** Hecho o dicho propios de un majadero: *No hagas más el idiota y deja de decir majaderías.* **2** En zonas del español meridional, grosería: *Me gustaría que dejaras de decir majaderías.*

majaderillo s.m. Palo de madera, pequeño y redondeado, que se usa para hacer encajes y labores de pasamanería: *Manejaba los majaderillos y entrecruzaba los hilos con mucha rapidez.* □ SINÓN. *bolillo*. □ ETIMOL. De *majadero* (mano de mortero).

majadero, ra adj./s. **1** *desp.* Referido esp. a una persona, tonta, necia o molesta por su pedantería o por su falta de oportunidad. **2** *desp.* En zonas del español meridional, grosero. □ ETIMOL. De *majar* (machacar), porque un majadero es machacón como la mano del almirez. □ USO Se usa como insulto.

majadura s.f. Aplastamiento o desmenuzamiento a golpes de algo, esp. de un fruto: *la majadura de los ajos y del perejil.*

majar v. Referido esp. a un fruto, machacarlo: *Hay que majar las almendras para mezclarlas con la masa de la tarta.* □ ETIMOL. Del latín **malleare*, y este de *malleus* (martillo). □ ORTOGR. Conserva la *j* en toda la conjugación.

majara adj.inv./s.com. *col.* →**majareta.**

majareta adj.inv./s.com. *col.* Loco o con las facultades mentales un poco trastornadas: *Para hacer semejante locura hay que estar majareta perdido.* □ SINÓN. *majara*.

majestad s.f. **1** Grandeza o distinción que infunden admiración y respeto: *Creían que era un príncipe por la majestad de su porte.* **2** Expresión que se aplica como título honorífico a Dios, a los emperadores y a los reyes. □ ETIMOL. Del latín *maiestas*. □ USO La acepción 2 se usa más en la expresión *{Su / Vuestra} Majestad*.

majestuosidad s.f. Carácter distinguido y grandioso que impone admiración y respeto: *La majestuosidad del vuelo de las águilas siempre me ha cautivado.*

majestuoso, sa adj. Que tiene majestad o que infunde admiración o respeto por la grandeza y distinción de su aspecto o de su forma de actuar: *Llegó con aire majestuoso y se fue humillado y abatido.*

majo, ja ▌adj. **1** *col.* Que resulta agradable por poseer alguna cualidad destacada: *Mi casa es pequeña, pero muy maja.* ▌s. **2** Persona que vivía en ciertos barrios populares madrileños a finales del siglo XVIII y principios del XIX y que se caracterizaba por sus trajes vistosos y sus modales graciosos y desenvueltos. □ ETIMOL. De origen incierto.

majong s.m. →**mah jong.**

majorero, ra adj./s. De Fuerteventura (isla canaria), o relacionado con ella.

majorette (ing.) s.f. Mujer que desfila en los festejos públicos moviendo rítmicamente un bastón y generalmente vestida con un uniforme vistoso: *El desfile iba precedido por un grupo de majorettes.* □ PRON. [mayorét].

majuela s.f. Fruto del majuelo: *La majuela es una bolita roja y dulce.*

majuelo s.m. **1** Arbusto espinoso, con pequeñas flores blancas y olorosas en ramillete, fruto rojo, y que se usa esp. como seto. **2** Viña nueva: *uvas de majuelo.* □ ETIMOL. La acepción 2, quizá del latín *malleolus* (sarmiento de viña cortado para ser plantado).

maketo, ta (eusk.) adj./s. →**maqueto.**

make up (ing.) s.m. || →**maquillaje.** □ PRON. [méik ap].

mákina (tb. *máquina*) s.f. Música de ritmo frenético, agresivo y repetitivo.

making off (ing.) s.m. || Grabación de un proceso de rodaje, esp. de una película. □ PRON. [méikin of].

mal ▮ adj. **1** →**malo.** ▮ s.m. **2** Lo contrario del bien o lo que se aparta de lo lícito y honesto: *Los héroes infantiles siempre luchan contra el mal.* **3** Daño moral o físico: *Esas críticas me han hecho mucho mal.* **4** Enfermedad o dolencia: *El médico le ha dicho que su mal no tiene solución.* **5** Desgracia o calamidad: *Para mi mal, me he enamorado de alguien que me desprecia.* ▮ adv. **6** Referido al estado de una persona, sin salud o con aspecto poco saludable: *Me encuentro mal, y no sé qué me ocurre.* **7** De mala manera, contrariamente a lo que es debido, correcto o agradable: *¿Por qué haces mal lo que puedes hacer bien? Aquí huele mal.* **8** Contrariamente a lo previsto o a lo deseado: *Las vacaciones terminaron mal.* **9** Poco o insuficientemente: *Creo que me he explicado mal, te he dicho que no puedes salir.* **10** Con grandes dificultades: *Mal puedo saber con quién fuiste si no me lo dices.* **11** || **de mal en peor;** con menos acierto cada vez o empeorando de forma progresiva: *Sus estudios van de mal en peor.* || **estar a mal;** estar enemistado o en malas relaciones: *¿Por qué estás a mal conmigo?* || **mal de la piedra;** forma gradual de desmoronamiento y destrucción de la piedra por efecto de la humedad y la contaminación atmosférica. || **mal de {montaña/las alturas};** malestar producido en las grandes alturas por la disminución de la presión atmosférica. || **mal de ojo;** daño o perjuicio que se cree que una persona puede causar a otra mirándola de determinada manera. || **mal de San Lázaro;** elefantiasis. || **mal {francés/gálico};** *euf. col.* Sífilis. || **mal menor;** el mejor de los males posibles. || **mal que bien;** de una manera o de otra, o venciendo las dificultades. || **mal que le pese** a alguien**;** aunque no quiera, aunque le cueste o aunque le disguste: *Mal que me pese, iré a verla, porque se lo he prometido.* || **menos mal;** expresión que se usa para indicar alivio. □ ETIMOL. Las acepciones 2-5, del latín *malus.* □ MORF. 1. En la acepción 1, es apócope de *malo* ante sustantivo masculino singular. 2. Se combina con otras unidades léxicas como un prefijo, y a veces llega a formar con ellas una sola palabra: *maleducado, maldecir.*

malabar adj.inv. →**juego malabar.**

malabarismo ▮ s.m. **1** Arte o técnica de realizar ejercicios de agilidad y destreza que consisten en mantener algunos objetos en equilibrio y recogerlos de diversas formas. ▮ pl. **2** Lo que se hace con gran habilidad a pesar de su dificultad o de su complicación: *Este cineasta hace malabarismos con la cámara.* □ SINT. La acepción 2 se usa más en la expresión *hacer malabarismos.*

malabarista s.com. Persona que realiza juegos malabares: *Muchos payasos son también malabaristas.*

malabsorción s.f. Incapacidad de los intestinos para absorber algunas sustancias: *Los síntomas característicos de la enfermedad celíaca son la malabsorción y la malnutrición.*

malacate s.m. En zonas del español meridional, huso. □ ETIMOL. Del náhuatl *malacatl* (cosa giratoria).

malacia s.f. En medicina, deseo de comer materias que no se consideran comestibles: *La malacia es frecuente entre los niños.* □ ETIMOL. Del griego *malakía* (blandura, debilidad).

malacitano, na adj./s. De Málaga o relacionado con esta provincia española o con su capital. □ SINÓN. *malagueño.*

malacología s.f. Parte de la zoología que estudia los moluscos: *El comportamiento de los caracoles y de los mejillones se estudia en malacología.* □ ETIMOL. Del griego *malakós* (blando), del latín *molluscus,* y *-logía* (ciencia, estudio).

malaconsejado, da adj./s. Que actúa equivocadamente llevado por malos consejos: *Intentó disculparte diciendo que eras un malaconsejado.*

malacopterigio, gia ▮ adj./s.m. **1** Referido a un pez, que tiene el esqueleto osificado y que tiene radios blandos, flexibles y articulados en todas sus aletas: *El salmón y el rodaballo son peces malacopterigios.* ▮ s.m.pl. **2** En zoología, subgrupo de estos peces: *La sardina y la trucha pertenecen a los malacopterigios.* □ ETIMOL. Del griego *malakós* (blando) y *pterýgion* (aleta).

malacostumbrar v. Acostumbrar mal, esp. si es por exceso de mimo: *Malacostumbró a su hijo de pequeño, y ahora está sufriendo las consecuencias.*

málaga s.m. Vino dulce y de color oscuro que se elabora con uva de Málaga (provincia andaluza): *Antes de comer nos tomamos una copita de málaga.*

malagana s.f. *col.* Decaimiento y disminución de fuerzas y de ánimo: *No me gusta el verano porque el calor me produce una malagana tremenda.*

malagradecido, da adj./s. Que no agradece los beneficios recibidos o no corresponde a ellos. □ SINÓN. *ingrato, desagradecido.*

malagueña s.f. Véase **malagueño, ña.**

malagueño, ña ▮ adj./s. **1** De Málaga o relacionado con esta provincia española o con su capital: *Las costas malagueñas reciben cada año miles de turistas.* □ SINÓN. *malacitano.* ▮ s.f. **2** Cante flamenco originario de Málaga (provincia andaluza), de carácter popular y compuesto por coplas de cuatro versos octosilábicos: *La malagueña se canta con acompañamiento de guitarra y castañuelas, y es parecida al fandango.* **3** Canto y baile típicos canarios: *Cuando estuve en Tenerife me enseñaron a cantar malagueñas.*

malaje adj.inv./s.com. *col.* Referido a una persona, malvada, malintencionada o desagradable.

malaleche s.com. *vulg.* Persona de mal carácter o de mala intención. □ USO Se usa como insulto.

malamute s.m. →**perro Alaska malamute.**

malandanza s.f. Desgracia, infortunio y mala suerte.

malandrín, -a adj./s. Malvado o perverso. ☐ ETIMOL. Del italiano *malandrino* (salteador). ☐ USO Aunque antiguamente se usaba como insulto, hoy tiene un sentido humorístico.

malanga s.f. **1** Planta tropical de hojas grandes y acorazonadas, tallo muy corto y tubérculos comestibles, que se cultiva en terrenos bajos y húmedos. ☐ SINÓN. *taro.* **2** Tubérculo de esta planta: *En Cuba comí unas riquísimas frituras de malanga.* ☐ SINÓN. *taro.* **3** *col.* En zonas del español meridional, dinero.

malapata s.com. Persona que pretende ser graciosa sin conseguirlo.

malaquita s.f. Mineral de cobre, de color verde, pesado y frágil, y que se usa como piedra ornamental. ☐ ETIMOL. Del griego *maláche* (malva), porque la malaquita tiene colores parecidos.

malar ▌adj.inv. **1** De la mejilla: *la región malar.* ▌s.m. **2** →**hueso malar.** ☐ ETIMOL. Del latín *mala* (mejilla).

malaria s.f. Enfermedad caracterizada por fiebres altas e intermitentes, transmitida por la picadura del mosquito anofeles hembra. ☐ SINÓN. *paludismo.* ☐ ETIMOL. Del italiano *malaria* (mal aire).

malasangre adj.inv./s.com. Referido a una persona, que tiene un carácter rencoroso y malintencionado.

malasio, sia adj./s. De Malasia o relacionado con este país asiático. ☐ SINÓN. *malayo.*

malasombra s.com. *desp.* Persona desagradable, esp. la que presume de ser chistosa y aguda, sin serlo. ☐ ORTOGR. Dist. de *mala sombra.*

malauiano, na adj./s. De Malaui o relacionado con este país africano.

malaúva s.f. Mal carácter, malhumor o mala intención.

malaventura s.f. Desventura, desgracia o infortunio.

malaventurado, da adj./s. Referido a una persona, que es desafortunada o infeliz.

malaventuranza s.f. Infelicidad o desdicha.

malayo, ya ▌adj./s. **1** Del grupo étnico caracterizado por tener pequeña estatura, piel morena, pelo liso y nariz aplastada, o relacionado con él: *Los malayos tienen ojos grandes y labios prominentes.* **2** De Malasia o relacionado con este país asiático. ☐ SINÓN. *malasio.* ▌s.m. **3** Lengua hablada por los habitantes de Malasia (país asiático): *El malayo es una de las cuatro lenguas oficiales de Singapur.*

malbaratador, -a adj./s. Que malbarata.

malbaratar v. Referido a las posesiones de una persona, malgastarlas, disiparlas o malvenderlas: *Malbarató su fortuna y se arruinó en menos de un año.* ☐ ETIMOL. De *mal* y el antiguo *baratar* (hacer negocios).

malcarado, da adj. **1** Que provoca desconfianza, temor o repugnancia, por su cara o por su aspecto: *un tipo malcarado.* **2** *col.* Que tiene cara de enfado.

malcomer v. Comer escasamente, mal o sin hambre: *Malcomimos en un horrible restaurante de carretera.*

malcriado, da (tb. *mal criado, da*) adj./s. Descortés o sin educación.

malcriar v. Referido esp. a un niño, educarlo mal por permitirle hacer lo que quiere y por satisfacer todos sus caprichos: *No quiero dejar al niño con mi madre porque lo malcría.* ☐ ORTOGR. La *i* lleva tilde en los presentes, excepto en las personas *nosotros* y *vosotros* →GUIAR.

maldad s.f. **1** Carácter de lo que es malo o malintencionado: *No dejes que te afecte la maldad de sus comentarios.* **2** En una persona, inclinación natural a hacer el mal: *Su maldad es tan grande que se alegra de las desgracias ajenas.* **3** Acción mala o maliciosa: *Siempre está planeando maldades, pero algún día recibirá su merecido.* ☐ ETIMOL. Del latín **malitas.*

maldecir v. **1** Decir maldiciones o condenar con maldiciones: *¿Quieres calmarte y dejar de maldecir? Maldice el día en que me conoció.* **2** Quejarse o criticar con mordacidad: *Maldice de sus hermanos porque no lo apoyan en sus locuras.* ☐ ETIMOL. Del latín *maledicere.* ☐ MORF. Irreg.: 1. Tiene un participio regular (*maldecido*), que se usa más en la conjugación, y otro irregular (*maldito*), que se usa más como adjetivo. 2. →BENDECIR. ☐ SINT. Constr. de la acepción 2: *maldecir* DE *algo.*

maldiciente adj.inv./s.com. Inclinado a maldecir o a hablar mal de los demás. ☐ MORF. Incorr. **malediciente.*

maldición ▌s.f. **1** Deseo expreso de que a alguien le sobrevenga un mal. **2** Expresión insultante o injuriosa que resulta del enfado o la ira de un momento: *Soltó todo tipo de maldiciones y blasfemias.* **3** Castigo que se considera provocado u ordenado por una fuerza o ser sobrenatural. ▌interj. **4** Expresión que se usa para indicar disgusto, desaprobación o contrariedad. ☐ ETIMOL. Del latín *maledictio.*

maldito, ta ▌**1** part. irreg. de **maldecir**. ▌adj. **2** *col.* Que causa enfado o molestia: *Estoy harto de tus malditos consejos.* ▌adj./s. **3** Malvado o perverso. **4** Que ha recibido una maldición o que ha sido condenado por la justicia divina. **5** Referido esp. a un artista, que es rechazado o condenado por la sociedad o por la autoridad: *un pintor maldito.* **6** ‖ **maldita sea;** *col.* Expresión que se usa para indicar enfado o disgusto. ☐ SEM. En expresiones como *malditas las ganas que tengo* o *eso no me hace maldita la gracia*, equivale a 'ninguno'.

maldivo, va adj./s. De Maldivas o relacionado con este país asiático.

maleabilidad s.f. **1** Propiedad que tienen algunos metales de poder ser extendidos o descompuestos en planchas o láminas. **2** Docilidad de carácter.

maleable adj.inv. **1** Referido esp. a un metal, que puede extenderse o descomponerse en planchas o láminas. **2** Referido a una persona, que es dócil y se deja influenciar con facilidad. ☐ ETIMOL. Quizá del francés *malléable*.

maleante adj.inv./s.com. Que actúa al margen de la ley, esp. si comete delitos menores.

malear v. **1** Referido esp. a una persona, pervertirla, corromperla o hacer que adquiera malas costumbres: *Parecía un buen chico, pero los amigotes lo han maleado. Se maleó con las malas compañías.* **2** Dañar, estropear o echar a perder: *El granizo maleó la cosecha. Con este tiempo se malearán los cultivos.* ☐ SINÓN. *maliciar.* ☐ ETIMOL. De *malo*.

malecón s.m. **1** Muro o terraplén que se construye para defenderse de las aguas o para elevar el nivel de la vía del ferrocarril. **2** En un puerto, muro que se construye adentrado en el mar para proteger de las aguas la parte que queda entre él y la tierra firme. ☐ SINÓN. *rompeolas.* **3** En zonas del español meridional, paseo marítimo. ☐ ETIMOL. De origen incierto.

maledicencia s.f. Difamación o acción de maldecir y hablar mal de los demás. ☐ ETIMOL. Del latín *maledicentia*.

maleducado, da adj./s. Sin educación o grosero.

maleducar v. Referido esp. a un niño, educarlo mal, esp. si se le mima o consiente demasiado: *Los padres a menudo maleducan a sus hijos.* ☐ ORTOGR. La *c* se cambia en *qu* delante de *e* →SACAR.

maleficio s.m. **1** Daño causado por hechicería. **2** Hechizo que se emplea para causar este daño.

maléfico, ca adj. **1** Que perjudica con maleficios: *una bruja maléfica.* **2** Que ocasiona o puede ocasionar daño: *una influencia maléfica.* ☐ ETIMOL. Del latín *maleficus*, y este de *male* (mal) y *facere* (hacer).

malentendido (pl. *malentendidos*) s.m. Mala interpretación o entendimiento erróneo de algo: *Hubo un malentendido entre nosotros.* ☐ MORF. Incorr. el pl. **malosentendidos*.

maleolar adj.inv. En medicina, del maléolo o relacionado con estos huesos.

maléolo s.m. En anatomía, cada uno de los huesos que sobresalen a ambos lados del tobillo. ☐ ETIMOL. Del latín *malleolus* (martillito), porque el maléolo tiene esta forma.

malestar s.m. Estado o sensación de disgusto o de incomodidad indefinibles: *Tengo fiebre y malestar general. El malestar que existe entre los trabajadores puede desencadenar una huelga.*

maleta ▮ adj.inv./s.com. **1** *col.* Persona que practica con torpeza y desacierto su profesión, esp. referido a un torero o a un deportista. ▮ s.f. **2** Especie de caja con cerradura y con una o varias asas, que se usa para llevar ropa y objetos personales en los viajes. ☐ SINÓN. *valija.* ☐ ETIMOL. La acepción 2, del francés antiguo *malete*, y este de *malle* (baúl).

maletero s.m. **1** En un vehículo, espacio destinado al equipaje. **2** En una vivienda, lugar destinado a guardar las maletas y otros objetos de uso no cotidiano: *el maletero de un armario.* **3** En zonas del español meridional, mozo que lleva las maletas o el equipaje.

maletilla s.m. Joven que aspira a abrirse camino en el toreo y que procura intervenir en capeas, becerradas y otros espectáculos taurinos semejantes. ☐ ORTOGR. Dist. de *muletilla*.

maletín s.m. **1** Caja rectangular, con cerradura y asa, que se usa generalmente para llevar documentos u objetos de uso profesional. **2** Maleta pequeña. ☐ USO En la acepción 1, es innecesario el uso del galicismo *attaché*.

malevolencia s.f. Mala voluntad, mala intención o mala disposición hacia los demás.

malevolente adj.inv. Con mala voluntad, con mala intención o con mala disposición hacia los demás.

malévolo, la adj./s. Con intención de hacer daño. ☐ ETIMOL. Del latín *malevolus*, y este de *male* (mal) y *velle* (querer).

maleza s.f. Conjunto abundante de hierbas inútiles o dañinas que crecen en un terreno sembrado. ☐ ETIMOL. Del latín *malitia*.

malformación s.f. Deformidad o defecto de nacimiento en alguna parte del organismo.

malgache ▮ adj.inv./s.com. **1** De Madagascar o relacionado con este país africano. ▮ s.m. **2** Lengua de este país.

malgastar v. Gastar mucho o de forma inadecuada: *No malgastes tu tiempo en tonterías.*

malhablado, da adj./s. Que habla con poca educación o utilizando palabras malsonantes.

malhadado, da adj. Desafortunado, desgraciado o desventurado. ☐ ETIMOL. De *mal* y el antiguo *hadar* (pronosticar lo que anuncian los hados).

malhechor, -a s. Persona que comete delitos habitualmente. ☐ ETIMOL. Del latín *malefactor*.

malherir v. Herir gravemente: *Fue malherido por unos malhechores.* ☐ ORTOGR. Incorr. **mal herir*. ☐ MORF. Irreg. →SENTIR.

malhumor (tb. *mal humor*) s.m. Estado de ánimo en el que se tiende a mostrar un carácter desagradable e irritable: *estar de malhumor.*

malhumorado, da (tb. *mal humorado, da*) adj. Enfadado, irritado o con malhumor.

malhumorar v. Poner de mal humor: *Me malhumoró oír aquellos comentarios tan injustos.*

malí (pl. *malíes, malís*) adj.inv./s.com. De Malí o relacionado con este país africano. ☐ SINÓN. *maliense.*

malicia s.f. **1** Mala intención o inclinación a lo malo: *Me has dado el empujón con malicia, intentando que me cayera.* **2** Forma solapada de actuar, ocultando la verdadera intención: *Lo hicieron con mucha malicia, y la gente picó el anzuelo.* **3** Astucia, picardía o agudeza de entendimiento: *Sin un poco de malicia, te será difícil desenvolverte en el mundo laboral.* ☐ ETIMOL. Del latín *malitia* (maldad).

maliciar v. **1** Sospechar con malicia: *Malició que lo iban a traicionar. Me malicié que me estaba engañando.* **2** Dañar, estropear o echar a perder: *La tormenta malició la vendimia.* ☐ SINÓN. *malear.* ☐ ORTOGR. La segunda *i* nunca lleva tilde.

malicioso, sa ▌adj. **1** Con malicia: *un comentario malicioso.* ▌adj./s. **2** Referido a una persona, inclinada a pensar mal de los demás.

maliense adj.inv./s.com. De Malí o relacionado con este país africano. ☐ SINÓN. *malí.*

malignidad s.f. **1** Naturaleza dañina o perniciosa: *La malignidad de ese veneno es tan grande que una dosis mínima resulta mortal.* **2** Inclinación a pensar u obrar mal: *Ese asesinato muestra la gran malignidad de su autor.* **3** Carácter de una enfermedad de evolución desfavorable o de pronóstico muy grave: *Los análisis han demostrado la malignidad del tumor.*

maligno, na ▌adj. **1** De naturaleza dañina o perjudicial: *No quiero que vayas con ellos porque ejercen sobre ti una influencia maligna.* **2** Referido esp. a una enfermedad, que no evoluciona favorablemente o que es tan grave que puede llegar a producir la muerte: *un tumor maligno.* ▌adj./s. **3** Inclinado a pensar u obrar mal: *Esa mentira es propia de una mente maligna como la suya.* **4** ‖ **el maligno;** el diablo. ☐ ETIMOL. Del latín *malignus.* ☐ USO En la acepción 4, se usa mucho como nombre propio.

malinchismo s.m. Colaboración con un ejército invasor extranjero. ☐ ETIMOL. Por alusión a Malinche, indígena mejicana que se convirtió en traductora y amante de Hernán Cortés.

malintencionado, da (tb. *mal intencionado, da*) adj./s. Con mala intención.

malinterpretar v. Interpretar errónea o equivocadamente: *Malinterpretó mis palabras y creyó que lo estaba amenazando.*

mall (ing.) s.m. En zonas del español meridional, centro comercial. ☐ PRON. [mol].

malla s.f. **1** Tejido de estructura semejante a la de una red. **2** Tejido formado por la unión de pequeños anillos metálicos enlazados entre sí: *Las cotas de las armaduras se hacían de malla.* **3** Prenda de vestir, generalmente deportiva, elástica y fina, que se ajusta mucho al cuerpo. **4** En zonas del español meridional, bañador. **5** En zonas del español meridional, correa del reloj. **6** ‖ **malla (entera);** en zonas del español meridional, bañador de mujer. ☐ ETIMOL. Del francés *maille.* ☐ ORTOGR. Dist. de *maya.* ☐ MORF. En la acepción 3, en plural tiene el mismo significado que en singular. ☐ USO En la acepción 3, es innecesario el uso del anglicismo *legging.*

mallorquín, -a ▌adj./s. **1** De Mallorca (isla balear), o relacionado con ella. ▌s.m. **2** Variedad del catalán que se habla en esta isla.

mallorquinista adj.inv./s.com. Del Real Mallorca (club de fútbol mallorquín) o relacionado con él.

malmandado, da adj./s. Que no obedece o que obedece de mala gana.

malmaridada adj./s.f. Referido a una mujer, que ha realizado un matrimonio infeliz. ☐ ETIMOL. De *mal* y *maridar* (casarse).

malmeter v. Referido a una persona, ponerla a mal con otra o procurarle el menosprecio de esta: *Le gusta malmeter a los demás contando chismes.* ☐ SINÓN. *indisponer, malquistar.* ☐ ETIMOL. De *mal* y *meter.* ☐ SINT. Constr. *malmeter a una persona* CON *otra.*

malmirado, da adj. *col.* Referido a una persona, que es descortés, maleducada o desconsiderada.

malnacido, da adj./s. *desp.* Referido a una persona, que actúa con maldad y se comporta de modo indeseable. ☐ USO Se usa como insulto.

malnutrición s.f. Nutrición desequilibrada causada por una alimentación incompleta o por un defecto en el metabolismo de los alimentos.

malo, la adj. **1** Que no tiene las cualidades propias de su naturaleza o de su función: *Estos guantes son de mala calidad.* **2** Que no es como conviene o como gusta que sea: *Hace un día tan malo que prefiero no salir.* **3** Perjudicial, nocivo o con consecuencias negativas: *Las heladas son malas para los cultivos.* **4** Referido a una persona, que no tiene cualidades morales que se consideran positivas, esp. en el trato con los demás: *Es una mala persona y nunca te hará un favor.* **5** *col.* Enfermo: *Está malo y no puede ir al colegio.* **6** Referido esp. a un alimento, que está estropeado y no se puede aprovechar. **7** Difícil o que ofrece dificultad: *Es una herida mala de curar.* **8** Que anuncia una desgracia o un daño: *Esa tos tan persistente es mala señal.* **9** *col.* Travieso, inquieto o revoltoso: *No seas un niño malo y cómete la sopa.* **10** ‖ **a malas;** en actitud de hostilidad o enemistad: *Está a malas con sus vecinos y no los saluda.* ‖ **de malas;** de mal humor o con una actitud poco complaciente: *Cuando estás de malas no hay quien te soporte.* ‖ **{estar/ponerse} mala;** *col.* Tener la menstruación. ‖ **poner malo;** *col.* Molestar o irritar: *Me pongo mala cada vez que llegas tarde.* ‖ **por las malas; 1** Enfadado u obligado por las circunstancias: *Te advierto que yo, por las malas, puedo ser implacable.* **2** A la fuerza: *Si no quieres hacerlo por las buenas, tendrás que hacerlo por las malas.* ☐ ETIMOL. Del latín *malus.* ☐ MORF. 1. Ante sustantivo masculino singular se usa la apócope *mal.* 2. Su comparativo de superioridad es *peor.* 3. Sus superlativos son *malísimo, ínfimo* y *pésimo.* ☐ SINT. 1. Constr. de la acepción 7: *malo* DE *hacer.* 2. *A malas* se usa más con los verbos *andar, estar, ponerse* o equivalentes. ☐ USO *Malo* se usa para indicar desaprobación o desconfianza ante algo: *Cuando viene con esa cara, ¡malo!*

malogrado, da adj. En zonas del español meridional, enfermo.

malograr ▌v. **1** Referido esp. a una oportunidad, desaprovecharla o dejarla pasar: *Con esta torpeza, has malogrado la ocasión de ascender en la empresa.* ▌prnl. **2** Referido a lo que se espera o desea, frustrarse o no conseguirse: *El viaje se malogró, porque me puse enferma la víspera de la partida.* **3** No alcanzar el desarrollo o el perfeccionamiento completos: *La cosecha se ha malogrado por las heladas de primavera.* ☐ ETIMOL. De *mal* y *lograr* (aprovecharse o valerse de algo).

maloláctico, ca adj. Referido al proceso de fermentación de algunos vinos, que produce ácido láctico: *La* *fermentación maloláctica del vino tiene lugar después de la fermentación alcohólica.*

maloliente adj.inv. Que despide un olor desagradable.

malón s.m. Ataque indio inesperado y repentino.

malparado, da adj. Muy perjudicado o dañado en cualquier aspecto: *Como su contrincante político era muy hábil, salió malparado del debate.* □ ETIMOL. De *mal* y *parar* (poner en tal o cual estado).

malparido, da adj./s. *vulg.* Referido a una persona, que es mala o indeseable. □ USO Se usa como insulto.

malparir v. Abortar o expulsar el feto antes de tiempo: *La vaca que estaba preñada contrajo una enfermedad y malparió.*

malpensado, da (tb. *mal pensado, da*) adj./s. Referido a una persona, que tiende a imaginar maldad en los demás o a interpretar negativamente sus palabras o sus acciones.

malqueda s.com. *col.* Persona que no cumple su palabra o que falta a su deber.

malquerencia s.f. Mala voluntad o antipatía hacia alguien. □ ETIMOL. De *mala* y *querencia*.

malquistar v. Referido a una persona, ponerla a mal con otra o procurarle el menosprecio de esta: *Ha intentado malquistarme con mi mejor amiga. Se malquistó con un vecino por culpa de las habladurías de otro.* □ SINÓN. *indisponer, malmeter.* □ SINT. Constr. *malquistar a una persona* CON *otra*.

malquisto, ta adj. Referido a una persona, que está mal considerada por los demás. □ ETIMOL. De *mal* y *quisto* (antiguo participio de *querer*).

malsano, na adj. Dañino o perjudicial para la salud o para la moral.

malsonante adj.inv. Referido esp. a una palabra o a una expresión, que molesta por su grosería.

malta s.f. **1** Cereal germinado artificialmente y tostado, que se utiliza para la fabricación de bebidas alcohólicas. **2** Cebada germinada, tostada y molida, con la que se elabora una bebida semejante al café. □ ETIMOL. Del inglés *malt*.

malteada s.f. Véase **malteado, da.**

malteado, da ▌adj. **1** Mezclado con malta: *leche malteada.* ▌s.m. **2** Proceso de transformación de los granos de cebada en malta. ▌s.f. **3** En zonas del español meridional, bebida que se prepara mezclando varios productos.

maltear v. Referido esp. a la cebada, convertirla en malta: *En esa fábrica de cerveza se maltea la cebada.*

maltés, -a ▌adj./s. **1** De Malta o relacionado con este país europeo. ▌s.m. **2** Lengua semítica de este país: *El maltés es el idioma oficial de Malta, junto con el inglés.*

maltosa s.f. Hidrato de carbono formado por la asociación de dos moléculas de glucosa. □ ETIMOL. De *malta*.

maltraer ‖ **{llevar/traer} a alguien a maltraer;** *col.* Importunarlo, molestarlo o hacerle sufrir de manera continua: *Esa niña me lleva a maltraer con sus continuas diabluras.* □ ETIMOL. De *mal* y *traer*, porque *maltraer* significó *reprender, maltratar.*

maltratar v. Tratar mal con palabras o con acciones: *Ese novelista ha sido maltratado por la crítica.*

maltrato s.m. Trato que ocasiona daño o perjuicio. □ ETIMOL. Su plural es *maltratos*.

maltrecho, cha adj. Que está en mal estado físico o moral a consecuencia del daño o el mal trato recibidos. □ ETIMOL. De *maltrecho* (participio del antiguo maltraer, que significó *maltratar, reprender*).

maltusianismo s.m. Teoría política y económica de Malthus (economista británico de la segunda mitad del siglo XVIII y principios del XIX), basada en la opinión de que la población crece en progresión geométrica mientras que los alimentos lo hacen en progresión aritmética.

maltusiano, na ▌adj. **1** Del maltusianismo o relacionado con esta teoría política y económica. ▌adj./s. **2** Partidario o defensor del maltusianismo.

malva ▌adj.inv./s.m. **1** De color violeta pálido. ▌s.f. **2** Planta herbácea de tallo casi erguido y flores reunidas en grupos irregulares, abundante y muy usada en medicina. **3** Flor de esta planta, de color rosáceo o violeta pálido. **4** ‖ **{criar/estar criando} malvas;** *col.* Estar muerto y enterrado. ‖ **malva loca;** planta herbácea de tallo erguido y flores grandes de color rojo, blanco o rosado. □ SINÓN. *malvarrosa.* ‖ **una malva;** *col.* Persona dócil, apacible o bondadosa: *Desde que la regañé, está como una malva y no ha vuelto a protestar.* □ ETIMOL. Del latín *malva*. □ ORTOGR. Incorr. **malvaloca*, en lugar de *malva loca*.

malváceo, a ▌adj./s.f. **1** Referido a una planta, que tiene hojas alternas y flores de cinco pétalos con los estambres unidos formando un tubo que cubre el ovario: *La malva es una malvácea.* ▌s.f.pl. **2** En botánica, familia de estas plantas, perteneciente a la clase de las dicotiledóneas: *Las plantas pertenecientes a las malváceas se usan frecuentemente como ornamento.* □ ETIMOL. Del latín *malvaceus*.

malvado, da adj./s. Referido a una persona, que es perversa o muy mala. □ ETIMOL. Del latín *malifatius* (desgraciado), y este de *malus* (malo) y *fatum* (destino).

malvar s.m. Lugar poblado de malvas.

malvarrosa s.f. Planta herbácea de tallo erguido y flores grandes de color rojo, blanco o rosado. □ SINÓN. *malva loca.* □ ORTOGR. Incorr. **malvarosa*.

malvasía s.f. **1** Uva dulce y aromática de origen griego. **2** Vino dulce que se hace de esta uva. **3** Pato de unos cuarenta y cinco centímetros de longitud, de cabeza grande, cuerpo pequeño y grueso y larga cola tiesa que suele mantener en posición vertical. □ ETIMOL. Las acepciones 1 y 2, de *Malvasía*, nombre romance de *Monembasía* (ciudad griega). □ MORF. En la acepción 3, es un sustantivo epiceno: *la malvasía {macho/hembra}.*

malvavisco s.m. Planta herbácea de hojas ovales y blanquecinas, cuyas flores, de color rosa pálido, están dispuestas en grupos de tres. ☐ ETIMOL. Del latín *malva* (malva) e *hibiscum* (malvavisco).

malvender v. Vender a bajo precio sin obtener apenas beneficio: *Ha malvendido sus tierras para poder pagar las deudas.*

malversación s.f. Utilización indebida de fondos administrados por cuenta ajena, esp. si son públicos, en usos distintos de aquellos a los que están destinados.

malversador, -a adj./s. Que malversa el dinero ajeno.

malversar v. Referido a los fondos administrados por cuenta ajena, utilizarlos de forma no debida en usos distintos de aquellos a los que están destinados: *Lo acusaron de malversar fondos del ministerio.* ☐ ETIMOL. De *mal* y el latín *versari* (hacer girar).

malvinense adj.inv./s.com. →**malvinero.**

malvinero, ra adj./s. De las Islas Malvinas o relacionado con estas islas del Atlántico. ☐ SINÓN. *malvinense, malvinés.*

malvinés, -a adj./s. →**malvinero.**

malvís s.m. Tordo de pico y patas negros, y plumaje de color verde oscuro. ☐ ETIMOL. Del francés antiguo *malvís*. ☐ MORF. Es un sustantivo epiceno: *el malvís {macho / hembra}.*

malvivir v. Vivir con estrecheces, con apuros económicos o con dificultades: *Dilapidó su fortuna y ahora malvive como puede.*

mama s.f. **1** En anatomía, órgano glandular de los mamíferos que en las hembras segrega la leche que sirve para alimentar a las crías: *Las mamas de las personas están situadas en el pecho.* ☐ SINÓN. *teta.* **2** *col.* Madre: *Mama, ¿me llevas tú hoy al colegio?* ☐ ETIMOL. Del latín *mamma* (madre, teta). ☐ USO 1. En la acepción 1, es característico del lenguaje científico. 2. En la acepción 2, tiene un matiz cariñoso.

mamá s.f. *col.* Madre: *Mamá, ese niño me ha pegado.* ☐ ETIMOL. Del francés *maman.* ☐ USO Tiene un matiz cariñoso.

mamada s.f. *vulg.malson.* Véase **mamado, da**.

mamadera s.f. En zonas del español meridional, biberón: *Ya es hora de darle la mamadera a la bebita.*

mamado, da ▌adj. **1** *vulg.* →**borracho.** ▌s.f. **2** *vulg.malson.* →**felación.**

mamar ▌v. **1** Referido a la leche materna, chuparla y extraerla de las mamas con la boca: *Despierta al bebé, que ya es su hora de mamar.* **2** Aprender en la infancia: *Esa costumbre la ha mamado de sus mayores.* ▌prnl. **3** *vulg.* →**emborracharse.** ☐ ETIMOL. Del latín *mammare* (amamantar).

mamario, ria adj. De las mamas de las hembras o de las tetillas de los machos: *La han operado de un tumor en la región mamaria.*

mamarrachada s.f. *col.* Hecho o dicho ridículos y extravagantes.

mamarracho s.m. **1** *col.* Persona que no merece ningún respeto. **2** *col.* Lo que tiene un aspecto ridículo y extravagante: *No salgas así vestida a la calle, que vas hecha un auténtico mamarracho.* ☐ ETIMOL. Del árabe *muharray* (risible, bufón).

mambí (tb. *mambís*) (pl. *mambises*) s.m. En la guerra de la independencia cubana, insurrecto contra España. ☐ MORF. Se usa también el femenino *mambisa.*

mambisa s.f. de **mambí**.

mambo s.m. **1** Composición musical de origen cubano: *Interpretaron varios mambos famosos de la década de 1950.* **2** Baile que se ejecuta al compás de esta música: *He aprendido a bailar el mambo.*

mamella s.f. En algunos animales, apéndice largo y ovalado que cuelga de la parte delantera del cuello: *Esa cabra tiene mamellas.* ☐ ETIMOL. Del latín *mamilla* (teta).

mameluco s.m. **1** Soldado de la milicia creada como guardia personal de los sultanes musulmanes egipcios: *La mayor parte de los mamelucos eran esclavos turcos.* **2** En zonas del español meridional, mono o prenda de vestir de una sola pieza: *A la beba de mi amiga le regalé un mameluco muy lindo.* **3** En zonas del español meridional, mono de trabajo: *En mi trabajo siempre usamos un mameluco azul para no mancharnos.* ☐ ETIMOL. Del árabe *mamluk* (esclavo).

mamerto, ta adj./s. *col.* Referido a una persona, que es muy boba.

mamey s.m. **1** Árbol americano con hojas elípticas, flores blancas y olorosas y fruto casi redondo de pulpa amarilla y aromática: *El mamey tiene el tronco recto y la copa muy grande.* **2** Árbol americano de tronco grueso y copa cónica, hojas lanceoladas, flores de color blanco rojizo y fruto ovoide de pulpa roja y suave: *Tengo plantado un mamey en mi estancia.* **3** Fruto de estos árboles: *En el mercado vendían mameyes, mangos y plátanos.*

mami s.f. *col.* Madre: *El niño dijo: «Mami, cómprame un caramelo».* ☐ USO Su uso es característico del lenguaje infantil.

mamífero, ra ▌adj./s.m. **1** Referido a un vertebrado, con un embrión cuyo desarrollo tiene lugar casi siempre dentro del cuerpo materno y cuyas hembras alimentan a sus crías con la leche de sus mamas: *Las personas son mamíferos.* ▌s.m.pl. **2** En zoología, clase de estos vertebrados, perteneciente al tipo de los cordados: *Los animales que pertenecen a los mamíferos son de sangre caliente.* ☐ ETIMOL. Del latín *mamma* (teta) y *-fero* (llevar).

mamila s.f. **1** Mama de la hembra, excepto el pezón: *Le ha salido un bulto en la mamila.* **2** Tetilla del hombre: *Los hombres tienen dos mamilas en el pecho.* ☐ ETIMOL. Del latín *mamilla*.

mamitis (pl. *mamitis*) s.f. *col.* Apego desmesurado a la madre: *A ver si cuando empiece a ir a la guardería se le quita la mamitis a este niño...* ☐ USO Tiene un matiz humorístico.

mamma mia (it.) ‖ *col.* Expresión que se usa para indicar sorpresa: *¡Mamma mia, cómo está todo esto!* ☐ PRON. [máma mía].

mamografía s.f. Radiografía de la mama: *Es aconsejable hacerse mamografías regularmente para prevenir un posible cáncer de mama.* ☐ ETIMOL. Del latín *mamma* (tela) y *grafía-* (imagen).

mamógrafo s.m. Aparato que sirve para realizar mamografías o radiografías de la mama.

mamola s.f. Golpecito que se da con la mano debajo de la barbilla de otra persona.

mamón, -a adj./s. *vulg.* Referido a una persona, que es considerada despreciable o aprovechada. ☐ USO Se usa como insulto.

mamotreto s.m. **1** *col.* Libro o legajo voluminoso, esp. si tiene un aspecto deforme. **2** Objeto grande y pesado, esp. si es poco útil. ☐ ETIMOL. Del latín *mammothreptus*, y este del griego *mammóthreptos* (criado por su abuela, que más tarde significó gordinflón, abultado).

mampara s.f. Especie de tabique, generalmente hecho de madera o cristal, que se utiliza para dividir espacios en una habitación o para aislar parte de la misma: *Mi bañera, en vez de cortinas, tiene una mampara de cristal.* ☐ ETIMOL. Del antiguo *mamparar* (amparar).

mamparo s.m. Tabique con que se divide en compartimentos el interior de un barco.

mamporro s.m. *col.* Golpe, esp. el de poca importancia, dado con la mano. ☐ ETIMOL. De *mano* y *porra*.

mampostería s.f. Obra o construcción de albañilería que se hace con piedras sin labrar o poco labradas, de distintos tamaños, colocadas unas sobre otras sin orden determinado y unidas generalmente con argamasa o con cemento: *muros de mampostería.* ☐ SINÓN. *calicanto.* ☐ ETIMOL. De *mampostero*, y este de *mampuesto* (piedra que se coloca con la mano).

mampostero, ra s. Persona que se dedica profesionalmente a la mampostería.

mampuesto, ta ▮ adj. **1** Referido a un material de construcción, que se utiliza en las obras de mampostería: *ladrillos mampuestos.* ▮ s.m. **2** Piedra sin labrar o poco labrada que se utiliza en las obras de mampostería. ☐ ETIMOL. De *mano* y *puesto*, porque el mampuesto significó *piedra que se coloca con la mano*.

mamuco s.m. *arg.* En el lenguaje de la droga, cigarrillo de hachís o marihuana.

mamut s.m. Mamífero fósil parecido al elefante pero de mayor tamaño, con la piel cubierta por doble pelo, largos colmillos curvados hacia arriba, y que vivió en zonas de clima frío durante el período cuaternario. ☐ ETIMOL. Del francés *mamouth.* ☐ MORF. Es un sustantivo epiceno: *el mamut {macho / hembra}.* ☐ USO Se usan los plurales *mamuts, mamutes* y *mamut*.

maná s.m. En la Biblia, alimento milagroso que Dios envió al pueblo hebreo cuando atravesaba el desierto. ☐ ETIMOL. Del latín *manna*, y este del hebreo *man* (manjar milagroso bíblico).

manada s.f. **1** Referido a animales, esp. a cuadrúpedos, conjunto de ejemplares de la misma especie que viven o se desplazan juntos. **2** *col.* Grupo numeroso de personas. ☐ ETIMOL. De *mano* (lo que cabe en una mano).

management (ing.) s.m. Técnica de dirección y gestión de empresas. ☐ PRON. [manáyement]. ☐ USO Su uso es innecesario y puede sustituirse por *dirección y gestión de empresas*.

mánager (pl. *mánager*) s.com. Persona que se ocupa de los intereses profesionales y económicos de un artista o de un deportista, esp. si esta es su profesión. ☐ ETIMOL. Del inglés *manager.* ☐ PRON. Aunque la pronunciación correcta es [mánajer], está muy extendida [mánayer]. ☐ USO Su uso es innecesario y puede sustituirse por *representante*.

manantial ▮ adj.inv. **1** Referido al agua, que mana o brota. ▮ s.m. **2** Corriente de agua que brota de la tierra o de las rocas de forma natural. ☐ ETIMOL. De *manar*.

manar v. **1** Referido a un líquido, salir de alguna parte: *Se desmayó cuando vio que de la herida manaba sangre.* **2** Salir o surgir de forma espontánea y abundante: *Terribles insultos manaron de su boca ante aquel agravio.* ☐ ETIMOL. Del latín *manare.* ☐ SINT. Constr. *manar* DE *un lugar*.

manat s.m. Unidad monetaria de distintos países: *El manat de Azerbaiyán es llamado 'manat azerí'.*

manatí (pl. *manatíes, manatís*) s.m. Mamífero herbívoro acuático, con cuerpo grueso y piel grisácea de gran espesor, labio superior muy desarrollado, extremidades anteriores transformadas en dos aletas y las posteriores unidas en una sola, y cuya carne y grasa son muy estimadas. ☐ SINÓN. *buey marino, vaca marina.* ☐ MORF. Es un sustantivo epiceno: *el manatí {macho / hembra}.*

manazas (pl. *manazas*) s.com. *col.* Persona torpe y sin habilidad en las labores manuales.

mancar v. Herir o hacer daño físico: *¿Te he mancado?* ☐ SINÓN. *lastimar.* ☐ ETIMOL. De *manco.* ☐ ORTOGR. La *c* se cambia en *qu* delante de *e* →SACAR.

manceba s.f. →**concubina.**

mancebía s.f. *ant.* →**prostíbulo.**

mancebo, ba ▮ s. **1** Muchacho o persona joven. ▮ s. **2** Dependiente o empleado de poca categoría, esp. el ayudante de farmacia. ▮ s.f. **3** →**concubina.** ☐ ETIMOL. Del latín *mancipus* (esclavo).

mancera s.f. En un arado, pieza trasera de forma curvada en la que el que ara coloca la mano para dirigir la reja y hundirla con mayor o menor intensidad en la tierra. ☐ SINÓN. *esteva.* ☐ ETIMOL. Quizá de **manuciaria*, y este de *manucium* (mango).

mancha s.f. **1** En una superficie, señal de suciedad dejada por algo. **2** En un todo, parte que se diferencia o destaca por su color o por su aspecto: *Me han salido unas manchas en la piel.* **3** Lo que deshonra o desprestigia: *Esta sanción es una mancha en su carrera.* ☐ SINÓN. *mancilla.* ☐ ETIMOL. Del latín *macula*.

manchado, da ▮ adj. **1** Que tiene manchas: *un pantalón manchado; una vaca manchada.* ▮ adj./s. **2** Que tiene poco café: *una leche manchada.*

manchar v. **1** Ensuciar con manchas: *Has manchado de tinta los folios. El suelo se ha manchado de pintura.* **2** Referido esp. al honor o a la buena fama, perjudicarlos o dañarlos: *Con esa mentira has man-*

chado tu reputación. □ SINÓN. *mancillar.* **3** Referido a un líquido, añadirle una pequeña cantidad de otro que cambie su color: *Mánchame la leche con un poco de café, por favor.* □ SINT. Constr. *manchar algo {DE/CON} algo.*

manchego, ga adj./s. De La Mancha (región española), o relacionado con ella.

-mancia (tb. *-mancía*) Elemento compositivo sufijo que significa 'adivinación': *cartomancia, nigromancia.* □ ETIMOL. Del griego *-mantéia* (adivinación).

mancilla s.f. Lo que deshonra o desprestigia. □ SINÓN. *mancha.*

mancillar v. Referido esp. al honor o a la buena fama, perjudicarlos o dañarlos: *No mancilles el buen nombre de nuestra familia casándote con ese rufián. Su honor se mancilló cuando se descubrió el engaño.* □ SINÓN. *manchar.* □ ETIMOL. Del latín **macellare* (manchar, ensangrentar).

manco, ca ▮ adj. **1** Incompleto o que carece de algún elemento necesario. ▮ adj./s. **2** Falto de uno o ambos brazos, de una o ambas manos, o con ellos inutilizados. **3** ‖ **{no ser/no quedarse} manco** alguien; *col.* Ser hábil o no quedarse corto: *Ese tipo no es manco en el arte de timar al prójimo.* □ ETIMOL. Del latín *mancus* (lisiado, manco).

mancomunar v. Referido esp. a personas, a fuerzas, a intereses o a bienes, unirlos para conseguir un fin: *El Ayuntamiento quiere mancomunar esfuerzos para mejorar sus servicios. Los vecinos del barrio se mancomunaron para exigir la construcción de un parque.* □ ETIMOL. De *mancomún* (de acuerdo o en unión de dos o más personas).

mancomunidad s.f. **1** Asociación de personas o de entidades, o unión de fuerzas, de intereses o de bienes, para conseguir un fin. **2** Corporación y entidad legalmente constituidas por la agrupación de municipios o de provincias para la resolución de problemas comunes.

mancorna s.f. En zonas del español meridional, gemelo: *Siempre llevo mancornas en los puños de las camisas.*

mancornar v. Referido a una res o a un novillo, inmovilizarlos fijando sus cuernos en la tierra o atando una de las patas delanteras con el cuerno del mismo lado: *El mayoral necesitó ayuda para mancornar los novillos.* □ ETIMOL. De *mano* y *cuerno.* □ MORF. Irreg. →CONTAR.

mancuerda s.f. Tortura que consistía en atar al acusado con ligaduras que se iban apretando mediante una rueda giratoria. □ ETIMOL. De *man* (mano) y *cuerda.* □ ORTOGR. Dist. de *mancuerna.*

mancuerna s.f. **1** Pesa para fortalecer la musculatura. **2** Pareja de animales, esp. de reses, atadas por los cuernos. **3** Correa que se utiliza para inmovilizar las reses. □ ORTOGR. Dist. de *mancuerda.*

mancuernilla s.f. En zonas del español meridional, gemelo de una camisa.

manda s.f. En zonas del español meridional, voto o promesa hecha a Dios o a un santo.

mandadero, ra s. Persona que hace los mandados o los recados.

mandado, da ▮ adj. **1** En zonas del español meridional, grosero o poco delicado. ▮ s. **2** Persona que se limita a cumplir las órdenes recibidas y que no tiene autoridad para decidir por cuenta propia. ▮ s.m. **3** Comisión o encargo que se confía a una persona. **4** En zonas del español meridional, compra del día o de la semana.

mandala s.m. En el budismo, esquema circular adornado con colores simbólicos que representa el universo. □ ETIMOL. Del sánscrito *mándala* (disco, círculo).

mandamás adj.inv./s.com. *col.* Referido a una persona, que desempeña funciones de mando o que ostenta demasiado su autoridad. □ USO Tiene un matiz irónico.

mandamiento s.m. **1** Cada uno de los diez preceptos de la ley de Dios y de los cinco de la iglesia católica. **2** Orden que da un juez por escrito para la realización de algo: *un mandamiento judicial.*

mandanga ▮ s.f. **1** *col.* Calma o despreocupación excesivas en la forma de actuar. **2** *arg.* En el lenguaje de la droga, marihuana. ▮ pl. **3** *col.* Tonterías, cuentos o historias.

mandante ▮ adj.inv. **1** Que manda. ▮ s.com. **2** En derecho, persona que confía a otra su representación personal, o la gestión o el desempeño de algún negocio.

mandar v. **1** Ordenar o imponer como obligación o como tarea: *Mandó llamar a todos los empleados.* **2** Gobernar o dirigir: *Ahora que manda tu partido, estarás contento.* **3** Enviar, hacer ir o hacer llegar: *Mándame el paquete con un mensajero.* □ ETIMOL. Del latín *mandare* (encargar, dar una misión, encomendar).

mandarín s.m. **1** En algunos países asiáticos, esp. en la China imperial, alto funcionario civil o militar. **2** Dialecto chino hablado en el norte de China (país asiático). □ ETIMOL. Del portugués *mandarim*, y este del malayo *mantari.*

mandarina s.f. Fruto del mandarino, parecido a la naranja pero de menor tamaño, muy dulce, y con una cáscara que se separa con facilidad. □ ETIMOL. Quizá de *mandarín* (cargo político en la antigua China), porque el traje representativo de este cargo es de color naranja. □ PRON. Incorr. *[mondarína].

mandarinero s.m. →**mandarino.**

mandarino s.m. Árbol frutal de hoja perenne que tiene flores blancas y perfumadas y cuyo fruto es la mandarina. □ SINÓN. *mandarinero.*

mandatar v. Otorgar la capacidad de representación personal, o de gestión y desempeño de uno o más negocios: *El consejo mandató a ese político para que negociara con todos los partidos.*

mandatario, ria s. Gobernante o alto cargo político. □ ETIMOL. Del latín *mandatarius.*

mandato s.m. **1** Orden dada por un superior o por una autoridad: *Hay que cumplir el mandato del jefe sin rechistar.* **2** Encargo o representación que se concede a un político cuando es elegido en unas elecciones: *Los diputados son depositarios de un mandato popular.* **3** Tiempo que dura el ejercicio del mando por una autoridad de alta jerarquía: *Durante su mandato, la primera ministra llevó a cabo importantes mejoras.* □ ETIMOL. Del latín *mandatum*.

mandíbula s.f. **1** En los animales vertebrados, cada una de las dos piezas óseas o cartilaginosas que forman la cavidad de la boca y en la que están implantados los dientes. **2** Hueso maxilar inferior. **3** En algunas especies animales, pieza dura situada a los lados o alrededor de la boca y que sirve para triturar o asir los alimentos, o para defenderse. **4** || **reír a mandíbula batiente;** *col.* Reír a carcajadas. □ ETIMOL. Del latín *mandibula*, y este de *mandere* (masticar).

mandil s.m. Prenda que, colgada generalmente del cuello, se ata a la cintura y se pone encima de la ropa para protegerla. □ SINÓN. *delantal.* □ ETIMOL. Del latín *mantele* (toalla).

mandinga (pl. *mandinga*) adj.inv./s.com. De un grupo étnico que habita principalmente en Malí, Guinea y Senegal (países africanos).

mandioca s.f. **1** Arbusto originario de las zonas tropicales americanas, de flores amarillas en racimo y de cuya gruesa raíz se extrae almidón, harina y tapioca. **2** Harina fina que se extrae de la raíz de este arbusto. □ SINÓN. *tapioca.* □ ETIMOL. Del guaraní *mandióg*.

mando s.m. **1** Autoridad y poder para mandar que tiene un superior sobre sus subordinados: *¿Quién ejerce el mando aquí?* **2** Persona, conjunto de personas u organismo con autoridad y poder para mandar, esp. en el ámbito militar y policial: *Los mandos policiales han estudiado las nuevas medidas de la lucha antidroga.* **3** Botón, palanca o dispositivo con los que se dirige y controla el funcionamiento de un mecanismo o de un aparato. **4** || **al mando de** alguien; bajo su mando o bajo su autoridad: *El batallón está al mando del coronel.* □ MORF. En la acepción 2, se usa más en plural.

mandoble s.m. **1** Golpe o bofetada. **2** Cuchillada o golpe fuerte que se da sujetando el arma con las dos manos. □ ETIMOL. Del antiguo *man* (mano) y *doble*.

mandolina s.f. Instrumento musical de cuerda parecido al laúd pero más pequeño, y normalmente con cuatro pares de cuerdas que se tocan pulsándolas con una púa o con una pieza semejante.

mandón, -a adj./s. *col.* Referido a una persona, que hace un uso excesivo de su autoridad y manda más de lo que debe.

mandorla s.f. En el arte medieval, esp. en el románico, óvalo o marco con forma de almendra que rodeaba algunas imágenes religiosas. □ ETIMOL. Del italiano *mandorla*.

mandrágora s.f. Planta herbácea con hojas grandes y ovaladas que brotan todas juntas desde el suelo, flores blancas y rojizas, y gruesa raíz que toma distintas formas y de la que se extraen sustancias narcóticas. □ ETIMOL. Del latín *mandragora*.

mandria adj.inv./s.com. Infeliz, apocado y de poco ánimo. □ ETIMOL. Quizá del italiano *mandria* (rebaño), que se empleaba para aludir a la gente que se deja llevar como a un rebaño. □ USO Tiene un matiz despectivo.

mandril s.m. **1** Mono africano de gran tamaño, con el hocico largo, cabeza grande, nariz roja y chata con rayas azules a ambos lados, cola corta y nalgas de color rojo, que es omnívoro y vive formando grupos muy numerosos. **2** Herramienta que se utiliza para perforar metales o para agrandar o redondear un agujero abierto en un metal. □ ETIMOL. La acepción 1, del inglés *mandrill*, y este de *man* (hombre) y *drill* (variedad de mono del Oeste africano). La acepción 2, quizá del inglés *mandril*, y este del francés *mandrin*. □ MORF. En la acepción 1, es un sustantivo epiceno: *el mandril {macho/hembra}*.

mandriladora s.f. Máquina que se utiliza para perforar metales.

manduca s.f. *col.* Comida.

manducar v. *col.* Comer: *¿Qué vamos a manducar hoy?* □ ETIMOL. Del latín *manducare* (masticar). □ ORTOGR. La *c* se cambia en *qu* delante de *e* →SACAR.

manecilla s.f. En un reloj o en otro instrumento de precisión, varilla delgada y alargada que marca una medida. □ SINÓN. *aguja.*

manejabilidad s.f. Facilidad para ser manejado.

manejable adj.inv. Que se maneja con facilidad.

manejar ▮ v. **1** Usar o utilizar, esp. si se hace con las manos: *Este sastre maneja muy bien las tijeras.* **2** Gobernar o dirigir: *Maneja con mano de hierro todos los negocios familiares.* **3** En zonas del español meridional, conducir: *Voy a aprender a manejar.* ▮ prnl. **4** Desenvolverse o moverse con agilidad, esp. después de haber tenido un impedimento: *Aún no estoy recuperada, pero ya me manejo bastante bien.* **5** || **manejárselas;** *col.* Encontrar el modo de solucionar uno mismo un problema o de salir adelante en la vida: *Se las maneja muy bien para estudiar y trabajar a la vez.* □ ETIMOL. Del italiano *maneggiare*. □ ORTOGR. Conserva la *j* en toda la conjugación.

manejo s.m. **1** Uso o utilización de algo, esp. si se hace con las manos: *Tengo que aprender el manejo del nuevo vídeo.* **2** Desenvolvimiento en la dirección de un asunto: *Demostró un manejo y un control de la situación sorprendentes.* **3** Treta, intriga o enredo: *¿Pero no te das cuenta de que semejantes manejos pueden llevarte a la cárcel?* **4** En zonas del español meridional, conducción. □ MORF. En la acepción 3, se usa más en plural.

manera s.f. **1** Forma particular de ser, de hacer o de suceder algo: *Esa no es manera de comportarse.* **2** Comportamiento y conjunto de modales de una persona. **3** || **a manera de;** como o como si fuera: *Se puso una toalla a manera de turbante.* || **de cualquier manera;** sin cuidado o sin interés. || **de manera que;** enlace gramatical subordinante con valor consecutivo: *Es culpa tuya, de manera que ahora no te quejes.* || **de ninguna manera;** expresión que se usa para negar de forma enérgica y tajante: *De ninguna manera aceptaré el regalo.* || **de todas maneras;** a pesar de todo: *De todas maneras no me apetecía ir.* || **en cierta manera;** expresión que se usa para matizar o quitar importancia a una situación o a un suceso: *En cierta manera tienes razón, pero no estoy totalmente de acuerdo.* || **en gran manera** o **sobre manera;** mucho o en alto grado: *Esos hermanos se parecen sobre manera.* ☐ ETIMOL. Del latín *manuaria*. ☐ ORTOGR. *Sobre manera* admite también la forma *sobremanera*. ☐ MORF. En la acepción 2, se usa más en plural. ☐ USO *De todas maneras* se usa mucho para retomar un tema que ya ha salido en la conversación.

manes s.m.pl. En la antigua Roma, almas de los muertos a las que se rendía culto como divinidades menores protectoras del hogar y de la familia. ☐ ETIMOL. Del latín *manes*.

manga ▌s.f. **1** En una prenda de vestir, parte que cubre de manera total o parcial el brazo. **2** Tubo largo de un material flexible e impermeable, que por un extremo toma un líquido de una bomba o de un depósito y por el otro lo expulsa: *Riego el jardín con una manga.* ☐ SINÓN. *manguera*. **3** En una competición, esp. si es deportiva, parte o serie en que puede dividirse: *Quedó segunda en la primera manga del descenso de esquí.* **4** Utensilio de cocina, de forma cónica y provisto de una boquilla de metal u otro material, con el que se da forma a una masa, una pasta o una crema. **5** Filtro de tela, de forma cónica, que sirve para colar líquidos. **6** Anchura máxima de un barco. **7** Variedad del mango: *La manga es un fruto tropical.* ▌s.m. **8** Tipo de cómic de origen japonés que se caracteriza por un dibujo sencillo. **9** || **en mangas de camisa;** en camisa. || **manga ancha;** *col.* Tolerancia para las faltas propias o ajenas: *Mi padre no me regañará porque tiene manga ancha para estas cosas.* || **manga de agua;** lluvia repentina, abundante y de poca duración, acompañada de fuerte viento. ☐ SINÓN. *turbión*. || **manga farol;** la redonda y ancha desde arriba, hasta el codo. || **manga japonesa;** la ancha que no está cortada en el hombro y que tiene una sola costura que arranca de la axila. || **manga por hombro;** *col.* En desorden: *No he tenido tiempo de arreglar la casa y todo está manga por hombro.* || **(manga) {raglán/ranglan};** la que empieza en el cuello y cubre el hombro. || **sacarse** algo **de la manga;** *col.* Inventarlo, decirlo o hacerlo de manera improvisada o sin tener ningún fundamento para ello. || **tener** algo **en la manga;** *col.* Tenerlo oculto y preparado para utilizarlo cuando llegue el momento oportuno. ☐ ETIMOL. Las acepciones 1-6 y 8, del latín *manica*, de *manus* (mano). La acepción 7, del portugués *manga*. ☐ SINT. 1. *Tener en la manga* se usa también con los verbos *traer*, *llevar* y *guardar*. 2. En la acepción 8, se usa en aposición, pospuesto a un sustantivo: *películas manga; cómics manga*.

mangancia s.f. *col.* Disposición del que roba o del que vive de manera desvergonzada o aprovechándose de los demás.

manganesa s.f. Mineral de manganeso, semejante al yeso, de color pardo, negro o gris azulado, que se usa en la industria para la obtención de oxígeno y cloro y para la fabricación de otros materiales: *Con manganesa se fabrica vidrio y acero.* ☐ SINÓN. *pirolusita, manganesia*. ☐ ETIMOL. Del francés *manganèse*. ☐ ORTOGR. Dist. de *manganeso* (elemento químico).

manganesia s.f. →**manganesa.**

manganeso s.m. Elemento químico, metálico y sólido, de número atómico 25, color grisáceo brillante, duro y quebradizo, resistente al fuego y muy oxidable: *El manganeso es muy empleado en la fabricación del acero.* ☐ ETIMOL. De *manganesa*, porque el manganeso se obtiene de la manganesa. ☐ ORTOGR. 1. Su símbolo químico es *Mn*. 2. Dist. de *manganesa* o *manganesia* (mineral de manganeso).

mangante ▌adj.inv./s.com. **1** *col.* Que manga. ▌s.com. **2** *col.* Persona descarada y desvergonzada, hábil en el engaño. ☐ USO Tiene un matiz despectivo.

mangar v. *col.* Robar: *Me mangaron la cartera sin que me diese cuenta.* ☐ ETIMOL. Del gitano *mangar* (pedir, mendigar). ☐ ORTOGR. La *g* se cambia en *gu* delante de *e* →PAGAR.

mangasón adj.inv. En zonas del español meridional, grande o de proporciones desmesuradas.

manglar s.m. Marisma o terreno costero propios de zonas tropicales, que suelen estar inundados por las aguas del mar y en los que se desarrolla una vegetación fundamentalmente arbórea y adaptada al medio salino.

mangle s.m. Arbusto tropical, dotado de un complejo sistema de raíces aéreas y de largas ramas que llegan al suelo y arraigan en él, y que crece en zonas inundadas por el mar. ☐ ETIMOL. Quizá de una voz de las Antillas.

mango s.m. **1** En un instrumento o en un utensilio, parte estrecha y alargada por la que se agarra. **2** Árbol de tronco recto, corteza negra y rugosa, hojas alternas, pequeñas flores amarillentas y fruto en forma ovalada también amarillo. **3** Fruto comestible de este árbol, que es muy aromático y tiene la piel lisa. ☐ ETIMOL. La acepción 1, del latín *manicus*, y este de *manica* (manga). La acepción 2 y 3, del inglés *mango*, y este del portugués *manga*.

mangonear v. **1** *col.* Entrometerse o intervenir en asuntos ajenos con intención de imponer la voluntad propia: *No mangonees en mi vida y déjame tomar mis propias decisiones.* **2** *col.* Referido a una persona, manejarla o dominarla: *No pretendas mangonearme, porque tengo mi propio criterio.* ☐ ETIMOL. Del latín *mango* (traficante).

mangoneo s.m. *col.* Entrometimiento o intervención en asuntos ajenos con intención de imponer la voluntad propia.

mangosta s.f. Mamífero carnívoro de pequeño tamaño, pelaje rojizo o gris, cuerpo alargado, patas cortas, cola muy desarrollada y hocico apuntado. ☐ ETIMOL. Del portugués *mangús* o del francés *man-*

gouste. □ MORF. Es un sustantivo epiceno: *la mangosta {macho/hembra}.*

mangual s.m. Arma antigua que consistía en unas bolas de hierro sujetas con cadenas a un mango de madera y que se usaba como un látigo. □ ETIMOL. Del latín *manualis* (que se puede coger con la mano).

manguera s.f. Tubo largo de un material flexible e impermeable, que por un extremo toma un líquido de una bomba o de un depósito y por el otro lo expulsa: *Los bomberos utilizaron las mangueras para apagar el incendio.* □ SINÓN. *manga.* □ ETIMOL. De *manga.*

mangueta s.f. En un retrete, tubo que une el sifón con la tubería de desagüe. □ ETIMOL. Del catalán *manigueta.*

mangui s.com. *col.* Ladrón.

manguito s.m. **1** Prenda de abrigo femenina, generalmente de piel, en forma de rollo o de tubo y que se usa para proteger las manos del frío. **2** Media manga que cubre desde el codo hasta la muñeca, esp. la que se pone encima de la ropa para protegerla de la suciedad: *Algunos oficinistas se ponían manguitos para no manchar de tinta la camisa.* **3** Pieza hecha de un material que flota en el agua y que se coloca en la parte superior del brazo de una persona para evitar que se hunda cuando no sabe nadar: *No encuentro los manguitos del niño.* **4** Tubo que une dos piezas cilíndricas: *He llevado el coche al taller para que me cambien los manguitos.*

maní (pl. *manises*) s.m. **1** Planta de tallo rastrero, hojas alternas lobuladas y flores amarillas cuyos pedúnculos se alargan y se introducen en el suelo para que madure el fruto, el cual está compuesto de una cáscara dura y varias semillas, comestibles después de tostadas. □ SINÓN. *cacahuete.* **2** Fruto de esta planta. □ SINÓN. *cacahuete.*

manía s.f. **1** Trastorno mental caracterizado por una obsesión o por una idea fija enfermizas. **2** Costumbre extravagante o poco corriente, o preocupación injustificada por algo. **3** *col.* Antipatía o mala voluntad que se tienen contra alguien. □ SINÓN. *ojeriza.* **4** ‖ **manía persecutoria;** la que sufre una persona que cree ser objeto de persecución o de la mala voluntad de alguien. □ ETIMOL. Del griego *manía* (locura).

-manía Elemento compositivo sufijo que significa 'afición desmedida': *bibliomanía, melomanía.* □ ETIMOL. Del latín *mania*, y este del griego *manía* (locura).

maníaco, ca (tb. *maniaco, ca*) s. Persona que sufre una manía enfermiza o un trastorno mental. □ SEM. Dist. de *maniático* (que tiene manías).

maniatar v. Referido a una persona, atarle las manos: *El atracador maniató a la dueña de la tienda.* □ SEM. *Maniatar las manos* y *maniatar de pies y manos* son expresiones redundantes e incorrectas, aunque están muy extendidas.

maniático, ca adj./s. Referido a una persona, que tiene manías, obsesiones o costumbres extravagantes. □ SEM. Dist. de *maniaco* y *maníaco* (que padece una manía enfermiza).

manicomio s.m. Sanatorio o residencia para enfermos mentales. □ ETIMOL. Del griego *manía* (locura) y *koméo* (yo cuido).

manicorto, ta adj./s. *col.* Que intenta gastar lo menos posible y es poco generoso.

manicura s.f. Véase **manicuro, ra.**

manicurista s.com. En zonas del español meridional, manicuro.

manicuro, ra ▌s. **1** Persona que se dedica profesionalmente a cuidar y embellecer las manos y las uñas. ▌s.f. **2** Hecho de cuidar y embellecer las manos y las uñas: *hacerse la manicura.* □ ETIMOL. De *mano* y el latín *curo* (cuidar).

manido, da adj. Referido a un asunto, que ha sido muy tratado y resulta por ello demasiado común y falto de originalidad. □ ETIMOL. Del participio del antiguo *manere* (permanecer).

manierismo s.m. Estilo artístico y literario desarrollado en el continente europeo en el siglo XVI y caracterizado por el amaneramiento, la afectación y la ruptura del equilibrio renacentista. □ ETIMOL. Del italiano *manierismo.* □ USO Se usa más como nombre propio.

manierista ▌adj.inv. **1** Del manierismo o con rasgos propios de este estilo. ▌adj.inv./s.com. **2** Que defiende o sigue el Manierismo.

manifestación s.f. **1** Declaración o expresión públicas de una idea, una opinión o un pensamiento. **2** Muestra o reflejo de algo: *El llanto es manifestación de tristeza.* **3** Concentración pública de un conjunto numeroso de personas para expresar una demanda o una opinión: *La manifestación recorrió el centro de la ciudad.*

manifestante adj.inv./s.com. Referido a una persona, que participa en una manifestación pública.

manifestar ▌v. **1** Declarar o expresar de manera pública: *Manifestó su decisión de marcharse del partido. Se manifestó contrario a la política armamentista.* **2** Mostrar, dejar ver o hacer patente: *Manifestó su amor a los niños dando su vida por ellos. Su bondad se manifiesta en sus obras de caridad.* ▌prnl. **3** Hacer una manifestación pública o tomar parte en ella: *Los agricultores se manifestaron ante el ministerio.* □ ETIMOL. Del latín *manifestare.* □ MORF. Irreg.: 1. Tiene un participio regular (*manifestado*), que se usa en la conjugación, y otro irregular (*manifiesto*), que se usa como adjetivo o sustantivo. 2. →PENSAR.

manifiesto, ta ▌adj. **1** Muy claro o patente: *Es un hecho manifiesto que no estás de acuerdo con ellos.* ▌s.m. **2** Escrito, generalmente de carácter político o estético, que se dirige a la opinión pública para exponer una concepción ideológica o un programa. □ ETIMOL. Del latín *manifestus.*

manigua (tb. *manigual*) s.f. Terreno húmedo, frecuentemente pantanoso, cubierto de espesa maleza, y propio de zonas tropicales americanas.

manigual s.m. →**manigua.**

manija s.f. **1** En un utensilio o en un instrumento, empuñadura o manivela que sirve para facilitar su manejo. ☐ SINÓN. *manilla.* **2** En una puerta o en una ventana, dispositivo para accionar su cerradura y que sirve, al mismo tiempo, de agarrador o tirador. ☐ SINÓN. *manilla.* **3** En zonas del español meridional, asa. ☐ ETIMOL. Del latín *manicula.*

manilla s.f. **1** En un reloj, aguja que marca el paso del tiempo. **2** En un utensilio o en un instrumento, empuñadura o manivela que sirve para facilitar su manejo. ☐ SINÓN. *manija.* **3** En una puerta o en una ventana, dispositivo para accionar su cerradura y que sirve, al mismo tiempo, de agarrador o tirador. ☐ SINÓN. *manija.* ☐ ETIMOL. Del catalán *manilla.*

manillar s.m. En una bicicleta o en otro vehículo de dos ruedas, pieza metálica horizontal sobre cuyos extremos, en forma de mango, se apoyan las manos para controlar la dirección.

maniobra ▮ s.f. **1** Operación o conjunto de operaciones que se realizan, esp. para dirigir o controlar la marcha de un vehículo. **2** Lo que se hace con habilidad y astucia, y generalmente de manera poco limpia, para conseguir un fin: *Lanzar ahora ese rumor ha sido una hábil maniobra de distracción por parte del Gobierno.* ▮ pl. **3** En el ejército, conjunto de operaciones y ejercicios que se realizan para adiestrar a la tropa, generalmente simulando un combate. ☐ ETIMOL. De *mano* y *obra.*

maniobrabilidad s.f. Facilidad de un vehículo para ser dirigido o manejado.

maniobrar v. Realizar maniobras, esp. con un vehículo: *Tendrás que maniobrar mucho para aparcar en ese hueco. El batallón maniobró en el campo de entrenamiento.*

manipulable adj.inv. Que se puede manipular.

manipulación s.f. **1** Manejo en provecho propio, mediante la astucia o por medios ilícitos: *El político denunció la manipulación de sus declaraciones por parte de la oposición.* **2** Trabajo con las manos o mediante instrumentos: *Se aconseja adoptar medidas higiénicas para la manipulación de alimentos.* **3** Manejo de un aparato científico o delicado.

manipulado s.m. Operación de trabajo manual con materiales como el papel o el cartón: *En este proceso de producción, el manipulado final encarece excesivamente el producto.*

manipulador, -a adj./s. Que manipula.

manipular v. **1** Manejar en provecho propio mediante la astucia o por medios ilícitos: *Su habilidad para manipular al electorado casi asegura su victoria.* **2** Trabajar o manejar con las manos o mediante instrumentos: *En el laboratorio se ponen guantes especiales para manipular sustancias tóxicas.* **3** Referido a un aparato, manejarlo o maniobrar en él: *La bomba explosionó mientras el artificiero la manipulaba para desactivarla.* ☐ ETIMOL. Del latín *manipulus* (puñado, manojo).

maniqueísmo s.m. **1** Doctrina de Manes (teólogo persa del siglo III) que defiende la existencia de dos principios creadores contrarios entre sí, uno para el bien y otro para el mal. **2** Tendencia a interpretar la realidad según una valoración en la que todo es bueno o malo, sin grados intermedios.

maniqueo, a ▮ adj. **1** Del maniqueísmo o relacionado con esta doctrina o con esta tendencia. ▮ adj./s. **2** Partidario o seguidor del maniqueísmo.

maniquí (pl. *maniquíes, maniquís*) ▮ s.com. **1** Persona que se dedica profesionalmente al pase o exhibición de modelos de vestir. ▮ s.m. **2** Figura articulada o armazón con forma de persona, esp. los que se usan para probar o exhibir prendas de vestir. **3** Persona muy arreglada y elegante. ☐ ETIMOL. Del francés *mannequin*, y este del holandés *mannekijn* (hombrecito).

manirroto, ta adj./s. Referido a una persona, que gasta en exceso y sin control.

manitas (pl. *manitas*) s.com. *col.* Persona muy habilidosa con las manos.

manivela s.f. Pieza doblada en ángulo recto y unida a un eje sobre el que se la hace girar para accionar un mecanismo. ☐ ETIMOL. Del francés *manivelle*.

manjar s.m. Alimento o comida, esp. los que resultan apetitosos o están preparados de manera exquisita. ☐ ETIMOL. Del catalán o del provenzal antiguo *manjar* (comer).

mano ▮ s.f. **1** En el cuerpo de una persona, extremidad del brazo, que va desde la muñeca hasta la punta de los dedos, y sirve principalmente para agarrar. **2** En algunos animales, parte final de la extremidad, cuyo dedo pulgar puede oponerse a los otros. **3** En un animal cuadrúpedo, extremidad delantera. **4** En una res de carnicería, extremo de la pata, cortado por debajo de la rodilla. **5** Respecto de la situación de una persona o de una cosa, lado en que cae o está situada otra: *La calle que buscas está a mano izquierda.* **6** Habilidad, capacidad o destreza: *¡Qué buena mano tienes para la cocina!* **7** Poder, mando, influencia o facultad para hacer algo: *Si se lo dices tú, a ti te hará caso, porque tienes mucha mano sobre él.* **8** Intervención, actuación o participación: *Se nota la mano de un experto en la preparación de este trabajo.* **9** Auxilio, socorro o ayuda: *Necesito una mano para acabar hoy el trabajo, porque sola no puedo.* **10** Capa de pintura o de otra sustancia semejante que se da sobre una superficie: *Dio una mano de barniz a la puerta.* **11** Operación que se hace de una vez en un trabajo en el que se realizan varias: *Di varias manos de jabón a la ropa.* **12** Mazo de un mortero o de un almirez. **13** En algunos juegos de mesa, esp. en los de cartas, partida o conjunto de jugadas que se hacen cada vez que se reparte. **14** En fútbol y en hockey sobre patines, falta que se produce cuando un jugador toca voluntariamente el balón con alguna parte del brazo o con él separado del cuerpo. **15** En algunos juegos de mesa, esp. en los de cartas, jugador que está a la derecha del que reparte. ▮ pl. **16** Gente para trabajar o hacer un trabajo: *Faltaban manos para descargar los camiones.* **17** ‖ **a mano; 1** Referido al modo de hacer algo, manualmente o sin usar máquinas: *Este mantel está hecho a mano.* **2** Cerca: *Te* *llevo en coche, porque tu casa me queda a mano.* || **a mano armada;** referido a un ataque o a un robo, que se efectúa con armas. || **a manos de** alguien; por su causa o por su acción: *Murió a manos de sus enemigos.* || **a manos llenas;** en abundancia o generosamente: *Los payasos repartían caramelos a manos llenas.* || **abrir la mano;** disminuir el rigor o la dureza: *Aprobé porque la profesora abrió la mano.* || **{alzar/levantar} la mano** a alguien; hacerlo en señal de amenaza o para golpearlo. || **atar las manos;** *col.* Impedir la realización de algo o quitar la libertad de actuación: *Con la firma de aquel papel me han atado las manos.* || **bajo mano;** de manera oculta o secreta. || **caerse** algo **de las manos;** *col.* Resultar insoportable, esp. por ser demasiado difícil o demasiado aburrido: *Este libro es tan aburrido que se cae de las manos.* || **cambiar de manos;** cambiar de dueño o de propietario. || **cargar la mano en** algo; excederse en ello: *En esa tienda cargan la mano en los precios.* || **con la mano en el corazón;** con sinceridad y con franqueza. || **con las manos en la masa;** *col.* En plena realización de algo, esp. si es indebido: *Estaba copiando en el examen y el profesor lo cogió con las manos en la masa.* || **con las manos vacías;** sin lograr lo que se pretendía: *Lo que me propuso no me pareció correcto, así que se fue con las manos vacías.* || **con una mano detrás y otra delante;** *col.* Sin poseer nada: *Se arruinó y ahora está con una mano detrás y otra delante.* || **{dar/estrechar} la mano;** ofrecerla o cogerla como señal de saludo. || **de la mano;** agarrado de la de otra persona. || **de mano;** que tiene un peso y un tamaño adecuados para poder ser llevado en la mano o para manejarse con las manos: *un bolso de mano.* || **de primera mano; 1** Nuevo o sin estrenar. **2** De la fuente original o sin intermediarios: *Sé la noticia de primera mano, porque me la dijo el interesado.* || **de segunda mano;** usado o ya estrenado. || **echar mano a** algo; *col.* Cogerlo, agarrarlo o prenderlo: *Se enfadó con todos, así que echó mano al bolso y se marchó.* || **echar mano de** algo; *col.* Valerse de ello para un fin: *Echó mano de la tarjeta de crédito para pagar la cena.* || **echar una mano** o **tender {la/una} mano;** *col.* Ayudar: *¿Me echas una mano con esta maleta, que pesa mucho?* || **en buenas manos;** bajo la responsabilidad de alguien fiable. || **en mano;** referido a la entrega de algo, directa o personalmente. || **en manos de** alguien; bajo su control o su responsabilidad: *Pusieron el reparto de la herencia en manos de sus abogados.* || **estar** algo **en la mano de** alguien; depender de él: *No está en mi mano que te den ese trabajo.* || **frotarse las manos;** *col.* Regocijarse o expresar satisfacción, esp. si es a causa de un mal ajeno: *Se frotaba las manos ante la perspectiva de hacer un crucero.* || **ganar por la mano** a alguien; anticipársele en hacer o en lograr algo: *La idea era mía, pero me ganó por la mano y la presentó él en su proyecto.* || **hacer manitas;** acariciarse las manos. || **irse de (entre) las manos;** escapar del control: *El asunto se le fue de las manos y quedó fuera de su control.* || **írsele la mano** a alguien; excederse: *Quería darle un golpecito, pero se me fue la mano y casi lo tiro.* || **lavarse las manos;** desentenderse de un asunto o de una responsabilidad. || **llegar a las manos;** reñir y discutir hasta llegar al enfrentamiento físico. || **llevarse las manos a la cabeza;** *col.* Asombrarse, asustarse o indignarse. || **mano a mano;** referido a la forma de hacer algo, entre dos personas que compiten o colaboran estrechamente. || **mano de obra; 1** Trabajo manual, esp. el realizado por un obrero. **2** Conjunto de obreros. || **mano de santo;** *col.* Lo que resulta muy eficaz o logra su efecto rápidamente. || **mano derecha;** respecto de una persona, otra que le es muy útil como ayudante o colaborador. || **mano {dura/de hierro};** *col.* Severidad, dureza o rigor en el trato con la gente o en la dirección de algo. || **mano izquierda;** tacto o astucia para tratar cuestiones difíciles. || **mano negra;** fuerza o poder que actúa de forma oculta. || **mano sobre mano;** sin trabajar o sin hacer nada. || **manos a la obra;** expresión que se usa para animar a emprender o a continuar un trabajo: *Solo nos quedan dos paredes por pintar, así que, ¡manos a la obra!* || **manos libres;** aparato o dispositivo que permite emitir y recibir comunicaciones telefónicas sin utilizar las manos: *Me he puesto en el coche un manos libres.* || **manos limpias;** ausencia de culpa. || **meter mano; 1** *vulg.* Referido a una persona, tocarla con intenciones eróticas. **2** Referido esp. a una tarea o a un asunto, abordarlos o enfrentarse a ellos. || **pedir la mano de** una mujer; solicitar de su familia consentimiento para casarse con ella. || **poner la mano en el fuego por** algo; *col.* Asegurarlo o garantizarlo: *Pongo la mano en el fuego por él, porque sé que es inocente.* || **poner la mano encima** a alguien; *col.* Golpearlo. || **tener la mano larga;** *col.* Tener tendencia a golpear sin motivo. || **{tener/traer}** algo **entre manos;** *col.* Tramarlo o estar ocupado en ello: *Tiene entre manos un negocio de mucho dinero.* □ ETIMOL. Del latín *manus.* □ MORF. Cuando se antepone a otra palabra para formar compuestos, adopta la forma *mani-*: *manirroto.* □ SINT. *Mano a mano* se usa también como sustantivo: *Esta corrida es un mano a mano entre los dos mejores toreros de la temporada.*

-mano, -mana **1** Elemento compositivo sufijo que significa 'aficionado en exceso' o 'muy apasionado': *mitómano, melómana.* **2** Elemento compositivo sufijo que significa 'obsesionado' o 'con hábito patológico': *cleptómano, toxicómana.* □ ETIMOL. Del griego *manía* (locura).

manojo s.m. **1** Conjunto de cosas, esp. si son alargadas, que se pueden coger con la mano: *un manojo de flores.* **2** Conjunto, abundancia o gran cantidad: *Me quedé sola frente a aquel manojo de ignorantes.* **3** || **{estar hecho/ser} un manojo de nervios;** *col.* Estar o ser muy nervioso. □ ETIMOL. Del latín *manuculus* (puñado).

manoletina s.f. Zapato bajo, de punta redondeada, parecido al que usan los toreros.

manolo, la s. Persona que vivía en algunos barrios populares madrileños y que se caracterizaba por su traje y por su gracia y desenfado.

manómetro s.m. Instrumento que sirve para medir la presión de un fluido contenido en un recinto cerrado: *La presión del aire de las ruedas de los coches se mide con un manómetro.* ☐ ETIMOL. Del griego *manós* (raro, poco denso) y *-metro* (medidor).

ma non troppo (it.) || Acotación musical complementaria que significa 'pero no demasiado': *Esta pieza hay que interpretarla piano ma non troppo.* ☐ PRON. [ma non trópo].

manopla s.f. **1** Especie de guante sin separaciones para los dedos o con una para el pulgar. **2** En una armadura, pieza que cubre y protege la mano. ☐ SINÓN. *guantelete.* **3** En zonas del español meridional, guante de béisbol. ☐ ETIMOL. De origen incierto.

manosear v. **1** Tocar repetidamente con las manos: *El frutero no deja que los clientes manoseen la fruta.* **2** *col.* Referido a un asunto, tratarlo repetidamente o insistir demasiado en él: *No me parece un buen tema para una novela, porque creo que está ya muy manoseado.* ☐ USO En la acepción 2, tiene un matiz despectivo.

manoseo s.m. **1** Hecho de tocar repetidamente con las manos. **2** Tratamiento reiterado y excesivo de un asunto.

manotada s.f. →**manotazo.**

manotazo s.m. Golpe dado con la mano. ☐ SINÓN. *manotón, manotada.*

manotear v. Dar golpes con las manos o moverlas exageradamente al hablar: *A mi hija le encanta manotear en el agua. Los latinos manotean mucho al hablar.*

manoteo s.m. Movimiento exagerado de las manos.

manotón s.m. Golpe dado con la mano. ☐ SINÓN. *manotada, manotazo.*

manriqueño, ña adj. De Jorge Manrique (poeta español del siglo XV) o con características de sus obras.

mansalva || **a mansalva;** en gran cantidad: *Cuando la gente se enteró, acudió a mansalva al lugar del acontecimiento.*

mansarda s.f. Bohardilla, esp. la que sobresale en un tejado. ☐ ETIMOL. Del francés *mansarde.*

mansedumbre s.f. **1** Docilidad en la condición o en el trato. **2** Tranquilidad, serenidad y falta de brusquedad o violencia: *La aparente mansedumbre de las aguas ocultaba sus peligrosas corrientes.* ☐ ETIMOL. Del latín *mansuetudo.*

mansión s.f. Casa grande y señorial. ☐ ETIMOL. Del latín *mansio* (albergue, vivienda).

manso, sa ▮ adj. **1** Referido esp. a una persona, que es suave o dócil en la condición o en el trato. **2** Referido a un animal, que no es bravo o que no actúa con fiereza. **3** Referido esp. a algo insensible, apacible, tranquilo o que se mueve lenta y sosegadamente: *Se bañó en las mansas aguas del lago.* ▮ s.m. **4** En un rebaño, esp. si es de ganado bravo, res que sirve de guía a las demás. ☐ ETIMOL. Del latín *mansus.*

mansurrear v. →**mansurronear.**

mansurrón, -a adj. *col.* Excesivamente manso.

mansurronear v. *col.* Referido a un toro, mostrar cualidades de manso: *El público protestó cuando vio que el toro mansurroneaba.* ☐ SINÓN. *mansurrear.*

manta ▮ s.com. **1** *col.* Persona torpe, inútil o que no sirve para nada: *Como relaciones públicas eres un manta.* ▮ s.f. **2** Pieza hecha de un tejido grueso, grande y rectangular, que sirve para abrigarse, esp. en la cama. **3** *col.* Zurra o paliza: *¡Menuda manta de palos me dieron!* **4** Pez cartilaginoso con aletas pectorales triangulares y el cuerpo terminado en forma de látigo, que puede llegar a medir hasta seis metros de envergadura. **5** || **a manta;** en gran abundancia: *Este año han recogido setas a manta.* || **liarse la manta a la cabeza;** *col.* Decidirse a algo sin medir las consecuencias o los inconvenientes. || **tirar de la manta;** *col.* Descubrir lo que se intentaba ocultar: *La periodista tiró de la manta y sacó a la luz el tráfico de influencias en el partido.* ☐ ETIMOL. Las acepciones 1-3, de *manto.* ☐ MORF. En la acepción 4, es un sustantivo epiceno: *la manta {macho/hembra}.*

mantazo s.m. En tauromaquia, pase dado con la muleta sin cumplir las reglas del arte.

manteamiento s.m. Lanzamiento al aire de una persona impulsándola repetidas veces con una manta que sujetan entre varios. ☐ SINÓN. *manteo.*

mantear v. Referido a una persona, lanzarla al aire impulsándola repetidas veces con una manta sostenida entre varios: *Varios mozos de la venta mantearon a Sancho Panza.*

manteca s.f. **1** Grasa de algunos animales, esp. la del cerdo. **2** Sustancia grasa que se obtiene de la leche, esp. de la de vaca: *La manteca se obtiene batiendo la crema de la leche.* **3** Sustancia grasa y consistente que se obtiene de algunos frutos, esp. de su semilla: *La manteca de cacao se utiliza para curar las cortaduras de los labios.* **4** En zonas del español meridional, mantequilla. ☐ ETIMOL. De origen incierto.

mantecada s.f. **1** Bollo pequeño elaborado con manteca de vaca, harina, huevos y azúcar, que se suele cocer en un molde cuadrado. **2** En zonas del español meridional, pan dulce y pequeño con un poco de manteca o mantequilla y que se hornea sobre un trozo de papel.

mantecado s.m. **1** Dulce elaborado con manteca de cerdo. **2** Sorbete hecho con leche, huevos y azúcar.

mantecoso, sa adj. Con manteca o con características de esta: *un queso mantecoso.*

manteísta s.m. Alumno universitario que asistía a las facultades vestido con sotana y manteo.

mantel s.m. Pieza de tela con que se cubre la mesa durante la comida. ☐ ETIMOL. Del latín *mantele* (toalla).

mantelería s.f. Conjunto formado por un mantel y varias servilletas haciendo juego.

manteleta s.f. Prenda de vestir femenina con forma de capa y con las puntas delanteras largas, que cubre desde los hombros hasta casi la cintura. ☐ ETIMOL. Del francés *mantelet*.

mantener ▮ v. **1** Sujetar o evitar la caída o la desviación: *Mantén las piernas en alto para que circule bien la sangre. Con esa borrachera, se mantiene en pie de milagro.* **2** Referido a un estado o a una circunstancia, conservarlos o evitar su desaparición o su degradación: *Este comercio mantiene su prestigio desde hace diez años. Se mantiene en forma haciendo ejercicio.* **3** Referido esp. a una acción, proseguir o continuar en ella: *Mantuve una conversación muy interesante con la escritora.* **4** Defender o hacer permanecer: *El testigo mantiene que no ha visto nunca a ese hombre.* **5** Referido esp. a una promesa o a un compromiso, cumplirlos o ser fiel a ellos: *Debes saber mantener tu palabra en los momentos difíciles.* **6** Alimentar, o procurar y costear el alimento u otras necesidades: *La hermana mayor mantiene con su sueldo a toda la familia. Se mantiene a base solo de leche y de fruta.* ▮ prnl. **7** Persistir o perseverar en un estado o en una posición: *Pese a las adversidades, se mantiene firme en sus convicciones.* ☐ ETIMOL. Del latín *manu tenere* (tener con la mano). ☐ MORF. Irreg. →TENER.

mantenido, da s. *col.* Persona que vive a expensas de otra.

mantenimiento s.m. **1** Conservación, sujeción o defensa, esp. las que se hacen para evitar la desaparición o degradación de algo: *gimnasia de mantenimiento; el mantenimiento de un coche.* **2** Conjunto de operaciones y cuidados necesarios para que unas instalaciones puedan seguir funcionando adecuadamente: *Cuando se estropeó el ascensor de la oficina, avisé al encargado del mantenimiento del edificio.* **3** Realización continuada de una acción o continuación en ella: *El mantenimiento de tus promesas te honra.* **4** Alimentación o provisión del alimento u otras necesidades, o pago de su coste: *El hermano mayor se encarga del mantenimiento de la familia.*

manteo s.m. **1** Capa larga con cuello que utilizan los sacerdotes sobre la sotana y que antiguamente usaban los estudiantes. **2** Lanzamiento al aire de una persona impulsándola repetidas veces con una manta que sujetan entre varios. ☐ SINÓN. *manteamiento.* ☐ ETIMOL. La acepción 1, del francés *manteau*. La acepción 2, de *mantear*.

mantequera s.f. Véase **mantequero, ra**.

mantequería s.f. **1** Establecimiento en el que principalmente se vende mantequilla y otros productos lácteos. **2** Lugar en el que se fabrica la mantequilla.

mantequero, ra ▮ adj. **1** De la manteca, de la mantequilla o relacionado con ellas: *industria mantequera.* ▮ s. **2** Persona que se dedica a la elaboración o a la venta de mantequilla. ▮ s.f. **3** Vasija o recipiente en el que se conserva o se sirve la mantequilla.

mantequilla s.f. **1** Producto alimenticio de consistencia blanda que se obtiene de la grasa de la leche de vaca. **2** Manteca de la leche de vaca.

mantero, ra s. **1** Persona que fabrica o vende mantas. **2** *col.* Vendedor ambulante que vende en la calle y que tiene los productos colocados sobre mantas en el suelo.

mántica s.f. Conjunto de prácticas mediante las que se trataba de adivinar el futuro. ☐ ETIMOL. Del griego *mantiké* (arte de la adivinación).

mantilla s.f. **1** Prenda femenina que se pone sobre la cabeza y cae sobre los hombros. **2** Prenda con la que se envuelve a los bebés para abrigarlos. **3** || **estar en mantillas;** *col.* Estar en los comienzos o tener pocos conocimientos sobre un asunto.

mantillo s.m. **1** Materia orgánica formada por restos descompuestos de vegetales y de animales, que ocupa la capa superior del suelo y se utiliza como abono. ☐ SINÓN. *humus.* **2** Abono que se obtiene de la fermentación del estiércol.

mantis || **mantis religiosa;** s.f. Insecto masticador, de cuerpo verdoso, patas anteriores erguidas y juntas cuando permanecen en reposo, cuya hembra suele devorar al macho después de la cópula. ☐ SINÓN. *santateresa.* ☐ MORF. 1. Es un sustantivo epiceno: *la mantis religiosa {macho/hembra}*. 2. El plural de *mantis religiosa* es *mantis religiosas*.

mantisa s.f. En un logaritmo, parte decimal: *La mantisa del logaritmo de 2 (0,30103) es 30103.* ☐ ETIMOL. Del latín *mantisa* (añadidura, ganancia).

manto s.m. **1** Prenda amplia parecida a la capa, que cubre desde la cabeza o desde los hombros hasta los pies. **2** Parte de la Tierra situada entre el núcleo y la corteza, y compuesta por rocas muy básicas. **3** Lo que cubre, protege u oculta algo. ☐ ETIMOL. Del latín *mantum* (manto corto).

mantón s.m. **1** Prenda de vestir femenina que generalmente se dobla en diagonal y que se echa sobre los hombros. **2** || **mantón de Manila;** el de seda, bordado con colores brillantes y de origen chino.

mantra s.m. En el hinduismo y en el budismo, sílabas o palabras sagradas que se recitan como apoyo a la meditación. ☐ ETIMOL. Del sánscrito *mantra* (pensamiento).

manual ▮ adj.inv. **1** Que se realiza o se maneja con las manos: *un trabajo manual.* ▮ s.m. **2** Libro en el que se recoge lo más importante de una materia: *manual de instrucciones.* ☐ ETIMOL. Del latín *manualis*.

manualidad s.f. Trabajo realizado con las manos. ☐ MORF. Se usa más en plural.

manubrio s.m. **1** En un utensilio o en un instrumento, empuñadura, esp. la que tiene forma de manivela y, al girar, pone en funcionamiento un mecanismo. **2** En zonas del español meridional, manillar. **3** En zonas del español meridional, volante de automóvil. ☐ ETIMOL. Del latín *manubrium* (asa, mando).

manufactura s.f. **1** Obra hecha a mano o con ayuda de máquinas. **2** Fábrica o industria en las que se hacen estos productos. ☐ ETIMOL. Del latín *manu factura*.

manufacturar v. Fabricar o producir con medios mecánicos a partir de materias primas: *Cada año, en esta región se manufacturan muchos zapatos.*

manufacturero, ra adj. De la manufactura o relacionado con ella.

manu militari (lat.) || Por la fuerza de las armas: *La victoria se obtuvo manu militari.*

manumisión s.f. Concesión de la libertad a un esclavo.

manumiso, sa ▌**1** part. irreg. de **manumitir**. ▌adj. **2** Referido a un esclavo, que ha recibido la libertad. □ USO Se usa como adjetivo, frente al participio regular *manumitido*, que se usa en la conjugación.

manumitir v. Referido a un esclavo, darle la libertad: *Algunos señores romanos manumitían a sus esclavos a cambio de dinero.* □ ETIMOL. Del latín *manumittere* (enviar los esclavos lejos del poder del dueño). □ MORF. Tiene un participio regular (*manumitido*), que se usa en la conjugación, y otro irregular (*manumiso*), que se usa como adjetivo.

manuscribir v. Escribir a mano: *manuscribir una carta.* □ ETIMOL. Del latín *manus* (mano) y *scribere* (escribir). □ MORF. Su participio es *manuscrito*.

manuscrito, ta ▌adj. **1** Escrito a mano. ▌s.m. **2** Libro o texto escrito a mano, esp. el que tiene algún valor histórico o literario. □ ETIMOL. Del latín *manus* (mano) y *scriptus* (escrito).

manutención s.f. Alimentación o provisión de lo necesario, esp. del alimento. □ ETIMOL. De *manutener* (mantener, amparar).

manutergio s.m. En el lavatorio de la eucaristía, tela con la que se seca las manos el sacerdote. □ SINÓN. *cornijal.*

manzana s.f. **1** Fruto del manzano, comestible, de forma redondeada y carne blanca y jugosa. **2** Espacio urbano, generalmente cuadrangular, delimitado por calles por todos sus lados. **3** En zonas del español meridional, nuez de la garganta. **4** || **manzana de Adán;** en zonas del español meridional, nuez de la garganta. || **manzana golden;** la que es de color amarillo y tiene la piel tersa. || **manzana granny (smith);** la que es de color verde brillante, piel lisa y sabor ácido. || **manzana starking;** la que es de color rojo oscuro y tiene la piel brillante. □ ETIMOL. Del latín *mala mattiana* (variedad de manzanas), en memoria de Caius Matius, tratadista latino de agricultura.

manzanal s.m. →**manzanar.**

manzanar (tb. *manzanal*) s.m. Terreno plantado de manzanos.

manzanilla s.f. **1** Planta herbácea de flores olorosas en cabezuela, de color blanco y con el centro amarillo, que tiene propiedades medicinales. □ SINÓN. *camomila.* **2** Flor de esta planta. □ SINÓN. *camomila.* **3** Infusión que se hace con las flores secas de esta planta y que tiene propiedades digestivas. **4** Vino blanco, seco y aromático, que se elabora en algunas zonas andaluzas, esp. en la provincia gaditana. □ ETIMOL. De *manzana*, por la semejanza del botón de la manzanilla con una manzana.

manzano s.m. Árbol frutal, de hojas alternas, ovales y dentadas y flores rosáceas en umbela, cuyo fruto es la manzana.

maña s.f. Véase **maño, ña.**

mañana ▌s.m. **1** Tiempo futuro: *El mañana no está tan lejos, así que no pierdas el tiempo.* ▌s.f. **2** Período de tiempo comprendido entre la medianoche y el mediodía, esp. el que transcurre después del amanecer: *Llegó a casa a las diez de la mañana.* ▌adv. **3** En el día que sigue inmediatamente al de hoy: *Si hoy es miércoles, mañana será jueves.* **4** En un tiempo futuro: *Hoy piensas así, pero mañana lo verás todo de otra manera.* ▌interj. **5** Expresión que se usa para negar de forma rotunda lo que se dice: *¡Mañana, pienso ayudar yo a ese tipo que siempre me ha despreciado!* **6** || **de mañana;** al amanecer o en las primeras horas del día. || **hasta mañana;** expresión que se utiliza como señal de despedida cuando al día siguiente se va a ver a la otra persona. || **pasado mañana;** en el día que sigue inmediatamente al de mañana. □ ETIMOL. Del latín *hora *maneana* (en hora temprana).

mañanear v. Madrugar o levantarse muy temprano: *Mi abuelo mañaneaba para ir a trabajar al campo.*

mañanero, ra adj. De la mañana o relacionado con ella.

mañanita ▌s.f. **1** Prenda de vestir con forma de capa corta que cubre desde los hombros hasta la cintura y que se suele utilizar para estar sentado mientras se está en la cama. ▌pl. **2** Canción popular mexicana que se interpreta, generalmente al alba, con motivo de una celebración familiar.

maño, ña ▌adj./s. **1** *col.* De Aragón (comunidad autónoma), o relacionado con ella: *Los maños homenajean con flores a la Virgen del Pilar.* □ SINÓN. *aragonés.* ▌s.f. **2** Habilidad o destreza, esp. para las manualidades: *Es un chico con maña para tratar a los ancianos.* **3** Ingenio o astucia para conseguir lo que se desea: *Siempre echa mano de sus mañas para no trabajar.* **4** || **darse maña;** tener habilidad: *Se da muy buena maña con los críos.* □ ETIMOL. Las acepciones 2 y 3, quizá del latín **mania* (habilidad manual). □ MORF. En la acepción 3, se usa más en plural. □ SEM. En la acepción 1, dist. de *baturro* (aragonés del campo).

mañoso, sa adj. Que tiene habilidad o destreza, esp. para las manualidades.

maoísmo s.m. **1** Doctrina política elaborada por Mao Tse-Tung (fundador del partido comunista chino) en la que se adapta el marxismo leninismo a la realidad política y social china. **2** Movimiento político inspirado en esta doctrina.

maoísta ▌adj.inv. **1** Del maoísmo o relacionado con esta doctrina política. ▌adj.inv./s.com. **2** Partidario o seguidor del maoísmo.

maorí (pl. *maoríes, maorís*) ▌adj.inv./s.com. **1** De un pueblo que habita en tierras neozelandesas o relacionado con él: *La actual población maorí vive* *en la zona septentrional de la isla norte de Nueva Zelanda.* ▮ s.m. **2** Lengua de este pueblo: *El himno nacional de Nueva Zelanda está escrito en maorí.*

mapa s.m. **1** Representación gráfica, sobre un plano y de acuerdo con una escala, de la superficie terrestre o de una parte de ella. ☐ SINÓN. *carta.* **2** || **borrar del mapa;** *col.* Eliminar o hacer desaparecer: *El progreso borró del mapa los viejos edificios de nuestra infancia.* || **mapa genético;** esquema de todos los genes que constituyen un organismo. ☐ ETIMOL. Del latín *mappa* (pañuelo, servilleta), porque antiguamente para hacer mapas se empleaba un lienzo.

mapache s.m. Mamífero carnívoro americano de vida nocturna, de pelaje fino, tupido y grisáceo, larga cola con anillos blancos alternándose con otros de color oscuro, y con una mancha negra alrededor de los ojos a modo de antifaz. ☐ MORF. Es un sustantivo epiceno: *el mapache {macho/hembra}.*

mapamundi (pl. *mapamundis*) s.m. Mapa en el que se representa la superficie de la Tierra dividida en dos hemisferios. ☐ ETIMOL. Del latín *mappa mundi* (mapa del mundo). ☐ MORF. Incorr. el pl. **mapasmundi.*

mapear v. **1** En biología, representar gráficamente la distribución de las partes de un todo: *En ese laboratorio están mapeando la estructura genética de varios organismos.* **2** En informática, referido esp. a un archivo, establecer su ruta de localización en la memoria de un ordenador para facilitar el acceso: *mapear unos ficheros.* **3** En zonas del español meridional, hacer mapas.

mapuche ▮ adj.inv./s.com. **1** De Arauco (región chilena) o relacionado con él: *La economía mapuche se basa principalmente en productos agropecuarios.* **2** De un pueblo indio que en la época de la conquista española habitaba la región centro-sur de Chile (país americano), o relacionado con él: *La familia mapuche se basaba en una organización patriarcal.* ☐ SINÓN. *araucano.* ▮ s.m. **3** Lengua de este pueblo indio: *El mapuche tiene incorporadas muchas voces quechuas.* ☐ SINÓN. *araucano.*

maquearse v.prnl. *col.* Referido a una persona, vestirse y arreglarse mucho: *Después del trabajo, me maqueo un poco y me voy con los amigos.*

maqueta s.f. Véase **maqueto, ta.**

maquetación s.f. Preparación de un modelo previo que sirve de guía, esp. en la composición de un texto impreso: *La maquetación de un libro supone la distribución armónica del texto, las ilustraciones y los gráficos.*

maquetador, -a ▮ adj./s.m. **1** En informática, referido esp. a un programa, que permite elegir la forma en que puede salir la información: *Este programa maquetador permite seleccionar el tipo, el cuerpo y el color de la letra.* ▮ s. **2** →**maquetista.**

maquetar v. Referido esp. a un texto que se va a imprimir, preparar o hacer su maqueta: *Hay que volver a maquetar esta página, dejando más espacio para la ilustración.*

maquetista s.com. Persona que se dedica a hacer maquetas, esp. si esta es su profesión: *Trabajo como maquetista en una editorial.* ☐ SINÓN. *maquetador.*

maqueto, ta ▮ adj./s. **1** *desp.* Referido a una persona, que ha emigrado al País Vasco desde otra zona española: *El término 'maqueto' es un término despectivo usado originariamente para designar a los mineros inmigrantes que no comprendían el vasco.* ▮ s.f. **2** Reproducción a escala reducida y en tres dimensiones. **3** Modelo previo que sirve de guía, esp. en la composición de un texto impreso. ☐ ETIMOL. Las acepciones 2 y 3, del italiano *macchietta* (boceto). ☐ USO En la acepción 1, es innecesario el uso del término euskera *maketo.*

maqui s.com. →**maquis.**

maquiavélico, ca adj. Astuto, inteligente, hábil y engañoso, o con otras características propias del maquiavelismo: *El malo de la película tenía un maquiavélico plan para adueñarse del mundo.*

maquiavelismo s.m. **1** Teoría política de Maquiavelo (político y teórico italiano del siglo XVI), que defiende los intereses del Estado sobre cualquier consideración ética o moral: *Según el maquiavelismo, el fin justifica los medios.* **2** Forma de actuar que se caracteriza por la astucia, la habilidad y el engaño para conseguir lo que se pretende: *Se dice que su riqueza procede de su maquiavelismo en los negocios.*

maquila s.f. **1** Cantidad de grano, de harina, de pan o de aceite que corresponde al molinero por la molienda. **2** En zonas del español meridional, parte de grano, harina o aceite que corresponde al molinero por la molienda. **3** En zonas del español meridional, fábrica. ☐ ETIMOL. Del árabe *makila* (medida de capacidad).

maquiladora s.f. En zonas del español meridional, fábrica.

maquillador, -a adj./s. Que maquilla: *Trabaja de maquillador en una cadena de televisión.*

maquillaje s.m. **1** Aplicación de productos cosméticos sobre la piel, esp. sobre la cara, para embellecer o para caracterizar: *La modelo se sometió a una sesión de maquillaje.* **2** Producto cosmético que se utiliza para maquillar: *Parece que estoy morena, pero es que me he dado maquillaje.* ☐ USO Es innecesario el uso del anglicismo *make up.*

maquillar v. **1** Aplicar productos cosméticos para embellecer o para caracterizar: *Maquillaron al actor para que pareciera una mujer. Todas las modelos se maquillan.* **2** Referido a la realidad, alterarla para que presente mejor apariencia: *Dicen que todos los políticos maquillan la verdad.* ☐ ETIMOL. Del francés *maquiller.*

máquina s.f. **1** Conjunto de piezas con movimientos combinados, que aprovecha una fuerza o una energía para producir otra o para realizar un trabajo: *Durante la huelga pararon todas las máquinas de la fábrica.* **2** En un tren, vagón en el que está montado el motor, y que arrastra o mueve los demás vagones enganchados a él. ☐ SINÓN. *locomo-*

tora. **3** Conjunto de partes ordenadas entre sí y dirigidas a la formación de un todo: *En una democracia, todos contribuimos al funcionamiento de la máquina del Estado.* **4** Aparato que generalmente se acciona con monedas para obtener algo de forma inmediata o automática: *una máquina de tabaco.* **5** →**mákina.** **6** || **a toda máquina;** a gran velocidad o con el máximo de esfuerzo. || **máquina de vapor;** la que funciona por la fuerza que ejerce el vapor de agua al expandirse. || **máquina herramienta;** la que hace funcionar una herramienta de forma mecánica en lugar de manualmente por un operario. || **máquina pisa pistas;** en una estación de esquí, la que sirve para aplastar la nieve de las pistas de esquí. || **(máquina) tragaperras;** la que da la posibilidad de conseguir un premio a cambio de una moneda. ☐ ETIMOL. Del latín *machina*, y este del griego *makhaná* (invención ingeniosa).

maquinación s.f. Preparación o trama de un plan de forma oculta, esp. si el plan es negativo: *Todo lo que hace es pura maquinación para quitarme el puesto.*

maquinador, -a adj./s. Que maquina o trama a escondidas: *Son unos maquinadores y nunca sabes lo que puedan estar planeando.*

maquinal adj.inv. Referido a una acción, que se realiza sin pensar o de forma involuntaria: *Contestó de forma maquinal, sin darse cuenta de lo que decía.*

maquinar v. Referido a un plan, esp. si es negativo, prepararlo o tramarlo ocultamente: *He maquinado la manera de salir de aquí sin ser vistos.* ☐ ETIMOL. Del latín *machinari.*

maquinaria s.f. Conjunto de máquinas que se utilizan para un fin determinado: *Esta empresa está renovando su maquinaria industrial.*

maquinilla s.f. **1** Utensilio que sirve para afeitar y está formado por un mango con un soporte para una cuchilla en uno de sus extremos: *Necesita espuma de afeitar porque se afeita con maquinilla.* **2** || **maquinilla eléctrica;** aparato eléctrico que se usa para afeitar sin necesidad de espuma o jabón: *Afeitarse con maquinilla eléctrica es más rápido.*

maquinista s.com. Persona que se dedica profesionalmente al manejo de una máquina, esp. de una locomotora: *El maquinista paró el tren porque vio algo extraño en la vía.*

maquinización s.f. En un sector de producción, empleo de máquinas que sustituyan o mejoren el trabajo de las personas: *La maquinización descontrolada puede producir desempleo.*

maquinizar v. Sustituir el trabajo manual por máquinas que lo mejoren o lo hagan más rápido: *Los sectores que más se han maquinizado son la industria y la agricultura.* ☐ ORTOGR. La *z* se cambia en *c* delante de *e* →CAZAR.

maquis (pl. *maquis*) ▮ s.com. **1** Persona que se rebela y mantiene una oposición armada contra el sistema político establecido, y vive escondida en los montes: *Los maquis utilizaban la táctica de la guerrilla.* ▮ s.m. **2** Organización formada por estas personas: *Este escritor francés formó parte del maquis durante la ocupación alemana de Francia.* ☐ ETIMOL. Del francés *maquis* (monte bajo, denso e intrincado). ☐ USO En la acepción 1, se usa también *maqui.*

mar s.amb. **1** Masa de agua salada que cubre la mayor parte de la superficie terrestre. **2** Cada una de las partes en que se considera dividida esta masa de agua y es más pequeña que el océano: *El mar Cantábrico es parte del océano Atlántico.* **3** Lago de gran extensión: *El mar Muerto está entre Israel y Jordania.* **4** En la superficie lunar, extensa llanura oscura. **5** || **a mares;** *col.* Abundantemente: *llover a mares.* || **alta mar;** parte que está a bastante distancia de la costa. || **estar hecho un mar de lágrimas;** *col.* Llorar mucho y desconsoladamente. || **hacerse a la mar;** salir del puerto para navegar. || **la mar de** algo; mucho o muy: *Estás la mar de graciosa con ese disfraz.* || **mar arbolada;** la que está agitada por olas que pasan de los seis metros de altura. || **mar de fondo; 1** En zonas costeras donde hace buen tiempo y no hay viento, agitación de las aguas debida a corrientes marinas profundas o a la actividad geológica de los fondos marinos. **2** Inquietud o agitación que subyacen en un asunto: *Hay mar de fondo en la oficina y todos estamos en tensión.* || **mar gruesa;** la que está agitada por olas que llegan hasta una altura de seis metros. || **mar montañosa;** la que está agitada por olas sin dirección determinada, de nueve a catorce metros de altura. || **mar picada;** la que está alterada y tiene algo de oleaje. || **mar rizada;** la que está ligeramente agitada por pequeñas olas. || **un mar** de algo; gran cantidad. ☐ ETIMOL. Del latín *mare.* ☐ MORF. En plural, solo *los mares.*

mara s.f. Pandilla de jóvenes: *Sus padres estaban muy preocupados porque el chico había entrado en una mara bastante violenta.*

marabú (pl. *marabúes, marabús*) s.m. Ave zancuda africana, parecida a la cigüeña, de pico largo y cola corta, con alas grandes y plumaje gris y blanco: *Las plumas blancas del marabú son muy apreciadas.* ☐ ETIMOL. Del árabe *marbuf* (santo, ermitaño), porque el marabú se consideraba sagrado ya que devora muchos insectos y reptiles. ☐ MORF. Es un sustantivo epiceno: *el marabú {macho/hembra}.*

marabunta s.f. **1** Migración masiva de hormigas voraces que devoran a su paso todo lo comestible que encuentran: *La aparición y el itinerario de la marabunta son impredecibles.* **2** *col.* Aglomeración de gente que produce mucho jaleo o ruido: *Había tal marabunta en las rebajas que no pude comprar nada.* ☐ SEM. En la acepción 2, dist. de *barahúnda* y *baraúnda* (desorden, ruido o gran confusión).

maraca s.f. Instrumento musical de percusión, de origen cubano, formado por un mango con una especie de bola hueca acoplada a uno de sus extremos y llena de semillas secas o materiales semejantes que suenan al agitarlo: *Cantó una rumba acompañándose con maracas.* ☐ MORF. Se usa más en plural.

maracatú s.m. **1** Ritmo musical brasileño, que se toca con instrumentos de percusión. **2** Baile característico del carnaval, que se ejecuta al compás de este ritmo.

maracuyá s.m. Fruto de la pasionaria.

maragato, ta adj./s. De la Maragatería, o relacionado con esta comarca leonesa: *El cocido maragato es un plato muy típico en la zona sur y oeste de Astorga.*

marajá s.m. Soberano de un principado indio: *El marajá de Kapurtala asistió a la boda de Alfonso XIII y Victoria Eugenia.* □ ETIMOL. Del inglés *maharajah.* □ MORF. Se usa mucho el femenino del hindi *maharani.*

maraña s.f. **1** Enredo de hilos, de cabellos o de cosas semejantes. **2** Conjunto de elementos desordenados o revueltos: *una maraña de datos.* **3** Espesura de arbustos. □ ETIMOL. De origen incierto.

marasmo s.m. **1** Suspensión o paralización absolutas de la actividad: *Dice que el marasmo de la juventud se debe a la falta de ideales.* **2** En medicina, extrema debilidad, agotamiento o adelgazamiento del cuerpo humano: *Muchos niños africanos sufren marasmo por desnutrición.* □ ETIMOL. Del griego *marasmós* (agotamiento).

maratón ▮ s.amb. **1** Competición dura, prolongada o de resistencia: *un maratón de baile.* **2** En atletismo, carrera de resistencia que consiste en correr una distancia de 42 kilómetros y 195 metros. ▮ s.m. **3** Actividad que se desarrolla en una sola sesión o que se realiza en menos tiempo del necesario: *Mi trabajo es un continuo maratón para entregar los expedientes a tiempo.* □ ETIMOL. Por alusión a la carrera realizada por un soldado griego desde Maratón hasta Atenas para anunciar la victoria sobre los persas. □ ORTOGR. Incorr. **marathón.*

maratoniano, na adj./s. **1** Del maratón o relacionado con él. **2** Referido a una persona, que corre un maratón. □ SINÓN. *maratonista.* **3** *col.* Con las características de este tipo de competición: *Ese cantante tuvo una maratoniana rueda de entrevistas.*

maratonista adj.inv./s.com. →**maratoniano.**

maravedí (pl. *maravedíes, maravedís, maravedises*) s.m. Antigua moneda española: *El maravedí ha tenido distintos valores a lo largo de la historia.* □ ETIMOL. Del árabe *murabiti* (relativo a los almorávides).

maravilla s.f. **1** Lo que causa admiración, esp. por ser extraordinario: *Fue una maravilla que llegaras a tiempo.* **2** Lo que se hace con gran habilidad a pesar de su dificultad o de su complicación: *El gimnasta hacía maravillas colgado de las anillas.* **3** Pasta alimenticia para sopa en forma de grano de pequeño tamaño: *sopa de maravilla.* **4** Planta herbácea con hojas lanceoladas y flores de color anaranjado. **5** || **a las mil maravillas** o **de maravilla;** muy bien o perfectamente. || **decir maravillas de algo;** *col.* Hablar muy bien de ello. □ ETIMOL. Del latín *mirabilia* (cosas extrañas). □ SINT. La acepción 2 se usa más en la expresión *hacer maravillas.*

maravillar v. Despertar admiración o asombro: *Me maravilla tu disciplina en el trabajo.*

maravilloso, sa adj. Que causa admiración, generalmente por resultar extraordinario: *Es una persona maravillosa con la que se puede contar para todo.*

marbete s.f. **1** Orilla, borde o perfil: *Encargó unas tarjetas de visita con el marbete dorado.* **2** Trozo de papel, o de otro material, que se pega a una mercancía y que indica sus características o sus referencias. □ ETIMOL. De origen incierto. □ SEM. Dist. de *membrete* (nombre o dirección impresos en la parte superior del papel de escribir).

marca s.f. **1** Señal que permite distinguir o reconocer algo: *Dame la caja que tiene una marca roja, por favor.* **2** Distintivo o nombre que un fabricante da a un producto para diferenciarlo de otros similares. **3** Huella o señal dejadas por algo: *Está morena y se le nota la marca del bañador.* **4** Sello o estilo característicos: *Esta canción tiene la marca de la década de 1960.* **5** En deporte, mejor resultado técnico homologado. □ SINÓN. *récord, plusmarca.* **6** || **de marca (mayor);** *col.* Que se sale de lo normal: *Me están poniendo inyecciones porque tengo un resfriado de marca mayor.* || **de marca;** que está hecho por una fábrica cuyos productos están reconocidos como de buena calidad: *ropa de marca.* || **marca blanca;** tipo de productos que llevan la etiqueta del establecimiento de venta: *Los productos de marca blanca son más baratos que los de marca reconocida.* □ ETIMOL. Del germánico *mark* (señal).

marcado, da adj. Que se percibe o se nota claramente: *Habla bien español, pero con un marcado acento alemán.*

marcador, -a ▮ adj./s. **1** Que marca. ▮ s.m. **2** En deporte, tablero en el que se anotan los tantos obtenidos por un jugador o un equipo. □ SINÓN. *tanteador.* **3** Rotulador grueso, y normalmente de colores luminosos, que se utiliza para marcar un texto. **4** Pieza de cartulina u otro material, que sirve para señalar la página de un libro en la que se deja la lectura. □ SINÓN. *punto de lectura, marcapáginas.*

marcaje s.m. En algunos deportes, defensa que hace un jugador a otro situándose cerca de él para dificultarle el juego: *El marcaje que hizo el defensa contrario a nuestro delantero fue muy violento.*

marcapáginas (pl. *marcapáginas*) s.m. Pieza de cartulina u otro material, que sirve para señalar la página de un libro en la que se deja la lectura. □ SINÓN. *punto de lectura, marcador.*

marcapaso s.m. →**marcapasos.**

marcapasos (tb. *marcapaso*) (pl. *marcapasos*) s.m. Aparato electrónico que sirve para estimular el corazón de forma que se mantenga el ritmo cardíaco: *Le han puesto un marcapasos para corregir un problema cardíaco.*

marcar ▮ v. **1** Señalar con signos distintivos para reconocer, destacar o distinguir: *Este ganadero marca sus reses con un hierro en forma de trébol.*

2 Golpear o herir dejando señal: *En una pelea, le marcaron la frente de un navajazo.* **3** Dejar impresa una señal o huella morales: *Esa enfermedad marcó su vida.* **4** Referido a una cantidad o a una magnitud, indicarlas un aparato: *El termómetro de la plaza marca 20 °C.* **5** Referido esp. a un número o a una clave, formarlos o señalarlos en un aparato para transmitirlos o registrarlos: *Marque su número personal de la tarjeta, por favor.* **6** Indicar, determinar o fijar: *Ese libro marca la línea que deben seguir sus partidarios.* **7** Hacer resaltar o mostrar destacadamente: *Se da el colorete marcando mucho los pómulos.* **8** Referido esp. a un movimiento o a una orden, señalarlos o darlos: *El más lento iba marcando el paso de la excursión.* **9** Peinar el cabello para darle forma: *En esta peluquería, por lavar, cortar y marcar te cobran muy poco.* **10** En algunos deportes, esp. en fútbol, conseguir un tanto metiendo la pelota en la meta contraria: *El equipo visitante fue el primero en marcar, aunque luego el partido terminó en empate.* **11** En algunos deportes, referido a un jugador, defenderlo otro situándose cerca de él para dificultarle el juego: *El defensa marcó tan bien al delantero que este no pudo tocar el balón.* ▮ prnl. **12** Hacer o decir: *Estaba tan contenta que se marcó un baile que nos sorprendió a todos.* ☐ ORTOGR. La *c* se cambia en *qu* delante de *e* →SACAR.

marcear v. Hacer el tiempo propio del mes de marzo: *En marzo hizo muy buen tiempo, y ahora mayo marcea.* ☐ MORF. Es unipersonal.

marceño, ña adj. Del mes de marzo: *El clima marceño suele ser poco apacible.* ☐ SINÓN. *marzal.*

marcha s.f. **1** Ida o desplazamiento a un lugar: *El tren tiene prevista su marcha a las cinco de la tarde.* **2** Salida o abandono de un lugar o de una situación por decisión propia: *Tras enfrentarse con el entrenador, anunció su marcha del equipo.* **3** Desarrollo o funcionamiento: *Esperemos que nada entorpezca la marcha de las negociaciones.* **4** *col.* Energía o alegría muy intensas: *¡Vaya marcha tienes hoy, se nota que has dormido bien!* **5** *col.* Ambiente, animación o diversión: *A partir de las doce de la noche, empieza la marcha en esta discoteca.* **6** Desplazamiento de un conjunto de personas para un fin determinado: *Los secretarios de los sindicatos abrían la marcha en protesta por las reformas salariales.* **7** Movimiento que efectúan las tropas militares para trasladarse a un lugar utilizando sus propios medios. **8** Composición musical en compás binario o cuaternario, de ritmo regular y solemne, escrita para acompañar o marcar el paso de la tropa o del cortejo: *marcha nupcial.* **9** Movimiento en una dirección determinada o forma en que se hace este movimiento: *marcha atrás.* **10** En atletismo, modalidad deportiva en la que el atleta debe andar muy deprisa pero manteniendo siempre un pie en contacto con el suelo. **11** En un vehículo, cada una de las posiciones del cambio de velocidades. **12** ‖ **a marchas forzadas;** referido a la forma de hacer algo, con prisa y con un ritmo muy intenso. ‖ **a toda marcha;** *col.* A gran velocidad. ‖ **irle** a alguien **la marcha;** 1 *col.* Tener afición a salir de juerga. 2 *col.* Tener afición a situaciones de riesgo o comprometidas. ‖ **marcha atrás;** método anticonceptivo que consiste en interrumpir el coito antes de la eyaculación. ‖ **sobre la marcha;** de forma improvisada o a medida que se va haciendo.

marchador, -a s. Deportista que practica la marcha: *Los marchadores entraron en el estadio donde estaba la meta.*

marchamo s.m. Marca que se pone a un producto o a un objeto después de haber sido analizado o revisado: *No compres productos que no lleven el marchamo del Ministerio de Sanidad.* ☐ ETIMOL. Del árabe *marsam.*

marchante s.com. **1** Persona que se dedica al comercio, esp. al de cuadros u obras de arte: *De los cuadros de este pintor se encarga una marchante licenciada en arte.* **2** En zonas del español meridional, vendedor con una clientela fija: *En el mercado mi marchante me deja escoger la fruta y me regala un calendario todos los años.* ☐ ETIMOL. Del francés *marchand.*

marchante, ta s. *col.* En zonas del español meridional, persona que compra habitualmente en el mismo mercado o mercadillo. ☐ ETIMOL. Del francés *marchand.*

marchar ▮ v. **1** Caminar, viajar o ir a un lugar: *Marcharon hacia el pueblo nada más conocer la noticia. Márchate, haz el favor.* **2** Desarrollarse, funcionar o desenvolverse: *¿Cómo marchan las cosas entre vosotros dos?* **3** Referido a un mecanismo, funcionar: *El coche está en el garaje porque el motor no marcha.* ☐ SINÓN. *andar.* **4** Referido a la tropa, ir o caminar con cierto orden y compás en su paso: *Ese soldado marca el ritmo al que deben marchar sus compañeros.* ▮ prnl. **5** Abandonar un lugar por decisión propia: *Me marcho, que me esperan en casa.* ☐ SINÓN. *irse.* ☐ ETIMOL. Del francés *marcher.* ☐ SINT. En la acepción 5, es incorrecto su uso sin el pronombre, aunque está muy extendido: *Bueno,* {*marcho > me marcho}, *que ya es tarde.*

marchitamiento s.m. **1** Desaparición de la frescura, del verdor o de la frondosidad de una planta: *El calor provoca el marchitamiento de las flores.* **2** Desaparición de la viveza, el vigor o la vitalidad: *Las decepciones y los engaños conducen al marchitamiento de los ideales.*

marchitar v. **1** Referido esp. a una planta, hacerle perder la frescura, el verdor o la abundancia de hojas: *El sol ha marchitado las rosas. Las lechugas se marchitaron por falta de riego.* ☐ SINÓN. *mustiar.* **2** Hacer perder la viveza, el vigor o la vitalidad: *La vejez marchitará tu juventud y tu belleza. Sus ilusiones se han marchitado por el sufrimiento.* ☐ SINÓN. *mustiar.*

marchito, ta adj. Sin vigor, sin frescura, sin viveza o sin vitalidad: *Tira esas flores, que ya están marchitas. Sus esperanzas están marchitas.* ☐ ETIMOL. Del latín *marcere* (marchitarse).

marchosa s.f. Véase **marchoso, sa.**

marchoso, sa ▌ adj./s. **1** *col.* Alegre, animado o juerguista. ▌ s.f. **2** *arg.* En el lenguaje de la droga, cocaína. □ ETIMOL. De *marcha.*

marcial adj.inv. **1** Del ejército, de la guerra o relacionado con ellos: *La disciplina marcial es muy rígida y exigente.* **2** Con las características que se consideran propias de un militar: *Tiene andares marciales, y siempre va con paso firme.* □ ETIMOL. Del latín *martialis,* y este de *Marte* (dios de la guerra).

marcialidad s.f. Energía y elegancia que se consideran propias de militares y soldados: *Los reclutas desfilaron con gran marcialidad.*

marciano, na ▌ adj. **1** De Marte (cuarto planeta del sistema solar), o relacionado con él: *Una nave espacial fotografiará la superficie marciana.* ▌ s. **2** Supuesto habitante del planeta Marte: *Dice que los marcianos son verdes y con antenas.*

marco s.m. **1** Unidad monetaria alemana y finlandesa hasta la adopción del euro. **2** Unidad monetaria bosnia: *La moneda de Bosnia-Herzegovina es el marco bosnio.* **3** Moldura o encuadre en los que se encajan algunas cosas: *el marco de una foto.* □ SINÓN. *cerco.* **4** Ambiente o paisaje que rodean algo: *Eligió un marco muy romántico para declararle su amor.* **5** Lo que sirve para limitar o encuadrar una cuestión: *Se llama 'acuerdo marco' a un acuerdo de carácter general al que deben ajustarse otros acuerdos concretos.* **6** En el lenguaje del deporte, portería. **7** En zonas del español meridional, montura de gafas. □ ETIMOL. Del germánico *mark.*

marea s.f. **1** Movimiento periódico y alternativo de ascenso y descenso de las aguas del mar, que se origina por las atracciones combinadas del Sol y de la Luna. **2** Agua que efectúa este movimiento. **3** Multitud o gran cantidad: *Una marea de manifestantes inundó la calle.* **4** ‖ **marea negra;** masa líquida de petróleo o de aceites pesados vertida en el mar. ‖ **marea roja;** en el mar, acumulación de microorganismos y de toxinas que produce una coloración rojiza en las aguas. □ ETIMOL. Del francés *marée.* □ SEM. 1. *Marea alta* es dist. de *pleamar* (fin del movimiento ascendente). 2. *Marea baja* es dist. de *bajamar* (fin del movimiento descendente).

mareante adj.inv. Que marea: *Es una persona mareante, porque no para de hablar continuamente.*

marear v. **1** Producir o sentir un mareo o un malestar, que se manifiestan generalmente con vómitos y pérdida del equilibrio: *Leer en el coche me marea. Se mareó por una bajada de tensión.* **2** *col.* Cansar o fastidiar con molestias continuas: *Me marea oírte hablar siempre de las mismas cosas.* **3** *col.* Emborrachar ligeramente: *Este vino marea. No bebo cerveza porque me mareo.*

marejada s.f. En el mar, agitación violenta de las aguas sin llegar a ser un temporal: *Se anuncia marejada en la zona del cabo Finisterre.* □ ETIMOL. Del portugués *marejada.*

marejadilla s.f. En meteorología, marejada poco intensa: *Ahora hay marejadilla, pero se desarrollará en marejada al final de la tarde.*

maremagno s.m. →**maremágnum.**

maremágnum (tb. *mare mágnum, maremagno*) (pl. *maremágnum, mare mágnum*) s.m. Abundancia o multitud de cosas desordenadas: *Mi escritorio es un maremágnum de papeles.* □ ETIMOL. Del latín *mare magnum* (mar grande).

maremoto s.m. Agitación violenta de las aguas del mar, que se produce por un movimiento sísmico en su fondo: *El maremoto desarrolló una gran ola que inundó la franja costera.* □ ETIMOL. Del latín *mare* (mar) y *motus* (movimiento).

maremotriz adj.inv. →**mareomotriz.**

marengo s.m. →**gris marengo.**

mareo s.m. **1** Malestar físico que generalmente se manifiesta con náuseas, pérdida del equilibrio y sudor: *Tengo vértigo y, si miro hacia abajo desde una altura, me dan mareos.* **2** *col.* Cansancio o fastidio producidos por molestias reiteradas: *¡Vaya mareo estar todo el día con este niño llorón!*

mareógrafo s.m. Aparato para medir y registrar las variaciones del nivel del mar con las mareas: *El mareógrafo registra el nivel del mar en las distintas horas del día.* □ ETIMOL. De *marea* y *-grafo* (que describe).

mareomotriz (tb. *maremotriz*) adj.inv. Referido a la generación de energía, de las mareas o relacionado con ellas: *energía mareomotriz; central mareomotriz.*

marfil s.m. **1** Material duro de color blanquecino que, cubierto de esmalte, forma los dientes de los vertebrados. **2** Pieza tallada en este material. **3** Color blanco amarillento. □ ETIMOL. Del árabe *azm al-fil* (el hueso de elefante). □ SINT. En la acepción 3, se usa mucho en aposición, pospuesto a un sustantivo: *color marfil.*

marfileño, ña ▌ adj. **1** De marfil o con sus características. ▌ adj./s. **2** De Costa de Marfil o relacionado con este país africano. □ SINÓN. *costamarfileño.*

marfilina s.f. Marfil artificial.

marga s.f. Roca sedimentaria compuesta principalmente de arcilla y caliza. □ ETIMOL. Del latín *marga.*

margal s.f. Terreno en el que abundan las margas.

margarina s.f. Sustancia grasa de consistencia blanda, fabricada con grasas vegetales y animales: *La margarina tiene los mismos usos que la mantequilla.* □ ETIMOL. Del griego *márgaron* (perla), por que la margarina tiene un color parecido.

margarita ▌ s.m. **1** Cóctel preparado con tequila, zumo de lima y licor de naranja. ▌ s.f. **2** Planta herbácea de tallo fuerte cuya flor es una inflorescencia en cabezuela, con el centro amarillo rodeado de pétalos generalmente blancos. **3** Inflorescencia de esta planta, compuesta por un conjunto de flores amarillas formando un círculo rodeado por una serie de pétalos generalmente blancos. **4** En una máquina de escribir o en un aparato semejante, pieza en forma de disco con caracteres gráficos que sirve para imprimir. □ ETIMOL. Del latín *margarita.*

margen ▮ s.m. **1** Límite, orilla o extremo. **2** En una página, espacio en blanco que queda entre sus bordes y la parte escrita o impresa. **3** Diferencia que se supone o se tolera entre un límite y otro, esp. entre el cálculo de algo y lo que realmente es: *En las estadísticas, siempre hay que tener en cuenta un margen de error.* **4** Ocasión, motivo u oportunidad: *Dale margen para que te demuestre lo que es capaz de hacer.* **5** Beneficio que se obtiene en una venta, teniendo en cuenta el precio y el coste. ▮ s.f. **6** Borde u orilla de un río. **7** ‖ **al margen;** de forma independiente y apartada. ☐ ETIMOL. Del latín *margo* (borde). ☐ SINT. *Al margen* se usa más con los verbos *dejar*, *quedar* o equivalentes.

marginación s.f. **1** Rechazo o aislamiento en condiciones de inferioridad, provocados por la falta de integración en un grupo o en la sociedad: *El profesor debe evitar la marginación de unos alumnos por parte de otros.* **2** Exclusión, desestimación o colocación en un segundo plano: *La marginación del proyecto acabó con sus ilusiones.*

marginado, da s. **1** Persona aislada en condiciones de inferioridad porque no está integrada en un grupo o en la sociedad. **2** Persona sin recursos económicos ni medios para ganarse la vida.

marginador, -a ▮ adj./s. **1** Que margina. ▮ s.m. **2** En una máquina de escribir, dispositivo mediante el que se regula el ancho de los márgenes laterales de una hoja.

marginal adj.inv. Que está al margen: *Los asuntos marginales de la cuestión se verán al final. Las innovaciones en el arte suelen empezar en grupos marginales minoritarios.*

marginalidad s.f. **1** Falta de integración en una colectividad, o alejamiento de las normas socialmente admitidas. **2** Carencia de importancia: *La marginalidad de este aspecto hizo que no se sometiera a debate.*

marginar v. **1** Referido esp. a un asunto, dejarlo al margen, apartado o sin examinarlo: *Marginaron sus viejas diferencias en vista de la gravedad del asunto.* **2** Referido a una persona o a una colectividad, aislarlas del resto o ponerlas en condiciones sociales de inferioridad: *El Estado no debe marginar a ningún grupo social.* **3** Referido a una persona, no hacerle caso o apartarla a un segundo plano: *La nueva directora ha marginado a los asesores de su predecesor en el cargo.*

maría s.f. **1** *arg.* En el lenguaje de la droga, marihuana. **2** *col.* Asignatura que se considera poco importante porque generalmente se aprueba con facilidad. **3** *col.* Mujer sencilla y de poco nivel cultural, generalmente volcada en la limpieza de su hogar. **4** *col.* Menstruación. ☐ USO En la acepción 3, tiene un matiz despectivo o humorístico.

mariachi (tb. *mariachis*) s.m. **1** Composición musical popular mexicana, de carácter alegre y bullicioso. **2** Baile que se ejecuta al compás de esta música. **3** Orquesta o conjunto instrumental que la ejecuta. **4** Componente de esta orquesta.

mariachis (pl. *mariachis*) s.m. →**mariachi.**

marianista adj.inv./s.com. De la Compañía de María y de las Hijas de María Inmaculada (congregaciones religiosas fundadas por el padre Chaminade y la madre Adela de Trenquelléon a principios del siglo XIX) o relacionado con ellas.

mariano, na adj. En la iglesia católica, de la Virgen María o de su culto.

marica ▮ adj.inv./s.m. **1** *vulg. desp.* Referido a un hombre, que es afeminado. **2** *vulg. desp.* Referido a un hombre, que es homosexual. ▮ s.f. **3** *col.* Urraca. ☐ ETIMOL. De *María* (nombre propio de mujer). ☐ USO En las acepciones 1 y 2, se usan mucho el aumentativo *maricón* y el diminutivo *mariquita*.

maricastaña ‖ **de Maricastaña;** *col.* Pospuesto a una expresión de tiempo, se usa para indicar tiempo muy remoto o antiguo. ☐ ETIMOL. Personaje proverbial, símbolo de antigüedad muy remota.

maricón, -a adj./s. *vulg. desp.* →**marica.** ☐ USO Se usa como insulto.

mariconada s.f. **1** *vulg. desp.* Hecho o dicho propios de un marica. ☐ SINÓN. *mariconería.* **2** *vulg. desp.* Hecho que causa un perjuicio, esp. si es malintencionado. ☐ SINÓN. *faena.* **3** *vulg. desp.* Lo que se considera sin importancia o de poco valor. ☐ SINÓN. *tontería.*

mariconear v. **1** *vulg. desp.* Comportarse como un hombre afeminado: *Me enfadé con ellos porque me dijeron que últimamente no hacía más que mariconear.* **2** *vulg. desp.* Hacer tonterías: *Deja de mariconear con la pelota y ayúdame a fregar los platos.*

mariconeo s.m. *vulg. desp.* Comportamiento que se considera propio de un marica.

mariconera s.f. Bolso de mano masculino.

mariconería s.f. **1** *vulg. desp.* Conjunto de características que se consideran propias de un marica. **2** *vulg. desp.* Hecho o dicho propios de un marica. ☐ SINÓN. *mariconada.*

maricultura s.f. Cultivo de plantas y animales marinos. ☐ ETIMOL. De *mar* y *-cultura* (cultivo).

maridaje s.m. Unión, colaboración o correspondencia. ☐ ETIMOL. De *maridar* (casar).

maridar v. **1** Contraer matrimonio: *Mi abuela me contó que ella maridó al cumplir dieciocho años.* **2** Unir o enlazar: *La directora de esta película marida la crítica social con la diversión.* ☐ ETIMOL. Del latín *maritare*.

marido s.m. Respecto de una mujer, hombre que está casado con ella. ☐ ETIMOL. Del latín *maritus*.

mariguana s.f. →**marihuana.**

marihuana (tb. *mariguana*) s.f. **1** Planta anual con tallo áspero y hueco y hojas compuestas con hojuelas lanceoladas que, fumadas como el tabaco, producen un efecto narcótico. **2** Droga blanda elaborada con las hojas de esta planta.

mariliendre s.f. *col. desp.* Mujer aficionada a frecuentar ambientes y amistades homosexuales.

marimacho adj.inv./s.m. **1** *col. desp.* Referido a una mujer, que tiene aspecto o modales que se consideran masculinos. ☐ SINÓN. *machorra, machota.* **2** *vulg. desp.* →**lesbiana.** ☐ ETIMOL. De *María* y *ma-*

cho. □ MORF. Se usa también como femenino: *una marimacho.*

marimandón, -a adj./s. *col.* Referido a una persona, que disfruta mandando o imponiendo su criterio. □ ETIMOL. De *María* y *mandón.*

marimba s.f. Instrumento musical de percusión de origen africano, semejante al xilófono, que consta de una serie de láminas de madera de distintas longitudes dispuestas en un armazón, con resonadores debajo de cada lámina. □ ETIMOL. De origen africano.

marimorena s.f. *col.* Alboroto, riña o discusión ruidosa. □ USO Se usa más en la expresión *armarse la marimorena.*

marina s.f. Véase **marino, na.**

marinada s.f. Véase **marinado, da.**

marinado, da ▌adj. **1** Referido a la carne o al pescado, que han sido macerados en un adobo de vino o vinagre con sal y especias: *una trucha marinada.* ▌s.f. **2** Adobo de vino o vinagre con sal y especias para macerar carne o pescado.

marinar v. Referido a la carne o al pescado, macerarlos en marinada para condimentarlos o conservarlos: *Voy a comprar los ingredientes para marinar un salmón.*

marine s.m. Soldado de infantería de las fuerzas navales británicas o estadounidenses. □ ETIMOL. Del inglés *marine.*

marinería s.f. **1** Conjunto de marineros. **2** En la Armada, categoría militar inferior a la de suboficial.

marinero, ra ▌adj. **1** De la marina, de los marineros o relacionado con ellos. **2** Referido a una prenda de vestir, que es semejante a la ropa de los marineros o que tiene el cuello cuadrado por detrás. ▌s. **3** En la Armada, persona cuya categoría militar es inferior a la de suboficial. **4** Persona que trabaja en las faenas de un barco. **5** ‖ **a la marinera;** referido a una manera de cocinar, con una salsa preparada básicamente con agua, aceite, ajo, cebolla y perejil. □ SEM. En las acepciones 3 y 4 es dist. de *marino* (con graduación; experto).

marino, na ▌adj. **1** Del mar o relacionado con él. ▌s.m. **2** Persona que tiene un grado militar o profesional en la marina de un país. ▌s.f. **3** Conjunto de personas que prestan sus servicios en la Armada. **4** Conjunto de buques de una nación: *El acuerdo afecta a toda la marina española.* **5** Terreno junto al mar. **6** En arte, pintura que representa un tema marítimo. **7** ‖ **marina mercante;** conjunto de buques de una nación que se emplean en el comercio. □ ETIMOL. Del latín *marinus.* □ SEM. 1. Como sustantivo masculino, dist. de *marinero* (sin graduación). 2. En la acepción 4, dist. de *armada* (conjunto de las fuerzas navales de un Estado).

mariología s.f. Parte de la teología que estudia lo relativo a la Virgen María (madre de Jesucristo). □ ETIMOL. De *María* (la Virgen) y *-logía* (estudio).

mariólogo, ga s. Especialista en mariología o en temas relacionados con la Virgen María.

marioneta s.f. **1** Muñeco articulado que puede moverse por medio de hilos sujetos a un soporte. **2** Persona de escasa voluntad que se deja manejar fácilmente. □ ETIMOL. Del francés *marionnette.*

marionetista s.com. Persona que mueve las marionetas, esp. si esta es su profesión.

mariposa s.f. **1** Adulto de gran número de especies de insectos lepidópteros, que se caracteriza porque presenta dos pares de alas membranosas, generalmente de vistosos colores. **2** Mecha sujeta a un trozo de corcho que flota sobre aceite. □ SINÓN. *lamparilla.* **3** En natación, estilo que consiste en hacer un movimiento circular hacia adelante con los dos brazos a la vez, mientras se impulsa el cuerpo con las piernas juntas: *El nadador español ganó la prueba de los cien metros mariposa.* **4** Tuerca con dos aletas laterales para poder enroscarla y desenroscarla con los dedos. □ SINÓN. *palomilla.* **5** *col.* Hombre afeminado u homosexual. □ ETIMOL. De las primeras palabras de *María pósate, descansa en el suelo*, que es una expresión de dichos y canciones infantiles.

mariposear v. **1** Cambiar con frecuencia de aficiones o de costumbres, esp. en lo relacionado con el amor: *Deja ya de mariposear con unas y con otras y busca una pareja estable.* **2** Andar insistentemente en torno a algo: *Me pone nervioso que mariposees a mi alrededor.* **3** *desp.* Actuar o comportarse de forma afeminada: *A ese actor le encanta mariposear en público.* □ ETIMOL. De *mariposa*, por la inconstancia y ligereza del vuelo de este insecto.

mariposeo s.m. **1** Cambio frecuente de aficiones o de costumbres, esp. en lo relacionado con el amor. **2** Movimiento insistente en torno a algo: *Me aturde el continuo mariposeo de gente para observar de cerca la desgracia.* **3** *col. desp.* Comportamiento afeminado.

mariposón ▌adj./s.m. **1** Referido a una persona, que no tiene constancia en sus aficiones o en sus costumbres, esp. en las relacionadas con el amor. **2** Referido a una persona, que anda constantemente alrededor de otra. ▌s.m. **3** *col. desp.* Hombre afeminado.

mariquita ▌adj./s.m. **1** *vulg. desp.* →**marica.** ▌s.f. **2** Insecto coleóptero de forma ovalada y generalmente de color rojo o amarillo con puntos negros, con la boca dispuesta para masticar, dos alas y dos élitros que las protegen, y que se alimenta de pulgones. □ USO En la acepción 1, se usa como insulto.

marisabidillo, lla s. *col. desp.* Persona que presume de lista o de bien informada. □ ETIMOL. De *María* y *sabidillo.*

mariscada s.f. Comida cuyo principal componente son los mariscos.

mariscador, -a adj./s. **1** Referido a una persona, que se dedica a mariscar o recoger mariscos, esp. si esta es su profesión. **2** Que cultiva mariscos.

mariscal s.m. En algunos países, persona que tiene el empleo militar de grado máximo. □ ETIMOL. Del francés antiguo *mariscal.*

mariscalato s.m. Empleo o cargo del mariscal.

mariscar v. Referido a un marisco, pescarlo: *El mejor momento para mariscar berberechos es cuando la* *marea está muy baja.* □ ORTOGR. La *c* se cambia en *qu* delante de *e* →SACAR.

marisco s.m. Animal marino invertebrado y comestible, esp. los crustáceos y los moluscos. □ ETIMOL. Del antiguo *marisco* (marino).

marisma s.f. Terreno más bajo que el nivel del mar, que se inunda con las aguas del mar o de los ríos. □ ETIMOL. Del latín *maritima ora* (costa del mar).

marismeño, ña adj. De la marisma o relacionado con ella.

marisqueo s.m. Recogida de marisco del lugar donde se cría.

marisquería s.f. Establecimiento en el que se venden o se consumen mariscos.

marisquero, ra ▮ adj. **1** Del marisco o relacionado con él. ▮ s. **2** Persona que se dedica a la recogida o a la venta de mariscos, esp. si esta es su profesión.

marista adj.inv./s.com. Referido a una persona, que pertenece a alguna de las congregaciones devotas de María (según la Biblia, madre de Dios).

marital adj.inv. Del matrimonio o relacionado con él. □ ETIMOL. Del latín *maritabilis*.

marítimo, ma adj. Del mar o relacionado con él. □ ETIMOL. Del latín *maritimus*.

maritornes (pl. *maritornes*) s.f. *col.* Sirvienta fea y sucia, de aspecto hombruno o con modales bastos. □ ETIMOL. Por alusión a Maritornes, personaje de 'El Quijote' de Cervantes con estas características.

marjal s.m. Terreno bajo y pantanoso. □ ETIMOL. Del árabe *mary* (pradera).

marketing (ing.) (pl. *marketing*) s.m. **1** Conjunto de técnicas dirigidas a favorecer la comercialización de un producto o de un servicio. □ SINÓN. *mercadotecnia.* **2** ‖ **marketing directo;** el que no utiliza intermediarios y se apoya en la publicidad directa y en la comunicación telefónica. ‖ **marketing-mix;** combinación de los diferentes medios e instrumentos comerciales de que dispone una empresa para alcanzar los objetivos fijados. □ PRON. [márketin]. □ ORTOGR. Se usa también la forma castellanizada *márquetin*.

marketiniano, na adj. Del marketing o relacionado con él.

marmita s.f. Olla de metal con tapadera ajustada y una o dos asas. □ ETIMOL. Del francés *marmite* (olla).

marmitako (eusk.) s.m. Guiso que se prepara con patatas y pescado, esp. atún o bonito.

marmitón s.m. Pinche o ayudante de cocina. □ ETIMOL. Del francés *marmiton*.

mármol s.m. **1** Piedra caliza, de textura compacta y cristalina, generalmente de color blanco con vetas de otros colores, que puede ser pulida fácilmente y se usa como material ornamental o de construcción. **2** Obra artística hecha con este material. **3** ‖ **(mármol) brocatel;** el que tiene vetas y manchas de diversos colores. □ ETIMOL. Del latín *marmor*.

marmolería s.f. **1** Taller en el que se trabaja el mármol. **2** Conjunto de piezas de mármol de un edificio.

marmolillo s.m. *col.* Persona torpe y de poca inteligencia. □ ETIMOL. De *mármol*. □ USO Se usa como insulto.

marmolina s.f. Mármol artificial.

marmolista s.com. Persona que se dedica profesionalmente a la talla o a la venta del mármol o de otras piedras semejantes.

marmóreo, a adj. De mármol o con sus características: *una lápida marmórea.* □ ETIMOL. Del latín *marmoreus*.

marmota s.f. **1** Mamífero roedor herbívoro de patas cortas, orejas pequeñas y pelaje espeso, que pasa el invierno hibernando en su madriguera. **2** Persona dormilona o que duerme mucho. □ SINÓN. *lirón.* □ ETIMOL. Del francés *marmotte*. □ MORF. En la acepción 1, es un sustantivo epiceno: *la marmota {macho/hembra}.*

maroma s.f. **1** Cuerda gruesa de fibra vegetal o sintética. **2** En zonas del español meridional, voltereta. □ ETIMOL. Del árabe *mabruma* (cuerda trenzada, retorcida). □ MORF. En la acepción 2, se usa mucho la forma coloquial *marometa*.

maromo s.m. *col.* Hombre cuya identidad se ignora o no se quiere decir. □ SINÓN. *individuo.*

maronita adj.inv./s.com. Católico de Líbano y Siria (países asiáticos occidentales), que conserva una liturgia propia y que reconoce la autoridad papal.

marqués, -a ▮ s. **1** Persona que tiene un título nobiliario entre el de duque y el de conde. ▮ s.f. **2** Bollo pequeño elaborado con manteca de vaca, harina, huevos y azúcar. □ ETIMOL. Del provenzal antiguo *marqués* (jefe de un territorio fronterizo).

marquesa s.f. Véase **marqués, -a.**

marquesado s.m. **1** Título nobiliario de marqués: *Heredó el marquesado a la muerte de su padre.* **2** Territorio sobre el que antiguamente un marqués ejercía su autoridad: *Los que vivían en un marquesado debían pagar tributos al marqués.*

marquesina s.f. Alero o cubierta de protección para resguardarse del sol, de la lluvia o del viento.

marquesita s.f. Bizcocho pequeño de forma rectangular, que está metido en una cajita de papel y cubierto de azúcar en polvo. □ ETIMOL. Extensión del nombre de una marca comercial.

marquetería s.f. **1** Ebanistería o trabajo con maderas finas. **2** Trabajo decorativo que se hace incrustando piezas pequeñas, esp. de madera o de nácar, en una superficie. □ ETIMOL. Del francés *marqueterie*, y este de *marqueté* (adornado con taracea).

márquetin s.m. →**marketing.**

marquismo s.m. Afición por llevar prendas de marca reconocida.

marquista s.com. Persona que se dedica a la realización de marcos y molduras, esp. si esta es su profesión.

marquitis s.f. *col.* Marquismo.

marrajo, ja ▮ adj. **1** Referido a un toro, que no embiste directamente. **2** Referido a una persona, astuta y con malas intenciones. ▮ s.m. **3** Tiburón de color gris azulado, con cinco pares de aberturas branquiales, y cuya carne es blanca y muy apreciada en gastronomía. □ ETIMOL. De origen expresivo. □ MORF. En la acepción 3, es un sustantivo epiceno: *el marrajo {macho/hembra}.*

marranada s.f. **1** *col.* Lo que está sucio o mal hecho. □ SINÓN. *marranería, guarrada.* **2** *col.* Lo que se considera indecoroso o contrario a la moral establecida. □ SINÓN. *marranería, guarrada.* **3** *col.* Hecho que causa un perjuicio, esp. si es malintencionado: *Me hizo una marranada dejándome solo en aquella situación.* □ SINÓN. *marranería, faena.*

marranear v. *col.* Manchar o poner sucio: *Con esos borrones has marraneado el cuaderno.*

marranería s.f. →**marranada.**

marrano, na ▮ adj./s. **1** *col.* Sucio o falto de limpieza. □ SINÓN. *cerdo.* **2** *col.* Referido a una persona, que tiene mala intención o carece de escrúpulos. □ SINÓN. *cerdo.* **3** En la Baja Edad Media y en la Edad Moderna, judío converso español o portugués. ▮ s. **4** Mamífero doméstico de cuerpo grueso, cola en forma de espiral, patas cortas y cabeza grande con el hocico casi cilíndrico, que se cría para aprovechar su carne. □ SINÓN. *cerdo.* **5** ‖ **joder la marrana;** *vulg.malson.* Molestar mucho. □ ETIMOL. Del árabe *mahrán* (cosa prohibida). □ USO Las acepciones 1 y 2 se usan como insulto.

marrar v. Fallar o errar: *El cazador marró el disparo.* □ ETIMOL. Del germánico *marrjan* (frustrar, molestar).

marras ‖ **de marras;** *col.* De siempre o ya conocido: *Ayer casi me mordió un perro, y hoy me he enterado de que el perro de marras es tuyo.* □ ETIMOL. Del árabe *marra* (vez).

marrasquino s.m. Licor elaborado con zumo de una variedad de cerezas amargas y gran cantidad de azúcar. □ ETIMOL. Del italiano *maraschino* (licor de cereza amarga).

marro s.m. **1** Juego de niños en el que los participantes, divididos en dos bandos, intentan atraparse mutuamente. **2** Regate o ladeo del cuerpo, que se hace para no ser cogido o atrapado. □ ETIMOL. De *marrar.*

marrón ▮ adj.inv./s.m. **1** Del color de la cáscara de la castaña o con tonalidades castañas. ▮ s.m. **2** *col.* Lo que resulta desagradable o molesto: *Tener que hacer lo que no me gusta es un marrón.* □ ETIMOL. Del francés *marron* (castaña, de color castaño). □ SEM. En la acepción 1, no debe emplearse referido al pelo de las personas ni al pelaje de los animales (galicismo): *Mi hermana tiene el pelo {*marrón > castaño}.*

marron glacé (fr.) s.m. ‖ Castaña confitada y cubierta de azúcar transparente. □ PRON. [marrón glasé].

marroquí (pl. *marroquíes, marroquís*) adj.inv./s.com. De Marruecos o relacionado con este país africano.

marroquinería s.f. **1** Industria o fabricación de artículos de piel o de cuero. **2** Conjunto de artículos fabricados por esta industria, esp. si tienen alguna característica común.

marroquinero, ra s. Persona que se dedica profesionalmente a la fabricación de artículos de piel o de cuero.

marrubio s.m. Planta herbácea con tallos blanquecinos y vellosos, y flores blancas en espiga, que se usan en medicina: *El marrubio es abundante en zonas secas.* □ ETIMOL. Del latín *marrubium.*

marrullería s.f. Trampa o engaño que se hacen con astucia.

marrullero, ra adj./s. Que utiliza marrullerías o trampas para conseguir algo.

marshalés, -a adj./s. De las Islas Marshall o relacionado con estas islas de Oceanía (uno de los cinco continentes).

marsopa (tb. *marsopla*) s.f. Cetáceo parecido al delfín, pero más pequeño, con el hocico más chato y el cuerpo más grueso. □ ETIMOL. Del francés antiguo *marsoupe.* □ MORF. Es un sustantivo epiceno: *la marsopa {macho/hembra}.*

marsopla s.f. →**marsopa.** □ MORF. Es un sustantivo epiceno: *la marsopla {macho/hembra}.*

marsupial ▮ adj.inv./s.m. **1** Referido a un mamífero, que se caracteriza porque las hembras tienen una bolsa en la que se hallan unas mamas primitivas y poco desarrolladas, y en la que permanecen las crías hasta que completan el desarrollo: *El koala es un marsupial.* ▮ s.m.pl. **2** En zoología, orden de estos mamíferos: *Los canguros pertenecen a los marsupiales.* □ ETIMOL. Del latín *marsupium* (bolsa, saco).

marsupio s.m. En la hembra de un mamífero marsupial, bolsa situada en la parte delantera del cuerpo, y que sirve para llevar a las crías hasta que completan su desarrollo. □ SINÓN. *bolsa marsupial.* □ ETIMOL. Del latín *marsupium* (bolsa, saco).

marta s.f. **1** Mamífero carnicero de cuerpo alargado, pelaje espeso y suave, patas cortas y cabeza pequeña con el hocico afilado. **2** Piel de este animal. □ ETIMOL. Del francés *marte.* □ MORF. En la acepción 1, es un sustantivo epiceno: *la marta {macho/hembra}.*

martes (pl. *martes*) s.m. Segundo día de la semana, entre el lunes y el miércoles: *No soy supersticiosa y no creo que los martes 13 sean días de mala suerte.* □ ETIMOL. Del latín *dies Martis* (día consagrado a Marte).

martillar v. Dar golpes con el martillo: *Llevas martillando toda la tarde y ya me duele la cabeza.* □ SINÓN. *martillear.*

martillazo s.m. Golpe fuerte dado con un martillo.

martillear v. **1** Dar golpes con el martillo: *Martilleaba la escarpia para clavarla en la pared.* □ SINÓN. *martillar.* **2** Golpear de forma repetida: *La lluvia martilleaba las tejas.* **3** Atormentar, oprimir o molestar: *Este dolor de cabeza me está martilleando las sienes.*

martilleo s.m. Golpeteo repetido, esp. si se hace con un martillo.

martillo s.m. **1** Herramienta formada por un mango con una cabeza metálica que se utiliza para golpear. **2** En anatomía, hueso del oído medio que es golpeado por el tímpano cuando este vibra debido a las ondas sonoras. **3** En atletismo, bola de hierro sujeta al extremo de una cadena, que se usa en una de las pruebas de lanzamiento. **4** En algunas armas de fuego, pieza del mecanismo de percusión que golpea el percutor para que se inflame la carga del cartucho y se produzca la salida violenta de la bala. **5** || **a macha martillo;** →**a machamartillo.** □ ETIMOL. Del latín *martellus.*

martín || **llegarle** a alguien **su san Martín;** *col.* Llegarle el día en que tenga que sufrir y padecer. || **martín pescador;** pájaro de plumaje verde y rojo, de cabeza gruesa y pico largo, recto y negro, que vive en las orillas de ríos y lagunas y que se alimenta de los peces que pesca. □ MORF. *Martín pescador* es un sustantivo epiceno: *el martín pescador {macho/hembra}.*

martinete s.m. **1** Ave zancuda de cuerpo rechoncho, patas cortas, cabeza grande y pico fuerte y tan largo como la cabeza, que se alimenta fundamentalmente de peces. **2** Cante flamenco de ritmo lento, que se acompaña con los golpes de una maza en un yunque. □ ETIMOL. La acepción 1, de *martín del río* (ave zancuda). □ MORF. En la acepción 1, es un sustantivo epiceno: *el martinete {macho/hembra}.*

martingala s.f. Lo que se hace con astucia para conseguir algo o para engañar a alguien. □ ETIMOL. Del francés *martingale.*

martini s.m. **1** *col.* Vermut. **2** Cóctel de vermut seco y ginebra. □ ETIMOL. Extensión del nombre de una marca comercial.

mártir ▌s.com. **1** Persona que muere o padece sufrimientos en defensa de sus creencias, esp. si estas son religiosas. **2** Persona que padece trabajos largos y penosos. ▌s.m. **3** Trozo de madera que se utiliza como soporte para realizar un taladro: *Para evitar que se astille el tablero al hacer los agujeros, pon un mártir justo debajo.* □ ETIMOL. Del latín *martyr*, y este del griego *mártys* (testigo), porque los mártires daban testimonio de la fortaleza de la fe.

martirio s.m. **1** Muerte o tormento sufridos por defender las creencias, esp. si estas son religiosas. **2** Sufrimiento o trabajo largos y penosos. □ ETIMOL. Del latín *martyrium.*

martirizar v. **1** Quitar la vida o atormentar, esp. si es por razones religiosas: *Los romanos usaban leones para martirizar a los cristianos.* **2** Maltratar o producir sufrimiento o molestias: *No martirices a los invitados haciéndoles oír tus batallitas. Se martiriza con tristes recuerdos.* □ ORTOGR. La *z* se cambia en *c* delante de *e* →CAZAR.

martirologio s.m. Libro o catálogo de los mártires de la religión cristiana o de los santos conocidos. □ ETIMOL. Del griego *mártys* (mártir) y *lógos* (relación).

maruja s.f. *col.* Mujer dedicada exclusivamente a las tareas domésticas y al cuidado de la familia. □ USO Tiene un matiz despectivo o humorístico.

marujear v. *col.* Cotillear o hacer lo que se considera propio de las mujeres que se dedican exclusivamente a las tareas domésticas y al cuidado de la familia: *He traído unas cuantas revistas del corazón para que marujeemos un poquito.* □ USO Tiene un matiz despectivo o humorístico.

marujeo s.m. Comportamiento considerado propio de las mujeres que se dedican exclusivamente a las tareas domésticas y al cuidado de la familia. □ USO Tiene un matiz despectivo o humorístico.

marujil adj.inv. Que se considera propio de las marujas o amas de casa. □ USO Su uso tiene un matiz despectivo o humorístico.

marxismo s.m. **1** Doctrina filosófica creada por Marx y por Engels (filósofos alemanes del siglo XIX), que se basa en una concepción científica del mundo y defiende la transformación de los modos de producción a través de la lucha de clases. **2** Movimiento político opuesto al capitalismo y basado en la interpretación de esta doctrina filosófica.

marxista ▌adj.inv. **1** Del marxismo o relacionado con esta doctrina filosófica. ▌adj.inv./s.com. **2** Que sigue o que defiende el marxismo.

marzal adj.inv. Del mes de marzo. □ SINÓN. *marceño.*

marzo s.m. Tercer mes del año, entre febrero y abril: *A mediados de marzo empieza la primavera.* □ ETIMOL. Del latín *Martius*, y este de *Mars* (dios de la guerra), porque se le consagró este mes.

mas conj. Enlace gramatical coordinante con valor adversativo: *Quiero ayudarte, mas no sé qué puedo hacer.* □ SINÓN. *pero.* □ ETIMOL. Del latín *magis.* □ ORTOGR. Dist. de *más.*

más ▌s.m. **1** En matemáticas, signo gráfico formado por una pequeña cruz que se coloca entre dos cantidades para indicar suma o adición: *Has hecho este más tan torcido que parece el signo de la multiplicación.* ▌adv. **2** En mayor cantidad o cualidad: *Ese árbol es más alto que este otro. Estudia más que el año pasado. Es la persona más culta que he conocido.* **3** Seguido de una cantidad, indica aumento indeterminado de esta: *Llevo más de dos horas esperando.* **4** Con el verbo 'querer' o equivalentes, indica preferencia: *Más quiero salir de aquí sin dinero que no salir.* **5** En una exclamación de ponderación, muy o tan: *¡Llevaba un traje más bonito...!* **6** || **a más no poder;** todo lo posible o en gran cantidad: *Comimos a más no poder y nos empachamos.* || **a más y mejor;** expresión que indica intensidad o abundancia: *Empezó a contar chistes y todos reíamos a más y mejor.* || **de más;** de sobra: *No está de más que me ayudes.* || **es más;** expresión que intensifica o que refuerza lo dicho anteriormente: *Este alumno no estudia nada, es más, ni siquiera va a clase.* || **{los/las} más;** la mayoría o la mayor parte: *Las más piensan que te has equivocado. De todos estos cuadros los más los pintó mi abuelo.* || **más bien;** por el contrario: *No me parece feo, más bien me parece* *muy atractivo.* || **más o menos;** de una manera aproximada: *Habría más o menos cien personas.* || **por más que;** enlace gramatical subordinante con valor concesivo: *Por más que estudie no conseguirá aprobar con esa mala actitud en clase.* □ SINÓN. *aunque.* || **sin más (ni más);** sin motivo o de repente: *Sin más ni más dijo que éramos tontos y se fue.* || **sus más y sus menos;** *col.* Dificultades, complicaciones o altercados: *Ahora tiene cada uno su propio negocio porque como socios tuvieron sus más y sus menos.* || **todo lo más;** *col.* Como mucho o como máximo: *Todo lo más te acompaño, pero no me quedo a cenar.* □ ETIMOL. Del latín *magis.* □ ORTOGR. 1. Dist. de *mas.* 2. *De más,* dist. de *demás.* □ SINT. 1. *Sus más y sus menos* se usa más con los verbos *haber* y *tener.* 2. Incorr. *{*Contra/Cuanto} más tiene, más quiere.* □ USO Se usa para indicar la operación matemática de la suma: *Tres más tres son seis.*

masa s.f. **1** Mezcla espesa, blanda y consistente, formada por la unión de un líquido con una materia generalmente en polvo. **2** En física, cantidad de materia que posee un cuerpo: *En el Sistema Internacional, la unidad de masa es el kilogramo.* **3** Cantidad de materia: *Los mares y los océanos son grandes masas de agua.* **4** Conjunto numeroso de personas o de cosas: *una masa de gente.* **5** En zonas del español meridional, pastel de pequeño tamaño. **6** || **en masa;** en conjunto o con intervención de todos los miembros de una colectividad: *Fuimos toda la familia en masa a ver el impacto de un meteorito.* || **masa específica;** cantidad de materia de un cuerpo por unidad de volumen: *La masa específica del agua es 1.* □ ETIMOL. Del latín *massa* (amontonamiento, pasta). □ MORF. En la acepción 5, se usa mucho el diminutivo *masita.*

masacrar v. Cometer una matanza humana o un asesinato colectivo: *Los bombardeos masacraron a la población civil.* □ ETIMOL. Del francés *massacrer.*

masacre s.f. Matanza de personas indefensas.

masacuata s.f. Serpiente no venenosa, parecida a la boa y que captura a sus presas enroscándolas hasta asfixiarlas. □ ETIMOL. Del náhuatl *mazatl* (venado) y *coatl* (culebra).

masai (ing.) adj.inv./s.com. Del pueblo africano que habita en las actuales Kenia y Tanzania (países africanos), o relacionado con él.

masaje s.m. Presión rítmica y de intensidad adecuada, que se realiza sobre determinadas zonas del cuerpo con diversos fines. □ ETIMOL. Del francés *massage.* □ ORTOGR. Incorr. **masage.*

masajear v. *col.* Dar un masaje: *Si te duelen los pies, masajéalos un poco.*

masajista s.com. Persona que se dedica profesionalmente a dar masajes.

mascada s.f. Véase **mascado, da.**

mascado, da ▌adj. **1** *col.* Referido a algo que puede ser complicado, que está preparado para ser comprendido fácilmente: *Esta profesora explica tan bien que nos da los temas mascados.* ▌s.f. **2** En zonas del español meridional, pañuelo de seda.

mascar ▌v. **1** Partir y desmenuzar con los dientes: *Mascar chicle me calma los nervios.* □ SINÓN. *masticar.* **2** Referido esp. a las palabras, decirlas entre dientes y en voz baja o pronunciarlas mal: *No masques insultos a mis espaldas.* □ SINÓN. *mascullar.* ▌prnl. **3** *col.* Presentirse como inminente: *Después de aquel mal negocio, en la empresa se mascaba el desastre.* □ ETIMOL. Del latín *masticare* (masticar). □ ORTOGR. La *c* se cambia en *qu* delante de *e* →SACAR.

máscara s.f. **1** Pieza hecha de diversos materiales, que representa generalmente un rostro humano o animal y que se usa para ocultar la cara o parte de ella. **2** Aparato que cubre el rostro o parte de él y que se utiliza por motivos higiénicos o para evitar la aspiración de gases tóxicos: *una máscara antigás.* **3** Traje, generalmente extravagante o llamativo, con el que alguien se disfraza. **4** Persona que va disfrazada: *Las comparsas y las máscaras alegraron la fiesta de los carnavales.* □ SINÓN. *enmascarado.* **5** Lo que oculta o disimula la forma de ser de alguien o sus propósitos: *Quítate la máscara y demuestra que tienes sentimientos.* □ SINÓN. *careta.* **6** || **másacara (de pestañas);** Cosmético que se usa para dar color y espesor a las pestañas. □ SINÓN. *rímel.* □ ETIMOL. Del italiano *maschera,* y este del árabe *masjara* (bufonada, antifaz).

mascarada s.f. **1** Fiesta a la que asisten personas disfrazadas con máscaras. **2** Enredo o trampa ingeniosos para ocultar algo o engañar. □ SINÓN. *farsa.* □ ETIMOL. Del francés *mascarada,* y este del italiano *mascherata.*

mascarilla s.f. **1** Máscara que cubre la nariz y la boca para proteger de posibles agentes patógenos o tóxicos. **2** Aparato que se coloca sobre la boca y la nariz para posibilitar la aspiración de ciertos gases, esp. de los anestésicos. **3** Capa de productos cosméticos que se aplica sobre la cara durante cierto tiempo, generalmente con fines estéticos. **4** || **mascarilla (capilar);** la que se aplica sobre el cabello para hidratarlo o regenerarlo.

mascarón s.m. **1** Figura o cara deforme o fantástica que se usa como adorno arquitectónico. **2** || **mascarón (de proa);** en el casco de una embarcación, figura que se coloca en la proa como adorno. □ SINÓN. *figurón de proa.*

mascletà (val.) s.f. Serie de petardos que explotan uno tras otro y que son típicos de las fiestas populares valencianas.

mascota s.f. **1** Lo que sirve como talismán para traer buena suerte. **2** Figura que representa a un grupo o simboliza un acontecimiento. □ ETIMOL. Del francés *mascotte* (amuleto).

masculinidad s.f. Conjunto de las características propias del sexo masculino.

masculinización s.f. En biología, fenómeno que provoca la aparición de caracteres sexuales secundarios propios del sexo masculino en un animal hembra.

masculinizar v. Dar o adquirir características masculinas: *El tratamiento hormonal masculinizó* *su aspecto físico.* ☐ ORTOGR. La *z* se cambia en *c* delante de *e* →CAZAR.

masculino, na ▌adj. **1** Referido a un ser vivo, que está dotado de órganos para fecundar. **2** De este ser vivo o relacionado con él. ▌adj./s.m. **3** En lingüística, referido a la categoría gramatical del género, que es la de los nombres que significan seres vivos de sexo masculino y la de otros seres inanimados: *'Niño' es un sustantivo en género masculino y en número singular.* ☐ ETIMOL. Del latín *masculinus*.

mascullar v. *col.* Referido esp. a las palabras, decirlas entre dientes y en voz baja o pronunciarlas mal: *Cuando algo no le sale bien, masculla juramentos e insultos.* ☐ SINÓN. *mascar.* ☐ ETIMOL. De *mascar*.

masera s.f. Artesa grande para amasar el pan. ☐ ETIMOL. De *masa*.

masetero adj./s.m. →**músculo masetero.**

masía s.f. Casa de campo de carácter agrícola y ganadero, propia de la zona catalana. ☐ ETIMOL. Del catalán *masia*.

masificación s.f. **1** Indiferenciación o desaparición de las características personales o individuales: *La falta de personalidad conlleva la masificación juvenil actual.* **2** Ocupación o utilización masivas y multitudinarias de algo: *Creo que el problema de la sanidad pública se debe a su masificación.*

masificar v. **1** Indiferenciar o hacer desaparecer las características personales o individuales: *Opina que la televisión masifica los gustos de la gente. Creo que la juventud se ha masificado en la forma de vestir.* **2** Referido esp. a un lugar, llenarlo u ocuparlo un gran número de individuos: *La emigración desde el campo ha masificado las ciudades. Las playas se masifican en verano.* **3** Referido esp. a un servicio o a una prestación, utilizarlos o requerirlos un gran número de individuos: *Dicen que la enseñanza es mala porque la han masificado. Desde que se masificó el transporte público, voy en coche al trabajo.* ☐ ORTOGR. La *c* se cambia en *qu* delante de *e* →SACAR.

masilla s.f. Pasta blanda y moldeable que se usa generalmente para tapar agujeros o para sujetar cristales.

masita s.f. En zonas del español meridional, galleta. ☐ ETIMOL. Del diminutivo de *masa*.

masivo, va adj. **1** Que agrupa a un gran número de individuos: *una celebración masiva.* **2** Que se aplica o que se hace en gran cantidad: *La tala masiva de árboles ha acabado con muchos bosques.* ☐ ETIMOL. Del francés *massif*.

maslo s.m. Tronco de la cola de un cuadrúpedo. ☐ ETIMOL. Del latín *masculus* (macho).

masoca adj.inv./s.com. *col.* →**masoquista.**

masón, -a s. Miembro de la asociación secreta de la masonería. ☐ SINÓN. *francmasón.* ☐ ETIMOL. Del francés *maçon* (albañil), porque la masonería se benefició al principio de los privilegios de la corporación de los albañiles.

masonería s.f. Sociedad secreta de personas unidas por principios de fraternidad y de ayuda mutuas, que se organizan o reúnen en entidades o en grupos llamados *logias.* ☐ SINÓN. *francmasonería.* ☐ ETIMOL. De *masón*.

masónico, ca adj. De la masonería o relacionado con esta sociedad. ☐ SINÓN. *francmasónico.*

masoquismo s.m. **1** Tendencia sexual que consiste en obtener disfrute erótico al someterse alguien a los malos tratos o a las humillaciones de otra persona. **2** Complacencia o disfrute con el propio sufrimiento o con lo desagradable: *Dice que eso de no comer para adelgazar es puro masoquismo.* ☐ ETIMOL. Por alusión a L. Sacher-Masoch, novelista austriaco.

masoquista ▌adj.inv. **1** Del masoquismo o relacionado con esta tendencia sexual. ▌adj.inv./s.com. **2** Referido a una persona, que practica el masoquismo. ☐ USO En la lengua coloquial, se usa mucho la forma *masoca*.

masoterapia s.f. Tratamiento de las enfermedades por medio de masajes.

masovero, ra s. Persona que vive en una masía y cultiva sus campos, esp. cuando no es el propietario. ☐ ETIMOL. Del catalán *masover*.

mass media (ing.) s.m.pl. ‖ Medios de comunicación que llegan a un gran número de personas. ☐ SINÓN. *medios.* ☐ PRON. [mas média]. ☐ USO Se usa mucho la forma abreviada *los media*.

mastaba s.f. En el antiguo Egipto, tumba con forma de pirámide truncada, de base rectangular y con una cámara funeraria en la que se depositaba el cadáver.

mastectomía s.f. Operación quirúrgica que consiste en extirpar una mama. ☐ ETIMOL. Del griego *mastós* (mama) y *ektomé* (corte, extirpación).

mastelero s.m. En una embarcación de vela, palo menor que prolonga cada uno de los palos mayores.

máster (pl. *másteres*) s.m. **1** Curso especializado en una determinada materia, generalmente dirigido a licenciados. **2** Prototipo o maqueta de un producto, anterior a su comercialización: *En los estudios de grabación, hemos realizado el máster de mi nuevo disco.* ☐ ETIMOL. Del inglés *master*.

masters (ing.) s.m. En algunos deportes, esp. en el tenis o en el golf, torneo en el que participan los jugadores de la más alta categoría: *El masters de tenis reúne a los ocho mejores tenistas del año.* ☐ PRON. [másters]. ☐ USO Su uso es innecesario y puede sustituirse por *torneo de maestros*.

masticación s.f. Hecho de desmenuzar con los dientes.

masticador, -a ▌adj./s. **1** Que mastica o que sirve para masticar. ▌s.m. **2** Aparato que se usa para triturar la comida de las personas con dificultades para masticar.

masticar v. Partir y desmenuzar con los dientes: *No comas tan deprisa y mastica bien la comida.* ☐ SINÓN. *mascar.* ☐ ETIMOL. Del latín *masticare.* ☐ ORTOGR. La *c* se cambia en *qu* delante de *e* →SACAR.

mástil s.m. **1** En un barco, palo largo y vertical que sirve para sostener la vela. **2** Palo o poste colocado verticalmente, que sirve para sujetar o sostener algo. **3** En un instrumento musical de cuerda, pieza estrecha y larga sobre la que se tensan las cuerdas y que está recorrida a veces por trastes. ☐ ETIMOL. Del francés antiguo *mast*. ☐ ORTOGR. Dist. de *astil*.

mastín, -a adj./s. Referido a un perro, de la raza que se caracteriza por ser robusto y de gran tamaño, y por tener el pelaje corto y la cabeza grande con orejas largas y caídas. ☐ ETIMOL. Del francés antiguo *mastin* (criado).

mástique s.m. Pasta de yeso que se usa generalmente para tapar agujeros. ☐ ETIMOL. Del latín *mastiche*.

mastitis (pl. *mastitis*) s.f. Inflamación de una mama. ☐ ETIMOL. Del griego *mastós* (mama) e *-itis* (inflamación).

mastodonte s.m. **1** *col.* Lo que es de gran tamaño o muy voluminoso. **2** Mamífero fósil parecido al elefante, con largos colmillos y molares de puntas redondeadas, que vivió en el período terciario. ☐ ETIMOL. Del griego *mastós* (mama) y *odús* (diente), por la forma de sus molares.

mastodóntico, ca adj. *col.* De gran tamaño o muy voluminoso.

mastoideo, a adj. Del mastoides o relacionado con esta parte saliente del hueso temporal.

mastoides (pl. *mastoides*) adj.inv./s.m. Con forma de pezón, esp. referido a la parte saliente del hueso temporal de los mamíferos. ☐ ETIMOL. Del griego *mastós* (mama) e *-oides* (aspecto).

mastopexia s.f. Operación quirúrgica para elevar las mamas caídas y recuperar su firmeza.

mastozoología s.f. Parte de la zoología que estudia los animales mamíferos. ☐ ETIMOL. Del griego *mastós* (mama) y *zoología*.

mastranto s.m. →**mastranzo.**

mastranzo (tb. *mastranto*) s.m. Planta herbácea, de hojas ovales, flores en espiga de color blanco y fuerte olor aromático, que crece en las orillas de las corrientes de agua. ☐ ETIMOL. Del latín *mentastrum*.

mastuerzo s.m. *desp.* Hombre torpe o terco. ☐ ETIMOL. Del antiguo *nastuerzo* (nariz torcida). ☐ USO Se usa como insulto.

masturbación s.f. Hecho de acariciarse o tocarse el cuerpo, esp. los órganos genitales, para obtener o producir placer sexual. ☐ SINÓN. *onanismo*.

masturbar v. Proporcionar placer sexual acariciando o tocando los órganos sexuales: *En el coloquio sobre sexualidad, los ponentes hablaron de los pros y los contras de masturbarse.* ☐ ETIMOL. Del latín *masturbari*.

mata s.f. **1** Planta de tallo bajo, ramificado y leñoso, que vive varios años: *El tomillo es una mata.* **2** Planta de poca altura: *En mi jardín tengo plantadas varias matas de pimientos y tomates.* **3** || **mata de pelo;** porción abundante de cabello, esp. si es largo. ☐ ETIMOL. De origen incierto.

matacaballo || **a matacaballo;** muy deprisa y sin poner cuidado. ☐ ORTOGR. Se admite también *a mata caballo*.

matacán s.m. En un muro, en una torre o en una puerta fortificada, obra que sobresale en lo alto, con parapeto y aberturas en el suelo, construida con fines defensivos. ☐ SINÓN. *ladronera*. ☐ ETIMOL. De *matar* y *can*, porque desde el matacán se hostilizaba con piedras a los perros enemigos.

matacandelas (pl. *matacandelas*) s.m. Instrumento formado por una caperuza de metal y un palo largo, que sirve para apagar las velas que están colocadas en un lugar alto. ☐ SINÓN. *apagavelas*.

matacandil s.m. **1** Planta herbácea con tallos lisos, hojas dentadas, flores amarillas y fruto con semillas parduscas: *El matacandil es común en terrenos húmedos.* **2** Planta herbácea con hojas largas y estrechas, y flores en espiga, olorosas y de color morado: *El matacandil es muy común en terrenos secos.* **3** Seta comestible con el pie alto y fino, y el sombrerillo de color blanco con aspecto sucio: *El matacandil se descompone en un líquido negro que contiene sus semillas.* ☐ SINÓN. *barbuda*.

matachín s.m. **1** Persona que se dedica profesionalmente a matar y descuartizar reses. ☐ SINÓN. *matarife, jifero.* **2** *col.* Persona a la que le gusta buscar pelea.

matadero s.m. Lugar en el que se matan animales para el consumo público. ☐ SINÓN. *macelo*.

matador, -a ▌adj. **1** Que mata. **2** *col.* Que se considera feo, ridículo o de mal gusto. ▌s. **3** En tauromaquia, torero, jefe de cuadrilla, que mata toros con espada. ☐ SINÓN. *espada*. ▌s.m. **4** →**bono matador.**

matadura s.f. **1** Llaga o herida que se le produce a una caballería por el roce de un aparejo. **2** Herida, rozadura o golpe de poca importancia. ☐ ETIMOL. De *matar* (herir, llagar).

matagigantes (pl. *matagigantes*) s.com. En el lenguaje deportivo, deportista o equipo modestos que vencen a otros teóricamente superiores.

matalahúva s.f. **1** Planta con tallo abundante en ramas, flores blancas y semillas pequeñas y aromáticas. ☐ SINÓN. *anís. pan de matalahúva.* **2** Semilla de esta planta. ☐ SINÓN. *anís. Para preparar ese postre hay que moler la matalahúva junto con la canela en rama.* ☐ ETIMOL. Del árabe hispánico *habbat hulúwwa* (grano dulce), y este del árabe *habbat lhalawah* (grano de dulzor).

matalón, -a adj. Referido a una caballería, que está flaca, endeble y llena de mataduras.

matambre s.m. En zonas del español meridional, fiambre hecho con carne vacuna.

matamoscas (pl. *matamoscas*) s.m. **1** Sustancia o producto que sirve para matar insectos, esp. moscas y mosquitos. **2** Utensilio semejante a una paleta, formado por un mango largo y una rejilla en su extremo, que se utiliza para espantar o matar moscas u otros insectos.

matanza s.f. **1** Multitud de muertes producidas generalmente de forma violenta: *Los ecologistas tratan de evitar la matanza de focas y de otros animales.* **2** Tarea de matar el cerdo y preparar, adobar o embutir su carne: *En casa de mi abuela hoy es casi fiesta, porque están de matanza.* **3** Temporada en la que se realiza esta faena: *Cuando llega la matanza, el cerdo esta bien cebado.* **4** Conjunto de productos que se obtienen del cerdo en esta faena: *Un veterinario tiene que analizar la matanza.*

mataquintos (pl. *mataquintos*) s.m. *col.* Cigarrillo de mala calidad y de sabor muy fuerte.

matar ▮ v. **1** Quitar la vida: *Mataron al caballo herido para que no sufriera. Se mató cortándose las venas.* **2** *col.* Referido al tiempo, pasarlo: *Mientras espero, mataré el tiempo viendo revistas.* **3** *col.* Referido esp. al hambre o a la sed, hacerlas desaparecer: *El agua es la mejor bebida para matar la sed.* **4** Referido esp. al brillo o al color, reducir su intensidad o su fuerza: *Para que ese cuadro tenga armonía debes matar los amarillos.* **5** Incomodar, cansar, molestar o hacer sufrir en gran medida: *Este dolor de estómago me está matando.* **6** *col.* Decepcionar o sorprender por ser algo que no se espera: *Me has matado con eso de que te vas del país para siempre.* **7** Referido esp. a algo no material, destruirlo o hacerlo desaparecer: *Un desengaño mató sus ilusiones.* **8** Referido a un sello postal, inutilizarlo en una oficina de correos: *En correos matan los sellos para que no puedan volver a ser utilizados.* **9** Referido esp. a una arista, a una punta o a un vértice, limarlos o redondearlos: *El carpintero mató las esquinas de la mesa.* **10** En algunos deportes, dar un mate: *El ganador del campeonato de frontón mataba con mucho estilo.* ▮ prnl. **11** Morirse o perder la vida: *Se mató en un accidente aéreo.* **12** Trabajar o esforzarse mucho: *Se mata cada día para que sus hijos tengan lo mejor.* **13** ‖ **a matar;** referido a la forma de relacionarse, con enemistad: *Se llevan a matar y han decidido no volver a verse.* ‖ **matarlas callando;** *col.* Hacer algo en secreto de manera indebida pero mostrando apariencia de bondad: *Aunque parece que nunca ha roto un plato, las mata callando.* ‖ **matarse a** hacer algo; hacerlo en exceso o de forma intensa: *Cuando llegan los exámenes, se mata a estudiar.* □ ETIMOL. Del latín *mactare* (sacrificar).

matarife s.m. Persona que se dedica profesionalmente a matar y descuartizar reses. □ SINÓN. *jifero, matachín.*

matarratas (pl. *matarratas*) s.m. **1** Sustancia que sirve para matar ratas y ratones: *Puso matarratas en el sótano.* □ SINÓN. *raticida.* **2** *col. desp.* Bebida, comida u otra cosa de mala calidad y con mal sabor.

matasanos (pl. *matasanos*) s.com. *col.* Médico. □ USO Tiene un matiz despectivo o humorístico.

matasellos (pl. *matasellos*) s.m. Dibujo o marca que se hace con una estampilla con la que se inutilizan los sellos postales en las oficinas de correos.

matasiete s.m. *col.* Hombre que presume de ser valiente.

matasuegras (pl. *matasuegras*) s.m. Tubo de papel enrollado, cerrado en un extremo y con una boquilla en el otro por la que se sopla para que se desenrolle de golpe.

match (ing.) s.m. En deporte, enfrentamiento entre dos jugadores o dos equipos. □ PRON. [mach]. □ ORTOGR. Dist. de *mach* (unidad de velocidad en aeronáutica). □ USO Su uso es innecesario y puede sustituirse por *partido.*

match-ball (ing.) s.m. En algunos deportes, esp. en tenis, punto o tanto que da la victoria a un jugador o a un equipo. □ PRON. [máchbol]. □ USO Su uso es innecesario y puede sustituirse por *punto de partido.*

mate ▮ adj.inv. **1** Sin brillo o amortiguado. ▮ s.m. **2** En baloncesto, canasta que se consigue introduciendo el balón con fuerza de arriba abajo y desde muy cerca del aro. **3** En algunos deportes de raqueta, golpe potente que se da a la pelota de arriba abajo, generalmente cerca de la red. **4** →**jaque mate. 5** Infusión que se prepara con las hojas secas de la yerba mate. **6** Recipiente pequeño, generalmente hecho de calabaza, que se utiliza para tomar esta infusión. **7** ‖ **cebar el mate;** preparar esta infusión. □ ETIMOL. La acepción 1, del francés *mat* (marchito). Las acepciones 2-4, del persa árabe *sah mat* (el rey que murió). □ USO En la acepción 3, es innecesario el uso del anglicismo *smash.*

matear v. Beber mate: *Me han dicho que los argentinos matean a todas horas.*

matemática s.f. Véase **matemático, ca.**

matemático, ca ▮ adj. **1** De la matemática o relacionado con esta ciencia: *operaciones matemáticas.* **2** Exacto o preciso: *puntualidad matemática.* ▮ s. **3** Persona que se dedica a los estudios matemáticos. ▮ s.f. **4** Ciencia que estudia las cantidades, sus relaciones y sus propiedades basándose exclusivamente en el razonamiento lógico: *La matemática es una ciencia muy abstracta.* □ ETIMOL. Del latín *mathematicus.* □ MORF. En la acepción 4, se usa mucho en plural.

materia s.f. **1** Realidad espacial y perceptible por los sentidos que, con la energía, constituye el mundo físico: *Un ejemplo de transformación de materia en energía es la madera, que se transforma en luz y calor cuando se quema.* **2** Sustancia o material de los que están hechas las cosas: *El vidrio es una materia muy frágil.* **3** Tema, asunto o punto sobre el que se trata algo: *En materia de brujería no puedo opinar.* **4** Asignatura que se enseña en un centro educativo o que forma parte de un plan de estudios: *Las matemáticas es la única materia que he suspendido.* **5** Lo opuesto al espíritu: *Dice que el cuerpo es materia y el alma, espíritu.* **6** ‖ **materia gris;** *col.* Cerebro. ‖ **materia prima;** la que se utiliza en la fabricación de otros productos más elaborados. □ ETIMOL. Del latín *materia.*

material ▮ adj.inv. **1** De la materia o relacionado con ella: *Mis joyas tienen más valor sentimental que material.* **2** Opuesto a lo espiritual o perteneciente al cuerpo y a los sentidos: *El alma no es algo material.* **3** Referido a una persona, que realiza de manera directa y personal una acción: *El autor material de este crimen era un asesino a sueldo.* ▮ s.m. **4** Materia o conjunto de materias con las que se elabora algo: *El cemento, el ladrillo y el yeso son materiales de construcción.* **5** Conjunto de utensilios, máquinas o instrumentos necesarios para desempeñar un servicio o ejercer una profesión: *En el pedido de material de oficina faltaban bolígrafos y carpetas.* □ ETIMOL. Del latín *materialis*.

materialidad s.f. Apariencia física o calidad o naturaleza de lo que es material o se puede percibir por los sentidos.

materialismo s.m. **1** Doctrina filosófica que admite como única realidad la materia y niega la espiritualidad y la inmortalidad del alma, así como la causa primera y las leyes metafísicas. **2** Aprecio excesivo hacia todo lo que se considera un bien material.

materialista ▮ adj.inv. **1** Del materialismo o relacionado con esta doctrina filosófica. ▮ adj.inv./s.com. **2** Que defiende o sigue la doctrina filosófica del materialismo. **3** Que tiene o muestra excesivo aprecio por todo lo que se considera un bien material.

materialización s.f. **1** Realización de un proyecto, de una idea o de algo semejante: *la materialización de un deseo.* **2** Conversión de una persona en materialista.

materializar ▮ v. **1** Referido esp. a un proyecto, realizarlo o hacerlo realidad: *Si me toca la lotería materializaré mis sueños.* ▮ prnl. **2** Referido a una persona, hacerse materialista: *Se ha materializado y ahora solo piensa en ganar dinero.* □ ORTOGR. La *z* se cambia en *c* delante de *e* →CAZAR.

materialmente adv. De hecho o en realidad: *Es materialmente imposible llegar a tiempo a la reunión, porque empezó hace media hora.*

maternal adj.inv. Con las características que se consideran propias de una madre, como la ternura, la comprensión y el cariño.

maternidad s.f. **1** Estado o situación de la mujer que es madre. **2** Centro sanitario en el que se atiende a las mujeres que van a dar a luz.

maternizar v. Referido a la leche de vaca, dotarla de las propiedades que posee la de la mujer: *La leche se materniza en laboratorios especializados.* □ ORTOGR. La *z* se cambia en *c* delante de *e* →CAZAR.

materno, na adj. De la madre o relacionado con ella. □ ETIMOL. Del latín *maternus*.

matinal adj.inv. De la mañana o relacionado con ella.

matiné s.f. Acto social o espectáculo público que tienen lugar en las primeras horas de la tarde. □ ETIMOL. Del francés *matinée*.

matiz s.m. **1** Cada uno de los grados o tonos de un mismo color: *En la naturaleza, el verde tiene muchos matices.* **2** Rasgo o aspecto que proporciona determinado carácter: *Siempre hay un matiz irónico en sus palabras.* **3** Detalle o variante que no altera la esencia de una cosa: *Con algunos matices distintos, los dos estamos diciendo lo mismo.* □ SEM. No debe emplearse con el significado de 'matización': *Quiero hacer {*un matiz > una matización} a esa pregunta.*

matización s.f. **1** Combinación de diversos colores con la debida proporción: *La matización del bordado no está bien hecha y afea el dibujo.* **2** Aportación de un determinado tono o matiz: *Una matización más clara del verde armonizaría el cuadro. Sus matizaciones irónicas molestan a muchos.* **3** Explicación o aclaración de los matices o rasgos distintivos o característicos: *La matización de sus palabras deshizo el malentendido.*

matizar v. **1** Referido a un color, darle un tono determinado: *El sol matiza de forma especial los colores.* **2** Aclarar, señalar o hacer ver los matices o rasgos distintivos o característicos: *Tuvo que matizar sus declaraciones para no ser malentendido.* □ ETIMOL. De origen incierto. □ ORTOGR. La *z* se cambia en *c* delante de *e* →CAZAR.

matojo s.m. Mata de poca altura, muy espesa y poblada. □ SINÓN. *tamojo*.

matón, -a ▮ adj./s. **1** *col.* Referido a una persona, que presume de valiente, tiene un aspecto agresivo y disfruta buscando pelea. ▮ s.m. **2** *col.* Persona que ofrece sus servicios a otra, generalmente para protegerla con la fuerza física.

matorral s.m. Conjunto espeso de matas.

matraca ▮ s.f. **1** Instrumento formado por un tablero de madera y uno o varios mazos, que, al ser sacudido, produce un ruido desagradable. **2** *col.* Insistencia molesta en un tema o pretensión: *Deja de dar la matraca, porque no voy a comprarte nada.* ▮ pl. **3** *col.* Matemáticas. □ ETIMOL. Del árabe *mitraqa* (martillo). □ USO La acepción 2 se usa más en la expresión *dar la matraca*.

matraquear v. **1** *col.* Hacer sonar la matraca: *Los niños iban matraqueando por las calles para anunciar el comienzo de los oficios de Semana Santa.* **2** *col.* Importunar o molestar: *Lleva matraqueando toda la tarde para que lo lleve al cine.*

matraqueo s.m. **1** *col.* Producción de ruido con la matraca. **2** *col.* Importunidad o molestia: *No te voy a comprar la bicicleta por mucho matraqueo que me des.*

matraz s.m. Recipiente generalmente esférico y terminado en un cuello largo y estrecho, muy utilizado en laboratorios. □ ETIMOL. Del francés *matras*.

matrero s.m. En zonas del español meridional, persona que se refugiaba en el campo para huir de la justicia.

matriarca s.f. Mujer que ejerce el mando en una sociedad o en un grupo. □ ETIMOL. Del latín *mater* y el griego *árkho* (yo gobierno).

matriarcado s.m. Predominio o mayor autoridad de la mujer en una sociedad o en un grupo. □ ETIMOL. De *matriarca* (mujer que ejerce el matriarcado).

matriarcal adj.inv. Del matriarcado o relacionado con este predominio de la autoridad de la mujer.

matricaria s.f. Planta herbácea anual, olorosa, con hojas en forma de corazón y flores con el centro amarillo y pétalos blancos, que tiene propiedades medicinales: *La flor de la matricaria es similar a* *la margarita.* ☐ SINÓN. *magarza.* ☐ ETIMOL. Del latín *matricalis*.

matricial adj.inv. **1** En matemáticas, del cálculo hecho con matrices o relacionado con él. **2** Referido a una impresora, que imprime mediante un sistema de agujas los textos almacenados en el ordenador.

matricida adj.inv./s.com. Referido a una persona, que ha matado a su madre.

matricidio s.m. Asesinato de una madre por parte de su hijo. ☐ ETIMOL. Del latín *mater* (madre) y *-cidio* (asesinato).

matrícula s.f. **1** Inscripción en una lista o registro oficiales de personas, entidades o cosas que se realiza con un fin determinado: *Se ha cerrado el plazo de matrícula.* ☐ SINÓN. *matriculación.* **2** Documento que acredita esta inscripción: *Tienen que sellarte la matrícula en la siguiente ventanilla.* **3** Conjunto de personas, entidades o cosas inscritas en esta lista o registro: *Este año la matrícula de alumnos ha disminuido bastante.* **4** En un automóvil, placa que se coloca delante y detrás de este, en la que figura su número de matriculación. **5** || **matrícula (de honor);** calificación académica máxima que indica que se ha superado el nivel exigido. ☐ ETIMOL. Del latín *matricula*.

matriculación s.f. Inscripción en una lista o registro oficiales de personas, entidades o cosas que se realiza con un fin determinado. ☐ SINÓN. *matrícula.*

matricular v. Inscribir en una lista oficial o en un registro: *El concesionario en el que compres el coche se encarga de matricularlo. Me matriculé en la Facultad de Medicina.*

matrimonial adj.inv. Del matrimonio o relacionado con él.

matrimonialista adj.inv./s.com. Referido esp. a un abogado, que está especializado en los asuntos de derecho de familia.

matrimoniar v. *ant.* →**casarse.** ☐ MORF. La *i* nunca lleva tilde.

matrimonio s.m. **1** Unión de un hombre y de una mujer mediante determinados ritos o formalidades legales por los cuales ambos se comprometen a llevar una vida en común: *El alcalde del pueblo celebró el matrimonio civil de la pareja.* **2** En la iglesia católica, sacramento por el cual un hombre y una mujer se comprometen para siempre a llevar una vida en común con arreglo a las prescripciones de la iglesia: *El matrimonio es un sacramento que administran los propios contrayentes.* **3** Pareja formada por un hombre y una mujer casados entre sí: *A ese tipo de local solo van matrimonios.* **4** || **consumar el matrimonio;** mantener relaciones sexuales por primera vez tras la celebración del matrimonio. ☐ ETIMOL. Del latín *matrimonium*.

matrioska (rus.) s.f. Muñeca hueca y con el cuerpo dividido por la cintura en dos partes que encajan, que contiene dentro otra muñeca con las mismas características pero más pequeña, y así sucesivamente hasta llegar a la última, que es maciza.

matritense adj.inv. *poét.* Madrileño. ☐ ETIMOL. De *Matritum* forma latina dada al nombre de Madrid.

matriz s.f. **1** En anatomía, órgano interno que forma parte del aparato reproductor de la hembra de los mamíferos y en el que se desarrolla el feto hasta su nacimiento. **2** Molde en el que se funden objetos que han de ser idénticos. **3** En un texto impreso, cada uno de los caracteres y espacios en blanco. **4** En un talonario, parte que queda encuadernada tras cortar los talones o los recibos que lo componen. **5** En matemáticas, conjunto de números o de símbolos algebraicos distribuidos en líneas horizontales y verticales y dispuestos en forma de rectángulo. **6** Entidad o empresa principal de la que dependen otras. ☐ ETIMOL. Del latín *matrix*.

matrón, -a ▮ s. **1** Persona especializada en la asistencia a parturientas y legalmente autorizada para ello. ☐ SINÓN. *comadrón, partero.* ▮ s.f. **2** Madre de familia, noble y respetable, esp. referido a las madres de la antigua Roma. **3** Mujer madura y corpulenta. ☐ ETIMOL. Del latín *matrona* (dama, mujer casada).

matrona s.f. Véase **matrón, -a.**

matusalén s.m. Hombre muy viejo. ☐ ETIMOL. Por alusión a Matusalén, patriarca hebreo que, según la Biblia, vivió casi mil años.

matute || **de matute;** a escondidas, clandestinamente o de contrabando. ☐ ETIMOL. Quizá de *matutino*, porque el contrabando suele realizarse de madrugada.

matutear v. En zonas del español meridional, pasar de contrabando: *La policía aduanal detuvo a dos personas que matuteaban computadoras.*

matutino, na adj. **1** De la mañana o relacionado con ella. **2** Que tiene lugar o que se realiza por la mañana. ☐ ETIMOL. Del latín *matutinus*.

maula ▮ s.com. **1** *col.* Persona despreciable y poco fiable. ▮ s.f. **2** Persona u objeto inútil o viejo. ☐ ETIMOL. De *mau*, onomatopeya de la voz del gato.

maullar v. Referido a un gato, dar maullidos o emitir su voz característica: *Los gatos al maullar hacen 'miau'.* ☐ SINÓN. *mayar.* ☐ ETIMOL. De origen onomatopéyico. ☐ ORTOGR. La *u* lleva tilde en los presentes, excepto en las personas *nosotros* y *vosotros* →ACTUAR.

maullido s.m. Voz característica del gato. ☐ SINÓN. *mayido, maúllo.*

maúllo s.m. →**maullido.**

mauriciano, na adj./s. De Isla Mauricio o relacionado con este país africano.

mauritano, na adj./s. De Mauritania o relacionado con este país africano.

máuser s.m. Fusil de repetición no automático. ☐ ETIMOL. Extensión del nombre de una marca comercial. Por alusión a los hermanos Máuser, inventores de este fusil.

mausoleo s.m. Sepulcro monumental y suntuoso. ☐ ETIMOL. Del latín *Mausoleum,* sepulcro de Mausolo, rey de Caria, antigua región de Asia Menor.

maxi s.f. →**maxifalda.**

maxi- **1** *col.* Elemento compositivo prefijo que significa 'muy grande': *maxiproblema.* **2** Elemento compositivo prefijo que significa 'muy largo': *maxifalda.* □ ETIMOL. Del latín *maximus.*

maxifalda s.f. Falda muy larga que cubre hasta los tobillos. □ MORF. En la lengua coloquial, se usa mucho la forma abreviada *maxi.*

maxila s.f. En algunos artrópodos, apéndice posterior a las mandíbulas, que interviene en el proceso de masticación de los alimentos.

maxilar ▌adj.inv. **1** De la mandíbula o relacionado con ella. ▌s.m. **2** →**hueso maxilar.** □ ETIMOL. Del latín *maxilla* (mandíbula).

maxilofacial adj.inv. Del maxilar y de la cara o relacionado con ellos. □ ETIMOL. Del latín *maxilla* (mandíbula) y facial (de la cara).

máxima s.f. Véase **máximo, ma.**

maximalismo s.m. Tendencia a defender las posiciones más extremas, esp. en política.

maximalista adj.inv./s.com. Partidario del maximalismo.

máxime adv. Con mayor motivo: *Siempre debes ayudar a los demás, máxime si están en dificultades.* □ ETIMOL. Del latín *maxime.*

maximizar v. **1** En matemáticas, referido a una función, encontrar su valor máximo: *Para obtener el resultado final, solo queda maximizar esta función.* **2** Hacer más grande: *Deberíamos maximizar los beneficios y después, volver a invertir. Algunos programas informáticos tienen la opción de maximizar pantalla.* □ ORTOGR. La *z* se cambia en *c* delante de *e* →CAZAR.

máximo, ma ▌**1** superlat. irreg. de **grande.** ▌s.m. **2** Límite superior al que se puede llegar: *Ya sabes el máximo de tiempo que puedes tardar.* □ SINÓN. *máximum.* ▌s.f. **3** Frase breve que expresa un principio moral o una enseñanza: *Siempre nos repetía la misma máxima: 'Haz bien y no mires a quién'.* **4** Regla o principio fundamental admitidos por las personas que profesan una ciencia, una creencia o una ideología: *En el despacho tiene una placa grabada con una de las máximas de su religión.* **5** Norma o regla de conducta: *Su máxima era intentar hacer felices a los que lo rodeaban.* **6** Temperatura más alta alcanzada. □ ETIMOL. Las acepciones 3 y 4, del latín *maxima* (sentencia, regla).

máximum s.m. →**máximo.** □ ETIMOL. Del latín *maximum* (lo más grande).

maxisingle (ing.) s.m. Disco grabado a cuarenta y cinco revoluciones por minuto, cuya duración es mayor que la del disco sencillo pero menor que la del disco de larga duración. □ PRON. [maxisínguel].

maxwell (ing.) s.f. En el sistema cegesimal, unidad de flujo de inducción magnética que equivale a 10 webers. □ ETIMOL. Por alusión a J. C. Maxwell, físico y matemático escocés. □ PRON. [máxgüel]. □ ORTOGR. Su símbolo es *Mx*, por tanto, se escribe sin punto.

maya ▌adj.inv./s.com. **1** De un antiguo pueblo indio que se estableció en la península mexicana del Yucatán y en otras regiones próximas, o relacionado con él: *La arquitectura maya cuenta con numerosas pirámides escalonadas.* ▌s.m. **2** Lengua hablada por este pueblo: *Algunas obras literarias que se transmitían oralmente fueron transcritas del maya utilizando el alfabeto latino.* ▌s.f. **3** Canción popular que se cantaba durante las fiestas de mayo: *Dentro de la lírica tradicional, se conservan mayas anónimas en las que se canta al amor y a los campos floridos de mayo.* □ ETIMOL. La acepción 3, de *mayo.* □ ORTOGR. Dist. de *malla.*

mayar v. Referido a un gato, dar maullidos o emitir su voz característica: *El gato maya porque quiere salir a la calle.* □ SINÓN. *maullar.*

mayate s.m. **1** Insecto coleóptero, parecido al escarabajo, pero de color verde brillante. **2** *col. desp.* En zonas del español meridional, hombre homosexual. □ ETIMOL. Del náhuatl *mayatl.*

mayear v. Hacer el tiempo propio del mes de mayo: *Aquí empieza a mayear desde mediados de abril.* □ MORF. Es unipersonal.

mayestático, ca adj. Propio de la majestad o relacionado con ella. □ ETIMOL. Del alemán *majestätish.*

mayéutica s.f. Método de enseñanza en el que el maestro, mediante preguntas, hace que el alumno descubra nociones o llegue a conclusiones cuyo conocimiento se supone que ya poseía aunque no se fuera consciente de ello. □ ETIMOL. Del griego *maieutiké* (arte de hacer parir).

mayido s.m. Voz característica del gato: *Por la noche se oían los mayidos de los gatos callejeros.* □ SINÓN. *maullido, maúllo.*

mayo s.m. Quinto mes del año, entre abril y junio: *Mayo tiene treinta y un días.* □ ETIMOL. Del latín *maius mensis* (mes de la diosa Maya).

mayólica s.f. Loza o cerámica comunes con esmalte metálico. □ ETIMOL. Del italiano *maiolica*, y este del latín *Maiorica* (Mallorca), porque es el nombre del lugar donde se comenzó a fabricar la mayólica.

mayonesa (tb. *mahonesa*) s.f. Salsa que se hace batiendo aceite y huevo. □ ETIMOL. Del francés *mayonnaise*, y este de *Port Mahon* (Mahón). □ SEM. Dist. de *bayonesa* (pastel de hojaldre).

mayor ▌adj.inv. **1** comp. de superioridad de **grande. 2** Referido a una persona, que tiene más edad que otra. **3** Referido a una persona, de edad avanzada. **4** Referido a un empleado, que tiene alguna autoridad sobre otros: *El cocinero mayor es el que organiza el trabajo en la cocina.* **5** En música, referido al modo de una tonalidad, que presenta una distancia de dos tonos enteros entre la tónica o primer grado de la escala y la mediante o tercer grado: *La escala de do mayor no presenta alteraciones.* ▌adj.inv./s.com. **6** Referido a una persona, que es adulta. ▌s.m. **7** En algunos ejércitos, comandante. ▌s.m.pl. **8** Progenitores o antepasados de una persona. **9** || **al (por) mayor;** referido esp. a la forma de comprar y de vender, en gran cantidad: *Este almacén solo vende al por mayor a otros comercios.* || **{ir/pasar} a mayores;** adquirir más seriedad o gravedad: *Si dejas que el asunto pase a mayores, te costará más solucionarlo.* || **mayor que;** en matemáticas, signo gráfico formado por un ángulo abierto hacia la izquierda y que se coloca entre dos cantidades para indicar que la primera es mayor que la segunda: *Un 'mayor que' se representa con el signo* >. □ ETIMOL. Del latín *maior*, comparativo de *magnus* (grande). □ MORF. En las acepciones 1 y 2, incorr. **más mayor*.

mayoral s.m. Capataz o jefe de una cuadrilla de trabajadores, esp. si son de campo. □ ETIMOL. De *mayor*.

mayorazgo, ga ▌s. **1** Persona que posee bienes heredados por la institución del mayorazgo: *El mayorazgo supervisa personalmente la explotación de sus tierras.* **2** Hijo primogénito de una persona, esp. de la que posee estos bienes heredados: *Él es el mayorazgo, y es el hijo más querido por sus padres.* ▌s.m. **3** Institución del derecho civil destinada a perpetuar en una familia la propiedad de ciertos bienes mediante el derecho de transmisión al hijo mayor: *El mayorazgo se estableció para evitar que las propiedades de los nobles se repartieran.* **4** Conjunto de estos bienes: *El marqués vive de las rentas que le proporciona su mayorazgo.* □ ETIMOL. Del latín **maioraticus*, y este de *maior* (mayor).

mayordomía s.f. **1** Cargo y empleo de mayordomo. **2** Oficina del mayordomo.

mayordomo, ma s. **1** Criado principal encargado del resto de la servidumbre o de la administración de una casa o de una hacienda. **2** En zonas del español meridional, cargo de honor que recibe una persona en ciertas agrupaciones religiosas. □ ETIMOL. Del latín *maior domus* (el mayor de la casa).

mayoreo s.m. Venta al por mayor o en grandes cantidades.

mayoría s.f. **1** Parte mayor de un todo, esp. la formada por personas: *La mayoría de los hogares del país tiene teléfono. Siempre sigue la opinión de la mayoría.* **2** En una votación, mayor número de votos a favor: *La propuesta de nuestro grupo obtuvo la mayoría.* **3** ‖ **mayoría absoluta;** la formada por más de la mitad de los votos válidos. ‖ **mayoría de edad;** condición de la persona que ha alcanzado la edad fijada por la ley para poder ejercer los derechos civiles. ‖ **mayoría {relativa/simple};** la formada por el mayor número de votos con relación a otras opciones que se votan a la vez. ‖ **mayoría silenciosa;** población que no manifiesta públicamente su opinión en cuestiones sociopolíticas.

mayorista ▌adj.inv. **1** Referido a un establecimiento, que vende al por mayor. ▌s.com. **2** Persona que compra o que vende al por mayor.

mayoritario, ria adj. **1** De la mayoría o relacionado con ella. **2** Que ha obtenido el mayor número de votos. □ ETIMOL. Del francés *majoritaire*.

mayormente adv. *col.* Sobre todo, principalmente: *Quiero verte para aclarar algunos asuntos, mayormente.*

mayúscula adj./s.f. →**letra mayúscula.**

mayúsculo, la ▌adj. **1** *col.* Muy grande. ▌s.f. **2** →**letra mayúscula.** □ ETIMOL. Del latín *maiusculus*, y este de *maior* (mayor).

maza s.f. **1** Antigua arma de hierro que tenía forma de bastón con una cabeza redonda y gruesa. **2** Instrumento que se utiliza generalmente para golpear o para machacar. **3** En gimnasia rítmica o en algunos juegos de habilidad, instrumento formado por un palo que termina en una forma gruesa y alargada. □ ETIMOL. Del latín **mattea*.

mazacote s.m. Lo que resulta macizo, denso o pesado. □ ETIMOL. De origen incierto.

mazamorra s.f. Comida que se prepara con maíz cocido en agua y con un poco de bicarbonato o lejía, que se suele tomar con leche o con un alimento dulce. □ ETIMOL. De origen incierto.

mazapán s.m. Dulce hecho con almendras molidas y azúcar en polvo. □ ETIMOL. De origen incierto.

mazapanero, ra ▌adj. **1** Del mazapán o relacionado con él. ▌s. **2** Persona que se dedica profesionalmente a la fabricación o a la venta de mazapán.

mazar v. Referido a la leche, agitarla con fuerza en un recipiente para que se separe la grasa: *Mi abuela hace mantequilla mazando la leche.* □ ETIMOL. De *maza*. □ ORTOGR. La *z* se cambia en *c* delante de *e* →CAZAR.

mazazo s.m. **1** Golpe dado con una maza o con un mazo. **2** Impresión fuerte en el ánimo: *Su muerte fue un mazazo para todos.*

mazdeísmo s.m. Religión de los antiguos persas basada en la creencia de que existen dos principios divinos, uno bueno y creador del mundo, y otro malo y destructor. □ SINÓN. *parsismo*. □ ETIMOL. Del persa *Mazda* (sobrenombre del rey del cielo o principio del bien).

mazdeísta ▌adj.inv. **1** Del mazdeísmo o relacionado con esta religión. ▌adj.inv./s.com. **2** Que tiene como religión el mazdeísmo.

mazmorra s.f. Prisión subterránea o tenebrosa y oscura. □ ETIMOL. Del árabe *matmura* (caverna, calabozo).

mazo ▌s.m. **1** Martillo grande de madera. **2** Conjunto de objetos que forman un grupo: *un mazo de cartas.* **3** Maza pequeña que sirve para machacar: *Al 'mazo' del mortero se le llama 'mano'.* **4** En zonas del español meridional, baraja. ▌adv. **5** *col.* Mucho. □ ETIMOL. De *maza*.

mazorca s.f. En algunas plantas, esp. en el maíz, fruto de forma alargada, que está compuesto por muchos granos juntos y dispuestos alrededor del eje.

mazurca s.f. **1** Composición musical de origen polaco, en compás de tres por cuatro. **2** Baile que se ejecuta al compás de esta música, con movimientos más moderados que los del vals y en el que es la mujer quien elige a su pareja. □ ETIMOL. Del polaco *mazurka* (perteneciente a Mazuria, región de la Prusia oriental).

mburucuyá s.f. En zonas del español meridional, pasionaria.

MC (ing.) s.f. Cinta musical de audio, esp. la que contiene una grabación realizada con fines comerciales. □ ETIMOL. Es la sigla del inglés *Musicassette* (casete de música).

me pron.pers. Forma de la primera persona del singular que corresponde a la función de complemento sin preposición: *Me golpeó sin querer con la raqueta. Mi padre me dio tu recado. Me voy al cine.* □ ETIMOL. Del latín *me*, acusativo de *ego* (yo). □ MORF. No tiene diferenciación de género.

mea culpa (lat.) || Expresión que se utiliza para admitir una culpa como propia: *Mea culpa, así que no la riñas a ella.* □ PRON. [méa cúlpa]. □ USO Se usa mucho en la expresión *entonar el mea culpa*.

meada s.f. *vulg.* Orina que se expulsa: *Delante del portal había una meada de perro.* □ SINÓN. *meado*.

meadero s.m. *vulg.* Lugar donde se orina: *El meadero del bar está muy sucio.*

meado s.m. →**meada.**

meandro s.m. Curva pronunciada que describe el recorrido de un río o de un camino: *Los meandros de los ríos se forman en el curso medio y en el bajo.* □ ETIMOL. Del latín *maeander*, y este de *Meandros* (río de Asia Menor de curso muy sinuoso).

meapilas (pl. *meapilas*) s.com. *vulg. desp.* Persona excesivamente beata o que muestra una virtud o una devoción religiosa exageradas.

mear ▮ v. **1** *vulg.* →**orinar.** ▮ prnl. **2** *vulg.* Reírse mucho: *Con sus chistes te meas.* □ ETIMOL. Del latín *meiare*.

meato s.m. Espacio u orificio en el que desemboca un conducto de un organismo: *La orina se expulsa a través del meato urinario.* □ ETIMOL. Del latín *meatus* (camino, paso, curso).

meca s.f. Lugar que se considera el centro de una actividad: *Creo que París es la meca de la moda.* □ ETIMOL. Por alusión a la ciudad árabe de La Meca, centro religioso musulmán.

mecachis interj. *col.* Expresión que se utiliza para indicar extrañeza, sorpresa, admiración o disgusto: *¡Mecachis, se me ha olvidado comprar el pan!*

mecánica s.f. Véase **mecánico, ca**.

mecanicismo s.m. Teoría filosófica que explica los fenómenos naturales por medio de las leyes mecánicas: *Los primeros en hablar del mecanicismo fueron algunos filósofos de la antigua Grecia.*

mecanicista ▮ adj.inv. **1** Del mecanicismo o relacionado con esta teoría filosófica: *Su explicación fue mecanicista, ya que comparaba el mundo con una máquina.* ▮ adj.inv./s.com. **2** Que sigue o que defiende el mecanicismo: *El antiguo filósofo griego Demócrito era mecanicista.*

mecánico, ca ▮ adj. **1** De la mecánica o relacionado con esta parte de la física: *El principio mecánico de acción y reacción fue establecido por Newton.* **2** De las máquinas o relacionado con ellas: *Este coche tiene problemas mecánicos.* **3** Que se realiza con máquinas: *El sistema de envasado es totalmente mecánico.* **4** En geología, referido esp. a un agente físico, que produce erosión sin modificar la composición química de la roca sobre la que actúa: *El viento es un agente mecánico que modifica el relieve por rozamiento.* **5** Que se hace sin pensar, esp. por haber sido realizado ya otras muchas veces: *Escribo a máquina de una manera mecánica.* ▮ s. **6** Persona que se dedica profesionalmente al arreglo o al manejo de máquinas. ▮ s.f. **7** Parte de la física que estudia el movimiento de los cuerpos, las fuerzas que lo producen y las condiciones de equilibrio: *La mecánica se divide en cinemática, dinámica y estática.* **8** Mecanismo que da movimiento a un artefacto o a una máquina: *Sabe bastante de mecánica, y él mismo se arregla el coche cuando se estropea.* **9** Proceso, desarrollo o transcurso: *Para entender cómo se ha llegado a esta situación, hay que considerar la mecánica de los acontecimientos.* □ ETIMOL. Del griego *mekhanikós*.

mecanismo s.m. **1** Conjunto de piezas o de elementos combinados entre sí para producir un efecto: *El mecanismo de este reloj es muy complejo.* **2** Modo práctico de realizarse o de producirse un fenómeno, una actividad o una función: *Todavía no entiendo muy bien el mecanismo de este departamento.*

mecanización s.f. Implantación del uso de maquinaria o sometimiento a elaboración mecánica: *La mecanización del empaquetado ha abaratado mucho los costes.*

mecanizado s.m. Procedimiento mecánico utilizado en la elaboración de un producto industrial.

mecanizar v. Referido esp. a una actividad, implantarle el uso de máquinas o someterla a elaboración mecánica: *Para que la agricultura sea más avanzada hay que mecanizarla.* □ ORTOGR. La *z* se cambia en *c* delante de *e* →CAZAR.

mecano s.m. Juguete formado por una serie de piezas que pueden encajar unas en otras, con las que se pueden hacer diferentes construcciones: *El mecano desarrolla la destreza manual y la imaginación.* □ ETIMOL. Extensión del nombre de una marca comercial.

mecanografía s.f. Técnica de escribir a máquina: *Aprendí mecanografía en una academia.* □ SINÓN. *dactilografía*. □ ETIMOL. Del griego *mekhané* (máquina) y *-grafía* (escritura).

mecanografiar v. Escribir a máquina: *Tengo que mecanografiar el cuento para mandarlo al concurso.* □ SINÓN. *dactilografiar*. □ ORTOGR. La *i* lleva tilde en los presentes, excepto en las personas *nosotros* y *vosotros* →GUIAR.

mecanográfico, ca adj. De la mecanografía o relacionado con esta técnica de escribir: *Estoy aprendiendo a escribir a máquina con un nuevo método mecanográfico.* □ SINÓN. *dactilográfico*.

mecanógrafo, fa s. Persona que se dedica profesionalmente a escribir a máquina: *La directora dio una carta al mecanógrafo para que la pasara a máquina.* □ SINÓN. *dactilógrafo*. □ ETIMOL. Del griego *mekhané* (máquina) y *-grafo* (que escribe).

mecanoterapia s.f. Tratamiento de algunas enfermedades por medio de aparatos mecánicos que ayudan a realizar movimientos corporales: *La mecanoterapia se aplica para recuperar la capacidad de movimiento de alguna parte del cuerpo.* □ ETIMOL. Del griego *mekhané* (máquina) y *-terapia* (curación).

mecapal s.f. En zonas del español meridional, cinta ancha de cuero, con una cuerda en cada extremo, que sirve para llevar carga a cuestas, poniendo parte de la cinta en la frente y las cuerdas sujetando la carga. □ ETIMOL. Del náhuatl *mecapalli*.

mecedor s.m. En zonas del español meridional, mecedora: *Siempre recuerdo a mi abuelo sentado en su mecedor.*

mecedora s.f. Silla cuyas patas se apoyan en dos arcos o terminan en forma circular, de forma que puede balancearse hacia adelante y hacia atrás: *Me gusta mirar el fuego de la chimenea sentada en la mecedora.*

mecenas (pl. *mecenas*) s.com. Persona o institución que, con sus aportaciones económicas, protege o promueve las actividades artísticas o intelectuales: *Actualmente, los grandes mecenas son las fundaciones culturales.* □ ETIMOL. Por alusión a Cayo Mecenas, noble romano protector de las artes.

mecenazgo s.m. Protección o ayuda que se da a las artes o a las letras: *No le gustan las alabanzas y ejerce su mecenazgo en el anonimato.*

mecer v. Mover suave y rítmicamente de un lado a otro sin que cambie de lugar: *Mece al bebé para que no llore. Se mece en la hamaca.* □ ETIMOL. Del latín *miscere* (mezclar, agitar). □ ORTOGR. La *c* se cambia en *z* delante de *a, o* →VENCER.

mecha s.f. **1** Cuerda retorcida de filamentos combustibles, que se prende con facilidad: *la mecha de una vela.* **2** Tubo de papel o de algodón, relleno de pólvora, que sirve para encender los explosivos: *Prendió fuego a la mecha y se alejó para protegerse de la explosión.* **3** Mechón de pelo teñido de un color distinto del original. **4** ‖ **a toda mecha;** *col.* A gran velocidad. ‖ **aguantar mecha;** *col.* Sufrir con resignación. □ ETIMOL. Quizá del francés *mèche.* □ MORF. En la acepción 3, se usa más en plural.

mechar v. Referido a la carne que se ha de cocinar, introducirle trozos pequeños de tocino o de otro ingrediente: *He mechado con jamón y huevo un trozo de carne para asar.*

mechera s.f. Véase **mechero, ra.**

mechero, ra ▮ adj./s.f. **1** Referido a un utensilio de cocina, que se utiliza para mechar o rellenar una carne con trozos de tocino u otros ingredientes: *una aguja mechera.* ▮ s. **2** Persona que roba en las tiendas. ▮ s.m. **3** Encendedor, generalmente el de bolsillo que funciona con gas o gasolina. **4** Utensilio provisto de mecha, que se utiliza para dar luz o calor: *En ese laboratorio utilizan mecheros de alcohol.* **5** En un aparato de alumbrado, pieza en la que se produce la llama. **6** ‖ **mechero (de) Bunsen;** el usado en los laboratorios, conectado a la instalación del gas, y en el que se puede variar la temperatura de la llama regulando la entrada de aire. □ SINÓN. *bunsen.*

mechón s.m. Grupo de pelos, de hilos o de hebras separado de un conjunto de la misma clase: *Un mechón de cabello le caía sobre la frente.* □ ETIMOL. De *mecha*, por comparación con esta.

meconio s.m. Primer excremento expulsado por el recién nacido: *El meconio es una mezcla de secreciones intestinales y de líquido amniótico.* □ ETIMOL. Del latín *meconium.*

medalla ▮ s.com. **1** En una competición deportiva, persona que ha conseguido uno de los tres primeros puestos: *Su mayor ilusión era ser medalla en las Olimpiadas.* ▮ s.f. **2** Objeto de metal, plano y generalmente redondeado, con alguna figura o algún símbolo acuñados en sus caras: *Le dieron una medalla honorífica por su valor. Quería conseguir una medalla en la carrera.* □ ETIMOL. Del italiano *medaglia.*

medallero s.m. En una competición deportiva, relación de las medallas ganadas: *Nuestro país ocupó el tercer lugar en el medallero del Campeonato del Mundo.*

medallista s.com. Deportista que ha conseguido al menos una medalla en una competición de gran importancia: *Los aficionados recibieron con muestras de alegría a los medallistas olímpicos.*

medallón s.m. **1** En arte, elemento decorativo en bajo relieve, de forma circular u ovalada: *Los medallones eran muy utilizados en los edificios renacentistas.* **2** Joya redondeada, generalmente en forma de cajita, que se lleva colgada del cuello: *En el medallón llevaba un mechón de pelo de su amada.* **3** Rodaja redonda y gruesa de un alimento, esp. de carne o pescado: *Cené medallones de merluza.*

médano s.m. **1** En un desierto o en una playa, colina de arena que forma y empuja el viento: *Los médanos abundan en el desierto.* □ SINÓN. *duna.* **2** En el mar, acumulación de arena que casi llega hasta la superficie del agua por ser una zona poco profunda: *La barca encalló en unos médanos.* □ ETIMOL. De origen incierto.

media ▮ s.f. **1** Véase **medio, dia.** ▮ s.m.pl. **2** Medios de comunicación que llegan a un gran número de personas: *Los media suelen influir mucho en la opinión pública.* □ SINÓN. *medios, mass media.*

mediacaña s.f. **1** En arquitectura, moldura cóncava de sección semicircular. **2** En un libro encuadernado, parte acanalada opuesta al lomo, que está formada por el borde libre de las hojas. **3** Lima semicilíndrica y terminada en punta.

mediación s.f. Intervención en un asunto ajeno, esp. si se tiene como objeto favorecer a alguien o pacificar una riña: *Lo conseguí por mediación de una amiga.*

mediado, da adj. **1** Empezado pero no acabado porque está más o menos por la mitad. Trae la botella que está mediada. **2** ‖ **a mediados de** un período de tiempo; hacia su mitad: *No se administra bien y, a mediados de mes, ya se ha gastado todo el sueldo.*

mediador, -a ▮ adj./s. **1** Que media. ▮ s. **2** En una negociación o en un conflicto, persona encargada de hacer respetar los derechos de las dos partes o de defender sus intereses: *Las partes en conflicto acordaron nombrar un mediador para buscar una solución al problema.*

medial adj.inv. **1** Referido esp. a una consonante, que está situada en el interior de la palabra. **2** En fonética, referido a una vocal o a un fonema vocálico, que se articula o se pronuncia en una zona media de la boca: *En español, la 'e' es una vocal 'medial'.*

medialuna (tb. *media luna*) s.f. **1** Lo que tiene forma de luna en su fase creciente o menguante. **2** Pan o bollo con esta forma. **3** Recinto con forma semicircular en el que se realizan rodeos. **4** En zonas del español meridional, cruasán.

mediana s.f. Véase **mediano, na**.

medianero, ra adj. Referido a una cosa, que está en medio de otras dos: *una pared medianera.*

medianía s.f. Persona que carece de cualidades relevantes.

mediano, na ▮ adj. **1** De calidad o de tamaño intermedios: *Uso una talla mediana, ni grande ni pequeña.* **2** *col.* Mediocre o casi malo: *Su mediana inteligencia no le permite obtener mejores resultados.* ▮ s.f. **3** En un triángulo geométrico, segmento que une un vértice con el punto medio del lado opuesto. **4** En una vía pública, zona longitudinal que separa las calzadas y que no está destinada a la circulación. ☐ ETIMOL. Del latín *medianus* (del medio).

medianoche s.f. **1** Hora del día en la que el Sol está en el punto opuesto al de mediodía. **2** Bollo pequeño y ligeramente dulce, que tiene forma redondeada y suele partirse en dos mitades para rellenarlo de algún alimento. ☐ ORTOGR. En la acepción 1, se admite también *media noche.* ☐ MORF. En la acepción 2, su plural es *mediasnoches.*

mediante ▮ s.f. **1** En música, tercera nota de una escala diatónica: *En do mayor la mediante es mi.* ▮ prep. **2** Seguido de un sustantivo, indica que este se utiliza como ayuda para realizar algo: *Logró el ascenso mediante una recomendación.* ☐ ETIMOL. De *mediar.*

mediapunta s.com. En fútbol, jugador que ocupa en el campo una posición adelantada por detrás del delantero centro.

mediar v. **1** Interceder por alguien: *Le agradecí que hubiera mediado por mí ante el director.* **2** Interponerse entre dos o más partes en conflicto para intentar que se reconcilien o que lleguen a un acuerdo: *Tuvo que mediar mi padre para que mi hermana y yo hiciéramos las paces.* ☐ SINÓN. *intermediar.* **3** Estar entre dos o más cosas: *Entre las dos paredes media una cámara de aire.* ☐ SINÓN. *intermediar.* ☐ ETIMOL. Del latín *mediare.* ☐ ORTOGR. La *i* nunca lleva tilde. ☐ SINT. Constr. de la acepción 1, *mediar* POR *alguien.*

mediastino s.m. En anatomía, espacio comprendido entre las dos pleuras: *El corazón está situado en el mediastino.* ☐ ETIMOL. Del latín *mediastinus* (que está en medio).

mediateca s.f. Local en el que se conserva una colección organizada de grabaciones y otros materiales audiovisuales, para poder ser consultados.

mediático, ca adj. De los medios de comunicación o relacionado con ellos.

mediatización s.f. Influencia que dificulta o impide la libertad de acción en el ejercicio de una actividad o de una función: *La mediatización del entrenador por parte del presidente estropeó la marcha del equipo.*

mediatizar v. Referido esp. a una persona o a una institución, influir en ellas impidiendo o dificultando su libertad de acción: *La situación económica de un país mediatiza a su Gobierno.* ☐ ORTOGR. La *z* se cambia en *c* delante de *e* →CAZAR.

mediato, ta adj. Referido a una cosa, que está próxima a otra en el tiempo, el lugar o el grado, pero separada por una tercera: *Lunes y miércoles son días mediatos.* ☐ ETIMOL. Del latín *mediatus*, y este de *mediare* (mediar).

mediatriz s.f. Recta perpendicular a un segmento en su punto medio.

medicable adj.inv. Que se puede curar con medicinas. ☐ ETIMOL. Del latín *mediacabilis.*

medicación s.f. **1** Administración metódica de uno o varios medicamentos con fines curativos: *Es recomendable que la medicación la haya prescrito un médico.* **2** Conjunto de medicamentos y medios curativos que sirven para un mismo fin: *En este maletín llevo mi medicación para la úlcera de estómago.* ☐ ETIMOL. Del latín *medicatio.*

medicalizado, da adj. Referido a un vehículo, que está provisto de una unidad de cuidados intensivos: *un helicóptero medicalizado; una ambulancia medicalizada.*

medicalizar v. Referido esp. a un medio de transporte, dotarlo de los instrumentos necesarios para poder ofrecer servicio médico: *Este helicóptero ha sido medicalizado y con él se podrá atender a los heridos en carretera.* ☐ ORTOGR. La *z* se cambia en *c* delante de *e* →CAZAR.

medicamentar v. En zonas del español meridional, recetar medicamentos a alguien.

medicamento s.m. Sustancia que sirve para prevenir, curar o aliviar una enfermedad o para reparar sus secuelas. ☐ SINÓN. *fármaco, medicina.* ☐ ETIMOL. Del latín *medicamentum.*

medicamentoso, sa adj. **1** Que sirve de medicamento: *un líquido medicamentoso.* **2** De los medicamentos o relacionado con ellos: *alergia medicamentosa.*

medicar v. Referido esp. a un enfermo, recetarle medicinas o administrárselas: *No soy partidaria de medicar a un paciente por un simple catarro. Se intoxicó por medicarse sin contar con el médico.* ☐ SINÓN. *medicinar.* ☐ ORTOGR. La *c* se cambia en *qu* delante de *e* →SACAR.

medicastro s.m. *col. desp.* Médico ignorante.

medicina s.f. **1** Ciencia que trata de prevenir y curar las enfermedades humanas. **2** Sustancia que sirve para prevenir, curar o aliviar una enfermedad o para reparar sus secuelas: *Las medicinas deben guardarse fuera del alcance de los niños.* ☐ SINÓN. *fármaco, medicamento.* **3** *col.* Remedio o solución a un problema: *La mejor medicina para tu aburrimiento es salir al campo.* **4** ‖ **medicina alterna-**

tiva; la que trata de prevenir y curar las enfermedades con tratamientos que suplementan o sustituyen a la medicina moderna: *La homeopatía es una de los métodos de la medicina alternativa.* || **medicina holística;** la que emplea tratamientos tanto modernos como tradicionales, y se basa en la capacidad de curación natural del organismo, en la forma en que los tejidos interaccionan y en la influencia del medio ambiente. || **medicina nuclear;** aplicación de las reacciones nucleares al diagnóstico y tratamiento de las enfermedades. □ ETIMOL. Del latín *medicina* (ciencia médica, remedio).

medicinal adj.inv. Que tiene cualidades curativas o que sirve para conservar la salud.

medicinar v. →**medicar.**

medición s.f. **1** Comparación de un todo con una unidad tomada como referencia para saber el número de veces que la contiene: *El termómetro sirve para realizar la medición de la temperatura.* □ SINÓN. *medida.* **2** Determinación del número de sílabas métricas de un verso.

médico, ca ▌adj. **1** De la medicina o relacionado con ella. **2** De Media (antigua región indoeuropea del noroeste iraní), o relacionado con ella. □ SINÓN. *medo.* ▌s. **3** Persona legalmente autorizada para ejercer la medicina. □ SINÓN. *doctor.* **4** || **médico de {cabecera/familia};** el que atiende habitualmente al enfermo y no es el especialista. || **(médico) forense;** el oficialmente asignado a un juzgado de instrucción. || **médico residente;** el que atiende en exclusividad a los enfermos de un centro hospitalario. □ ETIMOL. Del latín *medicus*, y este de *mederi* (cuidar, curar). □ USO El sustantivo masculino también se usa para designar el femenino: *Mi compañera de piso es médico.*

medida s.f. **1** Comparación de un todo con una unidad tomada como referencia para saber el número de veces que la contiene: *Tardaron cinco horas en realizar la medida del terreno.* □ SINÓN. *medición.* **2** Número que expresa el resultado de efectuar esta operación: *¿Qué medidas tiene tu habitación?* **3** Cada una de las unidades que se emplean para medir longitudes, áreas o volúmenes: *El metro es una medida de longitud.* **4** Número de sílabas métricas de un verso. **5** Disposición o acción encaminadas a evitar que suceda algo: *Adoptaron medidas para que el río no se desbordara.* **6** Grado o intensidad: *No sabía en qué medida le iban a afectar los problemas de la empresa.* **7** Prudencia o buen juicio: *Haz las cosas con medida y sin excesos.* **8** Patrón por el que se mide una realidad: *Para el filósofo griego Protágoras, el ser humano es la medida de todas las cosas.* **9** || **a (la) medida;** que se ajusta bien a la persona o cosa a que está destinado: *un vestido a medida.* || **a medida que;** al mismo tiempo o a la vez: *A medida que hablaba, me daba cuenta de que me intentaba engañar.* || **en cierta medida;** de alguna manera o no del todo: *Parece un disparate, pero en cierta medida quizá tengas razón.* □ SINT. En la acepción 5, se usa más con los verbos *adoptar*, *tomar* y equivalentes.

medidor, -a ▌adj./s.m. **1** Que mide o que sirve para medir algo. ▌s.m. **2** En zonas del español meridional, contador.

medieval adj.inv. Del medievo o relacionado con este período histórico.

medievalismo s.m. Conjunto de características propias del medievo.

medievalista s.com. Persona especializada en el estudio de lo medieval.

medievo s.m. Período histórico anterior a la edad moderna y posterior a la edad antigua, que abarca aproximadamente del siglo V hasta el XV. □ SINÓN. *edad media.* □ ETIMOL. Del latín *medium aevum* (Edad Media). □ USO Se usa más como nombre propio.

medina s.f. Parte antigua de una ciudad árabe.

medio adv. No del todo o no completamente: *Tenía tanta prisa que salió medio vestida. No he tenido tiempo de terminar el trabajo y lo he entregado a medio hacer.*

medio, dia ▌adj. **1** Referido a un todo, que es igual a su mitad: *Compró medio kilogramo de azúcar.* **2** Entre dos extremos o entre dos cosas: *El libro es de calidad media, ni bueno ni malo.* **3** Que representa las características generales que se consideran propias de un grupo, de una época o de algún tipo de agrupación: *Sus aficiones son las de un ciudadano medio.* **4** Referido a un sonido, que se articula entre la parte anterior y la parte posterior de la cavidad bucal. **5** Referido a una vocal, que tiene un grado de abertura intermedio entre el de las vocales cerradas y el de las abiertas. **6** Referido a un todo, gran parte de él: *Media ciudad estaba en huelga.* ▌adj./s.f. **7** En algunos deportes de equipo, referido a una línea de jugadores, que tiene la misión de promover jugadas: *Los jugadores de la media ayudan a la defensa y a la delantera.* ▌s.m. **8** Punto o lugar centrales: *Pon la vela en el medio de la tarta de cumpleaños.* **9** Momento o situación entre dos momentos, entre dos situaciones o entre dos cosas: *En medio de la conversación soltó una risotada. Quítate del medio, que estorbas.* **10** Lo que es útil o conveniente para conseguir un determinado fin: *Gracias a los medios de comunicación, la gente está más informada que antes.* **11** Elemento en el que vive y se desarrolla un ser vivo: *Estas plantas son características del medio acuático.* **12** Sector, círculo o ambiente social: *Después del escándalo, ese actor está mal visto en medios aristocráticos.* ▌s.m.pl. **13** Dinero o bienes que se poseen: *No tiene muchos medios y vive en una casa vieja.* **14** En una plaza de toros, tercio que corresponde al centro del ruedo: *El torero brindó el toro al público desde los medios.* **15** →**mass media.** ▌s.f. **16** Prenda de ropa interior femenina, de tejido muy fino y generalmente transparente, que cubre el pie y la pierna hasta el muslo o hasta la cintura. **17** Calcetín largo que llega hasta debajo de las rodillas. **18** Cantidad que resulta de efectuar determinadas operaciones matemáticas con un conjunto de números, y que a veces sirve como representante de ese conjunto: *Cada tipo de media necesita diferentes operaciones matemáticas.* **19** En zonas del español meridional, calcetín. ▌s.f.pl. **20** En el juego del mus, grupo de tres cartas del mismo valor reunidas por un jugador en una mano: *Le hice la seña de que llevaba medias de reyes.* **21** ‖ **a medias; 1** A partes iguales: *Se dividieron el trabajo y lo hicieron a medias.* **2** No del todo: *Era una mentira a medias, pero me riñeron igual.* ‖ **de medio a medio;** completamente: *Te equivocaste de medio a medio, pero no quieres reconocerlo.* ‖ **media (aritmética);** la que se halla sumando todos los datos y dividiendo por el número de ellos: *Si tú tienes 2 y yo tengo 4, la media aritmética es 3.* ‖ **media {(corta)/(tobillera)};** en zonas del español meridional, calcetín que llega hasta el tobillo. ‖ **media geométrica;** la que se halla haciendo la raíz enésima del producto de *n* números: *La media geométrica de 2, 3, 4 y 5 es la raíz cuarta del resultado de multiplicar 2 × 3 ×4 × 5.* ‖ **media pantalón;** en zonas del español meridional, leotardo o panty. ‖ **medio (ambiente);** conjunto de circunstancias o de condiciones que rodean a un ser vivo y que influyen en su desarrollo y en sus actividades. ‖ **por (en) medio;** *col.* En desorden y estorbando: *¿Cuántas veces tengo que decirte que no dejes tus cosas por en medio?* ‖ **por medio de** algo; mediante ello o valiéndose de ello: *Lo conocí por medio de un anuncio.* ‖ **quitar de en medio** a alguien; *col.* Matarlo: *Antes de cometer el robo, quitaron de en medio a dos policías.* ☐ ETIMOL. Las acepciones 1-6, 8-14 y 20, del latín *medius*. Las acepciones 16 y 17, de *media calza*. Las acepciones 7, 18 y 19, de *media*, adjetivo femenino. ☐ ORTOGR. 1. La expresión *medio ambiente* se usa mucho con la forma *medioambiente*. 2. Incorr. **enmedio*.

medioambiental adj.inv. Del medio ambiente o relacionado con él.

medioambiente s.m. →**medio (ambiente).**

mediocampista s.com. En algunos deportes de equipo, jugador que tiene la misión de contener los avances del equipo contrario en el centro del campo, y de servir de enlace entre la defensa y la delantera del equipo propio. ☐ SINÓN. *centrocampista.*

mediocre ▌adj.inv. **1** Poco importante, poco interesante, poco abundante o de calidad media. ▌adj.inv./s.com. **2** De poca inteligencia o de poco mérito: *Me parece una pintora mediocre, aunque venda muchos cuadros.* ☐ ETIMOL. Del latín *mediocris*.

mediocridad s.f. Corta inteligencia, poca calidad, poco mérito, poca importancia o poco interés.

mediodía s.m. **1** Hora del día en la que el Sol está en el punto más alto sobre el horizonte. **2** Período que comprende las horas centrales del día. **3** Sur. ☐ SINT. En la acepción 3, se usa más en aposición, pospuesto a un sustantivo: *El barco navega rumbo mediodía.* ☐ USO En la acepción 3, referido al punto cardinal, se usa más como nombre propio.

medioeval adj.inv. *ant.* →**medieval.**

medioevo s.m. *ant.* →**medievo.**

mediofondista adj.inv./s.com. En atletismo, deportista que participa en carreras de medio fondo o de recorrido medio.

mediometraje s.m. Película cinematográfica que dura generalmente más de treinta minutos y menos de sesenta.

mediopensionista adj.inv./s.com. Referido a una persona, esp. a un alumno, que está en alguna institución en régimen de media pensión o que come allí al mediodía.

medir v. **1** Referido a un todo, averiguar sus dimensiones o compararlo con una unidad tomada como referencia para saber el número de veces que la contiene: *Mide el mueble para ver si cabe aquí.* ☐ SINÓN. *mensurar.* **2** Referido a un verso, contar el número de sílabas métricas que lo forman: *Cuando medimos un verso agudo, contamos una sílaba más de las que tiene realmente.* **3** Referido esp. a una cualidad, apreciarla, compararla o enfrentarla: *Antes de comprometerte deberías medir los riesgos del negocio. Los contrincantes se midieron en el combate.* **4** Referido a una dimensión, esp. de longitud, de altura o de anchura, tenerla: *La mesa mide un metro de ancho por uno de largo.* **5** Referido esp. a las palabras o a los actos, moderarlos o contenerlos: *Mide tus palabras cuando hables conmigo.* ☐ ETIMOL. Del latín *metiri*. ☐ MORF. Irreg. →PEDIR.

meditabundo, da adj. Que medita o reflexiona en silencio. ☐ ETIMOL. Del latín *meditabundus*.

meditación s.f. Reflexión atenta, detenida y profunda.

meditar v. Pensar, reflexionar o discurrir con atención y con detenimiento: *Tengo que meditar más sobre esto, para ver si encuentro una solución. En los ejercicios espirituales medité sobre el sentido de la vida.* ☐ ETIMOL. Del latín *meditari* (reflexionar, estudiar).

meditativo, va adj. De la meditación o relacionado con ella.

mediterráneo, a adj. Del mar Mediterráneo (situado entre las costas europeas, africanas y asiáticas), o relacionado con él. ☐ ETIMOL. Del latín *mediterraneus*, y este de *medius* (medio) y *terra* (tierra).

médium s.com. Persona a la que se considera dotada de facultades extraordinarias para actuar como mediadora en la comunicación con los espíritus o para invocar fuerzas ocultas. ☐ ETIMOL. Del latín *medium* (medio). ☐ ORTOGR. Incorr. **medium*.

medley (ing.) s.m. Composición musical formada por fragmentos de otras. ☐ PRON. [médli]. ☐ USO Su uso es innecesario y puede sustituirse por el término *popurrí*.

medo, da adj./s. De Media (antigua región indoeuropea del noroeste iraní), o relacionado con ella. ☐ SINÓN. *médico.*

medra s.f. →**medro.**

medrar v. **1** Mejorar de posición social o económica: *No es buena persona y ha medrado utilizando a sus amigos.* **2** Referido a una planta o a un animal, crecer: *Si no cuidas el jardín, los hierbajos medra-*

rán por todas partes. Dale vitaminas al perro para ver si medra algo. □ ETIMOL. Del latín *meliorare* (mejorar). □ USO La acepción 1, tiene un matiz despectivo.

medro s.m. Aumento, mejora o progreso: *Está muy satisfecha de sus medros personales en el trabajo.* □ SINÓN. *medra.*

medroso, sa adj./s. Que siente miedo con facilidad o no tiene ánimo o valor. □ ETIMOL. Del latín *metus* (miedo), formado según *pavorosus*.

médula s.f. **1** En anatomía, sustancia que ocupa la cavidad interna de algunos huesos. □ SINÓN. *tuétano.* **2** En botánica, parte interior de la raíz y del tallo de algunas plantas. □ SINÓN. *tuétano.* **3** Lo más sustancioso o importante de algo no material: *Los principios del fundador siguen siendo la médula de la empresa.* **4** ‖ **hasta la médula;** *col.* Muy intensamente: *Está enamorado hasta la médula.* ‖ **médula (espinal);** parte del sistema nervioso central en forma de cordón que está contenida en el canal vertebral y que se extiende desde el agujero occipital hasta la región lumbar. □ ETIMOL. Del latín *medulla* (meollo, médula).

medular adj.inv. De la médula o relacionado con ella.

medusa s.f. Animal marino celentéreo en una fase de su ciclo biológico en la que la forma del cuerpo es semejante a una sombrilla con varios tentáculos. □ SINÓN. *aguamala.* □ ETIMOL. Del griego *Médusa* (una de las tres Gorgonas, a quien se representaba con una abundante cabellera).

meeting (ing.) s.m. →**mitin.** □ PRON. [mítin].

mefistofélico, ca adj. Diabólico, perverso o propio del demonio. □ ETIMOL. De *Mefistófeles*, personaje de la obra 'Fausto', del escritor alemán Goethe.

mefítico, ca adj. Referido a una sustancia que se respira, que puede causar daño. □ ETIMOL. Del latín *mefiticus*, y este de *mefitis* (exhalación pestilente).

mega s.m. →**megabyte.**

mega- 1 Elemento compositivo prefijo que significa 'grande': *megalito.* **2** Elemento compositivo prefijo que significa 'un millón': *megavatio, megaciclo, megatón.* **3** *col.* Elemento compositivo prefijo que significa 'muy': *megafamoso.* □ ETIMOL. Del griego *mégas-*. □ ORTOGR. En la acepción 2, su símbolo es *M-*, y no se usa nunca aislado: *MB* (megabyte).

megabyte (ing.) s.m. En informática, unidad de almacenamiento de información que equivale a un millón de bytes aproximadamente. □ PRON. [megabáit]. □ ORTOGR. Su símbolo es *MB*, por tanto, se escribe sin punto. □ MORF. Se usa mucho la forma abreviada *mega.* □ SEM. Dist. de *megavatio* (un millón de vatios).

megaciclo s.m. Unidad de frecuencia que equivale a un millón de ciclos. □ ETIMOL. De *mega-* (un millón) y *ciclo.* □ ORTOGR. Su símbolo es *Mc*, por tanto, se escribe sin punto.

megafonía s.f. **1** Técnica que se ocupa de los aparatos e instalaciones precisos para aumentar el volumen del sonido. **2** Conjunto de los aparatos que aumentan el volumen del sonido.

megáfono s.m. Aparato que amplifica el volumen del sonido. □ ETIMOL. De *mega-* (grande) y *-fono* (sonido).

megahercio s.m. Unidad de frecuencia que equivale a un millón de hercios. □ SINÓN. *megahertz.* □ ETIMOL. De *mega-* (un millón) y *hercio.* □ ORTOGR. Su símbolo es *MHz*, por tanto, se escribe sin punto.

megahertz s.m. →**megahercio.**

megalítico, ca adj. Del megalito, con megalitos o relacionado con estos grandes bloques de piedra sin labrar.

megalito s.m. Monumento prehistórico construido con grandes piedras sin labrar. □ ETIMOL. De *mega-* (grande) y *-lito* (piedra).

megalomanía s.f. Actitud o manía enfermizas de las personas que se creen muy importantes o muy ricas, o que desean serlo. □ ETIMOL. De *mega-* (grande) y *manía* (manía). □ ORTOGR. Dist. de *melomanía.*

megalómano, na adj. Que padece megalomanía o que tiene aspiraciones de grandeza inalcanzables. □ ORTOGR. Dist. de *melómano.*

megalópolis (pl. *megalópolis*) s.m. Conjunto de áreas urbanizadas que se extienden a lo largo de cientos de kilómetros formando ciudades gigantescas. □ ETIMOL. Del inglés americano *megalopolis*, y este del griego *mégas* (grande) y *pólis* (ciudad).

megaterio s.m. Mamífero fósil parecido al oso, de unos dos metros de altura, que vivió al comienzo del período cuaternario y se alimentaba de vegetales. □ ETIMOL. De *mega-* (grande) y el griego *theríon* (animal).

megatón s.m. Unidad de medida de la energía de una bomba nuclear. □ ETIMOL. Del inglés *megatón* y este del griego *mégas* (grande) y *ton* (tonelada).

megavatio s.m. En el Sistema Internacional, unidad de potencia que equivale a un millón de vatios. □ ETIMOL. De *mega-* (un millón) y *vatio.* □ ORTOGR. Su símbolo es *MW*, por tanto, se escribe sin punto. □ SEM. Dist. de *megabyte* (un millón de bytes).

mehari s.m. **1** Vehículo de pequeño tamaño, descapotable, con un motor de escasa potencia y con una carrocería que suele ser de plástico. **2** Tipo de dromedario del norte africano, muy resistente a la fatiga y rápido en la carrera. □ ETIMOL. La acepción 1 es extensión del nombre de una marca comercial.

meigo, ga s. En algunas regiones, brujo.

meiosis (pl. *meiosis*) s.f. En biología, proceso de división por el que una célula origina cuatro gametos o células sexuales con el número de cromosomas reducido a la mitad.

meitnerio s.m. Elemento químico, de número atómico 109, que se obtiene mediante el bombardeo de bismuto con iones de hierro: *La vida media del meitnerio es tan corta que se mide en milésimas de segundos.* □ ETIMOL. Por alusión a L. Meitner, física austriaca que vivió entre 1879 y 1968. □ ORTOGR. Su símbolo químico es *Mt.*

mejana s.f. Isla pequeña en un río. ☐ ETIMOL. Del latín *mediana* (que está en medio).

mejer v. Revolver un líquido, esp. para mezclarlo con otra sustancia: *Mejía la leche para mezclarla con el cacao en polvo.* ☐ ETIMOL. Del latín *miscere* (mezclas). ☐ ORTOGR. Conserva la *j* en toda la conjugación.

mejicanismo s.m. →**mexicanismo.**

mejicano, na adj. →**mexicano.**

mejilla s.f. Cada una de las dos partes carnosas y abultadas de la cara, debajo de los ojos. ☐ SINÓN. *carrillo.* ☐ ETIMOL. Del latín *maxilla* (mandíbula).

mejillón s.m. Molusco marino de carne comestible, con la concha compuesta por dos valvas negras y ovaladas, que vive pegado a las rocas. ☐ ETIMOL. Del portugués *mexilhao.*

mejillonera s.f. Véase **mejillonero, ra.**

mejillonero, ra ▌adj. **1** Del mejillón o relacionado con este molusco. ▌s.f. **2** Instalación para la cría del mejillón.

mejor ▌adj.inv. **1** comp. de superioridad de **bueno.** ▌adv. **2** comp. de superioridad de **bien. 3** Antes o preferiblemente: *En vez de ir al cine, mejor podíamos ir al teatro.* **4** ‖ **a lo mejor;** expresión que se utiliza para indicar duda o posibilidad: *A lo mejor me llamó cuando yo no estaba.* ‖ **mejor que mejor** o **tanto mejor;** expresión que se utiliza para indicar satisfacción o aprobación: *Si me acompañas, tanto mejor.* ☐ ETIMOL. Del latín *melior.* ☐ MORF. Incorr. **más mejor.*

mejora s.f. **1** Cambio que se realiza para hacer algo mejor: *Si hacemos unas cuantas mejoras en el local, conseguiremos aumentar el número de clientes.* **2** Progreso, aumento o adelantamiento: *Si comparas sus dos exámenes, verás su mejora en el último mes.* ☐ SEM. No debe emplearse con el significado de 'mejoría': *La enferma ha mostrado una gran {*mejora > mejoría}.*

mejoramiento s.m. Cambio para mejor. ☐ SINÓN. *mejoría.*

mejorana s.f. Planta herbácea de flores pequeñas, blancas o rosadas, en espiga, muy aromática y utilizada en medicina. ☐ ETIMOL. Del latín *maezurana.*

mejorar v. **1** Pasar o hacer pasar de un estado a otro mejor: *Sigue estudiando así, porque has mejorado mucho. La empresa ha mejorado la calidad de sus productos.* **2** Recobrar la salud, hacer que sea recobrada o poner mejor: *Tómate esta pastilla y verás cómo mejoras. ¡Que te mejores!* **3** Superar o conseguir una mejor realización: *La atleta no consiguió mejorar su marca personal.* **4** Referido al tiempo atmosférico, hacerse más agradable: *Si mañana mejora, iremos a la playa.* ☐ ETIMOL. Del latín *meliorare.*

mejoría s.f. **1** Alivio o disminución del dolor o de la intensidad de una enfermedad. **2** Cambio para mejor: *una mejoría del tiempo.* ☐ SINÓN. *mejoramiento.*

mejunje (tb. *menjunje, menjurje*) s.m. Líquido o sustancia formados por la mezcla de varios ingredientes con aspecto o sabor extraño y desagradable. ☐ ETIMOL. Del árabe *ma'yun* (amasado).

melado, da adj. Del color de la miel.

melamina s.f. Tipo de plástico rígido, duro y resistente al calor.

melancolía s.f. Tristeza indefinida, sosegada, profunda y permanente. ☐ ETIMOL. Del latín *melancholia*, y este del griego *melankholía* (mal humor, bilis negra).

melancólico, ca ▌adj. **1** De la melancolía o relacionado con ella: *una carta melancólica.* ▌adj./s. **2** Referido a una persona, que tiene melancolía o es propenso a ella: *Eres un melancólico, siempre recordando tiempos pasados.*

melanésico, ca adj./s. De Melanesia o relacionado con este grupo de archipiélagos del océano Pacífico occidental. ☐ SINÓN. *melanesio.*

melanesio, sia adj./s. →**melanésico.**

melanina s.f. Pigmento de color negro o pardo negruzco que existe en algunos animales y que da su coloración a la piel, al pelo y a otras partes del cuerpo: *Una peca es una acumulación de melanina.* ☐ ETIMOL. Del griego *mélas* (negro).

melanita s.f. Variedad de granate, muy brillante, negra y opaca, compuesta por silicato de calcio, hierro y titanio: *La melanita es una piedra semipreciosa.* ☐ ETIMOL. Del griego *mélas* (negro).

melanoma s.m. Tumor formado por células que contienen abundante melanina. ☐ ETIMOL. Del griego *mélas* (negro) y *-oma* (tumor).

melar v. **1** Referido a las abejas, elaborar la miel y ponerla en las celdillas del panal: *Las abejas mielan en las colmenas.* **2** Referido al zumo de la caña de azúcar, cocerlo por segunda vez para lograr que espese: *Para hacer azúcar de caña hay que melar su zumo.* ☐ ETIMOL. Del latín *mellare.* ☐ MORF. Irreg. →PENSAR.

melatonina s.f. Sustancia hormonal segregada por la glándula pineal: *Según esos estudios, la melatonina es responsable del ciclo de la vigilia y el sueño.*

melaza s.f. Líquido más o menos espeso y muy dulce que queda como residuo de la fabricación del azúcar de caña o de remolacha. ☐ ETIMOL. De *miel.*

melcocha s.f. Pasta dulce muy espesa, que se prepara echando miel muy concentrada y caliente en agua fría.

melé s.f. En el rugby, jugada en la que varios jugadores de ambos equipos se colocan formando dos grupos compactos que se empujan mutuamente para apoderarse del balón que se lanza entre ellos. ☐ ETIMOL. Del francés *mêlée* (mezclada).

melena ▌s.f. **1** Cabellera larga y suelta. **2** Crin que rodea la cabeza del león. ▌pl. **3** Cabello desarreglado, despeinado o enredado. **4** ‖ **soltarse la melena;** *col.* Lanzarse a hablar o a actuar de forma despreocupada y decidida. ☐ ETIMOL. De origen incierto.

melenudo, da adj./s. Que tiene el pelo largo o abundante, esp. si lo lleva suelto. ☐ USO Tiene un matiz despectivo.

melero, ra ▮ s.m. **1** Lugar en el que se guarda la miel. ▮ s. **2** Persona que se dedica a la venta de miel. □ ORTOGR. Incorr. **mielero*.

melfa s.f. Prenda de vestir femenina, que consiste en un pañuelo de algodón que cubre el cuerpo: *En el reportaje que vimos, las mujeres saharianas llevaban melfas.*

melia s.f. Árbol de tronco recto y ramas irregulares, con la madera dura y aromática, las hojas alternas, las flores en racimo de color lila y el fruto parecido a una cereza pequeña, del que se extrae un aceite que se usa en medicina y en la industria. □ SINÓN. *cinamomo, mirabobo.*

mélico, ca adj. Del canto o de la poesía lírica. □ ETIMOL. Del griego *melikós*, y este de *mélos* (canto). □ USO Su uso es característico del lenguaje culto.

melífero, ra adj. *poét.* Que lleva o que tiene miel. □ ETIMOL. Del latín *mellifer* (que produce miel).

melificar v. Referido a las abejas, elaborar la miel o sacarla a partir de los jugos que obtienen de las flores: *Sin las flores, las abejas no podrían melificar.* □ ORTOGR. La *c* se cambia en *qu* delante de *e* →SACAR.

melífico, ca adj. Que produce miel.

melifluidad s.f. Dulzura y ternura en el trato o en el modo de hablar.

melifluo, flua adj. Dulce y tierno en el trato o en el modo de hablar. □ ETIMOL. Del latín *mellifluus* (que destila miel).

melillense adj.inv./s.com. De Melilla o relacionado con esta comunidad autónoma, con su provincia o con su capital.

melindre s.m. Delicadeza aparente o fingida en las palabras o en los modales: *No te andes con melindres y háblame con entera confianza.* □ SINÓN. *pamema.* □ ETIMOL. De origen incierto.

melindres (pl. *melindres*) s.com. Persona muy afectada en sus modales o muy escrupulosa: *No seas tan melindres para la comida y deja de poner pegas a todo.*

melindroso, sa adj./s. Que finge o muestra una delicadeza exagerada. □ SINÓN. *dengoso, remirado.*

meliorativo, va adj. Que mejora, esp. referido a conceptos o estimaciones morales: *una actitud meliorativa.* □ ETIMOL. Del latín *melioratus*, y este de *meliorare* (mejorar).

melisa s.f. Planta herbácea de hojas en forma de corazón y con flores blancas o rosadas que se utiliza en farmacia por sus efectos sedantes. □ SINÓN. *toronjil, toronjina.* □ ETIMOL. Del griego *mélissa* (abeja), porque la melisa atrae mucho a las abejas.

mella s.f. **1** Rotura o hendidura en el borde de un objeto: *La navaja tiene el filo lleno de mellas por usarla de abrelatas.* **2** Vacío o hueco que deja algo en el lugar que ocupaba: *Cuando se le cayó el diente, al reírse se le veía la mella.* **3** ‖ **hacer mella; 1** Causar efecto o impresionar: *Aquellas palabras hicieron mella en él y marcaron su vida.* **2** Ocasionar daño o pérdida: *Los disgustos no han hecho mella en su alegría.*

mellado, da adj./s. Falto de uno o más dientes: *un cuchillo mellado; una boca mellada.*

mellar v. **1** Referido a un objeto, esp. si es cortante, romper o hendir su filo o su borde: *Has mellado el cuchillo. Tengo que afilar el hacha porque se ha mellado la hoja.* **2** Referido esp. a algo no material, deteriorar, dañar o mermar: *Aquel fracaso no logró mellar sus ilusiones.* □ ETIMOL. De origen incierto.

mellizo, za adj./s. Que ha nacido del mismo parto pero se ha originado de distinto óvulo. □ ETIMOL. Del latín **gemellicius*, y este de *gemellus* (gemelo).

melocotón s.m. **1** Fruto del melocotonero, de forma esférica, piel aterciopelada, pulpa jugosa y un hueso leñoso en el centro. **2** *col.* Borrachera. □ ETIMOL. Del latín *malum cotonium* (membrillo), porque el melocotón se obtuvo mediante un injerto de durazno y membrillo.

melocotonar s.m. Terreno plantado de melocotoneros.

melocotonero s.m. Árbol frutal de flores blancas o rosadas y de hojas lanceoladas, propio de climas templados, cuyo fruto es el melocotón.

melodía s.f. **1** En música, sucesión de sonidos de diferente entonación, ordenados según un diseño o una idea musicales reconocibles, con independencia de su acompañamiento. **2** Parte de la teoría musical que trata de cómo han de elegirse y ordenarse en el tiempo los sonidos para componer estas sucesiones de manera que resulten gratas al oído. □ ETIMOL. Del latín *melodia*, este del griego *meloidía*, y este de *mélos* (canto acompañado de música) y *aeído* (yo canto).

melódico, ca adj. De la melodía o relacionado con ella.

melodioso, sa adj. Dotado de melodía o dulce y agradable al oído: *un canto melodioso.*

melodista s.com. Persona que se dedica a la composición de melodías musicales, por lo general breves y sencillas y sin tener para ello especiales conocimientos técnicos.

melodrama s.m. **1** Obra literaria o cinematográfica, generalmente de carácter dramático, en la que se busca conmover fácilmente la sensibilidad del público mediante la exageración de los aspectos sentimentales, tristes y dolorosos y acentuando la división de los personajes en buenos y malos. **2** *col.* Suceso o relato caracterizados por una tensión y una emoción exageradas o lacrimógenas: *La despedida en la estación fue un melodrama.* □ ETIMOL. Del griego *mélos* (canto acompañado de música), y *drâma* (drama).

melodramático, ca adj. Del melodrama o con las características que se consideran propias de este: *No te pongas melodramático que no te estoy abandonando, solo me voy al cine.*

melojo s.m. Variedad del roble, de cuyas raíces nacen los brotes del rebollo.

melomanía s.f. Pasión desmedida por la música. □ SINÓN. *musicomanía.* □ ETIMOL. Del griego *mélos* (canto acompañado de música) y *-manía* (afición desmedida). □ ORTOGR. Dist. de *megalomanía*.

melómano, na adj./s. Que siente una gran pasión por la música. ☐ SINÓN. *musicómano.* ☐ ORTOGR. Dist. de *megalómano.*

melón, -a ▮ adj./s. **1** *col.* Torpe, necio o bobo. ▮ s.m. **2** Planta herbácea anual, con tallos trepadores o rastreros, flores solitarias amarillas y fruto comestible, grande y de color amarillo o verde claro, generalmente de forma ovalada, cuya pulpa es muy jugosa y dulce y contiene numerosas semillas: *El melón se cultiva en países cálidos.* **3** Fruto de esta planta: *una rodaja de melón.* **4** *col.* Cabeza humana, esp. si está calva, rapada o con pelo muy corto. ☐ ETIMOL. Del latín *melo,* este del griego *melopépon,* y este de *pépon* (melón).

melonada s.f. *col.* Torpeza, tontería o disparate.

melonar s.m. Terreno plantado de melones.

meloncillo s.m. Mamífero carnicero diurno de cuerpo rechoncho, con patas cortas y cola larga, que se alimenta generalmente de roedores pequeños y de serpientes. ☐ MORF. Es un sustantivo epiceno: *el meloncillo {macho/hembra}.*

melonero, ra s. Persona que se dedica al cultivo o a la venta de melones.

melopea s.f. **1** *col.* Borrachera. **2** Canto monótono y repetitivo. **3** *col.* Queja, petición o relato repetitivos. ☐ ETIMOL. Del griego *melopoiía* (melodía, música).

melosidad s.f. Suavidad o dulzura en la forma de actuar.

meloso, sa adj. Referido a una persona, excesivamente suave, blanda o dulce en su forma de actuar. ☐ ETIMOL. Del latín *mellosus.*

melva s.f. Pez comestible muy similar al bonito pero con las aletas dorsales más separadas. ☐ ETIMOL. Del latín vulgar *milva,* y este del latín *milvus* (milano). ☐ MORF. Es un sustantivo epiceno: *la melva {macho/hembra}.*

memada s.f. *col.* Hecho o dicho propios de un memo. ☐ SINÓN. *memez.*

membrana s.f. **1** Tejido orgánico, en forma de lámina o de capa delgada, esp. el que envuelve un órgano o separa cavidades: *Los patos tienen una membrana interdigital que une sus dedos.* **2** Lámina delgada, esp. la de pergamino, piel de becerro o plástico, que se hace vibrar golpeándola, frotándola o soplándola: *Un tambor suena al golpear su membrana.* **3** || **(membrana) mucosa;** la que reviste las cavidades y los conductos del cuerpo animal que se comunican con el exterior. || **(membrana) pituitaria;** la mucosa que reviste las fosas nasales y en la que existen terminaciones nerviosas que actúan como órgano del olfato. || **(membrana) serosa;** la que reviste las cavidades interiores del cuerpo animal: *La pleura es una membrana serosa que recubre los pulmones.* ☐ ETIMOL. Del latín *membrana.*

membranoso, sa adj. Delgado, elástico, resistente o con las características propias de una membrana: *Las moscas tienen alas membranosas.*

membresía s.f. **1** En zonas del español meridional, condición de miembro de una colectividad. **2** En zonas del español meridional, conjunto de miembros de una colectividad.

membrete s.m. Nombre, título o dirección de una persona o de una entidad que aparecen impresos en la parte superior del papel de escribir. ☐ ETIMOL. Quizá de *marbete* (etiqueta), por influencia del antiguo *membrar* (recordar). ☐ ORTOGR. Dist. de *marbete* (trozo de papel que indica las características de una mercancía).

membrillar s.m. Terreno plantado de membrillos: *Algunos árboles que tengo en el membrillar se han secado.*

membrillate s.m. En zonas del español meridional, dulce de membrillo.

membrillero s.m. Árbol frutal de pequeño tamaño, con flores blancas o rosadas y fruto muy aromático, de color amarillo y carne áspera, que se utiliza para hacer confitura. ☐ SINÓN. *membrillo.*

membrillo s.m. **1** Árbol frutal de pequeño tamaño, con flores blancas o rosadas y fruto muy aromático, de color amarillo y carne áspera, que se utiliza para hacer confitura. ☐ SINÓN. *membrillero.* **2** Fruto de este árbol. **3** Dulce de aspecto gelatinoso que se elabora con este fruto. ☐ SINÓN. *carne de membrillo.* ☐ ETIMOL. Del latín *melimelum* (especie de manzana muy dulce).

membrudo, da adj. *col.* De cuerpo y de miembros robustos y fuertes.

memento s.m. **1** En la misa católica, parte en la que se hace conmemoración de los fieles y de los difuntos: *La misa tiene dos mementos: el de los vivos y el de los difuntos.* **2** Recopilación recordatoria, esp. si es de legislación: *Han publicado un memento práctico de legislación fiscal.* ☐ ETIMOL. Del latín *memento* (acuérdate).

memez s.f. **1** Simpleza o falta de juicio. **2** Hecho o dicho propios de un memo: *decir memeces.* ☐ SINÓN. *memada.* **3** Lo que se considera sin importancia o de poco valor. ☐ SINÓN. *tontería.*

memo, ma adj./s. Tonto, simple o necio. ☐ ETIMOL. De origen expresivo. ☐ USO Se usa como insulto.

memorable adj.inv. Digno de ser recordado: *un acontecimiento memorable.*

memorando s.m. →**memorándum.**

memorándum (tb. *memorando*) s.m. **1** Informe diplomático, en el que se exponen hechos o razones que deberán tenerse en cuenta para un determinado asunto: *El cónsul entregó el memorándum al embajador.* **2** Resumen por escrito de las cuestiones más importantes de un asunto: *La portavoz del Gobierno hizo un memorándum de lo tratado en el Consejo de Ministros.* ☐ ETIMOL. Del latín *memorandum* (cosa que debe recordarse). ☐ USO Se usan los plurales *memorándums, memorandos* y *memorándum.*

memorar v. *poét.* Recordar: *Estos versos memoran la juventud dorada del poeta.* ☐ ETIMOL. Del latín *memorare,* y este de *memor* (el que se acuerda de algo).

memoria ▮ s.f. **1** Facultad que permite retener y recordar lo pasado: *Él te lo contará mejor porque tiene muy buena memoria.* **2** Presencia en la mente de algo ya pasado: *Será un homenaje en memoria de los desaparecidos.* □ SINÓN. *recuerdo.* **3** Estudio o informe, generalmente por escrito, sobre hechos o motivos referentes a un asunto: *Me exigen que haga una memoria de mi experiencia como profesor.* **4** Relación objetiva de una serie de hechos o de actividades: *En la memoria anual de la empresa constan todos los gastos y la fecha en que se realizaron.* **5** En informática, dispositivo electrónico en el que se almacena información: *Los datos contenidos en la memoria del ordenador pueden recuperarse en cualquier momento.* ▮ pl. **6** Relato o escrito sobre los recuerdos y acontecimientos de la vida de una persona: *Esta actriz ha publicado sus memorias.* **7** ‖ **de memoria;** utilizando exclusivamente la capacidad memorística, sin apoyo del razonamiento: *¿Te sabes de memoria mi número de teléfono?* ‖ **(memoria) caché;** en informática, parte del hardware o sección de la memoria RAM que recupera información de forma esp. rápida: *Las páginas de internet que se han visto en una sesión, se guardan en la memoria caché para poder verlas de nuevo sin tener que volver a la red.* ‖ **memoria de elefante;** *col.* la que tiene una gran capacidad de retención y recuerdo. ‖ **(memoria) RAM;** en un ordenador, la que contiene información que puede ser modificada por el usuario y es de carácter efímero: *La memoria RAM es la principal y de mayor uso de un ordenador.* ‖ **memoria ROM;** en un ordenador, la que contiene información que solo puede ser leída y no puede ser cambiada: *La memoria ROM contiene importantes programas de uso que no pueden ser borrados.* □ ETIMOL. Del latín *memoria*. En las expresiones *memoria RAM* y *memoria ROM*, *RAM* es el acrónimo del inglés *Random Access Memory* (memoria de acceso aleatorio) y *ROM* es el acrónimo del inglés *Read Only Memory* (memoria solo de lectura).

memorial s.m. Escrito en el que se pide algo alegando razones o méritos: *Para que te concedan esa plaza, debes solicitarla a través de un memorial.* □ ETIMOL. Del latín *memorialis*. □ SEM. No debe emplearse con el significado de 'monumento recordatorio' (anglicismo): *Para conmemorar el segundo aniversario se ha erigido un (*memorial > monumento) de mármol.*

memorialista s.com. Persona que se dedica a escribir por encargo memoriales y otros documentos, esp. si esta es su profesión. □ SINÓN. *pendolista.*

memorión s.m. Persona que tiene mucha memoria.

memorismo s.m. Método de aprendizaje basado principalmente en la utilización de la memoria, dejando de lado el desarrollo del razonamiento.

memorista ▮ adj.inv. **1** Del memorismo o relacionado con este método de aprendizaje: *técnicas memoristas.* ▮ adj.inv./s.com. **2** Partidario o seguidor del memorismo.

memorístico, ca adj. Que se basa en la utilización de la memoria, dejando de lado el desarrollo del razonamiento: *estudio memorístico.*

memorización s.f. Fijación de algo en la memoria.

memorizar v. Fijar en la memoria: *En matemáticas se memorizan algunas operaciones y se razona a partir de ellas. Memoricé tu número de teléfono porque no tenía dónde apuntarlo.* □ ORTOGR. La *z* se cambia en *c* delante de *e* →CAZAR.

mena s.f. En un filón o en un yacimiento, parte o roca que contienen los minerales o metales de utilidad y que reportan beneficios económicos. □ ETIMOL. Del céltico **mena* (mineral).

ménade s.f. **1** En mitología, sacerdotisa del dios Baco que, durante la celebración de los misterios, daba muestras de frenesí o de delirio. **2** Mujer descompuesta y frenética. □ ETIMOL. Del latín *maenas*, y este del griego *mainás* (furiosa). La acepción 2, por alusión a estas sacerdotisas.

ménage à trois (fr.) s.m. ‖ Práctica sexual en la que intervienen tres personas al mismo tiempo. □ PRON. [menách a truá], con *ch* suave.

menaje s.m. Conjunto de muebles, utensilios y demás accesorios de una casa. □ ETIMOL. Del francés *ménage* (administración doméstica). □ ORTOGR. Incorr. **menage.*

menarca s.f. En zonas del español meridional, menarquía.

menarquia s.f. En medicina, aparición de la primera menstruación. □ ETIMOL. Del griego *mén* (mes) y *árkho* (yo comienzo).

menchevique adj.inv./s.com. De la facción moderada de los socialdemócratas rusos o relacionado con estos: *Los mencheviques se enfrentaron a los bolcheviques durante la Revolución Rusa.* □ ETIMOL. Del ruso *men'shevick* (uno de la minoría).

mencía ▮ s.f. **1** Uva negra dulce y aromática: *La mencía se cultiva en el noroeste de la península.* ▮ s.m. **2** Vino elaborado con esta uva: *¿Quieres probar este mencía?* □ SINT. Se usa mucho en aposición, pospuesto a un sustantivo: *uva mencía.*

mención s.f. **1** Recuerdo que se hace de algo nombrándolo o citándolo: *No hagas mención de mi nombre delante de ellos.* **2** ‖ **mención honorífica;** en un concurso, distinción que se concede a un trabajo no premiado pero que se considera de mérito: *En el concurso de poesía no obtuvo ni el premio ni el accésit, pero sí una mención honorífica.* □ ETIMOL. Del latín *mentio*. □ SINT. Constr. *hacer mención* DE *algo.*

mencionar v. Nombrar o citar al hablar o al escribir: *Nadie mencionó tu nombre durante la reunión.*

menda ▮ pron.pers. **1** *col.* Expresión que usa la persona que habla para designarse a sí misma: *Mi menda no piensa fregar.* ▮ s.com. **2** *col.* Persona cuya identidad se ignora o no se quiere decir: *Se me acercaron unos mendas para pedirme fuego.* □ SINÓN. *individuo.* □ ETIMOL. Del gitano *menda* (dativo del pronombre personal de primera persona).

☐ MORF. En la acepción 1, se usa con el verbo en tercera persona del singular. ☐ SINT. En la acepción 1, suele usarse precedido del artículo determinado o del posesivo *mi*.

mendacidad s.f. **1** Engaño o falsedad: *Pronto demostraré la mendacidad de tus afirmaciones.* **2** Hábito o costumbre de mentir. ☐ ETIMOL. Del latín *mendacitas*. ☐ ORTOGR. Dist. de *mendicidad*.

mendaz ▮ adj.inv. **1** Que encierra engaño o falsedad: *Las malas personas dan consejos mendaces buscando su propio bien.* ☐ SINÓN. *mentiroso.* ▮ adj.inv./s.com. **2** Referido a una persona, que tiene la costumbre de mentir. ☐ SINÓN. *mentiroso.* ☐ ETIMOL. Del latín *mendax*, y este de *menda* (falta, error).

mendelevio s.m. Elemento químico, metálico y artificial, de número atómico 101, que se obtiene bombardeando el einstenio con partículas alfa y que pertenece al grupo de las tierras raras: *El mendelevio es radiactivo.* ☐ ETIMOL. De *Mendeléyev*, químico ruso. ☐ ORTOGR. Su símbolo químico es *Md*.

mendeliano, na adj. De Mendel (botánico austriaco del siglo XIX), de sus teorías o relacionado con ellas: *La transmisión hereditaria del color de los ojos es un ejemplo de herencia mendeliana.*

mendelismo s.m. Conjunto de leyes sobre la transmisión hereditaria de los caracteres de los seres vivos basadas en los experimentos de Mendel (botánico austriaco del siglo XIX).

mendicante adj.inv. Referido a una orden religiosa, que tiene instituido que sus miembros carecerán de pertenencias y deberán vivir de la limosna y del trabajo personal. ☐ ETIMOL. Del latín *mendicans*.

mendicidad s.f. **1** Situación o estado del mendigo. **2** Petición de limosna. ☐ ETIMOL. Del latín *mendicitas*. ☐ ORTOGR. Dist. de *mendacidad*.

mendigar v. **1** Pedir limosna: *Tuvo que mendigar unas monedas para pagarse la posada. Un niño mendigaba a la entrada de la iglesia.* **2** Referido esp. a algún tipo de ayuda, suplicarla o solicitarla con importunidad o con humillación: *Es triste tener que mendigar un poco de afecto.* ☐ ETIMOL. Del latín *mendicare*. ☐ ORTOGR. La *g* se cambia en *gu* delante de *e* →PAGAR.

mendigo, ga s. Persona que habitualmente pide limosna. ☐ SINÓN. *pobre.* ☐ ETIMOL. Del latín *mendicus*.

mendrugo s.m. **1** *col.* Persona tonta, necia o poco inteligente. **2** Trozo de pan duro. ☐ ETIMOL. De origen incierto.

menear ▮ v. **1** Mover de una parte a otra: *El viento meneaba las hojas de los árboles. Está tan atento que ni se menea.* **2** Referido esp. a un asunto, activarlo o hacer gestiones para resolverlo: *Lo de la discusión del otro día es mejor no menearlo.* ▮ prnl. **3** *col.* Darse prisa al andar o actuar con rapidez: *Menéate o llegaremos tarde.* **4** *col.* Contonearse o moverse de forma sensual: *Para ser modelo hay que saber menearse con gracia.* **5** ‖ **de no te menees;** *col.* Muy grande o importante: *Me dio un susto de no te menees.* ☐ ETIMOL. Del antiguo *manear* (manejar), y este de *mano*.

meneo s.m. **1** Movimiento de una parte a otra: *Lo agarró del brazo y le dio un meneo para que reaccionara.* **2** *col.* Riña o paliza.

menester ▮ s.m. **1** Ocupación, trabajo o empleo: *Para estos menesteres no hace falta estudiar mucho.* ▮ pl. **2** *col.* Herramientas o utensilios necesarios: *No pude arreglar la mesa porque olvidé mis menesteres de carpintería.* **3** ‖ **{haber/ser} menester** algo; ser necesario o imprescindible: *Es menester que usted responda a esa petición.* ☐ ETIMOL. Del latín *ministerium* (servicio, empleo, oficio). ☐ MORF. En la acepción 1, se usa más en plural.

menesteroso, sa adj./s. Carente o necesitado de algo, esp. de lo necesario para subsistir.

menestra s.f. Guiso preparado con verduras variadas y trozos de carne o de jamón. ☐ ETIMOL. Del italiano *minestra*.

menestral, -a s. Persona que desarrolla un oficio manual. ☐ ETIMOL. Del latín *ministerialis* (funcionario imperial). ☐ ORTOGR. Dist. de *ministril*.

mengano, na s. Una persona cualquiera. ☐ ETIMOL. Quizá del árabe *man kan* (quien sea, cualquiera). ☐ USO Se usa más como nombre propio, y en la expresión *Fulano, Mengano, Zutano y Perengano*.

mengua s.f. Disminución o reducción: *La crisis ha causado importantes menguas en los beneficios.* ☐ ETIMOL. Del latín **minua*, y este de *minuere* (disminuir, rebajar).

menguado, da ▮ adj./s. **1** Referido a una persona, que es tímida o cobarde. **2** Referido a una persona, que es tonta o que tiene poca inteligencia. ▮ s.m. **3** En una labor de punto o de ganchillo, punto que se disminuye.

menguante ▮ adj.inv. **1** Que mengua: *luna en cuarto menguante.* ▮ s.f. **2** Disminución del caudal de agua: *En el verano, la menguante deja el río casi seco.* **3** Descenso del nivel del mar por efecto de la marea: *Los mariscadores aprovechan la menguante para recoger los berberechos.* **4** Decadencia o disminución de algo: *La menguante de las ventas nos arrastró a la ruina.*

menguar (tb. *amenguar*) v. **1** Disminuir o reducir: *Tantos gastos menguaron mis ahorros.* **2** Referido a la Luna, disminuir la parte iluminada que se ve desde la Tierra: *La Luna mañana empezará a menguar hasta que haya luna nueva.* **3** En una labor de punto o de ganchillo, reducir o quitar un punto: *Mengua dos puntos en cada vuelta para dar la forma de la sisa. Cuando hagas treinta vueltas, empieza a menguar.* ☐ ETIMOL. Del latín *minuare*. ☐ ORTOGR. 1. La *u* lleva diéresis cuando le sigue *e*. 2. La *u* permanece siempre átona →AVERIGUAR.

mengue s.m. *col.* Diablo.

menhir s.m. Monumento prehistórico formado por una gran piedra alargada clavada verticalmente en el suelo: *Los menhires son monumentos funerarios o conmemorativos.* ☐ ETIMOL. Del francés *menhir*, y este del bretón *men* (piedra) e *hir* (larga). ☐ SEM.

Dist. de *dolmen* (formado por dos o más piedras verticales sobre las que descansan otras horizontales).

meninge s.f. Membrana que envuelve y protege el encéfalo y la médula espinal. ☐ ETIMOL. Del griego *mênínx* (membrana). ☐ USO Se usa más en plural.

meníngeo, a adj. De las meninges o relacionado con ellas: *una afección meníngea.*

meningítico, ca adj. De la meningitis o relacionado con esta enfermedad. ☐ USO En la lengua coloquial, se usa como insulto.

meningitis (pl. *meningitis*) s.f. Inflamación de las meninges. ☐ ETIMOL. De *meninge* e *-itis* (inflamación).

meningococo s.m. Microorganismo que causa distintas enfermedades, esp. uno de los tipos de meningitis. ☐ ETIMOL. Del griego *mênínx* (membrana) y *kókkos* (grano).

menino, na s. En la corte española, persona de la nobleza que, desde pequeña, entraba a servir a la familia real. ☐ ETIMOL. Del portugués *menino* (niño).

menisco s.m. Cartílago con forma de media luna cuyo espesor es mayor en la periferia que en el centro, y que forma parte de algunas articulaciones, esp. de la rodilla. ☐ ETIMOL. Del griego *menískos* (luna pequeña, cuarto de luna).

menjunje s.m. →**mejunje.**

menjurje s.m. →**mejunje.**

mennonita adj.inv./s.com. →**menonita.**

menonita adj.inv./s.com. Que pertenece a un grupo religioso escindido de los anabaptistas, que sigue la doctrina de Mennon (reformador religioso del siglo XVI) en la que se renuncia a los bienes mundanos y se apoya el pacifismo. ☐ ORTOGR. Se usa también *mennonita.*

menopausia s.f. **1** Cese natural de la menstruación de la mujer. **2** Período de la vida de una mujer en el que se produce este cese de la menstruación. ☐ ETIMOL. Del griego *mén* (mes) y *pâusis* (cesación).

menopáusica s.f. Véase **menopáusico, ca**.

menopáusico, ca ▌adj. **1** De la menopausia o relacionado con ella. ▌adj./s.f. **2** Referido a una mujer, que está viviendo el período en el que se produce la menopausia.

menor ▌adj.inv. **1** comp. de superioridad de **pequeño**. **2** Referido a una persona, que tiene menos edad que otra: *Voy al cine con mis dos hermanos menores.* **3** En música, referido al modo de una tonalidad, que presenta una distancia de un tono y un semitono entre la tónica o primer grado de la escala y la mediante o tercer grado: *una sinfonía en do menor.* ▌adj.inv./s.com. **4** Referido a una persona, que no tiene la edad que fija la ley para poder ejercer todos sus derechos civiles. **5** ‖ **(al) por menor;** referido esp. a la forma de comprar y de vender, en pequeña cantidad: *Las nuevas medidas fiscales afectan sobre todo al comercio al por menor.* ‖ **menor que;** en matemáticas, signo gráfico formado por un ángulo abierto hacia la derecha y que se coloca entre dos cantidades para indicar que la primera es menor que la segunda: *Un 'menor que' se representa con el signo* **. ☐ ETIMOL. Del latín *minor.* ☐ MORF. En las acepciones 1 y 2, incorr. **más menor.*

menorquín, -a adj./s. De Menorca (isla balear), o relacionado con ella.

menorragia s.f. Menstruación más abundante o de más duración de lo normal. ☐ ETIMOL. Del griego *mén* (mes) y *-rragia* (flujo, derramamiento).

menos ▌s.m. **1** En matemáticas, signo gráfico formado por una pequeña raya horizontal que se coloca entre dos cantidades para indicar resta: *Has hecho el menos tan abajo que parece un subrayado.* ▌adv. **2** En menor cantidad o cualidad: *Habla menos y escucha más. Tú eres menos alto que tu hermano. Eso era lo menos malo que te podía pasar.* **3** Seguido de una cantidad, indica limitación indeterminada de esta: *En esta carretera hay que ir a menos de 60 km/h.* **4** Con el verbo 'querer' o equivalentes, indica idea opuesta a la preferencia: *Menos quiero enfrentarme a una mujer airada que a un caballero armado.* **5** A excepción de: *Puedo soportarlo todo menos tu indiferencia.* ☐ SINÓN. *excepto.* **6** ‖ **a menos que;** enlace gramatical subordinante con valor condicional negativo: *No le diré nada a menos que me lo pregunte directamente.* ‖ **{al/a lo/cuando/por lo} menos; 1** Expresión que se usa para introducir una excepción o una salvedad: *Por lo menos no perdimos el dinero invertido.* **2** Como mínimo: *Quiero que al menos se me escuche. Cuando menos espero que me ayudes.* ‖ **de menos;** en una cantidad menor que la esperada: *Me han devuelto un documento de menos.* ‖ **lo menos;** expresión que se utiliza para establecer un límite mínimo: *Sabe lo menos tres idiomas.* ‖ **los menos;** la minoría o la menor parte: *Los que no están de acuerdo son los menos.* ‖ **no ser para menos;** ser importante o digno de atención: *Está enfadado y no es para menos, porque se le han estropeado los planes.* ‖ **ser lo de menos;** no tener importancia: *El precio es lo de menos, porque lo que importa es la calidad.* ☐ ETIMOL. Del latín *minus.* ☐ SINT. Incorr. *{*Contra/Cuanto} menos estudies, menos posibilidades tendrás de aprobar.* ☐ USO Se usa para indicar la operación matemática de la resta: *Cinco menos tres son dos.*

menoscabar v. Disminuir, dañar, deteriorar, desprestigiar o quitar el lucimiento: *Esas acusaciones menoscaban mi reputación. El prestigio de este hotel se menoscaba día a día por su mala administración.* ☐ ETIMOL. Del latín **minuscapare*, y este quizá de *minus caput* (persona privada de los derechos civiles).

menoscabo s.m. Disminución o deterioro de la honra, el valor, la importancia o el prestigio: *Se retiró del negocio a tiempo y su capital no sufrió menoscabo.*

menospreciar v. Dar menos valor o menos importancia de lo que algo tiene: *No lo menosprecies como enemigo, porque es realmente temible.* ☐ ETIMOL. De *menos* y *preciar* (apreciar). ☐ ORTOGR. La *i* nunca lleva tilde.

menospreciativo, va adj. Que tiene o que manifiesta menosprecio.

menosprecio s.m. Desprecio o indiferencia.

mensáfono s.m. Aparato electrónico que transmite señales acústicas y que se utiliza para recibir mensajes a distancia. ☐ SINÓN. *buscapersonas.* ☐ ETIMOL. De *mensaje* y *-fono* (sonido).

mensaje s.m. **1** Noticia, comunicación o información que se transmiten. **2** Idea profunda que se intenta transmitir, esp. a través de una obra artística: *el mensaje de una película.* **3** Conjunto de señales, símbolos o signos construidos según unas reglas precisas y utilizados para transmitir una información: *Un mensaje no se puede descifrar si no se conoce el código que se utiliza.* ☐ ETIMOL. Del provenzal *messatge*, y este de *mes* (mensajero).

mensajear v. *col.* Enviar un mensaje corto de un teléfono móvil a otro: *En cuanto salga del cine, te mensajeo.*

mensajería s.f. Servicio de reparto de mensajes y paquetes.

mensajero, ra ▮ adj. **1** Que anuncia algo, o que lleva o transmite un mensaje: *palomas mensajeras.* ▮ adj./s. **2** Referido a una persona, que lleva mensajes o paquetes a sus destinatarios, esp. si esta es su profesión. **3** ‖ **matar al mensajero;** *col.* Hacer responsable de algo a la persona que únicamente transmite una información: *Siempre que hay malas noticias se quiere matar al mensajero.*

menso, sa adj./s. *col.* En zonas del español meridional, tonto. ☐ USO Se usa como insulto.

menstruación s.f. En una mujer y en las hembras de los simios, eliminación periódica por vía vaginal de sangre y materia celular procedentes del útero. ☐ SINÓN. *menstruo, periodo, período, regla.*

menstrual adj.inv. De la menstruación o relacionado con ella.

menstruar v. Referido a una mujer o a las hembras de los simios, eliminar periódicamente sangre y materia celular procedentes del útero: *Durante el embarazo, la mujer no menstrúa.* ☐ ORTOGR. La *u* lleva tilde en los presentes, excepto en las personas *nosotros* y *vosotros* →ACTUAR.

menstruo s.m. →**menstruación.** ☐ ETIMOL. Del latín *menstruus*, y este de *mensis* (mes).

mensual adj.inv. **1** Que sucede cada mes: *una revista mensual.* **2** Que dura un mes: *Con el abono mensual, los transportes salen más baratos.* ☐ ETIMOL. Del latín *mensualis.*

mensualidad s.f. Cantidad de dinero que se cobra o que se paga cada mes. ☐ SINÓN. *mes.*

mensualizar v. Establecer plazos mensuales: *Mensualizaremos las reuniones para controlar el desarrollo de este nuevo proyecto.* ☐ ORTOGR. La *z* se cambia en *c* delante de *e* →CAZAR.

ménsula s.f. Elemento arquitectónico que sobresale de un plano vertical y que se usa como soporte. ☐ ETIMOL. Del latín *mensula* (mesa pequeña).

mensurabilidad s.f. Capacidad para ser medido.

mensurable adj.inv. Que se puede medir. ☐ ETIMOL. Del latín *mensurabilis.*

mensurar v. Referido a un todo, averiguar sus dimensiones o compararlo con una unidad tomada como referencia para saber el número de veces que la contiene: *Esos extensísimos terrenos no se pueden mensurar.* ☐ SINÓN. *medir.* ☐ ETIMOL. Del latín *mensurare.* ☐ USO Su uso es característico del lenguaje culto.

menta s.f. **1** Planta herbácea que suele medir unos cincuenta centímetros de altura, con hojas generalmente de color verde y flores lilas, que tiene propiedades medicinales. **2** Infusión que se hace con las hojas de esta planta: *una taza de menta.* **3** Esencia o sustancia extraída de esta planta: *un caramelo de menta.* ☐ ETIMOL. Del latín *menta.*

-menta Sufijo que indica conjunto: *vestimenta, cornamenta.* ☐ ETIMOL. Del latín *-menta.*

mentado, da adj. Referido a una persona, que es famosa o muy conocida.

mental adj.inv. De la mente o relacionado con ella: *una enfermedad mental; un cálculo mental.* ☐ ETIMOL. Del latín *mentalis.*

mentalidad s.f. Modo de pensar que caracteriza a una persona o a un grupo social.

mentalismo s.m. Teoría psicológica cuyo método se basa en la introspección.

mentalización s.f. Toma de conciencia de un determinado hecho o de una determinada situación.

mentalizar v. Hacer tomar conciencia de un determinado hecho o de una determinada situación: *Hay que mentalizar a los niños de que la ciudad debemos cuidarla entre todos. Ya me he mentalizado para dejar de fumar.* ☐ ORTOGR. La *z* se cambia en *c* delante de *e* →CAZAR. ☐ SINT. Constr. *mentalizar* A *alguien* DE *algo.*

mentar v. Nombrar o mencionar: *No me mientes a esa estúpida, porque prefiero no acordarme de ella.* ☐ ETIMOL. De *mente.* ☐ MORF. Irreg. →PENSAR. ☐ SEM. Expresiones como *mentarle la madre a alguien* indican que dicha mención se hace con intención de insultar: *Empezó mentándole la madre y acabaron a tortas.*

mente s.f. **1** Capacidad intelectual humana: *Siempre lo razona todo porque tiene una mente analítica.* **2** Pensamiento, imaginación o voluntad: *No puedo quitarme esa idea de la mente.* **3** ‖ **{estar/quedarse} con la mente en blanco;** estar o quedarse sin reaccionar o sin poder pensar: *En el examen me quedé con la mente en blanco y no pude contestar ninguna pregunta.* ‖ **tener** algo **en mente;** tener intención de realizarlo: *Tiene en mente estudiar otra carrera y seguro que lo hará.* ☐ ETIMOL. Del latín *mens.*

-mente Sufijo que indica modo o manera: *vilmente, buenamente.* ☐ ETIMOL. Del latín *mente.*

mentecatería s.f. **1** Necedad o falta de juicio. ☐ SINÓN. *mentecatez.* **2** Hecho o dicho propios de un mentecato. ☐ SINÓN. *mentecatez.*

mentecatez s.f. →**mentecatería.**

mentecato, ta adj./s. Referido a una persona, que es tonta, falta de juicio o de corto entendimiento. ☐ ETIMOL. Del latín *mente captus* (falto de mente).

mentidero s.m. Lugar en el que se reúne la gente para conversar.

mentido, da adj. Falso, engañoso o ilusorio: *Deja ya de albergar mentidas esperanzas.*

mentir v. **1** Decir o manifestar algo distinto de lo que se sabe, se cree o se piensa: *Me dice que sale con sus amigos, pero yo sé que miente.* **2** Inducir a error: *Sus palabras mienten y son engañosas.* □ ETIMOL. Del latín *mentiri.* □ MORF. Irreg. →SENTIR.

mentira s.f. **1** Expresión o manifestación de algo distinto de lo que se sabe, se cree o se piensa. **2** *col.* Mancha pequeña de color blanco que aparece a veces en las uñas. □ SINÓN. *selenosis.* **3** || **mentira piadosa;** la que se dice para no causar disgusto o pesar. || **parecer mentira;** ser extraño, sorprendente o admirable: *¡Cómo has crecido, parece mentira!*

mentirijillas || **de mentirijillas;** *col.* De mentira o de broma.

mentiroso, sa ▮ adj. **1** Que encierra engaño o falsedad. □ SINÓN. *mendaz.* ▮ adj./s. **2** Referido a una persona, que tiene la costumbre de mentir. □ SINÓN. *mendaz.*

mentís (pl. *mentís*) s.m. Declaración o demostración con las que se desmiente o se contradice lo que ha dicho otra persona: *La ministra dio un mentís a los rumores sobre el aumento de los impuestos.* □ ETIMOL. De la segunda persona plural del presente de indicativo del verbo *mentir.* □ SINT. Se usa más con el verbo *dar.*

-mento Sufijo que indica acción y efecto: *impedimento, predicamento.* □ ETIMOL. Del latín *-mentum.*

mentol s.m. Tipo de alcohol que se obtiene esp. del aceite de menta y se usa en farmacia y como aromatizante.

mentolado, da adj. **1** Que contiene mentol: *un jarabe mentolado.* **2** Con sabor a menta: *Fuma tabaco mentolado.*

mentón s.m. Extremo saliente de la mandíbula inferior. □ SINÓN. *barbilla.* □ ETIMOL. Del francés *menton.*

mentor, -a s. Persona que aconseja, orienta o guía a otra. □ ETIMOL. Por alusión a Méntor, instructor del hijo de Ulises, protagonista del poema griego clásico la 'Odisea'.

menú (pl. *menús*) s.m. **1** Conjunto de platos que constituyen una comida. **2** En un restaurante, relación de comidas y bebidas que pueden ser consumidas. **3** En informática, lista de programas, procedimientos u opciones que aparece en la pantalla, entre los que el usuario puede elegir. □ ETIMOL. Del francés *menu.* □ MORF. Incorr. el pl. **menúes.*

menudear v. **1** Referido a una acción, hacerla a menudo: *Sospecho que quiere algo, porque últimamente menudea sus visitas.* **2** Suceder con frecuencia: *Este verano han menudeado las tormentas.* □ ETIMOL. De *menudo.*

menudencia s.f. Lo que se considera sin importancia o de poco valor. □ SINÓN. *tontería.*

menudeo s.m. **1** Repetición de una acción o de un suceso: *Me molesta el menudeo de sus llamadas.* **2** *col.* Venta al por menor: *Las tiendas de mi barrio venden al menudeo.*

menudillo ▮ s.m. **1** En un cuadrúpedo, articulación que se encuentra por encima del casco entre la caña y la cuartilla. ▮ pl. **2** Vísceras de un ave. □ ETIMOL. De *menudo.*

menudo, da ▮ adj. **1** De pequeño tamaño o delgado y de baja estatura: *No se nota la costura porque las puntadas son menudas.* **2** Insignificante o de poca importancia: *Los temas menudos los tratamos durante el café.* ▮ s.m. **3** Vientre, manos y sangre de una res sacrificada para su consumo. **4** Comida hecha con vientre y patas de res, chile, jitomate y otros ingredientes. ▮ s.m.pl. **5** Vísceras, pescuezo, pies y alones de un ave sacrificada para su consumo. ▮ s.m. **6** En zonas del español meridional, suelto o moneda fraccionaria. **7** || **a menudo;** con frecuencia: *Viene por aquí a menudo.* □ ETIMOL. Del latín *minutus.* □ SEM. En frases exclamativas, antepuesto a un sustantivo, tiene un sentido intensificador: *¡En menudo lío nos hemos metido!*

meñique s.m. →**dedo meñique.** □ ETIMOL. Del antiguo *menino* (niño) por cruce con **margarique*, y este del francés antiguo *margariz* (renegado, traidor), porque en muchas canciones infantiles y en muchos proverbios se le atribuye a este dedo la función de delator.

meódromo s.m. *col.* Urinario.

meollo s.m. Lo más importante o lo esencial: *Ese no es el meollo de la cuestión, sino algo marginal.* □ ETIMOL. Del latín **medullum*, y este de *medulla* (médula, meollo).

meón, -a adj./s. *col.* Que mea mucho o con mucha frecuencia.

mequetrefe s.com. *col.* Persona entrometida, bulliciosa y de poco juicio. □ ETIMOL. De origen incierto.

mercachifle s.com. **1** *desp.* Comerciante de poca importancia. **2** *desp.* Persona que concede demasiada importancia al aspecto económico de su profesión.

mercadear v. **1** Comerciar o hacer tratos comerciales: *Es vendedora ambulante y mercadea de pueblo en pueblo.* **2** Hacer tratos que aportan beneficios: *Consiguieron dos concejalías mercadeando con los votos.* □ ETIMOL. De *mercado.* □ USO La acepción 2 tiene un matiz despectivo.

mercadeo s.m. **1** Comercio o trato comercial: *Se dedica al mercadeo ambulante, yendo de pueblo en pueblo.* **2** En economía, conjunto de operaciones por las que pasa una mercancía desde el productor al consumidor: *En el mercadeo, la distribución constituye una tarea primordial.* **3** Trato o acuerdo beneficiosos para los que los hacen: *El mercadeo de votos me parece algo inmoral.* □ USO La acepción 3 tiene un matiz despectivo.

mercader s.m. Comerciante o vendedor. □ ETIMOL. Del catalán *mercader*, y este de *mercat* (mercado).

mercadería s.f. *ant.* →**mercancía.**

mercadillo s.m. Mercado formado generalmente por puestos ambulantes en los que se venden géneros baratos, y que se celebra en días determinados.

mercado s.m. **1** Edificio o recinto destinados al comercio, generalmente con tiendas o puestos independientes. **2** Conjunto de operaciones de compra y venta: *Los norteamericanos y los árabes acaparan el mercado del petróleo.* **3** Lugar ideal o territorio concreto en los que se puede desarrollar una actividad comercial: *Las empresas buscan continuamente nuevos mercados.* **4** En zonas del español meridional, compra. **5** || **mercado negro;** el que es clandestino y está fuera de la ley. || **mercado sobre ruedas;** En zonas del español meridional, mercadillo. □ ETIMOL. Del latín *mercatus* (comercio, tráfico, mercado).

mercadotecnia s.f. Conjunto de técnicas dirigidas a favorecer la comercialización de un producto o de un servicio. □ SINÓN. *marketing.* □ ETIMOL. De *mercado* y el griego *tékhne* (industria).

mercadotécnico, ca adj./s. De la mercadotecnia o relacionado con esta técnica: *un estudio mercadotécnico.*

mercancía s.f. **1** Lo que se compra o se vende. **2** *arg.* Droga. □ ETIMOL. Del italiano *mercanzia.*

mercancías (pl. *mercancías*) s.m. Tren preparado para el transporte de mercancías: *Descarriló un mercancías cargado de carbón.*

mercante ▌adj.inv. **1** Del comercio marítimo: *Como soy marino mercante, estoy siempre en alta mar.* ▌s.m. **2** →**buque mercante.** □ ETIMOL. Quizá del italiano *mercante.*

mercantil adj.inv. Del comercio, de la mercancía, de los comerciantes o relacionado con ellos: *derecho mercantil.*

mercantilismo s.m. **1** Sistema económico que se desarrolló en el continente europeo entre los siglos XVI y XVII, que tenía como objetivo que las exportaciones de un país superaran a las importaciones y que este excedente se mantuviera en forma de metales preciosos como signo de la riqueza del país. **2** Inclinación o tendencia a dar importancia excesiva al dinero y a todo lo que le rodea.

mercantilista ▌adj.inv. **1** Del mercantilismo o relacionado con este sistema económico. ▌adj.inv./s.com. **2** Que defiende o sigue el mercantilismo. **3** Que se dedica profesionalmente al derecho mercantil o que está especializado en él: *un abogado mercantilista.*

mercantilización s.f. Utilización comercial de cosas que no deben ser objeto de comercio: *La ley prohíbe la mercantilización de la donación de órganos.*

mercantilizar v. Convertir en mercancía: *No tiene escrúpulos morales y mercantiliza hasta nuestra amistad.* □ ORTOGR. La *z* se cambia en *c* delante de *e* →CAZAR.

mercar v. *col.* Comprar: *Mercó un coche de segunda mano muy barato. ¡Vaya traje que te has mercado!* □ ETIMOL. Del latín *mercari.* □ ORTOGR. La *c* se cambia en *qu* delante de *e* →SACAR.

merced s.f. **1** Favor o recompensa: *Nos hará la merced de decir unas palabras.* **2** Gracia o concesión que hacía un rey o un señor: *En la Edad Media, los reyes concedían como merced el gobierno de algunos de los territorios.* **3** *ant.* Tratamiento de cortesía que se usaba para dirigirse a una persona considerada superior en algún sentido, y que equivale al actual *usted.* **4** || **a merced de** algo; sometido a su dominio o a sus deseos: *Las hojas quedaron a merced del viento.* □ ETIMOL. Del latín *merces* (paga, recompensa). □ USO La acepción 3 se usaba más en la expresión *{su/vuestra} merced.*

mercedario, ria adj./s. De la Merced (orden religiosa y militar fundada a principios del siglo XIII cuya principal misión fue liberar a prisioneros cristianos capturados por los musulmanes), o relacionado con ella. □ ORTOGR. Dist. de *mercenario.*

merceditas s.f.pl. Tipo de calzado para niñas, con hebilla y punta redondeada.

mercenario, ria adj./s. **1** Referido esp. a un soldado, que sirve voluntariamente en la guerra a cambio de dinero, y sin motivaciones ideológicas. **2** Que trabaja por dinero y sin ninguna otra motivación. □ ETIMOL. Del latín *mercenarius* (el que guerrea o trabaja por una paga). □ ORTOGR. Dist. de *mercedario.*

mercería s.f. **1** Establecimiento en el que se venden artículos para realizar labores de costura. **2** Conjunto de estos artículos y comercio que se hace con ellos. □ ETIMOL. Del catalán *merceria,* y este del latín *merx* (mercancía).

mercero, ra s. Persona que se dedica profesionalmente a la venta de artículos de una mercería.

merchandising (ing.) s.m. En economía, conjunto de tareas encaminadas a mejorar la promoción o la comercialización de un producto. □ PRON. [merchandáisin]. □ USO Su uso es innecesario y puede sustituirse por *promoción comercial.*

merchant bank (ing.) (tb. *merchant*) s.m. ||→**banco de negocios.** □ PRON. [mérchant bank], con *ch* suave.

merchante s.com. Persona que se dedica a la venta ambulante. □ SINÓN. *merchero.* □ ETIMOL. Del francés antiguo *merchant* (comerciante).

merchero, ra s. →**merchante.**

mercromina s.f. Líquido de color rojo, elaborado con mercurio y alcohol, que se usa como desinfectante para heridas superficiales. □ SINÓN. *mercurocromo.* □ ETIMOL. Extensión del nombre de una marca comercial.

mercurial adj.inv. **1** De Mercurio (dios del comercio en la mitología romana) o relacionado con él: *En la antigua Roma, las fiestas mercuriales eran muy importantes.* **2** De Mercurio (planeta más próximo al Sol) o relacionado con él: *Se calcula que la temperatura mercurial del hemisferio que mira al Sol es de aproximadamente cuatrocientos grados centígrados.*

mercúrico, ca adj. Del mercurio, relacionado con este elemento químico o que lo contiene: *El óxido mercúrico es venenoso.*

mercurio s.m. Elemento químico, metálico y líquido, de número atómico 80, blanco, brillante y muy pesado: *El mercurio se usa en la fabricación de termómetros por su capacidad de dilatación con el calor.* □ ETIMOL. Del latín *Mercurius* (dios romano Mercurio, mensajero de los dioses), porque la movilidad del mercurio se comparó con la de este dios. □ ORTOGR. Su símbolo químico es *Hg*.

mercurocromo s.m. Líquido de color rojo, elaborado con mercurio y alcohol, que se usa como desinfectante para heridas superficiales. □ SINÓN. *mercromina.* □ ETIMOL. Extensión del nombre de una marca comercial.

merecedor, -a adj. Que es digno de recibir un premio o un castigo, o se hace digno de ello. □ SINT. Constr. *merecedor* DE *algo*. □ SEM. Dist. de *acreedor* (que tiene derecho a que se le pague una deuda; que tiene mérito para obtener algo).

merecer v. **1** Referido esp. a un premio o a un castigo, ser o hacerse digno de ellos: *Merece un premio por la labor realizada en estos años. Se merece un cachete.* **2** Valer o tener cualidades dignas de estimación: *Vamos a celebrarlo, porque la ocasión lo merece.* □ ETIMOL. Del latín **merescere*. □ MORF. Irreg. →PARECER.

merecido s.m. Castigo que se considera justo: *Si te portas mal, te daré tu merecido.* □ SINT. Se usa precedido de un posesivo.

merecimiento s.m. **1** Esfuerzo o acción por los que se merece algo. □ SINÓN. *mérito.* **2** Lo que hace digna de aprecio a una persona. □ SINÓN. *mérito.*

merendar ▮ v. **1** Tomar la merienda o tomar como merienda: *Yo meriendo a las seis. Merendó leche con galletas.* ▮ prnl. **2** *col.* Vencer en una competición: *Se merendó a su rival en el segundo asalto.* **3** *col.* Terminar rápidamente: *Se merendó el periódico en diez minutos.* □ ETIMOL. Del latín *merendare*. □ MORF. Irreg. →PENSAR.

merendero s.m. **1** Lugar o instalación al aire libre destinados a comer. **2** En zonas del español meridional, lugar a las afueras de las ciudades donde se merienda.

merendola (tb. *merendona*) s.f. *col.* Merienda espléndida o abundante, con la que generalmente se celebra algo.

merendona s.f. *col.* →**merendola.**

merengar v. **1** Referido a la leche, batirla mezclada con clara de huevo, azúcar y canela hasta convertirla en merengue: *Después de merengar la leche, la metió en el congelador.* **2** *col.* Fastidiar o estropear: *Se emborrachó, empezó a meterse con todo el mundo y nos merengó la tarde.* □ ORTOGR. La *g* se cambia en *gu* delante de *e* →PAGAR.

merengue ▮ adj.inv./s.com. **1** *col.* Del Real Madrid Club de Fútbol (club deportivo madrileño) o relacionado con él. ▮ s.m. **2** Dulce que se elabora con clara de huevo y azúcar. **3** *col.* Persona débil y delicada. **4** Música de origen caribeño y de carácter melodioso y pegadizo. **5** Baile que se ejecuta al compás de esta música. □ ETIMOL. Quizá del francés *meringue*.

meretriz s.f. *desp.* Prostituta. □ ETIMOL. Del latín *meretrix* (la que se gana la vida ella misma). □ USO Se usa como insulto.

meridiano, na ▮ adj. **1** Muy claro o muy luminoso: *Me convenció con razones meridianas.* ▮ s.m. **2** En geografía, círculo máximo de la esfera terrestre, que pasa por los dos polos y corta los paralelos perpendicularmente. **3** En astronomía, círculo máximo de la esfera celeste, que pasa por los polos. □ ETIMOL. Del latín *meridianus* (referente al mediodía o al Sur).

meridional adj.inv./s.com. Del sur o mediodía geográficos. □ ETIMOL. Del latín *meridionalis*. □ SEM. Dist. de *septentrional* (del norte).

merienda s.f. **1** Comida ligera que se hace por la tarde antes de la cena. **2** Alimento que se toma durante esta comida. **3** ‖ **merienda de negros;** *col.* Jaleo o desorden en los que nadie se entiende. □ ETIMOL. Del latín *merenda* (comida ligera que se toma a media tarde).

meriendacena s.f. *col.* Merienda más abundante que la que se hace habitualmente y que permite suprimir la cena.

merindad s.f. En la Edad Media, distrito o territorio administrativo con una ciudad o villa importante, que defendía los intereses de los pueblos de su demarcación. □ ETIMOL. De *merino* (especie de gobernador).

merino, na adj./s. Referido a una oveja, de la raza que se caracteriza por tener lana fina, corta, rizada y muy suave. □ ETIMOL. De origen incierto.

meristemo s.m. En botánica, tejido vegetal formativo que se encuentra en los puntos de crecimiento de una planta. □ ETIMOL. Del griego *meristós* (divisible).

mérito s.m. **1** Esfuerzo o acción por los que se merece algo: *No me lo agradezcas, que el mérito ha sido tuyo.* □ SINÓN. *merecimiento.* **2** Lo que hace digna de aprecio a una persona: *Obtuvo el premio como reconocimiento a sus méritos.* □ SINÓN. *merecimiento.* **3** Valor, esp. si merece reconocimiento: *Cuidar a tu madre como lo haces tiene mucho mérito.* □ ETIMOL. Del latín *meritum*.

meritorio, ria ▮ adj. **1** Digno de premio o de elogio: *una acción meritoria.* ▮ s. **2** Persona que trabaja sin sueldo para aprender o para conseguir un puesto remunerado.

merluza s.f. Véase **merluzo, za.**

merluzo, za ▮ adj./s. **1** *col.* Referido a una persona, torpe o de escasa inteligencia. ▮ s.f. **2** Pez marino comestible, de cuerpo simétrico y alargado, con dos aletas dorsales y una anal, la barbilla muy corta y los dientes finos. □ SINÓN. *pescada.* **3** *col.* Borrachera. □ ETIMOL. De origen incierto. □ MORF. En la acepción 2, es un sustantivo epiceno: *la merluza {macho/hembra}.*

merma s.f. Disminución o pérdida: *En verano, se produce una merma en el caudal del río.*

mermar v. Disminuir en tamaño, cantidad o intensidad: *Su vitalidad no ha mermado con los años.*

□ ETIMOL. Del latín **minimare* (disminuir, rebajar).

mermelada s.f. Conserva dulce que se elabora con fruta cocida y azúcar. □ ETIMOL. Del portugués *marmelada* (conserva de membrillos).

mero, ra ▌adj. **1** Puro, simple o exclusivo: *Es una mera visita de cortesía.* ▌s.m. **2** Pez marino comestible, de cuerpo comprimido, ojos grandes y boca sobresaliente, que vive en los mares Mediterráneo y Cantábrico. □ ETIMOL. La acepción 1, del latín *merus* (puro, sin mezcla). La acepción 2, de origen incierto. □ MORF. En la acepción 2, es un sustantivo epiceno: *el mero {macho/hembra}.*

merodeador, -a adj./s. Que merodea.

merodear v. Vagar o andar por los alrededores de un lugar observando o curioseando, esp. si se hace con malas intenciones: *El día del crimen merodeó por la zona un tipo sospechoso.* □ ETIMOL. Del antiguo *merode* (merodeo), y este del francés *maraude.*

merodeo s.m. Ronda o paseo por los alrededores de un lugar, observando o curioseando, esp. si se hace con malas intenciones.

merovingio, gia adj./s. De la dinastía de los primeros reyes francos que reinaron en la actual Francia (país europeo) entre los siglos V y VIII o relacionado con ella.

mes s.m. **1** Cada uno de los doce períodos de tiempo en que se divide un año y que dura cuatro semanas aproximadamente. **2** Período de tiempo comprendido entre un día y el mismo del mes siguiente: *Hace más de un mes que no se pasa por aquí.* **3** Cantidad de dinero que se cobra o que se paga cada uno de estos períodos. □ SINÓN. *mensualidad.* **4** ‖ **el mes;** *col.* La menstruación: *Siente molestias cuando está con el mes.* □ ETIMOL. Del latín *mensis.*

mesa s.f. **1** Mueble compuesto por un tablero en posición horizontal sostenido por una o varias patas: *La mesa en la que estudio siempre está llena de papeles.* **2** Este mueble, cuando está preparado para comer: *Reservó una mesa para cuatro en un restaurante italiano.* **3** Comida o alimentos: *Es amante de la buena mesa.* **4** Conjunto de personas que presiden o dirigen una reunión: *La mesa suspendió la votación y pidió calma a los asistentes.* **5** Conjunto de personas sentadas alrededor de este mueble: *Toda la mesa se puso en pie y brindó por él.* **6** ‖ **a mesa puesta;** sin preocupación, sin trabajo o sin gasto: *No quiere irse de casa de sus padres porque allí vive a mesa puesta.* ‖ **de mesa;** propio para ser consumido durante las comidas: *un vino de mesa.* ‖ **mesa camarera;** la que tiene ruedas en las patas. ‖ **(mesa) camilla;** la redonda, generalmente con cuatro patas y una tarima para colocar un brasero, que suele cubrirse con un tapete hasta el suelo. ‖ **mesa de noche;** la pequeña, con uno o varios cajones, que se coloca junto a la cabecera de la cama. □ SINÓN. *mesilla.* ‖ **mesa de servicio;** en zonas del español meridional, mesa camarera. ‖ **mesa redonda;** reunión de personas que dialogan sobre un tema. ‖ **poner la mesa;** prepararla con todo lo necesario para comer. ‖ **quitar la mesa;** quitar de ella, después de comer, todo lo que se ha puesto sobre ella. ‖ **sobre mesa;** →**sobremesa.** □ ETIMOL. Del latín *mensa.*

mesalina s.f. *col.* Mujer poderosa de costumbres consideradas poco morales, esp. en lo referente al sexo. □ ETIMOL. Por alusión a Mesalina, esposa del emperador romano Claudio.

mesana ▌s.amb. **1** En una embarcación de tres mástiles, palo que está más a popa. ▌s.f. **2** Vela atravesada que se coloca en dicho palo. □ ETIMOL. Del italiano *mezzana,* y este de *mezzo* (medio).

mesar v. Referido al pelo o a la barba, tirar de ellos o arrancárselos con fuerza en señal de dolor o de rabia: *Se mesaba la barba por haber sido el causante del accidente.* □ ETIMOL. Del latín *messare* (segar).

mescalina (tb. *mezcalina*) s.f. Sustancia de efectos alucinógenos, que se obtiene de algunas plantas de origen mexicano, esp. del mezcal: *La mescalina es un alcaloide que puede producir trastornos tóxicos importantes.*

mescolanza s.f. *col.* →**mezcolanza.**

mesencéfalo s.m. Parte media o central del encéfalo. □ ETIMOL. Del griego *mésos* (medio) y *encéfalo.*

mesentérico, ca adj. Del mesenterio o relacionado con este repliegue que une el intestino con la pared del abdomen: *arterias mesentéricas.*

mesenterio s.m. En anatomía, repliegue membranoso del peritoneo, que une el intestino con la pared del abdomen. □ SINÓN. *entresijo, redaño.* □ ETIMOL. Del griego *mésos* (medio) y *énteron* (intestino).

mesenteritis (pl. *mesenteritis*) s.f. Inflamación del mesenterio o repliegue que une el intestino con la pared del abdomen. □ ETIMOL. De *mesenterio* e *-itis* (inflamación).

mesero, ra s. En zonas del español meridional, camarero.

meseta s.f. Planicie o llanura situada a una cierta altitud sobre el nivel del mar: *La meseta castellana tiene una altura media de seiscientos metros sobre el nivel del mar.* □ ETIMOL. De *mesa.*

mesetario, ria adj. De la meseta o con rasgos propios de esta: *ganadería mesetaria.*

meseteño, ña adj./s. De la meseta o relacionado con esta: *paisaje meseteño.*

mesiánico, ca adj. Del mesianismo o relacionado con esta esperanza de un mesías o de un líder: *una actitud mesiánica.*

mesianismo s.m. Esperanza o confianza totales en la llegada de un mesías o de un líder.

mesías (pl. *mesías*) s.m. Persona en quien se ha puesto una confianza absoluta y de quien se espera la solución de todos los problemas. □ ETIMOL. Del latín *Messias,* y este del hebreo *masih* (ungido).

mesilla s.f. Mesa pequeña, con uno o varios cajones, que se coloca junto a la cabecera de la cama. □ SINÓN. *mesa de noche.*

mesnada s.f. **1** En la Edad Media, conjunto de gente armada que generalmente estaba al servicio de un rey o de un noble. **2** Conjunto de personas partidarias de algo: *El dirigente político pidió apoyo a sus mesnadas ante las críticas de la prensa.* □ ETIMOL. Del latín **mansionata*, y este de *mansio* (casa), porque las mesnadas eran los hombres a sueldo de un señor y que vivían en su casa.

meso- Elemento compositivo prefijo que significa 'medio': *mesocéfalo, mesotórax, mesozoico.* □ ETIMOL. Del griego *mésos.*

mesoamericano, na adj./s. En zonas del español meridional, centroamericano.

mesocarpio s.m. En botánica, en un fruto carnoso, parte intermedia de las tres que forman el pericarpio o envoltura que cubre la semilla: *El mesocarpio del melocotón es lo que se come.* □ ETIMOL. De *meso-* (medio) y el griego *karpós* (fruto).

mesocefalia s.f. Forma del cráneo ni excesivamente alargada ni excesivamente redondeada. □ ETIMOL. De *meso-* (medio) y *-cefalia* (cabeza).

mesocéfalo, la ▌adj. **1** Referido a un cráneo, que tiene proporciones medianas. ▌adj./s. **2** Referido a una persona, con el cráneo de esta forma.

mesocracia s.f. **1** Forma de gobierno en la que el poder reside en la clase media. **2** Grupo social con poder, formado por personas de posición acomodada. □ ETIMOL. De *meso-* (medio) y *-cracia* (dominio, poder).

mesocrático, ca adj. De la mesocracia o relacionado con ella.

mesodérmico, ca adj. Del mesodermo o relacionado con esta capa celular.

mesodermo s.m. En un embrión animal, capa celular intermedia, situada entre el endodermo y el ectodermo: *El mesodermo da lugar, entre otras cosas, al esqueleto y a los músculos de los vertebrados.* □ ETIMOL. De *meso-* (medio) y el griego *dérma* (piel).

mesolítico, ca ▌adj. **1** Del mesolítico o relacionado con este período prehistórico: *Los pueblos mesolíticos usaban hachas de piedra con mangos de madera.* ▌adj./s.m. **2** Referido a un período prehistórico, que es anterior al neolítico y posterior al paleolítico, y que se caracteriza por la aparición de la hoz como nueva herramienta de trabajo: *En el mesolítico, los hombres utilizaban el arco para la caza.* □ ETIMOL. De *meso-* (medio) y el griego *líthos* (piedra).

mesón s.m. **1** Establecimiento generalmente decorado de manera tradicional y rústica, en el que se sirven comidas y bebidas. **2** Antiguamente, establecimiento en el que se daba alojamiento a los viajeros. **3** En física, partícula elemental inestable de masa intermedia entre la del electrón y la del nucleón. **4** En zonas del español meridional, barra de un bar. □ ETIMOL. Las acepciones 1 y 2, del latín *mansio* (permanencia, albergue, vivienda).

mesonero, ra s. Persona que posee un mesón o que lo dirige.

mesopelágico, ca adj. **1** Referido a una zona marina, que tiene una profundidad entre doscientos y setecientos metros. **2** De esta zona marina: *fauna mesopelágica.*

mesopotámico, ca adj./s. De Mesopotamia (antigua región asiática central), o relacionado con ella.

mesosfera s.f. **1** En la atmósfera terrestre, zona que se extiende entre los cuarenta y los ochenta kilómetros de altura aproximadamente, y que está situada entre la estratosfera y la ionosfera. **2** Capa de la Tierra situada entre la astenosfera y la endosfera. □ ETIMOL. De *meso-* (medio) y el griego *sphâira* (esfera).

mesoterapia s.f. Tratamiento de las enfermedades mediante múltiples inyecciones simultáneas, con pequeñas dosis de distintos medicamentos, por medio de una especie de jeringa circular con varias agujas que se aplica en la zona más cercana al dolor. □ ETIMOL. De *meso-* (medio, interior) y *-terapia* (curación).

mesotórax (pl. *mesotórax*) s.m. En un insecto, segmento medio del tórax, situado entre el protórax y el metatórax: *Las alas anteriores de las moscas están situadas en el mesotórax.* □ ETIMOL. De *meso-* (medio) y *tórax.*

mesozoico, ca ▌adj. **1** En geología, de la era secundaria, tercera de la historia de la Tierra, o relacionado con ella: *Estos fósiles son característicos de los terrenos mesozoicos.* □ SINÓN. *secundario.* ▌s.m. **2** →**era mesozoica.** □ ETIMOL. De *meso-* (medio) y el griego *zôion* (animal).

mester ‖ **mester de clerecía;** en literatura, tipo de poesía culta cultivada en la Edad Media por los clérigos o personas con formación intelectual: *Gonzalo de Berceo es uno de los representantes del mester de clerecía.* ‖ **mester de juglaría;** en literatura, tipo de poesía cultivada en la Edad Media por los juglares o cantores populares: *Muchas obras del mester de juglaría son anónimas y recogidas de la tradición oral.* □ ETIMOL. Del latín *ministerium* (servicio, empleo, oficio).

mestizaje s.m. **1** Mezcla de razas diferentes. **2** Mezcla de culturas distintas.

mestizo, za ▌adj. **1** Que resulta del cruce de dos razas o de dos tipos diferentes. ▌adj./s. **2** Referido a una persona, que ha nacido de padres de grupos étnicos diferentes, esp. si uno es blanco y otro es indio. **3** Referido a la cultura, que es resultado de la mezcla de varias culturas diferentes. □ ETIMOL. Del latín *misticius* (mezclado, mixto).

mesto s.com. Médico especialista que no posee un título oficial para ejercer su especialidad. □ ETIMOL. Es el acrónimo de *medico especialista sin título oficial.*

mesura s.f. Moderación, prudencia o serenidad: *Fue una crítica hecha con mesura, y no me molestó.* □ ETIMOL. Del latín *mensura* (medida).

mesurar v. Contener, moderar o suavizar: *Mesúrate en las discusiones y trata de no perder la calma.*

meta ▌s.m. **1** →**guardameta.** ▌s.f. **2** Lugar en el que termina una carrera deportiva. □ SINÓN. *llegada.* **3** En algunos deportes, portería. **4** Fin u objetivo que se pretende alcanzar. □ ETIMOL. Las acepciones 2-4, del latín *meta* (mojón).

meta- **1** Elemento compositivo prefijo que significa 'junto a, después': *metacarpo, metacentro.* **2** Elemento compositivo prefijo que significa 'más allá': *metafísica, metalingüística.* **3** Elemento compositivo prefijo que significa 'cambio': *metamorfosis, metafonía.* □ ETIMOL. Del griego *metá.*

metábasis (pl. *metábasis*) s.f. En gramática, fenómeno que se produce cuando una palabra que pertenece a una categoría pasa a desempeñar una función que corresponde a otra categoría: *En la frase 'el verde de tus ojos' se produce una metábasis porque el adjetivo 'verde' funciona como sustantivo.* □ ETIMOL. Del griego *metábasis* (paso).

metabólico, ca adj. Del metabolismo o relacionado con este conjunto de transformaciones celulares fisicoquímicas.

metabolismo s.m. Conjunto de transformaciones fisicoquímicas que se producen en las células del organismo vivo y que se manifiestan en las fases anabólica y catabólica. □ ETIMOL. Del griego *metabolé* (cambio).

metabolización s.f. Transformación fisicoquímica de las sustancias introducidas o formadas en el organismo.

metabolizarse v.prnl. Referido a una sustancia, transformarse en el organismo a través de una serie de cambios químicos y biológicos: *Hay fármacos que se metabolizan más rápidamente que otros.*

metabuscador s.m. En internet, herramienta que permite buscar información en las bases de datos de distintos buscadores: *Para buscar algo sobre ese personaje tan raro, lo mejor es que lo hagas en un metabuscador.*

metacarpiano, na adj./s. Referido a un hueso, que forma parte del metacarpo.

metacarpo s.m. Conjunto de los huesos largos que forman parte del esqueleto de la mano o de los miembros anteriores de algunos animales, y que están articulados con los huesos del carpo por uno de sus extremos y con las falanges por el otro: *El metacarpo humano está formado por cinco huesos.* □ ETIMOL. De *meta-* (junto a, después) y *carpo.*

metacentro s.m. En un cuerpo simétrico flotante que está inclinado, punto en el que la línea vertical que pasa por el centro de empuje de las aguas corta la dirección que toma la línea que pasaba por los centros de gravedad y de presión. □ ETIMOL. De *meta-* (junto a) y *centro.*

metacrilato s.m. Material plástico transparente: *una mesa de metacrilato.*

metadona s.f. Sustancia con propiedades analgésicas parecidas a las de la morfina o a las de la heroína: *La metadona se utiliza como tratamiento en la desintoxicación de drogadictos.*

metafase s.f. Segunda fase de la división celular de la mitosis o de la meiosis. □ ETIMOL. De *meta-* (después) y *fase.* □ SEM. Dist. de *profase* (primera fase), de *anafase* (tercera fase) y de *telofase* (fase final).

metafísica s.f. Véase **metafísico, ca.**

metafísico, ca ▌adj. **1** De la metafísica o relacionado con esta rama de la filosofía: *temas metafísicos.* **2** *col.* Abstracto o difícil de comprender: *Es una buena profesora porque sabe evitar las explicaciones metafísicas.* ▌s. **3** Persona especializada en los estudios metafísicos. ▌s.f. **4** Rama de la filosofía que estudia la esencia del ser, sus propiedades, sus principios y sus causas primeras. □ ETIMOL. La acepción 4, del griego *metà tà physiká* (más allá de la física), porque la metafísica se refería a las obras que Aristóteles escribió después de su 'Física'.

metafita ▌adj./s.f. **1** Referido a una planta, que es pluricelular y posee tejidos que forman órganos, sistemas o aparatos: *El almendro es una planta metafita.* ▌s.f.pl. **2** En botánica, reino de estas plantas: *Los musgos pertenecen a las metafitas.*

metafonía s.f. En fonética y fonología, cambio de timbre que sufre la vocal tónica de una palabra por influencia de la vocal final o de otro sonido cercano: *La 'e' de 'tejo' es resultado de la evolución de la palabra latina 'taxu', por metafonía de la 'a'.* □ ETIMOL. De *meta-* (cambio) y el griego *phoné* (voz).

metáfora s.f. Figura retórica consistente en establecer una identidad entre dos términos y emplear uno con el significado del otro, basándose en una comparación no expresada entre las dos realidades que dichos términos designan: *En la poesía barroca, 'perlas' aparece como metáfora de 'dientes'.* □ ETIMOL. Del latín *metaphora,* y este del griego *metaphorá* (traslado, transporte). □ SEM. Dist. de *comparación* y *símil* (figura en la que aparecen expresos el término comparado y aquel con el que se compara).

metafórico, ca adj. De la metáfora, con metáforas o relacionado con esta figura retórica: *El autor utiliza la expresión metafórica 'hebras de oro' para aludir al cabello rubio de su amada.*

metaforizar v. Referido esp. a un texto, darle un carácter metafórico o usar en él metáforas o alegorías: *Góngora metaforizaba sus poemas de tal modo que resultan incomprensibles para un lector medio.* □ ORTOGR. La *z* se cambia en *c* delante de *e* →CAZAR.

metagoge s.f. Figura retórica consistente en aplicar cualidades o propiedades de seres vivos a cosas inanimadas: *En la frase 'El Sol reía aquella mañana' hay una metagoge.* □ ETIMOL. Del griego *metagogé* (traslación).

metal s.m. **1** Elemento químico, con brillo, buen conductor del calor y de la electricidad, y que es sólido a temperatura normal, excepto el mercurio: *El hierro, el aluminio y la plata son metales.* **2** En música, en una orquesta o en una banda, conjunto de los instrumentos de viento hechos de este material, generalmente de cobre, a excepción de aquellos que se tocan soplando por ellos a través de una o dos lengüetas: *El metal de la banda lo componen dos trompetas, un saxofón y un trombón.* **3** ‖ **el vil metal;** *col.* El dinero. ‖ **metal noble;** el que tiene una elevada resistencia a los agentes químicos: *El oro, la plata y el aluminio son metales nobles.* ‖ **metal precioso;** el que por sus características es muy apreciado: *El oro, la plata y el platino son metales preciosos.* ☐ ETIMOL. Quizá del catalán *metall*, y este del latín *metallum* (mina). ☐ MORF. En la acepción 2, en plural tiene el mismo significado que en singular.

metalenguaje s.m. En lingüística, lenguaje que se usa para describir, explicar o hablar del lenguaje mismo: *Si digo que 'casa' tiene cuatro letras, el uso de 'casa' es un ejemplo de metalenguaje.* ☐ ETIMOL. De *meta-* (más allá) y *lenguaje*.

metalepsis (pl. *metalepsis*) s.f. Figura retórica o procedimiento del lenguaje consistente en dar a entender una causa al expresar su consecuencia, y a la inversa: *Una metalepsis es decir 'Recuerda que me debes dinero' para dar a entender 'Devuélveme el dinero que me debes'.* ☐ ETIMOL. Del griego *metálepsis* (cambio).

metálico, ca adj. **1** De metal, del metal o relacionado con este elemento químico: *una puerta metálica.* **2** ‖ **en metálico;** con dinero en efectivo: *Siempre pago las compras en metálico.*

metalífero, ra adj. Que contiene metal. ☐ ETIMOL. Del latín *metallifer*, y este de *metallum* (metal) y *ferre* (llevar).

metalingüístico, ca adj. Del metalenguaje o relacionado con este uso del lenguaje: *Las definiciones de un diccionario son un ejemplo de la función metalingüística del lenguaje.* ☐ ETIMOL. De *meta-* (más allá) y *lingüístico*.

metalización s.f. **1** Dotación o adquisición de propiedades metálicas. **2** Cubrimiento con una ligera capa de metal.

metalizado, da adj. Referido esp. a un color, que brilla como el metal.

metalizar v. **1** Adquirir o hacer adquirir propiedades metálicas: *Para que se metalice ese material hay que someterlo a un proceso químico.* **2** Cubrir con una ligera capa de metal: *Metalizó una cara del cristal con estaño y mercurio para hacer un espejo.* ☐ ORTOGR. La *z* se cambia en *c* delante de *e* →CAZAR.

metalocromía s.f. Arte o técnica de colorear los metales o los objetos metálicos. ☐ ETIMOL. Del latín *metallum* (metal) y el griego *khrôma* (color).

metalografía s.f. Rama de la metalurgia que estudia la estructura y las propiedades de los metales. ☐ ETIMOL. Del latín *metallum* (metal) y *-grafía* (descripción, tratado).

metaloide s.m. Elemento químico que tiene las características de un metal, pero que puede comportarse químicamente como un metal o como un no metal: *El arsénico y el antimonio son metaloides.* ☐ ETIMOL. Del latín *metallum* (metal) y *-oide* (semejanza).

metalurgia s.f. Técnica de extraer los metales de los minerales que los contienen, de tratarlos y de elaborarlos: *La metalurgia del hierro y el acero se denomina siderurgia.* ☐ ETIMOL. Del griego *méttalon* (metal) y *érgon* (trabajo).

metalúrgico, ca ▮ adj. **1** De la metalurgia o relacionado con esta técnica: *industria metalúrgica.* ▮ s. **2** Persona que se dedica profesionalmente a la metalurgia.

metámero s.m. Segmento en el que se divide el cuerpo de un anélido o el de un artrópodo. ☐ ETIMOL. De *meta-* (junto a) y el griego *méros* (parte).

metamórfico, ca adj. Referido a un mineral o a una roca, que han sufrido metamorfismo.

metamorfismo s.m. En geología, conjunto de las transformaciones de las rocas como consecuencia de la presión y la elevada temperatura a que están sometidas, y que suponen una modificación de su estructura y composición mineral. ☐ ETIMOL. De *meta-* (cambio) y el griego *morphé* (forma).

metamorfosear v. **1** Cambiar de forma o de imagen, o convertir en algo distinto de lo que se era: *En el laboratorio vimos cómo el renacuajo se metamorfoseaba en rana.* **2** Referido a una persona, cambiar o transformar su conducta o su actitud: *Cuando está con su familia, se metamorfosea y se vuelve más cariñoso.*

metamorfosis (pl. *metamorfosis*) s.f. **1** En algunos animales, esp. en los insectos y en los anfibios, conjunto de transformaciones que se producen a lo largo de su desarrollo biológico. **2** Cambio o transformación de una cosa en otra: *Tras el fracaso, sufrió una gran metamorfosis en su carácter y ahora es más humilde.* ☐ ETIMOL. Del latín *metamorphosis*, y este del griego *metamórphosis* (transformación).

metano s.m. Hidrocarburo gaseoso, incoloro e inodoro, poco soluble en agua y muy inflamable, producido por la descomposición de sustancias vegetales, que se utiliza como combustible y en la elaboración de productos químicos: *La fórmula del metano es CH_4. El metano es el principal componente del gas natural.*

metanol s.m. Hidrocarburo líquido, incoloro, soluble en agua, muy tóxico y que se usa para disolver aceites y como aditivo para combustibles líquidos.

metástasis (pl. *metástasis*) s.f. Reproducción y extensión de una enfermedad, esp. de un tumor, en otras partes del organismo. ☐ ETIMOL. Del griego *metástasis* (cambio de lugar). ☐ ORTOGR. Dist. de *metátesis*.

metatarsiano, na adj./s.m. Referido esp. a un hueso, que forma parte del metatarso.

metatarso s.m. Conjunto de los huesos largos que forman parte del esqueleto del pie o de las extremidades posteriores de algunos animales, y que están articulados con los huesos del tarso por uno de sus extremos y con las falanges por el otro: *Cada hueso del metatarso humano se corresponde con un dedo del pie.* ☐ ETIMOL. De *meta-* (junto a, después) y *tarso*.

metate s.m. Piedra que sirve para moler granos y semillas.

metátesis (pl. *metátesis*) s.f. Fenómeno lingüístico que consiste en un cambio de lugar de uno o más sonidos en el interior de una palabra: *'Cocreta' es un vulgarismo de 'croqueta', que se produce por metátesis de la r.* ☐ ETIMOL. Del griego *metáthesis* (transposición). ☐ ORTOGR. Dist. de *metástasis*.

metatórax (pl. *metatórax*) s.m. En un insecto, segmento posterior del tórax, situado entre el mesotórax y el abdomen. ☐ ETIMOL. De *meta-* (junto a, después) y *tórax*.

metazoo ▌adj./s.m. **1** Referido a un animal, que tiene gran número de células diferenciadas, agrupadas en forma de tejidos, de órganos o de aparatos: *Los moluscos y los anélidos son animales metazoos.* ▌s.m.pl. **2** En zoología, reino de estos animales: *Los animales artrópodos, equinodermos y cordados pertenecen a los metazoos.* ☐ ETIMOL. De *meta-* (más allá) y el griego *zôion* (animal).

meteco adj./s.m. En la antigua Grecia, extranjero que se establecía en una ciudad y no disfrutaba de todos los derechos de ciudadanía. ☐ ETIMOL. Del griego *métoikos* (extranjero).

metedura s.f. Introducción o inclusión de una cosa dentro de otra, entre otras o en algún sitio: *Yo me encargo de la metedura de las cartas en los sobres.*

metempsicosis (tb. *metempsícosis*) (pl. *metempsicosis, metempsícosis*) s.f. Doctrina religiosa y filosófica basada en la creencia de que, tras la muerte, las almas pasan a otros cuerpos según los merecimientos de cada una. ☐ ETIMOL. Del griego *metempsýkosis*, y este de *metempsykhóo* (hago pasar un alma a otro cuerpo).

meteórico, ca adj. **1** De los meteoros o relacionado con ellos: *La nieve y el granizo son fenómenos meteóricos.* **2** *col.* Muy rápido, esp. si es fugaz o dura poco: *Los escándalos acabaron con su meteórica carrera como político.*

meteorismo s.m. Acumulación de gases en el tubo digestivo. ☐ ETIMOL. Del griego *meteorismós* (acción de levantarse, hinchazón).

meteorito s.m. Fragmento de un cuerpo sólido procedente del espacio, que cae sobre la Tierra y que, al atravesar la atmósfera terrestre, se pone incandescente dando lugar a una estrella fugaz.

meteorización s.f. Alteración o disgregación de una roca por la acción de los agentes físicos atmosféricos.

meteorizar v. En geología, referido a una roca, alterarla o disgregarla los agentes físicos atmosféricos: *El agua y los cambios de temperatura meteorizan las rocas.* ☐ ORTOGR. La *z* se cambia en *c* delante de *e* →CAZAR.

meteoro (tb. *metéoro*) s.m. En meteorología, fenómeno físico natural que se produce en la atmósfera terrestre: *La lluvia, la nieve, el arco iris y el rayo son meteoros.* ☐ ETIMOL. Del griego *metéora* (fenómenos celestes).

meteorología s.f. Parte de la física que estudia los fenómenos naturales de la atmósfera terrestre y los factores que producen el tiempo atmosférico. ☐ ETIMOL. Del griego *meteorología* (ciencia de los fenómenos celestes). ☐ PRON. Incorr. *[metereología]. ☐ SEM. Dist. de *climatología* (ciencia que estudia el clima; conjunto de condiciones de un clima).

meteorológico, ca adj. De la meteorología, de los meteoros o relacionado con ellos: *un parte meteorológico.* ☐ PRON. Incorr. *[metereológico].

meteorólogo, ga s. Persona que se dedica profesionalmente al estudio de la atmósfera o que está especializada en meteorología. ☐ PRON. Incorr. *[metereólogo]. ☐ SEM. Dist. de *climatólogo* (persona que estudia los climas).

metepatas (pl. *metepatas*) s.com. *col.* Persona inoportuna o indiscreta que suele hacer o decir inconveniencias.

meter ▌v. **1** Introducir o incluir dentro de algo, entre varias cosas o en algún sitio: *Metió las llaves en el bolso. ¿Dónde se habrá metido tu padre?* **2** Referido a una cantidad de dinero, ingresarla en una entidad bancaria: *Yo meto lo que gano en una cuenta corriente.* **3** Invertir, utilizar o dedicar: *Ha metido mucho dinero en el negocio.* **4** Referido a una persona, internarla en un centro o en una institución haciendo valer la autoridad que se tiene sobre ella: *Lo metieron en la cárcel por robar un coche.* **5** Referido a una persona, implicar, intervenir o hacer intervenir: *Me has metido en un buen lío.* **6** *col.* Referido a algo negativo, soportarlo, aguantarlo o aceptarlo: *Nos metió un rollo que aburriría a cualquiera.* **7** Referido esp. a una emoción, ocasionarla, causarla o provocarla: *Métele prisa o llegará tarde.* **8** Referido esp. a una prenda de vestir, quitarle o doblarle un trozo de tela, generalmente en las costuras, para acortarla o estrecharla: *Le metió los pantalones porque le estaban largos.* **9** Referido esp. a algo falso, hacerlo creer o engañar con ello: *No sé cuándo pudieron meterme este billete falso.* **10** Referido a una cosa destinada a rodear a otra, ponerla de modo que esta última quede dentro: *Mete la tuerca en el tornillo y apriétalo bien.* **11** *col.* Referido esp. a una herramienta, aplicarla o utilizarla con decisión: *Mete la tijera sin miedo y córtame bien el pelo.* **12** Referido a las marchas de un automóvil, manejarlas: *Para arrancar, se mete primera.* **13** Referido esp. a un golpe, darlo: *Métele una torta y verás cómo deja de insultarte.* **14** *col.* Hacer comprender a fuerza de insistencia: *No hay quien le meta que tiene que fijarse más en lo que hace.* ▌prnl. **15** Provocar o molestar, esp. por medio de los insultos o las críticas: *No te metas con mi hermano.* **16** Introducirse en un lugar o participar en un asunto sin haber sido solicitado: *No te metas donde no te llaman.* **17** Dejarse llevar con pasión o compenetrarse: *Cuando va al cine, se mete tanto en la película que no se da cuenta de lo que pasa a su alrededor.* **18** Referido esp. a una profesión, a un estado o a una actividad, seguirlos: *Quiere meterse monja.* **19** Referido esp. a un grupo de personas, frecuentarlo o formar parte de él: *Consiguió meterse en la junta directiva.* **20** Referido a una actividad, empezar a hacerla sin tener la preparación necesaria: *No te metas a hacer lo que no sabes.* **21** *col.* Referido a una droga, consumirla: *Tiene un montón de enfermedades porque lleva años* *metiéndose cocaína.* **22** ‖ **a todo meter;** con gran rapidez o con gran intensidad: *Salió de casa hacia el trabajo a todo meter.* ‖ **meterse** algo alguien **donde le quepa;** *vulg.* Expresión que indica el enfado con que se rechaza algo: *No me prestó el libro cuando se lo pedí, así que ahora, que se lo meta donde le quepa.* □ ETIMOL. Del latín *mittere* (enviar, soltar). □ SINT. 1. Constr. de la acepción 15: *meterse* CON *alguien.* 2. Constr. de la acepción 18: *meterse fraile* o *meterse* A *fraile.* 3. Constr. de la acepción 20: *meterse* A *hacer algo.*

metete, ta adj./s. *col.* En zonas del español meridional, entrometido.

metical s.m. **1** Antigua moneda española: *El metical fue una moneda del siglo XIII.* **2** Unidad monetaria mozambiqueña.

metiche adj.inv./s.com. *col.* En zonas del español meridional, entrometido.

meticón, -a (tb. *metijón, -a*) adj./s. *col.* Referido a una persona, que es muy entrometida y se interesa por cosas que no tienen por qué importarle. □ SINÓN. *metomentodo.*

meticulosidad s.f. Cuidado, exactitud y detalle en la forma de hacer algo: *Prepararon la reunión con gran meticulosidad.*

meticuloso, sa adj. **1** Referido a una persona, que actúa o que trabaja con cuidado, con exactitud y con detalle. **2** Hecho con cuidado, con exactitud y con detalle: *una investigación meticulosa.* □ ETIMOL. Del latín *meticulosus* (miedoso), porque los miedosos actúan con mucho cuidado.

metido, da ▮ adj. **1** Abundante en algo: *No es tan joven como parece, está metido en años.* ▮ s. **2** Impulso o avance que se da a algo: *Con un buen metido a los estudios aprobaré la asignatura.* ▮ s.m. **3** En una prenda de vestir, tela que se mete en las costuras: *No puedo sacarle nada a la falda porque no tiene casi metido.* □ SINT. Constr. de la acepción 1: *metido* EN *algo.*

metijón, -a adj./s. *col.* →**meticón.** □ SEM. Es sinónimo de *metomentodo.*

metílico, ca adj. Referido a un compuesto químico, que contiene metilo: *El alcohol metílico es tóxico.*

metilo s.m. Radical monovalente del metano constituido por un átomo de carbono y tres de hidrógeno: *El metilo forma parte del alcohol metílico.* □ ETIMOL. Del griego *méthy* (vino) e *hýle* (madera).

metisaca s.m. En tauromaquia, estocada imperfecta en la que el torero clava el estoque y lo saca rápidamente sin soltarlo. □ MORF. Se admite también como femenino.

metódico, ca adj. **1** Que se hace con método, con orden o con detalle: *una investigación metódica.* **2** Que actúa o trabaja con método o con orden.

metodismo s.m. Doctrina religiosa protestante surgida en el siglo XVIII, que se caracteriza por la rigidez de sus principios y la defensa de la oración personal frente a las formas de culto públicas y oficiales.

metodista ▮ adj.inv. **1** Del metodismo o relacionado con esta doctrina religiosa. ▮ adj.inv./s.com. **2** Que tiene como religión el metodismo.

metodizar v. Poner orden y método en algo: *Si quieres obtener mejores resultados, metodiza tu forma de estudio.* □ ORTOGR. La *z* se cambia en *c* delante de *e* →CAZAR.

método s.m. **1** Forma de actuar o de comportarse: *Puedo enseñarte un método para que te hagan caso.* **2** Conjunto de reglas, lecciones o ejercicios que contiene un libro para enseñar algo: *Utiliza un método de mecanografía para aprender a escribir a máquina.* **3** Procedimiento sistemático y ordenado para realizar algo: *Sin método no conseguirás nada en la vida.* **4** Procedimiento científico que se sigue para descubrir la verdad y enseñarla: *método inductivo; método deductivo.* □ ETIMOL. Del griego *méthodos* (camino para llegar a un resultado).

metodología s.f. **1** Ciencia que estudia los métodos de adquisición de conocimientos. **2** Conjunto de los métodos seguidos en una investigación o en una demostración. □ ETIMOL. Del griego *méthodos* (método) y *-logía* (estudio, ciencia).

metodológico, ca adj. De la metodología o relacionado con ella.

metomentodo adj.inv./s.com. *col.* Referido a una persona, que es muy entrometida y se interesa por cosas que no tienen por qué importarle. □ SINÓN. *meticón, metijón.*

metonimia s.f. Figura retórica consistente en designar una cosa con el nombre de otra con la que guarda una relación de causa a efecto, de autor a obra, o de algún otro tipo de contigüidad temporal, causal o espacial: *Si dices 'un Picasso' por 'un cuadro de Picasso', estás usando una metonimia.* □ ETIMOL. Del griego *metonymía*, y este de *metá* (cambio) y *ónoma* (nombre).

metonímico, ca adj. De la metonimia, con metonimias o relacionado con esta figura retórica.

metopa (tb. *métopa*) s.f. En un friso dórico, espacio que existe entre dos triglifos o elementos arquitectónicos. □ ETIMOL. Del latín *metopa*, este del griego *metópe*, y este de *metá* (entre) y *opé* (agujero).

metoposcopia s.f. Adivinación del porvenir mediante el estudio de las líneas de la cara. □ ETIMOL. Del griego *méthopon* (frente, cara) y *-scopia* (exploración).

metraje s.f. Longitud expresada en metros, esp. referido a películas cinematográficas. □ ETIMOL. Del francés *métrage.*

metralla s.f. Conjunto de balines y fragmentos pequeños de metal con los que se rellenan algunos proyectiles o artefactos explosivos. □ ETIMOL. Del francés *mitraille.*

metralleta s.f. Arma de fuego automática y portátil, de peso ligero, de pequeño tamaño y calibre y que es capaz de disparar repetidamente en muy poco tiempo. □ ETIMOL. Del francés *mitraillette.*

-metría Elemento compositivo sufijo que significa 'medición' o 'medida': *audiometría, anemometría.* □

ETIMOL. Del griego *-metría*, de la raíz de *métron* (medida).

métrica s.f. Véase **métrico, ca.**

métrico, ca ▌adj. **1** Del metro, de la medida o relacionado con ellos: *El hectómetro es una unidad del sistema métrico que equivale a cien metros.* **2** Del metro o medida del verso, o relacionado con ellos: *Un endecasílabo es un verso formado por once sílabas métricas.* ▌s.f. **3** Arte que trata de la medida y estructura de los versos, de sus clases y de las combinaciones que pueden formarse con ellos. ☐ ETIMOL. Las acepciones 1 y 2, del latín *metricus*, este del griego *metrikós*, y este de *métron* (medida).

metrificar v. Hacer versos: *Hoy me han enseñado a metrificar.* ☐ ETIMOL. Del latín *metrum.* ☐ ORTOGR. La *c* se cambia en *qu* delante de *e* →SACAR.

metro s.m. **1** En el Sistema Internacional, unidad básica de longitud que equivale a la distancia que recorre la luz en el vacío durante 1/299792458 de segundo. **2** Utensilio marcado con las divisiones métricas, que se utiliza para medir longitudes. **3** Ferrocarril eléctrico, generalmente subterráneo, que se usa como medio de transporte en algunas grandes ciudades. **4** En métrica, medida peculiar de cada clase de verso: *En la lírica tradicional y oral predominan los metros cortos, no mayores que el octosílabo.* **5** ‖ **metro cuadrado;** en el Sistema Internacional, unidad de superficie que equivale al área de un cuadrado que tiene un metro de lado. ‖ **metro cúbico;** en el Sistema Internacional, unidad de volumen que equivale a un cubo que tiene un metro de arista. ☐ ETIMOL. Las acepciones 1, 2 y 4, del latín *metrum* (medida, especialmente la del verso), y este del griego *métron* (medida). ☐ ORTOGR. El símbolo de *metro* es *m* (incorr. **mt* y **mtr*), el de *metro cuadrado* es m^2 y el de *metro cúbico* es m^3. ☐ MORF. En la acepción 3, es la forma abreviada y usual de *metropolitano.*

-metro 1 Elemento compositivo sufijo que significa 'medidor': *termómetro, alcoholímetro.* **2** Elemento compositivo sufijo que significa 'medida': *parámetro, pentámetro, kilómetro.* ☐ ETIMOL. Del griego *métron* (medida).

metrobús s.m. Billete único de diez viajes para el metro y los autobuses municipales.

metrología s.f. Ciencia que estudia los sistemas de pesas y de medida. ☐ ETIMOL. Del griego *métron* (medida) y *-logía* (ciencia).

metrónomo s.m. Aparato que sirve para medir el tiempo y marcar el compás en la interpretación de una composición musical. ☐ ETIMOL. Del griego *métron* (medida) y *nómos* (regla).

metrópoli (tb. *metrópolis*) s.f. **1** Ciudad principal o muy importante por su extensión o por su numerosa población. **2** Respecto de una colonia, país al que pertenece. **3** Iglesia arzobispal de la que dependen algunas diócesis. ☐ ETIMOL. Del griego *metrópolis*, y este de *méter* (madre) y *pólis* (ciudad).

metrópolis (pl. *metrópolis*) s.f. →**metrópoli.**

metropolitano, na ▌adj. **1** De la metrópoli o relacionado con ella: *Vive en una ciudad dormitorio dentro del área metropolitana. Varias colonias metropolitanas proclamaron su independencia. Hubo una gran congregación de fieles en la catedral metropolitana.* ▌s.m. **2** →**metro.**

metrorragia s.f. En medicina, hemorragia anormal de la matriz que sufre una mujer fuera del período menstrual. ☐ ETIMOL. Del griego *métra* (matriz) y *-rragia* (flujo).

metrosexual adj.inv./s.m. *col.* Referido esp. a un hombre, que cuida mucho su aspecto físico.

meublé (fr.) s.m. →**casa de citas.** ☐ PRON. [meblé].

mexicanismo (tb. *mejicanismo*) s.m. En lingüística, americanismo propio de México (país americano): *Usar la palabra 'alberca' con el significado de 'piscina' es un mexicanismo.* ☐ PRON. [mejicanísmo].

mexicano, na (tb. *mejicano, na*) adj./s. De México o relacionado con este país americano. ☐ PRON. [mejicáno].

meyba s.m. Bañador masculino parecido a un pantalón corto. ☐ ETIMOL. Extensión del nombre de una marca comercial.

mezanín (tb. *mezanine*) s.m. En zonas del español meridional, entreplanta. ☐ ETIMOL. Del italiano *mezzanine.* ☐ PRON. [mesanín].

mezanine s.m. →**mezanín.** ☐ PRON. [mesanín].

mezcal s.m. **1** Planta americana, variedad de la pita, que tiene los tallos carnosos, redondeados y cubiertos de tubérculos nudosos, no tiene hojas, y se usa como estimulante o para calmar desórdenes de tipo nervioso. **2** Bebida alcohólica obtenida de esta planta.

mezcalina s.f. →**mescalina.**

mezcla s.f. **1** Reunión, unión o incorporación: *Con una mezcla de blanco y negro se hace gris.* **2** Enlace o unión entre pueblos y familias diferentes, esp. si hay descendencia: *En el mundo actual cada vez es más frecuente la mezcla de gentes y culturas.* **3** Agrupación de varias sustancias sin interacción química: *La mezcla es distinta de la disolución.* **4** En cine, vídeo, televisión, operación por la que se combinan y se ajustan simultáneamente los diálogos, los efectos sonoros y la música que componen la banda sonora de una película: *Trabajo en televisión como técnico de mezclas.* **5** Tejido hecho de hilos de diferentes clases y colores: *un abrigo de mezcla.*

mezclador, -a ▌adj./s. **1** Que mezcla o sirve para mezclar. ▌s. **2** En cine, vídeo y televisión, persona que se dedica profesionalmente a mezclar las imágenes o el sonido que proceden de diversas cintas. ▌s.f. **3** Máquina o aparato que sirve para mezclar. **4** En zonas del español meridional, hormigonera.

mezcladora s.f. Véase **mezclador, -a.**

mezclar ▌v. **1** Referido a una cosa, juntarla, unirla o incorporarla a otra hasta confundirlas: *Si necesitas pintura verde, mezcla la azul con la amarilla.* **2** Referido a algo ordenado, desordenarlo o revolverlo: *Te dejo mi colección de monedas, pero no las mezcles porque están colocadas por países.* **3** Referido a una persona, meterla en un asunto que no le incumbe o no le interesa directamente: *A mí no me* *mezcles en tus líos. No te mezcles en negocios sucios.* ▮ prnl. **4** Referido a una persona o a un animal, relacionarse con otros: *No te mezcles con esa gente, que no es de fiar.* **5** Referido esp. a una raza o a una familia, enlazarse con otra diferente, esp. si se tiene descendencia: *Soy criadora de perros y esta camada es fruto de haberse mezclado un perro con una perra de distinta raza.* □ ETIMOL. Del latín **misculare*.

mezclilla s.f. **1** Tejido hecho de hilos de diferentes clases y colores, de menos cuerpo que la mezcla: *un traje de mezclilla.* **2** En zonas del español meridional, tela muy resistente de algodón.

mezcolanza (tb. *mescolanza*) s.f. *col.* Mezcla extraña y confusa. □ ETIMOL. Del italiano *mescolanza*.

mezquindad s.f. **1** Avaricia, tacañería o ruindad. **2** Hecho o dicho mezquinos.

mezquino, na adj./s. **1** Muy avaro o muy tacaño. **2** Miserable, despreciable o ruin. □ ETIMOL. Del árabe *miskin* (pobre, desgraciado).

mezquita s.f. Edificio destinado al culto musulmán. □ SINÓN. *aljama*. □ ETIMOL. Del árabe *masyd* (templo u oratorio musulmán).

mezzo (it.) s.f. →**mezzosoprano.** □ PRON. [métso].

mezzosoprano (it.) s.f. En música, persona que tiene una voz de registro intermedio entre la de contralto y la de soprano. □ PRON. [metsosopráno]. □ USO Se usa mucho la forma abreviada *mezzo*.

mi ▮ poses. **1** →**mío.** ▮ s.m. **2** En música, tercera nota de la escala de do mayor: *En clave de sol, el mi se escribe en la primera línea del pentagrama.* ▮ s.f. **3** En el alfabeto griego clásico, nombre de la duodécima letra: *La grafía de la mi es* μ. □ ETIMOL. La acepción 2, de la primera sílaba de la palabra *mira*, que aparece en el himno de San Juan Bautista, de donde se sacó el nombre de todas las notas musicales. □ ORTOGR. 1. Dist. de *mí*. 2. En la acepción 3, se usa también *my*. □ MORF. 1. Como posesivo no tiene diferenciación de género y es apócope de *mío* y de *mía* cuando preceden a un sustantivo determinándolo: *mi casa, mis mejores amigos*. 2. En la acepción 2, su plural es *mis*.

mí pron.pers. Forma de la primera persona del singular que corresponde a la función de complemento precedido de preposición: *Ese regalo es para mí. A mí también me ha llamado.* □ ETIMOL. Del latín *mihi*, dativo de *ego* (yo). □ ORTOGR. Dist. de *mi*. □ MORF. No tiene diferenciación de género.

miaja s.f. *col.* Migaja.

mialgia s.f. En medicina, dolor muscular. □ ETIMOL. Del griego *mŷs* (músculo) y *-algia* (dolor).

miasma s.m. Olor o sustancia perjudiciales o malolientes que se desprenden de cuerpos enfermos, de materias corruptas o de aguas estancadas. □ ETIMOL. Del griego *míasma* (mancha, mancilla). □ MORF. 1. Se usa también como femenino. 2. Se usa más en plural.

miasmático, ca adj. Que produce o contiene miasmas.

miastenia s.f. En medicina, alteración muscular que se caracteriza por diversos grados de debilidad y por un exceso de fatiga en los músculos estriados. □ ETIMOL. Del griego *mŷ* (músculo) y *astenia*.

miau interj. *col.* Expresión que se usa para indicar extrañeza, sorpresa, admiración o disgusto.

mibor (ing.) s.m. En economía, precio del dinero o tipo de interés básico en el mercado interbancario madrileño: *El tipo de referencia para esta operación será el mibor.* □ ETIMOL. Es el acrónimo del inglés *Madrid Interbank Offered Rate* (tipo de interés ofertado en el mercado interbancario de Madrid), por analogía con el *libor*. □ PRON. [míbor].

mica s.f. Véase **mico, ca.**

micáceo, a adj. **1** Que contiene mica. **2** Parecido a la mica o con sus características.

micado (tb. *mikado*) s.m. En Japón (país asiático), emperador e institución imperial. □ ETIMOL. Del japonés *mi* (sublime) y *cado* (puerta).

micción s.f. Expulsión de la orina. □ ETIMOL. Del latín *mictio*.

micelio s.m. En un hongo, aparato vegetativo que le sirve para nutrirse y que está constituido por un conjunto de células que forman filamentos. □ ETIMOL. Del griego *mýke* (hongo) y la terminación de *epitelio*.

micénico, ca adj./s. De Micenas (antigua ciudad griega), o relacionado con ella.

micetología s.f. Parte de la botánica que estudia los hongos. □ SINÓN. *micología*. □ ETIMOL. Del griego *mýke* (hongo) y *-logía* (estudio).

michelín s.m. *col.* Acumulación de grasa, en forma de rollo o de pliegue, que se tiene en determinadas partes del cuerpo, esp. en la cintura. □ ETIMOL. Por alusión a un muñeco con el mismo nombre, representativo de una marca comercial. □ MORF. Se usa más en plural.

michino, na s. *col.* Gato.

mico, ca ▮ s. **1** Mono de cola larga. ▮ s.m. **2** *col.* Persona pequeña en edad o en estatura. **3** *col.* Persona que se considera muy fea: *ir hecho un mico.* ▮ s.f. **4** Mineral del grupo de los silicatos en cuya composición entra el aluminio, y que cristaliza en láminas planas, brillantes y elásticas: *La mica tiene diversas aplicaciones industriales como aislante o como colorante.* **5** ‖ **volverse mico;** *col.* Necesitar mucho tiempo, esfuerzo o ingenio para hacer o conseguir algo: *Tenías los papeles tan desordenados que me he vuelto mico para encontrar el que necesitaba.* □ ETIMOL. La acepción 4, del latín *mica* (miga), con influencia de *micare* (brillar). □ USO En la acepción 2, aplicado a un niño tiene un matiz cariñoso.

micobacteria s.f. Bacteria aerobia o que necesita oxígeno para sobrevivir, y que puede ser patógena. □ ETIMOL. Del griego *mýke* (hongo) y *bacteria*.

micología s.f. Parte de la botánica que estudia los hongos. □ SINÓN. *micetología*. □ ETIMOL. Del griego *mýke* (hongo) y *-logía* (estudio).

micológico, ca adj. De la micología, de los hongos o relacionado con estos.

micólogo, ga s. Persona que se dedica al estudio de hongos y de levaduras.

micoplasma s.m. Microorganismo que puede producir enfermedades, cuya pared celular no está bien diferenciada y le permite cambiar de forma. ☐ ETIMOL. Del griego *mýke* (hongo) y *plásma* (formación).

micorriza s.f. Asociación simbiótica entre las raíces de una planta y los filamentos de un hongo. ☐ ETIMOL. Del griego *mýke* (hongo) y *rhíza* (raíz).

micosis (pl. *micosis*) s.f. Infección producida por ciertos hongos. ☐ ETIMOL. Del griego *mýke* (hongo) y *-osis* (enfermedad).

micótico, ca adj. Que se ha producido por una infección con hongos: *enfermedad micótica.* ☐ ETIMOL. Del griego *mýke* (hongo).

micra s.f. Unidad de longitud que equivale a una milésima parte del milímetro. ☐ SINÓN. *micrón.* ☐ ETIMOL. Del griego *mikrós* (pequeño).

micro s.m. *col.* →**micrófono.**

micro- 1 Elemento compositivo prefijo que significa 'pequeño': *microbús, microelectrónica, microficha, microsurco.* **2** Elemento compositivo prefijo que significa 'millonésima parte': *microsegundo, micrómetro.* ☐ ETIMOL. Del griego *mikrós.* ☐ ORTOGR. En la acepción 2, su símbolo es μ, y no se usa nunca aislado: μ*s* (microsegundo).

microbiano, na adj. De los microbios, producido por microbios o relacionado con ellos: *una enfermedad microbiana.*

microbicida adj.inv. Que mata microbios. ☐ ETIMOL. De *microbio* y *-cida* (que mata).

microbio s.m. **1** Organismo unicelular microscópico: *Los virus y las bacterias son microbios.* ☐ SINÓN. *microorganismo.* **2** *col.* Lo que es pequeño o enano. ☐ ETIMOL. Del griego *mikróbios*, y este de *mikrós* (pequeño) y *bíos* (vida).

microbiología s.f. Parte de la biología que estudia los microorganismos o microbios. ☐ ETIMOL. De *microbio* y *-logía* (estudio).

microbiólogo, ga s. Persona que se dedica profesionalmente al estudio de los microorganismos o microbios, o que está especializada en microbiología.

microbús s.m. Autobús para un número reducido de pasajeros, generalmente empleado en el transporte urbano. ☐ SINÓN. *minibús.*

microcefalia s.f. Tamaño de la cabeza menor de lo que se considera normal. ☐ ETIMOL. De *micro-* (pequeño) y *-cefalia* (cabeza).

microcéfalo, la adj./s. Que tiene la cabeza de un tamaño inferior a lo normal. ☐ ETIMOL. De *micro-* (pequeño) y el griego *kephalé* (cabeza).

microchip s.m. Chip de muy pequeño tamaño. ☐ ETIMOL. Del inglés *microchip*.

microcircuito s.m. Circuito electrónico formado por componentes miniaturizados.

microcirugía s.f. Cirugía que se realiza sobre estructuras vivas muy pequeñas.

microcirujano, na s. Médico cirujano especializado en microcirugía.

microclima s.m. Conjunto de condiciones climáticas particulares de un espacio reducido y aislado del medio general.

microcosmo s.m. →**microcosmos.**

microcosmos (tb. *microcosmo*) (pl. *microcosmos*) s.m. El ser humano, entendido como un pequeño universo completo. ☐ ETIMOL. De *micro-* (pequeño) y el griego *kósmos* (mundo).

microeconomía s.f. Estudio de la economía relacionada con los individuos, pequeños grupos individuales o empresas tomadas individual o sectorialmente. ☐ SEM. Dist. de *macroeconomía* (estudio de la economía de una zona como un conjunto, utilizando magnitudes colectivas o globales).

microeconómico, ca adj. De la microeconomía o relacionado con este estudio.

microelectrónica s.f. Técnica de diseñar y de producir circuitos electrónicos en miniatura, esp. con elementos semiconductores.

microencapsulación s.f. →**microencapsulado.**

microencapsulado, da ▮ adj. **1** Cubierto por una delgada capa de protección: *Los medicamentos microencapsulados no se diseminan antes de tiempo.* ▮ s.m. **2** Recubrimiento de una dosis de una sustancia con una delgada capa que sirva de protección. ☐ SINÓN. *microencapsulación.*

microestructura s.f. Estructura que forma parte de una estructura más amplia.

microfibra s.f. Tela sintética hecha de fibras microscópicas.

microficha s.f. Ficha de película que contiene varias fotografías, esp. de páginas de libros o documentos, en un tamaño muy reducido.

microfilm (ing.) s.m. →**microfilme.**

microfilmadora s.f. Máquina que se utiliza para microfilmar.

microfilmar v. Reproducir en microfilme: *Los manuscritos antiguos se microfilman para que los originales no se estropeen de tanto consultarlos.*

microfilme s.m. Película de tamaño reducido en la que se fijan documentos que después pueden ser ampliados en proyección o en fotografía. ☐ ETIMOL. Del inglés *microfilm*, y este de *micro-* (pequeño) y *film* (película). ☐ USO Es innecesario el uso del anglicismo *microfilm*.

micrófono s.m. Aparato que transforma las ondas acústicas en ondas eléctricas para poder amplificarlas, transmitirlas o registrarlas. ☐ ETIMOL. De *micro-* (pequeño) y *-fono* (sonido). ☐ MORF. En la lengua coloquial, se usa mucho la forma abreviada *micro.*

microfotografía s.f. **1** Fotografía de un objeto de tamaño microscópico. **2** Técnica fotográfica que consiste en reducir el tamaño de la página de un texto.

microgameto s.m. En algunas especies animales, espermatozoide o gameto masculino.

microinyección s.f. Inyección muy pequeña de una sustancia.

microinyectar v. Inyectar elementos microscópicos, esp. en una célula: *En algunas técnicas de fertilización artificial, los espermatozoides son microinyectados en el óvulo.*

microinyector s.m. Instrumento que sirve para inyectar elementos microscópicos.

microlentilla s.f. →**lentilla.**

micrómetro s.m. Instrumento que sirve para medir cantidades lineales o angulares muy pequeñas. □ ETIMOL. De *micro-* (pequeño) y *-metro* (medidor).

micrón s.m. →**micra.** □ ETIMOL. Del griego *mikron*, forma neutra de *mikrós* (pequeño).

micronesio, sia adj./s. De Micronesia o relacionado con estas islas del océano Pacífico.

micronizado, da adj. Dividido en partículas muy pequeñas: *agua micronizada.*

micronizador s.m. Aparato que se usa para dividir un cuerpo o una sustancia en partículas muy pequeñas.

micronizar v. Referido a un cuerpo o a una sustancia, dividirlos en partículas muy pequeñas: *Para preparar un baño de algas, es necesario micronizar las algas y hacer con ellas una pasta.*

microonda s.f. Radiación electromagnética cuya longitud de onda está comprendida en el intervalo del milímetro al metro y cuya propagación puede realizarse por el interior de tubos metálicos.

microondas (pl. *microondas*) s.m. Horno que funciona con ondas electromagnéticas que calientan rápidamente los alimentos.

microordenador s.m. Ordenador cuya unidad central de proceso está formada por un microprocesador.

microorganismo s.m. Organismo unicelular microscópico. □ SINÓN. *microbio.* □ ORTOGR. Incorr. **microrganismo.*

micropana s.f. Pana muy fina.

microprocesador s.m. Circuito que está formado por numerosos transistores integrados, y que tiene diversas aplicaciones.

microscopia (tb. *microscopía*) s.f. **1** Construcción y empleo del microscopio. **2** Conjunto de métodos para la investigación por medio del microscopio.

microscópico, ca adj. **1** Que solo puede verse con un microscopio: *un organismo microscópico.* **2** *col.* Muy pequeño.

microscopio s.m. Instrumento óptico formado por un sistema de lentes que amplía los objetos extremadamente pequeños para posibilitar su observación. □ ETIMOL. De *micro-* (pequeño) y *-scopio* (instrumento para ver).

microsegundo s.m. Millonésima parte de un segundo. □ ORTOGR. Su símbolo es *µs*, por tanto, se escribe sin punto.

microsurco s.m. Disco en el que los surcos son muy finos y están muy próximos y que gira a treinta y tres revoluciones por minuto.

microtomo s.m. Instrumento que sirve para cortar secciones muy delgadas de órganos o de tejidos para estudiarlas con el microscopio. □ ETIMOL. De *micro-* (pequeño) y el griego *tómos* (pedazo cortado).

midriasis (pl. *midriasis*) s.f. En medicina, dilatación anormal de la pupila con inmovilidad del iris. □ ETIMOL. Del latín *mydriasis.* □ ORTOGR. Incorr. **midríasis.*

miéchica interj. *euf. col.* En zonas del español meridional, mierda.

miedica adj.inv./s.com. *col.* Miedoso o cobarde. □ USO Tiene un matiz despectivo.

mieditis (pl. *mieditis*) s.f. *col.* Miedo.

miedo s.m. **1** Sensación angustiosa causada por la presencia, la amenaza o la suposición de un riesgo o de un mal: *Las armas de fuego me dan miedo.* **2** Temor o recelo de que suceda algo contrario a lo que se desea: *Tengo miedo de que el coche se estropee en un viaje tan largo.* **3** || **de miedo; 1** *col.* Extraordinario o muy bueno: *Este pastel está de miedo.* **2** *col.* Muy bien: *Lo pasé de miedo en la fiesta.* || **miedo cerval;** el grande o excesivo: *Al verse ante el león, un miedo cerval lo paralizó.* □ ETIMOL. Del latín *metus.*

miedoso, sa adj./s. Que siente miedo con facilidad.

miel ▌s.f. **1** Sustancia viscosa, amarillenta y muy dulce que producen las abejas. ▌pl. **2** Satisfacción o sensación agradable proporcionadas por el éxito: *Tienes que entrenarte a fondo si quieres saborear las mieles del triunfo.* **3** || **dejar con la miel en los labios;** *col.* Privar de lo que gusta o empieza a disfrutarse: *Suspendieron el recital poco después de haber empezado, y nos dejaron con la miel en los labios.* || **miel sobre hojuelas;** expresión que se usa para indicar que algo viene muy bien a otra cosa: *Si no llueve y además hace sol, miel sobre hojuelas para salir de excursión al campo.* □ ETIMOL. Del latín *mel.*

mielga s.f. Pez marino parecido al tiburón, de piel gris, pardusca y gruesa. □ ETIMOL. Quizá del latín *merga* (herramienta para levantar las mieses), porque se compararon los dos aguijones de este pez con las púas de la herramienta. □ MORF. Es un sustantivo epiceno: *la mielga {macho/hembra}.*

mielina s.f. Sustancia grasa y blanda de color blanco que rodea las prolongaciones de algunas neuronas: *La mielina aumenta la velocidad de transmisión del impulso nervioso.* □ ETIMOL. Del griego *myelós* (médula).

mielitis (pl. *mielitis*) s.f. Inflamación de la médula espinal. □ ETIMOL. Del griego *myelós* (médula) e *-itis* (inflamación).

mielografía s.f. Radiografía del canal medular, en el que se ha inyectado previamente un contraste o sustancia que impide el paso de los rayos X.

mieloma s.m. Tumor en la médula ósea. □ ETIMOL. Del griego *myelós* (médula) y *-oma* (tumor). □ SEM. Dist. de *mioma* (tumor formado por elementos musculares).

mielopatía s.f. Alteración funcional o patológica, o lesión no específica producidas en la médula espinal.

miembro s.m. **1** Extremidad articulada con el cuerpo humano o animal: *Los miembros superiores* *de una persona son sus brazos.* **2** En una colectividad, persona, grupo o entidad que forman parte de ella: *los miembros de un jurado.* **3** En un todo, parte unida con él: *El predicado es un miembro de la oración.* **4** En matemáticas, cada una de las expresiones de una ecuación o de una igualdad: *El primer miembro de '3x + 2 = 8' es '3x + 2'.* **5** || **miembro (viril);** *euf.* Pene. □ ETIMOL. Del latín *membrum.*

miente s.f. Pensamiento o entendimiento: *Jamás se me pasaría por las mientes hacerte daño.* □ ETIMOL. Del latín *mens* (mente). □ USO Se usa más en plural.

-miento Sufijo que indica acción y efecto: *alejamiento, cocimiento.* □ ETIMOL. Del latín *-mentum.*

mientras ▮ adv. **1** Durante el tiempo en el que algo sucede o se realiza: *Todos trabajaban, y mientras, él dormía la siesta.* ▮ conj. **2** Enlace gramatical subordinante con valor temporal: *Pon la mesa mientras yo preparo la comida.* **3** || **mientras que;** enlace gramatical coordinante con valor adversativo: *Yo sola he arreglado toda la casa, mientras que tú no has hecho nada para ayudarme.* □ ETIMOL. Del antiguo *demientras*, y este del latín *dum* (mientras) e *interim* (entretanto). □ SINT. En la acepción 1, *mientras tanto* se usa con el mismo significado que *mientras.*

miércoles (pl. *miércoles*) s.m. Tercer día de la semana, entre el martes y el jueves: *Los miércoles son el centro de mi semana laboral.* □ ETIMOL. Del latín *dies Mercuri* (día de Mercurio).

mierda ▮ s.f. **1** *vulg.* Excremento humano o animal que se expele por el ano. **2** *col.* Suciedad o basura. **3** *vulg.* Lo que se considera mal hecho, de poca calidad o de poco valor. **4** *vulg.* Borrachera. **5** *arg.* Droga. ▮ interj. **6** *col.* Expresión que se usa para indicar disgusto, rechazo o contrariedad. **7** || **irse** algo **a la mierda;** *col.* Estropearse o echarse a perder. || **mandar a la mierda;** *col.* Rechazar. □ ETIMOL. Del latín *merda.*

mierdoso, sa adj. *col. desp.* Asqueroso o despreciable.

mies ▮ s.f. **1** Cereal maduro. ▮ pl. **2** Campos sembrados. □ ETIMOL. Del latín *messis* (conjunto de cereales cosechados o que están a punto de cosecharse).

miga ▮ s.f. **1** En el pan, parte blanda que está rodeada por la corteza. **2** Trozo o cantidad pequeños, esp. si son de pan. □ SINÓN. *migaja.* **3** *col.* Sustancia o contenido importante: *Es un hombre de mucha miga.* ▮ pl. **4** Guiso hecho con trozos de pan humedecidos con agua, que se fríen en aceite o grasa. **5** || **hacer {buenas/malas} migas;** referido a dos o más personas, entenderse bien o mal. □ ETIMOL. Del latín *mica* (partícula, migaja, grano de sal).

migaja s.f. **1** Trozo o cantidad pequeños, esp. si son de pan. □ SINÓN. *miga.* **2** Poca cosa o casi nada.

migajón s.m. En zonas del español meridional, miga del pan.

migala s.f. Araña de gran tamaño, de patas fuertes y peludas, de vida nocturna, y que es propia de las zonas tropicales suramericanas.

migar v. **1** Referido al pan, desmenuzarlo en trozos pequeños: *Migó un trozo de pan para echárselo a los peces del estanque.* **2** Referido a un líquido, echarle trozos de pan: *Siempre migo la leche para desayunar.* □ ORTOGR. La *g* se cambia en *gu* delante de *e* →PAGAR.

migración s.f. **1** Movimiento de población que consiste en el desplazamiento de personas de un lugar a otro para cambiar su lugar de residencia. **2** Viaje periódico de algunas especies animales. □ SEM. Dist. de *emigración* y de *inmigración* →**migrar.**

migrante adj.inv./s.com. En zonas del español meridional, inmigrante.

migraña s.f. Dolor intenso de cabeza que solo afecta a un lado o a una parte de ella. □ SINÓN. *jaqueca.* □ ETIMOL. Del latín *hemicrania*, este del griego *hemicranía*, y este de *hemi-* (medio) y *cranion* (cráneo), porque las migrañas solo afectan a una parte de la cabeza.

migrar v. **1** Referido a una persona, desplazarse para cambiar su lugar de residencia: *Con el desarrollo industrial, muchos campesinos migran del campo a las ciudades.* **2** Referido a un animal, hacer migraciones o viajes periódicos: *Las aves suelen migrar en otoño buscando un lugar más cálido.* □ ETIMOL. Del latín *migrare* (cambiar de estancia, partir). □ SEM. Dist. de *emigrar* (salir de un lugar) y de *inmigrar* (llegar a un lugar para establecerse en él).

migratorio, ria adj. De la migración o relacionado con este desplazamiento: *aves migratorias.* □ SEM. Dist. de *emigratorio* y de *inmigratorio* →**migrar.**

mihrab s.m. En una mezquita, nicho que señala el lugar adonde deben mirar los que oran. □ ETIMOL. Del árabe *mihrab.* □ PRON. [mirráb].

mijo s.m. **1** Cereal de hojas anchas y vellosas, con espigas compactas y flores pequeñas en los extremos. **2** Semilla de este cereal, pequeña, redonda y de color blanco amarillento. □ ETIMOL. Del latín *milium.*

mikado s.m. **1** →**micado. 2** Juego de habilidad de origen oriental que consiste en soltar un conjuto de cuarenta palillos para que caigan en un montón desordenado, e ir cogiendo uno a uno sin que se muevan los demás.

mil ▮ numer. **1** Número 1 000: *Este reloj cuesta mil euros. Hace colección de chapas y tiene más de mil.* ▮ s.m. **2** Signo que representa este número: *Los romanos escribían el mil como 'M'.* **3** Conjunto de 1 000 unidades: *Tengo varios miles de libros.* □ ETIMOL. Del latín *mille.* □ MORF. 1. Como numeral es invariable en género y en número. 2. En la acepción 3, se usa más en plural.

milagrear v. *col. desp.* Hacer milagros: *Dicen que un santo milagrea por esa comarca.*

milagrería s.f. **1** Tendencia a considerar milagros los hechos naturales. **2** Relato de sucesos fantásticos que se toman por milagros.

milagrero, ra adj. **1** Referido a una persona, que considera milagros los hechos naturales y los publica como tales. **2** *col.* Que hace milagros. □ SINÓN. *milagroso.*

milagro s.m. **1** Hecho que no puede ser explicado por las leyes de la ciencia o de la naturaleza y que se considera realizado por intervención divina o sobrenatural. **2** Lo que resulta raro, extraordinario o maravilloso: *Entre tanta gente, ha sido un milagro que nos hayamos visto.* **3** || **de milagro;** por poco o por casualidad: *Cogí el último tren de milagro.* □ ETIMOL. Del latín *miraculum* (hecho admirable).

milagroso, sa adj. **1** Que no puede ser explicado por las leyes de la ciencia o de la naturaleza: *Que Jesucristo convirtiera el agua en vino fue un hecho milagroso.* **2** Extraordinario, maravilloso o sorprendente: *Es milagroso que no os hayáis perdido en esta niebla.* **3** Que hace milagros: *Afirma que esta fuente es de agua milagrosa porque al beberla se curó.* □ SINÓN. *milagrero.*

milanesa s.f. **1** En zonas del español meridional, escalope de ternera. **2** || **(a la) milanesa;** referido a la carne, que está frita y rebozada en huevo y pan rallado.

milano s.m. Ave rapaz diurna, de plumaje marrón con tonos rojizos y con una larga cola en forma de horquilla. □ ETIMOL. Del latín **milanus.* □ MORF. Es un sustantivo epiceno: *el milano {macho/hembra}.*

milbillonésimo, ma numer. **1** En una serie, que ocupa el lugar número mil billones: *En mi orden de prioridades, ese problema está el milbillonésimo.* **2** Referido a una parte, que constituye un todo junto con otras 999 999 999 999 999 iguales a ella: *Un femtosegundo es la milbillonésima parte de un segundo.*

milcao s.m. Especie de pan hecho con harina tostada mezclada con cebolla y disuelta en agua caliente.

mildéu s.m. →**mildiu.**

mildiu (tb. *mildiú, mildéu*) s.m. Enfermedad de la vid producida por un hongo microscópico que se desarrolla en el interior de las hojas, en el tallo y en el fruto. □ ETIMOL. Del inglés *mildew* (moho).

milenario, ria ▌adj. **1** Del número 1 000 o del millar: *cifras milenarias.* **2** Que tiene alrededor de mil años: *un monumento milenario.* ▌s.m. **3** Fecha en la que se cumplen uno o varios millares de años de un acontecimiento. □ ETIMOL. Del latín *millenarius.*

milenarismo s.m. **1** Creencia que afirma que Jesucristo reinará sobre la Tierra antes del juicio final durante un período de mil años. **2** Antigua creencia que afirmaba que el fin del mundo tendría lugar en el año 1000 de la era cristiana. **3** Creencia que pone una fecha límite en que tendrá lugar el fin del mundo.

milenarista ▌adj.inv. **1** Del milenarismo o relacionado con él. ▌adj.inv./s.com. **2** Partidario o seguidor del milenarismo.

milenio s.m. Período de tiempo de mil años.

milenrama s.f. Planta herbácea con las hojas largas y estrechas, y flores de color blanco o rosado.

milésimo, ma numer. **1** En una serie, que ocupa el lugar número mil: *No puede elegir destino porque ocupa la milésima plaza de los aprobados. Es el milésimo de una lista de dos mil trescientos aspirantes.* **2** Referido a una parte, que constituye un todo junto con otras novecientas noventa y nueve iguales a ella: *El cariño que de mí recibiste no fue más que una milésima parte de lo que te podría haber dado. El cerebro tarda milésimas de segundo en enviar una orden a los músculos.* □ ETIMOL. Del latín *millesimus*, y este de *mille* (mil). □ MORF. Cuando se antepone a otra palabra para formar compuestos, adopta la forma *mili-*.

milhojas (pl. *milhojas*) s.m. Pastel con forma rectangular hecho con láminas de hojaldre entre las que se pone merengue, nata o crema: *Se manchó la nariz al comer un milhojas.* □ USO Se usa también como sustantivo femenino.

milhombres (pl. *milhombres*) s.m. *col.* Hombre de pocas fuerzas o no excesivamente robusto pero que presume de ser fuerte.

mili s.f. *col.* Servicio que presta un ciudadano a su país actuando como soldado durante un período de tiempo determinado. □ SINÓN. *servicio militar.* □ MORF. Es la forma abreviada y usual de *milicia.*

mili- Elemento compositivo prefijo que significa 'milésima parte': *miliamperio, milibar, miligramo, mililitro.* □ ETIMOL. Del latín *mille* (mil). □ ORTOGR. Su símbolo es *m-*, y no se usa nunca aislado: *mm* (milímetro).

miliamperio s.m. En el Sistema Internacional, unidad de intensidad de corriente eléctrica que equivale a la milésima parte de un amperio. □ ETIMOL. De *mili-* (milésima parte) y *amperio.* □ ORTOGR. Su símbolo es *mA*, por tanto, se escribe sin punto.

miliar adj.inv. Referido esp. a una columna o a un poste, que indicaba antiguamente una distancia de mil pasos. □ SINÓN. *miliario.* □ ETIMOL. Del latín *milliare.*

miliario, ria adj. **1** De la milla o relacionado con ella. **2** →**miliar.** □ ETIMOL. Del latín *milliarius.*

milibar s.m. Unidad de presión atmosférica que equivale a una milésima de bar. □ SINÓN. *milibaro.* □ ETIMOL. De *mili-* (milésima parte) y *bar* (unidad de presión). □ ORTOGR. Su símbolo es *mbar*, por tanto, se escribe sin punto.

milibaro s.m. →**milibar.**

milicia s.f. **1** Conjunto de técnicas y de conocimientos que permiten preparar y entrenar a un ejército para la guerra. **2** →**mili. 3** Conjunto de militares profesionales y no profesionales de un país. □ ETIMOL. Del latín *militia*, y este de *miles* (soldado).

miliciano, na s. Persona que forma parte de una milicia.

milico s.m. *col. desp.* En zonas del español meridional, soldado o policía.

miligramo s.m. En el Sistema Internacional, unidad de masa que equivale a la milésima parte de un gramo. □ ETIMOL. De *mili-* (milésima parte) y *gramo.*

☐ ORTOGR. Su símbolo es *mg*, por tanto, se escribe sin punto.

mililitro s.m. Unidad de volumen que equivale a la milésima parte de un litro. ☐ ETIMOL. De *mili-* (milésima parte) y *litro*. ☐ ORTOGR. Su símbolo es *ml*, por tanto, se escribe sin punto.

milimetrado, da adj. Referido esp. al papel, graduado o dividido en milímetros.

milimétrico, ca adj. **1** *col.* Del milímetro o relacionado con él. **2** *col.* Muy exacto o preciso.

milímetro s.m. En el Sistema Internacional, unidad de longitud que equivale a la milésima parte de un metro. ☐ ETIMOL. De *mili-* (milésima parte) y *metro*. ☐ ORTOGR. Su símbolo es *mm*, por tanto, se escribe sin punto.

milirem s.m. En física, unidad de medida del nivel de radiación, que equivale a la milésima parte de un rem. ☐ ETIMOL. De *mili-* (milésima parte) y *rem*. ☐ PRON. [milirrém]. ☐ ORTOGR. Su símbolo es *mrem*, por tanto, se escribe sin punto.

milisegundo s.m. Milésima parte de un segundo. ☐ ETIMOL. De *mili-* (milésima parte) y *segundo*. ☐ ORTOGR. Su símbolo es *ms*, por tanto, se escribe sin punto.

militancia s.f. Pertenencia a un grupo o a una asociación, o servicio que se presta en ellos.

militante adj.inv./s.com. Referido a una persona, que forma parte de un partido político o de una asociación.

militar ▌adj.inv. **1** De la milicia, de la guerra o relacionado con ellas. ▌s.com. **2** Persona que sirve transitoria o permanentemente en el ejército. ▌v. **3** Servir en el ejército o en una milicia: *De joven militó en el bando republicano.* **4** Formar parte de un partido político o de una asociación: *Milita en un partido radical desde hace años.* ☐ ETIMOL. Las acepciones 1 y 2, del latín *militaris* (perteneciente al soldado o a la guerra). Las acepciones 3 y 4, del latín *militare* (practicar el ejercicio de las armas).

militarada s.f. Golpe de Estado dado por los militares, esp. si fracasa.

militarismo s.m. **1** Predominio del elemento militar en una nación. **2** Actitud que defiende este predominio militar.

militarista ▌adj.inv. **1** Del militarismo o relacionado con él. ▌adj.inv./s.com. **2** Partidario o seguidor del militarismo.

militarización s.f. Sometimiento a la disciplina o a la jurisdicción militares.

militarizar v. Someter a la disciplina o a la jurisdicción militares: *Han anunciado que militarizarán los transportes públicos si no cesan las huelgas.* ☐ ORTOGR. La *z* se cambia en *c* delante de *e* →CAZAR.

militronche s.m. *col.* Militar. ☐ SINÓN. *militroncho*.

militroncho s.m. *col.* →**militronche.**

milla s.f. **1** En el sistema anglosajón, unidad de longitud que equivale aproximadamente a 1 609 metros. **2** || **milla atlética;** en atletismo, carrera de medio fondo en la que se recorre una distancia de esta longitud. || **milla (náutica);** unidad de navegación marítima y aérea que equivale a 1 852 metros. ☐ ETIMOL. Del latín *milia passuum* (miles de pasos).

millar s.m. Conjunto de mil unidades. ☐ ETIMOL. Del latín *miliare*.

millarada s.f. Cantidad que se aproxima al millar.

millardo ▌pron.numer. **1** Número 1 000 000 000: *Un millardo son mil millones.* ▌s.m. **2** Signo que representa este número: *El millardo es un uno seguido de nueve ceros.* ☐ SINT. Va seguido por *de* cuando lo sigue el nombre de aquello que se numera (*un millardo de euros*), pero no cuando lo siguen uno o más numerales (un millardo cien mil euros).

millón ▌pron.numer. **1** Número 1 000 000: *Un millón son mil veces mil.* ▌s.m. **2** Signo que representa este número: *El millón es un uno seguido de seis ceros.* ☐ ETIMOL. Del francés *million*. ☐ SINT. Va seguido de *de* cuando lo sigue el nombre de aquello que se numera (*un millón de euros*), pero no cuando lo siguen uno o más numerales (*un millón cien mil euros*). ☐ USO Como pronombre, se usa mucho para indicar una cantidad grande e indeterminada: *Te he llamado millones de veces y nunca estabas.*

millonada s.f. Cantidad muy grande, esp. si es de dinero.

millonario, ria ▌adj. **1** Referido esp. a una cantidad de dinero, que asciende a uno o más millones. ▌adj./s. **2** Referido a una persona, que posee una fortuna de muchos millones.

millonésimo, ma numer. **1** En una serie, que ocupa el lugar número un millón: *No puedo saber de memoria quién ocupa el millonésimo lugar de la lista. Este niño es el millonésimo que nace en nuestro hospital.* **2** Referido a una parte, que constituye un todo junto con otras 999 999 iguales a ella: *Una micra es la millonésima parte de un metro. El compuesto tardó en reaccionar una millonésima de segundo.*

millonetis (pl. *millonetis*) s.com. *col.* Persona muy rica.

milmillonésimo, ma numer. **1** En una serie, que ocupa el lugar número mil millones: *De todas las personas que han visitado la ciudad, usted debe de ser la milmillonésima.* **2** Referido a una parte, que constituye un todo junto con otras 999 999 999 iguales a ella: *No verás ni un milmillonésimo de mi fortuna.*

milonga s.f. **1** Composición musical originaria del Río de la Plata (región argentina), de ritmo lento, que se canta acompañada de guitarra. **2** Baile que se ejecuta al compás de esta música. **3** *col.* Engaño, mentira.

milonguear v. Bailar la milonga: *Mis amigos argentinos saben milonguear muy bien.*

milord (pl. *milores*) s.m. En España, tratamiento honorífico que se da a los nobles ingleses. ☐ ETIMOL. Del inglés *my lord* (mi señor).

milpa s.f. En zonas del español meridional, maizal.

milpiés (pl. *milpiés*) s.m. Artrópodo terrestre, con el cuerpo alargado y anillado, de color oscuro y numerosas patas muy cortas, que se enrosca formando una espiral y despide un olor fétido para protegerse.

milrayas (pl. *milrayas*) s.m. Tejido con el fondo de color claro y multitud de rayas muy finas. □ ETIMOL. Del francés *mille-raies*.

mimar v. **1** Mostrar afecto o voluntad de complacer: *A todos nos gusta que nos mimen.* **2** Referido a una persona, esp. a un niño, tratarla con excesiva consideración o consentimiento: *Es muy caprichoso porque sus padres lo miman demasiado y nunca lo regañan.* **3** Tratar con gran cuidado o delicadeza: *La ropa me dura mucho porque procuro mimarla.*

mimbar s.m. →**almimbar.**

mimbre s.amb. **1** Arbusto que crece en las orillas de los ríos o en otros lugares húmedos y cuyo tronco se cubre desde el suelo de ramillas largas, muy delgadas y flexibles, de corteza grisácea fácilmente desprendible y madera blanca, muy usadas en cestería. □ SINÓN. *mimbrera.* **2** Rama o varita que produce este arbusto: *una cesta de mimbre.* □ SINÓN. *mimbrera.* □ ETIMOL. Del latín *vimes.*

mimbrear v. Mover o moverse con la flexibilidad propia del mimbre: *La bailarina se mimbreaba como si su cuerpo fuera de goma.*

mimbrera s.f. **1** →**mimbre. 2** →**mimbreral.**

mimbreral s.m. Terreno poblado de mimbres. □ SINÓN. *mimbrera.*

mímesis (tb. *mimesis*) (pl. *mímesis, mimesis*) s.f. **1** En la poética y estética clásicas, imitación de la naturaleza o de los grandes modelos, que constituye el objeto del arte. **2** Imitación que se hace de las palabras, de los gestos o del modo de actuar de otra persona, frecuentemente como burla. □ ETIMOL. Del griego *mímesis* (imitación).

mimético, ca adj. **1** Del mimetismo o relacionado con esta propiedad o disposición. **2** De la mímesis o relacionado con este tipo de imitación.

mimetismo s.m. Propiedad de algunos animales y plantas que les permite adoptar el color o la forma de los seres u objetos entre los que viven y pasar así inadvertidos.

mimetizarse v.prnl. Referido esp. a un animal o a una planta, adoptar el color o la apariencia de los seres u objetos de su entorno: *Si un animal se mimetiza entre la maleza, es difícil descubrir su presencia.* □ ORTOGR. La *z* se cambia en *c* delante de *e* →CAZAR.

mímica s.f. Véase **mímico, ca.**

mímico, ca ▌adj. **1** Del mimo y de su arte. **2** De la mímica. ▌s.f. **3** Arte o técnica de imitar, representar o expresarse por medio de gestos y de movimientos corporales.

mimo s.m. **1** Demostración expresiva de ternura y afecto. **2** Consentimiento excesivo en el trato, esp. el que se da a los niños. **3** Cuidado o delicadeza con que se trata o se hace algo: *Trata los libros con verdadero mimo.* **4** Representación, generalmente teatral, por medio de mímica y sin intervención de la palabra. □ SINÓN. *pantomima.* **5** Actor teatral que actúa utilizando única o fundamentalmente la mímica. □ ETIMOL. Del latín *mimus* (comediante, sainete, farsa popular). □ MORF. En la acepción 1, se usa más en plural.

mimosa s.f. Véase **mimoso, sa.**

mimosáceo, a ▌adj./s.f. **1** Referido a una planta, que es arbustiva o arbórea, con frutos en legumbre, hojas compuestas que suelen plegarse al desaparecer el Sol, y flores en forma de bolas muy pequeñas con numerosos estambres: *Algunas mimosáceas son muy usadas para la ornamentación de parques y jardines.* ▌s.f.pl. **2** En botánica, familia de estas plantas, perteneciente a la clase de las dicotiledóneas: *Las mimosáceas son propias de zonas tropicales.*

mimoso, sa ▌adj. **1** Con mucho mimo, o que disfruta dándolo o recibiéndolo. ▌s.f. **2** Arbusto del tipo de las acacias, con flores amarillas agrupadas en inflorescencias y con numerosos y largos estambres muy olorosos, y cuyas hojas suelen experimentar un cierto retraimiento o movimiento de contracción cuando se las toca o agita.

mina s.f. **1** Yacimiento de minerales de explotación útil. **2** Excavación o conjunto de instalaciones realizadas en uno de estos yacimientos para extraer el mineral. **3** Lo que supone o puede proporcionar una gran abundancia o riqueza de algo que se considera valioso o beneficioso: *El abuelo es una mina de saber y da gusto oírle hablar.* **4** Barrita de grafito o de un material semejante que llevan en su interior los lápices y otros utensilios de escritura y con cuya punta se escribe o se pinta. **5** Artefacto preparado para hacer explosión al ser rozado, y que suele colocarse enterrado o sumergido en una zona para defenderla del enemigo: *un campo de minas.* **6** *col.* En zonas del español meridional, chica. □ ETIMOL. Del céltico **mina* (mineral).

minador, -a ▌adj. **1** Referido a un animal, que excava galerías en el suelo, en la roca, en la madera o en otras superficies del medio en que vive. ▌adj./s.m. **2** Referido a un barco, que está preparado para la colocación o lanzamiento de minas explosivas. ▌s.m. **3** Ingeniero o técnico que se dedica a la realización de minas subterráneas. **4** En el ejército, soldado especializado en la manipulación e instalación de minas.

minar v. **1** Referido esp. a una zona defensiva, colocar en ella minas explosivas: *Minaron el edificio en ruinas para volarlo.* **2** Consumir, debilitar o destruir poco a poco: *Aquellos años de pobreza minaron su resistencia y su ánimo.*

minarete s.m. En una mezquita, torre desde la que el almuédano convoca a los musulmanes a la oración. □ SINÓN. *alminar.* □ ETIMOL. Del francés *minaret.*

mindundi s.com. *col. desp.* Persona simple o insignificante.

minera s.f. Véase **minero, ra.**

mineral ▌adj.inv. **1** Del grupo de los minerales o formado por estas sustancias: *Las rocas de la corteza terrestre constituyen el mundo mineral.* ▌s.m. **2** Sustancia originada por procesos naturales generalmente inorgánicos, que se encuentra en la corteza terrestre y que presenta una estructura homogénea y una composición química definida: *El cuarzo y la mica son dos minerales.* □ ETIMOL. De *mina.*

mineralización s.f. **1** Transmisión a una sustancia de propiedades minerales, o transformación de la misma en mineral. **2** Adquisición de sustancias minerales por parte del agua.

mineralizar ▮ v. **1** Referido a una sustancia, transmitirle propiedades minerales o transformarla en mineral: *Los residuos orgánicos pueden fosilizarse y mineralizarse por la falta de oxígeno.* ▮ prnl. **2** Referido al agua, cargarse de sustancias minerales: *Muchas aguas subterráneas se mineralizan a lo largo de su curso.* □ ORTOGR. La *z* se cambia en *c* delante de *e* →CAZAR.

mineralogía s.f. Parte de la geología que estudia los minerales. □ ETIMOL. De *mineral* y *-logía* (estudio).

mineralógico, ca adj. De la mineralogía o relacionado con esta parte de la geología.

mineralogista s.com. Persona que se dedica profesionalmente al estudio de los minerales o que está especializada en mineralogía.

mineralurgia s.f. Tratamiento a que se someten los minerales para extraer de ellos sustancias útiles.

minería s.f. **1** Técnica o industria de trabajar o explotar las minas. **2** Conjunto de los mineros. **3** Conjunto de las minas y explotaciones mineras con una característica común: *En la minería asturiana hay yacimientos de hulla.*

minero, ra ▮ adj. **1** De la minería o de las minas. ▮ s. **2** Persona que se dedica profesionalmente al trabajo en las minas. ▮ s.f. **3** Cante flamenco de ritmo pausado, cuya letra hace referencia a los sufrimientos de los mineros.

mineromedicinal adj.inv. Referido al agua, que tiene disueltas sustancias minerales que la dotan de propiedades curativas.

minerva s.f. En imprenta, máquina de imprimir de reducido tamaño que se utiliza para hacer pequeños impresos. □ ETIMOL. Extensión del nombre de una marca comercial.

minestrone (it.) s.f. Sopa cuyos ingredientes principales son pasta y verduras.

minga s.f. *vulg.* →**pene.**

mingitorio, ria ▮ adj. **1** De la micción o expulsión de orina, o relacionado con ella. ▮ s.m. **2** Lugar destinado para orinar, esp. el de uso público. □ SINÓN. *urinario.* □ ETIMOL. Del latín *mingere* (mear).

mini ▮ s.m. **1** Vaso de cerveza o de otra bebida de aproximadamente un litro. ▮ s.f. **2** →**minifalda.**

mini- 1 Elemento compositivo prefijo que significa 'muy pequeño': *minicadena, minibocadillo, minisueldo, minigolf.* **2** Elemento compositivo prefijo que significa 'muy corto': *minifalda, minipantalón, miniexcursión.* □ ETIMOL. Del latín *minimus* (muy pequeño). □ USO Se usa mucho en el lenguaje coloquial.

miniar v. Pintar o ilustrar con miniaturas: *Un artista anónimo minió el códice con escenas alusivas al texto.* □ ETIMOL. Del italiano *miniare* (pintar con minio). □ ORTOGR. La *i* nunca lleva tilde.

miniatura s.f. **1** Pintura de pequeño tamaño y generalmente con mucho detalle, esp. la realizada para ilustrar manuscritos. **2** Arte o técnica de hacer estas pinturas. **3** Reproducción en tamaño muy pequeño: *En su despacho tiene una miniatura de las carabelas de Colón.* □ ETIMOL. Del italiano *miniatura* (dibujo pintado con minio), porque estos dibujos eran de muy pequeño tamaño y derivó este sentido a cualquier objeto pequeño.

miniaturista adj.inv./s.com. Que pinta o hace miniaturas.

miniaturización s.f. Técnica de producir piezas y mecanismos en un tamaño muy pequeño.

miniaturizar v. Referido esp. a un mecanismo o a una de sus piezas, producirlos o fabricarlos en el tamaño mínimo que permita su buen funcionamiento: *Han miniaturizado los componentes de las computadoras hasta hacer posible el ordenador portátil.* □ ORTOGR. La *z* se cambia en *c* delante de *e* →CAZAR.

minibar s.m. Bar de reducidas dimensiones y que suele ocupar poco espacio.

minibasket (ing.) s.m. Baloncesto infantil, que se practica en un campo más pequeño del habitual y con las canastas menos elevadas.

minibús s.m. Autobús para un número reducido de pasajeros, generalmente empleado en el transporte urbano. □ SINÓN. *microbús.*

minicadena s.f. Cadena de música de alta fidelidad cuyos componentes tienen un tamaño reducido, esp. si forman un conjunto compacto y no pueden separarse.

minicine s.m. Sala de cine de pequeñas dimensiones.

minidisc (ing.) s.m. →**minidisco.**

minidisco s.m. En música, disco óptico y magnético que reproduce los sonidos por medio del láser. □ USO Es innecesario el uso del anglicismo *minidisc.*

minifalda s.f. Falda muy corta, que queda bastante por encima de las rodillas. □ MORF. En la lengua coloquial, se usa mucho la forma abreviada *mini.*

minifaldero, ra adj. Con minifalda.

minifundio s.m. Finca agraria que, por su reducida extensión, no resulta por sí misma económicamente rentable. □ ETIMOL. De *mini-* (pequeño) y la terminación de *latifundio.* □ SEM. Dist. de *latifundio* (finca de gran extensión).

minifundismo s.m. Sistema de explotación agraria basado en una distribución de la propiedad de la tierra en la que predominan los minifundios.

minifundista ▮ adj.inv. **1** Del minifundismo o relacionado con este sistema de explotación agraria. ▮ s.com. **2** Persona que posee un minifundio.

minigolf s.m. Juego parecido al golf, que se practica en un campo o en una pista pequeños y con obstáculos artificiales. □ ETIMOL. Del inglés *minigolf.*

mínima s.f. Véase **mínimo, ma.**

minimal (ing.) adj.inv. Del minimalismo o relacionado con él. ☐ PRON. [mínimal]. ☐ USO Su uso es innecesario y puede sustituirse por el término *minimalista*.

minimalismo s.m. Tendencia artística surgida en la década de 1970 en Estados Unidos (país americano), caracterizada por la ausencia de decoración, el empleo de formas geométricas simples y otros rasgos que responden al intento de representar lo máximo con los mínimos elementos.

minimalista ▮ adj.inv. **1** Del minimalismo o relacionado con él. ▮ adj.inv./s.com. **2** Partidario o seguidor del minimalismo. ☐ USO Es innecesario el uso del anglicismo *minimal*.

minimización s.m. Reducción de la cantidad de algo o de su importancia.

minimizar v. **1** Reducir o quitar importancia: *No minimices tú un éxito reconocido por todos.* **2** Reducir a lo mínimo o disminuir todo lo posible: *En esta situación crítica, hay que minimizar riesgos. Algunos programas informáticos tienen la opción de minimizar pantalla.* ☐ ORTOGR. La *z* se cambia en *c* delante de *e* →CAZAR.

mínimo, ma ▮ **1** superlat. irreg. de **pequeño.** ▮ s.m. **2** Límite inferior al que se puede reducir algo: *llegar al mínimo.* ☐ SINÓN. *mínimum.* ▮ s.f. **3** Temperatura más baja alcanzada: *En algunos países del Norte de Europa se pueden alcanzar unas mínimas increíbles.* ☐ ETIMOL. Del latín *minimus* (el más pequeño). ☐ SEM. La expresión *lo más mínimo* se usa para enfatizar una negación: *No me importa lo más mínimo lo que hagas.*

mínimum s.m. →**mínimo.** ☐ ETIMOL. Del latín *minimum* (la menor parte).

minino, na s. *col.* Gato. ☐ ETIMOL. De origen onomatopéyico.

minio s.m. Polvo de color rojo anaranjado, obtenido por oxidación del plomo y que, disuelto en aceite o en un ácido, es muy empleado en pintura y como antioxidante. ☐ ETIMOL. Del latín *minium* (bermellón).

minipimer s.f. Batidora eléctrica. ☐ ETIMOL. Extensión del nombre de una marca comercial. ☐ PRON. [minipímer].

ministerial ▮ adj.inv. **1** De un ministerio o de alguno de sus ministros: *una orden ministerial.* ▮ adj.inv./s.com. **2** Referido a una persona, que apoya habitualmente a un ministro.

ministerio s.m. **1** Departamento que atiende determinados asuntos del gobierno de un Estado: *La elaboración de los planes de enseñanza es competencia del Ministerio de Educación y Cultura.* ☐ SINÓN. *gabinete.* **2** Edificio en el que se hallan las oficinas de este departamento. **3** Cargo o profesión de ministro. **4** Tiempo durante el que un ministro ejerce su cargo: *Durante su ministerio aumentó el número de huelgas.* **5** Función, empleo u ocupación, esp. cuando se consideran nobles o elevados: *El ministerio sacerdotal exige una vida de servicio a los demás.* ☐ ETIMOL. Del latín *ministerium* (servicio, empleo, oficio). ☐ USO En la acepción 1, se usa más como nombre propio.

ministrable adj.inv. Referido a una persona, que tiene posibilidades de ser nombrada ministro.

ministril s.m. Hombre que tocaba algún instrumento de cuerda o de viento durante las celebraciones eclesiásticas. ☐ ETIMOL. Del francés *menestriel.* ☐ ORTOGR. Dist. de *menestral.*

ministro, tra s. **1** Persona que está al frente de un ministerio o departamento de la administración del Estado: *El ministro del Interior ha dado una rueda de prensa para informar del atentado terrorista.* **2** Persona que desempeña una función determinada, esp. cuando se considera noble o elevada: *Los sacerdotes son ministros de Dios.* **3** Persona que ejecuta los mandatos de otra, esp. si es un enviado o un representante diplomático: *El ministro plenipotenciario es el representante diplomático que sigue en categoría al embajador.* **4** ‖ **primer ministro;** jefe del Gobierno o presidente del Consejo de Ministros: *En España no se reconoce la figura del primer ministro.* ☐ ETIMOL. Del latín *minister* (servidor, oficial). ☐ USO Es innecesario el uso del anglicismo *premier* en lugar de *primer ministro.*

minoico, ca adj. De Minos (antiguo nombre de Creta, isla griega mediterránea), o relacionado con ella.

minoración s.f. →**aminoración.**

minorar v. →**aminorar.**

minoría s.f. **1** En un todo, parte menor de sus componentes o de sus miembros: *Solo una minoría de los cuadros expuestos era de calidad. La mezquita se financió con contribuciones de la minoría musulmana.* **2** En una votación, conjunto de votos distintos de la mayoría: *Su partido obtuvo una minoría que es insuficiente para formar grupo parlamentario.* **3** ‖ **minoría (de edad);** condición de la persona que no ha alcanzado la edad fijada por la ley para poder ejercer los derechos civiles. ☐ ETIMOL. Del latín *minor* (menor).

minorista ▮ adj.inv. **1** Referido a un establecimiento, que vende al por menor. ▮ s.com. **2** Persona que compra al mayorista y vende al por menor al público.

minoritario, ria adj. **1** De la minoría o relacionado con ella: *una opinión minoritaria.* **2** Que está en minoría numérica: *El voto afirmativo es minoritario y no triunfará.*

minucia s.f. Lo que tiene poco valor o escasa importancia. ☐ ETIMOL. Del latín *minutia* (pequeñez).

minuciosidad s.f. Detención o cuidado que se ponen en los menores detalles: *trabajar con minuciosidad.*

minucioso, sa adj. Que se detiene o requiere detenerse en los menores detalles. ☐ SINÓN. *detenido.*

minué s.m. **1** Composición musical de origen francés, en compás ternario y ritmo pausado. **2** Baile de pareja que se ejecuta al compás de esta música. **3** →**minueto.** ☐ ETIMOL. Del francés *menuet* (menudito), por sus movimientos delicados.

minuendo s.m. En una resta matemática, cantidad de la que debe restarse otra llamada *sustraendo* para obtener la diferencia: *En la resta '8 - 2 = 6', '8' es el minuendo.* □ ETIMOL. Del latín *minuendus* (que debe ser disminuido).

minueto s.m. Composición musical de carácter instrumental, en compás ternario y movimiento moderado, que se intercala como uno de los tiempos de una sonata, de una sinfonía o de otra composición extensa. □ SINÓN. *minué.* □ ETIMOL. Del italiano *minuetto*, y este del francés *menuet*.

minúscula adj./s.f. →**letra minúscula.**

minúsculo, la ▌adj. **1** De dimensiones o importancia muy pequeñas. ▌s.f. **2** →**letra minúscula.** □ ETIMOL. Del latín *minusculus*, diminutivo de *minor* (menor).

minusvalía s.f. **1** Disminución del valor de algo, esp. de un bien. **2** Situación desventajosa para un individuo, como consecuencia de una deficiencia o de una discapacidad, que limita o impide su normal desenvolvimiento. □ ETIMOL. Del latín *minus* (menos) y *valía.* □ SEM. En la acepción 1, dist. de *plusvalía* (aumento del valor).

minusvalidez s.f. Limitación de la capacidad de una persona para realizar ciertas actividades a causa de una deficiencia física o psíquica. □ SINÓN. *discapacidad.* □ USO 1. Tiene un matiz despectivo. 2. Es preferible el uso del término *discapacidad*.

minusválido, da adj./s. Referido a una persona, que tiene una deficiencia física o psíquica que la limita para la realización de ciertas actividades. □ SINÓN. *discapacitado.* □ ETIMOL. Del latín *minus* (menos) y *válido.* □ USO 1. Tiene un matiz despectivo. 2. Es preferible el uso de *persona con discapacidad*.

minusvalorar v. Subestimar o valorar menos de lo debido: *Si minusvaloras tanto la capacidad de tu hijo, acabarás por acomplejarlo.* □ ETIMOL. Del latín *minus* (menos) y *valorar*.

minuta s.f. **1** Factura o cuenta que presenta un profesional, esp. un abogado, con sus honorarios por un trabajo realizado. **2** Borrador que se hace de un documento, esp. de un contrato, antes de su escritura definitiva. □ ETIMOL. Del latín *minuta* (pequeña).

minutaje s.m. Cuenta o cálculo de los minutos que dura algo: *El minutaje de aparición en televisión de cada partido político fue muy estricto.*

minutar v. Efectuar la cuenta o el cálculo de los minutos que dura algo: *La entrevista del Presidente del Gobierno estaba perfectamente minutada.*

minutero s.m. En un reloj, aguja o dispositivo que señala los minutos.

minuto s.m. **1** En el Sistema Internacional, unidad de tiempo que equivale a sesenta segundos. **2** Unidad de ángulo plano que equivale a 1/60 grados. □ ETIMOL. Del latín *minutus* (menudo). □ ORTOGR. En la acepción 1, su símbolo es *min*, por tanto, se escribe sin punto.

mío, a poses. **1** Indica pertenencia a la primera persona del singular: *El retraso fue culpa mía. Ese coche es el mío. Cuando hablo de los míos me refiero a mi familia.* **2** ‖ **la mía;** *col.* Expresión con que se indica que ha llegado la ocasión favorable para la persona que habla: *Ésta es la mía: si no dices dónde vamos, elijo yo el lugar.* □ ETIMOL. Del latín *meus.* □ MORF. Como posesivo se usa la forma apocopada *mi* cuando precede a un sustantivo determinándolo.

miocárdico, ca adj. Del miocardio o relacionado con este tejido muscular.

miocardio s.m. Tejido muscular del corazón. □ ETIMOL. Del griego *mŷs* (músculo) y *kardía* (corazón).

miocarditis (pl. *miocarditis*) s.f. Inflamación del miocardio. □ ETIMOL. De *miocardio* e *-itis* (inflamación).

mioceno, na ▌adj. **1** En geología, del cuarto período de la era terciaria o cenozoica, o relacionado con él. ▌adj./s.m. **2** Referido a un período, que es el cuarto de la era terciaria o cenozoica. □ ETIMOL. Del griego *mêion* (menos) y *kainós* (reciente, nuevo).

mioclonía s.f. Contracción muscular breve e involuntaria.

mioeléctrico, ca adj. Referido a una prótesis, que sustituye a los músculos y tiene un funcionamiento eléctrico.

miología s.f. Parte de la anatomía que estudia los músculos. □ ETIMOL. Del griego *mŷs* (músculo) y *-logía* (ciencia, estudio).

mioma s.m. Tumor formado por células musculares. □ ETIMOL. Del griego *mŷs* (músculo) y *-oma* (tumor). □ SEM. Dist. de *mieloma* (tumor en la médula ósea).

miomatosis (pl. *miomatosis*) s.f. Formación múltiple de miomas.

miopatía s.f. Enfermedad o dolencia de carácter muscular. □ ETIMOL. Del griego *mŷs* (músculo) y *-patía* (enfermedad).

miope adj.inv./s.com. **1** Que padece miopía. **2** *col.* Referido a una persona, que es de corto alcance o que no ve más allá de lo evidente: *En cuestiones sentimentales es un perfecto miope.* □ ETIMOL. Del latín *myops*, este del griego *mýops*, y este de *mýo* (yo cierro) y *óps* (ojo).

miopía s.f. **1** Defecto de la visión producido por una incapacidad del cristalino para enfocar correctamente objetos lejanos. **2** Cortedad de alcance o incapacidad para ver más allá de lo evidente.

mioporo s.m. Arbusto con hojas de color verde brillante, flores blancas, solitarias o en grupos y fruto purpúreo: *El mioporo se suele utilizar como seto.* □ SINÓN. *siempreverde.*

miosis (pl. *miosis*) s.f. En medicina, contracción anormal y permanente de la pupila del ojo. □ ETIMOL. Del griego *mýo* (yo cierro los ojos) y *-sis* (enfermedad).

miositis (pl. *miositis*) s.f. Inflamación del tejido muscular.

mir (pl. *mir*) ▌s.com. **1** Médico que trabaja en un hospital para realizar prácticas y obtener la especialización en alguna rama de la medicina. ▌s.m. **2** Examen que da acceso a un puesto de este tipo.

☐ ETIMOL. Es el acrónimo de *médico interno residente*.

mira s.f. **1** En algunos instrumentos, pieza o dispositivo que permite enfocar, dirigir la vista a un punto o asegurar la puntería. **2** Intención, objetivo o propósito que determinan la forma de actuar: *Estudia intensivamente, con la mira de aprobar todas las asignaturas pendientes.* **3** || **con miras a** algo; con ese propósito: *Lo hace todo con miras al futuro.*

mirabel s.m. Planta de jardín, herbácea, de hojas pequeñas y flores de color verdoso. ☐ ETIMOL. Del francés *mirabelle*.

mirabobo s.m. Árbol de tronco recto y ramas irregulares, con la madera dura y aromática, las hojas alternas, las flores en racimo de color lila y el fruto parecido a una cereza pequeña, del que se extrae un aceite que se usa en medicina y en la industria. ☐ SINÓN. *cinamomo, melia*.

mirada s.f. Véase **mirado, da**.

miradero s.m. Lugar desde el que se puede contemplar una buena vista.

mirado, da ▮ adj. **1** Prudente, cauto o cuidadoso: *Es muy mirada con el dinero.* **2** Pospuesto a 'bien', 'mal', 'mejor' o 'peor', considerado de esa manera: *En esa familia, está muy mal mirado no hablar varios idiomas.* ▮ s.f. **3** Fijación de la vista: *No fue capaz de mantenerme la mirada.* **4** Vistazo u ojeada: *Echó una mirada al periódico mientras comía.* **5** Modo o forma de mirar: *Contemplaba a su hijo con mirada serena.*

mirador, -a ▮ adj. **1** Que mira. ▮ s.m. **2** Corredor, galería o pabellón situados generalmente en la parte superior de un edificio, desde los que puede contemplarse el exterior. **3** Balcón cubierto y cerrado con cristales. **4** Construcción o lugar natural, generalmente elevados, desde los que se puede contemplar una vista o un paisaje.

miraguano s.m. **1** Palmera de poca altura, con hojas grandes en forma de abanico, flores en racimo y fruto formado por una baya seca y llena de una materia algodonosa. **2** Materia algodonosa que se extrae del fruto de esta palmera y que suele usarse como relleno para almohadas y objetos similares.

miramiento s.m. Consideración, delicadeza o respeto: *Dice lo que piensa sin ningún miramiento.*

miranda s.f. **1** En un terreno, lugar elevado y bien situado desde el que se ve una gran extensión. ☐ SINÓN. *balcón*. **2** || **de miranda;** *col.* Sin hacer otra cosa que mirar, en vez de cumplir con el trabajo. ☐ ETIMOL. Del latín *miranda* (que han de admirarse).

mirar v. **1** Referido a algo que puede percibirse por los ojos, observarlo o fijar la vista en ello con atención: *Mira lo que pone aquí. Se miró en el espejo.* **2** Buscar o indagar: *Mira en el cajón, a ver si está allí.* **3** Registrar, revisar o examinar: *En la aduana me miraron todas las maletas.* **4** Considerar, valorar o tener en cuenta: *Mira bien lo que vas a hacer.* **5** Respecto de una cosa, estar orientado hacia ella o situado frente a ella: *Veo amanecer porque mi ventana mira al Este.* **6** || **de mírame y no me toques;** *col.* Frágil o poco resistente: *Este jarrón es de mírame y no me toques.* || **mirar por** algo; protegerlo o intentar beneficiarlo: *Todo padre debe mirar por sus hijos.* ☐ ETIMOL. Del latín *mirari* (admirar, asombrarse).

mirasol s.m. →**girasol.**

miria- **1** Elemento compositivo prefijo que significa 'diez mil': *miriámetro, miriagramo.* **2** Elemento compositivo prefijo que significa 'muchos': *miriápodo.* ☐ ETIMOL. Del griego *myriás*.

miríada s.f. Cantidad muy grande e indefinida. ☐ ETIMOL. Del latín *myrias*, este del griego *myriás*, y este de *myríoi* (innumerables, diez mil).

miriagramo s.m. Unidad de masa que equivale a diez mil gramos. ☐ ETIMOL. De *miria-* (diez mil) y *gramo*.

mirialitro s.m. Unidad de volumen que equivale a diez mil litros. ☐ ETIMOL. De *miria-* (diez mil) y *litro*.

miriámetro s.m. Unidad de longitud que equivale a diez mil metros. ☐ ETIMOL. De *miria-* (diez mil) y *-metro* (medida).

miriápodo (tb. *miriópodo*) ▮ adj./s.m. **1** Referido a un animal artrópodo, que es de vida terrestre y respiración traqueal, tiene dos antenas y presenta el cuerpo alargado y dividido en anillos con uno o dos pares de patas en cada uno: *El ciempiés es un animal miriápodo.* ▮ s.m.pl. **2** En zoología, clase de estos artrópodos, perteneciente al reino de los metazoos: *Alguno de los animales que pertenecen a los miriápodos tienen su primer par de patas transformadas en garras venenosas.*

mirífico, ca adj. *poét.* Admirable, asombroso o maravilloso. ☐ ETIMOL. Del latín *mirificus*.

mirilla s.f. **1** En una pared o en una puerta, pequeña abertura hecha para poder ver a través de ellas el otro lado. **2** En un instrumento topográfico, pequeña ventanilla para dirigir visuales.

miriñaque s.m. Prenda de tela rígida, a veces montada sobre aros, que usaban las mujeres debajo de la falda para darle vuelo. ☐ ETIMOL. De origen incierto.

miriópodo adj./s.m. →**miriápodo.**

mirlo s.m. **1** Pájaro de plumaje oscuro y pico amarillento, fácilmente domesticable, que se alimenta de frutos, semillas e insectos y que emite un canto melodioso y es capaz de imitar sonidos y voces. **2** || **un mirlo blanco;** lo que se considera excepcional o de extraordinaria rareza. ☐ ETIMOL. Del latín *merula*. ☐ MORF. Es un sustantivo epiceno: *el mirlo {macho/hembra}*.

mirón, -a adj./s. **1** Que mira con especial curiosidad, interés o insistencia. **2** Que presencia lo que hacen otros sin tomar parte en ello.

mirra s.f. Resina gomosa, roja, brillante y amarga, procedente de un árbol que crece en zonas asiáticas y africanas, muy usada en perfumería por sus propiedades aromáticas. ☐ ETIMOL. Del latín *myrrha*.

mirruña s.f. *col.* En zonas del español meridional, cosa insignificante o muy pequeña.

mirtáceo, a ▮ adj./s.f. **1** Referido a una planta, que tiene flores blancas o rojas y hojas opuestas en las que, al igual que en la corteza, hay unas glándulas que segregan aceites esenciales que se usan en farmacia o en perfumería: *El eucalipto y el mirto son plantas mirtáceas.* ▮ s.f.pl. **2** En botánica, familia de estas plantas, perteneciente a la clase de las dicotiledóneas: *Las plantas que pertenecen a las mirtáceas son árboles o arbustos.* □ ETIMOL. Del latín *myrtaceus.*

mirtilo s.m. **1** Planta de hojas aserradas y alternas, y flores solitarias de color blanco verdoso o rosado, cuyo fruto es redondeado de color negruzco o azulado. □ SINÓN. *arándano, ráspano.* **2** Fruto comestible de esta planta. □ SINÓN. *arándano, ráspano.*

mirto s.m. Arbusto muy oloroso, con hojas de un verde intenso, flores blancas y frutos en baya de color negro azulado, muy empleado en jardinería para formar setos. □ SINÓN. *arrayán.* □ ETIMOL. Del latín *myrtus.*

misa s.f. **1** Ceremonia religiosa en la que se celebra el sacrificio del cuerpo y la sangre de Jesucristo bajo las apariencias del pan y el vino. □ SINÓN. *eucaristía.* **2** Composición musical escrita sobre las partes de esta ceremonia: *El coro interpretó una misa en si menor que tenía un gloria vibrante.* **3** || **cantar misa;** referido a un sacerdote, celebrarla por primera vez después de haberse ordenado. || **como si dicen misa;** *col.* Expresión que se usa para indicar indiferencia o despreocupación por los juicios o por las reacciones que puedan tener los demás: *Haré lo que me parezca mejor, y la gente, como si dice misa.* || **decir misa;** referido a un sacerdote, celebrarla. || **ir** algo **a misa;** *col.* Ser completamente cierto, seguro o de obligado cumplimiento. || **misa de campaña;** la que se celebra al aire libre para tropas militares o para gran cantidad de gente. || **misa del gallo;** la que se celebra a medianoche en Nochebuena o de madrugada el día de Navidad. || **misas gregorianas;** las que se dicen por el alma de un difunto durante treinta días seguidos y generalmente inmediatos al entierro. || **no saber de la misa la {media/mitad};** *col.* Ignorar o no entender gran parte del asunto de que se trata. || **oír misa;** asistir a ella. □ ETIMOL. Del latín *missa* (envío, despedida), por la fórmula final del oficio religioso *ite, missa est* con la que se despedía a los fieles.

misacantano s.m. Sacerdote que celebra su primera misa. □ ETIMOL. De *misa* y *cantar.*

misal s.m. Libro en el que se contiene el orden y el modo de celebrar la misa. □ ETIMOL. Del latín *missalis* (de misa).

misantropía s.f. Aversión o rechazo hacia el trato con los demás. □ SEM. Dist. de *filantropía* (amor al género humano).

misántropo, pa s. Persona que siente gran aversión o rechazo hacia el trato con las demás. □ ETIMOL. Del griego *misánthropos*, y este de *miséo* (yo odio) y *ánthropos* (persona). □ SEM. Dist. de *filántropo* (persona que siente amor por el género humano e inclinación a hacer obras en su favor).

miscelánea s.f. Véase **misceláneo, a**.

misceláneo, a ▮ adj. **1** Compuesto de cosas distintas o variadas: *Esa periodista presenta un programa misceláneo con entrevistas, actuaciones musicales y humor.* ▮ s.f. **2** Mezcla de cosas distintas: *La última sección del periódico es una miscelánea de pasatiempos, citas famosas y curiosidades.* **3** Obra o escrito en los que se tratan materias variadas e inconexas: *El informe era una miscelánea sobre temas de actualidad.* **4** En zonas del español meridional, tienda de ultramarinos. □ ETIMOL. Del latín *miscellanens*, y este de *miscere* (mezclar).

miscible adj.inv. Que se puede mezclar. □ ETIMOL. Del latín *miscibilis*, y este de *miscere* (mezclar).

miserable ▮ adj.inv. **1** Desdichado, infeliz o lastimoso: *Aseguraba que en su miserable vida nunca le sonrió la suerte.* □ SINÓN. *mísero.* **2** Insignificante por su escaso valor o cantidad: *Le ha quedado una pensión miserable con la que subsiste malamente.* □ SINÓN. *mísero.* ▮ adj.inv./s.com. **3** Malvado o perverso. **4** Avariento, tacaño o mezquino. □ SINÓN. *mísero.* □ ETIMOL. Del latín *miserabilis* (digno de conmiseración). □ MORF. Su superlativo es *miserabilísimo.* □ USO Las acepciones 3 y 4 se usan como insulto.

miserando, da adj. Digno de conmiseración: *Dijo que le apenaba nuestra falta de personalidad y nos llamó 'pobre gente miseranda'.* □ ETIMOL. Del latín *miserandus.* □ USO Es característico del lenguaje culto.

miserere s.m. **1** Salmo bíblico que comienza por la palabra latina *miserere.* **2** Canto solemne de este salmo o ceremonia en la que se canta. □ ETIMOL. De *Miserere mei Deus* (ten misericordia de mí Dios) que es el comienzo de un salmo.

miseria s.f. **1** Pobreza o estrechez extremadas: *vivir en la miseria.* **2** Desgracia, penalidad o sufrimiento: *las miserias de la guerra.* **3** *col.* Lo que resulta una insignificancia por su escaso valor o cantidad: *Le regaló una miseria.* **4** Avaricia, tacañería o mezquindad: *Su miseria llega al extremo de malcomer con tal de ahorrar.* □ ETIMOL. Del latín *miseria* (desventura). □ MORF. En la acepción 2, se usa más en plural.

misericordia s.f. **1** Inclinación a compadecerse y mostrarse comprensivo ante las miserias y sufrimientos ajenos. **2** En el cristianismo, atributo de Dios por el cual perdona y remedia los pecados y miserias de las personas. **3** En los asientos abatibles del coro de las iglesias, pieza que sobresale por su parte inferior y que, cuando el asiento está levantado, permite descansar en ella disimuladamente mientras se está de pie. □ ETIMOL. Del latín *misericordia*, y este de *miser* (desdichado) y *cor* (corazón).

misericordioso, sa adj./s. Que siente o muestra misericordia.

mísero, ra ▮ adj. **1** Insignificante por su escaso valor o cantidad: *Me pagan un mísero sueldo que apenas me llega para vivir.* □ SINÓN. *miserable.* **2**

Desdichado, infeliz o lastimoso: *En mi mísera vida, jamás me ha sonreído la fortuna.* □ SINÓN. *miserable.* ▌adj./s. **3** Avariento, tacaño o mezquino: *No seas tan mísera y dame un poco más.* □ SINÓN. *miserable.* □ ETIMOL. Del latín *miser* (desdichado). □ MORF. Su superlativo es *misérrimo.*

misérrimo, ma superlat. irreg. de **mísero.**

misil (tb. *mísil*) s.m. Proyectil autopropulsado, provisto de una carga nuclear o altamente explosiva, generalmente controlado por procedimientos electrónicos. □ ETIMOL. Del inglés *missile*, y este del latín *missilis* (arrojadizo). □ USO *Mísil* es el término menos usual.

misión s.f. **1** Obligación moral o deber que alguien tiene que cumplir: *Mi misión en la vida es haceros felices.* □ SINÓN. *cometido.* **2** Orden o encargo de hacer algo: *Enviaron a un grupo de científicos con la misión de estudiar la fauna de la zona.* □ SINÓN. *cometido.* **3** Encargo temporal dado por un gobierno para llevar a cabo determinada función: *Fue enviado a zona enemiga en misión de espionaje.* **4** Expedición encargada de llevar a cabo esta orden o este encargo: *El ministro recibió a la misión diplomática belga.* **5** Tierra o lugar en los que se lleva a cabo la evangelización de personas no creyentes o que no conocen la religión cristiana: *Desde que se ordenó sacerdote, su ilusión era ir a las misiones.* **6** Casa, iglesia o centro de los misioneros en este lugar: *Los nuevos misioneros fueron recibidos por varios frailes en la misión.* □ ETIMOL. Del latín *missio* (envío). □ MORF. En la acepción 5, se usa más en plural.

misional adj.inv. De las misiones o de los misioneros.

misionero, ra ▌adj. **1** De la misión evangélica o relacionado con ella. ▌s. **2** Persona que enseña y predica la religión cristiana en las misiones o en tierras de no creyentes.

misiva s.f. Véase **misivo, va.**

misivo, va ▌adj. **1** Que se envía o que constituye un mensaje: *El secretario recogió del buzón una nota misiva para la directora.* ▌s.f. **2** Carta que se envía. □ ETIMOL. Del latín *mittere* (enviar).

mismamente adv. **1** Precisamente o exactamente: *Se encontraron mismamente a la entrada del cine.* **2** *col.* Por ejemplo: *Cualquiera podría hacerlo, tú, mismamente.*

mismo adv. **1** Precisamente o exactamente: *Mañana mismo te envío el paquete.* **2** ‖ **así mismo;** →**asimismo.** □ SINT. Se usa siempre precedido de un adverbio o de un complemento circunstancial de lugar.

mismo, ma adj. **1** Que es idéntico y no otro diferente: *En las ceremonias y actos solemnes siempre lleva el mismo traje.* **2** Exactamente igual: *Tu vestido y el mío son del mismo color.* **3** Muy semejante o de igual clase: *Tienes la misma forma de hablar que tu padre.* **4** ‖ **por lo mismo;** por esa razón: *Está enferma y, por lo mismo, no podrá asistir a la reunión.* □ ETIMOL. Del latín **medipsimus*, y este de *met-* (forma para reforzar los pronombres personales) y de *ipsimus*, forma enfática de *ipse* (el mismo). □ SINT. Precedido del artículo determinado, se usa mucho para señalar lo anteriormente mencionado: *Prohibida la entrada a la obra a toda persona ajena a la misma.* □ SEM. Se usa mucho como mero refuerzo significativo: *Yo misma se lo diré. Ellos mismos se lo han buscado. Lo oí por esta misma radio.*

misoginia s.f. Aversión o rechazo obsesivos hacia las mujeres. □ ETIMOL. Del griego *misogynía.*

misógino, na adj./s. Que siente aversión o rechazo hacia las mujeres. □ ETIMOL. Del griego *misogynes*, y este de *miséo* (yo odio) y *gyné* (mujer).

misoneísmo s.m. Aversión o rechazo hacia las novedades. □ ETIMOL. Del griego *miséo* (yo odio) y *neós* (nuevo).

misoneísta adj.inv./s.com. Partidario del misoneísmo.

misquito, ta adj./s. De un pueblo amerindio que habita en la costa de los Mosquitos (entre Nicaragua y Honduras).

miss (ing.) s.f. Ganadora de un concurso de belleza. □ PRON. [mis].

missing (ing.) adj.inv. Referido a una persona, en paradero desconocido. □ PRON. [mísing]. □ USO 1. Su uso es innecesario y puede sustituirse por el término *desaparecido.* 2. Tiene un matiz humorístico.

mistela (tb. *mixtela*) s.f. Vino que se elabora añadiendo alcohol al mosto de la uva muy madura en cantidad suficiente para que no se produzca la fermentación.

míster s.m. **1** *col.* En el lenguaje del fútbol, entrenador. **2** Ganador de un concurso de belleza masculina. □ ETIMOL. Del inglés *mister.* □ USO En la acepción 1, su uso es innecesario.

mistérico, ca adj. Referido esp. a una religión de origen griego u oriental, que se basa en los misterios o ritos secretos para iniciados.

misterio s.m. **1** Asunto secreto o muy reservado: *No querían desvelar el misterio y se reunían a escondidas.* **2** Lo que está oculto, es muy difícil de comprender o de explicar, o no tiene una explicación lógica: *Las causas del accidente serán siempre un misterio.* **3** En el cristianismo, lo que no se comprende pero se cree por la fe: *el misterio de la Santísima Trinidad.* **4** En el cristianismo, cada uno de los sucesos relevantes de la vida, de la pasión, de la muerte y de la resurrección de Jesucristo: *Hoy en el rosario hemos rezado los misterios dolorosos.* **5** En el cristianismo, representación escultórica de estos sucesos: *Por navidades ponemos el misterio y el árbol de Navidad.* □ ETIMOL. Del latín *mysterium*, y este del griego *mystérion* (secreto, misterio).

misterioso, sa adj. Que encierra o incluye misterio.

mística s.f. Véase **místico, ca.**

misticismo s.m. **1** Estado de perfección religiosa que consiste en la unión del alma con la divinidad por medio del amor, y que a veces se acompaña de éxtasis y de revelaciones. **2** Estado de la persona que se dedica fundamentalmente a Dios y a lo espiritual.

místico, ca ▮ adj. **1** De la mística, del misticismo o relacionado con ellos. ▮ adj./s. **2** Que centra su vida en el desarrollo del espíritu. ▮ s.f. **3** Parte de la teología que trata de la vida espiritual y contemplativa y del conocimiento y dirección del espíritu: *Los temas de teología que trataban de mística fueron los más difíciles.* **4** Experiencia íntima con la divinidad: *En la mística, una persona llega a unirse con la divinidad.* **5** Expresión literaria de esta experiencia: *En literatura estudiamos la mística de santa Teresa de Jesús.* ☐ ETIMOL. Del griego *mystikós* (relativo a los misterios religiosos).

mistificación (tb. *mixtificación*) s.f. Falseamiento o falsificación.

mistificar (tb. *mixtificar*) v. Falsear o falsificar: *Con tal de lograr sus fines era capaz de mistificar la doctrina.* ☐ ETIMOL. Del francés *mystifier.* ☐ ORTOGR. La *c* se cambia en *qu* delante de *e* →SACAR.

mistral s.m. Viento frío del noroeste que sopla en la costa mediterránea francesa. ☐ ETIMOL. Del provenzal *mistral*, y este de *mestre* (dueño), porque el mistral es el viento dominante en la costa mediterránea francesa.

mistura s.f. →**mixtura.**

misturar v. →**mixturar.**

mita s.f. En los pueblos indígenas americanos, reparto que se hacía por sorteo para sacar el número de vecinos que debían emplearse en los trabajos públicos.

mitad s.f. **1** Cada una de las dos partes iguales en que se divide un todo: *De un bocado se comió la mitad del bollo.* **2** En un todo, punto o lugar que está a igual distancia de sus extremos: *Parte la barra por la mitad y haz dos bocadillos.* ☐ ETIMOL. Del latín *medietas.*

mítico, ca adj. Del mito o relacionado con él.

miticultura s.f. →**mitilicultura.**

mitificación s.f. **1** Conversión en mito. **2** Admiración y valoración excesivas.

mitificar v. **1** Convertir en mito: *Ese personaje histórico ha sido mitificado y muchas de sus hazañas no fueron reales.* **2** Admirar y valorar excesivamente: *Cuando iba al colegio, mitificaba a los profesores.* ☐ ORTOGR. La *c* se cambia en *qu* delante de *e* →SACAR.

mitigación s.f. Moderación, disminución o conversión en más suave o en más soportable.

mitigar v. Moderar, disminuir o hacer más suave o más soportable: *No encuentro la forma de mitigar mi ansiedad.* ☐ ETIMOL. Del latín *mitigare* (suavizar, calmar). ☐ ORTOGR. La *g* se cambia en *gu* delante de *e* →PAGAR.

mitilicultura s.f. Técnica de criar mejillones en condiciones controladas. ☐ SINÓN. *miticultura.* ☐ ETIMOL. Del griego *mítylos* (almeja) y *-cultura* (cultivo).

mitin s.m. **1** Acto público en el que uno o varios oradores pronuncian discursos de carácter político o social. **2** Encuentro deportivo de cualquier tipo: *Esa es la atleta que ganó la carrera de obstáculos en el mitin celebrado ayer.* **3** ‖ **dar el mitin;** *col.* Sermonear. ☐ ETIMOL. Del inglés *meeting* (reunión). ☐ USO Es innecesario el uso del anglicismo *meeting.*

mitín s.m. En zonas del español meridional, mitin.

mitineo s.m. *col. desp.* Hecho de actuar o de participar en mítines políticos.

mitinero, ra ▮ adj. **1** *col.* Del mitin político o relacionado con él: *un discurso mitinero.* ▮ adj./s. **2** *col.* Que pronuncia un mitin.

mitinesco, ca adj. Referido esp. a la forma de hablar, que parece propia de un mitin político. ☐ USO Tiene un matiz despectivo.

mito s.m. **1** Fábula o relato alegórico, esp. el que refiere acciones de dioses y de héroes. **2** Lo que por su trascendencia o por sus cualidades se convierte en un modelo o en un prototipo o entra a formar parte de la historia: *La extraña muerte de esa actriz favoreció su conversión en mito.* **3** Relato o historia que quieren hacerse pasar por verdaderos o que solo existen en la imaginación: *La bondad de ese político es un mito creado por sus seguidores.* ☐ ETIMOL. Del griego *mŷthos* (fábula, leyenda).

mitocondria s.f. En el citoplasma de las células con núcleo diferenciado, orgánulo encargado de la obtención de energía mediante la respiración celular. ☐ ETIMOL. Del griego mítos (filamento) y *khóndros* (cartílago).

mitógeno, na adj./s.m. Referido esp. a una sustancia, que provoca la división celular.

mitografía s.f. Ciencia que estudia el origen y la formación de los mitos. ☐ ETIMOL. De *mito* y *-grafía* (descripción).

mitógrafo, fa s. Persona que escribe obras sobre mitos y supersticiones, esp. si esta es su profesión.

mitología s.f. **1** Conjunto de relatos fabulosos de los dioses y los héroes de la Antigüedad: *En muchos mosaicos se representan escenas de la mitología.* **2** Conjunto de mitos, esp. los de una cultura o pueblo: *Afrodita, diosa de la belleza y el amor en la mitología griega, recibe el nombre de Venus en la mitología romana.* ☐ ETIMOL. Del griego *mythología*, y este de *mŷthos* (fábula) y *logía* (tratado).

mitológico, ca adj. De la mitología.

mitologista s.com. →**mitólogo.**

mitólogo, ga s. Persona especializada en mitología. ☐ SINÓN. *mitologista.*

mitomanía s.f. **1** Inclinación desmedida a decir mentiras o a desfigurar la realidad, engrandeciéndola: *La mitomanía puede ser un trastorno mental.* **2** Inclinación a convertir en mito o a admirar excesivamente a una persona: *No me gusta la mitomanía que tiene mi hermana con su profesor.* ☐ ETIMOL. De *mito* y *-manía* (afición desmedida).

mitómano, na adj./s. **1** Que tiene gran inclinación a mentir o a desfigurar la realidad, engrandeciéndola. **2** Que tiene inclinación a convertir en mito o a admirar excesivamente a una persona.

mitón s.m. **1** Guante de punto que deja al descubierto los dedos. **2** En zonas del español meridional, manopla. ☐ ETIMOL. Del francés *miton*.

mitosis (pl. *mitosis*) s.f. En biología, parte de la división celular a partir de la cual se originan dos núcleos iguales entre sí, con el mismo número de cromosomas y con la misma información genética. ☐ ETIMOL. Del griego *mítos* (filamento).

mitote s.m. **1** En zonas del español meridional, fiesta con mucho ruido. **2** En zonas del español meridional, alboroto o pelea entre varias personas. ☐ ETIMOL. Del náhuatl *mitoti*.

mitra s.f. **1** Gorro alto formado por dos piezas, una delantera y otra trasera, terminadas en punta, que utilizan los obispos y los arzobispos en las grandes celebraciones. **2** Cargo de obispo o de arzobispo. ☐ ETIMOL. Del latín *mitra*, y este del griego *mitra* (cinta para ceñir la cabeza).

mitrado, da ▮ adj. **1** Referido a una persona, que puede usar mitra. ▮ s.m. **2** Obispo o arzobispo.

mitral s.f. →**válvula mitral.**

mitridatismo s.m. Resistencia a los efectos de un veneno, adquirida por su consumo reiterado y progresivo, empezando por pequeñas dosis. ☐ ETIMOL. De *Mitrídates* (rey de Ponto), a quien se le atribuía inmunidad ante los venenos.

miura adj.inv. Referido a un toro, que pertenece a la ganadería de los Miura.

mix (ing.) (pl. *mix*) s.m. **1** Aleación de varios metales que se utiliza en la fabricación de otras aleaciones y en el revestimiento de piezas electrónicas. **2** Disco compuesto de mezclas de diferentes músicas o canciones, generalmente muy bailables. **3** Mezcla de dos o más lenguas.

mixiote s.m. **1** Membrana de color blanco que recubre la penca del maguey. **2** Comida que se prepara envolviendo carne en esta membrana.

mixomatosis (pl. *mixomatosis*) s.f. Enfermedad de los conejos, causada por un virus y caracterizada por hinchazones en la piel y en las membranas. ☐ ETIMOL. Del griego *mýxa* (moco), *-oma* (tumor) y *-osis* (enfermedad).

mixomiceto s.m. Hongo unicelular y microscópico cuyo aspecto recuerda al de la ameba.

mixtela s.f. →**mistela.**

mixtificación s.f. →**mistificación.**

mixtificar v. →**mistificar.** ☐ ORTOGR. La *c* se cambia en *qu* delante de *e* →SACAR.

mixtilíneo, a adj. Referido esp. a una figura geométrica, que está formada por líneas rectas y curvas: *Este sector circular es mixtilíneo, ya que está formado por dos líneas rectas y una curva.* ☐ ETIMOL. De *mixto* y *línea*.

mixtión s.f. En zonas del español meridional, mezcla compuesta de barniz y trementina que sirve para fijar dibujos en vasijas o piezas de vidrio. ☐ ETIMOL. Del latín *mixtio*.

mixto, ta ▮ adj. **1** Formado por elementos de distinta naturaleza: *Mi colegio es mixto y en clase somos chicos y chicas.* ▮ s.m. **2** Cerilla. **3** Sándwich de jamón y queso a la plancha. ☐ ETIMOL. Del latín *mixtus* (mezclado).

mixtura (tb. *mistura*) s.f. Mezcla de varios elementos. ☐ ETIMOL. Del latín *mixtura*.

mixturar (tb. *misturar*) v. Mezclar varios elementos o cosas distintas: *Para elaborar este cóctel debes mixturar ginebra, zumo de naranja y unas gotitas de anís.*

mízcalo s.m. →**níscalo.**

mnemotecnia (tb. *nemotecnia*) s.f. Método que, mediante la utilización de recursos y técnicas, permite aumentar la capacidad de la memoria. ☐ ETIMOL. Del griego *mnémon* (el que se acuerda) y *tékhne* (arte). ☐ PRON. [nemotécnia].

mnemotécnico, ca (tb. *nemotécnico, ca*) adj. **1** De la mnemotecnia o relacionado con este método de memorización. **2** Que sirve para ayudar a la memoria: *una fórmula mnemotécnica.* ☐ PRON. [nemotécnico].

moabita ▮ adj.inv./s.com. **1** De Moab (antiguo reino del oeste asiático), o relacionado con él: *El pueblo moabita estuvo bajo el dominio de persas, egipcios y romanos.* ▮ s.m. **2** Antigua lengua de este reino: *El moabita pertenece a un grupo de lenguas semíticas.*

moai s.m. Estatua con forma de busto humano que se encuentra en la isla de Pascua (isla del océano Pacífico).

moaré (tb. *muaré*) s.m. Tela fuerte que está tejida formando aguas o reflejos brillantes. ☐ ETIMOL. Del francés *moiré*, y este de *moirer* (labrar un paño de manera que forme aguas).

moaxaja s.f. Composición poética culta, escrita en árabe o en hebreo, que termina con una estrofa breve de carácter popular, escrita en mozárabe y llamada *jarcha*.

mobbing (ing.) s.m. Acoso psicológico en el trabajo que es ejercido por una persona o por un grupo hacia otra, de forma sistemática y durante un tiempo prolongado: *El mobbing es una situación producida por la actitud hostil y agresiva hacia un trabajador.* ☐ PRON. [móbin]. ☐ USO Su uso es innecesario y puede sustituirse por *acoso laboral*.

mobilhome (ing.) s.f. Casa prefabricada con pequeñas ruedas que permiten su movimiento. ☐ PRON. [móbilhom], con *h* aspirada.

mobiliario, ria ▮ adj. **1** De los muebles o relacionado con ellos: *la industria mobiliaria.* ▮ s.m. **2** Conjunto de muebles con unas características comunes o que se destinan a un uso determinado: *mobiliario de cocina.* ☐ SINÓN. *moblaje, mueblaje.* ☐ ETIMOL. Del francés *mobiliaire*.

moblaje s.m. Conjunto de muebles con unas características comunes o que se destinan a un uso determinado. ☐ SINÓN. *mobiliario, mueblaje.*

moca ▮ s.m. **1** Café de muy buena calidad, originario de Moka (ciudad del sudoeste asiático). **2** Crema hecha de café, mantequilla, azúcar y vainilla, que se utiliza para rellenar o para adornar dulces. ▮ s.f. **3** *col.* →**moquita.** ☐ ORTOGR. En las acepciones 1 y 2, se usa también *moka*. ☐ MORF.

En las acepciones 1 y 2, se usa también como femenino.

mocárabe s.m. En arquitectura árabe, decoración que consiste en un conjunto de prismas de base cóncava acoplados y superpuestos, y que adorna generalmente bóvedas, capiteles y arcos.

mocasín s.m. **1** Calzado característico de los indios norteamericanos, hecho de piel sin curtir. **2** Calzado moderno sin cordones ni hebillas, de suela generalmente lisa y de poco tacón. ☐ ETIMOL. Del inglés *moccasin*.

mocedad s.f. En la vida de una persona, período que se desarrolla desde la pubertad hasta la edad adulta.

mocerío s.m. Conjunto de jóvenes.

mocetón, -a s. Persona joven, alta y robusta.

mocha s.f. Véase **mocho, cha.**.

mochales (pl. *mochales*) adj.inv. *col.* Referido a una persona, que está loca o lo parece. ☐ SINT. Se usa más con el verbo *estar*.

mocheta s.f. En algunas herramientas, extremo grueso y romo opuesto a la parte cortante o punzante. ☐ ETIMOL. De *mocho*.

mochila s.f. Saco o bolsa hechos de tela fuerte para llevar a la espalda sujetos con correas. ☐ ETIMOL. Del antiguo *mochil* (mozo de recados), porque solía llevar una mochila.

mochilero, ra adj./s. Referido a una persona, que viaja con poco equipaje, generalmente en una mochila: *El albergue estaba lleno de mochileros.*

mocho, cha ▮ adj. **1** Que carece de punta o está sin terminar: *La torre de la iglesia de mi pueblo está mocha.* ▮ s.m. **2** En un utensilio largo, remate grueso y sin punta: *Apoyó el mocho de la escopeta en el hombro.* **3** *col.* Fregona: *Mi abuelo dice que cuando pasa el mocho por el salón, los suelos se quedan como espejos.* ▮ s.f. **4** *col.* Cabeza humana: *¿Para qué tienes la mocha, si no piensas las cosas?* ☐ ETIMOL. De origen incierto.

mochuelo s.m. **1** Ave rapaz nocturna de pequeño tamaño, que tiene la cabeza achatada, el plumaje de la parte superior con pequeñas motas y el de la parte inferior listado, y que se alimenta fundamentalmente de insectos y de pequeños roedores. **2** *col.* Lo que resulta una carga o una tarea enojosa: *Como nadie se atrevía a decirle la verdad, me tocó a mí cargar con el mochuelo.* **3** *col.* Responsabilidad o culpa que nadie quiere asumir: *Buscaban a algún incauto para cargarle el mochuelo y quedarse ellos libres de sospechas.* ☐ ETIMOL. De origen incierto. ☐ MORF. En la acepción 1, es un sustantivo epiceno: *el mochuelo {macho/hembra}*. ☐ SINT. Las acepciones 2 y 3 se usan más con los verbos *cargar*, *echar*, *sacudir* o equivalentes.

moción s.f. **1** Propuesta o petición que se hacen en una asamblea o en una junta: *En la reunión de inversores presenté una moción que no fue aceptada.* **2** ‖ **moción de censura;** en un organismo representativo, esp. si es de carácter político, la que puede ser presentada por un número mínimo de sus miembros contra el equipo o el jefe de Gobierno, que incluye la proposición de un candidato que sustituya a este y que debe ser aprobada por un número también prefijado para que se produzca esta sustitución: *Una moción de censura contra el Gobierno español tiene que ser propuesta al menos por la décima parte de los diputados.* ☐ ETIMOL. Del latín *motio* (movimiento). ☐ USO Es incorrecto el uso de **moción de confianza*, aunque está muy extendido: *{*moción > cuestión} de confianza*.

moco s.m. **1** Sustancia espesa y viscosa segregada por las glándulas de las membranas mucosas, esp. la que se elimina por la nariz. **2** *col.* Borrachera. **3** ‖ **llorar a moco tendido;** *col.* Llorar mucho y desconsoladamente. ‖ **moco de pavo; 1** En este animal, apéndice carnoso que le cuelga sobre el pico. **2** *col.* Lo que reviste un grado insignificante o despreciable de importancia, de valor o de dificultad. ‖ **tirarse el moco;** *col.* Presumir o darse importancia. ☐ SINÓN. *tirarse el folio*. ☐ ETIMOL. Del latín *mucus*. ☐ MORF. En la acepción 1, se usa más en plural.

mocoso, sa ▮ adj. **1** Que tiene las narices llenas de mocos. ▮ adj./s. **2** *col.* Referido esp. a un niño, que muestra el atrevimiento o la inmadurez propios de su poca edad aunque intente comportarse como un adulto. ☐ USO En la acepción 2, aplicado a niños tiene un matiz cariñoso.

mocosuena adv. *col.* Referido al modo de hablar, teniendo más en cuenta el sonido que el significado: *Decir 'Me es inverosímil' por 'Me es indiferente' es hablar mocosuena.*

mod (ing.) adj.inv./s.com. Referido a una persona, que es seguidora de un movimiento juvenil y urbano caracterizado por el modo de vestir y la afición a las motos y a la música pop.

moda s.f. **1** Uso o costumbre, generalmente pasajeros, característicos de un período de tiempo por ser ampliamente aceptados: *A mi abuela no le gustan las modas de hoy.* **2** Conjunto de prendas de vestir y de complementos que responde a uno de estos usos: *Siempre viste moda italiana.* **3** ‖ **de moda;** de actualidad o de acuerdo con los usos o costumbres que se estilan. ‖ **pasar de moda;** quedar anticuado o haber dejado de estilarse. ☐ ETIMOL. Del francés *mode*.

modal ▮ adj.inv. **1** Del modo, esp. del gramatical, o relacionado con él: *La categoría modal en español es una categoría del verbo.* ▮ s.m.pl. **2** Gestos y comportamiento externo de una persona que indican su buena o mala educación: *Tiene malos modales porque no le han enseñado a comportarse debidamente.* ☐ SINÓN. *ademanes*.

modalidad s.f. Variante o modo particular en que una misma cosa puede presentarse o manifestarse: *las modalidades de un deporte.*

modelable adj.inv. Que se puede modelar.

modelación s.f. →**modelado.**

modelado s.m. **1** Arte o técnica de modelar o hacer figuras con una materia blanda. **2** Realización de estas figuras: *el modelado de una estatuilla.* **3** Mejora de la forma del cuerpo o de alguna de sus partes: *El ejercicio con pesas es ideal para el modelado de los brazos.* □ SINÓN. *modelación.*

modelar v. **1** Referido esp. a una materia blanda, darle forma o hacer una figura con ella: *Conozco a un escultor que modela barro y esculpe granito.* **2** Referido esp. a una manera de ser, configurarla o hacer que adquiera unos rasgos determinados: *Una educación demasiado severa modeló su carácter hasta hacerlo exageradamente duro.* **3** Referido al cuerpo o a una de sus partes, mejorar su forma: *Puedo enseñarte algunos ejercicios para modelar las piernas.*

modélico, ca adj. Que sirve o puede servir de modelo.

modelismo s.m. Arte y técnica de construcción de objetos a escala reducida.

modelista s.com. Persona especializada en hacer modelos o maquetas.

modelo ▌s.com. **1** Persona, generalmente de buena figura, que se dedica profesionalmente a la exhibición de prendas de vestir y de complementos. **2** Persona que posa para ser copiada por un pintor o por un escultor, o para ser fotografiada. ▌s.m. **3** Ejemplar o patrón que sirve de pauta en la realización de algo: *Usaré tu instancia como modelo para rellenar la mía.* **4** Lo que se considera un ejemplo a seguir por su perfección o por sus cualidades: *Todos dicen que era una niña modelo.* **5** Representación de un objeto a escala reducida: *Tiene un modelo de un coche de 1930.* **6** Objeto creado por un artista famoso: *Se ha comprado un modelo de un modisto francés.* **7** Cada producto industrial fabricado con arreglo a un diseño común, esp. si está patentado: *Aunque sea de la misma marca que el tuyo, mi coche es un modelo anterior.* **8** Esquema teórico de algo complejo, que se realiza para facilitar su comprensión: *Si sigues el modelo de las declinaciones latinas, traducirás fácilmente este texto.* □ ETIMOL. Del italiano *modello.* □ SINT. En la acepción 4, se usa mucho en aposición, pospuesto a un sustantivo: *un estudiante modelo.*

módem s.m. En informática, dispositivo que permite que dos ordenadores se comuniquen por vía telefónica o telegráfica. □ ETIMOL. Del inglés *modem,* y este de *modulator-demodulator* (modulador-demodulador). □ USO Se usan los plurales *módems* y *módem.*

moderación s.f. **1** Reducción o disminución de la intensidad de algo que se considera excesivo: *la moderación de la velocidad.* **2** Prudencia o sobriedad en la forma de actuar: *comer con moderación.*

moderado, da adj. **1** Que está en medio de los extremos: *Tras las inundaciones del fin de semana, se esperan lluvias moderadas.* **2** Referido a personas o a partidos políticos, que tienen ideas no extremistas.

moderador, -a ▌adj./s. **1** Que modera. ▌s. **2** Persona que preside o que dirige un debate o una asamblea dando la palabra ordenadamente a quien corresponda.

moderantismo s.m. Movimiento político español del siglo XIX que evolucionó desde el liberalismo hasta posturas más reaccionarias y tradicionales. □ ETIMOL. Del francés *modérantisme.*

moderar v. **1** Referido a algo que se considera excesivo, suavizar o disminuir su intensidad o su exageración: *En la carretera había guardias indicando que debíamos moderar nuestra velocidad. Ahora se modera más en las palabras y apenas dice tacos.* **2** Referido esp. a un debate, presidirlo o dirigirlo dando la palabra al que la solicita: *La periodista que moderaba el debate ordenaba el turno de las intervenciones de los invitados.* □ ETIMOL. Del latín *moderari* (reducir a medida). □ SINT. Constr. de la acepción 1 como pronominal: *moderarse* EN *algo.*

moderato s.m. **1** En música, aire o velocidad moderados con que se ejecutan una composición o un pasaje: *El moderato es más rápido que el andante y más lento que el alegro.* **2** En música, composición o pasaje que se ejecutan con este aire: *La solista interpretó el moderato con brío.* □ ETIMOL. Del italiano *moderato.*

modernidad s.f. **1** Conjunto de características de lo que se considera moderno: *La modernidad de sus opiniones escandaliza a sus mayores.* **2** *col.* Conjunto de la gente que se considera moderna: *A la fiesta acudió toda la modernidad de la ciudad.* □ SEM. Dist. de *modernismo* (afición excesiva a lo moderno; movimiento artístico y literario).

modernismo s.m. **1** Afición excesiva por lo moderno, esp. en arte o en religión. **2** En arte, movimiento de tendencia decorativa que se desarrolló a finales del siglo XIX y principios del XX, y que se caracteriza por la inspiración en la naturaleza y por la utilización de las líneas curvas y del color. **3** En literatura, movimiento hispanoamericano y español que se desarrolló a finales del siglo XIX y principios del XX, y que se caracterizó por su afán esteticista, su renovación del lenguaje, su refinamiento y su sensibilidad hacia culturas y temas exóticos. □ ORTOGR. En las acepciones 2 y 3, se usa más como nombre propio. □ SEM. Dist. de *modernidad* (características de lo que se considera moderno; gente que se considera moderna). □ USO En la acepción 4, se usa mucho como nombre propio.

modernista ▌adj.inv. **1** Del Modernismo o relacionado con este movimiento artístico. ▌adj.inv./s.com. **2** Partidario o seguidor del modernismo.

modernización s.f. Transformación consistente en adoptar o conceder las características de lo que se considera moderno.

modernizar v. Dar características de lo que se considera moderno: *Han modernizado el mobiliario de la empresa para ponerlo acorde con los tiempos. Decidió modernizarse un poco para entender mejor a sus hijos.* □ ORTOGR. La *z* se cambia en *c* delante de *e* →CAZAR.

moderno, na adj. **1** De la época presente o de un tiempo reciente: *La mujer moderna suele trabajar fuera de casa.* **2** Innovador, avanzado o conforme con las últimas tendencias o adelantos: *Es un vestido demasiado moderno para mi gusto.* **3** De la

Edad Moderna (período histórico que empieza aproximadamente a finales del siglo XV y termina en la época contemporánea), o relacionado con ella. ☐ ETIMOL. Del latín *modernus*, y este de *modo* (hace un momento, ahora mismo).

modestia s.f. **1** Humildad o falta de vanidad. **2** Sencillez, falta de lujo o escasez de medios: *vivir con modestia.*

modesto, ta adj. **1** Humilde y sin vanidad: *una persona modesta.* **2** Sencillo, sin lujo o con pocos medios: *un sueldo modesto; un barrio modesto.* ☐ ETIMOL. Del latín *modestus*.

módicamente adv. Con moderación o de forma que no resulte excesiva: *Aunque el precio haya subido módicamente, ahora me parece caro.*

módico, ca adj. Referido esp. a una cantidad de dinero, que es moderada o escasa: *un precio módico.* ☐ ETIMOL. Del latín *modicus*.

modificación s.f. **1** Cambio o transformación de algo sin alterar su naturaleza: *Algunos políticos apoyan la modificación de algunos artículos de la Constitución.* **2** En gramática, determinación o limitación del sentido de una palabra: *La función de los adjetivos calificativos es la modificación del sustantivo al que acompañan.*

modificador, -a ▌adj./s. **1** Que modifica. ▌s.m. **2** En gramática, palabra que determina o limita el sentido de otra: *El artículo es un modificador del nombre.*

modificar v. **1** Cambiar o transformar sin alterar en profundidad: *El ingeniero se vio obligado a modificar los planos de las nuevas carreteras.* **2** En gramática, referido a una palabra, determinar o limitar su sentido: *En la expresión 'el niño alto', el adjetivo 'alto' modifica al sustantivo 'niño'.* ☐ ETIMOL. Del latín *modificare* (arreglar). ☐ ORTOGR. La *c* se cambia en *qu* delante de *e* →SACAR.

modificativo, va adj. Que modifica o que sirve para modificar. ☐ SINÓN. *modificatorio.*

modificatorio, ria adj. →**modificativo.**

modillón s.m. En arquitectura, elemento saliente que sostiene una cornisa o un alero. ☐ ETIMOL. Del italiano *modiglione*.

modismo s.m. **1** Expresión propia de una lengua, con un significado unitario que no puede deducirse del significado de las palabras que la forman, y que no tiene traducción literal en otra lengua: *La expresión 'no dar pie con bola' es un modismo que significa 'equivocarse'.* **2** Expresión propia de una lengua, pese a ser contraria a sus reglas gramaticales: *'A tontas y a locas' es un modismo en español.* ☐ SINÓN. *idiotismo.*

modista s.f. Véase **modisto, ta.**

modistilla s.f. *col.* Aprendiza de modista.

modisto, ta ▌s. **1** Persona que se dedica profesionalmente a la creación o al diseño de prendas de vestir. ▌s.f. **2** Mujer que se dedica profesionalmente a la confección de prendas de vestir, esp. de mujer. ☐ MORF. En la acepción 1, también se admite *modista* como sustantivo de género común: *el modista, la modista.*

modo s.m. **1** Forma o manera en que algo se hace, se presenta o sucede: *Hay tres modos de hacerlo.* **2** En lingüística, categoría gramatical que expresa la actitud del hablante con respecto a la acción del verbo: *En español, el modo es una categoría morfológica de la flexión del verbo.* **3** Educación o comportamiento: *Cuando se enfada salen a relucir sus malos modos.* **4** ‖ **a modo de;** como o como si fuera: *Utilizo esta camiseta a modo de pijama.* ‖ **de cualquier modo;** sin cuidado o sin interés: *Deja la ropa en la silla de cualquier modo.* ‖ **de modo que;** enlace gramatical subordinante con valor consecutivo: *Has engordado mucho, de modo que tendrás que hacer un régimen estricto.* ‖ **de ningún modo;** expresión que se usa para negar de forma enérgica y tajante: *De ningún modo me presentaré en su casa si no me invitan.* ‖ **de todos modos;** a pesar de todo: *De todos modos, iré a visitarle al hospital.* ‖ **en cierto modo;** expresión que se usa para matizar o quitar importancia a una situación o a un suceso: *En cierto modo, este pequeño fracaso te puede servir de lección.* ‖ **modo de articulación;** en fonética y en fonología, disposición que adoptan los órganos fonadores y que constituye un obstáculo que se opone a la salida del aire para producir el sonido: *Según el modo de articulación, las consonantes pueden ser oclusivas, fricativas, africadas, etc.* ‖ **(modo) imperativo;** el que expresa una orden, un ruego o un mandato: *La oración '¡Ven a casa!' está construida en modo imperativo.* ‖ **(modo) indicativo;** el que indica que la acción expresada por el verbo se concibe como real y objetiva: *En 'Sé que vino', 'saber' y 'venir' están en modo indicativo.* ‖ **(modo) subjuntivo;** el que indica que la acción expresada por el verbo se concibe como irreal, subjetiva o subordinada a otra acción: *En 'Quiero que vengas', el verbo 'venir' está en subjuntivo.* ☐ ETIMOL. Del latín *modus* (manera, género). ☐ MORF. En la acepción 3, se usa más en plural. ☐ USO *De todos modos* se usa mucho para retomar un tema que ya ha salido en la conversación.

modorra s.f. Véase **modorro, rra.**

modorro, rra ▌adj./s. **1** Que tiene o padece modorra: *Hoy me he levantado con tanto sueño que llevo todo el día de lo más modorra.* ▌s.f. **2** Sueño muy pesado, ganas de dormir, o pesadez y torpeza causadas por el sueño. **3** Enfermedad parasitaria del ganado lanar causada por la presencia de larvas en el cerebro de las reses.

modosidad s.f. Buena educación, respeto o recato en la forma de comportarse: *vestir con modosidad.*

modoso, sa adj. Referido esp. a una persona, que es respetuosa y recatada.

modulación s.f. Variación armoniosa de la tonalidad, esp. al hablar o al cantar.

modulador, -a ▌adj./s. **1** Que modula. ▌s.m. **2** En electrónica, dispositivo o aparato que sirve para modular una onda.

modular ▌adj.inv. **1** Del módulo o relacionado con él. ▌v. **2** Referido a un sonido, variar su tonalidad de manera armoniosa, esp. al hablar o al cantar: *Es una cantante magnífica y modula su voz con gran maestría.* □ ETIMOL. La acepción 2, del latín *modulari* (someter a cadencia, regular).

módulo s.m. **1** Dimensión que se toma como unidad de medida y sirve de norma, modelo o patrón. **2** Pieza o conjunto unitario de piezas con un mismo estilo: *El mueble del salón tiene tres módulos: dos estanterías y una vitrina.* **3** En un todo, cada parte independiente: *Este curso está dividido en varios módulos trimestrales.* □ ETIMOL. Del latín *modulus*, y este de *modus* (medida para medir algo).

modus operandi (lat.) s.m. || Manera especial de actuar o de trabajar para alcanzar el fin propuesto: *Su modus operandi no fue muy ético, pero obtuvo la presidencia del partido.*

modus vivendi (lat.) s.m. ||**1** Acuerdo o arreglo temporales entre dos partes que no han llegado a un pacto definitivo, esp. en las relaciones internacionales: *Los sindicatos no convocaron la huelga al conseguir un modus vivendi con la patronal.* **2** Manera de vivir: *El arte se convirtió en su modus vivendi.*

mofa s.f. Burla hecha con desprecio: *hacer mofa de algo.* □ SINT. Se usa más en la expresión *hacer mofa de algo.*

mofarse v.prnl. Burlarse con desprecio: *Se mofa de los que son más débiles que ella.* □ ETIMOL. De origen expresivo. □ SINT. Constr. *mofarse DE algo.*

mofeta s.f. Mamífero carnívoro depredador, de tronco corto, orejas y ojos pequeños, cola larga, pelaje negro con bandas dorsales blancas, y que posee unas glándulas próximas al ano que segregan un líquido maloliente que expulsa para protegerse cuando es perseguido. □ ETIMOL. Del italiano *moffetta.* □ MORF. Es un sustantivo epiceno: *la mofeta {macho/hembra}.*

moflete s.m. *col.* Mejilla muy abultada y carnosa. □ ETIMOL. Quizá del provenzal *moflet* (mullido, mofletudo).

mofletudo, da adj. Que tiene mofletes.

mogol, -a adj./s. →**mongol.**

mogólico, ca adj. →**mongólico.**

mogollón s.m. **1** *col.* Gran cantidad de algo, esp. si está en desorden. **2** *col.* Lío o alboroto que se producen generalmente con la aglomeración de muchas personas. □ SINT. En la lengua coloquial se usa también como adverbio con el significado de 'mucho': *Me gustó mogollón.*

mogón, -a adj. Referido a un animal vacuno, que carece de un cuerno o que tiene uno o los dos sin punta.

mogote s.m. **1** Montículo aislado, de forma cónica y sin punta. **2** Conjunto de haces colocados en forma de pirámide. □ ETIMOL. De origen prerromano, quizá del euskera **mokoti* (puntiagudo).

mogrebí (pl. *mogrebíes, mogrebís*) adj.inv./s.com. →**magrebí.**

mohair (ing.) s.m. Lana o tejido hechos con el pelaje de la cabra de Angora (ciudad turca). □ PRON. [moér].

mohicano, na ▌adj./s. **1** De un pueblo indígena americano que habitaba en el valle central del Hudson (río estadounidense) y en el actual Estado norteamericano de Vermont, o relacionado con él: *Los indios mohicanos eran nómadas y tenían una cultura bastante desarrollada.* ▌s.m. **2** Lengua de este pueblo: *El mohicano era una lengua de América del Norte.*

mohín s.m. Gesto, esp. el hecho con la boca para expresar enfado o disgusto.

mohíno, na adj. Triste o disgustado. □ ETIMOL. De origen incierto.

moho s.m. Hongo pluricelular que se desarrolla sobre la materia orgánica y que produce su descomposición. □ ETIMOL. Quizá de origen expresivo.

mohoso, sa adj. Cubierto de moho.

moisés (pl. *moisés*) s.m. Cuna portátil para recién nacidos, hecha de un material ligero, sin patas y con dos asas. □ SINÓN. *cuco.*

mojador, -a ▌adj./s. **1** Que moja. ▌s.m. **2** Utensilio que consiste en una caja pequeña con una esponja empapada en agua, y que se utiliza para mojar algo, esp. los sellos de las cartas.

mojadura s.f. Baño de agua o de otro líquido hasta empapar algo. □ SINÓN. *remojón.*

mojama s.f. Carne de atún salada y seca. □ ETIMOL. Del árabe *musamma* (secada).

mojar ▌v. **1** Referido a un cuerpo, humedecerlo con agua u otro líquido o hacer que estos penetren en él: *Moja la ropa para plancharla mejor. Me he mojado con la lluvia.* **2** Referido a un alimento, untarlo o bañarlo en otro alimento líquido: *Moja las galletas en el café.* **3** *col.* Celebrar invitando a beber: *Este aprobado hay que mojarlo.* **4** *col.* Referido a la ropa, esp. a la de cama, orinarse en ella: *Aunque tiene diez años, aún moja las sábanas.* ▌prnl. **5** *col.* Tomar parte en un asunto o comprometerse con una opción clara en un asunto esp. conflictivo: *No me gustaría tener que mojarme en una cuestión tan peliaguda.* □ ETIMOL. Del latín *molliare* (reblandecer), porque lo que se moja se reblandece. □ ORTOGR. Conserva la *j* en toda la conjugación.

mojarra s.f. Pez marino, de fuertes dientes, cuerpo comprimido, escamas grandes de color gris plateado, y una franja transversal negra en el nacimiento de la cola, cuya carne es muy apreciada. □ ETIMOL. Quizá del árabe *muharrab* (aguzado). □ MORF. Es un sustantivo epiceno: *la mojarra {macho/hembra}.*

moje s.m. Caldo o salsa de un guiso. □ ETIMOL. De *mojar.*

mojicón s.m. **1** Bollo o bizcocho pequeño, esponjoso y poco sabroso. **2** *col.* Golpe dado en la cara con la mano. □ ETIMOL. De *mojar.*

mojiganga s.f. **1** Obra teatral breve, destinada a hacer reír y en la que intervienen personajes ridículos o extravagantes. **2** Lo que resulta ridículo, esp. si sirve para burlarse de una persona. □ ETIMOL. Quizá de *voxiga*, variante de *vejiga.*

mojigatería s.f. **1** Muestra exagerada de moralidad o facilidad para sentirse escandalizado. **2** Humildad o timidez que se aparentan para conseguir algún fin. **3** Hecho o dicho propios del mojigato.

mojigato, ta adj./s. **1** Que muestra una moralidad exagerada o que se escandaliza con facilidad. **2** Que aparenta humildad o timidez para lograr lo que pretende. □ ETIMOL. De **mojo* (gato) y *gato*, porque con esta repetición se indica apariencia humilde y mansa, pero en realidad astuta y traicionera como la del gato.

mojinete s.m. **1** En un tejado, línea superior de la que arrancan dos vertientes. □ SINÓN. *caballete.* **2** Tejadillo o tejado que se pone sobre un muro o tapia.

mojito s.m. Cóctel elaborado con ron, azúcar, zumo de limón, gaseosa y hierbabuena.

mojo s.m. Salsa hecha fundamentalmente con aceite, vinagre y especias picantes y otras hierbas aromáticas.

mojón s.m. Poste que sirve para señalar la distancia y la dirección de un camino o los límites de un territorio. □ SINÓN. *hito.* □ ETIMOL. Del latín **mutulo*, y este de *mutulus* (modillón, cabeza sobresaliente de una viga).

moka s.f. →**moca.**

mol s.m. En el Sistema Internacional, unidad básica de cantidad de sustancia, que, expresada en gramos, equivale a su peso molecular. □ SINÓN. *molécula gramo.* □ ETIMOL. Por abreviación de *molécula.* □ ORTOGR. Su símbolo es *mol*, por tanto, se escribe sin punto.

mola s.f. Montaña de forma redondeada y maciza.

molar ▌adj.inv. **1** De la muela o relacionado con este diente: *una extracción molar.* ▌s.m. **2** →**diente molar.** ▌v. **3** *col.* Gustar o agradar mucho: *Me mola ese chico. Me mola la música pop.* **4** *col.* Presumir: *¡Cómo molas con tu nueva moto, eh!*

molaridad s.f. En química, concentración de una disolución expresada como el número de moles de soluto presentes en cada litro de disolución.

molasa s.f. Arenisca de cemento calizo, de grano grueso, que se erosiona fácilmente, y que se usa en la construcción. □ ETIMOL. Del francés *molasse.*

molcajete s.m. En zonas del español meridional, mortero.

molcate s.f. En zonas del español meridional, mazorca de maíz que no ha crecido. □ ETIMOL. Del náhuatl *molquitl* (residuo de la cosecha del maíz).

moldavo, va (tb. *moldovo*) adj./s. De Moldavia o relacionado con este país europeo.

molde s.m. Pieza hueca que se rellena de una materia que, al solidificarse, toma la forma de aquella. □ ETIMOL. Del latín *modulus* (medida, módulo).

moldeable adj.inv. Que puede ser moldeado: *un material moldeable; una personalidad moldeable.*

moldeado s.m. **1** Realización de un objeto por medio de un molde o de una figura con una materia blanda. **2** →**moldeador.**

moldeador, -a ▌adj./s. **1** Que moldea. ▌s.m. **2** Ondulado del cabello hecho artificialmente y que dura mucho tiempo. □ SINÓN. *moldeado.* **3** Aparato que sirve para ondular el cabello.

moldear v. **1** Referido a un objeto, sacarle un molde: *Para hacer las reproducciones, antes es necesario moldear la figura original.* **2** Referido a un objeto, elaborarlo al dar forma a una sustancia blanda o fundida, generalmente echándola en un molde: *La escultora moldeó en barro el cuerpo de la modelo.* **3** Referido esp. a una persona o a su carácter, formarlos o modelarlos: *Una buena educación moldeó mi carácter arisco y agresivo.* **4** Referido al cabello, ondularlo o rizarlo: *Cuando me lavo el pelo, me moldeo las puntas con el secador.*

moldovo, va adj./s. →**moldavo.**

moldura s.f. **1** Parte saliente y continua, de perfil uniforme y generalmente de poca anchura, que sirve de adorno, unión o refuerzo en una obra arquitectónica, de carpintería y de otras artes: *unas molduras de escayola.* **2** Marco de un cuadro.

moldurar v. Referido a una obra, hacerle o ponerle molduras: *Él mismo moldura los cuadros que pinta.*

mole ▌s.m. **1** Pasta hecha con varios tipos de chile, semillas y especias. **2** Comida que se prepara con esta pasta y con carne de pollo, de guajolote o de cerdo. **3** *col.* En zonas del español meridional, sangre. ▌s.f. **4** Lo que es de gran tamaño y peso: *Los rascacielos urbanos son gigantescas moles de hormigón y de cristal.* **5** Corpulencia o gran volumen de un cuerpo: *La mole del boxeador asustó a su adversario.* **6** ‖ **en su mero mole;** en zonas del español meridional, en su salsa. □ ETIMOL. Las acepciones 4 y 5, del latín *moles* (masa, volumen o peso grandes).

molécula s.f. **1** Conjunto de átomos, iguales o diferentes, unidos mediante enlaces químicos, que constituye la mínima cantidad de sustancia que mantiene todas sus propiedades químicas: *Una molécula de agua está formada por dos átomos de hidrógeno y uno de oxígeno.* **2** ‖ **molécula gramo;** cantidad de sustancia que, expresada en gramos, coincide con su peso molecular: *La molécula gramo del oxígeno pesa 32 gramos.* □ SINÓN. *mol.* □ ETIMOL. Del latín *moles* (masa, volumen o peso grandes).

molecular adj.inv. De las moléculas o relacionado con ellas.

moledura s.f. **1** Reducción de un cuerpo, esp. de granos o frutos, a partes muy pequeñas o a polvo, generalmente a base de golpearlo o de frotarlo. □ SINÓN. *molimiento, molturación, moltura, molienda.* **2** *col.* Cansancio o fatiga excesivos: *Ayer fui al gimnasio y hoy tengo una moledura inaguantable en el cuerpo.*

moler v. **1** Referido a granos o a frutos, golpearlos o frotarlos hasta reducirlos a partes muy pequeñas o a polvo: *El molinillo es un aparato que sirve para moler el café.* □ SINÓN. *molturar.* **2** Maltratar o hacer daño: *Después de quitarle el dinero, lo molieron a palos.* **3** Cansar o fatigar mucho físicamente: *La lluvia y el frío molieron a los ciclistas participantes en la prueba.* **4** Aburrir o molestar mucho: *Este niño muele a cualquiera con tantas preguntas.* □ ETIMOL. Del latín *molere.* □ MORF. Irreg. →MOVER.

molestar v. **1** Causar molestia: *No molestes al perro y déjalo dormir. La música tan alta me molesta. Aunque era tarde, se molestó en acompañarme a casa.* **2** Ofender ligeramente: *No era mi intención molestarte con mis preguntas. Se molestó cuando le dije que no me gustaba su peinado.* □ SINT. Constr. de la acepción 1 como pronominal: *molestarse* EN *algo*.

molestia s.f. **1** Perturbación del bienestar o de la tranquilidad de alguien, esp. la producida por la exigencia de un esfuerzo: *Este asunto me está ocasionando tantas molestias que estoy deseando resolverlo.* **2** Lo que causa esta perturbación: *Me parece muy egoísta que pienses que los ancianos son una molestia.* **3** Dolor o malestar físico de poca intensidad: *No entrené porque tenía molestias en la rodilla.* □ ETIMOL. Del latín *molestia*.

molesto, ta adj. **1** Que causa molestia: *El humo de tus puros es muy molesto.* **2** Que siente molestia: *No estés molesto porque no te hayan invitado a la boda.*

molestoso, sa adj. *col.* En zonas del español meridional, molesto.

molibdeno s.m. Elemento químico, metálico y sólido, de número atómico 42, de gran dureza y difícil de fundir: *Por su elevado punto de fusión, el molibdeno se emplea en la construcción de reactores nucleares.* □ ETIMOL. Del griego *molýbdaina* (trocito de plomo). □ ORTOGR. Su símbolo químico es *Mo*.

molicie s.f. Excesiva comodidad en la forma de vivir. □ ETIMOL. Del latín *mollities*, y este de *mollis* (blando).

molienda s.f. Operación que consiste en golpear o frotar un cuerpo, esp. granos o frutos, hasta reducirlo a partes muy pequeñas o a polvo. □ SINÓN. *moledura*. □ ETIMOL. Del latín *molenda* (cosas que se han de moler).

moliente || **moliente y corriente;** →**corriente y moliente.**

molificar v. Hacer blando o suave: *Las habas metidas en agua se molifican.* □ ETIMOL. Del latín *mollificare*. □ ORTOGR. La *c* se cambia en *qu* delante de *e* →SACAR.

molimiento s.m. Operación que consiste en golpear o frotar un cuerpo, esp. granos o frutos, hasta reducirlo a partes muy pequeñas o a polvo. □ SINÓN. *moledura*.

molinería s.f. Sector industrial que abarca todos los productos que se obtienen de la actividad de los molinos.

molinero, ra s. Persona que tiene a su cargo un molino o que trabaja en él.

molinete s.m. **1** Rueda pequeña con aspas, que se coloca generalmente en un cristal y que sirve para renovar el aire del interior de una habitación. **2** Aparato giratorio formado por un eje provisto de una serie de aspas o de brazos y que, colocado generalmente en una puerta, permite el paso de las personas de una en una. **3** Juguete compuesto de una varilla con una pequeña rueda de aspas de material ligero en su extremo, que gira con el viento. □ SINÓN. *molinillo*. **4** En tauromaquia, pase en el que el torero gira en sentido contrario al de la embestida del toro, rozándole el costillar con la muleta.

molinillo s.m. **1** Aparato de cocina que sirve para moler: *molinillo de café.* **2** Juguete compuesto de una varilla con una pequeña rueda de aspas de material ligero en su extremo, que gira con el viento. □ SINÓN. *molinete*. **3** En zonas del español meridional, utensilio de cocina para batir el chocolate.

molino s.m. **1** Máquina que se usa para moler, triturar o laminar. **2** Edificio en el que está instalada esta máquina. □ ETIMOL. Del latín *molinum*.

molla s.f. **1** En una pieza de carne, parte que tiene menos desperdicio o grasa. **2** *col.* En una persona, acumulación de grasa en alguna parte del cuerpo. □ SINÓN. *mollete*. □ ETIMOL. Del catalán *molla* (meollo). □ MORF. En la acepción 2, se usa más en plural.

mollar adj.inv. Referido esp. a un fruto, blando y fácil de partir. □ ETIMOL. De *muelle* (blando).

molle s.m. Árbol americano que tiene hojas fragantes, flores en espigas y frutos rojizos: *La corteza y la resina del molle se utilizan como tonificantes nerviosos y antiespasmódicos.* □ ETIMOL. Del quechua *mulli*.

molleja s.f. **1** En las aves, estómago muscular en el que se trituran y ablandan los alimentos. **2** En las reses jóvenes, el timo y otros órganos productores de linfocitos. □ ETIMOL. De origen incierto. □ MORF. En la acepción 2, se usa más en plural.

mollera s.f. *col.* Cabeza humana: *Has demostrado poca mollera metiéndote en ese asunto.* □ ETIMOL. De *muelle* (blando), porque la cabeza es un lugar blando, especialmente en los niños.

mollete s.m. **1** Panecillo de forma ovalada, esponjoso, poco cocido y generalmente de color blanco. **2** *col.* En una persona, acumulación de grasa en alguna parte del cuerpo. □ SINÓN. *molla*. □ ETIMOL. De *muelle* (blando).

molón, -a adj. *col.* Que agrada o que gusta mucho.

molote s.m. **1** Comida mexicana que consiste en una masa rellena de carne, cebolla, patata, queso y chile. **2** *col.* En zonas del español meridional, escándalo o alboroto.

moltura s.f. Operación que consiste en golpear o frotar un cuerpo, esp. granos o frutos, hasta reducirlo a partes muy pequeñas o a polvo. □ SINÓN. *moledura*. □ ETIMOL. Del antiguo **muelto* (molido).

molturación s.f. Reducción de un cuerpo, esp. de granos o de frutos, a partes muy pequeñas o a polvo, generalmente a base de golpearlo o de frotarlo. □ SINÓN. *moledura*.

molturar v. Referido a granos o a frutos, golpearlos o frotarlos hasta reducirlos a partes muy pequeñas o a polvo: *Ha molturado los granos de café con un molinillo eléctrico.* □ SINÓN. *moler*.

molusco ▮ adj./s.m. **1** Referido a un animal, que tiene el cuerpo blando, no segmentado, con forma simétrica la mayoría de las veces, y generalmente protegido por una concha: *Las ostras y los calamares son moluscos.* ▮ s.m.pl. **2** En zoología, tipo de estos animales, perteneciente al reino de los metazoos: *A los moluscos pertenecen tanto especies terrestres como acuáticas.* ☐ ETIMOL. Del latín *molluscus* (blando).

momentáneo, a adj. **1** Que se pasa enseguida o que dura poco tiempo. **2** Que se ejecuta pronto y sin tardanza. ☐ ETIMOL. Del latín *momentaneus.* ☐ SEM. Es incorrecto el uso del adverbio *momentáneamente* con el significado de 'por ahora' o 'por el momento': *(*Momentáneamente > Por el momento) no tengo más que añadir.*

momento s.m. **1** Porción de tiempo que se considera muy breve, esp. en relación con otra: *Comí en un momento para volver rápidamente al trabajo.* ☐ SINÓN. *instante.* **2** Período de tiempo de duración indeterminada y caracterizado por algo: *Durante esos meses pasamos momentos inolvidables.* **3** Período de tiempo concreto en el que tiene lugar la existencia de una persona o de un suceso: *Asistieron las principales figuras poéticas del momento.* **4** Oportunidad u ocasión propicia: *Ten paciencia, que ya llegará tu momento.* **5** || **(a) cada momento;** con frecuencia o continuamente: *No podía estudiar porque a cada momento sonaba el teléfono.* || **al momento;** enseguida o inmediatamente: *No tuvimos que esperar porque nos recibió al momento.* || **de momento** o **por el momento;** por ahora o provisionalmente: *De momento, no puedes hacer otra cosa que esperar.* || **de un momento a otro;** muy pronto o sin tardanza: *Esperamos su llegada de un momento a otro.* || **por momentos;** de forma continua y progresiva: *El fuego aumentaba por momentos.* ☐ ETIMOL. Del latín *momentum* (movimiento).

momia s.f. **1** Cadáver que se ha conservado sin descomponerse, ya sea de forma natural o por medios artificiales. **2** Persona muy delgada o demacrada. ☐ ETIMOL. Del árabe *mumiya* (amalgama con que los egipcios embalsamaban los cadáveres).

momificación s.f. Transformación de un cadáver en momia.

momificar v. Referido a un cadáver, transformarlo en momia: *Muchas civilizaciones antiguas momificaban los cadáveres para que perduraran. Los cadáveres pueden momificarse por el frío.* ☐ ORTOGR. La *c* se cambia en *qu* delante de *e* →SACAR.

momio, mia ▮ adj. **1** Blando, flojo o sin consistencia. ▮ s.m. **2** *col.* Lo que se da gratis o lo que se obtiene con poco esfuerzo.

momo s.m. Gesto exagerado o ridículo, esp. el que se hace para divertir. ☐ ETIMOL. De origen onomatopéyico.

mona s.f. Véase **mono, na**.

monacal adj.inv. De los monjes, de las monjas o relacionado con ellos. ☐ ETIMOL. Del latín *monachalis.*

monacato s.m. **1** Estado o profesión del monje. **2** Conjunto de las instituciones de los monjes. ☐ ETIMOL. Del latín *monachus* (monje).

monada s.f. **1** Gesto o movimiento propio de los monos. ☐ SINÓN. *monería.* **2** Gesto o gracia que hace un niño pequeño. ☐ SINÓN. *monería.* **3** Gesto o acción de carácter ridículo o poco natural: *Se pasa el día haciendo monadas para llamar la atención.* **4** Halago, zalamería o muestra excesiva de cariño hacia alguien: *La chica no aceptaba las monadas de su novio porque estaba enfadada.* ☐ SINÓN. *monería.* **5** Lo que resulta bonito, gracioso o delicado: *Las tacitas de café son una monada.* ☐ SINÓN. *monería.* ☐ ORTOGR. Dist. de *mónada.*

mónada s.f. En la filosofía de Leibniz (filósofo alemán de los siglos XVII y XVIII), cada una de las sustancias simples, indivisibles y dotadas de percepción y voluntad que componen el universo. ☐ ETIMOL. Del griego *monás* (unidad). ☐ ORTOGR. Dist. de *monada.*

monago s.m. *col.* Monaguillo. ☐ ETIMOL. Del latín *monachus* (monje).

monaguillo s.m. Niño o muchacho joven que ayuda al sacerdote durante la celebración de la misa. ☐ ETIMOL. De *monago* (monaguillo).

monarca s.com. En una monarquía, soberano o persona que ejerce la autoridad suprema. ☐ ETIMOL. Del griego *monárkhes*, y este de *mónos* (uno) y *árkho* (yo gobierno). ☐ SEM. No debe usarse en plural con el significado de 'el rey y la reina'.

monarquía s.f. **1** Sistema de gobierno en el que la jefatura del Estado reside en una sola persona, cuyo derecho es generalmente vitalicio y hereditario. **2** Estado que tiene este sistema de gobierno: *Al enlace real asistieron representantes de todas las monarquías europeas.* **3** Tiempo durante el que ha estado vigente esta forma de gobierno en un país: *Durante la monarquía, se consolidaron algunos privilegios nobiliarios.* **4** || **monarquía absoluta;** aquella en la que el poder del monarca está por encima de cualquier otro poder o ley. ☐ ETIMOL. Del griego *monarkhía.*

monárquico, ca ▮ adj. **1** De la monarquía, del monarca o relacionado con ellos. ▮ adj./s. **2** Partidario de la monarquía.

monarquismo s.m. Fidelidad o adhesión a la monarquía.

monasterial adj.inv. Del monasterio o relacionado con él.

monasterio s.m. Edificio en el que viven en comunidad los monjes o las monjas de una orden religiosa, esp. si es de grandes dimensiones y está situado fuera de una población. ☐ SINÓN. *cenobio.* ☐ ETIMOL. Del griego *monastérion.*

monástico, ca adj. De los monjes, de su estado, del monasterio o relacionado con ellos.

monda s.f. Véase **mondo, da**.

mondadientes (pl. *mondadientes*) s.m. Utensilio de pequeño tamaño, delgado y rematado en punta, que se utiliza para limpiar los restos de comida que quedan entre los dientes. ☐ SINÓN. *escarbadientes.*

mondadura s.f. Cáscara o desperdicio de lo que se monda: *las mondaduras de una naranja.* ☐ SINÓN. *monda, peladura.* ☐ MORF. Se usa más en plural.

mondar ▮ v. **1** Referido esp. a un fruto o a un tubérculo, quitarles la piel, la cáscara o la corteza: *¿Quién me ayuda a mondar patatas?* □ SINÓN. *pelar.* ▮ prnl. **2** Reírse mucho: *Nos mondamos con el chiste que contó.* □ ETIMOL. Del latín *mundare* (limpiar, purificar).

mondo, da ▮ adj. **1** Limpio o libre de cosas superfluas, mezcladas o añadidas: *Se le ha caído el pelo y tiene la cabeza totalmente monda.* ▮ s.f. **2** Eliminación de la piel o de la cáscara de frutos, tubérculos o verduras: *La monda de las patatas se hace mejor con un cuchillo pequeño.* **3** Cáscara o desperdicio de lo que se monda: *Guarda las mondas para echárselas a los cochinos.* □ SINÓN. *mondadura, peladura.* **4** || **mondo y lirondo;** *col.* Limpio y sin ningún tipo de añadido. || **ser la monda (lironda); 1** *col.* Ser muy divertido: *Tu prima es la monda: no para de contar chistes.* **2** *col.* Ser extraordinario, raro o indignante: *Su carta es la monda: primero me dice que me espera y luego, que no se me ocurra ir.* □ ETIMOL. Del latín *mundus* (limpio, elegante). □ MORF. En la acepción 3, se usa más en plural.

mondongo s.m. En algunos animales, esp. en el cerdo, intestinos. □ ETIMOL. De origen incierto.

moneda s.f. **1** Pieza metálica, generalmente de forma redonda y grabada con algún símbolo del gobierno que la emite, que sirve de medida común para el cambio comercial: *¿Me prestas una moneda para llamar por teléfono?* **2** Unidad monetaria: *La moneda española hasta la adopción del euro era la peseta.* **3** || **moneda corriente;** la legal y usual. || **moneda {divisionaria/fraccionaria};** la que equivale a una fracción exacta de la unidad monetaria legal: *Los céntimos son monedas fraccionarias en muchos países.* || **pagar {con/en} la misma moneda;** comportarse una persona con otra de la misma manera que esta se ha portado con ella: *Nunca ayuda a nadie y algún día le pagarán con la misma moneda.* || **ser moneda corriente;** *col.* Ser habitual y no causar extrañeza: *Los temporales de viento aquí son moneda corriente.* □ ETIMOL. Del latín *moneta,* sobrenombre de la diosa Juno, porque junto a su templo se instaló una fábrica de moneda.

monedar v. Referido a una moneda, fabricarla: *La peseta ya no se moneda más.* □ SINÓN. *acuñar.*

monedera s.f. Véase **monedero, ra.**

monedero, ra ▮ s. **1** Persona que fabrica moneda. ▮ s.m. **2** Bolsa o cartera de pequeño tamaño que se utiliza para llevar el dinero, esp. las monedas. ▮ s.f. **3** En zonas del español meridional, bolsa o cartera para llevar las monedas. **4** || **monedero electrónico;** tarjeta de crédito que permite pagar pequeñas cantidades de dinero.

monegasco, ca adj./s. De Mónaco o relacionado con este país europeo. □ MORF. Incorr. *monaguesco.*

monema s.m. En lingüística, unidad mínima que tiene significado: *Los monemas se clasifican en lexemas y morfemas.*

mónera ▮ s.f. **1** Organismo en cuya organización celular no existe la membrana que separa el núcleo del citoplasma: *Los estreptococos son móneras.* ▮ pl. **2** En biología, reino de estos organismos: *Las bacterias pertenecen a las móneras.* □ ETIMOL. Del griego *monéres* (peculiar, solitario).

monería s.f. **1** Gesto o movimiento propio de los monos. □ SINÓN. *monada.* **2** Gesto o gracia que hace un niño pequeño. □ SINÓN. *monada.* **3** Halago, zalamería o muestra excesiva de cariño hacia alguien: *No intentes hacerme monerías, que no me vas a camelar.* □ SINÓN. *monada.* **4** Cosa de poca importancia, poco apreciada o que resulta molesta: *En lugar de trabajar, se pasa la mañana haciendo monerías con el ordenador.* **5** Lo que es bonito, gracioso o delicado: *El pisito que se ha comprado es una monería.* □ SINÓN. *monada.*

monetario, ria adj. De la moneda o relacionado con ella.

monetarismo s.m. Doctrina económica que concede gran importancia al control del dinero en circulación y sostiene que los fenómenos monetarios determinan la economía de una nación.

monetarista ▮ adj.inv. **1** Del monetarismo o relacionado con esta doctrina económica. ▮ adj.inv./s.com. **2** Partidario de la doctrina económica del monetarismo.

monetizar v. **1** Referido a billetes de banco o a otros instrumentos de pago, darles curso legal como moneda: *El Banco de España monetizará dos nuevos tipos de billetes.* **2** Referido a una moneda, fabricarla con metal: *Se ha monetizado una colección de monedas alusivas a la Casa Real.* □ SINÓN. *amonedar.* □ ETIMOL. Del latín *moneta* (moneda). □ ORTOGR. La *z* se cambia en *c* delante de *e* →CAZAR.

money (ing.) s.m. *col.* Dinero. □ PRON. [móni]. □ USO Su uso es innecesario.

mongol, -a ▮ adj./s. **1** De Mongolia o relacionado con este país asiático. □ SINÓN. *mogol, mongólico.* ▮ s.m. **2** Lengua de este país: *El mongol utiliza el mismo alfabeto que el ruso.*

mongólico, ca ▮ adj. **1** De Mongolia o relacionado con este país asiático. □ SINÓN. *mongol.* ▮ adj./s. **2** *desp.* Que padece mongolismo. □ USO La acepción 2 se usa como insulto.

mongolismo s.m. Malformación congénita producida por haberse triplicado total o parcialmente un cromosoma, que origina retraso mental y del crecimiento, y ciertas anomalías físicas. □ SINÓN. *síndrome de Down.* □ ETIMOL. De *mongol,* por la semejanza de los rasgos de las personas con esta malformación, con los rasgos de los mongoles.

mongoloide ▮ adj.inv. **1** Del grupo étnico propio del continente asiático y caracterizado por tener los ojos rasgados y la piel amarillenta. ▮ adj.inv./s.com. **2** *desp.* Referido a una persona, que tiene rasgos físicos que recuerdan los de los mongoles, esp. la forma oblicua de los ojos.

monicaco, ca s. **1** Persona de malas apariencias o considerada de poca importancia. **2** Persona pequeña en edad o en estatura. □ ETIMOL. De *monigote* por cruce con *macaco.*

monición s.f. En algunas celebraciones litúrgicas, texto breve que en determinados momentos se lee como introducción o como explicación de lo que se va a hacer.

monigote s.m. **1** *col.* Muñeco o figura grotesca. **2** *col.* Persona ignorante y que se considera de poca valía. □ ETIMOL. Quizá derivado, despectivo de *monago*.

monipodio s.m. Reunión o asociación de personas para tratar negocios o actividades poco legales. □ ETIMOL. De *monopolio*.

monís s.m. *col.* Dinero. □ ETIMOL. Del inglés *money* (dinero). □ MORF. Se usa más en plural.

monismo s.m. Doctrina filosófica que reduce todos los seres y fenómenos del universo a una idea o sustancia única, de la que se deriva todo lo aparentemente diverso. □ ETIMOL. Del griego *mónos* (uno, solo).

monista ▮ adj.inv. **1** Del monismo o relacionado con esta doctrina filosófica. ▮ adj.inv./s.com. **2** Partidario o seguidor del monismo.

monitor, -a ▮ s. **1** Persona que guía o que dirige a otras en el aprendizaje o en la realización de una actividad, esp. si esta es cultural o deportiva. ▮ s.m. **2** Aparato que aporta datos visuales o sonoros para facilitar el control de un proceso o de un sistema. □ ETIMOL. La acepción 1, del latín *monitor* (que advierte). La acepción 2, del inglés *monitor*.

monitorear v. En zonas del español meridional, monitorizar.

monitoreo s.m. En zonas del español meridional, monitorización.

monitorio, ria ▮ adj. **1** Que sirve para avisar. ▮ s.m. **2** Advertencia que las autoridades eclesiásticas dirigen a las fieles, esp. para averiguar ciertos hechos o para señalar normas de conducta. □ ETIMOL. Del latín *monitorius*, y este de *monere* (amonestar).

monitorización s.f. Control de la situación de un paciente a través de un monitor con un seguimiento continuo de sus constantes vitales.

monitorizar v. Controlar a un paciente a través de un monitor con un seguimiento continuo de sus constantes vitales: *Tras la operación, el paciente fue monitorizado.*

monja s.f. Mujer que pertenece a una orden o a una congregación religiosa. □ ETIMOL. De *monje*.

monje s.m. Individuo que pertenece a una orden monacal o a una congregación religiosa y que vive en comunidad sujeto a una regla y dedicado a la vida contemplativa. □ ETIMOL. Del provenzal antiguo *monge*.

monjil adj.inv. Propio de las monjas o relacionado con ellas.

mono, na ▮ adj. **1** *col.* Bonito, gracioso o atractivo: *Estás muy mona con ese vestido. Lleva una camisa muy mona.* ▮ adj./s. **2** *col.* En zonas del español meridional, referido a una persona, que es rubia. ▮ s. **3** Mamífero muy ágil, que tiene la cara desprovista de pelo, cuatro extremidades con manos y pies prensiles y los dedos pulgares opuestos al resto, y que es capaz de andar a cuatro patas o erguido: *Los monos se agarran a las ramas con las manos tan bien como con los pies.* □ SINÓN. *simio.* **4** *desp.* Joven inmaduro, esp. si intenta adoptar modales de adulto. **5** *col. desp.* Persona muy fea, esp. si es muy velluda. ▮ s.m. **6** Prenda de vestir de una sola pieza que cubre el cuerpo, los brazos y las piernas, esp. si se utiliza como traje de faena: *Los albañiles se suelen poner un mono para trabajar.* **7** En el lenguaje de la droga, síndrome de abstinencia: *Cuando los drogadictos están con el mono, pierden el control de sí mismos.* **8** *col.* Deseo o necesidad de algo que gusta mucho o que se necesita porque ya constituye una costumbre: *Tengo mono de sol, porque lleva lloviendo todo el mes.* ▮ s.f. **9** *col.* Borrachera. **10** En tauromaquia, refuerzo que se ponen los picadores en la pierna derecha: *La mona protege al picador de los golpes del toro.* **11** Rosca o torta adornada con huevos, que se cuece en el horno y suele estar rellena de chorizo y jamón. □ SINÓN. *hornazo.* **12** ‖ **a freír monas;** *col.* Expresión que se usa para indicar rechazo o desinterés: *Vete a freír monas y déjame en paz.* ‖ **el último mono;** *col.* La persona más insignificante o menos importante de un lugar. ‖ **mona (de Pascua);** pastel con figuras de chocolate que se hace en las fechas próximas a la fiesta cristiana de Pascua de Resurrección. ‖ **mono sabio;** →**monosabio.** ‖ **tener monos en la cara;** *col.* Expresión que se usa para protestar ante las miradas impertinentes. □ ETIMOL. Las acepciones 1-10, de origen incierto. La acepción 11, del catalán *mona*. □ SINT. 1. La acepción 7 se usa más con el verbo *tener* y equivalentes o en la expresión *estar con el mono*. 2. La acepción 9 se usa más con los verbos *pillar*, *coger* o equivalentes. 3. *A freír monas* se usa más con el verbo *mandar* o con los imperativos de *andar*, *ir* o equivalentes. 4. *Tener monos en la cara* se usa más en expresiones interrogativas o negativas.

mono- Elemento compositivo prefijo que significa 'único' o 'uno sólo': *monocolor, monocromía, monocotiledóneo, monolingüe, monofásico, monopétalo, monoplaza.* □ ETIMOL. Del griego *mónos*.

monobásico, ca adj. Referido a un compuesto químico, que solo contiene un átomo de hidrógeno reemplazable.

monobikini s.m. →**monobiquini.**

monobiquini (tb. *monobikini*) s.m. Traje de baño femenino que consta solo de una braga. □ SINÓN. *monoquini, monokini.*

monobloc adj.inv. Referido a un mecanismo o utensilio, que está compuesto de una sola pieza: *Un grifo monobloc tiene un solo mando para el agua fría y la caliente.* □ SINÓN. *monobloque.*

monobloque adj.inv. →**monobloc.**

monocameral adj.inv. En un sistema democrático, referido al poder legislativo, que está formado por una sola cámara de representantes. □ SINÓN. *unicameral.*

monocameralismo s.m. Sistema parlamentario basado en una sola cámara u órgano legislativo.

monocarril adj.inv./s.m. Referido a un tren, que circula sobre un solo raíl. □ SINÓN. *monorraíl.*

monocelular adj.inv. Referido a un organismo, que tiene el cuerpo formado por una sola célula. □ SINÓN. *unicelular.*

monociclo s.m. Vehículo formado por una barra vertical con un sillín en un extremo y una rueda en el otro, que se mueve mediante pedales.

monocito s.m. Tipo de glóbulo blanco con el núcleo grande y redondeado. □ ETIMOL. De *mono-* (uno sólo) y *-cito* (célula).

monoclinal adj.inv./s.m. Referido a un plegamiento del terreno, que se ha originado a causa de una tensión de la corteza terrestre, y tiene los estratos en la misma dirección. □ ETIMOL. De *mono-* (uno) y la terminación de *sinclinal.* □ SEM. Dist. de *anticlinal* (que tiene forma convexa) y de *sinclinal* (que tiene forma cóncava).

monoclonal adj.inv. →**anticuerpo monoclonal.**

monocolor adj.inv. **1** De un solo color. □ SINÓN. *monocromático, monocromo.* **2** En política, formado por miembros de un solo partido político.

monocorde adj.inv. **1** Referido esp. a un canto o a una sucesión de sonidos, que repiten una misma nota musical. **2** Monótono, insistente o sin variaciones: *Tuvimos que volver a escuchar sus quejas monocordes.* □ ETIMOL. Del francés *monocorde.*

monocordio s.m. Antiguo instrumento musical que se toca con una púa y que consta de una caja de madera con una única cuerda.

monocotiledóneo, a ▮ adj./s.f. **1** Referido a una planta, que tiene un embrión con un solo cotiledón: *El trigo es una monocotiledónea.* ▮ s.f.pl. **2** En botánica, clase de estas plantas, perteneciente a la división de las angiospermas: *Las gramíneas pertenecen a las monocotiledóneas.* □ ETIMOL. De *mono-* (uno solo) y cotiledón.

monocromático, ca adj. De un solo color. □ SINÓN. *monocolor, monocromo.* □ ETIMOL. De *mono-* (uno solo) y *cromático.*

monocromía s.f. Uso de un solo color.

monocromo, ma adj. De un solo color. □ SINÓN. *monocolor, monocromático.* □ ETIMOL. Del griego *monóchromos*, y este de *mónos* (uno) y *khróma* (color). □ PRON. Incorr. *[monócromo].

monocular adj.inv./s.m. Referido a un aparato, que permite la visión con un solo ojo: *un microscopio monocular.*

monóculo s.m. Lente para un solo ojo. □ ETIMOL. De *mono-* (uno solo) y el latín *oculus* (ojo).

monocultivo s.m. Sistema de explotación agrícola basado en el cultivo de una sola especie vegetal.

monodia s.f. Canto que se interpreta a una sola voz y sin acompañamiento instrumental. □ ETIMOL. Del griego *monoidía*, y este de *mónos* (uno) y *oidé* (canto).

monódico, ca adj. De un canto que se interpreta a una sola voz y sin acompañamiento instrumental o relacionado con él. □ ETIMOL. De *mono-* (uno solo) y el griego *oidé* (canto).

monodieta s.f. Dieta alimentaria que recomienda el consumo de un único alimento o de un grupo de alimentos.

monofásico, ca adj. Referido a la corriente eléctrica alterna, que solo tiene una fase o flujo de electrones.

monogamia s.f. **1** Estado o situación de una persona que está casada con un solo cónyuge o que solo se ha casado una vez. **2** Régimen familiar que prohíbe tener varios cónyuges a la vez.

monógamo, ma ▮ adj. **1** De la monogamia o relacionado con ella. **2** Referido a un animal, que se aparea con un solo individuo del otro sexo. ▮ adj./s. **3** Referido a una persona, que solo tiene un cónyuge. □ ETIMOL. De *mono-* (uno solo) y el griego *gámos* (matrimonio).

monogenismo s.m. Teoría antropológica según la cual todos los seres humanos descienden de un tipo primitivo y único. □ ETIMOL. Del griego *monogenés*, y este de *mónos* (uno) y *génos* (origen). □ SEM. Dist. de *poligenismo* (teoría que admite diversidad de individuos coetáneos en el origen de la especie humana).

monogenista adj.inv./s.com. Partidario del monogenismo.

monografía s.f. Estudio o tratado que se ocupa de un único tema. □ ETIMOL. De *mono-* (uno solo) y *-grafía* (descripción, tratado).

monográfico, ca adj. De la monografía o relacionado con ella: *un curso monográfico.*

monograma s.f. Dibujo hecho con dos o más letras de un nombre, generalmente las iniciales, y que se emplea como abreviatura o como símbolo. □ ETIMOL. De *mono-* (único) y *-grama* (gráfico).

monoico, ca adj. Referido a una planta, que tiene flores masculinas y femeninas separadas pero en un mismo tallo o tronco. □ ETIMOL. De *mono-* (uno solo) y el griego *ôikos* (casa). □ SEM. Dist. de *dioico* (con las flores de cada sexo en distintos tallos).

monoinsaturado, da adj. Referido a un hidrocarburo, que tiene un solo enlace covalente doble: *El aceite de oliva crudo contiene ácidos grasos monoinsaturados.*

monokini (tb. *monoquini*) s.m. →**monobikini.** □ ETIMOL. De *bikini*, porque *bi-* se ha interpretado como *dos* y se ha cambiado por *mono-* (uno solo).

monolingüe adj.inv. **1** Referido a un hablante o a una comunidad de hablantes, que utiliza una sola lengua: *España no es un país monolingüe, pero algunas de sus regiones sí lo son.* **2** Referido a un texto, que está escrito en un solo idioma: *un diccionario monolingüe de inglés.* □ ETIMOL. De *mono-* (uno solo) y el latín *lingua* (lengua).

monolingüismo s.m. Uso de una sola lengua en una zona plurilingüe.

monolítico, ca adj. **1** Del monolito o relacionado con él. **2** Que está hecho de una sola piedra.

monolitismo s.m. Tendencia o idea que se caracteriza por tener una cohesión perfecta.

monolito s.m. Monumento de piedra de una sola pieza. □ ETIMOL. Del griego *monólithos*, y este de *mónos* (uno) y *líthos* (piedra).

monologar v. Recitar o decir monólogos: *Contigo no se puede conversar porque te encanta monologar.* ☐ ORTOGR. La *g* se cambia en *gu* delante de *e* →PAGAR.

monólogo s.m. **1** Discurso o reflexión en voz alta que hace una persona que habla a solas o consigo misma, esp. los de un personaje dramático. ☐ SINÓN. *soliloquio.* **2** ‖ **monólogo interior;** en literatura, en un texto narrativo, reproducción de los pensamientos de un personaje en primera persona y tal y como surgen en su conciencia, respetando incluso su falta de coherencia sintáctica. ☐ ETIMOL. Del griego *monológos*, y este de *mónos* (uno) y *légo* (yo hablo).

monomando adj./s.m. Referido a un grifo, que tiene un solo mando para regular la cantidad de agua y su temperatura.

monomanía s.f. Preocupación o afición exageradas u obsesivas por algo. ☐ ETIMOL. De *mono-* (uno solo) y *-manía* (manía, obsesión).

monomaniaco, ca (tb. *monomaníaco, ca*) adj./s. Que padece monomanía.

monómero s.m. Compuesto de bajo peso molecular, cuyas moléculas son capaces de reaccionar entre sí o con otras para dar lugar a un polímero: *La glucosa es un monómero.* ☐ ETIMOL. De *mono-* (uno) y el griego *méros* (parte).

monomio s.m. En matemáticas, término de una expresión algebraica en el que sus elementos están unidos por la multiplicación: *La expresión '2x' es un monomio.* ☐ ETIMOL. De *mono-* (uno solo) y la terminación de *binomio*.

mononuclear adj.inv. Que tiene un solo núcleo: *células mononucleares.*

mononucleosis (pl. *mononucleosis*) s.f. Aumento anormal del número de un determinado tipo de glóbulos blancos en la sangre. ☐ ETIMOL. De *mono-* (uno), *núcleo* y *-osis* (enfermedad).

monoparental adj.inv. Con uno solo de los padres: *una familia monoparental.*

monopartidismo s.m. **1** Sistema político en el que predomina un partido. **2** Sistema político en el que solo está legalizado un partido.

monopartidista adj.inv. De un solo partido o del monopartidismo.

monopatín s.m. Plancha de madera u otro material, con ruedas en su parte inferior, que sirve para desplazarse y suele usarse como divertimento. ☐ USO Es innecesario el uso de los anglicismos *skate* o *skateboard.*

monopétalo, la adj. Referido a una flor o a su corola, que tiene un solo pétalo. ☐ SEM. Dist. de *gamopétalo* (con los pétalos parcial o totalmente soldados).

monoplano s.m. Avión que tiene solo un par de alas que forman un mismo plano.

monoplaza adj.inv./s.m. Referido a un vehículo, que tiene capacidad para una persona.

monoplejia (tb. *monoplejía*) s.f. Parálisis que afecta a un solo miembro, a un solo músculo o a un solo grupo muscular.

monopolio s.m. **1** Concesión otorgada por una autoridad competente a una empresa para que esta tenga la exclusiva en la fabricación o en la comercialización de un producto o en la prestación de un servicio. **2** Ejercicio, influencia o dominio exclusivos de una actividad: *Ese partido mayoritario tiene el monopolio del poder político.* **3** Uso o disfrute exclusivos o prioritarios: *El coche es de todos los hermanos, aunque el mayor tiene el monopolio.* ☐ ETIMOL. Del griego *monopólion*, y este de *mónos* (uno) y *poléo* (yo vendo).

monopolismo s.m. Defensa de un monopolio.

monopolista s.com. El que ejerce monopolio.

monopolístico, ca adj. Del monopolio o relacionado con él.

monopolización s.f. **1** Posesión o adquisición de la explotación exclusiva de un producto o de un servicio. **2** Acaparamiento o atracción en exclusiva.

monopolizador, -a adj./s. Que monopoliza.

monopolizar v. **1** Referido a un producto o a la prestación de un servicio, adquirirlos o tenerlos de forma exclusiva: *Esa empresa monopoliza el servicio de transportes nacionales.* **2** Referido esp. a un servicio, disfrutar de él de forma exclusiva: *En verano, los niños monopolizan la piscina.* **3** Acaparar o atraer: *Ese famoso actor monopoliza la atención del público.* ☐ ORTOGR. La *z* se cambia en *c* delante de *e* →CAZAR.

monóptero, ra adj. Referido a un edificio circular, que no tiene muros sino un círculo de columnas que sostienen el techo. ☐ ETIMOL. Del griego *monópteros*, y este de *mónos* (uno) y *pterón* (ala).

monoptongación s.f. Reducción a una sola vocal de las dos que forman un diptongo: *En 'oreja', que procede de 'auriculam', hay monoptongación.*

monoptongar v. Referido a un diptongo, fundirlo en una sola vocal: *La primera sílaba de 'poenam', en latín, se monoptonga en 'pena', en español.* ☐ ORTOGR. La *g* se cambia en *gu* delante de *e* →PAGAR.

monoptongo s.m. Vocal que resulta de una monoptongación o reducción de un diptongo: *La 'o' española de 'toro' es un monoptongo que procede del 'au' latino de 'taurus'.* ☐ ETIMOL. De *mono-* (uno solo) y el griego *phthóngos* (sonido).

monoquini (tb. *monokini*) s.m. →**monobiquini.** ☐ ETIMOL. De *biquini*, porque *bi-* se ha interpretado como *dos* y se ha cambiado por *mono-* (uno solo).

monorraíl adj.inv./s.m. Referido a un tren, que circula sobre un solo raíl. ☐ SINÓN. *monocarril.*

monorrimo, ma adj. Referido a un verso o a una composición poética, de una sola rima: *La cuaderna vía es una estrofa de cuatro versos monorrimos de catorce sílabas y esquema 'AAAA'.* ☐ SEM. Dist. de *monorrítmico* (de un solo ritmo).

monorrítmico, ca adj. De un solo ritmo. ☐ SEM. Dist. de *monorrimo* (con una sola rima).

monosabio (tb. *mono sabio*) s.m. En tauromaquia, mozo que ayuda al picador en la plaza.

monosacárido s.m. Hidrato de carbono que no puede descomponerse en hidratos de carbono más sencillos.

monosépalo, la adj. Referido a una flor o a su cáliz, que tiene un solo sépalo u hoja modificada. □ SEM. Dist. de *gamosépalo* (con los sépalos parcial o totalmente soldados).

monosilábico, ca adj. **1** Del monosílabo o relacionado con él: *En la acentuación monosilábica, la tilde diferencia significados, como en el par de palabras 'te' y 'té'.* **2** Referido a una lengua, que solo emplea monosílabos: *El chino es una lengua principalmente monosilábica.*

monosílabo, ba adj./s.m. Referido a una palabra, que tiene una sola sílaba: *'Sí' y 'no' son dos adverbios monosílabos.* □ ETIMOL. Del latín *monosyllabus*, y este del griego *monosýllabos*.

monoteísmo s.m. Creencia religiosa que admite la existencia de un solo dios. □ ETIMOL. De *mono-* (único) y el griego *theós* (dios).

monoteísta ▮ adj.inv. **1** Del monoteísmo o relacionado con esta creencia. ▮ adj.inv./s.com. **2** Que tiene como creencia el monoteísmo.

monotemático, ca adj. De un único tema: *La conversación que mantuvimos fue monotemática.*

monoterapia s.f. Tratamiento con un único medicamento: *Algunas enfermedades se tratan mejor con monoterapia que con terapia combinada.*

monotipia s.f. **1** Máquina de imprimir que funde los caracteres uno a uno. □ SINÓN. *monotipo.* **2** Arte o técnica de componer textos con esta máquina. □ SINÓN. *monotipo.*

monotipo s.m. →**monotipia.** □ ETIMOL. De *mono-* (uno solo) y el griego *týpos* (modelo, tipo).

monotonía s.f. **1** Uniformidad o igualdad de tono, esp. en la voz o en la música. **2** Falta de variedad o de cambios: *No soporta la monotonía y cambia de trabajo cada dos por tres.*

monótono, na adj. Que tiene monotonía. □ ETIMOL. Del griego *monótonos*, y este de *mónos* (uno) y *tónos* (tono, acento).

monotrema ▮ adj.inv./s.m. **1** Referido a un mamífero, que es ovíparo, con patas palmeadas y mandíbulas alargadas en forma de pico y sin dientes: *El ornitorrinco es un monotrema.* ▮ s.m.pl. **2** En zoología, orden de estos mamíferos: *Los monotremas presentan caracteres intermedios entre los mamíferos y los reptiles.* □ ETIMOL. De *mono-* (único) y el griego *trêma* (agujero).

monousuario adj.inv. Referido a un sistema informático, que solo puede ser utilizado por un usuario.

monovalente adj.inv. Referido a un elemento químico, que funciona con una sola valencia: *El calcio es monovalente.*

monovolumen adj.inv./s.m. Referido a un tipo de automóvil, que tiene un solo espacio dentro del cual se encuentra el motor, el maletero y el habitáculo de los pasajeros.

monóxido s.m. En química, óxido cuya molécula contiene un átomo de oxígeno.

monseñor s.m. Tratamiento honorífico que corresponde a determinados eclesiásticos. □ ETIMOL. Del italiano *monsignore*.

monserga s.f. **1** Explicación, pretensión o petición fastidiosas o pesadas: *Déjate de monsergas, que ya soy mayorcita.* **2** *col.* Lata, tabarra o tostón: *Menuda monserga nos dio con la guitarra...* □ ETIMOL. De origen incierto. □ MORF. En la acepción 1, se usa más en plural.

monstruo s.m. **1** Ser fantástico y extraño que generalmente asusta o espanta. **2** Lo que resulta muy grande o extraordinario: *Esa cantante dará un recital monstruo en el verano.* **3** Persona o cosa de enorme fealdad. **4** Persona muy cruel, malvada y perversa. **5** *col.* Persona que tiene extraordinarias cualidades para determinada actividad: *Es un monstruo para los negocios.* **6** Proyecto de una publicación, previo a su edición, y consistente en el diseño de su formato y de su aspecto material. □ ETIMOL. Del latín *monstrum* (prodigio). □ SINT. En la acepción 2, se usa en aposición, pospuesto a un sustantivo: *una ciudad monstruo.*

monstruosidad s.f. **1** Desproporción, anormalidad o fealdad exageradas en lo físico o en lo moral: *La monstruosidad de una guerra no se olvida fácilmente.* **2** Hecho o dicho monstruosos.

monstruoso, sa adj. **1** Excesivamente grande, extraordinario o feo. **2** Abominable, horrible o vituperable. □ ETIMOL. Del latín *monstruosus*.

monta s.f. **1** Importancia o valor: *Tiene un negocio de poca monta.* **2** Guía o conducción del caballo que ejecuta el que lo monta: *la técnica de la monta.* **3** Unión sexual de un animal macho con la hembra para fecundarla.

montacargas (pl. *montacargas*) s.m. Ascensor para subir y bajar cosas pesadas. □ ETIMOL. Del francés *monte-charge*.

montado, da ▮ adj. **1** Referido esp. a un soldado o a un policía, que va a caballo. ▮ s.m. **2** Bocadillo pequeño.

montador, -a s. **1** Persona que se dedica profesionalmente al montaje de máquinas, de muebles o de aparatos. **2** Persona que se dedica profesionalmente al montaje de películas de cine o de programas de radio o televisión.

montaje s.m. **1** Colocación o ajuste de las piezas de un objeto en el lugar que les corresponde. **2** En cine, vídeo y televisión, selección y colocación del material ya filmado para construir la versión definitiva de una película o de un programa. **3** Organización o coordinación de los elementos de un espectáculo teatral siguiendo el plan artístico de un director: *el montaje de una obra clásica.* **4** Lo que se prepara para que parezca otra cosa de la que es en realidad: *Todo ha sido un montaje periodístico para desprestigiarte.* **5** Ajuste y acoplamiento de las diversas partes de un todo: *En ese montaje fotográfico había un edificio enorme en medio de un desierto.*

montanear v. Referido a un cerdo, pastar o comer bellotas en el monte o en la dehesa: *La carne de los cerdos que montanean es muy sabrosa.*

montanera s.f. Véase **montanero, ra**.

montanero, ra ▮ s. **1** Guarda de un monte o de una dehesa. ▮ s.f. **2** Pasto de bellota que tienen los cerdos en montes o en dehesas. □ ETIMOL. De *montano.*

montano, na adj. Del monte o relacionado con él. □ ETIMOL. Del latín *montanus.*

montante s.m. **1** Suma, importe o cuantía: *¿Cuándo piensas abonar el montante de tus deudas?* **2** Ventana sobre la puerta de una habitación. □ ETIMOL. De *montar.*

montaña s.f. **1** Gran elevación natural del terreno. □ SINÓN. *monte.* **2** Territorio en el que abundan estas elevaciones: *El clima de montaña es fresco.* **3** *col.* Gran número o cantidad de algo, esp. si forma un montón: *Tengo una montaña de exámenes que corregir para mañana.* **4** Dificultad, obstáculo o problema: *No hagas una montaña de esta tontería sin importancia.* **5** ‖ **montaña rusa;** en ferias y parques de atracciones, atracción que consiste en unas vagonetas que circulan a gran velocidad por una vía con pendientes, curvas y vueltas muy pronunciadas. □ ETIMOL. Del latín **montanea.*

montañero, ra ▮ adj. **1** De la montaña o relacionado con ella. □ SINÓN. *montañés.* ▮ s. **2** Persona que practica el montañismo.

montañés, -a ▮ adj. **1** De la montaña o relacionado con ella. □ SINÓN. *montañero.* ▮ adj./s. **2** Natural de una montaña. **3** De Cantabria (comunidad autónoma), o relacionado con ella.

montañismo s.m. Deporte que consiste en realizar marchas a través de las montañas. □ SEM. Dist. de *alpinismo* (deporte que consiste en escalar montañas).

montañoso, sa adj. Referido a un territorio, que tiene muchas montañas.

montaplatos (pl. *montaplatos*) s.m. Montacargas pequeño que sirve para subir y para bajar la comida desde la cocina al comedor, esp. en hoteles y restaurantes.

montar v. **1** *col.* Organizar, armar o realizar: *Seis soldados montaron guardia junto al campamento. No montéis tanto jaleo.* **2** Referido a un objeto, armarlo o colocar y encajar las piezas en su sitio: *Tardamos dos horas en terminar de montar la estantería.* **3** Referido esp. a una vivienda, poner lo necesario para ocuparla o para vivir en ella: *Montaré el despacho con muebles de madera.* **4** Referido esp. a un negocio, establecerlo o instalarlo para que empiece a funcionar: *¿Dónde montarás la clínica?* **5** Referido esp. a una piedra preciosa, engastarla o engarzarla: *Yo te monto las perlas en oro con el diseño que tú elijas.* **6** Referido a la nata o a la clara del huevo, batirlas hasta ponerlas esponjosas y consistentes: *He traído nata para montar, y la tomaremos de postre con las fresas.* **7** Referido a un arma de fuego, ponerla en disposición de disparar: *El sargento enseñaba a los reclutas cómo montar el fusil y cómo dispararlo.* **8** Referido a un espectáculo o a una exposición, disponer lo necesario para que puedan tener lugar: *Esta directora ha montado varias obras teatrales con mucho éxito.* **9** Referido esp. a una película, hacer su montaje seleccionando y colocando el material filmado: *Cuando hayamos filmado todo, empezaremos a montar la película.* **10** Referido a un animal macho, unirse sexualmente a la hembra para fecundarla: *El toro montaba a la vaca.* □ SINÓN. *cubrir.* **11** Subir o ponerse encima de una cosa: *Monté al niño en el columpio. Móntate en el manillar y te doy un paseo.* **12** Ir a caballo o sobre otra cabalgadura: *Aprendió a montar con cinco años.* □ SINÓN. *cabalgar.* **13** Subir al caballo o a otra cabalgadura: *El piel roja montó de un salto y salió huyendo de los vaqueros.* **14** Referido esp. a un caballo, llevarlo como cabalgadura: *El jinete iba montando un potro precioso.* □ SINÓN. *cabalgar.* **15** Subir a un medio de transporte o utilizarlo: *Nunca he montado en avión. Se montó en un autobús equivocado y llegó tarde.* **16** Conducir o manejar un vehículo, esp. si es de dos ruedas: *¿Me enseñas a montar en bici?* **17** Seguido de la preposición 'en' y de términos que indican un estado de ánimo agresivo, manifestar con violencia lo que estos significan: *Montó en cólera y rompió la mesa de un puñetazo.* **18** ‖ **montárselo;** *col.* Organizarse alguien sus propios asuntos de manera productiva o fácil: *Gana mucho dinero porque se lo ha montado muy bien en su negocio.* ‖ **tanto monta;** es igual o vale lo mismo: *En mi casa, tanto monta mi marido como yo. Llévate el que quieras, tanto monta.* □ ETIMOL. Del francés *monter* (subir). □ SINT. Constr. de las acepciones 15 y 16: *montar* EN *algo.*

montaraz adj.inv. **1** Que vive en los montes o que se ha criado en ellos. **2** Rudo, tosco o grosero: *aspecto montaraz.* □ ETIMOL. De *monte.*

montazgo s.m. En la Edad Media, impuesto que se pagaba por el paso del ganado por un monte. □ ETIMOL. Del latín **montaticum*, y este de *mons* (monte).

monte s.m. **1** Gran elevación natural del terreno. □ SINÓN. *montaña.* **2** Terreno sin cultivar poblado de árboles, arbustos y matas. **3** ‖ **echarse al monte;** huir para escapar de alguna situación comprometida o difícil. ‖ **monte alto; 1** El poblado de árboles grandes: *El monte alto es propio del norte de España.* **2** Estos mismos árboles: *En esa montaña abunda el monte alto.* ‖ **monte bajo; 1** El poblado de arbustos, matas o hierbas y pequeños árboles: *El monte bajo es propio del clima mediterráneo.* **2** Estas matas o hierbas: *El monte bajo se quema muy fácilmente.* ‖ **monte (de piedad);** establecimiento público en el que se conceden préstamos a bajo interés a cambio de empeños. ‖ **monte de Venus; 1** *euf.* Pubis femenino. **2** En la palma de la mano, cada una de las pequeñas elevaciones situadas en la raíz de los dedos, esp. la del dedo pulgar. □ ETIMOL. Del latín *mons* (monte, montaña).

montea s.f. Búsqueda y persecución de la caza mayor en los montes.

montear v. Referido a la caza mayor, buscarla y perseguirla en los montes: *Los cazadores montearon durante toda la mañana.*

montenegrino, na adj./s. De Montenegro (república de Serbia y Montenegro), o relacionado con ella.

montepío s.m. **1** Depósito de dinero, creado generalmente a partir de descuentos en el salario de los individuos de un cuerpo o sociedad, para poder conceder pensiones o ayudas a sus familias. **2** Pensión que se paga o que se recibe de este depósito. **3** Establecimiento público o privado fundado con este objeto. □ ETIMOL. De *monte* y *pío* (piadoso). □ SEM. Dist. de *monte de piedad* (establecimiento público en el que se conceden préstamos a bajo interés).

montera s.f. Véase **montero, ra**.

montería s.f. Caza o cacería de animales de caza mayor. □ ETIMOL. De *monte*.

montero, ra ▌s. **1** Persona que busca y persigue la caza mayor en el monte. ▌s.f. **2** Gorro que usan los toreros, generalmente de terciopelo negro. □ ETIMOL. De *monte*.

montés adj.inv. Que vive, está o se cría en el monte.

montículo s.m. Montón pequeño, generalmente aislado, natural o hecho por las personas o por los animales. □ ETIMOL. Del latín *monticulus*.

montilla s.m. Vino blanco de gran calidad, originario de Montilla (ciudad cordobesa): *Tomaré un montilla de aperitivo.*

monto s.m. Suma final de varias cantidades.

montón s.m. **1** Conjunto de cosas puestas unas sobre otras, generalmente sin orden: *Tenía en la mesa un montón de papeles.* □ SINÓN. *taco.* **2** *col.* Gran cantidad o abundancia: *Se gastó un montón de dinero en regalos.* **3** ‖ **del montón**; *col.* Corriente y vulgar. □ ETIMOL. De *monte*.

montonera s.f. Véase **montonero, ra**.

montonero, ra ▌adj./s. **1** De un movimiento argentino de guerrilla urbana, de ideología peronista radical o relacionado con él. ▌s.f. **2** *col.* Montón grande de algo.

montuno, na adj. Del monte o relacionado con él.

montuosidad s.f. Abundancia de montes.

montuoso, sa adj. Referido a un terreno, que tiene muchos montes. □ ETIMOL. Del latín *montuosus*.

montura s.f. **1** Animal sobre el que se puede montar o llevar carga. □ SINÓN. *cabalgadura.* **2** Conjunto de los arreos o guarniciones de una caballería, esp. la silla de montar. **3** Armazón sobre el que se coloca o se monta algo: *Las gafas se componen de cristales y montura.* □ ETIMOL. Del francés *monture*.

monumental adj.inv. **1** Del monumento o relacionado con él. **2** *col.* Muy grande, excelente o espectacular.

monumentalidad s.f. Grandiosidad, espectacularidad y majestuosidad que se consideran propias de un monumento.

monumento s.m. **1** Obra pública, esp. arquitectónica o escultórica, de carácter conmemorativo: *En esa plaza hay un monumento a los caídos en la Guerra de la Independencia.* **2** Construcción que posee valor artístico, histórico o arqueológico: *Esta catedral es el monumento gótico más representativo de la ciudad.* **3** Obra científica, artística o literaria que se hace memorable por su mérito excepcional: *Los cuadros de Velázquez son monumentos admirados en todo el mundo.* **4** En la iglesia católica, altar adornado en el que se deposita la hostia consagrada el Jueves Santo (día de la última cena de Jesús). **5** *col.* Persona muy guapa o con un cuerpo muy bonito. □ ETIMOL. Del latín *monumentum* (monumento conmemorativo).

monzón s.m. Viento periódico que sopla principalmente en el sudeste asiático y que es frío y seco en invierno y húmedo y cálido en verano. □ ETIMOL. Del portugués *monção*.

monzónico, ca adj. **1** Del monzón o relacionado con este viento. **2** Referido esp. a un clima, que se caracteriza por las fuertes lluvias que se producen en verano.

moña s.f. **1** Lazo o adorno que suelen ponerse las mujeres en la cabeza. **2** *col.* Borrachera. **3** En zonas del español meridional, moño. □ ETIMOL. La acepción 1, de *moño*.

moñiga s.f. →**boñiga.**

moñigo s.m. →**boñigo.**

moñito s.m. →**corbata moñito.**

moño s.m. **1** Atado o recogido del cabello, que generalmente se hace enrollándolo sobre sí mismo y sujetándolo con horquillas. **2** En algunas aves, grupo de plumas de la cabeza que sobresalen. **3** En zonas del español meridional, lazo para el pelo. **4** ‖ **hasta el moño**; *col.* Muy harto: *estar hasta el moño.* □ ETIMOL. Quizá de la raíz prerromana *munn-* (bulto).

moñudo, da adj. Referido a un ave, que tiene unas plumas que sobresalen en la cabeza.

mopa s.f. Especie de bayeta o de cepillo hecho con hilos gruesos unidos a un mango muy largo, que se usa para quitar el polvo de los suelos. □ ETIMOL. Del inglés *mop*.

moquear v. Echar mocos: *Tengo la nariz irritada de tanto moquear.*

moqueo s.m. Secreción abundante de mocos.

moquero s.m. *col.* Pañuelo para limpiarse los mocos.

moqueta s.f. Tela fuerte que se utiliza para tapizar paredes o para alfombrar suelos. □ ETIMOL. Del francés *moquette*.

moquetar v. →**enmoquetar.**

moquete s.m. *col.* Puñetazo. □ ETIMOL. De *moco*.

moquette (fr.) s.f. En zonas del español meridional, moqueta. □ PRON. [mokét].

moquillo s.m. En algunos animales, esp. en el perro, enfermedad vírica contagiosa que generalmente produce fiebre, inflamación en las vías respiratorias y alteración del tejido nervioso. □ ETIMOL. De *moco*. □ SEM. Dist. de *moquita* (moco muy líquido).

moquita s.f. Moco muy líquido que fluye de la nariz. □ SINÓN. *moca.* □ SEM. Dist. de *moquillo* (enfermedad vírica).

mor || **por mor de;** *ant.* A causa de o en consideración a: *No puedo callarme lo que sé, por mor de la verdad.* □ ETIMOL. Por acortamiento de *amor.*

mora s.f. Véase **moro, ra.**

morabito (tb. *morabuto*) s.m. **1** Ermitaño musulmán. **2** Ermita o lugar en el que vive este ermitaño. □ ETIMOL. Del árabe *murabit* (ermitaño).

morabuto s.m. →**morabito.**

moráceo, a ▌adj./s.f. **1** Referido a una planta, que tiene hojas alternas, flores unisexuales muy pequeñas y agrupadas en espigas y frutos carnosos: *La higuera y el moral son plantas moráceas.* ▌s.f.pl. **2** En botánica, familia de estas plantas, perteneciente a la clase de las dicotiledóneas: *Algunas plantas de las moráceas se utilizan para la alimentación.* □ ETIMOL. Del latín *morus* (moral, árbol que da moras).

moracho, cha adj./s. De color morado poco vivo.

moraco, ca adj./s. *desp.* Moro.

morada s.f. Véase **morado, da.**

morado, da ▌adj./s.m. **1** Del color que resulta de mezclar rojo y azul. ▌s.m. **2** *col.* →**moratón.** ▌s.f. **3** Lugar en el que alguien mora o reside: *Esta cueva fue morada de osos.* **4** || **pasarlas moradas;** *col.* Encontrarse en una situación muy difícil o apurada: *Durante la guerra, las pasé moradas para mantener a mis hijos.* || **ponerse morado;** hartarse, saciarse o disfrutar mucho: *Me puse morado de paella.* □ ETIMOL. Las acepciones 1, 2 y 4, de *mora* (fruto). La acepción 3, de *morar.*

morador, -a adj./s. Que mora o habita en un lugar. □ USO Su uso es característico del lenguaje literario.

moradura s.f. Mancha amoratada o amarillenta que se produce en la piel, generalmente por efecto de un golpe. □ SINÓN. *cardenal, moratón.*

moral ▌adj.inv. **1** De las acciones o los caracteres humanos respecto a su bondad o a su maldad, o relacionado con ellos: *Los principios morales rigen el comportamiento de las personas.* **2** Que se considera bueno: *Tu comportamiento no me parece nada moral.* **3** Que atañe al espíritu o al respeto humanos, y no a lo material o jurídico: *No lo hagas si no quieres, pero tienes la obligación moral de ayudarlo.* ▌s.m. **4** Árbol de tronco grueso y recto, hojas ásperas, caducas y muy verdes, cuyo fruto es la mora, que, cuando está madura, es de color morado. ▌s.f. **5** Ciencia que estudia el bien y las acciones humanas respecto a su bondad o su maldad: *En la próxima evaluación estudiaremos ética y moral.* **6** Cualidad de las acciones humanas que las hace buenas o aceptables: *¿Crees que alguien se puede cuestionar la falta de moral del tráfico de personas?* □ SINÓN. *moralidad.* **7** Conjunto de valores espirituales y normas de conducta de una persona o de una colectividad que se consideran buenos o aceptables: *La moral no permite el asesinato ni el robo.* **8** Ánimo o confianza en uno mismo: *No piensa en el fracaso porque tiene mucha moral.* **9** || **comer la moral** a alguien; *col.* Desanimarlo o desmoralizarlo. □ ETIMOL. Las acepciones 1-3 y 5-8, del latín *moralis*, y este de *mos* (uso, costumbre). La acepción 4, de *mora* (fruto).

moraleda s.f. Terreno plantado de moreras. □ SINÓN. *moreral.*

moraleja s.f. Lección o enseñanza provechosas, esp. las que se deducen de una lectura didáctica. □ ETIMOL. De *moral.*

moralidad s.f. **1** Conformidad o acuerdo con los valores morales establecidos: *La moralidad de su comportamiento es innegable.* **2** Cualidad de las acciones humanas que las hace buenas o aceptables. □ SINÓN. *moral.*

moralina s.f. Moralidad falsa o inoportuna.

moralismo s.m. Predominio de los valores morales o defensa exagerada de ellos.

moralista s.com. Persona que se dedica a la enseñanza o al estudio de la moral.

moralización s.f. **1** Expresión o defensa de lo que se consideran buenas costumbres: *En la tertulia se hicieron moralizaciones sobre la juventud y la sociedad.* **2** Sustitución de los valores que se consideran malos por otros que se consideran buenos.

moralizador, -a adj./s. Que moraliza: *intención moralizadora.*

moralizante adj.inv. Que moraliza: *un discurso moralizante.*

moralizar v. **1** Enseñar o defender lo que se consideran buenas costumbres: *Sus novelas son pesadas y aburridas porque moraliza en exceso.* **2** Reformar los valores morales que se consideran malos enseñando los buenos: *Hay que moralizar la vida pública y acabar con el tráfico de influencias.* □ ORTOGR. La *z* se cambia en *c* delante de *e* →CAZAR.

moranco, ca adj./s. *desp.* Moro.

morapio s.m. *col.* Vino tinto de poca calidad.

morar v. Residir o habitar: *En esta calle moraron dos famosos escritores.* □ ETIMOL. Del latín *morari* (entretenerse, permanecer). □ USO Su uso es característico del lenguaje literario.

moratón s.m. *col.* Mancha amoratada o amarillenta que se produce en la piel, generalmente por efecto de un golpe. □ SINÓN. *cardenal, moradura, morado.*

moratoria s.f. Ampliación del plazo que se tiene para cumplir una obligación, esp. para pagar una deuda vencida. □ ETIMOL. Del latín *moratoria*, y este de *moratorius* (dilatorio).

morbidez s.f. Suavidad, blandura y delicadeza: *Los desnudos de la pintura barroca dan sensación de morbidez.* □ ETIMOL. Del italiano *morbidezza.*

mórbido, da adj. **1** Suave, blando y delicado: *En el siglo XVII gustaban las mujeres de carnes mórbidas.* **2** Que padece una enfermedad o que la ocasiona: *Los virus son agentes mórbidos.* □ ETIMOL. Del latín *morbidus.*

morbilidad s.f. Número de personas que enferman en una población o en un tiempo determinados, en relación con el total de la población. □ ETIMOL. Del inglés *morbility*. □ SEM. Dist. de *mortalidad* (número de muertes) y de *mortandad* (gran cantidad de muertes).

morbo s.m. *col.* Atracción y excitación que produce lo desagradable, lo cruel, lo prohibido o lo considerado inmoral.

morbosidad s.f. **1** Falta de moralidad o de licitud que hace que resulte atractivo o excitante lo que está prohibido, se considera inmoral o es desagradable o cruel. **2** Conjunto de los casos de enfermedades que caracterizan el estado sanitario de una población: *La morbosidad en zonas con poca higiene es muy alta.* **3** Capacidad para producir enfermedades: *La morbosidad de estas aguas ha producido ya varias muertes.*

morboso, sa ▮ adj. **1** De la enfermedad o relacionado con ella: *Tiene síntomas morbosos, pero no sabemos qué los produce. Esos morbosos pensamientos son producto de una mente enferma.* ▮ adj./s. **2** Que produce o que siente morbo o atracción y excitación producidas por lo desagradable, lo cruel, lo prohibido o lo considerado inmoral: *Le gustan las películas morbosas que se recrean en escenas macabras.* □ ETIMOL. Del latín *morbosus*.

morcilla s.f. **1** Embutido de sangre cocida y mezclada con cebolla y especias. **2** Frase o palabras que un actor improvisa e introduce en su papel en el momento de la representación. □ SINÓN. *embuchado.* **3** *col.* Lo que resulta deforme o mal hecho: *Eso no es un paquete sino una morcilla.* **4** **‖ que {me/te/...} den morcilla(s)**; *col.* Expresión que indica desprecio o desinterés. □ ETIMOL. De origen incierto.

morcillero, ra s. **1** Persona que elabora o vende morcillas. **2** Actor o actriz que introducen frecuentemente en su actuación morcillas o palabras improvisadas.

morcillo s.m. En un animal bovino, parte alta y carnosa de las patas.

morcón s.m. **1** Tripa gruesa de algunos animales que se utiliza para hacer embutidos. **2** Embutido hecho con esta tripa: *unos taquitos de morcón.* □ ETIMOL. Quizá de origen prerromano.

mordacidad s.f. Ironía o crítica agudas y malintencionadas.

mordaz adj.inv. Que muestra, expresa o implica ironía y crítica agudas y malintencionadas: *una persona mordaz.* □ ETIMOL. Del latín *mordax*.

mordaza s.f. Lo que sirve para tapar la boca e impedir hablar o gritar: *Los atracadores pusieron mordazas a los rehenes para que no pidieran socorro. El soborno es una mordaza que le impide decir la verdad.* □ ETIMOL. Del latín *mordacia*.

mordedor, -a ▮ adj. **1** Que muerde. ▮ s.m. **2** Utensilio de goma o de plástico que utilizan los bebés para morder.

mordedura s.f. Aprisionamiento que se hace de algo clavándole los dientes.

mordente s.m. →**mordiente.** □ ETIMOL. Del italiano *mordente*.

morder v. **1** Clavar los dientes: *Un perro mordió a este niño. Los caramelos no se muerden, se chupan.* **2** *col.* Besar o dar mordiscos suaves o cariñosos: *Su madre no dejaba de hacerle carantoñas y de morderle en las mejillas.* **3** *col.* Referido a una persona, manifestar o sentir gran enfado o rabia: *Le han negado el ascenso y está que muerde.* □ ETIMOL. Del latín *mordere*. □ MORF. Irreg. →MOVER.

mordida s.f. Véase **mordido, da.**

mordido, da ▮ adj. **1** Disminuido o deteriorado por efecto de una merma o desgaste: *Me vendieron una tela a muy buen precio porque tenía el borde mordido.* ▮ s.f. **2** *col.* Mordedura o mordisco. **3** *col.* Dinero que se acepta como soborno.

mordiente ▮ adj.inv. **1** Que muerde. □ SINÓN. *mordente.* ▮ s.m. **2** Sustancia química que sirve para fijar los colores o el pan de oro. □ SINÓN. *mordente.* **3** *col.* En zonas del español meridional, soborno o mordida.

mordiscar v. →**mordisquear.** □ ORTOGR. La *c* se cambia en *qu* delante de *e* →SACAR.

mordisco s.m. **1** Mordedura, esp. la que se hace con los dientes y arrancando una pequeña porción: *De un mordisco se llevó medio bocadillo.* **2** Porción o pedazo que se saca de esta manera: *¿Me das un mordisco de tu pastel?* **3** Parte o beneficio obtenidos en un reparto o en un negocio: *Sacó un buen mordisco de la venta del piso.*

mordisquear v. **1** Morder repetidamente y con poca fuerza o quitando pequeñas porciones: *Mordisqueaba con desgana el bocadillo.* □ SINÓN. *mordiscar.* **2** Picar o punzar como mordiendo: *Mordisqueó la hoja de papel con una grapadora, porque no se dio cuenta de que no tenía grapas.* □ SINÓN. *mordiscar.*

morena s.f. Véase **moreno, na.**

morenez s.f. Color oscuro que tira más o menos a negro. □ SINÓN. *morenura.*

moreno, na ▮ adj./s. **1** Referido esp. a un color o a un tono, que es oscuro y tira más o menos a negro: *pan moreno.* **2** Referido a una persona, que tiene el pelo castaño o negro: *Es una chica morena pero con la piel muy blanca.* **3** Referido esp. a una persona, que tiene la piel oscura o bronceada: *ponerse moreno.* **4** *col.* Referido a una persona, que es mulata o de piel negra: *Soy muy amiga de un moreno de origen africano, cuya familia se instaló en mi pueblo hace ya dos generaciones.* ▮ s.f. **5** Pez marino con fuertes dientes y el cuerpo alargado, cuya carne es muy apreciada para la alimentación humana. □ SINÓN. *murena.* □ ETIMOL. Las acepciones 1-4, de *moro*. La acepción 5, del latín *muraena*. □ MORF. En la acepción 5, es un sustantivo epiceno: *la morena {macho/hembra}.* □ USO En la acepción 4, tiene un matiz humorístico.

morenura s.f. →**morenez.**

morera s.f. Árbol de tronco grueso y recto, de hojas ásperas, caducas y muy verdes, cuyo fruto es la mora de color blanco o rosado: *Los gusanos de seda se alimentan de hojas de morera.*

moreral s.m. Terreno plantado de moreras. ☐ SINÓN. *moraleda.*
morería s.f. Barrio que habitaron los musulmanes.
moretón s.m. Mancha amoratada de la piel. ☐ ETIMOL. De *morado.*
morfema s.m. En una palabra, unidad mínima sin significado léxico, que sirve para derivar palabras nuevas o para dar forma gramatical a un lexema: *Las palabras 'niño' y 'niña' se diferencian por el morfema de género.* ☐ ETIMOL. Del griego *morphé* (forma) y *-ma* (resultado o efecto). ☐ SEM. Dist. de *lexema* (unidad mínima con significado léxico).
morfemático, ca adj. De los morfemas o relacionado con ellos.
morfina s.f. Sustancia que se extrae del opio y cuyas sales, en dosis pequeñas, se emplean en medicina con fines anestésicos o sedantes: *La morfina es una droga que crea adicción.* ☐ ETIMOL. Por alusión a Morfeo, dios griego del sueño, porque la morfina produce sopor.
morfinómano, na adj./s. Que es adicto a la morfina.
morfo- Elemento compositivo prefijo que significa 'forma': *morfología, morfogénesis.* ☐ ETIMOL. Del griego *morpho-.*
-morfo, -morfa Elemento compositivo sufijo que significa 'forma': *polimorfo, antropomorfa.* ☐ ETIMOL. Del griego *-morphos.*
morfogénesis (pl. *morfogénesis*) s.f. **1** En biología, proceso durante el cual se van desarrollando en un embrión los diferentes órganos del adulto a partir de estructuras indiferenciadas. **2** Creación o evolución del relieve de la superficie terrestre. ☐ ETIMOL. Del griego *morphé* (forma) y *génesis* (generación).
morfología s.f. **1** En lingüística, parte de la gramática que estudia la flexión, la composición y la derivación de las palabras: *La morfología estudia las clases de palabras y la estructura interna de cada una de ellas.* **2** En biología, parte que estudia la forma de los seres orgánicos y su evolución. **3** En geología, parte que estudia las formas del relieve terrestre, su origen y su evolución. ☐ ETIMOL. Del griego *morphé* (forma) y *-logía* (estudio, ciencia).
morfológico, ca adj. De la morfología o relacionado con ella.
morfosintáctico, ca adj. De la morfosintaxis o relacionado con esta parte de la lingüística: *el análisis morfosintáctico de un texto.*
morfosintaxis (pl. *morfosintaxis*) s.f. Parte de la lingüística que abarca la morfología y la sintaxis: *La morfosintaxis es una disciplina reciente que estudia la relación entre la forma de las palabras y su función en la oración.*
morganático, ca adj. **1** Referido a un matrimonio, que se realiza entre una persona de familia real y otra de linaje inferior, y en el que cada cónyuge conserva su condición anterior. **2** Referido a una persona, que contrae este matrimonio. ☐ ETIMOL. Del latín *matrimonium ad morganaticam*, boda en la que la esposa, de rango inferior al marido, renunciaba para sí y su descendencia a todos los bienes y títulos, excepto a la morganática (dádiva que el esposo entregaba a la esposa en la mañana del día de las nupcias).
morgue s.f. *col.* Depósito de cadáveres. ☐ ETIMOL. Del francés *morgue.* ☐ USO Su uso es innecesario.
moribundo, da adj./s. Que está muriendo o a punto de morir. ☐ ETIMOL. Del latín *moribundus.*
morigeración s.f. Moderación en las costumbres y el modo de vida. ☐ USO Su uso es característico del lenguaje culto.
morigerar v. Referido esp. a un afecto o a una pasión, moderarlos o evitar sus excesos: *La madurez morigera los impulsos. Debes morigerarte y olvidar tus ansias de venganza.* ☐ ETIMOL. Del latín *morigerare* (condescender), y este de *morem gerere* (dar gusto).
moriles (pl. *moriles*) s.m. Vino de buena calidad y de poca graduación alcohólica, originario de Moriles (pueblo cordobés): *De aperitivo, tomaremos unos moriles y unos pinchitos.*
morillo s.m. Caballete de hierro que se coloca en el hogar o en la chimenea para apoyar la leña. ☐ ETIMOL. De *moro*, porque el color de su piel se comparó con el de las cabezas que solían adornar los morillos y que acababan tiznándose por el uso.
morir v. **1** Dejar de vivir: *En el fatal accidente murieron varias personas. Las plantas verdes se mueren si no tienen luz.* ☐ SINÓN. *fallecer.* **2** Acabar, dejar de existir o extinguirse: *Cuando un día muere, otro comienza.* **3** Referido esp. a algo que sigue un curso, ir a parar o llegar a su fin: *De la casa sale un sendero que muere en las faldas de la montaña.* **4** || **morir de** algo; referido esp. a una sensación o a un sentimiento, experimentarlos intensamente: *Muero de ganas de volver a verte. Cada vez que tiene que hablar en público, se muere de vergüenza.* || **morir por** algo; sentir un gran amor, deseo o inclinación hacia ello: *Sus hijos lo admiran y mueren por él. Se muere por conseguir ese puesto.* ☐ ETIMOL. Del latín *mori.* ☐ MORF. Irreg.: 1. Su participio es *muerto.* 2. →MORIR.
morisco, ca ▌ adj. **1** De los moriscos o relacionado con estos musulmanes que vivían en reinos cristianos. ▌ adj./s. **2** Referido a un musulmán, que permaneció en España después de terminar la dominación musulmana y fue convertido a la fuerza al cristianismo.
morisma s.f. Multitud de moros.
morisqueta s.f. Gesto o mueca hechas con la cara.
morlaco s.m. Toro de lidia de gran tamaño. ☐ ETIMOL. De origen incierto.
mormón, -a ▌ adj. **1** →**mormónico.** ▌ adj./s. **2** Que practica el mormonismo. ☐ ETIMOL. De *Mormón*, nombre del profeta al que aludía el fundador del mormonismo.
mormónico, ca adj. Del mormonismo o relacionado con este movimiento religioso. ☐ MORF. En la lengua coloquial, se usa mucho la forma abreviada *mormón.*

mormonismo s.m. Movimiento religioso estadounidense fundado en el siglo XIX, basado en las enseñanzas bíblicas.

moro, ra ▌adj./s. **1** *desp.* Del norte de África (uno de los cinco continentes) o relacionado con esta zona. **2** Referido a un musulmán, que vivió en España en la época comprendida entre los siglos VIII y XV: *Boabdil fue el último rey moro.* **3** *col.* Que tiene como religión el islamismo: *La princesa mora se convirtió al cristianismo.* ☐ SINÓN. *musulmán.* ▌adj./s.m. **4** *col.* Referido a un hombre, que intenta dominar a su pareja por machismo y celos: *Es muy moro y no deja salir a su novia con amigos.* ▌s.f. **5** Fruto de la zarzamora, del moral y de la morera. **6** En derecho o en economía, dilación o tardanza en cumplir una obligación, esp. la de pagar una deuda vencida: *El banco está en dificultades por el elevado número de créditos en mora.* **7** ‖ **al moro;** *col.* En el lenguaje de la droga, a Marruecos para conseguir droga, generalmente hachís: *Bajará al moro, porque tiene asegurada la venta de la mercancía.* ‖ **moros en la costa;** *col.* Alguien cuya presencia no conviene o resulta peligrosa: *Ya me lo contarás en otro momento, porque hoy hay moros en la costa.* ☐ ETIMOL. Las acepciones 1-4, del latín *Maurus* (habitante del noreste de África). La acepción 5, del latín *mora.* La acepción 6, del latín *mora* (dilación). ☐ SINT. *Moros en la costa* se usa más con el verbo *haber* o equivalentes. ☐ USO Las acepciones 1-4 tienen un matiz despectivo.

morocho, cha ▌adj. **1** *col.* En zonas del español meridional, moreno. ▌adj./s. **2** *col.* En zonas del español meridional, referido a una persona, de piel negra.

morondo, da adj. *col.* Que no tiene lo que naturalmente lo cubre o rodea: *Esa planta se ha quedado completamente moronda.* ☐ ETIMOL. De *mondo.*

moronga s.f. **1** Alimento que se prepara con sangre cocida mezclada con especias. **2** *col.* En zonas del español meridional, sangre que sale por la nariz.

morosidad s.f. **1** Falta de puntualidad en el cumplimiento de un plazo: *La morosidad en los pagos será sancionada.* **2** Lentitud o tardanza: *Su morosidad en el trabajo me saca de quicio.*

moroso, sa adj./s. **1** Impuntual en un pago o en la devolución de algo. **2** Lento o con poca actividad. ☐ ETIMOL. Del latín *morosus.*

morrada s.f. Golpe fuerte, esp. el dado en la cara. ☐ SINÓN. *morrazo.*

morral s.m. Saco o talego generalmente usado por cazadores, pastores o caminantes para llevar provisiones o ropas. ☐ ETIMOL. De *morro* (cualquier cosa redonda semejante a la cabeza), porque antiguamente el morral también se colgaba de la cabeza de las bestias para que comiesen.

morralla s.f. Conjunto o mezcla de cosas inútiles o de poco valor.

morrazo s.m. *col.* →**morrada.**

morrear v. *vulg.* Besarse en la boca durante largo tiempo: *Esos novios morrean en cualquier esquina.*

morrena s.f. Conjunto de piedras y barro acumulados y transportados por un glaciar.

morreo s.m. *vulg.* Besuqueo continuado en la boca.

morrillo s.m. Parte carnosa y abultada que tienen las reses en la parte superior del cuello.

morriña s.f. *col.* Tristeza o melancolía, esp. las que se sienten por estar lejos de la tierra natal. ☐ ETIMOL. Del gallego y portugués *morrinha.*

morriñoso, sa adj. Que tiene o siente morriña.

morrión s.m. En una armadura, casco con los bordes levantados.

morro s.m. **1** En la cabeza de algunos animales, parte más o menos abultada en la que se encuentran la boca y los orificios nasales. ☐ SINÓN. *hocico.* **2** *col.* Labios. **3** Parte delantera que sobresale: *el morro de un coche.* **4** *col.* Cara dura: *Mi hermana tiene mucho morro, porque siempre se pone mi ropa.* **5** ‖ **a morro;** *col.* Referido a una forma de beber, directamente del recipiente y sin vaso. ‖ **estar de morros;** *col.* Estar enfadado o fastidiado. ‖ **poner morros** o **torcer el morro;** *col.* Poner cara de mal humor o de enfado. ☐ ETIMOL. De origen incierto.

morrocotudo, da adj. *col.* Muy grande, muy importante o muy difícil.

morrón s.m. *col.* Golpe fuerte e inesperado. ☐ ETIMOL. De *morro.*

morrudo, da adj. **1** Referido a un animal, que tiene el morro o el hocico grande y saliente. **2** *col.* Referido a una persona, que tiene los labios gruesos y salientes.

morsa s.f. Mamífero marino carnicero, parecido a la foca pero de mayor tamaño, que se caracteriza por el enorme desarrollo de sus caninos superiores. ☐ ETIMOL. Del francés *morse.* ☐ MORF. Es un sustantivo epiceno: *la morsa {macho/hembra}.*

morse s.m. →**código morse.** ☐ ETIMOL. Por alusión al nombre del inventor.

mortadela s.f. Embutido grueso hecho de carne muy picada, generalmente de cerdo o de vaca, tocino y especias. ☐ ETIMOL. Del italiano *mortadella,* y este del latín *murtatum* (embutido sazonado con mirto).

mortaja s.f. Vestidura con la que se viste o se envuelve un cadáver para enterrarlo. ☐ ETIMOL. Del latín *mortualia* (vestidos de luto).

mortal ▌adj.inv. **1** Que ha de morir: *Todos los seres vivos son mortales.* **2** Que ocasiona o puede ocasionar la muerte física o espiritual: *un veneno mortal.* **3** Propio de un muerto o semejante a él: *Se desmayó y su cuerpo tenía una frialdad mortal.* **4** Fatigoso o muy pesado: *un aburrimiento mortal.* **5** Referido a un sentimiento, que hace desear la muerte de otro: *un odio mortal.* **6** Muy fuerte o muy intenso: *El susto fue mortal.* **7** Decisivo o determinante: *La desaparición de su hijo fue un golpe mortal para su estabilidad mental.* ▌s.com. **8** Persona o ser de la especie humana: *Los mortales nos equivocamos.* ☐ ETIMOL. Del latín *mortalis.* ☐ MORF. En la acepción 8, se usa más en plural.

mortalidad s.f. **1** Calidad de lo que ha de morir: *Los seres vivos se caracterizan por su mortalidad.*

2 Número de muertes en una población o en un tiempo determinados, en relación con el total de la población: *La mortalidad infantil en el continente africano es muy alta.* ☐ SEM. En la acepción 2, dist. de *morbilidad* (número de personas que enferman) y de *mortandad* (gran cantidad de muertes).

mortandad s.f. Gran número de muertes ocasionadas por una catástrofe. ☐ ETIMOL. De *mortalidad.* ☐ SEM. Dist. de *morbilidad* (número de personas que enferman) y de *mortalidad* (número proporcional de muertos).

mortecino, na adj. Con poca intensidad, fuerza o viveza: *Este fuego mortecino ya no da calor.* ☐ ETIMOL. Del latín *morticinus.*

mortero s.m. **1** Recipiente en el que se machacan con un mazo semillas, especias u otras sustancias. **2** Pieza de artillería de gran calibre y corto alcance, que se usaba para lanzar bombas y proyectiles que describen trayectorias de curvas muy pronunciadas. **3** Masa formada por una mezcla de cemento o cal, arena y agua, que se usa en obras de albañilería. ☐ ETIMOL. Del latín *mortarium.* ☐ SEM. En la acepción 1, dist. de *almirez* (mortero pequeño y de metal).

mortífero, ra adj. Que ocasiona o puede ocasionar la muerte física: *Las pistolas son armas mortíferas.* ☐ SINÓN. *letal.* ☐ ETIMOL. Del latín *mortiferus*, y este de *mors* (muerte) y *ferro* (llevar).

mortificación s.f. **1** Producción de dolor, sufrimiento, disgusto o molestias: *Sus reproches solo buscan mi mortificación.* **2** Producción de sufrimiento físico para dominar las pasiones o los deseos considerados pecaminosos: *La cuaresma es para mí un tiempo de mortificación.* **3** Lo que mortifica: *Es una mortificación verte a todas horas con esa cara de malas pulgas.*

mortificador, -a adj. Que mortifica.

mortificante adj.inv. Que mortifica.

mortificar v. **1** Causar dolor, sufrimiento, disgusto o molestias: *Mortifica al caballo con la fusta. No te mortifiques con la idea de que no hiciste todo lo que podías.* **2** Causar sufrimiento físico o reprimir la voluntad para dominar las pasiones o los deseos considerados pecaminosos: *Los santos mortificaban su carne con cilicios. Por las mañanas se mortifica con ayuno riguroso.* ☐ ETIMOL. Del latín *mortificare.* ☐ ORTOGR. La *c* se cambia en *qu* delante de *e* →SACAR.

mortis causa (lat.) ‖ Por causa de muerte, esp. referido a una donación o a un testamento: *Las donaciones mortis causa se hacen para después del fallecimiento del donante y se rigen por las reglas de las disposiciones testamentarias.* ☐ PRON. [mórtis cáusa].

mortuorio, ria adj. De una persona muerta, de las ceremonias que por ella se hacen o relacionado con ellos. ☐ ETIMOL. Del latín *mortuus* (muerto).

morucho s.m. En tauromaquia, toro que es de media casta porque el padre o la madre no son de ganadería brava o no son de ganadería reconocida.

morueco s.m. Carnero que se destina a la reproducción. ☐ ETIMOL. Quizá de *marueco* (carnero padre).

mórula s.f. En el desarrollo de un embrión, fase en la que la célula huevo o cigoto presenta el aspecto de una pequeña mora.

moruno, na adj. Con las características propias de la cultura de los habitantes del norte de África: *una ciudad de arquitectura moruna.*

mosaico, ca ▌adj. **1** De Moisés o relacionado con este personaje bíblico. ▌s.m. **2** Obra artística hecha con piezas de diversos materiales o de diversos colores, encajadas o pegadas a una superficie para formar un dibujo. **3** Lo que está formado por elementos diversos: *Este país es un mosaico de partidos políticos.* **4** En botánica, enfermedad vírica de algunas plantas, cuyas hojas se cubren generalmente de manchas oscuras. ☐ ETIMOL. La acepción 1, del griego *Mosaikós* (relacionado con Moisés). Las acepciones 2-4, quizá del italiano *mosaico*, y este del griego *múseios* (relacionado con las Musas, artístico).

mosaísmo s.m. En el cristianismo, conjunto de preceptos e instituciones dadas por Moisés (personaje bíblico) al pueblo de Israel (país asiático). ☐ SINÓN. *ley antigua.*

mosca s.f. **1** Insecto con dos alas transparentes, seis patas largas con uñas y ventosas, cabeza elíptica y aparato bucal chupador en forma de trompa. **2** Conjunto de pelos que nace entre el labio inferior y el comienzo de la barba. **3** *col.* Dinero: *Afloja la mosca, que ahora pagas tú.* **4** ‖ **{andar/estar} mosca; 1** *col.* Estar prevenido o tener desconfianza: *Estoy muy mosca porque me da la impresión de que esto no va bien.* **2** *col.* Estar enfadado o molesto: *No sé por qué anda mosca conmigo, si yo no le he hecho nada.* ‖ **con la mosca {en/detrás de} la oreja;** *col.* Con recelo o con sospecha: *No sé bien lo que pasa, pero estoy con la mosca en la oreja.* ‖ **mosca (artificial);** aparato, parecido a la mosca, que se utiliza como cebo en la pesca con caña. ‖ **mosca cojonera;** persona que resulta molesta o fastidiosa. ‖ **(mosca) tsé-tsé;** insecto tropical, parecido a la mosca, que con su picadura transmite el microorganismo que produce la enfermedad del sueño. ‖ **{mosca/mosquita} muerta;** *col.* Persona apocada e inocente solo en apariencia. ‖ **por si las moscas;** *col.* Por si acaso o por lo que pueda pasar: *Aunque hace sol, llévate el paraguas por si las moscas.* ‖ **qué mosca {me/te/...} ha picado;** *col.* Qué {me/te/...} pasa: *¿Qué mosca le habrá picado para irse de esa manera?* ☐ ETIMOL. Del latín *musca.* ☐ MORF. En la acepción 1, es un sustantivo epiceno: *la mosca {macho/hembra}. Mosca tsé-tsé* es un sustantivo epiceno: *la mosca tsé-tsé {macho/hembra}.*

moscarda s.f. Insecto de mayor tamaño que una mosca, que deposita los huevos en la carne muerta para que las larvas se alimenten de ella. ☐ ETIMOL. De *mosca.* ☐ MORF. Es un sustantivo epiceno: *la moscarda {macho/hembra}.*

moscardón s.m. **1** Insecto más grande que la mosca, de color pardo oscuro y cuerpo muy velloso, que deposita sus huevos entre el pelo de los rumiantes. **2** Insecto de mayor tamaño que la mosca, que produce un gran zumbido y que deposita sus huevos en la carne fresca. □ SINÓN. *moscón*. **3** *col.* Persona que resulta molesta, pesada o impertinente. □ ETIMOL. De *moscarda*. □ MORF. En las acepciones 1 y 2, es un sustantivo epiceno: *el moscardón {macho / hembra}*.

moscatel ▮ adj.inv./s.amb. **1** Referido a la uva o a su viñedo, de la variedad que se caracteriza por tener el grano redondo, generalmente blanco y de sabor muy dulce: *Los vendimiadores recogieron mucho moscatel este año.* ▮ s.m. **2** →**vino moscatel.** □ ETIMOL. Del catalán *moscatell*.

mosco s.m. En zonas del español meridional, mosca.

moscón s.m. **1** Insecto de mayor tamaño que una mosca, que produce un gran zumbido y que deposita los huevos en la carne fresca. □ SINÓN. *moscardón*. **2** *col.* Persona que resulta molesta, pesada e impertinente, esp. el hombre que intenta entablar una relación con una mujer. □ MORF. En la acepción 1, es un sustantivo epiceno: *el moscón {macho / hembra}*.

mosconear v. *col.* Molestar de manera insistente, esp. si se hace fingiendo ignorancia para lograr un propósito: *Mosconeas tanto cuando quieres algo, que todo el mundo acaba harto de ti.*

mosconeo s.m. *col.* Molestia o importunación insistentes e impertinentes, esp. las que se causan fingiendo ignorancia para lograr un propósito.

moscoso s.m. Día de permiso, esp. para un funcionario público. □ ETIMOL. Por alusión al nombre de un ministro que instituyó estos días para los funcionarios.

moscovita adj.inv./s.com. **1** De Moscú (capital rusa), o relacionado con ella. **2** De Moscovia (antiguo principado que se extendía por la zona europea del actual territorio ruso), o relacionado con ella.

mosén s.m. En algunas zonas, tratamiento que se da a los sacerdotes. □ ETIMOL. Del catalán *mossèn* (mi señor). □ SINT. Se usa antepuesto a un nombre de pila.

mosquear ▮ v. **1** *col.* Desconfiar o hacer desconfiar: *Me mosqueó que de repente se mostrara tan amable. En cuanto ve a su esposa hablando con otro hombre se mosquea.* **2** *col.* Enfadar ligeramente o molestar: *Si sigues dándole la lata, conseguirás mosquearlo. Le dije que no y se mosqueó conmigo.* ▮ prnl. **3** En zonas del español meridional, llenarse de moscas: *Tapé el pan porque se estaba mosqueando.* □ ETIMOL. Las acepciones 1 y 2, de *mosca*, porque cuando alguien se mosquea, responde como si le hubiera picado una mosca.

mosqueo s.m. **1** *col.* Desconfianza o sospecha que se empiezan a sentir: *Desde que lo sorprendí revolviendo mis papeles, tengo un mosqueo con él...* **2** *col.* Enfado ligero.

mosqueta s.f. Rosal con tallos flexibles y muy espinosos, con hojas de color verde claro y flores blancas. □ ETIMOL. Del catalán *mosqueta*.

mosquete s.m. Antigua arma de fuego, más larga y de mayor calibre que un fusil, que se cargaba por la boca y se disparaba apoyando el cañón en una horquilla clavada en la tierra. □ ETIMOL. Del italiano *moschetto*.

mosquetero s.m. Soldado armado con un mosquete.

mosquetón s.m. **1** Arma de fuego más corta y ligera que el fusil. **2** Anilla que se abre y se cierra mediante un muelle o resorte y que se usa en alpinismo para sujetar las cuerdas en las rocas.

mosquitera s.f. →**mosquitero.**

mosquitero s.m. **1** Gasa que se coloca a modo de cortina alrededor de la cama para impedir el paso de mosquitos. □ SINÓN. *mosquitera*. **2** Malla metálica o de otro material que se coloca en puertas y ventanas para impedir el paso de insectos. □ SINÓN. *mosquitera*.

mosquito s.m. Insecto de menor tamaño que la mosca, con dos alas transparentes, patas largas y finas y un aparato bucal chupador en forma de trompa con un aguijón final. □ SINÓN. *cínife*. □ ETIMOL. De *mosca*. □ MORF. Es un sustantivo epiceno: *el mosquito {macho / hembra}*.

mosso d'esquadra (cat.) s.m. ‖ Miembro de la policía autonómica catalana. □ PRON. [mósu dascuádra].

mostacho s.m. Bigote de una persona, esp. si es muy poblado. □ ETIMOL. Del italiano *mostaccio*. □ MORF. En plural tiene el mismo significado que en singular.

mostajo s.m. Árbol de tronco liso, ramas gruesas, flores blancas y fruto de color rojo y sabor dulce: *El fruto del mostajo es comestible.* □ SINÓN. *mostellar*.

mostaza s.f. **1** Planta herbácea, de hojas grandes, alternas y dentadas, flores amarillas en racimo, frutos en forma de cápsula con dos valvas, y semillas negras muy pequeñas. **2** Salsa de color amarillento y sabor fuerte y picante, hecha con las semillas de esta planta. □ ETIMOL. De *mustum* (mosto), porque se le añadía a la mostaza para atenuar su sabor.

mostellar s.m. Árbol de tronco liso, ramas gruesas, flores blancas y fruto de color rojo y sabor dulce: *El mostellar es común en los bosques españoles.* □ SINÓN. *mostajo*. □ ETIMOL. Forma leonesa derivada de **mustalis* (de mosto) por el sabor de su fruto.

mosto s.m. Zumo que se obtiene de la uva antes de fermentar y hacerse vino. □ ETIMOL. Del latín *mustum*.

mostrador, -a ▮ adj./s. **1** Que muestra. ▮ s.m. **2** En un establecimiento comercial, mesa o mueble similar, generalmente alargado y cerrado por su parte exterior, sobre el que se muestran y despachan las mercancías o se sirven las consumiciones.

mostrar ▮ v. **1** Exponer a la vista o dejar ver: *La directora mostró a los asistentes el nuevo producto. En ese paraje, la naturaleza se muestra en todo su* *esplendor.* **2** Presentar o hacer ver: *Mi maestra me mostró cuál era el sentido de la vida.* **3** Indicar o enseñar mediante una explicación o una demostración: *El técnico le mostró cómo funcionaba el equipo de música.* **4** Referido a un sentimiento o a una cualidad del ánimo, darlos a conocer o hacerlos patentes: *Mostró su valor cuando sacó al niño de entre las llamas.* ▌ prnl. **5** Comportarse o manifestarse en la forma de actuar: *Desde la muerte de su hijo se muestra deprimido.* ☐ ETIMOL. Del latín *mostrare.* ☐ MORF. Irreg. →CONTAR.

mostrenco, ca adj./s. **1** *col.* Ignorante o poco inteligente. **2** *col.* Muy gordo y pesado. ☐ ETIMOL. De *mesta*, por influencia de *mostrar*, porque el que encontraba animales sin dueño tenía la obligación de hacerlos manifestar por el pregonero o *mostrenquero*, y de este significado de *animal sin dueño*, pasó a *sin valor*.

mota s.f. **1** Partícula pequeña de cualquier cosa: *una mota de polvo.* **2** Mancha, pinta o dibujo redondeados o muy pequeños: *Llevaré un vestido rojo con motas blancas.* **3** *col.* En zonas del español meridional, marihuana. ☐ ETIMOL. De origen incierto.

motard (fr.) s. →**motero.** ☐ PRON. [motár].

mote s.m. **1** Nombre que se da a una persona en sustitución del propio y que suele aludir a alguna condición o característica suyas. ☐ SINÓN. *apodo.* **2** Cereal entero, esp. el trigo, con el que se preparan varios guisos, postres y bebidas refrescantes. ☐ ETIMOL. La acepción 1, del provenzal o del francés *mot* (palabra, sentencia breve).

motear v. Referido esp. a una tela, ponerle motas de diferente color: *La diseñadora moteó de blanco la tela azul.*

motejar v. Referido a una persona, ponerle un mote o apodo como censura de sus acciones: *Lo motejaron de irascible debido a su mal carácter.* ☐ ORTOGR. 1. Dist. de *cotejar*. 2. Conserva la *j* en toda la conjugación. ☐ SINT. Constr. *motejar a alguien* DE *algo.*

motel s.m. Establecimiento público situado cerca de la carretera, en el que se da alojamiento, generalmente en apartamentos independientes. ☐ ETIMOL. Del inglés *motel*, y este de *motor* y *hotel*.

motero, ra adj./s. Que es aficionado a las motos y a todo lo relacionado con el motociclismo. ☐ USO Es innecesario el uso del anglicismo *biker* y del galicismo *motard*.

motete s.m. Composición musical breve, de carácter religioso y destinada a ser cantada en las iglesias: *Los motetes tuvieron su época de esplendor durante la Edad Media.* ☐ ETIMOL. Del provenzal antiguo *motet*.

motilidad s.f. Capacidad de movimiento: *La motilidad de los espermatozoides es muy importante en la fecundación.* ☐ ETIMOL. Del latín *motus* (movimiento) y la terminación de *movilidad*.

motilón, -a adj./s. **1** *col.* Que tiene poco pelo en la cabeza: *Los bebés motilones me hacen mucha gracia.* **2** Que pertenece a un pueblo indígena que habita en zonas colombianas y venezolanas y que se caracteriza por un corte de pelo en forma de casquete alrededor de la cabeza.

motín s.m. Rebelión o levantamiento violento de una muchedumbre contra la autoridad establecida: *el motín de una cárcel.* ☐ ETIMOL. Del francés antiguo *mutin*.

motivación s.f. **1** Estimulación que suscita o despierta el interés: *En la enseñanza, la motivación del alumno es muy importante.* **2** Causa, razón o estímulo que impulsan a hacer algo o que lo determinan: *Siguen investigando las motivaciones del asesinato.* ☐ SINÓN. *motivo.*

motivador, -a adj. Que motiva: *Esta profesora es una persona muy motivadora que sabe despertar nuestro interés.*

motivar v. **1** Referido esp. a una acción, dar motivo o razón para ella o ser motivo de ella: *La mala visibilidad motivó el accidente aéreo.* **2** Animar o estimular suscitando interés: *El entrenador motivó a sus jugadores para vencer en el partido.*

motivo s.m. **1** Causa, razón o estímulo que impulsan a hacer algo o que lo determinan: *Ignoro el motivo que te llevó a marcharte.* ☐ SINÓN. *motivación.* **2** En bellas artes o en decoración, tema o dibujo básicos: *La tela de las cortinas tiene motivos florales.* ☐ ETIMOL. Del latín *motivus* (relativo al movimiento).

moto s.f. **1** *col.* →**motocicleta.** **2** ‖ **como una moto; 1** *col.* Muy inquieto o muy nervioso: *En los días de examen está como una moto.* **2** *col.* Muy loco: *Tu amigo está como una moto, no para de hacer tonterías.* ‖ **moto {náutica/acuática};** vehículo similar a una moto, pero sin ruedas, y que se desplaza por el agua. ‖ **vender la moto;** *col.* Convencer o camelar: *Quiere que le acompañe a ese horrible viaje, y lleva una semana intentando venderme la moto.* ☐ ORTOGR. Incorr. **amoto.*

moto- Elemento compositivo prefijo que significa 'movido por motor': *motocarro, motonave, motopesquero, motosierra.* ☐ ETIMOL. Del latín *motus* (movido).

motoazada s.f. Aparato mecánico que sirve para cavar y remover la tierra.

motobomba s.f. Bomba para extraer líquidos que funciona impulsada por un motor.

motocarro s.m. Vehículo de tres ruedas y motor, que se utiliza para el transporte de cargas poco pesadas.

motocicleta s.f. Vehículo de dos ruedas que es impulsado por un motor de explosión. ☐ ETIMOL. Del francés *motocyclette.* ☐ MORF. En la lengua coloquial, se usa mucho la forma abreviada *moto.* ☐ SEM. Dist. de *ciclomotor* y *velomotor* (con pedales y con motor de menor potencia).

motociclismo s.m. Deporte que se practica con una motocicleta y tiene diferentes competiciones y modalidades.

motociclista s.com. **1** Persona que conduce una motocicleta. ☐ SINÓN. *motorista.* **2** Deportista que practica el motociclismo.

motociclo s.m. Vehículo de dos ruedas con motor: *La motocicleta y el ciclomotor son motociclos.*

motocine s.m. Lugar al aire libre en el que se proyectan películas que se pueden ver desde el coche.

motocross (ing.) s.m. Modalidad de motociclismo en la que los participantes corren en un circuito sin asfaltar y con desniveles y desigualdades. □ PRON. [motocrós].

motocultivador s.m. →**motocultor.**

motocultor s.m. Arado pequeño, provisto de motor y ruedas, que se conduce a pie por medio de un manillar y que suele usarse en jardinería o en labores agrícolas sencillas. □ SINÓN. *motocultivador.*

motoesquí (pl. *motoesquíes, motoesquís*) s.m. Moto de una o dos plazas que está provista de esquís y que sirve para deslizarse sobre la nieve. □ USO Se usa también como femenino.

motonáutica s.f. Véase **motonáutico, ca**.

motonáutico, ca ▮ adj. **1** De la motonáutica o relacionado con este deporte. ▮ s.f. **2** Deporte que consiste en hacer carreras con embarcaciones con motor. □ ETIMOL. La acepción 2, de *moto-* (movido por motor) y *náutica*.

motonave s.f. Nave o embarcación, generalmente de carga o de pasajeros, que funciona impulsada por un motor.

motoneta s.f. **1** Vehículo de cuatro ruedas, con un motor y un manillar, esp. utilizado por personas disminuidas físicas. **2** En zonas del español meridional, escúter.

motonieve s.f. Vehículo similar a una moto, preparado para que pueda deslizarse sobre la nieve.

motopesquero s.m. Embarcación de pesca impulsada por un motor.

motopropulsión s.f. Impulso producido por un motor: *Los coches tienen un sistema de motopropulsión.*

motor, -a ▮ adj. **1** En el sistema nervioso, referido a un nervio, que sale de la médula espinal y transmite los impulsos que producen las contracciones musculares: *Una lesión en un nervio motor puede producir una parálisis.* **2** Que produce movimiento: *El mecanismo motor de mi reloj es la cuerda. Algunas neuronas transmiten los impulsos motores.* ▮ adj./s.m. **3** Que hace que algo funcione o se desarrolle: *En un negocio, el elemento motor son las ganancias.* ▮ s.m. **4** Máquina que transforma en movimiento cualquier otra forma de energía: *Dejó el coche en la cuneta porque salía humo del motor.* ▮ s.f. **5** Embarcación de pequeño tamaño movida por esta máquina: *Una motora de la policía persiguió la lancha de los contrabandistas.* **6** ‖ **motor de arranque;** el que en un automóvil engrana con el motor principal para el arranque. ‖ **motor de explosión;** el que funciona con un combustible líquido que explosiona por la acción de una chispa o de un quemador. ‖ **motor de reacción;** el que produce movimiento mediante la expulsión de los gases que él mismo produce. □ SINÓN. *reactor.* □ ETIMOL. Del latín *motor* (que mueve). □ MORF. Como adjetivo admite también la forma de femenino *motriz: causa motriz, fuerza motriz.* □ SINT. Incorr. (galicismo): *motor {*a > de} vapor, motor {*a > de} gasolina.*

motora s.f. Véase **motor, -a**.

motorismo s.m. Deporte que se practica con un vehículo automóvil, esp. con una motocicleta.

motorista s.com. **1** Persona que conduce una motocicleta. □ SINÓN. *motociclista.* **2** Agente de policía, esp. el de tráfico, que va en motocicleta. **3** En zonas del español meridional, conductor de un vehículo.

motorización s.f. **1** Dotación de maquinaria o de material con motor: *La motorización de nuestra empresa incrementará la producción.* **2** *col.* Adquisición de un vehículo para uso propio: *Es imprescindible tu motorización, si quieres trabajar como viajante.*

motorizar ▮ v. **1** Dotar de maquinaria o de material con motor: *Los ejércitos modernos han motorizado sus unidades de infantería.* ▮ prnl. **2** *col.* Adquirir un vehículo para uso propio: *Tengo que motorizarme cuanto antes, porque trabajo en la otra punta de la ciudad.* □ ORTOGR. La *z* se cambia en *c* delante de *e* →CAZAR.

motorola s.f. Teléfono portátil, esp. el que es para el automóvil: *Instaló en su coche una motorola.* □ ETIMOL. Extensión del nombre de una marca comercial.

motosierra s.f. Sierra provista de un motor y que sirve para cortar árboles y madera.

motoso, sa adj. **1** En zonas del español meridional, referido al pelo, muy rizado. **2** En zonas del español meridional, referido a una tela, que le han salido pelotillas.

motovelero s.m. Embarcación de vela con motor auxiliar.

motricidad s.f. **1** Capacidad para moverse o producir movimiento: *Las plantas no tienen motricidad.* **2** Capacidad del sistema nervioso central o de algunos centros nerviosos para producir contracciones de los músculos ante determinados estímulos: *La lesión cerebral le produce trastornos de la motricidad.*

motriz adj. f. de **motor**.

motu proprio (lat.) ‖ De manera voluntaria o por propia voluntad: *Te he invitado motu proprio, nadie me ha obligado.* □ ORTOGR. Incorr. **motu propio.* □ SINT. Incorr. **de motu proprio.*

mountain bike (ing.) s.f. ‖ Bicicleta de ruedas gruesas y que se agarran bien al suelo, esp. diseñada para terrenos irregulares no asfaltados. □ PRON. [móntan báik]. □ USO Su uso es innecesario y puede sustituirse por *bicicleta de montaña.*

mouse (ing.) s.m. →**ratón.** □ PRON. [máus]. □ USO Su uso es innecesario.

mousse (fr.) s.amb. Crema muy esponjosa, esp. si es de chocolate, que suele tomarse como postre: *Esta mousse de chocolate está riquísima.* □ PRON. [mus]. □ MORF. En zonas del español meridional se usa como masculino. □ USO Su uso es innecesario y puede sustituirse por *espuma.*

mouton (fr.) s.m. Piel de cordero, curtida y tratada, que se utiliza en la confección de prendas de abrigo. □ PRON. [mutón].

movedizo, za adj. Poco seguro o poco firme: *arenas movedizas.*

mover ▮ v. **1** Cambiar de posición o de lugar: *Tuvo que mover el armario para limpiar detrás. No te muevas, que te hago una foto.* **2** Menear o agitar: *Movió la cabeza para negar. La lavadora se mueve cuando hace el centrifugado.* **3** Referido esp. a un sentimiento o a una acción, dar motivo para ellos o impulsar a ellos: *El hambre y la miseria mueven a compasión.* **4** Referido a un asunto, hacer gestiones para que se solucione con rapidez y con eficacia: *El abogado que movía el caso no le dio muchas esperanzas.* ▮ prnl. **5** Andar, caminar o desplazarse: *No me gusta moverme por el centro de la ciudad con el coche.* **6** *col.* Darse prisa: *Muévete, o no acabarás nunca.* **7** Desenvolverse en un determinado ambiente o frecuentarlo: *Se mueve en círculos intelectuales.* **8** Preocuparse y hacer lo necesario para conseguir o resolver algo: *Si quiere un buen trabajo tendrá que moverse mucho.* □ ETIMOL. Del latín *movere.* □ MORF. Irreg. →MOVER. □ SINT. Constr. de la acepción 3: *mover* A *algo.*

movible adj.inv. Que puede moverse por sí mismo o que puede ser movido.

movida s.f. Véase **movido, da**.

movido, da ▮ adj. **1** Ajetreado, activo o con mucha diversidad: *Estoy cansada porque he tenido un día muy movido.* **2** Referido esp. a una imagen, borrosa o poco nítida a causa de un movimiento: *Algunas fotos han salido movidas.* ▮ s.f. **3** *col.* Juerga, animación o ambiente de diversión: *En esta playa hay mucha movida en verano.* **4** *col.* Agitación con incidencias, generalmente producida por algún acontecimiento: *Mañana empieza la movida electoral.* **5** ‖ **tener movida;** *col.* Discutir, amonestar o recibir una amonestación severa: *Ayer tuvo movida con sus padres por las notas.*

móvil ▮ adj.inv. **1** Que puede moverse o ser movido: *En la biblioteca hay tabiques móviles para poder ampliar salas cuando es necesario.* **2** Referido a un sistema de telefonía, que utiliza teléfonos portátiles que permiten la comunicación sin cables por medio de ondas radioeléctricas. □ SINÓN. *celular.* ▮ adj.inv./s.m. **3** Referido a un teléfono, que es portátil y puede comunicar con otros teléfonos, portátiles o fijos, a cualquier distancia y por medio de ondas radioeléctricas. □ SINÓN. *celular.* ▮ s.m. **4** Motivo, causa o razón: *El móvil del crimen no fue el robo.* **5** En física, cuerpo en movimiento: *Calcula cuándo se cruzarán estos dos móviles que se desplazan con movimiento uniforme.* **6** Objeto decorativo formado por figuras colgadas o en equilibrio, que se mueven con el aire o con un pequeño impulso. □ ETIMOL. Del latín *mobilis* (movible).

movilero, ra s. En zonas del español meridional, reportero.

movilidad s.f. Capacidad de poderse mover: *Prefiero ir en coche para tener más movilidad.*

movilización s.f. **1** Puesta en actividad o en movimiento: *Ante el aviso de bomba, la movilización de la policía fue inmediata.* **2** Llamada de nuevo a filas de los soldados licenciados o de los mandos en reserva por causa o temor de guerra.

movilizar v. **1** Poner en actividad o en movimiento: *Los sindicatos movilizarán a sus afiliados. Todos los bomberos de la zona se movilizaron para apagar aquel enorme incendio.* **2** Referido a soldados licenciados y a mandos en reserva, llamarlos nuevamente a filas, esp. por causa o temor de guerra: *Si la guerra continúa, movilizarán a los que están en la reserva.* □ ETIMOL. Del francés *mobiliser.* □ ORTOGR. La *z* se cambia en *c* delante de *e* →CAZAR.

movimiento s.m. **1** Cambio de lugar o de posición: *La emigración y la inmigración son movimientos de población.* **2** Sacudida o agitación de un cuerpo: *Se asustó tanto que noté en su pecho el movimiento del corazón.* **3** Estado de un cuerpo cuando cambia de posición o de lugar: *Mientras el autobús esté en movimiento, no te bajes aunque se abra la puerta.* **4** Circulación, agitación o tráfico continuo de personas, animales o cosas: *En esta calle, cuando más movimiento hay es el domingo.* **5** Sublevación, alzamiento o rebelión: *El movimiento militar impuso el toque de queda.* **6** Conjunto de manifestaciones religiosas, políticas, sociales, artísticas o de otro tipo que tienen características comunes y generalmente innovadoras: *El impresionismo es un movimiento artístico principalmente pictórico.* **7** Marcha real o aparente de los cuerpos celestes: *La Tierra tiene un movimiento de rotación sobre sí misma y otro de traslación alrededor del Sol.* **8** Alteración, inquietud o conmoción: *No ha habido mucho movimiento en mi vida durante los últimos años.* **9** Conjunto de alteraciones o novedades que se realizan en algunas actividades humanas: *Ha sido un año de escaso movimiento teatral.* **10** En los cálculos mercantiles, alteración numérica en la cuenta durante un tiempo determinado: *Solicité un extracto de los últimos movimientos de mi cuenta.* **11** En música, velocidad de ejecución en una composición o en un pasaje: *Los términos 'largo' y 'presto' en una partitura indican, respectivamente, que esta debe ejecutarse con un movimiento muy lento o muy rápido.* **12** En música, en una composición extensa, parte dotada de cierta autonomía y diferenciada de las demás por poseer un tempo y una velocidad de ejecución propios: *El segundo movimiento de la sinfonía era un adagio muy emotivo.* □ ETIMOL. De *mover.*

moviola s.f. **1** Máquina para regular el movimiento de las imágenes, usada en cine y televisión: *Repitieron en la moviola las imágenes del penalti.* **2** Imagen proyectada y manipulada con esta máquina: *Veremos la moviola del lanzamiento a gol.* □ ETIMOL. La acepción 1 es extensión del nombre de una marca comercial.

moxa s.f. Mecha de algodón, hojas secas u otra sustancia inflamable, que se utiliza como método curativo quemándola sobre la piel, en contacto directo con ella o poniendo algo entre la piel y la mecha: *En acupuntura, se coloca a veces una moxa próxima a la aguja para que el calor penetre en los tejidos.* □ ETIMOL. Del japonés *mókusa* (hierba para quemar).

moxibustión s.f. Técnica curativa basada en la acupuntura, en la que se cauterizan los puntos donde se insertan las agujas.

moza s.f. Véase **mozo, za.**

mozalbete s.m. Mozo de pocos años. □ ETIMOL. De *mozo* y *albo* (blanco), por la falta de pelo en la cara de los mozos.

mozambiqueño, ña adj./s. De Mozambique o relacionado con este país africano.

mozárabe ▮ adj.inv. **1** Referido a un estilo arquitectónico, que se desarrolló en España entre los siglos X y XI, y se caracteriza por la mezcla de elementos visigodos y árabes: *Uno de los elementos de la arquitectura mozárabe es el arco de herradura.* **2** De los mozárabes o relacionado con estos cristianos que vivían en territorio musulmán: *La liturgia mozárabe se conserva en una capilla de la catedral de Toledo.* **▮** adj.inv./s.com. **3** Referido a un cristiano, que vivía en territorio musulmán durante la dominación musulmana en España, manteniendo su propia religión: *Los mozárabes eran expertos miniaturistas.* **▮** s.m. **4** Antigua lengua romance hablada por estos cristianos: *El mozárabe conservaba la 'f' inicial latina.* □ ETIMOL. Del árabe *musta'rab* (arabizado). □ SEM. En la acepción 3, dist. de *mudéjar* (musulmán que vivía en territorio cristiano) y de *muladí* (cristiano convertido al islamismo).

mozarabismo s.m. **1** En lingüística, palabra, significado o construcción sintáctica del mozárabe, esp. los empleados en otra lengua: *El castellano tiene muchos mozarabismos.* **2** Rasgo artístico o sociocultural de los mozárabes.

mozo, za ▮ adj. **1** De la juventud o relacionado con ella: *Siempre recuerda sus años mozos.* **▮** adj./s. **2** Referido a una persona, que está en la juventud o en la etapa intermedia entre la niñez y la edad adulta. □ SINÓN. *joven.* **▮** s.m. **3** Persona que presta servicios domésticos o públicos no especializados: *El mozo de estación es el que lleva los equipajes.* **4** Joven que era llamado al servicio militar, desde que era alistado hasta que ingresaba en la caja de reclutamiento. **5** En zonas del español meridional, camarero. **▮** s.f. **6** En las trébedes, pieza con forma de horquilla que sirve para asegurar el mango de la sartén. □ ETIMOL. De origen incierto.

mozzarella (it.) s.f. Queso fresco de color pálido y sabor suave, elaborado con leche de búfala o de vaca. □ PRON. [motsaréla].

MP3 (ing.) s.m. **1** En informática, sistema que permite comprimir y descomprimir archivos de sonido: *El MP3 reduce hasta doce veces el tamaño de un archivo de sonido.* **2** Aparato portátil que permite reproducir los sonidos grabados con este sistema: *Cuando voy en el autobús, llevo un MP3 para escuchar música durante el trayecto.* □ ETIMOL. Es la sigla del inglés *MPEG-1 (Motion Pictures Experts Group) Audio Layer-3* (estrato de audio-3 de MPEG-1-grupo de expertos de imagen en movimiento-). □ SINT. En la acepción 1, se usa mucho en aposición, pospuesto a un sustantivo: *archivos MP3.*

MS-DOS (ing.) s.m. Sistema operativo informático derivado del *DOS* que controla el funcionamiento del ordenador. □ ETIMOL. Es el acrónimo del inglés *Microsoft Disk Operating System* (sistema operativo en disco de Microsoft).

muaré s.m. →**moaré.**

mucamo, ma s. Sirviente o criado.

muceta s.f. Prenda de vestir que se pone sobre la ropa y cubre generalmente los hombros, y que es usada esp. por eclesiásticos, doctores o magistrados. □ ETIMOL. De *muza* (esclavina de religiosos).

muchacha s.f. Véase **muchacho, cha.**

muchachada s.f. **1** Hecho o dicho propios de un muchacho y no de una persona adulta. □ SINÓN. *muchachería.* **2** Conjunto de muchachos. □ SINÓN. *muchachería.*

muchachería s.f. →**muchachada.**

muchacho, cha ▮ s. **1** Niño o joven, esp. el adolescente. **▮** s.f. **2** Empleada del servicio doméstico. □ SINÓN. *chacha, sirvienta.* □ ETIMOL. Quizá de *mocho* (rapado), porque se tenía la costumbre de que los niños llevaran el pelo corto. □ MORF. En la acepción 1, se usa mucho como apelativo coloquial la forma abreviada *chacho.*

muchedumbre s.f. Abundancia o multitud de personas o cosas: *Una muchedumbre de gaviotas revoloteaba por la playa.* □ ETIMOL. Del latín *multitudo.*

mucho adv. **1** En cantidad o en grado muy elevados, o bastante más de lo normal o de lo necesario: *Sentí mucho no poder ir. El niño ha crecido mucho y ya no le vale la ropa.* **2** Largo tiempo: *Hace mucho que no hablo con él y no sé cómo le irá.* **3** ‖ **ni con mucho;** en una comparación, expresión que se usa para enfatizar el poco parecido o la distancia existentes entre lo que se compara: *Mi vestuario no es, ni con mucho, tan lujoso como el tuyo.* ‖ **ni mucho menos;** expresión que se usa para replicar rotundamente o para enfatizar una negación: *Cuando le dije que así quedábamos en paz, me contestó: «¡Ni mucho menos!».* ‖ **por mucho que;** enlace gramatical subordinante con valor concesivo: *Por mucho que insistas, no me convencerás.* □ SINÓN. *aunque.* □ MORF. 1. Antepuesto a una expresión adjetiva o adverbial, se usa la apócope *muy*, excepto ante *más*, *menos*, *antes*, *después* o los comparativos *mayor*, *menor*, *mejor* o *peor*: *Vámonos, que es muy tarde. Sale con un chico muy guapo.* 2. Incorr. **muy mucho.*

mucho, cha indef. Abundante, numeroso, o que sobrepasa considerablemente lo normal o lo necesario: *Hoy hace mucho calor. A su boda asistieron muchos de sus amigos.* □ ETIMOL. Del latín *multus.* □ MORF. Cuando *muchos* se antepone a otra palabra para formar compuestos, adopta la forma *multi-.*

mucilaginoso, sa adj. Con mucílago o con la viscosidad propia de esta sustancia.

mucílago (tb. *mucilago*) s.m. **1** Sustancia viscosa que se encuentra en algunos vegetales y que tiene una función protectora. **2** Sustancia viscosa semejante a esta y que se obtiene artificialmente de la disolución en agua de materias gomosas. ☐ ETIMOL. Del latín *mucilago* (mucosidad).

mucolítico, ca adj./s.m. Que disuelve o elimina el moco: *un jarabe mucolítico.* ☐ ETIMOL. Del latín *mucus* (moco) y el griego *lýsis* (disolución).

mucopurulento, ta adj. Que contiene moco y pus.

mucosa adj./s.f. →**membrana mucosa.**

mucosidad s.f. Sustancia viscosa y pegajosa de la misma naturaleza que el moco: *Los caracoles, al desplazarse, dejan una mucosidad en el suelo.*

mucoso, sa ▮ adj. **1** Con la viscosidad o el aspecto del moco. **2** Con mucosidad, que la produce o que la segrega: *las glándulas mucosas.* ▮ s.f. **3** →**membrana mucosa.** ☐ ETIMOL. Del latín *muccosus.*

muda s.f. Véase **mudo, da.**

mudable (tb. *mutable*) adj.inv. Que cambia o muda con facilidad.

mudanza s.f. **1** Cambio, variación o transformación: *No sé a qué puede deberse semejante mudanza en su comportamiento.* **2** Traslado a otro lugar, esp. el que se hace con muebles y pertenencias cuando se cambia de residencia. **3** Inconstancia o cambio constante en la actitud, en los sentimientos o en las opiniones. **4** En métrica, en un zéjel o en un villancico, estrofa que sigue al estribillo, presenta una rima distinta de la de este y enlaza con un verso de vuelta que rima con él: *La mudanza del zéjel consta de tres versos monorrimos.*

mudar ▮ v. **1** Cambiar, variar o hacer distinto: *Ha mudado tanto su carácter que no parece el mismo.* **2** Transformar o convertir en algo distinto: *Las palabras del médico mudaron su temor en esperanza.* **3** Dejar y reemplazar por algo distinto: *Tómale la palabra antes de que mude de parecer.* **4** Trasladar o poner en otro lugar: *Mudaron la oficina a otro local más amplio.* **5** Cambiar de ropa, generalmente para poner otra limpia: *Aquí tienes sábanas limpias para que mudes la cama. Todos los días me mudo de camisa.* **6** Referido a la voz, cambiar su timbre infantil por el propio de la edad adulta: *Cuando mudó la voz, tuvo que abandonar el coro.* **7** Referido a la piel, al pelaje o al follaje, soltarlos o renovarlos su organismo: *¿Sabes en qué época mudan la piel las culebras?* ▮ prnl. **8** Cambiar de residencia: *Si encuentro un piso que me guste más, me mudo.* ☐ ETIMOL. Del latín *mutare* (cambiar). ☐ SINT. Constr. de la acepción 3: *mudar* DE *algo.*

mudéjar ▮ adj.inv. **1** Referido a un estilo arquitectónico, que floreció en la península Ibérica entre los siglos XII y XV, y se caracteriza por el empleo de elementos del arte cristiano y del arte árabe. **2** De los mudéjares o relacionado con estos musulmanes en territorio cristiano. ▮ adj.inv./s.com. **3** Referido a un musulmán, que vivía en territorio cristiano durante la dominación musulmana en España, manteniendo su religión, costumbres e instituciones propias. ☐ ETIMOL. Del árabe *mudayyan* (aquel a quien se ha permitido quedarse). ☐ SEM. En la acepción 3, dist. de *mozárabe* (cristiano que vivía en territorio musulmán) y de *muladí* (cristiano convertido al islamismo).

mudez s.f. Incapacidad física para hablar.

mudo, da ▮ adj. **1** Sin palabras, sin voz o sin sonido: *un mapa mudo; una película de cine mudo.* **2** Referido esp. a una letra, que no se pronuncia: *En español, la 'h' es una consonante muda.* **3** Callado o en silencio: *Durante la reunión estuvo muda.* ▮ adj./s. **4** Referido a una persona, que sufre una incapacidad que le impide hablar. ▮ s.f. **5** Conjunto de ropa, esp. la interior, que se muda de una vez. **6** En un ser vivo, renovación natural de la piel, del pelaje o del follaje. **7** Tiempo durante el que se produce esta renovación: *Las aves no cantan durante la muda.* ☐ ETIMOL. Las acepciones 1-4, del latín *mutus.* Las acepciones 5-7, de *mudar.*

mueblaje s.m. →**moblaje.** ☐ SEM. Es sinónimo de *mobiliario.*

mueble ▮ adj.inv. **1** →**bienes muebles.** ▮ s.m. **2** Objeto que se puede mover, generalmente de formas rígidas y destinado a un uso concreto, y con el que se equipa o se decora un local, esp. una casa: *La cama, las sillas y las mesas son muebles.* **3** || **(mueble) rack;** mueble estantería, esp. el diseñado para albergar un equipo de sonido. || **salvar los muebles;** salir de una situación difícil o apurada: *Nuestro equipo salvó los muebles y consiguió clasificarse.* ☐ ETIMOL. Del latín *mobilis. Mueble rack,* del inglés *rack* (soporte).

mueblería s.f. Establecimiento donde se fabrican o venden muebles.

mueblista s.com. Persona que se dedica profesionalmente a la fabricación o a la venta de muebles.

mueca s.f. Gesto o contracción del rostro, esp. el de carácter burlesco o expresivo: *El payaso empezó a hacer muecas y a sacar la lengua. Hacía continuas muecas de dolor.* ☐ ETIMOL. Quizá de origen expresivo.

muecín s.m. →**almuecín.** ☐ ETIMOL. Del francés *muezzin.*

muégano s.m. Dulce americano en forma de bola, que se hace con harina de trigo y se cubre con caramelo.

muela s.f. **1** En la dentadura de una persona o de un mamífero, cada uno de los dientes situados en la parte posterior de la boca después de los caninos, más anchos que los demás, y cuya función es trituradora. **2** En un molino tradicional, rueda de piedra que gira sobre otra fija para moler lo que se pone entre ambas. ☐ SINÓN. *piedra de molino, volandera.* **3** Planta herbácea con el tallo ramoso, hojas en forma de punta de lanza, flores moradas y blancas, y cuyo fruto es una legumbre. ☐ SINÓN. *almorta, guija, tito.* **4** Fruto o semilla de esta planta: *La muela es una legumbre.* **5** || **muela {cordal/del**

juicio}; la que nace en la edad adulta en cada extremo de la mandíbula. ☐ ETIMOL. Del latín *mola* (piedra de molino), por comparación con la forma del diente molar.

muelle ▌adj.inv. **1** Referido a un modo de vivir, cómodo y sin preocupaciones: *En vacaciones lleva una vida muelle y no se altera por nada.* ▌s.m. **2** Pieza elástica, generalmente metálica, que se comprime y deforma cuando se aplica una presión sobre ella y que, cuando desaparece dicha presión, tiende a recuperar su forma, desarrollando al hacerlo una fuerza aprovechable para usos mecánicos: *los muelles de un colchón.* ☐ SINÓN. *resorte.* **3** En un puerto o en una orilla de aguas navegables, construcción hecha junto al agua para facilitar el embarque y desembarco o el resguardo de las embarcaciones: *Los pasajeros esperaban en el muelle el momento del embarque.* **4** En una estación de tren o en un almacén, plataforma o andén elevados, situados a la altura del suelo de los vagones o de los camiones para facilitar las tareas de carga y descarga de mercancías: *El camión hizo maniobras de acercamiento al muelle donde esperaban los descargadores.* ☐ ETIMOL. Las acepciones 1 y 2, del latín *mollis* (flexible, blando). Las acepciones 3 y 4, del catalán *moll*.

muera interj. Expresión que se usa para manifestar protesta o descontento: *El coronel gritó: «¡Muera el enemigo!».*

muérdago s.m. Planta de tallo leñoso y corto, hojas gruesas de color verde y fruto en baya color blanco rosado, que vive parásita sobre los troncos y ramas de algunos árboles. ☐ ETIMOL. Del latín *mordicus* (mordedor).

muerdo s.m. *col.* Mordisco.

muermo s.m. **1** *col.* Estado de aburrimiento o somnolencia: *¡Venga, sacúdete ese muermo y vamos de fiesta!* **2** *col.* Lo que produce este estado: *Ese programa es un muermo. Ese chico es un muermo.* ☐ ETIMOL. Del latín *morbus* (enfermedad).

muerte s.f. **1** Final o terminación de la vida: *Un ataque al corazón le produjo la muerte.* **2** Figura que personifica este final de la vida y que suele representarse como un esqueleto humano con una guadaña. **3** Homicidio o asesinato. **4** Destrucción, finalización o ruina: *La muerte del Imperio Romano se produjo con la invasión de los bárbaros.* **5** || **a muerte; 1** Referido a un enfrentamiento, que solo termina con la muerte de uno de los enfrentados: *un duelo a muerte.* **2** Con la máxima intensidad o sin concederse tregua o descanso: *Se odian a muerte.* || **de la muerte; 1** *col.* Estupendo o muy bueno: *Hemos tenido unas vacaciones de la muerte y el año que viene volveremos.* **2** *col.* Mucho o en gran medida: *Tu casa es ideal de la muerte.* || **de mala muerte;** *col.* Malo, despreciable o de poco valor: *una casa de mala muerte.* || **de muerte;** *col.* Muy fuerte o intenso: *un susto de muerte; un frío de muerte.* || **muerte dulce;** la que llega sin dolor ni sufrimiento. || **muerte súbita; 1** en algunos deportes, sistema de tanteo especial que se aplica cuando se ha llegado a un empate: *El partido de tenis estuvo igualadísimo y al final se decidió por muerte súbita.* **2** La que se produce en algunos bebés de forma repentina sin que existan síntomas que permitan prevenirla. ☐ ETIMOL. Del latín *mors.* ☐ USO El uso de *tie-break* en lugar de *muerte súbita* es un anglicismo innecesario.

muerto, ta ▌**1** part. irreg. de **morir**. ▌adj. **2** Apagado o falto de viveza, de vitalidad o de actividad: *Por la noche, la ciudad se queda muerta.* **3** *col.* Muy cansado o agotado: *Trasnochar me deja muerto.* ▌adj./s. **4** Sin vida: *Esta semana ha habido veinte muertos en accidentes de tráfico.* ▌s.m. **5** *col.* Lo que resulta un estorbo, una carga o una tarea enojosa: *Me cargaron con el muerto de terminar el dichoso informe.* ▌s.m.pl. **6** Respecto de una persona, sus familiares o compañeros fallecidos: *El ejército honra a sus muertos.* **7** || **hacer el muerto;** dejarse flotar boca arriba en el agua. ☐ MORF. En la acepción 1, incorr. **morido.* ☐ SINT. En el lenguaje escrito, está muy extendido el uso de la voz pasiva *ser muerto* en lugar de *morir*: *{*Fue muerto > Murió} de un tiro en la sien.*

muesca s.f. Hueco o corte que se hacen como señal o para encajar algo en ellos. ☐ ETIMOL. Del latín *mosicare* (morder).

muesli s.m. Alimento compuesto por cereales, frutas deshidratadas y frutos secos que se mezcla con la leche y que suele tomarse en el desayuno. ☐ ETIMOL. Del alemán de Suiza *müesli.*

muestra s.f. **1** Porción o pequeña cantidad de un producto, que sirve para dar a conocer las características de este: *Si tienes que comprar más tela, lleva una muestra para que te la den igual.* **2** Parte que se extrae de un conjunto para analizarla o examinarla: *Hay que enviar una muestra del producto al laboratorio para que certifiquen su calidad.* **3** En estadística, parte que se selecciona de un conjunto como representativa del mismo y sobre la que se extraen conclusiones válidas para todo el conjunto: *El sondeo se realizó sobre una muestra de mil personas.* **4** Modelo que se toma para ser copiado o imitado: *El bordado de las sábanas lo saqué de una muestra que me dejaron.* **5** Señal, prueba o demostración, esp. las que evidencian algo que no es visible: *En el rostro de la corredora se apreciaban muestras de cansancio.* **6** Feria o exposición, esp. la destinada a exhibir productos industriales: *En la muestra de maquinaria agrícola se presentaron los últimos avances en el sector.* **7** En caza, parada que hace el perro cuando encuentra la pieza, antes de levantarla: *Al ver la muestra del perro, el cazador apuntó hacia esa zona.* ☐ ETIMOL. Las acepciones 1-5 y 7, de *mostrar*. La acepción 6, del italiano *mostra.* ☐ SEM. No debe emplearse con el significado de 'festival cinematográfico o artístico' (italianismo): *La película se estrenó en {*una muestra > un festival} de cine de terror.*

muestrario s.m. **1** Conjunto de muestras de productos. **2** Conjunto de elementos diversos que constituyen un grupo completo: *Desde el más empollón* *hasta el más vago, en esa clase hay un completo muestrario de estudiantes.*

muestreo s.m. Selección de una muestra representativa de un conjunto, que se hace para examinarla y sacar conclusiones aplicables a dicho conjunto: *Una empresa estadística realizó un muestreo entre los electores para ver cuál era la tendencia de voto predominante.* □ USO Es innecesario el uso del anglicismo *sampling*.

muffin (ing.) s.m. Bollo pequeño, dulce y redondo, que se suele tomar caliente y con mantequilla. □ PRON. [máfin].

muflón s.m. Mamífero rumiante, semejante al carnero pero de mayor tamaño, de pelaje generalmente corto y castaño con la parte inferior blanca, y cuyo macho presenta grandes cuernos arqueados hacia atrás en forma de círculo y con estrías transversales. □ ETIMOL. Del italiano *muflone*. □ MORF. Es un sustantivo epiceno: *el muflón {macho/hembra}*.

muftí (pl. *muftíes, muftís*) s.m. Especialista musulmán en leyes, encargado de la interpretación de los textos jurídicos islámicos y cuyas decisiones adquieren consideración de ley. □ ETIMOL. Del árabe *muftí*.

mug (ing.) s.m. Taza cilíndrica con un asa, hecha de un material cerámico. □ PRON. [mag] o [mug]. □ USO Su uso es innecesario y puede sustituirse por *pote de cerámica*.

muga s.f. **1** Límite, frontera o término: *Dicen que los huidos ya están al otro lado de la muga.* **2** Desove de los peces. **3** Fecundación de las huevas de los peces y los anfibios. □ ETIMOL. La acepción 1, del euskera *muga* (mojón). Las acepciones 2 y 3, de *mugar*.

mugar v. **1** Referido a un pez, desovar: *Todavía no hay condiciones para que algunos peces muguen.* **2** Referido a un pez o a un anfibio, fecundar las huevas: *En estas fechas, algunas especies de anfibios comienzan a mugar.* □ ETIMOL. De origen incierto. □ ORTOGR. La *g* se cambia en *gu* delante de *e* →PAGAR.

mugido s.m. Voz característica del toro o de la vaca.

mugir v. Referido a un toro o a una vaca, dar mugidos o emitir su voz característica: *Se oía mugir a los toros que estaban sueltos en el campo.* □ ETIMOL. Del latín *mugire*. □ ORTOGR. La *g* se cambia en *j* delante de *a, o* →DIRIGIR.

mugre s.f. Suciedad, esp. la grasienta. □ ETIMOL. Del latín *mucor* (moho). □ MORF. En zonas del español meridional se usa como masculino.

mugriento, ta adj. Muy sucio y lleno de mugre. □ SINÓN. *mugroso*.

mugroso, sa adj. →**mugriento.**

muguete s.m. Planta herbácea, de flores pequeñas, blancas, muy olorosas y dotadas de propiedades medicinales, y que crece en montes y bosques de zonas templadas. □ ETIMOL. Del francés *muguet*.

mujer s.f. **1** Persona de sexo femenino. □ SINÓN. *fémina*. **2** Persona adulta de sexo femenino. **3** Respecto de un hombre, la casada con él. **4** || **de mujer a mujer;** de igual a igual, francamente o con sinceridad: *Siempre hablo con mi madre de mujer a mujer.* || **mujer {de la calle/de la vida/pública};** *euf.* Prostituta. || **mujer del tiempo;** la que aparece en las noticias de televisión dando la previsión del tiempo. || **mujer fatal;** la que ejerce una atracción sexual irresistible y que acarrea un final desgraciado para ella misma o para quienes atrae. || **mujer objeto;** *col.* La considerada solo como un objeto que produce placer. || **muy mujer;** *col.* Con las características que tradicionalmente se han considerado propias de las personas de sexo femenino. || **ser mujer;** tener o haber tenido la primera menstruación: *Es mujer desde los doce años.* □ ETIMOL. Del latín *mulier*. □ MORF. En las acepciones 1 y 2, su masculino es *hombre*. □ USO Se usa como apelativo: *No te asustes, mujer, que no pasa nada.*

mujeriego, ga adj./s.m. Referido esp. a un hombre, que es muy aficionado a las mujeres, esp. si va con unas y con otras buscando seducirlas y no se limita a la relación con una sola.

mujeril adj.inv. De la mujer o relacionado con ella.

mujerío s.m. Conjunto o multitud de mujeres.

mujerzuela s.f. *col. desp.* Prostituta.

mujik (rus.) s.m. Campesino ruso, esp. el de la sociedad anterior a la revolución soviética. □ PRON. [mújik] o [mujík].

mújol s.m. Pez marino, de cuerpo alargado, cabeza aplastada y labios muy gruesos, que abunda en aguas mediterráneas y es muy apreciado como alimento. □ SINÓN. *lisa*. □ ETIMOL. Del latín *mugil*. □ MORF. Es un sustantivo epiceno: *el mújol {macho/hembra}*.

mula s.f. Véase **mulo, la.**

mulá (ár.) s.m. En el islamismo, persona que dirige la plegaria en una mezquita.

mulada s.f. Conjunto o recua de ganado mular.

muladar s.m. Lugar que se considera foco de suciedad o de corrupción. □ ETIMOL. De *muro*, antes *muradal* (lugar próximo al muro exterior de una casa o población, donde se arrojaban las inmundicias).

muladí (pl. *muladíes, muladís*) adj.inv./s.com. Referido a un cristiano, que se convirtió al islamismo durante la dominación musulmana en España. □ ETIMOL. Del árabe *muwalladi* (hijo de un árabe y una extranjera). □ SEM. Dist. de *mozárabe* (cristiano que vivía en territorio musulmán) y de *mudéjar* (musulmán que vivía en territorio cristiano).

mular adj.inv. Del mulo, de la mula o relacionado con estos animales.

mulato, ta adj./s. Referido a una persona, que ha nacido de padres de grupos étnicos diferentes, esp. si uno es negro y otro es blanco. □ ETIMOL. De *mulo* (cruce de burro y yegua), porque se comparó el cruce entre razas de animales con la mezcla de razas humanas.

mule s.f. Calzado descubierto por el talón, que se sujeta al pie por su parte delantera, y que generalmente tiene un tacón fino e inestable.

mulero s.m. Persona encargada del cuidado de las mulas.

muleta s.f. Véase **muleto, ta**.

muletazo s.m. En tauromaquia, pase dado con la muleta.

muletilla s.f. En una conversación, palabra o expresión que, de tanto repetirse, pierden su fuerza expresiva. ☐ SINÓN. *latiguillo.* ☐ ETIMOL. De *muleta*, porque una muletilla sirve como apoyo para seguir hablando o para mantener la atención del que escucha. ☐ ORTOGR. Dist. de *maletilla.* ☐ SEM. Dist. de *coletilla* (añadido a lo que se dice o se escribe).

muleto, ta ▮ s. **1** Mulo de poca edad o sin domar. ▮ s.f. **2** Bastón con el extremo superior adaptado de modo que puedan apoyarse en él el antebrazo o la axila, y que utilizan para ayudarse a andar las personas que tienen dificultad para hacerlo. **3** En tauromaquia, paño de color rojo, sujeto a un palo por uno de sus bordes, utilizado por el torero para engañar al toro, esp. cuando va a entrar a matar. ☐ ETIMOL. Las acepciones 2 y 3, de *mula*, porque la muleta soporta al que la lleva como la mula al jinete.

muletón s.m. Tela de lana o de algodón, gruesa, suave y parecida a la felpa, de mucho abrigo y baja calidad, y que suele usarse como protección debajo de las sábanas o de los manteles. ☐ ETIMOL. Del francés *molleton.*

mulillas s.f.pl. En tauromaquia, tiro o conjunto de mulas que arrastran y sacan de la plaza a los toros muertos en una corrida.

mullido, da ▮ adj. **1** Blando o esponjoso: *un mullido sillón.* ▮ s.m. **2** Materia esponjosa y blanda que se utiliza como relleno: *el mullido de un almohadón.*

mullir v. **1** Referido esp. a algo apretado, esponjarlo para que quede blando y suave: *Sacude un poco la almohada para mullirla.* **2** Referido a la tierra, cavarla y removerla para ahuecarla: *Mulle la tierra de las viñas para que el agua penetre con más facilidad.* ☐ ETIMOL. Del latín *mollire* (ablandar). ☐ MORF. Irreg. →PLAÑIR.

mulo, la ▮ adj./s. **1** *col.* Referido a una persona, que es fuerte, vigorosa o muy resistente para el trabajo: *Eres una mula, nunca te cansas de trabajar.* **2** *col.* Referido a una persona, que es tozuda, bruta o de corto entendimiento: *¡Cómo puede ser tan mulo y no darse cuenta de lo que pasa!* ▮ s. **3** Animal, generalmente estéril, nacido del cruce de burro y yegua y que, por su fuerza y resistencia, se utiliza como animal de carga: *Los mulos suelen ser mayores y más ágiles para el trabajo que los asnos.* ▮ s.f. **4** *col.* En el lenguaje de la droga, mujer que transporta o introduce la droga de un país a otro. **5** En zonas del español meridional, tráiler. ☐ ETIMOL. Del latín *mulus.*

multa s.f. **1** Sanción económica que impone una autoridad competente por haber cometido un delito o una falta. **2** Papel o documento donde consta o se notifica esta sanción. ☐ ETIMOL. Del latín *multa.*

multar v. Imponer una multa: *La ley otorga a los policías autoridad para multar. Nos multaron por circular a más velocidad de la permitida.*

multero, ra s. *col.* Persona que se dedica a poner multas.

multi- Elemento compositivo prefijo que significa 'muchos': *multicolor, multimillonario, multiuso.* ☐ ETIMOL. Del latín *multus* (mucho).

multicentro s.m. Galería comercial que tiene en su interior muchas tiendas de muy diversos tipos.

multicine s.m. Cine que tiene varias salas de proyección.

multicolor adj.inv. De muchos colores.

multicopiado s.m. Reproducción de un original por medio de una multicopista.

multicopiar v. Referido a un original, reproducirlo en copias por medio de una multicopista: *La profesora multicopió una hoja de ejercicios para repartirlos entre los alumnos.* ☐ ORTOGR. La *i* nunca lleva tilde.

multicopista adj.inv./s.f. Referido a una máquina, que reproduce originales, generalmente escritos, en numerosas copias de papel.

multicultural adj.inv. Que se caracteriza por la existencia de varias culturas diferentes: *La sociedad actual es cada vez más multicultural y más tolerante con las minorías, y se debe seguir avanzando en ese sentido.*

multiculturalidad s.f. Existencia de varias culturas diferentes en una misma nación o en una misma realidad geográfica: *La multiculturalidad enriquece mucho una sociedad.*

multiculturalismo s.m. Convivencia de varias culturas diferentes en una misma sociedad: *El multiculturalismo no tiene por qué ser fuente de desavenencias y conflictos, sino que es una forma de enriquecer una sociedad.*

multidisciplinar adj.inv. Que abarca varias disciplinas o materias. ☐ SINÓN. *multidisciplinario.*

multidisciplinario, ria adj. →**multidisciplinar.**

multiforme adj.inv. Que tiene muchas o varias formas. ☐ ETIMOL. Del latín *multiformis*, y este de *multus* (mucho) y *forma* (figura).

multifunción adj.inv. →**multifuncional.**

multifuncional adj.inv. Que puede desempeñar diferentes funciones. ☐ SINÓN. *multifunción.*

multigrado (pl. *multigrado*) adj.inv. Referido esp. a un aceite lubricante para motores, que no sufre alteración de sus propiedades con los cambios de temperatura.

multilateral adj.inv. Con la intervención de varios lados o partes, o que afecta a las partes implicadas: *un tratado multilateral.*

multimedia (pl. *multimedia*) adj.inv./s.m. Referido a un sistema de difusión de la información, que integra procedimientos tecnológicos que utilizan imágenes, sonido y texto para reproducir o difundir información, esp. si se orienta a un uso interactivo. ☐ ETIMOL. Del inglés *multimedia.*

multímetro s.m. Instrumento que sirve para medir diferentes magnitudes eléctricas esp. la intensidad, la tensión o la resistencia.

multimillonario, ria ▮ adj. **1** De muchos millones de pesetas o de otro tipo de dinero: *un contrato multimillonario.* ▮ adj./s. **2** Referido a una persona, que posee una fortuna de muchos millones.

multinacional adj.inv./s.f. Referido esp. a una empresa o a una sociedad mercantil, que tiene sus intereses y actividades repartidos en varios países. □ SINÓN. *transnacional.*

multíparo, ra adj. Referido a un animal o a una especie, que tiene varias crías de un solo parto. □ ETIMOL. De *multi-* (muchos) y *-paro* (que pare). □ SEM. Dist. de *bíparo* (que tiene dos crías en cada parto) y de *uníparo* (que tiene una cría en cada parto).

múltiple ▮ adj.inv. **1** Complejo, de muchas maneras o con muchas partes. ▮ adj.inv.pl. **2** Muchos o varios: *Ha recibido múltiples ofertas y no sabe por cuál decidirse.*

multiplicación s.f. **1** Aumento en el que las dimensiones o el número de unidades crece varias veces o en un grado considerable: *Si la multiplicación de la población se produce a ese ritmo, no se podrá eliminar el hambre.* **2** En matemáticas, operación mediante la cual se calcula el producto de dos factores, equivalente a la suma de uno de ellos, llamado *multiplicando*, tantas veces como indica el otro, llamado *multiplicador*: *Dime el precio de una entrada y con una simple multiplicación calcularemos lo que cuestan seis.*

multiplicador, -a ▮ adj./s. **1** Que multiplica. ▮ s.m. **2** En una multiplicación matemática, factor o cantidad que indica el número de veces que debe sumarse otro para obtener el producto de ambos: *En la operación $5 \times 3 = 15$, el multiplicador es 3.*

multiplicando s.m. En una multiplicación matemática, factor o cantidad que debe sumarse tantas veces como indica otro para obtener el producto de ambos: *En la operación $5 \times 3 = 15$, el multiplicando es el 5.*

multiplicar ▮ v. **1** Hacer varias veces mayor o aumentar considerablemente el número de unidades: *Si quieres lograr ese propósito, tendrás que multiplicar tu esfuerzo. La campaña publicitaria hará que las ventas se multipliquen.* **2** En matemáticas, realizar la operación aritmética de la multiplicación: *El resultado de multiplicar 5 por 3 es 15.* ▮ prnl. **3** Referido a una especie de seres vivos, aumentar considerablemente el número de sus individuos, esp. por procreación: *Las ratas se multiplican con gran rapidez.* **4** *col.* Referido a una persona, esforzarse o arreglárselas para conseguir atender gran cantidad de ocupaciones: *Tiene que multiplicarse para poder asistir a clase, al trabajo y, además, encargarse de la casa.* □ ETIMOL. Del latín *multiplicare.* □ ORTOGR. La *c* se cambia en *qu* delante de *e* →SACAR.

multiplicativo, va adj. Que multiplica o que aumenta: *'Doble' es un numeral multiplicativo porque indica multiplicación por dos.*

multiplicidad s.f. Variedad, diversidad o abundancia: *La multiplicidad de interpretaciones que ofrece una obra literaria es lo que me parece más interesante de la literatura.* □ ETIMOL. Del latín *multiplicitas.*

múltiplo adj.inv./s.m. **1** Referido a un número o a una cantidad, que contienen a otro u otra un número exacto de veces: *El número 10 es múltiplo de 2 y de 5.* **2** ‖ **mínimo común múltiplo;** el menor de los múltiplos comunes a dos o más números dados: *El mínimo común múltiplo de 2 y 3 es 6.* □ ETIMOL. Del latín *multiplus.*

multipropiedad s.f. **1** Sistema o régimen de utilización de un inmueble por diferentes personas en temporadas diferentes, bajo determinadas condiciones, esp. la limitación del tiempo de uso: *un apartamento en multipropiedad.* **2** Inmueble que se disfruta mediante este sistema.

multipuesto adj.inv. →**multiusuario.**

multirracial adj.inv. Referido a una población, que está formada por muchas razas.

multirradicular adj.inv. Que afecta a varias raíces: *Las endodoncias multirradiculares son las que se hacen en las muelas.*

multirriesgo (pl. *multirriesgo*) adj.inv. Referido esp. a una póliza de seguros, que cubre gran variedad de accidentes.

multisectorial adj.inv. Que afecta a varios sectores o que está relacionado con ellos.

multisecular adj.inv. Con siglos de antigüedad. □ ETIMOL. De *multi-* (muchos) y *secular.*

multitud s.f. Gran cantidad de personas, animales o cosas. □ ETIMOL. Del latín *multitudo.*

multitudinario, ria adj. **1** Que forma multitud: *Un grupo multitudinario pedía justicia ante el juzgado.* **2** De la multitud, con sus características o relacionado con ella: *Esa escritora busca el gusto multitudinario, y no el selectivo de la minoría más intelectual.*

multiuso (pl. *multiuso*) adj.inv. Que sirve para varios usos: *una navaja multiuso.*

multiusuario adj.inv. Referido a un sistema informático, que puede tener al mismo tiempo varios usuarios que comparten el sistema operativo. □ SINÓN. *multipuesto.*

mundanal adj.inv. →**mundano.** □ USO Es característico del lenguaje literario.

mundano, na adj. **1** Del mundo o relacionado con él: *placeres mundanos.* □ SINÓN. *mundanal.* **2** De lo que se considera la alta sociedad o relacionado con ella: *una persona mundana.* □ SINÓN. *mundanal.*

mundial ▮ adj.inv. **1** Del mundo entero o relacionado con él: *guerras mundiales.* ▮ s.m. **2** Competición deportiva en la que pueden participar representantes de todas las naciones del mundo: *el mundial de fútbol.*

mundialista adj.inv./s.com. Referido a un deportista, que participa en un campeonato del mundo.

mundialización s.f. Extensión de los mercados y de las empresas, para alcanzar una dimensión mundial, por encima de las fronteras nacionales. ☐ SINÓN. *globalización.*

mundillo s.m. Conjunto limitado de personas con una misma posición social, profesión o afición: *el mundillo médico.*

mundo s.m. **1** Conjunto de todo lo creado o existente: *Muchas culturas atribuyen la creación del mundo a un ser superior.* ☐ SINÓN. *cosmos, creación, orbe, universo.* **2** Parcela o ambiente diferenciados dentro de este conjunto: *mundo marino; mundo mineral.* **3** Planeta o astro, esp. referido a la Tierra: *Los científicos creen posible la vida en otros mundos.* **4** Conjunto o sociedad de los seres humanos: *Según la Biblia, Dios envió a su Hijo como salvador del mundo.* **5** Parte de la sociedad con una característica común: *el mundo del espectáculo.* **6** Experiencia de la vida, esp. la que da desenvoltura y sabiduría para conducirse en la vida: *Es una mujer de mundo y sabe moverse en cualquier ambiente.* **7** Vida seglar y no monástica: *Cuando sintió la llamada de Dios, renunció al mundo y se hizo monja de clausura.* **8** ‖ **{caérsele/venírsele}** a alguien **el mundo encima;** *col.* Deprimirse o abatirse, esp. por verse sometido a una gran carga: *Cuando perdió a su esposa, se le cayó el mundo encima.* ‖ **desde que el mundo es mundo;** *col.* Desde siempre o desde hace mucho tiempo: *Los hijos se han independizado de sus padres desde que el mundo es mundo.* ‖ **el otro mundo;** *col.* Lo que hay después de la muerte. ‖ **hacer un mundo de** algo; *col.* Darle demasiada importancia o atribuirle una gravedad que no tiene: *No hagas un mundo de esa tontería, porque no ha sido para tanto.* ‖ **no ser** algo **nada del otro mundo;** *col.* No ser extraordinario, sino común y corriente: *Esa chica no es nada del otro mundo.* ‖ **ponerse** alguien **el mundo por montera;** *col.* Dejar de lado el qué dirán y las opiniones de los demás para actuar según la propia voluntad: *Harto del trabajo y de la vida de ciudad, se puso el mundo por montera y se fue a vivir al campo.* ‖ **tercer mundo;** conjunto de los países menos desarrollados económicamente. ‖ **ver mundo;** viajar por distintos lugares y países. ☐ ETIMOL. Del latín *mundus.*

mundología s.f. *col.* Experiencia de la vida y habilidad para desenvolverse en ella o para tratar con la gente. ☐ ETIMOL. De *mundo* y *-logía* (estudio). ☐ USO Tiene un matiz humorístico.

mundovisión s.f. En telecomunicación, red de televisión constituida por gran número de países para la transmisión de acontecimientos de interés general. ☐ ETIMOL. De *mundo* y la terminación de *televisión.*

munición s.f. **1** Conjunto de provisiones y de material de guerra necesario para sustentar un ejército: *Han enviado varios camiones con municiones, sobre todo con víveres y armas.* **2** Carga que se pone en las armas de fuego. ☐ ETIMOL. Del latín *munitio* (trabajo de fortificación, refuerzo). ☐ MORF. Se usa más en plural.

municionamiento s.m. Abastecimiento de municiones.

municionar v. Abastecer de municiones: *Los camiones que pretendían municionar a los soldados del bando enemigo fueron interceptados.*

municipal ▮ adj.inv. **1** Del municipio o relacionado con él. ▮ s.com. **2** Persona que pertenece a la guardia del municipio.

municipalidad s.f. →**municipio.**

municipalización s.f. Asignación de un servicio público a un municipio.

municipalizar v. Referido esp. a un servicio público, asignarlo a un municipio o hacerlo depender de él: *El servicio de pompas fúnebres ha sido municipalizado.* ☐ ORTOGR. La *z* se cambia en *c* delante de *e* →CAZAR.

munícipe s.com. Habitante de un municipio. ☐ ETIMOL. Del latín *municeps.*

municipio s.m. **1** En algunos países, división administrativa menor que está a cargo de un solo organismo: *El municipio es menor que la provincia.* **2** Territorio que comprende esta división administrativa. ☐ SINÓN. *término municipal.* **3** Corporación compuesta por un alcalde y varios concejales, que dirige y administra este territorio: *El Gobierno central aumentará las competencias del municipio.* ☐ SINÓN. *ayuntamiento, concejo, cabildo, municipalidad.* **4** Conjunto de habitantes de este territorio: *El municipio entero ha salido a la calle para protestar por el recorte de presupuestos.* ☐ ETIMOL. Del latín *municipium*, y este de *munus* (oficio, obligación, tarea) y *capere* (tomar).

munificencia s.f. Generosidad espléndida. ☐ ETIMOL. Del latín *munificentia*, y este de *munificus* (liberal). ☐ USO Su uso es característico del lenguaje culto.

munificente adj.inv. Que demuestra munificencia o que actúa con mucha generosidad. ☐ SINÓN. *munífico.* ☐ USO Su uso es característico del lenguaje culto.

munífico, ca adj. →**munificente.** ☐ ETIMOL. Del latín *munificus*, y este de *minus* (regalo) y *facere* (hacer). ☐ USO Su uso es característico del lenguaje culto.

muñeca s.f. Véase **muñeco, ca.**

muñeco, ca ▮ s. **1** Figura humana que se utiliza generalmente como adorno o como juguete: *una muñeca de trapo.* **2** *col.* Niño o joven guapo y de aspecto dulce y delicado. ▮ s.m. **3** *col.* Hombre de poco carácter que se deja manejar por los demás. ▮ s.f. **4** Parte del brazo humano por donde se articula la mano con el antebrazo: *El reloj suele llevarse en la muñeca izquierda.* ☐ ETIMOL. De origen prerromano.

muñeira s.f. **1** Composición musical gallega de carácter popular, que se interpreta cantada con acompañamiento de gaitas, panderos y tamboriles. **2**

Baile popular que se ejecuta al compás de esta música. □ ETIMOL. Del gallego *muiñeira* (molinera).

muñequera s.f. Tira o venda, generalmente elástica, con la que se aprieta la muñeca para sujetarla o para protegerla.

muñequilla s.f. Pieza de trapo que se empapa en un líquido y se utiliza para barnizar.

muñidor, -a s. **1** *desp.* Persona que gestiona tratos o que idea engaños o fraudes para conseguir un fin: *El administrador de la finca fue el muñidor del contrato de arriendo.* **2** En una cofradía, criado que se encarga de avisar a los demás miembros para que asistan a los actos y ceremonias religiosas que se organizan: *El muñidor convocó a todos para la procesión del domingo.*

muñir v. **1** *desp.* Referido a un asunto, disponerlo o arreglarlo, esp. si es mediante engaños o fraudes: *Todos creen que se ha muñido la votación y quieren invalidarla.* **2** Llamar o convocar a las juntas o a algo semejante: *Han muñido a todos los cofrades para asistir a una junta informativa.* □ ETIMOL. Del latín *monere* (amonestar, avisar). □ MORF. Irreg. →PLAÑIR.

muñón s.m. **1** Parte que queda unida al cuerpo tras la amputación de un miembro o de un órgano. **2** Miembro del cuerpo que está atrofiado y no ha llegado a tomar la forma correspondiente o la ha perdido. □ ETIMOL. De origen prerromano.

mural ▮ adj.inv. **1** Que se pone sobre un muro o pared y ocupa gran parte de él. ▮ s.m. **2** Obra pictórica informativa o decorativa, de grandes dimensiones, que se coloca en un muro o pared. □ ETIMOL. Del latín *muralis*.

muralismo s.m. Arte o técnica de realizar pinturas murales.

muralista ▮ adj.inv. **1** Del muralismo o relacionado con este arte. ▮ adj.inv./s.com. **2** Referido a un artista, que se dedica a la pintura mural.

muralla s.f. **1** Obra defensiva que rodea un lugar o un territorio. □ SINÓN. *muro.* **2** Lo que incomunica y es difícil de atravesar: *Los jugadores formaron una muralla infranqueable para el equipo contrario.* □ ETIMOL. Del italiano *muraglia*.

murciano, na adj./s. De Murcia o relacionado con esta comunidad autónoma, con la provincia de esta comunidad o con su capital: *El escultor Francisco Salzillo era murciano.*

murciélago s.m. Mamífero volador de pequeño tamaño y de hábitos nocturnos, capaz de orientarse en la oscuridad al emitir ultrasonidos que le permiten captar determinados ecos. □ ETIMOL. Del latín *mus* (ratón) y *caecus* (ciego). □ MORF. Es un sustantivo epiceno: *el murciélago {macho / hembra}*.

murena s.f. →**morena.** □ MORF. Es un sustantivo epiceno: *la murena {macho / hembra}*.

murga s.f. **1** Grupo de músicos callejeros. **2** ‖ **dar (la) murga;** *col.* Molestar o importunar: *Llevas todo el día dando la murga.* □ ETIMOL. De **musga*, y este de *música*.

murgón s.m. Cría del salmón cuando todavía no ha llegado al mar. □ SINÓN. *esguín.*

murguista s.com. Músico que forma parte de una murga.

múrice s.m. **1** Caracol marino cuya concha tiene un extremo acabado en una larga punta, y que segrega un líquido rojizo que se usaba antiguamente como tinte. **2** *poét.* Color púrpura. □ ETIMOL. Del latín *murex*.

múrido ▮ adj./s.m. **1** Referido a un roedor, que tiene el hocico largo y puntiagudo, y la cola larga y escamosa: *Las especies múridas tienen los incisivos inferiores agudos.* ▮ s.m.pl. **2** En zoología, familia de estos roedores, perteneciente a la clase de los mamíferos: *Los múridos carecen de dilataciones en forma de saco en las mejillas para almacenar alimento.* □ ETIMOL. Del latín *mus* (ratón).

murmullo s.m. Sonido suave y confuso, esp. el producido por gente que habla. □ ETIMOL. Del latín *murmurium*.

murmuración s.f. Comentario malintencionado sobre alguien, esp. si no está presente.

murmurador, -a adj./s. Que murmura.

murmurar ▮ v. **1** *col.* Hablar mal de alguien, esp. si no está presente: *Tu vecino no hace más que murmurar de todo el mundo.* **2** Hablar bajo o entre dientes, esp. si se manifiesta una queja: *No murmures y dime con claridad de qué te quejas.* **3** Producir un sonido suave y apacible: *El arroyuelo murmuraba al pasar entre las piedras.* ▮ prnl. **4** Referido a un rumor, difundirse entre la gente: *Se murmuraba que iba a haber un día más de vacaciones.* □ SINÓN. *rumorearse.* □ ETIMOL. Del latín *murmurare.* □ MORF. En la acepción 4, es unipersonal. □ SINT. Constr. de la acepción 1: *murmurar* DE *alguien*.

muro s.m. **1** Obra de albañilería vertical, generalmente gruesa, que se utiliza para cerrar un espacio o para sostener un techo. **2** Obra defensiva que rodea un lugar o un territorio. □ SINÓN. *muralla.* **3** Lo que separa o impide la comunicación: *Después de la disputa, entre los dos se levantó un muro de silencio.* □ ETIMOL. Del latín *murus* (muralla, pared).

murria s.f. *col.* Véase **murrio, rria.**

murrio, rria ▮ adj. **1** *col.* Triste y melancólico. ▮ s.f. **2** *col.* Tristeza que produce melancolía. □ ETIMOL. De origen incierto.

mus s.m. **1** Juego de cartas que consta de cuatro fases de apuesta o de envite y que se practica por parejas. **2** En este juego, petición de descarte de los naipes que no interesan. □ ETIMOL. Del euskera *mux*, y este del francés *mouche*.

musa s.f. **1** En la mitología clásica, cada una de las diosas que protegían las ciencias y las artes. **2** Inspiración de un artista. □ ETIMOL. Del latín *musa*, y este del griego *mûsa*.

musaca s.f. Plato griego hecho con berenjenas y carne picada. □ ETIMOL. Del turco *moussaka.* □ ORTOGR. Se usa también *musaka*.

musaka s.f. →**musaca.**

musaraña s.f. **1** Mamífero de unos seis centímetros de longitud, parecido a un ratón pero con el hocico más puntiagudo, que se alimenta generalmente de insectos. **2** || **{mirar a/pensar en} las musarañas;** *col.* Estar distraído o ajeno a lo que sucede alrededor. ☐ ETIMOL. Del latín *mus araneus* (ratón araña), porque se creía que su mordedura era venenosa como la de la araña. ☐ MORF. En la acepción 1, es un sustantivo epiceno: *la musaraña {macho / hembra}.*

muscoviscidosis (pl. *muscoviscidosis*) s.f. Enfermedad congénita que se caracteriza por un exceso de viscosidad de las glándulas exocrinas que provoca desarreglos digestivos, respiratorios y crónicos.

musculación s.f. Desarrollo de los músculos: *ejercicios de musculación.*

muscular ▮ adj.inv. **1** De los músculos, formado por ellos o relacionado con ellos: *dolores musculares.* ▮ v. **2** Desarrollar los músculos con el ejercicio físico: *Esta tarde en el gimnasio hemos musculado los tríceps.*

musculatura s.f. **1** Conjunto y disposición de los músculos del cuerpo. **2** *col.* Grado de desarrollo y fortaleza musculares.

músculo s.m. **1** En algunos animales y en las personas, tejido fibroso y elástico formado por células alargadas, en forma de huso, capaz de contraerse por la acción de estímulos nerviosos y que posibilita el movimiento. **2** || **(músculo) abductor;** el que tiene como función mover una parte del cuerpo alejándola del eje del mismo: *Para poner los brazos en cruz se utilizan músculos abductores.* || **(músculo) aductor;** el que tiene como función mover una parte del cuerpo acercándola al eje del mismo: *Para juntar las piernas se utilizan músculos aductores.* || **(músculo) bíceps;** el que tiene una de sus inserciones dividida en dos tendones: *Hace pesas y tiene los brazos muy anchos por el desarrollo de los músculos bíceps braquiales.* || **(músculo) cuádriceps;** el que tiene cuatro haces musculares y cuatro tendones: *El músculo cuádriceps tensa el muslo en su parte delantera.* || **(músculo) isquiotibial;** el que está localizado en la parte posterior del muslo. || **(músculo) masetero;** el que sirve para elevar la mandíbula inferior de los vertebrados: *Los músculos maseteros se utilizan en la masticación.* || **(músculo) sartorio;** el que se extiende oblicuamente a lo largo de la cara anterior e interna del muslo: *El músculo sartorio se extiende desde el comienzo superior del muslo hasta la rodilla.* || **(músculo) tríceps;** el que tiene una de sus inserciones dividida en tres tendones: *Al tensar el músculo tríceps, se estira el antebrazo.* ☐ ETIMOL. Del latín *musculus.*

musculoso, sa adj. **1** Referido a una parte del cuerpo, que tiene músculos. **2** Que tiene los músculos muy desarrollados. ☐ SEM. Dist. de *muscular* (relacionado con los músculos).

museístico, ca adj. Del museo o relacionado con él.

muselina s.f. Tela muy fina y transparente, generalmente de algodón o de seda. ☐ ETIMOL. Del francés *mousseline.*

museo s.m. Lugar en el que se guardan y se exponen objetos de valor artístico, científico o cultural para que puedan ser examinados. ☐ ETIMOL. Del latín *museum* (lugar dedicado a las musas).

museografía s.f. Conjunto de técnicas y prácticas relacionadas con el funcionamiento de un museo. ☐ ETIMOL. De *museo* y *-grafía* (descripción). ☐ ORTOGR. Dist. de *museología.*

museográfico, ca adj. De la museografía o relacionado con esta técnica.

museógrafo, fa s. Persona especializada en museografía.

museología s.f. Ciencia que estudia los museos, su historia, su influjo en la sociedad y las técnicas de catalogación y conservación. ☐ ETIMOL. De *museo* y *-logía* (ciencia). ☐ ORTOGR. Dist. de *museografía.*

museológico, ca adj. De la museología o relacionado con esta ciencia.

museólogo, ga adj. Persona especializada en museología.

muserola s.f. Correa de la brida que rodea el morro de una caballería y sirve para asegurar la posición del bocado. ☐ ETIMOL. Del italiano *museruola*, y este de *muso* (hocico).

musgo ▮ s.m. **1** Planta que carece de tejidos conductores, posee falsas raíces, tiene las hojas bien desarrolladas y cubiertas de pelos, y crece en lugares húmedos: *Los musgos suelen crecer en la cara norte de los troncos de los árboles.* **2** Capa de estas plantas que cubre una zona: *Esta piedra está cubierta de musgo.* ▮ pl. **3** En botánica, clase de estas plantas, perteneciente al reino de las metafitas: *Las plantas que pertenecen a los musgos contribuyen a formar el humus.* ☐ ETIMOL. Del latín *muscus.*

musgoso, sa adj. **1** Del musgo o relacionado con él. **2** Que está cubierto de musgo.

música s.f. Véase **músico, ca.**

musical ▮ adj.inv. **1** De la música, relacionado con ella o que la produce: *afición musical.* ▮ adj.inv./s.m. **2** Referido a una película o a un espectáculo, que tiene escenas cantadas o bailadas como elementos esenciales de su estructura: *una comedia musical.*

musicalidad s.f. Conjunto de características rítmicas o sonoras propias de la música y gratas al oído: *Los modernistas escribieron poemas de gran musicalidad y refinamiento.*

musicar v. Referido a un texto, ponerle música: *En su último disco, ha musicado varios poemas famosos.* ☐ ORTOGR. La *c* se cambia en *qu* ante *e* →SACAR.

musicasete s.f. Cajita de plástico que contiene una cinta magnética para la reproducción de música.

music hall (tb. *music-hall*) (ing.) s.m. || Espectáculo de variedades compuesto por números musicales, números cómicos y otras atracciones. □ PRON. [miúsic hol], con *h* aspirada.

músico, ca ▮ adj. **1** De la música o relacionado con ella. ▮ s. **2** Persona que se dedica a la música o que sabe su arte, esp. si esta es su profesión. ▮ s.f. **3** Arte de combinar sonidos vocales, instrumentales o ambos a un tiempo, de manera que produzcan un efecto estético o expresivo: *Estudia música en el conservatorio porque aspira a ser pianista.* **4** Composición creada según este arte: *Es autora de la música y de la letra de la canción.* **5** Conjunto de estas composiciones con una característica común: *Tiene muchos discos de música celta.* **6** Melodía o combinación agradable de sonidos: *¡Qué placer descansar a la sombra de aquel árbol escuchando la música del riachuelo!* **7** Grupo o conjunto de músicos que tocan juntos: *Organizamos juntos una fiesta y a mí me tocó contratar la música.* **8** ‖ **con la música a otra parte;** *col.* Expresión que se usa para alejar a alguien y que deje de molestar: *Le dije que me dejara en paz y que se fuera con la música a otra parte.* ‖ **música celestial;** *col.* Lo que se oye y resulta muy agradable: *Cuando me dijo que me iba a subir el sueldo, me sonó a música celestial.* ‖ **música de cámara;** la que es instrumental y ha sido compuesta para ser ejecutada por un número reducido de intérpretes en una sala pequeña. ‖ **música enlatada;** *col.* La grabada, esp. referido a la que se escucha en un espectáculo en directo. ‖ **música instrumental;** la compuesta para ser interpretada solo por instrumentos. ‖ **música ligera;** la que es muy melodiosa, pegadiza y fácil de recordar. ‖ **música vocal;** la compuesta para ser interpretada por voces, solas o con acompañamiento instrumental. □ ETIMOL. Las acepciones 1 y 2, del latín *musicus*, y este del griego *musikós* (poético). Las acepciones 3-8, del latín *musica*, y este de *musa* (musa). □ SINT. 1. *Música celestial* se usa más en la expresión *sonar a música celestial*. 2. *Con la música a otra parte* se usa más con los verbos *mandar*, *marchar*, *enviar* o equivalentes.

musicógrafo, fa s. Persona que escribe obras sobre música, esp. si esta es su profesión.

musicología s.f. Estudio científico de la teoría y la historia de la música. □ ETIMOL. De *música* y *-logía* (estudio, ciencia).

musicológico, ca adj. De la musicología o relacionado con ella.

musicólogo, ga s. Persona especializada en el estudio de la teoría y de la historia de la música.

musicomanía s.f. Pasión desmedida por la música. □ SINÓN. *melomanía.* □ ETIMOL. De *música* y *-manía* (afición desmedida).

musicómano, na adj./s. Que siente una gran pasión por la música. □ SINÓN. *melómano.* □ ETIMOL. De *música* y *-mano* (aficionado en exceso).

musiquero, ra adj./s. *col.* Referido a una persona, que es aficionada a la música.

musiquilla s.f. *col.* Tonillo o deje al hablar.

musitar v. *col.* Hablar en voz muy baja produciendo un murmullo: *Musitó unas palabras de disculpa casi inaudibles. Musitó una oración.* □ SINÓN. *bisbisar, bisbisear.* □ ETIMOL. Del latín *mussitare*.

muslamen s.m. *col.* Muslos de una persona, esp. los de una mujer si son gruesos o bien formados. □ USO Tiene un matiz humorístico.

muslari s.com. Jugador de mus.

muslera s.f. Tira o venda de material elástico, que se coloca ciñendo el muslo para sujetarlo o para protegerlo.

muslim ▮ adj.inv. **1** De Mahoma (profeta árabe) o relacionado con su religión. □ SINÓN. *musulmán.* ▮ adj.inv./s.com. **2** Que tiene como religión el islamismo. □ SINÓN. *musulmán.* □ ETIMOL. Del árabe *muslim* (el que practica la entrega a Dios).

muslo s.m. **1** En una persona o en un animal cuadrúpedo, parte de la pierna o de la pata que va desde la cadera hasta la rodilla y en la que se localiza el fémur. **2** En un ave, parte más carnosa de la pata, en la que se localizan la tibia y el peroné. □ ETIMOL. Del latín *musculus* (músculo).

musolari s.com. Jugador de mus.

mussoliniano, na adj. De Mussolini (gobernante y líder fascista italiano del siglo XX) o relacionado con él.

mustang (ing.) s.m. Caballo salvaje que vive en las praderas norteamericanas. □ PRON. [mústan].

mustélido ▮ adj./s.m. **1** Referido a un mamífero, que es carnívoro, tiene el cuerpo pequeño, alargado y muy flexible, y las patas cortas: *La nutria, la comadreja y el visón son animales mustélidos.* ▮ s.m.pl. **2** En zoología, familia de estos mamíferos: *Los animales que pertenecen a los mustélidos son grandes depredadores.*

musteriense adj.inv./s.m. Referido a una cultura prehistórica, que se desarrolló durante el paleolítico medio, es anterior al auriñaciense y posterior al achelense, y se caracteriza por su industria de la piedra, en la que destacan los utensilios fabricados con lascas de sílex. □ ETIMOL. Por alusión a Le Moustier, localidad francesa.

mustiar (tb. *amustiar*) v. **1** Referido esp. a una planta, hacerle perder la frescura, el verdor o la abundancia de hojas: *El calor ha mustiado las flores que puse en el jarrón.* □ SINÓN. *marchitar.* **2** Hacer perder la viveza, el vigor o la vitalidad: *Las penalidades que pasó mustiaron su carácter.* □ SINÓN. *marchitar.* □ ORTOGR. La *i* nunca lleva tilde.

mustio, tia adj. **1** Referido esp. a un planta, que ha perdido su frescura, su verdor o su abundancia de hojas. **2** Melancólico o triste: *Hoy me he levantado mustio y tristón, y no sé por qué.* **3** En zonas del español meridional, hipócrita o falso. □ ETIMOL. Quizá del latín **mustidus* (viscoso, húmedo).

musulmán, -a ▮ adj. **1** De Mahoma (profeta árabe), o relacionado con su religión. □ SINÓN. *islamita, mahometano, muslim.* ▮ adj./s. **2** Que tiene como religión el islamismo. □ SINÓN. *islamita, mahometano, muslim, agareno, mahometista.* □ ETIMOL. Del francés *musulman*.

mutabilidad s.f. Capacidad de mutar.

mutable adj.inv. →**mudable.**

mutación s.f. **1** Alteración en el material genético de una célula, que se transmite a las siguientes generaciones. **2** Resultado visible de esta alteración: *El albinismo es una mutación del gen responsable de la producción de melanina.* □ ETIMOL. Del latín *mutatio*.

mutagénesis (pl. *mutagénesis*) s.f. En biología, producción o creación de mutaciones.

mutagénico, ca adj. Referido esp. a un agente, que causa mutaciones o alteraciones genéticas en el desarrollo de un ser vivo: *una lesión con efectos mutagénicos.* □ SINÓN. *mutágeno*.

mutágeno, na ▌s.m. **1** Agente capaz de producir mutaciones o alteraciones genéticas en el desarrollo de un ser vivo. ▌adj. **2** →**mutagénico.**

mutante ▌adj.inv. **1** Que ha sufrido una mutación. ▌s.com. **2** Individuo surgido de una mutación. **3** Descendencia de este individuo. □ MORF. En la acepción 2, en la lengua coloquia se usa mucho la forma abreviada *muti*.

mutar v. **1** En biología, referido esp. al material genético de una célula, sufrir una alteración en su constitución, que se transmite a las siguientes generaciones: *El material genético puede mutar espontáneamente o de forma inducida.* **2** Cambiar, transformar o convertir en algo distinto: *Las costumbres tradicionales son difíciles de mutar.* □ ETIMOL. Del latín *mutare* (cambiar).

mutatis mutandis (lat.) ‖ Cambiando lo que haya que cambiar: *A esta situación podría aplicarse mutatis mutandis el axioma al que antes aludíamos.*

muti s.com. *col. desp.* →**mutante.**

mutilación s.f. Corte de una parte separándola o eliminándola del todo al que pertenece: *El escritor protestó por la mutilación que había sufrido su libro a manos del editor.*

mutilado, da s. Persona que ha sufrido una mutilación en el cuerpo.

mutilar v. **1** Referido a una parte del cuerpo, cortarla o amputarla: *Lo arrolló un tren y le mutiló las piernas. Se mutiló un dedo con la cortadora de césped.* **2** Referido a un todo, cortarle alguna parte o quitársela: *El editor mutiló la novela porque resultaba demasiado larga.* □ ETIMOL. Del latín *mutilare*.

mutis (pl. *mutis*) s.m. En teatro, salida de la escena de un actor: *hacer mutis.* □ ETIMOL. Quizá del provenzal *mutus*, y este del latín *mutus* (mudo). □ SINT. Se usa más en la expresión *hacer mutis*.

mutismo s.m. Silencio voluntario o impuesto. □ ETIMOL. Del latín *mutus* (mudo).

mutua s.f. →**mutualidad.**

mutualidad s.f. **1** Asociación destinada a prestar asistencia o determinados servicios a sus miembros y que se financia con las aportaciones periódicas de estos: *Su pertenencia a una mutualidad de funcionarios le da derecho a cobrar una pensión cuando se jubile.* **2** Sistema o régimen de prestaciones mutuas en el que se basan estas asociaciones: *La mutualidad se ha revelado como un sistema eficaz para la organización de compañías de seguros.* □ MORF. En la acepción 1, se usa mucho la forma abreviada *mutua*.

mutualismo s.m. **1** Sistema basado en un régimen de mutualidad. **2** En biología, asociación entre dos individuos u organismos de distinta especie, que proporciona beneficios a ambos.

mutualista ▌adj.inv. **1** De la mutualidad o relacionado con ella. ▌s.com. **2** Miembro de una mutualidad.

mutuo, tua ▌adj. **1** Que se hace o se produce entre dos de manera recíproca: *El cariño que sentimos es mutuo.* ▌s.f. **2** →**mutualidad.** □ ETIMOL. La acepción 1, del latín *mutuus* (recíproco, mutuo).

muy adv. →**mucho.** □ MORF. Es apócope de *mucho* ante expresiones adjetivas o adverbiales, excepto ante *más*, *menos*, *antes*, *después* o los comparativos *mayor*, *menor*, *mejor* o *peor*.

muyahid (ár.) (tb. *muyaidín*) (pl. *muyahidin*) s.m. Combatiente o guerrillero. □ PRON. [muyahíd], con *h* aspirada. □ MORF. Incorr. el pl. **muyahidines*.

muyaidín (pl. *muyaidines*) s.m. →**muyahid.**

my s.f. →**mi.**

myanma adj.inv./s.com. De Myanmar o relacionado con este país asiático, antes llamado *Birmania*. □ SINÓN. *birmano*.

N n

n s.f. **1** Decimocuarta letra del abecedario. **2** Exponente de una potencia indeterminada: *Para calcular '2' elevado a 'n', debes multiplicar '2 n' veces.* **3** *col.* Número indeterminado, pero muy alto: *Te he dicho 'n' veces que estés quieto.* □ PRON. En la acepción 1, representa el sonido consonántico nasal sonoro.

naba s.f. **1** Planta de huerta, de raíz grande y carnosa, generalmente con forma de huso, de color amarillento o rojizo, que se usa en la alimentación humana y animal: *Las nabas se cultivan mucho en el norte de España.* □ SINÓN. *nabicol.* **2** Raíz de esta planta. □ SINÓN. *nabicol.* □ ETIMOL. Del latín *napa* (nabo). □ ORTOGR. Dist. de *nava.*

nabal adj.inv./s.m. →**nabar.** □ ORTOGR. Dist. de *naval.*

nabar (tb. *nabal*) ▮ adj.inv. **1** De los nabos, hecho con nabos o relacionado con ellos. ▮ s.m. **2** Terreno sembrado de nabos.

nabicol s.m. **1** Planta de huerta, de raíz grande y carnosa, generalmente con forma de huso, de color amarillento o rojizo, que se usa en la alimentación humana y animal. □ SINÓN. *naba.* **2** Raíz de esta planta. □ SINÓN. *naba.*

nabiza s.f. Hoja tierna del nabo, cuando empieza a crecer.

nabo s.m. **1** Planta de hojas dentadas, rizadas y de color verde azulado, con flores de pequeño tamaño que dan semillas negras y raíz con forma de huso y color blanco o amarillento. **2** Raíz de esta planta. **3** *vulg.* →**pene.** □ ETIMOL. Del latín *napus.*

nácar s.m. Sustancia dura, blanca e irisada que forma la capa interna de las conchas de algunos moluscos y que se usa para fabricar objetos: *botones de nácar.* □ ETIMOL. Quizá del árabe *naqur* (caracola).

nacarado, da (tb. *anacarado, da*) adj. De color blanco irisado, como el del nácar, o con su brillo.

nacáreo, a adj. Del nácar o con sus características. □ SINÓN. *nacarino.*

nacarina s.f. Véase **nacarino, na.**

nacarino, na ▮ adj. **1** Del nácar o con sus características. □ SINÓN. *nacáreo.* ▮ s.f. **2** Nácar artificial.

nacer ▮ v. **1** Referido a una persona o a un animal vivíparo, salir del vientre materno: *Mi primera hija nació el nueve de junio.* **2** Referido a un animal ovíparo, salir del huevo: *Nada más nacer, el pollito empezó a piar.* **3** Referido a un vegetal, salir de su semilla: *De las diez semillas que planté, solo han nacido cinco plantas.* **4** Salir o empezar a aparecer: *Se le cayó el pelo, pero ya le está volviendo a nacer. Al pollito todavía no le han nacido las plumas.* **5** Referido a un astro, empezar a verse en el horizonte: *El Sol nace por el Este.* **6** Brotar o surgir: *Este río nace en la montaña.* **7** Empezar, tener origen o tener principio: *La revolución nació del descontento popular. El miedo nace de la ignorancia. Mi amargura nace de aquel desengaño.* **8** Seguido de 'para', estar destinado para el fin que se indica o tener una inclinación natural hacia él: *Mi profesora de piano dice que he nacido para la música.* **9** Seguido de 'a', iniciarse en la actividad que se indica: *Nació a la literatura el día que le publicaron un cuento.* **10** *col.* Referido a una persona, seguir vivo después de haber salido de un peligro de muerte: *Tú naciste el día que te salvaron de morir ahogado.* ▮ prnl. **11** Referido esp. a una raíz o a una semilla, echar tallos al aire libre sin haber sido plantadas: *Las patatas que compraste se han nacido y algunas tienen hasta hojas.* □ ETIMOL. Del latín *nasci.* □ MORF. 1. Irreg. →PARECER. 2. Tiene un participio regular (*nacido*) que se usa en la conjugación y otro irregular (*nato*) que se utiliza como adjetivo. □ SEM. Expresiones como *no haber nacido ayer* se usan para negar una supuesta ingenuidad: *A mí no intentes engañarme, que no he nacido ayer.*

nacho s.m. Aperitivo mexicano con forma de triángulo hecho con pasta de maíz frita.

nacido, da ▮ s. **1** Persona que existió en el pasado o que existe en el presente: *Los nacidos en 1950 tendrán cincuenta años en el año 2000.* ▮ s.m. **2** En zonas del español meridional, divieso. **3** || **bien nacido;** referido a una persona, que actúa con nobleza y honradez. || **mal nacido;** →**malnacido.** □ MORF. En la acepción 1, se usa más en plural. □ USO *Mal nacido* se usa como insulto.

naciente ▮ adj.inv. **1** Que nace. ▮ s.m. **2** Este.

nacimiento s.m. **1** Comienzo de la vida de un nuevo ser: *Hicieron una fiesta para celebrar el nacimiento de su hijo.* **2** Comienzo, aparición o principio: *Le gusta madrugar para ver el nacimiento del Sol.* **3** Lugar en el que brota una corriente de agua: *Remontando el curso del río, llegarás a su nacimiento.* **4** Representación con figuras de la natividad de Jesucristo (hijo de Dios en el cristianismo): *Al lado del árbol navideño pongo siempre un nacimiento.* □ SINÓN. *belén, pesebre.* □ SEM. Dist. de *natalicio* (día del nacimiento).

nación s.f. **1** Conjunto de habitantes de un país regido por un Gobierno central: *Durante la invasión, el presidente pidió a la nación que tuviera calma.* **2** Territorio de este país: *En su viaje visitó las naciones del norte de Europa.* **3** Conjunto de personas con un mismo origen étnico y que generalmente hablan un mismo idioma y tienen una tradición común: *La nación judía vive dispersa por todo el mundo.* □ ETIMOL. Del latín *natio* (raza).

nacional ▮ adj.inv. **1** De una nación o relacionado con ella: *fronteras nacionales.* **2** De la propia nación o relacionado con ella: *vuelos nacionales.* ▮ adj.inv./s.com. **3** En la guerra civil española, partidario del bando acaudillado por el general Franco.

nacionalcatolicismo s.m. Doctrina política que se dio en la España franquista y que se caracterizaba por la estrecha relación entre el Estado y la iglesia católica.

nacionalidad s.f. Estado o situación de quien posee el derecho de ciudadanía de una nación: *Aunque tengo la nacionalidad española, nací en el extranjero.*

nacionalismo s.m. **1** Doctrina política que exalta y que defiende lo que se considera propio de una nación. **2** Tendencia o movimiento de un pueblo para constituirse en Estado autónomo o independiente.

nacionalista adj.inv./s.com. Que sigue o que defiende el nacionalismo.

nacionalización s.f. **1** Concesión u obtención de una nacionalidad que no es la de origen. **2** Paso a manos del Estado de bienes o empresas de personas individuales o colectivas.

nacionalizar v. **1** Referido a una persona, dar u obtener una nacionalidad que no es la de origen: *Las autoridades consintieron en nacionalizarlo tras tres años de trámites burocráticos. Al nacionalizarse adquirió los derechos y los deberes de su nuevo país.* **2** Referido a bienes o a empresas privados, hacer que pasen a manos del Estado: *El Gobierno nacionalizó los transportes públicos.* □ ORTOGR. La *z* se cambia en *c* delante de *e* →CAZAR.

nacionalsindicalismo s.m. Doctrina política y social española que defendía el totalitarismo, el tradicionalismo nacionalista y militarista, y la sustitución de los sindicatos obreros por sindicatos comunes a trabajadores y a patronos: *El nacionalsindicalismo estuvo vigente en España de 1939 a 1978.*

nacionalsindicalista ▌adj.inv. **1** Del nacionalsindicalismo o relacionado con esta doctrina política. ▌adj.inv./s.com. **2** Que defiende o sigue el nacionalsindicalismo.

nacionalsocialismo s.m. →**nazismo.**

nacionalsocialista adj.inv./s.com. →**nazi.**

nada ▌pron.indef. **1** Ninguna cosa: *Nunca conseguí nada de él. Este no sabe nada de español. Antes de nada, ¿me has traído el libro? No quiero nada más, gracias. Por nada me separaría yo de mis hijos. Con este calor, nada como darse un buen baño.* **2** Poco o muy poco: *Han estrenado esa película hace nada. No sé nada de tu hermano, solo lo conozco de vista. No me lo agradezcas, porque yo apenas hice nada. Este niño no come nada. Me he caído de la bici, pero no ha sido nada.* ▌s.f. **3** Ausencia o inexistencia de cualquier ser o de cualquier cosa: *Una gran guerra podría reducirnos a la nada.* ▌adv. **4** En absoluto, de ninguna manera: *No lo estás haciendo nada bien. No lo vi nada animado.* **5** ‖ **de nada;** expresión que se utiliza para corresponder a un agradecimiento. ‖ **nada menos;** expresión que se utiliza para alabar la autoridad, la importancia o la excelencia de algo: *Me ha felicitado nada menos que la directora general.* ‖ **para nada;** *col.* Expresión que se utiliza para expresar negación total o rechazo absoluto: *Para nada pienso aceptar la propuesta que me haces.* □ ETIMOL. Del latín *res nata* (cosa nacida), que se empleó con el sentido de *asunto en cuestión.* □ MORF. En las acepciones 1 y 2, no tiene diferenciación de género.

nadador, -a ▌adj./s. **1** Que nada. ▌s. **2** Deportista que practica la natación.

nadar v. **1** Trasladarse en el agua impulsándose con movimientos del cuerpo: *Como aún no sabe nadar, se baña con flotador. Al nadar, los perros hacen los mismos movimientos que al andar.* **2** Flotar en un líquido: *La lechuga nada en aceite porque has echado demasiado.* □ SINÓN. *sobrenadar.* **3** Tener en abundancia: *Nadan en dinero, pero nunca los verás hacer ostentación de su riqueza.* □ ETIMOL. Del latín *natare.* □ SINT. Constr. de la acepción 3: *nadar* EN *algo.*

nadería s.f. Lo que se considera sin importancia o de poco valor.

nadie pron.indef. **1** Ninguna persona: *No debe de haber nadie en tu casa, porque no me cogen el teléfono. Nadie sabe qué ha pasado. ¿Cómo te atreves a darme órdenes, si tú no eres nadie aquí?* **2** ‖ **ser un don nadie;** ser una persona de poca influencia, a la que no se reconoce ningún valor. □ ETIMOL. Del latín *nati* (los nacidos). □ MORF. No tiene diferenciación de género.

nadir s.m. En astronomía, punto de la esfera celeste diametralmente opuesto al cenit. □ ETIMOL. Del árabe *nazir* (opuesto).

nado ‖ **a nado;** nadando.

nafta s.f. **1** Fracción de hidrocarburos, obtenida por destilación directa del petróleo crudo, que se utiliza esp. como disolvente y para obtener gasolinas de alto índice de octano: *La nafta es líquida e incolora, y arde con facilidad.* **2** En zonas del español meridional, gasolina. □ ETIMOL. Del latín *naphtha*, y este del griego *náphtha* (especie de petróleo o asfalto).

naftalina s.f. Hidrocarburo aromático y sólido que se obtiene del alquitrán de hulla y que se usa generalmente como insecticida: *Puso en el armario unas bolas de naftalina contra las polillas.*

nagual s.m. **1** En la tradición de algunos pueblos indígenas americanos, persona que tiene poderes sobrenaturales y que puede transformarse en perro o coyote. **2** En algunos pueblos indígenas americanos, animal que una persona tiene como protector espiritual y compañero durante toda su vida y que se considera su álter ego. □ ETIMOL. Del náhuatl *nahualli* (brujo, hechicero).

naguas s.f.pl. En zonas del español meridional, enaguas.

nagware (ing.) s.m. Programa informático de demostración, que se caracteriza por recordar constantemente al usuario que debe registrarse y pagar por su uso. □ PRON. [nág-güer].

nahua ▌adj.inv./s.com. **1** De un antiguo pueblo amerindio que habitó en la altiplanicie mexicana y en parte de América Central. ▌s.m. **2** →**náhuatl.**

náhuatl (tb. *nahua*) s.m. Lengua indígena americana: *El náhuatl fue la lengua del imperio azteca, y hoy se sigue hablando en México.*

naif (tb. *naíf*) ❚ adj.inv. **1** Del 'naif' o relacionado con este movimiento artístico. ❚ s.m. **2** Movimiento artístico, que se caracteriza por la ingenuidad, el uso de colores vivos, la espontaneidad y la composición sencilla de sus obras. ☐ ETIMOL. Del francés *naïf*.

nailon (tb. *nilón*) s.m. Material sintético resistente y elástico, usado generalmente en la fabricación de cuerdas, plásticos y prendas de vestir. ☐ ETIMOL. Del inglés *nylon*. Extensión del nombre de una marca comercial. ☐ USO Es innecesario el uso del anglicismo *nylon*.

naipe ❚ s.m. **1** Cada una de las cartulinas rectangulares que llevan en una de sus caras una figura o un número determinado de objetos y que forman parte de una baraja. ☐ SINÓN. *carta*. ❚ pl. **2** Conjunto de estas cartulinas, dividido en cuatro palos, que se usa en algunos juegos de azar. ☐ SINÓN. *baraja*. ☐ ETIMOL. De origen incierto.

naira s.f. Unidad monetaria nigeriana.

naja ‖ **salir de naja;** *col.* Salir corriendo o marcharse precipitadamente.

naked (ing.) s.f. Motocicleta que se caracteriza por no tener revestimiento. ☐ PRON. [néikid].

nakfa s.m. Unidad monetaria eritrea.

nalga s.f. Parte abultada y carnosa en la que empieza la pierna humana. ☐ ETIMOL. Del latín *natica*. ☐ SEM. En plural equivale a *culo*: *Se cayó de nalgas*.

nalgada s.f. Golpe dado con las nalgas o recibido en ellas.

nalgamen s.m. *col.* Culo.

nalgudo, da adj. Que tiene las nalgas gruesas.

namibio, bia adj./s. De Namibia o relacionado con este país africano.

nana s.f. **1** Canción que se canta a los niños para dormirlos. ☐ SINÓN. *canción de cuna*. **2** En zonas del español meridional, niñera. ☐ ETIMOL. Voz infantil.

nanay interj. *col.* Expresión que se usa para indicar negación rotunda.

nandrolona s.f. Anabolizante que sirve para aumentar la musculatura y resistir mejor el cansancio: *La nandrolona es una sustancia que puede dar positivo en los controles antidopaje*.

nano s.m. *col.* Niño o niña pequeños.

nano- Elemento compositivo prefijo que significa 'milmillonésima parte': *nanómetro, nanosegundo*. ☐ ETIMOL. Del latín *nanus* (pequeñez excesiva). ☐ ORTOGR. Su símbolo es *n-*, y no se usa nunca aislado: *nm* (nanómetro).

nanociencia s.f. Rama de la ciencia que trabaja en los niveles atómico y nuclear de la materia.

nanocientífico, ca ❚ adj. **1** De la nanociencia o relacionado con esta disciplina científica. ❚ s. **2** Persona que se dedica al estudio de la nanociencia.

nanómetro s.m. Milmillonésima parte de un metro. ☐ ORTOGR. Su símbolo es *nm*, por tanto, se escribe sin punto.

nanomundo s.m. Campo de investigación científica que se dedica al estudio de las realidades cuya unidad de medida es el nanómetro.

nanosegundo s.m. Milmillonésima parte de un segundo.

nanotecnología s.f. Tecnología que maneja elementos de niveles atómico y molecular para crear nuevas estructuras.

nansa s.f. Arte o aparejo de pesca formado por un cilindro de red o de juncos entretejidos con aros de madera y con una de sus bases en forma de embudo. ☐ SINÓN. *nasa*. ☐ ETIMOL. Del latín *nassa*.

nao s.f. *poét.* Nave o embarcación. ☐ ETIMOL. Del catalán *nau*.

naos (pl. *naos*) s.f. Sala de los templos grecolatinos en la que se colocaba la estatua de la divinidad.

napa s.f. Piel de algunos animales, generalmente de cordero o de cabra, esp. después de curtida y preparada para diversos usos. ☐ ETIMOL. Del francés *nappe*.

napalm s.m. Sustancia muy inflamable, de consistencia gelatinosa a temperatura ambiente, que se utiliza en la fabricación de bombas incendiarias: *Las bombas de napalm fueron utilizadas por el ejército de Estados Unidos en la guerra de Vietnam*. ☐ ETIMOL. Extensión del nombre de una marca comercial. ☐ PRON. [napálm].

napia s.f. *col.* Nariz.

napiforme adj.inv. Con forma de nabo.

napo s.m. *col.* Billete de mil pesetas.

napoleón s.m. Antigua moneda francesa de cinco francos que se usó en España (país europeo) durante la guerra de la Independencia.

napoleónico, ca adj. De Napoleón (emperador francés de los siglos XVIII y XIX), de su imperio o relacionado con ellos.

napolitana s.f. Véase **napolitano, na**.

napolitano, na ❚ adj./s. **1** De Nápoles (ciudad italiana), o relacionado con ella. ❚ s.f. **2** Pastel de forma rectangular y aplanada, generalmente relleno de crema.

naquear v. *arg.* Hablar.

naranja ❚ adj.inv./s.m. **1** Del color que resulta de mezclar rojo y amarillo. ☐ SINÓN. *anaranjado*. ❚ s.f. **2** Fruto de este color producido por el naranjo, que tiene forma redonda, piel ligeramente rugosa, pulpa dividida en gajos y sabor agridulce. **3** Bebida hecha con este fruto. **4** ‖ **media naranja;** respecto de una persona, otra que la complementa perfectamente: *Sigue soltero porque aún no ha encontrado a su media naranja*. ‖ **(naranja) sanguina;** la que tiene la pulpa de color rojizo. ☐ ETIMOL. Del árabe *naranya*. ☐ USO En plural se usa como interjección o para expresar negación rotunda: *Me preguntó que si iba a ir a la fiesta y le dije que naranjas*.

naranjada s.f. Véase **naranjado, da**.

naranjado, da ❚ adj. **1** →**anaranjado.** ❚ s.f. **2** Bebida con sabor a naranja o hecha con zumo de naranja.

naranjal s.m. Terreno plantado de naranjos.

naranjas interj. Expresión que se usa para indicar extrañeza, sorpresa, admiración, disgusto o negación rotunda. ☐ USO Se usa mucho la expresión *naranjas de la China*.

naranjero, ra ▌adj. **1** De la naranja o relacionado con esta fruta. ▌s. **2** Persona que se dedica profesionalmente al cultivo o a la venta de naranjas. ▌s.m. **3** En algunas regiones, naranjo.

naranjo s.m. Árbol frutal de flores blancas y olorosas cuyo fruto es la naranja.

narcisismo s.m. Admiración excesiva hacia uno mismo.

narcisista adj.inv./s.com. Referido a una persona, que siente una exagerada admiración por sí misma o que cuida en exceso su aspecto. ☐ SINÓN. *narciso.* ☐ ETIMOL. Por alusión al personaje mitológico Narciso, que se enamoró de sí mismo al verse reflejado en el agua.

narciso s.m. **1** Planta herbácea, con raíz en forma de bulbo y hojas lineales que nacen en la base del tallo, que da una única flor blanca o amarilla compuesta de dos partes, una posterior formada por pétalos y otra anterior en forma de copa o de campana. **2** Flor de esta planta. **3** Hombre que siente una exagerada admiración por sí mismo o que cuida en exceso su aspecto. ☐ SINÓN. *narcisista.* ☐ ETIMOL. Las acepciones 1 y 2, del latín *narcissus*. La acepción 3, por alusión a Narciso, personaje mitológico que se enamoró de sí mismo al verse reflejado en el agua.

narco s.com. *col.* →**narcotraficante.**

narco- 1 Elemento compositivo prefijo que significa 'droga': *narcotráfico.* **2** Elemento compositivo prefijo que significa 'sueño': *narcoterapia.* ☐ ETIMOL. Del griego *nárke* (adormecimiento, entumecimiento).

narcodinero s.m. Dinero obtenido como ganancia del tráfico de drogas.

narcodólar s.m. Dólar obtenido como ganancia del tráfico de drogas. ☐ MORF. Se usa más en plural.

narcogobierno s.m. Gobierno que ampara o protege el narcotráfico.

narcoguerrilla s.f. Guerrilla costeada con dinero obtenido por el tráfico de drogas.

narcolepsia s.f. Alteración del sueño que se caracteriza por una necesidad incontrolable de dormir.

narcosala s.f. Centro legal y público en el que los toxicómanos pueden inyectarse droga en unas condiciones higiénicas y sanitarias adecuadas: *En las narcosalas se ofrecen servicios asistenciales a los drogodependientes.*

narcosis (pl. *narcosis*) s.f. **1** Disminución de la sensibilidad o de la consciencia, producida por el uso de narcóticos. **2** Perdida de la sensibilidad o de la consciencia causada por exceso de nitrógeno en los pulmones: *Durante la inmersión, uno de los submarinistas tuvo una narcosis.* ☐ ETIMOL. Del griego *nárkosis*, y este de *nárke* (adormecimiento, entumecimiento).

narcoterapia s.f. Tratamiento de las enfermedades nerviosas o mentales mediante la administración de sustancias narcóticas o sedantes.

narcoterrorista adj.inv./s.com. Terrorista vinculado con el narcotráfico.

narcótico, ca adj./s.m. Referido esp. a una sustancia, que produce sopor, relajación muscular y disminución de la sensibilidad o de la consciencia. ☐ ETIMOL. Del griego *narkotikós*, y este de *nárke* (adormecimiento, entumecimiento).

narcotismo s.m. **1** Estado de adormecimiento debido al uso de narcóticos. **2** Conjunto de efectos producidos por un narcótico.

narcotización s.f. Adormecimiento causado por el uso de narcóticos.

narcotizar v. Producir narcotismo o adormecer mediante el uso de narcóticos: *La morfina narcotiza a quien la consume.* ☐ ORTOGR. La *z* se cambia en *c* delante de *e* →CAZAR.

narcotraficante adj.inv./s.com. Que trafica en drogas tóxicas, esp. si lo hace en grandes cantidades. ☐ MORF. Como sustantivo, se usa mucho la forma abreviada *narco*.

narcotraficar v. Comerciar o negociar con drogas en grandes cantidades: *Sobre él recae una orden de arresto por narcotraficar en la zona.* ☐ ORTOGR. La *c* se cambia en *qu* delante de *e* →SACAR.

narcotráfico s.m. Tráfico y comercio de drogas tóxicas en grandes cantidades.

nardo s.m. **1** Planta de flores blancas muy olorosas, reunidas en espigas, que se cultiva en los jardines y se emplea en perfumería. **2** Flor de esta planta. ☐ ETIMOL. Del latín *nardus*.

narguile s.m. Pipa para fumar formada por un depósito lleno de agua del que sale un largo tubo flexible por el cual pasa el humo hasta la boca del fumador. ☐ ETIMOL. Del árabe *narayila* (nuez de coco), porque de ella se hace la cápsula que contiene el tabaco.

narices interj. *col.* Expresión que se usa para indicar extrañeza, sorpresa, admiración o disgusto.

narigón, -a ▌adj./s. **1** →**narigudo.** ▌s.m. **2** Nariz muy grande.

narigudo, da adj./s. Que tiene la nariz grande. ☐ SINÓN. *narizudo, narizotas, narigón, narizón.* ☐ ETIMOL. Del latín **naricutus*.

narina s.f. Cada uno de los orificios externos de la nariz. ☐ ETIMOL. Del francés *narine*.

nariz s.f. **1** En la cara de una persona, parte que sobresale entre los ojos y la boca y forma la entrada del aparato respiratorio: *Las gafas se apoyan sobre la nariz.* **2** En muchos vertebrados, parte de la cabeza que tiene esta misma función y situación: *El perro levantaba la nariz olisqueando el aire.* **3** Sentido del olfato: *Estos perros de caza tienen mucha nariz.* **4** ‖ **asomar las narices;** *col.* Aparecer en un lugar, esp. si es para fisgar. ‖ **dar en la nariz** algo a alguien; *col.* Producir sospecha o hacer suponer: *Me da en la nariz que mañana no va a venir nadie.* ‖ **darse de narices con** alguien; *col.* Tropezar o encontrarse bruscamente con él. ‖ **en las narices de** alguien; *col.* Referido al modo de hacer algo, en su vista o en su presencia. ‖ **meter las narices;** *col.* Referido a una persona, entrometerse o intervenir en un asunto que no es de su incumbencia. ‖ **nariz aguileña;** la que es delgada y está un poco curvada. || **nariz griega;** la de perfil recto que no hace ángulo con la frente: *Para el papel de ateniense, la directora busca a un actor con nariz griega.* || **nariz perfilada;** la perfecta y bien formada. || **no ver** alguien **más allá de sus narices;** *col.* Ser poco perspicaz o poco espabilado. || **{pasar/restregar}** algo **por las narices;** *col.* Decirlo o mostrarlo con insistencia o con intención de molestar. ☐ ETIMOL. Del latín *naricae.* ☐ USO *Narices* se usa mucho en la lengua coloquial como palabra comodín para formar locuciones eufemísticas: *estar hasta las narices* significa 'estar muy harto'.

narizón, -a adj. *col.* →**narigudo.**

narizotas (pl. *narizotas*) s.com. Persona que tiene la nariz grande. ☐ SINÓN. *narigudo.*

narizudo, da adj. *col.* →**narigudo.**

narración s.f. **1** Exposición de una historia o de un suceso. **2** Novela, cuento u obra literaria en la que se hace una exposición de este tipo. ☐ ETIMOL. Del latín *narratio.*

narrador, -a ▮ adj./s. **1** Que narra. ▮ s. **2** Persona o personaje que narra algo.

narrar v. Referido esp. a una historia o a un suceso, contarlos, referirlos o relatarlos: *La novelista narra los problemas de una familia de pueblo.* ☐ ETIMOL. Del latín *narrare.*

narrativa s.f. Véase **narrativo, va.**

narrativo, va ▮ adj. **1** De la narración o relacionado con esta forma de exposición: *un poema narrativo.* ▮ s.f. **2** Género literario en prosa constituido fundamentalmente por la novela y el cuento.

narratología s.f. Estudio de la narrativa desde un punto de vista teórico, atendiendo a las fórmulas y esquemas de su funcionamiento y prescindiendo de un análisis histórico o evolutivo. ☐ ETIMOL. Del latín *narratio* (narración) y *-logía* (estudio).

nártex (pl. *nártex*) s.m. En una basílica paleocristiana, pórtico que se reservaba a los catecúmenos y a algunos penitentes. ☐ ETIMOL. Del griego *nárthex* (arqueta).

narval s.m. Mamífero cetáceo de color gris, sin aleta dorsal y con dos dientes, uno de los cuales tiene forma de punzón y está muy desarrollado en el macho. ☐ ETIMOL. Del danés *narhval.* ☐ MORF. Es un sustantivo epiceno: *el narval {macho/hembra}.*

nasa s.f. **1** Arte o aparejo de pesca formado por un cilindro de red o de juncos entretejidos con aros de madera y con una de sus bases en forma de embudo. ☐ SINÓN. *nansa.* **2** Cesta de boca estrecha que llevan los pescadores para echar la pesca. ☐ ETIMOL. Del latín *nassa.*

nasal ▮ adj.inv. **1** De la nariz o relacionado con ella. **2** En lingüística, referido a un sonido, que se articula dejando salir el aire total o parcialmente por la nariz: *La 'm', la 'n' y la 'ñ' son las consonantes nasales del español.* ▮ s.f. **3** Letra que representa este sonido: *La 'm' es una nasal.* ☐ ETIMOL. Del latín *nasalis*, y este de *nasus* (nariz). ☐ SEM. En la acepción 2, dist. de *oral* (el aire sale totalmente por la boca).

nasalidad s.f. En lingüística, pronunciación de un sonido dejando salir el aire total o parcialmente por la nariz: *La 'm', la 'n' y la 'ñ' se caracterizan por su nasalidad.*

nasalización s.f. En lingüística, articulación o pronunciación nasal de un sonido.

nasalizar v. En lingüística, referido a un sonido, hacerlo nasal o pronunciarlo como tal: *En francés, una consonante nasal nasaliza la vocal anterior. En 'cañón', la 'o' se nasaliza ligeramente.* ☐ ORTOGR. La *z* se cambia en *c* delante de *e* →CAZAR.

nasciturus s.m. El que ha sido concebido pero aún no ha nacido. ☐ ETIMOL. Del latín *nasciturus* (lo que ha de nacer).

násico s.m. Mono de pelaje brillante y de color pardo amarillento, cuyos machos adultos se caracterizan por poseer una nariz muy desarrollada. ☐ ETIMOL. Del latín *nasica* (de gran nariz). ☐ MORF. Es un sustantivo epiceno: *el násico {macho/hembra}.*

nasofaringe s.f. En anatomía, parte de la faringe contigua a las fosas nasales. ☐ SINÓN. *rinofaringe.* ☐ ETIMOL. Del latín *nasus* (nariz) y *faringe.*

nasofaríngeo, a adj. Que está situado en la faringe por encima del velo del paladar y bajo las fosas nasales.

nasogástrico, ca adj. Que conecta la nariz con el estómago: *una sonda nasogástrica.*

nasti || **nasti de plasti;** *col.* Nada de nada.

nata s.f. Véase **nato, ta.**

natación s.f. **1** Deporte o ejercicio que consiste en nadar. **2** || **natación sincronizada;** modalidad deportiva que consiste en la realización de una serie de ejercicios artísticos en el agua. ☐ ETIMOL. Del latín *natatio.*

natal adj.inv. Del nacimiento, del lugar donde se nace o relacionado con ellos. ☐ ETIMOL. Del latín *natalis.*

natalicio s.m. Día del nacimiento. ☐ SEM. Dist. de *nacimiento* (comienzo de la vida de un nuevo ser).

natalidad s.f. Número de nacimientos en una población o en un tiempo determinados, en relación con el total de la población. ☐ ETIMOL. De *natal.*

natatorio, ria adj. Que sirve para nadar: *Las aletas son los apéndices natatorios de los peces.*

natillas s.f.pl. Dulce elaborado con una mezcla de huevos, leche y azúcar que se cuece a fuego lento. ☐ ETIMOL. De *natas.*

natividad s.f. Nacimiento, esp. el de Jesucristo, el de la Virgen María y el de san Juan Bautista. ☐ ETIMOL. Del latín *nativitas.* ☐ USO Se usa más como nombre propio.

nativo, va ▮ adj. **1** Del lugar en que se ha nacido o relacionado con él: *Cuando estuvimos en su país, nos explicó las costumbres nativas.* ▮ adj./s. **2** Natural del lugar de que se trata, o nacido en él: *¿Viste el reportaje sobre los nativos de la selva amazónica?* ☐ ETIMOL. Del latín *nativus.*

nato, ta ▮ adj. **1** Referido esp. a una cualidad o a un defecto, que se tienen de nacimiento: *Encárgale la fiesta a esa chica, que es una organizadora nata.* **2** Referido a un título o a un cargo, que es inseparable de la persona que lo desempeña: *Tengo un amigo que es presidente nato del tribunal.* ▌s.f. **3** Sustancia espesa y cremosa, blanca o amarillenta, que forma una capa sobre la leche que se deja en reposo: *Se ha formado nata porque has dejado enfriar la leche.* **4** Crema de pastelería que se elabora batiendo y mezclando esta sustancia con azúcar: *De postre he tomado fresas con nata.* □ ETIMOL. La acepción 1, del latín *natus* (nacido). Las acepciones 2 y 3, quizá del latín *matta* (manta).

natrón s.m. Sal blanca y traslúcida que se halla en la naturaleza o se obtiene de forma artificial y se utiliza en la fabricación de vidrios, jabones y tintes. □ ETIMOL. Del árabe *natrun* (nitro).

natura s.f. *poét.* Naturaleza. □ ETIMOL. Del latín *natura* (lo natural, la naturaleza).

natural ▌adj.inv. **1** Producido por la naturaleza y no por el ser humano: *fenómenos naturales.* **2** De la naturaleza, o conforme a la cualidad o propiedad de las cosas: *ciencias naturales.* **3** Hecho sin mezcla, sin composición o sin alteración: *zumo natural.* **4** Ingenuo, espontáneo, sencillo y sin afectación: *Estás muy natural en esta foto.* **5** Regular, lógico, normal y que sucede así comúnmente: *Llevo dos días sin dormir, así que es natural que tenga ojeras.* **6** Que se produce únicamente por las fuerzas de la naturaleza, sin intervención sobrenatural: *Fue una curación natural y no un milagro.* **7** En música, referido a una nota, que no está alterada por sostenido ni por bemol: *Has desafinado, porque has cantado ese do natural como si fuese bemol.* ▌adj.inv./s.com. **8** Nacido en un pueblo o en una nación: *Los gallegos son naturales de Galicia.* ▌s.m. **9** Genio, índole, temperamento o inclinación propia de cada uno: *Su natural tímido hace que no tenga muchos amigos.* **10** En tauromaquia, pase de muleta con el que el torero da la salida del toro por el mismo lado de la mano con la que sostiene la muleta. □ ETIMOL. Del latín *naturalis*.

naturaleza s.f. **1** Conjunto de los seres y de las cosas que forman el universo y en los cuales no ha intervenido el ser humano: *Hay que proteger la naturaleza porque la vida depende de ella.* **2** Carácter, condición, temperamento o complexión: *Tanto el egoísmo como la ternura forman parte de la naturaleza humana.* **3** Género, clase o tipo: *No me gusta gastar bromas de esa naturaleza porque pueden hacer daño.* **4** Principio universal que se considera como la fuerza que ordena y dispone todas las cosas: *La naturaleza le ha dado fortaleza y valentía.* **5** ‖ **naturaleza muerta;** cuadro o pintura en los que se representan seres inanimados y objetos cotidianos: *Pinté una naturaleza muerta de un florero y unos libros sobre una mesa.* □ SINÓN. *bodegón.* □ ETIMOL. De *natural*.

naturalidad s.f. Sencillez y espontaneidad en el modo de proceder o actuar.

naturalismo s.m. **1** Corriente filosófica que considera la naturaleza como único principio de todo: *El naturalismo explica la existencia a partir de las fuerzas naturales y de la experiencia de las cosas.* **2** Movimiento literario de origen francés, surgido a finales del siglo XIX, que se caracteriza por presentar la realidad en sus aspectos más crudos. □ SEM. Dist. de *naturismo* (doctrina para la conservación de la salud). □ USO En la acepción 2, se usa más como nombre propio.

naturalista ▌adj.inv. **1** Del naturalismo o con rasgos propios de este movimiento literario o de esta corriente filosófica. ▌adj.inv./s.com. **2** Que sigue o que defiende el naturalismo. ▌s.com. **3** Persona que se dedica al estudio de las ciencias naturales. □ SEM. Dist. de *naturista* (de una doctrina para la conservación de la salud).

naturalización s.f. **1** Concesión o adquisición de los derechos y de los privilegios de los naturales de un país: *Era alemán, pero obtuvo su naturalización como español al casarse con una española.* **2** Introducción de una costumbre extranjera como natural en el país propio: *La naturalización del consumo del cacao en Europa llegó de América.*

naturalizar v. **1** Conceder o adquirir los derechos y los deberes de los naturales de un país: *Quieren naturalizar al jugador extranjero para que participe en las competiciones como español.* **2** Referido esp. a una costumbre de otro país, introducirla como natural en el país propio: *Los contactos con el continente americano naturalizaron en España el uso del tabaco.* □ ORTOGR. La *z* se cambia en *c* delante de *e* →CAZAR.

naturalmente adv. Por supuesto o sin duda alguna: *Naturalmente, pagaré yo los gastos, porque la culpa ha sido mía.*

naturismo s.m. Doctrina que recomienda el empleo de los agentes naturales para conservar la salud y para curar las enfermedades. □ ETIMOL. De *natura.* □ SEM. Dist. de *naturalismo* (movimiento literario o corriente filosófica).

naturista adj.inv./s.com. Partidario o seguidor del naturismo. □ SEM. Dist. de *naturalista* (del naturalismo).

naturópata s.com. Especialista en el método curativo de la naturopatía.

naturopatía s.f. Método curativo basado en el empleo de medios naturales.

naufragar v. **1** Referido esp. a una embarcación, irse a pique o hundirse: *El barco naufragó porque se hizo un agujero en el casco. Más de cien personas naufragaron por culpa de los arrecifes.* **2** Referido a un intento o a un negocio, salir mal o fracasar: *El negocio naufragó y me quedé en la ruina.* □ ORTOGR. La *g* se cambia en *gu* delante de *e* →PAGAR.

naufragio s.m. **1** Pérdida o ruina de una embarcación en un lugar navegable. **2** Pérdida, desgracia o desastre muy graves: *el naufragio de una empresa.*

náufrago, ga s. Persona que ha padecido un naufragio. □ ETIMOL. Del latín *naufragus*, y este de *navis* (barco) y *frangere* (romper).

naumaquia s.f. En la antigua Roma, espectáculo que representaba un combate naval en un estanque o en un lago. □ ETIMOL. Del griego *nâus* (nave) y *mákhomai* (yo peleo).

nauruano, na adj./s. De Nauru o relacionado con este país de Oceanía (uno de los cinco continentes).

náusea s.f. **1** Malestar que se siente en el estómago cuando se quiere vomitar. □ SINÓN. *basca.* **2** Repugnancia causada por algo: *Es tan mala persona que me produce náuseas.* □ ETIMOL. Del latín *nausea* (mareo), y este de *navis* (barco). □ MORF. Se usa más en plural.

nauseabundo, da adj. Que produce náuseas. □ ETIMOL. Del latín *nauseabundus.*

nauta s.m. *poét.* Marinero. □ ETIMOL. Del latín *nauta* (navegante).

náutica s.f. Véase **náutico, ca.**

náutico, ca ▮ adj. **1** De la navegación o relacionado con ella: *deportes náuticos.* ▮ s.m. **2** Zapato ligero, generalmente de piel, flexible y con suela de goma, que suele tener un cordón alrededor que se ata en la parte delantera. ▮ s.f. **3** Ciencia o arte de navegar. □ SINÓN. *navegación.* □ ETIMOL. La acepción 1, del latín *nauticus.* La acepción 2 es extensión del nombre de una marca comercial.

nautilo s.m. Molusco cefalópodo con numerosos tentáculos sin ventosas, cubierto por una concha espiral dividida en varias celdas, en la última de las cuales se aloja el cuerpo del animal. □ ETIMOL. Del latín *nautilos* (marinero).

nauyaca s.f. Serpiente grande y muy venenosa, que tiene el labio superior hundido de forma que parece tener cuatro fosas nasales. □ ETIMOL. Del náhuatl *nahui* (cuatro) y *yacatl* (nariz).

nava s.f. Terreno bajo, llano, y situado generalmente entre dos montañas. □ ETIMOL. De origen prerromano. □ ORTOGR. Dist. de *naba.*

navaja s.f. Véase **navajo, ja.**

navajada s.f. Corte hecho con una navaja. □ SINÓN. *navajazo.*

navajazo s.m. Corte hecho con una navaja. □ SINÓN. *navajada.*

navajeo s.m. Hecho de dar un navajazo.

navajero, ra s. Delincuente que va armado con una navaja.

navajo, ja ▮ adj./s. **1** De un pueblo indio norteamericano o relacionado con él. ▮ s.f. **2** Cuchillo cuya hoja puede plegarse para que el filo quede dentro del mango. **3** Molusco marino con dos conchas simétricas rectangulares muy alargadas, cuya carne es comestible. **4** En zonas del español meridional, cuchilla de afeitar. □ ETIMOL. Las acepciones 2-4, del latín *novacula.*

naval adj.inv. De los barcos, de la navegación o relacionado con ellos. □ ETIMOL. Del latín *navalis.*

navarca s.m. **1** En la antigua Grecia, jefe o comandante de una armada. □ SINÓN. *nearca.* **2** En la antigua Roma, comandante de un buque. □ SINÓN. *nearca.* □ ETIMOL. Del griego *nauárches.*

navarro, rra adj./s. De la Comunidad Foral de Navarra (comunidad autónoma), de la provincia de esta comunidad o relacionado con ellas: *El territorio navarro hace frontera con Francia.*

nave s.f. **1** Construcción que flota y se desliza por el agua y que se usa como medio de transporte: *En el puerto estaban atracadas varias naves de mercancías.* □ SINÓN. *bastimento, embarcación.* **2** Vehículo que vuela por el aire o por el espacio: *El aviador pudo hacerse con el control de la nave en el aterrizaje forzoso.* **3** En un edificio, esp. en un templo, espacio interior que se extiende a lo largo y que está delimitado por muros o por filas de columnas o de arcadas: *La nave central de las catedrales suele ser más ancha que las laterales.* **4** Construcción grande, generalmente de un solo piso, que se utiliza como almacén o como fábrica: *Tiene su taller de coches en una nave a las afueras del pueblo.* **5** || **quemar las naves;** tomar una determinación extrema de modo que sea imposible volverse atrás. □ ETIMOL. Del latín *navis.* La expresión *quemar las naves*, por alusión a las naves quemadas por Hernán Cortés al iniciar la conquista de México.

navegabilidad s.f. Posibilidad que ciertas aguas ofrecen para ser navegadas.

navegable adj.inv. **1** Referido esp. a un río, a un canal o a un lago, que permiten la navegación. **2** Referido a una imagen informática, que puede verse como si el observador se desplazara dentro de ella.

navegación s.f. **1** Desplazamiento que realiza una nave: *Este barco es especial para la navegación fluvial.* **2** Viaje que se hace en una nave: *Durante la navegación me mareé varias veces.* **3** Ciencia o arte de navegar: *Los marinos españoles que descubrieron América eran expertos en navegación.* □ SINÓN. *náutica.* **4** Uso de una red informática o desplazamiento a través de ella: *En el debate se habló sobre los peligros de la obsesión por las navegaciones informáticas.* □ ETIMOL. Del latín *navigatio.*

navegador, -a ▮ adj./s. **1** Que navega. ▮ s.m. **2** Herramienta informática para internet que permite ver las páginas web: *Un navegador posibilita el desplazamiento a través del web y el acceso a la información que contienen las páginas web.* □ SINÓN. *explorador.* **3** En un vehículo, aparato portátil que selecciona las rutas que existen para llegar a un lugar y señala en tiempo real el camino que hay que seguir: *Algunos taxis utilizan navegadores para realizar sus trayectos.* □ ETIMOL. 1. En la acepción 1, de latín *navigator.* En la acepción 2, del inglés *navigator.* □ USO En la acepción 2, es innecesario el uso del anglicismo *browser.*

navegante adj.inv./s.com. **1** Que navega. **2** En una tripulación, miembro responsable de los aparatos de control y de navegación durante el vuelo. **3** Que utiliza una red informática.

navegar v. **1** Viajar o ir en una nave: *Nos invitó a navegar en su yate. Los astronautas navegan por el espacio, camino de la Luna.* **2** Referido a una nave, moverse o desplazarse: *El velero navega hacia la costa.* **3** Referido esp. a una red informática, utilizarla o desplazarse a través de ella: *Mi tía es usuaria de una red informática internacional y se pasa horas navegando por ella.* □ ETIMOL. Del latín *navigare.* □ ORTOGR. La *g* se cambia en *gu* delante de *e* →PA-

GAR. □ SEM. Dist. de *bogar* y *remar* (mover los remos en el agua).

navel (ing.) s.f. Variedad de naranja que se caracteriza por la formación de un fruto secundario interior. □ PRON. [nável]. □ SINT. Se usa mucho en aposición, pospuesto a un sustantivo: *naranjas navel*.

navelina s.f. Variedad de naranja de tamaño grande y sin pepitas.

naveta s.f. **1** Cajón corredizo de un escritorio. **2** Monumento funerario megalítico, con forma de nave invertida.

navidad s.f. Período de tiempo en el que se celebra el nacimiento de Jesucristo (según la Biblia, hijo de Dios): *En Navidad nos reunimos toda la familia.* □ ETIMOL. De *natividad*. □ MORF. En plural tiene el mismo significado que en singular. □ USO Se usa más como nombre propio.

navideño, ña adj. De la Navidad (celebración del nacimiento de Jesucristo y período de tiempo que comprende), o relacionado con ella.

naviero, ra ▮ adj. **1** De los barcos, de la navegación o relacionado con ellos. ▮ s. **2** Persona o entidad propietarias de un navío.

navío s.m. Barco de grandes dimensiones, con una o varias cubiertas, esp. el utilizado para navegaciones de importancia. □ SINÓN. *buque*. □ ETIMOL. Del latín *navigium*.

náyade s.f. En la mitología grecolatina, ninfa o divinidad de los ríos y de las fuentes. □ ETIMOL. Del latín *naias*, y este del griego *naiás*.

nazareno, na ▮ adj./s. **1** De Nazaret o relacionado con esta ciudad galilea. ▮ s.m. **2** Penitente que en las procesiones de Semana Santa (celebración de la pasión de Jesucristo) va vestido con túnica, generalmente de color morado. □ ETIMOL. Del latín *Nazarenus* (de Nazaret).

nazarí (pl. *nazaríes, nazarís*) ▮ adj.inv. **1** De la dinastía nazarí o relacionado con ella. □ SINÓN. *nazarita*. ▮ adj.inv./s.com. **2** Descendiente de Yúsuf ben Názar (fundador de la dinastía árabe que reinó en Granada desde el siglo XIII al XV). □ SINÓN. *nazarita*.

nazarita adj.inv./s.com. →**nazarí.**

nazi ▮ adj.inv. **1** Del nazismo o relacionado con esta doctrina política. ▮ adj.inv./s.com. **2** Que defiende o sigue el nazismo. □ MORF. Es la forma abreviada y usual de *nacionalsocialista*.

nazismo s.m. Doctrina política totalitaria, caracterizada por su expansionismo y su nacionalismo, formulada por Adolfo Hitler (gobernante alemán del siglo XX), que defiende la creencia en la superioridad del pueblo alemán y que culpaba a los judíos de la decadencia alemana. □ MORF. Es la forma abreviada y usual de *nacionalsocialismo*.

-ncia Sufijo que indica cualidad: *extravagancia, importancia*. □ ETIMOL. Del latín *-ntia*.

nearca s.m. →**navarca.**

neblí (pl. *neblíes, neblís*) s.m. Ave de rapiña, parecida al halcón, con el lomo pardo azulado y la cola terminada en una banda negra con el borde blanco. □ ETIMOL. Quizá de **niblo*, y este del latín *nibulus*.

neblina s.f. Niebla poco espesa y baja.

neblinoso, sa adj. Que tiene mucha neblina.

nebulización s.f. Pulverización de un líquido.

nebulizador, -a ▮ adj. **1** Que nebuliza. ▮ s.m. **2** Aparato que se utiliza para pulverizar un líquido en partículas finísimas.

nebulizar v. Referido a un líquido, transformarlo en partículas finísimas que forman una especie de niebla: *Este frasco tiene un aparato especial para nebulizar la colonia.* □ ETIMOL. Del latín *nebula* (niebla). □ ORTOGR. La *z* se cambia en *c* delante de *e* →CAZAR.

nebulosa s.f. Véase **nebuloso, sa.**

nebulosidad s.f. **1** Abundancia de niebla o de nubes. **2** Falta de claridad o de lucidez.

nebuloso, sa ▮ adj. **1** Con abundantes nubes, con niebla o cubierto por ellas: *El cielo está nebuloso.* **2** Poco claro o difícil de comprender: *una explicación nebulosa.* ▮ s.f. **3** En astronomía, concentración de materia cósmica celeste, difusa y luminosa, que aparece en forma de grandes nubes, generalmente con un contorno impreciso. **4** Estado de confusión o incertidumbre: *El protagonista mantenía su identidad en una nebulosa hasta el final de la película.* □ ETIMOL. Las acepciones 1 y 2, del latín *nebulosus*. La acepción 3, del latín *nebulosa*, femenino de *nebulosus* (que tiene mucha niebla).

necedad s.f. **1** Hecho o dicho propios de un necio. **2** Ignorancia, imprudencia o presunción.

necesario, ria adj. **1** Indispensable, que hace falta de forma inevitable para un fin: *El aire es necesario para la vida de las personas.* **2** Que inevitablemente ha de ser o suceder: *La muerte es necesaria para que la naturaleza esté en equilibrio.* **3** Referido esp. a una acción, que es obligada por algo: *Esta deducción es consecuencia necesaria de lo anteriormente expuesto.* □ SEM. En la acepción 2, dist. de *contingente* (que puede suceder o no).

neceser s.m. Estuche o bolsa que se usa para guardar objetos de aseo personal. □ ETIMOL. Del francés *nécessaire*.

necesidad s.f. **1** Lo que es imprescindible o necesario: *Nadie duda de la necesidad de estas reformas.* **2** Impulso irresistible: *Sentí la necesidad de abrazar al bebé.* **3** Falta de lo necesario para vivir, esp. de alimentos: *pasar necesidades.* **4** Peligro o situación difícil que requieren una pronta ayuda: *En sus necesidades acudía a Dios por medio de la oración.* **5** *euf.* Evacuación de la orina o de los excrementos: *Fue al servicio a hacer sus necesidades.* **6** ‖ **de primera necesidad;** básico o imprescindible, esp. para una vida digna: *La leche, el azúcar y el pan son artículos de primera necesidad.* □ ETIMOL. Del latín *necessitas* (fatalidad, necesidad). □ MORF. En la acepción 5, se usa más en plural.

necesitado, da adj./s. Pobre o falto de lo necesario para vivir.

necesitar v. Referido a algo, tener necesidad de ello o exigirlo como requisito para un fin: *Las personas* *necesitamos comer y dormir para vivir. Para hacer ese pastel se necesitan dos huevos.* □ SINT. Constr. *necesitar algo* o *necesitar* DE *algo.* □ SEM. En construcciones impersonales, se usa para intensificar lo que se expresa a continuación: *Se necesita ser corto si no entiendes una cosa tan sencilla.*

necio, cia adj./s. Ignorante, imprudente o carente de razón o de lógica. □ ETIMOL. Del latín *nescius*, derivado negativo de *scire* (saber).

nécora s.f. Cangrejo de mar con diez patas, cuerpo liso y elíptico, y de unos diez centímetros de ancho.

necro- Elemento compositivo prefijo que significa 'muerto': *necrófilo, necrofagia, necrolatría, necrosis.* □ ETIMOL. Del griego *nekrós-*.

necrofagia s.f. Costumbre alimentaria de comer cadáveres o carroña. □ ETIMOL. De *necro-* (muerto) y *-fagia* (comer).

necrófago, ga adj./s. Referido esp. a un animal, que se alimenta de cadáveres o de carroña. □ ETIMOL. Del griego *nekrophágos*, y este de *nekrós* (muerto) y *phágos* (comilón).

necrofilia s.f. **1** Afición o gusto por la muerte o por alguno de sus aspectos. **2** Atracción sexual hacia los cadáveres y su contacto. □ ETIMOL. De *necro-* (muerto) y *-filia* (afición).

necrófilo, la adj./s. De la necrofilia o relacionado con ella.

necrofobia s.f. Temor anormal y obsesivo a la muerte o a los cuerpos muertos. □ SINÓN. *tanatofobia.* □ ETIMOL. De *necro-* (muerto) y *-fobia* (aversión).

necróforo, ra adj./s. Referido a un insecto coleóptero, que entierra los cadáveres de otros animales para depositar en ellos sus huevos. □ ETIMOL. De *necro* (muerto) y el griego *phorós* (que lleva).

necrolatría s.f. Adoración a los muertos. □ ETIMOL. De *necro-* (muerto) y *-latría* (adoración).

necrología s.f. **1** Biografía o apunte biográfico de una persona muerta recientemente. **2** Lista de personas muertas. □ ETIMOL. De *necro-* (muerto) y *-logía* (estudio).

necrológica s.f. Véase **necrológico, ca.**

necrológico, ca ▮ adj. **1** De la necrología o relacionado con ella. ▮ s.f. **2** Noticia periodística que informa sobre la muerte de alguien.

necromancia (tb. *necromancía*) s.f. Adivinación mediante la invocación a los muertos.

necrópolis (pl. *necrópolis*) s.f. Cementerio de gran extensión en el que abundan los monumentos fúnebres, esp. si es anterior a la era cristiana. □ ETIMOL. Del griego *nekrópolis* (ciudad de los muertos), y este de *nekrós* (muerto) y *pólis* (ciudad).

necropsia s.f. Examen anatómico de un cadáver. □ SINÓN. *autopsia, necroscopia.* □ ETIMOL. De *necro-* (muerto) y el griego *óps* (vista).

necrosar v. Producir necrosis: *La bala le ha necrosado una parte del hueso.*

necroscopia s.f. →**necropsia.** □ ETIMOL. De *necro-* (muerto) y *-scopia* (exploración).

necrosis (pl. *necrosis*) s.f. Muerte de células o de tejidos orgánicos. □ ETIMOL. Del griego *nékrosis* (mortificación).

néctar s.m. **1** Jugo azucarado que producen las flores. **2** Bebida suave, delicada y sabrosa: *néctar de naranja.* □ ETIMOL. Del latín *nectar.*

nectarina s.f. Variedad de melocotón, de piel sin pelusa y carne no adherida al hueso, que es producto del injerto del ciruelo y del melocotonero. □ ETIMOL. Del inglés o del francés *nectarine.*

nectario s.m. En una flor, glándula que segrega el néctar.

necton s.m. Conjunto de los animales acuáticos que son capaces de desplazarse activamente en su medio. □ ETIMOL. Del griego *nektón*, y este de *nektós* (que nada). □ SEM. Dist. de *plancton* (organismos acuáticos que son desplazados pasivamente en el agua).

neem s.m. Árbol milenario del que se aprovechan las semillas, las hojas y la corteza para usos terapéuticos.

neerlandés, -a ▮ adj./s. **1** De los Países Bajos o relacionado con este país europeo, más conocido como *Holanda.* ▮ s.m. **2** Lengua germánica de este y otros países: *Le dieron una beca para estudiar en Bélgica porque sabe neerlandés.* □ SINÓN. *holandés.*

nefando, da adj. Que repugna u horroriza, esp. en sentido moral: *un crimen nefando.* □ ETIMOL. Del latín *nefandus*, y este de *fari* (hablar). □ ORTOGR. Dist. de *nefasto.*

nefasto, ta adj. Funesto, detestable, desgraciado o muy malo. □ ETIMOL. Del latín *nefastus* (que no es fasto, feliz). □ ORTOGR. Dist. de *nefando.*

nefelismo s.m. Conjunto de caracteres que presentan las nubes: *El nefelismo es la forma, la clase, la altura, el color, la dirección y la velocidad de las nubes.* □ ETIMOL. Del griego *nephéle* (nube).

nefrectomía s.f. Operación quirúrgica que consiste en la extirpación de un riñón. □ ETIMOL. Del griego *nephrós* (riñón) y *ektomé* (extirpación, corte).

nefrítico, ca adj. De los riñones o relacionado con ellos: *un cólico nefrítico.* □ SINÓN. *renal.* □ ETIMOL. Del latín *nephriticus*, y este del griego *nephritikós*, de *nephrós* (riñón).

nefritis (pl. *nefritis*) s.f. Inflamación de los riñones. □ ETIMOL. Del latín *nephritis*, este del griego *nephrîtis*, y este de *nephrós* (riñón).

nefro- Elemento compositivo prefijo que significa 'riñón': *nefrología, nefrólogo, nefrosis.* □ ETIMOL. Del griego *nephrós-*. □ MORF. Ante vocal adopta la forma *nefr-*: *nefritis, nefrítico.*

nefrología s.f. Rama de la medicina que estudia el riñón y sus enfermedades. □ ETIMOL. De *nefro-* (riñón) y *-logía* (ciencia, estudio).

nefrólogo, ga s. Médico especializado en nefrología.

nefrón s.m. →**nefrona.**

nefrona s.f. Unidad estructural funcional de un riñón. □ SINÓN. *nefrón.*

nefrosis (pl. *nefrosis*) s.f. Enfermedad degenerativa del riñón. □ ETIMOL. Del griego *nephrós* (riñón) y *-osis* (enfermedad).

negable adj.inv. Que puede ser negado.

negación s.f. **1** Rechazo de la existencia o de la veracidad de algo: *La negación de los delitos por parte del acusado ha complicado el caso.* **2** Respuesta negativa a una petición o a una pretensión: *Le pregunté y me hizo un gesto de negación con la cabeza.* **3** Prohibición o impedimento para la realización de algo: *La negación de la entrada a la fiesta se debe a que no eres socio.* **4** En gramática, palabra o expresión que se utilizan para negar: *'No' y 'jamás' son negaciones.* **5** Carencia o ausencia total de algo: *Las dictaduras traen consigo la negación de la libertad.*

negado, da adj./s. Incapaz, torpe o absolutamente inepto para hacer algo.

negar ▌v. **1** Referido a algo que se presupone cierto, decir que no existe, que no es verdad o que no es correcto: *El científico negó la existencia de los extraterrestres. El acusado negó las acusaciones del fiscal.* **2** Referido a algo que se pide o se pretende, no concederlo: *Le han vuelto a negar el crédito en el banco. Desde que discutimos, me niega hasta el saludo.* **3** Prohibir, impedir o estorbar: *Le negaron el derecho a dar su opinión.* ▌prnl. **4** Referido a una acción, rechazarla o no querer hacerla: *Me niego a creer que seas capaz de eso.* **5** ‖ **negarse** alguien **a sí mismo;** sacrificar la propia voluntad en servicio de Dios o del prójimo: *Jesús dijo: «Si quieres ser perfecto, niégate a ti mismo y sígueme».* □ ETIMOL. Del latín *negare.* □ ORTOGR. Aparece una *u* después de *g* cuando le sigue *e.* □ MORF. Irreg. →REGAR. □ SINT. Constr. de la acepción 4: *negarse* A *algo.*

negativa s.f. Véase **negativo, va.**

negativo, va ▌adj. **1** Que contiene o expresa negación: *Las oraciones negativas suelen poseer un adverbio de negación.* **2** Que es perjudicial o dañino: *Tu comentario ha sido muy negativo, y me has ofendido.* **3** Referido esp. a una persona, que tiende a ver el lado más desfavorable de las cosas: *Siempre encuentras pegas a todo porque eres una persona negativa.* **4** Referido esp. a un análisis clínico, que no muestra rastro de lo que se busca o se espera encontrar: *La prueba del embarazo ha resultado negativa, así que no está usted embarazada.* **5** En matemáticas, referido esp. a una cantidad, que tiene un valor menor que cero: *Los números negativos llevan delante el signo menos.* **6** En electrónica, referido al polo de un generador, que posee menor potencial eléctrico: *La corriente eléctrica va del polo negativo al positivo.* ▌s.m. **7** Imagen fotográfica que reproduce invertidos los tonos claros y los oscuros: *No pongas los dedos sobre los negativos, porque los estropeas.* **8** En algunos deportes, cantidad que se añadía a la puntuación de un equipo en la clasificación, si empataba o perdía en su propio estadio: *Después de perder el último partido, mi equipo se quedó en decimoctava posición con doce puntos y dos negativos.* ▌s.f. **9** Negación o rechazo de una petición o de una solicitud: *A esta ronda invito yo, y no acepto negativas.* □ ETIMOL. Las acepciones 1-5, del latín *negativus.* La acepción 8, del latín *negativa.*

negatoscopio s.m. Pantalla luminosa sobre la que se colocan radiografías o clichés para observarlos por transparencia. □ ETIMOL. De *negativo* (negativo fotográfico) y *-scopio* (instrumento para ver).

negligé s.m. Bata femenina de tela fina, esp. si es algo atrevida: *Cuando se levanta se pone un negligé de raso.* □ ETIMOL. Del francés *négligé.* □ PRON. [negliyé].

negligencia s.f. Falta de cuidado, de atención o de interés.

negligente adj.inv./s.com. Que no pone cuidado, atención o interés. □ ETIMOL. Del latín *negligens* (que descuida).

negociabilidad s.f. Posibilidad de negociar con algo, esp. con un documento de crédito: *Esas acciones están en alza y poseen gran negociabilidad.*

negociable adj.inv. Que se puede negociar.

negociación s.f. **1** Gestión y realización de operaciones comerciales, esp. de compra, venta o intercambio, para obtener beneficios. □ SINÓN. *negocio.* **2** Trato o resolución de un asunto, esp. si es por medio de la vía diplomática. **3** ‖ **negociación colectiva;** la que realizan los sindicatos de trabajadores y los empresarios para determinar las condiciones de trabajo: *De la negociación colectiva ha salido un convenio colectivo que satisface a todas las partes.* □ ETIMOL. Del latín *negotiatio.*

negociado s.m. En una organización administrativa, dependencia o sección encargada de un determinado tipo de asuntos: *Estos impresos deben sellarse en el negociado de convalidaciones del rectorado.*

negociador, -a adj./s. Que negocia.

negociante adj.inv./s.com. **1** Referido a una persona, que se dedica profesionalmente a los negocios o a las actividades comerciales, o que tiene facilidad para ellos. **2** *col.* Referido a una persona, que tiene un afán excesivo por ganar dinero. □ ETIMOL. Del latín *negotians* (que negocia). □ MORF. Se usa mucho el femenino coloquial *negocianta.* □ USO En la acepción 2, tiene un matiz despectivo.

negociar v. **1** Tratar y comerciar comprando, vendiendo o cambiando cosas para obtener beneficios: *Negocia con libros, comprándolos viejos y vendiéndolos a buen precio. Me parece inmoral negociar con la amistad.* **2** Referido a un asunto, tratarlo o resolverlo, esp. si es por medio de la vía diplomática: *La empresa y los trabajadores han negociado la subida de sueldos.* □ ETIMOL. Del latín *negotiari* (hacer negocios, comerciar). □ ORTOGR. La *i* nunca lleva tilde. □ SINT. Constr. de la acepción 1: *negociar* CON *algo.*

negocio s.m. **1** Ocupación, operación o actividad de las que se espera obtener un beneficio económico: *La mecánica es un negocio como otro cualquiera.* **2** Gestión y realización de operaciones comerciales, esp. de compra, venta o intercambio, para obtener beneficios: *Tengo negocios en la bolsa.* □ SINÓN. *negociación.* **3** Beneficio, provecho o interés obtenidos a partir de actividades comerciales: *¡No pensarás que comprar dos y pagar tres es un buen negocio!* **4** Establecimiento o local en el que se comercia: *He puesto un negocio de venta de ropa.* **5** Ocupación o asunto: *¿En qué negocios andas, que no te veo el pelo?* **6** || **hacer negocio;** obtener el máximo provecho con un interés propio: *Si no atiendes bien a tus clientes, vas a hacer poco negocio.* □ ETIMOL. Del latín *negotium* (ocupación, quehacer). □ USO Es innecesario el uso del anglicismo *business.*

negra s.f. Véase **negro, gra**.

negrear v. Mostrar color negro u oscurecerse: *Estas paredes empiezan a negrear, así que tendremos que encalarlas de nuevo.*

negrero, ra s. **1** Persona que se dedicaba a la trata de esclavos negros: *Los negreros vendían a los esclavos en los mercados populares.* **2** *col. desp.* Persona que explota a sus subordinados o que se comporta duramente con ellos.

negrilla s.f. →**letra negrilla.**

negrillo s.m. Árbol de tronco grueso con la corteza dura y resquebrajada, hojas simples, caducas y con forma acorazonada en la base, flores pequeñas y agrupadas, que alcanza gran altura y suele vivir muchos años. □ SINÓN. *olmo.*

negrita s.f. →**letra negrita.**

negritud s.f. Conjunto de los valores históricos y culturales propios de los pueblos que se caracterizan por el color negro de su piel. □ ETIMOL. Del francés *négritude.*

negro, gra ▌adj. **1** De color más oscuro en relación con algo de la misma especie o clase: *pan negro.* **2** Oscuro, oscurecido o deslucido: *Va a caer un chaparrón, porque las nubes están negras.* **3** *col.* Muy tostado o muy bronceado por el sol. **4** *col.* Muy sucio. **5** Triste, desgraciado o poco favorable: *He tenido un día negro.* **6** *col.* Molesto, enfadado o furioso: *Estoy negro, así que no me vengas con más tonterías.* **7** Del grupo étnico que se caracteriza por el color oscuro de su piel: *La música negra es clave para entender el pop actual.* **8** Referido esp. a una novela o al cine, que trata temas policíacos con realismo y crudeza. **9** Referido a determinados ritos o celebraciones, que están relacionados con el diablo o con las fuerzas del mal. ▌adj./s. **10** Referido a una persona, que pertenece al grupo étnico caracterizado, entre otros rasgos, por el color oscuro de su piel y por la forma rizada y tiesa del cabello. ▌adj./s.m. **11** Del color del carbón o de la oscuridad absoluta. **12** Referido a un tipo de tabaco, que tiene un olor y un sabor fuertes. ▌s. **13** *col.* Persona que realiza de forma anónima el trabajo de otra a la que después se reconocerán los méritos. ▌s.f. **14** En música, nota que dura la mitad de una blanca y que se representa con un círculo relleno y una barrita vertical pegada a uno de sus lados. **15** || **{estar/ponerse} negro** un asunto; ser o hacerse difícil de realizar: *Lo de las vacaciones está negro, porque tenemos poco dinero ahorrado.* || **negro de humo;** polvo procedente de los humos de algunas sustancias resinosas y que tiene distintos usos industriales: *Con el negro de humo se fabrica tinta y betún.* || **pasarlas negras;** *col.* Pasarlo muy mal o estar en una situación difícil. || **tener la negra;** *col.* Tener mala suerte. || **verse** alguien **negro** o **vérselas negras;** tener dificultades para realizar algo. □ ETIMOL. Del latín *niger.* □ MORF. 1. En la acepción 11, sus superlativos son *negrísimo* y *nigérrimo.* 2. Cuando se antepone a otra palabra para formar compuestos, adopta la forma *negri-.* □ USO La acepción 10 tiene un matiz despectivo.

negroafricano, na ▌adj. **1** Referido a una lengua, que pertenece a un grupo que se habla al sur del desierto africano del Sahara: *El grupo bantú lo forman una serie de lenguas negroafricanas.* ▌adj./s. **2** De los pueblos africanos que viven al sur del desierto del Sahara y se caracterizan por el color negro de su piel y el pelo rizado: *En este reportaje, se habla de la cultura negroafricana.*

negroide adj.inv. *desp.* Que presenta alguno de los rasgos propios del grupo étnico caracterizado, entre otras cosas, por el color oscuro de su piel y por la forma rizada y tiesa de su cabello.

negror s.m. →**negrura.**

negrura s.f. Propiedad de ser o de parecer de color negro. □ SINÓN. *negror.* □ ETIMOL. Del latín *negror.*

negruzco, ca adj. De color oscuro semejante al negro, o con tonalidades negras.

neguilla s.f. Planta herbácea de tallos ramosos con flores rojizas solitarias y semillas de color negro. □ ETIMOL. Del latín *nigella* (negruzca).

negus (pl. *negus*) s.m. Soberano etíope. □ ETIMOL. De origen abisinio.

neis (pl. *neis*) s.m. →**gneis.**

néisico, ca adj. →**gnéisico.**

nematelminto ▌adj./s.m. **1** Referido a un gusano, que tiene el cuerpo sin segmentaciones y con forma cilíndrica y alargada, y que suele vivir como parásito de otros animales: *Las lombrices intestinales son gusanos nematelmintos.* ▌s.m.pl. **2** En zoología, grupo de estos gusanos: *En clasificaciones antiguas, los nematelmintos constituían una clase.* □ ETIMOL. Del griego *nêma* (hilo) y *hélmis* (gusano, lombriz).

nematócero ▌adj./s.m. **1** Referido a un insecto, que tiene dos alas largas y estrechas, antenas largas, y el aparato bucal constituido por una trompa picadora: *Los nematóceros adultos poseen antenas generalmente más largas que la cabeza.* ▌s.m.pl. **2** En zoología, suborden de estos insectos, perteneciente al tipo de los artrópodos: *A los nematóceros se les conoce en general por el nombre de 'mosquitos'.* □ ETIMOL. Del griego *nêma* (hilo) y *kéras* (cuerno, antena).

nematodo ▌adj./s.m. **1** Referido a un gusano, que tiene el cuerpo sin segmentaciones y con forma de huso o cilíndrica y alargada, y que está provisto de un aparato digestivo formado por un tubo recto que va desde la boca al ano, y vive generalmente como parásito de otros animales: *La lombriz intestinal es un nematodo.* ▌s.m.pl. **2** En zoología, tipo de estos gusanos, perteneciente al reino de los metazoos:

Entre los nematodos hay especies que viven libres y otras que son parásitas. □ ETIMOL. Del griego *nematódes* (filiforme).

nemoroso, sa adj. *poét.* Del bosque, con bosques o relacionado con ellos. □ ETIMOL. Del latín *nemorosus*, y este de *nemus* (bosque).

nemotecnia s.f. →**mnemotecnia.**

nemotécnico, ca adj. →**mnemotécnico.**

nene, na s. Niño pequeño. □ ETIMOL. De origen expresivo. □ SEM. Precedido del artículo determinado y con el verbo en tercera persona del singular, se usa mucho en la lengua coloquial como expresión que emplea la persona que habla para designarse a sí misma: *El nene mañana no se piensa levantar hasta las doce.* □ USO Tiene un matiz cariñoso.

nenúfar s.m. Planta acuática de hojas grandes, enteras y casi redondas, y de flores blancas o amarillas, que flota sobre las aguas de poca corriente. □ SINÓN. *ninfea.* □ ETIMOL. Del árabe *nilufar* (loto azulado).

neo- Elemento compositivo prefijo que significa 'nuevo' o 'reciente': *neocolonialismo, neoclasicismo, neonazi, neoplatónico, neorrealismo.* □ ETIMOL. Del griego *néos.*

neocapitalismo s.m. Sistema económico que se basa en la doctrina del liberalismo, aunque acepta cierta intervención del Estado.

neocatolicismo s.m. **1** Doctrina político-religiosa que defiende el restablecimiento de las tradiciones católicas en la vida social y en el gobierno de un Estado. **2** Tendencia a introducir en el catolicismo ideas progresistas.

neocatólico, ca adj./s. Del neocatolicismo o relacionado con esta doctrina o con esta tendencia.

neocelandés, -a adj. →**neozelandés.**

neoclasicismo s.m. Estilo artístico que triunfó en el continente europeo durante la segunda mitad del siglo XVIII y que se caracteriza por la recuperación del gusto y de las normas de la Antigüedad clásica grecolatina. □ USO Se usa más como nombre propio.

neoclásico, ca ▌adj. **1** Del neoclasicismo o relacionado con este estilo artístico. ▌adj./s. **2** Partidario o seguidor del neoclasicismo.

neocolonialismo s.m. Forma de dominio económico, cultural o político de una antigua metrópoli o de una nación poderosa sobre otra subdesarrollada.

neocolonialista ▌adj.inv. **1** Del neocolonialismo o relacionado con esta forma de dominio de una nación sobre otra. ▌adj.inv./s.com. **2** Partidario o seguidor del neocolonialismo.

neocriticismo s.m. Corriente filosófica surgida a finales del siglo XIX y que examina las condiciones y posibilidades del conocimiento humano apoyándose en las teorías del criticismo kantiano. □ ETIMOL. De *neo-* (nuevo) y *criticismo.*

neodimio s.m. Elemento químico, metálico y sólido, de número atómico 60, de color blanco plateado, cuyas sales son de color rosa y que pertenece al grupo de los lantánidos: *El neodimio se utiliza para la fabricación de vidrios y de cristales coloreados.* □ ETIMOL. De *neo-* (nuevo, reciente) y la terminación de *praseodimio.* □ ORTOGR. Su símbolo químico es *Nd.*

neofascismo s.m. Movimiento político y social que intenta restaurar los regímenes políticos fascistas.

neofascista ▌adj.inv. **1** Del neofascismo o relacionado con él. ▌adj.inv./s.com. **2** Partidario o seguidor del neofascismo.

neófito, ta s. Persona recién incorporada a una colectividad, esp. a una religión. □ ETIMOL. Del griego *neóphytos*, y este de *néos* (nuevo) y *phýo* (yo llego a ser).

neógeno, na adj./s.m. Referido a una etapa geológica, que es la última de la era terciaria o cenozoica, en la que se engloban los períodos mioceno y plioceno. □ ETIMOL. De *neo-* (nuevo, reciente) y *-geno* (que produce).

neografismo s.m. Innovación en la ortografía de una palabra sin que afecte a su pronunciación: *'Enseguida' es un neografismo de 'en seguida'.*

neohippy adj.inv./s.com. Que pertenece a un movimiento que recupera las ideas y la estética hippy. □ PRON. [neohípi], con *h* aspirada.

neolatino, na adj. Que procede de los latinos o del latín.

neolector, -a s. Persona que ha aprendido a leer y a escribir recientemente.

neoliberalismo s.m. Teoría política que defiende la reducción al mínimo del intervencionismo estatal.

neolítico, ca ▌adj. **1** Del neolítico o relacionado con este período prehistórico. ▌adj./s.m. **2** Referido a un período prehistórico, que es anterior a la edad de cobre y posterior al mesolítico, y que se caracteriza por la aparición de la agricultura y de la ganadería. □ ETIMOL. De *neo-* (nuevo) y *lítico* (de la piedra).

neología s.f. **1** Parte de la lingüística que estudia los neologismos. **2** Formación de neologismos: *La neología tiene características diferentes en cada lengua.*

neológico, ca adj. De los neologismos o relacionado con ellos: *un estudio neológico del euskera.*

neologismo s.m. Palabra, significado o expresión nuevos en una lengua: *Los mecanismos de composición y de derivación de palabras son fuente de neologismos. El significado de 'camello' como 'traficante de drogas' es un neologismo.* □ ETIMOL. De *neo-* (nuevo) y el griego *lógos* (palabra).

neoludita s.com. *col.* Persona que rechaza lo relacionado con el mundo informático virtual y que se opone al empleo de las redes informáticas mundiales. □ ETIMOL. Por alusión a Ludd, personaje que se opuso a la mecanización llevada a cabo durante la Revolución Industrial por considerar que causaba trastornos de la personalidad. □ USO Tiene un matiz humorístico o despectivo.

neomicina s.f. Antibiótico procedente de un hongo, que destruye bacterias y se utiliza principalmente para combatir infecciones intestinales y para fabricar pomadas. □ ETIMOL. De *neo-* (nuevo) y la terminación de *estreptomicina*.

neomudéjar s.m. Estilo artístico del siglo XIX que recupera las características propias del arte mudéjar.

neón s.m. **1** Elemento químico, no metálico y gaseoso, de número atómico 10, inerte, inodoro e incoloro, y muy buen conductor de la electricidad: *El neón es un gas noble que se encuentra en la atmósfera.* **2** Aparato eléctrico luminoso formado por un tubo alargado más o menos fino, lleno de este gas y cerrado herméticamente: *El anuncio de la farmacia suele ser un neón de color verde formando una cruz.* □ ETIMOL. Del griego *néos* (nuevo). □ ORTOGR. En la acepción 1, su símbolo químico es *Ne*.

neonatal adj.inv. Del neonato o recién nacido.

neonato, ta s. Niño recién nacido.

neonatología s.f. Parte de la pediatría que se ocupa de los recién nacidos. □ ETIMOL. De *neonato* y *-logía* (estudio, ciencia).

neonatólogo, ga s. Médico especialista en neonatología.

neonazi ▮ adj.inv. **1** Del neonazismo o relacionado con él. ▮ adj.inv./s.com. **2** Partidario o seguidor del neonazismo.

neonazismo s.m. Movimiento político y social que recoge los principios del nazismo.

neoplasia s.f. En medicina, formación anormal de un tejido cuyos elementos sustituyen a los de los tejidos normales. □ ETIMOL. De *neo-* (nuevo) y el griego *plásso* (yo modelo, amaso).

neoplásico, ca adj. De la neoplasia o relacionado con esta formación anormal de los tejidos.

neoplastia s.f. En medicina, reparación de una zona del cuerpo humano destruida o dañada, mediante la aplicación de injertos. □ ETIMOL. De *neo-* y el griego *plastos* (modelado).

neoplasticismo s.m. Movimiento artístico, esp. pictórico, desarrollado en la primera mitad del siglo XX, que intenta crear un nuevo arte plástico basándose en una concepción de la forma y del color como unidad en el plano rectangular.

neoplatónico, ca ▮ adj. **1** Del neoplatonismo o relacionado con él. ▮ adj./s. **2** Partidario o seguidor del neoplatonismo.

neoplatonismo s.m. Doctrina filosófica que floreció en la ciudad de Alejandría durante los siglos II y III y que intenta renovar la filosofía platónica bajo la influencia del pensamiento oriental.

neopreno s.m. Caucho sintético muy resistente y muy adecuado para aislar del frío y del calor. □ ETIMOL. Extensión del nombre de una marca comercial.

neopunk adj.inv./s.com. Que pertenece a un movimiento que recupera las ideas y la estética punk. □ PRON. Se usa mucho la pronunciación anglicista [neopánk].

neorrealismo s.m. Movimiento cinematográfico italiano desarrollado después de la Segunda Guerra Mundial, que trata con realismo los problemas sociales y utiliza personajes y escenarios cotidianos. □ ETIMOL. De *neo-* (nuevo) y *realismo*.

neorrealista adj.inv./s.com. Del neorrealismo o relacionado con este movimiento cinematográfico.

neotenia s.f. En biología, proceso mediante el cual, en determinados seres vivos, se conservan caracteres larvarios o juveniles después de haber alcanzado el estado adulto.

neoyorquino, na adj./s. De Nueva York (ciudad estadounidense), o relacionado con ella.

neozapatismo s.m. Movimiento político mexicano que recupera las ideas del zapatismo.

neozelandés, -a adj./s. De Nueva Zelanda o relacionado con este país de Oceanía (uno de los cinco continentes). □ ORTOGR. Se usa también *neocelandés*.

neozoico, ca ▮ adj. **1** En geología, de la era cuaternaria, quinta de la historia de la Tierra, o relacionado con ella. □ SINÓN. *cuaternario, antropozoico*. ▮ s.m. **2** →**era neozoica.**

nepalés, -a ▮ adj./s. **1** De Nepal o relacionado con este país asiático. □ SINÓN. *nepalí*. ▮ s.m. **2** Lengua indoaria de este país.

nepalí (pl. *nepalíes, nepalís*) adj.inv./s.com. →**nepalés.**

nepentáceo, a ▮ adj./s.f. **1** Referido a una planta, que tiene las hojas transformadas en bolsas con unas glándulas que segregan un líquido capaz de digerir los insectos que caen en ellas: *Las plantas nepentáceas suelen ser carnívoras.* ▮ s.f.pl. **2** En botánica, familia de estas plantas, perteneciente a la clase de las dicotiledóneas: *Las plantas que pertenecen a las nepentáceas pueden ser herbáceas, arbustivas o con forma de liana.*

nepente s.m. Planta carnívora que tiene las hojas transformadas en una especie de vasija que segrega un líquido con el que digiere los insectos que caen en ella. □ ETIMOL. Del griego *nepenthés* (exento de dolor).

neperiano, na adj. Del método de logaritmos desarrollado por John Neper (matemático inglés del siglo XVII), de sus logaritmos o relacionado con ellos.

nepotismo s.m. Preferencia hacia los propios familiares o amigos cuando se otorga algún tipo de privilegio, esp. cargos o premios. □ ETIMOL. Del italiano *nepotismo*.

neptuniano, na adj. →**neptúnico.**

neptúnico, ca adj. Referido a un terreno o a una roca, que son de formación sedimentaria. □ SINÓN. *neptuniano.*

neptunio s.m. Elemento químico, metálico y artificial, de número atómico 93, radiactivo y de color plateado brillante, que pertenece al grupo de las tierras raras: *El neptunio se forma en los reactores nucleares por bombardeo del uranio con neutrones.* □ ETIMOL. De *Neptuno* (dios de las aguas). □ ORTOGR. Su símbolo químico es *Np*.

nerd (ing.) adj.inv./s.com. Referido a una persona, que está interesada de forma casi obsesiva en algún tipo de conocimiento, esp. en el tecnológico, y que suele carecer de habilidades sociales.

nereida s.f. En la mitología grecolatina, ninfa o divinidad menor que vivía en el mar y que tenía forma de pez desde la cintura para abajo. ☐ ETIMOL. Del latín *Nereis*, y este del griego *Nereîs* (hija de Nereo).

nerita s.f. Molusco marino comestible que tiene un pie carnoso que le permite desplazarse y una concha redonda, gruesa y aplanada. ☐ ETIMOL. Del griego *nerítes*.

nerítico, ca adj. **1** Referido a una zona marítima, que corresponde a la plataforma continental. **2** De esta zona marítima o relacionado con ella. ☐ ETIMOL. De *nerita*.

nerolí (tb. *neroli*) (pl. *nerolíes, nerolís*) s.m. Aceite de esencias que se obtiene por destilación de flores del naranjo amargo. ☐ ETIMOL. Del francés *néroli*, y este de *Nerola*, ciudad italiana de donde era la princesa que introdujo en Francia este perfume. ☐ MORF. El plural de *neroli* es *nerolis*.

nerón s.m. Hombre muy cruel. ☐ ETIMOL. Por alusión a Nerón, emperador romano célebre por su crueldad.

neroniano, na adj. **1** De Nerón (emperador romano del siglo I) o relacionado con él. **2** Cruel o sanguinario: *una matanza neroniana.* ☐ ETIMOL. La acepción 2, de *Nerón*, emperador romano del siglo I d. C. que destacó por su crueldad.

nervado, da adj. Provisto de nervios.

nervadura s.f. **1** En arquitectura, arco que, al cruzarse con otro o con otros, forma la bóveda de crucería. ☐ SINÓN. *nervio.* **2** En una bóveda o en una hoja vegetal, conjunto de nervios: *La nervadura de una hoja se aprecia mejor por el envés.* ☐ ETIMOL. Del italiano *nervatura.* ☐ ORTOGR. Se usa también *nervatura.*

nervatura s.f. →**nervadura.**

nerviación s.f. En una hoja vegetal o en las alas de un insecto, nervadura o conjunto de nervios.

nervio ▮ s.m. **1** En una persona o en un animal, órgano conductor de los impulsos nerviosos, compuesto por un haz de fibras nerviosas: *Los nervios parten principalmente del cerebro o de la médula espinal y se distribuyen por el cuerpo. El nervio auditivo está en el oído interno.* **2** Tendón o tejido orgánico duro, blanquecino y resistente: *He traído unos filetes de carne buenísimos, sin un solo nervio.* **3** En la hoja de una planta, fibra que la recorre por el envés. **4** En las alas de los insectos, fibra que forma su esqueleto: *Los nervios de las alas de los insectos son de quitina.* **5** En arquitectura, arco que, al cruzarse con otro o con otros, forma la bóveda de crucería: *El peso de las bóvedas góticas recae sobre los nervios.* ☐ SINÓN. *nervadura.* **6** En un libro, cordón que se coloca en el lomo, al través, para unir los cuadernillos. **7** Fuerza, vigor o carácter: *Tienes que correr con nervio si quieres llegar el primero.* ▮ pl. **8** Estado psicológico tenso. **9** Equilibrio psicológico: *No pierdas los nervios, que todo tiene solución.* **10** || **{estar/ponerse} de los nervios;** estar alterado o muy nervioso: *Cuando tengo exámenes me pongo de los nervios.* || **(nervio) ciático;** el que pasa por los músculos posteriores del muslo, de las piernas y por la piel de las piernas y de los pies. || **nervio óptico;** el que transmite las impresiones ópticas desde el ojo al cerebro. || **poner los nervios de punta;** *col.* Alterar, irritar o exasperar en grado extremo. || **ser puro nervio;** *col.* Ser muy activo e inquieto. ☐ ETIMOL. Del latín *nervium*.

nerviosidad s.f. →**nerviosismo.**

nerviosismo s.m. Estado pasajero de excitación o inquietud. ☐ SINÓN. *nerviosidad.*

nervioso, sa adj. **1** De los nervios o relacionado con ellos: *un impulso nervioso.* **2** Referido a una persona, que resulta fácilmente excitable: *No me atrevo a contárselo porque es muy nervioso y temo su reacción.* **3** Inquieto, intranquilo o incapaz de permanecer en reposo: *Está nerviosa porque mañana tiene una entrevista de trabajo.*

nervudo, da adj. **1** Referido a una persona o a una parte de su cuerpo, que tiene muy marcados los tendones, las venas y los músculos. **2** Que tiene muchos nervios, o que tiene los nervios muy marcados y salientes: *un filete nervudo.*

nervura s.f. Conjunto de los nervios de un libro encuadernado. ☐ ETIMOL. Del francés *nervure*.

nescafé s.m. Preparado de café en polvo que se disuelve en agua o en leche. ☐ ETIMOL. Extensión del nombre de una marca comercial.

nesga s.f. **1** Pieza triangular de tela que se añade a una prenda para darle más vuelo o más anchura. **2** Pieza triangular de cualquier material que se añade a otra. ☐ ETIMOL. De origen incierto.

nesgar v. **1** Referido a una tela, cortarla oblicuamente respecto a la dirección de los hilos: *Para hacer el cuello tienes que nesgar la tela.* **2** Referido esp. a una prenda de vestir, ponerle nesgas: *Ha tenido que nesgar la falda, porque la quería con más vuelo.* ☐ ORTOGR. La *g* se cambia en *gu* delante de *e* →PAGAR.

net (ing.) s.f. →**web.** ☐ PRON. [net].

net.art (ing.) s.m. Obra artística que se crea en internet.

netartista s.com. Artista que crea sus obras en internet: *El netartista usa la tecnología para realizar sus creaciones.* ☐ ETIMOL. Del inglés *net.art* (obra artística que se crea en internet).

netiqueta s.f. Conjunto de reglas de cortesía y buenos modos que siguen los usuarios de internet. ☐ USO Es innecesario el uso del anglicismo *netiquette*.

netiquette (ing.) s.f. →**netiqueta.** ☐ PRON. [netiquét].

net nanny (ing.) s. || Dispositivo informático que impide que menores de edad puedan acceder a páginas web cuyo contenido es para adultos. ☐ PRON. [net náni].

neto, ta adj. **1** Limpio, puro, claro, bien definido o bien delimitado: *Según nos acercábamos, veíamos cada vez más neto el perfil de la catedral.* **2** Referido a una cantidad de dinero, libre de los descuentos que le corresponden: *el sueldo neto.* ☐ SINÓN. *líquido.* **3**

Referido a un precio o a un peso, que se considera sin añadidos ni deducciones. ☐ ETIMOL. Del francés o del catalán *net* (limpio).

neuma s.m. Signo o nota que se empleaba en la notación musical medieval. ☐ ETIMOL. Del griego *pnêuma* (soplo, aliento).

neumático, ca ▮ adj. **1** Referido a un aparato, que funciona o se hincha con aire u otro gas: *El martillo neumático tiene un taladro movido por aire comprimido.* ▮ s.m. **2** Tubo de goma o de caucho lleno de aire que se monta sobre una llanta metálica y que, junto con una cubierta de caucho, forma parte de una rueda. ☐ ETIMOL. Del griego *pneumatikós* (relativo al aire).

neumo- Elemento compositivo prefijo que significa 'pulmón' o 'sistema respiratorio': *neumología, neumólogo, neumopatía.* ☐ ETIMOL. Del griego *pnéumon.*

neumococo s.m. Microorganismo de forma esférica que produce algunos tipos de pulmonía. ☐ ETIMOL. De *neumo-* (pulmón, sistema respiratorio) y el griego *kókkos* (grano).

neumología s.f. Estudio de las enfermedades del aparato respiratorio. ☐ ETIMOL. De *neumo-* (pulmón, sistema respiratorio) y *-logía* (estudio).

neumológico, ca adj. De la neumología o relacionado con este estudio de las enfermedades respiratorias.

neumólogo, ga s. Médico especializado en neumología.

neumonía s.f. En medicina, inflamación del pulmón o de una parte de él, causada generalmente por un microorganismo. ☐ SINÓN. *pulmonía.* ☐ ETIMOL. Del griego *pneumonía*, y este de *pnéumon* (pulmón).

neumopatía s.f. Enfermedad que afecta al pulmón. ☐ ETIMOL. De *neumo-* (pulmón) y *-patía* (enfermedad).

neumotórax (pl. *neumotórax*) s.m. **1** Lesión producida por la entrada de aire entre las dos pleuras. **2** ‖ **neumotórax (artificial);** introducción de aire o de otro gas entre las dos pleuras con fines terapéuticos. ☐ ETIMOL. De *neumo-* (pulmón) y *tórax.*

neura ▮ adj.inv./s.com. **1** *col.* Nervioso, excitado o alterado: *¡Mira que eres neura!, ¿no ves que tenemos tiempo de sobra?* ▮ s.f. **2** *col.* Manía, obsesión o excitación nerviosa: *¡Menuda neura le ha entrado por el ciclismo desde que se compró la bicicleta!*

neuralgia s.f. En medicina, dolor continuo y agudo a lo largo de un nervio y de sus ramificaciones. ☐ ETIMOL. Del griego *nêuron* (nervio) y *-algia* (dolor).

neurálgico, ca adj. **1** De la neuralgia o relacionado con este dolor. **2** Muy importante, fundamental o decisivo: *Solo cuando descubrieron el centro neurálgico de la organización pudieron desarticularla.*

neurastenia s.f. Estado psicológico caracterizado generalmente por la tristeza, el cansancio, el temor y la emotividad. ☐ ETIMOL. Del griego *nêuron* (nervio) y *asthénia* (debilidad).

neurasténico, ca ▮ adj. **1** De la neurastenia o relacionado con este estado psicológico. ▮ adj./s. **2** Referido a una persona, que padece neurastenia.

neurita s.f. Prolongación de una neurona, que generalmente termina en una ramificación y que está en contacto con otras células: *Las neuritas transmiten los impulsos nerviosos de unas células a otras.* ☐ SINÓN. *axón, cilindroeje.* ☐ ETIMOL. Del griego *nêuron* (nervio).

neuritis (pl. *neuritis*) s.f. Lesión inflamatoria o degenerativa de uno o varios nervios y de sus ramificaciones. ☐ ETIMOL. Del griego *nêuron* (nervio) e *-itis* (inflamación).

neuro- Elemento compositivo prefijo que significa 'nervio' o 'sistema nervioso': *neuroanatomía, neurobiología, neurocirujano, neurología.* ☐ ETIMOL. Del griego *nêuron-.*

neuroanatomía s.f. Anatomía del sistema nervioso.

neurobiología s.f. Parte de la biología que estudia el sistema nervioso central.

neurobiólogo, ga s. Persona especializada en neurobiología.

neuroblastoma s.m. Tumor maligno originado en las células embrionarias de las neuronas.

neurociencia s.f. Ciencia que estudia el sistema nervioso desde un punto de vista multidisciplinar, es decir, mediante la aportación de disciplinas diversas como la biología, la química, la física, la informática, la farmacología, la genética, y otras ciencias: *Algunos objetivos de la neurociencia son determinar cómo el cerebro evoluciona durante el desarrollo y encontrar cómo prevenir y curar enfermedades neurológicas y psiquiátricas.*

neurocirugía s.f. Cirugía especializada en el sistema nervioso.

neurocirujano, na s. Cirujano especializado en neurocirugía.

neuroendocrino, na adj. Relacionado con las influencias nerviosas y endocrinas, esp. con la interacción entre los sistemas nervioso y endocrino.

neuroendocrinología s.f. Ciencia que estudia las relaciones entre el sistema nervioso y las glándulas endocrinas.

neuroendocrinólogo, ga s. Especialista en neuroendocrinología.

neurofisiología s.f. Parte de la fisiología que se encarga del estudio del sistema nervioso.

neurofisiológico, ca adj. De la neurofisiología o relacionado con esta parte de la fisiología que se encarga del estudio del sistema nervioso.

neurología s.f. Parte de la medicina que estudia el sistema nervioso. ☐ ETIMOL. De *neuro-* (nervio) y *-logía* (estudio, ciencia).

neurológico, ca adj. De la neurología o relacionado con esta parte de la medicina.

neurólogo, ga s. Médico especializado en neurología.

neuroma s.m. Tumor muy doloroso, que se forma en el espesor del tejido de los nervios.

neurona s.f. Célula que transmite o produce los impulsos nerviosos, formada por un cuerpo central y una serie de prolongaciones o ramificaciones a su alrededor: *Las neuronas trasladan los estímulos a los centros nerviosos, al encéfalo o a la médula espinal.* □ ETIMOL. Del griego *nêuron* (nervio).

neuronal adj.inv. De la neurona o relacionado con ella.

neuropatía s.f. Enfermedad del sistema nervioso. □ ETIMOL. De *neuro-* (nervio) y *-patía* (enfermedad).

neuropático, ca adj. De la neuropatía o relacionado con esta enfermedad del sistema nervioso: *un medicamento para combatir el dolor neuropático.*

neuroprotector, -a adj./s.m. Que protege el sistema nervioso: *el efecto neuroprotector de un medicamento.*

neuropsicología s.f. Parte de la psicología que estudia las enfermedades de carácter nervioso.

neuropsiquiatría s.f. Parte de la medicina que estudia las enfermedades mentales y su tratamiento.

neuróptero ▌ adj./s.m. **1** Referido a un insecto, que tiene boca masticadora o chupadora, cabeza redonda con largas antenas y cuerpo prolongado con dos pares de alas membranosas y de tejido parecido a una red: *Los neurópteros pasan por una metamorfosis completa durante su ciclo vital.* ▌ s.m.pl. **2** En zoología, orden de estos insectos, perteneciente al tipo de los artrópodos: *Las larvas de los insectos que pertenecen a los neurópteros suelen ser acuáticas.* □ ETIMOL. De *neuro-* (nervio) y *-ptero* (ala).

neurosis (pl. *neurosis*) s.f. Trastorno del sistema nervioso sin que aparentemente existan lesiones en él. □ ETIMOL. Del griego *nêuron* (nervio) y *-osis* (enfermedad).

neurótico, ca ▌ adj. **1** De la neurosis o relacionado con este trastorno nervioso: *El psicoanálisis trata de curar los problemas neuróticos.* ▌ adj./s. **2** Referido a una persona, que padece neurosis: *Las personas neuróticas sienten ansiedad, desánimo y angustia frecuentes.* **3** *col.* Con manías u obsesiones exageradas, o excesivamente nervioso.

neurotizar v. Referido a una persona, trastornarla mucho o ponerla muy nerviosa: *No puedo evitarlo, los atascos de tráfico me neurotizan.* □ ORTOGR. La *z* se cambia en *c* delante de *e* →CAZAR.

neurótomo s.m. En cirugía, instrumento de doble cuchilla, largo y estrecho, que se usa generalmente para cortar los nervios y estudiarlos. □ ETIMOL. De *neuro-* (nervio) y el griego *tomós* (cortante). □ PRON. Aunque la pronunciación correcta es [neurótomo], en círculos especializados está muy extendida [neurotómo].

neurotransmisor, -a adj./s.m. Referido a una sustancia, que media la transmisión del impulso nervioso y provoca respuestas en la musculatura lisa y estriada, en las glándulas y en determinadas neuronas.

neurotrofina s.f. Molécula que regula el crecimiento neuronal.

neurovegetativo, va adj. **1** Referido a una parte del sistema nervioso, que regula las funciones vegetativas o de nutrición, desarrollo y reproducción: *Los latidos del corazón son regulados por el sistema neurovegetativo.* **2** Que está controlado por esta parte del sistema nervioso: *La digestión es una función involuntaria y neurovegetativa.*

neutral adj.inv./s.com. **1** En un enfrentamiento, que no se inclina por ninguna de las partes que intervienen o que no beneficia a ninguna. **2** Referido esp. a un Estado o a una nación, que no intervienen en un conflicto armado ni ayudan a las partes enfrentadas en él. □ ETIMOL. Del latín *neutralis.*

neutralidad s.f. **1** Actitud o comportamiento del que no se inclina por ninguna de las dos partes que intervienen en un enfrentamiento ni las beneficia. **2** Situación del Estado o de la nación que no intervienen en un conflicto armado ni ayudan a las partes enfrentadas en este.

neutralismo s.m. Tendencia a mantenerse neutral, esp. ante conflictos internacionales.

neutralista adj.inv./s.com. Partidario o seguidor del neutralismo.

neutralizable adj.inv. Que se puede neutralizar.

neutralización s.f. **1** Debilitamiento o anulación de un efecto o de una acción mediante la oposición de otros, generalmente contrarios: *Con antídotos se consigue la neutralización del efecto de los venenos.* **2** Reacción química en la que una disolución o una mezcla de carácter ácido o básico se convierte en neutra: *Para obtener la neutralización de un ácido necesitas una base.* **3** En algunos deportes, consideración de un tiempo o de un tramo determinados sin valor en el resultado final: *La neutralización de la etapa de montaña se debió a las malas condiciones climatológicas.*

neutralizar v. **1** Referido esp. a un efecto o a una acción, debilitarlos o anularlos mediante la oposición de otros, generalmente contrarios: *Una buena defensa neutraliza un ataque. Gracias al antídoto, se neutralizó el efecto del veneno.* **2** En química, referido a una sustancia o a una disolución, hacerlas neutras: *Una base neutraliza a un ácido. El ácido clorhídrico se neutraliza con el bicarbonato.* **3** En algunos deportes, considerar sin valor un tiempo o un tramo determinados en el resultado final: *Neutralizaron la prueba ciclista durante varios kilómetros debido al mal estado de la carretera.* □ ORTOGR. La *z* se cambia en *c* delante de *e* →CAZAR.

neutrino s.m. En física, partícula elemental sin carga eléctrica y con masa inapreciable.

neutro, tra ▌ adj. **1** Que no presenta ni una ni otra de dos características opuestas o muy diferentes: *un color neutro.* **2** Que no muestra emoción ni sentimiento: *una voz neutra.* **3** En química, referido a una disolución o a una mezcla, que no es ni ácida ni básica: *un champú neutro.* **4** Referido a un cuerpo, que tiene igual cantidad de carga eléctrica positiva que negativa. ▌ adj./s.m. **5** En lingüística, referido a la categoría gramatical del género, que no es ni la del masculino ni la del femenino: *En español hay restos* *del neutro en algunas formas pronominales y en el artículo 'lo'.* ☐ ETIMOL. Del latín *neuter* (ni el uno ni el otro).

neutrófilo s.m. Leucocito de gran tamaño encargado de combatir las infecciones.

neutrón s.m. En un átomo, partícula elemental cuya carga eléctrica es nula. ☐ ETIMOL. De *neutro* y *electrón*.

neutropenia s.f. Disminución anormal del número de neutrófilos en la circulación periférica.

nevada s.f. Véase **nevado, da.**

nevadito s.m. Bollo de hojaldre cubierto de azúcar glaseada.

nevado, da ▮ adj. **1** Cubierto de nieve. ▮ s.f. **2** Caída de nieve: *La fuerte nevada dificultaba la visibilidad en carretera.* **3** Cantidad de nieve que cae en la tierra de una vez y sin interrupción: *La nevada de ayer se heló por la noche y tardará más en derretirse.*

nevar v. **1** Caer nieve: *Ayer nevó en toda la ciudad.* **2** Poner de color blanco: *El paso de los años nevó sus cabellos.* ☐ ETIMOL. Del latín *nivare.* ☐ MORF. 1. Irreg. →PENSAR. 2. En la acepción 1, es unipersonal.

nevasca s.f. Tormenta de nieve que va acompañada de fuerte viento.

nevera s.f. **1** Electrodoméstico que sirve para conservar fríos los alimentos y las bebidas. ☐ SINÓN. *frigorífico.* **2** Recipiente parecido a una caja, acondicionado para mantener la temperatura interior: *Mete hielos en la nevera para que las bebidas duren más tiempo frías.* **3** *col.* Lugar muy frío: *Tuvieron que cerrar el colegio porque las clases eran neveras.* ☐ ETIMOL. Del latín *nivaria.* ☐ SINT. En la acepción 1, se usa en aposición, pospuesto a un sustantivo: *una bolsa nevera.*

nevero s.m. En una montaña, lugar en el que se conserva la nieve todo el año. ☐ ETIMOL. Del latín *nivarius.*

nevisca s.f. Nevada corta de copos pequeños.

neviscar v. Nevar ligeramente o en poca cantidad: *Se está preparando una buena nevada aunque ahora solo nevisque.* ☐ ORTOGR. La *c* se cambia en *qu* delante de *e* →SACAR. ☐ MORF. Verbo unipersonal: se usa solo en tercera persona del singular y en las formas no personales (infinitivo, gerundio y participio).

nevoso, sa (tb. *nivoso, sa*) adj. Que tiene nieve con frecuencia. ☐ ETIMOL. Del latín *nivosus.*

nevus (pl. *nevus*) s.m. Malformación de la piel que forma pequeñas manchas o verrugas. ☐ ETIMOL. Del latín *naevus* (lunar).

new age (ing.) s.f. ‖ Tipo de música suave y relajante que se desarrolló hacia la década de 1980. ☐ PRON. [niú éich], con *ch* suave.

newbie (ing.) s.com. Persona novata o inexperta en el manejo de internet. ☐ ETIMOL. Del inglés *new boy.* ☐ PRON. [niúbi].

new criticism (ing.) s.m. ‖ Escuela de crítica literaria que propone un análisis descriptivo y pormenorizado distinto para cada texto. ☐ PRON. [niú criticísm].

new look (ing.) s.m. ‖ Imagen renovada o nuevo estilo que se adopta. ☐ PRON. [niú luk]. ☐ USO Su uso es innecesario y puede sustituirse por *nueva imagen.*

newsgroup (ing.) s.m. En internet, grupo de personas que debaten sobre una noticia. ☐ PRON. [niusgrúp]. ☐ USO Su uso es innecesario y puede sustituirse por *grupo de noticias.*

newsletter (ing.) s.m. →**boletín.** ☐ PRON. [niús léter].

newton (ing.) (pl. *newtons*) s.m. En el Sistema Internacional, unidad de fuerza que equivale a la fuerza necesaria para comunicar a una masa de un kilogramo la aceleración de un metro por segundo cuadrado. ☐ ETIMOL. Por alusión al científico inglés Isaac Newton. ☐ PRON. [niúton]. ☐ ORTOGR. Su símbolo es *N*, por tanto, se escribe sin punto.

newtoniano, na adj. De Newton o relacionado con este físico y matemático inglés. ☐ PRON. [niutoniáno].

new wave (ing.) s.f. ‖ →**nueva ola.** ☐ PRON. [niú uéif], con *f* suave.

nexo s.m. **1** Unión o relación de una cosa con otra: *Entre los dos hay un nexo de amistad.* **2** En lingüística, enlace gramatical que sirve para unir palabras u oraciones: *Las preposiciones y las conjunciones son nexos.* ☐ ETIMOL. Del latín *nexus*, y este de *nectere* (anudar).

ngultrum s.m. Unidad monetaria butanesa.

ni ▮ s.f. **1** En el alfabeto griego clásico, nombre de la decimotercera letra: *La grafía de la ni es ν.* ▮ conj. **2** Enlace gramatical coordinante con valor copulativo y negativo, que se usa generalmente detrás de otra negación: *Nunca he ido al fútbol ni al boxeo. Ni lo sé ni me importa.* **3** ‖ **ni que;** expresión que se usa para introducir una exclamación con la que se expone una hipótesis que está lejos de ser cierta: *¡Ni que fueras nuevo, con la experiencia que tienes ya en esto!* ‖ **ni (siquiera);** expresión que se usa para negar enfáticamente o para indicar el colmo de algo: *Eso a él ni siquiera se le pasa por la cabeza. ¡No lo quiero ni regalado!* ☐ SINÓN. *siquiera.* ☐ ETIMOL. La acepción 2, del latín *nec.* ☐ ORTOGR. En la acepción 1, se usa también *ny.*

niacina s.f. Sustancia química que se encuentra en la nicotina.

nica adj.inv./s.com. *col.* En zonas del español meridional, nicaragüense.

nicaragüense adj.inv./s.com. De Nicaragua o relacionado con este país americano. ☐ MORF. En América, se usa mucho la forma abreviada *nica.*

nicaragüeñismo s.m. En lingüística, americanismo propio de Nicaragua (país americano): *Mi amiga me envió desde Managua una carta plagada de nicaragüeñismos.*

nicho s.m. **1** En un muro, cavidad en forma de arco construida para albergar una escultura o un objeto decorativo, generalmente coronada por un cuarto de esfera. **2** Cavidad alargada hecha en un panteón o monumento funerario para albergar el ataúd del cadáver de una persona o sus cenizas. **3** || **nicho de mercado;** en economía, parte de un mercado claramente diferenciada por el precio o por las características de la demanda o del producto: *Este nuevo producto ocupa un nicho de mercado que ningún otro producto había ocupado.* || **nicho ecológico;** papel que desempeña una especie animal en su hábitat: *En un bosque, el nicho ecológico de la golondrina y el del pico son distintos, ya que la primera se alimenta de insectos que caza al vuelo, mientras que el segundo se alimenta de larvas de insectos que obtiene de los troncos de los árboles.* □ ETIMOL. Del italiano antiguo *nicchio*.

nick (ing.) s.m. →**nickname.** □ PRON. [nik].

nicki (ing.) s.m. →**niqui.** □ PRON. [níki].

nickname (ing.) s.m. Apodo o sobrenombre que utiliza un usuario en internet para acceder a determinados servicios: *Para entrar en el chat tienes que escribir tu nickname.* □ PRON. [niknéim]. □ MORF. Se usa mucho la forma abreviada *nick*.

nicotina s.f. Sustancia incolora que se extrae de las hojas y raíces del tabaco y se oscurece en contacto con el aire: *La nicotina es un alcaloide que se utiliza en la fabricación de insecticidas.* □ ETIMOL. Del francés *nicotine*, este de *nicotiane* (nombre culto del tabaco), y este por alusión al embajador francés *Nicot*, que envió por primera vez el tabaco a Francia en 1560.

nicotinamida s.f. Compuesto químico orgánico que se encuentra en el ácido de la nicotina.

nicotinismo s.m. →**nicotismo.**

nicotismo s.m. Conjunto de trastornos producidos en un organismo por el abuso del tabaco. □ SINÓN. *nicotinismo*.

nicromo s.m. Aleación de níquel y de cromo, muy utilizada en la fabricación de aparatos de calefacción. □ ETIMOL. De *níquel* y *cromo*.

nictálope adj.inv./s.com. Referido a una persona o a algunos animales, que ve mejor de noche que de día.

nictalopía s.f. Capacidad de ver mejor de noche o con luz escasa. □ ETIMOL. Del griego *nyktalopía*, y este de *nýx* (noche) y *óps* (vista). □ PRON. Incorr. *[nictalópia].

nictitación s.f. Parpadeo por convulsión del músculo del párpado.

nictitante adj.inv. En algunos animales, referido a una membrana, que es casi transparente y forma el tercer párpado. □ ETIMOL. Del latín *nictatare*, y este de *nictere* (guiñar).

nictofobia s.f. Temor anormal a la noche y a la oscuridad. □ ETIMOL. Del griego *nýx* (noche) y *-fobia* (aversión).

nidación s.f. En biología, fijación del óvulo fecundado en la mucosa del útero. □ SEM. Dist. de *nidificación* (construcción de un nido).

nidada s.f. Conjunto de los huevos puestos en el nido o conjunto de polluelos nacidos de una misma puesta.

nidal s.m. Lugar en el que pone los huevos un ave doméstica. □ SINÓN. *nido, ponedero.* □ ETIMOL. De *nido*.

nidícola adj.inv. Referido a un ave, que tiene crías que salen del huevo antes de haber completado el desarrollo. □ ETIMOL. De *nido* y *-cola* (habitante).

nidificación s.f. Construcción de un nido por parte de un ave. □ SEM. Dist. de *nidación* (fijación del óvulo fecundado en el útero).

nidificar v. Referido a un ave, hacer el nido o anidar: *En esta zona del parque natural es donde nidifica la mayor parte de las especies.* □ ETIMOL. Del latín *nidificare*, y este de *nidus* (nido) y *facere* (hacer). □ ORTOGR. La *c* se cambia en *qu* delante de *e* →SACAR.

nidífugo, ga adj. Referido a un ave, que tiene crías que abandonan el nido al poco tiempo de salir del huevo. □ ETIMOL. De *nido* y *-fugo* (que abandona).

nido s.m. **1** Refugio que construyen las aves con hierbas, pajas, plumas u otros materiales blandos, para poner allí sus huevos y criar a sus crías. **2** Lugar en el que habitan y se reproducen algunos animales: *un nido de lagartijas.* **3** Lugar en el que pone los huevos un ave doméstica. □ SINÓN. *nidal, ponedero.* **4** *col.* Lugar en el que habita una persona: *Te dejo las llaves de mi nido, pero no me rompas nada.* **5** Lugar en el que suele reunirse un grupo determinado de personas, generalmente de mala reputación: *un nido de delincuentes.* **6** Lugar en el que se agrupan determinados objetos materiales: *El capitán mandó instalar varios nidos de ametralladoras.* **7** Lugar o circunstancia originarios de cosas inmateriales, esp. si resultan problemáticas o conflictivas: *Se queja de que su casa es un nido de discusiones.* **8** En un hospital, lugar en el que se encuentran los recién nacidos. **9** || **nido de abeja;** en una tela, bordado de adorno parecido a las celdillas de los panales de las abejas. □ ETIMOL. Del latín *nidus*.

NIE s.m. Documentación personal, de carácter oficial, que indica que el propietario es extranjero en situación regularizada. □ ETIMOL. Es el acrónimo de *número de identificación de extranjeros*.

niebla s.f. **1** Acumulación de nubes en contacto con la superficie terrestre: *La niebla era tan espesa que no se veían las cosas a dos metros de distancia.* **2** Lo que dificulta el conocimiento de un asunto o su comprensión: *Nunca supe quién era realmente, porque su vida siempre estuvo rodeada de niebla.* **3** || **niebla meona;** la que desprende gotas pequeñas que no llegan a ser llovizna. □ ETIMOL. Del latín *nebula*.

nietastro, tra s. Respecto de una persona, hijo o hija de su hijastro o de su hijastra.

nieto, ta s. Respecto de una persona, hijo o hija de su hijo o de su hija. □ ETIMOL. *Nieta*, del latín *nepta*. *Nieto*, de *nieta*.

nietzscheano, na ▮ adj. **1** De Nietzsche o relacionado con este filósofo alemán. ▮ adj./s. **2** Partidario o seguidor de Nietzsche (filósofo alemán de fines del siglo XIX y principios del XX). □ PRON. [nitcheáno], con *t* suave.

nieve s.f. **1** Agua helada que se desprende de las nubes en cristales sumamente pequeños y que, agrupándose al caer, llegan a la superficie terrestre en forma de copos blancos. **2** Esta agua helada cuando ya ha caído. **3** En zonas del español meridional, helado. **4** *arg.* En el lenguaje de la droga, cocaína. □ ETIMOL. Del latín *nix*.

NIF s.m. Clave identificadora de ciudadanos particulares, de carácter oficial y obligatorio, que permite realizar actividades económicas y mercantiles. □ ETIMOL. Es el acrónimo de *número de identificación fiscal*.

nife s.m. **1** En la Tierra, núcleo central. □ SINÓN. *barisfera*. **2** Cuchillo tradicional canario. □ ETIMOL. 1. La acepción 1, de *Ni* (símbolo químico del níquel) y *Fe* (símbolo químico del hierro) 2. La acepción 2, del inglés *knife* (cuchillo).

nigeriano, na adj./s. De Nigeria o relacionado con este país africano.

nigerino, na adj./s. De Níger o relacionado con este país africano.

nigérrimo, ma superlat. irreg. de **negro**.

nightclub (ing.) s.m. Sala de fiestas nocturna. □ PRON. [náitclab]. □ USO Su uso es innecesario y puede sustituirse por *sala de fiestas*.

nigromancia (tb. *nigromancía*) s.f. Conjunto de conocimientos y prácticas que permiten la invocación de los espíritus del mal, esp. del diablo, para conseguir fenómenos sobrenaturales. □ SINÓN. *magia negra*. □ ETIMOL. Del griego *nekromantéia* (adivinación por medio de los muertos), y este de *nekrós* (muerto), por cruce con el latín *niger* (negro), y *mantéia* (adivinación).

nigromante s.com. Persona que practica la nigromancia. □ SINÓN. *nigromántico*.

nigromántico, ca ▌adj. **1** De la nigromancia o relacionado con estas prácticas de magia negra. ▌s. **2** →**nigromante.**

nigua s.f. Insecto americano parecido a la pulga, pero mucho más pequeño y de trompa más larga.

nihilismo s.m. **1** Doctrina filosófica que niega de forma radical la posibilidad del conocimiento y se basa en la negación de la existencia de algo permanente. **2** Negación de cualquier creencia o de cualquier valor moral, político, religioso o social. □ ETIMOL. Del latín *nihil* (nada).

nihilista ▌adj.inv. **1** Del nihilismo o relacionado con esta forma de pensamiento. ▌adj.inv./s.com. **2** Que sigue o que defiende el nihilismo.

níhil óbstat ‖ En un libro, expresión que indica que tiene la aprobación eclesiástica: *Antiguamente, no se podía imprimir un libro que no tuviera el níhil óbstat.* □ ETIMOL. Del latín *nihil obstat*.

nilón s.m. →**nailon.** □ ETIMOL. Del inglés *nylon*. Extensión del nombre de una marca comercial.

nilótico, ca ▌adj. **1** Del Nilo (río africano) o relacionado con él. ▌adj./s. **2** De un pueblo africano que habita en la cuenca del Nilo (río africano) y en los Grandes Lagos (región africana), o relacionado con él.

nimbar v. Referido a una imagen, rodearla con un nimbo luminoso o aureola: *El pan de oro se usa mucho en arte para nimbar imágenes de santos.*

nimbo s.m. **1** Aureola o círculo luminoso que rodea la cabeza de una imagen. **2** →**nimboestrato.** □ ETIMOL. Del latín *nimbus* (nubarrón).

nimboestrato s.m. Capa de nubes bajas de color grisáceo, generalmente muy oscuro, que tiene un aspecto difuso. □ SINÓN. *nimbo*.

nimiedad s.f. **1** Pequeñez, insignificancia o escasa importancia: *La nimiedad del error es tal que no me preocupa nada.* **2** Lo que es de poca importancia: *No me vengas con esas nimiedades, habiendo tantas otras cosas importantes que hacer.*

nimio, mia adj. Insignificante o sin importancia. □ ETIMOL. Del latín *nimius* (excesivo, demasiado), porque se interpretaron mal frases como *cuidado nimio*.

ninfa s.f. **1** En la mitología grecolatina, cada una de las divinidades menores, representadas por jóvenes muchachas, que habitaban bosques, selvas y aguas. **2** En zoología, insecto que está en una fase de su desarrollo intermedia entre la de larva y la de adulto. □ ETIMOL. Del griego *nýmphe* (divinidad de las fuentes).

ninfálido, da ▌adj./s.m. **1** Referido a un insecto, que tiene cuatro alas cubiertas de escamas con colores muy vistosos, un par de antenas claramente nudosas y un par de ojos compuestos: *Las larvas ninfálidas suelen ser espinosas.* ▌s.m.pl. **2** En zoología, familia de estos insectos, perteneciente al orden de los lepidópteros: *Los ninfálidos son una familia dentro de las mariposas diurnas.*

ninfea s.f. Planta acuática, de hojas grandes, enteras y casi redondas y flores blancas o amarillas, que flota sobre las aguas de poca corriente. □ SINÓN. *nenúfar*. □ ETIMOL. Del latín *nymphaea*.

ninfeáceo, a ▌adj./s. **1** Referido a una planta, que es acuática, de hojas flotantes y grandes, fruto globoso y flores regulares con muchos pétalos en series concéntricas y de colores brillantes: *El nenúfar es una planta ninfeácea.* ▌s.f.pl. **2** En botánica, familia de estas plantas, perteneciente a la clase de las dicotiledóneas: *Las ninfeáceas son plantas herbáceas.*

ninfómana adj./s.f. Referido a una mujer, que experimenta un deseo sexual violento e insaciable.

ninfomanía s.f. En una mujer, deseo sexual violento e insaciable. □ ETIMOL. Del griego *nýmphe* (clítoris) y *-manía* (afición desmedida).

ninfomaníaco, ca adj. De la ninfomanía o relacionado con este deseo sexual.

ningún indef. →**ninguno.** □ MORF. 1. Apócope de *ninguno* ante sustantivo masculino singular. 2. Se usa ante sustantivo femenino que empieza por *a* o por *ha* tónicas o acentuadas.

ningunear v. Referido a una persona, no hacerle caso o menospreciarla: *No tienes derecho a ningunear a nadie.*

ninguneo s.m. Menosprecio o indiferencia hacia otras personas.

ninguno, na indef. Ni una sola persona o cosa: *No conozco a ninguna amiga suya. No tengo ningunas ganas de trabajar hoy. Aunque invité a varios amigos, no vino ninguno. He dado todas las fotos y no me queda ninguna.* ☐ ETIMOL. Del latín *nec unus* (ni uno). ☐ MORF. En masculino se usa la forma *ningún* cuando precede a un sustantivo determinándolo.

ninja (ing.) s.m. Mercenario experto en artes marciales. ☐ PRON. [nínya].

ninot s.m. Muñeco o figura que forma parte de una falla valenciana. ☐ ETIMOL. Del catalán *ninot*.

niña s.f. Véase **niño, ña**.

niñada s.f. Dicho o hecho propios de un niño por su falta de madurez.

niñato, ta ▌adj./s. **1** *desp.* Referido a una persona, que es joven y no tiene experiencia. ▌s. **2** *desp.* Persona joven muy presumida y presuntuosa.

niñería s.f. **1** Dicho o hecho que parecen propios de un niño por su falta de madurez. **2** Lo que es de poca importancia: *No me digas que te vas a enfadar por esta niñería...*

niñero, ra ▌adj. **1** Que disfruta estando con niños. ▌s. **2** Persona empleada en una casa para cuidar a los niños. ☐ SEM. En la acepción 2, el femenino es sinónimo de *chacha*. ☐ USO En la acepción 2, es innecesario el uso del anglicismo *nurse*.

niñez s.f. Primer período de la vida de una persona, desde que nace hasta la adolescencia. ☐ SINÓN. *infancia*.

niño, ña ▌adj./s. **1** Referido a una persona, que está en la niñez o tiene pocos años. **2** Referido a una persona, que tiene poca experiencia: *No sabe nada de la vida porque aún es una niña.* **3** Referido a una persona, que muestra un comportamiento infantil o actúa con poca reflexión. ▌s. **4** *col.* Hijo, esp. si es de corta edad. ▌s.f. **5** En el ojo, círculo negro y pequeño que se encuentra en el centro del iris y que varía el diámetro según sea la intensidad de la luz que pase por él. ☐ SINÓN. *pupila.* **6** ‖ **(ni) qué niño muerto;** *col.* Expresión que se usa para indicar desprecio o para reforzar una negación: *Con lo mal que te portas, qué bicicleta ni qué niño muerto quieres que te regale.* ‖ **la niña de {mis/tus/sus/...} ojos;** *col.* Persona preferida por otra: *Mi hijo es la niña de mis ojos.* ‖ **niño bonito;** *col.* Persona preferida por otra. ‖ **niño burbuja;** el que necesita estar en un espacio desinfectado y aislado del exterior para evitar cualquier posible contaminación. ‖ **niño probeta;** el concebido mediante fecundación in vitro, es decir, mediante la fecundación del óvulo fuera de la madre. ☐ SINÓN. *bebé probeta.* ‖ **niño prodigio;** el que tiene unas facultades intelectuales mucho más desarrolladas de las que corresponden a su edad. ☐ ETIMOL. De origen expresivo. ☐ MORF. El plural de las locuciones formadas por *niño* + *sustantivo* se forma añadiendo una *s* a la palabra *niño*: *niños prodigio*; incorr. **niños prodigios.* ☐ USO La acepción 3 se usa como apelativo: *¡Mira, niño, la próxima vez te doy una torta!*

niobio s.m. Elemento químico, metálico y sólido, de número atómico 41, de color gris, y resistente a los ácidos: *El niobio se utiliza en aleaciones.* ☐ ETIMOL. De *Niobe* (hija de Tántalo), porque suele hallarse en los minerales de tantalio. ☐ ORTOGR. Su símbolo químico es *Nb*.

niosoma s.m. Esfera o cápsula microscópica que contiene sustancias semejantes a los lípidos cutáneos.

nipón, -a adj./s. Del Japón o relacionado con este país asiático. ☐ SINÓN. *japonés*.

níquel s.m. Elemento químico, metálico y sólido, de número atómico 28, de color y brillo plateados, muy duro y difícil de fundir y de oxidar: *El níquel se emplea en la fabricación de monedas.* ☐ ETIMOL. Del alemán *Nickel*. ☐ ORTOGR. Su símbolo químico es *Ni*.

niquelado, da ▌adj. **1** Cubierto con níquel o que lo parece. **2** *col.* Estupendo o muy bueno. ▌s.m. **3** Baño con una capa de níquel con la que se cubre un metal para que no se oxide.

niquelar v. Cubrir con un baño de níquel: *Niqueló los toalleros metálicos para que no se oxidaran.*

niqui s.m. Prenda de vestir deportiva, de tejido ligero, que cubre el cuerpo desde el cuello hasta más abajo de la cintura, generalmente de manga corta, con cuello camisero y abotonada desde arriba y por delante hasta la mitad del pecho. ☐ SINÓN. *polo.* ☐ ETIMOL. Del inglés *nicki*. ☐ USO Es innecesario el uso del anglicismo *nicki*.

nirvana s.m. **1** En el budismo, estado de bienaventuranza o de felicidad total que se alcanza con la aniquilación total de la individualidad por medio de la contemplación. **2** *col.* Estado de tranquilidad y serenidad grandes. **3** ‖ **estar en el nirvana;** *col.* Estar en una situación muy agradable y placentera. ☐ ETIMOL. Del sánscrito *nirvana* (destrucción, extinción).

níscalo s.m. Seta comestible con el sombrerillo de color marrón anaranjado. ☐ SINÓN. *mízcalo.* ☐ ETIMOL. De origen incierto.

níspero s.m. **1** Árbol frutal de hojas ovales, grandes, duras y vellosas, ramas espinosas y flores blancas o rosadas, cuyo fruto es una baya de color anaranjado. **2** Fruto de este árbol, que tiene forma ovalada. ☐ ETIMOL. Del latín **nespirum*.

nistagmo s.m. En medicina, oscilación espasmódica del globo ocular producida por determinados movimientos de la cabeza o debida a alteraciones nerviosas o del oído interno. ☐ ETIMOL. Del griego *nystagmós* (acción de adormilarse).

nitidez s.f. **1** Limpieza, claridad o transparencia: *Estos libros de contabilidad demuestran la nitidez de mi gestión.* **2** Precisión, exactitud o falta de confusión: *Aclaremos este asunto, porque aún no lo veo yo con suficiente nitidez.*

nítido, da adj. **1** Limpio, claro o transparente: *El agua del río estaba tan nítida que se veían las piedras del fondo.* **2** Preciso, sin confusión o claro de percibir: *Nos dio una explicación nítida y todos la entendimos.* ☐ ETIMOL. Del latín *nitidus* (brillante, reluciente, grasiento).

nitración s.f. En química, introducción en un compuesto orgánico del grupo funcional positivo formado por un átomo de nitrógeno y dos de oxígeno.

nitrado, da adj. En química, referido a un compuesto orgánico, que contiene el grupo funcional positivo formado por un átomo de nitrógeno y dos de oxígeno.

nitrar v. En química, referido a un compuesto orgánico, introducir en él el grupo funcional positivo formado por un átomo de nitrógeno y dos de oxígeno: *Para nitrar una sustancia se emplea una mezcla de ácido nítrico y ácido sulfúrico.*

nitrato s.m. **1** En química, sal derivada del ácido nítrico. **2** ‖ **nitrato de Chile;** en química, sustancia de color blanco, formada por nitrato de sodio procedente de los excrementos de las aves marinas, y que se encuentra en grandes depósitos en el desierto de Atacama (desierto del norte chileno). ☐ ETIMOL. De *nitro* (nitrato potásico).

nítrico, ca adj. **1** Del nitrógeno o relacionado con este elemento químico: *El amoniaco es un hidruro nítrico.* **2** De los compuestos oxigenados del nitrógeno en los que este actúa con valencia 5, o relacionado con ellos: *El ácido nítrico se utiliza en la fabricación de fertilizantes.*

nitrilo s.m. Compuesto orgánico que resulta de reemplazar el átomo de hidrógeno por un radical monovalente: *Los nitrilos se pueden preparar por deshidratación de las amidas.*

nitrito s.m. En química, sal formada por la combinación del ácido nitroso con una base: *El nitrito de potasio y el de amonio se emplean para la obtención de nitrógeno puro.*

nitro s.m. En química, nitrato de potasio, que se encuentra en forma de agujas o de polvo blanquecino en la superficie de los terrenos húmedos y salados: *El nitro se usa como abono y para fabricar la pólvora negra.* ☐ SINÓN. *salitre.* ☐ ETIMOL. Del latín *nitrum*, y este del griego *nítron*.

nitrobenceno s.m. Líquido incoloro o amarillento, aceitoso, tóxico, muy soluble en alcohol y en éter y poco soluble en agua, que se obtiene tratando benceno con una mezcla de ácido nítrico y ácido sulfúrico concentrados: *El nitrobenceno se emplea como disolvente.* ☐ ETIMOL. Del griego *nítron* (nitro) y *benceno*.

nitrocelulosa s.f. Cada uno de los explosivos constituidos por nitrato de celulosa, que tienen aspecto fibroso semejante al del algodón, y que se caracterizan porque apenas hacen humo al hacer explosión: *Las nitrocelulosas son sustancias explosivas.* ☐ ETIMOL. Del griego *nítron* (nitro) y *celulosa*.

nitrogenado, da adj. Que contiene átomos de nitrógeno.

nitrógeno s.m. Elemento químico, gaseoso y no metálico, de número atómico 7, incoloro, transparente, insípido e inodoro: *El nitrógeno es fundamental en la composición de los seres vivos.* ☐ ETIMOL. Del griego *nítron* (nitrato potásico) y *gennáo* (yo engendro), porque el nitrógeno entra en la composición del nitro o salitre. ☐ ORTOGR. Su símbolo químico es *N*.

nitroglicerina s.f. Líquido aceitoso, inodoro, inflamable y explosivo, poco soluble en agua y muy soluble en alcohol y en éter, que se obtiene a partir de la glicerina: *La nitroglicerina explota con el menor choque y se usa para hacer dinamita.* ☐ ETIMOL. Del griego *nítron* (nitro) y *glicerina*.

nitroso, sa adj. De los compuestos oxigenados del nitrógeno en los que este actúa con valencia 3, o relacionado con ellos: *Los nitritos son las sales del ácido nitroso.*

nitrotolueno s.m. Compuesto nitrado del tolueno: *El nitrotolueno se utiliza en la fabricación de explosivos.*

nitruro s.m. Compuesto químico formado por la combinación del nitrógeno con otro elementos, esp. con un metal: *Los nitruros son compuestos duros y muy estables.*

niueño, ña adj./s. De Niue o relacionado con esta isla del océano Pacífico.

niuyorican s.com. *col.* Persona que habita en Nueva York (ciudad estadounidense), generalmente inmigrante.

nival adj.inv. De la nieve o relacionado con ella.

nivel s.m. **1** Altura a la que llega la superficie de un líquido o altura en la que algo está situado: *Ha subido el nivel del río. Mi ciudad está a 720 metros sobre el nivel del mar.* **2** Grado, categoría o situación que alcanzan ciertos aspectos de la vida social: *Su nivel económico es bajo. Tiene un buen nivel de inglés.* **3** Instrumento que se utiliza para averiguar la diferencia o la igualdad de altura entre dos puntos: *El albañil comprueba la horizontalidad del suelo con el nivel.* **4** ‖ **nivel de vida;** grado de bienestar, esp. económico o material, de una persona o de una colectividad. ☐ ETIMOL. Del latín **libellum,* diminutivo de *libra* (balanza). ☐ SEM. La expresión *a nivel de* solo debe emplearse cuando existan diferentes grados o jerarquías en aquello a lo que se hace referencia.

nivelación s.f. **1** Allanamiento o igualación de una superficie hasta conseguir su horizontalidad. **2** Eliminación de diferencias o colocación en un mismo nivel: *Confío en una pronta nivelación de las clases sociales.*

nivelador, -a adj./s. Que nivela.

nivelar v. **1** Referido esp. a una superficie, allanarla o igualarla: *Las máquinas apisonadoras están nivelando el terreno en que se construirá la urbanización.* **2** Igualar o poner al mismo nivel: *Se han nivelado las diferencias económicas entre ambos.* **3** En construcción, comprobar con el nivel la horizontalidad de una superficie: *Nivela y te darás cuenta de que el suelo está inclinado.*

níveo, a adj. *poét.* De nieve o con sus características. ☐ ETIMOL. Del latín *nivens*.

nivoso, sa adj. →**nevoso.**

nixtamal s.m. Maíz cocido en agua de cal que se utiliza para preparar la masa de los tamales. ☐ ETIMOL. Del náhuatl *nextli* (ceniza) y *tamalli* (tamal).

no ▌s.m. **1** Negación: *Deja de insistir, porque mi no es rotundo.* ▌adv. **2** Expresa negación, esp. en respuesta a una pregunta: *No me gustó la película. No vino nadie a la fiesta. ¡No fumar! Aprobé, no sin esfuerzo.* **3** En contextos interrogativos, se usa cuando se espera una respuesta afirmativa o cuando se pide el consentimiento o la conformidad de alguien: *¿No te tomas una caña con nosotros? Puedo ir contigo, ¿no?* **4** ‖ **a que no...;** *col.* Expresión que se usa para indicar incredulidad, desafío o reto: *¿A que no te vienes? ¡A que no me coges!* ‖ **cómo no;** expresión de cortesía que se usa como respuesta afirmativa: *-¿Puedo acompañarte? -¡Cómo no!* ‖ **no bien;** enlace gramatical subordinante con valor temporal: *No bien hubo llegado, se sintió ofendido y se marchó.* ‖ **no más; 1** Solamente: *Me engañó una vez no más, y no volverá a pillarme en otra.* **2** Basta de: *No más mentiras y excusas, por favor.* ☐ ETIMOL. Del latín *non.* ☐ MORF. 1. Antepuesto a algunos sustantivos y adjetivos, expresa la carencia de lo que estos indican y funciona como un prefijo: *Firmaron un pacto de no agresión. Es una decisión no fácil.* 2. En la acepción 1, su plural es *noes.* ☐ USO En la acepción 3, se usa mucho como muletilla.

nobel s.m. **1** Cada uno de los premios que anualmente concede la fundación Alfred Nobel (químico sueco del siglo XIX) a las personas que han destacado en distintos ámbitos. ☐ SINÓN. *premio Nobel.* **2** Persona que ha obtenido este galardón. ☐ SINÓN. *premio Nobel.* ☐ PRON. Aunque la pronunciación correcta es [nobél], está muy extendida [nóbel]. ☐ ORTOGR. Dist. de *novel.*

nobelio s.m. Elemento químico, metálico y artificial, radiactivo, y de número atómico 102: *El nobelio se genera en reacciones radiactivas del curio.* ☐ ETIMOL. Por alusión a *Nobel*, instituto donde se descubrió. ☐ ORTOGR. Su símbolo químico es *No.*

nobiliario, ria adj. De la nobleza o relacionado con ella: *un título nobiliario.* ☐ ETIMOL. Del latín *nobilis* (noble).

nobilísimo, ma superlat. irreg. de **noble.**

noble ▌adj.inv. **1** De linaje distinguido o de origen ilustre: *una familia noble.* **2** Honroso, estimable y digno de admiración y respeto: *una acción noble.* **3** Principal, de gran calidad, valor o estimación: *Vive en la zona noble de la ciudad. Las maderas nobles son muy apreciadas.* **4** Referido a un animal, que es fiel a una persona y no traicionero. **5** En química, referido a una sustancia, que es químicamente inactiva: *gases nobles.* ▌adj.inv./s.com. **6** Referido a una persona, que tiene un título otorgado por el rey en virtud de sus méritos o heredado de sus antepasados: *Los marqueses y los duques son nobles.* ☐ ETIMOL. Del latín *nobilis* (conocido, ilustre, noble). ☐ MORF. Su superlativo es *nobilísimo.*

nobleza s.f. **1** Grupo social privilegiado formado por las personas que tienen título de noble: *El heredero de la corona se casará con alguien de la nobleza.* **2** En la sociedad europea medieval, estamento privilegiado formado por estas personas: *Entre los privilegios de la nobleza estaba la exención de impuestos.* **3** Honradez o merecimiento de respeto: *Alabo la nobleza de tu comportamiento.* **4** Fidelidad o lealtad: *Este perro se caracteriza por su nobleza.* **5** Distinción o importancia del linaje u origen: *La nobleza de su familia es conocida desde siempre.*

nobuk s.m. Piel de vaca curtida y de aspecto aterciopelado. ☐ PRON. [nobúk].

nocaut (pl. *nocauts*) s.m. →**knock out.**

noceda (tb. *nocedal*) s.f. Terreno plantado de nogales. ☐ SINÓN. *nogueral.*

nocedal s.m. →**noceda.**

noche s.f. **1** Período de tiempo en el que no hay luz solar. **2** Horas destinadas a dormir durante este período de tiempo: *He pasado una noche fatal, no he pegado ojo.* **3** *poét.* Oscuridad, tristeza o confusión. **4** ‖ **buenas noches;** expresión que se usa como saludo cuando el Sol se ha puesto. ‖ **de la noche a la mañana;** de pronto o en poco tiempo: *De la noche a la mañana, se ha llenado esto de edificios nuevos.* ‖ **hacer noche;** detenerse para dormir. ‖ **la noche de los tiempos;** tiempo remoto o anterior al tiempo conocido: *Los comienzos de la Edad Media se pierden en la noche de los tiempos.* ‖ **media noche;** →**medianoche.** ‖ **noche buena;** →**nochebuena.** ‖ **noche cerrada;** la que tiene una oscuridad total. ‖ **noche toledana;** *col.* La que se pasa sin dormir. ‖ **noche vieja;** →**nochevieja.** ‖ **noche y día;** constantemente y a todas horas. ‖ **pasar la noche en {blanco/claro};** pasarla sin dormir. ‖ **ser la noche y el día;** ser completamente distintos. ☐ ETIMOL. Del latín *nox.*

nochebuena s.f. **1** En el cristianismo, noche en la que se conmemora el nacimiento de Jesucristo. **2** En zonas del español meridional, flor de Pascua. ☐ ORTOGR. En la acepción 1, se admite también *noche buena.* ☐ USO La acepción 1 se usa más como nombre propio.

nocherniego, ga adj./s. Que disfruta haciendo vida nocturna. ☐ ETIMOL. Del latín *nocturnalis*, y este de *nox* (noche).

nochero s.m. **1** En zonas del español meridional, vigilante nocturno. **2** En zonas del español meridional, mesilla de noche.

nochevieja (tb. *noche vieja*) s.f. Última noche del año. ☐ USO Se usa más como nombre propio.

noción s.f. **1** Idea, conocimiento o conciencia: *Cuando pinta, pierde la noción del tiempo.* **2** Conocimiento elemental o básico: *Tengo nociones de inglés, pero lo que domino es el francés.* ☐ ETIMOL. Del latín *notio* (conocimiento). ☐ MORF. En la acepción 2, se usa más en plural.

nocividad s.f. Capacidad de producir un daño o perjuicio.

nocivo, va adj. Dañino, perjudicial o peligroso, esp. para la salud física o mental. ☐ ETIMOL. Del latín *nocivus*, y este de *nocere* (perjudicar).

noctambulismo s.m. **1** Forma de vida caracterizada por el desarrollo de las principales actividades durante la noche: *Los búhos cazan de noche por su noctambulismo.* **2** Inclinación a hacer vida nocturna: *Su noctambulismo es crónico, jamás se acuesta antes de las tres de la madrugada.* □ SEM. Dist. de *sonambulismo* (trastorno del sueño).

noctámbulo, la ▮ adj. **1** Que desarrolla sus principales actividades durante la noche. ▮ adj./s. **2** Referido a una persona, inclinada a hacer vida nocturna. □ ETIMOL. Del latín *nox* (noche) y *ambulare* (andar). □ SEM. Dist. de *sonámbulo* (que padece un trastorno del sueño).

noctiluca s.f. **1** Insecto volador que despide una luz verdosa, y cuya hembra carece de alas, tiene las patas cortas y el abdomen formado por anillos. □ SINÓN. *luciérnaga.* **2** Microorganismo marino de cuerpo esférico cuyo protoplasma tiene unas gotas de grasa que, al oxidarse, producen luminosidad. □ ETIMOL. Del latín *noctiluca*, y este de *nox* (noche) y *lucere* (lucir). □ MORF. En la acepción 1, es un sustantivo epiceno: *la noctiluca {macho/hembra}.*

noctívago, ga adj./s. *poét.* Noctámbulo. □ ETIMOL. Del latín *noctivagus.*

nocturnidad s.f. **1** Calidad o condición de nocturno: *Los soldados avanzaron aprovechando la nocturnidad.* **2** En derecho, circunstancia agravante que se da al ocurrir un hecho durante la noche: *El robo fue cometido con nocturnidad y alevosía.*

nocturno, na ▮ adj. **1** De la noche o relacionado con ella. **2** Que ocurre o se desarrolla durante la noche. **3** Referido a un animal, que se oculta de día y busca alimento durante la noche. **4** Referido a una planta, con flores que solo están abiertas durante la noche. ▮ s.m. **5** Composición musical de carácter instrumental o vocal, melodiosa, tranquila, generalmente corta y de estructura muy libre. □ ETIMOL. Del latín *nocturnus.*

nodo s.m. **1** En física, en un cuerpo vibrante, cada uno de los puntos que permanecen fijos. **2** En medicina, nódulo o abultamiento producidos por un depósito de ácido úrico en un hueso, en un tendón o en un ligamento. **3** En informática, punto en el que se producen dos o más conexiones en una red de comunicaciones. **4** Noticiario y documental cinematográfico semanal que se creó en España en 1946 y duró hasta 1976. □ ETIMOL. Las acepciones 1-3, del latín *nodus* (nudo). La acepción 3, es el acrónimo de *noticiario documental.*

nodriza s.f. **1** Mujer que amamanta a un niño sin ser suyo. □ SINÓN. *ama de cría, ama de leche, madre de leche.* **2** Vehículo que suministra combustible a otro: *un avión nodriza.* □ ETIMOL. Del latín *nutrix* (alimentadora, nodriza). □ SINT. En la acepción 2, se usa en aposición, pospuesto a un sustantivo: *la nave nodriza.*

nódulo s.m. En medicina, acumulación de células que forma un bulto de pequeño tamaño. □ ETIMOL. Del latín *nodulus.*

noema s.m. En filosofía, el pensamiento como contenido objetivo del pensar, a diferencia del acto intencional o noesis. □ ETIMOL. Del griego *nóema* (pensamiento, percepción).

noemático, ca adj. Del noema o relacionado con este concepto filosófico.

noesis (pl. *noesis*) s.f. **1** En filosofía, visión intelectual o pensamiento. **2** En filosofía, acto intencional de entender o intuición. □ ETIMOL. Del griego *nóesis.*

noético, ca adj. De la noesis o relacionado con este concepto filosófico.

no frost (ing.) s.m. ‖ En un frigorífico, sistema que evita la producción de escarcha: *una nevera con sistema no frost.* □ PRON. [nóu fróst]. □ SINT. Se usa mucho en aposición, pospuesto a un sustantivo: *frigorífico no frost.*

nogada s.f. Salsa elaborada con nueces y especias que se usa generalmente para guisar pescado.

nogal s.m. **1** Árbol de gran tamaño, de tronco y ramas robustas, copa grande y redondeada, de madera muy apreciada y cuyo fruto es la nuez. **2** Madera de este árbol. □ ETIMOL. Del latín *nucalis*, y este de *nux* (nuez).

nogalina s.f. Colorante obtenido de la cáscara de la nuez, que se usa generalmente para teñir madera del color del nogal. □ ETIMOL. De *nogal.*

noguera l s.m. Terreno plantado de nogales. □ SINÓN. *noceda, nocedal.*

nómada ▮ adj.inv. **1** De las personas o de los animales que van de un lugar a otro sin vivir en un sitio de forma permanente: *llevar una vida nómada.* ▮ adj.inv./s.com. **2** Referido a una persona o a un animal, que van de un lugar a otro sin vivir en un sitio de forma permanente: *los nómadas del desierto.* □ ETIMOL. Del latín *nomas*, y este del griego *nomás* (que se traslada buscando pastos).

nomadear v. Ir de un lugar a otro: *Sus ideas nomadean entre el progresismo y lo conservador.*

nomadismo s.m. Forma de vida caracterizada por ir de un lugar a otro sin tener un sitio permanente para vivir.

nomás adv. **1** En zonas del español meridional, solamente. **2** En zonas del español meridional, apenas.

nombradía s.f. Fama, celebridad o reputación.

nombrado, da adj. Famoso, célebre o muy conocido.

nombramiento s.m. **1** Designación para el desempeño de un empleo o de un cargo. **2** Documento o escrito que certifican una designación o una elección.

nombrar v. **1** Referido a una persona o a una cosa, decir su nombre: *Nombra dos cosas que empiecen por 'm'.* **2** Mencionar de forma honorífica: *En la lectura de la tesis nombró a todos sus maestros.* **3** Elegir, designar o proclamar para el desempeño de un empleo o de un cargo: *Cuando fue nombrado presidente tenía sesenta años.* □ ETIMOL. Del latín *nominare.*

nombre s.m. **1** Palabra o conjunto de palabras con las que se designa, se distingue o se representa algo: *Mi nombre es Paula. Hablé con franqueza y llamé a las cosas por su nombre, sin tapujos.* **2** Título o denominación: *El nombre de la revista es 'Transmitir'.* **3** Fama o prestigio: *Esa oftalmóloga tiene mucho nombre en nuestra ciudad.* **4** En gramática, parte de la oración que comprende el sustantivo y el adjetivo: *El nombre es el núcleo de un sintagma nominal.* **5** || **dar** una persona **su nombre** a otra; adoptarla o reconocerla como hijo: *Aunque permanece soltero, ha dado su nombre a sus dos hijos.* || **en (el) nombre de** alguien; en representación suya: *Firmará el abogado en nombre de su cliente.* || **no tener nombre** algo; ser incalificable: *La faena que me has hecho no tiene nombre.* || **nombre abstracto;** el sustantivo que no designa una cosa real sino una cualidad de los seres: *'Bondad' es un nombre abstracto y 'silla' es un nombre concreto.* || **nombre animado;** el sustantivo que designa seres considerados vivientes: *'Vaca' es un nombre animado, frente a 'piedra', que es inanimado.* || **nombre {apelativo/común/genérico};** el sustantivo que se aplica a personas o cosas pertenecientes a un conjunto de seres que también pueden ser designados así por poseer todos las mismas propiedades: *'Coche' es un nombre común que sirve para designar todos los coches que existen.* || **nombre colectivo;** el sustantivo que en singular designa una colectividad: *'Rebaño' es un nombre colectivo.* || **nombre comercial;** denominación distintiva de un establecimiento o de un producto: *No se puede llamar así, porque ese nombre comercial ya está registrado como propiedad industrial.* || **nombre concreto;** el sustantivo que designa seres reales o seres que se pueden representar como tales: *'Sartén', 'silla' y 'mesa' son nombres concretos.* || **nombre {contable/discontinuo};** el sustantivo que designa seres que se pueden contar: *'Tren' es un nombre discontinuo y puedo decir siete trenes.* || **nombre de guerra;** el que adopta una persona en una actividad, esp. si esta es clandestina: *Cuando los partidos políticos eran ilegales, su nombre de guerra era 'Juan'.* || **nombre de pila;** el que se da a una persona cuando es bautizada o cuando es inscrita en el registro civil: *Mi nombre de pila es Manuel Enrique, aunque todos me llaman Manolo.* || **nombre de religión;** el que toma una persona al ingresar en una orden religiosa: *El nombre de religión de Teresa de Cepeda y Ahumada fue Teresa de Jesús.* || **nombre inanimado;** el sustantivo que designa seres carentes de vida: *'Morcilla' es un nombre inanimado.* || **nombre {no contable/incontable/continuo};** el que designa seres que no se pueden contar, pero que se pueden pesar o medir: *'Sangre' es un nombre no contable.* || **nombre propio;** el sustantivo que designa solo uno de los seres que pertenecen a una misma clase, diferenciándolo del resto: *Los nombres propios se escriben con mayúscula inicial.* □ ETIMOL. Del latín *nomen*.

nomenclador s.m. →**nomenclátor.**

nomenclátor (tb. *nomenclator*) (pl. *nomenclátores*) s.m. Catálogo o lista de nombres que tienen algo en común. □ ETIMOL. Del latín *nomenclator*, y este de *nomen* (nombre) y *calare* (llamar).

nomenclatura s.f. Conjunto de términos técnicos y propios de una ciencia. □ ETIMOL. Del latín *nomenclatura*.

nomeolvides (pl. *nomeolvides*) ▌s.f. **1** Flor de una planta herbácea de tallos angulares con pequeñas espinas vueltas hacia abajo. □ SINÓN. *raspilla.* ▌s.m. **2** Pulsera de eslabones que tiene en su parte central una pequeña placa en la que se suele grabar un nombre de persona. □ SINÓN. *esclava.*

-nomía Elemento compositivo sufijo que significa 'conjunto de leyes o de normas': *astronomía, economía.* □ ETIMOL. Del griego *-nomía*, de la raíz de *nómos* (ley, norma).

nómico, ca adj. →**gnómico.**

nómina s.f. **1** Lista de nombres. **2** Relación de personas que deben percibir un sueldo fijo en una empresa: *La nómina de mi empresa supera los dos mil empleados.* **3** Sueldo o retribución: *Con su nómina puede permitirse tener algún que otro capricho.* **4** Documento elaborado por una empresa en el que consta dicho sueldo: *La nómina nos la mandan por correo y el sueldo lo ingresan en el banco.* □ ETIMOL. Del latín *nomina* (nombres).

nominación s.f. Propuesta o selección para la obtención de un premio.

nominado, da adj./s. Que ha sido propuesto o seleccionado para un premio: *Ya se conocen los nominados para ese premio.*

nominal adj.inv. **1** Del nombre o relacionado con él. **2** Que no tiene realidad y solo existe de nombre: *Su cargo es solo nominal, porque no tiene ningún poder.* **3** En economía, cantidad o capital que se le asigna a un valor el día de su emisión. **4** En gramática, que funciona como un nombre: *Una oración se compone de sintagma nominal sujeto y sintagma verbal predicado.* □ ETIMOL. Del latín *nominalis.*

nominalismo s.m. Doctrina filosófica, surgida en la época medieval, que niega toda realidad a los términos genéricos, a favor de los términos particulares e individuales, que son reales. □ ETIMOL. De *nominal.*

nominalista ▌adj.inv. **1** Del nominalismo o relacionado con esta doctrina filosófica. ▌adj.inv./s.com. **2** Que defiende o sigue el nominalismo.

nominalización s.f. En lingüística, transformación en nombre o en sintagma nominal de una palabra o de un grupo de palabras mediante la aplicación de algún procedimiento morfológico o sintáctico: *El sustantivo 'correveidile' es un ejemplo de nominalización de una oración compuesta.*

nominalizar v. En lingüística, referido a una palabra o a un grupo de palabras, transformarlos en nombre o en sintagma nominal mediante algún procedimiento morfológico o sintáctico: *El sustantivo 'canto' es resultado de nominalizar el verbo 'cantar'.* □ ORTOGR. La *z* se cambia en *c* delante de *e* →CAZAR.

nominar v. **1** Proponer o seleccionar para un premio: *Esta película ha sido nominada para el premio a la mejor banda musical.* **2** Dar nombre: *No sé* *cómo nominar este nuevo artefacto que acabo de inventar.*

nominativo, va ▌adj. **1** Referido a un documento, esp. si es comercial o bancario, que lleva el nombre de la persona a favor de quien se extiende: *un cheque nominativo.* ▌s.m. **2** →**caso nominativo.** ☐ ETIMOL. Del latín *nominativus* (caso que sirve para nombrar a alguno).

nomo s.m. →**gnomo.**

-nomo, -noma Elemento compositivo sufijo que significa 'estudioso' o 'especialista': *astrónomo, gastrónoma.*

nomon s.m. →**gnomon.**

non s.m. **1** →**número non. 2** ‖ **de non;** sin pareja: *Fuimos cinco: dos parejas y yo, que estaba de non.*

nona s.f. Véase **nono, na.**

nonada s.f. Lo que se considera sin importancia. ☐ ETIMOL. De *no* y *nada.*

nonagenario, ria adj./s. Que tiene más de noventa años y aún no ha cumplido los cien. ☐ ETIMOL. Del latín *nonagenarius.*

nonagésimo, ma numer. **1** En una serie, que ocupa el lugar número noventa: *Celebró su nonagésimo cumpleaños acompañada de toda su familia. Quedó el nonagésimo entre cien aspirantes.* **2** Referido a una parte, que constituye un todo junto con otras ochenta y nueve iguales a ella: *Son tantos los descendientes, que le corresponde la nonagésima parte de la herencia del abuelo. Una nonagésima es mayor que una centésima.* ☐ SINÓN. *noventavo.* ☐ ETIMOL. Del latín *nonagesimus.* ☐ MORF. *Nonagésima primera* (incorr. **nonagésimo primera*), etc.

nonágono, na adj./s.m. En geometría, referido a un polígono, que tiene nueve lados y nueve ángulos. ☐ SINÓN. *eneágono.* ☐ ETIMOL. Del latín *nonus* (noveno) y *-gono* (ángulo).

nonas s.f.pl. En el antiguo calendario romano y en el eclesiástico, el séptimo día de los meses de marzo, mayo, julio y octubre, y el quinto día de los demás meses. ☐ ETIMOL. Del latín *nona hora* (hora novena del día entre los antiguos).

nonato, ta adj. **1** Referido a un hijo, no nacido naturalmente sino mediante cesárea. **2** Que no existe aún o que no ha sucedido: *Aunque se habla continuamente de ella en los medios de comunicación, es una ley nonata.* ☐ ETIMOL. Del latín *non natus* (no nacido).

nones interj. Expresión que se usa para negar rotundamente.

noningentésimo, ma numer. **1** En una serie, que ocupa el lugar número novecientos: *Es el votante noningentésimo.* **2** Referido a una parte, que constituye un todo junto con otras ochocientas noventa y nueve iguales a ella: *La noningentésima parte de novecientos es uno.* ☐ ETIMOL. Del latín *noningentesimus.*

nonio s.m. Pieza que se acopla a una regla graduada para apreciar las fracciones pequeñas de las divisiones menores. ☐ ETIMOL. De *Nonius,* que es la forma latinizada del apellido de Pedro Nunes (matemático portugués que inventó el nonio).

nono, na ▌numer. **1** *ant.* →**noveno.** ▌s.f. **2** En la antigua Roma, última de las cuatro partes en que se dividía la parte del día en que hay luz solar, que comprendía desde media tarde hasta la puesta del Sol: *Las cuatro partes del día romano eran 'prima', 'tercia', 'vísperas' y 'nona'.* **3** En la iglesia católica, sexta de las horas canónicas: *La nona se reza por la tarde, antes de vísperas, que se reza al anochecer.* ☐ ETIMOL. La acepción 1, del latín *nonus.* Las acepciones 2 y 3, del latín *hora nona* (hora novena del día). ☐ SINT. En la acepción 1, hoy solo se usa pospuesto al nombre propio de algunos papas: *Pío IX es 'Pío nono'.*

no-no (fr.) s.com. Joven con una situación laboral inestable. ☐ ETIMOL. Del francés *nouveaux nomades* (nuevos nómadas).

non plus ultra (lat.) (pl. *non plus ultra*) s.m. ‖ Lo que ha alcanzado la máxima perfección. ☐ ETIMOL. De la expresión *non plus ultra* (no más allá), que Hércules, según la tradición clásica, grabó en el estrecho de Gibraltar para indicar que no había nada más allá.

nopal s.m. En zonas del español meridional, chumbera o higuera chumba.

noqueador, -a adj./s. Referido esp. a un boxeador, que deja fuera de combate a sus oponentes.

noquear v. En boxeo, dejar fuera de combate: *El púgil noqueó a su contrincante al comienzo del quinto asalto.* ☐ MORF. Es un verbo formado a partir de un anglicismo (*knock out*).

norabuena s.f. →**enhorabuena.**

noradrenalina s.f. Neurotransmisor producido por determinadas células de la médula adrenal.

noray (pl. *noráis*) s.m. En naútica, poste o bolardo con la parte superior encorvada, que sirve para atar las amarras.

norcoreano, na adj./s. De Corea del Norte o relacionado con este país asiático.

nordeste (tb. *noreste*) s.m. **1** Punto medio o lugar entre el Norte y el Este. **2** Viento que sopla o viene de este punto. ☐ ORTOGR. En la acepción 1, su símbolo es *NE,* por tanto, se escribe sin punto. ☐ SINT. Se usa mucho en aposición, pospuesto a un sustantivo: *Un viento nordeste hizo que el velero volcara.* ☐ USO En la acepción 1, se usa más como nombre propio.

nórdico, ca ▌adj. **1** Del Norte o relacionado con él. ▌adj./s. **2** De los pueblos y países del norte del continente europeo, o relacionado con ellos. ▌s.m. **3** Edredón relleno de plumas.

nordista adj.inv./s.com. En la guerra de Secesión norteamericana, partidario de los Estados del norte. ☐ SINÓN. *federal.*

noreste s.m. →**nordeste.**

nori s.m. Alga marina comestible, muy usada en la cocina japonesa: *Nos sirvieron un plato de sushi acompañado de hojas de nori tostado.* ☐ SINT. Se usa mucho en aposición, pospuesto a un sustantivo: *alga nori.*

noria s.f. **1** Máquina que se utiliza para sacar agua, generalmente de un pozo, formada por dos grandes ruedas, una horizontal movida por una palanca de la que tira un animal y otra vertical, engranada en la anterior y provista de vasijas o cangilones en los que se introduce el agua. **2** Atracción de feria que consiste en una gran rueda que gira verticalmente y que está provista de unas cabinas donde suben las personas. ☐ ETIMOL. Del árabe *na'ura* (rueda hidráulica).

norma s.f. **1** Regla que se debe seguir porque determina cómo debe ser algo o cómo debe realizarse: *normas de circulación; normas de conducta.* **2** En derecho, precepto jurídico. **3** En lingüística, tradición de corrección gramatical que se considera como modelo: *La norma del español dice que la forma 'andé', aunque regular, es incorrecta, y que hay que decir 'anduve'.* ☐ ETIMOL. Del latín *norma* (escuadra). ☐ SEM. En la acepción 1, dist. de *normativa* (conjunto de normas).

normal ▮ adj.inv. **1** Que se halla en su estado natural o que presenta características habituales. **2** Que se ajusta a ciertas normas fijadas de antemano: *Si estás enfermo, es normal que venga a verte.* ▮ adj.inv./s.f. **3** En geometría, referido a una línea recta o a un plano, que es perpendicular a otra recta o a otro plano. ☐ ETIMOL. Del latín *normalis*.

normalidad s.f. Conformidad con el propio estado natural o con las características habituales.

normalización s.f. **1** Adaptación de varias cosas semejantes a un tipo, a un modelo o a una norma comunes. ☐ SINÓN. *estandarización, tipificación.* **2** Regularización, puesta en orden o establecimiento de la normalidad. **3** Ajuste a una norma académica.

normalizar v. **1** Referido a varias cosas semejantes, adaptarlas a un tipo, a un modelo o a una norma comunes: *Las televisiones autonómicas han contribuido a normalizar las lenguas propias de cada autonomía.* ☐ SINÓN. *estandarizar, tipificar.* **2** Regularizar, poner en orden o hacer normal: *Los dos países han normalizado sus relaciones. Han reparado la avería y el servicio ferroviario se ha normalizado.* ☐ ORTOGR. La *z* se cambia en *c* delante de *e* →CAZAR.

normando, da adj./s. **1** De un conjunto de pueblos germánicos del norte europeo que durante la época medieval se extendieron por el Imperio Romano, o relacionado con ellos. **2** De Normandía (región francesa) o relacionado con ella.

normativa s.f. Véase **normativo, va.**

normativo, va ▮ adj. **1** Que sirve de norma, o que fija o determina normas. ▮ s.f. **2** Conjunto de normas que se pueden aplicar a una determinada materia o actividad. ☐ SEM. En la acepción 2, dist. de *norma* (solo una).

normoyente adj.inv./s.com. Referido a una persona, que oye con normalidad y que no sufre ningún tipo de discapacidad auditiva: *El normoyente debe colocarse frente a la persona sorda para que esta pueda leerle los labios.*

nornordeste s.m. **1** Punto medio o lugar entre el Norte y el Nordeste. **2** Viento que sopla o viene de este punto. ☐ ORTOGR. Se usa también *nornoreste.* ☐ SINT. Se usa mucho en aposición, pospuesto a un sustantivo: *El buque zarpó con rumbo nornordeste.* ☐ USO En la acepción 1, se usa más como nombre propio.

nornoreste s.m. →**nornordeste.** ☐ SINT. Se usa mucho en aposición, pospuesto a un sustantivo: *El buque zarpó con rumbo nornoreste.*

nornoroeste s.m. **1** Punto medio o lugar entre el Norte y el Noroeste. **2** Viento que sopla o viene de este punto. ☐ SINT. Se usa mucho en aposición, pospuesto a un sustantivo: *Durante la travesía, nos acompañó un agradable viento nornoroeste.* ☐ USO En la acepción 1, se usa más como nombre propio.

noroeste s.m. **1** Punto medio o lugar entre el Norte y el Oeste. **2** Viento que sopla o viene de este punto. ☐ ORTOGR. En la acepción 1, su símbolo es *NO* (o *NW* en el Sistema Internacional), por tanto, se escribe sin punto. ☐ SINT. Se usa mucho en aposición, pospuesto a un sustantivo: *Viajamos en dirección noroeste.* ☐ USO En la acepción 1, se usa más como nombre propio.

nortada s.f. Viento fresco del norte, que se mantiene sin interrupción durante cierto tiempo.

norte s.m. **1** Punto cardinal que cae hacia el polo ártico y delante de un observador a cuya derecha esté el Este. **2** Respecto de un lugar, otro que cae hacia este punto: *En el norte de España llueve más que en el sur.* **3** Viento que sopla o viene de dicho punto. ☐ SINÓN. *aquilón.* **4** Dirección o guía: *Los fracasos han hecho que pierda el norte y no sepa qué hacer con su vida.* **5** ‖ **norte magnético;** dirección que señala este punto del globo terrestre: *La aguja de la brújula siempre marca el norte magnético.* ☐ ETIMOL. Del inglés antiguo *north.* ☐ ORTOGR. En la acepción 1, su símbolo es *N*, por tanto, se escribe sin punto. ☐ MORF. Cuando se antepone a otra palabra para formar compuestos, adopta las formas *nor-* y *nord-*. ☐ SINT. En las acepciones 1, 2 y 3, se usa mucho en aposición, pospuesto a un sustantivo: *Un viento norte empujaba la nave.* ☐ USO En la acepción 1, se usa más como nombre propio.

norteafricano, na adj./s. De la zona norte del continente africano o relacionado con ella.

norteamericano, na adj./s. **1** De la zona norte del continente americano. **2** De los Estados Unidos de América o relacionado con este país americano. ☐ SINÓN. *estadounidense.* ☐ USO Para la acepción 2, es preferible el uso de *estadounidense*.

norteño, ña adj./s. Del Norte, relacionado con este punto terrestre o situado en la parte norte de un país.

nortestosterona s.f. Hormona sintética obtenida a partir de la testosterona.

nortino, na adj./s. En zonas del español meridional, habitante de las provincias del Norte: *Soy nortina porque vivo en el Norte de Chile.*

noruego, ga ▮ adj./s. **1** De Noruega o relacionado con este país del norte europeo. ▮ s.m. **2** Lengua germánica de este país: *El noruego es la lengua oficial de Noruega.*

nos pron.pers. Forma de la primera persona del plural que corresponde a la función de complemento sin preposición: *Nos ha visto en el cine. Nos dieron la noticia nada más llegar a casa. Nos tiramos al agua todos juntos.* ☐ ETIMOL. Del latín *nos*, que es el plural de *ego* (yo). ☐ MORF. No tiene diferenciación de género.

noseología s.f. →**gnoseología.**

nosofobia s.f. Temor anormal y obsesivo a enfermar. ☐ ETIMOL. Del griego *nósos* (enfermedad) y *-fobia* (aversión).

nosogenia s.f. **1** En medicina, estudio del origen y del desarrollo de las enfermedades. **2** Origen y desarrollo de las enfermedades. ☐ ETIMOL. Del griego *nósos* (enfermedad) y *gennáo* (engendrar).

nosología s.f. Parte de la medicina que se ocupa de la descripción, la diferenciación y la clasificación de las enfermedades. ☐ ETIMOL. Del griego *nósos* (enfermedad) y *-logía* (estudio). ☐ SEM. Dist. de *gnoseología* (teoría del conocimiento).

nosológico, ca adj. De la nosología o relacionado con esta parte de la medicina.

nosomanía s.f. En psiquiatría, creencia no justificada de que se padece una enfermedad. ☐ ETIMOL. Del griego *nósos* (enfermedad) y *-manía* (manía, obsesión).

nosotros, tras pron.pers. Forma de la primera persona del plural que corresponde a la función de sujeto, de predicado nominal o de complemento precedido de preposición: *Nosotras nunca estuvimos allí. Las de la derecha en la fotografía somos nosotras. A nosotros nadie nos ha avisado. ¿Vendrás con nosotros?* ☐ ETIMOL. De *nos* y *otros*.

nostalgia s.f. Sentimiento de pena o de tristeza motivado por el alejamiento o la ausencia de algo querido o por el recuerdo de un bien perdido. ☐ ETIMOL. Del griego *nóstos* (regreso) y *álgos* (dolor).

nostálgico, ca adj./s. De la nostalgia, con nostalgia o relacionado con ella.

nosticismo s.m. →**gnosticismo.**

nóstico, ca adj./s. →**gnóstico.**

nota ▌ s.m. **1** *col. desp.* Individuo, esp. el que llama mucho la atención: *¿Quién es el nota ese que te llama desde la otra acera?* ▌ s.f. **2** Escrito breve que sirve generalmente para comunicar, para explicar o para recordar algo: *Déjame una nota diciéndome dónde estáis.* **3** En un impreso o en un manuscrito, comentario o precisión de cualquier tipo que va fuera del texto: *El texto lleva unas notas explicativas a pie de página.* **4** Apunte o resumen breves y condensados de una cuestión o de una materia, para ampliarlas o recordarlas después: *Tomé algunas notas de lo que dijo la conferenciante.* **5** Calificación con la que se evalúa algo, esp. un examen o un ejercicio: *Si sacas malas notas, te quedarás sin vacaciones.* **6** Calificación alta en una prueba académica: *En el examen hay una pregunta para los que quieran nota.* **7** En música, signo gráfico que representa un sonido: *Las notas se escriben sobre las líneas o sobre los espacios del pentagrama.* **8** En música, sonido que se representa en el pentagrama por uno de estos signos y que tiene una altura precisa: *El do es una nota más grave que el re de la misma octava.* **9** Detalle o aspecto que caracteriza algo: *Estas reuniones suelen tener una nota de distinción.* **10** Cuenta o factura de algún gasto: *Cuando el camarero traiga la nota, pagas y nos vamos.* **11** || **dar la nota;** *col.* Llamar la atención, esp. por un comportamiento inconveniente. || **mala nota;** mala fama: *Lo critican porque frecuenta sitios de mala nota.* || **nota verbal;** en diplomacia, comunicación que no tiene los requisitos formales ordinarios. || **tomar (buena) nota de** algo; fijarse bien en algo para tenerlo en cuenta. ☐ ETIMOL. Del latín *nota* (mancha, signo). ☐ MORF. En la acepción 4, se usa más en plural.

notabilidad s.f. Importancia de lo que destaca por sus cualidades.

notabilísimo, ma superlat. irreg. de **notable.**

notable ▌ adj.inv. **1** Que destaca por sus cualidades o por su importancia: *una notable escritora.* **2** Digno de atención o de cuidado: *Hay una notable diferencia de precios.* ▌ s.m. **3** Calificación académica que indica que se ha superado holgadamente el nivel exigido: *Mi 8,5 es un notable, pero está muy cerca del sobresaliente.* ▌ s.m.pl. **4** Personas más importantes de una determinada colectividad: *A la boda asistieron los notables de la ciudad.* ☐ ETIMOL. Del latín *notabilis.* ☐ MORF. Su superlativo es *notabilísimo.*

notación s.f. Sistema de signos convencionales que se utiliza en una disciplina determinada: *Estoy aprendiendo la notación musical en clase de solfeo.* ☐ ETIMOL. Del latín *notatio.*

notar v. **1** Observar, advertir o darse cuenta: *Creyó que no me daba cuenta, pero noté que lloraba. Se nota que ya no eres una niña.* **2** Referido esp. a una sensación, percibirla o sentirla: *Ahora noto un poco de frío. Hoy te noto molesto conmigo.* **3** || **hacer notar;** señalar o destacar: *Hay que hacer notar que siempre fue una excelente compañera.* || **hacerse notar;** *col.* Distinguirse o llamar la atención: *Con esa forma de vestir tan estrafalaria, se hace notar en todas partes.* ☐ ETIMOL. Del latín *notare* (señalar, escribir, anotar). ☐ USO *Hacerse notar* tiene un matiz despectivo.

notaría s.f. **1** Oficio de notario. **2** Oficina donde ejerce su profesión el notario.

notariado s.m. **1** Carrera o profesión de notario. **2** Cuerpo o conjunto de los notarios.

notarial adj.inv. **1** Del notario o relacionado con él. **2** Hecho o autorizado por un notario.

notario, ria s. **1** Funcionario público legalmente autorizado para dar fe o garantía de ciertos documentos o actos extrajudiciales, conforme a las leyes. **2** Lo que testimonia o da cuenta de ciertos acontecimientos. ☐ ETIMOL. Del latín *notarius* (secretario).

notas (pl. *notas*) s.com. **1** *col.* Persona cuya identidad se ignora o no se quiere decir: *El otro día* *estuve hablando con unos notas que también van a ir al concierto.* **2** *col. desp.* Persona que llama la atención por tener un comportamiento inconveniente: *Eres un notas, siempre tienes que dar el espectáculo.*

notebook (ing.) s.m. Ordenador portátil, plegable y de poco peso: *El notebook tiene el tamaño de un cuaderno de notas.* ☐ PRON. [nóutbuc].

noticia ▮ s.f. **1** Noción, información o conocimiento de algo: *¿Tienes noticias suyas? Nadie me da noticia de su paradero.* **2** Acontecimiento o suceso, esp. si son recientes, que se divulgan o que se dan a conocer: *Me he enterado de la noticia por la radio.* ▮ pl. **3** *col.* Boletín informativo o noticiario de radio o de televisión: *Suele ver las noticias mientras come.* ☐ ETIMOL. Del latín *notitia* (conocimiento, noticia).

noticiario s.m. En radio y televisión, programa de emisión periódica y horario fijo que se dedica a transmitir informaciones de actualidad.

noticiero s.m. En zonas del español meridional, informativo o programa de noticias.

notición s.m. *col.* Noticia extraordinaria o sensacionalista.

noticioso s.m. En zonas del español meridional, informativo o programa de noticias.

notificación s.f. **1** Comunicación de la resolución de una autoridad de manera oficial y siguiendo las formalidades oportunas. **2** Documento en el que consta esta comunicación o esta información.

notificado, da adj./s. En derecho, persona a la que se le ha hecho una notificación.

notificar v. **1** Referido a la resolución de una autoridad, comunicarla de manera oficial y siguiendo las formalidades oportunas: *Le notificaron que el día 3 de marzo tendría que declarar como testigo en el juicio.* **2** Referido a un suceso, dar noticia de él o hacerlo saber: *Me han notificado que he ganado un premio.* ☐ ETIMOL. Del latín *notificare*, y este de *notus* (conocido) y *facere* (hacer). ☐ ORTOGR. La *c* se cambia en *qu* delante de *e* →SACAR.

notificativo, va adj. Que sirve para notificar.

notoriedad s.f. **1** Prestigio o fama. **2** Evidencia o claridad de algo.

notorio, ria adj. **1** Evidente, claro o conocido por todos. **2** Que goza de gran prestigio o fama. ☐ ETIMOL. Del latín *notorius*.

noúmeno s.m. En la filosofía de Kant (filósofo alemán del siglo XVIII), la realidad tal como es en sí misma y no como la conoce el sujeto. ☐ ETIMOL. Del griego *noúmenon* (cosa pensada).

nouveau roman (fr.) s.m. || Movimiento literario francés, surgido a mediados del siglo XX, que intenta superar formas narrativas tradicionales y defiende la autonomía de la obra frente a su entorno social, en oposición a las novelas de contenido social o ideológico. ☐ PRON. [nuvó román].

nouvelle vague (fr.) s.f. || Movimiento cinematográfico francés, surgido a mediados del siglo XX y que se caracteriza por las producciones de bajo presupuesto, la ruptura con la estructura narrativa tradicional y la búsqueda de nuevas formas expresivas basadas en el impacto de la imagen y del montaje. ☐ PRON. [nuvél vag].

nova s.f. En astronomía, estrella variable que adquiere temporalmente un brillo muy superior al suyo normal. ☐ ETIMOL. Del latín *nova* (nueva).

nova cançó (cat.) s.f. || Movimiento musical catalán surgido en 1961. ☐ PRON. [nóva cansó].

novación s.f. En derecho, sustitución de una obligación por otra que anula la anterior. ☐ ETIMOL. Del latín *novationis*.

noval adj.inv. **1** Referido a un terreno, que se cultiva por primera vez. **2** Referido esp. a un fruto o a una planta, que son producidos por este tipo de terrenos. ☐ ETIMOL. Del latín *novalis*.

novatada s.f. **1** Broma, esp. si es pesada o humillante, que los antiguos miembros de una colectividad hacen a los recién incorporados. **2** Error o equivocación motivados por la falta de experiencia. ☐ ETIMOL. De *novato*.

novato, ta adj./s. Referido a una persona, que no tiene experiencia o que es nueva en una actividad. ☐ SINÓN. *bisoño*. ☐ ETIMOL. De *nuevo*.

novecentismo s.m. Movimiento literario que surgió en España (país europeo) en el primer tercio del siglo XX como reacción contra la estética modernista, y que se caracterizó por su proyección política, social y cultural.

novecentista ▮ adj.inv. **1** Del novecentismo o relacionado con este movimiento literario. ▮ adj.inv./s.com. **2** Partidario o seguidor del novecentismo.

novecientos, tas ▮ numer. **1** Número 900: *Me ha costado novecientos euros. Cien multiplicado por nueve son novecientos.* ▮ s.m. **2** Signo que representa este número: *Los romanos escribían el novecientos como 'CM'.* ☐ MORF. 1. Como numeral es invariable en número. 2. Incorr. *página {*novecientos > novecientas}*.

novedad ▮ s.f. **1** Condición de lo que tiene una existencia reciente: *La novedad del planteamiento me garantiza su fiabilidad.* **2** Diferencia con lo que existía o se conocía anteriormente: *El éxito de la película se debe a la novedad del tema más que a su calidad.* **3** Lo que es nuevo o reciente: *En la tienda me enseñaron las últimas novedades en bicicletas de carreras.* **4** Cambio o transformación: *Su depresión sigue igual, sin novedad.* **5** Noticia, suceso o acontecimiento recientes: *Lo que cuentas no es una novedad para mí, porque ya lo sabía.* **6** Extrañeza o admiración que causan las cosas nuevas: *Todos están encantados con el nieto; ya se sabe, la novedad.* ▮ pl. **7** Artículos adecuados a la moda: *Ya están colocando en los escaparates las novedades de primavera.* ☐ ETIMOL. Del latín *novitas*.

novedoso, sa adj. Que tiene o que implica novedad.

novel adj.inv./s.com. Referido a una persona, que comienza en una actividad o que tiene poca experiencia en ella. ☐ ETIMOL. Del catalán *novell* (nuevo, novel). □ PRON. Incorr. *[nóvel]. □ ORTOGR. Dist. de *nobel*.

novela s.f. **1** Obra literaria en prosa, generalmente de larga extensión, en la que se narra una historia que suele ser ficticia en todo o en parte. **2** Género literario formado por este tipo de obras. **3** Conjunto de esas obras con una característica común: *La novela de Galdós refleja la realidad española de su época.* **4** Conjunto de hechos interesantes de la vida real que parecen ficción: *Ha hecho tantas cosas que su vida es una novela.* **5** Ficción o mentira: *No me vengas con novelas para justificar tu suspenso.* **6** En radio y en televisión, programa en el que se cuenta una historia ficticia en varios capítulos. **7** || **novela bizantina;** la de carácter aventurero, desarrollada durante los siglos XVI y XVII a imitación de las antiguas novelas griegas, en la que se narran los múltiples y azarosos sucesos y peligros por los que pasa una pareja de enamorados por diversos lugares hasta que logran reunirse felizmente. || **novela de caballerías;** la que cuenta las aventuras de los antiguos caballeros andantes. □ SINÓN. *libro de caballerías.* || **novela de tesis;** la orientada principalmente a defender una postura ideológica del autor, en la que el argumento y los aspectos puramente novelescos están subordinados a este fin: *Galdós escribió novelas de tesis en las que defendía sus ideas liberales progresistas.* || **novela epistolar;** la que está escrita en forma de una sucesión de cartas que se intercambian sus protagonistas. || **novela griega;** la que se desarrolló en la antigua literatura griega, caracterizada por centrarse en el relato de aventuras y de viajes. || **novela morisca;** la que se desarrolló en la literatura española durante el siglo XVI, que suele aparecer formando parte de obras más extensas y se caracteriza por su sencillez, su corta extensión y una visión idealista de la vida, y en la que se describe cómo moros y cristianos rivalizan en valor, sentimientos y cortesía: *'La historia del Abencerraje y de la hermosa Jarifa' es una novela morisca que Montemayor intercaló en su 'Diana'.* || **novela pastoril;** la que se desarrolló durante los siglos XVI y XVII y narra las aventuras y desventuras amorosas de pastores idealizados. || **(novela) picaresca;** la que se desarrolló durante los siglos XVI y XVII y relata, generalmente en primera persona, las desventuras y peripecias de un pícaro. || **novela rosa;** la que narra los problemas de sus protagonistas y tiene un final feliz. || **novela sentimental;** la que se desarrolló durante los siglos XV y XVI y se caracteriza por narrar una historia amorosa, a veces con personajes y lugares simbólicos, en la que se ofrece un minucioso análisis de los sentimientos de los enamorados y que suele tener un final trágico. □ ETIMOL. Del italiano *novella* (relato novelesco algo corto, noticia).

novelable adj.inv. Que se puede novelar.

novelado, da adj. Con forma de novela.

novelar v. **1** Escribir novelas: *Aunque se le conoce como poeta, también novela muy bien.* **2** Referido a un suceso, darle forma y estructura de novela: *Ha novelado la vida de Napoleón.* **3** Publicar o contar cuentos y mentiras: *Es un periodista detestable que no hace más que novelar en sus artículos.*

novelear v. **1** *col.* Escribir novelas o relatos: *Es fácil novelear, pero no lo es escribir una obra maestra.* **2** *col.* Contar mentiras: *No novelees tanto, que vas a conseguir que nadie crea lo que dices.* □ USO Tiene un matiz humorístico o despectivo.

novelería s.f. Conjunto de cuentos, fantasías o ficciones. □ ETIMOL. De *novelero*.

novelero, ra adj./s. **1** Aficionado a novelas, cuentos y obras de ficción o inclinado a contar y a imaginar historias ficticias. **2** Aficionado a todo tipo de novedades.

novelesco, ca adj. **1** Propio de la novela o relacionado con ella. **2** Con las características que se consideran propias de la novela, como la ficción, la singularidad, el sentimentalismo o la fantasía.

novelista s.com. Persona que escribe novelas, esp. si esta es su profesión.

novelística s.f. Véase **novelístico, ca.**

novelístico, ca ▮ adj. **1** De la novela o relacionado con este género literario. ▮ s.f. **2** Estudio histórico o preceptivo de la novela. **3** Literatura novelesca, esp. si engloba novelas con una característica común: *Las novelas hispanoamericanas del realismo mágico ocupan un lugar destacado dentro de la novelística actual.*

novelón s.m. *col.* Novela de gran calidad, esp. si es extensa.

novena s.f. Véase **noveno, na.**

novenario s.m. **1** Espacio de nueve días esp. dedicados a la memoria de un difunto o al culto de un santo. **2** Oficio solemne que se celebra generalmente en el noveno día después de una defunción. □ ETIMOL. De *novena*.

noveno, na ▮ numer. **1** En una serie, que ocupa el lugar número nueve: *Colócate en la novena casilla. Ha sido el noveno en alcanzar la meta.* **2** Referido a una parte, que constituye un todo junto con otras ocho iguales a ella: *Como son nueve herederos, a cada uno le corresponde la novena parte de la herencia. Dividimos la tarta en nueve partes y a cada uno nos correspondió un noveno.* ▮ s.f. **3** En el catolicismo, conjunto de rezos y actos de devoción que se realizan durante nueve días y se dedican a Dios, a la Virgen o a los santos: *A comienzos de diciembre se reza en la parroquia una novena a la Inmaculada Concepción.* **4** Conjunto de rezos, ofrendas u otros actos de devoción que se hacen en honor de un difunto durante uno o más días: *Se celebrará una novena de misas por el alma del difunto.* □ ETIMOL. Las acepciones 1 y 2, del latín *novenus*. Las acepciones 3 y 4, del latín *novena*.

noventa ▮ numer. **1** Número 90: *Mi abuela tiene noventa años. Diez multiplicado por nueve son noventa.* ▮ s.m. **2** Signo que representa este número: *Los romanos escribían el noventa como 'XC'.* □ ETIMOL. Del latín *nonaginta*, por influencia de *novem* (nueve). □ MORF. Como numeral es invariable en género y en número.

noventavo, va numer. Referido a una parte, que constituye un todo junto con otras ochenta y nueve iguales a ella: *Esa cantidad de dinero es solo la noventava parte de su hacienda. Solo se recuperó un noventavo del botín robado al banco.* □ SINÓN. *nonagésimo.* □ SEM. Su uso como numeral ordinal es incorrecto: *Llegué en {*noventava > nonagésima} posición.*

noventayochista adj.inv./s.com. De la Generación del 98 (grupo literario español de finales del siglo XIX y comienzos del XX), o relacionado con ella.

noventón, -a adj./s. *col.* Referido a una persona, que tiene más de noventa años y aún no ha cumplido los cien.

noviazgo s.m. Relación entre dos personas que tienen la intención de casarse o de vivir en pareja.

noviciado s.m. **1** Tiempo de prueba durante el cual se prepara un novicio antes de profesar en una orden o en una congregación religiosa. **2** Casa o lugar donde viven los novicios. **3** Conjunto de novicios.

novicio, cia ▮ adj./s. **1** Principiante en alguna actividad. □ SINÓN. *nuevo.* ▮ s. **2** Persona que se prepara para profesar en una orden o en una congregación religiosa. □ ETIMOL. Del latín *novitius*.

noviembre s.m. Undécimo mes del año, entre octubre y diciembre: *Noviembre tiene treinta días.* □ ETIMOL. Del latín *november*, y este de *novem* (nueve), porque era el noveno mes del año, antes de agregarse julio y agosto al calendario romano.

noviero, ra adj. **1** *col.* Muy enamoradizo. **2** *col.* Que formaliza enseguida sus relaciones de pareja.

novillada s.f. **1** En tauromaquia, corrida en la que se lidian o torean novillos. **2** Conjunto de novillos.

novillero, ra s. **1** Persona que lidia o torea novillos. **2** *col.* Persona que hace novillos o deja de asistir a alguna clase.

novillo, lla s. **1** Hijo del toro, de dos a tres años. □ SINÓN. *becerro.* **2** ‖ **hacer novillos;** *col.* Referido esp. a un escolar, dejar de asistir a algún sitio al que se tiene obligación de ir. □ ETIMOL. Del latín *novellus* (nuevo, joven).

novilunio s.m. Fase lunar durante la cual la Luna no se percibe desde la Tierra. □ SINÓN. *luna nueva.* □ ETIMOL. Del latín *novilunium*, y este de *novus* (nuevo) y *Luna* (Luna).

novio, via s. **1** Persona que mantiene una relación amorosa con otra con quien tiene intención de casarse o de vivir en pareja. **2** Persona que está a punto de casarse o que está recién casada: *Los novios salieron de la iglesia acompañados por los padrinos.* **3** ‖ **quedarse** alguien **compuesto y sin novio;** *col.* No conseguir lo que esperaba o lo que deseaba: *Al final le dieron el trabajo a otra, y ella se quedó compuesta y sin novio.* □ ETIMOL. Del latín **novius*, y este de *novus* (nuevo), que primero significó *casado nuevo* o *que está casándose*.

novísimo, ma superlat. irreg. de **nuevo**. □ SEM. Se usa más con el significado de 'de gran novedad', frente al superlativo regular *nuevísimo*, que se usa con el significado de 'que está muy nuevo'.

novocaína s.f. Polvo blanco, cristalino y muy soluble, que se emplea como anestésico local.

-nte 1 Sufijo que indica agente: *amante, yacente, descendiente.* **2** Sufijo que indica actividad o profesión: *cantante, intendente, teniente.* **3** Sufijo que indica cualidad o característica: *rimbombante, astringente, obediente.*

nubarrón s.m. **1** Nube grande, densa y oscura. **2** *col.* Problema, dificultad o contratiempo: *En nuestra amistad nunca hubo el menor nubarrón.*

nube s.f. **1** Acumulación de pequeñas gotas de agua o de partículas de hielo que se mantienen en suspensión en el aire y que forman una masa de color variable según su densidad o según la luz. **2** Agrupación de partículas o de cosas que van por el aire y forman una masa parecida a esta acumulación de gotas de agua: *una nube de humo; una nube de mosquitos.* **3** Abundancia o gran cantidad de algo: *Una nube de seguidores aclamaba al presidente.* **4** En el ojo, mancha pequeña de color blanquecino que se forma en la capa exterior de la córnea y que impide o dificulta la visión. **5** Lo que oscurece o encubre algo, esp. si es de forma pasajera: *Durante unos segundos, una nube de tristeza cubrió su rostro.* **6** ‖ **caído de las nubes;** inesperado y repentino: *Apareció allí como caído de las nubes, cuando todos lo creíamos en el extranjero.* ‖ **en las nubes;** referido a una persona, despistada, pensando en cosas maravillosas o con la mente lejos de la realidad: *No se entera de nada porque vive en las nubes.* ‖ **nube de verano; 1** La que suele aparecer en verano con lluvia fuerte y repentina, pero de poca duración. **2** *col.* Enfado o disgusto pasajeros. ‖ **poner** algo **{en/por/sobre} las nubes;** alabarlo o hablar muy bien de ello: *Cada vez que habla de ti, te pone por las nubes.* ‖ **por las nubes;** *col.* Muy caro: *El kilo de ternera está por las nubes.* □ ETIMOL. Del latín *nubes*.

nubífero, ra adj. *poét.* Que trae nubes. □ ETIMOL. Del latín *nubifer*, y este de *nubes* (nube) y *ferre* (llevar).

núbil adj.inv. Referido a una persona, esp. a una mujer, que ha llegado a la edad en la que ya puede procrear. □ ETIMOL. Del latín *nubilis* (que ya se puede casar).

nubilidad s.f. Capacidad de procrear.

nubio, bia ▮ adj./s. **1** De Nubia (región del nordeste africano) o relacionado con ella: *El territorio nubio se encuentra próximo al río Nilo.* ▮ s.m. **2** Lengua de esta región: *El nubio se habla en algunas zonas de Sudán y de Egipto.*

nublado, da ▮ adj. **1** Con nubes: *Un cielo tan nublado no creo que se despeje en todo el día.* ▮ s.m. **2** Nube que amenaza tormenta: *No voy a salir porque hay unos nublados muy feos en el cielo.*

nublar (tb. *anublar*) v. **1** Referido esp. al cielo, cubrirlo las nubes: *Esos nubarrones han nublado el cielo. Coge el paraguas, porque el día se ha nublado.* **2** Oscurecer, enturbiar, empañar o turbar: *Las* *lágrimas le nublaron los ojos. Su fama se nubló cuando descubrieron la estafa que había cometido.* □ ETIMOL. Del latín *nubilare*.

nubosidad s.f. Presencia de nubes en el cielo.

nuboso, sa adj. Cubierto de nubes.

nuca s.f. Parte posterior del cuello que corresponde a la zona de unión de la columna vertebral con la cabeza. □ ETIMOL. Quizá del latín *nucha* (médula espinal).

nucleado, da adj. Que está provisto de núcleo.

nuclear adj.inv. **1** Del núcleo, esp. del de los átomos, o relacionado con él: *física nuclear.* **2** Que emplea la energía que se encuentra almacenada en los núcleos de los átomos: *central nuclear.* □ SINÓN. *atómico.* **3** En medicina, que aplica esta energía en el tratamiento de enfermedades: *una resonancia nuclear.*

nuclearización s.f. Instalación de centrales nucleares en un lugar.

nuclearizar v. Referido a un lugar, instalar en él centrales nucleares para la obtención de energía eléctrica: *Uno de los proyectos futuros de desarrollo es nuclearizar el país.* □ ORTOGR. La *z* se cambia en *c* delante de e →CAZAR.

nucleico adj. Referido a un ácido, que constituye el material genético de las células y se encuentra fundamentalmente en el citoplasma de estas.

núcleo s.m. **1** Parte o punto centrales: *En geología, el núcleo es la parte más interna de la Tierra.* **2** En un todo, parte primordial o principal: *La pregunta que le hice iba directamente al núcleo del problema.* **3** En una célula, parte que está separada del citoplasma por una membrana y que controla el metabolismo celular. **4** En un átomo, parte central, formada por neutrones y protones, que contiene la mayor proporción de masa y que posee una carga positiva. **5** En un astro, parte más densa y luminosa. **6** En un sintagma gramatical, elemento fundamental que rige sus elementos: *El núcleo de un sintagma verbal es un verbo.* **7** Zona habitada y formada por una agrupación de viviendas: *un núcleo urbano.* **8** Agrupación de personas o de cosas materiales o inmateriales que tienen cierta unidad: *El mayor núcleo de delincuencia se encuentra en el centro de la ciudad.* □ ETIMOL. Del latín *nucleus* (parte comestible de la nuez o de la almendra).

nucléolo s.m. En el núcleo de una célula, orgánulo esférico compuesto fundamentalmente por proteínas. □ ETIMOL. Del latín *nucleolus*.

nucleón s.m. En un átomo, cada una de las partículas elementales que forman el núcleo. □ ETIMOL. De *núcleo*.

nucleoproteína s.f. Compuesto formado por la unión de una proteína y de un ácido nucleico que se encuentra en el núcleo de la célula: *Los cromosomas están constituidos por nucleoproteínas.*

nucleósido s.m. Compuesto orgánico formado por una base nitrogenada y un azúcar de cinco átomos: *Los nucleósidos pueden combinarse con ácido fosfórico producinedo nucleótidos.*

nucleótido s.m. Cada una de las unidades fundamentales de los ácidos nucleicos, formada por una molécula de ácido fosfórico, una base nitrogenada y un azúcar de cinco átomos de carbono. □ ETIMOL. Del inglés *nucleotide*, y este del alemán *Nucleotid*).

nudillo s.m. Parte exterior de la articulación por donde se doblan los dedos. □ ETIMOL. De *nudo*. □ MORF. Se usa más en plural.

nudismo s.m. Actitud o práctica que defiende la conveniencia de la desnudez total para alcanzar un perfecto equilibrio físico y moral. □ SINÓN. *desnudismo.* □ ETIMOL. Del latín *nudus* (desnudo).

nudista ▌adj.inv. **1** Del nudismo o relacionado con esta actitud o con esta práctica. □ SINÓN. *desnudista.* ▌adj.inv./s.com. **2** Referido a una persona, que practica el nudismo. □ SINÓN. *desnudista.*

nudo, da ▌adj. **1** *poét.* Desnudo: *Su nuda imagen nos embriagaba a todos.* ▌s.m. **2** Lazo que se aprieta y se cierra cuando se tira de sus dos cabos: *Se me ha hecho un nudo en el hilo y no puedo seguir cosiendo. Se te ha desatado el nudo de los cordones de los zapatos.* **3** Lugar en el que se unen o se cruzan varias cosas, esp. vías de comunicación o cadenas montañosas: *un nudo ferroviario.* **4** Unión o relación estrecha entre personas: *Están unidos por los nudos inquebrantables de una vieja amistad.* **5** Principal dificultad o duda: *No te alegres todavía, porque aún queda por resolver el nudo del asunto.* **6** En el desarrollo de una obra literaria o cinematográfica, complicación de la acción o trabazón de los sucesos que preceden al desenlace. **7** En una planta, parte del tronco o del tallo en la que salen las ramas o las hojas: *En esta tabla de madera se ven los nudos.* **8** En una superficie sólida, parte más dura o que sobresale: *Las telas de seda salvaje tienen nudos.* □ SINÓN. *nudosidad.* **9** Unidad marítima de velocidad que equivale a una milla marina por hora. **10** Sensación de angustia, de aflicción o de congoja: *Estaba tan nerviosa que se me puso un nudo en el estómago.* **11** || **nudo gordiano;** cuestión de difícil o imposible resolución. || **nudo marinero;** el que es muy seguro y fácil de deshacer a voluntad. □ ETIMOL. Del latín *nodus*. □ SEM. En la acepción 9, no debe emplearse con el significado de 'milla': *El barco iba a siete {*nudos > millas} por hora.*

nudosidad s.f. **1** En una superficie sólida, parte más dura y sobresaliente. □ SINÓN. *nudo.* **2** En medicina, abultamiento en forma de nudo.

nudoso, sa adj. Que tiene nudos o nudosidades.

nuera s.f. Respecto de una persona, esposa de su hijo. □ ETIMOL. Del latín *nora*. □ MORF. Su masculino es *yerno*.

nuestro, tra poses. **1** Indica pertenencia a la primera persona del plural: *Ésa es nuestra casa. No tomes ese desvío, el nuestro es el siguiente. Vuestras notas salieron ayer, y las nuestras saldrán mañana. Los nuestros han ganado las elecciones.* **2** || **la nuestra;** *col.* Expresión con que se indica que ha llegado la ocasión favorable para la persona que habla: *Ahora que la propuesta de los otros ha sido rechazada, es la nuestra para presentar nuestra idea.* □ ETIMOL. Del latín *noster*.

nueva s.f. Véase **nuevo, va**.

nuevamente adv. Otra vez: *Nuevamente he vuelto a llegar tarde, lo siento.* □ SINÓN. *de nuevo*.

nueve ▌ numer. **1** Número 9: *Hoy cumplo nueve años. Cuatro más cinco son nueve.* ▌ s.m. **2** Signo que representa este número: *Los romanos escribían el nueve como 'IX'.* □ ETIMOL. Del latín *novem*. □ MORF. Como numeral es invariable en género y en número.

nuevo, va ▌ adj. **1** Recién hecho o fabricado: *He comprado un modelo nuevo de televisión que acaba de salir al mercado.* **2** Que se oye o se ve por primera vez: *Estos datos son nuevos para mí.* **3** Repetido y renovado: *Al conocer la noticia, todos los periódicos sacaron una nueva edición. Voy a hacerme fotos nuevas.* **4** Que se añade a lo que ya había: *Añadieron dos nuevos artículos a la revista antes de que se imprimiera.* **5** Distinto o diferente de lo que existía o de lo que se conocía anteriormente: *Es una nueva versión del mismo tema.* **6** Sin usar o poco usado. **7** Referido a un producto agrícola, que es de una cosecha reciente. **8** *col.* Descansado y renovado: *Estaba muy cansada y la ducha me ha dejado nueva.* ▌ adj./s. **9** Recién llegado a un lugar o a un grupo: *Es nuevo en esta ciudad y todavía no sabe orientarse.* **10** Principiante en alguna actividad. □ SINÓN. *novicio*. ▌ s.f. **11** Noticia de un hecho no conocido: *Cuando me dieron la buena nueva, salté de alegría.* **12** ‖ **de nuevas**; *col.* Desprevenido o sin saberlo: *Su despido nos pilló de nuevas y no supimos qué decirle.* ‖ **de nuevo;** otra vez: *Me he caído de nuevo y ahora tengo dos chichones: el que me hice ayer y el que me he hecho hoy.* □ SINÓN. *nuevamente*. □ ETIMOL. Las acepciones 1-10, del latín *novus*. Las acepciones 11 y 12, de *nuevo*. □ MORF. Tiene un superlativo regular (*nuevísimo*) que se usa más con el significado de 'que está muy nuevo', y otro irregular (*novísimo*) que se usa más con el significado de 'de gran novedad'. □ SINT. *De nuevas* se usa más con los verbos *coger*, *pillar* o equivalentes.

nuez s.f. **1** Fruto del nogal, de forma redondeada y dividida en dos mitades duras y simétricas que encierran una semilla comestible y de sabor algo dulce. **2** Fruto de otros árboles parecido al del nogal por la dureza de su cáscara: *En la verbena vendían nuez de coco.* **3** En una persona, abultamiento de la laringe en la parte anterior del cuello. □ SINÓN. *bocado de Adán*. **4** ‖ **nuez de cola;** semilla de un árbol ecuatorial que contiene sustancias que se utilizan en medicina como excitante de las funciones digestivas y nerviosas. □ SINÓN. *cola*. ‖ **nuez {de especia/moscada};** semilla de cáscara dura, muy aromática, que se emplea como condimento y en farmacia. ‖ **rebanar la nuez** a alguien; *col.* Cortarle el cuello. □ ETIMOL. Del latín *nux*.

nueza s.f. Planta herbácea de tallos largos, trepadores y vellosos, hojas ásperas como las de la parra, flores de color verde amarillento, y cuyo fruto es una baya encarnada. □ ETIMOL. Del latín *nodia*, y este de *nodus* (nudo), porque la nueza forma nudos sobre las plantas a cuyo alrededor trepa.

nulidad s.f. **1** Falta de valor, de fuerza o de efecto, por resultar contrario a la ley o ser defectuoso en la forma: *la nulidad de un contrato; la nulidad de un matrimonio.* **2** Incapacidad o ineptitud: *La nulidad de su hija para el ballet se debe a que no tiene sentido rítmico.* **3** Persona incapaz o inepta: *Siempre he sido una nulidad para los trabajos manuales.*

nulo, la adj. **1** Sin valor, sin fuerza o sin efecto, por ser contrario a la ley o ser defectuoso en la forma. **2** Incapaz, inútil o no válido para algo. **3** En boxeo, referido a un combate, que termina en empate. □ ETIMOL. Del latín *nullus* (ninguno).

numantino, na adj. Valiente y muy firme. □ ETIMOL. Por alusión al comportamiento heroico de los habitantes de la ciudad de Numancia ante el asedio romano.

numen s.m. Inspiración poética o artística. □ ETIMOL. Del latín *numen* (voluntad y poder divinos).

numerable adj.inv. Que se puede numerar. □ ETIMOL. Del latín *numerabilis*.

numeración s.f. **1** Recuento de los elementos de un conjunto siguiendo el orden de los números. **2** Marca hecha con números: *La numeración de los portales de las casas permite que los carteros las identifiquen.* **3** Sistema para expresar los números y las cantidades con una cantidad limitada de palabras o de signos: *Aunque ya sabe leer, es muy pequeño todavía para saber la numeración.* **4** ‖ **numeración {arábiga/decimal};** la introducida por los árabes, y que puede expresar cualquier cantidad mediante la combinación de diez signos: *La numeración arábiga hoy es casi universal, y combina estos diez signos: 0, 1, 2, 3, 4, 5, 6, 7, 8, 9.* ‖ **numeración romana;** la que usaban los romanos y se expresa con siete letras del alfabeto latino. □ ETIMOL. Del latín *numeratio*.

numerado, da adj. **1** Con un número. **2** Referido esp. a un tique de entrada, que tiene asignado un asiento determinado: *Prefiero ir a un cine con entradas numeradas para evitar aglomeraciones.*

numerador s.m. En un quebrado o en una fracción matemática, término que indica el número de partes que se toman del todo o de la unidad: *En 1/3, el numerador es 1.* □ ETIMOL. Del latín *numerator* (el que cuenta).

numeral ▌ adj.inv. **1** Del número o relacionado con él. ▌ s.m. **2** →**pronombre numeral.**

numerar v. **1** Contar siguiendo el orden de los números: *La profesora numeró a los alumnos para ver si faltaba alguno.* **2** Marcar con números: *Numera las hojas del trabajo para que luego no nos hagamos un lío.* □ ETIMOL. Del latín *numerare*. □ ORTOGR. Dist. de *enumerar*.

numerario, ria adj./s. Referido a una persona, que pertenece con carácter fijo a una colectividad. □ ETIMOL. Del latín *numerarius*.

numérico, ca adj. **1** De los números o relacionado con ellos. **2** Compuesto o realizado con números.

número s.m. **1** Concepto matemático que expresa una cantidad con relación a una unidad: *En esta cuenta has sumado mal dos números.* **2** Signo o conjunto de signos que representan este concepto: *El 1 y el 2 son números arábigos, mientras que I y II son números romanos.* **3** Cantidad indeterminada: *Ha habido un escaso número de suspensos.* **4** En un espectáculo, cada uno de los actos o partes de que consta el programa. **5** Medida de algunas cosas que se ordenan según su tamaño o por otra característica: *¿Qué número calzas?* **6** En una publicación periódica, ejemplar o tirada de ejemplares que se puede identificar por la fecha de edición: *Compra el número anterior de esta revista.* **7** En la guardia civil o en otros cuerpos de seguridad, individuo sin graduación: *un número de la policía.* **8** Billete para un sorteo. **9** En lingüística, categoría gramatical nominal y verbal que hace referencia a una sola persona o cosa o a más de una: *'Camión' es un sustantivo común en número singular. El número permite diferenciar la forma verbal 'como' de 'comemos'.* **10** En la industria textil, relación entre la longitud y el peso de un hilo: *un ovillo del número ocho.* **11** En una serie ordenada, puesto que se ocupa: *Ve al médico y pide número para mañana.* **12** Situación o hecho que llaman la atención: *Ha montado el número al emborracharse en la fiesta.* **13** || **de número;** referido a una persona, que es miembro de una corporación compuesta de una cifra limitada de individuos: *Mi tía es miembro de número de la academia de arte de su ciudad.* || **en números rojos;** con saldo negativo en una cuenta bancaria. || **hacer números;** *col.* Calcular las posibilidades de un negocio o de un asunto. || **número atómico;** el que expresa la cantidad de protones del núcleo atómico. || **(número) cardinal;** el que expresa la cantidad entera de elementos de un conjunto: *10 es un número cardinal.* || **número complejo;** el formado por la suma de un número real y uno imaginario: *1+ 4i es un número complejo.* || **(número) decimal;** el racional que es igual a una fracción cuyo denominador es una potencia de diez: *3,4 es un número decimal.* || **(número) dígito;** el que puede representarse con un solo guarismo o cifra: *En la numeración decimal arábiga, son números dígitos los comprendidos entre el 0 y el 9, ambos inclusive.* || **número dos;** *col.* Persona que ocupa la segunda posición en una labor de mandato o de dirección: *Soy el número dos de mi empresa, después de la directora general, y ella delega en mí muchas funciones importantes.* || **(número) entero;** el que pertenece al conjunto de los números positivos y de los negativos: *6 y -9 son números enteros. Los números decimales no son enteros.* || **(número) {fraccionario/quebrado};** el que expresa las partes en que se ha dividido la unidad y las que se han tomado de ella: *Los números fraccionarios constan de numerador y de denominador.* ☐ SINÓN. *fracción.* || **número imaginario;** el que resulta de hacer la raíz cuadrada de un número negativo: *La unidad de los números imaginarios se representa por el signo 'i'.* || **(número) {impar/non};** el que no es exactamente divisible por dos: *De la suma de dos números nones siempre resulta un número par.* || **número irracional;** el real que no puede expresarse como cociente de dos enteros: *La raíz cuadrada de 3 es un número irracional.* || **número natural;** el entero positivo: *1, 22, 89, 509 y 1 352 son números naturales.* || **número negativo;** el que es menor que cero y va precedido por el signo -: *-4, -103, -3921 son números negativos.* || **(número) ordinal;** el que expresa idea de orden o sucesión: *2.º y 9.º son números ordinales.* || **(número) par;** el que es exactamente divisible por dos: *El 12 es un número par.* || **número positivo;** el que es mayor que cero: *3, 8,235, 92 y 1 345,3 son números positivos.* || **número primo;** el que solo es divisible por él mismo y por la unidad: *5 y 7 son números primos.* || **número racional;** el real que puede expresarse como cociente de dos enteros: *6 y 2/3 son números racionales.* || **número real;** el que forma parte del conjunto formado por los números racionales y los irracionales: *El símbolo de los números reales es 'R'.* || **número uno;** *col.* Persona o cosa que sobresale en algo y destaca sobre lo demás: *Para mí, este cantante es el número uno.* || **sin número;** en abundancia o en gran cantidad: *En la manifestación había gente sin número.* ☐ ETIMOL. Del latín *numerus.* ☐ MORF. El plural de *número uno* y de *número dos* es *números uno* y *números dos*, respectivamente.

numerología s.f. Adivinación a través de los números.

numerólogo, ga s. Persona que predice el futuro a través de los números.

numeróscopo s.m. Predicción del futuro que los numerólogos realizan a partir de la suma de las cifras de la fecha de nacimiento.

numeroso, sa ▮ adj. **1** Formado por gran número o gran cantidad de elementos. ▮ adj.pl. **2** Muchos o bastantes: *La epidemia causó numerosas bajas.*

númerus clausus (pl. *númerus clausus*) s.m. || Número limitado de plazas: *Esa facultad tiene númerus clausus porque había demasiadas solicitudes de matrícula.* ☐ ETIMOL. Del latín *numerus clausus.*

numismática s.f. Véase **numismático, ca.**

numismático, ca ▮ adj. **1** De la numismática o relacionado con esta ciencia. ▮ s. **2** Persona que se dedica al estudio de las monedas y de las medallas. ▮ s.f. **3** Ciencia que estudia las medallas y las monedas, esp. si son antiguas. ☐ ETIMOL. Del latín *numisma* (moneda).

numulita s.f. →**numulites.**

numulites (pl. *numulites*) s.m. En paleontología, fósil de forma semejante a una moneda, que existió en la era terciaria. ☐ SINÓN. *numulita.* ☐ ETIMOL. Del latín *nummus* (moneda) y el griego *líthos* (piedra).

nunca adv. En ningún momento: *No la conozco y nunca he hablado con ella. No vienes nunca conmigo.* □ SINÓN. *jamás.* □ ETIMOL. Del latín *nunquam*, y este de *ne* (no) y *umquam* (alguna vez). □ SEM. En las expresiones *nunca jamás* o *nunca más* tiene un matiz intensivo.

nunchaco (tb. *nunchaku*) s.m. Arma de origen oriental que consiste en dos bastones cortos unidos por una cuerda o cadena y que se emplea en algunas artes marciales.

nunchaku s.m. →**nunchaco.**

nunciatura s.f. **1** Cargo o dignidad de nuncio. **2** Vivienda y lugar de trabajo del nuncio.

nuncio s.m. **1** Representante diplomático del Papa, que además ejerce determinadas funciones pontificias. **2** Emisario o mensajero. □ ETIMOL. Del latín *nuntius* (emisario, anunciador).

nupcial adj.inv. De las nupcias o casamiento, o relacionado con esta ceremonia.

nupcialidad s.f. Número de nupcias o de casamientos en una población en un tiempo determinado, en relación con el total de la población.

nupcias s.f.pl. Ceremonia o acto en el que dos personas contraen matrimonio: *Tras enviudar, se casó en segundas nupcias.* □ SINÓN. *boda, casamiento.* □ ETIMOL. Del latín *nuptiae*, y este de *nubere* (casarse).

nurse (ing.) s.f. →**niñera.**

nutación s.f. En astronomía, oscilación periódica del eje de rotación de la Tierra, causada principalmente por la atracción lunar. □ ETIMOL. Del latín *nutatio* (bamboleo).

nutracénico, ca adj./s.m. Referido a un alimento, que aporta beneficios para la salud por encima de su valor nutricional: *Estos alimentos tienen un gran valor nutracénico.*

nutria s.f. **1** Mamífero carnicero, de pelaje espeso y suave, que tiene el cuerpo delgado y alargado, la cabeza ancha y aplastada, las orejas pequeñas y redondas, las patas cortas con los dedos de los pies unidos por una membrana y la cola larga. **2** Piel de este animal. □ ETIMOL. Del latín **nutria.* □ MORF. Es un sustantivo epiceno: *la nutria {macho/hembra}.*

nutricio, cia adj. **1** Capaz de nutrir: *un alimento nutricio.* **2** Que da alimento a otra persona: *una madre nutricia.* □ ETIMOL. Del latín *nutricius.*

nutrición s.f. **1** Función por la cual se nutren los seres vivos. **2** Suministro de las sustancias necesarias para aportar energía, para reponer las sustancias que se han perdido o para crecer: *una nutrición equilibrada.*

nutricional adj.inv. De la nutrición o relacionado con ella. □ SEM. Dist. de *nutritivo* (que nutre).

nutricionismo s.m. Especialidad en nutrición.

nutricionista adj.inv./s.com. Referido a una persona, que está especializada en nutrición.

nutrido, da adj. Que tiene gran cantidad de algo: *un examen nutrido de errores.* □ SEM. En plural equivale a *muchos*: *Fue recibido con nutridos aplausos.*

nutriente adj.inv./s.m. Que nutre o alimenta.

nutrimento s.m. **1** Hecho de proporcionar las sustancias necesarias para reponer las que se han perdido o para crecer. □ SINÓN. *nutrimiento.* **2** Sustancia nutritiva. □ SINÓN. *nutrimiento.* □ ETIMOL. Del latín *nutrimentum.*

nutrimiento s.m. →**nutrimento.**

nutrir v. **1** Proporcionar las sustancias necesarias para reponer las que se han perdido o para crecer: *Es importante nutrir el organismo con alimentos completos. Los animales herbívoros se nutren de vegetales.* **2** Aumentar o dar nuevas fuerzas: *Tu optimismo nutre mi moral.* **3** Proporcionar, abastecer o llenar: *Estos pozos nutren de agua a todo el pueblo. Este lago se nutre del agua de varios ríos.* □ ETIMOL. Del latín *nutrire.*

nutritivo, va adj. Que nutre: *alimentos nutritivos.* □ SEM. Dist. de *nutricional* (de la nutrición).

nutrólogo, ga s. Especialista en nutrición o alimentación.

nuyorriqueño, ña adj./s. *col.* Que vive en Nueva York (ciudad estadounidense) y es de nacionalidad puertorriqueña.

ny s.f. →**ni.**

nylon (ing.) s.m. →**nailon.** □ PRON. [náilon].

Ñ ñ

ñ s.f. Decimoquinta letra del abecedario. □ PRON. Representa el sonido consonántico palatal nasal sonoro.

ñacurutú (pl. *ñacurutúes, ñacurutús*) s.m. Ave nocturna, parecida a la lechuza, con plumas amarillentas y grises.

ñame s.m. **1** Planta herbácea trepadora, de hojas grandes y flores pequeñas y verdosas en espiga, que tiene una raíz comestible de corteza casi negra. **2** Raíz de esta planta: *El ñame es un tubérculo.*

ñandú (pl. *ñandúes, ñandús*) s.m. Ave corredora americana, de aproximadamente un metro y medio de altura, que tiene el cuello y las patas largos, tres dedos en cada pie y el plumaje grisáceo. □ ETIMOL. Del guaraní *ñandú*. □ MORF. Es un sustantivo epiceno: *el ñandú {macho/hembra}*.

ñandutí (pl. *ñandutíes, ñandutís*) s.m. Encaje muy fino típicamente paraguayo y del nordeste argentino: *una blusa de ñandutí.*

ñango, ga adj. **1** *col.* En zonas del español meridional, enclenque. **2** *col.* En zonas del español meridional, maltratado o con mal aspecto.

ñáñaras s.f.pl. *col.* En zonas del español meridional, escalofríos de miedo.

ñaño, ña adj./s. En zonas del español meridional, amigo. □ ETIMOL. Del quechua *ñaña*.

ñapa (tb. *yapa*) s.f. *col.* Cosa añadida o pequeño obsequio que el comerciante regala a su cliente por la compra efectuada.

ñapango, ga adj. En zonas del español meridional, mestizo o mulato.

ñasca s.f. *arg.* Última parte de un porro, que se aprovecha al máximo. □ SINÓN. *chista.*

ñato, ta adj. *col.* En zonas del español meridional, chato: *¿Qué tal te fue, ñato?*

ñeque ▮ adj.inv. **1** En zonas del español meridional, fuerte. **2** En zonas del español meridional, estupendo. ▮ s.m. **3** En zonas del español meridional, valor o coraje. **4** En zonas del español meridional, fuerza o energía.

ñiquiñaque s.m. *col.* En zonas del español meridional, persona o cosa despreciable.

ñoñería s.f. Hecho o dicho propios de una persona ñoña. □ SINÓN. *ñoñez.*

ñoñez s.f. **1** Sosería o falta de sustancia: *No entiendo cómo te puede gustar esa ñoñez de canción.* **2** Inseguridad, timidez o falta de ingenio: *No soporto la ñoñez de esos remilgados.* **3** Hecho o dicho propios de una persona ñoña. □ SINÓN. *ñoñería.*

ñoño, ña ▮ adj. **1** Referido a una cosa, sosa o de poca sustancia: *una película ñoña.* ▮ adj./s. **2** *col.* Referido a una persona, que es insegura, tímida, apocada o de escaso ingenio. **3** *col.* Referido a una persona, excesivamente escrupulosa y remilgada. □ ETIMOL. De origen expresivo.

ñoqui s.m. Pasta alimenticia cortada en trocitos y hecha con patatas mezcladas con harina de trigo, mantequilla, leche, huevo y queso rallado. □ ETIMOL. Del italiano *gnocchi*.

ñora s.f. Tipo de pimiento picante. □ ETIMOL. Quizá de *La Ñora,* pueblo murciano donde se cultiva.

ñorda s.f. *vulg.* →**mierda.**

ñórdiga s.f. *vulg.* →**mierda.**

ñu (pl. *ñúes, ñus*) s.m. Mamífero herbívoro de cola larga y pelaje de color pardo o grisáceo, más largo en la zona delantera, con cuernos curvados hacia arriba y hacia adentro, y que vive en las sabanas africanas. □ MORF. Es un sustantivo epiceno: *el ñu {macho/hembra}*.

O o

o ▌s.f. **1** Decimosexta letra del abecedario. ▌conj. **2** Enlace gramatical coordinante con valor disyuntivo que expresa alternativa, diferencia o separación: *¿Te espero o me voy?* **3** Enlace gramatical coordinante con valor explicativo: *El emperador, o pez espada, es un pescado riquísimo.* **4** ‖ **no saber hacer la «o» con un canuto;** *col.* Ser muy ignorante: *Sacó un cero porque no sabe hacer la 'o' con un canuto.* ‖ **o sea;** expresión que se usa para introducir una explicación a lo anteriormente dicho: *Es orden del jefe, o sea, que hay que hacerlo.* □ PRON. En la acepción 1, representa el sonido vocálico posterior o velar y de abertura media. □ ORTOGR. Cuando pueda confundirse con el número cero, debe llevar tilde: *10 ó 100.* □ MORF. En la acepción 1, su plural es *oes.* □ SINT. En la acepción 2, para enfatizar la contraposición existente entre los términos coordinados, se puede usar repetida y antepuesta a cada uno de ellos: *O es guapo o es feo, aclárate.* □ SEM. En la acepción 2, se usa entre dos numerales para indicar cálculo aproximado: *Por lo menos habría veinte o treinta personas allí.* □ USO Como conjunción, ante palabra que comienza por *o-* o por *ho-*, se usa la forma *u*.

-o Sufijo que indica acción o efecto: *amago, abandono.*

-o, -a Sufijo que indica origen o patria: *suizo, rusa.*

oasis (pl. *oasis*) s.m. Lugar con vegetación y con agua que se encuentra aislado en medio del desierto. □ ETIMOL. Del latín *oasis.*

obcecación s.f. Ofuscación tenaz y persistente que impide ver la realidad o razonar sobre ella.

obcecar ▌v. **1** Impedir razonar con claridad: *El amor que sientes por él te obceca y no ves sus defectos.* ▌prnl. **2** Insistir tenazmente de un modo que se considera negativo: *Se obcecó en que se llegaba antes por allí, y nos tuvo perdidos más de tres horas.* □ ETIMOL. Del latín *obcaecare.* □ ORTOGR. La *c* se cambia en *qu* delante de *e* →SACAR. □ SINT. Constr. de la acepción 2: *obcecarse* EN *algo.*

obedecer v. **1** Referido a una persona, hacer lo que esta manda u ordena: *Obedece a tus padres, que solo quieren tu bien. Es mejor que obedezcas enseguida.* **2** Referido a una orden o a una norma, cumplirlas: *Todos debemos obedecer las normas de tráfico.* **3** Referido a un animal, ceder con docilidad a las indicaciones que se le hacen: *Este perro sólo obedece a lo que le dice su dueño.* **4** Referido a una cosa inanimada, ceder al esfuerzo que se hace para cambiar su forma o su estado: *El volante no me obedecía, y estuvimos a punto de estrellarnos.* **5** Originarse o proceder de una causa: *¿A qué obedece esa actitud tan impertinente?* □ ETIMOL. Del latín *oboedire.* □ MORF. Irreg. →PARECER. □ SINT. Constr. de la acepción 5: *obedecer* A *un motivo.*

obediencia s.f. **1** Cumplimiento o realización de lo que se manda, de lo que se ordena o de lo que es normativo: *La obediencia a la ley es un deber que alcanza a todos los ciudadanos.* **2** Modo de ser de quien cumple lo que se le manda: *La obediencia de estos niños es digna de elogio.* □ SINÓN. *docilidad.* **3** ‖ **obediencia debida;** en derecho, la que se rinde al superior jerárquico y es circunstancia eximente de responsabilidad en los delitos: *El acusado vio excluida su responsabilidad por obediencia debida.*

obediente adj.inv. Que obedece o cumple lo que se le manda. □ SINÓN. *dócil.* □ ETIMOL. Del latín *oboediens.*

obelisco s.m. Monumento conmemorativo en forma de pilar muy alto, de cuatro caras iguales, más estrecho en la parte superior que en la base, y terminado en una punta con forma de pirámide. □ ETIMOL. Del griego *obeliskós*, y este de *obelós* (asador), porque se comparaba al obelisco con un asador o brocheta.

obenque s.m. En un barco de vela, cuerda o cabo grueso que sujeta el extremo de un mástil a los costados del barco. □ ETIMOL. Del francés antiguo *hobent.*

obertura s.f. Pieza musical de carácter instrumental con la que se da principio a una obra extensa, esp. a una ópera o a un oratorio. □ ETIMOL. Del francés *ouverture.* □ ORTOGR. Dist. de *abertura.*

obese (ing.) s.m. Gen responsable de la obesidad. □ PRON. [obés].

obesidad s.f. Gordura excesiva. □ SINÓN. *adiposis.*

obeso, sa adj./s. Excesivamente gordo. □ ETIMOL. Del latín *obesus* (el que ha comido mucho).

óbice s.m. Obstáculo, inconveniente o impedimento. □ ETIMOL. Del latín *obex* (cerrojo, obstáculo). □ USO Se usa más en expresiones negativas.

obispado s.m. **1** Cargo de obispo: *Consiguió muy joven el obispado.* **2** Territorio o distrito asignado a un obispo para ejercer sus funciones y jurisdicción: *El nuevo obispo está visitando todas las parroquias de su obispado.* **3** Local o edificio donde trabaja la curia episcopal: *Este sacerdote trabaja en el obispado en tareas administrativas.*

obispal adj.inv. Del obispo o relacionado con este cargo eclesiástico. □ SINÓN. *episcopal.*

obispillo s.m. En algunas catedrales, muchacho al que visten de obispo la víspera y el día de san Nicolás de Bari, y que asiste así a vísperas y a misa mayor.

obispo s.m. Sacerdote que ha recibido la plenitud del sacramento del orden y que generalmente gobierna una diócesis o distrito eclesiástico. □ ETIMOL. Del latín *episcopus*, y este del griego *epískopos* (guardián, protector, vigilante).

óbito s.m. Fallecimiento de una persona. □ ETIMOL. Del latín *obitus*, y este de *obire* (fallecer). □ SEM. No debe emplearse con el significado de 'entierro':

*El {*óbito > entierro} partirá a las seis de la iglesia parroquial.* ☐ USO Su uso es característico de los lenguajes jurídico y eclesiástico.

obituario s.m. **1** En un periódico o en una revista, sección necrológica en la que se informa de los fallecimientos de personas. **2** En una iglesia o en un monasterio, libro en el que se anotan las partidas de defunción y de entierro.

objeción s.f. **1** Razón que se presenta como reparo a lo que se ha dicho. **2** ‖ **objeción (de conciencia);** negativa a realizar determinados actos o a prestar determinados servicios, esp. el servicio militar, por razones éticas o religiosas. ☐ ETIMOL. Del latín *obiectio*. ☐ PRON. Incorr. *[objección].

objetar v. **1** Referido a una opinión o a un argumento, exponerlos como reparo a lo que se ha dicho: *No tengo nada que objetar a tu plan porque me parece perfecto.* **2** Negarse a realizar determinados actos o a prestar determinados servicios, esp. el servicio militar, por razones éticas o religiosas: *He objetado por mis convicciones pacifistas.* ☐ ETIMOL. Del latín *obiectare*.

objetivación s.f. Consideración de forma objetiva, sin seguir criterios o intereses personales.

objetivar v. Referido a un asunto, considerarlo de forma objetiva, sin seguir criterios o intereses personales y concibiéndolo como realidad externa al sujeto: *Si objetivas tus problemas, podrás decidir con más imparcialidad.*

objetividad s.f. Imparcialidad en la forma de considerar un asunto, sin seguir criterios o intereses personales y analizando la realidad como algo externo al sujeto.

objetivismo s.m. Predominio de lo objetivo o de todo lo relacionado con la realidad externa al sujeto.

objetivo, va ▮ adj. **1** Que no sigue criterios o intereses personales, y está marcado por la razón y la imparcialidad: *un juicio objetivo.* **2** En filosofía, que existe realmente, fuera del sujeto que lo conoce: *La ciencia presenta conocimientos objetivos, basados en la experiencia de la realidad.* **3** Del objeto o relacionado con él: *Las oraciones objetivas son las oraciones subordinadas sustantivas que funcionan como objeto directo.* ▮ s.m. **4** Fin o intento a los que se dirige o encamina una acción u operación: *Nuestro objetivo es acabar hoy el trabajo.* ☐ SINÓN. *objeto.* **5** En un instrumento óptico, lente o sistema de lentes colocado en la parte que se dirige hacia el objeto: *Al hacer la foto, puso un dedo delante del objetivo, y no salió nada.* **6** Blanco sobre el que se dispara un arma de fuego, esp. si es para ejercitarse en el tiro: *Como tengo tan mala puntería, mis disparos no alcanzaron el objetivo.* ☐ USO En la acepción 4, es innecesario el uso del anglicismo *target*.

objeto s.m. **1** Lo que tiene entidad material e inanimada, esp. si no es de gran tamaño: *Tiene una tienda de antigüedades y de objetos de arte.* **2** Lo que sirve de materia o asunto al ejercicio de las facultades mentales o a una ciencia: *El objeto de la historia es la descripción y explicación de los hechos del pasado.* **3** En filosofía, lo que puede ser materia de conocimiento o de percepción sensible: *El sujeto es quien piensa o percibe, y el objeto, lo pensado o lo percibido.* **4** Fin o intento a los que se dirige o encamina una acción u operación: *El objeto de esta reunión es llegar a un acuerdo.* ☐ SINÓN. *objetivo.* **5** En lingüística, denominación que en algunas escuelas recibe el complemento del verbo o constituyente sobre el que recae la acción de este: *En 'Di la verdad a tu padre', 'la verdad' es el objeto directo y 'a tu padre' es el objeto indirecto.* **6** ‖ **{al/con} objeto de que;** para que: *Vine con objeto de que me aconsejases.* ☐ ETIMOL. Del latín *obiectus*, y este de *obiicere* (oponer, proponer).

objetor, -a adj. **1** Que objeta. **2** ‖ **objetor (de conciencia);** persona que se niega a realizar determinados actos o a prestar determinados servicios, esp. el servicio militar, por razones éticas o religiosas. ☐ SEM. Dist. de *insumiso* (que se niega a realizar el servicio militar o cualquier servicio social que lo sustituya).

oblación s.f. Ofrenda y sacrificio que se hace a la divinidad: *En la misa católica, el pan y el vino son la oblación que presenta el sacerdote.*

oblato, ta s. Religioso de alguna de las congregaciones de este nombre. ☐ ETIMOL. Del latín *oblatus* (ofrecido).

oblea s.f. **1** Hoja delgada de pan ázimo o sin levadura de la que se sacan las hostias. **2** Hoja delgada de harina, agua y azúcar cocida, esp. la que se coloca debajo de algunos dulces. **3** En informática, lámina delgada de cristal en la que se instalan circuitos integrados. ☐ ETIMOL. Del francés *oblée* (hoja de pasta que se usa para hacer hostias y ofrecerlas al Señor).

oblicuidad s.f. Dirección inclinada o desviada respecto de la horizontal y de la vertical.

oblicuo, cua ▮ adj. **1** Sesgado, inclinado o desviado de la horizontal y de la vertical: *Puso una tabla oblicua respecto de la puerta para que no pudieran abrirla.* **2** En geometría, referido a un plano o a una línea, que forma un ángulo que no es recto al cortarse con otro plano o con otra línea: *La diagonal de un cuadrado es una línea oblicua.* ▮ adj./s. **3** En anatomía, referido a un músculo, que tiene una colocación inclinada: *Los músculos oblicuos están situados por parejas en el abdomen, en la nuca y en el ojo.* ☐ ETIMOL. Del latín *obliquus*.

obligación s.f. **1** Lo que se tiene que hacer o se está obligado a hacer: *Tus obligaciones como estudiante son ir a clase y estudiar.* **2** Imposición o exigencia moral que debe regir la voluntad libre: *Es para mí una obligación ayudar a quien lo necesite.* **3** En economía, título o documento de deuda a largo plazo, generalmente amortizable, al portador y con interés fijo y periódico, que representa una suma exigible a su vencimiento a la persona o entidad que lo emitió: *Las obligaciones de esta empresa son negociables en bolsa.*

obligado, da adj. Forzoso, inexcusable o inevitable: *Si dan una fiesta en tu honor, es obligado que asistas.*

obligar ▌ v. **1** Hacer que se realice o se cumpla lo que se pide: *No vayas si no quieres, porque nadie te obliga.* **2** Tener fuerza o autoridad suficientes para imponer lo que se ordena: *Esta normativa obliga a todas las empresas del sector.* □ SINÓN. *ligar.* ▌ prnl. **3** Comprometerse a cumplir algo o a llevarlo a cabo: *Delante de todos vosotros me obligo a dejar de fumar.* □ ETIMOL. Del latín *obligare* (atar, sujetar por contrato, forzar). □ ORTOGR. La *g* se cambia en *gu* delante de *e* →PAGAR. □ SINT. 1. Constr. *obligar* A *hacer algo.* 2. Constr. como pronominal: *obligarse* A *algo.*

obligatoriedad s.f. Necesidad de ser hecho, cumplido u obedecido.

obligatorio, ria adj. Que tiene que ser hecho, cumplido u obedecido. □ ETIMOL. Del latín *obligatorius.*

obliteración s.f. En medicina, obstrucción o cierre de un conducto o de una cavidad. □ PRON. [ob·literación].

obliterar v. **1** En medicina, referido a un conducto o a una cavidad, obstruirlos o cerrarlos: *Los cálculos pueden obliterar el conducto biliar.* **2** Anular, tachar o borrar: *Tras descubrir el error, hay que obliterar todo lo proyectado desde entonces.* □ ETIMOL. Del latín *oblitterare* (olvidar, borrar). □ PRON. [ob·literár].

oblongo, ga adj. Que es más largo que ancho. □ ETIMOL. Del latín *oblongus.*

obnubilación s.f. **1** Oscurecimiento, confusión u ofuscación del entendimiento. **2** Fascinación o deslumbramiento.

obnubilante adj.inv./s.com. Que obnubila.

obnubilar v. **1** Oscurecer, ofuscar o confundir: *Tantos problemas están obnubilando mi capacidad de decisión. Me obnubilé ante tamaña injusticia y no supe reaccionar a tiempo.* **2** Deslumbrar o dejar fascinado: *Lo que allí pude ver me obnubiló y me tuvo obsesionada varios días. ¡Anda, rico, que te obnubilas con cada tontería...!* □ ETIMOL. Del latín *obnubilare.*

oboe s.m. **1** Instrumento musical de viento, de la familia de las maderas, formado por un tubo que puede tener de dieciséis a veintidós orificios, un complejo mecanismo de llaves y una boquilla con lengüeta doble por donde se sopla. **2** Músico que toca este instrumento. □ ETIMOL. Del francés *hautbois*, y este de *haut* (alto) y *bois* (madera). □ PRON. Incorr. *[óboe].

oboístico, ca adj. Del oboe o relacionado con este instrumento musical.

óbolo s.m. Pequeña cantidad de dinero con que se contribuye a un fin determinado. □ ETIMOL. Del griego *obolós* (moneda griega de escaso valor). □ ORTOGR. Dist. de *óvolo.*

obra s.f. **1** Producción del entendimiento en ciencias, letras o artes, esp. si es de alguna importancia: *En esa sala hay expuestas obras de los mejores pintores españoles del siglo XVII.* □ SINÓN. *trabajo.* **2** Trabajo de construcción, de remodelación o de reparación: *La calle está cortada por obras.* **3** Lo que hace o produce un agente: *La erosión de este valle es obra del aire y del agua.* **4** Volumen o conjunto de volúmenes en los que se contiene un trabajo literario completo: *Me estoy comprando las obras completas de Galdós.* **5** Medio, virtud o poder: *Según un dogma de fe, la Virgen María concibió por obra y gracia del Espíritu Santo.* **6** Acción o hecho, esp. los considerados moralmente positivos: *Todos lo conocen por sus buenas obras. Pecó de intención, pero no de obra, porque no hizo la barbaridad que había pensado.* **7** Trabajo y tiempo que se necesitan para la realización de algo: *Este bordado tiene mucha obra.* □ ETIMOL. Del latín *opera* (trabajo, labor).

obrador, -a ▌ adj./s. **1** Que obra. ▌ s.m. **2** Taller en el que se elaboran productos manufacturados, esp. los de confitería o repostería. □ ETIMOL. Del latín *operator.*

obrar v. **1** Ejecutar una acción o comportarse de un modo determinado: *Debemos obrar de acuerdo con nuestra conciencia.* **2** Referido a un efecto, causarlo, producirlo o hacerlo: *La medicina no obraba ninguna mejoría en el enfermo.* **3** *euf.* Defecar: *Llevaba varios días sin obrar, y le tuvieron que dar un laxante.* **4** Existir, estar o hallarse: *Tranquilos, que el documento obra en mi poder.* □ ETIMOL. Del latín *operari* (trabajar).

obreril adj.inv. *col.* Del obrero o relacionado con él.

obrerismo s.m. **1** Conjunto de actitudes y doctrinas sociales encaminadas a mejorar las condiciones de vida de los obreros. **2** Teoría económica que considera al obrero como elemento de producción y creador de riqueza.

obrerista adj.inv. Del obrerismo o relacionado con él.

obrero, ra ▌ adj. **1** De los trabajadores o relacionado con ellos: *clase obrera.* ▌ s. **2** Trabajador manual asalariado, esp. el del sector industrial o de servicios. □ SINÓN. *operario.* □ ETIMOL. Del latín *operarius.*

obscenidad s.f. **1** Falta de delicadeza o de educación que ofende al pudor, esp. en lo relacionado con el sexo: *La obscenidad de su mirada me ofendió.* **2** Hecho o dicho obscenos: *¿No sabes hablar sin decir obscenidades?*

obsceno, na adj./s. Que se considera grosero u ofensivo al pudor, esp. en lo relacionado con el sexo. □ ETIMOL. Del latín *obscenus.*

obscurantismo s.m. →**oscurantismo.**

obscurantista adj.inv./s.com. →**oscurantista.**

obscurecer v. →**oscurecer.** □ MORF. Irreg. →PARECER.

obscurecimiento s.m. →**oscurecimiento.**

obscuridad s.f. →**oscuridad.**

obscuro, ra adj./s.m. →**oscuro.**

obsecuencia s.f. Sumisión o condescendencia. □ ETIMOL. Del latín *obsequentia.*

obsecuente adj.inv. Obediente o sumiso. □ ETIMOL. Del latín *obsequentis*.

obsequiar v. Referido a una persona, agasajarla o favorecerla con atenciones o regalos: *Me obsequiaron con unas entradas para la ópera por el favor que les hice.* □ ORTOGR. La *i* nunca lleva tilde. □ SINT. Constr. *obsequiar CON algo*.

obsequio s.m. Agasajo o regalo hechos para complacer. □ ETIMOL. Del latín *obsequium* (complacencia, deferencia).

obsequiosidad s.f. Amabilidad o generosidad propias del que intenta complacer, agradar o contentar a alguien.

obsequioso, sa adj. Que intenta complacer, agradar o contentar a alguien con atenciones y regalos.

observable adj.inv. Que se puede observar.

observación s.f. **1** Examen, estudio o contemplación detenidos y atentos: *Se ha dado un golpe en la cabeza y tiene que permanecer veinticuatro horas hospitalizado en observación.* **2** Cumplimiento de una ley o de un mandato: *La observación de las leyes incumbe a todos los ciudadanos.* **3** Objeción, reparo o inconveniente puestos a algo: *No hizo ninguna observación a mi propuesta, de lo cual deduje que la aceptaba.* **4** En un escrito, nota puesta para aclarar o precisar un dato dudoso: *El texto trae observaciones a pie de página para aclarar las palabras anticuadas.*

observador, -a ▌adj./s. **1** Que observa, esp. si lo hace con mucho detalle o se fija mucho: *una persona muy observadora.* ▌s. **2** Persona encargada de seguir el desarrollo de algún acontecimiento importante, esp. político o militar, o de asistir a él: *un observador de la ONU.*

observancia s.f. Cumplimiento exacto y puntual de lo que se manda ejecutar: *la observancia de la ley.* □ ETIMOL. Del latín *observantia*.

observante adj.inv. Que observa.

observar v. **1** Examinar, estudiar o contemplar atentamente: *Observamos el ala de una mosca con el microscopio.* **2** Advertir o reparar: *Observo que habéis hecho mejoras en esta habitación.* **3** Mirar atentamente y con cautela: *El detective observaba todos los movimientos del sospechoso.* □ SINÓN. *atisbar*. **4** Referido esp. a una ley o a una orden, guardarlas y cumplirlas exactamente: *Todos debemos observar la ley.* □ ETIMOL. Del latín *observare* (vigilar, examinar atentamente, cumplir). □ SEM. En la acepción 2, no debe emplearse con el significado de 'señalar' (galicismo): *¿Cuántas veces has {*observado > señalado} ya que no estás de acuerdo?*

observatorio s.m. Lugar dotado de todo lo necesario para la observación científica, generalmente astronómica y meteorológica.

obsesión s.f. Idea, preocupación o deseo que no se pueden alejar de la mente. □ ETIMOL. Del latín *obsessio* (bloqueo).

obsesionante adj.inv. Que obsesiona.

obsesionar v. Despertar o causar una obsesión: *¿No te obsesiona la idea de triunfar? No te obsesiones con esas tonterías.*

obsesivo, va adj. **1** Que produce obsesión: *un sueño obsesivo.* **2** Referido a una persona, que se obsesiona con facilidad: *una persona obsesiva.*

obseso, sa adj./s. Referido a una persona, que está dominada por una obsesión, esp. si esta es de carácter sexual. □ ETIMOL. Del latín *obsessus*.

obsidiana s.f. Roca volcánica, frágil y de color negro brillante, que se origina por el rápido enfriamiento de la lava. □ ETIMOL. Del latín *obsidianus lapis*, por confusión con *obsianus lapis* (piedra de Obsius), porque el romano Obsius fue el descubridor de dicha piedra.

obsolescencia s.f. Proceso por el que un bien, que resulta obsoleto o anticuado, deja de utilizarse al ser sustituido por algo más moderno.

obsolescente adj.inv. Que está quedándose obsoleto o anticuado.

obsoleto, ta adj. Anticuado, desusado, caduco o inadecuado a las circunstancias actuales. □ ETIMOL. Del latín *obsoletus*. □ SEM. No debe usarse con el significado de 'antiguo', porque algo puede estar obsoleto y no ser antiguo: *La moda del año pasado ya ha quedado obsoleta.*

obstaculización s.f. Interposición de obstáculos o dificultades a fin de impedir la consecución de un propósito.

obstaculizar v. Referido a un propósito, ponerle obstáculos o dificultar su consecución: *No pienso consentir que obstaculices mi relación con él. Esos paquetes están obstaculizando el paso.* □ ORTOGR. La *z* se cambia en *c* delante de *e* →CAZAR.

obstáculo s.m. **1** Lo que resulta un impedimento, un inconveniente o una dificultad. **2** En algunos deportes, cada una de las barreras físicas que se interponen en un recorrido. □ ETIMOL. Del latín *obstaculum*. □ USO En la acepción 1, es innecesario el uso del anglicismo *handicap*.

obstante ‖ **no obstante;** enlace gramatical coordinante con valor adversativo: *Está muy ocupada; no obstante, los recibirá.* □ SINÓN. *sin embargo*. □ ETIMOL. De *obstar*. □ SEM. En la lengua escrita, se usa mucho con el significado de 'a pesar de': *No obstante tu opinión en contra, mañana emprenderemos el viaje.*

obstar v. Ser un obstáculo o un impedimento: *Su pequeña indisposición no obsta para que asista a la conferencia.* □ ETIMOL. Del latín *obstare* (ponerse enfrente, cerrar el paso). □ MORF. Se usa más en infinitivo, en tercera persona y en expresiones negativas.

obstetra s.com. Médico especializado en obstetricia. □ SINÓN. *tocólogo*.

obstetricia s.f. Parte de la medicina que se ocupa de las mujeres durante la gestación, el parto y el período de tiempo que sigue a este. □ SINÓN. *tocología*. □ ETIMOL. Del latín *obstetrix* (comadrona).

obstétrico, ca adj. De la obstetricia o relacionado con esta parte de la medicina.

obstinación s.f. Tenacidad o porfía en el mantenimiento de una idea o de una resolución, a pesar de las presiones y las dificultades.

obstinado, da adj. Perseverante o muy tenaz. ☐ ETIMOL. Del latín *obstinatus*.

obstinarse v.prnl. Mantenerse firme o tenaz en una idea o en una resolución a pesar de las presiones o de las dificultades: *¿Por qué te obstinas en seguir adelante, si sabes que no llevas razón?* ☐ SINT. Constr. *obstinarse EN algo*.

obstrucción s.f. **1** Cierre o corte del paso por un lugar: *Los restos de comida han producido la obstrucción de la tubería del fregadero. En algunos deportes, la obstrucción a un jugador se castiga con falta.* **2** Impedimento o estorbo del desarrollo de una acción: *Han criticado a ese partido por favorecer la obstrucción política para retrasar el acuerdo.*

obstruccionismo s.m. Práctica o ejercicio de la obstrucción política como táctica para impedir o retrasar un acuerdo.

obstruccionista ▌adj.inv. **1** Del obstruccionismo o relacionado con esta práctica política. ▌adj.inv./s.com. **2** Que practica el obstruccionismo.

obstructor, -a adj./s. Que impide o dificulta el paso por un lugar o el desarrollo de una acción.

obstruir v. **1** Referido a un lugar, estorbar o cerrar el paso por él: *El desprendimiento de rocas ha obstruido el camino. El desagüe se ha obstruido.* **2** Referido al desarrollo de una acción, impedirlo o estorbarlo: *Ese cretino disfruta obstruyendo la actuación de los demás.* ☐ ETIMOL. Del latín *obstruere* (taponar). ☐ MORF. Irreg. →HUIR.

obtención s.f. **1** Alcance o logro de lo que se pretende, se merece o se solicita, por el propio esfuerzo o por concesión de otro. **2** Fabricación o extracción de una materia o de un producto.

obtener v. **1** Conseguir, lograr o llegar a tener, por esfuerzo personal o por concesión de otro: *Ha obtenido el puesto que deseaba. El cociente se obtiene dividiendo el dividendo por el divisor.* **2** Referido esp. a un producto, fabricarlo o extraerlo: *De esa mina se obtiene carbón.* ☐ ETIMOL. Del latín *obtinere* (poseer plenamente, conservar, mantener). ☐ MORF. Irreg. →TENER.

obtenible adj.inv. Que se puede obtener.

obtestación s.f. Figura retórica consistente en poner como testigo de algo a Dios, al ser humano, a la naturaleza o a cosas semejantes. ☐ ETIMOL. Del latín *obtestationis*.

obturación s.f. Taponamiento o cerramiento de una abertura o de un conducto.

obturador, -a adj./s.m. Que sirve para obturar o cerrar una abertura.

obturar v. Referido esp. a una abertura, taparla o cerrarla introduciendo o aplicando un cuerpo: *Para cortar la hemorragia de la nariz hay que obturar el orificio nasal con un algodón. La cañería se ha obturado y no sé cómo desatascarla.* ☐ ETIMOL. Del latín *obturare* (tapar, cerrar estrechamente).

obtusángulo adj. →**triángulo obtusángulo.**

obtuso, sa adj. **1** Chato y sin punta: *¿Cómo pretendes clavar esa estaca con lo obtusa que es?* **2** Torpe o lento en comprender: *Ya sé que soy un poco obtuso, pero ¿te importaría explicármelo otra vez?* ☐ ETIMOL. Del latín *obtusus*, de *obtundere* (achatar).

obús s.m. **1** Pieza de artillería de mayor alcance que un mortero y menor que un cañón. **2** Proyectil disparado por cualquier pieza de artillería. ☐ ETIMOL. Del francés *obus*, y este del alemán *haubitze*.

obviar v. **1** Referido a un obstáculo, evitarlo, apartarlo o ignorarlo: *Obviaremos las dificultades y comenzaremos a trabajar.* **2** Referido a algo que se considera sabido, evitar nombrarlo: *Obviaré los detalles y pasaré a relataros lo principal.* ☐ ETIMOL. Del latín *obviare* (salir al encuentro). ☐ ORTOGR. La *i* nunca lleva tilde.

obviedad s.f. Evidencia o claridad manifiestas.

obvio, via adj. Evidente, claro, manifiesto o fácil de entender. ☐ ETIMOL. Del latín *obvius* (que sale al paso, que ocurre a todo el mundo).

oc →**lengua de oc.** ☐ ETIMOL. Del provenzal *oc* (sí).

oca s.f. **1** Ave palmípeda, con la parte superior del cuerpo de color ceniciento, los bordes de las alas y de las plumas más claros y la parte inferior blanca, que se alimenta de vegetales y vive en zonas pantanosas. ☐ SINÓN. *ánsar, ganso*. **2** Juego que consiste en un tablero con sesenta y tres casillas diferentes a través de las cuales hay que avanzar con una ficha según el número que sale en un dado y realizar lo que cada casilla significa. ☐ ETIMOL. Del latín *auca*. ☐ MORF. En la acepción 1, es un sustantivo epiceno: *la oca {macho/hembra}*.

ocapi s.m. →**okapi.** ☐ MORF. Es un sustantivo epiceno: *el ocapi {macho/hembra}*.

ocarina s.f. Instrumento musical de viento, de timbre muy dulce, hecho generalmente de barro y con forma de pequeña vasija ovalada provista de ocho agujeros que se tapan con los dedos para producir los distintos sonidos. ☐ ETIMOL. Del italiano *ocarina* y este de *oca* (ganso) porque el inventor de la ocarina aludía a las flautas de los pastores de ocas.

ocasión s.f. **1** Momento o lugar en los que se sitúa un hecho o a los que se asocian determinadas circunstancias: *Recuerdo que en aquella ocasión yo aún no te conocía.* **2** Oportunidad favorable o apropiada para hacer o conseguir algo: *El viaje será una buena ocasión para conocernos mejor.* **3** ‖ **con ocasión de** algo; con motivo de ello: *La directora pronunció un discurso con ocasión de la fiesta de inauguración.* ‖ **de ocasión;** referido a una mercancía, que se compra a bajo precio: *No ha tenido problemas con su coche, aunque es de ocasión.* ☐ ETIMOL. Del latín *occasio*, y este de *occidere* (caer).

ocasional adj.inv. **1** Que ocurre por casualidad: *un encuentro ocasional.* **2** Que no es regular ni habitual, sino apto para una ocasión determinada: *un trabajo ocasional.*

ocasionar v. Referido esp. a un suceso, causarlo o ser su origen: *No te preocupes, porque no me ocasionas ninguna molestia.*

ocaso s.m. **1** Puesta del Sol o de otro astro: *Tras el ocaso, viene la noche.* **2** Decadencia, finalización o declive: *el ocaso de un imperio.* ☐ ETIMOL. Del latín *occasus.* ☐ ORTOGR. Dist. de *acaso.*

occidental ▮ adj.inv. **1** Del Occidente u Oeste, o relacionado con este punto cardinal: *Islandia es el país más occidental de Europa.* ▮ adj.inv./s.com. **2** De Occidente o relacionado con este conjunto de países: *La economía occidental es principalmente capitalista.*

occidentalismo s.m. Defensa del sistema político, económico y social propio del conjunto de países occidentales.

occidentalista adj.inv./s.com. Partidario o defensor del occidentalismo.

occidentalización s.f. Difusión o adopción de las características que se consideran propias de la cultura o de la sociedad occidentales.

occidentalizar v. Dar características que se consideran propias de la cultura o de la sociedad occidentales: *Ese país se ha ido occidentalizando progresivamente.* ☐ ORTOGR. La *z* se cambia en *c* delante de *e* →CAZAR.

occidente s.m. **1** Oeste: *El Sol se pone por el Occidente.* **2** Conjunto de países del oeste europeo y del norte del continente americano, caracterizados por regirse generalmente por sistemas democráticos y por practicar una economía de mercado: *Vive en Moscú y no piensa volver a Occidente.* ☐ ETIMOL. Del latín *occidens,* y este de *occidere* (caer). ☐ SINT. En la acepción 1, se usa mucho en aposición, pospuesto a un sustantivo: *Iniciamos la travesía con rumbo occidente.* ☐ USO Se usa más como nombre propio.

occipital ▮ adj.inv. **1** Del occipucio o relacionado con esta parte de la cabeza. ▮ s.m. **2** →**hueso occipital.** ☐ ETIMOL. Del latín *occiput* (nuca).

occipucio s.m. Parte posterior e inferior de la cabeza, por donde esta se une con las vértebras del cuello. ☐ ETIMOL. Del latín *occiput* (nuca) por cruce con *occipitium,* y este de *caput* (cabeza).

occiso, sa adj./s. En derecho, que ha muerto de manera violenta. ☐ ETIMOL. Del latín *occisus,* y este de *occidere* (matar).

occitano, na ▮ adj./s. **1** De Occitania (antigua región del sur francés) o relacionado con ella. ▮ s.m. **2** Conjunto de dialectos romances que en la época medieval se hablaban en la zona sur francesa. ☐ SINÓN. *lengua de oc, provenzal.*

oceanario s.m. Lugar en el que se exhiben animales acuáticos vivos.

oceánico, ca adj. Del océano o relacionado con él.

oceánidas s.f.pl. En la mitología grecolatina, ninfas o diosas menores del mar: *Las oceánidas eran hijas del dios Océano o Neptuno y de Tetis.* ☐ SINÓN. *oceánides.*

oceánides s.f.pl. →**oceánidas.**

océano s.m. **1** Mar grande y extenso que cubre la mayor parte de la superficie terrestre: *El océano cubre aproximadamente las tres cuartas partes de nuestro planeta.* **2** Cada una de las cinco partes en que se considera dividida esta gran masa de agua: *Los océanos son el Atlántico, el Pacífico, el Índico, el Glaciar Ártico y el Antártico.* **3** Inmensidad o gran extensión: *Estoy inmersa en un océano de problemas.* ☐ ETIMOL. Del latín *oceanus.*

oceanografía s.f. Ciencia que estudia los océanos y los mares. ☐ ETIMOL. De *océano* y *-grafía* (descripción).

oceanográfico, ca adj. De la oceanografía o relacionado con esta ciencia.

oceanógrafo, fa s. Persona que se dedica al estudio de océanos y mares, esp. si esta es su profesión.

ocelado, da adj. Que tiene ocelos.

ocelo s.m. **1** En un artrópodo, esp. en un insecto, cada uno de los ojos simples que forman el ojo compuesto: *Los ojos de las moscas están formados por ocelos.* **2** En las alas de algunos insectos o en las plumas de algunas aves, dibujo redondeado y de dos colores: *Muchas mariposas tienen vistosos ocelos en las alas.* ☐ ETIMOL. Del latín *ocellus* (ojito).

ocelote s.m. Mamífero carnívoro de pequeño tamaño, pelaje brillante y suave con manchas más oscuras, que vive en los bosques, caza de noche y se alimenta de aves, ratas y pequeños mamíferos. ☐ MORF. Es un sustantivo epiceno: *el ocelote {macho / hembra}.*

ochava s.f. **1** Octava parte de un todo. **2** Chaflán de un edificio.

ochavo (tb. *chavo*) s.m. **1** Antigua moneda española de cobre, con peso de un octavo de onza y valor de dos maravedíes. **2** ‖ **no tener (ni) un ochavo;** *col.* No tener dinero: *¿Me prestas dinero, que no tengo un ochavo?* ☐ ETIMOL. Del latín *octavus.*

ochenta ▮ numer. **1** Número 80: *Este autobús tiene plazas para ochenta pasajeros. Cuarenta más cuarenta son ochenta.* ▮ s.m. **2** Signo que representa este número: *Los romanos escribían el ochenta como 'LXXX'.* ☐ ETIMOL. Del latín *octaginta.* ☐ MORF. Como numeral es invariable en género y en número.

ochentavo, va numer. Referido a una parte, que constituye un todo junto con otras setenta y nueve iguales a ella: *La ochentava parte de 160 es 2. Como somos ochenta personas, tocamos a un ochentavo.* ☐ SINÓN. *octogésimo.* ☐ SEM. Su uso como numeral ordinal es incorrecto: *Llegué en {*ochentava > octogésima} posición.*

ochentón, -a adj./s. *col.* Referido a una persona, que tiene más de ochenta años y aún no ha cumplido los noventa.

ocho ▮ numer. **1** Número 8: *Sin contar los pulgares, en las dos manos hay ocho dedos. Tres más cinco son ocho.* ▮ s.m. **2** Signo que representa este número: *Los romanos escribían el ocho como 'VIII'.* **3** ‖ **dar igual ocho que ochenta;** *col.* Resultar indiferente o no importar nada: *No me extraña que se quede tan fresco, porque a ese le da igual ocho que ochenta.* ☐ ETIMOL. Del latín *octo.* ☐ MORF.

Como numeral es invariable en género y en número.

ochocientos, tas ▮ numer. **1** Número 800: *A la fiesta asistieron ochocientos invitados. Ochocientos y cien suman novecientos.* ▮ s.m. **2** Conjunto de signos que representan este número: *Los romanos escribían el ochocientos como 'DCCC'.* ☐ MORF. 1. Como numeral es invariable en número. 2. Incorr. *página {*ochocientos > ochocientas}.*

ochomil s.m. Montaña de más de ocho mil metros de altitud: *El escalador ha alcanzado su tercer ochomil en este año.*

ocio s.m. Tiempo libre, fuera de las obligaciones y ocupaciones habituales. ☐ ETIMOL. Del latín *otium* (reposo).

ociosidad s.f. Estado de quien tiene tiempo de ocio o permanece en situación de inactividad.

ocioso, sa ▮ adj. **1** Inútil, innecesario o sin provecho: *Esas preguntas sobre mi vida privada son ociosas, porque esto es una entrevista sobre mi trabajo.* **2** Que no tiene el uso o el ejercicio al que está destinado: *Yo ya no lo necesito y prefiero que lo uses tú a tenerlo aquí ocioso.* ▮ adj./s. **3** Referido a una persona, que está inactiva o no trabaja porque no tiene qué hacer, porque no quiere hacerlo o porque ha terminado sus obligaciones: *No ha entrado ningún cliente y llevo ociosa toda la mañana.*

ocluir v. En medicina, referido esp. a un conducto o a una abertura, cerrarlos u obstruirlos de forma que no se puedan abrir por medios naturales: *La operación quirúrgica es urgente porque el intestino está ocluido.* ☐ ETIMOL. Del latín *occludere* (cerrar). ☐ MORF. Irreg. →HUIR.

oclusal adj.inv. Del cierre dental o relacionado con él: *un ajuste oclusal; una placa oclusal.*

oclusión s.f. **1** En medicina, cierre u obstrucción de un conducto de forma que no se pueda abrir por medios naturales: *oclusión intestinal.* **2** En fonética y fonología, cierre completo del canal vocal en la articulación de un sonido.

oclusiva s.f. Véase **oclusivo, va.**

oclusivo, va ▮ adj. **1** De la oclusión, que la produce o relacionado con ella: *un tumor oclusivo.* **2** En lingüística, referido a un sonido consonántico, que se articula cerrando momentáneamente los órganos articulatorios y abriéndolos bruscamente para expulsar el aire acumulado: *En español, los sonidos [p] y [t] son oclusivos.* ▮ s.f. **3** Letra que representa este sonido: *La 'b' es una oclusiva.* ☐ ETIMOL. Del latín *occlusus.*

ocote s.m. Pino americano, muy aromático y resinoso. ☐ ETIMOL. Del náhuatl *ocotl* (tea).

ocozol s.m. Árbol de hoja caduca, cuyo tronco exuda una resina muy aromática: *De la resina de ocozol se extrae el liquidámbar.* ☐ SINÓN. *liquidámbar.* ☐ ETIMOL. Del náhuatl *ocotl* (ocote) y *tzotl* (sudor).

OCR (ing.) s.m. En informática, sistema que permite que un ordenador reconozca y procese caracteres de una imagen. ☐ ETIMOL. Es la sigla del inglés *Optical Character Recognition* (reconocimiento óptico de caracteres).

ocráceo, a adj. Con las características propias del ocre, esp. con su mismo color.

ocre ▮ adj.inv./s.m. **1** De color pardo amarillento y oscuro. ▮ s.m. **2** Roca arcillosa de este color, que se deshace fácilmente, es un óxido de hierro y aparece frecuentemente mezclado con arcilla. ☐ ETIMOL. Del francés *ocre*, y este del griego *okhrós* (amarillo).

octaédrico, ca adj. Del octaedro o con su forma.

octaedro s.m. Cuerpo geométrico limitado por ocho polígonos o caras. ☐ ETIMOL. Del griego *oktáedros*, y este de *októ* (ocho) y *hedra* (superficie).

octagonal adj.inv. →**octogonal.**

octágono s.m. →**octógono.**

octanaje s.m. Número o porcentaje de octano de la gasolina.

octano s.m. Unidad en la que se expresa el poder antidetonante de la gasolina, para lo que se toma como base una mezcla de hidrocarburos. ☐ ETIMOL. Del latín *octo* (ocho) y la terminación de *metano.*

octava s.f. Véase **octavo, va.**

octavilla s.f. **1** Hoja o impreso propagandísticos, de tema político o ideológico, y generalmente de pequeño formato. **2** En métrica, estrofa formada por ocho versos de arte menor, de rima consonante, y cuyos esquemas más frecuentes son *abbecdde* y *ababbccb*: *La octavilla fue una estrofa muy utilizada en los cancioneros del siglo XV.* ☐ ETIMOL. De *octava.*

octavo, va ▮ numer. **1** En una serie, que ocupa el lugar número ocho: *Es un documento del siglo octavo. Llegué la octava a la meta.* **2** Referido a una parte, que constituye un todo junto con otras siete iguales a ella: *Se comió la octava parte del bizcocho. 2 es un octavo de 16.* ▮ s.f. **3** En métrica, estrofa o combinación de ocho versos: *Las octavas más frecuentes son combinaciones de ocho endecasílabos.* **4** En música, serie de ocho notas constituida por los siete sonidos de una escala y la repetición del primero de ellos: *Cantaron una melodía a dos voces, empezando el uno en una octava más aguda que el otro.* **5** En la iglesia católica, período de ocho días que dura la celebración de una fiesta solemne, o último de estos días: *Si hoy es domingo de Pascua, el domingo que viene se celebra su octava.* **6** ‖ **octava {real/rima};** estrofa de origen italiano, formada por ocho versos endecasílabos de rima consonante, cuyo esquema es *ABABABCC*: *La octava real fue introducida en España en el siglo XVI por el poeta Boscán.* ‖ **octavos de final;** en una competición deportiva, fase eliminatoria en la que se enfrentan dieciséis participantes, de los cuales solo pasan a la fase siguiente los ocho que resulten vencedores: *Se enfrentaron en octavos de final y ganó la tenista española.* ☐ ETIMOL. Las acepciones 1-2, del latín *octavus.* Las acepciones 3-5, del latín *octava.*

octeto s.m. **1** Composición musical escrita para ocho instrumentos o para ocho voces. **2** Conjunto formado por este número de instrumentos o de voces. **3** En informática, unidad de almacenamiento de información constituida por ocho bites. ☐ ETIMOL.

Del latín *octo* (ocho). □ ORTOGR. En la acepción 3, su símbolo es *B*, por tanto, se escribe sin punto.

octingentésimo, ma numer. **1** En una serie, que ocupa el lugar número ochocientos: *Llegué a la meta en octingentésima posición pero, al menos, acabé la carrera.* **2** Referido a una parte, que constituye un todo junto con otras setecientas noventa y nueve iguales a ella: *¿Puede pesar esta balanza una octingentésima de gramo?* □ ETIMOL. Del latín *octingentesimus*.

octogenario, ria adj./s. Que tiene más de ochenta años y aún no ha cumplido los noventa. □ ETIMOL. Del latín *octogenarius*, y este de *octogeni* (de ochenta en ochenta).

octogésimo, ma numer. **1** En una serie, que ocupa el lugar número ochenta: *Llegó en la octogésima posición. Es la octogésima entre cien aspirantes.* **2** Referido a una parte, que constituye un todo junto con otras setenta y nueve iguales a ella: *La octogésima parte de 80 es 1. Esta balanza tiene tal precisión que puede pesar una octogésima de gramo.* □ SINÓN. *ochentavo.* □ ETIMOL. Del latín *octogesimus*. □ MORF. *Octogésima primera* (incorr. **octogésimo primera*), etc.

octogonal (tb. *octagonal*) adj.inv. Del octógono o con su forma.

octógono (tb. *octágono*) s.m. En geometría, polígono que tiene ocho lados y ocho ángulos. □ ETIMOL. Del griego *oktágonos*, y este de *októ* (ocho) y *gonía* (ángulo).

octópodo, da ▮ adj./s. **1** Referido a un molusco, que tiene ocho tentáculos con ventosas: *El pulpo es un octópodo.* ▮ s.m.pl. **2** En zoología, orden de estos moluscos: *Los moluscos que pertenecen a los octópodos tienen todos los tentáculos aproximadamente del mismo tamaño.* □ ETIMOL. Del griego *októ* (ocho) y *-podo* (pie).

octosilábico, ca adj. **1** Del octosílabo, en octosílabos o relacionado con este tipo de verso. **2** →**octosílabo.**

octosílabo, ba adj./s.m. De ocho sílabas, esp. referido a un verso: *un verso octosílabo.* □ SINÓN. *octosilábico.* □ ETIMOL. Del latín *octosyllabus*.

octubre s.m. Décimo mes del año, entre septiembre y noviembre: *Octubre tiene treinta y un días.* □ ETIMOL. Del latín *october*, y este de *octo* (ocho), porque octubre era el octavo mes del año, antes de agregarse julio y agosto al calendario romano.

óctuple numer. Referido a una cantidad, que es ocho veces mayor: *40 es un número óctuple de 5. ¿Cuál es el óctuple de dos?* □ SINÓN. *óctuplo.* □ MORF. Invariable en género.

óctuplo, pla numer. →**óctuple.**

ocular ▮ adj.inv. **1** Del ojo o relacionado con este órgano de la vista: *una infección ocular.* □ SINÓN. *oftálmico.* **2** Realizado con los ojos o con la vista: *un testigo ocular.* ▮ s.m. **3** En algunos aparatos ópticos, parte por la que mira el observador: *Para ver por el microscopio, tienes que colocar el ojo en el ocular.* □ ETIMOL. Del latín *ocularis*.

oculista s.com. *col.* Médico especialista en las enfermedades de los ojos. □ SINÓN. *oftalmólogo.* □ ETIMOL. Del latín *oculus* (ojo).

ocultación s.f. Encubrimiento de algo para impedir que sea visto, sabido o notado.

ocultar v. **1** Esconder, tapar, encubrir a la vista o impedir que se note: *Se ocultó detrás de una columna.* **2** Referido a algo que se debe decir, callarlo voluntariamente o falsearlo: *Dice que me lo cuenta todo, pero intuyo que me oculta algo.* □ ETIMOL. Del latín *occultare*.

ocultismo s.m. Conjunto de conocimientos o de prácticas que tratan de dominar los fenómenos que carecen de explicación racional y no pueden ser demostrados científicamente: *El ocultismo intenta penetrar en los más profundos secretos de las fuerzas de la naturaleza.* □ SEM. No debe emplearse con el significado de 'ocultación': *Se critica tu {*ocultismo > ocultación} en temas que nos afectan a todos.*

ocultista adj.inv. Del ocultismo o relacionado con este conjunto de conocimientos o de prácticas.

oculto, ta adj. Escondido, encubierto a la vista, disimulado o ignorado. □ ETIMOL. Del latín *occultus*, y este de *occulere* (esconder, disimular).

ocupa s.com. *col.* →**okupa.**

ocupación s.f. **1** Actividad o trabajo en los que una persona emplea su tiempo: *Mi principal ocupación es el estudio.* **2** Preocupación o responsabilidad: *No nos vemos nunca porque tiene numerosas ocupaciones.* **3** Utilización o uso de algo: *Cuando vieron que la ocupación de los asientos era total, cerraron las puertas del local.* **4** Invasión, toma de posesión o apropiación de un lugar, esp. si es de forma violenta o ilegal: *La ocupación del ministerio por parte de los huelguistas dio lugar a la intervención policial.* □ MORF. En la acepción 2, se usa más en plural.

ocupacional adj.inv. De la ocupación laboral o relacionado con ella: *terapia ocupacional.* □ ETIMOL. Del inglés *occupational therapy*.

ocupante adj.inv./s.com. **1** Que ocupa un lugar o que habita en él: *Los ocupantes del vagón tuvieron que desalojarlo.* **2** Que realiza una ocupación o una invasión: *La población se oponía al ejército ocupante.*

ocupar ▮ v. **1** Referido a un espacio o a un tiempo, llenarlos: *Los libros ocupan toda su mesa de trabajo. Terminar este trabajo me ocupará tres horas.* **2** Referido a un objeto, utilizarlo de forma que nadie más pueda hacerlo: *No puedo pasar al servicio porque está ocupado.* **3** Referido a un lugar, habitarlo o instalarse en él: *Una abogada ocupará la oficina de enfrente.* **4** Referido a un lugar, invadirlo o apoderarse de él, esp. si es de forma violenta o ilegal: *Los manifestantes ocuparon la fábrica.* **5** Referido a un cargo o a un empleo, obtenerlo, desempeñarlo o tomar posesión de él: *Hace dos años que ocupa la vicepresidencia.* **6** Referido a una persona, darle qué hacer o en qué trabajar: *Me pidió que ocupara a su hija en mi empresa.* ▮ prnl. **7** Referido a una tarea o a un asunto, emplearse en ellos o asumir su responsabilidad: *¿Quién se ocupará de organizar la fiesta?* **8** Referido esp. a una persona, preocuparse de ella o prestarle atención: *Se ocupa de su anciana madre.* □ ETIMOL. Del latín *occupare*. □ SINT. 1. Constr. de la acepción 6: *ocupar a alguien* EN *algo*. 2. Constr. de las acepciones 7 y 8: *ocuparse* DE *{algo/alguien}*.

ocurrencia s.f. **1** Idea repentina e inesperada: *Temo tus ocurrencias, porque siempre nos metes en algún embrollo.* **2** Hecho o dicho ingeniosos u originales: *Nos reímos mucho con él, porque tiene cada ocurrencia...* **3** Frecuencia de uso: *En este corpus, la ocurrencia de este término es muy elevada.* □ ETIMOL. De *ocurrir*.

ocurrente adj.inv. Que hace o dice cosas ingeniosas y originales: *una persona muy ocurrente.*

ocurrir ▮ v. **1** Suceder o acontecer: *¿Qué te ocurre, que estás tan pálido? Cuéntame cómo ocurrió.* ▮ prnl. **2** Referido esp. a una idea, venirse a la mente de repente o tener intención de hacerla: *Como se te ocurra hacer eso, te vas a enterar.* □ ETIMOL. Del latín *occurrere* (salir al paso). □ MORF. Es verbo defectivo: solo se usa en tercera persona y en las formas no personales (infinitivo, gerundio y participio).

oda s.f. Composición poética lírica de tono elevado, generalmente extensa y dividida en estrofas o partes iguales. □ ETIMOL. Del latín *oda*, y este del griego *oïde* (canto).

odalisca s.f. Esclava o concubina turca. □ ETIMOL. Del francés *odalisque*, y este del turco *ódah liq* (concubina).

odeón s.m. Teatro o lugar destinados a la representación de espectáculos musicales, esp. de óperas. □ ETIMOL. Del latín *odeum*.

odiar v. Sentir odio o un fuerte sentimiento de antipatía, aversión y rechazo: *No digas que me odias, porque yo sé que me aprecias. Odio tener que madrugar.* □ ORTOGR. La *i* nunca lleva tilde.

odio s.m. Sentimiento muy acentuado de hostilidad, antipatía y rechazo. □ ETIMOL. Del latín *odium* (odio, conducta odiosa).

odiosidad s.f. **1** Conjunto de características de lo que es odioso. **2** Aversión o antipatía hacia algo.

odioso, sa adj. **1** Que merece o provoca un sentimiento de odio: *una sonrisa odiosa.* **2** *col.* Muy desagradable o muy antipático: *un tiempo odioso.* □ ETIMOL. Del latín *odiosus*.

odisea s.f. Sucesión de dificultades, aventuras y problemas que le ocurren a alguien. □ ETIMOL. Por alusión al viaje del griego Odiseo, relatado por Homero en su poema épico 'La Odisea'.

odómetro s.m. Aparato que se usa para contar el número de pasos que da la persona que lo lleva y la distancia recorrida por esta. □ SINÓN. *cuentapasos, podómetro.* □ ETIMOL. Del griego *hodós* (camino) y *-metro* (medidor).

odonato, ta ▮ adj./s.m. **1** Referido a un insecto, que tiene el cuerpo estrecho y alargado, está provisto de dos pares de alas membranosas con numerosos nervios, y un aparato bucal masticador: *Las libélulas son insectos odonatos.* ▮ s.m.pl. **2** En zoología, orden de estos insectos, perteneciente al tipo de los artrópodos: *Las larvas de los insectos que pertenecen a los odonatos son acuáticas.* □ ETIMOL. Del griego *odús* (diente), porque los odonatos están provistos de un notable aparato masticador.

odontalgia s.f. En medicina, dolor de muelas o de dientes. □ ETIMOL. Del griego *odontalgía*, y este de *odús* (diente) y *álgos* (dolor).

odontoceto ▮ adj./s.m. **1** Referido a un cetáceo, que tiene dientes en lugar de barbas: *Los cachalotes son odontocetos.* ▮ s.m.pl. **2** En zoología, suborden de estos cetáceos, perteneciente a la clase de los mamíferos: *Los odontocetos son mamíferos.* □ ETIMOL. Del griego *odús* (diente) y *kêtos* (cetáceo).

odontología s.f. Estudio de los dientes y de sus enfermedades. □ ETIMOL. Del griego *odús* (diente) y *-logía* (estudio, ciencia).

odontológico, ca adj. De la odontología o relacionado con este estudio.

odontólogo, ga s. Especialista en odontología.

odorífero, ra adj. Que huele bien, que tiene buen olor o fragancia. □ ETIMOL. Del latín *odorifer*, y este de *odor* (olor) y *ferre* (llevar).

odorífico, ca adj. Que produce buen olor. □ ETIMOL. Del latín *odor* (olor) y *facere* (hacer).

odre s.m. Recipiente hecho de piel de cabra o de otro animal y que sirve para contener líquidos, generalmente vino o aceite. □ SINÓN. *cuero, pellejo.* □ ETIMOL. Del latín *uter*.

oenegé s.f. *col.* Organización que trabaja en ayuda de personas desfavorecidas o sin recursos económicos, que no tiene ánimo de lucro y que no depende de ningún gobierno: *Las principales oenegés reclaman mayores ayudas económicas.* □ SINÓN. *ONG.* □ ETIMOL. De *ONG*, que es la sigla de *organización no gubernamental*.

oersted s.f. En el sistema cegesimal, unidad de intensidad de campo magnético que equivale a 79,58 amperios por metro. □ ETIMOL. Por alusión a H. C. Oersted, físico danés. □ ORTOGR. Su símbolo es *Oe*, por tanto, se escribe sin punto.

oesnoroeste s.m. **1** Punto medio o lugar entre el Oeste y el Noroeste: *El Oesnoroeste está exactamente a la misma distancia del Oeste que del Noroeste.* **2** Viento que sopla o viene de este punto: *Un fuerte oesnoroeste impidió que se celebrara la regata.* □ SINT. Se usa mucho en aposición, pospuesto a un sustantivo: *El timonel puso rumbo oesnoroeste.* □ USO En la acepción 1, se usa más como nombre propio.

oeste s.m. **1** Punto cardinal que cae hacia donde se pone el Sol: *Esta habitación está orientada al Oeste, y le da el sol por las tardes.* □ SINÓN. *poniente.* **2** Respecto de un lugar, otro que cae hacia este punto: *Antes de la llegada de los blancos, el oeste norteamericano estaba poblado por tribus indias.* **3** Viento que sopla o viene de dicho punto: *El oeste levantó un fuerte oleaje.* □ SINÓN. *poniente.* □ ORTOGR. En la acepción 1, su símbolo es *O* (o *W* en el Sistema Internacional), por tanto, se escribe sin punto. □ SINT. Se usa mucho en aposición, pospuesto a un sustantivo: *El enemigo atacó por el flanco oeste.* ☐ USO En la acepción 1, se usa más como nombre propio.

oesudoeste s.m. **1** Punto medio o lugar entre el Oeste y el Sudoeste: *El Oesudoeste está exactamente a la misma distancia del Oeste que del Sudoeste.* **2** Viento que sopla o viene de este punto: *Un fuerte oesudoeste rasgó las velas.* ☐ ORTOGR. Se usa también *oesuroeste.* ☐ SINT. Se usa mucho en aposición, pospuesto a un sustantivo: *Escalaron la montaña por la parte oesudoeste.* ☐ USO En la acepción 1, se usa más como nombre propio.

oesuroeste s.m. →**oesudoeste.** ☐ SINT. Se usa mucho en aposición, pospuesto a un sustantivo: *Escalaron la montaña por la parte oesuroeste.*

ofender ▌v. **1** Hacer o decir algo que molesta o que demuestra desprecio y falta de respeto: *Ofendió a su familia con aquellos insultos.* **2** Producir o causar una impresión desagradable en los sentidos, o atentar contra lo que se considera de buen gusto o de buena educación: *Esta película tan violenta ofende mi sensibilidad.* ▌prnl. **3** Enfadarse por sentirse insultado o despreciado: *Se ofendió porque le dije que estaba muy gordo.* ☐ ETIMOL. Del latín *offendere* (chocar, atacar).

ofendido, da adj./s. Que ha recibido una ofensa o que se siente despreciado.

ofensa s.f. **1** Hecho o dicho que molestan o demuestran desprecio y falta de respeto: *Esa acusación es una ofensa que no olvidaré.* **2** Impresión desagradable que molesta a los sentidos, o atentado contra lo que se considera de buen gusto o de buena educación: *Esa corbata tan horrorosa es una ofensa a la elegancia.* ☐ ETIMOL. Del latín *offensa* (choque, ofensa).

ofensiva s.f. Véase **ofensivo, va.**

ofensivo, va ▌adj. **1** Que ofende o puede ofender: *Me parece ofensivo que presumas de tus riquezas delante de gente necesitada.* **2** Que sirve para atacar: *armas ofensivas.* ▌s.f. **3** Ataque que una fuerza militar realiza contra otra para destruirla o vencerla, o para ocupar uno o varios objetivos: *La conquista de la capital se consiguió tras la ofensiva de las tropas aliadas.* **4** Actuación que se emprende para conseguir algo: *Algunas naciones democráticas han lanzado una ofensiva diplomática para que se respeten los derechos humanos.*

ofensor, -a adj./s. Que ofende, molesta o demuestra desprecio y falta de respeto.

oferente adj.inv./s.com. Que ofrece, referido esp. a quien ofrece oraciones o promesas a una divinidad para obtener su ayuda: *La oferente se arrodilló ante la imagen del santo patrón.* ☐ ETIMOL. Del latín *offerens*, y este de *offerre* (ofrecer). ☐ ORTOGR. Dist. de *eferente.*

oferta s.f. **1** Ofrecimiento o propuesta de dar, cumplir o realizar algo: *La oferta de espectáculos de este fin de semana es muy amplia.* **2** Presentación o anuncio de un producto para su venta, esp. si está rebajado de precio: *En esta tienda hay una oferta de televisores y de equipos de música.* **3** Producto que se vende a precio rebajado: *Esta camisa es una oferta, y por eso sale tan barata.* **4** En economía, cantidad de mercancías o conjunto de servicios que se ofrecen en el mercado: *Bajaron los precios de los automóviles por el exceso de oferta.* **5** || **estar {de/en} oferta;** tener el precio muy rebajado: *Aproveche y llévese este queso, que está de oferta.* ☐ ETIMOL. Del latín *offerre* (ofrecer).

ofertante adj.inv./s.com. Que oferta.

ofertar v. Referido a un producto, ofrecerlo en venta a un precio rebajado: *Los grandes almacenes ofertan sus artículos por fin de temporada.* ☐ SEM. Su uso como sinónimo de *ofrecer* es innecesario.

ofertorio s.m. Parte de la misa en la que el sacerdote ofrece el pan y el vino a Dios antes de consagrarlos. ☐ ETIMOL. Del latín *offertorium* (acción de ofrecer).

off (ing.) s.m. **1** En un aparato eléctrico, posición que indica que dicho aparato no está conectado o en funcionamiento: *Dale al off de la radio, que no quiero oír más música.* **2** || **en off;** en cine, en teatro o en televisión, referido a una voz, que se oye de fondo, pero no pertenece a ninguna de las personas que están presentes: *Una voz en off iba narrando la historia, como si fuera el padre del protagonista el que hablase.* ☐ PRON. [en of].

office (ing.) s.m. →**antecocina.** ☐ PRON. [ófis].

off line (ing.) || Que no está conectado a internet: *un servicio off line.* ☐ PRON. [of láin]. ☐ USO Su uso es innecesario y puede sustituirse por *fuera de línea.*

offset (ing.) s.m. **1** En imprenta, procedimiento de impresión en el que el molde o plancha no imprime directamente sobre el papel, sino sobre un cilindro de caucho que, a su vez, imprime sobre el papel: *Usan el offset para imprimir el periódico del colegio.* **2** En imprenta, máquina que emplea este sistema de impresión: *Si no arreglan pronto el offset, no podremos sacar la revista a tiempo.* ☐ PRON. [ófset].

offshore (ing.) adj.inv. **1** Referido a una prospección petrolífera, que se realiza en el mar: *La compañía petrolera inició una prospección offshore frente a las costas de Cádiz.* **2** Referido a una empresa, que invierte en distintas empresas extranjeras, esp. en países con ventajas fiscales, y se beneficia de un régimen fiscal especial: *Esa compañía offshore suele operar desde paraísos fiscales.* ☐ PRON. [ófsor].

offside (ing.) (tb. *off side*) s.m. →**fuera de juego.** ☐ PRON. [ófsaid].

off the record (ing.) s.m. || Referido a una información, que ha sido transmitida de manera confidencial y extraoficial, y no debe hacerse pública: *El periodista no publicó las opiniones del político porque fueron dichas off the record.* ☐ PRON. [of de récord], con la *d* final suave. ☐ USO Su uso es innecesario y puede sustituirse por *de manera confidencial.*

oficial ▌adj.inv. **1** Que tiene autenticidad y emana de una autoridad derivada del Estado, y no es particular o privado: *un impreso oficial.* **2** Que tiene validez o autenticidad porque procede de una autoridad reconocida para algo: *La noticia del fichaje* *de ese jugador ya es oficial.* **3** Referido esp. a una institución, que es costeada con fondos públicos y depende del Estado o de las entidades territoriales: *un centro oficial de enseñanza.* **4** Referido a un alumno, que se encuentra inscrito en un centro dependiente del Estado y que está obligado a asistir a las clases para poder ser examinado: *Los alumnos oficiales harán el examen antes que los libres.* ▌ s.com. **5** En los Ejércitos de Tierra y del Aire y en la Armada, persona cuyo empleo militar es superior al de suboficial superior: *La categoría de oficial va desde teniente a capitán general en los Ejércitos de Tierra y del Aire, y desde alférez de navío a capitán general en la Armada.* **6** En los Ejércitos de Tierra y del Aire y en la Armada, persona cuya categoría militar es superior a la de suboficial e inferior a la de jefe: *La categoría de oficial en los Ejércitos de Tierra y del Aire comprende los empleos de alférez, teniente y capitán.* ☐ ETIMOL. Del latín *officialis.* ☐ SEM. En la acepción 1, dist. de *oficioso* (sin validez oficial).

oficial, -a s. **1** En un oficio manual, persona que ha terminado el aprendizaje pero no es maestra. **2** En una oficina, persona que trabaja en tareas administrativas y cuya categoría profesional es superior a la de auxiliar e inferior a la de jefe.

oficialía s.f. En el ejército o en la Administración pública, categoría, cargo o grado de oficial de contaduría, secretaría o semejante: *Obtuvo la oficialía al ser nombrado auxiliar en la oficina de materiales y armamento.*

oficialidad s.f. **1** Validez o autenticidad de lo que es oficial. **2** Conjunto de oficiales de un ejército.

oficialismo s.m. Tendencia a apoyar lo oficial.

oficialista adj.inv./s.com. Partidario o seguidor del oficialismo.

oficializar v. Dar validez o carácter oficial: *El portavoz del gobierno oficializó la subida de la gasolina.* ☐ ORTOGR. La *z* se cambia en *c* delante de *e* →CAZAR.

oficiante adj.inv./s.m. Referido a un sacerdote, que celebra o dirige un acto o una ceremonia religiosa.

oficiar v. **1** Referido a un acto religioso o a una ceremonia, celebrarlos o dirigirlos: *El obispo ofició la misa ayudado por tres sacerdotes.* **2** Seguido de la preposición 'de', actuar haciendo la función que se indica: *El Ministerio de Industria ofició de mediador en el conflicto laboral.* ☐ ETIMOL. De *oficio.* ☐ ORTOGR. La *i* nunca lleva tilde.

oficina s.f. **1** Lugar en el que se realizan tareas burocráticas o administrativas. **2** Lugar donde se hace, se ordena o se trabaja algo: *oficina de correos; oficina de turismo.* ☐ ETIMOL. Del latín *officina* (taller, fábrica).

oficinesco, ca adj. De una oficina o con características que se consideran propias de esta. ☐ USO Tiene un matiz despectivo.

oficinista s.com. Persona que se dedica profesionalmente a las tareas burocráticas o administrativas en una oficina.

oficio s.m. **1** Trabajo o profesión, esp. si es manual: *Tiene oficio de carpintero en una serrería.* **2** Experiencia, dominio o conocimientos que se tienen de una actividad laboral: *Sabe dirigir tan bien a su equipo porque tiene mucho oficio.* **3** Función propia de algo: *Uno de los oficios del sustantivo en la oración es hacer de sujeto.* **4** Comunicación escrita y oficial que realiza un organismo de la Administración del Estado sobre asuntos relacionados con el servicio público: *El oficio que le llegó estaba firmado por el secretario del Ministerio de Hacienda.* **5** Ceremonia religiosa, esp. la de Semana Santa: *Siempre asisto a los oficios de Semana Santa y a las procesiones.* **6** ‖ **de oficio;** **1** Referido a un abogado, que defiende de forma gratuita en un juicio a los procesados que no han nombrado un defensor propio: *El Ministerio de Justicia paga a los abogados de oficio a través del Colegio de Abogados.* **2** Referido a una diligencia judicial, que se inicia por ley sin que lo solicite nadie: *La investigación sobre el asesinato se hizo de oficio.* ‖ **sin oficio ni beneficio;** *col.* Sin tener profesión u ocupación: *Es un holgazán que está sin oficio ni beneficio.* ☐ ETIMOL. Del latín *officium* (servicio, función). ☐ MORF. En la acepción 4, se usa más en plural.

oficiosidad s.f. Falta de validez oficial.

oficioso, sa adj. Referido esp. a una información, que no tiene validez oficial, aunque procede de una fuente autorizada: *La marca de la atleta todavía es oficiosa, y estamos en espera de su confirmación oficial.* ☐ ETIMOL. Del latín *officiosus.* ☐ SEM. Dist. de *oficial* (con carácter o confirmación oficial).

ofidio ▌ adj./s.m. **1** Referido a un reptil, que tiene el cuerpo cilíndrico, escamoso y alargado, carente de extremidades, y provisto de boca, estómago y tronco dilatables: *La boa es un ofidio no venenoso.* ▌ s.m.pl. **2** En zoología, grupo de estos reptiles: *Algunos reptiles que pertenecen a los ofidios tienen una glándula que segrega veneno.* ☐ ETIMOL. Del griego *óphis* (culebra).

ofimática s.f. Véase **ofimático, ca.**

ofimático, ca ▌ adj. **1** De la ofimática o relacionado con ella: *un programa ofimático.* ▌ s.f. **2** Aplicación de los recursos y programas informáticos en el trabajo de oficina: *Algunos opinan que la ofimática es ya una rama de la informática.* ☐ SINÓN. *burótica.* **3** Conjunto de estos recursos y programas: *La ofimática manejada en esta empresa ha mejorado en extremo el ritmo de trabajo.* ☐ ETIMOL. De *oficina* e *informática.*

ofiolatría s.f. Culto a las serpientes.

ofita s.f. Roca de color verde con manchas blancas, compuesta principalmente por feldespato, piroxena y masas redondeadas calizas o cuarzosas. ☐ ETIMOL. Del griego *ophítes*, y este de *óphis* (culebra).

ofiura s.f. Animal marino con cinco brazos largos, delgados y cilíndricos, y con un disco central bien diferenciado: *Las ofiuras son muy parecidas a las estrellas de mar.* ☐ ETIMOL. Del latín *ophiura.*

ofiuroideo, a ▌ adj./s.m. **1** Referido a un animal marino, que tiene forma estrellada, disco central bien diferenciado y cinco brazos muy flexibles, largos y cilíndricos: *Los animales ofiuroideos se reproducen sexualmente por huevos.* ▌s.m.pl. **2** En zoología, clase de estos animales, perteneciente al tipo de los equinodermos: *Los ofiuroideos tienen un gran poder de regeneración.* □ ETIMOL. De *ofiura* y *-oideo* (relación, semejanza).

ofrecer ▌v. **1** Presentar o dar voluntariamente: *Te ofrezco mi ayuda para lo que necesites.* **2** Presentar, manifestar o mostrar: *Este trabajo ofrece muchas dificultades.* **3** Dar o celebrar: *Le ofrecimos una fiesta de despedida.* **4** Prometer hacer o dar: *Ofrezco una gratificación a quien encuentre a mi perrito.* **5** Referido a un esfuerzo o a un sacrificio, consagrarlos a una divinidad o dedicarlos a una causa noble: *Ofreció varias misas por su difunto esposo.* **6** Referido a una cantidad de dinero, decir lo que se está dispuesto a pagar: *¿Cuánto me ofreces por el coche?* ▌prnl. **7** Referido a una acción, mostrar disposición para hacerla o presentarse voluntario para ello: *Estuvo muy amable cuando se ofreció a llevarme a casa.* **8** Referido a un suceso, ocurrir o suceder: *En tiempos de crisis hay que estar preparado para cualquier cosa que pueda ofrecerse.* **9** ‖ **ofrecérsele algo a alguien;** desearlo o necesitarlo: *¿Qué se te ofrece tan temprano?* □ ETIMOL. Del latín *offerre*, y este de *ferre* (llevar). □ MORF. Irreg. →PARECER.

ofrecimiento s.m. **1** Proposición, propuesta u oferta: *No puedo aceptar tu ofrecimiento.* **2** Promesa de dar o de hacer algo: *No olvides mi ofrecimiento de ayuda incondicional.* **3** Consagración a una divinidad o dedicación a una causa noble: *Cuando enfermó su hijo, lo primero en que pensó fue en el ofrecimiento de su dolor a la Virgen.*

ofrenda s.f. Ofrecimiento o donación en un gesto de gratitud, de amor o de respeto. □ ETIMOL. Del latín *offerenda* (cosas que se deben ofrecer).

ofrendar v. Ofrecer o entregar en un gesto de gratitud, de amor o de respeto: *Ofrendaron a la Virgen un hermoso ramo de flores.* □ ETIMOL. De *ofrenda*.

oftalmia (tb. *oftalmía*) s.f. Inflamación de los ojos. □ ETIMOL. Del griego *ophthalmós* (ojo).

oftálmico, ca adj. Del ojo o relacionado con este órgano de la vista. □ SINÓN. *ocular*.

oftalmología s.f. Parte de la medicina que estudia las enfermedades de los ojos. □ ETIMOL. Del griego *ophthalmós* (ojo) y *-logía* (estudio, ciencia).

oftalmológico, ca adj. De la oftalmología o relacionado con esta parte de la medicina.

oftalmólogo, ga s. Médico especialista en oftalmología. □ SINÓN. *oculista*.

oftalmoscopia s.f. Exploración del interior del ojo por medio del oftalmoscopio.

oftalmoscopio s.m. En medicina, instrumento óptico que se utiliza para examinar las partes interiores del ojo. □ ETIMOL. Del griego *ophthalmós* (ojo) y *-scopio* (instrumento para ver).

ofuscación s.f. Trastorno o confusión del entendimiento. □ SINÓN. *ofuscamiento*.

ofuscamiento s.m. →**ofuscación.**

ofuscar v. Referido al entendimiento, trastornarlo o confundirlo: *La ira te ofusca la razón y no te deja pensar con claridad. Se ofuscó por la avaricia y perdió todo su dinero.* □ ETIMOL. Del latín *offuscare* (oscurecer). □ ORTOGR. La *c* cambia en *qu* delante de *e* →SACAR.

ogaño adv. →**hogaño.**

ogra s.f. →**ogro.**

ogresa s.f. →**ogro.**

ogro s.m. **1** Ser fantástico con forma humana y de tamaño gigantesco: *El ogro del cuento se comía a los niños.* **2** *col.* Persona desagradable, cruel o de mal carácter: *Mi hermana es un ogro cuando se enfada.* □ ETIMOL. Del francés *ogre* (monstruo humano devorador). □ MORF. En la acepción 1, se admiten los femeninos *ogresa* y *ogra*.

oh interj. Expresión que se usa para indicar extrañeza, sorpresa, admiración o disgusto.

ohm (pl. *ohms*) s.m. →**ohmio.** □ ORTOGR. Es la denominación internacional del *ohmio*.

ohmio s.m. En el Sistema Internacional, unidad de resistencia eléctrica que equivale a la resistencia que existe entre dos puntos de un conductor cuando una diferencia de potencial constante de un voltio produce una corriente de intensidad de un amperio. □ SINÓN. *ohm*. □ ETIMOL. Por alusión a G. S. Ohm, físico alemán. □ ORTOGR. Su símbolo es Ω, por tanto, se escribe sin punto.

oíble adj.inv. Que se puede oír. □ SINÓN. *audible*.

-oidal Elemento compositivo sufijo que significa 'con forma de': *elipsoidal, romboidal*.

oídas ‖ **de oídas;** por haberlo oído de otros y no por propia experiencia: *No sé si es un buen restaurante o no, porque solo lo conozco de oídas.*

-oide Elemento compositivo sufijo que significa 'con forma de' o 'semejante a': *ovoide, antropoide, asteroide.* □ ETIMOL. Del griego *-eidés*, de la raíz de *édos* (forma).

-oideo, -oidea Elemento compositivo sufijo que significa 'con forma de' o 'semejante a': *tifoideo, haloidea*.

-oides Elemento compositivo sufijo que significa 'con forma de' o 'semejante a': *aracnoides, cuboides.*

oídio s.m. Hongo parásito microscópico y unicelular que se desarrolla sobre las hojas de los vegetales o de las plantas. □ ETIMOL. Del latín *oidium*. □ ORTOGR. Incorr. **oidium*, **oídium*.

oído s.m. **1** Sentido corporal que permite percibir los sonidos: *Los cinco sentidos son el oído, la vista, el gusto, el tacto y el olfato.* **2** En anatomía, órgano que sirve para percibir los sonidos: *El oído de las personas consta de tres partes: el oído externo, el oído medio y el oído interno.* **3** *col.* En el aparato auditivo, parte interior: *El bebé llora porque tiene una inflamación de oídos.* **4** Aptitud o capacidad para percibir y reproducir los sonidos musicales: *Solfea muy bien porque tiene muy buen oído.* **5** ‖ **abrir {el oído/los oídos};** escuchar u oír con atención: *Abre bien los oídos, porque no te lo repetiré más veces.* ‖ **al oído;** referido al modo de hablar, en voz muy baja y acercándose mucho al oyente para que nadie más pueda oír. || **{dar/prestar} oídos;** creer lo que se dice o escucharlo con gusto: *No prestes oídos a los cotilleos.* || **de oído;** referido a la forma de aprender o interpretar música, por uno mismo, sin estudiar: *Toca el piano de oído, porque nunca estudió solfeo.* || **duro de oído;** referido a una persona, que es un poco sorda: *Háblale más alto porque es algo duro de oído.* || **entrar por un oído y salir por el otro;** no hacer efecto: *Mis regañinas le entran por un oído y le salen por el otro.* || **hacer oídos sordos;** no escuchar o no atender una petición o un ruego: *Hice oídos sordos a sus ruegos y lamentos.* || **llegar a oídos de** alguien**;** llegar a su conocimiento: *Ha llegado a mis oídos la noticia de que te casas.* || **oído absoluto;** en música, capacidad para identificar la nota musical que corresponde a cualquier sonido. || **oído al parche;** Expresión que se usa para advertir o llamar la atención sobre algo: *Para el examen, ¡oído al parche con las faltas de ortografía!* □ SINÓN. *ojo al parche.* || **regalar el oído;** *col.* Alabar y elogiar diciendo cosas agradables: *No pienses que regalando el oído a tu jefe te van a ascender.* || **ser todo oídos;** escuchar con atención o curiosidad: *Cuéntame qué planes tienes, que soy toda oídos.* □ ETIMOL. Del latín *auditus.*

oidor, -a ▮ adj./s. **1** Que oye. ▮ s.m. **2** Antiguamente, juez que oía y sentenciaba las causas y los pleitos en los tribunales supremos de cada reino.

oiga interj. Expresión que se usa para llamar la atención del oyente e indicar extrañeza, sorpresa, admiración o disgusto: *¡Oiga, deje de molestarme si no quiere que llame a la policía!* □ USO Se usa cuando el hablante trata de usted al oyente, frente a *oye*, que se usa cuando lo trata de tú.

oíl →**lengua de oíl.** □ ETIMOL. Del francés antiguo *oïl* (sí).

oír v. **1** Referido a un sonido, percibirlo por medio del oído: *Se levantó de la cama al oír un ruido sospechoso.* **2** Referido a un ruego o a un aviso, atenderlos: *La empresa oirá las propuestas de los sindicatos si se desconvoca el paro de la próxima semana.* **3** Referido a aquello de que se habla, hacerse cargo de ello o darse por enterado: *¿Estás oyendo lo que te digo, o te lo repito?* **4** En derecho, referido a lo expuesto por las partes antes de resolver un caso, admitirlo una autoridad, esp. un juez: *La juez dictó sentencia después de oír las alegaciones del fiscal y del abogado.* **5** || **como quien oye llover;** *col.* Sin prestar atención o sin hacer caso: *Si se meten contigo, tú, como quien oye llover.* □ ETIMOL. Del latín *audire.* □ MORF. Irreg. →OÍR. □ SEM. Dist. de *escuchar* (oír con atención deliberada).

ojal s.m. En una prenda de vestir, pequeña abertura alargada y reforzada con hilo en sus bordes, hecha para pasar por ella un botón y abrocharlo. □ ETIMOL. De *ojo.*

ojalá interj. Expresión que se usa para indicar un deseo fuerte de que suceda algo: *¡Ojalá seas muy feliz!* □ ETIMOL. Del árabe *wa-sa' Allah* (y quiera Dios).

ojaranzo s.m. **1** Jara muy ramosa y de tallos rojizos, hojas acorazonadas y grandes, y flores blancas. **2** Árbol con la corteza gris pálida, flores amarillentas o verdes y frutos agrupdos en racimos colgantes: *El ojaranzo puede alcanzar los treinta metros de altura.* □ SINÓN. *carpe.* □ ETIMOL. Del bajo latín **olearandeum*, cruce de *lorandeum* y *oleandrum* (rododendro), y estos del griego *rhodódendron.*

ojeada s.f. Mirada rápida o superficial, sin fijarse mucho ni prestar gran atención: *Eché una ojeada a los titulares del periódico.* □ ETIMOL. De *ojear.*

ojeador, -a s. **1** En caza, persona que se dedica al ojeo o al registro ruidoso del terreno para hacer que los animales salgan de sus escondites y se dirijan al lugar en el que están los cazadores. **2** *col.* En algunos deportes, persona que se dedica a localizar jugadores de otros equipos para ficharlos en el suyo.

ojear v. **1** Mirar de manera rápida y superficial, sin fijarse ni prestar gran atención: *Ojeó los titulares de los periódicos expuestos en el quiosco.* **2** En caza, referido a los animales, espantarlos haciendo ruido para que salgan de sus escondites y se dirijan hacia el lugar en el que están los cazadores: *Algunos hombres ojearon a las perdices hasta la línea de tiro.* **3** En zonas del español meridional, aojar o echar mal de ojo: *Dice que me ojeó, aunque yo no creo en esas cosas.* □ ETIMOL. La acepción 1, de *ojo.* La acepción 2, de *oxear* (espantar la caza). □ SEM. Dist. de *hojear* (pasar las hojas de un texto escrito).

ojén s.m. Aguardiente preparado con anís y con azúcar, originario de Ojén (localidad malagueña): *una copa de ojén.*

ojeo s.m. **1** En caza, registro ruidoso del terreno para hacer que los animales salgan de sus escondites y se dirijan al lugar donde están los cazadores. **2** Hecho de mirar de manera rápida y sin prestar atención.

ojera s.f. Mancha o coloración más oscura que se forma en la zona que rodea el párpado inferior del ojo. □ MORF. Se usa más en plural.

ojeriza s.f. Antipatía o mala voluntad que se tienen contra alguien: *Dice que la profesora le tiene ojeriza.* □ SINÓN. *manía.* □ ETIMOL. De *ojo.*

ojeroso, sa adj. Con ojeras.

ojete s.m. **1** En un tejido, agujero pequeño y redondo, reforzado en el borde, que sirve como adorno o para pasar por él una cinta. **2** *euf.* Ano.

ojialegre adj.inv. *col.* Con los ojos alegres y vivos.

ojigarzo, za adj. Que tiene los ojos azules. □ SINÓN. *ojizarco.*

ojímetro || **a ojímetro;** *col.* Haciendo un cálculo aproximado y sin exactitud: *Echó la sal a ojímetro, se pasó y la comida le quedó saladísima.*

ojimoreno, na adj. Que tiene los ojos pardos u oscuros.

ojinegro, gra adj. *col.* Con los ojos negros.

ojituerto, ta adj./s. Referido a una persona, que padece estrabismo y tiene los ojos desviados respecto de su posición normal. □ SINÓN. *bisojo, bizco, es-*

trábico. □ SEM. Dist. de *tuerto* (sin visión en un ojo).

ojiva s.f. **1** Figura formada por dos arcos de circunferencia de igual radio que se cortan en uno de sus extremos, de forma que sus concavidades se presentan enfrentadas: *La sección de la bóveda de medio cañón apuntada tiene forma de ojiva.* **2** En arquitectura, arco que tiene esta figura: *La ojiva es un elemento característico de la arquitectura gótica.* □ ETIMOL. Del francés *ogive.*

ojival adj.inv. **1** Con forma de ojiva: *arco ojival.* **2** En arte, del estilo arquitectónico que se desarrolló en Europa durante los tres últimos siglos de la época medieval y que se caracterizó por el empleo de la ojiva para todo tipo de arcos.

ojizarco, ca adj. Que tiene los ojos azules. □ SINÓN. *ojigarzo.*

ojo ▌s.m. **1** En una persona o en un animal, órgano que sirve para ver: *El funcionamiento de una cámara fotográfica es semejante al del ojo.* **2** En la cara, parte visible de este órgano: *Tengo tanto sueño que se me cierran los ojos.* **3** Mirada o vista: *Me estoy poniendo nervioso porque no me quita los ojos de encima.* **4** Atención, cuidado o advertencia que se pone en algo: *Ten mucho ojo y no cometas ninguna imprudencia con el coche.* **5** Abertura que atraviesa algo de parte a parte: *Metí el hilo por el ojo de la aguja.* **6** En una herramienta, agujero o abertura para meter los dedos de la mano o el mango con el que se maneja: *El sastre pasó una cuerda por uno de los ojos de las tijeras para colgárselas al cuello.* **7** En una cerradura, agujero por el que se mete la llave: *El ladrón introdujo una horquilla en el ojo de la cerradura y forzó la puerta.* **8** En una masa esponjosa, cada uno de los huecos o cavidades redondeados que tiene: *Compró un queso con ojos.* **9** En un puente, cada uno de los espacios abiertos que existen entre dos pilares: *La meta de la regata estaba situada debajo de los ojos del puente.* □ SINÓN. *arcada.* **10** Manantial o corriente de agua que brota en un llano: *Hicimos estas fotos cuando fuimos a ver los ojos del Guadiana.* **11** Parte central de algo, esp. de una tormenta o de un huracán: *En el ojo del huracán no hay nubes, ni viento ni lluvia.* ▌interj. **12** Expresión que se usa para llamar la atención sobre algo: *En la puerta recién pintada pusieron un cartel con '¡Ojo, mancha!' en letras rojas.* **13** ‖ **a ojo (de buen cubero);** *col.* Calculando aproximadamente, sin medir ni pesar: *Así, a ojo de buen cubero, yo creo que el pez pesa unos tres kilos.* ‖ **a ojos cerrados** o **con los ojos cerrados; 1** Sin reflexionar o sin reparar en los riesgos o inconvenientes que puedan sobrevenir: *No importa dónde sea el viaje, porque me apunto a ojos cerrados.* **2** Sin vacilar o con toda seguridad: *Eso es tan fácil que yo lo hago con los ojos cerrados.* ‖ **a ojos vistas;** de manera visible y clara: *La situación se agrava a ojos vistas.* ‖ **abrir los ojos; 1** *col.* Prestar atención o ponerse en actitud vigilante: *Abre bien los ojos y avísame en cuanto el sospechoso salga de su casa.* **2** Ver o hacer ver las cosas tal como son: *Es muy joven y muy inocente, pero los años le irán abriendo los ojos.* ‖ **cerrar los ojos;** no querer reconocer la existencia o la razón de algo, o no querer saber nada de ello: *No puedes cerrar los ojos ante la terrible situación de tu país.* ‖ **comer con los ojos** a alguien; *col.* Mostrar en la mirada una pasión o un deseo intensos: *Los dos enamorados se comían con los ojos.* ‖ **comer con los ojos;** *col.* Referido a los alimentos, mirarlos fijamente pensando que se va a ser capaz de comer más de lo que realmente se puede: *Come con los ojos y siempre se sirve más de lo que después es capaz de comerse.* ‖ **con {diez/cien/...} ojos;** con mucha atención o precaución. ‖ **cuatro ojos;** *col. desp.* Persona que usa gafas. ‖ **dichosos los ojos;** expresión que se usa para indicar alegría o satisfacción al ver a alguien que hacía tiempo que no se veía: *¡Dichosos los ojos!, ¿dónde te has metido en estos últimos meses?* ‖ **echar el ojo a** algo; *col.* Fijarse en ello con el propósito de llegar a tenerlo: *Le he echado el ojo a un libro, y voy a ver si mañana me lo compro.* ‖ **echar un ojo** a algo; **1** *col.* Estar atento a ello para cuidarlo: *Échale un ojo a las lentejas que están al fuego.* **2** *col.* Mirarlo superficialmente: *Eché un ojo a la piscina y no le vi.* ‖ **en un abrir (y cerrar) de ojos;** *col.* En un instante, o con mucha brevedad: *En un abrir y cerrar de ojos, me visto y nos vamos de compras.* ‖ **entrar {por el ojo derecho/por el ojo izquierdo};** Referido a una persona, ser aceptada con simpatía o con antipatía, respectivamente: *Me entró por el ojo izquierdo, y no puedo ni verlo.* ‖ **entrar por los ojos;** gustar por su aspecto externo: *La comida entra por los ojos.* ‖ **írsele** a alguien **los ojos tras** algo; mirarlo con un gran deseo o pasión: *Se le iban los ojos tras el precioso collar de diamantes de una de las damas de la fiesta.* ‖ **mirar con {buenos ojos/malos ojos}** a alguien; acogerlo con simpatía o antipatía, respectivamente: *Me dijo que estaba muy guapa, pero es que siempre me mira con buenos ojos.* ‖ **mirar con otros ojos;** cambiar el concepto, la estimación o el aprecio que se tienen de algo: *Ahora me mira con otros ojos, pero antes me odiaba a matar.* ‖ **no pegar ojo;** *col.* No poder dormir. ‖ **no tener ojos en la cara;** *col.* Referido a una persona, no darse cuenta de lo que es muy claro o evidente: *¿Es que no tienes ojos en la cara, que casi me atropellas?* ‖ **ojo a la funerala;** *col.* El que tiene el párpado amoratado como consecuencia de un golpe. ‖ **ojo al parche;** *col.* Expresión que se usa para advertir o llamar la atención sobre algo: *¡Ojo al parche, que ya vienen!* □ SINÓN. *oído al parche.* ‖ **ojo avizor;** alerta o con cuidado: *Estad ojo avizor para que no os timen.* ‖ **ojo (clínico);** capacidad especial que tiene una persona para apreciar o captar con facilidad las circunstancias de algo o sus cualidades. ‖ **ojo compuesto;** en un artrópodo, el que está formado por numerosos ojos simples u ocelos: *El saltamontes común tiene un par de ojos compuestos y tres ojos simples.* ‖ **ojo con;** expresión que se usa para indicar advertencia, aviso o amenaza:

¡Ojo con meterte conmigo, o lo lamentarás! || **ojo de buey;** ventana pequeña y circular, esp. la que tienen los barcos en la parte superior del casco. || **ojo de {gallo/pollo};** callo redondo y algo cóncavo hacia el centro, que se forma generalmente en los dedos de los pies. || **ojo de gato;** variedad de ágata de forma circular, color blanco amarillento y con fibras minerales. || **ojo de perdiz;** tejido que tiene en el cruce de los hilos un adorno en forma de lenteja. || **ojo del culo;** *vulg.* →**ano.** || **ojos {de besugo/de sapo/reventones};** *col.* Los que sobresalen más de lo habitual y parecen estar fuera de sus órbitas. || **ojos de carnero ({degollado/moribundo});** *col.* Los que expresan mucha pena o tristeza: *No pude menos que conmoverme ante aquellos ojos de carnero degollado.* || **poner los ojos en** algo; escogerlo o mostrar predilección por ello: *Puse los ojos en ti desde el día en que te conocí, porque me pareciste formidable.* || **saltar un ojo** a alguien; herírselo o cegárselo: *No juegues con ese palo, hijo, que te vas a saltar un ojo.* || **ser todo ojos;** *col.* Mirar con mucha atención: *Cuando voy a un sitio por primera vez, soy todo ojos.* || **ser** una persona **el ojo derecho de** otra; *col.* Gozar de su mayor confianza, cariño o estima: *Ascendió rápidamente en la empresa porque era el ojo derecho del jefe.* || **tener ojos para** algo; dedicarle toda la atención: *Está celoso porque su madre solo tiene ojos para el más pequeño de la familia.* || **un ojo de la cara;** *col.* Mucho dinero: *El viaje me costó un ojo de la cara.* || **volver los ojos a** alguien; atenderle o interesarse por él: *Abandonó todo lo que poseía y volvió sus ojos a los más necesitados.* □ ETIMOL. Del latín *oculus.* □ MORF. 1. Cuando se antepone a una palabra para formar compuestos, adopta la forma *oji-*: *ojituerto.* 2. Incorr. **a ojos vistos* > *a ojos vistas.* □ SINT. 1. *Con {diez/cien/...} ojos* se usa más con los verbos *estar, andar, ir* o equivalentes. 2. *Ojo avizor* se usa más con los verbos *ir* y *estar.* 3. *Tener ojos para* se usa más en las expresiones *solo tener ojos para* y *no tener ojos más que para.*

ojoso, sa adj. Que tiene muchos ojos o cavidades: *un queso ojoso.* □ ORTOGR. Dist. de *hojoso.*

ojota s.f. Calzado parecido a una sandalia, hecho de cuero o de filamento vegetal: *Muchos campesinos en Chile y en Perú usan ojotas.*

OK (ing.) interj. Expresión que se utiliza para indicar conformidad o acuerdo. □ ETIMOL. Es el acrónimo del inglés *Orl Korrect*, grafía incorrecta de *all correct* (todo bien). □ PRON. [okéi].

okapi (tb. *ocapi*) s.m. Mamífero rumiante de pelaje corto y color castaño oscuro, con la cara blanquecina y las extremidades con franjas blancas, de hábitos nocturnos y solitarios: *El okapi macho tiene cuernos cubiertos de piel y proyectados hacia atrás.* □ MORF. Es un sustantivo epiceno: *el okapi {macho/hembra}.*

okupa (tb. *ocupa*) s.com. *col.* Persona que vive ilegalmente en una vivienda deshabitada. □ USO Es innecesario el uso del anglicismo *squatter.*

okupación s.f. *col.* Utilización ilegal de un local desocupado.

okupar v. *col.* Habitar o utilizar ilegalmente una vivienda o un local desocupados: *Varias personas okuparon los locales de la antigua fábrica.*

-ol Sufijo que significa 'alcohol': *benzol, fenol.*

-ol, -ola Sufijo que indica origen, procedencia o patria: *mongol, española.*

ola s.f. **1** Onda de gran amplitud formada sobre la superficie del agua, generalmente por efecto del viento o de las corrientes: *las olas del mar.* **2** Fenómeno atmosférico que produce un cambio repentino en la temperatura de un lugar: *una ola de calor.* **3** Aparición repentina de gran cantidad de algo: *una ola de violencia.* □ SINÓN. *oleada.* **4** Movimiento impetuoso de mucha gente apiñada: *La policía no podía contener la ola de manifestantes.* □ SINÓN. *oleada.* **5** || **nueva ola;** en música, tendencia que aglutina varios estilos musicales de una forma más comercial y asequible: *La nueva ola tuvo su auge a finales de los setenta y principios de los ochenta.* □ ETIMOL. De origen incierto. □ ORTOGR. Dist. de *hola.* □ USO En la acepción 5, es innecesario el uso del anglicismo *new wave.*

ole (tb. *olé*) interj. Expresión que se usa para animar y mostrar aprobación o entusiasmo. □ ETIMOL. De origen expresivo.

oleáceo, a ▮ adj./s.f. **1** Referido a una planta, que se caracteriza por tener hojas opuestas y alternas y flores generalmente hermafroditas, y que crece en climas cálidos y templados: *El jazmín es una oleácea.* ▮ s.f.pl. **2** En botánica, familia de estas plantas, perteneciente a la clase de las dicotiledóneas: *Las oleáceas se utilizan como ornamento, por su madera o para la alimentación.* □ ETIMOL. Del latín *oleaceus.*

oleada s.f. **1** Embate y golpe de una ola: *Por la noche se oyen desde casa las oleadas del mar.* **2** Aparición repentina de gran cantidad de algo: *La decisión ha levantado una oleada de protestas.* □ SINÓN. *ola.* **3** Movimiento impetuoso de mucha gente apiñada: *La escena más lograda de la película es la de los soldados del fuerte repeliendo la oleada de indios.* □ SINÓN. *ola.*

oleaginosidad s.f. **1** Presencia de aceite: *La oleaginosidad de algunos frutos permite extraer aceite de ellos.* □ SINÓN. *oleosidad.* **2** Conjunto de las características propias del aceite: *La oleaginosidad de algunas sustancias las hace aptas como lubricantes.* □ SINÓN. *oleosidad.*

oleaginoso, sa adj. **1** Que tiene aceite: *El aceite se extrae de frutos oleaginosos, como las pipas y las aceitunas.* □ SINÓN. *aceitoso, oleoso.* **2** Que es graso y espeso como el aceite: *El petróleo es un líquido oleaginoso.* □ SINÓN. *aceitoso, oleoso.* □ ETIMOL. Del latín *oleaginus* (aceitoso).

oleaje s.m. Sucesión continuada de olas.

olécranon s.m. En anatomía, apófisis o parte saliente del extremo superior del cúbito. □ ETIMOL. Del griego *olékranon* (codo).

oleico adj. Referido a un ácido, que es graso, no es soluble en agua y se encuentra en gran número de grasas animales y vegetales.

oleícola adj.inv. De la oleicultura o relacionado con ella: *producción oleícola.*

oleicultor, -a s. Persona que se dedica a la oleicultura.

oleicultura s.f. Cultivo de olivos para la obtención de aceite. ☐ ETIMOL. Del latín *oleum* (aceite) y *-cultura* (cultivo).

oleífero, ra adj. Referido a una planta, que contiene aceite: *El girasol y el olivo son plantas oleíferas.* ☐ ETIMOL. Del latín *oleum* (aceite) y *ferre* (llevar).

óleo s.m. **1** Pintura que se obtiene disolviendo sustancias colorantes en aceites vegetales o animales: *Se me ha acabado el tubo de óleo blanco.* **2** Obra pictórica realizada con estas pinturas: *Tiene óleos sobre madera y sobre lienzo.* **3** Aceite que se utiliza en la administración de los sacramentos y en otras ceremonias religiosas: *Al administrar el sacramento de la confirmación, el sacerdote hace una cruz sobre la frente con los santos óleos.* **4** ‖ **al óleo**; con estas pinturas: *La pintura al óleo permite plasmar los más suaves matices.* ☐ ETIMOL. Del latín *oleum* (aceite). ☐ MORF. En la acepción 3, se usa más en plural.

oleoducto s.m. Tubería esp. preparada para el transporte de petróleo y de sus derivados a lugares alejados. ☐ ETIMOL. Del latín *oleum* (aceite) y *ductus* (conducción).

oleografía s.f. **1** Estampa que imita la pintura al óleo: *Además de óleos, también suelo hacer oleografías.* **2** En imprenta, procedimiento de impresión con colores que imitan los de la pintura al óleo. ☐ ETIMOL. Del latín *oleum* (aceite) y *-grafía* (representación gráfica).

oleómetro s.m. Instrumento que se utiliza para medir la densidad de los aceites. ☐ ETIMOL. Del latín *oleum* (aceite) y *-metro* (medidor).

oleosidad s.f. **1** Presencia de aceite: *La oleosidad del agua del puerto está acabando con la fauna y la flora del litoral cercano.* ☐ SINÓN. *oleaginosidad.* **2** Conjunto de características propias del aceite: *La oleosidad de esta crema para el cutis hace que la piel quede brillante.* ☐ SINÓN. *oleaginosidad.*

oleoso, sa adj. **1** Que tiene aceite: *una mancha oleosa.* ☐ SINÓN. *aceitoso, oleaginoso.* **2** Que es graso y espeso como el aceite: *una crema oleosa.* ☐ SINÓN. *aceitoso, oleaginoso.* ☐ ETIMOL. Del latín *oleosus.*

oler v. **1** Referido a un olor, percibirlo: *Cuando estoy constipada, no huelo nada.* **2** Referido a un olor, procurar percibirlo o identificarlo: *Huele esta salsa, a ver si te parece que está buena.* **3** Producir o despedir olor: *Los huevos podridos huelen muy mal.* **4** Referido a algo oculto, conocerlo o sospecharlo: *Olí que estaban maquinando algo.* **5** ‖ **oler a** algo; *col.* Parecerlo o dar esa impresión: *Tanto jaleo me huele a boda repentina en la familia.* ☐ ETIMOL. Del latín *olere.* ☐ MORF. Irreg. →OLER. ☐ SINT. Constr. de las acepciones 1, 2 y 3: *oler* A *algo.*

olestra s.f. Grasa sintética sin calorías, que no es absorbida por el organismo.

olfatear v. **1** Oler con empeño e insistencia: *El perro olfateaba la calle para seguir el rastro de su amo.* **2** *col.* Indagar o tratar de averiguar con mucha curiosidad: *¿Quieres dejar de olfatear en mi vida, so cotilla?* ☐ ETIMOL. De *olfato.*

olfateo s.m. **1** Uso del olfato para oler con insistencia. **2** *col.* Indagación o intento de averiguar algo.

olfativo, va adj. Del sentido del olfato o relacionado con él: *nervio olfativo.*

olfato s.m. **1** Sentido corporal que permite la percepción de los olores: *Los perros tienen el olfato muy desarrollado.* **2** Astucia o facilidad para descubrir algo o para darse cuenta de lo que está encubierto: *Tiene muy buen olfato para los negocios.* ☐ ETIMOL. Del latín *olfactus*, y este de *olfacere* (percibir olores).

olfatorio, ria adj. Del olfato o relacionado con él: *Los perros tienen una gran capacidad olfatoria.*

olifante s.m. Cuerno de marfil, hecho de colmillo de elefante, generalmente pequeño y muy decorado, y que se utilizaba en la época medieval como instrumento musical de viento y para comunicarse en guerras y cacerías. ☐ ETIMOL. De *elefante.*

oligarca s.com. Persona que forma parte de una oligarquía.

oligarquía s.f. **1** Sistema de gobierno en el que un pequeño grupo de personas, generalmente pertenecientes a una misma clase social, ejercen el poder supremo: *Los ancianos de las familias más importantes ostentaban el poder en la oligarquía de la antigua Esparta.* **2** Estado que tiene este sistema de gobierno: *La antigua Cartago era una oligarquía.* **3** Grupo minoritario de personas, generalmente con gran poder e influencia, que dirige y controla una organización, institución o colectividad: *Una oligarquía formada por prestigiosos empresarios dirige ese sector económico.* ☐ ETIMOL. Del griego *oligarkhía*, y este de *olígoi* (pocos) y *árkho* (yo mando, gobierno).

oligárquico, ca adj. De la oligarquía o relacionado con ella.

oligisto s.m. Mineral opaco, de color gris oscuro o pardo rojizo, muy duro y pesado, formado por óxido de hierro: *El oligisto es el mineral de hierro más común.* ☐ ETIMOL. Del griego *olígistos* (muy poco), porque del oligisto se obtiene menos metal que de otros minerales.

oligo- Elemento compositivo prefijo que significa 'poco': *oligoelemento, oligofrenia.* ☐ ETIMOL. Del griego *olígos.*

oligoceno, na ▮ adj. **1** En geología, del tercer período de la era terciaria o cenozoica, o relacionado con él: *Los movimientos oligocenos dieron fin al plegamiento alpino.* ▮ adj./s.m. **2** En geología, referido a un período, que es el tercero de la era terciaria o cenozoica: *En el oligoceno aparecieron bastantes mamíferos.* ☐ ETIMOL. De *oligo-* (poco) y el griego *kainós* (reciente).

oligoelemento s.m. En biología, elemento químico indispensable para el crecimiento y la reproducción de plantas y animales, y que aparece en los seres vivos en muy pequeñas cantidades: *El hierro y el flúor son algunos de los oligoelementos del organismo animal.* □ ETIMOL. De *oligo-* (poco) y *elemento*.

oligofrenia s.f. Deficiencia mental grave que se caracteriza por la alteración del sistema nervioso, por algunas deficiencias intelectuales y por perturbaciones instintivas o afectivas: *La oligofrenia puede ocasionar problemas de adaptación social.* □ ETIMOL. De *oligo-* (poco) y el griego *phrén* (inteligencia).

oligofrénico, ca ▮ adj. **1** De la oligofrenia o relacionado con esta deficiencia mental: *trastornos oligofrénicos.* ▮ adj./s. **2** Referido a una persona, que padece oligofrenia.

oligopolio s.m. Situación de mercado en la que un número reducido de vendedores acapara y controla la venta de un producto. □ ETIMOL. De *oligo-* (poco) y el griego *poléo* (yo vendo).

oligosacárido s.m. Polímero natural compuesto por un bajo número de monosacáridos: *Los oligosacáridos estimulan el crecimiento de la flora intestinal y son beneficiosos para el sistema digestivo.* □ ETIMOL. De *oligo-* (poco) y *sacárido*.

oligospermia s.f. En medicina, producción insuficiente de espermatozoides en el semen.

oligoterapia s.f. Método curativo que consiste en administrar a un enfermo los oligoelementos o elementos químicos indispensables para mantener el equilibrio orgánico. □ ETIMOL. De *oligo-* (poco) y *-terapia* (curación).

oligotrofia s.f. Propiedad de las aguas de los lagos profundos de alta montaña, con escasa cantidad de sustancias nutritivas. □ ETIMOL. De *oligo-* (poco) y el griego *trépho* (yo alimento).

oliguria s.f. En medicina, disminución anormal de la cantidad de orina expulsada. □ ETIMOL. De *oligo-* (poco) y el griego *ûron* (orina).

olimpiada (tb. *olimpíada*) s.f. **1** Competición internacional de juegos deportivos que se celebra cada cuatro años en un lugar señalado de antemano. **2** En la antigua ciudad griega de Olimpia, fiesta o juego que se celebraba cada cuatro años y que incluía competiciones atléticas y artísticas. □ MORF. En la acepción 1, se usa mucho en plural. □ USO Se usa mucho como nombre propio.

olímpicamente adv. *col.* De forma altanera o soberbia: *Mi hermana pasa de él olímpicamente.*

olímpico, ca ▮ adj. **1** De las Olimpiadas o relacionado con ellas: *juegos olímpicos.* **2** Del Olimpo (monte sagrado del norte griego donde vivían los dioses), o relacionado con él: *dioses olímpicos.* ▮ adj./s. **3** Referido a un deportista, que ha participado en alguna Olimpiada: *Ha sido olímpica en varias ocasiones.*

olimpismo s.m. Conjunto de normas y valores de las competiciones olímpicas.

oliscar v. **1** Oler con cuidado y persistencia: *El perro oliscaba tratando de encontrar el rastro.* **2** Buscar o tratar de averiguar o de saber: *Deja de oliscar en los asuntos de tu hermana.* **3** Empezar a oler mal: *Tira esa carne, porque está oliscando.* □ ORTOGR. La *c* se cambia en *qu* delante de *e* →SACAR.

olisquear v. **1** Oler, esp. si se hace con inspiraciones cortas y rápidas: *No sé qué busca el perro, porque ha olisqueado todos los rincones de la casa.* **2** Husmear o curiosear: *¡Ya estás olisqueando entre mis cosas!* □ ETIMOL. De *oliscar* (oler con persistencia).

oliva s.f. Fruto del olivo, del que se extrae aceite, de forma ovalada, color verde y con un hueso grande y duro que encierra la semilla: *aceite de oliva.* □ SINÓN. *aceituna.* □ ETIMOL. Del latín *oliva* (aceituna).

oliváceo, a adj. Parecido al color verde de la aceituna.

olivar s.m. Terreno plantado de olivos.

olivarda s.f. **1** Planta ramosa, cuyas hojas segregan una resina viscosa y que se utiliza con fines medicinales. **2** Ave de rapiña que tiene las plumas de color amarillo verdoso: *La olivarda es un tipo de neblí.* □ ETIMOL. La acepción 1, del neerlandés *alantswortel*. La acepción 2, de *oliva*, por el color del plumaje.

olivarero, ra ▮ adj. **1** Del olivo o relacionado con él: *la industria olivarera.* ▮ adj./s. **2** Referido a una persona, que se dedica al cultivo del olivo.

olivera s.f. Árbol de tronco corto, grueso y retorcido, copa ancha y abundantes ramas, hojas persistentes elípticas, estrechas y puntiagudas, verdes por el haz y blanquecinas por el envés, flores blancas pequeñas, y cuyo fruto es la aceituna. □ SINÓN. *aceituno, olivo.*

olivero s.m. Lugar en el que se almacena la aceituna hasta que se lleva a la prensa para extraer el aceite.

olivícola adj.inv. De la olivicultura o relacionado con este tipo de cultivo: *tierras olivícolas.*

olivicultor, -a s. Persona que se dedica a la olivicultura.

olivicultura s.f. Cultivo y aprovechamiento del olivo. □ ETIMOL. Del latín *olivus* (olivo) y *-cultura* (cultivo).

olivino s.m. Mineral de color verde oliváceo o amarillento, translúcido y pesado: *Las variedades muy puras de olivino se emplean en joyería.* □ ETIMOL. De *oliva*, porque el color del olivino es verde.

olivo s.m. **1** Árbol de tronco corto, grueso y retorcido, copa ancha y abundantes ramas, hojas persistentes elípticas, estrechas y puntiagudas, verdes por el haz y blanquecinas por el envés, flores blancas pequeñas, y cuyo fruto es la aceituna: *Las hojas del olivo son el símbolo de la paz.* □ SINÓN. *aceituno, olivera.* **2** Madera de este árbol: *Tengo un arca de olivo.* **3** ‖ **olivo silvestre;** el que es propio de zonas áridas, tiene menos ramas que el cultivado y da como fruto la acebuchina. □ SINÓN. *acebuche.* □ ETIMOL. Del latín *olivus*.

olla s.f. **1** Recipiente de forma redondeada, con una o dos asas, que se utiliza para cocinar: *Cuece las patatas en la olla pequeña.* **2** Guiso preparado con carne, tocino, legumbres y hortalizas: *En verano no comemos olla porque es un plato muy fuerte.* **3** ‖ **írsele** a alguien **la olla;** *col.* Desvariar o decir disparates: *Se me fue la olla y te llamé por otro nombre.* ‖ **olla {a presión/exprés};** la que se cierra herméticamente y permite la cocción de los alimentos rápidamente. ‖ **olla podrida;** guiso preparado con carne, jamón, aves, embutido, legumbres y hortalizas. ☐ ETIMOL. Del latín *olla*. ☐ ORTOGR. Dist. de *hoya*.

olma s.f. Olmo grande y frondoso.

olmeca adj.inv./s.com. De un pueblo amerindio que habitó la zona sur del golfo de México (país americano), o relacionado con él.

olmeda s.f. Terreno plantado de olmos. ☐ SINÓN. *olmedo*.

olmedo s.m. →**olmeda.**

olmo s.m. Árbol de tronco grueso con la corteza dura y resquebrajada, hojas simples, caducas y con forma acorazonada en la base, flores pequeñas y agrupadas, que alcanza gran altura y suele vivir muchos años. ☐ SINÓN. *negrillo*. ☐ ETIMOL. Del latín *ulmus*.

ológrafo, fa adj./s.m. →**hológrafo.**

olor s.m. **1** Emanación que producen los cuerpos y que se percibe por el sentido del olfato. **2** ‖ **al olor de** algo; *col.* Atraído por ello: *Cuando murió, aparecieron muchos herederos al olor del dinero.* ‖ **en olor de multitud; →en loor de multitudes.** ‖ **en olor de santidad;** con fama de santo: *Murió en olor de santidad.* ☐ ETIMOL. Del latín *olor*.

oloroso, sa ▮ adj. **1** Que despide un olor agradable. ▮ s.m. **2** Vino de Jerez (ciudad andaluza) de color dorado oscuro, muy aromático: *Para el aperitivo tomaremos un oloroso.*

olote s.m. En zonas del español meridional, mazorca de maíz sin granos. ☐ ETIMOL. Del náhuatl *olotl*, y este de *yolotl* (corazón).

olvidadizo, za adj. Referido a una persona, que se olvida de las cosas con facilidad.

olvidar v. **1** Referido a algo sabido, dejar de tenerlo en la memoria: *He olvidado su número de teléfono. No te olvides de ir a recoger el paquete.* **2** Referido a algo querido, dejar de sentir afecto o cariño por ello: *Ya ha olvidado a su antiguo novio. Cuando se hizo rico, se olvidó de los amigos de su infancia.* **3** No tener en cuenta: *Cuando hables con él, olvida la faena que te hizo. Olvídate de que soy tu hijo y háblame como a un amigo.* ☐ ETIMOL. Del latín **oblitare*. ☐ SINT. Constr. como pronominal: *olvidarse* DE *algo*.

olvido s.m. **1** Pérdida de la memoria o del recuerdo: *Veo que todos mis consejos cayeron en el olvido.* **2** Pérdida del afecto o del cariño: *El olvido es peor que la ausencia de cariño.* **3** Descuido de algo que se debía atender o tener presente: *No haberte traído lo que me pediste ha sido un olvido imperdonable.*

-oma Elemento compositivo sufijo que significa 'tumor': *sarcoma, fibroma.*

omaní (pl. *omaníes, omanís*) adj.inv./s.com. De Omán o relacionado con este país asiático.

omaso s.m. En el estómago de los rumiantes, parte que se encuentra entre la redecilla y el cuajar, en la que se reabsorben los líquidos. ☐ SINÓN. *librillo, libro*. ☐ ETIMOL. Del latín *omasum*.

ombligo s.m. **1** En los mamíferos, cicatriz con forma redonda y arrugada que queda en el centro del vientre tras cortar el cordón umbilical que unía la placenta y el feto. **2** Centro, punto medio o punto más importante de algo: *¿Cuándo vas a dejar de creerte el ombligo del mundo?* ☐ ETIMOL. Del latín *umbilicus*.

ombliguero s.m. Venda que se pone alrededor de la cintura del bebé hasta que ha cicatrizado el resto del cordón umbilical y se ha formado el ombligo.

ombliguismo s.m. *col.* Tendencia a considerarse el centro de todo o lo más importante.

ombú (pl. *ombúes, ombús*) s.m. Planta herbácea con aspecto de árbol, de corteza gruesa y blanda, follaje abundante y flores en racimos más largos que las hojas. ☐ SINÓN. *fitolaca*.

ombudsman (suec.) s.m. →**defensor del pueblo.** ☐ PRON. [ómbudsman].

omega s.f. **1** En el alfabeto griego clásico, nombre de la vigésima cuarta y última letra: *La grafía de la omega mayúscula es* Ω. **2** ‖ **omega-3;** ácido graso que se relaciona con la reducción del colesterol en sangre: *Los omega-3 se encuentran principalmente en el pescado azul y en algunos vegetales.* ☐ SINT. La expresión *omega-3* se usa mucho pospuesta a un sustantivo: *ácidos grasos omega-3*.

omeya ▮ adj.inv. **1** De la primera dinastía islámica que formaron los descendientes del jefe árabe Muhawiyya. ▮ adj.inv./s.com. **2** Miembro de la primera dinastía islámica, descendiente del jefe árabe Muhawiyya.

ómicron s.f. En el alfabeto griego clásico, nombre de la decimoquinta letra: *La grafía de la ómicron es* ο.

ominoso, sa adj. Abominable, despreciable y digno de condena: *acto ominoso.* ☐ ETIMOL. Del latín *ominosus* (de mal agüero).

omisible adj.inv. Que se puede omitir.

omisión s.f. **1** Abstención de hacer o de decir algo: *La omisión de su nombre en la lista de agradecimientos fue premeditada.* **2** Falta que se comete por haber dejado de hacer o de decir algo: *No ayudar a un herido es un delito por omisión.* ☐ ETIMOL. Del latín *omissio*.

omiso, sa adj. **1** Perezoso o descuidado. **2** ‖ **hacer caso omiso** de algo; no tenerlo en cuenta: *Hizo caso omiso de lo que le dije.*

omitir v. Dejar de decir, de registrar o de hacer: *Os contaré lo sucedido, pero omitiré los detalles desagradables.* ☐ ETIMOL. Del latín *omittere*.

omni- Elemento compositivo prefijo que significa 'totalidad': *omnívoro, omnipresente.*

ómnibus (pl. *ómnibus*) s.m. Vehículo automóvil para el transporte público, generalmente entre poblaciones, y con capacidad para gran número de personas. ☐ ETIMOL. Del latín *omnibus* (para todos). ☐ PRON. Incorr. *[omnibús].

omnidireccional adj.inv. Que se puede orientar o utilizar en cualquier dirección o sentido. ☐ ETIMOL. Del latín *omnis* (todo) y *direccional*.

omnímodo, da adj. Que lo abarca y comprende todo. ☐ ETIMOL. Del latín *omnimodus*, y este de *omnis* (todo, cada uno) y *modus* (manera).

omnipotencia s.f. Poder total, absoluto y tan grande que abarca y comprende todo: *la omnipotencia divina.*

omnipotente adj.inv. Que tiene un poder total, absoluto y tan grande que lo abarca y comprende todo: *Te crees omnipotente, pero eres un don nadie.* ☐ ETIMOL. Del latín *omnipotens*, y este de *omnis* (todo, cada uno) y *posse* (poder).

omnipresencia s.f. **1** Capacidad de estar en todas partes a la vez: *La omnipresencia es un atributo de Dios.* ☐ SINÓN. *ubicuidad.* **2** Presencia de quien quiere estar en todas partes y acude deprisa a ellas: *La omnipresencia de esta alcaldesa la ha llevado a aparecer en un mismo día en más de quince actos públicos distintos.* ☐ ETIMOL. Del latín *omnis* (todo, cada uno) y *praesentia* (presencia). ☐ USO La acepción 2 se usa con un sentido humorístico.

omnipresente adj.inv. **1** Presente en todas partes al mismo tiempo. ☐ SINÓN. *ubicuo.* **2** Que está siempre presente: *El amor es un sentimiento omnipresente en su obra.*

omnisapiencia s.f. Conocimiento de todas las cosas reales o posibles. ☐ SINÓN. *omnisciencia.*

omnisapiente adj.inv. **1** Que posee el conocimiento de todas las cosas reales o posibles. ☐ SINÓN. *omnisciente.* **2** Referido a una persona, que tiene sabiduría o conocimiento de muchas cosas. ☐ ETIMOL. Del latín *omnis* (todo, cada uno) y *sapiens* (sabio).

omnisciencia s.f. Conocimiento de todas las cosas reales o posibles: *La omnisciencia es un atributo divino.* ☐ SINÓN. *omnisapiencia.*

omnisciente adj.inv. Que posee conocimiento de todas las cosas reales o posibles: *narrador omnisciente.* ☐ SINÓN. *omnisapiente.* ☐ ETIMOL. Del latín *omnis* (todo, cada uno) y *scientia* (ciencia).

omnívoro, ra adj./s.m. Referido a un animal, que tiene un aparato digestivo adaptado para digerir alimentos de origen animal y vegetal. ☐ ETIMOL. Del latín *omnivorus*, y este de *omnis* (todo, cada uno) y *vorare* (comer).

omóplato (tb. *omoplato*) s.m. Cada uno de los dos huesos anchos, casi planos y de forma triangular, situados a uno y otro lado de la espalda, donde se articulan los húmeros y las clavículas. ☐ SINÓN. *escápula.* ☐ ETIMOL. Del griego *omopláte*, y este de *omós* (espalda) y *pláte* (llano).

on (ing.) s.m. En un aparato eléctrico, posición que indica que dicho aparato está conectado o en funcionamiento.

-ón 1 Sufijo que indica acción y efecto repentinos o violentos: *empujón, apagón.* **2** Sufijo que indica partícula elemental: *fotón, neutrón.* **3** Sufijo que indica gas noble: *radón, kriptón.*

-ón, -ona 1 Sufijo con valor aumentativo o intensivo: *simplón, bravucona.* **2** Sufijo con valor despectivo que indica acción frecuente: *llorón, mirona.* **3** Sufijo que indica edad: *sesentón, cuarentona.* **4** Sufijo que indica carencia: *pelón, rabona.*

onagra s.f. Arbusto con tallo derecho, flores parecidas a las rosas y dispuestas en racimo, de color amarillo y raíz blanca comestible, que tiene propiedades medicinales. ☐ ETIMOL. Del griego *onágra* (adelfa).

onagro s.m. Asno salvaje o silvestre, que se agrupa en grandes manadas. ☐ ETIMOL. Del griego *ónagros.* ☐ MORF. Es un sustantivo epiceno: *el onagro {macho/hembra}.*

onanismo s.m. **1** Hecho de acariciarse o tocarse el cuerpo, esp. los órganos genitales, para obtener o producir placer sexual. ☐ SINÓN. *masturbación.* **2** Interrupción del acto sexual antes de la eyaculación. ☐ ETIMOL. Por alusión a Onán, personaje bíblico.

onanista adj.inv. Del onanismo o relacionado con él.

once ▮ numer. **1** Número 11: *Somos once hermanos. Para obtener once, suma seis más cinco.* ▮ s.m. **2** Signo que representa este número: *Los romanos escribían el once como 'XI'.* ▮ s.f. **3** En zonas del español meridional, merienda o pequeña comida que se toma por la tarde: *Tomaron once con té.* ☐ ETIMOL. Del latín *undecim.* ☐ MORF. 1. Como numeral es invariable en género y en número. 2. En la acepción 3, en plural tiene el mismo significado que en singular.

onceavo, va (tb. *onzavo, va*) numer. Referido a una parte, que constituye un todo junto con otras diez iguales a ella: *Solo recibió la onceava parte de la liquidación que le correspondía. Éramos once, así que tocamos a un onceavo de pastel.* ☐ SINÓN. *onceno, undécimo.* ☐ SEM. Su uso como numeral ordinal es incorrecto: *Llegué en {*onceava > undécima} posición.*

onceno, na numer. **1** En una serie, que ocupa el lugar número once: *Ocupa el onceno lugar en la clasificación por equipos.* ☐ SINÓN. *undécimo.* **2** Referido a una parte, que constituye un todo junto con otras diez iguales a ella: *Te corresponde un onceno de los beneficios de la empresa.* ☐ SINÓN. *onceavo, onzavo, undécimo.*

onco- Elemento compositivo prefijo que significa 'tumor': *oncología, oncogén.* ☐ ETIMOL. Del griego *ónkos.*

oncogén s.m. Gen con un fuerte potencial transformador que puede ocasionar la aparición de tumores cancerígenos. ☐ ETIMOL. De *onco-* (tumor) y *gen.*

oncogénico, ca adj. Del oncogén o relacionado con este tipo de genes.

oncología s.f. Parte de la medicina que estudia los tumores. ☐ ETIMOL. De *onco-* (tumor) y *-logía* (estudio, ciencia).

oncológico, ca adj. De la oncología o relacionado con esta parte de la medicina.

oncólogo, ga s. Persona especializada en oncología.

oncorratón s.m. En medicina, ratón de laboratorio modificado por técnicas genéticas, que se usa para la investigación sobre el cáncer.

onda s.f. **1** En la superficie de un líquido, elevación que se forma al perturbar el líquido: *El viento produce ondas en la superficie del lago.* **2** En un cuerpo flexible, curva con forma de 'S' que se produce natural o artificialmente: *Las ondas de su cabello son naturales.* **3** En física, perturbación o vibración periódica a través de un determinado medio o del vacío: *El sonido se propaga por medio de ondas a través del aire.* **4** Adorno de forma curva utilizado generalmente como remate de un borde, esp. en una tela: *El embozo de la sábana tiene pequeñas ondas bordadas.* **5** || **captar la onda;** entender una indirecta o una insinuación: *Cuando captó la onda, me siguió la broma hasta el final.* || **estar en la misma (longitud de) onda;** *col.* Tener inclinaciones o puntos de vista afines: *Nos entendemos muy bien porque estamos en la misma longitud de onda.* || **estar en la onda;** *col.* Conocer las últimas tendencias de un asunto o materia: *No sé de qué habláis porque no estoy en la onda.* || **onda corta;** vibración periódica a través de un medio o del vacío que tiene una longitud comprendida entre 10 y 50 metros. || **onda larga;** vibración periódica a través de un medio o del vacío que tiene una longitud de 1 000 metros o menos. || **onda {media/normal};** **1** Vibración periódica a través de un medio o del vacío que tiene una longitud comprendida entre los 200 y los 500 metros. **2** Emisión de radiodifusión que se realiza por medio de ondas hertzianas comprendidas en una banda de 530 a 1 600 kilohercios. ☐ SINÓN. *AM.* ☐ ETIMOL. Del latín *unda* (ola, onda, remolino). ☐ ORTOGR. Dist. de *honda.* ☐ MORF. En la acepción 2, se usa más en plural.

ondeado s.m. Lo que tiene ondas.

ondeante adj.inv. Que ondea.

ondear v. Moverse haciendo ondas: *La bandera ondea en lo alto del mástil.* ☐ ORTOGR. Dist. de *hondear.*

ondeo s.m. Movimiento que hace ondas: *Con el ondeo de banderas, los aficionados animaron a su equipo.*

ondina s.f. En mitología, ser fantástico o divinidad con forma de mujer que habita en el fondo de las aguas. ☐ ETIMOL. Del francés *ondine.*

ondulación s.f. Formación o presencia de ondas en un cuerpo o en una superficie.

ondulado, da adj. Con ondas.

ondulante adj.inv. Que hace ondas.

ondular v. Referido a algo flexible, esp. el pelo, hacer ondas en ello: *El peluquero me ha ondulado el cabello. El papel se ha ondulado por la humedad.* ☐ ETIMOL. Del francés *onduler.*

ondulatorio, ria adj. Que se extiende o que se propaga en forma de ondas: *movimiento ondulatorio.*

oneroso, sa adj. **1** Pesado, molesto o difícil de soportar: *una tarea onerosa.* **2** Que ocasiona un gasto o que resulta costoso: *El cuidado del jardín resulta oneroso porque en verano necesita mucha agua.* ☐ ETIMOL. Del latín *onerosus* (que tiene mucho peso).

ONG (pl. *ONG*) s.f. Organización que trabaja en ayuda de personas desfavorecidas o sin recursos económicos, que no tiene ánimo de lucro y que no depende de ningún gobierno: *Colabora como voluntario en una ONG que presta asistencia a personas sin hogar.* ☐ SINÓN. *oenegé.* ☐ ETIMOL. Es la sigla de *organización no gubernamental.* ☐ PRON. En la lengua oral, se usa mucho el plural [oenegés] aunque se escriba sin *-s* final.

ónice s.m. Variedad de ágata formada por cuarzo listado con colores alternantes claros y oscuros: *El ónice se utiliza mucho para hacer camafeos.* ☐ SINÓN. *ónix.* ☐ ETIMOL. Del griego *ónyx* (uña), porque el ónice tiene un color parecido al de las uñas.

onicofagia s.f. Hábito o costumbre de morderse las uñas. ☐ ETIMOL. Del griego *ónyx* (uña) y *-fagia* (comer).

onicóforo ▮ adj./s.m. **1** Referido a un animal, que es invertebrado, tiene el cuerpo alargado y provisto de numerosos pares de patas y puede llegar a medir quince centímetros de longitud: *Se considera que los animales onicóforos son los artrópodos más primitivos.* ▮ s.m.pl. **2** En zoología, tipo de estos animales, perteneciente al reino de los metazoos: *Los animales que pertenecen a los onicóforos necesitan vivir en un medio húmedo.* ☐ ETIMOL. Del griego *ónyx* (uña) y *phorós* (que lleva).

onírico, ca adj. De los sueños, con sus características o relacionado con ellos. ☐ ETIMOL. Del griego *óneiros* (sueño).

onirismo s.m. **1** Alteración mental que produce la visión de alucinaciones propias del estado del sueño en estado de vigilia. **2** Tendencia artística que intenta representar las imágenes oníricas.

oniromancia (tb. *oniromancía*) s.f. Adivinación por medio de la interpretación de los sueños. ☐ ETIMOL. Del griego *óneiros* (sueño) y *-mancia* o *-mancía* (adivinación).

ónix (pl. *ónix*) s.m. Variedad de ágata formada por cuarzo listado con colores alternantes claros y oscuros. ☐ SINÓN. *ónice.*

on line (ing.) || →**en línea.** ☐ PRON. [on láin].

onomancia (tb. *onomancía*) s.f. Adivinación por medio de la interpretación del nombre propio de una persona. ☐ ETIMOL. Del griego *ónoma* (nombre) y *-mancia* o *-mancía* (adivinación). ☐ USO *Onomancía* es el término menos usual.

onomasiología s.f. En lingüística, parte de la semántica que, a partir de un concepto, busca los signos lingüísticos que le corresponden. ☐ ETIMOL. Del griego *onomasía* (denominación) y *-logía* (estudio).

onomasiológico, ca adj. De la onomasiología o relacionado con ella: *Los diccionarios onomasiológicos agrupan el léxico por campos de significación común.*

onomástica s.f. Véase **onomástico, ca.**

onomástico, ca ▮ adj. **1** De los nombres, esp. de los nombres propios, o relacionado con ellos: *un índice onomástico.* ▮ s.f. **2** Conmemoración del santo de una persona: *El día de mi onomástica suelo dar una gran fiesta.* **3** Día en el que se celebra dicha conmemoración: *Mi onomástica es el 8 de diciembre.* **4** Ciencia que estudia y cataloga los nombres propios: *En ese tratado de onomástica, encontrarás el origen de tu nombre.* **5** Conjunto de los nombres propios de persona de una época o de un lugar: *'Álvaro' era muy frecuente en la onomástica medieval.* ☐ ETIMOL. Del griego *onomastikós*, y este de *ónoma* (nombre). ☐ SEM. En la acepción 2, incorr. *felicitar a alguien {*por > en} su onomástica.*

onomatopeya s.f. Palabra que imita el sonido de algo: *'Tilín' es la onomatopeya del sonido de una campanita.* ☐ ETIMOL. Del griego *onomatopoiía*, y este de *ónoma* (nombre) y *poiéo* (yo hago, creo).

onomatopéyico, ca adj. De la onomatopeya, con onomatopeyas o relacionado con este tipo de palabra: *un término onomatopéyico.*

on the rocks (ing.) || Referido a una bebida, que se sirve con hielo. ☐ PRON. [on de rocs]. ☐ USO Su uso es innecesario.

óntico, ca adj. En filosofía, del ser o relacionado con él.

ontogénesis (pl. *ontogénesis*) s.f. →**ontogenia.**

ontogenia s.f. En biología, formación y desarrollo de un ser vivo. ☐ SINÓN. *ontogénesis.* ☐ ETIMOL. Del griego *ón* (el ser) y *génos* (origen).

ontogénico, ca adj. En biología, de la ontogenia o relacionado con este proceso de formación y desarrollo.

ontología s.f. En filosofía, parte de la metafísica que estudia el ser y sus propiedades trascendentales. ☐ ETIMOL. Del griego *ón* (el ser) y *-logía* (estudio, ciencia). ☐ ORTOGR. Dist. de *antología.*

ontológico, ca adj. De la ontología o relacionado con esta parte de la metafísica. ☐ ORTOGR. Dist. de *antológico.*

ontologismo s.m. Doctrina filosófica y religiosa de Gioberti (filósofo italiano del siglo XIX), que pretende explicar el origen de las ideas mediante la adecuada intuición del Ser absoluto.

onubense adj.inv./s.com. De Huelva o relacionado con esta provincia española o con su capital: *El turismo onubense se concentra en la Costa de la Luz.*

onza s.f. **1** Unidad de peso que equivale aproximadamente a 28,7 gramos: *Una libra se compone de 16 onzas.* **2** En el sistema anglosajón, unidad de masa que equivale aproximadamente a 28,3 gramos. **3** Mamífero felino y carnicero domesticable, de pelaje claro con manchas oscuras, que vive en algunos desiertos asiáticos y africanos. ☐ SINÓN. *gatopardo, guepardo.* **4** || **onza de chocolate;** cada una de las porciones en que se divide una tableta. ☐ || **onza (de oro);** antigua moneda española fabricada con ese metal y que pesaba aproximadamente 28,7 gramos. ☐ ETIMOL. Las acepciones 1 y 2, del latín *uncia* (duodécima parte de la libra y de otras medidas). La acepción 3, del latín **luncea* y este de *lynx* (lince). ☐ ORTOGR. En la acepción 1, su símbolo es *oz*, por tanto, se escribe sin punto. ☐ MORF. En la acepción 3, es un sustantivo epiceno: *la onza {macho / hembra}.* ☐ USO En la acepción 1, es una medida tradicional española.

onzavo, va numer. →**onceavo.**

oocito s.m. →**ovocito.**

oogamia s.f. Fecundación en la que los gametos femeninos son células grandes e inmóviles. ☐ ETIMOL. Del griego *oón* (huevo) y *gámos* (unión).

oogénesis (pl. *oogénesis*) s.f. →**ovogénesis.**

oogonia s.f. →**ovogonia.**

oolítico, ca adj. En geología, referido a un terreno, que está formado por oolitos.

oolito s.m. En geología, cuerpo calcáreo de forma esférica y de estructura radial y concéntrica, que está formado por precipitación de sustancias alrededor de un núcleo generalmente inorgánico. ☐ ETIMOL. Del griego *oón* (huevo) y *-lito* (piedra).

oosfera s.f. En algunas plantas, gameto femenino. ☐ ETIMOL. Del griego *oón* (huevo) y *sphâira* (pelota).

opa ▮ adj.inv./s.com. **1** En zonas del español meridional, tonto o bobo. ▮ s.f. **2** En economía, oferta pública de adquisición de acciones de una empresa para comprarla: *Aquel banco lanzó una opa sobre una empresa y pagó las acciones al doble de su precio de mercado.* **3** || **opa hostil;** la realizada con la intención de controlar una empresa en contra de la voluntad de sus dirigentes: *Se lanzó una opa hostil contra aquella empresa que pasaba dificultades económicas.* ☐ ETIMOL. La acepción 2, es el acrónimo de *oferta pública de adquisición de acciones.*

opacidad s.f. **1** Falta de la transparencia necesaria para permitir el paso de la luz: *Aunque sea de día, la opacidad de esta cortina hace que no haya luz en la habitación.* **2** Falta de brillo o luminosidad: *Este abrillantador terminará con la opacidad de estos muebles de metal.*

opaco, ca adj. **1** Que impide el paso de la luz. **2** Sin brillo, oscuro o sombrío. ☐ ETIMOL. Del latín *opacus* (sombrío, oscuro, tenebroso).

opalescencia s.f. Reflejos parecidos a los del ópalo.

opalescente adj.inv. Con las características propias del ópalo o con sus irisaciones.

opalino, na adj. **1** Del ópalo o relacionado con esta variedad de cuarzo: *Según su color, las variedades opalinas reciben distintos nombres.* **2** De color blanco azulado con reflejos irisados: *Este vidrio opalino imita al ópalo.* **3** Referido a un objeto, que está fabricado con un vidrio de estas características: *La luz ilumina el jarrón opalino y hace que resalten sus reflejos irisados.*

ópalo s.m. Variedad de cuarzo, dura, translúcida u opaca, de brillo similar al de la resina y de diversos colores: *Algunos ópalos se emplean en joyería.* □ ETIMOL. Del latín *opalus*.

opar v. En economía, hacer una opa sobre una empresa para intentar controlar un gran número de sus acciones: *Esta empresa fue opada por un gran banco que compró todas sus acciones.*

op art (ing.) s.m. ‖ Corriente artística de mediados del siglo XX que buscaba los efectos ópticos y el dinamismo, y que utilizaba colores vivos y figuras geométricas.

opción s.f. **1** Libertad o facultad de elegir: *Tienes la opción de venir o de no venir, según te apetezca.* **2** Lo que se ha elegido: *Esta opción es la mejor de todas.* **3** Derecho que se tiene a obtener algo: *Solo tú y yo tenemos opción al cargo, ya que somos los más antiguos en la empresa.* **4** Posibilidad de obtener algo: *Si ganamos este partido, todavía tenemos opción al título de campeones.* **5** ‖ **opción (de {compra/venta});** en economía, derecho de compra o de venta de una acción, una obligación, una divisa o una materia prima, a un precio predeterminado: *El mercado de opciones se ha desarrollado extraordinariamente en los últimos años.* □ ETIMOL. Del latín *optio* (elección).

opcional adj.inv. Que se puede elegir y no resulta obligatorio.

open s.m. En deporte, competición abierta a todas las categorías de participantes: *open de tenis.* □ SINÓN. *abierto.* □ ETIMOL. Del inglés *open*.

ópera s.f. **1** Obra dramática que combina música, poesía y escenografía: *Verdi es uno de los grandes compositores de óperas.* **2** Género formado por estas obras: *Es una gran aficionada a la ópera.* **3** Teatro en el que se representan estas obras dramáticas: *Te espero delante de la ópera.* **4** ‖ **ópera prima;** primera obra de un artista. □ ETIMOL. 1. Del italiano *opera*. 2. La expresión *ópera prima*, del italiano *opera prima*.

operable adj.inv. **1** Que puede hacerse o es factible. **2** Que puede ser operado quirúrgicamente.

operación s.f. **1** Realización o ejecución de algo: *Esta máquina sustituye a los obreros en las operaciones que se llevan a cabo con sustancias tóxicas.* **2** Intervención quirúrgica en un cuerpo vivo que se realiza generalmente para quitar, implantar o corregir órganos, miembros o tejidos: *Fue sometido a una operación para extirparle el apéndice.* **3** En matemáticas, correspondencia en la que a uno o más elementos de uno o varios conjuntos les corresponde un elemento de otro conjunto: *La suma, la resta, la multiplicación y la división son las cuatro operaciones matemáticas fundamentales.* **4** Acto delictivo: *La policía consiguió desbaratar la operación gracias a un chivatazo.* **5** Negociación o contrato de valores o mercancías: *En unas operaciones gano dinero, pero en otras lo pierdo.* **6** ‖ **operación retorno;** la que regula el tráfico de entrada de las grandes ciudades después de un período vacacional: *La Dirección General de Tráfico ha anunciado medidas especiales para la operación retorno del próximo 31 de agosto.* ‖ **operación salida;** la que regula el tráfico de salida de las grandes ciudades en el inicio de un período vacacional: *Durante la operación salida se produjeron varios cientos de accidentes en las carreteras españolas.*

operacional adj.inv. **1** De las operaciones comerciales, matemáticas o militares, o relacionado con ellas: *una base operacional.* **2** Referido a una unidad militar, que está en condiciones de llevar a cabo acciones de guerra: *un batallón operacional.*

operador, -a ▮ s. **1** Persona especializada en el manejo de aparatos técnicos. **2** En una central telefónica, persona encargada de establecer las comunicaciones no automáticas: *Le dije a la operadora que me pusiera con tu extensión.* ▮ s.amb. **3** Empresa telefónica que establece comunicaciones o que transmite datos a través de su red telefónica: *Los operadores de datos han aumentado sensiblemente su negocio en los últimos años.* ▮ s.m. **4** Símbolo matemático que indica el conjunto de operaciones que han de realizarse para pasar de un elemento a su imagen: *'x^3' es un operador matemático.* □ ETIMOL. Del latín *operator* (el que hace).

operante adj.inv. **1** Que produce el resultado esperado: *Fue una medida muy poco operante, y no sirvió de nada.* **2** Que realiza algo: *Las tropas operantes en la zona han empezado a evacuar civiles.*

operar ▮ v. **1** Realizar una intervención quirúrgica: *Ésta es la cirujana que operó a mi prima. El día de su jubilación, el cirujano recordó la primera vez que operó.* □ SINÓN. *intervenir.* **2** Realizar, efectuar o llevar a cabo: *El medicamento ha operado cambios en el enfermo. En primavera se operan en la naturaleza grandes transformaciones.* **3** Realizar operaciones matemáticas: *El problema está bien planteado, pero te has equivocado al operar.* **4** Llevar a cabo actos delictivos: *La policía ha detenido a una banda de ladrones que operaba en el barrio.* **5** Negociar o realizar actividades comerciales: *Esta empresa opera con otras empresas del ramo.* **6** Trabajar o ejecutar una ocupación: *La empresa ha reunido a todos los representantes que operan en esta ciudad.* ▮ prnl. **7** Someterse a una intervención quirúrgica: *El médico me dijo que me operara de apendicitis.* □ ETIMOL. Del latín *operari* (trabajar).

operario, ria s. Trabajador manual asalariado, esp. el del sector industrial o de servicios. □ SINÓN. *obrero.* □ ETIMOL. Del latín *operarius*.

operatividad s.f. Efectividad o capacidad para realizar una función.

operativo, va adj. Que obra y hace el efecto para el que está destinado: *Las medidas del Ayuntamiento no fueron operativas y no se solucionó el problema.*

operatorio, ria adj. De las operaciones quirúrgicas o relacionado con ellas.

operculado, da adj. Referido a un organismo, que tiene opérculo o pieza de cierre.

opercular adj.inv. Que sirve de opérculo.

opérculo s.m. En algunos organismos y en algunos frutos, pieza que sirve para cerrar ciertas aberturas: *En los caracoles marinos, el opérculo parece de plástico y les sirve de protección.* □ ETIMOL. Del latín *operculum* (tapadera).

opercut (ing.) s.m. En boxeo, puñetazo que se da en la barbilla del contrario: *Con un opercut de derecha mandó a su oponente a la lona.* □ PRON. [ópercat].

opereta s.f. Ópera ligera, de corta extensión y tema frívolo, en la que hay diálogos hablados, canciones y danzas. □ ETIMOL. Del italiano *operette*.

operístico, ca adj. De la ópera o relacionado con ella: *el género operístico*.

opiáceo, a adj. Del opio, con opio o con las propiedades calmantes de este: *los fármacos opiáceos*.

opilación s.f. Obstrucción de un conducto o de otra cosa. □ ETIMOL. Del latín *oppilatio*.

opilar v. Obstruir o estorbar. □ ETIMOL. Del latín *oppilare*.

opimo, ma adj. *poét.* Fértil o abundante. □ ETIMOL. Del latín *opimus*.

opinable adj.inv. Que admite opiniones en contra y a favor.

opinar v. **1** Referido a una opinión, tenerla formada: *Creo que opina muy bien de nosotros.* **2** Referido a una opinión, expresarla de palabra o por escrito: *Opino que deberías irte a dormir, porque mañana tienes que madrugar. Prefiero no opinar, porque luego me llamas entrometida.* □ ETIMOL. Del latín *opinari* (conjeturar). □ SINT. Constr. de la acepción 1: *opinar {DE/SOBRE} algo*.

opinión s.f. Concepto o parecer que se tienen sobre una cuestión. □ ETIMOL. Del latín *opinio*. □ SINT. Está muy extendida la omisión incorrecta de la preposición *de* en expresiones como *ser de la opinión {*que > de que}...*

opio s.m. Sustancia amarga y de olor fuerte que se obtiene de las plantas llamadas *adormideras verdes* y se usa como narcótico: *El opio es una droga que crea adicción.* □ ETIMOL. Del latín *opium*, este del griego *ópion*, y este de *opós* (zumo, esp. el de la adormidera).

opiómano, na s. Persona adicta al opio. □ ETIMOL. De *opio* y *-mano* (adicto).

opíparo, ra adj. Referido esp. a una comida, que es abundante y espléndida. □ ETIMOL. Del latín *opiparus*, y este de *ops* (riqueza) y *parare* (proporcionar).

opistódomo s.m. →**opistodomos.**

opistodomos (tb. *opistódomo*) (pl. *opistodomos*) s.m. En un templo griego, parte posterior que solía estar formada por una sala. □ ETIMOL. Del griego *ópisthen* (de la parte de atrás) y *dómos* (casa).

oploteca (tb. *hoploteca*) s.f. Museo o colección de armas antiguas, preciosas o raras. □ ETIMOL. Del griego *hoplothéke*, y este de *hóplon* (arma) y *théke* (depósito).

oponente adj.inv./s.com. Que se opone a algo.

oponer ▌v. **1** Referido esp. a un argumento, proponerlo contra lo que otro dice o siente: *Cuando le expliqué mi teoría, me dijo que no estaba de acuerdo y opuso sus razones.* **2** Referido a una cosa, ponerla contra otra para estorbar o impedir su efecto: *Opón una silla contra la puerta y así no podrá entrar nadie.* ▌prnl. **3** Referido a una cosa, ser contraria a otra: *Lo bueno se opone a lo malo.* **4** Referido a una cosa, estar situada o colocada enfrente de otra: *En la sala, un cuadro se oponía a un bonito tapiz.* **5** Manifestar o expresar oposición, esp. si se ponen obstáculos o impedimentos a un propósito: *Me opuse a que saliera porque hacía mucho frío.* □ ETIMOL. Del latín *opponere*. □ MORF. 1. Su participio es *opuesto*. 2. Irreg. →PONER. □ SINT. Constr. de las acepciones 3, 4 y 5: *oponerse A algo*.

oponible adj.inv. Que se puede oponer.

oporto s.m. Vino tinto y aromático, ligeramente dulce, originario de Oporto (ciudad portuguesa): *El oporto se suele tomar de aperitivo.*

oportunidad ▌s.f. **1** Circunstancia o situación en que existe la posibilidad de hacer algo: *Nunca he tenido la oportunidad de viajar al extranjero.* **2** Conveniencia de tiempo y de lugar para hacer algo: *Me había dormido, y la oportunidad de tu llamada evitó que llegara tarde al trabajo.* ▌pl. **3** En un establecimiento comercial, sección en la que se venden productos rebajados de precio. □ SEM. Dist. de *oportunismo* (actitud de aprovechar las circunstancias en beneficio propio).

oportunismo s.m. Actitud que tiende a aprovechar las circunstancias del momento en beneficio propio, esp. si no se respetan principios ni convicciones. □ ETIMOL. De *oportuno*. □ SEM. Dist. de *oportunidad* (circunstancia en que existe la posibilidad de hacer algo).

oportunista adj.inv./s.com. Del oportunismo o que tiene esta actitud: *una actitud oportunista; ser un oportunista.*

oportuno, na adj. **1** Que se hace o sucede en el momento conveniente, justo o adecuado. **2** Referido a una persona, que resulta ingeniosa u ocurrente en una conversación. □ ETIMOL. Del latín *opportunus* (bien situado, cómodo).

oposición s.f. **1** Relación entre elementos que se oponen por ocupar posiciones contrarias o enfrentadas: *No hay oposición entre las dos propuestas.* **2** Conjunto de ejercicios selectivos en los que los aspirantes a un puesto demuestran sus conocimientos ante un tribunal. **3** Grupo político o social que se opone a la política del poder establecido. □ ETIMOL. Del latín *oppositio*. □ MORF. En la acepción 2, en plural tiene el mismo significado que en singular.

oposicional adj.inv. De la oposición o relacionado con ella.

opositar v. Hacer oposiciones para acceder a un puesto o a un cargo: *Ha decidido opositar para ser profesor de instituto.* □ SINT. Constr. *opositar A un puesto*.

opositor, -a s. **1** Persona que se presenta a una oposición para acceder a un puesto o a un cargo. **2** Persona que se opone a otra en cualquier materia.

☐ MORF. Incorr. su uso como adjetivo: *fuerzas {*opositoras > oponentes} a esa política.*

opresión s.f. **1** Molestia producida por algo que oprime o sensación parecida a esta. **2** Limitación o privación de los derechos y de las libertades. ☐ ETIMOL. Del latín *oppressio.*

opresivo, va adj. Que oprime.

opresor, -a adj./s. Que oprime, somete o tiraniza, llegando incluso a privar de derechos y libertades.

oprimir v. **1** Apretar, hacer fuerza o ejercer presión: *Estos zapatos tan estrechos me oprimen los pies.* **2** Referido esp. a una persona, someterla o tiranizarla privándola de sus derechos y de sus libertades: *Las dictaduras oprimen a los ciudadanos.* ☐ ETIMOL. Del latín *opprimere*, y este de *premere* (apretar).

oprobiar v. Causar oprobio: *No entiendo tu afán por oprobiar a todo el que te contradice.* ☐ ORTOGR. La *i* nunca lleva tilde.

oprobio s.m. Vergüenza o deshonra que se sufren públicamente. ☐ ETIMOL. Del latín *opprobrium*, y este de *probrum* (torpeza, infamia).

oprobioso, sa adj. Que causa oprobio y provoca la vergüenza y la deshonra públicas.

-opsia Elemento compositivo sufijo que significa 'estudio' u 'observación': *biopsia, autopsia.* ☐ ETIMOL. Del griego *ópsis* (vista).

optar v. **1** Decidirse por una posibilidad entre varias: *No sabía qué hacer y al final opté por ir al cine.* **2** Referido esp. a un empleo o a un puesto, aspirar a conseguirlos: *Esta atleta opta a uno de los mejores puestos de la clasificación.* ☐ ETIMOL. Del latín *optare* (escoger, desear). ☐ MORF. Incorr. **opcionar.* ☐ SINT. 1. Constr. de la acepción 1: *optar POR algo.* 2. Constr. de la acepción 2: *optar A algo.*

optativo, va adj. **1** Que puede ser elegido: *En este curso tengo cuatro asignaturas obligatorias y dos optativas.* **2** Que expresa deseo: *En el griego clásico existía el modo optativo.* ☐ ETIMOL. Del latín *optativus* (del deseo).

óptica s.f. Véase **óptico, ca**.

óptico, ca ▌adj. **1** De la óptica o relacionado con esta parte de la física o con esta técnica: *Le han graduado la vista con un aparato óptico. Han cambiado el microscopio óptico por un microscopio electrónico.* ▌s. **2** Persona que se dedica a la venta de objetos relacionados con la visión: *El óptico me vendió unos prismáticos muy buenos.* **3** Persona especializada en trabajos relacionados con el estudio de las leyes y fenómenos de la luz o con la fabricación de instrumentos para mejorar la visión: *Nada más terminar la carrera, este óptico se puso a trabajar e investigar con lentes bifocales.* ▌s.f. **4** Parte de la física que estudia las leyes y los fenómenos de la luz: *La profesora de óptica nos habló de las diferencias entre las lentes cóncavas y las convexas.* **5** Técnica de fabricar instrumentos para mejorar la visión: *La óptica ha avanzado mucho en lo relacionado con las lentes de contacto.* **6** Establecimiento en el que se venden estos instrumentos: *He ido a la óptica de la esquina a comprarme unas gafas de sol.* **7** Forma de considerar algo, esp. un asunto: *Desde esa óptica, el problema tendría fácil solución.* ☐ SINÓN. *punto de vista.* ☐ ETIMOL. Las acepciones 1-3, del griego *optikós*, y este de *óps* (vista). Las acepciones 4-7, del griego *optiké.*

optimación s.f. Logro de un resultado óptimo. ☐ SINÓN. *optimización.*

optimar v. →**optimizar.**

optimate s.m. En la antigua Roma, noble o patricio aristocrático. ☐ ETIMOL. Del latín *optimates* (los nobles o senadores).

optimismo s.m. Tendencia a ver y a juzgar las cosas teniendo en cuenta su aspecto más favorable.

optimista adj.inv./s.com. Que tiende a ver o a juzgar las cosas con optimismo o del modo más favorable.

optimización s.f. Logro de un resultado óptimo. ☐ SINÓN. *optimación.*

optimizar v. Lograr un resultado óptimo: *La nueva dirección quiere optimizar la producción para obtener mayores beneficios.* ☐ SINÓN. *optimar.* ☐ ORTOGR. La *z* se cambia en *c* delante de *e* →CAZAR.

óptimo, ma superlat. irreg. de **bueno**. ☐ ETIMOL. Del latín *optimus* (el mejor, excelente).

optometría s.f. Medición de la agudeza visual para poder corregir los defectos de la visión.

optómetro s.m. Instrumento óptico que se usa para determinar la agudeza visual y poder corregir los defectos de la visión. ☐ ETIMOL. Del griego *óps* (vista) y *-metro* (medidor).

op-traken (ing.) s.m. En esquí, técnica que consiste en evitar el vuelo que se produce a causa de un desnivel en el terreno, y que se lleva a cabo realizando un pequeño salto anterior al desnivel. ☐ PRON. [op tréiken].

opuesto, ta ▌**1** part. irreg. de **oponer**. ▌adj. **2** Enfrentado o contrario: *direcciones opuestas; ideas opuestas.* **3** Referido a determinadas partes de una planta, que nacen unas enfrente de las otras o que están encontradas: *El olivo tiene hojas opuestas.*

opugnación s.f. Oposición hecha con argumentos y razonamientos.

opugnar v. Contradecir u oponerse presentando argumentos en contra: *Como has opugnado mis afirmaciones con buenos razonamientos, tengo que darte la razón.* ☐ ETIMOL. Del latín *oppugnare.*

opulencia s.f. Gran abundancia, riqueza o cantidad.

opulento, ta adj. Abundante o rico en algo, o sobrado de bienes. ☐ ETIMOL. Del latín *opulentus* (rico, poderoso).

opus (lat.) (pl. *opus*) s.m. En música, obra o conjunto de obras con un número asignado que corresponde a su orden de catalogación dentro del conjunto de las composiciones de su compositor.

opúsculo s.m. Obra científica o literaria de poca extensión. ☐ ETIMOL. Del latín *opusculum* (obrita).

opusdeísta ▌adj.inv. **1** Del Opus Dei o relacionado con este instituto secular católico. ▌s.com. **2** Miembro del Opus Dei (instituto secular católico).

opusiano, na adj./s. *col. desp.* Opusdeísta.

opusino, na adj./s. *col. desp.* Opusdeísta.

oquedad s.f. En un cuerpo sólido, espacio que queda vacío. □ ETIMOL. De *hueco.*

oquedal s.m. Monte solo de árboles, que carece de hierbas y de matas. □ ETIMOL. De *hueco.*

-or Sufijo que indica cualidad: *dulzor, amargor.* □ ETIMOL. Del latín *-or.*

-or, -ora Sufijo que indica agente: *defensor, cantora.* □ ETIMOL. Del latín *-or.*

ora conj. Enlace gramatical con valor distributivo y que, repetido, se usa para coordinar: *Ora presta atención, ora se entretiene, y así nunca aprenderá.* □ ETIMOL. Por acortamiento de *ahora.* □ ORTOGR. Dist. de *hora.* □ USO Su uso es característico del lenguaje culto o escrito.

oración s.f. **1** En algunas religiones, ruego o súplica hechos a una divinidad o a un santo: *El padrenuestro y la salve son oraciones cristianas.* **2** En algunas religiones, elevación de la mente a una divinidad para alabarla o para suplicarle: *Los templos religiosos son lugares de oración.* **3** En lingüística, palabra o conjunto de palabras que tienen un sentido gramatical completo: *En la oración 'Juan come manzanas', 'Juan' es el sujeto.* □ SINÓN. *proposición.* **4** ‖ **(oración) completiva;** la subordinada sustantiva, esp. si funciona como objeto directo: *En la oración 'Quiero que vengas', 'que vengas' es una oración completiva.* □ ETIMOL. Del latín *oratio.*

oracional adj.inv. De la oración gramatical o relacionado con ella.

oráculo s.m. **1** Mensaje o respuesta que una divinidad da a quienes la consultan: *En la Antigüedad, las pitonisas decían el oráculo que había que descifrar.* **2** Lugar, estatua o imagen que representan la divinidad a la que se pide esta respuesta: *En Grecia e Italia aún quedan las ruinas de muchos oráculos.* □ ETIMOL. Del latín *oraculum* (santuario).

orador, -a s. Persona que habla en público, esp. la que con sus palabras es capaz de persuadir y de conmover a los que la escuchan. □ ETIMOL. Del latín *orator* (el que habla).

oral adj.inv. **1** Expresado con la palabra hablada: *un examen oral.* **2** De la boca o relacionado con ella: *Este medicamento se toma por vía oral.* **3** En lingüística, referido a un sonido, que se articula dejando salir el aire totalmente por la boca: *La 'l' y la 'p' son consonantes orales.* □ ETIMOL. Del latín *oralis*, y este de *os* (boca). □ SEM. En la acepción 3, dist. de *nasal* (parte del aire sale por la nariz).

órale interj. **1** En zonas del español meridional, expresión que se usa para animar a alguien a hacer algo: *¡Órale, tú puedes llegar a la meta!* **2** En zonas del español meridional, expresión que se usa para indicar asombro: *¡Órale, qué bonito perro!*

orangista ▮ adj.inv. **1** De la Orden de Orange o relacionado con este movimiento protestante irlandés. ▮ s.com. **2** Miembro o defensor de esta orden.

orangután s.m. Mono robusto y de gran tamaño, sin rabo, de piel negra y pelaje rojizo, que tiene la cara alargada, las piernas cortas y los brazos muy largos, y se alimenta fundamentalmente de hojas y de frutos. □ ETIMOL. Del malayo *ôrang ûtan* (hombre salvaje). □ MORF. Es un sustantivo epiceno: *el orangután {macho/hembra}.*

orar v. Dirigir oraciones a una divinidad, en voz alta o mentalmente: *El fraile oraba en la capilla. Oremos todos a Dios por la paz en el mundo.* □ ETIMOL. Del latín *orare* (rogar, solicitar).

orate s.com. Persona insensata o poco juiciosa. □ ETIMOL. Del catalán *orat*, y este de *aura* (viento, aire).

oratoria s.f. Véase **oratorio, ria.**

oratorio, ria ▮ adj. **1** De la oratoria, de la elocuencia, del orador o relacionado con ellos: *Convenció al tribunal gracias a su gran capacidad oratoria.* ▮ s.m. **2** Lugar destinado para retirarse a orar: *El silencio que había en el oratorio invitaba al recogimiento.* **3** Composición musical de gran extensión, para coro, cantantes solistas y orquesta, de tema sagrado o profano, que se ejecuta sin escenificar: *El famoso 'Mesías', del compositor Haendel, es un oratorio.* ▮ s.f. **4** Arte de hablar con elocuencia, o de persuadir y conmover por medio de las palabras: *A un abogado le conviene poseer una buena oratoria.* **5** Género literario formado por las obras escritas según este arte: *Discursos, sermones y panegíricos forman parte de la oratoria.* □ ETIMOL. La acepción 1, del latín *oratorius.* La acepción 2 y 3, del latín *oratorium.* La acepción 4 y 5, del latín *oratoria.*

orbe s.m. Conjunto de todo lo creado o existente. □ SINÓN. *cosmos, creación, mundo, universo.* □ ETIMOL. Del latín *orbis* (círculo, disco).

orbicular adj.inv. Redondo o circular: *músculos orbiculares.* □ ETIMOL. Del latín *orbicularis*, y este de *orbiculus* (redondel).

órbita s.f. **1** Trayectoria descrita por un cuerpo en su movimiento: *Los satélites describen una órbita al girar alrededor de los planetas.* **2** En anatomía, cuenca del ojo: *Estaba tan asustado que los ojos casi se le salían de las órbitas.* **3** Espacio, ámbito o área de influencia: *Esos hechos entran ya en la órbita del derecho penal, porque son verdaderos delitos.* □ ETIMOL. Del latín *orbita* (carril, huella de un carro).

orbital adj.inv. Relacionado con la órbita.

orbitar v. Girar describiendo órbitas: *Los satélites artificiales orbitan alrededor de la Tierra.*

orca s.f. Mamífero marino con el lomo azul oscuro y el vientre blanco, aletas pectorales muy largas y la cabeza redondeada con veinte o veinticinco dientes en cada mandíbula. □ ETIMOL. Del latín *orca.* □ ORTOGR. Dist. de *horca.* □ MORF. Es un sustantivo epiceno: *la orca {macho/hembra}.*

orco (tb. *horco*) s.m. En la antigua Roma, lugar adonde iban a parar los muertos. □ ETIMOL. Del latín *orcus* (ultratumba).

órdago s.m. **1** En el juego del mus, apuesta de todo lo que falta para ganar ese juego: *Acepté su órdago porque noté que era un farol.* **2** ‖ **de órdago;** *col.* Excelente o de calidad superior: *Nos invitaron a un* *banquete de órdago en el mejor hotel de la ciudad.* □ ETIMOL. Del euskera *ordago* (ahí está).

ordalía s.f. En la época medieval, prueba o práctica a las que era sometido un acusado para averiguar su inocencia o su culpabilidad. □ ETIMOL. Del latín *ordalia.* □ MORF. Se usa más en plural.

orden ▮ s.m. **1** Colocación con determinado criterio de organización en el lugar apropiado o en el que corresponde: *Las palabras de este diccionario están colocadas por orden alfabético.* □ SINÓN. *ordenación.* **2** Concierto o buena disposición de las cosas entre sí o de las partes que forman un todo: *Tienes que poner orden en tus ideas porque ni tú sabes qué quieres.* □ SINÓN. *ordenación.* **3** Serie, sucesión o clase de las cosas: *Aunque es de otro orden de cosas, os contaré una anécdota. Hizo un trabajo de primer orden.* **4** En arquitectura, forma, disposición y proporción de los cuerpos principales que componen un edificio según un modelo establecido: *En el examen nos preguntarán el orden de varios edificios clásicos.* **5** En determinadas épocas, grupo o categoría social: *Los órdenes más prestigiosos de la antigua Roma eran el senatorial y el ecuestre.* **6** En biología, en la clasificación de los seres vivos, categoría superior a la de familia e inferior a la de clase: *Los conejos y las liebres pertenecen al mismo orden.* **7** En matemáticas, calificación que se da a una función o a una gráfica según el grado de la ecuación que la representa: *'3x + 2 = 0' es una ecuación de primer orden.* ▮ s.f. **8** Mandato que se debe obedecer, observar y ejecutar: *No te estoy preguntando si quieres hacerlo; es una orden y debes cumplirla.* **9** Instituto religioso aprobado por el Papa y cuyos individuos viven bajo las reglas establecidas por su fundador o por sus reformadores: *Ha hecho sus votos y es monja de la orden del Carmelo.* **10** Organización civil o militar creada para premiar con condecoraciones los méritos de una persona: *Uno de sus antepasados perteneció a la orden de Santiago.* **11** En la iglesia católica, cada uno de los grados del sacramento que van recibiendo sucesivamente los que van a ser sacerdotes: *Las órdenes sagradas actuales son tres: diácono, presbítero y sacerdote.* **12** ‖ **a la orden;** expresión que se usa para manifestar respeto u obediencia a otra persona, esp. en el lenguaje militar: *El soldado contestó: «¡A la orden, mi capitán!».* ‖ **del orden de;** seguido de una expresión de cantidad, indica que esta es más o menos lo que expresa: *Este autobús tarda en llegar del orden de unos diez minutos.* ‖ **estar a la orden del día;** estar de moda o ser habitual: *No te preocupes, porque lo que hace tu hijo está a la orden del día.* ‖ **llamar al orden** a alguien; reprenderlo o advertirlo para que cambie de actitud o comportamiento: *Lo llamaron al orden porque trató mal a un cliente.* ‖ **(orden) compuesto;** el que tiene el capitel adornado con volutas jónicas y con hojas corintias. ‖ **(orden) corintio;** el que tiene el capitel adornado con dos filas de hojas de acanto y con una voluta en cada ángulo. ‖ **orden del día;** determinación de lo que se ha de hacer o tratar durante el día: *Un asunto del orden del día en la junta de vecinos es la reforma del portal.* ‖ **(orden) dórico;** el que tiene la columna sencilla, sin basa y con el fuste estriado, el capitel sin decoración y el friso adornado con triglifos y metopas. ‖ **(orden) jónico;** el que tiene la columna sobre una basa y el fuste acanalado, el capitel con volutas y el friso corrido. ‖ **orden público;** situación y estado de legalidad normal en los que los ciudadanos respetan y obedecen sin protesta lo establecido por las autoridades: *Los detuvieron por alteración del orden público.* ‖ **orden (sacerdotal);** En la iglesia católica, sacramento por el cual son instituidos los sacerdotes y los ministros del culto: *Ahora es seminarista, pero dentro de dos meses recibirá el orden y se convertirá en sacerdote.* ‖ **(orden) toscano;** el que tiene la columna con basa y el fuste liso. □ ETIMOL. Del latín *ordo.* □ MORF. En la acepción 11, se usa más en plural.

ordenación s.f. **1** →**orden. 2** En el cristianismo, administración del sacramento del orden a una persona para consagrarla o convertirla en sacerdote.

ordenada s.f. Véase **ordenado, da.**

ordenado, da ▮ adj. **1** Referido a una persona, que guarda orden y método en sus acciones y en sus cosas: *Es tan ordenada en sus costumbres que se acuesta siempre a la misma hora.* ▮ s.f. **2** En matemáticas, en un sistema de coordenadas, línea o eje verticales: *La ordenada se representa con la letra 'y'.*

ordenador, -a ▮ adj./s. **1** Que ordena. ▮ s.m. **2** Máquina capaz de efectuar un tratamiento automático de la información, realizando operaciones aritméticas y lógicas con gran rapidez bajo el control de un programa previamente cargado. □ ETIMOL. La acepción 1, del latín *ordinator.* La acepción 2, del francés *ordinateur.*

ordenamiento s.m. Breve código de leyes o de normas que regulan alguna actividad o materia: *El ordenamiento jurídico español ya recoge el delito ecológico.*

ordenancismo s.m. *col.* Tendencia a cumplir o a hacer cumplir las normas rigurosamente. □ USO Tiene un matiz despectivo.

ordenancista adj.inv./s.com. Que cumple o hace cumplir rigurosamente las normas o reglas. □ USO Tiene un matiz despectivo.

ordenando s.m. Persona que va a recibir alguna de las órdenes sagradas. □ ETIMOL. Del latín *ordinandus* (que debe ser ordenado).

ordenante adj.inv./s.com. Que ordena o manda algo, esp. la realización de alguna operación comercial.

ordenanza ▮ s.com. **1** En una oficina, persona cuyo trabajo consiste en hacer recados, recoger el correo, hacer fotocopias y realizar otros cometidos no especializados: *Trabajo de ordenanza en el Ayuntamiento.* ▮ s.m. **2** En el ejército, soldado que está a las órdenes de un oficial o de un jefe para los asuntos del servicio: *El ordenanza avisó al coronel de que faltaban cinco minutos para la reunión con el general.* ▮ s.f. **3** Conjunto de preceptos o de normas que regulan una materia, una comunidad o una ciudad: *Las ordenanzas municipales obligan a dejar la basura en bolsas de plástico y dentro de los contenedores.* □ ETIMOL. De *ordenar.* □ MORF. En la acepción 3, se usa más en plural.

ordenar v. **1** Poner en el lugar apropiado, en el lugar que corresponde o de una forma organizada: *Haz el favor de ordenar tus cosas.* **2** Referido a una acción, exigir su realización o decir con autoridad que se haga: *La policía le ordenó detener el coche y aparcar en el arcén.* **3** Referido a una persona, conferirle las órdenes sagradas: *El obispo ordenará hoy a tres seminaristas. Mi hermano se ordenará sacerdote el próximo sábado.* □ ETIMOL. Del latín *ordinare.*

ordeñadora s.f. Máquina que se utiliza para ordeñar vacas.

ordeñar v. Referido a un animal hembra, extraerle la leche exprimiendo la ubre: *En esta granja se ordeñan las vacas con procedimientos mecánicos.* □ ETIMOL. Del latín **ordinare* (arreglar), porque para los pastores dejar los animales ordeñados era el arreglo más importante de todos.

ordeño s.m. Extracción de la leche de la ubre.

ordinal ▌adj.inv. **1** Que expresa la idea de orden o sucesión: *'Primero', 'segundo' y 'tercero' son numerales ordinales.* ▌s.m. **2** →**número ordinal.**

ordinariez s.f. **1** Falta de educación o de cortesía: *comportarse con ordinariez.* **2** Hecho o dicho ordinarios, vulgares o groseros: *decir una ordinariez.* □ ETIMOL. De *ordinario.*

ordinario, ria ▌adj. **1** Común, corriente o que ocurre habitualmente: *La puntualidad en él es una cualidad ordinaria. Que el autobús llegue tarde es algo muy ordinario.* **2** Que no destaca ni por ser bueno ni por ser malo: *No necesito el mejor coche, me basta con uno ordinario.* **3** Referido a un juez o a un tribunal, que es de la justicia civil: *Al ser un delito común, el general será juzgado por un tribunal ordinario y no por uno militar.* **4** Referido al correo, que se diferencia del exprés, del certificado, del aéreo y del urgente: *Le envío la carta por correo ordinario.* ▌adj./s. **5** Referido a una persona, que es basta, vulgar o grosera: *Tiene unos modales muy ordinarios.* **6** ‖ **de ordinario;** comúnmente, con frecuencia o muchas veces: *De ordinario paso por aquí al salir del trabajo.* □ ETIMOL. Del latín *ordinarius.*

ordovícico, ca ▌adj. **1** En geología, del segundo período de la era primaria o paleozoica, o de los terrenos que se formaron en él: *En los terrenos ordovícicos abundan las areniscas, las calizas, las pizarras arcillosas y los conglomerados.* ▌adj./s.m. **2** En geología, referido a un período, que es el segundo de la era primaria o paleozoica: *En el ordovícico casi no había plantas terrestres.* □ ETIMOL. De *Ordovices*, antigua tribu del norte de Gales.

orea s.f. →**oréade.**

oréada s.f. →**oréade.**

oréade s.f. En la mitología grecolatina, ninfa o divinidad menor que residía en los bosques y montes. □ SINÓN. *oréada, orea.* □ ETIMOL. Del latín *oreas*, y este del griego *oreiás* (que vive en los montes).

orear ▌v. **1** Referido esp. a un lugar o a un tejido, refrescarlos, quitarles la humedad o el olor por medio de la acción del aire: *Por las mañanas abro las ventanas para orear la habitación. Tiende fuera la manta para que se oree.* ▌prnl. **2** Referido a una persona, salir a tomar el aire: *Llevo tres horas estudiando, así que voy a salir un rato para orearme.* □ ETIMOL. Del latín *aura* (aire).

orégano s.m. Planta herbácea aromática, con tallos verdosos y flores purpúreas o rosadas en espiga, muy empleada como condimento. □ ETIMOL. Del latín *origanum.*

oreja s.f. **1** En una persona y en algunos animales, cartílago que forma la parte externa del órgano de la audición: *Se ha hecho un agujero en la oreja para llevar un pendiente.* **2** Pieza parecida a este cartílago que forma parte de un objeto: *Duerme la siesta en un sillón de orejas.* **3** ‖ **{aplastar/planchar} la oreja;** *col.* Dormir. ‖ **comer la oreja** a alguien**;** *col.* Decir o repetir algo hasta llegar a ser molesto o enojoso: *Me estuvo comiendo la oreja toda la tarde hasta que, por fin, le dije que sí.* ‖ **con las orejas {caídas/gachas};** *col.* Con tristeza y sin haber conseguido lo que se deseaba: *Volvió al pueblo arruinado y con las orejas gachas.* ‖ **oreja {de mar/marina};** molusco marino comestible, cuya concha es ovalada, rugosa y con una serie de agujeros en uno de los bordes. ‖ **orejas de soplillo;** *col.* Las que están muy separadas de la cabeza. ‖ **ver las orejas al lobo;** hallarse en gran riesgo o darse cuenta de un peligro próximo: *El infarto que sufrió le hizo ver las orejas al lobo, y ahora hace vida más sana.* □ ETIMOL. Del latín *auricula.*

orejera s.f. Véase **orejero, ra.**

orejero, ra ▌adj. **1** Referido esp. a un sillón, que tiene dos piezas a ambos lados de la parte alta del respaldo y que permiten apoyar la cabeza lateralmente: *un sillón orejero.* ▌s.f. **2** Cada una de las dos piezas con que se cubren las orejas para protegerlas, esp. del frío. □ MORF. En la acepción 2 se usa más en plural.

orejón, -a ▌adj./s. **1** →**orejudo.** ▌s.m. **2** Trozo de fruta, esp. de melocotón, secado al aire o al sol.

orejudo, da adj./s. Que tiene las orejas grandes y largas. □ SINÓN. *orejón.*

orejuela s.f. Cada una de las dos asas pequeñas que suelen tener las bandejas, ollas u otros utensilios parecidos.

orensano, na adj./s. De Orense o relacionado con esta provincia española o con su capital: *El territorio orensano no tiene salida al mar.*

oreo s.m. **1** Exposición de algo al aire: *Estas sábanas necesitan un oreo para que se les quite el olor que han cogido de estar guardadas tanto tiempo.* **2** Salida al aire libre para refrescarse o respirar mejor: *Cuando acabe esto me daré un oreo, porque llevo todo el día en el taller.* □ ETIMOL. De *orear.*

oretano, na adj./s. De la antigua Oretania (región hispanorromana que comprendía las actuales provincias de Ciudad Real, Toledo y Jaén) o relacionado con ella: *Los oretanos habitaban las cuencas altas del Guadalquivir y del Segura.*

orfanato s.m. Institución que recoge a huérfanos y que se ocupa de ellos. □ ETIMOL. Del latín *orphanus* (huérfano). □ USO Es innecesario el uso de *orfelinato*.

orfandad s.f. Estado o situación del niño que no tiene padre o madre, o ninguno de los dos, porque han muerto.

orfebre s.com. Persona que se dedica a labrar objetos artísticos de metales preciosos o de sus aleaciones, esp. si esta es su profesión. □ ETIMOL. Del francés *orfèvre*, y este del latín *aurifaber* (metalúrgico de oro).

orfebrería s.f. Arte y técnica de labrar objetos artísticos en metales preciosos.

orfelinato s.m. →**orfanato.** □ ETIMOL. Del francés *orphelinat*. □ USO Su uso es innecesario.

orfeón s.m. Agrupación musical de personas que cantan en coro sin acompañamiento instrumental. □ SINÓN. *coral*. □ ETIMOL. Del francés *orphéon*, y este de *Orfeo* (músico de la mitología griega).

orfeonista s.com. Miembro de un orfeón.

órfico, ca adj. De Orfeo (personaje de la mitología griega) o relacionado con él.

orfismo s.m. En la antigua Grecia, religión de misterios cuya fundación se atribuía a Orfeo (personaje mitológico griego).

organdí (pl. *organdíes, organdís*) s.m. Tela de algodón muy fina y transparente. □ SINÓN. *organza*. □ ETIMOL. Del francés *organdi*.

organicismo s.m. **1** Doctrina filosófica que sostiene que las sociedades humanas y las culturas se organizan y evolucionan de forma parecida y semejante a los seres vivos. **2** Doctrina médica que atribuye todas las enfermedades a la lesión material de un órgano: *El organicismo reduce las enfermedades a lesiones orgánicas.*

organicista adj.inv./s.com. **1** Del organicismo o relacionado con él: *ideas organicistas.* **2** Partidario o seguidor del organicismo.

orgánico, ca adj. **1** Referido a un cuerpo, que tiene vida o aptitud para ella: *Las plantas y los animales son seres orgánicos.* **2** De los órganos, formado por ellos o relacionado con ellos: *La piel es un tejido orgánico.* **3** En química, referido a un compuesto de origen no mineral, que tiene el carbono como elemento constante: *La glucosa es un compuesto orgánico.* **4** Que tiene armonía y consonancia: *Un colegio ha de ser un todo orgánico en el que las materias se impartan de forma coordinada.* □ ETIMOL. Del latín *organicus*.

organigrama s.m. Esquema gráfico de la organización de una entidad, de una empresa o de una actividad. □ ETIMOL. De *organización* y *-grama* (representación).

organillero, ra s. Persona que se dedica a tocar el organillo, esp. si esta es su profesión.

organillo s.m. Instrumento musical con forma de órgano o de piano pequeño, generalmente portátil, y con un mecanismo interior formado por un cilindro con púas que, al hacerse girar mediante una manivela, levanta unas láminas metálicas y las hace sonar.

organismo s.m. **1** Conjunto de órganos de un cuerpo animal o vegetal: *El organismo necesita una alimentación equilibrada para un sano funcionamiento.* **2** Ser vivo: *Los organismos unicelulares tienen una sola célula.* **3** Institución, cuerpo o asociación organizados que realizan una función o un trabajo determinados: *La solución del conflicto bélico está en manos de los organismos internacionales.* □ ETIMOL. Del inglés *organism*.

organista s.com. Músico que toca el órgano.

organización s.f. **1** Disposición, estructuración, arreglo u orden: *La sociedad feudal tenía una organización en tres estamentos: clero, nobleza y pueblo llano.* **2** Conjunto de personas pertenecientes a un grupo o asociación organizados: *Pertenezco a una organización benéfica que ayuda a los niños necesitados.* **3** Disposición de los órganos de la vida, o manera de estar organizado el cuerpo animal o vegetal: *Las esponjas tienen una organización muy primitiva.*

organizacional adj.inv. En zonas del español meridional, organizativo.

organizador, -a adj./s. Que organiza.

organizar ▮ v. **1** Establecer, estructurar o reformar para lograr un fin, esp. si es coordinando los medios y las personas adecuadas: *El nuevo jefe organizó el trabajo para obtener un mejor rendimiento.* **2** Poner en orden: *Estoy organizando el archivo.* **3** Preparar todo lo necesario para algo: *¿Quién se encargó de organizar esta fiesta tan maravillosa?* **4** Referido a un conjunto de personas, disponerlo y prepararlo para lograr un fin determinado: *La profesora de educación física organizó a los muchachos en dos equipos para jugar al fútbol. Nada más saberse la noticia, se organizó una patrulla de salvamento.* **5** Hacer, causar o producir: *Cuando leyó las notas, los muchachos organizaron un enorme alboroto.* ▮ prnl. **6** Referido a una persona, ordenarse su tiempo y sus asuntos: *¿Cómo te organizas para poder estudiar, trabajar y cuidar a los hijos cada día?* □ ORTOGR. La *z* se cambia en *c* delante de *e* →CAZAR.

organizativo, va adj. *col.* Que sirve para organizar o preparar algo de acuerdo con un orden, un plan o un proyecto previos: *capacidad organizativa.*

órgano s.m. **1** En anatomía, cada una de las partes del cuerpo animal o vegetal que ejercen una función específica: *El corazón, el hígado y el oído son órganos de las personas y de algunos animales.* **2** En música, instrumento de viento compuesto por uno o más teclados, varios pedales y tubos de diferentes tamaños en los que se produce el sonido: *El coro de la catedral cantó acompañado por el órgano.* **3** Lo que sirve de instrumento o de medio para la realización de algo: *El claustro de profesores es un órgano consultivo y de gobierno de los colegios, institutos y universidades.* **4** Cactus gigante americano que tiene el tallo recto y que llega a tener hasta diez metros de altura: *En México vi órganos cuyo tallo tenía casi un metro de diámetro.* **5** *vulg.* →**pene.** □ ETIMOL. Del latín *organum* (herramienta, instrumento musical).

organogénesis (pl. *organogénesis*) s.f. Formación y desarrollo de los órganos de un ser vivo.

organogenia s.f. Estudio de la formación y del desarrollo de los órganos de un ser vivo. □ ETIMOL. Del griego *órganon* (órgano) y *génos* (origen).

organografía s.f. Parte de la zoología y de la botánica que estudia los órganos de los animales o de los vegetales. □ ETIMOL. Del griego *órganon* (órgano) y *-grafía* (descripción).

organoléptico, ca adj. Referido a una propiedad de un cuerpo, que se puede percibir por los sentidos. □ ETIMOL. Del griego *órganon* (órgano) y *leptikós* (receptivo).

orgánulo s.m. En una célula, parte o estructura que desempeña una función concreta.

organza s.f. →**organdí.**

orgasmo s.m. Culminación del placer sexual. □ ETIMOL. Del griego *orgáo* (yo deseo ardientemente).

orgía s.f. **1** Fiesta en la que se come y se bebe con exageración, y se cometen otros excesos, generalmente sexuales. **2** Desenfreno en la satisfacción de los deseos y de las pasiones. □ ETIMOL. Del francés *orgie* (juerga).

orgiástico, ca adj. De la orgía o relacionado con ella.

orgullo s.m. **1** Exceso de estimación propia o sentimiento que hace que una persona se considere superior a los demás: *Su orgullo le impide pedir perdón.* **2** Satisfacción grande que siente una persona por algo propio que considera muy bueno o digno de mérito: *Enseñaba con orgullo la foto de sus nietos.* **3** Amor propio, valoración y estima que se tiene uno mismo, esp. como merecedora de un mínimo respeto o consideración: *No le ofrecí dinero para no herir su orgullo.* □ ETIMOL. Del catalán *orgull.*

orgulloso, sa adj./s. Que tiene o que siente orgullo. □ SINT. Constr. *orgulloso* DE *algo.*

oribí (tb. *oribi*) (pl. *oribíes, oribís*) s.m. Mamífero de pelaje rojizo, cuello largo y cuernos cortos, parecido al antílope. □ MORF. 1. Es un sustantivo epiceno: *el {oribi/oribí} macho, el {oribi/oribí} hembra*. 2. El plural de *oribi* es *oribis*. □ USO *Oribi* es el término menos usual.

orientación s.f. **1** Posición o dirección de una cosa respecto a un punto cardinal: *El salón de mi casa tiene orientación Este.* **2** Colocación en una posición determinada: *Han cambiado la orientación de la antena parabólica.* **3** Información o consejo sobre algo cuyo conocimiento se considera necesario para saber desenvolverse en un asunto: *En mi colegio hay un gabinete de orientación escolar.* **4** Tendencia o dirección hacia un punto determinado: *Este partido es de orientación conservadora.* **5** Determinación de la posición o de la dirección: *Los animales tienen un gran sentido de la orientación.*

orientador, -a adj./s. Que orienta.

oriental ▮ adj.inv. **1** Del Oriente o relacionado con este punto cardinal: *Boston está en la costa oriental de Estados Unidos.* ▮ adj.inv./s.com. **2** Del continente asiático y de las regiones europeas y africanas inmediatas a él, o relacionado con estos territorios: *Mi profesora es una experta en religiones orientales.*

orientalismo s.m. **1** Estudio de la lengua, la literatura y la cultura orientales. **2** Gusto o inclinación por la cultura oriental. **3** Conjunto de rasgos o de características que se consideran propios de la cultura oriental.

orientalista ▮ adj.inv. **1** Del orientalismo o relacionado con él. ▮ adj.inv./s.com. **2** Referido a una persona, que está especializada en el estudio de la lengua y la cultura orientales.

orientalizar v. Dar características que se consideran propias de la cultura oriental: *Mi tío se orientalizó mucho porque pasó largo tiempo en China.* □ ORTOGR. La *z* se cambia en *c* delante de *e* →CAZAR.

orientar v. **1** Colocar en una posición dirigida hacia un punto cardinal: *Esta casa está orientada hacia el Norte.* **2** Determinar la posición o la dirección respecto a un punto cardinal o a un lugar: *La brújula me orienta. Los marinos se orientan siguiendo las estrellas.* **3** Referido a una persona, informarla de lo que ignora o desea saber, para ayudarla a desenvolverse: *¿Podría orientarme usted sobre los cursos que se imparten aquí?* **4** Dirigir o encaminar hacia un fin o un lugar determinados: *Orientó su vida hacia la ciencia y se convirtió en un gran investigador. El partido se orientó hacia posiciones más conservadoras.* □ ETIMOL. De *oriente.*

oriente s.m. **1** Este: *El Sol sale por el Oriente.* **2** Conjunto de los países asiáticos y de las regiones europeas y africanas inmediatas al continente asiático: *Jamás he visitado el Oriente.* **3** En una perla, brillo especial: *El oriente de las perlas sirve para juzgar su calidad.* □ ETIMOL. Del latín *oriens* (que está saliendo). □ SINT. En la acepción 1, se usa mucho en aposición, pospuesto a un sustantivo: *Iniciamos el viaje con rumbo oriente.* □ USO En las acepciones 1 y 2, se usa más como nombre propio.

orífice s.com. Artista o artesano que trabaja el oro. □ ETIMOL. Del latín *aurifex*, y este de *aurum* (oro) y *facere* (hacer).

orificio s.m. **1** Agujero, abertura o boca. **2** Abertura de algunos conductos del cuerpo que los comunica con el exterior. □ ETIMOL. Del latín *orificium* (boca, abertura).

oriflama s.f. Estandarte, pendón o bandera de colores que se despliega al viento. □ ETIMOL. Del francés *oriflamme*, y este del latín *aurea flamma* (bandera dorada).

origen s.m. **1** Principio, nacimiento o primer momento de existencia: *En su origen, esta empresa solo contaba con el capital de los dos socios.* **2** Procedencia o lugar en el que se produjo ese principio o nacimiento: *La policía localizó el origen de la llamada.* **3** Causa o motivo desencadenantes: *Se cree que el origen de la epidemia está en un virus.* **4**

Ascendencia o grupo social del que se procede: *Cuando se enriqueció, renegó de sus orígenes humildes.* **5** En matemáticas, en un sistema de coordenadas, punto de intersección de los ejes: *El origen se toma como punto cero de las líneas.* ☐ ETIMOL. Del latín *origo*, y este de *oriri* (salir los astros, ser oriundo).

original ▌ adj.inv. **1** Del origen o relacionado con él: *El plan original se siguió sin introducir un solo cambio. Ya nadie conoce el sentido original de esa expresión.* **2** Raro o distinto de lo usual o de lo que se considera normal: *La novela le da al viejo tema de la infancia un tratamiento original.* ▌ adj.inv./s.m. **3** Referido a una obra artística, que es la producida directamente por su autor, y no una reproducción: *Una buena traducción debe ser fiel al original.* **4** Referido a un texto escrito, que no es copia o reproducción de otro, o que se utiliza para obtener copias o reproducciones suyas: *Solo sirven las fotocopias compulsadas con el documento original.* ▌ s.m. **5** Texto de una obra que se entrega a la imprenta para su impresión: *El libro salió después de lo previsto porque el autor entregó el original con retraso.* **6** Lo que sirve de modelo para una reproducción, esp. para un retrato artístico: *El parecido del cuadro con el original es tal que parece una fotografía.* ☐ ETIMOL. Del latín *originalis*.

originalidad s.f. **1** Carácter novedoso o distinto que presenta todo aquello que se aparta de lo común o de lo que se considera normal: *La originalidad de sus propuestas demuestra su gran imaginación.* **2** Hecho o dicho originales: *Su última originalidad consiste en pasearse por la calle vestido de bandolero.*

originar v. Referido a un hecho, causarlo o dar lugar a que se inicie: *La lluvia originó un gran embotellamiento en la carretera. El incendio se originó en el sótano.* ☐ ETIMOL. De *origen*.

originario, ria adj. Que procede de donde se indica o que tuvo su origen allí. ☐ SINÓN. *oriundo.* ☐ SINT. Constr. *originario* DE *un lugar*.

orilla s.f. **1** Borde o límite de una superficie, esp. el que hay entre una extensión de tierra y otra de agua: *Fuimos andando hasta la orilla misma del mar. En la orilla del camino han nacido muchas flores.* **2** Franja o zona contiguas a este borde: *Acampamos en la orilla derecha del río.* ☐ ETIMOL. Del latín *ora* (borde, término).

orillar v. **1** Arrimar a la orilla: *El policía me ordenó orillar el coche al borde del camino.* **2** Referido esp. a un obstáculo, evitarlo o dejarlo de lado: *Orilla todas esas discusiones inútiles y céntrate en tu trabajo.* **3** Referido a una tela, reforzar o proteger su orilla con un remate: *Orillé la tela con puntadas largas para que no se deshilachase.*

orillero, ra adj./s. *desp.* En zonas del español meridional, arrabalero.

orillo s.m. Franja al borde de una pieza de tela, generalmente más basta y de peor calidad que el resto de la tela.

orín s.m. **1** Capa rojiza de óxido que se forma en la superficie del hierro por efecto de la humedad. **2** →**orina.** ☐ ETIMOL. La acepción 1, del latín *aurigo* (roya de los cereales, ictericia). ☐ MORF. En la acepción 2, se usa más en plural.

orina s.f. Líquido amarillento que se produce en los riñones de los mamíferos con los residuos del filtrado y la depuración de la sangre, y que se expulsa al exterior por la uretra. ☐ SINÓN. *orín.* ☐ ETIMOL. Del latín *urina*.

orinal s.m. Recipiente portátil para defecar u orinar.

orinar ▌ v. **1** Expulsar orina del cuerpo de forma natural: *Ha ido al retrete a orinar.* **2** Referido a un líquido del organismo distinto de la orina, expulsarlo por la uretra mezclado con la orina: *Fue al médico porque orinaba sangre.* ▌ prnl. **3** Expulsar orina de forma involuntaria y sin poderlo controlar: *Se orina a cada momento porque tiene una enfermedad de la vejiga.*

-orio, -oria Sufijo que indica relación o pertenencia: *mortuorio, ilusoria.*

oriol s.m. Pájaro de plumaje amarillo, con alas, cola, pico y patas negros en los machos adultos, que hace el nido colgándolo de las ramas horizontales de los árboles de forma que se mueva con el viento. ☐ SINÓN. *oropéndola.* ☐ ETIMOL. Del catalán *oriol*, y este del latín *aureolus* (oropéndola). ☐ MORF. Es un sustantivo epiceno: *el oriol {macho/hembra}*.

oriundez s.f. Origen, procedencia o ascendencia.

oriundo, da adj. Que procede de donde se indica o que tuvo su origen allí. ☐ SINÓN. *originario.* ☐ ETIMOL. Del latín *oriundus*. ☐ SINT. Constr. *oriundo* DE *un lugar*.

órix (pl. *órix*) s.m. Mamífero rumiante y de gran robustez, que tiene el pelaje generalmente de color castaño, la cola larga con un mechón en su extremo y en la cabeza grandes cuernos curvados hacia atrás. ☐ ORTOGR. Se usa también *óryx*. ☐ MORF. Es sustantivo epiceno: *el órix {macho/hembra}*.

orla s.f. **1** En una superficie, esp. en una tela o en una hoja de papel, tira o franja que adorna sus bordes. **2** Lámina en la que se agrupan las fotografías de los alumnos de una misma promoción académica o profesional cuando terminan sus estudios y obtienen el título correspondiente. ☐ ETIMOL. Del latín **orula* (bordecillo).

orlar v. **1** Adornar con orlas: *Me gusta orlar los puños de las camisas con cintas de encaje.* **2** Rodear adornando, o servir de orla: *Una serie de motivos florales orlaban el retrato de la poetisa.*

orlón s.m. Fibra textil sintética, muy resistente e impermeable, semejante a la lana pero que no encoge. ☐ ETIMOL. Extensión del nombre de una marca comercial.

ormesí (pl. *ormesíes, ormesís*) s.m. Tela de seda, muy tupida y resistente, y que hace ondas. ☐ ETIMOL. De origen incierto.

ornamentación s.f. **1** Colocación de adornos para embellecer. **2** Conjunto de elementos artísticos o decorativos que adornan o embellecen.

ornamental adj.inv. **1** De la ornamentación, del adorno o relacionado con ellos: *El pórtico de la catedral está rodeado de figuras alegóricas ornamentales.* **2** Que carece de utilidad, de función o de valor prácticos: *Su cargo es solo ornamental, porque no ejerce ninguna función.*

ornamentar v. Poner adornos para embellecer: *Ornamentó el palacio con lujosos cortinajes de seda y alfombras persas.* □ SINÓN. *adornar, ornar.*

ornamento ▮ s.m. **1** Adorno o conjunto de adornos que sirven para embellecer algo o hacerlo más vistoso: *Las volutas son el ornamento de los capiteles de orden jónico.* ▮ pl. **2** Vestiduras sagradas que se pone el sacerdote para celebrar una ceremonia religiosa: *La casulla y la estola son algunos de los ornamentos del sacerdote.* □ ETIMOL. Del latín *ornamentum.*

ornar v. **1** Poner adornos para embellecer: *Suele ornar sus relatos con digresiones sobre costumbres orientales.* □ SINÓN. *adornar, ornamentar.* **2** Servir de adorno: *Unas estatuas de mármol ornan la escalinata del palacio.* □ SINÓN. *adornar.* **3** Referido esp. a una persona, dotarla de cualidades positivas: *Érase una vez una princesa que había sido ornada con muchas virtudes.* □ SINÓN. *adornar.* □ ETIMOL. Del latín *ornare* (adornar, preparar, aderezar).

ornato s.m. Adorno, ornamento o conjunto de ellos, esp. si son lujosos. □ ETIMOL. Del latín *ornatus.*

ornitología s.f. Parte de la zoología que estudia las aves. □ ETIMOL. Del griego *órnis* (ave) y *-logía* (ciencia, estudio).

ornitológico, ca adj. De la ornitología o relacionado con esta parte de la zoología.

ornitólogo, ga s. Persona que se dedica profesionalmente al estudio de las aves o que está especializada en ornitología.

ornitomancia (tb. *ornitomancía*) s.f. Adivinación a través de la interpretación del vuelo y del canto de las aves. □ ETIMOL. Del griego *órnis* (ave) y *-mancia* o *-mancía* (adivinación). □ USO *Ornitomancía* es el término menos usual.

ornitópodos s.m.pl. Familia de los dinosaurios que se caracterizaban por ser bípedos y tener forma de ave. □ ETIMOL. Del griego *órnis* (ave) y *-podo* (pie).

ornitorrinco s.m. Mamífero primitivo australiano, con la cabeza casi redonda y provista de unas mandíbulas córneas y ensanchadas semejantes a las del pato, con el cuerpo aplanado y cubierto de un pelaje gris muy fino, y con patas terminadas en pies palmeados y adaptadas al medio acuático. □ ETIMOL. Del griego *órnis* (ave) y *rýnkhos* (pico). □ MORF. Es un sustantivo epiceno: *el ornitorrinco {macho/hembra}.*

orno s.m. Árbol de hoja caduca, copa amplia, tronco gris y liso, y flores blanquecinas: *El orno se utiliza como árbol ornamental.* □ ETIMOL. Del latín *ornus.*

oro ▮ adj./s. **1** De color amarillo brillante: *Iba muy elegante con una blusa oro y una falda negra.* ▮ s.m. **2** Elemento químico, metálico y sólido, de número atómico 79, pesado, fácilmente deformable y de color amarillo brillante: *El oro es un metal resistente al óxido. Tengo una sortija de oro.* **3** Conjunto de joyas o de objetos fabricados con ese metal: *Tiene todo el oro depositado en la caja fuerte del banco.* **4** Medalla hecha con ese metal, que se otorga al primer clasificado: *Estaba muy orgullosa por haber conseguido el oro en el campeonato.* **5** Riqueza o dinero: *Aquel negocio le proporcionó mucho oro.* **6** En la baraja española, carta del palo que se representa con una o varias monedas de oro: *Si echas un oro ganas la baza.* ▮ s.m.pl. **7** En la baraja española, palo que se representa con una o varias monedas de oro: *Pintan oros, y yo solo tengo espadas.* **8** ‖ **como oro en paño;** referido a la forma de tratar algo, con el extraordinario cuidado que corresponde al aprecio que se le tiene: *Guarda sus trofeos deportivos como oro en paño.* ‖ **de oro; 1** Extraordinariamente bueno o valioso: *Has desaprovechado una ocasión de oro.* **2** Referido a una época, que es la de mayor esplendor: *La juventud es la edad de oro de una persona.* ‖ **el oro y el moro;** *col.* Expresión que se usa para exagerar las dimensiones o la cantidad de lo que se ofrece o de lo que se pide: *Me prometió el oro y el moro, pero luego todo quedó en nada.* ‖ **hacerse de oro;** enriquecerse mucho. ‖ **oro negro;** *col.* Petróleo. □ ETIMOL. Del latín *aurum.* □ ORTOGR. En la acepción 1, su símbolo químico es *Au.* □ SINT. La expresión *el oro y el moro* se usa más con los verbos *prometer*, *ofrecer* o equivalentes. □ USO En la acepción 6, *un oro* designa cualquier carta de oros, y *el oro* designa al as.

orobanca s.f. Planta herbácea que carece de clorofila, tiene flores blancas y vive parásita sobre las raíces de otras plantas, esp. de las leguminosas. □ ETIMOL. Del griego *orobánkhe*, y este de *órobos* (hierba) y *ánkho* (yo ahogo), porque la orobanca es una planta parásita dañina.

orogénesis (pl. *orogénesis*) s.f. Generación de relieve, en forma de montañas, que se produce como consecuencia de los plegamientos y movimientos tectónicos de la corteza terrestre.

orogenia s.f. **1** Parte de la geología que estudia la formación de las montañas. **2** Conjunto de movimientos tectónicos que han producido alteraciones de la corteza terrestre y han originado formaciones montañosas: *La orogenia alpina tuvo lugar en la era terciaria.* □ ETIMOL. Del griego *óros* (montaña) y *génos* (origen).

orogénico, ca adj. De la orogenia o relacionado con esta parte de la geología.

orografía s.f. **1** Parte de la geografía física que estudia el relieve terrestre: *La orografía estudia las diferencias de altura de un terreno.* **2** Conjunto de montes que forman el relieve de un lugar: *El estudio de la orografía de la zona será una ayuda para el trazado de las carreteras.* □ ETIMOL. Del griego *óros* (montaña) y *-grafía* (representación gráfica).

orográfico, ca adj. De la orografía o relacionado con esta parte de la geografía.

orometría s.f. Parte de la geografía física que trata de la medición de las montañas. ☐ ETIMOL. Del griego *óros* (montaña) y *-metría* (medición).

orondo, da adj. **1** *col.* Grueso o gordo: *Desde que se fue a vivir al campo, está orondo y coloradote.* **2** *col.* Orgulloso de sí mismo o lleno de presunción: *Entró toda oronda en casa con el premio en la mano.* ☐ ETIMOL. De origen incierto.

oronimia s.f. Parte de la toponimia que estudia el origen y el significado de los orónimos o nombres de los montes y formaciones montañosas.

orónimo s.m. Topónimo o nombre propio de un monte o de una formación montañosa. ☐ ETIMOL. Del griego *óros* (montaña) y *ónoma* (nombre).

oronja s.f. **1** Hongo que tiene el sombrerillo generalmente de color rojo anaranjado y de unos veinte centímetros de diámetro con laminillas amarillas. **2** ‖ **oronja verde;** la que tiene el sombrerillo de color verde y es muy venenosa.

oropel s.m. Lámina muy fina de latón que imita al oro. ☐ ETIMOL. Del francés *oripel*, y este del latín *aurea pellis* (piel de oro).

oropéndola s.f. Pájaro de plumaje amarillo, con alas, cola, pico y patas negros en los machos adultos, que hace el nido colgándolo de las ramas horizontales de los árboles de forma que se mueva con el viento. ☐ SINÓN. *oriol.* ☐ ETIMOL. Del latín *aurus* (dorado) y *péndola* (pluma), por su plumaje dorado. ☐ MORF. Es un sustantivo epiceno: *la oropéndola {macho/hembra}.* ☐ SEM. Dist. de *escolopendra* (especie de gusano).

oropimente s.m. Mineral de color amarillo constituido por sulfuro de arsénico, que se utiliza en pintura y en tintorería: *El oropimente es venenoso.* ☐ ETIMOL. Del catalán *orpiment*.

orozuz s.m. Planta herbácea con tallos casi leñosos, hojas puntiagudas, flores pequeñas y azuladas, que suele crecer en la orilla de los ríos y cuya raíz produce un jugo dulce que se utiliza en medicina. ☐ SINÓN. *paloduz, regaliz.* ☐ ETIMOL. Del árabe *uruq sus* (raíces de regaliz).

orquesta s.f. **1** Conjunto de músicos que toca bajo las órdenes de un director, esp. referido al conjunto con una sección de instrumentos de cuerda, otra de viento y otra de percusión: *Toca el bajo en una orquesta de jazz.* **2** En un teatro, lugar destinado para los músicos, generalmente entre el patio de butacas y el escenario: *La orquesta está en un nivel más bajo que el escenario.* **3** ‖ **orquesta de cámara;** la formada por un número reducido de músicos, que generalmente no sobrepasa los cuarenta. ☐ ETIMOL. Del latín *orchestra*, y este del griego *orkhéstra* (estrado donde se colocaba el coro o donde tocaban los músicos, situado entre el escenario y los espectadores).

orquestación s.f. **1** Arte de componer o de arreglar música para que pueda ser interpretada por una orquesta, combinando y distribuyendo las voces y partes de la partitura entre los distintos instrumentos: *Estudió en el conservatorio composición, orquestación y dirección de orquesta.* **2** Preparación o arreglo de una composición musical según este arte: *Lleva tres meses trabajando en la orquestación de una melodía.*

orquestal adj.inv. De la orquesta o relacionado con ella.

orquestar v. **1** Referido a una composición musical, prepararla o arreglarla para que pueda ser interpretada por una orquesta: *Esta compositora ha orquestado muchas canciones populares.* **2** Referido esp. a una actividad, organizarla o dirigirla: *Orquestaron una gran campaña publicitaria para lanzar un nuevo producto al mercado.*

orquestina s.f. Orquesta formada por pocos y variados instrumentos, que generalmente ejecuta música bailable.

orquidáceo, a ▮ adj./s.f. **1** Referido a una planta, que se caracteriza por tener hojas envainadoras que nacen de la raíz, flores de formas y colores extraños, y raíz con dos tubérculos simétricos: *La vainilla es una orquidácea.* ☐ SINÓN. *orquídeo.* ▮ s.f.pl. **2** En botánica, familia de estas plantas, perteneciente a la clase de las monocotiledóneas: *Muchas especies de orquidáceas se utilizan para ornamentación.* ☐ ETIMOL. De *Orchis* (nombre de un género de plantas).

orquídea s.f. Véase **orquídeo, a.**

orquídeo, a ▮ adj./s.f. **1** Referido a una planta, que se caracteriza por tener hojas envainadoras que nacen de la raíz, flores de formas y colores extraños, y raíz con dos tubérculos simétricos: *En las selvas tropicales, las orquídeas crecen sobre los troncos y las raíces de otras plantas.* ☐ SINÓN. *orquidáceo.* ▮ s.f. **2** Flor de esta planta: *Le han regalado una orquídea por su cumpleaños.* ☐ ETIMOL. La acepción 1, del griego *órkhis* (testículo). La acepción 2, del griego *orklúdion* (planta con dos tubérculos), y este de *órkhis* (testículo).

orquitis (pl. *orquitis*) s.f. Inflamación de un testículo. ☐ ETIMOL. Del griego *órkhis* (testículo) e *-itis* (inflamación).

-orrio Sufijo con valor despectivo: *bodorrio, villorrio.*

-orro, -orra Sufijo con valor despectivo: *tintorro, vidorra.*

orsay s.m. →**fuera de juego.** ☐ ETIMOL. Del inglés *offside.* ☐ PRON. [órsai]. ☐ USO Su uso es innecesario.

ortega s.f. Ave parecida a la perdiz, con el plumaje gris rojizo y de carne muy estimada. ☐ ETIMOL. Quizá del latín *ortyx* (codorniz). ☐ MORF. Es un sustantivo epiceno: *la ortega {macho/hembra}.*

ortiga s.f. **1** Planta herbácea con pequeñas flores verdosas y hojas ovaladas con el borde dentado y cubiertas de pelos que segregan una sustancia que produce irritación en la piel. **2** ‖ **ortiga de mar;** en algunas regiones, medusa. ☐ ETIMOL. Del latín *urtica.*

ortigal s.m. Terreno cubierto de ortigas.

orto s.m. *poét.* Salida o aparición del Sol o de otro astro por el horizonte. ☐ ETIMOL. Del latín *ortus.*

orto- Elemento compositivo prefijo que significa 'recto' o 'correcto': *ortogonal, ortografía.* □ ETIMOL. Del griego *orthós.*

ortocentro s.m. En un triángulo, punto en el que se cortan las alturas. □ ETIMOL. Del griego *orthós* (recto, derecho, justo) y *centro.*

ortocromático, ca adj. Referido esp. a una placa fotográfica, que es sensible a todos los colores excepto al rojo: *Las películas ortocromáticas sirven para hacer fotografías solo en blanco y negro.* □ ETIMOL. Del griego *orthós* (recto, derecho, justo) y *cromático.*

ortodoncia s.f. **1** Parte de la odontología que se ocupa de la corrección de las malformaciones y de los defectos de la dentadura. **2** Tratamiento y corrección de las malformaciones y de los defectos de la dentadura: *Se está haciendo una ortodoncia porque tiene los dientes torcidos.* □ ETIMOL. Del griego *orthós* (recto) y *odús* (diente).

ortodoncista s.com. Persona especializada en ortodoncia.

ortodoxia s.f. **1** Conformidad con los principios de una doctrina, de una ideología o de una determinada forma de pensar: *la ortodoxia académica.* **2** Conformidad con el dogma católico. **3** Conjunto de las iglesias cristianas orientales separadas de Roma: *La ortodoxia no admite la autoridad del Papa.*

ortodoxo, xa ▌adj. **1** Referido a alguna de las iglesias cristianas, que se separó en el siglo XI de la iglesia católica romana siguiendo al patriarca de Constantinopla. ▌adj./s. **2** Conforme con los principios de una doctrina, de una ideología o de una determinada forma de pensar. **3** Conforme con el dogma católico. **4** Partidario o seguidor de las religiones orientales separadas de Roma. □ ETIMOL. Del latín *ortodoxus,* y este del griego *orthós* (recto) y *dóxa* (opinión, creencia).

ortoedro s.m. Prisma recto de base rectangular: *Los ortoedros tienen seis caras.* □ ETIMOL. Del griego *orthós* (recto) y *-edro* (cara).

ortofonía s.f. Corrección de los defectos de la voz y de la pronunciación. □ ETIMOL. Del griego *orthós* (recto) y *phoné* (voz).

ortofónico, ca adj. De la ortofonía o relacionado con ella.

ortofonista s.com. Persona especializada en ortofonía o corrección de los defectos de pronunciación.

ortogénesis (pl. *ortogénesis*) s.f. En biología, proceso de evolución de un organismo vivo mediante el cual se intensifica gradualmente un determinado carácter. □ ETIMOL. Del griego *orthós* (recto) y *génesis* (generación).

ortogonal adj.inv. Que está en ángulo recto o que lo forma. □ ETIMOL. Del griego *orthós* (recto) y *gonía* (ángulo).

ortografía s.f. **1** Parte de la gramática que da normas para el empleo correcto de las letras y de los signos auxiliares de la escritura: *La ortografía del español la fija la Real Academia Española.* **2** Escritura correcta de las palabras de una lengua, de acuerdo con estas normas: *Las personas que leen mucho no suelen cometer faltas de ortografía.* □ ETIMOL. Del griego *orthographía,* y este de *orthós* (recto) y *grápho* (yo escribo).

ortográfico, ca adj. De la ortografía o relacionado con ella: *reglas ortográficas.*

ortoimagen s.f. Imagen obtenida con gran precisión, esp. si se refiere a una imagen de satélite. □ ETIMOL. Del griego *orthós* (recto, derecho, justo) e *imagen.*

ortología s.f. Parte de la gramática que establece las normas necesarias para la correcta pronunciación de los sonidos de una lengua: *La ortología del español establece que la 'x' ante consonante se pronuncie como 's': 'exponer' [esponér].* □ ETIMOL. Del griego *orthología,* y este de *orthós* (recto) y *lógos* (lenguaje).

ortológico, ca adj. De la ortología o relacionado con ella.

ortonixia s.f. Método para corregir el crecimiento defectuoso de las uñas. □ ETIMOL. Del griego *orthós* (recto, derecho, justo) y *ónyx* (uña).

ortopantomografía s.f. En medicina, radiografía completa de los maxilares superior e inferior.

ortopeda s.com. Persona especializada en ortopedia. □ SINÓN. *ortopedista.*

ortopedia s.f. Técnica que permite corregir y evitar las deformaciones físicas por medio de aparatos o de ejercicios corporales. □ ETIMOL. Del griego *orthós* (recto) y *paidéia* (educación).

ortopédico, ca adj. De la ortopedia o relacionado con esta técnica: *pierna ortopédica.*

ortopedista s.com. →**ortopeda.**

ortoplastia s.f. Intervención quirúrgica para modificar la formación defectuosa de alguna parte del cuerpo.

ortóptero ▌adj./s.m. **1** Referido a un insecto, que tiene un aparato bucal masticador, las patas posteriores largas y fuertes, un par de alas anteriores endurecidas y consistentes y otro par de alas membranosas, abdomen dividido en segmentos, y que generalmente posee un órgano destinado a producir sonido: *El grillo y el saltamontes son ortópteros.* ▌s.m.pl. **2** En zoología, orden de estos insectos, perteneciente al tipo de los artrópodos: *Algunas especies de ortópteros constituyen una plaga para las personas.* □ ETIMOL. Del griego *orthós* (recto) y *ptero* (ala).

ortorexia s.f. Obsesión patológica por la comida sana.

ortosa s.f. Variedad de feldespato de color blanco o gris amarillento, opaco y muy abundante en las rocas ígneas: *La ortosa es un componente básico en la industria de la porcelana.* □ ETIMOL. Del griego *orthós* (recto).

ortosifón s.m. Planta de origen malayo que se utiliza con fines medicinales.

ortotipografía s.f. **1** Normas para el empleo correcto de la tipografía. **2** Tipografía correcta. □ ETIMOL. Del griego *orthós* (recto, derecho, justo) y *tipografía.*

ortotipográfico, ca adj. De la ortotipografía o relacionado con ella.

oruga s.f. **1** Larva de los insectos lepidópteros, con el cuerpo en forma de gusano y dividido en anillos, con una serie de apéndices para la locomoción, y que se alimenta de hojas. **2** En un vehículo, llanta continua y articulada, generalmente metálica, que sustituye o rodea a las ruedas para posibilitar el avance por terrenos accidentados. □ ETIMOL. Del latín *uruca*.

orujo s.m. **1** Pellejo o residuo que queda tras exprimir, moler o prensar la aceituna u otros frutos: *Del orujo de la aceituna se extrae un aceite de baja calidad.* **2** Aguardiente que se elabora a partir del pellejo de las uvas: *Suelo tomar una copita de orujo con el café.* □ ETIMOL. Del latín *voluclum*.

orvallo s.m. Llovizna continua y finísima. □ ETIMOL. Del galaico-portugués *orvallo*.

óryx (pl. *óryx*) s.m. →**órix.**

orza s.f. Vasija de barro vidriado, alta, sin asas y con forma de tinaja pequeña. □ ETIMOL. Del latín *urceus* (jarro, olla).

orzaga s.f. Planta herbácea que tiene las hojas elípticas, arrugadas y de color blanquecino, y las flores pequeñas y verdosas. □ ETIMOL. Del árabe *'ussaqa*.

orzar v. En náutica, inclinar la proa de una embarcación hacia la parte de donde viene el viento: *El patrón del pesquero ordenó orzar.* □ ETIMOL. Quizá del latín **ortiare* (levantar). □ ORTOGR. La *z* se cambia en *c* delante de *e* →CAZAR.

orzuelo s.m. Grano o inflamación que nace en el borde del párpado. □ ETIMOL. Del latín *hordeolus*.

os ▮ pron.pers. **1** Forma de la segunda persona del plural que corresponde a la función de complemento sin preposición: *Os prometo que fue así.* ▮ interj. **2** Expresión que se usa para espantar la caza y las aves domésticas: *¡Os, gallinas, fuera de aquí!* □ ETIMOL. La acepción 1, del latín *vos* (vosotros). □ MORF. La acepción 1, no tiene diferenciación de género.

osadía s.f. Atrevimiento, audacia o resolución en la forma de actuar: *Me parece una osadía que te atrevas a ir solo.*

osado, da adj./s. Que tiene o manifiesta osadía.

osamenta s.f. **1** Esqueleto interior de los vertebrados, esp. el de los animales de gran tamaño: *En el museo tienen expuesta la osamenta de un diplodoco.* **2** Conjunto de huesos que componen el esqueleto: *Los buitres se comieron toda la carroña y solo dejaron la osamenta del caballo muerto.* □ ETIMOL. Del latín *ossa* (huesos).

osar v. Referido a una acción, atreverse a hacerla o emprenderla con audacia: *Nadie osó acercarse al león, aunque estaba dormido.* □ ETIMOL. Del latín *ausare*.

osario s.m. **1** En un cementerio o en una iglesia, lugar destinado a reunir los huesos que se sacan de las sepulturas: *Los restos del abuelo han pasado ya al osario porque hace más de veinte años que lo enterraron.* **2** Lugar en el que se encuentran huesos enterrados: *En esa cueva se encontró un osario prehistórico.* □ ETIMOL. Del latín *ossarium*.

osasunista adj.inv./s.com. Del Club Atlético Osasuna (club deportivo pamplonés) o relacionado con él.

oscar (ing.) s.m. **1** Premio cinematográfico que anualmente concede la Academia de Artes y Ciencias Cinematográficas de Hollywood (ciudad estadounidense). **2** Estatuilla de bronce recubierta de oro que se entrega a los ganadores de este premio cinematográfico. □ PRON. [óscar].

oscarizable adj.inv. Que puede ser propuesto para recibir un oscar.

oscarizado, da adj. Que ha recibido un oscar: *La actriz oscarizada vestía un elegante traje oscuro.* □ USO Su uso es innecesario y puede sustituirse por *premiado con un oscar*.

oscarizar v. Otorgar o conceder un oscar: *La Academia oscarizó a ese actor por su última película.* □ ORTOGR. La *z* se cambia en *c* delante de *e* →CAZAR. □ USO Su uso es innecesario y puede sustituirse por *premiar con un oscar*.

oscense adj.inv./s.com. De Huesca o relacionado con esta provincia española o con su capital: *Jaca y Barbastro son ciudades oscenses.*

oscilación s.f. **1** Movimiento alternativo de vaivén, de un lado hacia otro: *Sus ojos seguían la oscilación del péndulo.* **2** Crecimiento y disminución alternativos de la intensidad, del valor o de la cantidad de algo: *El médico está preocupado por las oscilaciones de temperatura que presenta el enfermo.* □ SINÓN. *fluctuación*.

oscilador s.m. **1** Sistema o dispositivo que tiene movimiento oscilatorio periódico. **2** Circuito electrónico que convierte la energía eléctrica continua en una oscilación eléctrica o mecánica.

oscilante adj.inv. Que oscila.

oscilar v. **1** Efectuar movimientos de vaivén: *Cuando el reloj se para, el péndulo deja de oscilar. Sus sentimientos oscilan entre el amor y el odio.* **2** Vibrar o moverse continuamente sin desplazarse: *Le gusta mirar cómo oscilan las llamas de la hoguera.* **3** Referido al valor de algo, crecer y disminuir alternativamente con más o menos regularidad: *Ayer la temperatura mínima osciló entre los tres y los cinco grados centígrados.* □ SINÓN. *fluctuar.* □ ETIMOL. Del latín *oscillare* (balancearse).

oscilatorio, ria adj. Referido esp. a un movimiento, que oscila o va alternativamente de un lado para otro.

oscilógrafo s.m. Aparato que se utiliza para registrar oscilaciones, esp. de campos electromagnéticos. □ ETIMOL. De *oscilar* y *-grafo* (aparato para escribir).

osciloscopio s.m. Aparato que se utiliza para registrar oscilaciones de magnitudes electromagnéticas mediante un tubo de rayos catódicos. □ ETIMOL. De *oscilar* y *-scopio* (aparato para ver).

osco, ca ▮ adj./s. **1** De un antiguo pueblo italiano de la zona central o relacionado con él: *Los latinos asimilaron a los oscos.* ▮ s.m. **2** Lengua indoeuropea de este pueblo: *El osco es una lengua que ya no se habla.* □ ORTOGR. Dist. de *hosco*.

ósculo s.m. *poét.* Beso. □ ETIMOL. Del latín *osculum*.

oscurantismo (tb. *obscurantismo*) s.m. **1** Oposición a la difusión de la cultura y de la enseñanza entre las clases populares. **2** Tendencia a ocultar parte de la información.

oscurantista (tb. *obscurantista*) ▮ adj.inv. **1** Del oscurantismo o relacionado con él: *política oscurantista.* ▮ adj.inv./s.com. **2** Partidario del oscurantismo. □ SEM. No debe emplearse con el significado de 'oscuro': *El panorama de la economía es {*oscurantista > oscuro}.*

oscurecer (tb. *obscurecer*) v. **1** Quitar luz o claridad, o hacer más oscuro: *Para oscurecer un color, mézclalo con negro. La pintura de la pared se ha oscurecido con el tiempo.* **2** Referido al valor, disminuirlo: *Su triunfo fue oscurecido por la ausencia de buenos competidores.* **3** Hacer difícil de comprender: *Tantas citas oscurecen el mensaje del discurso.* **4** Referido esp. a la razón, turbarla o confundirla: *El odio te oscurece la razón y te impide ver las cosas objetivamente.* **5** Anochecer o disminuir la luz del Sol cuando este empieza a ocultarse: *Vuelve a casa antes de que oscurezca.* □ MORF. 1. Irreg. →PARECER. 2. En la acepción 5, es unipersonal.

oscurecimiento (tb. *obscurecimiento*) s.m. **1** Disminución de la claridad o de la cantidad de luz. **2** Disminución del prestigio, de la estimación o del valor de algo. **3** Entorpecimiento de la comprensión de algo.

oscuridad (tb. *obscuridad*) s.f. **1** Falta de luz o de claridad para percibir las cosas: *Aprovechó la oscuridad de la noche para huir.* **2** Lugar en el que hay poca o ninguna luz: *Se escondió en la oscuridad y nadie lo vio.* **3** Confusión o falta de claridad para comprender: *La profesora nos desaconsejó leer ese manual por la oscuridad de sus explicaciones.* **4** Carencia de noticias o de información: *El ministerio mantiene la oscuridad sobre este asunto.* **5** Falta de fama, de éxito o de difusión: *Sus novelas son buenas, pero la oscuridad en la que se hallan se debe a los muchos enemigos que tiene el autor.* **6** Humildad o falta de consideración personal o social: *No lo admitían en las fiestas de sociedad por la oscuridad de su linaje.*

oscuro, ra (tb. *obscuro, ra*) adj. **1** Que tiene poca luz o claridad, o que carece de ellas. **2** Referido a un color, que se acerca al negro o que está más cerca del negro que de otro de su misma gama: *azul oscuro.* **3** Referido al cielo, nublado o cubierto de nubes. **4** Referido esp. a un linaje, que es humilde, bajo o poco conocido: *Ese apellido procede de una oscura familia de la región montañesa.* **5** Confuso, poco claro o difícil de comprender: *No entendí sus oscuras palabras.* **6** Incierto, inseguro o peligroso: *Tras este fracaso, mi futuro profesional está bastante oscuro.* **7** ‖ **a oscuras;** sin luz: *Se fue la luz eléctrica y estuvimos a oscuras toda la tarde.* □ ETIMOL. Del latín *obscurus*.

óseo, a adj. Del hueso, hecho de hueso o relacionado con él. □ ETIMOL. Del latín *osseus*.

osera s.f. Guarida del oso.

osezno s.m. Cría del oso. □ MORF. Es un sustantivo epiceno: *el osezno {macho/hembra}.*

osiánico, ca adj. De Ossián (supuesto poeta escocés del siglo III), de las poesías que se le atribuyen, o relacionado con ellos.

osificación s.f. Conversión de un tejido blando en hueso, o adquisición de su consistencia.

osificarse v.prnl. Referido esp. a un tejido orgánico, convertirse en hueso o adquirir su consistencia: *El calcio ayuda a que los huesos se osifiquen.* □ ETIMOL. Del latín *os* (hueso) y *facere* (hacer). □ ORTOGR. La *c* se cambia en *qu* delante de *e* →SACAR.

osmio s.m. Elemento químico, metálico y sólido, de número atómico 76, maleable, duro y de color blanco azulado, parecido al platino: *El osmio es el metal más denso que se conoce.* □ ETIMOL. Del griego *osmé* (olor), porque el óxido de este metal tiene un olor muy fuerte. □ ORTOGR. Su símbolo químico es *Os*.

osmolaridad s.f. Concentración total de sustancias en disolución: *La osmolaridad del agua salada es superior cuanto mayor es la cantidad de sal disuelta.*

ósmosis (pl. *ósmosis*) s.f. **1** Difusión de un disolvente a través de una membrana semipermeable que separa dos disoluciones de diferente concentración: *Las plantas absorben los minerales del suelo por ósmosis.* **2** Influencia mutua, esp. en el campo de las ideas: *Has adquirido esas ideas por ósmosis, de tanto oírselas a tus compañeros.* □ ETIMOL. Del griego *osmós* (acción de empujar).

osmótico, ca adj. De la ósmosis o relacionado con este tipo de difusión: *La difusión osmótica se realiza desde la solución menos concentrada a la más concentrada.*

oso, sa s. **1** Mamífero plantígrado de gran tamaño, pelaje largo y abundante, generalmente pardo, cabeza grande con orejas redondeadas, cola corta y patas gruesas terminadas en cinco dedos cada una, que es capaz de trepar a los árboles y de ponerse sobre dos patas para atacar y para defenderse: *Los osos se alimentan principalmente de vegetales.* **2** ‖ **anda la osa;** *col.* Expresión que se usa para indicar sorpresa, admiración o asombro: *¡Anda la osa, dijo que no podría asistir a la reunión y ha sido el primero en llegar!* ‖ **oso hormiguero;** mamífero de pelaje largo y grisáceo, cola larga y prensil, hocico muy desarrollado, puntiagudo y sin dientes, que se alimenta de hormigas usando su larga lengua casi cilíndrica: *La lengua del oso hormiguero puede llegar a medir un metro de longitud.* ‖ **oso marino;** mamífero marino, parecido a la foca, que tiene los ojos prominentes, las orejas puntiagudas y el pelaje pardo rojizo: *Los osos marinos viven fundamentalmente en el océano Polar.* ‖ **(oso) panda;** mamífero trepador, de origen asiático, que tiene el pelaje espeso, blanco en la cabeza y en la región media del tronco y negro en las orejas, alrededor de los ojos y en el resto del cuerpo, que se alimenta principalmente de bambú: *Los osos panda suelen vivir en parejas.* □ ETIMOL. Del latín *ursus.* □ MORF. *Oso hormiguero, oso marino* y *oso panda* son epicenos: *el oso hormiguero {macho/hembra}, el oso marino {macho/hembra}, el oso panda {macho/hembra}.*

-oso, -osa **1** Sufijo que indica abundancia: *boscoso, nubosa.* **2** Sufijo que indica relación o semejanza: *verdoso, estropajosa.* □ ETIMOL. Del latín *-osus.*

ossobuco (it.) s.m. Comida que se hace con tibia de ternera o de vaca, con la carne, cortada en rodajas, generalmente acompañada de arroz y tomate. □ PRON. [osobúco].

ostealgia s.f. Dolor en los huesos. □ ETIMOL. Del griego *ostéon* (hueso) y *-algia* (dolor).

osteíctio ▌adj./s.m. **1** Referido a un pez, que se caracteriza por tener el esqueleto total o parcialmente osificado y por tener el cuerpo recubierto de escamas óseas dérmicas: *La trucha es un osteíctio.* ▌s.m.pl. **2** En zoología, clase de estos peces: *Algunos peces que pertenecen a los osteíctios respiran por branquias, mientras que otros respiran por pulmones.* □ ETIMOL. Del griego *ostéon* (hueso) e *ikhthýs* (pez).

osteína s.f. En un hueso, sustancia intercelular sobre la que se depositan las sales minerales.

osteítis (pl. *osteítis*) s.f. Inflamación de los huesos. □ ETIMOL. Del griego *ostéon* (hueso) e *-itis* (inflamación).

ostensible adj.inv. Muy claro, patente o manifiesto. □ ETIMOL. Del latín *ostendere* (mostrar). □ SEM. Dist. de *ostentoso* (lujoso, con ostentación).

ostensivo, va adj. Que ostenta o muestra claramente. □ ETIMOL. Del latín *ostendere* (mostrar).

ostensorio s.m. **1** Custodia que se usa para la exposición de la hostia consagrada. **2** En una custodia, parte superior en la que se coloca la caja de cristal que encierra la hostia consagrada. □ ETIMOL. Del latín *ostensus*, y este de *ostendere* (mostrar).

ostentación s.f. **1** Exhibición que se hace con orgullo, afectación o vanidad: *Se pasa el día haciendo ostentación de sus premios.* **2** Grandeza o riqueza exterior y visible: *Es multimillonaria, pero vive sin ostentación.*

ostentar v. **1** Exhibir con orgullo, vanidad o presunción: *El capitán del equipo ostentaba el trofeo delante de los periodistas.* **2** Mostrar o llevar de forma visible: *Los jugadores ostentaban un brazalete negro en señal de duelo por su antiguo entrenador.* **3** Referido a un cargo o a un título, ocuparlos o estar en posesión de ellos: *Ostenta el cargo de directora de la compañía.* □ ETIMOL. Del latín *ostentare.*

ostentoso, sa adj. **1** Magnífico, aparatoso, lujoso o digno de verse: *un collar ostentoso.* **2** Que se hace para que los demás lo vean: *un gesto ostentoso.* □ SEM. Dist. de *estentóreo* (sonido muy fuerte o ruidoso) y de *ostensible* (claro, patente).

osteoblasto s.m. Célula del tejido óseo que produce la sustancia intercelular de los huesos. □ ETIMOL. Del griego *ostéon* (hueso) y *blastós* (germen).

osteoclasto s.m. Célula grande del tejido óseo, que tiene varios núcleos y está encargada de la remodelación ósea que suele ocurrir tras la soldadura de una fractura. □ ETIMOL. Del griego *ostéon* (hueso) y *klastós* (roto).

osteogénesis (pl. *osteogénesis*) s.f. Formación de los huesos. □ ETIMOL. Del griego *ostéon* (hueso) y *génesis.*

osteointegración s.f. Unión o integración con el hueso. □ ETIMOL. Del griego *ostéon* (hueso) e *integración.*

osteología s.f. Parte de la anatomía que estudia los huesos. □ ETIMOL. Del griego *ostéon* (hueso) y *-logía* (estudio, ciencia).

osteológico, ca adj. De la osteología o relacionado con esta parte de la anatomía que estudia los huesos.

osteólogo, ga s. Persona especializada en osteología.

osteoma s.m. Tumor de naturaleza ósea o con elementos del tejido óseo. □ ETIMOL. Del griego *ostéon* (hueso) y *-oma* (tumor).

osteomalacia s.f. Reblandecimiento óseo producido por una alteración en el proceso de calcificación debida generalmente a una deficiencia de vitamina D. □ ETIMOL. Del latín *osteomalacia*, y este del griego *ostéon* (hueso) y *malakós* (blando).

osteomielitis (pl. *osteomielitis*) s.f. Inflamación simultánea del hueso y de la médula ósea, generalmente de origen infeccioso. □ ETIMOL. Del griego *ostéon* (hueso) y *mielitis.*

osteópata s.com. Persona que se dedica profesionalmente a la osteopatía.

osteopatía s.f. **1** En medicina, enfermedad ósea. **2** Método curativo basado en los masajes, en la manipulación de las articulaciones y en la repetición de una serie de movimientos. □ ETIMOL. Del griego *ostéon* (hueso) y *-patía* (enfermedad).

osteopático, ca adj. De la osteopatía o relacionado con ella.

osteoporosis (pl. *osteoporosis*) s.f. Formación anormal de huecos en los huesos, o disminución anormal de su densidad por descalcificación. □ ETIMOL. Del griego *ostéon* (hueso) y *póros* (vía, pasaje).

osteoporótico, ca ▌adj. **1** De la osteoporosis o relacionado con esta enfermedad: *Las dolencias osteoporóticas son típicas de la vejez.* ▌adj./s. **2** Que padece osteoporosis: *Muchas mujeres mayores de sesenta años son osteoporóticas.*

osteosarcoma s.m. Tumor maligno del tejido óseo. □ ETIMOL. Del griego *ostéon* (hueso) y *sarcoma.*

osteosíntesis (pl. *osteosíntesis*) s.f. En medicina, unión de los extremos de un hueso fracturado, por procedimientos quirúrgicos o mecánicos. □ ETIMOL. Del griego *ostéon* (hueso) y *síntesis.*

osteotomía s.f. Sección o corte de un hueso por medios quirúrgicos. □ ETIMOL. Del griego *ostéon* (hueso) y *-tomía* (corte, incisión).

ostiolo s.m. En el envés de las hojas de los vegetales, orificio a través del cual se realizan la transpiración y la respiración.

ostión s.m. Ostra de gran tamaño. □ ETIMOL. Del latín *ostrea* (ostra).

ostra s.f. **1** Molusco marino de carne comestible, sin cabeza diferenciada, que tiene dos conchas casi circulares, rugosas y de color pardo verdoso por fuera, y lisas y de color nacarado por dentro, y que vive pegado a las rocas. **2** ‖ **aburrirse como una ostra;** *col.* Aburrirse mucho. □ ETIMOL. Del portugués *ostra*.

ostracismo s.m. Aislamiento al que se somete una persona: *Esa escritora mantiene su ostracismo y nunca concede entrevistas.* □ ETIMOL. Del griego *ostrakismós*, y este de *óstrakon* (concha), porque los atenienses escribían el nombre de los desterrados en un tejuelo en forma de concha.

ostras interj. *col. euf.* Expresión que se usa para indicar extrañeza, sorpresa, admiración o disgusto. □ PRON. Aunque la pronunciación correcta es [óstras], está muy extendida [ostrás].

ostrero, ra ▮ adj. **1** De las ostras o relacionado con estos moluscos: *industria ostrera.* ▮ s. **2** Persona que se dedica a la venta de ostras. ▮ s.m. **3** Lugar en el que se crían y se conservan vivas las ostras. **4** Lugar en el que se crían las perlas. **5** Ave de plumaje blanco y negro, patas robustas y de color rosado, pico largo de color rojo anaranjado, comprimido lateralmente y a veces curvado hacia arriba, que vive generalmente en la costa y que se alimenta de moluscos. □ MORF. En la acepción 5, es un sustantivo epiceno: *el ostrero {macho/hembra}*.

ostrícola adj.inv. De la ostricultura o relacionado con esta técnica e industria.

ostricultor, -a s. Persona que se dedica a la ostricultura o cría de ostras.

ostricultura s.f. Técnica e industria de la cría de ostras. □ ETIMOL. De *ostra* y *-cultura* (cultivo).

ostrífero, ra adj. Referido a un lugar, que cría ostras o tiene muchas. □ ETIMOL. Del latín *ostrifer*.

ostrogodo, da adj./s. De un antiguo pueblo germánico establecido en la zona oriental europea, que se dispersó y desapareció en el siglo VI debido a la expansión bizantina, o relacionado con él.

osuno, na adj. Del oso, con sus características o relacionado con él.

otaku s.com. Aficionado al manga y a otros productos de animación japoneses.

otalgia s.f. Dolor de oídos. □ ETIMOL. Del griego *ûs* (oído) y *-algia* (dolor). □ SEM. Dist. de *otitis* (inflamación del oído).

otárido ▮ adj./s.m. **1** Referido a un mamífero, que es marino, se alimenta de carne y tiene las extremidades adaptadas para la propulsión en el agua y para desplazarse en el suelo: *Los leones marinos son otáridos.* ▮ s.m.pl. **2** En zoología, familia de estos mamíferos: *Los otáridos se diferencian de las focas por tener pabellón auditivo externo.*

otario, ria ▮ adj. **1** *col.* En zonas del español meridional, necio o imprudente. ▮ s.m. **2** Mamífero parecido a la foca pero de cabeza pequeña y con orejas. □ MORF. En la acepción 2, es un sustantivo epiceno: *el otario {macho/hembra}*.

otate s.m. En zonas del español meridional, carrizo. □ ETIMOL. Del náhuatl *otatl* (caña maciza).

-ote, -ota Sufijo con valor aumentativo o intensivo: *gordote, grandota.*

oteador, -a adj./s. Que otea u observa desde un lugar alto.

otear v. Mirar u observar desde un lugar alto: *Subió a la torre para otear el horizonte.* □ ETIMOL. Del antiguo *oto*, y este del latín *altus* (alto).

otelo s.m. *col.* Hombre muy celoso. □ ETIMOL. Por alusión a Otelo, protagonista de una obra teatral del escritor inglés Shakespeare, que mata por celos.

otero s.m. Cerro aislado en un terreno llano. □ ETIMOL. Del antiguo *oto*, y este del latín *altus* (alto).

ótico, ca adj. Del oído o relacionado con él: *Estas gotas están indicadas para problemas óticos.*

otitis (pl. *otitis*) s.f. Inflamación del oído. □ ETIMOL. Del griego *ûs* (oído) e *-itis* (inflamación). □ SEM. Dist. de *otalgia* (dolor de oídos).

otología s.f. Parte de la medicina que estudia las enfermedades del oído. □ ETIMOL. Del griego *ûs* (oído) y *-logía* (estudio).

otomán s.m. Tela de seda, de algodón o de lana que forma cordoncitos en sentido horizontal: *El otomán es muy usado en tapicería.*

otomano, na adj./s. De Turquía o relacionado con este país europeo y asiático. □ SINÓN. *turco*.

otoñada s.f. Tiempo durante el que transcurre el otoño.

otoñal adj.inv. Del otoño o relacionado con él.

otoñar v. Pasar el otoño: *Me gustaría otoñar en un lugar cálido.*

otoño s.m. **1** Estación del año entre el verano y el invierno, y que en el hemisferio norte transcurre aproximadamente entre el 21 de septiembre y el 21 de diciembre. **2** Período de la vida de una persona cercano a la vejez. □ ETIMOL. Del latín *autumnus*. □ SEM. En la acepción 1, en el hemisferio sur transcurre aproximadamente entre el 21 de marzo y el 21 de junio.

otorgamiento s.m. En derecho, entrega de una escritura o de un documento con el que se prueba o se justifica algo: *Ayer fui a firmar el otorgamiento de un poder a mi abogada para que me represente.*

otorgante adj.inv./s.com. Que otorga.

otorgar v. **1** Referido a lo que se pide, concederlo o consentir en ello: *Me otorgó la gracia que le había pedido.* **2** Referido esp. a una ley, darla o promulgarla: *En las democracias, los parlamentos otorgan las leyes.* **3** Dar o conceder como premio o galardón: *El Rey le ha otorgado un título nobiliario por los servicios prestados.* □ ETIMOL. Del latín **auctoricare*, y este de *auctor* (garante, vendedor). □ ORTOGR. La *g* se cambia en *gu* delante de *e* →PAGAR.

otorragia s.f. Salida de sangre por el conducto auditivo externo. ☐ ETIMOL. Del griego *ûs* (oído) y *-rragia* (derramamiento).

otorrea s.f. Salida de flujo mucoso y purulento por el conducto auditivo externo. ☐ ETIMOL. Del griego *ûs* (oído) y *-rrea* (flujo).

otorrino s.com. *col.* →**otorrinolaringólogo.**

otorrinolaringología s.f. Parte de la medicina que estudia las enfermedades que afectan a la garganta, la nariz y los oídos. ☐ ETIMOL. Del griego *ûs* (oído), *rhís* (nariz), *lárynx* (laringe) y *-logía* (estudio, ciencia).

otorrinolaringológico, ca adj. **1** De la otorrinolaringología o relacionado con esta parte de la medicina: *un tratamiento otorrinolaringológico; una clínica otorrinolaringológica.* **2** De las enfermedades de la garganta, la nariz y los oídos, o relacionado con ellas: *una infección otorrinolaringológica.*

otorrinolaringólogo, ga s. Médico especializado en las enfermedades de la garganta, la nariz y los oídos. ☐ MORF. Se usa mucho la forma abreviada *otorrino.*

otoscopia s.f. Exploración del oído.

otoscopio s.m. Instrumento que se utiliza para explorar los oídos, y que consta fundamentalmente de una especie de embudo con un mango que posee una fuente de luz. ☐ ETIMOL. Del griego *ûs* (oído) y *-scopio* (instrumento para ver).

otredad s.f. Capacidad de ser otro: *En este ensayo, la autora reflexiona sobre la otredad del ser humano.* ☐ SINÓN. *alteridad.*

otro, tra ▮ indef. **1** Indica la gran semejanza que hay entre dos personas o cosas distintas: *Le gusta mucho pintar y quiere ser otro Velázquez.* **2** Precedido de artículo determinado y seguido de sustantivos como 'día', 'mañana', 'tarde' y 'noche', los sitúa en un pasado cercano: *El otro día me encontré con tu primo.* ▮ adj./s. **3** Designa algo distinto de aquello de lo que se habla: *Estas tuercas están bien, pero necesito otras más grandes. Ese coche no está mal, pero el otro es mucho mejor. Una cosa es que no lo hagas, y otra, que me contestes así de mal.* **4** ‖ **otro que tal (baila);** expresión que se utiliza para indicar la igualdad de cualidades, esp. de las negativas: *Si no la crees a ella, tampoco lo creas a él, que es otro que tal.* ☐ ETIMOL. Del latín *alter* (el otro entre dos). ☐ SEM. En expresiones como *al otro día* o *al otro mes*, equivale a *siguiente.*

otrora adv. *ant.* En otro tiempo: *Otrora, se celebraban en el pueblo fiestas de gran boato.* ☐ ETIMOL. De *otra hora.*

otrosí ▮ s.m. **1** En un texto jurídico, petición añadida a la principal y que comienza con esta palabra: *El otrosí equivaldría a la posdata de las cartas.* ▮ adv. **2** *ant.* →**además.** ☐ ETIMOL. Del latín *alter* (el otro entre dos) y *sic* (así).

ouguiya (tb. *uguiya*) s.m. Unidad monetaria mauritana. ☐ PRON. [uguíya].

ouija s.f. Tablero alfabético usado en espiritismo, sobre el que se desliza un vaso o algún otro objeto para ir formando mensajes. ☐ ETIMOL. Extensión del nombre de una marca comercial. ☐ PRON. [uíja].

out (ing.) (pl. *out*) adj.inv. Que no está de moda o de actualidad: *Estás out y vistes de forma anticuada.* ☐ PRON. [aut]. ☐ USO Su uso es innecesario y puede sustituirse por *desfasado* o *anticuado.*

outing (ing.) s.m. Técnica que consiste en hacer públicos determinados datos de la vida privada de personajes famosos. ☐ PRON. [áutin].

outplacement (ing.) s.m. Ofrecimiento de un nuevo puesto de trabajo a una persona que ha perdido su empleo. ☐ PRON. [autpléisment]. ☐ USO Su uso es innecesario y puede sustituirse por *recolocación.*

output (ing.) s.m. **1** En informática, término que se utiliza para determinar todos los procesos de salida de datos hacia un periférico: *Obtengo datos en mi monitor con el output.* **2** En economía, producción de una empresa o de un sector económico: *El output anual de este país es muy superior al de otros países.* ☐ PRON. [áuput]. ☐ USO Su uso es innecesario y puede sustituirse, en la acepción 1, por *datos de salida* o *salida de datos* y, en la acepción 2, por *producto final.*

outsider (ing.) s.com. **1** Competidor desconocido y con pocas posibilidades de éxito: *La sorpresa de la jornada fue la derrota del célebre campeón por un outsider.* **2** Persona que está al margen de las corrientes o tendencias más comunes: *Esa autora es una outsider de las tendencias literarias actuales.* ☐ PRON. [autsáider].

outsourcing (ing.) s.m. →**externalización.** ☐ PRON. [autsúrcin].

ouzo (gr.) s.m. Licor anisado transparente, de mucha graduación alcohólica. ☐ PRON. [úso].

ova s.f. **1** Alga con hojas en forma de filamento, generalmente de color verde, que se cría en aguas corrientes o estancadas y que puede flotar o permanecer fija en el fondo. **2** →**óvolo.** ☐ ETIMOL. La acepción 1, del latín *ulva* (alga que crece en fuentes y estanques).

ovación s.f. Aplauso ruidoso tributado por un grupo de personas. ☐ ETIMOL. Del latín *ovatio* (triunfo menor), que concedían los romanos a un jefe o general por una victoria de poca consideración.

ovacionar v. Aclamar con una ovación o un gran aplauso colectivo: *Al recibir el premio, fue ovacionado por todos lo asistentes al acto.*

ovado, da adj. →**ovalado.**

oval adj.inv. →**ovalado.**

ovalado, da adj. Con forma de óvalo o semejante a esa curva. ☐ SINÓN. *ovado, oval.*

ovalar v. Dar forma de óvalo: *He llevado la mesa redonda al carpintero para que la ovale añadiéndole una tabla central. Se me cayó el anillo, lo pisaron y se ha ovalado.*

óvalo s.m. Curva cerrada parecida a la elipse y simétrica respecto de uno o de dos ejes. ☐ ETIMOL. Del italiano *ovolo* (adorno en figura de huevo), con influencia de *oval.*

ovar v. →**aovar.**

ovárico, ca adj. Del ovario o relacionado con él.

ovariectomía s.f. Operación quirúrgica que consiste en la extirpación de uno o de ambos ovarios. ☐ ETIMOL. De *ovario* y el griego *ektomé* (corte, extirpación).

ovario s.m. **1** En una hembra, cada uno de los órganos glandulares del aparato reproductor, que producen hormonas y óvulos. **2** En una flor, parte inferior y más ancha del pistilo, en la que están los óvulos. ☐ ETIMOL. Del latín *ovarium*.

ovariotomía s.f. Operación quirúrgica en la que se realiza un corte en el ovario. ☐ ETIMOL. De *ovario* y el griego *tomé* (sección, corte).

ovaritis (pl. *ovaritis*) s.f. Inflamación de los ovarios. ☐ ETIMOL. De *ovario* e *-itis* (inflamación).

ovas s.f.pl. Huevecillos de algunos peces: *El caviar se elabora con las ovas del esturión.* ☐ ETIMOL. Del latín *ova* (huevos).

oveja s.f. **1** Hembra del carnero. **2** ‖ **oveja {descarriada/negra};** en un grupo, persona que destaca negativamente: *Por su carácter rebelde, lo consideran la oveja negra de la familia.* ☐ ETIMOL. Del latín *ovicula*.

ovejero, ra adj./s. Que cuida o guarda las ovejas: *perro ovejero.*

ovejuno, na adj. De la oveja o relacionado con ella.

overbooking (ing.) s.m. **1** Contratación de un número de plazas mayor de las disponibles, esp. en hoteles y medios de transporte: *Algunos turistas con reserva en el hotel se quedaron sin habitación debido al overbooking.* ☐ SINÓN. *sobrecontratación, sobreocupación, sobreventa.* **2** *col.* Lleno total de un lugar: *No pudimos cenar porque en el restaurante había overbooking.* ☐ PRON. [overbúkin].

overo, ra (tb. *hovero, ra*) adj./s. Referido a un animal, esp. al caballo, que tiene pelos rojizos y blancos mezclados. ☐ ETIMOL. De origen incierto.

overol s.m. En zonas del español meridional, mono de trabajo. ☐ ETIMOL. Del inglés *overall*.

ovetense adj.inv./s.com. De Oviedo o relacionado con esta ciudad asturiana.

ovicida adj.inv./s.m. Referido a un compuesto químico, que se utiliza para destruir los huevos de algunos insectos y parásitos. ☐ ETIMOL. Del latín *ovum* (huevo) y *-cida* (que mata).

óvido ▮ adj./s.m. **1** Referido a un mamífero, que es rumiante, generalmente con abundante pelo o lana, y cuyo macho suele tener dos cuernos: *Las cabras y las ovejas son óvidos.* ▮ s.m.pl. **2** En zoología, subfamilia de estos mamíferos: *Los animales que pertenecen a los óvidos pueden ser salvajes o domésticos.* ☐ ETIMOL. Del latín *ovis* (oveja). ☐ ORTOGR. Dist. de *bóvido*. ☐ SEM. Dist. de *ovino* (tipo de óvido).

oviducto s.m. En el aparato reproductor de una hembra, conducto por el que los óvulos salen del ovario para ser fecundados: *En la mujer, el oviducto se llama 'trompa de Falopio'.* ☐ ETIMOL. Del latín *ovum* (huevo) y *ductus* (conducto).

oviforme adj.inv. Con forma de huevo. ☐ SINÓN. *aovado, ovoide, ovoideo.* ☐ ETIMOL. Del latín *ovum* (huevo) y *-forme* (con forma).

ovillado s.m. Operación manual o mecánica para hacer ovillos.

ovilladora s.f. Máquina que hace ovillos.

ovillar ▮ v. **1** Hacer ovillos: *He ovillado dos madejas de lana.* ▮ prnl. **2** Encogerse y recogerse haciéndose un ovillo: *Tenía tanto frío que me ovillé en el sofá y me tapé con una manta.* ☐ SINÓN. *aovillarse.*

ovillejo s.m. En métrica, estrofa formada por diez versos que se distribuyen en tres pareados formados por un octosílabo seguido de un tetrasílabo o de un trisílabo cada uno, y en una redondilla cuyo último verso reúne los tres versos cortos de los pareados, y que responde al esquema *aabbccddc*.

ovillo s.m. **1** Bola o lío que se forma enrollando hilo, cuerda o un material semejante: *un ovillo de lana.* **2** Lo que está enrollado y tiene forma redondeada: *Hizo un ovillo con la ropa sucia y lo metió en la lavadora.* ☐ ETIMOL. Del latín *globellum* (bolita).

ovino, na adj./s.m. Referido al ganado o a un animal, que tiene lana o pertenece al ganado lanar. ☐ ETIMOL. Del latín *ovis* (oveja). ☐ SEM. Dist. de *óvido* (grupo al que pertenecen los ovinos).

ovíparo, ra adj./s. Referido a un animal o a una especie, que nace de un huevo que se abre fuera de la madre. ☐ ETIMOL. Del latín *oviparus*, y este de *ovum* (huevo) y *parere* (engendrar). ☐ SEM. Dist. de *ovovivíparo* (que nace de un huevo que se rompe dentro de la madre) y de *vivíparo* (que se ha desarrollado dentro de la madre y nace por un parto).

oviscapto s.m. En algunos insectos, órgano perforador que tienen las hembras y que sirve para la puesta de huevos. ☐ ETIMOL. Del latín *ovum* (huevo), y el griego *skápto* (cavar).

ovni s.m. Objeto volador de origen desconocido. ☐ ETIMOL. Es el acrónimo de *objeto volador no identificado*. ☐ USO Es innecesario el uso del anglicismo *ufo*.

ovo s.m. En arquitectura, adorno de forma oval.

ovoalbúmina s.f. Proteína de la clara del huevo. ☐ ETIMOL. Del latín *ovum* (huevo) y *albúmina*.

ovocito s.m. En biología, célula que procede de una ovogonia y que da origen a los óvulos. ☐ SINÓN. *oocito.* ☐ ETIMOL. Del latín *ovum* (huevo) y *-cito* (célula).

ovogénesis (pl. *ovogénesis*) s.f. En biología, en un ovario, formación de los óvulos funcionales a partir de las ovogonias. ☐ SINÓN. *oogénesis.* ☐ ETIMOL. Del griego *oón* (huevo) y *génesis* (engendramiento).

ovogonia s.f. En biología, célula germinal femenina que, tras una serie de divisiones, origina ovocitos que, a su vez, originarán óvulos. ☐ SINÓN. *oogonia.*

ovoide adj.inv. Con forma de huevo. ☐ SINÓN. *aovado, oviforme, ovoideo.* ☐ ETIMOL. Del latín *ovum* (huevo) y *-oide* (semejanza).

ovoideo, a adj. →**ovoide.** ☐ ETIMOL. De *ovoide*.

óvolo s.m. **1** En arquitectura, adorno en figura de huevo rodeado por una cáscara y con puntas de flecha o dardo intercaladas entre cada dos. ☐ SINÓN. *ova.* **2** Moldura convexa y lisa cuya sección tiene forma de un cuarto de cilindro. ☐ ETIMOL. Del latín *ovulum*, y este de *ovum* (huevo). ☐ ORTOGR. Dist. de *óbolo*.

ovoproducto s.m. Producto derivado del huevo.

ovovegetariano, na adj./s. Vegetariano que además de productos vegetales también come huevos, o relacionado con él.

ovovivíparo, ra adj./s. Referido a un animal o a una especie, que nace de un huevo que se abre dentro de las vías uterinas de la madre. ☐ ETIMOL. Del latín *ovum* (huevo) y *viviparus* (vivíparo). ☐ SEM. Dist. de *ovíparo* (que nace de un huevo que se rompe fuera de la madre) y de *vivíparo* (que se ha desarrollado dentro de la madre y nace en un parto).

ovulación s.f. Desprendimiento de uno o varios óvulos maduros del ovario.

ovular ▮ adj.inv. **1** Del óvulo, de la ovulación o relacionado con ellos: *En la mujer, el desprendimiento ovular se repite generalmente una vez al mes.* ▮ v. **2** Realizar la ovulación: *Las mujeres ovulan cada veintiocho días aproximadamente.* ☐ ORTOGR. Dist. de *uvular*.

ovulatorio, ria adj. De la ovulación o relacionado con ella.

óvulo s.m. **1** En los animales, célula sexual femenina que se forma en el ovario: *En la fecundación, el óvulo se une con el espermatozoide.* **2** En una flor, órgano en forma de saco que contiene las células reproductoras femeninas: *Los óvulos maduros forman las semillas.* **3** Medicamento de forma ovalada que se funde a la temperatura del cuerpo y que se administra por vía vaginal: *El médico le ha mandado unos óvulos de antibióticos para curarle la infección vaginal.* ☐ ETIMOL. Del latín *ovulum*, y este de *ovum* (huevo).

ox interj. Expresión que se utiliza para espantar a la aves domésticas: *¡Ox, ox, gallinas, fuera de aquí!*

oxácido s.m. En química, ácido que contiene uno o más átomos de oxígeno en su molécula: *El ácido sulfúrico es un oxácido.* ☐ SINÓN. *oxiácido.* ☐ ETIMOL. Del griego *oxýs* (ácido, óxido) y *ácido*.

oxiácido s.m. →**oxácido.**

oxidable adj.inv. Que se puede oxidar.

oxidación s.f. **1** En química, pérdida de uno o más electrones por la acción de un agente oxidante: *En los procesos de oxidación y de reducción hay intercambio de electrones entre los compuestos que intervienen.* **2** Formación de una costra de óxido en una superficie, debida al oxígeno atmosférico: *La oxidación del hierro se previene pintándolo de minio.*

oxidante adj.inv./s.m. Referido a una sustancia, que oxida o sirve para oxidar: *El cloro es un oxidante.*

oxidar ▮ v. **1** Referido a un material o a un cuerpo, alterarlos la acción del oxígeno atmosférico o de otro oxidante: *Si no pintas la barandilla, el agua la oxidará. Si pelas una manzana y no la comes, se oxida y se pone rojiza.* **2** *col.* Referido esp. a una parte del cuerpo, hacer que deje de funcionar o perder su buen funcionamiento: *La falta de ejercicio ha oxidado mis articulaciones. Hay que hacer gimnasia para que los músculos no se oxiden.* **3** En química, hacer perder o perder uno o varios electrones: *Los agentes oxidantes oxidan los elementos con los que reaccionan. El hidrógeno se oxida al reaccionar con el oxígeno.* ▮ prnl. **4** Referido a un elemento químico, reaccionar con el oxígeno para dar óxidos: *El aluminio al oxidarse da óxido de aluminio.* ☐ ETIMOL. De *óxido*.

óxido s.m. **1** En química, compuesto formado por la combinación del oxígeno con un elemento químico, esp. un metal: *El óxido de cinc se emplea como pigmento en la fabricación de pinturas.* **2** Capa o costra que se forman sobre los metales por la acción del oxígeno atmosférico u otro oxidante: *Antes de pintar la verja debes eliminar el óxido.* ☐ ETIMOL. Del griego *oxýs* (ácido).

oxigenación s.f. Aumento del oxígeno molecular: *Las plantas verdes permiten la oxigenación del aire gracias a la fotosíntesis.*

oxigenante adj.inv. Que oxigena.

oxigenar ▮ v. **1** Aumentar la proporción de oxígeno molecular: *Las grandes masas forestales oxigenan el aire. La sangre se oxigena al pasar por los pulmones.* ▮ prnl. **2** Referido a una persona, airearse o respirar aire libre: *Vivo en la ciudad, y los fines de semana me gusta ir a la sierra para oxigenarme.*

oxígeno s.m. **1** Elemento químico, no metálico y gaseoso, de número atómico 8, incoloro, inodoro e insípido, que forma parte del aire y que es esencial para la respiración y para la combustión: *El oxígeno se combina con todos los elementos químicos, excepto con los gases nobles.* **2** *col.* Aire puro: *Nos fuimos a la montaña para respirar oxígeno.* ☐ ETIMOL. Del griego *oxýs* (ácido) y *gennáo* (yo engendro). ☐ ORTOGR. En la acepción 1, su símbolo químico es *O*.

oxigenoterapia s.f. En medicina, tratamiento con inhalaciones de oxígeno: *La oxigenoterapia es necesaria en los procesos asmáticos agudos.* ☐ ETIMOL. De *oxígeno* y *-terapia* (curación).

oxihemoglobina s.f. Compuesto resultante de la combinación reversible de la hemoglobina sanguínea con el oxígeno de la respiración: *El paso de hemoglobina a oxihemoglobina sucede en los pulmones.* ☐ ETIMOL. Del griego *oxýs* (ácido, óxido) y *hemoglobina*.

oxímoron (pl. *oxímoron*) s.m. Figura retórica consistente en la combinación de palabras o expresiones de sentido contradictorio: *En la expresión 'una dulce violencia' hay un oxímoron.*

oxitocina s.f. Hormona segregada y producida por la hipófisis, que aumenta la contracción uterina durante el parto y estimula la producción y salida de leche por las glándulas mamarias.

oxítono, na adj. **1** Referido a una palabra, que lleva el acento en la última sílaba: *'Café' y 'salir' son vocablos oxítonos aunque solo lleve tilde el primero.* ☐ SINÓN. *agudo.* **2** Referido a un verso, que termina en palabra acentuada en la última sílaba: *El octosílabo de Bécquer 'por un beso, yo no sé' es oxítono.* □ SINÓN. *agudo.* □ ETIMOL. Del griego *oxýs* (agudo) y *tónos* (intensidad).

oxiuro s.m. Gusano de color blanco que vive parásito en el intestino de algunos animales y de las personas: *Coloquialmente, llamamos a los oxiuros 'lombrices intestinales'.* □ ETIMOL. Del griego *oxýs* (ácido) y *urá* (cola).

oyamel s.m. Abeto americano de madera blanca que se utiliza para hacer papel.

oye interj. Expresión que se usa para llamar la atención del oyente e indicar extrañeza, sorpresa, admiración o disgusto. □ MORF. Incorr. {**Oyes* > *Oye*}, *tú, cállate.* □ USO Se usa cuando el hablante trata de tú al oyente, frente a *oiga*, que se usa cuando lo trata de usted.

oyente ▮ adj.inv./s.com. **1** Que oye: *Los oyentes de este programa de radio que acierten esta pregunta están invitados a una fiesta en la emisora.* ▮ s.com. **2** Persona que asiste a clase sin estar matriculada como alumno: *En clase hay varios oyentes que no tendrán que examinarse.* □ ETIMOL. De *oír*.

ozonizar v. Aumentar la proporción de ozono: *Han comprado equipos para ozonizar el agua de todas sus instalaciones.* □ ORTOGR. La *z* se cambia en *c* delante de *e* →CAZAR.

ozono s.m. Oxígeno modificado, producto de la acción de descargas eléctricas: *La capa atmosférica de ozono nos protege de las radiaciones solares.* □ ETIMOL. Del griego *ózo* (yo huelo), porque el ozono tiene un olor fuerte.

ozonosfera s.f. En la atmósfera terrestre, capa que se encuentra entre los 15 y los 40 kilómetros de altura aproximadamente, compuesta principalmente por ozono: *La ozonosfera filtra los rayos ultravioletas del Sol.* □ ETIMOL. De *ozono* y el griego *sphâira* (esfera).

ozonoterapia s.f. Método curativo que se basa en el uso del ozono. □ ETIMOL. De *ozono* y *-terapia* (curación).

P p

p s.f. Decimoséptima letra del abecedario. ☐ PRON. Representa el sonido consonántico bilabial oclusivo sordo.

pabellón s.m. **1** Construcción o edificio que forma parte de un conjunto: *En el recinto ferial han construido un nuevo pabellón.* **2** Edificio que forma parte de otro mayor y que está inmediato o próximo a este: *En el hospital están haciendo un pabellón nuevo que se destinará a pediatría.* **3** Ensanchamiento cónico en el extremo de un tubo, de una sonda o de un conducto: *El pabellón auricular es una parte del oído externo.* **4** Bandera nacional. **5** Nación a la que pertenecen los barcos mercantes: *El barco que encalló era de pabellón francés.* **6** || **dejar el pabellón (muy) alto;** Referido a un país o a un organismo a los que se representa, dejarlos en buen lugar: *El equipo español ha dejado el pabellón muy alto en el último campeonato.* ☐ ETIMOL. Del francés antiguo *paveillon*, y este del latín *papilio* (mariposa). ☐ SEM. En la acepción 1, dist. de *stand* (instalación provisional).

pábilo (tb. *pabilo*) s.m. En una vela o en una antorcha, cordón, generalmente de hilo o de algodón, que está colocado en el centro y que sirve para que alumbre al arder. ☐ ETIMOL. Del latín *papyrus* (papiro). ☐ ORTOGR. *Pábilo*, dist. de *pábulo*.

pábulo || **dar pábulo a** algo; ser motivo de ello: *Con esa conducta vas a dar pábulo a chismorreos y a habladurías.* ☐ ETIMOL. Del latín *pabulum*. ☐ ORTOGR. Dist. de *pábilo*.

paca s.f. Véase **paco, ca**.

pacana s.f. **1** Árbol americano, de tronco grueso y copa grande, flores verdosas, y fruto seco del tamaño de una nuez: *La madera de la pacana es parecida a la del nogal, y es muy apreciada.* ☐ SINÓN. *pecán.* **2** Fruto de este árbol, de cáscara lisa y forma de aceituna, que contiene una almendra comestible. ☐ SINÓN. *pecán.* ☐ ETIMOL. De origen náhuatl.

pacato, ta adj./s. Que se escandaliza fácilmente. ☐ ETIMOL. Del latín *pacatus*, y este de *pacare* (pacificar).

pacense adj.inv./s.com. De Badajoz o relacionado con esta provincia española o con su capital: *Mérida es una ciudad pacense.* ☐ SINÓN. *badajocense, badajoceño.*

pacer v. Referido al ganado, comer hierba en los campos: *Las vacas pacían tranquilamente en el prado.* ☐ SINÓN. *pastar.* ☐ ETIMOL. Del latín *pascere* (apacentar). ☐ MORF. Irreg. →PARECER.

pachá (pl. *pachás*) s.m. En el antiguo imperio turco, persona que obtenía algún mandato superior. ☐ SINÓN. *bajá.* ☐ ETIMOL. Del francés *pacha*.

pachaco, ca adj. En zonas del español meridional, enclenque.

pachanga s.f. Jolgorio ruidoso y desordenado.

pachanguear v. *col.* En zonas del español meridional, ir de fiesta: *Se la pasaron pachangueando de posada en posada.*

pachanguero, ra adj. Referido esp. a la música, fácil, bulliciosa y pegadiza.

pachanguita s.f. En fútbol, juego de peloteo relajado, esp. si es de entrenamiento.

pacharán s.m. Licor de origen navarro, que se elabora con endrinas. ☐ ETIMOL. Del euskera *patxaran* (endrina). ☐ USO Es innecesario el uso del término euskera *patxaran*.

pachas || **a pachas;** *col.* A medias: *Nos compramos un pastel y nos lo comimos a pachas.*

pachiche adj.inv. *col.* En zonas del español meridional, estropeado o en mal estado.

pacho, cha adj. *col.* En zonas del español meridional, que actúa con pachorra o con excesiva calma.

pachocha s.f. **1** *col.* En zonas del español meridional, pachorra. **2** *col.* En zonas del español meridional, dinero.

pachol s.m. Brote de la semilla de la papaya justo antes de ser trasplantada.

pachón, -a adj./s. **1** Referido a un perro, de la raza que se caracteriza por ser de talla mediana, orejas largas y caídas, boca grande con los labios colgantes, patas algo torcidas y pelaje corto, fino y de color amarillento. **2** *col.* Referido a una persona, de carácter excesivamente tranquilo, calmado y difícil de alterar.

pachorra s.f. *col.* Calma o despreocupación excesivas en la forma de actuar. ☐ SINÓN. *parsimonia.*

pachorrudo, da adj. *col.* Referido a una persona, que tiene mucha pachorra.

pachucho, cha adj. **1** *col.* Pasado o demasiado maduro. **2** *col.* Decaído o ligeramente enfermo.

pachuco, ca adj./s. En zonas del español meridional, referido a un latinoamericano, que combina su cultura con la estadounidense.

pachulí (tb. *pachuli*) (pl. *pachulíes, pachulís*) s.m. Perfume de olor penetrante que se extrae de una planta del mismo nombre. ☐ ETIMOL. Del francés *patchouli*. ☐ PRON. Incorr. *[pachúli]. ☐ MORF. El plural de *pachuli* es *pachulis*.

paciencia s.f. **1** Capacidad para sufrir o soportar las penas y los infortunios sin perturbarse: *Lleva su enfermedad con mucha paciencia y nunca se queja de su mala suerte.* **2** Capacidad para hacer trabajos minuciosos o pesados: *Hacer esta maqueta con palillos requiere mucha paciencia.* **3** Calma y tranquilidad cuando se espera algo que se desea: *Ten paciencia y no te pongas nerviosa, porque solo se está retrasando diez minutos.* **4** Galleta pequeña y redonda fabricada con harina, huevo y azúcar.

paciente ▮ adj.inv. **1** Que tiene paciencia o sufre las penas sin perturbarse. ▮ adj.inv./s.m. **2** Que recibe o padece la acción de algo: *En las oraciones en voz pasiva, el sujeto paciente recibe la acción del* *verbo.* ▌s.com. **3** Persona que se encuentra bajo atención médica. □ ETIMOL. Del latín *patiens* (el que soporta). □ MORF. Se usa también el femenino coloquial *pacienta*.

pacificación s.f. Establecimiento de la paz donde antes había guerra, discordia o alteración.

pacificador, -a adj./s. Que pacifica: *una actitud pacificadora.*

pacificar v. Referido a un lugar donde hay guerra, discordia o alteración, establecer la paz en él: *El ejército envió varias patrullas para pacificar la zona.* □ ETIMOL. Del latín *pacificare.* □ ORTOGR. La *c* se cambia en *qu* delante de *e* →SACAR.

pacífico, ca adj. Tranquilo, sosegado o no alterado por enfrentamientos o disturbios: *una persona pacífica.*

pacifismo s.m. Conjunto de doctrinas encaminadas a mantener la paz y a evitar cualquier tipo de violencia: *El político hindú Gandhi fue uno de los grandes defensores del pacifismo.*

pacifista ▌adj.inv. **1** Del pacifismo o relacionado con esta tendencia a defender la paz y evitar la violencia: *El movimiento pacifista en la India fue impulsado por Gandhi.* ▌adj.inv./s.com. **2** Que sigue o que defiende el pacifismo: *Los pacifistas son partidarios del diálogo y de la negociación.*

pack (ing.) s.m. Envase que contiene varios productos de la misma clase: *un pack de seis botellas.* □ PRON. [pak]. □ USO Su uso es innecesario y puede sustituirse por *lote*.

packaging (ing.) s.m. **1** En marketing, técnica de presentación de los productos, esp. de su embalaje o empaquetado, para que resulten atractivos al comprador. **2** Fabricación y comercialización de envases. □ PRON. [pácayin].

pac-man (ing.) s.m. →**comecocos.** □ PRON. [pákman].

paco, ca ▌s. **1** *col.* En zonas del español meridional, policía. ▌s.f. **2** Fardo o lío muy apretados, esp. de lana, de algodón, de forrajes o de paja: *Esta empacadora hace pacas de paja circulares.* **3** Mamífero roedor americano de pelaje rojizo con líneas longitudinales de manchas claras, de extremidades y cola cortas, que se alimenta de vegetales y cuya carne es muy apreciada: *Las pacas son fácilmente domesticables.* □ ETIMOL. La acepción 2, del francés antiguo *pacque*. La acepción 3, del guaraní *paka*. □ MORF. En la acepción 3, es un sustantivo epiceno: *la paca {macho/hembra}.*

pacotilla ‖ **de pacotilla;** *col.* De mala calidad o de poca importancia: *Es un pintor de pacotilla que solo sabe hacer garabatos.* □ ETIMOL. De *paca* (fardo).

pactar v. Referido a un acuerdo, llegar a él dos o más partes, comprometiéndose a cumplirlo: *Hemos pactado que un día vengas tú y otro día vaya yo. Mis dos enemigos pactaron para no dejarme conseguir mi objetivo.* □ ETIMOL. Del latín **pactare*.

pactismo s.m. Tendencia a llegar a un pacto para evitar enfrentamientos.

pactista adj.inv./s.com. Que prefiere llegar a un pacto y así evitar los enfrentamientos.

pacto s.m. **1** Acuerdo al que llegan dos o más partes y que compromete a ambas: *un pacto de cooperación; un pacto de silencio.* **2** ‖ **pacto a la griega;** acuerdo político entre dos grupos opuestos ideológicamente, a fin de conseguir el poder. □ ETIMOL. Del latín *pactum*. □ USO *Pacto a la griega* tiene un matiz despectivo.

pad (ing.) s.m. **1** Mando de control de algunos mecanismos electrónicos, que se acciona mediante botones. **2** →**alfombrilla.**

paddle (ing.) s.m. Deporte parecido al tenis, que se juega en un campo de menor tamaño y con unas raquetas más pequeñas y de madera. □ PRON. [pádel]. □ ORTOGR. Se usa también la forma castellanizada *pádel*.

paddock (ing.) s.m. **1** En un hipódromo o en un canódromo, lugar cercado donde se muestran al público los caballos o los galgos que van a correr. **2** En un circuito automovilístico, lugar cercado en el que los participantes se instalan antes de la carrera. □ PRON. [pádok].

padecer v. **1** Referido a algo negativo, sentirlo, soportarlo, ser objeto de ello: *Padezco frecuentes mareos. El pasaje padeció un trato desconsiderado por parte de la tripulación.* **2** Sufrir: *Padece del estómago y no puede tomar comidas picantes. Padeció mucho con aquellos falsos rumores.* □ ETIMOL. Del latín *pati* (sufrir, soportar). □ MORF. Irreg. →PARECER.

padecimiento s.m. Sufrimiento de algo que resulta desagradable, esp. una enfermedad, una injuria o un daño.

pádel s.m. →**paddle.**

padrastro s.m. **1** Respecto de los hijos llevados por una mujer al matrimonio, actual marido de esta. **2** Piel que se levanta en la zona del nacimiento de las uñas de los dedos y que causa dolor. □ ETIMOL. Del latín *patraster*. □ MORF. En la acepción 1, su femenino es *madrastra*.

padrazo s.m. *col.* Padre muy bueno y cariñoso con sus hijos. □ MORF. Su femenino es *madraza*.

padre ▌adj.inv. **1** Muy grande: *Se puso a protestar y armó el lío padre.* **2** *col.* En zonas del español meridional, muy bueno o estupendo: *¡Qué padre que finalmente puedas irte de viaje!* ▌s.m. **3** Respecto de un hijo, macho que lo ha engendrado: *Ese toro es el padre de este ternerito. Quiero a mi padre con locura.* **4** Macho que ha engendrado: *Está muy contento porque va a ser padre.* **5** Cabeza de una descendencia, familia o pueblo: *Por ser la persona de mayor edad, es considerado el padre de su tribu y todos le obedecen.* **6** Animal macho destinado a la reproducción: *Venderemos todos los toros menos este, que lo dejaremos para padre.* **7** Tratamiento que se da a algunos religiosos o sacerdotes: *Hoy vendrá a decir misa el padre José.* **8** Persona autora de una obra, inventora de una idea o creadora de una ciencia o un arte: *Saussure es considerado el padre de la lingüística moderna.* ▌s.m.pl. **9** Respecto de un hijo, pareja formada por la hembra y el macho que lo han engendrado: *Los padres de este* *perro eran unos grandes campeones. Fui al cine con mis padres.* **10** En una familia, abuelos y demás parientes en línea directa: *Esta tradición la hemos heredado de nuestros padres.* **11** || **de padre y muy señor mío;** *col.* Muy grande: *Armaron un escándalo de padre y muy señor mío.* || **padre de familia;** hombre que es cabeza de familia a efectos legales. || **padre de la Iglesia** o **Santo Padre;** tratamiento que reciben los primeros doctores de las iglesias griega y latina. || **padre nuestro;** →**padrenuestro.** ☐ ETIMOL. Del latín *pater.* ☐ MORF. En las acepciones 3 y 4, su femenino es *madre.* ☐ USO La expresión *padre de la Iglesia* se usa mucho como nombre propio.

padrear v. Procrear o propagar la propia especie, por medio de la reproducción: *Algunos animales no padrean en toda la vida.*

padrenuestro (tb. *padre nuestro*) s.m. Oración enseñada por Jesucristo y que empieza con las palabras *Padre nuestro*.

padrinazgo s.m. **1** Actuación como padrino en un bautizo o en un acto público. **2** Protección o favor que se da a una persona.

padrino ▌s.m. **1** Respecto de una persona, hombre que la representa o la asiste al recibir ciertos sacramentos o algún honor: *padrino de boda.* **2** Hombre que defiende los derechos de la persona a la que acompaña o asiste en ciertos actos o ceremonias. ▌pl. **3** *col.* Influencias para conseguir algo o para desenvolverse en la vida: *Si no tienes padrinos, no conseguirás ese empleo.* **4** Respecto de una persona, pareja formada por el hombre y la mujer que la representan o la asisten al recibir ciertos sacramentos o algún honor: *padrinos de bautizo.* ☐ ETIMOL. Del latín **patrinus*, y este de *pater* (padre). ☐ MORF. Su femenino es *madrina*.

padrísimo, ma adj. *col.* En zonas del español meridional, óptimo.

padrón s.m. Lista de los habitantes de una población. ☐ ETIMOL. Del latín *patronus* (patrono, protector, defensor).

padrote s.m. En zonas del español meridional, chulo: *La policía detuvo al padrote de las prostitutas.*

paella s.f. **1** Comida elaborada con arroz y con otros ingredientes, esp. carne, mariscos y legumbres: *La paella es un plato de origen valenciano.* **2** →**paellera.** ☐ ETIMOL. Del valenciano *paella*.

paellada s.f. Comida cuyo componente principal es la paella.

paellera s.f. Recipiente metálico, ancho, de poco fondo y con dos asas, en el que se suele cocinar la paella. ☐ SINÓN. *paella.*

paga s.f. **1** Sueldo que se recibe periódicamente, esp. el que se recibe cada mes. **2** || **(paga) {extra/extraordinaria};** la que se recibe como sobresueldo, generalmente dos o tres veces al año.

pagadero, ra adj. Que tiene que pagarse en un tiempo determinado: *Este crédito es pagadero en seis años.*

pagado, da adj. Satisfecho, ufano o contento: *una persona pagada de sí misma.*

pagador, -a ▌adj./s. **1** Que paga. ▌s.m. **2** Persona encargada de pagar ciertas cantidades de dinero, esp. sueldos, créditos o pensiones.

pagaduría s.f. Lugar público en el que se hacen pagos de dinero.

paganini s.com. *col.* Persona que acostumbra a pagar los gastos ocasionados entre varios.

paganismo s.m. Religión de los paganos.

paganizar v. Dar características que se consideran propias de lo pagano: *En la sociedad moderna, según algunos filósofos y moralistas, las costumbres se han paganizado.* ☐ ORTOGR. La *z* se cambia en *c* delante de *e* →CAZAR.

pagano, na adj./s. **1** Que adora o rinde culto a ídolos o a varias representaciones de la divinidad, esp. referido a los antiguos griegos y romanos: *Los carnavales son unas fiestas de origen pagano.* **2** Que no está bautizado. ☐ ETIMOL. Del latín *paganus* (campesino), porque los campesinos ofrecieron resistencia a la cristiandad.

pagar v. **1** Referido a algo que se debe, darlo o satisfacerlo: *El camarero lo acusó de quererse ir sin pagar. Si no pagas la factura del teléfono, te cortarán la línea. ¿Con desprecio es como pagas mis sacrificios por ti?* ☐ SINÓN. *abonar.* **2** Referido a un gasto, sufragarlo o costearlo: *Un mecenas desconocido le pagó los estudios.* **3** Referido esp. a un delito, cumplir la pena o el castigo impuestos por ello: *Pagó su crimen con veinte años de cárcel.* **4** || **pagarla** o **pagarlas (todas juntas);** *col.* Sufrir el culpable el castigo que se merece: *Por esta vez te has librado, pero ya me las pagarás.* ☐ ETIMOL. Del latín *pacare* (apaciguar). ☐ ORTOGR. La *g* se cambia en *gu* delante de *e* →PAGAR. ☐ USO La acepción 4 se usa mucho para amenazar a alguien.

pagaré s.m. Documento en el que alguien se compromete a pagar cierta cantidad de dinero en un tiempo determinado. ☐ ETIMOL. Del futuro de *pagar*, palabra con que suelen dar principio estos documentos.

pagel (tb. *pajel*) s.m. Pez marino de color rosa vivo con pequeños puntos azules o con bandas transversales, con el cuerpo oval comprimido lateralmente, aletas con espinas y carne blanca, que es común en el mar Mediterráneo: *El pagel vive en fondos llenos de lodo.* ☐ ETIMOL. Del catalán *pagell.* ☐ MORF. Es un sustantivo epiceno: *el pagel {macho/hembra}.*

página s.f. **1** En un libro o en un escrito, cada una de la dos caras de una hoja: *Tengo que devolver este libro porque una de las páginas del centro está en blanco.* **2** Lo que está escrito o impreso en ellas: *He leído las páginas de cultura del periódico.* **3** Suceso o etapa en la historia de una vida: *Cuando se casó empezó una nueva página de su vida.* **4** || **página (de) web;** archivo cuyo contenido está escrito en un lenguaje específico para internet (HTML) que permite enlazar unas páginas con otras: *Las páginas web están unidas unas con otras mediante unos enlaces de hipertexto llamados 'hipervínculos'.* ☐ SINÓN. *web.* ☐ ETIMOL. Del latín *pagina.*

paginación s.f. Numeración de las páginas de un documento.

paginar v. Numerar ordenadamente las páginas: *Antes de entregar el trabajo tengo que paginarlo.*

pago s.m. **1** Entrega de lo que se debe o adeuda: *Ya realicé el primer pago de sesenta euros.* **2** Lo que se ha de pagar: *¿Cuál será el pago mensual si me conceden este crédito?* **3** Satisfacción, premio o recompensa: *Como pago a sus esfuerzos, consiguió una medalla en la competición.* **4** Lugar, pueblo o región: *Hacía tiempo que no venía por estos pagos.* **5** || **pago por visión;** Sistema de televisión por cable que permite a un abonado pagar por unidad de programa visto. □ ETIMOL. Las acepciones 1-3, de *pagar*. La acepción 4, del latín *pagus* (pueblo, aldea). □ MORF. En la acepción 4, se usa más en plural. □ USO Es innecesario el uso del anglicismo *pay per view* en lugar de *pago por visión*.

pagoda s.f. Templo budista en forma de torre, con pisos superpuestos separados por cornisas: *Las pagodas son propias de los países de Oriente.* □ ETIMOL. Del portugués *pagode*.

paico s.m. Planta herbácea de origen americano, que se usa como vermífugo.

paidofilia s.f. →**pedofilia.**

paidófilo, la adj. Referido a un adulto, que experimenta atracción sexual hacia niños del mismo o de distinto sexo. □ SINÓN. *pedófilo*.

paidología s.f. Ciencia que estudia a los niños y su desarrollo. □ ETIMOL. Del griego *pâis* (niño) y *-logía* (ciencia).

paila s.f. En zonas del español meridional, sartén. □ ETIMOL. Del latín *patella* (sartén pequeña).

paillette (fr.) s.f. →**lentejuela.** □ PRON. [payét].

paintball (ing.) s.m. Actividad deportiva que se juega entre dos equipos y en el que se van eliminando los jugadores que son alcanzados por una bola de pintura: *jugar una partida de paintball.* □ PRON. [péinbol].

paipái s.m. →**paipay.**

paipay (tb. *paipái*) (pl. *paipáis*) s.m. Abanico plano, con forma de pala redondeada y con un mango, hecho generalmente de tela o de hoja de palmera: *Los paipáis son originarios de Filipinas.*

pairo || **al pairo;** *col.* A la expectativa o sin tomar una resolución: *Me quedé al pairo hasta ver qué hacían mis contrincantes.* □ MORF. Se usa más con los verbos *estar*, *quedarse* o equivalentes.

país s.m. **1** Territorio que constituye una unidad cultural o política: *En las últimas vacaciones nos recorrimos el País Vasco.* **2** Estado independiente: *A la reunión fueron representantes de todos los países que forman la ONU.* **3** Papel, piel, tela u otro material que cubre la parte superior de las varillas de un abanico: *Mi abanico tiene el país de encaje bordado.* □ ETIMOL. Del francés *pays*.

paisaje s.m. **1** Terreno visto desde un lugar, esp. si se considera desde un punto de vista estético. **2** Pintura o dibujo que lo representa. □ ETIMOL. Del francés *paysage*.

paisajismo s.m. **1** Género pictórico que da especial importancia a la pintura de paisajes. **2** Estudio y diseño del paisaje, esp. de los parques y jardines y del entorno natural.

paisajista adj.inv./s.com. Referido a un pintor, que pinta paisajes.

paisajístico, ca adj. Del paisaje en su aspecto artístico, o relacionado con él.

paisanada s.f. *col.* En zonas del español meridional, grupo de campesinos.

paisanaje s.f. Situación o estado entre las personas que son de un mismo lugar.

paisano, na ▮ adj./s. **1** Respecto de una persona, otra que es de su mismo país, provincia o lugar: *Somos paisanos porque hemos nacido en el mismo pueblo.* ▮ s. **2** Persona que vive y trabaja en el campo: *La paisana vendía los productos de su huerta sentada a la puerta de su casa.* □ SINÓN. *campesino*. **3** || **de paisano;** referido esp. a un militar, que no viste de uniforme: *El comandante asistió al acto de paisano.* □ ETIMOL. Del francés *paysan* (campesino).

paja s.f. **1** Caña de algunas gramíneas, seca y separada del grano: *En la trilla, se separa el grano de la paja.* **2** Conjunto de estas cañas: *Dormimos en un pajar, tumbados sobre la paja.* **3** Tubo delgado, generalmente de plástico, que se usa para sorber líquidos. **4** Lo inútil y desechable en cualquier materia: *Antes del examen, la profesora nos aconsejó que no metiéramos paja.* **5** || **hacerse** alguien **una paja;** *vulg.* →**masturbarse.** || **paja brava;** hierba americana de la familia de las gramíneas muy apreciada como pasto y como combustible. || **por un quítame allá esas pajas;** *col.* Por algo que tiene poca importancia. □ ETIMOL. Del latín *palea* (corteza exterior de los cereales).

pajar s.m. Lugar en el que se guarda y conserva la paja. □ ETIMOL. Del latín *palearium*.

pájara s.f. Véase **pájaro, ra**.

pajarera s.f. Véase **pajarero, ra.**

pajarería s.f. Establecimiento en el que se venden pájaros y otros animales domésticos.

pajarero, ra ▮ s. **1** Persona que se dedica a la caza, a la cría o a la venta de pájaros. ▮ s.f. **2** Jaula grande en la que se guardan o se crían los pájaros.

pajarita s.f. **1** Lazo de tela que se coloca como adorno alrededor del cuello de la camisa. **2** Figura de papel que resulta de doblar este varias veces y que tiene forma de pájaro. □ ETIMOL. De *pájara*.

pajarito || **quedarse** alguien **pajarito;** *col.* Pasar mucho frío.

pájaro, ra ▮ s. **1** Persona astuta o mal intencionada que intenta aprovecharse de los demás: *Ese amigo tuyo es un pájaro de mucho cuidado.* ▮ s.m. **2** Ave voladora: *La gallina es un ave, pero no un pájaro.* **3** Ave voladora de pequeño tamaño que se caracteriza por tener las patas con tres dedos hacia delante y uno hacia atrás, lo que le permite aferrarse a los árboles: *El canario, el gorrión y el herrerillo son pájaros.* ▮ s.f. **4** En algunos deportes, esp. en el ciclismo, desfallecimiento repentino que se sufre durante una prueba tras realizar un gran esfuerzo físico: *Le dio una pájara subiendo el puerto de montaña y quedó el último.* **5** || **matar dos pájaros de un tiro;** *col.* Conseguir varias cosas de una sola vez. || **pájaro bobo;** ave acuática, incapaz de volar pero buena nadadora, que habita principalmente en las zonas polares del hemisferio sur, se alimenta de peces y crustáceos y se caracteriza por la postura erguida y el plumaje muy espeso, negro en el lomo y blanco en el pecho y en el vientre. □ SINÓN. *pingüino.* || **pájaro carpintero;** ave con el pico largo, delgado y potente, con el que perfora el tronco de los árboles para construir su nido y para buscar su alimento. || **tener pájaros en la cabeza;** *col.* Ser poco juicioso o tener excesivas ilusiones. □ ETIMOL. Del latín *passer* (gorrión, pardillo). □ MORF. *Pájaro bobo* y *pájaro carpintero* son epicenos: *el pájaro bobo {macho/hembra}, el pájaro carpintero {macho/hembra}.*

pajarraca s.f. *col.* Véase **pajarraco, ca.**

pajarraco, ca ▮ s. **1** Pájaro grande y al que se considera feo, o pájaro cuyo nombre se desconoce. **2** *col. desp.* Persona astuta y con malas intenciones. ▮ s.f. **3** *col.* Desorden, follón o lío: *En cuanto vino tu primo se lió la pajarraca.* □ SINT. En la acepción 3, se usa más con el verbo *liarse.*

paje s.m. Antiguamente, criado que acompañaba a su amo y se dedicaba a las tareas domésticas. □ ETIMOL. Del francés *page* (criado, aprendiz, grumete).

pajel s.m. →**pagel.**

pajillero, ra s. Que se masturba o que masturba a otra persona.

pajizo, za adj. Del color de la paja, con paja, o parecido a ella.

pajolero, ra adj./s. *col. desp.* Que se considera impertinente, molesto o despreciable: *Toda tu pajolera vida has sido un sinvergüenza. Me negué a contestar las estúpidas preguntas de ese pajolero.* □ SINÓN. *repajolero.* □ ETIMOL. De *pajuela* (diminutivo de paja). □ USO Cuando va antepuesto a ciertos sustantivos, se usa para indicar desprecio o rechazo: *No tienes ni pajolera idea.*

pakistaní (tb. *paquistaní*) (pl. *pakistaníes, pakistanís*) adj.inv./s.com. De Pakistán o relacionado con este país asiático.

PAL (ing.) s.m. Sistema analógico europeo de emisión televisiva en color. □ ETIMOL. Es el acrónimo del inglés *Phase Alternation Line* (línea de fase alternante). □ SINT. Se usa mucho en aposición, pospuesto a un sustantivo: *sistema PAL.*

pala s.f. **1** Herramienta formada por una plancha con forma rectangular o redondeada, sujeta a un mango grueso, cilíndrico y largo, y que se utiliza para cavar, para trasladar algo o para cogerlo: *Coge una pala y ayúdame a cavar un hoyo. ¿Dónde está la pala de cortar la tarta?* **2** Especie de raqueta sin cuerdas, generalmente de madera, de forma redonda o elíptica, que sirve para golpear una pelota. **3** Parte ancha y plana de algunos objetos: *la pala de un remo.* **4** Diente incisivo superior. □ SINÓN. *paleta.* □ ETIMOL. Del latín *pala.*

palabra ▮ s.f. **1** Sonido o conjunto de sonidos articulados que expresan una idea: *Solo oí palabras sueltas de la conversación.* □ SINÓN. *voz, término, vocablo.* **2** Representación gráfica de este sonido o conjunto de sonidos articulados: *Este texto no tiene más de cien palabras.* □ SINÓN. *vocablo.* **3** Facultad de hablar para expresar ideas: *Los animales no tienen el don de la palabra.* **4** Aptitud o elocuencia para expresarse: *Es una oradora de palabra fácil.* **5** Promesa de cumplir o de mantener lo que se dice: *Dio su palabra de que vendría a la excursión.* **6** Derecho o turno para hablar: *Pidió la palabra para hacer una propuesta.* ▮ pl. **7** Dichos vanos o superficiales que no responden a ninguna realidad: *Eso que dices no son más que palabras.* **8** || **buenas palabras;** dichos o promesas agradables para convencer o contentar. || **dejar** a alguien **con la palabra en la boca;** interrumpirlo cuando habla o dejar de escucharlo de golpe. || **dirigir la palabra** a alguien; hablarle: *Discutimos y no nos dirigimos la palabra en toda la noche.* || **medias palabras;** insinuación encubierta: *Di claramente lo que piensas y déjate de medias palabras.* || **medir las palabras;** hablar con cuidado y moderación para no decir algo que pueda resultar inoportuno. || **ni (media) palabra;** nada en absoluto: *De ese tema no sé ni media palabra.* || **palabra (de honor);** expresión que se usa para afirmar o asegurar que lo que se dice es verdad. || **palabras mayores;** lo que resulta de gran importancia o interés: *Ten cuidado con lo que dices, porque esas acusaciones son palabras mayores.* || **quitar** a alguien **la palabra de la boca;** adelantarse en decir lo que estaba a punto de expresar. || **tener unas palabras con** alguien; discutir de forma más o menos agresiva. || **tomarle la palabra** a alguien; valerse de lo que promete u ofrece para obligarlo a que lo cumpla: *Ya que te ofreces, te tomo la palabra y acepto tu ayuda.* || **última palabra;** decisión definitiva e inalterable: *Es mi última palabra: o aceptas o te vas.* □ ETIMOL. Del latín *parabola* (comparación, símil).

palabrería s.f. Exceso de palabras inútiles o vacías de contenido.

palabro s.m. **1** Palabra o expresión raras o mal dichas: *En su vocabulario utiliza palabros como 'amoto' en vez de 'moto'.* **2** Expresión ofensiva, indecente o grosera. □ SINÓN. *palabrota.*

palabrota s.f. Expresión ofensiva, indecente o grosera. □ SINÓN. *palabro.*

palabrotero, ra adj./s. Que dice palabrotas de manera habitual.

palacete s.m. Casa parecida a un palacio, pero más pequeña.

palaciego, ga adj. Del palacio, de la corte o relacionado con ellos: *intrigas palaciegas.*

palacio s.m. **1** Casa grande y muy lujosa destinada a la residencia de grandes personalidades, esp. de reyes, de príncipes o de nobles. **2** Edificio público de gran tamaño: *El juicio se celebrará en el Palacio de Justicia.* □ ETIMOL. Del latín *palatium.*

palada s.f. **1** Cantidad que cabe en una pala: *Eché tres paladas de arena y una de cemento.* **2** Golpe dado al agua con la pala de un remo: *El piragüista aumentó la velocidad de las paladas en la recta final.* **3** Movimiento hecho al usar la pala: *Al dar una palada se me salió el mango.*

paladar s.m. **1** En la boca, parte interior y superior que separa las fosas nasales y la cavidad bucal. ☐ SINÓN. *cielo de la boca.* **2** Capacidad o sensibilidad para apreciar y valorar algo inmaterial: *No tienes paladar para la música clásica.* ☐ ETIMOL. Del latín *paladare.*

paladear v. **1** Referido a comida o bebida, disfrutar su sabor poco a poco: *Paladeó un bombón dejando que se le derritiese en la boca.* **2** Referido esp. a una obra artística, tomarle gusto o disfrutar con ella: *Paladeó cada una de las hojas de la novela.* ☐ ETIMOL. De *paladar.*

paladeo s.m. Apreciación lenta de un sabor.

paladial adj.inv. Del paladar o relacionado con él.

paladín s.m. **1** Antiguamente, caballero que luchaba en la guerra voluntariamente y que se distinguía por sus hazañas: *Los paladines lucharon con valentía en defensa de su rey.* **2** Defensor a ultranza de una persona, una idea o una causa: *Siempre fue un paladín de la justicia y de la libertad.* ☐ ETIMOL. Del italiano *paladino*, y este del latín *palatinus* (palaciego).

paladino, na adj. Público, claro y evidente: *Respondió de forma paladina y su contestación no dejó lugar a dudas.* ☐ ETIMOL. Del latín *palatinus*, que primero significó *de la corte, real, oficial*, luego *público*, y finalmente *manifiesto*, quizá con influencia de *palam* (de forma evidente). ☐ ORTOGR. Dist. de *palatino.*

paladio s.m. Elemento químico, metálico y sólido, de número atómico 46, de color blanco, dúctil, maleable e inalterable al aire: *El paladio se utiliza en la fabricación de aparatos médicos.* ☐ ETIMOL. Del griego *Pallás*, nombre de Minerva y de un asteroide, dado a este elemento químico porque su descubrimiento en 1803 coincidió con el de dicho asteroide. ☐ ORTOGR. Su símbolo químico es *Pd.*

palafito s.m. Vivienda primitiva construida sobre estacas o postes de madera, generalmente dentro de un lago, un río o un pantano. ☐ ETIMOL. Del italiano *palafitta.*

palafrén s.m. **1** Caballo manso en el que solían montar las mujeres y a veces los reyes y los príncipes. **2** Caballo en el que montaba el criado cuando acompañaba a su amo. ☐ ETIMOL. Del catalán *palafré.*

palafrenero s.m. **1** Criado que llevaba del freno al caballo o que montaba el palafrén. **2** Persona que se dedicaba al cuidado de los caballos. ☐ MORF. Incorr. **palafranero.*

palamenta s.f. Conjunto de los remos de una embarcación. ☐ ETIMOL. De *pala.*

palanca s.f. **1** Barra rígida que se apoya en un punto y sirve para transmitir la fuerza aplicada en uno de sus extremos con el fin de mover o levantar un cuerpo situado en el extremo opuesto: *Las pinzas y los cascanueces son palancas.* **2** Plataforma desde la que salta al agua un nadador. **3** *col.* En zonas del español meridional, recomendación o enchufe. ☐ ETIMOL. Del latín **palanca*, y este del griego *phálanx* (rodillo, garrote).

palancana s.f. →**palangana.**

palangana (tb. *palancana*) s.f. Vasija de gran diámetro y de poca profundidad, que se utiliza esp. para lavarse la cara y las manos. ☐ SINÓN. *jofaina.* ☐ ETIMOL. De origen incierto.

palanganear v. *col.* En zonas del español meridional, fanfarronear. ☐ ETIMOL. De *palangana.*

palanganero s.m. Soporte en el que se colocan la palangana y otros utensilios para el aseo personal. ☐ SINÓN. *aguamanil.*

palangre s.m. Arte de pesca formado por un cordel largo y grueso del que cuelgan ramales con anzuelos en sus extremos: *El palangre se utiliza para pescar en aguas profundas en las que no se pueden usar redes.* ☐ ETIMOL. Del catalán *palangre.*

palangrero s.m. Barco de pesca con palangre.

palanquero, ra s. Ladrón que entra en casas y edificios usando la palanqueta.

palanqueta s.f. **1** Barra que sirve para forzar las puertas o las cerraduras. **2** Dulce que se elabora con almendras, cacahuetes, nueces o pepitas tostadas y caramelo.

palanquín s.m. Asiento sostenido por dos varas paralelas usado en los países orientales para transportar a personas importantes. ☐ ETIMOL. Del portugués *palanquim.*

palao adj.inv./s.com. De Palaos o relacionado con esta isla del océano Pacífico. ☐ SINÓN. *palauano.*

palapa s.f. Estructura de madera con techo de hojas de palma: *Nos sentamos debajo de una palapa en la playa de Cancún.*

palastro s.m. Chapa o cajita metálica que contiene el mecanismo de una cerradura. ☐ ETIMOL. De *pala.*

palatal ▌adj.inv. **1** En lingüística, referido a un sonido, que se articula poniendo en contacto el dorso de la lengua con el paladar: *[ch] e [i] son sonidos palatales.* ▌s.f. **2** Letra que representa este sonido: *La 'ñ' es una palatal.* ☐ ETIMOL. Del latín *palatum* (paladar).

palatalización s.f. En lingüística, articulación o pronunciación palatal de un sonido: *Al sufrir una palatalización los sonidos se articulan cerca del punto de articulación de la 'i'.*

palatalizar v. En lingüística, referido a un sonido, hacerlo palatal o pronunciarlo como si fuera palatal: *En la palabra 'mancha' el fonema 'n' se palataliza.* ☐ ORTOGR. La *z* se cambia en *c* delante de *e* →CAZAR.

palatino, na adj. **1** Del paladar: *Los huesos palatinos forman el cielo de la boca.* **2** De un palacio o relacionado con él. ☐ ETIMOL. La acepción 1, del latín *palatum* (paladar). La acepción 2, del latín *palatinus* (palaciego). ☐ ORTOGR. Dist. de *paladino.*

palatograma s.m. Representación gráfica de la superficie de contacto entre la lengua y el paladar durante la articulación de un sonido. □ ETIMOL. Del latín *palatum* (paladar) y *-grama* (gráfico).

palauano, na adj./s. De Palaos o relacionado con esta isla del océano Pacífico. □ SINÓN. *palao*.

palazo s.m. Golpe dado con una pala.

palco s.m. **1** En un teatro, espacio independiente en forma de balcón, con varios asientos. **2** Tarima en que se sitúan los espectadores para ver un espectáculo público. □ ETIMOL. Del italiano *palco*.

palé s.m. Plataforma de tablas de madera sobre la que se colocan las mercancías para su transporte y almacenaje. □ ETIMOL. Del inglés *pallet*. □ USO Es innecesario el uso del anglicismo *pallet*.

paleal adj.inv. Del manto de los moluscos, o relacionado con esta capa que recubre la masa visceral. □ ETIMOL. Del francés *palléal*.

palenque s.m. **1** Terreno cercado para celebrar en él algún acto público y solemne. **2** Valla que se hace para cerrar un terreno. **3** En zonas del español meridional, poste clavado en la tierra que sirve para atar los animales. □ ETIMOL. Del catalán *palenc* (empalizada).

palentino, na adj./s. De Palencia o relacionado con esta provincia española o con su capital: *El territorio palentino fue una importante zona ganadera y textil en la Castilla medieval.*

paleo- Elemento compositivo prefijo que significa 'antiguo' o 'primitivo': *paleocristiano, paleografía, paleontología*. □ ETIMOL. Del griego *palaiós*.

paleoceno, na adj./s.m. En geología, referido a un período, que es el primero de la era terciaria o cenozoica: *El paleoceno es anterior al eoceno.* □ ETIMOL. De *paleo-* (antiguo) y el griego *kainós* (nuevo).

paleocristiano, na ▮ adj. **1** De las primeras comunidades cristianas o relacionado con ellas: *Una de las principales creaciones del arte paleocristiano son las catacumbas.* ▮ s.m. **2** Arte realizado por las primeras comunidades cristianas que se caracteriza por sintetizar la cultura clásica y por tratar de representar esencialmente la verdad espiritual frente a la realidad física: *El paleocristiano se desarrolló entre los siglos III y VI.* □ ETIMOL. De *paleo-* (antiguo, primitivo) y *cristiano*.

paleógeno, na adj./s.m. Referido a una etapa geológica, que es la primera de la era terciaria o cenozoica, en la que se engloban los períodos paleoceno, eoceno y oligoceno: *El paleógeno comenzó hace unos setenta millones de años.* □ ETIMOL. De *paleo-* (antiguo) y el griego *gennáo* (yo engendro).

paleografía s.f. Arte y técnica de leer la escritura y los signos contenidos en libros y documentos antiguos. □ ETIMOL. De *paleo-* (antiguo) y *grafía-* (descripción).

paleográfico, ca adj. De la paleografía o relacionado con esta técnica: *un estudio paleográfico.*

paleógrafo, fa s. Persona que se dedica profesionalmente al estudio de la escritura de los documentos antiguos, o que está especializada en paleografía.

paleolítico, ca ▮ adj. **1** Del paleolítico o relacionado con este período prehistórico: *El hombre paleolítico era nómada y vivía al aire libre.* ▮ adj./s.m. **2** Referido a un período prehistórico, que es anterior al mesolítico y se caracteriza por la fabricación de utensilios de piedra tallada: *En el paleolítico se realizaron pinturas rupestres.* **3** ‖ **paleolítico inferior;** primera etapa de este período, que se caracteriza por la aparición de los primeros homínidos: *El fuego se conoció en el paleolítico inferior.* ‖ **paleolítico medio;** segunda etapa de este período, que se caracteriza por un mayor perfeccionamiento de los instrumentos de sílex: *El hombre de Neanderthal vivió en el paleolítico medio.* ‖ **paleolítico superior;** tercera etapa de este período, que se caracteriza por la fabricación de instrumentos de hueso y de marfil: *El hombre del paleolítico superior construyó viviendas.* □ ETIMOL. De *paleo-* (antiguo) y el griego *líthos* (piedra).

paleología s.f. Estudio de las lenguas antiguas. □ ETIMOL. De *paleo-* (antiguo) y *-logía* (ciencia).

paleólogo, ga s. Persona que conoce las lenguas antiguas.

paleontografía s.f. Descripción de los organismos hallados en forma fósil: *La paleontografía intenta explicar cómo eran los seres que ya han desaparecido, a partir de los restos fósiles encontrados.* □ ETIMOL. De *paleo-* (antiguo), el griego *ón* (ente, ser) y *-grafía* (descripción).

paleontográfico, ca adj. De la paleontografía o relacionado con esta descripción de los organismos.

paleontología s.f. Ciencia que estudia los organismos cuyos restos han sido hallados en forma fósil: *La paleontología ha permitido conocer la evolución de los seres vivos.* □ ETIMOL. De *paleo-* (antiguo), el griego *ón* (ente, ser) y *-logía* (ciencia).

paleontológico, ca adj. De la paleontología o relacionado con esta ciencia.

paleontólogo, ga s. Persona que se dedica profesionalmente al estudio de los organismos hallados en forma fósil, o que está especializada en paleontología.

paleoterio s.m. Mamífero que existió en la era terciaria y que tenía un aspecto parecido al del tapir: *El paleoterio está considerado como un antepasado del caballo.* □ ETIMOL. De *paleo-* (antiguo, primitivo) y el griego *theríon* (bestia).

paleozoico, ca ▮ adj. **1** En geología, de la era primaria, segunda de la historia de la Tierra, o relacionado con ella. □ SINÓN. *primario*. ▮ s.m. **2** →**era paleozoica.** □ ETIMOL. De *paleo-* (antiguo) y el griego *zôion* (animal).

paleozoología s.f. Parte de la paleontología que estudia los animales cuyos restos han sido hallados en forma fósil. □ ETIMOL. De *paleo-* (antiguo, primitivo) y *zoología*.

palestino, na adj./s. De Palestina (región asiática situada entre el mar Mediterráneo y el río Jordán), o relacionado con ella: *Los palestinos buscan el reconocimiento internacional de los derechos sobre el que ellos consideran su territorio.*

palestra s.f. **1** Antiguamente, lugar en el que se luchaba. **2** Lugar en el que se celebran ejercicios literarios públicos o en el que se habla de cualquier tema: *La profesora me dijo que saliera a la palestra y que explicara la Constitución.* **3** || **saltar a la palestra;** *col.* Darse a conocer ante el público. □ ETIMOL. Del latín *palestra*, y este del griego *paláistra* (lugar donde se lucha).

paleta ▌s.com. **1** *col.* Albañil. ▌s.f. **2** Véase **paleto, ta.**

paletada s.f. Hecho o dicho propios de un paleto. □ SINÓN. *paletería.*

paletería s.f. **1** Hecho o dicho propios de un paleto. □ SINÓN. *paletada.* **2** En zonas del español meridional, heladería.

paletero, ra s. En zonas del español meridional, heladero.

paletilla s.f. En algunos cuadrúpedos, cuarto delantero: *Comimos una paletilla de cordero asado.* □ SINÓN. *paleta, espaldilla.*

paletización s.f. Sistema de manejo y almacenamiento de materiales que se realiza mediante unas plataformas especiales de madera llamadas *palés.*

paletizar v. Manejar la mercancía y almacenarla usando unas plataformas especiales de madera llamadas *palés*: *Existen unas máquinas especiales para paletizar la mercancía de forma automática.* □ ETIMOL. Del inglés *pallet.* □ ORTOGR. La *z* se cambia en *c* delante de *e* →CAZAR.

paleto, ta ▌adj./s. **1** *desp.* Rústico, sin educación o sin refinamiento. ▌s.f. **2** En pintura, tabla pequeña que tiene un orificio en un extremo para introducir el dedo pulgar, y que se utiliza para ordenar y mezclar los colores. **3** En construcción, herramienta formada por una placa metálica de forma triangular y un mango generalmente de madera, que se utiliza para manejar y aplicar la mezcla o el mortero. **4** En cocina, cubierto formado por un platillo redondo unido a un mango largo que se utiliza generalmente para servir las comidas. **5** Diente incisivo superior. □ SINÓN. *pala.* **6** →**paletilla. 7** En una rueda hidráulica, cada una de las tablas o planchas que reciben la acción del agua. **8** En una hélice, cada una de las piezas unidas a una parte central para girar movidas por el aire, el agua o cualquier otra fuerza. **9** En zonas del español meridional, polo o golosina con un palito encajado. □ ETIMOL. De *pala.*

paletó (pl. *paletós*) s.m. Abrigo de paño grueso, largo, entallado y sin faldas. □ ETIMOL. Del francés *paletot.*

paletón s.m. En una llave, parte en la que están situados los dientes o hendiduras que mueven el mecanismo de la cerradura. □ ETIMOL. De *pala.*

pali s.m. Antigua lengua de la India, de la misma familia que el sánscrito, y que hoy en día se conserva solo como lengua religiosa: *El pali fue la lengua usada por Buda para su predicación.*

paliacate s.m. En zonas del español meridional, pañuelo grande de algodón estampado.

paliar v. Referido a algo negativo, suavizarlo, atenuarlo, disimularlo o encubrirlo: *Esta buena noticia paliará su tristeza.* □ ETIMOL. Del latín *palliare* (tapar). □ ORTOGR. La *i* puede llevar tilde en los presentes, excepto en las personas *nosotros* y *vosotros* →GUIAR, o no llevarla nunca.

paliativo, va adj./s.m. **1** Que mitiga, suaviza o atenúa: *un castigo sin paliativos; una terapia paliativa.* **2** Que sirve para encubrir, disimular o justificar algo: *El portavoz se limitó a dar respuestas paliativas.* □ SINÓN. *paliatorio.* **3** || **sin paliativos;** de forma clara y rotunda: *Todas los partidos políticos condenaron sin paliativos el acto terrorista.* □ SEM. Es incorrecto el uso de la expresión *sin paliativos* referida a algo que se considera positivo: *un triunfo (*sin paliativos > contundente).*

paliatorio, ria adj. Que sirve para encubrir, disimular o justificar algo: *No existen argumentos paliatorios para su comportamiento.* □ SINÓN. *paliativo.*

palidecer v. **1** Ponerse pálido: *Cuando le dieron la triste noticia, palideció y se echó a llorar.* □ SINÓN. *empalidecer.* **2** Referido a la importancia o el esplendor, disminuir o atenuarse: *Su gloria ha palidecido y ahora solo tiene unos cuantos seguidores.* □ SINÓN. *empalidecer.* □ MORF. Irreg. →PARECER.

palidez s.f. **1** Pérdida o disminución del color rosado de la piel humana. **2** Pérdida del color natural de algo.

pálido, da adj. Con palidez o con un color de tono poco intenso. □ ETIMOL. Del latín *pallidus*, y este de *pallere* (estar o ser pálido, palidecer).

palier s.m. En algunos vehículos, cada una de las dos mitades en las que se divide el eje de las ruedas motrices. □ ETIMOL. Del francés *palier.*

palillero s.m. Recipiente en el que se guardan los palillos o mondadientes.

palillo ▌s.m. **1** Mondadientes de madera. **2** Varita redonda, generalmente de madera, que se utiliza para tocar el tambor y otros instrumentos de percusión. **3** En zonas del español meridional, pinza para la ropa. ▌pl. **4** Par de varitas largas y estrechas que se utilizan como cubiertos en algunos países orientales.

palimpsesto s.m. **1** Manuscrito antiguo, generalmente de pergamino, que conserva huellas de una escritura anterior borrada artificialmente. **2** Tablilla antigua en la que se podía borrar lo que se había escrito para volver a escribir en ella. □ ETIMOL. Del griego *pálin* (de nuevo, otra vez) y *psáo* (yo rasco).

palíndromo s.m. Palabra o frase que se lee de igual forma de derecha a izquierda que de izquierda a derecha: *La frase 'Nada, yo soy Adán' es un palíndromo, porque leyéndola al revés dice lo mismo que al derecho.* □ ETIMOL. Del griego *pálin* (nuevo) y *drómos* (carrera). □ PRON. Incorr. *[palindrómo].

palingenesia s.f. Renacimiento de los seres después de su muerte real o aparente. □ ETIMOL. Del griego *palingenesía* (resurrección, retorno a la vida), y este de *pálin* (de nuevo) y *génesis* (acción de engendrar).

palinodia s.f. **1** Retractación pública de una postura anterior. **2** ‖ **cantar la palinodia;** rectificar públicamente o reconocer un error, aunque sea en privado. ☐ ETIMOL. Del griego *palinoidía* (cantar de nuevo).

palio s.m. Dosel rectangular, de tela rica y lujosa que, colocado sobre cuatro o más varas largas, se usa generalmente en las procesiones para cubrir al sacerdote que lleva el Santísimo Sacramento y a las imágenes. ☐ ETIMOL. Del latín *pallium*.

palique s.m. *col.* Charla o conversación intrascendentes, esp. si se mantienen animadamente y sin prisas: *Tomamos el café juntos y estuvimos un rato de palique.* ☐ SINÓN. *cháchara.* ☐ ETIMOL. De *palillo* (conversación sin importancia). ☐ SINT. Se usa más en la expresión *dar palique*.

palisandro s.m. Madera compacta y de color rojo oscuro, muy apreciada en ebanistería, y que se obtiene de un árbol tropical americano. ☐ ETIMOL. Del francés *palissandre*, este del holandés *palissander*, y este de *palo santo* (árbol americano de madera dura).

palista s.com. **1** Deportista que practica el remo. **2** Deportista que practica el juego de pelota con pala.

palitroque s.m. Palo pequeño, tosco o mal labrado.

paliza s.f. **1** Serie de golpes dados a una persona o a un animal. **2** *col.* Derrota importante sufrida en una competición: *¡Vaya paliza la del domingo, porque perdimos 10-1!* **3** *col.* Trabajo o esfuerzo agotadores: *Ordenar todo este jaleo ha sido una paliza.* **4** ‖ **dar la paliza;** *col.* Molestar, aburrir o cansar. ‖ **darse la paliza;** *vulg.* Referido a una pareja, besuquearse y toquetearse. ‖ **ser** alguien **un paliza(s);** *col.* Ser muy pesado y latoso. ☐ ETIMOL. De *palo*. ☐ SINT. La acepción 3 se usa mucho en la expresión *darse una paliza a hacer algo*.

pallet (ing.) s.m. →**palé.** ☐ PRON. [palé].

palloza s.f. Choza circular con la base de piedra y cubierta de paja, en la que vivían juntas las personas y el ganado. ☐ ETIMOL. Del gallego *palloza*.

palm s.f. →**PDA.** ☐ ETIMOL. Extensión del nombre de una marca comercial.

palma ▮ s.f. **1** En una mano, cara inferior y cóncava: *La adivina quería leerme el porvenir en las líneas de la palma de la mano.* **2** Árbol de tronco áspero y cilíndrico, y de copa sin ramas formada por hojas largas, duras y puntiagudas que tienen un nervio central recto y leñoso. ☐ SINÓN. *palmera.* **3** Hoja de este árbol, esp. la amarillenta y trenzada que se lleva a bendecir el Domingo de Ramos (último domingo de cuaresma). ▮ pl. **4** Palmadas de aplausos: *El público animaba a los jugadores dando palmas.* **5** ‖ **batir (las) palmas;** acompañar con palmadas el baile o la música andaluces. ‖ **{ganar/llevarse} la palma;** sobresalir, destacar o aventajar. ☐ ETIMOL. Del latín *palma* (palma de la mano, palmito, palma enana).

palmáceo, a ▮ adj./s.f. **1** Referido a una planta, que tiene el tallo leñoso, recto y sin ramas, y coronado por un penacho de grandes hojas: *La palmera es una planta palmácea.* ▮ s.f.pl. **2** En botánica, familia de estas plantas, perteneciente a la clase de las monocotiledóneas: *Muchas plantas de las palmáceas se utilizan en alimentación.*

palmada s.f. **1** Golpe dado con la palma de la mano: *Me dio unas palmaditas en el hombro y me dijo que no me preocupara.* **2** Ruido que hacen al chocar entre sí las palmas de las manos: *La profesora dio unas palmadas para pedir silencio.*

palmar ▮ s.m. **1** Terreno plantado de palmeras. ▮ v. **2** *col.* Morir: *La palmó en un accidente de coche.* ☐ SINT. La acepción 2 se usa mucho en la expresión *palmarla*.

palmarés s.m. **1** En una competición, lista de vencedores. **2** Historial o relación de méritos, esp. en el deporte: *A esta competición solo invitan a atletas con un palmarés importante.* ☐ ETIMOL. Del francés *palmarès* (lista de alumnos laureados).

palmario, ria adj. Claro, patente y manifiesto: *Ganarás el combate porque tu superioridad es palmaria.* ☐ ETIMOL. De *palmar* (de un palmo).

palmatoria s.f. Candelero o utensilio formado por un cilindro bajo, con mango y con un pie en forma de platillo, que sirve para sostener una vela. ☐ SEM. Dist. de *candelabro* (candelero de varios brazos).

palmeado, da adj. Referido esp. a los dedos de algunos animales, que están unidos entre sí por una membrana: *Los patos tienen dedos palmeados que les permiten impulsarse mejor en el agua.*

palmear v. **1** Dar palmadas, esp. en señal de alegría o de aplauso: *El público palmeaba al compás de la música.* ☐ SINÓN. *palmotear.* **2** En baloncesto, referido al balón, golpearlo con la palma de la mano un jugador que está cerca de la canasta para introducirlo en el aro: *Cuando el balón rebotó en el aro, el alero lo palmeó y consiguió los dos puntos.*

palmense adj.inv./s.com. De Las Palmas de Gran Canaria (provincia canaria), o relacionado con ella: *El territorio palmense comprende las islas de Gran Canaria, Fuerteventura y Lanzarote.* ☐ USO Su uso es característico del lenguaje escrito.

palmeo s.m. **1** Golpeteo de las palmas de las manos entre sí: *El guitarrista flamenco iba con dos acompañantes, que le hacían los palmeos.* **2** En baloncesto, golpe dado al balón con la palma de la mano para introducirlo en la canasta.

palmera s.f. Véase **palmero, ra.**

palmeral s.m. Terreno poblado de palmeras.

palmero, ra ▮ adj./s. **1** De La Palma (isla canaria) o relacionado con ella. ▮ s. **2** Persona que acompaña con palmas los bailes y los cantes flamencos. **3** Persona que cuida un terreno poblado de palmeras. ▮ s.f. **4** Árbol de tronco áspero y cilíndrico, y de copa sin ramas formada por hojas largas, duras y puntiagudas que tienen un nervio central recto y leñoso. ☐ SINÓN. *palma.* **5** Pastelito de hojaldre con forma de corazón.

palmesano, na adj./s. De Palma de Mallorca o relacionado con esta ciudad balear.

palmeta s.f. Regla o tabla alargadas que se usaban en las escuelas para golpear en la palma de la mano a los alumnos, como castigo.

palmetazo s.m. Golpe dado con la palmeta.

palmiforme adj.inv. Con forma de palma o de palmera: *Los capiteles palmiformes son característicos del arte egipcio.*

palmípedo, da ▮ adj./s.f. **1** Referido a un ave, que tiene las patas en forma palmeada, con los dedos unidos por unas membranas: *El ganso, el pingüino y el pelícano son aves palmípedas.* ▮ s.f.pl. **2** En zoología, grupo de estas aves: *En clasificaciones antiguas, las palmípedas era un orden dentro de la clase de las aves.* □ ETIMOL. Del latín *palmipes*, y este de *palma* (palma) y *pes* (pie).

palmita || **{llevar/tener}** a alguien **en palmitas;** complacerlo y tratarlo muy bien.

palmito s.m. **1** Planta parecida a una palmera, de flores amarillas y de fruto rojizo, cuyas hojas, en forma de abanico, se utilizan en la fabricación de escobas o de esteras. **2** Tallo blanco y comestible que es el cogollo de esta planta. **3** *col.* Tipo o talle esbeltos, esp. los de la mujer: *¡Menudo palmito tiene esa mujer!* □ ETIMOL. Las acepciones 1 y 2, de *palma*. La acepción 3, de *palmo*.

palmo s.m. **1** Unidad de longitud que equivale aproximadamente a 20 centímetros: *Un palmo es aproximadamente lo que mide una mano abierta y extendida desde el extremo del meñique hasta el del pulgar.* □ SINÓN. *cuarta.* **2** Espacio muy pequeño, esp. de tierra: *En la playa no había ni un palmo libre para poner la toalla.* **3** Juego infantil que consiste en tirar monedas contra una pared, y el que consigue que la suya caiga cerca de la de un compañero, gana su moneda. **4** || **con un palmo de narices;** *col.* Sin lo que se esperaba conseguir: *Aunque cree que nada mejor que yo, gané la carrera y la dejé con un palmo de narices.* || **palmo a palmo;** con minuciosidad o completamente: *La policía registró el barrio palmo a palmo.* □ ETIMOL. Del latín *palmus*.

palmotear v. Dar palmadas, esp. en señal de alegría o de aplauso: *Cuando vio los regalos el niño empezó a palmotear.* □ SINÓN. *palmear.*

palmoteo s.m. Golpeteo dado al chocar entre sí las palmas de las manos.

palmtop (ing.) s.m. Tipo de ordenador portátil de muy pequeño tamaño: *Un palmtop cabe en el bolsillo.* □ PRON. [pálmtop].

palo s.m. **1** Trozo de madera más largo que grueso, generalmente cilíndrico y fácil de manejar: *Recogieron palos secos para encender fuego.* **2** Golpe dado con un trozo de madera de este tipo: *Le dieron una paliza y casi lo matan a palos.* **3** *col.* Experiencia difícil y desagradable porque supone un fuerte daño o un gran perjuicio: *Para mí es un palo decirte que ya no te quiero como antes.* **4** *col.* Madera: *El pirata tenía una pata de palo.* **5** En una embarcación, cada uno de los maderos largos y redondos que sirven para sostener las velas. □ SINÓN. *árbol.* **6** En la baraja, cada una de las cuatro series o clases en que se dividen los naipes. **7** En una letra, trazo que sobresale hacia arriba o hacia abajo: *La 'p' tiene un palo hacia abajo.* **8** En algunos deportes, esp. en fútbol, cada uno de los postes o maderos laterales que sujetan el travesaño o madero superior. **9** En algunos deportes, instrumento con el que se golpea la pelota: *un palo de golf.* **10** En el flamenco, cada una de las variedades tradicionales de cantar esta música: *La soleá, la bulería y la seguiriya son palos flamencos.* **11** Lo que resulta muy delgado y alargado: *Está tan delgada que no tiene piernas sino palos.* **12** En zonas del español meridional, árbol. **13** || **a palo seco;** *col.* Sin más o sin nada accesorio: *Se tomó el filete a palo seco, sin patatas ni ensalada.* || **dar palo** algo; *col.* Ser desagradable o molesto: *Me da palo decirte la verdad, pero tienes que saberla.* || **dar palos de ciego;** *col.* Actuar sin saber exactamente cuáles serán las consecuencias: *En la investigación policial se dieron algunos palos de ciego, pero al final se descubrió al asesino.* || **darse el palo;** *vulg.* Referido a una pareja, besuquearse y toquetearse. || **no dar un palo al agua;** *col.* Vaguear y holgazanear. || **palo dulce;** raíz del paloduz. || **palo mayor;** el más alto y que sostiene la vela principal: *El marinero subió al palo mayor para otear el horizonte.* || **palo santo;** madera de un árbol tropical americano, de color generalmente oscuro y muy dura, que se utiliza en ebanistería. □ ETIMOL. Del latín *palus* (poste). □ ORTOGR. En la acepción 12, incorr. **palosanto.* □ SINT. La acepción 3 se usa más con los verbos *dar*, *llevar* o *recibir*. □ SEM. En las acepciones 1 y 2, es incorrecto hablar de *{*palos > barras} de metal.*

paloduz s.m. Planta herbácea con tallos casi leñosos, hojas puntiagudas, flores pequeñas y azuladas, que suele crecer en la orilla de los ríos y cuya raíz produce un jugo dulce que se utiliza en medicina. □ SINÓN. *orozuz, regaliz.*

paloma s.f. Véase **palomo, ma**.

palomar s.m. **1** Lugar en el que se crían palomas. **2** || **alborotar el palomar;** *col.* Referido a un grupo de gente, alterarlo o perturbar su orden.

palometa s.f. Pez marino, de cabeza pequeña, boca redonda con dientes finos y largos, cuerpo aplastado y de forma ovalada, y que vive en aguas mediterráneas. □ SINÓN. *japuta, castañuela.* □ ETIMOL. Del griego *pelamýs* (bonito). □ MORF. Es un sustantivo epiceno: *la palometa {macho/hembra}.*

palomilla s.f. **1** Tuerca con dos aletas laterales para poder enroscarla y desenroscarla con los dedos. □ SINÓN. *mariposa.* **2** Armazón de tres piezas en forma de triángulo rectángulo que sirve para sostener algo: *Dos palomillas sostienen el estante de los libros.*

palomina s.f. Excremento de las palomas.

palomino s.m. **1** Cría de algunos tipos de palomas. **2** *col.* Mancha de excremento en la ropa interior. □ ETIMOL. Del latín *palombinus*.

palomita s.f. **1** Grano de maíz que, al ser tostado, aumenta de tamaño y se ablanda: *Las palomitas se hacen con maíz, sal y aceite.* **2** En algunos deportes, esp. en el fútbol, estirada espectacular del portero para detener el balón: *El público aplaudió la palomita del portero.* **3** Refresco de agua con un poco de anís. ☐ MORF. En la acepción 1, se usa más en plural.

palomo, ma ▮ s. **1** Ave rechoncha de alas cortas y plumaje generalmente gris o azulado, de cola amplia y de vuelo rápido, que puede ser domesticada. **2** Persona de poca malicia y fácil de engañar: *El timador encontró un palomo y lo estafó.* ▮ s.f. **3** Persona que es partidaria de la línea conciliatoria en un partido u organismo. **4** || **paloma mensajera;** la que se utiliza para enviar breves mensajes escritos, ya que por su instinto vuelve al palomar después de recorrer largas distancias. || **(paloma) torcaz;** la de mayor tamaño, con una mancha blanca a cada lado del cuello y una banda del mismo color en la cola, que habita generalmente en el campo y anida en los árboles más altos. || **palomo ladrón;** el que con arrullos y caricias lleva las palomas ajenas al palomar propio, esp. el adiestrado para ello. ☐ ETIMOL. *Palomo*, del latín *palumbus*. *Paloma*, del latín *palumba*. ☐ MORF. En la acepción 1, el femenino es el término genérico, y sirve para designar indistintamente al macho y a la hembra.

palote s.m. **1** Cada uno de los trazos o rayas que hacen los niños como ejercicio para aprender a escribir. **2** Caramelo blando masticable que tiene forma de barrita. ☐ ETIMOL. La acepción 2 es extensión del nombre de una marca comercial.

palpable adj.inv. **1** Que se puede tocar con las manos. **2** Muy claro y evidente: *Había una tensión palpable en el ambiente.*

palpación s.f. Hecho de tocar algo con las manos para percibirlo o reconocerlo mediante el sentido del tacto. ☐ SINÓN. *palpamiento.*

palpamiento s.m. →**palpación.**

palpar v. **1** Tocar con las manos para percibir o reconocer mediante el sentido del tacto: *El médico palpó el vientre de la embarazada. La luz se fue y tuve que bajar las escaleras palpando.* **2** Percibir tan claramente como si se tocara: *En el ambiente se palpa un gran nerviosismo.* ☐ ETIMOL. Del latín *palpare* (tocar levemente, acariciar).

palpebral adj.inv. De los párpados o relacionado con ellos. ☐ ETIMOL. Del latín *palpebralis*, y este de *palpebra* (párpado).

palpitación s.f. **1** Contracción y dilatación alternativas del corazón: *Se puso la mano en el pecho y sintió las palpitaciones.* **2** Latido del corazón, más fuerte y rápido de lo normal, y que es claramente percibido: *Se puso nerviosísimo y empezó a sentir fuertes palpitaciones.* **3** Movimiento interior, tembloroso e involuntario, de una parte del cuerpo: *Noto palpitaciones en los párpados, aunque tú no lo puedas notar si me miras.* ☐ MORF. Se usa más en plural.

palpitante adj.inv. **1** Que palpita. **2** *col.* Que resulta de actualidad y tiene gran interés: *La corrupción política es un tema palpitante hoy en día.* **3** Referido a una luz, que se apaga o se enciende de manera rítmica y alternativa.

palpitar v. **1** Referido al corazón, contraerse y dilatarse alternativamente: *No está muerto porque su corazón todavía palpita.* **2** Referido al corazón, aumentar su número natural de palpitaciones a causa de una emoción: *Mi corazón empezó a palpitar cuando me dijeron que había ganado el concurso.* **3** Referido a una parte del cuerpo, moverse o agitarse interiormente con un movimiento tembloroso e involuntario: *Cuando estoy nerviosa me palpita mucho el ojo izquierdo.* **4** Referido a un sentimiento, manifestarse con vehemencia: *En sus ojos palpitaba la alegría de vivir.* ☐ ETIMOL. Del latín *palpitare* (agitarse, palpitar).

pálpito s.m. Presentimiento o corazonada de que algo va a ocurrir.

palpo s.m. En los artrópodos, cada uno de los apéndices articulados y movibles que tienen alrededor de la boca para localizar y sujetar el alimento: *Las arañas tienen palpos.* ☐ ETIMOL. Del latín *palpum*.

palquista s.com. *arg.* Ladrón que entra a robar a través de los balcones y de las ventanas.

palta s.f. En zonas del español meridional, aguacate.

palto s.m. En zonas del español meridional, árbol del aguacate.

palúdico, ca ▮ adj. **1** Del paludismo o relacionado con esta enfermedad: *fiebres palúdicas.* ▮ adj./s. **2** Referido a una persona, que padece paludismo.

paludismo s.m. Enfermedad caracterizada por fiebres altas e intermitentes, transmitida por la picadura del mosquito anofeles hembra: *El paludismo es propio de las regiones pantanosas tropicales.* ☐ SINÓN. *malaria.* ☐ ETIMOL. Del latín *palus* (pantano, estanque).

palurdo, da adj./s. *col. desp.* Referido a una persona, que no tiene educación ni refinamiento. ☐ ETIMOL. Del francés *balourd* (torpe, lerdo).

palustre adj.inv. De la laguna o del pantano: *terreno palustre.* ☐ ETIMOL. Del latín *paluster*, y este de *palus* (pantano).

pamela s.f. Sombrero de paja, de copa baja y ala ancha, usado por las mujeres generalmente en verano. ☐ ETIMOL. Por alusión a Pamela, protagonista de la novela del mismo nombre, que solía llevar esta prenda.

pamema s.f. **1** *col.* Hecho o dicho sin sentido o sin importancia. **2** *col.* Delicadeza aparente o fingida en las palabras o en los modales: *Déjate de pamemas y sírvete un buen trozo de tarta, que lo estás deseando.* ☐ SINÓN. *melindre.* ☐ ETIMOL. De *pamplina*, por cruce con *memo*.

pampa s.f. Llanura extensa sin vegetación arbórea, propia de algunos países suramericanos.

pámpana s.f. →**pámpano.**

pámpano s.m. **1** Brote nuevo, verde, tierno y delgado de la vid. **2** Hoja de la vid. ☐ SINÓN. *pámpana.* ☐ ETIMOL. Del latín *pampinus* (hoja de vid, sarmiento tierno).

pampero s.m. Viento procedente de la Pampa (región de Argentina) que suele soplar en el río de la

Plata (gran estuario situado entre Argentina y Uruguay).

pampers s.m. En zonas del español meridional, bragapañal. □ ETIMOL. Extensión del nombre de una marca comercial.

pamplina s.f. *col.* Lo que se considera de poca importancia, sin contenido o de escasa utilidad. □ ETIMOL. De **papaverina*, y este del latín *papaver* (amapola, adormidera), porque se alimentaba a los canarios con esta planta y, por ello, se la consideraba de poca importancia. □ MORF. Se usa más en plural.

pamplinero, ra adj. Que hace o dice pamplinas. □ SINÓN. *pamplinoso.*

pamplinoso, sa adj. →**pamplinero.**

pamplonés, -a adj./s. De Pamplona o relacionado con esta ciudad navarra. □ USO Cuando se refiere a las personas de Pamplona se usa más la forma coloquial *pamplonica.*

pamplonica adj.inv./s.com. *col.* →**pamplonés.**

pan s.m. **1** Masa de harina y de agua que, una vez fermentada y cocida al horno, sirve de alimento: *¿Tienes pan para hacerme un bocadillo?* **2** Pieza grande, redonda y achatada, hecha con esta masa de harina y agua. **3** Masa muy sobada y delicada, con aceite o manteca, empleada en la fabricación de pasteles y empanadas. **4** Masa de otras sustancias, esp. alimenticias: *pan de higo.* **5** Lo que sirve para el sustento diario: *Afortunadamente, en esta casa nunca ha faltado el pan.* **6** Hoja muy fina de oro, plata u otros metales, que sirve para dar el aspecto del oro o de la plata a una superficie: *El sagrario del altar está cubierto de panes de oro.* **7** ‖ **con su pan se lo coma;** *col.* Expresión que se usa para indicar la indiferencia que se siente ante el comportamiento de otra persona: *Si organiza una fiesta y no me invita, con su pan se lo coma.* ‖ **llamar al pan, pan y al vino, vino;** *col.* Hablar claramente y sin rodeos. ‖ **más bueno que el pan;** *col.* Muy bueno por su calidad, su sabor o su aspecto: *Mi hijo no puede ser culpable, porque es más bueno que el pan.* ‖ **pan {ácimo/ázimo};** el que no tiene levadura. ‖ **(pan) candeal;** el que está hecho con harina de trigo candeal. ‖ **pan de molde;** el que tiene forma rectangular, con una corteza fina y uniforme, y está cortado en rebanadas. ‖ **pan de mono;** fruto del baobab que tiene forma de cápsula y es ácido y carnoso. ‖ **pan de muerto;** en zonas del español meridional, el que se prepara el día 2 de noviembre para festejar a los muertos. ‖ **pan de Viena;** el que se hace con harina de trigo, cortado en pequeños bollos redondos de corteza muy brillante por haber sido untada con clara de huevo antes de la cocción. ‖ **pan molido;** en zonas del español meridional, pan rallado. ‖ **pan rallado;** el que se tritura hasta convertirlo en migas, y se utiliza para rebozar alimentos. ‖ **pan y circo;** *col. desp.* Necesidades básicas y distracción: *La prensa criticó la política pan y circo con que el Gobierno intentó acallar las protestas callejeras.* ‖ **pan y quesillo;** planta herbácea, de hojas estrechas, flores blancas y frutos con forma triangular. ‖ **ser el pan (nuestro) de cada día;** *col.* Ser muy normal u ocurrir con gran frecuencia. ‖ **ser pan comido;** *col.* Resultar muy fácil de hacer o de conseguir. □ ETIMOL. Del latín *panis.*

pan- Elemento compositivo prefijo que significa 'totalidad': *panamericano, paneuropeísmo, panislamista, panteísmo.* □ ETIMOL. Del griego *pan-.*

pana s.f. **1** Tela gruesa parecida al terciopelo, que generalmente forma un dibujo de pequeños surcos paralelos en relieve: *un pantalón de pana.* **2** ‖ **partir la pana;** *col.* Ser muy bueno o estupendo: *Esta música parte la pana.* ‖ **quedarse en pana;** referido a un vehículo, averiarse. □ ETIMOL. Del francés *panne*, y este del latín *pinna* (plumaje de un animal).

panacea s.f. Solución o remedio generales para cualquier problema o para cualquier mal: *Planteó su propuesta como si fuera la panacea para todos los problemas de la empresa.* □ ETIMOL. Del latín *panacea*, y este del griego *panákeia* (planta a la que se atribuía la virtud de curar todos los males).

panaché s.m. Comida preparada con diversas verduras cocidas. □ ETIMOL. Del francés *panaché.*

panadería s.f. Establecimiento en el que se hace o se vende pan.

panadero, ra s. Persona que se dedica profesionalmente a la fabricación o a la venta de pan.

panadizo s.m. Inflamación aguda del tejido celular de los dedos, esp. de la zona de alrededor de la uña. □ ETIMOL. Del latín *panaricium*, este del griego *paronýkhion*, y este de *parà* (junto a) y *ónyx* (uña).

panafricanismo s.m. Tendencia que defiende la unidad de todos los pueblos africanos para mejorar su desarrollo, y que lucha contra cualquier tipo de colonialismo. □ ETIMOL. De *pan-* (todo) y *africanismo.*

panafricano, na adj. **1** Del panafricanismo o relacionado con esta tendencia. **2** De todas las naciones africanas.

panal s.m. Conjunto de pequeñas celdas hexagonales de cera que las abejas construyen dentro de la colmena para depositar la miel y los huevos para la reproducción. □ ETIMOL. De *pan* (masa de varias materias).

panamá s.m. **1** Tela de algodón de hilos gruesos, que se utiliza esp. para bordar. **2** Sombrero flexible, con el ala recogida o doblada que suele bajarse sobre los ojos. □ ETIMOL. De *Panamá* (país), porque el sombrero se fabricaba en Ecuador y se exportaba a través de Panamá.

panameñismo s.m. En lingüística, americanismo propio de Panamá (país americano): *En este diccionario de americanismos encontrarás muchos panameñismos.*

panameño, ña adj./s. De Panamá o relacionado con este país americano.

panamericanismo s.m. Tendencia que defiende el fomento de las relaciones entre las naciones americanas, esp. entre los Estados Unidos de Norteamérica y los países hispanoamericanos. □ ETIMOL. De *pan-* (todo) y *americanismo*.

panamericanista adj.inv./s.com. Que defiende o sigue el panamericanismo.

panamericano, na adj. **1** Del panamericanismo o relacionado con esta tendencia. **2** De todas las naciones americanas.

panárabe adj.inv./s.com. →**panarabista.**

panarabismo s.m. Tendencia que defiende la unión y el fomento de relaciones entre todos los pueblos y naciones de lengua y de cultura árabes. □ ETIMOL. De *pan-* (todo) y *arabismo*. □ SEM. Dist. de *panislamismo* (defiende la unión de todos los pueblos musulmanes).

panarabista adj.inv./s.com. Que sigue o que defiende el panarabismo. □ SINÓN. *panárabe*.

panarra s.com. *col. desp.* Persona tonta o boba. □ ETIMOL. Del latín **pennaria*.

panatenaico, ca adj. De las panateneas o relacionado con estas fiestas.

panateneas s.f.pl. En la antigua Grecia, fiestas religiosas y culturales que se celebraban en Atenas cada cuatro años en honor de la diosa Atenea (patrona de esta ciudad). □ ETIMOL. Del griego *Panathénaia*, y este de *pan-* (todo) y *Athenâ* (Atenea).

panavisión s.f. Técnica cinematográfica de filmación y de proyección en la que se emplean unas lentes especiales y una película de sesenta y cinco milímetros: *La panavisión ofrece las imágenes cinematográficas en grandes dimensiones.*

pancake (ing.) s.m. →**tortita.** □ PRON. [pánkeik].

pancarditis (pl. *pancarditis*) s.f. Inflamación que afecta a todas las capas del corazón. □ ETIMOL. De *pan-* (todo) y *carditis*.

pancarta s.f. Cartel grande en el que aparece algo escrito o dibujado y que se exhibe en reuniones públicas, esp. en las políticas o deportivas. □ ETIMOL. Del francés *pancarte*, y este del latín *pancharta* (documento donde figuraban todos los bienes de una iglesia).

panceta s.f. Tocino fresco con vetas de carne.

panchineta s.f. Postre de origen vasco, hecho con hojaldre y crema: *Voy a tomar una panchineta con helado de canela.*

panchito s.m. *col.* Cacahuete pelado y frito.

pancho, cha ▮ adj. **1** *col.* Tranquilo, reposado o satisfecho: *No le afectaron mis críticas, porque se quedó tan pancha.* ▮ s.m. **2** En zonas del español meridional, perrito caliente.

pancismo s.m. Tendencia o actitud de la persona que adecua su comportamiento a la consecución de beneficios y tranquilidad. □ ETIMOL. De *panza*.

pancista adj.inv./s.com. Que sigue o que defiende el pancismo.

páncreas (pl. *páncreas*) s.m. Glándula situada en el abdomen junto al duodeno y detrás del estómago, que elabora y segrega enzimas digestivas y que produce hormonas. □ ETIMOL. Del griego *pánkreas* (todo carne).

pancreático, ca adj. Del páncreas o relacionado con esta glándula.

pancreatitis (pl. *pancreatitis*) s.f. Inflamación del páncreas. □ ETIMOL. De *páncreas* e *-itis* (inflamación).

pancromático, ca adj. Referido esp. a una película, que tiene igual sensibilidad para los diversos colores del espectro. □ ETIMOL. Del griego *pân* (todo) y *chromatikós* (de color).

panda ▮ s.m. **1** →**oso panda.** ▮ s.f. **2** *col.* Grupo de personas que se reúnen para divertirse. **3** Grupo de personas, esp. si se reúnen para hacer daño: *una panda de gamberros.* □ ETIMOL. Las acepciones 2 y 3, del antiguo *pando* (curvo, torcido). □ MORF. En la acepción 1, es un sustantivo epiceno: *el panda {macho/hembra}.*

pandear v. Referido a una superficie, curvarse generalmente por su parte central: *La pared pandeó con la humedad.* □ ETIMOL. Del antiguo *pando* (encorvado).

pandectas s.f.pl. Recopilación de varias obras, esp. las del derecho civil reunidas por Justiniano (emperador romano del siglo VI). □ ETIMOL. Del latín *Pandectae*, y este del griego *pandéktai* (que comprenden todo).

pandemia s.f. Enfermedad epidémica que se extiende a grandes zonas geográficas y que ataca a casi todos los individuos de una localidad o región. □ ETIMOL. Del griego *pandemía* (reunión del pueblo).

pandémico, ca adj. De la pandemia o relacionado con esta enfermedad epidémica.

pandemónium s.m. Lugar en el que hay mucho ruido y confusión. □ ETIMOL. Del griego *pân* (todo) y *daímonion* (demonio).

pandeo s.m. Torcimiento de una superficie curvándose generalmente por su parte central: *El pandeo de la balda de la estantería se debe al peso de los libros.*

pandereta s.f. Pandero pequeño, con sonajas o cascabeles en sus bordes.

panderetazo s.m. Golpe dado con la pandereta.

panderete s.m. Tabique hecho con los ladrillos puestos de canto.

panderetear v. Tocar el pandero alegremente y armando bulla: *Un grupo de tunos pandereteaba y cantaba por las calles.*

pandereteo s.m. Toque repetido y continuado de pandero, que muestra alegría o bullicio.

panderetero, ra s. Persona que toca el pandero o la pandereta.

pandero s.m. **1** Instrumento musical de percusión, formado por uno o dos aros superpuestos, con una piel muy lisa tensada sobre ellos y generalmente con sonajas o cascabeles en los laterales. **2** *col.* Culo. □ ETIMOL. Del latín *pandorius*.

pandilla s.f. Grupo habitual de amigos.

pandillero, ra s. Persona que forma parte de una pandilla.

pandit (hind.) s.m. Sabio en brahmanismo, jurisprudencia o lengua sánscrita. □ PRON. [pándit]. □ USO Es un tratamiento honorífico.

pando, da adj. **1** Referido esp. a una pared o a una viga, que están curvadas o torcidas, esp. en el medio. **2** Referido esp. a un río o a sus aguas, que se mueven con lentitud o son poco profundos. **3** Referido esp. a una persona o a sus movimientos, que son pausados y tranquilos: *Desde la ventana te vi venir con andares pandos y cansados, como si no quisieras llegar.* □ ETIMOL. Del latín *pandus* (curvado).

pandorga s.f. Juguete formado por un armazón ligero cubierto de tela, papel o plástico, que se suelta para que el viento lo eleve y se mantiene sujeto con un cordel largo. □ SINÓN. *cometa, birlocha.* □ ETIMOL. Del latín **pandurica.*

panecillo s.m. Pieza pequeña de pan, equivalente a la ración de pan que una persona normal consume en una comida o bocadillo.

panegírico, ca ▌adj. **1** Del discurso en alabanza de una persona o con sus características: *un poema panegírico.* ▌s.m. **2** Escrito en alabanza de una persona. □ ETIMOL. Del griego *panegyrikós* (discurso solemne en una reunión pública).

panegirista s.com. Persona que alaba a otra de palabra o por escrito. □ SINÓN. *encomiasta.*

panel s.m. **1** Cada una de las partes lisas o compartimentos en que se divide una superficie: *La pared estaba cubierta por cuatro paneles de corcho.* **2** Elemento prefabricado que se utiliza en construcción, generalmente para dividir o para separar espacios. **3** Cartelera grande montada sobre una estructura metálica que sirve para colocar propaganda e información en ella. **4** Placa de material aislante que se emplea como soporte de los aparatos indicadores de funcionamiento y de maniobra que forman parte de un circuito eléctrico: *El piloto comprobó en el panel de mandos que todo era correcto.* **5** Grupo de personas que intervienen en una discusión pública sobre algún asunto: *Un panel de expertos trató de establecer las posibles causas del accidente.* □ ETIMOL. Las acepciones 1-4, del francés antiguo *panel*, y este de *pan* (lienzo de pared). La acepción 5, del inglés *panel.*

panela s.f. Azúcar sin refinar fabricada en trozos compactos de forma redonda o rectangular. □ ETIMOL. De *pan.*

panelable adj.inv. Que se puede cubrir con paneles: *un frigorífico panelable.*

panelar v. Referido a una superficie, cubrirla con paneles: *Panelamos las paredes de la sala con un material aislante para insonorizarla.*

panelista s.com. Persona que discute en un debate público sobre un tema acordado.

panera s.f. Véase **panero, ra**.

panero, ra ▌adj. **1** Que come mucho pan o que le gusta mucho. ▌s.f. **2** Recipiente en el que se coloca el pan, esp. el que se pone en la mesa.

paneslavismo s.m. Tendencia que defiende la unión o la confederación entre los pueblos de origen eslavo. □ SINÓN. *eslavismo.* □ ETIMOL. De *pan-* (todo) y *eslavismo.*

paneslavista ▌adj.inv. **1** Del paneslavismo o relacionado con esta tendencia. ▌adj.inv./s.com. **2** Que sigue o que defiende el paneslavismo.

panetone (it.) s.m. Bollo de origen italiano, con forma de cúpula y relleno de pasas.

paneuropeísmo s.m. Tendencia que defiende la unión política y económica de todas las naciones europeas. □ ETIMOL. De *pan-* (todo) y *europeísmo.*

paneuropeísta adj.inv./s.com. Que sigue o que defiende el paneuropeísmo.

paneuropeo, a adj. Del continente europeo o relacionado con él.

pánfilo, la adj./s. **1** Tonto, simple y muy cándido. **2** Que actúa de forma lenta y pausada. □ ETIMOL. Del latín *Pamphilus* (nombre propio), y este del griego *pámphilos* (bondadoso).

panfletario, ria adj. Con el estilo propio de los panfletos o relacionado con ellos.

panfleto s.m. **1** Papel o folleto de propaganda política. **2** Lo que resulta excesivamente propagandístico, esp. si es agresivo o difama. □ ETIMOL. Del inglés *pamphlet.*

pange lingua (lat.) s.m. ‖ En la liturgia católica, himno que comienza con las palabras 'pange lingua' y que se canta en honor y alabanza del Santísimo Sacramento. □ ETIMOL. De *pange lingua* (canta lengua), primeras palabras de un himno medieval. □ PRON. [pánye língua].

pangermánico, ca adj. Del pangermanismo o relacionado con él. □ SINÓN. *pangermanista.*

pangermanismo s.m. Tendencia que defiende la unión política de todos los pueblos de origen germánico. □ ETIMOL. De *pan-* (todo) y *germanismo.*

pangermanista ▌adj.inv. **1** Del pangermanismo o relacionado con este movimiento. □ SINÓN. *pangermánico.* ▌adj.inv./s.com. **2** Que sigue o que defiende el pangermanismo.

pangolín s.m. Mamífero asiático y africano con el cuerpo alargado y la cola larga, que está cubierto por una coraza de escamas duras y puntiagudas. □ ETIMOL. Del inglés *pangolin.* □ MORF. Es un sustantivo epiceno: *el pangolín {macho/hembra}.*

pangue s.m. Planta originaria de tierras chilenas con grandes hojas, y cuyo fruto se suele utilizar en medicina, para teñir o para curtir.

panhelénico, ca adj. **1** Del panhelenismo o relacionado con este movimiento. **2** De toda Grecia. □ ETIMOL. De *pan-* (todo) y *helénico.*

panhelenismo s.m. Tendencia que defiende la unión política y el fomento de relaciones entre todos los pueblos helenos.

panhispánico, ca adj. **1** Del panhispanismo o relacionado con esta tendencia. **2** De todos los pueblos de habla hispana, o relacionado con ellos.

panhispanismo s.m. Tendencia que defiende el fomento de las relaciones entre los pueblos de habla hispana. □ ETIMOL. De *pan-* (todo) e *hispanismo.*

paniaguado, da s. Persona protegida y favorecida por otra. □ ETIMOL. Del antiguo *apaniguado*, y este de *apaniguar* (alimentar, dar pan a alguien).

pánico s.m. Miedo grande o temor muy intenso, esp. si es colectivo. ☐ ETIMOL. Del griego *panikón*, y este de *dêima panikón* (terror causado por Pan, dios mitológico a quien se atribuían los ruidos que se escuchaban en montes y valles).

panícula s.f. Conjunto de flores que nacen de un mismo eje y forman una espiga de aspecto piramidal. ☐ ETIMOL. Del latín *panicula*.

panículo s.m. En un animal vertebrado, capa de tejido adiposo situada debajo de la piel. ☐ ETIMOL. Del latín *panniculus* (tela fina).

panificación s.f. Transformación de la harina en pan.

panificadora s.f. Establecimiento donde se cuece y se vende el pan. ☐ SINÓN. *horno, tahona*.

panificar v. Referido a la harina, convertirla en pan: *Diariamente panificamos unos dos mil kilos de harina*. ☐ ETIMOL. Del latín *panis* (pan) y *facere* (hacer). ☐ ORTOGR. La *c* se cambia en *qu* delante de *e* →SACAR.

panislámico, ca adj. Del panislamismo o relacionado con él.

panislamismo s.m. Tendencia que defiende la unión y el fomento de las relaciones entre todos los pueblos musulmanes. ☐ ETIMOL. De *pan-* (todo) e *islamismo*. ☐ SEM. Dist. de *panarabismo* (defiende la unión de todos los pueblos árabes).

panislamista adj.inv./s.com. Que sigue o que defiende el panislamismo.

panizo s.m. Planta herbácea con varios tallos redondos que salen de la raíz, hojas planas, largas, estrechas y ásperas, y con flores en espigas grandes y apretadas. ☐ ETIMOL. Del latín *panicium*.

panocha s.f. →**panoja.**

panocho, cha ▮ adj./s. **1** De la huerta murciana o relacionado con ella: *agricultura panocha*. ▮ s.m. **2** Variedad del español que se habla en la huerta murciana. ▮ s.f. **3** →**panoja.** ☐ ETIMOL. Del latín *panucha* (cabellera de una mazorca).

panoja s.f. **1** Mazorca del maíz, del panizo o del mijo. ☐ SINÓN. *panocha*. **2** En botánica, conjunto de espigas simples o compuestas que nacen de un eje común: *un fruto en panoja*. ☐ SINÓN. *panocha*. ☐ ETIMOL. Del latín *panucula* (mazorca).

panoli adj.inv./s.com. *col.* Simple, de poco carácter o sin voluntad. ☐ ETIMOL. Del valenciano *panoli*, y este de *pa en oli* (pan con aceite), por lo simple de este alimento.

panoplia s.f. **1** Tabla, generalmente en forma de escudo, en la que se colocan floretes, sables y otras armas blancas, esp. las de esgrima. **2** Armadura completa o con todas las piezas. **3** Colección de armas colocadas ordenadamente. ☐ ETIMOL. Del griego *panoplía*, y este de *pân* (todo) y *hóplon* (armas).

panorama s.m. **1** Paisaje extenso que se contempla desde un punto de observación: *Desde esta montaña se divisa un hermoso panorama*. **2** Aspecto que, en conjunto, presenta una situación o un proceso: *En la conferencia se analizó el panorama actual de la literatura española*.

panorámica s.f. Véase **panorámico, ca**.

panorámico, ca ▮ adj. **1** Del panorama o relacionado con él: *Gracias a una visita panorámica en autobús nos hicimos una idea general de la ciudad*. **2** Que está a una distancia que permite contemplar el conjunto de lo que se quiere abarcar: *Esta señal de carreteras indica un lugar con buenas vistas panorámicas*. ▮ s.f. **3** Fotografía, vista o sucesión de ellas que muestran un amplio sector del paisaje visible desde un punto: *La cámara ofreció a los televidentes una panorámica de la sala del concierto*.

panqué s.m. Pan que se suele cocer en un molde rectangular sobre papel.

panqueque s.m. En zonas del español meridional, crep. ☐ ETIMOL. Del inglés *pan* (sartén) y *cake* (torta, pastel).

pantagruélico, ca adj. Referido a una comida, muy abundante o en cantidad excesiva. ☐ ETIMOL. Por alusión a un personaje literario famoso por su voracidad y creado por el escritor francés Rabelais. ☐ PRON. Incorr. *[pantacruélico].

pantalán s.m. Muelle o embarcadero para barcos pequeños, que se adentra algo en el mar.

pantaleta s.f. En zonas del español meridional, braga. ☐ MORF. En plural tiene el mismo significado que en singular.

pantalla s.f. **1** Lámina que se sujeta delante o alrededor de la luz artificial para que no moleste en los ojos o para dirigirla hacia donde se quiere: *He cambiado la pantalla de la lámpara del salón*. **2** Telón o superficie sobre los que se proyectan las imágenes de cine o de otro aparato de proyecciones: *La profesora colocó la pantalla para que viéramos las diapositivas de arte*. **3** *col.* Mundo que rodea a la televisión o al cine: *Esa revista cuenta los secretos de la vida privada de los personajes de la pantalla*. **4** En zonas del español meridional, tapadera o lo que sirve para encubrir algo: *Sus negocios inmobiliarios le sirven de pantalla para ocultar sus negocios de droga*. **5** ‖ **pantalla acústica;** superficie que sirve para amortiguar el ruido. ‖ **pantalla de humo;** noticia o información que se dan para distraer la atención que debería recaer sobre un asunto. ‖ **pantalla de plasma;** ‖ **pantalla (electrónica);** en un aparato electrónico, superficie sobre la que se proyectan imágenes: *la pantalla de un ordenador*. ‖ **pequeña pantalla;** *col.* Televisión. ☐ ETIMOL. De origen incierto.

pantallazo s.m. *col.* En informática, cada serie de imágenes que aparece de una vez en la pantalla de un ordenador.

pantalón ▮ s.m. **1** Prenda de vestir que se ajusta a la cintura y que llega generalmente hasta los tobillos, cubriendo las dos piernas por separado. ▮ pl. **2** *col.* Hombre: *Siempre que hay unos pantalones delante, se hace la interesante*. **3** ‖ **bajarse los pantalones;** *col.* Ceder en condiciones deshonrosas o ante algo indigno: *No quería quedarme sin trabajo y tuve que bajarme los pantalones ante el recorte de mi sueldo*. ‖ **llevar los pantalones;** *col.* Imponer la propia autoridad en un sitio, esp. en el hogar. ‖ **(pantalón) {bávaro/bombacho};** el que es ancho y por abajo va ajustado a las pantorrillas. ‖ **(pantalón) {vaquero/tejano};** el que es ajustado y tiene los bolsillos de detrás superpuestos, esp. el confeccionado con una tela resistente de color azul. □ ETIMOL. Del francés *pantalon*, y este de *Pantalone*, personaje de una comedia italiana que llevaba un pantalón largo a la veneciana. □ MORF. En la acepción 1, en plural tiene el mismo significado que en singular. □ USO Es innecesario el uso del anglicismo *jeans* en lugar de *pantalón vaquero*.

pantalonero, ra s. Persona que se dedica profesionalmente a coser pantalones.

pantano s.m. **1** Gran depósito artificial de agua, que se forma generalmente cerrando la boca de un valle. **2** Hondonada, con fondo más o menos cenagoso, en la que se recogen y se detienen las aguas de forma natural. □ ETIMOL. Del italiano *pantano*.

pantanoso, sa adj. Referido a un terreno, que tiene pantanos, charcos o cenagales.

panteísmo s.m. Sistema filosófico y teológico que identifica a Dios con todo lo que existe. □ ETIMOL. De *pan-* (todo) y el griego *theós* (dios).

panteísta ▮ adj.inv. **1** →**panteístico.** ▮ adj.inv./s.com. **2** Que sigue o que defiende el panteísmo.

panteístico, ca adj. Del panteísmo o relacionado con este sistema filosófico. □ SINÓN. *panteísta*.

panteón s.m. Monumento funerario destinado al enterramiento de varias personas: *un panteón familiar*. □ ETIMOL. Del latín *pantheon*, y este del griego *pántheion* (templo de todos los dioses). □ SEM. Dist. de *cenotafio* (monumento funerario que no contiene el cadáver).

pantera s.f. Leopardo de pelaje negro propio de los continentes asiático y africano. □ ETIMOL. Del latín *panthera*, este del griego *pánthera*, y este de *pân* (enteramente) y *thér* (fiera). □ MORF. Es un sustantivo epiceno: *la pantera {macho/hembra}*.

panti (pl. *pantis*) s.m. Leotardos de nailon, de licra o de otros tejidos finos. □ ETIMOL. Del inglés *panty*. □ MORF. En plural tiene el mismo significado que en singular.

pantocrátor s.m. En el arte bizantino y románico, representación de Jesucristo (hijo de Dios) sentado y bendiciendo, enmarcado por una curva en forma de almendra. □ ETIMOL. Del griego *pantokrátor* (todopoderoso). □ PRON. Incorr. *[pantócrator].

pantógrafo s.m. **1** Instrumento compuesto por cuatro varillas que forman un paralelogramo articulado y que se utiliza para copiar, ampliar o reducir un plano o un dibujo: *Uno de los extremos del pantógrafo sigue el trazado del dibujo original mientras otro realiza su copia.* **2** En un vehículo de tracción eléctrica, esp. en un tren, dispositivo que se utiliza para la toma de corriente del tendido aéreo. □ ETIMOL. Del griego *pân* (todo) y *-grafo* (que escribe).

pantómetra s.f. En topografía, aparato que sirve para medir ángulos horizontales. □ SINÓN. *pantómetro*. □ ETIMOL. Del griego *pân* (todo) y *-metro* (medidor).

pantómetro s.m. →**pantómetra.**

pantomima s.f. **1** Representación, generalmente teatral, por medio de mímica y sin intervención de la palabra. □ SINÓN. *mimo*. **2** Fingimiento para aparentar algo o para encubrir un engaño. □ SINÓN. *comedia*. □ ETIMOL. Del latín *pantomimus*, y este del griego *pantómimos* (que lo imita todo). □ PRON. Incorr. *[pantomína].

pantoque s.m. En una embarcación, parte casi plana del casco, que forma el fondo junto a la quilla. □ ETIMOL. Quizá del gascón *pantòc*.

pantorrilla s.f. Parte carnosa y abultada de la pierna, por debajo de la parte de atrás de la rodilla. □ ETIMOL. Quizá del latín *pantex* (barriga) por cruce con *pandorium* (bandurria).

pants (ing.) s.m.pl. En zonas del español meridional, chándal.

pantufla s.f. Zapatilla sin talón, usada para andar por casa. □ ETIMOL. Del francés *pantoufle*.

panty (ing.) s.m. →**panti.**

panza s.f. **1** Barriga o vientre, esp. los muy abultados. **2** En el estómago de los rumiantes, primera de las cuatro cavidades de que consta. □ SINÓN. *rumen*. **3** Parte abultada de algunas cosas, esp. de una vasija. □ SINÓN. *barriga, vientre*. **4** ‖ **panza de burra;** *col.* Cielo uniformemente cubierto y de color gris oscuro. □ ETIMOL. Del latín *pantex* (tripa, barriga).

panzada s.f. **1** *col.* Exceso en una actividad: *Te diste una buena panzada si pintaste tú solo la casa.* **2** Golpe dado con la panza. □ SINÓN. *panzazo*.

panzazo s.m. →**panzada.**

panzer (al.) s.m. Tipo de tanque o carro de combate: *Los panzer se hicieron famosos por su gran capacidad bélica.* □ PRON. [pánzer].

panzudo, da adj. Que tiene mucha panza.

pañal s.m. **1** Pieza hecha con material absorbente que se coloca a los niños pequeños entre las piernas a modo de braga. **2** ‖ **estar en pañales;** *col.* Estar en el comienzo, tener poca experiencia o encontrarse en un estado poco avanzado: *Solo llevo un año en esta profesión y aún estoy en pañales.* □ ETIMOL. De *paño*. □ MORF. En plural tiene el mismo significado que en singular.

pañería s.f. **1** Establecimiento en el que se venden paños. **2** Industria que se encarga de la fabricación de paños. **3** Conjunto de estos paños.

pañero, ra ▮ adj. **1** De los paños o relacionado con ellos: *industria pañera*. ▮ s. **2** Persona que se dedica a la venta o a la fabricación de paños.

pañito s.m. Pieza de tela o labor hecha de encaje o ganchillo, que se usan para cubrir o para adornar.

paño s.m. **1** Tejido fuerte y muy tupido, generalmente de lana: *un abrigo de paño.* **2** Pieza de lienzo o de otra tela, esp. si tiene forma cuadrada o rectangular. **3** ‖ **en paños menores;** *col.* En ropa interior o casi desnudo. ‖ **paño de lágrimas;** persona en la que se encuentra generalmente atención, consuelo o ayuda. ‖ **paños calientes;** *col.* Hecho o dicho con los que se intentan suavizar el rigor o la aspereza con la que se ha de actuar en un asunto:

Aunque se enfade por lo que le voy a decir, no pienso andarme con paños calientes. □ ETIMOL. Del latín *pannus* (pedazo de paño, trapo, harapo).

pañol s.m. En una embarcación, compartimiento que sirve para guardar generalmente víveres, municiones o herramientas. □ ETIMOL. Quizá de *palliolum*, de *pallium* (manta de cama).

pañolada s.f. Conjunto de pañuelos sacados al viento, esp. como muestra de admiración o de protesta.

pañolería s.f. Establecimiento en el que se venden pañuelos. □ ORTOGR. Incorr. **pañuelería*.

pañoleta s.f. Prenda de vestir femenina, de forma triangular, que se suele colocar sobre los hombros como adorno o como abrigo.

pañuelo s.m. **1** Pieza de tela de pequeño tamaño y de forma cuadrangular que se utiliza generalmente para limpiarse la nariz. **2** Pieza de tela, generalmente de forma cuadrada, que se usa como adorno o como abrigo. □ ETIMOL. De *paño*.

papa ▮ s.m. **1** Sumo pontífice o autoridad máxima de la iglesia católica. **2** *col.* Padre. ▮ s.f. **3** Patata: *un filete de ternera con papas.* ▮ s.f.pl. **4** Comida blanda hecha de leche y de harina. **5** || **no {saber/entender} ni papa;** *col.* No comprender nada: *De fútbol no sé ni papa.* || **papa caliente;** *col.* Problema difícil que se intenta evitar. || **papa negro;** *col.* Superior general de los jesuitas. □ ETIMOL. La acepción 1, del latín *papas*. La acepción 2, del latín *papa*. La acepción 3, del quechua *papa*. Las acepciones 3 y 4, del latín *pappa* (comida de niños). □ USO En la acepción 1, se usa más como nombre propio.

papá ▮ s.m. **1** *col.* Padre. ▮ pl. **2** *col.* El padre y la madre. □ ETIMOL. Del francés *papa*.

papable adj.inv. En la iglesia católica, referido a un cardenal, que tiene posibilidades de ser elegido Papa.

papachar v. En zonas del español meridional, acariciar: *Mi abuela siempre me papacha cuando estoy triste.*

papachos s.m.pl. *col.* En zonas del español meridional, caricias y mimos.

papada s.f. **1** Abultamiento carnoso que se forma debajo de la barbilla. □ SINÓN. *sotabarba.* **2** En algunos animales, pliegue de la piel que sobresale del borde inferior del cuello y que se extiende hasta el pecho. □ ETIMOL. De *papo*.

papado s.m. **1** Dignidad de Papa. **2** Tiempo durante el que un Papa desempeña su ministerio.

papagayo, ya ▮ s. **1** Ave tropical trepadora, con un pico fuerte, grueso y encorvado, patas prensoras y plumaje de colores vistosos, que se alimenta de semillas y frutas y que aprende a repetir palabras y frases. □ SINÓN. *loro.* ▮ s.m. **2** En zonas del español meridional, cometa. □ ETIMOL. De origen incierto.

papaína s.f. Enzima en forma de polvo blanco extraído de las hojas y del fruto del papayo y empleado como medicamento.

papal adj.inv. Del Papa o relacionado con esta dignidad de la iglesia católica.

papalina s.f. *col.* Borrachera.

pápalo s.m. Hierba mexicana de flores pequeñas de color morado, cuyas hojas se usan como condimento. □ ETIMOL. Del náhuatl *papalotl* (mariposa).

papalote s.m. En zonas del español meridional, cometa.

papamoscas (pl. *papamoscas*) s.m. **1** Pájaro muy pequeño que tiene el plumaje de color gris y blanco, con el pecho también blanco, y que se alimenta de insectos que caza al vuelo. **2** *col.* Persona simple e inocente, muy fácil de engañar. □ SINÓN. *papanatas.* □ ETIMOL. De *papar* (comer) y *mosca*. □ MORF. En la acepción 1, es un sustantivo epiceno: *el papamoscas {macho/hembra}.*

papamóvil s.m. *col.* Vehículo blindado de color blanco y acristalado que utiliza el Papa para sus recorridos por las ciudades que visita.

papanatas (pl. *papanatas*) s.com. *col.* Persona simple e inocente, muy fácil de engañar. □ SINÓN. *papamoscas.* □ ETIMOL. De *papar* (comer) y *nata*.

papanatería s.f. *col.* Excesiva simpleza y facilidad para ser engañado.

papanatismo s.m. Simplismo excesivo.

papar v. *col.* Comer: *Se papó el plato de sopa en un santiamén.* □ ETIMOL. Del latín *pappare* (comer).

paparazzi (it.) s.m.pl. Fotógrafos de prensa que se dedican a conseguir fotografías de personajes de la vida pública sin su autorización. □ PRON. [paparátsi]. □ USO Aunque el singular italiano es *paparazzo*, en español *paparazzi* se usa mucho también como singular.

paparrucha s.f. *col.* Hecho o dicho sin sentido ni fundamento. □ SINÓN. *paparruchada.*

paparruchada s.f. *col.* →**paparrucha.**

papaveráceo, a ▮ adj./s.f. **1** Referido a una planta, que es herbácea, tiene las hojas alternas, y el fruto en forma de cápsula con muchas semillas de pequeño tamaño en su interior: *La amapola es una planta papaverácea.* ▮ s.f.pl. **2** En botánica, familia de estas plantas, perteneciente a la clase de las dicotiledóneas: *Las flores de las plantas que pertenecen a las papaveráceas nunca son de color azul.* □ ETIMOL. Del latín *papaver* (adormidera).

papaverina s.f. En química, alcaloide cristalino contenido en el opio y que tiene acción antiespasmódica. □ ETIMOL. Del latín *papaver* (adormidera).

papaya s.f. Fruto del papayo, hueco, de forma más larga que ancha, y cuya parte blanda, parecida a la del melón, es de color amarillo o anaranjado y de sabor dulce.

papayo s.m. Árbol tropical, de tronco fibroso y de poca consistencia, cuyas hojas nacen en su parte más alta.

papear v. *col.* Comer: *Debe ser ya la hora de papear, porque me está entrando el hambre.*

papel ▮ s.m. **1** Lámina delgada hecha con pasta de fibras vegetales, blanqueadas y disueltas en agua, que después se hace secar y endurecer por procedimientos especiales, y que se utiliza generalmente para escribir o para dibujar en ella: *La fabricación de papel está muy ligada a la industria maderera.*

2 Pliego, hoja o pedazo de este material: *Este cuaderno es de papel cuadriculado.* **3** Documento, carta o credencial de cualquier tipo: *¿Tienes ya todos los papeles para pedir la beca?* **4** En teatro, parte de la obra que ha de representar cada actor: *Para el ensayo de mañana tenemos que llevar aprendidos nuestros papeles.* **5** En una obra dramática, personaje representado por el actor: *un papel de galán.* **6** Función desempeñada en una situación o en la vida: *La tenista española hizo un buen papel durante el torneo.* ▮ pl. **7** *col.* Periódico: *La noticia del terremoto salió en todos los papeles.* **8** *col.* Billetes: *Esta radio me costó unos cuantos papeles y ya no funciona.* **9** || **papel biblia;** el que es muy delgado, resistente y de buena calidad, muy apropiado para imprimir obras muy extensas en poco espacio. || **papel carbón;** el que tiene una sustancia de color oscuro en una de sus caras y se usa para la obtención de copias. || **papel carbónico;** en zonas del español meridional, papel carbón. || **papel cebolla;** el que es muy fino y transparente y se usa para copiar en él: *Puso el papel cebolla sobre la lámina de dibujo para calcarlo.* || **(papel) celo;** cinta plástica, transparente y adhesiva por uno de sus lados, que se usa para pegar. || **(papel) celofán;** el que es transparente y flexible, y se usa para envolver: *Envolvió con papel celofán la cesta de Navidad.* || **papel charol;** el que es muy brillante, fino y de diversos colores. || **(papel) cuché;** el muy satinado y barnizado, que se usa generalmente en revistas ilustradas. || **papel de {aluminio/estaño/plata};** lámina muy fina de aluminio o de estaño aleado, usada generalmente para envolver y conservar alimentos. || **papel de calco;** el que se utiliza para calcar o sacar copias. || **papel de china;** en zonas del español meridional, papel de seda. || **papel de estraza;** el que es muy basto, áspero, sin cola y sin blanquear: *El papel grisáceo que se utilizaba antes para envolver los alimentos frescos es papel de estraza.* || **papel de fumar;** el que se usa para liar cigarrillos. || **papel de oficio;** en zonas del español meridional, folio. || **papel de pagos (al Estado);** hoja timbrada que vende el Ministerio de Hacienda a través de los estancos y que sirve para pagar al Estado. || **papel de seda;** el que es fino, translúcido y flexible, y se usa para envolver productos u objetos delicados: *Cada una de las piezas de la vajilla estaba envuelta en papel de seda.* || **papel del Estado;** documento emitido por este en el que reconoce haber recibido una cantidad de dinero de quien lo posea. || **papel glacé;** en zonas del español meridional, papel charol. || **papel guarro;** el que es fuerte y granulado, y se usa para dibujar con acuarela. || **papel higiénico;** el que es fino y se usa en los retretes: *un rollo de papel higiénico.* || **papel lustre;** en zonas del español meridional, papel charol. || **papel maché;** el que se machaca y se humedece para realizar generalmente figuras o relieves. || **papel mojado;** *col.* Lo que es de poca importancia, inútil o sin valor: *Si el contrato está sin firmar es papel mojado.* || **papel picado;** en zonas del español meridional, confeti. || **papel pinocho;** el que es muy fino y arrugado, y se usa para envolver o decorar. || **papel pintado;** el que tiene varios colores y dibujos y se usa para la decoración de las paredes. || **papel satinado;** el que tiene brillo. || **papel secante;** el que, por ser muy poroso, se usa para secar lo escrito. || **papel vegetal;** el satinado y transparente que usan generalmente los delineantes y arquitectos. || **papel verjurado;** el que es fuerte y tiene unas rayitas a modo de filigrana. || **perder los papeles;** *col.* Actuar sin control sobre uno mismo o sobre la situación, generalmente a causa del nerviosismo. || **sin papeles;** *col.* Referido a una persona, que está en un país sin permiso de trabajo ni de residencia: *Se ha abierto el plazo para que los inmigrantes sin papeles regularicen su situación.* || **sobre el papel;** en teoría: *Este equipo era el favorito sobre el papel, pero al final perdió el partido.* □ ETIMOL. Del catalán *paper*, y este del latín *papynus* (papiro). Las expresiones *papel celo* y *papel celofán* son extensión de nombres de marcas comerciales. □ MORF. En la acepción 3, se usa más en plural.

papela s.f. *arg.* Documentación oficial, esp. referido al carné de identidad.

papelamen s.m. *col.* Conjunto de impresos o de documentos.

papeleo s.m. Conjunto de documentos y de trámites necesarios para la resolución de un asunto.

papelera s.f. Véase **papelero, ra.**

papelería s.f. Establecimiento en el que se vende papel y otros objetos de escritorio.

papelero, ra ▮ adj. **1** Del papel o relacionado con él: *industria papelera.* ▮ s.f. **2** Recipiente que se usa para tirar papeles inservibles y otros desperdicios. □ SINÓN. *cesto de los papeles.*

papeleta s.f. **1** Papel pequeño en el que aparece escrita cierta información de carácter oficial: *Cuando recogí la papeleta del examen vi que había suspendido. ¿Me compras una papeleta para el sorteo? Cuando cerraron el colegio electoral se comenzó con el escrutinio de las papeletas.* **2** *col.* Situación o asunto difíciles de resolver: *Me tocó la papeleta de comunicarle la muerte de su esposa en un accidente de tráfico.*

papelillo s.m. **1** Sobre pequeño que contiene una pequeña dosis medicinal en polvo. **2** *col.* Papel de fumar.

papelina s.f. En el lenguaje de la droga, envoltorio pequeño que contiene una dosis, generalmente de heroína o de cocaína.

papelinero, ra s. Persona que vende papelinas de heroína.

papelón s.m. Actuación o papel difíciles, ridículos o poco lucidos: *¡Menudo papelón hizo durante la entrevista, metiendo la pata cada dos por tres!*

papelorio s.m. *col. desp.* Conjunto desordenado de papeles.

papeo s.m. *col.* Comida.

paper (ing.) s.m. Comunicación o trabajo en el que se exponen los resultados de una investigación: *En* *el próximo congreso presentará un paper sobre los últimos avances en pediatría.* □ PRON. [péiper].

paperas s.f.pl. Inflamación de las glándulas salivales, que produce un abultamiento de las zonas situadas debajo de las orejas. □ ETIMOL. De *papo*.

paperback (ing.) s.m. Libro en rústica. □ PRON. [péiperbac]. □ USO Su uso es innecesario.

papi s.m. *col.* Padre. □ USO Su uso es característico del lenguaje infantil.

papiamento s.m. Lengua criolla que se habla en Curaçao (isla caribeña) y que está formada por una mezcla de portugués, holandés, español y lenguas africanas: *El papiamento es un ejemplo de lengua mixta.* □ ETIMOL. Del antiguo *papear* (chapurrear).

papila s.f. **1** En la piel o en las membranas mucosas, esp. de la lengua, pequeña masa de tejido prominente: *papilas gustativas.* **2** En algunas plantas, cada uno de los abultamientos cónicos que tienen algunos órganos: *Las yemas o los brotes son en un principio pequeñas papilas, que van creciendo hasta originar las ramas.* □ ETIMOL. Del latín *papilla* (pezón de teta).

papilar adj.inv. De las papilas o relacionado con estos abultamientos.

papilionáceo, a ▮ adj./s.f. **1** Referido a una planta, que se caracteriza por tener flores con corola amariposada, con cinco pétalos, y el fruto generalmente en legumbre: *La retama y el algarrobo son plantas papilionáceas.* ▮ s.f.pl. **2** En botánica, familia de estas plantas, perteneciente a la clase de las dicotiledóneas: *Las plantas de las papilionáceas crecen en climas templados.* □ ETIMOL. Del latín *papilio* (mariposa).

papilla s.f. **1** Comida triturada que forma una masa espesa, destinada generalmente a niños pequeños o enfermos: *una papilla de cereales.* **2** Sustancia opaca a los rayos X que es utilizada en el estudio radiológico del aparato digestivo: *una papilla de bario.* **3** ‖ **echar la (primera) papilla;** *col.* Vomitar. ‖ **hacer papilla;** *col.* Dejar en muy malas condiciones físicas o anímicas.

papiloma s.m. Bulto formado por el aumento de volumen de ciertas zonas de la piel: *Las verrugas son papilomas.* □ ETIMOL. De *papila* y *-oma* (tumor).

papilomavirus (pl. *papilomavirus*) s.m. Virus causante de la mayoría de los casos de cáncer de cuello de útero: *Hay muchas infecciones por papilomavirus que no desencadenan un cáncer.*

papión s.m. Mono de mediano tamaño, con mandíbula saliente y grandes dientes caninos, de pelaje gris o pardo claro, con callosidades rojas en las nalgas, y que vive en las sabanas y en zonas semidesérticas africanas formando manadas, con una jerarquía social muy estricta. □ SINÓN. *babuino.* □ MORF. Es un sustantivo epiceno: *el papión {macho/hembra}.*

papiro s.m. **1** Planta herbácea de origen oriental, de hojas largas y estrechas y cañas cilíndricas, lisas y desnudas que terminan en un penacho de espigas con pequeñas flores verdosas. **2** Lámina obtenida del tallo de esta planta, que se usaba en la Antigüedad para escribir en ella. **3** Manuscrito realizado sobre esta lámina. □ ETIMOL. Del latín *papyrus.* □ ORTOGR. Dist. de *pápiro*.

pápiro s.m. *col.* Billete de banco, esp. el de mucho valor. □ ETIMOL. Del griego *pápyros* (papel). □ ORTOGR. Dist. de *papiro*.

papiroflexia s.f. Arte y técnica de hacer figuras a partir de un trozo de papel doblado sucesivas veces. □ ETIMOL. De *papiro* (papel) y del latín *flexus* (doblado).

papirola s.f. Figura hecha de papel doblado. □ ETIMOL. De *papiro*.

papirología s.f. Ciencia que estudia los papiros. □ ETIMOL. De *papiro* y *-logía* (ciencia).

papirotada s.f. →**papirotazo.**

papirotazo s.m. Golpe que se da, generalmente en la cabeza, haciendo resbalar la uña de un dedo con fuerza sobre la yema del pulgar. □ SINÓN. *capirotazo, papirotada.*

papisa s.f. Mujer papa: *La papisa Juana es un personaje de algunos cuentos populares.*

papismo s.m. En el protestantismo, la iglesia católica, sus organismos y sus doctrinas.

papista ‖ **ser más papista que el papa;** *col.* Ser extremadamente riguroso en el cumplimiento de un deber o de una recomendación.

papo s.m. **1** En los animales, parte abultada entre la barba y el cuello. **2** En las aves, ensanchamiento del esófago donde se reblandecen los alimentos. □ SINÓN. *buche.* **3** *col.* Desfachatez, descaro o desvergüenza: *¡Menudo papo tienes: mientras yo trabajo, tú viendo la tele!* □ ETIMOL. De *papar* (comer), por ser el lugar donde las aves reblandecen la comida.

páprika s.f. Variedad de pimentón que es típica de la cocina húngara y que se usa como condimento. □ ETIMOL. Del húngaro *paprika*.

papú (pl. *papúes, papús*) adj.inv./s.com. **1** De Papúa Nueva Guinea o relacionado con este país de Oceanía (uno de los cinco continentes). □ SINÓN. *papúa.* **2** De las islas Fiyi o relacionado con este país de Oceanía (uno de los cinco continentes). □ SINÓN. *fiyiano.*

papúa adj.inv./s.com. →**papú.**

papudo, da adj. Referido esp. a las aves, que tiene crecido y grueso el papo.

pápula s.f. Pequeña elevación en la piel, enrojecida, sin pus y sin serosidad. □ ETIMOL. Del latín *papula.*

paquebot s.m. →**paquebote.**

paquebote (tb. *paquebot*) s.m. Barco preparado para el transporte del correo y de pasajeros de un puerto a otro. □ ETIMOL. Del francés *paquebot*, este del inglés *packboat*, y este de *pack* (paquete) y *boat* (barco).

paquete s.m. **1** Envoltorio bien ordenado y no muy grande: *El mensajero vino a entregar unos paquetes.* **2** *col.* En un vehículo de dos ruedas, persona que acompaña al conductor: *No tengo moto y siempre voy de paquete en la de mi amigo.* **3** *col.* Castigo, multa o arresto: *Como se enteren que te esca-*

paste sin permiso te van a meter un buen paquete. **4** Serie, colección o conjunto de cosas que tienen una característica común: *Ha comprado un paquete de acciones de esta empresa porque se rumorea que va a subir su cotización.* **5** *vulg.* En un hombre, órganos genitales. **6** || **paquete de datos;** en informática, unidad en la que se agrupa un conjunto de datos para enviarlo a través de una red. || **paquete de software;** en informática, conjunto de programas que se distribuye conjuntamente. || **paquete postal;** el que se envía por correo y debe ajustarse a determinados requisitos. □ ETIMOL. Del francés *paquet.*

paquetería s.f. Conjunto de productos o mercancías que se venden o transportan preparados en paquetes.

paquidérmico, ca adj. **1** De los paquidermos o relacionado con estos animales. **2** Con las características que se consideran propias del elefante.

paquidermo adj./s.m. Referido a un mamífero no rumiante, que se caracteriza por tener la piel muy gruesa y dura, y tres o cuatro dedos en cada extremidad: *El elefante y el hipopótamo son dos ejemplos de paquidermos.* □ ETIMOL. Del griego *pakhýdermós* (de piel gruesa), y este de *pakhýs* (grueso) y *dérma* (piel).

paquistaní (pl. *paquistaníes, paquistanís*) adj.inv./s.com. →**pakistaní.**

par ▌adj.inv. **1** Igual o totalmente semejante: *Se nota que son gemelos, porque son pares en temperamento.* **2** Referido a un órgano de un ser vivo, que se corresponde simétricamente con otro igual: *Las orejas son órganos pares.* ▌s.m. **3** →**número par. 4** Conjunto de dos elementos de una misma clase: *En la frutería están de oferta, y si compras un par de kilos pagas solo uno.* **5** Conjunto pequeño de elementos, de número indeterminado: *Estuve con un par de amiguetes, tomando unas cañas.* **6** En golf, número de golpes establecidos como referencia para completar el recorrido de un campo o de un hoyo: *He conseguido terminar el recorrido en el par del campo.* **7** En algunos países, título honorífico: *En la Edad Media, el rey de Francia concedió el título de par a algunos vasallos.* **8** || **a la par;** a un tiempo, a la vez: *Aunque tú saliste antes, llegamos los dos a la par.* || **a pares;** de dos en dos: *Los calcetines se venden a pares.* || **de par en par;** totalmente abierto: *En verano duermo con las ventanas y la puerta de par en par.* || **pares y nones;** juego que consiste en adivinar si el número de elementos escondidos en la mano es par o impar: *¿Nos jugamos quién paga esta ronda a pares y nones?* || **sin par;** singular, o que no tiene igual: *El hada tenía una belleza sin par.* □ ETIMOL. Del latín *par* (igual, semejante, par). □ ORTOGR. La expresión *sin par*, incorr. **simpar.*

para prep. **1** Indica finalidad o utilidad: *Su hija le pidió dinero para ir al cine. Dime para qué lo necesitas.* **2** Indica la dirección de un movimiento con respecto al punto de su término: *Al salir del cine nos fuimos para casa.* □ SINÓN. *hacia.* **3** Indica el tiempo en el que va a finalizar algo o en el que se va a ejecutar: *La chaqueta estará terminada para cuando comience el frío.* **4** Indica capacidad, utilidad o conveniencia: *Me despreció y me dijo que no valía para nada.* **5** Indica contraposición, relación o comparación: *Los aprecia poco, para lo eficientes que son.* **6** Indica motivo o causa: *¿Para qué has venido a verme?* **7** Indica la proximidad o la inminencia de que ocurra algo: *Coge el paraguas, porque está para llover.* **8** || **para eso;** expresión que se usa para indicar que algo es inútil o demasiado fácil: *Podías quedarte en tu casa, porque para eso no había hecho falta que vinieras.* || **para {mí/ti/};** según el punto de vista propio: *Para mí, que este negocio no va a salir bien.* || **que para qué;** *col.* Expresión que se usa para enfatizar el tamaño, la importancia o la intensidad de algo: *Se puso a gritar y armó un escándalo que para qué.* □ ETIMOL. Del antiguo *pora*, y este del latín *pro ad.*

para- Prefijo que significa 'junto a' y 'al margen de': *paraestatal, paraoficial, paramilitar, paranormal, parapsicología.* □ ETIMOL. Del griego *pará.*

parabellum s.f. Arma de fuego automática corta. □ ETIMOL. Extensión del nombre de una marca comercial. □ PRON. [parabélum].

parabién s.m. Manifestación de la satisfacción que alguien siente por algún suceso feliz que le ha ocurrido a otra persona: *Se acercó a dar los parabienes a los recién casados.* □ SINÓN. *felicitación.* □ ETIMOL. De la expresión *para bien sea*, que solía decir la persona que era favorecida por algo.

parábola s.f. **1** Narración de un suceso fingido de la que se deduce una enseñanza moral o una verdad importante. **2** En matemáticas, curva abierta, simétrica respecto de un eje, y con un solo foco, que resulta de cortar un cono recto por un plano paralelo a una de sus generatrices. □ ETIMOL. Del latín *parabola* (comparación, símil).

parabólica s.f. Véase **parabólico, ca.**

parabólico, ca ▌adj. **1** De la parábola o relacionado con este tipo de narración. **2** De la parábola o relacionado con esta curva matemática: *una trayectoria parabólica.* ▌s.f. **3** Antena de televisión que, debido a su forma de parábola, concentra el haz que se recibe desde un satélite y permite captar emisoras situadas a gran distancia.

parabolizar v. Hablar o explicar utilizando parábolas: *El profesor parabolizó la lección para que los niños la entendieran.* □ ORTOGR. La *z* se cambia en *c* delante de *e* →CAZAR.

parabrisas (pl. *parabrisas*) s.m. En un automóvil, cristal delantero.

paraca s.com. *col.* →**paracaidista.**

paracaídas (pl. *paracaídas*) s.m. Dispositivo formado por una tela fuerte y por un sistema de cuerdas que, al extenderse en el aire, sirve para frenar la velocidad de caída de un cuerpo.

paracaidismo s.m. Actividad militar o deportiva que consiste en el lanzamiento con paracaídas desde un avión.

paracaidista ▮ adj.inv. **1** Del paracaidismo o relacionado con esta actividad. ▮ s.com. **2** Persona que practica el paracaidismo. ☐ MORF. En la lengua coloquial, como sustantivo, se usa también la forma abreviada *paraca*.

paracentesis (pl. *paracentesis*) s.f. En medicina, punción en una cavidad del cuerpo con una aguja hueca para evacuar el líquido acumulado. ☐ ETIMOL. Del griego *parakéntesis*.

paracetamol s.m. Compuesto químico muy usado en medicamentos para combatir la fiebre y el dolor.

parachoques (pl. *parachoques*) s.m. En un automóvil, pieza de la parte delantera y trasera que sirve para amortiguar los efectos de un choque.

paracronismo s.m. Error que consiste en atribuir a un hecho una fecha posterior a aquella en que sucedió realmente: *Si digo que el descubrimiento de América ocurrió en 1592 estoy cometiendo un paracronismo, porque fue en 1492.* ☐ ETIMOL. De *para-* (junto a, al margen de) y el griego *khrónos* (tiempo).

parada s.f. Véase **parado, da**.

paradero s.m. **1** Lugar en el que se para o en el que se está alojado: *No te puedo dar su dirección porque vive en paradero desconocido.* **2** En zonas del español meridional, parada de transporte público.

paradiástole s.f. Figura retórica que consiste en emplear palabras de significación semejante, poniendo de manifiesto la diversidad que hay entre ellas.

paradigma s.m. **1** Modelo o ejemplo: *El verbo 'amar' suele ponerse como paradigma de los verbos de la primera conjugación.* **2** En algunas escuelas lingüísticas, conjunto de unidades fonológicas, morfológicas, léxicas o sintácticas que pueden aparecer en un mismo contexto porque realizan la misma función: *'Tarde', 'temprano' y 'pronto' pertenecen al paradigma de los adverbios temporales.* **3** En gramática, cada uno de los esquemas formales de flexión: *Los verbos en español se conjugan siguiendo tres paradigmas distintos según sean de la primera, de la segunda o de la tercera conjugación.* ☐ ETIMOL. Del griego *parádeigma* (modelo, ejemplo).

paradigmático, ca adj. De un paradigma o relacionado con él: *'Partir' es el verbo paradigmático de la tercera conjugación.*

paradiña s.f. En fútbol, procedimiento para ejecutar penaltis que consiste en que el lanzador se detiene un breve instante inmediatamente antes de golpear el balón, con el fin de despistar al portero. ☐ ETIMOL. Del portugués *paradinha*.

paradisíaco, ca (tb. *paradisiaco, ca*) adj. Del paraíso, o con las características de este.

parado, da ▮ adj. **1** Tímido o indeciso. ▮ adj./s. **2** Referido a una persona, que está sin trabajo de forma forzosa. ☐ SINÓN. *desempleado.* ▮ s.f. **3** Finalización de un movimiento, de una acción o de una actividad: *A media mañana hacemos una parada para tomar el bocadillo.* **4** Detención de algo que estaba en movimiento: *El portero realizó una parada extraordinaria.* **5** Alojamiento o detención en un lugar: *Mis paradas en este hostal son frecuentes cuando viajo.* **6** Lugar en el que se para: *Esta iglesia es parada obligatoria para todos los turistas que visitan la ciudad.* **7** Lugar en el que se detienen los vehículos destinados al transporte público para que suban o bajen los viajeros: *las paradas de un autobús.* **8** Formación de tropas para pasarles revista o para un desfile: *una parada militar.* **9** ‖ **parada (nupcial);** entre algunos animales, comportamiento de los machos y de las hembras en la época de la reproducción encaminado a fijar la pareja para ese fin. ‖ **salir {bien/mal} parado;** tener buena o mala suerte.

paradoja s.f. **1** Hecho extraño, absurdo u opuesto a la opinión o al sentir generales: *Es una paradoja que el más avaro de tus amigos te haya hecho el regalo más caro.* **2** Figura retórica consistente en unir ideas aparentemente contradictorias e irreconciliables: *La frase de santa Teresa 'Que muero porque no muero' contiene una paradoja.* ☐ ETIMOL. Del griego *parádoxa*, y este de *parádoxos* (contrario a la opinión común).

paradójico, ca adj. De la paradoja, con paradojas o relacionado con ella. ☐ ORTOGR. Incorr. **paradógico*.

parador, -a adj./s. **1** Que para o se para. **2** ‖ **parador (nacional de turismo);** establecimiento hotelero que depende de organismos oficiales.

paraestatal adj.inv. Que colabora con el Estado o está controlado por este aunque no forma parte de él ni pertenece a la Administración Pública: *una empresa paraestatal.* ☐ ETIMOL. De *para-* (junto a) y *estatal*.

parafango s.m. Tratamiento de belleza que consiste en la aplicación de fango mezclado con parafina en algunas zonas del cuerpo: *El parafango tiene efecto relajante y tonifica la piel.*

parafarmacia s.f. Establecimiento o sección en los que se venden productos propios de una farmacia, pero que no son medicinas: *Compré un aceite hidratante en la parafarmacia.*

parafernalia s.f. Lo que rodea a algo, haciéndolo ostentoso, llamativo o solemne.

parafina s.f. Sustancia sólida compuesta por una mezcla de hidrocarburos obtenidos en la fabricación de derivados del petróleo: *La parafina se utiliza en la fabricación de cremas y de lápices de labios.* ☐ ETIMOL. Del latín *parum affinis* (que tiene poca afinidad con otras sustancias).

parafinar v. Impregnar de parafina: *Hay que parafinar el papel para impermeabilizarlo.*

parafrasear v. Referido a un texto, hacer una paráfrasis suya: *En su respuesta, parafraseó una cita famosa que no recordaba literalmente.* ☐ ORTOGR. Dist. de *perifrasear*.

paráfrasis (pl. *paráfrasis*) s.f. Interpretación ampliada de un texto para hacerlo más claro: *Dámaso Alonso realizó una paráfrasis de la 'Fábula de Polifemo y Galatea' de Góngora.* ☐ ETIMOL. Del griego *paráphrasis*. ☐ ORTOGR. Dist. de *perífrasis*.

paragénesis (pl. *paragénesis*) s.f. Asociación de varios minerales en una sola roca.

paragoge s.f. Adición de un sonido, generalmente una vocal, al final de una palabra: *Decir 'clipe' en vez de 'clip' es un ejemplo de paragoge.* □ ETIMOL. Del griego *paragogé* (derivación gramatical).

paragógico, ca adj. En lingüística, referido a un sonido, que se añade por paragoge: *En la épica castellana se empleó la 'e' paragógica para dar un aire arcaico a la lengua.*

paragolpe (tb. *paragolpes*) s.m. En zonas del español meridional, parachoques.

paragolpes (pl. *paragolpes*) s.m. →**paragolpe.**

parágrafo s.m. →**párrafo.** □ ETIMOL. Del latín *paragraphus*, y este del griego *parágraphos* (señal para distinguir las distintas partes de un tratado).

paragrama s.m. Cambio voluntario y consciente de una grafía en una palabra, de forma que se convierte en otra: *Escribir de forma voluntaria 'un saber basto' en lugar de 'un saber vasto' es un paragrama.*

paraguas (pl. *paraguas*) s.m. **1** Utensilio portátil compuesto por un bastón y por unas varillas plegables cubiertas por una tela impermeable, que se utiliza para protegerse de la lluvia. **2** Ámbito de acción o de influencia: *Esta crisis bélica debe resolverse dentro del paraguas de la ONU.*

paraguaya s.f. Véase **paraguayo, ya.**

paraguayismo s.m. En lingüística, americanismo propio de Paraguay (país americano): *En ese diccionario de americanismos encontrarás muchos paraguayismos.*

paraguayo, ya ▌adj./s. **1** De Paraguay o relacionado con este país americano. ▌s.f. **2** Fruta jugosa y aplastada, que tiene una piel suave y aterciopelada.

paraguazo s.m. Golpe dado con un paraguas.

paragüería s.f. Establecimiento en el que se hacen, se arreglan o se venden paraguas.

paragüero s.m. Mueble o recipiente que sirve para guardar paraguas y bastones.

paraíso s.m. **1** En el Antiguo Testamento, lugar de felicidad en el que vivían Adán y Eva (primer hombre y primera mujer creados por Dios) antes del pecado original. **2** Lugar en el que, según la tradición cristiana, se goza de la presencia de Dios. □ SINÓN. *alturas, cielo.* **3** Lugar tranquilo y agradable. **4** En algunos teatros y cines, conjunto de asientos del piso más alto. □ SINÓN. *gallinero, cazuela.* **5** Árbol de tronco retorcido y gris, hojas blanquecinas y flores blancas por fuera y amarillas por dentro. **6** ‖ **paraíso fiscal;** país o territorio con una legislación cambiaria, fiscal y financiera propia y muy permisiva. □ ETIMOL. Del latín *paradisus*, y este del griego *parádeisos* (paraíso terrenal). □ USO En la acepción 1, se usa más como nombre propio.

paraje s.m. Lugar o sitio, esp. si es alejado o si está aislado: *un paraje desértico.* □ ETIMOL. De *parar*.

paralaje s.f. En astronomía, diferencia entre las posiciones aparentes de un astro, según el punto desde donde es observado: *La paralaje de algunas estrellas permite calcular la distancia a la que se encuentran de la Tierra.* □ ETIMOL. Del griego *parállaxis* (cambio).

paralalia s.f. En psicología, trastorno del lenguaje que hace que los fonemas o sonidos de una palabra se sustituyan por otros.

paralelas s.f.pl. Véase **paralelo, la.**

paralelepípedo s.m. Cuerpo geométrico limitado por seis paralelogramos, paralelos e iguales dos a dos: *El cubo y el prisma rectangular son paralelepípedos.* □ ETIMOL. Del griego *parállelos* (paralelo) y *epípedon* (plano).

paralelismo s.m. **1** Igualdad de distancia permanente entre líneas o planos. **2** En literatura, disposición del discurso de modo que se repita un mismo pensamiento o una misma estructura en dos o más frases, versos, estrofas o miembros oracionales sucesivos. **3** Semejanza o equivalencia: *El paralelismo existente entre los dos trabajos levantó sospechas de plagio.*

paralelo, la ▌adj. **1** Semejante, correspondiente o comparable. **2** Referido a una recta o a un plano, que se mantiene equidistante respecto de otro, sin llegar a cortarse. ▌s.m. **3** *col.* Correspondencia o comparación: *No podemos establecer paralelo entre estas dos situaciones, porque son totalmente diferentes.* **4** En geografía, cada uno de los círculos equidistantes entre sí que rodean la Tierra paralelamente al Ecuador. ▌s.f.pl. **5** →**barras paralelas.** **6** ‖ **en paralelo; 1** Al mismo tiempo: *Han actuado en paralelo para llegar al mismo fin.* **2** En una posición equidistante: *Los tres ciclistas iban en paralelo por la carretera.* ‖ **(paralelas) asimétricas;** →**barras paralelas asimétricas.** □ ETIMOL. Del latín *parallelus*. □ SEM. *En paralelo* se usa mucho con el significado de 'al mismo tiempo'.

paralelogramo s.m. Figura geométrica limitada por cuatro líneas o lados, paralelos dos a dos: *El cuadrado, el rectángulo y el rombo son paralelogramos.* □ ETIMOL. Del griego *parállelos* (paralelo) y *grammé* (línea).

paralimpiada (tb. *paralimpíada*) s.f. Olimpiada en la que participan exclusivamente personas con alguna discapacidad. □ ETIMOL. Aunque la formación regular debiera ser *parolimpiada*, el uso ha impuesto la formación irregular *paralimpiada*. □ ORTOGR. En plural tiene el mismo significado que en singular. □ USO Se usa también *paraolimpiada*.

paralímpico, ca adj. De la Paralimpiada o relacionado con esta competición atlética para personas con alguna discapacidad: *los Juegos Paralímpicos.* □ ETIMOL. Aunque la formación regular debiera ser *parolímpico*, el uso ha impuesto la formación irregular *paralímpico*. □ USO Se usa también *paraolímpico*.

paralís s.m. *vulg.* →**parálisis.**

parálisis (pl. *parálisis*) s.f. Pérdida total o parcial de la capacidad de movimiento y de la sensibilidad de una o de varias partes del cuerpo. □ ETIMOL. Del griego *parálysis* (relajación, parálisis). □ PRON.

Incorr. *[paralís]. □ MORF. Incorr. su uso como masculino: *sufrió {*un > una} parálisis.*

paralítico, ca adj./s. Que sufre parálisis. □ ETIMOL. Del griego *parálysis* (relajación, parálisis).

paralización s.f. Detención de algo que está en acción o que tiene movimiento: *la paralización del proyecto.*

paralizador, -a adj. Que paraliza.

paralizante adj.inv. Que paraliza.

paralizar v. **1** Causar parálisis: *Una enfermedad vírica paralizó sus piernas.* **2** Referido esp. a una acción o a un movimiento, detenerlos, entorpecerlos o impedirlos: *Paralizaron las obras porque no tenían permiso municipal.* □ ETIMOL. Del francés *paralyser.* □ ORTOGR. La *z* se cambia en *c* delante de *e* →CAZAR.

paralogismo s.m. Razonamiento falso. □ ETIMOL. Del griego *paralogismós*, y este de *pará* (al lado de, fuera de) y *logismós* (razonamiento).

paramagnético, ca adj. Referido a un material, que al imantarse se orienta en el mismo sentido que el campo magnético aplicado sobre él.

paramagnetismo s.m. Propiedad de ciertos materiales de imantarse en el mismo sentido que el campo magnético aplicado sobre él. □ ETIMOL. De *para-* (junto a) y *magnetismo.*

paramecio s.m. Organismo microscópico unicelular que se mueve por medio de cilios y que suele ser de vida libre. □ ETIMOL. Del griego *paramékes* (alargado).

paramento s.m. **1** Adorno con que se cubre algo: *Los tapices que cubren las paredes del palacio son unos bonitos paramentos.* **2** Cada una de las caras de una pared o de un sillar labrado: *Hay que cubrir de yeso los dos paramentos de la pared.* □ ETIMOL. Del latín *paramentum.*

paramera s.f. Lugar extenso en el que abundan los páramos.

parametrizar v. Establecer parámetros de análisis: *Debemos parametrizar antes de comenzar la investigación.* □ ORTOGR. La *z* se cambia en *c* delante de *e* →CAZAR.

parámetro s.m. **1** En matemáticas, en una familia de elementos, variable que sirve para identificarlos mediante un valor numérico: *En la ecuación '$ax^2+bx+c=0$', 'a', 'b' y 'c' son los parámetros.* **2** Dato que se tiene en cuenta en el análisis de una cuestión: *Según esos parámetros, su actuación fue correcta.* □ ETIMOL. Del latín *parametrum.*

paramilitar adj.inv. Referido a una organización civil, que tiene una estructura de tipo militar. □ ETIMOL. De *para-* (junto a) y *militar.*

paramnesia s.f. Alteración de la memoria que consiste en recordar lugares, situaciones o personas que en realidad son nuevas para el sujeto. □ ETIMOL. De *para-* (al margen de) y *amnesia.*

páramo s.m. Terreno llano con escasa vegetación. □ ETIMOL. Del latín *paramus.*

parangón s.m. Comparación o semejanza: *Su éxito no tiene parangón con el nuestro.*

parangonar v. Hacer una comparación: *No se puede parangonar lo que siente por sus hijos con lo que siente por sus alumnos.* □ ETIMOL. Del italiano *paragonare* (someter el oro a la prueba de la piedra de toque). □ SINT. Constr. *parangonar una cosa* CON *otra.*

paraninfo s.m. Salón de actos en una universidad. □ ETIMOL. Del latín *paranymphus*, y este del griego *paránymphos* (padrino de bodas).

paranoia s.f. Trastorno mental que se caracteriza por una profunda alteración de algún área de la personalidad, y por la fijación en una idea. □ ETIMOL. Del griego *paránoia* (demencia).

paranoico, ca ▌adj. **1** De la paranoia o relacionado con esta enfermedad mental. ▌adj./s. **2** Que padece paranoia.

paranomasia s.f. →**paronomasia.**

paranormal adj.inv. Referido a un fenómeno, que no puede ser explicado con métodos científicos. □ ETIMOL. De *para-* (al margen de) y *normal.*

paraoficial adj.inv. Que no es oficial pero funciona de forma paralela a lo oficial. □ ETIMOL. De *para-* (al margen de) y *oficial.*

paraolimpiada s.f. →**paralimpiada.**

paraolímpico, ca adj. →**paralímpico.**

parapente s.m. **1** Modalidad de paracaidismo que se practica con un paracaídas rectangular, y que consiste en lanzarse desde una pendiente muy pronunciada y hacer un descenso controlado. **2** Paracaídas con el que se practica esta modalidad de paracaidismo. □ ETIMOL. Del francés *parapente.*

parapentista s.com. Persona que practica el parapente.

parapetar v. Proteger o resguardar, esp. mediante parapetos: *Las trincheras y los terraplenes parapetaron a los soldados. El policía se parapetó detrás de un coche para protegerse de los disparos.*

parapeto s.m. **1** Terraplén o defensa construida generalmente con sacos y piedras, que protege a los soldados de los ataques enemigos. **2** En algunas construcciones, pared o baranda que se coloca para evitar las caídas: *el parapeto del puente.* □ ETIMOL. Del italiano *parapetto*, y este de *parare* (parar golpes, defender) y *petto* (pecho).

paraplejia (tb. *paraplejía*) s.f. Parálisis que afecta a la mitad inferior del cuerpo. □ ETIMOL. Del griego *paraplexía.*

parapléjico, ca ▌adj. **1** De la paraplejia o relacionado con este tipo de parálisis. ▌adj./s. **2** Que padece una paraplejia.

parapsicología (tb. *parasicología*) s.f. Estudio de los fenómenos que no pueden ser explicados por métodos científicos. □ ETIMOL. De *para-* (junto a) y *psicología.* □ PRON. [parasicología].

parapsicológico, ca (tb. *parasicológico, ca*) adj. De la parapsicología o relacionado con este estudio: *un fenómeno parapsicológico.* □ PRON. [parasicológico].

parapsicólogo, ga (tb. *parasicólogo, ga*) s. Persona que se dedica a la parapsicología. □ PRON. [parasicólogo].

parar v. **1** Cesar o interrumpirse en el movimiento o en la acción: *Para de dar saltos, que me pones nervioso. Si la lavadora se para otra vez, tendré que llamar al técnico.* **2** Terminar o desembocar: *No sabemos en que parará este feo asunto.* **3** Recaer o llegar a manos de otra persona: *La abuela se preguntaba a quién irían a parar sus cosas después de su muerte.* **4** Alojarse o hallarse: *Dime dónde para tu padre, porque tengo algo que decirle.* **5** Referido a algo que se mueve, detenerlo e impedir su movimiento: *El portero paró el balón.* **6** Referido a una acción, detenerla e impedirla: *El general logró parar el ataque del ejército enemigo.* **7** Referido a un toro, frenarlo en su embestida el torero haciendo que fije su atención antes de embestir: *Con los pies juntos y el capote suelto, paró al toro en la embestida.* **8** En zonas del español meridional, levantar o poner de pie: *Me dijo que me parara de la silla y que hiciera algo.* **9** || **dónde va a parar;** expresión que se usa para exagerar las excelencias de una cosa en comparación con otra: *¡Mi coche es mucho mejor que este, dónde va a parar!* || **dónde {vamos/iremos/...} a parar;** *col.* Expresión que se usa para indicar asombro o consternación: *No sé dónde iremos a parar con tantas guerras.* ☐ ETIMOL. Del latín *parare* (preparar, disponer). ☐ MORF. En la acepción 8, se usa también como pronominal.

pararrayo s.m. →**pararrayos.**

pararrayos (tb. *pararrayo*) (pl. *pararrayos*) s.m. Aparato compuesto por una o por varias varillas metálicas unidas con la tierra o con el agua, que se coloca en los edificios y en otras construcciones para protegerlos de los rayos.

paraselene s.f. Imagen de la luna representada en una nube. ☐ ETIMOL. De *para-* (junto a, al margen de) y el griego *Seléne* (la Luna).

parasicología s.f. →**parapsicología.**

parasicológico, ca adj. →**parapsicológico.**

parasicólogo, ga s. →**parapsicólogo.**

parasimpático, ca adj./s.m. Referido a una parte del sistema nervioso vegetativo, que se opone a las acciones del sistema simpático y cuya función más importante es la regulación de la función cardiaca. ☐ ETIMOL. De *para-* (junto a) y *simpático*.

parasíntesis (pl. *parasíntesis*) s.f. Procedimiento de formación de palabras por medio de la composición y de la derivación simultáneas: *'Enamorar' es un verbo formado por parasíntesis a partir del sustantivo 'amor'.* ☐ ETIMOL. Del griego *parasýnthesis*.

parasintético, ca adj. Referido a una palabra, que se ha formado por parasíntesis: *'Enajenar' es una palabra parasintética formada a partir del adjetivo 'ajeno'.*

parasitar v. Referido a un individuo o a una de sus partes, vivir a su costa un parásito: *El muérdago parasita a ciertos árboles.*

parasitario, ria adj. De los parásitos, producido por parásitos o relacionado con ellos.

parasiticida adj.inv./s.m. Referido a una sustancia, que se usa para destruir a los parásitos. ☐ ETIMOL. De *parásito* y *-cida* (que mata).

parasitismo s.m. Asociación entre dos individuos u organismos de distinta especie, en la que uno de ellos vive a expensas del otro, causándole un perjuicio.

parásito, ta ▌adj./s. **1** Referido a un organismo animal o vegetal, que vive a costa de otro de distinta especie, alimentándose de él y causándole algún perjuicio. ▌s. **2** *col.* Persona que vive a costa ajena. ☐ ETIMOL. Del latín *parasitus*, y este del griego *parásitos* (comensal). ☐ SEM. Dist. de *epifito* (vegetal que vive sobre otro sin alimentarse a su costa).

parasitología s.f. Parte de la biología que estudia los parásitos. ☐ ETIMOL. De *parásito* y *-logía* (estudio).

parasitosis (pl. *parasitosis*) s.f. Enfermedad producida por parásitos. ☐ ETIMOL. De *parásito* y *-osis* (enfermedad).

parasol s.m. **1** Especie de paraguas que se utiliza para protegerse del sol. ☐ SINÓN. *quitasol, sombrilla.* **2** En un automóvil, accesorio articulado colocado en el interior sobre el parabrisas, y que sirve para evitar que el sol deslumbre al conductor o al acompañante. ☐ ETIMOL. De *parar* y *sol*.

parasomnia s.f. Trastorno del sueño que se caracteriza por la alteración de la conducta de una persona dormida: *El sonambulismo es un tipo de parasomnia.*

parataxis (pl. *parataxis*) s.f. Relación gramatical que se establece entre dos elementos sintácticos del mismo nivel o con la misma función, pero independientes entre sí: *En la oración 'Come y bebe' la conjunción copulativa 'y' establece una parataxis.* ☐ SINÓN. *coordinación.* ☐ ETIMOL. Del griego *parátaxis* (coordinación). ☐ SEM. Dist. de *hipotaxis* (subordinación).

paratífico, ca ▌adj. **1** De la paratifoidea o relacionado con esta enfermedad. ▌adj./s. **2** Que padece esta enfermedad.

paratifoidea s.f. Enfermedad infecciosa de origen bacteriano que se caracteriza por la aparición de fiebre alta y diarrea. ☐ ETIMOL. De *para-* (junto a, al margen de) y *tifoidea*.

paratiroideo, a adj. De la paratiroides o relacionado con esta glándula.

paratiroides (pl. *paratiroides*) s.f. →**glándula paratiroides.** ☐ ETIMOL. De *para-* (al lado de) y *tiroides*.

parca s.f. Véase **parco, ca.**

parcasé s.m. En zonas del español meridional, parchís.

parcela s.f. **1** Porción pequeña en que se divide un terreno. **2** En el catastro, cada una de las tierras de distinto dueño que constituyen un término o un distrito. **3** Parte pequeña de un todo: *Esa pregunta pertenece a la parcela privada de mi vida, y no pienso contestarla.* ☐ ETIMOL. Del francés *parcelle* (partícula).

parcelación s.f. División en parcelas.

parcelar v. Dividir en parcelas: *Para vender mejor la finca la parcelaron.*

parcelario, ria adj. De la parcela o relacionado con esta porción de terreno.

parche s.m. **1** Lo que se pega o se cose sobre una superficie para tapar un agujero o un desperfecto: *He comprado una caja de parches para arreglar el pinchazo de la bici.* **2** *col.* Arreglo o cura provisionales: *Lo que necesita la empresa es una gran reestructuración, y no un parche de medidas transitorias.* **3** Retoque o añadido que estropea la forma original o que desentona del conjunto: *Esa fuente tan moderna es un parche en medio de este conjunto de edificios antiguos.* **4** En un instrumento de percusión, piel sobre la que se golpea para hacerlo sonar: *Tocaba con tal fuerza el tambor, que acabó rompiendo uno de los parches.* **5** Adhesivo impregnado con alguna sustancia que pasa a la sangre a través de la piel: *Estoy dejando de fumar y llevo parches de nicotina.* **6** En informática, programa que se instala en un ordenador para corregir errores de otros programas o actualizarlos. □ ETIMOL. Del francés antiguo *parche* (badana, cuero).

parchear v. Poner parches: *Voy a parchear el flotador, porque está pinchado y se le escapa el aire.*

parchís s.m. Juego que se practica entre varios jugadores sobre un tablero con cuatro o más casillas de salida, y que consiste en mover las fichas tantas casillas como indique el dado al tirarlo, y en el que gana el jugador que antes haga llegar sus cuatro fichas a la casilla central. □ ETIMOL. Del indostánico *pacisi*, y este de *pacis* (veinticinco).

parcial ▮ adj.inv. **1** Relacionado con una parte de un todo: *En esta asignatura tenemos dos exámenes parciales y uno final.* **2** Incompleto o no entero: *Mañana habrá eclipse parcial de Luna.* **3** Que juzga o que procede con parcialidad: *Los jugadores se quejaron de que el árbitro era parcial y favorecía al contrario.* ▮ s.m. **4** Examen de una parte de una asignatura: *Durante el curso va a haber tres parciales de matemáticas.* **5** En algunos deportes, resultado o tanteo al que se llega en un momento determinado del partido: *Se llegó al minuto diez de la primera parte con un parcial de 38-29.* □ ETIMOL. Del latín *partialis*, y este de *pars* (parte).

parcialidad s.f. Falta de neutralidad al juzgar o al proceder.

parco, ca ▮ adj. **1** Corto, escaso o moderado: *una persona parca en palabras.* ▮ s.f. **2** En mitología, cada una de las tres deidades con figura de vieja, de las cuales una hilaba el hilo de la vida de las personas, la otra lo devanaba y la otra lo cortaba. **3** ‖ **la parca;** *poét.* La muerte. □ ETIMOL. La acepción 1, del latín *parcus*, y este de *parcere* (ahorrar). La acepción 2, del latín *parca*.

pardal s.m. Pájaro de plumaje pardo o castaño con manchas negras o rojizas, pico fuerte, cónico y algo doblado en la punta, que no emigra en invierno y es muy común en la península Ibérica. □ SINÓN. *gorrión.* □ ETIMOL. Del latín *pardalis.* □ MORF. Es un sustantivo epiceno: *el pardal {macho/hembra}.*

pardiez interj. *ant.* Juramento que expresaba cólera (por sustitución eufemística de *por Dios*). □ ETIMOL. De la expresión *par Dios* (por Dios).

pardillo, lla ▮ adj./s. **1** Referido a una persona, que es incauta y fácil de engañar. ▮ s.m. **2** Pájaro de pequeño tamaño, de plumaje pardo rojizo y blanco en el abdomen, que se alimenta de semillas y que es fácilmente domesticable. □ ETIMOL. De *pardo.* □ MORF. En la acepción 2, es un sustantivo epiceno: *el pardillo {macho/hembra}.*

pardo, da adj. **1** Del color marrón de la tierra. **2** Referido esp. a las nubes o al día, oscuros o con poca luz. □ ETIMOL. Del latín *pardus* (leopardo), por el color de su piel.

pardusco, ca (tb. *parduzco, ca*) adj. De color pardo o con tonalidades pardas.

parduzco, ca adj. →**pardusco.**

pareado, da ▮ adj. **1** En métrica, referido a un verso, que va unido a otro con el que rima. ▮ adj./s.m. **2** Referido esp. a un chalé, que está construido unido a otro. ▮ s.m. **3** En métrica, estrofa formada por dos versos que riman entre sí: *El refrán 'Haz bien y no mires a quién' es un pareado.*

parear v. **1** Unir o colocar dos cosas por pares, esp. si son iguales o muy parecidas: *He pareado los calcetines que estaban revueltos en el cajón.* **2** En tauromaquia, poner banderillas: *Ese peón ha pareado muy bien al toro.* □ SINÓN. *banderillear.*

parecer ▮ s.m. **1** Opinión, juicio o dictamen: *Me preguntaron mi parecer sobre el asunto y yo dije lo que pensaba.* **2** Apariencia exterior de una persona, esp. si es agradable: *Es un joven apuesto y de buen parecer.* ▮ v. **3** Tener un aspecto o una apariencia determinados: *El trabajo parecía fácil, pero era complicado.* **4** Referido a algo que se expresa, haber señales o indicios de ello: *Parece que este invierno va a ser más frío que el anterior.* ▮ prnl. **5** Tener o mostrar semejanza: *Tú y tu hermano os parecéis como dos gotas de agua.* **6** ‖ **a lo que parece** o **al parecer;** juzgando por lo que se ve: *Al parecer han discutido, porque ya no salen juntos.* ‖ **parecer {bien/mal} algo;** según la propia opinión, ser o no ser acertado: *No me parece bien lo que has hecho.* □ ETIMOL. Las acepciones 1 y 2, de *parecer*. Las acepciones 3-6, del latín **parescere.* □ MORF. 1. Irreg. →PARECER. 2. En la acepción 4, es un verbo unipersonal.

parecido, da ▮ adj. **1** Que se parece a otro: *Nuestros pantalones son muy parecidos, aunque no iguales.* ▮ s.m. **2** Conjunto de características que hacen que una cosa se parezca a otra: *Aunque dicen que eres igual que tu padre, yo no os veo el parecido.* □ SINÓN. *semejanza.* **3** ‖ **{bien/mal} parecido;** referido a una persona, con un aspecto físico atractivo o poco agraciado, respectivamente. □ USO En expresiones negativas, se usa mucho con valor intensificador: *Jamás oí cosa parecida.*

pared s.f. **1** Construcción vertical de albañilería que sirve para cerrar o separar un espacio o para sostener el techo: *En una casa, las paredes que separan las habitaciones suelen ser más delgadas que* *las exteriores.* **2** Cara o superficie lateral de un cuerpo: *Las paredes del tarro estaban todas pringosas de miel.* **3** Corte vertical en la cara de una montaña: *Tuvimos que entrenar duro para conseguir escalar esa pared.* **4** En fútbol, pase del balón de un jugador a otro de su mismo equipo para que se lo devuelva enseguida salvando algún jugador contrario: *Hizo una pared para evitar al defensa contrario.* **5** || **las paredes oyen;** expresión que se usa para indicar que hay que hablar con cuidado porque cualquier persona puede oír la conversación. || **pared maestra;** la principal y más gruesa, que mantiene y sostiene el edificio. || **poner** a alguien **contra la pared;** *col.* Ponerlo en una situación en la que forzosamente tiene que tomar una decisión. || **subirse por las paredes;** *col.* Mostrarse muy irritado: *Estoy que me subo por las paredes, porque me han dado un plantón.* ☐ ETIMOL. Del latín *paries.*

paredaño, ña adj. Referido a una casa o a una habitación, que está separada de otra solo por una pared.

paredón s.m. Muro contra el que se sitúa a las personas que van a ser fusiladas.

pareja s.f. Véase **parejo, ja.**

parejo, ja ▮ adj. **1** Igual o semejante: *Realiza un trabajo parejo al mío.* ▮ s.f. **2** Conjunto de dos elementos, esp. si guardan entre sí alguna correlación o semejanza: *El vals se baila por parejas.* **3** Conjunto de dos animales de distinto sexo: *una pareja de lobos.* **4** Conjunto de dos personas entre las que hay una relación sentimental: *Este matrimonio es una pareja muy bien avenida.* **5** Respecto de una persona o de un elemento, otra u otro con el que forma un conjunto de dos: *A este guante le falta su pareja.* **6** Respecto de una persona, compañero sentimental. **7** || **correr parejas** dos o más cosas; ser iguales o semejantes: *Es admirada por todos porque su gran inteligencia y su amabilidad corren parejas.* || **pareja de hecho;** conjunto de dos personas que viven juntas y cuya convivencia está reconocida legalmente: *Las parejas de hecho no están reconocidas en todos los países.* || **vivir en pareja;** referido a una persona, vivir con otra con la que mantiene relaciones sexuales sin estar casada con ella. ☐ ETIMOL. La acepción 1, del latín *par* (igual). Las acepciones 2-5, de *parejo.*

paremia s.f. Refrán o proverbio. ☐ ETIMOL. Del griego *paroimía* (proverbio).

paremiología s.f. Estudio de los refranes. ☐ ETIMOL. Del griego *paroimía* (proverbio) y *-logía* (estudio).

paremiológico, ca adj. De la paremiología o relacionado con este estudio.

paremiólogo, ga s. Persona que se dedica profesionalmente al estudio de los refranes o que está especializada en paremiología.

parénquima s.m. **1** En los vegetales, tejido indiferenciado formado por células vivas cúbicas y con la pared muy fina, que puede desempeñar distintas funciones: *El parénquima puede desempeñar funciones de reserva, de conducción, de fotosíntesis o de otro tipo.* **2** En las personas y en los animales, tejido fundamental de las glándulas y de algunos órganos: *El parénquima glandular es la parte secretora, a diferencia de los tejidos que sirven de soporte o de trama.* ☐ ETIMOL. Del griego *parénkhyma* (sustancia orgánica).

parenquimatoso, sa adj. Del parénquima o relacionado con este tipo de tejido: *El hígado, el bazo y los riñones son órganos parenquimatosos.*

parentela s.f. *col.* Conjunto de parientes. ☐ ETIMOL. Del latín *parentela.*

parenteral adj.inv. Referido esp. a la forma de administración de un medicamento, que no es la digestiva: *Las inyecciones se administran por vía parenteral.* ☐ ETIMOL. De *para-* (al margen de) y el griego *énteron* (intestino).

parentesco s.m. **1** Relación o vínculo entre dos individuos por consanguinidad o por afinidad: *El parentesco que hay entre nosotros dos es el de padre e hijo.* **2** Unión o relación entre dos cosas: *El parentesco existente entre el español y el italiano se debe a que ambas lenguas proceden del latín.*

paréntesis (pl. *paréntesis*) s.m. **1** En un texto escrito, signo gráfico formado por dos líneas curvas, una con forma de 'C' abierta y la otra a la inversa, que se usa para intercalar elementos que aclaran algo en una oración principal o para aislar una expresión algebraica: *Los signos ( ) son paréntesis.* **2** Oración o frase que aclaran algo encerradas entre estos signos: *En la frase 'La sede de la ONU (Organización de Naciones Unidas) está en Estados Unidos', 'Organización de Naciones Unidas' es un paréntesis.* **3** Suspensión o interrupción: *Hicieron un paréntesis en la reunión para ir a desayunar.* ☐ ETIMOL. Del latín *parenthesis,* y este del griego *parénthesis* (interposición, inserción).

parentético, ca adj. **1** Del paréntesis, con paréntesis o relacionado con él. **2** Introducido como paréntesis: *Las oraciones parentéticas suelen ser aclaratorias.*

pareo s.m. Prenda de vestir femenina que consiste en una tela ligera que se enrolla alrededor del cuerpo formando un vestido o una falda.

paresia s.f. Parálisis leve que consiste en una debilidad en las contracciones musculares. ☐ ETIMOL. Del griego *páresis* (aflojamiento).

parestesia s.f. Sensación anormal en la piel, generalmente de hormigueo, de adormecimiento o de ardor, debida a trastornos en el sistema nervioso o en el circulatorio. ☐ ETIMOL. De *para-* (junto a) y el griego *áisthesis* (sensación).

parhelio s.m. Fenómeno luminoso muy poco frecuente que consiste en la aparición de varias imágenes del Sol reflejadas en las nubes y colocadas sobre un halo. ☐ ETIMOL. Del griego *parélios,* y este de *pará* (al lado) y *hélios* (sol).

paria s.com. **1** Persona que pertenece a la casta más baja de los hindúes. **2** Persona a la que se considera inferior y que es excluido de las ventajas y del trato que gozan otros. ☐ ETIMOL. Del inglés *pariah*, y este del portugués *pariá*.

parián s.m. En zonas del español meridional, mercado. ☐ ETIMOL. Del tagalo *parian* (mercado chino).

parida s.f. *col.* Dicho estúpido, inoportuno o sin sentido.

paridad s.f. **1** Igualdad, semejanza o equiparación: *Se llevan muy bien porque tienen paridad de caracteres.* **2** En economía, valor de una moneda en relación con el patrón monetario internacional vigente o con respecto a otra. **3** En una red electrónica, técnica con la que se comprueba que no ha habido errores en una transmisión. ☐ ETIMOL. Del latín *paritas*.

paridera ▮ adj. **1** Referido a una hembra, que es fecunda: *una cabra paridera.* ▮ s.f. **2** Lugar en el que pare el ganado, esp. el lanar.

pariente s.com. Persona que tiene relaciones familiares con otra. ☐ SINÓN. *deudo*.

pariente, ta s. *col.* Respecto de una persona, cónyuge o compañero sentimental. ☐ ETIMOL. Del latín *parens* (padre y madre).

parietal s.m. →**hueso parietal.** ☐ ETIMOL. Del latín *parietalis*, y este de *paries* (pared).

parihuela s.f. **1** Cama estrecha y portátil, que se usa para transportar enfermos, heridos o cadáveres. ☐ SINÓN. *camilla.* **2** Utensilio formado por dos varas gruesas en las que se apoyan tablas atravesadas, que se utiliza para transportar pesos o cargas entre dos personas. ☐ ETIMOL. De origen incierto. ☐ MORF. Se usa más en plural.

paripé s.m. Ficción, simulación o acto engañoso: *¡Menudo paripé montó para hacernos creer que era famoso!* ☐ ETIMOL. Del caló *paruipén* (cambio, trueque).

paripinnado, da adj.→**hoja paripinnada.**

parir v. **1** Referido a una hembra de una especie vivípara, expulsar el feto al final de la gestación: *A estas ovejas les faltan pocos días para parir. La vaca ha parido dos terneritos.* **2** Producir o causar: *Parió esta novela durante la convalecencia de una enfermedad.* **3** ‖ **parirla;** *vulg.* Cometer una equivocación muy difícil de solucionar: *¡Porras, ya la he parido otra vez!* ‖ **poner a parir** a alguien; *col.* Hablar mal de él: *Cuando te fuiste te puso a parir y dijo que eras un traidor.* ☐ ETIMOL. Del latín *parere* (dar a luz, producir, proporcionar).

parisiense adj.inv./s.com. →**parisino.**

parisílabo, ba adj. Referido esp. a una palabra o a un verso, que tienen un número par de sílabas: *'Cuatrimotor' es un vocablo parisílabo.* ☐ ETIMOL. Del latín *par* (igual) y *sílaba*.

parisino, na adj./s. De París (capital francesa), o relacionado con ella. ☐ SINÓN. *parisiense*.

paritario, ria adj. Referido esp. a un organismo social, que está constituido por partes que tienen el mismo número de representantes y los mismos derechos. ☐ ETIMOL. Del latín *paritas* (paridad).

paritorio s.m. En un centro hospitalario, sala preparada y destinada para los partos.

parka s.f. Prenda de abrigo parecida a la trenca, pero con la capucha forrada de piel.

parkear v. →**parquear.** ☐ ETIMOL. Del inglés *park*.

parking (ing.) s.m. →**aparcamiento.** ☐ PRON. [párkin].

párkinson s.m. Enfermedad causada por una lesión cerebral, y que se caracteriza principalmente por temblores y rigidez muscular. ☐ SINÓN. *parkinsonismo.* ☐ ETIMOL. Por alusión a Parkinson, médico inglés.

parkinsonismo s.m.→**párkinson.**

parla s.f. Facilidad de palabra y gracia al hablar. ☐ SINÓN. *labia*.

parlamentar v. Dialogar o entrar en conversaciones para alcanzar un acuerdo o una solución: *La policía parlamentó con los manifestantes para que se retiraran pacíficamente.*

parlamentario, ria ▮ adj. **1** Del Parlamento o relacionado con este órgano político. ▮ s. **2** Miembro de un Parlamento.

parlamentarismo s.m. Sistema político en el que el Parlamento ejerce el poder legislativo y controla la actuación del Gobierno: *El parlamentarismo es el sistema propio de las naciones democráticas.*

parlamento s.m. **1** Órgano político formado por los representantes de la nación y compuesto por una o dos cámaras, que tiene como misión principal la elaboración y aprobación de leyes y de presupuestos: *En los países democráticos, los miembros del Parlamento son elegidos por los ciudadanos con derecho a voto.* **2** Edificio o sede de este órgano: *El diputado no hizo declaraciones al entrar en el parlamento.* **3** En el teatro, recitación o monólogo largos de un actor. **4** Diálogo o conversación para alcanzar un acuerdo o una solución. ☐ ETIMOL. Del francés *parlement*. ☐ USO En la acepción 1, se usa más como nombre propio.

parlanchín, -a adj./s. *col.* Que habla mucho, esp. si dice lo que debería callar. ☐ ETIMOL. De *parlar*.

parlante ▮ adj.inv. **1** Que es capaz de hablar o de imitar la voz humana: *El loro es un ave parlante.* ▮ s.m. **2** En zonas del español meridional, altavoz.

parlar v. *col.* Hablar: *Estuvimos parlando toda la tarde.* ☐ ETIMOL. Del provenzal *parlar* (hablar).

parlero, ra adj. Referido a un ave, que es capaz de emitir sonidos melodiosos y variados, debido al gran desarrollo de su aparato fonador. ☐ SINÓN. *cantor*.

parleta s.f. *col.* Conversación desenfadada y amistosa.

parlotear v. *col.* Charlar o hablar de cosas intrascendentes, por diversión o pasatiempo: *Tomamos café juntos y parloteamos un rato.*

parloteo s.m. Charla o conversación sobre cosas intrascendentes, por diversión o pasatiempo.

parmesano, na ▮ adj./s. **1** De Parma (ciudad y antiguo ducado italiano), o relacionado con ellos. ▮ s.m. **2** Queso de pasta dura y de sabor fuerte, elaborado con leche cocida de vaca que se deja madurar lentamente.

parnasianismo s.m. Movimiento literario francés, de la segunda mitad del siglo XIX, que defendía la búsqueda de la perfección formal en la poesía y la objetividad en sus expresiones.

parnasiano, na ▌adj. **1** Del parnasianismo o relacionado con este movimiento literario. ▌adj./s. **2** Partidario o seguidor del parnasianismo.

parnaso s.m. Conjunto de todos los poetas de un pueblo o de un tiempo determinados. □ ETIMOL. Por alusión al monte Parnaso, que era el monte de las Musas y lugar sagrado de los poetas.

parné s.m. *col.* Dinero. □ ETIMOL. Del caló *parné.*

paro s.m. **1** Terminación de un movimiento, de una acción o de una actividad: *Falleció porque el infarto le produjo un paro cardíaco. Los trabajadores de la empresa anuncian paros indefinidos si no se atienden sus peticiones.* **2** Situación de las personas que no están empleadas: *Su empresa quebró y se quedó en paro.* □ SINÓN. *desempleo.* **3** Conjunto de las personas que no están empleadas: *Este año, las cifras del paro han aumentado respecto a las del año anterior.* **4** Cantidad de dinero que percibe la persona que no está empleada y que tiene derecho a cobrar un subsidio de desempleo: *Como trabajé durante un año, tengo derecho a cobrar cuatro meses de paro.*

-paro, -para Elemento compositivo sufijo que significa 'que pare': *unípara, vivíparo.* □ ETIMOL. Del latín *-parus*, de la raíz de *pario* (parir).

parodia s.f. Imitación burlesca de una cosa seria. □ ETIMOL. Del griego *paroidia* (imitación burlesca de una obra literaria).

parodiar v. Hacer una parodia o imitar de forma burlesca: *Este humorista parodia muy bien a los políticos.* □ ORTOGR. La *i* nunca lleva tilde.

paródico, ca adj. De la parodia o relacionado con esta imitación burlesca.

parodista s.com. Persona que escribe o que realiza parodias.

parolimpiada s.f. →**paralimpiada.**

parolímpico, ca adj. →**paralímpico.**

paronimia s.f. Relación o semejanza entre dos o más palabras por su etimología, por su forma o por su sonido: *Entre los sustantivos 'angosto' y 'agosto' hay paronimia.*

parónimo, ma adj./s.m. Referido a una palabra, que tiene relación o semejanza con otra o con otras por su etimología, por su forma o por su sonido: *Los parónimos 'caballo' y 'cabello' tienen un sentido diferente con una forma muy parecida.* □ ETIMOL. Del griego *parónymos*, y este de *pará* (al lado) y *ónoma* (nombre).

paronomasia s.f. **1** Figura retórica consistente en colocar próximas en la frase palabras parónimas o fonéticamente semejantes: *El juego entre 'misa' y 'mesa' en la frase de Quevedo 'muy tardón en la misa y abreviador en la mesa' constituye una paronomasia.* **2** Semejanza entre dos o más vocablos que solo se diferencian por la vocal acentuada: *Entre las palabras 'peto', 'pato' y 'pito' hay una relación de paronomasia.* □ ETIMOL. Del latín *paronomasia*, este del griego *paronomasía*, y este de *pará* (al lado) y *ónoma* (nombre). □ ORTOGR. En la acepción 2, se admite también *paranomasia.*

paronomástico, ca adj. De la paronomasia o relacionado con ella: *'Lago', 'lego' y 'ligo' son palabras paronomásticas.*

parótida s.f. Cada una de las dos glándulas salivales situadas en la parte más lateral y posterior de la boca, debajo de las orejas y detrás de la mandíbula inferior. □ ETIMOL. Del latín *parotis*, este del griego *parotís*, y este de *pará* (junto a) y *ûs* (oreja, oído).

parotiditis (pl. *parotiditis*) s.f. Inflamación de las glándulas parótidas que produce un abultamiento de las zonas situadas debajo de las orejas. □ ETIMOL. De *parótida* e *-itis* (inflamación).

paroxismo s.m. **1** Exaltación o intensificación extremas de las pasiones o de los sentimientos: *Su desesperación llegó al paroxismo y empezó a darse cabezazos contra la pared.* **2** Agravamiento o ataque violento de una enfermedad o de un síntoma de esta: *En momentos de paroxismo febril llega a delirar o a perder la conciencia.* □ ETIMOL. Del griego *paroxysmós* (irritación, paroxismo).

paroxístico, ca adj. Del paroxismo o relacionado con él.

paroxítono, na adj. **1** Referido a una palabra, que lleva el acento en la penúltima sílaba: *'Cárcel' y 'mañana' son palabras paroxítonas, aunque solo la primera lleva tilde.* □ SINÓN. *grave, llano.* **2** Referido a un verso, que termina en palabra acentuada en la penúltima sílaba: *El número de sílabas métricas de un verso paroxítono coincide con el número de sus sílabas reales.* □ SINÓN. *grave, llano.* □ ETIMOL. Del griego *paroxýtonos.*

parpadear v. **1** Abrir y cerrar repetidamente los párpados: *Miraba con tanta atención que ni siquiera parpadeaba.* **2** Referido esp. a la luz de un cuerpo o a una imagen, vacilar u oscilar su luminosidad: *La luz de los intermitentes del coche parpadea.*

parpadeo s.m. **1** Apertura y cierre repetidos de los párpados. **2** Vacilación u oscilación de la luminosidad de la luz de un cuerpo o de una imagen.

párpado s.m. Pliegue movible de piel que sirve para proteger los ojos. □ ETIMOL. Del latín **palpetrum.*

parpar v. Referido a un pato, dar graznidos o emitir su voz característica: *¿Oyes parpar a los patos?*

parque s.m. **1** Terreno con plantas y arbolado que se utiliza generalmente como lugar de recreo: *Los niños juegan en el parque con los columpios y los toboganes.* **2** Conjunto de instrumentos, de aparatos o de materiales destinados a un servicio público: *A través de esas verjas se ven algunos coches del parque de incendios. El parque de ordenadores de esta empresa está obsoleto.* **3** Lugar en el que hay distintas instalaciones o materiales destinados a un servicio o a un uso determinados: *un parque de atracciones; un parque de bomberos; un parque acuático.* **4** Armazón rodeado con una malla y con el suelo acolchado, en el que se deja a los niños muy pequeños para que jueguen. □ SINÓN. *corral.* **5** En zonas del español meridional, munición. **6** || **parque de diversiones;** en zonas del español meridional, parque de atracciones. || **parque móvil;** conjunto de vehículos del Estado o de un organismo estatal. || **parque nacional;** el que es muy extenso, no está cultivado, y ha sido acotado por el Estado para la conservación de su fauna, de su flora y de su belleza naturales. || **parque natural;** el que está protegido por el Estado por su valor ecológico y paisajístico. □ ETIMOL. Del francés *parc.*

parqué s.m. **1** Entarimado o suelo de maderas finas que, ensambladas o unidas de determinada manera, forman figuras geométricas. **2** En la bolsa, lugar donde se negocian los valores que cotizan. **3** En la bolsa, conjunto de agentes que se sitúan en este lugar. □ ETIMOL. Del francés *parquet.*

parqueadero s.m. En zonas del español meridional, aparcamiento.

parquear v. En zonas del español meridional, aparcar: *Parquearé el carro donde pueda.* □ SINÓN. *parkear.* □ ETIMOL. Del inglés *to park.*

parquedad s.f. Moderación y templanza, esp. en el gasto o en el uso de las cosas.

parquetista s.com. Persona que se dedica profesionalmente a la colocación y reparación del parqué.

parquímetro s.m. En un lugar de aparcamiento, aparato que mide el tiempo de estacionamiento de un vehículo. □ ETIMOL. De *parque* y *-metro* (medidor).

parra s.f. **1** Variedad de vid de tronco y ramas leñosos, a la que se hace crecer trepando por un emparrado o armazón. **2** || **subirse** alguien **a la parra;** *col.* Tomarse atribuciones que no le corresponden: *No le des mucha confianza, o se te acabará subiendo a la parra.* □ ETIMOL. De origen incierto.

parrafada s.f. *col.* Conversación larga e ininterrumpida.

parrafear v. Hablar mucho y solo de cosas intrascendentes: *Me entretuve parrafeando con un vecino en el portal.*

parrafeo s.m. Charla intrascendente y prolongada, esp. si resulta aburrida.

párrafo s.m. En un escrito, cada una de las partes o divisiones separada del resto por un punto y aparte. □ SINÓN. *parágrafo.* □ ETIMOL. Del latín *paragraphus*, y este del griego *parágraphos* (señal para distinguir las distintas partes de un tratado).

parral s.m. **1** Conjunto de parras sostenidas con un armazón. □ SINÓN. *bacillar.* **2** Terreno plantado de parras.

parranda s.f. Juerga o diversión bulliciosa, esp. si se hace yendo de un sitio a otro: *irse de parranda.* □ ETIMOL. De origen incierto.

parrandear v. Ir de parranda o juerga: *De joven le gustaba parrandear con los amigos.*

parrandeo s.m. Diversión bulliciosa, esp. si se hace yendo de un sitio a otro.

parraque s.m. *col.* Indisposición repentina y de poca gravedad.

parricida adj.inv./s.com. Que mata a un pariente o familiar, esp. a su padre, a su madre o a su cónyuge. □ ETIMOL. Del latín *parricida.*

parricidio s.m. Muerte dada a un pariente o familiar, esp. a los padres o al cónyuge.

parrilla s.f. **1** Utensilio de cocina formado por unas barras metálicas en forma de rejilla, con un mango y unas patas para colocarlo sobre las brasas, y que se utiliza para asar o tostar alimentos, esp. carnes y pescados. **2** Restaurante en el que se sirven carnes asadas con este utensilio, generalmente a la vista del público. **3** En zonas del español meridional, baca. **4** Programación de televisión: *Este informativo es el plato fuerte de la parrilla.* **5** || **parrilla de salida;** en un circuito, lugar en el que se sitúan los vehículos para comenzar la carrera. □ ETIMOL. De *parra*, por comparación con la forma de enrejado de las glorietas o emparrados. □ USO En las acepciones 1 y 2, es innecesario el uso del anglicismo *grill.*

parrillada s.f. Comida compuesta de pescados, mariscos o carne asados a la parrilla.

párroco adj./s.m. Referido a un sacerdote, que es el encargado de una parroquia. □ ETIMOL. Del griego *párokhos* (el que provee).

parroquia s.f. **1** Iglesia en la que se administran los sacramentos y se atiende espiritualmente a los fieles: *Se casaron en la parroquia de su pueblo.* **2** Territorio que está bajo la jurisdicción espiritual de un párroco: *Yo pertenezco a esta parroquia, pero los de la casa de enfrente pertenecen a otra.* □ SINÓN. *feligresía, curato.* **3** Conjunto de los feligreses de este territorio e iglesia: *Esta parroquia participa activamente en los actos de culto.* □ SINÓN. *feligresía.* **4** Conjunto de clientes habituales de un establecimiento público: *La parroquia de esa tasca acude todos los días.* □ ETIMOL. Del latín *parroquia*, y este del griego *paroikía* (avecindamiento).

parroquial adj.inv. De una parroquia o relacionado con ella.

parroquiano, na ▌adj./s. **1** Que pertenece a una determinada parroquia. ▌s. **2** Cliente habitual de un establecimiento público.

parsec (tb. *pársec*) s.m. En astronomía, unidad de longitud que equivale a 3,26 años luz: *El parsec se utiliza para medir distancias entre estrellas.* □ ETIMOL. Del inglés *parsec*, y este de *Parallax Second* (paralaje anual de un segundo de arco). □ ORTOGR. Su símbolo es *pc*, por tanto, se escribe sin punto.

parsimonia s.f. Calma o despreocupación excesivas en la forma de actuar. □ SINÓN. *cachaza, cuajo, pachorra.* □ ETIMOL. Del latín *parsimonia* (economía, sobriedad).

parsimonioso, sa adj. Que actúa con parsimonia o calma excesiva.

parsismo s.m. Religión de los antiguos persas basada en la creencia de que existen dos principios divinos, uno bueno y creador del mundo, y otro malo y destructor. □ SINÓN. *mazdeísmo.*

parte ▌s.m. **1** Comunicación o información que se transmiten: *parte médico; parte meteorológico.* ▌

s.f. **2** Porción o cantidad de un todo o de un conjunto numeroso: *El examen tiene dos partes: teoría y práctica.* **3** En un reparto o en una distribución, porción que corresponde a cada uno: *Divide la tarta en ocho partes, para que todos podamos comer.* **4** Sitio, lugar o lado: *Me lo encuentro en todas partes, parece que me sigue.* **5** Aspecto en el que algo puede ser considerado: *Por una parte, es un trabajo muy apetecible, pero por otra, me parece muy arriesgado.* **6** En un enfrentamiento, cada uno de los dos bandos: *Hoy se espera que las dos partes del conflicto bélico lleguen a un acuerdo.* **7** En derecho, cada una de las personas que contratan entre sí o que tienen participación o interés en un mismo negocio: *La parte compradora está de acuerdo con todas las cláusulas del contrato de compraventa.* **8** || **dar parte;** dar cuenta de lo sucedido, esp. a la autoridad: *Fue a la comisaría a dar parte del robo del coche.* || **de parte de** alguien; en su nombre o por orden suya: *Coge el teléfono, que te llaman de parte del director.* || **en parte;** no enteramente: *En parte comprendo lo que has hecho, pero eso no lo justifica.* || **no ir** algo **a ninguna parte;** *col.* No tener apenas importancia: *Un duro no va a ninguna parte, pero varios miles, sí.* || **parte de la oración;** cada una de las clases de palabras que en la oración tienen distinto oficio: *El sustantivo y el verbo son partes de la oración.* || **partes (pudendas);** *euf.* En una persona, órganos sexuales externos. || **salva sea la parte;** *euf.* Culo. □ ETIMOL. Del latín *pars*.

parteluz s.m. En arquitectura, elemento vertical, largo y estrecho, que divide un vano en dos partes. □ SINÓN. *mainel.* □ ETIMOL. De *partir* y *luz*.

partenaire (fr.) s.com. Respecto de una persona, otra que forma pareja con ella en determinadas ocasiones, esp. en algunas actividades artísticas. □ PRON. [partenér]. □ USO Su uso es innecesario y puede sustituirse por *pareja* o *compañero*.

partenogénesis (pl. *partenogénesis*) s.f. Forma de reproducción sexual sin participación directa del sexo masculino. □ ETIMOL. Del griego *parthénos* (doncella, virgen) y *génesis* (generación).

partero, ra s. **1** Persona especializada en la asistencia a parturientas y legalmente autorizada para ello. □ SINÓN. *comadrón, matrón.* **2** Persona que ayuda y asiste a las parturientas.

parterre s.m. Jardín o parte de él, generalmente de forma geométrica, con césped, flores y anchos paseos. □ ETIMOL. Del francés *parterre* (por tierra).

partesana s.f. Antigua arma blanca ofensiva, parecida a la alabarda, formada por un asta de madera terminada en una punta de hierro cortante por ambos lados y con la parte inferior en forma de media luna. □ ETIMOL. Del italiano *partigiana*.

partición s.f. **1** División o reparto de un todo entre varias partes: *Todos los herederos se reunirán para la partición de la herencia.* **2** Cada una de estas partes: *De las tres particiones de la herencia, a mí me corresponderían dos.* □ ETIMOL. Del latín *partitio*.

participación s.f. **1** Intervención en una actividad: *la participación en un juego.* **2** Obtención de una parte de algo: *Aquí tienes el total de tu participación en el negocio.* **3** Parte o cantidad que se juega en un décimo de lotería. **4** Billete en el que consta esta parte que se juega en un décimo de lotería. **5** En economía, parte que se tiene en el capital de un negocio o de una empresa: *Tengo algunas participaciones de empresas eléctricas.* **6** Notificación o comunicación que se da de algo: *Ayer nos llegó por correo la participación de su boda.*

participacionismo s.m. Movimiento que defiende la participación de los trabajadores en los beneficios de la empresa.

participado, da adj. Referido esp. a una empresa, con participaciones de otra u otras: *Ese grupo dedicó mucho dinero para saldar las deudas de sus empresas participadas.* □ SINT. Constr. *participado* POR *alguien.*

participante adj.inv./s.com. Que participa.

participar v. **1** Referido a una actividad, tener o tomar parte en ella: *Nuestra empresa participa en la construcción de esa autopista construyendo las pasarelas para peatones. Esta es la segunda vez que participa en un torneo de alta competición.* **2** Referido a un todo, recibir una parte de él: *Los obreros participan también de los beneficios de la empresa. Participo de tu alegría por el éxito.* **3** Notificar, comunicar o dar parte: *Ya ha llegado la invitación en la que nos participan su boda.* □ ETIMOL. Del latín *participare.* □ SINT. 1. Constr. de la acepción 1: *participar* EN *algo.* 2. Constr. de la acepción 2: *participar* DE *algo.*

participativo, va adj. *col.* Que suele participar en actividades colectivas.

partícipe adj.inv./s.com. Que tiene parte en algo o que participa de ello con otros: *Llamó a sus padres para hacerles partícipes de su alegría.* □ ETIMOL. Del latín *particeps*, y este de *pars* (parte) y *capere* (tomar).

participio s.m. **1** Forma no personal del verbo, con morfemas de género y número, y que posee valor de verbo y de adjetivo: *'Mareante' es el participio activo o de presente de 'marear', y 'mareado', su participio pasivo o pasado. En español los participios regulares terminan en '-ado', los de la primera conjugación, y en '-ido', los de la segunda y la tercera.* **2** || **participio absoluto;** construcción gramatical formada por esta forma verbal y por un sustantivo concordados en género y en número, separada del resto de la oración por pausas o comas: *En la oración 'Terminado el trabajo, salieron a comer', el participio absoluto es 'terminado el trabajo'.* □ ETIMOL. Del latín *participium*.

partícula s.f. **1** Parte muy pequeña de materia: *En los rayos de luz que dejaba pasar la persiana se veían las partículas de polvo.* **2** En gramática, parte invariable de la oración, generalmente de poco cuerpo fonético, que puede aparecer aislada o como prefijo de una palabra compuesta: *Las preposiciones y las conjunciones son partículas.* **3** || **partícu-**

la elemental; en física, elemento cuya estructura interna se ignora. □ ETIMOL. Del latín *particula*.

particular ▮ adj.inv. **1** Que es propio, privativo o característico de algo: *No me gusta que se entrometan en mis asuntos particulares.* **2** Raro, especial o extraordinario en su línea: *Su comportamiento no tiene nada de particular, y es el propio de un chico de su edad.* **3** Singular, individual o concreto: *Recibe clases particulares de matemáticas.* **4** Privado, o que no es de propiedad o de uso públicos: *domicilio particular.* ▮ adj.inv./s.com. **5** Referido a una persona, que no tiene título ni empleo que la distingan de las demás: *Para pasar a esa zona del ministerio, los particulares necesitan una autorización.* ▮ s.m. **6** Punto o materia de los que se trata: *Preguntados sobre el particular, contestaron que mantenían buenas relaciones.* **7** ‖ **en particular;** de forma distinta, separada o especial: *Me gustan todas, pero esta en particular me vuelve loca.* ‖ **sin otro particular; 1** Sin nada más que añadir: *Sin otro particular, me despido atentamente de usted.* **2** Con el objeto exclusivo: *Vine aquí sin otro particular que verte y hablar un rato contigo.* □ ETIMOL. Del latín *particularis*.

particularidad s.f. **1** Característica, rasgo o detalle que sirven para distinguir o para singularizar algo en relación con otro elemento de la misma especie o clase. **2** Circunstancia o detalle sin importancia general: *Solo tratamos los puntos esenciales del asunto y no entramos en particularidades.*

particularismo s.m. Preferencia exagerada por el interés particular o propio sobre el general o común.

particularista ▮ adj.inv. **1** Del particularismo o relacionado con esta preferencia exagerada por el interés particular. ▮ adj.inv./s.com. **2** Partidario del particularismo.

particularización s.f. **1** Diferenciación o distinción de algo en relación con otros elementos de la misma especie o clase: *Me dijo que muchos se habían portado mal, pero no quiso hacer particularizaciones.* **2** Expresión de algo señalando sus circunstancias y particularidades: *Lo más destacado de esta obra es la particularización del contexto social que determinó la rebelión.*

particularizar v. **1** Referido a algo, distinguirlo o diferenciarlo en relación con otros elementos de la misma especie o clase: *Es una novela del montón y no posee ninguna característica especial que la particularice.* **2** Expresar o hablar de algo señalando todas sus circunstancias y particularidades: *Explicó con detalle la época de la Reconquista y particularizó las batallas más importantes.* □ ORTOGR. La *z* se cambia en *c* delante de *e* →CAZAR.

partida s.f. **1** Marcha de un lugar: *Antes de su partida pasó a despedirse de nosotros.* **2** Cantidad de una mercancía o de un producto que se entrega, se envía o se recibe de una vez. **3** En una cuenta o en una factura, cada uno de los artículos y cantidades que se anotan en ellas. **4** Registro o anotación de hechos relacionados con la vida de una persona, que se escribe en los libros de las parroquias o en el registro civil: *una partida de bautismo.* **5** Copia certificada de alguno de estos registros. **6** Conjunto de personas reunidas para un fin, esp. si están armadas y sujetas a algún tipo de organización: *Una partida de soldados cayó en la emboscada.* **7** En algunos juegos, conjunto de jugadas que se realizan hasta que alguien resulta ganador: *¿Jugamos una partida de ajedrez?*

partidario, ria adj./s. Defensor o seguidor de una idea, una persona o un movimiento. □ SINT. Constr. *partidario* DE *algo*. □ SEM. No debe emplearse con el significado de 'partidista': *Acusaron al Gobierno de hacer una política {*partidaria > partidista}.*

partidismo s.m. **1** Adhesión a las opiniones de un partido con preferencia a los intereses generales. **2** Inclinación a favor de algo sobre lo que se debería ser imparcial.

partidista adj.inv./s.com. **1** Que se adhiere incondicionalmente a las opiniones de un partido. **2** Que se muestra a favor de algo sobre lo que debería mostrarse imparcial. □ SEM. No debe usarse con el significado de *del partido*: *Antepondré los intereses {*partidistas > del partido} a los míos.*

partido s.m. **1** Conjunto de personas que siguen o defienden unas ideas o intereses determinados, esp. si están agrupadas en una organización política. **2** En algunos deportes, competición en la que se enfrentan dos equipos o dos jugadores: *un partido de fútbol.* **3** Provecho o beneficio que se obtiene de algo: *Creo que de este negocio podremos sacar buen partido.* **4** ‖ **partido judicial;** demarcación o territorio que comprende varias poblaciones de una provincia, y sobre el que ejercen su jurisdicción los mismos órganos judiciales. ‖ **ser** alguien **un buen partido;** *col.* Estar en edad de formar pareja y disfrutar de una buena posición social. ‖ **tomar partido;** definirse y adoptar una actitud favorable a un bando determinado. □ USO En la acepción 2, es innecesario el uso del anglicismo *match*.

partiquino, na s. Cantante que ejecuta en las óperas una parte muy breve o de escasa importancia. □ ETIMOL. Del italiano *particina* (partecita).

partir ▮ v. **1** Referido a un todo, dividirlo o separarlo en varias partes: *Partió la cuerda en dos trozos. Parte el jamón en tacos pequeños.* **2** Referido a una parte, cortarla y separarla de un todo: *Me partió un trozo de queso demasiado grande.* **3** Referido a un todo, repartirlo o distribuirlo entre varios: *Partió todas sus posesiones entre sus familiares más allegados.* **4** Romper o rajar: *Parte las nueces con el cascanueces. Partió el pan con el cuchillo. Se partió un brazo al caerse por las escaleras.* **5** *col.* Contrariar, perjudicar o causar fastidio: *No sabes cómo me parte tener que salir ahora de casa.* **6** Ponerse en marcha: *El tren partió de la estación a la hora prevista.* **7** Arrancar, proceder o tener el origen: *¿De quién partió la idea de organizar la fiesta?* ▮ prnl. **8** *col.* Reírse mucho: *Cuenta unos chistes que son para partirse.* **9** ‖ **a partir de;** desde: *A partir de* *ese día, no volví a verlo.* ☐ ETIMOL. Del latín *partiri* (dividir, repartir). ☐ SINT. Constr. de la acepción 7: *partir* DE *algo o alguien.*

partisano, na s. Guerrillero que forma parte de un grupo civil armado y clandestino que lucha contra un ejército de ocupación, o contra las autoridades de su propio país. ☐ ETIMOL. Del francés *partisán.*

partitivo, va adj. Que expresa la idea de división de un todo en partes: *'Octavo', 'milésimo' y 'tercio' son numerales partitivos.* ☐ ETIMOL. Del latín *partitus* (repartido).

partitocracia s.f. Poder excesivo de los partidos políticos en un sistema político.

partitura s.f. Texto escrito de una composición musical, que contiene las partes correspondientes a sus distintas voces o instrumentos. ☐ ETIMOL. Del italiano *partitura.*

partner (ing.) s.m. Persona o entidad que está asociada con otra: *Esta compañía y sus partners lideran el mercado tecnológico.* ☐ PRON. [párner]. ☐ SINT. Se usa mucho en aposición, pospuesto a un sustantivo: *empresa partner.* ☐ USO Su uso es innecesario y puede sustituirse por *socio* o *asociado.*

parto, ta ▌adj./s. **1** De Partia (antigua región asiática), o relacionado con ella. ▌s.m. **2** Expulsión del feto por una hembra de una especie vivípara al final de la gestación: *Tuvo trillizos en un parto múltiple.* **3** Producción o creación de obras propias del entendimiento o del ingenio humanos: *El parto de esta novela me ha llevado cinco años.* **4** ‖ **el parto de los montes;** *col.* Lo que, tras haber sido anunciado como algo importante o de gran valor, resulta ser ridículo o de poca importancia: *Esa película que parecía tan buena resultó ser el parto de los montes, porque no tuvo ningún éxito.* ☐ ETIMOL. La acepción 2, del latín *partus.*

part time (ing.) ‖ Referido al modo de trabajar, sin tener dedicación exclusiva o durante un tiempo menor a una jornada completa: *Antes trabajaba part time en la empresa, pero ahora tengo que trabajar toda la jornada.* ☐ PRON. [part táim]. ☐ USO Su uso es innecesario y puede sustituirse por *sin dedicación exclusiva.*

parturienta adj./s.f. Referido a una mujer, que está de parto o que acaba de parir. ☐ ETIMOL. Del latín *parturiens*, y este de *parturire* (estar de parto).

party (ing.) s.m. Fiesta privada o particular que se celebra generalmente en una casa. ☐ PRON. [párti]. ☐ USO Su uso es innecesario y puede sustituirse por *fiesta privada* o *guateque.*

parva s.f. Véase **parvo, va.**

parvedad s.f. Pequeñez o escasez en cantidad o en número.

parvo, va ▌adj. **1** Escaso en cantidad o en número: *Nos ofrecieron una parva comida que nos dejó con hambre.* **2** De pequeño tamaño: *La letra de tu carta es parva e ilegible.* ▌s.f. **3** Mies o cereal maduro extendido en la era para trillarlo, o ya trillado, antes de separar el grano. ☐ ETIMOL. Las acepciones 1 y 2, del latín *parvus* (pequeño). La acepción 3, del latín *parva* (pequeña). ☐ USO En las acepciones 1 y 2, su uso es característico del lenguaje escrito.

parvulario s.m. Lugar en el que se cuida y se educa a los párvulos.

parvulista s.com. Persona que se dedica a la enseñanza de párvulos, esp. si esta es su profesión.

párvulo, la s. **1** Niño de corta edad. **2** Niño que asiste a un centro de educación infantil. ☐ ETIMOL. Del latín *parvulus* (pequeñito).

pasa s.f. Véase **paso, sa.**

pasable adj.inv. Aceptable o que se considera suficiente.

pasabocas s.m.pl. *col.* En zonas del español meridional, tapa o aperitivo.

pasacalle s.m. Composición musical popular de origen español y de ritmo muy vivo que tocan las bandas de música en fiestas o en desfiles. ☐ MORF. Incorr. **el pasacalles.*

pasacasete s.m. En zonas del español meridional, casete. ☐ ORTOGR. Se usa también *pasacassette.*

pasacassette s.m. →**pasacasete.** ☐ PRON. [pasacasét].

pasacintas (pl. *pasacintas*) s.m. Tira bordada o de encaje, con orificios por los que se pasan lazos que sirven de adorno.

pasada s.f. Véase **pasado, da.**

pasadero, ra adj. **1** Que se puede pasar, admitir o soportar, aunque tenga algún defecto. **2** Referido esp. a la salud o a una cualidad, que se posee en un grado medio o que es aceptable.

pasadiscos (pl. *pasadiscos*) s.m. En zonas del español meridional, tocadiscos.

pasadizo s.m. Paso estrecho que sirve para ir de una parte a otra atajando camino: *un pasadizo secreto.*

pasado, da ▌adj. **1** Que está obsoleto, que ha sido usado o que ha perdido las propiedades que tenía: *Tienes esta chaqueta pasada de tanto usarla.* ▌adj./s.m. **2** En gramática, referido a un tiempo verbal, que indica que la acción ya ha sucedido: *El pasado del verbo 'soñar' es 'soñé'.* ▌s.m. **3** Tiempo que ha transcurrido o hecho que ha sucedido: *Quiso borrar el pasado y comenzar una nueva vida.* ▌s.f. **4** Paso de una cosa sobre una superficie de modo que la vaya tocando: *Dale una pasada a los azulejos con un paño húmedo, para quitarles la grasa.* **5** Realización de un último repaso o retoque en un trabajo: *Estas hojas ya las he revisado yo pero, si quieres, dales tú otra pasada.* **6** Planchado realizado de forma ligera: *A estas sábanas basta con que les des una pasada.* **7** Paso de un lugar a otro: *Hizo varias pasadas con la moto nueva delante de la pandilla.* **8** Vuelo que realiza una aeronave sobre un lugar a una altura determinada: *La avioneta hizo varias pasadas acrobáticas sobre las tribunas del público.* **9** Puntada larga que se da en la ropa al bordarla o al zurcirla: *Dio unas pasadas al bajo de la falda porque no tenía tiempo de coserlo bien.* **10** *col.* Lo que destaca por su exageración, por su calidad o por salirse de lo normal: *Este palacio es una pa-*

sada. **11** || **de pasada;** de forma ligera o superficial, o sin dedicarle mucha atención: *No me enteré bien de la noticia porque la oí de pasada.* □ SINÓN. *de paso.* || **mala pasada;** *col.* Hecho malintencionado que perjudica a otro: *No te considero mi amigo porque me has jugado varias malas pasadas.*

pasador, -a ▌adj./s. **1** Que pasa de una parte a otra. ▌s.m. **2** Alfiler o aguja grande que se usa para sujetar el pelo. **3** Imperdible que sirve para sujetar la corbata a la camisa. **4** En una puerta o en una ventana, barra pequeña de metal sujeta con grapas, que sirve para asegurarlas. **5** En zonas del español meridional, horquilla.

pasaje s.m. **1** Paso de un lugar a otro: *El barquero le cobró por el pasaje a la otra orilla del río.* **2** Precio que se paga por el viaje en avión o en barco. **3** Billete para un viaje. **4** Conjunto de personas que viajan en un avión o en un barco. **5** Paso público estrecho entre dos calles, generalmente cubierto: *Llegó a la calle que buscaba a través de un pasaje comercial.* **6** En una obra literaria o en una composición musical, fragmento. **7** Estrecho situado entre dos islas o entre una isla y la tierra firme.

pasajero, ra ▌adj. **1** Que pasa rápido o que dura poco tiempo: *una moda pasajera.* ▌s. **2** Persona que viaja en un vehículo sin formar parte de su tripulación.

pasamanería s.f. Labor textil hecha como adorno para vestidos y todo tipo de telas.

pasamano s.m. Obra textil hecha con bordados, hilos, cordones, trencillas u otro tipo de adornos que se usa para adornar prendas de vestir y todo tipo de telas.

pasamanos (pl. *pasamanos*) s.m. En una barandilla, barra alargada a la que se fijan los balaustres por su parte superior o inferior. □ SINÓN. *barandal.*

pasamontañas (pl. *pasamontañas*) s.m. Gorro que cubre toda la cabeza hasta el cuello, excepto los ojos y la nariz, y que se usa para defenderse del frío.

pasante ▌adj.inv. **1** Que pasa. ▌s.com. **2** Persona que trabaja como auxiliar de un abogado para ayudarlo y para adquirir experiencia profesional.

pasantía s.f. **1** Actividad del pasante. **2** Tiempo durante el que un pasante ejerce su actividad.

pasapalo s.m. En zonas del español meridional, tapa o aperitivo.

pasaportar v. **1** Referido a una persona, despedirla o echarla de un lugar: *El portero del local pasaportó al joven que inició la pelea.* **2** *col.* Matar: *Pasaportó al individuo que le había traicionado.*

pasaporte s.m. Documento que sirve para acreditar la identidad y la nacionalidad de alguien que viaja de un país a otro. □ ETIMOL. Del francés *passeport.*

pasapurés (pl. *pasapurés*) s.m. Utensilio de cocina que se utiliza para triturar mediante presión sustancias o alimentos sólidos.

pasar ▌v. **1** Llevar, conducir o mover de un lugar a otro: *Pásame el pan, por favor.* **2** Mudar o cambiar de lugar, de situación, de categoría o de nivel: *Cuando terminó la película, el cine pasó de estar lleno a estar totalmente vacío.* **3** Penetrar o traspasar: *El túnel pasa la montaña.* **4** Enviar, dar o transferir: *¿Quién te ha pasado esa información?* **5** Ir más allá de un punto o un límite determinados: *La aguja del reloj ha pasado ya la una.* **6** Sufrir, tolerar o aguantar: *Ya no te paso ningún error más.* **7** Exceder o aventajar: *Nadie te pasa en hermosura.* **8** Cesar, acabar o terminar: *Ya pasó la tormenta. ¿Se te ha pasado ya el dolor?* **9** Contagiar, extenderse o comunicarse: *Me has pasado las ganas de bostezar. Algunas enfermedades pasan de padres a hijos.* **10** Estropear, hacer perder las cualidades que tenía: *El sol y el cloro han pasado las gomas del bañador.* **11** Introducir o introducirse a través de un agujero o un hueco: *Pasó el hilo por el ojo de la aguja.* **12** Referido a un lugar, recorrerlo desde una parte a otra: *Pasaron el umbral cogidos de la mano.* □ SINÓN. *atravesar, cruzar.* **13** Referido a una prueba, superarla: *Pasó el examen de anatomía con muy buena nota.* **14** Referido a un producto, introducirlo en un lugar de forma ilegal: *Pasó cocaína oculta en paquetes de azúcar.* **15** Referido esp. a un texto, volverlo a escribir: *Ya pasé a máquina lo que me diste.* **16** Referido a una cosa, llevarla, moverla o deslizarla por encima de otra: *Pásale un paño a esta mesa, que está sucia.* **17** Referido a los elementos de una serie, hacerlos cambiar de posición o correrlos sucesiva y ordenadamente: *Pasó las hojas del periódico con gran rapidez.* **18** Referido a la comida o a la bebida, tragarlas: *Esta carne está tan seca que no puedo pasarla.* **19** Referido esp. a una preocupación, callarla, omitirla u olvidarla: *He pasado ese tema para evitar enfados. Se me pasó ir a recoger el encargo.* **20** Referido esp. a una película, proyectarla: *Esta noche pasarán una película de humor por la televisión.* **21** Referido a un período de tiempo, ocuparlo: *Pasó la tarde oyendo música.* **22** Referido a algo sobre lo que se puede opinar, no poner reparo, censura o falta en ello: *Es amigo de la directora y le pasaron los errores solo por eso.* **23** En algunos juegos, no jugar en una baza: *Esta vez paso, porque mis cartas son muy malas.* **24** Vivir a gusto: *No puedo pasar sin ver a mis hijos. Nadie puede pasarse sin tener tiempo libre.* **25** Entrar o ir al interior: *'Pase sin llamar', decía un cartel.* **26** Vivir o poder mantenerse: *No sé cómo pasaré este mes. Sin dinero se pasa muy mal.* **27** Referido a un lugar, andar, moverse o transitar por él: *El autobús pasa por aquí a las ocho. Por mi pueblo pasa un río.* **28** Referido a una cosa, convertirse o cambiarse en otra: *Con el frío el agua pasa a hielo.* **29** Seguido de 'a' y de un infinitivo, comenzar a realizar la acción que este expresa: *Paso a dictarte la carta para nuestro cliente.* **30** Referido a un período de tiempo, transcurrir: *Se queja de que los años pasan demasiado deprisa.* **31** Referido esp. a una idea, surgir o aparecer en la imaginación: *Pasó por mi cabeza invitarte a cenar, pero no me decidí.* **32** Seguido de 'por' y de una expresión que indica cualidad, ser considerado como lo que esta significa: *Es más inteligente que* *cualquiera, aunque pase por tonto.* **33** Ocurrir o suceder: *¿Qué ha pasado? Calma, que no pasa nada.* ▌prnl. **34** Cambiarse o marcharse por cuestiones generalmente ideológicas o económicas: *Se pasó al enemigo sólo por dinero.* **35** Excederse o sobrepasar un límite: *No suele beber, pero hoy se ha pasado.* **36** Referido a un alimento, esp. a la fruta, pudrirse o estropearse: *Tuvo que tirar las manzanas que se habían pasado.* **37** ‖ **pasar de** algo; *col.* No preocuparse seriamente de ello o mantener una actitud indiferente hacia ello: *Paso de todo, así que a mí no me líes.* ‖ **pasar de largo;** no parar o no detenerse: *Como está enfadado conmigo, pasó de largo sin saludar.* ‖ **pasar por** algo; tolerarlo o aceptarlo: *Paso por que me ignores, pero que me difames no lo tolero.* ‖ **pasar por alto;** hacer caso omiso: *Pasé por alto lo que dijo para no partirle la cara.* ‖ **pasar por encima de** algo; obrar sin miramiento o sin ningún tipo de consideración: *No le importa pasar por encima de cualquiera con tal de conseguir lo que quiere.* ‖ **pasárselo;** *col.* Vivir o experimentar una serie de circunstancias: *¿Cómo te lo has pasado en la playa?* □ ETIMOL. Del latín *passare*, y este de *passus* (paso). □ MORF. En la acepción 33, es unipersonal. □ SINT. 1. Constr. de la acepción 7: *pasar EN algo*. 2. Constr. de las acepciones 28 y 34: *{pasar/pasarse} A algo*. 3. Constr. de las acepciones 11 y 27: *pasar POR un lugar*. 4. Constr. de la acepción 35: *pasarse DE algo*.

pasarela s.f. **1** Puente pequeño de uso peatonal, situado generalmente sobre una carretera o una autopista. **2** Pasillo estrecho y algo elevado sobre el que desfilan los modelos de ropa. **3** Posibilidad de cambiar de carrera universitaria, que viene ofrecida por los planes de estudio. □ ETIMOL. Del italiano *passerella*.

pasatiempo s.m. Diversión, juego o entretenimiento que sirve para pasar el tiempo: *Los crucigramas y los jeroglíficos son pasatiempos.*

pascal s.m. En el Sistema Internacional, unidad de presión que equivale a la presión uniforme que ejerce una fuerza total de un newton al actuar sobre una superficie plana de un metro cuadrado. □ ETIMOL. Por alusión a B. Pascal, matemático y físico francés. □ ORTOGR. Su símbolo es *Pa*, por tanto, se escribe sin punto.

pascana s.f. En zonas del español meridional, etapa o parada en un viaje.

pascua s.f. **1** En la iglesia católica, fiesta en la que se conmemora la resurrección de Jesucristo. **2** En la religión católica, fiestas del nacimiento de Jesucristo, de la adoración de los Reyes Magos o de la venida del Espíritu Santo. **3** Fiesta del pueblo hebreo con la que conmemoraban el fin de su cautiverio en tierras egipcias. **4** ‖ **de Pascuas a Ramos;** *col.* Con poca frecuencia: *Esta región es muy seca y solo llueve de Pascuas a Ramos.* ‖ **estar** alguien **como unas pascuas;** *col.* Encontrarse muy alegre o muy animado: *Está como unas pascuas con el regalo que le hice.* ‖ **hacer la pascua** a alguien; *col.* Fastidiarlo o perjudicarlo: *Me hizo la pascua cuando me dijo que no podía venir ese día.* ‖ **santas pascuas;** *col.* Expresión que se usa para indicar que hay que conformarse con lo que sucede, se hace o se dice: *Harás lo que se te diga y, ¡santas pascuas!* □ ETIMOL. Del latín *pascha*, y este del hebreo *pesah* (sacrificio por la inmunidad del pueblo). □ USO En las acepciones 1, 2 y 3, se usa más como nombre propio.

pascual adj.inv. De la Pascua o relacionado con estas fiestas religiosas.

pase s.m. **1** Permiso o autorización que se da por escrito, esp. para entrar en determinados lugares. **2** Cambio de lugar, de situación, de categoría o de nivel: *Se le notificó al militar su pase a la reserva.* **3** Desfile de modelos: *un pase de alta costura.* **4** Proyección de una película o representación de un espectáculo: *Los pases de película son a las 7 y a las 10.15.* **5** En algunos deportes, lanzamiento o entrega que se hace del balón o de la pelota a un compañero. **6** En tauromaquia, cada una de las veces que el torero deja pasar al toro después de haberle llamado con la muleta, sin intentar clavarle la espada. **7** Cada uno de los movimientos que realiza un hipnotizador o un mago con sus manos: *Dio unos pases mágicos sobre el pañuelo y la paloma desapareció.* **8** ‖ **(pase de) pernocta;** el que se da a un soldado para poder dormir fuera del cuartel.

paseante ▌adj.inv. **1** Que pasea. ▌s.com. **2** Persona que pasea.

pasear ▌v. **1** Andar o desplazarse por distracción o por ejercicio, esp. si se hace a pie: *Procuro pasear todos los días. Se paseó en bici por el jardín.* **2** Referido a un caballo, andar con movimiento o paso naturales: *La yegua paseaba lentamente en dirección al establo.* **3** Llevar de paseo: *Todas las mañanas paseo un rato al perro.* **4** Referido a un objeto, llevarlo de un lugar a otro o mostrarlo en distintos lugares: *Paseó por toda la oficina las fotos de su viaje.* ▌prnl. **5** *col.* Ganar con facilidad: *Nuestro equipo se paseó el domingo y ganó al contrario por cinco goles a cero.* □ ETIMOL. De *paso*.

paseíllo s.m. En tauromaquia, desfile de los toreros y de sus cuadrillas por el ruedo antes de comenzar la corrida de toros. □ USO Se usa más en la expresión *hacer el paseíllo*.

paseo s.m. **1** Desplazamiento por distracción o por ejercicio, esp. si se hace a pie: *Dimos un paseo por la playa. Nos fuimos a dar un paseo a caballo.* **2** Lugar público en el que se puede pasear: *un paseo marítimo.* **3** Distancia corta que se puede recorrer en poco tiempo: *De mi casa a la parada del autobús solo hay un paseo.* **4** ‖ **dar el paseo** a alguien; *col.* Llevarlo a las afueras de una población y matarlo: *Durante la guerra civil, dieron el paseo a muchos civiles.* ‖ **mandar a paseo;** *col.* Rechazar o ignorar: *Me mandó a paseo y me dijo que la dejase en paz.*

paseriforme ▌adj.inv./s.m. **1** Referido a un ave, que tiene tres dedos dirigidos hacia delante y uno hacia atrás, lo que le sirve para poder agarrarse con facilidad a las ramas: *Los gorriones son aves paseriformes.* ▌s.m.pl. **2** En zoología, orden de estas aves, perteneciente a la superclase de los tetrápodos: *El mirlo, la alondra y el carbonero pertenecen a los paseriformes.* □ ETIMOL. Del latín *passer* (pájaro) y *-forme* (forma). □ MORF. En la acepción 2, se admite también como femenino.

pashmina s.f. **1** Lana de la cabra del Himalaya (cadena montañosa asiática). **2** Chal confeccionado con esta lana.

pasiego, ga adj./s. Del Valle del Pas (comarca de la comunidad autónoma cántabra) o relacionado con él: *La ganadería pasiega es muy importante para Cantabria.*

pasiflora s.f. Planta herbácea, trepadora, de hojas verdes partidas en tres, cinco o siete lóbulos, flores olorosas y solitarias y de color morado. □ SINÓN. *pasionaria.* □ ETIMOL. Del latín *passiflora.*

pasil s.m. Piedra generalmente grande y plana que se coloca para pasar un río o un arroyo.

pasilla s.f. Chile de color oscuro, delgado y seco, que se usa mucho para hacer salsas.

pasillo s.m. **1** En un edificio, pieza de paso, alargada y estrecha a la que dan las puertas de habitaciones y salas. □ SINÓN. *corredor.* **2** Paso estrecho que se abre en medio de una multitud: *La policía formó un pasillo entre la multitud, para que el cantante pudiera entrar en el hotel.* □ ETIMOL. De *paso.*

pasión s.f. **1** Perturbación del ánimo, o sentimiento muy intenso: *Me quiere con tanta pasión que no es capaz de ver mis defectos.* **2** Inclinación o preferencia exagerada hacia algo: *Tengo pasión por la lectura.* **3** Lo que se desea con fuerza: *El deporte es mi pasión.* **4** Padecimiento o sufrimiento, esp. referido al de Jesucristo antes de su muerte: *En Semana Santa conmemoramos la Pasión de Jesucristo.* **5** Composición musical basada en el relato evangélico de este padecimiento de Jesucristo: *Una de las pasiones que más me gustan es 'La pasión según san Mateo', de Bach.* □ ETIMOL. Del latín *pasio.* □ USO En la acepción 4, se usa más como nombre propio.

pasional adj.inv. De la pasión, esp. la amorosa, o relacionado con ella.

pasionaria s.f. Planta herbácea, trepadora, de hojas verdes partidas en tres, cinco o siete lóbulos, flores olorosas y solitarias y de color morado. □ SINÓN. *pasiflora.* □ ETIMOL. De *pasión*, porque las diferentes partes de la flor recuerdan a los atributos de la Pasión de Jesucristo.

pasividad s.f. Actitud de la persona que no actúa y deja que las cosas transcurran: *Me indigna la pasividad de la gente ante las injusticias.*

pasivo, va ▮ adj. **1** Referido a una persona o a su comportamiento, que no actúa y deja que las cosas transcurran: *Es muy pasivo en clase y rara vez participa en los debates.* **2** Que recibe una acción que otro realiza: *No pudo evitar ser el sujeto pasivo de su mal humor.* **3** En gramática, que expresa que el sujeto no realiza la acción verbal sino que la recibe: *La voz pasiva se forma con el verbo 'ser' y el participio pasado del verbo que se conjuga.* ▮ s.m. **4** Conjunto de las deudas y de las obligaciones de una persona, empresa o institución: *El elevado pasivo de esta empresa puede frenar su desarrollo futuro.* **5** ‖ **pasiva refleja;** en gramática, construcción oracional con sentido pasivo, que se forma con el pronombre 'se', el verbo en tercera persona y en voz activa, y sin complemento agente: *'Se venden coches' es una pasiva refleja.* □ ETIMOL. Del latín *passivus* (el que soporta).

pasma s.f. *col. desp.* Policía.

pasmado, da adj./s. Referido a una persona, que está atontada, absorta o distraída: *No te quedes pasmado y échame una mano.*

pasmar ▮ v. **1** *col.* Hacer perder o suspender los sentidos o el movimiento, esp. por el asombro o por la sorpresa: *Pasmó al público con una actuación impresionante. Me pasma su frialdad ante las situaciones difíciles.* ▮ prnl. **2** Enfriarse de forma intensa o rápida: *Si nos quedamos aquí nos pasmaremos de frío.*

pasmarote s.m. *col.* Persona embobada o ensimismada por algo. □ ETIMOL. De *pasmar.*

pasmo s.m. **1** Admiración o asombro excesivos que impiden momentáneamente el pensamiento o el habla: *¡Menudo pasmo le produjo conocer esa terrible noticia!* **2** Enfermedad producida por un enfriamiento que se manifiesta con dolores de huesos y otras molestias: *Como nos quedemos aquí con el frío que hace, nos va a dar un pasmo.* □ ETIMOL. Del latín *pasmus*, y este del griego *spasmós* (espasmo, convulsión).

pasmoso, sa adj. Que causa pasmo o gran admiración.

paso, sa ▮ adj. **1** Referido a una fruta, que ha sido desecada al sol o por otro procedimiento: *una ciruela pasa.* ▮ adj./s.f. **2** Referido a la uva, que se ha secado en la vid o ha sido desecada artificialmente. ▮ s.m. **3** Movimiento de cada uno de los pies que se realiza al andar: *Mi hijo empezó a dar sus primeros pasos con un año.* **4** Espacio que se avanza en cada uno de esos movimientos: *La cola avanzaba unos diez pasos cada quince minutos.* **5** Manera de andar: *Su paso es corto y muy lento.* **6** Movimiento continuo con el que anda alguien: *Hicimos la larga caminata a buen paso.* **7** Movimiento regular con el que camina un animal cuadrúpedo: *Los caballos desfilaban marcando el paso.* **8** Cruce de un lugar a otro: *El paso del río lo hicimos en barca.* **9** Circulación o tránsito por un lugar: *Esa señal prohíbe el paso a vehículos pesados.* **10** Lugar por el que se pasa de una parte a otra: *Cruzó la calle por el paso de peatones.* **11** Transcurso, esp. referido al del tiempo: *Con el paso de los años se hizo más tolerante.* **12** Tránsito por un determinado lugar, o estancia en él: *Su paso por esta empresa fue muy positivo.* **13** Gestión o trámite que se hacen para pedir algo: *Siguieron todos los pasos necesarios para la adopción del niño.* **14** Huella que queda impresa al andar: *Descubrieron su escondite siguiendo los pasos que había dejado sobre la arena de la playa.* **15** Suceso o acontecimiento importantes o difíciles en la vida de alguien: *El matrimonio es un paso que debe tomarse muy en serio.* **16**

Avance o progreso conseguidos en una situación o en una actividad: *Su nombramiento como directora general supuso un gran paso en su carrera profesional.* **17** Escultura o grupo escultórico que representan los hechos más importantes de la Pasión de Jesucristo (padecimiento que sufrió antes de su muerte), y que se sacan en las procesiones de Semana Santa. **18** Cada una de las variaciones que se hacen en un baile: *El profesor de baile me enseñó los pasos del vals.* **19** Pieza dramática muy breve, generalmente de carácter cómico o satírico, y que solía intercalarse en las representaciones teatrales de obras más largas: *En el teatro español de los Siglos de Oro, son famosos los pasos de Lope de Rueda.* **20** Estrecho de mar. **21** Cada uno de los avances que realiza un aparato contador: *Le pagué los pasos que correspondían a mi llamada telefónica.* ▌ s.m.pl. **22** En algunos deportes, esp. en baloncesto o en balonmano, falta que comete un jugador al dar más de tres pasos o zancadas llevando la pelota en la mano sin botarla. ☐ SINÓN. *cámino.* **23** || **a cada paso;** de forma continuada o frecuente: *A cada paso hay que llamarte la atención, porque nunca haces caso.* || **a {un/dos/cuatro} pasos;** a corta distancia: *La panadería está a dos pasos de mi casa.* || **apretar el paso;** *col.* Andar o ir más deprisa: *Aprieta el paso, o perderemos el autobús.* || **dar un paso al frente;** admitir o reconocer algo: *Que dé un paso al frente el responsable de este desastre.* || **de paso; 1** Aprovechando la ocasión: *Iré a la compra y, de paso, intentaré sacar las entradas de cine.* **2** De forma ligera o superficial, o sin dedicarle mucha atención: *Los temas menos importantes solo los trataré de paso.* ☐ SINÓN. *de pasada.* **3** De forma provisional o sin permanencia fija: *Estoy aquí de paso, y ya mañana vuelvo a mi tierra.* || **paso a desnivel;** en zonas del español meridional, lugar en el que se cruza a otro nivel de un camino. || **paso a nivel;** lugar en el que se cruzan una vía del tren y un camino o una carretera. || **paso a paso;** poco a poco. || **paso de cebra;** lugar señalado con unas franjas blancas y paralelas, por el que se cruza una calle y en el que el peatón tiene preferencia sobre un vehículo. || **paso de (la) oca;** el que se usa en algunos ejércitos levantando mucho la pierna que avanza. || **paso de peatones;** en zonas del español meridional, paso de cebra. || **paso del Ecuador;** fiesta o viaje que organizan los estudiantes que se encuentran en la mitad de la carrera. || **seguir los pasos a** alguien; espiarlo o vigilarlo. || **seguir los pasos** de alguien; imitarlo en lo que hace: *Siguió los pasos de su padre y se ha convertido en un gran abogado.* ☐ ETIMOL. Las acepciones 1 y 2, del latín *passus* (extendido, secado al sol). Las acepciones 3-23, del latín *passus* (paso). ☐ MORF. En la acepción 13, se usa más en plural.

pasodoble s.m. **1** Composición musical de ritmo muy vivo y en compás de cuatro por cuatro. **2** Baile que se ejecuta al compás de esta música.

pasota adj.inv./s.com. Referido a una persona, que muestra desinterés, indiferencia o despreocupación por todo aquello que la rodea.

pasotismo s.m. Actitud de desinterés, indiferencia y despreocupación hacia todo.

paspartú (pl. *paspartús, paspartúes*) s.m. Recuadro de cartón o de tela que delimita los bordes de un dibujo o de un cuadro y que se coloca entre estos y el marco. ☐ ETIMOL. Del francés *passe-partout.*

pasquín s.m. Escrito anónimo que se fija en un sitio público y que contiene expresiones satíricas o acusaciones. ☐ ETIMOL. Por alusión a Pasquino, nombre de una estatua en la ciudad de Roma, en la que solían fijarse escritos satíricos.

passing (ing.) s.m. →**passing shot.** ☐ PRON. [pásin].

passing shot (ing.) s.m. || En tenis, golpe rápido que, generalmente en respuesta a una volea, sobrepasa al jugador contrario cuando este se halla próximo a la red. ☐ PRON. [pásin chot], con *ch* suave. ☐ USO Se usa mucho la forma abreviada *passing.*

password (ing.) s.f. →**contraseña.** ☐ PRON. [pásguor].

pasta s.f. **1** Masa hecha de sustancias sólidas machacadas y mezcladas con un líquido: *Si mezclas yeso con agua, obtendrás una pasta blanca.* **2** Masa hecha con manteca o aceite y otros ingredientes que se utiliza generalmente para hacer pasteles, hojaldres o empanadas. **3** Masa de harina de trigo y agua con la que se hacen los fideos, macarrones y otros alimentos semejantes. **4** Conjunto de los alimentos hechos con esta masa: *La pasta es muy típica de la cocina italiana.* **5** Dulce pequeño hecho con masa de harina y otros ingredientes, cocido al horno, y normalmente recubierto con chocolate o mermelada: *Merendamos un té con pastas.* **6** Encuadernación de los libros hecha con cartones que generalmente se cubren con piel, tela u otros materiales: *Ha forrado las pastas del libro para que no se estropeen.* **7** *col.* Dinero. **8** Carácter o forma de ser de una persona: *No se enfada nunca porque es de buena pasta.* **9** || **pasta {de dientes/dentífrica};** preparado que se utiliza para la limpieza de los dientes. || **pasta gansa;** gran cantidad de dinero. ☐ ETIMOL. Del latín *pasta*, y este del griego *páste* (harina mezclada con salsa).

pastar v. Referido al ganado, comer hierba en los campos: *Llevó a las vacas a pastar al prado.* ☐ SINÓN. *pacer.*

pastel s.m. **1** Masa hecha con harina y manteca, cocida al horno, que generalmente se rellena de crema, dulce, carne, fruta o pescado. **2** Lápiz o pintura en forma de barra, hecho con una materia colorante y agua: *Pintó el cuadro utilizando pasteles de diferentes colores.* **3** Técnica pictórica caracterizada por el empleo de este tipo de lápices sobre una superficie rugosa y áspera. **4** Obra pictórica realizada mediante esta técnica. **5** *col.* Convenio o plan secretos realizados con malos fines: *La policía descubrió el pastel y los metió a todos en la cárcel.* **6** En zonas del español meridional, tarta. **7** || **al pastel;**

con estas pinturas: *un dibujo al pastel.* □ ETIMOL. Del francés antiguo *pastel.* □ SINT. En la acepción 2 se usa mucho en aposición, pospuesto a un sustantivo que designa color: *azul pastel*.

pasteleo s.m. *col.* Amaño: *Estoy harta del pasteleo que existe en ese organismo.*

pastelería s.f. **1** Establecimiento en el que se hacen o se venden pasteles, pastas u otros dulces. **2** Arte o técnica de hacer pasteles, pastas u otros dulces. □ USO Es innecesario el uso del galicismo *patisserie*.

pastelero, ra ▌ adj. **1** De la pastelería o relacionado con ella: *industria pastelera.* ▌ s. **2** Persona que se dedica profesionalmente a la venta o a la fabricación de pasteles, pastas u otros dulces.

pastenco, ca adj./s. Referido a esp. una res, que ha dejado de mamar y se alimenta de pasto por primera vez.

pasterización s.f. →**pasteurización.**

pasterizar v. →**pasteurizar.** □ ORTOGR. La *z* se cambia en *c* delante de *e* →CAZAR.

pasteurización (tb. *pasterización*) s.f. Operación que consiste en elevar la temperatura de un alimento líquido, esp. de la leche, hasta un nivel inferior al de su punto de ebullición durante un corto espacio de tiempo, y en enfriarlo después rápidamente para así destruir las bacterias y gérmenes dañinos sin alterar su composición y cualidades.

pasteurizar (tb. *pasterizar*) v. Referido a un alimento líquido, esp. a la leche, elevar su temperatura hasta un nivel inferior al de su punto de ebullición durante un corto espacio de tiempo y enfriarlo después rápidamente, para así destruir las bacterias y gérmenes dañinos sin alterar su composición y cualidades: *La central lechera pasteuriza la leche antes de ponerla a la venta.* □ ETIMOL. Del francés *pasteuriser*, y este de *Pasteur* (biólogo que inventó este procedimiento). □ ORTOGR. La *z* se cambia en *c* delante de *e* →CAZAR.

pastiche s.m. **1** Imitación de un artista o de un estilo artístico tomando diversos elementos y combinándolos de forma que parezcan una creación original. **2** *desp.* Mezcla de diferentes elementos sin ningún orden. □ ETIMOL. Del francés *pastiche*.

pastilla s.f. **1** Porción pequeña, sólida y generalmente redondeada, de una sustancia medicinal. **2** Porción de pasta de diferentes sustancias, más o menos dura y generalmente de forma geométrica: *una pastilla de jabón.* **3** ‖ **a toda pastilla;** *col.* Muy deprisa o a gran velocidad. □ ETIMOL. De *pasta*.

pastillero, ra ▌ s. **1** *col.* Persona que consume con cierta frecuencia pastillas con efectos estimulantes o alucinógenos, esp. la droga llamada *éxtasis.* ▌ s.m. **2** Estuche pequeño que se utiliza para guardar pastillas.

pastizal s.m. Terreno de pasto abundante.

pasto s.m. **1** Hierba que el ganado come en el campo. **2** Campo en el que hay abundante hierba para que paste el ganado. **3** Lo que fomenta una actividad o es consumido por esta: *La arboleda fue pasto de las llamas.* **4** En zonas del español meridional, hierba o césped. **5** ‖ **a todo pasto;** *col.* De forma abundante o sin restricciones: *Es un derrochador y gasta a todo pasto.* ‖ **pastos marinos;** fondo marino formado por sedimentos, plantas herbáceas y algas. □ ETIMOL. Del latín *pastus*. □ MORF. En la acepción 2, se usa más en plural.

pastón s.m. *col.* Gran cantidad de dinero: *Ha ganado un pastón en la lotería.*

pastor, -a s. **1** Persona que guía y cuida el ganado, generalmente el de ovejas. **2** Eclesiástico que tiene la obligación de cuidar de los fieles encomendados a él: *Los obispos y presbíteros son pastores de la iglesia católica.* **3** ‖ **pastor alemán;** referido a un perro, de la raza que se caracteriza por tener un pelaje espeso de color pardo amarillento, tamaño medio y gran fortaleza, huesos bien proporcionados, cola muy poblada, y que es muy apreciado por su inteligencia y su capacidad de aprendizaje. □ ETIMOL. Del latín *pastor*.

pastoral ▌ adj.inv. **1** De los pastores de una iglesia o relacionado con ellos. ▌ s.f. **2** Composición literaria o musical de carácter pastoril, que suele girar en torno a una idealización de la vida de los pastores en el campo. **3** →**carta pastoral.**

pastorear v. Referido al ganado, guiarlo y cuidarlo mientras está por el campo: *Un muchacho pastoreaba el rebaño de ovejas.*

pastorela s.f. **1** Composición poética de origen provenzal y generalmente de carácter dialogado, en la que se describe el encuentro y enamoramiento entre un caballero y una pastora. **2** Música y canto de carácter sencillo y alegre, como el que se atribuye a los pastores. □ ETIMOL. Del francés *pastourelle*.

pastoreo s.m. Guía y vigilancia del ganado mientras está por el campo.

pastoril adj.inv. Referido a una obra o un género literario, que tiene como tema la vida idílica y amorosa de los pastores: *una novela pastoril.*

pastosidad s.f. **1** Conjunto de características de lo que es pastoso. **2** Pegajosidad o sequedad excesiva.

pastoso, sa adj. **1** Que está más espeso de lo normal, o que forma una pasta blanda o moldeable: *La sopa ha quedado muy pastosa porque tiene demasiados fideos.* **2** Que está pegajoso o demasiado seco: *Me levanté con la boca pastosa.*

pastún ▌ adj.inv./s.com. **1** De una etnia de Afganistán (país asiático). ▌ s.m. **2** Lengua hablada por esta etnia.

pata s.f. Véase **pato, ta.**

-pata 1 Elemento compositivo sufijo que significa 'que padece': *psicópata, ludópata.* **2** Elemento compositivo sufijo que significa 'médico': *homeópata, osteópata.*

patache s.m. Embarcación de guerra que se utilizaba para llevar avisos, reconocer la costa y guardar las entradas de los puertos.

patada s.f. **1** Golpe dado con el pie o con la pata. **2** ‖ **a patadas; 1** *col.* Con excesiva abundancia. **2**

col. Con violencia o de malos modos. ‖ **dar cien patadas** algo; *col.* Disgustar mucho o resultar muy molesto: *Me da cien patadas tener que salir de casa con esta lluvia.* ‖ **dar** a alguien **la patada;** *col.* Echarlo del lugar donde trabaja o del cargo que desempeña: *Aunque llevaba muchos años trabajando, al final le dieron la patada.* ‖ **en dos patadas;** rápidamente o con facilidad: *Ese trabajo lo termino yo en dos patadas.*

patadón s.m. En fútbol, envío de un balón al campo contrario sin que vaya dirigido a ningún compañero.

patafísica s.f. Véase **patafísico, ca.**

patafísico, ca ▮ adj. **1** De la patafísica o relacionado con esta ciencia de lo absurdo. ▮ s. **2** Persona que se dedica al estudio de la ciencia de lo absurdo. ▮ s.f. **3** Ciencia de lo absurdo o estudio de los acontecimientos inverosímiles.

patalear v. **1** Mover las piernas o las patas de forma rápida y repetida: *La cucaracha estaba boca abajo y pataleaba intentando darse la vuelta.* **2** Dar patadas en el suelo de forma violenta: *El niño cogió una perra terrible y lloró y pataleó como un loco.*

pataleo s.m. **1** Sucesión de golpes dados en el suelo con los pies de forma violenta. **2** *col.* Queja violenta por algo que ya es inevitable: *Sé que no sirve de nada protestar ahora, pero nadie puede quitarme el derecho al pataleo.*

pataleta s.f. *col.* Ataque de nervios, o demostración exagerada de enfado o contrariedad.

patán ▮ adj.inv./s.m. **1** *col. desp.* Referido a un hombre, que es grosero, ignorante o maleducado. ▮ s.m. **2** *col. desp.* Hombre rústico o tosco. ☐ ETIMOL. De *pata*.

patanería s.f. *col.* Grosería, simpleza o falta de elegancia y de educación.

patata s.f. **1** Planta herbácea anual de origen americano, de flores blancas o moradas y cuyo tubérculo es comestible. ☐ SINÓN. *papa.* **2** Tubérculo de la raíz de esta planta, redondeado, con piel de color terroso e interior amarillento y carnoso, muy apreciado en la alimentación por su valor nutritivo. ☐ SINÓN. *papa.* **3** *col.* Cosa de poco valor o de mala calidad: *Este reloj que me he comprado es una patata y se para todo el rato.* **4** ‖ **ni patata;** *col.* Absolutamente nada: *No sabe ni patata de este tema.* ☐ SINÓN. *papa.* ‖ **patata caliente;** *col.* Problema difícil que se intenta evitar: *Esta decisión es una patata caliente y no sé a quién pasársela.* ☐ ETIMOL. De *papa*, por cruce con *batata*.

patatal (tb. *patatar*) s.m. Terreno plantado de patatas.

patatar s.m. →**patatal.**

patatero, ra ▮ adj. **1** De la patata o relacionado con esta planta. ▮ adj./s. **2** Referido a una persona, que cultiva o vende patatas.

patatín ‖ **que (si) patatín, que (si) patatán;** *col.* Expresión que se usa como resumen para no explicar algo que se considera poco importante o que se desea callar: *Empezó que si patatín, que si patatán; total, que dijo que no lo hacía.*

patatús (pl. *patatús*) s.m. *col.* Desmayo, ataque de nervios o fuerte impresión.

patchwork (ing.) s.m. Tela que se hace cosiendo piezas de telas de distintos colores, dibujos y formas. ☐ PRON. [páchguor].

paté s.m. Pasta comestible, generalmente elaborada con carne o hígado picados y sazonada con especias, que se suele consumir fría. ☐ ETIMOL. Del francés *pâté*.

patear v. **1** *col.* Dar golpes con los pies: *El caballo pateó a su cuidador. El público pateó para demostrar su indignación.* **2** *col.* Referido a un lugar, recorrerlo a pie: *Para que me dieran la autorización tuve que patear varias oficinas. Estuvimos en la ciudad veinte días pateándola.* **3** En golf, dar a la bola para meterla en el hoyo: *Tuve que patear dos veces en el green para meter la bola.* ☐ SEM. En la acepción 1, en el lenguaje del deporte, está muy extendido su uso transitivo con el significado de 'lanzar con fuerza con el pie': *El delantero {*pateó > disparó} la pelota con fuerza.*

patena s.f. **1** Platillo sobre el que se coloca la hostia en la misa. **2** ‖ **como una patena;** muy limpio o reluciente: *Ha sacado brillo a la bandeja y la ha dejado como una patena.* ☐ ETIMOL. Del latín *patena* (pesebre).

patentar v. Conceder u obtener una patente: *Un organismo público dependiente del Ministerio de Industria es el encargado de patentar los nuevos inventos. Patentó su nuevo modelo de grifo y todas las empresas que lo fabrican deben pagarle.*

patente ▮ adj.inv. **1** Claro y manifiesto: *Las carcajadas eran muestra patente de su alegría.* ▮ s.f. **2** Documento en el que se acredita una condición, un mérito o una autorización: *El barco permanece atracado porque no tiene patente de navegación.* **3** Documento en el que oficialmente se otorga el derecho exclusivo a poner en práctica una determinada invención por un período de tiempo. **4** En zonas del español meridional, matrícula de un vehículo. **5** ‖ **patente de corso;** autorización que alguien tiene para realizar actos prohibidos para los demás. ☐ ETIMOL. Del latín *patens* (que está abierto). ☐ SEM. Dist. de *latente* (oculto, no manifiesto).

patentizar v. Hacer patente o manifiesto: *Sus lágrimas patentizan su dolor.* ☐ ORTOGR. La *z* se cambia en *c* delante de *e* →CAZAR.

pateo s.m. Sucesión de golpes o patadas dados de forma continuada y en señal de enfado, dolor o desagrado.

páter s.m. **1** *col.* Sacerdote, esp. el de un regimiento militar. **2** ‖ **páter familias;** →**paterfamilias.** ☐ ETIMOL. Del latín *pater* (padre).

patera s.f. Barca de poco calado: *La policía ha detenido a varios inmigrantes marroquíes que pretendían cruzar el Estrecho en una patera.* ☐ ORTOGR. Dist. de *pátera*.

pátera s.f. Plato de poco fondo y generalmente decorado, que se usaba en la antigua Roma para los sacrificios. ☐ ETIMOL. Del latín *patella* (especie de fuente o plato grande de metal). ☐ ORTOGR. Dist. de *patera*.

paterfamilias (tb. *páter familias*) s.m. En la antigua Roma, jefe de la familia o persona que ejercía la potestad de la familia.

paternal adj.inv. Con las características que se consideran propias de un padre, como el afecto, la comprensión y la protección.

paternalismo s.m. Tendencia a adoptar una actitud protectora propia de un padre y aplicarla a relaciones sociales de distinto tipo. ☐ USO Tiene un matiz despectivo.

paternalista adj.inv./s.com. Que manifiesta paternalismo o que actúa dejándose llevar por esta tendencia. ☐ USO Tiene un matiz despectivo.

paternidad s.f. Estado o situación del hombre que es padre.

paterno, na adj. Del padre o de los padres: *abuela paterna*. ☐ ETIMOL. Del latín *paternus*.

paternóster s.m. Oración del padrenuestro. ☐ ETIMOL. Del latín *Pater noster* (Padre nuestro), palabras con las que comienza la oración.

patético, ca adj. Que produce una tristeza, un sufrimiento o una melancolía muy intensos: *Resulta patético ver cómo sufren los demás sin poder hacer nada para remediarlo*. ☐ ETIMOL. Del griego *pathetikós*, y este de *épathon* (yo sufrí).

patetismo s.m. Capacidad para provocar una tristeza, un sufrimiento o una melancolía muy intensos: *Las imágenes de la guerra son de gran patetismo*.

-patía **1** Elemento compositivo sufijo que significa 'enfermedad' o 'dolencia': *neuropatía, cardiopatía*. **2** Elemento compositivo sufijo que significa 'medicina': *homeopatía, alopatía*. **3** Elemento compositivo sufijo que significa 'sentimiento' o 'actitud': *simpatía, apatía*. ☐ ETIMOL. Del latín *-pathia*, y este del griego *pátheia*, de la raíz *path-* (sufrir, experimentar).

patibulario, ria adj. **1** Del patíbulo o relacionado con él. **2** Que es muy desagradable o que provoca un horror parecido al que provocaban, por su aspecto, los condenados al patíbulo.

patíbulo s.m. Lugar, generalmente elevado sobre un armazón de tablas, en el que se ejecutaba a los condenados a muerte. ☐ ETIMOL. Del latín *patibulum*.

patichueco, ca adj./s. En zonas del español meridional, patizambo.

paticojo, ja adj./s. *col.* Cojo.

paticorto, ta adj. Que tiene las patas o las piernas más cortas de lo normal.

patidifuso, sa adj. *col.* Asombrado, sorprendido o lleno de extrañeza. ☐ ETIMOL. De *pata* y *difuso* (extendido).

patilargo, ga adj./s. *col.* Que tiene las piernas largas.

patilla s.f. **1** Franja de barba o de pelo que se deja crecer por delante de las orejas en cada uno de los carrillos. **2** En un objeto, pieza alargada y estrecha que sobresale de él y que le sirve para sujetarse o encajarse en otro: *Los binóculos son gafas sin patillas, que se sujetan solo sobre la nariz*. **3** En zonas del español meridional, sandía. **4** ‖ **por la patilla;** *col.* Sin pagar nada o sin tener derecho ni méritos: *A ese grupo no lo dejaron entrar, porque querían pasar por la patilla*. ☐ SINÓN. *por la cara*. ☐ MORF. En las acepciones 1 y 2, se usa más en plural.

patilludo, da adj. Referido a una persona, que tiene unas patillas largas y espesas.

patín s.m. **1** Especie de bota adaptable al pie y dotada de cuatro ruedas o de una especie de cuchilla, según sea para patinar deslizándose sobre suelos lisos o sobre hielo. **2** Juguete consistente en una plataforma alargada sobre ruedas, generalmente provista de una barra y de un manillar para conducirla, y que se conduce poniendo un pie sobre ella e impulsándose en el suelo con el otro. ☐ SINÓN. *patinete*. **3** Embarcación compuesta por dos flotadores paralelos unidos por dos o más travesaños y movida por un sistema de paletas accionado por pedales. ☐ SINÓN. *hidropedal*. **4** ‖ **patín del diablo;** en zonas del español meridional, patinete. ☐ ETIMOL. Del francés *patin*.

pátina s.f. Tono o debilitamiento del color que toma naturalmente un objeto antiguo con el paso del tiempo y que altera levemente su aspecto externo: *El cobre y el bronce adquieren con el tiempo una pátina verdosa*. ☐ ETIMOL. Del latín *patina* (fuente, cacerola).

patinado s.m. Tratamiento dado a un objeto para que parezca antiguo.

patinador, -a ▮ adj./s. **1** Que patina. ▮ s. **2** Persona que practica el patinaje.

patinaje s.m. Deporte en el que una persona realiza diversos ejercicios deslizándose sobre patines.

patinar v. **1** Deslizarse sobre patines: *En el nuevo pabellón polideportivo podemos patinar sobre hielo*. **2** Resbalar o derrapar: *El coche patinó porque había una capa de hielo en la carretera*. **3** *col.* Equivocarse o errar: *Has patinado sacando conclusiones antes de tiempo*.

patinazo s.m. **1** Resbalón o derrape bruscos. **2** *col.* Equivocación o error que comete una persona.

patineta s.f. En zonas del español meridional, monopatín.

patinete s.m. Juguete consistente en una plataforma alargada sobre ruedas, generalmente provista de una barra y de un manillar para conducirla, y que se dirige poniendo un pie sobre ella e impulsándose en el suelo con el otro. ☐ SINÓN. *patín*.

patinódromo s.m. Lugar donde se practica el patinaje.

patio s.m. **1** En el interior o al lado de un edificio, espacio sin techar: *El patio del convento da luz a las dependencias interiores*. **2** ‖ **cómo está el patio;** *col.* Expresión que se usa para indicar la agitación o el nerviosismo reinantes. ‖ **patio (de butacas);** en un teatro, planta baja ocupada por butacas. ☐ SINÓN. *platea*. ☐ ETIMOL. Quizá del provenzal *pàti* (lugar de pasto comunal, terreno baldío).

patisserie (fr.) s.f. →**pastelería.** ☐ PRON. [patiserí].

patitieso, sa adj. **1** *col.* Sin capacidad de mover los pies o las piernas: *Con la nevada que caía, casi me quedo patitiesa esperando el autobús.* **2** *col.* Asombrado o sorprendido por la novedad o la extrañeza de algo. ☐ ETIMOL. De *pata* y *tieso*.

patituerto, ta adj. *col.* Que tiene las patas o las piernas torcidas.

patizambo, ba adj./s. Que tiene las piernas torcidas hacia fuera y las rodillas muy juntas.

pato, ta ▮ s. **1** Ave palmípeda, de pico aplanado más ancho en la punta que en la base, cuello corto y patas pequeñas. ☐ SINÓN. *ánade, curro.* **2** *col.* Persona sosa y patosa. ▮ s.f. **3** Cada una de las extremidades de un animal: *Los perros tienen cuatro patas.* **4** *col.* Pierna de una persona. **5** Pieza que sirve como base o apoyo de algo, esp. de un mueble: *La mesa está coja porque una pata es más corta que las demás.* **6** En zonas del español meridional, etapa. **7** *col.* En zonas del español meridional, desfachatez o descaro. **8** ‖ **a cuatro patas;** apoyándose en el suelo con las manos y los pies o las rodillas: *andar a cuatro patas.* ‖ **a la pata coja;** apoyado sobre un pie y con el otro en el aire: *saltar a la pata coja.* ☐ SINÓN. *a pipiricojo.* ‖ **a la pata la llana;** llanamente, con naturalidad o con confianza: *Como somos viejos amigos, podemos hablarnos a la pata la llana.* ‖ **a pata;** *col.* A pie o andando. ‖ **de pata negra; 1** Referido esp. a un jamón, que es de una raza de cerdo ibérico que destaca por su gran calidad. **2** *col.* Que tiene muy buenas cualidades: *Mi mejor amiga es una chica de pata negra.* ‖ **estirar la pata;** *col.* Morir. ‖ **mala pata;** mala suerte. ‖ **meter la pata;** *col.* Hacer o decir algo poco acertado: *Metió la pata y descubrió nuestro secreto.* ‖ **pagar el pato;** *col.* Sufrir el castigo de algo sin merecerlo: *¿Por qué siempre tengo yo que pagar el pato aunque no tenga la culpa?* ‖ **pata (de cochino);** En algunas zonas, jamón de cerdo asado: *un bocadillo de pata con queso blanco.* ‖ **pata de gallo; 1** Arruga con tres surcos divergentes que se forma en el ángulo externo del ojo a medida que avanza la edad de una persona. **2** Tejido y dibujo en dos colores formado por figuras cuadrangulares y cruzadas que recuerdan las huellas de gallos y gallinas. ‖ **pata de rana;** en zonas del español meridional, aleta para bucear. ‖ **patas arriba;** desordenado o al revés. ‖ **poner** a alguien **de patas en la calle;** *col.* Echarlo de algún lugar, generalmente de malas maneras. ‖ **ser el patito feo;** *col.* Ser despreciado o ser poco valorado. ☐ ETIMOL. Las acepciones 1 y 2, de origen onomatopéyico. Las acepciones 3-6, de origen incierto. ☐ MORF. 1. En las acepciones 3, 4 y 5, cuando se antepone a una palabra para formar compuestos, adopta la forma *pati-*: *paticorto*. 2. *Poner de patas en la calle* se usa mucho con el diminutivo *poner de patitas en la calle*.

patochada s.f. Hecho o dicho tonto, disparatado o inoportuno. ☐ ETIMOL. De *pata*.

patofobia s.f. Temor anormal y obsesivo a padecer alguna enfermedad. ☐ ETIMOL. Del griego *páthos* (enfermedad) y *-fobia* (aversión).

patogénesis (pl. *patogénesis*) s.f. Desarrollo de una enfermedad y causas que lo provocan. ☐ USO Se usa también *patogenia*.

patogenia s.f. **1** Parte de la patología que estudia las causas y el desarrollo de las enfermedades. **2** →**patogénesis.** ☐ ETIMOL. Del griego *páthos* (enfermedad) y *gennáo* (yo engendro).

patógeno, na adj. Que produce o puede producir una enfermedad. ☐ ETIMOL. Del griego *páthos* (dolencia) y *-geno* (que produce).

patojo, ja adj. Que tiene las piernas o los pies torcidos o desproporcionados y anda moviendo el cuerpo de un lado a otro como los patos. ☐ ETIMOL. De *pato*.

patología s.f. **1** Parte de la medicina que estudia las enfermedades. **2** Enfermedad que padece una persona. ☐ ETIMOL. Del griego *páthos* (enfermedad) y *-logía* (estudio, ciencia).

patológico, ca adj. Que indica o que constituye una enfermedad.

patólogo, ga s. Médico especializado en patología.

patoso, sa adj./s. **1** Que es torpe, poco ágil o carece de habilidad. **2** Que pretende ser gracioso sin conseguirlo. ☐ ETIMOL. De *pata*.

patraña s.f. Mentira o noticia totalmente inventada, que se hace pasar por verdadera. ☐ ETIMOL. Del antiguo *pastraña* (mentira fabulosa).

patria s.f. Véase **patrio, tria**.

patriarca s.m. **1** En la Biblia, cierto personaje del Antiguo Testamento que fue jefe o cabeza de una numerosa descendencia. **2** En algunas iglesias, esp. orientales, obispo que ostenta cierto título de dignidad. **3** Persona que por su edad y sabiduría resulta más respetada o con mayor autoridad moral dentro de una familia o de una colectividad. ☐ ETIMOL. Del griego *patriárkhes* (jefe de familia), y este de *patriá* (linaje, tribu) y *árkho* (yo gobierno).

patriarcado s.m. **1** Dignidad de patriarca. **2** Territorio sobre el que ejerce su autoridad un patriarca. **3** Tiempo durante el que un patriarca ostenta esa dignidad. **4** Predominio o mayor autoridad del hombre en una sociedad o en un grupo.

patriarcal adj.inv. **1** Del patriarca o relacionado con él, con su autoridad o con su gobierno: *una sociedad patriarcal.* **2** Referido a la autoridad o al gobierno, que son ejercidos con sencillez y benevolencia.

patriciado s.m. **1** En la antigua Roma, dignidad de patricio. **2** Conjunto de patricios.

patricio, cia ▮ adj. **1** De los patricios o relacionado con los miembros de este grupo social romano. ▮ adj./s. **2** En la antigua Roma, referido a una persona, que descendía de las familias más antiguas que participaron en la fundación de la ciudad, y formaba parte de una clase social privilegiada. ☐ ETIMOL. Del latín *patricio*, (propio de los *patres*, que era el nombre honorífico de los senadores).

patrilineal adj.inv. Que se transmite por línea paterna: *En España el primer apellido es patrilineal.*

patrimonial adj.inv. **1** Del patrimonio o relacionado con él: *Al vender la casa, debes pagar el impuesto por transmisiones patrimoniales.* **2** Que pertenece a una persona por ser de su padre, de sus antepasados o de su país. **3** En lingüística, referido esp. a una palabra, que pertenece al léxico más antiguo de una lengua y que ha seguido las leyes generales de evolución fonética de dicha lengua: *'Pueblo' es una palabra patrimonial española que procede de la palabra latina 'populum'.*

patrimonio s.m. **1** Conjunto de bienes que pertenecen a una persona o una entidad: *Estas ruinas romanas son lo más destacado del patrimonio artístico de la región.* **2** Conjunto de bienes que una persona hereda de sus ascendientes o antepasados directos. **3** En economía, diferencia entre los valores económicos que pertenecen a una persona o a una entidad y las deudas u obligaciones de que responde: *Las últimas deudas contraídas por la empresa hicieron disminuir notablemente su patrimonio.* □ ETIMOL. Del latín *patrimonium* (bienes heredados de los padres).

patrio, tria ▮ adj. **1** De la patria o relacionado con ella. ▮ s.f. **2** País en el que ha nacido una persona o al que se siente ligada por vínculos jurídicos, históricos o afectivos. **3** ‖ **patria celestial;** cielo. ‖ **patria chica;** lugar en el que se ha nacido. □ ETIMOL. La acepción 1, del latín *patrius* (relativo al padre). Las acepciones 2 y 3, del latín *patria*.

patriota adj.inv./s.com. Que ama a su patria y procura el bien de esta. □ ETIMOL. Del griego *patriótes* (compatriota).

patriotería s.f. *col. desp.* →**patrioterismo.**

patrioterismo s.m. *col. desp.* Actitud de quien presume excesivamente de patriotismo o de quien manifiesta un patriotismo superficial. □ SINÓN. *patriotería.*

patriotero, ra adj./s. *col. desp.* Que presume excesivamente de patriotismo, o que manifiesta un patriotismo superficial.

patriótico, ca adj. Del patriota, de la patria o relacionado con ellos.

patriotismo s.m. Amor a la patria.

patrística s.f. Véase **patrístico, ca.**

patrístico, ca ▮ adj. **1** De la patrística o relacionado con esta ciencia. ▮ s.f. **2** Ciencia que estudia la vida, la obra y la doctrina de los Padres de la Iglesia. □ SINÓN. *patrología.* **3** Colección de los escritos de los Padres de la Iglesia. □ SINÓN. *patrología.* □ ETIMOL. Las acepciones 2 y 3, del latín *patres* (padres).

patrocinador, -a adj./s. Que patrocina a alguien o a algo, esp. si es con fines publicitarios. □ USO Es innecesario el uso del anglicismo *sponsor* y de la forma castellanizada *espónsor*.

patrocinar v. **1** Referido a una persona o a un determinado proyecto, defenderlos, protegerlos o favorecerlos alguien que tenga medios para ello: *Esta investigación la patrocina la propia directora del laboratorio.* **2** Referido a una actividad, sufragar sus gastos, esp. si es con fines publicitarios: *Una fábrica de material deportivo patrocina nuestro equipo de baloncesto.* □ USO Es innecesario el uso de los anglicismos *esponsorizar* y *sponsorizar*.

patrocinio s.m. Ayuda o protección que alguien con medios suficientes proporciona a quien lo necesita, esp. la económica que se ofrece con fines publicitarios. □ ETIMOL. Del latín *patrocinium* (protección, patronato). □ USO Es innecesario el uso de los anglicismos *esponsorización* y *sponsorización*.

patrología s.f. **1** Ciencia que estudia la vida, la obra y la doctrina de los Padres de la Iglesia. □ SINÓN. *patrística.* **2** Colección de los escritos de los Padres de la Iglesia. □ SINÓN. *patrística.* □ ETIMOL. Del griego *patér* (padre) y *-logía* (ciencia, estudio).

patrón, -a ▮ s. **1** Persona que contrata empleados para realizar un trabajo: *El patrón de la obra ha contratado nuevos peones de albañil.* □ SINÓN. *patrono.* **2** Amo o señor: *El patrón del molino se arruinó y tuvo que venderlo.* □ SINÓN. *patrono.* **3** Dueño de la casa en la que alguien está alojado. □ SINÓN. *patrono.* **4** Santo o Virgen a quienes se dedica una iglesia o que son elegidos como protectores de un lugar o de una congregación. □ SINÓN. *patrono.* **5** Defensor o protector: *Su afición a la pintura lo llevó a convertirse en patrón de jóvenes artistas.* **6** Miembro de un patronato. □ SINÓN. *patrono.* ▮ s.m. **7** Persona que manda y dirige una pequeña embarcación dedicada al transporte de mercancías y pasajeros. **8** Lo que sirve de modelo para hacer otra cosa igual o para medir y valorar algo: *Hice este vestido siguiendo los patrones de una revista.* **9** ‖ **cortado por el mismo patrón;** referido a algo que se compara con otro elemento, que tiene gran semejanza con este: *Te pareces tanto a tu hermano que se diría que estáis cortados por el mismo patrón.* □ ETIMOL. Del latín *patronus* (patrono, protector, defensor).

patronaje s.m. Diseño y fabricación de patrones: *Estudió patronaje en una escuela de moda.*

patronal ▮ adj.inv. **1** Del patrono, del patronato o relacionado con ellos. ▮ s.f. **2** Conjunto de patronos o de empresarios.

patronato s.m. **1** Institución o asociación que se dedica a una obra benéfica: *Este asilo depende de un patronato.* **2** Grupo de personas que ejercen funciones de dirección, de asesoramiento o de vigilancia en una institución para que esta cumpla debidamente sus fines: *El patronato de la Fundación se reunirá el próximo lunes en junta extraordinaria.* **3** Corporación que forman los patronos: *El patronato no ha aceptado las peticiones de los obreros.*

patronazgo s.m. Derecho, poder o facultad que son propios de un patrono.

patronear v. **1** Referido a una embarcación, ejercer en ella el cargo de patrón: *El propio armador patronea el pesquero.* **2** Referido a una actividad o a un proyecto, dirigirlos: *Es la única dirigente que se ha atrevido a patronear esta iniciativa.*

patronímico, ca ▌ adj. **1** En la Antigüedad clásica, referido a un nombre de persona, que se derivaba del de algún antecesor y expresaba la pertenencia de dicha persona a una determinada familia. ▌ adj./s.m. **2** Referido a un apellido, que se ha formado por derivación del nombre del padre o de un antecesor: *'Ramírez' es un patronímico derivado de 'Ramiro'.* ☐ ETIMOL. Del griego *patronymikós*, y este de *patér* (padre) y *ónoma* (nombre).

patrono, na s. →**patrón.**

patrulla s.f. **1** Grupo pequeño de soldados o de personas armadas que rondan o vigilan un lugar o que están encargadas de realizar una misión militar: *una patrulla policial.* **2** Grupo pequeño de personas con un objetivo común: *Se ha organizado una patrulla de rescate para buscar a los niños perdidos.* **3** Grupo de barcos o de aviones que realizan una función de defensa, de vigilancia o de observación en un lugar. **4** Servicio de defensa, de vigilancia o de observación que realiza uno de estos grupos: *Cuatro policías salieron de patrulla por el barrio.*

patrullaje s.m. Operación que realiza una patrulla recorriendo un lugar.

patrullar v. Referido a un lugar, recorrerlo una patrulla para defenderlo, vigilarlo o realizar una misión: *La policía patrulla la zona para evitar nuevos desórdenes. Dos misiles alcanzaron a los barcos que patrullaban por la costa.* ☐ ETIMOL. Del francés *patrouiller*.

patrullero, ra adj./s. Referido esp. a una embarcación, que patrulla y está destinada a labores de defensa, vigilancia u observación.

patuco s.m. Calzado, generalmente de punto y en forma de bota, que usan los niños que aún no saben andar, o los adultos para abrigarse los pies en la cama.

patudo, da adj./s. *col.* En zonas del español meridional, caradura o desvergonzado.

patul s.m. En zonas del español meridional, vela de cera.

patulea s.f. *col.* Grupo numeroso y desordenado de personas, esp. si arman mucho jaleo.

patxaran (eusk.) s.m. →**pacharán.** ☐ PRON. [pacharán].

patzito s.m. Tamal de dulce de pequeño tamaño.

paúl ▌ adj./s.m. **1** Referido a un religioso, que pertenece a la congregación de misioneros fundada en el siglo XVII por san Vicente de Paúl (sacerdote francés). ▌ s.m. **2** Lugar pantanoso o cubierto de hierbas.

paular s.m. Terreno pantanoso. ☐ ETIMOL. De *paúl* (sitio pantanoso).

paulatino, na adj. Que se produce o se realiza despacio o lentamente. ☐ ETIMOL. Del latín *paulatim* (poco a poco).

paulino, na adj. Del apóstol san Pablo o relacionado con él.

pauperismo s.m. Existencia de gran número de pobres en un determinado lugar, esp. si se debe a causas permanentes. ☐ ETIMOL. Del inglés *pauperism*, y este del latín *pauper* (pobre).

pauperización s.f. Empobrecimiento o depauperación.

pauperizar v. Referido esp. a una población o a un país, empobrecerlos: *Las lluvias torrenciales acabaron con las cosechas y pauperizaron la región.* ☐ ORTOGR. La *z* se cambia en *c* delante de *e* →CAZAR.

paupérrimo, ma superlat. irreg. de **pobre**.

pausa s.f. **1** Interrupción breve de una acción o de un movimiento. **2** Tardanza o lentitud. **3** En fonética, silencio de duración variable que se produce al hablar para delimitar un grupo de sonidos o una oración: *La coma y el punto son signos ortográficos que señalan pausa.* **4** En música, breve intervalo en que se deja de cantar o de tocar. ☐ ETIMOL. Del latín *pausa*.

pausado adv. Con lentitud o tardanza: *Si no hablas pausado, tus alumnos no te entenderán.*

pausado, da adj. Que actúa o que se produce con pausa o lentitud: *Este ejercicio gimnástico se compone de movimientos muy pausados.*

pausar v. Referido a un movimiento o a una acción, interrumpirlos o retardarlos: *Si pausas un poco los movimientos, el ejercicio durará más tiempo.* ☐ ETIMOL. Del latín *pausare*.

pauta s.f. **1** Lo que sirve como norma o modelo para realizar algo: *pautas de comportamiento.* **2** Conjunto de rayas horizontales y con la misma separación entre sí que se hacen en el papel para no torcerse al escribir en él. ☐ ETIMOL. Del plural latino de *pactum* (ley, regla).

pautar v. **1** Referido al papel, hacer sobre él rayas horizontales con la misma separación entre sí para no torcerse al escribir sobre él: *Como se me acabaron las hojas cuadriculadas tuve que pautar un folio.* **2** Dar normas o instrucciones para determinar el modo de realizar algo: *La profesora nos pautó la elaboración del comentario de texto.*

pava s.f. Véase **pavo, va**.

pavada s.f. **1** Manada de pavos. **2** *col.* Hecho o dicho sin gracia. **3** *col.* En zonas del español meridional, tontería.

pavana s.f. **1** Composición musical de carácter cortesano, normalmente en compás binario, de ritmo lento y solemne, y que se divulgó por varios países europeos en los siglos XVI y XVII. **2** Baile de pasos simples y repetitivos que se ejecuta al compás de esta música. ☐ ETIMOL. Del italiano *pavana*, y este de *padovana* (de Padua).

pavés s.m. Pavimento rústico hecho con adoquines. ☐ ETIMOL. Del francés *pavé* (adoquín).

pavesa s.f. Parte pequeña y ligera que salta de un cuerpo en combustión y acaba por convertirse en ceniza. ☐ ETIMOL. Del latín **pulvisia*, y este de *pulvis* (polvo).

pavía s.f. **1** Variedad del melocotonero, cuyo fruto tiene la piel lisa y la carne jugosa y pegada al hueso. **2** Fruto de este árbol. ☐ ETIMOL. De *Pavía*, ciudad de Italia, de donde procede el árbol.

pávido, da adj. *poét.* Tímido o lleno de miedo o pavor. □ ETIMOL. Del latín *pavidus.*

pavimentación s.f. Revestimiento de un suelo con losas, con ladrillos o con otro material semejante.

pavimentar v. Referido a un suelo, revestirlo o cubrirlo con losas, con ladrillos o con otro material semejante: *Van a pavimentar con asfalto este camino de tierra.*

pavimento s.m. **1** Superficie artificial con que se cubre el piso para que esté sólido y llano: *El pavimento de las carreteras es de asfalto.* **2** Material utilizado para elaborar esta superficie artificial. □ ETIMOL. Del latín *pavimentum*, y este de *pavire* (golpear el suelo, aplanar).

pavipollo s.m. **1** Cría del pavo. **2** *desp.* Persona sin gracia o algo tonta. □ MORF. En la acepción 1, es un sustantivo epiceno: *el pavipollo {macho/hembra}.*

pavisoso, sa adj. *col.* Referido a una persona, que tiene poca gracia y poca desenvoltura.

pavo, va ▮ adj./s. **1** *col.* Referido a una persona, que tiene poca gracia o poca desenvoltura. ▮ s. **2** Ave que tiene el cuello largo y la cabeza pequeña, desprovistos ambos de plumas y cubiertos por unas carnosidades de color rojo, y cuya carne es muy apreciada. **3** *col.* Muchacho. ▮ s.m. **4** *col.* Duro: *Préstame cinco pavos para llamar por teléfono.* **5** Timidez, falta de gracia o de desenvoltura. ▮ s.f. **6** Tetera de metal para calentar el agua. **7** ‖ **pavo real;** ave de origen asiático cuyo macho tiene plumaje de vistosos colores, un penacho de plumas sobre la cabeza y una larga cola que abre en forma de abanico. ‖ **pelar la pava;** *col.* Referido a una pareja de novios, tener conversaciones amorosas. □ ETIMOL. Las acepciones 1-4, del latín *pavus* (pavo real). La acepción 5, del inglés *pipe* (tubo).

pavón s.m. **1** Mariposa de gran tamaño cuyas alas tienen manchas circulares. **2** Capa superficial de óxido abrillantado con que se cubren los objetos de hierro o de acero para mejorar su aspecto y evitar su corrosión. □ ETIMOL. Del latín *pavo* (pavo real), por las manchas redondeadas de sus alas.

pavonar v. Referido a un objeto de hierro o de acero, darle pavón o una capa superficial de óxido abrillantado para mejorar su aspecto y evitar su corrosión: *Pavonaré el cerco metálico de la ventana para evitar que se oxide.* □ SINÓN. *empavonar.*

pavonearse v.prnl. Presumir exageradamente o hacer una ostentación excesiva de algo que se posee: *No suele caer bien porque se pavonea demasiado.* □ ETIMOL. De *pavón* (pavo).

pavoneo s.m. Ostentación excesivas de algo que se posee.

pavor s.m. Miedo grande o terror excesivo, esp. si produce espanto y sobresalto. □ ETIMOL. Del latín *pavor.*

pavoroso, sa adj. Que produce pavor.

payada s.f. Composición poética y musical cantada por un payador, y que generalmente tiene forma de diálogo.

payador s.m. En zonas del español meridional, cantor o poeta popular que va de un lugar a otro improvisando sus composiciones.

payasada s.f. **1** Hecho o dicho propios de un payaso. **2** *desp.* Hecho o dicho ridículos o inoportunos: *Esa respuesta fue una payasada que lo dejó mal ante todos.*

payaso, sa ▮ adj./s. **1** *col.* Referido a una persona, que tiene facilidad para hacer reír con sus hechos o con sus dichos. **2** *col.* Referido a una persona, que tiene poca seriedad en su comportamiento o que resulta ridícula. ▮ s. **3** Artista de circo que hace de gracioso y que utiliza una vestimenta y un maquillaje muy llamativos. □ ETIMOL. Del italiano *pagliaccio* (saco de paja), porque un payaso se viste torpemente para hacer reír.

payés, -a s. Campesino catalán o balear. □ ETIMOL. Del catalán *pagés.*

payo, ya adj./s. **1** En el lenguaje de los gitanos, que no pertenece a este grupo étnico: *Los gitanos y los payos tienen culturas distintas.* **2** *desp.* Ignorante o tonto: *Fíjate en lo que haces y no seas tan payo.* □ ETIMOL. De origen incierto.

pay-out (ing.) s.m. En economía, porcentaje de beneficios que una empresa reparte entre sus accionistas. □ PRON. [péi-áut].

pay per view (ing.) (tb. *pay-per-view*) s.m. ‖ →**pago por visión.** □ PRON. [pei per viú].

paz s.f. **1** Ausencia de guerra. **2** Tratado o convenio por el que las partes enfrentadas en una guerra ponen fin a la misma: *firmar la paz.* **3** Estado de tranquilidad y de entendimiento entre las personas: *La llegada de esos parientes vino a romper la paz de la familia.* **4** Sosiego, calma o ausencia de agitaciones: *En el pueblo disfrutarás de la paz del campo.* **5** En la misa, ceremonia que precede a la comunión y en la que el sacerdote y los fieles se desean mutuamente ese estado de tranquilidad y sosiego en señal de reconciliación. **6** ‖ **aquí paz y después gloria;** *col.* Expresión que se usa para indicar que se da por terminado un asunto: *Si todo ha quedado aclarado entre vosotros, aquí paz y después gloria.* ‖ **dejar en paz;** no molestar ni importunar: *¿Quieres irte y dejarme en paz de una vez?* ‖ **{descansar/reposar} en paz;** en la iglesia católica, haber fallecido. ‖ **{estar/quedar} en paz; 1** Estar saldada una deuda: *Estamos en paz, porque ya te devolví lo que me prestaste.* **2** Haber devuelto una ofensa o un favor recibidos: *Ella me ayudó en aquella ocasión y ahora la ayudo yo, así que estamos en paz.* ‖ **hacer las paces;** reconciliarse o rehacer las amistades. ‖ **ir en paz;** expresión que se usa como fórmula de despedida. ‖ **y en paz;** *col.* Expresión que se usa para indicar que se da por terminado un asunto: *Tú recoges todo lo que te pertenece, y en paz.* □ ETIMOL. Del latín *pax.*

pazguatería s.f. Hecho o dicho propios de un pazguato.

pazguato, ta adj./s. Referido a una persona, que se admira o se escandaliza de todo lo que oye o ve. □

ETIMOL. Quizá de *apazguado* (el que ha firmado paces con su enemigo), por cruce con *pacato*.

pazo s.m. En la comunidad autónoma gallega, casa antigua y noble de una familia. ☐ ETIMOL. Del latín *palatium*.

PC (ing.) (tb. *pecé*) s.m. Ordenador diseñado para uso individual. ☐ ETIMOL. Es la sigla del inglés *Personal Computer* (ordenador personal).

pche (tb. *pchs*) interj. Expresión que se usa para indicar indiferencia, desagrado o reserva. ☐ ETIMOL. De origen expresivo.

PDA (ing.) s.f. Agenda electrónica con muchas de las posibilidades de un ordenador portátil. ☐ SINÓN. *palm*. ☐ ETIMOL. Es la sigla del inglés *Personal Digital Assistant* (asistente digital personal). ☐ USO Su uso es innecesario y puede sustituirse por *agenda electrónica*.

pe s.f. **1** Nombre de la letra *p*. **2** ‖ **de pe a pa;** *col*. Desde el principio hasta el fin: *Me he leído el artículo de pe a pa, y no he encontrado ninguna errata.*

peaje s.m. **1** Cantidad de dinero que hay que pagar para poder pasar por un determinado lugar: *Viajar por autopistas de peaje es más rápido, aunque salga un poco caro.* **2** Lugar en el que se paga esta cantidad de dinero: *parar en el peaje.* **3** Repercusión o consecuencia: *Exigen el cese del conflicto sin que haya que pagar peaje alguno.* ☐ ETIMOL. Del francés *péage* o del catalán *peatge*.

peana s.f. Base, soporte o apoyo sobre los que se coloca una figura. ☐ ETIMOL. Del latín *pes* (pie).

peatón, -a s. Persona que va o se traslada a pie. ☐ SINÓN. *viandante*. ☐ ETIMOL. Del francés *piéton* (soldado de a pie).

peatonal adj.inv. Del peatón o relacionado con él: *calle peatonal.*

peatonalización s.f. Transformación de una zona urbana en peatonal: *Ayer empezaron las obras de peatonalización del centro de la ciudad.*

peatonalizar v. Referido a una zona urbana, hacerla peatonal o prohibir el tráfico de vehículos por ella: *Algunos urbanistas proponen peatonalizar el centro histórico de la ciudad.* ☐ ORTOGR. La *z* se cambia en *c* delante de *e* →CAZAR.

pebete s.m. **1** Pasta hecha con una sustancia aromática que, al ser encendida, desprende un humo de agradable olor: *un pebete de incienso.* **2** Mecha de pólvora y otros ingredientes que sirve para encender los fuegos artificiales. ☐ ETIMOL. Del catalán *pevet* (pebetero).

pebetero s.m. **1** Recipiente que se utiliza para quemar perfumes y esparcir su olor. **2** Recipiente en el que arde el fuego de una ceremonia, esp. la antorcha olímpica. ☐ ETIMOL. De *pebete*.

pebre s.m. **1** Salsa picante hecha con pimienta, ají, cebolla, tomate y otros ingredientes, que se utiliza para sazonar diversos alimentos. **2** Pimienta. ☐ ETIMOL. Del latín *piper* (pimienta).

peca s.f. Mancha pequeña de color pardo que aparece en la piel, esp. en la cara. ☐ ETIMOL. Quizá de *picar* (herir levemente, causar un principio de caries).

pecado s.m. **1** En religión, hecho, dicho, pensamiento u omisión que van en contra de la ley de Dios y de sus preceptos o mandamientos. **2** En religión, estado del que ha cometido estas faltas: *La confesión te permitirá salir del pecado.* **3** Acto o comportamiento lamentables o que se apartan de lo que es recto o justo: *Sería un pecado no aprovechar el día tan bueno que hace para salir al campo.* **4** ‖ **llevar en el pecado la penitencia;** Sufrir las consecuencias negativas de una acción desacertada: *Ese político ha llevado en el pecado la penitencia puesto que debió prever los efectos de la ocultación de datos.* ‖ **pecado mortal;** en el cristianismo, el que destruye la caridad en el corazón de las personas por una infracción grave de la ley de Dios. ‖ **pecado original;** en el cristianismo, el que se ha transmitido a las personas desde Adán y Eva (los primeros padres). ‖ **pecado venial;** en el cristianismo, el que se opone levemente a la ley de Dios y, por tanto, deja subsistir la caridad en el corazón, aunque la ofende y la hiere. ☐ ETIMOL. Del latín *peccatum*.

pecador, -a adj./s. Que está sujeto al pecado o que puede cometerlo.

pecaminoso, sa adj. Del pecado, del pecador, o relacionado con ellos. ☐ ETIMOL. Del latín *peccamen* (pecado).

pecán s.m. →**pacana.**

pecar v. **1** En religión, desobedecer la ley de Dios: *Peca todo aquel que no cumple los mandamientos.* **2** Tener en un alto grado la cualidad que se expresa: *Pequé de ingenua y me engañaron.* ☐ ETIMOL. Del latín *peccare* (faltar, fallar). ☐ ORTOGR. La *c* se cambia en *qu* delante de *e* →SACAR. ☐ SINT. Constr. de la acepción 2: *pecar* DE *una cualidad.*

pecarí (pl. *pecaríes, pecarís*) s.m. Mamífero parecido al jabalí, de cabeza aguda y hocico prolongado, pelaje pardo con una franja blanca, sin cola, y que tiene una glándula en lo alto del lomo por la que segrega un olor fétido. ☐ ORTOGR. Incorr. **pekari*. ☐ MORF. Es un sustantivo epiceno: *el pecarí {macho/hembra}.*

pecblenda s.f. →**pechblenda.**

peccata minuta (lat.) ‖ *col.* Expresión que se usa para indicar la poca importancia de algo, porque son faltas pequeñas: *No tengas en cuenta esos fallos, porque son peccata minuta.*

pecé s.m. *col.* →**PC.**

pecera s.f. **1** Recipiente de cristal transparente lleno de agua que sirve para mantener vivos a los peces. **2** Sala acristalada, esp. en un estudio de radio o de televisión: *El control de emisión se realiza desde la pecera.*

pechador, -a s. En zonas del español meridional, estafador.

pechamen s.m. *vulg.* Pechos femeninos, esp. si son grandes.

pechar v. **1** En la Edad Media, pagar o satisfacer los pechos o tributos: *En la sociedad feudal, el pueblo llano tenía obligación de pechar.* **2** Referido a algo negativo, asumirlo como una carga o sufrir sus consecuencias: *Siempre me toca a mí pechar con el tra-*

bajo más pesado. ☐ ETIMOL. De *pecho* (tributo). ☐ SINT. Constr. de la acepción 2: *pechar CON algo.*

pechblenda (tb. *pecblenda*) s.f. Mineral de uranio, de composición muy compleja, en el que se encuentran varios metales raros como el radio: *La pechblenda es muy radiactiva.* ☐ ETIMOL. Del alemán *Pechblende*, y este de *Pech* (pez, resina) y *Blende* (mezcla).

pechera s.f. Véase **pechero, ra**.

pechero, ra ▌adj./s. **1** En la Edad Media, referido a una persona, que estaba obligada a pagar o contribuir con un tributo. ▌s.f. **2** En una prenda de vestir, parte que cubre el pecho: *la pechera de una camisa.* **3** *col.* Pecho, esp. el femenino.

pechina s.f. **1** En arquitectura, cada uno de los cuatro triángulos curvilíneos que forman el anillo de una cúpula con los arcos sobre los que se apoya. **2** Concha vacía de un molusco con dos valvas, esp. la de la vieira. ☐ ETIMOL. Del latín *pecten* (concha).

pecho s.m. **1** En el cuerpo de una persona, parte que va desde el cuello hasta el vientre y en cuya cavidad están situados el corazón y los pulmones. **2** Zona externa de esta parte del cuerpo. **3** Aparato respiratorio, esp. el de las personas: *El médico me recetó un jarabe para el pecho.* **4** En una mujer, cada una de las mamas o el conjunto de ellas. **5** En los animales cuadrúpedos, parte del cuerpo que va desde el cuello a las patas delanteras. **6** Parte interior o espiritual de una persona: *En su pecho alberga hermosos sentimientos.* **7** Valor, fortaleza o constancia para hacer algo: *Hay un refrán que dice: «A lo hecho, pecho».* **8** En la Edad Media, tributo que se pagaba al rey o al señor feudal. **9** ‖ **a pecho descubierto**; con sinceridad y nobleza: *Me gustan las personas que actúan a pecho descubierto.* ‖ **dar el pecho**; referido a un niño de corta edad, amamantarlo. ‖ **partirse el pecho por** algo; *col.* Esforzarse por ello: *Se partió el pecho para que sus hijos tuvieran una buena educación.* ‖ **tomar(se)** algo **{a pecho/a pechos}**; **1** *col.* Mostrar mucho interés o empeño en ello: *Seguro que saca adelante todo el trabajo, porque se lo ha tomado muy a pecho.* **2** *col.* Ofenderse por ello o tomarlo demasiado en serio: *No te tomes a pecho lo que te dije, porque era una broma.* ☐ ETIMOL. Las acepciones 1-7 y 9, del latín *pectus*. La acepción 8, del latín *pactum* (pacto).

pechuga s.f. **1** Pecho de las aves, que está dividido en dos partes. **2** Cada una de estas partes. **3** *col.* Pecho de una persona.

pechugón, -a adj./s. *col.* Referido esp. a una mujer, que tiene los pechos muy grandes o abultados.

pecina s.f. Barro negruzco que se forma generalmente en el fondo de los charcos, ríos o arroyos en los que hay materias orgánicas en descomposición. ☐ ETIMOL. Del latín *picina*, y este de *pix* (la pez).

peciolo (tb. *pecíolo*) s.m. En la hoja de una planta, tallo pequeño de la hoja por el que se une al tallo de la planta. ☐ ETIMOL. Del latín *pecciolus* (piececito).

pécora ‖ **ser una mala pécora**; *col.* Tener malas intenciones, o ser astuto y hábil en el engaño. ☐ ETIMOL. Del italiano *pecora* (oveja).

pecoso, sa adj./s. Que tiene pecas.

pectina s.f. Sustancia química de origen vegetal que se utiliza en alimentación para dar consistencia a mermeladas y gelatinas: *La pectina sirve para combatir hemorragias y diarreas.* ☐ ETIMOL. Del griego *pektós* (coagulado).

pectíneo, a ▌adj. **1** Del músculo del muslo que hace girar el fémur o relacionado con él. ▌s.m. **2** Músculo del muslo que hace girar el fémur. ☐ ETIMOL. Del latín *pecten* (peine).

pectoral ▌adj.inv. **1** Del pecho o relacionado con él: *músculos pectorales.* ▌adj.inv./s.m. **2** Útil o beneficioso para el pecho: *Los caramelos pectorales te permitirán respirar mejor.* ▌s.m. **3** Cruz que llevan sobre el pecho los obispos y otros prelados. ☐ ETIMOL. Del latín *pectoralis*.

pecuario, ria adj. Del ganado o relacionado con él. ☐ ETIMOL. Del latín *pecuarius*. ☐ ORTOGR. Dist. de *pecuniario*.

peculiar adj.inv. **1** Propio o característico de algo: *Tu aroma peculiar lo reconocería en cualquier parte.* **2** Raro, poco común o fuera de lo normal: *Gestiona su negocio de forma peculiar, ya que no lleva libros de contabilidad.* ☐ ETIMOL. Del latín *peculiaris* (relativo a la fortuna particular).

peculiaridad s.f. Rasgo o característica propios de algo, que lo diferencian del resto.

peculio s.m. Conjunto de bienes o cantidad de dinero que alguien posee. ☐ SINÓN. *pegujal.* ☐ ETIMOL. Del latín *peculium*. ☐ PRON. Incorr. *[pecúnio].

pecuniario, ria adj. Del dinero en efectivo, o relacionado con él: *No saldré durante las vacaciones porque mi situación pecuniaria no es buena.* ☐ ETIMOL. Del latín *pecuniarius*. ☐ ORTOGR. Dist. de *pecuario*.

-peda Elemento compositivo sufijo que significa 'educador' o 'especialista': *logopeda, ortopeda.*

pedagogía s.f. **1** Ciencia que se ocupa de la educación y de la enseñanza. **2** Teoría o práctica educativas. **3** Habilidad para educar y enseñar: *Este maestro enseña con mucha pedagogía y sus alumnos lo quieren mucho.*

pedagógico, ca adj. **1** De la pedagogía o relacionado con esta ciencia. **2** Que enseña de forma clara y que aprende con facilidad.

pedagogo, ga s. Persona especializada en pedagogía. ☐ ETIMOL. Del latín *paedagogus* (ayo, preceptor), este del griego *paidagogós*, y este de *pâis* (niño) y *ágo* (yo conduzco).

pedal s.m. **1** Palanca que se acciona con los pies y que, al oprimirla, pone en movimiento un mecanismo: *Los coches tienen tres pedales: el del embrague, el del freno y el del acelerador.* **2** En algunos instrumentos musicales, dispositivo o palanca que se acciona con los pies y que sirve para producir determinados sonidos o para modificar la altura o el sonido de las notas. **3** *col.* Borrachera. □ ETIMOL. Del latín *pedalis* (del pie).

pedalada s.f. Empuje dado al pedal e impulso que produce: *El ciclista daba fuertes pedaladas para aumentar su velocidad.*

pedalear v. **1** Mover los pedales, esp. los de la bicicleta: *Pedaleaba con fuerza para subir la cuesta.* **2** || **pedalearle;** *col.* En zonas del español meridional, esforzarse: *Hay que pedalearle mucho más para mejorar las calificaciones.*

pedaleo s.m. Movimiento de los pedales, esp. los de la bicicleta.

pedáneo, a adj./s. Referido esp. a un alcalde, a un juez o a un magistrado, que ejercen sus funciones en asuntos de poca importancia y en aldeas o en núcleos de pequeñas poblaciones. □ ETIMOL. Del latín *pedaneus* (subalterno).

pedanía s.f. Aldea o pequeño núcleo de población dependientes de un municipio y bajo la jurisdicción de un alcalde o de un juez que intervienen en asuntos de poca importancia.

pedante adj.inv./s.com. Referido esp. a una persona, que presume ostentosamente de ser muy erudita o de poseer muchos conocimientos. □ ETIMOL. Del italiano *pedante.*

pedantear v. *col. desp.* En zonas del español meridional, hablar o actuar con pedantería: *Como se cree mucho, siempre se la pasa pedanteando.*

pedantería s.f. **1** Vanidad del que presume inoportunamente de erudición o de conocimientos. **2** Hecho o dicho inoportunos que tienen como fin presumir de erudición. □ USO Tiene un matiz despectivo.

pedazo s.m. **1** Parte de algo separada del todo: *La bomba hizo estallar el coche en mil pedazos.* **2** || **caerse a pedazos** o **estar hecho pedazos;** *col.* Estar en muy malas condiciones físicas o psíquicas. || **ser** alguien **un pedazo de pan;** *col.* Ser muy bueno. □ ETIMOL. Del latín *pittacium* (trozo de cuero). □ SEM. La expresión *pedazo de* se usa para enfatizar la palabra que va a continuación: *¡Pedazo de tonto! ¡Es un pedazo de actor! ¡Vaya pedazo de casa!*

pederasta s.m. Persona que abusa sexualmente de los niños. □ ETIMOL. Del griego *paiderastés*, y este de *pâis* (niño) y *erastés* (amante).

pederastia s.f. Abuso sexual que se comete contra los niños. □ SEM. Dist. de *pedofilia* (atracción sexual).

pedernal s.m. **1** Variedad de cuarzo formada principalmente por sílice, muy dura y de color gris amarillento, rojo o negro, que se caracteriza porque su fractura origina bordes cortantes: *Al golpear el pedernal saltan chispas, y por eso se utilizaba para prender fuego.* □ SINÓN. *sílex.* **2** *col.* Lo que es muy duro: *No tiene sentimientos porque su corazón es puro pedernal.* □ ETIMOL. Del antiguo *pedrenal*, y este del latín *petrinus*, y este del griego *pétrinos* (relativo a la piedra).

pedestal s.m. **1** Cuerpo sólido, que sirve para sostener algo, esp. una estatua o una columna. **2** || **en un pedestal;** *col.* En muy buena consideración: *No me pongas en un pedestal, porque luego te vas a decepcionar.* □ ETIMOL. Del francés *piédestal*, y este del italiano *piedistallo.* □ SINT. *En un pedestal* se usa más con los verbos *tener*, *poner*, *estar* o equivalentes.

pedestre adj.inv. **1** Referido a una carrera deportiva, que se realiza a pie, andando o corriendo. **2** Vulgar, inculto u ordinario: *No sé cómo puedes describir algo tan sublime de una forma tan pedestre.* □ ETIMOL. Del latín *pedestris.*

pedestrismo s.m. **1** Conjunto de carreras deportivas que se disputan a pie, esp. en campo abierto. **2** Vulgaridad y falta de finura o de calidad: *Sus discursos son de un gran pedestrismo y resultan demasiado vulgares.*

-pedia Elemento compositivo sufijo que significa 'educación': *logopedia, ortopedia.* □ ETIMOL. Del griego *paidéia* (educación).

pediatra s.com. Médico especialista en pediatría o medicina infantil. □ SEM. Dist. de *puericultor* (persona especializada en lo relacionado con el desarrollo del niño).

pediatría s.f. Rama de la medicina que estudia la salud y las enfermedades de los niños. □ ETIMOL. Del griego *pâis* (niño) e *-iatría* (curación). □ SEM. Dist. de *puericultura* (estudio del sano desarrollo del niño).

pediátrico, ca adj. De la pediatría o relacionado con esta rama de la medicina.

pedicelo s.m. En botánica, tallo que sostiene el sombrerillo de las setas. □ ETIMOL. Del latín *pedicellus.*

pedículo s.m. En botánica, rabo o tallo pequeños que unen una flor, una hoja o un fruto al tallo de la planta. □ SINÓN. *pedúnculo.* □ ETIMOL. Del latín *pediculus*, y este de *pes* (pie).

pediculosis (pl. *pediculosis*) s.f. Enfermedad de la piel que se produce al rascarla frecuentemente a causa de alguna invasión de piojos. □ ETIMOL. Del latín *pediculus* (piojo) y *-osis* (enfermedad).

pedicura s.f. Véase **pedicuro, ra.**

pedicurista s.com. En zonas del español meridional, pedicuro.

pedicuro, ra ▌s. **1** Persona que se dedica profesionalmente al tratamiento de problemas de los pies, como callos y uñeros. □ SINÓN. *callista.* ▌s.f. **2** Hecho de cuidar y embellecer los pies y las uñas: *Voy a pedir hora en la peluquería para que me hagan la pedicura.* □ ETIMOL. Del latín *pes* (pie) y *curare* (curar). □ SEM. Dist. de *podólogo* (médico especialista en podología).

pedida s.f. Petición de la mano de una mujer, o solicitud de matrimonio a sus padres.

pedido s.m. Encargo de géneros o mercancías hecho a un fabricante o a un vendedor. □ ETIMOL. Del latín *petitus.*

pedigree (ing.) s.m. →**pedigrí.** □ PRON. [pedigrí].

pedigrí (pl. *pedigríes, pedigrís*) s.m. Conjunto de antepasados de un animal con calidad de origen o de linaje: *El precio de este perro es muy alto por su* *pedigrí.* □ ETIMOL. Del inglés *pedigree.* □ USO Es innecesario el uso del anglicismo *pedigree.*

pedigüeño, ña adj./s. Que pide con frecuencia, con insistencia o de manera inoportuna.

pediluvio s.m. Baño de pies que se hace con fines curativos. □ ETIMOL. Del latín *pes* (pie) y *lue* (lavar). □ MORF. Se usa más en plural.

pedimento s.m. Escrito que se expone ante un juez. □ ETIMOL. De *pedir*.

pedir v. **1** Referido a algo generalmente necesario, rogar o decir a alguien que lo dé o que lo haga: *Un mendigo pedía limosna a la salida del cine. Solo te pido que me escuches un momento.* **2** Referido a un precio, establecerlo o ponérserlo a lo que se vende: *¿Cuánto piden por esta casa?* **3** Requerir, necesitar o exigir: *Este coche tan sucio está pidiendo un buen lavado.* **4** Querer, desear o apetecer: *De postre pido siempre un helado.* **5** Mendigar o solicitar limosna: *Cada vez hay más gente pidiendo por las calles.* **6** Solicitar benevolencia o ayuda a una divinidad mediante la oración: *Pido a Dios todos los días por la paz en el mundo.* **7** Referido a una mujer, solicitarla a sus padres como esposa: *Mañana piden a mi hermana pequeña.* □ ETIMOL. Del latín *petere.* □ MORF. Irreg. →PEDIR. □ SINT. Constr. de las acepciones 2 y 6: *pedir* POR *algo.*

pedo s.m. **1** *col.* Expulsión de gases intestinales por el ano. **2** *col.* Borrachera. **3** *col.* En el lenguaje de la droga, estado producido por el consumo de alguna de ellas. **4** *col.* En zonas del español meridional, dificultad o problema. □ ETIMOL. Del latín *peditum.*

-pedo, -peda Elemento compositivo sufijo que significa 'pie': *bípedo, palmípeda.*

pedofilia s.f. Atracción sexual que experimenta un adulto hacia niños del mismo o de distinto sexo. □ SINÓN. *paidofilia.* □ ETIMOL. Del griego *pâis* (niño) y *-filia* (gusto, amor). □ SEM. Dist. de *pederastia* (abuso sexual).

pedófilo, la adj. Referido a un adulto, que experimenta atracción sexual hacia niños del mismo o de distinto sexo. □ SINÓN. *paidófilo.*

pedorrear v. *col.* Tirarse pedos de manera repetida: *El bebé pedorreaba porque tenía gases.*

pedorreo s.m. *col.* Expulsión de pedos de manera repetida.

pedorrera s.f. *col.* Véase **pedorrero, ra.**

pedorrero, ra ▮ adj./s. **1** Que echa pedos con frecuencia o sin reparo. ▮ s.f. **2** *col.* Expulsión ruidosa y repetida de gases intestinales por el ano.

pedorreta s.f. *col.* Sonido hecho con la boca y que imita el de un pedo.

pedorro, rra adj./s. **1** *col.* Que se tira pedos frecuentemente. **2** *col.* Referido a una persona, que resulta tonta, molesta o desagradable. □ USO Se usa como insulto.

pedrada s.f. **1** Golpe dado con una piedra lanzada. **2** Señal que deja este golpe.

pedrea s.f. **1** *col.* Conjunto de los premios menores de la lotería nacional. **2** Lucha a pedradas. **3** Granizada o caída abundante de granizo.

pedregal s.m. Terreno cubierto de piedras sueltas. □ ETIMOL. Del latín *petra* (roca).

pedregoso, sa adj. Referido a un terreno, que está cubierto de piedras. □ ETIMOL. Del latín *petra* (roca).

pedregullo s.m. En zonas del español meridional, grava. □ ETIMOL. De *piedra*.

pedrera s.f. Véase **pedrero, ra.**

pedrería s.f. Conjunto de piedras preciosas.

pedrero, ra ▮ s. **1** Persona que se dedica profesionalmente a labrar piedras. ▮ s.f. **2** Lugar del que se extraen las piedras.

pedrisco s.m. Granizo grueso que cae en abundancia y con fuerza.

pedrojiménez ▮ s.f. **1** Uva blanca de tamaño mediano y color dorado: *La pedrojiménez es apropiada para la elaboración de vinos secos y dulces.* ▮ s.m. **2** Vino elaborado con esta uva: *Si te gusta el vino dulce, debes probar el pedrojiménez.* □ SINT. Se usa mucho en aposición, pospuesto a un sustantivo: *uva pedrojiménez.*

pedrusco s.m. *col.* Trozo de piedra grande sin labrar.

pedunculado, da adj. Referido esp. a una flor o un fruto, que tienen un pedúnculo o una especie de rabito para unirse al tallo.

pedúnculo s.m. **1** En botánica, rabo o tallo pequeños que unen una flor, una hoja o un fruto al tallo de una planta. □ SINÓN. *pedículo.* **2** En algunos animales, prolongación del cuerpo mediante la cual están fijos al suelo o a las rocas. □ ETIMOL. Del latín *pedunculus*, y este de *pes* (pie).

peeling (ing.) s.m. Tratamiento de belleza que consiste en la regeneración de la piel mediante el desprendimiento de las células muertas: *hacerse un peeling.* □ PRON. [pílin].

peep-show (ing.) s.m. Cabina que se utiliza para ver imágenes o espectáculos pornográficos. □ PRON. [píp chóu], con *ch* suave.

peerse v.prnl. *col.* Expulsar los gases intestinales por el ano: *Es tan grosero que cuando algo le gusta dice que se pee del gusto.* □ SINÓN. *ventosear.* □ ETIMOL. Del latín *pedere.*

pega s.f. **1** *col.* Dificultad o inconveniente que generalmente se presentan de modo imprevisto: *Solo sabes poner pegas a mis proyectos.* **2** Sustancia que sirve para pegar. **3** ‖ **de pega;** *col.* De mentira, falso o no auténtico: *Se puso una nariz de pega.* □ ETIMOL. De *pegar*.

pegada s.f. Véase **pegado, da**.

pegadizo, za adj. Que se graba en la memoria con facilidad: *una canción pegadiza.*

pegado, da ▮ adj. **1** *col.* Muy sorprendido o muy asombrado: *Esa respuesta tan ingeniosa me dejó pegada.* ▮ s.f. **2** En algunos deportes, esp. en fútbol o en boxeo, capacidad para golpear o lanzar con fuerza. **3** ‖ **pegada de carteles;** actividad que consiste en poner publicidad electoral en las calles.

pegajosidad s.f. **1** Facilidad para pegarse o unirse a algo. **2** *col.* Molestia que causa alguien por mostrarse demasiado cariñoso o muy amable: *Tu* *pegajosidad me resulta insufrible cuando tengo prisa.*

pegajoso, sa ▌ adj. **1** Que se pega con facilidad: *Tienes las manos pegajosas por haber comido la tarta con los dedos.* **2** En zonas del español meridional, pegadizo. ▌ adj./s. **3** *col.* Referido a una persona, que molesta por su afectación y excesivas muestras de cariño. □ SINÓN. *empalagoso.*

pegamento s.m. Sustancia que sirve para pegar.

pegamín s.m. *col.* Pegamento.

pegamoide s.m. Celulosa disuelta que se aplica sobre una tela o un papel para darles resistencia. □ ETIMOL. De *pegamento* y *-oide* (relación, semejanza).

pegamoscas (pl. *pegamoscas*) s.f. Planta herbácea de hojas amarillas y cuya flor tiene el cáliz cubierto de pelos pegajosos en los que quedan pegados los insectos.

pegar ▌ v. **1** Referido a una cosa, unirla con otra por medio de una sustancia que impida su separación: *Tienes que pegar con pegamento el jarrón roto. Pega los sellos en las cartas.* **2** Unir o juntar por medio de un cosido o un atado: *Pega la manga a la chaqueta con un pespunte doble.* **3** Acercar o arrimar hasta poner en contacto: *Pega la mesa a la pared, por favor.* **4** *col.* Contagiar por medio del contacto, de la proximidad o del trato: *No te doy un beso porque puedo pegarte la gripe. Se te ha pegado el acento de la ciudad.* **5** Maltratar o dar patadas, bofetadas o algún otro tipo de golpes: *Le pegó con una vara. Haced las paces y no os peguéis más.* **6** *col.* Dar, producir o realizar: *Empezó a pegar saltos de alegría. Se pegó un susto de muerte.* **7** *col.* Tener intensos efectos: *¡Cómo pega hoy el sol!* **8** *col.* Gustar o interesar mucho, o tener mucho éxito: *Esa moda viene pegando fuerte.* **9** *col.* Armonizar, corresponder, quedar bien o ser oportuno: *La combinación de esos colores no pega nada. En una excursión campestre no pega el zapatito fino.* **10** Estar próximo o contiguo: *Mi casa pega con la tuya.* **11** Dar, chocar o tropezar, esp. si es con un fuerte impulso: *El granizo pega con fuerza en los cristales. Al salir me pegué contra la mesa.* **12** *col.* Referido esp. a una acción, hacerla o realizarla con decisión o esfuerzo: *Harto de su novia, pegó fuego a las cartas que le había escrito.* **13** Unir a causa de las propias características, de forma que la separación resulta difícil: *Los bollos se han pegado unos a otros en el horno.* **14** *col.* Rimar: *'Frío' pega con 'río', y 'rana' con 'ventana'.* ▌ prnl. **15** Referido a un guiso, adherirse al recipiente en que se hace por haberse quemado: *No pongas el fuego muy fuerte para que no se peguen las lentejas.* □ SINÓN. *agarrarse.* **16** *col.* Referido a una persona, agregarse o unirse a otra sin haber sido invitada: *Se nos pegó un pesado y nos fastidió la tarde.* **17** Grabarse con facilidad en la memoria: *Se me ha pegado una melodía y no me la quito de la cabeza.* **18** || **pegársela a** alguien; **1** *col.* Engañarlo o burlarse de su buena fe: *Siempre me engañas, pero esta vez no me la vas a pegar.* **2** *col.* Serle infiel: *Como me entere de que me la pegas, me largo y no vuelves a verme.* || **pegársela;** *col.* Caerse, chocarse o tener un accidente violento: *Bájate de la mesa, que te la vas a pegar.* □ ETIMOL. Del latín *picare* (embadurnar o pegar con pez). □ ORTOGR. La *g* se cambia en *gu* delante de *e* →PAGAR.

pegatina s.f. Adhesivo pequeño que lleva impreso algo, esp. propaganda.

pegmatita s.f. Roca magmática de color claro y con estructura laminar, compuesta de feldespato y de cuarzo. □ ETIMOL. Del griego *pêgma* (conglomerado).

pego || **dar el pego;** *col.* Engañar con falsas apariencias o aparentar lo que no se es. □ ETIMOL. De *pegar*, porque una trampa del juego de los naipes consistía en pegar disimuladamente dos cartas.

pegón, -a adj./s. *col.* Referido esp. a un niño, que pega mucho a los demás.

pegote s.m. **1** *col.* Lo que está muy espeso y se pega: *El arroz de hoy se te ha pasado y es un pegote intragable.* **2** *col.* Cosa chapucera o mal hecha: *¡No me dirás que este pegote de barro es mi retrato...!* **3** En una obra literaria o artística, añadido inútil o que no guarda armonía con el conjunto. **4** *col.* Parche o añadido que afea o que estropea el conjunto. **5** *col.* Mentira. **6** *col.* Persona pesada que no se aparta de otra, generalmente con el fin de sacar un beneficio de ellas: *Siempre que hay alguien con coche te metes de pegote para que te lleven.* □ ETIMOL. De *pegar*.

pegotero, ra adj./s. *col.* Mentiroso.

pegujal s.m. Conjunto de bienes o cantidad de dinero que alguien posee. □ SINÓN. *peculio.* □ ETIMOL. Del latín *peculiaris*.

pehuén s.m. Especie de araucaria.

pehuenche adj.inv./s.com. De un antiguo pueblo indígena que habitaba la región andina occidental, o relacionado con él.

peinado s.m. **1** Forma en que está arreglado el pelo: *Con este nuevo peinado pareces más joven.* **2** Arreglo del pelo: *Me lleva más tiempo el peinado que el lavado.* **3** Examen o rastreo minuciosos de una zona para buscar algo: *La policía realizó el peinado del barrio persiguiendo a los atracadores huidos.*

peinador, -a ▌ adj./s. **1** Que peina. ▌ s.m. **2** Tela que se ajusta al cuello para cubrir la ropa de la persona que se peina, se afeita o se corta el pelo. ▌ s.f. **3** En zonas del español meridional, tocador.

peinadora s.f. Véase **peinador, -a.**

peinar v. **1** Referido al pelo, desenredarlo, arreglarlo o componerlo: *Este peine es especial para peinar el pelo rizado. Va todas las semanas a la peluquería a peinarse.* **2** Referido al pelo o a la lana de algunos animales, desenredarlos o limpiarlos: *Después de lavar al perro, lo seca con una toalla y lo peina.* **3** Referido a un lugar, rastrearlo cuidadosamente buscando algo: *La policía peinó el bosque para encontrar a los muchachos desaparecidos.* □ ETIMOL. Del latín *pectinare*.

peine s.m. **1** Utensilio formado por varios dientes paralelos, más o menos juntos, que se utiliza para arreglar el pelo. **2** Lo que es semejante a este utensilio por su forma o por su función: *el peine de un telar*. □ ETIMOL. Del latín *pecten*.

peineta s.f. Especie de peine curvado que se utiliza como adorno o para sujetar el peinado.

peinilla s.f. **1** En zonas del español meridional, machete. **2** En zonas del español meridional, peine.

peje s.m. *col.* Hombre astuto, listo o sagaz. □ ETIMOL. Del latín *piscis*.

pejerrey s.m. Pez marino de unos doce centímetros de longitud, de color plateado, con dos bandas oscuras a lo largo de los costados. □ MORF. Es un sustantivo epiceno: *el pejerrey {macho / hembra}*.

pejeverde s.m. Pez marino de pequeño tamaño, que tiene el cuerpo alargado y muy colorido: *Podemos encontrar pejeverdes en los fondos marinos canarios*. □ MORF. Es un sustantivo epiceno: *el pejeverde {macho / hembra}*.

pejiguera s.f. *col.* Véase **pejiguero, ra**.

pejiguero, ra ▌adj./s. **1** *col.* Que resulta molesto o que presenta muchas dificultades. ▌s.f. **2** *col.* Lo que solo ofrece dificultades o molestias y es de poco provecho: *Estar sin agua corriente durante una semana es una pejiguera*. □ ETIMOL. Del latín *persicaria*.

pela s.f. *col.* Peseta.

peladilla s.f. Almendra recubierta de un baño de azúcar endurecido, liso, redondeado y generalmente blanco.

pelado, da ▌adj. **1** Que carece de lo que naturalmente lo cubre, adorna o rodea: *Es un terreno árido y pelado sin ningún tipo de vegetación. Tengo la cabeza pelada por los disgustos que me dais*. **2** Referido a un número, que consta de decenas, de centenas o de millares justos: *Por esa reparación solo me cobró mil pesetas peladas*. **3** Referido a una calificación académica, justa y no holgada: *He aprobado con un cinco pelado*. ▌adj./s. **4** *col.* Pobre o sin dinero: *quedarse pelado*. **5** *col.* En zonas del español meridional, crío o mocoso. ▌s. **6** En zonas del español meridional, grosero. ▌s.m. **7** *col.* Corte de pelo.

peladura s.f. **1** Cáscara o desperdicio de lo que se monda. □ SINÓN. *monda, mondadura*. **2** Eliminación de la capa, la superficie o el envoltorio de algo.

pelafustán, -a s. *col. desp.* Persona mediocre e insignificante, a la que no se reconoce ningún valor. □ SINÓN. *pelagatos, tuercebotas*. □ ETIMOL. De *pelar* y *fustán* (tela gruesa y barata que se emplea para hacer vestidos).

pelagatos (pl. *pelagatos*) s.com. *col. desp.* Persona mediocre e insignificante, a la que no se reconoce ningún valor. □ SINÓN. *pelafustán, tuercebotas*.

pelagianismo s.m. Doctrina religiosa defendida por Pelagio (monje británico del siglo IV), que niega el pecado original y la necesidad de la gracia para la salvación.

pelágico, ca adj. **1** Del piélago o relacionado con esta extensión marina. **2** Referido a una zona marina, que corresponde a profundidades mayores a la plataforma continental. **3** De esta zona marina.

pelagoscopio s.m. Aparato que sirve para estudiar el fondo del mar. □ ETIMOL. Del latín *pelagus* (mar) y *-scopio* (instrumento para ver).

pelagra s.f. Enfermedad causada por la falta de ciertas vitaminas y caracterizada por la aparición de manchas y erupciones en la piel, alteraciones del sistema nervioso y trastornos digestivos. □ ETIMOL. Del italiano *pellagra*.

pelaire s.com. Persona que carda la lana o la prepara para tejerla. □ ETIMOL. Del catalán *paraire*.

pelaje s.m. **1** Pelo o lana de un animal. **2** *col. desp.* Aspecto, clase o condición: *A esas reuniones va gente de un pelaje que no me gusta nada*.

pelambre s.amb. Cantidad abundante de pelo, esp. el que está muy crecido y enredado. □ ETIMOL. De *pelo*.

pelambrera s.f. *col.* Cantidad abundante de pelo o de vello muy crecido o revuelto.

pelamen s.m. *col.* Conjunto de pelo, esp. si es abundante.

pelanas (pl. *pelanas*) ▌s.com. **1** *col. desp.* Persona que tiene el pelo largo. ▌s.m. **2** *col. desp.* Persona a la que se considera poco importante o a la que no se reconoce demasiado valor.

pelandusca s.f. *col. desp.* Prostituta. □ ETIMOL. De *pelar*, quizá porque las pelaban como castigo. □ PRON. Incorr. *[pelandrúsca].

pelángano s.m. *col. desp.* Pelo. □ USO Se usa más en plural.

pelar ▌v. **1** Cortar, arrancar o raer el pelo: *En la mili suelen pelar a los soldados nada más entrar en el cuartel. Siempre me pelo en la misma peluquería*. **2** Referido a un ave, desplumarla o quitarle las plumas: *Antes de guisar un pollo, hay que pelarlo*. **3** Referido a un animal, despellejarlo o quitarle la piel: *He llevado a pelar el jabalí que cacé*. **4** Referido esp. a un fruto o a un tubérculo, quitarles la piel, la cáscara o la corteza: *Para comerse una naranja hay que pelarla primero*. □ SINÓN. *mondar*. **5** Referido a algo con un envoltorio que lo cubre, quitar o desprender dicho envoltorio: *Para unir esos dos cables hay que pelar sus extremos*. **6** *col.* Quitar los bienes ajenos mediante engaño, arte o violencia: *Cuando llegó al hotel, se dio cuenta de que lo habían pelado en aquellas calles tan concurridas*. ▌prnl. **7** Caerse o desprenderse la piel, esp. por haber tomado mucho sol: *Me quemé la espalda en la piscina y ahora se me está pelando*. **8** ‖ **pelársela;** *vulg.* Masturbarse. ‖ **que pela;** referido a una temperatura, que resulta extrema y produce una fuerte impresión: *Abrígate bien, porque hace un frío que pela*. ‖ **que se las pela;** *col.* Referido a la forma de hacer algo, con rapidez, con intensidad o con fuerza: *Ese jugador corre que se las pela, y es muy bueno en el contraataque*. ‖ **ser duro de pelar;** *col.* Ser difícil de tratar o de convencer: *Mi padre es duro de pelar y no creo que me deje ir a tu fiesta*. □ ETIMOL. Del latín *pilare* (quitar el pelo).

pelargonio s.m. Planta del tipo del geranio, pero de hojas más grandes y con el borde dentado, y flores con más pétalos. ☐ ETIMOL. Del griego *pelargós* (cigüeña).

peldaño s.m. En una escalera, cada una de las partes que sirve para apoyar el pie al subir o bajar por ella. ☐ SINÓN. *escalón.* ☐ ETIMOL. De origen incierto.

pelea s.f. **1** Enfrentamiento, lucha o disputa: *A través de la pared se oyen las peleas de los vecinos.* **2** Esfuerzo o trabajo para conseguir algo: *Tras una larga pelea, lo convencí para que continuara sus estudios.*

pelear ▮ v. **1** Luchar, enfrentarse o reñir: *Deja de pelearte con tu hermano y ayúdame a poner la mesa. Los dos perros peleaban por el hueso.* **2** Trabajar o esforzarse mucho para conseguir algo, venciendo dificultades u oposiciones: *Peleó con todas sus fuerzas para salir de la droga, y lo consiguió.* ▮ prnl. **3** Referido a dos o más personas, enemistarse o romper una relación o una amistad: *Se pelearon por un malentendido y estuvieron sin hablarse cinco meses.* ☐ ETIMOL. De *pelo*, porque en principio *pelear* significó *agarrarse por el pelo.* ☐ SINT. Su uso como transitivo es incorrecto, aunque está muy extendido: *Esa jugadora pelea {*todos los balones > por todos los balones}.*

pelechar v. **1** Referido a un animal, echar pelo o pluma, o cambiarlos: *Ese polluelo está pelechando.* **2** Referido esp. a una tela o a una prenda, perder el pelo: *Este abrigo de visón se está pelechando porque es muy viejo.*

pelele s.m. **1** Persona simple que se deja manejar fácilmente por los demás. **2** Muñeco de figura humana, hecho con trapos o con pajas, que se utiliza en algunas fiestas populares para apalearlo o mantearlo. **3** Prenda de una sola pieza que se pone a los bebés para dormir. ☐ ETIMOL. De origen incierto.

peleón, -a adj. **1** Referido a una persona, que tiende a pelearse o a discutir con frecuencia. **2** *col.* Referido esp. al vino, que es muy ordinario o de mala calidad.

peleonero, ra adj. *col.* En zonas del español meridional, peleón.

peletería s.f. **1** Establecimiento en el que se venden o confeccionan prendas de piel. **2** Industria dedicada a las pieles finas de animales.

peletero, ra ▮ adj. **1** De la peletería o relacionado con ella: *industria peletera.* ▮ s. **2** Persona que se dedica profesionalmente al trabajo con pieles curtidas o a su venta. ☐ ETIMOL. Del francés *pelletier*.

peliagudo, da adj. *col.* Complicado y difícil de entender o de resolver: *Tengo un problema peliagudo y no sé qué hacer.*

pelícano (tb. *pelicano*) s.m. Ave acuática de plumaje blanco o pardo, de pico largo, ancho y recto, con una membrana grande en la mandíbula inferior que forma una bolsa con la que caza los peces. ☐ ETIMOL. Del latín *pelicanus.* ☐ MORF. Es un sustantivo epiceno: *el pelícano {macho/hembra}.*

película s.f. **1** Conjunto de imágenes cinematográficas que componen una historia: *Esta película en color es una versión moderna de otra más antigua en blanco y negro.* **2** Cinta de un material plástico y flexible que sirve como soporte para la grabación o para la fijación de imágenes: *Se confundieron al poner los rollos de la película y vimos el final nada más empezar.* **3** Piel o capa finas y delgadas que cubren algo: *Si dejas reposar el caldo, se forma una película de grasa.* **4** *col.* Cuento o historia que no tienen fundamento y sirven de disculpa o de pretexto: *No me cuentes películas y dime por qué no viniste.* **5** ‖ **allá películas;** *col.* Expresión con la que uno se desentiende de las responsabilidades que pueden derivarse por no haber sido obedecido en sus consejos: *Si no lo quieres hacer como te he dicho, allá películas, pero luego no me exijas nada.* ‖ **de película;** *col.* Muy bueno o muy bien: *No me apetecía ir a su fiesta, pero luego me lo pasé de película.* ☐ ETIMOL. Del latín *pellicula* (pielecita). ☐ USO Es innecesario el uso del anglicismo *film*.

peliculero, ra adj. *col.* Que se deja llevar por la imaginación o que suele contar historias fantásticas o difíciles de creer.

peliculón s.m. *col.* Película cinematográfica muy buena.

peligrar v. Estar en peligro: *¿Cómo pretendes que esté tranquilo sabiendo que su vida peligra?*

peligro s.m. **1** Situación en la que es posible que ocurra algo malo: *Puso en peligro su vida para salvar la de sus hijos.* **2** Lo que puede causar u ocasionar un daño: *Los borrachos son un auténtico peligro cuando conducen.* ☐ ETIMOL. Del latín *periculum* (ensayo, prueba). ☐ SEM. Dist. de *peligrosidad* (riesgo o posibilidad de un peligro).

peligrosidad s.f. Riesgo de un daño, o posibilidad de ocasionarlo: *Por la noche aumenta la peligrosidad en algunas zonas de la ciudad.* ☐ SEM. Dist. de *peligro* (situación en la que puede ocurrir algo malo).

peligroso, sa adj. **1** Que tiene peligro o que puede causar un daño. **2** Referido esp. a una persona, que puede causar un daño o cometer actos delictivos.

pelillo ‖ **pelillos a la mar;** expresión que se usa para indicar el olvido de las ofensas y el restablecimiento del trato amistoso: *Venga, estrechaos las manos, y pelillos a la mar.*

pelín adv. *col.* Poco o muy poco: *Me estoy empezando a encontrar un pelín mal.*

pelirrojo, ja adj./s. Con el pelo rojizo.

pelitre s.m. Planta herbácea de tallos inclinados y de hojas partidas, con las flores amarillas por el centro, blancas por el haz y rojas por el envés. ☐ ETIMOL. Del provenzal antiguo *pelitre*.

pella s.f. **1** Conjunto de los tallitos de la coliflor y de otras plantas semejantes antes de florecer, y que son la parte más apreciada. **2** Masa de forma redondeada: *En casa, hacemos el potaje con pellas de pan rallado y huevo.* **3** ‖ **hacer pellas;** *col.* Dejar de asistir a algún sitio al que se tiene obligación de ir, esp. a clase. □ ETIMOL. Del latín *pilula* (pelotita).

pellejería s.f. Establecimiento en el que se preparan, se curten o se venden pieles de animales.

pellejo, ja ▌ adj./s. **1** Referido a una persona, que es astuta y malintencionada. ▌ s.m. **2** Piel humana o de un animal: *Está tan delgado que es todo pellejos.* **3** Recipiente hecho de piel de cabra o de otro animal, y que sirve para contener líquidos, generalmente vino o aceite. □ SINÓN. *cuero, odre.* **4** Piel fina de algunas frutas: *Las uvas me gustan sin pellejo y sin pepitas.* **5** || **el pellejo;** *col.* La vida: *No le importa jugarse el pellejo practicando deportes muy arriesgados.* || **{estar/hallarse}** una persona **en el pellejo** de otra; *col.* Estar en su misma situación o en iguales circunstancias: *Tú lo ves muy fácil pero si estuvieras en mi pellejo cambiarías de opinión.* □ ETIMOL. *Pellejo*, de *pelleja* (piel quitada de un animal). *Pelleja*, del latín *pellicula* (pielecita).

pellejudo, da adj. Que tiene la piel floja o sobrante.

pellica s.f. Zamarra o especie de abrigo largo hecho de pieles de animales.

pelliza s.f. Prenda de abrigo hecha o forrada de piel. □ SINÓN. *zamarra.* □ ETIMOL. Del latín *pelliceus* (hecho de piel).

pellizcar v. **1** Coger una pequeña porción de piel y de carne entre dos dedos apretándola con fuerza: *Me pellizqué para ver si estaba soñando, porque no creía lo que veía.* **2** Quitar o coger una pequeña cantidad: *¿Me dejas que pellizque un poco de tu bollo?* □ ETIMOL. De *pizcar* (pellizcar), con influencia de **vellegar*, y este del latín *vellicare.* □ ORTOGR. La *c* se cambia en *qu* delante de *e* →SACAR.

pellizco s.m. **1** Presión hecha sobre algo al cogerlo fuertemente con dos dedos o con otras dos cosas: *Me dio un pellizco porque no le quise dejar la pelota.* **2** Trozo pequeño de algo, esp. el que se toma o se quita: *un pellizco de tarta.* **3** || **un buen pellizco;** *col.* Gran cantidad de dinero: *Le ha tocado un buen pellizco en las quinielas.*

pelma adj.inv./s.com. *col.* →**pelmazo.** □ ETIMOL. De *pelmazo.*

pelmazo, za adj./s. **1** *col.* Molesto, fastidioso o importuno. □ SINÓN. *pelma.* **2** *col.* Pesado o lento en sus acciones. □ SINÓN. *pelma.* □ ETIMOL. Quizá del griego *pêgma* (materia congelada o coagulada).

pelo s.m. **1** Filamento cilíndrico que nace de la piel de casi todos los mamíferos y de algunos otros animales. **2** Conjunto de estos filamentos: *El mono está cubierto de pelo.* **3** Conjunto de estos filamentos de la cabeza humana: *Se ha teñido el pelo de rubio.* □ SINÓN. *cabello.* **4** Hebra delgada de lana, de seda o de otra cosa semejante: *Se te ha llenado la falda de pelos del jersey.* **5** En algunos tejidos, hilos muy finos que sobresalen y cubren su superficie: *Tiene los pantalones tan gastados que hay partes en las que el terciopelo ya no tiene pelo.* **6** *col.* Cantidad mínima o insignificante de algo: *¡Qué calor, y no corre ni un pelo de aire!* **7** *col.* En algunas frutas y plantas, vello de la cáscara o de las hojas, tallos y raíces. **8** Sierra u hoja de acero muy finas, que se utilizan en trabajos de marquetería: *Si no tensas bien el pelo en la segueta se te romperá.* **9** || **a pelo; 1** Referido a la manera de montar en una cabalgadura, sin silla o sin otras guarniciones. **2** *col.* Sin protección o sin ayuda: *Escalamos esa pared de la montaña a pelo y sin atarnos.* || **al pelo;** *col.* A punto, oportunamente o como se desea: *Tu argumento me viene al pelo para lo que trato de explicarte.* || **caérsele el pelo** a alguien; *col.* Recibir un escarmiento o sufrir las consecuencias por algo que ha hecho: *Como se entere mi padre de que he salido sin permiso, se me va a caer el pelo.* || **con pelos y señales;** *col.* Con detalles y con minuciosidad: *Me contó con pelos y señales cómo había sido la fiesta.* || **dar para el pelo** a alguien; *col.* Regañarlo o darle una tunda o azotaina: *Como vuelvas a llegar tarde, te voy a dar para el pelo.* || **dejarse pelos en la gatera;** *col.* Tener apuros o esforzarse mucho para conseguir algo: *Nos hemos dejado pelos en la gatera para conseguir este proyecto.* || **de medio pelo;** *col. desp.* De poca categoría, de poco mérito o sin importancia. || **de pelo en pecho;** *col.* Referido a una persona, que es fuerte, atrevida o valiente: *El héroe de la película era un hombre de pelo en pecho y salvaba a su dama de todos los peligros.* || **no tener pelos en la lengua;** *col.* Decir sin reparos lo que se piensa. || **no ver el pelo** a alguien; *col.* Notarse su ausencia de los lugares que solía frecuentar: *Desde que te mudaste de casa, no se te ve el pelo por aquí.* || **pelo de camello;** tejido hecho con el pelo de este animal o imitado con el del macho cabrío. || **poner los pelos de punta;** *col.* Causar gran pavor. || **por los pelos;** *col.* En el último instante, o por muy poco. || **soltarse el pelo;** *col.* Lanzarse a actuar de forma despreocupada y decidida. || **tirarse de los pelos;** *col.* Arrepentirse de algo o estar muy furioso por ello. || **tomar el pelo** a alguien; *col.* Burlarse o reírse de él aprovechando su ingenuidad. □ ETIMOL. Del latín *pilus.* □ MORF. Cuando se antepone a una palabra para formar compuestos, adopta la forma *peli-*: *pelicano.*

pelón, -a adj./s. **1** Que no tiene pelo, que tiene muy poco o que lo tiene muy corto: *Casi todos los bebés son pelones.* **2** || **la pelona;** *col.* La muerte.

pelota ▌ adj.inv./s.com. **1** *col. desp.* Referido a una persona, que alaba a alguien para obtener un trato de favor. □ SINÓN. *pelotero.* ▌ s.f. **2** Bola, generalmente hecha de un material elástico, llena de aire o maciza, que se usa para jugar: *una pelota de tenis.* **3** Juego que se ejecuta con esta bola: *Los niños jugaban a la pelota en el parque.* **4** Bola de materia blanda y fácilmente amasable: *Haz pelotitas con la plastelina y luego haremos un collar.* **5** *col.* Cabeza. ▌ s.f.pl. **6** *vulg.malson.* →**testículos. 7** || **devolver la pelota** a alguien; *col.* Responder a una acción o a un dicho con otros semejantes. || **en pelotas** o **en pelota {picada/viva};** *col.* Desnudo. || **hacer la pelota** a alguien; *col.* Adularlo para conseguir un trato de favor. || **pasar la pelota;** *col.* Pasar la culpa o la responsabilidad de uno a otro: *Cuando vi-*

nieron a preguntar de quién era la culpa todos se pasaron la pelota y nadie dio la cara. || **pelota vasca;** conjunto de deportes que se practican con una pelota en un frontón adecuado. □ ETIMOL. Del provenzal *pelota.* □ MORF. En la acepción 1, se usa mucho el diminutivo *pelotilla.* □ USO 1. En la acepción 6, se usa como palabra comodín en expresiones vulgares malsonantes. 2. El uso del término euskera *jai-alai* en lugar de *pelota vasca* es innecesario.

pelotari s.com. Deportista que juega a la pelota vasca. □ ETIMOL. Del euskera *pelotari.*

pelotazo s.m. **1** Golpe dado con una pelota. **2** *col.* Trago de bebida alcohólica: *un pelotazo de ginebra.* □ SINÓN. *latigazo, lingotazo.* **3** Enriquecimiento rápido mediante la especulación y el amiguismo: *La cultura del pelotazo no me parece ética.*

pelotear v. **1** Jugar con una pelota como entrenamiento, sin intención de hacer un partido: *Antes de comenzar el partido, los dos tenistas pelotearon unos minutos. Baja conmigo al parque a pelotear un ratito.* **2** *col.* Referido a una persona, adularla o hacerle la pelota: *Aunque me pelotees no vas a conseguir nada.*

peloteo s.m. **1** Intercambio de pases de pelota entre varios jugadores como entrenamiento, sin intención de hacer un partido. □ SINÓN. *pelotilleo.* **2** *col. desp.* Alabanza o adulación con el fin de obtener un trato de favor. □ SINÓN. *pelotilleo.*

pelotera s.f. *col.* Véase **pelotero, ra**.

pelotero, ra ▮ adj./s. **1** *col.* Adulador. ▮ s.f. **2** *col.* Riña o discusión fuertes. □ ETIMOL. De *pelote,* y este de *pelo.* □ USO En la acepción 1, tiene un matiz despectivo.

pelotilla ▮ s.f. **1** Bola pequeña de algún material: *Mi jersey está algo viejo y se le forman pelotillas.* ▮ adj.inv./s.com. **2** *desp.* →**pelota.**

pelotilleo s.m. *col. desp.* →**peloteo.**

pelotillero, ra adj./s. *col. desp.* Que adula para conseguir un trato favorable. □ SINÓN. *tiralevitas.*

pelotón s.m. **1** En el ejército, pequeña unidad de infantería que forma parte de una sección. **2** Conjunto numeroso de personas: *El ciclista que se escapó del pelotón llegó primero a la meta.* **3** Grupo desordenado: *A la hora del recreo, salen todos al patio en pelotón.* □ ETIMOL. Del francés *peloton.*

pelotudo, da ▮ adj. **1** *vulg.* Muy bueno. ▮ adj./s. **2** *vulg.malson.* En zonas del español meridional, imbécil. □ USO La acepción 2 se usa como insulto.

peltre s.m. Aleación de cinc, plomo y estaño. □ ETIMOL. De origen incierto.

peluca s.f. Cabellera postiza. □ ETIMOL. Del francés *perruque,* con influencia de *pelo.*

peluche s.m. **1** Tejido de felpa con pelo largo por una de sus caras: *un osito de peluche.* **2** Muñeco fabricado con este tejido: *Siempre duerme abrazada a sus peluches.* □ ETIMOL. Del francés *peluche.*

peluco s.m. *col.* Reloj.

peludo, da adj. Que tiene mucho pelo.

peluquería s.f. **1** Establecimiento donde se peina, se corta y se arregla el pelo. **2** Técnica de peinar, cortar y arreglar el pelo: *Tengo un amigo diplomado en peluquería.*

peluquero, ra s. Persona que se dedica profesionalmente a peinar, cortar y arreglar el pelo. □ ETIMOL. De *peluca.*

peluquín s.m. **1** Peluca pequeña que solo cubre una parte de la cabeza. **2** Peluca con bucles y coleta que se usaba antiguamente. **3** || **ni hablar del peluquín;** *col.* Expresión que se usa para rechazar rotundamente una propuesta.

pelusa s.f. **1** En una persona, vello muy fino y débil que crece en la cara y en otras zonas del cuerpo. **2** En una fruta o en una planta, pelo suave y corto que las recubre y les da un aspecto aterciopelado. □ SINÓN. *vello.* **3** Pelo menudo que se desprende de algunos tejidos: *Me puse una bufanda de angorina, y se me llenó el abrigo de pelusa.* **4** *col.* Envidia o celos propios de los niños. **5** Aglomeración de polvo y suciedad que se forma en suelos y superficies cuando no se limpian con frecuencia: *Barre debajo de la cama, que está lleno de pelusa.* □ ETIMOL. De *pelo.*

peluso s.m. *col.* Recluta.

pelviano, na adj. De la pelvis o relacionado con esta parte del cuerpo.

pelvis (pl. *pelvis*) s.f. **1** En el esqueleto de un mamífero, parte que conecta el tronco con las extremidades inferiores y que está formada por el hueso sacro, el ilion, el isquion y el pubis. **2** Cavidad comprendida entre estos huesos. □ ETIMOL. Del latín *pelvis* (caldero).

pen (ing.) s.m. En informática, aparato portátil de pequeño tamaño que sirve para guardar gran cantidad de información y poder llevarla de un ordenador a otro: *Voy a grabar las fotos en un pen para verlas en mi ordenador.* □ USO 1. Se usan también *pencil drive* y *pen drive.* 2. Su uso es innecesario y puede sustituirse por *memoria externa* o *memoria USB.*

pena s.f. **1** Castigo impuesto por la autoridad a la persona que ha cometido un delito o una falta: *Por su delito la juez le ha impuesto una pena de seis años.* **2** Sentimiento de lástima, de tristeza o de aflicción causados por un suceso adverso o desgraciado. **3** Lo que produce estos sentimientos: *Fue una pena que no llegaras a tiempo.* **4** Dificultad o trabajo que cuesta hacer algo: *Su vida fue muy desgraciada y estuvo llena de penas.* **5** En zonas del español meridional, vergüenza. **6** || **a duras penas;** con gran dificultad. || **de pena;** *col.* Muy mal: *Repite el dibujo, porque este te ha salido de pena.* || **hecho una pena;** *col.* En muy malas condiciones físicas o psíquicas. || **{merecer/valer} la pena** algo; compensar el interés o el esfuerzo que cuesta: *No te enfades por esa tontería, que no vale la pena.* || **pena capital;** la de muerte. || **sin pena ni gloria;** sin destacar para bien ni para mal. || **so pena de;** enlace gramatical subordinante con valor negativo, que equivale a 'a menos que': *No me quedaré, so pena que te quedes tú conmigo.* □ ETIMOL. Del latín *poena,* y este del griego *poiné* (multa).

penacho s.m. **1** Conjunto de plumas que algunas aves tienen en la parte superior de la cabeza. **2** Adorno de plumas que sobresale. **3** Lo que tiene forma semejante a este conjunto de plumas: *Un penacho de humo obligó a desalojar las casas próximas al incendio.* □ ETIMOL. Del italiano *pennacchio*, y este de *penna* (pluma).

penado, da s. Persona que ha sido condenada a una pena.

penal ▌ adj.inv. **1** De la pena, relacionado con ella o que la incluye: *antecedentes penales.* **2** De las leyes, las instituciones o las acciones que están destinadas a perseguir y castigar los crímenes o los delitos: *el código penal.* ▌ s.m. **3** Lugar en el que los condenados a una pena cumplen condenas superiores a la de arresto menor: *Cumple condena en un penal por un delito de robo.* **4** En zonas del español meridional, penalti. □ ETIMOL. Del latín *poenalis.*

penalidad s.f. Molestia, incomodidad o sufrimiento: *El hambre y el frío fueron algunas de las penalidades que sufrió la expedición científica.* □ ETIMOL. De *penal.* □ MORF. Se usa más en plural.

penalista adj.inv./s.com. Que se dedica profesionalmente al derecho penal o que está especializado en él.

penalización s.f. Imposición de una sanción o de un castigo.

penalizar v. Imponer una sanción o un castigo: *Han penalizado a esa deportista porque había ingerido sustancias anabolizantes. En el parchís se penaliza al que saque un seis tres veces seguidas.* □ ORTOGR. La *z* se cambia en *c* delante de *e* →CAZAR.

penalti (pl. *penaltis*) s.m. **1** En fútbol y otros deportes, falta cometida por un equipo en su propia área de meta y castigada con la máxima sanción. **2** ‖ **casarse de penalti;** *vulg.* Casarse por estar embarazada la mujer. □ ETIMOL. Del inglés *penalty.* □ USO Es innecesario el uso del anglicismo *penalty.*

pénalti s.m. En zonas del español meridional, penalti. □ ETIMOL. Del inglés *penalty.*

penalty (ing.) s.m. →**penalti.**

penar v. **1** Referido a una persona, imponerle una pena: *La juez penó al acusado con tres años de prisión.* **2** Referido a un acto, señalar la ley su castigo correspondiente: *La ley pena el asesinato.* **3** Padecer, sufrir o tolerar un dolor o una pena: *Pena porque su amor no es correspondido.*

penates s.m.pl. En la mitología romana, divinidades menores que protegían a la familia, esp. contra la pobreza y falta de alimentos. □ ETIMOL. Del latín *penates.*

penbook (ing.) s.m. En informática, tipo de ordenador portátil, generalmente sin teclado, que tiene la particularidad de que los datos se introducen escribiendo en la pantalla con un lápiz electrónico. □ PRON. [pénbuc].

penca s.f. **1** Nervio principal grueso de las hojas de algunas plantas: *las pencas de las acelgas.* **2** En zonas del español meridional, racimo. □ ETIMOL. De origen incierto.

pencar v. *col.* →**apencar.** □ ORTOGR. La *c* se cambia en *qu* delante de *e* →SACAR.

pencil drive (ing.) s.m. ‖ →**pen.** □ PRON. [pénsil-dráif]. □ USO Su uso es innecesario y puede sustituirse por *memoria externa* o *memoria USB.*

penco s.m. Caballo muy flaco. □ ETIMOL. De *penca* (nervio principal de las hojas de algunas plantas).

pendejada s.f. *col.* En zonas del español meridional, imbecilidad.

pendejo, ja s. **1** *col.* Persona de vida irregular y desordenada. □ SINÓN. *pendón.* **2** *col.* En zonas del español meridional, imbécil. □ ETIMOL. Del latín **pectiniculus*, y este de *pecten* (pelo del pubis). □ USO Se usa como insulto.

pendencia s.f. Discusión o riña. □ ETIMOL. Del latín *paenitentia* (pesar).

pendenciero, ra adj./s. Inclinado a discusiones, riñas o pendencias.

pender v. Estar colgado, suspendido o inclinado: *La lámpara pende de un cable.* □ ETIMOL. Del latín *pendere* (estar colgado).

pendiente ▌ adj.inv. **1** Que todavía no está resuelto o terminado: *asuntos pendientes.* **2** Que está muy atento o preocupado por algo: *Estoy pendiente del teléfono porque espero una llamada.* ▌ s.m. **3** Adorno que se pone en algunas partes del cuerpo, esp. en el lóbulo de la oreja. ▌ s.f. **4** Terreno que está en cuesta. **5** Declive o grado de inclinación: *Este puerto de montaña tiene una pendiente muy pronunciada.* □ ETIMOL. Del latín *pendens.*

péndola s.f. Instrumento de escritura que necesita tinta líquida, formado generalmente por una punta y por un mango. □ SINÓN. *pluma.* □ ETIMOL. Del latín *pennula.*

pendolear v. *col.* En zonas del español meridional, abarcar todos los aspectos de un asunto, esp. para resolver un problema: *Se la pasa pendoleando para poder encontrar al verdadero culpable.*

pendolista s.com. **1** Persona que escribe con muy buena letra. □ SINÓN. *escribano.* **2** Persona que se dedica a escribir por encargo memoriales y otros documentos, esp. si esta es su profesión. □ SINÓN. *memorialista.* □ ETIMOL. De *péndola* (pluma).

pendón s.m. **1** Asta de la que cuelga una tela alargada y terminada en dos puntas, que tienen como insignia las iglesias y las cofradías. **2** Bandera, generalmente más larga que ancha, que servía de insignia militar. **3** *col.* Persona de vida irregular y desordenada. □ SINÓN. *pendejo.* **4** *col.* Mujer de vida licenciosa. □ ETIMOL. Del francés antiguo *penon.* □ MORF. En las acepciones 3 y 4, se usa también el femenino coloquial *pendona.*

pendonear v. *col. desp.* Llevar una vida irregular y desordenada: *Le gusta pendonear y sale frecuentemente de noche con los amigos.* □ ETIMOL. De *pendón.*

pendoneo s.m. *col. desp.* Vida irregular y desordenada.

pen drive (ing.) s.m. || →**pen.** □ PRON. [pén-dráif]. □ USO Su uso es innecesario y puede sustituirse por *memoria externa* o *memoria USB*.
pendular adj.inv. Del péndulo o relacionado con él: *El mago me hipnotizó haciéndome seguir con la vista el movimiento pendular de una cadena.*
péndulo s.m. Cuerpo que, suspendido de un punto que está por encima de su centro de gravedad, puede oscilar libremente alrededor de dicho punto debido a su inercia y a la fuerza de la gravedad: *El péndulo de los relojes de pared regula el movimiento de las manecillas.* □ ETIMOL. Del latín *pendulus* (pendiente, que pende).
pene s.m. Órgano genital masculino que permite la cópula y que forma parte del último tramo del aparato urinario. □ SINÓN. *falo.* □ ETIMOL. Del latín *penis* (pene, rabo).
penene s.com. Profesor no numerario o que no tiene una plaza fija en un instituto o en una universidad. □ SINÓN. *PNN.* □ ETIMOL. De *PNN*, que es la sigla de *profesor no numerario*.
penetrabilidad s.f. Posibilidad de que algo sea penetrado.
penetrable adj.inv. Que puede penetrarse fácilmente. □ ETIMOL. Del latín *penetrabilis*.
penetración s.f. **1** Introducción en el interior de algo: *Los medios de comunicación favorecen la penetración de nuevas tendencias en el país.* **2** Infiltración en algo o introducción por sus poros: *Extiende la crema por el brazo hasta conseguir su total penetración.* **3** Comprensión de algo difícil u oculto: *Un investigador debe tener una gran capacidad de penetración.* **4** Introducción del pene en la vagina.
penetrante adj.inv. **1** Profundo, que penetra mucho: *una herida penetrante; un olor penetrante.* **2** Referido esp. a un sonido, que es agudo, alto o elevado.
penetrar v. **1** Introducirse en el interior: *El romanticismo penetró en España en el siglo XIX. Una bala le penetró el pecho y acabó con su vida.* **2** Referido a un cuerpo, infiltrarse en otro por sus poros: *La lluvia penetró en la pared e hizo una mancha. El agua de lluvia penetra la tierra.* **3** Referido esp. a una sensación, notarse o percibirse con gran agudeza o intensidad: *Este frío penetra hasta los huesos. Había un aroma que penetraba los sentidos.* **4** Comprender o entender algo difícil: *Los alumnos consiguieron penetrar en los razonamientos del filósofo.* **5** Introducir el pene en la vagina: *La víctima declaró en el juicio que su agresor la había atacado sexualmente pero no la había penetrado.* □ ETIMOL. Del latín *penetrare*.
penibético, ca adj. De la cordillera Penibética (sistema montañoso del sur español), o relacionado con ella.
penicilina s.f. Sustancia antibiótica que se extrae de los cultivos de un hongo y que se emplea para combatir algunas enfermedades bacterianas: *La penicilina fue el primer antibiótico que se descubrió.* □ ETIMOL. Del latín *penicillus* (pincel), porque el hongo de la penicilina se caracteriza por unos filamentos en forma de pincel.
penillanura s.f. Meseta originada por un largo proceso de erosión de una región montañosa.
península s.f. Extensión de tierra rodeada de agua por todas partes excepto por una zona estrecha con la que se une a otro territorio mayor. □ ETIMOL. Del latín *paeninsula*, y este de *paene* (casi) e *insula* (isla).
peninsular adj.inv./s.com. De una península o relacionado con este territorio.
penique s.m. Moneda británica equivalente a la centésima parte de la libra esterlina. □ ETIMOL. Del inglés antiguo *pennig* (dinero).
penitencia s.f. **1** En la iglesia católica, sacramento por el cual el sacerdote perdona los pecados en nombre de Jesucristo. **2** Lo que el confesor impone al penitente para expiar o borrar una culpa. **3** *col.* Lo que resulta desagradable o molesto, esp. si se realiza como acto de mortificación: *Para mí, madrugar es una penitencia.* □ ETIMOL. Del latín *paenitentia*.
penitencial adj.inv. De la penitencia o relacionado con este sacramento.
penitenciaría s.f. Cárcel, prisión o lugar en el que se sufre condena para expiar un delito.
penitenciario, ria adj. De la penitenciaría o relacionado con este lugar en el que se expían los delitos.
penitente s.com. Persona que hace penitencia privada o públicamente.
penoso, sa adj. **1** Que causa pena: *Resulta penoso ver fracasar a un amigo.* **2** Que resulta trabajoso o presenta gran dificultad: *Transportar esas piedras a hombros es una labor penosa.*
pensado, da || **{bien/mal} pensado;** referido a una persona, que tiende a pensar o a juzgar positiva o negativamente: *Le engañan descaradamente, pero es tan bien pensada que no se entera.* □ SEM. *Bien pensado* es dist. de *bien pensante* (que piensa o juzga de acuerdo con lo socialmente aceptable).
pensador, -a ▮ adj./s. **1** Que piensa, medita o reflexiona. ▮ s. **2** Filósofo o persona que profundiza en estudios elevados.
pensamiento s.m. **1** Facultad o capacidad de pensar: *El pensamiento es propio y característico de los seres humanos.* **2** Lo que se piensa: *No sé cuáles son tus pensamientos ahora mismo.* **3** Idea o sentencia destacada: *Cita siempre pensamientos de los clásicos.* **4** Conjunto de ideas propias de una persona o de una colectividad: *Es un libro sobre el pensamiento de Unamuno.* **5** Planta herbácea de jardín, con flores de cinco pétalos redondeados de tres colores. □ SINÓN. *trinitaria.* **6** Flor de esta planta. □ SINÓN. *trinitaria.* **7** || **leer el pensamiento;** adivinar lo que alguien piensa aunque no lo manifieste.
pensante adj.inv. **1** Que piensa: *Todas las cabezas pensantes de mi empresa intentan buscar una solución para este problema.* **2** || **bien pensante;** referido a una persona, que piensa o juzga de acuerdo

con lo que se considera socialmente aceptable. □ SEM. *Bien pensante* dist. de *bien pensado* (que piensa o juzga positivamente).

pensar v. **1** Referido a una idea o un concepto, formarlos o darles forma en la mente, relacionándolos unos con otros: *Tengo que pensar algo para salir de aquí. ¿Has pensado ya dónde vamos?* **2** Referido a una idea, examinarla cuidadosamente para formar un juicio o reflexionar sobre ella: *Piensa bien en ello, y luego dime qué opinas. Yo pienso que la herida no es grave.* **3** Referido a una acción, decidir hacerla o tener la intención de llevarla a cabo: *He pensado tomarme unas vacaciones. ¿Tú qué piensas hacer en el futuro?* □ ETIMOL. Del latín *pensare* (pesar, calcular). □ MORF. Irreg. →PENSAR. □ SINT. Constr. de la acepción 2: *pensar EN algo.*

pensativo, va adj. Que está absorto en sus pensamientos.

pensil (tb. *pénsil*) ▮ adj.inv. **1** Que pende o cuelga en el aire. ▮ s.m. **2** Jardín delicioso. □ ETIMOL. Del latín *pensilis* (colgante). □ ORTOGR. Dist. de *prensil*.

pensión s.f. **1** Cantidad de dinero que recibe una persona periódicamente y como ayuda, y que se asigna desde instituciones oficiales: *Cuanto más cotices como trabajadora, la pensión como jubilada será mayor.* **2** Establecimiento público en el que se da alojamiento a cambio de dinero, y que es de categoría inferior a la del hotel. **3** Precio que se paga por este alojamiento. **4** Ayuda de dinero que se concede bajo ciertas condiciones, para ampliar o estimular estudios y actividades científicas, literarias o artísticas, o por otros motivos: *Desde que se divorció, pasa una pensión a su mujer, según lo estipulado por el juez.* **5** ‖ **media pensión; 1** En un establecimiento hotelero, régimen de alojamiento que incluye habitación, desayuno y una de las dos comidas fuertes. **2** En un establecimiento educativo, régimen que incluye la enseñanza y la comida del mediodía. ‖ **pensión completa;** en un establecimiento hotelero, régimen de alojamiento que incluye la habitación y todas las comidas del día. □ ETIMOL. Del latín *pensio* (pago).

pensionado, da ▮ adj./s. **1** En zonas del español meridional, pensionista. ▮ s.m. **2** Centro en el que residen personas internas, esp. alumnos. □ SINÓN. *internado.*

pensionar v. Referido esp. a una persona, concederle una pensión: *Me han pensionado por incapacidad laboral transitoria.*

pensionista s.com. **1** Persona que cobra una pensión o tiene derecho a recibirla. **2** Persona que recibe alojamiento y comida en una casa particular, y paga por ello. **3** Alumno que recibe enseñanza, comida y alojamiento, y paga por ello una determinada cantidad. **4** ‖ **medio pensionista;** el alumno que recibe enseñanza y comida, pero no alojamiento.

penta- Elemento compositivo prefijo que significa 'cinco': *pentágono, pentasílabo, pentadáctilo, pentagrama.* □ ETIMOL. Del griego *pénte*.

pentadáctilo, la adj./s. Que tiene cinco dedos. □ ETIMOL. De *penta-* (cinco) y *dáctilo* (dedo).

pentadecágono s.m. En geometría, polígono que tiene quince lados y quince ángulos. □ ETIMOL. De *penta-* (cinco) y *decágono.*

pentaedro s.m. Cuerpo geométrico limitado por cinco polígonos o caras. □ ETIMOL. De *penta-* (cinco) y *-edro* (cara).

pentagonal adj.inv. Con forma de pentágono o que tiene cinco ángulos y cinco lados.

pentágono, na adj./s.m. En geometría, polígono que tiene cinco lados y cinco ángulos. □ ETIMOL. Del griego *pentágonos*, y este de *pénte* (cinco) y *gonía* (ángulo).

pentagrama (tb. *pentágrama*) s.m. Conjunto de cinco líneas paralelas y situadas a la misma distancia unas de otras, sobre las que se escribe la música. □ ETIMOL. De *penta-* (cinco) y *-grama* (línea).

pentámero, ra adj. En botánica, referido esp. a una planta, que tiene algunos órganos formados por cinco piezas. □ ETIMOL. Del griego *pentamerés* (compuesto de cinco partes).

pentámetro s.m. En métrica grecolatina, verso que se compone de dos dáctilos y medio, de una cesura y de dos dáctilos y medio más. □ ETIMOL. Del latín *pentametrus*, este del griego *pentámetros*, y este de *pénte* (cinco) y *métron* (medida).

pentano s.m. Hidrocarburo saturado, con cinco átomos de carbono, que es poco soluble en agua y se encuentra en el petróleo. □ ETIMOL. De *penta-* (cinco).

pentasílabo, ba adj./s.m. De cinco sílabas, esp. referido a un verso. □ ETIMOL. De *penta-* (cinco) y *sílaba.*

pentatleta s.com. Deportista que practica pentatlón. □ MORF. Incorr. **pentatlista*.

pentatlón s.m. Conjunto de cinco pruebas atléticas, que actualmente son las de 200 y 1 500 metros lisos, salto de longitud y lanzamiento de disco y de jabalina. □ ETIMOL. Del griego *péntathlon*, y este de *pénte* (cinco) y *âthlon* (premio de una lucha, lucha).

pentotal s.m. Droga de efectos anestésicos que se aplica por vía intravenosa y que hace que el paciente hable sin ser consciente de sus propias palabras. □ ETIMOL. Extensión del nombre de una marca comercial.

penúltimo, ma adj./s. Inmediatamente anterior al último: *Noviembre es el penúltimo mes del año.* □ ETIMOL. Del latín *paenultimus*, y este de *paene* (casi) y *ultimus* (último).

penumbra s.f. Sombra débil, o estado intermedio entre la luz y la oscuridad: *Corrió las cortinas y la habitación quedó en penumbra.* □ ETIMOL. Del latín *paene* (casi) y *umbra* (sombra).

penuria s.f. Escasez o falta de lo necesario: *Vive en la penuria, porque su pensión es ridícula y apenas le llega para comer.* □ ETIMOL. Del latín *paenuria*.

peña s.f. **1** Piedra grande, según se encuentra en la naturaleza. **2** Monte o cerro con piedras grandes y elevadas. **3** *col.* Grupo de amigos. **4** *col.* Asociación recreativa o deportiva. ☐ ETIMOL. Del latín *pinna* (almena).

peñascal s.m. Terreno cubierto de peñascos.

peñasco s.m. Peña grande y elevada.

peñascoso, sa adj. Referido a un lugar, con muchos peñascos.

peñazo adj.inv./s.m. *col.* Pesado, molesto o aburrido.

peñiscar v. En zonas del español meridional, pellizcar: *Me peñisqué un dedo con la puerta.* ☐ ORTOGR. La *c* se cambia en *qu* delante de *e* →SACAR.

peñíscola s.f. *ant.* →**península.**

péñola s.f. Pluma de ave que se usaba para escribir. ☐ ETIMOL. Del latín *pinnula* (plumita).

peñón s.m. Monte rocoso.

peón s.m. **1** Obrero no especializado que ocupa el grado más bajo en su escala profesional. **2** En el juego del ajedrez, cada una de las ocho piezas negras o blancas que son iguales. **3** En algunos juegos de tablero, pieza o ficha. **4** Antiguamente, soldado de a pie. **5** *col.* Persona o recurso de los que se puede disponer para conseguir un fin: *Cuando sospechó que corría peligro, movilizó a sus peones y consiguió salir indemne.* **6** ‖ **peón caminero;** el que se dedica a la conservación y reparación de los caminos y las carreteras públicas. ‖ **peón (de brega);** torero subalterno que ayuda al matador durante la lidia. ☐ ETIMOL. Del latín *pedo*, y este de *pes* (pie).

peonada s.f. **1** Trabajo que realiza un peón en un día, esp. en tareas agrícolas: *Aún no sabemos a cuánto se pagará la peonada.* **2** Conjunto de peones que trabajan en una obra: *Han contratado una peonada para allanar el camino.* ☐ SINÓN. *peonaje.*

peonaje s.m. **1** Conjunto de peones que trabajan en una obra. ☐ SINÓN. *peonada.* **2** Conjunto de peones que componen las cuadrillas para lidiar los toros.

peonía s.f. **1** Planta herbácea, de grandes flores rojas, blancas o amarillas, propia de lugares húmedos y laderas montañosas, que se cultiva como planta ornamental. **2** Flor de esta planta. ☐ ETIMOL. Del latín *paeonia.*

peonza s.f. Juguete formado por una pieza de forma cónica, generalmente de madera, sobre la que se enrolla una cuerda, para lanzarla y hacerla girar. ☐ SINÓN. *trompo.* ☐ ETIMOL. De *peón*, por comparación con el movimiento de un soldado de a pie.

peor ▮ adj.inv. **1** comp. de superioridad de **malo.** ▮ adv. **2** comp. de superioridad de **mal. 3** ‖ **peor que peor;** expresión que se usa para indicar que lo que se propone como remedio empeora aún más las cosas: *Si está enfadado, no le hables ahora, porque eso es peor que peor.* ‖ **ponerse en lo peor;** suponer que sucederá algo muy desfavorable o perjudicial: *El médico me ha dicho que nos pongamos en lo peor, porque el enfermo está realmente grave.*

pepa s.f. En zonas del español meridional, hueso o pepita.

pepero, ra adj./s. *col. desp.* Que es partidario o seguidor del Partido Popular (partido político español).

pepinazo s.m. *col.* Estallido, disparo o lanzamiento potentes y ruidosos: *El pepinazo del delantero centro se convirtió en el gol del empate.*

pepinero, ra adj./s. *col.* Del Club Deportivo Leganés (club de fútbol madrileño) o relacionado con él: *la afición pepinera.*

pepinillo s.m. Variedad del pepino, de pequeño tamaño, que se suele conservar en vinagre.

pepino s.m. **1** Planta herbácea, con tallos largos, blandos, rastreros y vellosos, flores amarillas, masculinas y femeninas, y fruto comestible de forma cilíndrica y alargada, de color verde oscuro por fuera y blanco y con pepitas por dentro. **2** Fruto de esta planta. **3** *col.* Billete de mil pesetas. **4** ‖ **un pepino;** muy poco o nada: *No le tengo ningún aprecio y sus opiniones me importan un pepino.* ☐ ETIMOL. Del latín *pepo* (melón). ☐ SINT. *Un pepino* se usa más con el verbo *importar* o equivalentes y en expresiones negativas.

pepita s.f. **1** Semilla de algunas plantas: *Antes de comer la rodaja de melón, quítale las pepitas.* ☐ SINÓN. *pipa.* **2** Trozo de oro u otro metal que se halla en los terrenos formados por los materiales arrastrados por las corrientes de los ríos. ☐ ETIMOL. De origen incierto.

pepito s.m. **1** Bocadillo que tiene dentro un filete de carne. **2** Bollo alargado y relleno de crema o de chocolate.

pepitoria ‖ **en pepitoria;** referido esp. al pollo o a la gallina, guisados con una salsa espesa cuya base es la yema de huevo. ☐ ETIMOL. Del antiguo *petitoria*, y este del francés antiguo *petite-oie* (guiso de menudillos de ganso).

pepla s.f. *col.* Lo que es de muy mala calidad o está en muy malas condiciones: *Hoy estoy hecho una pepla, porque ayer apenas dormí.*

peplo s.m. En la antigua Grecia, prenda de vestir femenina amplia, suelta y sin mangas, parecida a un manto, que caía desde los hombros hasta la cintura y que formaba picos por delante. ☐ ETIMOL. Del griego *péplon.*

péplum s.m. Película cinematográfica ambientada en la antigüedad clásica. ☐ ETIMOL. Del latín *peplum.*

pepona s.f. Muñeca grande, generalmente de cartón.

pepónida s.f. →**pepónide.**

pepónide s.f. En botánica, fruto carnoso unido al cáliz, con un solo hueco para las semillas que están dispersas en la pulpa o concentradas en una cavidad central: *La calabaza, el pepino y el melón son tres pepónides.* ☐ SINÓN. *pepónida.* ☐ ETIMOL. Del latín *pepo* (melón).

pepsina s.f. En los animales vertebrados, sustancia segregada por ciertas glándulas del estómago, que forma parte del jugo gástrico y ayuda a la digestión. ☐ ETIMOL. Del griego *pésso* (yo digiero).

péptico, ca adj. De la digestión, del estómago o relacionado con ellos: *La úlcera péptica es conocida popularmente como 'úlcera de estómago'.*

péptido s.m. Compuesto químico orgánico formado por la unión de dos o más aminoácidos: *Los péptidos están formados por cadenas de hasta 50 aminoácidos.* □ ETIMOL. Del inglés *peptide*.

pequeñez s.f. **1** Tamaño o importancia pequeños: *Es tal la pequeñez de la habitación que solo cabe la cama. ¡Ojalá todos mis problemas fueran de esa pequeñez!* **2** Lo que tiene poco valor o escasa importancia: *No me cuentes pequeñeces y ve al grano.*

pequeño, ña ▮ adj. **1** Corto, limitado, de dimensiones reducidas o menores de lo normal: *Estos zapatos me están pequeños y me hacen daño. Prefiero los coches pequeños porque es más fácil aparcarlos.* **2** Breve o de poca importancia: *Dimos un pequeño paseo. Sufrió un pequeño accidente.* ▮ adj./s. **3** De corta edad: *No pueden salir por la noche porque tienen dos niños pequeños.* □ ETIMOL. De origen expresivo. □ MORF. 1. Su comparativo de superioridad es *menor*. 2. Sus superlativos son *pequeñísimo* y *mínimo*.

pequeñoburgués, -a adj./s. *desp.* De la pequeña burguesía, o relacionado con ella. □ SEM. Se aplica esp. a la mentalidad o a los prejuicios.

pequinés, -a adj./s. **1** De Pekín (capital china), o relacionado con ella. **2** Referido a un perro, de la raza que se caracteriza por tener tamaño pequeño y pelo muy largo, patas cortas, cabeza ancha y nariz aplastada.

pera ▮ adj.inv./s.com. **1** *col.* Referido a una persona, que es presumida, demasiado elegante y con aires de refinamiento: *Era un local de moda y estaba lleno de niños peras.* ▮ s.f. **2** Fruto del peral, de forma cónica, con pepitas oscuras y ovaladas en su interior y con sabor más o menos dulce según su variedad. **3** Instrumento manual de goma con la forma de este fruto, que se usa para impulsar aire o un líquido. **4** Interruptor de luz o de timbre de forma parecida a la del fruto. **5** || **pedir peras al olmo;** *col.* Pedir o pretender algo imposible. || **pera conferencia;** la que es de color verde con matices pardos y tiene la piel dura. || **pera en dulce;** *col.* Referido esp. a una persona, con excelentes cualidades: *Esa chica es una pera en dulce.* || **poner** a alguien **las peras a cuarto;** *col.* Reprender con severidad. || **ser la pera;** *col.* Ser indignante, intolerable o sorprendente: *Esta chica es la pera, siempre llega tarde a clase.* □ ETIMOL. Del latín *pira*. □ SINT. *Pera en dulce* se usa más con el verbo *ser* o equivalentes.

peral s.m. Árbol frutal de tronco liso y recto, hojas ovaladas y puntiagudas y flores blancas, cuyo fruto es la pera.

peraltar v. **1** Referido esp. a la curva de un arco o de una bóveda, darle más altura de la correspondiente al semicírculo: *Peraltando el arco, se ganó medio metro en altura en la puerta.* **2** Referido esp. a la curva de una carretera o de una vía férrea, elevar o levantar su parte exterior: *Han peraltado las curvas de la carretera para que sean menos peligrosas.*

peralte s.m. **1** En la curva de un arco o de una bóveda, lo que excede en altura a la del semicírculo correspondiente. **2** En una curva de carretera o de vía férrea, mayor elevación de su parte exterior en relación con la interior. □ ETIMOL. Del latín *per* y *alto*.

perborato s.m. Sal de boro en la que este elemento actúa con valencia cinco. □ ETIMOL. Del latín *per* (exceso de un elemento) y *borato*.

perca s.f. Pez de agua dulce, cubierto de escamas duras y ásperas, que es verdoso en el lomo, plateado en el vientre y dorado con rayas negras en los costados, y cuya carne es comestible y delicada. □ ETIMOL. Del portugués *perca*. □ MORF. Es un sustantivo epiceno: *la perca {macho/hembra}*.

percal s.m. **1** Tela de algodón de baja calidad. **2** || **conocer el percal;** *col.* Conocer bien un asunto o a una persona: *A mí ya no me engañas, porque conozco el percal.* □ ETIMOL. Del francés *percale*.

percalina s.f. Percal ligero y de un solo color, que se usa generalmente para forrar prendas de vestir.

percance s.m. Contratiempo o perjuicio imprevistos. □ ETIMOL. Del antiguo *percanzar* (alcanzar, obtener).

per cápita || Por persona, por cabeza o individualmente: *La renta per cápita de esta provincia es la más alta del Estado.* □ ETIMOL. Del latín *per capita*.

percatarse v.prnl. Advertir o darse cuenta: *Cuando se percató de cómo era en realidad, ya era demasiado tarde.* □ ETIMOL. Del antiguo *catar* (examinar, considerar). □ SINT. Constr. *percatarse* DE *algo*.

percebe s.m. **1** Crustáceo comestible de forma cilíndrica y alargada, con un pedúnculo carnoso que le permite agarrarse a los peñascos y que se cría formando grupos. **2** *col.* Persona torpe e ignorante. □ ETIMOL. Del latín *pollicipes*, y este de *pollex* (pulgar) y *pes* (pie).

percebeiro, ra (gall.) ▮ adj. **1** Del percebe o relacionado con él: *el sector percebeiro.* ▮ s. **2** Persona que se dedica al marisqueo de percebes.

percentil s.m. Cada uno de los noventa y nueve valores que resultan de dividir una distribución en cien partes de igual frecuencia: *Cuando pregunté a la pediatra sobre la estatura de mi hijo, me dijo que está en el percentil 60, es decir, que está dentro de la media.* □ SINÓN. *centil*.

percepción s.f. **1** Recepción o cobro de algo material: *Estoy arreglando los papeles para la percepción del subsidio de desempleo.* **2** Apreciación de la realidad a través de los sentidos: *La percepción del sabor se realiza por medio de las papilas gustativas.* **3** Comprensión o conocimiento por medio de la inteligencia: *La percepción individual del mundo está condicionada por la educación recibida.* □ ETIMOL. Del latín *perceptio*.

perceptibilidad s.f. Capacidad de algo para ser percibido por los sentidos o por la inteligencia.

perceptible adj.inv. Que se puede percibir.

perceptivo, va adj. Que percibe: *capacidad perceptiva.*

perceptor, -a adj./s. Que percibe: *el perceptor de una indemnización.* □ SEM. Dist. de *preceptor* (persona encargada de la educación de un menor).

percha s.f. **1** Utensilio que consta de un soporte con un gancho en su parte superior para poder ser suspendido de algún sitio, y que sirve para colgar algo en él. **2** Mueble con ganchos en los que se cuelga o se sujeta algo, esp. la ropa. □ SINÓN. *perchero.* **3** Cada uno de estos ganchos. **4** *col.* Figura o tipo de una persona: *Toda la ropa le queda bien porque tiene muy buena percha.* **5** Palo horizontal destinado a que se posen sobre él las aves. □ ETIMOL. Del francés *perche* o del catalán *perxa*, y estos del latín *pertica* (pértiga).

perchar v. Referido al paño, colgarlo y sacarle el pelo con un cepillo especial: *En esta sala del taller perchan el paño.* □ ETIMOL. De *percha.*

perchero s.m. Mueble con ganchos en los que se cuelga o se sujeta algo, esp. la ropa. □ SINÓN. *percha.*

percherón, -a adj./s. Referido a un caballo o a una yegua, que pertenecen a una raza francesa de gran fuerza y corpulencia. □ ETIMOL. Del francés *percheron* (de la Perche, región francesa).

percibir v. **1** Referido a algo material, recibirlo y hacerse cargo de ello: *Para el trabajo que hace, percibe un buen sueldo.* **2** Referido a la realidad, recibirla o apreciarla a través de uno de los sentidos: *Algunos animales perciben sonidos que las personas no oyen.* **3** Comprender o conocer por medio de la inteligencia: *No percibí la importancia de aquellas palabras.* □ ETIMOL. Del latín *percipere* (percibir, sentir).

percudir v. Referido a la suciedad, penetrar en alguna cosa: *El sudor ya percudía las sábanas, que tenían un sucio color amarillento.* □ ETIMOL. Del latín *percutere.*

percusión s.f. **1** Golpeo o choque repetidos: *Mediante una ligera percusión de las cavidades del cuerpo pueden detectarse anomalías.* **2** En música, en una orquesta o en una banda, conjunto de los instrumentos que se tocan golpeándolos, generalmente con mazas, varillas o baquetas. □ ETIMOL. Del latín *percussio.*

percusionista s.com. Músico que toca instrumentos de percusión.

percusor s.m. →**percutor.**

percutir v. Dar golpes repetidos: *El martillo de un arma percute el cartucho y produce la chispa.*

percutor (tb. *percusor*) s.m. Pieza que golpea en cualquier máquina, esp. la que hace detonar la carga explosiva del cartucho en las armas de fuego. □ ETIMOL. Del francés *percuteur.*

perdedor, -a adj./s. Que pierde: *En esta novela, la protagonista es una perdedora a la que persigue la mala suerte.*

perder ▌v. **1** Referido a algo que se tiene, dejar de tenerlo o no hallarlo: *En ese negocio perdí mucho dinero. Se me ha perdido el bolígrafo y no lo encuentro.* **2** Desperdiciar, malgastar o emplear de mala manera: *Perdí tres años de mi vida esperándote.* **3** Referido esp. a algo que se necesita, fracasar en el intento de conseguirlo: *Perdí el tren por llegar cinco minutos tarde.* **4** Ocasionar un perjuicio o un daño: *Tu orgullo y tu soberbia te pierden.* **5** Referido a algo que se disputa, no conseguir obtenerlo: *Perdimos el trofeo porque somos peores que nuestros contrincantes.* **6** Referido esp. a un enfrentamiento, resultar vencido en él: *Hemos perdido esta batalla, pero no la guerra. Mi equipo ha vuelto a perder.* **7** Referido a un contenido, escaparse del recipiente que lo contiene: *Este cubo pierde agua.* **8** Decaer o empeorar de aspecto, salud, estado o calidad: *Desde que suprimieron las entrevistas, este programa ha perdido mucho.* ▌prnl. **9** Equivocarse en el camino que se llevaba: *Se perdió y, en lugar de ir a Valencia, apareció en Albacete.* **10** No encontrar camino ni salida: *En un laberinto es fácil perderse.* **11** Aturdirse o no encontrar una solución: *Me pierdo con tantas cifras.* **12** Distraerse de un discurso o de una idea: *Me perdí cuando el conferenciante empezó a hablar de fórmulas físicas.* **13** *col.* Dejar de disfrutar: *No te pierdas el concierto, porque merece la pena.* **14** Amar o anhelar con gran intensidad: *Me pierdo por mis sobrinos. Se pierde por los coches de carreras.* **15** Caer en una situación de deshonor o de vergüenza: *Dice que su nieta se ha perdido, porque está viviendo con un hombre sin estar casada con él.* **16** ‖ **piérdete;** *col.* Expresión que se usa para indicar a alguien que se vaya: *¡Piérdete y no vuelvas por aquí hasta que yo no te llame!* ‖ **tener {buen/mal} perder;** aceptar bien o mal una derrota: *Tiene muy mal perder y cuando no gana, se enfada con todos.* □ ETIMOL. Del latín *perdere.* □ MORF. Irreg. →PERDER. □ SINT. Constr. de la acepción 14: *perderse* POR *algo.*

perdición s.f. **1** Caída en una situación de deshonor o de vergüenza: *Su relación con el mundo de la prostitución lo arrastró a la perdición.* **2** Daño o perjuicio muy graves: *Con la bebida y las drogas lo único que haces es buscar tu perdición.* **3** Lo que provoca este daño: *El juego es su perdición.* **4** Condenación eterna: *Tus pecados te llevarán a la perdición.*

perdida s.f. Véase **perdido, da.**

pérdida s.f. **1** Carencia o privación de lo que se poseía: *Todo el pueblo lloró la pérdida de tan ilustre persona.* **2** Daño que se produce en algo: *Las fuertes heladas han ocasionado grandes pérdidas en la agricultura.* **3** Cantidad que se pierde, esp. si es de dinero: *Este año la empresa ha tenido muchas pérdidas.* **4** Desperdicio o mal empleo de algo: *Esta discusión tan estúpida me parece una pérdida de tiempo.* **5** ‖ **no tener pérdida;** *col.* Ser fácil de encontrar: *Si te bajas en la estación que te dije, mi casa no tiene pérdida.* □ ETIMOL. Del latín *perdita* (perdida).

perdidamente adv. De forma exagerada o excesiva: *La protagonista se enamoró perdidamente de un joven y lo seguía a todas partes.*

perdido, da ▌adj. **1** Sin un destino determinado: *Andaba perdido por las calles parándose en todos los escaparates.* **2** Pospuesto a un adjetivo, aumenta e intensifica lo que este significa: *No intentes razonar con él porque está tonto perdido.* **3** Sin solución o sin remedio: *un caso perdido.* ▮ adj./s. **4** Referido a una persona, que es viciosa o tiene malas costumbres. ▮ s.f. **5** Prostituta. **6** ‖ **ponerse perdido;** *col.* Ensuciarse mucho.

perdigón s.m. **1** Grano de plomo que forma la munición o carga de un arma de caza. **2** Pollo o cría de la perdiz. **3** *col.* Partícula de saliva que se despide al hablar. ☐ ETIMOL. De *perdiz.*

perdigonada s.f. Disparo de perdigón hecho con arma de caza.

perdiguero, ra adj./s. Referido a un perro, de la raza que se caracteriza por ser de talla mediana, por tener cuello ancho y fuerte, cabeza fina, hocico saliente, orejas muy grandes y caídas, patas altas, cola larga y pelaje corto y fino, y por ser muy apreciado para la caza por su buen olfato.

perdis (pl. *perdis*) s.com. *col.* Persona de vida y costumbres desarregladas y muy aficionada a las juergas. ☐ ETIMOL. De *perdido.*

perdiz s.f. **1** Ave de cuerpo grueso, cuello corto y blanco con un collar negro, cabeza pequeña, pico y pies rojizos y plumaje grisáceo en la parte superior y azulado con manchas negras en el pecho. **2** ‖ **marear la perdiz;** *col.* Perder el tiempo o demorar el inicio de algo: *¡Ponte a trabajar y deja ya de marear la perdiz!* ☐ ETIMOL. Del latín *perdix.* ☐ MORF. Es un sustantivo epiceno: *la perdiz {macho/hembra}.*

perdón s.m. **1** Olvido, por parte de la persona perjudicada, de una ofensa recibida: *Te pido perdón por haberte mentido. No es fácil conceder el perdón cuando la ofensa ha sido grave.* **2** ‖ **(con) perdón;** expresión que se usa para disculparse por un hecho o un dicho que pueden molestar a otras personas: *Allí estaban, con perdón, todos los guarros de la granja. Perdón, ¿me deja pasar?*

perdonar v. **1** Referido esp. a una falta o a una deuda, no tenerlas en cuenta u olvidarlas deliberadamente la persona perjudicada: *Te perdono la deuda porque sé que no puedes pagarla. Perdona que te haya pisado, pero ha sido sin querer.* **2** Referido a una persona, librarla de un castigo o de una obligación: *La juez perdonó al homicida porque mató en defensa propia. Hoy te toca fregar a ti, pero te perdono.* **3** *col.* Referido a algo que se desea, privarse de ello o dejar pasar la ocasión de obtenerlo: *No perdona la siesta después de comer.* **4** En el lenguaje del fútbol, referido a un equipo, desperdiciar las ocasiones de meter gol: *Nuestro equipo perdonó repetidas veces y terminó perdiendo el partido.* ☐ ETIMOL. Del latín *perdonare.* ☐ USO La acepción 3 se usa más en expresiones negativas.

perdonavidas (pl. *perdonavidas*) s.com. *col.* Persona que presume de valiente sin serlo.

perdulario, ria adj./s. **1** Muy descuidado con sus intereses o con su persona. **2** Vicioso incorregible. **3** Que pierde las cosas frecuentemente.

perdurabilidad s.f. Duración eterna o muy larga.

perdurable adj.inv. **1** Perpetuo o que dura siempre: *El cristiano espera alcanzar la gloria perdurable en el cielo.* **2** Que dura mucho tiempo: *El Gobierno se ha propuesto hacer frente a la perdurable lacra social del terrorismo.*

perduración s.f. Duración prolongada o mantenimiento de algo en un mismo estado.

perdurar v. Durar mucho, o mantenerse en un mismo estado al cabo del tiempo: *El odio perduró durante años entre las dos familias.* ☐ ETIMOL. Del latín *perdurare.*

perecedero, ra adj. De poca duración, o destinado a perecer o a terminarse: *alimentos perecederos.*

perecer v. **1** Morir, esp. si es de forma violenta: *Son más de cien las personas que han perecido en el terremoto.* **2** Dejar de existir o acabarse: *Todas sus ilusiones perecieron en cuanto se enfrentó con la cruda realidad.* ☐ ETIMOL. Del latín *perire.* ☐ MORF. Irreg. →PARECER.

peregrinación s.f. **1** Viaje a un lugar sagrado, esp. a un santuario, por devoción o para cumplir un voto. ☐ SINÓN. *peregrinaje.* **2** *col.* Recorrido de distintos lugares para resolver algo: *Tras una larga peregrinación por las delegaciones ministeriales, conseguí obtener toda la información.* ☐ SINÓN. *peregrinaje.*

peregrinaje s.m. →**peregrinación.**

peregrinar v. **1** Viajar a un lugar sagrado, esp. a un santuario, por devoción o para cumplir un voto: *Por este camino pasan todos los que peregrinan a Santiago de Compostela.* **2** *col.* Recorrer distintos lugares para resolver algo: *Para obtener este certificado he tenido que peregrinar por varias oficinas públicas.* ☐ ETIMOL. Del latín *peregrinare.*

peregrino, na ▮ adj. **1** Extraño, poco visto o carente de lógica: *Esa idea de construir la casa en el barranco me parece de lo más peregrino.* ▮ adj./s. **2** Que viaja a un lugar sagrado, esp. a un santuario, por devoción o para cumplir un voto. ☐ ETIMOL. Del latín *peregrinus* (extranjero).

perejil s.m. Planta herbácea con hojas aromáticas divididas en lóbulos aserrados y de color verde oscuro, que se emplea como condimento. ☐ ETIMOL. Del provenzal *peiressil.*

perendengue s.m. *col.* Adorno de poco valor. ☐ ETIMOL. De origen incierto.

perengano, na s. *col.* Una persona cualquiera: *Allí hablaron Fulano, Zutano y Perengano para decir todos lo mismo.* ☐ ETIMOL. De origen incierto. ☐ USO Se usa más como nombre propio, y en la expresión *Fulano, Mengano, Zutano y Perengano.*

perenne adj.inv. **1** Que es incesante y dura siempre, o que dura mucho tiempo. **2** En botánica, que dura más de dos años: *un árbol de hoja perenne.* ☐ ETIMOL. Del latín *perennis,* y este de *per-* (a través de) y *annus* (año).

perennidad s.f. Duración larga o continuidad ininterrumpida.

perennifolio, lia adj. Referido a un árbol, que cambia sus hojas gradualmente. □ ETIMOL. De *perenne* y el latín *folium* (hoja).

perenquén s.m. En algunas zonas, salamanquesa. □ MORF. Es un sustantivo epiceno: *el perenquén {macho/hembra}.*

perentoriedad s.f. Urgencia o imposibilidad de aplazamiento: *la perentoriedad de un problema.*

perentorio, ria adj. **1** Que es urgente o que no puede ser aplazado: *Pidió un préstamo para atender los gastos más perentorios.* **2** Referido a un plazo, que es el último que se concede: *Debe presentarse en el juzgado en el plazo perentorio de cuarenta y ocho horas.* **3** Referido a una resolución, que es la última que se toma: *La resolución perentoria del tribunal lo declaró culpable.* □ ETIMOL. Del latín *peremptorius* (definitivo).

perestroika s.f. Reforma aperturista de sistema político dirigida desde los máximos dirigentes del poder, esp. referido a la que impulsó en su país Mijaíl Gorbachov (presidente soviético). □ ETIMOL. Del ruso *perestroika.*

pereza s.f. **1** Falta de disposición, de atención o de interés para hacer lo que se debe: *Me da mucha pereza salir de casa cuando hace frío.* **2** || **sacudir la pereza;** vencerla o eliminarla: *Sacúdete la pereza y ponte a trabajar de una vez.* □ ETIMOL. Del latín *pigritia.*

perezoso, sa ▌adj./s. **1** Que tiene pereza o actúa con ella. ▌s.m. **2** Mamífero desdentado con la cabeza pequeña, las extremidades provistas de uñas largas y fuertes y el pelaje áspero y largo, que está adaptado a la vida en los árboles y se caracteriza por sus movimientos lentos. □ MORF. En la acepción 2, es un sustantivo epiceno: *el perezoso {macho/hembra}.*

perfección s.f. **1** Terminación o mejoramiento de algo para hacerlo más perfecto: *Su vida fue un camino de perfección hasta llegar a la santidad.* **2** Ausencia absoluta de errores o de fallos: *Todos debemos aspirar a la perfección, aun sabiendo que no es posible llegar a ella.* **3** Lo que es perfecto: *Alaba las perfecciones de su novia como si fuera la mejor mujer del mundo.* **4** || **a la perfección;** de manera perfecta: *Habla tres idiomas a la perfección.* □ ETIMOL. Del latín *perfectio.*

perfeccionamiento s.m. Transformación consistente en mejorar o terminar algo, con el mayor grado de perfección: *Estamos trabajando en el perfeccionamiento de esta nueva técnica.*

perfeccionar v. Mejorar, hacer más perfecto o acabar con el mayor grado de perfección: *Está haciendo un curso en París para perfeccionar su francés.*

perfeccionismo s.m. Tendencia a mejorar algo indefinidamente, sin decidirse nunca a considerarlo acabado.

perfeccionista adj.inv./s.com. Que tiende al perfeccionismo.

perfectamente adv. **1** Totalmente o por completo: *Esta teoría es perfectamente válida.* **2** Expresión que se usa para indicar asentimiento o conformidad: *'Perfectamente', contestó cuando le propuse que se viniera con nosotros.*

perfectibilidad s.f. Posibilidad de ser mejorado por no ser perfecto.

perfectible adj.inv. Que puede ser mejorado o perfeccionado.

perfectivo, va adj. En lingüística, que expresa una acción acabada: *El pretérito perfecto es un tiempo perfectivo.* □ ETIMOL. Del latín *perfectivus.*

perfecto, ta ▌adj. **1** Que tiene todas las cualidades requeridas, o que posee el mayor grado posible de cualidad: *Esa actriz es perfecta para el papel protagonista.* **2** En gramática, referido a un tiempo verbal, que expresa una acción acabada: *Todos los tiempos compuestos son perfectos.* ▌s.m. **3** →**pretérito perfecto. 4** || **perfecto simple;** →**pretérito indefinido.** □ ETIMOL. Del latín *perfectus.* □ SINT. *Perfecto* se utiliza también como adverbio de afirmación con el significado de 'perfectamente': *Le pregunté si quería venir a comer y me dijo: -'Perfecto'.* □ SEM. Antepuesto a un sustantivo que signifique una cualidad negativa, intensifica dicha cualidad: *Al dejar pasar esa oportunidad, demostró ser un perfecto imbécil.*

perfidia s.f. Deslealtad, traición o falta de fidelidad. □ ETIMOL. Del latín *perfidia.*

pérfido, da adj./s. Desleal, traidor o que no guarda fidelidad. □ ETIMOL. Del latín *perfidus* (de mala fe). □ ORTOGR. Dist. de *pórfido.*

perfil s.m. **1** Lado o postura lateral: *Solo cuando la vi de perfil me di cuenta de que estaba embarazada.* **2** Contorno de una figura, representado por las líneas que determinan su forma: *A lo lejos se distingue el perfil del campanario de la iglesia.* □ SINÓN. *silueta.* **3** Conjunto de rasgos o de características que definen algo: *Ninguno de los entrevistados se ajusta al perfil de este puesto de trabajo.* **4** Figura que representa un cuerpo cortado, real o imaginariamente, por un plano vertical: *En el perfil de la etapa de mañana, se ven los tres puertos que deberán subir los ciclistas.* **5** Adorno discreto y delicado, esp. el que se pone en el canto o en el extremo de algo: *Me escribió en un elegante papel, con un perfil dorado.* □ ETIMOL. Del provenzal antiguo *perfil* (dobladillo), de donde se deriva el significado de contorno de un objeto.

perfilado, da adj. **1** Referido al rostro, que es delgado y alargado. **2** Que tiene los perfiles marcados y atractivos: *unos labios perfilados.*

perfilador, -a ▌adj./s. **1** Que perfila. ▌s.m. **2** Cosmético que sirve para perfilar el contorno de los labios o de los ojos y que se presenta generalmente en forma de lápiz o rotulador de punta muy fina.

perfilar v. **1** Dar, mostrar o marcar el perfil o los perfiles: *Para perfilarme los ojos utilizo un lápiz especial. Las casas del pueblo se perfilaban en la niebla.* **2** Perfeccionar o rematar con esmero: *Tu idea es buena, pero hay que perfilarla más.*

perforación s.f. **1** Realización de agujeros atravesando algo de parte a parte, o atravesando solo alguna de sus capas. **2** En medicina, rotura de las paredes de un órgano o de una víscera hueca.

perforador, -a ❚ adj./s. **1** Que perfora. ❚ s.f. **2** Máquina, herramienta o utensilio que sirven para perforar.

perforadora s.f. Véase **perforador, -a**.

perforar v. Hacer agujeros atravesando de parte a parte, o atravesando solo alguna capa: *Para construir un pozo primero hay que perforar el terreno.* ☐ ETIMOL. Del latín *perforare*, y este de *forare* (horadar).

perforista s.com. Persona que se dedicaba profesionalmente a perforar las tarjetas o fichas informáticas.

performance (ing.) s.f. Espectáculo o representación pública, esp. si tiene un carácter innovador. ☐ PRON. [perfórmans]. ☐ USO Su uso es innecesario y puede sustituirse por *representación*.

performer (ing.) s.com. Persona que actúa en una representación o performance. ☐ PRON. [perfórmer]. ☐ USO Su uso es innecesario y puede sustituirse por *actor*.

perfumador, -a ❚ adj./s. **1** Que perfuma. ❚ s.m. **2** Recipiente o aparato que se utiliza para quemar o para esparcir perfumes.

perfumar v. **1** Impregnar de buen olor: *Perfumó la habitación con aroma a lavanda. Antes de salir me perfumé un poco.* **2** Despedir perfume o un olor agradable: *El incienso perfuma intensamente.* ☐ ETIMOL. Del latín *per* (por) y *fumare* (producir humo), porque antes se perfumaba quemando materias aromáticas.

perfume s.m. **1** Sustancia que desprende un olor agradable: *Los perfumes franceses gozan de fama mundial.* **2** Olor agradable, esp. el desprendido por estas sustancias: *Aspiró el perfume de las rosas.*

perfumería s.f. **1** Establecimiento donde se venden perfumes y otros productos de aseo. **2** Técnica e industria de fabricar o comercializar perfumes, cosméticos y otros productos de tocador.

perfumista s.com. Persona que se dedica a la preparación o a la venta de perfumes, esp. si esta es su profesión.

perfundir v. Referido esp. a un líquido, introducirlo lenta y continuamente por vía intravenosa o en el interior de órganos, cavidades o conductos: *A algunos de los enfermos se les perfundió la sangre a través de órganos de un animal, como método para paliar sus dolencias.* ☐ ETIMOL. Del latín *perfundere* (difundir).

perfusión s.f. Introducción de forma lenta y continua, de un líquido por vía intravenosa o en el interior de órganos, cavidades o conductos.

pergamino s.m. **1** Piel de una res preparada convenientemente para escribir sobre ella o para otros usos. **2** Documento escrito sobre esta piel. ☐ ETIMOL. Del latín *pergaminum*, y este de *Pergamum* (Pérgamo) ciudad donde se desarrolló el comercio de pergaminos.

pergeñar v. *col.* Referido esp. a un plan, tramarlo o prepararlo rápidamente y sin mucha precisión: *Déjate de disimulos y dime qué has estado pergeñando a mis espaldas.* ☐ ETIMOL. De *pergeño*. ☐ PRON. Incorr. *[pergueñár].

pergeño s.m. Apariencia o disposición exterior de una persona o cosa: *Esos escritos, con pergeños de novela, no son más que una extensa redacción infantil.* ☐ ETIMOL. Del latín *per* (por) y *genium* (disposición).

pérgola s.f. Armazón para sostener una planta trepadora. ☐ ETIMOL. Del italiano *pergola*.

peri- Prefijo que significa 'alrededor de': *pericarpio, perímetro.* ☐ ETIMOL. Del griego *perí*.

perianal adj.inv. De la zona próxima al ano o relacionado con ella. ☐ ETIMOL. De *peri-* (alrededor de) y *anal*.

periantio s.m. Conjunto formado por el cáliz y la corola de una flor, y que envuelve sus órganos sexuales. ☐ SINÓN. *perianto.* ☐ ETIMOL. De *peri-* (alrededor de) y el griego *ánthos* (flor).

perianto s.m. →**periantio.**

perica s.f. *arg.* En el lenguaje de la droga, cocaína.

pericardio s.m. Tejido membranoso que envuelve el corazón. ☐ ETIMOL. Del griego *perikárdion*, y este de *perí* (alrededor) y *kardía* (corazón). ☐ ORTOGR. Dist. de *pericarpio*.

pericarditis (pl. *pericarditis*) s.f. Inflamación del pericardio. ☐ ETIMOL. De *pericardio* e *-itis* (inflamación).

pericarpio s.m. En un fruto, parte exterior que rodea a la semilla. ☐ SINÓN. *pericarpo.* ☐ ETIMOL. Del griego *perikárpion*, y este de *perí* (alrededor) y *karpós* (fruto). ☐ ORTOGR. Dist. de *pericardio.*

pericarpo s.m. →**pericarpio.**

pericia s.f. Habilidad y destreza en el conocimiento de una ciencia o en el desarrollo de una actividad: *Conduce con gran pericia porque ha sido piloto de pruebas.* ☐ ETIMOL. Del latín *peritia*.

pericial adj.inv. Del perito o relacionado con él: *una tasación pericial.*

periclitar v. Decaer, perder fuerza o intensidad: *Su poder económico periclitó tras las repetidas caídas de la bolsa.* ☐ ETIMOL. Del latín *periclitari*. ☐ USO Su uso es característico de la lengua culta.

perico s.m. **1** →**periquito.** **2** *col.* Orinal o bacín. **3** *arg.* En el lenguaje de la droga, cocaína. **4** En zonas del español meridional, café cortado. ☐ ETIMOL. De *Perico*, diminutivo de *Pero* (Pedro), porque así se llamaba al papagayo.

pericón s.m. **1** Abanico muy grande. **2** Composición musical de compás ternario que suele tocarse con guitarras. **3** Baile popular que se ejecuta al compás de esta música, que consta de cinco partes y en el que participan un número par de parejas de bailarines. ☐ ETIMOL. De *perico* (papagayo), porque el pericón tiene colores chillones parecidos a los de este animal.

peridotita s.f. Roca magmática consolidada en el interior de la corteza terrestre, de color oscuro y densidad elevada, compuesta por olivino y otros minerales.

perieco, ca adj./s. Respecto de un habitante de la Tierra, otro que ocupa un punto del mismo paralelo pero diametralmente opuesto: *Una parte de los habitantes de América del Norte son periecos de otra de los habitantes de Asia.* □ ETIMOL. Del griego *perioikos*, y este de *perí* (alrededor) y *oikéo* (yo habito). □ MORF. Se usa más en plural.

periferia s.f. Espacio que rodea un núcleo central: *un barrio de la periferia.* □ ETIMOL. Del griego *pepiphería* (circunferencia).

periférico, ca ▮ adj. **1** De la periferia o relacionado con ella. ▮ s.m. **2** En un sistema informático, cada uno de los dispositivos que permiten la entrada o la salida de datos: *La impresora y la pantalla son los periféricos de salida.*

perifollo s.m. **1** Planta herbácea de tallos finos, ramosos, huecos y hexagonales, flores blancas y semillas pequeñas y negras, y hojas muy aromáticas que se utilizan como condimento. **2** *col.* Adorno que se considera excesivo y de mal gusto, esp. el de las prendas de vestir. □ ETIMOL. Del latín *caerefolium*, con influencia de *perejil.* □ MORF. Se usa más en plural.

periforme adj.inv. Con forma de pera.

perifrasear v. Utilizar perífrasis: *Es muy frecuente perifrasear en el lenguaje periodístico.* □ ORTOGR. Dist. de *parafrasear*.

perífrasis (pl. *perífrasis*) s.f. **1** Figura retórica consistente en expresar por medio de un rodeo lo que podría decirse con menos palabras, generalmente para conseguir un efecto estético o una fuerza expresiva mayores: *La expresión 'el astro rey' es una perífrasis para designar al Sol.* **2** ‖ **perífrasis verbal;** en gramática, construcción formada por un verbo auxiliar en forma personal seguido del infinitivo, gerundio o participio del verbo conjugado: *La voz pasiva en español se forma con una perífrasis verbal, utilizando el verbo auxiliar 'ser' y el participio del verbo que se conjuga.* □ ETIMOL. Del griego *períphrasis.* □ ORTOGR. Dist. de *paráfrasis*.

perifrástico, ca adj. De la perífrasis, con perífrasis o relacionado con esta figura retórica: *'Tener que + infinitivo' es una construcción perifrástica con un matiz de obligación.*

perigeo s.m. Punto en el que la Luna, un astro o un satélite artificial, se hallan más próximos a la Tierra. □ ETIMOL. Del griego *perígeios*, y este de *perí* (alrededor) y *gê* (tierra).

perihelio s.m. Punto en el que un planeta o un astro se hallan más próximos al Sol. □ ETIMOL. De *peri-* (alrededor de) y el griego *hélios* (Sol).

perilla s.f. **1** Barba que se deja crecer en la barbilla. **2** En una silla de montar, parte superior del arco que forma por delante su armazón. **3** ‖ **de perilla(s);** *col.* Muy bien, muy a tiempo o a propósito: *Que vengas esta tarde me viene de perillas, porque así me ayudas.* □ ETIMOL. De *pera*.

perillán, -a adj./s. Referido a una persona, que es pícara o astuta. □ ETIMOL. Del antiguo *Pero* (Pedro) e *Illán* (Julián).

perimétrico, ca adj. Del perímetro o relacionado con él.

perímetro s.m. **1** Contorno de una superficie: *En este plano se ve muy bien el perímetro de la ciudad.* **2** En geometría, contorno de una figura expresado en unidades de longitud: *Para saber el perímetro de un cuadrado hay que multiplicar por cuatro lo que mide un lado.* □ ETIMOL. Del griego *perímetros*, y este de *perí* (alrededor) y *métron* (medida).

perinatal adj.inv. Del período de tiempo inmediatamente anterior o posterior al nacimiento de una persona. □ ETIMOL. De *peri-* (alrededor de) y *natal*.

perindola s.f. Peonza pequeña que se hace girar con los dedos. □ SINÓN. *perinola.*

periné s.m. En anatomía, zona situada entre el ano y los órganos sexuales. □ SINÓN. *perineo.*

perineal adj.inv. Del periné o relacionado con esta parte anatómica.

perineo s.m. →**periné.** □ ETIMOL. Del latín *perinaeon.*

perinola s.f. Peonza pequeña que se hace girar con los dedos. □ SINÓN. *perindola.* □ ETIMOL. De origen onomatopéyico.

periodicidad s.f. Repetición regular o cada cierto tiempo: *Esta revista sale al mercado con una periodicidad semanal.*

periódico, ca ▮ adj. **1** Que sucede, se repite o se hace regularmente o cada cierto tiempo: *Los diarios son publicaciones periódicas.* **2** Referido a una fracción decimal, que tiene período: *La fracción 2/3 es periódica ya que es igual a 0,666...* ▮ s.m. **3** Publicación informativa que sale diariamente: *Compra todas las mañanas el periódico en el quiosco de su barrio.* **4** ‖ **periódico mural;** en zonas del español meridional, información que se pone en un muro. □ ETIMOL. Del griego *periodikós.*

periodismo s.m. **1** Actividad profesional relacionada con la selección, la clasificación y la elaboración de información, que se transmite a través de los medios de comunicación: *Para hacer buen periodismo hay que saber de muchas cosas.* **2** Conjunto de estudios necesarios para tener la carrera de periodista: *Estudié periodismo en la Universidad Complutense de Madrid.* **3** ‖ **(periodismo) gonzo;** cierto tipo de periodismo castizo: *Se dice que Hunter S. Thompson creó el periodismo gonzo en su novela reportaje 'Miedo y asco en Las Vegas'.*

periodista s.com. Persona que se dedica profesionalmente a la difusión o comunicación de la información. □ SINÓN. *informador.*

periodístico, ca adj. De los periódicos, de los periodistas o relacionado con ellos.

período (tb. *periodo*) s.m. **1** Espacio de tiempo, esp. el que comprende la duración total de algo: *¿Dónde pasarás el período de vacaciones? Las eras geológicas se dividen en períodos.* **2** En la mujer y en las hembras de los simios, eliminación por vía vaginal de sangre y materia celular procedentes del útero: *Cree que está embarazada porque este mes no ha tenido el período.* □ SINÓN. *menstruación, menstruo, regla.* **3** En una división matemática no exacta, cifra o conjunto de cifras que se repiten de manera indefinida después del cociente entero: *El período de 8,454545... es 45.* **4** En gramática, conjunto de oraciones que, enlazadas entre sí, tienen sentido completo: *'Subo a casa y bajo enseguida' son dos oraciones coordinadas que forman un solo período.* **5** Tiempo que tarda un fenómeno en recorrer todas sus fases: *El período de la Tierra alrededor del Sol es aproximadamente de 365 días.* □ ETIMOL. Del griego *periodós* (movimiento de los astros, periodicidad).

periodoncia s.f. En medicina, tratamiento quirúrgico de la piorrea.

periodontal adj.inv. Que está alrededor de los dientes.

periostio s.m. Membrana conjuntiva que rodea los huesos y que sirve para su nutrición y renovación. □ ETIMOL. Del griego *periósteon*, y este de *perí* (alrededor) y *ostéon* (hueso).

periostitis (pl. *periostitis*) s.f. Inflamación del periostio o membrana que recubre el hueso. □ ETIMOL. De *periostio* e *-itis* (inflamación).

peripatético, ca ▮ adj. **1** *col.* Ridículo o extravagante en lo que se dice. **2** adj./s. Que está de acuerdo con la doctrina de Aristóteles (filósofo griego del siglo IV a. C.). □ SINÓN. *aristotélico.* □ ETIMOL. Del griego *preripatetikós.*

peripecia s.f. Suceso repentino o imprevisto que altera el curso o el estado de las cosas: *El viaje fue una continua sucesión de peripecias y sobresaltos.* □ ETIMOL. Del griego *peripéteia* (cambio rápido).

periplo s.m. **1** Viaje de largo recorrido con regreso al punto de partida, esp. si se realiza por diversos países. **2** Antiguamente, navegación que se hacía alrededor de un lugar o dando la vuelta al mundo. □ ETIMOL. Del griego *períplus* (que navega alrededor).

períptero, ra adj./s.m. En arquitectura, referido a un edificio, que está rodeado de columnas. □ ETIMOL. Del griego *perípteros*, y este de *perí* (alrededor) y *pterón* (ala).

peripuesto, ta adj. *col.* Referido a una persona, que pone excesivo cuidado en vestirse y arreglarse. □ ETIMOL. De *peri-* (intensificación) y *puesto.*

periquete s.m. *col.* Espacio de tiempo muy breve: *Terminó de comer en un periquete.* □ SINT. Se usa más en la expresión *en un periquete.*

periquito, ta ▮ adj./s. **1** *col.* Del Real Club Deportivo Español (club deportivo catalán) o relacionado con él. ▮ s. **2** Ave prensora, de pequeño tamaño, que tiene el pico fuerte y encorvado, el plumaje de colores vistosos, esp. verdes, amarillos y azules, y la cola fina y muy larga. □ SINÓN. *perico.* **3** *col.* Persona joven. ▮ s.m. **4** Aspersor giratorio que se coloca en los jardines.

periscio, cia adj./s. Que habita en una zona polar en la que no se pone el Sol durante el verano: *Los periscios habitan en el continente antártico y en el ártico.* □ ETIMOL. Del griego *periskios*, y este de *perí* (alrededor) y *skiá* (sombra).

periscópico, ca adj. Del periscopio o relacionado con él.

periscopio s.m. Aparato óptico formado por un tubo vertical en cuyo interior hay un juego de espejos, y que se utiliza para ver lo que se halla por encima de un obstáculo que impide la visión directa. □ ETIMOL. De *peri-* (alrededor) y *-scopio* (aparato para ver) (yo miro, observo).

perisodáctilo ▮ adj./s.m. **1** Referido a un mamífero, que tiene un número impar de dedos cubiertos por pezuñas y el dedo central más desarrollado: *El rinoceronte es un animal perisodáctilo.* ▮ s.m.pl. **2** En zoología, orden de estos mamíferos, perteneciente a la superclase de los tetrápodos: *Los perisodáctilos tienen dentadura de tipo herbívoro.* □ ETIMOL. Del griego *perissós* (extraordinario) y *-dáctilo* (dedo).

perista s.com. Persona que se dedica al comercio de objetos robados sabiendo que lo son.

peristáltico, ca adj. Referido esp. al movimiento de los intestinos, que se produce en el sentido de avance normal debido a contracciones sucesivas. □ ETIMOL. Del griego *peristaltikós* (que tiene la propiedad de contraerse).

peristilo s.m. **1** Galería de columnas que rodea un edificio o una parte de él. **2** Patio interior o lugar rodeado de columnas. □ ETIMOL. Del latín *peristylum*, y este del griego *perí* (alrededor) y *stýlos* (columna).

peritación s.f. Trabajo o estudio que hace un perito. □ SINÓN. *peritaje.*

peritaje s.m. **1** Trabajo o estudio que hace un perito: *Hoy va a venir la perita para hacer el peritaje de los daños.* □ SINÓN. *peritación.* **2** Informe que resulta de este trabajo o estudio: *El seguro me pagará los daños del coche cuando aprueben el peritaje.* **3** Conjunto de estudios o carrera del perito o ingeniero técnico: *Un peritaje tiene una duración de tres años.*

peritar v. Referido a un perito, evaluar o realizar un informe técnico: *Solo los peritos pueden peritar los daños producidos en el accidente.*

perito, ta ▮ adj./s. **1** Referido a una persona, que es experta o entendida en una ciencia o un arte: *Un grupo de peritos en la materia habló durante horas.* ▮ s. **2** Persona que ha realizado los estudios necesarios para obtener un grado medio en una ingeniería: *Trabaja como perito industrial en una empresa de coches alemana.* **3** En derecho, persona que posee especiales conocimientos teóricos o prácticos y que informa bajo juramento o promesa al juez sobre los puntos en litigio: *El informe del perito fue decisivo para la resolución del juicio.* **4** ‖ **perito mercantil;** Persona que se dedica profesionalmente al comercio: *Me contrataron como perita mercantil para llevar la contabilidad de la empresa.* □ ETIMOL. Del latín *peritus* (experimentado, entendido). □ SINT. Constr. de la acepción 1: *perito* EN *algo.* □ USO El sustantivo masculino también se usa para designar el femenino: *Mi tía es perito.*

peritoneal adj.inv. Del peritoneo o relacionado con esta membrana abdominal.

peritoneo s.m. En algunos animales, esp. en los vertebrados, membrana que cubre la superficie interior de la cavidad abdominal y forma varios pliegues que envuelven las vísceras situadas en ella. □ ETIMOL. Del griego *peritónaion*, y este de *periteíno* (yo extiendo alrededor).

peritonitis (pl. *peritonitis*) s.f. Inflamación del peritoneo. □ ETIMOL. De *peritoneo* e *-itis* (inflamación).

perjudicado, da adj./s. **1** Con daño material o moral: *Las personas perjudicadas pueden reclamar en la agencia correspondiente.* **2** *col.* Con mucho cansancio o malestar: *Después de la fiesta llegué muy perjudicado al trabajo.* **3** *col.* Borracho.

perjudicar v. Ocasionar daño material o moral: *Ese escándalo perjudicó su carrera política.* □ ETIMOL. Del latín *praeiudicare.* □ ORTOGR. La *c* se cambia en *qu* delante de *e* →SACAR.

perjudicial adj.inv. Que perjudica o que puede perjudicar: *El tabaco es perjudicial para la salud.* □ ETIMOL. Del latín *praeiudicium* (perjuicio que causa una decisión prematura).

perjuicio s.m. Daño material o moral: *¿No te das cuenta de que tu retraso supone un perjuicio para todos?* □ ORTOGR. Dist. de *prejuicio*.

perjurar v. **1** Jurar en falso: *Perjuró durante el juicio para que no condenaran a su hijo.* **2** Jurar con frecuencia, por costumbre o por añadir fuerza al juramento: *Jura y perjura que él no cogió el dinero que falta.* □ ETIMOL. Del latín *periurare*.

perjurio s.m. **1** Juramento que se hace en falso: *Cometerás perjurio si declaras en el juicio como testigo, puesto que no lo eres.* **2** Incumplimiento de un juramento.

perjuro, ra adj./s. **1** Que jura en falso. **2** Que rompe el juramento que ha hecho.

perla s.f. **1** Masa de nácar más o menos esférica y de color blanco grisáceo, que se forma en el interior de algunos moluscos: *No todas las ostras producen perlas.* **2** Lo que resulta muy apreciado por sus cualidades: *Esta chica es una perla porque sabe de todo.* **3** || **de perlas;** muy bien o de manera oportuna: *El trabajo me salió de perlas y estoy contento.* || **perla cultivada;** la que produce la madreperla como defensa contra un cuerpo extraño introducido en ella de forma artificial. □ ETIMOL. De origen incierto.

perlado, da adj. **1** Del color de la perla o con su brillo. **2** Con forma de perla o formado por trozos parecidos a las perlas. **3** Adornado con perlas.

perlar v. *poét.* Cubrir de gotas: *El sudor perlaba su frente. Las hojas de las flores se perlaron con el rocío.*

perlé s.m. Fibra de algodón que se utiliza en las labores de costura, esp. para bordar o para hacer ganchillo o punto. □ ETIMOL. Del francés *perlé*.

perlero, ra adj. De las perlas o relacionado con ellas: *industria perlera.*

perlesía s.f. Debilidad muscular que va acompañada de temblores y que padecen, generalmente, las personas de mucha edad. □ ETIMOL. Del griego *parálysis* (relajación, parálisis).

perlífero, ra adj. Que tiene o produce perlas: *ostras perlíferas.* □ ETIMOL. De *perla* y *-fero* (que tiene).

perlino, na adj. De color de perla.

permanecer v. **1** Mantenerse sin cambio en un lugar, en una situación o en una condición: *Permanecerá en silencio hasta que tú le digas que hable.* **2** Estar en un lugar durante cierto tiempo: *Siempre permaneceré a tu lado.* □ ETIMOL. Del latín *permanere.* □ MORF. Irreg. →PARECER.

permanencia s.f. **1** Conservación en un mismo estado, lugar, situación o condición: *La permanencia de la angustia en su ánimo la llevó a la locura.* **2** Estancia en un lugar durante cierto tiempo: *Su permanencia en esta ciudad será de pocos días.*

permanente ▌adj.inv. **1** Que permanece: *Vivo intranquilo y en permanente estado de angustia.* ▌s.f. **2** *col.* Rizado del cabello hecho artificialmente y que dura mucho tiempo.

permanganato s.m. Sal formada por la combinación del ácido derivado del manganeso con una base.

permeabilidad s.f. Capacidad de ser penetrado por un líquido, esp. por el agua.

permeable adj.inv. **1** Que puede ser penetrado por el agua o por otros líquidos: *un terreno permeable.* **2** Referido a una persona, que se deja influir por emociones u opiniones ajenas. □ ETIMOL. Del latín *permeabilis* (penetrable).

pérmico, ca ▌adj. **1** En geología, del sexto período de la era primaria o relacionado con él: *terrenos pérmicos.* ▌adj./s.m. **2** En geología, referido a un período, que es el sexto de la era primaria o paleozoica.

permisibilidad s.f. Posibilidad de ser permitido. □ SEM. Dist. de *permisividad* (tolerancia excesiva).

permisible adj.inv. Que se puede permitir: *No es permisible que llegues todos los días tarde al trabajo.* □ SEM. Dist. de *permisivo* (que permite o que consiente).

permisión s.f. **1** Consentimiento por parte del que tenga autoridad, para que alguien haga o deje de hacer algo: *Sin la permisión del superior no puedo abandonar el puesto de trabajo.* **2** Falta de impedimento a lo que se pudiera y debiera evitar: *Unos jóvenes incendiaron un coche ante la permisión de la policía.*

permisividad s.f. Tolerancia, esp. si es excesiva. □ USO Dist. de *permisibilidad* (posibilidad de ser permitido).

permisivo, va adj. Que permite o que consiente: *Opino que las leyes no deben ser permisivas.* □ SEM. Dist. de *permisible* (que se puede permitir).

permiso s.m. **1** Autorización o consentimiento dados por quien tiene autoridad para ello: *¿Me das permiso para llegar un poco más tarde hoy, papá?* **2** Tiempo en que se autoriza a alguien a dejar temporalmente su trabajo, sus estudios u otras obligaciones: *Tengo un permiso de diez días para poder* *acudir a examinarme.* ☐ ETIMOL. Del latín *permissum.* ☐ USO *Con permiso* se usa mucho como expresión de cortesía: *Con permiso, ¿me deja usted pasar?*

permitir ▮ v. **1** Referido a una acción, consentir o admitir que se haga quien tiene autoridad competente para ello: *Mis padres no me permiten salir tarde por la noche.* **2** Referido a algo que se puede y se debe evitar, no impedirlo o dejar que se haga: *Acusó a su Gobierno de permitir malos tratos en las cárceles.* **3** Hacer posible: *El ordenador permite trabajar con mayor rapidez.* ▮ prnl. **4** Referido a una acción, atreverse a realizarla o tomarse esa libertad: *Me permito recordarte que mañana tienes una cita con la dentista.* ☐ ETIMOL. Del latín *permittere.*

permuta s.f. **1** →**permutación.** **2** Cambio entre dos funcionarios públicos de los empleos que tienen.

permutabilidad s.f. Posibilidad de algo para ser cambiado por otra cosa.

permutación s.f. **1** Cambio de una cosa por otra. ☐ SINÓN. *permuta.* **2** Variación de la disposición o el orden en el que estaban dos o más cosas: *En la clase de matemáticas nos han explicado las combinaciones y las permutaciones.*

permutar v. **1** Referido a una cosa, cambiarla por otra, sin que en el cambio entre el dinero, excepto si ese dinero es para igualar el valor de lo que se intercambia: *Permuté mi casa en la ciudad por una en el campo.* **2** Referido a dos empleos o cargos públicos, cambiarlos entre sí: *Esta semana permutarán varios puestos importantes en el Ministerio de Hacienda.* **3** Referido a dos o más cosas, variar la disposición o el orden en el que estaban: *Aunque permutes los sumandos, el resultado de la suma no variará.* ☐ ETIMOL. Del latín *permutare.*

pernera s.f. En un pantalón, parte que cubre cada pierna.

pernicioso, sa adj. Muy malo o muy perjudicial: *El tabaco es pernicioso para la salud.* ☐ ETIMOL. Del latín *perniciosus,* y este de *pernicies* (ruina, desgracia).

pernil s.m. En un animal, anca y muslo, esp. los del cerdo. ☐ ETIMOL. Del latín *perna* (pierna, esp. la de un animal).

pernio s.m. Gozne que se fija al marco de una puerta o de una ventana para que giren las hojas al abrirlas y cerrarlas. ☐ ETIMOL. Del italiano *pernio.* ☐ ORTOGR. Dist. de *perno.*

perno s.m. Pieza larga y cilíndrica con cabeza redonda en un extremo y con un remache o una tuerca en el otro, que se utiliza para reforzar piezas de gran volumen. ☐ ETIMOL. Del catalán *pern.* ☐ ORTOGR. Dist. de *pernio.*

pernocta ▮ s.f. **1** →**pase de pernocta.** ▮ s.m. **2** En el ejército, soldado que tiene permiso para dormir fuera del cuartel.

pernoctar v. Pasar la noche en un lugar, esp. si es fuera del domicilio propio: *Pernoctaremos en algún hotel que nos pille de camino.* ☐ SINÓN. *dormir.* ☐ ETIMOL. Del latín *pernoctare.*

pero ▮ s.m. **1** *col.* Reparo, objeción o inconveniente: *Le gusta poner peros a todo lo que hago.* **2** Variedad de manzano cuyo fruto es más largo que ancho. **3** Manzana de este árbol. ▮ conj. **4** Enlace gramatical coordinante con valor adversativo: *El proyecto es bueno pero muy utópico.* ☐ SINÓN. *mas.* **5** En principio de oración, se utiliza para dar énfasis o mayor fuerza de expresión a lo que se dice: *¡Pero qué guapo es mi niño! Pero ¿dónde vas tan deprisa?* **6** ‖ **pero que muy;** antepuesto a un adjetivo o un adverbio, refuerza lo que estos indican: *Con la llegada de su hijo está pero que muy feliz.* ☐ ETIMOL. 1. Las acepciones 1, 4 y 5, del latín *per hoc* (por esto, por lo tanto). 2. Las acepciones 2 y 3, del latín *pirum* (pera). ☐ MORF. En la acepción 1, se usa más en plural.

perogrullada s.f. *col.* Verdad o certeza que, por ser tan evidentes, resultan simples o tontas si se dicen: *Decir que por la noche no sale el Sol es una perogrullada.*

perogrullo ‖ **de Perogrullo;** *col.* Tan evidente o conocido que resulta tonto o simple decirlo: *Que yo no soy tú y que tú no eres yo es una verdad de Perogrullo. No sé de qué te asombras si lo que acabo de decir es de Perogrullo.* ☐ ETIMOL. De *Pero* (Pedro) y *grullo* (cateto, palurdo).

perol s.m. Recipiente con forma de media esfera, que se utiliza para cocinar. ☐ ETIMOL. Del catalán *perol.*

perola s.f. Perol pequeño.

peroné s.m. Hueso largo y delgado de la pierna, situado en su parte externa, junto a la tibia. ☐ ETIMOL. Del francés *peroné.*

peronismo s.m. Sistema y movimiento políticos fundados por el general Juan Domingo Perón (presidente argentino entre 1946 y 1955).

peronista ▮ adj.inv. **1** Del peronismo o relacionado con este movimiento político. ▮ adj.inv./s.com. **2** Partidario de este movimiento político.

peroración s.f. **1** Pronunciamiento de un discurso. **2** En retórica, parte final de un discurso, en la que el orador enumera sus argumentos e intenta atraer definitivamente la voluntad del auditorio.

perorar v. *col. desp.* Pronunciar un discurso: *Cuando te pones a perorar sobre el sentido de la vida no hay quien te soporte.* ☐ ETIMOL. Del latín *perorare.*

perorata s.f. *desp.* Discurso o razonamiento molestos, inoportunos o fastidiosos.

peróxido s.m. En química, óxido formado por la mayor cantidad posible de oxígeno. ☐ ETIMOL. Del inglés *peroxide.*

perpendicular adj.inv./s.f. Referido esp. a una línea o a un plano, que forman ángulo recto con otros. ☐ ETIMOL. Del latín *perpendicularis.*

perpendicularidad s.f. Relación entre una recta o un plano que forman ángulo recto con otros.

perpetración s.f. Realización de un delito o de una falta grave.

perpetrar v. Referido a un delito o a una falta grave, cometerlos o consumarlos: *Perpetró el crimen sin* *ayuda de cómplices.* ☐ ETIMOL. Del latín *perpetrare.* ☐ PRON. Incorr. *[perpretrár].

perpetuación s.f. Conservación durante mucho tiempo o para siempre: *El nacimiento de este ejemplar garantiza la perpetuación de esta especie animal.*

perpetuar v. Hacer durar para siempre o por mucho tiempo: *Las estatuas perpetúan la imagen de las grandes personalidades. Su obra literaria se perpetuará a lo largo de los años.* ☐ ETIMOL. Del latín *perpetuare.* ☐ ORTOGR. La *u* lleva tilde en los presentes, excepto en las personas *nosotros* y *vosotros* →ACTUAR.

perpetuidad s.f. Duración sin fin o muy larga.

perpetuo, tua adj. **1** Que dura o que permanece mucho tiempo o para siempre: *En la cima de esa montaña hay nieves perpetuas que no desaparecen ni en verano.* **2** Referido a un cargo o a un puesto, que pueden ser desempeñados por sus titulares de manera ininterrumpida hasta su jubilación. ☐ ETIMOL. Del latín *perpetuus* (continuo, sin interrupción).

perpiaño s.m. **1** En un muro o en una pared, sillar o piedra que los atraviesa por completo. **2** →**arco perpiaño.** ☐ ETIMOL. De origen incierto.

perplejidad s.f. Duda o confusión del que no sabe qué hacer o qué pensar en una determinada situación: *Vi con perplejidad cómo me robaban el coche delante de mis narices.*

perplejo, ja adj. Dudoso o confuso ante lo que se debe hacer o pensar en una determinada situación: *quedarse perplejo.* ☐ ETIMOL. Del latín *perplexus* (embrollado).

perra s.f. Véase **perro, rra.**

perrera s.f. Véase **perrero, ra.**

perrería s.f. *col.* Hecho o dicho malintencionados que causan un perjuicio. ☐ SINÓN. *faena.*

perrero, ra ▮ s. **1** Persona que se dedica profesionalmente a recoger los perros abandonados o vagabundos. **2** Persona que cuida o que tiene a su cargo los perros de caza. ▮ s.f. **3** Lugar o sitio en el que se encierra a los perros: *una perrera municipal.* **4** Coche o furgoneta municipales destinados a la recogida de perros vagabundos. **5** En zonas del español meridional, caseta para perros.

perrilla s.f. En zonas del español meridional, orzuelo.

perrito || **perrito (caliente);** pan blando y alargado con una salchicha dentro a la que generalmente se le añade mostaza o salsa de tomate. ☐ ETIMOL. Traducción del inglés *hot-dog.* ☐ USO Es innecesario el uso del anglicismo *hot dog.*

perro, rra ▮ adj. **1** *col. desp.* Muy malo o indigno: *No seas perro y ayúdame.* ▮ s. **2** Mamífero cuadrúpedo, doméstico, con un olfato muy fino, y que se suele emplear como animal de compañía, de vigilancia o para la caza. ☐ SINÓN. *can.* **3** *desp.* Persona despreciable, malvada o miserable. ▮ s.f. **4** *col.* Rabieta o llanto fuerte y seguido, esp. los de un niño: *Como no le compré el cochecito, cogió una perra que le duró toda la tarde.* **5** Deseo muy grande o exagerado, o idea fija: *¡Vaya perra que tienes con cambiar de coche!* **6** *col.* Dinero o riqueza: *Se nota que la gente que vive en esta zona tiene muchas perras.* **7** || **atar los perros con longaniza;** *col.* Ser rico y espléndido: *En mi casa no atamos los perros con longaniza.* || **como el perro y el gato;** referido a la forma de relacionarse dos personas, muy mal: *Estos hermanos se llevan como el perro y el gato.* || **de perros;** *col.* Muy malo o muy desagradable: *Pasamos mucho frío porque hacía una noche de perros.* || **{echar/soltar} los perros** a alguien; *col.* Regañarlo o echarle una bronca. || **perra chica;** *col.* Moneda antigua de poco valor. || **perra gorda;** *col.* Antigua moneda de diez céntimos. ☐ SINÓN. *perrona.* || **(perro) Alaska malamute;** el de la raza que se caracteriza por tener pelo abundante, negro y blanco, las orejas en punta y generalmente ojos azules. ☐ SINÓN. *malamute.* || **perro caliente;** en zonas del español meridional, perrito caliente. || **perro {de aguas/de lanas};** el de la raza que se caracteriza por tener cuerpo grueso, cuello corto, cabeza redonda, orejas caídas y pelo largo, rizado y abundante. || **(perro de) Terranova;** el de la raza que se caracteriza por tener gran tamaño, pelo largo, sedoso y ondulado, de color blanco, con grandes manchas negras y cola algo encorvada hacia arriba. || **(perro) faldero; 1** El de tamaño pequeño, apreciado como animal de compañía. **2** *col.* Persona que muestra total sumisión y obediencia ante otra. || **(perro) gozque;** el pequeño y muy ladrador. || **perro policía;** el que se caracteriza por estar adiestrado para ayudar a la policía en sus funciones. || **perro salchicha;** *col.* El que se caracteriza por tener cuerpo y hocico alargados, patas cortas y orejas caídas. || **(perro) San Bernardo;** el de la raza que se caracteriza por tener cuerpo y cabeza de gran tamaño y pelo blanco con manchas marrones. ☐ SINÓN. *san bernardo.* || **perro viejo;** *col.* Persona muy astuta y con mucha experiencia, por lo que resulta difícil engañarla. ☐ ETIMOL. De origen incierto. ☐ MORF. En la acepción 6, se usa más en plural. ☐ SINT. Las acepciones 5 y 6 se usan más con el verbo *coger.* ☐ USO La locución *atar los perros con longaniza* se usa más en expresiones interrogativas y negativas.

perrona s.f. *col.* Antigua moneda de diez céntimos. ☐ SINÓN. *perra gorda.*

perrunilla s.f. Bollo pequeño hecho con manteca, harina y azúcar.

perruno, na adj. Del perro, propio de él o relacionado con él.

persa ▮ adj.inv./s.com. **1** De Persia o relacionado con esta antigua nación asiática. ▮ s.m. **2** Lengua indoeuropea de esta nación y otros países: *El persa es lengua nacional de Irán y lengua mayoritaria en Afganistán.*

per saecula saeculorum (lat.) || →**sécula seculórum.** ☐ PRON. [per sécula seculórum].

per se (lat.) || Por sí o por sí mismo: *Este premio no es importante per se, sino por lo que implica.*

persecución s.f. **1** Intento de alcanzar lo que huye: *La persecución terminó cuando la policía detuvo a los atracadores.* **2** Acoso con malos tratos, castigos y penas corporales que se da a una persona o a un grupo por motivos ideológicos: *Ese libro cuenta las persecuciones sufridas por los cristianos durante el Imperio Romano.* **3** Intento de acabar con algo que se considera negativo: *Cada día se emplean más medios en la persecución del tráfico de drogas.* ☐ ETIMOL. Del latín *persecutio.*

persecutor, -a adj./s. Que persigue.

persecutorio, ria adj. Relacionado con la persecución o que la implica: *Está en tratamiento psiquiátrico porque sufre manía persecutoria.*

perseguible adj.inv. Que debe o puede ser perseguido.

perseguidor, -a adj./s. Que persigue.

perseguir v. **1** Referido a una persona, esp. si huye, seguirla para alcanzarla: *El ladrón logró despistar a los policías que lo perseguían.* **2** Seguir a todas partes, con frecuencia o de forma inoportuna: *Un vendedor me perseguía para que le comprara una enciclopedia a plazos.* **3** Molestar, hacer sufrir o procurar hacer el mayor daño posible: *Los primeros cristianos fueron muy perseguidos en Roma.* **4** Referido a algo que se desea, tratar de obtenerlo poniendo todos los medios posibles: *Los jugadores perseguían el gol del empate.* **5** Referido a una persona, a una falta o a un delito, proceder judicialmente contra ellos: *Persiguen el tráfico de drogas para acabar con ese mal de la sociedad actual.* ☐ ETIMOL. Del latín *persequi.* ☐ MORF. Irreg. →SEGUIR.

perseverancia s.f. Firmeza y constancia en la ejecución de propósitos y resoluciones o en la realización de algo.

perseverante adj.inv. Que persevera.

perseverar v. Mantenerse constante en la realización o en la continuación de algo: *Para ser un campeón olímpico hay que perseverar en los entrenamientos. Debes perseverar hasta conseguir lo que quieres.* ☐ ETIMOL. Del latín *perseverare* (persistir en la seriedad). ☐ SINT. Constr. *perseverar EN algo.*

persiana s.f. **1** Cierre formado por tablitas o láminas largas y estrechas, que se coloca en el hueco de puertas y ventanas, y que se puede subir o bajar para regular el paso de la luz. **2** || **(persiana) veneciana;** la que está formada por tiras delgadas de aluminio con las que se puede graduar la entrada de la luz girando una varilla. ☐ ETIMOL. Del francés *persienne.*

persianista s.com. Persona que se dedica profesionalmente a la construcción, la colocación o el arreglo de persianas.

persignar v. Hacer la señal de la cruz en la frente, en la boca y en el pecho, y santiguarse después: *El sacerdote persigna al bebé durante el bautismo. Se persignó y oró implorando la ayuda divina.* ☐ ETIMOL. Del latín *persignare.* ☐ SEM. Dist. de *santiguar* (hacer la señal de la cruz desde la frente al pecho y desde un hombro al otro).

persistencia s.f. **1** Insistencia, firmeza o constancia en algo: *Es admirable tu persistencia y tu tenacidad hasta conseguir lo que pretendes.* **2** Duración de algo por largo tiempo: *La persistencia del mal tiempo nos impide salir de excursión al campo.*

persistente adj.inv. **1** Que persiste. **2** Referido esp. a una hoja, que perdura en la planta una vez finalizada su función biológica.

persistir v. **1** Mantenerse firme o constante: *Si persistes, lograrás lo que te propones. Persisten en ir de excursión este fin de semana, por más que llueva o nieve.* **2** Durar por largo tiempo: *Si persiste la sequía, se perderá la cosecha.* ☐ ETIMOL. Del latín *persistere.* ☐ SINT. Constr. de la acepción 1: *persistir EN algo.*

persona s.f. **1** Individuo de la especie humana: *Mujeres, hombres, niños y ancianos: todos somos personas.* **2** Hombre o mujer cuyo nombre se ignora o se omite: *Había muchas personas en la fiesta, pero yo sólo conocía a cinco.* **3** Hombre o mujer valorados por su capacidad, su disposición o su prudencia: *¡A ver si maduras un poquito y te haces persona de una vez...!* **4** En lingüística, categoría gramatical propia del verbo y de algunos pronombres, que designa el individuo que habla, al que se habla o a aquel o aquello de los que se habla: *El sujeto en español concuerda con el verbo en número y en persona.* **5** En teología, Padre, Hijo o Espíritu Santo: *El Padre, el Hijo y el Espíritu Santo son tres personas distintas y un solo Dios.* **6** || **en persona;** por uno mismo o estando presente: *Si no te hace caso, tendré que ir yo en persona.* || **persona física;** en derecho, cualquier individuo de la especie humana: *Todos somos personas físicas, en cuanto que la ley nos concede derechos y nos exige obligaciones.* || **persona {jurídica/social};** en derecho, entidad pública o privada susceptible de obligaciones: *Las personas jurídicas tienen derechos y obligaciones diferentes de los de las personas físicas que las componen.* || **persona non grata;** la que es rechazada por una institución. || **primera persona;** la que designa al hablante: *'Canto' y 'cantamos' son formas verbales de primera persona.* || **segunda persona;** la que designa al oyente: *'Vosotras' es la forma femenina de la segunda persona del plural del pronombre personal.* || **ser persona de orden;** respetar las convenciones socialmente establecidas. || **tercera persona;** designa lo que no es ni el hablante ni el oyente: *'Él', 'ella', 'ello' son tres formas pronominales en singular de la tercera persona.* ☐ ETIMOL. Del latín *persona.* ☐ USO *Persona grata* se usa más en expresiones negativas.

personación s.f. En derecho, comparecencia formal como parte implicada en un juicio: *Se espera la personación del Ayuntamiento en este juicio como parte afectada también por la estafa.*

personaje s.m. **1** Persona que sobresale o destaca por algo: *En la fiesta había conocidos personajes del mundo de la cultura.* **2** En una obra de ficción, ser ideado por el autor y que interviene en la acción de esta: *personajes protagonistas.*

personal I adj.inv. **1** De la persona, o propio o particular de ella: *higiene personal.* **2** En lingüística, que se refiere o que se asocia a las personas gramaticales: *Las formas personales del verbo son las de todos los tiempos excepto el infinitivo, el gerundio y el participio.* ▌s.m. **3** Conjunto de las personas que trabajan en una misma empresa u organismo: *Este bar cierra los lunes por descanso del personal.* **4** Mano de obra que emplea una empresa: *Necesitan más personal para acabar la carretera a tiempo.* **5** *col.* Gente o conjunto de personas: *¡Cuánto personal se ha juntado en esta fiesta!* ▌s.f. **6** En baloncesto, falta que comete un jugador al tocar o empujar a otro del equipo contrario. ☐ ETIMOL. Del latín *personalis*.

personalidad s.f. **1** Conjunto de cualidades o de características que configuran la forma de ser de una persona, esp. si son originales o destacables: *Lo que más destaca de su personalidad es su optimismo.* **2** Manera de ser o de hacer las cosas que diferencian a una persona de las demás: *Eres un pelele sin personalidad.* **3** Persona que destaca en una actividad o en un ambiente social: *Asistieron destacadas personalidades del mundo de la política.*

personalismo s.m. **1** Adhesión a una persona o a las tendencias que representa: *He votado a ese partido por personalismo, no por el partido en sí.* **2** Tendencia a subordinar el interés común a intereses personales o propios: *Nuestro grupo sigue adelante porque todos somos iguales y no hay personalismos en los dirigentes.*

personalista ▌adj.inv. **1** Del personalismo o relacionado con él. ▌adj.inv./s.com. **2** Que practica el personalismo.

personalizar v. **1** Referirse a una persona en particular al decir algo: *Nos regañó sin personalizar, pero todos sabíamos a quién se estaba refiriendo.* **2** Dar carácter personal, o adaptar al gusto o a las necesidades personales: *En esta academia tenemos un programa personalizado para cada alumno.* ☐ ORTOGR. La *z* se cambia en *c* delante de *e* →CAZAR.

personalmente adv. En persona, por uno mismo o estando presente: *Nos atendió el jefe de la oficina personalmente.*

personarse (tb. *apersonarse*) v.prnl. Acudir o presentarse personalmente en un sitio: *La policía se personó en el lugar del atraco a los cinco minutos de haber sido llamada.*

personificación s.f. **1** Representación en forma de persona de algo que no lo es: *El pintor ha logrado la personificación del dolor en la figura que está junto a la cruz.* **2** Encarnación o imagen viva: *Eres la personificación de la constancia y por eso llegarás lejos en la vida.* **3** Figura retórica consistente en atribuir a un ser irracional o a una cosa inanimada o abstracta cualidades o acciones propias de los seres humanos: *Decir que los ríos hablan es una personificación.* ☐ SINÓN. *prosopopeya.*

personificar v. **1** Referido esp. a un animal o a una cosa, atribuirles acciones o cualidades propias del ser humano: *Los fabulistas personifican a los animales para que su comportamiento sirva como ejemplo moralizante.* **2** Referido esp. a una idea o a un sistema, representarlos o encarnarlos: *La historia personifica el Imperio español en Carlos V.* ☐ ETIMOL. De *persona* y el latín *facere* (hacer). ☐ ORTOGR. La *c* se cambia en *qu* delante de *e* →SACAR.

perspectiva s.f. **1** Técnica para representar en una superficie plana los objetos en la forma y en la disposición en las que aparecen a la vista: *La perspectiva logra una sensación de profundidad al reproducir en plano la tercera dimensión.* **2** Aspecto general que se presenta a la vista: *Esta perspectiva muestra la cantidad de público asistente a la plaza.* **3** Posibilidad que se puede prever, esp. si es beneficiosa: *Este negocio tiene grandes perspectivas de éxito.* **4** Punto de vista o manera de considerar algo: *Desde mi perspectiva, lo mejor que puedes hacer es seguir estudiando.* **5** Alejamiento o distancia desde los que se observa o se considera algo: *Para juzgar un hecho actual hace falta un poco de perspectiva.* ☐ ETIMOL. Del latín *perspectivus* (relativo a lo que se mira). ☐ MORF. En la acepción 3, se usa más en plural.

perspectivismo s.m. **1** Pensamiento filosófico que sostiene que la realidad solo puede ser captada desde el punto de vista que cada uno tiene. **2** Técnica literaria, esp. en novela, que consiste en presentar personajes y acontecimientos desde distintos puntos de vista.

perspicacia s.f. Facilidad para darse cuenta de las cosas o para entenderlas con agudeza.

perspicaz adj.inv. Que se da cuenta de las cosas con agudeza y las entiende con facilidad. ☐ ETIMOL. Del latín *perspicax* (de vista penetrante).

persuadir v. Referido a una persona, convencerla para que haga algo: *Lo persuadí para que continuara sus estudios. Persuádete de que la culpa no ha sido tuya, porque tú sólo querías ayudar.* ☐ ETIMOL. Del latín *persuadere*.

persuasión s.f. Capacidad de convencer a alguien para que haga algo.

persuasivo, va adj. Que tiene fuerza y eficacia para persuadir: *un argumento persuasivo.*

pertenecer v. **1** Ser propiedad de alguien: *Me lo regalaste y ahora me pertenece.* **2** Formar parte de algo: *Pertenece a un partido político progresista.* ☐ ETIMOL. Del latín *pertinere*. ☐ MORF. Irreg. →PARECER. ☐ SINT. Constr. *pertenecer* A *algo.*

perteneciente adj.inv. Que pertenece a algo o forma parte de ello.

pertenencia s.f. **1** Lo que pertenece a una persona o a una cosa, o lo que forma parte de ellas: *Si no paga esa deuda, serán subastadas todas sus pertenencias.* **2** Integración en un conjunto: *Nunca ha negado su pertenencia a una congregación religiosa.* ☐ MORF. En la acepción 1, se usa más en plural.

pértiga s.f. Vara larga, esp. la que se utiliza para practicar una de las modalidades atléticas de salto de altura. ☐ ETIMOL. Del latín *pertica.*

pertinacia s.f. **1** Obstinación, terquedad o tenacidad en el mantenimiento de una opinión, de una idea o de una resolución. **2** Duración o persistencia largas.

pertinaz adj.inv. **1** Referido a una persona, que es obstinada, terca o muy tenaz en sus actos y opiniones: *Aunque el médico le prohibió el tabaco, sigue siendo una fumadora pertinaz.* **2** Que dura mucho y que se mantiene sin cambios: *una sequía pertinaz.* □ ETIMOL. Del latín *pertinax*.

pertinencia s.f. Conveniencia, oportunidad o adecuación de algo.

pertinente adj.inv. **1** Que pertenece o que se refiere a algo: *En lo pertinente al método estamos de acuerdo, pero no en el tiempo que necesitamos para hacerlo.* **2** Apropiado, oportuno o que viene a propósito: *Sus críticas resultaron muy pertinentes en aquel momento.*

pertrechar v. Abastecer de lo necesario o proporcionarlo y prepararlo para la ejecución de algo: *Antes de salir de maniobras pertrecharon a los soldados con armas, munición y víveres. Nos pertrechamos de víveres, sacos de dormir y tiendas para la acampada.* □ ETIMOL. De *pertrecho*. □ SINT. Constr. *pertrechar {CON/DE} algo*.

pertrechos s.m.pl. Instrumentos útiles para la realización de determinada actividad, esp. referido a todo lo necesario para una operación militar. □ ETIMOL. Del latín *protractum* (producto).

perturbación s.f. **1** Alteración del orden o del desarrollo normales de algo: *La policía no toleró perturbaciones del orden público a los manifestantes.* **2** Trastorno de las facultades mentales.

perturbado, da s. Persona que tiene trastornadas sus facultades mentales.

perturbador, -a adj./s. Que perturba.

perturbar v. **1** Referido esp. a una persona o a una situación, alterar o trastornar el orden o el desarrollo normales que tenían: *Los ruidos perturban el sueño del niño.* **2** Quitar la paz o la tranquilidad: *Me perturba pensar el incierto futuro que me espera.* **3** Hacer perder el juicio o volver loco: *Las desgracias lo han perturbado y ha tenido que ingresar en un sanatorio psiquiátrico. Se perturbó al saber que él fue el culpable del accidente.* □ ETIMOL. Del latín *perturbare*.

peruanismo s.m. En lingüística, americanismo propio de Perú (país americano): *Encontré en mi diccionario los significados de los peruanismos que buscaba.*

peruano, na adj./s. De Perú o relacionado con este país americano.

perversidad s.f. Maldad muy grande e intencionada.

perversión s.f. Perturbación o corrupción, esp. si son morales, causadas por malas doctrinas o por malos ejemplos.

perverso, sa adj./s. Que tiene mucha maldad, o que hace daño intencionadamente. □ ETIMOL. Del latín *perversus*.

pervertido, da adj./s. *desp.* Con costumbres sexuales que se consideran negativas o inmorales.

pervertidor, -a adj./s. Que pervierte.

pervertir v. Corromper o dañar con malas doctrinas o con malos ejemplos: *No leas esta basura, porque se te va a pervertir el gusto por la buena literatura. Sus padres dicen que su hijo se pervirtió por culpa de las malas compañías.* □ ETIMOL. Del latín *pervertere* (trastornar). □ MORF. Irreg. →SENTIR.

pervivencia s.f. Permanencia con vida a lo largo del tiempo o a pesar de los inconvenientes: *Está escribiendo un libro para mantener la pervivencia de algunas tradiciones populares.*

pervivir v. Permanecer o seguir vivo a pesar del tiempo o de los inconvenientes: *Su recuerdo ha pervivido en mí a pesar del tiempo transcurrido.* □ ETIMOL. Del latín *pervivere*.

pesa s.f. **1** Pieza, generalmente metálica, que se utiliza como término de comparación para determinar el peso de un cuerpo mediante una balanza. **2** Pieza que se cuelga de una cuerda y que sirve de contrapeso o para dar movimiento a algunos relojes. **3** Pieza muy pesada que se usa en halterofilia o para hacer gimnasia. □ ETIMOL. De *pesar*. □ MORF. En la acepción 3, se usa más en plural.

pesabebés (pl. *pesabebés*) s.m. Balanza que tiene el platillo cóncavo y que se usa para pesar niños muy pequeños.

pesacartas (pl. *pesacartas*) s.m. Balanza muy precisa que se usa para pesar cartas.

pesadez s.f. **1** Lentitud, tranquilidad o duración excesivas: *Haces las cosas con tal pesadez que no hay quien soporte ese ritmo.* **2** Lo que resulta trabajoso o exige mucha atención: *¡Menuda pesadez de encargo!* **3** Lo que resulta aburrido, molesto o insoportable: *Un viaje tan largo sin parar es una pesadez.* **4** Sensación de peso o de embotamiento: *He comido mucho y ahora tengo pesadez de estómago.*

pesadilla s.f. **1** Sueño que produce angustia o temor. **2** Preocupación grave y continua: *Desde que su hijo se compró la moto, los accidentes son una pesadilla para ellos.* □ ETIMOL. De *pesada*.

pesado, da ▌adj. **1** Que tiene mucho peso. **2** Que es trabajoso o que precisa mucha atención: *Este trabajo no es difícil, pero sí un poco pesado.* **3** Que tiene o que produce una sensación de pesadez: *He estado todo el día de pie y me noto las piernas pesadas.* **4** Ofensivo, molesto o que enfada: *una broma pesada.* **5** Referido al sueño, que es intenso o profundo. **6** Muy lento o muy tranquilo: *El elefante es un animal de movimientos pesados.* **7** Aburrido o que no despierta ningún interés: *¡Qué película más pesada!* ▌adj./s. **8** Referido a una persona, que es excesivamente tranquila, o que resulta difícil de aguantar: *Eres muy pesada comiendo y siempre terminas la última.*

pesadumbre s.f. Sentimiento de disgusto o de pena.

pesaje s.m. Determinación del peso de un cuerpo y forma de hacerlo.

pésame s.m. Expresión con la que se indica a una persona allegada a un difunto, que se participa en su dolor y en su pena: *Me acerqué a dar el pésame a los hijos de la difunta.* □ SINÓN. *condolencia*. □ ETIMOL. De *pesar* (dolor) y *me*.

pesar ▮ s.m. **1** Sentimiento de pena o de dolor interior: *Sintió un gran pesar cuando murió su amigo.* **2** Lo que causa este sentimiento: *Llevó una vida desgraciada y llena de pesares.* **3** Arrepentimiento o dolor que se sienten por algo mal hecho: *Haber obrado mal me ha producido un hondo pesar.* ▮ v. **4** Tener un peso determinado: *¿Cuánto pesas? Yo peso poco.* **5** Tener mucho peso: *Te ayudo a llevar esta caja, que pesa.* **6** Influir o tener valor o estimación: *Los comentarios de este periódico pesan mucho en la opinión pública.* **7** Referido a un cuerpo, determinar su peso o su masa mediante una balanza u otro instrumento adecuado: *Esta balanza pesa mal porque está estropeada. Me he pesado esta mañana y he adelgazado dos kilos.* **8** Referido a un hecho o a un dicho, causar dolor o arrepentimiento: *No sabes cómo me pesa haberte ofendido.* **9** ‖ **a {mi/tu/...} pesar;** contra {mi/tu/...} voluntad: *Lo hice obligado, y muy a mi pesar.* ‖ **a pesar de** algo; contra la dificultad o la resistencia que esto ofrece: *A pesar de que salí tarde de casa, llegué a tiempo a la reunión.* ‖ **a pesar de los pesares;** *col.* Contra todos los obstáculos: *A pesar de los pesares, conseguí salirme con la mía.* ‖ **pese a** algo; contra la dificultad o la resistencia que ofrece: *Pese a todas las dificultades, logró terminar con éxito su trabajo.* ☐ ETIMOL. Las acepciones 1-3, del verbo *pesar*. Las acepciones 4-8, del latín *pensare*.

pesaroso, sa adj. Arrepentido o con pesadumbre.

pesca s.f. **1** Actividad que consiste en coger o sacar animales acuáticos de dentro del agua. **2** Conjunto de animales pescados o que se pueden pescar: *Un experto nos dijo que en esa zona había mucha pesca.* **3** ‖ **pesca de arrastre;** la realizada por embarcaciones que llevan las redes a remolque. ‖ **pesca de bajura;** la realizada por pequeñas embarcaciones cerca de la costa. ‖ **y toda la pesca;** *col.* En una enumeración, expresión que se usa para sustituir su parte final y evitar detallarla: *Estamos decorando la casa y tenemos que comprar los muebles y toda la pesca.*

pescada s.f. Pez marino comestible, de cuerpo simétrico y alargado, con dos aletas dorsales y una anal, la barbilla muy corta y los dientes finos. ☐ SINÓN. *merluza.* ☐ MORF. Es un sustantivo epiceno: *la pescada {macho/hembra}.*

pescadería s.f. Establecimiento o lugar en el que se vende pescado.

pescadero, ra s. Persona que se dedica profesionalmente a la venta de pescado.

pescadilla s.f. Cría de la merluza.

pescado s.m. **1** Pez sacado del agua, muerto y destinado a la alimentación. **2** ‖ **pescado azul;** el que tiene abundante grasa. ‖ **pescado blanco;** el que tiene poca grasa. ☐ ETIMOL. Del latín *piscatus*.

pescador, -a ▮ adj./s. **1** Que pesca. ▮ s. **2** Persona que se dedica a la pesca, esp. si esta es su profesión.

pescante s.m. En algunos carruajes, asiento exterior desde el que se gobiernan los caballos o las mulas.

pescar v. **1** Coger o sacar animales acuáticos de dentro del agua: *Prepara la caña, que mañana vamos a ir a pescar. Se hizo una foto al lado del atún que pescó.* **2** *col.* Sacar de dentro del agua: *He tenido muy mala suerte y sólo he pescado una bota.* **3** *col.* Coger, agarrar o tomar: *Estuve todo el día buscándolo y al final lo pesqué cuando salía de la oficina.* **4** *col.* Entender, comprender o captar el significado: *Repíteme otra vez el chiste, porque todavía no lo he pescado.* **5** *col.* Referido esp. a una enfermedad o a un estado de ánimo, contraerlos, adquirirlos o alcanzarlos: *Si no te abrigas vas a pescar un resfriado. El sábado pescó una buena borrachera.* ☐ SINÓN. *coger.* **6** *col.* Referido esp. a una persona, sorprenderla haciendo algo a escondidas: *Lo pescaron copiando en un examen.* **7** *col.* Conseguir astutamente: *Presumía de que nunca se casaría, pero llegó ella y lo pescó.* ☐ ETIMOL. Del latín *piscari.* ☐ ORTOGR. La *c* se cambia en *qu* delante de *e* →SACAR.

pescozón s.m. Golpe dado con la mano en el pescuezo o en la cabeza.

pescuezo s.m. **1** En el cuerpo de una persona o en un animal, parte que va desde la nuca hasta el tronco: *El pescuezo es la parte posterior del cuello.* **2** ‖ **{retorcer/torcer} el pescuezo** a alguien; *col.* Matarlo. ☐ ETIMOL. Del latín *post* (detrás) y *cuezo* (cogote).

pesebre s.m. **1** Lugar en el que comen algunos animales domésticos. **2** Representación con figuras del nacimiento de Jesucristo (en el cristianismo, hijo de Dios). ☐ ETIMOL. Del latín *praesepe*.

peseta s.f. **1** Unidad monetaria española hasta la adopción del euro. **2** Moneda con el valor de esta unidad. **3** ‖ **mirar la peseta;** ser ahorrativo y tratar de gastar la mínima cantidad de dinero. ‖ **no tener ni una peseta;** no tener dinero. ☐ ETIMOL. De *peso* (moneda).

pesetero, ra adj./s. *col. desp.* Referido a una persona, que concede mucha importancia al dinero.

pesimismo s.m. Tendencia a ver y a juzgar las cosas teniendo en cuenta sus aspectos menos favorables. ☐ ETIMOL. De *pésimo*.

pesimista adj.inv./s.com. Que tiende a ver y a juzgar las cosas con pesimismo o del modo menos favorable.

pésimo, ma superlat. irreg. de **malo**. ☐ MORF. Incorr. **más pésimo* o **pesimísimo*.

peso s.m. **1** En física, fuerza con la que la Tierra atrae a un cuerpo: *El peso de un cuerpo varía según la altitud a la que lo pesemos.* **2** Cantidad que, por ley o convenio, debe pesar algo: *Esta barra de pan no da el peso.* **3** En algunos deportes, número de kilos que deben pesar los deportistas y que sirve para establecer las distintas categorías en las que compiten: *Antes del combate, los boxeadores deben dar el peso de su categoría.* **4** Lo que resulta muy pesado: *El médico me ha dicho que tengo la espalda mal y que no me conviene coger pesos.* **5** Instrumento que sirve para pesar: *Pon las manzanas en el peso para que yo vea cuántas son.* **6** Unidad monetaria de distintos países: *El peso cubano y el peso chileno tienen distinto valor.* **7** En atletismo, bola de hierro o de acero que se usa en una de las pruebas de lanzamiento: *En el lanzamiento de peso, el peso se coloca apoyado en un lado del cuello.* **8** Influencia o valor: *Tus opiniones tienen mucho peso entre nosotros.* **9** Carga u obligación: *Aunque es muy joven, lleva ella sola el peso de su familia.* **10** Dolor o preocupación: *Cuando me llamó para decirme que estaba bien me quitó un peso de encima.* **11** || **caer** algo **por su (propio) peso;** resultar evidente: *Que si no estudias suspenderás es algo que cae por su propio peso.* || **peso atómico;** el de un átomo, que se halla tomando como referencia la doceava parte del isótopo 12 del carbono. || **peso específico;** en física, el de un cuerpo por unidad de volumen: *El peso específico de un cuerpo depende del lugar de la Tierra que se considere.* || **peso gallo;** en boxeo, categoría inferior a la de peso pluma y superior a la de peso mosca: *Los boxeadores no profesionales de la categoría de peso gallo no pueden rebasar los 54 kilos.* || **peso ligero;** en boxeo, categoría inferior a la de peso pesado y superior a la de peso pluma: *Los boxeadores no profesionales de la categoría de peso ligero no pueden rebasar los 62 kilos.* || **peso molecular;** el de una molécula, que se halla sumando los pesos atómicos que entran a formar parte en un compuesto. || **peso mosca;** en boxeo, categoría inferior a la de peso gallo: *Los boxeadores no profesionales de la categoría de peso mosca no pueden rebasar los 51 kilos.* || **peso pesado; 1** En boxeo, categoría superior a la de peso ligero: *Los boxeadores no profesionales de la categoría de peso pesado tienen que rebasar los 80 kilos.* **2** Persona muy importante: *La ministra elegida era un peso pesado de la política local.* || **peso pluma;** en boxeo, categoría inferior a la de peso ligero y superior a la de peso gallo: *Los boxeadores no profesionales de la categoría de peso pluma no pueden rebasar los 58 kilos.* || **peso wélter;** en boxeo, categoría inferior a la de peso pesado y en parte equivalente a la de peso ligero: *Los boxeadores no profesionales de la categoría de peso wélter no pueden rebasar los 66,6 kilos.* ☐ ETIMOL. Del latín *pensum* (peso de lana por hilar).

pespuntar v. →**pespuntear.**

pespunte s.m. Labor de costura que se hace dando pequeñas puntadas seguidas que quedan unidas. ☐ ETIMOL. Del latín *post* (detrás) y *punto*.

pespuntear v. Coser con pespunte: *Pespuntea los bajos del pantalón para que queden más seguros.* ☐ SINÓN. *pespuntar.*

pesquero, ra ▮ adj. **1** De la pesca o relacionado con esta actividad: *industria pesquera.* **2** *col.* Referido a un pantalón largo, que no llega a cubrir el tobillo. ▮ s.m. **3** Embarcación que se dedica a la pesca.

pesquis (pl. *pesquis*) s.m. *col.* Inteligencia y perspicacia, o gran capacidad de entendimiento. ☐ SINÓN. *cacumen.*

pesquisa s.f. Indagación o investigación para descubrir algo: *Las pesquisas de la policía permitieron descubrir al asesino.* ☐ ETIMOL. Del antiguo *pesquerir* (investigar).

pestaña s.f. **1** Pelo que nace en el borde de los párpados. **2** Parte estrecha y saliente en el borde de algo: *La cremallera de la bragueta del pantalón queda tapada por una pestaña de tela.* **3** || **pestaña vibrátil;** en algunos protozoos y en algunas células, filamento delgado y corto, localizado en su membrana junto con otros muchos, todos los cuales actúan conjuntamente como aparato locomotor o con otros fines. ☐ SINÓN. *cilio.* ☐ ETIMOL. De origen incierto.

pestañear v. **1** Abrir y cerrar los párpados rápida y repetidamente: *Pestañeo mucho porque tengo una mota de polvo en el ojo.* **2** || **sin pestañear; 1** Con mucha atención: *La conferencia era tan interesante que la escuché sin pestañear.* **2** Sin titubear o con prontitud: *Obedeció mis órdenes sin pestañear.*

pestañeo s.m. Movimiento rápido y repetido de los párpados.

pestazo s.m. *col.* Olor muy desagradable.

peste ▮ s.f. **1** Enfermedad contagiosa y grave que causa un gran número de muertos. **2** Enfermedad que causa gran mortandad: *Antes el cáncer era una peste, pero hoy hay muchas probabilidades de curación.* **3** Mal olor. ☐ SINÓN. *pestilencia.* **4** Lo que resulta malo o negativo, o puede ocasionar graves daños: *La droga es una peste de nuestra sociedad.* **5** *col.* Lo que resulta muy molesto: *Estos mosquitos tan pesados son una peste.* ▮ pl. **6** Palabras de enojo o de amenaza: *Echó pestes cuando vio que se había vuelto a confundir.* **7** || **decir pestes** de alguien; *col.* Hablar mal de él. ☐ ETIMOL. Del latín *pestis* (ruina, destrucción, epidemia). ☐ SINT. *Decir pestes* se usa también con los verbos *contar, hablar* y *echar*.

pesticida adj.inv./s.m. Referido a un producto, que se usa para combatir una plaga u otra cosa dañina y abundante. ☐ ETIMOL. De *peste* y *-cida* (que mata).

pestífero, ra adj. **1** Que tiene muy mal olor. **2** Que es muy malo o que puede ocasionar graves daños. ☐ ETIMOL. Del latín *pestifer*, y este de *pestis* (peste) y *ferre* (llevar).

pestilencia s.f. Mal olor. ☐ SINÓN. *peste.*

pestilente adj.inv. Que desprende mal olor. ☐ ETIMOL. Del latín *pestilens*.

pestillo s.m. **1** Pieza que sirve para asegurar puertas y ventanas. **2** En una cerradura, pieza que entra en el agujero correspondiente al girar la llave. ☐ ETIMOL. Del latín *pestellus*.

pestiño s.m. **1** Dulce que se hace friendo una masa de harina y huevos, y que se baña con miel. **2** *col.* Lo que resulta pesado o molesto. ☐ ETIMOL. Del latín *pistus* (batido, majado).

pesto (it.) s.m. **1** Salsa preparada con albahaca, ajo, aceite y queso: *Si no tienes albahaca fresca, el pesto no te quedará tan rico.* **2** || **al pesto;** con esta salsa: *tallarines al pesto.* ☐ PRON. [pésto].

pestorejo s.m. Parte posterior del cuello, esp. cuando es gruesa y abultada: *El subalterno le clavó* *la puntilla al toro en el pestorejo.* □ ETIMOL. Del latín *post auriculum* (detrás de la oreja).

pestuzo s.m. *col. desp.* Hombre muy feo.

PET s.m. Material plástico de alta resistencia que se utiliza esp. en la fabricación de envases: *Los envases de PET son más ecológicos que los fabricados con otro tipo de plástico.* □ ETIMOL. Es el acrónimo de *politereftalato de etileno.*

peta s.m. **1** *col.* →**petardo. 2** En zonas del español meridional, joroba.

peta- Elemento compositivo prefijo que significa 'mil billones': *petavatio.* □ ETIMOL. De *penta-.* □ ORTOGR. Su símbolo es *P-*, y no se usa nunca aislado: *PW* (petavatio).

petaca s.f. **1** Estuche que se usa para llevar cigarros o tabaco picado. **2** Botella plana de pequeño tamaño que se usa para llevar algún licor. **3** En zonas del español meridional, maleta. **4** *col.* En zonas del español meridional, nalga. **5** || **hacer la petaca;** *col.* Hacer un broma que consiste en doblar la sábana superior de la cama para que al acostarse no se puedan estirar las piernas.

petado, da adj. *col.* Referido a un lugar, lleno o abarrotado: *El local del concierto estaba petado de fans.*

pétalo s.m. En una flor, cada una de las partes iguales que forman la corola. □ SINÓN. *hoja.* □ ETIMOL. Del griego *pétalon* (hoja).

petanca s.f. Juego que consiste en lanzar primero una bola pequeña y después otras de mayor tamaño que deben quedar lo más cerca posible de la pequeña.

petar v. **1** *col.* Apetecer o agradar: *Hoy me peta ir al cine.* **2** *col.* Estropearse o dejar de funcionar: *Recorrimos tantos kilómetros que al final el coche petó.* □ ETIMOL. La acepción 1, quizá del catalán *petar* (peer), en el sentido de *tener el capricho de hacer algo.*

petardear v. **1** Referido a una cosa, lanzarle petardos: *Los castigaron porque petardearon el portal de la casa.* **2** *col. desp.* Comportarse de forma frívola y superficial: *Ese grupito se pasa el día petardeando.* **3** *col.* En zonas del español meridional, estafar o engañar: *No es de confianza porque se la pasa petardeando a la gente.*

petardeo s.m. *col. desp.* Comportamiento frívolo y superficial: *No voy a esa fiesta porque no aguanto el petardeo.*

petardo, da ▮ adj./s. **1** *col. desp.* Referido a una persona, que resulta molesta o pesada: *La muy petarda estuvo una hora hablándome de lo mismo.* **2** *col. desp.* Referido esp. a un hombre, que es muy amanerado y le gusta llamar la atención. ▮ adj./s.m. **3** *col. desp.* Lo que resulta aburrido o de mala calidad: *Le gusta escuchar música petarda.* ▮ s.m. **4** Tubo de un material poco resistente, relleno de un explosivo para que al prenderle fuego produzca una detonación. **5** *col.* Cigarrillo de hachís, marihuana u otra droga, generalmente mezclado con tabaco. □ SINÓN. *porro.* □ ETIMOL. Del catalán *petard* (explotar). □ USO 1. En la acepción 2, se usa mucho el femenino para referirse a un hombre. 2. En la acepción 5, se usa mucho la forma abreviada *peta.*

petate s.m. **1** Lío de ropa, esp. el de un soldado, un marinero o un penado. **2** *col.* Equipaje de un viajero. **3** En zonas del español meridional, tejido de palma con el que se hacen distintos objetos. **4** En zonas del español meridional, estera hecha con este tejido que se usa para dormir sobre ella. **5** || **liar el petate;** *col.* Abandonar una vivienda o un trabajo, esp. si es por despido: *Tuve que liar el petate porque la patrona de la pensión me echó.*

petenera s.f. **1** Cante flamenco de tono grave y de gran intensidad dramática, con coplas de cuatro versos octosílabos. **2** || **salir por peteneras;** *col.* Hacer o decir algo que no tiene relación con lo que se está tratando: *Como no quería darme su opinión, salió por peteneras y se puso a hablar del tiempo.* □ ETIMOL. De origen incierto.

petequia s.f. Mancha pequeña y rojiza que aparece en la piel como consecuencia de la rotura de un pequeño vaso sanguíneo. □ ETIMOL. Del italiano *petecchia* (mancha de sarampión).

petición s.f. Ruego o solicitud. □ ETIMOL. Del latín *petitio.*

peticionario, ria adj./s. Que pide o solicita oficialmente algo.

petimetre, tra s. Persona que cuida excesivamente su aspecto y que sigue demasiado las modas. □ ETIMOL. Del francés *petit-maître* (señorito).

petirrojo s.m. Pájaro de plumaje rojo en el cuello, la frente, la garganta y el pecho, y verdoso en el dorso, que es muy común en la península Ibérica. □ ETIMOL. De *peto* y *rojo.* □ MORF. Es un sustantivo epiceno: *el petirrojo {macho/hembra}.*

petiso, sa ▮ adj./s. **1** En zonas del español meridional, persona de baja estatura. ▮ s. **2** En zonas del español meridional, caballo pequeño. □ ORTOGR. En la acepción 1, se admite también *petizo.*

petisú (pl. *petisús, petisúes*) s.m. Pastel pequeño hecho con una masa de harina azucarada y frita, rellena de crema o de nata. □ ETIMOL. Del francés *petit chou.* □ USO Es innecesario el uso del galicismo *petit chou.*

petit chou (fr.) s.m. || →**petisú.** □ PRON. [petisú].

petit comité (fr.) || **en petit comité;** referido al modo de hacer algo, entre pocas personas y sin contar con los demás. □ PRON. [en petí comité].

petitorio, ria adj. De la petición o relacionado con ella. □ ETIMOL. Del latín *petitorius.*

petit point (fr.) s.m. || Tipo de bordado sobre un tejido en medio punto de cruz. □ PRON. [petí puán].

petizo, za (tb. *petiso, sa*) adj./s. En zonas del español meridional, persona de baja estatura.

peto s.m. **1** En una armadura, parte de la coraza que protegía el pecho. **2** Pieza que se coloca sobre el pecho, esp. si va unida a una prenda de vestir: *el peto de un pantalón.* **3** Prenda de vestir con una pieza que cubre el pecho. **4** En tauromaquia, defensa de cuero y lana que protege el pecho y el costado derecho del caballo del picador. □ ETIMOL. Del italiano *petto* (pecho).

petrarquesco, ca adj. De Petrarca (poeta italiano del siglo XIV) o con características de sus obras.

petrarquismo s.m. Corriente literaria que parte de la imitación e influencia de la obra de Petrarca (poeta italiano del siglo XIV), esp. de su poemario amoroso titulado 'Canzoniere'.

petrarquista adj.inv./s.com. Partidario o imitador del estilo poético de Petrarca (poeta italiano del siglo XIV).

petrel s.m. Ave palmípeda común en todos los mares, de plumaje pardo negruzco, que se alimenta de peces, moluscos y crustáceos que captura nadando en las crestas de las olas y que anida entre las rocas de las costas desiertas. □ ETIMOL. De origen incierto. □ MORF. Es un sustantivo epiceno: *el petrel {macho/hembra}.*

pétreo, a adj. De piedra, roca o peñasco, o con sus características. □ ETIMOL. Del latín *petreus.*

petrificación s.f. Transformación en piedra o endurecimiento como el de una piedra.

petrificar v. **1** Transformar o convertir en piedra, o dar la dureza de la piedra: *Los fósiles son animales o plantas que el paso del tiempo ha petrificado. El cemento se petrifica cuando se seca.* **2** Referido a una persona, dejarla inmóvil de asombro o de terror: *La visión del accidente petrificó su semblante. Su respuesta me petrificó y no supe qué contestar.* □ ETIMOL. Del latín *petra* (piedra) y *facere* (hacer). □ ORTOGR. La *c* se cambia en *qu* delante de *e* →SACAR.

petro- 1 Elemento compositivo prefijo que significa 'piedra': *petroglifo.* **2** Elemento compositivo prefijo que significa 'petróleo': *petrodólar, petroquímica.* □ ETIMOL. La acepción 1, del griego *petro-*, y este de *pétra* (roca, piedra). La acepción 2, de *petróleo.*

petrodólar s.m. Dólar obtenido por los países productores de petróleo, esp. los árabes, gracias a la venta de crudos. □ ETIMOL. De *petro-* (petróleo) y *dólar.*

petrogénesis (pl. *petrogénesis*) s.f. Parte de la petrología que estudia la formación de las rocas. □ ETIMOL. De *petro-* (piedra) y *génesis.*

petroglifo s.m. Grabado o dibujo hecho sobre piedra, que es propio de la época prehistórica o de una cultura primitiva. □ ETIMOL. De *petro-* (piedra) y *glípho* (yo grabo, esculpo).

petrografía s.f. Parte de la petrología que trata de la descripción y de la clasificación de las rocas. □ ETIMOL. De *petro-* (roca) y *-grafía* (descripción).

petrográfico, ca adj. De la petrografía o relacionado con la descripción de las rocas.

petrolear v. **1** Pulverizar, bañar o limpiar con petróleo: *En el taller me petrolearon el motor del coche.* **2** Referido a un buque, abastecerse de petróleo: *Antes de zarpar, el buque debe petrolear.*

petróleo s.m. Líquido natural, inflamable y de color negro, formado por una mezcla de hidrocarburos, que se encuentra en yacimientos subterráneos y que es muy apreciado como fuente de energía y con fines industriales. □ ETIMOL. Del latín *petroleum*, y este de *petra* (piedra) y *oleum* (aceite). □ MORF. Cuando se añade a una palabra para formar compuestos, puede adoptar la forma *petro-*.

petroleoquímica s.f. →**petroquímico.**

petroleoquímico, ca adj./s.f. →**petroquímico.**

petrolero, ra ▌adj. **1** Del petróleo o relacionado con él: *industria petrolera.* ▌s.m. **2** Barco preparado para el transporte de petróleo. □ SEM. Dist. de *petrolífero* (que contiene petróleo).

petrolífero, ra adj. Que contiene petróleo: *un yacimiento petrolífero.* □ ETIMOL. De *petróleo* y el latín *ferre* (llevar). □ SEM. Dist. de *petrolero* (del petróleo; barco que transporta petróleo).

petrología s.f. Estudio de las rocas. □ ETIMOL. De *petro-* (roca) y *-logía* (estudio).

petrológico, ca adj. De la petrología o relacionado con el estudio de las rocas.

petroquímica s.f. Véase **petroquímico, ca.**

petroquímico, ca ▌adj. **1** De la petroquímica o relacionado con esta industria. □ SINÓN. *petroleoquímico.* ▌s.f. **2** Industria, ciencia o técnica basadas en el empleo del petróleo o el gas natural como materias primas para la obtención de productos químicos. □ SINÓN. *petroleoquímica.* □ ETIMOL. De *petro-* (petróleo) y *química.*

petudo, da adj./s. En zonas del español meridional, jorobado.

petulancia s.f. Insolencia o presunción excesivas de quien está convencido de la propia superioridad.

petulante adj.inv./s.com. Insolente, presuntuoso o ridículamente convencido de su superioridad sobre los demás. □ ETIMOL. Del latín *petulans* (travieso, insolente).

petunia s.f. **1** Planta herbácea de hojas alternas y ovaladas, flores grandes, olorosas y de diversos colores, que se cultiva mucho en jardines. **2** Flor de esta planta. □ ETIMOL. Del francés antiguo *petun* (tabaco).

peúco s.m. Calcetín o botita de lana para los niños pequeños. □ ETIMOL. De *pie.*

peyorativo, va adj. Que expresa una idea desfavorable, despectiva o negativa: *Es peyorativo que digas que tu dentista es un sacamuelas.* □ ETIMOL. Del latín *peior* (peor).

peyote s.m. Planta de la familia del cactus, de tallo grueso y globuloso y con flores tubulares, que está cubierto de púas en forma de gancho y que contiene una sustancia cuya ingestión produce efectos narcóticos y alucinógenos.

pez ▌s.m. **1** Animal vertebrado acuático que respira por branquias, que generalmente tiene el cuerpo cubierto de escamas y las extremidades en forma de aleta, y que se reproduce por huevos: *La trucha, el tiburón y la lamprea son peces.* ▌s.m.pl. **2** En zoología, tipo de estos animales: *Casi todos los animales que pertenecen a los peces tienen el cuerpo cubierto de escamas.* ▌s.f. **3** Sustancia pegajosa de color oscuro, insoluble al agua, que se emplea generalmente para impermeabilizar superficies y es un residuo de la destilación del alquitrán: *El casco del barco estaba cubierto de pez para evitar las filtraciones de agua.* **4** ‖ **como pez en el agua;** *col.*

Cómodamente o con desenvoltura: *Habló y bailó con todo el mundo porque en las fiestas se siente como pez en el agua.* || **estar pez;** *col.* No saber nada o ignorarlo todo: *Sacó un cero porque estaba pez.* || **pez espada;** el marino, con piel sin escamas, áspera y negruzca por el lomo y blanca por el vientre, con cabeza apuntada y mandíbula superior en forma de espada de dos cortes, y cuya carne es muy apreciada para la alimentación. □ SINÓN. *emperador.* || **pez globo;** el marino, con el cuerpo cubierto de espinas, que para defenderse se hincha de aire, con lo que se le erizan las escamas espinosas. || **pez gordo;** *col.* Persona con poder e influencia. || **pez luna;** el marino, de cuerpo muy comprimido, casi circular, que carece de aleta caudal y que tiene la piel sin escamas y de color plateado. || **pez martillo;** el marino, que se caracteriza por tener dos prolongaciones laterales en la cabeza, en cuyos extremos están los ojos. || **pez sierra;** el marino, que tiene el tercio anterior transformado en una especie de sierra, con la que escarba el fondo buscando alimentos o con la que ataca a bancos de peces. || **pez volante** o **(pez) volador;** el marino, que tiene la cabeza gruesa con el hocico saliente, el cuerpo con manchas rojas, blancas y pardas, las aletas negruzcas con lunares azules, y las pectorales tan largas que plegadas llegan a la cola y desplegadas le permiten dar grandes saltos fuera del agua. □ ETIMOL. Las acepciones 1 y 2, del latín *piscis*. La acepción 3, del latín *pix*. □ MORF. *Pez espada*, *pez globo*, *pez luna*, *pez martillo*, *pez sierra* y *pez volante* son epicenos: *el pez espada {macho/hembra}*, etc.

pezón s.m. En un pecho, parte abultada que sobresale y que las crías chupan para succionar la leche. □ ETIMOL. Del latín **pecciolus* (piececito).

pezonera s.f. Pieza redonda con un hueco en el centro usada por las mujeres como protección del pezón y para facilitar al bebé la succión de la leche.

pezuña s.f. **1** En algunos animales, conjunto de los dedos de una pata que están totalmente cubiertos en su extremo por uñas: *Los cerdos y las vacas tienen pezuñas.* **2** *col. desp.* Pie o mano de las personas. □ ETIMOL. Del latín *pedis* (del pie) y *ungula* (uña).

pH s.m. Índice que expresa el grado de acidez o alcalinidad de una sustancia. □ ETIMOL. Es la sigla de *potencial de hidrógeno*.

phi s.f. →**fi.**

photofinish (ing.) (tb. *foto finish*) s.f. Toma fotográfica de llegada de una carrera deportiva, mediante una cámara situada en la línea de meta. □ PRON. [fotofínis]. □ USO Su uso es innecesario y puede sustituirse por *foto de llegada*.

pi s.f. **1** En el alfabeto griego clásico, nombre de la decimosexta letra: *La grafía de la pi es* π. **2** En matemáticas, número que resulta de la relación entre la longitud de una circunferencia y su diámetro y que equivale a 3,141592...

piadoso, sa adj. **1** Misericordioso o compasivo ante las desgracias ajenas. **2** Religioso o devoto. □ ETIMOL. Del antiguo *piadad* (piedad).

piafar v. Referido a un caballo que está parado, alzar alternativamente las patas delanteras dejándolas caer con fuerza y rapidez: *El caballo piafaba porque estaba inquieto.* □ ETIMOL. Del francés *piaffer*.

piamadre (tb. *piamáter*) s.f. En anatomía, la más interna de las tres meninges o membranas que envuelven y protegen el cerebro y la médula espinal. □ ETIMOL. Del latín *pia mater* (madre piadosa), porque protege el cerebro como una madre a su hijo.

piamáter s.f. →**piamadre.**

pian s.m. Enfermedad infecciosa caracterizada por erupciones cutáneas y la formación de tumores en cara, manos, pies y zonas genitales.

pianista s.com. Músico que toca el piano.

pianístico, ca adj. Del piano o relacionado con él.

piano ▌ s.m. **1** Instrumento musical de cuerdas percutidas y teclado, cuyas cuerdas, metálicas y de diferentes longitudes y diámetros, están ordenadas de mayor a menor en una caja de resonancia y suenan al ser golpeadas por unos pequeños mazos que se accionan cuando se pulsan las teclas correspondientes. ▌ adv. **2** En música, referido a la forma de ejecutar un sonido o un pasaje, con poca intensidad: *Esta pieza hay que interpretarla piano.* **3** || **como un piano;** *col.* muy grande o extraordinario: *Ese negocio es un fraude como un piano.* || **piano de cola;** el de grandes dimensiones, que tiene las cuerdas dispuestas en un plano horizontal y una cubierta que se abre para que el sonido salga sin barreras: *El piano de cola tiene mejor sonoridad que el de pared.* || **piano de pared;** el de pequeñas dimensiones, que tiene las cuerdas dispuestas en un plano vertical: *Las cuerdas del piano de pared son mucho más cortas que las del piano de cola.* □ ETIMOL. De *pianoforte* (nombre italiano de un clavicordio que se puede tocar suave o fuertemente).

piano-bar s.m. Establecimiento en el que se toman bebidas y se escucha música de piano.

pianola s.f. Piano que se puede poner en marcha mecánicamente por pedales o mediante corriente eléctrica, y que no necesita una persona que lo toque. □ ETIMOL. Extensión del nombre de una marca comercial.

piar v. Referido a algunas aves, esp. al pollo, emitir su voz característica: *Los polluelos pían alrededor de la gallina con su incesante 'pío, pío'.* □ ETIMOL. De origen onomatopéyico. □ ORTOGR. La *i* lleva tilde en los presentes, excepto en las personas *nosotros* y *vosotros* →GUIAR.

piara s.f. Manada de cerdos. □ ETIMOL. De origen incierto. □ ORTOGR. Dist. de *tiara*.

piastra s.f. Moneda fraccionaria de distintos países. □ ETIMOL. Del italiano *piastra*.

PIB s.m. En economía, valor de la producción total en el interior de un país: *El año pasado, el PIB creció un tres por ciento.* □ ETIMOL. Es la sigla de *producto interior bruto*. □ PRON. [peibé] o [pib].

pibe, ba s. *col.* Muchacho o chaval.

pica ▌ s.f. **1** Especie de lanza larga que usaban los soldados y que tenía un hierro pequeño y agudo en su extremo superior. **2** Vara larga para picar toros desde el caballo. ❚ pl. **3** En la baraja francesa, palo que se representa con uno o varios corazones negros invertidos y con pie triangular. □ ETIMOL. De *picar.*

picacho s.m. Punta aguda y picuda que tienen algunos montes y riscos: *Un grupo de alpinistas pretende escalar aquel picacho.*

picadero s.m. **1** Lugar en el que se adiestran los caballos y se aprende a montar en ellos. **2** *col.* Vivienda o lugar que se usa para tener relaciones sexuales generalmente clandestinas. □ ETIMOL. De *picar.*

picadillo s.m. **1** Lomo de cerdo picado y adobado para hacer embutidos. **2** Guiso que se hace picando carne cruda con tocino, verduras y ajos, y cociéndolo y sazonándolo todo con especias y huevos batidos. **3** Comida que se elabora con varios ingredientes muy troceados. **4** || **hacer picadillo** a alguien; *col.* Dejarlo en muy malas condiciones físicas o anímicas: *Necesito unas vacaciones, porque este trabajo me ha dejado hecho picadillo.*

picado, da ❚ adj. **1** Referido a la piel, llena de marcas o de cicatrices, generalmente producidas por la viruela o por el acné. ❚ s.m. **2** En cine, vídeo y televisión, toma hecha de arriba a abajo con la cámara inclinada sobre el objeto filmado: *La película tiene varios picados verdaderamente magistrales.* **3** || **en picado; 1** Referido al vuelo de un avión, hacia abajo o cayendo verticalmente y a gran velocidad. **2** Con un descenso rápido o irremediable: *Su carrera política cayó en picado tras el escándalo.* □ MORF. *En picado* se usa más con el verbo *caer* y equivalentes.

picador, -a ❚ s. **1** Torero que, montado en un caballo, pica con garrocha a los toros en las corridas. **2** Minero que se dedica a picar. **3** Persona que se dedica a la doma y al adiestramiento de caballos, esp. si esta es su profesión. ❚ s.f. **4** Aparato que sirve para picar, esp. productos alimenticios.

picadora s.f. Véase **picador, -a.**

picadura s.f. **1** Agujero o grieta, esp. los producidos en dientes o muelas y que son un principio de caries. **2** Mordedura de un ave, un insecto o un reptil. **3** Tabaco desmenuzado en hebras o en pequeñas partículas: *Compro picadura porque fumo en pipa.*

picaflor s.m. Pájaro de tamaño muy pequeño, con el pico muy largo y delgado y el plumaje de colores muy vivos. □ SINÓN. *colibrí.* □ MORF. Es un sustantivo epiceno: *el picaflor {macho/hembra}.*

picajón, -a adj./s. *col.* →**picajoso.**

picajoso, sa adj./s. *col.* Que se ofende o se pica con mucha facilidad. □ SINÓN. *picajón.*

picana s.f. **1** Vara larga con una punta metálica que se utiliza para pinchar a los bueyes o a las vacas para que anden más deprisa. **2** || **picana (eléctrica);** instrumento de tortura que se utiliza para aplicar descargas eléctricas en determinadas partes del cuerpo.

picanear v. Referido a una persona, torturarla por medio de la picana: *En aquella película picaneaban a un preso político.*

picante ❚ adj.inv. **1** Que pica. **2** Con gracia llena de malicia y ligeramente ofensiva al pudor en cuestiones sexuales: *un chiste picante.* ❚ adj.inv./s.m. **3** Que produce una sensación de picor o quemazón en el paladar: *La pimienta y la mostaza son picantes.*

picantería s.f. En zonas del español meridional, restaurante modesto.

picapedrero s.m. Hombre que se dedica profesionalmente a picar piedras.

picapica s.m. Sustancia que causa picor o que hace estornudar. □ MORF. Se admite también como femenino. □ SINT. Se usa mucho en aposición, pospuesto a un sustantivo: *polvos picapica.*

picapleitos (pl. *picapleitos*) s.com. *col. desp.* Abogado.

picaporte s.m. **1** En una puerta o una ventana, dispositivo para abrirlas o cerrarlas. **2** Palanca que facilita el manejo de este dispositivo. **3** Llamador o aldaba. □ ETIMOL. Del catalán *picaportes* (aldaba).

picar ❚ v. **1** Cortar en trozos pequeños: *Para hacer macedonia hay que picar muy bien la fruta.* **2** Corroer o desgastar: *El óxido pica el metal. El plástico de la correa se ha picado.* **3** Referido a una superficie, agujerearla: *Se te van a picar las muelas de comer tanto dulce.* **4** Referido a una superficie, pincharla o atravesarla levemente con un instrumento punzante: *Picaba las aceitunas con un palillo.* **5** Referido a una materia dura, golpearla con un pico o con un instrumento similar: *Para arreglar las tuberías hay que picar la pared.* **6** Referido a un billete o a una entrada, taladrarlos el revisor: *El revisor del tren me picó el billete.* **7** Referido a un toro, herirlo el picador clavándole la pica en el morrillo y procurando detenerlo en su acometida: *Según el reglamento taurino, hay que picar tres veces a los toros.* **8** Referido a una caballería, avivarla el jinete utilizando las espuelas: *Picó al caballo y este inició un galope ligero.* □ SINÓN. *espolear.* **9** Referido a una persona, estimularla o animarla a hacer algo: *Me picaron diciendo que era una película estupenda y acabé yendo al cine con ellos.* □ SINÓN. *espolear, pinchar.* **10** *col.* Referido a una persona, ofenderla o enfadarla: *Me picó mucho que me dieran plantón. Se picó porque no la invitamos a la cena.* **11** Referido a los alimentos, comerlos en pequeñas cantidades: *Cada vez que veo las uvas en el frutero, pico alguna. Cuando estoy guisando no puedo evitar la tentación de picar.* **12** Caer en un engaño: *He vuelto a picar y me he creído su historia.* **13** Referido a ciertos animales, morder o herir con el pico o con la boca: *Está en el hospital porque le ha picado una víbora.* **14** Referido a un ave, tomar la comida con el pico: *Las gallinas picaban los granos de maíz.* **15** Referido a un pez, morder el cebo puesto en el anzuelo para pescarlo: *¿Cuántos peces han picado hoy?* **16** Referido a un alimento, producir una sensación de irritación o de escozor en el paladar: *Esta guindilla pica mucho.*

Echó tabasco a las judías para que picaran. **17** Referido a una parte del cuerpo, experimentar picor o escozor: *Me pica la pierna.* **18** Referido al sol, calentar mucho: *Va a haber tormenta, porque pica mucho el sol.* **19** Referido esp. a un texto o a unos datos, copiarlos en un ordenador o con una máquina de escribir: *El texto hay que picarlo, porque no se puede escanear.* **20** Referido a un balón, pasarlo haciendo que dé un bote: *El pívot picó el balón y la defensa cortó el pase.* **21** Referido a algo que vuela, bajar su parte delantera por debajo de la horizontal: *En la exhibición, tres aviones picaron a la vez formando bonitos dibujos en el aire.* ▌prnl. **22** Referido al vino, estropearse o avinagrarse: *Has dejado la botella abierta diez días y el vino se ha picado.* **23** Referido al mar, agitarse levantando olas pequeñas: *Volvimos al puerto cuando el mar empezó a picarse.* **24** *arg.* En el lenguaje de la droga, inyectarse una dosis de droga: *Es heroinómano y se pica todos los días.* ☐ SINÓN. *pinchar.* **25** ‖ **picar (muy) alto;** aspirar a algo que está por encima de las propias posibilidades: *Pica muy alto cuando dice que quiere llegar a presidente.* ☐ ETIMOL. De origen expresivo. ☐ ORTOGR. La *c* se cambia en *qu* delante de *e* →SACAR. ☐ SINT. La acepción 8 se usa más en la expresión *picar espuelas.*

picardear v. Decir o hacer picardías: *Los jovenzuelos ya picardean con las mozas.*

picardía s.f. **1** Astucia o habilidad en la forma de actuar, a fin de conseguir algo en provecho propio: *Me lo preguntó con picardía, a ver si conseguía sacarme información.* **2** Atrevimiento o ligera falta de pudor en lo relacionado con cuestiones sexuales: *La picardía de su mirada me hizo sonrojar.* **3** Travesura de niños o burla inocente: *Hoy voy a hacer una picardía y me voy a saltar el régimen.* ☐ ETIMOL. De *pícaro.*

picardías (pl. *picardías*) s.m. Camisón corto, generalmente transparente.

picaresca adj./s.f. →**novela picaresca.**

picaresco, ca ▌adj. **1** Del pícaro o relacionado con él. **2** Referido esp. a una obra literaria, que tiene como tema el relato de la vida de un pícaro. ▌s.f. **3** →**novela picaresca. 4** Forma de vida ruin, astuta y carente de honradez.

pícaro, ra ▌adj./s. **1** Que tiene picardía, o que es astuto, malicioso o aprovechado. ▌s. **2** Tipo de persona descarada, astuta, traviesa, de la más humilde condición social y que se las arregla para salir adelante en la vida valiéndose de su astucia y de toda clase de engaños y de estafas. ☐ ETIMOL. De origen incierto.

picasiano, na adj. De Pablo Ruiz Picasso (pintor español del siglo XX), con características de sus obras, o relacionado con él.

picatoste s.m. Trozo pequeño de pan tostado o frito. ☐ ETIMOL. De *picar* (cortar) y *tostar.*

picaza s.f. Ave de plumaje blanco en el vientre y negro con reflejos metálicos en el resto del cuerpo, de cola larga y pico robusto, que emite fuertes gritos y es fácil de domesticar. ☐ SINÓN. *urraca.* ☐ ETIMOL. Del latín *pica.* ☐ MORF. Es un sustantivo epiceno: *la picaza {macho / hembra}.*

picazón s.f. Molestia que causa un picor.

pícea s.f. Árbol parecido al abeto, pero de hojas puntiagudas y piñas más delgadas y colgantes en los extremos de las ramas superiores: *Algunos tipos de pícea pueden alcanzar los treinta y cinco metros de altura.* ☐ ETIMOL. Del latín *picea.*

picha s.f. *vulg.malson.* →**pene.**

piche s.m. *col.* En zonas del español meridional, jarra.

pichel s.m. Vaso alto y redondo, algo más ancho por la base que por la boca y con una tapa articulada. ☐ ETIMOL. Del francés *pichier.*

pichi s.m. Prenda de vestir femenina, semejante a un vestido sin mangas y escotado, que se pone encima de otra prenda.

pichichi s.m. **1** En el fútbol español, trofeo que premia al mayor goleador de la liga. **2** En el fútbol español, jugador que gana este premio. ☐ ETIMOL. Por alusión al apodo de un futbolista español que fue un gran goleador.

pichincha s.f. *col.* En zonas del español meridional, ganga. ☐ ETIMOL. Del portugués *pechincha.*

pichón s.m. Pollo o cría de la paloma doméstica. ☐ ETIMOL. Del italiano *piccione.* ☐ MORF. Es un sustantivo epiceno: *el pichón {macho / hembra}.* ☐ USO El uso de *pichón, pichona* aplicado a personas tiene un matiz cariñoso.

pichula s.f. *col.* En zonas del español meridional, pene.

pichurri interj. Expresión que se usa como apelativo para indicar cariño.

picia s.f. *col.* Travesura o acción que provoca perjuicio o molestia: *Estos niños tan traviesos siempre están tramando alguna picia.* ☐ SEM. Dist. de *pifia* (error).

pick-up (ing.) s.m. **1** →**tocadiscos. 2** En zonas del español meridional, vehículo automóvil más pequeño que un camión que tiene la parte de atrás descubierta. ☐ PRON. [pícap].

picnic (ing.) s.m. Comida en el campo o al aire libre. ☐ PRON. [pícnic].

pícnico, ca adj./s. Referido a una persona, que tiene el cuerpo rechoncho, pequeña estatura y tendencia a la obesidad. ☐ ETIMOL. Del griego *pyknós* (espeso, tupido).

pico s.m. **1** En un ave, parte saliente de la cabeza, compuesta por dos piezas córneas que recubren los huesos de las mandíbulas y que le permite tomar los alimentos: *La forma del pico está en relación con el tipo de alimentación de cada especie.* **2** Parte puntiaguda que sobresale de la superficie o del borde de algo: *El bajo de ese vestido está mal cosido, porque te cuelgan picos.* **3** Herramienta formada por un mango al que se sujeta una barra resistente y un poco curva, con uno de sus extremos terminado en punta, y que se utiliza para cavar: *Los albañiles cavaron la zanja con un pico y una pala.* ☐ SINÓN. *zapapico.* **4** En una montaña, cúspide puntiaguda: *Los escaladores llegaron hasta el pico nevado.* **5** Montaña que tiene esta cúspide: *El Mulhacén es el pico más alto de la península Ibérica.* **6** Cantidad indeterminada de dinero, esp. si es elevada: *Este coche te habrá costado un buen pico.* **7** Parte pequeña que excede a una cantidad o a una unidad de tiempo expresada: *Serían las tres y pico cuando llegué.* **8** Pañal triangular que se pone a los niños pequeños y que generalmente está hecho con tela parecida a la felpa: *Dentro del pico hay que poner la gasa para que empape el pis.* **9** *col.* Boca: *Solo sabe abrir el pico para decir tonterías.* **10** *col.* Facilidad y soltura de palabra: *Con el pico que tiene, te convencerá de lo que quiera.* **11** *arg.* En el lenguaje de la droga, dosis que se inyecta. **12** Colín de tamaño pequeño. **13** || **de picos pardos;** *col.* De juerga o de diversión: *Salieron de picos pardos y han regresado de madrugada.* || **pico de oro;** *col.* Persona que habla muy bien. □ ETIMOL. Del celta *beccus.* □ SINT. La expresión *de picos pardos* se usa más con los verbos *andar*, *irse* o equivalentes.

pico- Elemento compositivo prefijo que significa 'billonésima parte': *picofaradio.* □ ETIMOL. De *pico* (parte pequeña que excede a una cantidad). □ ORTOGR. Su símbolo es *p-*, y no se usa nunca aislado: *pF* (picofaradio).

picoleto s.m. *col.* Miembro de la guardia civil. □ MORF. Se usa mucho la forma abreviada *pico.*

picón s.m. **1** Carbón muy menudo de origen vegetal y que solo sirve para los braseros. **2** Grava de origen volcánico: *El picón se utiliza mucho en los cultivos canarios porque retiene la humedad.* □ ETIMOL. De *picar.*

piconero, ra s. Persona que fabrica o que vende picón o carbón muy picado.

picop (pl. *picops*) s.amb. En zonas del español meridional, vehículo automóvil más pequeño que un camión que tiene la parte de atrás descubierta. □ ETIMOL. Del inglés *pick-up* (vehículo con la parte posterior descubierta).

picor s.m. **1** Sensación desagradable o irritación que produce en el cuerpo algo que pica. **2** Ardor que se siente en el paladar o en la lengua por haber comido algo picante.

picoroco s.m. Marisco de carne blanda, sabrosa y blanquecina, que abunda en las costas peruanas y chilenas.

picota s.f. **1** Variedad de cereza que se caracteriza por la forma algo apuntada, una consistencia carnosa y un tamaño mayor que el de la cereza normal. **2** Columna que había en la entrada de algunos lugares y en la que se exponía la cabeza de las personas ajusticiadas. **3** *col.* Nariz. **4** || **poner** a alguien **en la picota;** ponerlo en vergüenza criticándolo o exponiendo sus faltas. □ ETIMOL. Quizá de *pico* (punta).

picotazo s.m. Mordedura de un ave, de un reptil o de un insecto.

picotear v. **1** Referido a un ave, golpear o herir repetidas veces con el pico: *La gallina picoteaba los granos de maíz.* **2** Comer repetidas veces y en pequeñas cantidades: *Como no teníamos mucha hambre, pedimos unas raciones para picotear.* □ ETIMOL. De *pico.*

picoteo s.m. **1** Golpe repetido del pico de un ave sobre algo. **2** Comida de distintos alimentos en pequeñas cantidades: *A ti lo que te quita el apetito es el picoteo entre horas.*

pícrico adj. Referido a un ácido, que es un derivado nitrogenado del fenol, muy amargo y venenoso. □ ETIMOL. Del griego *pikrós* (amargo).

pictografía s.f. Escritura ideográfica que consiste en dibujar los objetos que han de explicarse con palabras. □ ETIMOL. Del latín *pictus* (pintado) y *-grafía* (escritura, representación gráfica).

pictográfico, ca adj. De la pictografía o relacionado con este tipo de escritura: *El sistema de señales de circulación forma parte de la escritura pictográfica.*

pictograma s.m. Signo que tiene un significado en un sistema de escritura de figuras o de símbolos: *En la puerta del servicio de señoras hay un pictograma con una figura de mujer.* □ ETIMOL. Del latín *pictus* (pintado) y *-grama* (representación).

pictórico, ca adj. De la pintura o relacionado con ella: *técnicas pictóricas.* □ ETIMOL. Del latín *pictor* (pintor).

picudo, da adj. **1** Con pico o con forma de pico. **2** *col.* En zonas del español meridional, muy bueno o estupendo.

pidgin (pl. *pidgin*) s.m. Lengua híbrida o criolla, esp. la utilizada en los puertos de China (país asiático) y constituida por un vocabulario inglés adaptado al sistema gramatical del chino: *El pidgin es utilizado como lengua comercial en los puertos de China.* □ ETIMOL. Del inglés *pidgin* y este de la pronunciación china de la palabra inglesa *business* (negocio). □ PRON. [pídyin].

pídola s.f. Juego de muchachos en el que uno de ellos se coloca encorvado y los demás saltan por encima de él con las piernas abiertas.

pidón, -a adj./s. *col.* Pedigüeño.

pie (pl. *pies*) s.m. **1** En el cuerpo de una persona, extremidad de la pierna, que va desde el tobillo hasta la punta de los dedos, se apoya en el suelo y sirve principalmente para andar y sostener el cuerpo cuando está erguido. **2** En una prenda de vestir, parte que cubre esta extremidad de la pierna: *Siempre rompe los calcetines por el pie.* **3** En algunos animales, parte del cuerpo que les sirve para moverse o desplazarse: *El caracol tiene un solo pie y sobre él lleva la concha.* **4** Base o parte en la que se apoya algo: *Tengo una lámpara con el pie de bronce.* **5** En una planta, tronco o tallo. **6** En un verso, cada una de las partes de dos o más sílabas que lo componen, teniendo en cuenta la cantidad o el acento: *En la poesía griega, los pies estaban formados por vocales largas y breves.* **7** En una representación dramática, palabra con que termina lo que dice un personaje cada vez que le toca hablar a otro. **8** En un escrito, parte final y espacio en blanco que la sigue: *Tienes que firmar al pie del documento.* **9** En el sistema anglosajón, unidad básica de longitud que equivale aproximadamente a 30,5 centímetros. **10** Parte opuesta a la cabecera o a la parte principal de algo:

Siéntate a los pies de la cama. **11** En una fotografía o en un dibujo, explicación o comentario breve que se pone debajo: *En el pie de foto figuraba el nombre del entrevistado.* **12** || **a los pies de** alguien; a su entero servicio: *Soy un eterno admirador suyo y me pongo a sus pies para lo que necesite.* || **a pie;** andando o caminando. || **a pies juntillas;** firmemente o sin la menor duda: *Se creyó a pies juntillas las barbaridades que le conté.* || **al pie de** algo; cercano, próximo o inmediato a ello: *Estuvo al pie de su hijo durante la enfermedad.* || **al pie de la letra;** literalmente: *Cuando alguien dice que se muere de risa, no hay que entenderlo al pie de la letra.* || **al pie del cañón;** atento y sin abandonar el deber: *Su trabajo es muy duro, pero ahí lo tienes, al pie del cañón, día tras día.* || **buscarle {cinco/tres} pies al gato;** *col.* Empeñarse en encontrar dificultades, inconvenientes o complicaciones. || **cojear del mismo pie;** *col.* Tener el mismo defecto: *Tú y tu hermano cojeáis del mismo pie, porque los dos sois unos derrochadores.* || **con {buen/mal} pie;** *col.* Con buena o mala suerte: *Empezó con buen pie, ya que acertó a la primera una pregunta difícil.* || **con el pie derecho;** *col.* Con acierto o con buena suerte: *He debido entrar en tu casa con el pie derecho, porque tus padres me adoran.* || **con el pie izquierdo;** *col.* Sin acierto o con mala suerte: *Hoy me he levantado con el pie izquierdo, y todo me sale mal.* || **con los pies por delante;** *col.* Muerto o sin vida: *De aquí no me saca nadie, si no es con los pies por delante.* || **con pies de plomo;** *col.* Despacio, con cuidado o con cautela: *Intenta enterarte de quién es el culpable, pero ve con pies de plomo.* || **con un pie en** un lugar; *col.* Próximo a él: *Ese enfermo tan demacrado está ya con un pie en la tumba.* || **dar pie;** dar ocasión o motivo: *Tu comportamiento dará pie a severas críticas.* || **de a pie;** referido a una persona, normal o modesta: *ciudadanos de a pie.* || **de (los) pies a (la) cabeza;** *col.* Completamente, o con todo lo necesario: *El chaparrón me ha empapado de pies a cabeza.* || **{de/en} pie;** Erguido: *Al entrar el director, los asistentes se pusieron en pie.* || **en pie de guerra;** en disposición de combatir o dispuesto a tener un enfrentamiento agresivo. || **en pie de igualdad;** de igual a igual: *La ley ha de contemplar a hombres y mujeres en pie de igualdad.* || **hacer pie;** tocar el fondo para poder mantener la cabeza fuera del agua sin necesidad de nadar. || **nacer de pie;** tener muy buena suerte. || **no dar pie con bola;** no acertar absolutamente nada: *Tienes un cero en el examen, porque no has dado pie con bola.* || **no tener pies ni cabeza;** *col.* No ser lógico o no tener sentido. || **parar los pies** a alguien; *col.* Detener o interrumpir su acción o sus intenciones por ser inconvenientes o abusivas. || **pie cavo;** el que tiene un puente excesivo: *Se cae mucho cuando salta porque tiene los pies cavos.* || **pie de atleta;** enfermedad de la piel causada por hongos, que suele producir enrojecimiento, grietas y pequeñas ampollas. || **pie de foto;** texto que, en los impresos ilustrados, aparece bajo una fotografía con información sobre su contenido. || **pie de imprenta;** conjunto de datos sobre la edición o impresión de un libro, que generalmente figuran al principio o al final de este. || **pie plano;** el que apenas tiene puente. || **pie quebrado;** en algunas composiciones métricas, verso corto, de cinco sílabas como máximo, que alterna con otros más largos. || **poner los pies en un lugar;** *col.* Ir a él: *Hace más de dos años que no pone los pies en mi casa.* || **poner pies en polvorosa;** *col.* Salir corriendo o huir. || **por pies;** *col.* Corriendo o muy deprisa: *Los ladrones salieron por pies cuando vieron llegar a la policía.* || **saber de qué pie cojea** alguien; *col.* Saber cuál es su punto débil: *Tú a mí no me engañas, que sé bien de qué pie cojeas.* || **sacar los pies del {plato/tiesto};** *col.* Actuar con descaro o fuera de las pautas socialmente establecidas. || **sin pies ni cabeza;** *col.* Sin lógica ni sentido: *Es una película sin pies ni cabeza, con personajes que aparecen y desaparecen sin motivo.* ☐ ETIMOL. Del latín *pes.* ☐ ORTOGR. En la acepción 9, su símbolo es *ft*, por tanto, se escribe sin punto. ☐ MORF. Incorr. el pl. **pieses.* ☐ SINT. *Por pies* se usa más con los verbos *irse*, *marcharse*, *salir* o equivalentes.

piedad s.f. **1** Comportamiento misericordioso, o sentimiento de amor al prójimo y de compasión ante las desgracias ajenas. **2** Devoción o fervor religiosos. **3** Representación en pintura o en escultura de la Virgen María (madre de Jesucristo) sosteniendo el cadáver de su Hijo descendido de la cruz. ☐ ETIMOL. Del latín *pietas.*

piedra s.f. **1** Cuerpo mineral duro y compacto. **2** Trozo labrado de este cuerpo, esp. si se utiliza en la construcción: *Las piedras de este acueducto romano no están unidas por nada.* **3** *col.* Acumulación anormal y más o menos compacta de sales y minerales que se forma en conductos y órganos huecos: *Es muy doloroso expulsar las piedras de la vesícula.* ☐ SINÓN. *cálculo.* **4** En un encendedor, aleación de hierro y de cerio que se emplea para producir la chispa. **5** Granizo grueso: *La tormenta de piedra ha estropeado la cosecha.* **6** || **de piedra;** *col.* Muy sorprendido o impresionado: *Me dio una respuesta tan tajante que me dejó de piedra.* || **pasarse por la piedra** a alguien; *vulg.* Poseerlo sexualmente. || **piedra angular;** base o fundamento principal de algo: *Su madre es la piedra angular del negocio familiar.* || **(piedra) berroqueña;** la que es de granito. || **piedra (de molino);** en un molino tradicional, rueda de este material que gira sobre otra fija para moler lo que se pone entre ambas. ☐ SINÓN. *muela, volandera.* || **piedra de toque;** lo que sirve para confirmar la calidad de algo: *El concurso será la piedra de toque de los nuevos músicos.* || **piedra filosofal;** materia con la que los alquimistas pretendían hacer oro artificial. || **piedra pómez;** la que es volcánica, esponjosa, frágil, de textura fibrosa y de color grisáceo. ☐ SINÓN. *pumita.* || **piedra (preciosa);** la que es fina, dura, escasa y generalmente transparente: *Las piedras preciosas* *se emplean mucho en joyería.* || **tirar piedras contra el propio tejado;** *col.* Comportarse de forma perjudicial para los propios intereses: *Si vas contando por ahí tus defectos, estás tirando piedras contra tu tejado.* □ ETIMOL. Del latín *petra* (roca).

piel s.f. **1** Tejido externo que cubre y protege el cuerpo de las personas y de los animales. **2** Pellejo que cubre el cuerpo de los animales, curtido y preparado para su uso en la industria: *una cartera de piel.* □ SINÓN. *cuero.* **3** Cuero curtido de forma que conserva el pelo natural: *un abrigo de pieles.* **4** Parte exterior que cubre la parte carnosa de algunos frutos. **5** || **piel de gallina;** la que toma un aspecto granuloso o semejante a la de esta ave, generalmente por efecto de un estremecimiento: *Se nota que tienes frío, porque tienes piel de gallina.* □ SINÓN. *carne de gallina.* || **piel roja;** indio indígena de las tierras norteamericanas. || **ser (de) la piel del diablo;** *col.* Ser muy travieso o revoltoso. □ ETIMOL. Del latín *pellis.*

piélago s.m. *poét.* Mar. □ ETIMOL. Del latín *pelagus.*

pienso s.m. Alimento, esp. el seco, para el ganado. □ ETIMOL. Del latín *pensum*, y este de *pendere* (pesar).

piercing (ing.) s.m. **1** Práctica que consiste en hacerse perforaciones en cualquier parte del cuerpo para llevar pendientes: *He leído un artículo sobre el piercing.* **2** Agujero hecho en cualquier parte del cuerpo, para llevar un pendiente: *Para hacer un piercing se deben seguir una medidas de higiene estrictas.* **3** Pendiente que se lleva en cualquier parte del cuerpo: *Tengo un piercing de plata.* □ PRON. [pírsin].

pierna s.f. **1** En el cuerpo de una persona, miembro o extremidad inferior que va desde el tronco hasta el pie. **2** Parte de esta extremidad que comprende desde la rodilla al pie. **3** En algunos animales, muslo: *una pierna de cordero.* **4** || **dormir a pierna {suelta/tendida};** *col.* Dormir profundamente o muy bien. || **estirar las piernas;** moverse para desentumecerlas después de haber estado mucho tiempo sentado. || **por piernas;** *col.* Corriendo o muy deprisa. □ ETIMOL. Del latín *perna.* □ MORF. Cuando se antepone a una palabra para formar compuestos, adopta la forma *pierni-*: *piernicorto.*

piernamen s.m. *col.* Piernas de una persona, esp. las de una mujer. □ USO Tiene un matiz humorístico.

piernas (pl. *piernas*) s.m. **1** *col. desp.* Persona sin autoridad ni categoría. **2** *col. desp.* Policía municipal que hace la ruta a pie.

piernicorto, ta adj./s. Que tiene las piernas más cortas de lo normal.

pierrot (fr.) s.m. Personaje cómico de teatro francés, que lleva un calzón amplio y blusa o camisola blanca amplia y con grandes botones.

pieza s.f. **1** En un conjunto, cada una de las partes o de las unidades que lo componen: *La dentadura de una persona adulta tiene treinta y dos piezas.* **2** En un aparato, cada una de las partes que lo componen. **3** Trozo de tela con la que se remienda una prenda de vestir u otro tejido. **4** Trozo de tejido que se fabrica de una vez: *En esta tienda de tejidos, las piezas de tela están expuestas al público.* **5** Animal de caza o de pesca: *El cazador llevaba en su morral tres piezas: dos conejos y una liebre.* **6** Figura de algunos juegos de tablero, esp. la del ajedrez y las damas: *El ajedrez se juega con dieciséis piezas blancas y dieciséis negras.* **7** Obra dramática, esp. si solo tiene un acto. **8** En música, composición suelta, de carácter vocal o instrumental. **9** En una casa, sala o cuarto. **10** Alhaja, herramienta, utensilio o mueble trabajados con arte. **11** || **de una pieza;** *col.* Muy sorprendido o impresionado: *Al ver lo que era mi regalo me quedé de una pieza.* || **dos piezas;** Traje de baño femenino formado por un sujetador y una braga. □ SINÓN. *biquini.* || **pieza de artillería;** cualquier arma que se carga con pólvora. □ ETIMOL. Del céltico **pettia* (pedazo). □ SINT. *De una pieza* se usa más con los verbos *dejar* y *quedarse.*

piezoelectricidad s.f. Conjunto de fenómenos eléctricos que se manifiestan en cuerpos con estructura cristalina, sometidos a presión o a otra acción mecánica: *La piezoelectricidad del cuarzo hace que sea empleado en micrófonos y tocadiscos.* □ ETIMOL. Del griego *piézo* (yo comprimo) y *electricidad.*

piezoeléctrico, ca adj. De la piezoelectricidad o relacionado con ella.

pífano s.m. Instrumento musical de viento, semejante a una flauta pequeña y de tono muy agudo. □ ETIMOL. Del alemán *pfeife* (silbato).

pifia s.f. *col.* Error, descuido o dicho poco acertados: *He hecho una pifia, y ahora no sé cómo arreglarlo.* □ SEM. Dist. de *picia* (travesura).

pifiar v. *col.* Estropear, malograr o echar a perder: *El delantero pifió el penalti y chutó el balón fuera de la portería.* □ ORTOGR. La *i* nunca lleva tilde.

pigargo s.m. Ave rapaz de cuerpo grueso, grandes alas, plumaje marrón, cola corta y blanca, y pies, ojos y pico amarillos. □ ETIMOL. Del latín *pygargus*, y este del griego *pýgargos* (especie de águila). □ MORF. Es un sustantivo epiceno: *el pigargo {macho/hembra}.*

pigmentación s.f. Coloración de la piel o de otros tejidos por diversas causas.

pigmentar v. **1** Dar color o colorear: *Fuimos a ver cómo curtían las pieles, y en la sala donde las pigmentan había gran variedad de colores.* **2** Producir coloración anormal y prolongada en la piel y otros tejidos por diversas causas: *Las rodillas y los codos pueden pigmentarse más fácilmente que las piernas y los brazos.*

pigmentario, ria adj. De un pigmento o relacionado con él.

pigmento s.m. **1** Sustancia colorante que se halla en muchas células animales y vegetales. **2** Materia colorante que se usa en pintura. □ ETIMOL. Del latín *pigmentum* (colorante, color para pintar).

pigmeo, a adj./s. De un conjunto de pueblos diseminados por regiones africanas y asiáticas, que se caracterizan por ser de muy baja estatura y por tener la piel oscura y el cabello crespo. □ ETIMOL. Del latín *pygmaens*, y este del griego *pygmâios* (grande como el puño).

pignoración s.f. Entrega de un objeto a cambio de un préstamo. □ ETIMOL. Del latín *pignorari* (tomar en prenda).

pignorar v. Empeñar o dejar en prenda: *Pignoró el reloj de su abuelo para poder comprarse un abrigo.* □ ETIMOL. Del latín *pignorare.*

pijada s.f. **1** *col.* Lo que se considera sin importancia o de poco valor. □ SINÓN. *tontería.* **2** *col.* Hecho o dicho inoportunos, impertinentes o molestos.

pijama s.m. Prenda de dormir de dos piezas, generalmente formada por una chaqueta y por un pantalón. □ ETIMOL. Del inglés *pyjamas.*

pijería s.f. *col. desp.* Ostentación afectada y presuntuosa de una buena posición social y económica.

pijerío s.m. *col. desp.* Conjunto de gente pija.

pijo, ja ▮ adj. **1** *col. desp.* Característico de quien ostenta de forma afectada una buena posición social y económica: *Ese modelo de coche es muy pijo.* ▮ adj./s. **2** *col. desp.* Referido a una persona, que ostenta de forma afectada una buena posición social y económica. ▮ s.m. **3** *vulg.malson.* →**pene. 4** ‖ **un pijo;** *vulg.* Muy poco o nada: *Nos dieron unas entradas tan malas que no se veía un pijo desde donde estábamos.* □ ETIMOL. De origen incierto.

pijotada s.f. *col. desp.* Lo que se considera de poco valor o de poca importancia, pese a sus pretensiones. □ SINÓN. *pijotería.*

pijotería s.f. *col. desp.* Lo que se considera de poco valor o de poca importancia, pese a sus pretensiones. □ SINÓN. *pijotada.*

pijotero, ra adj. *col. desp.* Que causa molestia o enfado, esp. si concede importancia a lo que se considera que no la tiene: *Estoy harto de esta niña caprichosa y pijotera.*

pila s.f. **1** Pieza cóncava y profunda donde cae o se echa el agua para diversos usos: *Pon los platos en la pila para fregarlos.* **2** *col.* Montón de cosas puestas unas sobre otras: *una pila de ropa.* **3** Generador de corriente eléctrica, que utiliza la energía liberada en una reacción química: *Esta radio funciona con pilas.* **4** ‖ **cargar las pilas;** *col.* Referido a una persona, cargarse de energía: *Desayuno muy fuerte para cargar las pilas.* ‖ **como una pila;** *col.* Muy nervioso y excitado: *Me he puesto como una pila después de tomarme cuatro cafés.* ‖ **pila (bautismal);** aquella sobre la que se administra el sacramento del bautismo. ‖ **pila de botón;** la que es muy pequeña, del tamaño y forma de un botón: *Para mi reloj de pulsera necesito una pila de botón.* ‖ **ponerse las pilas;** *col.* Hacer algo con diligencia: *Si no te pones las pilas, vamos a llegar tardísimo.* ‖ **una pila;** *col.* Gran cantidad: *Este coche tiene una pila de años.* □ ETIMOL. La acepción 1, del latín *pila* (mortero). Las acepciones 2 y 3, del latín *pila* (pilar).

pilada s.f. *col.* Montón de cosas puestas unas sobre otras.

pilar s.m. **1** En arquitectura, elemento vertical que sirve para sostener estructuras u otros elementos y que puede tener sección cuadrada, con forma de polígono o circular. **2** Lo que sostiene o sirve de apoyo, base o fundamento: *Esos dos jugadores son los pilares del equipo.* □ ETIMOL. Del latín **pilare.*

pilastra s.f. En arquitectura, pilar de sección cuadrangular, esp. si está adosado a una pared. □ ETIMOL. Del italiano *pilastro.*

pilates s.m. Tipo de gimnasia basada en la realización de ejercicios suaves, esp. indicada para fortalecer y estirar los músculos sin aumentar su volumen: *La respiración y la relajación son elementos claves del pilates.* □ ETIMOL. Por alusión a J. Pilates, su inventor. □ SINT. Se usa mucho en aposición, pospuesto a un sustantivo: *método pilates.*

pilchas s.f.pl. *col.* En zonas del español meridional, prendas de vestir.

pilche s.m. En zonas del español meridional, vasija de madera.

píldora s.f. **1** Parte pequeña de medicamento, generalmente en forma de bolita, que se toma por vía oral. **2** Anticonceptivo que se toma por vía oral. **3** ‖ **dorar la píldora** a alguien; *col.* Suavizarle la mala noticia que se le da o la contrariedad que se le causa. ‖ **píldora del día (de) después;** fármaco que evita que el óvulo fecundado se adhiera a las paredes del útero en las 72 horas después de la fecundación: *En la charla sobre planificación familiar que nos dieron, nos insistieron mucho en que la píldora del día después no debe usarse en ningún caso como método anticonceptivo.* ‖ **tragarse la píldora** alguien; *col.* Creer una mentira. □ ETIMOL. Del latín *pillula.*

pileta s.f. **1** Pila pequeña para contener agua: *Este fregadero tiene dos piletas.* **2** En zonas del español meridional, lavabo. **3** ‖ **pileta (de natación);** en zonas del español meridional, piscina.

pilífero, ra adj. En botánica, con pelos: *La zona de la raíz en la que están los pelos absorbentes recibe el nombre de zona pilífera.*

pilila s.f. *col.* →**pene.**

pillaje s.m. Robo o saqueo, esp. el hecho por los soldados en un país enemigo.

pillar v. **1** *col.* Coger, agarrar o tomar: *Los ladrones han pillado todo lo que han podido.* **2** *col.* Alcanzar o atropellar embistiendo: *Casi lo pilla un coche por cruzar en rojo.* **3** *col.* Sorprender o coger desprevenido: *Me pilló la tormenta en pleno monte.* **4** Aprisionar o sujetar: *Mi hermano me pilló la mano al cerrar la puerta. Me pillé el vestido con la puerta del coche.* **5** Referido a una persona, hallarla o cogerla en determinada situación: *Llegó tan tarde que me pilló en pijama.* **6** *col.* Referido a un engaño, descubrirlo: *No es cierto que ayer no estuvieses en casa, así que te he pillado la mentira.* **7** *col.* Referido a una enfermedad o a un estado de ánimo, contraerlos, adquirirlos o alcanzarlos: *Pilló el catarro por no abrigarse.* □ SINÓN. *coger.* **8** *col.* Entender, comprender o captar el significado: *Explícame el chiste, porque no lo he pillado.* **9** *col.* Referido a algo, hallarse en determinada situación con respecto a una persona: *Iré en autobús, porque tu casa me pilla muy lejos.* **10** *arg.* En el lenguaje de la droga, comprar droga. □ ETIMOL. Del italiano *pigliare* (coger).

pillastre s.m. *col.* Pillo.

pillería s.f. *col.* Hecho o dicho propios de un pillo.

pillo, lla adj./s. *col.* Referido a una persona, esp. a un niño, que es astuto o travieso. □ ETIMOL. De *pillar*.

pilón s.m. En una fuente, recipiente de piedra que contiene el agua y que generalmente sirve de abrevadero o de lavadero. □ ETIMOL. De *pila* (recipiente).

piloncillo s.m. En zonas del español meridional, azúcar moreno en forma de cono sin punta.

píloro s.m. En el sistema digestivo, orificio del estómago que comunica con el intestino delgado. □ ETIMOL. Del latín *pylorus*, y este del griego *pylorós* (portero).

piloso, sa adj. Del pelo, con pelo o relacionado con él. □ ETIMOL. Del latín *pilosus*.

pilotaje s.m. Dirección o conducción de un vehículo.

pilotar v. Referido esp. a un vehículo, dirigirlo o conducirlo: *Los aviadores pilotan aviones.*

pilote s.m. Madero en forma cilíndrica, generalmente armado de una punta de hierro, que se hinca en tierra para consolidar cimientos. □ ETIMOL. Del francés antiguo *pilot*.

pilotear v. En zonas del español meridional, pilotar: *Mi hijo dice que cuando sea mayor quiere pilotear aviones.*

piloto ▮ s.com. **1** Persona que dirige o que conduce un vehículo. ▮ s.m. **2** En un vehículo, luz roja situada en la parte posterior. **3** En algunos aparatos, luz que indica que está en funcionamiento. **4** Modelo o prototipo. □ ETIMOL. Del italiano *piloto*. □ SINT. En la acepción 4, se usa en aposición, pospuesto a un sustantivo: *un piso piloto*.

pil-pil ‖ **al pil-pil;** referido esp. al bacalao, que está guisado con aceite, guindilla y ajo. □ ETIMOL. De origen onomatopéyico.

pilsen (al.) adj./s.f. Referido a una cerveza, que es de tipo suave, tiene un color muy pálido y es originaria de Pilsen (ciudad checa). □ SINÓN. *pilsener*. □ PRON. [pílsen].

pilsener (al.) adj.inv./s.f. →**pilsen.** □ PRON. [pílsener].

piltra s.f. *col.* Cama. □ ETIMOL. Del francés antiguo *peautre* (catre).

piltrafa s.f. Lo que está muy estropeado o tiene muy mal aspecto. □ ETIMOL. De origen incierto.

pimental s.m. Terreno plantado de pimientos.

pimentero s.m. Recipiente en el que se sirve en la mesa la pimienta molida.

pimentón s.m. Polvo que se obtiene moliendo pimientos encarnados secos y que se usa como condimento.

pimentonero, ra adj./s. *col.* Del Real Murcia (club deportivo murciano) o relacionado con él.

pimienta s.f. Fruto en forma de baya, redondeado y carnoso, que tiene una semilla esférica, dura y aromática que se usa como condimento por su sabor picante. □ ETIMOL. Del latín *pigmenta*.

pimiento s.m. **1** Planta herbácea de flores blancas y hojas lanceoladas, cuyo fruto puede tener diferentes formas y tamaños pero es siempre hueco y con pequeñas semillas planas, circulares y amarillentas en su interior. **2** Fruto comestible de esta planta, de color rojo o verde y de forma más o menos piramidal. **3** ‖ **pimiento morrón;** variedad que tiene el fruto grueso y muy dulce. ‖ **un pimiento; 1** *col.* Muy poco o nada: *Me importa un pimiento que vengas o no.* **2** *col.* Expresión que se usa para indicar negación o rechazo. □ ETIMOL. Del latín *pigmentum* (colorante, color de pintura). □ SINT. La expresión *un pimiento*, en su primera acepción, se usa más con los verbos *importar*, *valer* o equivalentes y en expresiones negativas.

pimpampum s.m. Juego que consiste en derribar a pelotazos unos muñecos puestos en fila o en movimiento.

pimpante adj.inv. *col.* Airoso, satisfecho o ufano: *Iba muy pimpante con su traje nuevo.* □ ETIMOL. Del francés *pimpant*.

pimpinela s.f. Planta herbácea con tallos rojizos, hojas compuestas de bordes dentados, flores en umbela, sin corola y con el cáliz purpurino, que se usó en medicina como tónico. □ ETIMOL. Del latín *pimpinella*.

pimplar v. *col.* Referido a una bebida alcohólica, beberla, esp. si es con exceso: *Pimpló la copa de coñac de un trago. Entre los tres se pimplaron cuatro botellas de vino.* □ ETIMOL. De origen onomatopéyico.

pimpollo s.m. **1** Árbol o rama nuevos y recién salidos: *Al rosal le están saliendo varios pimpollos.* **2** Persona, esp. si es joven, que se distingue por su belleza y por su gracia. □ ETIMOL. De *pino* y *pollo* (animal o vegetal joven).

pimpón s.m. →**ping-pong.**

pimporro s.m. *col.* Botijo.

pin s.m. Insignia con forma de chincheta, que generalmente se coloca como adorno en una prenda de vestir. □ ETIMOL. Del inglés *pin*.

PIN (ing.) s.m. En un teléfono móvil, código necesario para encenderlo y tener acceso a sus funciones: *Si no sabes el PIN de ese teléfono móvil no podrás llamar por él.* □ ETIMOL. Es el acrónimo del inglés *Personal Identification Number* (número de identificación personal).

pinabete s.m. Árbol que produce resina, de gran altura, con copa cónica de ramas horizontales, hojas con forma de aguja y fruto en piña casi cilíndrico, propio de zonas de montaña. □ SINÓN. *abeto*. □ ETIMOL. Del catalán *pinavet*.

pinacate s.m. Escarabajo de color negro que se cría en los lugares húmedos.

pinacle s.m. Juego de cartas de origen inglés que se juega con cincuenta y dos cartas y dos comodines y que consiste en agrupar cartas correlativas de un mismo palo: *El pinacle se juega con una baraja francesa.*

pinacoteca s.f. Galería o museo en los que se exponen pinturas. ☐ ETIMOL. Del latín *pinacotheca*, este del griego *pinakothéke*, y este de *pínax* (tabla) y *théka* (depósito).

pináculo s.m. **1** Parte superior y más alta de un edificio: *El pináculo de las iglesias suele ser una cruz.* **2** En arte, esp. en la arquitectura gótica, adorno terminal de forma piramidal o cónica. ☐ ETIMOL. Del latín *pinnaculum*.

pinado, da s.f. →**pinnado.**

pinar s.m. Lugar poblado de pinos. ☐ SINÓN. *pineda, pinatar, pinada.*

pinatar s.m. →**pinar.**

pinaza s.f. Hojarasca de pino y de otras coníferas.

pinball (ing.) s.m. Juego que consiste en lanzar con unos mandos una bolita para que ruede por un tablero lleno de obstáculos, y tratar de evitar que la bola entre por determinado agujero. ☐ PRON. [pinból].

pincel s.m. **1** Instrumento de pintura que consta de un mango largo con un conjunto de pelos o de cerdas en uno de los extremos. **2** || **ir hecho un pincel;** vestir de manera muy elegante: *Fue a la fiesta hecha un pincel.* ☐ ETIMOL. Del catalán *pinzell*.

pincelada s.f. **1** Trazo hecho con el pincel. **2** Expresión condensada de una idea o de un rasgo muy característico: *El novelista logra fijar el carácter del protagonista con apenas dos pinceladas.* **3** || **dar las últimas pinceladas** a algo; perfeccionarlo o acabarlo: *Ya casi he terminado el libro, solo me queda dar las últimas pinceladas.*

pincha ▮ **1** s.f. de **pinche.** ▮ s.com. **2** →**pinchadiscos.**

pinchadiscos (pl. *pinchadiscos*) s.com. Persona encargada del equipo de sonido en una discoteca. ☐ MORF. En la lengua coloquial se usa mucho la forma abreviada *pincha*. ☐ USO Es innecesario el uso de los anglicismos *disc jockey* y *Dj*.

pinchar ▮ v. **1** Picar o herir con algo punzante: *Pinchó el globo con un alfiler. Se pinchó mientras cosía.* ☐ SINÓN. *punzar.* **2** Sujetar o coger, clavando algo puntiagudo: *Pinché la aceituna con el palillo para comérmela.* **3** Enojar, mortificar o hacer sentir molesto: *Le gusta pinchar a su hermana diciéndole que está gorda.* **4** Referido a una persona, estimularla o moverla a hacer algo: *Hace un mes que me pincha para que me apunte a clases de informática.* ☐ SINÓN. *espolear, picar.* **5** Referido esp. a un teléfono, intervenirlo o controlarlo para descubrir algo: *Se dio cuenta de que le habían pinchado el teléfono porque al descolgarlo oyó un chasquido.* **6** *col.* Referido a un disco, ponerlo en el tocadiscos para que suene: *La locutora de la radio pinchó un disco de mi grupo favorito.* **7** *col.* Poner inyecciones: *He ido a pincharme al ambulatorio.* **8** Sufrir un pinchazo en una rueda: *Pinchamos cuando ya estábamos llegando a casa. El coche se pinchó por culpa de un clavo de la carretera.* **9** En informática, referido a una pieza, instalarla en el ordenador: *Un informático nos pinchó la tarjeta de sonido en el ordenador.* **10** En informática, pulsar con el ratón sobre una imagen de la pantalla del ordenador para activar una función determinada. ▮ prnl. **11** *col.* En el lenguaje de la droga, inyectarse una dosis de droga: *Ha ingresado en una clínica de desintoxicación porque quiere dejar de pincharse.* ☐ SINÓN. *picar.* **12** || **ni pinchar ni cortar** alguien; *col.* Tener poco valor o influencia: *No me pidas permiso a mí, porque yo aquí ni pincho ni corto.* ☐ ETIMOL. De origen incierto.

pinchaúvas (pl. *pinchaúvas*) s.m. Hombre despreciable o de poco valor.

pinchazo s.m. **1** Introducción de un objeto punzante o puntiagudo que se clava: *Se dio un pinchazo mientras cosía.* **2** Señal o herida que deja un objeto punzante al ser introducido. **3** Perforación de una rueda que hace que pierda el aire: *Sufrimos un pinchazo en la autopista y tuvimos que cambiar la rueda.* **4** *col.* Inyección: *Hace tres días que el practicante me puso el pinchazo, y todavía me duele.* **5** *col.* Dolor agudo y punzante: *No puedo seguir corriendo porque me ha dado un pinchazo en el costado.* **6** Intervención de un teléfono para controlar las conversaciones que se mantienen.

pinche s.com. Persona que presta servicios auxiliares en la cocina. ☐ MORF. Para el femenino se admite también la forma *pincha*.

pincho s.m. **1** Aguijón o varilla con una punta aguda y afilada: *El erizo tiene el cuerpo cubierto de pinchos.* **2** Trozo de comida que se toma de aperitivo, y que generalmente va pinchada en un palillo. **3** || **pincho moruno;** carne troceada y ensartada en una varilla, que se sirve asada.

pinchudo, da adj. *col.* Que tiene muchos pinchos o púas.

pindárico, ca adj. De Píndaro (poeta griego clásico), relacionado con él, o con características de sus obras.

pindonga s.f. *col. desp.* Mujer que lleva una vida irregular y desordenada. ☐ ETIMOL. De *pendón*.

pindonguear v. **1** *col.* Pasear o corretear por las calles sin dirección fija: *Los sábados pindongueamos por las calles del centro.* ☐ SINÓN. *callejear, pingonear.* **2** *col. desp.* Llevar una vida irregular y desordenada: *¿Cuándo vas a dejar de pindonguear y te vas a volver una persona responsable?* ☐ SINÓN. *pingonear.*

pindongueo s.m. **1** *col.* Paseo por las calles sin dirección fija. **2** *col. desp.* Vida irregular y desordenada.

pineal adj.inv. De la epífisis o relacionado con esta glándula: *Las hormonas pineales regulan el desarrollo de los caracteres sexuales.* ☐ ETIMOL. Del latín *pinea* (piña), porque la glándula epífisis tiene esta forma.

pineda s.f. Lugar poblado de pinos. ☐ SINÓN. *pinada, pinar, pinatar.*

ping (ing.) s.m. **1** En informática, programa o protocolo que sirve para comprobar si dos dispositivos están conectados entre sí: *El ping envía un mensaje a tu ordenador y si este lo devuelve es que están* *conectados.* **2** Utilización de este programa: *He hecho un ping a la dirección IP de tu ordenador.* ☐ ETIMOL. Es el acrónimo del inglés *Packet Internet Groper* (Verificación de direcciones de internet). ☐ PRON. [pin].

pinga s.f. *vulg.malson.* En zonas del español meridional, pene.

pingajo s.m. **1** *col.* Trozo de ropa roto que cuelga. ☐ SINÓN. *pingo.* **2** *col.* Lo que está muy estropeado o deteriorado: *Apenas he dormido y estoy hecho un pingajo.*

pinganillo s.m. *col.* Auricular que se sujeta en una oreja: *La presentadora del programa recibió instrucciones de última hora por el pinganillo.* ☐ SEM. Se usa mucho como palabra comodín para designar de manera imprecisa un objeto.

pingar v. **1** Pender o colgar: *Tendrás que arreglarte el bajo de la falda para que no te pingue por delante.* **2** ‖ **poner pingando** a alguien; *col.* Hablar muy mal de él: *Te puso pingando por el plantón que le diste.* ☐ ETIMOL. Del latín **pendicare*, y este de *pendere* (pender, estar colgado). ☐ ORTOGR. La *g* se cambia en *gu* delante de *e* →PAGAR.

pingo s.m. **1** *col.* Trozo de ropa roto que cuelga. ☐ SINÓN. *pingajo.* **2** *col.* Persona que lleva una vida irregular y desordenada. **3** ‖ **de pingo;** *col.* De juerga. ☐ ETIMOL. De *pingar.* ☐ SINT. *De pingo* se usa más con los verbos *andar*, *estar* e *ir*.

pingonear v. *col.* →**pindonguear.**

pingoneo ‖ **de pingoneo;** *col.* De juerga. ☐ SINT. *De pingoneo* se usa más con los verbos *andar*, *estar* e *ir*.

pingorota s.f. Parte más alta y aguda de algo elevado, esp. de una montaña.

pingorotudo, da adj. *col.* Muy alto o muy elevado.

ping-pong s.m. Deporte parecido al tenis, que se juega sobre una mesa rectangular, con una pelota pequeña y lisa, y con palas de madera. ☐ SINÓN. *tenis de mesa.* ☐ ETIMOL. Extensión del nombre de una marca comercial. ☐ PRON. [pimpón]. ☐ ORTOGR. Se usa también *pimpón*.

pingüe adj.inv. Abundante, copioso o fértil: *Este negocio nos va a proporcionar pingües beneficios.* ☐ ETIMOL. Del latín *pinguis* (gordo). ☐ USO Se usa más antepuesto a un nombre en plural: *pingües ganancias, pingües beneficios.*

pingüinera s.f. **1** Lugar de la costa donde los pingüinos se reúnen en la época en que hacen los nidos y en la de cría. **2** *col.* Lugar muy frío.

pingüino s.m. Ave acuática incapaz de volar pero buena nadadora, que habita principalmente en las zonas polares del hemisferio sur, se alimenta de peces y crustáceos y se caracteriza por la postura erguida y el plumaje muy espeso, negro en el lomo y blanco en el pecho y en el vientre. ☐ SINÓN. *pájaro bobo.* ☐ ETIMOL. Del francés *pingouin.* ☐ MORF. Es un sustantivo epiceno: *el pingüino {macho/hembra}.*

pinífero, ra adj. *poét.* Abundante en pinos.

pinitos s.m.pl. **1** Primeros pasos de un niño. **2** Primeros pasos en una ciencia o en un arte. ☐ ETIMOL. De *pino* (levantado). ☐ SINT. Se usa más con los verbos *dar*, *hacer* y equivalentes.

pinnado, da (tb. *pinado*) adj. →**hoja pinnada.** ☐ ETIMOL. Del latín *pinnatus* (alado).

pinnípedo ▌adj./s.m. **1** Referido a un mamífero marino, que se caracteriza por tener las patas anteriores con membranas interdigitales y las posteriores en forma de aleta, y por tener una gruesa capa de grasa bajo la piel: *La foca es un mamífero pinnípedo.* ▌s.m.pl. **2** En zoología, orden de estos mamíferos, perteneciente a la superclase de los tetrápodos: *El cuerpo de los animales que pertenecen a los pinnípedos recuerda la forma de un pez.* ☐ ETIMOL. Del latín *pinna* (aleta) y *pes* (pie).

pino s.m. **1** Árbol de tronco recto, hojas estrechas y puntiagudas como agujas que persisten durante el invierno, y cuya flor es una piña. **2** Madera de este árbol: *un armario de pino.* **3** Ejercicio gimnástico que consiste en poner el cuerpo vertical con los pies hacia arriba apoyando las manos en el suelo. **4** ‖ **en el quinto pino;** *col.* Muy lejos: *Fuimos en coche a su casa porque vive en el quinto pino.* ‖ **plantar un pino;** *col.* Defecar. ☐ ETIMOL. Las acepciones 1-3, del latín *pinus.* ☐ SINT. La acepción 3 se usa más en la expresión *hacer el pino.*

pinocha s.f. Hoja de pino.

pinoso, sa adj. Que tiene pinos: *un bosque pinoso.*

pinrel s.m. *col.* Pie. ☐ ETIMOL. Del caló *pinré.*

pinsapar s.m. Lugar poblado de pinsapos.

pinsapo s.m. Árbol parecido al abeto que tiene la corteza blanquecina, las hojas cortas, punzantes y persistentes, y piñas derechas. ☐ ETIMOL. Del latín *pinus* (pino) y el prerromano **sappus* (abeto).

pinta s.f. Véase **pinto, ta.**

pintada s.f. Véase **pintado, da.**

pintado, da ▌adj. **1** *col.* Muy parecido o semejante: *Cuando haces ese gesto eres pintado a tu padre.* **2** *col.* En zonas del español meridional, muy natural: *El vestido te queda como pintado.* ▌s.m. **3** Cubrimiento con color de una superficie: *Si ya está seca la capa de protección, comenzaremos con el pintado de la mesa.* ▌s.f. **4** Letrero, generalmente de contenido político o social, escrito o pintado en un lugar: *Lo multaron por hacer pintadas en el metro.* **5** ‖ **el más pintado;** *col.* El más adecuado o el más hábil: *La eligieron a ella como protagonista porque era la más pintada para el papel.* ‖ **que ni pintado;** *col.* Muy a propósito: *Esta subida de sueldo me ha venido que ni pintada para comprarme un coche.*

pintalabios (pl. *pintalabios*) s.m. Cosmético que sirve para pintarse los labios y que se presenta generalmente en forma de barra y dentro de un estuche. ☐ SINÓN. *carmín, barra de labios.* ☐ USO Es innecesario el uso del galicismo *rouge*.

pintamonas (pl. *pintamonas*) s.com. **1** *col.* Pintor que tiene poca habilidad. **2** *col.* Persona de poco valor o de poca importancia.

pintar ▮ v. **1** Representar una imagen mediante las líneas y los colores adecuados: *Este artista solo pinta paisajes montañosos.* **2** Referido a una superficie, cubrirla de un color: *¿De qué color vas a pintar las paredes?* **3** Describir o representar por medio de la palabra: *Me habían pintado la situación tan difícil, que me sorprendió ver que no planteaba problema.* **4** Referido a un utensilio para escribir, dibujar o hacer trazos: *La pluma ya no pinta porque se le ha acabado la tinta.* **5** Referido a un palo de la baraja, ser triunfo: *En esta partida pintan oros.* **6** Importar o valer: *Vete, porque aquí no pintas nada.* ▮ prnl. **7** Ponerse en la cara colores o maquillaje: *Hoy no me ha dado tiempo a pintarme y me encuentro con mala cara.* □ ETIMOL. Del latín **pinctare*. □ MORF. En la acepción 6, se usa más en expresiones interrogativas y negativas.

pintarrajar v. →**pintarrajear.** □ ORTOGR. Conserva la *j* en toda la conjugación.

pintarrajear v. Pintar mal o haciendo trazos sin sentido: *¿Por qué has pintarrajeado el cuento con el bolígrafo?* □ SINÓN. *pintarrajar*.

pintarrajo s.m. *col.* Pintura mal hecha o mal trazada.

pintarroja s.f. Pez marino, carnicero y muy voraz, con una piel áspera sin escamas cubierta de granillos muy duros. □ SINÓN. *lija*. □ MORF. Es un sustantivo epiceno: *la pintarroja {macho/hembra}*.

pintaúñas (pl. *pintaúñas*) s.m. Cosmético que sirve para dar color o brillo a las uñas. □ SINÓN. *esmalte de uñas, laca de uñas*.

pintiparado, da adj. *col.* Muy adecuado o a propósito. □ ETIMOL. De *pinto* y *parado*.

pinto, ta ▮ adj. **1** De varios colores: *Mi padre me contó el cuento del pájaro pinto.* ▮ s.f. **2** Mancha o señal pequeña, generalmente en forma de lunar o de mota: *Tiene una falda negra con pintas blancas.* **3** En algunos juegos de cartas, naipe que se descubre al comienzo y que designa el palo del triunfo: *La pinta es el tres de oros, así que el triunfo es oros.* **4** En una carta de la baraja, señal en sus extremos que sirve para identificar el palo antes de descubrirla totalmente: *La pinta de los bastos son cuatro rayas.* **5** Aspecto exterior: *¡Vaya pinta tienes con ese sombrero!* **6** En el sistema anglosajón, unidad de volumen que equivale aproximadamente a 0,57 litros: *Un galón está formado por ocho pintas.* **7** Jarra de cerveza con este volumen: *Cuando estuve en Inglaterra tomé varias pintas de cerveza.* **8** *col.* En zonas del español meridional, pintada: *En época de elecciones hay muchas pintas en las paredes.* **9** ‖ **entre Pinto y Valdemoro;** *col.* Entre dos opciones muy cercanas: *El profesor me dijo que no sabía si me iba a aprobar porque mi examen estaba entre Pinto y Valdemoro.* □ ETIMOL. La acepción 1, del latín **pinctus* (pintado). Las acepciones 2, 3, 4 y 5, de *pintar*, que tomó el sentido figurado de *tomar color la fruta*, y de ahí pasó a *tener buen o mal aspecto*. Las acepciones 6 y 7, quizá del francés *pinte*. □ ORTOGR. En la acepción 6, su símbolo es *pt*, por tanto se escribe sin punto.

pintor, -a s. **1** Persona que se dedica al arte de la pintura: *Han inaugurado una exposición de pintores del siglo XX.* **2** Persona que se dedica profesionalmente a cubrir superficies con pintura: *El pintor me recomendó pintar esta pared con una pintura lavable.* □ ETIMOL. Del latín *pinctor*.

pintoresco, ca adj. Que resulta raro, que llama la atención o que despierta extrañeza. □ ETIMOL. Del italiano *pittoresco*.

pintoresquismo s.m. **1** Afición por lo pintoresco. **2** Rareza o características llamativas o fuera de lo normal de algo.

pintura s.f. **1** Arte o técnica de representar un objeto sobre una superficie mediante las líneas y los colores adecuados: *un curso de pintura.* **2** Obra hecha siguiendo este arte: *el marco de una pintura.* **3** Producto preparado para pintar: *Me han aconsejado pintar el salón con una pintura acrílica.* **4** ‖ **no poder ver** a alguien **ni en pintura;** *col.* No soportar: *A las personas interesadas no las puedo ver ni en pintura.* □ ETIMOL. Del latín *pinctura*.

pinturero, ra adj./s. *col.* Que va muy arreglado y presume de ello. □ ETIMOL. De *pintura*.

pinyin (ch.) s.m. Sistema de transcripción fonética de la escritura china al alfabeto latino.

pinza ▮ s.f. **1** Instrumento cuyos extremos se aproximan haciendo presión, y que se usa para sujetar cosas: *Necesito más pinzas para tender la ropa.* **2** En algunos animales artrópodos, última pieza articulada de algunas de sus patas, formada por dos piezas que pueden aproximarse entre sí y que sirve como órgano prensor: *Un cangrejo me pilló el dedo con la pinza.* **3** Pliegue que se cose en una tela para darle una forma determinada. **4** Modalidad específica de alianza política, consistente en la acción concertada desde la derecha y desde la izquierda para presionar simultáneamente sobre el centro. **5** En zonas del español meridional, alicate. ▮ pl. **6** Instrumento formado por dos piezas unidas a modo de tenacillas, y que sirve para coger o para sujetar: *¿Dónde están las pinzas de servir el hielo?* **7** ‖ **írsele** a alguien **la pinza;** *col.* Olvidarse de algo o desvariar: *Se me fue la pinza y no la llamé por su cumpleaños.* □ ETIMOL. Del francés *pince*, y este de *pincer* (pellizcar).

pinzamiento s.m. Opresión de un órgano, de un músculo o de un nervio entre dos superficies.

pinzar v. **1** Sujetar con pinzas: *Pinzó el mosquito para estudiarlo mejor.* **2** Coger con algo a manera de pinza: *Pinzó aquel papel pringoso con los dedos y me lo mostró sin dejármelo tocar.* **3** En política, actuar desde la derecha y desde la izquierda para presionar simultáneamente sobre el centro: *Los dos partidos principales de la oposición pactaron pinzar al Gobierno desde la derecha y desde la izquierda.* □ ORTOGR. La *z* se cambia en *c* delante de *e* →CAZAR.

pinzón s.m. Pájaro de pequeño tamaño y de canto muy agradable, de pico cónico bastante largo, y cuyo macho tiene un vistoso plumaje. □ ETIMOL.

Del latín *pincio*. □ MORF. Es un sustantivo epiceno: *el pinzón {macho/hembra}*.

piña s.f. **1** Flor femenina de algunos árboles, esp. del pino, que tiene forma de cono y se compone de piezas leñosas y triangulares colocadas en torno a un eje en forma de escamas, y que guarda piñones en su interior. **2** Planta americana con hojas rígidas de bordes espinosos y terminadas en punta aguda, flores de color morado y fruto comestible. □ SINÓN. *ananá, ananás*. **3** Fruto de esta planta, de gran tamaño y forma cónica, con la pulpa dulce y carnosa de color amarillento, y terminado en una corona de hojas verdes. □ SINÓN. *ananá, ananás*. **4** Conjunto de personas o de objetos unidos estrechamente: *Todos sus seguidores forman una piña*. **5** *col*. Golpe o puñetazo. □ ETIMOL. Del latín *pinea*.

piñarse v.prnl. *col*. Estrellarse o tener un accidente de coche: *El conductor dio un volantazo y se piñó contra la valla*.

piñata s.f. Recipiente lleno de golosinas y de pequeños regalos que, al ser roto, deja caer su contenido: *En su fiesta de cumpleaños tuvo que romper la piñata con los ojos vendados*. □ ETIMOL. Del italiano *pignatta* (olla).

piño s.m. *col*. Diente. □ ETIMOL. Del latín *pinna* (saliente, punta). □ MORF. Se usa más en plural.

piñón s.m. **1** Semilla del pino. **2** Almendra comestible de la semilla del pino. **3** En un sistema de transmisión de movimiento, rueda pequeña dentada que encaja con otra igual o de distinto tamaño: *Las bicicletas llevan piñones en su rueda trasera*. **4** || **a piñón fijo;** *col*. Sin pensar en otra cosa o sin dejarse influir por nada: *Cuando decide hacer algo, va a piñón fijo y no atiende a nada más*. || **estar a partir un piñón;** referido a dos o más personas, entenderse muy bien: *Los dos primos están a partir un piñón y van juntos a todas partes*. || **ser de piñón fijo;** *col*. Ser terco y mantener una idea a pesar de cualquier razón en contra: *Tú eres de piñón fijo y no cambiarás de idea*. □ ETIMOL. Las acepciones 1 y 2, de *piña*. La acepción 3, del francés *pignon* (rueda almendrada).

pío, a ▮ adj. **1** Devoto, manifiestamente inclinado a la piedad o al culto religioso. **2** Bondadoso, caritativo o compasivo. ▮ interj. **3** Expresión con que se imita la voz de un pájaro. **4** || **no decir ni pío;** *col*. No decir nada: *Hizo lo que le mandé sin decir ni pío*. □ ETIMOL. Las acepciones 1 y 2, del latín *pius* (piadoso). La acepción 3, de origen onomatopéyico. □ USO En la acepción 1, se usa a veces con sentido despectivo, en oposición a *piadoso*, para indicar una religiosidad solo externa.

piocha s.f. **1** Herramienta de albañilería parecida a un pico, pero provista de una boca cortante que sirve para desprender el revestimiento de las paredes o para quitar las desigualdades de los ladrillos. **2** En zonas del español meridional, perilla. □ ETIMOL. Del francés *pioche*, y este de *pic* (pico).

piogenia s.f. Formación de pus. □ ETIMOL. Del griego *pýon* (pus) y *gennáo* (yo engendro).

piojo s.m. Insecto de pequeño tamaño, cuerpo ovalado y aplanado, antenas cortas, sin alas, que vive como parásito en los mamíferos, y que puede transmitir enfermedades. □ ETIMOL. Del latín *peduculus*. □ MORF. Es un sustantivo epiceno: *el piojo {macho/hembra}*.

piojoso, sa adj. **1** Con piojos, esp. si es a causa de la suciedad o de la pobreza. **2** Mezquino, miserable o despreciable. □ USO Se usa como insulto.

piola ▮ adj.inv. **1** *col*. En zonas del español meridional, estupendo. ▮ adj.inv./s.com. **2** *col*. En zonas del español meridional, astuto. ▮ s.f. **3** En zonas del español meridional, cuerda. **4** En zonas del español meridional, juego de pídola.

piolet s.m. Instrumento con forma de pico que se utiliza en montañismo para asegurar los movimientos sobre la nieve o el hielo. □ ETIMOL. Del francés *piolet*.

piolín s.m. En zonas del español meridional, cordel.

pion (tb. *pión*) s.m. Partícula elemental de alta energía y de masa intermedia entre el electrón y el protón. □ ETIMOL. De *pi* (letra griega) y el sufijo *-on*.

pionero, ra ▮ adj./s. **1** Que da los primeros pasos en una actividad o en una disciplina: *Esta empresa fue pionera en la implantación de equipos informáticos*. ▮ s. **2** Persona que inicia la exploración de nuevas tierras. □ ETIMOL. Del francés *pionnier*, y este del latín *pedo* (peón).

piorno s.m. **1** Arbusto con tallo de color ceniza, hojas compuestas divididas en tres, grandes flores amarillas en racimos colgantes, y semillas con forma de riñón en las vainas del fruto. □ SINÓN. *codeso*. **2** Arbusto con ramas estriadas, verdes y con aspecto de junco, flores grandes, olorosas y amarillas, agrupadas en ramos que cuelgan. □ SINÓN. *gayomba*. □ ETIMOL. De origen incierto.

piorrea s.f. Flujo de pus, esp. en las encías. □ ETIMOL. Del griego *pyórroia*, y este de *pýon* (pus) y *rhêi* (corre).

pipa ▮ s.f. **1** Utensilio para fumar, formado por un tubo terminado en una cazoleta o recipiente donde se echa el tabaco picado. □ SINÓN. *cachimba*. **2** Semilla de algunas plantas: *pipas de girasol*. □ SINÓN. *pepita*. **3** *col*. Pistola. **4** En zonas del español meridional, camión cisterna: *Pedimos una pipa de agua a la delegación*. ▮ adv. **5** *col*. Muy bien o estupendamente: *En el circo lo pasamos pipa*. □ ETIMOL. La acepción 1, del latín **pipa*.

pipe (ing.) s.m. →**halfpipe.** □ PRON. [páip].

pipermín s.m. Licor de menta que se obtiene mezclando alcohol, menta y agua azucarada. □ ETIMOL. Del inglés *pepper-mint*.

pipero, ra s. Persona que vende pipas y otras golosinas en la calle.

pipeta s.f. Tubo de vidrio ensanchado en su parte central, que sirve para trasladar pequeñas cantidades de líquido de un recipiente a otro. □ ETIMOL. De *pipa*.

pipi s.m. *euf*. Piojo.

pipí (pl. *pipís, pipíes*) s.m. **1** *euf. col.* Orina. **2** || **hacer pipí;** orinar.

pipicha s.f. Variedad del pápalo que se utiliza como condimento de algunos platos típicos de la cocina mexicana.

pipiltin s.m.pl. En la sociedad azteca, personas que desempeñaban los cargos de sacerdotes, militares o funcionarios del gobierno. □ ETIMOL. Del náhuatl *pilli* (señor).

pipiolo, la s. **1** *col.* Persona novata o inexperta. **2** Persona muy joven. □ ETIMOL. Del latín *pipio* (pichón, polluelo).

pipiricojo || **a pipiricojo;** *col.* Apoyado sobre un pie y con el otro en el aire. □ SINÓN. *a la pata coja.*

pipirigallo s.m. Planta herbácea que tiene los tallos con surcos, flores rojas y olorosas, y que se cultiva como forraje. □ ETIMOL. De *perigallo* (pellejo que cuelga, cresta del gallo), porque esta planta tiene una forma parecida, y además hay influencia de la onomatopeya *quiquiriquí*.

pipirijaina s.f. *col.* Compañía de cómicos ambulantes: *Las pipirijainas viajaban de un pueblo a otro.*

pipo s.m. Pipa o semilla de algunos frutos.

pipudo, da adj. *col.* Muy bueno, superior o estupendo.

pique s.m. **1** *col.* Resentimiento o enfado. **2** Empeño en conseguir algo por amor propio o por rivalidad. **3** || **irse a pique; 1** Referido esp. a una embarcación, hundirse en el agua: *Empezó a entrar agua por un agujero y la canoa se fue a pique.* **2** *col.* Frustrarse o acabarse: *La relación se fue a pique porque ninguno de los dos quiso ceder.* □ ETIMOL. De *picar*.

piqué s.m. Tela de algodón con dibujos en relieve. □ ETIMOL. Del francés *piqué* (picado).

piquera s.f. **1** En una colmena, agujero o puerta pequeña que se hace para que las abejas puedan entrar y salir. **2** En un tonel o en un alambique, agujero que tienen en uno de sus frentes y que al abrirlo permite la salida del líquido. □ ETIMOL. De *pico*.

piquero, ra s. En tauromaquia, picador.

piqueta s.f. **1** Herramienta de albañilería formada por un mango al que se sujeta una pieza metálica terminada por un lado en una forma plana como la del martillo, y por el otro en una forma puntiaguda como la del pico. **2** Estaca pequeña que se clava en el suelo.

piquete s.m. **1** Grupo de personas que intenta, de forma pacífica o violenta, imponer o mantener una huelga. **2** Grupo pequeño de soldados encargado de realizar un servicio extraordinario. □ ETIMOL. De *pico*. □ SEM. Es incorrecto su uso para designar a cada componente del piquete.

pira s.f. Hoguera, esp. la que se hace para quemar los cuerpos de los difuntos y de las víctimas de los sacrificios. □ ETIMOL. Del griego *pyrá*.

piracanto s.m. Arbusto americano, trepador, con tallos largos, de fruto carnoso y seco, y que es venenoso.

piracucú (pl. *piracucúes, piracucús*) s.m. Pez americano de agua dulce, de tamaño pequeño, delgado y de color gris, que vive en ríos, lagos y pantanos de la selva. □ MORF. Es un sustantivo epiceno: *el piracucú {macho/hembra}*.

pirado, da adj./s. *col.* Alocado o con poco juicio: *¡Hay que estar pirado para ir en coche a esa velocidad!*

piragua s.f. **1** Embarcación larga y estrecha, mayor que la canoa, hecha generalmente de una sola pieza, y que navega con remos o con vela: *La piragua la usan los indios de América y Oceanía.* **2** Embarcación pequeña, estrecha y ligera, que se usa en los ríos y en algunas playas: *Hemos bajado el río en piragua.* □ ETIMOL. De origen caribe.

piragüismo s.m. Deporte que consiste en una competición de dos o más piraguas de remo.

piragüista s.com. Deportista que forma parte de la tripulación de una piragua.

piramidal adj.inv. Con forma de pirámide.

pirámide s.f. **1** Cuerpo geométrico que tiene como base un polígono y que está limitado por caras triangulares que se juntan en un solo punto o vértice. **2** En arquitectura, monumento que tiene la forma de este cuerpo geométrico: *las pirámides egipcias.* □ ETIMOL. Del latín *pyramis*, y este del griego *pyramís*.

pirandelliano, na adj. De Pirandello (escritor italiano de finales del siglo XIX y comienzos del XX) o con características de sus obras.

piraña s.f. Pez de río que tiene la boca provista de numerosos y afilados dientes, que vive en grupos y que es carnívoro. □ MORF. Es un sustantivo epiceno: *la piraña {macho/hembra}*.

pirarse v.prnl. **1** *col.* Fugarse o irse: *A media mañana se pira del despacho y ya no vuelve hasta la tarde.* **2** Volverse loco o perder el juicio: *Cuando se pira por una chica, no hace ningún caso a los amigos.* □ ETIMOL. De *pira* (huida). □ SINT. La acepción 1 se usa mucho en la expresión *pirárselas*.

pirata ▮ adj.inv. **1** Del pirata, de la piratería o característico de ellos. **2** Clandestino o ilegal: *una emisora pirata.* ▮ s.com. **3** Persona que navega sin licencia y asalta y roba barcos en el mar o en las costas: *En los siglos XVI y XVII fueron frecuentes los ataques de los piratas a las embarcaciones comerciales.* □ SINÓN. *corsario.* **4** Persona que se apropia del trabajo ajeno: *Los piratas informáticos suelen acceder a la información de otros ordenadores a través de redes.* **5** || **pirata aéreo;** persona que, mediante amenazas, obliga a la tripulación de un avión a modificar su rumbo: *En los aeropuertos se han instalado medidas de seguridad para detener a los piratas aéreos.* □ ETIMOL. Del latín *pirata*, y este del griego *peiratés* (bandido, pirata).

piratear v. **1** Asaltar y robar barcos en el mar o en las costas: *El pirata Drake pirateaba con autorización de la Corona inglesa.* **2** Referido a trabajos y bienes ajenos, apropiarse de ellos y usarlos como propios: *Piratear discos y libros, publicándolos sin que su autor lo sepa y sin pagarle ningún dinero, es un delito.*

pirateo s.m. *col.* Piratería.

piratería s.f. **1** Asalto y robo de barcos en el mar o en las costas: *En el siglo XVI muchos navegantes se dedicaban a la piratería.* **2** Apropiación del trabajo o de los bienes ajenos para usarlos como si fueran propios: *La piratería de obras sujetas a una propiedad intelectual es un delito.* ☐ SINÓN. *pirateo.*

pirca s.f. En zonas del español meridional, pared de piedra sin argamasa, que se levanta para cercar o delimitar fincas.

pirenaico, ca adj./s. De los Pirineos (sistema montañoso hispanofrancés) o relacionado con ellos.

pirético, ca adj. De la fiebre o relacionado con ella. ☐ SINÓN. *febril.* ☐ ETIMOL. Del griego *pyretikós* (febril).

pírex (pl. *pírex*) s.m. →**pyrex.**

pirexia s.f. Elevación de la temperatura corporal por encima de los valores normales. ☐ ETIMOL. Del griego *pŷr* (fuego) y *éxis* (estado).

piripi adj.inv. *col.* Ligeramente borracho.

pirita s.f. Mineral de hierro, de color amarillo y brillante: *Químicamente, la pirita es sulfuro de hierro.* ☐ ETIMOL. Del griego *pyrítes*, y este de *pŷr* (fuego).

piro s.m. *col.* Fuga o huida. ☐ SINT. Se usa más en la expresión *darse el piro*.

piro- Elemento compositivo prefijo que significa 'fuego' o 'temperatura muy elevada': *pirograbado, pirotecnia, pirómano.* ☐ ETIMOL. Del griego *pŷr*.

piroclasto s.m. Material sólido que expulsa un volcán durante la erupción.

piroelectricidad s.f. En física, conjunto de cargas eléctricas que se presentan en las superficies de ciertos cristales a causa de los cambios de temperatura. ☐ ETIMOL. De *piro-* (temperatura elevada) y *electricidad*.

pirofórico, ca adj. En química, que se inflama en contacto con el aire. ☐ ETIMOL. Del griego *pyrophóros* (que lleva fuego).

pirogénesis (pl. *pirogénesis*) s.f. En química, producción de calor.

pirógeno, na ▌adj. **1** En geología, referido a una roca, que está formada a alta presión y temperatura. ▌adj./s.m. **2** En medicina, que produce fiebre. ☐ ETIMOL. De *piro-* (temperatura elevada) y *-geno* (que genera, produce).

pirograbado s.m. **1** Técnica que consiste en dibujar, grabar o tallar superficialmente la madera con un instrumento incandescente. **2** Obra o talla que se obtiene por medio de esta técnica. ☐ ETIMOL. De *piro-* (fuego) y *grabado*.

pirograbador, -a s. Persona que se dedica profesionalmente a la realización de pirograbados.

pirograbar v. Hacer pirograbados: *He pirograbado mi nombre en una madera quemando pólvora.*

pirolatría s.f. Adoración del fuego. ☐ ETIMOL. De *piro-* (fuego) y *-latría* (adoración).

pirólisis (pl. *pirólisis*) s.f. En química, transformación de un compuesto en una materia distinta por efecto del calor. ☐ ETIMOL. De *piro-* (fuego) y *-lisis* (disolución).

pirología s.f. Estudio del fuego y de sus aplicaciones. ☐ ETIMOL. De *piro-* (fuego) y *-logía* (estudio).

pirolusita s.f. Mineral de manganeso, semejante al yeso, de color pardo, negro o gris azulado, que se usa en la industria para la obtención de oxígeno y cloro y para la fabricación de otros materiales: *En Asturias, Teruel y Huelva hay yacimientos de pirolusita.* ☐ SINÓN. *manganesa, manganesia.* ☐ ETIMOL. De *piro-* (fuego) y el griego *lýsis* (descomposición).

piromancia (tb. *piromancía*) s.f. Adivinación por medio de la interpretación del color, el chasquido o la disposición de una llama. ☐ ETIMOL. Del griego *pyromantéia*, y este de *pŷr* (fuego) y *mantéia* (adivinación). ☐ ORTOGR. Dist. de *piromanía*.

piromanía s.f. Tendencia patológica a provocar fuego o a causar incendios. ☐ ETIMOL. De *piro-* (fuego) y *-manía* (afición desmedida). ☐ ORTOGR. Dist. de *piromancia* o *piromancía*.

pirómano, na adj./s. Que tiene una tendencia patológica a provocar fuego.

pirometría s.f. Medición de temperaturas muy elevadas. ☐ ETIMOL. De *piro-* (temperatura elevada) y *-metría* (medición).

pirómetro s.m. Termómetro capaz de medir temperaturas muy elevadas.

piropear v. Decir piropos: *¿Cómo no voy a piropearte, con lo elegante que vienes?*

piropeo s.m. Hecho de decir piropos.

piropo s.m. Expresión de elogio o de alabanza dirigida a una persona, esp. por su belleza. ☐ ETIMOL. Del latín *pyropus* (mezcla de colores, oro con tonos de rojo brillante) y este del griego *pyrôpos* (semejante al fuego, de color encendido), porque se empleaba con frecuencia en tratados y poesías retóricas como símbolo de lo brillante. ☐ SINT. Se usa más con los verbos *echar*, *decir* o equivalentes.

pirosis (pl. *pirosis*) s.f. Sensación de ardor o quemazón que sube desde el estómago hasta la faringe y que va acompañada de flato y expulsión de saliva clara. ☐ ETIMOL. Del griego *pýrosis* (acción de arder).

pirotecnia s.f. Arte o técnica de preparar explosivos y fuegos artificiales. ☐ ETIMOL. De *piro-* (fuego) y el griego *tékhné* (arte, industria, habilidad).

pirotécnico, ca adj. De la pirotecnia o relacionado con este arte: *industria pirotécnica.*

piroxena s.f. Mineral formado por silicatos de hierro, calcio y magnesio, de brillo vítreo y color blanco, verde o negruzco, que tiene una dureza comparable a la del acero. ☐ SINÓN. *piroxeno.* ☐ ETIMOL. De *piro-* (fuego) y el griego *xenós* (forastero), porque se encontró accidentalmente entre productos volcánicos.

piroxeno s.m. →**piroxena.**

pirrar v. *col.* Gustar mucho: *El cine me pirra. Me pirro por los helados de chocolate.* ☐ PRON. Incorr. *[pirriár]. ☐ SINT. Constr. como pronominal: *pirrarse POR algo*.

pírrico, ca adj. Referido a una victoria, que ha sido obtenida con más daños para el vencedor que para el vencido. ☐ ETIMOL. Del griego *pyrrhikós*, y este de *Pyrrós* (Pirro), que fue un rey de Epiro vencido por los romanos, aunque los vencedores tuvieron tantos daños como los vencidos. ☐ SEM. Dist. de *insuficiente* o *por los pelos*.

pirruris (pl. *pirruris*) s.com. *col. desp.* En zonas del español meridional, persona que muestra en su forma de actuar que tiene dinero.

pirueta s.f. **1** Movimiento ágil y rápido en el aire: *Es una niña muy inquieta y no para de brincar y hacer piruetas.* **2** En danza, salto que da el bailarín cruzando varias veces los pies en el aire. ☐ SINÓN. *cabriola.* **3** En un ejercicio acrobático, salto consistente en uno o varios giros alrededor del eje vertical del saltador. ☐ ETIMOL. Del francés *pirouette* (cabriola).

pirula s.f. **1** *col.* Faena. **2** *col.* Trampa. **3** *col.* Píldora estimulante.

piruleta s.f. Caramelo grande, redondo y plano, que se chupa cogiéndolo de un palillo clavado en su base. ☐ ETIMOL. Extensión del nombre de una marca comercial.

pirulí (pl. *pirulís, pirulíes*) s.m. Caramelo alargado, generalmente de forma cónica, que se chupa cogiéndolo de un palillo clavado en su base.

pis s.m. **1** *euf. col.* Orina. **2** || **hacer pis;** *col.* Orinar.

pisada s.f. **1** Colocación del pie sobre algo, esp. en el suelo para andar: *¿No oyes sus pisadas cada vez más cerca?* ☐ SINÓN. *pisadura.* **2** Presión que se hace con el pie: *Es un coche tan bueno que con una ligera pisada se pone a ciento cincuenta por hora.* ☐ SINÓN. *pisadura.* **3** Huella o señal del pie. ☐ SINÓN. *pisadura.*

pisador, -a ▌adj. **1** Que pisa. ▌s. **2** Persona que pisa la uva para hacer vino. ▌s.f. **3** Máquina que se usa para aplastar y estrujar la uva.

pisadora s.f. Véase **pisador, -a**.

pisadura s.f. →**pisada.**

pisapapeles (pl. *pisapapeles*) s.m. Objeto pesado que se pone sobre los papeles para que no se muevan.

pisar v. **1** Poner alternativamente los pies en el suelo al andar: *Cuando entre en casa, pisaré despacio para no despertarte.* **2** Apretar con el pie: *En mi pueblo el vino todavía se hace pisando la uva.* **3** Poner el pie encima: *Bailo tan mal que siempre piso a mi pareja.* **4** Referido a un lugar, entrar en él o aparecer por allí: *Desde que discutí con ellos, no he vuelto a pisar su casa.* **5** *col.* Referido a un objetivo o un proyecto, iniciarlo o llevarlo a cabo antes que otra persona: *Fue más listo y me pisó el negocio de los aperitivos a domicilio.* **6** Referido a una persona, humillarla o tratarla mal: *No debes dejarte pisar por nadie.* **7** Referido a una tecla o a una cuerda de un instrumento musical, apretarlas con los dedos: *La profesora me dijo que me faltaba agilidad al pisar las cuerdas de la guitarra en el punteo.* **8** Referido a un objeto, cubrir parcialmente a otro: *La moqueta no está bien colocada porque los trozos se pisan unos a otros.* **9** || **pisar fuerte;** *col.* Actuar con seguridad o con empuje: *La ola de jóvenes modistos pisa fuerte y está obligando a renovarse a los más consagrados.* ☐ ETIMOL. Del latín *pinsare*. ☐ USO La acepción 4 se usa más en expresiones negativas.

pisaverde s.m. *col. desp.* Hombre presumido cuya única ocupación es su arreglo personal. ☐ ETIMOL. De *pisar* y *verde*, porque un pisaverde anda de puntillas como el que atraviesa un jardín.

piscar v. En zonas del español meridional, recolectar: *Contrataron a varios peones para piscar el jitomate.* ☐ ORTOGR. La *c* se cambia en *qu* delante de *e* →SACAR.

piscatorio, ria adj. De la pesca o de los pescadores. ☐ ETIMOL. Del latín *piscatorius*.

pisci- Elemento compositivo prefijo que significa 'pez': *piscicultura, piscicultor, piscívoro.* ☐ ETIMOL. Del latín *piscis*.

piscícola adj.inv. De la piscicultura o relacionado con esta técnica de cría. ☐ ETIMOL. De *pisci-* (pez) y *-cola* (relación).

piscicultor, -a s. Persona que se dedica a la piscicultura.

piscicultura s.f. Técnica para dirigir y fomentar la reproducción de peces y mariscos, generalmente con fines comerciales. ☐ ETIMOL. De *pisci-* (pez) y *-cultura* (cultivo).

piscifactoría s.f. Lugar acondicionado para criar peces y mariscos con fines comerciales. ☐ ETIMOL. De *pisci-* (pez) y *factoría*.

pisciforme adj.inv. Con forma de pez. ☐ ETIMOL. De *pisci-* (pez) y *-forme* (forma).

piscina s.f. Estanque destinado al baño, a la natación o a la práctica de deportes acuáticos. ☐ ETIMOL. Del latín *piscina* (vivero).

piscis (pl. *piscis*) adj.inv./s.com. Referido a una persona, que ha nacido entre el 19 de febrero y el 20 de marzo aproximadamente. ☐ ETIMOL. Del latín *Piscis* (duodécimo signo zodiacal).

piscívoro, ra adj./s. Que se alimenta de peces. ☐ SINÓN. *ictiófago.* ☐ ETIMOL. De *pisci-* (pez) y *-voro* (que come).

pisco s.m. **1** Aguardiente de uva moscatel. **2** || **pisco {sauer/saur/sour};** cóctel elaborado con pisco, zumo de limón y azúcar.

piscolabis (pl. *piscolabis*) s.m. *col.* Comida ligera, compuesta generalmente por aperitivos y pinchos. ☐ ETIMOL. De origen incierto.

pisiforme s.m. →**hueso pisiforme.** ☐ ETIMOL. Del latín *pisum* (guisante) y *-forme* (forma).

piso s.m. **1** Superficie natural o artificial sobre la que se pisa: *El piso de mi habitación es de parqué.* **2** En un edificio o un medio de transporte, cada una de las diferentes plantas que se superponen y forman su altura: *Los rascacielos son edificios con muchísimos pisos.* **3** En un edificio de varias alturas, conjunto de habitaciones que constituyen una vivienda independiente: *Mi piso es el segundo izquierda.* **4** En el calzado, suela o parte que toca el suelo: *unos zapatos con piso de goma.* **5** Cada una de las capas superpuestas que, en su conjunto, forman una unidad: *una tarta de cinco pisos.* **6** En zonas del español meridional, taburete. **7** || **piso franco;** el que ocupa un comando terrorista y no ha sido localizado por la policía.

pisón s.m. Herramienta pesada y gruesa, generalmente con forma de cono, que está provista de un mango y se usa para apretar tierra o piedras. □ ETIMOL. De *pisar*.

pisotear v. **1** Pisar repetidamente estropeando o destrozando: *Mi madre no me deja jugar en el jardín para que no pisotee las flores.* **2** Humillar o maltratar: *Solo un pusilánime puede dejarse pisotear así, aguantando todo tipo de humillaciones.*

pisoteo s.m. **1** Rotura o deterioro de algo por haberlo pisado repetidamente. **2** Humillación, abuso o maltrato: *Han aprobado una ley injusta que supone el pisoteo de algunos derechos humanos esenciales.*

pisotón s.m. Pisada fuerte que se da sobre algo, esp. sobre un pie.

pispajo s.m. *col.* Persona pequeña y vivaracha: *Tu hija es un pispajo muy inteligente.*

pispás || **en un pispás;** *col.* En un momento: *Acabo esto en un pispás y nos vamos.*

pista s.f. **1** Huella o rastro que un animal o una persona dejan por donde pasan: *Los perros siguen la pista de las liebres.* **2** Conjunto de señales o datos que podrían descubrir algo que está oculto: *La policía sigue una pista para descubrir a los autores del robo.* **3** Terreno liso preparado para practicar deportes, esp. carreras: *pistas de esquí.* **4** Espacio destinado al baile en algunos locales de recreo. **5** Terreno acondicionado para el despegue y aterrizaje de aviones. **6** Camino que se construye provisionalmente y se usa como carretera. **7** En un circo o en una sala de fiestas, espacio en el que actúan los artistas. □ ETIMOL. Del italiano *pista*.

pistache s.m. En zonas del español meridional, pistacho. □ ETIMOL. Del francés *pistache*.

pistachero s.m. Árbol con hojas compuestas de color verde oscuro y cuyo fruto es el pistacho.

pistacho s.m. Fruto seco, de forma ovalada, que consta de una cáscara muy dura que contiene una especie de almendra pequeña, muy sabrosa y de color verdoso. □ ETIMOL. Del italiano *pistacchio*.

pistilo s.m. En una flor, órgano femenino situado generalmente en el centro y que está compuesto de ovario, estilo y estigma. □ ETIMOL. Del latín *pistillum* (mano del almirez), por comparación con su forma.

pisto s.m. **1** Plato cuyos principales ingredientes son el pimiento, el tomate y la cebolla, fritos y muy picados. **2** || **darse pisto** o **tirarse el pisto;** *col.* Darse importancia: *Se da mucho pisto, pero es un pelagatos.* □ ETIMOL. Del latín *pistus* (machacado).

pistola s.f. **1** Arma de fuego de pequeño tamaño y de corto alcance, que puede usarse con una sola mano y que va provista de un cargador en la culata. **2** Utensilio de forma parecida, que sirve generalmente para proyectar pintura u otros líquidos pulverizados. **3** Barra de pan. □ ETIMOL. Del alemán *pistole*. □ USO En la acepción 1, es innecesario el uso de la expresión *a punta de pistola*, que puede sustituirse por *pistola en mano*: *Fue atracado {*a punta de pistola > pistola en mano}.*

pistolera s.f. Véase **pistolero, ra.**

pistolero, ra ▮ s. **1** Persona experta en el manejo de la pistola y que suele utilizarla para cometer actos delictivos. ▮ s.f. **2** Estuche o funda para guardar la pistola. **3** Exceso de grasa acumulado en la zona de las caderas.

pistoletazo s.m. Disparo de pistola.

pistón s.m. **1** En un motor de explosión, émbolo de un cilindro: *Los motores de los coches de gasolina llevan pistones.* **2** En algunos instrumentos musicales de viento, llave en forma de émbolo: *La trompeta se toca soplando por la boquilla y accionando con los dedos sus pistones.* **3** Pieza o parte central de una cápsula que lleva la materia que hace estallar una carga explosiva: *El percutor de las armas de fuego, para dispararlas, golpea con fuerza sobre el pistón del cartucho.* □ ETIMOL. Del francés *piston*.

pistonudo, da adj. *col.* Muy bueno, superior o estupendo.

pita ▮ s.f. **1** Planta con largas hojas carnosas en forma de pirámide triangular provistas de espinas en los bordes y en la punta, flores amarillentas que salen de un tallo central que se eleva sobre el resto de la planta y de la que se extrae una fibra que se usa en la fabricación de cuerdas y tejidos. **2** Hilo que se hace con las hojas de esta planta. ▮ interj. **3** Expresión que se utiliza para llamar a las gallinas: *Di '¡pitas, pitas!' y enséñales el pan, verás cómo se acercan.*

pitada s.f. **1** Conjunto de silbidos o pitidos que el público da como señal de desagrado, descontento o nerviosismo. **2** Sonido del pito. **3** *col.* En zonas del español meridional, chupada o calada.

pitagórico, ca ▮ adj. **1** De Pitágoras (filósofo y matemático griego) o de su escuela. ▮ adj./s. **2** Que defiende o sigue el pitagorismo.

pitagorín s.com. *col.* Estudiante que todo lo sabe. □ USO Tiene un matiz despectivo o humorístico.

pitagorismo s.m. Doctrina filosófica y matemática de Pitágoras (filósofo y matemático griego) y sus seguidores, que se basa en el alejamiento entre pensamiento y mundo sensible y en la consideración de que el ser de las cosas son los números.

pitanza s.f. *col.* Comida cotidiana: *Los pastores subieron al monte llevando en sus morrales una frugal pitanza.* □ ETIMOL. Del francés *pitance*, y este de *pitié* (caridad).

pitaña s.f. Sustancia procedente de la secreción de las glándulas de los párpados y que se seca en los bordes y ángulos internos de los ojos, generalmente durante el sueño. □ SINÓN. *legaña*.

pitañoso, sa adj./s. Con muchas legañas. □ SINÓN. *legañoso*.

pitar v. **1** Referido esp. a un pito, sonar o hacerlo sonar: *Este silbato no pita. El guardia de tráfico pitó para que nos parásemos.* **2** Zumbar o hacer un ruido continuado: *Dicen que si te pitan los oídos es porque alguien se está acordando de ti.* **3** *col.* Marchar, funcionar bien o dar el rendimiento esperado:

Afortunadamente, el negocio pita cada día mejor. **4** Dar silbidos o hacer ruidos como señal de desagrado, descontento o nerviosismo: *Los aficionados pitaron al árbitro cuando señaló penalti.* **5** Referido a un partido, arbitrarlo: *Al árbitro que pitó el partido lo acusaron de casero.* **6** En zonas del español meridional, dar una calada al cigarrillo: *La protagonista de aquella película pitaba sensualmente.* **7** || **pitando;** *col.* Muy deprisa: *Vete pitando al colegio, que vas a llegar tarde.* □ SINT. *Pitando* se usa más con los verbos *irse*, *marcharse*, *salir* o equivalentes.

pitarra s.f. En algunas regiones, vino de elaboración casera.

pitbull (ing.) adj.inv./s.m. Referido a un perro, de la raza que se caracteriza por tener el cuerpo musculoso, pecho ancho, cola pequeña y pelo corto y de color blanco. □ PRON. [pítbul].

pitcher (ing.) s.com. En béisbol, jugador que lanza la pelota al bateador. □ PRON. [pítcher], con *t* suave.

pitecántropo s.m. Antropoide fósil que los defensores de la teoría evolucionista de las especies consideraban el eslabón de unión entre los monos antropomórficos y el ser humano. □ SINÓN. *antropopiteco.* □ ETIMOL. Del griego *píthekos* (mono) y *ánthropos* (hombre).

pitera s.f. **1** En algunas regiones, pita. **2** En algunas regiones, brecha o herida en la cabeza. **3** En un tejido, agujero o roto pequeños: *Esta tela no vale para nada porque está llena de piteras.*

pítico, ca adj. De Apolo (dios de la mitología griega) o relacionado con él. □ SINÓN. *pitio.* □ ETIMOL. Del latín *Pythicus.*

pitido s.m. **1** Silbido del pito. **2** Zumbido o ruido continuado.

pitillera s.f. Petaca o estuche que se usa para llevar pitillos.

pitillo s.m. **1** Cigarro pequeño y delgado, hecho con picadura y liado con papel de fumar. □ SINÓN. *cigarrillo.* **2** En zonas del español meridional, paja para beber.

pítima s.f. *col.* Borrachera.

pitiminí (pl. *pitiminís, pitiminíes*) s.m. **1** →**rosal de pitiminí. 2** || **de pitiminí;** *col.* Pequeño, delicado o de poca importancia: *Desde que ha adelgazado tiene carita de pitiminí.* □ ETIMOL. Del francés *petit* (pequeño) y *menu* (menudo).

pitio, tia adj. De Apolo (Dios de la mitología griega) o relacionado con él. □ SINÓN. *pítico.* □ ETIMOL. Del latín *Pythius.*

pito s.m. **1** Instrumento pequeño y hueco que produce un sonido agudo cuando se sopla por él. □ SINÓN. *silbato, chiflato.* **2** Voz o sonido muy fuertes y muy agudos: *Me duele la cabeza de oírla, porque ¡vaya pito que tiene la niña...!* **3** Chasquido o sonido que resulta de juntar el dedo medio con el pulgar y hacerlo resbalar con fuerza: *Jaleaban a las bailaoras con pitos y palmas.* **4** *col.* Bocina o claxon. **5** *col.* Cigarrillo. **6** *col.* →**pene. 7** || **por pitos o (por) flautas;** *col.* Por un motivo o por otro: *Por pitos o por flautas, siempre llega tarde.* || **tomar** a alguien **por el pito del sereno;** *col.* Darle poca o ninguna importancia: *¡Oye, rico, que a mí no me toma nadie por el pito del sereno, eh!* || **un pito;** *col.* Muy poco o nada: *Este regalo no vale un pito.* □ ETIMOL. De origen onomatopéyico. □ SINT. *Un pito* se usa más con los verbos *importar*, *valer* o equivalentes y en expresiones negativas.

pitón s.m. **1** →**serpiente pitón. 2** En algunos animales, punta del cuerno, o cuerno que empieza a salir. **3** En tauromaquia, cuerno del toro. □ ETIMOL. La acepción 1, del griego *pýthon* (dragón, demonio). Las acepciones 2 y 3, de *pito.* □ MORF. En la acepción 1, se usa también como femenino.

pitonazo s.m. Herida hecha con el pitón.

pitonisa s.f. Mujer que adivina el futuro. □ ETIMOL. Por alusión a Pitonisa, sacerdotisa del dios griego Apolo. □ MORF. Se usa también el masculino coloquial *pitoniso.*

pitopausia s.f. *col.* Andropausia. □ USO Tiene un matiz humorístico.

pitopáusico, ca adj./s.m. *col.* Referido a un hombre, que está viviendo el período de la andropausia. □ USO Tiene un matiz humorístico.

pitorra s.f. Ave del tamaño de una perdiz, que tiene el pico largo, recto y delgado, y el plumaje rojizo, y cuya carne es muy apreciada. □ SINÓN. *becada, chochaperdiz.* □ MORF. Es un sustantivo epiceno: *la pitorra {macho/hembra}.*

pitorrearse v.prnl. *col.* Burlarse, guasearse o tomarse a risa: *No te pitorrees de mí, que estoy hablando muy en serio.* □ SINÓN. *chotearse.* □ SINT. Constr. *pitorrearse* DE *algo.*

pitorreo s.m. *col.* Burla o guasa.

pitorro s.m. **1** En un botijo o un porrón, tubo cónico que sirve para moderar la salida del líquido que en ellos se contiene. **2** *col.* Pieza semejante a este tubo. □ ETIMOL. De *pito.*

pitosporo s.m. Arbusto de poca altura y follaje denso, con hojas perennes de color verde oscuro y brillante, y flores blancas o amarillentas con aroma a naranjo: *Los pitosporos son frecuentes en los jardines.*

pitote s.m. Situación confusa o agitada, esp. si va acompañada de alboroto y tumulto.

pituco, ca ▮ adj. **1** *col.* En zonas del español meridional, referido esp. a la ropa, que es elegante o distinguida. ▮ adj./s. **2** *col.* En zonas del español meridional, pijo o chulo.

pitufo, fa s. **1** *col.* Niño o persona de baja estatura. **2** *col.* Guardia municipal. □ ETIMOL. Por alusión a los Pitufos, que son unos enanitos azules de cuentos infantiles. □ USO En la acepción 1, tiene un matiz cariñoso.

pituita s.f. Sustancia blanquecina y viscosa que segregan algunos órganos del cuerpo humano o animal, esp. las membranas de la nariz. □ ETIMOL. Del latín *pituita* (moco).

pituitaria s.f. →**membrana pituitaria.**

pituso, sa s. *col.* Niño.

pívot s.com. **1** En baloncesto, jugador cuya función primordial es la de situarse cerca del tablero para recoger los rebotes o anotar puntos. **2** En balonmano, jugador de ataque que trata de abrir huecos en la defensa del equipo contrario. ☐ ETIMOL. Del francés *pivot*.
pivotante adj.inv. **1** Que pivota. **2** Referido a una raíz, que tiene una parte principal más desarrollada que las partes secundarias, y que penetra en el suelo como una prolongación del tronco.
pivotar v. **1** Girar o dar vueltas sobre un pivote o sobre un eje: *La pantalla de mi ordenador pivota sobre un soporte circular.* **2** En algunos deportes, esp. en baloncesto, girar un jugador sobre un pie para cambiar de posición: *El base pivotó y después tiró a canasta.*
pivote s.m. **1** Pieza fija o giratoria, generalmente cilíndrica, en la que se apoya o se inserta otra. **2** Poste o barra que se colocan en un lugar, generalmente para impedir el aparcamiento de vehículos. ☐ ETIMOL. Del francés *pivot*.
píxel s.m. Punto de luz mínimo que forma una imagen, esp. en la pantalla de un ordenador. ☐ ETIMOL. Del inglés *pixel*. ☐ ORTOGR. Se usa también *pixel*.
piyama s.m. En zonas del español meridional, pijama. ☐ MORF. En algunos países de América se usa como femenino.
pizarra s.f. **1** Roca metamórfica, de grano muy fino, generalmente de color negro, que se divide con facilidad en hojas o láminas planas y delgadas. **2** Superficie de material duro, de color generalmente negro o verde, que se utiliza para escribir en ella con tiza y poder borrar con facilidad, y que suele colgarse de una pared. ☐ SINÓN. *encerado*. ☐ ETIMOL. De origen euskera.
pizarral s.m. Lugar en el que se hallan o abundan las pizarras.
pizarreño, ña adj. De la pizarra, con sus características o relacionado con ella.
pizarrería s.f. Lugar del que se extraen pizarras y se labran.
pizarrín s.m. **1** Barra pequeña, generalmente cilíndrica, que se usa para escribir o dibujar en las pizarras. **2** *vulg.* →**pene.**
pizarrón s.m. En zonas del español meridional, pizarra.
pizarroso, sa adj. Referido esp. a un terreno, abundante en pizarra.
pizca s.f. **1** *col.* Parte o cantidad muy pequeñas: *Comeré una pizca de tarta para probarla, porque no tengo hambre.* ☐ SINÓN. *gota*. **2** || **ni pizca;** *col.* Nada: *El chiste no me hizo ni pizca de gracia.* ☐ ETIMOL. De *pizco* (pellizco).
pizco s.m. **1** *col.* Pellizco en la piel. **2** Porción mínima de algo: *Échale un pizco de sal, que está un poquito soso.* ☐ ETIMOL. De *pizcar* (pellizcar).
pizpireto, ta adj. *col.* Referido a una persona, que es viva, graciosa y simpática. ☐ ETIMOL. De origen onomatopéyico.
pizza (it.) s.f. Comida compuesta de una masa redonda hecha de harina de trigo sobre la que se coloca queso, tomate y otros ingredientes, y que se cuece en el horno. ☐ PRON. [pítsa].
pizzería s.f. Lugar en el que se elaboran, se venden y se consumen pizzas. ☐ PRON. [pitsería].
pizzero, ra s. Persona que hace pizzas o que las reparte a domicilio. ☐ PRON. [pitséro].
pizzicato (it.) s.m. En una composición musical, pasaje que se ejecuta pellizcando con los dedos las cuerdas de un instrumento de arco. ☐ PRON. [pitsicáto].
placa s.f. **1** Plancha o lámina rígida y poco gruesa: *una placa de hielo.* **2** Letrero que se coloca en un lugar público y visible para orientar o informar: *En la puerta del despacho había una placa con el nombre del abogado.* **3** Insignia o distintivo, generalmente de metal, que llevan los agentes de policía para identificarse como tales. ☐ SINÓN. *chapa*. **4** Lámina rígida y cubierta por una capa de sustancia alterable por la luz, con la que se hacen algunos tipos de fotografías: *En la placa que le hicieron del brazo no se aprecia ninguna fractura.* **5** Lámina, capa o película que está superpuesta a algo: *Con este dentífrico se previene la formación de placas de sarro en los dientes.* **6** En geología, cada una de las partes de la litosfera, que flotan sobre el manto, y cuyas zonas de choque forman los cinturones de actividad volcánica, sísmica y tectónica. **7** En zonas del español meridional, matrícula. **8** || **placa base;** En informática, placa con circuito integrado sobre la que se conectan los demás componentes físicos de un ordenador. ☐ ETIMOL. Del francés *plaque*.
placaje s.f. En algunos deportes, esp. en rugby, detención del ataque de un jugador contrario que lleva el balón, sujetándolo con las manos. ☐ ETIMOL. Del francés *placage*.
placar v. En rugby, referido al jugador que lleva el balón, detener su ataque sujetándolo con las manos: *El zaguero placó al delantero cuando este iba a conseguir un ensayo.* ☐ ORTOGR. La *c* se cambia en *qu* delante de *e* →SACAR.
placard (fr.) s.m. En zonas del español meridional, armario empotrado. ☐ PRON. [placár].
placebo s.m. Sustancia sin acción terapéutica, que puede producir un efecto curativo en un enfermo si este la recibe convencido de que sí la tiene: *La curación mediante placebos tiene un carácter psicológico más que medicinal.* ☐ ETIMOL. Del latín *placebo* (agradaré).
pláceme s.m. Manifestación de la satisfacción que alguien recibe por algún suceso feliz que le ha ocurrido a otra persona. ☐ SINÓN. *felicitación*. ☐ ETIMOL. De *placer* y *me* (me place). ☐ MORF. Se usa más en plural.
placenta s.f. **1** Órgano redondeado y plano, que durante la gestación se desarrolla en el interior del útero y que funciona como intermediario entre la madre y el feto. **2** En una flor, parte del ovario en la que se insertan los óvulos. ☐ ETIMOL. Del latín *placenta* (torta).
placentación s.f. **1** En biología, formación de la placenta al implantarse el embrión de los mamífe-

ros placentarios en el útero de la madre. **2** En botánica, disposición de los óvulos en el ovario de los vegetales.

placentario, ria ▮ adj. **1** De la placenta o relacionado con esta estructura orgánica: *la cavidad placentaria.* ▮ adj./s.m. **2** Referido a un animal, que se desarrolla en el útero de la madre, con formación de placenta: *La vaca es un animal placentario.* ▮ s.m.pl. **3** En zoología, grupo de estos animales: *Los primates forman parte de los placentarios.*

placentero, ra adj. Que resulta agradable, alegre o apacible: *un viaje placentero.*

placer ▮ s.m. **1** Goce o alegría espiritual: *Oír música es para mí el mayor placer.* **2** Sensación agradable o de plena satisfacción: *Bañarse en el mar cuando hace calor es un auténtico placer.* **3** Diversión o entretenimiento: *¿Este viaje es de trabajo o de placer?* ▮ v. **4** Agradar o dar gusto: *Si te place, puedes acompañarme. Haz lo que te plazca y déjame a mí en paz.* □ ETIMOL. Las acepciones 1-3, del verbo *placer*. La acepción 4, del latín *placere* (gustar). □ MORF. Irreg. →PLACER.

placero, ra s. En zonas del español meridional, vendedor callejero.

plácet s.m. Aprobación u opinión favorable, esp. la que da un Gobierno al embajador de otro país. □ ETIMOL. Del latín *placet* (place, agrada).

placidez s.f. **1** Quietud, sosiego o falta de agitación: *Da gusto ver con qué placidez duermen los niños.* **2** Tranquilidad o agrado que se experimentan: *Charlamos con placidez a la sombra de un naranjo.*

plácido, da adj. **1** Quieto, sosegado y sin perturbación: *El bebé dormía con un plácido sueño.* **2** Que proporciona un placer agradable y tranquilo: *una plácida conversación.* □ ETIMOL. Del latín *placidus*.

pladur s.m. Material empleado en construcción y en decoración, que se utiliza esp. para hacer estanterías o en la elaboración de tabiques y techos falsos. □ ETIMOL. Extensión del nombre de una marca comercial.

plafón s.m. Lámpara plana que se coloca pegada al techo para ocultar las bombillas. □ ETIMOL. Del francés *plafond*, y este de *plat* (achatado, plano) y *fond* (fondo).

plaga s.f. **1** Desastre o desgracia sufridos por un pueblo o una comunidad: *Creo que la droga es una plaga de la sociedad actual.* **2** Abundancia de animales o de vegetales que causan daño o destrucción: *La plaga de langostas arrasó la cosecha. Este año se prevé una plaga de mosquitos.* **3** *desp.* Gran abundancia de algo que se considera nocivo o molesto: *En verano acude a esta costa una auténtica plaga de turistas.* □ ETIMOL. Del latín *plaga* (llaga, herida).

plagar v. Llenar o cubrir de algo nocivo, molesto o desagradable: *Después del fin de semana, toda esta zona del bosque se plaga de desperdicios de comida y de papeles.* □ ORTOGR. La *g* se cambia en *gu* delante de *e* →PAGAR. □ SINT. Constr. *plagarse* DE *algo*.

plagiar v. Referido esp. a una obra o una idea ajenas, copiarlas en lo sustancial y presentarlas como propias: *El cantante denunció al grupo musical que había plagiado una de sus canciones.* □ ORTOGR. La *i* nunca lleva tilde.

plagio s.m. Copia o presentación de una obra o de una idea ajenas como si fueran propias. □ ETIMOL. Del latín *plagium* (apropiación de esclavos ajenos).

plaguicida adj.inv./s.m. Referido a un producto, que sirve para combatir las plagas del campo. □ ETIMOL. De *plaga* y *-cida* (que mata).

plan s.m. **1** Intención o proyecto de hacer algo: *Su plan para huir de la cárcel fracasó. Una visita inesperada me rompió los planes.* **2** Programa en el que se presenta cómo debe hacerse un trabajo y de qué partes debe constar: *El nuevo plan de desarrollo prevé la instalación de nuevas industrias en la región.* **3** Dieta o régimen alimenticio: *un plan de adelgazamiento.* **4** *col.* Actitud, modo o manera: *Llegó en plan de reírse un rato, y acabó llorando.* **5** *col.* Relación amorosa superficial y pasajera. □ SINÓN. *ligue.* **6** *col.* Persona con la que se mantiene esta relación. □ SINÓN. *ligue.* **7** ‖ **a todo plan;** *col.* Con mucho lujo: *El chico con el que sale vive a todo plan.* ‖ **no ser plan** algo; *col.* No ser útil, conveniente o agradable: *No es plan que tenga que hacer él siempre los recados.* □ ETIMOL. De *plano*.

plana s.f. Véase **plano, na**.

plancha s.f. **1** Utensilio, generalmente eléctrico, formado por una superficie triangular y lisa en la parte inferior y un asa para agarrarla en la superior, que se utiliza para planchar. **2** Lámina lisa y delgada: *Esta puerta blindada está recubierta por planchas de acero.* **3** Conjunto de prendas de vestir planchadas o para planchar. **4** →**planchado. 5** *col.* Equivocación o error que deja a alguien en ridículo: *¡Menuda plancha, cuando llamé a tu marido por el nombre de tu antiguo novio!* **6** Placa que se usa para asar o tostar algunos alimentos. **7** Postura horizontal que adopta el cuerpo cuando salta o mientras está en el aire: *El delantero metió un gol tirándose en plancha.* **8** En imprenta, reproducción preparada para la impresión. **9** ‖ **a la plancha;** referido a un alimento, asado o tostado sobre una placa caliente: *La carne a la plancha no queda grasienta.* □ ETIMOL. Del francés *planche* (tabla, plancha de hierro).

planchada s.f. Véase **planchado, da**.

planchado, da ▮ adj. **1** *col.* Sorprendido y sin capacidad de reacción: *Me dejó planchada cuando me dijo que nunca se había fiado de mí.* ▮ s.m. **2** Eliminación de las arrugas de un tejido por medio de una plancha. □ SINÓN. *plancha.* ▮ s.f. **3** En zonas del español meridional, planchado de la ropa.

planchador, -a ▮ s. **1** Persona que se dedica profesionalmente a planchar. ▮ s.f. **2** Máquina industrial para planchar.

planchadora s.f. Véase **planchador, -a**.

planchar v. **1** Referido esp. a un tejido, quitarle las arrugas por medio de una plancha caliente o por otros procedimientos: *Ya he planchado todas las ca-*

misas. Planchar en verano da mucho calor. **2** *col.* Alisar o estirar: *Para planchar estas hojas de rosal, mételas debajo de algo pesado.*

planchazo s.m. **1** Golpe dado con el vientre en el agua cuando alguien se lanza en una postura totalmente horizontal. **2** Error o desacierto grandes.

plancheta s.f. En topografía, instrumento que consta de un tablero montado horizontalmente sobre un trípode, y en cuya superficie se trazan con lápiz las visuales dirigidas por medio de una regla y un visor a los distintos puntos del terreno. ☐ ETIMOL. De *plancha.*

plancton s.m. Conjunto de pequeños organismos animales o vegetales acuáticos que flotan y se desplazan pasivamente en el agua. ☐ ETIMOL. Del griego *planktón* (lo que va errante). ☐ SEM. Dist. de *necton* (animales acuáticos que se desplazan activamente en su medio).

planctónico, ca adj. Del plancton o relacionado con estos organismos animales o vegetales acuáticos.

planeador, -a ▮ adj./s. **1** Que planea. ▮ s.m. **2** Aeronave ligera y sin motor, que despega al ser arrastrada por otra y que se mantiene en el aire aprovechando las corrientes térmicas. ▮ s.f. **3** Barca de diseño aerodinámico, con motor fueraborda y muy rápida.

planeadora s.f. Véase **planeador, -a**.

planeamiento s.m. Trazado del plan de una obra, de una idea o de un proyecto.

planear v. **1** Referido a una obra o a una idea, trazar o formar su plan: *Planeó su huida de la cárcel con otros presos.* **2** Referido esp. a un proyecto, pensar realizarlo o tener intención de hacerlo: *Planea salir este fin de semana de excursión.* **3** Referido esp. a una aeronave, volar o descender sin usar el motor: *Llegamos al aeropuerto planeando, porque se nos había parado el motor.* **4** Referido a un ave, volar con las alas extendidas e inmóviles: *Los buitres planeaban en círculo sobre la res muerta.* ☐ SEM. Dist. de *planificar* (trazar el plan de un proyecto).

planeo s.m. **1** Vuelo o descenso de una aeronave sin usar el motor. **2** Vuelo de un ave con las alas extendidas e inmóviles.

planeta s.m. Cuerpo sólido celeste, sin luz propia, que gira alrededor del Sol o de otra estrella de la que recibe la luz que refleja: *La Tierra, Marte y Saturno son planetas.* ☐ ETIMOL. Del latín *planeta*, y este del griego *planétes* (vagabundo), porque los planetas se movían, a diferencia de las estrellas que parecían fijas.

planetario, ria ▮ adj. **1** De los planetas o relacionado con estos cuerpos sólidos celestes. ▮ s.m. **2** Lugar en el que se representan los planetas del sistema solar y sus movimientos.

planetoide s.m. Asteroide o planeta de pequeño tamaño que solo se pueden observar a través del telescopio. ☐ ETIMOL. De *planeta* y *-oide* (relación, semejanza).

planicie s.f. Terreno llano de gran extensión. ☐ ETIMOL. Del latín *planities.*

planificación s.f. Elaboración de un plan detallado y organizado para conseguir un objetivo. ☐ SEM. Es innecesario el uso del anglicismo *planning.*

planificar v. Referido esp. a un proyecto, trazar un plan detallado y organizado para su realización: *La profesora planificó el curso repartiendo el temario en tres trimestres.* ☐ ORTOGR. La *c* se cambia en *qu* delante de *e* →SACAR. ☐ SEM. Dist. de *planear* (hacer planes sobre una acción).

planilla s.f. Impreso o formulario que hay que rellenar para hacer una petición o una declaración, esp. ante la Administración pública. ☐ ETIMOL. De *plana.*

planimetría s.f. Parte de la topografía que trata de la representación de una parte de la superficie terrestre sobre una superficie plana. ☐ ETIMOL. De *plano* y *-metría* (medición).

planisferio s.m. Mapa en el que se representa la esfera terrestre o la celeste en un plano. ☐ ETIMOL. De *plano* y *esfera.*

planning (ing.) s.m. **1** →**planificación. 2** Esquema en el que están señaladas diferentes variables de trabajo. ☐ PRON. [plánin]. ☐ USO Su uso es innecesario.

plano, na ▮ adj. **1** Llano, liso o sin estorbos: *un terreno plano.* ▮ s.m. **2** Representación gráfica y a escala en una superficie, de un terreno, de la planta de un edificio, de una ciudad o de algo semejante: *el plano de una ciudad.* **3** En cine, vídeo y televisión, cada uno de los fragmentos de una película que han sido rodados de una vez. **4** En geometría, superficie que puede contener una línea recta en cualquier posición: *Un plano es ilimitado.* **5** Superficie imaginaria formada por puntos o por objetos que se sitúan a una misma distancia y se consideran desde el punto de vista del espectador: *Yo quiero salir en la foto en segundo plano, para que no se me vean las manchas del traje.* **6** Posición o punto de vista desde el que se puede considerar algo. ▮ s.f. **7** En una hoja de papel, cada una de las caras. **8** Página impresa, esp. en un periódico o revista: *Las noticias más importantes se colocan en primera plana.* **9** ‖ **a toda plana;** ocupando una página entera: *La noticia del atentado salió a toda plana en todos los periódicos.* ‖ **{corregir/enmendar} la plana** a alguien; descubrir o advertir defectos en lo que ha hecho: *Sé que le molesta que siempre sea yo quien le enmienda la plana en su trabajo.* ‖ **plana mayor;** *col.* Conjunto de jefes, de superiores o de directivos. ☐ ETIMOL. Del latín *planus* (llano).

planta s.f. **1** Ser orgánico que crece y vive sin capacidad para cambiar de lugar por impulso voluntario: *Los árboles son plantas.* ☐ SINÓN. *vegetal.* **2** En el pie, parte inferior sobre la que se sostiene el cuerpo. **3** En un edificio, cada uno de los pisos o niveles que tiene. **4** Representación gráfica de la sección horizontal de un edificio: *Me dibujó en un papel la planta de su vivienda.* **5** Aspecto o presencia de una persona: *¡Qué buena planta tienen tus hijos!* **6** Fábrica o instalación industriales: *una planta eléctrica.* **7** En arquitectura, figura que forman sobre el terreno los cimientos de un edificio: *El templo antiguo que visitaron era de planta de cruz griega.* **8** En zonas del español meridional, plantilla de una empresa. **9** || **de nueva planta;** referido esp. a un edificio o a un proyecto, que se construye o se realiza desde los cimientos o partiendo de cero. || **de planta;** en zonas del español meridional, referido a un empleado del hogar, que vive en la casa en la que trabaja. ☐ ETIMOL. Del latín *planta*.

plantación s.f. Terreno en el que se cultivan plantas de una misma clase.

plantar ▮ v. **1** Referido esp. a una planta, meterla en tierra para que arraigue: *He plantado un rosal en el jardín.* **2** Referido a un terreno, poblarlo de plantas: *Quiere plantar sus tierras de árboles frutales.* **3** *col.* Referido esp. a un beso, darlo: *Estaba tan contenta que le planté dos besos.* ☐ SINÓN. *plantificar.* **4** *col.* Referido a una persona, abandonarla o faltar a una cita con ella: *No llegaron a casarse, porque plantó al novio en la puerta de la iglesia.* **5** *col.* Referido esp. a una opinión, decirla claramente: *Le planté en la cara todo lo que pensaba de él.* **6** Colocar o poner en un lugar: *Es un desordenado y cuando llega a casa planta la cartera en cualquier sitio.* ☐ SINÓN. *plantificar.* ▮ prnl. **7** *col.* Ponerse en pie ocupando un lugar: *Se plantó delante de mí y no me dejó pasar.* **8** *col.* Llegar en poco tiempo a un lugar: *Había tan poco tráfico que nos plantamos en las afueras en diez minutos.* ☐ SINÓN. *plantificar.* **9** Resistirse a hacer algo: *El niño se plantó y no hubo forma de que se acabara la cena.* **10** *col.* En algunos juegos de cartas, no querer más de las que se tienen: *Me planté, porque jugaba a la siete y media y tenía un siete.* ☐ ETIMOL. Del latín *plantare* (plantar clavando con la planta del pie).

plantario s.m. Lugar en el que se siembran semillas para trasplantar las plantas cuando nazcan: ☐ SINÓN. *semillero, almáciga.*

plante s.m. Protesta colectiva de personas que están agrupadas bajo una misma autoridad o que trabajan en común, y consistente en abandonar su cometido. ☐ ETIMOL. De *plantarse*.

planteamiento s.m. **1** Trazado de un boceto o elaboración de un proyecto: *El problema de matemáticas no te sale porque has hecho mal el planteamiento.* ☐ SINÓN. *planteo.* **2** Exposición, juicio o valoración de un problema o de una dificultad: *Tu planteamiento del asunto me parece terriblemente egoísta.* ☐ SINÓN. *planteo.*

plantear ▮ v. **1** Referido a algo que no está hecho, enfocar su ejecución o trazar un boceto: *Ya he planteado el problema de física, ahora solo me queda hacer las operaciones.* **2** Referido esp. a un problema, exponerlo o suscitarlo: *Le plantearé la cuestión a tu madre y que ella decida qué hacer.* ▮ prnl. **3** Considerar, examinar o juzgar: *Me estoy planteando la posibilidad de irme a vivir al extranjero.* ☐ ETIMOL. De *planta*.

plantel s.m. **1** Conjunto de personas con alguna característica común. **2** En zonas del español meridional, plantilla. ☐ ETIMOL. De *planta*.

planteo s.m. →**planteamiento.**

plantificar ▮ v. **1** *col.* Referido esp. a un beso, darlo: *En cuanto me vio, me plantificó dos besos.* ☐ SINÓN. *plantar.* **2** *col.* Colocar o poner en un lugar: *Plantificó las manos llenas de chocolate en las cortinas de la habitación.* ☐ SINÓN. *plantar.* ▮ prnl. **3** *col.* Llegar en poco tiempo a un lugar: *Con la nueva carretera, me plantifico en tu casa en un momento.* ☐ SINÓN. *plantar.* ☐ ETIMOL. Del latín *planta* (planta) y *facere* (hacer). ☐ ORTOGR. La *c* se cambia en *qu* delante de *e* →SACAR.

plantígrado, da adj./s. Referido a un cuadrúpedo, que al andar apoya completamente la planta de los pies y las manos. ☐ ETIMOL. Del latín *planta* (planta del pie) y *gradi* (caminar).

plantilla s.f. **1** Pieza con que se cubre el interior de la planta de un calzado. **2** Tabla o plancha que se pone sobre otra y que sirve como modelo o como guía para cortarla o para dibujarla. **3** Relación de los empleados de una empresa. **4** En deporte, conjunto de jugadores de un equipo. ☐ ETIMOL. De *planta*.

plantillazo s.m. En el fútbol, entrada violenta que se hace a un contrario con la planta del pie.

plantío, a ▮ adj./s.m. **1** Referido a un terreno, que está plantado o puede ser plantado. ▮ s.m. **2** Conjunto de vegetales plantados.

planto s.m. Composición poética en la que se lamenta un hecho desgraciado, generalmente la muerte de una persona. ☐ ETIMOL. Del latín *planctus* (lamentación).

plantón s.m. **1** Planta joven que debe ser trasplantada: *He comprado en el vivero unos plantones de encina para poner en el jardín.* **2** *col.* Retraso o no asistencia a una cita: *Me dio plantón porque le surgió un problema en el último momento y no pudo localizarme.*

plañidera s.f. Véase **plañidero, ra.**

plañidero, ra ▮ adj. **1** Lloroso y lastimero. ▮ s.f. **2** Mujer a la que se paga para que asista y llore en los entierros.

plañido s.m. Lamento, queja y llanto.

plañir v. Gemir y llorar con sollozos: *Los hijos del difunto plañían durante el velatorio.* ☐ ETIMOL. Del latín *plangere* (golpear, lamentarse). ☐ MORF. Irreg. →PLAÑIR.

plaqueta s.f. **1** Célula de la sangre de los vertebrados, de pequeño tamaño y sin núcleo, que interviene en la coagulación sanguínea. ☐ SINÓN. *trombocito.* **2** Baldosa o azulejo de cerámica, generalmente de un espesor menor de un centímetro, que se utilizan principalmente para cubrir suelos. ☐ ETIMOL. Del francés *plaquette*. ☐ ORTOGR. Dist. de *claqueta*.

plasma s.m. **1** Parte líquida de la sangre en la que se encuentran los elementos celulares que la componen. **2** Material con el que se fabrican algunas pantallas planas, que se basa en la inyección de un gas entre dos placas de vidrio que se ilumina cuando una carga eléctrica lo activa: *un televisor con pantalla de plasma.* **3** Televisor fabricado con este material: *Para su boda le voy a regalar un plasma.* □ ETIMOL. Del griego *plásma* (formación).

plasmación s.f. Realización o representación de un proyecto o de una idea.

plasmar v. Dar forma o representar: *Plasmó sus sentimientos en un precioso poema.* □ ETIMOL. Del latín *plasmare*.

plasmático, ca adj. Del plasma o relacionado con él.

plasta ▮ adj.inv./s.com. **1** *col.* Referido a una persona, que resulta pesada o molesta. ▮ s.f. **2** Sustancia o materia que tiene una consistencia blanda y espesa. **3** *col.* Objeto que tiene una forma aplastada: *Me senté encima del sombrero y quedó hecho una plasta.* **4** *col.* Excremento. □ ETIMOL. De *plaste* (masa para llenar agujeros).

plaste s.m. Masa de color blanco hecha con yeso y cola disueltos en agua. □ ETIMOL. Del griego *plasté* (modelada).

plastelina s.f. →**plastilina.**

plástica s.f. Véase **plástico, ca.**

plasticidad s.f. **1** Propiedad que presenta un material de cambiar de forma al ejercer una fuerza sobre él, y de mantener dicha forma de manera permanente: *La plasticidad de la arcilla la hace adecuada para trabajos de modelado y de alfarería.* **2** Concisión, exactitud y fuerza expresiva del lenguaje, mediante las cuales se consigue realzar las ideas que se manifiestan: *La plasticidad de sus descripciones hace que el lector pueda imaginarse la escena como si la estuviera viendo.*

plástico, ca ▮ adj. **1** Referido a un material, que puede cambiar de forma al ejercer una fuerza sobre él, y mantener dicha forma de manera permanente. **2** Referido esp. al lenguaje, que consigue dar gran realce a las ideas o a las imágenes mentales, gracias a la concisión, exactitud o fuerza expresiva con que las manifiesta: *Utilizar imágenes plásticas para explicar conceptos muy abstractos ayuda a comprenderlos.* **3** De la plástica o relacionado con este arte: *artes plásticas.* ▮ adj./s.m. **4** Referido a un material, que es sintético, compuesto principalmente de derivados de celulosa, de resinas y de proteínas, y que puede moldearse fácilmente: *una bolsa de plástico.* ▮ s.f. **5** Arte o técnica de trabajar y dar forma al barro, al yeso o a otros materiales semejantes. □ ETIMOL. Las acepciones 1-4, del griego *plastikós* (relativo al modelado). La acepción 5, del griego *plastiké*.

plastificación s.f. →**plastificado.**

plastificado s.m. Cubrimiento de algo con una lámina de un material plástico. □ SINÓN. *plastificación*.

plastificar v. Recubrir con una lámina de material plástico: *He plastificado el carné de la biblioteca para que no se me estropee con el uso.* □ ETIMOL. De *plástico* y el latín *facere* (hacer). □ ORTOGR. La *c* se cambia en *qu* delante de *e* →SACAR.

plastilina s.f. Material blando y fácilmente modelable de diferentes colores, que utilizan generalmente los niños para hacer objetos. □ ETIMOL. Extensión del nombre de una marca comercial. □ ORTOGR. Se usa también *plastelina*.

plastiquero, ra s. *col.* Persona que se desliza sobre un plástico, por una pendiente nevada.

plasto s.m. Orgánulo del citoplasma de las células vegetales que se caracteriza por la acumulación de pigmentos y de sustancias de reserva. □ ETIMOL. Del griego *plastós* (modelado).

plastrón s.m. **1** Corbata muy ancha que cubría el centro de la pechera de la camisa. **2** Pechera de camisa masculina, esp. si es sobrepuesta. □ ETIMOL. Del francés *plastron*.

plata s.f. **1** Elemento químico, metálico y sólido, de número atómico 47, fácilmente moldeable, que puede extenderse en láminas finas, es de color blanco grisáceo y con brillo metálico, y se emplea en joyería: *La plata es menos valorada que el oro.* **2** Conjunto de joyas o de objetos fabricados con este metal: *Tengo que limpiar la plata porque esta noche vienen invitados a cenar.* **3** *col.* Dinero o riqueza: *Necesito plata para conseguir lo que quiero.* **4** Medalla hecha con plata, que se otorga al segundo clasificado: *Consiguió la plata en la última Olimpiada.* **5** ‖ **en plata;** *col.* Referido a la forma de hablar, claramente y sin rodeos: *Hablando en plata, que no lo puedo ver ni en pintura.* □ ETIMOL. Del latín **plattus* (lámina metálica), porque en la península Ibérica se especializó pasando a designar el metal *argentum*. □ ORTOGR. En la acepción 1, su símbolo químico es *Ag*.

plataforma s.f. **1** Superficie horizontal, descubierta y elevada respecto del nivel del suelo. **2** Conjunto de personas, normalmente representativas, que dirigen un movimiento para reivindicar algo: *La plataforma sindical exige negociar con la patronal.* **3** Lo que sirve como medio para conseguir un fin: *Su puesto en el periódico ha sido la plataforma para saltar al mundo de la televisión.* **4** En informática, estructura general de un equipo informático, de un sistema operativo o del conjunto de ambos. **5** Conjunto de medios de comunicación que se unen para producir y distribuir contenidos de una manera determinada: *Varias televisiones han creado una plataforma de pago por visión.* **6** En un calzado, suela muy gruesa para darle mayor altura: *Tengo unos zapatos con una plataforma de diez centímetros.* **7** ‖ **plataforma continental;** superficie del fondo marino que va desde la costa hasta profundidades no superiores a doscientos metros. ‖ **plataforma petrolífera;** instalación destinada a la extracción de petróleo en el mar. □ ETIMOL. Del francés *plate-forme*, y este de *plat* (plano) y *forme* (forma).

platal s.m. *col.* En zonas del español meridional, dineral.

platanal s.m. →**platanar.**

platanar (tb. *platanal*) s.m. Terreno plantado de bananos o plataneros. □ SINÓN. *bananal, bananar, platanera*.

platanera s.f. Véase **platanero, ra.**

platanero, ra ▮ adj. **1** De las bananas o plátanos, o de su planta: *industria platanera.* □ SINÓN. *bananero.* ▮ s. **2** Árbol tropical, con forma de palmera, de grandes hojas verdes y cuyo fruto es la banana o el plátano. □ SINÓN. *banano, bananero.* ▮ s.f. **3** Terreno plantado de bananos o plataneros. □ SINÓN. *bananal, bananar, platanal, platanar.*

plátano s.m. **1** Fruto comestible del banano o platanero, de forma alargada y curva, y con una cáscara verde que amarillea cuando madura. □ SINÓN. *banana.* **2** Árbol de tronco cilíndrico y de corteza lisa y clara, de hojas caducas y palmeadas, que se suele plantar en calles y paseos y que da abundante sombra. □ ETIMOL. Del griego *plátanos* (tipo de árbol). □ SEM. En la acepción 2, dist. de *bananero* y *banano* (árbol frutal tropical).

platea s.f. En un teatro, planta baja ocupada por las butacas. □ SINÓN. *patio de butacas.* □ ETIMOL. De origen incierto.

plateado, da adj. Del color de la plata o semejante a él.

platear v. **1** Cubrir con un baño de plata: *He mandado platear el marco de esta fotografía en una joyería.* **2** *poét.* Encanecer: *Después de tanto tiempo sin verlo noté que los años le habían plateado las sienes.*

platelminto ▮ adj./s.m. **1** Referido a un gusano, que tiene el cuerpo aplanado, carece de sistema circulatorio y respiratorio, es hermafrodita y, generalmente, parásito: *La tenia es un platelminto.* ▮ s.m.pl. **2** En zoología, tipo de estos gusanos, perteneciente al reino de los metazoos: *Algunos de los gusanos que pertenecen a los platelmintos viven en aguas dulces o en el mar.* □ ETIMOL. Del griego *platýs* (ancho) y *hélmins* (gusano).

plateresco, ca ▮ adj. **1** Del plateresco o con rasgos propios de este estilo. ▮ s.m. **2** Estilo arquitectónico español de los siglos XV y XVI que se caracteriza por tener una estructura gótica con influencias italianas y ornamentación abundante: *El plateresco recibe este nombre por la semejanza de sus adornos con los de la plata labrada.*

platería s.f. **1** Arte y técnica de labrar la plata. **2** Lugar en el que trabaja o vende el platero. **3** Calle o barrio en el que estaban estos lugares.

platero, ra s. **1** Artista o artesano que labra la plata. **2** Persona que se dedica profesionalmente a la venta de objetos de joyería labrados.

plática s.f. **1** Charla o conversación entre varias personas. **2** Sermón breve. □ ETIMOL. Del latín *practice.* □ USO Se usa mucho en zonas del español meridional.

platicar v. **1** Conversar o hablar, esp. si es de forma tranquila y distendida: *Tomamos el café juntos y estuvimos platicando un rato.* **2** En zonas del español meridional, contar o referir: *Mi abuelita nos platica cómo eran las cosas cuando ella era niña.* □ ORTOGR. La *c* se cambia en *qu* delante de *e* →SACAR.

platija s.f. Pez marino parecido al lenguado, de color pardo, con manchas amarillas en la cara superior, que tiene los ojos generalmente en el lado derecho y que vive en los fondos de las desembocaduras de algunos ríos. □ ETIMOL. Del latín *platissa.* □ MORF. Es un sustantivo epiceno: *la platija {macho/hembra}.*

platillo ▮ s.m. **1** Pieza pequeña semejante a un plato: *Las balanzas tienen dos platillos.* **2** Chapa metálica con forma de plato, que forma parte de algunos instrumentos musicales de percusión. **3** En zonas del español meridional, guiso muy sabroso. ▮ pl. **4** Instrumento musical de percusión formado por dos de estas chapas y que generalmente se toca haciéndolas chocar una contra otra. **5** ‖ **platillo {volador/volante}**; objeto volante de origen desconocido al que se le atribuye una procedencia extraterrestre.

platina s.f. **1** En un microscopio, parte en la que se coloca el objeto que se quiere observar. **2** →**pletina.** □ ETIMOL. Del francés *platine.*

platinado s.m. Recubrimiento con un baño de platino.

platinar v. Cubrir con un baño de platino: *Un joyero me ha platinado este anillo.*

platino s.m. **1** Elemento químico, metálico y sólido, de número atómico 78, muy duro y menos deformable que el oro, que apenas resulta atacado por los ácidos: *El platino es el metal precioso más pesado.* **2** En el sistema de encendido de un motor de explosión, pieza que permite que salte la chispa en las bujías: *Los platinos de los coches hay que cambiarlos cada cierto tiempo.* □ ETIMOL. De *platina*, y este de *plata*, porque el color de estos dos metales es muy parecido. □ ORTOGR. En la acepción 1, su símbolo químico es *Pt*.

platirrino, na adj./s.m. Referido a un simio, que tiene las ventanas de la nariz mirando hacia los lados debido a que las fosas nasales están separadas por un tabique cartilaginoso muy ancho. □ ETIMOL. Del griego *platýs* (plano, achatado) y *rhís* (nariz).

plato s.m. **1** Recipiente bajo, generalmente redondo, con una concavidad central más o menos honda, que se usa para servir las comidas: *He fregado los platos y los he colocado en el escurridor.* **2** Comida que se sirve en este recipiente: *Se tomó dos platos de sopa.* **3** Alimento preparado para ser comido: *Este cocinero prepara unos platos riquísimos.* **4** Lo que tiene forma de disco de poco grosor y más o menos plano: *Las balanzas de las tiendas tienen un plato.* **5** En deporte, disco de arcilla que se usa como blanco en algunas pruebas de tiro: *tiro al plato.* **6** En un tocadiscos, pieza circular giratoria sobre la que se coloca el disco. □ SINÓN. *giradiscos.* **7** En una bicicleta, rueda con dientes que, combinada con un piñón, permite obtener un desarrollo concreto. □ SINÓN. *catalina.* **8** ‖ **no haber roto un plato** alguien; *col.* No haber cometido ninguna falta: *Es una buena persona y tiene cara de no haber roto nunca un plato.* ‖ **pagar los platos rotos;** *col.* Ser castigado o reñido injustamente por una falta que no se ha cometido o de la que no se es el único culpable: *No es justo que, si todos participasteis,* *ahora sea yo la que pague los platos rotos.* || **plato combinado;** el compuesto por varios alimentos diferentes y que sirve como comida completa. || **plato fuerte;** *col.* Lo más importante entre varias cosas. ☐ ETIMOL. Del latín **plattus* (plano, aplastado).

plató s.m. En un estudio de cine o de televisión, recinto cubierto en el que se ruedan películas o programas televisivos. ☐ ETIMOL. Del francés *plateau*.

platón s.m. En zonas del español meridional, jofaina o palangana.

platónico, ca adj. **1** *col.* Desinteresado, honesto y con un fuerte componente idealista. **2** De Platón (filósofo griego del siglo V a. C.) o de su sistema filosófico. ☐ ETIMOL. Del latín *Platonicus*.

platonismo s.m. **1** Sistema filosófico creado por Platón (filósofo griego del siglo V a. C.) y que parte de que la realidad del mundo es una reproducción en materia de la ideas, que son eternas y perfectas. **2** Actitud desinteresada y honesta: *Sus familiares criticaron su platonismo cuando legó sus bienes a una institución benéfica.*

platudo, da adj. *col.* En zonas del español meridional, adinerado o rico.

plausible adj.inv. **1** Digno de aplauso o de alabanza: *Esa acción tan generosa fue un gesto plausible.* **2** Admisible, recomendable o justificado: *En estos negocios resulta plausible no fiarse de nadie.* ☐ ETIMOL. Del latín *plausibilis* (que es digno de aplauso). ☐ ORTOGR. Dist. de *posible*.

play (ing.) s.m. En un vídeo o en un casete, tecla que se pulsa para reproducir lo que está grabado en una cinta. ☐ PRON. [pléi].

playa s.f. **1** Extensión más o menos plana de arena, en la orilla del mar o de un río o un lago grandes: *Cuando vamos a la playa, llevamos sombrilla para no quemarnos con el sol.* **2** Porción de mar contigua a esta ribera: *No quiero bañarme en esta playa tan sucia.* **3** || **playa de estacionamiento;** en zonas del español meridional, aparcamiento. ☐ ETIMOL. Del latín *plagia*.

playback (ing.) s.m. **1** En un espectáculo, música grabada previamente y que sirve como base a la interpretación. **2** Interpretación en la que una persona sigue esta música, imitando la forma de cantar y de moverse pero sin emitir sonidos. ☐ PRON. [pléibac].

playboy (ing.) s.m. Hombre conquistador y mujeriego. ☐ PRON. [pléiboi]. ☐ USO Su uso es innecesario y puede sustituirse por *conquistador* o *donjuán*.

playera s.f. Véase **playero, ra**.

playero, ra ▮ adj. **1** Referido esp. a una prenda de vestir, que es adecuada para estar en la playa: *un vestido playero.* ▮ s.f. **2** Zapatilla de lona y con suela de goma, que se suele utilizar en verano. **3** En zonas del español meridional, prenda de vestir parecida a una camiseta larga.

play off (ing.) s.m. || En algunas competiciones deportivas, fase final o segunda fase de desempate. ☐ PRON. [pléi of]. ☐ USO Su uso es innecesario y puede sustituirse por *fase final*.

plaza s.f. **1** En una población, lugar ancho y espacioso en el que confluyen varias calles: *En muchos pueblos, el ayuntamiento está en la plaza.* **2** Mercado o lugar en el que se venden artículos comestibles: *Este puesto de pescado es el mejor de la plaza.* **3** Sitio en el que cabe una persona o cosa: *Este autobús tiene sesenta plazas.* **4** Puesto de trabajo o empleo: *Ocupo la plaza de médico titular porque saqué la oposición.* **5** Lugar fortificado en el que la gente o las tropas se defienden del enemigo: *La plaza resistió el ataque del ejército enemigo hasta que llegaron refuerzos.* **6** || **plaza de armas;** en una posición militar, lugar en el que forman y hacen el ejercicio las tropas. || **plaza de toros;** instalación de forma circular en la que se celebran corridas de toros. ☐ ETIMOL. Del latín *platea* (calle ancha, plaza). ☐ SINT. En la acepción 1, el nombre de la plaza debe ir precedido por la preposición *de*, salvo si es un adjetivo: *plaza de España.*

plazo s.m. **1** Espacio o período de tiempo señalado para algo: *El plazo para hacer la matrícula termina mañana.* **2** Cada una de las partes en que se divide una cantidad total que se paga en dos o más veces: *Me he comprado un piso y lo estoy pagando a plazos.* **3** || **a {corto/largo/medio} plazo;** dentro de un período de tiempo corto, largo o medio, respectivamente: *Quiero invertir en algo que me dé beneficios a corto plazo o como mucho, a medio plazo. Tengo pensado irme a vivir a la costa, pero a largo plazo.* || **a plazo fijo;** referido esp. a un depósito bancario, sin poder retirarlo hasta que se haya cumplido el límite estipulado. ☐ ETIMOL. Del latín *dies placitus* (día de plazo aprobado por la autoridad).

plazoleta s.f. Espacio abierto, más pequeño que una plaza, y que suele estar en jardines y alamedas.

pleamar s.f. **1** Fin del movimiento de ascenso de la marea. **2** Tiempo que dura el final del ascenso de la marea. ☐ ETIMOL. Del portugués *prea mar*. ☐ SEM. Dist. de *marea alta* (movimiento de ascenso del mar).

plebe s.f. **1** Clase social más baja en la escala social. **2** En la antigua Roma, clase social que carecía de los privilegios de los patricios. ☐ ETIMOL. Del latín *plebs* (pueblo, populacho).

plebeyo, ya ▮ adj. **1** De la plebe o relacionado con ella. ▮ adj./s. **2** Que no es noble ni hidalgo. **3** En la antigua Roma, que pertenecía a la plebe. ☐ ETIMOL. Del latín *plebeius*.

plebiscito s.m. Consulta que hace el Gobierno a todos los electores para que aprueben o rechacen determinada cuestión. ☐ ETIMOL. Del latín *plebiscitum* (decisión del pueblo).

pleca s.f. En imprenta, signo gráfico formado por una línea y que se usa generalmente para separar distintas partes de un texto: *En este vocabulario las abreviaturas se escriben entre dos plecas.* ☐ ETIMOL. De origen incierto.

plectro s.m. Púa o varilla que se utilizaban para pulsar las cuerdas de determinados instrumentos musicales. ☐ ETIMOL. Del griego *plêktron*, y este de *plésso* (yo golpeo).

plegable adj.inv. Que puede ser plegado.

plegadera s.f. Utensilio, generalmente parecido a un cuchillo, que se utiliza para plegar o cortar papel. ☐ SINÓN. *cortapapeles.*

plegado s.m. Doblado de una cosa con pliegues o para reducir su tamaño. ☐ SINÓN. *plegadura.*

plegadura s.f. →**plegado.**

plegamiento s.m. Proceso geológico por el que los estratos sedimentarios se doblan o se pliegan al estar sometidos a presiones laterales. ☐ SINÓN. *pliegue.*

plegar ▮ v. **1** Doblar haciendo pliegues o dobleces: *Plegó el folio y lo metió en un sobre.* ▮ prnl. **2** Doblarse, ceder o someterse a algo: *En la democracia hay que plegarse a la opinión de la mayoría.* ☐ ETIMOL. Del latín *plicare* (doblar). ☐ ORTOGR. Aparece una *u* después de la *g* cuando le sigue *e*. ☐ MORF. 1. Irreg. →REGAR. 2. Puede usarse también como regular. ☐ SINT. Constr. como pronominal: *plegarse* A *algo.*

plegaria s.f. Petición o súplica, esp. las que se dirigen a un dios o a una divinidad. ☐ ETIMOL. Del latín *precaria.*

pleistoceno, na ▮ adj. **1** En geología, del primer período de la era cuaternaria o antropozoica, o relacionado con él. ▮ adj./s.m. **2** En geología, referido a un período, que es el primero de la era cuaternaria o antropozoica. ☐ ETIMOL. Del griego *plêiston* (lo más) y *kainós* (nuevo).

pleiteante adj.inv. Que pleitea.

pleitear v. Disputar o contender en un juicio: *Pleitea con su primo, porque ambos pretenden la herencia del tío que murió sin hijos.*

pleitesía s.f. Manifestación o muestra reverente de cortesía o de obediencia: *En la sociedad feudal los vasallos rendían pleitesía a su señor.* ☐ ETIMOL. Del antiguo *pleités* (representante, apoderado).

pleitista adj.inv./s.com. *col.* Referido a una persona, que tiende a provocar discusiones o peleas. ☐ SINÓN. *buscapleitos, buscarruidos.*

pleito s.m. Contienda, discusión o disputa que se desarrolla en un juicio. ☐ ETIMOL. Del francés antiguo *plait.*

plenario, ria adj. Referido esp. a una sesión o a una reunión, que cuenta con la asistencia de todos los miembros del grupo de que se trata. ☐ ETIMOL. Del latín *plenarius.*

plenilunio s.m. Fase lunar durante la cual la Luna se percibe desde la Tierra como un disco completo iluminado. ☐ SINÓN. *luna llena.* ☐ ETIMOL. Del latín *plenilunium.*

plenipotenciario, ria adj./s. Referido a un representante de un rey o de un Gobierno, que tiene plenos poderes y facultades para tratar y ajustar acuerdos u otros intereses. ☐ ETIMOL. Del latín *plenus* (pleno) y *potens* (que puede).

plenitud s.f. Apogeo o momento de mayor intensidad, fuerza o perfección: *Los resultados en los últimos campeonatos demuestran que está en la plenitud de su carrera deportiva.* ☐ ETIMOL. Del latín *plenitudo.*

pleno, na ▮ adj. **1** Lleno o completo: *Ha llevado una vida plena de felicidad.* **2** Que se encuentra en el momento central, culminante o de mayor intensidad: *Salí a la calle en plena tormenta y me calé.* ▮ s.m. **3** Reunión o junta general de una corporación: *En el pleno del Ayuntamiento estaban todos los concejales, presididos por el alcalde.* **4** En un juego de azar, esp. en una quiniela, acierto de todos sus resultados: *Tuvo un pleno en las quinielas y se hizo millonario.* **5** ‖ **en pleno;** entero o en su totalidad: *El público en pleno aplaudió puesto en pie.* ☐ ETIMOL. Del latín *plenus* (lleno).

pleon s.m. En un crustáceo, abdomen formado por varios segmentos, que se encuentra entre el cefalotórax y el telson. ☐ ETIMOL. Del griego *pleó* (yo nado). ☐ ORTOGR. Incorr. **pleón.*

pleonasmo s.m. Figura retórica consistente en emplear en la oración palabras innecesarias para su exacta y completa comprensión, pero que aportan gracia y fuerza expresivas: *La frase 'Yo mismo lo vi con mis propios ojos' es un ejemplo de pleonasmo.* ☐ ETIMOL. Del griego *pleonasmós* (superabundancia).

pleonástico, ca adj. Del pleonasmo, con pleonasmos o relacionado con esta figura retórica: *'Nadar por el agua' es una expresión pleonástica y redundante.*

plesiosaurio s.m. →**plesiosauro.**

plesiosauro s.m. Reptil acuático que existió en la era secundaria, de cuello largo y cabeza pequeña, que tenía las extremidades transformadas en aletas. ☐ SINÓN. *plesiosaurio.* ☐ ETIMOL. Del griego *plesíos* (próximo) y *sâuros* (lagarto).

pletina s.f. **1** Aparato en el que se coloca una cinta magnética para grabar o reproducir sonidos. **2** Pieza metálica fina y de forma rectangular. ☐ ORTOGR. Se usa también *platina.*

plétora s.f. **1** Abundancia excesiva de algo: *El cantante recibe a diario una plétora de cartas de sus admiradores.* **2** Exceso de sangre o de otros líquidos en el cuerpo. ☐ ETIMOL. Del griego *plethóre* (plenitud, gran abundancia).

pletórico, ca adj. Con abundancia de un rasgo de carácter que se considera positivo: *Iba pletórico de alegría con su premio.*

pleura s.f. En anatomía, membrana que cubre las paredes de la cavidad torácica y la superficie de los pulmones. ☐ ETIMOL. Del griego *pleurá* (costado, costilla).

pleural adj.inv. De la pleura o relacionado con esta membrana. ☐ SINÓN. *pleurítico.*

pleuresía s.f. Enfermedad que consiste en la inflamación de la pleura. ☐ ETIMOL. Del francés *pleurésie.*

pleurítico, ca ▮ adj. **1** De la pleura o relacionado con esta membrana. ☐ SINÓN. *pleural.* ▮ adj./s. **2** Que padece pleuresía.

pleuritis (pl. *pleuritis*) s.f. Inflamación de la pleura. ☐ ETIMOL. Del latín *pleuritis.*

plexiglás s.m. Resina sintética parecida al vidrio, resistente al agua y de fácil moldeado. ☐ ETIMOL. Extensión del nombre de una marca comercial.

plexo s.m. En anatomía, red formada por nervios o vasos sanguíneos o linfáticos que se cruzan entre sí: *el plexo braquial.* ☐ ETIMOL. Del latín *plexus* (entrelazado, tejido).

pléyade s.f. Grupo de personas famosas, esp. en el campo de las letras, que viven en una misma época: *De la pléyade de escritores conocidos como 'Generación del 98', mis preferidos son Unamuno y Machado.* ☐ ETIMOL. Del griego *Pleiás* (nombre de un grupo formado por siete poetas alejandrinos).

plica s.f. **1** Sobre cerrado y sellado en el que se guarda algún documento o noticia que no pueden hacerse públicos hasta la fecha o la ocasión señaladas para ello. **2** En música, barra vertical que forma parte de la figura de una nota musical: *Una negra se representa con un círculo relleno y una plica.* ☐ ETIMOL. Del latín *plica*.

pliego s.m. **1** Trozo o pieza de papel de forma cuadrangular doblada por el medio: *Este manuscrito es un cuadernillo de doce pliegos.* **2** Hoja de papel que no se vende doblada: *He comprado tres pliegos de papel charol en la papelería.* **3** Papel o documento en los que se pone algo de manifiesto: *Ha dirigido un pliego de protesta al Ayuntamiento por la mala iluminación de su calle.* ☐ ETIMOL. De *plegar*.

pliegue s.m. **1** Doblez, arruga o desigualdad que se forman o se hacen en un tejido o en algo flexible: *una falda de pliegues.* **2** Proceso geológico por el que los estratos sedimentarios se doblan o se pliegan al estar sometidos a presiones laterales. ☐ SINÓN. *plegamiento*.

plim ‖ **a mí {plim/plin};** *col.* Expresión con que se indica que algo no importa absolutamente nada: *Si no viene, a mí plim.*

plinto s.m. **1** En una columna arquitectónica, elemento de poca altura, generalmente cuadrangular, sobre el que se asienta la base. **2** En gimnasia, aparato formado por varios cajones de madera, con la superficie almohadillada, que se utiliza para realizar pruebas de salto y otros ejercicios. ☐ ETIMOL. Del latín *plinthus*, y este del griego *plínthos* (ladrillo).

plioceno, na ▌adj. **1** En geología, del quinto período de la era terciaria o cenozoica, o relacionado con él: *fósiles pliocenos.* ▌adj./s.m. **2** En geología, referido a un período, que es el quinto de la era terciaria o cenozoica. ☐ ETIMOL. Del griego *plêion* (más) y *kainós* (nuevo).

plisado s.m. Doblado de una tela o de algo flexible para que quede formando pliegues.

plisar v. Referido esp. a una tela, hacer que quede formando pliegues: *Plisar esta tela de cuadros es fácil si doblas siempre por las líneas del dibujo.* ☐ ETIMOL. Del francés *plisser*.

plis-plas ‖ **en un plis-plas;** *col.* En un momento: *Terminó el trabajo en un plis-plas.*

plomada s.f. **1** Pesa de plomo o de otro metal pesado que, colgada de una cuerda, sirve para señalar una línea vertical. **2** Cuerda con un peso en un extremo, que sirve para medir la profundidad de las aguas.

plomería s.f. En zonas del español meridional, fontanería.

plomero, ra s. Persona que se dedica profesionalmente a la colocación, mantenimiento y reparación de conducciones de agua y de instalaciones y aparatos sanitarios. ☐ SINÓN. *fontanero*.

plomífero, ra adj. **1** Que contiene plomo. ☐ SINÓN. *plumbífero*. **2** *col.* Que resulta muy soso, pesado o aburrido: *Me aburrí mucho, porque su conversación me pareció plomífera.* ☐ ETIMOL. De *plomo* y *-fero* (que lleva, tiene). ☐ ORTOGR. Dist. de *plumífero*.

plomizo, za adj. De color gris azulado, como el del plomo: *un cielo plomizo.* ☐ SINÓN. *aplomado*.

plomo ▌s.m. **1** Elemento químico, metálico y sólido, de número atómico 82, blando, fácilmente moldeable, que puede extenderse en láminas finas y es de color gris azulado: *El plomo se usa como blindaje contra radiaciones.* **2** Pieza o trozo de este metal que se pone en algunas cosas para darles peso: *Los pescadores cosieron los plomos a las redes.* **3** Carga explosiva, o bala de un arma de fuego: *El pistolero lo amenazó con llenarle el vientre de plomo.* **4** *col.* Lo que resulta pesado y molesto: *Es un plomo tener que salir ahora para ir a buscar a tu hermana.* ▌pl. **5** En una instalación eléctrica, cortacircuitos o fusible: *No hay luz porque se han fundido los plomos.* **6** ‖ **a plomo;** de forma vertical: *Las rocas del acantilado estaban cortadas a plomo, y me dio vértigo acercarme al borde.* ☐ ETIMOL. Del latín *plumbum*. ☐ ORTOGR. En la acepción 1, su símbolo químico es *Pb*.

plotter (ing.) s.m. En informática, aparato que se usa para trazar gráficos o dibujos mayores y más complejos que los que puede realizar una impresora. ☐ PRON. [plóter].

plug-in (ing.) s.m. En informática, aplicación de pequeño tamaño que se aplica a otros programas con gran capacidad funcional para ampliar sus capacidades en algún aspecto. ☐ PRON. [pláguin]. ☐ USO Su uso es innecesario y puede sustituirse por *accesorio*.

pluma s.f. **1** En un ave, cada una de las piezas que recubren su piel: *penachos de plumas.* **2** Conjunto de estas piezas de ave, usadas generalmente como relleno para almohadas y objetos similares: *un edredón de pluma.* **3** Instrumento de escritura que necesita tinta líquida, formado generalmente por una punta y por un mango. ☐ SINÓN. *péndola*. **4** En una grúa, mástil o estructura vertical de gran altura respecto a la base. **5** En un hombre, rasgo de amaneramiento o de afeminamiento: *Cuando habla, se le nota mucho la pluma que tiene.* **6** ‖ **a vuela pluma;** →**vuelapluma.** ‖ **(pluma) estilográfica;** la que lleva incorporado un depósito recargable para la tinta. ‖ **pluma fuente;** en zonas del español meridional, estilográfica. ☐ ETIMOL. Del latín *pluma*.

plumado, da adj. Que tiene plumas.

plumaje s.m. Conjunto de plumas.

plumas (pl. *plumas*) s.m. *col.* →**plumífero.**

plumazo || **de un plumazo;** referido esp. a la forma de acabar o de suprimir algo, de forma brusca, rápida y eficaz: *La nueva directora acabó con todos los privilegios de un plumazo.*

plúmbeo, a adj. **1** De plomo. **2** *col.* Que pesa mucho: *Llevaba una bolsa plúmbea, llena de libros.* **3** *col.* Pesado, aburrido o fastidioso: *Me quedé dormido en el cine porque la película era inaguantablemente plúmbea.* □ ETIMOL. Del latín *plumbeus.*

plúmbico, ca adj. Del plomo o relacionado con él.

plumbífero, ra adj. Que contiene plomo. □ SINÓN. *plomífero.* □ ETIMOL. Del latín *plumbum* (plomo) y *-fero* (que lleva). □ ORTOGR. Dist. de *plumífero.*

plumcake (ing.) s.m. Bizcocho con frutas confitadas y pasas. □ PRON. [plumkéik].

plumero s.m. **1** Utensilio para quitar el polvo, formado generalmente por un conjunto de plumas atadas al extremo de un palo. **2** Penacho o adorno de plumas. **3** || **vérsele el plumero** a alguien; *col.* Descubrirse sus intenciones o pensamientos.

plumier s.m. Caja o estuche que sirve para guardar lápices y otros instrumentos de escritura. □ ETIMOL. Del francés *plumier.*

plumífero, ra ▌adj. **1** *poét.* Que tiene o que lleva plumas. ▌s.m. **2** Prenda de abrigo hecha de tela impermeable y rellena de plumas de ave. □ ETIMOL. Del latín *pluma* y *ferre* (llevar). □ ORTOGR. Dist. de *plomífero* y de *plumbífero.* □ USO En la acepción 2, en la lengua coloquial se usa mucho la forma coloquial *plumas.*

plumilla s.f. **1** Instrumento metálico que, colocado en el extremo de una pluma de escribir y mojado en tinta, sirve para escribir y dibujar. **2** En zonas del español meridional, púa que se utiliza para tocar un instrumento de cuerda.

plumín s.m. En una pluma de escribir, esp. en una estilográfica, pequeña lámina de metal que está fija en su extremo para poder dibujar o escribir.

plumón s.m. **1** Pluma muy delgada que tienen las aves debajo del plumaje exterior. **2** En zonas del español meridional, rotulador.

plúmula s.f. En el embrión de una planta, yema pequeña que originará el tallo: *En clase de ciencias vimos el dibujo de una semilla de judía y la profesora nos señaló la plúmula.* □ ETIMOL. Del latín *plumula* (plumita).

plural ▌adj.inv. **1** Que es múltiple o que se presenta en más de un aspecto: *Vivimos en una sociedad plural, formada por grupos de diferentes opiniones, ideologías y religiones.* ▌adj.inv./s.m. **2** En lingüística, referido a la categoría gramatical del número, que hace referencia a dos o más personas o cosas: *'Leones' es la forma plural de la palabra 'león'. El plural de 'perro' es 'perros'.* **3** || **plural de modestia;** en gramática, uso del pronombre personal de primera persona en plural cuando alguien quiere quitarse importancia: *Esta escritora utiliza el plural de modestia cuando expresa una opinión suya.* || **plural mayestático;** en gramática, uso del pronombre personal de primera persona del plural, en lugar del singular, para expresar la autoridad o dignidad del que habla: *El plural mayestático es empleado por personas de alta jerarquía como los reyes, emperadores y papas.* □ ETIMOL. Del latín *pluralis* (que consta de muchos).

pluralia tántum s.m. || En gramática, vocablo únicamente usado en plural: *Las palabras 'nupcias' y 'exequias' son dos ejemplos de pluralia tántum en español.* □ ETIMOL. Del latín *pluralia tantum.*

pluralidad s.f. **1** Multitud o abundancia de algunas cosas: *No presumas tanto, porque sé una pluralidad de cosas que tú ni siquiera conoces.* **2** Variedad o presencia de elementos distintos: *La Constitución reconoce la pluralidad de lenguas en el Estado español.* □ ETIMOL. Del latín *pluralitas.*

pluralismo s.m. Sistema por el que se acepta o se reconoce la pluralidad o la multitud de doctrinas o de métodos en algo, esp. en política.

pluralista adj.inv. Que sigue o que defiende el pluralismo.

pluralizar v. **1** Dar número plural a palabras que generalmente no lo tienen: *Los Garcías es un apellido que se pluraliza para hablar de toda la familia.* **2** Referido a algo peculiar de alguien, atribuirlo a dos o más personas, pero sin generalizarlo: *Cuando te quejas por lo que pasó, no pluralices, porque yo no tengo nada que ver con ese asunto.* □ ORTOGR. La *z* se cambia en *c* delante de *e* →CAZAR.

pluri- Elemento compositivo prefijo que significa 'varios': *pluricelular, pluridimensional, plurilingüe, pluripartidismo, plurivalencia.* □ ETIMOL. Del latín *pluris.*

pluricelular adj.inv. Referido a un organismo, que tiene el cuerpo formado por muchas células. □ ETIMOL. De *pluri-* (varios) y *celular.*

pluridimensional adj.inv. Que tiene varias dimensiones o varios aspectos. □ ETIMOL. De *pluri-* (varios) y *dimensional.*

pluridisciplinar adj.inv. Que abarca varias disciplinas o materias. □ SINÓN. *multidisciplinar, multidisciplinario.*

pluriempleado, da adj./s. Que tiene más de un empleo remunerado.

pluriempleo s.m. Desempeño, por parte de una sola persona, de más de un trabajo remunerado. □ ETIMOL. De *pluri-* (varios) y *empleo.*

plurilingüe adj.inv. **1** Referido a un hablante o a una comunidad de hablantes, que utiliza más de una lengua. **2** Referido a un texto, que está escrito en más de un idioma. □ ETIMOL. De *pluri-* (varios) y el latín *lingua* (lengua).

plurinacional adj.inv. Que corresponde a varias naciones o que las relaciona: *un estado plurinacional.*

pluripartidismo s.m. Existencia de más de dos partidos políticos en una nación.

pluripartidista adj.inv. Que permite la existencia de diversos partidos políticos.

plurivalencia s.f. Capacidad de tener más de un valor o más de un uso. □ ETIMOL. De *pluri-* (varios) y *valencia.*

plurivalente adj.inv. Que tiene varios valores o usos. □ SINÓN. *polivalente.*

plus (pl. *pluses*) s.m. Cantidad de dinero suplementaria que se paga o que se recibe además del sueldo. □ ETIMOL. Del latín *plus* (más).

pluscuamperfecto s.m. →**pretérito pluscuamperfecto.** □ ETIMOL. Del latín *plus quam perfectum* (más que perfecto).

plusmarca s.f. En deporte, mejor resultado técnico homologado. □ SINÓN. *récord, marca.*

plusmarquista s.com. Deportista que tiene la mejor marca en su especialidad.

plusvalía s.f. **1** Aumento del valor de algo, esp. de un bien: *Los pisos han experimentado el pasado año una considerable plusvalía.* **2** *col.* Impuesto que grava el beneficio obtenido por la diferencia entre el precio al que se adquirió un terreno o un bien inmueble y aquel al que se vende. □ SEM. Dist. de *minusvalía* (disminución del valor).

plutocracia s.f. **1** Gobierno en el que el poder lo ostenta la clase social más poderosa económicamente. **2** Predominio social de la clase más rica de un país. □ ETIMOL. Del griego *plûtos* (riqueza) y *kratéo* (yo domino).

plutócrata s.com. Persona que pertenece a la plutocracia.

plutocrático, ca adj. De la plutocracia o relacionado con ella.

plutónico, ca adj. Referido a una roca, que se ha consolidado en el interior de la corteza terrestre, generalmente a partir del magma.

plutonio s.m. Elemento químico, metálico y artificial, de número atómico 94, que pertenece al grupo de las tierras raras, es de color blanco plateado, muy tóxico y se usa como combustible nuclear: *El plutonio tiene una radiotoxicidad muy elevada.* □ ETIMOL. Del latín *Pluto* (Plutón). □ ORTOGR. Su símbolo químico es *Pu.*

plutonismo s.m. En geología, teoría que atribuye la formación de la corteza terrestre a la acción del fuego interior. □ SINÓN. *vulcanismo.*

pluvial adj.inv. De la lluvia. □ ETIMOL. Del latín *pluvialis.*

pluviometría s.f. Parte de la meteorología que estudia la distribución de las precipitaciones según la geografía y las estaciones. □ ETIMOL. Del latín *pluvia* (lluvia) y *-metría* (medición).

pluviométrico, ca adj. Del pluviómetro o relacionado con este aparato de medición.

pluviómetro s.m. Instrumento que sirve para medir la lluvia que cae en un lugar y en un tiempo determinados. □ SINÓN. *udómetro.* □ ETIMOL. Del latín *pluvia* (lluvia) y *-metro* (medidor).

pluviosidad s.f. Cantidad de lluvia que recibe un lugar en un período determinado de tiempo.

pluvioso, sa adj. *poét.* →**lluvioso.**

PNN s.com. Profesor no numerario o que no tiene una plaza fija en un instituto o en una universidad. □ SINÓN. *penene.* □ ETIMOL. Es la sigla de *profesor no numerario.*

poblacho s.m. *desp.* Pueblo pequeño, pobre, mal conservado o mal considerado.

población s.f. **1** En un territorio, conjunto de sus habitantes: *La población europea está envejeciendo.* **2** Conjunto de seres vivos que pertenecen a una misma especie o que comparten unas mismas características: *Una enfermedad ha hecho disminuir la población de olmos.* **3** Conjunto de edificios y espacios de un lugar habitado: *Muchas poblaciones rurales han sido abandonadas.* **4** ‖ **población activa;** la que trabaja y recibe remuneración por ello, o está en edad de hacerlo. ‖ **población (callampa);** en zonas del español meridional, barrio de chabolas. □ ETIMOL. Del latín *populatio.* □ SEM. Dist. de *demografía* (estudio estadístico de la población humana).

poblacional adj.inv. De la población o relacionado con ella: *Los expertos están estudiando los efectos del crecimiento poblacional.*

poblado s.m. Lugar en el que vive un conjunto de personas.

poblador, -a adj./s. **1** Que habita en un lugar. **2** Fundador de una colonia.

poblamiento s.m. En geografía, proceso de asentamiento de un grupo humano en un determinado lugar.

poblano, na adj./s. En zonas del español meridional, campesino.

poblar v. **1** Referido a un lugar, ocuparlo para vivir en él: *Los conquistadores poblaban los territorios conseguidos.* **2** Referido a un lugar, habitarlo o estar viviendo en él: *Algunas de las especies que pueblan los mares están a punto de extinguirse.* **3** Llenar con abundancia o profusión: *Las estrellas pueblan el cielo.* □ ETIMOL. Del latín *populus* (pueblo). □ MORF. Irreg. →CONTAR.

pobre ▌adj.inv. **1** Escaso o insuficiente: *Un libro de texto no puede ser pobre en ejemplos.* **2** De poco valor, calidad o significación: *Estas tierras son pobres y apenas producen.* ▌adj.inv./s.com. **3** Referido a una persona, que carece de lo necesario para vivir o que lo tiene con mucha escasez. **4** Infeliz, desdichado, triste o que inspira compasión: *Se cree muy listo pero es un pobre hombre.* ▌s.com. **5** Persona que habitualmente pide limosna. □ SINÓN. *mendigo.* **6** ‖ **pobre de mí;** expresión que se utiliza para expresar lo desamparado o lo infeliz que uno mismo se siente: *¡Ay, pobre de mí, a solas con mi pena!* ‖ **pobre de {ti/él};** expresión que se utiliza como amenaza: *¡Pobre de ti como te pille!* □ ETIMOL. Del latín *pauper.* □ MORF. Sus superlativos son *pobrísimo* y *paupérrimo.* □ USO En la acepción 4, se usa más antepuesto al nombre.

pobretería s.f. **1** *desp.* Conjunto de pobres reunidos en un lugar. **2** Escasez, miseria o preocupación excesiva por el dinero.

pobreza s.f. **1** Escasez o carencia de lo necesario para vivir: *vivir en la pobreza.* **2** Falta o escasez:

Si leyeras más, no tendrías esa pobreza de vocabulario.

pocero, ra s. **1** Persona que se dedica profesionalmente a la construcción de pozos o a trabajar en ellos. **2** Persona que se dedica profesionalmente a la limpieza de pozos, cloacas o depósitos de desechos. ☐ ETIMOL. Del latín *putearius*.

pocha s.f. Véase **pocho, cha**.

pochar v. Referido a un alimento, freírlo o cocerlo ligeramente a fuego lento y en su propio jugo: *Pica la cebolla y ponla a pochar en una sartén con un poco de aceite.*

pocho, cha ▮ adj. **1** Referido esp. a un alimento, que está podrido o empezando a pudrirse. **2** Descolorido o que ha perdido el color. **3** *col.* Referido a una persona, que no tiene buena salud. **4** Referido esp. a una planta, marchita o mustia. **5** *col.* En zonas del español meridional, referido a un hispanoamericano, que procura hablar y actuar como un estadounidense. **6** *col.* En zonas del español meridional, referido a una persona, que habla mezclando español e inglés. ▮ s.f. **7** Judía blanca temprana. **8** Juego de cartas en el que cada jugador debe adivinar en cada ronda, y antes de jugar, las bazas que va a hacer.

pocholada s.f. *col.* Lo que resulta bonito o gracioso: *¡Qué pocholada de niña!*

pocholo, la adj. *col.* Bonito o gracioso.

pocilga s.f. **1** Establo para los cerdos. ☐ SINÓN. *cochiquera, zahúrda, gorrinera.* **2** *col.* Lugar sucio, desordenado o con mal olor. ☐ ETIMOL. Del latín **porcicula*.

pocillo s.m. Taza pequeña, generalmente de loza. ☐ ETIMOL. Del latín *pocillum*, y este de *poculum* (copa).

pócima s.f. **1** Preparado medicinal realizado mediante la cocción de materias vegetales. **2** *col.* Bebida de sabor raro o desagradable. ☐ ETIMOL. Del latín *apozema*, y este del griego *apózema* (cocimiento).

poción s.f. Bebida preparada y con propiedades mágicas o medicinales. ☐ ETIMOL. Del latín *potio* (acción de beber).

pocket book (ing.) s.m. ‖ Libro de bolsillo. ☐ PRON. [póket buk]. ☐ USO Su uso es innecesario.

poco adv. **1** En una cantidad o en un grado reducidos o escasos, o menos de lo normal o de lo necesario: *Las cosas han cambiado poco desde la última vez. Andas poco y estás muy gordo.* **2** Corto período de tiempo: *Me llamó hace poco.* **3** Seguido de otro adverbio, denota idea de comparación: *Me fui poco después de que llegara él.* **4** ‖ **a poco (de);** pasado un breve espacio de tiempo: *A poco de salir a la calle comenzó a llover.* ‖ **poco a poco;** despacio, con lentitud o gradualmente: *Irás aprendiéndolo poco a poco.* ‖ **poco más o menos;** aproximadamente o con escasa diferencia: *El arreglo me costó poco más o menos lo que a ti.* ‖ **por poco;** expresión que se usa para indicar que casi sucede algo: *¡Huy, por poco lo tiras!*

poco, ca ▮ indef. **1** Escaso y reducido, o que posee menos cantidad o calidad de lo normal o necesario: *Has comido poco pan. He buscado tus cartas, pero solo he encontrado unas pocas.* ▮ s.m. **2** Cantidad corta o escasa: *Solo te pido un poco de tiempo.* **3** ‖ **un poco;** seguido de un adjetivo, indica que la cualidad expresada por este existe, pero en pequeña cantidad: *Está un poco chiflada, pero es buena persona.* ☐ ETIMOL. Del latín *paucus* (poco numeroso). ☐ MORF. En la acepción 2, incorr. su uso como femenino: *{*una poca > un poco} de agua.*

poda s.f. **1** Eliminación de las ramas inútiles de un árbol o de otra planta para que se desarrolle con más fuerza. ☐ SINÓN. *podadura.* **2** Tiempo en que se realiza. ☐ SINÓN. *podadura.*

podadera s.f. Herramienta parecida a unas grandes tijeras, que se usa para podar.

podadura s.f. →**poda.**

podagra s.f. Enfermedad de la gota, esp. cuando se produce en los pies. ☐ ETIMOL. Del latín *podagra.*

podal adj.inv. Del pie o relacionado con él.

podar v. Referido a una planta, quitarle las ramas inútiles para que se desarrolle con más fuerza: *Debes podar los rosales en invierno.* ☐ ETIMOL. Del latín *putare* (limpiar).

podcast (ing.) s.m. Archivo de audio, que se transmite a través de internet, en el que una o varias personas hablan sobre algún tema: *Me he bajado un podcast sobre tecnología.* ☐ PRON. [pódcast].

podenco, ca adj./s. Referido a un perro, de la raza que se caracteriza por tener cabeza redonda, orejas tiesas, lomo recto, pelo medianamente corto, cola enroscada y patas largas y fuertes. ☐ ETIMOL. De origen incierto.

poder ▮ s.m. **1** Capacidad o facultad para hacer algo: *Su poder de convicción era tal, que todos terminamos dándole la razón.* **2** Dominio, mando, influencia o autoridad para mandar: *Tener tanto poder te ha vuelto orgulloso. Estos territorios están bajo el poder real.* **3** Gobierno de un país: *Este presidente llegó al poder siendo muy joven.* **4** Cada uno de los tipos de funciones en que se divide el gobierno de un Estado: *Los tres poderes del Estado son el ejecutivo, el legislativo y el judicial.* **5** Fuerza, vigor o eficacia: *El poder de este detergente contra las manchas ha sido probado.* **6** Autorización legal que una persona o entidad da a otra para que la represente o actúe en su nombre: *Esta abogada tiene poderes para decidir por su cliente.* **7** Posesión de algo: *Al morir el padre, la herencia pasó a poder de los hijos.* ▮ v. **8** Referido a una acción, tener la capacidad, la facultad o la posibilidad de llevarla a cabo: *Soy libre y puedo hacer lo que quiera. Aunque me gustaría mucho hacer ese viaje, no puedo, porque no tengo dinero.* **9** Tener autorización o derecho: *–¿Puedo quedarme a ver la tele? –No, no puedes.* **10** Ser más fuerte que otro o ser capaz de vencerlo: *Cuando nos peleamos, mi hermano siempre me puede.* **11** Referido a un suceso, ser posible: *Puede que venga con nosotros. –¿Me acompañas el domingo? –Puede.* **12** ‖ **a más no poder** o **hasta más no poder;** todo lo posible: *Anduvimos hasta* *más no poder.* || **de poder a poder;** de igual a igual: *El asunto se discutió de poder a poder.* || **en poder de** alguien; en su propiedad o bajo su dominio: *Estas obras de arte estuvieron en poder de la corona durante generaciones. El botín cayó en poder de los secuestradores.* || **no poder con** algo; **1** No ser capaz de dominarlo, hacerlo, sostenerlo o levantarlo: *Pesa tanto que no puedo con ello.* **2** Sentir aversión por algo o no aguantarlo: *Es un estúpido y no puedo con él.* || **no poder más; 1** Estar muy cansado de hacer algo y considerar imposible continuar su ejecución: *Termínalo tú, porque yo ya no puedo más.* **2** Verse superado por algo: *No puedo más de frío.* || **no poder menos;** ser incapaz de evitar algo o de dejar de hacerlo: *Al oír aquella tontería, no pude menos que contestarle como se merecía.* || **poderes fácticos;** conjunto de instituciones que tienen fuerza de hecho para influir en la política de un Estado: *La Iglesia, el Ejército y la banca son considerados los poderes fácticos en un país.* || **poderes públicos;** conjunto de autoridades que gobiernan un Estado. || **¿se puede?;** expresión que se usa para pedir permiso de entrada en un lugar donde hay alguien. ☐ ETIMOL. Las acepciones 1-7, del verbo *poder*. Las acepciones 8-11, del latín *potere*. ☐ MORF. 1. En la acepción 6, se usa más en plural. 2. En la acepción 11, es verbo unipersonal y defectivo. 3. Verbo irreg. →PODER. ☐ SINT. 1. *En poder de* se usa más con los verbos *estar* y *obrar*. 2. En las acepciones 9 y 10, cuando va seguido de infinitivo, funciona como verbo auxiliar de una perífrasis.

poderdante s.com. Persona que da poder o facultades a otra para que la represente en un juicio o fuera de él. ☐ ETIMOL. De *poder* y *dante* (que da).

poderhabiente s.com. Persona que tiene poder o facultad para representar a otra, administrar sus bienes o actuar en su nombre.

poderío s.m. **1** Poder, dominio o influencia grandes: *Las grandes potencias se caracterizan por su poderío militar y económico.* **2** Vigor o fuerza grandes: *El boxeador hizo gala de su poderío.*

poderoso, sa ▌adj. **1** Eficaz, capaz de lograr algo o excelente en su línea: *Me han recetado un poderoso remedio contra la tos.* ▌adj./s. **2** Que tiene poder, influencia o fuerza: *Los poderosos son los que deciden por los débiles.* **3** Que es muy rico y posee muchos bienes: *Los países poderosos controlan la economía mundial.*

podio (tb. *pódium*) s.m. **1** Plataforma o tarima sobre la que se coloca a una persona para honrarla u homenajearla. **2** En arquitectura, pedestal largo sobre el que descansan varias columnas. ☐ ETIMOL. Del latín *podium* (repisa).

pódium s.m. →**podio.**

podo- Elemento compositivo prefijo que significa 'pie': *podólogo, podómetro.* ☐ ETIMOL. Del griego *podo-*.

-podo Elemento compositivo sufijo que significa 'pie': *cefalópodo, decápoda.* ☐ ETIMOL. Del griego *-podos*.

podología s.f. Rama de la medicina que tiene por objeto el tratamiento de las enfermedades y deformaciones de los pies, cuando estas no rebasan los límites de la cirugía menor. ☐ ETIMOL. Del griego *pûs* (pie) y *-logía* (estudio, ciencia).

podólogo, ga s. Médico especialista en podología. ☐ SEM. Dist. de *callista* y *pedicuro* (no son médicos).

podómetro s.m. Aparato que se usa para contar el número de pasos que da la persona que lo lleva y la distancia recorrida por esta. ☐ SINÓN. *cuentapasos, odómetro.* ☐ ETIMOL. Del griego *pûs* (pie) y *-metro* (medidor).

podón s.m. Herramienta para podar grande y fuerte.

podredumbre s.f. **1** Putrefacción o descomposición de la materia. **2** Lo que está podrido: *Quitó la podredumbre de la manzana y se comió lo que estaba sano.* **3** Corrupción moral: *Es inadmisible la podredumbre de estos políticos.*

podrido, da ▌**1** part. irreg. de **pudrir.** ▌adj. **2** Corrompido o dominado por la inmoralidad o el vicio: *Los han visto divirtiéndose en los ambientes más podridos de la ciudad.* **3** || **estar podrido de** algo; *col.* Tenerlo en abundancia: *Aunque está podrido de dinero es un tacaño.*

podrimiento s.m. →**pudrimiento.**

podrir v. →**pudrir.** ☐ MORF. Se usa solo en infinitivo y en participio.

poema s.m. **1** Obra literaria perteneciente al género de la poesía, esp. si está escrita en verso: *El 'Cantar de Mio Cid' es un poema épico.* **2** *col.* Lo que resulta ridículo, dramático o extraño: *La cara de la entrenadora cuando iban perdiendo era todo un poema.* **3** || **poema en prosa;** obra en prosa, generalmente de corta extensión, y con un contenido y características propios del género poético. || **poema sinfónico;** composición musical de carácter orquestal, de grandes dimensiones y generalmente en un solo movimiento, y cuyo tema o desarrollo están sugeridos por una idea poética o por una obra literaria. ☐ ETIMOL. Del latín *poema.*

poemario s.m. Conjunto o colección de poemas.

poemático, ca adj. Del poema, con sus características o relacionado con él.

poesía s.f. **1** Manifestación de la belleza o del sentimiento estético por medio de la palabra, en prosa o en verso: *Cada línea que escribe es pura poesía.* **2** Arte de componer obras que supongan una manifestación de este tipo: *En la Edad Media y en el Renacimiento, la poesía se practicaba como una actividad cortesana más.* **3** Cada uno de los géneros literarios a los que pertenecen las obras compuestas según este arte, esp. referido al género de las composiciones líricas. **4** Poema en verso, esp. si es de carácter lírico. **5** Conjunto de características que producen un profundo sentimiento de belleza o de armonía: *Esa pintora trata de reproducir en su obra la poesía del paisaje.* ☐ ETIMOL. Del latín *poesis.*

poeta s.m. Persona que escribe versos u obras poéticas, esp. si está dotado para ello. ☐ ETIMOL. Del latín *poeta*. ☐ MORF. Aunque el femenino es *poetisa*, está muy extendido su uso como sustantivo de género común: *el poeta, la poeta*.

poetastro s.m. Mal poeta.

poética s.f. Véase **poético, ca.**

poético, ca ▮ adj. **1** De la poesía, relacionado con ella, o con rasgos propios de este género literario. **2** Apto o conveniente para este género literario: *Además de sus dotes como narradora, se aprecia en ella un gran talento poético.* **3** Que tiene o expresa la belleza, la fuerza estética u otras características propias de la poesía: *Sus cuadros reproducen paisajes poéticos e idílicos.* ▮ s.f. **4** Ciencia o disciplina que se ocupa de la naturaleza, de los géneros y de los principios y procedimientos de la poesía, con especial atención al lenguaje literario. **5** Conjunto de principios o de reglas a los que se atienen un género literario, una escuela o un autor. ☐ ETIMOL. Las acepciones 1-3, del latín *poeticus*. La acepción 4, del latín *poetica*.

poetisa s.f. de **poeta**. ☐ ETIMOL. Del latín *poetissa*.

poetización s.f. **1** Transformación o embellecimiento con recursos propios de la poesía. **2** Composición de versos o de obras poéticas.

poetizar v. Dar carácter poético, o embellecer con el encanto o con los rasgos propios de la poesía: *Cuando nos vamos haciendo viejos, poetizamos los recuerdos de la juventud.* ☐ ORTOGR. La *z* se cambia en *c* delante de *e* →CAZAR.

pogromo s.m. Matanza y robo a gente indefensa, llevados a cabo por una multitud, esp. referido a los realizados contra los judíos. ☐ ETIMOL. Del ruso *pogrom* (destrucción).

pointer (ing.) adj.inv./s. Referido a un perro, de la raza que se caracteriza por tener tamaño mediano, cabeza alargada, orejas caídas y pelo corto. ☐ PRON. [póinter].

poiquilotermia s.f. En un ser vivo, incapacidad para mantener la temperatura del cuerpo constante e independiente de la temperatura ambiental. ☐ ETIMOL. Del griego *poikílos* (variado) y *thermós* (caliente). ☐ SEM. Dist. de *homeotermia* (capacidad para mantener la temperatura corporal independiente de la ambiental).

poiquilotérmico, ca adj./s. →**poiquilotermo.**

poiquilotermo, ma adj./s. De la poiquilotermia o relacionado con ella. ☐ SINÓN. *poiquilotérmico*. ☐ SEM. Dist. de *homeotérmico*.

polaco, ca ▮ adj./s. **1** De Polonia o relacionado con este país europeo. ☐ SINÓN. *polonés*. **2** *col. desp.* Catalán: *Mis padres me enseñaron desde pequeña a no llamar 'polacos' a mis compañeros de clase que eran catalanes.* ▮ s.m. **3** Lengua eslava hablada en Polonia: *El polaco es una lengua eslava del grupo occidental.*

polaina s.f. **1** Prenda que cubre la pierna hasta la rodilla y generalmente se abotona o se abrocha por la parte de afuera. **2** Prenda de vestir para bebés, parecida a un pantalón, que cubre también el pie. ☐ ETIMOL. Del francés antiguo *polaine*.

polar ▮ adj.inv. **1** Del polo terrestre o relacionado con él. ▮ adj.inv./s.m. **2** Referido a una prenda de vestir, que está hecha con un tejido que protege mucho del frío: *una sudadera polar. Me he comprado un polar para esquiar.*

polaridad s.f. **1** Propiedad de algunos cuerpos de orientarse en dirección Norte-Sur. **2** En física, tendencia de una molécula o de un compuesto a ser atraídos o repelidos por cargas eléctricas debido al ordenamiento asimétrico de los átomos alrededor del núcleo.

polarización s.f. **1** Modificación de un rayo luminoso de forma que vibre en un solo plano. **2** Concentración de la atención o del ánimo en algo, o atracción hacia ello: *El conflicto solo pudo resolverse gracias a la polarización de todos los esfuerzos.*

polarizar v. **1** Referido a un rayo luminoso, modificar su propagación de forma que vibre en un solo plano: *En el laboratorio pudimos comprobar cómo ciertos minerales polarizan los rayos de luz.* **2** Referido esp. a la atención o al ánimo, concentrarlos en algo o atraerlos hacia ello: *El equipo polarizó sus esfuerzos en terminar el trabajo cuanto antes. La atención del público se polarizó hacia una pelea en las gradas.* ☐ ETIMOL. Del griego *poléo* (yo giro). ☐ ORTOGR. La *z* se cambia en *c* delante de *e* →CAZAR.

polaroid s.f. Cámara fotográfica que realiza el revelado instantáneo de la película que se impresiona. ☐ ETIMOL. Extensión del nombre de una marca comercial.

polca s.f. **1** Composición musical en compás binario y de ritmo rápido. **2** Baile de parejas que se ejecuta al compás de esta música. ☐ ETIMOL. Quizá del checo *polka*. ☐ USO Es innecesario el uso del término *polka*.

pólder s.m. Terreno pantanoso ganado al mar, rodeado de diques para evitar inundaciones. ☐ ETIMOL. Del holandés *polder*.

polea s.f. **1** Rueda que gira alrededor de un eje y que tiene un canal o hundimiento en su perímetro por el que se hace pasar una cuerda, que sirve para disminuir el esfuerzo necesario para elevar un cuerpo: *La polea del pozo chirría cuando tiro de la cuerda para subir el cubo con agua.* ☐ SINÓN. *garrucha*. **2** Rueda metálica de llanta plana, que gira sobre su eje y se usa para transmitir el movimiento a través de una correa: *Se estropeó la polea del ventilador del coche y no se refrigera el motor.* ☐ ETIMOL. Quizá del latín **polidia*.

poleadas s.f.pl. Comida hecha de harina cocida con agua y sal, que se puede condimentar con leche, con miel o con otro aliño. ☐ SINÓN. *gachas, puches*.

polémica s.f. Véase **polémico, ca.**

polémico, ca ▮ adj. **1** Que suscita discusión o controversia. ▮ s.f. **2** Discusión entre dos o más personas sobre cierta materia, esp. si se hace por escrito. ☐ ETIMOL. Del griego *polemikós* (relativo a la guerra).

polemista ▮ adj.inv./s.com. **1** Referido a una persona, que mantiene una polémica o que es aficionada a mantenerlas. ▮ s.com. **2** Escritor que sostiene polémicas.

polemizar v. Entablar o mantener una polémica: *La ministra no quiso polemizar con el representante sindical, y esquivó las preguntas comprometidas.* □ ORTOGR. La *z* se cambia en *c* delante de *e* →CAZAR.

polen s.m. **1** Conjunto de granos diminutos que se producen en las anteras de una flor y que contienen las células sexuales masculinas. **2** *arg.* En el lenguaje de la droga, hachís de muy buena calidad. □ ETIMOL. Del latín *pollen* (flor de la harina).

poleo s.m. **1** Planta herbácea de tallos con abundantes ramas y velludos, olor agradable, hojas pequeñas casi redondas y dentadas, flores azuladas o moradas, que se usa para preparar infusiones: *El poleo suele crecer en las orillas de los arroyos.* **2** Hojas secas de esta planta: *Pon agua a hervir y por cada taza echa una cucharadita de poleo.* **3** Infusión que se hace con estas hojas: *Me he tomado un poleo porque tengo el estómago un poco mal.* □ ETIMOL. Del latín *puleium*.

pole position (ing.) s.f. ‖ En una carrera de coches o de motos, posición de salida del primero. □ PRON. [póul posísion]. □ USO Su uso es innecesario y puede sustituirse por *primera posición*.

polera s.f. En zonas del español meridional, camiseta.

poli ▮ s.com. **1** *col.* →**policía.** ▮ s.f. **2** *col.* →**policía.**

poli- Elemento compositivo prefijo que indica pluralidad o abundancia: *politeísmo, policlínica, polimorfo, polifonía, polígono.* □ ETIMOL. Del griego *polýs* (mucho).

-poli →**-polis.**

poliamida s.f. Sustancia natural o sintética formada por una reacción química, que se utiliza mucho como fibra o plástico: *El nailon es una poliamida.* □ ETIMOL. De *poli-* (varios) y *amida*.

poliandria s.f. **1** Estado o situación de la mujer que tiene varios maridos a la vez. **2** En botánica, presencia de muchos estambres en una misma flor. **3** En zoología, régimen social de algunos animales, en el que varios machos conviven con una hembra. □ ETIMOL. De *poli-* (pluralidad, abundancia) y el griego *anér* (varón).

poliaquiuira s.f. En medicina, deseo de orinar con mucha frecuencia.

poliarquía s.f. Forma de gobierno en la que el poder es ejercido por muchas personas. □ ETIMOL. Del griego *polyarkhía*, de *polýs* (mucho) y *árkho* (yo mando, yo gobierno).

polibán s.m. Bañera pequeña con un asiento en un lado.

polichinela s.m. Personaje burlesco de teatro, procedente de la antigua comedia del arte italiana, que tiene la nariz arqueada y ganchuda, una joroba por delante y por detrás y va vestido con un traje abotonado y con un sombrero de dos puntas que caen a ambos lados de la cabeza. □ SINÓN. *pulchinela.*

policía ▮ s.com. **1** Miembro o agente del cuerpo de la policía: *Varios policías nacionales se desplazaron al lugar del accidente.* ▮ s.f. **2** Cuerpo encargado de mantener el orden público y de cuidar de la seguridad de los ciudadanos, que está a las órdenes de las autoridades políticas: *Los ladrones huyeron al ver que venía la policía.* **3** ‖ **policía militar;** en el ejército, la que se encarga de vigilar a sus miembros. ‖ **(policía) secreta;** la que realiza misiones de especial delicadeza e intenta pasar inadvertida. □ ETIMOL. Del latín *politia*, y este del griego *politéia* (organización política, gobierno). □ MORF. En la lengua coloquial se usa mucho la forma abreviada *poli*.

policíaco, ca (tb. *policiaco, ca*) adj. **1** De la policía o relacionado con ella. □ SINÓN. *policial.* **2** Referido esp. a una novela o a una película, que tiene el argumento centrado en la investigación de policías o detectives.

policial adj.inv. De la policía o relacionado con ella. □ SINÓN. *policiaco, policíaco.*

policitemia s.f. En medicina, aumento de la cantidad de glóbulos rojos.

policlínica s.f. Centro médico, generalmente privado, en el que se prestan servicios de distintas especialidades. □ SINÓN. *policlínico.* □ ETIMOL. De *poli-* (varios) y *clínica.*

policlínico s.m. →**policlínica.**

policromado, da adj. Referido esp. a una escultura, que está pintada de varios colores.

policromar v. Referido a una superficie, aplicarle diversos colores: *Aquel artesano policromó una estatua de madera que representaba a la Virgen.*

policromía s.f. Combinación o presencia de varios colores.

polícromo, ma (tb. *policromo, ma*) adj. De varios colores. □ ETIMOL. Del griego *polýkhromos*, y este de *polýs* (mucho) y *khrôma* (color).

policultivo s.m. Sistema de explotación agrícola basado en el cultivo simultáneo de diversas especies vegetales. □ ETIMOL. De *poli-* (varios) y *cultivo.*

polideportivo, va adj./s.m. Referido esp. a un conjunto de instalaciones, que están destinadas a la práctica de varios deportes. □ ETIMOL. De *poli-* (varios) y *deportivo*.

poliédrico, ca adj. Del poliedro, con su forma o relacionado con este cuerpo geométrico.

poliedro s.m. Cuerpo geométrico limitado por superficies planas. □ ETIMOL. Del griego *polýedros*, y este de *polýs* (mucho) y *hédra* (asiento, base).

poliéster s.m. Resina plástica obtenida por una reacción química, que se endurece a la temperatura ordinaria, es muy resistente a la humedad, a los productos químicos y a las fuerzas mecánicas, y se emplea fundamentalmente para la fabricación de fibras artificiales. □ SINÓN. *poliestireno.* □ ETIMOL. Del inglés *polyester*. □ USO Es innecesario el uso del anglicismo *polyester*.

poliestireno s.m. →**poliéster.**

polietileno s.m. Polímero o sustancia sintética que suele utilizarse para la fabricación de envases, tuberías o recubrimientos de cables. □ ETIMOL. De *poli-* (pluralidad) y *etileno*.

polifacético, ca adj. Referido a una persona, que realiza actividades muy diversas o que tiene múltiples capacidades. ☐ ETIMOL. De *poli-* (mucho) y *faceta*.

polifagia s.f. Deseo excesivo de comer que se presenta en algunas enfermedades. ☐ ETIMOL. Del griego *polyphagía* (voracidad).

polifásico, ca adj. Referido a una corriente eléctrica alterna, que está constituida por varias corrientes independientes y de igual frecuencia, pero desplazada cada una de ellas respecto a las demás en su período. ☐ ETIMOL. De *poli-* (varios) y *fase*.

polifenol s.m. Sustancia química que actúa como antioxidante y que se encuentra en productos como el té y el chocolate, algunas fibras vegetales y el vino tinto: *Los polifenoles se relacionan con la prevención en la formación de trombos.*

polifonía s.f. Música que combina varios sonidos simultáneos que forman un todo armónico. ☐ ETIMOL. Del griego *polyphonía* (mucha voz).

polifónico, ca adj. De la polifonía o relacionado con esta música.

poligamia s.f. **1** Estado o situación de una persona que tiene varios cónyuges a la vez. **2** Régimen familiar que permite tener varios cónyuges a la vez. ☐ SEM. Dist. de *poliginia* (referido a animales).

polígamo, ma ▌adj. **1** De la poligamia o relacionado con ella. **2** Referido a un animal macho, que se aparea con varias hembras. **3** Referido a una planta, que tiene, en uno o más pies, flores masculinas, femeninas y hermafroditas. ▌adj./s. **4** Referido a una persona, que tiene más de un cónyuge al mismo tiempo. ☐ ETIMOL. Del griego *polýgamos*, y este de *polýs* (mucho) y *gaméo* (me caso).

poligenismo s.m. Teoría antropológica que admite variedad de orígenes en la especie humana. ☐ ETIMOL. De *poli-* (pluralidad) y el griego *génesis* (generación). ☐ SEM. Dist. de *monogenismo* (teoría según la cual la especie humana desciende de un tipo primitivo y único).

poligenista adj.inv./s.com. Partidario del poligenismo.

poliginia s.f. Régimen social de algunos animales en que el macho reúne un harén de hembras. ☐ ETIMOL. De *poli-* (varios) y el griego *gyné* (hembra). ☐ SEM. Dist. de *poligamia* (referido a personas).

políglota (tb. *poliglota*) ▌adj.inv. **1** Escrito en varias lenguas. ▌adj.inv./s.com. **2** Referido a una persona, que conoce varias lenguas. ▌s.f. **3** Biblia impresa en varias lenguas. ☐ ETIMOL. Del griego *polyglottos*, y este de *polýs* (mucho) y *glôssa* (lengua). ☐ USO En la acepción 3, se usa también como nombre propio. ☐ MORF. En la acepción 2, se admite también con género variable: *el políglot o, la políglota*.

poliglotismo s.m. Dominio de varios idiomas.

polígloto, ta (tb. *poligloto, ta*) adj./s. →**políglota.**

poligonal adj.inv. Del polígono, con su forma o relacionado con esta figura geométrica.

polígono s.m. **1** Figura geométrica plana limitada por tres o más líneas rectas que se cortan en vértices: *Un triángulo es un polígono de tres lados.* **2** Sector urbanístico constituido por una superficie de terreno destinada a un fin concreto, generalmente industrial, comercial o residencial: *un polígono industrial.* **3** ‖ **polígono de tiro;** terreno o campo de instrucción utilizado por el ejército para hacer estudios y prácticas de artillería. ☐ ETIMOL. Del griego *polýs* (mucho) y *gonía* (ángulo).

poligrafía s.f. **1** Actividad de la persona que escribe sobre materias diferentes. **2** Arte y técnica de escribir con procedimientos secretos o fuera de lo normal, y que resulta comprensible solo para quien lo pueda descifrar. **3** Técnica de descifrar este tipo de escritos. ☐ ETIMOL. Del griego *polygraphía*, y este de *polýs* (mucho) y *grápho* (yo escribo).

poligráfico, ca adj. De la poligrafía o relacionado con ella.

polígrafo, fa s. **1** Escritor de obras que tratan materias diferentes. **2** Persona que se dedica al estudio de la poligrafía.

poliinsaturado, da adj. Referido a un hidrocarburo, que tiene varios enlaces covalentes dobles: *En general, las grasas del pescado se digieren muy bien y son ricas en ácidos grasos poliinsaturados.*

polilla s.f. **1** Mariposa, generalmente nocturna, de pequeño tamaño y color grisáceo, cuya larva es dañina. **2** Larva de esta mariposa. ☐ ETIMOL. De origen incierto.

polimerasa s.f. Enzima que interviene en la formación de los ácidos nucleicos y otras moléculas.

polimerización s.f. Reacción química por la que se forman largas moléculas lineales mediante la combinación de monómeros o moléculas pequeñas.

polímero s.m. Sustancia natural o sintética, formada por una reacción química llamada polimerización, cuyas moléculas están constituidas por más de una unidad de monómeros o moléculas pequeñas: *Las proteínas y el almidón son polímeros sintetizados por seres vivos, y el poliuretano y el polietileno son polímeros sintetizados en laboratorio.* ☐ ETIMOL. Del griego *polymerés* (compuesto de varias partes).

polimorfismo s.m. **1** Propiedad de los cuerpos que tienen una misma composición química, pero que cristalizan en distintos sistemas y presentan distintas formas. **2** Existencia de diferentes formas en individuos que pertenecen a una misma especie.

polimorfo, fa adj. Que puede tener varias formas: *El agua es una sustancia polimorfa porque puede presentarse en forma líquida, sólida o gaseosa.* ☐ ETIMOL. Del griego *polýmorphos*, y este de *polýs* (mucho) y *morphé* (forma).

polinesio, sia adj./s. De Polinesia o relacionado con este grupo de archipiélagos del océano Pacífico central y oriental.

polineuritis (pl. *polineuritis*) s.f. Lesión inflamatoria simultánea de varios nervios periféricos. ☐ ETIMOL. De *poli-* (varios) y *neuritis* (inflamación de un nervio).

polínico, ca adj. Del polen o relacionado con él.

polinización s.f. Proceso mediante el cual un grano de polen se sitúa en el pistilo de una flor, donde germinará.

polinizar v. Referido a una flor, efectuar su polinización: *El viento y los insectos polinizan las flores.* □ ORTOGR. La *z* se cambia en *c* delante de *e* →CAZAR.

polinomio s.m. Expresión matemática compuesta por dos o más términos algebraicos unidos por el signo de la suma o por el de la resta: *'2x + 3y - 5' es un polinomio.* □ ETIMOL. Del griego *polýs* (mucho) y la terminación de *binomio*.

polinosis (pl. *polinosis*) s.f. Trastorno alérgico producido por el polen. □ ETIMOL. Del latín *pollen* (polen) y *-osis* (enfermedad).

polio s.f. *col.* →**poliomielitis.**

poliomielítico, ca adj./s. Que padece o ha padecido poliomielitis.

poliomielitis (pl. *poliomielitis*) s.f. Enfermedad producida por un virus que daña la médula espinal y provoca la atrofia o la parálisis de algunos miembros, generalmente de las piernas. □ ETIMOL. Del griego *poliós* (gris) y *mielitis*. □ PRON. Incorr. *[poliomelítis]. □ MORF. En la lengua coloquial, se usa mucho la forma abreviada *polio*.

polipiel s.m. Material plástico parecido a la piel: *una maleta de polipiel.*

pólipo s.m. **1** Tumor que se forma y crece en las membranas mucosas de diferentes cavidades, principalmente de la nariz, del tubo digestivo, de la vagina o de la matriz, y que se sujeta a ellas por medio de un pedúnculo. **2** Animal marino celentéreo, en una fase de su ciclo biológico en la que tiene el cuerpo en forma de saco con una abertura rodeada de tentáculos y vive sujeto al fondo del mar o a las rocas por un pedúnculo. □ ETIMOL. Del latín *polypus*, y este del griego *polýpus* (animal de muchos pies).

poliposis (pl. *poliposis*) s.f. Proceso de formación de pólipos o tumores en alguna zona del cuerpo.

polipote s.m. →**poliptoton.**

poliptoton (pl. *poliptoton*) s.f. Figura retórica consistente en la repetición de una palabra en distintas variantes morfológicas o con distintas funciones sintácticas: *La frase 'Vivo sin vivir viviendo' es un ejemplo de poliptoton.* □ SINÓN. *polipote.* □ ETIMOL. Del latín *polyptoton*, y este del griego *polýptoton* (que tiene muchos casos). □ PRON. Incorr. *[políptoton].

polis (pl. *polis*) s.f. En la antigua Grecia, comunidad política constituida por una ciudad que se administraba a sí misma. □ ETIMOL. Del griego *pólis* (ciudad).

-polis Elemento compositivo sufijo que significa 'ciudad': *necrópolis, megalópolis.* □ ETIMOL. Del griego *pólis* (ciudad). □ MORF. Puede adoptar la forma *-poli*: *metrópoli.*

polisacárido s.m. Polímero natural compuesto por un número elevado de monosacáridos. □ ETIMOL. De *poli-* (abundancia) y *sacárido*.

polisario, ria adj./s. De la organización política saharaui que defiende la existencia del antiguo Sahara español (territorio del noroeste africano situado junto al océano Atlántico) como Estado independiente, o relacionado con ella.

polisemia s.f. En lingüística, pluralidad de significados en una misma palabra: *La polisemia de operación es clara porque puede referirse a una operación quirúrgica, bancaria o matemática.* □ ETIMOL. De *poli-* (varios) y el griego *sêma* (significado). □ SEM. Dist. de *homonimia* (identidad ortográfica y de pronunciación entre palabras con distinto significado y distinto origen) y de *sinonimia* (coincidencia de significado en varias palabras).

polisémico, ca adj. Referido a una palabra, que tiene varios significados: *'Banco' es una palabra polisémica porque puede significar un tipo de asiento, un establecimiento financiero o un conjunto de peces.*

polisépalo, la adj. Referido a una flor o a su cáliz, que tiene varios sépalos u hojas modificadas. □ ETIMOL. De *polo-* (varios) y *sépalo*.

polisílabo, ba adj./s.m. Referido a una palabra, que tiene varias sílabas: *'Ortografía' es una palabra polisílaba porque tiene cinco sílabas.* □ ETIMOL. Del griego *polysýllabos*, y este de *polýs* (mucho) y *syllabé* (sílaba).

polisíndeton (pl. *polisíndeton*) s.m. Figura retórica consistente en el empleo reiterado de conjunciones que no son estrictamente necesarias, pero que aportan fuerza expresiva: *En la oración 'Cogió el morral y la zamarra y la gorra y la escopeta', hay polisíndeton.* □ ETIMOL. Del griego *polysýndeton*, y este de *polýs* (mucho) y *syndéo* (yo ato). □ SEM. Dist. de *asíndeton* (omisión de las conjunciones).

polisintético, ca adj. Referido a una lengua o a un idioma, que se caracteriza porque une unas partes de la oración con otras formando palabras de muchas sílabas. □ ETIMOL. De *poli-* (abundancia) y *sintético*.

polisón s.m. Prenda que llevaban las mujeres bajo la falda para abultarla por detrás. □ ETIMOL. Del francés *polisson*.

polista s.com. Jugador de polo.

polistilo, la adj. **1** En arquitectura, que tiene muchas columnas. **2** Referido a una flor, que tiene muchos estilos o estructura que parte del ovario y sostiene el estigma. □ ETIMOL. Del griego *polýstylos*, y este de *polýs* (mucho) y *stŷlos* (columna).

politburó (rus.) s.m. Máximo órgano de gobierno del partido comunista de la antigua Unión Soviética (país euroasiático) y de los partidos comunistas de otras naciones.

politécnico, ca adj. Referido esp. a un centro de enseñanza, que abarca muchas ciencias, técnicas o campos del saber. □ ETIMOL. De *poli-* (varios) y *técnico*.

politeísmo s.m. Creencia o concepción religiosa que admite la existencia de muchos dioses. □ ETIMOL. De *poli-* (mucho) y el griego *theós* (dios).

politeísta ▮ adj.inv. **1** Del politeísmo o relacionado con esta concepción religiosa. ▮ adj.inv./s.com. **2** Que tiene como concepción religiosa el politeísmo.

política s.f. Véase **político, ca**.

politicastro, tra s. *desp.* Político poco honesto o que actúa con fines y medios turbios.

político, ca ▮ adj. **1** De la política o relacionado con esta doctrina o actividad: *En un mapa político de África puedes ver la distribución de sus países.* **2** Referido a un parentesco, que no se tiene por consanguinidad sino que se ha adquirido por los lazos conyugales: *La madre política es la suegra y el hermano político, el cuñado.* ▮ adj./s. **3** Referido a una persona, que se dedica a la política, esp. si esta es su profesión. ▮ s.f. **4** Ciencia, doctrina u opinión referente al gobierno y a la organización de las sociedades humanas, esp. de los Estados: *Siempre habla de política y termina discutiendo con todos.* **5** Actividad de los que gobiernan o aspiran a gobernar los asuntos públicos: *Anunció que dejará la política si su partido no sale elegido.* **6** Conjunto de orientaciones o directrices que rigen la actuación de una persona o de una entidad en un asunto o en un campo determinados: *La dirección de la empresa lleva a cabo una política de expansión.* □ ETIMOL. Las acepciones 1-3, del latín *politicus*, y este del griego *politikós* (relativo a la ciudad). Las acepciones 4-6, del griego *politiké*.

politiquear v. **1** *col. desp.* Hablar de política, generalmente con superficialidad o ligereza: *Cuando queda con sus amigos politiquean durante un buen rato, pero siempre terminan hablando de otra cosa.* **2** *col. desp.* Intervenir o actuar en política, esp. si se busca el logro de una pretensión: *Intentó politiquear pero el partido le cerró las puertas.*

politiqueo s.m. **1** *col. desp.* Charla o conversación superficial y ligera sobre política. **2** *col. desp.* Intervención o actuación en política, esp. si se busca el logro de alguna pretensión.

politización s.f. **1** Adquisición de una orientación o de un contenido políticos. **2** Adquisición de una formación o de una conciencia política.

politizar v. **1** Dar o adquirir orientación o contenido políticos: *Sus declaraciones han servido para politizar la elección de reina de las fiestas. La romería se politizó al ser organizada por el Ayuntamiento.* **2** Inculcar una formación o una conciencia política: *En aquel país los miembros más jóvenes de la sociedad han sido muy politizados.* □ ORTOGR. La *z* se cambia en *c* delante de *e* →CAZAR.

politología s.f. Ciencia que estudia la política. □ ETIMOL. Del alemán *Politologie*.

politólogo, ga s. Persona que se dedica profesionalmente al estudio teórico de la política.

politraumatismo s.m. Traumatismo de carácter múltiple. □ ETIMOL. De *poli-* (varios) y *traumatismo*.

poliuretano s.m. Sustancia sintética que suele utilizarse para fabricar cauchos, plásticos o fibras: *La espuma de poliuretano se emplea para hacer colchones y para rellenar almohadas o cojines.*

poliuria s.f. Producción y expulsión de gran cantidad de orina. □ ETIMOL. De *poli-* (abundancia) y el griego *ûron* (orina).

polivalencia s.f. Capacidad de algo para poder ser aplicado a varios usos.

polivalente adj.inv. **1** Que tiene varios valores o usos: *Este tipo de enchufes son polivalentes, porque permiten acoplarlos a varios aparatos.* □ SINÓN. *plurivalente*. **2** Referido a un elemento químico, que tiene varias valencias: *El carbono es polivalente.* **3** Referido a un suero o a una vacuna, que pueden inmunizar contra varios tipos de microbios: *Algunas vacunas polivalentes son muy eficaces.* **4** Referido a una persona, que vale para muchas cosas distintas: *Para cubrir este puesto de trabajo necesito una persona polivalente que sepa actuar en campos muy distintos.* □ ETIMOL. De *poli-* (mucho) y el latín *valens*.

polivinilo s.m. Material sintético que se usa como sustituto del caucho: *Muchos revestimientos o envolturas aislantes son de polivinilo.* □ ETIMOL. De *poli-* (varios) y *vinilo*.

polivitaminizado, da adj. Referido esp. a un tratamiento cosmético, que aporta vitaminas.

póliza s.f. **1** Documento acreditativo de un contrato o de una operación financiera, en el que se recogen las condiciones o cláusulas de los mismos. **2** Sello de papel necesario en algunos documentos oficiales, y que se exigía a modo de impuesto. □ ETIMOL. Del italiano *polizza*.

polizón s.m. Persona que embarca clandestinamente o a escondidas. □ ETIMOL. Del francés *polisson* (vagabundo). □ SEM. Dist. de *polizonte* (agente de policía).

polizonte s.m. *col.* Agente de policía. □ SEM. Dist. de *polizón* (persona que embarca clandestinamente). □ USO Tiene un matiz humorístico.

polka s.f. →**polca.**

polla s.f. **1** Gallina joven que todavía no pone huevos o que ha empezado a ponerlos. **2** *vulg.malson.* →**pene. 3** En zonas del español meridional, lotería. □ ETIMOL. De *pollo*.

pollada s.f. Conjunto de crías nacidas de una misma puesta de huevos.

pollastre s.m. *col.* Joven que presume de hombre.

pollear v. *col.* Empezar un muchacho o muchacha a hacer cosas que se consideran propias de las personas mayores: *Tiene dieciséis años y ya pollea en discotecas, bailes y fiestas.*

pollera s.f. Véase **pollero, ra**.

pollería s.f. Establecimiento en el que se venden huevos y aves de corral destinados al consumo.

pollero, ra ▮ s. **1** Persona que se dedica a la crianza o a la venta de pollos. **2** Persona que ayuda a inmigrantes a cruzar ilegalmente las fronteras de un país a cambio de dinero. ▮ s.f. **3** En zonas del español meridional, falda: *Dicen que me sienta muy bien esta pollera.*

pollino, na ▮ adj./s. **1** Referido a una persona, que es simple, ignorante o ruda. ▮ s. **2** Mamífero cuadrúpedo, doméstico, más pequeño que el caballo, con largas orejas, pelo áspero y normalmente grisáceo, y que se suele emplear como montura o como animal de carga o de tiro. □ SINÓN. *asno.* □ ETIMOL. Del latín *pullus* (cría de un animal).

pollito, ta s. *col.* Persona joven.

pollo s.m. **1** Cría de un ave, esp. de una gallina. **2** Gallo o gallina jóvenes destinados al consumo. **3** *col.* Muchacho joven. **4** *col.* Escupitajo o saliva que se echa por la boca. **5** *col.* Jaleo o alboroto: *En la verbena se montó un pollo tremendo.* □ ETIMOL. Del latín *pullus.* □ ORTOGR. Dist. de *poyo.* □ MORF. En la acepción 3, se usa mucho el diminutivo *pollito.*

polo s.m. **1** En una esfera o en un cuerpo redondeado, cualquiera de los dos extremos del eje de rotación, esp. referido a los extremos de la Tierra: *Los meridianos pasan por los polos.* **2** En la Tierra, región inmediata a cada uno de estos extremos: *La Tierra tiene dos polos, el norte, también llamado 'boreal' o 'ártico', y el sur, también llamado 'antártico' o 'austral'.* **3** En electricidad, cada uno de los extremos del circuito de una pila o de ciertas máquinas eléctricas: *Las baterías de los coches tienen dos polos: uno positivo y otro negativo.* **4** En física, cualquiera de los dos puntos opuestos de un cuerpo, en los cuales se acumula en mayor cantidad la energía de un agente físico: *En los imanes, los polos opuestos se atraen.* **5** Punto de convergencia, esp. si es centro de atención o de interés: *El nuevo centro cultural es un polo de atracción para los jóvenes.* **6** Helado alargado que se chupa cogiéndolo de un palillo hincado en su base. **7** Prenda de vestir deportiva que cubre el cuerpo desde el cuello hasta más abajo de la cintura, con cuello camisero y abotonada por delante hasta la altura del pecho. **8** Deporte que se juega sobre un campo de hierba entre dos equipos de cuatro jinetes y en el que estos intentan introducir una pelota de madera entre dos postes situados en el campo del rival, con ayuda de un mazo de madera que se maneja con una sola mano. **9** || **polo magnético;** cada uno de los dos puntos del globo terrestre situados en las regiones polares, hacia los que se dirige naturalmente la aguja de una brújula. □ ETIMOL. Las acepciones 1-5, del latín *polus*, y este del griego *pólos* (eje). La acepción 6 es extensión del nombre de una marca comercial. Las acepciones 7 y 8, del inglés *polo.*

pololear v. *col.* En zonas del español meridional, salir de novios: *Mi hija está pololeando con un muchachito.*

pololeo s.m. *col.* En zonas del español meridional, galanteo o cortejo.

pololo, la ▮ s. **1** En zonas del español meridional, novio. ▮ s.m. **2** Pantalón corto y generalmente bombacho, que usan los niños. **3** Prenda de ropa interior femenina en forma de pantalones bombachos cortos, que se ponía debajo de la falda y de la enagua. **4** En zonas del español meridional, chapuza o trabajo esporádico. □ MORF. 1. En las acepciones 2 y 3, en plural tiene el mismo significado que en singular. 2. La acepción 3 se usa más en plural.

polonés, -a adj./s. De Polonia o relacionado con este país centroeuropeo. □ SINÓN. *polaco.*

polonesa s.f. **1** Composición musical inspirada en un tipo de danza tradicional polaca y que se caracteriza por enlazar las dos primeras notas de cada compás. **2** Baile de origen polaco que se ejecuta al compás de esta música y que tiene movimiento moderado y ritmo acentuado.

polonio s.m. Elemento químico, semimetálico y sólido, de número atómico 84, color plateado, muy radiactivo y que se utiliza como fuente de neutrones y partículas alfa: *El polonio fue descubierto a finales del siglo XIX por el matrimonio Curie.* □ ETIMOL. Del latín *Polonia*, patria de M. Curie, que descubrió este elemento químico. □ ORTOGR. Su símbolo químico es *Po.*

poltergeist (al.) s.m. Fenómeno extraño, fantasma o espíritu que se manifiesta generalmente a través de ruidos. □ PRON. [póltergaist].

poltrón, -a ▮ adj. **1** Perezoso, haragán o excesivamente comodón. ▮ s.f. **2** Butaca amplia y cómoda, con brazos, y más baja de lo normal. **3** *col.* Puesto o cargo de relevancia: *estar aferrado a la poltrona.* □ ETIMOL. Del italiano *poltrone*, y este de *poltro* (cama).

poltrona s.f. Véase **poltrón, -a**.

poltronería s.f. Pereza, vaguería o aversión al trabajo.

polución s.f. **1** Contaminación o deterioro del medio ambiente, esp. del aire o del agua, a causa de la acción de residuos de procesos industriales o biológicos. **2** Expulsión de semen. □ ETIMOL. Del latín *pollutio.*

polucionar v. Referido al medio ambiente, contaminarlo o dañarlo con residuos de procesos industriales o biológicos: *El humo y los residuos químicos expulsados por las fábricas polucionan la atmósfera.*

poluto, ta adj. Sucio, asqueroso o repugnante. □ ETIMOL. Del latín *pollutus.*

polvareda s.f. **1** Cantidad de polvo que se levanta de la tierra, agitado por el viento o por otra causa. **2** Escándalo o agitación en la opinión pública. □ ORTOGR. Incorr. [*polvoreda].

polvera s.f. Caja o estuche que contiene unos polvos que se usan como maquillaje y la almohadilla con la que estos suelen aplicarse. □ SINÓN. *polvorera.*

polvo ▮ s.m. **1** Conjunto de partículas muy pequeñas de tierra seca que se levantan en el aire con cualquier movimiento: *Nos metimos por un camino sin asfaltar y el coche se llenó de polvo.* **2** Conjunto de partículas sólidas y minúsculas que flotan en el aire y se posan sobre los objetos: *Utilizo el plumero para limpiar el polvo.* **3** Conjunto de partículas sólidas y minúsculas a que queda reducida una sustancia: *El pastel tiene cacao en polvo.* **4** *vulg.malson.* →**coito.** ▮ pl. **5** Producto cosmético que se utiliza como maquillaje. **6** || **echar un polvo;** *vulg.malson.* →**copular.** || **hacer polvo;** *col.* Destrozar o dejar en muy malas condiciones: *Esos* *zapatos me hacen polvo los pies.* || **hecho polvo; 1** Muy cansado o con problemas de salud: *Hemos andado tanto que estoy hecha polvo.* **2** Desalentado o abatido: *La noticia nos dejó hechos polvo.* **3** Destrozado o en muy malas condiciones: *Este coche está hecho polvo y tendremos que comprar otro.* || **morder el polvo;** ser humillado o vencido. || **polvo de hornear;** en zonas del español meridional, levadura. || **sacudir el polvo** a alguien; *col.* Darle golpes. ☐ ETIMOL. Del latín **pulvus*.

pólvora s.f. Mezcla explosiva que, a cierto grado de calor, se inflama y desprende gran cantidad de gases. ☐ ETIMOL. Del latín *pulvis* (polvo).

polvorera s.f. →**polvera.**

polvoriento, ta adj. Lleno o cubierto de polvo.

polvorilla s.com. *col.* Persona muy inquieta, impulsiva y vivaz.

polvorín s.m. **1** Lugar destinado a guardar la pólvora y otros explosivos. **2** Mezcla de explosivos triturados que se usan para cargar las armas de fuego. **3** *col.* Lugar con una situación conflictiva y a punto de estallar: *Desde que se oyó el rumor de los despidos, la oficina es un polvorín.*

polvorón s.m. Dulce elaborado con manteca, harina y azúcar, generalmente de forma redondeada, que se deshace fácilmente al comerlo. ☐ ETIMOL. De *pólvora* (partículas a las que se reduce una cosa sólida).

polyester (ing.) s.m. →**poliéster.**

poma s.f. Manzana, esp. la que es de pequeño tamaño, achatada y de color verdoso. ☐ ETIMOL. Del latín *poma*.

pomáceo, a adj. Referido a una planta, que tiene su fruto en forma de pomo. ☐ ETIMOL. De *poma*.

pomada s.f. **1** Mezcla de una sustancia grasa y otros ingredientes que se usa generalmente como cosmético o como medicamento de uso externo. **2** || **ser** algo **la pomada;** *col.* Ser lo mejor: *Conozco un sitio para cenar que es la pomada.* ☐ ETIMOL. Del francés *pommade*.

pomar s.m. Terreno plantado de árboles frutales, esp. de manzanos.

pomarada s.f. Terreno plantado de manzanos.

pomarrosa s.f. **1** Árbol de corteza grisácea y hojas de color verde oscuro brillante, cuyo fruto es la pomarrosa. ☐ SINÓN. *yambo, jambo, jambolero.* **2** Fruto de este árbol, que parece una manzana pequeña, y tiene sabor dulce y olor a rosa. ☐ ETIMOL. De *poma* y *rosa*.

pomelo s.m. Fruto redondeado, parecido a una naranja pero un poco más aplanado y de color amarillo. ☐ SINÓN. *toronja.* ☐ ETIMOL. Del inglés *pommelo*.

pomo s.m. **1** En una puerta, un cajón o algo semejante, agarrador o tirador de forma más o menos esférica. **2** En una espada, parte que está entre el puño y la hoja y que sirve para mantenerlos firmemente unidos. ☐ ETIMOL. Del latín *pomum* (un tipo de fruto), porque tiene forma redondeada.

pompa s.f. **1** Gran despliegue de medios en una celebración: *La inauguración del nuevo edificio estuvo rodeada de una gran pompa.* **2** Grandeza, vanidad o lujo extraordinario: *Vive con mucha pompa en un antiguo palacete.* **3** Ampolla llena de aire que se forma en un líquido o en otra sustancia: *Lo echaron de clase por hacer pompas con el chicle.* **4** *col.* En zonas del español meridional, nalga. **5** || **pompas fúnebres;** ceremonias en honor de un difunto. ☐ ETIMOL. Del latín *pompa*, y este del griego *pompé* (escolta, procesión).

pompero s.m. Juguete formado por un tubo con agua y jabón, cuyo tapón tiene un aro para soplar a través de él y hacer pompas de jabón.

pompi s.m. *euf. col.* Culo.

pompis (pl. *pompis*) s.m. *euf. col.* Culo.

pompón s.m. Bola de hebras de lana, de cintas o de otros materiales, que generalmente se utiliza como adorno. ☐ ETIMOL. Del francés *pompon*.

pomponearse v.prnl. *col.* →**pavonearse.**

pomposidad s.f. **1** Grandiosidad u ostentación excesivas. **2** Abundancia de adornos excesivos y rebuscados: *La pomposidad de su lenguaje hace que resulte pedante.*

pomposo, sa adj. **1** Ostentoso, magnífico o lujoso: *una ceremonia pomposa.* **2** Referido esp. al lenguaje, que es excesivamente retórico o adornado. ☐ ETIMOL. Del latín *pomposus*.

pómulo s.m. **1** Hueso que forma la parte saliente de las mejillas. ☐ SINÓN. *hueso malar.* **2** Parte de la cara que corresponde a este hueso. ☐ ETIMOL. Del latín *pomulum* (fruto pequeño), porque el pómulo tiene esta forma.

ponchar v. En zonas del español meridional, pinchar: *Unos vándalos le poncharon las cuatro llantas a mi auto.* ☐ MORF. Se usa también como pronominal.

ponche s.m. Bebida alcohólica que se hace mezclando un licor, generalmente ron, con agua, limón y azúcar, o con té. ☐ ETIMOL. Del inglés *punch*.

ponchera s.f. Recipiente en el que se prepara y se sirve el ponche.

poncho s.m. Prenda de abrigo que consiste en una manta con una abertura en el centro por la que se introduce la cabeza, y que cubre hasta más abajo de la cintura.

ponderable adj.inv. **1** Digno de ponderación o de elogio. **2** Que se puede pesar: *No puedo decirte cuánto te quiero porque los sentimientos no son ponderables.*

ponderación s.f. **1** Atención, consideración o cuidado con los que se hace o se dice algo. **2** Elogio desmedido o alabanza exagerada.

ponderado, da adj. Referido a una persona, que actúa con tacto y con prudencia.

ponderal adj.inv. Del peso o relacionado con él. ☐ ETIMOL. Del latín *pondus* (peso).

ponderar v. **1** Examinar o sopesar con cuidado: *Antes de aceptar, tengo que ponderar bien las ventajas y los inconvenientes.* **2** Exagerar o alabar mucho: *Siempre pondera la amabilidad con que lo tratamos.* ☐ ETIMOL. Del latín *ponderare* (evaluar).

ponderativo, va adj. Que pondera o elogia.

ponedero s.m. Lugar en el que pone los huevos un ave doméstica. □ SINÓN. *nidal, nido.*

ponedor, -a adj./s.f. Referido a un ave, esp. a una gallina, que ya pone huevos o que ha sido destinada a ese fin.

ponedora s.f. Véase **ponedor, -a.**

ponencia s.f. Comunicación o exposición de un tema ante un grupo de personas.

ponente adj.inv./s.com. Referido a una persona, que presenta una ponencia. □ ETIMOL. Del latín *ponens*, y este de *ponere* (colocar).

poner ▮ v. **1** Colocar o situar en un lugar o en una situación determinados, o disponer en la forma o en el grado adecuados: *Pon los libros en la estantería. Este invierno el termómetro ha llegado a ponerse a quince grados bajo cero.* **2** Introducir, incluir o añadir: *Pon un poco de vinagre a la ensalada.* **3** Disponer o preparar con lo necesario para algún fin: *Pon la mesa, que ya vamos a comer.* **4** Suponer o dar por sentado: *Pongamos que no voy, ¿pasaría algo?* **5** Vestir o cubrir el cuerpo o una parte de él con una prenda: *No tengo ropa limpia para poner al niño. Se puso el sombrero y se fue.* **6** Establecer, instalar o montar: *Ha puesto una tienda de electrodomésticos.* **7** Adoptar o empezar a tener: *Cuando le dieron la noticia puso cara de sorpresa.* **8** Exponer a la acción de un agente determinado: *Ponlo al aire, para que se seque antes.* **9** Decir, expresar o expresarse: *En ese cartel pone que está prohibido pisar el césped.* **10** Escribir o anotar: *¿Qué estás poniendo en la pizarra?* **11** Referido a un ave, producir y depositar huevos: *La paloma ha puesto dos huevos.* **12** Referido a un asunto, dejarlo a la determinación o a la decisión de otra persona: *He puesto mis esperanzas en mi abogado, y espero que gane el pleito.* **13** Referido esp. a un aparato eléctrico, hacer lo necesario para que funcione: *Voy a poner la televisión para ver una película muy buena.* **14** Referido esp. a un nombre o a un mote, darlos o aplicarlos: *Entre varios amigos le pusieron 'El Largo'.* **15** *col.* Referido a una obra de teatro o a una película, representarla o proyectarla: *¿Qué ponen hoy por la tele?* **16** Referido a una sustancia, untarla, darla o aplicarla: *Ponte esta pomada en la quemadura para que no te duela.* **17** Referido esp. a una facultad o a una cualidad, utilizarlas o aplicarlas para conseguir un fin determinado: *Puso todo su empeño en aprobar todo en junio.* **18** En el juego, referido a una cantidad de dinero, arriesgarla o apostarla: *Cuando juego a la ruleta siempre pongo un par de fichas al siete.* **19** Referido a una persona, dedicarla a un oficio o empeño: *Como su hijo no quería estudiar lo ha puesto a trabajar. Se ha puesto de dependienta en unos grandes almacenes.* **20** Referido a una obligación, imponerla o señalarla: *Hoy no nos han puesto deberes.* **21** Referido a una forma de comunicación, esp. a una conferencia o a un telegrama, establecerlos, mandarlos o llevarlos a cabo: *Tengo que poner un telegrama para que venga rápidamente.* **22** Seguido de 'por' o 'como' y de un sustantivo, utilizar a alguien como lo que este sustantivo indica: *Me puso por testigo para asegurar que no había salido de casa.* **23** Seguido de 'de', 'por' o 'como' y de un sustantivo, tratar a alguien como lo que este sustantivo indica: *Cuando me enteré de que me había engañado, lo puse de mentiroso delante de nuestros amigos.* **24** Seguido de una expresión que indica cualidad, hacer adquirir esa condición o ese estado: *Me pones nervioso con tanta pregunta.* ▮ prnl. **25** Llegar a un lugar: *Me puse en el pueblo en una hora.* **26** *col.* Decir, esp. si es con un tono o con unas palabras que se consideran risibles: *Y se puso: «Ven conmigo inmediatamente».* **27** Referido a un astro, ocultarse en el horizonte: *El Sol se pone por el oeste.* **28** *col.* En el lenguaje de la droga, drogarse o colocarse: *Se pone muy a menudo y va a terminar mal.* **29** *col.* Excitarse sexualmente: *Esa chica me pone.* **30** ‖ **poner {bien/mal}** algo; *col.* Hablar bien o mal de ello, respectivamente: *La profesora te puso muy bien delante de toda la clase.* ‖ **ponerse a** hacer algo; empezar a hacerlo: *Estaba tan contenta que me puse a cantar.* ‖ **ponerse con** algo; comenzar a hacerlo: *Cuando termine de planchar me pondré con la comida de hoy.* □ ETIMOL. Del latín *ponere* (colocar). □ MORF. Irreg.: 1. Su participio es *puesto*. 2. →PONER. □ SINT. En la acepción 26, siempre introduce el estilo directo y nunca el indirecto: incorr. **Se puso que fuera con él.* □ USO El empleo abusivo de este verbo como palabra comodín, indica pobreza de lenguaje.

póney s.m. →**poni.** □ MORF. Es un sustantivo epiceno: *el póney {macho/hembra}.*

poni (tb. *póney*) s.m. Caballo de una raza que se caracteriza por su poca alzada y por su fortaleza. □ ETIMOL. Del inglés *pony*. □ MORF. Es un sustantivo epiceno: *el poni {macho/hembra}.* □ USO Es innecesario el uso del anglicismo *pony*.

poniente s.m. Oeste: *El Sol se oculta por Poniente. Se aproxima un poniente acompañado de lluvias.* □ ETIMOL. Del latín *ponens*, y este de *ponere* (colocar). □ SINT. Se usa mucho en aposición, pospuesto a un sustantivo: *Nos sorprendió un fuerte viento poniente.* □ USO Referido al punto cardinal, se usa más como nombre propio.

ponqué s.m. En zonas del español meridional, tarta. □ ETIMOL. Del inglés *pancake*.

pontaje s.m. →**pontazgo.**

pontazgo s.m. Derechos que se pagan en algunos lugares para pasar por un puente. □ SINÓN. *pontaje.* □ ETIMOL. Del latín *pontaticum*, y este de *pons* (puente).

pontevedrés, -a adj./s. De Pontevedra o relacionado con esta provincia española o con su capital: *La ría de Vigo y la de Arosa se encuentran en el litoral pontevedrés.*

pontificado s.m. **1** En la iglesia católica, cargo de pontífice. **2** Tiempo durante el que un pontífice ejerce su cargo.

pontifical adj.inv. En la iglesia católica, del papa, del obispo, del arzobispo o relacionado con ellos.

pontificar v. *col.* Exponer opiniones con tono dogmático como si fueran verdades innegables: *Es un* *presuntuoso y, en vez de hablar, pontifica.* □ ORTOGR. La *c* se cambia en *qu* delante de *e* →SACAR.

pontífice s.m. Obispo o arzobispo de una diócesis: *El Papa recibe también los nombres de 'Sumo Pontífice' y 'Romano Pontífice'.* □ ETIMOL. Del latín *pontifex* (alto funcionario romano que cuidaba del puente del Tíber).

pontificio, cia adj. Del pontífice o relacionado con él.

ponto s.m. *poét.* Mar. □ ETIMOL. Del latín *pontus*.

pontón s.m. **1** Puente hecho de maderos o de una sola tabla. **2** Barco chato que se utiliza generalmente para cruzar los ríos o para construir puentes. □ ETIMOL. Del latín *ponto* (barca de paso empleada donde no hay puente).

pony (ing.) s.m. →**poni.**

ponzoña s.f. **1** Sustancia nociva para la salud o para la vida. **2** Lo que resulta perjudicial para las buenas costumbres: *Sus nuevas teorías fueron tachadas de ponzoña por los más conservadores.* □ ETIMOL. Del antiguo *ponzoñar* (emponzoñar).

ponzoñoso, sa adj. Que tiene ponzoña.

pool (ing.) s.m. **1** Agrupación temporal de empresas independientes con el fin de imponerse en el mercado mediante una orientación común. **2** Conjunto de personas o de instrumentos que forman parte de una empresa o que prestan sus servicios en ella. □ PRON. [pul]. □ USO Su uso es innecesario y puede sustituirse por *grupo* o *agrupación*.

pop (pl. *pop*) ▌adj.inv. **1** Del pop o relacionado con este estilo musical. ▌s.m. **2** Género musical derivado de los estilos musicales negros y de la música folclórica británica. □ ETIMOL. Del inglés *pop*.

popa s.f. Parte posterior de una embarcación. □ ETIMOL. Del latín *puppis*.

pope s.m. **1** Sacerdote de las iglesias ortodoxas. **2** Persona con mucho poder e influencia. □ ETIMOL. Del ruso *pop* (sacerdote).

popelín s.m. Tela delgada de algodón o de seda, que tiene un poco de brillo. □ SINÓN. *popelina.* □ ETIMOL. Del francés *popeline*, y este del inglés *poplin*.

popelina s.f. →**popelín.**

popó s.m. *euf. col.* Caca.

popote s.m. En zonas del español meridional, paja para beber.

popper (ing.) s.m. Tipo de droga sintética y alucinógena que se inhala. □ PRON. [póper].

populachero, ra adj. *desp.* Del populacho o relacionado con él.

populacho s.m. *desp.* Gente vulgar o de baja categoría social, esp. si está alborotada. □ ETIMOL. Del italiano *popolaccio*, que es despectivo de *popolo* (pueblo).

popular ▌adj.inv. **1** Del pueblo o relacionado con él: *la poesía popular.* **2** Que está al alcance de la gente con pocos medios económicos: *precios populares.* **3** Que es conocido o estimado por la mayoría de la gente: *una cantante popular.* ▌adj./s.com. **4** De un partido político cuyo nombre incluya la palabra *popular*, o relacionado con él: *Según fuentes populares, las negociaciones con los demás partidos van por buen camino.* □ ETIMOL. Del latín *popularis*.

popularidad s.f. Aceptación o fama entre un número mayoritario de personas.

popularismo s.m. Tendencia o afición a lo popular.

popularista adj.inv. Del popularismo o relacionado con esta tendencia.

popularización s.f. Conversión de algo en popular.

popularizar v. Hacer popular: *Quieren popularizar el precio del cine para que la gente acuda a las salas. Este actor se popularizó con una película de mucho escándalo.* □ ORTOGR. La *z* se cambia en *c* delante de *e* →CAZAR.

populismo s.m. **1** Doctrina política que se basa en la defensa de los intereses y de las aspiraciones del pueblo o de la burguesía. **2** *desp.* Actitud del que defiende los intereses del pueblo con la intención de atraer su apoyo para conseguir poder.

populista ▌adj.inv. **1** Del populismo o relacionado con esta doctrina política. **2** *desp.* Que tiene la intención de agradar al pueblo para conseguir su apoyo. ▌adj.inv./s.com. **3** Que sigue o que defiende el populismo.

populoso, sa adj. Referido a un lugar, que está muy poblado. □ ETIMOL. Del latín *populosus*.

pop-up (ing.) s.m. En internet, ventana que se abre automáticamente al entrar en una página web, y cuyo contenido suele ser publicitario: *Con este programa se bloquean todos los pop-up de las páginas web.* □ PRON. [pop-áp].

popurrí (pl. *popurrís, popurríes*) s.m. **1** Composición musical formada por fragmentos de otras. **2** *col.* Mezcla de cosas distintas. □ ETIMOL. Del francés *pot pourri*, y este traducido del castellano *olla podrida*. □ PRON. Incorr. *[pupúrri]. □ USO 1. Es innecesario el uso del galicismo *pot-pourri*. 2. Es innecesario el uso del anglicismo *medley*.

poquedad s.f. **1** Timidez o falta de decisión. **2** Lo que tiene poco valor o poca entidad: *No debes molestarte por esta poquedad.* □ ETIMOL. Del latín *paucitas*, con influencia de *poco*.

póquer s.m. **1** Juego de cartas en el que se reparten cinco a cada jugador, se hacen apuestas y gana el que reúne la combinación superior de las varias establecidas. **2** En este juego, combinación de cuatro cartas iguales. □ ETIMOL. Del inglés *poker*.

por ▌s.m. **1** En matemáticas, signo gráfico formado por una pequeña cruz en forma de aspa que se coloca entre dos cantidades para indicar multiplicación: *Has hecho un por tan grande que casi tachas los números.* ▌prep. **2** Indica paso o tránsito a través de algo, esp. de un lugar: *El tren pasa por mi pueblo. Mete la cuerda por este agujero.* **3** Indica lugar o tiempo aproximados: *Nos veremos por Navidad.* **4** Indica una parte o un lugar concretos: *La taza se coge por el asa.* **5** Indica el medio o instrumento con el que se realiza algo: *Está hablando por teléfono.* **6** Indica el modo de realizar algo: *Nos pi-*

llaron por sorpresa. **7** Indica motivo o causa: *¿Por qué has hecho esto? No lo hice por que vinieras, sino por que te callaras.* **8** Indica finalidad: *Me voy por no verla.* **9** Indica que una cantidad se reparte de manera igualitaria: *Tocamos a seis euros por persona.* **10** Indica proporción: *Me hacen un descuento del tres por ciento.* **11** Indica una comparación: *Médico por médico, prefiero el mío.* **12** Indica separación de los elementos que forman una serie: *Os contaré mis secretos uno por uno.* **13** Introduce un complemento agente: *Fue recibido por la directora general.* **14** A favor de o en defensa de: *Estoy por la paz y no por la guerra.* **15** En lo que se refiere a algo: *Por mí, ya puedes irte.* **16** En calidad de o en condición de: *Te quiero por amigo, no por esclavo.* **17** A cambio de o en sustitución de: *Ve tú por mí. Me vende el piso por diez millones.* **18** Precedido de verbos de movimiento, en busca de: *Voy por vino.* **19** Seguido de algunos infinitivos, indica que la acción de estos no está realizada: *La mayor parte del trabajo está por hacer.* **20** Seguido de un adjetivo o de un adverbio, y de la conjunción 'que', introduce expresiones concesivas: *Por cerca que esté, tardaré una hora como poco.* **21** Precedido de un verbo y seguido del infinitivo de este mismo verbo, indica falta de utilidad de la acción descrita por el mismo: *Hablas por hablar, porque no sabes de qué va el asunto.* **22** || **no por;** expresión que se usa para introducir una frase concesiva: *No por correr ahora, recuperarás el tiempo perdido.* □ ETIMOL. Del latín *pro* (por). □ USO 1. Se usa para indicar la operación matemática de la multiplicación: *Dos por dos son cuatro.* 2. En la lengua actual está muy extendida la combinación de las preposiciones *a por* con verbos de movimiento: *Voy a por agua.* 3. En la lengua coloquial, se usa mucho como forma abreviada de *¿por qué?*

porcelana s.f. **1** Loza fina translúcida y con brillo, que se hace con una mezcla de caolín, sílice y feldespato principalmente. **2** Vasija o figura hecha con este material. □ ETIMOL. Del italiano *porcellana.*

porcentaje s.m. Cantidad que representa proporcionalmente una parte de un total de cien: *Un alto porcentaje de jóvenes no encuentran trabajo.* □ SINÓN. *tanto por ciento.* □ ETIMOL. Del inglés *percentage.*

porcentual adj.inv. Referido esp. a una composición o a una distribución, que están calculadas o expresadas en tantos por cientos: *La composición porcentual de esta mezcla es de 25 por ciento de sodio y 75 por ciento de agua.*

porche s.m. En un edificio, espacio cubierto que precede a la entrada principal o que está adosado a alguno de los lados de su fachada. □ ETIMOL. Del catalán *porxe*, y este del latín *porticus* (pórtico).

porciento s.m. En zonas del español meridional, porcentaje.

porcino, na adj. Del cerdo o relacionado con este animal. □ SINÓN. *porcuno.* □ ETIMOL. Del latín *porcinus.*

porción s.f. **1** Cantidad separada de otra mayor o de algo que se puede dividir: *queso en porciones.* **2** En un reparto o en una distribución, cantidad que corresponde a cada uno. □ ETIMOL. Del latín *portio* (parte, porción).

porculizar v. **1** *vulg.malson.* →**sodomizar.** **2** *vulg.malson.* →**fastidiar.** □ ORTOGR. La *z* se cambia en *c* delante de *e* →CAZAR.

porcuno, na adj. →**porcino.**

pordiosear v. **1** Mendigar o pedir limosna: *Muchos mendigos pordioseaban todos los domingos a la puerta de la iglesia.* **2** Pedir o solicitar con insistencia y humildad: *Su orgullo le impide pordiosear un trabajo.*

pordioseo s.m. **1** Petición de limosna. **2** Petición de algo con insistencia y humildad.

pordiosero, ra adj./s. Que pide limosna. □ ETIMOL. De la forma de pedir limosna con las palabras *por Dios.*

porexpán s.m. Corcho blanco o poliestireno expandido.

porfía s.f. **1** Discusión o lucha mantenidas con obstinación y tenacidad. **2** Insistencia tenaz y repetida: *Aunque rogó con porfía que lo ayudaran, no consiguió nada.* **3** Empeño para conseguir algo que presenta dificultad: *Su porfía en el estudio le permitió acabar la carrera brillantemente.* □ ETIMOL. Del latín *perfidia* (mala fe), que pasó a significar *herejía*, y este se generalizó en *obstinación.*

porfiado, da adj./s. Que es obstinado y terco en las opiniones.

porfiar v. **1** Discutir o disputar con obstinación y tenacidad: *Los dos porfiaban sobre si las islas Baleares estaban en el Atlántico o en el Mediterráneo.* **2** Insistir con pesadez o rogar repetidamente: *Por más que porfíes no te contaré cuál es mi secreto.* **3** Continuar o insistir en una acción para conseguir algo que presenta dificultad: *Porfió en derribar el muro y no paró hasta que lo consiguió.* □ ORTOGR. La *i* lleva tilde en los presentes, excepto en las personas *nosotros* y *vosotros* →GUIAR. □ SINT. Constr. de la acepción 3: *porfiar EN algo.*

pórfido s.m. Roca compacta y dura formada por una sustancia de color gris o pardo, con cristales de feldespato y cuarzo. □ ETIMOL. Del italiano *porfido.* □ ORTOGR. Dist. de *pérfido.*

porfiria s.f. Enfermedad hereditaria que afecta al metabolismo, uno de cuyos síntomas es la extremada sensibilidad a la luz solar.

porfirina s.f. En bioquímica, elemento químico al que se unen elementos metálicos como el hierro o el magnesio, para formar sustancias como la hemoglobina y la clorofila.

porfolio s.m. Conjunto de fotografías o de grabados de diferentes clases que forman un tomo o volumen encuadernable. □ ETIMOL. Del francés *porte-feuille* (cartera).

porífero ▌adj./s.m. **1** →**espongiario.** ▌s.m.pl. **2** →**espongiario.**

pormenor s.m. Detalle o circunstancia secundarios o de poca importancia. □ ETIMOL. De *por* y *menor*. □ MORF. Se usa más en plural.

pormenorizar v. Describir o enumerar minuciosamente: *Me lo contó pormenorizando todos los detalles.* □ ORTOGR. La *z* se cambia en *c* delante de *e* →CAZAR.

porno ▌adj.inv. **1** →**pornográfico.** ▌s.m. **2** →**pornografía.**

pornografía s.f. Obscenidad y falta de pudor en la expresión de lo relacionado con el sexo. □ ETIMOL. Del griego *pornográphos* (el que describe la prostitución), y este de *pórne* (prostituta) y *grápho* (yo describo). □ MORF. En la lengua coloquial se usa mucho la forma abreviada *porno*. □ SEM. Dist. de *erotismo* (expresión del amor físico en el arte).

pornográfico, ca adj. De la pornografía, con pornografía o relacionado con ella. □ MORF. En la lengua coloquial se usa mucho la forma abreviada *porno*.

poro s.m. **1** Orificio o agujero que hay en una superficie y que no resultan visibles a simple vista. **2** Planta que tiene un sabor parecido al de la cebolla. □ ETIMOL. La acepción 1, del latín *porus*, y este del griego *póros* (paso, vía de comunicación).

porongo s.m. **1** Planta americana herbácea, de hojas grandes y frutos blancos o amarillentos. **2** Fruto de esta planta que se utiliza para tomar mate.

porosidad s.f. Existencia de poros.

poroso, sa adj. Que tiene poros.

poroto s.m. En zonas del español meridional, judía.

porque conj. **1** Enlace gramatical subordinante con valor causal: *No podemos ir al campo porque está lloviendo.* **2** Enlace gramatical subordinante con valor final: *Reza porque no te haya visto.* □ ETIMOL. De *por* y *que*. □ ORTOGR. Dist. de *por que*, *por qué* y *porqué*.

porqué s.m. Causa, razón o motivo: *Ignoro el porqué de tu actitud.* □ ETIMOL. De *por* y *qué*. □ ORTOGR. Dist. de *por qué*, *porque* y *por que*.

porquería s.f. **1** *col.* Suciedad o basura. □ SINÓN. *guarrería.* **2** *col.* Lo que está viejo, roto o no desempeña su función: *Este reloj es una porquería y se para continuamente.* **3** *col.* Lo que se considera indecoroso o contrario a la moral establecida. □ SINÓN. *guarrada.* **4** *col.* Lo que tiene poco valor: *¿Te crees que me voy a contentar con esta porquería de regalo?* **5** *col.* Alimento indigesto o de poco valor nutritivo.

porqueriza s.f. Véase **porquerizo, za.**

porquerizo, za ▌s. **1** →**porquero.** ▌s.f. **2** Pocilga o lugar donde se crían y recogen los cerdos.

porquero, ra s. Persona que cuida cerdos. □ SINÓN. *porquerizo.* □ ETIMOL. Del latín *porcarius*.

porra s.f. **1** Palo toscamente labrado, que va aumentando de diámetro desde la empuñadura hasta el extremo opuesto. **2** Instrumento con la forma de este palo y usado como arma por los miembros de algunos cuerpos encargados de mantener el orden. **3** Masa frita parecida al churro, pero más larga y más gruesa. **4** Juego en el que varias personas apuestan una cantidad de dinero a un número o a un resultado, y la que acierta se lleva el dinero de todos. **5** En zonas del español meridional, hinchada. **6** || **irse** algo **a la porra;** *col.* Estropearse o echarse a perder: *A los tres meses el negocio se fue a la porra y lo traspasé.* || **mandar a la porra;** *col.* Rechazar: *Si, después de lo que te hizo, ahora viene pidiéndote que vuelvas, mándalo a la porra.* □ ETIMOL. Del latín *porrum* (puerro), por la forma que tiene.

porrada s.f. *col.* Gran cantidad de algo: *Mi diccionario lleva una porrada de ejemplos.*

porras (tb. *porra*) interj. *col.* Expresión que se usa para indicar disgusto, rechazo o contrariedad.

porrata adj.inv./s.com. *col.* Que fuma porros de forma habitual.

porrazo s.m. **1** Golpe dado con alguna cosa, esp. con una porra. **2** Golpe recibido al caer o al chocar contra algo duro: *Se dio un buen porrazo con el coche, pero no le pasó nada.*

porrero, ra adj./s. *col.* Que fuma porros de forma habitual.

porreta s.com. **1** *col.* Persona que fuma porros de forma habitual. **2** || **en porreta** o **en porretas;** *col.* Completamente desnudo. □ SINÓN. *en cueros.*

porrillo || **a porrillo;** *col.* En gran cantidad.

porro s.m. **1** Cigarrillo de hachís, marihuana u otra droga, generalmente mezclado con tabaco. □ SINÓN. *canuto.* **2** *col.* En zonas del español meridional, persona a la que se paga para provocar un desorden público.

porrón s.m. Recipiente con una gran panza y un pitorro largo y fino, que se usa para beber a chorro. □ ETIMOL. De origen incierto.

porta s.f. **1** →**vena porta.** **2** En una embarcación, abertura a modo de puerta situada en los costados y en la popa.

portaaviones (pl. *portaaviones*) s.m. Barco de guerra de grandes dimensiones y con las instalaciones necesarias para el traslado de aviones y para su despegue y aterrizaje. □ ORTOGR. Se usa también *portaviones*.

portabebés (pl. *portabebés*) s.m. Mochila para llevar un bebé colgado al pecho o a la espalda.

portabilidad s.f. **1** Facilidad para ser transportado: *El diseño y el tamaño de esta cámara fotográfica permiten que tenga una buena portabilidad.* **2** En informática, facilidad para trasladar una información de una aplicación a otra o de un ordenador a otro: *Este lenguaje me ofrece una gran portabilidad, ya que puedo hacer programas para cualquier sistema operativo.* **3** En telefonía móvil, posibilidad de conservar el número de teléfono al cambiar de compañía telefónica.

portabotellas (pl. *portabotellas*) s.m. Soporte que se utiliza para colocar o llevar botellas: *una bicicleta con portabotellas.* □ SINT. Se usa mucho en aposición, pospuesto a un sustantivo: *una bandeja portabotellas.*

portada s.f. **1** En un libro impreso, página del comienzo en la que aparece el título completo y, generalmente, el nombre del autor y los datos de publicación. **2** En un periódico o en una revista, primera página. **3** *col.* Tapa o cubierta delantera de un libro. **4** En un edificio monumental, fachada principal. **5** Obra arquitectónica o escultórica con la que se realza la puerta o la fachada principal de un edificio. □ ETIMOL. De *puerta*. □ SEM. En la acepción 1, dist. de *cubierta* (parte exterior de un libro).

portadilla s.f. En un libro impreso, hoja que precede a la portada y en la que solo suele ponerse el título de la obra. □ SINÓN. *anteportada*.

portador, -a ▌adj./s. **1** Que lleva o trae algo de un lugar a otro. ▌s. **2** Persona que posee legalmente un título o un valor que está emitido a favor de quien lo posea: *El portador del presente recibo de lotería juega la cantidad de seis euros.* **3** Persona que lleva en su cuerpo el germen de una enfermedad sin sufrirla y actúa como propagador de la misma: *el portador de un virus.* **4** ‖ **al portador;** expresión que se usa para indicar que el pago del importe que figura en un documento se realizará a la persona que presente dicho documento: *un cheque al portador.*

portaequipaje s.m. →**portaequipajes.**

portaequipajes (tb. *portaequipaje*) (pl. *portaequipajes*) s.m. **1** En un automóvil, espacio cubierto por una tapa que sirve para guardar el equipaje. **2** En un automóvil, soporte, generalmente en forma de parrilla, que se coloca sobre el techo y que sirve para llevar bultos. □ SINÓN. *baca*.

portaesquís (pl. *portaesquís*) s.m. Soporte que se coloca en el techo de un automóvil y que sirve para llevar los esquís.

portafolio s.m. →**portafolios.**

portafolios (tb. *portafolio*) (pl. *portafolios*) s.m. Carpeta o cartera de mano que se usa para llevar libros y papeles. □ ETIMOL. Del francés *porte-feuille* (cartera).

portafotos (pl. *portafotos*) s.m. Moldura que se usa para poner fotos: *un portafotos de plata.*

portafusil s.m. En un arma de fuego, correa que permite llevarla a la espalda, colgada del hombro.

portahelicópteros (pl. *portahelicópteros*) s.m. Barco de guerra de grandes dimensiones y con la cubierta preparada para el despegue y el aterrizaje de helicópteros.

portal s.m. **1** En un edificio, pieza inmediata a la puerta principal, que da paso a las viviendas. **2** En un nacimiento navideño, representación del establo donde nació Jesucristo. **3** En zonas del español meridional, pórtico o soportal. **4** Dirección de internet en la que se ofrece mayor cantidad de servicios que en un sitio web. □ ETIMOL. De *puerta*.

portalada s.f. Portada de uno o más huecos, generalmente monumental, situada en el muro de cerramiento y que da acceso al patio en el que tienen su portal las casas señoriales.

portalámpara s.f. →**portalámparas.**

portalámparas (tb. *portalámpara*) (pl. *portalámparas*) s.f. Pieza en la que se introduce el casquillo de la bombilla y que asegura la conexión de esta con el circuito eléctrico.

portalibros (pl. *portalibros*) s.m. Conjunto de correas usadas generalmente por los escolares para llevar libros y cuadernos.

portalón s.m. En un edificio, esp. en un palacio antiguo, puerta grande que cierra un patio descubierto.

portamaletas (pl. *portamaletas*) s.m. Maletero de un vehículo.

portamantas (pl. *portamantas*) s.m. Conjunto de correas enlazadas por un travesaño de cuero o de metal, que se usan para transportar generalmente mantas de viaje.

portaminas (pl. *portaminas*) s.m. Utensilio de forma cilíndrica que contiene minas recambiables y que se utiliza como lápiz.

portamonedas (pl. *portamonedas*) s.m. Bolsa o cartera de pequeño tamaño que se utiliza para llevar monedas.

portante ‖ **{coger/tomar} el portante;** *col.* Marcharse, esp. si es de forma brusca o repentina. □ ETIMOL. De *portar*.

portañuela s.f. En un pantalón o en un calzón, tira de tela con la que se tapa la bragueta. □ ETIMOL. De *porta* (abertura).

portaobjeto s.m. →**portaobjetos.** □ MORF. Se usa mucho la forma abreviada *porta*.

portaobjetos (tb. *portaobjeto*) (pl. *portaobjetos*) s.m. En un microscopio, pieza o lámina adicional en la que se coloca el objeto que se va a observar. □ MORF. Se usa mucho la forma abreviada *porta*.

portar ▌v. **1** Llevar o traer: *El atracador portaba una pistola.* ▌prnl. **2** Seguido de una expresión de modo, actuar o comportarse como esta indica: *Si te portas mal te quedarás sin postre.* **3** Responder a lo que otros desean o esperan: *A ver si esta vez te portas y me traes buenas notas.* □ ETIMOL. Del latín *portare*.

portarretrato (tb. *portarretratos*) s.m. Soporte que se usa para colocar retratos o fotografías en él.

portarretratos (pl. *portarretratos*) s.m. →**portarretrato.**

portarrollo s.m. →**portarrollos.**

portarrollos (pl. *portarrollos*) s.m. Utensilio, generalmente fijado a la pared, donde se coloca un rollo de papel. □ ORTOGR. Se usa también *portarrollo*.

portátil ▌adj.inv. **1** Que se puede llevar fácilmente de un sitio a otro: *un ordenador portátil; un escenario portátil.* ▌s.m. **2** Ordenador diseñado para que pueda llevarse fácilmente de un sitio a otro: *Si tú no tienes ordenador, no te preocupes que yo puedo llevar mi portátil.*

portaviandas (pl. *portaviandas*) s.m. En zonas del español meridional, fiambrera.

portavocía s.f. Cargo de portavoz.

portavoz s.com. Persona autorizada para representar a un determinado grupo o para hablar en su nombre.

portazgo s.m. **1** Derechos que se pagan por pasar por un sitio determinado de un camino. **2** Edificio donde se cobran estos derechos. □ ETIMOL. Del latín *portaticum*, y este de *porta* (puerta).

portazo s.m. **1** Golpe fuerte que una puerta da al cerrarse. **2** Cierre de una puerta con brusquedad al salir de un lugar para mostrar enfado o disgusto: *Discutió con su jefa y salió del despacho dando un portazo.* □ SINT. La acepción 2 se usa más con el verbo *dar* o equivalentes.

porte s.m. **1** Aspecto externo que algo presenta, esp. si este es elegante o distinguido: *Vive en un edificio de porte señorial.* **2** Calidad, categoría o importancia de algo: *Yo solo no puedo resolver un problema de este porte.* **3** Transporte de algo de un sitio a otro por un precio acordado: *Esta empresa hace portes y mudanzas por un módico precio.* □ ETIMOL. De *portar*. □ MORF. En la acepción 3, se usa más en plural.

porteador, -a adj./s. Que se dedica al transporte de mercancías a cambio del pago de sus servicios.

portear v. Llevar de un sitio a otro por un precio acordado: *Una hilera de nativos porteaba el equipaje de los exploradores.*

portento s.m. **1** Lo que causa admiración o asombro por su extrañeza o novedad: *un portento de la naturaleza.* **2** Persona digna de admiración por poseer una cualidad excepcional: *Dicen que su hija es un portento porque aprendió a leer a los dos años.* □ ETIMOL. Del latín *portentum* (presagio, prodigio).

portentoso, sa adj. Que causa admiración, sorpresa o asombro por su singularidad.

porteño, ña adj./s. De Buenos Aires (capital argentina), o relacionado con ella.

portera s.f. Véase **portero, ra.**

portería s.f. **1** Cuarto pequeño que hay en la entrada de un edificio, y desde el cual el portero vigila las entradas y salidas del mismo. **2** Vivienda del portero. **3** En algunos deportes, espacio rectangular limitado por dos postes y un larguero por donde ha de entrar el balón para marcar un tanto. □ SINÓN. *marco, meta, puerta.*

porteril adj.inv. *desp.* Del portero, de la portería, o relacionado con ellos: *chismorreos porteriles.*

portero, ra ▌s. **1** Persona que se dedica profesionalmente al cuidado y vigilancia del portal de un edificio. **2** En algunos deportes de equipo, jugador que debe evitar que el balón entre en la portería. □ SINÓN. *cancerbero, guardameta, meta.* ▌s.f. **3** *col. desp.* Cotilla o chismoso: *Mi amigo es una portera y se pasa el día cotilleando.* **4** ‖ **portero {automático/eléctrico};** mecanismo que permite abrir el portal desde el interior de la vivienda. □ ETIMOL. Del latín *portarius*.

portezuela s.f. Puerta pequeña, esp. la de un carruaje.

portfolio (ing.) s.m. →**cartera.** □ PRON. [portfólio].

porticado, da adj. Referido a una construcción, que tiene pórticos o soportales: *una plaza porticada.*

pórtico s.m. **1** En un templo o en otro edificio monumental, lugar cubierto y con columnas que se construye delante de ellos. **2** Galería con arcadas o con columnas, a lo largo de un muro de fachada o de patio. □ ETIMOL. Del latín *porticus*.

portilla s.f. Abertura a modo de ventana situada en el costado de una embarcación. □ ETIMOL. De *puerta*.

portillo s.m. En un muro, abertura o paso. □ ETIMOL. De *puerta*.

portorriqueño, ña adj./s. →**puertorriqueño.**

portuario, ria adj. Del puerto de mar o relacionado con él.

portugués, -a ▌adj./s. **1** De Portugal o relacionado con este país europeo. □ SINÓN. *lusitano, luso.* ▌s.m. **2** Lengua románica de este y otros países: *El portugués se habla también en Brasil.* □ MORF. Cuando se antepone a una palabra para formar compuestos, adopta la forma *luso-*.

portuguesismo s.m. En lingüística, palabra, significado o construcción sintáctica del portugués empleados en otra lengua: *'Chubasquero' es un portuguesismo del español.* □ SINÓN. *lusitanismo, lusismo.*

porvenir s.m. **1** Hecho o tiempo futuros: *¿Quién puede saber lo que nos deparará el porvenir?* **2** Situación o posición futuras de una persona o de una empresa: *El porvenir de esta empresa no es muy claro, debido a la crisis económica.* □ ETIMOL. De *por* y *venir*.

pos ‖ **en pos de;** detrás de algo: *Salió en pos de ellos, pero no los alcanzó.* □ ETIMOL. Del latín *post* (después de).

pos- Prefijo que significa 'detrás de' o 'después de': *posbélico, posgraduado, posguerra, posparto, posromanticismo, postónico, posmodernidad.* □ ETIMOL. Del latín *post.* □ MORF. Puede adoptar la forma *post-*: *postoperatorio, postbalance, postventa.*

posada s.f. **1** Establecimiento en el que se da hospedaje a viajeros. **2** Alojamiento o refugio que se da a alguien: *Tuvo que dormir en la calle porque nadie le dio posada.* **3** En zonas del español meridional, fiesta popular católica en la que se recuerda a María y a José pidiendo posada, y que se suele celebrar en casas particulares. □ ETIMOL. De *posar* (hospedarse en una posada o casa particular).

posaderas s.f.pl. Véase **posadero, ra.**

posadero, ra ▌s. **1** Persona que es dueña de una posada o que la regenta. ▌s.f.pl. **2** *col.* Nalgas.

posapié s.m. En algunos vehículos, escalera pequeña que sirve para subir o bajar de ellos.

posar ▌v. **1** Poner con suavidad: *Posé la mano sobre su frente y noté que tenía fiebre.* **2** Permanecer en una determinada postura para retratarse o para servir de modelo: *Esta modelo ha posado para las mejores revistas de moda.* ▌prnl. **3** Cesar de volar y detenerse en un lugar con suavidad: *Una mariposa se iba posando en las flores.* □ ETIMOL. Las acepciones 1 y 3, del latín *pausare* (cesar, pararse). La acepción 2, del francés *poser*.

posavasos (pl. *posavasos*) s.m. Especie de plato pequeño que se coloca debajo de los vasos para que no dejen manchas en las mesas.

posbalance s.m. →**postbalance.** □ SINT. Se usa en aposición, pospuesto a un sustantivo: *venta posbalance.*

posbélico, ca adj. Del período posterior a una guerra o relacionado con él. □ ORTOGR. Se usa también *postbélico.*

poscoital (tb. *postcoital*) adj.inv. Que se produce o que se aplica después del acto sexual: *depresión poscoital; píldora poscoital.*

posdata (tb. *postdata*) s.f. En una carta, parte que se añade a lo que ya se ha expuesto, al final y después de la firma. □ ETIMOL. Del latín *post datam* (después de la fecha).

pose s.f. **1** Postura o posición poco naturales, esp. las que alguien adopta para ser fotografiado. **2** Actitud fingida en la manera de hablar y de comportarse: *No soporto esa pose de superioridad que adopta ante mí cuando hay gente delante.* □ ETIMOL. Del francés *pose.*

poseedor, -a adj./s. Que posee.

poseer v. **1** Tener en propiedad: *Posee un apartamento en la playa.* **2** Referido a algo, disponer de ello o tenerlo: *Posee buenos conocimientos de inglés.* **3** Referido a una persona, unirse sexualmente a ella. □ ETIMOL. Del latín *possidere.* □ ORTOGR. En las formas cuya desinencia contiene un diptongo *ie, io,* esta *i* se cambia en *y* →LEER. □ MORF. Tiene un participio regular (*poseído*), que se usa más en la conjugación, y otro irregular (*poseso*), que se usa solo como adjetivo o sustantivo.

poseído, da adj./s. →**poseso.**

posesión s.f. **1** Propiedad o acto de poseer algo con intención de conservarlo como propio: *Los documentos están en posesión de un notario.* **2** Lo que se posee: *Este castillo medieval forma parte de sus posesiones.* **3** || **tomar posesión;** empezar a desempeñar oficialmente un cargo: *Hoy tomarán posesión los nuevos ministros.* □ MORF. En la acepción 2, se usa más en plural.

posesionar ▌ v. **1** Poner en posesión de algo: *El jefe lo posesionó en su nuevo despacho. Mañana se posesionará de su plaza de juez.* ▌ prnl. **2** Apoderarse de algo o utilizarlo de forma exclusiva e indebida: *Se posesionó de la habitación y no deja entrar a nadie.* □ SINT. Constr. como pronominal: *posesionarse* DE *algo.*

posesivo, va ▌ adj. **1** Referido a una persona, que tiene muy desarrollado el sentido de la posesión y resulta muy absorbente en su trato con los demás. ▌ s.m. **2** Clase de palabras que indican posesión o pertenencia: *'Mi', 'vuestros' y 'suyas' son posesivos.* □ ETIMOL. Del latín *possessivus.*

poseso, sa adj./s. Referido a una persona, que está dominada por un espíritu maligno. □ SINÓN. *poseído.* □ ETIMOL. Del latín *possessus.*

posgrado (tb. *postgrado*) s.m. Ciclo de estudios posterior al título de la licenciatura.

posgraduado, da adj./s. Referido a un estudiante, que está en el ciclo de estudios posterior a la licenciatura. □ ORTOGR. Se usa también *postgraduado.*

posguerra s.f. Tiempo que sigue al final de una guerra, y durante el cual se notan los efectos de esta. □ ORTOGR. Se usa también *postguerra.*

posibilidad s.f. **1** Ocasión de que algo exista u ocurra: *Hay posibilidades de que mañana llueva.* **2** Aptitud o capacidad para realizar algo: *Con esta beca tienes la posibilidad de estudiar en el extranjero.* **3** Medios o recursos que permiten hacer o conseguir algo: *Comprarme un piso no está dentro de mis posibilidades económicas.* □ MORF. En la acepción 3, se usa más en plural.

posibilismo s.m. Tendencia a aprovechar las posibilidades que ofrecen las doctrinas, las instituciones o las circunstancias, para la realización de determinados fines o ideales.

posibilista ▌ adj.inv. **1** Del posibilismo o relacionado con esta tendencia. ▌ adj.inv./s.com. **2** Partidario del posibilismo.

posibilitar v. Referido a algo que ofrece dificultad, facilitarlo y hacerlo posible: *El diálogo posibilitó un acuerdo entre las partes enfrentadas.*

posible ▌ adj.inv. **1** Que puede ser o suceder: *No es posible que lo que dices sea verdad.* **2** Que se puede realizar o conseguir: *Todavía no es posible hacer viajes en el tiempo.* ▌ s.m.pl. **3** Bienes o recursos económicos que alguien posee: *Es una mujer de posibles, y ha viajado por todo el mundo.* □ ETIMOL. Del latín *possibilis.* □ ORTOGR. Dist. de *plausible.*

posición s.f. **1** Postura, actitud o modo en que algo está puesto: *Me han hecho varias fotos en distintas posiciones.* **2** Lugar o situación que ocupa algo: *Mi equipo ocupa la última posición de la tabla.* **3** Categoría o condición social de una persona respecto de las demás: *Pertenece a una familia de excelente posición económica.* **4** Manera de pensar o de obrar: *¿No hay nada que haga cambiar vuestra posición en este asunto?* **5** En el ejército, en una acción militar, lugar fortificado o estratégico. □ ETIMOL. Del latín *positio.* □ SEM. No debe emplearse con el significado de 'circunstancia, condición, situación' (anglicismo): *No está en {*posición > condición} de criticar a nadie.*

posicional adj.inv. De la posición o relacionado con ella.

posicionamiento s.m. Adopción de una posición, de una actitud o de una postura.

posicionar ▌ v. **1** Colocar en una posición, una actitud o una postura: *El técnico del equipo posicionó a tres jugadores en la línea ofensiva.* **2** En el lenguaje comercial, referido a una marca o a un producto, situarlos en determinado segmento del mercado: *Para posicionar una marca en el mercado, es necesaria una investigación comercial previa porque solo así se podrán instrumentar las acciones de comunicación más adecuadas.* ▌ prnl. **3** Adoptar una posición: *Un grupo de miembros del partido se posicionó en contra de la opinión de la mayoría.*

positivar v. En fotografía, referido esp. a un negativo, pasarlo a positivo o tratarlo de modo que se reproduzcan los tonos claros y oscuros tal como se ven en la realidad: *Para revelar las fotos hay que positivar el carrete.*

positivismo s.m. Doctrina filosófica que admite solo el método experimental y rechaza toda noción a priori y todo concepto universal y absoluto. □ ETIMOL. Del francés *positivisme.*

positivista ▮ adj.inv. **1** Del positivismo o relacionado con él. ▮ adj.inv./s.com. **2** Partidario del positivismo.

positivizar v. Dar carácter positivo a algo que no lo era: *Deberías analizar lo que ha ocurrido e intentar positivizarlo.* □ ORTOGR. La *z* se cambia en *c* delante de e →CAZAR.

positivo, va ▮ adj. **1** Que contiene o expresa afirmación: *una respuesta positiva.* **2** Útil, práctico o beneficioso: *una experiencia positiva.* **3** Cierto, verdadero o que no ofrece duda: *La ciencia se suele ocupar de hechos positivos.* **4** Referido esp. a un análisis clínico, que indica la existencia de algo y no su falta: *Si el análisis sobre el embarazo es positivo, estás embarazada.* **5** Referido a una persona, que tiende a ver y a juzgar las cosas por el aspecto más favorable: *Es una chica muy positiva y nunca la verás deprimida.* **6** En matemáticas, referido esp. a una cantidad, que tiene un valor mayor que cero: *Los números positivos pueden llevar delante el signo + o no llevar ningún signo.* **7** En electrónica, referido al polo de un generador, que posee mayor potencial eléctrico. ▮ adj./s.m. **8** Referido esp. a una imagen fotográfica, que reproduce los tonos claros y oscuros tal como se ven en la realidad y no invertidos como en el negativo. ▮ s.m. **9** En algunos deportes, cantidad que se añadía a la puntuación de un equipo en la clasificación, si empataba o ganaba en su propio estadio. □ ETIMOL. Del latín *positivus* (convencional).

positrón s.m. Partícula elemental de antimateria que tiene igual masa que el electrón, pero carga positiva. □ ETIMOL. De *positivo* y la terminación de *electrón.*

posma s.f. *col.* Calma, flema o cachaza.

posmodernidad s.f. Movimiento cultural iniciado en la década de 1980, que da mayor importancia a las formas que a las cuestiones ideológicas.

posmoderno, na adj./s. De la posmodernidad, relacionado con este movimiento cultural, o defensor de sus posturas ideológicas.

poso s.m. **1** Conjunto de las partículas sólidas de un líquido que se depositan en el fondo del recipiente que lo contiene: *los posos del café.* **2** Huella o recuerdo que deja una experiencia: *Los desengaños amorosos de juventud le dejaron un poso de pesimismo.* □ ETIMOL. De *posar.*

posología s.f. Parte de la terapéutica que trata de las dosis en que deben administrarse los medicamentos. □ ETIMOL. Del griego *póson* (cuánto) y *-logía* (ciencia).

posológico, ca adj. De la posología o relacionado con ella.

posoperatorio, ria (tb. *postoperatorio, ria*) ▮ adj. **1** Que se produce o que se aplica después de una operación quirúrgica. ▮ s.m. **2** Período de tiempo inmediatamente posterior a una operación quirúrgica.

posparto s.m. Período de tiempo inmediatamente posterior al parto. □ ORTOGR. Se usa también *postparto.* □ SINT. Se usa mucho en aposición, pospuesto a un sustantivo: *depresión posparto.*

posponer v. Colocar detrás en el tiempo, en el espacio o en el orden de prioridad: *Tuve que posponer mi viaje, debido a una enfermedad repentina. Tras el imperativo hay que posponer el pronombre átono.* □ ETIMOL. Del latín *postponere*, y este de *post* (después de) y *ponere* (poner). □ MORF. 1. Su participio es *pospuesto.* 2. Irreg. →PONER. □ SINT. Constr. *posponer una cosa* A *la otra.*

posposición s.f. **1** Retraso de algo para realizarlo más adelante. **2** Colocación de una cosa detrás de otra: *La posposición del sujeto respecto del verbo cambia el matiz de significado de una frase.*

pospuesto, ta part. irreg. de **posponer.** □ MORF. Incorr. **posponido.*

posromanticismo s.m. Período inmediatamente posterior al Romanticismo y que conserva muchas características culturales de este. □ ORTOGR. Se usa también *postromanticismo.*

posromántico, ca (tb. *postromántico, ca*) adj. Del período inmediatamente posterior al Romanticismo y muy influido por él.

post- →**pos-.**

posta s.f. **1** Antiguamente, lugar en el que se encontraban las caballerías que se ponían en los caminos cada cierta distancia, para cambiar por ellas las de los correos y las de las diligencias. **2** Bala pequeña de plomo, más grande que un perdigón, que se utiliza como munición en algunas armas de fuego. **3** En zonas del español meridional, casa de socorro. **4** ‖ **a posta;** *col.* →**aposta.** □ ETIMOL. Del italiano *posta.*

postal ▮ adj.inv. **1** Del servicio de correos o relacionado con él: *un paquete postal.* ▮ s.f. **2** →**tarjeta postal.** □ ETIMOL. De *posta.*

postbalance (tb. *posbalance*) s.m. Período inmediatamente posterior a la realización de un balance anual: *He comprado estos muebles en la venta postbalance de una tienda de muebles.* □ SINT. Se usa mucho en aposición, pospuesto a un sustantivo: *venta postbalance.*

postbélico, ca adj. →**posbélico.**

postcoital adj.inv. →**poscoital.**

postdata s.f. →**posdata.**

poste s.m. **1** Madero, piedra o columna que se colocan verticalmente y que sirven de apoyo o de señal: *un poste telefónico.* **2** En algunos deportes, cada uno de los dos maderos laterales que sujetan el travesaño o madero superior de la portería. □ ETIMOL. Del latín *postis.*

postema s.f. →**apostema.**

póster (pl. *pósteres*) s.m. Cartel que se coloca en una pared y que se utiliza como elemento decorativo. □ ETIMOL. Del inglés *poster.*

postergación s.f. **1** Retraso o aplazamiento de algo para hacerlo más adelante. **2** Aprecio escaso, o menor del que se recibía.

postergar v. **1** Retrasar o dejar atrasado: *Posterga esas tareas y vente a dar un paseo.* **2** Referido a algo, apreciarlo menos que otra cosa o menos que antes: *Me has postergado a un segundo plano y eso no te lo perdono.* □ ETIMOL. Del latín *postergare* (dejar atrás, descuidar, despreciar). □ ORTOGR. La *g* se cambia en *gu* delante de *e* →PAGAR.

posteridad s.f. **1** Conjunto de personas que vivirá después de cierto momento o de cierta persona: *La posteridad admira la obra del genial pintor renacentista.* **2** Fama después de la muerte: *Tu obra artística te llevará a la posteridad.* □ ETIMOL. Del latín *posteritas*, y este de *posterus* (posterior). □ ORTOGR. Dist. de *posterioridad*.

posterior adj.inv. **1** Que ocurre o que viene después. **2** Que está detrás o en la parte de atrás. □ ETIMOL. Del latín *posterior*. □ SINT. Constr. de la acepción 1 y 2: *posterior* A *algo.*

posterioridad s.f. Situación temporal futura de una cosa respecto de otra anterior. □ ORTOGR. Dist. de *posteridad*.

postgrado s.m. →**posgrado.**

postgraduado, da adj./s. →**posgraduado.**

postguerra s.f. →**posguerra.**

postigo s.m. En el marco de una puerta o de una ventana, tablero sujeto con goznes o con bisagras para poder cubrir la parte acristalada cuando convenga. □ ETIMOL. Del latín *posticum* (puerta trasera).

postilla s.f. Capa dura que se forma en la cicatrización de una herida. □ SINÓN. *costra.* □ ETIMOL. Del latín **pustella.*

postillón s.m. Persona que iba a caballo delante de la posta para guiar a los caminantes, o montado en una de las caballerías delanteras del tiro de un carro para conducir el ganado. □ ETIMOL. Del italiano *postiglione.*

postín s.m. **1** Presunción afectada de lujo o de riqueza: *Se da mucho postín porque sus abuelos eran nobles.* **2** ‖ **de postín;** de lujo o de distinción: *un coche de postín.* □ ETIMOL. Del caló *postín* (piel, pellejo).

postinero, ra adj. Que se da postín o que se muestra excesivamente orgulloso de sí mismo.

post-it s.m. Hoja pequeña de papel adherente y generalmente amarillo, que se usa para escribir notas: *He anotado en un post-it una cosa pendiente que tengo que hacer mañana.* □ ETIMOL. Extensión del nombre de una marca comercial. □ PRON. [póstit], aunque está muy extendida [pósit].

postizo, za ▌ adj. **1** Que no es natural sino artificial, imitado, añadido o fingido: *dentadura postiza.* **▌** s.m. **2** Pelo natural o artificial que se pone como adorno o para suplir la falta o la escasez del pelo propio. □ ETIMOL. Del latín *appositicius*, y este de *apponere* (añadir).

post merídiem ‖ Después del mediodía: *La reunión se celebrará a las cinco post merídiem.* □ ETIMOL. Del latín *post meridiem.* □ USO Se usa mucho la abreviatura *p.m.* Su uso es característico del lenguaje técnico o formal.

post mórtem ‖ Después de la muerte: *La forense dictaminó que la puñalada del costado de la víctima fue realizada post mórtem.* □ ETIMOL. Del latín *post mortem.*

postónico, ca adj. Que está después de una sílaba tónica o acentuada: *En la palabra 'trágico', la sílaba 'gi' es la sílaba postónica.*

postoperatorio, ria adj./s.m. →**posoperatorio.**

postor, -a s. Persona que ofrece una cantidad de dinero por un objeto en una subasta: *El jarrón chino lo compró el mejor postor.* □ ETIMOL. Del latín *positor.*

postparto s.m. →**posparto.**

postración s.f. Decaimiento a causa de una enfermedad o de un sufrimiento.

postrar ▌ v. **1** Referido a una persona, debilitarla o quitarle las fuerzas o el ánimo: *Ese nuevo fracaso lo postró en la desesperación. Una enfermedad me postró en cama durante una semana.* **▌** prnl. **2** Arrodillarse o ponerse a los pies de alguien en señal de respeto, de veneración o de ruego: *Se postró ante el sagrario y oró con devoción.* □ ETIMOL. Del latín *prostrare.*

postre s.m. **1** Alimento que se sirve al final de una comida: *Si no tienes fruta, tomaré un yogur de postre.* **2** ‖ **a la postre;** al final o en definitiva: *Si estudias ahora, a la postre me lo agradecerás.*

postrer adj. →**postrero.** □ MORF. Apócope de *postrero* ante sustantivo masculino singular.

postrero, ra adj. En una serie, último o final: *En los postreros momentos de mi vida tendré un recuerdo para ti.* □ SINÓN. *postrimero.* □ ETIMOL. Del latín **postrarius.* □ MORF. Ante sustantivo masculino singular se usa la apócope *postrer.*

postrimería s.f. Último período de la duración de algo. □ ETIMOL. De *postrimero.* □ MORF. Se usa más en plural.

postrimero, ra adj. En una serie, último o final. □ SINÓN. *postrero.* □ ETIMOL. Del latín *postremus.*

postromanticismo s.m. →**posromanticismo.**

postromántico, ca adj. →**posromántico.**

postulación s.f. Petición de algo con fines benéficos o religiosos.

postulado s.m. **1** Proposición cuya verdad se admite sin pruebas y que sirve de base para posteriores razonamientos: *los postulados de una teoría.* **2** Idea o principio defendidos por alguien: *postulados políticos.*

postulante s. Persona que aspira a entrar en una comunidad religiosa.

postular v. **1** Pedir con fines benéficos o religiosos: *Estos chicos postulan para recaudar fondos para una asociación contra el cáncer.* **2** Afirmar o defender: *El movimiento ecologista postula la defensa del medio ambiente.* □ ETIMOL. Del latín *postulare* (pedir, solicitar, pretender).

póstumo, ma adj. Que sale a la luz después de la muerte del padre o del autor: *Esta novela es una edición póstuma.* □ ETIMOL. Del latín *postumus* (el último, hijo nacido después de muerto el padre).

postura s.f. **1** Manera o modo en que está puesto algo: *Me duele el brazo porque he dormido en una mala postura.* **2** Posición o actitud respecto de un asunto: *Mi postura ante el aborto sigue siendo la misma, y ni tú ni nadie me haréis cambiar de opinión.* **3** Precio que el comprador ofrece por algo que se vende o arrienda en una subasta: *Ésta es mi última postura por el cuadro, porque ya no puedo ofrecer más dinero.* **4** Sitio en el que se oculta un cazador para poder disparar a la caza: *El cazador observaba desde su postura cómo se movía el jabalí.* □ SINÓN. *puesto.* □ ETIMOL. Del latín *positura.*

postural adj.inv. De la postura o relacionado con ella.

postvacacional adj.inv. →**posvacacional.**

postventa s.f. →**posventa.** □ SINT. Se usa en aposición, pospuesto a un sustantivo: *servicio postventa.*

postverbal adj.inv./s.m. En gramática, referido a una palabra, que deriva de un verbo: *'Colocación' es un sustantivo postverbal porque procede del verbo 'colocar'.*

posvacacional (tb. *postvacacional*) adj.inv. Que se produce después de las vacaciones: *síndrome posvacacional; depresión posvacacional.*

posventa s.f. Período inmediatamente posterior a la venta de algo, durante el cual se garantiza un servicio de asistencia, de mantenimiento o de reparación. □ ORTOGR. Se usa también *postventa.* □ SINT. Se usa en aposición, pospuesto a un sustantivo: *servicio posventa.*

pota s.f. **1** Tipo de calamar grande. **2** Olla o vasija redonda con barriga y boca ancha, que suele tener dos asas pequeñas a cada lado. **3** *col.* Vómito. □ ETIMOL. La acepción 1, del catalán *pota* (pata).

potabilidad s.f. Propiedad de un líquido que puede ser bebido sin que resulte dañino para la salud.

potabilizar v. Referido a un líquido, esp. al agua, hacerlo potable: *El cloro se utiliza para potabilizar el agua.* □ ORTOGR. La *z* se cambia en *c* delante de *e* →CAZAR.

potable adj.inv. **1** Referido a un líquido, esp. al agua, que se puede beber porque no es dañino para la salud. **2** *col.* Pasable, aceptable o bueno. □ ETIMOL. Del latín *potabilis*, y este de *potare* (beber). □ SEM. Dist. de *bebible* (que se puede beber sin que resulte desagradable al paladar).

potaje s.m. **1** Guiso hecho con legumbres, verduras y otros ingredientes. **2** *col.* Conjunto desordenado, revuelto y enredado. □ SINÓN. *lío.* □ ETIMOL. Del francés *potage* (puchero, cocido).

potar v. *col.* Vomitar.

potasa s.f. Hidróxido de potasio, sólido y de color blanco. □ ETIMOL. Del francés *potasse*, y este del alemán *Pottasche* (ceniza de pucheros).

potásico, ca adj. Del potasio o relacionado con este elemento químico: *La potasa es hidróxido potásico.*

potasio s.m. Elemento químico, metálico y sólido, de número atómico 19, blando, de color brillante y que se oxida rápidamente por la acción del aire: *Algunos compuestos del potasio se usan como abono.* □ ORTOGR. Su símbolo químico es *K*.

pote s.m. **1** Vaso cilíndrico con un asa, hecho de un material resistente: *En los campamentos bebemos en potes metálicos, y no en vasos de cristal.* **2** Olla o vasija redonda, generalmente de hierro, con barriga y boca ancha y con tres pies, que suele tener dos asas pequeñas a cada lado y una grande en forma de semicírculo, y que sirve para cocinar: *El pote es una olla tradicional gallega y asturiana.* **3** Guiso elaborado con legumbres, hortalizas, tocino y patatas: *pote gallego.* **4** *col.* Maquillaje. **5** || **darse pote;** *col.* Darse tono o presumir: *No te des tanto pote, que aquí todos somos iguales.* □ ETIMOL. Del catalán *pot* (bote, tarro).

potencia s.f. **1** Capacidad, fuerza o poder para ejecutar algo o para producir un efecto: *la potencia de un motor.* **2** Nación o Estado independientes, esp. los que tienen gran poder económico y militar: *una potencia mundial.* **3** Cada una de las tres facultades del alma. **4** Capacidad que tiene una cosa de cambiar ella misma o de producir un cambio: *Aristóteles explicaba el movimiento como paso de la potencia al acto.* **5** En física, trabajo realizado en la unidad de tiempo: *La unidad de potencia en el Sistema Internacional es el vatio.* **6** En matemáticas, producto que resulta de multiplicar una cantidad por sí misma una o más veces: *9 es la segunda potencia de 3.* **7** || **elevar** una cantidad **a una potencia;** multiplicarla tantas veces por sí misma como indica el exponente: *El resultado de elevar 2 a la tercera potencia es 8.* || **en potencia;** que está en estado de capacidad, de disposición o de aptitud para algo: *Una semilla es una planta en potencia.* □ ETIMOL. Del latín *potentia.* □ SINT. *En potencia* se usa más con el verbo *estar.*

potenciación s.f. Desarrollo, incremento o impulso de algo para que pueda ser o existir: *Un profesor siempre debe buscar la potenciación de las facultades de sus alumnos.*

potenciador, -a adj./s. Que potencia o incrementa.

potencial ▌adj.inv. **1** Que puede suceder o existir: *Debes estar alerta con ellos, porque son enemigos potenciales.* ▌s.m. **2** Fuerza o poder disponibles: *El potencial militar de esa nación hace que sea una de los más poderosas del mundo.* **3** En gramática, condicional: *El potencial de 'bailar' es 'yo bailaría, tú bailarías...'.* □ USO En la acepción 3, *potencial* se usa menos que *condicional.*

potencialidad s.f. Posibilidad de que algo exista u ocurra.

potenciar v. Comunicar potencia o incrementar la que ya se tiene: *Para aumentar la producción de coches hay que potenciar su exportación.* □ ORTOGR. La *i* nunca lleva tilde.

potenciómetro s.m. **1** Aparato que sirve para medir diferencias de potencial eléctrico. **2** En algunos aparatos electrónicos, resistencia eléctrica que se utiliza para controlar el volumen de sonido, de tono o de brillo. ☐ ETIMOL. De *potencia* y *-metro* (medidor).

potentado, da s. Persona que tiene muchas riquezas y poder. ☐ ETIMOL. Del latín *potentatus*.

potente adj.inv. **1** Que tiene poder, eficacia o fuerza para algo: *un motor muy potente.* **2** *col.* Grande, desmesurado o fuerte: *Dio un potente golpe a la puerta y la abrió.* ☐ ETIMOL. Del latín *potens* (el que puede).

potestad s.f. **1** Dominio, poder o autoridad que se tienen sobre algo. **2** || **patria potestad;** autoridad legal de los padres sobre sus hijos menores de edad. ☐ ETIMOL. Del latín *potestas* (poder).

potestativo, va adj. Referido a un acto, que no es necesario, sino que libremente se puede hacer u omitir. ☐ SINÓN. *facultativo.*

potingue s.m. **1** *col.* Comida o bebida de aspecto y de sabor desagradables. **2** *col.* Producto cosmético o de belleza, esp. el que se presenta en forma de crema. ☐ ETIMOL. Del provenzal *poutingo*, y este de *poutingaire* (boticario). ☐ MORF. En la acepción 2, se usa más en plural.

potito s.m. Alimento preparado para niños pequeños, en forma de puré, que generalmente se vende envasado en tarros de cristal herméticamente cerrados. ☐ ETIMOL. Extensión del nombre de una marca comercial.

poto s.m. Planta trepadora con hojas en forma de corazón, de color verde claro con vetas blancas, que se utiliza como planta ornamental de interiores.

potosí (pl. *potosíes, potosís*) s.m. **1** Riqueza extraordinaria: *Tiene una casa preciosa por la que pagó un potosí.* **2** || **valer un Potosí;** ser de mucho valor: *Esta chica vale un Potosí, y en su empresa están muy contentos con ella.* ☐ ETIMOL. Por alusión a Potosí, región boliviana famosa por sus minas de plata.

pot-pourri (fr.) s.m. →**popurrí.** ☐ PRON. [popurrí].

potra s.f. Véase **potro, tra.**

potrada s.f. Manada de potros.

potranco, ca s. Caballo o yegua que no superan los tres años de edad.

potrero, ra ▮ s. **1** Persona encargada del cuidado de los potros. ▮ s.m. **2** En zonas del español meridional, terreno cercado destinado a la cría de ganado. **3** En zonas del español meridional, solar.

potrillo s.m. En zonas del español meridional, vaso grande.

potro, tra ▮ s. **1** Caballo desde que nace hasta que cambia los dientes de leche. ▮ s.m. **2** En gimnasia, aparato formado por cuatro patas que sostienen un prisma rectangular, forrado de cuero o de otro material, que se utiliza para realizar pruebas de salto. **3** Instrumento de tortura consistente en un asiento de madera en el que se sentaba e inmovilizaba al reo para torturarlo. ▮ s.f. **4** *col.* Buena suerte: *Tuvo mucha potra y le tocó el primer premio en el sorteo.* ☐ ETIMOL. Las acepciones 1-3, del latín **pulliter*, y este de *pullus* (animal joven). La acepción 4, de origen incierto.

potroso, sa adj. *col.* Afortunado o que tiene buena suerte.

poyata s.f. Repisa o tabla delgada que se pone en una pared a modo de mostrador, y que se utiliza para poner vasos y otras cosas. ☐ ETIMOL. De *poyo*.

poyato s.m. En la ladera de una montaña, espacio de terreno llano dispuesto en forma de escalón. ☐ SINÓN. *terraza.*

poyo s.m. Banco de piedra o de albañilería que se construye generalmente junto a una pared. ☐ ETIMOL. Del latín *podium* (repisa, muro grueso que formaba una plataforma alrededor del anfiteatro). ☐ ORTOGR. Dist. de *pollo*. ☐ MORF. Se usa mucho el diminutivo *poyete*.

poza s.f. **1** Charca o concavidad en las que hay agua detenida. **2** En un río, sitio o lugar en el que es más profundo: *Como el río era poco profundo, hicieron una poza para que pudiéramos bañarnos.*

pozo s.m. **1** Hoyo profundo que se hace en la tierra, esp. el que se hace para sacar agua o petróleo subterráneos. **2** Hoyo profundo para bajar a las minas. **3** *col.* Boca. **4** || **pozo artesiano;** el que está situado a gran profundidad de manera que el agua, contenida entre dos capas subterráneas e impermeables, asciende de forma natural. || **pozo sin fondo;** lo que parece no tener fin o cuesta cada vez más dinero. || **ser un pozo de** una cualidad; poseerla o tenerla en gran cantidad: *Esta profesora es un pozo de sabiduría.* ☐ ETIMOL. Del latín *puteus* (hoyo, pozo). *Pozo artesiano*, del francés *artésien*, por alusión a Artois, ciudad francesa donde se cavó el primer pozo de este tipo.

pozol s.m. Bebida americana que se prepara con maíz cocido y cacao. ☐ ETIMOL. Del náhuatl *pozolli*.

pozole s.m. Comida mexicana que se prepara con carne de cerdo o de pollo, maíz, chile y otras especias. ☐ ETIMOL. Del náhuatl *pozolli*.

práctica s.f. Véase **práctico, ca.**

practicable adj.inv. **1** Referido esp. a un camino, que resulta fácilmente transitable. **2** En un decorado teatral, referido a una puerta o a otro accesorio, que no es simulado sino que puede usarse.

prácticamente adv. Casi o por poco: *Tengo el trabajo prácticamente acabado, y solo me falta pasarlo a máquina.*

practicante ▮ adj.inv. **1** Que practica. ▮ adj.inv./s.com. **2** Referido a una persona, que profesa una religión y que cumple y obedece sus normas y preceptos. **3** En zonas del español meridional, referido a una persona, que realiza una actividad con conocimiento y eficacia: *Es un buen abogado practicante.* ▮ s.com. **4** Persona que se dedica a poner inyecciones, esp. si esta es su profesión. ☐ MORF. En la acepción 4, se usa también el femenino coloquial *practicanta*.

practicar v. **1** Referido a algo que se ha aprendido o que se conoce, ejercitarlo o realizarlo de forma habitual: *Practicar un deporte es muy saludable.* **2** Desempeñar, ejercer o llevar a cabo de forma continuada: *Practica la medicina en nuestro pueblo desde que se licenció en la facultad.* **3** Ejecutar, hacer o realizar: *Practicaron la autopsia al cadáver para conocer las causas de la muerte.* **4** Referido esp. a una religión, profesarla y cumplir y obedecer sus normas y preceptos: *En mi familia todos practicamos el catolicismo.* **5** Referido a algo que se quiere perfeccionar, ensayarlo, entrenarlo o repetirlo varias veces: *Los bailarines practican cada paso horas y horas.* □ ORTOGR. La *c* se cambia en *qu* delante de *e* →SACAR.

práctico, ca ▌adj. **1** De la práctica o relacionado con la acción y los resultados y no con la teoría o las ideas: *Prefiere los conocimientos prácticos a la especulación teórica.* **2** Útil o que produce un provecho inmediato: *En nuestros días resulta muy práctico conocer bien otro idioma.* **3** Que tiene experiencia y destreza en algo: *Es una cirujana muy práctica en este tipo de operaciones, porque ha realizado muchas.* **4** Que ve o que juzga la realidad tal y como es y que actúa guiado por ella: *Es mejor ser práctico y adaptarse a la realidad, que esperar a que se hagan realidad tus sueños.* ▌s.m. **5** Marino que se dedica profesionalmente a la dirección de las operaciones de entrada y de salida de los barcos en un puerto. **6** Embarcación que utiliza este marino para realizar su trabajo. ▌s.f. **7** Realización o ejercicio de una actividad de forma habitual: *Me han recomendado la práctica de la natación para mis problemas de espalda.* **8** Habilidad y destreza adquiridas con esta realización: *Tengo práctica cuidando niños, porque cuido a mis sobrinos.* **9** Costumbre, hábito o modo habitual de hacer algo: *Desconozco las prácticas de los habitantes de ese pueblo en lo que se refiere a sus fiestas.* **10** Aplicación de una idea o de una doctrina, o contraste experimental de una teoría: *La teoría dice que todos lo hacen así, pero la práctica demuestra que tres de cada cinco lo hacen de otra forma.* **11** Ejercicio, prueba o curso que, bajo la dirección de una persona experta y durante un período de tiempo determinado, tiene que hacer una persona para adquirir habilidad en una materia o en una profesión: *Estoy en esta empresa con un contrato en prácticas.* **12** ‖ **en la práctica;** en la realidad: *En la teoría es fácil saber cómo hay que hacer las cosas, pero en la práctica es normal equivocarse.* ‖ **llevar a la práctica** o **poner en práctica;** referido esp. a un plan o a una idea, realizarlos: *Ha conseguido poner en práctica sus planes de expansión y ha abierto una nueva fábrica.* □ ETIMOL. Las acepciones 1-5, del latín *practicus*, y este del griego *praktikós* (activo, que obra). Las acepciones 7-11, del latín *practice*, y este del griego *praktiké* (ciencia práctica). □ MORF. En la acepción 11, se usa más en plural. □ USO Incorr. **la práctica totalidad* > *{casi/prácticamente/...} la totalidad.*

practicón, -a s. *col.* Persona experta en una actividad por haberla practicado mucho, más que por saber mucho de ella.

pradera s.f. **1** Prado grande. **2** Lugar del campo llano y con hierba.

pradería s.f. Conjunto de prados.

prado s.m. **1** Terreno llano, muy húmedo o de regadío, en el que se deja crecer o se siembra la hierba para pasto del ganado. **2** Sitio agradable, generalmente llano y cubierto de hierba, por el que se pasea. **3** En zonas del español meridional, pradera o césped. □ ETIMOL. Del latín *pratum*.

pragmática s.f. Véase **pragmático, ca.**

pragmático, ca ▌adj. **1** Del pragmatismo o relacionado con este movimiento filosófico. **2** De la pragmática o relacionado con esta disciplina lingüística. ▌s.f. **3** Parte de la lingüística que estudia el lenguaje en relación con sus usuarios y con las circunstancias de la comunicación: *La pragmática estudia por qué a una pregunta como '¿Cuántas veces te he dicho que te calles?', contestamos callándonos y no diciendo un número.*

pragmatismo s.m. Movimiento filosófico basado en los efectos prácticos como único criterio válido para juzgar la verdad de toda doctrina científica, moral o religiosa. □ ETIMOL. Del inglés *pragmatism*.

praguense adj.inv./s.com. De Praga (capital checa), o relacionado con ella.

praliné s.m. **1** Crema de chocolate y almendra o avellana: *bombones de praliné.* **2** Chocolate o bombón relleno de alguna crema: *Guarda los pralinés, porque ya me he comido cinco.* □ ETIMOL. Del francés *praline*.

praseodimio s.m. Elemento químico metálico y sólido, de número atómico 59, amarillento, que, en contacto con aire húmedo, se recubre de una capa de óxido, y que pertenece al grupo de los lantánidos: *El praseodimio se utiliza en la fabricación de cerámicas, de vidrio coloreado y de equipos electrónicos.* □ ETIMOL. Del griego *prásios* (verde pálido) y *dídymos* (doble, gemelo). □ ORTOGR. Su símbolo químico es *Pr*.

pratense adj.inv. Que se produce en el prado o que vive en él. □ ETIMOL. Del latín *pratensis*.

praticultura s.f. Parte de la agricultura que estudia el cultivo y aprovechamiento de los prados. □ ETIMOL. Del latín *pratum* (prado) y *-cultura* (cultivo, cuidado).

praxis (pl. *praxis*) s.f. **1** Práctica, en oposición a la teoría. **2** En la filosofía marxista, actividad humana transformadora del mundo. □ ETIMOL. Del griego *prâxis*, y este de *prásso* (yo obro, cumplo).

pre- 1 Prefijo que indica anterioridad en el espacio: *prepalatal, predorsal.* **2** Prefijo que indica anterioridad en el tiempo: *precalentamiento, preclásico, precontrato, preacuerdo, prematrimonial.* □ ETIMOL. Del latín *prae*.

preacuerdo s.m. Acuerdo previo e inicial que puede convertirse en definitivo.

preámbulo s.m. Lo que se dice al principio de algo que se va a tratar. □ ETIMOL. Del latín *praeambulus* (que va delante).

preanunciar v. Anunciar de antemano: *una decisión judicial que preanuncia una ardua polémica.* □ ORTOGR. La *i* nunca lleva tilde.

preaviso s.m. Aviso previo y anterior a otro definitivo.

prebenda s.f. **1** Renta o dinero que conllevan algunos cargos u oficios eclesiásticos. **2** Trabajo o empleo con buen sueldo y con poco que hacer. **3** Beneficio, favor o ventaja concedidos de forma arbitraria y no por méritos propios o por el esfuerzo realizado. ☐ ETIMOL. Del latín *praebenda*, y este de *praebere* (dar, ofrecer).

prebiótico, ca ▌adj. **1** Que es anterior al origen de la vida en la Tierra: *Según esta teoría, las moléculas prebióticas se acumularon durante años en el fondo de los océanos.* **2** Que estimula la actividad de algunos microorganismos en la flora intestinal: *una sustancia con efecto prebiótico.* ▌s.m. **3** Ingrediente alimentario no digerible que estimula la actividad de algunos microorganismos en la flora intestinal: *Cada vez se emplean más prebióticos como ingredientes en la alimentación de los animales.* ☐ ORTOGR. Dist. de *probiótico*.

preboste s.m. **1** *col.* Persona con mucho poder e influencia en un determinado grupo o actividad. **2** Persona que preside o gobierna una comunidad. ☐ ETIMOL. Del catalán *prebost*.

precalentamiento s.m. **1** Ejercicio que realiza el deportista como preparación para el esfuerzo que ha de realizar después. **2** Calentamiento de un motor o de otra cosa antes de someterlos a la función que deben desempeñar.

precámbrico, ca ▌adj. **1** En geología, de los períodos inmediatamente anteriores a la era primaria o paleozoica, o relacionado con ellos: *terrenos precámbricos.* ▌adj./s.m. **2** En geología, referido a un período, que pertenece a los tiempos inmediatamente anteriores a la era primaria o paleozoica.

precampaña s.f. Período de tiempo que transcurre hasta el comienzo oficial de una campaña: *una precampaña electoral.*

precariedad s.f. **1** Falta de los medios o recursos necesarios: *Aquí trabajamos con precariedad de medios, pero con mucha ilusión.* **2** Falta de estabilidad, o duración escasa: *La precariedad de su salud lo obliga a estar bajo constante vigilancia médica.*

precario, ria adj. **1** Que no posee los medios o recursos suficientes. **2** Que no es seguro o que tiene poca duración. ☐ ETIMOL. Del latín *precarius* (que se obtiene por ruegos), porque lo que se obtiene de esta manera es de poca estabilidad.

precarización s.f. Deterioro, desgaste o inseguridad.

precaución s.f. Cuidado que se pone al hacer algo, para evitar inconvenientes, dificultades y daños: *Debes conducir con precaución para evitar los accidentes.* ☐ ETIMOL. Del latín *praecautio*.

precautorio, ria adj. Que sirve de precaución: *medidas precautorias.*

precaver v. Referido a un riesgo, a un daño o a un peligro, prevenirlos o tomar medidas para evitarlos: *Llevo todo tipo de ropa en la maleta para precaver cualquier cambio de tiempo que pueda sobrevenir. Hace deporte y lleva una vida sana para precaverse de las enfermedades del sistema circulatorio.* ☐ ETIMOL. Del latín *praecavere*. ☐ SINT. Constr. *precaverse {DE/CONTRA} algo.*

precavido, da adj. Que obra con precaución o que previene las cosas.

precedencia s.f. Primacía o superioridad.

precedente ▌adj.inv. **1** Que precede. ▌s.m. **2** Lo que ha ocurrido antes y condiciona lo que ocurre después. ☐ SINÓN. *antecedente.*

preceder v. **1** Ir delante en el tiempo o en el espacio: *El mes de octubre precede al de noviembre.* ☐ SINÓN. *anteceder.* **2** Tener preferencia, supremacía o superioridad: *En el protocolo oficial, el Rey precede al presidente del Gobierno.* ☐ ETIMOL. Del latín *praecedere*.

preceptista ▌adj.inv./s.com. **1** Referido a una persona, que da o que enseña preceptos y reglas. ▌s.com. **2** Tratadista de preceptiva literaria.

preceptiva s.f. Véase **preceptivo, va**.

preceptivo, va ▌adj. **1** Que es obligatorio, o que debe ser obedecido porque está ordenado por un precepto: *Para circular en moto es preceptivo llevar casco.* ▌s.f. **2** Conjunto de preceptos o normas aplicables a determinada materia: *las preceptivas literarias.*

precepto s.m. Norma u orden que hay que cumplir porque así está establecido o mandado. ☐ ETIMOL. Del latín *praeceptus*, y este de *praecipere* (dar instrucciones, recomendar).

preceptor, -a s. Persona que se dedica a la educación y formación de uno o varios niños, generalmente en el hogar de estos. ☐ ETIMOL. Del latín *praeceptor*. ☐ SEM. Dist. de *perceptor* (que percibe).

preceptuar v. Imponer como precepto o como norma: *La ley preceptúa el uso del cinturón de seguridad en los vehículos automóviles.* ☐ ORTOGR. La *u* lleva tilde en los presentes, excepto en las personas *nosotros* y *vosotros* →ACTUAR.

preces s.f.pl. Oraciones de súplica o de ruego que se dirigen a Dios, a la Virgen o a los santos. ☐ ETIMOL. Del latín *preces* (ruegos).

precesión s.f. En física, movimiento rotatorio del eje de giro de un cuerpo que gira. ☐ ETIMOL. Del latín *praecessio*.

preciado, da adj. Precioso, excelente y de mucha estimación: *Espero que no me falles, porque eres mi más preciado amigo.*

preciarse v.prnl. Presumir o mostrarse orgulloso: *Se precia de ser el mejor bailarín del conjunto, pero es muy torpe.* ☐ ETIMOL. Del latín *pretiare*. ☐ ORTOGR. La *i* nunca lleva tilde. ☐ SINT. Constr. *preciarse DE algo.*

precintado s.m. →**precinto**.

precintar v. Cerrar o señalar con un precinto: *Los discos se precintan para que nadie pueda usarlos antes de comprarlos. La policía precintó el bar por orden judicial.*

precinto s.m. **1** Señal sellada que se pone en un lugar para mantenerlo cerrado y asegurar que solo lo abrirá la persona autorizada para ello: *El envase de estas galletas lleva precinto para que el compra-*

dor sepa que nadie las ha tocado. □ SINÓN. *precintado.* **2** Colocación de esta señal sellada: *La policía llevó a cabo el precinto de la casa en la que había ocurrido el asesinato.* □ SINÓN. *precintado.* □ ETIMOL. Del latín *praecinctus* (acción de ceñir).

precio s.m. **1** Cantidad de dinero en que se estima el valor de algo: *el precio de unos zapatos.* **2** Esfuerzo, pérdida o sufrimiento necesarios para obtener algo: *Consiguió la fama, sí, pero al precio de perder a sus amigos.* **3** ‖ **a precio de coste;** por lo que cuesta algo, sin ganancia alguna: *Compré estos pantalones en la fábrica a precio de coste, y me salieron más baratos que en una tienda.* ‖ **no tener precio;** ser de mucho valor: *La ayuda que me has prestado no tiene precio.* □ ETIMOL. Del latín *pretium.* □ SINT. Incorr. *a {*más > mayor} precio.*

preciosidad s.f. **1** Conjunto de cualidades bellas y agradables. **2** Lo que resulta precioso: *¡Qué preciosidad de casa!*

preciosismo s.m. Refinamiento extremado en el estilo.

preciosista adj.inv./s.com. Del preciosismo, con preciosismo o relacionado con este refinamiento extremado.

precioso, sa adj. **1** De mucho valor: *El oro es un metal precioso. Me prestó una preciosa ayuda cuando lo necesité.* **2** Que resulta bello o agradable al ser percibido por la vista o por el oído: *Esa melodía es preciosa.* □ SINÓN. *hermoso.* □ ETIMOL. Del latín *pretiosus.*

preciosura s.f. *col.* Lo que resulta bonito.

precipicio s.m. Terreno con una pendiente profunda y casi vertical. □ ETIMOL. Del latín *praecipitium.*

precipitación s.f. **1** Caída desde un lugar alto: *El vértigo causó su precipitación desde el acantilado.* **2** Acción de desencadenarse rápidamente un hecho, generalmente antes de lo previsto: *La precipitación de los acontecimientos nos pilló desprevenidos.* **3** En una disolución química, depósito de la sustancia sólida que se hallaba disuelta: *La precipitación es un método químico de separación de sustancias.* **4** Imprudencia o prisa: *La precipitación no es buena para tomar decisiones.* **5** Agua atmosférica que cae en la Tierra en forma líquida o sólida: *El parte meteorológico anuncia precipitaciones en forma de nieve.*

precipitado, da ▌adj. **1** Que está hecho con mucha prisa: *una decisión precipitada.* ▌s.m. **2** En química, sustancia que se obtiene por precipitación.

precipitar ▌v. **1** Referido a un hecho, desencadenarlo o acelerarlo: *Las pruebas encontradas precipitaron su detención. Los hechos se precipitaron y la directora tuvo que dimitir.* **2** En química, referido a una disolución, producir una materia sólida que cae al fondo: *Las soluciones salinas saturadas precipitan en cristales de sal.* **3** Despeñar o arrojar desde un lugar alto: *Precipitó el coche desde el acantilado para que no quedaran pruebas del asesinato. El suicida se precipitó desde un quinto piso.* ▌prnl. **4** Lanzarse imprudentemente a hacer algo: *No te precipites y lee bien el documento antes de firmarlo.* □ ETIMOL. Del latín *praecipitare* (despeñar, apresurar).

precisado, da adj. Obligado o forzado.

precisamente adv. Necesariamente, exactamente, o en el momento o en el lugar precisos: *Eso era precisamente lo que quería.* □ SEM. 1. Se usa mucho para indicar asentimiento o conformidad: *-¿Que tú eres más joven que yo? -Precisamente.* 2. Se usa mucho para subrayar una contradicción o la inoportunidad e inconveniencia de algo: *Dice que la odio, cuando precisamente es la persona a quien más quiero.*

precisar v. **1** Fijar o determinar de modo preciso: *Sé que ocurrió en noviembre, pero no puedo precisar el día exacto.* **2** Necesitar o considerar necesario e indispensable: *Precisó de mi ayuda para terminar el trabajo y me llamó. Se precisa mucha fuerza para levantar esa piedra.* □ SINT. Constr. de la acepción 2: *precisar algo* o *precisar* DE *algo.*

precisión s.f. **1** Exactitud, puntualidad o determinación: *Este reloj marca la hora con gran precisión.* **2** Referido esp. al lenguaje, concisión y exactitud rigurosas. **3** ‖ **de precisión;** referido esp. a un mecanismo, que está construido para obtener resultados exactos.

preciso, sa adj. **1** Necesario o indispensable para un fin: *Es preciso que vengas cuanto antes.* **2** Justo o exacto: *Salió en el preciso momento en que empezaba a llover.* **3** Referido esp. al lenguaje, que es conciso, exacto y riguroso. **4** Que se distingue con claridad: *Cuando levantó la niebla, volvieron a verse los contornos precisos de las cosas.* □ ETIMOL. Del latín *praecisus* (cortado, recortado).

preclaro, ra adj. Ilustre, famoso y digno de admiración o respeto. □ ETIMOL. Del latín *praeclarus* (muy claro, muy conocido, muy ilustre).

preclásico, ca adj. Que antecede a lo clásico.

precocidad s.f. Carácter temprano o prematuro, esp. referido a una etapa de un proceso.

precocinado, da adj. Referido a una comida, que se vende ya cocinada y que se tarda poco en preparar.

precognición s.f. Conocimiento previo. □ ETIMOL. Del latín *praecognitio.*

precolombino, na adj. Anterior a los viajes y descubrimientos de Cristóbal Colón (navegante italiano que, al servicio de Castilla, llegó al continente americano en 1492). □ ETIMOL. De *pre-* (antes) y *Columbus* (Colón).

preconcebido, da adj. Referido esp. a una idea, que se ha formado sin tener en cuenta los datos reales ni la experiencia.

preconcebir v. Referido esp. a un proyecto o a un pensamiento, pensarlos previamente teniendo en cuenta todos sus pormenores: *Para andar sobre seguro es mejor preconcebir un plan.* □ MORF. Irreg. →PEDIR.

precongresual adj.inv. Que precede a un congreso.

preconización s.f. **1** Defensa o apoyo de lo que se considera bueno. **2** En la religión católica, nombramiento de un nuevo obispo por parte del Papa.

preconizador, -a adj./s. Que preconiza.

preconizar v. Referido a algo que se considera bueno, defenderlo o apoyarlo: *Algunos concejales preconizan el cierre del tráfico rodado en el centro de la ciudad.* ☐ ETIMOL. Del latín *praeconizare* (anunciar, proclamar). ☐ ORTOGR. La *z* se cambia en *c* delante de *e* →CAZAR.

precontrato s.m. Contrato preliminar por el que dos o más personas se comprometen a firmar el contrato definitivo en un plazo de tiempo determinado.

precordial adj.inv. Relacionado con la parte del pecho que corresponde al corazón. ☐ ETIMOL. Del latín *praecordium*.

precordillera s.f. Serie de montañas paralelas y exteriores al sector más elevado de una cordillera.

precoz adj.inv. **1** Referido esp. a una persona, que destaca pronto por su talento en alguna actividad. ☐ SINÓN. *adelantado.* **2** Referido esp. a un proceso o a un fenómeno, que aparece o se manifiesta antes de lo habitual: *un invierno precoz.* **3** Referido a una etapa de un proceso, esp. a una enfermedad, que es temprana o se encuentra en el inicio. ☐ ETIMOL. Del latín *praecox*, y este de *prae-* (antes) y *coqui* (madurar).

precursor, -a adj./s. Que precede, origina o anuncia algo que se desarrollará más tarde. ☐ ETIMOL. Del latín *praecursor* (el que corre delante de otro).

predador, -a adj./s. **1** Que saquea. ☐ SINÓN. *saqueador.* **2** Referido a un animal, que mata animales de otra especie para comérselos. ☐ ETIMOL. Del latín *praedator.*

predatorio, ria adj. De la captura de una presa por parte de un animal, o relacionado con ella: *un instinto predatorio.* ☐ ETIMOL. Del latín *praedatorius.*

predecesor, -a s. **1** Persona que ha desempeñado un cargo, trabajo o dignidad antes de la que lo ejerce actualmente. ☐ SINÓN. *antecesor.* **2** Persona de la que se desciende. ☐ SINÓN. *ancestro, antecesor, antepasado.* ☐ ETIMOL. Del latín *praedecessor* (el que murió antes). ☐ MORF. En la acepción 2, se usa más en plural.

predecir v. Referido a algo que va a suceder, avisarlo o anunciarlo con antelación: *La meteoróloga predijo temperaturas suaves para el fin de semana.* ☐ ETIMOL. Del latín *praedicere.* ☐ MORF. Irreg.: 1. Su participio es *predicho.* 2. →PREDECIR. 3. También se usa la forma *prediré* para la primera persona singular del futuro de indicativo; las formas *prediría, predirías...* para el condicional, y *predí (tú)* para el imperativo.

predela s.f. En arte, en un retablo, parte inferior horizontal que actúa como pedestal y que suele estar dividida en paneles pintados o esculpidos. ☐ ETIMOL. Del italiano *predella* (tablita).

predestinación s.f. En teología, elección divina por la que Dios tiene destinados y elegidos desde siempre a los que por medio de su gracia han de lograr la gloria.

predestinar v. En teología, referido a Dios, destinar y elegir desde siempre a los que por medio de su gracia han de lograr la gloria: *Calvino afirmaba que Dios predestina a las personas.* ☐ ETIMOL. Del latín *praedestinare.*

predeterminación s.f. Fijación previa para que suceda algo, esp. si no hay posibilidad de cambio posterior.

predeterminar v. Fijar o establecer algo de antemano, esp. si no hay posibilidad de cambio posterior: *La herencia genética predetermina el color de la piel de las personas.*

prédica s.f. Sermón o discurso adoctrinador, esp. los que dirige un predicador a sus fieles. ☐ ETIMOL. De *predicar.*

predicación s.f. **1** Doctrina que se predica o enseñanza que se da con ella: *La predicación apostólica extendió el cristianismo por el mundo.* **2** Pronunciación de un sermón. **3** Divulgación de unas ideas: *Lo que más me molesta de su discurso es la predicación de la violencia.*

predicado s.m. **1** En lingüística, parte de la oración gramatical cuyo núcleo es el verbo: *En la oración 'Juana corre mucho', 'corre mucho' es el predicado.* **2** || **predicado nominal;** el unido al sujeto por un verbo copulativo, como *ser* o *estar*: *En la oración 'Yo soy rubia', el predicado nominal es 'soy rubia'.* || **predicado verbal;** el formado por un verbo no copulativo y sus complementos: *En la oración 'Mis hermanos y yo vamos al mismo colegio', 'vamos al mismo colegio' es el predicado verbal.*

predicador, -a ▌adj./s. **1** Que predica. ▌s.m. **2** Orador que predica la palabra de Dios.

predicamento s.m. Prestigio o estimación. ☐ ETIMOL. Del latín *praedicamentum.*

predicar v. **1** Dar o pronunciar un sermón: *El sacerdote predicaba desde el púlpito.* **2** Referido esp. a una doctrina o a unas ideas, hacerlas patentes, propagarlas o extenderlas: *Por más que el alcalde predique el ahorro de agua, la gente no hace caso.* **3** En lingüística, referido esp. a una cualidad o a una acción del sujeto, decirlas o enunciarlas: *El verbo predica la acción que realiza el sujeto.* ☐ ETIMOL. Del latín *praedicare.* ☐ ORTOGR. La *c* se cambia en *qu* delante de *e* →SACAR.

predicativo, va ▌adj. **1** En gramática, que pertenece al predicado, que realiza esta función o que posee un predicado: *Las oraciones predicativas son aquellas cuyo verbo no es copulativo.* ▌s.m. **2** →**complemento predicativo.**

predicción s.f. Aviso o anuncio de algo que va a suceder.

predicho, cha part. irreg. de **predecir**. ☐ MORF. Incorr. **predecido.*

predictivo, va adj. Que predice o es indicativo de lo que va a suceder más adelante: *Le interesa mucho la medicina predictiva y por eso se ha especializado en genética.*

predilección s.f. Preferencia o cariño especial que se sienten por algo.

predilecto, ta adj. Que se prefiere entre varios. □ ETIMOL. De *pre-* (primero) y el latín *dilectus* (amado).

predio s.m. Propiedad que consiste en terrenos o posesiones inmuebles. □ ETIMOL. Del latín *praedium* (finca rústica).

predisponer v. Referido a una persona, prepararla o influir en ella para que adopte determinada actitud: *No quiero que mis críticas te predispongan contra él.* □ ETIMOL. Del latín *praedisponere.* □ MORF. Irreg.: 1. Su participio es *predispuesto.* 2. →PONER.

predisposición s.f. Tendencia o inclinación hacia algo: *Las personas tristes tienen predisposición a las depresiones.*

predispuesto, ta part. irreg. de **predisponer**. □ MORF. Incorr. **predisponido.*

predominante adj.inv. Que predomina.

predominar v. **1** Sobresalir o destacar entre varios: *Entre todas sus cualidades predomina la bondad.* **2** Dominar en número o ser más abundante: *En mi familia predominan las personas de ojos claros.*

predominio s.m. **1** Poder, superioridad o influencia de una cosa sobre otras. **2** Abundancia de unas cosas sobre otras.

predorsal ▮ adj.inv. **1** En lingüística, referido a un sonido, que se articula con la parte anterior del dorso de la lengua: *Una variante de pronunciación de la 's' andaluza es predorsal.* **2** Situado en la parte anterior de la espina dorsal. ▮ s.f. **3** Letra que representa este sonido: *La 'ch' es una predorsal.*

predorso s.m. En fonética y fonología, parte anterior del dorso de la lengua.

preelectoral adj.inv. Que precede a las elecciones: *promesas preelectorales.*

preeminencia s.f. Privilegio o ventaja que tiene una persona sobre otra. □ ETIMOL. Del latín *praeminentia.*

preeminente adj.inv. Que es más importante que otros. □ ETIMOL. Del latín *praeminens.* □ ORTOGR. Dist. de *prominente.*

preescolar adj.inv./s.m. Referido esp. a un período de la educación, que es anterior a la enseñanza primaria.

preestablecido, da adj. Que está establecido con anterioridad, por ley o reglamento.

preestreno s.m. En cine, proyección de una película anterior al estreno.

prefabricado, da adj. Referido esp. a una construcción, que ha sido fabricada fuera del lugar en el que se va a establecer, y que se construye con solo acoplar sus piezas.

prefacio s.m. Prólogo o introducción de un libro. □ ETIMOL. Del latín *praefatio* (lo que se dice al principio).

prefecto, ta ▮ s. **1** En zonas del español meridional, bedel de un centro oficial. ▮ s.m. **2** En la antigua Roma, jefe militar o civil. **3** En una comunidad eclesiástica, ministro que preside y manda. **4** En Francia (país europeo), gobernador de un departamento. □ ETIMOL. Del latín *praefectus*, y este de *praeficere* (poner como jefe).

prefectura s.f. **1** Cargo de prefecto: *Las prefecturas romanas solían estar desempeñadas por patricios.* **2** Lugar de trabajo de un prefecto: *Cuando estuvimos en Francia, entramos en una oficina de la prefectura para que nos resolvieran un problema administrativo.* **3** Territorio sobre el que un prefecto ejerce su autoridad: *En la antigua Roma los ciudadanos de una prefectura no podían ejercitar completamente el voto.*

preferencia s.f. **1** Primacía o ventaja que se tienen sobre algo: *En este cruce, tienen preferencia los coches que vienen por la derecha.* **2** Inclinación favorable que se siente hacia algo: *Los padres no sienten preferencia por ninguno de sus hijos, y a todos los quieren igual.*

preferencial adj.inv. Que tiene preferencia sobre algo.

preferente adj.inv. Que tiene preferencia o ventaja sobre otros: *asientos de clase preferente.*

preferible adj.inv. Mejor o más conveniente. □ SINT. Constr. *preferible* A *algo.*

preferir v. Referido a algo, tener o sentir preferencia por ello: *Prefiero los helados de fresa a los de chocolate. ¿No prefieres sentarte en el sofá?* □ ETIMOL. Del latín *praeferre* (llevar delante). □ MORF. Irreg. →SENTIR. □ SINT. Constr. *preferir una cosa* A *otra.*

prefigurar v. Referido a una cosa, representarla anticipadamente: *Debido al descontento general, se prefigura la derrota del partido del Gobierno en las próximas elecciones.* □ ETIMOL. Del latín *praefigurare.*

prefijación s.f. Formación de nuevas palabras por medio de prefijos: *'Posguerra' es una palabra que se forma por prefijación, uniendo el prefijo 'pos-' a la palabra 'guerra'.*

prefijar v. **1** Determinar, señalar o fijar anticipadamente: *Los trenes deberían llegar a la hora prefijada.* **2** En lingüística, referido a una palabra, anteponerle un prefijo: *'Desempleo' es resultado de prefijar 'empleo'.* □ ORTOGR. Mantiene la *j* en toda la conjugación.

prefijo, ja ▮ adj./s.m. **1** En lingüística, referido a un morfema, que se une por delante a una palabra o a una raíz para formar derivados o palabras compuestas: *La partícula prefija 'ante-' forma palabras como 'antediluviano' o 'antepasado'. En 'preacuerdo', el prefijo 'pre-' significa 'antes'.* ▮ s.m. **2** Conjunto de cifras o de letras que indican zona, ciudad o país, y que se marcan antes que el número de teléfono para establecer comunicación telefónica. □ ETIMOL. Del latín *praefixus* (fijado por delante o de antemano). □ SEM. En la acepción 1, es dist. de *infijo* (que se introduce en el interior de la palabra) y de *sufijo* (que se une por detrás).

pregón s.m. **1** Anuncio que se hace en voz alta en los lugares públicos para que sea conocido por todos. **2** Discurso elogioso que anuncia al público la celebración de una fiesta e incita a participar en ella. ☐ ETIMOL. Del latín *praeco* (pregonero).

pregonar v. **1** Referido esp. a una noticia, ponerla en conocimiento de todos en voz alta: *Antiguamente, los bandos municipales eran pregonados en la plaza del pueblo.* **2** Referido a una cualidad, elogiarla públicamente: *Va pregonando tus virtudes entre sus amigos.* **3** Referido a algo oculto o que debe callarse, darlo a conocer: *Le conté un secreto y el muy cotilla lo ha ido pregonando por ahí.* **4** Referido a una mercancía que se quiere vender, vocearla o anunciarla: *El frutero ambulante recorre las calles pregonando su mercancía.* ☐ ETIMOL. Del latín *praeconari*.

pregonero, ra s. Persona que pronuncia el pregón de unas fiestas o que lee los pregones municipales.

pregunta s.f. Formulación de una cuestión o demanda de información. ☐ SINÓN. *interrogación*.

preguntar v. **1** Hacer preguntas: *Desde que te fuiste, se pasa el día preguntando por ti.* **2** Referido a una cuestión, formularla o demandar información sobre ella: *Le pregunté si iba a venir o no. Me pregunto si habrá recibido mi carta.* **3** Referido a un asunto, exponerlo en forma de interrogación para ponerlo en duda o para darle mayor énfasis: *Señores, yo me pregunto si realmente bajarán los impuestos.* ☐ ETIMOL. Del latín *percontari* (someter a interrogatorio).

preguntón, -a adj./s. *col.* Que pregunta con insistencia.

prehelénico, ca adj. De la Grecia anterior a la civilización de los antiguos helenos o relacionado con ella.

prehispánico, ca adj. Del período anterior a la llegada de los españoles a América, o relacionado con él.

prehistoria s.f. **1** Período de la vida de la humanidad que comprende desde el origen del ser humano hasta la aparición de los primeros documentos escritos. **2** Estudio de este período.

prehistórico, ca adj. **1** De la prehistoria o relacionado con este período. **2** *col.* Muy viejo o anticuado.

preinscripción s.f. Inscripción previa.

prejubilación s.f. Jubilación anticipada a la edad determinada por la ley.

prejuicio s.m. Juicio u opinión que se forman de antemano y sin tener los datos adecuados. ☐ ETIMOL. Del latín *praeiudicium* (juicio previo, decisión prematura). ☐ ORTOGR. Dist. de *perjuicio*.

prejuzgar v. Juzgar antes de tiempo o sin tener un conocimiento adecuado: *No prejuzgues su actuación; primero deja que se explique.* ☐ ETIMOL. Del latín *praeiudicare*. ☐ ORTOGR. La *g* se cambia en *gu* delante de *e* →PAGAR.

prelacía s.f. →**prelatura.**

prelación s.f. Antelación o preferencia con la que se debe atender un asunto respecto de otro. ☐ ETIMOL. Del latín *praelatio* (poner antes).

prelado s.m. Superior eclesiástico. ☐ ETIMOL. Del latín *praelatus* (puesto delante, preferido).

prelatura s.f. Dignidad o cargo de prelado. ☐ SINÓN. *prelacía*.

preliminar adj.inv./s.m. Que sirve de preámbulo o de introducción. ☐ SINÓN. *liminar*. ☐ ETIMOL. De *pre-* (antes) y el latín *liminaris* (del umbral, de la puerta). ☐ MORF. Como sustantivo se usa más en plural.

preludiar v. Iniciar o dar entrada: *Estos fríos otoñales preludian el invierno.* ☐ ORTOGR. La *i* nunca lleva tilde.

preludio s.m. **1** Lo que precede o sirve de entrada, de preparación o de principio a algo. **2** Composición musical de carácter instrumental, breve y sin una forma definida, y que originariamente servía de introducción en las fugas, suites u otras obras extensas. ☐ ETIMOL. Del latín *praeludium* (lo que precede a una representación).

premamá (pl. *premamá*) adj.inv. De la mujer embarazada o relacionado con ella: *vestidos premamá.*

prematrimonial adj.inv. Que se realiza antes del matrimonio.

prematuro, ra ▮ adj. **1** Que ocurre, sucede o se produce antes de tiempo. ▮ adj./s. **2** Referido a un niño, que ha nacido antes de tiempo. ☐ ETIMOL. Del latín *praematurus* (que todavía no está maduro).

premeditación s.f. En derecho, circunstancia que agrava la responsabilidad criminal de un acusado y que consiste en una actitud más reflexiva de lo normal por parte de este a la hora de perpetrar un delito: *La juez consideró que el delito había sido realizado con premeditación y alevosía.*

premeditado, da adj. Con premeditación.

premeditar v. Referido esp. a una idea o a un proyecto, pensarlos de manera reflexiva antes de realizarlos: *No digas que no te has dado cuenta, porque seguro que lo habías premeditado para que saliera así.* ☐ ETIMOL. Del latín *praemeditari*.

premiar v. Galardonar o destacar con un premio: *El guión de esta película ha sido premiado en el último festival.* ☐ ORTOGR. La *i* nunca lleva tilde.

premier (ing.) s.com. En algunos países, esp. en Gran Bretaña (país europeo), jefe de Gobierno o primer ministro. ☐ PRON. [premiér]. ☐ USO Es innecesario y puede sustituirse por una expresión como *primer ministro*.

première (fr.) s.f. Estreno de una obra teatral o cinematográfica. ☐ PRON. [premiér]. ☐ USO Su uso es innecesario y puede sustituirse por *estreno*.

premio s.m. **1** Recompensa que se da por un mérito o por un servicio: *Con mi poema he conseguido el primer premio del concurso de poesía.* **2** Recompensa que se otorga en rifas, sorteos o concursos: *Le tocó el premio en una rifa y le dieron una muñeca.* **3** En la lotería nacional, cada uno de los lotes sorteados: *El primer premio de la lotería está dotado con muchos miles de euros.* **4** ‖ **(premio) gordo;** *col.* El mayor que sortea la lotería pública, y esp. el del sorteo de Navidad. ‖ **(premio) Nobel;** →**nobel.** ☐ ETIMOL. Del latín *praemium* (recompensa).

premiosidad s.f. Lentitud o dificultad para hacer algo. □ SEM. Dist. de *premura* (prisa).

premioso, sa adj. Torpe, lento o pausado: *unos andares premiosos.* □ ETIMOL. Del antiguo *premiar* (apremiar).

premisa s.f. **1** En filosofía, en un silogismo, cada una de las dos primeras proposiciones, de las cuales se infiere la conclusión: *Si una de las premisas es falsa, la conclusión será falsa.* **2** Idea que sirve de base: *Si partimos de estas premisas, el éxito está asegurado.* □ ETIMOL. Del latín *praemissa* (puesta o colocada delante).

premolar s.m. →**diente premolar.**

premonición s.f. Presentimiento de que algo va a ocurrir.

premonitorio, ria adj. Que predice o anuncia algo: *un sueño premonitorio.* □ ETIMOL. Del latín *praemonitorius* (que avisa anticipadamente).

premonizar v. Referido a algo futuro, presentirlo o anunciarlo: *El locutor premonizó que el torero iba a ser cogido.* □ ORTOGR. La *z* se cambia en *c* delante de *e* →CAZAR. □ USO Es un anglicismo innecesario que puede sustituirse por *presentir*, *anunciar* o *predecir*: *Todo {*premonizaba > anunciaba} la tragedia.*

premura s.f. Prisa o urgencia. □ ETIMOL. Del italiano *premura.* □ SEM. Dist. de *premiosidad* (lentitud).

prenatal adj.inv. Que existe o se produce antes del nacimiento.

prenda ▮ s.f. **1** Cada una de las partes de las que se compone la vestimenta de una persona: *La chaqueta es una prenda de abrigo.* **2** Lo que se entrega como garantía del cumplimiento de una obligación o del pago de una deuda: *Para que confíes en que volveré, te dejo mi anillo como prenda.* **3** Lo que se hace en prueba o en demostración de algo: *Me hizo un regalo como prenda de su amistad.* **4** Cualidad física o moral de una persona: *La inteligencia y la sinceridad son las prendas más notorias de ese muchacho.* **5** Lo que es muy querido, esp. si es una persona: *¿Dónde vas, prenda?* **6** En zonas del español meridional, joya o alhaja. ▮ pl. **7** Juego infantil en el que el perdedor tiene que entregar algo y cumplir lo que se le ordena para recuperarlo. **8** ‖ **no soltar prenda;** *col.* Callar o no contestar a lo que se pregunta. □ ETIMOL. Del latín *pignora.* □ USO La acepción 5 se usa mucho como apelativo.

prendar ▮ v. **1** Gustar muchísimo o dejar encantado: *Me prendó tu sonrisa.* ▮ prnl. **2** Quedarse encantado o enamorado: *Me prendé de ti desde el primer día que te vi.* □ ETIMOL. De *prenda.* □ SINT. Constr. como pronominal: *prendarse* DE *algo.*

prendedor s.m. **1** Lo que sirve para prender o sujetar: *un prendedor de corbata.* **2** En zonas del español meridional, broche o joya que se lleva en la ropa.

prender v. **1** Sujetar o agarrar, esp. con algo que tenga punta: *Prendió los bajos del vestido con alfileres.* **2** Privar de la libertad o detener, esp. por un delito cometido: *La policía ha conseguido prender al fugitivo más buscado.* **3** Referido al fuego o a la luz, causarlos o encenderlos: *Prendió fuego a la fábrica para cobrar el seguro.* **4** Referido a una materia combustible, empezar a arder o a quemarse: *La madera húmeda no prende bien. La casa se prendió debido a un cortocircuito.* **5** Arraigar o propagarse: *El amor prendió en su corazón. La nueva moda ha prendido rápidamente en la gente.* **6** Referido a una planta, arraigar en la tierra: *El esqueje ha prendido y está echando hojas nuevas.* **7** En zonas del español meridional, encender o conectar: *Voy a prender el televisor para ver el partido de fútbol.* □ ETIMOL. Del latín *prehendere* (coger, atrapar). □ MORF. Tiene un participio regular (*prendido*), que se usa en la conjugación, y otro irregular (*preso*), que se usa solo como adjetivo o sustantivo.

prendería s.f. Establecimiento en el que se venden y compran objetos usados.

prendero, ra s. Persona que se dedica a vender y a comprar objetos usados.

prendido s.m. Adorno que se engancha o se prende en algo, esp. el que se pone en la cabeza para sujetar el pelo. □ ETIMOL. De *prender.*

prendimiento s.m. Detención de una persona para privarla de la libertad, esp. por un delito cometido.

prensa s.f. **1** Máquina que sirve para comprimir: *Las uvas, las aceitunas o las manzanas se meten en la prensa para extraer su jugo.* **2** Taller o lugar en el que se imprime: *Mi último libro está en prensa.* □ SINÓN. *imprenta.* **3** Conjunto de publicaciones periódicas, esp. si son diarias: *La prensa nos informa de lo que ocurre a nuestro alrededor.* **4** Conjunto de personas que se dedican profesionalmente al periodismo: *La ministra posó unos minutos para la prensa.* **5** ‖ **tener {buena/mala} prensa** algo; gozar de buena o mala fama, respectivamente: *Sé que tengo mala prensa entre ellos, pero me da igual lo que opinen de mí.* □ ETIMOL. Del catalán *premsa.*

prensado s.m. Compresión de algo con una prensa, esp. para obtener su jugo: *el prensado de la uva.*

prensar v. Apretar o comprimir en la prensa: *Para obtener el vino hay que prensar las uvas.*

prensil adj.inv. Que sirve para coger o agarrar: *Los elefantes tienen una trompa prensil.* □ ETIMOL. Del latín *prehensus*, y este de *prehendere* (coger). □ ORTOGR. Dist. de *pensil.*

prensor, -a adj. Que prende o agarra: *Las aves rapaces tienen patas prensoras.* □ ETIMOL. Del latín *prehensus*, y este de *prehendere* (coger).

prenupcial adj.inv. Que precede a la boda o se hace antes de ella: *un acuerdo prenupcial.*

preñar v. **1** Referido a una hembra, fecundarla o hacerla concebir: *Tiene un semental que ha preñado a todas las vacas de la comarca.* **2** Llenar, rellenar o colmar: *Preñó el discurso de tecnicismos y entenderlo me resultó difícil.*

preñez s.f. Embarazo de una hembra.

preocupación s.f. **1** Inquietud, intranquilidad o temor: *Las enfermedades de sus hijos le producen muchas preocupaciones.* **2** Lo que despierta interés, cuidado o atención: *Mi única preocupación este mes es aprobar todo en junio.*

preocupante adj.inv. Que preocupa.

preocupar ▮ v. **1** Producir intranquilidad, angustia, inquietud o temor: *Me preocupa el futuro de mis hijos. No te preocupes, que no llegaré tarde.* ▮ prnl. **2** Referido esp. a un asunto, prestarle atención o interesarse por él: *Preocúpate de tus asuntos y déjame en paz.* ☐ ETIMOL. Del latín *praeoccupare* (ocupar antes que otro). ☐ ORTOGR. La *c* se cambia en *qu* delante de *e* →SACAR. ☐ SINT. Constr. de la acepción 2: *preocuparse {DE/POR} algo.*

preolímpico, ca adj./s.m. Referido a un torneo deportivo, que sirve para clasificar a los países que participarán en las olimpiadas.

prepago s.m. Forma de pago adelantado que da derecho a recibir un producto o a utilizar un servicio: *He tenido que recargar la tarjeta prepago del videoclub para poder alquilar esta película.* ☐ SINT. Se usa mucho en aposición, pospuesto a un sustantivo: *sistema prepago.*

prepalatal ▮ adj.inv. **1** En lingüística, referido a un sonido, que se pronuncia poniendo en contacto el dorso de la lengua con la parte anterior del paladar: *[ll] es un sonido prepalatal.* ▮ s.f. **2** Letra que representa este sonido: *La 'ñ' es una prepalatal.*

preparación s.f. **1** Realización o disposición de todo lo necesario para un fin: *Lo más difícil de esta receta es la preparación de todos los ingredientes.* **2** Disposición o prevención de una persona para una acción futura: *Su marido la acompaña a las clases de preparación al parto.* **3** Entrenamiento para una prueba deportiva: *Yo me encargaré de tu preparación física.* **4** Estudio de una materia o de un examen: *Va a una academia para la preparación de la asignatura que suspendió.* **5** Conjunto de conocimientos de una materia: *De este colegio se sale con muy buena preparación.* **6** Material dispuesto para su estudio microscópico: *Después de teñir y de secar esta preparación de tejidos vegetales, la observaremos al microscopio.*

preparado s.m. Sustancia o producto preparados y dispuestos para su uso.

preparador, -a s. **1** Persona que prepara a los estudiantes que se van a presentar a una oposición. **2** Persona que prepara a un deportista o a un equipo, y que es responsable de su rendimiento: *un preparador físico.*

preparar ▮ v. **1** Disponer para un fin: *Prepara las maletas, que nos vamos de viaje. Ya he preparado todos los ingredientes para hacer el gazpacho.* **2** Dar clases o enseñar: *En este colegio preparan muy bien a los alumnos.* **3** Entrenar o adiestrar, esp. si es en la práctica de un deporte: *Mi trabajo consiste en preparar perros para la detección de droga. Se prepara duramente para participar en esa competición.* **4** Referido a una persona, prevenirla o disponerla para una acción futura: *Antes de darles la noticia, debes preparar a tus padres.* **5** Referido a una materia o a un examen, estudiarlos: *Me sé muy bien el examen porque lo he preparado durante varios días. Me estoy preparando unas oposiciones.* ▮ prnl. **6** Referido a algo que todavía no ha sucedido, darse las condiciones necesarias para que ocurra o estar próximo a ocurrir: *Por el color del cielo creo que se está preparando una buena nevada.* ☐ ETIMOL. Del latín *praeparare.*

preparativo s.m. Lo que se hace para preparar algo: *Está muy ocupada con los preparativos de la fiesta.* ☐ MORF. Se usa más en plural.

preparatoria s.f. Véase **preparatorio, ria**.

preparatorio, ria ▮ adj. **1** Que prepara o dispone para algo: *un cursillo preparatorio.* ▮ s.f. **2** En zonas del español meridional, bachillerato.

prepartido s.m. Tiempo anterior al comienzo de un partido. ☐ USO Es innecesario el uso de *avant match.*

preponderancia s.f. Dominio, superioridad o abundancia de una cosa frente a otra.

preponderante adj.inv. Que prevalece sobre otras opiniones.

preponderar v. Referido esp. a una opinión, prevalecer o hacer más fuerza que otra: *Al final preponderó la opinión de los que estaban a favor.* ☐ ETIMOL. Del latín *praeponderare* (pesar más).

preposición s.f. En gramática, parte invariable de la oración cuya función es hacer de nexo entre dos palabras o entre dos términos: *'Ante' y 'con' son preposiciones.* ☐ ETIMOL. Del latín *praepositio.*

preposicional adj.inv. **1** De la preposición, relacionado con ella o que funciona como tal: *'Antes de' es una locución preposicional porque funciona como la preposición 'ante'.* ☐ SINÓN. *prepositivo.* **2** En gramática, referido a un sintagma, que está introducido por una preposición: *'Con alegría', 'de mi coche' y 'desde allí' son sintagmas preposicionales.*

prepositivo, va adj. De la preposición, relacionado con ella o que funciona como tal: *'En torno a' es una locución prepositiva porque funciona como una preposición.* ☐ SINÓN. *preposicional.*

prepotencia s.f. Poder superior al de otros, esp. cuando se abusa de él. ☐ ETIMOL. Del latín *praepotentia* (omnipotencia).

prepotente adj.inv./s.com. Que tiene mucho poder y abusa de él.

prepucio s.m. Piel móvil que cubre el extremo final del pene. ☐ ETIMOL. Del latín *praeputium.*

prerrogativa s.f. **1** Privilegio concedido por una dignidad, un cargo o un empleo: *Exigía una serie de prerrogativas por ser el más antiguo en el cargo.* **2** Facultad de alguno de los poderes supremos del Estado: *La aprobación de los presupuestos generales del Estado es prerrogativa del Parlamento.* ☐ ETIMOL. Del latín *praerogativa* (privilegio, elección previa).

prerromance adj.inv./s.m. Referido a una lengua, que existía en los territorios en los que después se implantó el latín: *El celta era una lengua prerromance.*

prerrománico, ca ▮ adj. **1** Del prerrománico o relacionado con este estilo artístico. ▮ s.m. **2** Estilo artístico medieval que se desarrolló en el occidente europeo antes del románico y que reúne elementos germánicos, orientales y clásicos.

prerromano, na adj. Que es anterior a la época romana.

presa s.f. Véase **preso, sa**.

presagiar v. Referido a algo que todavía no ha ocurrido, anunciarlo o preverlo a partir de presagios o de indicios: *Esos negros nubarrones presagian lluvias.* ☐ ORTOGR. La *i* nunca lleva tilde.

presagio s.m. **1** Señal que anuncia o que indica algo futuro. **2** Adivinación de un suceso futuro mediante señales o intuiciones. ☐ ETIMOL. Del latín *praesagium*.

presbicia s.f. Defecto en la visión por el que se proyecta la imagen detrás de la retina, haciendo que se vean de forma confusa los objetos próximos y nítidamente los lejanos. ☐ SINÓN. *vista cansada*.

présbita adj.inv./s.com. Que padece presbicia. ☐ SINÓN. *présbite*. ☐ ETIMOL. Del francés *presbyte*, y este del griego *présbys* (viejo), porque la presbicia suele sobrevenir con la edad.

présbite adj.inv./s.com. →**présbita.**

presbiterianismo s.m. Rama del protestantismo surgida en Escocia (región británica) a finales del siglo XVI, que confiere el gobierno de la Iglesia a una asamblea formada por sacerdotes y por laicos.

presbiteriano, na ▌adj. **1** Del presbiterianismo o relacionado con esta rama del protestantismo. ▌adj./s. **2** Que sigue o que defiende el presbiterianismo.

presbiterio s.m. En una iglesia, espacio entre el altar mayor y el pie de los peldaños por los que se sube a él. ☐ ETIMOL. Del latín *presbyterium* (función del presbítero).

presbítero s.m. Clérigo que puede decir misa, o sacerdote. ☐ ETIMOL. Del latín *presbyter*, y este del griego *presbýteros* (más viejo), porque el presbítero era más viejo que el diácono.

presciencia s.f. Conocimiento del futuro por anticipado. ☐ ETIMOL. Del latín *praescientia*.

prescindible adj.inv. Que no es importante ni necesario y por eso se puede prescindir de ello: *Tenemos poco sitio en el maletero, así que nos desharemos de todo lo que sea prescindible.*

prescindir v. **1** Referido esp. a algo que no se considera esencial, no contar con ello, omitirlo o no tenerlo en cuenta: *El entrenador prescindirá de los jugadores que no rindan en los entrenamientos.* **2** Referido esp. a algo que se considera necesario, abstenerse o privarse de ello: *Tengo que prescindir de tus servicios porque no puedo pagarte.* ☐ ETIMOL. Del latín *praescindere* (separar). ☐ SINT. Constr. *prescindir DE algo.*

prescribir v. **1** Ordenar o mandar: *El código de circulación prescribe que los vehículos deben circular por la derecha.* **2** Referido a un remedio, recetarlo o recomendarlo: *El médico me ha prescrito un jarabe para la tos.* **3** Referido esp. a un derecho, a una acción o a una obligación, extinguirse o concluirse: *La multa ha prescrito y ya no tengo que pagarla.* ☐ ETIMOL. Del latín *praescribere*. ☐ ORTOGR. Dist. de *proscribir*. ☐ MORF. Su participio es *prescrito*.

prescripción s.f. **1** Orden o mandato: *Debo permanecer en cama por prescripción facultativa.* **2** Conclusión de un derecho, de una acción o de una obligación: *la prescripción de un delito.* ☐ ETIMOL. Del latín *praescriptio*. ☐ ORTOGR. Dist. de *proscripción*.

prescriptible adj.inv. Que puede prescribir o prescribirse.

prescrito, ta part. irreg. de **prescribir**. ☐ ORTOGR. Dist. de *proscrito*. ☐ MORF. Incorr. **prescribido*.

presea s.f. **1** Joya de gran valor. **2** En zonas del español meridional, medalla. ☐ ETIMOL. Del latín *praesidia*, plural de *praesidium* (defensa).

presencia s.f. **1** Asistencia personal, o estado de la persona que se halla en el mismo lugar que otras: *Su presencia en la reunión fue muy comentada.* **2** Existencia de algo en un lugar o en un momento determinados: *La presencia de fiebre me hace pensar que tienes algo más que un golpe en el brazo.* **3** Aspecto exterior o apariencia: *Esta tarta tiene una presencia estupenda.* **4** ‖ **presencia de ánimo;** tranquilidad y serenidad ante un suceso. ☐ ETIMOL. Del latín *praesentia*.

presencial adj.inv. **1** Que presencia algo: *un testigo presencial.* **2** Que exige la presencia de alguien: *un curso presencial; un acto presencial.*

presenciar v. Referido esp. a un acontecimiento, asistir a él o verlo: *Estaba allí y pude presenciar el atraco.* ☐ ORTOGR. La *i* nunca lleva tilde.

presentable adj.inv. Con buen aspecto o en condiciones de ser visto.

presentación s.f. **1** Manifestación, exposición, muestra o exhibición: *Para que te den el paquete es necesaria la presentación del carné de identidad.* **2** Aspecto o apariencia exterior de algo: *Para que una comida resulte atractiva debe tener buena presentación.* **3** Proposición de una persona para una dignidad o para un oficio: *Su presentación como candidato ha levantado un gran revuelo.* **4** Conjunto de comentarios de un programa o de un espectáculo hechos por el presentador: *La presentación de este concurso corre a cargo de una conocida actriz.* **5** Acto de dar el nombre de una persona a otra para que se conozcan: *En la presentación me di cuenta de que ya se conocían.*

presentador, -a ▌adj./s. **1** Que presenta. ▌s. **2** Persona que se dedica profesionalmente a la presentación de espectáculos o de programas de radio o de televisión.

presentar ▌v. **1** Manifestar, mostrar o poner en presencia de alguien: *Me presentó sus excusas por no haber llegado a tiempo. Tienes que presentar mejor este trabajo.* **2** Dar a conocer al público: *En la convención presentarán los nuevos modelos de coches.* **3** Referido a una característica, tenerla o mostrarla: *La herida no presenta un buen aspecto.* **4** Referido a una persona, proponerla para una dignidad o para un oficio: *El partido ha presentado su can-*

didato para las próximas elecciones. Se presentará para delegado de clase. **5** Referido esp. a un espectáculo, anunciarlo o comentarlo: *Para presentar el programa eligieron a un conocido actor.* **6** Referido a una persona, dar su nombre a otra para que se conozcan: *Me presentó a toda la gente que asistió a la fiesta. Me presenté yo misma a tu vecina, porque no había nadie para hacerlo.* ▮ prnl. **7** Ofrecerse voluntariamente para un fin: *Cuando pidieron gente para apagar el incendio, me presenté rápidamente.* **8** Comparecer en un lugar, en un acto o ante una autoridad: *Los presos que están en libertad provisional deben presentarse a la policía cada cierto tiempo.* **9** Aparecer en un lugar de forma inesperada: *Se presentó en mi casa a las tres de la madrugada.* **10** Producirse, mostrarse o aparecer: *Se me presentó la ocasión de irme de vacaciones y no la desaproveché.* □ ETIMOL. Del latín *praesentare.*

presente ▮ adj.inv./s.com. **1** Que está en presencia de alguien o que concurre con él en el mismo sitio: *Estuve presente en tu conferencia y fue magnífica.* ▮ adj.inv./s.m. **2** Que ocurre en el momento en el que se habla: *En el presente, la técnica nos ha hecho la vida más cómoda.* **3** En gramática, referido a un tiempo verbal, que indica que la acción del verbo está realizándose: *El tiempo de la oración 'Quiero agua' es presente. El presente de indicativo de 'amar' es 'amo' y el de subjuntivo, 'ame'.* ▮ s.m. **4** Obsequio o regalo que se da a alguien en señal de reconocimiento o de afecto: *Según la Biblia, los Reyes Magos ofrecieron al Niño Jesús tres presentes: oro, incienso y mirra.* **5** ‖ **mejorando lo presente;** expresión que se utiliza por cortesía cuando se alaba a una persona delante de otra. ‖ **por el presente;** por ahora o en este momento: *Por el presente, la cosa va bien, pero ya veremos cómo termina.* ‖ **presente histórico;** el que se usa para narrar acciones pasadas: *El presente de 'Colón descubre América en 1492' es un presente histórico.* □ ETIMOL. Del latín *praesens*, y este de *praesse* (estar presente).

presentimiento s.m. Sensación de que algo va a ocurrir o de que va a ocurrir de una determinada forma. □ SINÓN. *corazonada.*

presentir v. Referido a algo que no ha sucedido, adivinarlo o tener la sensación de que va a suceder: *Presiento que ganarás el primer premio de ese concurso.* □ ETIMOL. Del latín *praesentire.* □ MORF. Irreg. →SENTIR.

preservación s.f. Protección contra algún daño.

preservar v. Proteger o resguardar de algún daño o peligro: *Los invernaderos sirven para preservar las plantas del frío.* □ ETIMOL. Del latín *praeservare*, y este de *prae* (antes) y *servare* (guardar). □ SINT. Constr. *preservar* DE *algo.* □ SEM. No debe emplearse con el significado de 'conservar': *Algunos alimentos se {*preservan > conservan} mejor en frío.*

preservativo s.m. Funda fina y elástica que se usa para cubrir el pene durante el coito y evitar así la fecundación o la transmisión de enfermedades. □ SINÓN. *condón, profiláctico.*

presidencia s.f. **1** Cargo de presidente: *El abuelo desempeña la presidencia de la sociedad anónima familiar.* **2** Tiempo durante el que un presidente ejerce su cargo: *Los hechos de los que se le acusa ocurrieron durante su primera presidencia.* **3** Lugar de trabajo de un presidente: *El jugador tuvo que pasar por la presidencia del club para cobrar las primas que le adeudaban.* **4** Persona o conjunto de personas que presiden algo.

presidenciable adj.inv./s.com. Referido a una persona, que tiene posibilidades de ser nombrada o de ser elegida presidente.

presidencial adj.inv. Del presidente, de la presidencia o relacionado con ellos.

presidencialismo s.m. Sistema de organización política caracterizado porque el presidente de la república es también el jefe del Gobierno.

presidencialista ▮ adj.inv. **1** Del presidencialismo o relacionado con él. ▮ adj.inv./s.com. **2** Partidario o defensor del presidencialismo.

presidente, ta s. **1** Persona que preside: *el presidente de una mesa electoral.* **2** En un Gobierno, en una colectividad o en un organismo, persona que ejerce su dirección o que ocupa su puesto más importante: *la presidenta de una comunidad de vecinos.* **3** En un régimen republicano, jefe del Estado, generalmente elegido para un plazo fijo. □ ETIMOL. Del latín *praesidens*, y este de *praesidere* (estar sentado al frente). □ MORF. Se admite también *presidente* como sustantivo de género común.

presidiario, ria s. Persona que está en presidio cumpliendo una condena. □ SINÓN. *convicto.*

presidio s.m. **1** Establecimiento penitenciario en el que cumplen sus condenas los castigados a penas de privación de libertad. **2** Pena consistente en la privación de libertad durante un período de tiempo determinado. □ ETIMOL. Del latín *praesidium* (guarnición, puesto militar).

presidir v. **1** Tener u ocupar el primer puesto o el lugar más importante en un acto, en una colectividad o en un organismo: *La directora del colegio presidió la entrega de diplomas.* **2** Estar en el mejor lugar o en el más destacado: *Un retrato del fundador de la fábrica preside el despacho del director.* **3** Predominar o tener gran influencia o poder: *La honestidad preside sus actos.* □ ETIMOL. Del latín *praesidere* (estar sentado al frente, proteger).

presilla s.f. Cordoncillo o pieza metálica pequeños y finos que se cosen al borde de una prenda de vestir para abrochar un corchete, un botón o un broche. □ ETIMOL. De *presa.*

presintonía s.f. **1** En un receptor de radio o de televisión, dispositivo capaz de memorizar la frecuencia de emisión. **2** Frecuencia memorizada en un receptor.

presión s.f. **1** Compresión, opresión, empuje o fuerza que se ejerce sobre algo: *Este tapón se cierra a presión.* **2** En física, fuerza que ejerce un cuerpo sobre cada unidad de superficie. **3** Influencia que se ejerce sobre una persona o sobre una colectividad para obligarlas a hacer o a decir algo: *En el* *trabajo está sometido a fuertes presiones para alcanzar los plazos previstos.* **4** En algunos deportes de equipo, vigilancia insistente sobre uno o varios jugadores contrarios para impedir o dificultarles las jugadas. **5** ‖ **presión arterial;** la que ejerce la sangre sobre la pared de las arterias. □ SINÓN. *tensión arterial.* ‖ **presión atmosférica;** peso que ejerce una columna de aire, con la altura total de la atmósfera, sobre la superficie de los cuerpos inmersos en ella: *La presión atmosférica se mide en milibares.* □ ETIMOL. Del latín *pressio*, y este de *premere* (apretar). □ USO En la acepción 4, es innecesario el uso del anglicismo *pressing*.

presionar v. **1** Referido esp. a un objeto, ejercer presión o fuerza sobre él: *Presiona el tubo para que salga el dentífrico.* **2** Someter a presión, o ejercer tal influencia que se obligue a hacer algo: *Por mucho que me presiones, jamás conseguirás que te desvele el secreto.* **3** En algunos deportes, referido esp. a un jugador, vigilarlo y perseguirlo insistentemente para dificultarle las jugadas: *El defensa presiona al delantero para que no meta goles.*

preso, sa ▮ adj./s. **1** Referido a una persona, que sufre prisión. ▮ s.f. **2** Lo que es apresado o robado: *Es tan ingenuo que será fácil presa de los estafadores.* **3** Animal que es o que puede ser cazado o pescado. **4** En un río, en un arroyo o en un canal, muro grueso que se construye para retener y almacenar el agua. **5** Lugar en el que las aguas están detenidas o almacenadas, natural o artificialmente. □ SINÓN. *represa.* □ ETIMOL. La acepción 1, del latín *prensus*. Las acepciones 2-5, del catalán *presa*. □ SEM. En la acepción 1, dist. de *prisionero* (persona privada de libertad, esp. si es por motivos que no son delito).

presomasaje s.m. Masaje que se realiza con un aparato que ejerce presión sobre el cuerpo.

presoterapia s.f. Tratamiento de algunas enfermedades o problemas circulatorios. □ ETIMOL. De *presión* y *terapia*.

press-book (ing.) s.m. Folleto explicativo sobre una obra o sobre un espectáculo, y que generalmente sirve para presentarlos: *El press-book de esta película incluye la sinopsis, la ficha técnica y los comentarios del director.* □ PRON. [prés-buk].

pressing (fr.) s.m. →**presión.** □ ETIMOL. Del francés *pressing*, y este del inglés *to press* (presionar). □ PRON. [présin]. □ USO Su uso es innecesario.

pressing catch (ing.) s.m. ‖ Modalidad de lucha en la que dos personas se enfrentan agarrándose mutuamente e intentando derribar al contrario. □ PRON. [présin cach].

prestación ▮ s.f. **1** Servicio que se da o que se ofrece a alguien: *La asistencia sanitaria y los subsidios de paro y de jubilación son prestaciones de la Seguridad Social.* **2** Realización de un servicio, una ayuda, una asistencia o algo semejante: *Los objetores de conciencia están obligados a la prestación de un servicio social.* ▮ pl. **3** En una máquina, esp. en un automóvil, características técnicas que presenta.

prestado ‖ **de prestado; 1** Con cosas prestadas: *No tenía traje para la boda, así que se lo pedí a mi prima y fui de prestado.* **2** De forma provisional o poco segura: *Estoy en este puesto de prestado, porque sustituyo a un enfermo.*

prestamista s.com. Persona que se dedica al préstamo de dinero.

préstamo s.m. **1** Entrega o cesión de algo provisionalmente a condición de que sea devuelto: *El horario de préstamos de libros termina a las ocho.* **2** Lo que se presta o se da provisionalmente: *Pidió un préstamo al banco para comprar una casa.* **3** En lingüística, elemento, generalmente léxico, que una lengua toma de otra: *En español, 'chalé' es un préstamo del francés.*

prestancia s.f. Aspecto distinguido y elegante. □ ETIMOL. Del latín *praestantia*.

prestar ▮ v. **1** Referido esp. a una posesión, entregarla o darla provisionalmente, a condición de que sea devuelta: *Préstame algo de dinero hasta que pueda ir al banco, por favor.* □ SINÓN. *dejar.* **2** Seguido de un sustantivo, realizar la acción expresada por este: *He prestado mucha atención a tus palabras.* **3** Dar o comunicar: *La actriz de doblaje prestó su voz a la protagonista de la película.* ▮ prnl. **4** Ofrecerse, avenirse o acceder: *Dice que es honrado y que nunca se prestaría a falsificar documentos.* **5** Dar motivo u ocasión: *Es una frase ambigua que se presta a diversas interpretaciones.* □ ETIMOL. Del latín *praestare* (proporcionar, garantizar). □ SINT. Constr. como pronominal: *prestarse A algo.*

prestatario, ria adj./s. Que toma algo en préstamo, esp. dinero.

preste s.m. *ant.* Sacerdote o presbítero, esp. el que celebra misa asistido del diácono y del subdiácono. □ ETIMOL. Del francés antiguo *prestre*, y este del latín *presbyter* (presbítero).

presteza s.f. Rapidez o prontitud en hacer o en decir algo. □ ETIMOL. De *presto*.

prestidigitación s.f. Arte y técnica de hacer juegos de manos y otros trucos.

prestidigitador, -a s. Persona que se dedica a la prestidigitación, esp. si esta es su profesión. □ ETIMOL. Del francés *prestidigitateur*.

prestigiar v. Dar prestigio, renombre o importancia: *La gran obra de Cervantes prestigia la literatura española.* □ ORTOGR. La *i* nunca lleva tilde.

prestigio s.m. Renombre, buena fama o buen crédito. □ ETIMOL. Del latín *praestigium* (fantasmagoría, juegos de manos).

prestigioso, sa adj. Que tiene prestigio, renombre o importancia.

presto adv. *poét.* Al instante o con gran rapidez: *Acude presto, hermosa mía, a la llamada del amor.*

presto, ta ▮ adj. **1** Preparado y dispuesto para algo: *La corredora está presta para tomar la salida.* **2** Rápido, diligente o ligero en la ejecución de algo: *Exijo una presta aclaración a este enredo.* ▮ s.m. **3** En música, composición o pasaje que se ejecutan con un aire muy rápido. □ ETIMOL. Las acepciones 1 y 2, del latín *praestus* (pronto, dispuesto). La acepción 3, del italiano *presto*. □ SINT. En la acepción 2, se usa también como adverbio de modo.

presumido, da adj./s. **1** Que presume o que tiene un alto concepto de sí mismo. **2** Que se compone o que se arregla mucho.

presumir v. **1** Sospechar, juzgar o conjeturar a raíz de determinados indicios: *Presumo que vendrá acompañado, porque me dijo que preparara un cubierto más.* **2** Vanagloriarse o tener alto concepto de sí mismo: *Presume de tener muy buena memoria. No presumas tanto, porque no eres tan guapo como tú te crees.* **3** Referido a una persona, cuidar mucho su aspecto externo para aparecer atractiva: *Se compra mucha ropa porque le gusta presumir.* □ ETIMOL. Del latín *praesumere* (tomar de antemano), que luego significó *imaginar de antemano, atreverse* y *mostrarse orgulloso*. □ MORF. Tiene un participio regular (*presumido*) y otro irregular (*presunto*) que se usa solo como adjetivo. □ SINT. Constr. de la acepción 2: *presumir* DE *algo*. □ SEM. Dist. de *asumir* (aceptar algo).

presunción s.f. **1** Vanagloria o alto concepto que una persona tiene de sí misma: *Me molesta su presunción porque se cree el más inteligente.* **2** Sospecha o conjetura de algo a raíz de determinados indicios: *Que vaya a venir hoy es solo una presunción mía, porque él no me ha dicho nada.* **3** Lo que la ley considera verdadero mientras no exista una prueba en contra: *La presunción de inocencia permite que cualquier sospechoso sea considerado inocente hasta que se demuestre lo contrario.* □ ETIMOL. Del latín *praesumptio*.

presunto, ta adj. **1** Que se supone o que se sospecha, aunque no es seguro: *La presunta dueña del coche ha venido a buscarlo.* **2** Referido a una persona, que es considerada como posible autora de un delito antes de ser juzgada: *Ha hecho públicos los nombres de los presuntos atracadores.*

presuntuosidad s.f. Presunción, vanagloria o alto concepto que una persona tiene de sí misma.

presuntuoso, sa adj./s. Que presume o se muestra excesivamente orgulloso de sí mismo. □ ETIMOL. Del latín *praesumptuosus*.

presuponer v. **1** Dar por sentado, por cierto o por sabido de forma anticipada: *No presupongas que no sé nada del tema, porque podrías llevarte una sorpresa.* **2** Necesitar como condición previa: *Una buena red de carreteras presupone una gran inversión.* □ ETIMOL. De *pre-* (antes) y *suponer*. □ MORF. Irreg.: 1. Su participio es *presupuesto*. 2. →PONER.

presuposición s.f. **1** Suposición previa o con pocos elementos de juicio: *Tu opinión desfavorable sobre él es una presuposición que no se apoya en datos reales.* **2** Lo que se supone que es causa o motivo de algo: *Si esas dos presuposiciones son ciertas, la conclusión no ofrece duda.*

presupuestación s.f. Elaboración de un presupuesto.

presupuestar v. Referido a algo que cuesta dinero, hacer un presupuesto de ello: *Le dije al albañil que presupuestara la obra del pasillo para ver si podía hacerla este mes.*

presupuestario, ria adj. Del presupuesto o relacionado con él.

presupuesto, ta ▌**1** part. irreg. de **presuponer**. ▌s.m. **2** Cálculo anticipado del coste de una obra, un servicio o un proyecto, o estimación más o menos detallada de los gastos e ingresos previstos durante un período de tiempo: *Los presupuestos generales del Estado son aprobados por el Parlamento.* **3** Cantidad de dinero que se calcula y que se destina para hacer frente a los gastos: *¿Qué presupuesto tienes para las vacaciones?* **4** Hipótesis, supuesto o suposición previos: *Su argumentación es falsa porque parte de presupuestos erróneos.* □ MORF. En la acepción 1, incorr. **presuponido*.

presura s.f. **1** Prisa, rapidez y ligereza. **2** En los siglos IX y X, forma legal de ocupación de la tierra que consistía en la ocupación y el cultivo de los territorios despoblados o reconquistados por los cristianos a los musulmanes. □ ETIMOL. Del latín *pressura*.

presurización s.f. En un recinto, mantenimiento de la presión atmosférica adecuada para un ser humano, independientemente de la presión exterior.

presurizar v. Referido a un recinto, mantener en él la presión atmosférica adecuada para un ser humano, independientemente de la presión exterior: *Es necesario que en un avión la cabina de los pasajeros esté presurizada para que la presión externa no afecte a las personas.* □ ETIMOL. Del inglés *to pressurize*. □ ORTOGR. La *z* se cambia en *c* delante de *e* →CAZAR.

presuroso, sa adj. Rápido, ligero y veloz. □ ETIMOL. Del antiguo *presura* (aprieto, congoja).

prêt-à-porter (fr.) adj.inv./s.m. Referido a la ropa, que está hecha en serie según unas medidas o tallas fijadas de antemano. □ PRON. [pretaportér].

pretemporada s.f. Período inmediatamente anterior a una temporada.

pretenciosidad s.f. **1** Estima desmesurada de las propias cualidades. **2** Apariencia o simulación de elegancia o de lujo.

pretencioso, sa adj. Que pretende pasar por muy elegante o lujoso, o que pretende ser más de lo que en realidad es. □ ETIMOL. Del francés *prétentieux*.

pretender v. **1** Referido esp. a un logro, intentarlo o querer conseguirlo: *Pretendo aprobar todo en junio.* **2** Referido a algo de cuya realidad se duda, afirmarlo o creerlo: *Pretende haber visto extraterrestres.* **3** Referido a una persona, cortejarla o intentar conquistarla, esp. si es para hacerse novios o para casarse: *Mi padre siempre cuenta que estuvo un año pretendiendo a mi madre sin que ella le hiciera caso.* □ ETIMOL. Del latín *praetendere* (tender por delante, dar como excusa).

pretendido, da adj. Supuesto o que intenta ser lo que no es realmente: *Su pretendida buena suerte no funcionó y no ganamos nada en las apuestas.*

pretendiente ▮ adj.inv. **1** Que pretende. ▮ s.com. **2** Persona que aspira a casarse con otra. ☐ MORF. Para el femenino se admite también la forma *pretendienta*.

pretensión s.f. **1** *col.* Intención o propósito, esp. si parecen difíciles de conseguir: *Mi única pretensión es intentar ser feliz.* **2** Aspiración ambiciosa o desmedida: *Ha escrito una novela entretenida, pero sin muchas pretensiones.* **3** Derecho que alguien cree tener sobre algo: *Tiene pretensiones sobre la finca porque dice que perteneció hace siglos a su familia.* ☐ ETIMOL. Del latín *praetensio*.

pretensor s.m. En un automóvil, sistema que tensa el cinturón de seguridad para mantener el cuerpo del ocupante pegado al asiento en caso de choque.

preter- Elemento compositivo prefijo que significa 'más allá': *preternatural.* ☐ ETIMOL. Del latín *praeter*.

preterición s.f. **1** Olvido intencionado de alguien o de algo. **2** Figura retórica que consiste en aparentar que se quiere omitir o pasar por alto lo que se está claramente diciendo.

preterir v. No hacer caso intencionadamente: *He decidido preterir los datos que se oponían a mis tesis.* ☐ ETIMOL. Del latín *praeterire* (pasar adelante). ☐ MORF. Verbo defectivo: solo se usa el infinitivo y el participio.

pretérito, ta ▮ adj. **1** Que ya ha pasado o que ya ha sucedido: *Mis antepasados llegaron a estas tierras en tiempos pretéritos.* ▮ adj./s.m. **2** En gramática, referido a un tiempo verbal, que indica que la acción ya ha sucedido: *Estoy aprendiendo a conjugar los tiempos pretéritos en francés. 'Amé' es un pretérito.* **3** ‖ **pretérito anterior;** el tiempo compuesto que indica una acción inmediatamente anterior a otra pasada: *El pretérito anterior de 'comer' es 'hube comido'.* ‖ **(pretérito) imperfecto;** el que indica que la acción del verbo ya ha pasado pero aún no ha terminado: *El pretérito imperfecto de indicativo de 'comer' es 'comía' y el de subjuntivo, 'comiera' o 'comiese'.* ‖ **(pretérito) {indefinido/perfecto simple};** el que indica que la acción del verbo ya ha pasado y ha terminado: *El pretérito perfecto simple de 'amar' es 'amé'.* ‖ **(pretérito) perfecto;** el tiempo compuesto que indica que la acción del verbo ya ha pasado y ha terminado: *El pretérito perfecto de 'jugar' es 'he jugado'.* ‖ **(pretérito) pluscuamperfecto;** el tiempo compuesto que indica una acción pasada y terminada antes de otra que también ha pasado y terminado ya: *El pretérito pluscuamperfecto de indicativo de llorar es 'había llorado' y el de subjuntivo, 'hubiera' o 'hubiese llorado'.* ☐ ETIMOL. Del latín *praeteritus*, y este de *praeterire* (pasar de algo).

preternatural adj.inv. Que se halla o está fuera del ser y del estado natural de algo. ☐ ETIMOL. Del latín *praeternaturalis*, y este de *praeter* (fuera de) y *naturalis* (natural).

pretextar v. Referido a algo que sirve de pretexto, alegarlo o valerse de él como disculpa: *Pretextó el tráfico intenso para justificar su retraso.*

pretexto s.m. Lo que se alega como excusa para justificar algo. ☐ ETIMOL. Del latín *praetextus*.

pretil s.m. Muro pequeño o barandilla que se ponen en los puentes y en otros lugares para evitar caídas. ☐ ETIMOL. Del latín **pectorile*, y este de *pectus* (pecho).

pretina s.f. Correa o cinta con hebilla o broche que sirven para sujetar en la cintura una prenda de vestir. ☐ ETIMOL. Del latín **pectorina*, y este de *pectus* (pecho), porque la pretina significó en principio *correa que ceñía el pecho o la cintura.* ☐ ORTOGR. Incorr. **petrina*.

pretor s.m. En la antigua Roma, magistrado que ejercía jurisdicción en la capital o en las provincias. ☐ ETIMOL. Del latín *praetor*, y este de *praeire* (ir a la cabeza).

pretoría s.f. En la antigua Roma, dignidad de pretor.

pretorial adj.inv. →**pretoriano.**

pretorianismo s.m. Influencia política abusiva o excesiva que ejerce un grupo militar.

pretoriano, na ▮ adj. **1** Del pretor o relacionado con él. ☐ SINÓN. *pretorial.* ▮ adj./s.m. **2** En la antigua Roma, referido esp. a un soldado, que pertenecía a la guardia de los emperadores romanos.

pretorio s.m. En la antigua Roma, palacio donde vivía y juzgaba el pretor o el presidente de la provincia. ☐ ETIMOL. Del latín *praetorius*.

prevalecer v. **1** Dominar o tener superioridad o ventaja: *La razón debe prevalecer sobre la pasión.* ☐ SINÓN. *prevaler.* **2** Continuar o seguir existiendo: *En esta comarca aún prevalecen algunas costumbres medievales.* ☐ ETIMOL. Del latín *praevalere.* ☐ MORF. Irreg. →PARECER. ☐ SINT. Constr. de la acepción 1: *prevalecer SOBRE algo.*

prevalencia s.f. **1** Existencia o continuidad: *Nuestra asociación intenta asegurar la prevalencia de algunas tradiciones.* **2** Dominio, superioridad o ventaja: *Lucharé por la prevalencia de la verdad.* **3** En medicina, número de personas que sufren una enfermedad con respecto al total de la población en estudio: *La prevalencia de esa enfermedad es del treinta por ciento.*

prevaler ▮ v. **1** →**prevalecer.** ▮ prnl. **2** Referido a una circunstancia, valerse, servirse o aprovecharse de ella para conseguir algo: *Se prevalió de su cargo público para hacer buenos negocios.* ☐ ETIMOL. Del latín *praevalere.* ☐ MORF. Irreg. →VALER. ☐ SINT. Constr. de la acepción 2: *prevalerse DE algo.*

prevaricación s.f. Delito que consiste en el incumplimiento por parte de los funcionarios públicos de sus obligaciones específicas o en el dictado de resoluciones manifiestamente injustas, esp. si lo hacen para obtener un beneficio propio.

prevaricar v. Referido a un funcionario público, cometer un delito que consiste en el incumplimiento de sus obligaciones específicas o en el dictado de una resolución manifiestamente injusta: *El funcionario que descubre secretos oficiales a cambio de dinero prevarica.* ☐ ETIMOL. Del latín *praevaricari* (entrar en complicidad el abogado con la parte adversa). □ ORTOGR. La *c* se cambia en *qu* delante de *e* →SACAR.

prevención s.f. **1** Impedimento u obstaculización de algo negativo que ha sido previsto con antelación: *la prevención de una enfermedad.* **2** Preparación y disposición anticipadas para evitar un riesgo o para realizar una acción: *Tomaron sus prevenciones para el temporal que se avecinaba.* **3** Concepto u opinión desfavorables que se tienen de algo: *Me contaron cosas terribles de ti y antes de conocerte te tenía mucha prevención.*

prevenir v. **1** Referido a una persona, advertirla, avisarla o informarla de un peligro: *Te prevengo de las dificultades que vas a encontrar en ese trabajo.* **2** Referido a un daño o a un perjuicio, preverlo o conocerlo de antemano o con anticipación: *Previno que habría mucha gente esa tarde y por eso llamó al restaurante para reservar mesa.* **3** Referido esp. a un mal, evitarlo o impedirlo: *Mi dentista me ha recomendado un dentífrico con flúor para prevenir la caries.* **4** Referido a una persona, influir en ella o persuadirla para que prejuzgue algo, esp. si es para que tenga una opinión desfavorable de ello: *Me previnieron contra él, pero al tratarlo vi que era una buena persona.* □ ETIMOL. Del latín *praevenire.* □ MORF. Irreg. →VENIR.

preventivo, va adj. Que previene un mal o un riesgo, o que trata de evitarlos: *medicina preventiva.*

prever v. **1** Referido a algo futuro, conocerlo o creer saberlo por anticipado, generalmente a raíz de determinados indicios: *Yo había previsto que tendríamos atasco para salir de la ciudad, porque comienzan las vacaciones.* **2** Referido esp. a algo que es necesario para un fin o para evitar un mal, disponerlo o prepararlo por adelantado: *Se han previsto diversas medidas para evitar incendios en verano.* □ ETIMOL. Del latín *praevidere.* □ ORTOGR. 1. Incorr. **preveer.* 2. Dist. de *proveer.* □ MORF. Irreg.: 1. Su participio es *previsto.* 2. →VER.

previo, via adj. Que se realiza o que sucede antes que otra cosa, a la que generalmente sirve de preparación. □ ETIMOL. Del latín *praevius.*

previsible adj.inv. Que puede ser previsto o que entra dentro de las previsiones normales.

previsión s.f. **1** Conjetura de algo que va a suceder, a raíz de determinados indicios. **2** Disposición o preparación de lo necesario para atender una necesidad o para evitar un mal. □ ETIMOL. Del latín *praevisio.* □ ORTOGR. Dist. de *provisión.*

previsor, -a adj./s. Que prevé o que previene.

previsto, ta part. irreg. de **prever**. □ ORTOGR. Dist. de *provisto.* □ MORF. Incorr. **preveído.*

prez s.amb. Honor, estima o consideración que se adquieren o se ganan con una acción gloriosa. □ ETIMOL. Del provenzal antiguo *pretz* (valor).

priapismo s.m. Erección continua y dolorosa del pene que no va acompañada de deseo sexual. □ ETIMOL. Del griego *priapismós*, y este de *Príapos* (dios de la fecundación, miembro viril).

price cap (ing.) s.m. ‖ En economía, sistema que limita el precio máximo de un producto o de un servicio: *El Gobierno ha anunciado que revisará el price cap de algunos servicios.* □ PRON. [práis cáp]. □ USO Su uso es innecesario y puede sustituirse por *sistema de precios máximos* o *sistema de precios regulados.*

prieto, ta adj. **1** Ajustado, ceñido o estrecho. **2** Duro o denso. □ ETIMOL. De *prieto.*

prima s.f. Véase **primo, ma.**

primacía s.f. Superioridad o ventaja de una cosa respecto de otra de su misma clase.

primada s.f. *col.* Hecho o dicho propios de una persona ingenua. □ ETIMOL. De *primo* (incauto).

primado s.m. En la iglesia católica, primero y más importante de todos los arzobispos y obispos de un reino o región. □ ETIMOL. Del latín *primatus* (primacía).

prima donna s.f. ‖ En una ópera, cantante femenina que interpreta el papel principal. □ ETIMOL. Del italiano *prima donna.* □ PRON. [príma dóna].

prima facie (lat.) ‖ A primera vista: *Prima facie parece un buen negocio, pero asegúrate.* □ USO Su uso es característico del lenguaje jurídico o coloquial.

primal, -a adj./s. Referido a una oveja o a una cabra, que tiene más de un año y no llega a dos. □ ETIMOL. De *primo* (primero).

primar v. **1** Conceder una prima o cantidad extra de dinero, a modo de recompensa o de estímulo: *Primaron a los jugadores que consiguieron la clasificación para la final europea.* **2** Predominar, sobresalir o tener más importancia: *En poesía, la subjetividad del poeta suele primar sobre cualquier otra consideración.* □ ETIMOL. La acepción 2, del francés *primer.*

primaria s.f. Véase **primario, ria.**

primario, ria ▌adj. **1** Principal o primero en orden o en grado: *Mi objetivo primario este curso es aprobar todo en junio.* **2** Básico o fundamental: *Comer, beber y dormir son necesidades primarias para las personas. Los colores primarios son el amarillo, el rojo y el azul, porque de ellos se derivan todos los demás.* **3** Primitivo o poco civilizado. **4** En geología, de la era paleozoica, segunda era de la historia de la Tierra, o relacionado con ella: *terrenos primarios.* □ SINÓN. *paleozoico.* **5** Referido al carácter de una persona, con predominio del impulso sobre la reflexión. ▌s.f. **6** →**enseñanza primaria. 7** →**educación primaria.** □ ETIMOL. Del latín *primarius* (de primera fila).

primate ▌adj.inv./s.m. **1** Referido a un mamífero, que se caracteriza por tener cinco dedos provistos de uñas, siendo el pulgar oponible, cerebro lobulado y complejo, vista frontal y dentadura poco diferenciada: *Los monos y los seres humanos son primates.* ▌s.m.pl. **2** En zoología, orden de estos mamíferos: *Algunas especies de los primates tienen cola prensil.* □ ETIMOL. Del latín *primas.*

primavera ▌adj.inv./s.com. **1** *col.* Referido a una persona, que es ingenua y se deja engañar fácilmente. ▮ s.f. **2** Estación del año entre el invierno y el verano, y que en el hemisferio norte transcurre entre el 21 de marzo y el 21 de junio. **3** Época en la que algo está en su mayor vigor y hermosura: *Tiene veinte años y está en la primavera de la vida.* **4** Planta herbácea, con las hojas anchas, largas y ásperas, que se extienden sobre la tierra, y unos tallos que sobresalen con flores amarillas. **5** Cada año de edad de una persona joven: *Este mes ha cumplido veinticinco primaveras.* □ ETIMOL. La acepción 1, de *primo* (incauto). Las acepciones 2-5, del latín *prima vera* (al principio de la primavera). □ MORF. En la acepción 5, se usa más en plural. □ SEM. En la acepción 2, la primavera transcurre en el hemisferio sur entre el 23 de septiembre y el 22 de diciembre.

primaveral adj.inv. De la primavera o relacionado con esta estación.

primer adj. →**primero.** □ MORF. Apócope de *primero* ante sustantivo masculino singular.

primera s.f. Véase **primero, ra.**

primeramente adv. En primer lugar o antes de todo: *Primeramente limpiaremos las paredes y luego colocaremos los muebles.* □ SINÓN. *primero.*

prime rate (ing.) s.m. ‖ Tipo de interés preferencial, es decir, el que los bancos cobran a sus mejores clientes. □ PRON. [práim réit]. □ USO Su uso es innecesario y puede sustituirse por *tipo de interés preferencial.*

primerizo, za adj./s. Que hace algo por primera vez o que es nuevo en una profesión o actividad.

primero adv. **1** En primer lugar o antes de todo: *Primero cenamos, y luego nos vamos a bailar.* □ SINÓN. *primeramente.* **2** Antes, más bien, o de mejor gana: *Primero por las buenas que por las malas.* □ ETIMOL. Del latín *primarius* (de primera fila).

primero, ra ▮ numer. **1** En una serie, que ocupa el lugar número uno: *El día primero del año es el 1 de enero. Vuelve a leer el primer párrafo. Tú has sido la primera en felicitarme.* **2** Excelente, o que es mejor o más importante en relación con algo de la misma especie o clase: *Tú eres el primero de la clase.* ▮ s.f. **3** En el motor de algunos vehículos, marcha o velocidad más corta: *meter la primera.* **4** ‖ **a primeros** de un período de tiempo; hacia sus primeros días: *En esta empresa cobramos a primeros de mes.* ‖ **de primera;** *col.* Muy bueno o excelente: *una fiesta de primera.* ‖ **no ser el primero;** expresión que se usa para disculpar o quitar importancia a lo que alguien ha hecho: *No te preocupes, no eres el primero que cae en la trampa.* □ ETIMOL. Del latín *primarius.* □ MORF. Ante sustantivo masculino singular se usa la apócope *primer.*

prime time (ing.) s.m. ‖ En radio o televisión, período u horario de máxima audiencia. □ PRON. [práim táim]. □ USO Su uso es innecesario y puede sustituirse por *horario estelar* u *horario de máxima audiencia.*

primicia s.f. **1** Primer fruto de algo: *Este premio es la primicia de mi trabajo.* **2** Noticia o hecho que se da a conocer por primera vez: *Nuestra emisora de radio dio la primicia de la dimisión de la ministra.* □ ETIMOL. Del latín *primitia.*

primigenio, nia adj. Primero, originario o anterior. □ ETIMOL. Del latín *primigenius,* y este de *primus* (primero) y *genere* (engendrar).

primípara adj./s.f. Referido a una hembra, que pare por primera vez. □ ETIMOL. Del latín *primipara,* y este de *primus* (primero) y *parere* (parir).

primitiva adj./s.f. →**lotería primitiva.**

primitivamente adv. Al principio o en un tiempo anterior a cualquier otro: *Primitivamente, este poblado estuvo formado por chozas de barro.*

primitivismo s.m. **1** Conjunto de características propias de los pueblos primitivos: *el primitivismo de una tribu.* **2** Tosquedad o rudeza: *El primitivismo de sus modales me hace sentir vergüenza ajena.* **3** En arte, conjunto de características de una época anterior a la que se considera clásica en una civilización o en un estilo: *primitivismo pictórico.*

primitivo, va ▮ adj. **1** De los orígenes o primeros tiempos de algo, o relacionado con ellos. **2** Referido a un pueblo, a una civilización o a sus manifestaciones, que están poco desarrollados en relación con otros: *arte primitivo.* **3** Referido a una palabra, que no se deriva de otra perteneciente a la misma lengua: *'Lechero' y 'lechería' son derivados de la palabra primitiva 'leche'.* **4** Elemental, rudimentario o poco desarrollado: *El rendimiento es mínimo porque trabajamos con una maquinaria muy primitiva.* ▮ adj./s. **5** Referido a un artista o a su obra, que pertenece a una época anterior a la que se considera clásica dentro de una civilización o de un estilo: *Los artistas primitivos occidentales son los anteriores al Renacimiento.* ▮ s.f. **6** →**lotería primitiva.** □ ETIMOL. Del latín *primitivus.*

primo, ma ▮ adj./s. **1** *col.* Referido a una persona, que es ingenua y se deja engañar con facilidad. ▮ s. **2** Respecto de una persona, otra que es hijo o hija de su tío o de su tía: *Tú y yo somos primos porque nuestras madres son hermanas.* ▮ s.f. **3** Cantidad extra de dinero que se da a alguien como premio, estímulo o gratificación. **4** Cantidad de dinero que un asegurado paga al asegurador. **5** En la iglesia católica, tercera de las horas canónicas: *La prima se reza por la mañana, después de los laudes.* **6** ‖ **hacer el primo;** *col.* Hacer algo que no va a ser valorado o que no va a tener recompensa: *Hice el primo quedándome a esperarlo, porque no vino.* ‖ **prima única;** operación para guardar una plusvalía sin gravamen fiscal durante un período de tiempo. □ ETIMOL. Del latín *primus* (primero).

primogénito, ta adj./s. Referido a un hijo, que es el primero que ha nacido. □ ETIMOL. Del latín *primogenitus,* y este de *primo* (primeramente) y *genitus* (engendrado).

primogenitura s.f. Dignidad, privilegios o derechos que corresponden al primogénito.

primor s.m. **1** Esmero, habilidad o delicadeza en la forma de hacer algo: *Mi abuela cose con gran primor.* **2** Lo que se ha hecho de esta forma: *He hecho unas cortinas de ganchillo que son un pri-*

mor. **3** Persona que destaca por sus buenas cualidades. □ ETIMOL. Del latín *primores* (cosas de primer orden).

primordial adj.inv. Fundamental, básico o muy importante. □ ETIMOL. Del latín *primordialis.* □ MORF. No admite grados; incorr. **más primordial.*

primordio s.m. Conjunto de células embrionarias que originan los distintos órganos o partes de un ser vivo. □ ETIMOL. Del latín *primordium* (origen, comienzo).

primoroso, sa adj. Que está hecho con primor, o que es excelente, delicado y perfecto.

prímula s.f. Planta herbácea de pequeño tamaño que tiene hojas anchas y largas, arrugadas, ásperas al tacto y tendidas sobre la tierra, y flores de distintos colores. □ ETIMOL. Del latín *primula.*

primuláceo, a ▮ adj./s.f. **1** Referido a una planta, que es herbácea y que se caracteriza por tener flores hermafroditas, con cuatro o cinco pétalos, y el fruto en forma de cápsula, con muchas semillas en su interior: *La prímula es una primulácea.* ▮ s.f.pl. **2** En botánica, familia de estas plantas, perteneciente a la clase de las dicotiledóneas: *Muchas plantas de las primuláceas se cultivan como adorno en jardines.* □ ETIMOL. Del latín *primula* (primavera, tipo de planta).

princesa s.f. de **príncipe**. □ ETIMOL. Del francés *princesse.*

principado s.m. **1** Título o dignidad de príncipe. **2** Territorio sobre el que recae este título, o sobre el que un príncipe ejerce su autoridad.

principal ▮ adj.inv. **1** Que tiene el primer lugar en estimación o importancia, y se prefiere a otros elementos de la misma especie o clase. **2** Esencial o fundamental: *En una oración compuesta la oración principal es aquella de la que dependen las subordinadas.* ▮ adj.inv./s.m. **3** Referido al piso de un edificio, que está sobre el bajo o sobre el entresuelo. □ ETIMOL. Del latín *principalis.* □ MORF. Como adjetivo no admite grados: incorr. **más principal.*

príncipe s.m. **1** Hijo del rey y heredero de la corona. **2** Miembro de una familia real o imperial. **3** Soberano de un Estado, esp. de un principado. **4** || **príncipe azul;** hombre ideal soñado o esperado por una mujer. || **príncipe de Gales;** tejido con un estampado de cuadros y de colores suaves. || **príncipe de las tinieblas;** el diablo. □ ETIMOL. Del latín *princeps* (el primero, soberano, principal). □ MORF. En las acepciones 1, 2 y 3, su femenino es *princesa.*

principesco, ca adj. Que es o parece propio de un príncipe o de una princesa. □ ETIMOL. Del italiano *principesco.*

principianta s.f. *col.* →**principiante.**

principiante adj.inv./s.com. Que empieza a ejercer una profesión o una actividad. □ MORF. Se admite también el femenino *principianta.*

principiar v. Empezar o dar comienzo: *El libro principia con un diálogo muy interesante.* □ ORTOGR. La *i* nunca lleva tilde.

principio s.m. **1** Primer momento de la existencia de algo: *Muchos científicos afirman que el momento de la concepción es el principio de la vida del ser humano.* **2** Primera etapa o primera parte de algo: *Esta parada es el principio del trayecto del autobús. Cuéntame lo sucedido desde el principio.* **3** Origen o causa de algo: *La afición al juego fue el principio de todas sus desgracias.* **4** Razón, concepto o idea fundamentales en las que se basa una disciplina o en las que se apoya un razonamiento: *¿Sabes qué dice el principio de Arquímedes?* **5** Noción básica o fundamento de una materia de estudio: *Este libro recoge los principios de la gramática española.* **6** Norma o idea fundamental que rige el pensamiento o la conducta: *No intentes chantajearla, porque es una mujer de principios.* **7** Cada uno de los componentes de un cuerpo o de una sustancia: *Un medicamento suele estar formado por varios principios.* **8** || **a principios** de un período de tiempo; hacia su comienzo: *Este suceso ocurrió a principios de siglo.* || **al principio;** en el comienzo: *Al principio nos aburríamos en la fiesta, pero después nos animamos.* || **en principio;** de forma general y sin un análisis profundo o detenido: *En principio tu idea parece buena, pero habrá que estudiarla más a fondo.* □ ETIMOL. Del latín *principium* (comienzo, origen). □ MORF. En las acepciones 5 y 6, se usa más en plural.

pringada s.f. Véase **pringado, da.**

pringado, da ▮ adj./s. **1** *col. desp.* Que se deja engañar fácilmente, o que aguanta los abusos. ▮ s.f. **2** Rebanada de pan empapada en pringue o en aceite.

pringar v. **1** Empapar o manchar con pringue o con otra sustancia grasienta o pegajosa: *Me he pringado las manos de aceite. No lo toques, que pringa.* **2** Referido a un alimento, esp. al pan, untarlo o mojarlo en alguna sustancia grasienta o pegajosa: *Pringa el pan en la salsa, y verás qué bueno está.* **3** *col.* Referido a una persona, hacerle tomar parte en un asunto sucio o dudoso: *A mí no me pringues en tus negocios, porque yo soy una persona honrada.* **4** *col.* Trabajar más que otros, o realizar los trabajos más duros o desagradables: *En esta empresa solo pringamos cuatro, y los demás viven como señoritos.* **5** || **pringarla; 1** *col.* Hacer algo erróneo o estropear algo: *La pringaste cuando dijiste que su madre era una imbécil.* **2** *vulg.* Morir: *Mi colega la pringó en un accidente de tráfico.* □ ETIMOL. De origen incierto. □ ORTOGR. La *g* se cambia en *gu* delante de *e* →PAGAR.

pringoso, sa adj. Que está grasiento y pegajoso: *Tengo que limpiar la cocina, porque los baldosines están todos pringosos.*

pringue s.amb. **1** Grasa que sueltan algunos alimentos, esp. el tocino, cuando se fríen o asan. **2** Suciedad grasienta o pegajosa.

prión (tb. *prion*) s.m. Partícula infecciosa, constituida por proteínas, que produce alteraciones degenerativas en el sistema nervioso. □ ETIMOL. Del inglés *proteinaceous infectious particle.* □ ORTOGR.

Se escribe con tilde si se pronuncia como bisílabo: *pri-ón*. Se escribe sin tilde si se pronuncia como monosílabo: *prion*.

prior, -a s. **1** En algunas órdenes religiosas, superior del convento. **2** En algunas órdenes religiosas, segundo prelado después del abad o de la superiora. ☐ ETIMOL. Del latín *prior* (primero entre dos, anterior, superior).

priorato s.m. **1** Cargo de prior o de priora. **2** Territorio o distrito en el que tiene jurisdicción un prior. **3** Vino tinto originario del Priorato (comarca de la provincia de Tarragona): *Bebimos un par de copas de priorato.*

prioridad s.f. **1** Preferencia de un elemento sobre otro en el tiempo o en el orden: *La fama y el poder no cuentan entre mis prioridades.* **2** Mayor importancia o superioridad de un elemento sobre otro: *En el trabajo tiene prioridad sobre mí porque es mi superior.* ☐ ETIMOL. Del latín *prior* (anterior).

prioritario, ria adj. Que tiene prioridad o preferencia respecto de otro elemento.

priorizar v. Dar prioridad o preferencia: *El Gobierno priorizará las medidas para combatir el paro.* ☐ ORTOGR. La *z* se cambia en *c* delante de *e* →CAZAR.

prisa s.f. **1** Rapidez con que algo sucede o se hace. **2** Necesidad o deseo de que algo se realice lo antes posible: *tener prisa.* **3** || **a prisa;** →**aprisa.** || **correr prisa;** ser urgente: *Termina pronto el informe, que corre prisa.* || **darse prisa** alguien; *col.* Apresurarse en la realización de algo: *¡Date prisa, que llegamos tarde!* || **de prisa;** →**deprisa.** || **de prisa y corriendo;** con la mayor prontitud, sin pausa o de forma irreflexiva: *Hizo los deberes de prisa y corriendo, y así están de mal.* || **meter prisa** a alguien; intentar que haga algo con rapidez. ☐ ETIMOL. Del antiguo *priessa* (rebato, alarma).

priscilianismo s.m. Doctrina sostenida por Prisciliano (obispo español del siglo IV), que supone una mezcla de cristianismo, maniqueísmo y panteísmo astrológico.

prisión s.f. **1** Cárcel o lugar en el que se encierra y asegura a una persona para privarla de libertad. **2** En derecho, pena de privación de libertad inferior a la reclusión y superior al arresto: *Lo han condenado a doce años de prisión.* **3** Lo que ata o detiene física o moralmente: *Para los místicos el cuerpo es la prisión del alma.* ☐ ETIMOL. Del latín *prehensio* (acción de coger).

prisionero, ra adj./s. **1** Privado de libertad, esp. si es por motivos que no son delito. **2** Dominado por un sentimiento, por una pasión o por una dependencia. ☐ SEM. Dist. de *preso* (persona que sufre prisión).

prisma s.m. **1** Cuerpo geométrico limitado por dos polígonos paralelos e iguales llamados bases, y lateralmente, por tantos paralelogramos como lados tienen estas: *Un prisma triangular tiene triángulos por bases.* **2** Cuerpo geométrico limitado por dos bases paralelas triangulares, que es generalmente de cristal y que se usa para producir la reflexión, la refracción y la descomposición de la luz: *El rayo de luz que pasa por un prisma, se descompone en los siete colores del arco iris.* **3** Punto de vista o perspectiva: *Creo que no enfocas la cuestión desde el prisma adecuado.* ☐ ETIMOL. Del latín *prisma*.

prismático, ca ▌adj. **1** Con prismas o con figura de prisma. ▌s.m.pl. **2** Aparato formado por dos tubos que contienen en su interior una combinación de lentes y de prismas, y que sirve para mirar por los dos ojos y ver ampliados los objetos lejanos. ☐ SEM. En la acepción 2, dist. de *binoculares* (cualquier aparato formado por dos tubos con lentes).

prístino, na adj. Primitivo, original o tal y como era en un principio. ☐ ETIMOL. Del latín *pristinus* (de otros tiempos). ☐ SEM. No debe emplearse con el significado de 'claro' o 'puro': *Nos reflejábamos en las {*prístinas > claras} aguas del arroyo.*

priva s.f. *col.* Consumo de bebidas alcohólicas.

privacidad s.f. Parte de la vida privada o de la intimidad de una persona que se tiene derecho a proteger.

privación s.f. **1** Pérdida, retirada o falta de algo que se poseía o disfrutaba: *privación de libertad.* **2** Ausencia, carencia o escasez de algo, esp. de lo necesario para vivir: *pasar privaciones.* ☐ MORF. En la acepción 2, se usa más en plural. ☐ USO Es innecesario el uso del anglicismo *deprivación*.

privado, da ▌adj. **1** Que pertenece o está reservado a una sola persona o a un número limitado y escogido de personas: *una fiesta privada.* **2** Particular o personal: *una visita de carácter privado.* **3** De propiedad o título no estatal: *una empresa privada.* ▌s.m. **4** Persona que ocupa el primer lugar en la confianza de una persona, esp. si esta es de elevada condición. **5** || **en privado;** en la intimidad.

privanza s.f. **1** Primer lugar o preferencia en la gracia o en la confianza de una persona, esp. si esta es de elevada condición. ☐ SINÓN. *favor.* **2** Tiempo durante el cual se mantiene esta situación.

privar ▌v. **1** Referido a algo que se posee o se disfruta, despojar de ello o dejar sin ello: *Al meterlo en la cárcel lo han privado de libertad.* **2** *col.* Gustar mucho: *Me privan los helados de café.* **3** Estar de moda o tener gran aceptación: *En la poesía romántica lo que priva es la exaltación de los sentimientos.* **4** *arg.* Tomar bebidas alcohólicas. ▌prnl. **5** Renunciar voluntariamente a algo: *No te prives de los placeres de la vida si no son dañinos.* ☐ ETIMOL. Del latín *privare* (privar, despojar). ☐ SINT. 1. Constr. de la acepción 1: *privar* A *alguien* DE *algo.* 2. Constr. de la acepción 5: *privarse* DE *algo.*

privativo, va adj. **1** Que causa o supone la privación o la pérdida de algo: *una pena privativa de libertad.* **2** Propio y exclusivo de una persona o de una cosa: *Admitirte o no en la empresa es algo privativo del director.*

privatización s.f. Transformación de una empresa o una actividad públicas o estatales en una empresa o actividad privadas.

privatizar v. Referido esp. a una actividad estatal, hacerla privada: *El Gobierno ha planteado la posibi-*

lidad de privatizar la Sanidad. ☐ ORTOGR. La *z* se cambia en *c* delante de *e* →CAZAR.

privilegiado, da ▌adj. **1** *col.* Extraordinario o destacado en relación con algo de su misma especie o clase: *una memoria privilegiada.* ▌adj./s. **2** Que tiene algún privilegio, esp. económico: *las clases privilegiadas.*

privilegiar v. Conceder privilegio: *Una política social no debe privilegiar a los más favorecidos económicamente.* ☐ ORTOGR. La *i* nunca lleva tilde.

privilegio s.m. Ventaja, beneficio o derecho especial que no goza todo el mundo. ☐ ETIMOL. Del latín *privilegium.*

pro ▌s.m. **1** Ventaja o aspecto favorable que presenta un asunto: *Este negocio parece que tiene muchos pros y pocos contras.* ▌prep. **2** A favor de: *una asociación pro democracia.* **3** || **de pro;** referido a una persona, que es considerada gente de bien: *Tienes que estudiar mucho para convertirte en un hombre de pro el día de mañana.* || **en pro de** algo; en favor de ello: *Trabaja en pro de la conservación de la naturaleza.* || **pro forma;** para cumplir con una formalidad: *Aunque recibí el paquete ayer, fecharé el cheque hoy, pro forma.* ☐ ETIMOL. Del latín *prode* (provecho). ☐ USO En la acepción 1, se usa siempre en contraposición a *contra*: *Los pros y los contras de una cuestión.*

pro- **1** Prefijo que significa 'en vez de': *procónsul.* **2** Prefijo que indica movimiento o impulso hacia adelante: *promover.* ☐ ETIMOL. Del latín *pro.*

proa s.f. **1** Parte delantera de una embarcación. **2** || **poner la proa a alguien;** *col.* Tomarle gran antipatía o ponerse en contra suya. ☐ ETIMOL. Del antiguo *proda.*

proactividad s.f. Capacidad para anciciparse a los acontecimientos y para aportar nuevas ideas: *Para este puesto se necesita una persona con mucha iniciativa y proactividad.*

proactivo, va adj. Referido a una persona, que tiene vitalidad, iniciativa y capacidad para anticiparse a lo que pueda suceder: *Buscamos personas proactivas y con vocación.*

probabilidad s.f. **1** Posibilidad de que algo ocurra o suceda. **2** En matemáticas, relación que hay entre el número de veces que se produce un suceso con el número de veces en que podría suceder: *un cálculo de probabilidades.*

probabilísimo, ma superlat. irreg. de **probable.**

probabilismo s.m. Doctrina moral que sostiene que el conocimiento de las cosas solo puede ser aproximado.

probabilístico, ca adj. Que se basa o se apoya en el cálculo matemático de probabilidades.

probable adj.inv. **1** Que es fácil que ocurra o que suceda: *Es probable que hoy no venga a trabajar, porque ayer se fue enferma.* **2** Que se puede probar: *La existencia de extraterrestres no es probable por el momento.* **3** Que tiene apariencia de verdadero o que se funda en una razón válida: *Eso que me cuentas es probable, pero no haré nada hasta que no se publique oficialmente.* ☐ ETIMOL. Del latín *probabilis.* ☐ MORF. Su superlativo es *probabilísimo.*

probado, da adj. Demostrado y confirmado por la experiencia.

probador, -a ▌adj./s. **1** Que prueba. ▌s.m. **2** Lugar o habitación pequeña que se utiliza para que una persona se pruebe una prenda de vestir antes de comprarla.

probar v. **1** Referido esp. a algo que debe ser útil, examinarlo o utilizarlo para comprobar su correcto funcionamiento o si resulta adecuado para un fin: *Prueba la radio para ver si te la han arreglado bien. Pruébate el vestido antes de comprarlo.* **2** Referido a una persona o a sus cualidades, examinarlas para comprobar sus conocimientos o sus cualidades: *Probaron a todos los candidatos para ver quién era el más indicado. ¿Me estás probando para ver cuánta paciencia tengo, rico?* **3** Referido a un alimento o a una bebida, tomar una pequeña cantidad de ellos: *Prueba la salsa para ver si está bien de sal.* **4** Referido a un alimento o a una bebida, comerlo o beberla: *Desde que quiere adelgazar no prueba el dulce.* **5** Referido a la verdad o a la existencia de algo, justificarla y demostrarla, esp. si se hace mediante razones, instrumentos o testigos: *Esos reproches prueban que entre vosotros ya no hay amistad.* **6** Referido a una acción, intentarla: *Probó a saltar el muro, pero no lo consiguió.* ☐ ETIMOL. Del latín *probare* (ensayar, comprobar). ☐ MORF. Irreg. →CONTAR. ☐ SINT. Constr. de la acepción 6: *probar* A *hacer algo.*

probativo, va adj. →**probatorio.**

probatoria s.f. Véase **probatorio, ria.**

probatorio, ria ▌adj. **1** Que sirve para probar o averiguar la verdad de algo. ☐ SINÓN. *probativo.* ▌s.f. **2** Término o límite que la ley o el juez conceden para proponer y mostrar las pruebas.

probatura s.f. *col.* Ensayo o prueba.

probeta s.f. Recipiente de cristal de forma cilíndrica y alargada, generalmente graduado y con pie, que se emplea en laboratorios como tubo de ensayo o para medir volúmenes. ☐ ETIMOL. De *probar.*

probidad s.f. Respeto de unos valores morales, rectitud de ánimo e integridad en la forma de actuar. ☐ SINÓN. *honradez.* ☐ ETIMOL. Del latín *probitas.*

probiótico, ca ▌adj. **1** Que tiene efectos fisiológicos en la actividad intestinal: *alimentos probióticos.* ▌s.m. **2** Microorganismo que se añade a ciertos productos alimentarios y que se aloja en el intestino para actuar en la flora: *He leído que los probióticos ayudan a mantener el equilibrio intestinal.* ☐ ORTOGR. Dist. de *prebiótico.*

problema s.m. **1** Cuestión que se intenta aclarar o resolver: *Me planteó un problema de amores y no supe qué contestarle.* **2** Situación dudosa o perjudicial y de difícil solución: *El consejo tratará en su próxima reunión del problema de la especulación urbanística.* **3** Conjunto de hechos o circunstancias que dificultan la consecución de un fin: *Hemos tenido muchos problemas para salir adelante en la vida.* **4** Disgusto o preocupación: *Esos tipos no* *traen más que problemas.* **5** Pregunta o proposición dirigidos a averiguar el modo de obtener un resultado a partir de algunos datos conocidos: *El examen de matemáticas constará de cinco problemas.* □ ETIMOL. Del latín *problema*, y este del griego *próblema* (tarea, problema). □ MORF. En la acepción 4, se usa más en plural. □ SEM. 1. Se usa mucho como palabra comodín para designar de manera imprecisa una dificultad, un obstáculo o un conflicto. 2. Dist. de *dilema* (duda o disyuntiva).

problemática s.f. Véase **problemático, ca.**

problemático, ca ▌adj. **1** Que causa problemas o plantea dificultades: *una situación problemática; un alumno problemático.* ▌s.f. **2** Conjunto de cuestiones y dificultades relativas a una determinada disciplina o actividad: *la problemática del paro laboral.* □ SEM. En la acepción 2, es un nombre colectivo y no debe usarse con el significado de 'problema': *Tengo {*una problemática > un problema} que no sé cómo resolver.*

problematización s.f. Planteamiento de un hecho o de un asunto para analizar los aspectos que pueden ofrecer más problemas.

problematizar v. Referido a un hecho o a un asunto, ponerlos en cuestión o plantearlos para analizar los aspectos que pueden ofrecer más problemas: *En cierto modo, la función de la oposición es problematizar las medidas del Gobierno.* □ ORTOGR. La *z* se cambia en *c* delante de *e* →CAZAR.

probo, ba adj. Respetuoso con los valores morales e íntegro en la forma de actuar. □ ETIMOL. Del latín *probus* (bueno, virtuoso).

probóscide s.f. En algunos insectos o en algunos otros animales, prolongación de la nariz o de la boca en forma de tubo o de trompa, que tiene diversas funciones, como succión o defensa: *El aparato bucal de las mariposas es una probóscide.* □ ETIMOL. Del latín *proboscis* (trompa).

proboscídeo adj./s. →**proboscidio.**

proboscidio ▌adj./s. **1** Referido a un mamífero, que es de gran tamaño, con la piel gruesa y que tiene una probóscide o trompa prensil formada por la soldadura de la nariz con el labio superior: *El elefante es un proboscidio.* □ SINÓN. *proboscídeo.* ▌s.m.pl. **2** En zoología, orden de estos mamíferos: *Los proboscidios tienen incisivos muy desarrollados formados por marfil.* □ SINÓN. *proboscídeo.*

procacidad s.f. Desvergüenza, insolencia o atrevimiento. □ SEM. Se usa esp. referido a todo lo relacionado con la moral sexual.

procaína s.f. Sustancia derivada de la cocaína, de acción breve y poco intensa, que se usa generalmente como anestésico local: *La procaína es un polvo blanco insoluble en agua.*

procarionte adj.inv./s.m. Referido esp. a un organismo, que no tiene el material genético envuelto en una membrana que lo separe del citoplasma: *Las bacterias son organismos procariontes.* □ SINÓN. *procariota, procariótico.* □ ETIMOL. Del griego *pró* (antes) y *káryon* (núcleo). □ SEM. Dist. de *eucarionte* (con el núcleo celular separado del citoplasma por una membrana y el material genético organizado en varios cromosomas).

procariota adj.inv./s.m. →**procarionte.**

procariótico, ca adj. →**procarionte.**

procaz adj.inv. Desvergonzado, insolente o atrevido. □ ETIMOL. Del latín *procax* (que pide de forma desvergonzada). □ USO Se usa esp. referido a todo lo relacionado con la moral sexual.

procedencia s.f. **1** Origen o principio de donde nace o desciende algo: *Es de ilustre procedencia. Me gustaría saber cuál es la procedencia de las ideas que ahora defiende.* **2** Punto de partida o lugar de donde algo viene: *¿Puede decirme cuál es la procedencia del tren que han anunciado?*

procedente adj.inv. Que procede de un sitio: *El avión procedente de Canarias llega a las tres de la madrugada.*

proceder ▌s.m. **1** Manera de actuar o de comportarse una persona: *No estoy de acuerdo con tu proceder, pero lo respeto.* ▌v. **2** Referido a un efecto, originarse a partir de una causa o ser resultado de ella: *La neumonía procede de un resfriado mal curado.* **3** Referido esp. a un objeto o un producto, nacer, originarse u obtenerse a partir de otro: *Las lenguas romances proceden del latín.* **4** Referido esp. a una persona, descender de otra o tener su origen en un determinado lugar: *Procede de una estirpe de nobles.* **5** Referido a una persona, actuar o comportarse de una manera determinada: *Ese modo de proceder me parece intolerable.* **6** Venir o haber salido de un lugar: *Los muebles del museo proceden de un antiguo palacio.* **7** Referido a una acción, pasar a ejecutarla, generalmente si para ello han sido necesarias diligencias previas: *El secretario procederá a la lectura del acta.* **8** Ser conveniente, resultar apropiado o estar justificado: *No procede que lo llames a estas horas.* **9** ‖ **proceder contra** alguien; en derecho, iniciar o seguir un procedimiento contra él: *El juzgado procederá contra las fábricas que contaminan el río.* □ ETIMOL. La acepción 1, del verbo *proceder*. Las acepciones 2-9, del latín *procedere* (adelantar, pasar a otra cosa). □ SINT. 1. Constr. de las acepciones 2, 3, 4 y 6: *proceder* DE *algo.* 2. Constr. de la acepción 7: *proceder* A *algo.* □ USO La acepción 8 se usa más en expresiones negativas.

procedimental adj.inv. Del procedimiento o relacionado con él: *contenidos procedimentales.*

procedimiento s.m. **1** Método o sistema para ejecutar algo. **2** En derecho, serie de trámites judiciales o administrativos.

proceloso, sa adj. Tempestuoso, tormentoso o agitado. □ ETIMOL. Del latín *procellosus*, y este de *procella* (tormenta, borrasca). □ USO Su uso es característico del lenguaje culto.

prócer s.m. Persona noble, ilustre y respetada. □ ETIMOL. Del latín *procer*.

procesado, da s. Persona contra la que se ha dictado un auto de procesamiento y contra la que se sigue un proceso judicial.

procesador s.m. **1** Circuito formado por numerosos transistores integrados, que tiene diversas aplicaciones y realiza las funciones de unidad central en un ordenador. **2** Programa informático capaz de procesar información: *un procesador de textos.*

procesal adj.inv. Del proceso judicial o relacionado con esta causa criminal: *derecho procesal.*

procesamiento s.m. **1** Sometimiento de una persona a un proceso judicial: *Un juez dicta un auto de procesamiento contra una persona cuando encuentra indicios racionales de culpabilidad contra ella.* **2** Sometimiento de datos a una serie de operaciones informáticas programadas: *El volumen de datos es tan alto que su procesamiento es lento.* **3** Sometimiento a un proceso de transformación física, química o biológica: *Está especializado en el procesamiento de aceites industriales.*

procesar v. **1** En derecho, referido a una persona, someterla a un juicio o proceso judicial dictándole auto de procesamiento: *Procesaron al presunto asesino.* **2** En informática, referido esp. a un dato, someterlo a una serie de operaciones programadas: *Procesó los datos y estos están ya almacenados.* **3** Someter a un proceso de transformación física, química o biológica: *En esta planta industrial procesamos cartón usado para convertirlo en papel.*

procesión s.f. **1** Sucesión de personas que caminan lentamente y de forma solemne y ordenada, con un motivo religioso, y portando imágenes u otros objetos de culto. **2** *col.* Sucesión de personas, animales o cosas que van lentamente uno tras otro formando una hilera. ☐ ETIMOL. Del latín *processio* (acción de adelantarse, salida solemne).

procesional adj.inv. De la procesión o relacionado con ella.

procesionar v. Participar o ir en una procesión: *Todos los años procesiono junto a la Virgen del Carmen.*

procesionaria s.f. Oruga de algunas especies de insectos lepidópteros, que causa grandes daños a árboles como los pinos y las encinas, y que suele desplazarse en grupos organizados en filas.

proceso s.m. **1** Conjunto de las fases sucesivas de un fenómeno natural o de una operación artificial: *Tiene doce años y está en proceso de crecimiento. El proceso de elaboración del vino es bastante lento.* **2** En derecho, causa criminal o conjunto de actuaciones realizadas por un juzgado o tribunal y ante él para determinar una culpa o aplicar una pena: *Tras el proceso, ha sido declarado inocente.* ☐ ETIMOL. Del latín *processus* (progresión), porque un proceso consta de etapas sucesivas.

proclama s.f. **1** Discurso hablado o escrito, generalmente de carácter político o militar, que se expone públicamente: *lanzar una proclama.* **2** Anuncio público u oficial.

proclamación s.f. **1** Publicación o anuncio solemne de una información oficial. **2** Actos públicos y ceremonias con los que se celebra el comienzo de algo, esp. de un reinado o una forma de gobierno.

proclamar ▮ v. **1** Decir o anunciar públicamente y en voz alta: *No le cuentes secretos porque los proclama a voz en grito.* **2** Referido esp. a un reinado o a una forma de gobierno, declarar solemnemente su comienzo: *Tras el fracaso de la monarquía de Amadeo I, fue proclamada la Primera República española.* **3** Otorgar un título o un cargo por acuerdo de una mayoría: *Fue proclamada vencedora del concurso literario.* **4** Mostrar con claridad y sin equívoco: *Las arrugas de la cara proclaman su edad.* ▮ prnl. **5** Referido a una persona, declararse investida de un cargo, de una autoridad o de un mérito: *Dio un golpe militar y se proclamó jefe del Estado.* ☐ ETIMOL. Del latín *proclamare.*

proclisis (pl. *proclisis*) s.f. En gramática, unión de una palabra átona a una tónica que la sigue, formando parte de un mismo grupo de pronunciación: *El pronombre 'se' delante de un verbo va en proclisis con este.*

proclítico, ca adj. En gramática, referido a una palabra átona, que se pronuncia apoyada en la palabra siguiente: *'Lo' en 'Lo vi' es un pronombre proclítico.* ☐ ETIMOL. Del griego *proklíno* (me inclino hacia adelante).

proclive adj.inv. Referido esp. a algo considerado negativo, inclinado o propenso a ello: *Se muestra proclive a la tristeza. Es proclive a coger resfriados.* ☐ ETIMOL. Del latín *proclivis.* ☐ SINT. Constr. *proclive A algo.* ☐ SEM. No debe usarse para cosas que se consideran positivas.

proclividad s.f. Inclinación o propensión a algo generalmente negativo.

procónsul s.m. En la antigua Roma, gobernador de una provincia con la jurisdicción y los honores de un cónsul. ☐ ETIMOL. Del latín *proconsul.*

procordado ▮ adj./s.m. **1** Referido a un animal cordado, que no tiene encéfalo ni esqueleto y que respira por branquias situadas en la pared de la faringe: *Los animales procordados viven en el mar.* ▮ s.m.pl. **2** En zoología, grupo de estos animales cordados: *En clasificaciones antiguas, los procordados eran un subtipo dentro de los cordados. El sistema nervioso central de los procordados se reduce a un cordón que equivale a la médula espinal de los vertebrados.*

procreación s.f. Propagación de la propia especie por medio de la reproducción.

procreador, -a adj./s. Que procrea.

procrear v. Propagar la propia especie, por medio de la reproducción: *La unión sexual permite procrear.* ☐ ETIMOL. Del latín *procreare.*

proctología s.f. Parte de la medicina que estudia el diagnóstico y el tratamiento de las enfermedades del recto. ☐ ETIMOL. Del griego *prôktos* (ano) y *-logía* (estudio).

proctológico, ca adj. De la proctología o relacionado con esta parte de la medicina.

proctólogo, ga s. Médico especialista en el diagnóstico y el tratamiento de las enfermedades del recto.

proctoscopia s.f. En medicina, exploración del recto, mediante la introducción de un rectoscopio o proctoscopio. □ SINÓN. *rectoscopia.* □ ETIMOL. Del griego *prôktos* (ano) y *-scopia* (exploración).

proctoscopio s.m. Instrumento óptico que se utiliza en medicina para examinar internamente el recto. □ SINÓN. *rectoscopio.*

procurador, -a s. Persona legalmente autorizada para representar a otra en los tribunales de justicia.

procuraduría s.f. **1** Cargo de procurador. **2** Despacho u oficina del procurador.

procurar v. **1** Referido a una acción, hacer todo lo posible para conseguir realizarla: *Procura terminar los deberes antes de cenar.* **2** Conseguir o proporcionar: *Nos procuró un estupendo alojamiento. Se procuró un estupendo coche deportivo.* □ ETIMOL. Del latín *procurare.*

prodigalidad s.f. **1** Generosidad o desprendimiento. **2** Desperdicio o consumo de la propia hacienda en gastos inútiles e incontrolados. **3** Abundancia o gran cantidad.

prodigar ▌v. **1** Dar en gran cantidad o abundancia: *Prodiga cuidados a su anciano padre.* **2** Gastar con exceso e inutilidad: *Prodigó su fortuna y ahora está arruinado.* **3** Referido esp. a elogios, expresarlos u ofrecerlos de forma insistente y repetida: *Prodiga sus elogios hacia ti cada vez que me ve. Cuando habla de su madre, se prodiga en elogios hacia ella.* ▌prnl. **4** Dejarse ver con frecuencia en ciertos lugares: *Ya no te prodigas por aquí, ¿te pasa algo?* □ ETIMOL. De *pródigo.* □ ORTOGR. La *g* se cambia en *gu* delante de *e* →PAGAR. □ SINT. Constr. de la acepción 3 como pronominal: *prodigarse EN algo.*

prodigio s.m. **1** Lo que es extraordinario o maravilloso y no tiene causa natural aparente: *En el programa de parapsicología hablaron del prodigio de los ovnis.* **2** Lo que resulta extraño o produce admiración por su rareza o por sus excelentes cualidades: *Me parece un prodigio que puedas dormir con este escándalo.* □ ETIMOL. Del latín *prodigium* (milagro, prodigio).

prodigioso, sa adj. **1** Extraordinario o maravilloso y sin causa natural aparente: *Los milagros son hechos prodigiosos.* **2** Extraño y admirable por sus excelentes cualidades: *Es una persona brillante, con una inteligencia prodigiosa.*

pródigo, ga adj. **1** Que tiene o produce gran cantidad de algo: *un pródigo escritor.* **2** Referido a una persona, que es muy generosa y desprendida. **3** Referido a una persona, que desperdicia o consume su hacienda en gastos inútiles e incontrolados. □ ETIMOL. Del latín *prodigus*, y este de *prodigere* (gastar mucho). □ SINT. Constr. *ser pródigo EN algo.*

prodrómico, ca adj. Del pródromo o relacionado con este conjunto de síntomas.

pródromo s.m. Conjunto de síntomas que anuncian una enfermedad. □ ETIMOL. Del latín *prodromus*, y este del griego *pródromos* (que precede).

producción s.f. **1** Obtención de frutos de la naturaleza: *la producción de carbón.* **2** Fabricación o elaboración de un objeto: *la producción de juguetes.* **3** Creación de una obra intelectual: *Su producción poética ha aumentado en los últimos años.* **4** Financiación de una obra artística: *Se dedica a la producción de discos y vídeos musicales.* **5** Obra intelectual o artística: *una producción cinematográfica.* **6** Conjunto de productos del suelo o de la industria: *la producción maderera.*

producible adj.inv. Que se puede producir.

producir v. **1** Originar, ocasionar o causar: *La cafeína produce insomnio. Tras la discusión se produjo una pelea.* **2** Referido a la naturaleza, dar fruto: *Estos campos producen buenas cosechas.* **3** Referido a un objeto, fabricarlo o elaborarlo: *Esta fábrica produce un millón de envases al día.* **4** Referido a una obra intelectual, crearla o hacerla aparecer: *Produce cuatro novelas al año y sin ningún esfuerzo.* **5** Referido a una obra artística, proporcionar el dinero necesario para llevar a cabo su realización: *No sabemos quién producirá la nueva serie televisiva.* **6** Rentar o dar beneficios económicos: *Es necesario producir más y mejor.* □ ETIMOL. Del latín *producere* (hacer salir, criar). □ MORF. Irreg. →CONDUCIR.

productividad s.f. **1** Capacidad de producir: *Cerraron la mina porque tenía una productividad muy baja.* **2** Capacidad de ser útil y provechoso: *La productividad de la reunión se plasmó en la cantidad de decisiones que se adoptaron ese día.* **3** Grado de producción en relación con los medios con los que se cuenta: *La alta productividad del nuevo equipo industrial demuestra que fue una buena inversión.* **4** En economía, aumento o disminución de los rendimientos físicos o financieros que se originan en la variación de alguno de los factores que intervienen en la producción: *La inyección de capital mejoró la productividad.*

productivismo s.m. Afán exagerado por aumentar la producción sin tener en cuenta los costes sociales.

productivo, va adj. **1** Que produce o que es capaz de producir: *unos campos productivos.* **2** Útil o provechoso: *Fue una reunión muy productiva, porque se extrajeron muchas conclusiones.* **3** En economía, que tiene un resultado favorable de valor entre precios y costes: *una inversión productiva.*

product manager (ing.) s. ‖ →**jefe de producto.** □ PRON. [pródoct mánayer].

producto s.m. **1** Lo que se produce: *En el mercado venden frutas y otros productos del campo. El jabón y los detergentes son productos de limpieza.* **2** Resultado o consecuencia: *Esta novela es producto de un gran esfuerzo.* **3** Beneficio o ganancia: *el producto interior bruto.* **4** En matemáticas, resultado de una multiplicación: *El producto de multiplicar 4 por 2 es 8.* □ ETIMOL. Del latín *productus.*

productor, -a ▌adj./s. **1** Que produce. ▌s. **2** Persona con responsabilidad financiera y comercial, que financia y organiza la realización de una obra artística: *un productor de cine.* ▌s.f. **3** Empresa dedicada a la producción de obras artísticas, generalmente cinematográficas.

productora s.f. Véase **productor, -a.**

proel s.m. Marinero que, en una embarcación pequeña, maneja el remo de proa, atraca o desatraca y sustituye al patrón. □ ETIMOL. Del catalán *proer*, y este del latín *prora* (proa).

proemio s.m. En un libro, prólogo o discurso que lo precede a modo de introducción. □ ETIMOL. Del griego *proóimion* (preámbulo).

proeza s.f. Hazaña o acción valerosa. □ ETIMOL. De origen incierto.

profanación s.f. **1** Tratamiento irreverente o irrespetuoso de algo sagrado. □ SINÓN. *profanamiento*. **2** Deshonra o uso indigno de algo respetable: *No sé qué pretendía con la profanación del nombre del que fue su maestro.* □ SINÓN. *profanamiento*.

profanador, -a adj./s. Que profana.

profanamiento s.m. →**profanación.**

profanar v. **1** Referido a algo sagrado, tratarlo sin el debido respeto o dedicarlo a usos profanos: *Profanaron la iglesia quemando las imágenes y arrojando basura en la pila de agua bendita.* **2** Referido a algo respetable, deshonrarlo o hacer un uso indigno de ello: *No profanes la memoria de los muertos.* □ ETIMOL. Del latín *profanare*.

profano, na adj. **1** No sagrado o no religioso: *temas profanos.* **2** Que no muestra respeto por lo sagrado: *una actitud profana.* **3** Inexperto o no entendido en una materia. □ ETIMOL. Del latín *profanus* (lo que está fuera del templo).

profármaco s.m. Sustancia que se hace activa dentro del organismo: *Los profármacos son muy positivos cuando el compuesto activo puede ser absorbido por el organismo antes de que llegue a su objetivo.*

profase s.f. En la división celular por mitosis o por meiosis, primera fase en la que los cromosomas se hacen patentes y desaparece la membrana nuclear. □ ETIMOL. De *pro-* (movimiento hacia adelante) y *fase*. □ SEM. Dist. de *metafase* (segunda fase), de *anafase* (tercera fase) y de *telofase* (fase final).

profecía s.f. **1** Predicción o anuncio de algo futuro, que se hace en virtud de un don sobrenatural. **2** *col.* Juicio o conjetura, formados a partir de señales observables: *Casi nunca se cumplen las profecías de los economistas.* □ ETIMOL. Del latín *prophetia*.

proferir v. Referido a palabras o sonidos, pronunciarlos o articularlos en voz muy alta: *Salió muy enfadado y profiriendo insultos contra todos.* □ ETIMOL. Del latín *proferre* (echar fuera de la boca). □ MORF. Irreg. →SENTIR.

profesar v. **1** Ingresar en una orden religiosa y hacer los votos correspondientes: *Quiero ser monja y voy a profesar en las carmelitas.* **2** Referido esp. a una creencia, manifestarla o aceptarla voluntariamente: *Profesa el catolicismo.* **3** Referido a un sentimiento, tenerlo y perseverar voluntariamente en él: *Profesa gran cariño a sus padres.* **4** Referido a una ciencia o a una profesión, ejercerla o desempeñarla: *Profesa la medicina desde hace veinte años.* □ ETIMOL. Del latín *profiteri* (declarar abiertamente, hacer profesión).

profesión s.f. **1** Actividad en la que una persona trabaja a cambio de un salario. **2** Ingreso en una orden religiosa haciendo los votos correspondientes. **3** Manifestación o aceptación voluntaria de una creencia: *profesión de fe.* □ ETIMOL. Del latín *professio* (declaración pública, oficio).

profesional ▮ adj.inv. **1** De la profesión o relacionado con la actividad en la que una persona trabaja. **2** Hecho por personas especializadas y no por aficionados. ▮ adj.inv./s.com. **3** Referido a una persona, que ejerce una profesión o que practica habitualmente una actividad de la cual vive. ▮ s.com. **4** Persona que ejerce su profesión con gran capacidad y honradez.

profesionalidad s.f. **1** Ejercicio de una profesión, o práctica habitual de una actividad de la cual se vive: *Empezó en este deporte como aficionada, pero ahora su meta es la profesionalidad.* **2** Ejercicio de una profesión con gran capacidad y honradez: *Su profesionalidad es tal que nunca cobra un trabajo si el cliente no queda del todo satisfecho.*

profesionalización s.f. Transformación en profesional.

profesionalizar v. **1** Referido a una actividad, darle carácter de profesión: *No considero acertado que se profesionalice la filatelia.* **2** Referido a una persona, convertirla de aficionado en profesional: *Ese futbolista juvenil ha fichado por un equipo de primera división y se ha profesionalizado.* □ ORTOGR. La *z* se cambia en *c* delante de *e* →CAZAR.

profeso, sa adj./s. Referido a un religioso, que ha profesado o ingresado en una orden. □ ETIMOL. Del latín *professus*, y este de *profiteri* (declarar abiertamente, hacer profesión).

profesor, -a s. Persona que se dedica a la enseñanza, esp. si esta es su profesión. □ ETIMOL. Del latín *professor* (el que hace profesión de algo).

profesorado s.m. **1** Conjunto de profesores. **2** Cargo de profesor: *Ejerció varios años el profesorado en este instituto.*

profesoral adj.inv. Del profesor o relacionado con esta profesión.

profeta s.m. **1** Persona que posee el don sobrenatural de la profecía. **2** *col.* Persona que hace predicciones. □ ETIMOL. Del latín *propheta*, este del griego *prophétes*, y este de *próphemi* (yo predigo, pronostico). □ MORF. Su femenino es *profetisa*.

profético, ca adj. De la profecía, del profeta o relacionado con ellos.

profetisa s.f. de **profeta.**

profetizar v. Hacer profecías: *Muchos profetas del Antiguo Testamento profetizaron el nacimiento de Cristo.* □ ORTOGR. La *z* se cambia en *c* delante de *e* →CAZAR.

profiláctica s.f. Véase **profiláctico, ca.**

profiláctico, ca ▮ adj. **1** En medicina, que sirve para proteger de la enfermedad o para evitar que esta se extienda. ▮ s.m. **2** Funda fina y elástica que se usa para cubrir el pene durante el coito y evitar así la fecundación o la transmisión de enfermedades. □ SINÓN. *condón, preservativo.* ▮ s.f. **3** Parte de la medicina que tiene por objeto la conservación de la salud y la prevención de enfermedades.

profilaxis (pl. *profilaxis*) s.f. Protección o preservación de la enfermedad. □ ETIMOL. Del griego *prophylátto* (yo tomo precauciones).

profiterol s.m. Pastel pequeño relleno de crema y que suele servirse con chocolate caliente por encima. □ ETIMOL. Del francés *profiterole*.

prófugo, ga ▮ adj./s. **1** Referido a una persona, que va huyendo de la justicia o de una autoridad. ▮ s.m. **2** Joven que se escapa o se oculta para evitar hacer el servicio militar. □ ETIMOL. Del latín *profugus*.

profundidad s.f. **1** Intensidad, fuerza o grandeza: *Duermo con tal profundidad, que ningún ruido me despierta.* **2** Lugar o parte más honda: *Analiza las profundidades del alma humana.* **3** Distancia entre una superficie y su fondo: *Aunque la fachada es estrecha, esa casa tiene mucha profundidad.* **4** Distancia que hay entre el fondo de algo y su borde superior: *La piscina tiene una profundidad de tres metros.* □ SINÓN. *fondo, hondura.* **5** Intensidad o sinceridad de un sentimiento: *Nadie pone en duda la profundidad de sus afectos.* □ SINÓN. *hondura.* **6** Viveza o capacidad de penetración del pensamiento: *El tema de esta película es de gran profundidad.* □ SINÓN. *hondura.* **7** ‖ **en profundidad;** de forma completa y con rigor: *Analizaremos el poema en profundidad.*

profundización s.f. Aumento de la profundidad de algo o examen atento de una cuestión.

profundizar v. **1** Referido a algo hondo, hacerlo más profundo: *Para encontrar la raíz, tienes que profundizar más el hoyo.* **2** Referido a un asunto, examinarlo con atención para llegar a su perfecto conocimiento: *Si sigues profundizando en esa cuestión, quizá encuentres la respuesta a tus problemas.* □ ORTOGR. La *z* se cambia en *c* delante de *e* →CAZAR. □ SEM. Su uso como sinónimo de *perfeccionar* es incorrecto.

profundo, da adj. **1** Intenso, fuerte o muy grande: *Siente una profunda tristeza. Tiene unas profundas ojeras. Es época de profundos cambios políticos.* **2** Que tiene mucho fondo o que está extendido a lo largo: *Entramos en un profundo túnel.* **3** Referido a un recipiente o a una cavidad, con el fondo muy distante del borde superior. □ SINÓN. *hondo.* **4** Referido a un terreno, que tiene la parte inferior mucho más abajo que lo circundante: *El cañón del río es muy profundo.* □ SINÓN. *hondo.* **5** Que penetra mucho o va hasta muy adentro: *una herida profunda.* □ SINÓN. *hondo.* **6** Difícil de penetrar o de comprender: *Desconozco las profundas intenciones que le han llevado a esta decisión.* □ SINÓN. *hondo.* **7** Referido esp. a un sonido, que es potente o de tono muy grave: *una voz profunda.* □ ETIMOL. Del latín *profundus.* □ USO En la acepción 3, *hondo* se aplica esp. a objetos pequeños o a concavidades cuyo fondo dista poco de la superficie.

profusión s.f. Gran cantidad o abundancia excesiva: *Nos informó de la situación con profusión de datos.*

profuso, sa adj. Muy abundante o excesivo: *Se perdieron en una zona de profusa vegetación.* □ ETIMOL. Del latín *profusus*, y este de *profundere* (derramar extensamente).

progenie s.f. **1** Descendencia o conjunto de hijos de alguien. **2** Familia de la que alguien desciende: *Entre su progenie hubo varios poetas, y él también escribe versos.* □ ETIMOL. Del latín *progenies*.

progenitor, -a s. Ascendiente directo de una persona, esp. referido a los padres. □ ETIMOL. De *progignere* (engendrar).

progenitura s.f. Familia de la que alguien procede.

progestágeno s.m. Hormona que producen los ovarios en la segunda fase del ciclo menstrual.

progesterona s.f. Hormona sexual segregada principalmente por el ovario femenino.

prognatismo s.m. Prolongación hacia adelante de la mandíbula inferior.

prognato, ta adj./s. Referido a una persona, que tiene las mandíbulas salientes. □ ETIMOL. De *pro-* (hacia delante) y el griego *gnáthos* (mandíbula).

prognosis (pl. *prognosis*) s.f. Conocimiento anticipado de algo que ocurrirá con seguridad. □ ETIMOL. Del griego *prógnosis*.

programa s.m. **1** Anuncio o exposición resumida y ordenada de las partes que componen algo que se va a realizar o desarrollar, o de aquellos elementos que lo caracterizan: *el programa de una excursión.* **2** Declaración previa de lo que se piensa hacer: *un programa electoral.* **3** Impreso en que aparecen esta exposición o esta declaración: *Al entrar en el teatro nos dieron un programa con el reparto de los actores.* **4** Conjunto de las unidades temáticas que emite una emisora de radio o de televisión: *Hoy la televisión autonómica tiene un buen programa.* **5** Cada una de estas unidades temáticas: *Los martes hay un programa cultural muy interesante en esta emisora de radio.* **6** Proyecto o conjunto ordenado de actividades programadas: *La dirección del teatro ya ha confeccionado el programa para toda la temporada.* **7** Conjunto de operaciones que, de forma ordenada, realizan algunas máquinas: *Esta lavadora dispone de un programa especial para lavar la ropa delicada.* **8** En informática, conjunto de instrucciones que se dan a un ordenador para que este ejecute una determinada tarea. □ ETIMOL. Del griego *prógramma*, y este de *prográpho* (yo anuncio por escrito).

programable adj.inv. Que se puede programar.

programación s.f. **1** Elaboración del programa de algo: *Este teatro incluye obras extranjeras en su programación.* **2** Conjunto de los programas de radio o televisión: *Busca en el periódico qué programación hay en esta cadena, por favor.* **3** Preparación por anticipado de algunas máquinas o mecanismos para que realicen un determinado trabajo: *la programación de un vídeo.* **4** En informática, realización de un programa informático.

programador, -a ▮ adj./s. **1** Que programa. ▮ s. **2** Persona que se dedica profesionalmente a realizar programas informáticos. ▮ s.m. **3** Dispositivo mediante el cual se programa algo.

programar v. **1** Elaborar un programa: *Esta cadena de televisión ha programado una serie de documentales informativos.* **2** Idear y ordenar las acciones necesarias para realizar algo: *Cuando programes la excursión, recuerda que debemos volver antes de las diez.* **3** Referido a algunas máquinas o mecanismos, prepararlos por anticipado para que realicen un determinado trabajo: *He programado el radiador para que se ponga en marcha a las seis.* **4** En informática, realizar un programa informático: *Estoy yendo a una academia para aprender a programar.*

programático, ca adj. Del programa o relacionado con esta declaración previa de lo que se piensa hacer.

progre adj.inv./s.com. *col.* →**progresista.** □ USO Tiene un matiz despectivo.

progresar v. **1** Hacer progresos o mejorar: *El enfermo progresa rápidamente y pronto volverá a casa.* **2** Avanzar o ir hacia adelante: *Escondidos entre la vegetación veían progresar los tanques enemigos.*

progresía s.f. *col. desp.* Conjunto de progres o progresistas.

progresión s.f. **1** Mejora o perfeccionamiento de algo: *El niño hace continuas progresiones en la lectura. La progresión económica de la empresa ha aportado grandes beneficios.* **2** Avance o evolución de algo: *La progresión de la fiebre del enfermo alarmó al médico.* **3** En matemáticas, sucesión de números o de términos algebraicos entre los cuales hay una ley de formación constante: *En una progresión ascendente cada término tiene mayor valor que el anterior.* **4** || **progresión aritmética;** aquella en la que cada término es igual al anterior más una cantidad constante: *2, 4, 6, 8... es una progresión aritmética.* || **progresión geométrica;** aquella en la que cada término es igual al anterior multiplicado por una cantidad constante: *2, 4, 8, 16... es una progresión geométrica.* □ ETIMOL. Del latín *progressio* (progresión, graduación).

progresismo s.m. **1** Conjunto de ideas y doctrinas avanzadas o innovadoras. **2** Corriente o tendencia política que defiende estas ideas.

progresista adj.inv./s.com. Que tiene ideas avanzadas o innovadoras y está a favor de los cambios y de la evolución social. □ USO En la lengua coloquial se usa mucho la forma abreviada *progre*.

progresividad s.f. En economía, crecimiento progresivo de determinadas variables: *la progresividad de un impuesto.*

progresivo, va adj. **1** Que progresa o aumenta en cantidad o en perfección. **2** Que crece o se desarrolla poco a poco y de forma ininterrumpida.

progreso s.m. **1** Desarrollo favorable, perfeccionamiento o mejora de algo: *La profesora está satisfecha de los progresos que hacen sus alumnos.* **2** Desarrollo continuo y general de la civilización y de la cultura: *El progreso ha supuesto la pérdida de muchos valores tradicionales.* **3** Avance o movimiento hacia adelante: *Las tropas siguen su lento progreso a campo traviesa.* □ ETIMOL. Del latín *progressus*, y este de *progredi* (caminar adelante).

progressive techno (ing.) s.m. || →**tecno progresivo.** □ PRON. [progresív técno].

prohibición s.f. Negación del uso o de la realización de algo: *Por favor, respete la prohibición de fumar en esta sala.*

prohibir v. Referido al uso o a la realización de algo, impedirlos o negarlos: *Por haber suspendido todas, mis padres me han prohibido ver la tele.* □ ETIMOL. Del latín *prohibere* (apartar, mantener lejos, impedir). □ ORTOGR. La *i* de la raíz lleva tilde en los presentes, excepto en las personas *nosotros* y *vosotros* →PROHIBIR.

prohibitivo, va adj. **1** *col.* Demasiado caro o excesivamente elevado en precio: *un precio prohibitivo.* **2** →**prohibitorio.**

prohibitorio, ria adj. Que prohíbe. □ SINÓN. *prohibitivo.*

prohijamiento s.m. Adopción de una persona como hijo.

prohijar v. Referido a una persona, adoptarla como hijo: *Para prohijar a un niño hay que cumplir determinados trámites legales.* □ ETIMOL. Del latín *pro* (por) y *filius* (hijo). □ ORTOGR. 1. Conserva la *j* en toda la conjugación. 2. La *i* lleva tilde en los presentes, excepto en las personas *nosotros* y *vosotros* →GUIAR.

prohombre s.m. Hombre ilustre que goza de especial consideración entre los de su clase. □ ETIMOL. De origen incierto.

pro indiviso (lat.) || En derecho, referido a un bien, que no ha sido aún repartido entre sus propietarios: *Mi hermano y su novia han comprado un piso entre los dos, y el abogado les dijo que lo tienen en pro indiviso.*

prójimo, ma ▮ s. **1** *col. desp.* Persona cuya identidad se ignora o no se quiere decir: *¡Menuda prójima se ha echado por mujer!* □ SINÓN. *individuo.* ▮ s.m. **2** Respecto de una persona, todas o cada una de las demás personas que forman la colectividad humana: *La religión católica nos enseña a amar al prójimo como a nosotros mismos.* □ ETIMOL. Del latín *proximus* (el más cercano, muy cercano).

prolapso s.m. Salida de un órgano o de una víscera a través de un orificio: *Mi prima sufrió prolapso de cordón umbilical en su último embarazo.* □ ETIMOL. Del latín *prolapsus* (caído).

prole s.f. **1** Descendencia o conjunto de hijos. **2** *col.* Conjunto numeroso de personas con algo en común. □ ETIMOL. Del latín *proles*.

prolegómeno s.m. **1** En una obra o en un escrito, tratado que se pone al principio para establecer los fundamentos generales de la materia que se va a tratar. **2** Preparación o introducción excesiva o innecesaria. □ ETIMOL. Del griego *prolegómena* (cosas dichas primero). □ MORF. Se usa más en plural. □ SEM. Su uso como sinónimo de *principio* es incorrecto, aunque está muy extendido: *En los {*prolegómenos > comienzos} del partido.*

prolepsis (pl. *prolepsis*) s.f. **1** Figura retórica que consiste en proponerse uno mismo la objeción que otro pudiera hacer a sus planteamientos, para rebatirla de antemano: *En la frase 'Pensarás que soy un cobarde, pero no me juzgues antes de oírme', hay una prolepsis.* **2** En literatura, secuencia o pasaje que adelantan lo que va a suceder en el tiempo del relato y que se intercalan en la acción rompiendo su desarrollo lineal: *En la novela había una prolepsis cada vez que la protagonista tenía un sueño premonitorio.* ☐ ETIMOL. Del griego *prólepsis*, y este de *prolambáno* (yo cojo de antemano).

proleta adj.inv./s.com. *col.* →**proletario.**

proletariado s.m. Grupo social formado por los trabajadores que no son propietarios de los medios de producción.

proletario, ria ▌adj. **1** Del proletariado o relacionado con este grupo social. ▌s. **2** Persona que no es propietaria de los medios de producción y que vende la fuerza de su trabajo a cambio de un salario. ☐ ETIMOL. Del latín *proletarius* (procreador de hijos), porque los proletarios parece que solo le importan al Estado como procreadores. ☐ MORF. En la lengua coloquial se usa la forma abreviada *proleta*.

proliferación s.f. Multiplicación abundante del número de algo.

proliferar v. **1** Aumentar en número o multiplicarse de forma abundante: *En este barrio han proliferado los grandes edificios.* **2** En biología, reproducirse por división: *Las bacterias proliferan más rápidamente si están en un medio favorable para su desarrollo.*

prolífero, ra adj. →**prolífico.**

prolífico, ca adj. **1** Que puede engendrar, esp. si es de forma abundante: *animales prolíficos.* ☐ SINÓN. *prolífero.* **2** Referido a un artista, que tiene una producción muy extensa: *un novelista prolífico.* ☐ SINÓN. *prolífero.* ☐ ETIMOL. Del latín *proles* (prole) y *facere* (hacer). ☐ SEM. Dist. de *prolijo* (extenso o de larga duración).

prolijidad s.f. **1** Extensión o duración excesivas de una exposición o una explicación. **2** Cuidado o esmero con los que se hace algo.

prolijo, ja adj. **1** Largo o excesivamente extenso en sus explicaciones: *un conferenciante prolijo.* **2** Cuidadoso o esmerado. ☐ ETIMOL. Del latín *prolixus* (largo, profuso). ☐ SEM. Dist. de *prolífico* (que tiene una producción muy extensa).

prologar v. Referido a una obra, escribirle un prólogo: *Este diccionario lo ha prologado un premio Nobel de Literatura.* ☐ ORTOGR. La *g* se cambia en *gu* delante de *e* →PAGAR.

prólogo s.m. **1** En un libro, texto que precede al cuerpo de la obra y que generalmente sirve para hacer su presentación o la de su autor, o para explicar algo relacionado con ella. **2** Lo que precede a otra cosa y le sirve de presentación o de preparación. ☐ ETIMOL. Del griego *prólogos*, y este de *pro-* (antes) y *légo* (yo digo, hablo). ☐ SEM. No debe usarse con el significado de 'principio o comienzo': *Estamos en el {*prólogo > comienzo} del partido, pues solo han transcurrido cinco minutos.*

prologuista s.com. Persona que escribe el prólogo de un libro.

prolongación s.f. **1** Extensión en el espacio o en el tiempo: *Pidieron una prolongación del plazo de matrícula.* ☐ SINÓN. *prolongamiento.* **2** Parte prolongada de algo: *La cola de los animales es una prolongación de la columna vertebral.* ☐ SINÓN. *prolongamiento.*

prolongamiento s.m. →**prolongación.**

prolongar v. **1** Alargar o extender en el espacio: *Han prolongado mi calle y ahora llega hasta la plaza.* **2** Hacer durar más tiempo: *Si nos queda dinero, podemos prolongar nuestra estancia en esta ciudad. La conferencia se prolongó en exceso y resultó bastante pesada.* ☐ ETIMOL. Del latín *prolongare.* ☐ ORTOGR. La *g* se cambia en *gu* delante de *e* →PAGAR.

promecio s.m. →**prometio.** ☐ ORTOGR. Su símbolo químico es *Pm*.

promediar v. Calcular el promedio: *Si promediamos las ganancias, nos quedarán unos sesenta euros para cada uno.* ☐ ORTOGR. La *i* nunca lleva tilde.

promedio s.m. Cantidad igual o más próxima a la media aritmética de un conjunto de varias cantidades. ☐ SINÓN. *término medio.* ☐ ETIMOL. Del latín *pro medio* (como término medio).

promesa s.f. **1** Afirmación de la obligación que alguien se impone a sí mismo de hacer o decir algo: *No cumpliste tu promesa de venir a verme.* **2** Ofrecimiento solemne, equivalente al juramento, de cumplir con las obligaciones y exigencias que conllevan un cargo o unos principios: *La promesa de un cargo se hace mediante una fórmula preestablecida.* **3** Ofrecimiento que se hace a Dios o a los santos: *Vistió el hábito durante dos años en cumplimiento de una promesa a la Virgen.* **4** Lo que da muestras de poseer unas cualidades especiales que pueden llevarlo al triunfo: *Este muchacho es una promesa del fútbol.* **5** Señal o indicio que hace esperar algún bien: *Los hijos son promesa de futuras alegrías.* ☐ ETIMOL. Del latín *promissa*.

promesante s.com. Persona que cumple una promesa piadosa, generalmente en procesión.

prometazina s.f. Sustancia antihistamínica empleada para tratar los síntomas de algunas alergias: *La prometazina alivia el picor alérgico.*

prometedor, -a adj. Que ofrece esperanzas de algo positivo: *un futuro prometedor.*

prometer ▌v. **1** Referido a una acción, comprometerse u obligarse a hacerla: *Prometo estar contigo en las alegrías y en las penas. Me prometió que dejaría de fumar.* **2** Referido a lo que se dice, asegurarlo como cierto: *Te prometo que yo no me he comido el pastel.* **3** Referido esp. a un cargo o a unos principios, comprometerse solemnemente y con promesa de fidelidad y obediencia a cumplir con las obligaciones y exigencias que estos conllevan: *Los ministros prometieron su cargo ante el monarca.* **4** Dar muestras de ser tal y como se expresa: *La fiesta promete ser divertida.* **5** Dar muestras de poseer unas especiales cualidades que pueden llevar al triunfo: *La crítica opina que esta joven novelista promete.* ▌prnl. **6** Darse mutuamente palabra de casamiento: *Se prometieron cuando solo tenían dieciocho años.* □ SINÓN. *comprometerse.* **7** Esperar que algo se produzca de determinada manera: *Me prometía una tarde aburrida, pero al final resultó interesante.* **8** || **prometérselas (muy) felices;** *col.* Tener, sin gran fundamento, esperanzas de que algo salga bien: *Aunque estaba lleno de deudas, se las prometía muy felices con ese negocio porque confiaba en su suerte.* □ ETIMOL. Del latín *promittere*.

prometido, da s. Respecto de una persona, otra que le ha dado palabra de matrimonio.

prometio s.m. Elemento químico, metálico y artificial, de número atómico 61 y que pertenece al grupo de las tierras raras: *El prometio es radiactivo.* □ SINÓN. *promecio.* □ ETIMOL. Del griego *Promethéos* (Prometeo). □ ORTOGR. Su símbolo químico es *Pm*.

prominencia s.f. Abultamiento o elevación de algo sobre lo que está a su alrededor.

prominente adj.inv. **1** Que se levanta o sobresale sobre lo que está alrededor. **2** Ilustre y famoso, o que destaca sobre otros: *una prominente historiadora.* □ ETIMOL. Del latín *prominens*, y este de *prominere* (adelantarse, formar saliente). □ ORTOGR. Dist. de *preeminente*.

promiscuidad s.f. **1** Convivencia desordenada de personas de distinto sexo. **2** Mezcla o confusión: *En su cajón solo encontrarás una promiscuidad de papeles.*

promiscuo, cua adj. **1** Referido a una persona, que mantiene relaciones sexuales con muchas otras. **2** Mezclado de forma confusa o indiferente: *En un grupo promiscuo puede haber personas de distintas aficiones y niveles culturales.* □ ETIMOL. Del latín *promiscuus*.

promisión s.f. Promesa de hacer o de cumplir algo. □ ETIMOL. Del latín *promissio.* □ USO Se usa mucho en la locución *tierra de promisión.*

promisorio, ria adj. Que lleva o incluye una promesa.

promoción s.f. **1** Preparación de las condiciones adecuadas para dar a conocer algo o para aumentar sus ventas: *El supermercado realiza esta semana una promoción de sus productos alimenticios.* **2** Elevación de una persona a una dignidad o empleo superiores a los que tenía: *La subdirectora esperó su promoción a directora durante años.* **3** Impulso de la realización de algo, o elevación y mejora de su calidad: *El Gobierno prepara medidas para la promoción de las exportaciones.* **4** Conjunto de personas que obtienen al mismo tiempo un título de estudios o un empleo: *compañeros de promoción.* **5** En algunos deportes, torneo en el que se enfrentan deportistas o equipos para determinar quiénes pasarán a la categoría superior. □ ETIMOL. Del latín *promotio.*

promocional adj.inv. De la promoción o relacionado con ella.

promocionar v. **1** Elevar o preparar las condiciones adecuadas para mejorar en prestigio, categoría, reputación o puesto social: *Una buena campaña publicitaria promocionará el turismo en la región. El ejecutivo actual se promociona mediante cursos especializados.* **2** Referido esp. a un producto, preparar las condiciones adecuadas para darlo a conocer o para aumentar sus ventas: *Muchas marcas, para promocionar sus productos, rebajan transitoriamente los precios.* **3** Referido a un equipo deportivo, jugar con otro para subir de categoría o para mantener la que posee: *Promocionará el tercer equipo de segunda división con el penúltimo de primera, y el que gane pasará a primera.*

promontorio s.m. Elevación apreciable del terreno, esp. si avanza dentro del mar. □ ETIMOL. Del latín *promontorium* (cabo).

promotor, -a adj./s. Que promueve o promociona haciendo las gestiones oportunas para el logro de algo.

promover v. **1** Referido a una acción, iniciarla o impulsar su realización: *El Gobierno ha decretado nuevas medidas para promover el ahorro.* **2** Referido a una persona, ascenderla o elevarla a una dignidad, categoría o empleo superiores a los que tenía: *El coronel fue promovido a general.* **3** *col.* Dar lugar, causar o producir: *Sus declaraciones promovieron un gran escándalo.* □ ETIMOL. Del latín *promovere*, y este de *pro* (adelante) y *movere* (mover). □ MORF. Irreg.→MOVER.

promulgación s.f. Publicación de forma solemne o formal de algo, esp. de una disposición de la autoridad para que sea cumplida obligatoriamente.

promulgar v. **1** Referido a una ley o a una disposición de la autoridad, publicarlas formalmente para que sean cumplidas obligatoriamente: *El Gobierno promulgará nuevas leyes sobre la utilización del material informático.* **2** Publicar de forma solemne: *El Rey promulgó su renuncia al trono.* □ ETIMOL. Del latín *promulgare* (publicar una ley o un proyecto de ley). □ ORTOGR. La *g* se cambia en *gu* delante de *e* →PAGAR.

pronación s.f. Movimiento del antebrazo que hace girar hacia abajo la palma de la mano que estaba hacia arriba. □ ETIMOL. De *prono* (inclinado).

pronador adj. Referido a un músculo, que hace posible la pronación o movimiento para girar hacia abajo la palma de la mano que estaba hacia arriba.

pronaos (pl. *pronaos*) s.m. Pórtico o sala de los templos grecolatinos que había delante del santuario o cella. □ ETIMOL. Del griego *pronaos* (lugar delante del templo).

pronombre s.m. **1** En gramática, clase de palabras que funcionan en la oración como los sustantivos: *La mayoría de los pronombres españoles tienen flexión.* **2** || **(pronombre) demostrativo;** aquel con el que se muestra o señala algo: *'Esto', 'eso' y 'aque-*

llo' son pronombres demostrativos. || **(pronombre) indefinido;** el que alude de forma vaga e indeterminada a algo: *'Nada', 'algo' y 'alguien' son pronombres indefinidos.* || **(pronombre) numeral;** el que expresa idea de cantidad, de orden, de partición o de multiplicación: *'Millón' es un pronombre numeral.* || **pronombre personal;** el que designa directamente al hablante, al oyente o a lo que no es ninguno de los dos: *'Yo' es el pronombre personal de primera persona del singular, que corresponde al hablante, y 'tú' es el que designa al oyente.* || **(pronombre) relativo;** el que se refiere a una persona, a un animal o a una cosa anteriormente mencionados: *'Que' y 'cuales' son pronombres relativos.* □ ETIMOL. Del latín *pronomen*.

pronominal adj.inv. Del pronombre, con pronombres o que participa de su naturaleza: *'Yo' es una forma pronominal. 'Arrepentirse' es un verbo pronominal porque se conjuga en todas sus formas con los pronombres átonos: 'me arrepiento, te arrepientes...'.*

pronosticar v. Referido a algo que sucederá en un futuro, adivinarlo a raíz de determinados indicios: *Los meteorólogos han pronosticado una semana de lluvias.* □ SINÓN. *anunciar.* □ ORTOGR. La *c* se cambia en *qu* delante de *e* →SACAR.

pronóstico s.m. **1** Conocimiento, a raíz de algunos indicios, de algo que sucederá en un futuro: *un pronóstico meteorológico.* **2** Señal que permite hacer juicios probables o adivinar algo que sucederá en un futuro: *Esos nubarrones negros son pronóstico de tormenta.* □ SINÓN. *anuncio.* **3** En medicina, juicio que forma el médico, a partir de los síntomas detectados, sobre la gravedad, evolución, duración y terminación de una enfermedad: *Esa enfermedad es de pronóstico grave.* **4** || **pronóstico reservado;** el que no es emitido por un médico por la posibilidad de algún contratiempo que se prevé en los efectos de una lesión, o porque los síntomas no son suficientes para formar un juicio seguro: *Hay varios heridos con pronóstico reservado.* □ ETIMOL. Del latín *prognosticum*.

prontamente adv. Con prontitud o rapidez: *Nos recibió prontamente porque le dijimos que teníamos prisa.*

prontitud s.f. Rapidez o velocidad en realizar algo. □ ETIMOL. Del latín *promptitudo*.

pronto adv. **1** Rápido o en un breve espacio de tiempo: *Vístete pronto, que tenemos poco tiempo. Pronto llegará el otoño.* **2** Con anticipación, o antes de lo previsto o de lo oportuno: *Este año ha llegado pronto el buen tiempo. Aún es pronto para entrar a clase.* **3** || **al pronto;** en el primer momento o a primera vista: *Al pronto, todo parece estar bien.* || **de pronto;** sin esperarlo nadie o sin pensarlo: *De pronto dijo que se iba.* || **por {de/lo} pronto;** por ahora o por el momento: *Por lo pronto, no tomaré ninguna decisión.* || **tan pronto;** expresión que, repetida o coordinada con *como*, se usa para introducir dos o más oraciones que expresan acciones en alternancia: *Tan pronto te dice que sí como te dice que no.*

pronto, ta ▮ adj. **1** Rápido, ligero o veloz: *Espero tu pronta respuesta a mi carta.* ▮ s.m. **2** *col.* Decisión o impulso repentinos y motivados por una pasión o por algo que ocurre de forma inesperada: *Sus prontos de cólera son temibles.* **3** *col.* Ataque repentino de algún mal: *Le dio un pronto y se quedó sin habla y con la mirada perdida.* □ ETIMOL. Del latín *promptus* (disponible, resuelto). □ SINT. Cuando es adjetivo, se usa más antepuesto al sustantivo.

prontuario s.m. Compendio de reglas de una ciencia o un arte. □ ETIMOL. Del latín *promptuarium* (despensa).

pronunciable adj.inv. Que se pronuncia fácilmente.

pronunciación s.f. **1** Emisión y articulación de un sonido para hablar: *La pronunciación de los sonidos requiere un aprendizaje.* **2** Manera de pronunciar: *Se le entiende perfectamente porque su pronunciación es muy clara.* □ SINÓN. *dicción.* **3** Expresión o declaración en voz alta y, generalmente, en público: *La pronunciación del discurso tendrá lugar tras los postres.* **4** Manifestación pública a favor o en contra de algo: *La pronunciación de la ministra sobre este asunto puede determinar el curso de los acontecimientos.* **5** En derecho, publicación de una sentencia, de un auto o de otra resolución judicial: *En este asunto ya solo queda esperar la pronunciación de los jueces.*

pronunciamiento s.m. **1** Alzamiento militar contra el Gobierno. **2** Declaración, condena o mandato del juez.

pronunciar ▮ v. **1** Referido a un sonido, emitirlo y articularlo para hablar: *Tiene un defecto que le impide pronunciar bien la 'r'.* **2** Decir en voz alta y ante el público: *El director pronunció su conferencia en el aula magna de la facultad.* **3** En derecho, referido a una sentencia, un auto u otra resolución judicial, publicarlas: *El tribunal de justicia pronunciará hoy su sentencia.* **4** Resaltar, acentuar o destacar: *Esos pantalones tan ajustados te pronuncian mucho el trasero. La rivalidad entre los dos hermanos cada vez se pronuncia más.* ▮ prnl. **5** Declararse o mostrarse a favor o en contra de algo: *No quiero pronunciarme sin tener todos los datos.* **6** Referido esp. a un militar, sublevarse, rebelarse o levantarse: *Una facción del ejército se pronunció contra el poder establecido.* □ ETIMOL. Del latín *pronuntiare.* □ ORTOGR. La *i* nunca lleva tilde.

pronuncio s.m. Eclesiástico que de forma provisional ejerce las funciones del nuncio o representante diplomático del papa. □ ETIMOL. De *pro-* (en vez de) y *nuncio*.

propagación s.f. **1** Extensión o difusión de algo para que llegue a muchos lugares o a muchas personas. **2** Multiplicación por generación o por otra forma de reproducción: *La reproducción de los individuos asegura la propagación de la especie.*

propagador, -a adj./s. Que propaga.

propaganda s.f. **1** Información o actividad destinadas a dar a conocer algo y a convencer de sus cualidades o de sus ventajas. **2** Material o medios que se emplean para este fin: *Todos los días me encuentro el buzón lleno de propaganda.* ☐ ETIMOL. Del latín *propaganda fide* (sobre la propagación de la fe), que es el título de una congregación del Vaticano.

propagandista adj.inv./s.com. Referido a una persona, que hace propaganda, esp. en materia política.

propagandístico, ca adj. De la propaganda o relacionado con esta actividad.

propagar v. **1** Extender, aumentar o hacer llegar a muchos lugares o a muchas personas: *La radio y la televisión propagan las noticias por el mundo. El fuego se propagó con rapidez.* **2** Multiplicar por generación o por otra forma de reproducción: *Según la Biblia, Dios creó al hombre y a la mujer para que propagaran la especie. Las hiedras se propagan con facilidad.* ☐ ETIMOL. Del latín *propagare.* ☐ ORTOGR. La *g* se cambia en *gu* delante de *e* →PAGAR. ☐ SEM. Dist. de *propalar* (divulgar una cosa oculta).

propalar v. Referido a algo que se tenía oculto, darlo a conocer: *El laboratorio no debe propalar estos descubrimientos hasta que no se hayan perfeccionado.* ☐ ETIMOL. Del latín *propalare*, este de *propalam*, y este de *palam* (en público, en forma patente). ☐ SEM. Dist. de *propagar* (extender, aumentar).

propano s.m. Hidrocarburo gaseoso derivado del petróleo que se usa como combustible.

proparoxítono, na adj. **1** Referido a una palabra, que lleva el acento en la antepenúltima sílaba: *'Máquina' lleva tilde porque es palabra proparoxítona.* ☐ SINÓN. *esdrújulo.* **2** Referido a un verso, que termina en palabra acentuada en la antepenúltima sílaba. ☐ SINÓN. *esdrújulo.* ☐ ETIMOL. Del griego *pró* (antes) y *paroxýtonos* (grave).

propasar ▮ v. **1** Pasar más adelante de lo debido o excederse en lo que se hace o se dice: *Tu insolencia ya ha propasado todos los límites. No te propases con la bebida, porque tienes que conducir.* ▮ prnl. **2** Cometer un atrevimiento o una falta de respeto, esp. un hombre con una mujer: *Intentó propasarse conmigo y le arreé un tortazo.* ☐ SINT. Constr. como pronominal: *propasarse* CON *algo.*

propedéutica s.f. Véase **propedéutico, ca.**

propedéutico, ca ▮ adj. **1** De la propedéutica o relacionado con esta enseñanza. ▮ s.f. **2** Enseñanza preparatoria para el estudio de una disciplina: *La tabla de multiplicar es la propedéutica necesaria para aprender operaciones más complicadas.* ☐ ETIMOL. Del griego *pró* (antes) y *paideutikós* (docente).

propelente s.m. Compuesto químico empleado para producir propulsión.

propender v. Tener una inclinación hacia algo: *Es optimista y propende a la alegría.* ☐ ETIMOL. Del latín *propendere* (inclinarse hacia delante). ☐ MORF. Irreg.: Su participio es *propenso.* ☐ SINT. Constr. *propender* A *algo.*

propensión s.f. Inclinación hacia algo, esp. si está determinada por la naturaleza de la persona.

propenso, sa ▮ **1** part. irreg. de **propender.** ▮ adj. **2** Que tiene inclinación o afición a algo: *Hace régimen porque es propenso a engordar.* ☐ SINT. Constr. como adjetivo: *propenso* A *algo.*

propergol (al.) s.m. Combustible que no necesita oxígeno atmosférico para realizar la combustión.

propiciar v. **1** Referido a una acción, favorecer su ejecución: *La situación política propició el levantamiento del ejército.* **2** Referido esp. a la benevolencia de alguien, atraerla, ganarla u obtenerla: *No sabía qué hacer para propiciarse la ayuda de ese hombre.* ☐ ETIMOL. Del latín *propitiare.* ☐ ORTOGR. La *i* nunca lleva tilde. ☐ SEM. No debe emplearse con los significados de 'proporcionar' o 'dar': *El defensa {*propició > dio} el pase del primer gol al delantero.*

propiciatorio, ria adj. Que tiene la capacidad de convertir algo en propicio o favorable.

propicio, cia adj. Favorable, adecuado o inclinado a algo: *Este clima es propicio para el cultivo de cereales. No se mostró muy propicio a ayudarnos, la verdad...* ☐ ETIMOL. Del latín *propitius* (favorable, benévolo).

propiedad s.f. **1** Derecho o facultad de poseer algo y poder disponer de ello dentro de los límites legales: *La casa en la que vive es de su propiedad. No puedes pasar porque este terreno forma parte de una propiedad privada.* **2** Lo que se posee, esp. si es un bien inmueble: *Esta finca es una de sus muchas propiedades.* **3** Cualidad esencial de algo: *La raíz de esta planta tiene propiedades medicinales.* **4** Sentido o significado peculiar, exacto y preciso de las palabras o frases: *Si hablases con propiedad, no dirías una cosa por otra.* **5** ‖ **propiedad asociativa;** en matemáticas, la que se cumple cuando el resultado de una operación no varía al agrupar sus elementos de distintas formas: *En '3 + 2 + 4' se cumple la propiedad asociativa porque '(3 + 2) + 4' es equivalente a '3 + (2 + 4)'.* ‖ **propiedad conmutativa;** en matemáticas, la que se cumple cuando el resultado de una operación no varía al cambiar el orden del los elementos: *La suma y la multiplicación tienen la propiedad conmutativa.* ‖ **propiedad distributiva;** en matemáticas, la que se cumple cuando el resultado de multiplicar un número por la suma de otros dos es igual al resultado de multiplicar ese número por cada uno de los sumandos: *La propiedad distributiva permite que '2 × (3 + 4)' sea equivalente a '2 × 3 + 2 × 4'.* ☐ ETIMOL. Del latín *proprietas.*

propietario, ria ▮ adj. **1** Que es el titular permanente de un cargo u oficio. ▮ s. **2** Persona o entidad que tienen derecho de propiedad sobre algo, esp. sobre bienes inmuebles.

propileo s.m. **1** En un templo, esp. en los de la Antigüedad grecolatina, pórtico con columnas que está en su entrada. **2** En la Antigüedad clásica, entrada monumental con columnas que daba acceso a la plaza pública y a los palacios. ☐ ETIMOL. Del latín *propylaeum*, y este del griego *propýlaion* (pórtico, vestíbulo). ☐ PRON. [propiléo].

propina s.f. **1** Gratificación con la que se recompensa un servicio, esp. la que se da de más sobre el precio convenido. **2** *col.* En un espectáculo, pieza que se ofrece sin estar prevista en el programa. **3** ‖ **de propina;** *col.* También, o además de: *Nos tomamos el postre y, de propina, un helado.* ☐ ETIMOL. Del latín *propina* (dádiva, convite).

propinar v. Referido a algo desagradable o doloroso, darlo o infligirlo: *Los atracadores me propinaron una buena paliza. El equipo contrario les propinó una merecida derrota.* ☐ ETIMOL. Del latín *propinare*, y este del griego *propíno* (doy de beber, doy).

propincuidad s.f. Cercanía o proximidad: *Hay tanta propincuidad entre nuestras ideas, que coincidimos en casi todo.* ☐ ETIMOL. Del latín *propinquitas*.

propincuo, cua adj. Próximo o cercano: *Los hechos ocurrieron en el edificio propincuo.* ☐ ETIMOL. Del latín *propinquus* (cercano).

propio, pia adj. **1** Que pertenece a alguien o que es de su propiedad: *Va al trabajo en coche propio.* **2** Característico o peculiar: *El optimismo es propio de su carácter.* **3** Conveniente o adecuado: *Ese vestido es muy propio para las fiestas elegantes.* ☐ ETIMOL. Del latín *proprius*. ☐ SINT. Constr. de la acepción 2: *propio* DE *algo*. ☐ SEM. Se antepone a ciertas expresiones para enfatizar que se trata precisamente de la persona o de la cosa citadas: *La propia autora nos presentó su obra. Mi propia madre está sorprendida.*

propóleos (pl. *propóleos*) s.m. Sustancia resinosa que las abejas recogen de algunos árboles y que utilizan para tapar grietas y barnizar las paredes de la colmena. ☐ ETIMOL. Del latín *propoleos*.

proponer ▮ v. **1** Referido a una idea, exponerla o manifestarla a fin de que sea aceptada por los demás: *Me propuso un plan estupendo que no pude rechazar.* **2** Referido a una persona, presentarla o recomendarla para un puesto: *Para cubrir la baja del dibujante propuso a un conocido suyo.* ▮ prnl. **3** Referido a un objetivo, decidirse a cumplirlo: *Se propuso aprobar todas las asignaturas en junio.* ☐ ETIMOL. Del latín *proponere*. ☐ MORF. Irreg.: 1. Su participio es *propuesto*. 2. →PONER.

proporción s.f. **1** Correspondencia o equilibrio entre las partes y el todo o entre cosas relacionadas entre sí: *Para que te salga bien la tarta tienes que respetar las proporciones de los ingredientes.* **2** Dimensión de algo: *Los disturbios callejeros adquirieron grandes proporciones.* **3** En matemáticas, igualdad entre dos razones: *'a/b=c/d' es una proporción.* ☐ ETIMOL. Del latín *proportio*, y este de *pro portione* (según la parte). ☐ MORF. En la acepción 2, se usa más en plural.

proporcionado, da adj. Que tiene armonía entre sus diferentes partes.

proporcional adj.inv. De la proporción, con proporción o relacionado con ella.

proporcionar v. **1** Referido a algo que se necesita o que conviene, ponerlo a disposición de alguien: *Le proporcioné el dinero para pagar las deudas.* **2** Referido a las partes de un todo, disponerlas y ordenarlas con la debida correspondencia: *Proporciona las partes de este dibujo para que tenga armonía.* **3** Referido esp. a un sentimiento, producirlo o causarlo: *El nacimiento de su hijo les ha proporcionado una inmensa alegría.* ☐ ETIMOL. De *proporción*. ☐ SEM. No debe emplearse con el significado de 'dar algo negativo': *El jugador {*proporcionó > dio} un puñetazo al delantero del equipo rival.*

proposición s.f. **1** Idea que se manifiesta y que se ofrece para lograr un fin: *Tu proposición de montar un negocio a medias no me interesa.* ☐ SINÓN. *propuesta.* **2** Recomendación o presentación de alguien para un puesto: *La jefa no aceptó mi proposición para el ascenso.* ☐ SINÓN. *propuesta.* **3** Manifestación o presentación de algo para darlo a conocer o para inducir a hacerlo: *Tu proposición de ir al cine ha sido hecha en un momento poco adecuado.* **4** En filosofía, expresión verbal de un juicio: *En lógica, 'p no es q' es una proposición.* **5** En gramática, en una oración compuesta, cada una de las partes con estructura oracional que la componen: *En la oración 'Quiero que vengas', 'que vengas' es una proposición subordinada.* **6** En lingüística, palabra o conjunto de palabras que tienen un sentido gramatical completo: *'Juan come deprisa' es una proposición.* ☐ SINÓN. *oración.* ☐ ETIMOL. Del latín *propositio*.

propósito s.m. **1** Ánimo o intención de hacer algo: *Tengo el propósito de ir de compras esta tarde.* **2** Lo que se pretende conseguir: *Ha dicho esto porque su propósito es molestarte.* **3** ‖ **a propósito; 1** Voluntaria o deliberadamente: *Me enfadé porque me empujó a propósito.* **2** Expresión que se usa para indicar que lo que se menciona ha sugerido o recordado la idea de hablar de otra cosa: *A propósito de lo que hablábamos antes, creo que estás equivocado.* ☐ ETIMOL. Del latín *propositum*. ☐ ORTOGR. *A propósito* es dist. de *apropósito*.

propriocepción s.f. Capacidad que permite saber la posición de las partes del propio cuerpo sin necesidad de verlas.

propuesta s.f. Véase **propuesto, ta**.

propuesto, ta ▮ **1** part. irreg. de **proponer**. ▮ s.f. **2** Idea que se manifiesta y que se ofrece para lograr un fin. ☐ SINÓN. *proposición.* **3** Presentación o recomendación de una persona para un puesto: *La propuesta del hijo del director para ese cargo no fue bien acogida.* ☐ SINÓN. *proposición.*

propugnación s.f. Defensa o apoyo a algo que se cree adecuado o conveniente.

propugnar v. Defender o apoyar algo como útil, conveniente y apropiado: *Propugnamos la asistencia médica gratuita para todos.* ☐ ETIMOL. Del latín *propugnare*.

propulsar v. Impulsar o empujar hacia delante: *Esas medidas económicas han conseguido propulsar la industria de la zona. Los cohetes espaciales se propulsan mediante unos potentes motores.* ☐ ETIMOL. Del latín *propulsare* (rechazar, apartar).

propulsión s.f. **1** Empuje hacia delante: *Los aviones se mueven por propulsión.* **2** ‖ **propulsión a chorro;** procedimiento empleado para producir movimiento mediante la expulsión de los gases que se originan: *Los cohetes espaciales se mueven mediante un motor de propulsión a chorro.*

propulsor, -a adj./s. Que sirve para propulsar.

prorrata s.f. Cada una de las partes proporcionales de una cantidad que se reparte entre varios. ☐ ETIMOL. Del latín *pro rata parte* (a parte o en porción fija).

prorratear v. Referido a una cantidad de dinero, repartirla proporcionalmente entre varios: *Los beneficios se prorratean entre los inversores.*

prorrateo s.m. Reparto proporcional de una cantidad de dinero, de una carga o de una obligación entre varios.

prórroga s.f. **1** Prolongación del plazo o de la duración de algo: *Han dado una prórroga de una semana para matricularse en este centro.* ☐ SINÓN. *prorrogación.* **2** En algunos deportes, tiempo suplementario que se añade cuando al final del partido existe un empate. **3** Aplazamiento del servicio militar que se concedía a los llamados a filas.

prorrogación s.f. →**prórroga.**

prorrogar v. **1** Alargar o prolongar la duración: *Debido a las interrupciones que hubo, el árbitro prorrogó el partido cinco minutos. El plazo para la presentación de las instancias se ha prorrogado una semana.* **2** Suspender o aplazar: *La juez ha prorrogado la publicación de la sentencia hasta la próxima semana.* ☐ ETIMOL. Del latín *prorogare.* ☐ ORTOGR. La *g* se cambia en *gu* delante de *e* →PAGAR.

prorrumpir v. Referido esp. a un sentimiento, exteriorizarlo repentinamente y con fuerza: *Cuando se enteró de la triste noticia prorrumpió en sollozos. El público prorrumpió en aplausos cuando apareció el famoso cantante.* ☐ ETIMOL. Del latín *prorumpere.* ☐ SINT. Constr. *prorrumpir* EN *algo.* ☐ SEM. Dist. de *irrumpir* (entrar violentamente).

prosa s.f. **1** Forma que toma el lenguaje para expresar ideas y que, a diferencia del verso, no está sujeta a una medida ni a una distribución determinada de los acentos y de las pausas. **2** *col.* Exceso de palabras para decir cosas poco importantes: *Si no tienes nada real que decir, ahórrame tu prosa, por favor.* ☐ ETIMOL. Del latín *prosa.*

prosaico, ca adj. Que resulta vulgar o sin interés, por carecer de ideales o por estar demasiado apegado a lo material y convencional. ☐ ETIMOL. Del latín *prosaicus.*

prosaísmo s.m. **1** En una obra en verso, falta de armonía o de otras características propias de la poesía. **2** Vulgaridad o trivialidad.

prosapia s.f. Ascendencia o linaje de una persona, esp. si son ilustres o aristocráticos. ☐ ETIMOL. Del latín *prosapia* (abolengo, linaje). ☐ USO Se usa mucho con matiz despectivo.

proscenio s.m. **1** En los antiguos teatros grecolatinos, lugar situado entre la escena y la orquesta y en el cual estaba el tablado sobre el que representaban los actores. **2** En un escenario, parte más cercana al público. ☐ ETIMOL. Del griego *proskéninon*, y este de *pro-* (ante) y *skené* (escena).

proscribir v. **1** Referido a una persona, expulsarla de su patria, generalmente por razones políticas: *El dictador proscribió a los máximos dirigentes de la oposición al régimen.* **2** Referido esp. a una costumbre o a algo usual, excluirlos o prohibirlos: *En la década de 1930, la llamada 'ley seca' proscribió el consumo de bebidas alcohólicas en Estados Unidos.* ☐ ETIMOL. Del latín *proscribere.* ☐ ORTOGR. Dist. de *prescribir.* ☐ MORF. Su participio es *proscrito.*

proscripción s.f. **1** Expulsión de una persona de su patria, generalmente por razones políticas. **2** Exclusión o prohibición de algo, esp. de una costumbre. ☐ ORTOGR. Dist. de *prescripción.*

proscrito, ta ▌**1** part. irreg. de **proscribir**. ▌adj./s. **2** Desterrado o expulsado de la propia patria. ☐ ORTOGR. Dist. de *prescrito.* ☐ MORF. Incorr. **proscribido.*

prosecución s.f. Seguimiento o continuación de algo ya empezado. ☐ ETIMOL. Del latín *prosecutio.*

proseguir v. Referido a algo empezado, seguir, continuar o llevarlo adelante: *Se permitió un pequeño descanso antes de proseguir el trabajo. Si no se llega a un acuerdo, la huelga proseguirá indefinidamente.* ☐ ETIMOL. Del latín *prosequi.* ☐ ORTOGR. La *gu* se cambia en *g* delante de *a, o.* ☐ MORF. Irreg. →SEGUIR.

proselitismo s.m. Interés o esmero que se ponen en ganar prosélitos o adeptos.

proselitista adj.inv./s.com. Que pone interés o esmero en ganar prosélitos o adeptos.

prosélito s.m. Partidario ganado para una causa, para una doctrina o para un grupo. ☐ ETIMOL. Del latín *proselytus*, y este del griego *prosélytos* (convertido a una religión).

prosificación s.f. Puesta en prosa de una composición poética.

prosificar v. Referido a una composición poética, ponerla en prosa: *Los cronistas medievales prosificaron en sus crónicas fragmentos de poemas épicos.* ☐ ORTOGR. La *c* se cambia en *qu* delante de *e* →SACAR.

prosista s.com. Escritor de obras en prosa.

prosístico, ca adj. De la prosa literaria o relacionado con ella.

prosodia s.f. **1** Parte de la gramática que enseña la correcta pronunciación y acentuación: *Según las reglas de la prosodia, 'océano' es una palabra esdrújula.* **2** Estudio de los rasgos sonoros, esp. los acentos y la cantidad silábica, que afectan a la métrica. **3** Parte de la fonología que estudia los rasgos sonoros que afectan a unidades inferiores o superiores al fonema: *El acento y la entonación son rasgos estudiados por la prosodia.* ☐ ETIMOL. Del griego *prosoidía.*

prosódico, ca adj. De la prosodia o relacionado con esta parte de la gramática.

prosopografía s.f. En retórica, descripción de los rasgos exteriores de una persona o de un animal. ☐ ETIMOL. Del griego *prósopon* (aspecto de una persona) y *-grafía* (descripción). ☐ SEM. Dist. de *etopeya* (descripción del carácter, de los rasgos morales y de las costumbres y acciones de una persona).

prosopopeya s.f. **1** Figura retórica consistente en atribuir a un ser irracional o a una cosa inanimada o abstracta cualidades o acciones propias de los seres humanos: *La frase 'El Sol nos recibió sonriente' es una prosopopeya.* ☐ SINÓN. *personificación.* **2** *col. desp.* Gravedad afectada y solemnidad en la manera de actuar. ☐ ETIMOL. Del griego *prosopopoiía*, y este de *prósopon* (aspecto de una persona, personaje) y *poiéo* (yo hago).

prospección s.f. **1** Exploración del subsuelo basada en el examen de las características del terreno y encaminada a descubrir yacimientos geológicos. **2** Estudio de las posibilidades futuras de algo a partir de datos del presente: *una prospección de mercado.* ☐ ETIMOL. Del latín *prospectio*.

prospectiva s.f. Véase **prospectivo, va**.

prospectivo, va ▮ adj. **1** Que se refiere al futuro. ▮ s.f. **2** Conjunto de análisis y de estudios que se hacen con el fin de explorar o de predecir el futuro de algo.

prospecto s.m. **1** Papel que acompaña a algunos productos, esp. a los medicamentos, y en el que se informa sobre su composición, utilidad, modo de empleo u otros datos de interés. **2** Papel en el que se expone o anuncia algo. ☐ ETIMOL. Del latín *prospectus* (acción de considerar algo).

prosperar v. **1** Tener prosperidad o gozar de ella: *Si el negocio prospera, es probable que contrate a más empleados. No prosperarás en la vida si no estás dispuesto a esforzarte.* **2** Referido esp. a una propuesta, ganar fuerza, salir adelante o imponerse: *Para que el proyecto de ley prospere, tiene que obtener la mayoría de los votos de la Cámara.* ☐ ETIMOL. Del latín *prosperare*.

prosperidad s.f. **1** Desarrollo favorable, buena suerte o éxito: *Los gobernantes buscan la prosperidad de sus países.* **2** Bienestar o buena situación social y económica.

próspero, ra adj. **1** Favorable o venturoso: *Me deseó un próspero año nuevo.* **2** Que cada vez es más rico o más poderoso: *Vive en una nación próspera y desarrollada.* ☐ ETIMOL. Del latín *prosperus* (feliz, afortunado, próspero).

prostaglandina s.f. Sustancia presente en los tejidos y en los fluidos corporales, y que tiene diversas funciones.

próstata s.f. En los machos de los mamíferos, glándula del aparato genital, de pequeño tamaño y de forma irregular, que se halla situada sobre el cuello de la vejiga de la orina y que segrega un líquido blanquecino y viscoso. ☐ ETIMOL. Del griego *prostátes* (que está delante).

prostatitis (pl. *prostatitis*) s.f. Inflamación de la próstata. ☐ ETIMOL. De *próstata* e *-itis* (inflamación).

prosternación s.f. Postración o inclinación en señal de respeto.

prosternarse v.prnl. Arrodillarse, postrarse o inclinarse en señal de respeto: *Al pasar frente al altar, el sacerdote se prosternó y se santiguó.* ☐ ETIMOL. Del francés *prosterner*, y este del latín *prosternere* (echar al suelo). ☐ PRON. Incorr. *[posternárse].

prostibulario, ria adj. Del prostíbulo, con sus características o relacionado con él.

prostíbulo s.m. Establecimiento público en el que se ejerce la prostitución. ☐ SINÓN. *burdel, lupanar.* ☐ ETIMOL. Del latín *prostibulum*.

próstilo adj. Referido a un edificio, esp. a un templo griego, que está precedido por un pórtico con columnas. ☐ ETIMOL. Del griego *próstylos*, y este de *pró* (delante) y *stŷlos* (columna).

prostitución s.f. Actividad de la persona que mantiene relaciones sexuales con otras a cambio de dinero. ☐ SINÓN. *emputecimiento.*

prostituir v. **1** Referido a una persona, dedicarla a la prostitución: *Lo acusaron de prostituir a su propia hija para obtener dinero. Sin familia y sin recursos económicos, se prostituyó para sobrevivir.* ☐ SINÓN. *emputecer.* **2** Deshonrar o envilecer, generalmente por dinero o para lograr algún beneficio: *Con estas acciones prostituyes el buen nombre de tu familia. Al aceptar dinero a cambio de la información confidencial se prostituyó.* ☐ SINÓN. *emputecer.* ☐ ETIMOL. Del latín *prostituere* (exponer en público, poner en venta). ☐ MORF. Irreg. →HUIR.

prostituto, ta s. Persona que se dedica a la prostitución.

prota s.com. *col.* →**protagonista.**

protactinio s.m. Elemento químico metálico y sólido, de número atómico 91, de color blanco grisáceo, y que se encuentra en los minerales de uranio: *El protactinio es un elemento radiactivo.* ☐ ETIMOL. De *proto-* (primero, anterior) y *actinio* (cuerpo simple radiactivo). ☐ ORTOGR. Su símbolo químico es *Pa*.

protagonismo s.m. **1** Condición de lo que es protagonista o desempeña el papel principal: *En el acto de entrega de premios, el protagonismo corresponderá a los premiados.* **2** Afán de destacar o de mostrarse como la persona más cualificada y necesaria en una actividad: *No te ayudó por amabilidad desinteresada, sino por protagonismo y por ganas de impresionar.*

protagonista s.com. **1** En una obra de ficción, personaje principal. **2** Lo que desempeña el papel principal o más destacado en algo, esp. en un suceso: *En la mayoría de estos cuadros, el protagonista es el color.* ☐ ETIMOL. Del griego *prôtos* (primero) y *agonistés* (actor). ☐ MORF. En la lengua coloquial se usa mucho la forma abreviada *prota*. ☐ SINT. Se usa mucho en aposición, pospuesto a un sustantivo: *el papel protagonista.* ☐ SEM. **Primer protagonista* y **protagonista principal* son expresiones redundantes e incorrectas, aunque están muy extendidas.

protagonizar v. **1** Referido esp. a una obra de ficción o a uno de sus papeles, representarlos en calidad de protagonista: *La película tiene el éxito asegurado, porque la protagoniza un gran actor.* **2** Referido esp. a un suceso, desempeñar en él el papel más importante o destacado: *Iba borracho y protagonizó un escándalo en plena calle.* □ ORTOGR. La *z* se cambia en *c* delante de *e* →CAZAR.

prótalo (tb. *protalo*) s.m. Helecho en una fase de su ciclo biológico, constituido por una laminilla verde en forma de corazón y que se forma al germinar las esporas.

prótasis (pl. *prótasis*) s.f. En gramática, en una oración subordinada condicional, parte que expresa la condición: *En la oración condicional 'Si no te cuidas, enfermarás', 'si no te cuidas' es la prótasis y 'enfermarás' es la apódosis.* □ ETIMOL. Del griego *prótasis*. □ ORTOGR. Dist. de ***prótesis***.

protección ▌s.f. **1** Defensa que se hace de algo para evitar un peligro o un perjuicio: *Cuando tomes el sol, ponte una crema de protección.* **2** Ayuda, apoyo o amparo: *Ha llegado tan alto porque ha gozado de la protección de personas muy influyentes.* ▌pl. **3** Piezas que sirven para protegerse contra los golpes, esp. en algunos deportes: *Me he comprado unas protecciones para las espinillas.* □ ETIMOL. Del latín *protectio*.

proteccionismo s.m. **1** Política económica que grava la entrada en un país de productos extranjeros que pueden hacer competencia a los nacionales. **2** Doctrina económica que defiende esta política.

proteccionista ▌adj.inv. **1** Del proteccionismo o relacionado con él. ▌adj.inv./s.com. **2** Que defiende o sigue el proteccionismo.

protector, -a ▌adj./s. **1** Que protege. ▌s.m. **2** En algunos deportes, pieza que protege las zonas más expuestas a los golpes. **3** ‖ **protector de pantalla;** Pieza que se acopla a la pantalla de un ordenador y que sirve para evitar que las radiaciones afecten a la vista. □ ETIMOL. Del latín *protector*.

protectorado s.m. **1** Soberanía parcial que ejerce un Estado, esp. en materia de relaciones exteriores, sobre un territorio que no ha sido incorporado plenamente al de su nación y que tiene autoridades propias. **2** Territorio sobre el que se ejerce esta soberanía.

proteger v. **1** Resguardar de un peligro o de un perjuicio: *Han puesto puertas blindadas para proteger la casa frente a posibles intentos de robo. No se hizo ningún rasguño en la cara, porque se la protegió con los brazos.* **2** Ayudar, apoyar o favorecer: *Los mecenas del Renacimiento protegían las artes ayudando a su financiación.* □ ETIMOL. Del latín *protegere*. □ ORTOGR. La *g* se cambia en *j* delante de *a, o* →COGER.

protegeslip s.m. Compresa fina y pequeña que se utiliza diariamente.

proteico, ca adj. En química, relacionado con las proteínas: *La albúmina del huevo es una sustancia proteica.* □ SINÓN. *proteínico*. □ ETIMOL. Del griego *prôtos* (primero), porque las sustancias proteicas son materias primas de los seres vivos.

proteína s.f. Compuesto orgánico nitrogenado, generalmente soluble en agua, que forma parte de la materia fundamental de las células y de los organismos animales y vegetales: *La carne, la leche, el pescado y los huevos son alimentos ricos en proteínas.* □ ETIMOL. Del griego *proteiôn* (preeminente, primer premio).

proteínico, ca adj. Relacionado con las proteínas. □ SINÓN. *proteico*.

proteinuria s.f. En medicina, presencia de proteínas en la orina.

proteoma s.m. Conjunto de las proteínas de una célula o de un organismo: *la descripción del proteoma humano.*

protervo, va adj./s. *poét.* Malvado, perverso o vil. □ ETIMOL. Del latín *protervus* (violento, audaz).

protésico, ca ▌adj. **1** De la prótesis o relacionado con este procedimiento de reparación artificial de órganos. ▌s. **2** Persona que se dedica profesionalmente a la preparación y ajuste de las piezas y aparatos que se emplean en las prótesis dentales.

prótesis (pl. *prótesis*) s.f. **1** Pieza o dispositivo usados para reparar artificialmente la falta de un órgano o de parte de él: *una prótesis dental.* **2** En cirugía, procedimiento mediante el cual se hace esta reparación artificial de un órgano. **3** En lingüística, adición de un sonido al comienzo de una palabra: *Cuando dices [amatár] por [matár], estás haciendo una prótesis.* □ ETIMOL. Del griego *próthesis* (anteposición). □ ORTOGR. Dist. de *prótasis*.

protesta s.f. Manifestación de disconformidad o de queja.

protestante ▌adj.inv. **1** Que protesta. **2** Del protestantismo o relacionado con él. ▌adj.inv./s.com. **3** Que defiende o sigue cualquiera de las doctrinas religiosas del protestantismo.

protestantismo s.m. **1** Conjunto de comunidades religiosas cristianas surgidas de la reforma de Lutero (religioso alemán del siglo XVI). **2** Doctrina religiosa de estas comunidades.

protestar v. **1** Manifestar disconformidad o queja: *Organizaron una manifestación para protestar contra la falta de puestos de trabajo.* **2** En economía, referido a una letra de cambio que no ha sido cobrada en el tiempo fijado, iniciar las diligencias notariales para cobrarla: *El banco le ha protestado las dos letras que no ha pagado.* □ ETIMOL. Del latín *protestari* (declarar en voz alta, afirmar).

protesto s.m. En economía, diligencia notarial que se realiza al no ser pagada una letra de cambio en la fecha fijada, para que no se perjudiquen los derechos y acciones de las personas que han intervenido.

protestón, -a adj./s. *col.* Que protesta mucho o por cualquier cosa.

prótido s.m. Compuesto químico orgánico que forma parte de los seres vivos y cuyas moléculas están constituidas fundamentalmente por aminoácidos, y por otros elementos no proteínicos: *La hemoglobina es un prótido.* □ ETIMOL. Del griego *proteiôn* (preeminente, primer premio).

protista ▮ adj.inv./s.m. **1** Referido a un organismo, que se caracteriza por su pequeño tamaño y por carecer de órganos y de tejidos diferenciados: *La ameba es protista.* ▮ s.m.pl. **2** En zoología, reino de estos organismos: *A los protistas pertenecen organismos unicelulares y pluricelulares.*

proto- Elemento compositivo prefijo que significa 'primero o anterior': *protohistoria.* ☐ ETIMOL. Del griego *prôtos*.

protocolario, ria adj. **1** Del protocolo o relacionado con este conjunto de reglas para la celebración de actos. **2** Que se hace con una solemnidad innecesaria, y solo por cortesía o por respetar la costumbre.

protocolo s.m. **1** Conjunto de reglas establecidas, por decreto o por costumbre, para la celebración de actos diplomáticos o solemnes. **2** Acta o cuaderno de actas de un acuerdo, de una conferencia o de un congreso diplomático. **3** En informática, conjunto de normas y procedimientos necesarios para la transmisión de datos, que debe ser seguido tanto por el emisor como por el receptor. ☐ ETIMOL. Del latín *protocollum*, y este del griego *protókollon* (hoja que se pegaba a un documento para darle autenticidad).

protoestrella s.f. En astronomía, estrella que está en su etapa inicial de desarrollo.

protohistoria s.f. **1** Período de la vida de la humanidad, inmediatamente anterior a la historia y posterior a la prehistoria, y del que se poseen tradiciones originariamente orales. **2** Estudio de este período.

protohistórico, ca adj. De la protohistoria o relacionado con este período de la vida de la humanidad.

protomártir s.m. Primer mártir, esp. referido a san Esteban (primero de los discípulos de Cristo que padeció martirio). ☐ ETIMOL. De *proto-* (primero) y *mártir*.

protón s.m. En un átomo, partícula elemental del núcleo que tiene carga eléctrica positiva. ☐ ETIMOL. Del griego *prôton* (primero).

protónico, ca adj. **1** Del protón o relacionado con esta partícula atómica. **2** En lingüística, referido a un sonido o a una sílaba átonos, que están situados inmediatamente antes de la sílaba tónica: *En 'camisón', la vocal protónica es la 'i'.*

protonotario s.m. Antiguamente, notario principal y jefe de todos los demás, que solía ser el que despachaba con el rey y refrendaba sus despachos.

protoplaneta s.m. En astronomía, planeta que está en su etapa inicial de desarrollo.

protoplanetario, ria adj. De un protoplaneta o relacionado con él: *Un equipo de astrólogos está estudiando la nebulosa protoplanetaria que dio origen al sistema solar.*

protoplasma s.m. En una célula, sustancia de consistencia más o menos líquida, de composición química compleja y con gran contenido de agua, y en la que se encuentran disueltos o en suspensión numerosos cuerpos orgánicos y otras sustancias. ☐ ETIMOL. De *proto-* (primero) y el griego *plásma* (formación).

protoplasmático, ca adj. Del protoplasma o relacionado con esta sustancia constitutiva de la célula.

protórax (pl. *protórax*) s.m. En un insecto, primer segmento del tórax, situado entre el mesotórax y la región flexible que precede a la cabeza. ☐ ETIMOL. De *pro-* (antes) y *tórax*.

prototípico, ca adj. Del prototipo o relacionado con él.

prototipizar v. Convertir en prototipo o en modelo a seguir: *Este actor prototipiza a la juventud española de la década de 1980.* ☐ ORTOGR. La *z* se cambia en *c* delante de *e* →CAZAR.

prototipo s.m. **1** Ejemplar original que sirve de modelo para hacer otros de la misma clase: *Si el prototipo de coche que han presentado supera todas las pruebas, será construido en serie.* **2** Ejemplar más perfecto y que sirve como modelo: *Tan cariñoso, comprensivo y trabajador, para mí es el prototipo de hombre ideal.* ☐ ETIMOL. Del griego *protótypos*, y este de *prôtos* (primero) y *týpos* (modelo).

protozoario, ria adj./s.m. →**protozoo.** ☐ ETIMOL. De *proto-* (primero) y el griego *zôiárion* (animalillo).

protozoo ▮ adj./s.m. **1** Referido a un animal, esp. a un microorganismo, que está formado por una sola célula o por una colonia de células iguales entre sí, y que vive en medios acuosos o en líquidos internos de organismos superiores: *La ameba es un protozoo.* ☐ SINÓN. *protozoario.* ▮ s.m.pl. **2** En zoología, grupo de estos animales: *Los paramecios son microorganismos pertenecientes a los protozoos.* ☐ SINÓN. *protozoarios.* ☐ ETIMOL. De *proto-* (primero) y el griego *zôion* (animal).

protráctil adj.inv. En zoología, referido a la lengua de algunos animales, que puede proyectarse mucho fuera de la boca. ☐ ETIMOL. Del latín *protractilis*, y este de *protrahere* (alargar, extender).

protrombina s.f. Proteína plasmática que interviene en la coagulación sanguínea.

protuberancia s.f. Elevación o abultamiento más o menos redondeados y que sobresalen. ☐ ETIMOL. Del latín *protuberare* (sobresalir).

protuberante adj.inv. Que sobresale o que sale más de lo normal.

proustiano, na adj. De Marcel Proust (escritor francés del siglo XIX y principios del XX) o relacionado con él. ☐ PRON. [prustiáno].

provecho s.m. **1** Beneficio o utilidad que se obtienen de algo o que se proporcionan a alguien: *El alcalde trabaja en provecho de su pueblo.* **2** Aprovechamiento, adelantamiento o buen rendimiento en una actividad: *Puede irse tranquilo de vacaciones porque ha terminado el curso con provecho.* **3** ‖ **buen provecho;** *col.* Expresión que se usa para indicar el deseo de que algo, esp. la comida, resulte útil o conveniente para la salud o para el bienestar de alguien: *Cuando vio que estábamos comiendo, nos dijo: «¡Buen provecho!».* ‖ **de provecho;** referido a una persona, que es considerada como alguien de bien o útil para la sociedad: *Si no estudias, no lle-*

garás a ser una mujer de provecho. □ ETIMOL. Del latín *profectus* (utilidad).

provechoso, sa adj. Que causa provecho o resulta de utilidad.

provecto, ta adj. Caduco, viejo, maduro o entrado en años. □ ETIMOL. Del latín *provectus.* □ USO Su uso es característico del lenguaje culto.

proveedor, -a s. Persona o empresa que proveen o abastecen de lo necesario a grandes grupos. □ SINÓN. *provisor.*

proveer v. **1** Referido esp. a una persona, dotarla de lo necesario para un fin, suministrárselo: *Las gasolineras proveen de gasolina a los automovilistas. La empresa que nos provee cierra en agosto. Se proveyó de todo lo necesario para el viaje.* **2** Referido esp. a un asunto, tramitarlo, resolverlo o darle salida: *No sé quién va a proveer las soluciones a este problema.* **3** Referido esp. a un empleo, darlo o asignarlo: *Proveerán las plazas vacantes con personal interino.* **4** En derecho, referido a una resolución, dictarla un juez o un tribunal: *La juez proveyó una resolución provisional que, tras expirar el plazo de apelación, se convirtió en definitiva.* □ ETIMOL. Del latín *providere.* □ ORTOGR. 1. Incorr. **prover.* 2. Dist. de *prever.* 3. En las formas cuya desinencia contiene un diptongo *ie, io*, esta *i* se cambia en *y* →LEER. □ MORF. Su participio es *provisto.* □ SINT. Constr. de la acepción 1: *proveer* A *alguien* DE *algo.*

proveimiento s.m. Abastecimiento o aprovisionamiento.

proveniencia s.f. Nacimiento, procedencia u origen.

proveniente adj.inv. Que proviene de un sitio. □ MORF. Incorr. **proviniente* y **provinente.*

provenir v. Nacer, proceder u originarse: *Tu ansiedad proviene del estrés al que estás sometida.* □ ETIMOL. Del latín *provenire* (aparecer, nacer, producirse). □ MORF. Irreg. →VENIR. □ SINT. Constr. *provenir* DE *algo.*

provenzal ▌ adj.inv./s.com. **1** De la Provenza (antigua región del sur francés), o relacionado con ella: *Marsella es una ciudad enclavada en el que fue territorio provenzal.* ▌ s.m. **2** Lengua románica de esta región: *En el bachillerato francés se puede estudiar provenzal como asignatura optativa.* **3** Conjunto de dialectos romances que en la época medieval se hablaban en la zona sur francesa: *El provenzal fue la lengua literaria usada por los trovadores.* □ SINÓN. *lengua de oc, occitano.*

proverbial adj.inv. **1** Del proverbio, con proverbios o relacionado con él: *un estilo proverbial.* **2** Conocido de siempre o de todos: *Nos recibió con su proverbial amabilidad.*

proverbio s.m. Sentencia, refrán o frase breve que expresan una enseñanza o una advertencia moral: *Son famosos, por la sabiduría que encierran, los proverbios chinos y los del rey bíblico Salomón.* □ ETIMOL. Del latín *proverbium.*

providencia s.f. **1** Disposición, prevención o cuidado que se toman para lograr un fin o para evitar o remediar un daño, esp. referido al cuidado de Dios para con sus criaturas: *En las situaciones más difíciles, busco amparo en la fe y confío en la Providencia Divina.* **2** En derecho, resolución judicial a la que la ley no exige fundamentos jurídicos por tratar cuestiones de trámite o peticiones sencillas: *La juez dictó la providencia y mandó la notificación a los interesados.* □ ETIMOL. Del latín *providentia.*

providencial adj.inv. **1** De la providencia, esp. de la divina, o relacionado con ella: *Me parece providencial que en ese accidente no haya habido heridos.* **2** Referido esp. a un hecho, que se produce de manera casual o inesperada, evitando un daño o un perjuicio inminentes: *Tu aparición fue providencial porque llegaste justo cuando más te necesitaba.*

providencialismo s.m. Doctrina según la cual todo sucede por disposición de la providencia divina.

providencialista adj.inv./s.com. Que defiende o sigue la doctrina del providencialismo.

providente adj.inv. Prudente o precavido. □ ETIMOL. Del latín *providentis.*

próvido, da adj. Dispuesto o diligente para proveer generosamente de lo necesario. □ ETIMOL. Del latín *providus.* □ USO Su uso es característico del lenguaje culto.

provincia ▌ s.f. **1** En el territorio de un Estado, cada una de las grandes divisiones o demarcaciones que lo constituyen, sujetas generalmente a una autoridad administrativa. **2** En un territorio sobre el que actúa una orden religiosa, cada uno de los distritos en que esta lo divide y que comprende un determinado número de casas o de conventos. **3** En la antigua Roma, territorio conquistado fuera de la península Itálica, sujeto a las leyes romanas y administrado por un gobernador. ▌ pl. **4** En contraposición a 'capital', el resto de las ciudades de un país: *un chico de provincias.* □ ETIMOL. Del latín *provincia.*

provincial adj.inv. De la provincia o relacionado con ella. □ ETIMOL. Del latín *provincialis.*

provincial, -a s. En una orden religiosa, persona que gobierna las casas y conventos de una provincia.

provincianismo s.m. *desp.* Estrechez de espíritu y apego excesivo a la mentalidad o a las costumbres particulares de una provincia o de una sociedad, con exclusión de las demás.

provinciano, na ▌ adj. **1** De la provincia o relacionado con ella. **2** *col. desp.* Poco elegante o poco refinado. ▌ adj./s. **3** *desp.* Caracterizado por una estrechez de espíritu y por un excesivo apego a la mentalidad o a las costumbres particulares de una provincia o de una sociedad, con exclusión de las demás.

provirus (pl. *provirus*) s.m. Virus que está integrado en el ácido desoxirribonucleico de la célula en la que se encuentra: *El provirus hace que la infección persista durante toda la vida de la célula en la que está, y si se divide, en la de su descendencia.*

provisión s.f. **1** Conjunto de cosas, esp. alimentos, que se guardan o reservan para un fin: *Iremos al supermercado porque nos hemos quedado sin provisiones.* **2** Suministro o entrega de lo necesario, esp. mediante venta o de forma gratuita: *Hasta la próxima semana no llegará la provisión de material quirúrgico.* **3** Preparación o reunión de lo necesario para un fin: *En el puerto los barcos hacen provisión de combustible.* **4** Tramitación o resolución, esp. de un asunto: *La provisión de este problema es competencia del jefe de personal.* **5** Asignación de algo, esp. de un empleo: *La provisión de las jefaturas de servicio se realizará por libre designación.* **6** En derecho, dictado de una resolución que hace un juez o un tribunal: *El sospechoso ingresó en prisión por provisión del juez.* ☐ ETIMOL. Del latín *provisio.* ☐ ORTOGR. Dist. de *previsión.* ☐ MORF. En la acepción 1, se usa más en plural.

provisional adj.inv. Temporal o no permanente. ☐ SINÓN. *provisorio.*

provisionalidad s.f. Temporalidad o falta de permanencia.

provisionar v. En economía, destinar fondos a cubrir una deuda no amortizada: *Esa corporación destinó mucho dinero a provisionar las pérdidas de algunas empresas.*

provisor, -a ▮ s. **1** Persona o empresa que proveen o abastecen de lo necesario a grandes grupos o colectivos. ☐ SINÓN. *proveedor.* ▮ s.m. **2** Juez diocesano nombrado por el obispo, con quien constituye un mismo tribunal, y que tiene potestad ordinaria para ocuparse de causas eclesiásticas. ☐ ETIMOL. Del latín *provisor.* ☐ ORTOGR. Dist. de *previsor.*

provisorio, ria adj. →**provisional.**

provisto, ta part. irreg. de **proveer**. ☐ ORTOGR. Dist. de *previsto.* ☐ MORF. Incorr. **proveído.*

provocación s.f. **1** Producción o causa de algo, esp. si es como reacción o respuesta: *La provocación de incendios está castigada por la ley.* **2** Lo que irrita o estimula para un enfado: *Las palabras de la ministra son una provocación para los sindicatos.* **3** Lo que produce deseo sexual, esp. si es intencionado.

provocador, -a adj./s. Que provoca.

provocar v. **1** Producir como reacción o como respuesta: *Mi respuesta provocó su ira.* **2** Referido a una persona, irritarla o estimularla para que se enfade: *El futbolista provocó al público haciendo gestos obscenos.* **3** Referido a una persona, intentar despertar deseo sexual: *Lleva la ropa tan ajustada que va provocando.* **4** En zonas del español meridional, apetecer: *Me provoca comerme un buen banano.* ☐ ETIMOL. Del latín *provocare* (llamar para que algo salga fuera, excitar). ☐ ORTOGR. La *c* se cambia en *qu* delante de *e* →SACAR.

provocativo, va adj. Que provoca o excita.

proxeneta s.com. Persona que induce a otras a la prostitución y se beneficia de las ganancias que obtienen. ☐ ETIMOL. Del latín *proxeneta* (intermediario).

proxenetismo s.m. **1** Actividad de la persona que se beneficia de las ganancias que obtienen otras que se prostituyen. **2** Incitación o mantenimiento de la prostitución.

próximamente adv. Pronto o dentro de poco tiempo: *No sé cuándo estrenarán la película, pero será próximamente.*

proximidad s.f. **1** Cercanía o poca distancia en el espacio o en el tiempo. **2** ‖ **en las proximidades de;** cerca de: *El castillo está en las proximidades del pueblo.*

próximo, ma ▮ adj. **1** Cercano o poco distante, esp. en el espacio o en el tiempo. ▮ adj./s. **2** Siguiente o inmediatamente posterior. ☐ ETIMOL. Del latín *proximus* (el más cercano, muy cercano).

proxy (ing.) s.m. En informática, servidor que distribuye la navegación de una red interna para evitar colapsos y que restringe el acceso a internet a determinados usuarios de esa red.

proyección s.f. **1** Lanzamiento, dirección o impulso de algo hacia adelante o a distancia: *la proyección de un proyectil.* **2** Alcance, trascendencia o repercusión: *Al escritor le sorprendió la gran proyección que obtuvo su primera novela.* **3** Trazado o formación de la idea de un plan para realizar una acción: *La proyección del plan de ataque se hizo teniendo en cuenta la opinión de los expertos.* **4** Visualización de una figura o de una sombra sobre una superficie. **5** Acción de reflejar sobre una pantalla la imagen óptica amplificada de una película o de una diapositiva: *Antes del estreno oficial, harán una proyección de la película para la prensa.* **6** Imagen que se fija temporalmente sobre una superficie plana mediante un foco luminoso: *La profesora de arte dio la clase con diapositivas e iba señalando sobre cada proyección las partes de que constaba cada edificio.* **7** En el psicoanálisis, atribución a otro de los defectos o intenciones que una persona no quiere reconocer en ella misma: *A menudo, los reproches a los demás no son más que la proyección de la propia frustración.* **8** En geometría, trazado de líneas rectas desde todos los puntos de un cuerpo o de una figura y según determinadas reglas, hasta su encuentro con una superficie generalmente plana en la que se obtendrá su representación: *En clase de dibujo técnico, aprendimos a hacer proyecciones de cuerpos de tres dimensiones.* ☐ ETIMOL. Del latín *proiectio* (acción de echar adelante o a lo lejos).

proyectar v. **1** Lanzar o dirigir hacia adelante o a distancia: *Varios focos proyectan luz sobre el escenario.* **2** Referido a una acción, idear o trazar el plan para realizarla: *Proyectaron irse juntos el fin de semana.* **3** Referido esp. a una obra de arquitectura o de ingeniería, hacer su proyecto, con los planos y cálculos necesarios para su ejecución: *Leonardo da Vinci proyectó numerosas máquinas.* **4** Referido a una figura o a una sombra, hacerlas visibles sobre una superficie: *La iluminación nocturna proyecta la figura del castillo y la realza. Nos asustamos al ver unas sombras que se proyectaban en la pared del callejón.* **5** Referido esp. a una película o una diapositiva, reflejar sobre una pantalla su imagen óptica amplificada: *Esta película se está proyectando en varias salas de la ciudad.* **6** Referido esp. a un impulso o a un sentimiento, dirigirlos, volcarlos o reflejarlos sobre algo: *El poeta proyectó en el poema toda la tristeza que lo embargaba.* **7** En geometría, referido esp. a un cuerpo o a una figura, trazar líneas rectas desde todos sus puntos y según determinadas reglas, hasta una superficie generalmente plana en la que se obtendrá su representación: *El ejercicio de dibujo lineal consistía en proyectar un cono sobre un plano perpendicular a él.* □ ETIMOL. Del latín *proiectare*.

proyectil s.m. Cuerpo arrojadizo, esp. los que se lanzan con armas de fuego. □ ETIMOL. Del latín *proiectum*, y este de *proiicere* (echar adelante).

proyectista s.com. Persona que se dedica profesionalmente a hacer proyectos.

proyectivo, va adj. **1** Relacionado con el proyecto o con la proyección. **2** En matemáticas, referido a la propiedad de una figura, que se conserva cuando dicha figura se proyecta sobre un plano: *En geometría se estudian las propiedades proyectivas de las figuras.*

proyecto s.m. **1** Propósito o pensamiento de hacer algo: *Tienen el proyecto de casarse el próximo verano.* **2** Disposición, plan o diseño que se hacen para la realización de un tratado o para la ejecución de algo importante. **3** Primer esquema o plan de trabajo que se hacen como prueba antes de darles forma definitiva. **4** En arquitectura o ingeniería, conjunto de planos, cálculos e instrucciones necesarios para llevar a cabo una obra. **5** || **proyecto de ley;** propuesta de ley elaborada por el Gobierno y sometida al Parlamento para su aprobación. □ ETIMOL. Del latín *proiectus*.

proyector s.m. **1** Aparato eléctrico que sirve para proyectar imágenes sobre una pantalla. **2** Aparato que sirve para proyectar un haz luminoso de gran intensidad.

prozac s.m. Medicamento que se utiliza para combatir la depresión. □ ETIMOL. Extensión del nombre de una marca comercial.

prudencia s.f. **1** Sensatez o buen juicio. **2** Moderación, comedimiento o cautela: *conducir con prudencia.* □ ETIMOL. Del latín *prudentia*.

prudencial adj.inv. **1** De la prudencia o relacionado con ella: *Cuando salgan, espera un tiempo prudencial para que no te descubran y después, síguelos.* **2** Que no es exagerado ni excesivo: *un precio prudencial.*

prudente adj.inv. Que tiene prudencia y actúa con moderación y cautela. □ ETIMOL. Del latín *prudens* (previsor, competente).

prueba s.f. **1** Examen o uso para comprobar el funcionamiento de algo o si resulta adecuado para un fin: *Antes de comercializar el nuevo modelo hay que someterlo a numerosas pruebas.* **2** Justificación o demostración de la verdad o de la existencia de algo: *Tus reproches son la prueba de que ya no me quieres como antes.* **3** Medio utilizado para justificar o demostrar la verdad o la existencia de algo: *La acusada fue absuelta por falta de pruebas.* **4** Intento o propósito: *He hecho la prueba de levantarme sin despertador y me he quedado dormida.* **5** Indicio, señal o muestra: *Acepta esto en prueba de mi amistad.* **6** Ensayo o experimento de algo provisional, para saber cómo resultará en su forma definitiva: *En la primera prueba del vestido, la modista me dijo que me quedaba corto.* **7** Examen para demostrar unos conocimientos o unas capacidades: *No logré pasar la prueba de química.* **8** Circunstancia o condición difíciles o penosas: *Quedarse sin trabajo fue una dura prueba para ella.* **9** Análisis médico: *Mañana me han citado para hacerme las pruebas de riñón.* **10** Degustación de un alimento en pequeña cantidad: *En la prueba comprobé que había puesto demasiada sal.* **11** Parte pequeña de un todo, que se recoge para examinar su calidad: *Analizaron unas pruebas de agua del arroyo para ver si era potable.* **12** En algunos deportes, competición: *Llegó el primero en la prueba ciclista.* **13** En matemáticas, operación que se ejecuta para averiguar la exactitud de otra operación ya hecha: *Hizo la prueba del nueve para comprobar la división.* **14** En artes gráficas, muestra provisional a partir de la cual se realizan las oportunas correcciones: *pruebas de imprenta.* **15** || **a prueba;** en situación de poder comprobar su calidad, su capacidad o su buen funcionamiento: *Estuvo dos meses trabajando a prueba. El vendedor me dejó el televisor a prueba.* || **a prueba de** algo; resistente a ello: *Es un coche blindado y a prueba de bombas.* || **de prueba;** referido al modo de hacer algo, de forma experimental, como comprobación: *Te lo dije de prueba, a ver cómo reaccionabas.* || **prueba de fuego;** la más difícil y decisiva: *Si sales de esto con éxito, habrás superado la prueba de fuego.* || **prueba objetiva;** *euf.* Examen. □ ETIMOL. De *probar*.

pruina s.f. En las hojas, tallos o frutos de algunos vegetales, recubrimiento ligero y de aspecto parecido a la cera. □ ETIMOL. Del latín *pruina*.

pruna s.f. En algunas regiones, ciruela. □ ETIMOL. Del latín *pruna*.

pruno s.m. En algunas regiones, ciruelo. □ ETIMOL. Del latín *prunus*.

prurigo s.m. Enfermedad de la piel caracterizada por la aparición de pequeños granos que producen picor o escozor y que al rascarlos se cubren frecuentemente de costras negruzcas. □ ETIMOL. Del latín *prurigo* (picor).

prurito s.m. **1** Picazón o comezón patológicas producidas en el cuerpo. **2** Deseo excesivo y persistente de hacer algo de la mejor forma posible: *prurito profesional.* □ ETIMOL. Del latín *pruritus* (comezón).

prusiano, na adj./s. De Prusia (antiguo Estado alemán del norte), o relacionado con ella.

prúsico adj. Referido a un ácido, compuesto de carbono, hidrógeno y nitrógeno, y que es un líquido incoloro, amargo y muy venenoso. □ SINÓN. *cianhídrico.* □ ETIMOL. De *azul de Prusia*.

pseudo- →**seudo-.** □ PRON. [séudo].

pseudomona s.f. →**seudomona.**

pseudópodo s.m. →**seudópodo.** □ PRON. [seudópodo].

psi s.f. En el alfabeto griego clásico, nombre de la letra vigésima tercera: *La grafía de la psi es* ψ. □ PRON. [psi].

psicastenia s.f. En medicina, variedad de la neurastenia en la que predominan las manifestaciones de depresión psíquica. □ ETIMOL. Del griego *psykhé* (alma) y *asthéneia* (debilidad). □ PRON. [sicasténia].

psico- Elemento compositivo prefijo que significa 'alma' o 'actividad mental': *psicología, psicoanálisis, psicopatía, psicoterapia.* □ ETIMOL. Del griego *psykhé.* □ PRON. [síco]. □ MORF. Puede adoptar la forma *sico-*: *sicología, sicólogo, sicoanálisis.*

psicoanálisis (tb. *sicoanálisis*) (pl. *psicoanálisis*) s.m. **1** Teoría psicológica desarrollada principalmente por Sigmund Freud (neurólogo austriaco nacido a mediados del siglo XIX), que se basa en la investigación de los procesos mentales inconscientes y concede importancia decisiva a la permanencia en el subconsciente de los impulsos instintivos reprimidos por la conciencia. **2** Método de tratamiento de los desórdenes mentales basado en esta teoría. □ ETIMOL. De *psico-* (alma, actividad mental) y *análisis.* □ PRON. [sicoanálisis].

psicoanalista s.com. Persona que se dedica a aplicar las técnicas del psicoanálisis, esp. si esta es su profesión. □ PRON. [sicoanalísta].

psicoanalítico, ca adj. Del psicoanálisis o relacionado con esta teoría y método psicológicos. □ PRON. [sicoanalítico].

psicoanalizar v. Referido a una persona, aplicarle el psicoanálisis: *Psicoanaliza a un mismo paciente desde hace ocho años. Todos los psicoanalistas se han psicoanalizado antes.* □ PRON. [sicoanalizár]. □ ORTOGR. La *z* se cambia en *c* delante de *e* →CAZAR.

psicodelia (tb. *sicodelia*) s.f. Tendencia o movimiento cultural surgido en la década de 1960, y que se caracteriza por el intento de expresar musicalmente los efectos producidos por las drogas alucinógenas. □ PRON. [sicodélia].

psicodélico, ca adj. **1** Relacionado con la manifestación de elementos psíquicos que en condiciones normales están ocultos, o con la estimulación intensa de potencias psíquicas: *La euforia, la depresión y la alucinación son estados psicodélicos.* **2** Referido esp. a una droga, que produce un estado específico caracterizado por la potenciación de los sentidos y las alucinaciones. **3** *col.* Raro, extravagante o fuera de lo normal. □ ETIMOL. Del inglés *psychedelic.* □ PRON. [sicodélico]. □ ORTOGR. Se usa también *sicodélico.*

psicodrama s.m. Técnica relacionada con el psicoanálisis que consiste en hacer que los pacientes representen como actores situaciones relacionadas con sus conflictos patológicos, para liberarlos y tomar conciencia de ellos. □ ETIMOL. De *psico-* (actividad mental) y *drama.* □ PRON. [sicodráma].

psicofármaco s.m. Medicamento que actúa sobre la actividad mental. □ ETIMOL. De *psico-* (actividad mental) y *fármaco.* □ PRON. [sicofármaco].

psicofísica (tb. *sicofísica*) s.f. Ciencia que trata de las manifestaciones físicas o fisiológicas que acompañan a los fenómenos psicológicos. □ PRON. [sicofísica].

psicofisiología s.f. Estudio de la interrelación entre las funciones corporales y los procesos mentales. □ PRON. [sicofisiología].

psicofonía s.f. Fenómeno paranormal que consiste en la percepción de sonidos atribuidos a espíritus. □ PRON. [sicofonía].

psicogénico, ca adj. De origen psicológico. □ SINÓN. *psicógeno.* □ PRON. [sicogénico].

psicógeno, na adj. →**psicogénico.** □ PRON. [sicógeno].

psico-killer (ing.) s.com. Asesino psicópata. □ PRON. [síco kíler]. □ USO Su uso es innecesario.

psicokinesia s.f. →**psicoquinesia.** □ PRON. [sicokinésia].

psicokinesis (tb. *psicoquinesis*) (pl. *psicokinesis*) s.f. →**psicoquinesia.** □ PRON. [sicokinésis].

psicolingüista s.com. Especialista en psicolingüística. □ PRON. [sicolingüísta].

psicolingüística s.f. Véase **psicolingüístico, ca.**

psicolingüístico, ca ▌adj. **1** De la psicolingüística o relacionado con esta ciencia: *He realizado un estudio psicolingüístico sobre las diferencias lingüísticas entre hombres y mujeres.* ▌s.f. **2** Ciencia que estudia el lenguaje y el comportamiento verbal en relación con el mecanismo psicológico que lo hace posible: *Esta psicóloga está especializada en psicolingüística y trata los problemas de afasia.* □ PRON. [sicolingüístico].

psicología (tb. *sicología*) s.f. **1** Ciencia que estudia la actividad psíquica o mental y el comportamiento humanos: *La psicología fue parte de la filosofía hasta el siglo XIX.* **2** Manera de sentir o de pensar de una persona o de un grupo: *La psicología de los adolescentes es diferente a la de los adultos.* **3** Lo referido a la conducta de los animales: *La fidelidad al amo es una característica de la psicología de los perros.* □ ETIMOL. De *psico-* (alma, actividad mental) y *-logía* (estudio, ciencia). □ PRON. [sicología].

psicológico, ca (tb. *sicológico, ca*) adj. **1** De la psique o relacionado con la mente humana: *una enfermedad psicológica.* **2** De la psicología o relacionado con esta ciencia: *un estudio psicológico.* **3** Que influye mucho en el ánimo o en la confianza que se tienen: *Fue un gol psicológico que llenó de moral a los jugadores.* □ PRON. [sicológico].

psicólogo, ga (tb. *sicólogo, ga*) s. **1** Persona que se dedica profesionalmente a la psicología. **2** Persona con especial capacidad para conocer el temperamento o las reacciones de los demás. □ PRON. [sicólogo].

psicometría s.f. Medición de la duración y frecuencia de los fenómenos psíquicos. □ ETIMOL. De *psico-* (actividad mental) y *-metría* (medición). ☐ PRON. [sicometría].

psicomotor, -a adj. De la psicomotricidad o relacionado con ella. ☐ PRON. [sicomotór]. ☐ MORF. Se usa también el femenino *psicomotriz*.

psicomotricidad s.f. Relación entre la actividad psíquica y la función motriz o capacidad de movimiento del cuerpo humano: *Hace ejercicios para mejorar su psicomotricidad.* ☐ PRON. [sicomotricidád].

psicomotriz adj. f. de **psicomotor**.

psicópata (tb. *sicópata*) s.com. En psiquiatría, persona que padece una psicopatía. ☐ PRON. [sicópata].

psicopatía (tb. *sicopatía*) s.f. En psiquiatría, enfermedad mental, esp. la caracterizada por una alteración patológica de las relaciones interpersonales y la conducta social del individuo, sin ser manifiestas las alteraciones emocionales ni intelectuales. ☐ ETIMOL. De *psico-* (alma, actividad mental) y *-patía* (enfermedad). ☐ PRON. [sicopatía].

psicopático, ca ▌adj. **1** De la psicopatía o relacionado con ella. ▌adj./s. **2** Referido a una persona, que padece una psicopatía. ☐ PRON. [sicopático].

psicopatología s.f. Estudio de las causas y naturaleza de las enfermedades mentales. ☐ PRON. [sicopatología].

psicopatológico, ca adj. De la psicopatología o relacionado con esta. ☐ PRON. [sicopatológico].

psicopedagogía s.f. Rama de la psicología que estudia los fenómenos psicológicos con el fin de hacer más adecuados los métodos didácticos y pedagógicos. ☐ PRON. [sicopedagogía].

psicopedagogo, ga s. Persona especializada en psicopedagogía. ☐ PRON. [sicopedagógo].

psicoquinesia (tb. *psicokinesia*) s.f. Acción o modificación ejercidas por una fuerza psíquica sobre una realidad física, sin intervención de una causa mecánica aparente: *Dice que domina de tal manera la psicoquinesia, que cree que puede romper un objeto lejano con su mente.* ☐ SINÓN. *psicoquinesis, psicokinesis.* ☐ ETIMOL. De *psico-* (actividad mental) y el griego *kínesis* (movimiento). ☐ PRON. [sicokinésia].

psicoquinesis (tb. *psicokinesis*) (pl. *psicoquinesis*) s.f. →**psicoquinesia.** ☐ PRON. [sicokinésis].

psicosis (tb. *sicosis*) (pl. *psicosis*) s.f. En psiquiatría, enfermedad mental que se caracteriza por una profunda alteración de la psique. ☐ ETIMOL. De *psico-* (alma, actividad mental) y *-osis* (enfermedad). ☐ PRON. [sicósis].

psicosocial adj.inv. De la conducta humana en su aspecto social, o relacionado con ella. ☐ PRON. [sicosociál].

psicosociología s.f. Estudio que se ocupa de la conducta humana en su aspecto social y se centra en las reglas de interacción social. ☐ PRON. [sicosociología].

psicosomático, ca adj. Que produce o implica una acción de la mente sobre el cuerpo o del cuerpo sobre la mente. ☐ ETIMOL. Del griego *psico-* (alma, actividad mental) y *sôma* (cuerpo). ☐ PRON. [sicosomático]. ☐ ORTOGR. Se usa también *sicosomático*.

psicotecnia s.f. Rama de la psicología que estudia y clasifica las aptitudes de los individuos mediante pruebas adecuadas y con fines de orientación y selección. ☐ ETIMOL. De *psico-* (actividad mental) y el griego *tékhne* (habilidad). ☐ PRON. [sicotécnia].

psicotécnico, ca adj. De la psicotecnia o relacionado con esta rama de la psicología. ☐ PRON. [sicotécnico]. ☐ ORTOGR. Se usa también *sicotécnico*.

psicoterapeuta s.com. Persona que se dedica profesionalmente a la aplicación de la psicoterapia. ☐ PRON. [sicoterapéuta].

psicoterapéutico, ca adj. De la psicoterapia o relacionado con este tratamiento. ☐ PRON. [sicoterapéutico].

psicoterapia (tb. *sicoterapia*) s.f. Tratamiento de algunas enfermedades nerviosas o alteraciones de conducta por medio de distintas técnicas psicológicas. ☐ PRON. [sicoterápia].

psicótico, ca adj./s. En psiquiatría, referido esp. a una persona, que padece psicosis. ☐ PRON. [sicótico].

psicotrópico, ca adj./s.m. Referido a una sustancia, esp. a un medicamento, que actúa sobre el organismo modificando sus condiciones y funciones psicológicas. ☐ SINÓN. *psicotropo, psicótropo.* ☐ ETIMOL. De *psico-* (actividad mental) y el griego *trépo* (doy vueltas). ☐ PRON. [sicotrópico].

psicótropo, pa (tb. *psicotropo, pa*) adj./s.m. →**psicotrópico.** ☐ PRON. [sicótropo] o [sicotrópo].

psicrómetro (tb. *sicrómetro*) s.m. Instrumento que sirve para medir la humedad del aire atmosférico y está compuesto de dos termómetros ordinarios, uno de los cuales tiene la bola humedecida con agua. ☐ ETIMOL. Del griego *psykhrós* (frío) y *-metro* (medidor). ☐ PRON. [sicrómetro].

psique (tb. *psiquis*) s.f. Mente humana: *La psique distingue a las personas de los animales.* ☐ ETIMOL. Del griego *psikhé*. ☐ PRON. [síke].

psiquiatra (tb. *siquiatra*) s.com. Médico que está especializado en psiquiatría. ☐ PRON. [sikiátra].

psiquiatría (tb. *siquiatría*) s.f. Ciencia que estudia las enfermedades mentales. ☐ ETIMOL. De *psico-* (alma, actividad mental) y *-iatría* (curación). ☐ PRON. [sikiatría].

psiquiátrico, ca ▌adj. **1** De la psiquiatría o relacionado con esta ciencia. ▌s.m. **2** Hospital para enfermos mentales. ☐ PRON. [sikiátrico]. ☐ SEM. Dist. de *psíquico* (de la mente humana).

psíquico, ca (tb. *síquico, ca*) adj. De la mente humana. ☐ PRON. [síkico]. ☐ SEM. Dist. de *psiquiátrico* (de la psiquiatría).

psiquis (pl. *psiquis*) s.f. →**psique.** ☐ PRON. [síkis].

psiquismo s.m. Conjunto de los caracteres y las funciones de la mente humana y de los fenómenos relacionados con ella. ☐ PRON. [sikísmo].

psitácida (tb. *sitácida*) ▌adj./s.f. **1** Referido a un ave, que tiene las patas prensoras, el pico corto, alto y muy encorvado, las plumas de colores vivos, y que generalmente es originaria de países tropicales: *El papagayo es una psitácida.* ▌s.f.pl. **2** En zoología, familia de estas aves: *Las psitácidas tienen cuatro dedos en el extremo de sus patas, dos hacia adelante y dos hacia atrás.* ☐ ETIMOL. Del griego *psittakós* (papagayo). ☐ PRON. [sitácida].

psitacismo (tb. *sitacismo*) s.m. Método de enseñanza basado exclusivamente en el ejercicio de la memoria. ☐ ETIMOL. Del griego *psittakós* (papagayo). ☐ PRON. [sitacísmo].

psitacosis (tb. *sitacosis*) (pl. *psitacosis*) s.f. En algunas aves, esp. en los loros y los papagayos, enfermedad infecciosa del aparato respiratorio que puede ser transmitida a las personas. ☐ ETIMOL. Del griego *psittakós* (papagayo). ☐ PRON. [sitacósis].

psoriasis (pl. *psoriasis*) s.f. Enfermedad de la piel, generalmente crónica, caracterizada por el enrojecimiento y la aparición de costras, escamas u otras erupciones. ☐ ETIMOL. Del griego *psóra* (sarna). ☐ PRON. [soriásis]. ☐ ORTOGR. Se usa también *soriasis*.

pteridofito, ta (tb. *teridofito, ta*) ▌adj./s.f. **1** Referido a una planta, que tiene reproducción con alternancia de generaciones, los tallos con tejidos conductores y que vive en ambientes húmedos: *El helecho es una pteridofita.* ▌s.f.pl. **2** En botánica, división de estas plantas, perteneciente al reino de las metafitas: *Las plantas de las pteridofitas tienen grandes hojas hendidas que se llaman frondes.* ☐ ETIMOL. Del griego *ptéris* (helecho) y *phytón* (planta). ☐ PRON. [teridofíto].

ptero- Elemento compositivo prefijo que significa 'ala': *pterodáctilo.* ☐ ETIMOL. Del griego *ptero-* (ala). ☐ PRON. [téro].

-ptero, -ptera Elemento compositivo sufijo que significa 'ala': *helicóptero, díptera.* ☐ ETIMOL. Del griego *-pteros* (ala).

pterodáctilo s.m. Reptil volador que existió en la era secundaria, que tenía las extremidades anteriores y posteriores unidas por una membrana, y una gran prominencia en la parte posterior de la cabeza: *Los pterodáctilos no tenían plumas.* ☐ ETIMOL. De *ptero-* (ala) y *dáctilo* (dedo). ☐ PRON. [terodáctilo].

ptialina s.f. →**tialina.** ☐ PRON. [tialína].

ptialismo s.m. →**tialismo.** ☐ PRON. [tialísmo].

púa s.f. **1** Diente de un peine o de un cepillo. **2** En algunos animales, cada uno de los pinchos o espinas que cubren su cuerpo: *las púas de un erizo.* **3** Chapa o lámina de forma triangular u ovalada, que se utiliza para tocar algunos instrumentos de cuerda. ☐ ETIMOL. De origen incierto.

pub (ing.) s.m. Establecimiento en el que se toman bebidas y se escucha música, y que generalmente tiene una decoración más cuidada y cómoda que la de un bar. ☐ PRON. [pab], con *b* suave.

púber adj.inv./s.com. Que ha llegado a la pubertad. ☐ ETIMOL. Del latín *puber*.

pubertad s.f. Primera fase de la adolescencia, en la que se producen las modificaciones propias del paso de la infancia a la edad adulta. ☐ ETIMOL. Del latín *pubertas*.

pubescencia s.f. *poét.* Pubertad.

pubescente adj.inv. **1** Que ha llegado a la pubertad. **2** Que tiene vello: *Las axilas son partes pubescentes.* ☐ ETIMOL. Del latín *pubescens*.

pubiano, na adj. Del pubis o relacionado con esta zona anatómica.

pubis (pl. *pubis*) s.m. **1** En anatomía, cada uno de los dos huesos que se unen al ilion y al isquion para formar la pelvis. **2** Parte inferior del vientre que corresponde a la zona de proyección de este hueso: *En la especie humana, el pubis se cubre de vello en la pubertad.* ☐ ETIMOL. Del latín *pubis* (vello viril, bajo vientre).

publicación s.f. **1** Difusión o comunicación de una información para que sea conocida. **2** Difusión por medio de la imprenta o de otro procedimiento. **3** Obra o escrito impreso que han sido publicados: *una publicación periódica.*

publicano s.m. En la antigua Roma, arrendador de los impuestos o rentas públicas y de las minas del Estado. ☐ ETIMOL. Del latín *publicanus*.

publicar v. **1** Referido a una información, difundirla o darla a conocer: *Ese periódico fue el primero en publicar la noticia.* **2** Referido a algo secreto u oculto, revelarlo o decirlo: *No debes ir por ahí publicando los defectos de los demás.* **3** Difundir por medio de la imprenta o de otro procedimiento: *Envió su cuento a una editorial y se lo han publicado.* ☐ ETIMOL. Del latín *publicare*. ☐ ORTOGR. La *c* se cambia en *qu* delante de *e* →SACAR.

publicidad s.f. **1** Divulgación o información sobre algo de forma que pasa a ser de conocimiento general o público: *Ese periódico fue el primero en dar publicidad al escándalo financiero.* **2** Conjunto de técnicas, actividades y medios para divulgar o dar a conocer algo: *Técnicas muy empleadas por la publicidad son los anuncios en los medios de comunicación y las vallas y carteles de la calle.* **3** Divulgación de noticias o de anuncios de algo con carácter comercial: *Y ahora, tras unos minutos de publicidad, enseguida volvemos con ustedes.* **4** ‖ **publicidad redaccional;** la presentada en forma de redacción periodística.

publicista s.com. Persona que se dedica profesionalmente a la publicidad.

publicitar v. Dar a conocer mediante la publicidad: *Los nuevos modelos de automóviles serán publicitados en breve.*

publicitario, ria adj. De la publicidad con fines comerciales, o relacionado con ella: *un anuncio publicitario.*

público, ca ▌adj. **1** Que es visto, sabido o conocido por todos: *Me lo contó como un secreto, porque no sabía que ya era algo público.* **2** De todo el pueblo o relacionado con él: *El jardín de mi casa es privado, pero cerca hay un parque público.* **3** Del Estado, de su administración o relacionado con ellos: *Los autobuses de esta ciudad pertenecen a una empresa pública.* **4** Referido a una persona, que es conocida por la mayoría de la gente, generalmente por las actividades a las que se dedica: *Desde que se dedica a la política se ha convertido en* *una persona pública.* ❚ s.m. **5** Conjunto de personas que forman una colectividad: *En las taquillas de la estación están expuestos al público los precios de los billetes.* **6** Conjunto de personas que asisten a un acto o a un espectáculo: *El público, puesto en pie, aplaudía a la actriz.* **7** Conjunto de personas con aficiones o características comunes: *Ese tipo de novela está dirigido a un público juvenil.* **8** ‖ **el gran público;** la mayoría de la gente. ‖ **en público;** a la vista de todos: *Han discutido en público más de una vez.* ☐ ETIMOL. Del latín *publicus* (oficial, público).

publirreportaje s.m. Reportaje publicitario, generalmente de larga duración o extensión. ☐ ORTOGR. Incorr. **publireportaje*.

pucelano, na adj./s. De Valladolid o relacionado con esta provincia española o con su capital: *El río Duero atraviesa el territorio pucelano.*

pucha interj. *col.* En zonas del español meridional, caramba.

puchar v. *col.* En zonas del español meridional, referido esp. a un objeto, hacer fuerza contra él para moverlo, sostenerlo o rechazarlo: *Pucha la puerta para que se cierre bien.* ☐ ETIMOL. Del inglés *push* (empujar).

pucherazo s.m. Fraude electoral que consiste en alterar el resultado del escrutinio o del reconocimiento y recuento de votos. ☐ SINT. Se usa más con el verbo *dar*.

puchero s.m. **1** Vasija o recipiente algo abombados y con una o dos asas, que se utilizan para cocinar. **2** Gesto de la cara que precede al llanto: *hacer pucheros.* **3** En algunas regiones, cocido. ☐ ETIMOL. Del latín *pultarius.* ☐ MORF. En la acepción 2, se usa más en plural.

puches s.amb.pl. Comida hecha de harina cocida con agua y sal, que se puede condimentar con leche, con miel o con otro aliño. ☐ SINÓN. *gachas, poleadas.* ☐ ETIMOL. Del latín *pultes*.

puchinga s.f. *col.* →**pene.**

pucho s.m. *col.* En zonas del español meridional, colilla: *Siempre lleva el pucho pegado a los labios.*

pudendo, da adj. Que causa pudor o vergüenza, o que debe causarlos. ☐ ETIMOL. Del latín *pudendus* (lo que debe causar pudor).

pudibundez s.f. Pudor o vergüenza exagerados, en todo lo relacionado con el sexo.

pudibundo, da adj. Con un pudor afectado y exagerado en todo lo relacionado con el sexo. ☐ ETIMOL. Del latín *pudibundus*.

pudicia s.f. Honestidad, vergüenza o pudor, esp. en acciones y en palabras.

púdico, ca adj. Que tiene o que muestra pudor o vergüenza, esp. en lo relacionado con el sexo. ☐ ETIMOL. Del latín *pudicus*.

pudiente adj.inv. Que tiene poder, riqueza y bienes: *una familia pudiente.*

pudin (tb. *pudín, budín*) s.m. **1** Dulce de consistencia pastosa, hecho con frutas y pan o bizcocho reblandecidos en leche. **2** Comida no dulce de consistencia pastosa que se hace en un molde con diversos ingredientes. ☐ ETIMOL. Del inglés *pudding*.

pudinga s.f. En geología, conglomerado constituido por cantos rodados. ☐ ETIMOL. Del inglés *pudding* (budín).

pudor s.m. **1** Sentimiento de vergüenza, esp. en lo relacionado con el sexo. **2** Modestia, humildad o recato. ☐ ETIMOL. Del latín *pudor*.

pudoroso, sa adj. Que tiene o que manifiesta pudor.

pudridero s.m. Cámara en la que se colocan los cadáveres antes de enterrarlos en el panteón.

pudrimiento (tb. *podrimiento*) s.m. Alteración, descomposición o deterioro grande.

pudrir (tb. *podrir*) v. **1** Referido esp. a una materia orgánica, hacer que se altere o se descomponga: *Algunos hongos y bacterias pudren los alimentos en determinadas condiciones. Si dejas la madera a la intemperie se pudrirá.* **2** *col.* Consumir, molestar o causar mal: *La tuberculosis ha podrido sus pulmones. Casi me pudro de tanto esperarte.* ☐ ETIMOL. Del latín *putrere* (pudrirse). ☐ MORF. Irreg.: Su participio es *podrido*.

pueblerino, na adj./s. **1** De un pueblo pequeño o aldea o relacionado con él. **2** *desp.* Referido a una persona, que tiene poca cultura o modales poco refinados.

pueblo s.m. **1** Ciudad, villa o lugar: *En nuestro viaje visitamos muchos pueblos.* **2** Población pequeña o de menor categoría, esp. la que vive de actividades relacionadas con el sector primario: *Paso las vacaciones en un pueblo de la sierra.* **3** Conjunto de personas de un lugar, de una región o de un país: *Mis amigos ingleses dicen que el pueblo español tiene fama de amable y hospitalario.* **4** Conjunto de los habitantes de un país, en relación con sus gobernantes: *El pueblo elegirá a sus representantes en las próximas elecciones.* **5** País con gobierno independiente: *La firma del tratado de paz puso fin a la guerra entre los dos pueblos.* **6** En una población, conjunto de personas de las clases más humildes: *En la Edad Media era el pueblo quien pagaba la mayor cantidad de impuestos y de tributos.* ☐ ETIMOL. Del latín *populus* (pueblo, conjunto de ciudadanos).

puente s.m. **1** Construcción colocada sobre un río, un foso o un desnivel para poder pasarlos: *Las dos orillas del río están comunicadas por tres modernos puentes.* **2** Día laborable que está entre dos festivos y se toma de vacaciones: *Como el lunes es puente, tendremos un fin de semana de cuatro días.* **3** Esta vacación: *El próximo mes hay un puente de cinco días.* **4** Pieza metálica que utilizan los dentistas para sujetar los dientes artificiales en los naturales. **5** En la cubierta de una embarcación, plataforma con barandilla que va de banda a banda y está colocada a cierta altura, y desde la cual el oficial de guardia comunica sus órdenes: *el puente de mando.* **6** En la montura de las gafas, pieza central que une los dos cristales. **7** En la planta del pie, curva o arco de la parte interior. **8** En un instrumento musical de cuerda, pieza de madera colocada sobre la tapa, que sujeta las cuerdas y transmite su vibración a la tapa misma y a la caja. **9** Contacto que se hace para poner en marcha un circuito eléctrico: *Robaron el coche haciendo un puente con dos cables.* **10** Ejercicio gimnástico que consiste en arquear el cuerpo hacia atrás de forma que descanse sobre las manos y los pies. **11** Lo que sirve para acercar o para aproximar algo, esp. si está alejado o enfrentado: *El delegado de clase es el puente entre los alumnos y los profesores.* **12** || **puente aéreo;** 1 Comunicación frecuente y continua que, por medio de aviones, se establece entre dos lugares para facilitar el desplazamiento de personas y de mercancías. 2 En un aeropuerto, conjunto de instalaciones que están al servicio de esta comunicación. || **puente colgante;** el que está sostenido por cables o por cadenas de hierro o acero. □ ETIMOL. Del latín *pons.* □ MORF. Su uso como femenino es antiguo o propio de algunas regiones.

puentear v. **1** Colocar un puente en un circuito eléctrico: *Los ladrones de coches puentean el mecanismo de arranque.* **2** *col.* En una jerarquía, referido a una persona, no contar con ella y saltársela para llegar al escalón inmediatamente superior: *Cuando tiene una idea, puentea a su jefe de sección y se la cuenta a la directora del departamento.*

puenteo s.m. **1** Colocación de un puente en un circuito eléctrico. **2** *col.* Falta de reconocimiento de la autoridad que una persona tiene en una jerarquía, recurriéndose a otra que ocupa el escalón inmediatamente superior.

puenting s.m. Actividad que consiste en lanzarse al vacío desde un puente al que se está sujeto con una cuerda especial. □ PRON. [puéntin].

puerco, ca ▌adj./s. **1** Sucio o falto de limpieza. □ SINÓN. *cerdo.* **2** Referido a una persona, que tiene mala intención o carece de escrúpulos. □ SINÓN. *cerdo.* ▌s. **3** Mamífero doméstico de cuerpo grueso, cola en forma de espiral, patas cortas y cabeza grande con un hocico casi cilíndrico, que se cría para aprovechar su carne. □ SINÓN. *cerdo.* **4** || **puerco {espín/espino};** mamífero roedor, de cuerpo rechoncho, cabeza pequeña y hocico agudo, que tiene el cuello cubierto de pelos fuertes y el cuerpo cubierto de púas con las que se defiende de sus enemigos. □ ETIMOL. Del latín *porcus.* □ ORTOGR. La expresión *puerco espín* se usa mucho con la forma *puercoespín.* □ MORF. *Puerco espín* es epiceno: *el puerco {espín/espino} {macho/hembra}.* □ USO Las acepciones 1 y 2 se usan como insulto.

puercoespín s.m. →**puerco espín.**

puericultor, -a s. Persona especializada en puericultura. □ SEM. Dist. de *pediatra* (médico especializado en enfermedades infantiles).

puericultura s.f. Ciencia que se ocupa del sano desarrollo del niño. □ ETIMOL. Del latín *puer* (niño) y *-cultura* (cuidado). □ SEM. Dist. de *pediatría* (parte de la medicina que se ocupa de las enfermedades infantiles).

pueril adj.inv. **1** Del niño, o con alguna de las características que tradicionalmente se le atribuyen. **2** Que carece de importancia o de fundamento. □ ETIMOL. Del latín *puerilis,* y este de *puer* (niño, muchachito).

puerilidad s.f. **1** Lo que se considera propio de un niño. **2** Lo que es de poca importancia o de poco valor.

puérpera s.f. Mujer que acaba de dar a luz. □ ETIMOL. Del latín *puerpera,* y este de *puer* (niño) y *parere* (parir).

puerperal adj.inv. Del puerperio o período inmediatamente posterior a un parto, o relacionado con él.

puerperio s.m. Período de tiempo inmediatamente posterior al parto. □ ETIMOL. Del latín *puerperium,* y este de *puer* (niño) y *parere* (parir).

puerro s.m. **1** Hortaliza de tallo y bulbo alargados, con hojas planas y verdes, y con flores rosas. **2** Bulbo o tallo subterráneo de esta hortaliza. □ ETIMOL. Del latín *porrum.*

puerta s.f. **1** En un muro o en una pared, vano que va desde el suelo hasta una altura conveniente para poder pasar y entrar por él. **2** Armazón o plancha movibles que se sujetan a un marco y sirven para abrir o cerrar algo. **3** Agujero o abertura que sirve para entrar y salir por ellos de un lugar. **4** Entrada a una población, que antiguamente era una abertura en la muralla. **5** Camino, principio o medio para alcanzar algo: *Dicen que el éxito es la puerta de la fama.* **6** En el lenguaje del deporte, portería. **7** || **a las puertas;** *col.* Cerca o muy próximo: *Me quedé a las puertas del aprobado, porque me faltaron dos décimas.* || **a puerta cerrada;** en secreto, en privado o de manera no pública: *El juicio se celebró a puerta cerrada y por eso no podemos ofrecerles imágenes.* || **dar con la puerta en las narices;** *col.* Desairar o negar bruscamente lo que se pide o desea: *Le iba a pedir perdón, pero me dio con la puerta en las narices y no admitió mis excusas.* || **de puertas abiertas;** referido esp. a un período de tiempo, que se dedica a dar a conocer determinados servicios o instalaciones a los que normalmente no se tiene acceso: *En la jornada de puertas abiertas del instituto, los padres de los alumnos pudieron visitar todas las instalaciones.* || **de puertas adentro;** en la intimidad o en privado: *Aquí parece muy simpática, pero de puertas adentro tiene un genio endemoniado.* || **por la puerta grande;** triunfalmente o con dignidad: *Con este libro has entrado por la puerta grande en el mercado editorial.* || **puerta a puerta;** referido esp. a una venta, que se realiza casa por casa, sin que el vendedor haya concertado una cita previa con el posible comprador. || **puerta cangrejo;** sistema de acceso integrado por dos puertas seguidas, una de las cuales no se abre si la otra no está cerrada. □ ETIMOL. Del latín *porta* (portón).

puerto s.m. **1** En la costa o en la orilla de un río, lugar defendido de los vientos y dispuesto para que puedan detenerse y refugiarse las embarcaciones: *En los puertos se realiza la carga y descarga de mercancías, el embarque o desembarco de pasajeros y otras operaciones relacionadas con los barcos.* **2**

Localidad en la que existe este lugar: *Vigo es un importante puerto pesquero.* **3** En una localidad, barrio en el que está el puerto. **4** Lugar, generalmente estrecho, que permite el paso entre montañas. **5** Punto más elevado de este lugar de paso entre montañas. **6** En informática, componente físico del ordenador que permite la entrada y salida de datos. **7** || **puerto seco;** recinto aduanero en el que se controlan y revisan mercancías: *La creación de este puerto seco agilizará las operaciones aduaneras.* □ ETIMOL. Del latín *portus* (entrada de un puerto, puerto).

puertorriqueñismo s.m. En lingüística, americanismo propio de Puerto Rico (país americano): *En este diccionario de americanismos hay muchos puertorriqueñismos.*

puertorriqueño, ña (tb. *portorriqueño, ña*) adj./s. De Puerto Rico o relacionado con este país americano.

pues conj. **1** Enlace gramatical subordinante con valor causal: *Vuélvemelo a contar, pues no me he enterado de nada.* □ SINÓN. *puesto que.* **2** Enlace gramatical con valor condicional: *Pues tanto te lo ha pedido, vete con él de excursión.* **3** Enlace gramatical con valor consecutivo: *Usted no sabe nada, pues cállese.* **4** En comienzo de oración, refuerza o enfatiza lo que en ella se dice: *¿Quieres saberlo?, pues bien, te lo voy a contar. ¡Pues estamos apañados!* □ ETIMOL. Del latín *post* (después, detrás). □ USO En la acepción 3, entre pausas, equivale a *por tanto*: *Lo compró ella; la elección, pues, fue cosa suya.*

puesta s.f. Véase **puesto, ta**.

puesto, ta ▌**1** part. irreg. de **poner**. ▌adj. **2** Bien vestido o arreglado: *Iba todo puesto con su traje nuevo.* **3** *col.* Seguido de la preposición 'en', con muchos conocimientos de la materia que se indica: *Esta chica está muy puesta en historia.* ▌s.m. **4** Sitio, espacio o posición que algo ocupa: *Mi equipo está en el tercer puesto de la clasificación.* **5** Lugar señalado para la realización de una determinada actividad, esp. referido al que ocupan los soldados o los policías que realizan un servicio: *un puesto de socorro.* **6** Establecimiento comercial pequeño, esp. si es desmontable y se coloca en la calle. **7** Empleo, cargo u oficio: *un puesto de fontanero.* **8** Destacamento permanente de guardia civil o de carabineros cuyo jefe inmediato tiene grado inferior al de oficial. **9** Sitio en el que se oculta un cazador para poder disparar a la caza. □ SINÓN. *postura.* ▌s.f. **10** Colocación en un lugar o en una situación determinados, o disposición en la forma o en el grado adecuados: *Para la puesta en pie de la columna se utilizó un mecanismo con palancas y poleas.* **11** Disposición o preparación de lo necesario para algún fin: *La puesta en marcha de la empresa fue un proceso largo y costoso.* **12** Ocultación de un astro en el horizonte: *la puesta del Sol.* **13** Producción y depósito de huevos que hace un animal, esp. un ave. **14** Conjunto de huevos puestos de una vez. **15** || **puesta a punto;** operación que consiste en regular un mecanismo para que funcione correctamente. || **puesta al día;** actualización. || **puesta de largo;** fiesta con la que se celebra la presentación de una joven en sociedad y en la que esta, generalmente, viste su primer traje largo. || **puesta en escena;** montaje y realización de un texto teatral o de un guión cinematográfico. || **puesta en marcha;** mecanismo del automóvil que se utiliza para arrancar. || **puesto que;** enlace gramatical subordinante con valor causal: *Puesto que todos estaban fuera, tuve que hacer el trabajo yo solo.* □ SINÓN. *pues.* □ MORF. En la acepción 1, incorr. **ponido*.

puf ▌s.m. **1** Asiento bajo, sin respaldo y generalmente hecho de un material blando. ▌interj. **2** Expresión que se usa para indicar cansancio, molestia o repugnancia, esp. si estas están causadas por malos olores o por algo que produce náuseas. □ ETIMOL. La acepción 1, del francés *pouf*.

pufo s.m. *col.* Timo, estafa o engaño. □ ETIMOL. Del francés *pouf*.

púgil s.m. **1** Persona que se dedica profesionalmente a boxear. **2** En la antigua Roma, gladiador o persona que en los juegos públicos combatía con otra a puñetazos. □ ETIMOL. Del latín *pugil*.

pugilato s.m. Disputa o discusión en las que se acentúan la obstinación y la tenacidad.

pugilismo s.m. Técnica y organización de los combates entre púgiles.

pugilista s.m. Luchador profesional, esp. si es boxeador.

pugilístico, ca adj. Del boxeo o relacionado con este deporte.

pugna s.f. Oposición o rivalidad entre personas, naciones o bandos, o entre ideas enfrentadas.

pugnar v. Luchar o pelear con energía, esp. si se hace de forma no material: *Los dos equipos finalistas pugnan por conseguir la victoria.* □ ETIMOL. Del latín *pugnare* (pelear). □ SINT. Constr. *pugnar* POR *algo*.

pugnaz adj.inv. *poét.* Belicoso, guerrero o agresivo. □ ETIMOL. Del latín *pugnax*.

puja s.f. **1** Ofrecimiento de una cantidad mayor de la anteriormente ofrecida por algo que se subasta. **2** Lucha por conseguir algo venciendo los obstáculos que se interpongan para ello.

pujante adj.inv. Que tiene pujanza o fuerza: *una empresa pujante.*

pujanza s.f. Fuerza con la que algo crece o se desarrolla o con la que se ejecuta una acción: *La pujanza de sus negocios le está proporcionando elevados beneficios.* □ SINÓN. *brío*.

pujar v. **1** Aumentar el precio anteriormente ofrecido por algo que se subasta: *Se llevó el mejor cuadro de la subasta porque pujó más que nadie.* **2** Hacer fuerza para conseguir algo, intentando vencer los obstáculos que se oponen a ello: *Pujó por conseguir un buen empleo y lo ha conseguido.* □ ETIMOL. La acepción 1, del latín *podium* (poyo). La acepción 2, del latín *pulsare* (empujar). □ ORTOGR. Conserva la *j* en toda la conjugación.

pujo s.m. **1** Deseo continuo o frecuente de defecar o de orinar, que se acompaña de dolores y de imposibilidad o gran dificultad para lograrlo. □ SINÓN. *tenesmo.* **2** *col.* Aspiración o pretensiones de ser algo: *Tiene pujos de gran actor, pero solo es un vulgar cómico.* **3** Deseo violento de exteriorizar un sentimiento, esp. la risa o el llanto: *Le vino un pujo de reír y estalló en carcajadas.* □ ETIMOL. Del latín *pulsus* (impulso). □ MORF. En la acepción 2, se usa más en plural.

PUK (ing.) s.m. En un teléfono móvil, código necesario para desbloquearlo después de marcar erróneamente la clave de acceso, un número determinado de veces consecutivas. □ ETIMOL. Es el acrónimo del inglés *Personal Unblocking Key* (número de desbloqueo personal).

pula s.m. Unidad monetaria botsuana.

pularda s.f. Gallina joven que aún no ha puesto huevos y que ha sido cebada.

pulchinela s.m. →**polichinela.** □ ETIMOL. Del italiano *pulcinella* (personaje de la comedia napolitana).

pulcritud s.f. Aseo, limpieza y buen aspecto.

pulcro, cra adj. Aseado, limpio y de buen aspecto. □ ETIMOL. Del latín *pulcher* (hermoso). □ MORF. Sus superlativos son *pulcrísimo* y *pulquérrimo.*

pulga s.f. **1** Insecto que mide unos tres milímetros de longitud, sin alas, de color negro rojizo, con patas fuertes para saltar y boca chupadora, que vive como parásito de aves y mamíferos, de cuya sangre se alimenta. **2** *col.* Bocadillo pequeño de forma redondeada. **3** || **buscar las pulgas** a alguien; *col.* Molestarlo o provocarlo. || **tener malas pulgas;** *col.* Tener mal genio o enfadarse con facilidad. □ ETIMOL. Del latín *pulex.* □ MORF. En la acepción 1, es un sustantivo epiceno: *la pulga {macho/hembra}.*

pulgada s.f. En el sistema anglosajón, unidad de longitud que equivale aproximadamente a 2,5 centímetros. □ ETIMOL. Del latín **pollicata.* □ ORTOGR. Su símbolo es *in*, por tanto, se escribe sin punto.

pulgar s.m. →**dedo pulgar.** □ ETIMOL. Del latín *pollicaris* (del dedo gordo).

pulgón s.m. Insecto de pequeño tamaño, que tiene el cuerpo ovalado, de color generalmente verde o pardo, cuyas hembras y larvas viven parásitas sobre las hojas y partes blandas de algunas plantas.

pulgoso, sa adj. Que tiene pulgas. □ SINÓN. *pulguero.*

pulguero, ra ▮ adj. **1** Que tiene pulgas. □ SINÓN. *pulgoso.* ▮ s. **2** Lugar donde hay muchas pulgas.

pulguiento, ta adj. En zonas del español meridional, pulgoso.

pulguillas (pl. *pulguillas*) s.com. *col.* Persona inquieta y que se enfada fácilmente.

pulido s.m. →**pulimento.**

pulidor, -a ▮ adj./s. **1** Que pule. ▮ s.m. **2** Máquina o instrumento que se utiliza para pulir, esp. los suelos. □ ETIMOL. Del latín *palitor.* □ USO En la acepción 2, se usa también como femenino.

pulidora s.f. Véase **pulidor, -a.**

pulimentación s.f. →**pulimento.**

pulimentar v. Referido a una superficie, alisarla o darle tersura y brillo: *Los hombres del neolítico pulimentaban sus armas de piedra.* □ SINÓN. *pulir.*

pulimento s.m. Operación de alisar una superficie o darle tersura y brillo. □ SINÓN. *pulido, pulimentación.* □ ETIMOL. Del italiano *pulimento.*

pulir v. **1** Referido a una superficie, alisarla o darle tersura y brillo: *Antes de barnizar el parqué hay que pulirlo.* □ SINÓN. *pulimentar.* **2** Referido a una persona, educarla para que sea más refinada y elegante: *El trato con personas educadas lo ha pulido y ya no dice tacos. Se pulió desde que empezó a ir a sitios elegantes.* **3** Perfeccionar o revisar, corrigiendo fallos y errores: *Aún tengo que pulir un poco el estilo de esta redacción.* **4** *col.* Hurtar o robar: *Me han pulido la cartera en el metro.* **5** *col.* Derrochar, malgastar o dilapidar: *He pulido en un día la paga de la semana.* □ ETIMOL. Del latín *polire* (alisar, pulir).

pulla s.f. Dicho agudo o irónico, esp. el que tiene intención de picar o herir a alguien. □ ETIMOL. De origen incierto. □ USO Se usa también *puyazo.*

pullman (ing.) s.m. →**autocar.** □ PRON. [púlman].

pullover (ing.) s.m. Jersey de cuello redondo. □ PRON. [pulóver]. □ USO Su uso es innecesario.

pulmón ▮ s.m. **1** En una persona o en un animal vertebrado que respira aire, órgano de la respiración de estructura esponjosa, blando, que se comprime y se dilata, y en el que se produce la oxigenación de la sangre. **2** En algunos animales arácnidos y en algunos moluscos terrestres, órgano de la respiración que consiste en una cavidad cuyas paredes están provistas de vasos sanguíneos que comunican con el aire exterior a través de un orificio. **3** En un lugar contaminado, zona con abundante vegetación que sirve para oxigenarlo. ▮ pl. **4** *col.* Capacidad para emitir la voz fuerte y potente: *Los cantantes de ópera deben tener buenos pulmones.* **5** *col.* Capacidad para soportar un esfuerzo físico grande: *Para subir esa cuesta en bicicleta hay que tener buenos pulmones.* **6** || **pulmón {de acero/artificial};** cámara en la que se introduce al enfermo para provocar en él los movimientos respiratorios mediante cambios alternativos de la presión del aire regulados automáticamente. || **pulmón verde;** zona que se destina como refugio de la flora y la fauna de un lugar. □ ETIMOL. Del latín *pulmo.*

pulmonado ▮ adj./s.m. **1** Referido a un molusco, que se caracteriza por no tener branquias, sino una cavidad pulmonar: *El caracol es un pulmonado.* ▮ s.m.pl. **2** En zoología, grupo de estos moluscos: *Los moluscos que pertenecen a los pulmonados suelen ser terrestres.*

pulmonar adj.inv. Del pulmón o relacionado con este órgano.

pulmonaria s.f. **1** Planta herbácea con tallos erguidos y vellosos, flores rojas y hojas ásperas de color verde con manchas blancas. **2** Liquen de color pardo y textura semejante a la del cuero, que vive sobre el tronco de algunos árboles.

pulmonía s.f. Inflamación del pulmón o de parte de él, causada generalmente por un microorganismo. ☐ SINÓN. *neumonía.*

pulóver s.m. En zonas del español meridional, jersey. ☐ ETIMOL. Del inglés *pullover.*

pulpa s.f. **1** En una fruta, parte carnosa y blanda de su interior. **2** En una planta leñosa, parte esponjosa que se halla en el interior de su tronco o tallos. **3** Masa blanda a la que se reduce un vegetal triturado o del que se ha extraído su jugo, y que tiene distintos usos industriales. ☐ ETIMOL. Del latín *pulpa* (carne, pulpa de los frutos).

pulpejo s.m. **1** En la palma de la mano, parte carnosa y blanda, esp. de la que sale el dedo pulgar. **2** En el casco de las caballerías, parte blanda y flexible que tiene en la parte inferior y posterior.

pulpería s.f. En zonas del español meridional, tienda en la que se venden alimentos y otros productos de primera necesidad, y en la que también pueden consumirse bebidas alcohólicas. ☐ ETIMOL. De *pulpa*, porque en las pulperías el principal producto que se vendía era un dulce hecho con la pulpa de algunos frutos tropicales.

pulpero, ra s. En zonas del español meridional, dueño de una pulpería.

púlpito s.m. En una iglesia, plataforma elevada, generalmente provista de una baranda, desde la que se predica, se canta o se realizan otros ejercicios religiosos. ☐ ETIMOL. Del latín *pulpitum* (tarima, tablado).

pulpo s.m. **1** Molusco marino que tiene el cuerpo en forma de saco, cabeza con ojos muy desarrollados y rodeada de ocho largos tentáculos con ventosas, que es muy voraz, y cuya carne es comestible. **2** *col.* Persona que siempre intenta acariciar o tocar el cuerpo de otra para buscar una satisfacción sexual. **3** Cinta elástica terminada en ganchos metálicos por ambos lados, que sirve para sujetar objetos. ☐ ETIMOL. Del latín *polypus*, y este del griego *polýpus* (animal de muchos pies). ☐ MORF. En la acepción 1, es un sustantivo epiceno: *el pulpo {macho/hembra}.*

pulposo, sa adj. Que tiene pulpa.

pulque s.m. Bebida alcohólica blanca y espesa, propia de México y de otros países hispanoamericanos.

pulquería s.f. En zonas del español meridional, establecimiento donde se hace, se vende y se sirve pulque.

pulquérrimo, ma superlat. irreg. de **pulcro**.

pulsación s.f. **1** Golpe, presión o toque realizados con la mano o con la yema de los dedos: *Con una máquina eléctrica llegó a hacer doscientas pulsaciones por minuto.* **2** Cada uno de los latidos que produce la sangre en las arterias: *Cuando realizamos un ejercicio físico aumenta el número de pulsaciones.*

pulsador, -a ▌adj./s. **1** Que pulsa. ▌s.m. **2** Botón que se pulsa para hacer funcionar un aparato o un mecanismo, esp. un timbre eléctrico.

pulsar v. **1** Golpear, presionar o dar un toque con la mano o con la yema de los dedos: *Los mecanógrafos pulsan a toda velocidad las teclas de la máquina de escribir.* **2** Referido a una opinión, examinarla o tratar de conocerla para poder valorarla: *Las encuestas sirven para pulsar la opinión pública.* ☐ ETIMOL. Del latín *pulsare* (empujar).

púlsar s.m. Estrella de neutrones que emite impulsos radioeléctricos de forma periódica. ☐ ETIMOL. Del inglés *pulsar*, y este de *pulsating radio source* y la terminación *-ar*, por analogía con *quasar.*

pulsátil adj.inv. Que pulsa o golpea.

pulsatila s.f. Planta herbácea que tiene hojas divididas en tres segmentos y una flor de color violeta. ☐ ETIMOL. Del latín *pulsatilla.*

pulsera s.f. **1** Joya o pieza en forma de aro que se pone alrededor de la muñeca. **2** Correa o cadena con la que se sujeta el reloj a la muñeca.

pulsímetro s.m. Instrumento empleado para medir el pulso. ☐ ETIMOL. Del latín *pulsus* (pulso) y *-metro* (medidor). ☐ ORTOGR. Incorr. **pulsómetro.*

pulsión s.f. Fuerza biológica inconsciente o impulso que provoca ciertas conductas: *pulsiones sexuales.*

pulso s.m. **1** Variación de la presión de los vasos sanguíneos a consecuencia de la expulsión de sangre del corazón, y que se percibe como latidos en varias partes del cuerpo, esp. en la muñeca: *El ritmo normal del pulso está entre 60 y 90 pulsaciones por minuto.* **2** Parte de la muñeca donde se siente el latido de la arteria: *Me puso el dedo en el pulso para contar los latidos.* **3** Seguridad o firmeza en la mano para realizar una acción que requiere precisión: *No puedo enhebrar la aguja porque tengo muy mal pulso.* **4** Prudencia o cuidado para tratar un asunto: *Esas negociaciones hay que llevarlas con buen pulso para que no fracasen.* **5** Oposición entre dos personas o grupos que están más o menos igualadas en cuanto a su fuerza o poder: *El Gobierno mantiene en el Parlamento un pulso con la oposición.* **6** ‖ **a pulso;** haciendo fuerza con la muñeca y la mano y sin apoyar el brazo en ninguna parte, para levantar o sostener algo. ‖ **echar un pulso;** cogerse dos personas de las manos y, apoyando los codos en un lugar firme, probar cuál de ellas tiene más fuerza y logra abatir el brazo del contrario. ☐ ETIMOL. Del latín *pulsus* (impulso, choque).

pululante adj.inv. Que pulula.

pulular v. Abundar en un lugar o moverse mucho por él: *Cientos de periodistas pululaban alrededor del aeropuerto a la espera de noticias.* ☐ ETIMOL. Del latín *pullulare.*

pulverización s.f. **1** Transformación de un cuerpo sólido en polvo. **2** Aplicación de un líquido en forma de partículas muy pequeñas. **3** Destrucción completa de algo no material: *Con una lógica aplastante consiguió la pulverización de los argumentos de su rival.*

pulverizador, -a ▮ adj./s. **1** Que pulveriza. ▮ s.m. **2** Utensilio que sirve para esparcir un líquido en forma de partículas muy pequeñas. ☐ SINÓN. *vaporizador, rociador.*

pulverizar v. **1** Referido a un cuerpo sólido, convertirlo en polvo: *La erosión pulveriza con mayor facilidad las rocas blandas que las duras.* **2** Referido a una superficie, esparcir un líquido sobre ella en forma de partículas muy pequeñas: *Se pulverizó el pelo con laca.* **3** Destruir o deshacer por completo: *Sus reproches pulverizaron todas mis ilusiones.* ☐ ETIMOL. Del latín *pulverizare.* ☐ ORTOGR. La *z* se cambia en *c* delante de *e* →CAZAR.

pum || **ni pum;** *col.* Nada en absoluto: *No he entendido ni pum de todo lo que ha dicho.*

puma s.m. Mamífero americano que tiene el pelaje suave y de color amarillento, y que se alimenta sobre todo de otros mamíferos que caza. ☐ MORF. Es un sustantivo epiceno: *el puma {macho / hembra}.*

pumita s.f. Piedra volcánica, esponjosa, frágil, de textura fibrosa y de color grisáceo. ☐ SINÓN. *piedra pómez.* ☐ ETIMOL. Del latín *pumex.*

puna s.f. **1** Terreno elevado próximo a la cordillera suramericana de los Andes. **2** *col.* En zonas del español meridional, mal de montaña.

punch (ing.) s.m. **1** En boxeo, puñetazo. **2** Potencia o fuerza, esp. la que tienen los golpes de un boxeador.

punching ball (ing.) s.m. || En boxeo, pelota de gran tamaño sujeta al suelo mediante un alambre, que sirve para golpearla y que se utiliza en los entrenamientos. ☐ PRON. [púnchin bol].

punción s.f. En medicina, operación que consiste en abrir los tejidos con un instrumento punzante. ☐ ETIMOL. Del latín *punctio* (acción de punzar).

puncionar v. Hacer punciones: *Habrá que puncionar el hígado para tomar una muestra.*

pundonor s.m. Sentimiento de dignidad personal. ☐ ETIMOL. De *punto de honor.*

pundonoroso, sa adj./s. Que tiene o que muestra pundonor.

pungente adj.inv. *poét.* Que causa tristeza o dolor.

punible adj.inv. Que merece castigo: *un delito punible.*

punición s.f. Castigo que se impone a un culpado. ☐ ETIMOL. Del latín *punitio.* ☐ USO Su uso es característico del lenguaje culto.

púnico, ca adj./s. De Cartago (antigua ciudad norteafricana), o relacionado con ella.

punir v. Referido a un culpado, castigarlo: *La ley dice que se deberá punir a los atracadores.* ☐ ETIMOL. Del latín *punire.* ☐ USO Su uso es característico del lenguaje culto.

punitivo, va adj. Del castigo o relacionado con él.

punitorio, ria adj. En zonas del español meridional, punitivo.

punk (ing.) ▮ adj.inv./s.com. **1** Del punk o con características de este movimiento musical y juvenil. ☐ SINÓN. *punki.* ▮ s.m. **2** Movimiento musical y juvenil, de origen británico, que surge como protesta ante el convencionalismo y que se manifiesta por una indumentaria antiestética y por la actitud violenta de sus miembros. ☐ SINÓN. *punki.* ☐ PRON. Se usa mucho la pronunciación anglicista [pank].

punki (ing.) adj.inv./s.com. →**punk.** ☐ PRON. Se usa mucho la pronunciación anglicista [pánki].

punta ▮ s.com. **1** En fútbol, jugador que ocupa las posiciones de ataque con la misión de marcar goles. ▮ s.f. **2** Extremo o parte final de algo, esp. si sobresale y tiene una forma más o menos angular: *Tienes la punta de la nariz roja. Ese barrio está en la otra punta de la ciudad.* **3** Extremo agudo de un arma o de otro instrumento con el que se puede herir: *la punta de una navaja.* **4** Pequeña cantidad de algo: *una punta de sal.* **5** Clavo pequeño. **6** En zonas del español meridional, puntilla. ▮ pl. **7** Zapatillas especiales que tienen un pequeño círculo de material duro en su extremo, y con las que los bailarines ejecutan los pasos apoyándose sobre los extremos de los pies. **8** || **a punta (de) pala;** *col.* En gran cantidad. || **de punta en blanco;** *col.* Muy bien vestido o arreglado: *ponerse de punta en blanco.* || **de punta;** recto, tieso, o con la punta hacia arriba: *los pelos de punta.* || **la punta del iceberg;** *col.* La parte conocida de un asunto mucho más grave de lo que parece y que no se conoce por completo. || **por la otra punta;** *col.* Expresión que se usa para indicar que algo es lo contrario de lo que se dice. || **punta de velocidad;** velocidad máxima a la que se llega con el máximo esfuerzo. || **sacar punta** a algo; *col.* Encontrarle un sentido malicioso o un significado que no tiene. || **ser una punta** de algo; *col.* En zonas del español meridional, tener varias personas algo en común. || **tener** algo **en la punta de la lengua;** estar a punto de decirlo o de recordarlo. ☐ ETIMOL. Del latín *puncta* (estocada). ☐ USO Es innecesario el uso de la expresión *a punta de pistola*, que puede sustituirse por *pistola en mano*: *Fue atracado {*a punta de pistola > pistola en mano}.*

puntada s.f. **1** Cada una de las pasadas que se hacen con aguja e hilo en un tejido o en un material que se van cosiendo. **2** Espacio que media entre dos de estas pasadas próximas entre sí. **3** Porción de hilo que ocupa este espacio. **4** || **no dar puntada sin hilo;** *col.* Obrar con un propósito intencionado y bien definido: *Ese político no da puntada sin hilo.* || **tirar una puntada;** *col.* Dar a entender algo sin expresarlo con claridad: *Déjate de tirar puntadas y dime las cosas tal como tú las ves.* ☐ ETIMOL. De *punto.*

puntaje s.m. En zonas del español meridional, puntuación.

puntal s.m. **1** Madero o barra de material resistente que se fijan en un lugar para sostener una estructura o parte de ella. **2** Lo que sirve de apoyo, de ayuda o de fundamento: *Su familia es el único puntal que tiene para salir de la droga.* □ ETIMOL. De *punta*.

puntapié s.m. Golpe dado con la punta del pie.

puntazo s.m. **1** Herida hecha con la punta de un arma o de un instrumento punzantes. **2** *col.* Lo que se considera muy bueno: *Es un puntazo que hayas conseguido lo que querías.*

punteador s.m. Instrumento de dibujo que facilita el trazado regular de líneas de puntos: *He comprado en la papelería un compás y un punteador.*

puntear v. **1** Dibujar, pintar o grabar con puntos: *En clase de dibujo hemos aprendido a puntear siluetas.* **2** Tocar la guitarra u otro instrumento semejante pulsando sus cuerdas por separado: *En el recital de flamenco hubo un guitarrista que punteaba de maravilla.* **3** Referido a una cuenta o a una lista, comprobar una por una sus partes o sus nombres: *El contable punteaba las cantidades del balance.* **4** En zonas del español meridional, encabezar: *Mi equipo de fútbol puntea en la tabla de clasificación.*

punteo s.m. **1** Dibujo, pintura o marca hechos con puntos. **2** Interpretación de una música con una guitarra o con otro instrumento semejante pulsando sus cuerdas por separado. **3** Comprobación de una cuenta o de una lista revisando uno por uno sus partes o sus nombres: *El punteo de las partidas del presupuesto hizo ver que no había error.*

puntera s.f. Véase **puntero, ra.**

punterazo s.m. Golpe dado con fuerza con la punta del pie.

puntería s.f. **1** Acción de apuntar o colocar un arma arrojadiza o de fuego de forma que al lanzarla o dispararla se alcance el objetivo deseado: *Los soldados han ido al campo de tiro para realizar ejercicios de puntería.* **2** Destreza o habilidad de un tirador para dar en el blanco: *Nunca juego al tiro en la feria, porque tengo muy mala puntería.* □ ETIMOL. De *puntero*.

puntero, ra ▌adj./s. **1** Que aventaja a los de su misma clase o que sobresale entre ellos: *una empresa puntera.* ▌s.m. **2** Palo o vara largos con los que se señala una cosa para llamar la atención sobre ella. **3** En informática, indicador visual, generalmente en forma de flecha, que señala la posición del ratón. ▌s.f. **4** En una media o en un calcetín, parte que cubre la punta del pie. **5** En el calzado, remiendo o refuerzo de la punta. □ ETIMOL. Del latín *punctarius*.

puntiagudo, da adj. Que tiene la punta aguda o que acaba en ella.

puntiforme adj.inv. Que tiene la forma o el tamaño de un punto. □ ETIMOL. De *punto* y *-forme*.

puntilla s.f. **1** Encaje estrecho con los bordes en forma de puntas o de ondas, que generalmente se coloca como adorno en la ropa. **2** Puñal o cuchillo corto y agudo para despedazar las reses. □ SINÓN. *cachetero.* **3** ‖ **dar la puntilla;** *col.* Rematar o causar la ruina total de algo: *Ese suspenso dio la puntilla a sus deseos de licenciarse en junio.* ‖ **de puntillas;** apoyándose sobre las puntas de los pies y levantando los talones.

puntillero s.m. En tauromaquia, torero que remata al toro con la puntilla o puñal. □ SINÓN. *cachetero.*

puntillismo s.m. Movimiento pictórico de finales del siglo XIX y derivado del impresionismo, que se caracteriza por la pincelada corta en pequeños puntos de color puro.

puntillista ▌adj.inv. **1** Del puntillismo o con características de este movimiento pictórico. ▌adj.inv./s.com. **2** Que sigue o defiende el puntillismo.

puntillo s.m. Orgullo o amor propio muy exagerados y basados en cosas sin importancia. □ ETIMOL. De *punto* (extremo o grado al que pueden llegar las cualidades morales).

puntilloso, sa adj. **1** Que se enfada fácilmente o sin motivo. **2** Que es muy cuidadoso y exigente al hacer algo.

punto s.m. **1** Señal de pequeño tamaño, generalmente circular, que destaca en una superficie por contraste de relieve o de color: *Te has pintado un punto en la cara con el boli y parece un lunar.* **2** En una obra de costura, puntada que se da para hacer una labor sobre la tela: *punto de cruz.* **3** Lazada o nudo pequeños que forman el tejido de algunas prendas: *Saca los puntos de la aguja y deshaz la manga hasta el codo.* **4** En una media de vestir, rotura que se hace al soltarse alguno de estos nudos o lazadas pequeños. **5** Clase de tejido que se hace enlazando y anudando un hilo: *una camiseta de punto de algodón.* **6** En una pluma de escribir, parte por la que sale la tinta y que determina el grosor del trazo. **7** Valor de una carta de la baraja o de las caras del dado. **8** Unidad de valoración o de calificación: *una canasta de tres puntos.* **9** Sitio o lugar: *Sabemos el punto de salida, pero no el de llegada.* **10** Instante, momento o porción muy pequeña de tiempo: *En ese punto dijo que se le había hecho tarde y se fue.* **11** Cada una de las partes o asuntos de que trata algo: *Se trataron cinco puntos en la reunión.* **12** Estado o fase de algo: *Mi empresa se encuentra en un punto crítico y estoy preocupada.* **13** Grado de una escala: *Es generoso hasta el punto de quedarse sin nada por darlo a los demás.* **14** Puntada que da el cirujano pasando la aguja por los labios de la herida para que se unan. **15** Grado de temperatura necesario para que se produzcan determinados fenómenos físicos: *punto de ebullición.* **16** En geometría, elemento de la recta, del plano o del espacio al que solo es posible asignar una posición pero no una extensión porque no posee dimensiones: *Un punto se representa por la intersección de dos rectas que se cortan.* **17** En ortografía, signo gráfico que se coloca encima de la 'i' y de la 'j' y detrás de las abreviaturas: *La abreviatura de 'señora' es tres letras y un punto: 'Sra.'.* **18** En ortografía, signo gráfico de puntuación que indica una pausa y que señala el fin del sentido gramatical y lógico de una o más oraciones: *El signo . es un punto.* **19** En tipografía, medida que equivale a la duodécima parte de un cícero. **20** Hecho o dicho muy buenos, favorables o acertados: *Fue un punto que cambiaras tu cita para venir a la fiesta.* **21** *col.* Borrachera ligera: *cogerse un punto.* **22** || **a punto; 1** Oportunamente o a tiempo: *Aún no hemos empezado a comer, así que llegas a punto.* **2** Que está preparado para cumplir su fin o en su mejor estado: *He llevado el coche al taller para que lo pongan a punto para el viaje.* || **a punto de** algo; seguido de infinitivo, expresa la proximidad o la disposición de que ocurra la acción expresada por este: *Estaba a punto de irme, cuando te vi llegar.* || **a punto de caramelo;** perfectamente preparado y dispuesto para un fin: *Te he dejado el informe a punto de caramelo, para que solo tengas que revisarlo.* || **al punto;** rápidamente o sin perder tiempo: *Pedimos nada más llegar y nos sirvieron al punto.* || **de todo punto;** enteramente o completamente: *Llevaba un atuendo de todo punto inadecuado para la ceremonia.* || **dos puntos;** signo gráfico de puntuación que indica que se ha acabado el sentido gramatical de la oración pero no el sentido lógico, o que se cita textualmente: *Los dos puntos se representan por el signo ':'.* || **en punto;** referido a la hora, exacta. || **en su punto;** en su manera, fase o estado mejores: *Hoy te ha quedado el arroz en su punto.* || **{ganar/perder} puntos;** ganar o perder estimación o prestigio: *Después de aquel escándalo, perdió muchos puntos en la opinión pública.* || **hasta cierto punto;** en cierta manera, o no del todo: *Su conducta es hasta cierto punto comprensible.* || **poner los puntos sobre las íes;** referido a algo que no estaba suficientemente claro, puntualizarlo o precisarlo. || **punto cardinal;** cada uno de los cuatro que dividen el horizonte en otras tantas partes iguales y que sirven para la orientación: *Los puntos cardinales son Norte, Sur, Este y Oeste.* || **punto de apoyo;** lugar fijo sobre el que descansa una palanca u otra máquina para que la potencia pueda vencer la resistencia. || **punto de equilibrio** o **punto muerto;** en economía, volumen de ventas que proporciona unos ingresos totales iguales a los costes totales en los que una empresa incurre. || **punto de lectura;** pieza de cartulina u otro material, que sirve para señalar la página de un libro en la que se deja la lectura. □ SINÓN. *marcapáginas, marcador.* || **punto de media;** el que se realiza con dos o más agujas que van formando un tejido de pequeñas lazadas en cada vuelta sobre las que vuelven a pasar las de la vuelta siguiente. || **punto de nieve;** aquel en el que la clara de huevo batida adquiere espesor y consistencia. || **punto de turrón;** en zonas del español meridional, punto de nieve. || **punto de vista;** forma de considerar algo, esp. un asunto: *Desde mi punto de vista, tu actuación ha sido acertada.* □ SINÓN. *óptica.* || **punto {débil/flaco};** aspecto o parte más fáciles de dañar o de quebrantar. || **punto en boca;** expresión que se usa para advertir a alguien de que debe callar o guardar un secreto: *De esto que has oído aquí, punto en boca, ¿entendido?* || **punto final;** el que indica que acaba un escrito o una división importante del texto. || **punto {final/redondo};** *col.* hecho o dicho con los que se da por terminado un asunto o una discusión: *Dijo que no quería discutir más y puso punto final a la conversación.* || **punto fuerte;** aspecto o cuestión en que algo destaca positivamente. || **punto limpio;** lugar especializado en el tratamiento de residuos peligrosos o voluminosos: *Tengo que ir a un punto limpio para tirar la batería del coche.* || **punto muerto; 1** En el motor de un vehículo, posición de la caja de cambios en la que el movimiento del árbol no se transmite al mecanismo que actúa sobre las ruedas. **2** En un asunto, estado en que, por cualquier motivo, este no puede llevarse adelante: *Las conversaciones para la firma del convenio han entrado en punto muerto y no se sabe cuándo se reanudarán.* || **punto negro; 1** Lo que resulta muy negativo: *Ese cruce es un punto negro en el tráfico.* **2** Poro de la piel en el que se acumula grasa y suciedad. || **punto por punto;** sin olvidar ningún detalle: *Se lo contarás punto por punto a tu padre, y a ver qué te dice.* || **punto y aparte;** el que indica que termina el párrafo y que se continúa en otro renglón: *Después de punto y aparte siempre empiezo el siguiente párrafo a mitad de línea.* || **punto y coma;** signo gráfico de puntuación que indica una pausa mayor que la coma: *El signo ';' es un punto y coma.* || **punto y seguido;** el que indica que acaba una oración y que sigue otra inmediatamente: *Si es punto y seguido, debes seguir escribiendo en el mismo renglón.* || **puntos suspensivos;** signo gráfico de puntuación que indica que el sentido de la oración queda incompleto, o que indica temor, duda o asombro por lo que se expresa después, o que indica que lo citado no es un texto completo: *Los puntos suspensivos se representan con el signo '...'.* || **ser** alguien **un punto;** *col.* Ser una persona peligrosa o de cuidado: *A ti no te pierdo de vista, porque sé que eres un punto y no me fío.* □ ETIMOL. Del latín *punctum* (punto, señal minúscula). □ SINT. 1. *En su punto* se usa más con los verbos *estar* y *poner*. 2. *Punto {final/redondo}* se usa más con el verbo *poner*. 3. Incorr. **punto y final*. 4. Incorr. *{*bajo > desde} un punto de vista.* □ USO El punto decimal es un anglicismo innecesario que debe sustituirse por la coma decimal: **5.2* > *5,2*.

puntocom adj.inv. Virtual o relacionado con internet: *empresas puntocom.* □ ETIMOL. Del dominio *.com* que identifica muchas direcciones de internet.

puntuable adj.inv. Que puede ser calificado con puntos: *una prueba puntuable.*

puntuación s.f. **1** Colocación en un texto escrito de los signos ortográficos necesarios para su correcta lectura, comprensión e interpretación: *Al repasar el examen, corregí la puntuación para que quedara más claro.* **2** Calificación en puntos de una prueba, un ejercicio o una competición: *Acabé el curso con una puntuación media de notable.*

puntual ■ adj.inv. **1** Que llega o suele llegar a la hora convenida o anunciada: *Esa profesora es muy puntual y siempre entra en clase cuando suena el timbre.* **2** Que hace las cosas a su tiempo sin retrasarlas: *Esta empresa es muy puntual en la entrega de los pedidos.* **3** Exacto, detallado o cierto: *Háganos una narración puntual de lo sucedido, para ver si conseguimos aclararnos.* **4** Concreto, preciso o bien delimitado: *Déjate de teorías y céntrate en los aspectos puntuales de esta cuestión.* ■ adv. **5** A tiempo o a la hora prevista: *Como no llegaste puntual, me fui sin ti.* □ ETIMOL. Del latín *punctum* (punto).

puntualidad s.f. **1** Característica de lo que se hace o llega en el tiempo convenido o anunciado: *Los trenes deben llegar a las estaciones con puntualidad y sin retrasos.* **2** || **puntualidad inglesa;** la muy exacta y precisa: *Llega a las citas con puntualidad inglesa, sin adelantarse ni retrasarse ni un minuto.*

puntualización s.f. Explicación o aclaración precisas sobre algo concreto.

puntualizar v. **1** Contar o explicar describiendo todos los puntos o circunstancias con detalle: *La juez pidió al testigo que puntualizase su narración de los hechos.* **2** Hacer un comentario o una aclaración para precisar y evitar malas interpretaciones: *Solo puntualizaré que acepto la decisión de la mayoría, pero que no estoy de acuerdo con ella.* □ ORTOGR. La *z* se cambia en *c* delante de *e* →CAZAR.

puntuar v. **1** Referido a un texto escrito, ponerle los signos ortográficos necesarios para su correcta lectura, comprensión e interpretación: *Si no puntúas bien un texto, nadie entenderá lo que quieres decir.* **2** Referido a un ejercicio o a una prueba, calificarlos con puntos: *La profesora puntuó tu trabajo con un diez.* **3** Referido a un ejercicio o a una competición, entrar su resultado en el cómputo de una prueba superior: *Es un partido amistoso, y no puntúa para la liga.* **4** En algunos juegos, obtener o conseguir puntos o unidades de tanteo: *No puntuó en la primera ronda y tendrá que esperar a la próxima.* □ ETIMOL. Del latín *punctum* (punto). □ ORTOGR. La *u* lleva tilde en los presentes, excepto en las personas *nosotros* y *vosotros* →ACTUAR.

punzada s.f. **1** Dolor agudo, repentino y pasajero, que suele repetirse cada cierto tiempo. **2** Herida hecha con la punta de un objeto. □ SINÓN. *punzadura.*

punzadura s.f. Herida hecha con la punta de un objeto. □ SINÓN. *punzada.*

punzante adj.inv. **1** Que punza o pincha: *un objeto punzante.* **2** Referido esp. a una palabra o a un estilo, que molestan o hieren por ser mordaces o irónicos: *un comentario punzante.* **3** Referido a un dolor, que se aviva de cuando en cuando y es parecido al que produce un pinchazo.

punzar v. Pinchar o herir con algo puntiagudo: *Me puncé el lóbulo de la oreja para poder ponerme pendientes.* □ ETIMOL. Del latín **puntiare*. □ ORTOGR. La *z* se cambia en *c* delante de *e* →CAZAR.

punzón s.m. Instrumento puntiagudo de acero que se utiliza para grabar metales. □ SINÓN. *buril.* □ ETIMOL. Del latín *punctio* (acción de punzar).

puñada s.f. Golpe dado con el puño.

puñado s.m. **1** Lo que cabe en el puño: *A la salida de la iglesia, los asistentes a la boda tiraron puñados de arroz a los novios.* **2** Poca cantidad de algo de lo que suele haber más: *Aquí solo tengo un puñado de libros, pero en casa tengo más.*

puñal s.m. **1** Arma blanca de acero, de dos o tres decímetros de largo y de hoja puntiaguda, que solo hiere de punta. **2** || **poner un puñal en el pecho** a alguien; *col.* Ponerlo en tal situación que no tenga más remedio que aceptar lo que se le propone: *Fui porque me puso un puñal en el pecho, no porque me apeteciera.* □ ETIMOL. De *puño.*

puñalada s.f. **1** Herida hecha con un puñal o con otra arma semejante: *La puñalada en el vientre le hizo perder mucha sangre.* **2** Pesadumbre, disgusto o pena dados de repente: *Su muerte fue una puñalada para todos nosotros.* **3** || **puñalada trapera;** hecho o dicho realizados con engaño o con mala intención para perjudicar a alguien: *Después de lo que hice por él, nunca me hubiera esperado esta puñalada trapera.*

puñeta ■ s.f. **1** *col.* Lo que resulta difícil, molesto o embarazoso: *Este aparato es la puñeta, siempre está estropeado.* **2** *col.* Lo que es de poca importancia o de poco valor: *Siempre que va de viaje, nos trae alguna puñetita de recuerdo.* **3** Adorno de bordados y puntillas que se colocaba en las mangas de las vestiduras. ■ interj. **4** Expresión que se usa para indicar extrañeza, sorpresa, admiración o disgusto: *¡Puñeta!, otra vez me he vuelto a equivocar.* **5** || **hacer la puñeta;** *col.* Fastidiar o molestar: *Me odia y siempre que puede me hace la puñeta.* || **irse a hacer puñetas;** *col.* Fracasar: *El negocio se fue a hacer puñetas y él se arruinó.* || **mandar a hacer puñetas;** *col.* Despedir con desconsideración o con malos modos: *No atendieron sus reclamaciones y lo* *mandaron a hacer puñetas.* □ MORF. En la acepción 4, se usa mucho en plural.

puñetazo s.m. Golpe dado con el puño cerrado. □ ETIMOL. De *puñete* (golpe dado con la mano cerrada).

puñete s.m. En zonas del español meridional, puñetazo.

puñetería s.f. **1** *col.* Lo que resulta de poco valor o de poca importancia: *No te ocupes de esas puñeterías y haz lo serio del trabajo.* **2** *col.* Lo que resulta incómodo o molesto: *¡Qué puñetería tener que salir con el sol que hace!* □ MORF. En la acepción 1, se usa más en plural.

puñetero, ra ▌adj. **1** *col.* Difícil o complicado. ▌adj./s. **2** *col.* Que fastidia o molesta. **3** *col.* Que tiene malas intenciones.

puño s.m. **1** Mano cerrada: *Me golpeó con un puño en la nariz.* **2** En una camisa y en otras prendas de vestir, parte de la manga que rodea la muñeca. **3** En un arma blanca, en una herramienta o en un utensilio, parte o pieza por las que se cogen o se agarran. **4** ‖ **de puño y letra** de alguien; referido a un texto, que es autógrafo o está manuscrito por su autor. □ ETIMOL. Del latín *pugnus*.

pupa s.f. **1** *col.* Herida que sale en los labios. □ SINÓN. *calentura.* **2** Cualquier daño o dolor corporales: *hacerse pupa.* **3** En zoología, insecto que está en una fase de desarrollo posterior a la larva y anterior al adulto. **4** ‖ **ser un pupas;** *col.* Tener muy mala suerte o ser muy desafortunado: *Eres un pupas y siempre te está pasando algo malo.* □ ETIMOL. De *buba*. □ USO El uso de la acepción 2 es característico del lenguaje infantil.

pupila s.f. Véase **pupilo, la**.

pupilaje s.m. **1** Casa donde se reciben huéspedes mediante un precio convenido. **2** Cuidado, protección o educación de un huérfano menor de edad por parte de un tutor.

pupilar adj.inv. **1** De la pupila del ojo o relacionado con ella. **2** De un pupilo, de un menor de edad o relacionado con ellos.

pupilo, la ▌s. **1** Persona que está bajo la tutela de un tutor o de un educador. ▌s.f. **2** En el ojo, círculo negro y pequeño que se encuentra en el centro del iris y que varía el diámetro según sea la intensidad de la luz que pase por él. □ SINÓN. *niña.* □ ETIMOL. La acepción 1, del latín *pupillus* (pupilo, menor). La acepción 2, del latín *pupilla*.

pupilometría s.f. En medicina, estudio de las dimensiones de la pupila en condiciones de baja luminosidad.

pupitre s.m. Mesa con una tapa en forma de plano inclinado para escribir sobre él. □ ETIMOL. Del francés *pupitre*, y este del latín *pulpitum* (atril).

purana s.m. Cada uno de los dieciocho poemas sánscritos que contienen la teogonía o generación de los dioses y la cosmogonía o ciencia del origen y de la evolución del universo de la India antigua (país del sudeste asiático). □ ETIMOL. Del sánscrito *purâna* (antiguo, arcaico).

purasangre adj.inv./s.m. Referido a un caballo, que es de una raza descendiente de tres sementales árabes que se cruzaron con yeguas inglesas en el siglo XVIII.

puré s.m. **1** Comida elaborada con patatas, verduras, legumbres y otros alimentos cocidos y triturados hasta obtener una crema más o menos espesa. **2** ‖ **hacer puré;** *col.* Destrozar: *Llevo diez horas estudiando, y estoy hecha puré.* □ ETIMOL. Del francés *purée*.

pureta adj.inv./s.com. **1** *col. desp.* Anciano. **2** *col. desp.* Purista.

pureza s.f. **1** Falta de mezcla con otra cosa: *Siempre presume de la pureza de raza de su perro.* **2** Falta de imperfecciones: *Es una persona admirable por su pureza y honradez.* **3** Virginidad o doncellez. **4** Inocencia, esp. en lo relativo al sexo. **5** ‖ **pureza de sangre;** falta de antecedentes familiares judíos o de otro grupo social considerado inferior.

purga s.f. **1** Medicina que se toma para evacuar excrementos. **2** Evacuación de los excrementos provocada por la ingestión de sustancias que producen este efecto. □ SINÓN. *purgación.* **3** Limpieza o purificación de lo que se considera malo o inconveniente. □ SINÓN. *purgación.* **4** Expulsión o eliminación de los miembros de una organización, de una empresa o de un partido, decretadas generalmente por motivos políticos. **5** ‖ **la purga de Benito;** *col.* Remedio del que se esperan demasiados resultados y de inmediato: *Eres un tonto si crees que esas pastillas son la purga de Benito.*

purgación s.f. **1** →**purga.** **2** *col.* Enfermedad infecciosa de transmisión sexual, que consiste en la inflamación de las vías urinarias y genitales, que produce un flujo excesivo de moco. □ SINÓN. *blenorragia.* □ MORF. En la acepción 2, se usa más en plural.

purgante adj.inv./s.m. Referido a un medicamento, que sirve para purgar a una persona y hacerle evacuar los excrementos.

purgar v. **1** Limpiar o purificar eliminando lo que se considera malo o inconveniente: *El fontanero purgó de aire los radiadores.* **2** Hacer evacuar los excrementos por medio de sustancias que producen este efecto: *Antes, las madres daban a sus hijos aceite de ricino para purgarlos.* **3** En la doctrina de la iglesia católica, referido al alma de la persona muerta en gracia, padecer las penas del purgatorio para purificarse de los restos de pecado y poder entrar en la gloria: *Cuando han purgado sus faltas en el purgatorio, las almas pasan al cielo.* **4** Referido a un delito o a una culpa, sufrir el castigo que se merece por ellos: *Este delincuente purga su delito en la cárcel.* □ ETIMOL. Del latín *purgare* (purificar). □ ORTOGR. La *g* se cambia en *gu* delante de *e* →PAGAR.

purgativo, va adj. Que purga o que puede purgar.

purgatorio s.m. **1** En la doctrina de la iglesia católica, estado de purificación en el que los que han muerto en gracia, pero sin haber hecho en esta vida penitencia completa por sus culpas, sufren las penas que deben por sus pecados para después gozar de la gloria eterna. **2** *col.* Lo que supone penalidad o sufrimiento: *Los dolores de su enfermedad son un purgatorio muy difícil de llevar.* □ ETIMOL. Del latín *purgatorius* (que purifica).

puridad ‖ **en puridad;** con claridad y sin rodeos: *Eso que te han hecho, en puridad, se llama estafa.* □ ETIMOL. Del latín *puritas.*

purificación s.f. Eliminación de impurezas, de suciedades o de imperfecciones.

purificador, -a adj./s. Que purifica: *un purificador de aire.*

purificar v. **1** Referido a algo, quitarle lo que es extraño, volviéndolo a su estado original: *Está enfermo del riñón y acude a sesiones de diálisis para purificar su sangre.* **2** Referido a algo no material, quitarle toda imperfección: *El sacramento de la penitencia purifica el alma.* □ ETIMOL. Del latín *purificare,* y este de *purus* (puro) y *ficare* (hacer). □ ORTOGR. La *c* se cambia en *qu* delante de *e* →SACAR.

purina s.f. En bioquímica, base nitrogenada formada por dos anillos heterocíclicos. □ ETIMOL. Del alemán *Purin,* y este del latín científico *purum uricum* (úrico puro).

purismo s.m. **1** Actitud que intenta preservar la lengua de voces extranjeras y neologismos innecesarios: *El purismo rechaza el uso de 'planning' por 'planificación'.* **2** Actitud que defiende mantener un arte, una técnica o una doctrina dentro de la más estricta ortodoxia, sin cambios ni innovaciones.

purista adj.inv./s.com. **1** Que intenta preservar la lengua de voces extranjeras y neologismos innecesarios. **2** Que defiende mantener un arte, una técnica o una doctrina dentro de su ortodoxia, sin cambios ni innovaciones. □ ETIMOL. Del francés *puriste.*

puritanismo s.m. **1** Movimiento político y religioso de la iglesia anglicana surgida en los siglos XVI y XVII, y que defiende la eliminación de todo resto de catolicismo en la liturgia y una rigidez moral extrema y rigurosa. **2** Conjunto de los partidarios de este movimiento. **3** Rigor y escrupulosidad excesivos en el modo de actuar.

puritano, na ▮ adj. **1** Del puritanismo o relacionado con este movimiento. ▮ adj./s. **2** Seguidor o partidario del puritanismo. **3** *desp.* Que cumple con rigor las virtudes públicas o privadas y hace alarde de ello. □ ETIMOL. Del inglés *puritan.*

puro, ra ▮ adj. **1** Libre y exento de mezcla con otra cosa: *un perro de pura raza.* **2** Libre y exento de imperfecciones morales. **3** Casto, honesto y respetuoso con los principios morales que se consideran propios de las buenas costumbres: *un amor limpio y puro.* **4** Mero, solo, no acompañado de otra cosa o sin implicar nada más: *Créeme, porque te estoy diciendo la pura verdad.* ▮ s.m. **5** →**cigarro puro.** **6** *col.* Castigo o sanción: *El sargento lo vio mal afeitado y le metió un puro.* □ ETIMOL. Las acepciones 1-4, del latín *purus.*

púrpura adj.inv./s.m. De color rojo violáceo. □ ETIMOL. Del latín *purpura.*

purpurado s.m. Cardenal de la iglesia católica.

purpúreo, a adj. De color púrpura o con tonalidades rojo violáceo. □ SINÓN. *purpurino.*

purpurina s.f. Véase **purpurino, na.**

purpurino, na ▮ adj. **1** →**purpúreo.** ▮ s.f. **2** Polvo muy fino hecho generalmente de bronce o de metal blanco, que se utiliza para recubrir objetos artísticos. **3** Pintura brillante preparada con estos polvos.

purrela s.f. **1** Vino de muy mala calidad. **2** *col.* Lo que se considera despreciable, de mala calidad o de poco valor: *Este coche es una purrela y siempre está roto.* □ ETIMOL. De origen expresivo.

purrusalda (eusk.) s.f. Guiso de puerros, patatas troceadas y bacalao hecho migas.

purulencia s.f. Presencia o secreción de pus.

purulento, ta adj. Que tiene o segrega pus. □ ETIMOL. Del latín *purulentus.*

pus s.m. Líquido espeso y amarillento que segregan a veces las heridas o tejidos inflamados e infectados. □ ETIMOL. Del latín *pus.* □ MORF. En zonas del español meridional se usa como femenino.

pusilánime adj.inv./s.com. Falto de ánimo o de valor para soportar las desgracias o para intentar cosas grandes. □ ETIMOL. Del latín *pusillanimis,* y este de *pusillus* (pequeño) y *anima* (aliento).

pusilanimidad s.f. Falta de ánimo o de valor para soportar las desgracias o para intentar cosas grandes.

pústula s.f. Ampolla de la piel llena de pus. □ ETIMOL. Del latín *pustula* (ampolla, pústula).

puta s.f. *vulg.* Véase **puto, ta.**

putada s.f. *vulg.* Hecho que causa un perjuicio, esp. si es malintencionado. □ SINÓN. *faena.*

putanga s.f. *col. desp.* Prostituta.

putañero adj. *col.* Referido a un hombre, que frecuenta el trato con prostitutas. □ SINÓN. *putero.*

putativo, va adj. Referido a un familiar, esp. a un padre o a un hijo, considerado o tenido como legítimo sin serlo. □ ETIMOL. Del latín *putativus* (que se supone).

puteada s.f. *vulg.* En zonas del español meridional, taco o palabra grosera o malsonante.

putear v. *vulg.* →**fastidiar.**

puteo s.m. *vulg.* Molestia o perjuicio que se le hace a una persona: *El puteo continuo de mis compañeros me obliga a pedir el traslado.*

puterío s.m. *vulg.* →**prostitución.**

putero adj. *vulg.* Referido a un hombre, que frecuenta el trato con prostitutas. □ SINÓN. *putañero.*

puticlub s.m. *col.* Prostíbulo. □ USO Se usan los plurales *puticlubs* y *puticlubes*.

putidoil s.f. Bacteria que puede destruir las manchas de petróleo.

puto, ta ▮ adj. **1** *vulg.* Difícil o complicado. ▮ s.m. **2** *vulg.* Homosexual masculino, esp. el pasivo y el que se prostituye. ▮ s.f. **3** *vulg.* →**prostituta.** **4** *vulg.* Sota de la baraja española. **5** || **pasarlas putas;** *vulg.* Encontrarse en una situación muy difícil o apurada: *Después de la guerra las pasamos putas.* □ SEM. Se usa mucho como adjetivo antepuesto a un sustantivo para indicar descontento o fastidio. □ USO 1. Se usa como insulto. 2. En las acepciones 2 y 3 se usa mucho el aumentativo *putón*.

putón adj.inv./s.m. **1** *vulg. desp.* Persona que se dedica a la prostitución. **2** || **putón verbenero;** *vulg. desp.* Persona muy promiscua. □ USO Se usa como insulto.

putrefacción s.f. Descomposición de una materia. □ ETIMOL. Del latín *putrefactio*.

putrefacto, ta adj. Podrido o corrompido. □ SINÓN. *pútrido*.

pútrido, da adj. Podrido o corrompido. □ SINÓN. *putrefacto.* □ ETIMOL. Del latín *putridus*.

putt (ing.) s.m. En golf, golpe corto. □ PRON. [pot]. □ USO Su uso es innecesario y puede sustituirse por *golpe corto*.

putter (ing.) s.m. En golf, palo empleado para jugar los últimos golpes delante del hoyo. □ PRON. [póter].

puya s.f. Punta acerada que tienen en una extremidad las varas o garrochas de los vaqueros o picadores, con la que estimulan o castigan a las reses. □ ETIMOL. Del latín **pugia*, y este de *pugio* (puñal).

puyazo s.m. **1** Herida que se hace con la puya. **2** *col.* →**pulla.**

puzle s.m. Juego que consiste en formar una figura combinando correctamente las partes de esta que figuran en distintos pedazos o piezas planos. □ ETIMOL. Del inglés *puzzle*.

PVC (ing.) s.m. Material plástico procedente del cloruro de polivinilo, que se utiliza frecuentemente en la fabricación de tuberías y aislamientos: *El PVC es un material poco biodegradable.* □ ETIMOL. Es el acrónimo del inglés *Polyvinyl-chloride* (cloruro de polivinilo).

PVP s.m. Precio que tiene un objeto en su venta al consumidor. □ ETIMOL. Es la sigla de *precio de venta al público*.

pyme s.f. Empresa que no supera un determinado número de empleados ni un cierto volumen de negocio. □ ETIMOL. Es el acrónimo de *pequeña y mediana empresa*. □ MORF. Se usa más en plural.

pyrex (tb. *pírex*) (pl. *pyrex*) s.m. Tipo de vidrio que resiste temperaturas muy elevadas. □ ETIMOL. Extensión del nombre de una marca comercial. □ PRON. [pírex].

Q q

q s.f. Decimoctava letra del abecedario. □ PRON. Representa el sonido consonántico velar oclusivo sordo. □ ORTOGR. Ante la *e* o la *i* se escribe siempre interponiendo una *u* que no se pronuncia: *querer* [kerér], *química* [kímica]. Sí se pronuncia esa *u* ante *a, o*: *quásar* [cuásar], *quórum* [cuórum].

qatarí (pl. *qataríes, qatarís*) adj.inv./s.com. De Qatar o relacionado con este país asiático.

quad (ing.) s.m. Especie de motocicleta todoterreno con cuatro ruedas y tracción total.

quadrívium s.m. →**cuadrivio.** □ ETIMOL. Del latín *quadrivium*.

quantum (ing.) s.m. →**cuanto.** □ PRON. [cuántum].

quark (ing.) s.m. Partícula elemental hipotética que forma parte del neutrón y del protón. □ PRON. [cuárc].

quasar (ing.) s.m. Cuerpo celeste muy brillante y muy lejano en el universo, que es una poderosa fuente de radiación. □ ETIMOL. Es el acrónimo del inglés *Quasi-Stellar [radio source]* (fuente de radiación cuasi-estelar). □ PRON. [cuásar].

que ▮ pron.relat. s. **1** Designa una persona, un objeto o un hecho ya mencionados o que se sobrentienden: *El señor que te saludó es mi padre. La que te avisó es mi vecina. Eso fue lo que me dijo. Este premio es para los que terminen antes.* ▮ conj. **2** Enlace gramatical subordinante que introduce una oración subordinada sustantiva: *Sabes que iré. Que te calles. Lo hizo sin que yo me enterara.* **3** Enlace gramatical subordinante con valor comparativo: *Me gusta más ir al cine que ver la televisión.* **4** Enlace gramatical subordinante con valor causal: *Ahora no salgo, que llueve.* **5** Enlace gramatical subordinante con valor final: *Trajo esta tarta, que nos la comamos.* **6** Enlace gramatical coordinante con valor copulativo y adversativo: *Tiemblo porque tengo frío, que no miedo.* **7** Enlace gramatical coordinante con valor distributivo y que, repetido, se usa para relacionar dos o más posibilidades que se excluyen mutuamente: *Que vaya yo, que vengas tú, el resultado será el mismo.* **8** Enlace gramatical subordinante con valor consecutivo: *Me lo dijo tan bajito que solo lo oí yo.* **9** Pospuesto a un juramento sin verbo expreso, precede al verbo con que se expresa la afirmación o el juramento: *¡Por mis niños, que yo no he sido!* **10** Pospuesto a los adverbios 'sí' o 'no', da un valor enfático a lo que se dice: *Sí que lo sé.* **11** Precedido y seguido de un mismo verbo en imperativo o en la tercera persona del presente de indicativo, encarece la acción del verbo y denota su progreso: *Estuvimos toda la tarde charla que te charla.* **12** ‖ **el que más y el que menos;** todos sin excepción: *Nadie lo reconoce, pero, el que más y el que menos, todos hemos tenido algo que ver.* □ ETIMOL. Del latín *quid.* □ ORTOGR. Dist. de *qué.* □ MORF. Como pronombre no tiene diferenciación de género ni de número. □ SINT. 1. Es incorrecto el uso de este pronombre seguido de un posesivo en sustitución del pronombre *cuyo*: *Ahí viene el niño (*que su > cuyo) padre es profesor.* 2. Es un relativo con antecedente, que puede ir o no precedido de determinante. 3. Como conjunción puede preceder a oraciones independientes: *¡Que todo salga bien!* 4. Como conjunción forma parte de muchas locuciones conjuntivas o adverbiales: *a menos que, así que*, etc.

qué ▮ interrog. adj./s. **1** Pregunta por la naturaleza, la cantidad, la calidad o la intensidad de algo: *¿Qué persona sería capaz de hacer este sacrificio? ¿Qué pantalones vas a ponerte hoy? Dime qué quieres. No sé qué puedo hacer para ayudarte.* ▮ exclam. adj./s. y adv. **2** Se usa para encarecer o ponderar la naturaleza, la cantidad, la calidad o la intensidad de algo: *¡Qué día tan bonito hace! ¡Qué de invitados han venido a tu fiesta!* **3** ‖ **por qué;** expresión que se usa para preguntar la razón, la causa o el motivo: *¿Por qué ya no me quieres? Me explicó por qué lo había hecho.* ‖ **qué tal; 1** Expresión que se usa como saludo: *¿Qué tal? Hacía mucho que no te veía.* **2** Expresión que se usa para preguntar cómo: *¿Qué tal te ha caído mi primo?* ‖ **y qué;** expresión que se usa para indicar que lo dicho o lo hecho no convencen o no importan: *-Te están llamando. -¿Y qué?* □ ETIMOL. Del latín *quid.* □ ORTOGR. Dist. de *que.* □ MORF. No tiene diferenciación de género ni de número. □ USO 1. Se usa para responder a un interlocutor dándole a entender que no se ha oído o que no se ha entendido: *Cuando le dije que era culpa suya, me contestó: '¿Qué?'.* 2. Se usa como fórmula de contestación: *-Oye, Pedro. -¿Qué?*

quebracho s.m. Tipo de árbol americano, de gran altura y de madera muy dura. □ ETIMOL. De *quebrar* y *hacha*.

quebrada s.f. Véase **quebrado, da**.

quebradero ‖ **quebradero de cabeza;** *col.* Preocupación o problema que perturba el ánimo: *¡Cuántos quebraderos de cabeza me da este trabajo!*

quebradizo, za adj. **1** Que se rompe o se quiebra con mucha facilidad: *El cristal es un material duro pero quebradizo. Estaba lloroso y me habló con voz quebradiza.* **2** Referido a la salud o al ánimo, débil o que se deteriora con facilidad: *De pequeño tuve una salud quebradiza.*

quebrado, da ▮ adj. **1** Referido a un terreno, que es tortuoso, desigual o tiene muchos desniveles: *Caminábamos con dificultad por un camino quebrado.* **2** *col.* En zonas del español meridional, que se ha quedado sin dinero: *Gasté mucho dinero en las vacaciones y ahora estoy quebrado.* ▮ s.m. **3** →**número quebrado.** ▮ s.f. **4** Abertura o paso estrecho entre dos montañas: *En la quebrada hay muchas zonas umbrías.* **5** En zonas del español meridional, arroyo:

Las lluvias hicieron crecer las aguas de la quebrada.

quebradura s.f. Hendidura, rotura o abertura.

quebrantable adj.inv. Que se puede quebrantar.

quebrantado, da adj. Muy dolorido.

quebrantahuesos (pl. *quebrantahuesos*) s.m. Ave rapaz de gran tamaño, parecida al buitre pero con la cabeza y el cuello con plumas, que se alimenta generalmente de animales muertos y vive en pequeños grupos en lugares inaccesibles para las personas. □ MORF. Es un sustantivo epiceno: *el quebrantahuesos {macho/hembra}*.

quebrantamiento s.m. **1** Violación de una ley, una norma, una promesa o algo semejante. □ SINÓN. *quebranto*. **2** Disminución o ausencia de la fuerza o de la vitalidad. □ SINÓN. *quebranto*.

quebrantar v. **1** Referido a una norma o a una obligación, violarlas o no cumplirlas: *Quebrantaste tu promesa y no me fiaré más de ti.* **2** Referido esp. a la salud o al ánimo, hacer que disminuya su fuerza o su brío: *Nada quebranta su salud de hierro. Las derrotas no quebrantarán mi moral.* **3** Referido esp. a algo duro, cascarlo o ponerlo en un estado en que se rompe fácilmente: *Los cambios bruscos de temperatura quebrantan las rocas.* **4** Referido esp. a un lugar sagrado o privado, profanarlo o entrar en él sin permiso: *Cuenta la leyenda que el que quebrante este panteón no encontrará la paz.* □ ETIMOL. Del latín **crepantare*, y este de *crepare* (crujir, chasquear, estallar).

quebranto s.m. **1** Daño o pérdida muy grandes: *Las lluvias torrenciales han supuesto un quebranto para los agricultores.* **2** Aflicción o dolor muy grandes: *Estos chicos no traen más que problemas y quebrantos.* **3** →**quebrantamiento.**

quebrar v. **1** Referido a algo duro o rígido, agrietarlo o romperlo en uno o varios trozos: *Apretó con tanta fuerza la copa de cristal que la quebró. Se quebró el tobillo y está escayolado.* **2** Interrumpir, cortar o impedir el curso o el desarrollo normal: *Con tu marcha quebraste mis esperanzas. Cuando nos contó el accidente se le quebraba la voz.* **3** Doblar o torcer: *Es un buen bailarín y quiebra la cintura con agilidad.* **4** Referido esp. a un negocio, fracasar o arruinarse: *Los grandes supermercados han hecho quebrar a muchos pequeños comerciantes.* **5** En fútbol, referido a un jugador, esquivarlo haciendo un quiebro con el cuerpo: *El jugador quebró perfectamente al defensa y se plantó solo ante el guardameta.* □ ETIMOL. Del latín *crepare* (crujir, chasquear, estallar). □ MORF. Irreg. →PENSAR.

queche s.m. Embarcación de vela de un solo palo y de líneas iguales por proa y popa. □ ETIMOL. Del francés *caiche*.

quechemarín s.m. Embarcación pequeña de vela, de dos palos, generalmente provista de cubierta. □ SINÓN. *cachamarín, cachemarín.* □ ETIMOL. Del francés *caiche marine*.

quéchol s.m. Ave americana, parecida al papagayo, que se caracteriza por tener una cola muy vistosa y un plumaje de variados y vivos colores. □ ETIMOL. Del náhuatl *quecholli*. □ MORF. Es un sustantivo epiceno: *el quéchol {macho/hembra}*.

quechua ▌adj.inv./s.com. **1** De un antiguo pueblo indio que se estableció en la región andina de los actuales Perú y Bolivia (países americanos), o relacionado con él: *Los quechuas son un pueblo precolombino.* □ SINÓN. *quichua.* ▌s.m. **2** Lengua hablada por este pueblo: *'Coca', 'inca' y 'pampa' son palabras tomadas del quechua.* □ SINÓN. *quichua.*

quedada s.f. **1** Detenimiento en un lugar para permanecer en él: *Cuando viajo, decido mis quedadas en el último momento.* **2** *col.* Engaño, broma o burla: *Estoy harto de tus quedadas de mal gusto.* **3** Reunión informal de personas que han tenido contacto previo a través de internet: *Después de meses hablando a través de un chat, se conocieron en una quedada.*

quedar ▌v. **1** Estar forzosa o voluntariamente en un lugar, o permanecer en él: *¿Dónde quedó tu hermano, que no lo veo? Ayer no salí y me quedé en casa.* **2** Permanecer, mantenerse o resultar en un estado o en una situación, o empezar a estar en ellos con cierta estabilidad: *El misterio quedó sin resolver. Se quedó trabajando hasta tarde. Me quedé muda del susto. Ya puedes quedar tranquilo.* **3** Restar, seguir existiendo o seguir estando: *Del viejo templo romano solo quedan ya las columnas. Solo nos queda poner las lámparas.* **4** Dar como resultado o tener como efecto: *Las promesas quedaron en nada.* **5** Concertar una cita: *¿Quedamos mañana a las seis? Quedé con unos amigos.* **6** Estar situado: *El colegio queda a dos manzanas de aquí.* **7** Referido a una prenda de vestir, sentar como se indica: *Ese pantalón te queda largo.* ▌prnl. **8** Referido a algo propio o ajeno, apoderarse de ello y retenerlo en su poder: *No te quedes con todos los libros. Quédate con estos datos porque son importantes.* **9** *euf. col.* Morir: *El abuelo se quedó en la operación.* **10** ‖ **quedar {bien/mal}** alguien; producir una impresión buena o mala, o terminar bien o mal considerado: *Si quieres quedar bien, lleva una caja de bombones.* ‖ **quedar en** algo; ponerse de acuerdo en ello o convenirlo: *Quedamos en traer cada uno una cosa.* ‖ **quedarse con** alguien; *col.* Engañarlo o abusar de su ingenuidad: *Te estás quedando conmigo, porque lo que cuentas no puede ser verdad.* □ ETIMOL. Del latín *quietare* (aquietar, hacer callar). □ SINT. 1. Su uso como transitivo es incorrecto aunque está muy extendido: *{*queda > deja} el libro ahí.* 2. Constr. de la acepción 4: *quedar* EN *algo.* 3. Constr. de la acepción 8: *quedarse* CON *algo.*

quedo adv. En voz baja: *Hablaban quedo para no despertar al niño.*

quedo, da adj. Quieto, sosegado, sin alteración o sin ruido: *Habló con voz queda y tranquila. El mar estaba quedo y apacible.* □ ETIMOL. Del latín *quietus* (quieto, apacible, tranquilo).

quedón, -a adj./s. *col.* Bromista, burlón.

queer (ing.) adj.inv. De la homosexualidad o relacionado con esta inclinación sexual: *una película de estética queer.* □ PRON. [cuíer].

quehacer s.m. Ocupación, negocio o tarea que han de hacerse. □ ETIMOL. De *que* y *hacer*. □ MORF. Se usa más en plural.

queimada s.f. Bebida alcohólica que se toma caliente, hecha con orujo quemado, trozos de limón y azúcar. □ ETIMOL. Del gallego *queimada*.

queísmo s.m. En gramática, ausencia de la preposición *de* en la construcción de verbos que la requieren: *En la expresión '*Me di cuenta que no estaba' hay un queísmo.*

queja s.f. **1** Expresión de dolor, pena o sentimiento: *Las quejas del enfermo se escuchaban en el pasillo.* □ SINÓN. *lamentación*. **2** Expresión de disconformidad, disgusto o enfado, esp. si se presenta ante una autoridad: *Si tiene alguna queja, hable con el encargado.* **3** Motivo para quejarse: *¿Acaso tienes queja de mí?*

quejarse v.prnl. **1** Expresar con la voz el dolor o la pena que se sienten: *Se queja porque le duele un pie. Siempre se ha quejado de la espalda.* **2** Manifestar disconformidad, disgusto o enfado: *Nunca se ha quejado del ruido que hacen sus vecinos.* **3** Presentar querella: *Me quejaré a las autoridades por este atropello de mis derechos civiles.* □ ETIMOL. Del latín **quassiare*, y este de *quassare* (golpear violentamente). □ ORTOGR. Conserva la *j* en toda la conjugación. □ SINT. Constr. *quejarse* A *alguien* {DE/POR} *algo*.

quejica adj.inv./s.com. *col. desp.* Que se queja con frecuencia, de forma exagerada o sin motivo.

quejicoso, sa adj. Que se queja mucho y, a veces, sin motivo.

quejido s.m. Voz o sonido lastimeros motivados por un dolor o una pena que afligen y atormentan.

quejigo s.m. Árbol de tronco grueso, copa recogida, hojas duras y dentadas, verdes por el haz y vellosas por el envés, que tiene flores muy pequeñas y el fruto en forma de bellota.

quejilloso, sa adj. *col.* Que se queja demasiado, de forma exagerada o sin motivo.

quejoso, sa adj. Que tiene queja de algo o de alguien.

quejumbrar v. Quejarse con frecuencia y sin apenas motivo: *Para ya de quejumbrar.*

quejumbre s.f. Queja frecuente y sin apenas motivo.

quejumbroso, sa adj. **1** Que manifiesta dolor, pena o sentimiento. **2** Que se queja con frecuencia y sin apenas motivo.

queli s.f. *col.* Casa.

quelícero s.m. En algunos artrópodos, apéndice con diferentes formas y funciones: *Los quelíceros de los escorpiones tienen forma de pinza.* □ ETIMOL. Del griego *théle* (pinza) y *kéras* (cuerno).

quelo s.f. *col.* Casa.

quelonio ▮ adj./s.m. **1** Referido a un reptil, que se caracteriza por tener cuatro extremidades cortas y fuertes, mandíbulas córneas, sin dientes, y el cuerpo protegido por un caparazón duro: *La tortuga es un quelonio que tiene aberturas en el caparazón por las que saca la cabeza, las extremidades y la cola.* ▮ s.m.pl. **2** En zoología, orden de estos reptiles: *Las especies que pertenecen a los quelonios pueden ser terrestres y acuáticas.* □ ETIMOL. Del griego *khelóne* (tortuga).

quema s.f. **1** Incendio o destrucción por el fuego. **2** ‖ **huir de la quema;** evitar un peligro, un daño o un desastre: *No me arruiné porque huí de la quema vendiendo pronto mi negocio.*

quemadero s.m. Lugar destinado a la quema de basuras y otros desechos.

quemado, da ▮ s. **1** Persona que ha sufrido quemaduras graves: *El herido en el incendio ingresó en la sección de quemados del hospital.* ▮ s.m. **2** Lo que se ha quemado: *Tiré el quemado de la paella, porque no me gusta.*

quemador, -a ▮ adj./s. **1** Que quema. ▮ s.m. **2** Aparato que regula la salida de un combustible para facilitar o controlar su combustión: *Limpia bien los quemadores de la cocina.*

quemadura s.f. Lesión, herida o señal producidas por el fuego o por algo que quema.

quemar ▮ v. **1** Abrasar o consumir con fuego: *He quemado los papeles que no valen. El fuego quemó la cosecha.* **2** Referido a una planta, secarla el calor o el frío excesivos: *La helada ha quemado los rosales.* **3** *col.* Referido a una persona, desazonarla, desanimarla o agotarla: *Buscar trabajo día tras día quema a cualquiera. Me quemas con tantas tonterías.* **4** Gastar o consumir en exceso: *Quemó su fortuna y ahora está arruinado.* **5** Desprender mucho calor: *La sopa está quemando. Hoy el sol quema.* **6** Producir una sensación de picor muy fuerte: *Esta guindilla quema.* **7** Referido esp. a una sustancia corrosiva, destruir: *La sosa cáustica quema los tejidos.* **8** *col.* En zonas del español meridional, poner en evidencia o en ridículo: *Me quemó con mis amigas porque les contó un secreto mío.* **9** Desprestigiar o agotar en el desempeño de una actividad: *El entrenador quemó a sus mejores jugadores para ganar la liga. Esta actriz empezó a hacer películas desde tan pequeña que ha terminado quemándose, y ahora nadie le da un papel.* ▮ prnl. **10** Sentir mucho calor: *No sé cómo aguantas al sol si yo me estoy quemando.* **11** *col.* Estar muy cerca de encontrar algo: *Inténtalo otra vez, que ahora casi te quemas.* □ ETIMOL. Quizá del latín **caimare*.

quemarropa ‖ **a quemarropa; 1** Referido a la forma de disparar, desde muy cerca: *un disparo a quemarropa.* **2** Referido a la forma de actuar, de forma brusca y sin rodeos: *Me lo preguntó a quemarropa y no supe reaccionar.*

quemazón s.f. **1** Sensación de calor, picor o ardor excesivos. **2** Sentimiento desagradable de molestia o de incomodidad: *Sus burlas me causan una quemazón insoportable.*

quena s.f. Flauta originaria de comarcas suramericanas, hecha generalmente con una caña agujereada o con varias cañas de distintas longitudes, y cuyo sonido resulta muy característico por su expresividad y timbre quejumbroso.

queo || **dar el queo** a alguien; *col.* Darle un aviso para que no lo sorprendan haciendo algo: *Yo me pondré en la puerta para daros el queo cuando venga el profesor.*

quepis (pl. *quepis*) s.m. Gorra militar de forma cilíndrica y ligeramente cónica, con visera horizontal. □ ETIMOL. Del francés *képi*. □ PRON. Se usa mucho [quepís]. □ ORTOGR. Se usan también *kepí* y *kepis*.

queque s.m. En zonas del español meridional, bizcocho. □ ETIMOL. Del inglés *cake*.

queratina s.f. Proteína que se origina en las capas superiores de la epidermis y que integra formaciones muy consistentes: *La queratina forma las uñas, el pelo, los cuernos y las pezuñas.* □ ETIMOL. Del griego *keratíne* (de cuerno).

queratitis (pl. *queratitis*) s.f. Inflamación de la córnea del ojo. □ ETIMOL. Del griego *kéras* (cuerno) e *-itis* (inflamación).

queratomía s.f. Operación quirúrgica que consiste en realizar varios cortes en la córnea del ojo para corregir su curvatura. □ ETIMOL. Del griego *kéras* (cuerno) y *-tomía* (corte, incisión).

querella s.f. **1** Acusación que se presenta ante un juez o un tribunal competentes, en la que se le imputa a alguien la comisión o la responsabilidad de un delito. **2** Discordia, conflicto o enfrentamiento. □ ETIMOL. Del latín *querella*. □ SEM. Dist. de *demanda* (reclamación o acción judicial contra alguien), y de *denuncia* (comunicación ante una autoridad judicial de que se ha cometido una falta o un delito).

querellante adj.inv./s.com. Que se querella.

querellarse v.prnl. Presentar una querella o acusación: *La actriz se ha querellado contra la revista que publicó aquellas fotos.* □ SINT. Constr. *querellarse* ANTE *alguien {*CONTRA/DE*} algo.*

querencia s.f. **1** Inclinación o tendencia de un ser hacia algo, esp. hacia el lugar donde se crió o donde solía estar. **2** En tauromaquia, preferencia del toro por quedarse en determinado lugar de la plaza.

querendón, -a adj. *col.* En zonas del español meridional, muy cariñoso.

querer ▮ s.m. **1** Amor o cariño: *Siempre fue fiel en su querer.* ▮ v. **2** Anhelar, apetecer o tener un fuerte deseo o aspiración: *Quiero que vengan mis padres. ¿Quieres otro café? No te quejes, que aquí estás como quieres.* **3** Amar, tener o sentir cariño o inclinación por algo: *¡Cuánto te quiero, abuela!* **4** Tener voluntad o determinación para hacer algo: *Quiero ser astronauta y lo voy a conseguir.* **5** Decidir, determinar o tomar una resolución: *Quiero dejaros la herencia a vosotros.* **6** Pretender, intentar, procurar o hacer lo posible para conseguir algo: *¿Quieres que me crea que has subido tú solo el piano a casa?* **7** Referido a algo que se considera conveniente, pedirlo o requerirlo: *Estas cortinas ya quieren un lavado.* **8** Estar próximo a ser, a ocurrir o a verificarse: *Parece que quiere llover.* **9** En algunos juegos de cartas, referido a un envite, aceptarlo o tomarlo: *No quiero tu envite a la grande con estas cartas tan bajas.* **10** || **como quiera que;** de cualquier modo, o de un modo determinado: *Como quiera que lo hagas, me gustará.* || **cuando quiera;** en cualquier tiempo: *Cuando quiera que te venga bien, vente por casa y lo vemos juntos.* || **donde quiera;** →**dondequiera.** || **que si quieres;** *col.* Expresión que se usa para destacar la dificultad o la imposibilidad de hacer o de lograr algo: *Le dije que se diera prisa y que si quieres, aún estoy esperando.* || **querer bien** a alguien; desear que le suceda lo mejor: *Yo sé que me quieres bien.* || **querer decir;** significar, dar a entender o indicar: *No sé qué quiere decir 'berlina'.* || **sin querer;** sin intención ni premeditación: *No te ofendas, que lo dije sin querer.* □ ETIMOL. La acepción 1, del verbo querer. La acepción 2, del latín *quaerere* (buscar, inquirir, pedir). □ MORF. Irreg.: 1. En la acepción 8, es verbo unipersonal. 2. →QUERER.

querido, da s. *desp.* Persona que mantiene relaciones sexuales con otra que está casada.

querindongo, ga s. *col. desp.* Amante.

quermes (tb. *kermes*) (pl. *quermes*) s.m. Insecto, parecido a la cochinilla, del que se extrae un pigmento rojo que se utilizaba como colorante. □ ETIMOL. Del árabe *quirmiz* (grana, cochinilla). □ ORTOGR. Dist. de *quermés*. □ MORF. Es un sustantivo epiceno: *el quermes {macho/hembra}.*

quermés s.f. →**kermés.** □ ORTOGR. Dist. de *quermes*.

querosén s.m. En zonas del español meridional, queroseno. □ SINÓN. *querosene.*

querosene s.m. En zonas del español meridional, queroseno. □ SINÓN. *querosén.*

queroseno (tb. *keroseno*) s.m. Mezcla de hidrocarburos líquidos, obtenida por refinado y destilación del petróleo natural, que se utiliza como combustible y en la fabricación de insecticidas. □ ETIMOL. Del griego *kerós* (cera).

querreque s.m. En zonas del español meridional, pájaro carpintero. □ MORF. Es un sustantivo epiceno: *el querreque {macho/hembra}.*

querube s.m. *poét.* →**querubín.**

querubín s.m. **1** Ángel muy cercano a Dios. □ SINÓN. *querube.* **2** Persona muy hermosa. □ ETIMOL. Del latín *cherubin*.

quesada s.f. Pastel aplanado compuesto por queso y masa: *Compramos unas quesadas en Santander.* □ SINÓN. *quesadilla.*

quesadilla s.m. **1** Tortilla de harina de maíz, doblada y rellena de algún alimento que se toma caliente. **2** Pastel aplanado compuesto por queso y masa. □ SINÓN. *quesada.*

quesera s.f. Véase **quesero, ra.**

quesería s.f. Establecimiento en el que se fabrica o se vende queso.

quesero, ra ▮ adj. **1** Del queso o relacionado con él: *una comarca quesera.* **2** Referido a una persona, que es muy aficionada a comer queso: *Soy muy quesera y me gustan todos los tipos de queso.* ▮ s. **3** Persona que se dedica profesionalmente a la fabricación o a la venta de queso. ▮ s.f. **4** Recipiente en el que se guarda, se conserva o se sirve el queso:

Compró una quesera con el plato de madera y la cubierta circular de cristal.

quesillo s.m. *col.* Queso americano, tierno y sin sal.

quesito s.m. Cada una de las partes o unidades envueltas y empaquetadas en que se divide un queso cremoso.

queso s.m. **1** Producto alimenticio que se obtiene haciendo cuajar la leche: *queso manchego.* **2** *col.* Pie: *¡Cómo te huelen los quesos!* **3** || **dársela con queso** a alguien; engañarlo o burlarse de él: *Me fié de ese granuja y me la dio con queso.* || **queso de bola;** el que tiene forma esférica y corteza roja: *El queso de bola es originario de Holanda.* || **queso de Burgos;** el que es fresco, blanco y cremoso, originario de la provincia burgalesa: *El queso de Burgos hay que guardarlo en la nevera para que no se estropee.* □ ETIMOL. Del latín *caseus.*

quesuismo s.m. En gramática, uso indebido del relativo *que* ante un posesivo, en lugar de *cuyo*: *La oración '*Vino con un amigo que su padre es carnicero' es un ejemplo de quesuismo, y se debe decir 'Vino con un amigo cuyo padre es carnicero'.*

quetzal s.m. **1** Ave trepadora de plumaje de vivos colores, verde en las partes superiores del cuerpo y rojo en el pecho y el abdomen, con la cabeza gruesa con un moño sedoso y verde, y con el pico y las patas amarillentos: *El quetzal es propio de tierras americanas tropicales.* **2** Unidad monetaria guatemalteca. □ MORF. En la acepción 1, es un sustantivo epiceno: *el quetzal {macho/hembra}.*

quevedesco, ca adj. De Quevedo (escritor español de los siglos XVI y XVII) o con características de sus obras.

quevedos s.m.pl. Lentes o anteojos de forma circular con una montura especial para que se sujeten solo en la nariz. □ ETIMOL. Por alusión al escritor español Quevedo, que usaba estas lentes.

quexquémetl s.m. Prenda de vestir mexicana que consiste en una especie de manta con una abertura en el centro para meter la cabeza. □ ETIMOL. Del náhuatl *quexquemitl.*

quia interj. *col.* Expresión que se usa para indicar negación u oposición: *¿Que le pida perdón? ¡Quia, si no tengo de qué!* □ SINÓN. *ca.* □ ETIMOL. De la expresión *¡qué ha de ser!.*

quianti s.m. Vino tinto, de sabor ligeramente picante, originario de Chianti (comarca de la región italiana de Toscana): *El quianti es un vino de mesa.* □ ETIMOL. Del italiano *chianti.* □ USO Es innecesario el uso del italianismo *chianti.*

quiasma s.m. Cruzamiento entre cromátidas o filamentos de una misma pareja de cromosomas o entre otro tipo de estructuras orgánicas: *El quiasma óptico está situado en la base del cerebro y en él se entrecruzan los dos nervios ópticos.* □ ETIMOL. Del griego *khíasma* (disposición en forma de cruz).

quiasmo s.m. Figura retórica consistente en la disposición en cruz de los miembros que constituyen dos sintagmas o dos proposiciones ligadas entre sí, de modo que dichos miembros presenten ordenaciones inversas: *En el texto de Góngora 'Cuando pitos, flautas, / cuando flautas, pitos...' hay un quiasmo.* □ ETIMOL. Del griego *khiasmós* (disposición en forma de cruz).

quiche (fr.) s.f. **1** Pastel caliente salado relleno de ingredientes variados, esp. de cebolla, huevo, queso, carne o verdura. **2** || **quiche lorraine;** la que está rellena de beicon, huevo, queso y cebolla. □ PRON. [kich], con *ch* suave. □ ORTOGR. Dist. de *quiché.* □ MORF. Se usa también como masculino.

quiché ▮ adj.inv./s.com. **1** De un pueblo indígena, de origen maya, que habita al oeste de Guatemala (república centroamericana), o relacionado con él: *La civilización quiché se desarrolló desde el siglo X hasta el siglo XVI.* ▮ s.m. **2** Lengua indígena de este pueblo: *El quiché es una lengua de la familia maya.* □ ORTOGR. Dist. de *quiche.*

quichua s.m. →**quechua.**

quicio s.m. **1** En una puerta o ventana, parte en la que están los goznes y las bisagras. **2** || **sacar de quicio** a alguien; exasperarlo, irritarlo o ponerlo fuera de sí: *Me saca de quicio que no me escuches cuando te hablo.* || **sacar de quicio** algo; darle una interpretación o un sentido distintos al natural: *No saques de quicio las cosas, que no son tan graves.*

quid s.m. Razón o punto esencial de algo: *el quid del problema.* □ ETIMOL. Del latín *quid* (qué cosa). □ SEM. Dist. de *busilis* (punto en el que radica la dificultad de algo). □ USO Se usa solo en singular y precedido del artículo *el.*

quídam s.m. *col.* Persona indeterminada cuyo nombre se ignora o se omite: *Un quídam quería colarse en la fiesta sin estar invitado.* □ ETIMOL. Del latín *quidam* (uno, alguno). □ PRON. [cuídam]. □ ORTOGR. Incorr. **quidam.*

quid pro quo (lat.) (pl. *quid pro quo*) || Confusión de una persona o cosa por otras: *En la película había muchas situaciones de quid pro quo y equívocos.* □ PRON. [kid pro cuó].

quiebra s.f. **1** En economía, interrupción de la actividad comercial motivada por la imposibilidad de hacer frente a las deudas o a las obligaciones contraídas: *Una mala gestión llevó a la empresa a la quiebra.* □ SINÓN. *bancarrota.* **2** Pérdida, menoscabo, disminución o deterioro: *La sociedad moderna ha contemplado la quiebra de muchos de los valores tradicionales.* **3** Rotura o abertura de algo por alguna parte: *La quiebra de la tubería provocó la inundación de la cocina.*

quiebre s.m. En zonas del español meridional, quiebro del cuerpo.

quiebro s.m. **1** Ademán o movimiento que se hace doblando el cuerpo por la cintura. **2** *col.* Elevación repentina del tono de voz, que se vuelve más agudo. **3** || **hacer un quiebro;** *col.* Eludir, apartarse o esquivar: *Al verme, hizo un quiebro y cruzó de acera.*

quien pron.relat. **1** Designa una persona ya mencionada o sobrentendida: *Si eres tú quien llega primero, reserva sitio para los demás. Es con tus padres con quienes debes hablar. No hay quien te entienda.* **2** || **no ser quien** para algo; *col.* No tener capacidad o habilidad para ello: *Tú no eres quien para decirme si puedo llegar tarde o no.* || **quien más, quien menos;** *col.* Todas las personas sin excepción: *Aquí, quien más, quien menos, todos ayudamos.* □ ETIMOL. Del latín *quem*. □ ORTOGR. Dist. de *quién*. □ MORF. No tiene diferenciación de género. □ SINT. Es un relativo sin antecedente y nunca va precedido de determinante.

quién ▮ pron.interrog. **1** Pregunta por la identidad de una persona: *¿Quién ha venido contigo? Dime con quiénes hemos quedado.* ▮ pron.exclam. **2** Se usa para encarecer o ponderar la identidad de una persona: *¡Quién pudiera hacerlo!* □ ETIMOL. Del latín *quem*. □ ORTOGR. Dist. de *quien*. □ MORF. No tiene diferenciación de género.

quienesquiera pron. indef. pl. de **quienquiera**. □ MORF. No tiene diferenciación de género.

quienquiera (pl. *quienesquiera*) pron.indef. Designa una persona indeterminada: *Quienquiera que diga eso se equivoca. Quienesquiera que sean, que se identifiquen.* □ ETIMOL. De *quien* y *quiera*. □ MORF. No tiene diferenciación de género. □ SINT. Se usa antepuesto a una oración de relativo con *que*.

quietar v. Sosegar, apaciguar o aquietar: *¿Por qué no te quietas un rato y me dejas tranquilo?*

quietismo s.m. **1** Poca o ninguna acción. **2** Doctrina religiosa que considera que la suma perfección del alma humana se encuentra en la contemplación pasiva y en la indiferencia ante cuanto pueda suceder.

quieto, ta adj. **1** Sin movimiento. **2** Pacífico, sosegado, tranquilo o sin alteración: *Tras la tormenta, la mar está quieta.* □ ETIMOL. Del latín *quietus* (tranquilo, quieto, apacible).

quietud s.f. **1** Carencia o falta de movimiento: *Estabas tumbado en absoluta quietud y me acerqué para ver si respirabas.* **2** Sosiego, tranquilidad, reposo o descanso: *Ningún ruido perturbaba la quietud de la noche.* □ ETIMOL. Del latín *quietudo*.

quif (tb. *kif*) s.m. Sustancia obtenida a partir de las flores del cáñamo índico y que, mezclada con otros productos, se utiliza como estupefaciente. □ SINÓN. *hachís*.

quigüi s.m. En zonas del español meridional, kiwi o quivi.

quihúbole interj. *col.* En zonas del español meridional, expresión que se usa para saludar: *¡Quihúbole, César!, ¿cómo te ha ido?*

quijada s.f. Cada una de las dos mandíbulas de un vertebrado que tiene dientes. □ ETIMOL. Del latín **capseum* (semejante a una caja).

quijotada s.f. Hecho o dicho propios de un quijote.

quijote ▮ adj.inv./s.m. **1** Referido a una persona, que antepone sus ideales a su propio provecho y que obra de forma desinteresada y comprometida en defensa de causas que considera justas: *No seas tan quijote y ocúpate un poco más de ti misma.* ▮ s.m. **2** En una armadura, pieza que cubre y que defiende el muslo. □ ETIMOL. La acepción 1, por alusión a Don Quijote, personaje literario. La acepción 2, del catalán *cuixot*, y este del latín *coxa* (cadera).

quijotería s.f. Forma de proceder propia de un quijote.

quijotesco, ca adj. Con características que se consideran propias de don Quijote (personaje literario).

quijotismo s.m. Conjunto de caracteres y de actitudes propios de don Quijote (personaje literario).

quilar v. *vulg.malson.* →**copular.**

quilate s.m. **1** Unidad de pureza del oro que equivale a una veinticuatroava parte de este metal en una aleación: *oro de 24 quilates.* **2** Unidad de peso para las perlas y las piedras preciosas: *El quilate equivale a 200 miligramos.* □ ETIMOL. Del árabe *qirat*.

quilla s.f. Véase **quillo, lla.**

quillay s.m. Árbol americano muy frondoso, con el tronco alto, recto y de corteza gruesa y gris: *La corteza interior del quillay se usa como jabón.* □ ETIMOL. Del mapuche *cúllay*.

quillo, lla ▮ s. **1** *col.* Persona cuya identidad se ignora o no se quiere decir: *Quillo, tráeme el agua.* ▮ s.f. **2** En una embarcación, pieza de madera o de hierro que va de popa a proa por su parte inferior y en la que se apoya toda su armazón. **3** En un ave, parte saliente y afilada del esternón. □ ETIMOL. La acepción 1, de *chiquillo*. Las acepciones 2 y 3, del francés *quille*.

quilo s.m. **1** →**quilogramo. 2** Linfa o líquido orgánico de aspecto blanquecino y espeso que resulta de la absorción de las grasas en el intestino delgado: *El quilo absorbido en el intestino llega a la circulación general o sanguínea a través del sistema linfático.* □ ETIMOL. La acepción 2, del griego *khylós* (jugo).

quilo- →**kilo-.**

quilogramo s.m. →**kilogramo.** □ ORTOGR. Su símbolo es *kg*, por tanto, se escribe sin punto. □ MORF. Se usa mucho la forma abreviada *quilo*.

quilolitro s.m. →**kilolitro.** □ ORTOGR. su símbolo es *kl*, por tanto, se escribe sin punto.

quilombo s.m. **1** En zonas del español meridional, burdel. **2** *col.* En zonas del español meridional, lío o follón. □ ETIMOL. De origen africano.

quilométrico, ca adj. →**kilométrico.**

quilómetro s.m. →**kilómetro.** □ ORTOGR. Su símbolo es *km*, por tanto, se escribe sin punto.

quimbambas || **en las quimbambas;** *col.* En un lugar lejano o impreciso: *Si hubiera sabido que vivías en las quimbambas, no me habría ofrecido a acompañarte.*

quimera s.f. **1** En mitología, monstruo mitad león, mitad cabra, con cola de reptil o de dragón: *La quimera vomitaba llamas de fuego.* **2** Lo que se presenta a la imaginación como posible o verdadero sin serlo: *Creer que el mundo será algún día perfecto no es más que una quimera.* □ ETIMOL. Del latín *chimaera*, y este del griego *khímaira* (animal fabuloso).

quimérico, ca adj. Fabuloso, imaginado, irreal o sin fundamento: *fantasías quiméricas.*

quimerista adj.inv./s.com. Referido a una persona, que es aficionada a las cosas quiméricas, fabulosas o imaginadas.

química s.f. Véase **químico, ca.**

químico, ca ▌ adj. **1** De la química o relacionado con esta ciencia: *No me sé de memoria la tabla de los elementos químicos.* **2** De la composición de los cuerpos o relacionado con ella: *La fórmula química del amoniaco es 'NH_3'.* ▌ s. **3** Persona que se dedica al estudio de la química, esp. si es licenciada en esta carrera universitaria: *Es química y trabaja en un laboratorio farmacéutico.* ▌ s.f. **4** Ciencia que estudia las transformaciones de unas sustancias en otras sin que se alteren los elementos que las integran: *La química es una ciencia experimental.* **5** *col.* Afinidad o entendimiento que existe entre varias personas: *Entre tus amigos hay muy buena química.* **6** *col.* Alimento compuesto por aditamentos artificiales o que los contiene en abundancia: *No me gustan estos helados porque son pura química.* □ ETIMOL. La acepción 4, del latín *ars chimica*, y este de *chimia* (alquimia).

quimioprofiláctico s.m. Compuesto químico que sirve para la prevención del desarrollo de una enfermedad.

quimioprofilaxis (pl. *quimioprofilaxis*) s.f. Prevención de las enfermedades por medios de quimioterapia. □ ETIMOL. De *química* y *profilaxis*.

quimiosíntesis (pl. *quimiosíntesis*) s.f. Proceso metabólico de algunos microorganismos por el que estos obtienen energía a partir de reacciones de oxidación que tienen lugar en el medio ambiente. □ ETIMOL. De *química* y *síntesis*.

quimioterapia s.f. Tratamiento de las enfermedades por medio de sustancias químicas. □ ETIMOL. De *química* y *-terapia* (curación).

quimo s.m. Pasta homogénea y agria en la que se transforman los alimentos en el estómago por la digestión: *El quimo se elabora en la última fase de la digestión gástrica y en la primera fase de la intestinal.* □ ETIMOL. Del griego *khymós* (jugo).

quimono s.m. **1** Prenda de vestir japonesa, con forma de túnica de mangas largas y anchas, abierta por delante y ceñida a la cintura con un cinturón. **2** Vestimenta deportiva, formada por chaqueta y pantalón, amplia y de tela resistente, que se usa para practicar artes marciales. □ ETIMOL. De origen japonés. □ ORTOGR. Se usa también *kimono*.

quimosina s.f. En química, fermento para coagular un líquido, esp. la leche. □ SINÓN. *cuajo*. □ ETIMOL. De *quimo*.

quina s.f. **1** Corteza del quino, muy usada en medicina por su capacidad para hacer disminuir la fiebre: *De la quina se extrae la quinina, que se emplea como tratamiento contra el paludismo.* □ SINÓN. *quino*. **2** Líquido elaborado con esta corteza y con otras sustancias, que se toma como medicina, como tónico o como bebida de aperitivo: *La quina está muy dulce.* **3** ‖ **ser más malo que la quina;** *col.* Ser muy malo: *Ese crío tan travieso es más malo que la quina.* ‖ **tragar quina;** *col.* Soportar o sobrellevar algo desagradable: *Aunque no te guste hacerlo, no te queda más remedio que tragar quina.*

quinado, da adj. Referido al vino o a otro líquido, que se prepara con quina.

quincalla s.f. Conjunto de objetos metálicos, generalmente de poco valor. □ ETIMOL. Del francés antiguo *quincaille*.

quincallería s.f. **1** Establecimiento en el que se hace o se vende quincalla: *Compré este collar de imitación en una quincallería.* **2** Conjunto de quincalla.

quincallero, ra s. Persona que se dedica a la fabricación o venta de quincalla.

quince ▌ numer. **1** Número 15: *Había quince personas delante de mí en la cola. Mi número favorito es el quince.* ▌ s.m. **2** Signo que representa este número: *Los romanos escribían el quince como 'XV'.* □ ETIMOL. Del latín *quindecim*, y este de *quinque* (cinco) y *decem* (diez). □ MORF. Como numeral es invariable en género y en número.

quinceañero, ra adj./s. Referido a una persona, que tiene alrededor de quince años. □ USO Es innecesario el uso del anglicismo *teenager*.

quinceavo, va numer. Referido a una parte, que constituye un todo junto con otras catorce iguales a ella: *Como éramos quince, tocamos a una quinceava parte del total. Me corresponde un quinceavo de los beneficios.* □ SINÓN. *quinzavo*. □ SEM. Su uso como numeral ordinal es incorrecto: *Llegué en {*quinceava > decimoquinta} posición.*

quincena s.f. **1** Período de tiempo de quince días. **2** Cantidad de dinero que se cobra o que se paga cada uno de estos períodos.

quincenal adj.inv. **1** Que sucede o se repite cada quincena: *Los partidos de esta competición son quincenales.* **2** Que dura una quincena: *La empresa organiza cursillos quincenales de reciclaje para sus empleados.* □ ORTOGR. Dist. de *quinquenal*.

quincuagenario, ria ▌ adj. **1** Que está formado por cincuenta unidades: *Es un coro quincuagenario, incluyendo al director.* ▌ adj./s. **2** Que tiene más de cincuenta años y aún no ha cumplido los sesenta: *Es un quincuagenario y le falta poco para jubilarse.* □ ETIMOL. Del latín *quinquagenarius*.

quincuagésimo, ma numer. **1** En una serie, que ocupa el lugar número cincuenta: *Del primero al quincuagésimo clasificado hay una gran diferencia. El que está en la mitad de una lista de cien es el quincuagésimo.* □ SINÓN. *cincuenteno*. **2** Referido a una parte, que constituye un todo junto con otras cuarenta y nueve iguales a ella: *Te corresponde la quincuagésima parte del total. Con una quincuagésima de lo que me dio me habría bastado.* □ SINÓN. *cincuentavo, cincuenteno*. □ ETIMOL. Del latín *quinquagesimus*. □ MORF. *Quincuagésima primera* (incorr. **quincuagésimo primera*), etc.

quinesiología (tb. *kinesiología*) s.f. Conjunto de métodos curativos que sirven para restablecer la normalidad del sistema óseo y muscular, mediante movimientos activos o pasivos de las partes afectadas. □ ETIMOL. Del griego *kínesis* (movimiento) y *-logía* (estudio, ciencia).

quinesiólogo, ga (tb. *kinesiólogo*) s. Persona que se dedica a la quinesiología, esp. si esta es su profesión.

quinesioterapia s.f. →**quinesiterapia.**

quinesiterapia (tb. *cinesiterapia, kinesiterapia*) s.f. Método curativo por medio de movimientos activos o pasivos de todo el cuerpo o de una de sus partes. □ SINÓN. *quinesioterapia, kinesioterapia.* □ ETIMOL. Del griego *kínesis* (movimiento) y *-terapia* (curación).

quingentésimo, ma numer. **1** En una serie, que ocupa el lugar número quinientos: *En 1992 se celebró el quingentésimo aniversario de la llegada de Colón a América.* **2** Referido a una parte, que constituye un todo junto con otras cuatrocientas noventa y nueve iguales: *Con una familia tan grande, no te tocará ni una quingentésima parte del la fortuna de tus tíos.* □ ETIMOL. Del latín *quingentesimus.*

quiniela s.f. **1** Juego de apuestas en el que los apostantes pronostican los resultados de determinadas competiciones deportivas: *quiniela hípica.* **2** Boleto en el que se escriben estas apuestas: *Tengo que sellar las quinielas.* **3** *col.* Pronóstico que se hace sobre un acontecimiento: *No me gusta hacer quinielas sobre quién será el partido que gane las elecciones.*

quinielista s.com. Persona que juega a las quinielas.

quinielístico, ca adj. De la quiniela o relacionado con este juego.

quinientos, tas ▮ numer. **1** Número 500: *Ya he leído quinientas páginas de tu libro. Cinco por cien son quinientos. No sé cuántos seremos, pero vamos a encargar cena para quinientos.* **▮** s.m. **2** Signo que representa este número: *Los romanos escribían el quinientos como 'D'.* □ ETIMOL. Del latín *quingenti.* □ MORF. 1. Como numeral es invariable en número. 2. Incorr.: *página [*quinientos > quinientas].*

quinina s.f. Sustancia vegetal, amarga y de color blanco, que se extrae de la corteza del quino y que tiene la propiedad de disminuir la fiebre: *La quinina se usa en los casos de malaria.*

quino s.m. **1** Árbol de origen americano que tiene las hojas ovaladas y enteras, lisas por el haz y vellosas por el envés, y el fruto seco de forma de cápsula, con muchas semillas en su interior. **2** Corteza de este árbol, muy usada en medicina por su capacidad para hacer disminuir la fiebre. □ SINÓN. *quina.*

quinolona s.f. Antibiótico sintético derivado de la quinina y activo contra una gran variedad de bacterias.

quinqué s.m. Lámpara de petróleo cuya llama va protegida por un tubo de cristal. □ ETIMOL. Del francés *quinquet*, y este de *Quinquet*, nombre del fabricante de esta clase de lámparas.

quinquenal adj.inv. **1** Que dura cinco años: *un plan económico quinquenal.* **2** Que tiene lugar cada cinco años: *un cursillo quinquenal.* □ ETIMOL. Del latín *quinquennalis.* □ ORTOGR. Dist. de *quincenal.*

quinquenio s.m. **1** Espacio de tiempo de cinco años. □ SINÓN. *lustro.* **2** Aumento de sueldo que se recibe cuando se llevan cinco años de antigüedad en un puesto de trabajo. □ ETIMOL. Del latín *quinquennium*, y este de *quinque* (cinco) y *annus* (año).

quinqui s.com. *desp.* Persona que pertenece a un grupo social marginado por la sociedad por su forma de vida.

quinta s.f. Véase **quinto, ta.**

quintaesencia (tb. *quinta esencia*) s.f. Lo más puro y mejor de algo: *Este muchacho es la quintaesencia de la elegancia.*

quintaesenciar v. Reducir a lo más puro o a lo mejor: *una escritora que ha logrado quintaesenciar la imagen de su tierra natal.* □ ORTOGR. La *i* nunca lleva tilde.

quintal s.m. **1** Unidad de peso que equivale aproximadamente a 46 kilogramos. **2** ‖ **quintal métrico;** unidad de peso que equivale a 100 kilogramos. □ ETIMOL. Del árabe *qintar.* □ ORTOGR. El símbolo de *quintal métrico* es *Qm*, por tanto, se escribe sin punto. □ USO En la acepción 1, es una medida tradicional española.

quintana s.f. Casa de recreo en el campo. □ SINÓN. *quinta.* □ ETIMOL. Del latín *quintana.*

quintar v. Referido a una persona, sortear el destino en el que tendrá que hacer el servicio militar: *Estamos muy nerviosos porque quintan a nuestro hijo el domingo.* □ ETIMOL. De *quinto.*

quinteto s.m. **1** Conjunto de cinco elementos: *La entrenadora del equipo ha vuelto a poner en pista al quinteto inicial.* **2** Conjunto musical formado por cinco voces o por cinco instrumentos: *Asistimos a un concierto interpretado por un quinteto de cuerda.* **3** Composición musical que se escribe para ser interpretada por cinco voces o por cinco instrumentos: *Brahms compuso quintetos para instrumentos de cuerda.* **4** En métrica, estrofa formada por cinco versos de arte mayor de rima consonante y cuyo esquema es libre, siempre que no rimen tres versos seguidos, que los dos últimos no formen pareado y que no quede ninguno libre. □ ETIMOL. Del italiano *quintetto.*

quintilla s.f. En métrica, estrofa de cinco versos octosílabos de rima consonante y cuyo esquema es libre, siempre que no rimen tres versos seguidos, que los dos últimos no formen pareado y que no quede ninguno libre.

quintillizo, za adj./s. Que ha nacido de un parto quíntuple. □ ETIMOL. De *quinto* y la terminación de *mellizo.* □ MORF. Se usa solo en plural.

quintín ‖ **armar(se) la de san Quintín;** *col.* Haber lío o pelea, o provocarlos: *Como no me quieren cambiar esta prenda defectuosa, voy a armar la de san Quintín.* □ ETIMOL. Por alusión a la batalla de San Quintín, ganada por Felipe II en 1557.

quinto, ta ▮ numer. **1** En una serie, que ocupa el lugar número cinco: *He sido el quinto alumno en entregar el examen. Entré la quinta en la meta.* **2** Referido a una parte, que constituye un todo junto con otras cuatro iguales a ella: *A cada uno de los cinco nos tocó una quinta parte de la tarta. Pidió en el bar un quinto de cerveza.* ▮ s.m. **3** Joven que ha sido sorteado pero que aún no se ha incorporado al servicio militar o lo ha hecho recientemente: *Los quintos organizaron una fiesta de despedida en el pueblo.* **4** En zonas del español meridional, moneda de cinco centavos: *Veinte quintos hacen un peso.* ▮ s.f. **5** Conjunto de reemplazos que inician el servicio militar en un año determinado: *A finales de este año sorteará la quinta que empezará la mili el año próximo.* **6** Conjunto de personas que han nacido el mismo año: *Mis amigos y yo somos de la misma quinta.* **7** Casa de recreo en el campo: *En su quinta tiene varios caballos.* □ SINÓN. *quintana.* **8** En el motor de algunos vehículos, marcha o velocidad con mayor recorrido: *En la autopista puedes ir casi siempre en quinta.* **9** En música, intervalo existente entre una nota y la quinta nota anterior o posterior a ella en la escala, ambas inclusive: *De 're' a 'la' hay una quinta ascendente.* □ ETIMOL. Del latín *quintus.*

quíntuple numer. →**quíntuplo.** □ MORF. Invariable en género.

quintuplicación s.f. Multiplicación por cinco, o conversión de algo en cinco veces mayor.

quintuplicar v. Multiplicar por cinco o hacer cinco veces mayor: *En los últimos años ha quintuplicado su fortuna. En vista de que las pérdidas se habían quintuplicado, decidió cerrar la fábrica.* □ ETIMOL. Del latín *quintuplicare.* □ ORTOGR. La *c* se cambia en *qu* delante de *e* →SACAR.

quíntuplo, pla numer. Referido a una cantidad, que es cinco veces mayor: *40 es quíntuplo de 8. A cada uno de los socios le tocará un quíntuplo de los beneficios.* □ SINÓN. *quíntuple.* □ ETIMOL. Del latín *quintuplus.*

quinua s.f. **1** Planta de origen andino, con hojas en forma de rombo y flores pequeñas dispuestas en racimos. **2** Semilla comestible de esta planta: *harina de quinua.* □ ETIMOL. Del quechua *kinúwa* o *kínua.*

quinzavo, va numer. →**quinceavo.**

quiñazo s.m. En zonas del español meridional, golpe de mala suerte.

quiosco (tb. *kiosco*) s.m. **1** Caseta que se instala en la calle o en otros lugares públicos y en la que se venden generalmente periódicos o flores: *quiosco de prensa.* **2** Construcción en forma de templete, abierta por los lados, que se instala en parques y en jardines. □ ETIMOL. Del francés *kiosque.* □ ORTOGR. Incorr. **kiosko.*

quiosquero, ra s. Propietario o encargado de un quiosco.

quiqui s.m. **1** Mechón de pelos cortos, peinado en forma de palmera. **2** ‖ **echar un quiqui;** *vulg.malson.* Copular.

quirie s.m. →**kirie.**

quirite s.m. En la antigua Roma, ciudadano que pertenecía al orden ecuestre que era inmediatamente inferior al senatorial. □ ETIMOL. Del latín *quirites.*

quirófano s.m. En un hospital o en una clínica, sala acondicionada para realizar operaciones de cirugía. □ ETIMOL. De *quirúrgico* y *diáfano,* porque las salas de operaciones están provistas de cristales que permiten observar la marcha de la intervención.

quiromancia (tb. *quiromancía*) s.f. Adivinación a través de la interpretación de las rayas de la mano. □ ETIMOL. Del griego *kheiromanteía,* y este de *khéir* (mano) y *mantéia* (adivinación).

quiromántico, ca ▮ adj. **1** De la quiromancia o relacionado con esta adivinación. ▮ s. **2** Persona especializada en quiromancia.

quiromasaje s.m. Masaje que se efectúa únicamente mediante las manos. □ ETIMOL. Del griego *khéir* (mano) y *masaje.*

quiromasajista s.com. Persona que se dedica profesionalmente a dar masajes con las manos.

quiropráctica s.f. Véase **quiropráctico, ca.**

quiropráctico, ca ▮ s. **1** Persona que cura enfermedades óseas valiéndose de las manos. ▮ s.f. **2** Tratamiento curativo de enfermedades óseas o musculares mediante el uso de las manos. □ SINÓN. *quiropraxia.*

quiropraxia s.f. →**quiropráctica.**

quiróptero ▮ adj./s.m. **1** Referido a un mamífero, que se caracteriza por tener dos alas formadas por una delgada membrana que le permiten volar: *El murciélago es un quiróptero.* ▮ s.m.pl. **2** En zoología, orden de estos mamíferos: *Las especies que pertenecen a los quirópteros tienen hábitos crepusculares o nocturnos.* □ ETIMOL. Del griego *khéir* (mano) y *-ptero* (ala).

quirquincho s.m. **1** En zonas del español meridional, armadillo. **2** Instrumento de cuerda hecho con el caparazón de este armadillo.

quirúrgico, ca adj. De la cirugía o relacionado con esta parte de la medicina. □ ETIMOL. Del latín *chirurgicus,* y este del griego *kheirurgikós.*

quisicosa s.f. *col.* Enigma o acertijo difíciles de adivinar.

quisque (tb. *quisqui*) s.m. *col.* Individuo: *Que cada quisque se solucione la vida como pueda.* □ ETIMOL. Del latín *quisque* (cada uno). □ SINT. Se usa solo en las expresiones *cada quisque* y *todo quisque.*

quisquémetl s.m. Prenda de vestir mexicana que consiste en una especie de manta con una abertura en el centro para meter la cabeza. □ ETIMOL. Del náhuatl *quexquemitl.*

quisqui s.m. *col.* →**quisque.** □ SINT. Se usa solo en las expresiones *cada quisqui* y *todo quisqui.*

quisquilla ▮ adj.inv. **1** De color rosa claro. ▮ s.f. **2** Crustáceo marino comestible que tiene el abdomen extendido en forma de cola, cinco pares de patas y las antenas muy largas. □ SINÓN. *camarón.* □ ETIMOL. Del latín *quisquilla* (menudencia). □ MORF. En la acepción 2, es un sustantivo epiceno: *la quisquilla {macho/hembra}.*

quisquilloso, sa adj./s. **1** Que se ofende fácilmente. **2** Que se fija en pequeñeces o en cosas sin importancia.

quiste s.m. Bolsa membranosa que se puede desarrollar en distintas partes del cuerpo y que contiene generalmente líquidos o materias alteradas. ☐ ETIMOL. Del griego *kýstis* (vejiga).

quístico, ca adj. Del quiste o relacionado con él.

quisto, ta *ant.* part. irreg. de **querer**. ☐ SINT. Se usa más en las expresiones *bien quisto, mal quisto*: *Era bien quisto de todos.*

quita s.f. En derecho, cancelación de una deuda que hace el acreedor al deudor. ☐ SINÓN. *quitación.* ☐ ETIMOL. De *quitar.*

quitación s.f. →**quita.**

quitaesmalte s.m. Sustancia líquida, compuesta de acetona, que sirve para quitar el esmalte de las uñas.

quitafuegos (pl. *quitafuegos*) s.m. Rejilla que se pone delante de la chimenea para evitar que salten chispas.

quitagrapas (pl. *quitagrapas*) s.m. Utensilio que sirve para quitar grapas.

quitaipón (tb. *quita y pon*) || **de quitaipón; 1** *col.* Referido esp. a un juego de dos prendas de vestir, que se tiene para quitarse una cuando está sucia y ponerse la otra: *Estos dos uniformes son de quitaipón, y cuando lavo uno, me pongo el otro.* **2** Para poner y quitar: *La capucha de la cazadora es de quitaipón, y está sujeta con botones.*

quitamanchas (pl. *quitamanchas*) s.m. Producto que sirve para quitar las manchas.

quitamiedos (pl. *quitamiedos*) s.m. Lo que se pone en lugares elevados o peligrosos para proteger o dar seguridad al que pasa por ellos: *El coche no cayó por el precipicio gracias a que el quitamiedos de la curva lo paró.*

quitanieves (pl. *quitanieves*) s.f. Máquina que se usa para quitar la nieve de los caminos.

quitanza s.f. Pago o liquidación, esp. de una cuenta o de una deuda. ☐ SINÓN. *finiquito.*

quitapenas (pl. *quitapenas*) s.m. *col.* Licor.

quitar ▌v. **1** Referido a un objeto, tomarlo separándolo de otros o del lugar en el que estaba: *Tengo que quitar las malas hierbas del jardín.* **2** Referido a algo ajeno, tomarlo o cogerlo en contra de la voluntad de su dueño: *Me han quitado el monedero sin que yo me enterara.* **3** Referido a algo que se posee o se disfruta, despojar de ello o dejar sin ello: *Los disgustos me quitan el hambre. Se quitó la vida de un disparo.* **4** Suprimir, eliminar o hacer desaparecer: *Este detergente quita muy bien las manchas. No consigo quitarme de la cabeza la imagen del accidente.* **5** Ser un obstáculo o un impedimento: *Que hoy no me apetezca ir al cine no quita para que mañana sí vaya.* **6** *col.* Prohibir o vedar: *El médico me ha quitado el tabaco y el alcohol.* ▌prnl. **7** Irse, apartarse o separarse de un lugar: *Quítate de ahí, que molestas.* **8** Dejar de hacer algo o apartarse de ello: *Se ha quitado de fumar y está muy nerviosa.* **9** || **de quita y pon;** →**quitaipón.** || **quitar de {en medio/encima};** referido a algo peligroso o desagradable, librar de ello: *No sé cómo quitarme de encima este problema.* ☐ ETIMOL. Quizá del latín *quietare* (apaciguar). ☐ SEM. En imperativo, en la lengua coloquial, se usa mucho para indicar rechazo o desaprobación: *¡Quita, hombre, no digas más tonterías!*

quitasol s.m. Especie de paraguas que se usa para protegerse del sol. ☐ SINÓN. *parasol, sombrilla.*

quitasueño s.m. *col.* Lo que desvela o causa preocupación.

quite s.m. **1** En tauromaquia, suerte que ejecuta un torero para librar a otra persona de una embestida del toro: *Gracias al quite que hizo el matador con el capote, el toro no cogió a uno de sus subalternos.* **2** || **estar al quite;** estar preparado para ayudar a alguien: *Estate al quite y silba si ves que viene alguien.* || **{ir/salir} al quite;** acudir rápidamente en ayuda de alguien: *El abogado salió al quite para defender a su cliente.*

quitina s.f. Hidrato de carbono nitrogenado que se encuentra en el esqueleto externo de los artrópodos y de algunos hongos. ☐ ETIMOL. Del griego *khitón* (túnica).

quitinoso, sa adj. Que tiene quitina.

quito, ta adj. Libre o exento. ☐ ETIMOL. Del latín medieval *quitus.*

quiúbole interj. *col.* En zonas del español meridional, expresión que se usa para saludar o para preguntar algo llamando la atención: *Quiúbole, ¿cómo estás?*

quivi s.m. →**kiwi.**

quizá (tb. *quizás*) adv. Indica duda o posibilidad: *Quizá vaya al cine esta tarde.* ☐ ETIMOL. Del latín *qui sapit* (quién sabe).

quizás adv. →**quizá.**

quórum s.m. **1** En una reunión, número de individuos necesario para que se pueda llegar a un acuerdo o tomar una decisión: *No se pudo tomar ninguna decisión por falta de quórum.* **2** Proporción de votos favorables necesaria para que haya acuerdo: *El quórum para nombrar presidente exige que la mitad más uno de los votos emitidos sean favorables.* ☐ ETIMOL. Del latín *quorum* (de quién es). ☐ PRON. [cuórum]. ☐ USO Se usan los plurales *quórums* y *quórum.*

R r

r s.f. Decimonovena letra del abecedario. □ PRON. 1. La grafía *r* en posición inicial de palabra o a continuación de *n, l, s* y la grafía *rr* entre vocales representan el sonido alveolar vibrante múltiple sonoro: *rosa, enredo, jarra.* 2. La grafía *r* entre vocales, a final de sílaba o combinada con otras consonantes, representa el sonido alveolar vibrante simple sonoro: *cara, mar, arte, brazo, cruje, precio, grasa.* □ ORTOGR. La grafía *rr* es indivisible a final de línea; incorr. **bar-ran-co > ba-rran-co.*

raba s.f. **1** En algunas regiones, calamar frito. **2** || **echar la raba;** *col.* Vomitar. □ ETIMOL. De origen incierto.

rabada s.f. Cuarto trasero de las reses después de matarlas para el consumo. □ ETIMOL. De *rabo.*

rabadán s.m. Pastor principal que está al mando de una cabaña entera de ganado. □ ETIMOL. Del árabe *rabb ad-da'n* (el dueño de los carneros).

rabadilla s.f. **1** Extremo de la columna vertebral formado por la última pieza del hueso sacro y el coxis. **2** En las aves, parte móvil y final de la columna vertebral, sobre la que están las plumas de la cola. **3** En una res, carne para el consumo, correspondiente a la zona de las ancas entre la tapa y el lomo. □ ETIMOL. De *rabada* (cuarto trasero de las reses).

rabal s.m. →**arrabal.**

rabanal s.m. Terreno plantado de rábanos.

rabanero, ra adj./s. *col.* Que es considerado ordinario, vulgar y desvergonzado: *modales rabaneros.*

rabanillo s.m. Planta herbácea de hojas ásperas y con lóbulos desigualmente dentados, flores blancas o amarillas con venas casi negras, y raíz con forma de huso de color blanco rojizo.

rábano s.m. **1** Planta herbácea de tallo velludo, hojas grandes y ásperas, flores blancas, amarillas o púrpuras en racimos terminales y raíz carnosa, redondeada o con forma de huso, de color blanco, rojo, amarillento o negro y de sabor picante. **2** Raíz de esta planta. **3** || **{coger/tomar} el rábano por las hojas;** *col.* Equivocarse totalmente en la interpretación o la ejecución de algo. || **un rábano; 1** *col.* Muy poco o nada: *Me importa un rábano que te quedes o te vayas.* **2** *col.* Expresión que se usa para indicar negación o rechazo: *¡Y un rábano, yo no quiero eso!* □ ETIMOL. Del latín *raphanus.*

rabdomancia s.f. Búsqueda de objetos ocultos mediante varas, péndulos u objetos semejantes que se emplean como detectores: *Recurrieron a la rabdomancia para buscar un pozo de agua en aquellas tierras.* □ ETIMOL. Del griego *rhábdos* (varilla) y *-mancia* (adivinación).

rabear v. Referido a un animal, mover el rabo de un lado a otro: *Mi perro rabea cuando está contento.*

rabel s.m. Antiguo instrumento musical de cuerda y arco, parecido al laúd pero más pequeño y con tres o cuatro cuerdas. □ ETIMOL. Del árabe *rabab* (especie de viola).

rabelero, ra s. Músico que toca el rabel.

rabeo s.m. Movimiento del rabo de un animal de un lado a otro.

rabera s.f. En algunas herramientas, parte en la que se inserta el mango. □ ETIMOL. De *rabo.*

rabí (pl. *rabíes, rabís*) s.m. →**rabino.** □ ETIMOL. Del hebreo *rabbí* (mi señor, mi maestro).

rabia s.f. **1** Enfermedad infecciosa producida por un virus, que padecen algunos animales y que se transmite a las personas o a otros animales por mordedura. □ SINÓN. *hidrofobia.* **2** Ira, enojo o enfado muy grandes: *Me da mucha rabia llegar tarde.* **3** Sentimiento de antipatía o de mala voluntad: *Dice que suspende matemáticas porque la profesora le tiene rabia.* **4** || **con rabia;** referido esp. a una cualidad negativa, en exceso: *Cuando te enfadas te pones feo con rabia.* □ ETIMOL. Del latín *rabies.*

rabiar v. **1** Mostrar de forma colérica la impaciencia o el enfado que se sienten: *No hagas rabiar al niño y dale el muñeco. Rabio de dolor, pero ya no puedo tomar más calmantes.* **2** Referido a un deseo, querer conseguirlo con vehemencia: *Rabio por tener una casa con jardín y la conseguiré.* **3** *col.* Seguido de una cualidad, tenerla en gran cantidad o en exceso: *Rabia de felicidad.* **4** || **a rabiar;** *col.* Mucho o en exceso: *Le gusta el chocolate a rabiar.* □ ORTOGR. La *i* nunca lleva tilde. □ SINT. Constr. de la acepción 2: *rabiar* POR *algo.*

rabiatar v. Referido a un animal, atarlo por el rabo: *Ese niño es un gamberro y rabiata a todos los perros que ve.*

rábico, ca adj. De la enfermedad de la rabia o relacionado con ella.

rabicorto, ta adj. Referido a un animal, que tiene el rabo corto.

rábida s.f. Antiguamente, fortaleza militar y religiosa musulmana edificada en la frontera con los reinos cristianos. □ ETIMOL. Del árabe *rabita* (ermita, convento de monjes guerreros).

rabieta s.f. *col.* Enfado grande pero que dura poco y que generalmente está motivado por una tontería.

rabihorcado s.m. Ave palmípeda de cola ahorquillada, de plumaje negro en el cuerpo, pardo en la cabeza y en el cuello y blanquecino en el pecho, de pico fuerte, largo y curvo en la punta, y que anida en las costas. □ ETIMOL. De *rabo* y *horcado* (en forma de horca). □ MORF. Es un sustantivo epiceno: *el rabihorcado {macho/hembra}.*

rabilargo, ga ▌ adj. **1** Referido a un animal, que tiene el rabo largo. ▌ s.m. **2** Pájaro de plumaje negro brillante en la cabeza, azul claro en las alas y la cola y leonado en el resto del cuerpo. □ MORF. En la acepción 2, es un sustantivo epiceno: *el rabilargo {macho/hembra}.*

rabillo s.m. **1** En una planta, pedúnculo que sostiene la hoja o el fruto. ☐ SINÓN. *rabo.* **2** Prolongación alargada en forma de rabo: *Su bigote acababa en dos finos rabillos.* **3** || **mirar con el rabillo del ojo;** *col.* Mirar de lado y con disimulo.

rabínico, ca adj. De los rabinos, de su lengua, de su doctrina o relacionado con ellos.

rabino s.m. Maestro hebreo que interpreta el libro sagrado. ☐ SINÓN. *rabí.* ☐ ETIMOL. De *rabí.*

rabión s.m. En un río, corriente violenta o impetuosa debida al estrechamiento y la inclinación del cauce. ☐ SINÓN. *rápido.* ☐ ETIMOL. Del latín *rapidus.*

rabioso, sa ▮ adj. **1** Airado, colérico o muy enfadado. **2** Grande, total o absoluto: *Tengo una noticia de rabiosa actualidad.* ▮ adj./s. **3** Que padece la enfermedad de la rabia: *un perro rabioso.*

rabisalsero, ra adj. *col. desp.* Referido a una persona, que actúa con descaro y desenvoltura.

rabiza s.f. **1** En la caña de pescar, punta donde se ata el sedal. **2** Cuerda o cabo corto y delgado, unido por un extremo a un objeto para facilitar su manejo o su sujeción: *Los marineros sujetaron los salvavidas a la borda con rabizas.* **3** *col. desp.* Prostituta.

rabo s.m. **1** En algunos animales, extremidad posterior del cuerpo y de la columna vertebral: *¿Has probado alguna vez la sopa de rabo de toro?* ☐ SINÓN. *cola.* **2** Lo que cuelga de forma parecida a la cola de un animal: *La 'a' minúscula es una 'o' con un rabo a la derecha.* **3** En una planta, pedúnculo que sostiene la hoja o el fruto: *Me gustan tanto las manzanas que me como hasta el rabo.* ☐ SINÓN. *rabillo.* **4** *vulg.* →**pene.** **5** || **con el rabo entre las piernas;** *col.* Abochornado o con vergüenza: *Llegó muy altivo, pero se fue con el rabo entre las piernas.* || **rabo de gato;** Planta de color grisáceo que se cría en matorrales, y que se usa como desinfectante y cicatrizante. ☐ SINÓN. *zahareña.* ☐ ETIMOL. Del latín *rapum* (nabo), porque el follaje del tubérculo se comparó con la cola de los animales. ☐ MORF. Cuando se antepone a una palabra para formar compuestos, adopta la forma *rabi-*: *rabilargo.*

rabón, -a ▮ adj. **1** Referido a un animal, que tiene el rabo más corto de lo normal o que no lo tiene. ▮ s.f. **2** En fútbol, jugada que consiste en golpear el balón cruzando la pierna por detrás de la otra pierna.

rabona s.f. Véase **rabón, -a.**

rabotada s.f. *col.* Expresión insolente e injuriosa que se acompaña de gestos groseros.

rabudo, da adj. Que tiene el rabo grande.

rábula s.com. Abogado ignorante y charlatán. ☐ ETIMOL. Del latín *rabula.*

racanear v. **1** *col.* Actuar como un avaro: *No andes racaneando e invítanos a algo, so tacaño.* **2** *col.* Trabajar lo menos posible: *Si vienes a clase a racanear, mejor quédate en casa.*

racaneo s.f. *col.* →**racanería.**

racanería s.m. **1** *col.* Tacañería o tendencia a dar la menor cantidad de dinero posible. ☐ SINÓN. *racaneo.* **2** *col.* Holgazanería o vagancia en el trabajo. ☐ SINÓN. *racaneo.*

rácano, na adj./s. **1** *col.* Avaro. **2** *col.* Vago, holgazán o poco trabajador.

racha s.f. **1** Breve período de tiempo de buena o de mala suerte. **2** Golpe o ráfaga de viento. **3** || **en racha;** con suerte favorable: *estar en racha.* ☐ ETIMOL. De origen incierto.

racheado, da adj. Referido al viento, que sopla a rachas o a ráfagas.

rachear v. Referido al viento, soplar a rachas o a ráfagas: *Cuando el viento es fuerte y rachea mucho, es peligroso conducir en motocicleta.*

racial adj.inv. De la raza o relacionado con ella.

racimar ▮ v. **1** Recoger los racimos caídos después de vendimiar: *Cuando acaben de vendimiar, iremos a racimar en las viñas.* ▮ prnl. **2** Formar racimo: *Después de que las uvas se racimen, empezarán a madurar.*

racimo s.m. **1** Conjunto de uvas unidas a un eje común, que a su vez va unido al tallo de la vid. **2** Lo que tiene esta disposición: *Adornó la puerta con un racimo de bolas de Navidad.* **3** En botánica, inflorescencia formada por un eje de cuyos lados salen flores unidas a un pedúnculo. ☐ ETIMOL. Del latín *racemus.*

racinguista adj.inv./s.com. De cualquier equipo deportivo en cuyo nombre figure la palabra *rácing*, o relacionado con él. ☐ ETIMOL. Del inglés *racing* (carrera a pie).

raciocinar v. Utilizar la razón para conocer y juzgar.

raciocinio s.m. **1** Facultad de usar la razón para conocer y juzgar. **2** Razonamiento o idea pensados por una persona. ☐ ETIMOL. Del latín *ratiocinium.*

ración s.f. **1** Cantidad de comida que corresponde a una persona o a un animal: *Compré una tarta de seis raciones.* **2** Cantidad de comida que se sirve en determinados establecimientos, como bares y cafeterías: *Camarero, póngame una ración de calamares.* **3** *col.* Cantidad suficiente de algo: *Hoy ya he hecho mi ración de ejercicio.* **4** || **de ración;** referido al pescado, que es de pequeño tamaño, justo para que coma una persona: *En esta piscifactoría se crían doradas y lubinas de ración.* ☐ ETIMOL. Del latín *ratio* (medida, proporción).

racional ▮ adj.inv. **1** De la razón o relacionado con ella: *La actividad racional distingue a personas y animales.* **2** Conforme a la razón: *Hay que tomar medidas racionales y no abusivas para acabar con la delincuencia.* ▮ adj.inv./s.com. **3** Dotado de razón: *Las personas somos animales racionales.* ☐ ETIMOL. Del latín *rationalis.*

racionalidad s.f. **1** Lógica o conformidad con la razón: *No encuentro la racionalidad de tu argumento, porque carece de lógica.* **2** Existencia o posesión de razón: *La racionalidad es condición del ser humano.*

racionalismo s.m. **1** Sistema filosófico que considera la razón como única fuente de conocimiento. **2** Tendencia a dar primacía a la razón sobre otras capacidades humanas como el sentimiento, la emoción o la intuición.

racionalista ▮ adj.inv. **1** Del racionalismo o relacionado con él. ▮ adj.inv./s.com. **2** Que sigue o que defiende el racionalismo.

racionalización s.f. **1** Reducción a normas o conceptos racionales: *la racionalización de las emociones.* **2** Organización del trabajo o de la producción de forma que aumenten los rendimientos o se reduzcan los costos con el mínimo esfuerzo: *la racionalización del trabajo.*

racionalizar v. **1** Reducir a normas o a conceptos racionales: *Si racionalizas todas tus emociones, acabarás con problemas afectivos.* **2** Referido esp. al trabajo o a la producción, organizarlos de forma que aumenten los rendimientos o se reduzcan los costos con el mínimo esfuerzo: *Hay que racionalizar el trabajo para que el esfuerzo sea menor.* □ ORTOGR. La *z* se cambia en *c* delante de *e* →CAZAR. □ SEM. Dist. de *racionar* (distribuir algo de forma controlada).

racionamiento s.m. **1** Reparto o distribución controlados y racionales de algo que escasea. **2** Control o limitación del consumo de algo para evitar consecuencias negativas.

racionar v. **1** Referido a algo que escasea, repartirlo o distribuirlo de forma ordenada y racional: *La sequía está durando mucho y han empezado a racionar el agua.* **2** Referido esp. al consumo de algo, controlarlo o limitarlo para evitar consecuencias negativas: *Para evitar engordar, racionaré el consumo de pasteles.* □ SEM. Dist. de *racionalizar* (reducir a normas o conceptos racionales).

racismo s.m. **1** Tendencia o actitud de desprecio y rechazo hacia individuos de sociedades y culturas distintas a la propia. **2** Doctrina que sostiene que la composición genética de los distintos grupos étnicos determina las principales diferencias culturales manifestadas por diferentes grupos de personas.

racista ▮ adj.inv. **1** Del racismo o relacionado con él. ▮ adj.inv./s.com. **2** Que sigue o que defiende el racismo.

rack (ing.) s.m. →**mueble rack.**

raclette (fr.) s.f. **1** Comida de origen suizo que se prepara con un queso especial que se funde justo antes de comerlo y que se combina con patatas asadas y embutido. **2** Aparato en el que se funde el queso de esta comida. □ PRON. [raclét].

racor s.m. **1** Tubo delgado y flexible, generalmente con una rosca en sentido inverso en cada extremo, que sirve para comunicar una cosa con otra: *Para inflar la rueda de la bicicleta, utilizaremos el racor.* □ SINÓN. *latiguillo.* **2** En una película cinematográfica, coherencia entre las imágenes de una misma escena o de escenas consecutivas en el tiempo: *En esa escena no hay racor, porque el vaso de la protagonista unas veces está vacío y otras, lleno.* □ ETIMOL. Del francés *raccord.* □ PRON. Se usa mucho la pronunciación galicista [rácor].

racquet ball (ing.) s.m. ‖ Deporte parecido al tenis, que se juega contra un frontón. □ PRON. [ráket bol].

rada s.f. Bahía o ensenada donde las embarcaciones pueden estar ancladas y protegidas de los vientos. □ ETIMOL. Del francés *rade.*

radar s.m. **1** Sistema que permite descubrir la presencia, la posición y la trayectoria de un objeto que no se ve, mediante la emisión de ondas electromagnéticas que se reflejan en el objeto y vuelven al punto de partida. **2** Aparato detector que utiliza este sistema. □ ETIMOL. Es el acrónimo del inglés *Radio Detection and Ranging* (detección y situación por radio). □ PRON. Incorr. *[rádar].

radarista s.com. Especialista en el funcionamiento, conservación y reparación de los aparatos de radar.

radiación s.f. **1** Emisión y propagación de luz, de calor o de otro tipo de energía: *En los países mediterráneos hay más horas de radiación solar que en los países nórdicos.* □ SINÓN. *irradiación.* **2** Sometimiento o exposición a la acción de alguno de estos tipos de emisión: *En medicina se utiliza la radiación con fines curativos.* **3** Transmisión, difusión o propagación de algo, esp. de sentimientos o de pensamientos: *Actualmente Estados Unidos es el centro principal de radiación cultural.* □ SINÓN. *irradiación.* **4** En física, energía que se propaga en el espacio: *radiación nuclear.* □ ETIMOL. Del latín *radiatio.*

radiactividad (tb. *radioactividad*) s.f. Propiedad de algunos elementos cuyos átomos se desintegran espontáneamente.

radiactivo, va (tb. *radioactivo*) adj. De la radiactividad, con radiactividad o relacionado con ella.

radiado, da adj. **1** Dispuesto como los radios de una circunferencia, partiendo del centro. □ SINÓN. *radial.* **2** Con sus partes interiores o exteriores situadas alrededor de un eje central: *Las estrellas de mar son animales radiados.*

radiador s.m. **1** Aparato de calefacción formado por tubos o placas huecos por los que circula un líquido caliente. **2** Aparato de calefacción, generalmente eléctrico. **3** En algunos motores de explosión, aparato de refrigeración formado por tubos huecos por los que circula agua fría.

radial adj.inv. **1** →**radiado.** **2** Del radio geométrico o relacionado con él. **3** En zonas del español meridional, que se emite por radio.

radián s.m. En el Sistema Internacional, unidad de ángulo plano que equivale al ángulo comprendido entre dos radios de un círculo que interceptan un arco de longitud igual a la del radio. □ ETIMOL. Del inglés *radian.* □ ORTOGR. Su símbolo es *rad*, por tanto, se escribe sin punto.

radiante adj.inv. **1** Muy brillante o resplandeciente. **2** Que siente y manifiesta alegría y gozo grandes. □ ETIMOL. Del latín *radians*, y este de *radiare* (centellear).

radiar v. **1** Transmitir o difundir por medio de la radio: *No televisan ese partido, pero lo radiarán.* **2** Referido a una lesión o a un cuerpo lesionado, tratarlos con rayos X o con otro tipo de radiación: *Radiaron el tumor para destruirlo.* **3** En física, referido a una radiación, producirla o emitirla: *Algunos materiales* *radian una energía que puede ser peligrosa.* ☐ ETIMOL. Del latín *radiare.* ☐ ORTOGR. La *i* nunca lleva tilde.

radicación s.f. Situación o localización en determinado lugar. ☐ ORTOGR. Dist. de *erradicación.*

radical ▮ adj.inv. **1** De la raíz o relacionado con ella: *En la palabra 'perro', el elemento radical es 'perr'.* **2** Fundamental, completo y total: *Con esta medicina, el enfermo mostrará una mejoría radical.* **3** Tajante, inflexible, intransigente o que no admite términos medios: *Es una persona radical en sus opiniones sobre la droga.* **4** En botánica, referido a una parte de una planta, que nace inmediatamente de la raíz. ▮ adj.inv./s.com. **5** Partidario o defensor del radicalismo. ▮ s.m. **6** En gramática, parte del significante que es común a varios vocablos de una misma familia: *'Sopa' y 'sopera' tienen el mismo radical.* **7** En matemáticas, signo gráfico formado por una especie de 'V' con que se indica la raíz: $\sqrt{}$ *es el símbolo del radical.* **8** En química, agrupamiento de átomos que interviene como una unidad en un compuesto químico y pasa sin alterarse de unas combinaciones a otras. **9** ‖ **radical libre;** parte de una molécula que tiene uno o más electrones sin estar unidos, y que es muy reactiva. ☐ ETIMOL. Del latín *radicalis*, y este de *radix* (raíz).

radicalismo s.m. **1** Conjunto de ideas que pretenden reformar de forma tajante algún aspecto de la vida social o todos ellos. **2** Falta de tolerancia o actitud inflexible, intransigente y que no admite términos medios.

radicalización s.f. Transformación en algo más radical, inflexible o intolerante.

radicalizar v. Volver más radical, inflexible, extremo o intolerante: *Sindicatos y patronal han radicalizado sus posturas y es imposible alcanzar un acuerdo. Ese partido ha perdido militantes porque se ha radicalizado mucho.* ☐ ORTOGR. La *z* se cambia en *c* delante de *e* →CAZAR.

radicando s.m. En matemáticas, cantidad o expresión de las que se extrae una raíz: *En la raíz cuadrada de 25, el radicando es 25.*

radicar v. **1** Estribar o estar basado: *La clave del asunto radica en encontrar el dinero necesario para financiarnos.* ☐ SINÓN. *consistir.* **2** Estar o encontrarse: *Esa empresa radica en Vigo.* ☐ ETIMOL. Del latín *radicare.* ☐ ORTOGR. 1. Dist. de *erradicar.* 2. La *c* se cambia en *qu* delante de *e* →SACAR. ☐ SINT. Constr. *radicar EN algo.*

radícula s.f. En botánica, en el embrión de una planta, yema pequeña que originará la raíz. ☐ ETIMOL. Del latín *radiculi* (raicita).

radicular adj.inv. De la raíz o relacionado con ella: *una endodoncia radicular.*

radiestesia s.f. Sensibilidad especial para captar determinadas radiaciones, que se utiliza para descubrir manantiales, vetas metalíferas y otras cosas semejantes que están ocultas. ☐ ETIMOL. De *radio-* (radiación) y el griego *áisthesis* (sensibilidad).

radiestesista s.com. Persona que utiliza la radiestesia para captar ciertas radiaciones.

radio ▮ s.m. **1** En un círculo, línea recta que sale de su centro y llega a un punto cualquiera de la circunferencia: *El radio de un círculo es la mitad del diámetro.* **2** Espacio o distancia determinada por una línea de este tipo: *La policía registró la zona en un radio de diez kilómetros.* **3** En algunas ruedas, cada una de las varillas que unen el eje con la llanta: *Me di un golpe con la bicicleta y se han doblado dos radios de la rueda.* **4** En el antebrazo, hueso más corto y fino de los dos que lo forman: *Se rompió el radio y se astilló el cúbito cerca de la muñeca.* **5** Elemento químico, metálico y sólido, de número atómico 88, y radiactivo: *El radio se usa en medicina.* ▮ s.f. **6** Utilización de ondas hertzianas para transmitir algo: *El radar es un sistema de detección por radio.* **7** Emisión destinada al público que se realiza por medio de ondas hertzianas: *Aquí no se capta ninguna emisora de radio porque hay una montaña muy cerca.* **8** Conjunto de procedimientos o instalaciones destinados a este tipo de emisión: *Todos los barcos llevan radio.* **9** Medio de comunicación que hace este tipo de emisiones: *La radio es un medio de comunicación rápido y directo.* **10** Aparato que recibe estas emisiones y las reproduce en señales o sonidos: *¿Tienes radio en el coche?* **11** ‖ **radio despertador;** la que además lleva incorporada un reloj despertador. ‖ **radio macuto;** *col.* Divulgación popular de rumores o noticias sin confirmar: *Sé la noticia por radio macuto, así que no hagas mucho caso.* ☐ ETIMOL. Las acepciones 1-4, del latín *radius* (varita, rayo). La acepción 5, de *radium* (nombre dado por sus descubridores). ☐ ORTOGR. En la acepción 5, su símbolo químico es *Ra.* ☐ MORF. 1. En las acepciones 7, 8 y 9, es la forma abreviada y usual de *radiodifusión.* 2. En la acepción 10, es la forma abreviada y usual de *radiorreceptor.* 3. En la acepción 10, en zonas del español meridional, se usa como masculino.

radio- **1** Elemento compositivo prefijo que significa 'radiación' o 'radiactividad': *radioterapia, radiodiagnóstico, radiología.* **2** Elemento compositivo prefijo que indica relación con la radiodifusión: *radiofrecuencia, radiotelégrafo, radiotaxi, radionovela.*

radioactividad s.f. →**radiactividad.**

radioactivo, va adj. →**radiactivo.**

radioaficionado, da s. Persona legalmente autorizada para emitir y recibir mensajes radiados privados, usando bandas de frecuencia jurídicamente establecidas. ☐ ETIMOL. De *radio-* (radio) y *aficionado.*

radioastronomía s.f. Parte de la astronomía que estudia la radiación de los cuerpos celestes en el ámbito de las radiofrecuencias. ☐ ETIMOL. De *radio-* (radiación) y *astronomía.*

radiobaliza s.f. Instalación que señala la posición o situación de algo enviando información por medio de señales radioeléctricas. ☐ ETIMOL. De *radio-* (radio) y *baliza.*

radiocasete s.m. Aparato electrónico formado por una radio y un casete. ☐ ETIMOL. De *radio-* (radio) y *casete*. □ USO En la lengua coloquial, se usa mucho la forma abreviada *casete*.

radiocomunicación s.f. Sistema de comunicación a larga distancia por medio de ondas de radio. □ ETIMOL. De *radio-* (radio) y *comunicación*.

radiodespertador s.m. Transistor que tiene incorporado un reloj con alarma: *Por las mañanas me despierto con la música de la radio de mi radiodespertador*. □ ETIMOL. De *radio-* (radio) y *despertador*.

radiodiagnóstico s.m. Diagnóstico realizado por medio de rayos X u otras técnicas radiológicas. □ ETIMOL. De *radio-* (radiación) y *diagnóstico*.

radiodifundir v. Emitir o difundir a través de la radio.

radiodifusión s.f. →**radio.**

radioelectricidad s.f. **1** Producción, propagación y recepción de las ondas hertzianas. **2** Parte de la física que estudia estos fenómenos. □ ETIMOL. De *radio-* (radio) y *electricidad*.

radioeléctrico, ca adj. De la radioelectricidad o relacionado con ella: *Las ondas radioeléctricas necesitan un medio, como la atmósfera, para propagarse.*

radioelectrónica s.f. Electrónica basada en las ondas hertzianas.

radioescucha s.com. Persona que escucha las emisiones radiotelefónicas y radiotelegráficas. □ ETIMOL. De *radio-* (radio) y *escucha*. □ ORTOGR. Incorr. **radio escucha*.

radiofaro s.m. Aparato productor de ondas hertzianas que sirve para orientar a los aviones o a los barcos por medio de la emisión de determinadas señales. □ ETIMOL. De *radio-* (radio) y *faro*.

radiofonía s.f. Sistema de comunicación telefónica por medio de ondas electromagnéticas. □ SINÓN. *radiotelefonía*.

radiofónico, ca adj. **1** De la comunicación por medio de ondas hertzianas o relacionado con ella: *una emisora radiofónica*. **2** Que se difunde por medio de ondas hertzianas: *una retransmisión radiofónica*.

radiofonista s.com. →**radiotelefonista.**

radiofrecuencia s.f. Cada una de las frecuencias de las ondas electromagnéticas empleadas en la radiocomunicación. □ ETIMOL. De *radio-* (radio) y *frecuencia*.

radiofuente s.f. En astronomía, objeto que emite parte de su radiación en el espectro de las radiofrecuencias.

radiografía s.f. **1** Técnica o procedimiento de hacer fotografías por medio de rayos X. **2** Fotografía obtenida por este procedimiento. □ ETIMOL. De *radio-* (radiación) y *-grafía* (representación).

radiografiar v. Hacer una radiografía o fotografía por medio de los rayos X: *La traumatóloga mandó que radiografiaran el brazo del paciente para ver si había fractura*. □ ORTOGR. La *i* final de la raíz lleva tilde en los presentes, excepto en las personas *nosotros* y *vosotros* →GUIAR.

radiográfico, ca adj. De la radiografía o relacionado con ella.

radiograma s.m. →**radiotelegrama.**

radioisótopo s.m. Isótopo radiactivo.

radiolario ▮ adj./s.m. **1** Referido a un protozoo marino, que se caracteriza por tener un esqueleto formado por agujas silíceas y por vivir en solitario o formando colonias: *Los esqueletos de los protozoos radiolarios forman sedimentos silíceos.* ▮ s.m.pl. **2** En zoología, orden de estos protozoos: *Las especies que pertenecen a los radiolarios forman parte del plancton marino.* □ ETIMOL. Del latín *radiolus*, y este de *radius* (radio), por la disposición de los pedúnculos de estos animales.

radiología s.f. Parte de la medicina que estudia las radiaciones, esp. los rayos X, en su aplicación al diagnóstico y al tratamiento de las enfermedades. □ ETIMOL. De *radio-* (radiación) y *-logía* (ciencia, estudio).

radiológico, ca adj. De la radiología o relacionado con ella.

radiólogo, ga s. Médico especializado en radiología.

radiometría s.f. Técnica o procedimiento médicos para determinar con medios radiológicos las dimensiones de estructuras y órganos del cuerpo. □ ETIMOL. De *radio-* (radiación) y *-metría* (medición).

radiómetro s.m. Aparato que se utiliza para medir la intensidad de una radiación. □ ETIMOL. De *radio-* (radiación) y *-metro* (medidor).

radionecrosis (pl. *radionecrosis*) s.f. Necrosis que se produce en un tejido debido al exceso de radiaciones. □ ETIMOL. De *radio-* (radiación) y *necrosis*.

radionovela s.f. Obra radiofónica que se transmite en emisiones sucesivas. □ ETIMOL. De *radio-* (radio) y *novela*.

radiopatrulla s.m. Vehículo de policía que dispone de un sistema de radiocomunicación. □ SINT. Se usa en aposición, pospuesto a un sustantivo: *un coche radiopatrulla*.

radiorreceptor s.m. →**radio.**

radioscopia s.f. En medicina, examen del interior del cuerpo humano o de una parte de él, por medio de la imagen que proyectan los rayos X en una pantalla al atravesarlos. □ ETIMOL. De *radio-* (radiación) y *-scopia* (exploración).

radioscópico, ca adj. De la radioscopia o relacionado con este examen médico.

radiosonda s.f. Instrumento transportado por un globo y conectado a una pequeña emisora de radio, que transmite a la superficie terrestre información sobre las condiciones meteorológicas de la atmósfera. □ ETIMOL. De *radio-* (radio) y *sonda*.

radiotaxi s.m. En un taxi, aparato receptor y emisor de radio conectado con una central que comunica al taxista los servicios solicitados por los clientes. □ ETIMOL. De *radio-* (radio) y *taxi*.

radiotecnia s.f. Técnica que se ocupa de la telecomunicación por radio y de la construcción, manejo y reparación de aparatos receptores o emisores de radio. □ ETIMOL. De *radio-* (radio) y el griego *tékhne* (arte, industria).

radiotécnico, ca ▌ adj. **1** De la radiotecnia o relacionado con ella. ▌ s. **2** Persona especializada en radiotecnia.

radiotelecomunicación s.f. Conjunto de sistemas, de técnicas y de procedimientos de comunicación a larga distancia por medio de ondas electromagnéticas.

radiotelefonía s.f. Sistema de comunicación telefónica por medio de ondas electromagnéticas. □ SINÓN. *radiofonía.*

radiotelefónico, ca adj. De la radiotelefonía o relacionado con ella.

radiotelefonista s.com. Persona que trabaja en el servicio de instalaciones de radiotelefonía. □ SINÓN. *radiofonista.*

radioteléfono s.m. Teléfono sin hilos, en el que la comunicación se establece por medio de las ondas electromagnéticas.

radiotelegrafía s.f. Sistema de comunicación telegráfica por medio de las ondas hertzianas. □ ETIMOL. De *radio-* (radio) y *telegrafía.*

radiotelegráfico, ca adj. De la radiotelegrafía o relacionado con ella: *un mensaje radiotelegráfico.*

radiotelegrafista s.com. Persona que se dedica profesionalmente a la instalación, conservación y manejo de aparatos de radiocomunicación.

radiotelégrafo s.m. Aparato que sirve para transmitir y recibir señales telegráficas por medio de ondas hertzianas.

radiotelegrama s.m. Telegrama transmitido por radio. □ SINÓN. *radiograma.* □ ETIMOL. De *radio-* (radio) y *telegrama.*

radiotelescopio s.m. Instrumento empleado para detectar las señales emitidas por los astros en el campo de la radiofrecuencia.

radiotelevisión s.m. **1** Transmisión de sonidos y de imágenes a distancia por medio de ondas electromagnéticas. **2** Organismo que engloba servicios de radio y de televisión. □ ETIMOL. De *radio-* (radio) y *televisión.*

radioterapeuta s.com. Persona especializada en radioterapia.

radioterapéutico, ca adj. De la radioterapia o relacionado con este tratamiento de enfermedades mediante la utilización de rayos X u otro tipo de radiaciones.

radioterapia s.f. Tratamiento de enfermedades mediante la utilización de rayos X u otro tipo de radiaciones. □ ETIMOL. De *radio-* (radiación) y *-terapia* (curación).

radiotoxicidad s.f. Toxicidad de origen radiactivo.

radiotransmisor s.m. Aparato empleado en comunicaciones que sirve para producir y enviar las ondas portadoras de señales. □ ETIMOL. De *radio-* (radio) y *transmisor.*

radioyente s.com. Persona que oye lo que se transmite por radio. □ ETIMOL. De *radio-* (radio) y *oyente.*

radón s.m. Elemento químico, no metálico, gaseoso y artificial, de número atómico 86, radiactivo, pesado, incoloro e inodoro: *El radón es un gas noble.* □ ETIMOL. De *radio* (metal). □ ORTOGR. Su símbolo químico es *Rn.*

rádula s.f. En algunos moluscos, órgano en forma de lima que tienen en la boca y que sirve para desmenuzar los alimentos. □ ETIMOL. Del latín *radula* (rallador).

raedera s.f. **1** Aparato que sirve para raer. **2** Tabla semicircular en la que se rae el yeso amasado.

raedura ▌ s.f. **1** Raspado de una superficie con un instrumento áspero o cortante, o desgaste causado por el uso. ▌ pl. **2** Partículas o restos menudos que se desprenden al raer.

raeliano, na ▌ adj. **1** De Rael (nombre por el que se conoce al periodista francés Claude Vorilhona, nacido a mediados del siglo XX), de sus doctrinas, o relacionado con ellos: *el movimiento raeliano.* ▌ adj./s. **2** Partidario o seguidor de estas doctrinas: *Los raelianos sostienen que los seres humanos fueron creados genéticamente por unos extraterrestres.*

raer v. Referido a una superficie, rasparla con un instrumento áspero o cortante, o gastarla por el uso: *Llevas muy largos los pantalones y les has raído el bajo.* □ ETIMOL. Del latín *radere* (afeitar, pulir, raspar). □ MORF. Irreg. →RAER.

ráfaga s.f. **1** Golpe de viento fuerte, repentino y corto. **2** Golpe de luz breve e instantáneo. **3** Conjunto de proyectiles que dispara en sucesión rapidísima un arma automática. □ ETIMOL. De origen incierto.

rafia s.f. Material textil que se obtiene de un tipo de palmera y que resulta resistente y muy flexible. □ ETIMOL. Voz de Madagascar. □ ORTOGR. Dist. de *razia.*

rafting (ing.) s.m. Deporte que consiste en descender por los rápidos de los ríos con una balsa neumática. □ PRON. [ráftin].

ragga s.m. *col.* →**raggamufin.**

raggamuffin s.m. Estilo musical de origen jamaicano, con ritmo simple y repetitivo, en el que la letra de las canciones se recita en su mayor parte. □ MORF. En la lengua coloquial se usa mucho la forma abreviada *ragga.*

raglán adj. →**manga raglán.** □ ETIMOL. Por alusión a lord Raglan, almirante de la armada inglesa en Crimea que vestía un gabán con este tipo de manga. □ SEM. Es sinónimo de *ranglan.*

ragtime (ing.) (tb. *rag-time*) s.m. Género musical caracterizado por un ritmo sincopado, que surgió a finales del siglo XIX en la música negra norteamericana y que se popularizó a comienzos del XX. □ PRON. [rágtaim].

ragú (pl. *ragúes, ragús*) s.m. Guiso de carne cortada en trozos pequeños y acompañada de patatas y verduras. □ ETIMOL. Del francés *ragoût.*

rahez adj.inv. Despreciable, vil o indigno. □ ETIMOL. Del árabe *rajis* (de bajo precio). □ ORTOGR. Dist. de *jaez.*

rai (tb. *raï*) s.m. Estilo musical de origen argelino que fusiona la canción árabe tradicional con ritmos modernos y letras contestatarias.

raid (ing.) s.m. **1** Competición deportiva en la que los participantes han de recorrer largas distancias para medir su resistencia. **2** Incursión o expedición militar rápidas contra el enemigo, realizadas con el propósito de causarle daño u obtener información, y generalmente ejecutadas por aviones de guerra. ☐ PRON. [ráid]. ☐ USO En la acepción 2, su uso es innecesario y puede sustituirse por *ataque* o *incursión*.

raído, da adj. Referido a una tela, muy gastada por el uso, aunque no rota.

raigambre s.f. **1** Arraigo, base o fundamento que hacen firme y estable algo: *Los encierros de toros son una costumbre de raigambre en muchos pueblos españoles.* **2** Origen, raíz o procedencia que ligan a un lugar: *Pertenece a una familia de raigambre montañesa.*

raigón s.m. Raíz de un diente.

raigrás s.m. →**ray-grass.**

raíl s.m. **1** Carril de las vías férreas. **2** Carril o guía sobre los que se desplaza algo: *Las puertas correderas se mueven sobre raíles.* ☐ ETIMOL. Del inglés *rail.*

rais s.m. **1** Presidente egipcio. **2** Líder o caudillo del pueblo palestino.

raíz s.f. **1** En una planta, parte que le sirve de sostén y tiene la función de absorber las materias necesarias para su crecimiento y desarrollo, crece en dirección contraria al tallo y carece de hojas. **2** Causa u origen de algo: *La envidia y el egoísmo son la raíz de muchos problemas.* **3** Base de algo o parte de ello que queda oculta y de la cual procede lo que se manifiesta o se ve: *Esta crema se aplica en la raíz de las uñas para fortalecerlas.* **4** En lingüística, elemento base e irreductible, común a todos los representantes de una familia de palabras: *La raíz de 'gato' es 'gat-'.* **5** En los dientes de algunos vertebrados, parte que está dentro de los huecos de las mandíbulas: *La dentista me dijo que tenía una infección en la raíz de la muela.* **6** En matemáticas, cantidad que hay que multiplicar por sí misma una o más veces para obtener un número determinado: *5 es la raíz cuadrada de 25.* **7** Origen o procedencia. **8** ‖ **a raíz de** algo; a causa de ello: *A raíz de aquel golpe no volvió a encontrarse bien del todo.* ‖ **de raíz;** desde el principio o completamente: *Para acabar con el problema de la droga hay que atajarlo de raíz.* ‖ **echar raíces; 1** Fijarse o establecerse en un lugar: *Al principio no me gustaba la ciudad, pero he echado raíces y ya no me iré.* **2** Arraigarse o hacerse firme o estable: *Algunas costumbres de los conquistadores echaron raíces entre la población conquistada.* ‖ **raíz cuadrada;** cantidad que se ha de multiplicar por sí misma una vez para obtener un número determinado: *2 es la raíz cuadrada de 4.* ‖ **raíz cúbica;** cantidad que se ha de multiplicar por sí misma dos veces para obtener un número determinado: *2 es la raíz cúbica de 8.* ☐ ETIMOL. Del latín *radix.*

raja s.f. **1** Hendidura, abertura o corte. **2** Pedazo de una fruta o de otro alimento que se corta a lo largo o a lo ancho: *una raja de melón.* ☐ ORTOGR. Dist. de *rajá.*

rajá (pl. *rajás*) s.m. Soberano de la India (país del sur asiático). ☐ ETIMOL. Del francés *rajah.* ☐ ORTOGR. Dist. de *raja.*

rajadura s.f. En zonas del español meridional, grieta.

rajar ▌v. **1** Abrir, partir o separar en partes o en rajas: *Raja la sandía para probarla. Se cayó la jarra de plástico y se rajó.* **2** *col.* Hablar mucho o de forma indiscreta: *Fui a su casa a tomar café y estuvimos toda la tarde rajando.* **3** *col.* Herir con arma blanca: *Un ladrón me amenazó con rajarme si no le daba el dinero.* **4** *col.* En zonas del español meridional, acusar o desacreditar: *No le platiques lo que hiciste porque siempre raja.* ▌prnl. **5** *col.* Echarse atrás o dejar de hacer algo en el último momento: *Iba a venir de viaje con nosotros, pero al final se rajó y nos dejó colgados.* ☐ ETIMOL. De origen incierto. ☐ ORTOGR. Conserva la *j* en toda la conjugación. ☐ SEM. En la acepción 1, dist. de *rasgar* (desgarrar mediante la fuerza y sin ayuda de ningún instrumento).

rajatabla ‖ **a rajatabla;** *col.* Rigurosamente, sin contemplaciones o sin reparar en riesgos: *Todo saldrá bien si seguís mis instrucciones a rajatabla.* ☐ ORTOGR. Se admite también *a raja tabla.*

rajón, -a adj./s. *col.* En zonas del español meridional, que no cumple lo pactado.

ralea s.f. *desp.* Clase, género o condición: *No me gusta que vayas con gente de su ralea.* ☐ ETIMOL. De origen incierto.

ralear v. Hacerse ralo al perder la densidad, solidez o espesura que antes se tenía: *A partir de este punto, el bosque ralea y empieza a haber menos árboles.*

ralentí (pl. *ralentíes, ralentís*) s.m. **1** Número de revoluciones por minuto al que debe funcionar un motor de explosión cuando no está acelerado: *Cuando paras el coche en un semáforo, se queda al ralentí.* **2** En cine, cámara lenta. ☐ ETIMOL. Del francés *ralenti.* ☐ USO La acepción 1 se usa más en la expresión *al ralentí.*

ralentización s.f. Disminución de la velocidad de algo, esp. de una acción o de un proceso.

ralentizar v. Referido esp. a una acción o a un proceso, imprimirles lentitud o disminuir su velocidad: *Esta tecla permite ralentizar la imagen de la pantalla para observar los detalles con mayor claridad.* ☐ SINÓN. *lentificar, enlentecer.* ☐ ORTOGR. La *z* se cambia en *c* delante de *e* →CAZAR.

rallador s.m. Utensilio de cocina formado generalmente por una chapa metálica curvada, con agujeritos de borde saliente, que sirve para rallar o desmenuzar alimentos.

ralladura s.f. Conjunto de trozos pequeños en que queda lo que se ha rallado: *ralladura de limón.*

rallar v. **1** Referido esp. a un alimento, desmenuzarlo raspándolo con el rallador: *Rallé un poco de pan* *para empanar los filetes.* **2** *col.* Molestar y fastidiar con pesadez: *Vete de aquí y no me ralles más.* **3** *col.* Bloquear o atorar: *Después de tantas horas de trabajo, estoy rallado.* □ ETIMOL. De *rallo* (rallador). □ ORTOGR. Dist. de *rayar*.

rallo s.m. Utensilio que sirve para rallar.

rally (ing.) (pl. *rallies*) s.m. Competición automovilística en la que los participantes han de llegar al lugar indicado en un tiempo determinado y tras superar varias pruebas. □ PRON. [ráli].

ralo, la adj. Con componentes, partes o elementos más separados de lo normal: *barba rala.* □ ETIMOL. Del latín *rarus* (poco numeroso, poco frecuente).

RAM s.f. →**memoria RAM.**

rama s.f. **1** En una planta, cada una de las partes que nacen del tronco o tallo principal y en las que brotan generalmente hojas, flores y frutos. **2** Serie de personas que tienen su origen en el mismo tronco: *Mi hija se casó con un López de la rama de Valladolid.* **3** Parte secundaria que nace o se deriva de otra principal: *Pertenezco a la rama más conservadora del partido.* **4** Cada una de las partes en que se divide una disciplina o un campo del saber: *Lingüística y literatura son dos ramas de filología.* **5** || **{andarse/irse} por las ramas;** *col.* Detenerse en lo menos importante de un asunto, dejando olvidado o aparte lo más importante: *Deja de irte por las ramas y cuenta lo que nos interesa.* || **en rama;** referido a algunas materias, que se encuentran en un estado natural o sin elaborar: *canela en rama.* □ ETIMOL. Del latín *rama*.

ramada s.f. En zonas del español meridional, caseta de feria.

ramadán s.m. Noveno mes del calendario musulmán. □ ETIMOL. Del árabe *ramadan* (mes del ayuno).

ramaje s.m. Conjunto de ramas de una planta, esp. de un árbol.

ramal s.m. Vía que arranca de la línea o camino principales.

ramalazo s.m. **1** *col.* Acción repentina y no premeditada: *Cuando le da el ramalazo, se va a la sierra y no aparece en un mes.* **2** *col.* Afeminamiento o amaneramiento. **3** *col.* Golpe súbito y repentino de una emoción o de un dolor: *En un ramalazo de ira tiró el libro a la basura.*

rambla s.f. Calle ancha y con árboles, generalmente con un arcén central. □ ETIMOL. Del árabe *ramla* (arenal).

rambután s.m. Fruta comestible de origen oriental, con la piel de color rojo y cubierta de pelos.

ramera s.f. *col. desp.* Prostituta. □ ETIMOL. De *ramo*, porque las prostitutas ponían un ramo en su puerta para fingir que tenían una taberna.

ramificación s.f. **1** División en ramas o extensión y propagación: *La ramificación de esa ideología dio lugar a diversos partidos.* **2** Consecuencia de un hecho o de un acontecimiento: *En la Edad Media, las epidemias y el hambre eran ramificaciones de la sequía.* **3** Cada una de las partes en que se ramifica algo: *En esa lámina, podemos ver las ramificaciones de las arterias.*

ramificarse v.prnl. Dividirse o separarse en ramas: *Las arterias y las venas de nuestro cuerpo se ramifican para llegar a todos los órganos.* □ ETIMOL. Del latín *ramus* (rama) y *facere* (hacer). □ ORTOGR. La *c* se cambia en *qu* delante de *e* →SACAR.

ramillete s.m. **1** Ramo pequeño de flores o de hierbas. **2** Colección o grupo de cosas exquisitas, selectas o útiles: *Publicó en una revista un ramillete de sus mejores poemas.*

ramio s.m. **1** Planta de tallos largos y ramosos, hojas alternas, dentadas y puntiagudas de color verde oscuro por la haz y con pelusa por el envés, y flores verdes: *El ramio es propio de las Indias Orientales y tiene diversos usos.* **2** Fibra textil que se extrae de esta planta: *Con el ramio se hacen tejidos muy frescos.* **3** Tejido o tela hechos con esta fibra: *El ramio se arruga bastante.* □ ETIMOL. Del malayo *rami*.

ramirense adj.inv. De cualquiera de los reyes de Asturias y León (antiguos reinos españoles) que se llamaron Ramiro, o relacionado con ellos.

ramo s.m. **1** Conjunto o manojo de flores, ramas o hierbas. **2** Rama cortada del árbol. **3** Cada una de las partes en que se divide una ciencia, una industria o una actividad: *Los albañiles trabajan en el ramo de la construcción.* □ ETIMOL. Del latín *ramus* (rama).

ramón s.m. Conjunto de ramas podadas o cortadas de algunos árboles.

ramonear v. **1** Referido a un árbol, cortarle las puntas de las ramas: *El jardinero ramoneaba los árboles para que las ramas no se hicieran demasiado largas.* **2** Referido al ganado, comer las hojas tiernas de los árboles: *Las cabras ramonearon las hojas que habíamos cortado de los frutales.* □ SINÓN. *ahojar.* □ ETIMOL. De *ramón*.

ramoneo s.m. Hecho de comer las hojas tiernas de los árboles.

ramoso, sa adj. Con muchas ramas.

rampa s.f. Plano o terreno inclinado por el que se sube o se baja de un lugar a otro. □ ETIMOL. Del francés *rampe*.

rampante adj.inv. **1** Referido a un animal, esp. a un león, que está con la zarpa abierta y con las garras tendidas como para agarrar o asir algo. **2** En arquitectura, referido esp. a un arco, que tiene sus puntos de arranque a distinta altura. □ ETIMOL. Del francés *rampant*, y este del germánico *rampa* (garra).

rampla s.f. En zonas del español meridional, remolque de un camión.

ramplón, -a adj. *col.* Vulgar, excesivamente simple o de poca calidad y mérito. □ ETIMOL. De origen incierto.

ramplonería s.f. **1** Vulgaridad, simpleza o falta de calidad y de mérito. **2** Hecho o dicho vulgares o excesivamente simples.

rana s.f. **1** Anfibio de cabeza grande y ojos saltones, con las extremidades posteriores muy desarrolladas para saltar o nadar y la piel brillante, suave y generalmente verde. **2** Juego que consiste en introducir, desde determinada distancia, un objeto pequeño por la boca abierta de una figura que representa a este animal. **3** Prenda de vestir de bebé de una sola pieza y que deja las piernas al descubierto. **4** || **cuando las ranas críen pelo;** *col.* Nunca: *Es tan tacaño que te invitará cuando las ranas críen pelo.* || **salir rana;** *col.* Defraudar o resultar lo contrario de lo que se esperaba: *Confié en él, pero me salió rana y me engañó en cuanto pudo.* □ ETIMOL. Del latín *rana.* □ MORF. En la acepción 1, es un sustantivo epiceno: *la rana {macho/hembra}.*

ranchera s.f. Véase **ranchero, ra**.

ranchero, ra ▮ s. **1** Persona que vive o trabaja en un rancho. ▮ s.f. **2** Composición musical de carácter popular y tono alegre, típica de algunos países hispanoamericanos. **3** *col.* Coche que tiene la parte del maletero adaptada para que puedan viajar personas o para llevar una carga voluminosa: *Como somos muchos en casa, estuvimos dudando entre comprarnos una furgoneta o una ranchera.*

rancho s.m. **1** Comida que se hace para muchas personas, y que generalmente consta de un solo guiso. **2** Granja en la que se crían caballos y otros cuadrúpedos, propia de algunos países americanos. □ ETIMOL. De *rancharse* o *ranchearse* (alojarse).

ranciarse v.prnl. Ponerse rancio: *El queso se ranció porque no lo guardé en el lugar adecuado.* □ ORTOGR. La *i* nunca lleva tilde.

ranciedad s.f. **1** Sabor y olor más fuertes de lo habitual que adquieren el vino y algunos alimentos grasientos con el paso del tiempo. **2** Antigüedad o apego a las cosas antiguas.

rancio, cia adj. **1** Referido a un alimento, que ha adquirido un sabor y un olor más fuertes con el paso del tiempo. **2** Muy antiguo o muy apegado a lo antiguo: *Procede de una familia de rancio abolengo.* **3** Referido a una persona, antipática o de carácter seco. □ ETIMOL. Del latín *rancidus.*

rand (pl. *rands*) s.m. Unidad monetaria sudafricana. □ ETIMOL. Del afrikáans *rand* (límite) por acortamiento de *Witwatersrand.*

randa ▮ s.m. **1** *col.* Granuja o ladrón, esp. el que comete robos pequeños. ▮ s.f. **2** Adorno de encaje que se utiliza para vestidos, sábanas y otras prendas de ropa. **3** Encaje de bolillos.

ranero, ra ▮ adj. **1** Abundante en ranas: *una charca ranera.* ▮ s. **2** Persona que pesca ranas. ▮ s.m. **3** Terreno húmedo en el que abundan las ranas.

ranger (ing.) s.com. Soldado de un cuerpo de élite de las fuerzas militares estadounidenses. □ PRON. [rányer].

ranglan adj. →**manga ranglan.** □ SEM. Es sinónimo de *raglán.*

rango s.m. Categoría de una persona según su situación profesional o social. □ ETIMOL. Del francés *rang.*

ranilla s.f. En el casco de los équidos, parte blanda y flexible, de forma triangular, que se encuentra entre los talones y que se localiza en la cara que está en contacto con el suelo.

ranking (ing.) s.m. →**lista.** □ PRON. [ránkin].

ranquear v. *col.* Subir en un ranking: *Después del último combate, ese boxeador ha ranqueado.* □ ETIMOL. Del inglés *ranking.* □ USO Su uso es innecesario.

ránula s.f. En medicina, abultamiento blando que se forma debajo de la lengua por acumulación de líquido. □ ETIMOL. Del latín *ranula* (ranita).

ranunculáceo, a ▮ adj./s.f. **1** Referido a una planta, que es herbácea, con hojas generalmente simples y enteras, flores de colores brillantes y fruto seco o carnoso: *La peonía es una ranunculácea.* ▮ s.f.pl. **2** En botánica, familia de estas plantas, perteneciente a la clase de las dicotiledóneas: *Algunas de las especies de las ranunculáceas son acuáticas y por lo general, tóxicas.* □ ETIMOL. Del latín *ranunculus* (ranita).

ranura s.f. Hendidura estrecha en la superficie de un cuerpo sólido: *la ranura de una hucha.* □ ETIMOL. Del francés *rainure.*

rap (ing.) s.m. **1** Música de tono monótono y ritmo marcado, en la que la letra de las canciones se recita en su mayor parte. **2** Baile que se ejecuta al compás de esta música.

rapabarbas (pl. *rapabarbas*) s.m. *col. desp.* Barbero.

rapacería s.f. **1** Robo o hurto. **2** →**rapacidad. 3** →**rapazada.**

rapacidad s.f. Inclinación al robo y a la rapiña. □ SINÓN. *rapacería.*

rapado, da s. →**cabeza rapada.**

rapador, -a adj./s. **1** Que rapa. **2** *col.* Barbero.

rapadura s.f. **1** Corte de pelo, de forma que quede muy corto. **2** Afeitado de la barba.

rapapolvo s.m. *col.* Reprimenda o regañina fuertes.

rapar v. **1** *col.* Referido al pelo, cortarlo dejándolo muy corto: *El peluquero me ha rapado las melenas y ahora parezco un cepillo. Voy a la peluquería a raparme, porque en verano el pelo me da mucho calor.* **2** Referido a la barba, afeitarla: *Va al barbero para que le rape la barba.* □ ETIMOL. Del germánico *rapon.*

rapaz ▮ adj.inv./s.f. **1** Referido a un ave, que se caracteriza por ser carnívora y tener el pico y las uñas muy fuertes, encorvados y puntiagudos: *El águila es un ave rapaz.* ▮ s.f.pl. **2** En zoología, grupo de estas aves: *Las aves que pertenecen a las rapaces pueden ser diurnas, como el águila, o nocturnas, como la lechuza.* □ ETIMOL. Del latín *rapax.*

rapaz, -a s. *col.* Muchacho de corta edad. □ ETIMOL. Del latín *rapax.*

rapazada s.f. Hecho propio de un rapaz o de un muchacho de corta edad. □ SINÓN. *rapacería.*

rape s.m. **1** Pez marino comestible, de color pardo, que tiene el cuerpo aplanado, la boca muy grande y con dientes y el primer radio de su aleta dorsal prolongado en forma de antena. **2** *col.* Corte de pelo. **3** || **al rape;** referido al pelo, muy corto. □ ETIMOL. La acepción 1, del catalán *rap.* La acepción 2, de *rapar.* □ ORTOGR. Dist. de *rapé.* □ MORF. En la acepción 1, es un sustantivo epiceno: *el rape {macho/hembra}*.

rapé s.m. Tabaco en polvo que se aspira por la nariz. □ ETIMOL. Del francés *râpé* (tabaco raspado). □ ORTOGR. Dist. de *rape*.

rapear v. Cantar o hacer rap: *Ese cantante rapea muy rápido*.

rápel (tb. *rapel, rappel*) s.m. En alpinismo, técnica de descenso rápido en la que el alpinista se desliza por una cuerda y se impulsa con los pies.

rapelar v. Descender una pendiente con una cuerda, impulsándose con los pies: *Estuvimos rapelando toda la tarde en el barranco*.

rapero, ra s. Persona que canta o baila rap. □ USO Es innecesario el uso del anglicismo *rapper*.

rapidez s.f. Velocidad con la que ocurre un suceso o se ejecuta una acción.

rápido, da ▌adj. **1** Que se mueve, se hace o sucede a gran velocidad o en poco tiempo: *Las liebres son muy rápidas. Te haré una rápida visita*. **2** Que se hace de forma superficial o sin profundizar: *Eché un rápido vistazo al documento antes de firmarlo*. ▌s.m. **3** En un río, corriente violenta o impetuosa debida al estrechamiento y la inclinación del cauce: *En esta zona del río no es recomendable navegar, porque hay varios rápidos*. □ SINÓN. *rabión*. **4** →**tren rápido.** □ ETIMOL. Del latín *rapidus* (arrebatado). □ SINT. *Rápido* se usa también como adverbio de modo: *Comes demasiado rápido*.

rapiña s.f. Robo o saqueo violentos. □ ETIMOL. Del latín *rapina*, y este de *rapere* (arrebatar, raptar).

rapiñar v. *col.* Hurtar o robar: *Alguien entró en casa durante la noche y rapiñó todo lo que pudo*.

raposería s.f. *desp.* Astucia y mañas habilidosas.

raposo, sa s. Mamífero de pelaje espeso y color pardo o rojizo, que tiene el morro alargado, las orejas puntiagudas y la cola larga y espesa con la punta blanca. □ SINÓN. *zorro*. □ ETIMOL. De *rabo*, porque los rabos de las raposas son gruesos y muy característicos. □ MORF. El femenino es el término genérico, y sirve para designar indistintamente al macho y a la hembra.

rappel (fr.) s.m. **1** →**rápel. 2** En economía, descuento que hace una empresa a sus compradores regulares o a aquellos que realizan un gran volumen de compras. □ PRON. [rápel]. □ USO En la acepción 2, su uso es innecesario y puede sustituirse por *retorno*.

rapper (ing.) s.com. →**rapero.** □ PRON. [ráper].

rapport (fr.) s.m. →**informe.** □ PRON. [rapór].

rapsoda s.com. **1** Persona que se dedica a recitar versos. **2** *poét.* Poeta. □ ETIMOL. Del griego *rhapsoidós* (el que junta o ajusta poemas).

rapsodia s.f. Pieza musical compuesta por fragmentos de otras obras o basada en melodías folclóricas o nacionales: *Son famosas las 'Rapsodias húngaras' de Liszt, basadas en melodías gitanas húngaras y compuestas para piano*. □ ETIMOL. Del griego *rhapsoidia*.

raptar v. Referido a una persona, llevársela a la fuerza o mediante engaño y retenerla en contra de su voluntad: *El príncipe raptó a la princesa y se la llevó a su castillo*. □ SEM. Dist. de *secuestrar* (con la intención de pedir un rescate).

rapto s.m. **1** Secuestro o retención de una persona contra su voluntad. **2** Pérdida del entendimiento debido a un sentimiento o a una emoción muy intensos: *un rapto de ira*. □ ETIMOL. Del latín *raptus*.

raptor, -a s. Persona que rapta a otra mediante engaños o por la fuerza.

raqueta s.f. **1** Instrumento formado por una especie de aro con cuerdas cruzadas entre sí y con mango, que se usa en algunos juegos para golpear la pelota. **2** Juego en el que se utiliza este instrumento. **3** Objeto similar a este instrumento que se pone en los pies para andar por la nieve. **4** En una carretera u otra vía, isleta lateral, generalmente semicircular, que se debe rodear para cambiar de dirección. □ ETIMOL. Del francés *raquette*.

raquetazo s.m. Golpe dado con una raqueta.

raquídeo, a adj. Del raquis o relacionado con esta parte del esqueleto.

raquis (pl. *raquis*) s.m. **1** Columna vertebral. **2** Eje de una pluma de ave. □ ETIMOL. Del griego *rhákhis* (espina dorsal).

raquítico, ca ▌adj. **1** *col.* Referido a una persona, que está débil y muy delgada. **2** *col.* Muy pequeño o escaso: *un sueldo raquítico*. ▌adj./s. **3** Que padece raquitismo.

raquitismo s.m. Enfermedad crónica infantil, que se produce por una mala alimentación o por alteraciones en el metabolismo del calcio, y que se caracteriza por la debilidad y las deformaciones óseas.

rara avis (lat.) s.amb. ‖ Lo que se considera una excepción dentro de la regla: *Si realmente no te preocupa la opinión de los demás, eres una rara avis*.

rarámuri ▌adj.inv./s.com. **1** De un pueblo amerindio que habita en la zona de Chihuahua (Estado mexicano), o relacionado con él. □ SINÓN. *tarahumara*. ▌s.m. **2** Lengua hablada por este pueblo: *El rarámuri es una lengua hablada por los tarahumara*. □ SINÓN. *tarahumara*.

rarefacción s.f. Enrarecimiento o disminución de la densidad de un cuerpo gaseoso. □ ETIMOL. Del latín *rarefactum*, y este de *rarefacere* (enrarecer).

rareza s.f. **1** Singularidad o carácter extraño y poco común: *Yo creo que las obras de arte moderno son más valiosas cuanto mayor es su rareza*. **2** Lo que resulta raro: *El brujo tenía su laboratorio lleno de rarezas*. **3** Hecho o dicho propios de una persona rara: *Solo tu madre es capaz de soportar tus rarezas*.

rarificar v. Referido a un cuerpo gaseoso, enrarecerlo o hacerlo menos denso: *La atmósfera se rarifica con algunos gases que emiten las industrias*. □ ORTOGR. La *c* se cambia en *qu* delante de *e* →SACAR.

raro, ra adj. **1** Extraño, poco común o poco frecuente: *Es raro que llueva en esta época del año*. **2** Escaso en su clase o en su especie: *En el zoo hay uno de los raros ejemplares de esta especie animal* *en peligro de extinción.* ☐ SINÓN. *contado.* ☐ ETIMOL. Del latín *rarus* (poco numeroso, poco frecuente).

ras s.m. **1** Igualdad en la superficie o en la altura de las cosas: *Si superas el ras de la bañera al llenarla, se saldrá el agua.* **2** || **a ras de** algo; casi a su mismo nivel: *Cortó el césped a ras de tierra.* ☐ ETIMOL. De *rasar*.

rasante ▌ adj.inv. **1** Que está muy cerca de una superficie, esp. del suelo: *En la playa, un avión en vuelo rasante tiró balones hinchables.* ▌ s.f. **2** En una calle o en un camino, línea que indica su inclinación o su paralelismo respecto a la horizontal: *En los cambios de rasante no se debe adelantar porque no hay visibilidad.*

rasar v. Referido a un recipiente lleno hasta el borde, igualar su contenido con algún instrumento: *Rasa bien las cucharadas de azúcar para que el postre no quede demasiado dulce.* ☐ ETIMOL. De *raso*.

rasca ▌ adj.inv. **1** *col.* En zonas del español meridional, ordinario o vulgar. ▌ s.f. **2** *col.* Frío muy intenso. **3** *col.* En zonas del español meridional, borrachera.

rascacielos (pl. *rascacielos*) s.m. Edificio de gran altura y de muchos pisos. ☐ ETIMOL. Traducción del inglés *skyscraper*.

rascacio s.m. Pez marino comestible, de color rojizo, cabeza gruesa y con una sola aleta dorsal con espinas. ☐ SINÓN. *escorpina.* ☐ MORF. Es un sustantivo epiceno: *el rascacio {macho/hembra}*.

rascador s.m. Utensilio que sirve para rascar.

rascadura s.f. Frotamiento que se hace con algo agudo o áspero.

rascar v. **1** Frotar fuertemente con algo agudo o áspero: *Me rasco los granos porque me pican.* **2** *col.* Referido a un instrumento musical de cuerda, tocarlo mal, haciéndole emitir un sonido desagradable: *Deja de rascar el violín, que me da dolor de cabeza.* **3** *col.* Producir una sensación de aspereza al rozar la piel: *Esta toalla rasca porque no le he puesto suavizante.* **4** *col.* Referido a un vino o a un licor, raspar o resultar ásperos al beberlos: *No me gustan los vinos peleones porque rascan.* ☐ ETIMOL. Del latín **rasicare*. ☐ ORTOGR. La *c* se cambia en *qu* delante de *e* →SACAR.

rasear v. En fútbol, referido al balón, impulsarlo de forma que vaya a ras de suelo: *El jugador raseó el balón y metió un gol.*

rasera s.f. Paleta de metal, generalmente con varios agujeros, que se suele usar en la cocina para dar la vuelta a los fritos.

rasero || **por el mismo rasero;** referido a la forma de juzgar algo, con total igualdad. ☐ ETIMOL. Del latín *rasorium*.

rasgado, da adj. Referido a los ojos o a la boca, que tienen una forma más alargada de lo normal.

rasgadura s.f. **1** Rotura de algo mediante el uso de la fuerza. **2** Roto o rasgón de una tela.

rasgar v. Referido a algo de poca consistencia, romperlo o hacerlo pedazos mediante la fuerza y sin ayuda de ningún instrumento: *En un ataque de ira, rasgó la carta y la tiró a la papelera.* ☐ SINÓN. *desgarrar.* ☐ ETIMOL. Del latín *resecare* (cortar, recortar). ☐ PRON. En zonas del español meridional no debe confundirse con *rajar*. ☐ ORTOGR. La *g* se cambia en *gu* delante de *e* →PAGAR. ☐ SEM. Dist. de *rajar* (hacer rajas).

rasgo s.m. **1** Línea o trazo que se hacen al escribir. **2** Facción del rostro de una persona. **3** Característica o propiedad distintivas: *rasgos de personalidad.* **4** || **a grandes rasgos;** sin pormenorizar. ☐ MORF. En la acepción 2, se usa más en plural.

rasgón s.m. Roto en un vestido o en una tela.

rasguear v. Referido a un instrumento musical, esp. a la guitarra, tocarlo rozando varias cuerdas a la vez con la punta de los dedos: *Rasgueó la guitarra para ver si estaba afinada.* ☐ ETIMOL. De *rasgar*.

rasguñar v. **1** Arañar o rascar con las uñas o con algún instrumento cortante: *Me rasguñé con las zarzas.* **2** Hacer las primeras líneas de un dibujo o hacer un apunte: *Te rasguñaré los planos de la casa para que te hagas una idea.*

rasguño s.m. Herida o corte superficiales hechos en la piel con las uñas o por un roce violento.

rash (ing.) s.m. Erupción cutánea que se caracteriza por la aparición de manchas rojizas y que se produce por reacción alérgica o por infección. ☐ PRON. [rach], con *ch* suave.

rasilla s.f. Ladrillo hueco y delgado empleado en la construcción. ☐ ETIMOL. De *raso*.

raso, sa ▌ adj. **1** Plano, liso, uniforme o sin estorbos. **2** Que carece de título o de otra característica que lo distinga: *un soldado raso.* **3** Referido esp. al cielo, despejado o sin nubes ni nieblas. **4** Referido a un recipiente, que está lleno hasta sus bordes: *una cucharada rasa.* ▌ s.m. **5** Tela de seda con brillo. **6** || **al raso;** al aire libre, sin ningún techado ni protección: *dormir al raso.* ☐ ETIMOL. Las acepciones 1-4, del latín *rasus* (afeitado). La acepción 5, quizá del antiguo *paño de Ras*, y este de *Arrás* (ciudad francesa, famosa por sus tapices).

raspa ▌ s.com. **1** Persona irritable, antipática o muy poco amable: *¡Eres un raspa!* **2** *col.* En zonas del español meridional, persona vulgar. ▌ s.f. **3** Espina del pescado, esp. la columna vertebral. **4** Baile muy movido, de moda hacia 1950.

raspado s.m. **1** Operación de rascar o lijar suavemente para eliminar la parte superficial de algo. ☐ SINÓN. *raspadura, raspamiento.* **2** Señal que queda en una superficie al rozarla con algo duro o áspero: *Al sacar el coche del aparcamiento le hice un raspado.* **3** Operación quirúrgica consistente en raspar una parte del organismo, esp. la cavidad uterina o un hueso, para limpiarlos de sustancias adheridas o para obtener muestras de estas: *Después de sufrir el aborto le hicieron un raspado para evitar infecciones.* ☐ SINÓN. *legrado.*

raspadura s.f. **1** Conjunto de los restos que quedan después de raspar una superficie. **2** →**raspado.**

raspamiento s.m. →**raspado.**

ráspano s.m. **1** Planta de hojas aserradas y alternas y flores solitarias de color blanco verdoso o rosado, cuyo fruto es redondeado y de color negruzco o azulado. □ SINÓN. *arándano, mirtilo.* **2** Fruto comestible de esta planta. □ SINÓN. *arándano, mirtilo.*

raspar v. **1** Rascar suavemente para eliminar la parte superficial: *Raspé la pintura con papel de lija.* **2** Referido a una superficie, dañarla al rozarla con algo duro: *He raspado la puerta del coche con la columna del garaje. Al caer me raspé la rodilla.* **3** Referido al vino o a otro licor, resultar ásperos al beberlos: *Este aguardiente tan fuerte raspa.* **4** Producir una sensación de aspereza en la piel: *Estas toallas raspan.* □ ETIMOL. Del germánico *raspon.*

raspilla s.f. Flor de una planta herbácea de tallos angulares con pequeñas espinas vueltas hacia abajo. □ SINÓN. *nomeolvides.*

raspón s.m. →**rasponazo.**

rasponazo s.m. Herida o marca superficiales causadas por un roce violento. □ SINÓN. *raspón.*

rasposo, sa adj. Que resulta áspero al tacto o al paladar.

rasqueta s.f. Utensilio que tiene un lado afilado y sirve para raspar o frotar diversas superficies: *Quité el hielo del cristal del coche con la rasqueta.*

rasta ▮ adj.inv./s.com. **1** →**rastafari.** ▮ s.f. **2** Trenza redondeada y gruesa en la que el cabello se endurece con aceite de coco: *He ido a la peluquería para que me hicieran unas rastas.*

rastacuero s.com. *col. desp.* Persona que ha conseguido su riqueza de forma rápida, esp. si hace ostentación de ella. □ ETIMOL. Del francés *rastaquouère.*

rastafari adj.inv./s.com. Que pertenece a un movimiento religioso y político jamaicano que preconiza la vuelta de los negros jamaicanos a África y que espera la llegada de un rey mesiánico. □ MORF. En la lengua coloquial se usa mucho la forma abreviada *rasta.*

rastra s.f. **1** Instrumento formado por un mango largo con un travesaño con púas a modo de dientes en uno de sus extremos, que sirve para recoger hierba, paja, hojas y otro tipo de elementos. □ SINÓN. *rastrillo.* **2** Instrumento formado por una reja o parrilla con púas grandes, que sirve para allanar la tierra después de arada. □ SINÓN. *grada.* **3** →**ristra. 4** Secuela, consecuencia o efecto de algo.

rastral s.m. Elemento supletorio del pedal de una bicicleta, que sirve para sujetar el pie. □ SINÓN. *calapié.*

rastras ‖ **a rastras; 1** Referido a la forma de moverse, arrastrándose. **2** De mala gana, obligado o forzado: *Me llevaron a rastras al cine, porque no me apetecía ir.*

rastreador, -a ▮ adj./s. **1** Que rastrea. ▮ s. **2** Persona que se dedica a buscar algo siguiendo un rastro.

rastrear v. Buscar siguiendo un rastro: *La policía rastrea el bosque en busca del evadido.*

rastrel (tb. *ristrel*) s.m. Listón grueso de madera.

rastreo s.m. Búsqueda de algo mediante el rastro o las señales que ha dejado: *El rastreo de datos me ha llevado más tiempo que el resto de la investigación.*

rastrero, ra adj. **1** Que va arrastrándose o pegado al suelo. **2** Bajo, malo o despreciable: *una actitud rastrera.*

rastrilladora s.f. Máquina agrícola provista de un mecanismo con grandes púas y empleada para recoger el heno o la paja segados, u otros productos similares.

rastrillar v. Referido esp. a un terreno, limpiarlo de hierba, hojas, paja o de otro tipo de cosas con el rastrillo: *En otoño hay que rastrillar los jardines frecuentemente.*

rastrillo s.m. **1** Instrumento formado por un mango largo con un travesaño con púas a modo de dientes en uno de sus extremos, que sirve para recoger hierba, paja, hojas y otro tipo de elementos. □ SINÓN. *rastra.* **2** En zonas del español meridional, maquinilla de afeitar. □ ETIMOL. Del latín *rastellum.*

rastro s.m. **1** Señal, huella o indicio dejados por algo: *El herido dejó un rastro de sangre por donde pasó.* **2** Mercado al aire libre que se celebra un determinado día de la semana, en el que se venden todo tipo de objetos usados o nuevos. **3** En zonas del español meridional, matadero. □ ETIMOL. Del latín *rastrum* (rastrillo de labrador), por la huella que dejaba.

rastrojar v. Referido a un lugar, arrancar los rastrojos que tiene: *En verano hay que rastrojar las tierras para evitar incendios.* □ ORTOGR. Conserva la *j* en toda la conjugación.

rastrojo s.m. Restos de tallos de mies que quedan en la tierra después de segar. □ ETIMOL. Del antiguo *restrojo.*

rasura s.f. Corte del pelo, esp. del de la cara, a ras de la piel. □ ETIMOL. Del latín *rasura.*

rasuradora s.f. En zonas del español meridional, máquina eléctrica de afeitar.

rasurar v. Referido a una parte del cuerpo, cortarle a ras de piel el pelo que hay en ella: *Los ciclistas se rasuran las piernas.* □ SINÓN. *afeitar.* □ ETIMOL. De *rasura* (acción de raer y de rasurar).

rata ▮ s.com. **1** *col.* Persona tacaña. **2** *col.* En zonas del español meridional, ratero o ladrón. ▮ s.f. **3** Mamífero roedor de pelaje gris oscuro, cabeza pequeña, hocico puntiagudo, orejas tiesas, cola fina, larga, escamosa y patas cortas. **4** *col.* Persona despreciable. □ ETIMOL. De origen incierto. □ MORF. En la acepción 3, es un sustantivo epiceno: *la rata {macho/hembra}.* □ SEM. En la acepción 3, dist. de *ratón* (roedor mucho más pequeño y menos dañino).

ratán s.m. **1** Planta tropical cuyos tallos son largas cañas robustas y flexibles, muy resistentes, que se emplean en la fabricación de muebles y otros objetos: *El ratán es un tipo de palma espinosa.* **2** Fibra que se extrae de sus tallos: *un cesto de ratán.*

ratear v. *col.* Actuar con tacañería: *No ratees en la comida porque hay que alimentar bien a los niños.*

ratería s.f. **1** Robo de cosas de poco valor. **2** Ruindad o tacañería.

ratero, ra s. Ladrón que roba con habilidad y cautela cosas de poco valor.

raticida s.m. Sustancia que sirve para matar ratas y ratones. ☐ SINÓN. *matarratas.* ☐ ETIMOL. De *rata* y *-cida* (que mata).

ratificación s.f. Aprobación o confirmación de actos, palabras o escritos dándolos por válidos o ciertos.

ratificar v. Referido esp. a actos, palabras o escritos, aprobarlos o confirmarlos dándolos por válidos o ciertos: *La ministra ratificó las declaraciones del día anterior ante un grupo de periodistas.* ☐ ETIMOL. Del latín *ratus* (confirmado) y *facere* (hacer). ☐ ORTOGR. La *c* se cambia en *qu* delante de *e* →SACAR. ☐ SEM. Dist. de *corroborar* (confirmar con nuevos datos) y de *rectificar* (corregir algo dicho o hecho anteriormente).

ratificatorio, ria adj. Que ratifica, aprueba o confirma.

rating (ing.) s.m. Porcentaje de personas u hogares que sintonizan un programa específico de televisión o de radio, en relación con el total de personas u hogares que tienen televisión o radio. ☐ PRON. [rátin]. ☐ USO Su uso es innecesario y puede sustituirse por *índice de audiencia.*

ratio (pl. *ratios*) s.amb. Relación que se establece entre dos cantidades o dos medidas: *En mi colegio la ratio alumno/profesor es de veintiocho a uno.* ☐ ETIMOL. Del latín *ratio.*

rato s.m. **1** Espacio de tiempo más o menos corto: *No me esperes, porque tardaré un rato en llegar.* **2** || **a ratos;** en unos momentos sí y en otros no: *Esta noche solo he dormido a ratos.* || **para rato;** para mucho tiempo. || **pasar el rato;** ocupar el tiempo, generalmente haciendo algo entretenido. || **ratos perdidos;** tiempo libre entre alguna actividad. || **un rato (largo);** *col.* Muy o mucho: *La película fue un rato divertida.* ☐ ETIMOL. Del latín *raptus* (arrebatamiento), porque el arrebatamiento normalmente dura un instante.

ratón, -a ▮ s. **1** Mamífero roedor más pequeño que la rata, de pelaje gris o blanco, muy fecundo y ágil, que vive generalmente en las casas o en el campo. ▮ s.m. **2** En un ordenador, mando separado del teclado que sirve para modificar lo que hay en la pantalla deslizándolo sobre una superficie. ☐ SEM. En la acepción 1, dist. de *rata* (roedor mucho más grande y dañino). ☐ USO En la acepción 2, es innecesario el uso del anglicismo *mouse.*

ratonera s.f. Véase **ratonero, ra.**

ratonero, ra ▮ adj. **1** De los ratones o relacionado con ellos. ☐ SINÓN. *ratonil.* ▮ s.m. **2** Ave rapaz diurna, de alas anchas, cuello corto, cola amplia y redondeada de color gris con bandas pardas, y plumaje oscuro con la parte inferior manchada de blanco. ▮ s.f. **3** Trampa para cazar ratones. **4** Madriguera o agujero donde viven ratones. **5** Trampa o engaño contra alguien: *¡Qué tonto eres, mira que caer en semejante ratonera!* **6** Casa o habitación muy pequeñas. ☐ MORF. En la acepción 2, es un sustantivo epiceno: *el ratonero {macho/hembra}.*

ratonil adj.inv. → **ratonero.**

raudal s.m. **1** Caudal abundante de agua u otro líquido, que corre violentamente. **2** Gran cantidad de algo que sale o surge de repente y con energía: *Los aficionados recibieron al árbitro con un raudal de insultos.* **3** || **a raudales;** en gran cantidad o muy abundantemente. ☐ ETIMOL. De *raudo.*

raudo, da adj. Rápido, veloz o precipitado. ☐ ETIMOL. Del latín **rapitus*, por cruce entre *raptus* (arrebatado) y *rapidus* (arrebatado).

rave (ing.) s.f. Fiesta multitudinaria, generalmente de carácter clandestino, esp. en la que hay música tecno. ☐ PRON. [réiv].

raver (ing.) s.com. Persona que acude a fiestas masivas, esp. en las que hay música tecno. ☐ PRON. [réiver].

ravioli (pl. *raviolis*) s.m. Pasta alimenticia delgada y cortada en pequeños trozos cuadrados, rellena de algún alimento muy picado. ☐ ETIMOL. Del italiano *ravioli.*

raya s.f. **1** Trazo o marca delgados y alargados: *Las rayas de las carreteras son muy importantes para la conducción nocturna.* ☐ SINÓN. *línea.* **2** Término o límite que se pone a algo, tanto físico como moral: *Cuando trates conmigo no te pases de la raya.* **3** Línea que queda en la cabeza al separar el pelo con el peine hacia lados opuestos: *Siempre me peino con raya en medio.* ☐ SINÓN. *crencha.* **4** En una prenda de vestir, esp. en un pantalón, doblez vertical que se marca al plancharla: *La raya de los pantalones divide las perneras en dos partes iguales.* **5** En ortografía, signo gráfico más largo que el guión y que se usa generalmente para separar incisos o para iniciar diálogos: *El signo — es una raya.* **6** *col.* En el lenguaje de la droga, dosis de una droga en polvo, esp. de cocaína, que se aspira por la nariz. **7** Pez marino con el cuerpo muy plano, con una cola larga y delgada, aletas dorsales pequeñas y situadas en la cola y una fila longitudinal de espinas: *La raya es un pez muy abundante en los mares españoles.* **8** En zonas del español meridional, paga o salario. **9** || **a raya;** dentro de los límites establecidos: *Tendré que ponerme seria para mantenerte a raya.* || **tres en raya;** juego que consiste en poner en línea recta tres fichas sobre un dibujo que representa un cuadrado cruzado por cuatro líneas. ☐ ETIMOL. Las acepciones 1-6 y 8, del latín *radius* (radio de carro, rayo de luz). La acepción 7, del latín *raia.* ☐ ORTOGR. Dist. de *ralla* (del verbo *rallar).* ☐ MORF. En la acepción 7, es un sustantivo epiceno: *la raya {macho/hembra}.*

rayadillo s.m. Tela de algodón con rayas.

rayado, da ▮ adj. **1** Con rayas: *papel rayado.* ▮ s.m. **2** Conjunto de rayas o líneas de una superficie.

rayano, na adj. **1** Que linda con algo: *Tengo una finca rayana con la de mis padres.* **2** Semejante o muy parecido a algo: *Vive con una humildad rayana en la miseria.*

rayar v. **1** Hacer rayas: *Los alumnos debían rayar las respuestas que considerasen incorrectas.* **2** Tachar con una o varias rayas: *De la lista, raya lo que no quieras.* **3** Referido a una superficie lisa o pulida, deteriorarla o estropearla con rayas o incisiones: *Has rayado la mesa al poner las llaves.* **4** Referido a una cosa, estar muy cerca de otra: *Tu bondad a veces raya en la tontería.* **5** Seguido de palabras como 'alba', 'sol', 'día' o 'luz', comenzar a aparecer lo que estas significan: *Salimos al rayar el alba.* □ ORTOGR. Dist. de *rallar.* □ SINT. Constr. de la acepción 4: *rayar {EN/CON} algo.*

ray-grass (ing.) (tb. *raigrás*) s.m. Césped de un terreno. □ PRON. [réi-gras].

rayista adj.inv./s.com. De la Agrupación Deportiva Rayo Vallecano (club deportivo madrileño) o relacionado con ella.

rayo s.m. **1** Chispa eléctrica producida por una descarga entre dos nubes o entre una nube y la tierra. **2** Línea de luz que procede de un cuerpo luminoso, esp. del Sol. **3** Línea que parte del punto en que se produce una forma de energía y señala la dirección en la que esta se propaga: *Los rayos ultravioletas ponen la piel morena.* **4** *col.* Persona muy lista o muy hábil para algo: *Es un rayo y lo entiende todo a la primera.* **5** *col.* Lo que es rápido y veloz: *Tengo que hacer la maleta, pero no tardaré nada porque soy un rayo.* **6** || **a rayos;** *col.* Muy mal o de una forma muy desagradable: *Aquí huele a rayos.* || **rayos gamma;** ondas electromagnéticas muy penetrantes, producidas en las transiciones nucleares o en la aniquilación de partículas. || **rayos UVA;** rayos ultravioletas. || **rayos X;** radiaciones electromagnéticas muy penetrantes que atraviesan ciertos cuerpos, producidas por la emisión de electrones internos del átomo. □ ETIMOL. Del latín *radius* (varita, radio de carro, rayo de luz). *Rayos UVA* procede del acrónimo de *Ultravioleta.* □ MORF. En la expresión *rayos UVA* se usa mucho la forma abreviada *uva.* □ SEM. La acepción 1 se aplica esp. a una chispa de gran intensidad, frente a *centella,* que se prefiere para las chispas poco intensas.

rayón s.m. Material textil que se obtiene de la celulosa y que imita a la seda: *El rayón se arruga mucho, pero se plancha fácilmente.* □ ETIMOL. Del inglés *rayon.* Extensión del nombre de una marca comercial.

rayuela s.f. Juego infantil que consiste en sacar una piedra plana de un dibujo pintado en el suelo, impulsándola con golpes dados con un pie mientras se está con el otro en el aire.

raza s.f. **1** En la clasificación de los seres vivos, categoría inferior a la de especie. **2** || **de raza;** referido a un animal, que pertenece a una raza seleccionada. □ ETIMOL. Quizá del latín *ratio* (índole, modalidad, especie). □ SEM. No debe usarse este término para clasificar distintos grupos dentro de la población humana: la tradicional clasificación de la población humana en las razas negroide, mongoloide, caucásica y cobriza estaba basada en el supuesto popular de que las diferencias externas entre cada una de ellas respondían a unos rasgos genéticos; actualmente, en cambio, al menos la mitad de la población del mundo exhibe rasgos raciales con los que no cuentan los estereotipos populares.

razia s.f. **1** Ataque o incursión rápidos e inesperados en territorio enemigo, con la finalidad de conseguir un botín. **2** Redada hecha generalmente por la policía. □ ETIMOL. Del francés *razzia.* □ ORTOGR. 1. Se usa también *razzia.* 2. Dist. de *rafia.*

razón s.f. **1** Capacidad de pensar o discurrir que permite elaborar y relacionar de forma coherente juicios, ideas y conceptos: *Las personas se distinguen de los animales por la razón.* **2** Argumento o demostración con que se intenta apoyar algo: *No entiendo las razones que me das para explicar tu mal comportamiento.* **3** Motivo o causa: *No hay razón para asustarse.* **4** Apoyo cierto o verdad en lo que se dice o se hace: *Si tú lo dices será verdad, porque siempre tienes razón.* **5** Información o conjunto de palabras con que se expresa algo: *¿Quién podría darme razón de su paradero?* **6** En matemáticas, cociente de dos números o de dos cantidades comparables entre sí: *5 es la razón de 10/2.* **7** En zonas del español meridional, recado o mensaje. **8** || **a razón de;** expresión que se usa para indicar la cantidad que corresponde a cada uno en un reparto: *Tocamos a razón de veinte euros por persona.* || **atender a razones;** escuchar los razonamientos de otro. || **dar la razón** a alguien; aceptar que está en lo cierto. || **entrar en razón;** darse cuenta de lo que es razonable. || **perder la razón;** volverse loco. || **razón de Estado;** consideración de interés superior con que se justifica la actuación del Estado para hacer algo contra la ley o el derecho: *En nombre de la razón de Estado se han cometido muchos crímenes a lo largo de la historia.* || **razón social;** nombre y firma legales de una sociedad mercantil o de una empresa. □ ETIMOL. Del latín *ratio* (razonamiento, razón).

razonable adj.inv. **1** Lógico, justo y conforme a la razón: *Tu petición es razonable y no hay inconveniente en aceptarla.* **2** Suficiente o bastante: *Me han pagado una razonable cantidad de dinero.*

razonado, da adj. Basado en razones, documentos o pruebas: *Me ha presentado una memoria razonada del desarrollo del cursillo.*

razonamiento s.m. Conjunto de pensamientos, ideas o conceptos relacionados y ordenados de forma coherente, que sirven para probar o demostrar algo.

razonar v. **1** Pensar y reflexionar, ordenando y relacionando con coherencia ideas para llegar a una conclusión consecuente con los datos de los que se parte: *Eres un insensato y no razonas.* **2** Referido a lo que se dice, dar razones que lo prueben: *No contestes con un simple 'no' porque debes razonar la respuesta.*

razzia (fr.) s.f. →**razia.**

RDSI s.f. Tecnología que se utiliza en la conexión a redes a través de líneas telefónicas y que posibilita una rápida transmisión de datos. □ ETIMOL. Es la sigla de *red digital de servicios integrados.*

re (pl. *res*) s.m. En música, segunda nota de la escala de do mayor. □ ETIMOL. De la primera sílaba de la palabra *resonare*, que aparece en el himno de San Juan Bautista, de donde se sacó el nombre de todas las notas musicales.

re- 1 Prefijo que indica repetición: *reabrir, revender, reacuñar, realojar, reaparecer, reorganización.* **2** Prefijo que indica intensificación: *rebuscar, recoser, rebonito, repintado, resecar.* □ ETIMOL. Del latín *re-*. □ MORF. Con adjetivos o adverbios puede adoptar la forma *requete-* (*requeteguapo*, *requetebién*) para reforzar el valor superlativo.

reabrir v. Referido a algo que se ha cerrado, volver a abrirlo: *Se ha reabierto el debate sobre el sistema público de pensiones.* □ MORF. 1. Irreg.: Su participio es *reabierto*. 2. Se usa más como pronominal.

reabsorberse v.prnl. En medicina, referido esp. a un producto de la exudación, desaparecer del lugar en que se había producido: *El absceso se reabsorbió y no fue necesario extirparlo.* □ ETIMOL. De *re-* (repetición) y *absorber*.

reabsorción s.f. Desaparición de una sustancia, esp. si es un producto de exudación, del lugar en que se había producido.

reacción s.f. **1** Acción que se hace como respuesta a algo: *Ante una luz muy fuerte, los ojos se cierran por una reacción instintiva.* **2** En química, transformación de una sustancia en otra distinta mediante la formación de nuevos enlaces químicos: *La reacción entre el ácido clorhídrico y la sosa cáustica da sal común.* **3** Recuperación de la normalidad o vuelta a la actividad: *Con lo enfermo que estuviste, tu reacción ha sido asombrosa.* □ ETIMOL. De *re-* (oposición) y *acción*.

reaccionar v. **1** Actuar como respuesta a algo: *El organismo reaccionó a la vacuna con fiebre.* **2** Recuperar la normalidad o volver a tener actividad: *A los pocos minutos de haber perdido el sentido, empezó a reaccionar.* **3** En química, referido a una sustancia, actuar en combinación con otra para producir otra nueva: *Los ácidos reaccionan con las bases dando sales.*

reaccionario, ria adj. Que se opone a las innovaciones, esp. en materia política.

reacio, cia adj. Referido a una persona, que es contrario a una acción o que muestra resistencia a realizarla. □ ETIMOL. De origen incierto. □ SINT. Constr. *reacio* A *hacer algo.* □ SEM. Dist. de *reticente* (reservado, receloso, desconfiado).

reactancia s.f. Resistencia de algunos de los elementos de un circuito eléctrico de corriente alterna al paso de esta corriente.

reactivación s.f. Recuperación de la actividad perdida.

reactivar v. Volver a activar: *Estas medidas económicas reactivarán la producción de automóviles tras la crisis.*

reactivo, va ▮ adj. **1** Referido a una persona, que es emocionalmente dependiente de las circunstancias y de las personas que la rodean: *A las personas reactivas les suele afectar mucho el clima social en el que viven.* ▮ adj./s.m. **2** Que produce reacción. ▮ s.m. **3** En química, sustancia empleada para descubrir la presencia de otra.

reactogenicidad s.f. Capacidad de algunas vacunas o de otros fármacos para producir reacciones negativas: *Algunos enfermos abandonan el tratamiento por la elevada reactogenicidad.*

reactor s.m. **1** Motor que produce movimiento mediante la expulsión de los gases que él mismo produce. □ SINÓN. *motor de reacción.* **2** Avión que utiliza este tipo de motor. **3** Instalación preparada para que en su interior se produzcan reacciones químicas o nucleares.

reacuñación s.f. Nueva acuñación o estampación de una moneda.

reacuñar v. Referido a una moneda, volver a acuñarla: *Esas monedas viejas serán reacuñadas con fines conmemorativos.*

readaptación s.f. Nueva adaptación.

readaptar v. Adaptar a una nueva situación: *Con las nuevas incorporaciones, algunos trabajadores han tenido que readaptarse a otras funciones.*

readmisión s.f. Admisión por segunda vez y sucesivas.

readmitir v. Volver a admitir: *La sentencia establece que los trabajadores despedidos sean readmitidos.*

reafirmación s.f. Corroboración de algo ya expuesto o argumentado.

reafirmar ▮ v. **1** Referido a una parte del cuerpo, ponerla firme mediante el empleo de un producto cosmético: *Estoy utilizando una crema que reafirma el escote y los senos.* ▮ prnl. **2** Corroborar o mantener lo ya expuesto o argumentado: *Me reafirmo en todas mis declaraciones anteriores.* □ SINT. Constr. de la acepción 2: *reafirmarse* EN *algo.*

reaggeton (ing.) s.m. Estilo musical popular, de origen caribeño, de ritmo repetitivo y voces agudas distorsionadas por equipos electrónicos: *El reaggeton a menudo va acompañado de movimientos de baile muy sensuales.* □ PRON. [reguetón]. □ ORTOGR. Se usa también la forma castellanizada *reguetón.*

reagravar v. Hacer más grave: *Las últimas revueltas han reagravado la situación.* □ ETIMOL. De *re-* (intensificación) y *agravar*.

reagrupación s.f. →**reagrupamiento.**

reagrupamiento s.m. Nueva agrupación de algo, esp. si se hace de modo diferente a como estuvo antes. □ SINÓN. *reagrupación.*

reagrupar v. Referido a algo que ya estuvo agrupado, agruparlo de nuevo, esp. si se hace de modo diferente: *Antes los libros estaban agrupados por materias, y ahora los he reagrupado por autores.*

reajustar v. Referido esp. a precios, salarios o impuestos, cambiarlos en función de las circunstancias políticas y económicas del momento: *La subida del precio del petróleo obligará a reajustar los precios de las gasolinas.*

reajuste s.m. Cambio que se realiza en función de las circunstancias políticas y económicas del momento. □ SEM. Está muy extendido el uso eufemístico de *reajuste de precios* con el significado de *subida de precios*.

real ▮ adj.inv. **1** Que tiene existencia verdadera: *El hambre es un problema real en muchos países del mundo.* **2** Del rey o de la reina, de la realeza o relacionado con ellos: *un palacio real.* □ SINÓN. *regio.* ▮ s.m. **3** Unidad monetaria brasileña. **4** Antigua moneda española que equivalía a 25 céntimos de peseta. **5** En zonas del español meridional, moneda fraccionaria. □ ETIMOL. La acepción 1, del latín *realis*, y este de *res* (cosa). Las acepciones 2-5, del latín *regalis*.

reala s.f. →**rehala.**

realce s.m. **1** Grandeza, adorno o esplendor sobresalientes: *La asistencia de la académica dio realce a la entrega de premios.* **2** Engrandecimiento o puesta de relieve: *Con un maquillaje adecuado, se consigue el realce de la belleza natural.* **3** Adorno o labor que sobresale en la superficie de algo: *Esta moldura es un bello realce para las esquinas del mueble.*

realengo, ga adj. En la Edad Media, referido a un territorio, que pertenecía a la corona, estaba bajo el dominio de los monarcas y era administrado por funcionarios reales. □ ETIMOL. De *real* (regio).

realeza s.f. **1** Dignidad o soberanía real: *La corona y el cetro forman parte de los atributos de la realeza.* **2** Conjunto de familias, familiares y personas emparentadas con el rey.

realidad s.f. **1** Existencia verdadera y efectiva: *Nadie duda de la realidad de los dinosaurios porque nos han quedado restos suyos.* □ SINÓN. *verdad.* **2** Todo lo que existe y forma el mundo real: *Una forma de conocimiento de la realidad es la experiencia personal de cada uno.* **3** Lo que ocurre verdaderamente: *La crisis económica es una realidad en muchos países.* **4** || **en realidad;** verdadera o efectivamente: *En realidad, las pérdidas fueron menores de lo que se pensaba.* || **realidad virtual;** reproducción de cosas que podrían existir, pero que no son reales, mediante la utilización de elementos cibernéticos. □ ETIMOL. Del latín *realitas*.

realimentación s.f. **1** En electrónica, retorno de parte de la señal de salida de un circuito o sistema a su propia entrada. **2** →**retroacción.**

realismo s.m. **1** Estilo artístico que busca la representación fiel de la realidad. **2** Forma de ver las cosas tal como son realmente. **3** || **realismo mágico;** movimiento literario hispanoamericano, surgido a mediados del siglo XX y que se caracteriza por la introducción de elementos fantásticos dentro de una narrativa que se presenta como realista. □ USO En la acepción 1, se usa como nombre propio cuando se refiere al movimiento artístico de la segunda mitad del siglo XIX.

realista ▮ adj.inv. **1** Del realismo, con realismo o relacionado con él. **2** Que actúa con sentido práctico o que trata de ajustarse a la realidad. ▮ adj.inv./s.com. **3** De la Real Sociedad Club de Fútbol (club de fútbol donostiarra) o relacionado con él.

reality show (ing.) s.m. || Programa de televisión que muestra como espectáculo los sucesos más crudos o marginales de la realidad. □ PRON. [réaliti chóu], con *ch* suave.

realizable adj.inv. Que se puede realizar.

realización s.f. **1** Ejecución o puesta en práctica de algo: *la realización de un trabajo.* **2** En cine, vídeo y televisión, dirección de las operaciones necesarias para llevar a cabo una película o un programa: *la realización de una película.* **3** Sensación de satisfacción por haber conseguido el desarrollo de las propias aspiraciones: *En el ejercicio de la medicina he encontrado mi realización personal.*

realizador, -a ▮ adj./s. **1** Que realiza. ▮ s. **2** En cine, vídeo y televisión, persona que dirige las operaciones de preparación y realización de una película o de un programa.

realizar ▮ v. **1** Referido a una acción, hacerla, efectuarla o llevarla a cabo: *Los profesores realizan una labor educativa.* **2** Referido a una película cinematográfica o a un programa televisivo, dirigir su ejecución: *Realizar una película requiere muchos conocimientos de la técnica cinematográfica.* ▮ prnl. **3** Sentirse satisfecho por haber conseguido el desarrollo de las propias aspiraciones: *Todos deberíamos realizarnos en nuestro trabajo.* □ ETIMOL. De *real* (que tiene existencia verdadera). □ ORTOGR. La *z* se cambia en *c* delante de *e* →CAZAR.

realojamiento s.m. →**realojo.**

realojar v. Referido a una persona, alojarla o instalarla en un nuevo lugar: *Los habitantes de las chabolas fueron realojados en pisos de protección oficial.* □ ORTOGR. Conserva la *j* en toda la conjugación.

realojo s.m. Alojamiento de una persona en un nuevo lugar: *Se puso en práctica un programa de realojo de la población marginal.* □ SINÓN. *realojamiento.*

realpolitik (al.) s.f. Política basada en principios realistas. □ PRON. [realpolitík].

realquilar v. **1** Referido a algo alquilado, alquilarlo de nuevo a otra persona: *Yo vivo en una casa de alquiler y quiero realquilar una habitación a un estudiante.* **2** Referido a algo alquilado, tomarlo en alquiler de nuevo, pero no a su dueño: *Cuando te vayas a ir del piso en el que vives alquilado, yo te lo realquilo.*

realzar v. Poner de relieve, destacar o engrandecer: *Realzamos en negrita las palabras que consideramos más importantes.* □ ETIMOL. De *re-* (intensificación) y *alzar.* □ ORTOGR. La *z* se cambia en *c* delante de *e* →CAZAR.

reanimación s.f. **1** Restablecimiento de las fuerzas o del ánimo: *En los estados de depresión, un entorno afectivo contribuye a la reanimación del enfermo.* **2** Recuperación del conocimiento: *Cuando pasen los efectos de la anestesia, se producirá la reanimación del paciente.* **3** Conjunto de medidas terapéuticas que se aplican para recuperar las constantes vitales del organismo: *técnicas de reanimación.*

reanimar v. **1** Dar vigor o restablecer las fuerzas: *Un caldito caliente me reanimará.* **2** Hacer recobrar el conocimiento: *El socorrista intentaba reanimar al ahogado.* **3** Referido a una persona desanimada, darle ánimo o infundirle valor: *Seguro que tu visita lo reanima. Al oír tus palabras de consuelo, se reanimó.* ☐ ETIMOL. Del latín *redanimare.*

reanudación s.f. Continuación de algo que se había interrumpido.

reanudar v. Referido a algo que se había interrumpido, seguir haciéndolo o continuarlo: *Después de comer, reanudaremos nuestro trabajo.* ☐ ETIMOL. Traducción del francés *renouer.* ☐ SEM. Dist. de *reiniciar* (volver a iniciar).

reaparecer v. Referido esp. a una persona, volver a aparecer o a mostrarse: *Tras dos meses sin jugar a causa de una lesión, hoy reaparece el delantero centro titular del equipo.* ☐ ETIMOL. De *re-* (repetición) y *aparecer.* ☐ MORF. Irreg. →PARECER.

reaparición s.f. Aparición de algo que había desaparecido, esp. de la persona que desarrolla una actividad pública.

reargüir (tb. *redargüir*) v. Utilizar el argumento que otra persona ha utilizado para ir en contra de ella: *Siempre me rearguyes con mis propias palabras.* ☐ ETIMOL. Del latín *redarguere.* ☐ ORTOGR. La *ü* pierde la diéresis cuando le sigue *y.* ☐ MORF. Irreg. →ARGÜIR.

rearmar v. Equipar de nuevo con armamento militar, o reforzar o mejorar el ya existente: *Los ejércitos de la zona se han rearmado y cuentan con armas muy modernas.*

rearme s.m. Aumento y mejora del armamento militar ya existente. ☐ ETIMOL. Del latín *redarmare.*

reasegurar v. Hacer un contrato de reaseguro: *Mi madre ha reasegurado sus fábricas.*

reaseguro s.m. Contrato por el cual un asegurador toma a su cargo, total o parcialmente, un riesgo ya cubierto por otro asegurador, sin alterar lo convenido entre este y el asegurado.

reasumir v. **1** Asumir de nuevo, esp. referido a un cargo o a una función: *Tras su total restablecimiento, el gerente reasumirá su puesto.* **2** Referido esp. a un cargo o a una función, asumirlas una persona con una categoría superior: *Tras la dimisión del ministro, el vicepresidente del gobierno reasumió la cartera de Asuntos Exteriores.* ☐ ORTOGR. Dist. de *resumir.*

reasunción s.f. Vuelta al desempeño de un cargo o de una función.

reata s.f. **1** Hilera de caballerías que van unidas por una cuerda: *una reata de mulas.* **2** En zonas del español meridional, cuerda. ☐ ETIMOL. De *reatar.*

reatar v. **1** Atar otra vez: *Te pasas el día atando y reatando el lazo de la blusa.* **2** Atar apretando mucho: *Para que no se desate el saco, reátalo bien.* **3** Referido a dos o más caballerías, atarlas de forma que vayan unas detrás de otras: *El labriego reató los cuatro asnos para que ninguno se quedara atrás.* ☐ ETIMOL. Del latín **reaptare* (atar).

reavivación s.f. Aumento de la fuerza o de la intensidad.

reavivar v. Hacer más fuerte o más intenso: *Los troncos secos reavivaron el fuego de la chimenea.*

rebaba s.f. Porción de materia sobrante que sobresale en los bordes o en la superficie de algo.

rebaja ▮ s.f. **1** Disminución o reducción de algo, esp. del precio de un producto: *hacer una rebaja.* ▮ pl. **2** Venta de productos a un precio más bajo. **3** Período de tiempo durante el cual se realiza esta venta: *comprar en rebajas.*

rebajamiento s.m. **1** Disminución del nivel o de la superficie horizontal de algo: *el rebajamiento de una puerta.* **2** Disminución de la fuerza, de la intensidad o de la cantidad: *el rebajamiento de una condena.* **3** Humillación o desprecio de alguien: *Ya no tolero más rebajamientos ante él.* **4** En arquitectura, disminución de la altura de un arco o de una bóveda a menos de lo que corresponde al semicírculo. **5** En el ejército, dispensa a un militar de un servicio o de una obligación. ☐ SINÓN. *rebaje.*

rebajar v. **1** Hacer más bajo: *El Ayuntamiento me ha ordenado rebajar la altura del tejado de la casa que estoy construyendo.* **2** Referido a un artículo, disminuir o reducir su precio: *Esta tienda ha rebajado todos sus artículos.* **3** Hacer disminuir la fuerza, la intensidad o la cantidad: *Rebajó los colores del cuadro. He rebajado la lejía añadiéndole agua.* **4** Referido a una persona, humillarla o despreciarla: *Me rebajó insultándome ante todos. Rebajarse para pedirme perdón fue un acto de humildad por su parte.* ☐ ETIMOL. De *re-* (intensificación) y *bajar.* ☐ ORTOGR. Conserva la *j* en toda la conjugación.

rebaje s.m. **1** Parte del canto de un madero o de otra pieza en la que se ha disminuido el espesor por medio de un corte en forma de ranura. ☐ SINÓN. *rebajo.* **2** →**rebajamiento.**

rebajo s.m.→**rebaje.**

rebalaje s.m. **1** Remolino que se produce al chocar el agua con un obstáculo. **2** En la playa, reflujo del agua del mar. **3** En la playa, zona en la que se produce este reflujo. **4** En la playa, escalón que el reflujo forma en la arena cerca de la orilla. ☐ ETIMOL. De *resbalar.*

rebalsar ▮ v. **1** Referido al agua o a otro líquido, recogerlos de modo que formen balsa en un hueco del terreno: *Los agricultores rebalsaban el agua del arroyo para poder regar.* ▮ prnl. **2** En zonas del español meridional, rebosar: *La pileta se rebalsó e inundó el baño.* ☐ MORF. En la acepción 1, se usa más como pronominal.

rebalse s.m. **1** Recogida del agua o de otro líquido, de manera que formen balsa en un hueco del terreno. **2** Estancamiento de aguas que normalmente corren, esp. el que se hace de forma artificial.

rebanada s.f. Trozo ancho, alargado y de poco grosor que se separa de una pieza de pan o de otro alimento parecido.

rebanar v. **1** Cortar en rebanadas: *Rebané una barra de pan para dar de merendar a los niños.* **2** Cortar o dividir de parte a parte: *Casi me rebano el dedo con el cuchillo.* □ ETIMOL. De origen incierto.

rebañadura ▌ s.f. **1** Recogida de los restos de comida que quedan en un recipiente para comerlos. ▌ pl. **2** Restos de comida que quedan en un recipiente y que se recogen para comerlos.

rebañar v. Aprovechar los restos que quedan en un recipiente: *Tenía tanta hambre que rebañé el plato.* □ ETIMOL. De origen incierto.

rebañego, ga adj. Que pertenece al rebaño.

rebaño s.m. **1** Grupo más o menos numeroso de cabezas de ganado, esp. del lanar. **2** Conjunto de personas, esp. si se dejan dirigir en sus actos. □ ETIMOL. De origen incierto.

rebasar v. **1** Referido a un límite o a una señal, pasarlo o excederlo: *La corredora ha rebasado la línea de meta.* **2** Dejar atrás o adelantar: *Los más rápidos nos rebasaron al poco tiempo de comenzar la marcha.* □ ORTOGR. Dist. de *rebosar*.

rebatible adj.inv. Que se puede rebatir.

rebatir v. Referido a algo dicho, contradecirlo u oponerse a ello mediante argumentos o razones: *Rebatió todas sus razones con argumentos muy lógicos.* □ ETIMOL. De *re-* (oposición) y *batir* (enfrentarse en combate).

rebato ‖ **tocar a rebato;** dar la señal de alarma ante un peligro: *Las campanas de la iglesia tocan a rebato porque hay un incendio.* □ ETIMOL. Del árabe *ribat* (ataque repentino).

rebeca s.f. Chaqueta de punto sin cuello, abierta por delante y con botones. □ ETIMOL. Por alusión a la película *Rebeca*, cuya protagonista solía llevar esta prenda.

rebeco s.m. Mamífero rumiante del tamaño de una cabra, que tiene las astas negras, lisas y solo curvadas en sus extremos, patas largas, gran agilidad para los saltos, y que habita en zonas de rocas escarpadas. □ SINÓN. *gamuza, robezo.* □ ETIMOL. De origen prerromano. □ MORF. Es un sustantivo epiceno: *el rebeco {macho/hembra}*.

rebelarse v.prnl. **1** Sublevarse y faltar a la obediencia debida: *Se rebeló contra su jefa y decidió no volver más a ese trabajo.* **2** Oponerse absolutamente a algo: *Me rebelo contra la hipocresía y me niego a mentir.* □ ETIMOL. Del latín *rebellare.* □ ORTOGR. Dist. de *relevar* y *revelar*. □ SINT. Constr. *rebelarse* CONTRA *algo.*

rebelde ▌ adj.inv. **1** Que opone resistencia, esp. a ser educado o controlado: *A ese niño tan rebelde lo que le hace falta son unos azotes. Tengo el pelo muy rebelde y me cuesta mucho peinarlo.* ▌ adj.inv./s.com. **2** Que se rebela o se subleva faltando a la obediencia debida. □ ETIMOL. Del latín *rebellis*, y este de *bellum* (guerra).

rebeldía s.f. **1** Resistencia a ser educado y controlado, o falta de conformidad y de obediencia. **2** En derecho, estado procesal en el que se halla la persona que no acude a un llamamiento a juicio hecho por un juez, o que no cumple alguna orden o requerimiento de este: *declarar a alguien en rebeldía.*

rebelión s.f. **1** Sublevación o levantamiento en los que se falta a la obediencia debida. **2** En derecho, levantamiento público y hostil contra los poderes del Estado con el fin de derrocarlos: *Una rebelión es un delito contra el orden público que está penado por la ley.* □ ETIMOL. Del latín *rebellio*.

rebenque s.m. **1** En un barco, cuerda o cabo cortos y proporcionalmente gruesos. **2** En zonas del español meridional, látigo. □ ETIMOL. Del francés *raban* (cabo que sujeta la vela a la verga o palo horizontal colocado en el mástil).

reblandecer v. Ablandar o poner tierno: *La humedad ha reblandecido el pan. Su corazón de piedra se fue reblandeciendo con el paso de los años.* □ ETIMOL. De *re-* (intensificación) y *blando.* □ MORF. Irreg. →PARECER.

reblandecimiento s.m. Ablandamiento o pérdida de la dureza.

rebobinado s.m. Paso de una cinta o de una película de una bobina a otra para situarla en una posición distinta.

rebobinar v. Referido esp. a una cinta o a una película, desenrollarla de una bobina y enrollarla en la otra: *Cuando termine la película, rebobínala hacia atrás para que quede colocada al comienzo.* □ SEM. Dist. de *bobinar* (enrollar alrededor de una bobina).

rebollar s.m. Terreno poblado de rebollos. □ SINÓN. *rebolledo.*

rebolledo s.m. →**rebollar.**

rebollo s.m. Variedad de roble, de pequeño tamaño, que cuando se corta puede rebrotar. □ ETIMOL. De origen incierto.

rebonito, ta adj. *col.* Muy bonito.

reborde s.m. Tira estrecha y saliente a lo largo del borde de un objeto: *el reborde de un plato.*

rebosadero s.m. Lugar u orificio por donde rebosa o se sale un líquido.

rebosante adj.inv. Que rebosa.

rebosar v. **1** Referido a un líquido, salirse por encima de los bordes del recipiente que lo contiene: *El agua rebosó y cayó sobre la mesa.* **2** Referido a un recipiente, dejar salir por encima de sus bordes el líquido que contiene: *No eches más vino porque el vaso ya rebosa.* **3** Tener en abundancia: *La chica rebosaba alegría con su sobresaliente. Toda la familia rebosa dinero.* □ ETIMOL. De origen incierto. □ ORTOGR. Dist. de *rebasar*.

rebotado, da ▌ adj. **1** Que se encuentra desplazado o fuera de lugar. ▌ adj./s. **2** Que ha dejado una actividad para dedicarse a otra, esp. si lo hace por haber fracasado en la primera.

rebotar v. **1** Referido a un cuerpo en movimiento, retroceder o cambiar de dirección al chocar contra un obstáculo: *El balón rebotó en el tablero de la canasta.* **2** *col.* Enfurecer o hacer enfadar: *Lo que me rebotó fue la ironía con que me dio la enhorabuena. Te rebotas por tonterías porque eres un quisquilloso.*

rebote s.m. **1** Bote o retroceso que da un cuerpo al chocar con algo. **2** En baloncesto, pelota que rebota contra la canasta y cae de nuevo al terreno de juego. **3** *col.* Enfado o disgusto. **4** || **de rebote;** indirectamente o por casualidad: *Si tienes algo que decirme, dímelo a mí, porque no quiero enterarme de rebote.*

reboteador, -a adj./s. En baloncesto, referido a un jugador, que se ocupa de recoger la pelota tras el rebote.

rebotear v. En baloncesto, saltar a coger la pelota tras un rebote: *Normalmente los jugadores más altos son los que mejor rebotean.*

rebotica s.f. Trastienda o habitación trasera de una botica o farmacia.

rebozar v. **1** Referido a un alimento, bañarlo en huevo batido y harina o en otros ingredientes para freírlo después: *El pescado frito está más sabroso si antes lo rebozas.* **2** Manchar o cubrir totalmente con una sustancia: *Un coche me salpicó y me rebozó de barro. Se cayó en el fango y se rebozó de pies a cabeza.* □ ORTOGR. La *z* se cambia en *c* delante de *e* →CAZAR.

rebozo s.m. **1** Prenda de vestir femenina que se usa en América, hecha de algodón, lana o seda, y con la que se cubre la espalda, el pecho y a veces la cabeza. **2** || **sin rebozo;** abiertamente y con franqueza o sinceridad: *hablar sin rebozo.*

rebrotar v. Volver a brotar: *Ya están rebrotando los rosales.*

rebrote s.m. Brote nuevo.

rebudiar v. Referido a un jabalí, dar rebudios o emitir su voz característica: *Los jabalíes rebudian al sentir la presencia de personas.* □ ORTOGR. La *i* nunca lleva tilde.

rebudio s.m. Voz característica del jabalí.

rebufar v. Bufar con fuerza: *El toro rebufaba mirando al torero fijamente.*

rebufo s.m. **1** Expansión del aire producida alrededor de la boca de un arma de fuego al salir el tiro. **2** *col.* Estela que deja un cuerpo que avanza: *El ciclista rezagado cogió el rebufo de un compañero para protegerse del aire.* □ ETIMOL. De *rebufar.*

rebujar v. Arrebujar, envolver o cubrir: *El niño se rebujó con las sábanas y se durmió hecho un ovillo.* □ ETIMOL. De *reburujar* (cubrir haciendo un burujo o aglomeración). □ ORTOGR. Conserva la *j* en toda la conjugación.

rebujo s.m. Lío, envoltorio o revoltijo, generalmente de papeles o de trapos, hechos sin cuidado y de modo desordenado: *Hizo un rebujo con la ropa sucia y la echó a lavar.*

rebullir v. Referido a algo que estaba quieto, moverse o empezar a moverse: *El bebé rebullía en su cuna y parecía que se despertaba. Cuando el perro se rebulle, es señal de que ha visto algo raro.* □ ETIMOL. Del latín *rebullire.* □ MORF. Irreg. →PLAÑIR.

rebumbio s.m. *col.* Ruido retumbante.

reburujar v. *col.* Cubrir o envolver haciendo un burujo: *Debes envolver mejor el regalo, porque así lo estás reburujando.* □ ETIMOL. De *re-* (intensificador) y *burujo.* □ ORTOGR. Conserva la *j* en toda la conjugación.

rebusca s.f. **1** Recogida de los frutos que quedan después de terminada la cosecha. **2** Conjunto de estos frutos. **3** Búsqueda hecha con cuidado, esp. la que se hace en un montón de cosas. □ SINÓN. *rebuscamiento.*

rebuscado, da adj. Demasiado complicado o raro: *un lenguaje rebuscado.*

rebuscamiento s.m. **1** Exceso de arreglo, de complicación y de afectación en el uso del lenguaje o en la forma de actuar. **2** Búsqueda hecha con cuidado, esp. la que se hace en un montón de cosas. □ SINÓN. *rebusca.*

rebuscar v. **1** Buscar con cuidado, esp. en un montón de cosas: *Me gusta ir a los mercadillos para rebuscar objetos que me gusten.* **2** Referido a un fruto, recogerlo después de terminada la cosecha: *Pasada la vendimia, iremos a rebuscar los racimos que hayan quedado.* □ ORTOGR. La *c* se cambia en *qu* delante de *e* →SACAR.

rebutear v. *col.* En informática, reiniciar.

rebuznar v. Referido a un asno, dar rebuznos o emitir su voz característica: *El asno rebuzna en la cuadra.* □ ETIMOL. Del latín *re-* (repetición) y *bucinare* (tocar la trompeta).

rebuzno s.m. Voz característica del asno.

recabar v. **1** Pedir o reclamar alegando un derecho: *La periodista entrevistó a los posibles implicados para recabar información sobre el caso.* **2** Referido a algo que se desea, conseguirlo con instancias o súplicas: *Algunas organizaciones recaban fondos con los que ayudan a los más necesitados.* **3** Reunir o acumular: *He estado recabando datos para hacer un trabajo sobre Dalí.* □ ETIMOL. De *cabo* (extremo, cuerda), porque *recabar* significó *conseguir del todo, hasta el cabo.*

recadero, ra s. Persona que hace o lleva recados de un sitio a otro.

recado s.m. **1** Mensaje que se da o se envía a otro. **2** Encargo, gestión o tarea de los que tiene que ocuparse alguien: *hacer un recado.* **3** En zonas del español meridional, montura de una caballería. □ ETIMOL. Del antiguo *recabdar* (despachar), y este del latín *racapitare* (recoger).

recaer v. **1** Referido a una persona, empeorar o volver a caer enferma de la enfermedad de la que se estaba recuperando: *Cuando ya estaba casi curado, recayó y tuvo que volver a guardar cama.* **2** Corresponder o ir a parar: *En 'rebullir', el acento recae en la última sílaba.* □ MORF. Irreg. →CAER. □ SINT. Constr. de la acepción 2: *recaer {EN/SOBRE} algo.*

recaída s.f. Empeoramiento de una enfermedad de la que se estaba recuperando una persona.

recalar v. **1** Referido a un barco, llegar a un puerto o a un punto de la costa para hacer una parada: *Durante el crucero, recalamos en varios puertos del Mediterráneo.* **2** *col.* Referido a una persona, aparecer o pasarse por algún sitio: *Vayamos por donde vayamos, al final siempre recalamos en el mismo bar.*

☐ ETIMOL. De *re-* (repetición) y *calar* (penetrar, sumergir).

recalcar v. Pronunciar o expresar poniendo especial énfasis: *Me recalcó que a la primera falta de puntualidad sería despedido.* ☐ SINÓN. *acentuar, subrayar.* ☐ ETIMOL. Del latín *recalcare.* ☐ ORTOGR. La *c* se cambia en *qu* delante de *e* →SACAR.

recalcitrante adj.inv. Obstinado, reincidente o reacio a variar una opinión o una forma de actuar. ☐ ETIMOL. Del latín *recalcitrans.*

recalentamiento s.m. Calentamiento excesivo.

recalentar v. **1** Volver a calentar: *Tuve que recalentar la sopa porque se había enfriado.* **2** Calentar demasiado: *El radiador del coche va mal y se recalienta el motor.* ☐ ETIMOL. De *re-* (intensificación) y *calentar.* ☐ MORF. Irreg. →PENSAR.

recalentón s.m. Calentamiento rápido y fuerte.

recalificación s.f. Procedimiento mediante el cual se otorga a un terreno una consideración, rústica o urbana, distinta de la que tenía.

recalificar v. Referido esp. a un terreno, otorgarle una consideración, rústica o urbana, distinta de la que tenía: *Han recalificado los terrenos para la construcción de las viviendas.* ☐ ORTOGR. La *c* se cambia en *qu* delante de *e* →SACAR.

recamado s.m. Bordado que sobresale de la superficie de la tela.

recamar v. Hacer bordados que sobresalgan en la superficie de la tela: *El sastre recama los trajes de los toreros con hilos dorados.* ☐ ETIMOL. Del italiano *ricamare.*

recámara s.f. **1** Cuarto contiguo a la cámara o habitación principal y destinado generalmente a guardar vestidos y joyas. **2** En un arma de fuego, parte hueca del cañón situada en el extremo opuesto a la boca y en la que se colocan el cartucho o la bala para ser disparados. **3** Interior de una persona: *No te guardes nada en la recámara y cuéntamelo todo.* **4** En zonas del español meridional, dormitorio.

recambiable adj.inv. Que se puede recambiar.

recambiar v. Referido a una pieza, sustituirla por otra de su misma clase: *Llevo siempre en el coche un juego de lámparas por si necesito recambiar alguna.* ☐ ORTOGR. La *i* nunca lleva tilde.

recambio s.m. **1** Sustitución de una pieza por otra de su misma clase: *La diligencia se detuvo en la posada para efectuar el recambio de los caballos.* **2** Pieza destinada a sustituir a otra de su misma clase en caso necesario. ☐ SINÓN. *repuesto.*

recapacitar v. Referido esp. a los propios actos, reflexionar cuidadosamente sobre ellos: *Recapacitó sobre su actitud e hizo firme propósito de enmienda.* ☐ ETIMOL. Quizá del latín *recapitare* (recordar, recabar). ☐ SINT. Constr. *recapacitar* SOBRE *algo.*

recapitulación s.f. Exposición resumida y ordenada con que se recuerda lo que antes se ha expuesto por extenso.

recapitular v. Referido a algo ya dicho, recordarlo o volver a exponerlo de manera resumida y ordenada: *La profesora dedica los primeros minutos de la clase a recapitular las explicaciones de la clase anterior.* ☐ ETIMOL. Del latín *recapitulare.*

recargable adj.inv. Que se puede recargar.

recargamiento s.m. Acumulación excesiva de elementos, esp. en arte o en literatura.

recargar v. **1** Someter a una carga o trabajo mayores o excesivos: *Procura no recargarte de trabajo, que luego no puedes con todo.* **2** Adornar con exceso: *Tantos muebles recargan la habitación y la hacen más pequeña.* ☐ ORTOGR. La *g* se cambia en *gu* delante de *e* →PAGAR.

recargo s.m. Cantidad o tanto por ciento que se añade a un pago, generalmente por efectuarlo con retraso.

recatado, da adj. **1** Cauto o prudente en los actos. **2** Honesto, modesto y respetuoso con la moralidad establecida.

recatar ▮ v. **1** Ocultar para impedir que se vea o que se sepa: *Un velo recataba la mirada de aquella misteriosa mujer.* ▮ prnl. **2** Mostrar recato o recelo, generalmente al tomar una decisión: *Como no vi claro el asunto, me recaté para no dar un paso en falso.* ☐ ETIMOL. Del latín **recaptare,* y este de *re-* (repetición) y *captare* (coger). ☐ SINT. Constr. de la acepción 2: *recatarse* DE *alguien.*

recato s.m. **1** Cautela o reserva con que se hace algo. **2** Honestidad, modestia o respeto a la moralidad establecida.

recauchutado s.m. Cubrimiento con caucho de una superficie, esp. el de la cubierta de una rueda.

recauchutar v. Referido esp. a la cubierta de una rueda, recubrirla de caucho: *En ese taller recauchutan cubiertas usadas.*

recaudación s.f. **1** Cobro o percepción de una cantidad de dinero o de otros bienes: *El Ministerio de Hacienda se ocupa de la recaudación de los impuestos.* ☐ SINÓN. *recaudo.* **2** Cantidad obtenida en este cobro o percepción: *La recaudación por la venta de entradas para el partido ascendió a varios millones.*

recaudador, -a s. Persona encargada de recaudar o cobrar dinero, esp. el que se paga al Estado.

recaudar v. Referido esp. a una cantidad de dinero, cobrarla o percibirla: *El Estado recauda dinero público a través de diversos impuestos.* ☐ SINÓN. *colectar.* ☐ ETIMOL. Del latín **recapitare* (recoger).

recaudatorio, ria adj. De la recaudación o relacionado con ella.

recaudería s.f. En zonas del español meridional, frutería.

recaudo s.m. **1** →**recaudación. 2** ‖ **a buen recaudo;** en lugar seguro y bien guardado o vigilado: *Guardó el boleto de lotería premiado a buen recaudo.* ☐ SINT. Se usa más con los verbos *estar* y *poner.*

rección s.f. **1** En lingüística, relación de dependencia gramatical que una palabra establece sobre otras: *La rección de un verbo sobre su complemento directo viene marcada por la preposición 'a' cuando dicho complemento es de persona.* **2** En lingüística, exigencia de que tras una palabra se dé la presencia de otra o de determinado rasgo gramatical: *La rec-*

ción del verbo 'depender' obliga a que su complemento vaya precedido de la preposición 'de'.

recebar v. Referido a una carretera o a su firme, cubrirlos con recebo para igualarlos o consolidarlos: *Después de recebar el firme, vertieron una capa de asfalto.*

recebo s.m. **1** Arena o piedra muy menuda que se extiende sobre el firme de las carreteras para igualarlo y consolidarlo. **2** ‖ **de recebo;** que proviene de un cerdo que ha sido alimentado con bellotas y también con pienso: *jamón de recebo.*

recechar v. En caza, acechar o vigilar a los animales: *Los cazadores recechaban al jabalí desde su puesto.*

rececho s.m. En caza, vigilancia o acecho a los animales.

recelar v. Temer, desconfiar o sentir sospecha: *Recelo de las personas que me adulan constantemente.* □ ETIMOL. De *re-* (intensificación) y *celar* (desconfiar). □ SINT. Constr. *recelar DE algo.*

recelo s.m. Temor, falta de confianza o sospecha que se sienten hacia algo o hacia alguien.

receloso, sa adj. Que tiene o muestra recelo o falta de confianza.

recensión s.f. Reseña o comentario, generalmente breves, que se hacen de una obra literaria o científica. □ ETIMOL. Del latín *recensio* (revista, enumeración). □ ORTOGR. Dist. de *recesión.*

recental adj.inv./s.m. Referido a un ternero o a un cordero, que no ha pastado todavía.

recentísimo, ma superlat. irreg. de **reciente.** □ MORF. Es la forma culta de *recientísimo.*

recepción s.f. **1** En un centro de reunión, dependencia u oficina donde se inscriben e informan los clientes, asistentes o participantes: *la recepción de un hotel.* **2** Fiesta o ceremonia solemnes en las que se recibe a alguien. □ SINÓN. *recibimiento.* **3** Captación de ondas radioeléctricas por un receptor. □ SINÓN. *recibimiento.* **4** Atención que se presta a una visita: *Cada médico tiene su horario para la recepción de enfermos.* □ SINÓN. *recibimiento.* **5** Acogida o admisión de una persona como compañera o como miembro de una colectividad: *Se ha abierto el plazo para la recepción de nuevos socios.* □ SINÓN. *recibimiento.* **6** Hecho de recibir y sostener la fuerza que un cuerpo hace sobre otro: *La función de un contrafuerte es la recepción y transmisión de las cargas que descansan sobre él.* □ SINÓN. *recibimiento.* **7** Aceptación, aprobación o admisión de algo como bueno: *Lo encontré abierto a la recepción de consejos e ideas nuevas.* □ SINÓN. *recibimiento.* □ ETIMOL. Del latín *receptio.*

recepcionar v. **1** →**recibir. 2** Asumir la gestión o la realización de un determinado servicio: *El Ayuntamiento recepcionará la construcción del polideportivo.*

recepcionista s.com. Persona encargada de atender al público en la recepción de un hotel o de otro centro de reunión.

receptación s.f. En derecho, encubrimiento que se hace de un delito: *estar acusado de receptación de objetos robados.*

receptáculo s.m. Cavidad en la que puede contenerse una sustancia. □ ETIMOL. Del latín *receptaculum.*

receptar v. **1** Recibir o aceptar: *receptar residuos tóxicos.* **2** En derecho, referido esp. a un delincuente o a su delito, encubrirlos o esconderlos: *receptar a un criminal.* □ ETIMOL. Del latín *receptare.*

receptividad s.f. Capacidad de recibir.

receptivo, va adj. Que recibe o que tiene capacidad o disposición favorable para recibir estímulos exteriores.

receptor, -a ▮ adj. **1** Que recibe. ▮ s. **2** En lingüística, persona que recibe el mensaje en un acto de comunicación: *El receptor puede descifrar el mensaje del emisor si ambos utilizan el mismo código.* ▮ s.m. **3** Aparato que sirve para recibir señales eléctricas, telegráficas, telefónicas o radiofónicas. □ ETIMOL. Del latín *receptor.*

recesión s.f. **1** En economía, descenso relativamente pasajero de la actividad económica, de la producción y del consumo, con el consiguiente decrecimiento de los beneficios, salarios y nivel de empleo. **2** Retroceso, retirada o disminución: *una recesión de la fiebre.* □ ETIMOL. Del latín *recessio.* □ ORTOGR. Dist. de *recensión.*

recesivo, va adj. **1** En economía, que tiende a la recesión o que la produce. **2** En biología, referido a un carácter hereditario, que solo se manifiesta cuando el gen que lo codifica es igual en los dos cromosomas homólogos.

receso s.m. **1** Apartamiento o separación. **2** Interrupción o descanso que se hacen en una actividad. □ ETIMOL. Del latín *recessus* (retirada).

receta s.f. **1** Nota escrita en la que figuran los medicamentos mandados por el médico. **2** Nota en la que figuran los componentes de algo, así como el modo de hacerlo o prepararlo: *recetas de cocina.* **3** Procedimiento adecuado para hacer algo: *Para aprobar, a mí no me sirve otra receta que el estudio.* **4** *col.* Multa. □ ETIMOL. Del latín *recepta* (cosas tomadas).

recetar v. Referido a un medicamento o a un tratamiento, mandarlo el médico al paciente, con indicación de la dosis que debe tomar y del uso que debe hacer de él: *El médico me recetó unas pastillas que debo tomar tres veces al día.*

recetario s.m. Conjunto de recetas, generalmente las que indican cómo hacer algo: *un recetario de cocina.*

rechace s.m. Resistencia de un cuerpo hacia otro forzándolo a retroceder en su curso o movimiento.

rechazable adj.inv. Que merece ser rechazado.

rechazar v. **1** No aceptar o no admitir: *El acusado rechazó todas las acusaciones.* **2** Mostrar oposición o desprecio: *No me rechaces cuando te pido ayuda.* **3** Referido a un cuerpo, resistirlo otro forzándolo a retroceder en su curso o movimiento: *El portero rechazó el balón con los puños.* **4** Referido esp. a un enemigo, resistir su ataque obligándolo a retroceder: *Varias unidades rechazaron a las tropas enemigas en la frontera.* □ ETIMOL. Del francés antiguo *rechacier.* □ ORTOGR. La *z* se cambia en *c* delante de *e* →CAZAR.

rechazo s.m. **1** No aceptación o no admisión de algo. **2** Oposición o desprecio hacia algo. **3** En medicina, fenómeno por el que un organismo reconoce como extraño un órgano o tejido procedente del exterior y crea anticuerpos que lo atacan.

rechifla s.f. *col.* Burla o ridiculización de algo.

rechiflar ▌v. **1** Silbar con insistencia: *El público de las gradas rechiflaba al árbitro.* ▌prnl. **2** Burlarse de alguien o ridiculizarlo: *Algunos niños se rechiflaban de ella porque no sabía pronunciar la 'r'.* □ ETIMOL. De *re-* (repetición) y *chiflar.*

rechinamiento s.m. Producción de un sonido, generalmente desagradable, al rozar un objeto con otro.

rechinar v. Referido a un objeto, producir un sonido desagradable al rozar con otro: *Cuando se pone nervioso, le rechinan los dientes.* □ SINÓN. *chirriar.* □ ETIMOL. De origen onomatopéyico.

rechinido s.m. En zonas del español meridional, chirrido.

rechistar v. Hablar para protestar: *Ya es tarde, así que vete a la cama sin rechistar.* □ ETIMOL. De *chistar.* □ USO Se usa mucho en expresiones negativas.

rechoncho, cha adj. *col.* Grueso y de poca altura. □ ETIMOL. De origen incierto.

rechupete ‖ **de rechupete;** *col.* Extraordinario o muy bueno: *Hoy las natillas están de rechupete.* □ ETIMOL. De *re-* (intensificación) y *chupete*, y este de *chupar.* □ SINT. Se usa también como adverbio de modo con el significado de 'muy bien': *Lo pasamos de rechupete en la feria.*

recibí (pl. *recibíes, recibís*) s.m. En un documento o en una factura, expresión que aparece como fórmula, debajo de la cual se firma para indicar que se ha recibido lo que se hace constar en ellos: *Me firmaron un recibí por el importe que adelanté sobre el precio final.*

recibidor, -a ▌adj./s. **1** Que recibe. ▌s.m. **2** En una casa, cuarto pequeño que está a la entrada. **3** Mueble que se coloca en la entrada de una casa: *un recibidor de caoba.*

recibimiento s.m. →**recepción.**

recibir ▌v. **1** Referido a algo que se da o que se envía, tomarlo, aceptarlo, captarlo o ser su destinatario: *Recibe mi felicitación más sincera. Recibió la orden de no intervenir.* **2** Referido a una acción, padecerla o sufrirla: *Al caer, recibió un fuerte golpe en la cabeza.* **3** Referido a una visita, atenderla, generalmente en un día y hora fijados con anterioridad: *Mi médico recibe de cuatro a seis de la tarde.* **4** Referido a alguien que viene de fuera, esperarlo o encontrarse con él como muestra de hospitalidad o de afecto: *Me recibió en la puerta de casa con los brazos abiertos.* **5** Referido a una persona, admitirla como compañera o dejarla entrar como miembro de una colectividad: *El convento recibirá dos nuevos hermanos novicios.* **6** Sustentar o sostener: *Tira el tabique, pero no toques el pilar que recibe las vigas del techo.* **7** Aceptar, aprobar o dar por bueno: *Como se cree más listo que nadie, es incapaz de recibir una sugerencia.* **8** Admitir o recoger: *Este río recibe aguas de muchos torrentes.* **9** En tauromaquia, referido a un torero, cuadrarse en la suerte de matar y mantener esta postura para citar al toro, resistir la embestida y clavar la estocada: *Se hizo un gran silencio cuando el torero se preparó para recibir al toro.* ▌prnl. **10** En zonas del español meridional, licenciarse o graduarse: *Me recibí de abogado a los veintitrés años.* □ ETIMOL. Del latín *recipere* (tomar, coger). □ SINT. Constr. de la acepción 10: *recibirse* DE *algo.* □ USO Es innecesario el uso de *recepcionar.*

recibo s.m. **1** Escrito o resguardo, generalmente firmado o sellado, en el que se declara haber recibido algo, esp. un pago: *el recibo de la luz.* **2** ‖ **ser algo de recibo;** *col.* Ser aceptable o reunir las cualidades necesarias para darle curso o para ser distribuido: *Un trabajo tan mal presentado no es de recibo.* □ SINT. *De recibo* se usa más en expresiones negativas.

reciclable adj.inv. Que se puede reciclar.

reciclado, da ▌adj. **1** Hecho a partir de materiales sometidos a un proceso de reciclaje: *papel reciclado.* ▌s.m. **2** →**reciclaje.**

reciclaje s.m. **1** Sometimiento de desperdicios o de materiales usados a un proceso que los haga nuevamente utilizables: *El reciclaje de materiales de desecho contribuye a frenar la destrucción del medio ambiente.* □ SINÓN. *reciclado, reciclamiento.* **2** Actualización o puesta al día de un profesional en su capacitación técnica o en sus conocimientos: *Esa profesora se mantiene al día gracias a los cursillos de reciclaje que hace.* □ SINÓN. *reciclado, reciclamiento.*

reciclamiento s.m. →**reciclaje.**

reciclar v. **1** Referido a desperdicios o a materiales usados, someterlos a un proceso que los haga nuevamente utilizables: *El Ayuntamiento recoge papel y vidrio usados para reciclarlos.* **2** Referido esp. a un profesional, actualizarlo o ponerlo al día en su capacitación técnica o en sus conocimientos: *Muchos trabajadores de industrias anticuadas pierden su trabajo y necesitan reciclarse para encontrar otro.* □ ETIMOL. Del francés *recycler.*

recidiva s.f. Repetición de una enfermedad algún tiempo después de terminar la convalecencia. □ ETIMOL. Del latín *recidivus* (que renace o se renueva).

recidivar v. Referido a una enfermedad, repetirse algún tiempo después de haber sido curada: *Algunas enfermedades infecciosas y tumores pueden recidivar.*

reciedumbre s.f. Fuerza, fortaleza o vigor.

recién adv. **1** Desde hace muy poco tiempo: *un recién nacido.* **2** En zonas del español meridional, apenas o hace un momento: *Recién salía de casa cuando ellos llegaron.* □ ETIMOL. Por acortamiento de *re-*

ciente. □ SINT. En la acepción 1, se usa antepuesto a un participio.

reciente adj.inv. **1** Nuevo, fresco o acabado de hacer: *pan reciente.* **2** Sucedido hace poco tiempo: *Las recientes manifestaciones podrían costarle el puesto a algún alto cargo.* □ ETIMOL. Del latín *recens* (nuevo, fresco). □ MORF. Sus superlativos son *recientísimo* y *recentísimo.*

recinto s.m. Espacio cerrado o limitado por algo. □ ETIMOL. Quizá del italiano *recinto.*

recio adv. De manera vigorosa y violenta: *Nevó recio durante toda la tarde y no nos atrevimos a salir del refugio.*

recio, cia adj. **1** Fuerte, robusto y vigoroso: *una musculatura recia.* **2** Duro o difícil de soportar: *Se sentía condenado a llevar sobre sus hombros la recia carga de la vida.* □ ETIMOL. De origen incierto.

recipiendario, ria s. Persona que es recibida solemnemente en una corporación o en una institución para formar parte de ellas. □ ETIMOL. Del latín *recipiendus* (que ha de ser recibido).

recipiente s.m. Objeto, utensilio o cavidad destinados a contener o a conservar algo: *recipientes de cocina.* □ ETIMOL. Del latín *recipiens* (el que recibe o contiene).

reciprocidad s.f. **1** Correspondencia mutua entre dos cosas: *La reciprocidad es la base de una buena colaboración.* **2** En gramática, intercambio mutuo de la acción entre dos o más sujetos, recayendo esta sobre todos ellos: *Los pronombres 'nos', 'os' y 'se' pueden expresar reciprocidad.*

recíproco, ca adj. **1** Referido esp. a una acción o a un sentimiento, recibidos en la misma medida que se dan: *un amor recíproco.* **2** En gramática, que expresa que una acción se intercambia entre dos o más sujetos y recae sobre todos ellos: *'Tú y yo nos' queremos es una oración recíproca.* □ ETIMOL. Del latín *reciprocus* (que vuelve atrás, que repercute).

recitación s.f. **1** Pronunciación de algo en voz alta y con una determinada entonación: *la recitación de un poema.* □ SINÓN. *recitado.* **2** Repetición de memoria y en voz alta. □ SINÓN. *recitado.*

recitado s.m. **1** →**recitación. 2** En música, poema u obra que se declaman sobre un fondo musical.

recitador, -a adj./s. Que recita, esp. poemas o textos literarios.

recital s.m. **1** Espectáculo musical a cargo de un solo artista o de un dúo de instrumentistas, esp. si interpreta música clásica o popular: *dar un recital.* **2** Lectura o recitación de composiciones literarias, esp. si son de un solo autor o si los lee una sola persona. □ SEM. Dist. de *concierto* (de música, esp. de la instrumental).

recitar v. **1** Referido esp. a un poema, pronunciarlo o decirlo en voz alta y con una determinada entonación: *Si no recitas bien el poema, no entenderán su contenido.* **2** Referir o decir de memoria y en voz alta: *Cuando yo era pequeña, aprendí a recitar las tablas de multiplicar.* □ ETIMOL. Del latín *recitare* (leer en voz alta, pronunciar de memoria).

recitativo, va adj./s.m. Referido a un estilo o a una composición musicales, que son un término medio entre la recitación y el canto.

reclamación s.f. **1** Queja para protestar por lo que se considera injusto o insatisfactorio: *En los establecimientos públicos deben tener un libro de reclamaciones.* **2** Petición o exigencia que se hace con derecho o con insistencia: *No pararé hasta que atienda mis reclamaciones.*

reclamante adj.inv./s.com. Referido a una persona, que reclama o exige con derecho.

reclamar v. **1** Manifestar una queja por algo que se considera injusto o insatisfactorio: *Reclamó en el hotel porque las sábanas estaban sucias.* **2** Pedir o exigir por derecho o con insistencia: *Los niños reclaman tu presencia.* **3** Referido a una persona, llamarla para que vaya o pedir su presencia: *Te reclaman en el taller.* **4** Referido a un ave, llamar a otra de su misma especie: *Las perdices se reclamaban con su canto.* □ ETIMOL. Del latín *reclamare.*

reclame s.f. En zonas del español meridional, publicidad. □ ETIMOL. Del francés *réclame.*

reclamo s.m. **1** Lo que se utiliza para atraer la atención de algo: *Los cazadores pusieron los reclamos y se prepararon para la caza.* **2** Llamada con la que se intenta atraer la atención de algo: *El palomo no atendía al reclamo de la paloma.* **3** En un texto, señal que se pone para remitir al lector a otro lugar de la misma obra, en el que generalmente se facilitan explicaciones o datos complementarios. □ SINÓN. *llamada.* **4** En zonas del español meridional, reclamación o queja.

reclamón s.m. Disminución evidente y rápida de la fuerza del mar o del viento.

reclinar v. Inclinar apoyando en algo: *Reclinó la cabeza sobre mis hombros y se durmió. No te reclines sobre la pared.* □ ETIMOL. Del latín *reclinare.*

reclinatorio s.m. **1** Especie de silla, pero con las patas muy cortas y el respaldo muy alto, que se usa para arrodillarse. **2** Objeto o mueble preparado y dispuesto para reclinarse: *el reclinatorio del asiento.*

recluir v. Encerrar en un lugar para no salir: *Recluyeron al ladrón en una cárcel de máxima seguridad. Se recluyó en su casa durante una semana para preparar el examen.* □ ETIMOL. Del latín *recludere* (encerrar). □ MORF. Irreg.: 1. Tiene un participio regular (*recluido*), que se usa más en la conjugación, y otro irregular (*recluso*), que se usa solo como adjetivo o sustantivo. 2. →HUIR.

reclusión s.f. Encierro o prisión voluntarios o forzados. □ ETIMOL. Del latín *reclusio.*

recluso, sa adj./s. Que está en la cárcel. □ ETIMOL. Del latín *reclusus.*

recluta s.m. Persona que es llamada al cumplimiento del servicio militar, hasta que termina el período de instrucción básica.

reclutador, -a s. Persona encargada de reclutar.

reclutamiento s.m. **1** Inscripción o llamamiento para la incorporación al ejército. **2** Reunión para un fin determinado: *El reclutamiento de nuevos afiliados es esencial para la permanencia del partido en el poder.*

reclutar v. **1** Inscribir o llamar para la incorporación al ejército: *Al estallar la guerra, reclutaron a muchos jóvenes.* **2** Reunir para un fin determinado: *Para la realización del proyecto, reclutó a los mejores profesionales.* ☐ ETIMOL. Del latín *recruter.*

recobrar ▮ v. **1** Volver a tener: *Gracias al reposo absoluto ya ha recobrado la salud.* ▮ prnl. **2** Recuperarse o ponerse bien: *Se ha recobrado muy bien de la operación y ya está trabajando.* **3** Volver en sí después de haber perdido el sentido o el conocimiento: *Tardó varios minutos en recobrarse del desmayo.* ☐ ETIMOL. Del latín *recuperare.* ☐ SINT. Constr. de las acepciones 2 y 3: *recobrarse* DE *algo.*

recobro s.m. Recuperación de algo que se ha perdido.

recocer v. **1** Volver a cocer: *He recocido la carne porque estaba dura.* **2** Cocer en exceso: *Si recueces las patatas, se desharán.* ☐ ETIMOL. Del latín *recoquere.* ☐ ORTOGR. La *c* se cambia en *z* delante de *a, o.* ☐ MORF. Irreg. →COCER.

recochinearse v.prnl. *col.* Hablar o actuar con recochineo: *No te recochinees de su fracaso porque a ti te hubiera pasado lo mismo.* ☐ SINT. Constr. *recochinearse* DE *algo.*

recochineo s.m. *col.* Burla que se añade para molestar o burlarse más: *No vengas tú ahora con recochineo.*

recodar v. Recostarse o descansar apoyándose sobre el codo: *Me recodé sobre un lado del sillón y me quedé dormida.* ☐ MORF. Se usa más como pronominal.

recodo s.m. Ángulo o curva cerrados que se forman en un lugar que cambia de dirección: *los recodos de un río.*

recogedor, -a ▮ adj. **1** Que recoge o acoge. ▮ s.m. **2** Utensilio parecido a una pala, que se usa para recoger cosas, esp. basura. ☐ SINÓN. *cogedor.*

recogemigas (pl. *recogemigas*) s.m. Utensilio que sirve para recoger las migas que quedan sobre el mantel.

recogepelotas (pl. *recogepelotas*) s.com. Persona que se encarga de recoger las pelotas que pierden los jugadores durante un partido de tenis.

recoger ▮ v. **1** Guardar, colocar o disponer de forma ordenada: *Cuando termines de pintar, recoge las brochas.* **2** Referido a algo caído, cogerlo: *Recoge la basura del suelo.* **3** Referido a cosas dispersas, reunirlas o cogerlas y juntarlas: *Los vendimiadores recogen la uva.* **4** Referido a algo, ir a buscarlo al lugar en que se encuentra para llevarlo consigo: *Si tienes tiempo, recoge al niño del colegio.* **5** Acoger, dar asilo o dar alojamiento: *En esa institución recogen a los niños huérfanos.* **6** Ir juntando y guardando poco a poco: *Recogí mucha información sobre el asunto.* **7** Volver a plegar o a doblar: *Recoge el toldo, que ya no da el sol.* **8** Estrechar o ceñir para reducir la longitud o el volumen: *Recoge las faldas de la mesa camilla, porque arrastran.* ▮ prnl. **9** Retirarse a algún lugar, generalmente para descansar o dormir: *Las gallinas se recogen muy temprano.* ☐ ETIMOL. Del latín *recolligere.* ☐ ORTOGR. La *g* se cambia en *j* delante de *a, o* →COGER.

recogida s.f. Véase **recogido, da.**

recogido, da ▮ adj. **1** Retirado del trato y de la comunicación con los demás: *llevar una vida recogida.* **2** Referido a un lugar, que resulta acogedor, resguardado y agradable. ▮ s.m. **3** Parte que se recoge o se junta: *un recogido de pelo.* ▮ s.f. **4** Reunión de cosas dispersas o separadas: *la recogida de la aceituna.* **5** Retirada a algún lugar, generalmente para descansar o dormir: *Mañana tengo que madrugar y ya es mi hora de recogida.*

recogimiento s.m. Aislamiento o apartamiento de todo lo que distrae o impide la meditación.

recolección s.f. **1** Recogida de la cosecha o de los frutos maduros. **2** Época durante la que se lleva a cabo la recogida de la cosecha. ☐ ETIMOL. Del latín *recollectio*, y este de *recolligere* (recoger).

recolectar v. **1** Referido a la cosecha, recogerla: *Como es época de vendimia, están recolectando la uva.* **2** Reunir o juntar: *Se propusieron muchas actividades para recolectar dinero.* ☐ ETIMOL. Del latín *recolligere* (recoger). ☐ SEM. Dist. de *colectar* (recaudar dinero).

recolector, -a s. Persona que se dedica a la recolección de la cosecha: *Soy un buen recolector de uva.*

recoleto, ta adj. Referido a un lugar, solitario, apartado y tranquilo. ☐ ETIMOL. Del latín *recollectus* (el que se recoge en sí mismo).

recolocación s.f. Ofrecimiento de un nuevo puesto de trabajo a una persona que ha perdido su empleo: *El Gobierno ofrece ayudas para la recolocación de los trabajadores afectados por el cierre de la empresa.* ☐ USO Es innecesario el uso del anglicismo *outplacement.*

recombinación s.f. En biología, aparición en la descendencia de combinaciones de genes que no existían en los padres.

recombinante adj.inv. En biología, que es producto de una recombinación genética o que la ocasiona: *una vacuna recombinante.*

recomendable adj.inv. Que debe ser recomendado o que es conveniente.

recomendación s.f. **1** Consejo que se da porque se considera beneficioso. **2** Ventaja, influencia o trato de favor con que cuenta una persona para conseguir algo: *Mucha gente consigue trabajo gracias a una recomendación.*

recomendado, da ▮ adj. **1** En zonas del español meridional, referido al correo, certificado: *una carta recomendada.* ▮ s. **2** Persona en cuyo favor se ha hecho una recomendación.

recomendar v. **1** Referido a algo que se considera beneficioso, aconsejarlo: *El médico me recomendó que dejara de fumar.* **2** Referido a una persona o a un negocio, encomendárselos a alguien para que les conceda un trato de favor: *Desgraciadamente, si no te recomienda nadie, tienes pocas posibilidades de* *conseguir ese trabajo.* ☐ ETIMOL. De *re-* (intensificación) y el antiguo *comendar* (recomendar). ☐ MORF. Irreg. →PENSAR.

recomendatorio, ria adj. Que recomienda o que sirve para recomendar: *una carta recomendatoria.*

recomenzar v. Volver a comenzar: *Han decidido recomenzar las obras de ampliación de la autovía que llevaban dos años paralizadas.* ☐ ORTOGR. La *z* se cambia en *c* delante de *e.* ☐ MORF. Irreg. →EMPEZAR.

recomer v. Consumir de impaciencia, de pesar o de otro sufrimiento: *Los celos me recomían.* ☐ SINÓN. *reconcomer, concomer.*

recompensa s.f. Compensación, premio o retribución de un mérito, un favor o un servicio.

recompensar v. Referido a un mérito, a un favor o a un servicio, compensarlos, premiarlos o retribuirlos: *Mis padres han recompensado mis buenas notas con una bicicleta.* ☐ ETIMOL. De *re-* (intensificación) y *compensar.*

recomponer v. Arreglar o volver a componer: *El técnico ha tenido que recomponer totalmente el televisor. Tras el primer momento de sorpresa, se recompuso enseguida.* ☐ MORF. Irreg.: 1. Su participio es *recompuesto.* 2. →PONER.

recompra s.f. Compra de una misma cosa por segunda vez.

recompuesto, ta part. irreg. de **recomponer**. ☐ MORF. Incorr. **recomponido.*

reconcentrar ▮ v. **1** Aumentar la concentración: *El humo se ha reconcentrado y no hay quien respire en esta habitación.* ▮ prnl. **2** Dejar de ocuparse del entorno para concentrarse en los propios actos o pensamientos: *Cuando te reconcentras en ti mismo, se te olvida todo lo demás.* ☐ ETIMOL. De *re-* (intensificador) y *concentrar.*

reconciliable adj.inv. Que puede reconciliarse.

reconciliación s.f. Restablecimiento de la amistad, la armonía o la relación perdidas.

reconciliador, -a adj./s. Que reconcilia: *Cuando se disculpó, utilizó un tono reconciliador.*

reconciliar v. Restablecer la amistad, la armonía o la relación perdidas: *Gracias a su mano izquierda, logró reconciliar a padres e hijos. Me reconcilié con mi hermano después de la disputa.* ☐ ETIMOL. Del latín *reconciliare.* ☐ ORTOGR. La *i* nunca lleva tilde.

reconcomer v. Consumir de impaciencia, de pesar o de otro sufrimiento: *La envidia te reconcome porque tú nunca podrás hacerlo igual. Se reconcomía al ver lo tarde que era y que aún no habían llegado sus hijos.* ☐ SINÓN. *concomer, recomer.* ☐ ETIMOL. De *re-* (repetición) y *concomer.*

reconcomio s.m. Desasosiego, intranquilidad o preocupación.

recóndito, ta adj. Muy escondido, reservado u oculto. ☐ ETIMOL. Del latín *reconditus,* y este de *recondere* (encerrar).

reconducción s.f. Conducción de algo al sitio de donde ha salido o nueva orientación de su rumbo.

reconducir v. Dirigir o guiar al sitio en que se estaba, u orientar de manera distinta: *La moderadora intentó reconducir el debate para volver al tema central.* ☐ ETIMOL. Del latín *reconducere.* ☐ MORF. Irreg. →CONDUCIR.

reconfortante adj.inv./s.m. Que reconforta o hace recuperar las fuerzas o los ánimos perdidos.

reconfortar v. Devolver la fuerza o el ánimo perdidos o darlos de manera más intensa y eficaz: *Tus palabras de ánimo me reconfortan en estos momentos de dolor.*

reconocedor, -a adj./s. Que reconoce.

reconocer v. **1** Distinguir o identificar entre otros por rasgos o características propios: *Reconocería tu voz en cualquier parte. No me reconozco en esta foto.* **2** Examinar con atención y cuidado para conocer o identificar: *El capitán mandó reconocer el terreno para ver si había peligro.* **3** Referido a un hecho real, admitirlo o aceptarlo: *Reconozco que me he equivocado.* **4** Referido a un paciente, examinarlo para averiguar su estado de salud o para diagnosticar una posible enfermedad: *Voy al hospital a que me hagan un chequeo y a que me reconozcan.* ☐ ETIMOL. Del latín *recognoscere.* ☐ MORF. Irreg. →PARECER.

reconocible adj.inv. Que se puede reconocer.

reconocido, da adj. Agradecido por un favor o un beneficio recibidos.

reconocimiento s.m. **1** Distinción e identificación entre otros por rasgos o características propios: *Los testigos fueron convocados para proceder al reconocimiento de los atracadores.* **2** Observación detallada o examen minucioso para conocer o identificar: *El avión realizó un vuelo de reconocimiento sobre el territorio enemigo.* **3** Admisión o aceptación de un hecho real: *Este premio es muestra del reconocimiento internacional de su valía.* **4** Examen médico que se hace a un paciente para averiguar su estado de salud o para diagnosticarle una posible enfermedad: *Mi médica no observó ninguna anomalía en el reconocimiento que me hizo.* **5** Sentimiento que nos obliga a estimar un favor o un beneficio que se nos ha hecho y a corresponder a él de alguna manera: *Tienes todo mi reconocimiento por la ayuda que siempre me has prestado.* ☐ SINÓN. *gratitud.*

reconquista s.f. Recuperación de algo que se había perdido. ☐ USO Cuando designa un período de la historia de España, se usa como nombre propio.

reconquistar v. Referido a algo que se había perdido, recuperarlo o volver a conquistarlo: *Espero reconquistar tu afecto.*

reconsiderar v. Referido a un problema o a un asunto, considerarlos de nuevo, esp. si se les da una orientación distinta: *A la vista de los resultados obtenidos, habrá que reconsiderar los planteamientos.*

reconstitución s.f. **1** Nueva formación o establecimiento de algo desaparecido o deshecho: *La reconstitución del medicamento se hace echando el contenido del sobre en un vaso de agua.* **2** Devolución al organismo o a una parte de él de sus condiciones normales: *La reconstitución de los tejidos dañados tardará algún tiempo.*

reconstituir v. **1** Referido a algo desaparecido o deshecho, formarlo o establecerlo de nuevo: *Pretenden reconstituir el partido que se disolvió hace dos años.* **2** Referido al organismo o a una parte de él, devolverle sus condiciones normales: *Estos medicamentos ayudarán a reconstituir el organismo del enfermo.* ☐ ETIMOL. De *re-* (repetición, intensificación) y *constituir.* ☐ MORF. Irreg. →HUIR.

reconstituyente ▌ adj.inv. **1** Que reconstituye. ▌ s.m. **2** Remedio o medicamento que fortalece el organismo.

reconstrucción s.f. **1** Reparación, restauración o construcción de algo destruido o deshecho: *la reconstrucción de un edificio.* **2** Reproducción o presentación completa de un hecho o de un acontecimiento a través de recuerdos, indicios o declaraciones: *la reconstrucción de un delito.*

reconstruir v. **1** Referido a algo deshecho o destruido, repararlo, completarlo o construirlo de nuevo: *Van a reconstruir esa iglesia románica.* **2** Referido esp. a un hecho o a un acontecimiento, reproducirlo o presentarlo de manera completa a través de recuerdos, indicios o declaraciones: *Intenta reconstruir todos tus movimientos de aquella mañana.* ☐ ETIMOL. Del latín *reconstruere.* ☐ MORF. Irreg. →HUIR.

recontar v. Volver a contar o numerar: *El conductor del autocar recontó a los alumnos para ver si faltaba alguno.* ☐ MORF. Irreg. →CONTAR.

reconvención s.f. Censura o riña suaves. ☐ SINÓN. *admonición.*

reconvenir v. Censurar, reñir o reprender suavemente por lo que se ha hecho o se ha dicho: *Reconvino a su hijo por su comportamiento ante los invitados.* ☐ ETIMOL. De *re-* (intensificación) y *convenir* (ser adecuado, decidir). ☐ MORF. Irreg. →VENIR.

reconversión s.f. Proceso de modernización de una empresa o de una industria.

reconversor, -a adj./s. Referido a una persona, que lleva a cabo una reconversión.

reconvertir v. Referido esp. a una industria, someterla a un nuevo proceso de estructuración para conseguir su modernización: *Si queremos competir con otros países, es necesario reconvertir la industria naval.* ☐ MORF. Irreg. →SENTIR.

recopilación s.f. Reunión de varias cosas dispersas, generalmente obras escritas, bajo un criterio que les da unidad.

recopilador, -a ▌ adj. **1** De la recopilación o relacionado con ella. ▌ s. **2** Persona que recopila o reúne algo disperso y relacionado.

recopilar v. Referido esp. a escritos dispersos, juntarlos o reunirlos bajo un criterio que les dé unidad: *Busqué en varias bibliotecas y archivos para recopilar información sobre la época.* ☐ ETIMOL. Del latín *compilare* (saquear, plagiar).

recopilatorio, ria adj. Que sirve para recopilar o que contiene una recopilación: *un disco recopilatorio.*

recórcholis interj. *col.* Expresión que se usa para indicar extrañeza, sorpresa, admiración o disgusto.

record (ing.) s.m. Tecla o mecanismo que permiten grabar algo en una cinta. ☐ PRON. [rícord], aunque está muy extendida [récord]. ☐ ORTOGR. Dist. de *récord.*

récord (pl. *récords*) s.m. **1** En deporte, mejor resultado técnico homologado. ☐ SINÓN. *marca, plusmarca.* **2** Lo que representa el máximo nivel conseguido en una actividad: *un récord de ventas.* ☐ ETIMOL. Del inglés *record.* ☐ PRON. [récor]. ☐ ORTOGR. Dist. de *record.* ☐ SINT. En la acepción 2, se usa mucho en aposición, pospuesto a un sustantivo: *una recaudación récord.*

recordación s.f. **1** Hecho de recordar. **2** Recuerdo o memoria de algo ya pasado.

recordar v. **1** Traer a la memoria o retener en ella: *Es mejor no recordar los malos momentos.* **2** Hacer que se tenga presente o que no se olvide: *Recuerda la cita con el médico.* **3** Referido a una cosa, guardar cierta semejanza con otra o sugerir, por su parecido, cierta relación con ella: *Esta moda recuerda a la de la década de 1920.* ☐ ETIMOL. Del latín *recordari.* ☐ MORF. Irreg. →CONTAR. ☐ SINT. Es incorrecto su uso como pronominal: **Me recuerdo de todo* > *Recuerdo todo.*

recordatorio, ria ▌ adj. **1** Que sirve para recordar. ▌ s.m. **2** Aviso o comunicación que sirven para recordar algo. **3** Tarjeta o impreso breve en los que se recuerda la fecha de algún acontecimiento, esp. si es religioso.

recordman (fr.) s.m. Hombre que consigue un récord. ☐ ETIMOL. Del francés *recordman,* y este del inglés *record* (marca) y *man* (hombre). ☐ PRON. [récorman].

recordwoman (fr.) s.f. Mujer que consigue un récord. ☐ ETIMOL. Del francés *recordwoman,* y este del inglés *record* (marca) y *woman* (mujer). ☐ PRON. [recorguóman].

recorrer v. Referido a un espacio, atravesarlo en toda su extensión o pasar sucesivamente por todos los puntos que lo forman: *Recorrí el horizonte con la mirada. Me recorrí el museo entero buscándote.* ☐ ETIMOL. Del latín *recurrere.*

recorrida s.f. En zonas del español meridional, recorrido.

recorrido s.m. **1** Desplazamiento por un espacio atravesándolo en toda su extensión o pasando sucesivamente por todos los puntos que lo forman: *Hicimos un recorrido por las calles del pueblo. Hice un recorrido mental por mi vida para buscar mis errores.* **2** Ruta o itinerario prefijados: *un recorrido turístico.*

recortable s.m. Hoja de papel o cartulina con dibujos que se pueden recortar como juego, entretenimiento o enseñanza.

recortado, da adj. **1** Que tiene los bordes o el contorno con muchos entrantes y salientes: *una costa recortada.* **2** Referido a un arma de fuego, que tiene el cañón o los cañones cortados: *una escopeta recortada.*

recortadura s.f. →**recorte.**

recortar ▌v. **1** Referido a algo sobrante, cortarlo: *Hay que recortar los hilos que sobresalen de los bajos.* **2** Cortar lo que sobra dando forma: *Recorta el papel siguiendo el patrón.* **3** Disminuir o hacer más pequeño: *Los sindicatos se niegan a que se recorten los salarios.* ▌prnl. **4** Referido a una cosa, dibujarse su perfil sobre otra: *El castillo se recortaba en el horizonte.* □ ETIMOL. De *re-* (repetición) y *cortar.*

recorte s.m. **1** Corte de algo que sobra o corte de algo a lo que hay que dar determinada forma: *Para el recorte de papel, los niños utilizan unas tijeras de punta redondeada.* □ SINÓN. *recortadura.* **2** Trozo que se recorta: *recortes de periódico.* □ SINÓN. *recortadura.* **3** Disminución o reducción de la cantidad o del tamaño: *recorte de gastos.*

recoser v. Volver a coser: *Recose estas costuras para que no se descosan.*

recostar v. Inclinar apoyando sobre algo: *Recostó la cabeza sobre mi hombro. Se recostó en el sofá para descansar.* □ ETIMOL. De *re-* (intensificación) y el antiguo *costa* (costado). □ MORF. Irreg. →CONTAR.

recoveco ▌s.m. **1** Escondrijo, rincón o lugar escondido. **2** Entrante o curva que se forma al cambiar la dirección varias veces. ▌pl. **3** Aspectos complicados, poco claros u oscuros en la forma de ser de una persona.

recreación s.f. Creación o reproducción siguiendo las características de un modelo.

recrear v. **1** Crear o reproducir siguiendo las características de un modelo: *En la película se recrea el ambiente de la década de 1940.* **2** Alegrar, divertir o entretener: *Este paisaje tan hermoso recrea la vista. El abuelo se recreaba viendo jugar a sus nietos.* □ ETIMOL. Del latín *recreare.*

recreativo, va adj. Que divierte, que entretiene o que es capaz de ello: *juegos recreativos.*

recrecer ▌v. **1** Aumentar o acrecentar: *Se comprometió ante los electores a no recrecer la presión fiscal.* ▌prnl. **2** Reanimarse o cobrar fuerza: *El torero se recreció en el quinto toro.* □ MORF. Irreg. →PARECER.

recreo s.m. **1** Placer, diversión, entretenimiento o descanso: *una finca de recreo.* **2** Interrupción de las clases para que los alumnos descansen. **3** Lugar preparado o destinado para divertirse.

recría s.f. Fomento del desarrollo de un animal en una zona distinta de aquella en la que se ha criado.

recriar v. Referido a un animal, fomentar su desarrollo en una zona distinta de aquella en la que se ha criado: *En estas naves recrío los terneros que compro en los pueblos.* □ ORTOGR. La *i* lleva tilde en los presentes, excepto en las personas *nosotros* y *vosotros* →GUIAR.

recriminable adj.inv. Que se debe recriminar: *Su conducta es moralmente recriminable.*

recriminación s.f. Reproche, crítica o censura que se hacen a alguien por su comportamiento.

recriminar v. Censurar, criticar o juzgar negativamente: *Me recrimina que no haya asistido a su boda. Me recriminó por no haberte acompañado a casa.* □ ETIMOL. De *re-* (intensificación) y el antiguo *criminar* (acusar).

recriminatorio, ria adj. Que recrimina o censura.

recrudecerse v.prnl. Referido a algo desagradable o perjudicial, aumentar la intensidad de sus efectos cuando parecía que empezaban a disminuir o ceder: *Los enfrentamientos se han recrudecido en los últimos días.* □ ETIMOL. Del latín *recrudescere.* □ MORF. Irreg. →PARECER.

recrudecimiento s.m. Aumento de la intensidad de algo desagradable o perjudicial cuando parecía que empezaba a disminuir o ceder.

recta s.f. Véase **recto, ta**.

rectal adj.inv. Del recto o relacionado con esta parte del intestino.

rectangular adj.inv. **1** Con forma de rectángulo. **2** En geometría, que tiene uno o más ángulos rectos: *un pentágono rectangular.*

rectángulo, la ▌adj. **1** En geometría, referido a una figura geométrica, que tiene uno o varios ángulos rectos. ▌s.m. **2** En geometría, polígono que tiene cuatro lados, iguales dos a dos, y cuatro ángulos rectos. □ ETIMOL. Del latín *rectangulus.*

rectificación s.f. **1** Corrección o modificación. **2** Ajuste de un aparato o pieza para corregir sus fallos.

rectificador, -a ▌adj. **1** Que rectifica. ▌s.m. **2** Aparato que transforma una corriente eléctrica alterna en una corriente continua.

rectificadora s.f. Máquina que se usa para rectificar o corregir piezas metálicas.

rectificar v. **1** Corregir o modificar, esp. si es para eliminar imperfecciones, errores o defectos: *No me gusta que me rectifiques cuando hablo en público.* **2** Modificar la conducta, las palabras o las opiniones propias: *Si no rectificas tendrás que irte de mi casa.* **3** Referido a un aparato o a una pieza, ajustarlos para corregir sus fallos: *Han rectificado el motor de mi coche.* □ ETIMOL. Del latín *rectificare*, y este de *rectus* (recto) y *facere* (hacer). □ ORTOGR. La *c* se cambia en *qu* delante de *e* →SACAR. □ SEM. Dist. de *ratificar* (aprobar o confirmar algo dándolo por válido).

rectificativo, va adj. Que rectifica o que puede rectificar.

rectilíneo, a adj. **1** Que se compone de líneas rectas o que se desarrolla en línea recta: *una trayectoria rectilínea.* **2** Que no tiene cambios y es recto y firme: *Mantiene una actitud política rectilínea y se resiste a cualquier cambio.* □ ETIMOL. Del latín *rectilineus.*

rectitud s.f. **1** Carácter de lo que es recto o justo, esp. en el sentido moral. **2** Ausencia de inclinación, de curvas o de ángulos: *trazar líneas con rectitud.*

recto, ta ▌adj. **1** Que no está inclinado o torcido y no hace curvas ni ángulos: *Aprovechó el tramo recto de la carretera para adelantar.* **2** Que no se desvía del punto al que se dirige: *La bala siguió una trayectoria recta hasta alcanzar el blanco.* **3**

Justo, honrado o firme en la forma de actuar: *Al falsificar el informe, demostró que no era tan recto como creíamos.* **4** Referido a un significado, que es el literal o primitivo: *Debes entender mis palabras en su sentido recto, así que no les busques doble sentido.* ▌ s.m. **5** En los mamíferos y en otros animales, última parte del intestino, que termina en el ano. ▌ s.f. **6** En geometría, línea formada por una sucesión continua de puntos en la misma dirección: *Las rectas, a diferencia de los segmentos, tienen una longitud infinita.* **7** Lo que tiene la forma de esta línea: *La meta de la carrera estaba al final de una recta.* **8** || **recta final;** última etapa o último período de alguna situación. □ ETIMOL. Del latín *rectus.* □ MORF. Cuando se antepone a una palabra para formar compuestos, adopta la forma *recti-.*

rector, -a ▌ adj./s. **1** Que rige o que gobierna. ▌ s. **2** Persona que se encarga del gobierno y del mando de una institución o de una comunidad, esp. del gobierno de una universidad. □ ETIMOL. Del latín *rector.*

rectorado s.m. **1** Cargo de rector: *Desempeñó con eficacia el rectorado de la universidad.* **2** Tiempo durante el que un rector ejerce su cargo: *Durante mi rectorado se hicieron numerosas mejoras.* **3** Oficina del rector: *En el rectorado te informarán sobre las carreras que puedes cursar.*

rectoral ▌ adj.inv. **1** Del rector o relacionado con él. ▌ s.f. **2** Habitación o despacho del párroco.

rectoría s.f. Casa del párroco o del rector.

rectoscopia s.f. En medicina, exploración del recto, mediante la introducción de un rectoscopio o proctoscopio. □ SINÓN. *proctoscopia.* □ ETIMOL. Del latín *rectus* (recto) y *-scopia* (exploración).

rectoscopio s.m. Instrumento óptico que se utiliza en medicina para examinar internamente el recto. □ SINÓN. *proctoscopio.* □ ETIMOL. Del latín *rectus* (recto) y *-scopio* (instrumento para ver).

recua s.f. **1** Conjunto de animales de carga que se utilizan para acarrear o transportar mercancías: *una recua de mulas.* **2** *col.* Conjunto numeroso de personas o de cosas que van unas detrás de otras. □ ETIMOL. Del árabe *rakuba* (caravana).

recuadrar v. Poner un recuadro o rodear con él: *Recuadra los párrafos del texto que consideres más importantes.*

recuadro s.m. **1** Línea cerrada en forma de cuadrado o de rectángulo: *Para que tu esquema destaque más, rodéalo con un recuadro.* **2** División o parte de una superficie que queda limitada por esta línea: *Los tableros de ajedrez tienen recuadros blancos y negros.*

recubierto, ta part. irreg. de **recubrir**.

recubrimiento s.m. Cubrimiento por completo.

recubrir v. Cubrir por completo: *Al desbordarse el río, el agua recubrió toda la zona cercana.* □ MORF. Su participio es *recubierto.*

recuelo s.m. Café cocido por segunda vez.

recuento s.m. **1** Comprobación del número de personas o de objetos que forman un conjunto. **2** Hecho de volver a contar algo. □ SEM. No debe usarse con el significado de *cómputo*: *el {*recuento > cómputo} de los votos.*

recuerdo ▌ s.m. **1** Presencia en la mente de algo ya pasado: *Tengo un buen recuerdo de ella.* □ SINÓN. *memoria.* **2** Lo que sirve para recordar algo: *Siempre que viaja, me trae algún recuerdo. Cuando te ponen la vacuna del tétanos, te van poniendo después otras dosis de recuerdo porque con una inmunización no es suficiente.* ▌ pl. **3** Saludo afectuoso que se envía a una persona ausente por escrito o a través de un intermediario: *Vi a tu primo y me dio recuerdos para ti.*

recuero s.m. Hombre que cuida o conduce recuas.

recuesta s.f. *poét.* Requerimiento.

recular v. **1** Retroceder o andar hacia atrás: *Para que recule el coche debes meter la marcha atrás.* **2** *col.* Ceder o rectificar: *Parece mentira que no recules ni aunque todos te digamos que estás metiendo la pata.* □ ETIMOL. Quizá del francés *reculer.*

recuperable adj.inv. Que puede ser recuperado.

recuperación s.f. **1** Adquisición de lo que se había perdido. **2** Puesta en servicio de algo que se consideraba inservible: *Se están estudiando nuevas formas de recuperación de los plásticos usados.* **3** Superación de una asignatura o de un examen después de haberlos suspendido. **4** Vuelta en sí de la pérdida de los sentidos o del conocimiento: *Si la recuperación ha sido rápida, el desmayo no es grave.* **5** Vuelta a un estado de normalidad: *Una recuperación de la economía estabilizaría los precios.*

recuperador, -a adj./s. Que recupera: *Ese director es un recuperador de compositores españoles olvidados.*

recuperar ▌ v. **1** Referido a algo que se había perdido, volver a tenerlo o a adquirirlo: *Esta semana he recuperado parte del dinero que perdí en las quinielas.* **2** Referido a algo inservible, volver a ponerlo en servicio: *El Ayuntamiento ha instalado un sistema para recuperar el vidrio y el papel usados.* **3** Referido a una asignatura o a un examen, aprobarlos tras haberlos suspendido anteriormente: *En septiembre recuperé las dos asignaturas que tenía pendientes.* **4** Referido al tiempo perdido, trabajar o realizar una actividad para compensarlo: *Tengo que trabajar este sábado para recuperar el día libre que me cogí.* **5** Referido esp. a una persona olvidada, rescatarla del olvido: *Queremos recuperar una serie de poetas que fueron muy importantes en su tiempo y hoy nadie los recuerda.* ▌ prnl. **6** Volver en sí o volver a estar sano: *Cuando te recuperes, nos iremos de vacaciones.* **7** Volver a un estado de normalidad: *Gracias a las nuevas inversiones, la economía del país se ha recuperado.* □ ETIMOL. Del latín *recuperare.*

recurrencia s.f. Aparición repetida de algo.

recurrente ▌ adj.inv. **1** Que vuelve a ocurrir o a aparecer, esp. después de un intervalo. **2** En anatomía, referido a un vaso o a un nervio, que en algún punto de su trayecto vuelven al lugar de origen. ▌ adj.inv./s.com. **3** Que entabla o tiene entablado un recurso: *La parte recurrente no está de acuerdo con la resolución judicial.*

recurrir v. **1** Referido a una persona o a una cosa, acudir a ellas en caso de necesidad para que ayuden a solucionar algo: *Cuando no se conoce el significado de una palabra, hay que recurrir al diccionario.* **2** En derecho, entablar un recurso contra una resolución: *Si la sentencia no nos es favorable, podemos recurrir.* ☐ ETIMOL. Del latín *recurrere* (volver a correr). ☐ SINT. En la acepción 2, su uso como transitivo es incorrecto, aunque está muy extendido: *recurrieron {*la sentencia > contra la sentencia}.*

recurso ▌ s.m. **1** Medio que permite conseguir lo que se pretende y al que se acude en caso de necesidad: *Es una persona con muchos recursos y siempre sale de las situaciones difíciles.* **2** En derecho, reclamación contra las resoluciones dictadas por un juez o un tribunal: *interponer un recurso.* ▌ pl. **3** Bienes, riqueza u otras cosas que pueden utilizarse para hacer algo. **4** || **recursos humanos;** Departamento de una empresa que se ocupa de coordinar y seleccionar a los trabajadores, así como de atender sus necesidades en la empresa: *Te han llamado de recursos humanos para que vayas a firmar el nuevo contrato.* || **(recurso de) casación;** el que se interpone ante el Tribunal Supremo para que anule una sentencia dictada por un tribunal de justicia: *Interpuso un recurso de casación contra la sentencia dictada por defecto de procedimiento.* ☐ ETIMOL. Del latín *recursus.*

recusable adj.inv. Que se puede recusar: *Tu propuesta es recusable porque no ha tenido en cuenta algunos aspectos importantes.*

recusación s.f. **1** Rechazo o no admisión de algo. **2** En derecho, interposición de un impedimento legítimo para que una persona, esp. un juez, un testigo o un perito, no actúe en un procedimiento o juicio: *Piden la recusación del juez por tener intereses particulares en el caso que está juzgando.*

recusante adj.inv./s.com. Referido a una persona, que recusa: *El abogado presentó un recurso en nombre de su cliente, que era el recusante.*

recusar v. Rechazar o no querer aceptar: *El director recusó tus explicaciones porque ya era la tercera vez que cometías la misma falta.* ☐ ETIMOL. Del latín *recusare.*

red s.f. **1** Tejido hecho con hilos, cuerdas o alambres trabados de forma entrecruzada, que está preparado para distintos usos: *El pescador arrojó la red al mar. La cancha de tenis está dividida en dos partes por una red.* **2** Engaño o trampa: *Se las va dando de listo, pero cayó en la red como todos los demás.* **3** Conjunto organizado de distintos elementos, esp. hilos conductores, cañerías o vías de comunicación: *red de carreteras.* **4** Conjunto de personas organizadas para un mismo fin: *una red de tráfico de drogas.* **5** Conjunto de establecimientos, instalaciones o construcciones del mismo tipo o con una misma función, organizados en un sistema y pertenecientes a una sola empresa o sometidos a una sola dirección. ☐ SINÓN. *cadena.* **6** Internet: *buscar información en la red.* **7** || **en red;** en informática, conectados a un mismo servidor, lo que permite compartir recursos o tareas simultáneamente: *En la oficina trabajamos en red.* ☐ ETIMOL. Del latín *rete.*

redacción s.f. **1** Expresión de algo por escrito: *la redacción de un contrato.* **2** Ejercicio escolar que consiste en redactar unos hechos o pensamientos. **3** Lugar u oficina en los que se redacta: *Al enseñarnos las instalaciones del periódico nos llevaron también a la redacción.* **4** Conjunto de los redactores de una publicación periódica: *Forma parte de la redacción de un importante periódico.* ☐ ETIMOL. Del latín *redactio.*

redaccional adj.inv. De la redacción o relacionado con ella.

redactar v. Expresar por escrito: *Ésta es la periodista que redacta las noticias deportivas.* ☐ ETIMOL. Del latín *redactus,* y este de *redigere* (compilar, poner en orden).

redactor, -a adj./s. Referido a una persona, que se dedica profesionalmente a la redacción.

redada s.f. Operación policial consistente en detener de una vez a un conjunto más o menos numeroso de personas. ☐ ETIMOL. De *redar* (echar la red de pescar).

redaño ▌ s.m. **1** *col.* Repliegue membranoso del peritoneo que une el intestino con la pared del abdomen. ☐ SINÓN. *entresijo, mesenterio.* ▌ pl. **2** Fuerzas, decisión o valor. ☐ ETIMOL. De *red.* ☐ ORTOGR. Incorr. **reaño.*

redar v. Echar la red de pescar: *Con los prismáticos vimos cómo redaban unos marineros.*

redargüir (tb. *reargüir*) v. Utilizar el argumento que otra persona ha utilizado para ir en contra de ella: *Redarguyó todas las razones con las que yo había defendido mis planteamientos para dejarme en ridículo.* ☐ ETIMOL. Del latín *redarguere.* ☐ ORTOGR. La *ü* pierde la diéresis cuando le sigue *y.* ☐ MORF. Irreg. →ARGÜIR.

redecilla s.f. **1** Especie de bolsa hecha con tejido de malla que se utiliza para recoger el pelo o para adornar la cabeza. **2** En un rumiante, segunda de las cuatro cavidades en que se divide su estómago. ☐ SINÓN. *retículo, bonete.*

rededor || **{al/en} rededor;** →**alrededor.**

redefinir v. Volver a definir, fijando nuevas características: *El partido redefinirá algunas de sus propuestas electorales.*

redención s.f. **1** Liberación de una obligación, de una situación poco favorable o de un dolor. **2** Rescate de una persona cautiva o esclava mediante el pago de una cantidad.

redentor, -a adj./s. Que redime. ☐ ETIMOL. Del latín *redemptor.*

redentorista ▌ adj.inv. **1** De la congregación religiosa fundada por san Alfonso María de Ligorio (doctor de la Iglesia y obispo italiano) en el siglo XVIII, o relacionado con ella. ▌ adj.inv./s.com. **2** Perteneciente a esta congregación.

redicho, cha adj./s. *col.* Referido a una persona, que utiliza palabras excesivamente escogidas o las pronuncia con una perfección afectada. □ ETIMOL. De *re-* (intensificación) y *dicho*.

rediez interj. *col.* Expresión que se usa para indicar extrañeza, sorpresa, admiración o disgusto (por sustitución eufemística de *rediós*). □ ETIMOL. Eufemismo por *rediós*.

redifusión s.f. Difusión de una señal a través de la red de satélites.

redil s.m. Terreno cercado para resguardar el ganado. □ ETIMOL. De *red*, porque el cercado de los rediles se hacía con red.

redimensionar v. Volver a medir o a calcular: *Habrá que redimensionar el equipo que necesitamos.*

redimible adj.inv. Que se puede redimir.

redimir v. Referido esp. a una obligación o un dolor, librar de ellos: *Para los cristianos, Cristo redimió de los pecados a toda la humanidad al morir en la cruz. El preso se redimió de algunos años de cárcel por su buen comportamiento.* □ ETIMOL. Del latín *redimere* (rescatar, redimir). □ SINT. Constr. *redimir* DE *algo*.

rediós interj. *vulg.* Expresión que se usa para indicar extrañeza, sorpresa, admiración o disgusto.

redistribución s.f. Nueva distribución, esp. si resulta diferente a la anterior.

redistribuir v. Distribuir de nuevo, esp. si se hace de forma diferente a como se había hecho: *Hay que redistribuir las tareas porque no es justo que yo tenga más trabajo que los demás.* □ MORF. Irreg. →HUIR.

rédito s.m. Renta o beneficio que rinde un capital. □ ETIMOL. Del latín *reditus* (regreso, vuelta, renta). □ MORF. Se usa más en plural.

redituar v. Producir utilidad periódicamente: *Su negocio les reditúa ganancias desde hace años.* □ ETIMOL. Del latín *reditus* (rédito). □ ORTOGR. La *u* lleva tilde en los presentes, excepto en las personas *nosotros* y *vosotros* →ACTUAR.

redivivo, va adj. Aparecido o resucitado. □ ETIMOL. Del latín *redivivus* (renovado).

redoblamiento s.m. Aumento de algo en el doble de lo que era antes.

redoblar v. **1** Hacer aumentar mucho o el doble: *Tuvo que redoblar esfuerzos para terminar el trabajo en el tiempo previsto.* **2** Tocar redobles con el tambor: *Hicieron redoblar los tambores.* □ ETIMOL. De *re-* (intensificador) y *doblar*.

redoble s.m. Toque de tambor vivo y sostenido, que se produce haciendo rebotar rápidamente los palillos.

redoma s.f. Vasija de vidrio con la base ancha y que va estrechándose hacia la boca. □ ETIMOL. Quizá del árabe *ruduma* (botella de cristal, frasco).

redomado, da adj. Acompañado de una cualidad negativa, indica que esta se tiene en alto grado. □ ETIMOL. De *re-* (intensificación) y *domar*, quizá por el sentido de *mal domado*, referido al caballo.

redonda s.f. Véase **redondo, da**.

redondeado, da adj. Con forma más o menos redonda.

redondeamiento s.m. →**redondeo.**

redondear v. **1** Dar forma redonda: *La costurera redondeaba el bajo de la falda.* **2** *col.* Terminar o completar de modo satisfactorio: *Para redondear el texto solo me queda pulir su estilo.* **3** Referido a una cifra, añadirle o restarle lo necesario para que exprese una cantidad aproximada mediante unidades completas de cierto orden: *Son 10 euros con 50, pero te redondearé el precio en 10 euros.*

redondel s.m. **1** *col.* Circunferencia y superficie delimitada por ella. **2** En una plaza de toros, ruedo.

redondeo s.m. **1** Dotación de forma redonda: *El redondeo de las esquinas da una forma muy original a la mesa.* □ SINÓN. *redondeamiento.* **2** Adición o resta de lo necesario para que una cifra exprese una cantidad aproximada mediante unidades completas de cierto orden: *Eran 120 euros con 78, pero con el redondeo se me quedó en 121.* □ SINÓN. *redondeamiento.*

redondez s.f. Conjunto de características de lo que es redondo, como la ausencia de ángulos y aristas.

redondilla s.f. **1** En métrica, estrofa formada por cuatro versos de arte menor y cuyo esquema es *abba*: *La redondilla es una estrofa característica de la lírica tradicional y del teatro.* **2** →**letra redondilla.**

redondo, da ▮ adj. **1** Con forma circular o esférica, o semejante a ellas: *Las ruedas son redondas.* **2** *col.* Perfecto, completo o bien logrado: *El trabajo me salió redondo y me dieron la máxima puntuación.* **3** *col.* Claro o que no ofrece duda: *Me respondió con un no tan redondo que supe que de nada serviría insistir.* **4** Referido a una cifra o a un número, que se le ha añadido o restado lo necesario para que exprese una cantidad aproximada mediante unidades completas de cierto orden: *El piso costó diez millones en números redondos.* ▮ s.m. **5** Pieza de carne cortada de forma casi cilíndrica y que forma parte de la pata del animal: *redondo de ternera.* **6** En tauromaquia, pase natural en semicírculo, en el que se saca la muleta por delante de la cara del toro. ▮ s.f. **7** En música, nota que dura cuatro negras y que se representa con un círculo no relleno. **8** →**letra redonda.** **9** ‖ **a la redonda;** en torno o alrededor de un punto: *No hay ninguna casa en cinco kilómetros a la redonda.* ‖ **caer redondo;** caer al suelo por un desmayo o por otro accidente. ‖ **en redondo; 1** Dando una vuelta completa alrededor de un punto: *La bailarina giró varias veces en redondo.* **2** *col.* De forma clara o rotunda: *negarse en redondo.* □ ETIMOL. Las acepciones 1-6, del latín *rotundus*.

redor ‖ **en redor;** *poét.* Alrededor. □ ETIMOL. Del antiguo *redol* (círculo), este de *redolar* (dar vueltas), y este del latín *rotulare* (rodar).

redox s.f. En química, reacción de oxidación-reducción. □ ETIMOL. Es el acrónimo de *reducción-oxidación.* □ PRON. [redóx] o [rédox].

reducción s.f. **1** Disminución en tamaño, en cantidad o en intensidad: *El médico me ha aconsejado una reducción de azúcar en la dieta.* **2** Sujeción o sometimiento a la obediencia: *La reducción de los agitadores por parte de la policía terminó con varios heridos.* **3** En matemáticas, expresión del valor de una cantidad en otra unidad distinta: *Para realizar la reducción de litros a mililitros, hay que multiplicar la cifra de los litros por mil.* **4** En un vehículo, cambio de una marcha larga a otra más corta.

reduccionismo s.m. Simplificación excesiva de algo que es complejo.

reduccionista adj.inv. Que simplifica excesivamente algo que es complejo.

reducible adj.inv. →**reductible.**

reducido, da adj. Estrecho o de pequeñas dimensiones.

reducir v. **1** Disminuir en tamaño, en cantidad o en intensidad: *Reduce la velocidad poco a poco y no pegues frenazos. Los gastos se reducen a la mitad si olvidamos los caprichos.* **2** Referido a una cosa, transformarla en otra diferente, más pequeña o de menos valor: *El terremoto redujo la ciudad a escombros. El papel se redujo a cenizas al quemarlo.* **3** Resumir en pocas razones o en algo más simple: *Reduce la felicidad a tener mucho dinero. El problema se reduce a un malentendido.* **4** Sujetar o someter a obediencia: *La policía redujo a los alborotadores.* **5** En matemáticas, referido a una cantidad, expresar su valor en otra unidad distinta y menor: *Si reducimos un metro a centímetros, obtenemos cien centímetros.* **6** En un vehículo, cambiar de una marcha larga a otra más corta: *Para subir la cuesta reduje a segunda.* ☐ ETIMOL. Del latín *reducere* (llevar hacia atrás). ☐ MORF. Irreg. →CONDUCIR. ☐ SINT. Constr. *reducir* A *algo.*

reductible (tb. *reducible*) adj.inv. Que se puede reducir.

reducto s.m. Lugar o grupo en los que se mantienen elementos o características ya pasados o destinados a desaparecer. ☐ ETIMOL. Del latín *reductus* (apartado, retirado).

reductor, -a ▮ adj. **1** Que reduce o que sirve para reducir: *una crema reductora.* ▮ adj./s.m. **2** En química, referido a una sustancia, que cede electrones.

redundancia s.f. Repetición innecesaria de una palabra o de un concepto: *Decir 'bajar abajo' es una redundancia porque el significado de 'abajo' está incluido en el de 'bajar'.*

redundante adj.inv. Que sobra o que es una redundancia: *'Nevar nieve' es una frase redundante porque 'nevar' significa 'caer nieve'.*

redundar v. Resultar finalmente o terminar siendo beneficioso o perjudicial para alguien: *La paz redunda en beneficio de todos. Esas pérdidas redundarán en perjuicio de la economía de la empresa.* ☐ ETIMOL. Del latín *redundare.* ☐ SINT. Constr. *redundar* EN *algo.*

reduplicación s.f. **1** Aumento grande o al doble: *Las ventas han experimentado una reduplicación.* **2** Figura retórica consistente en la repetición consecutiva de una palabra o de una parte de la frase, esp. al final de un verso o de un grupo sintáctico y al comienzo del siguiente: *Los versos 'Abenámar, Abenámar, / moro de la morería' son ejemplo de reduplicación.* ☐ SINÓN. *anadiplosis.*

reduplicar v. Aumentar mucho o el doble: *Fue necesario reduplicar los esfuerzos para acabar el trabajo. El paro se ha reduplicado por culpa de la crisis.* ☐ ETIMOL. Del latín *reduplicare.* ☐ ORTOGR. La *c* se cambia en *qu* delante de *e* →SACAR.

reedición s.f. Segunda o posterior edición de un impreso.

reedificable adj.inv. Referido esp. a un terreno, que se puede volver a edificar sobre él.

reedificación s.f. Edificación de algo que estaba parcial o totalmente destruido.

reedificar v. Referido a algo parcial o totalmente destruido, volver a edificarlo: *Los edificios derruidos por el terremoto fueron reedificados.* ☐ ORTOGR. La *c* se cambia en *qu* delante de *e* →SACAR.

reeditar v. Referido a un impreso, editarlo por segunda vez y otras veces sucesivas: *Han reeditado la revista por segunda vez debido a su gran éxito.*

reeducación s.f. **1** Recuperación de las funciones normales de una parte del cuerpo después de haberse visto afectadas por algún proceso. **2** Conjunto de técnicas o ejercicios empleados para llevar a cabo esta recuperación.

reeducar v. **1** Referido a una parte del cuerpo dañada por una enfermedad, volver a practicar su uso y hacer que vuelva a funcionar: *Después del accidente tuvo que reeducar sus piernas con ayuda del fisioterapeuta.* **2** Volver a educar: *Este niño vivió como mendigo hasta los ocho años y ahora intentan reeducarlo.* ☐ ORTOGR. La *c* se cambia en *qu* delante de *e* →SACAR.

reelaborar v. Volver a elaborar: *Tengo que reelaborar el proyecto desde el principio.*

reelección s.f. Elección de una persona que había sido elegida una vez anterior.

reelecto, ta adj. Referido a una persona, que ha sido reelegida.

reelegir v. Referido a una persona, volver a ser elegida para algo: *Ha sido reelegido tres veces como presidente del gobierno.* ☐ ORTOGR. La *g* se cambia en *j* delante de *a, o.* ☐ MORF. 1. Tiene un participio regular (*reelegido*), que se usa en la conjugación, y otro irregular (*reelecto*) que se usa como adjetivo. 2. Irreg. →ELEGIR.

reembolsar (tb. *rembolsar*) v. Referido a una cantidad de dinero, devolverla a quien la había desembolsado: *Si no queda satisfecho con sus compras, le reembolsamos el importe total.*

reembolso (tb. *rembolso*) s.m. **1** Devolución de una cantidad de dinero a quien la había desembolsado. **2** Cantidad de dinero que se paga en el momento de recibir un objeto enviado por correo o por una agencia de transportes: *Me enviaron el paquete contra reembolso.*

reemplazable adj.inv. Que puede ser reemplazado.

reemplazar (tb. *remplazar*) v. **1** Referido a una cosa, sustituirla por otra que hace sus veces: *He* *reemplazado la bombilla por una lámpara halógena.* **2** Referido a una persona, sustituirla o sucederla en el cargo o en el ejercicio de sus funciones: *¿Quién será el encargado de reemplazar al jefe de servicio recientemente fallecido?* □ ORTOGR. La *z* se cambia en *c* delante de *e* →CAZAR.

reemplazo (tb. *remplazo*) s.m. **1** Sustitución de una cosa por otra que hace sus veces. **2** Renovación parcial en los plazos que marca la ley del personal del ejército que presta servicio activo.

reemprender v. Referido a algo que se había interrumpido, reaunudarlo o continuarlo: *Después de varios años reemprendió los estudios que había comenzado.*

reencarnación s.f. Encarnación de un espíritu en un nuevo cuerpo.

reencarnarse v.prnl. Referido esp. a un ser espiritual, volver a encarnarse o a tomar forma material: *Los budistas creen que las almas se reencarnan en sucesivos cuerpos hasta conseguir la perfección.*

reencontrar (tb. *rencontrar*) v. Volver a encontrar: *Nos reencontramos después de varios años sin vernos.* □ MORF. Se usa más como pronominal.

reencuentro (tb. *rencuentro*) s.m. Hecho de encontrarse de nuevo.

reengancharse v.prnl. **1** Continuar en el ejército después de haber cumplido el servicio militar a cambio de un sueldo: *Como no tenía empleo, decidió reengancharse en la marina.* **2** *col.* Volver a realizar una actividad: *Aunque ya he visto la película, me reengancho cuando quieras.*

reenganche s.m. **1** Permanencia de una persona en el ejército después de haber cumplido el servicio militar a cambio de un sueldo. **2** *col.* Realización de una actividad por segunda vez.

reenviar v. Referido a algo que se ha recibido, enviarlo de nuevo: *De los dos libros que me envías, yo me quedaré con uno y el otro se lo reenviaré a mi hermano.* □ ORTOGR. La *i* lleva tilde en los presentes, excepto en las personas *nosotros* y *vosotros* →GUIAR.

reenvío v. Hecho de volver a enviar algo que se ha recibido: *Si haces un reenvío de un correo electrónico, conviene que borres las direcciones del mensaje anterior.*

reescribir v. Volver a escribir para corregir lo que estaba escrito: *La profesora me ha dicho que tengo que reescribir el trabajo.* □ MORF. Su participio es *reescrito.*

reescritura s.f. Escritura que corrige lo que ya estaba escrito.

reestrenar v. Referido a un espectáculo público, volver a representarlo, a proyectarlo o a ejecutarlo tiempo después de haber sido estrenado: *La obra teatral se reestrenó con gran éxito quince años después de su primera puesta en escena.*

reestreno s.m. Representación, proyección o ejecución de un espectáculo público tiempo después de haber sido estrenado.

reestructuración s.f. Modificación de la estructura de una organización.

reestructurador, -a adj./s. Que reestructura.

reestructurar v. Referido a una organización, modificar su estructura: *El sector bancario será reestructurado y desaparecerán muchos bancos pequeños.*

reexpedir v. Referido a algo que se ha recibido, volver a expedirlo o a enviarlo: *Reexpediré esos libros a sus destinatarios cuando los recoja en mi apartado de correos.* □ MORF. Irreg. →PEDIR.

reexportar v. Referido a algo que se había importado, exportarlo: *Esta nación reexporta muchas de las armas que compra en el extranjero.*

refacción s.f. **1** Comida moderada que se toma para recuperar fuerzas. **2** En zonas del español meridional, reparación o arreglo. **3** En zonas del español meridional, restauración, esp. de un edificio. □ ETIMOL. Del latín *refectio*, y este de *reficere* (rehacer).

refaccionar v. **1** En zonas del español meridional, reparar o arreglar: *Tengo que refaccionar el colchón de mi cama.* **2** En zonas del español meridional, restaurar, esp. un edificio: *Para refaccionar la casa, habrá que gastar mucha plata.*

refajo s.m. Falda corta y de vuelo, generalmente de paño, usada por las mujeres encima de las enaguas o como prenda interior de abrigo. □ ETIMOL. De *re-* (intensificador) y *fajar.*

refanfinflar v. *col. desp.* Traer sin cuidado: *Lo que me diga, me la refanfinfla.* □ SINT. Se usa más en la expresión *refanfinflársela algo a alguien.*

refectorio s.m. En un convento, sala utilizada como comedor común. □ ETIMOL. Del latín *refectorius* (que rehace).

referee (ing.) s.m. En zonas del español meridional, árbitro de fútbol: *El referee tuvo que salir de la cancha protegido por la policía.* □ SINÓN. *referí, réferi.* □ PRON. [referí] o [réferi].

referencia s.f. **1** Narración, relato o noticia de palabra o por escrito: *No obtuve ninguna referencia sobre sus actividades actuales.* **2** En un escrito, remisión a otra parte del escrito o a otro escrito distinto: *En la página 30 hay una referencia que nos manda al apéndice.* **3** Lo que sirve como base, modelo o comparación: *Cervantes es mi punto de referencia como novelista.* **4** Informe acerca de la honradez, las cualidades o los recursos de una persona: *Antes de contratarme pidieron referencias a mi anterior empresa.* **5** Lo que sirve como fuente de información para buscar, consultar o investigar: *Los diccionarios, las enciclopedias y las bibliografías son obras de referencia.* □ ETIMOL. Del latín *referens* (referente). □ MORF. En la acepción 4, se usa más en plural.

referencial adj.inv. Que describe algo tal y como es sin dejarse llevar por las emociones.

referenciar v. Hacer referencia o dar información: *En esta revista han referenciado el libro que publiqué.* □ ORTOGR. La *i* nunca lleva tilde.

referendo s.m. →**referéndum.** □ ORTOGR. Dist. de *refrendo.*

referéndum (tb. *referendo*) s.m. Procedimiento jurídico por el que se somete a votación popular algo de especial importancia para que sea aprobado por el pueblo. ☐ ETIMOL. Del latín *referendum* (lo que debe referirse). ☐ USO Se usan los plurales *referéndums* y *referéndum*.

referente ▮ adj.inv. **1** Que se refiere a algo o que trata de ello. ▮ s.m. **2** En lingüística, aquello a lo que se refiere un signo lingüístico: *El referente de 'yo' varía en cada caso, según quién sea la persona que habla.*

réferi (tb. *referí*) s.m. En zonas del español meridional, árbitro de fútbol. ☐ SINÓN. *referee.* ☐ ETIMOL. Del inglés *referee*.

referir ▮ v. **1** Contar o dar a conocer de palabra o por escrito: *Me refirió las aventuras de estas vacaciones.* ▮ prnl. **2** Aludir o mencionar directa o indirectamente: *Hizo duras críticas, sin referirse a nadie en concreto.* ☐ ETIMOL. Del latín *referre*. ☐ MORF. Irreg. →SENTIR. ☐ SINT. Constr. como pronominal: *referirse* A *algo*.

refilón || **de refilón; 1** *col.* De lado o de forma oblicua: *Desde mi sitio, veo la calle de refilón.* **2** *col.* Referido al modo de hacer algo, de pasada y sin profundizar: *He leído el periódico de refilón y solo me he fijado en los titulares.*

refinación s.f. →**refinado.**

refinado, da ▮ adj. **1** Delicado, muy fino o excelente: *una educación refinada.* **2** Muy perfeccionado o muy detallado. ▮ s.m. **3** Eliminación de impurezas y añadidos para hacer más pura una sustancia: *el refinado del aceite.* ☐ SINÓN. *refino, refinación.*

refinamiento s.m. **1** Esmero o cuidado exquisitos: *Viste con refinamiento y elegancia.* **2** Detalle y perfección extremas: *El refinamiento de su venganza me demostró que es una persona fría y cruel.*

refinanciación s.f. Financiación que se hace de nuevo.

refinar v. **1** Referido esp. a una sustancia, hacerla más fina y pura eliminando sus impurezas y añadidos: *El petróleo es refinado en grandes plantas petroquímicas.* **2** Referido a una persona, hacerla más exquisita en sus gustos y en su forma de actuar: *Desde que sale contigo, se ha refinado mucho.* **3** Perfeccionar para adecuar a un fin determinado: *Este escultor ha refinado su técnica.*

refinería s.f. Instalación industrial en la que se refina un producto.

refino s.m. →**refinado.**

refitolear v. *col.* Curiosear y entremeterse en asuntos de poca importancia: *Haz tu trabajo y deja de refitolear.*

refitolero, ra adj./s. *col.* Afectado o redicho.

reflectante adj.inv. Que refleja, esp. la luz: *tela reflectante.*

reflectar v. Referido esp. a la luz, al calor o al sonido, reflejarse en una superficie: *El sonido reflecta en las paredes y se distorsiona.* ☐ ETIMOL. Del latín *reflectere* (volver hacia atrás).

reflector, -a ▮ adj./s.m. **1** Referido a un cuerpo, que refleja. ▮ s.m. **2** Aparato que sirve para lanzar la luz de un foco en determinada dirección.

reflejar ▮ v. **1** Referido a la luz, al calor o al sonido, hacerlos rebotar o hacerlos cambiar de dirección: *Las paredes blancas reflejan la luz. La Luna se refleja en el agua.* **2** Manifestar, mostrar o dejar ver: *El arte refleja la naturaleza. Su vitalidad se refleja en múltiples ocupaciones.* ▮ prnl. **3** Referido a un dolor, sentirse en una parte del cuerpo distinta a aquella en la que se originó: *El dolor de un infarto se refleja en el brazo izquierdo.* ☐ ORTOGR. Conserva la *j* en toda la conjugación.

reflejo, ja ▮ adj. **1** Referido esp. a un movimiento o a un sentimiento, que se produce de forma involuntaria como respuesta a un estímulo: *Al oír el disparo, me tapé los oídos en un movimiento reflejo.* **2** Referido a un dolor, que se siente en una parte del cuerpo distinta a aquella en la que se originó: *El dolor de los dientes inferiores es un dolor reflejo, porque la infección está en una muela.* ▮ s.m. **3** Luz reflejada: *Los cristales de mis gafas disminuyen los reflejos.* **4** Imagen reflejada en una superficie: *Observó su reflejo en el agua clara del río.* **5** Lo que reproduce, muestra o pone de manifiesto algo: *Esas afirmaciones son reflejo de su ideología.* **6** Reacción involuntaria y automática que se produce como respuesta a un estímulo: *Apartar la mano del fuego es un reflejo.* **7** Mechón de pelo teñido que refleja la luz con un color distinto del original: *Es morena y lleva algunos reflejos color caoba.* ▮ s.m.pl. **8** Capacidad de reaccionar rápida y eficazmente: *Si se bebe alcohol, no se debe conducir, porque se pierden reflejos.* ☐ ETIMOL. Del latín *reflexus* (retroceso).

reflejoterapia s.f. →**reflexoterapia.**

réflex (pl. *réflex*) ▮ adj.inv. **1** Referido a una cámara fotográfica, que tiene un visor con un sistema de espejos que permite ver la imagen que se imprimirá en la película. ▮ s.f. **2** Cámara fotográfica que tiene este tipo de visor. ☐ ETIMOL. Del inglés *reflex*.

reflexión s.f. **1** Pensamiento, meditación o consideración de algo con detenimiento: *La actividad debe ir precedida de la reflexión.* **2** Advertencia o consejo con los que una persona intenta convencer a otra: *Si no haces caso de mis reflexiones, después no te lamentes.* **3** En física, retroceso o cambio de dirección de la luz, del calor o del sonido al oponerles una superficie: *El espejo produce la reflexión de las ondas de luz.* ☐ ETIMOL. Del latín *reflexio*.

reflexionar v. Pensar o considerar despacio o con detenimiento: *Espero que reflexiones sobre lo que te acabo de decir.* ☐ SINT. Constr. *reflexionar* SOBRE *algo*.

reflexivo, va adj. **1** Que habla o actúa después de haber pensado las cosas. **2** En gramática, que expresa una acción que es realizada y recibida a la vez por el sujeto: *'Vestirse' o 'afeitarse' son verbos reflexivos. 'Me lavo' es una oración reflexiva.*

reflexología s.f. Doctrina que trata de la técnica de la reflexoterapia.

reflexoterapia s.f. Tratamiento de las enfermedades mediante el masaje de las zonas reflejas de las manos y de los pies. ☐ ETIMOL. Del latín *refle-*

xus (reflejo) y *-terapia* (curación). □ ORTOGR. Se usa también *reflejoterapia*.

reflorecer v. **1** Volver a florecer o a echar flores: *Los rosales reflorecerán pronto.* **2** Recuperar el esplendor o la estimación perdidos: *El interés por la artesanía popular reflorecerá.* □ MORF. Irreg. →PARECER.

reflorecimiento s.m. **1** Nuevo florecimiento o nueva aparición de flores. **2** Recuperación del esplendor o la estimación perdidos.

reflotación s.f. →**reflotamiento.**

reflotamiento s.m. Recuperación de los beneficios económicos o superación de una crisis. □ SINÓN. *reflotación.*

reflotar v. **1** Referido a un barco sumergido o encallado, volver a ponerlo a flote: *Dos potentes remolcadores reflotaron el mercante.* **2** Volver a tener beneficios económicos o conseguir superar una crisis: *La empresa reflotó y se mantuvieron todos los puestos de trabajo.*

refluir v. Referido a un líquido, retroceder o volver hacia atrás: *Cuando baja la marea, el agua del mar refluye.* □ ETIMOL. Del latín *refluere.* □ MORF. Irreg. →HUIR.

reflujo s.m. **1** Movimiento descendente de la marea. **2** En medicina, retroceso de un líquido. □ SEM. Dist. de *flujo* (movimiento ascendente de la marea).

refocilarse v.prnl. Divertirse, entretenerse o alegrarse, esp. con las cosas groseras: *Se refocila con los chistes más guarros.* □ ETIMOL. Del latín *refocillare* (recalentar, reconfortar).

reforestación s.f. Repoblación de un terreno con plantas forestales.

reforestar v. Referido a un terreno, repoblarlo con plantas forestales: *Reforestarán las zonas que han sido taladas masivamente.*

reforma s.f. **1** Modificación o cambio que se hace con intención de mejorar. **2** Movimiento religioso iniciado en el siglo XVI que dio origen a la formación de las iglesias protestantes. □ USO En la acepción 2, se usa más como nombre propio.

reformable adj.inv. **1** Que se puede reformar. **2** Que se debe reformar.

reformado, da adj./s. **1** Referido a una orden religiosa, que ha experimentado una reforma para volver a sus reglas o su disciplina primitivas. **2** Que defiende o sigue una religión en la que se ha establecido la primitiva disciplina.

reformador, -a adj./s. Que reforma.

reformar v. **1** Modificar o rehacer con intención de mejorar: *Tiene más clientes desde que reformó el negocio.* **2** Referido esp. a una persona, enmendarla o corregirla, haciendo que abandone comportamientos que se consideran negativos: *Reformó a su cónyuge y este ya no se emborracha. Se reformó y ahora es una persona muy responsable.* □ ETIMOL. Del latín *reformare.*

reformatorio s.m. Establecimiento penitenciario en el que viven menores de edad que han cometido algún hecho delictivo.

reformismo s.m. Tendencia o doctrina que pretenden conseguir el cambio y las mejoras graduales de una situación o de un sistema, sin intentar sustituir radicalmente el sistema existente.

reformista adj.inv./s.com. Partidario de hacer reformas, o que las hace.

reforzamiento s.m. →**refuerzo.**

reforzar v. **1** Hacer más fuerte: *Han reforzado los cimientos de la casa inyectándoles hormigón.* **2** Aumentar o añadir más cantidad: *Ante la llegada de la presidenta, han reforzado la vigilancia.* □ ORTOGR. La *z* se cambia en *c* delante de *e*. □ MORF. Irreg. →FORZAR.

refracción s.f. Cambio de dirección de un rayo de luz al pasar oblicuamente de un medio a otro de distinta densidad.

refractante adj.inv. Que refracta la luz.

refractar v. Referido a un rayo de luz, hacer que cambie de dirección al pasar oblicuamente de un medio a otro de distinta densidad: *El agua refracta los rayos de luz que inciden en ella desde el aire.*

refractario, ria adj. **1** Referido a un material, que resiste la acción del fuego sin cambiar de estado ni descomponerse. **2** Referido a una persona, que le cuesta entender algo, o que se niega a aceptar o comprender algo. □ ETIMOL. Del latín *refractarius* (obstinado, pertinaz).

refractivo, va adj. De la refracción de la luz o relacionado con este fenómeno: *Me operaron de los ojos con una técnica de cirugía refractiva con láser.*

refrán s.m. Dicho agudo de uso común que suele contener una advertencia o una enseñanza moral y que se transmite generalmente por tradición popular: *Me dijo ese refrán de 'Más vale pájaro en mano que ciento volando' para darme a entender que no debía dejar escapar esa oportunidad.* □ ETIMOL. Del francés *refrain.*

refranero s.m. Colección o conjunto de refranes.

refregar v. **1** *col.* Referido a una cosa, frotarla con otra: *Refregaba la sartén con un estropajo de níquel.* **2** *col.* Referido a algo que puede ofender, decírselo a alguien para que se ofenda: *Cada vez que se monta conmigo en el coche me refriega que conduzco muy mal.* □ ETIMOL. Del latín *refricare.* □ MORF. Irreg. →PENSAR.

refregón s.m. *col.* Frotamiento brusco de una cosa con otra.

refreír v. **1** Volver a freír: *Refríe este filete, porque está casi crudo.* **2** Freír demasiado: *Has refreído las patatas y están casi quemadas.* □ ETIMOL. Del latín *refrigere.* □ MORF. Irreg.: 1. Tiene un participio regular (*refreído*), que se usa más en la conjugación, y otro irregular (*refrito*) que se usa como adjetivo o como sustantivo. 2. →REÍR.

refrenamiento s.m. Dominio, contención o disminución de la violencia de algo.

refrenar v. **1** Referido a un caballo, contenerlo o dominarlo tirando con fuerza de las riendas: *El jinete pudo refrenar el caballo a tiempo.* □ SINÓN. *sofrenar.* **2** Contener, dominar o hacer menos violento:

Aunque es muy colérico, sabe refrenar sus impulsos. □ SINÓN. *sofrenar.* □ ETIMOL. Del latín *refrenare.*

refrendar v. **1** Referido a un documento, darle validez firmándolo la persona autorizada para ello: *El presidente del Gobierno refrenda casi todas las decisiones del Rey.* **2** Aceptar, corroborar o confirmar de nuevo: *Los alumnos refrendaron en votación secreta el nuevo reglamento disciplinario.* □ ETIMOL. De *referéndum.*

refrendo s.m. **1** Legalización de un documento firmándolo la persona autorizada para ello. **2** Firma que acredita esta legalización. □ ETIMOL. Del latín *referendum* (lo que debe referirse). □ ORTOGR. Dist. de *referendo.*

refrescamiento s.m. Disminución del calor o de la temperatura.

refrescante adj.inv. Que refresca.

refrescar v. **1** Disminuir el calor o la temperatura: *Regó la puerta de su casa para refrescar el ambiente. Me mojé la cabeza para refrescarme.* **2** Recordar o volver a tener en la memoria: *El cursillo me sirvió para refrescar conocimientos.* □ ETIMOL. De *re-* (intensificación) y *fresco.* □ ORTOGR. La *c* se cambia en *qu* delante de *e* →SACAR.

refresco s.m. **1** Bebida que se toma para que disminuya el calor corporal, esp. la que no contiene alcohol. **2** || **de refresco;** como refuerzo o como sustituto: *Cambió los caballos cansados por otros de refresco.*

refriega s.f. Riña violenta o batalla poco importante. □ ETIMOL. De *refregar* (restregar, frotar).

refrigeración s.f. **1** Disminución del calor o de la temperatura con algún tipo de procedimiento técnico. **2** Sistema para refrigerar.

refrigerador, -a ▌adj./s. **1** Que refrigera. ▌s.m. **2** Electrodoméstico que sirve para guardar y conservar los alimentos por medio del frío. □ SINÓN. *refrigeradora.*

refrigeradora s.f. →**refrigerador.**

refrigerar v. **1** Referido a un lugar, hacerlo más frío con algún tipo de procedimiento técnico: *Refrigeró el salón con un aparato de aire acondicionado.* **2** Referido esp. a un alimento, enfriarlo en cámaras especiales para garantizar su conservación: *Los frigoríficos refrigeran la comida.* □ ETIMOL. Del latín *refrigerare* (enfriar).

refrigerio s.m. Comida ligera que se toma para recuperar fuerzas. □ SINÓN. *tentempié.* □ ETIMOL. Del latín *refrigerium.*

refringencia s.f. Capacidad para refractar la luz.

refrito s.m. **1** Especie de salsa elaborada con ajo, cebolla, pimentón y otros ingredientes fritos en aceite, que se añade a algunos guisos. **2** Lo que está rehecho o es una refundición de elementos de distintas procedencias.

refucilo s.m. En zonas del español meridional, fucilazo o relámpago lejano en el horizonte. □ ETIMOL. Del latín **focile* (de fuego).

refuerzo s.m. **1** Fortalecimiento o aumento de la fuerza: *El refuerzo de los muros se llevó a cabo colocando ocho arbotantes.* **2** Lo que fortalece, aumenta la fuerza o hace más grueso y resistente algo: *Voy a poner este clavo como refuerzo.* □ SINÓN. *reforzamiento.* **3** Ayuda que se presta ante una necesidad: *Recibe clases particulares como refuerzo.* **4** Conjunto de personas que se unen a otras para aumentar su fuerza o su eficacia: *El general recibió un refuerzo de dos mil soldados.* □ MORF. En la acepción 4, se usa más en plural.

refugiado, da s. Persona que busca refugio fuera de su país de origen, generalmente porque huye de una guerra, de una catástrofe o de una persecución política. □ SEM. Dist. de *exiliado* (expulsado de su país de origen, generalmente por motivos políticos).

refugiar ▌v. **1** Acoger, amparar o servir de refugio: *Los túneles del metro refugiaron a muchos ciudadanos durante los bombardeos.* ▌prnl. **2** Buscar ayuda, protección o consuelo: *Me refugié de la lluvia bajo el porche.* □ ORTOGR. La *i* nunca lleva tilde. □ SINT. Constr. *refugiarse* DE *algo o* EN *algo o* EN *alguien.*

refugio s.m. **1** Acogida o amparo: *Es una buena persona que da refugio a todo el que se lo pide.* **2** Lugar que sirve para protegerse de algún peligro: *Los montañeros pasaron la noche en el refugio.* **3** Lo que sirve de ayuda, protección o consuelo: *La música y la lectura son mi refugio.* **4** || **refugio {atómico/nuclear};** espacio habitable que está protegido contra los efectos de una explosión nuclear y de las radiaciones que puede originar. □ ETIMOL. Del latín *refugium.*

refulgente adj.inv. Que resplandece o brilla. □ ETIMOL. Del latín *refulgens,* y este de *refulgere* (resplandecer).

refulgir v. Resplandecer o brillar: *Las estrellas refulgían en el cielo nocturno.* □ ETIMOL. Del latín *refulgere.* □ ORTOGR. La *g* se cambia en *j* delante de *a, o* →DIRIGIR.

refundición s.f. **1** Reunión o inclusión de varias cosas en una: *Esta empresa es el resultado de la refundición de tres pequeñas empresas.* **2** Obra refundida con el fin de modernizarla o mejorarla: *Ha preparado una refundición de esa novela para lectores infantiles.*

refundir v. **1** Referido a varias cosas, incluirlas o reunirlas en una sola: *El proyecto refunde propuestas individuales. En el manifiesto se refunden las ideas de los intelectuales firmantes.* **2** Referido esp. a un escrito, darle nueva forma y organización, con el fin de modernizarlo o de mejorarlo: *En la segunda edición del tratado, la autora refundió el texto de la primera para incorporar nueva información.* □ ETIMOL. Del latín *refundere* (volver a fundir).

refunfuñar v. *col.* Emitir voces confusas o palabras mal articuladas como muestra de enojo o de enfado: *Ha refunfuñado un poco, pero ha terminado haciendo lo que le pedí.* □ SINÓN. *renegar.* □ ETIMOL. De origen onomatopéyico.

refunfuño s.m. Conjunto de voces confusas o palabras mal articuladas como muestra de enojo o de enfado.

refunfuñón, -a adj. *col.* Que refunfuña mucho.

refutable adj.inv. Que puede ser refutado.

refutación s.f. Oposición, rechazo o invalidación de algo por medio de argumentos o razones.

refutar v. Contradecir, rebatir o invalidar con algún argumento o razón: *Refutó públicamente aquella teoría aportando nuevos datos.* ☐ ETIMOL. Del latín *refutare* (rechazar).

refutatorio, ria adj. Que sirve para refutar.

regadera s.f. **1** Recipiente que se usa para regar y que está compuesto por un depósito del que sale un tubo terminado en una boca con orificios por los que sale esparcida el agua. **2** En zonas del español meridional, ducha. **3** ‖ **como una regadera;** *col.* Loco o chiflado: *estar como una regadera.*

regadío s.m. Tierra de cultivo que necesita un riego abundante.

regador, -a ▮ adj./s. **1** Que riega. ▮ s. **2** Persona que se dedica profesionalmente a regar, esp. las vías públicas. ▮ s.m. **3** En zonas del español meridional, aspersor.

regalado, da adj. **1** Placentero, agradable o muy cómodo: *llevar una vida regalada.* **2** Muy barato.

regalar v. **1** Dar sin recibir nada a cambio, generalmente como muestra de afecto o consideración: *Mis padres me regalaron un reloj el día de mi cumpleaños.* **2** Agradar, agasajar, halagar o proporcionar placeres o diversiones: *Nos regalaron con todo tipo de atenciones.* ☐ ETIMOL. Quizá del francés *régaler* (agasajar).

regalía s.f. **1** Derecho o privilegio que tiene alguien, esp. el que tiene un rey en su reino o el que le ha sido concedido por el Papa. **2** Participación en los ingresos, o cantidad que se paga al propietario de un derecho a cambio del permiso de ejercerlo. ☐ ETIMOL. Del latín *regalis* (regio).

regalismo s.m. Movimiento que defendía las regalías de la corona en las relaciones entre la iglesia católica y el Estado.

regalista adj.inv./s.com. Partidario o defensor del regalismo.

regaliz s.m. **1** Planta herbácea con tallos casi leñosos, hojas puntiagudas, flores pequeñas y azuladas, que suele crecer en la orilla de los ríos y cuya raíz produce un jugo dulce que se utiliza en medicina: *La infusión de regaliz tiene un sabor dulce y agradable.* ☐ SINÓN. *orozuz, paloduz.* **2** Tallo horizontal y subterráneo de esta planta. **3** Pasta que se hace con el jugo de este tallo y que se toma como golosina en pastillas o en barritas. ☐ ETIMOL. Del latín *liquiritia*, este del griego *glykýrrhiza*, y este de *glykýs* (dulce) y *rhíza* (raíz).

regalo s.m. **1** Lo que se da a alguien sin recibir nada a cambio, generalmente como muestra de afecto y consideración. **2** Gusto, placer o agrado: *Esta música es un regalo para los oídos.*

regalón, -a adj. *col.* En zonas del español meridional, preferido o mimado.

regalonear v. *col.* En zonas del español meridional, mimar: *No debemos regalonear demasiado a los niños.*

regante ▮ adj.inv. **1** Que riega. ▮ s.com. **2** Persona que tiene derecho a usar determinada agua para regar la tierra.

regañadientes ‖ **a regañadientes;** referido a la forma de hacer algo, de mala gana, protestando o con disgusto. ☐ ORTOGR. Se admite también *a regaña dientes.*

regañar v. **1** *col.* Reprender o llamar la atención por algo que se ha hecho mal: *Si quieres educar bien a tus hijos, creo que debes regañarlos si hacen algo mal, y no consentirles absolutamente todo.* **2** Discutir o reñir: *Ha regañado con su hermano y no se hablan.* ☐ ETIMOL. De origen incierto. ☐ SINT. Constr. de la acepción 2: *regañar* CON *alguien.*

regañina s.f. *col.* Reprimenda o llamada de atención sobre algo que se ha hecho mal.

regañiza s.f. *col.* En zonas del español meridional, regañina.

regañón, -a adj./s. Que regaña con frecuencia aunque no tenga un motivo suficiente.

regar v. **1** Referido a una superficie o a una planta, esparcir agua sobre ellas: *En verano riegan las calles para refrescarlas.* **2** Referido a un territorio, ser atravesado por un río o por un canal: *El río Miño riega las ciudades de Lugo y Orense.* **3** Referido a una zona del cuerpo, recibir sangre de una arteria: *Numerosos vasos sanguíneos riegan el cerebro.* **4** Esparcir o derramar: *Los invitados regaron el suelo del salón con confeti.* ☐ ETIMOL. Del latín *rigare* (regar, mojar). ☐ ORTOGR. Aparece una *u* después de la *g* cuando le sigue *e*. ☐ MORF. Irreg. →REGAR.

regata s.f. Competición deportiva en la que un grupo de embarcaciones de la misma clase deben hacer determinado recorrido en el menor tiempo posible. ☐ ETIMOL. Del italiano *regata* (disputa).

regate s.m. Movimiento del cuerpo rápido y brusco que se hace para evitar algo.

regateador, -a adj./s. Que regatea.

regatear v. **1** Referido al precio de un producto, discutirlo el comprador y el vendedor: *La compradora regateó el precio hasta conseguir la rebaja que quería.* **2** Hacer un movimiento brusco con el cuerpo para evitar o esquivar algo: *El extremo regateó al defensa del equipo contrario y no perdió el balón.* **3** *col.* Ahorrar o escatimar: *No regateó esfuerzos para conseguir aquel premio.* ☐ ETIMOL. De origen incierto. ☐ USO La acepción 3 se usa más en expresiones negativas.

regateo s.m. Discusión del comprador y del vendedor sobre el precio de algo.

regatista s.com. Persona que participa en regatas, esp. si esta es su profesión.

regato s.m. Arroyo o canal pequeños. ☐ ETIMOL. De *regar*.

regatón s.m. Pieza que se coloca en el extremo inferior de algunos objetos para darles mayor firmeza. ☐ ETIMOL. De origen incierto.

regazar v. Referido a la falda, recogerla hacia el regazo: *La aldeana se regazó las faldas para cruzar el riachuelo.* ☐ ETIMOL. Del latín **recaptiare* (recoger). □ ORTOGR. La *z* se cambia en *c* delante de *e* → CAZAR.

regazo s.m. En una persona sentada, parte que comprende desde la cintura hasta la rodilla. □ ETIMOL. De *regazar* (remangar las faldas).

regencia s.f. **1** Gobierno de un Estado durante la minoría de edad, la ausencia o la incapacidad del príncipe o del monarca legítimos: *Durante la minoría de edad de la reina Isabel II, su madre doña María Cristina y el general Espartero desempeñaron la regencia.* **2** Tiempo que dura este gobierno: *Durante la regencia de María Cristina se llevó a cabo la desamortización de Mendizábal.* **3** Dirección, gobierno o mando sobre algo: *la regencia del negocio.* □ ETIMOL. Del latín *regentia*, y este de *regens* (regente).

regeneración s.f. **1** Restablecimiento de algo destruido, estropeado o gastado: *la regeneración de una célula.* **2** En biología, mecanismo de recuperación de los organismos vivos mediante la reconstrucción de partes perdidas o dañadas: *Si le cortas el rabo a una lagartija, le vuelve a nacer por regeneración.* **3** Abandono de hábitos o conductas considerados como negativos o perjudiciales: *la regeneración de una persona.*

regeneracionismo s.m. Movimiento ideológico español surgido a finales del siglo XIX y comienzos del XX, que defendía la urgente renovación de la vida política para solucionar los problemas de país: *Joaquín Costa fue uno de los representantes del regeneracionismo.*

regeneracionista ▮ adj.inv. **1** Del regeneracionismo o relacionado con este movimiento ideológico. ▮ adj.inv./s.com. **2** Partidario o seguidor del regeneracionismo.

regenerar v. **1** Mejorar, restablecer o volver a poner en buen estado: *Para regenerar la situación política se convocarán nuevas elecciones. Durante la juventud, la piel se regenera fácilmente.* **2** Referido a una persona, hacerle abandonar hábitos o conductas que se consideran negativos o perjudiciales: *Las atenciones de su familia lo han regenerado. Se regeneró y dejó de beber.* **3** Referido a una materia desechada, someterla a un proceso para volver a utilizarla: *En esta planta industrial regeneran papel usado.* □ ETIMOL. Del latín *regenerare*.

regenerativo, va adj. Que regenera.

regenta s.f. Mujer del regente.

regentar v. **1** Dirigir o gobernar: *La madre regenta la empresa familiar desde hace años.* **2** Referido a un cargo o a un empleo, desempeñarlos de forma temporal: *El vicedirector regentó la presidencia de la empresa durante la convalecencia de la directora.* □ ETIMOL. De *regente*.

regente adj.inv./s.com. Referido a una persona, que desempeña una regencia o gobierno durante la minoría de edad, ausencia o incapacidad del príncipe o monarca legítimos. □ ETIMOL. Del latín *regens*.

reggae (ing.) s.m. Estilo musical popular de origen jamaicano, de ritmo alegre, simple y repetitivo, que alcanzó gran difusión en la década de 1970. □ PRON. [régue].

regicida adj.inv./s.com. Que mata a un monarca, a su consorte, al príncipe heredero o al regente o que atenta contra sus vidas. □ ETIMOL. Del latín *regicida*, y este de *rex* (rey) y *caedere* (matar).

regicidio s.m. Muerte violenta dada a un monarca, a su consorte, al príncipe heredero, o al regente.

regidor, -a ▮ adj./s. **1** Que rige o gobierna. ▮ s. **2** En teatro, cine y televisión, persona encargada de mantener el orden y de la realización de los movimientos y efectos escénicos dispuestos por el director. **3** Concejal que no ejerce ningún otro cargo municipal.

régimen (pl. *regímenes*) s.m. **1** Conjunto de normas que gobiernan o rigen el funcionamiento de algo: *un régimen disciplinario.* **2** Conjunto de normas que regulan la alimentación que ha de seguir una persona: *un régimen para adelgazar.* **3** Sistema político por el que se rige una nación: *un régimen monárquico.* **4** Forma habitual en que se produce algo: *El régimen de lluvias de esta región se caracteriza por lluvias abundantes en otoño y primavera.* **5** En lingüística, en una oración, dependencia que una palabra tiene respecto de otra: *El régimen de un verbo transitivo es su complemento directo.* **6** En lingüística, preposición exigida por un verbo o rasgo gramatical exigido por una preposición: *El régimen del verbo 'arrepentirse' es la preposición 'de'.* **7** ‖ **régimen abierto;** tratamiento penitenciario en el que los presos pasan solo unas horas al día en la cárcel. ‖ **régimen cerrado;** tratamiento penitenciario en el que los presos están internos en departamentos especiales o en centros o módulos cerrados. ‖ **régimen de acogida;** situación de un menor que vive con una familia que no es la de sus padres biológicos, y cuya tutela corresponde al Estado: *tener un niño en régimen de acogida.* ‖ **régimen ordinario;** tratamiento penitenciario de los presos que no están en situación de aislamiento y tampoco disfrutan de condiciones especiales de libertad. □ ETIMOL. Del latín *regimen*.

regimiento s.m. **1** En el ejército, unidad militar integrada por varios batallones, grupos de escuadrones o grupos de baterías y que generalmente está a las órdenes de un coronel. **2** *col.* Conjunto numeroso de personas: *un regimiento de chiquillos.* □ ETIMOL. Del latín *regimentum*.

regio, gia adj. **1** Del rey, de la realeza o relacionado con ellos. □ SINÓN. *real*. **2** Grande, magnífico o con mucho lujo: *una regia mansión.* **3** *col.* En zonas del español meridional, estupendo o fenomenal: *Con ese vestido está regia.* □ ETIMOL. Del latín *regius* (perteneciente al rey).

región s.f. **1** Parte de un territorio que se distingue por determinadas características geográficas o socioculturales: *Las antiguas regiones españolas se han constituido en comunidades autónomas.* **2** Cada uno de los espacios geográficos en que militarmente se divide el territorio nacional: *Las fuerzas del Ejército del Aire se dividen en tres regiones aéreas, y las del Ejército de Tierra, en seis regiones* *militares.* **3** En anatomía, cada una de las partes en que se divide el exterior del cuerpo: *Los pulmones y el corazón de los animales superiores se encuentran en la región torácica.* □ ETIMOL. Del latín *regio.*

regional adj.inv. De la región o relacionado con ella. □ ETIMOL. Del latín *regionalis.*

regionalismo s.m. **1** Tendencia o doctrina políticas que defienden el gobierno de un Estado atendiendo a las características propias de cada región. **2** Inclinación sentimental hacia una determinada región y a las características que la definen. **3** En lingüística, palabra, significado o construcción sintáctica propios de una región determinada: *El uso del adjetivo 'mucho' en lugar del adverbio 'muy' es un regionalismo riojano.*

regionalista ▮ adj.inv. **1** Del regionalismo o relacionado con esta tendencia o doctrina políticas. ▮ adj.inv./s.com. **2** Partidario o seguidor del regionalismo.

regionalización s.f. Organización de un organismo en regiones o en zonas.

regionalizar v. Referido esp. a un organismo, organizarlo en regiones o en zonas: *En este país todas las instituciones públicas están regionalizadas según las diferentes provincias.* □ ORTOGR. La *z* se cambia en *c* delante de *e* →CAZAR.

regir v. **1** Dirigir, gobernar o mandar: *Debes saber cuáles son las normas que rigen nuestra comunidad. Él se rige por sus propios principios morales.* **2** En gramática, referido a una palabra, establecer sobre otra una relación de dependencia: *El verbo de una oración transitiva rige su complemento directo.* **3** En gramática, referido a una palabra, exigir la presencia de otra o de determinado rasgo gramatical: *La preposición rige su término.* **4** Referido esp. a una ley o norma, estar vigente: *Esa ley rigió hasta la muerte del monarca.* **5** Referido a una persona, conservar sus facultades mentales: *El abuelo rige muy bien y se acuerda de todo lo que le dices.* □ ETIMOL. Del latín *regere* (gobernar). □ ORTOGR. La *g* se cambia en *j* delante de *a, o.* □ MORF. Irreg. →ELEGIR.

registrador, -a ▮ adj./s. **1** Que registra. ▮ s. **2** Persona que tiene a su cargo un registro público, esp. el de la propiedad.

registrar ▮ v. **1** Examinar minuciosamente para encontrar algo: *La detective registró el despacho buscando alguna huella.* **2** Referido esp. a una firma o a un nombre comercial, inscribirlos con fines jurídicos o comerciales: *Tenemos que registrar la marca de nuestros productos para evitar fraudes.* **3** Anotar o señalar: *Este diccionario registra el género gramatical de cada palabra.* **4** Referido a la imagen o el sonido, grabarlos en el soporte adecuado para poder reproducirlos: *Registraron la ceremonia de la boda en una cinta de vídeo.* ▮ prnl. **5** Producirse o suceder: *Este mes no se han registrado lluvias.* □ ETIMOL. De *registro.*

registro s.m. **1** Examen minucioso para encontrar algo: *La policía efectuó el registro del piso.* **2** Inscripción en una lista oficial, generalmente con fines de ordenación, jurídicos o comerciales: *Al efectuar el registro de un invento se otorga una patente.* **3** Lugar u oficina en el que se realiza esta inscripción, esp. si pertenece a una dependencia de la administración pública: *He pasado por el registro para solicitar una partida de nacimiento.* **4** Libro o escrito en el que se hacen constar estas anotaciones: *Todas las entradas y salidas de documentos se anotan en el registro.* **5** Enumeración de algo: *El reloj en el que fichamos lleva el registro de las entradas y salidas de cada trabajador.* **6** Variedad lingüística empleada en función de la situación social del hablante: *'No dar pie con bola' es una expresión propia del registro coloquial y significa 'equivocarse'.* **7** En música, cada una de las tres grandes partes en que puede dividirse la escala musical: *Los tres registros de la escala musical son el grave, el medio y el agudo.* **8** En música, parte de la escala musical que se corresponde con un tipo de voz humana: *El registro del tenor es más agudo que el del barítono.* **9** En informática, unidad completa de almacenamiento: *Esta base de datos cuenta con 200 registros.* □ ETIMOL. Del latín *regesta*, y este de *regerere* (transcribir).

regla s.f. **1** Instrumento de forma rectangular y alargada que se utiliza principalmente para trazar líneas rectas o para medir la distancia entre dos puntos: *Las reglas suelen estar graduadas en centímetros y milímetros.* **2** Lo que debe cumplirse por estar establecido: *Todos los deportes se practican de acuerdo con unas reglas.* **3** Conjunto de preceptos fundamentales de los religiosos de una orden: *La regla franciscana exige el trabajo y la oración diarios.* **4** Modo en que se produce normalmente algo: *Por regla general, las golondrinas aparecen en primavera y emigran en otoño.* **5** Método de hacer algo: *Una regla para hallar el área de un triángulo es multiplicar su base por su altura y dividirla entre dos.* **6** *col.* Menstruación. **7** ‖ **en regla;** de manera correcta o como corresponde: *Si no tienes el pasaporte en regla, no puedes viajar al extranjero.* ‖ **las cuatro reglas; 1** Las cuatro operaciones de sumar, restar, multiplicar y dividir: *Cuando lo sacaron del colegio, ya sabía las cuatro reglas y leer de corrido.* **2** Los principios básicos de algo: *En cuanto supo las cuatro reglas para trabajar la madera, empezó a tallar figuras.* ‖ **regla de tres; 1** Operación matemática que permite hallar una cantidad en relación con otras dos cifras con las que guarda relación: *Si cuesta diez euros, saca la regla de tres y sabrás lo que te cuesta en dólares.* **2** Razonamiento lógico y sencillo: *Por regla de tres tendría que haber llegado hace dos horas.* □ ETIMOL. Del latín *regula* (regla, barra de metal o de madera).

reglaje s.m. Reajuste de las piezas de un mecanismo para que siga funcionando correctamente.

reglamentación s.f. Conjunto de reglas o principios.

reglamentar v. Someter a un reglamento: *Las leyes reglamentan la vida en común de los ciudadanos.*
reglamentario, ria adj. **1** Del reglamento o relacionado con él: *La ley será desarrollada en una serie de disposiciones reglamentarias.* **2** Exigido por alguna disposición obligatoria: *Los soldados deben vestir el uniforme reglamentario.*
reglamentarismo s.m. →**reglamentismo.**
reglamentismo s.m. Tendencia a cumplir y a hacer cumplir con rigor excesivo los reglamentos. □ SINÓN. *reglamentarismo.*
reglamentista adj.inv./s.com. Que cumple y hace cumplir con rigor los reglamentos.
reglamento s.m. **1** Colección ordenada de normas que regulan el funcionamiento o la realización de algo: *El reglamento del fútbol establece las sanciones que corresponden a cada falta.* **2** En derecho, norma jurídica que desarrolla el contenido de una ley: *aprobar un reglamento.* □ ETIMOL. De *reglar.*
reglar v. Someter a unas reglas: *Hay que reglar el horario de salidas de los trenes.* □ ETIMOL. Del latín *regulare.*
regleta s.f. **1** Especie de regla de madera con forma de cubo o de prisma rectangular, que se utiliza para aprender a contar: *Las regletas tienen distintos tamaños y colores según el valor que representan.* **2** En imprenta, tira de metal que se utiliza para espaciar los renglones. □ SINÓN. *interlínea.* **3** Soporte aislante sobre el cual se colocan los componentes de un circuito eléctrico.
regloscopio s.m. En un automóvil, aparato que sirve para reglar las luces.
regocijante adj.inv. Que produce regocijo.
regocijar v. Alegrar o producir placer: *La noticia del premio me regocijó. Se regocija contemplando a sus nietos.* □ ORTOGR. Conserva la *j* en toda la conjugación.
regocijo s.m. Alegría, júbilo o satisfacción manifiestos. □ ETIMOL. De *re-* (intensificación) y *gozo.*
regodearse v.prnl. **1** *col.* Deleitarse o complacerse en lo que gusta o resulta agradable, deteniéndose en ello: *Me regodeo paladeando un buen helado de chocolate.* **2** *col.* Complacerse con malicia en la desgracia que le ocurre a otro: *Te regodeas al ver cómo tus compañeros suspenden mientras tú apruebas.* □ ETIMOL. De *re-* (intensificación) y *godo* (rico, persona principal).
regodeo s.m. **1** *col.* Complacencia en lo que gusta o resulta agradable. **2** *col.* Disfrute malicioso en la desgracia ajena. **3** *col.* Diversión o fiesta: *Ante el regodeo general, el cómico decidió seguir un rato más.*
regoldar v. Expulsar por la boca y haciendo ruido los gases del estómago: *Don Quijote aconsejaba a Sancho Panza no regoldar en público.* □ SINÓN. *eructar.* □ MORF. Irreg. →CONTAR.
regolfar v. **1** Referido a una corriente de agua, retroceder contra su curso y formar un remanso: *En esa zona en la que el agua regolfa, podemos bañarnos.* **2** Referido al viento, cambiar su dirección: *Cuando hace viento del norte, el aire se regolfa en esa esquina.* □ ETIMOL. De *golfo*, por la tranquilidad del agua.
regordete, ta adj. *col.* Pequeño y grueso. □ ETIMOL. De *re-* (intensificación) y *gordo.*
regrabable adj.inv. Referido esp. a un CD-ROM, que se puede volver a grabar en él.
regrabador s.m. →**regrabadora.**
regrabadora s.f. Aparato que permite grabar y reproducir un CD-ROM. □ SINÓN. *regrabador.*
regresar v. **1** Ir de nuevo al punto de partida: *Anoche regresó temprano a casa.* □ SINÓN. *volver.* **2** En zonas del español meridional, devolver algo a su poseedor: *¿Cuándo vas a regresarme el libro?* □ MORF. En la acepción 1, en zonas del español meridional, se usa como pronominal. □ SINT. 1. Constr. *regresar* A *un sitio.* 2. En la acepción 1, es incorrecto su uso como transitivo aunque está muy extendido: **nos regresaron* > *nos hicieron regresar.*
regresión s.f. Retroceso o vuelta hacia atrás. □ ETIMOL. Del latín *regressio.*
regresivo, va adj. Que retrocede o hace retroceder.
regreso s.m. Vuelta al lugar del que se partió. □ SINÓN. *venida.* □ ETIMOL. Del latín *regressus* (retorno).
regruñir v. Gruñir mucho: *No hace más que regruñir desde que se levanta hasta que se acuesta.*
regüeldo s.m. Expulsión por la boca y haciendo ruido de los gases del estómago. □ SINÓN. *eructo.*
reguera s.f. →**reguero.**
reguero s.m. **1** Línea o señal continua que deja un líquido que se va derramando. **2** Corriente pequeña de algo líquido. **3** Canal o surco que se hace en la tierra para conducir el agua de riego. □ SINÓN. *reguera.* □ ETIMOL. De *regar.*
reguetón s.m. →**reaggeton.**
regulable adj.inv. Que puede ser regulado.
regulación s.f. **1** Sometimiento a unas normas o puesta en orden de algo. □ SINÓN. *regularización.* **2** Ajuste o control del funcionamiento de un sistema.
regulador, -a ▮ adj. **1** Que regula. ▮ s.m. **2** Mecanismo que sirve para regular u ordenar el movimiento o los efectos de una máquina o de alguna de sus piezas. **3** En música, signo con forma de ángulo agudo, que se coloca horizontalmente sobre el pentagrama y que indica, según el sentido de su abertura, que debe aumentarse o disminuirse gradualmente la intensidad del sonido.
regular ▮ adj.inv. **1** Uniforme o sin grandes cambios, alteraciones o fallos en la forma o en su desarrollo: *El enfermo mantiene una respiración regular.* **2** De tamaño o condición habituales o inferiores a algo de su misma especie: *Hiciste un examen regular, poco brillante pero sin fallos.* **3** En gramática, que sigue un modelo morfológico establecido: *El participio regular del verbo 'imprimir' es 'imprimido'.* **4** En geometría, referido a un polígono, que tiene los lados y los ángulos iguales entre sí: *El cuadrado es un polígono regular.* **5** En geometría,

referido a un poliedro, que tiene sus caras y sus ángulos iguales entre sí: *Las ocho caras de un octaedro regular son triángulos equiláteros.* **6** Referido a una unidad militar o a sus miembros, que forman parte del ejército estable de un país: *Los mandos militares forman parte del ejército regular de la nación.* ▮ v. **7** Someter a unas normas o poner en orden: *Los semáforos regulan el tráfico de forma automática.* □ SINÓN. *regularizar.* **8** Ajustar o controlar el funcionamiento de un sistema: *Esta rueda permite regular la intensidad de la luz de la lámpara.* ▮ adv. **9** De forma mediana o no muy bien: *El examen me salió regular, y lo mismo puedo aprobar que suspender.* **10** ‖ **por lo regular;** común u ordinariamente: *Por lo regular, suelo comer en casa.* □ ETIMOL. Las acepciones 1-6 y 9, del latín *regularis* (conforme a una regla). Las acepciones 7 y 8, del latín *regulare.*

regularidad s.f. Uniformidad o ausencia de grandes cambios, alteraciones o fallos en la forma o en el desarrollo.

regularización s.f. Sometimiento a unas normas o puesta en orden de algo. □ SINÓN. *regulación.*

regularizador, -a adj./s. Que regulariza.

regularizar v. Someter a unas normas o poner en orden: *Todos los emigrantes deben regularizar su situación de residencia en el país en el que están. Tras quitar la nieve de las vías, se regularizaron las comunicaciones ferroviarias.* □ SINÓN. *regular.* □ ORTOGR. La *z* se cambia en *c* delante de *e* →CAZAR.

regulativo, va adj./s. Que regula o dirige.

régulo s.m. **1** Señor de un Estado pequeño: *En la España prerromana existían régulos que gobernaban pequeños territorios.* **2** Animal fabuloso que se representaba con cuerpo de serpiente y patas de ave. □ SINÓN. *basilisco.* □ ETIMOL. Del latín *regulo*, y este de *rex* (rey).

regurgitación s.f. Expulsión por la boca de alimentos o de sustancias contenidos en el esófago o en el estómago, sin el esfuerzo del vómito.

regurgitar v. Referido a sustancias contenidas en el esófago o en el estómago, expulsarlas por la boca, sin el esfuerzo del vómito: *Algunas aves alimentan a sus polluelos con la pasta que ellas mismas regurgitan.* □ ETIMOL. Del latín *regurgitare.*

regusto s.m. **1** Gusto o sabor que queda de lo que se ha comido o bebido. **2** Gusto o afición que queda por haber hecho algo. **3** Sensación o recuerdo imprecisos y generalmente placenteros o dolorosos. **4** Impresión de semejanza o asociación con algo que sugieren algunas cosas.

rehabilitación s.f. **1** Conjunto de técnicas y de métodos curativos encaminados a recuperar la actividad o las funciones del organismo perdidas o disminuidas por efecto de una enfermedad o de una lesión: *ejercicios de rehabilitación.* **2** Habilitación o reforma de un edificio para devolverlo a su antiguo estado.

rehabilitar v. Referido a una persona o a un edificio, habilitarlos de nuevo o devolverlos a su antiguo estado: *Cuando rehabiliten el viejo palacio, instalarán en él un museo. Tiene que hacer ejercicios para rehabilitar la rodilla lesionada.*

rehacer ▮ v. **1** Referido a algo deshecho o mal hecho, volver a hacerlo: *El trabajo tenía tantos errores que tuve que rehacerlo entero.* **2** Referido a algo estropeado, dañado o disminuido, repararlo, arreglarlo o restablecerlo: *Conseguí rehacer mi vida gracias al apoyo de mi familia.* ▮ prnl. **3** Fortalecerse o tomar nuevo brío: *Aunque ya está mejor, necesita tomar vitaminas para terminar de rehacerse.* **4** Referido a una persona, dominar una emoción y recuperar la serenidad o el ánimo: *Es difícil rehacerse tras la pérdida de un ser querido.* □ ETIMOL. Del latín *refacere.* □ ORTOGR. La *i* solo lleva tilde en las formas *rehíce* y *rehízo.* □ MORF. Irreg.: 1. Su participio es *rehecho.* 2. →HACER.

rehala s.f. **1** Jauría o conjunto de perros de caza mayor. **2** Rebaño de ganado lanar, formado por animales de diferentes dueños. □ ETIMOL. Del árabe *rahala* (hato, rebaño). □ ORTOGR. En la acepción 2, se admite también *reala.*

rehecho, cha part. irreg. de **rehacer.** □ MORF. Incorr. **rehacido.*

rehén s.com. Persona a la que se retiene y se utiliza como garantía para obligar a otro a cumplir determinadas condiciones. □ ETIMOL. Del árabe *rahn* (prenda).

rehidratación s.f. Reposición del agua de un cuerpo.

rehilado, da adj. En lingüística, referido a una consonante sonora, que se articula con rehilamiento: *Algunas consonantes se articulan de forma rehilada, dependiendo de donde estén situadas en una palabra.* □ SINÓN. *rehilante.*

rehilamiento s.m. En lingüística, vibración que se produce en el punto de articulación de algunas consonantes sonoras y que les aporta una sonoridad adicional: *El rehilamiento con que los argentinos pronuncian la 'y' hace que a los españoles les suene casi a 'ch'.*

rehilante adj.inv. En lingüística, referido a una consonante sonora, que se articula con rehilamiento: *La 's' de 'pasma' es una consonante rehilante.* □ SINÓN. *rehilado.*

rehilar v. **1** Referido a una flecha o a otra arma arrojadiza, producir ruido o zumbido cuando van por el aire a gran velocidad: *Lanzó la flecha con tal fuerza que todos la oímos rehilar.* **2** En lingüística, referido a una consonante sonora, pronunciarla con rehilamiento: *Los franceses rehílan al pronunciar su jota.* □ ETIMOL. Del latín **refilare*, y este de *filum* (hilo). □ ORTOGR. La *i* lleva tilde en los presentes, excepto en las personas *nosotros* y *vosotros* →GUIAR.

rehilete s.m. En zonas del español meridional, molinillo de viento.

rehogar v. Referido a un alimento, freírlo ligeramente a fuego lento y sin agua de modo que el aceite, la grasa o los condimentos con que se fríe lo penetren: *Una vez cocida la verdura, se le quita el agua, se rehoga y se sirve.* □ ETIMOL. Del latín *re* (repetición) y *focus* (fuego). □ ORTOGR. La *g* se cambia en *gu* delante de *e* →PAGAR.

rehuir v. **1** Evitar o rechazar, generalmente por repugnancia o por temor de un riesgo: *No rehúyas el trabajo, porque antes o después tendrás que hacerlo.* **2** Referido esp. a una persona, evitar o eludir su trato o su compañía: *Si fueras más amable, la gente no te rehuiría de esa manera.* □ ETIMOL. Del latín *refugere*. □ ORTOGR. La *u* lleva tilde en los presentes, excepto en las personas *nosotros* y *vosotros*. □ MORF. Irreg. →HUIR.

rehumedecer v. Humedecer bien: *Con la escarcha que ha caído, se ha rehumedecido la ropa tendida.* □ MORF. Irreg. →PARECER.

rehundir v. **1** Hundir o sumergir hasta lo más hondo: *Un cañonazo consiguió rehundir el barco.* **2** Referido a una cavidad o a un agujero, hacerlos más hondos: *Rehundió un hoyo en la arena para clavar más profundo el pie de la sombrilla.* □ ORTOGR. La *u* lleva tilde en los presentes, excepto en las personas *nosotros* y *vosotros*.

rehusar v. Rechazar o no aceptar, generalmente con alguna excusa: *Rehusó mi invitación de ir al cine diciendo que tenía mucho trabajo.* □ ETIMOL. Del latín **refusare*, y este de *refusus* (rechazado). □ ORTOGR. La *u* lleva tilde en los presentes, excepto en las personas *nosotros* y *vosotros* →ACTUAR. □ SINT. Es incorrecto su uso seguido de la preposición *a*: **rehusó a venir* > *rehusó venir*.

reidor, -a adj./s. Que ríe con frecuencia.

reiki (jap.) s.m. Tratamiento curativo mediante el restablecimiento del equilibrio de energías del organismo. □ ETIMOL. Del japonés *rei* (energía universal) y *ki* (energía del organismo). □ PRON. [réiki].

reimplantación s.f. Intervención quirúrgica consistente en la colocación en su lugar correspondiente de un órgano o de una parte del cuerpo que habían sido seccionados de él.

reimplantar v. **1** En cirugía, referido a un órgano o a una parte del cuerpo seccionados de él, volver a colocarlos en su lugar correspondiente: *Lo sometieron a una operación para reimplantarle los dedos amputados en el accidente.* **2** Volver a implantar: *A este paciente tuvieron que reimplantarle la prótesis porque la anterior le daba problemas.*

reimportar v. Referido a algo que había sido exportado, importarlo en el país de origen: *Los países pobres exportan materias primas y las reimportan transformadas y a un precio mucho mayor.*

reimpresión s.f. Segunda o posterior impresión de un texto o de una ilustración.

reimpreso, sa part. irreg. de **reimprimir**. □ USO Se usa más como adjetivo, frente al participio regular *reimprimido*, que se usa más en la conjugación.

reimprimir v. Referido a un texto o a una ilustración, imprimirlos o repetir su impresión por segunda vez y otras veces sucesivas: *Si sigue vendiéndose tan bien, tendrán que reimprimir el libro.* □ MORF. Tiene un participio regular (*reimprimido*), que se usa más en la conjugación, y otro irregular (*reimpreso*), que se usa más como adjetivo.

reina s.f. **1** s.f. de **rey**. **2** Mujer del rey. **3** En un festejo, mujer elegida, generalmente por su belleza, para presidirlo honoríficamente. **4** En el juego del ajedrez, pieza más importante después del rey. **5** En una comunidad de insectos sociales, hembra fecunda y cuya función casi exclusiva es la reproducción. **6** ‖ **reina de los prados;** planta de gran tamaño, con flores blancas o rosáceas y que se utiliza con fines medicinales. □ ETIMOL. Del latín *regina*. □ USO Se usa como apelativo: *No llores más, reina.*

reinado s.m. **1** Tiempo durante el que un rey ejerce su mandato o sus funciones como jefe del Estado. **2** Tiempo durante el que algo predomina o está en auge.

reinante adj.inv./s.com. Que reina.

reinar v. **1** Referido a un rey o a un soberano, regir o mandar: *El descubrimiento de América se produjo cuando reinaban en España los Reyes Católicos.* **2** En una monarquía, ejercer la jefatura del Estado: *En una monarquía parlamentaria, el rey reina, pero no gobierna.* **3** Dominar, predominar o tener predominio: *¡Nunca reinará la calma en esta casa de locos!* □ ETIMOL. Del latín *regnare*.

reincidencia s.f. Reiteración de una misma falta, delito o error o nueva caída en ellos.

reincidente adj.inv. Que reincide.

reincidir v. Referido esp. a una falta o a un error, volver a caer en ellos: *Si reincides en tus mentiras, el castigo será mayor.* □ ETIMOL. De *re-* (repetición) e *incidir*. □ SINT. Constr. *reincidir* EN *algo.*

reincorporación s.f. Nueva incorporación de algo o de alguien.

reincorporar v. **1** Referido a algo separado de un cuerpo político o moral, volver a incorporarlo o a unirlo a ellos: *La nueva dirección pretende reincorporar al partido a militantes que habían sido expulsados.* **2** Referido a una persona, volver a incorporarla a un servicio o a un puesto de trabajo: *Terminado el período de excedencia, deberás reincorporarte a tu puesto.* □ ETIMOL. Del latín *reincorporare*.

reineta s.f. Variedad de manzana, de color pardo o verdoso, piel áspera y sabor ácido. □ ETIMOL. Del francés *reinette*, y este del francés antiguo *raine* (rana), por la piel rugosa de estas manzanas. □ SINT. Se usa mucho en aposición, pospuesto a un sustantivo: *manzana reineta*.

reinfección s.f. Infección repetida por el mismo agente.

reingeniería s.f. Gestión y administración de una empresa para mejorar los resultados.

reingresar v. Volver a ingresar: *Reingresó en prisión después de cometer varios robos.*

reingreso s.m. Nuevo ingreso o nueva incorporación de alguien a un lugar donde había estado.

reinicializar v. →**reiniciar.** □ ORTOGR. 1. La última *i* nunca lleva tilde. 2. La *z* se cambia en *c* delante de *e* →CAZAR.

reiniciar v. En informática, volver a iniciar: *Reinicia el ordenador para que arranque correctamente.* □

SINÓN. *reinicializar.* □ ORTOGR. La última *i* nunca lleva tilde. □ SEM. Dist. de *reanudar* (continuar algo que se había interrumpido). □ USO Es innecesario el uso de los anglicismos *botar* y *resetear.*

reino s.m. **1** Territorio o Estado y conjunto de sus habitantes sobre los que ejerce sus funciones un rey. **2** Ámbito propio de una actividad: *En el reino de la imaginación, todo es posible.* □ SINÓN. *campo.* **3** En biología, en la clasificación de los seres vivos, categoría superior a la de tipo o a la de división: *Los hongos son uno de los cinco reinos.* □ ETIMOL. Del latín *regnum.*

reinona s.f. *col.* Hombre homosexual con los ademanes muy amanerados o que se traviste.

reinserción s.f. Integración en la sociedad de una persona que estaba marginada de ella.

reinsertado, da s. Persona marginada que vuelve a integrarse en la sociedad.

reinsertar v. Referido a una persona marginada de la sociedad, volver a integrarla en ella: *El Estado debe procurar reinsertar a los ex presidiarios. Es difícil que alguien que sale de la cárcel pueda reinsertarse sin ayuda.*

reintegración s.f. **1** Incorporación de nuevo de una persona al ejercicio de una actividad, a una situación o a un colectivo. **2** →**reintegro.**

reintegrar ▮ v. **1** Referido esp. a una cantidad de dinero, restituirla, devolverla o satisfacerla por entero: *Si no está conforme con la compra, le reintegramos su dinero.* ▮ prnl. **2** Incorporarse de nuevo al ejercicio de una actividad, a una situación o a un colectivo: *En pocos días estará usted repuesto y podrá reintegrarse a su trabajo.* □ ETIMOL. Del latín *redintegrare.* □ SINT. Constr. de la acepción 2: *reintegrarse* A *algo.*

reintegro s.m. **1** Restitución, devolución o satisfacción íntegras que se hacen de algo, esp. de una cantidad de dinero. □ SINÓN. *reintegración.* **2** En el juego de la lotería, premio igual a la cantidad jugada.

reinversión s.f. En economía, empleo de los beneficios obtenidos de una actividad productiva en el aumento del capital de la misma.

reinvertir v. En economía, referido a los beneficios de una actividad, volver a emplearlos en el aumento de su capital: *Vamos a reinvertir todos los beneficios de este año para ampliar nuestra empresa.*

reír ▮ v. **1** Manifestar regocijo o alegría mediante determinados movimientos de la boca y del rostro y emitiendo sonidos característicos: *Los niños ríen cuando les haces cosquillas. Me hizo tanta gracia que empecé a reírme a carcajadas.* **2** Celebrar o dar muestras de aprobación con risas: *En vez de reírle todo lo que hace, corrígelo para que aprenda.* ▮ prnl. **3** Burlarse, despreciar o no hacer caso de algo: *Me sacaron la lengua y se rieron de mí.* □ ETIMOL. Del latín *ridere.* □ MORF. Irreg. →REÍR. □ SINT. Constr. de la acepción 3: *reírse* DE *algo.*

reiteración s.f. Repetición o realización de nuevo de lo que se ha hecho.

reiterado, da adj. Hecho o sucedido repetidamente.

reiterar v. Referido a algo que se hace o se dice, repetirlo o volver a hacerlo: *Te reitero que no pienso ir contigo porque tú quieras. Me reitero en lo que te he dicho antes y no me convencerás de lo contrario.* □ ETIMOL. Del latín *reiterare.* □ SINT. Constr. como pronominal: *reiterarse alguien* EN *algo.*

reiterativo, va adj. Que se repite o que indica repetición: *El prefijo 're-' es un prefijo reiterativo.*

reivindicación s.f. **1** Reclamación, exigencia o recuperación de algo que corresponde por derecho. **2** Reclamación para sí de la autoría de una acción. □ ETIMOL. Del latín *rei vindicatio* (vindicación de una cosa).

reivindicar v. **1** Referido a algo que corresponde por derecho, reclamarlo, exigirlo o recuperarlo: *Los trabajadores reivindican mejores condiciones laborales.* **2** Referido a una acción, reclamar para sí su autoría: *Hasta el momento, nadie ha reivindicado el atentado.* □ ORTOGR. La *c* se cambia en *qu* delante de *e* →SACAR. □ SEM. Dist. de *revindicar* (defender a una persona injuriada).

reivindicativo, va adj. Que reivindica.

reivindicatorio, ria adj. En derecho, que sirve para reivindicar o que tiene relación con la reivindicación.

reja s.f. **1** Conjunto de barrotes enlazados, que se pone en las ventanas o en otras aberturas de los muros como medida de seguridad o como adorno, o en el interior de algunas construcciones para delimitar un espacio. **2** En un arado, pieza de hierro que sirve para surcar y remover la tierra. **3** ‖ **{entre/tras las} rejas;** *col.* En la cárcel. □ ETIMOL. La acepción 1, de origen incierto. La acepción 2, del latín *regula* (barra de madera o de metal).

rejería s.f. **1** Arte o técnica de construir rejas. **2** Conjunto de obras construidas según este arte, esp. si tienen una característica común.

rejilla s.f. **1** Red o lámina calada que suele ponerse en puertas, ventanas u otros huecos para ocultar el interior, para evitar que entre algo o como medida de seguridad: *la rejilla de un confesionario.* **2** En la programación de una emisora de radio o televisión, espacio horario.

rejo s.m. **1** Punta de hierro: *el rejo de una lanza.* **2** En algunos insectos, aguijón: *el rejo de una abeja.* □ ETIMOL. De *reja* (instrumento agrícola de hierro).

rejón s.m. En tauromaquia, palo largo de madera con una cuchilla en la punta, que se usa para rejonear. □ ETIMOL. De *reja* (pieza de hierro).

rejonazo s.m. En tauromaquia, golpe y herida producidos con un rejón.

rejoneador, -a s. Torero que hace la lidia completa del toro desde un caballo, usando los rejones para matar al toro.

rejonear v. **1** Torear a caballo usando los rejones: *Uno de los toreros toreó a pie y los otros dos rejonearon.* **2** En el toreo de a caballo, referido al toro, herirlo con el rejón, rompiendo este en el lomo del animal y dejándole clavada la punta: *El rejoneador hizo un quiebro ante el toro y lo rejoneó al girarse.*

rejoneo s.m. **1** Toreo a caballo. **2** Acción de herir al toro con el rejón.

rejuvenecedor, -a adj. Que rejuvenece.

rejuvenecer v. Referido a una persona, darle o adquirir un aspecto más joven o una fortaleza y vigor propios de la juventud: *Los colores alegres te rejuvenecen. Rejuvenecí al volverte a ver.* □ ETIMOL. De *re-* (intensificación, repetición) y el latín *iuvenescere.* □ MORF. Irreg. →PARECER.

rejuvenecimiento s.m. Vuelta a un aspecto más joven o a una fortaleza y un vigor propios de la juventud.

relación ▌s.f. **1** Conexión o correspondencia entre dos cosas: *Entre una causa y su efecto hay una relación de consecuencia.* **2** Trato, comunicación o conexión entre dos personas o entidades: *Además de ser amigos, les une una relación de parentesco.* **3** Lista de nombres o de elementos: *En la puerta del instituto se publicará la relación de los admitidos.* **4** Relato que se hace de un hecho: *La abogada pidió al testigo que hiciese una relación pormenorizada de los hechos.* **5** En matemáticas, resultado de comparar dos cantidades expresadas en números: *La relación de igualdad en matemáticas se expresa con el signo '=' y la relación mayor que, con el signo '>'.* ▌pl. **6** Trato o comunicación de carácter amoroso o sexual que mantienen dos personas: *Eres muy joven para tener relaciones.* **7** Personas influyentes social o profesionalmente y con las que se tiene trato: *En el mundillo en el que se mueve, las relaciones pueden llevarle más lejos que sus méritos.* **8** ‖ **relaciones públicas; 1** Actividad profesional consistente en intentar difundir y dar prestigio a la imagen de una persona o de una entidad mediante el trato personal y atento con el público destinatario de este mensaje. **2** Persona que se dedica a esta actividad o que está especializada en ella. □ ETIMOL. Del latín *relatio.* □ SINT. Incorr. **en relación a* > *en relación con, con relación a: No sé qué hacer en relación {*a > con} ese asunto.*

relacional adj.inv. De la relación o correspondencia entre dos cosas o relacionado con ella: *No acabo de ver el hilo relacional entre los dos temas.*

relacionar ▌v. **1** Referido a dos o más cosas o personas, asociarlas, ponerlas en conexión o establecer una correspondencia entre ellas: *Para un examen, además de haber estudiado, conviene saber relacionar unas ideas con otras. Rogamos que nos comuniquen cualquier nuevo dato que se relacione con lo sucedido.* ▌prnl. **2** Tener trato o comunicación con otras personas o entidades, esp. con las que son influyentes: *Desde que nos hicieron aquella faena, dejamos de relacionarnos con ellos.*

relajación s.f. **1** Disminución de la tensión de algo. □ SINÓN. *relajamiento.* **2** Distracción o estado de reposo conseguidos con algún tipo de descanso. □ SINÓN. *relajamiento.* **3** Disminución de la severidad de una norma establecida o del rigor en su cumplimiento u obediencia. □ SINÓN. *relajamiento.*

relajado, da adj. **1** Que no produce tensión o que no requiere mucho esfuerzo. **2** En fonética, referido a un sonido, que se articula con una tensión muscular escasa o menor de la habitual: *En español, la 'd' en posición final de palabra se pronuncia relajada.*

relajamiento s.m. →**relajación.**

relajante adj.inv. Que relaja.

relajar v. **1** Referido esp. a algo tenso, aflojarlo o disminuir su tensión: *Al extender el brazo, relajamos el bíceps. Las cuerdas vocales se relajan después de haber emitido un sonido.* **2** Referido esp. a una persona, distraerla o tranquilizarla mediante algún tipo de descanso: *Hacer ejercicio me relaja de la tensión del trabajo. Mi mente se relaja escuchando música.* **3** Referido esp. a las normas establecidas, hacer menos severo o menos riguroso su cumplimiento u obediencia: *El nuevo código penal relaja antiguas disposiciones demasiado duras. Mi abuelo dice que ahora los principios morales se han relajado mucho.* □ ETIMOL. Del latín *relaxare.* □ ORTOGR. Conserva la *j* en toda la conjugación.

relajo s.m. **1** *col.* Falta de orden o falta de seriedad: *trabajar con relajo.* **2** *col.* Descanso o tranquilidad: *momentos de relajo.* □ SINÓN. *relax.* **3** Laxitud en el cumplimiento de las normas. **4** *col.* En zonas del español meridional, alboroto o barullo.

relamerse v.prnl. **1** Lamerse los labios una o varias veces: *El niño se relamía saboreando el helado.* **2** Encontrar mucho gusto o satisfacción: *Se relame pensando en las próximas vacaciones.* □ ETIMOL. Del latín *relambere.*

relamido, da adj. Afectado o excesivamente aseado o esmerado, esp. en los modales. □ SINÓN. *lamido.*

relámpago s.m. **1** Resplandor muy vivo e instantáneo producido en las nubes por efecto de una descarga eléctrica. **2** Lo que pasa muy deprisa o es muy rápido en su actividad: *¡Qué barbaridad, eres un relámpago resolviendo crucigramas!* □ ETIMOL. Del latín *lampare*, y este del griego *lámpo* (yo brillo). □ SINT. En la acepción 2, se usa mucho en aposición, pospuesto a un sustantivo para indicar rapidez o carácter repentino: *viaje relámpago.*

relampaguear v. **1** Haber o producirse relámpagos: *Cuando empieza a relampaguear es que la tormenta está ya cerca.* **2** Despedir luz o brillar de manera intensa e intermitente: *La luz del faro relampagueaba en la oscuridad de la noche.* □ MORF. En la acepción 1, es unipersonal.

relampagueo s.m. **1** Producción de relámpagos. **2** Emisión de luz o brillo intensos e intermitentes.

relanzamiento s.m. Reactivación, estimulación o lanzamiento que se hace de algo dándole nuevo impulso.

relanzar v. **1** Reactivar, estimular o volver a lanzar dando nuevo impulso: *La campaña publicitaria pretende relanzar al partido y presentarlo con una imagen renovada para las próximas elecciones.* **2** Referido esp. a algo que viene lanzado con fuerza, rechazarlo o repelerlo: *Al rebotar el balón en el defensa, este lo relanzó involuntariamente y salió a córner.* □ ORTOGR. La *z* se cambia en *c* delante de *e* →CAZAR.

relapso, sa adj./s. Referido a una persona, que vuelve a caer en un pecado del que ya había hecho penitencia o en una herejía a la que ya había renunciado. □ ETIMOL. Del latín *relapsus* (que ha vuelto a caer).

relatar v. Referido a un hecho, narrarlo o darlo a conocer con palabras: *Os relataré lo que me pasó.* □ ETIMOL. De *relato*.

relatividad s.f. **1** Carácter de lo que no se considera de manera absoluta, sino en relación con otra cosa o en función de otros elementos: *Le molestó que le demostrara la relatividad de aquellas afirmaciones suyas tan tajantes.* **2** En física, teoría según la cual algunos o todos los sistemas de referencia en movimiento relativo, unos respecto de otros, son equivalentes para la descripción de la naturaleza: *La relatividad formulada por el físico alemán Einstein sostiene que el espacio y el tiempo son conceptos relativos.*

relativismo s.m. Doctrina filosófica que defiende la relatividad del conocimiento humano, ya que lo absoluto es inalcanzable para él, que solo puede ocuparse de las relaciones entre las cosas.

relativista ▮ adj.inv. **1** De la relatividad o relacionado con ella. **2** Del relativismo o relacionado con esta doctrina filosófica. ▮ adj.inv./s.com. **3** Partidario o seguidor de esta doctrina.

relativizar v. Referido a un asunto, considerarlo en relación con otros aspectos que rebajen su importancia o su gravedad: *Acostúmbrate a relativizar tus éxitos para que no acabes creyéndote un dios.* □ ORTOGR. La *z* se cambia en *c* delante de *e* →CAZAR.

relativo, va ▮ adj. **1** Que se refiere a algo o que tiene relación con ello: *De todo lo relativo a las ventas se ocupa el departamento comercial.* **2** Que no es absoluto o que está considerado en relación con otra cosa o en función de otros elementos: *No mintió, pero fue sincero de una manera relativa, porque contó solo lo que quiso.* **3** Que tiene una cantidad, una intensidad o una importancia escasas, pero que puede ser bastante: *En cuanto ahorra una suma de relativa importancia, la invierte.* **4** Que es discutible o que debe ser considerado desde otro punto de vista: *Lo que dices es muy relativo, porque no siempre los problemas tienen las misma causas.* ▮ s.m. **5** →**pronombre relativo.** □ ETIMOL. Del latín *relativus*. □ SEM. No debe usarse referido a una oración gramatical con el significado de 'adjetiva o de relativo': *El pronombre 'que' introduce oraciones {*relativas > de relativo}.*

relato s.m. **1** Cuento o narración de carácter literario y generalmente breve. **2** Narración o comunicación con palabras de un hecho. □ ETIMOL. Del latín *relatus*.

relator, -a adj./s. Que relata o narra.

relax (pl. *relax*) s.m. Relajación física o mental, generalmente producida por una situación de bienestar o de tranquilidad. □ ETIMOL. Del inglés *to relax* (relajarse).

relé s.m. En electrónica, aparato o dispositivo destinados a producir una modificación dada en un circuito, cuando se cumplen determinadas condiciones en dicho circuito o en otro conectado con él. □ ETIMOL. Del francés *relais*.

release (ing.) s.f. En informática, nueva versión de una aplicación informática que modifica o que mejora la anterior. □ PRON. [rilís].

relegación s.f. Apartamiento, posposición o colocación de algo en un lugar o posición menos destacados.

relegar v. Apartar, posponer o dejar en un lugar o posición menos destacados: *Cuando compró la cámara de vídeo, relegó la de fotos.* □ ETIMOL. Del latín *relegare*. □ ORTOGR. La *g* se cambia en *gu* delante de *e* →PAGAR. □ SINT. Constr. *relegar algo* A *un lugar*.

relente s.m. Humedad que se nota en la atmósfera en las noches sin nubes. □ ETIMOL. Del francés *relent*.

relevancia s.f. Importancia o significación: *Escribió varias novelas, pero ninguna de relevancia.*

relevante adj.inv. **1** Importante o significativo: *Sólo me ocupo de los problemas más relevantes de la empresa.* **2** Excelente o de gran calidad: *Es una persona de relevantes cualidades.*

relevar v. **1** Referido a una persona, reemplazarla o sustituirla por otra en una actividad o en un puesto: *Un jugador de reserva ha relevado al titular lesionado.* **2** Liberar, aliviar, apartar o privar de un peso, de una obligación o de un cargo: *Me ha relevado del trabajo más pesado porque dice que ya soy muy mayor.* □ ETIMOL. Del latín *relevare*. □ ORTOGR. Dist. de *rebelarse* y *revelar*.

relevista adj.inv./s.com. Referido a un deportista, que participa en pruebas de relevos.

relevo ▮ s.m. **1** Sustitución de una persona por otra en una actividad o en un puesto. **2** Persona o conjunto de personas que realizan esta sustitución. ▮ pl. **3** Carrera deportiva entre equipos cuyos miembros actúan de uno en uno y se van relevando.

relicario s.m. Estuche o lugar donde se guarda alguna reliquia u objeto de valor sentimental.

relieve s.m. **1** Lo que sobresale o resalta sobre una superficie. **2** Conjunto de accidentes geográficos de la superficie de la Tierra. **3** Importancia, mérito o renombre de algo: *una persona de relieve.* **4** ‖ **alto relieve;** →**altorrelieve.** ‖ **bajo relieve;** →**bajorrelieve.** ‖ **poner de relieve;** destacar, subrayar o resaltar con énfasis. □ ETIMOL. Del italiano *rilievo*.

religión s.f. Conjunto de creencias y de prácticas relacionadas con lo que se considera sagrado. □ ETIMOL. Del latín *religio* (escrúpulo, delicadeza).

religiosidad s.f. **1** Condición o característica de la persona religiosa. **2** Puntualidad, exactitud y rigor al cumplir o realizar algo: *Pagó todas sus deudas con religiosidad.*

religioso, sa ▮ adj. **1** De la religión o relacionado con ella o con sus seguidores: *Las iglesias son edificios religiosos.* **2** Que practica una religión y cumple con sus normas y preceptos, esp. si lo hace con especial devoción: *Es una persona muy religiosa y va diariamente a misa.* **3** Puntual, exacto o riguroso en el cumplimiento de un deber: *Pagó de manera religiosa hasta el último céntimo de su deuda.* ▮ adj./s. **4** Que ha ingresado en una orden o congregación religiosas.

relimpio, pia adj. *col.* Muy limpio.

relinchar v. Referido a un caballo, dar relinchos o emitir su voz característica: *Se oía a los caballos relinchar en las cuadras.* □ ETIMOL. Del antiguo *reninchar*.

relincho s.m. Voz característica del caballo.

relinga s.f. **1** Cada una de las cuerdas en que van colocados los plomos y corchos con los que se sostienen las redes en el agua. **2** Cabo o cuerda con que se refuerzan los bordes de las velas. □ ETIMOL. Del francés *ralingue*.

reliquia s.f. **1** Parte del cuerpo de un santo o algo que se venera por haber estado en contacto con él. **2** Vestigio, huella o resto de algo pasado, esp. si tiene un gran valor sentimental. □ ETIMOL. Del latín *reliquiae* (restos, residuos).

rellamada s.f. En un teléfono, función que permite repetir la última llamada realizada sin tener que volver a marcar los números.

rellano s.m. **1** En una escalera, parte llana en que termina cada uno de sus tramos. □ SINÓN. *descansillo, descanso.* **2** En un terreno, llano que interrumpe su pendiente.

rellenar v. **1** Volver a llenar de forma que no quede ningún espacio vacío: *Rellena la jarra, que está medio vacía.* **2** Referido a un espacio, introducir en él lo necesario para llenarlo: *Rellenó la funda de los cojines con espuma.* **3** Referido a un alimento, poner en su interior distintos ingredientes: *Rellenó el pollo con tortilla, jamón y no sé cuántas cosas más.* **4** Referido esp. a un impreso, escribir los datos que se solicitan en los espacios destinados para ello: *Rellena la instancia con letra mayúscula.* □ SINÓN. *llenar.* □ ETIMOL. De *re-* (repetición, intensificación) y *llenar*.

relleno, na ▮ adj. **1** Con su interior ocupado o lleno de algo: *aceitunas rellenas.* **2** Referido a un impreso, que tiene los datos que se solicitan en los espacios destinados para ello: *Dame las hojas de solicitud rellenas y yo las entrego.* **3** *col.* Referido a una persona, que está un poco gruesa o que tiene formas redondeadas: *Ahora está muy delgado, pero de pequeño era muy rellenito.* ▮ s.m. **4** Llenado de un recipiente, de forma que no quede ningún espacio vacío: *El relleno de las botellas se hace de forma automática.* **5** Puesta de distintos ingredientes en el interior de un ave o de otro alimento: *Para el relleno de las tripas del cerdo utilizamos una máquina.* **6** Lo que se necesita para llenar o rellenar algo: *El relleno de este colchón es de lana.* **7** ‖ **relleno nórdico;** el que se coloca dentro de una funda nórdica y puede ser de plumas o sintético.

reloj (pl. *relojes*) s.m. **1** Instrumento, aparato o dispositivo que sirve para medir el tiempo o dividirlo en horas, minutos o segundos: *Me han regalado un reloj con la esfera dorada.* **2** ‖ **como un reloj;** *col.* Muy bien o con mucha precisión: *A pesar de los años que hace que lo tengo, el coche marcha como un reloj.* ‖ **contra (el) reloj;** →**contrarreloj.** ‖ **reloj de arena;** el que está formado por dos ampollas unidas y que mide el tiempo con una cantidad de arena que pasa de una a otra. ‖ **reloj de cuco;** el que marca las horas con un cuclillo mecánico que sale de la caja y que imita el sonido de esta ave. ‖ **reloj de pulsera;** el que se sujeta a la muñeca con una correa o cadena. ‖ **reloj de sol;** el que mide el tiempo por medio de la sombra que proyecta una aguja sobre una superficie. □ ETIMOL. Del latín *horologium.* □ MORF. Incorr. el pl. **relós.*

relojería s.f. **1** Arte o técnica de hacer relojes. **2** Establecimiento en el que se hacen, se arreglan o se venden relojes. **3** ‖ **de relojería;** referido esp. a un mecanismo o a una bomba, que constan de un reloj que acciona o detiene un dispositivo en un determinado momento.

relojero, ra s. Persona que se dedica profesionalmente a la fabricación, a la reparación o a la venta de relojes.

reluciente adj.inv. Que reluce.

relucir v. **1** Brillar o despedir rayos de luz: *Las estrellas relucen en el cielo.* **2** Sobresalir o ser importante: *Relucía por su inteligencia.* **3** ‖ **{sacar/salir} a relucir** algo; *col.* Decirlo o surgir de manera inesperada o inoportuna en la conversación: *No saques a relucir nuestras antiguas diferencias.* □ ETIMOL. Del latín *relucere.* □ MORF. Irreg. →LUCIR.

reluctancia s.f. En física, resistencia que un circuito magnético ofrece al paso de un flujo magnético.

relumbrar v. Resplandecer o despedir intensos rayos de luz: *Las armaduras de los caballeros relumbraban bajo el sol.* □ ETIMOL. Del latín *reluminare.*

relumbrón s.m. **1** Rayo intenso y momentáneo de luz. **2** ‖ **de relumbrón;** *col.* De mejor apariencia que calidad o más aparente que verdadero.

rem (ing.) s.m. En física, unidad de medida del nivel de radiación. □ ETIMOL. Es el acrónimo del inglés *Roentgen Equivalent in Man* (efecto de los rayos Roentgen en el organismo humano). □ ORTOGR. Su símbolo es *rem*, por tanto, se escribe sin punto.

remachado s.m. **1** Colocación de remaches, esp. si se hace como sujeción o como adorno. **2** Aplastamiento de un clavo introducido en un lugar para darle mayor firmeza.

remachar v. **1** Referido a un clavo ya clavado, machacar su punta o su cabeza para darle mayor firmeza: *Remachó los clavos de las patas del mueble para que estas no cediesen con el peso.* **2** Colocar o poner remaches: *El zapatero no remachó bien el cinturón y se han soltado los remaches.* **3** Recalcar insistiendo mucho: *De pequeño me remacharon que debía ayudar siempre a un amigo.* □ ETIMOL. De *re-* (repetición, intensificación) y *machar* (golpear).

remache s.m. Clavo con cabeza en un extremo que después de haber sido clavado se remacha por el extremo opuesto. □ SINÓN. *roblón.*

remake (ing.) s.m. Nueva versión de una obra que ya se había realizado. □ PRON. [riméik]. □ USO Su uso es innecesario y puede sustituirse por *versión, nueva versión* o *adaptación*.

remalladora s.f. Máquina que sirve para remallar una malla o un tejido semejante.

remallar v. Referido a una malla o a un tejido semejante, componerlos o reforzarlos: *Los pescadores remallaban las redes a la orilla de la playa.*

remanente s.m. Lo que queda o se reserva de algo. ☐ ETIMOL. Del latín *remanens*, y este de *remanere* (permanecer).

remangar v. Referido a una manga o a la ropa, levantarlas o recogerlas hacia arriba: *La enfermera me dijo que me remangara la camisa para ponerme la inyección.* ☐ ETIMOL. De *re-* (intensificador) y *manga*. ☐ ORTOGR. La *g* se cambia en *gu* delante de *e* →PAGAR.

remango s.m. *col.* Gracia o capacidad para desenvolverse con soltura.

remanguillé || **a la remanguillé;** *col.* En mal estado, en completo desorden o sin ningún cuidado.

remansarse v.prnl. Referido a una corriente de agua, detenerse, suspenderse o correr muy lentamente: *Nos bañaremos donde la corriente del río se remansa.*

remanso s.m. **1** Lugar en el que se detiene o se hace más lenta una corriente de agua. **2** || **remanso de paz;** lugar muy tranquilo. ☐ ETIMOL. Del latín *remanere* (detenerse).

remar v. Mover los remos en el agua para impulsar una embarcación: *Para alcanzar pronto la orilla debemos remar con fuerza.* ☐ SINÓN. *bogar*. ☐ SEM. Dist. de *navegar* (avanzar sobre el agua).

remarcable adj.inv. Que destaca por sus cualidades o por su importancia: *Esta película ha conseguido un remarcable éxito de taquilla.* ☐ USO Es un galicismo innecesario y puede sustituirse por *notable* o *destacable*.

remarcar v. Hacer notar con insistencia o con énfasis: *La profesora remarcó la importancia de la Revolución Francesa.* ☐ ORTOGR. La *c* se cambia en *qu* delante de *e* →SACAR.

remasterizar v. Referido a una grabación, volverla a grabar para realizar una nueva versión: *Se han remasterizado estas antiguas grabaciones para filtrar los ruidos de fondo y conseguir el sonido original.* ☐ ORTOGR. La *z* se cambia en *c* delante de *e* →CAZAR.

rematado, da adj. Acompañado de una cualidad negativa, indica que esta se tiene en alto grado: *Si piensas que todo el mundo está a tus pies, eres un rematado imbécil.*

rematador, -a adj./s. Que remata.

rematar v. **1** Dar fin, hacer concluir o hacer terminar: *La cantante remató su actuación interpretando su canción más famosa.* **2** Referido a una persona o a un animal moribundos, poner fin a su vida: *El diestro remató el toro con el descabello.* **3** *col.* Referido a algo que ya estaba mal, acabar de estropearlo o de agravarlo: *Si el proyecto ya iba mal, este nuevo fracaso lo va a rematar.* **4** Agotar, consumir o gastar totalmente: *Antes de empezar otro, remata este.* **5** Referido a una costura o a un cosido, asegurar su última puntada dando otra encima o haciendo un nudo a la hebra: *Si no rematas las costuras, se descoserán.* **6** En fútbol y otros deportes, dar término a una serie de jugadas lanzando el balón hacia la meta contraria: *El jugador remató de cabeza.* **7** En zonas del español meridional, liquidar o vender a un precio rebajado: *Rematamos todas las existencias de nuestro negocio.* **8** En zonas del español meridional, subastar: *Remato todos los muebles de mi casa.* ☐ ETIMOL. De *re-* (intensificación) y *matar*.

remate s.m. **1** Conclusión o terminación: *Como remate de su exposición, el conferenciante contó una anécdota.* **2** *col.* Agravamiento o destrozo definitivo de lo que ya estaba mal: *Como remate de todas sus críticas, me soltó que nunca confió en mí.* **3** Fin, extremo o punta: *Este alfiler de corbata lleva un brillante como remate.* **4** En fútbol y otros deportes, lanzamiento del balón a la meta contraria, esp. si es la finalización de una serie de jugadas: *El segundo gol fue un bonito remate con la izquierda.* **5** En costura, forma de asegurar la última puntada consistente en dar otra encima o haciendo un nudo a la hebra: *Cuando termines de bordar, haz un remate para que no se escape el hilo.* **6** En zonas del español meridional, liquidación o venta a precio rebajado: *El remate de existencias se realizó en una semana.* **7** En zonas del español meridional, subasta: *La casa fue puesta a remate conforme a la ley.* **8** || **de remate;** *col.* Pospuesto a un término que indica una cualidad negativa, intensifica el significado de este: *No le hagas caso, que está loco de remate.*

rembolsar v. →**reembolsar.**

rembolso s.m. →**reembolso.**

remecer v. Mover reiteradamente de un lado a otro: *Los aceituneros remecen los olivos para que caigan las aceitunas.* ☐ ETIMOL. Del latín *remiscere*. ☐ ORTOGR. La *c* se cambia en *z* delante de *a, o* →VENCER.

remedar v. Intentar parecer o imitar, sin llegar a la semejanza perfecta: *Su casa remeda un palacete señorial.* ☐ ETIMOL. Del latín **reimitari*.

remediar v. **1** Referido a un daño, ponerle remedio o intentar repararlo: *Quiero remediar con mi ayuda los daños causados.* **2** Referido a algo de consecuencias negativas, evitar que suceda: *Si Dios no lo remedia, me parece que la lluvia arruinará la cosecha.* ☐ ORTOGR. La *i* nunca lleva tilde.

remedio s.m. **1** Medio o procedimiento para solucionar o reparar un daño: *Necesito un remedio para el dolor de muelas.* **2** Enmienda o corrección: *Si no pones remedio a tu mal comportamiento, serás severamente castigado.* **3** Auxilio o socorro de una necesidad: *Su compañía fue un gran remedio en medio de mi pena.* **4** || **no haber más remedio;** *col.* Ser absolutamente necesario: *Si queremos terminar a tiempo, no hay más remedio que trabajar sábados y domingos.* || **qué remedio;** *col.* Expresión que se usa para indicar resignación. ☐ ETIMOL. Del latín *remedium*, y este de *mederi* (curar).

remedo s.m. Imitación o copia, esp. si son imperfectas.

remembranza s.f. Recuerdo de una cosa pasada.

rememoración s.f. Evocación de algo pasado.

rememorar v. Referido a algo pasado, recordarlo o traerlo a la memoria: *Los dos amigos rememoraron sus tiempos de estudiantes.* □ ETIMOL. Del latín *rememorare.*

rememorativo, va adj. Que evoca algo pasado: *un discurso rememorativo.*

remendado, da ▌adj. **1** Referido esp. a un animal o a su piel, que tiene manchas como recortadas. ▌s.m. **2** Colocación de un remiendo.

remendar v. Referido a algo viejo o roto, esp. a la ropa, ponerle un remiendo o zurcirlo para reforzarlo: *Remendó las rodilleras del vaquero con tela de colores.* □ ETIMOL. Del latín *re-* y *emendare* (enmendar, corregir). □ MORF. Irreg. →PENSAR.

remendón, -a adj. Que se dedica a remendar, esp. referido a un zapatero.

remera s.f. Véase **remero, ra**.

remero, ra ▌adj./s.f. **1** Referido a una pluma de ave, que es una de las grandes en que termina el borde posterior de las alas. □ SINÓN. *rémige.* ▌s. **2** Persona que rema. ▌s.f. **3** En zonas del español meridional, camiseta.

remesa s.f. Envío que se hace de un lugar a otro. □ ETIMOL. Del latín *remissa* (remitida).

remeter v. **1** Meter más adentro: *Ven para que te remeta la camisa por el pantalón.* **2** Referido a un objeto, empujarlo para meterlo en un lugar: *Remeto bien las mantas bajo el colchón para no destaparme.*

remezón s.m. **1** En zonas del español meridional, terremoto ligero. **2** En zonas del español meridional, temblor breve del suelo. **3** *col.* En zonas del español meridional, sacudida brusca: *Para saludarme me dio un remezón.* □ ETIMOL. De *remecer.*

remiendo s.m. **1** Trozo de tela u otro material que se pone para arreglar algo. **2** *col.* Arreglo o reparación, generalmente provisional, que se hace en caso de urgencia.

rémige adj./s.f. Referido a una pluma de ave, que es una de las grandes en que termina el borde posterior de las alas. □ SINÓN. *remera.* □ ETIMOL. Del latín *remex* (remero).

remilgado, da adj. Que finge o muestra una delicadeza exagerada o un escrúpulo excesivo.

remilgo s.m. Manifestación exagerada de delicadeza o de escrúpulos, generalmente mediante gestos expresivos. □ ETIMOL. Quizá de *re-* (intensificación) y el latín *mellicus*, y este de *mellitus* (meloso).

rémington s.m. Fusil estadounidense que se carga por la recámara. □ ETIMOL. Por alusión a Remington, inventor de este fusil.

reminiscencia s.f. **1** Recuerdo vago e impreciso: *De mi infancia solo tengo alguna reminiscencia.* **2** Influencia o parecido: *Esta novela tiene reminiscencias clásicas.* □ ETIMOL. Del latín *reminiscentia.*

remirado, da adj. **1** *desp.* Que reflexiona mucho sobre sus acciones. **2** *desp.* Que finge o muestra una delicadeza exagerada. □ SINÓN. *dengoso, melindroso.*

remirar v. Mirar repetidamente o mirar intensamente y con atención: *Por más que remiré, no fui capaz de encontrarlo.*

remisible adj.inv. Que se puede remediar o perdonar.

remisión s.f. **1** Envío que se hace a otro lugar: *En tu trabajo hay continuas remisiones a estudios anteriores.* **2** Disminución o pérdida de intensidad: *la remisión de un dolor.* **3** Perdón o liberación de una pena o de una obligación: *la remisión de una condena.* □ ETIMOL. Del latín *remissio.*

remiso, sa adj. Reacio, contrario o poco dispuesto a la realización de algo. □ ETIMOL. Del latín *remissus*, y este de *remittere* (aflojar).

remite s.m. Nota que se pone en un envío por correo, en la que constan el nombre y dirección de la persona que hace dicho envío.

remitente ▌adj.inv. **1** Que remite. ▌s.com. **2** Persona que hace un envío y cuyo nombre consta en el remite de un sobre o paquete.

remitir ▌v. **1** Referido a algo, enviarlo a determinada persona de otro lugar: *Mañana mismo te remitiré la carta.* **2** Disminuir o perder intensidad: *Dentro de unos días remitirá el calor.* **3** En un escrito, hacer una indicación para que se consulte un lugar donde aparece información de lo tratado: *Esta autora remite constantemente a su anterior obra.* ▌prnl. **4** Referido a lo hecho o a lo dicho, atenerse a ello: *Como prueba de lo que digo, me remito a tus declaraciones en el periódico.* □ ETIMOL. Del latín *remittere.* □ SINT. 1. Constr. de la acepción 3: *remitir* A *algo.* 2. Constr. de la acepción 4: *remitirse* A *algo.*

remix (ing.) s.m. Versión musical de una canción ya existente, que se realiza con nuevos ritmos y con repeticiones de distintas partes: *He escuchado un remix de una canción de hace años en la discoteca.* □ PRON. [remíx].

remo s.m. **1** Especie de pala alargada y estrecha que sirve para mover una embarcación al hacer con ella fuerza en el agua. **2** Deporte que consiste en recorrer distancias en una embarcación impulsada por estas palas. **3** En una persona o en un cuadrúpedo, brazo o pierna. □ ETIMOL. Del latín *remus.*

remoción s.f. **1** Movimiento repetido de algo. **2** Tratamiento de un tema que ya estaba olvidado. **3** En derecho, pérdida o privación de un cargo o de un empleo: *La oposición pide la remoción de esta ministra.* □ ETIMOL. Del latín *remotio.*

remodelación s.f. Modificación de una forma, de una estructura o de una composición.

remodelar v. Modificar la forma, la estructura o la composición: *Remodelarán el viejo cine para convertirlo en teatro.*

remojar v. Empapar o meter en un líquido, esp. en agua: *Remojó la ropa antes de meterla en la lava-*

dora. □ ETIMOL. De *re-* (intensificación) y *mojar.* □ ORTOGR. Conserva la *j* en toda la conjugación.

remojo || **{a/en} remojo;** dentro del agua durante un cierto tiempo: *Puse los garbanzos en remojo para que se ablandasen.*

remojón s.m. Baño de agua o de otro líquido hasta empapar algo. □ SINÓN. *mojadura.*

remolacha s.f. **1** Planta herbácea de hojas grandes que salen directamente de la raíz, flores pequeñas y verdosas en espiga y raíz carnosa en forma de huso, de color rojizo o blanco. **2** Raíz de esta planta. □ ETIMOL. Quizá del italiano *ramolaccio* (rábano silvestre).

remolachero, ra ▌adj. **1** De la remolacha o relacionado con esta planta. ▌s. **2** Persona que se dedica al cultivo, la industrialización o la venta de remolacha.

remolcador, -a ▌adj. **1** Que remolca. ▌s.m. **2** Barco preparado para el remolque de otras embarcaciones.

remolcar v. Referido esp. a un vehículo, arrastrarlo o llevarlo sobre una superficie tirando de él: *Un barco remolcó el yate hasta el puerto.* □ ETIMOL. Del latín *remulcare*, y este del griego *rhymulkéo* (yo remolco). □ ORTOGR. La *c* se cambia en *qu* delante de *e* →SACAR.

remoler v. Moler mucho: *Remuele bien el café porque le gusta que esté muy deshecho.* □ MORF. Irreg. →MOVER.

remolino s.m. **1** Movimiento giratorio y rápido, esp. del aire, el agua o el polvo. **2** Conjunto de pelos que salen en diferentes direcciones y que son difíciles de peinar. **3** Amontonamiento desordenado de gente.

remolón, -a adj./s. Que intenta evitar el trabajo o la realización de algo. □ ETIMOL. Del antiguo *remorar* (retardar).

remolonear v. Evitar esfuerzos o trabajos, generalmente por pereza: *Deja ya de remolonear y empieza a estudiar.*

remolque s.m. **1** Desplazamiento de un vehículo tirando de él. **2** Vehículo sin motor que es remolcado por otro. **3** || **a remolque; 1** Remolcando o siendo remolcado: *La grúa llevaba el coche averiado a remolque.* **2** Por impulso o incitación de otra persona: *Fui a remolque a la cena, pero luego me divertí mucho.* □ ETIMOL. De *remolcar.*

remonta s.f. **1** Actividad o servicio destinado a la compra, cría y cuidado de caballos para el ejército. **2** Lugar en el que se realizan estas actividades.

remontada s.f. Ascenso en el puesto de una clasificación.

remontar ▌v. **1** Referido a una pendiente, subirla: *Al terminar de remontar la cuesta, nos sentamos a descansar.* **2** Navegar o nadar aguas arriba: *Gracias al esfuerzo de los remeros consiguieron remontar el río.* **3** Elevar en el aire: *El águila remontó el vuelo con majestuosidad.* **4** Superar o sobrepasar: *Tras remontar algunas dificultades, el negocio empezó a dar frutos.* ▌prnl. **5** Retroceder en el tiempo hasta una época pasada: *Para buscar el origen de esa costumbre hay que remontarse a la época medieval.* **6** Situarse o tener lugar: *La construcción de este palacio se remonta al siglo XV.* **7** Referido a una cantidad, ascender a la cifra que se indica: *Los gastos de limpieza se remontan a seiscientos euros mensuales.* **8** Volver, ir hacia arriba o hacia atrás: *Cuando teoriza, se remonta a conceptos abstractos muy difíciles de entender.* □ ETIMOL. De *re-* (intensificación) y *montar.* □ SINT. Constr. como pronominal: *remontarse* A *algo.*

remonte s.m. **1** Aparato utilizado para remontar una pista de esquí. **2** Recorrido de una corriente aguas arriba. **3** Superación de algo o avance.

remoquete s.m. Apodo que se le da a alguien.

rémora s.f. **1** Pez marino de color grisáceo, con una aleta dorsal y otra ventral que nacen en la mitad del cuerpo y se prolongan hasta la cola y un disco oval sobre la cabeza que utiliza a modo de ventosa para adherirse a otros peces o a objetos flotantes. **2** Impedimento para llevar algo a buen fin: *Tantos trámites burocráticos suponen una rémora a la hora de abrir un negocio.* □ SINÓN. *lastre.* □ ETIMOL. Del latín *remora* (retraso). □ MORF. En la acepción 1, es un sustantivo epiceno: *la rémora {macho/hembra}.*

remorder v. Inquietar, alterar o desasosegar interiormente: *Se portó muy mal conmigo y ahora le remuerde la conciencia.* □ ETIMOL. Del latín *remordere.* □ MORF. Irreg. →MOVER.

remordimiento s.m. Inquietud o pesar interno que queda después de realizar una acción que se considera mala o perjudicial.

remotidad s.f. En zonas del español meridional, lugar remoto.

remoto, ta adj. **1** Distante o apartado en el tiempo o en el espacio. **2** Que es difícil que suceda o que sea verdad: *posibilidades remotas.* **3** Pequeño, vago o impreciso: *un remoto recuerdo.* □ ETIMOL. Del latín *remotus* (retirado, apartado).

remover ▌v. **1** Mover repetidas veces agitando o dando vueltas: *El jardinero removía la tierra con el azadón.* **2** Referido a algo olvidado, volver a tratarlo o a pensarlo: *Lo mejor será no remover ese viejo tema.* **3** En zonas del español meridional, destituir: *El ministro fue removido a causa de los incidentes ocurridos.* ▌prnl. **4** Moverse o pasar de un lugar a otro: *¿Qué te pasa que te remueves inquieto en el sillón?* □ ETIMOL. Del latín *removere* (apartar). □ MORF. Irreg. →MOVER.

removible adj.inv. Que se puede remover.

remozamiento s.m. Modernización o dotación de un aspecto más nuevo.

remozar v. Dar un aspecto nuevo o moderno: *Han remozado la fachada del edificio con una capa de pintura.* □ ETIMOL. De *re-* (repetición) y *mozo* (nuevo). □ ORTOGR. La *z* se cambia en *c* delante de *e* →CAZAR.

remplazar v. →**reemplazar.** □ ORTOGR. La *z* se cambia en *c* delante de *e* →CAZAR.

remplazo s.m. →**reemplazo.**

remuneración s.f. Pago o recompensa por un servicio o por un trabajo. □ SINÓN. *retribución.*

remunerar v. Referido esp. a un servicio o a un trabajo, recompensarlos o pagar dinero por ellos: *La empresa le remuneró las horas extras trabajadas.* □ SINÓN. *retribuir.* □ ETIMOL. Del latín *remunerari*, y este de *munus* (regalo).

renacentista ▌adj.inv. **1** Del Renacimiento o relacionado con este movimiento cultural. ▌adj.inv./s.com. **2** Que cultiva los estudios o el arte propios de este movimiento.

renacer v. Tomar nuevas fuerzas y energías o recuperar la importancia perdida: *Con estas vacaciones he renacido. En los siglos* XV *y* XVI *renacen en el arte los temas de la Antigüedad clásica.* □ ETIMOL. Del latín *renasci.* □ MORF. Irreg. →PARECER.

renacimiento s.m. **1** Movimiento cultural europeo que se desarrolla principalmente entre los siglos XV y XVI y que supone una vuelta a los valores de la antigüedad grecolatina. **2** Recuperación de la importancia perdida. □ USO En la acepción 1, se usa más como nombre propio.

renacuajo s.m. **1** Larva de un anfibio, esp. de una rana o de un sapo, que se diferencia del animal adulto por tener cola, carecer de patas y respirar por medio de branquias. **2** *col.* Persona pequeña en edad o en estatura. **3** *col.* En zonas del español meridional, persona antipática o molesta. □ ETIMOL. De *ranacuajo*, y este de *rana*. □ MORF. En la acepción 1, es un sustantivo epiceno: *el renacuajo {macho / hembra}.* □ USO En la acepción 2, aplicado a un niño tiene un matiz cariñoso.

renal adj.inv. De los riñones o relacionado con ellos. □ SINÓN. *nefrítico.* □ ETIMOL. Del latín *renalis*.

rencilla s.f. Riña que da lugar a una enemistad. □ ETIMOL. De **rencir*, y este del latín *ringi* (estar furioso). □ MORF. Se usa más en plural.

renco, ca adj./s. Cojo por una lesión de cadera: *un potro renco.* □ ETIMOL. De origen incierto.

rencontrar v. →**reencontrar.**

rencor s.m. Sentimiento de enojo por algo pasado. □ ETIMOL. Del latín *rancor* (ranciedad).

rencoroso, sa adj./s. Que tiene o guarda rencor.

rencuentro s.m. →**reencuentro.**

rendajo s.m. →**arrendajo.** □ MORF. Es un sustantivo epiceno: *el rendajo {macho / hembra}.*

renderización s.f. Generación de imágenes en tres dimensiones por medio de un proceso de cálculo desarrollado por un ordenador. □ ETIMOL. Del inglés *rendering*.

rendibú (pl. *rendibúes, rendibús*) s.m. Manifestación de respeto o sumisión, generalmente con la intención de adular. □ ETIMOL. Del francés *rendez-vous* (cita que se da a alguien).

rendición s.f. **1** Vencimiento, derrota o sometimiento a la voluntad de alguien. **2** Obligación a admitir algo.

rendido, da adj. Sumiso, amable o atento: *Es un rendido admirador de esa actriz.*

rendija s.f. Abertura larga y estrecha que se forma en un cuerpo o que separa dos elementos muy próximos. □ ETIMOL. Del antiguo *rehendija* (hendidura).

rendimiento s.m. Beneficio o utilidad que algo produce.

rendir ▌v. **1** Vencer o derrotar: *Los soldados rindieron varias plazas del enemigo.* **2** Someter a la voluntad de alguien: *A fuerza de atenciones y regalos consiguió rendirla. El atracador se rindió al verse rodeado de policías.* **3** Dar fruto, utilidad o beneficio: *Si lo haces como yo digo, te rendirá más el trabajo.* **4** Dar, ofrecer o entregar: *Los antiguos romanos rendían culto a muchos dioses.* **5** Cansar o fatigar: *Este trabajo rinde a cualquiera.* ▌prnl. **6** Admitir o aceptar: *Tuve que rendirme a los hechos.* □ ETIMOL. Del latín *reddere* (devolver, entregar). □ MORF. Irreg. →PEDIR. □ SINT. Constr. como pronominal: *rendirse {A/ANTE} algo.*

renegado, da adj./s. Que ha abandonado sus creencias, esp. las religiosas.

renegar v. **1** Referido a las creencias, esp. a las religiosas, abandonarlas y rechazarlas: *Renegó de su fe cristiana y se hizo musulmán.* **2** Rechazar con desprecio: *Nunca renegaré de mi familia.* **3** Decir blasfemias o maldecir: *Renegaba de todos aquellos amigos que le habían dado la espalda.* □ SINÓN. *blasfemar.* **4** *col.* Emitir voces confusas o palabras mal articuladas como muestra de enojo o de enfado: *Se pasó el día renegando porque se le había estropeado el coche.* □ SINÓN. *refunfuñar.* □ ETIMOL. Del latín *renegare.* □ ORTOGR. Aparece una *u* después de la *g* cuando le sigue *e*. □ MORF. Irreg. →REGAR. □ SINT. Constr. de las acepciones 1, 2 y 3: *renegar* DE *algo.*

renegón, -a adj./s. *col.* Que reniega con frecuencia.

renegrear v. Mostrar de forma intensa un color negro u oscuro: *¡A ver si echas a lavar esa camisa porque ya renegrea!*

renegrido, da adj. De color oscuro o ennegrecido.

renglón ▌s.m. **1** En un escrito, conjunto de palabras o caracteres comprendidos en una horizontal: *Cuando escribo en un papel blanco, tuerzo los renglones.* □ SINÓN. *línea.* **2** Cada una de las líneas horizontales que permiten escribir sin torcerse: *Necesito un cuaderno con los renglones marcados.* ▌pl. **3** *col.* Escrito breve: *Le enviaré unos renglones para agradecerle su invitación.* **4** ‖ **a renglón seguido;** a continuación o inmediatamente: *Dijo que estaba en desacuerdo y, a renglón seguido, abandonó la sala.* □ ETIMOL. De *reglón*, y este de *regla*.

rengo, ga adj. En zonas del español meridional, cojo.

renguear v. →**renquear.**

renguera s.f. En zonas del español meridional, cojera.

reniego s.m. **1** Protesta contra algo. **2** Blasfemia o dicho ultrajante, esp. el que se dirige contra algo sagrado.

renio s.m. Elemento químico, metálico y sólido, de número atómico 75, de color blanco brillante, muy denso y que se funde difícilmente: *El renio tiene un aspecto semejante al platino.* □ ETIMOL. Del latín *Rhenus* (el Rin), por el lugar de nacimiento de la mujer de su descubridor. □ ORTOGR. Su símbolo químico es *Re*.

reno s.m. Mamífero parecido al ciervo, con cuernos muy ramificados y pelaje espeso, que habita en las regiones del hemisferio norte, se domestica fácilmente y se utiliza como animal de tiro para los trineos. □ ETIMOL. Del francés *renne*. □ MORF. Es un sustantivo epiceno: *el reno {macho/hembra}*.

renombrado, da adj. Célebre o famoso.

renombre s.m. Fama o prestigio. □ ETIMOL. Del latín *renomen*.

renovable adj.inv. Que se puede renovar: *energías renovables*.

renovación s.f. **1** Sustitución de una cosa por otra equivalente, pero más nueva, más moderna o que sea válida. **2** Reanudación o restablecimiento de la fuerza, de la vitalidad o de la intensidad de algo: *Tras descubrirse el nuevo fraude, la renovación de las críticas al Gobierno no se hizo esperar*.

renovador, -a adj./s. Que renueva.

renovar v. **1** Referido a una cosa, sustituirla por otra equivalente, pero más nueva, más moderna o que sea válida: *Tengo que renovar el vestuario, porque se me ha quedado anticuado*. **2** Dar nueva fuerza, intensidad o vitalidad: *Cuando se levantó el telón, el público renovó los aplausos. Con unas vacaciones renovaré fuerzas*. □ ETIMOL. Del latín *renovare*. □ MORF. Irreg. →CONTAR.

renove s.m. Renovación, por parte de los consumidores, de un producto que ha quedado obsoleto: *Aproveché el último plan renove para cambiar de coche*. □ SINT. Se usa mucho en aposición, pospuesto a un sustantivo: *plan renove; programa renove*.

renqueante adj.inv. Que renquea: *un andar renqueante*.

renquear v. **1** Tener dificultad en la realización de algo: *El negocio empieza a renquear y no sabemos si podremos seguir adelante*. **2** Andar moviéndose de un lado a otro, como cojeando: *Tiene una lesión en la cadera y renquea un poco*. □ ETIMOL. De *renco* (cojo). □ ORTOGR. En la acepción 2, se admite también *renguear*.

renqueo s.m. Movimiento de un lado para otro, como cojeando, al andar.

renquera s.f. En zonas del español meridional, cojera de la persona que es renca.

renta s.f. **1** Beneficio o utilidad que produce periódicamente algo. **2** Lo que se paga por un arrendamiento o alquiler a su propietario. **3** ‖ **renta fija;** la que es constante o da siempre la misma cantidad de beneficio. ‖ **renta per cápita;** la que resulta de dividir el dinero que tiene un país por su número de habitantes. ‖ **renta variable;** la que varía el beneficio producido según diversas condiciones. ‖ **vivir de las rentas;** *col.* Aprovecharse de lo que se ha conseguido en el pasado: *Con su primera profesora de latín aprendió muchísimo y después vivió de las rentas y sacó la asignatura sin estudiar*. □ ETIMOL. Del latín **rendita*.

rentabilidad s.f. Capacidad de producir un beneficio suficiente o que valga la pena.

rentabilización s.f. Producción de beneficios de forma que los ingresos superen a los gastos.

rentabilizar v. **1** Hacer que los beneficios sean superiores a los gastos: *Modernizaremos la maquinaria para rentabilizar la empresa y obtener más beneficios*. **2** Sacar beneficio o provecho: *Espero rentabilizar tanto esfuerzo y sacar buenas notas a final de curso*. □ ORTOGR. La *z* se cambia en *c* delante de *e* →CAZAR.

rentable adj.inv. Que produce un beneficio suficiente o que merece la pena.

rentar v. **1** Producir beneficio o utilidad periódicamente: *Lo que le rentan los pisos que tiene alquilados le permite vivir con desahogo*. **2** En zonas del español meridional, alquilar: *Renté un departamento en el centro*. □ ETIMOL. La acepción 2, del inglés *to rent* (alquilar).

rentero, ra s. Persona que tiene arrendada una posesión o una finca rural.

renting (ing.) s.m. Alquiler, generalmente a largo plazo, esp. el de vehículos. □ PRON. [réntin].

rentista s.com. Persona que recibe una renta o un beneficio por alguna propiedad.

rentoy (pl. *rentóis*) s.m. **1** *col.* Pulla o indirecta. **2** Juego de cartas parecido al tresillo en el que se reparten tres cartas a cada jugador y se deja otra de triunfo. □ ETIMOL. Quizá del francés *rends-toi* (acude, entrégate). □ SINT. La acepción 1 se usa más con los verbos *tirar, echar* o equivalentes.

rentrée (fr.) s.f. Vuelta, retorno o reanudación de algo. □ PRON. [rantré]. □ USO Su uso es innecesario y puede sustituirse por *vuelta*.

renuencia s.f. Oposición o resistencia a hacer algo.

renuente adj.inv. Que se opone o se resiste a hacer algo. □ ETIMOL. Del latín *renuens*.

renuevo s.m. Ramo tierno que echa un árbol o una planta después de haber sido podados o cortados.

renuncia s.f. **1** Abandono voluntario de algo que se posee o a lo que se tiene derecho. **2** Documento que recoge este abandono voluntario. **3** Desprecio o abandono de algo: *Su perfecta curación exige la renuncia al tabaco*.

renunciar v. **1** Referido a algo que se posee o a lo que se tiene derecho, dejarlo o abandonarlo voluntariamente: *Renunció a su herencia en favor de sus sobrinos*. **2** Despreciar o no aceptar: *El médico le aconsejó que renunciara al alcohol*. □ ETIMOL. Del latín *renuntiare*. □ ORTOGR. La *i* nunca lleva tilde. □ SINT. Constr. *renunciar* A *algo*.

renuncio s.m. *col.* Mentira o contradicción en que se sorprende a alguien.

renvalso s.m. En una pieza de madera, esp. en la hoja de una puerta o de una ventana, rebaje que se hace en su borde para que encaje con otra pieza.

reñidero s.m. Lugar preparado para que peleen algunos animales, esp. los gallos.

reñido, da adj. **1** Referido a una persona, enemistada con otra de forma que no mantiene trato con ella. **2** Referido esp. a una elección o a una competición, que se desarrolla con mucha rivalidad entre los participantes por tener estos méritos parecidos: *un partido reñido.*

reñir v. **1** Referido a una persona, reprenderla o regañarla con rigor: *Me riñeron por no dejar recogida la habitación.* **2** Discutir, pelear o sostener opiniones contrarias: *Estos críos siempre están riñendo.* **3** Enemistarse o dejar de tener relación con alguien: *¿No sabes que riñeron y suspendieron la boda?* ☐ ETIMOL. Del latín *ringi* (gruñir mostrando los dientes, estar furioso). ☐ MORF. Irreg. →CEÑIR.

reo s.com. Persona acusada de un delito o declarada culpable. ☐ ETIMOL. Del latín *reus* (el que es parte de un proceso, acusado).

reoca || **ser la reoca;** *col.* Ser extraordinario o salirse de lo corriente.

reojo || **de reojo;** de forma disimulada, dirigiendo la vista por encima del hombro o hacia un lado.

reordenación s.f. Nueva ordenación de algo, esp. si se hace de modo diferente a como estuvo antes.

reordenar v. Referido a algo que ya estuvo ordenado, ordenarlo de nuevo, esp. si se hace de modo diferente: *Me encontré los libros ordenados por título, pero yo los reordené por orden alfabético de autores.*

reorganización s.f. Nueva organización de algo, esp. si se hace de modo diferente a como estuvo antes.

reorganizar v. Referido a algo que ya estuvo organizado, organizarlo de nuevo, esp. si se hace de modo diferente: *Ante la ausencia de dos de los ponentes, han reorganizado el orden de las conferencias.* ☐ ORTOGR. La *z* se cambia en *c* delante de *e* →CAZAR.

reóstato (tb. *reostato*) s.m. En un circuito eléctrico, instrumento que sirve para hacer variar la resistencia. ☐ ETIMOL. Del griego *rhéos* (corriente) e *hístemi* (yo fijo, yo detengo).

repajolero, ra adj. **1** *col. desp.* →**pajolero. 2** *col.* Muy gracioso o muy simpático.

repámpanos interj. Expresión que se usa para indicar sorpresa, enfado o disgusto.

repanchigarse (tb. *arrepanchigarse*) v.prnl. *col.* Sentarse cómodamente, extendiendo y recostando el cuerpo: *Cuando llega del trabajo, se repanchiga en su sillón preferido.* ☐ SINÓN. *repantigarse, repantingarse, repanchingarse.* ☐ ETIMOL. De *re-* (intensificación) y *pancho.* ☐ ORTOGR. La *g* se cambia en *gu* delante de *e* →PAGAR.

repanchingarse v.prnl. *col.* →**repanchigarse.** ☐ ORTOGR. La *g* se cambia en *gu* delante de *e* →PAGAR.

repanocha || **ser la repanocha;** *col.* Ser extraordinario o salirse de lo normal.

repantigarse v.prnl. *col.* →**repanchigarse.** ☐ ETIMOL. Del latín **repanticare*, y este de *pantex* (tripa, barriga). ☐ ORTOGR. La *g* se cambia en *gu* delante de *e* →PAGAR.

repantingarse v.prnl. *col.* Repanchigarse: *En cuanto llego a casa, me repantingo en el sofá a leer un ratito.* ☐ ORTOGR. La *g* se cambia en *gu* delante de *e* →PAGAR.

reparable adj.inv. Que se puede reparar o remediar.

reparación s.f. **1** Arreglo de algo roto o estropeado. **2** Compensación o satisfacción completa por una ofensa o un daño: *Tuve que aceptar sus disculpas como reparación por los insultos sufridos.*

reparador, -a ▌adj. **1** Que restablece las fuerzas o el ánimo: *un sueño reparador.* **2** Que desagravia o satisface por una culpa cometida: *El caballero exigió un duelo reparador del agravio cometido.* ▌adj./s. **3** Que repara o mejora: *cirugía reparadora; un reparador de maderas.*

reparar v. **1** Arreglar o poner en buen estado: *Llevé a reparar el televisor averiado.* **2** Referido a un daño o una ofensa, remediarlos o corregirlos: *Reparó su ofensa pidiéndome perdón.* **3** Referido esp. a las fuerzas, restablecerlas o mejorarlas: *Necesito un descanso que me permita reparar fuerzas.* **4** Notar, advertir o darse cuenta: *¿Has reparado en que aquí no hay sillas?* ☐ ETIMOL. Del latín *reparare* (preparar o disponer de nuevo). ☐ SINT. Constr. de la acepción 4: *reparar EN algo.*

reparo s.m. **1** Advertencia u observación sobre algo, esp. para señalar una falta o defecto: *No puso reparos a mis planes.* **2** Duda, dificultad o inconveniente: *No tuvo reparos en volver a pedirme dinero.* ☐ ETIMOL. De *reparar.*

repartición s.f. →**reparto.**

repartidor, -a ▌adj./s. **1** Que reparte o distribuye. ▌s. **2** Persona que se dedica profesionalmente al reparto o distribución de algo, generalmente de productos comerciales.

repartimiento s.m. **1** En la época medieval española, sistema aplicado para la repoblación de algunas zonas reconquistadas a los musulmanes, consistente en la distribución de casas y de terrenos entre quienes habían participado en su conquista. **2** →**reparto.**

repartir v. **1** Referido a un todo, distribuirlo dividiéndolo en partes: *El que corta la tarta la reparte. Los dos socios se repartieron las ganancias.* **2** Distribuir por lugares distintos o entre personas diferentes: *Repartió a los huéspedes entre las habitaciones de la planta alta. Los perseguidores se repartieron por toda la ciudad en busca del escapado.* **3** Referido esp. a encargos o envíos, entregarlos a sus respectivos destinatarios: *Un repartidor reparte el periódico a los suscriptores. Las cartas certificadas se reparten a domicilio.* **4** Extender o distribuir uniformemente por una superficie: *Reparte bien la pintura por toda la pared para que no queden manchas.* **5** Referido a papeles dramáticos, adjudicarlos a los actores que van a representarlos: *Hoy se repartirán los papeles y mañana empezamos los ensayos.* ☐ ETIMOL. De *re-* (repetición) y *partir.*

reparto s.m. **1** Distribución de un todo dividiéndolo en partes. ☐ SINÓN. *repartición, repartimiento.* **2** Asignación del destino o de la colocación convenientes: *El reparto del peso en un avión es un factor de seguridad.* ☐ SINÓN. *repartición, repartimiento.* **3** Entrega que se hace de algo, esp. de encargos o envíos a sus destinatarios: *reparto a domicilio.* □ SINÓN. *repartición, repartimiento.* **4** Distribución uniforme de una materia por una superficie: *Para un mejor reparto del producto por toda la zona afectada, se aconseja aplicarlo en caliente.* □ SINÓN. *repartición, repartimiento.* **5** Adjudicación de los papeles de una obra dramática a los actores que van a representarla: *El reparto de los papeles es competencia del director.* **6** Lista o relación de estos actores y de los personajes que encarnan: *En el reparto de la película figuran actores de primera categoría.* □ USO En la acepción 6, es innecesario el uso del anglicismo *cast*.

repasador s.m. En zonas del español meridional, paño de cocina.

repasar v. **1** Referido esp. a una obra terminada, examinarla o volver a mirarla, generalmente para retocarla o para corregir sus errores: *Repasa las cuentas hasta que descubras por qué no cuadran.* **2** Referido esp. a algo que se ha estudiado, mirarlo de nuevo para afianzarlo en la memoria: *Si has estudiado durante el curso, la víspera del examen te basta con repasar los puntos fundamentales.* **3** Referido a una lección, volver a explicarla: *La profesora repasó brevemente en clase los temas más importantes que entraban en el examen.* **4** Examinar muy por encima pasando la vista rápidamente: *Hay días en que solo se puede repasar el periódico y leer los titulares.* **5** Referido esp. a una prenda de vestir, coserla o remendarla para arreglar sus desperfectos: *Enseguida se me desgastan los calcetines por el talón y tengo que repasarlos.*

repaso s.m. **1** Examen o reconocimiento que se hace de algo, generalmente para corregir sus errores: *Dale un repaso a la redacción y asegúrate de que no tiene faltas de ortografía.* **2** Recorrido o estudio ligero que se hace de algo ya estudiado: *Los repasos después del estudio son fundamentales para tener las ideas claras.* **3** Nueva explicación de una lección: *En la academia, los últimos días antes del examen nos hacen unos repasos utilísimos.* **4** Examen que se hace muy por encima y pasando la vista rápidamente: *Si hiciste sólo un repaso del artículo, no te diste cuenta de lo que decía entre líneas.* **5** Remiendo de una prenda de vestir o de una tela para arreglar sus desperfectos: *Ese jersey necesita un repaso por el codo.* **6** ‖ **dar un repaso;** *col.* Reprimir, criticar o amonestar: *Me dio un buen repaso cuando le conté lo que había hecho.* □ SEM. Su uso con el significado de 'descripción detallada' es incorrecto, aunque está muy extendido: *En su discurso, la afamada compositora {*dio un repaso a > hizo una descripción de} la historia de la música occidental.*

repatear v. *col.* Fastidiar o desagradar mucho: *Me repatea tener que madrugar tanto.*

repatriación s.f. Devolución de una persona a la patria propia.

repatriado, da s. Persona devuelta a su patria.

repatriar v. Referido a una persona, devolverla a su patria: *Las autoridades repatriarán a los inmigrantes ilegales.* □ ETIMOL. Del latín *repatriare.* □ ORTOGR. La *i* lleva tilde en los presentes, excepto en las personas *nosotros* y *vosotros* →GUIAR.

repe adj.inv. *col.* Repetido. □ USO Su uso es característico del lenguaje infantil.

repecho s.m. Cuesta con bastante pendiente y no muy larga. □ ETIMOL. De *re-* (oposición) y *pecho* (cuesta, pendiente).

repeinado, da adj. Referido a una persona, que está arreglada de forma exagerada, esp. en lo tocante al peinado.

repeinar v. **1** Volver a peinar: *Hacía tanto aire que salí de la peluquería y cuando llegué a casa tuve que repeinarme.* **2** Peinarse con mucho cuidado: *Cuando la invitan a una fiesta, se arregla y se repeina para ir impecable.*

repelar v. **1** Pelar completamente: *Con esta máquina se repelan los frutos secos antes de envasarlos.* **2** Acortar o disminuir: *Nos han repelado el plazo de entrega del proyecto.* **3** Tirar del pelo o arrancarlo: *Con este cepillo, más que peinarme, me repelo.* **4** En zonas del español meridional, rezongar.

repelente ▮ adj.inv. **1** Repulsivo, repugnante o que da asco. **2** *col.* Referido a una persona, que es redicha o resulta impertinente por presumir o dar la impresión de saberlo todo. ▮ s.m. **3** Sustancia o producto que se usan para alejar a ciertos animales.

repeler v. **1** Arrojar, lanzar o echar de sí con impulso o con violencia: *El portero repelió el lanzamiento y lo envió a córner.* **2** Causar repugnancia, oposición o rechazo: *La violencia me repele.* **3** Rechazar o no admitir en la propia masa o composición: *Dos cargas eléctricas del mismo signo se repelen entre sí.* □ ETIMOL. Del latín *repellere.*

repelo s.m. **1** Porción o parte pequeña que se desprende o se levanta de algo. **2** *col.* Repelús o sensación de temor o de repugnancia que inspira algo.

repelús s.m. *col.* Sensación de temor o de repugnancia que inspira algo.

repensar v. Pensar o considerar de nuevo o con detenimiento: *Antes de decidirme, tengo que repensar bien el asunto.* □ MORF. Irreg. →PENSAR.

repente s.m. **1** Impulso brusco e inesperado que mueve a hacer o a decir algo. **2** ‖ **de repente;** de forma repentina, inesperada o sin pensar: *Llevaba horas dándole vueltas y de repente se me ocurrió la solución.* □ ETIMOL. Del latín *repens* (súbito, imprevisto).

repentino, na adj. Que no se espera o que no está previsto: *muerte repentina.*

repentización s.f. **1** Improvisación o realización de algo, esp. de un discurso o de algo que se dice, sin haberlo preparado. **2** En música, interpretación que se hace de una composición o de su partitura a la primera lectura de esta.

repentizar v. **1** Referido esp. a un discurso o a algo que se dice, improvisarlo o hacerlo sin haberlo preparado: *El público le aplaudía tanto que se vio obligado a repentizar unas palabras de agradecimiento.* **2** En música, referido a una composición o a su partitura, interpretarlas a la primera lectura: *El examen de solfeo consistió en repentizar una partitura que nos entregaron con una melodía desconocida.* □ ORTOGR. La *z* se cambia en *c* delante de *e* →CAZAR.

repera || **ser la repera;** *col.* salirse de lo corriente: *Mi amigo es la repera porque siempre lleva un calcetín de cada color y va tan contento.*

repercusión s.f. **1** Influencia, efecto o trascendencia posteriores: *Una fuga de gas puede tener repercusiones dramáticas.* **2** Resonancia, divulgación o eco que adquiere un hecho: *Sus declaraciones tuvieron repercusión en toda la prensa.*

repercutir v. **1** Influir, causar efecto o tener trascendencia en algo posterior: *Tus esfuerzos de hoy repercutirán en tu futuro.* □ SINÓN. *incidir.* **2** Referido a un sonido, resonar o producir eco: *Dio un puñetazo en la mesa que repercutió en toda la casa.* □ ETIMOL. Del latín *repercutere.* □ SINT. 1. Constr. *repercutir* EN *algo.* 2. El uso de la acepción 1 como transitivo es incorrecto aunque está muy extendido: *debemos {*repercutir > hacer repercutir} ese dinero en mejoras sociales.*

repertorio s.m. **1** Conjunto de obras o de números que un artista, un grupo o una compañía han puesto en escena o tienen preparados para ello. **2** Libro, índice o registro en que se recogen datos e informaciones remitiendo a textos donde se tratan más extensamente. **3** Colección o recopilación de cosas: *Tengo un buen repertorio de excusas para cuando llego tarde a mis citas.* □ ETIMOL. Del latín *repertorium*, y este de *reperiri* (encontrar).

repesca s.f. *col.* En una prueba, nueva admisión o concesión de una segunda oportunidad a alguien que ha sido eliminado: *examen de repesca.*

repescar v. *col.* En una prueba, referido a alguien que ha sido eliminado, volver a admitirlo o darle una nueva oportunidad: *En la final participarán los ganadores de cada prueba y los atletas que se repesquen por haber hecho buenos tiempos.* □ ORTOGR. La *c* se cambia en *qu* delante de *e* →SACAR.

repetición s.f. **1** Nueva realización o pronunciación de algo que ya se ha hecho o dicho. **2** Figura retórica consistente en la reiteración intencionada de palabras o de conceptos: *La repetición suele tener un efecto intensificador del significado.* **3** || **de repetición;** referido a un mecanismo, esp. a un arma de fuego, que repite mecánicamente su acción una vez puesto en funcionamiento.

repetidamente adv. Varias veces o con repetición e insistencia: *Una enfermedad le hizo faltar a clase repetidamente.*

repetido, da adj. Que es igual que otro, o que se da junto con otros ejemplares iguales. □ MORF. En la lengua coloquial se usa mucho la forma abreviada *repe.*

repetidor, -a ▌adj./s. **1** Que repite. **2** Referido a un alumno, que vuelve a cursar un curso o una asignatura. ▌s.m. **3** Aparato electrónico que recibe una señal electromagnética y la vuelve a transmitir amplificada. **4** En informática, servidor que obtiene información de otro servidor y que funciona más rápido que este: *Han puesto un repetidor en el trabajo porque el otro servidor va muy lento.* □ SINÓN. *espejo, réplica.*

repetir ▌v. **1** Volver a hacer o a decir: *Repite el ejercicio hasta que te salga perfecto. Los niños repiten todo lo que oyen.* **2** En una comida, referido a un alimento, volver a servírselo: *Voy a repetir ensaladilla porque está buenísima.* **3** Referido a lo que se come o se bebe, volver a la boca su sabor: *El pepino repite mucho.* ▌prnl. **4** Volver a ocurrir o suceder regularmente: *Todos los años por estas fechas se repiten las nevadas.* **5** Referido a una persona, insistir en las mismas actitudes, motivos o tratamientos: *Cuando empezó parecía una pintora muy original, pero últimamente se repite mucho.* □ ETIMOL. Del latín *repetere* (volver a dirigirse hacia algún sitio, volver a pedir). □ MORF. Irreg. →PEDIR.

repetitivo, va adj. Que se repite o se ha repetido mucho: *Aunque es un gran director, su cine resulta ya repetitivo y carente de interés.*

repicar v. Referido esp. a una campana, sonar repetidamente y con cierto compás, generalmente en señal de fiesta o de alegría: *Cuando nació el príncipe heredero, las campanas repicaron todo el día.* □ ORTOGR. La *c* se cambia en *qu* delante de *e* →SACAR. □ SEM. Dist. de *doblar* (tocar a muerto).

repintar ▌v. **1** Pintar sobre lo ya pintado para restaurarlo o para perfeccionarlo: *La restauración era tan buena que apenas se notaban las zonas que habían repintado.* ▌prnl. **2** Pintarse o maquillarse mucho o muy mal: *En su obsesión por ocultar sus arrugas, se repinta de tal modo que parece un esperpento.*

repipi adj.inv./s.com. Pedante, presuntuoso y poco natural en la forma de hablar.

repique s.m. Conjunto de sonidos de una campana o de otro instrumento producidos repetidamente, generalmente en señal de fiesta o de alegría.

repiquetear v. **1** Referido esp. a una campana, repicar con mucha viveza: *Cuando hay bautizo, las campanas de la iglesia repiquetean para que todos se enteren.* **2** Golpear repetidamente haciendo ruido: *La profesora repiquetea en la mesa con el bolígrafo para imponer silencio.*

repiqueteo s.m. Golpeteo muy vivo y repetido: *Me gusta oír el repiqueteo de la lluvia en los cristales.*

repisa s.f. Estante o placa colocados horizontalmente contra la pared y que sirven para colocar cosas sobre ellos.

repitente adj.inv./s.com. En zonas del español meridional, referido a un alumno, repetidor.

replantar v. Referido esp. a una planta, volver a plantarla donde ya ha estado o en otro lugar: *Los árboles que han quitado para hacer las obras, los replantarán cuando estas acaben.*

replantear v. Referido a un problema o a un asunto, plantearlos de nuevo, generalmente para darles una orientación distinta: *Si con estas medidas no se soluciona el tema, habrá que replantearlo.*

replay (ing.) s.m. **1** En televisión, repetición de algunos fragmentos de un programa. **2** En un reproductor de discos compactos, tecla o mecanismo que permiten repetir un fragmento de la grabación. □ PRON. [ripléi], aunque está muy extendida [repláí]. □ USO Su uso es innecesario y puede sustituirse por *repetición*.

replegar ▌v. **1** Referido a una tropa militar, retirarla o hacerla retroceder de manera ordenada a posiciones defensivas: *El ataque enemigo obligó a replegar las tropas a una segunda línea.* ▌prnl. **2** Referido a una persona, encerrarse en sí misma: *Cuando tiene algún problema, se repliega y no quiere hablar con nadie.* □ ETIMOL. Del latín *replicare* (desplegar, desarrollar). □ ORTOGR. Aparece una *u* después de la *g* cuando le sigue *e*. □ MORF. 1. Irreg. →REGAR. 2. Puede usarse también como verbo regular.

repleto, ta adj. Muy lleno o lleno por completo. □ ETIMOL. Del latín *repletus*, y este de *replere* (rellenar).

réplica s.f. **1** Respuesta o argumento que se hacen poniendo objeciones a algo que se ha dicho o se ha mandado. **2** Copia exacta o muy parecida de un original: *la réplica de un cuadro.* **3** En informática, servidor que obtiene información de otro servidor y que funciona más rápido que este. □ SINÓN. *espejo, repetidor*.

replicación s.f. En biología, producción de copias exactas de una molécula: *la replicación de un segmento de ADN.*

replicar v. **1** Referido a algo que se dice o que se manda, responder a ello con objeciones: *Obedece sin replicar y no hagas que me enfade.* **2** En informática, referido a unos datos, guardar una copia: *replicar datos entre un servidor y los clientes.* □ ETIMOL. Del latín *replicare* (desplegar, desarrollar). □ ORTOGR. La *c* se cambia en *qu* delante de *e* →SACAR.

replicón, -a adj./s. *col.* Que replica, protesta o manifiesta su oposición con frecuencia.

repliegue s.m. Movimiento de retroceso a posiciones defensivas que realiza una tropa militar de manera ordenada.

repoblación s.f. **1** Poblamiento que se vuelve a hacer de un lugar. **2** Recuperación de la vegetación de un lugar que se hace plantando de nuevo árboles u otras plantas.

repoblador, -a adj./s. Que repuebla.

repoblar v. **1** Referido a un lugar abandonado por sus pobladores, volver a poblarlo, generalmente con pobladores nuevos: *Los conquistadores repoblaron las zonas abandonadas por los indígenas.* **2** Referido a un lugar, volver a plantarlo de árboles u otras plantas: *Las autoridades se proponen repoblar el monte quemado para evitar su desertización.* □ MORF. Irreg. →CONTAR.

repollo ▌adj.inv./s.com. **1** *col. desp.* Cursi. ▌s.m. **2** Variedad de col, de hojas firmes y tan unidas y apretadas entre sí que forman una especie de cabeza. □ ETIMOL. Del latín *pullus* (cría), que significó retoño de cualquier planta y después retoño de col.

repolludo, da adj. **1** Referido a una persona, que es gruesa y de baja estatura: *Con lo sonrosado y repolludo que está, no parece que el niño pase hambre.* **2** Referido esp. a una planta, que forma repollo o que tiene esta forma: *Algunas variedades de lechuga son repolludas.*

reponer ▌v. **1** Referido a una persona o a una cosa, volver a ponerlas o a colocarlas en el puesto, lugar o estado que antes tenían: *Cuando se demostró su inocencia, lo repusieron en su antiguo cargo.* **2** Referido esp. a algo que falta, reemplazarlo o poner algo igual en su lugar: *Después del trabajo hay que reponer fuerzas.* **3** Referido a un espectáculo, volver a ponerlo en escena, a proyectarlo o a emitirlo: *En la filmoteca suelen reponer obras clásicas del cine.* **4** Responder o replicar, generalmente poniendo objeciones: *A las preguntas del periodista, la entrevistada repuso que ella no tenía por qué dar cuenta de sus actos.* ▌prnl. **5** Recuperarse recobrando la salud o la riqueza perdidas: *Hasta que no te repongas totalmente de la operación, no deberías volver al trabajo.* **6** Tranquilizarse o recuperar la serenidad: *Procura reponerte, que no te vean llorar los niños.* □ ETIMOL. Del latín *reponere*. □ MORF. Irreg.: 1. Su participio es *repuesto*. 2. →PONER. 3. En la acepción 4, es verbo defectivo: se usa solo en pretérito indefinido y en futuro y pretérito imperfecto de subjuntivo; en los demás tiempos, es sustituido por las formas correspondientes del verbo *responder*.

repóquer s.m. En el juego del póquer, combinación de cinco cartas iguales.

reportaje s.m. **1** Trabajo periodístico, cinematográfico o televisivo de carácter informativo y referente a un personaje o a un tema. **2** En zonas del español meridional, entrevista periodística. □ ETIMOL. Del francés *reportage*, y este del inglés *reporter* (reportero).

reportajear v. *col.* Realizar un reportaje: *Cuando trabajaba en aquella revista, reportajeaba a importantes personajes del mundo cultural.*

reportar v. **1** Producir o traer como consecuencia: *Ese asunto solo te ha reportado preocupaciones y deberías olvidarte de él.* **2** Reprimir, contener o moderar: *Reporta tu ira y actúa con cabeza. Repórtate y no montes aquí una escena, por favor.* **3** En zonas del español meridional, transmitir o comunicar. □ ETIMOL. Del latín *reportare*.

reporte s.m. Noticia o informe.

reportear v. **1** En zonas del español meridional, hacer una entrevista o un reportaje. **2** En zonas del español meridional, informar.

reportero, ra s. Periodista que recoge y redacta noticias, esp. si está especializado en la elaboración de informes y reportajes. □ ETIMOL. Del inglés *reporter*.

repos s.m. En economía, operación financiera que consiste en una compra de activos económicos en la que se establece un pacto de recompra por parte de la empresa vendedora, fijándose el precio de la misma. □ ETIMOL. Del inglés *repurchase agreement* (pacto de recompra).

reposabrazos (pl. *reposabrazos*) s.m. Pieza de un asiento que sirve para apoyar en ella el brazo. □ SINÓN. *apoyabrazos.*

reposacabezas (pl. *reposacabezas*) s.m. Pieza o parte superior de un asiento que sirven para apoyar en ellas la cabeza. □ SINÓN. *apoyacabezas.*

reposacodos (pl. *reposacodos*) s.m. Pieza de un asiento que sirve para apoyar en ella el codo.

reposado, da adj. Tranquilo, sosegado o quieto: *un trabajo reposado.*

reposamuñecas (pl. *reposamuñecas*) s.m. Pieza que se acopla al teclado de un ordenador para apoyar en ella las muñecas y evitar lesiones. □ SINÓN. *apoyamuñecas.*

reposapiés (pl. *reposapiés*) s.m. **1** En una motocicleta, pieza situada a cada uno de sus lados a modo de estribo y que sirve para apoyar en ella el pie. **2** Taburete, banqueta u otra superficie en la que una persona sentada apoya los pies.

reposar v. **1** Descansar o interrumpir la fatiga o el trabajo: *Paremos en esa fuente para beber agua y reposar de la caminata.* **2** Permanecer en quietud, sin actividad ni alteración: *Antes de servir el té, déjalo reposar unos minutos.* **3** Apoyar o poner sobre algo: *Reposa la cabeza en mi hombro si quieres descansar.* **4** Estar enterrado o yacer: *Sus restos reposan en París.* **5** Referido a una idea o proyecto, pensarlos o reflexionar sobre ellos durante un tiempo: *Antes de ponerte manos a la obra, deberías reposar un poco todos esos proyectos.* **6** ‖ **reposar la comida;** descansar después de comer para hacer mejor la digestión: *Si tienes digestiones pesadas, te conviene reposar la comida.* □ ETIMOL. Del latín *repausare.*

reposera s.f. En zonas del español meridional, tumbona. □ ETIMOL. De *reposo.*

reposición s.f. **1** Colocación de algo en el lugar, en el puesto o en el estado que antes tenía. **2** Reemplazo o recuperación de algo que falta o colocación de algo igual en su lugar: *Los expedicionarios se detuvieron para la necesaria reposición de provisiones.* **3** Nueva puesta en escena, proyección o emisión de una obra o de un espectáculo estrenados en una temporada anterior.

repositorio s.m. **1** Lugar donde se guarda algo. **2** En informática, base de datos que almacena información para el diseño y para el trabajo de programación. □ ETIMOL. Del latín *repositorium* (armario).

reposo s.m. **1** Descanso o interrupción de la fatiga o del trabajo: *En un trabajo tan ajetreado, echo de menos unos minutos de reposo.* **2** Quietud, falta de actividad o de alteración: *Para curar esta torcedura de tobillo necesitas reposo absoluto.* **3** En física, inmovilidad de un cuerpo respecto de un sistema de referencia.

repostaje s.m. Abastecimiento de combustible o de provisiones cuando se terminan.

repostar v. Referido esp. al combustible o a las provisiones, reponerlos o abastecerse de ellos cuando se terminan: *El vuelo tiene dos escalas para repostar combustible.*

repostería s.f. **1** Oficio que consiste en la elaboración de tartas, pasteles y otros tipos de dulces. **2** Conjunto de los productos que se elaboran en este oficio. **3** Establecimiento en el que se hacen o se venden los productos que se elaboran en este oficio.

repostero, ra ▮ s. **1** Persona que se dedica profesionalmente a la elaboración de tartas, pasteles y otro tipo de dulces. ▮ s.m. **2** Paño que suele colgarse en un muro y que está adornado con emblemas heráldicos. **3** En zonas del español meridional, despensa. □ ETIMOL. Del latín *_repositarius_ (oficial que guarda el servicio de mesa).

reprehender v. →**reprender.**

reprehensible adj.inv. →**reprensible.**

reprehensión s.f. →**reprensión.**

reprender (tb. *reprehender*) v. Referido a una persona, corregirla o regañarla desaprobando su conducta: *La profesora me reprendió por mis continuas faltas de puntualidad.* □ ETIMOL. Del latín *reprendere* (coger, retener).

reprensible (tb. *reprehensible*) adj.inv. Digno de ser reprendido o corregido: *un comportamiento reprensible.*

reprensión (tb. *reprehensión*) s.f. No aprobación de la conducta de alguien que se hace corrigiéndolo o regañándolo.

reprensor, -a adj./s. Que reprende.

represa s.f. **1** Construcción, hecha generalmente de cemento armado, destinada a contener o a regular el curso de las aguas. **2** Lugar donde las aguas están detenidas o almacenadas, natural o artificialmente. □ SINÓN. *presa.* □ ETIMOL. Del latín *repressus* (contenido).

represalia s.f. **1** Daño causado a alguien en venganza de otro recibido: *Como represalia al bombardeo de una fábrica, arrasaron un pueblo enemigo.* **2** Medida que un Estado adopta contra otro como castigo a una acción de este. □ ETIMOL. Del latín *represaliae.*

represaliar v. Tomar represalias contra alguien: *En el acuerdo se asegura que no se represaliará a los huelguistas.* □ ORTOGR. La *i* nunca lleva tilde.

represar v. **1** Referido a una corriente de agua, detenerla o estancar su caudal: *Construyen embalses para represar y almacenar el agua de los ríos.* **2** Reprimir, contener o impedir el avance o el crecimiento: *Una persona reflexiva tiende a represar sus impulsos y a no dejarse llevar por ellos.* □ ETIMOL. Del latín *reprehensare.*

representable adj.inv. Que se puede representar.

representación s.f. **1** Construcción de una imagen, de un símbolo o de una imitación de algo: *La representación de la muerte como un encapuchado con una guadaña es muy antigua.* **2** Imagen o símbolo que sustituyen o imitan a la realidad: *Una coma es la representación gráfica de una pausa en el discurso.* **3** Actuación en nombre de una persona o de una entidad: *La decana recibió a un grupo de estudiantes en representación de todos sus compa-*

ñeros. **4** Persona o conjunto de personas que realizan esta actuación: *Una representación del Parlamento acudió a cumplimentar al Rey.* **5** Interpretación o ejecución en público de una obra o de un papel dramáticos.

representante ▮ adj.inv. **1** Que representa. ▮ s.com. **2** Persona que actúa en nombre o en representación de otra o de una entidad. **3** Persona que trabaja para una casa comercial y se dedica profesionalmente a promover y a concertar la venta de sus productos. **4** En el mundo del espectáculo, persona que representa a compañías, artistas u otros profesionales en la gestión de sus contratos y asuntos laborales.

representar v. **1** Ser imagen, símbolo o imitación de algo: *Una balanza de dos brazos representa la justicia. El cuadro representa a un amigo de la pintora.* **2** Referido a una persona o a una entidad, actuar otra en su nombre: *Los diputados representan a sus electores en el Parlamento.* **3** Referido a una obra o a un papel dramáticos, interpretarlos o ejecutarlos en público: *La compañía de teatro clásico representará la comedia por todo el país.* **4** Referido a una edad, aparentarla o dar la impresión de tenerla: *Tienes tantas arrugas que representas más edad de la que tienes.* **5** Suponer, significar o importar: *Un hijo representa mucho para un padre.* **6** Describir o dar una imagen: *¿Cómo podría yo representar el concepto alma?* □ ETIMOL. Del latín *repraesentare*.

representatividad s.f. **1** Capacidad para representar otra cosa. **2** Condición de lo que es característico, resulta ejemplar o puede servir como modelo.

representativo, va adj. **1** Que sirve o que tiene capacidad para representar algo: *Los resultados electorales son representativos de la voluntad de los ciudadanos.* **2** Característico, ejemplar o con condición de modelo: *Este libro es una muestra representativa del buen hacer de un escritor.*

represión s.f. **1** Contención, moderación o freno, esp. de un impulso o de un sentimiento. **2** Freno, impedimento o castigo de una actuación política o social, generalmente desde el poder y haciendo uso de la violencia: *Las dictaduras ejercen la represión sobre todo tipo de ideas y personas disidentes.*

represivo, va adj. Que reprime la libre actuación, generalmente desde el poder o haciendo uso de la violencia.

represor, -a adj. Que reprime.

reprimenda s.f. Reprensión o regañina fuertes. □ ETIMOL. Del latín *reprimenda* (cosa que debe reprimirse).

reprimido, da adj./s. *desp.* Referido esp. a una persona, que no manifiesta sus sentimientos ni sus emociones, esp. en lo relacionado con el sexo.

reprimir v. **1** Referido esp. a un impulso o a un sentimiento, contenerlos, moderarlos o ponerles freno: *Debes reprimir tus ganas de comer si quieres adelgazar. A veces es mejor desahogarse y no reprimirse tanto.* **2** Referido a una actuación política o social, frenarla, impedirla o castigarla, generalmente desde el poder y haciendo uso de la violencia: *Las fuerzas del orden reprimirán con las armas cualquier manifestación de oposición al régimen.* □ ETIMOL. Del latín *reprimere*.

reprise (fr.) s.m. Capacidad del motor de un automóvil para acelerar o para pasar a un régimen superior de revoluciones rápidamente. □ PRON. [reprís].

reprivatización s.f. Devolución al sector privado de una propiedad o de una actividad económica que previamente habían sido nacionalizadas por el Estado.

reprivatizar v. Referido a una propiedad o a una actividad económica nacionalizadas por el Estado, devolverlas al sector privado: *El Gobierno reprivatizará las empresas expropiadas cuando las haya saneado.* □ ORTOGR. La *z* se cambia en *c* delante de *e* →CAZAR.

reprobable adj.inv. Digno de ser reprobado o desaprobado.

reprobación s.f. No aprobación o consideración negativa de algo, esp. de una persona o de su conducta.

reprobado, da ▮ adj./s. **1** En la tradición católica, referido a una persona, que está condenada a las penas del infierno. ▮ s.m. **2** Suspenso o calificación académica que indica que no se ha superado un examen o una asignatura.

reprobar v. **1** Referido esp. a una persona o a su conducta, no aprobarlas o considerarlas negativas: *Si no estás dispuesto a admitir críticas, no repruebes los actos de los demás.* **2** En zonas del español meridional, suspender: *Me reprobaron el último examen que hice.* □ ETIMOL. Del latín *reprobare*. □ MORF. Irreg. →CONTAR.

reprobatorio, ria adj. Que reprueba o que sirve para reprobar o censurar: *un discurso reprobatorio.*

réprobo, ba adj. Malvado o digno de ser reprobado: *un comportamiento réprobo.* □ ETIMOL. Del latín *reprobus* (malvado).

reprochable adj.inv. Que se puede reprochar.

reprochar v. Censurar, recriminar o echar en cara: *Te reprocho que no me ayudaras. Me reprocho a mí mismo no haberme dado cuenta de la gravedad del asunto.*

reproche s.m. Censura o recriminación. □ ETIMOL. Del francés *reproche*.

reproducción s.f. **1** Proceso mediante el cual unos seres vivos producen otros de su misma especie. **2** Nueva producción de algo: *El Ministerio de Sanidad no contaba con la reproducción de la epidemia de peste.* **3** Copia o repetición que imita o reproduce algo: *Con el vídeo es posible la reproducción de imágenes y sonidos.*

reproducir ▮ v. **1** Producir de nuevo o volver a hacer: *La grabadora reproduce sonidos. Las lluvias torrenciales se reproducirán mañana.* **2** Repetir o volver a decir: *No te puedo reproducir sus palabras exactas, pero estuvo realmente desagradable.* **3** Hacer una copia: *Una fotocopiadora reproduce fielmente los originales.* **4** Ser copia o representación exacta de un original: *Esta lámina reproduce una famosa obra de Goya.* ▮ prnl. **5** Referido a un ser vivo, producir otros de su misma especie: *Los animales menos evolucionados y las plantas se reproducen de forma asexual o vegetativa.* ☐ MORF. Irreg. →CONDUCIR.

reproductor, -a adj./s. Que reproduce o que está destinado a reproducir.

reprografía s.f. Reproducción o copia exacta de documentos por distintos medios. ☐ ETIMOL. Del inglés *reprography*, y este de *reproduction* y *photography*.

reprográfico, ca adj. De la reprografía o relacionado con la reproducción de documentos: *material reprográfico.*

reps (pl. *reps*) s.m. Tipo de tela fuerte, de seda o de lana, que se usa en tapicería.

reptar v. Andar o desplazarse arrastrando el cuerpo: *Las serpientes reptan.* ☐ ETIMOL. Del latín *reptare*, y este de *repere* (andar arrastrándose).

reptil ▮ adj.inv./s.m. **1** Referido a un vertebrado, que se caracteriza por tener la sangre fría, la respiración pulmonar, el cuerpo cubierto de escamas o con un caparazón, y por caminar rozando la tierra con el vientre por carecer de extremidades o por tenerlas muy cortas: *El lagarto, la tortuga y el galápago son reptiles.* ▮ s.com. **2** *col. desp.* Persona rastrera y vil. ▮ s.m.pl. **3** En zoología, clase de estos vertebrados, perteneciente al tipo de los cordados: *Los animales que pertenecen a los reptiles mudan la piel periódicamente.* ☐ ETIMOL. Del latín *reptilis* (que se arrastra).

república s.f. **1** Sistema de gobierno en el que la jefatura del Estado la ejerce un presidente elegido por los ciudadanos. **2** Estado que tiene este sistema de gobierno. ☐ ETIMOL. Del latín *res publica* (la cosa pública, el Estado).

republicanismo s.m. **1** Inclinación ideológica a la república como forma de gobierno. **2** Sistema de organización política que proclama la república como forma de gobierno.

republicano, na ▮ adj. **1** De la república o relacionado con este sistema de gobierno. ▮ adj./s. **2** Partidario o defensor de la república.

repudiar v. **1** Referido a la esposa, rechazarla legalmente su marido: *El sultán repudió a una de sus esposas porque no era virgen.* **2** Condenar, rechazar o no aceptar: *Repudió mis consejos.* ☐ ETIMOL. Del latín *repudiare.* ☐ ORTOGR. La *i* nunca lleva tilde.

repudio s.m. **1** Rechazo legal de una esposa por parte de su marido. **2** Condena, rechazo o no aceptación.

repudrir v. **1** Pudrir mucho: *En el sótano, la fruta se repudre porque hay mucha humedad.* **2** Consumir moralmente por tener que disimular o callar un sufrimiento: *Le repudría tener que aguantar sus insolencias.*

repuesto, ta ▮ **1** part. irreg. de **reponer.** ▮ s.m. **2** Pieza destinada a sustituir a otra de su misma clase en caso necesario. ☐ SINÓN. *recambio.* **3** *col.* Lo que se tiene para un caso de necesidad: *Tengo unas zapatillas de repuesto para cuando lavo estas.* **4** ‖ **de repuesto;** para sustituir o para cambiar: *Es obligatorio llevar en el coche una rueda de repuesto por si se pincha una.*

repugnancia s.f. **1** Alteración del estómago causada por algo que resulta muy desagradable, y que generalmente provoca náuseas o vómitos. ☐ SINÓN. *asco.* **2** Rechazo o antipatía hacia algo.

repugnante adj.inv. Que causa repugnancia.

repugnar v. Causar repugnancia: *Me repugna el olor a pescado crudo.* ☐ ETIMOL. Del latín *repugnare* (luchar contra algo).

repujado s.m. **1** Labrado de una lámina metálica o de otra cosa, que se hace con un martillo o con un instrumento punzante para conseguir figuras en relieve. **2** Obra así labrada.

repujador, -a s. Persona que se dedica profesionalmente al repujado.

repujar v. Labrar con un martillo o con un instrumento punzante para conseguir figuras en relieve: *Esa artesana repuja el estaño y hace unos relieves preciosos.* ☐ ETIMOL. Del catalán *repujar.* ☐ ORTOGR. Conserva la *j* en toda la conjugación.

repulgo s.m. **1** Pliegue o dobladillo que se hace como remate en los bordes de la ropa. **2** *col.* Recelo o inquietud de conciencia que siente una persona sobre la conveniencia o la inconveniencia de sus actos. ☐ MORF. En la acepción 2, se usa más en plural.

repulir v. Acicalar, atildar o arreglar en exceso: *Para ir a la fiesta, se ha repulido minuciosamente.*

repullo s.m. *col.* Movimiento rápido y violento del cuerpo a causa de la sorpresa o de un susto.

repulsa s.f. Rechazo, desprecio o condena enérgica de algo. ☐ ETIMOL. Del latín *repulsa.*

repulsión s.f. **1** Repugnancia, asco o rechazo. **2** Condena o desprecio.

repulsivo, va adj. Que causa o produce repulsión.

repuntar v. **1** Referido esp. a un cambio de tiempo o a una enfermedad, empezar a manifestarse: *La primavera repunta ya, después del largo invierno.* **2** Referido a la marea, empezar a subir o a bajar: *Cuando la marea alta repunte, nos iremos a comer.*

repunte s.m. En economía, subida de las cotizaciones de la bolsa o de cualquier variable económica.

reputación s.f. **1** Opinión que la gente tiene de una persona: *Tiene mala reputación porque dicen que estuvo en la cárcel por tráfico de drogas.* **2** Prestigio o buena fama: *Lo operó un cirujano de reputación.*

reputado, da adj. Reconocido públicamente por ser excelente.

reputar v. Atribuir determinada cualidad: *Sus profesores lo reputan de inteligente.* ☐ ETIMOL. Del latín *reputare* (calcular, meditar). ☐ SINT. Constr. *reputar {DE/COMO} algo.*

requebrar v. Halagar, elogiar o piropear: *Le encanta requebrar a las chicas jóvenes.* ☐ ETIMOL. Del latín *recrepare.* ☐ MORF. Irreg. →PENSAR.

requemado, da adj. De color oscuro por haber estado al fuego o a la intemperie: *Tiene la piel requemada porque está todo el día en la calle.*

requemar ▮ v. **1** Tostar demasiado: *La empanada ha estado demasiado tiempo en el horno y se ha requemado.* **2** Referido a una comida o una bebida, causar picor o ardor en la boca o en la garganta: *Este licor tan fuerte requema la garganta.* **3** Referido a una planta, perder su verdor o secarse: *En agosto, el césped se requemó por falta de riego.* ▮ prnl. **4** Causar sufrimiento interior algo que se calla: *No cuenta el motivo de su enfado y se requema cada vez más.* **5** ‖ **requemar la sangre;** impacientar o sacar de quicio: *Ese desastre de chico requema la sangre a cualquiera.*

requerimiento s.m. **1** Necesidad, petición o exigencia. **2** Acto judicial por el que se exige a alguien que haga o deje de hacer algo. ☐ SEM. Dist. de *requisito* (circunstancia o condición necesarias para algo).

requerir v. Necesitar, pedir o exigir: *Esta planta tan delicada requiere muchos cuidados. El magistrado requirió la presencia de los testigos.* ☐ ETIMOL. Del latín *requirere.* ☐ MORF. Irreg. →SENTIR.

requesón s.m. Masa blanca y mantecosa que se obtiene cuajando la leche y quitando el suero. ☐ ETIMOL. De *re-* (intensificador) y *queso.*

requete- →**re-**.

requeté s.m. Soldado del cuerpo de voluntarios que lucharon en las guerras civiles españolas en defensa de la tradición religiosa y monárquica.

requetebién adv. *col.* Muy bien: *En el parque de atracciones lo pasamos requetebién.*

requeteguapo, pa adj. *col.* Muy guapo: *Me pondré requeteguapo para ir a la fiesta.*

requiebro s.m. Expresión con la que se halaga, elogia o piropea.

réquiem (pl. *réquiem*) s.m. **1** Oración por los difuntos. **2** Composición musical que se canta con el texto litúrgico de la misa de difuntos. ☐ ETIMOL. De la primera palabra latina del Introito de la misa de difuntos *Requiem aeternam* (paz eterna).

requilorio s.m. *col.* Formalidad o adorno innecesarios. ☐ ETIMOL. De *requerir.* ☐ USO Se usa más en plural.

requirente adj.inv./s.com. En derecho, que requiere en juicio: *La parte requirente exige una indemnización de sesenta mil euros por daños y perjuicios.* ☐ ETIMOL. Del latín *requirens.*

requisa s.f. **1** Apropiación de mercancías o bienes por parte de la autoridad competente, esp. si se hace porque son de utilidad pública. **2** En zonas del español meridional, registro o inspección. ☐ ETIMOL. Del francés *réquisition.*

requisar v. Referido a mercancías o bienes, expropiarlos o apoderarse de ellos la autoridad competente, esp. si se hace porque son de utilidad pública: *Ante el estado de guerra, el Gobierno mandó requisar la gasolina y el gasóleo para aprovisionar los vehículos militares.*

requisito s.m. Circunstancia o condición necesarias para algo. ☐ ETIMOL. Del latín *requisitus.* ☐ SEM. Dist. de *requerimiento* (petición o exigencia; acto judicial).

res s.f. Animal cuadrúpedo de ciertas especies domésticas y de algunas salvajes. ☐ SINÓN. *cabeza.* ☐ ETIMOL. Quizá del latín *res* (cosa).

resabiado, da adj. **1** Referido a una persona, que, por su experiencia, ha perdido la ingenuidad y se ha vuelto desconfiada o agresiva: *No intentes timarla, porque lleva años como vendedora ambulante y está resabiada.* **2** Referido esp. a un animal, que tiene un vicio o una mala costumbre difíciles de quitar: *No quiero montar ese caballo porque está resabiado y me tira.* **3** En tauromaquia, referido a un toro, que no embiste al capote rojo sino al cuerpo del torero porque ha sido toreado antes. ☐ SEM. En la acepción 1, dist. de *resabido* (que se precia de ser entendido en algo).

resabiar v. Referido a una persona, hacerle adquirir un vicio o una mala costumbre: *Las malas compañías te están resabiando.*

resabido, da adj./s. Referido a una persona, que se precia de ser entendida en algo. ☐ SEM. Dist. de *resabiado* (que ha perdido la ingenuidad y se ha vuelto desconfiado).

resabio s.m. Vicio o mala costumbre adquiridos. ☐ ETIMOL. Del latín **resapidus.*

resaca s.f. **1** Movimiento de retroceso de las olas después de que han llegado a la orilla. **2** *col.* Malestar físico que siente al despertar la persona que ha bebido alcohol en exceso. ☐ ETIMOL. Del antiguo *resacar* (sacar).

resalado, da adj. *col.* Que tiene salero, gracia y desenvoltura.

resaltar v. **1** Destacar o hacer notar más entre otros: *La profesora resaltó en la explicación los puntos más importantes.* **2** Sobresalir o ser más visible sobre algo: *La cúpula resalta sobre el conjunto de la ciudad.*

resalte (tb. *resalto*) s.m. Saliente o parte que se distingue del resto: *un resalte rocoso.*

resalto s.m. **1** →**resalte.** **2** En una calzada, desnivel que se hace de lado a lado como obstáculo, para que los conductores reduzcan la velocidad de sus vehículos. ☐ SINÓN. *badén.*

resarcimiento s.m. Compensación por un daño o por un perjuicio: *Estas ganancias nos servirán como resarcimiento de las pérdidas del año pasado.*

resarcir v. Compensar por un daño o por un perjuicio: *Piensa resarcirnos del esfuerzo con una importante suma de dinero. Se resarcirá del agravio.* ☐ ETIMOL. Del latín *resarcire.* ☐ ORTOGR. La *c* se cambia en *z* delante de *a, o* →ZURCIR. ☐ SINT. Constr. *resarcir* A *alguien* DE *algo.*

resbaladilla s.f. En zonas del español meridional, tobogán.

resbaladizo, za adj. Que resbala o se escurre fácilmente. ☐ SINÓN. *lúbrico, resbaloso.*

resbalar v. **1** Escurrirse, deslizarse o moverse rápidamente sobre una superficie: *El agua resbala* *por el impermeable. Me resbalé y me caí por las escaleras.* **2** *col.* Dejar indiferente: *Mis consejos y reprimendas le resbalan.* □ ETIMOL. Del antiguo *resvarar.*

resbalón s.m. **1** Movimiento rápido rozando una superficie y que no puede controlarse: *Cuidado, no des un resbalón, que el suelo está mojado.* **2** En algunas cerraduras, pieza móvil que puede entrar y salir gracias a un muelle, permitiendo que la puerta quede cerrada.

resbaloso, sa adj. Que resbala o se escurre fácilmente. □ SINÓN. *resbaladizo, lúbrico.*

rescatar v. **1** Referido a algo de lo que alguien se ha apoderado, recuperarlo por la fuerza o a cambio de dinero: *La policía rescató al secuestrado en pocos minutos.* **2** Recuperar del olvido o del abandono: *Este disfraz fue rescatado de un viejo arcón.* **3** Liberar de un daño, un peligro o una situación difícil: *Los bomberos rescataron a tres personas en un incendio.* □ ETIMOL. Del latín *captare* (tratar de coger).

rescate s.m. **1** Recuperación de lo que alguien se había apropiado sin derecho: *el rescate de un rehén.* **2** Dinero que se pide o que se paga por la liberación de alguien retenido ilegalmente y contra su voluntad. **3** Liberación de un daño, un peligro o una situación difícil: *Dos voluntarios efectuaron el rescate de un niño que se ahogaba.* **4** Juego infantil en el que participan dos equipos que se persiguen para atraparse, pudiendo los atrapados ser rescatados por sus compañeros de equipo.

rescindible adj.inv. Que se puede rescindir.

rescindir v. Referido esp. a un contrato, anularlo o dejarlo sin efecto: *El contrato puede ser rescindido a petición de cualquiera de las dos partes firmantes.* □ ETIMOL. Del latín *rescindere.*

rescisión s.f. Anulación o ruptura de un contrato u otro acuerdo.

rescoldo s.m. **1** Resto de un sentimiento. **2** Brasa pequeña que queda debajo de la ceniza. □ SINÓN. *borrajo.* □ ETIMOL. Del antiguo *rescaldo*, y este del antiguo *caldo* (caliente).

resecación s.f. Pérdida grande de agua, líquido, jugo o humedad: *la resecación de la piel.* □ SINÓN. *resecamiento.*

resecamiento s.m. →**resecación.**

resecar v. **1** Hacer secar mucho: *Si la piel se te reseca debes ponerte una crema hidratante.* **2** En cirugía, referido a un órgano o a un tejido, efectuar su resección o separación de lo que le rodea: *La cirujana resecó completamente el quiste antes de extraerlo.* □ ORTOGR. La *c* se cambia en *qu* delante de *e* →SACAR.

resección s.f. En cirugía, operación que consiste en separar total o parcialmente un órgano o un tejido. □ ETIMOL. Del latín *resectio* (acción de cortar).

reseco, ca adj. **1** Demasiado seco. **2** Flaco, delgado o de pocas carnes.

reseda s.f. Planta herbácea de tallos ramosos y flores amarillentas agrupadas en racimos. □ ETIMOL. Del latín *reseda.*

resembrar v. Referido a un terreno, volver a sembrarlo porque la primera siembra se ha estropeado: *Los pájaros se han comido las semillas de césped en esta zona del jardín y tengo que resembrarlo.* □ ETIMOL. Del latín *reseminare.* □ MORF. Irreg. →PENSAR.

resentido, da adj./s. Que tiene o que muestra resentimiento.

resentimiento s.m. Disgusto o pena causados por algo que se considera una falta de afecto o una desconsideración.

resentirse v.prnl. **1** Sentir dolor o molestia en alguna parte del cuerpo a causa de alguna enfermedad o dolencia pasadas: *Ya tengo la pierna bien, solo me resiento cuando el tiempo está húmedo.* **2** Debilitarse o empezar a perder fuerza: *El agobio y el exceso de actividad hacen que el corazón se resienta.* **3** Disgustarse o apenarse por algo que se considera una falta de afecto o una desconsideración: *Aunque no tuve intención de herirla, se resintió por lo que le dije.* □ ETIMOL. De *re-* (intensificación, repetición) y *sentir.* □ MORF. Irreg. →SENTIR.

reseña s.f. **1** Noticia o escrito informativo sobre una obra literaria o científica, acompañados de un análisis o de un comentario crítico. **2** Narración o descripción breve o resumida.

reseñar v. **1** Referido a una obra literaria o científica, dar noticia de ella comentándola y criticándola brevemente: *Reseñó el último libro de la famosa filósofa.* **2** Narrar de forma breve y precisa: *Reseñó en su programa la noticia del accidente.* □ ETIMOL. Del latín *resignare* (tomar nota, apuntar, escribir).

reserva ▮ s.com. **1** En una competición deportiva, persona que sustituye a otra en caso de que sea necesario: *Los reservas permanecen en el banquillo hasta que el entrenador hace un cambio.* ▮ s.m. **2** Vino o licor que tiene una crianza mínima de tres años en envase de roble o en botella: *Bebimos un reserva exquisito.* ▮ s.f. **3** Retención o conservación de algo para más adelante o para una ocasión apropiada: *Tengo que comprar aceite porque se me está agotando la reserva que tenía.* **4** Atribución exclusiva de algo para un uso o para una persona determinada: *Hice la reserva de la habitación por teléfono.* **5** Discreción, prudencia o comedimiento: *Habla con mucha reserva sobre asuntos personales.* **6** Recelo, desacuerdo o falta de confianza: *Aceptó la propuesta sin reservas.* **7** Parte del ejército que no está en el servicio activo, pero que puede ser movilizada. **8** Territorio acotado, esp. si es estimado por su valor ecológico o paisajístico: *una reserva de buitres.* ▮ s.f.pl. **9** Elementos disponibles que se dejan para resolver una necesidad o para llevar a cabo una empresa: *Es un país pobre y tiene pocas reservas naturales.* **10** Sustancia que se almacena en determinadas células y que es utilizada por el organismo para su nutrición: *Las reservas de grasa, en caso necesario, se transforman en energía.*

reservado, da ▮ adj. **1** Que se calla o que debe callarse: *información reservada.* **2** Discreto, prudente o comedido: *una persona reservada.* ▮ s.m. **3** Habitación o compartimento que se destina a una o varias personas o a un uso determinado.

reservar ▮ v. **1** Guardar para más adelante o para una ocasión apropiada: *Reservó dinero para gastos imprevistos. Me reservo mi opinión para cuando estemos solos.* **2** Destinar o atribuir de modo exclusivo para un uso o una persona determinados: *Reservó la habitación a nombre de los señores Pérez.* **3** Referido a algo que se reparte, separarlo o apartarlo reteniéndolo para sí o para entregar a otro: *Me reservé la pechuga porque es la tajada que más me gusta.* ▮ prnl. **4** Conservarse o no actuar esperando mejor ocasión: *No tomo segundo plato porque me reservo para el postre.* □ ETIMOL. Del latín *reservare.*

reservista adj.inv./s.m. Referido esp. a un militar o a un antiguo soldado, que está en la reserva o que no pertenece al servicio activo, pero que puede ser movilizado.

reservón, -a adj. *col. desp.* Muy reservado, tanto por cautela como por maldad.

reservorio s.m. **1** En biología, población de seres vivos u organismo que alojan de forma natural el germen de una enfermedad que puede propagarse como epidemia: *Algunos animales son reservorios del paludismo, que pasa indirectamente a las personas cuando un mosquito pica al animal y después al individuo.* **2** Depósito de sustancias nutritivas o de desecho destinadas a ser utilizadas o eliminadas por la célula o por el organismo. **3** Depósito o estanque: *Se han secado tres de los reservorios subterráneos de esta zona.* **4** Depósito o lugar donde se acumula algo. □ ETIMOL. Del francés *réservoire.*

resetear v. →**reiniciar.** □ ETIMOL. Del inglés *reset.*

resfriado s.m. Malestar físico que se produce generalmente por cambios bruscos de temperatura. □ SINÓN. *catarro, constipado.*

resfriarse v.prnl. Coger un resfriado o catarro: *Estornudo tanto porque me he resfriado.* □ ETIMOL. De *re-* (intensificación, repetición) y el antiguo *esfriar* (resfriar). □ ORTOGR. La *i* lleva tilde en los presentes, excepto en las personas *nosotros* y *vosotros* →GUIAR.

resfrío s.m. En zonas del español meridional, resfriado o catarro.

resguardar v. Proteger o defender: *Este abrigo me resguarda del frío. Nos resguardamos de la lluvia bajo el porche de la casa.* □ ETIMOL. De *guardar.* □ SINT. Constr. *resguardar* DE *algo.*

resguardo s.m. **1** Documento que acredita que alguien ha realizado determinada gestión o acción. **2** Lo que sirve de protección o seguridad: *Esta cueva es buen resguardo contra la lluvia.*

residencia s.f. **1** Establecimiento o estancia en un lugar en el que se hace vida habitual: *Durante bastantes años fijó su residencia en Londres.* **2** Lugar en el que se reside o se está establecido: *Mi residencia habitual es Orense, pero llevo seis meses viviendo en Cádiz.* **3** Casa o edificio donde se vive, esp. si son grandes y lujosos: *Estuve un fin de semana en mi residencia de las afueras.* **4** Casa o institución en la que conviven personas con alguna característica común: *una residencia de ancianos.* **5** Establecimiento público en el que se da alojamiento a viajeros o huéspedes a cambio de dinero y que es de categoría inferior al hotel y superior a la pensión. **6** Centro hospitalario en el que hay enfermos internados.

residencial ▮ adj.inv. **1** Referido a un lugar, que está destinado solamente a viviendas, esp. si estas son de lujo. ▮ s.amb. **2** En zonas del español meridional, pensión barata.

residenciarse v.prnl. En zonas del español meridional, establecerse en un lugar. □ ORTOGR. La *i* nunca lleva tilde.

residente adj.inv./s.com. **1** Que reside. **2** Referido a un funcionario o a un empleado, que reside o vive en el lugar donde tiene su empleo. **3** En informática, referido esp. a un programa, que está grabado en la memoria ROM de un ordenador.

residir v. **1** Estar establecido en un lugar o vivir habitualmente en él: *Está estudiando en la capital, pero reside en un pueblo.* **2** Estar basado o consistir: *El atractivo de esta zona reside en el paisaje.* □ ETIMOL. Del latín *residere* (permanecer, quedar). □ SINT. Constr. *residir* EN *algo.*

residual adj.inv. Del residuo o relacionado con él: *aguas residuales.*

residuo s.m. Parte que queda o que sobra de algo, esp. si es inservible: *residuos industriales.* □ ETIMOL. Del latín *residuus* (que queda, que resta).

resignación s.f. Conformidad, tolerancia y paciencia para aceptar lo que no tiene remedio.

resignarse v.prnl. Conformarse o aceptar con paciencia y conformidad: *No me resigno a haberlo perdido. Resígnate, hombre, que eso no tiene solución.* □ ETIMOL. Del latín *resignare* (entregar, devolver). □ SINT. Constr. *resignarse* A *algo.*

resiliencia s.f. **1** Capacidad de una persona para afrontar situaciones adversas y salir fortalecido de ellas: *Según este estudio, los niños con mayor resiliencia gozan de una habilidad notable para resolver los problemas.* **2** En física, capacidad de los materiales para resistir fuerzas externas sin deformarse: *Cuanto mayor es la resiliencia de un material, más difícil es que se deforme.*

resina s.f. Sustancia pegajosa de consistencia pastosa, insoluble en agua y soluble en alcohol y en algunos aceites, que se obtiene de algunas plantas o de forma artificial. □ ETIMOL. Del latín *resina.*

resinar v. Referido a un árbol, hacerle incisiones en la corteza del tronco para que salga la resina: *Estos pinos serán resinados el año que viene.* □ SINÓN. *sangrar.*

resinero, ra ▮ adj. **1** De la resina o relacionado con esta sustancia. ▮ s. **2** Persona que se dedica profesionalmente a la extracción de resina de los árboles.

resinífero, ra adj. →**resinoso.**

resinoso, sa adj. **1** Que tiene o destila resina. □ SINÓN. *resinífero.* **2** Con características de la resina.

resistencia s.f. **1** Oposición a una fuerza contraria: *La resistencia de nuestro ejército al ejército enemigo nos llevó a la victoria.* **2** Oposición tenaz a realizar una acción: *Tu resistencia a cumplir las órdenes se merece un castigo.* **3** Capacidad para resistir o aguantar: *Es una chica de gran resistencia física.* **4** Fuerza que se opone al movimiento de una máquina y ha de ser vencida por la potencia: *Un vehículo aerodinámico tiene un diseño apropiado para superar mejor la resistencia del aire.* **5** Pieza de un circuito eléctrico que se opone al paso de la corriente eléctrica o la convierte en calor. □ SINT. Incorr. *{*poner > oponer} resistencia.*

resistente adj.inv. Que resiste.

resistible adj.inv. Que puede ser resistido o soportado.

resistir ▌v. **1** Pervivir, durar o permanecer a pesar del paso del tiempo o de otra fuerza destructora: *Mi abuelo, enfermo desde hace diez años, aún resiste.* **2** Aguantar, soportar o mantenerse sin ceder: *Resistí su mirada para demostrarle que yo era más fuerte. Los soldados resistieron con valor.* ▌prnl. **3** Oponerse con fuerza a hacer lo que se expresa: *Se resistió a quedarse en la cama unos días para curarse la gripe.* **4** Oponer dificultades o fuerza: *Los ladrones se entregaron sin resistirse.* **5** || **resistírsele** algo a alguien; *col.* Resultar difícil y no conseguir hacerlo bien: *La informática se me resiste y siempre tengo que pedir ayuda para manejar el ordenador.* □ ETIMOL. Del latín *resistere*, y este de *sistere* (colocar, tenerse).

resma s.f. Conjunto de quinientos pliegos de papel. □ ETIMOL. Del árabe *rizma* (paquete).

resmillería s.f. Venta de resmas o de papel en pequeñas cantidades.

res nullius (lat.) s.f. || **1** Cosa de nadie, o cosa sin importancia: *Me indigna que todos se aprovechen de nuestro trabajo como si fuera res nullius.* **2** Territorio que no pertenece a ningún Estado: *Esa franja fronteriza, antes considerada res nullius, hoy es motivo de guerra entre esos dos países.* □ PRON. [res núlius].

resobar v. Sobar o manosear mucho: *Deja ya de resobar el libro, que lo vas a desgastar.*

resol s.m. **1** Reflejo del sol. **2** Luz y calor producidos por este reflejo.

resolana s.f. **1** En zonas del español meridional, resol. **2** En zonas del español meridional, lugar en el que da el sol de lleno.

resoli (tb. *resolí*) s.m. →**rosoli.**

resollar v. Respirar con fuerza y haciendo ruido: *Las mulas que tiraban del carro resollaban al subir la cuesta.* □ ETIMOL. Del latín *re-* (intensificación, repetición) y *sufflare* (soplar). □ MORF. Irreg. →CONTAR.

resoluble adj.inv. Que se puede resolver.

resolución s.f. **1** Determinación, decisión u opción que se toma, esp. si ha habido dudas: *Piénsalo bien antes de tomar la resolución de irte de casa.* **2** Solución a un problema o a una duda: *La resolución de este problema de matemáticas me llevó más de una hora.* **3** Ánimo, valor o energía para hacer algo: *hablar con resolución.* **4** En derecho, decisión de una autoridad gubernativa o judicial: *La juez ha dictado una resolución para que el sospechoso ingrese en prisión.* **5** En una pantalla, calidad de imagen que está determinada por el número de columnas de puntos de luz que pueden ser mostradas.

resolutividad s.f. Capacidad para resolver algo.

resolutivo, va adj. Que resuelve o soluciona con facilidad o con eficacia.

resoluto, ta adj. **1** Referido a una persona, que es decidida y resuelta. **2** Referido a una persona, que tiene destreza, habilidad o desenvoltura. **3** Breve o sucinto. □ ETIMOL. Del latín *resolutus.*

resolutorio, ria adj. Que tiene o denota resolución.

resolver ▌v. **1** Tomar una determinación o inclinarse definitivamente por una opción: *He resuelto comprar un coche nuevo.* □ SINÓN. *decidir.* **2** Referido esp. a un problema o a una duda, solucionarlos o encontrar su solución: *Resolví el problema despejando la incógnita de la ecuación. Un tanto en el último minuto resolvió el partido a favor del equipo visitante.* ▌prnl. **3** Decidirse a hacer algo: *Se resolvió a salir de madrugada para evitar el tráfico.* □ ETIMOL. Del latín *resolvere* (desligar). □ MORF. Irreg.: 1. Su participio es *resuelto.* 2. →VOLVER.

resonador, -a adj. Que resuena.

resonancia s.f. **1** Prolongación de un sonido que se repite y va disminuyendo gradualmente: *La caja de resonancia de mi guitarra es marrón.* **2** Sonido producido por repercusión de otro: *Esta sala no tiene buena acústica porque se oyen resonancias.* **3** Repercusión, difusión o fama adquiridas por un suceso: *Las declaraciones de la ministra tuvieron resonancia internacional.* **4** || **resonancia magnética;** en medicina, técnica para la obtención de imágenes corporales a partir de un campo magnético aplicado sobre el cuerpo.

resonante adj.inv. Que ha alcanzado mucha difusión, fama o resonancia: *un éxito resonante.*

resonar v. **1** Sonar mucho o hacer un ruido fuerte: *Los martillazos resuenan en toda la casa.* **2** Sonar reflejando el sonido que llega procedente de otro sitio: *El valle resonaba con el eco de nuestras voces.* **3** Reproducirse en la memoria: *Sus dulces promesas aún resuenan en mis oídos.* □ ETIMOL. Del latín *resonare.* □ MORF. Irreg. →CONTAR.

resondrar v. En zonas del español meridional, reprender: *Cuando mis hijos no se portan bien, los resondro.*

resoplar v. Respirar fuerte y con ruido, generalmente en señal de cansancio o de disgusto: *La atleta llegó a la meta agotada y resoplando.*

resoplido s.m. Respiración violenta y con ruido, que generalmente manifiesta cansancio o disgusto.

resorte s.m. **1** Pieza elástica, generalmente metálica, que se comprime y deforma cuando se aplica una presión sobre ella y que, cuando desaparece dicha presión, tiende a recuperar su forma, desarrollando al hacerlo una fuerza aprovechable para usos mecánicos. □ SINÓN. *muelle.* **2** Medio del que alguien se vale para conseguir un fin: *He tocado todos los resortes posibles para conseguir el permiso de obra.* **3** En zonas del español meridional, elástico de una prenda de vestir. □ ETIMOL. Del francés *ressort.*

resortera s.f. En zonas del español meridional, tirachinas.

respaldar v. Apoyar, proteger o dar garantías: *Todos estos datos respaldan mis teorías. Mi padre me respalda en este negocio.*

respaldo s.m. **1** En un asiento, parte en la que se apoya la espalda. **2** Apoyo, protección o garantía: *Mi propuesta tuvo el respaldo de toda la comunidad de vecinos.*

respectar v. Corresponder, referirse o afectar: *Por lo que respecta a ese asunto, ha dicho que él se encarga de todo.* □ ETIMOL. Del latín *respectare* (considerar, mirar con atención). □ MORF. Verbo defectivo: solo se usa en tercera persona del singular del presente de indicativo. □ SINT. Se usa solo en las expresiones *en lo que respecta a* y *por lo que respecta a.*

respectivamente adv. En dos series correlativas, de forma que cada uno de los elementos de la primera se corresponde con el elemento que ocupa su mismo lugar en la segunda: *Para la fiesta, tú y yo nos encargaremos de la comida y de la bebida respectivamente.*

respectivo, va adj. Referido a los elementos de un conjunto, que se corresponden uno a uno con los elementos de otro conjunto: *Según os vaya nombrando, me entregáis vuestros respectivos trabajos.* □ MORF. Se usa más en plural.

respecto || **al respecto;** en relación con lo que se trata: *No tengo nada que decir al respecto.* || **respecto {a/de}** algo o **con respecto a** algo; por lo que se refiere a ello: *No quiero escuchar nada respecto de mis notas.* □ ETIMOL. Del latín *respectus* (consideración, miramiento). □ SINT. Incorr. **con respecto de.*

respetabilidad s.f. Respeto que se merece alguien.

respetable adj.inv. **1** Digno de respeto: *Defiendo mis ideas porque son tan respetables como las tuyas.* **2** Que cumple las leyes o las normas morales y éticas de un grupo: *Es una persona respetable y bien considerada.* **3** Bastante grande o bastante importante: *Esta casa me ha costado una respetable suma de dinero.* **4** || **el respetable;** *col.* El público que asiste a un espectáculo.

respetar v. **1** Tener o mostrar miramiento, consideración o buena educación: *No opinamos lo mismo, pero respeto tus ideas.* **2** Acatar, admitir o aceptar como bueno: *Es necesario que todos respetemos la ley.* □ ETIMOL. Del latín *respectar.*

respeto s.m. **1** Consideración y reconocimiento del valor de algo: *Hay que inculcar a los niños el respeto a la naturaleza.* **2** Miedo, temor, recelo o aprensión: *No creo en las supersticiones, pero les tengo cierto respeto.* **3** || **campar** alguien **por sus respetos;** hacer lo que quiere sin atender a ningún consejo. || **presentar** una persona **sus respetos** a otra; mostrar o manifestar acatamiento por cortesía o por educación: *Preséntale mis respetos a tus padres y diles que iré a verlos en cuanto pueda.* □ ETIMOL. Del latín *respectus* (consideración, miramiento).

respetuoso, sa adj. Que guarda o muestra respeto.

respigar v. Referido esp. a un terreno, recoger las espigas que quedan después de segar: *Cuando los segadores acaban, las mujeres respigan la tierra.* □ ORTOGR. La *g* se cambia en *gu* delante de *e* →PAGAR.

respingado, da adj. *col.* En zonas del español meridional, respingón.

respingar v. Referido a una prenda de vestir, levantarse el borde por estar mal hecha o mal colocada: *Hay que arreglar esa falda porque te respinga por detrás.* □ ETIMOL. Del latín **repedinare*, y este de *repedare* (recular). □ ORTOGR. La *g* se cambia en *gu* delante de *e* →PAGAR.

respingo s.m. Sacudida brusca del cuerpo, causada generalmente por un sobresalto: *Cuando me puso la mano en el hombro, di un respingo.*

respingón, -a adj. **1** *col.* Referido esp. a la nariz, que tiene la punta un poco levantada. **2** Referido a una prenda de vestir, que tiene el borde o una parte de él levantado, generalmente por estar mal hecha o mal puesta.

respirable adj.inv. Que puede ser respirado sin que dañe la salud.

respiración s.f. **1** Función fisiológica de un ser vivo que consiste en utilizar el oxígeno en los procesos metabólicos celulares: *La respiración se verifica en todas y cada una de las células vivas, tanto de día como de noche.* **2** Absorción y expulsión de aire para retener parte de sus sustancias en el organismo. **3** Entrada y salida de aire en un lugar cerrado. **4** || **respiración artificial;** conjunto de acciones que se practican en el cuerpo de una persona con parada respiratoria para que recupere la capacidad de respirar por sí misma. || **respiración asistida;** la ayudada por medio de aparatos mecánicos. || **sin respiración;** *col.* Muy impresionado, muy sorprendido o muy asustado. □ SINT. *Sin respiración* se usa más con los verbos *dejar*, *estar*, *quedar* o equivalentes.

respiradero s.m. Abertura por donde entra y sale el aire.

respirador ▮ adj. **1** Referido a un músculo, que sirve para realizar la respiración: *El diafragma es un músculo respirador.* ▮ s.m. **2** Aparato que permite la respiración, por medios artificiales, de la persona que esté conectada a él.

respirar v. **1** Referido a un ser vivo, absorber el aire para tomar parte de las sustancias y expelerlo modificado: *Necesito respirar aire fresco.* **2** Referido a una persona, descansar o sentirse aliviada después de alguna situación cansada, difícil o agobiante: *Estos niños no me dejan respirar.* **3** Referido a un estado de ánimo, mostrarlo de forma clara: *Deben irte bien las cosas, porque respiras felicidad.* **4** Dejar salir el aire viciado y entrar aire nuevo: *Levanta el capó para que respire el motor.* **5** || **sin respirar; 1** Sin descanso ni interrupción: *Trabajamos ocho horas seguidas sin respirar.* **2** Con mucha atención: *Le encantan los cuentos y los escucha sin respirar.* □ ETIMOL. Del latín *respirare*.

respiratorio, ria adj. De la respiración, que sirve para la respiración o relacionado con ella: *el aparato respiratorio.*

respiro s.m. **1** Rato de descanso en un trabajo, en una actividad o en un esfuerzo: *tomarse un respiro.* **2** Alivio en medio de un dolor, de una preocupación o de una pena.

resplandecer v. **1** Brillar intensamente o despedir rayos de luz: *Ha dejado tan limpia la plata que resplandece.* **2** Referido esp. al rostro, mostrar alegría, satisfacción o felicidad: *Su cara resplandece cada vez que ve a sus hijos.* **3** Sobresalir o aventajar: *Tu hijo resplandece en clase por su inteligencia.* □ ETIMOL. Del latín *resplendescere*. □ MORF. Irreg. →PARECER.

resplandeciente adj.inv. Que resplandece.

resplandor s.m. **1** Luz muy clara que despide un cuerpo luminoso. **2** Brillo intenso. □ ETIMOL. Del latín *resplendor*.

responder v. **1** Referido esp. a una pregunta, una duda o una propuesta, contestarlas, satisfacerlas o darles solución: *El político respondió a todas las preguntas del entrevistador. Me respondió que sí.* **2** Referido esp. a una llamada, contestarla o decir que se ha oído: *Aunque llamen al timbre con insistencia, no respondas. Siempre responde a mi saludo.* **3** Referido esp. a una carta, escribir y mandar otra en respuesta a esta: *Ya he respondido a tu última carta.* **4** Referido esp. a una necesidad o a una demanda, satisfacerlas o cubrirlas: *Necesito un coche que responda a mis necesidades.* **5** Referido a una persona, replicarle u oponérsele: *No respondas a tu madre.* **6** Referido esp. a una acción, devolverla con otra: *A mis atenciones responde con indiferencia.* **7** Responsabilizarse o hacerse cargo: *La empresa responde de la seguridad del edificio. Yo respondo de mis actos.* **8** Experimentar el resultado o el efecto deseados: *El enfermo mejora porque ha respondido al tratamiento.* **9** Referido a un animal, corresponder con su voz a otro de su especie o al reclamo: *En una rama, un gorrión cantaba y otro lejano le respondía.* **10** || **responder por** alguien; hacerse responsable de su comportamiento: *Yo respondo por ti si tienes algún problema.* □ ETIMOL. Del latín *respondere*. □ MORF. Irreg.: Su pretérito indefinido admite dos formas: *respondí* o *repuse* →RESPONDER. □ SINT. 1. Constr. de las acepciones 1 y 2: *responder algo* o *responder* A *algo*. 2. Constr. de las acepciones 3, 4 y 6: *responder* A *algo*. 3. Constr. de la acepción 7: *responder* DE *algo*.

respondón, -a adj./s. Que acostumbra a replicar de forma irrespetuosa.

responsabilidad s.f. **1** Conocimiento y cumplimiento de los propios deberes y obligaciones: *Parece mentira que teniendo la edad que tienes carezcas de responsabilidad.* **2** Deber u obligación que corresponde a alguien: *La educación de los hijos es responsabilidad de los padres.* **3** Cargo, obligación moral o deuda de los que alguien debe responder: *El accidente fue responsabilidad del conductor que adelantó indebidamente.*

responsabilizar v. Referido a una persona, hacerla responsable: *Te responsabilizo de lo que pueda ocurrir mientras yo no estoy. Vete tranquilo, que yo me responsabilizo de los niños.* □ ORTOGR. La *z* se cambia en *c* delante de *e* →CAZAR.

responsable ▌adj.inv. **1** Referido a una persona, que conoce sus deberes y obligaciones y trata de cumplirlos. ▌adj.inv./s.com. **2** Que está obligado a responder de algo o de alguna persona: *Un loco no es responsable de sus actos.* **3** Culpable de algo: *Soy el responsable de que hayamos llegado tarde.* □ ETIMOL. Del latín *responsus*, y este de *respondere* (responder).

responso s.m. **1** Oración o conjunto de versículos, separados del rezo, que se dicen por la salvación del alma de un difunto. **2** *col.* Regañina o reprimenda. □ ETIMOL. Del latín *responsus* (respuesta).

respuesta s.f. **1** Satisfacción a una pregunta, a una duda o a una dificultad: *Como respuesta a mi pregunta, solo obtuve silencio.* **2** Contestación a una llamada o a una carta escrita. **3** Acción con la que se corresponde a la de otro: *He intentado ayudarle y el desprecio ha sido su respuesta.* **4** Efecto o resultado que se pretende conseguir: *Si no obtenemos ninguna respuesta con este tratamiento, habrá que probar con otro.*

resquebrajadizo, za adj. Que se resquebraja con gran facilidad.

resquebrajadura s.f. Hendidura, grieta o raja, generalmente de poca profundidad.

resquebrajamiento s.m. Realización de hendiduras o grietas, generalmente de poca profundidad.

resquebrajarse v.prnl. Referido a un cuerpo sólido, tener hendiduras o grietas, generalmente de poca profundidad: *El cuenco de barro se ha resquebrajado al cocerlo.* □ ETIMOL. De *quebrajar* (hender). □ ORTOGR. Conserva la *j* en toda la conjugación.

resquebrajoso, sa adj. Que se resquebraja con facilidad.

resquemor s.m. Sentimiento desagradable que causa cierta inquietud o pesadumbre.

resquicio s.m. **1** Abertura estrecha que queda entre el quicio y la puerta. **2** Abertura pequeña y estrecha. □ ETIMOL. Del antiguo *rescriezo* (grieta, rendija).

resta s.f. **1** En matemáticas, operación mediante la cual se calcula la diferencia entre una cantidad llamada *minuendo* y otra llamada *sustraendo*: *Para saber cuánto dinero te queda haz la resta de lo que has gastado.* □ SINÓN. *sustracción.* **2** En matemáticas, resultado de esta operación: *La resta de 4 menos 2 es 2.*

restablecer ▌ v. **1** Establecer de nuevo: *Tras varios años sin verse, restablecieron sus antiguas relaciones.* ▌ prnl. **2** Recuperarse de un daño o de una dolencia: *En cuanto me restablezca, volveré al trabajo.* ☐ ETIMOL. De *re-* (repetición) y *establecer.* ☐ MORF. Irreg. →PARECER.

restablecimiento s.m. **1** Fundación, institución o creación llevadas a cabo por segunda vez: *Para solucionar nuestros problemas es necesario el restablecimiento del diálogo.* **2** Recuperación después de haber sufrido un daño o una dolencia: *Tu restablecimiento ha sido muy rápido y nadie diría que te han operado.*

restallar v. Referido a un látigo o a algo parecido, hacer un ruido seco al sacudirlo en el aire con fuerza o hacer que produzca ese sonido: *El látigo del domador restalló entre los leones.* ☐ ETIMOL. De *estallar.*

restallido s.m. Ruido seco que produce algo al restallar.

restante adj.inv. Que resta o que queda.

restañar v. Referido esp. a una herida, parar o detener la salida de un líquido por ella: *El médico logró restañar la herida presionándola con fuerza.* ☐ ETIMOL. Del latín *stagnare* (inmovilizar, hacer que algo quede estancado).

restar v. **1** Quitar, disminuir o hacer más pequeño: *Restó importancia a los hechos.* **2** En matemáticas, realizar la operación aritmética de la resta o sustracción: *El resultado de restarle 5 a 8 es 3.* ☐ SINÓN. *sustraer.* **3** Quedar o faltar todavía por hacer, ocurrir o transcurrir: *Restan dos meses para las vacaciones.* **4** En tenis y otros juegos de pelota, devolver el saque contrario: *La tenista restó con gran habilidad y ganó el partido.* ☐ ETIMOL. Del latín *restare* (detenerse, resistir).

restauración s.f. **1** Reparación de algo que se ha deteriorado: *la restauración de un cuadro.* **2** Restablecimiento en un país del régimen político que existía anteriormente y que había sido sustituido por otro: *la restauración de una monarquía.* **3** Reparación, renovación o vuelta al estado que se tenía antes: *la restauración de la paz.* **4** Parte de la hostelería que comprende todo lo relacionado con los restaurantes. ☐ ETIMOL. Las acepciones 1-3, del latín *restauratio.* La acepción 4, del francés *restauration.*

restaurador, -a ▌ adj./s. **1** Que restaura. ▌ s. **2** Persona que se dedica profesionalmente a la restauración de objetos artísticos y valiosos. **3** Persona que tiene un restaurante o que lo dirige.

restaurante s.m. Establecimiento público en el que se sirven comidas y bebidas que se consumen en el mismo local. ☐ ETIMOL. Del francés *restaurant.*

restaurantero, ra s. En zonas del español meridional, persona que tiene un restaurante o que lo dirige.

restaurar v. **1** Referido esp. a algo antiguo que se ha deteriorado, repararlo para que quede como estaba: *Han restaurado la capilla de la iglesia.* **2** Poner como estaba antes: *La policía restauró el orden en las calles.* **3** Referido esp. a un régimen político, volver a establecerlo: *Tras morir el dictador, restauraron la democracia.* ☐ ETIMOL. Del latín *restaurare* (reparar, renovar, restaurar).

restinga s.f. Punta o lengua de arena o piedras que entra en el mar bajo el agua a poca profundidad. ☐ ETIMOL. De origen incierto.

restitución s.f. **1** Devolución al anterior poseedor. **2** Restablecimiento o recuperación: *Al desmentirse las acusaciones, logró la restitución de su honor perdido.*

restituir v. **1** Devolver al anterior poseedor: *El dictamen de la juez restituye la casa a su antiguo propietario.* **2** Restablecer o poner en el estado anterior: *Una alimentación sana restituirá tu salud.* ☐ ETIMOL. Del latín *restituere* (reponer, restablecer). ☐ MORF. Irreg. →HUIR.

resto ▌ s.m. **1** Parte que queda de un todo: *Mañana te contaré el resto de la historia.* **2** En matemáticas, resultado de una resta: *El resto de 8 menos 2 es 6.* ☐ SINÓN. *diferencia.* **3** En matemáticas, en una división, diferencia entre el dividendo y el producto del divisor por el cociente: *Una división está bien hecha si el producto del cociente por el divisor más el resto es igual al dividendo.* **4** En tenis y otros juegos de pelota, devolución del saque del contrario. ▌ pl. **5** Residuos o sobras de comidas. **6** ‖ **echar el resto;** *col.* Hacer todo el esfuerzo posible para conseguir algo. ‖ **restos (mortales);** cadáver de una persona o parte de él.

restregadura s.f. **1** Frotamiento de una superficie con algo repetidas veces y con fuerza. ☐ SINÓN. *restregamiento, restregón.* **2** Señal que queda después de este frotamiento. ☐ SINÓN. *restregón.*

restregamiento s.m. →**restregadura.**

restregar v. Frotar repetidas veces y con fuerza: *Restriega la cazuela con el estropajo para quitar bien la grasa. El gato se restregó contra la pared para rascarse.* ☐ ETIMOL. De *re-* (intensificación, repetición) y *estregar* (frotar con fuerza). ☐ ORTOGR. Aparece una *u* después de la *g* cuando le sigue *e.* ☐ MORF. Irreg. →REGAR.

restregón s.m. →**restregadura.**

restricción s.f. **1** Reducción de algo a unos límites menores. **2** Limitación o reducción impuesta en el suministro de productos, generalmente motivada por la escasez de estos. ☐ MORF. En la acepción 2, se usa más en plural.

restrictivo, va adj. Que restringe o reduce a límites menores: *El Ayuntamiento ha dictado normas restrictivas de la velocidad.* ☐ ETIMOL. Del latín *restrictum,* y este de *restringere* (restringir).

restringir v. Ceñir o reducir a límites menores: *La sequía obligó a tomar medidas para restringir el consumo de agua. Con esa ley se restringe la libertad de expresión.* ☐ ETIMOL. Del latín *restringere.*

☐ ORTOGR. La *g* se cambia en *j* delante de *a, o* →DIRIGIR.

resucitación s.f. Procedimiento para volver a la vida a los seres vivos en estado de muerte aparente.

resucitar v. **1** Referido a una persona, volver a la vida tras haber muerto: *Creo firmemente que Jesucristo resucitó.* **2** *col.* Restablecer, renovar o dar nuevas energías: *Llegamos muertos de frío y nos tomamos una sopa caliente que nos resucitó.* ☐ ETIMOL. Del latín *resuscitare* (hacer resucitar).

resuello s.m. **1** Aliento o respiración, esp. la que es fuerte y ruidosa: *Se oía el resuello de las mulas que tiraban del carro.* **2** Fuerza o energía: *Me he quedado sin resuello subiendo las escaleras.* ☐ ETIMOL. De *resollar*.

resuelto, ta ▮ **1** part. irreg. de **resolver**. ▮ adj. **2** Decidido, audaz y valiente.

resulta || **de resultas;** por consecuencia o por efecto: *De resultas de aquella pelea, perdieron la amistad.*

resultado s.m. **1** Efecto y consecuencia de un hecho o de una operación: *Como resultado de las investigaciones, han detenido al presunto asesino.* **2** En matemáticas, solución de una operación aritmética: *Repasa la suma, porque el resultado no es correcto.* **3** Dato obtenido a partir de un proceso o una operación: *¿Cuándo estarán los resultados de los análisis?* **4** En una competición, tanteo o puntuación finales: *El resultado del partido de fútbol fue 2 a 1.* **5** Rendimiento, beneficio o utilidad: *Estos pantalones me han dado muy buen resultado.*

resultante adj.inv./s.f. Referido a una fuerza, que equivale al conjunto de otras.

resultar v. **1** Originarse o producirse como consecuencia de algo: *Y de aquella conversación resultó nuestra amistad posterior.* **2** Ser, quedar o mostrarse de la forma en que se indica: *La conferencia resultó aburridísima. Estas lluvias resultan buenas para el campo.* **3** Dar el beneficio o la utilidad esperados: *El negocio resultó y se hicieron ricos.* **4** *col.* Referido a una persona, ser atractiva físicamente: *Este chico no es muy guapo, pero resulta.* ☐ ETIMOL. Del latín *resultare* (rebotar). ☐ USO En tercera persona del singular, en la lengua coloquial puede preceder a oraciones independientes: *Ahora resulta que no quiere venir con nosotros de excursión.*

resultón, -a adj. *col.* Atractivo: *una persona resultona.*

resumen s.m. **1** Exposición breve de lo esencial de un asunto. **2** || **en resumen;** como conclusión o recapitulación: *En resumen, nuestras gestiones han fracasado.*

resumidero s.m. En zonas del español meridional, sumidero o alcantarilla.

resumir ▮ v. **1** Referido a un asunto, reducirlo a términos breves y precisos o exponer de forma breve su aspecto esencial: *Te voy a resumir la noticia en pocas palabras. Este texto puede resumirse en cuatro líneas.* ▮ prnl. **2** Referido a un asunto, terminar siendo menos de lo que se esperaba: *Afortunadamente, todo se resumió en un susto sin consecuencias.* ☐ ETIMOL. Del latín *resumere* (repasar, tomar de nuevo). ☐ ORTOGR. Dist. de *reasumir*. ☐ SINT. Constr. como pronominal: *resumir* EN *algo*.

resurgimiento s.m. Recuperación de nuevas fuerzas o nuevos ánimos.

resurgir v. **1** Recuperar las fuerzas o recobrar nuevos ánimos: *La nueva fábrica hizo resurgir la economía de la región.* **2** Volver a la vida: *Según la mitología, el ave Fénix ardía y resurgía de sus propias cenizas.* ☐ ETIMOL. Del latín *resurgere*. ☐ ORTOGR. La *g* se cambia en *j* delante de *a, o* →DIRIGIR.

resurrección s.f. **1** Vuelta a la vida de un ser muerto. **2** *col.* Restablecimiento, renovación o aportación de nueva vida: *La iniciativa de estos jóvenes ha logrado la resurrección de la artesanía local.* ☐ ETIMOL. Del latín *resurrectio*.

resurtir v. Referido a un cuerpo, retroceder tras chocar con otro: *Un cuerpo elástico resurte más que uno rígido.* ☐ ETIMOL. Del francés *ressortir*.

retablo s.m. **1** En arquitectura, obra que cubre el muro que hay detrás de un altar. **2** Colección de tallas o de figuras pintadas que representan en serie una historia o un suceso, esp. de la historia sagrada. ☐ ETIMOL. Del latín *retaulus*, y este de *retro* (detrás) y *tabula* (tabla).

retaco, ca adj./s. *col.* Referido a una persona, que es gruesa y de baja estatura.

retador, -a adj./s. Que reta o desafía.

retaguardia s.f. **1** En el ejército, parte de las fuerzas militares que se mantiene más alejada del enemigo o que avanza en último lugar. **2** En una zona ocupada por una fuerza militar, parte que está más alejada del enemigo. **3** *col.* Parte última o final de algo: *La retaguardia de un equipo de fútbol la forman los defensas.*

retahíla s.f. Serie o conjunto de elementos que están, suceden o se mencionan uno tras otro. ☐ ETIMOL. Quizá del latín *recta fila* (hileras rectas).

retail (ing.) s.f. Venta al por menor. ☐ PRON. [ritéil].

retal s.m. Trozo que sobra de una pieza mayor de tela, piel o chapa. ☐ ETIMOL. Del catalán *retall* (recorte).

retama s.f. Planta con numerosas ramas largas, delgadas y flexibles, hojas escasas y pequeñas, flores amarillas y fruto en vaina. ☐ SINÓN. *hiniesta, genista, escoba.* ☐ ETIMOL. Del árabe *ratama*.

retamal s.m. →**retamar.**

retamar (tb. *retamal*) s.m. Terreno poblado de retamas.

retar v. **1** Desafiar a un duelo, a una pelea o a competir en cualquier terreno: *El príncipe retó al caballero enmascarado. Te reto a una partida de ajedrez.* **2** En zonas del español meridional, regañar: *Tuve que retar al muchacho por su comportamiento.* ☐ ETIMOL. Del latín *reputare* (calcular, considerar, reflexionar).

retardar v. Referido a una acción, retrasarla en el tiempo: *Este problema retardará nuestra marcha. Tenemos que empezar ya, porque la inauguración* *no puede retardarse.* □ SINÓN. *demorar, atrasar.* □ ETIMOL. Del latín *retardare.*

retardatario, ria adj./s. Retrógrado o atrasado. □ USO Su uso es innecesario. □ ETIMOL. Del francés *retardataire.*

retardo s.m. **1** Demora, tardanza o retraso en la realización de algo. **2** En una cámara fotográfica, mecanismo que permite hacer una foto un tiempo después de haber pulsado el disparador: *Se ha estropeado el retardo de mi cámara.*

retazo s.m. **1** Retal o trozo de una pieza mayor, esp. de una tela. **2** Trozo o fragmento de algo: *Hablaban muy bajo y solo pude oír algunos retazos de la conversación.*

retejar v. Referido a un tejado, poner las tejas que le faltan o colocar las que estén descolocadas: *Hemos retejado esta parte del tejado porque había una gotera.* □ ORTOGR. Conserva la *j* en toda la conjugación.

retel s.m. Instrumento de pesca que consiste en un aro con una red en forma de bolsa. □ ETIMOL. Del catalán *retel.*

retemblar v. Temblar con movimientos repetidos: *La explosión hizo retemblar los cristales de las ventanas.* □ MORF. Irreg. →PENSAR.

retén s.m. **1** Conjunto de personas que permanece preparado para actuar en caso de necesidad: *En el lugar del incendio quedó un retén de bomberos por si se reproducía el fuego.* **2** En zonas del español meridional, puesto de policía: *En el camino había un retén de control.* □ ETIMOL. De *retener.*

retención s.f. **1** Detención o marcha muy lenta de muchos vehículos: *En las horas punta suele haber retenciones en las entradas a la ciudad.* **2** Descuento de una cantidad de dinero en un pago o en un cobro para algún fin, esp. para el pago de impuestos: *La retención en los sueldos permite amortizar los gastos de la seguridad social.* **3** En medicina, conservación de una materia o un líquido que el organismo debería expulsar: *La retención de orina puede originar trastornos en el riñón.* **4** Conservación en la memoria: *La retención de tantos datos ¿es útil?* **5** Hecho de obstaculizar el movimiento o el alejamiento de algo: *La rejilla permite la retención de hojas secas en la boca del desagüe.*

retener v. **1** Conservar, detener o guardar en sí: *La esponja absorbe y retiene el agua.* **2** Conservar en la memoria: *No conseguí retener su nombre.* **3** Referido a una persona, impedir su alejamiento de un lugar: *Ya nada me retiene en este pueblo.* **4** Referido al curso normal de algo, interrumpirlo o dificultarlo: *Un camión volcado retiene el tráfico en la autopista.* **5** Referido a una cantidad de dinero, descontarla de un pago o de un cobro para algún fin, esp. para el pago de impuestos: *Todos los meses me retienen una cantidad para el pago del impuesto sobre la renta.* **6** Referido esp. a un sentimiento o a un deseo, reprimirlo o contenerlo: *Tuve que retener las ganas de llorar. Porque me retengo, que si no, le diría cuatro cosas.* □ ETIMOL. Del latín *retinere.* □ MORF. Irreg. →TENER.

retentiva s.f. Memoria o capacidad para recordar.

reticencia s.f. **1** Reserva, recelo o falta de confianza: *No entiendo vuestras reticencias ante mi plan, con lo bueno que es.* **2** Declaración parcial de algo o encubrimiento manifiesto y malicioso de lo que debiera o pudiera decirse: *Prefiero que me critiques abiertamente a que andes con reticencias.* **3** Figura retórica que consiste en dejar incompleta una frase, dando a entender, sin embargo, su sentido: *La reticencia es una figura de supresión.* □ ETIMOL. Del latín *reticentia*, y este de *reticere* (callar).

reticente adj.inv. Reservado, receloso o desconfiado. □ SEM. Dist. de *reacio* (contrario a realizar algo).

rético, ca ▌adj. **1** De la Retia (antigua región europea en la zona central alpina) o relacionado con ella: *El imperio romano conquistó la región rética.* ▌s.m. **2** Lengua románica de Suiza (país europeo): *El rético se habla actualmente en la zona que correspondió a la antigua Retia.* □ SINÓN. *ladino, retorromano.*

retícula s.f. **1** En algunos instrumentos ópticos, conjunto de hilos o de líneas cruzados que se coloca generalmente en el foco y que permite ajustar la visión o calcular distancias y medidas: *Las cámaras que se utilizan para hacer fotografía arquitectónica tienen una retícula en el visor.* **2** En algunos tipos de fotograbado, red de puntos que reproduce las sombras y los claros de la imagen mediante la mayor o menor intensidad de dichos puntos: *Se utilizó una retícula para reproducir este cuadro de Goya.* **3** En topografía, placa de cristal dividida en pequeños cuadrados que se usa para determinar el área de una figura: *Los cuadrados de la retícula suelen tener 1 milímetro de lado.*

reticular adj.inv. Con forma de red.

retículo s.m. **1** En un rumiante, segunda de las cuatro cavidades en que se divide su estómago. □ SINÓN. *redecilla.* **2** En biología, tejido en forma de red, esp. el formado por fibras vegetales. **3** ‖ **retículo endoplasmático;** en una célula, conjunto de conductos y espacios membranosos donde se realizan las funciones de síntesis y transporte de sustancias. □ ETIMOL. Del latín *reticulum*, y este de *rete* (red).

retina s.f. En el ojo, membrana interna constituida por varias capas de células en la que se reciben las impresiones luminosas y de la cual parten las fibras que forman el nervio óptico. □ ETIMOL. Del latín *retina*, y este de *rete* (red), porque el tejido de fibras que constituye la retina tiene forma de red.

retiniano, na adj. De la retina o relacionado con esta membrana interna del ojo.

retinitis (pl. *retinitis*) s.f. Enfermedad ocular que puede degenerar en ceguera: *Algunos tipos de retinitis son hereditarios.*

retinoblastoma s.m. Tumor maligno que se desarrolla en la retina.

retinografía s.f. En medicina, fotografía de la retina.

retinol s.m. Vitamina cuya carencia puede producir xeroftalmia y ceguera nocturna y que se encuentra principalmente en el pescado: *El retinol es la vitamina A.*

retinopatía s.f. Enfermedad que afecta a la retina. ☐ ETIMOL. De *retina* y *-patía* (enfermedad).

retintín s.m. *col.* Tono y modo de hablar irónicos o maliciosos: *A mí no me contestes con retintín y dime claramente lo que piensas.*

retinto, ta adj. Referido esp. a una res vacuna, que tiene un color castaño muy oscuro.

retirada s.f. Véase **retirado, da.**

retirado, da ▮ adj. **1** Muy alejado o apartado de un lugar: *Vive en las afueras, en una calle muy retirada.* ▮ adj./s. **2** Referido a una persona, que ha dejado de trabajar o de prestar servicio, aunque sigue conservando algunos derechos, esp. el de cobrar una pensión: *Su pensión de retirado apenas le da para vivir.* ▮ s.f. **3** Separación o alejamiento de algo o de un lugar: *Tras la lesión, el árbitro permitió la retirada del jugador del terreno de juego.* **4** Eliminación de algo que estaba en un lugar: *La retirada de las basuras en este barrio se realiza por las mañanas.* **5** Abandono de una actividad: *El torero anunció su retirada de los ruedos.* **6** Movimiento de retroceso del ejército abandonando el campo de batalla, esp. si se hace de forma ordenada: *Al no poder hacer frente al ataque del enemigo, el general ordenó la retirada.* **7** ‖ **batirse en retirada;** abandonar un combate o un enfrentamiento por no tener posibilidades de salir airoso de ellos.

retirar ▮ v. **1** Apartar o separar de algo o de un lugar: *Retira las sillas de la pared. Retírate de la lumbre, que te van a saltar chispas.* **2** Referido a algo que está en un sitio, llevárselo o hacerlo desaparecer: *Retira esa foto de mi vista.* **3** Referido a una persona, hacer que abandone una actividad o deje de realizarla: *Una lesión lo retiró del atletismo. El agotamiento me obligó a retirarme de la carrera.* **4** Referido a lo que se ha dicho, afirmar públicamente que ya no se mantiene: *La mujer retiró la denuncia por malos tratos.* **5** Negar o dejar de dar: *Me retiró el saludo a raíz de una tonta discusión.* ▮ prnl. **6** Apartarse o separarse del trato, de la comunicación o de la amistad con los demás: *El ermitaño se retiró a la montaña para hacer penitencia.* **7** Irse a un lugar, generalmente a la propia casa, para descansar o dormir: *Cenó, charló un rato con la familia y se retiró a su habitación.* **8** Abandonar una actividad: *Cuando me retire, viajaré más que ahora.* ☐ ETIMOL. De *re-* (repetición) y *tirar.*

retiro s.m. **1** Alejamiento temporal de las ocupaciones ordinarias: *Este fin de semana tenemos retiro espiritual.* **2** Lugar apartado del bullicio de la gente: *La escritora permaneció en su retiro hasta que terminó la novela.* **3** Abandono de una actividad, esp. si es profesional: *En la mayoría de las profesiones, el retiro es obligatorio a la edad de sesenta y cinco años.* **4** Situación de la persona que ha dejado de trabajar o de prestar servicio activo pero conserva algunos derechos, esp. el de cobrar una pensión: *Aprovechó su retiro para hacer los viajes que no pudo realizar en su época activa.* **5** Sueldo o pensión que recibe esta persona: *Vive del retiro que le quedó como profesor.*

reto s.m. **1** Desafío o provocación al duelo, a la pelea o a la competición en cualquier terreno: *El campeón aceptó el reto del boxeador y disputarán un nuevo combate.* **2** Objetivo o empeño difíciles de realizar y que constituyen un estímulo para quien los afronta: *Acepté su propuesta porque es un reto saber si seré capaz de hacer lo que me pide.*

retocado s.m. Aplicación de los últimos toques para el perfeccionamiento, restauración o reparación de algo.

retocar v. Referido a una obra acabada, darle los últimos toques o hacerle las últimas correcciones o añadidos para perfeccionarla, repararla o terminarla definitivamente: *Voy a retocarme el peinado porque el viento me lo ha revuelto.* ☐ ETIMOL. De *re-* (intensificación) y *tocar.* ☐ ORTOGR. La *c* se cambia en *qu* delante de *e* →SACAR.

retomar v. **1** Referido a algo que se había interrumpido, continuarlo o reanudarlo: *Retomaremos la lección en el punto en el que la dejamos ayer.* **2** Volver a tomar: *El ejército retomó la ciudad cuando volvieron a estallar los disturbios.*

retoñar v. Referido a una planta, volver a echar brotes o ramas: *Los rosales retoñan en primavera.* ☐ ETIMOL. De *re-* (repetición) y *otoñar* (volver a brotar la hierba en otoño).

retoño s.m. **1** Brote o tallo nuevos de una planta. **2** *col.* Hijo de una persona, esp. el de corta edad.

retoque s.m. Pequeño arreglo o cambio que se hace en una obra para terminarla, perfeccionarla o eliminar faltas y desperfectos.

retor s.m. Tela de algodón fuerte y basta en la que los hilos están muy retorcidos. ☐ ETIMOL. Del francés *retors* (retorcido).

retorcer ▮ v. **1** Torcer dando vueltas alrededor de sí mismo: *Retuerce el paño de cocina para escurrirlo.* ▮ prnl. **2** Hacer movimientos o contorsiones, esp. de dolor o de risa: *Cuando lo ingresaron en el hospital, se retorcía de dolor.* ☐ ETIMOL. Del latín *retorquere.* ☐ ORTOGR. La *c* se cambia en *z* delante de *a, o.* ☐ MORF. Irreg. →COCER.

retorcido, da adj. **1** Referido esp. a una persona, que tiene malas intenciones o que las muestra. **2** Referido esp. al lenguaje, que resulta confuso o de difícil comprensión.

retorcimiento s.m. **1** Torcimiento de algo, dándole vueltas: *Para escurrir las prendas delicadas, evita el retorcimiento.* **2** Contorsión o movimiento brusco causado por un dolor o por la risa.

retórica s.f. Véase **retórico, ca.**

retórico, ca ▮ adj. **1** De la retórica o relacionado con este arte: *El hipérbaton es una figura retórica.* **2** Referido al lenguaje o a la forma de expresarse, que resultan rebuscados o excesivamente afectados: *Su discurso fue demasiado retórico y la gente se aburrió.* ▮ s.f. **3** Arte de hablar y escribir bien y de emplear el lenguaje de manera eficaz para deleitar, persuadir o conmover. **4** Forma de hablar o de escribir afectadas o rebuscadas: *En sus textos hay demasiada retórica y poco contenido.* □ ETIMOL. Las acepciones 1 y 2, del latín *rhetoricus*. Las acepciones 3 y 4, del latín *rhetorica*.

retornable adj.inv. Referido a un envase, que puede volver a ser utilizado.

retornar v. Volver a un lugar o a una situación anteriores: *Retornó a su patria tras vivir varios años en el exilio. La alegría retornó al hogar cuando volviste.* □ ETIMOL. De *re-* (repetición) y *tornar*.

retorno s.m. **1** Vuelta a un lugar o a una situación anteriores. **2** En economía, descuento que hace una empresa a sus compradores regulares o a aquellos que realizan un gran volumen de compras. □ USO En la acepción 2, es innecesario el uso del galicismo *rappel*.

retorromano s.m. Lengua románica de Suiza (país europeo): *El retorromano está formado por un conjunto de dialectos neolatinos.* □ SINÓN. *ladino, rético*.

retorta s.f. Vasija de cristal que tiene el cuello estrecho y doblado en ángulo, y que se usa en el laboratorio. □ ETIMOL. Del latín *retorta* (retorcida).

retortero || **al retortero; 1** Referido a una persona, llevarla de un lado a otro. **2** *col.* Revuelto o en total desorden. □ ETIMOL. Del latín **retortorium*.

retortijón s.m. *col.* Dolor breve e intenso en el estómago o en el abdomen.

retostado, da adj. De color oscuro, como el de algo muy tostado.

retostar v. Tostar en exceso: *Si no retiras el asado del horno lo vas a retostar y va a quedar seco.* □ MORF. Irreg. →CONTAR.

retozar v. **1** Saltar y brincar o jugar alegremente: *Los niños retozaban en el césped.* **2** Practicar juegos amorosos: *La pareja retozaba en un banco del jardín.* □ ETIMOL. Quizá del antiguo *tozo* (burla). □ ORTOGR. La *z* se cambia en *c* delante de *e* →CAZAR.

retozo s.m. **1** Jugueteo con saltos y brincos. **2** Práctica de juegos amorosos.

retozón, -a adj. Que retoza con frecuencia o que siente inclinación a ello.

retracción s.f. Reducción persistente de volumen en algunos tejidos orgánicos. □ ETIMOL. Del latín *retractio*. □ ORTOGR. Dist. de *retractación*.

retractación s.f. Declaración que cambia o que modifica lo que antes se había dicho o prometido. □ ORTOGR. Dist. de *retracción*.

retractarse v.prnl. Referido a algo que se ha dicho, desdecirse de ello: *Exijo que te retractes de tus declaraciones porque son injurias.* □ ETIMOL. Del latín *retractare* (retocar, revisar, rectificar). □ SINT. Constr. *retractarse* DE *algo*.

retráctil ▮ adj.inv. **1** Que puede retraerse doblándose o retirándose: *La uñas de algunos félidos son retráctiles.* ▮ s.m. **2** Envase hermético de plástico: *En el supermercado venden un retráctil con tres cartones de leche.* □ ETIMOL. Del latín *retractum*, y este de *rethaere* (llevar hacia atrás).

retractilar v. Referido a un producto, envolverlo con una película transparente que se ajusta a su forma: *Esta empresa se dedica a retractilar y empaquetar todo tipo de mercancías.*

retraer ▮ v. **1** Referido esp. a una parte del cuerpo, esconderla u ocultarla doblándola o retirándola: *El caracol puede retraer sus cuernos.* **2** Apartar o disuadir de un intento o de un propósito: *Quería estudiar esa carrera, pero sus palabras me retrajeron. Cuando me hablaron de lo peligroso del viaje, me retraje y no fui.* ▮ prnl. **3** Referido a una persona, retirarse, esconderse o guarecerse del trato con la gente, esp. por timidez: *Es tan vergonzoso que se retrae delante de gente desconocida.* □ ETIMOL. Del latín *retrahere*. □ MORF. Irreg. →TRAER.

retraído, da adj./s. Referido a una persona, que es tímida o reservada, y se retira del trato con la gente.

retraimiento s.m. Apartamiento o alejamiento del trato o de la comunicación con la gente, esp. por timidez.

retranca s.f. Intención disimulada, oculta o velada: *No me fío de sus alabanzas porque las dice con retranca.* □ ETIMOL. De *redro-* (detrás) y *tranca*.

retransmisión s.f. Transmisión o difusión desde una emisora de radio o de televisión de algo que ha sido transmitido a ella desde otro lugar.

retransmitir v. Referido esp. a un espectáculo, a un programa o a una noticia, difundirlos desde la emisora de radio o de televisión que ha recibido la transmisión: *Retransmitieron en directo desde Barcelona la entrega de premios.*

retrasado, da ▮ adj. **1** Referido a una persona, a una planta o a un animal, que no han llegado al desarrollo normal de su edad. ▮ adj./s. **2** Referido a una persona, que no tiene el desarrollo mental normal.

retrasar ▮ v. **1** Referido a un reloj, correr hacia atrás sus agujas: *Si llevas el reloj adelantado, tendrás que retrasarlo.* □ SINÓN. *atrasar*. **2** Referido a una acción, demorarla o dejar para más adelante su ejecución: *Retrasaron la comida para que me diera tiempo a llegar. Procura no retrasarte en los pagos.* **3** Referido esp. a un movimiento o a un desarrollo, hacerlo más lento de lo normal: *Un accidente en la carretera está retrasando el tráfico.* ▮ prnl. **4** Llegar tarde: *El tren se retrasó y me estuvieron esperando en la estación casi dos horas.* □ SINÓN. *atrasar*. □ ETIMOL. De *re-* (intensificación) y *tras* (detrás de).

retraso s.m. **1** Llegada a un lugar más tarde de lo previsto. **2** Demora o atraso en la ejecución de una acción. **3** Desarrollo inferior al normal: *Este niño tiene un retraso de dos años respecto a sus compañeros.*

retratar v. **1** Referido a una imagen, copiarla, dibujarla o fotografiarla: *La pintora retrató a su hijo con increíble realismo. Nos retrató a toda la familia en su estudio fotográfico.* **2** Describir con más o menos fidelidad: *Hay escritores realistas que retratan la vida de su tiempo mejor que una fotografía.* □ ETIMOL. Del italiano *ritrattare*.

retratista s.com. Persona que hace retratos.

retrato s.m. **1** Pintura o imagen que representan a una persona o a un animal. **2** Descripción de las cualidades de una persona: *Me hizo un retrato de su amiga, pero no pensé que fuera tan guapa.* **3** Lo que se asemeja o se parece mucho a algo: *Este niño es el vivo retrato de su madre.* **4** || **retrato robot;** 1 Dibujo con los rasgos físicos de una persona a partir de datos ofrecidos por otra: *Gracias a las declaraciones de los testigos, la policía pudo hacer el retrato robot del sospechoso del robo.* 2 Conjunto de los rasgos o de las características de una persona que se consideran ideales: *Sabía que te dedicabas a este negocio porque encajas perfectamente con el retrato robot de un buen vendedor.*

retrechero, ra adj. **1** *col.* Referido a una persona, que trata de eludir sus responsabilidades con artimañas. **2** *col.* Que tiene mucho atractivo.

retreparse v.prnl. **1** Inclinar hacia atrás la parte superior del cuerpo. **2** Recostarse en una silla de manera que se incline hacia atrás.

retreta s.f. Toque militar que se usa generalmente para avisar a la tropa por la noche para que se recoja en el cuartel. ☐ ETIMOL. Del francés *retraite* (retirada).

retrete s.m. **1** Recipiente conectado con una tubería y provisto de una cisterna con agua que sirve para evacuar los excrementos. ☐ SINÓN. *inodoro, váter.* **2** Cuarto con este recipiente y otras instalaciones o aparatos que sirven para la higiene y el aseo personal. ☐ ETIMOL. Del provenzal o catalán *retret* (retraído).

retribución s.f. Pago o recompensa por un servicio o por un trabajo. ☐ SINÓN. *remuneración.*

retribuir v. Referido esp. a un servicio o a un trabajo, recompensarlos o pagar dinero por ellos: *Te devolveré lo que me prestaste cuando me retribuyan el trabajo que acabo de entregar.* ☐ SINÓN. *remunerar.* ☐ ETIMOL. Del latín *retribuere.* ☐ MORF. Irreg. →HUIR.

retributivo, va adj. Que sirve para retribuir un trabajo o un servicio realizados.

retro adj.inv. Anticuado, de un tiempo pasado, que lo imita o que lo evoca: *moda retro; música retro.*

retro- Elemento compositivo prefijo que significa 'hacia atrás': *retrotraer, retropropulsión, retrocarga, retrocuenta.* ☐ ETIMOL. Del latín *retro.*

retroacción s.f. Conjunto de medidas utilizadas para mantener la eficacia de un proceso revisando continuamente los elementos y los resultados e introduciendo las modificaciones que sean necesarias: *La continua retroacción de los clientes permite a la empresa adaptar sus productos a la demanda del mercado.* ☐ SINÓN. *retroalimentación, realimentación.* ☐ USO Es innecesario el uso del anglicismo *feedback.*

retroactividad s.f. Producción de efectos en algo ya pasado.

retroactivo, va adj. Que actúa o tiene fuerza sobre lo pasado. ☐ ETIMOL. Del latín *retroactum*, y este de *retroagere* (hacer retroceder).

retroalimentación s.f. →**retroacción.**

retroalimentar v. Impulsar o potenciar un proceso con elementos antiguos o ya utilizados: *Vamos a retroalimentar esta campaña publicitaria con ideas de un viejo anuncio que hicimos hace un año.*

retrocarga || **de retrocarga;** referido a un arma de fuego, que se carga por la parte posterior de su mecanismo.

retroceder v. **1** Volver o ir hacia atrás: *Se me cayó la bufanda y tuve que retroceder para recogerla.* **2** Detenerse ante un peligro o ante un obstáculo: *Es emprendedora y no retrocede ante ningún problema.* ☐ ETIMOL. Del latín *retrocedere.*

retroceso s.m. **1** Vuelta hacia atrás: *Ha habido un retroceso en las negociaciones de paz debido al aumento de las hostilidades.* **2** Empuje brusco hacia atrás que produce un arma de fuego al ser disparada.

retrocuenta s.f. Enumeración de números de mayor a menor. ☐ ETIMOL. De *retro-* (hacia atrás) y *cuenta.*

retrógrado, da adj./s. *desp.* Partidario de instituciones políticas o sociales propias de tiempos pasados. ☐ ETIMOL. Del latín *retrogradus.*

retrogusto s.m. Conjunto de sensaciones que deja el vino después de saborearlo.

retronar v. Hacer un gran ruido o producir un estruendo retumbante: *Cuando empezó a gritar su voz retronaba en toda la sala.* ☐ ETIMOL. Del latín *retonare.* ☐ MORF. Irreg. →CONTAR.

retropropulsión s.f. Sistema de propulsión o empuje hacia adelante de un móvil en el que la fuerza que causa el movimiento se produce por reacción a la expulsión hacia atrás de un chorro, generalmente de gas, lanzado por el propio móvil.

retrospección s.f. Mirada, observación o examen del pasado.

retrospectiva s.f. Véase **retrospectivo, va.**

retrospectivo, va ▌adj. **1** Que se refiere al pasado: *una imagen retrospectiva.* ▌s.f. **2** Exposición de obras de arte en la que se muestra toda la trayectoria de un artista, una escuela o una época. ☐ ETIMOL. Del latín *retrospicere* (mirar hacia atrás).

retrotraer v. Retroceder o volver a un tiempo pasado para tomarlo como referencia o punto de partida: *La testigo retrotrajo su pensamiento a la noche del crimen para contar lo que vio. Para contar la historia de cuando vivía en el pueblo se retrotrajo a los tiempos de su juventud.* ☐ ETIMOL. Del latín *retro trahere* (echar hacia atrás). ☐ MORF. Irreg. →TRAER.

retrovirólogo, ga s. Persona especializada en el estudio de los retrovirus.

retrovirus (pl. *retrovirus*) s.m. Virus que contiene una molécula de ARN (ácido ribonucleico) y origina un ADN (ácido desoxirribonucleico) que incorpora a la célula huésped: *Los virus de la leucemia y del sida son retrovirus.*

retrovisor s.m. →**espejo retrovisor.** ☐ ETIMOL. De *retro-* (hacia atrás) y *visor.*

retruécano s.m. Figura retórica consistente en contraponer dos frases con las mismas palabras, pero con un orden invertido o diferente, de forma que sus sentidos contrasten o se opongan: *La expresión 'Más vale honra sin barcos que barcos sin honra' es un retruécano.* □ ETIMOL. De origen incierto.

retumbante adj.inv. Que retumba.

retumbar v. **1** Resonar mucho o hacer un ruido muy grande: *Sus fuertes pisadas retumbaban en el pasillo.* **2** Temblar o producir ruido al recibir las vibraciones de un sonido: *Cuando los aviones pasan por encima de nuestra casa, el suelo comienza a retumbar.* □ ETIMOL. De origen onomatopéyico.

retumbo s.m. **1** Resonancia fuerte o ruido grande. **2** Temblor o vibración que produce un ruido estruendoso.

reúma (tb. *reuma*) s.amb. →**reumatismo.** □ ETIMOL. Del latín *rheuma,* y este del griego *rhêuma* (flujo, catarro). □ MORF. Se usa más en masculino.

reumático, ca ▮ adj. **1** Del reumatismo o relacionado con esta enfermedad. ▮ adj./s. **2** Que padece reumatismo.

reumatismo s.m. Enfermedad que se caracteriza principalmente por dolores en las articulaciones o en las partes musculares o fibrosas del cuerpo o por inflamaciones dolorosas en estas partes. □ SINÓN. *reuma, reúma.*

reumatología s.f. Parte de la medicina que estudia las enfermedades reumáticas y su tratamiento. □ ETIMOL. Del griego *rhêuma* (flujo) y *-logía* (estudio).

reumatólogo, ga s. Médico especializado en las enfermedades reumáticas.

reunificación s.f. Unión de las partes de algo que estaba unido y se separó.

reunificar v. Unir las partes de algo que estaba unido y se separó. □ ORTOGR. La *c* se cambia en *qu* delante de *e* →SACAR.

reunión s.f. **1** Formación de un grupo o de un conjunto, esp. si es con un fin determinado: *La primera fase de mi investigación será la reunión de datos.* **2** Sesión en la que varias personas se juntan para tratar un determinado asunto. **3** Personas que asisten a esta sesión.

reunir v. Juntar, congregar, amontonar o agrupar, esp. si es con un fin determinado: *Este candidato reúne los requisitos que pedíamos para ocupar el puesto. Los directivos de la compañía se reunieron para buscar una solución.* □ ORTOGR. La *u* lleva tilde en los presentes, excepto en las personas *nosotros* y *vosotros* →REUNIR.

reutilizable adj.inv. Que se puede volver a utilizar.

reutilización s.f. Nueva utilización de algo, haya sido o no modificado.

reutilizar v. Volver a utilizar: *Siempre me repites que la clave de la ecología es reducir, reciclar y reutilizar.* □ ORTOGR. La *z* se cambia en *c* delante de *e* →CAZAR.

reválida s.f. Examen que se hacía al acabar algunos estudios.

revalidación s.f. Ratificación, confirmación o nueva validez de algo.

revalidar v. Ratificar, confirmar o dar nueva validez: *Revalidó el título de campeón del mundo, obtenido el pasado año.*

revalorización s.f. **1** Aumento del valor de algo. □ SINÓN. *valoración.* **2** Recuperación del valor o la estimación perdidos.

revalorizar v. **1** Aumentar el valor: *La especulación ha revalorizado la vivienda en esta zona. El suelo se ha revalorizado por la construcción del centro comercial.* □ SINÓN. *valorar.* **2** Devolver el valor o la estimación perdidos: *Los nuevos estudios críticos han revalorizado la obra de este poeta.* □ ORTOGR. La *z* se cambia en *c* delante de *e* →CAZAR.

revaluación s.f. Elevación del valor de algo, esp. el de una unidad monetaria.

revaluar v. Referido esp. a una unidad monetaria, elevar su valor: *La ministra afirmó que por el momento no se revaluará la moneda del país.* □ ETIMOL. De *re-* (repetición) y *evaluar.* □ ORTOGR. La *u* lleva tilde en los presentes, excepto en las personas *nosotros* y *vosotros* →ACTUAR.

revancha s.f. **1** Venganza de un daño o de un disgusto recibidos. **2** Oportunidad que se ofrece a alguien de derrotar al mismo rival que previamente ha vencido: *¿Me das la revancha al parchís?* □ ETIMOL. Del francés *revanche.*

revanchismo s.m. Actitud de quien mantiene un espíritu de revancha o venganza.

revanchista ▮ adj.inv. **1** Del revanchismo o relacionado con esta actitud. ▮ adj.inv./s.com. **2** Referido a un persona, que es partidaria del revanchismo.

revascularización s.f. Operación quirúrgica que consiste en hacer que un tejido vuelva a tener el riego sanguíneo que había perdido.

revascularizar v. Referido a una zona o a un tejido, hacer que vuelva a tener el riego sanguíneo que había perdido: *La cirujana que revascularizó el brazo dijo que la operación había sido un éxito.* □ ORTOGR. La *z* se cambia en *c* delante de *e* →CAZAR.

revelación s.f. **1** Descubrimiento o manifestación de algo ignorado o secreto. **2** Manifestación que hace Dios de sí mismo y de su plan de salvación.

revelado s.m. Conjunto de operaciones necesarias para revelar una película fotográfica.

revelador, -a ▮ adj./s. **1** Que revela o descubre. ▮ s.m. **2** Producto que se utiliza para revelar una película fotográfica.

revelar ▮ v. **1** Referido a algo ignorado o secreto, descubrirlo o manifestarlo: *Me reveló su deseo más oculto. Jugamos un partido y se reveló como una gran jugadora de tenis.* **2** Proporcionar indicios, certidumbres o evidencias: *Su rostro demacrado y ojeroso revela cansancio.* **3** Referido esp. a una película fotográfica, hacer visible la imagen impresa en ella: *¿Has revelado ya el carrete de las vacaciones?* ▮ prnl. **4** Referido a Dios, manifestarse y dar a conocer su plan de salvación: *Dios se ha revelado a las personas por medio de Jesucristo.* □ ETIMOL. Del latín *revelare* (quitar el velo, revelar). □ ORTOGR. Dist. de *rebelarse* y de *relevar*.

revendedor, -a adj./s. →**reventa.**

revender v. Referido a algo que se ha comprado, volver a venderlo, generalmente por más precio: *Cerca del estadio, revendían entradas para la final por el doble de su precio de taquilla.* □ ETIMOL. Del latín *revendere*.

revenirse v.prnl. Referido esp. a los alimentos crujientes, ponerse blandos y correosos con el calor y la humedad: *No comas los churros que sobraron de ayer porque se han revenido.* □ ETIMOL. Del latín *revenire*. □ MORF. Irreg. →VENIR.

reventa ▌s.com. **1** Referido a una persona, que hace reventa, generalmente por más precio. □ SINÓN. *revendedor*. ▌s.f. **2** Venta de algo que se ha comprado, esp. de las entradas de un espectáculo, y generalmente por un precio superior al pagado.

reventar v. **1** Referido a algo cerrado, abrirse bruscamente por no poder soportar la presión interior o como consecuencia de una fuerte presión exterior: *Las cañerías reventaron porque, con tanto frío, se había congelado el agua. Se reventó la bolsa al caer al suelo.* **2** *col.* Tener ansia o un fuerte deseo de algo: *Revienta por enterarse de lo que te dije cuando te llamé.* **3** *col.* Referido esp. a un sentimiento, sentirlo y manifestarlo muy intensamente: *Cada vez que veo un niño hambriento, reviento de rabia.* **4** *col.* Referido a una acción, realizarla con ganas o violentamente: *Contó un chiste tan gracioso que reventábamos de risa. Me reviento a estudiar para sacar las mejores notas.* **5** *col.* Morir: *Me tratas mal, pero el día que reviente me echarás de menos.* **6** *col.* Molestar, fastidiar o enfadar: *Me revienta que fume en la habitación del bebé.* **7** *col.* Referido esp. a un espectáculo, hacerlo fracasar mostrando desagrado de forma ruidosa: *Varios espectadores reventaron el estreno silbando y pateando nada más subirse el telón.* **8** Cansar muchísimo o dejar exhausto: *El jinete galopó hasta quedar reventado.* **9** Estar muy lleno o tener en gran cantidad: *El árbol revienta de manzanas. Cuando nos vamos toda la familia de viaje, llenamos el coche hasta reventar.* □ ETIMOL. De origen incierto. □ MORF. Irreg. →PENSAR.

reventón, -a ▌adj. **1** Que revienta o que parece que va a reventar: *ojos reventones.* ▌s.m. **2** Abertura brusca y violenta de algo cerrado: *el reventón de una rueda.*

reverberación s.f. **1** Reflejo de la luz en una superficie brillante. **2** Permanencia de un sonido en un espacio más o menos cerrado después de haber cesado la fuente sonora.

reverberar v. **1** Referido esp. a la luz, reflejarse en una superficie brillante: *Los rayos del sol reverberan en el agua.* **2** Referido al sonido, rebotar en una superficie que no lo absorba: *El eco se produce al reverberar el sonido contra una pared.* **3** Referido a una superficie o a un objeto, brillar mucho al recibir la luz: *La carrocería de los coches reverberaba bajo el sol.* □ ETIMOL. Del latín *reverberare* (rebotar, reflejar los rayos).

reverdecer v. **1** Empezar a ponerse verde o volver a hacerlo: *La lluvia hizo reverdecer el campo.* **2** Renovarse o tomar nuevas fuerzas: *Sus deseos de volver a pintar reverdecen cada vez que acude a una exposición.* □ MORF. Irreg. →PARECER.

reverencia s.f. **1** Movimiento que se hace con el cuerpo en señal de respeto o de cortesía. **2** Respeto grande que se tiene a algo. □ ETIMOL. Del latín *reverentia*, y este de *revereri* (reverenciar).

reverencial adj.inv. Que tiene o que manifiesta reverencia o respeto.

reverenciar v. Referido a algo que se estima, sentir o mostrar reverencia o respeto hacia ello: *Debemos reverenciar la memoria de nuestros antepasados.* □ ORTOGR. La *i* nunca lleva tilde.

reverencioso, sa adj. Que hace muchas reverencias o muestras de respeto.

reverendísimo, ma adj. Tratamiento honorífico que se da a las altas dignidades eclesiásticas, esp. a los cardenales y arzobispos.

reverendo, da adj./s. Tratamiento que se da a los sacerdotes y religiosos. □ ETIMOL. Del latín *reverendus*.

reverente adj.inv. Que muestra reverencia o respeto.

reversa s.f. En zonas del español meridional, marcha atrás de un vehículo.

reverse (ing.) s.m. Tecla o mecanismo que permiten reproducir lo que está grabado en una cinta en la cara contraria a la que se estaba reproduciendo. □ PRON. [rivérs], aunque está muy extendida [revérse].

reversibilidad s.f. Capacidad de volver al estado o a la situación anterior.

reversible adj.inv. **1** Que puede volver a su estado o a su condición anteriores: *una decisión reversible.* **2** Referido a una prenda de vestir, que puede usarse tanto del derecho como del revés: *una gabardina reversible.*

reversión s.f. Vuelta al estado o a la situación anterior. □ ETIMOL. Del latín *reversio*.

reverso s.m. **1** En una moneda o en una medalla, lado o superficie opuestos al anverso o cara principal. **2** Revés o parte opuesta al frente: *En el reverso del sobre se escribe el remite.* □ ETIMOL. Del latín *reversus* (vuelto).

reverter v. Rebosar o salir de un límite o de un término: *Has llenado demasiado el depósito y ahora revierte por los lados.* □ ETIMOL. Del latín *revertere*. □ ORTOGR. Dist. de *revertir*. □ MORF. Irreg. →PERDER.

revertir v. **1** Referido a una cosa, transformarse o ir a parar en otra: *El arreglo del piso revertirá en nuestra comodidad.* **2** Volver al anterior dueño o pasar a uno nuevo: *Los edificios que el Estado había expropiado revertirán a sus anteriores dueños.* □ ETIMOL. Del latín *reverti* (volverse). □ ORTOGR. Dist. de *reverter*. □ MORF. Irreg. →SENTIR.

revés s.m. **1** En un objeto, parte opuesta a la que se considera principal: *Te has puesto el jersey del revés y se ven las costuras.* **2** Golpe dado con la mano vuelta: *Le dio un revés y le dejó la cara señalada.* **3** Desgracia o contratiempo: *Tuvimos algún que otro revés, pero los superamos.* **4** En tenis y otros juegos similares, golpe dado a la pelota cuando viene por el lado contrario a la mano que empuña la raqueta. **5** || **al revés;** al contrario o invirtiendo el orden normal: *¿Vamos a mi casa y después al cine o lo hacemos al revés?* □ ETIMOL. Del latín *reversus* (vuelto del revés).

revestimiento s.m. **1** Colocación de una capa o de una cubierta para proteger u ocultar algo. **2** Capa o cubierta que sirven para este fin: *un revestimiento aislante.*

revestir ▌v. **1** Cubrir con una cubierta para proteger u ocultar: *Han revestido el tubo con acero para que dure más.* **2** Referido esp. a una característica, tenerla o presentarla: *La herida no reviste importancia.* **3** Referido al lenguaje o a un escrito, acompañarlos de adornos retóricos o de ideas complementarias: *Revistió su exposición de tecnicismos innecesarios.* ▌prnl. **4** Disponerse con lo necesario para algo: *Me revestí de valor y salí a defenderlos.* □ ETIMOL. Del latín *revestire.* □ MORF. Irreg. →PEDIR.

reviejo, ja ▌adj. **1** Muy viejo. ▌s.m. **2** En un árbol, rama reseca o vieja.

revindicar v. Referido a una persona injuriada, defenderla: *El articulista señaló que el propósito de su artículo había sido revindicar la figura de la ministra procesada.* □ ORTOGR. La *c* se cambia en *qu* delante de *e* →SACAR. □ SEM. Dist. de *reivindicar* (reclamar, exigir).

revisación || **revisación (médica);** en zonas del español meridional, revisión médica o chequeo.

revisar v. **1** Ver con atención o con cuidado: *Revisó el paquete para ver si estaba todo el pedido.* **2** Referido a algo que ha sido examinado, someterlo a un nuevo examen para repararlo o para corregirlo: *Pidieron a la juez que revisara la sentencia.* □ ETIMOL. Del latín *revisare.*

revisión s.f. **1** Examen atento o cuidadoso de algo: *una revisión médica.* **2** Sometimiento a un nuevo examen para reparar o para corregir algo: *la revisión de un examen.*

revisionismo s.m. Tendencia a someter a revisión lo ya establecido, con la intención de actualizarlo.

revisionista ▌adj.inv. **1** Del revisionismo o relacionado con esta tendencia. ▌adj.inv./s.com. **2** Que sigue o que defiende el revisionismo.

revisor, -a ▌adj. **1** Que revisa o comprueba algo. ▌s. **2** Persona que se dedica profesionalmente a revisar o a comprobar algo.

revista s.f. **1** Publicación periódica que contiene escritos sobre varias materias o sobre una sola. **2** Espectáculo teatral en el que alternan números musicales con números dialogados. **3** || **pasar revista;** inspeccionar o revisar algo. □ ETIMOL. Traducción del francés *revue.*

revistar v. Referido a la tropa, pasarle revista una autoridad: *El presidente revistó las tropas que le rendían honores.*

revisteril adj.inv. *col.* De la revista teatral, o relacionado con ella.

revistero s.m. Mueble o lugar destinado a la colocación de las revistas y de los periódicos.

revitalización s.f. Suministro de más fuerza o de más vitalidad.

revitalizar v. Dar más fuerza o más vitalidad: *Estas vitaminas te revitalizarán el pelo. Con el descenso del precio de los hoteles se revitalizará el turismo.* □ ORTOGR. La *z* se cambia en *c* delante de *e* →CAZAR.

revival (ing.) s.m. Resurgimiento, recuperación o revalorización de estilos de vida y de modas pasados. □ PRON. [riváival]. □ USO Su uso es innecesario.

revivir v. **1** Resucitar o volver a la vida: *En esta película de terror, los cadáveres que habían sido afectados por radiaciones nucleares revivían.* **2** Referido a algo que parecía muerto, recuperar la vitalidad: *En cuanto regué la planta, revivió.* **3** Referido a algo que parecía olvidado, renovarlo o reproducirlo: *Aquella afrenta revivió su antigua enemistad.* **4** Referido al pasado, evocarlo o recordarlo con viveza: *Unas fotografías nos hicieron revivir nuestra juventud.* □ ETIMOL. Del latín *revivere.*

revocabilidad s.f. Posibilidad de ser anulado o dejado sin efecto: *la revocabilidad de una sentencia.*

revocación s.f. **1** Anulación de una concesión, de un mandato o de una resolución: *El Gobierno decidió la revocación de la concesión de las obras a esa empresa.* **2** Anulación, sustitución o enmienda de una orden o de un fallo, por una autoridad distinta de la que los había dictado: *El Tribunal Supremo realizó la revocación de la sentencia dictada por la Audiencia.* **3** Acto jurídico que deja sin efecto otro anterior por la voluntad del otorgante: *En la notaría conseguí la revocación del poder que le había hecho a un procurador.*

revocadura s.f. →**revoque.**

revocar v. **1** Referido esp. a una norma o a un mandato, dejarlos sin efecto: *El Tribunal Supremo ha revocado la sentencia.* **2** Referido esp. a las paredes de un edificio, arreglarlas o pintarlas de nuevo por la parte exterior: *El Ayuntamiento ha concedido unas ayudas para revocar las fachadas antiguas de la ciudad.* □ ETIMOL. Del latín *revocare.* □ ORTOGR. La *c* se cambia en *qu* delante de *e* →SACAR.

revocatorio, ria adj. Que revoca o deja sin efecto.

revoco s.m. →**revoque.**

revolcar ▌v. **1** Referido a una persona, derribarla y hacerle dar vueltas por el suelo pisoteándola: *En un descuido del matador, el toro lo embistió y lo revolcó.* ▌prnl. **2** Echarse sobre algo dando vueltas y restregándose: *Los cerdos se revuelcan en el barro.* **3** *vulg.* Practicar juegos amorosos: *Al anochecer siempre hay alguna pareja revolcándose en el parque.* □ ETIMOL. De *re-* (intensificación) y *volcar.* □ ORTOGR. La *c* se cambia en *qu* delante de *e.* □ MORF. Irreg. →TROCAR.

revolcón s.m. **1** Derribo de una persona acompañado de pisotones y de vueltas por el suelo: *El toro* *dio un revolcón al diestro, pero este salió ileso.* **2** *col.* En un enfrentamiento, victoria clara de un adversario sobre otro. ☐ SINÓN. *baño.* **3** *col.* Jugueteo amoroso.

revolera s.f. En tauromaquia, pase en el que el torero gira el capote por encima de su cabeza.

revolotear v. **1** Volar haciendo giros o movimientos rápidos: *Las gaviotas revoloteaban en la costa.* **2** Referido a una persona, moverse continuamente en torno a otra o de un sitio a otro: *Alrededor de la cantante revolotean siempre secretarias, asesores y fans.*

revoloteo s.m. **1** Vuelo con movimientos rápidos y muchos giros. **2** Movimiento continuo de una persona en torno a otra.

revoltijo (tb. *revoltillo*) s.m. Conjunto de muchos elementos desordenados.

revoltillo s.m. →**revoltijo.**

revoltoso, sa adj./s. Muy travieso y vivaracho.

revolución s.f. **1** Cambio violento en las instituciones políticas, económicas y sociales de un país: *Una revolución sustituyó la monarquía reinante por una república.* **2** Cambio rápido y profundo: *La televisión ha supuesto una revolución en la forma de vida actual.* **3** Inquietud, alboroto o levantamiento colectivos: *La noticia del cese de la directora ha causado una revolución entre los trabajadores de la empresa.* **4** En mecánica, giro o vuelta que da una pieza en torno a su eje: *El motor de este coche alcanza 8 000 revoluciones por minuto.* ☐ ETIMOL. Del latín *revolutio* (revolución, regreso).

revolucionar v. **1** Provocar un estado de revolución: *Con sus travesuras revoluciona a toda la clase.* **2** Referido esp. a un cuerpo que gira, imprimirle más revoluciones: *Cuanto más aceleras el coche, más revolucionas el motor.*

revolucionario, ria ▮ adj. **1** De la revolución o relacionado con este cambio violento o profundo. ▮ adj./s. **2** Que sigue o que defiende la revolución. **3** Que cambia o renueva algo: *Han inventado un sistema revolucionario para lavar la ropa.*

revolver ▮ v. **1** Mezclar o mover en todas las direcciones: *Revuelve bien la ensalada para que se mezcle el aliño.* **2** Alterar el buen orden o la disposición: *Esas escenas tan sangrientas me han revuelto el estómago.* **3** Mirar, registrar o investigar a fondo: *Los periodistas han empezado a revolver en el pasado de ese político.* ▮ prnl. **4** Moverse de un lado a otro en un lugar: *¿Por qué te revuelves inquieto en el sillón?* **5** Enfrentarse a alguien, plantarle cara o atacarle: *El perro se revolvió contra su dueño.* **6** Referido al tiempo atmosférico, empeorar o ponerse borrascoso: *El tiempo se ha revuelto y no saldremos de excursión.* ☐ ETIMOL. Del latín *revolvere.* ☐ ORTOGR. Dist. de *revólver.* ☐ MORF. Irreg.: 1. Su participio es *revuelto.* 2. →VOLVER.

revólver s.m. Arma de fuego parecida a la pistola pero provista de un tambor o cilindro giratorio en el que se colocan las balas. ☐ ETIMOL. Del inglés *revolver.* ☐ ORTOGR. Dist. de *revolver.*

revoque s.m. **1** Cubrimiento de una pared con una capa de cal y arena o con otro material: *Antes de pintar hay que hacer el revoque de las paredes.* ☐ SINÓN. *revoco, revocadura.* **2** Capa o mezcla con las que se revoca: *El revoque normalmente es de yeso.* ☐ SINÓN. *revoco, revocadura.*

revuelco s.m. Revolcón o derribo de una persona, esp. si va acompañado de pisotones y de vueltas por el suelo.

revuelo s.m. Turbación, agitación o confusión entre un grupo de personas.

revuelta s.f. Véase **revuelto, ta.**

revuelto, ta ▮ **1** part. irreg. de **revolver.** ▮ s.m. **2** Comida que se elabora mezclando huevos con otro ingrediente y que se cuaja sin darle ninguna forma determinada: *un revuelto de espárragos.* ▮ s.f. **3** Alboroto o alteración del orden público: *una revuelta callejera.* **4** Curva o cambio de dirección pronunciados, esp. en una carretera. ☐ MORF. En la acepción 1, incorr. **revolvido.*

revulsivo, va adj./s.m. Que produce un cambio brusco, generalmente para bien. ☐ ETIMOL. Del latín *revulsum*, y este de *revellere* (arrancar, separar).

rewind (ing.) s.m. Tecla o mecanismo que permiten rebobinar hacia atrás una cinta. ☐ PRON. [réuin].

rey ▮ s.m. **1** En un reino, soberano y jefe del Estado: *El Rey propondrá formar gobierno al líder del partido más votado.* **2** En el juego del ajedrez, pieza principal, cuya pérdida supone el final de la partida y que generalmente solo puede ser movida de casilla en casilla. **3** En una baraja, carta que representa a un monarca. **4** Lo que sobresale por su excelencia entre los demás de su clase: *Con su compra de acciones, se ha convertido en el rey del sector.* ▮ pl. **5** Regalo o conjunto de regalos que se reciben con motivo de la fiesta de los Reyes Magos (festividad religiosa con que se conmemora la llegada de tres reyes de Oriente para adorar al Niño Jesús recién nacido): *El 6 de enero, los niños se pasan el día entero jugando con sus reyes.* ☐ ETIMOL. Del latín *rex.* ☐ MORF. En las acepciones 1 y 4, su femenino es *reina.* ☐ USO 1. En la acepción 1, se usa más como nombre propio. 2. Se usa como apelativo: *El padre le dijo al niño: '¡Ven a mis brazos, rey mío!'.*

reyerta s.f. Disputa, contienda o riña entre dos o más personas. ☐ ETIMOL. Del latín **referitare*, y este de *referre* (replicar, rechazar).

reyezuelo s.m. **1** Pájaro de alas cortas y redondeadas y de plumaje de colores vistosos, que vive en los bosques de coníferas. **2** Pez de color rojo y ojos negros, que vive en zonas marítimas con muchas rocas. ☐ MORF. Es un sustantivo epiceno: *el reyezuelo {macho/hembra}.*

rezagarse v.prnl. Quedarse atrás: *Una de las corredoras se rezagó para ayudar a una de sus compañeras.* ☐ ETIMOL. De *rezaga* (retaguardia). ☐ ORTOGR. La *g* se cambia en *gu* delante de *e* →PAGAR.

rezar v. **1** Referido a una oración religiosa, dirigirla a la divinidad: *Siempre rezo un padrenuestro antes de acostarme.* **2** Dirigirse a una divinidad o a un ser digno de culto: *Rezaba para pedir la curación de su* *familiar.* **3** *col.* Constar o decirse en un escrito: *El bando rezaba: «Mañana permanecerán cerrados los comercios».* **4** || **rezar** algo **con** alguien; *col.* Pertenecerle o corresponderle: *Lo que me estás contando no reza conmigo.* □ ETIMOL. Del latín *recitare.* □ ORTOGR. La *z* se cambia en *c* delante de *e* →CAZAR.

rezo s.m. **1** Elevación de oraciones, de súplicas o de alabanzas a la divinidad o a un ser digno de culto. **2** Oración o conjunto de palabras que se rezan.

rezongar v. Gruñir o refunfuñar en voz baja, obedeciendo de mala gana: *Me molesta que cuando te pido algo lo hagas rezongando.* □ ETIMOL. De origen onomatopéyico. □ ORTOGR. La *g* se cambia en *gu* delante de *e* →PAGAR.

rezongón, -a adj. *col.* Que rezonga con frecuencia.

rezumar v. **1** Referido a un líquido, salir a través del cuerpo poroso que lo contiene: *El agua rezuma por la cañería.* **2** Referido a un cuerpo, estar tan empapado de un líquido que este escurre por él: *Con las lluvias, la pared rezuma humedad.* **3** Referido a una característica o a una cualidad, manifestarlas claramente o dejarlas traslucir: *Sus poemas rezuman optimismo.* □ ETIMOL. De *re-* (intensificación) y *zumo.*

rhesus (pl. *rhesus*) s.m. Mono de cola muy larga y que es propio de los bosques asiáticos del sur oriental.

rho s.f. →**ro.**

rhythm and blues (ing.) s.m. || Estilo musical que se desarrolló en la década de 1940 a partir del blues, pero con instrumentos eléctricos. □ PRON. [ridmanblús].

ría s.f. **1** Penetración del mar en la desembocadura de un río debida al hundimiento de esa zona de la costa. **2** En algunas competiciones deportivas, hoyo lleno de agua que se coloca en el recorrido como obstáculo. □ ETIMOL. De *río.*

riachuelo s.m. Río pequeño y de poco caudal.

riada s.f. Gran aumento del caudal de un río, que suele causar inundaciones.

rial s.m. Unidad monetaria de distintos países: *El rial yemení y el rial iraní tienen distinto valor.*

riata s.f. *col.* En zonas del español meridional, borrachera.

ribazo s.m. Terreno con una pendiente pronunciada, esp. el que divide dos fincas que están a distinto nivel. □ ETIMOL. De *riba* (ribera).

ribeiro s.m. Vino tinto o blanco de poca graduación, originario de Ribeiro (comarca gallega).

ribera s.f. **1** Margen y orilla del mar o de un río. **2** Tierra cercana a los ríos. □ ETIMOL. Del latín **riparia*, y este de *ripa* (orilla). □ ORTOGR. Dist. de *rivera.*

ribereño, ña adj./s. De una ribera o relacionado con ella.

ribete ▮ s.m. **1** Cinta o adorno que se pone en el borde de algo como adorno o como refuerzo. ▮ pl. **2** Asomos, indicios o señales: *Al ver mis cuadros, la profesora me dijo que tenía ribetes de buen pintor.* □ ETIMOL. De origen incierto.

ribeteado s.m. Aplicación de ribetes, esp. en una prenda de vestir o en un calzado.

ribetear v. Poner ribetes como adorno o como refuerzo: *Ha ribeteado la colcha con una puntilla.*

riboflavina s.f. Vitamina abundante en los productos lácteos, algunos vegetales verdes, el hígado y la levadura, cuya carencia puede producir lesiones en la piel y problemas visuales: *La riboflavina se conoce como vitamina B2.* □ ETIMOL. Del inglés *riboflavin*, este del alemán *Riboflavin*, y este de *Ribose* (ribosa) y *Flavin* (flavina).

ribonucleico adj. Referido a un ácido, que constituye el material genético de las células y se encuentra fundamentalmente en el citoplasma de estas: *Las siglas del ácido ribonucleico son 'ARN'.*

ribosa s.f. Aldopentosa que constituye algunos ácidos nucleicos: *Los ácidos ribonucleicos contienen ribosa.*

ribosoma s.m. En una célula, orgánulo del citoplasma que participa en la síntesis de proteínas.

ricacho, cha s. *col. desp.* Persona acaudalada.

ricachón, -a s. *col. desp.* Muy rico o con muchas riquezas.

ricamente adv. A gusto o con toda comodidad: *Ahí lo tienes, tan ricamente sentado viendo la tele.*

ricino s.m. Planta de origen africano que tiene el tronco verde rojizo, las hojas muy grandes y partidas, las flores en racimo y el fruto esférico y espinoso, y de cuyas semillas se extrae una sustancia purgante: *aceite de ricino.* □ ETIMOL. Del latín *ricinus.*

rickshaw (ing.) (tb. *rick shaw*) s.m. Especie de carro arrastrado por una persona a pie o en bicicleta y que sirve para llevar pasajeros: *Monté en un rickshaw cuando estuve en la India.* □ PRON. [ríksou].

rico, ca ▮ adj. **1** Gustoso, sabroso o de sabor agradable: *Hoy la comida te ha salido muy rica.* **2** Que tiene algo en gran cantidad: *La carne es un alimento rico en proteínas.* **3** *col.* Simpático, gracioso o agradable: *El niño de los vecinos es muy rico.* ▮ adj./s. **4** Acaudalado o que posee muchas riquezas: *Viene de familia rica y está acostumbrado a las comodidades.* **5** || **nuevo rico;** persona que ha conseguido su riqueza de forma rápida, esp. si hace ostentación de ella. □ ETIMOL. Del germánico *rikja.* □ USO Se usa como apelativo: *Anda, rico, que te estás pasando.*

rictus (pl. *rictus*) s.m. Gesto o aspecto del rostro que manifiesta algún sentimiento o una sensación. □ ETIMOL. Del latín *rictus* (boca entreabierta).

ricura s.f. *col.* Lo que resulta bello o simpático. □ USO Se usa como apelativo: *Anda, ricura, acaba de una vez.*

ridiculez s.f. **1** Hecho o dicho ridículos o extravagantes. **2** Lo que resulta pequeño o de poca estimación.

ridiculizable adj.inv. Que puede ser ridiculizado.

ridiculización s.f. Burla que se hace para poner en ridículo algo.

ridiculizar v. Referido a algo que se considera extravagante o defectuoso, burlarse de ello intentando que parezca ridículo: *Ridiculizó mi dibujo delante de todos porque le parecía feo.* □ ORTOGR. La *z* se cambia en *c* delante de *e* →CAZAR.

ridículo, la ▌adj. **1** Que produce risa debido a su rareza o a su extravagancia: *Viste de una forma ridícula, pero a él le gusta.* **2** Escaso o de poca importancia: *No me voy a hacer rico con un premio tan ridículo.* ▌s.m. **3** Situación que sufre una persona que produce risa en los demás: *hacer el ridículo.* **4** ‖ **en ridículo;** expuesto a la burla de los demás: *Gritando de esta forma nos estás poniendo en ridículo.* □ ETIMOL. Del latín *ridiculus*, y este de *ridere* (reír).

riego s.m. **1** Esparcimiento o suministro de agua sobre una superficie o una planta. **2** Agua disponible para regar: *Este río no tiene suficiente riego para todos los campos de la zona.* **3** ‖ **riego sanguíneo;** aporte de sangre a una determinada zona del cuerpo.

riel s.m. **1** Barra o pieza alargada sobre la que se desliza algo. **2** Carril de una vía férrea. **3** Unidad monetaria camboyana. □ ETIMOL. Las acepciones 1 y 2, del catalán *riell*.

rielar v. *poét.* Referido a la luz, reflejarse de forma temblorosa: *La luz de la Luna rielaba en el estanque.* □ SINÓN. *cabrillear.* □ ETIMOL. De *rehilar* (temblar).

rienda ▌s.f. **1** Cada una de las dos correas o cintas que van sujetas al bocado de una caballería y que sirven para dirigirla y gobernarla: *El jinete tiró de las riendas para detener a la yegua.* ▌pl. **2** Gobierno o dirección de algo: *El abuelo lleva las riendas de la empresa familiar.* **3** ‖ **a rienda suelta;** con toda libertad o sin ningún control: *En el banquete comimos y bebimos a rienda suelta.* ‖ **dar rienda suelta;** permitir la manifestación o el curso de algo: *Dio rienda suelta a su pena y comenzó a llorar.* □ ETIMOL. Del latín **retina*, y este de *retinere* (retener). □ MORF. En la acepción 1, se usa más en plural.

riesgo s.m. **1** Posibilidad o proximidad de un daño: *Conducir con exceso de velocidad es un claro riesgo de accidente.* **2** Cada uno de los sucesos o imprevistos que puede cubrir un seguro: *Este seguro solo cubre el riesgo de robo.* **3** ‖ **correr el riesgo;** estar expuesto a algo: *Si no vas a verlo, corres el riesgo de que se enfade.* □ ETIMOL. De origen incierto. □ SEM. Es incorrecto su uso con el significado de 'posibilidad'; así, por ejemplo, solo se puede hablar de *riesgo de lluvias* cuando estas supongan un serio daño.

riesgoso, sa adj. En zonas del español meridional, arriesgado.

riesling (al.) ▌s.f. **1** Uva blanca de pequeño tamaño, amarillenta y muy aromática: *La riesling es originaria del valle del Ródano.* ▌s.m. **2** Vino blanco y seco elaborado con esta uva: *un vaso de riesling.* □ PRON. [ríslin]. □ SINT. Se usa mucho en aposición, pospuesto a un sustantivo: *uva riesling.*

rifa s.f. Sorteo cuyo ganador es el que tiene una papeleta con un número que se escoge al azar.

rifar v. **1** Sortear por medio de una rifa: *Voy a rifar tres libros entre todos vosotros.* **2** ‖ **rifarse** a alguien; *col.* Solicitarlo o desearlo con intensidad: *Ese actor gusta tanto que las productoras se lo rifan.* ‖ **rifársela;** *col.* En zonas del español meridional, arriesgarse: *Se la rifó en ese negocio y ganó mucho dinero.* □ ETIMOL. De origen onomatopéyico.

riff (ing.) s.m. Frase musical que se repite reiteradamente y que tiene un estilo melódico y rítmico simple y marcado. □ PRON. [rif].

rifirrafe s.m. *col.* Riña o pelea sin importancia o sin trascendencia. □ ETIMOL. De origen onomatopéyico.

rifle s.m. Carabina de origen americano que tiene estrías en espiral en la parte interior del cañón. □ ETIMOL. Del inglés *rifle* (fusil con estrías).

rigidez s.f. **1** Imposibilidad o dificultad para doblarse o torcerse. **2** Severidad, inflexibilidad o rigor.

rígido, da adj. **1** Que no se puede doblar o torcer: *un material rígido.* **2** Riguroso, inflexible o severo: *una persona rígido.* □ ETIMOL. Del latín *rigidus*.

rigodón s.m. Danza de origen provenzal en compás de dos por dos, o de dos por cuatro. □ ETIMOL. Del francés *rigodon*.

rigor s.m. **1** Severidad excesiva y escrupulosa: *El rigor de la sentencia ha sido muy criticado por la opinión pública.* **2** Precisión y exactitud: *El rigor de los datos es básico en una investigación.* **3** Intensidad o crudeza: *El rigor del verano ha secado los campos.* **4** ‖ **de rigor;** indispensable u obligatorio por la costumbre o la moda: *Mi madre me dio los consejos de rigor antes de irme de vacaciones.* ‖ **en rigor;** en realidad o estrictamente: *A simple vista es lo mismo que te lo pida de palabra que por escrito, pero en rigor no es lo mismo.* □ ETIMOL. Del latín *rigor* (rigidez, inflexibilidad).

rigorismo s.m. Exceso de severidad, esp. en cuestiones morales o disciplinarias.

rigorista adj.inv./s.com. Muy severo, esp. en cuestiones morales o disciplinarias.

rígor mortis s.m. ‖ Rigidez que tiene un cuerpo después de la muerte. □ ETIMOL. Del latín *rigor mortis*.

rigoroso, sa adj. →**riguroso.** □ ETIMOL. Del latín *rigorosus*.

rigurosidad s.f. **1** Severidad o rigidez extremas o crueldad: *La rigurosidad en la educación a veces resulta contraproducente.* **2** Precisión, exactitud o minuciosidad: *Cumple con rigurosidad lo que te digo y no tendrás problemas.* **3** Dureza o crudeza que hace que algo sea difícil de soportar: *La rigurosidad del clima hace que esta zona sea poco turística.*

riguroso, sa (tb. *rigoroso, sa*) adj. **1** Muy severo o muy rígido: *una profesora rigurosa.* **2** Exacto, preciso o minucioso: *Para evitar accidentes es necesario un cumplimiento riguroso de las normas de seguridad.* **3** Extremado o difícil de soportar: *Tiene* *problemas de salud y necesita un clima que no sea riguroso.*

rija s.f. **1** Fístula que se forma debajo del lagrimal, y por la que fluyen las lágrimas. **2** Riña o alboroto. □ ETIMOL. La acepción 1, del árabe *risa*. La acepción 2, del latín *rixa*.

rijo s.m. Inclinación o tendencia a lo sexual.

rijosidad s.f. Muestra evidente de deseo sexual.

rijoso, sa adj. Que tiene o muestra deseos sexuales incontenibles. □ ETIMOL. Del latín *rixosus* (pendenciero).

rilar ▮ v. **1** Temblar, tiritar o vibrar: *La ira contenida hacía rilar sus labios.* ▮ prnl. **2** *col.* Abandonar una decisión o echarse atrás en ella: *No hagas caso a los demás y no te riles, porque debes seguir adelante con tu proyecto.* □ ETIMOL. La acepción 1, de *rehilar*.

rima s.f. **1** Identidad de todos los sonidos o solo de los vocálicos en la terminación de dos o más palabras a partir de su última vocal acentuada, esp. si dichas palabras son finales de versos: *La rima y el ritmo del acento son fenómenos característicos de la poesía.* **2** Composición lírica en verso. **3** ‖ **octava rima;** en métrica, estrofa de origen italiano, formada por ocho versos endecasílabos de rima consonante, cuyo esquema es *ABABABCC*. □ SINÓN. *octava real.* ‖ **sexta rima;** en métrica, estrofa de origen italiano, formada por seis versos endecasílabos, y cuyo esquema originario es ABABCC. □ SINÓN. *sextina.* □ ETIMOL. Del provenzal antiguo *rima*. □ MORF. En la acepción 2, se usa más en plural.

rimador, -a adj./s. Referido esp. a un poeta, que se distingue por la rima más que por la calidad de sus poemas.

rimar v. **1** Componer versos: *El profesor de literatura nos enseñó a rimar.* **2** Referido a una palabra, tener rima consonante o asonante con otra: *'Caña' rima con 'maña', y 'zapato', con 'barato'. 'Perro' y 'canguro' no riman.*

rimbombante adj.inv. Ostentoso o llamativo.

rímel s.m. Cosmético que se usa para dar color y espesor a las pestañas. □ SINÓN. *máscara (de pestañas).* □ ETIMOL. Extensión del nombre de una marca comercial.

rimero s.m. Montón de cosas colocadas unas sobre otras. □ ETIMOL. De *rima* (acoplamiento, emparejamiento de objetos).

rin s.m. En zonas del español meridional, llanta de una rueda o aro metálico sobre el que se monta el neumático. □ ETIMOL. Del inglés *rim*.

rincón s.m. **1** Ángulo entrante que se forma en el encuentro de dos paredes o de dos superficies. **2** Escondrijo o lugar apartado: *Te enseñaré un precioso rincón del bosque.* **3** Espacio pequeño: *No quiero dormir contigo porque me dejas en un rincón de la cama.* **4** *col.* Lugar donde se vive habitualmente: *Te invito a tomar café en mi rincón.* □ ETIMOL. Del árabe *rukn* (esquina, ángulo).

rinconada s.f. Ángulo entrante que se forma esp. en la unión de dos casas o de dos calles.

rinconera s.f. Mueble de forma apropiada para ser colocado en un rincón. □ SINÓN. *esquinera.*

ring (ing.) s.m. →**cuadrilátero.**

ringgit s.m. Unidad monetaria malasia.

ringla s.f. *col.* Fila.

ringlera s.f. Hilera de cosas puestas en orden unas tras otras. □ ETIMOL. Quizá del catalán *renglera*, y este del germánico *hring* (círculo).

ringorrango s.m. Adorno exagerado, extravagante e innecesario. □ ETIMOL. De origen onomatopéyico.

rinitis (pl. *rinitis*) s.f. Inflamación de la mucosa de la nariz. □ ETIMOL. Del griego *rhís* (nariz) e *-itis* (inflamación).

rino- Elemento compositivo prefijo que significa 'nariz': *rinología, rinoscopia.* □ ETIMOL. Del griego *rhís* (nariz).

rinoceronte s.m. Mamífero de gran tamaño, de cuerpo grueso y piel dura, cabeza estrecha con el hocico puntiagudo y uno o dos cuernos encorvados y colocados uno más arriba que otro en la línea media de la nariz, y que se alimenta de vegetales. □ ETIMOL. Del griego *rhinokéros*, y este de *rhís* (nariz) y *kéras* (cuerno). □ MORF. Es un sustantivo epiceno: *el rinoceronte {macho/hembra}.*

rinofaringe s.f. En anatomía, parte de la faringe contigua a las fosas nasales. □ SINÓN. *nasofaringe.* □ ETIMOL. Del griego *rhís* (nariz) y *faringe*.

rinofaringitis (pl. *rinofaringitis*) s.f. Inflamación de la rinofaringe. □ ETIMOL. De *rinofaringe* e *-itis* (inflamación).

rinología s.f. Parte de la otorrinolaringología que estudia la nariz y sus enfermedades. □ ETIMOL. Del griego *rhís* (nariz) y *-logía* (estudio).

rinólogo, ga s. Médico especialista en rinología.

rinoplastia s.f. Operación quirúrgica para corregir un defecto o un problema de la nariz. □ ETIMOL. Del griego *rhís* (nariz) y *plásso* (yo modelo).

rinoscopia s.f. Exploración visual de las cavidades nasales. □ ETIMOL. Del griego *rhís* (nariz) y *-scopia* (exploración).

rinoscopio s.m. Aparato que se utiliza para ver el interior de las cavidades nasales.

riña s.f. Discusión o pelea entre dos o más personas.

riñón ▮ s.m. **1** En los vertebrados, órgano, generalmente con forma de habichuela, encargado de filtrar la sangre y eliminar sus impurezas en la orina. ▮ pl. **2** Parte del cuerpo que corresponde al lugar donde están estos órganos: *Arrópate bien, que tienes los riñones al aire.* **3** ‖ **riñón artificial;** aparato para filtrar la sangre de una forma artificial en casos de insuficiencia renal aguda o crónica. ‖ **un riñón;** *col.* Mucho dinero: *Cuida su moto como a la niña de sus ojos porque le costó un riñón.* □ ETIMOL. Del latín **renio*. □ SINT. *Un riñón* se usa más con los verbos *costar*, *valer* y equivalentes.

riñonada s.f. **1** Zona del cuerpo que corresponde a los riñones. **2** Guiso de riñones.

riñonera s.f. **1** Faja que se usa para proteger la zona de los riñones. **2** Cinturón provisto de una pequeña bolsa.

río s.m. **1** Corriente continua de agua, más o menos caudalosa, que desemboca en otra, en un lago o en el mar. **2** Gran cantidad de algo que sale, se mueve, fluye o circula, esp. de un líquido: *un río de lava.* □ ETIMOL. Del latín *rivus* (arroyo, canal). □ ORTOGR. Dist. de *río* (del verbo *reír*).

rioja s.m. Vino tinto o blanco originario de La Rioja (región, provincia y comunidad autónoma): *Con el asado beberemos un buen rioja.*

riojano, na adj./s. De la comunidad autónoma de La Rioja, de su provincia o relacionado con ellas: *Gonzalo de Berceo era riojano.*

rioplatense adj.inv./s.com. Del estuario suramericano del Río de la Plata (formado por la desembocadura de los ríos Paraná y Uruguay, y situado entre Argentina y Uruguay), o relacionado con él.

riostra s.f. Pieza que se pone de forma oblicua para asegurar la inmovilidad de un armazón. □ ETIMOL. Del provenzal *riosta.*

ripear v. En informática, referido a un archivo, seleccionar diversas partes de su contenido para obtener una versión reducida u optimizada: *ripear un CD para pasarlo a MP3.*

ripio s.m. **1** Palabra o frase que se emplea en un verso solo para conseguir la rima o el número de sílabas necesarios. **2** ‖ **no perder ripio;** *col.* Estar muy atento para enterarse de todo: *Le encanta oírte y no pierde ripio cuando hablas.* □ ETIMOL. De origen incierto.

ripioso, sa adj. Que tiene muchos ripios o que los utiliza.

ripostar v. **1** En zonas del español meridional, contestar o replicar. **2** En zonas del español meridional, devolver un golpe o contraatacar. □ ETIMOL. Del francés *riposter.*

riqueza s.f. **1** Abundancia o gran cantidad de bienes, de dinero o de cosas valiosas. **2** Abundancia de recursos económicos o naturales: *La riqueza del valle se debe a la fertilidad de sus tierras.* **3** Abundancia o diversidad de algo: *Sus cuadros tienen una riqueza de colorido impresionante.* □ ETIMOL. De *rico.* □ MORF. En la acepción 1, en plural tiene el mismo significado que en singular.

risa s.f. **1** Movimiento de la boca y de otras partes de la cara que demuestra alegría o diversión y que suele ir acompañado de carcajadas. **2** Sonido o voz que suele acompañar a este gesto de alegría: *No quiero oír risas a mis espaldas.* **3** *col.* Lo que hace reír: *La ceremonia fue una risa porque todo salió al revés.* **4** ‖ **muerto de risa;** *col.* Inactivo o sin usar: *¿Por qué no te pones alguno de los vestidos que tienes en el armario muertos de risa?* □ ETIMOL. Del latín *risus.*

risco s.m. Peñasco alto, escarpado y peligroso para andar por él.

riscoso, sa adj. Que tiene muchos riscos.

risible adj.inv. Que produce risa o se la merece. □ ETIMOL. Del latín *risibilis.*

risión s.f. Lo que es objeto de risa o de burla.

risotada s.f. Risa o carcajada muy ruidosas.

risoterapia s.f. Tratamiento de determinadas enfermedades o dolencias, basado en los efectos beneficiosos de la risa: *un taller de risoterapia.*

risotto (it.) s.m. Comida de origen italiano que se prepara con arroz, queso y otros ingredientes: *risotto de arroz integral con verduras.*

ristra s.f. **1** Trenza formada con los tallos de las cebollas o de los ajos. **2** Conjunto de cosas seguidas unas detrás de otras: *Estaba tan nervioso que soltó una ristra de disparates.* □ SINÓN. *rastra.* □ ETIMOL. Del latín *restis* (cuerda).

ristre s.m. **1** En una armadura antigua, pieza de hierro situada en la parte derecha del peto para encajar y afianzar en ella la lanza. **2** ‖ **en ristre;** *col.* Precedido de un instrumento, con él sujeto y preparado para hacer algo: *Los hambrientos comensales estaban sentados a la mesa tenedor en ristre.* □ ETIMOL. Quizá del catalán *rest*, y este de *restar* (descansar, apoyarse).

ristrel s.m. →**rastrel.**

risueño, ña adj. **1** Que muestra risa en el semblante. **2** Próspero o favorable: *Tienes por delante un risueño futuro.* □ ETIMOL. Del latín *risus* (risa).

rítmico, ca adj. Del ritmo, con ritmo o relacionado con él.

ritmo s.m. **1** En música, orden a que se somete una sucesión de sonidos, atendiendo a su distribución y duración en el tiempo y a su acentuación. **2** En el lenguaje, combinación y sucesión armoniosas de palabras, frases, acentos y pausas. **3** Orden acompasado en la sucesión de las cosas: *El ritmo de los latidos del corazón varía según las personas y el momento.* **4** Velocidad constante con que sucede o se hace algo: *Las cosas se suceden cada vez a un ritmo mayor.* □ ETIMOL. Del latín *rhythmus.*

rito s.m. **1** Conjunto de reglas establecidas para el culto y las ceremonias religiosas. **2** Ceremonia o costumbre que se repite siempre de la misma manera: *En mi familia, reunirnos todos un día al año se ha convertido en un rito.* □ ETIMOL. Del latín *ritus* (costumbre, ceremonia religiosa).

ritornelo s.m. En música, fragmento musical que precede o que sigue a un fragmento cantado. □ ETIMOL. Del italiano *ritornello.*

ritual ▮ adj.inv. **1** Del rito o relacionado con él: *una ceremonia ritual.* ▮ s.m. **2** Conjunto de ritos de una religión, de una iglesia o de una costumbre. □ ETIMOL. Del latín *ritualis.*

ritualismo s.m. **1** Observación o cumplimiento exagerado de las normas y trámites reglamentarios. **2** Tendencia a aumentar el valor de los ritos en el culto religioso.

rival adj.inv./s.com. Que lucha o compite con otro para conseguir un mismo objetivo o para superarlo. □ ETIMOL. Del latín *rivalis* (competidor).

rivalidad s.f. Enemistad o competencia provocadas por el intento de conseguir un mismo objetivo que otro o de superarlo.

rivalizar v. **1** Referido esp. a una persona o a un animal, luchar con otros por un mismo objetivo: *Cuando juegues con tus amigos intenta divertirte, no ri-*

valizar con ellos. □ SINÓN. *competir.* **2** Presentarse en igualdad de condiciones: *Estos dos alumnos rivalizan en inteligencia.* □ SINÓN. *competir.* □ ORTOGR. La *z* se cambia en *c* delante de *e* →CAZAR.

rivera s.f. **1** Río de pequeño tamaño y de poco caudal. **2** Cauce por el que discurre: *La sequía ha dejado sin agua muchas riveras.* □ ETIMOL. Del latín *rivus* (riachuelo). □ ORTOGR. Dist. de *ribera*.

river-ski (ing.) s.m. Descenso por un río de aguas bravas con unos esquís especiales y con ayuda de un remo: *En este río se están celebrando unos campeonatos de river-ski muy espectaculares.* □ PRON. [ríver eskí].

riyal s.m. Unidad monetaria de distintos países.

rizado s.m. Ondulación del pelo de forma natural o artificial.

rizador, -a ▌adj./s. **1** Que riza. ▌s.m. **2** Sustancia o aparato que sirve para rizar.

rizar v. **1** Referido esp. al pelo, hacerle rizos, tirabuzones, ondas o bucles: *Hoy me rizaré el pelo con unas tenacillas.* **2** Referido esp. al mar, levantarle el viento olas pequeñas: *El viento ha comenzado a rizar el mar. Si ves que el mar empieza a rizarse, vuelve a la playa con la barca.* □ ORTOGR. La *z* se cambia en *c* delante de *e* →CAZAR.

rizo s.m. **1** Mechón de pelo que tiene forma de sortija, de bucle o de tirabuzón. **2** Acrobacia aérea que consiste en realizar en el aire un círculo completo en sentido vertical. **3** Tejido de algodón, suave y absorbente, que forma anillos de hilo torcido por una o ambas caras: *una toalla de rizo.* **4** ‖ **rizar el rizo;** *col.* Complicar más de lo necesario: *¡Cómo te gusta rizar el rizo imaginando cosas imposibles de suceder!* □ ETIMOL. Del latín *ericius* (erizo).

rizoma s.m. Tallo subterráneo que crece horizontalmente y del que nacen raíces y otros tallos y hojas. □ ETIMOL. Del griego *rhíza* (raíz).

rizópodo ▌adj./s.m. **1** Referido a un protozoo, que se caracteriza por ser capaz de emitir seudópodos que le sirven para desplazarse y para alimentarse: *La mayor parte de los rizópodos son de vida acuática.* ▌s.m.pl. **2** En zoología, clase de estos protozoos: *Algunas especies pertenecientes a los rizópodos son parásitas.* □ ETIMOL. Del griego *rhíza* (raíz) y *-podo* (pie).

rizoso, sa adj. Que tiende a rizarse naturalmente.

ro s.f. En el alfabeto griego clásico, nombre de la decimoséptima letra: *La grafía de la ro es* ρ. □ ORTOGR. Se usa también *rho*.

road book (ing.) s.m. ‖ Libro de ruta que se suele utilizar en un rally y en el que está marcado el recorrido. □ PRON. [róud buk]. □ USO Su uso es innecesario y puede sustituirse por *libro de ruta*.

road movie (ing.) s.f. ‖ Película cuya acción se desarrolla a través de un viaje por carretera y en automóvil. □ PRON. [róud múvi]. □ USO Su uso es innecesario y puede sustituirse por *película de carretera*.

roaming (ing.) s.m. Servicio de telefonía móvil mediante el cual se puede utilizar la red telefónica de una compañía extranjera cuando se está fuera del país de origen. □ PRON. [rómin].

roastbeef (ing.) s.m. →**rosbif.** □ PRON. [rosbíf].

róbalo (tb. *robalo*) s.m. Pez marino de cuerpo alargado y color plateado, que vive en las costas rocosas de la desembocadura de los ríos, comestible y de carne muy apreciada. □ SINÓN. *lubina.* □ ETIMOL. De **lobarro*, y este de *lobo*, que se aplicó metafóricamente a este pez. □ MORF. Es un sustantivo epiceno: *el róbalo {macho / hembra}*.

robaperas (pl. *robaperas*) s.com. *col. desp.* Ladrón o ladronzuelo.

robar v. **1** Referido a algo ajeno, quitarlo o tomarlo para sí contra la voluntad del poseedor, esp. si se hace utilizando la violencia o la fuerza: *Unos ladrones robaron en un banco.* **2** Referido a algo inmaterial, hacerlo suyo alguien, esp. si es por medio del engaño o de la seducción: *Esa persona me ha robado el corazón.* **3** Referido a una parte de algo, quitársela al todo: *Estas tierras y campos han sido robados al mar por medio de diques.* **4** En algunos juegos, referido a una carta o a una ficha del montón, cogerlas: *Roba una carta y tira la que no te valga.* □ ETIMOL. Del germánico *raubôn* (saquear, arrebatar).

robezo s.m. Mamífero rumiante del tamaño de una cabra, que tiene las astas negras, lisas y solo curvadas en sus extremos, patas largas, gran agilidad para los saltos, y que habita en zonas de rocas escarpadas. □ SINÓN. *gamuza, rebeco.* □ ETIMOL. De *rebeco.* □ MORF. Es un sustantivo epiceno: *el robezo {macho / hembra}*.

robinia s.f. Variedad de acacia americana, con espinas en las ramas y hojuelas ovoides. □ ETIMOL. De *Robin*, botánico francés.

robinsón s.m. Persona solitaria y autosuficiente. □ ETIMOL. Por alusión a Robinsón Crusoe, protagonista de una novela del mismo título del escritor inglés Daniel Defoe.

roble s.m. **1** Árbol de tronco grueso, madera dura, ramas retorcidas, hojas lobuladas, flores de color verde amarillento y fruto en forma de bellota. **2** Madera de este árbol. **3** Persona fuerte y robusta. □ ETIMOL. Del latín *robur*.

robledal s.m. Robledo de gran extensión.

robledo s.m. Terreno poblado de robles.

roblón s.m. Clavo con cabeza en un extremo que después de haber sido clavado, se remacha por el extremo opuesto. □ SINÓN. *remache*.

robo s.m. **1** Apropiación de algo ajeno contra la voluntad del poseedor, esp. si se hace utilizando la violencia o la fuerza: *El robo es un delito más grave que el hurto.* **2** Lo que se roba: *En la comisaría están expuestos los robos de los últimos seis meses.* **3** Estafa, perjuicio o abuso injustos: *Los intereses de los préstamos son tan altos que son un auténtico robo.* □ SEM. Dist. de *hurto* (apropiación de objetos sin usar la violencia ni la fuerza).

robot (pl. *robots*) s.m. **1** Máquina electrónica capaz de ejecutar automáticamente operaciones o movimientos diversos. **2** Persona que actúa maquinalmente o que se deja dirigir por otra. □ SINÓN. *autómata.* **3** || **robot de cocina;** electrodoméstico que sirve para realizar diversas funciones como picar, triturar, batir o amasar. □ ETIMOL. Del inglés *robot*, y este del checo *robota* (trabajo).

robótica s.f. Ciencia y técnica que aplican la informática al diseño y a la utilización de aparatos que realicen operaciones o trabajos en sustitución de las personas.

robotización s.f. Aplicación de máquinas automáticas a un proceso o a una industria.

robotizar v. **1** Referido a un proceso o a una industria, aplicar máquinas automáticas: *La fabricación de automóviles se abarató mucho cuando se pudo robotizar.* **2** Referido a una persona, darle las características propias de un robot o adquirirlas: *Después de trabajar tanto en la fábrica me estoy robotizando.* □ ORTOGR. La *z* se cambia en *c* delante de *e* →CAZAR.

robustecer v. Hacer más fuerte y más resistente: *Los contrafuertes robustecerán las paredes del edificio. Con estas vitaminas te robustecerás.*

robustez s.f. Fuerza, resistencia y salud.

robusto, ta adj. Fuerte, resistente o vigoroso. □ ETIMOL. Del latín *robustus*.

roca s.f. **1** Material que constituye la corteza terrestre y que está formado por diversos tipos de minerales: *Según su origen, hay rocas sedimentarias, magmáticas y metamórficas.* **2** Bloque o trozo más o menos grandes de este material: *Los escolares treparon por las rocas hasta llegar a la cima.* **3** Lo que resulta duro, firme e inalterable: *No se ablandará ante tus súplicas, porque ese hombre es una roca.* □ ETIMOL. De origen incierto.

rocadero s.m. En zonas del español meridional, parte de la rueca en la que se coloca el material que se va a hilar. □ ETIMOL. De *rueca*.

rocalla s.f. **1** Conjunto de piedras pequeñas desprendidas de las rocas generalmente por la erosión. **2** Decoración sin simetría que imita contornos de piedras y de conchas. □ ETIMOL. Del francés *rocaille*.

rocambolesco, ca adj. Extraordinario, exagerado, fantástico e increíble. □ ETIMOL. Por alusión a Rocambole, personaje creado por el novelista francés Ponson du Terrail.

rocanrol s.m. →**rock (and roll).**

rocanrolear v. **1** *col.* Tocar rock and roll. **2** *col.* Bailar al ritmo de esta música.

rocanrolero, ra (tb. *rockanrollero, ra*) ▌adj. **1** *col.* Del rock and roll o relacionado con este tipo de música: *música rocanrolera.* ▌adj./s. **2** *col.* Referido a una persona, que es aficionada al rock and roll.

roce s.m. **1** Presión ligera entre dos superficies al deslizarse una sobre otra o estar en contacto: *El suelo está rayado del roce de la puerta.* □ SINÓN. *rozamiento.* **2** Raspadura o marca que deja esta presión: *Tengo un par de roces en el lado derecho del coche.* **3** Trato y relación frecuente entre dos o más personas: *Ya no tengo roce con mis compañeros de estudios.* **4** Discusión o enfrentamiento pequeños: *Seguimos siendo amigos, aunque hayamos tenido algún roce.*

rociada s.f. Esparcimiento del agua o de otro líquido en gotas menudas.

rociador s.m. Utensilio que sirve para esparcir un líquido en forma de partículas muy pequeñas. □ SINÓN. *pulverizador, vaporizador.*

rociar v. **1** Esparcir algún líquido en gotas menudas: *Roció los rosales con insecticida para matar los pulgones.* **2** Referido a una comida, acompañarla con alguna bebida: *Rociaremos esta carne con un buen tinto.* □ ETIMOL. Del latín *roscidare*, y este de *roscidus* (lleno de rocío, húmedo). □ ORTOGR. La *i* lleva tilde en los presentes, excepto en las personas *nosotros* y *vosotros* →GUIAR.

rociero, ra adj./s. Persona que acude a la romería de la Virgen del Rocío (fiesta onubense).

rocín s.m. Caballo de mala apariencia. □ ETIMOL. De origen incierto.

rocío s.m. Conjunto de gotas muy menudas que se forman cuando el vapor de agua se condensa en la atmósfera con el frío de la noche. □ ETIMOL. De *rociar*.

rock (ing.) adj.inv. **1** Del rock and roll o relacionado con este estilo musical: *música rock.* **2** || **rock duro;** Género musical que deriva del rock y que es más agresivo que este. || **rock (and roll); 1** Género musical de ritmo fuerte, generalmente interpretado con instrumentos eléctricos. **2** Baile de pareja al compás de esta música, con movimientos rápidos y marcados. □ PRON. [rocanról]. □ ORTOGR. La expresión *rock and roll* se usa también con la forma castellanizada *rocanrol.* □ USO El uso del anglicismo *hard rock* en lugar de *rock duro* es innecesario.

rockabilly (ing.) s.m. Variante del rock and roll surgida en el sur estadounidense por influencia de un tipo de canciones tradicionales de los montañeses, y que basa su instrumentación en las guitarras. □ PRON. [rocabíli].

rockanrollero, ra adj./s. →**rocanrolero.** □ PRON. [rocanroléro].

rocker (ing.) s.com. Seguidor del género musical del rock and roll. □ PRON. [róker].

rockero, ra adj./s. →**roquero.** □ PRON. [roquéro].

rockódromo s.m. →**rocódromo.** □ PRON. [rocódromo].

rococó ▌adj.inv. **1** Del rococó o con rasgos propios de este estilo. ▌s.m. **2** Estilo artístico que triunfó en Europa en el siglo XVIII y que se caracteriza por la libertad y la abundancia de decoración y el gusto exquisito y refinado. □ ETIMOL. Del francés *rococo*, y este de *rocaille* (rocalla).

rocódromo s.m. **1** Lugar al aire libre en el que se celebran actuaciones musicales, esp. si son de rock. **2** Lugar acondicionado para hacer escalada. □ ORTOGR. En la acepción 1, se usa también *rockódromo*.

rocola s.f. En zonas del español meridional, gramola.

rocoso, sa adj. Referido a un lugar, lleno de rocas.

roda s.f. En un barco, pieza gruesa y curva que forma la proa. □ SINÓN. *branque.* □ ETIMOL. Del catalán *roda.*

rodaballo s.m. Pez marino de cuerpo aplanado y cabeza pequeña, con los ojos en el lado izquierdo, con la aleta dorsal tan larga como todo el cuerpo y la cola casi redonda. □ ETIMOL. De origen incierto. □ MORF. Es un sustantivo epiceno: *el rodaballo {macho/hembra}.*

rodada s.f. Véase **rodado, da.**

rodado, da ▮ adj. **1** Del tránsito de vehículos de ruedas y del transporte que se realiza valiéndose de ellos: *tráfico rodado.* ▮ s.f. **2** Señal que deja la rueda de un vehículo en el suelo por donde pasa: *En la arena se veían las rodadas de una bicicleta.* **3** || **venir** algo **rodado;** *col.* Presentarse o desarrollarse de forma beneficiosa y favorable sin haberlo preparado o sin mucha dificultad: *Pensé que encontrar trabajo sería difícil, pero me vino todo rodado.*

rodador, -a ▮ adj./s. **1** Que rueda. ▮ s. **2** Ciclista que corre bien en terreno llano. □ SINÓN. *llaneador.* □ USO Es innecesario el uso del galicismo *routier.*

rodaja s.f. Trozo circular de un alimento: *una rodaja de piña.* □ ETIMOL. De *rueda.*

rodaje s.m. **1** Filmación, impresión o grabación de una película cinematográfica. **2** Situación en la que se encuentra un vehículo mientras no haya superado el recorrido aconsejado por el constructor para hacerlo funcionar a pleno rendimiento. **3** *col.* Preparación, entrenamiento o experiencia práctica.

rodamiento s.m. Pieza que permite o facilita que un mecanismo gire o dé vueltas.

rodante adj.inv. Que rueda.

rodapié s.m. Banda o franja horizontal que suele instalarse o pintarse en la parte inferior de las paredes. □ SINÓN. *friso, zócalo.* □ ETIMOL. De *rodear* y *pie.* □ SEM. Se usa referido esp. a frisos o zócalos estrechos.

rodar v. **1** Referido a un cuerpo, dar vueltas alrededor de su eje: *La botella rodó por el suelo hasta que chocó con la pared.* □ SINÓN. *rotar.* **2** Moverse por medio de ruedas: *Este coche rueda mejor en una autopista que en un camino.* **3** Ir de un lado a otro: *He rodado de oficina en oficina y no logro establecerme.* **4** Referido esp. a un asunto, suceder, desarrollarse o transcurrir: *El negocio fracasó porque rodó mal desde el principio.* **5** Referido a un vehículo, hacer que marche sin rebasar las revoluciones indicadas por el constructor para el rodaje: *Tengo que rodar el coche durante mil kilómetros sin pasar de cuatro mil revoluciones.* **6** Referido a una película cinematográfica, filmarla, impresionarla o grabarla: *La directora rodó las escenas del desierto en escenarios naturales.* **7** Representar un papel en una película cinematográfica: *Es un actor muy joven que ya ha rodado seis películas.* □ ETIMOL. Del latín *rotare.* □ MORF. Irreg. →CONTAR.

rodear v. **1** Estar, ir o andar alrededor: *Esa valla rodea la finca.* **2** || **rodear de** algo; proporcionarlo: *Rodeó a sus hijos de toda clase de comodidades. Se ha rodeado de gente importante.* □ ETIMOL. De *rueda.*

rodela s.f. Escudo redondo y delgado, que se sujetaba con un asa por la que se pasaba el brazo izquierdo, y que cubría el pecho del que peleaba con espada. □ ETIMOL. Del italiano *rotella.*

rodeo s.m. **1** Recorrido más largo que el recto u ordinario: *dar un rodeo.* **2** Manera de decir algo indirectamente, empleando términos y expresiones que no lo expresan de una forma clara: *Déjate de rodeos y dime qué es lo que necesitas de mí.* **3** En algunos países americanos, deporte o espectáculo que consiste en montar potros salvajes o reses vacunas y hacer en ellos algunos ejercicios.

rodera s.f. Rodada o señal que deja un vehículo en el suelo. □ ETIMOL. De *rueda.*

rodete s.m. **1** Rosca que se hace con el pelo trenzado y enrollándolo sobre sí mismo para tenerlo recogido o como adorno. **2** Rosca generalmente de tela que se pone en la cabeza para cargar y llevar sobre ella un peso. □ ETIMOL. De *rueda.*

rodilla s.f. **1** Parte externa y prominente de la articulación del muslo con la pierna. **2** En un cuadrúpedo, unión del antebrazo con la caña. **3** || **de rodillas; 1** Con esta parte de las piernas doblada y apoyada en el suelo: *El profesor castigó al niño de rodillas y cara a la pared.* **2** En tono suplicante o con empeño: *Te pido de rodillas que me atiendas de una vez.* □ ETIMOL. Del latín *rotella,* y este de *rota* (rueda).

rodillazo s.m. Golpe dado con la rodilla.

rodillera s.f. **1** En algunas prendas de vestir, pieza que se pone en la rodilla como remiendo o adorno. **2** En algunas prendas de vestir, deformación o desgaste en la parte que cubre la rodilla. **3** Tira o venda de material elástico que se coloca ciñendo la rodilla para sujetarla o para protegerla. **4** En una armadura, pieza que cubre y protege la rodilla.

rodillo s.m. **1** Utensilio de cocina de forma cilíndrica que se utiliza para estirar las masas. **2** Pieza cilíndrica y giratoria que forma parte de diversos mecanismos. **3** En política, actitud de superioridad que tiene un partido político que gobierna en mayoría sobre otras fuerzas políticas minoritarias. □ ETIMOL. Del latín *rotella.*

rodio s.m. Elemento químico, metálico y sólido, de número atómico 45, de color blanco, que se funde con dificultad y no es atacado por los ácidos: *El rodio se halla a veces en pequeñas cantidades combinado con el oro y el platino.* □ ETIMOL. Del griego *rhódon* (rosa), por el color de las sales de este metal. □ ORTOGR. Su símbolo químico es *Rh.*

rododendro s.m. Arbusto de hojas perennes, lanceoladas, de color verde brillante, con flores vistosas y acampanadas, y fruto en cápsula. □ ETIMOL. Del griego *rhódon* (rosa) y *déndron* (árbol).

rodofícea adj./s.f. En botánica, división de las algas rojas que son en su mayoría marinas. □ ETIMOL. Del griego *rhódon* (rosa) y *phýkos* (alga).

rodrigón s.m. Estaca que se clava al lado de una planta o de un árbol jóvenes para atar su tallo y que no crezcan torcidos.

rodríguez (pl. *rodríguez*) s.m. *col.* Marido que se queda en casa por cuestiones de trabajo mientras su familia se va fuera de vacaciones. ☐ USO Se usa más en la expresión *estar de rodríguez*.

roedor, -a ▮ adj./s.m. **1** Referido a un mamífero, que se caracteriza por tener dos incisivos en cada mandíbula, largos, fuertes y encorvados hacia fuera, cuyo crecimiento es continuo y que le sirven para roer: *La ardilla, el ratón y el castor son roedores.* ▮ s.m.pl. **2** En zoología, orden de estos mamíferos: *Muchas especies englobadas en los roedores sufren un letargo en la época invernal.*

roedura s.f. **1** Hecho de roer algo. **2** Marca que queda en algo que ha sido roído.

roentgen s.m. Unidad de dosis radiactiva que equivale a la radiación capaz de ionizar un metro cúbico de aire. ☐ SINÓN. *roentgenio.* ☐ ETIMOL. Por alusión a Roentgen, físico alemán que describió los rayos X. ☐ ORTOGR. 1. Es la denominación internacional de *roentgenio*. 2. Su símbolo es *R*, por tanto, se escribe sin punto.

roentgenio s.m. →**roentgen.**

roer v. **1** Referido a algo duro, cortarlo menuda y superficialmente con los dientes: *Vi una ardilla que roía una piña.* **2** Referido a un hueso, quitarle poco a poco la carne que se le quedó pegada: *El perro se entretiene royendo un hueso.* **3** Gastar o quitar superficialmente, poco a poco y por trozos pequeños: *El óxido roe la verja de hierro.* **4** Molestar, atormentar o causar pena y sufrimiento interiormente y con frecuencia: *Los remordimientos por mis malas acciones me roen la conciencia.* ☐ ETIMOL. Del latín *rodere*. ☐ MORF. Irreg. →ROER.

rogar v. Pedir con súplicas, con mucha educación o como favor: *Rogó que le permitieran ver a sus hijos por última vez. Te ruego que te quedes conmigo y que no me dejes solo ahora.* ☐ ETIMOL. Del latín *rogare* (rogar y preguntar). ☐ MORF. Irreg. →CONTAR.

rogativa s.f. Véase **rogativo, va.**

rogativo, va ▮ adj. **1** Que implica ruego. ▮ s.f. **2** Oración pública que se hace a Dios para conseguir el remedio de una grave necesidad.

rogatoria adj./s.f. →**comisión rogatoria.**

rogatorio, ria ▮ adj. **1** Que implica ruego. ▮ s.f. **2** →**comisión rogatoria.**

rojear v. Tomar un color rojo: *El cielo rojeaba durante el anochecer.*

rojelio, lia s. *col.* Izquierdista. ☐ SINÓN. *rojeras.*

rojeras (pl. *rojeras*) adj.inv./s.com. *col.* Izquierdista. ☐ SINÓN. *rojelio.*

rojerío s.m. *col. desp.* Conjunto de personas con ideas políticas de izquierdas.

rojez s.f. **1** Propiedad de ser o de parecer de color rojo. **2** Mancha roja en la piel.

rojiblanco, ca adj./s. *col.* De cualquier equipo deportivo cuya camiseta tenga los colores rojo y blanco, o relacionado con él. ☐ SINÓN. *blanquirrojo.*

rojizo, za adj. De color semejante al rojo o con tonalidades rojas.

rojo, ja adj./s.m. **1** Del color de la sangre o de las amapolas. **2** *col.* En política, de ideología de izquierdas. **3** ‖ **al rojo (vivo); 1** Referido esp. al hierro, que toma este color por efecto de una temperatura elevada: *Marcaban las reses con un hierro al rojo vivo.* **2** Referido esp. a una situación, muy acalorada o con los ánimos o pasiones muy exaltados: *Menos mal que llegaste tú, porque la discusión estaba al rojo vivo.* ☐ ETIMOL. Del latín *russeus* (rojo fuerte). ☐ MORF. Cuando se antepone a otra palabra para formar compuestos, adopta la forma *roji-*.

rol s.m. **1** Papel o función que desempeña una persona. **2** Lista de nombres. **3** Licencia que lleva el capitán de un barco, y en la que consta la lista de la tripulación. ☐ ETIMOL. Del francés *rôle*.

rola s.f. En zonas del español meridional, composición musical, generalmente en verso, que se canta con un acompañamiento.

roldana s.f. Pieza circular plana por la que corre la cuerda en una polea. ☐ ETIMOL. Del catalán antiguo *rotlana*, y este de *rotle* (rollo).

rolfing (ing.) s.m. Masaje terapéutico que consiste en aplicar presiones firmes a diferentes áreas del cuerpo para aliviar la tensión muscular. ☐ PRON. [rólfin].

rollista adj.inv./s.com. *col.* Referido a una persona, que resulta pesada, fastidiosa y molesta, esp. por lo mucho que habla.

rollizo, za adj. Robusto y grueso.

rollo ▮ adj.inv./s.m. **1** *col.* Que resulta molesto, fastidioso, largo o pesado. ▮ s.m. **2** Lo que tiene forma cilíndrica: *un rollo de papel higiénico.* **3** *col.* Actividad, medio, asunto, mundo o ambiente: *No me va el rollo de sus amigos ni de sus fiestas.* **4** *col.* Asunto o lío sentimental. **5** *col.* Sensación o impresión: *Cuando salgo contigo, tengo muy buen rollo. Ese novelista me da mal rollo.* **6** ‖ **a {mi/tu/...} rollo;** *col.* Sin tener en cuenta los deseos e intereses de los demás: *Mi hermano siempre va a su rollo y pasa de todos.* ‖ **buen rollo;** *col.* Tranquilidad, paz o buen entendimiento: *A ver, chicos, que haya buen rollo.* ‖ **rollo patatero;** *col.* Lo que resulta pesado, aburrido o difícil de soportar. ‖ **tener rollo;** *col.* Hablar o escribir mucho sin decir nada interesante. ☐ ETIMOL. Del latín *rotulus* (cilindro).

roll-on (ing.) s.m. Envase que consta de una bola para aplicar el contenido sobre la superficie deseada. ☐ PRON. [rolón]. ☐ SINT. Se usa mucho en aposición, pospuesto a un sustantivo: *desodorante roll-on; sistema roll-on.*

romadizo s.m. Catarro o inflamación de la mucosa nasal. ☐ SINÓN. *coriza.* ☐ ETIMOL. De *romadizarse* (resfriarse).

romana s.f. Véase **romano, na.**

romance ▮ adj.inv./s.m. **1** Referido a una lengua, que deriva del latín: *La historia de la lengua española estudia el paso del latín al romance.* ☐ SINÓN. *románico.* ▮ s.m. **2** Composición poética de origen español, formada por una serie de versos, generalmente octosílabos, de los cuales los pares tienen rima asonante y los impares quedan sueltos: *Cuando era pequeña me aprendí varios romances tradicionales.* **3** Relación amorosa pasajera o breve: *Las revistas del corazón informan de los romances de los famosos.* □ ETIMOL. Del latín *romanice* (en románico).

romancear v. Traducir a una lengua romance: *En la Edad Media se romancearon muchos textos escritos en latín.* □ SINÓN. *romanzar.*

romancero s.m. Colección de romances.

romanche s.m. Lengua románica de Suiza (país europeo): *El romanche es una de las cuatro lenguas suizas, junto al francés, italiano y alemán.*

romancillo s.m. Romance compuesto por versos de menos de siete sílabas.

romancista adj.inv./s.com. Referido a una persona, que escribía en romance, en contraposición a la que lo hacía en latín.

romaní s.m. Lengua indoeuropea de los gitanos: *El romaní se dividió en la rama asiática y en la rama europea, y luego se extendió a América.*

románico, ca ▌ adj. **1** Del románico o con rasgos propios de este estilo: *La pintura y escultura románicas tenían una función didáctica.* **2** Referido a una lengua, que es derivada del latín: *El español, el francés y el italiano son lenguas románicas.* □ SINÓN. *romance.* ▌ s.m. **3** Estilo artístico que triunfó en Europa en los siglos XI, XII y parte del XIII y que se caracteriza por su carácter religioso, sobrio, sólido, tosco y expresivo: *El románico utiliza mucho los arcos de medio punto y las bóvedas en cañón.* □ ETIMOL. Del latín *Romanicus* (romano).

romanismo s.m. Conjunto de instituciones, cultura o tendencias políticas de la antigua Roma.

romanista ▌ adj.inv./s.com. **1** Que se dedica profesionalmente al derecho romano o que está especializado en él: *un abogado romanista.* ▌ s.com. **2** Persona especializada en el estudio de las lenguas y de las culturas romances.

romanística s.f. Estudio de las lenguas, literaturas y culturas románicas.

romanización s.f. Difusión o adopción de las características que se consideran propias de lo romano, esp. de su civilización, de sus leyes y de su cultura.

romanizar v. Dar o adquirir características que se consideran propias de lo romano: *Los romanos no consiguieron romanizar a los vascos. Al ser incorporados al Imperio Romano, los pueblos hispanos se romanizaron.* □ ORTOGR. La *z* se cambia en *c* delante de *e* →CAZAR.

romano, na ▌ adj. **1** De la iglesia católica: *el pontífice romano.* ▌ adj./s. **2** De Roma (capital italiana), o relacionado con ella. **3** De la antigua Roma, de cada uno de los Estados antiguos y modernos de los que ha sido metrópoli o relacionado con ellos. ▌ s.f. **4** Balanza que tiene un solo platillo y una barra por la que corre el contrapeso hasta el extremo, de modo que siempre descanse en una de las dos divisiones marcadas. **5** →**sandalia romana.** **6** || **a la romana;** referido a un alimento, rebozado y frito: *calamares a la romana.*

romanticismo s.m. **1** Movimiento cultural que se desarrolló en el continente europeo durante la primera mitad del siglo XIX y que se caracterizó por la defensa del individualismo y de la libertad y por el predominio de los aspectos emocionales y sentimentales. **2** Período histórico durante el que se desarrolló este movimiento. **3** Sentimentalismo o tendencia a ser soñador y a guiarse por los sentimientos. □ USO En las acepciones 1 y 2, se usa más como nombre propio.

romántico, ca ▌ adj. **1** Del Romanticismo o relacionado con este movimiento cultural. ▌ adj./s. **2** Que defiende o sigue este movimiento cultural. **3** Que es muy sentimental o que da mucha importancia a los sentimientos y a las emociones: *una película romántica; una persona romántica.* □ ETIMOL. Del francés *romantique.*

romanza s.f. Composición musical, vocal o instrumental, de carácter generalmente sencillo, lírico o romántico. □ ETIMOL. Del italiano *romanza.*

romanzar v. →**romancear.** □ ORTOGR. La *z* se cambia en *c* delante de *e* →CAZAR.

rómbico, ca adj. Con forma de rombo.

rombo s.m. En geometría, polígono que tiene cuatro lados iguales y paralelos dos a dos, y dos de sus cuatro ángulos mayores que los otros dos. □ ETIMOL. Del latín *rhombus.*

romboedro s.m. Cuerpo geométrico oblicuo limitado por seis polígonos o caras y cuyas bases son rombos iguales. □ ETIMOL. De *rombo* y *-edro* (cara).

romboidal adj.inv. Con forma de romboide.

romboide s.m. En geometría, polígono que tiene cuatro lados iguales dos a dos, y dos de sus cuatro ángulos mayores que los otros dos. □ ETIMOL. Del griego *rhómbos* (rombo) y *-oide* (forma).

romeo s.m. *col.* Hombre que está muy enamorado de alguna mujer. □ ETIMOL. Por alusión a Romeo, personaje literario que muere por amor.

romeral s.m. Terreno poblado de romeros.

romería s.f. **1** Viaje o peregrinación, esp. los que se hacen por devoción a una ermita o a un santuario. **2** Fiesta popular que se celebra al lado de una ermita o de un santuario el día de la festividad del lugar. □ ETIMOL. De *romero* (peregrino).

romero, ra ▌ s. **1** Persona que participa en una romería. ▌ s.m. **2** Arbusto de hojas pequeñas, lineales y duras, y flores azuladas, que tiene un olor agradable. □ ETIMOL. La acepción 1, del latín *romaeus*, y este del griego *româios* (romano, aplicado a los peregrinos que se dirigían a Roma). La acepción 2, del latín *ros maris.*

romesco (cat.) s.m. Salsa de origen catalán, hecha con cebolla, tomate, pimiento seco, sal, ajo, almendra tostada y otros ingredientes.

romo, ma adj. Redondeado o sin punta. □ ETIMOL. De origen incierto.

rompecabezas (pl. *rompecabezas*) s.m. **1** Juego que consiste en formar una figura combinando correctamente sus partes, que están separadas en cubos o en piezas. **2** Problema o acertijo que resulta difícil de solucionar.

rompecorazones (pl. *rompecorazones*) s.com. *col.* Persona que tiene mucho atractivo y que es capaz de enamorar con facilidad a otras personas.

rompedizo, za adj. Que se rompe con mucha facilidad.

rompehielos (pl. *rompehielos*) s.m. Embarcación que se usa para abrir caminos en los mares helados.

rompeolas (pl. *rompeolas*) s.m. En un puerto, muro que se construye adentrado en el mar para proteger de las aguas la parte que queda entre él y la tierra firme. ☐ SINÓN. *malecón.*

rompepiernas (pl. *rompepiernas*) adj.inv./s.m. En ciclismo, referido a una carretera, que tiene continuas subidas y bajadas.

romper v. **1** Quebrar o hacer pedazos: *Ten cuidado con esa figurita, no la vayas a romper. Se rompió la silla y me caí.* **2** Gastar, destrozar o estropear: *No andes arrastrando los pies, que vas a romper los zapatos. El televisor se ha roto y tendré que llamar al técnico.* **3** Hacer una abertura o una raja: *He roto los pantalones en la rodilla. Se rompió la cabeza y le dieron puntos.* **4** Referido a algo no material, interrumpir su continuidad: *El profesor cuenta chistes para romper la monotonía de la clase.* **5** Referido esp. a una norma, quebrantarla o no cumplirla: *Le gusta romper las normas establecidas y escandalizar.* **6** Tener principio, comenzar o empezar: *Se levantaron al romper el día.* **7** *col.* Obtener un gran éxito o destacar por ello: *Con este vestido tan espectacular seguro que rompes en la fiesta.* **8** Referido a las flores, abrirse: *Es todavía muy pronto para que los capullos del rosal rompan.* **9** Referido a una ola, deshacerse en espuma: *Las olas rompían en el acantilado.* **10** || **de rompe y rasga;** *col.* De gran decisión y coraje: *Esta atrevida decisión solo podía tomarla una persona de rompe y rasga.* || **romper a** hacer algo; empezar a hacerlo: *Cuando le dieron la noticia, rompió a llorar de alegría.* || **romper con** algo; no querer saber nada más sobre ello: *Desde que ha roto con su novio, no quiere salir de casa.* ☐ ETIMOL. Del latín *rumpere.* ☐ MORF. Su participio es *roto.*

rompetechos (pl. *rompetechos*) s.com. **1** *col.* Persona de muy baja estatura. **2** *col.* Persona que ve poco.

rompible adj.inv. Que se puede romper.

rompiente ▮ adj.inv. **1** Que rompe. ▮ s.m. **2** Lugar que corta el curso del agua y en el que esta rompe y se levanta: *el rompiente del acantilado.*

rompimiento s.m. **1** Cese de relaciones con una persona. ☐ SINÓN. *ruptura.* **2** Transformación de las olas en espuma, esp. al chocar con algo.

rompope s.m. Bebida americana que se hace mezclando licor, leche, huevos, azúcar y canela.

ron s.m. Licor transparente o de color parecido al caramelo que se obtiene de la caña de azúcar. ☐ ETIMOL. Del inglés *rum.*

roncador, -a ▮ adj./s. **1** Que ronca. **2** s.m. Pez marino que tiene el cuerpo de color negro con líneas amarillas, dientes puntiagudos y una única aleta sobre el lomo.

roncar v. Emitir un sonido grave al respirar cuando se está dormido: *Tiene un problema de desviación del tabique nasal y ronca cuando duerme.* ☐ ETIMOL. Del latín *rhonchare*, y este de *rhonchus* (ronquido). ☐ ORTOGR. La *c* se cambia en *qu* delante de *e* →SACAR.

roncear v. Retrasar la realización de algo por no tener ganas de hacerlo: *Deja ya de roncear y haz las tareas de una vez.* ☐ ETIMOL. De origen incierto.

roncero, ra adj. Perezoso y lento en obedecer.

roncha s.f. Bulto que se forma en la piel a causa de una alergia o de la picadura de un insecto. ☐ SINÓN. *habón.* ☐ ETIMOL. De origen incierto.

ronchar v. Referido a un alimento quebradizo, masticarlo de forma que haga ruido: *No ronches el caramelo y deja que se deshaga en la boca.* ☐ ETIMOL. De origen incierto.

ronco, ca adj. **1** Referido a una persona, que padece ronquera: *quedarse ronco.* **2** Referido a la voz o a un sonido, que son ásperos y poco sonoros. ☐ ETIMOL. Del latín *raucus.*

ronda s.f. **1** Recorrido de un lugar en misión de vigilancia: *hacer la ronda.* **2** Reunión nocturna de muchachos para tocar y cantar por las calles: *salir de ronda.* **3** Vuelta o carrera ciclista por etapas: *El ganador de la ronda española espera ganar también la francesa.* **4** En una ciudad, calle o paseo amplios que originariamente la rodeaban. **5** En algunos juegos, vuelta completa en la que han jugado todos los jugadores: *Si en el juego de la oca caes en la posada, estarás dos rondas sin tirar.* **6** *col.* Conjunto de consumiciones que se distribuyen a la vez entre un grupo de personas: *Esta ronda de vino la pago yo.* **7** Serie de cosas que se desarrollan sucesivamente y con cierto orden: *La ronda de negociaciones entre estos dos países comenzará mañana.* **8** En zonas del español meridional, juego del corro. ☐ ETIMOL. Del árabe *rubt.*

rondalla s.f. Conjunto musical de instrumentos de cuerda.

rondana s.f. En zonas del español meridional, arandela.

rondar v. **1** Referido esp. a un lugar, recorrerlo de noche en misión de vigilancia: *Los policías rondan las calles en sus coches.* **2** Referido a una muchacha, galantearla un muchacho paseando por su calle: *Mi madre siempre cuenta que mi padre la estuvo rondando hasta que ella accedió a salir con él.* **3** Referido a un lugar, dar vueltas a su alrededor: *El gato rondaba la casa para buscar comida.* **4** *col.* Referido esp. a una idea o a una sensación, aparecer o empezar a surgir: *Me ronda la idea de pasar las vacaciones en la montaña.*

rondel s.m. Composición poética de origen francés, formada por versos de ocho a diez sílabas distribuidos en estrofas con dos rimas, y cuya nota más característica es la repetición de los versos primero y segundo dos veces a lo largo de la composición. □ ETIMOL. Del francés *rondel*.

rondeña s.f. Música típica de Ronda (ciudad malagueña), parecida al fandango y con la que se cantan coplas de cuatro versos octosílabos.

rondín s.m. En zonas del español meridional, vigilante.

rondó (pl. *rondós*) s.m. Composición musical cuyo tema principal se repite varias veces, alternando con otros secundarios. □ ETIMOL. Del francés *rondeau*.

rondón || **de rondón;** *col.* De repente o sin permiso: *Se coló en el baile de rondón.* □ ETIMOL. Del francés antiguo *de randon* (corriendo, rápidamente).

ronquera s.f. Afección de la laringe que produce el cambio del timbre de la voz a otro más áspero o grave y poco sonoro. □ SINÓN. *enronquecimiento.* □ ETIMOL. De *ronco*.

ronquido s.m. Ruido grave y gutural que emiten algunas personas al respirar cuando están dormidas.

ronronear v. Referido a un gato, emitir un sonido semejante a un ronquido como señal de contento: *El gato ronroneaba recostado cerca de la chimenea.* □ ETIMOL. De origen onomatopéyico . □ ORTOGR. Dist. de *runrunear*.

ronroneo s.m. Emisión que hace el gato de un sonido semejante a un ronquido como señal de contento. □ ORTOGR. Dist. de *runruneo*.

ronzal s.m. Cuerda que se ata al cuello o a la cabeza de algunos équidos, esp. al de los caballos, para sujetarlos o para llevarlos caminando. □ ETIMOL. Del árabe *rasan* (cabestro).

ronzar v. Referido a un alimento quebradizo, comerlo partiéndolo ruidosamente con los dientes: *El niño ronzaba la zanahoria.* □ ORTOGR. La *z* se cambia en *c* delante de *e* →CAZAR.

roña ▮ s.com. **1** *col.* Avaro. ▮ s.f. **2** Porquería o suciedad que están muy pegadas. **3** Óxido de los metales. **4** *col.* Roñosería. **5** En zonas del español meridional, sarna.

roñería s.f. *col.* Roñosería.

roñica s.com. *col.* Avaro.

roñosería s.f. Tacañería, mezquindad o excesivo deseo de atesorar bienes y no gastarlos. □ SINÓN. *roñería.*

roñoso, sa adj. **1** *col.* Avaro. **2** Con suciedad o con óxido. **3** En zonas del español meridional, enfermo de sarna.

rookie (ing.) adj.inv./s.com. Referido a una persona, que es considerada una novata. □ PRON. [rúki]. □ USO Su uso es innecesario.

ropa s.f. Conjunto de prendas de tela, esp. las que sirven para vestirse: *Recoge toda la ropa tendida menos las sábanas. Me cambiaré de ropa para cenar.* || **ropa blanca;** la que se emplea para el uso doméstico: *Las sábanas, los manteles, las servilletas y las toallas son ropa blanca.* || **ropa interior;** la de uso personal, que no es visible exteriormente y que generalmente se coloca sobre la piel. □ ETIMOL. Del germánico **rauba* (botín).

ropaje s.m. Vestido o adorno exterior del cuerpo, esp. si es vistoso o lujoso.

ropavejería s.f. Establecimiento en el que se vende ropa usada o vieja.

ropavejero, ra s. Persona que se dedica profesionalmente a la venta de ropa usada o vieja. □ ETIMOL. De *ropa* y *viejo*.

ropero s.m. Armario o cuarto en los que se guarda la ropa.

ropón s.m. Prenda de vestir larga que se pone sobre las demás.

roque ▮ adj.inv. **1** *col.* Dormido. ▮ s.m. **2** En el juego del ajedrez, pieza que representa una torre y que se mueve en línea recta en todas direcciones. □ SINÓN. *torre.* **3** Roca grande de origen volcánico: *En nuestro viaje por Canarias vimos roques impresionantes.* □ ETIMOL. La acepción 2, del árabe *rujj* (torre del ajedrez). □ SINT. En la acepción 1, se usa más con los verbos *estar*, *quedar* o equivalentes.

roqueda s.f. →**roquedal.**

roquedal (tb. *roqueda*) s.m. Terreno lleno de rocas.

roquedo s.m. Roca o peñasco.

roquefort s.m. Queso de sabor y de olor fuertes y de color verdoso, elaborado con leche de oveja y originario de Roquefort (ciudad francesa). □ ETIMOL. Del francés *roquefort*.

roqueño, ña adj. **1** Referido a un lugar, que tiene muchas rocas. **2** Que tiene la dureza de las rocas.

roquero, ra ▮ adj. **1** De la música rock o relacionado con ella. ▮ adj./s. **2** Que sigue esta música o que es aficionado a ella. ▮ s. **3** Músico o cantante de rock. □ ORTOGR. Se usa también *rockero*.

roquete s.m. En la religión católica, vestidura blanca con mangas anchas y que llega hasta un poco más abajo de la cintura, que se ponen los sacerdotes, sacristanes o monaguillos para participar en determinadas ceremonias religiosas. □ ETIMOL. Del catalán o provenzal *roquet*.

rorcual s.m. Ballena de color negro o marrón oscuro, con el vientre y las aletas blancas, que tiene la garganta y el pecho formando pliegues y una pequeña aleta dorsal. □ ETIMOL. Del francés *rorqual*, y este del noruego *roirkual* (ballena). □ MORF. Es de género epiceno: *el rorcual {macho/hembra}*.

rorro s.m. *col.* Bebé o niño muy pequeño. □ ETIMOL. De *ro* (voz para arrullar a los niños).

ros s.m. Gorro de forma cónica y con visera, más alto por delante que por detrás y que formaba parte del uniforme militar. □ ETIMOL. Por alusión al general Ros de Olano, que introdujo esta prenda en el uniforme.

rosa ▮ adj.inv. **1** Referido esp. a la prensa o a una revista, que recoge sucesos relativos a personas famosas, esp. los de su vida privada. □ SINÓN. *del corazón.* **2** Del colectivo gay o relacionado con él: *un negocio rosa.* **3** Referido a una salsa, que se hace con mayonesa, ketchup y otros condimentos: *salsa rosa.* ▮ adj.inv./s.m. **4** Del color que resulta de mezclar rojo y blanco. ▮ s.f. **5** Flor del rosal, que suele tener una agradable fragancia y espinas en el tallo. **6** || **como una rosa;** *col.* Muy bien o perfectamente: *Después de las vacaciones vendré como una rosa.* || **ir de rositas;** *col.* Escabullirse o hacer las cosas sin ningún esfuerzo: *No sé cómo lo hace, pero siempre va de rositas por la vida.* || **rosa de los vientos;** círculo con forma de estrella que tiene marcados alrededor los treinta y dos rumbos en que se divide la vuelta del horizonte: *La rosa de los vientos indica los puntos cardinales.* □ ETIMOL. Del latín *rosa.*

rosáceo, a adj. De color rosa o con tonalidades rosas.

rosacruz s.com. Miembro de la organización Rosacruz (sociedad secreta fundada en Alemania en el siglo XIII).

rosado, da ▮ adj. **1** De color rosa o con tonalidades rosas. ▮ s.m. **2** →**vino rosado.**

rosal s.m. **1** Arbusto de tallos generalmente espinosos, hojas compuestas con un número impar de hojuelas, y las flores con pétalos de forma acorazonada. **2** || **(rosal de) pitiminí;** el de tallos trepadores del que florecen muchas rosas de pequeño tamaño.

rosaleda s.f. Lugar plantado de rosales.

rosario s.m. **1** En la iglesia católica, conjunto de oraciones que se rezan en conmemoración de los quince misterios principales de la vida de Jesucristo y de la Virgen. **2** Conjunto de cuentas ensartadas y separadas de diez en diez, que sirve para seguir este rezo. **3** Serie de sucesos encadenados, esp. si es muy larga o parece no tener fin. **4** || **acabar como el rosario de la aurora;** *col.* Acabar mal o en desacuerdo: *Durante la manifestación aparecieron grupos violentos, y aquello acabó como el rosario de la aurora.* □ ETIMOL. Del latín *rosarium*, y este de *rosa* (rosa), porque en las oraciones muchas veces se compara a la Virgen con una rosa.

rosbif (pl. *rosbifs*) s.m. Carne de vaca ligeramente asada. □ ETIMOL. Del inglés *roastbeef* (carne de vaca asada). □ USO Es innecesario el uso del anglicismo *roastbeef.*

rosca s.f. **1** Lo que tiene forma circular u ovalada y deja un espacio vacío en el centro: *una rosca de pan.* **2** Hendidura en forma de espiral que tienen las tuercas, los tornillos, los tapones y otros objetos. **3** En algunas zonas, palomita de maíz. **4** *col. desp.* En zonas del español meridional, camarilla política. **5** || **hacer la rosca;** *col.* Halagar para conseguir algo. || **no comerse una rosca;** *col.* No lograr lo que se desea: *Se fue a la discoteca a ligar y no se comió una rosca.* || **pasarse de rosca;** *col.* Excederse o ir más allá de lo debido. □ ETIMOL. De origen incierto.

roscar v. Referido a un tornillo, labrarle espiras: *Se roscan los tornillos para que se puedan introducir haciéndolos girar.* □ ORTOGR. La *c* se cambia en *qu* delante de *e* →SACAR.

rosco s.m. **1** Pan o bollo de forma redonda u ovalada, con un agujero en el centro. **2** *col.* Cero: *Me han puesto un rosco en el examen porque lo dejé en blanco.* **3** *col.* Gol: *Metieron tres roscos al equipo contrario.*

roscón s.m. Bollo en forma de rosca grande.

rosedal s.m. En zonas del español meridional, rosaleda.

roséola s.f. Erupción cutánea formada por pequeñas manchas rosáceas. □ ETIMOL. Del latín *roseus* (rosado).

roseta s.f. **1** Mancha rosada que sale en las mejillas. **2** En una regadera, pieza agujereada por donde sale el agua en pequeños chorros.

rosetón s.m. **1** Ventana circular calada y adornada: *las vidrieras de un rosetón.* **2** Adorno circular que se coloca en los techos: *La lámpara colgaba de un rosetón de escayola.*

rosicler s.m. Color rosado claro y suave de la aurora. □ ETIMOL. Del francés *rose clair* (rosado claro).

rosmar v. Murmurar o refunfuñar: *Siempre que te pido un favor me ayudas, pero rosmando.* □ ETIMOL. Del gallego *rosmar* (gruñir, rechistar).

rosoli (tb. *rosolí, resoli, resolí*) s.m. Aguardiente con canela, azúcar y otros ingredientes aromáticos. □ ETIMOL. Quizá del latín *ros solis* (rocío del sol), porque en su preparación se emplea una planta llamada *rocío del sol.*

rosquete ▮ adj./s.m. **1** *vulg. desp.* En zonas del español meridional, hombre homosexual. ▮ s.m. **2** Rosquilla algo mayor de lo normal.

rosquetón, -a adj. *col.* En zonas del español meridional, afeminado.

rosquilla s.f. **1** Dulce en forma redondeada y con un agujero en el centro. **2** || **rosquilla lista;** la que tiene una costra de azúcar blanca por encima y es de masa dulce. || **rosquilla tonta;** la que tiene anís y poca azúcar.

rosquillero, ra s. Persona que hace o vende rosquillas.

rosticería s.f. En zonas del español meridional, tienda de alimentos preparados. □ ETIMOL. Del italiano *rosticceria.* □ ORTOGR. Se usan también *rostisería* y *rotisería.*

rostisería s.f. →**rosticería.**

rostro s.m. **1** Cara de una persona. **2** *col.* Cara dura: *No tengas rostro y ayúdame.* □ ETIMOL. Del latín *rostrum* (pico, hocico).

rotación s.f. **1** Movimiento de un cuerpo alrededor de su eje: *La rotación de la Tierra dura aproximadamente veinticuatro horas.* **2** Alternancia de varias cosas: *En voleibol, el saque se hace por rotación de los miembros del equipo.* **3** Ritmo con el que las existencias de un determinado producto se renuevan en un período de tiempo determinado.

rotacismo s.m. En lingüística, conversión de *s* en *r* en posición intervocálica: *Un ejemplo de rotacismo es el paso en latín de 'flos' a 'floris', en lugar de 'flos' a 'flosis'.*

rotafolio s.m. Soporte sobre el que se colocan grandes hojas de papel para escribir de forma que todos puedan ver lo que se escribe. □ ORTOGR. Se usa también *rotafolios.*

rotafolios (pl. *rotafolios*) s.m. →**rotafolio.**

rotar v. **1** Referido a un cuerpo, dar vueltas alrededor de su eje: *Los coches se mueven porque las ruedas* *rotan.* □ SINÓN. *rodar.* **2** Referido esp. a dos o más personas, encargarse de algo de forma sucesiva y cíclica: *Todos los vecinos rotamos en el desempeño de la presidencia de la comunidad.* **3** Referido esp. a dos o más cultivos, alternarlos sucesivamente para evitar que el campo se agote: *En este campo se rotan tres cultivos para que la tierra se regenere.* **4** En economía, referido a un producto, renovarse sus existencias en un período de tiempo determinado: *Los libros que rotan mucho suelen estar colocados en los mejores lineales de las grandes librerías.* □ ETIMOL. Del latín *rotare*.

rotativa s.f. Véase **rotativo, va.**

rotativo, va ▌adj./s.f. **1** En imprenta, referido a una máquina, que imprime con movimiento continuo y a gran velocidad los ejemplares de un periódico. ▌s.m. **2** Periódico impreso con este tipo de máquina. □ ETIMOL. De *rotar*.

rotatorio, ria adj. Que tiene un movimiento circular.

roti (fr.) s.m. Carne asada y envuelta en una malla, generalmente rellena de otros alimentos. □ PRON. [rotí].

rotisería s.f. →**rosticería.**

roto, ta ▌**1** part. irreg. de **romper**. ▌adj. **2** *col.* Muy cansado o agotado. ▌s. **3** *col.* En zonas del español meridional, individuo o tipo. **4** *col.* En zonas del español meridional, persona de baja extracción social. ▌s.m. **5** Agujero o desgarrón en un material, esp. en un tejido. □ MORF. Incorr. **rompido*.

rotonda s.f. **1** Plaza de forma circular. **2** Edificio o sala de forma circular. □ ETIMOL. Del italiano *rotonda* (redonda).

rotor s.m. En una máquina electromagnética o en una turbina, parte o pieza que gira. □ ETIMOL. Del inglés *rotor*, y este del latín *rotator* (que rueda).

rötring s.m. Rotulador de gran precisión en el grosor de su trazo. □ ETIMOL. Extensión del nombre de una marca comercial. □ PRON. [rótrin].

rottweiler (al.) adj.inv./s. Referido a un perro, de la raza que se caracteriza por tener media estatura, cuerpo musculoso y pelo negro, corto y duro. □ ETIMOL. Del alemán *Rottweiler* (de la ciudad de Rottweil). □ PRON. [rotbáiler].

rótula s.f. Hueso en forma de disco, situado en la articulación de la rodilla, entre el fémur y la tibia. □ SINÓN. *choquezuela.* □ ETIMOL. Del latín *rotula* (ruedecita), porque la rótula tiene esta forma.

rotulación s.f. Colocación o realización de un rótulo.

rotulador, -a ▌adj. **1** Que rotula o sirve para rotular. ▌s.m. **2** Especie de bolígrafo que tiene en su interior un material muy poroso empapado en tinta y que acaba en una punta de material absorbente.

rotular ▌adj.inv. **1** De la rótula o relacionado con este hueso: *una lesión rotular.* ▌v. **2** Referido esp. a un objeto, ponerle un rótulo: *Rotula el título del cuento con pinturas de colores.*

rotulista s.com. Persona que se dedica profesionalmente a hacer rótulos.

rótulo s.m. Letrero o inscripción con que se indica algo: *un rótulo luminoso.* □ ETIMOL. Del latín *rotulus* (rollo de papel desdoblado).

rotundidad s.f. **1** Seguridad, firmeza o imposibilidad de admitir duda: *La rotundidad de sus amenazas me ha atemorizado.* **2** Sonoridad y claridad del lenguaje. **3** Redondez de las formas o de las partes del cuerpo: *Los hombres la miran por la rotundidad de sus carnes.*

rotundo, da adj. **1** Muy claro y terminante o que no admite ninguna duda: *una negativa rotunda.* **2** Referido esp. al lenguaje, sonoro y claro. **3** Referido al cuerpo de una persona, redondeado y voluminoso. □ ETIMOL. Del latín *rotundus*.

rotura s.f. **1** Separación más o menos violenta de algo en trozos o producción de aberturas, agujeros o grietas: *El accidentado sufre rotura de dos costillas.* **2** Abertura, grieta o agujero formados en un cuerpo sólido: *Las tejas tienen roturas por las que se cuela el agua.* **3** ‖**rotura de stocks;** en economía, falta de existencias de determinado producto. □ ETIMOL. Del latín *ruptura*. □ ORTOGR. Dist. de *ruptura*.

roturación s.f. Operación de arar o de labrar una tierra por primera vez para ponerla en cultivo.

roturar v. Referido a un terreno, ararlo o labrarlo por primera vez para ponerlo en cultivo: *Han roturado parte del monte para cultivar cereales.* □ ETIMOL. De *rotura*.

rouge (fr.) s.m. →**pintalabios.** □ PRON. [ruch], con *ch* suave.

roulotte (fr.) s.f. Caravana o remolque acondicionado como vivienda que se engancha a un coche para desplazarlo. □ PRON. [rulót]. □ USO Su uso es innecesario y puede sustituirse por *caravana* o *autocaravana*.

round (ing.) s.m. →**asalto.** □ PRON. [raun]. □ USO Su uso es innecesario.

router (ing.) s.m. En informática, dispositivo que permite el enlace entre distintas redes y que selecciona el camino más rápido para hacer ese enlace. □ PRON. [rúter].

routier (fr.) s.m. →**rodador.** □ PRON. [rutiér].

rover (ing.) s.m. Vehículo diseñado para la exploración espacial. □ PRON. [róver].

roya s.f. Véase **royo, ya.**

royalty (ing.) s.m. Derecho que se debe pagar al titular de una obra, de una patente, de un invento o de algo semejante, para poder utilizarlo o explotarlo comercialmente. □ PRON. [royálti].

royo, ya ▌adj. **1** Referido a una fruta, que no está madura. ▌s.f. **2** Hongo de tamaño muy pequeño que vive parásito sobre diversos vegetales y que produce generalmente manchas amarillas o negras en sus hojas. □ ETIMOL. La acepción 1, del latín *rubeus* (rojo). La acepción 2, del latín *rubia* (rubia).

roza s.f. Canal o pequeño surco que se hace en una pared, en el suelo o en el techo para meter tubos o cables por ellos.

rozadura s.f. **1** Herida superficial en la piel, causada generalmente por el roce con algo duro: *Cuan-*

do estreno zapatos, siempre me hacen rozaduras. **2** Roce o raspadura: *El coche tiene una rozadura en la puerta.*

rozagante adj.inv. Orgulloso, satisfecho o con buen aspecto. □ ETIMOL. Del catalán *rossegant*, que en principio sirvió para designar cierta ropa que arrastraba por el suelo.

rozamiento s.m. **1** →**roce. 2** Resistencia que se opone a la rotación o al deslizamiento de un cuerpo sobre otro: *El rozamiento hace perder velocidad a los cuerpos en movimiento.*

rozar v. **1** Referido a una cosa, pasar o estar tan cerca de otra que se tocan u oprimen ligeramente: *La silla roza la pared.* **2** Referido a una superficie, rasparla o quitarle una capa finísima al tocarla con algo duro: *La tira de la sandalia me roza la parte de atrás del pie. Se ha rozado todo el barniz de la mesa.* **3** Referido esp. a un objetivo, estar muy cerca de él: *El precio roza los treinta euros.* □ ETIMOL. Del latín **ruptiare*, y este de *rumpere* (romper). □ ORTOGR. La *z* se cambia en *c* delante de *e* →CAZAR.

-rragia Elemento compositivo sufijo que significa 'flujo' o 'derramamiento': *hemorragia, blenorragia.* □ ETIMOL. Del griego *-rragía*, y este de *rhegnýnai* (romper, hacer brotar).

-rrea Elemento compositivo sufijo que significa 'flujo' o 'emanación': *diarrea, seborrea.* □ ETIMOL. Del latín *-rrhoea*, y este del griego *-rroia*, de *rheín* (fluir).

rúa s.f. Calle de una población. □ ETIMOL. Del latín *ruga* (calle).

ruana s.f. Véase **ruano, na.**

ruandés, -a adj./s. De Ruanda o relacionado con este país africano.

ruano, na ▮ adj. **1** Referido a un caballo o a su pelo, de color blanco, gris y bayo mezclados. **2** De la calle o relacionado con ella: *un vendedor ruano.* **▮** s.f. **3** Manta roída o gastada. **4** En zonas del español meridional, poncho.

rubato (it.) s.m. **1** En música, modo de ejecutar un pasaje con cierta libertad en cuanto al tiempo de los compases. **2** En una composición musical, pasaje que se ejecuta de este modo.

rubeola (tb. *rubéola*) s.f. Enfermedad infecciosa, contagiosa y epidémica producida por un virus, y que se caracteriza por la aparición en la piel de pequeñas manchas rosadas parecidas a las del sarampión. □ ETIMOL. De *rúbeo* (que tira a rojo).

rubescente adj.inv. *poét.* Rojizo. □ ETIMOL. Del latín *rubescere* (enrojecer).

rubí (pl. *rubíes, rubís*) s.m. Mineral cristalizado de gran dureza, muy brillante y de color rojo. □ SINÓN. *carbunclo, carbúnculo.* □ ETIMOL. Del latín **rubinus*, y este de *rubeus* (rojo).

rubia s.f. Véase **rubio, bia.**

rubiáceo, a ▮ adj./s.f. **1** Referido a una planta, que tiene la flor con el cáliz pegado al ovario y el fruto en forma de baya: *El café es una planta rubiácea.* **▮** s.f.pl. **2** En botánica, familia de estas plantas: *Las plantas que pertenecen a las rubiáceas pueden ser herbáceas o leñosas.*

rubiales (pl. *rubiales*) adj.inv./s.com. *col.* Referido a una persona, de pelo rubio.

rubicán, -a adj. Referido a un caballo o a una yegua, que tiene el pelaje mezclado de blanco y rojo. □ ETIMOL. De *rubio* y *cano*.

rubicón || **pasar el rubicón;** dar un paso decisivo aceptando algún riesgo: *Si has aceptado ese trabajo, has pasado el rubicón y no puedes volverte atrás.* □ ETIMOL. Por alusión al cruce del río Rubicón, efectuado por Julio César.

rubicundez s.f. **1** Buen color y aspecto saludable. **2** Color rojizo.

rubicundo, da adj. **1** Referido esp. a una persona, que tiene buen color y parece gozar de buena salud. **2** Rubio con tonalidades rojizas. □ ETIMOL. Del latín *rubicundus*.

rubidio s.m. Elemento químico, metálico y sólido, de número atómico 37, pesado y de color blanco: *El rubidio aparece en pequeñas proporciones en el agua y en las cenizas de algunas plantas.* □ ETIMOL. Del latín *rubidus* (rojo parduzco), porque el espectro del rubidio presenta dos rayas rojas. □ ORTOGR. Su símbolo químico es *Rb*.

rubio, bia ▮ adj./s. **1** De color amarillo parecido al del oro: *pelo rubio.* **2** Referido a una persona, que tiene el pelo de este color: *Mi hermano es rubio.* **▮** adj./s.m. **3** Referido a un tipo de tabaco, que es de color claro y tiene un olor y un sabor suaves: *¿Tienes tabaco rubio? Estoy acostumbrada al rubio y el tabaco negro me hace daño.* **▮** adj./s.f. **4** Referido a un tipo de cerveza, que es de color claro y tiene un sabor suave. **▮** s.f. **5** Arbusto americano de tallo cuadrado y espinoso, hojas lanceoladas con espinas en los bordes, flores pequeñas de color amarillento y fruto carnoso de color negro. **6** *col.* Peseta. **7** || **rubio platino;** el muy claro. □ ETIMOL. Del latín *rubeus* (rojizo).

rublo s.m. Unidad monetaria rusa y de otros países: *El rublo ruso tiene distinto valor que el rublo bielorruso.* □ ETIMOL. Del ruso *rubl*.

rubor s.m. **1** Color rojo muy encendido. **2** Sentimiento de vergüenza que produce un enrojecimiento del rostro. □ ETIMOL. Del latín *rubor*.

ruborizar ▮ v. **1** Causar rubor o vergüenza: *Me ruboriza la mala educación de algunas personas.* **▮** prnl. **2** Referido a una persona, ponérsele el rostro de color rojo, esp. si es por un sentimiento de vergüenza: *Me gusta ver cómo se ruboriza con cualquier cosa que se le dice.* □ SINÓN. *enrojecer, sonrojarse.* □ ORTOGR. La *z* se cambia en *c* delante de *e* →CAZAR.

ruboroso, sa adj. Que tiene rubor.

rúbrica s.f. En una firma, trazo o conjunto de trazos que acompañan al nombre. □ ETIMOL. Del latín *rubrica* (tierra roja, título escrito en rojo). □ SEM. Dist. de *firma* (nombre y apellidos que se ponen al pie de un documento).

rubricar v. **1** Poner la rúbrica, acompañada o no del nombre del que firma: *Escribieron sus nombres en el contrato y los rubricaron.* **2** Referido esp. a algo que se dice, confirmarlo o dar testimonio de ello: *Ru-*

brico lo que nos ha contado porque yo también lo vi. □ ORTOGR. La *c* se cambia en *qu* delante de *e* →SACAR.

ruca s.f. Vivienda típica de los indios mapuches.

rucio, cia ▌adj. **1** *col.* En zonas del español meridional, rubio. ▌s. **2** Caballería de pelaje pardo claro, blanquecino o canoso. □ ETIMOL. Del latín *roscidus* (lleno de rocío), por comparación del pelaje canoso con una superficie cubierta de gotas de rocío.

rucola s.f. Hortaliza de origen italiano, con hojas verdes que se utilizan para la alimentación.

rúcula s.f. Hortaliza de hojas verdes y redondeadas, de sabor ligeramente picante, y que se suele comer en ensalada. □ ETIMOL. Del italiano *rucola.* □ USO Se usa también *ruqueta.*

rudeza s.f. **1** Aspereza o falta de educación, de cortesía o de tacto: *Me habló con tal rudeza que me ofendí.* **2** Dureza o dificultad para ser soportado o realizado: *La rudeza del clima montañoso no es buena para mi salud.* **3** Tosquedad o falta de finura: *La rudeza de estas telas le va bien a la decoración rústica de su casa de campo.*

rudimentario, ria adj. **1** Que está en un estado de desarrollo imperfecto: *Por una malformación, sus dedos rudimentarios no le permiten coger objetos.* **2** Simple, elemental o básico: *Han encontrado en la excavación algunas herramientas rudimentarias.*

rudimento ▌s.m. **1** Parte de un ser orgánico imperfectamente desarrollada: *A causa de una malformación congénita, el bebé nació con un rudimento de brazo izquierdo.* ▌pl. **2** Conocimientos básicos o primarios: *Yo te enseño los rudimentos de este trabajo y tú irás mejorándolos con la práctica.* □ ETIMOL. Del latín *rudimentum* (aprendizaje).

rudo, da adj. **1** Áspero, poco cortés, sin educación o sin tacto: *La gente de trato rudo no suele caer bien.* **2** Riguroso, duro o difícil de soportar o de hacer: *Como no estoy acostumbrada, la vida del campo me parece ruda.* **3** Tosco, basto o sin finura: *La tela de saco es ruda y áspera.* □ ETIMOL. Del latín *rudis* (grosero, burdo).

rúe s.f. *col.* Calle. □ ETIMOL. Del francés *rue.*

rueca s.f. Instrumento que sirve para hilar y que se compone de una vara en uno de cuyos extremos se pone la materia textil, un huso movido por una rueda y varias poleas donde se va enrollando el hilo. □ ETIMOL. Del latín **rocca.*

rueda s.f. **1** Objeto o mecanismo de forma circular y que puede girar sobre un eje. **2** Lo que tiene esta forma circular. **3** ‖ **chupar rueda;** *col.* Aprovecharse del trabajo o del esfuerzo de otro: *El ciclista vencedor llegó el primero porque chupó rueda durante más de seis kilómetros.* ‖ **rueda de prensa;** reunión de periodistas en torno a una persona para escuchar sus declaraciones y hacerle una serie de preguntas. ‖ **rueda de presos;** reunión de presos que se hace para intentar identificar al culpable de determinado delito entre todos ellos. ‖ **sobre ruedas;** *col.* Muy bien o sin problemas: *Una vez que aprendamos cómo se hace, todo irá sobre ruedas.* □ ETIMOL. Del latín *rota.*

ruedo s.m. **1** En una plaza de toros, parte redonda, cubierta de arena y limitada por la barrera, en la que se lidian los toros. **2** Lo que tiene forma circular y rodea a algo. **3** En zonas del español meridional, dobladillo. □ ETIMOL. De *rodar.*

ruego s.m. Petición o súplica humildes que se hacen con el fin de conseguir algo.

rufián s.m. Hombre sin honor, perverso o despreciable. □ ETIMOL. Quizá del italiano *ruffiano.*

rufo, fa ▌adj. **1** Muy orgulloso, satisfecho y contento. ▌s.m. **2** *arg.* Tejado. □ ETIMOL. La acepción 1, del latín *rufus.* La acepción 2, del inglés *roof* (tejado).

rugby (ing.) s.m. Deporte que se practica entre dos equipos generalmente de quince jugadores con un balón ovalado que hay que dejar detrás de la línea de fondo del campo contrario o pasarlo por encima del travesaño horizontal de la portería. □ PRON. [rúgbi].

rugido s.m. **1** Voz característica del león y de otros animales salvajes. **2** Grito o voz furiosa de una persona muy enfadada. **3** Ruido muy fuerte y bronco: *Las noches de tormenta, el rugido del mar me despierta.* **4** Sonido producido por las tripas.

rugir v. **1** Referido a un animal salvaje, esp. al león, dar rugidos o emitir su voz característica: *El león y los tigres rugían al domador, pero él no se asustaba.* **2** Referido a una persona muy enfadada, gritar o hablar con furia: *No sabes cómo ruge mi padre cuando llego muy tarde.* **3** Producir un ruido fuerte o bronco: *Las olas rugían al romper en los acantilados.* **4** Referido esp. a un objeto, sonar con algún ruido: *Me rugen las tripas de hambre.* □ ETIMOL. Del latín *rugire.* □ ORTOGR. La *g* se cambia en *j* delante de *a, o* →DIRIGIR.

rugosidad s.f. Presencia de arrugas o de pequeños desniveles o hendiduras en una superficie.

rugoso, sa adj. Que tiene arrugas o pequeños desniveles o hendiduras. □ ETIMOL. Del latín *rugosus.*

ruibarbo s.m. **1** Planta herbácea de grandes hojas dentadas, ásperas por encima y vellosas por debajo, pequeñas flores amarillas o verdes en espiga, fruto seco con una sola semilla triangular y cuya raíz es un rizoma pardo por fuera y rojizo con puntos blancos en el interior. **2** Raíz de esta planta: *El ruibarbo tiene sabor amargo y se utiliza en medicina como purgante.* □ ETIMOL. Del latín *rheu barbarum.*

ruido s.m. **1** Sonido confuso y más o menos fuerte, esp. si es desagradable o molesto: *Me molesta el ruido de los camiones.* **2** Alboroto, tumulto o discordia: *¿Por qué armas tanto ruido por esa tontería?* **3** ‖ **mucho ruido y pocas nueces;** *col.* Expresión que se usa para indicar decepción: *Después de tanto hablarnos de lo maravilloso que era aquel restaurante, mucho ruido y pocas nueces.* ‖ **ruido de sables;** señal de pelea: *No disimules, que desde lejos se oía el ruido de sables entre tú y él.* □ ETIMOL. Del latín *rugitus.*

ruidoso, sa adj. Que causa mucho ruido.

ruin adj.inv. **1** Vil, despreciable o con malas intenciones. **2** Avaro y reacio a gastar dinero. □ ETIMOL. De *ruina*.

ruina ▮ s.f. **1** Destrucción, decadencia o daño muy grandes: *La invasión bárbara desencadenó la ruina del Imperio Romano.* **2** Causa de este destrozo o de esta decadencia: *Las drogas han sido su ruina.* **3** Lo que está en decadencia o en malas condiciones: *El alcohol lo dejó hecho una ruina.* **4** Pérdida cuantiosa de bienes: *Su afición por el juego le ha ocasionado la ruina.* ▮ pl. **5** Restos de un edificio o de varios destruidos: *En la excursión visitamos unas ruinas romanas.* □ ETIMOL. Del latín *ruina* (derrumbe, desmoronamiento).

ruindad s.f. **1** Vileza o maldad: *En sus ojos se reflejaba su ruindad.* **2** Lo que resulta ruin: *Engañarlo de esa forma ha sido una ruindad.*

ruinoso, sa adj. **1** Que amenaza ruina o que empieza a estar destruido: *un ruinoso caserón.* **2** Que causa la ruina o la destrucción: *un negocio ruinoso.*

ruiseñor s.m. Pájaro de pequeño tamaño, de color pardo rojizo y vientre claro, que se alimenta de insectos y que tiene un canto muy melodioso. □ ETIMOL. Del provenzal antiguo *rossinhol*. □ MORF. Es un sustantivo epiceno: *el ruiseñor {macho/hembra}*.

rula s.f. *col.* Droga sintética, esp. el éxtasis.

rular v. **1** *col.* Funcionar: *Si la máquina de fotos no rula, llévala a arreglar.* **2** *col.* Circular entre varias personas: *Hace días que rula por ahí el rumor de que nos van a dar un día de vacaciones.* **3** *arg.* Liar un porro. □ ETIMOL. Del francés *rouler* (rodar).

rulé s.m. *col.* Culo. □ ETIMOL. Del francés *roule*.

rulero s.m. En zonas del español meridional, rulo.

ruleta s.f. **1** Juego de azar que consta de una especie de rueda giratoria con casillas y colocada horizontalmente, y de un tapete con el mismo número de casillas, y que consiste en apostar sobre el número que saldrá en la rueda. **2** Rueda que se usa en este juego y en otros semejantes. **3** ‖ **ruleta rusa;** juego de azar que consiste en dispararse por turnos en la sien con un revólver cargado con una sola bala. □ ETIMOL. Del francés *roulette*.

ruletero, ra s. En zonas del español meridional, taxista.

rulo s.m. Pequeña pieza de peluquería, cilíndrica, hueca y perforada, sobre la que se enrolla un mechón de pelo para rizarlo. □ ETIMOL. De *rular*.

ruma s.f. En zonas del español meridional, montón.

rumano, na ▮ adj./s. **1** De Rumanía o relacionado con este país europeo. ▮ s.m. **2** Lengua románica de este país: *En el rumano hay dos fonemas vocálicos que se marcan con un acento circunflejo.*

rumba s.f. **1** Composición musical popular de origen cubano y de compás binario. **2** Baile que se ejecuta al compás de esta música.

rumbear v. **1** En zonas del español meridional, bailar la rumba. **2** En zonas del español meridional, encaminarse o dirigirse a un lugar.

rumbero, ra adj. **1** De la rumba o relacionado con ella. **2** Aficionado a la rumba o experto en este baile.

rumbo s.m. **1** Forma en que van ocurriendo las cosas: *No me gusta el rumbo que está tomando la situación.* **2** Camino o dirección que sigue algo: *El capitán puso rumbo Norte.* □ ETIMOL. Del latín *rhombus* (rombo), porque esta era la figura que estaba representada en las brújulas.

rumboso, sa adj. **1** *col.* Generoso o desprendido. **2** *col.* Que ostenta o que manifiesta lujo: *un chalé rumboso.* **3** *col.* Animado o juerguista. □ ETIMOL. De *rumbo* (pompa, ostentación).

rumen s.m. En el estómago de los rumiantes, primera de las cuatro cavidades de que consta. □ SINÓN. *panza.* □ ETIMOL. Del latín *rumen* (garganta).

rumiante ▮ adj.inv./s.m. **1** Referido a un mamífero, que se caracteriza por ser herbívoro, tener el estómago dividido en cuatro cavidades y por carecer de dientes incisivos en el maxilar superior: *La vaca y el camello son rumiantes.* ▮ s.m.pl. **2** En zoología, categoría a la que pertenecen estos mamíferos: *El estómago de los rumiantes se divide en panza, redecilla, libro y cuajar.*

rumiar v. **1** Referido a un alimento que ya se había tragado, volverlo a la boca y masticarlo por segunda vez: *Las vacas rumian la hierba.* **2** *col.* Considerar o pensar despacio y con detenimiento: *No sé qué andarás rumiando, pero, conociéndote, seguro que no es nada bueno.* □ ETIMOL. Del latín *rumigare*, de *rumar* (primer estómago de los rumiantes). □ ORTOGR. La *i* nunca lleva tilde.

rumor s.m. **1** Noticia que corre entre la gente: *Hay rumores sobre una posible bajada de la gasolina.* **2** Ruido confuso de voces: *Se oía un rumor de voces que venía de la calle.* **3** Ruido bajo, sordo y continuado: *El rumor de las olas me adormece.* □ ETIMOL. Del latín *rumor* (ruido).

rumorarse v.prnl. En zonas del español meridional, rumorearse: *Se rumora que va a cambiar la directora.*

rumorearse v.prnl. Referido a un rumor, difundirse entre la gente: *Se rumorea que este año habrá cambio de ministros.* □ SINÓN. *murmurarse.* □ MORF. Es unipersonal.

rumorología s.f. **1** *col.* Difusión de rumores. **2** *col.* Conjunto de rumores.

rumoroso, sa adj. *poét.* Que produce rumor.

runrún s.m. Zumbido o ruido constante. □ ETIMOL. De origen onomatopéyico.

runrunear v. Hacer un ruido suave, esp. referido al agua o al viento: *El agua del arroyo runruneaba entre las piedras.* □ SINÓN. *susurrar.* □ ETIMOL. De origen onomatopéyico. □ ORTOGR. Dist. de *ronronear*.

runruneo s.m. Ruido confuso y continuo. □ ORTOGR. Dist. de *ronroneo*.

rupestre adj.inv. Referido esp. a una pintura prehistórica, que está realizada sobre rocas o en cuevas. □ ETIMOL. Del latín *rupestris*, y este de *rupes* (roca).

rupia s.f. **1** Unidad monetaria de distintos países: *La rupia india tiene distinto valor que la rupia indonesia.* **2** *col.* Peseta. □ ETIMOL. Del sánscrito *rupya* (moneda de plata).

rupícola adj.inv. Que vive o se cría entre las rocas. □ ETIMOL. Del latín *rupes* (roca) y *-cola* (que habita).

ruptor s.m. **1** Mecanismo electromagnético o mecánico que se utiliza para abrir o cerrar el paso de corriente eléctrica en un circuito. **2** Dispositivo que produce una chispa en la bujía de un motor de explosión.

ruptura s.f. Interrupción o término de una relación o del trato entre personas. □ SINÓN. *rompimiento.* □ ETIMOL. Del latín *ruptura.* □ ORTOGR. Dist. de *rotura*.

ruqueta s.f. →**rúcula.**

rural adj.inv. Del campo o relacionado con él. □ ETIMOL. Del latín *ruralis,* y este de *rus* (campo).

ruralismo s.m. Conjunto de características que definen el mundo rural.

ruralista ▮ adj.inv. **1** Del ruralismo o relacionado con él. ▮ adj.inv./s.com. **2** Defensor o partidario de lo rural.

rusco (tb. *brusco*) s.m. Planta perenne de tallos flexibles, flores verdosas y bayas rojas, cuya raíz tiene propiedades medicinales: *El rusco se utiliza en algunas zonas como adorno en Navidad.* □ ETIMOL. Del latín *ruscum.*

ruso, sa ▮ adj./s. **1** De Rusia o relacionado con este país euroasiático. ▮ s.m. **2** Lengua eslava de este país: *El ruso se escribe con el alfabeto cirílico.*

rusticidad s.f. Falta de refinamiento.

rústico, ca adj. **1** Del campo o relacionado con él. **2** Tosco, grosero o poco pulido: *una tela rústica.* **3** || **en rústica;** referido a un tipo de encuadernación, que es ligera y con las cubiertas de cartulina o de papel fuerte. □ ETIMOL. Del latín *rusticus* (del campo, campesino). □ USO En la acepción 3, es innecesario el uso del anglicismo *paperback.*

ruta s.f. **1** Trayecto que se sigue para llegar a un lugar: *Los autobuses urbanos que llevan el mismo número hacen la misma ruta.* □ SINÓN. *itinerario.* **2** Autobús escolar que realiza un trayecto establecido para llevar a los alumnos al colegio: *He perdido la ruta y he llegado tarde al colegio.* **3** En zonas del español meridional, carretera. □ ETIMOL. Del francés *route* (camino abierto).

rutáceo, a ▮ adj./s.f. **1** Referido a una planta, que se caracteriza por ser arbustiva o arbórea, tener hojas alternas u opuestas, simples o compuestas, flores con cuatro o cinco pétalos y glándulas secretoras de esencias: *Algunas rutáceas, como el naranjo, se cultivan por sus frutos.* ▮ s.f.pl. **2** En botánica, familia de estas plantas, perteneciente a la clase de las dicotiledóneas: *Las rutáceas suelen vivir en climas templados o tropicales.* □ ETIMOL. Del latín *ruta* (ruda).

rutar v. Murmurar o refunfuñar: *No es agradable oírte siempre rutando cuando las cosas no te salen como tú quieres.* □ ETIMOL. De origen onomatopéyico.

rutenio s.m. Elemento químico, metálico y sólido, de número atómico 44, y cuyos óxidos son de color rojo: *El rutenio se usa en joyería.* □ ETIMOL. Del latín *Ruthenia* (Rusia), donde se encontró este mineral. □ ORTOGR. Su símbolo químico es *Ru.*

rutero, ra adj. De la ruta o relacionado con ella.

rutilante adj.inv. Que resplandece o brilla mucho. □ ETIMOL. Del latín *rutilans,* y este de *rutilare* (brillar como el oro).

rutilar v. *poét.* Brillar, resplandecer o emitir rayos de luz: *Las estrellas rutilaban en la noche.* □ ETIMOL. Del latín *rutilare.*

rutilo s.m. Mineral opaco o translúcido, de color rojo, amarillo o negro, que está formado por óxido de titanio: *El rutilo es el principal mineral del que se obtiene el titanio.* □ ETIMOL. Del latín *rutilus* (rojo encendido), por el color de los cristales del rutilo.

rutina s.f. **1** Costumbre o hábito de hacer las cosas de forma mecánica y sin razonar: *Hago siempre el mismo recorrido por rutina.* **2** Serie de órdenes o movimientos que se ejecutan repetidas veces: *rutinas de patinaje artístico; rutinas de obediencia para perros guía.* **3** En informática, serie de instrucciones que puede utilizarse repetidamente en un programa. □ ETIMOL. La acepción 1, del francés *routine* (marcha por un camino conocido). Las acepciones 2 y 3, del inglés *routine.*

rutinario, ria adj. **1** Que se hace por costumbre o rutina, sin que intervenga en exceso la razón: *un acto rutinario.* **2** Referido a una persona, que actúa por rutina. □ SEM. No debe emplearse con el significado de *habitual*: *Para mí es algo {*rutinario > habitual} leer en la cama antes de dormirme.*

S s

s s.f. **1** Vigésima letra del abecedario. **2** || **s líquida;** la *s* inicial de palabra y seguida de consonante: *'Espagueti' es un ejemplo de adaptación en español de la 's' líquida del italiano 'spaghetti'.* □ PRON. Representa el sonido consonántico apicoalveolar fricativo sordo, aunque en algunas regiones está muy extendida su pronunciación como [z]: *susurro, sapo* [zuzurro, zapo] →**ceceo.**

sábado s.m. Sexto día de la semana, entre el viernes y el domingo: *En algunas religiones, el sábado es un día sagrado.* □ ETIMOL. Del latín *sabbatum*, y este del hebreo *sabath* (descansar).

sábalo s.m. Pez marino que tiene el dorso de color verde azulado y el resto plateado, las aletas pequeñas y que en primavera remonta los ríos para desovar. □ ETIMOL. Quizá del celta *samos* (verano), porque en mayo y junio es cuando este pez aparece en los ríos. □ MORF. Es un sustantivo epiceno: *el sábalo {macho/hembra}.*

sabana s.f. Llanura muy extensa propia de las zonas de clima tropical y que se caracteriza por el predominio de vegetación herbácea y la ausencia de árboles. □ ORTOGR. Dist. de *sábana*.

sábana s.f. **1** Cada una de las dos piezas de tela que se colocan en la cama y entre las que se introduce la persona que se acuesta: *una sábana bajera.* **2** *col.* Papel de fumar. **3** || **pegársele** a alguien **las sábanas;** *col.* Levantarse más tarde de lo que debe o de lo que acostumbra. || **sábana santa;** la que se utilizó para envolver el cuerpo de Cristo después de su crucifixión. □ SINÓN. *santo sudario.* □ ETIMOL. Del latín *sabana.* □ ORTOGR. Dist. de *sabana*.

sabandija s.f. **1** Reptil pequeño o insecto, esp. si resultan molestos o perjudiciales. **2** *col.* Persona despreciable o malvada. □ ETIMOL. Quizá de origen prerromano.

sabañón s.m. Abultamiento y enrojecimiento acompañado de intenso picor que se produce generalmente en las manos, en los pies o en las orejas a causa del frío. □ ETIMOL. De origen incierto.

sabático, ca adj. **1** Del sábado o relacionado con él: *descanso sabático.* **2** Referido a un año, el que algunas universidades conceden a su personal docente y administrativo, con licencia de sueldo y generalmente cada siete años.

sabatino, na adj. Del sábado o relacionado con él.

sabbat s.m. En el judaísmo, sábado, que es el día dedicado a Dios. □ ETIMOL. Del hebreo *sabbat.* □ PRON. [sabát].

sabedor, -a adj. Que sabe o que conoce algo.

sabelotodo adj.inv./s.com. *col. desp.* Que cree saberlo todo o que presume de saber mucho más de lo que realmente sabe.

saber ▮ s.m. **1** Conocimiento profundo de una materia, una ciencia o un arte. □ SINÓN. *sabiduría.* ▮ v. **2** Conocer, tener noticia o estar informado: *No sabía que ibas a venir y por eso no te esperé.* **3** Poseer elevados conocimientos sobre alguna materia, esp. si se han adquirido por medio del estudio: *Sabe mucho de historia.* **4** Tener capacidad, habilidad, destreza o preparación para hacer algo: *Sabe cocinar muy bien.* **5** Tener sabor: *Esta comida sabe mucho a ajo.* **6** En zonas del español meridional, soler: *Sabía venir por acá todos los días.* **7** || **saber a poco** algo; *col.* Resultar insuficiente: *Se ha marchado muy pronto y su visita me ha sabido a poco.* || **saber lo que es bueno;** *col.* Recibir un castigo o una reprimenda: *Como te coja, vas a saber lo que es bueno.* □ ETIMOL. La acepción 1, del verbo *saber*. Las acepciones 2-7, del latín *sapere* (tener gusto, ejercer el sentido del gusto). □ MORF. Irreg. →SABER. □ SINT. 1. Constr. de las acepciones 2 y 3: *saber* DE *algo*. 2. En la acepción 6, se usa siempre seguido de infinitivo.

sabidillo, lla adj./s. *desp.* Que presume de enterado y de saber más de lo que realmente sabe.

sabido, da adj. Habitual, conocido o de siempre.

sabiduría s.f. **1** Conocimiento profundo de una materia, una ciencia o un arte. □ SINÓN. *saber.* **2** Prudencia en la vida o en un asunto: *Al no meterte en ese negocio tan poco claro, has demostrado sabiduría.*

sabiendas || **a sabiendas;** de manera intencionada o con conocimiento y deliberadamente: *Sabía que eso te dolería y lo ha dicho a sabiendas.* □ ETIMOL. Del latín *sapiendus*, y este de *sapere* (saber).

sabihondez s.f. →**sabiondez.**

sabihondo, da adj./s. *col.* →**sabiondo.**

sábila (tb. *zabila, zábila*) s.f. Planta perenne de hojas alargadas y carnosas que arrancan de la parte baja del tallo y de las que se extrae un jugo muy amargo y parecido a la resina, que se usa en medicina. □ SINÓN. *acíbar, aloe.*

sabina s.f. Véase **sabino, na.**

sabino, na ▮ adj./s. **1** De un antiguo pueblo que habitaba entre el Tíber (río italiano) y los Apeninos (cordillera italiana), o relacionado con él. ▮ s.f. **2** Arbusto de tronco grueso, hojas pequeñas, casi cilíndricas, escamosas y unidas entre sí de cuatro en cuatro y con fruto de color negro o rojizo. □ ETIMOL. La acepción 2, del latín *sabina.*

sabio, bia ▮ adj. **1** Que instruye o que manifiesta sabiduría: *Siempre agrada oír las sabias palabras de una persona tan culta.* **2** Referido a un animal, que está amaestrado y realiza gracias y habilidades. ▮ adj./s. **3** Referido a una persona, que posee profundos conocimientos en una materia, una ciencia o un arte. **4** Prudente, cuerdo o juicioso: *una decisión sabia.* □ ETIMOL. Del latín *sapidus* (prudente, juicioso).

sabiondez (tb. *sabihondez*) s.f. *col.* Presunción de saber mucho o más de lo que realmente se sabe.

sabiondo, da (tb. *sabihondo, da*) adj./s. *col. desp.* Que presume de saber mucho o más de lo que realmente sabe. □ ETIMOL. Del latín **sapibundus*.

sablazo s.m. *col.* Petición de dinero a alguien con la intención de no devolvérselo.

sable s.m. Arma blanca parecida a la espada, ligeramente curva y de un solo filo. □ ETIMOL. Del francés *sabre*.

sablear v. *col.* Referido esp. a una persona, conseguir que preste dinero, pero con la intención de no devolvérselo: *No me volverás a sablear porque no te presto más si no me devuelves lo que me debes.*

sablista adj.inv./s.com. *col.* Que tiene por costumbre sacar dinero a los demás, generalmente con habilidad o con insistencia.

saboneta s.f. Reloj de bolsillo con una tapa que se levanta apretando un resorte. □ ETIMOL. Del francés *montre à savonette*, por comparación con una cajita de jabón de afeitar.

sabor s.m. **1** Cualidad de una sustancia que se percibe por el sentido del gusto: *El café tiene sabor amargo.* **2** Parecido o semejanza: *Ésa es una obra de sabor clásico.* **3** || **sabor (de boca);** impresión que algo produce o deja en el ánimo: *Esa noticia me dejó un sabor amargo.* || **{buen/mal} sabor (de boca);** sensación buena o mala que algo produce: *Me quedó mal sabor de boca después de dejar a tu primo allí solo.* □ ETIMOL. Del latín *sapor*.

saborear v. **1** Referido a algo que se come o se bebe, percibir su sabor detenidamente y deleitándose en él: *Para saborear la comida hay que comer despacio.* **2** Apreciar o disfrutar con detenimiento y tranquilidad: *Saboreas el triunfo por anticipado.*

saboreo s.m. **1** Percepción del sabor de una comida o de una bebida con detenimiento y para deleitarse en él. **2** Disfrute lento de algo que resulta agradable.

saborizante adj.inv./s.m. Referido a una sustancia, que da sabor.

sabotaje s.m. **1** Daño o destrucción de instalaciones, productos, servicios u otras cosas que pertenecen o representan un poder contra el que se lucha. **2** Oposición u obstrucción disimuladas contra un proyecto, una orden, una decisión o una idea. □ ETIMOL. Del francés *sabotage*.

saboteador, -a adj./s. Que hace sabotaje.

sabotear v. Hacer sabotaje: *Por envidia ha saboteado mi proyecto y lo ha hecho fracasar.* □ ETIMOL. Del francés *saboter* (entorpecer el trabajo).

sabroso, sa adj. **1** De buen sabor o agradable al gusto. **2** Interesante o importante. □ ETIMOL. Del latín *saporosus*.

sabrosón, -a adj. Animado o simpático, referido esp. a la música centroamericana.

sabueso, sa ▌adj./s. **1** Referido a un perro, de la raza que se caracteriza por tener cabeza grande, piel con numerosos pliegues, pelaje corto, orejas grandes y caídas, y cola delgada y larga. ▌s. **2** Persona que posee una especial capacidad o habilidad para investigar y descubrir algo. □ ETIMOL. Del latín *segusius*, y este probablemente de *Segusia* (valle de Susa, en el Piamonte), de donde procedería esta raza de perros.

saburra s.f. **1** Mucosidad espesa que se acumula en la superficie de la lengua debido a una mala digestión o a cualquier otra alteración gástrica. **2** Capa blanquecina o amarillenta que cubre la lengua por efecto de esta mucosidad. □ ETIMOL. Del latín *saburra* (lastre).

saca s.f. Saco grande de tela fuerte más largo que ancho.

sacabocado s.m. →**sacabocados.**

sacabocados (tb. *sacabocado*) (pl. *sacabocados*) s.m. Instrumento con unas piezas afiladas, que sirve para hacer agujeros.

sacabuche s.m. Antiguo instrumento musical de viento, de la familia de los metales, formado por un doble tubo cilíndrico en forma de 'U', que termina en un pabellón acampanado: *El sacabuche es parecido al trombón.* □ ETIMOL. Del francés antiguo *saqueboute*.

sacacorchos (pl. *sacacorchos*) s.m. **1** Utensilio consistente en una espiral metálica encajada en un soporte al que se da vueltas, que se usa para sacar los corchos de las botellas. □ SINÓN. *descorchador*. **2** || **sacar** algo a alguien **con sacacorchos;** *col.* Conseguir con gran esfuerzo que lo diga o hable de ello.

sacacuartos (pl. *sacacuartos*) ▌s.com. **1** *col.* Persona que tiene habilidad para sacar dinero a otra. □ SINÓN. *sacaperras, sacadineros*. ▌s.m. **2** *col.* Lo que tiene poco valor o constituye un despilfarro de dinero: *Este coche es un sacacuartos porque continuamente está en el taller.* □ SINÓN. *sacadineros*.

sacadineros (pl. *sacadineros*) s.com. →**sacacuartos.**

sacaleches (pl. *sacaleches*) s.m. Aparato que sirve para extraer la leche del pecho de una mujer.

sacamantecas (pl. *sacamantecas*) s.com. **1** *col.* Asesino que abre el cuerpo de sus víctimas y les saca órganos y vísceras. **2** *col.* En la tradición popular, personaje imaginario que asusta a los niños.

sacamuelas (pl. *sacamuelas*) s.com. *col. desp.* Dentista.

sacaperras (pl. *sacaperras*) s.com. →**sacacuartos.**

sacapuntas (pl. *sacapuntas*) s.m. Instrumento o aparato que sirve para sacar punta a los lápices. □ SINÓN. *afilalápices*.

sacar v. **1** Referido a algo, ponerlo fuera del lugar en que está contenido o encerrado: *Saca los cubiertos del cajón.* □ SINÓN. *extraer*. **2** Referido a una persona o a una cosa, quitarlas o apartarlas del lugar o de la condición en que están: *Una llamada me sacó de la reunión. Una propina de lotería no me sacará de pobre.* **3** Conocer, descubrir o hallar, generalmente por señales o por indicios: *He sacado que sois hermanos por vuestro gran parecido. No me saques faltas.* **4** Obtener, conseguir o lograr: *El aceite de oliva se saca de las aceitunas.* **5** Producir, inventar o crear y poner en circulación: *¿Has visto el nuevo modelo de coche que han sacado?* **6** Mostrar, manifestar o dar a conocer: *Cuando saca su malhumor no hay quien lo aguante.* **7** Referido a una cuestión, aprenderla, resolverla o averiguarla, generalmente por medio de una operación intelectual: *Vamos a sacar la cuenta de lo que te debo.* **8** Referido a una prenda de vestir, cambiarle las costuras para ensancharla o alargarla: *Sácame la falda, que me está estrecha.* **9** Referido a una entrada o a un billete, comprarlos: *Ya he sacado el billete de avión.* **10** En algunos deportes, referido a la pelota, ponerla en juego o darle el impulso inicial: *Esa tenista saca muy bien.* **11** Quitar o hacer desaparecer: *La leche saca muy bien las manchas de tinta.* **12** Aventajar en lo expresado: *Soy más alto que tú y te saco diez centímetros.* **13** Alargar, adelantar o hacer sobresalir: *Al oír mis halagos, sacó pecho y empezó a presumir.* **14** *col.* Retratar, fotografiar o filmar: *En esta foto me has sacado fatal.* **15** Citar, nombrar o traer a la conversación: *No creo que sea el momento adecuado de sacar ese tema.* **16** || **sacar adelante** algo; hacer que prospere o salga bien: *Sacó adelante a diez hijos. Saqué adelante el negocio con mucho esfuerzo.* □ ETIMOL. De origen incierto. □ ORTOGR. La *c* se cambia en *qu* delante de *e* →SACAR.

sacárico, ca adj. Del azúcar o relacionado con él.

sacárido s.m. Compuesto orgánico formado por carbono, hidrógeno y oxígeno, en el que el hidrógeno está en doble proporción que el oxígeno: *Los sacáridos constituyen un buen aporte energético en la alimentación humana.* □ SINÓN. *glúcido, hidrato de carbono.* □ ETIMOL. Del latín *saccharum*, y este del griego *sákkharon* (azúcar).

sacarífero, ra adj. Que contiene o produce azúcar.

sacarina s.f. Véase **sacarino, na**.

sacarino, na ▌adj. **1** Con características del azúcar: *productos sacarinos.* ▌s.f. **2** Sustancia sólida, soluble en agua, de color blanco, sabor muy dulce y que se usa generalmente para endulzar en sustitución del azúcar. □ ETIMOL. Del latín *saccharum* (azúcar).

sacarosa s.f. En química, sustancia sólida, generalmente de color blanco, de sabor muy dulce y que se extrae de la caña dulce, de la remolacha o de otros vegetales. □ SINÓN. *azúcar.* □ ETIMOL. Del latín *saccharum* (azúcar).

sacerdocio s.m. Cargo, estado y función del sacerdote.

sacerdotal adj.inv. Del sacerdote o relacionado con él.

sacerdote s.m. **1** En la iglesia católica, hombre que ha consagrado su vida a Dios y que ha sido ungido y ordenado para celebrar y ofrecer el sacrificio de la misa. **2** En otras religiones, eclesiástico con funciones semejantes a este. **3** Hombre dedicado a la celebración y ofrecimiento de ritos religiosos o de sacrificios a una deidad. □ ETIMOL. Del latín *sacerdos*, y este de *sacer* (sagrado). □ MORF. En la acepción 3, su femenino es *sacerdotisa*. □ SINT. En la acepción 2, para indicar el femenino, se usa como aposición pospuesto a un sustantivo: *una mujer sacerdote.*

sacerdotisa s.f. **1** Mujer dedicada al ofrecimiento de sacrificios a una deidad y al cuidado de su templo o a la realización de ritos religiosos. **2** En la iglesia anglicana, mujer sacerdote. □ ETIMOL. Del latín *sacerdotissa*. □ MORF. Su masculino es *sacerdote*.

saciar v. Referido a un deseo o a una necesidad, satisfacerlos por completo: *Comió y bebió hasta saciar el hambre y la sed. Estoy llenísimo porque he comido hasta saciarme.* □ ETIMOL. Del latín *satiare*, y este de *satis* (suficientemente). □ ORTOGR. La *i* nunca lleva tilde.

saciedad s.f. **1** Hartura que se produce al satisfacer en exceso un deseo o una necesidad: *He comido hasta la saciedad y ahora me duele el estómago.* **2** || **hasta la saciedad;** mucho o intensamente: *Ha repetido hasta la saciedad que él no era culpable.* □ ETIMOL. Del latín *satietas*, y este de *satis* (suficientemente).

saco s.m. **1** Receptáculo hecho de un material flexible, abierto por uno de sus extremos y que se utiliza para llevar o contener algo: *Compré un saco de patatas de diez kilos.* **2** Órgano o estructura orgánica con esta forma que contiene generalmente un fluido o que sirve de protección: *La cavidad de los estambres que contiene el polen se denomina 'saco polínico'.* **3** Saqueo o robo de un lugar: *El saco de Roma fue llevado a cabo por las tropas de Carlos I de España.* **4** Bolso de mano grande, utilizado esp. para viajar: *Metí toda la ropa en un saco y me fui a pasar el fin de semana a la playa.* **5** En zonas del español meridional, chaqueta o americana. **6** || **a saco;** *col.* Sin moderación: *Me hizo preguntas a saco.* || **echar en saco roto** algo; *col.* Olvidarlo o no tenerlo en cuenta: *Algún día te arrepentirás de haber echado en saco roto mis consejos.* || **entrar a saco;** saquear: *Los soldados entraron a saco en la ciudad recién conquistada.* || **meter en el mismo saco;** *col.* Considerar de la misma condición o naturaleza: *No metas en el mismo saco tus problemas y los míos, porque lo que yo te planteo no tiene nada que ver con lo que tú estás viviendo.* || **saco (de dormir);** el forrado de plumas, guata u otro material semejante y en el que se introduce una persona para dormir, esp. si es al aire libre o en una tienda de campaña: *Los sacos de dormir suelen ser impermeables.* □ ETIMOL. Del latín *saccus* (saco, vestido grosero). □ USO En algunas expresiones, se usa con valor eufemístico para sustituir a *culo*.

sacón s.m. En zonas del español meridional, chaquetón.

sacralización s.f. Atribución de carácter sagrado.

sacralizar v. Dar carácter sagrado: *Las religiones sacralizan muchos ritos tradicionales.* □ ETIMOL. Del francés *sacraliser*. □ ORTOGR. La *z* se cambia en *c* delante de *e* →SACAR.

sacramental adj.inv. De los sacramentos o relacionado con ellos.

sacramentar v. En el cristianismo, administrar los sacramentos: *El sacerdote sacramentó al enfermo, que murió minutos más tarde.*
sacramento s.m. **1** En el cristianismo, signo visible instituido por Jesucristo para transmitir un efecto interior que Dios obra en las almas de las personas: *Los sacramentos católicos son siete: el bautismo, la penitencia, la eucaristía, la confirmación, el matrimonio, el orden sacerdotal y la extremaunción.* **2** || **últimos sacramentos;** los de la penitencia, eucaristía y extremaunción, que se administran a alguien que está en peligro de muerte. □ ETIMOL. Del latín *sacramentum.*
sacratísimo, ma superlat. irreg. de **sagrado**. □ MORF. Incorr. *sagradísimo.
sacrificar ▮ v. **1** Hacer sacrificios u ofrecer algo en reconocimiento de la divinidad: *Los antiguos sacrificaban animales o víctimas a sus dioses para que sus peticiones se cumplieran.* **2** Referido esp. a un animal, matarlo, esp. para dedicarlo al consumo: *En el matadero sacrifican a las reses y las distribuyen a las carnicerías.* **3** Referido a algo, renunciar a ello o ponerlo en una situación desfavorable para conseguir otra cosa: *Sacrifico unas horas de sueño para acabar el trabajo. Muchos soldados sacrificaron su vida por la patria.* ▮ prnl. **4** Realizar algo que resulta costoso, esp. si con ello se espera obtener un beneficio: *Se sacrifica por su familia renunciando a sus aficiones para estar con sus hijos.* □ ETIMOL. Del latín *sacrificare.* □ ORTOGR. La *c* se cambia en *qu* delante de *e* →SACAR.
sacrificio s.m. **1** Ofrenda de una víctima a una divinidad en señal de reconocimiento o de arrepentimiento. **2** Ejecución de animales, esp. para dedicarlos al consumo. **3** Lo que se hace sin ganas o sin desearse, generalmente por obligación y con gran esfuerzo: *Dejar de fumar ha sido un gran sacrificio.* **4** Acto de abnegación inspirado en el cariño: *Su madre los sacó adelante con muchos sacrificios.* **5** En la misa, acto del sacerdote al ofrecer el cuerpo de Jesucristo representado por el pan y el vino.
sacrilegio s.m. Daño o tratamiento irreverente hacia lo que se considera sagrado.
sacrílego, ga ▮ adj. **1** Del sacrilegio o relacionado con él. ▮ adj./s. **2** Referido esp. a una persona, que comete sacrilegio. □ ETIMOL. Del latín *sacrilegus* (ladrón de objetos sagrados).
sacristán s.m. Hombre que se encarga del cuidado y arreglo de una iglesia y que ayuda al sacerdote en la misa. □ ETIMOL. Del latín *sacrista.*
sacristana s.f. **1** Mujer del sacristán. **2** En un convento, mujer, generalmente monja, que se ocupa del cuidado y el arreglo de la iglesia.
sacristía s.f. Parte de una iglesia en la que se guardan las ropas y los objetos necesarios para el culto y donde los sacerdotes se revisten. □ ETIMOL. Del latín *sacristia*, y este de *sacra* (objeto sagrado).
sacro, cra ▮ adj. **1** De la divinidad o relacionado con el culto divino. □ SINÓN. *sagrado.* ▮ s.m. **2** →**hueso sacro.** □ ETIMOL. Del latín *sacer* (santo, augusto).
sacrosanto, ta adj. Que es al mismo tiempo sagrado y santo. □ ETIMOL. Del latín *sacrosanctus.*
sacudida s.f. **1** Movimiento brusco, esp. el que se hace agitando algo a uno y otro lado: *A pesar de las sacudidas que dimos al árbol, las manzanas no cayeron.* □ SINÓN. *sacudimiento.* **2** Fuerte impresión: *La noticia del accidente fue una sacudida para los amigos de la víctima.* □ SINÓN. *sacudimiento.*
sacudimiento s.m. →**sacudida.**
sacudir v. **1** Mover bruscamente a uno y otro lado: *El aire sacudía las plantas del jardín.* **2** Golpear o agitar en el aire para limpiar: *Todas las mañanas sacudo las alfombras por la ventana.* **3** Pegar o dar golpes: *Como no te calles, te sacudo.* **4** Arrojar o despedir de sí de forma brusca: *Sacúdete la tristeza y vamos a bailar.* **5** Impresionar mucho: *La noticia de su muerte sacudió al mundo entero.* **6** En zonas del español meridional, quitar el polvo: *¿Dónde está el plumero para sacudir los muebles?* □ ETIMOL. Del latín *succutere.*
sádico, ca ▮ adj. **1** Del sadismo o relacionado con él. ▮ adj./s. **2** Referido a una persona, que disfruta con el sufrimiento ajeno.
sadismo s.m. **1** Tendencia sexual que consiste en obtener disfrute erótico causando dolor físico o moral a otra persona. **2** Crueldad refinada que produce placer a quien la ejecuta. □ ETIMOL. Del francés *sadisme*, y este del nombre del Marqués de Sade (novelista francés) por el contenido de sus obras.
sadomasoquismo s.m. Tendencia sexual que consiste en obtener disfrute erótico causando dolor físico o sufrimiento a otra persona y recibiendo de esta malos tratos y humillaciones. □ ETIMOL. De *sadismo* y *masoquismo.*
sadomasoquista ▮ adj.inv. **1** Del sadomasoquismo o relacionado con esta tendencia sexual. ▮ adj.inv./s.com. **2** Referido a una persona, que practica el sadomasoquismo.
saduceo, a adj./s. Referido a una persona, que pertenece a la aristocracia sacerdotal judía que negaba la inmortalidad del alma. □ ETIMOL. Del latín *sadducaeus*, y este del hebreo *sadduq* (justo).
saeta s.f. **1** Arma arrojadiza formada por una varilla delgada y ligera con una punta triangular y afilada en su vértice que se dispara con un arco. □ SINÓN. *flecha.* **2** En un reloj o en una brújula, manecilla o aguja. **3** Cante flamenco de carácter religioso y tono patético y desgarrado. □ ETIMOL. Del latín *sagitta.*
saetera s.f. Véase **saetero, ra**.
saetero, ra ▮ adj. **1** De las saetas o flechas. ▮ s. **2** Persona que canta saetas. ▮ s.m. **3** Hombre que luchaba con arco y saeta. ▮ s.f. **4** Ventana muy estrecha que se suele abrir en las escaleras y en otros lugares, esp. la abierta en el muro de una fortificación usada para disparar por allí las flechas.

safari s.m. **1** Expedición para cazar animales de gran tamaño que se realiza en algunas regiones africanas. **2** Expedición por algún lugar de difícil acceso: *un safari fotográfico.* **3** Parque zoológico en el que los animales están en libertad: *En el safari está prohibido abrir las ventanillas del coche cuando un animal se acerca.* □ ETIMOL. Del suajili *safari.*

safena s.f. →**vena safena.**

sáfico, ca adj. **1** En métrica grecolatina, referido a un verso, que consta de once sílabas y que fue muy utilizado en los inicios de la lírica griega, esp. en la lírica eolia. **2** Del lesbianismo o relacionado con esta inclinación sexual. □ ETIMOL. Por alusión a Safo, poetisa griega que compuso estrofas con este tipo de verso y de quien se decía que era lesbiana.

saga s.f. **1** Relato novelesco que cuenta la historia de dos o más generaciones de una familia. **2** Familia o dinastía familiar: *Pertenece a una saga de juristas prestigiosos.* **3** Leyenda poética contenida en las colecciones de primitivas tradiciones heroicas y mitológicas escandinavas. □ SEM. En las acepciones 1 y 2, es incorrecto su uso para designar grupos de personas no emparentadas.

sagacidad s.f. Astucia, prudencia y capacidad de previsión. □ ORTOGR. Dist. de *salacidad.*

sagaz adj.inv. **1** Astuto y prudente o que prevé y previene las cosas. **2** Referido a un animal, esp. a un perro, que localiza a sus presas siguiéndoles el rastro. □ ETIMOL. Del latín *sagax* (que tiene buen olfato). □ ORTOGR. Dist. de *salaz.*

sagita s.f. Segmento de recta comprendido entre el punto medio de un arco de un círculo y el de su cuerda. □ ETIMOL. Del latín *sagitta.*

sagitado, da adj. Con forma de saeta o flecha.

sagitario adj.inv./s.com. Referido a una persona, que ha nacido entre el 23 de noviembre y el 21 de diciembre aproximadamente. □ ETIMOL. Del latín *sagittarius* (noveno signo zodiacal).

sagrado, da adj. **1** De la divinidad o relacionado con el culto divino: *un lugar sagrado.* □ SINÓN. *sacro.* **2** Que es digno de veneración o de respeto: *El fin de semana para mí es sagrado y no trabajo nada.* □ ETIMOL. Del latín *sacratus* (sagrado, consagrado). □ MORF. Su superlativo es *sacratísimo.*

sagrario s.m. Pequeño recinto, generalmente un cofre, armario o un templete, en el que se guardan el copón y las hostias consagradas. □ ETIMOL. Del latín *sacrarium.*

saguaro s.m. Cactus de grandes dimensiones que tiene forma de cirio y que puede llegar a pesar varias toneladas.

sah s.m. Rey de Persia (antiguo reino asiático) o Irán (país asiático en el que se convirtió aquel antiguo reino). □ ETIMOL. Del persa *sah.* □ USO Es innecesario el uso del anglicismo *sha.*

saharaui adj.inv./s.com. →**sahariano.** □ PRON. Está muy extendida la pronunciación con *h* aspirada: [saharáui], con *h* aspirada.

sahariana s.f. Véase **sahariano, na.**

sahariano, na ▌adj. **1** Del desierto del Sahara (desierto africano que se extiende desde el océano Atlántico hasta el mar Rojo y desde el monte Atlas hasta el país de Sudán), o relacionado con él. □ SINÓN. *saharaui.* ▌adj./s. **2** Del Sahara (territorio del noroeste africano situado junto al océano Atlántico) o relacionado con él. □ SINÓN. *saharaui.* ▌s.f. **3** Chaqueta amplia de tejido ligero y color claro, que tiene bolsillos de parche y se suele ajustar con un cinturón. □ PRON. Está muy extendida la pronunciación con *h* aspirada: [sahariáno], con *h* aspirada.

sahib s.m. En la India, forma de tratamiento con la que los criados indígenas se dirigían a sus amos. □ ETIMOL. Del hindi.

sahumar v. Dar humo aromático para purificar o para perfumar: *Me gusta quemar incienso o encender velas aromáticas para sahumar la sala.* □ ETIMOL. Del latín *suffumare*, y este de *sub* (bajo) y *fumus* (humo). □ ORTOGR. La *u* lleva tilde en los presentes, excepto en las personas *nosotros* y *vosotros* →ACTUAR.

sahumerio s.m. **1** Purificación o perfume de algo que se produce mediante la aplicación de humo aromático. **2** Humo procedente de una materia aromática que se quema. **3** Esta materia.

saiga s.m. Animal mamífero rumiante, parecido al antílope y con el pelaje amarillento. □ ETIMOL. Del ruso *saigá* (antílope). □ MORF. Es un sustantivo epiceno: *el saiga {macho/hembra}.*

saín s.m. Grasa de algunos animales. □ ETIMOL. Del latín *sagina* (engorde de animales, gordura).

sainar v. Referido a un animal, engordarlo. □ ETIMOL. Del latín *saginare* (engordar).

sainete s.m. **1** Pieza teatral en un solo acto, cómica y de carácter popular, que solía representarse al final de una función o como intermedio. **2** Obra teatral generalmente cómica, de ambiente y personajes populares, en uno o en varios actos, y que se representa como función independiente. □ ETIMOL. De *saín* (tocino de un animal), porque sainete significó *bocado sabroso* o *salsa para acompañar la comida* y luego *pieza jocosa para acompañar la representación principal.*

sainetero, ra s. Escritor de sainetes. □ SINÓN. *sainetista.*

sainetista s.com. →**sainetero.**

saja s.f. →**sajadura.**

sajadura s.f. Corte o incisión hechos en la carne. □ SINÓN. *saja.*

sajar v. En medicina, cortar o incidir en alguna parte del cuerpo para curarlo: *Me sajaron el quiste que tenía en el brazo.* □ ETIMOL. Del francés antiguo *jarser.* □ ORTOGR. Conserva la *j* en toda la conjugación.

sajón, -a adj./s. **1** De un antiguo pueblo germánico que se estableció en el siglo V en las islas de Gran Bretaña o relacionado con él. **2** De Sajonia (antiguo Estado alemán que corresponde a los actuales de Baja Sajonia, Sajonia Anhalt y Sajonia), o relacionado con él.

sake s.m. Bebida alcohólica que se obtiene por la fermentación del arroz y que es típicamente japonesa. ☐ ETIMOL. Del japonés *sake*.

sal ▮ s.f. **1** Sustancia cristalina, muy soluble en agua, generalmente blanca y de sabor característico, que se utiliza para condimentar alimentos, conservar carnes y en la industria química. ☐ SINÓN. *cloruro sódico*. **2** En química, compuesto obtenido al reaccionar un ácido con una base. **3** Agilidad, gracia y desenvoltura en la expresión o en los gestos: *Es un tópico decir que los andaluces tienen mucha sal.* ▮ pl. **4** Sustancia salina que generalmente contiene amoniaco y que se utiliza para reanimar a una persona desmayada: *En cuanto respiró las sales recobró la consciencia.* **5** ‖ **sales (de baño);** sustancia perfumada que se disuelve en el agua para el baño. ☐ ETIMOL. Del latín *sal*.

sala s.f. **1** Local o dependencia para diversos usos: *una sala de espera.* **2** En una vivienda, habitación en la que hace vida la familia. **3** ‖ **sala de fiestas;** establecimiento público en el que se puede bailar y consumir bebidas y en el que normalmente se ofrecen cenas y espectáculos. ‖ **sala X;** cine especializado en proyectar películas pornográficas. ☐ ETIMOL. Del germánico *sal* (edificio que consta solamente de una gran sala de recepción). ☐ USO 1. Es innecesario el uso del galicismo *boîte* y del anglicismo *nightclub* en lugar de *sala de fiestas*. 2. En la acepción 2, se usa más la expresión *sala de estar*.

salabre s.m. Red de pesca de uso individual, consistente en una bolsa de red sujeta a un armazón con mango. ☐ ETIMOL. De origen incierto.

salacidad s.f. Inclinación exagerada a la lascivia o al deseo de placer sexual. ☐ ETIMOL. Del latín *salacitas*, y este de *salax* (obsceno). ☐ ORTOGR. Dist. de *sagacidad*.

salacot (pl. *salacots*) s.m. Sombrero de copa esférica y rígida que se usa en países cálidos. ☐ ETIMOL. Del tagalo *salakót*.

saladar s.m. Terreno salino formado por la desecación de las marismas.

saladero s.m. Lugar en el que se salan carnes o pescados.

salado, da adj. **1** Con sal o con más sal de la necesaria. **2** Ágil, gracioso y desenvuelto en la expresión o en los gestos. **3** En zonas del español meridional, con mala suerte o que la atrae.

saladura s.f. **1** Introducción en sal de un alimento, esp. una carne o un pescado, para su conservación. **2** Aplicación de sal a un alimento.

salafismo s.m. Movimiento islámico reformista que surgió en Egipto (país africano) a finales del siglo XIX.

salafista adj.inv./s.com. Del salafismo o relacionado con este movimiento islámico: *un dirigente salafista.*

salamandra s.f. **1** Anfibio con la piel lisa de color negruzco y grandes manchas amarillentas o rojizas, que tiene una gran cola redondeada, vive en bosques húmedos y se mueve muy despacio. **2** Estufa de combustión lenta. ☐ ETIMOL. Del latín *salamandra*. ☐ MORF. En la acepción 1, es un sustantivo epiceno: *la salamandra {macho / hembra}*.

salamanquesa s.f. Reptil que se alimenta de insectos, es de color grisáceo y pardo rojizo, tiene una gran cola y los dedos anchos en sus extremos provistos de laminillas adhesivas. ☐ ETIMOL. De *salamandra*. ☐ MORF. Es un sustantivo epiceno: *la salamanquesa {macho / hembra}*.

salame s.m. En zonas del español meridional, salami.

salami s.m. Embutido parecido al salchichón, pero de mayor grosor, que se hace con carne de vaca y de cerdo picadas y mezcladas en determinadas proporciones. ☐ ETIMOL. Del italiano *salami*.

salangana s.f. Pájaro insectívoro, propio de algunos países del Extremo Oriente, que construye sus nidos en los salientes de las rocas utilizando una especie de saliva que solidifica en contacto con el aire. ☐ MORF. Es un sustantivo epiceno: *la salangana {macho / hembra}*.

salar v. **1** Referido esp. a un alimento, echarlo en sal para su conservación: *Hay que salar los jamones para que no se estropeen.* **2** Sazonar con sal o añadir la sal conveniente: *¿Has salado los filetes antes de freírlos?* **3** En zonas del español meridional, estropear: *Si lo hace así, lo salará.* **4** En zonas del español meridional, gafar: *Tiene fama de salar a todo el que trabaja con él.*

salarial adj.inv. Del salario o relacionado con él.

salario s.m. **1** Cantidad de dinero con que se retribuye un trabajo, generalmente el de los trabajadores manuales. **2** ‖ **salario mínimo;** el establecido por la ley que debe ser pagado como mínimo a todo trabajador en activo. ‖ **salario social;** el que recibe de la administración una persona que está sin trabajo. ☐ ETIMOL. Del latín *salarium* (sueldo; suma que se daba a los soldados para que se compraran sal).

salaz adj.inv. Con salacidad o inclinación exagerada a la lascivia. ☐ ETIMOL. Del latín *salax*. ☐ ORTOGR. Dist. de *sagaz*.

salazón s.f. **1** Operación para conservar alimentos metiéndolos en sal. **2** Carnes o pescados salados.

salce s.m. →**sauce.** ☐ ETIMOL. Del latín *salix* (sauce).

salceda s.f. Terreno poblado de sauces. ☐ SINÓN. *salcedo*. ☐ ETIMOL. Del latín *saliceta*.

salcedo s.m. →**salceda.**

salchicha s.f. **1** Embutido delgado y alargado, elaborado generalmente con carne de cerdo picada y condimentada con sal, pimienta y otras especias. **2** ‖ **salchicha (de) Frankfurt;** la que está ahumada y embutida en una tripa delgada y casi transparente. ☐ ETIMOL. Del italiano *salciccia*.

salchichería s.f. Establecimiento en el que se venden salchichas y otros embutidos.

salchichero, ra ▮ adj. **1** *col. desp.* Descuidado, sucio o de baja calidad: *Ese bar me parece cutre y salchichero.* ▮ s. **2** Persona que se dedica a la fabricación o a la venta de salchichas y otros embutidos, esp. si esta es su profesión.

salchichón s.m. Embutido elaborado con jamón, tocino y pimienta en grano, prensado y curado.

salchichonería s.f. En zonas del español meridional, establecimiento donde se venden salchichas y otros embutidos.

salcochar v. Cocer carnes, pescados u otros alimentos en agua con sal: *Prefiero salcochar el pescado porque prepararlo de otra forma lleva más tiempo.* ☐ ETIMOL. De *sal* y *cocho* (cocido).

saldar v. **1** Referido a una cuenta, liquidarla completamente pagando lo que se adeuda o recibiendo lo que sobra: *Saldó las cuentas que tenía con varios bancos y las cambió a uno solo.* **2** Referido esp. a un asunto o a una deuda, acabarlos, liquidarlos o darlos por terminados: *Con esos años de cárcel, saldó sus deudas con la justicia.* ☐ ETIMOL. Del italiano *saldare* (soldar, consolidar), y este de *saldo* (entero, intacto).

saldo s.m. **1** En economía, cantidad que resulta a favor o en contra en una cuenta corriente, como diferencia entre el debe y el haber: *Al terminar cada año, el banco me da un informe del saldo medio de mi cuenta.* **2** Lo que se obtiene a favor o en contra al liquidar o al dar por terminado un asunto: *El partido terminó con un saldo negativo para nuestro equipo.* **3** Mercancía que se vende a bajo precio para terminar con las existencias: *Si vas a comprar saldos, asegúrate de que sean buenos además de baratos.* **4** Venta de mercancías con estas características: *Mañana comienzan los saldos por fin de temporada.* ☐ SEM. No debe emplearse con el significado de 'número': *Aquel terremoto terminó con un {*saldo > número} de cien mil muertos.*

saledizo, za ▮ adj. **1** Que sale o sobresale. ▮ s.m. **2** En un edificio, parte que sobresale de la fachada o de otra pared principal.

salema s.f. →**salpa.** ☐ ETIMOL. Del árabe hispánico *hallama.*

salero s.m. **1** Recipiente en el que se guarda o se sirve la sal. **2** *col.* Gracia o desenvoltura en la forma de actuar: *Tiene tanto salero contando chistes que hasta los más sosos los hace graciosos.*

saleroso, sa adj./s. Que tiene salero o gracia: *un andar saleroso.*

salesa adj./s.f. Referido a una religiosa, que pertenece a la congregación de la Visitación de Nuestra Señora (fundada en el siglo XVII por san Francisco de Sales y santa Juana Francisca Fremiot de Chantal).

salesiano, na ▮ adj. **1** De la Sociedad de san Francisco de Sales (congregación fundada en el siglo XIX por san Juan Bosco), o relacionado con ella. ▮ adj./s. **2** Referido a un religioso, que pertenece a esta congregación.

saleta s.f. Habitación pequeña situada inmediatamente antes del despacho de una personalidad o que da acceso a una sala donde se celebran actos solemnes.

salguera s.f. →**sauce.** ☐ ETIMOL. Del latín **salicaria*, y este de *salix* (sauce).

salguero s.m. →**sauce.** ☐ ETIMOL. Del latín **salicarius*, y este de *salix* (sauce).

salicáceo, a ▮ adj./s.f. **1** Referido a una planta, que es arbórea o arbustiva, tiene hojas sencillas y alternas, flores unisexuales en espiga y fruto en cápsula con muchas semillas: *El sauce y el chopo son árboles salicáceos.* ▮ s.f.pl. **2** En botánica, familia de estas plantas, perteneciente a la clase de las dicotiledóneas: *Entre los árboles que pertenecen a las salicáceas hay especies cuya madera es muy apreciada por su resistencia.* ☐ ETIMOL. Del latín *Salix* (sauce), que es el nombre de un género de plantas.

salicilato s.m. Sal formada por el ácido salicílico y una base.

salicílico adj. Referido a un ácido, que es orgánico y se utiliza como conservante y en la síntesis de colorantes y medicamentos. ☐ ETIMOL. Del latín *salix* (sauce).

sálico, ca adj. **1** De los salios o relacionado con este antiguo pueblo franco. **2** →**ley sálica.**

salicultura s.f. Explotación industrial y comercial de las salinas. ☐ ETIMOL. De *sal* y *-cultura* (cultivo, cuidado).

salida s.f. Véase **salido, da.**

salido, da ▮ adj. **1** Que sobresale en un cuerpo más de lo normal: *Le van a poner un aparato porque tiene los dientes un poco salidos.* **2** Referido a la hembra de un animal, que está en celo. ▮ adj./s. **3** *vulg. desp.* Referido a una persona, que siente gran deseo sexual o es propensa a sentirlo. ▮ s.f. **4** Paso de dentro a fuera: *Le pusieron un vendaje para detener la salida de sangre.* **5** Partida hacia otro lugar: *El tren con destino a Sevilla efectuará su salida por la vía 7.* **6** Lugar por el que se sale: *Las salidas de urgencia están señaladas con una luz roja.* **7** Lugar del que se parte para hacer un recorrido: *Ya están todos los corredores preparados en la salida.* **8** Fin o término de un oficio, actividad, condición o dependencia: *Mañana se producirá mi salida del cargo.* **9** Aparición, manifestación o muestra: *La salida del sol en verano se produce antes que en invierno.* **10** *col.* Dicho agudo y ocurrente: *Tiene cada salida que te partes de risa con él.* **11** Escapatoria, recurso o solución con que se vence una dificultad o un peligro: *No le veo fácil salida a esta situación.* **12** Puesta en venta de un producto: *Se anuncia la salida de una nueva revista.* **13** Posibilidad o perspectivas de venta: *Los descapotables tienen poca salida en los países de clima frío.* **14** En contabilidad, anotación en el haber de una cuenta: *Este mes se han registrado muchas salidas en concepto de arreglos de averías.* ▮ s.f.pl. **15** Posibilidades laborales o profesionales de futuro que ofrecen algunos estudios: *Hoy, las carreras de letras tienen menos salidas que las de ciencias.* **16** En informática, informaciones que proporciona un ordenador después de procesar los datos: *Mi ordenador es tan lento que tengo que esperar mucho para que aparezcan las salidas por pantalla.* **17** ‖ **salida de tono;** *col.* Dicho inconveniente o impertinente: *Cuando se calmó, me pidió perdón por su anterior salida de tono.*

saliente ▮ adj.inv. **1** Que sale. ▮ s.m. **2** Parte que sobresale en algo.

salífero, ra adj. Que contiene sal. ☐ SINÓN. *salino.*

salina s.f. Véase **salino, na**.

salinero, ra ▮ adj. **1** De la salina o relacionado con ella. **2** Referido a un toro, que tiene el pelaje jaspeado de colorado y blanco. ▮ s. **3** Persona que se dedica a la extracción, a la fabricación o al comercio de sal.

salinidad s.f. **1** Propiedad de lo que tiene sal. **2** Cantidad proporcional de sal que contiene disuelta el agua del mar o una solución química.

salino, na ▮ adj. **1** Que contiene sal. ☐ SINÓN. *salífero.* ▮ s.f. **2** Mina o yacimiento de sal. **3** Laguna o depósito de poca profundidad en los que se acumula agua salada para que se evapore y se precipite la sal.

salio, a adj./s. De un antiguo pueblo franco que habitó el territorio germano inferior.

salir ▮ v. **1** Pasar de dentro a fuera: *Sal al jardín. El agua se sale por la tubería.* **2** Partir a otro lugar: *Mañana salimos de vacaciones.* **3** Referido a algo molesto, librarse de ello: *Con ese préstamo, saldremos del apuro.* **4** Aparecer, manifestarse, mostrarse o dejarse ver: *Es tan vergonzoso que enseguida le salen los colores a la cara. Salió en televisión un político famoso.* **5** Ocurrir, sobrevenir u ofrecerse como novedad: *Me ha salido una oferta de colaboración en un periódico.* **6** Resultar, quedar o acabar siendo: *Tras mucho esfuerzo, todo salió bien.* **7** Ir a la calle a pasear o a divertirse: *Todos los sábados salgo con mis amigos.* **8** Ser novio o novia: *Llevan un año saliendo y ya piensan casarse.* **9** Sobresalir, destacar o estar más alto o más afuera: *El que sale por detrás en la foto es mi primo.* **10** Originarse, nacer o tener su procedencia: *El néctar sale de las flores.* **11** Ser elegido por votación: *Salí delegada por mayoría.* **12** Ir a parar o desembocar: *El camino sale a una carretera comarcal.* **13** Referido esp. a una planta o a una de sus partes, nacer o brotar: *Las flores salen en primavera.* **14** Referido a una mancha, quitarse, borrarse o desaparecer: *La tinta sale con la leche.* **15** Referido a un producto, ponerse en venta: *Este periódico sale todos los días.* **16** Referido a una compra, costar o valer: *Si compras en grandes cantidades, te saldrá más barato.* **17** Referido a una tarea o a una cuenta, resultar bien hechos o ajustados: *¿Cómo te va a salir la división si no te sabes la tabla de multiplicar?* **18** En algunos juegos, iniciar la partida: *En esta partida de damas, salen las blancas.* ▮ prnl. **19** Referido a un líquido, rebosar al hervir: *Se salió la leche y puso toda la cocina de pena.* **20** Referido a algo que está encajado, soltarse: *Ten cuidado porque ese tornillo está a punto de salirse de la tuerca.* **21** ‖ **salir a** alguien; parecérsele o heredar sus rasgos: *Ha salido a su padre hasta en el mal genio.* ‖ **salir adelante;** llevar a término una tarea o vencer una dificultad: *Salieron adelante con muy pocos medios económicos.* ‖ **salir con** algo; hacerlo o manifestarlo de manera inesperada: *¡No me salgas ahora con esa tontería, hombre!* ‖ **salirse** alguien **con la suya;** hacer su voluntad en contra de la opinión de otros o a pesar de su oposición: *Se puso tan pesado que al final se salió con la suya.* ☐ ETIMOL. Del latín *salire* (saltar). ☐ MORF. Irreg. →SALIR.

salitre s.m. **1** En química, nitrato de potasio, que se encuentra en forma de agujas o de polvo blanquecino en la superficie de los terrenos húmedos y salados: *Si echas un poco de salitre al fuego, se avivarán las llamas rápidamente.* ☐ SINÓN. *nitro.* **2** Sustancia salina: *Los muros del dique del puerto se habían ido cubriendo de una capa de salitre.* ☐ ETIMOL. Del catalán *salnitre*, y este del latín *sal* (sal) y *nitrum* (salitre).

saliva s.f. **1** Líquido acuoso y algo viscoso, segregado por unas glándulas situadas en la boca de las personas y de algunos animales, y que sirve para reblandecer los alimentos y hacer más fácil su deglución y su digestión. **2** ‖ **gastar saliva;** *col.* Hablar, esp. cuando resulta inútil: *¡Para qué voy a gastar saliva contigo, si al final harás lo que quieras!* ‖ **tragar saliva;** *col.* Soportar en silencio y sin protestar algo que ofende o que molesta: *Si el jefe lo manda, traga saliva y obedece.* ☐ ETIMOL. Del latín *saliva.*

salivación s.f. Segregación de saliva.

salivadera s.f. En zonas del español meridional, escupidera.

salival adj.inv. De la saliva o relacionado con ella.

salivar v. Arrojar o segregar saliva: *Las glándulas salivales salivan fundamentalmente cuando hay alimentos en la boca.*

salivazo s.m. Saliva que se escupe de una vez.

salivoso, sa adj. Que arroja o segrega mucha saliva.

salmantino, na adj./s. De Salamanca o relacionado con esta provincia española o con su capital: *La universidad salmantina fue creada en el siglo XIII.*

salmer s.m. En arquitectura, piedra del muro, cortada con inclinación, de donde arranca un arco adintelado. ☐ ETIMOL. Del provenzal *saumier* (bestia de carga, viga).

salmista s.com. **1** Persona que compone salmos. **2** Persona que canta los salmos y las horas canónicas en las catedrales y colegiatas.

salmo s.m. Composición o canto de alabanza a Dios, esp. referido a los que figuran en la Biblia compuestos por David (profeta y rey israelita). ☐ ETIMOL. Del latín *psalmus.*

salmodia s.f. **1** Música o canto con que se entonan los salmos. **2** *col.* Canto monótono, aburrido y poco expresivo. **3** *col.* Lo que se repite o se pide de manera insistente y molesta. ☐ ETIMOL. Del griego *psalmoidía.*

salmodiar v. Cantar salmos o salmodias: *Desde el claustro se oía salmodiar a los monjes.* ☐ ORTOGR. La *i* nunca lleva tilde.

salmón ▌adj.inv./s.m. **1** De color rosa anaranjado. ▌s.m. **2** Pez de color gris azulado, con puntos negros por los costados y carne rosa anaranjada, que vive en el mar en su fase adulta y que remonta los ríos contra corriente para desovar y reproducirse en ellos. ☐ ETIMOL. Del latín *salmo*. ☐ MORF. En la acepción 2, es un sustantivo epiceno: *el salmón {macho/hembra}*.

salmonela s.f. Bacteria que se desarrolla en algunos alimentos y que produce salmonelosis. ☐ ETIMOL. De *Salmonella*, género de bacterias, y este por alusión a D. E. Salmon, médico inglés.

salmonelosis (pl. *salmonelosis*) s.f. Intoxicación o infección intestinal producidas por el consumo de alimentos contaminados con salmonelas. ☐ ETIMOL. De *salmonella* y *-osis* (enfermedad).

salmonete s.m. Pez marino de color rosado, cabeza grande con dos barbillas en su mandíbula inferior, cola en forma de horquilla y cuya carne es muy apreciada en gastronomía. ☐ ETIMOL. Del francés *surmulet*. ☐ MORF. Es un sustantivo epiceno: *el salmonete {macho/hembra}*.

salmónido ▌adj./s.m. **1** Referido a un pez, que tiene el cuerpo alargado y cubierto de escamas, el esqueleto completamente osificado, una segunda aleta dorsal adiposa o grasa y mandíbulas provistas de dientes: *La trucha es un salmónido.* ▌s.m.pl. **2** En zoología, familia de estos peces: *Entre los peces que pertenecen a los salmónidos hay especies que hacen grandes migraciones en época de desove.* ☐ ETIMOL. De *salmón*.

salmuera s.f. Agua con mucha sal. ☐ ETIMOL. Del latín *sal* (sal) y *muria* (salmuera).

salmuerizado, da adj. Que está conservado en salmuera: *un codillo salmuerizado.*

salobre adj.inv. Que contiene sal. ☐ ETIMOL. De origen incierto. ☐ ORTOGR. Dist. de *salubre*.

salobreño, ña adj. Referido a un terreno, que es salobre o que contiene alguna sal en abundancia.

salobridad s.f. Sabor a sal que presenta una sustancia. ☐ ORTOGR. Dist. de *salubridad*.

saloma s.f. Palabra o conjunto de palabras que pronuncian varias personas a la vez para hacer un esfuerzo al mismo tiempo y coordinar las fuerzas de todos: *La locución '¡A la una, a las dos y a las tres!' que se dice para levantar algo pesado entre varios es una saloma.* ☐ ETIMOL. Del latín *celeusma* (canto de marineros).

salomón s.m. Hombre de gran sabiduría. ☐ ETIMOL. Por alusión a Salomón, rey bíblico israelita, famoso por su sabiduría y prudencia al gobernar.

salomonense adj.inv./s.com. De las Islas Salomón o relacionado con este país de Oceanía (uno de los cinco continentes).

salomónico, ca adj. Referido esp. a la justicia o a una decisión, que se caracteriza por su sabiduría y por su carácter equilibrado y justo: *una sentencia salomónica.*

salón s.m. **1** Sala o local de grandes dimensiones en los que se celebran reuniones o actos públicos con numerosos asistentes: *un salón de actos.* **2** En una vivienda, habitación principal en la que se suele recibir a las visitas y que sirve a menudo como cuarto de estar y comedor. **3** Establecimiento en el que se prestan determinados servicios: *un salón de belleza.* **4** Exposición pública de carácter comercial, artístico o científico, que suele celebrarse periódicamente: *el salón del automóvil.* **5** En zonas del español meridional, aula o clase. **6** ‖ **de salón;** frívolo, mundano o de aceptación en ambientes de moda: *A mí dame buena literatura y no me hagas perder el tiempo con esos poemitas de salón.*

salpa s.f. Pez marino de grandes escamas y con once rayas doradas en cada costado. ☐ SINÓN. *salema*. ☐ ETIMOL. Del latín *salpa*.

salpicadera s.f. En zonas del español meridional, guardabarros.

salpicadero s.m. En un automóvil, tablero situado en su interior, delante del asiento del conductor, y en el que se encuentran algunos mandos y aparatos indicadores.

salpicadura s.f. **1** Esparcimiento de un líquido, producido al saltar en gotas pequeñas. **2** Mancha producida con estas gotas.

salpicar v. **1** Referido a un líquido, saltar esparciéndose o esparcirlo en gotas menudas: *Cada vez que frío un huevo salpico el aceite por toda la cocina.* **2** Mojar o manchar con estas gotas: *Pasó un coche por el charco y me salpicó de barro.* **3** Afectar, implicar o alcanzar indirectamente, generalmente manchando la reputación: *El escándalo financiero salpicó a varios altos cargos.* **4** Referido esp. a una superficie, esparcir por ella elementos sueltos: *Salpicó la tarta con unas cerezas.* ☐ ETIMOL. De origen incierto. ☐ ORTOGR. La *c* se cambia en *qu* delante de *e* →SACAR.

salpicón s.m. Plato elaborado con carne o con pescado o marisco, todo ello cocido, desmenuzado y condimentado con sal, pimienta, aceite, vinagre y cebolla.

salpimentar v. Condimentar o adobar con sal y pimienta: *Para elaborar chorizos, se pica y salpimienta carne de cerdo.* ☐ MORF. Irreg. →PENSAR.

salpresar v. Referido a un alimento, ponerle sal para que se conserve y prensarlo: *En algunos puertos salpresan los bacalaos.* ☐ ETIMOL. Del latín *sal* (sal) y *pressare* (apretar, prensar).

salpullido s.m. →**sarpullido.**

salsa s.f. **1** Caldo o crema elaborados con varias sustancias mezcladas y desleídas y que se prepara para acompañar o para condimentar comidas. **2** Jugo que suelta un alimento al cocinarlo: *Tomamos cordero en su salsa.* **3** Lo que anima o hace más atractivo, agradable o excitante: *Para él, el arte es la salsa de la vida.* **4** Música de origen caribeño en la que se mezclan ritmos africanos y latinos muy vivos y alegres. **5** ‖ **en su (propia) salsa;** en su ambiente o rodeado de un entorno que le resulta propio o agradable y cómodo: *Le gusta tanto la enseñanza que en cuanto tiene alumnos delante se encuentra en su salsa.* ☐ ETIMOL. Del latín *salsa* (salada).

salsera s.f. Véase **salsero, ra.**

salsería s.f. Establecimiento en el que se sirven patatas fritas con diversas salsas.

salsero, ra ▌adj. **1** De la salsa o relacionado con este tipo de música. ▌s.f. **2** Recipiente en el que se sirve salsa.

salsifí (pl. *salsifíes, salsifís*) s.m. Planta herbácea, de unos seis decímetros de altura, con tallo hueco, flores de corola púrpura, y raíz blanca, tierna y comestible. ☐ ETIMOL. Del francés *sercifi*.

salsódromo s.m. Lugar en el que se baila salsa, esp. en los carnavales brasileños.

salsoteca s.f. Sala de baile pequeña, donde se bailan salsa y ritmos tropicales.

saltador, -a ▌adj./s. **1** Que salta. ▌s. **2** Deportista que practica algún tipo de salto: *un saltador de altura.* ▌s.m. **3** Cuerda que se usa para saltar con ella de diversas maneras.

saltamontes (pl. *saltamontes*) s.m. Insecto de color verde, gris o pardo, de cuerpo cilíndrico, antenas largas, dos pares de alas y patas traseras muy fuertes que le permiten desplazarse a grandes saltos. ☐ MORF. Es un sustantivo epiceno: *el saltamontes {macho/hembra}*.

saltar ▌v. **1** Levantarse con impulso del suelo o del lugar en que se está para caer en el mismo sitio o en otro: *El jugador saltó con fuerza para encestar el balón.* **2** Lanzarse desde una altura para caer más abajo: *La nadadora saltó desde un trampolín de dos metros.* **3** Destacar, sobresalir o hacerse notar: *Salta a la vista lo limpio que está.* **4** Intervenir o decir algo en la conversación de forma inesperada: *Le pregunté que por qué no había venido y me saltó con que no lo habíamos invitado.* **5** Pasar de una situación a otra sin pasar por estados intermedios: *En un momento saltas de la alegría a la tristeza.* **6** En deporte, salir al terreno de juego: *Los jugadores saltaron al campo en medio de grandes ovaciones.* **7** Referido a una persona, molestarse o resentirse y manifestarlo exteriormente: *No te metas con él, que salta enseguida.* **8** Referido a un líquido, salir hacia arriba con ímpetu: *Si cae agua en la sartén, el aceite caliente salta.* **9** Referido a un mecanismo, empezar a funcionar: *Al tocar el cuadro, saltó el dispositivo de seguridad.* **10** Omitir o pasar por alto: *Me he saltado un capítulo que era muy aburrido. Se saltó un semáforo en rojo.* **11** Romper o ser destruido violentamente: *Los ladrones saltaron la cerradura. El cristal saltó en mil pedazos.* **12** Soltar, separar o desprender: *De la lumbre saltaban chispas.* ▌prnl. **13** Referido a una norma, infringirla o incumplirla: *Si te saltas nuestras reglas serás expulsado del equipo.* ☐ ETIMOL. Del latín *saltare* (bailar, dar saltitos). ☐ SEM. En el lenguaje del deporte, están muy extendidas expresiones como *saltar al campo* o *saltar al terreno de juego* con el significado de 'salir a él'.

saltarín, -a adj./s. Inquieto o que se mueve mucho.

salteador, -a s. Persona que asalta y roba en los despoblados o caminos.

saltear v. **1** Asaltar y robar, esp. en los caminos y lugares despoblados: *En el siglo XIX era frecuente que los bandoleros saltearan a los viajeros de las diligencias.* **2** Referido a una acción, realizarla de forma discontinua sin seguir el orden debido o dejando sin hacer parte de ella: *Leí el libro salteando los capítulos que me parecían más aburridos.* **3** Referido a un alimento, freírlo ligeramente: *He salteado el jamón y la zanahoria antes de echarlos a cocer.*

salterio s.m. Instrumento musical de cuerda formado por una caja de madera generalmente con forma de prisma, más estrecha y abierta por la parte superior, y sobre la que se extienden varias hileras de cuerdas que se suelen tocar con un pequeño mazo, con una púa o con las uñas. ☐ ETIMOL. Del griego *psaltérion* (especie de cítara).

saltimbanqui s.com. *col.* Persona que realiza saltos y ejercicios de acrobacia, esp. si lo hace en espectáculos públicos al aire libre. ☐ ETIMOL. Del italiano *saltimbancchi*.

salto s.m. **1** Elevación con impulso del suelo o del lugar en el que se está para caer en el mismo sitio o en otro: *De un salto alcanzó la manzana del árbol.* **2** Lanzamiento desde una altura para caer más abajo: *Los paracaidistas realizaron saltos de exhibición.* **3** Omisión de un elemento: *Iba leyendo el texto tal cual hasta que dio un salto de dos líneas para pasar al párrafo siguiente.* **4** Paso de una situación a otra sin pasar por estados intermedios: *Las temperaturas han dado un salto de los 10 a los 20 grados.* **5** Despeñadero profundo: *Desde la cima de la montaña se ve un salto escarpado y peligroso.* **6** Caída de un caudal de agua: *Los saltos de agua se aprovechan para producir electricidad.* **7** En deporte, modalidad deportiva que consiste en saltar una altura o una longitud: *El salto con pértiga consiste en saltar una altura determinada ayudándose de una pértiga.* **8** ‖ **a salto de mata; 1** Huyendo y ocultándose: *Escapó de la vigilancia policial a salto de mata.* **2** Aprovechando las ocasiones que se presentan casualmente: *No tiene un trabajo fijo y vive a salto de mata.* ‖ **dar saltos de alegría;** sentir o manifestar felicidad. ‖ **salto de cama;** bata amplia de mujer que se utiliza al levantarse de la cama. ‖ **salto del ángel;** en natación, salto de trampolín que se realiza extendiendo los brazos en forma de cruz y volviéndolos a juntar al entrar en el agua. ‖ **salto de la rana;** en tauromaquia, pase en el que el torero da un brinco para girarse y enfrentar de nuevo al toro de rodillas. ‖ **salto mortal;** el que se realiza lanzándose de cabeza y dando una vuelta en el aire. ‖ **triple salto;** salto de longitud en el que el atleta apoya los pies dos veces antes de caer con los dos pies juntos. ☐ ETIMOL. Del latín *saltus*. ☐ USO Es innecesario el uso del galicismo *déshabillé* en lugar de *salto de cama*.

saltón, -a adj. Que sobresale más de lo normal, esp. referido a los ojos: *unos ojos saltones.*

salubérrimo, ma superlat. irreg. de **salubre**. ☐ ETIMOL. Del latín *saluberrimus*.

salubre adj.inv. Saludable o bueno para la salud. ☐ ETIMOL. Del latín *saluber*. ☐ ORTOGR. Dist. de *salobre*.

salubridad s.f. **1** Propiedad de lo que es salubre. **2** En zonas del español meridional, sanidad: *La Secretaría de Salubridad se encarga de la inspección de la zona.* □ ORTOGR. Dist. de *salobridad*.

salud ▮ s.f. **1** Estado en el que un organismo vivo realiza normalmente todas sus funciones: *Contaminar el medio ambiente es un delito contra la salud pública.* **2** Condiciones físicas en que se encuentra el organismo de un ser vivo en un determinado momento: *Desde hace algún tiempo su salud no es buena porque padece de los nervios.* **3** Buen estado o buen funcionamiento de algo: *Nadie duda de la salud de la economía de este país.* ▮ interj. **4** Expresión que se usa para brindar. **5** *col.* Expresión que se usa para saludar o para desear un bien a alguien: *¡Salud a todo el mundo!* **6** ‖ **curarse** alguien **en salud;** prevenirse de un daño o de un mal ante la más pequeña amenaza: *Cuando despidieron a mi compañero, yo, para curarme en salud, ya empecé a buscar otro trabajo.* □ ETIMOL. Del latín *salus* (buen estado físico, salvación, conservación).

saluda s.m. Comunicación breve redactada en tercera persona y sin firma, generalmente para un ofrecimiento o para una invitación. □ SINÓN. *besalamano*.

saludable adj.inv. **1** Que sirve para conservar o para restablecer la salud corporal: *Correr es un ejercicio muy saludable.* □ SINÓN. *salutífero*. **2** Que tiene o manifiesta buena salud o aspecto sano: *Es un niño fuerte y saludable.* □ SINÓN. *salutífero*. **3** Bueno o provechoso para algo: *Enfrentarse a los problemas es saludable para el desarrollo personal de cada uno.* □ SINÓN. *salutífero*.

saludar v. **1** Referido a una persona, dirigirle palabras o gestos de cortesía al encontrarla o al despedirse de ella: *Desde que se enfadaron ni siquiera se saludan.* **2** Realizar un gesto o ademán de respeto o ciertos actos en honor de algo: *Al entrar el príncipe en el cuartel lo saludaron con veintiuna salvas de cañón.* □ ETIMOL. Del latín *salutare*.

saludo s.m. **1** Pronunciación de palabras o realización de gestos de cortesía al encontrar a una persona o al despedirse de ella. □ SINÓN. *salutación*. **2** Realización de un gesto o ademán de respeto o de ciertos actos en honor de algo: *el saludo a la bandera.* **3** Palabra, fórmula o gesto que se utilizan para saludar.

salutación s.f. Pronunciación de palabras o realización de gestos de cortesía al encontrar a una persona o al despedirse de ella. □ SINÓN. *saludo*. □ ETIMOL. Del latín *salutatio*.

salutífero, ra adj. →**saludable.** □ ETIMOL. Del latín *salutifer*, y este de *salus* (salud) y *ferre* (llevar).

salva s.f. Véase **salvo, va.**

salvabarros (pl. *salvabarros*) s.m. En algunos vehículos, pieza curva que está situada sobre cada una de sus ruedas para evitar las salpicaduras. □ SINÓN. *guardabarros, aleta*.

salvación s.f. **1** Rescate o liberación de un peligro o de un daño. □ SINÓN. *salvamento*. **2** Prevención de la pérdida, de la destrucción o del daño de algo. □ SINÓN. *salvamento*. **3** En religión, liberación del pecado y de sus consecuencias y alcance de la gloria eterna.

salvado s.m. Cáscara desmenuzada del grano de los cereales. □ SINÓN. *afrecho*.

salvador, -a adj./s. Que salva.

salvadoreñismo s.m. En lingüística, americanismo propio de El Salvador (país americano): *En este diccionario de americanismos hay muchos salvadoreñismos.*

salvadoreño, ña adj./s. De El Salvador o relacionado con este país americano.

salvagotas (pl. *salvagotas*) s.m. Especie de cilindro que se encaja en el cuello de una botella para que las gotas no caigan.

salvaguarda s.f. →**salvaguardia.**

salvaguardar v. Defender o proteger: *El Tribunal Constitucional salvaguarda el cumplimiento de la Constitución.* □ ETIMOL. Del francés *sauvegarder* (proteger).

salvaguardia s.f. Custodia o protección de algo. □ SINÓN. *salvaguarda*.

salvajada s.f. Hecho o dicho propios de un salvaje.

salvaje ▮ adj.inv. **1** Referido a un animal, que no es doméstico o que no vive totalmente condicionado a las personas. **2** Referido a una planta, que se ha criado en el campo de forma natural y sin cultivo. **3** Referido a un terreno, que es abrupto y está sin cultivar. **4** *col.* Incontrolable o irrefrenable: *Se empezó con un paro de dos horas y se ha llegado a una huelga salvaje.* ▮ adj./s.com. **5** *desp.* Que mantiene formas primitivas de vida y no se ha incorporado al desarrollo de la civilización. **6** *col.* Obstinado, de poca inteligencia o que no tiene educación. **7** *col.* Cruel o inhumano. **8** Muy grande o intenso. □ ETIMOL. Del catalán y del provenzal *salvatge*, y este del latín *silvaticus* (propio del bosque).

salvajismo s.m. **1** Modo de ser o de actuar propio de los salvajes. **2** Crueldad y falta de humanidad.

salvamanteles (pl. *salvamanteles*) s.m. Pieza sobre la que se colocan objetos muy calientes para proteger el mantel.

salvamento s.m. **1** Rescate o liberación de un peligro o de un daño: *un equipo de salvamento.* □ SINÓN. *salvación*. **2** Prevención de la pérdida, de la destrucción o del daño de algo. □ SINÓN. *salvación*.

salvapantallas (pl. *salvapantallas*) s.m. Programa informático que genera de forma automática una imagen en la pantalla del ordenador mientras está encendido, pero no está siendo utilizado.

salvar v. **1** Librar de un peligro, de un daño o de la destrucción: *El socorrista me salvó. Estas lluvias salvarán la cosecha. Solo dos libros se salvaron del fuego.* **2** Referido esp. a una dificultad, vencerla, superarla o evitarla: *El caballo salvó el obstáculo saltando por encima.* **3** Exceptuar o dejar aparte: *Salvando los fallos del equipo técnico, la representación ha sido buena. Todos son unos ladrones, el secre-*

tario es el único que se salva. **4** Referido a una distancia, recorrerla: *Salvó en media hora los 50 km que le separaban del pueblo.* **5** En religión, librar del pecado y dar o alcanzar la gloria eterna: *Sólo Dios puede salvar a las personas. Los que mueren en gracia de Dios se salvan.* □ ETIMOL. Del latín *salvare.* □ MORF. Tiene un participio regular (*salvado*), que se usa en la conjugación, y otro irregular (*salvo*), que se usa como adjetivo y preposición.

salvaslip s.m. Compresa fina y pequeña que se utiliza diariamente. □ ETIMOL. Extensión del nombre de una marca comercial.

salvavidas (pl. *salvavidas*) s.m. **1** Flotador u otra cosa que permite sostenerse sobre la superficie del agua, esp. el que tiene forma de anillo: *Arrojó un salvavidas al pasajero que se había caído por la borda. Todos los barcos de pasaje llevan botes salvavidas.* **2** En zonas del español meridional, socorrista. □ SINT. La acepción 1 se usa en aposición pospuesto a un sustantivo: *chaleco salvavidas.*

salve s.f. **1** Oración con la que se saluda y se ruega a la Virgen María. **2** Composición musical para el canto de esta oración. □ ETIMOL. Del latín *salve* (te saludo).

salvedad s.f. Excepción o advertencia que se emplean como excusa o limitación a algo: *Asistiremos todos al acto, con la salvedad de que no podremos permanecer hasta su terminación.* □ ETIMOL. De *salvo.*

salvia s.f. Planta herbácea que tiene flores generalmente azuladas y en espiga, y hojas estrechas con borde ondulado que, cocida, tiene propiedades digestivas. □ ETIMOL. Del latín *salvia*, y este de *salvus* (salvo), porque la salvia tiene propiedades beneficiosas.

salvífico, ca adj. De la salvación o relacionado con ella.

salvilla s.f. Bandeja con una o con varias partes hundidas en las que encajan los vasos, las tazas u otros recipientes que se sirven en ella.

salvo adv. Fuera de, excepto: *Salvo imprevistos, nos veremos la próxima semana.*

salvo, va ▮ adj. **1** Que no ha sufrido daño o que se ha librado de un peligro: *Todos salimos del accidente sanos y salvos.* **2** Omitido o exceptuado: *Me di un golpe en salva sea la parte.* ▮ s.f. **3** Disparo o grupo de disparos que se hacen como saludo, como aviso o para celebrar algo: *Al entrar el rey en el patio de armas comenzó la salva de la tropa.* **4** || **a salvo;** seguro o fuera de peligro: *estar a salvo.* || **salva de aplausos;** aplausos numerosos y generalizados. □ ETIMOL. Las acepciones 1 y 2, del latín *salvus.* La acepción 3, de *salvar.*

salvoconducto s.m. **1** Documento expedido por una autoridad y que permite a la persona que lo lleva transitar libremente por determinada zona o territorio. **2** Libertad o privilegio para hacer algo sin ser castigado por ello: *Esta carta de recomendación es un salvoconducto para ser bien atendido en todas las oficinas.*

sámara s.f. Fruto seco indehiscente o que no se abre espontáneamente para liberar las semillas, con pocas semillas y con una expansión laminosa en forma de ala: *El olmo y el fresno tienen fruto en sámara.* □ ETIMOL. Del latín *samara* (simiente del olmo).

samario s.m. Elemento químico, metálico y sólido, de número atómico 62 y color blanco amarillento y muy duro: *El samario se emplea en la fabricación de vidrios especiales.* □ ETIMOL. De Samarsky, científico ruso. □ ORTOGR. Su símbolo químico es *Sm.*

samaritano, na adj./s. **1** De Samaria (antigua ciudad asiática) o relacionado con ella. **2** Persona que ayuda a otra.

samba s.f. **1** Composición musical de origen brasileño, de compás binario y ritmo rápido. **2** Baile que se ejecuta al compás de esta música.

sambenito s.m. Mala fama o descrédito que pesa sobre alguien: *Me han colgado el sambenito de despistada y ya todos cuentan con que se me van a olvidar las cosas.* □ SINT. Se usa más con los verbos *colgar*, *poner* o equivalentes.

sambumbia s.f. En zonas del español meridional, cosa desmoronada o deshecha en partes muy pequeñas.

samnita adj.inv./s.com. De Samnio (antiguo pueblo italiano) o relacionado con él.

samoano, na adj. Del Estado Independiente de Samoa o relacionado con este país de Oceanía (uno de los cinco continentes).

samovar s.m. Recipiente provisto de un tubo interior en el que se pone carbón y que se usa para preparar el té. □ ETIMOL. Del ruso *samovar* (agua que bulle por sí misma).

samoyedo, da adj./s. **1** Referido a un perro, de la raza de origen nórdico que se caracteriza por su constitución física fuerte, pelaje espeso y generalmente blanco, y cola larga y enroscada. **2** De un pueblo que habita las costas del mar Blanco (situado en las costas del norte occidental ruso) y el norte siberiano, o relacionado con él.

sampán s.m. Embarcación ligera provista de una vela cuadrada y un toldo, propulsada a remo, y que se utiliza en el extremo oriental asiático para la navegación en aguas costeras y fluviales, y como vivienda flotante.

sampleado s.m. Grabación y manipulación de una secuencia sonora para mezclarla y reproducirla nuevamente.

samplear v. Grabar y manipular una secuencia sonora para mezclarla y reproducirla nuevamente: *En su última canción, ese músico ha sampleado un fragmento de 'El cascanueces'.*

sampler (ing.) s.m. Aparato electrónico digital que permite grabar y manipular una secuencia sonora de cualquier instrumento, un fragmento musical o un efecto especial para mezclarlos y reproducirlos nuevamente. □ PRON. [sámpler].

sampling (ing.) s.m. →**muestreo.** □ PRON. [sámplin].

samurái s.m. →**samuray.**

samuray (tb. *samurái*) (pl. *samuráis*) s.m. En la antigua sociedad feudal japonesa, miembro de una clase inferior de la nobleza formada por los militares que estaban al servicio de los señores feudales. □ ETIMOL. Del japonés *samuray*.

san adj. **1** →**santo. 2** ‖ **san bernardo;** →**perro San Bernardo.** □ MORF. En la acepción 1, apócope de *santo* ante nombre propio de varón, excepto los de Tomás, Tomé, Toribio y Domingo.

sanador, -a ▮ adj./s. **1** Que sana. ▮ s. **2** Persona que ejerce prácticas curativas sin ser médico.

sanar v. Recuperar la salud o restituirla: *Sanará pronto porque es una mujer fuerte.* □ ETIMOL. Del latín *sanare.* □ SEM. Dist. de *sanear* (dar las condiciones higiénicas necesarias a un lugar, recuperar o mejorar algo).

sanatorio s.m. Establecimiento preparado para que en él residan enfermos que necesitan someterse a un tratamiento.

sanchopancesco, ca adj. Con características que se consideran propias de Sancho Panza (personaje literario).

sanción s.f. **1** Autorización o aprobación que se da a cualquier acto, uso o costumbre: *La ley no entrará en vigor hasta que no reciba la sanción del jefe de Estado. Para iniciar las gestiones solo nos falta la sanción del director general.* **2** Pena o castigo que se aplica a quien no cumple una ley o una norma, esp. si están recogidos legalmente. □ ETIMOL. Del latín *sanctio*, y este de *sancire* (consagrar). □ USO En la acepción 2, es innecesario el uso del anglicismo *descertificación*.

sancionador, -a adj./s. Que sanciona: *sentencia sancionadora.*

sancionar v. **1** Referido a una disposición, darle fuerza de ley: *El rey sanciona las leyes que se aprueban en las Cortes.* **2** Referido a un acto, a un uso o a una costumbre, autorizarlos o aprobarlos: *Un bando del alcalde sanciona la costumbre de festejar también la víspera del día del patrón del pueblo.* **3** Aplicar una sanción o un castigo: *Lo sancionaron con una multa por aparcar en lugar prohibido.* □ ETIMOL. De *sanción.* □ USO En la acepción 3, es innecesario el uso del anglicismo *descertificar*.

sancochar v. Cocer los alimentos muy poco y sin sazonarlos: *Para preparar este plato, hay que sancochar primero el pescado.*

sancocho s.m. **1** Guiso preparado con carne, yuca, plátano y otros ingredientes. **2** *col. desp.* Comida mal cocinada. **3** *col.* En zonas del español meridional, restos de comida que se destinan a la alimentación de los cerdos.

sancristobaleño, ña adj./s. De San Cristóbal y Nieves o relacionado con este país caribeño.

sanctasanctórum (pl. *sanctasanctórum*) s.m. **1** Parte o lugar más respetado, reservado o secreto: *La biblioteca es el sanctasanctórum de la persona que vive en esta casa.* **2** Lo que tiene mucho valor para una persona: *Mi abuelo dice que la familia es su sanctasanctórum.* **3** En el tabernáculo judío, parte interior y más sagrada. □ ETIMOL. Del latín *sancta sanctorum* (lugar más santo de los santos).

sanctus s.m. Oración de alabanza que se reza durante la misa. □ ETIMOL. Del latín *sanctus* (sagrado, santo).

sandácara s.f. Resina amarillenta que se extrae del enebro y de otras plantas.

sandalia s.f. **1** Calzado formado por una suela que se sujeta al pie mediante correas o cintas. **2** Zapato ligero y muy abierto. **3** ‖ **(sandalia) romana;** la que va atada con cintas al tobillo o a la pierna. □ ETIMOL. Del latín *sandalia*.

sándalo s.m. **1** Árbol parecido al nogal, con hojas elípticas, opuestas y muy verdes, flores pequeñas, fruto parecido a la cereza y madera amarillenta de excelente olor. **2** Madera olorosa de este árbol. **3** Esencia que se obtiene mediante la destilación de la madera de este árbol. □ ETIMOL. Del griego *sántalon*.

sandez s.f. **1** Ignorancia o simpleza. **2** Hecho o dicho ignorante, inconveniente o carente de sentido: *Si hablas sobre un tema que no conoces es probable que no digas más que sandeces.* □ ETIMOL. Del antiguo *sandéo* (necio). □ USO Es innecesario el uso del galicismo *boutade*.

sandía s.f. **1** Planta herbácea de tallo flexible, tendido por el suelo, hojas de color verde oscuro, flores amarillas y fruto redondo, de gran tamaño y color verde por fuera y rojo, jugoso y muy dulce por dentro. **2** Fruto de esta planta. □ ETIMOL. Del árabe *sindiyya* (perteneciente a la región del Sind, en Paquistán).

sandial (tb. *sandiar*) s.m. Terreno plantado de sandías.

sandiar s.m. →**sandial.**

sandinismo s.m. Movimiento político nicaragüense representado por el Frente Sandinista de Liberación Nacional (organización política y militar fundada en la década de 1960), que defiende las ideas de César Augusto Sandino (nicaragüense de la primera mitad del siglo XX).

sandinista ▮ adj.inv. **1** Del sandinismo o relacionado con este movimiento político. ▮ adj.inv./s.com. **2** Partidario o seguidor del sandinismo.

sandio, dia adj./s. Ignorante o simple. □ ETIMOL. De origen incierto.

sánduche s.m. En zonas del español meridional, sándwich o bocadillo. □ ETIMOL. Del inglés *sandwich.*

sandunga s.f. *col.* Gracia, agudeza o desenvoltura en la forma de actuar. □ ETIMOL. De origen incierto.

sandunguero, ra adj. *col.* Que tiene sandunga.

sándwich (pl. *sándwiches*) s.m. **1** Bocadillo elaborado con dos rebanadas de pan de molde. □ SINÓN. *emparedado.* **2** Lo que tiene una forma parecida a la de este bocadillo. **3** En zonas del español meridional, bocadillo. □ ETIMOL. Del inglés *sandwich.* □ PRON. 1. [sángüich]. 2. En zonas del español meridional, también [sánguche].

sandwichera s.m. Electrodoméstico que sirve para hacer sándwiches. □ PRON. [sangüichéra].

sandwichería s.f. En zonas del español meridional, bocadillería. ☐ PRON. [sangüichería] o [sanguchería].

saneado, da adj. Referido esp. a los bienes o a las rentas, que están libres de cargas o de descuentos: *Mi cuenta bancaria está saneada porque no tengo deudas.*

saneamiento s.m. **1** Dotación de condiciones higiénicas: *Comenzaron el saneamiento del río con un drenaje del cauce.* **2** Reparación, mejora o recuperación de algo: *Estas medidas persiguen el saneamiento de la economía.* **3** Conjunto de técnicas, de servicios, de dispositivos o de piezas destinados a mantener las condiciones de higiene en edificios o lugares: *He comprado una bañera en una tienda de saneamientos.*

sanear v. **1** Referido esp. a un lugar, darle las condiciones higiénicas necesarias o preservarlo de la humedad o de las vías de agua: *Para acabar con la humedad del sótano hay que sanearlo.* **2** Reparar, mejorar o hacer que se recupere: *Para sanear la economía hace falta promover el ahorro.* ☐ ETIMOL. De *sano*. ☐ SEM. Dist. de *sanar* (recuperar la salud o restituirla).

sanecan s.m. Papelera que se usa para tirar los excrementos de perro y que proporciona bolsas para facilitar su recogida. ☐ ETIMOL. Extensión del nombre de una marca comercial. ☐ PRON. [sanecán].

sanedrín s.m. **1** Máximo órgano de gobierno de los judíos, en el que se trataban y decidían los asuntos de estado y de religión. **2** Lugar donde se reunía este consejo.

sanfermines s.f.pl. Fiestas populares que se celebran en Pamplona (capital de la comunidad autónoma navarra) durante una semana a partir del 7 de julio. ☐ ETIMOL. De san Fermín, santo que se celebra el día 7 de julio.

sanfrancisco s.m. Bebida sin alcohol elaborada con una mezcla de zumos de diferentes frutas.

sangradera s.f. Acequia de riego que depende de una corriente de agua mayor.

sangrado s.m. En imprenta, comienzo de una línea más adentro que el resto de la página. ☐ SINÓN. *sangría*.

sangrador s.m. Persona que tenía por oficio hacer sangrías.

sangrante adj.inv. **1** Que sangra: *una herida sangrante.* **2** Que ofende o indigna en exceso: *Es sangrante que me pidas más dinero, cuando aún no me has devuelto lo que me debes.*

sangrar v. **1** Echar sangre: *La herida todavía le sangra.* **2** Abrir o punzar una vena para que salga cierta cantidad de sangre: *Antiguamente se sangraba a los enfermos para ver si sanaban.* **3** Referido a un árbol, hacerle incisiones en la corteza del tronco para que salga la resina: *Sangran los pinos para obtener resina.* ☐ SINÓN. *resinar.* **4** *col.* Referido a una persona, aprovecharse de ella, esp. sacándole dinero con frecuencia y de forma abusiva: *No te doy ni un céntimo más porque ya me has sangrado bastante.* **5** En un escrito, referido esp. a una línea o a un párrafo, empezarlos un poco más adentro que el resto de la página: *No tienes que sangrar todo el párrafo, solo la primera línea.*

sangre s.f. **1** Líquido de color rojo que circula por las arterias y las venas de las personas y de los animales: *La sangre transporta oxígeno a los tejidos del cuerpo.* **2** Linaje, parentesco o familia: *Dice que es de sangre real porque tiene un apellido de rey.* **3** ‖ **a sangre fría;** conscientemente, con premeditación y tranquilidad: *Lo más cruel del asesinato es que fue a sangre fría, después de haber trazado un plan.* ‖ **chupar la sangre;** *col.* Abusar de alguien. ‖ **de sangre caliente;** referido a un animal, que tiene una temperatura corporal que no depende de la ambiental. ‖ **de sangre fría;** referido a un animal, que tiene una temperatura corporal que depende de la ambiental: *Los reptiles son animales de sangre fría y se aletargan en invierno.* ‖ **hacerse** alguien **mala sangre;** sentir mucha rabia por algo que no se puede evitar. ‖ **llevar** algo **en la sangre;** ser innato o hereditario: *Lleva en la sangre la facilidad para el baile.* ‖ **no llegar la sangre al río;** *col.* No tener consecuencias graves. ‖ **no tener sangre en las venas;** ser de carácter demasiado tranquilo. ‖ **sangre azul;** la que es noble: *Antiguamente, era muy difícil que un noble se casara con alguien que no fuera de sangre azul.* ‖ **sangre fría;** serenidad, tranquilidad o calma. ‖ **subírsele** a alguien **la sangre a la cabeza;** *col.* Perder la serenidad, irritarse mucho o encolerizarse. ☐ ETIMOL. Del latín *sanguis*.

sangría s.f. **1** Derramamiento abundante de sangre. **2** Punción o corte de una vena para que salga cierta cantidad de sangre. **3** Pérdida, gasto o robo de algo, esp. de dinero, que se hace poco a poco y sin notarse mucho. **4** Bebida refrescante hecha con agua, vino y trozos de frutas. **5** En imprenta, comienzo de una línea más adentro que el resto de la página. ☐ SINÓN. *sangrado*.

sangriento, ta adj. **1** Que causa abundante derramamiento de sangre: *una batalla sangrienta.* ☐ SINÓN. *cruento.* **2** Manchado de sangre o mezclado con ella. ☐ SINÓN. *sanguinolento.* **3** Que ofende gravemente por su crueldad o mala intención: *chiste sangriento.* ☐ ETIMOL. Del latín *sanguinentus*.

sanguanza s.f. **1** En zonas del español meridional, líquido que sale de algunas frutas y legumbres y que es parecido a la sangre acuosa. **2** En zonas del español meridional, sangre podrida o descompuesta.

sánguche s.m. En zonas del español meridional, bocadillo. ☐ ETIMOL. Del inglés *sandwich*.

sangüiche s.m. En zonas del español meridional, sándwich o bocadillo.

sanguijuela s.f. **1** Gusano de agua dulce, de cuerpo anillado y una ventosa en cada extremo, con la boca en el centro de una de ellas, que se alimenta de la sangre que le chupa a los animales. **2** *col.* Persona que se aprovecha de otra, generalmente sacándole dinero poco a poco o viviendo a su costa. ☐ ETIMOL. Del latín **sanguisugiola*.

sanguina s.f. **1** Lápiz de color rojo oscuro fabricado con hematites. **2** Dibujo hecho con este lápiz. **3** →**naranja sanguina.** □ ETIMOL. Del latín *sanguis* (sangre).

sanguinario, ria adj. Referido esp. a una persona, que se complace en derramar sangre y es cruel y despiadada. □ ETIMOL. Del latín *sanguinarius*.

sanguíneo, a adj. **1** De la sangre o relacionado con ella: *la circulación sanguínea.* **2** Que contiene sangre o es abundante en ella: *vaso sanguíneo.* □ ETIMOL. Del latín *sanguineus*.

sanguinolento, ta adj. **1** Manchado de sangre o mezclado con ella. □ SINÓN. *sangriento.* **2** Referido esp. al ojo, con la esclerótica llena de venas rojas. □ ETIMOL. Del latín *sanguinolentus*.

sanidad s.f. Conjunto de servicios, de personal y de instalaciones dedicados a mantener y cuidar la salud pública y las condiciones higiénicas de un país, de una región o de una zona. □ ETIMOL. Del latín *sanitas*.

sanisidros s.m.pl. Conjunto de corridas de toros que se celebran en la ciudad de Madrid durante las fiestas de San Isidro (patrón de esta ciudad). □ SINÓN. *isidrada.*

sanitario, ria ▌adj. **1** De la sanidad o relacionado con ella. ▌adj./s.m. **2** Referido a un aparato o a una instalación, que sirven para la higiene y el aseo personales: *He cambiado los sanitarios de mi cuarto de baño.* ▌s. **3** Persona que trabaja en los servicios de sanidad civiles o militares. ▌s.m. **4** En zonas del español meridional, servicio o retrete. □ ETIMOL. Del latín *sanitas* (sanidad).

sanjacobo s.m. Comida hecha con dos filetes finos, generalmente de lomo o de jamón, entre los que se coloca una loncha de queso, que se rebozan en huevo y pan rallado y se fríen.

sanmarinense adj.inv./s.com. De San Marino o relacionado con este país europeo.

sanmartín s.m. **1** Época en que se realiza la matanza del cerdo, en torno al 11 de noviembre. **2** Matanza del cerdo que se realiza en esta época: *Me invitaron a un sanmartín en un pueblo cercano.* **3** ‖ **{llegarle/venirle}** a alguien **su sanmartín;** *col.* Llegarle o venirle el momento en que se acaben sus placeres y comience a sufrir. □ ETIMOL. De san Martín, santo que se celebra el día 11 de noviembre.

sano, na adj. **1** Con buena salud. □ SINÓN. *bueno.* **2** Bueno o beneficioso para la salud: *Debemos comer alimentos sanos.* **3** En buen estado o sin daño: *Se cayó la huevera y no quedó ni un huevo sano.* **4** Sin vicios ni costumbres moral o psicológicamente reprochables. **5** ‖ **cortar por lo sano;** *col.* Remediar algo con un procedimiento drástico o radical: *Si no estudias todos los días un poco, cortaré por lo sano y no saldrás más a la calle.* □ ETIMOL. Del latín *sanus* (sano, sensato).

sánscrito, ta ▌adj. **1** De los brahmanes hindúes, de su lengua o relacionado con ella: *La gramática sánscrita es muy antigua.* ▌s.m. **2** Antigua lengua de los brahmanes hindúes: *El sánscrito fue una lengua religiosa en la que se escribieron muchos libros.* □ ETIMOL. Del sánscrito *sámskrta* (perfecto (gramaticalmente)).

sanseacabó (tb. *san se acabó*) interj. *col.* Expresión que se usa para dar por terminado un asunto: *He dicho que vayas tú y sanseacabó.*

sansón s.m. Hombre muy forzudo. □ ETIMOL. Por alusión a Sansón, personaje bíblico con una fuerza sobrehumana.

santabárbara s.f. En una embarcación, lugar o compartimento donde se guardaban la pólvora o las municiones. □ ETIMOL. De santa Bárbara, que es la patrona de los artilleros.

santacruceño, ña adj./s. →**santacrucero.**

santacrucero, ra adj./s. De Santa Cruz de Tenerife o relacionado con esta ciudad tinerfeña. □ SINÓN. *santacruceño.*

santalucense adj.inv./s.com. De Santa Lucía o relacionado con este país americano.

santanderino, na adj./s. De Santander o relacionado con esta ciudad cántabra.

santateresa s.f. Insecto masticador, de cuerpo verdoso y patas anteriores erguidas y juntas cuando permanecen en reposo, cuya hembra suele devorar al macho después de la cópula. □ SINÓN. *mantis religiosa.* □ MORF. Es un sustantivo epiceno: *la santateresa {macho/hembra}.*

santería s.f. **1** Creencia religiosa basada en la adoración de imágenes o personajes surgidos del sincretismo de creencias religiosas africanas y católicas. **2** Devoción supersticiosa o demostración exagerada o falsa de devoción religiosa.

santero, ra ▌adj./s. **1** Que muestra una devoción exagerada o supersticiosa a las imágenes de los santos. ▌s. **2** Curandero que pide la ayuda de los santos para realizar sus curaciones.

santiamén ‖ **en un santiamén;** en un instante: *Este problema se hace en un santiamén porque es muy fácil.* □ ETIMOL. Del latín *Spiritus Sancti, Amén* (expresión con que finalizan algunas oraciones).

santidad s.f. **1** Cualidad o estado de santo. **2** Tratamiento honorífico que se da al Papa (máximo representante de la iglesia católica). □ USO La acepción 2 se usa más como nombre propio y en la expresión *{Su/Vuestra} Santidad.*

santificación s.f. **1** Conversión en santo. **2** En el cristianismo, dedicación de algo a Dios. **3** Reconocimiento de algo como santo, honrándolo y rindiéndole culto.

santificar v. **1** Hacer santo: *Han santificado a un niño.* **2** En el cristianismo, dedicar a Dios: *Uno de los diez mandamientos es el de santificar las fiestas.* **3** Hacer venerable por la presencia o el contacto con lo que es santo: *Ha llevado a la iglesia una vela para santificarla.* **4** Referido a algo santo, reconocerlo como tal y honrarlo y rendirle culto como merece: *Hemos de santificar el nombre de Dios.* □ ETIMOL. Del latín *sanctificare*, y este de *sanctus* (santo) y *facere* (hacer). □ ORTOGR. La *c* se cambia en *qu* delante de *e* →SACAR.

santiguar v. Hacer la señal de la cruz tocando con los dedos de la mano derecha, primero la frente y el pecho, y después el hombro izquierdo y el hombro derecho: *Al santiguarnos se invoca a la Santísima Trinidad.* □ ETIMOL. Del latín *sanctificare*, y este de *sanctus* (santo) y *facere* (hacer). □ ORTOGR. 1. La *u* lleva diéresis cuando le sigue *e*. 2. La *u* permanece siempre átona →AVERIGUAR. □ MORF. Se usa más como pronominal. □ SEM. Dist. de *persignar* (hacer la señal de la cruz en la frente, la boca y el pecho y santiguar a continuación).

santo, ta ▮ adj. **1** Dedicado esp. a Dios o a alguna divinidad, relacionado con ellos o venerable por algún motivo de religión: *Los templos son lugares santos.* **2** Conforme a la ley de Dios: *El sacerdote unió a la pareja en santo matrimonio.* **3** Seguido de un sustantivo, matiza de forma enfática el significado de la frase: *Estoy harto de que hagas siempre tu santa voluntad.* ▮ adj./s. **4** Referido a una persona, que ha sido reconocida por la iglesia católica como alguien que ha llevado una vida de perfección religiosa y ha alcanzado el cielo, y que debe ser venerada como tal. **5** Referido a una persona, que tiene especial virtud y sirve de ejemplo: *Tu madre es una santa.* ▮ s.m. **6** En una publicación impresa, viñeta, grabado, estampa o dibujo que la ilustran. **7** Respecto de una persona, día dedicado por la Iglesia al santo que coincide con el nombre de esta: *Hoy es mi santo.* **8** || **a santo de qué;** con qué motivo o por qué razón: *A santo de qué tengo que ir contigo. A santo de qué me has llamado a mí.* || **írsele** a alguien **el santo al cielo;** *col.* Olvidarse totalmente de algo: *Me puse a ver la tele y se me fue el santo al cielo.* || **llegar y besar el santo;** *col.* Lograr a la primera lo que se quiere: *Te he dicho que es fácil, pero no creas que será llegar y besar el santo.* || **quedarse para vestir santos;** *col.* Referido esp. a una mujer, quedarse soltera. || **santo y seña;** palabra o conjunto de palabras que sirven de contraseña. □ ETIMOL. Del latín *sanctus*. □ MORF. Ante nombre propio de varón, excepto los de Domingo, Tomás, Tomé y Toribio, se usa la apócope *san*.

santolina s.f. Planta herbácea, de hojas sencillas, muy finas y blanquecinas, que se cultiva en los jardines por sus flores de olor agradable. □ SINÓN. *abrótano, brótano, boja, botonera.*

santón s.m. Persona que lleva una vida austera y que no pertenece a la religión cristiana.

santoral s.m. **1** Libro que contiene la vida o los hechos de los santos. **2** Lista de los santos cuya festividad se conmemora en cada uno de los días del año.

santotomense adj.inv./s.com. De Santo Tomé y Príncipe o relacionado con este país africano.

santuario s.m. **1** Lugar en el que se venera a una divinidad o a otros seres sagrados. **2** Lugar que se considera importante o valioso por alguna circunstancia: *Ese estadio es el santuario del fútbol porque ha sido testigo de los mejores encuentros.* **3** Zona que se reserva para la protección de algunas especies animales durante un período determinado. **4** Lugar que se utiliza para refugiarse: *No podemos permitir que conviertan esta ciudad en una santuario para terroristas.* □ ETIMOL. Las acepciones 1 y 2, del latín *sanctuarium*. Las acepciones 3 y 4, del inglés *sanctuary* (refugio). □ SEM. En las acepciones 3 y 4 es un anglicismo innecesario que puede sustituirse por *refugio*.

santurrón, -a adj./s. *desp.* Que muestra una devoción, unos escrúpulos o unas virtudes exagerados o falsos.

santurronería s.f. *desp.* Muestra o manifestación de una devoción, de unos escrúpulos o de unas virtudes exagerados o falsos.

sanvicentino, na adj./s. De San San Vicente y las Granadinas o relacionado con este país caribeño.

saña s.f. **1** Intención cruel, rencorosa o malintencionada. **2** Furor, furia, rabia o enojo. □ ETIMOL. De origen incierto.

sañudo, da adj. Que tiene saña.

sapeli s.m. **1** Árbol tropical que produce una madera muy apreciada para fabricar muebles. **2** Madera de este árbol.

sapiencia s.f. *col.* Sabiduría. □ ETIMOL. Del latín *sapientia*.

sapiencial adj.inv. De la sabiduría o relacionado con ella.

sapiente adj.inv. Que alardea o presume de sabiduría y de conocimientos amplios.

sapientísimo, ma adj. *col.* Muy sabio. □ USO Tiene un matiz humorístico.

sapo s.m. **1** Anfibio parecido a la rana, con ojos muy saltones, extremidades delanteras cortas y piel gruesa de aspecto rugoso. **2** *desp.* Miembro del cuerpo costarricense de policía. **3** || **sapos y culebras;** juramentos, maldiciones y palabras ofensivas o malsonantes que se dicen cuando se está muy enfadado: *Cuando le dije que no, se puso furioso y empezó a soltar sapos y culebras contra mí.* □ ETIMOL. De origen incierto. □ MORF. En la acepción 1, es un sustantivo epiceno: *el sapo {macho/hembra}*. □ SINT. La expresión *sapos y culebras* se usa más con los verbos *echar*, *soltar* o equivalentes.

saponáceo, a adj. Con las características del jabón. □ ETIMOL. Del latín *sapo* (jabón).

saponificación s.f. Conversión de un cuerpo graso en jabón.

saponificar v. Referido a un cuerpo graso, convertirlo en jabón, por la combinación de los ácidos que contiene con un álcali u otros óxidos metálicos: *El hidróxido sódico se usa mucho para saponificar grasas y obtener jabones.* □ ETIMOL. Del latín *sapo* (jabón) y *facere* (hacer). □ ORTOGR. La *c* se cambia en *qu* delante de *e* →SACAR.

saporífero, ra adj. Que sirve para dar un determinado sabor. □ ETIMOL. Del latín *sapore* (sabor) y *ferre* (producir). □ ORTOGR. Dist. de *soporífero*.

saprófago, ga adj. Referido a un ser vivo, que se alimenta de materias orgánicas en descomposición. □ ETIMOL. Del griego *saprós* (podrido) y *-fago* (que come).

saprofito, ta adj. Referido a una planta o a un microorganismo, que vive a expensas de materias orgánicas muertas o en descomposición. ☐ ETIMOL. Del griego *saprós* (podrido) y *phytón* (planta). ☐ PRON. Incorr. *[saprófito].

sapropel s.m. Depósito de materia orgánica, acumulada en el fondo del agua y fuera del contacto con el aire, que sufre una transformación por fermentación: *El sapropel es un paso previo para la formación de petróleo.* ☐ ETIMOL. Del griego *saprós* (podrido) y *pelós* (fango).

saque s.m. **1** En deporte, puesta en juego de una pelota o lanzamiento con el que se inicia o reanuda el juego: *el saque de honor.* **2** *col.* Capacidad para comer o beber mucho: *tener buen saque.* **3** ‖ **saque de esquina;** En fútbol y en otros deportes, el realizado desde una esquina del campo como castigo a una jugada en la que el balón sale fuera por la línea de meta. ☐ SINÓN. *córner.*

saqueador, -a adj./s. Que saquea. ☐ SINÓN. *predador.*

saquear v. **1** Referido esp. a un lugar, apoderarse por la fuerza de lo que en él se encuentra: *Los soldados enemigos saquearon la ciudad después de haberla ocupado.* **2** Robar o coger todo o casi todo lo que hay en un lugar: *Cuando viene a mi casa aprovecha para saquear mi biblioteca.* ☐ ETIMOL. Del italiano *saccheggiare.*

saqueo s.m. **1** Apropiación por la fuerza de lo que se encuentra en un lugar. **2** Apropiación de todo o de casi todo lo que hay en un lugar: *Los primeros visitantes hicieron un saqueo de los catálogos de la exposición.*

sarampión s.m. Enfermedad contagiosa que se manifiesta por multitud de manchas pequeñas y rojas y que va precedida y acompañada de lagrimeo, estornudos, tos y otros síntomas catarrales. ☐ ETIMOL. Del latín *sirimpio* (erupción de la piel).

sarao s.m. **1** Fiesta o reunión nocturna con música y baile. **2** *col.* Situación confusa, agitada o embarazosa, esp. si va acompañada de gran alboroto y tumulto. ☐ SINÓN. *lío.* ☐ ETIMOL. Del gallego *serao* (anochecer).

sarape s.m. Prenda de vestir mexicana que consiste en una especie de manta de colores vivos con una abertura en el centro para meter la cabeza.

sarapia s.f. **1** Árbol americano de tronco liso y blanquecino y fruto leguminoso con una sola semilla en forma de almendra. **2** Fruto de este árbol: *De la sarapia se extraen sustancias muy aromáticas.*

sarasa s.m. *col. desp.* Hombre afeminado u homosexual.

sarcasmo s.m. Burla o ironía crueles o mordaces con las que se ofende o se maltrata. ☐ ETIMOL. Del latín *sarcasmus.*

sarcástico, ca adj. Que muestra, expresa o implica sarcasmo.

sarcófago s.m. Sepulcro en el que se entierra un cadáver. ☐ ETIMOL. Del latín *sarcophagus,* y este del griego *sarkophágos* (el que devora la carne).

sarcoma s.m. Tumor maligno del tejido conjuntivo. ☐ ETIMOL. Del latín *sarcoma,* y este del griego *sárkoma* (aumento de carne).

-sarcoma s.m. Elemento compositivo sufijo que significa 'tumor maligno': *osteosarcoma.* ☐ ETIMOL. Del latín *sarcoma,* y este del griego *sárkoma* (aumento de carne).

sardana s.f. **1** Composición musical típica de la tradición catalana. **2** Baile en corro que se ejecuta al compás de esta música. ☐ ETIMOL. Del catalán *sardana.*

sardanista ▌adj.inv. **1** De la sardana o relacionado con ella. ▌s.com. **2** Persona que baila la sardana.

sardina s.f. Pez marino con el cuerpo en forma de huso, de color negro azulado por encima, dorado en la cabeza y plateado en los costados y el vientre, que vive en grandes grupos. ☐ ETIMOL. Del latín *sardina.* ☐ MORF. Es un sustantivo epiceno: *la sardina {macho/hembra}.*

sardinada s.f. Comida cuyo principal componente son las sardinas.

sardinel s.m. **1** En zonas del español meridional, bordillo. **2** En zonas del español meridional, acera.

sardinero, ra adj. De la sardina o relacionado con ella.

sardineta s.f. Golpe que se da con los dedos índice y medio extendidos y juntos.

sardo, da ▌adj./s. **1** De Cerdeña (isla mediterránea italiana), o relacionado con ella. ▌s.m. **2** Lengua románica hablada en esta isla: *El sardo posee varios dialectos.*

sardónico, ca adj. **1** Referido a la risa, que resulta afectada y no es natural. **2** Que expresa ironía: *un comentario sardónico.*

sarga s.f. **1** Tela cuyo tejido forma líneas diagonales. **2** Arbusto de la familia de las salicáceas, con tronco delgado, hojas estrechas, flores verdosas y fruto en forma de cápsula. ☐ ETIMOL. La acepción 1, quizá del latín *serica* (de seda). La acepción 2, del latín **salica,* y este de *salix* (sauce).

sargazo s.m. Alga marina con el cuerpo ramificado y con estructura laminar en forma de hojas, que vive en los mares cálidos y templados. ☐ ETIMOL. Del portugués *sargaço.*

sargento s.com. **1** En el ejército, persona cuyo empleo militar es superior al de cabo primero e inferior al de sargento primero. **2** ‖ **sargento primero;** en el ejército, persona cuyo empleo militar es superior al de sargento e inferior al de brigada. ☐ ETIMOL. Del francés *sergent* (sirviente).

sargento, ta s. Persona autoritaria o mandona: *Su padre es un sargento que no le deja hacer nada ni salir a ningún sitio.*

sargo s.m. Pez marino comestible, con el dorso y el vientre muy encorvados, hocico puntiagudo, aletas pectorales y cola ahorquillada. ☐ ETIMOL. Del latín *sargus.*

sari s.m. Prenda de vestir femenina, con forma de túnica, hecha de una sola pieza de tela. ☐ ETIMOL. Del hindi *sari.*

sarín s.m. →**gas sarín.**

sarmentoso, sa adj. De los sarmientos o que tiene semejanza o relación con ellos: *unas manos sarmentosas.*

sarmiento s.m. En una vid, rama o rebrote largos, flexibles y nudosos, de los cuales brotan las hojas y los racimos. ☐ ETIMOL. Del latín *sarmentum*, y este de *sarpere* (podar la vid).

sarna s.f. Enfermedad cutánea contagiosa, producida por un parásito que se alimenta de células superficiales de la piel o que excava túneles debajo de ella. ☐ ETIMOL. Del latín *sarna.*

sarnoso, sa adj./s. Que tiene sarna: *un perro sarnoso.*

sarpullido (tb. *salpullido*) s.m. Erupción leve y pasajera en la piel que se caracteriza por la aparición de muchos granitos o ronchas.

sarraceno, na adj./s. Mahometano o que tiene como religión el islamismo.

sarracina s.f. Pelea o riña muy ruidosa en la que puede haber heridos. ☐ ETIMOL. Del antiguo *sarracino* (sarraceno), por el griterío y el desorden con que los sarracenos solían pelear.

sarro s.m. Sustancia amarillenta que se adhiere al esmalte de los dientes. ☐ ETIMOL. De origen incierto.

sarta s.f. **1** Serie de cosas metidas por orden en un hilo, en una cuerda o en algo semejante: *Un collar es una sarta de cuentas.* **2** Serie de cosas iguales o parecidas: *una sarta de disparates.* ☐ ETIMOL. Del latín *serta* (guirnalda, corona).

sartén s.f. **1** Recipiente de cocina, generalmente de metal, de forma circular, poco hondo y con mango largo, que se usa para guisar. **2** ‖ **tener la sartén por el mango;** *col.* Ser dueño de la situación, poder decidir o mandar: *Aquí sabemos quién tiene la sartén por el mango y acatamos sus órdenes.* ☐ ETIMOL. Del latín *sartago.* ☐ MORF. En zonas del español meridional se usa como masculino.

sartenada s.f. Lo que se fríe de una vez en una sartén.

sartenazo s.m. Golpe dado con una sartén.

sartorio adj./s.m. →**músculo sartorio.**

sasánida ▮ adj.inv. **1** De la dinastía sasánida o relacionado con ella. ▮ adj.inv./s.com. **2** Referido a una dinastía, que gobernó Persia (antiguo reino del sudoeste asiático) durante los siglos II al VII aproximadamente.

sashimi (jap.) s.m. Comida de origen japonés, que se prepara con pescado o marisco crudo, cortado en lonchas finas y que se sirve con salsa: *El sashimi es parecido al sushi pero sin arroz.* ☐ PRON. [sachími], con *ch* suave.

sastre, tra s. Persona que se dedica profesionalmente al corte y a la costura de vestidos, esp. de hombre. ☐ ETIMOL. Del provenzal o del catalán *sastre*, y este del latín *sartor* (sastre remendón).

sastrería s.f. Lugar en el que se hacen, arreglan o venden vestidos, esp. de hombre.

satán s.m. *desp.* →**satanás.** ☐ ETIMOL. Por alusión a Satán, uno de los nombres del demonio.

satanás s.m. *desp.* Persona muy mala y perversa. ☐ SINÓN. *satán.* ☐ ETIMOL. Por alusión a Satanás, uno de los nombres del demonio.

satánico, ca adj. **1** De Satanás (el demonio), con sus características o relacionado con él. **2** Del satanismo o relacionado con este conjunto de creencias y prácticas.

satanismo s.m. **1** Conjunto de creencias y prácticas relacionadas con Satán (el demonio), o con su culto. **2** Maldad o perversidad satánicas o extremas.

satanización s.f. Concesión de carácter satánico o muy perverso.

satanizar v. Atribuir o conceder carácter satánico o perverso: *Ambos políticos se han estado satanizando durante toda la campaña electoral.* ☐ ORTOGR. La *z* se cambia en *c* delante de *e* →CAZAR.

satelital adj.inv. En zonas del español meridional, del satélite artificial o relacionado con este aparato puesto en órbita alrededor de la Tierra o de otro astro: *una estación telefónica satelital.*

satélite s.m. **1** Cuerpo celeste que describe una órbita alrededor de un planeta. ☐ SINÓN. *luna.* **2** Estado o nación dominados política y económicamente por otro estado más poderoso. **3** Población situada fuera del recinto de una ciudad importante que está vinculada a esta de algún modo. **4** ‖ **satélite artificial;** aparato puesto en órbita alrededor de la Tierra o de otro astro: *Mañana se lanzará un nuevo satélite artificial de comunicaciones.* ☐ ETIMOL. Del latín *satelles* (miembro de una escolta). ☐ SINT. En las acepciones 2 y 3, se usa en aposición a un sustantivo: *una nación satélite; una ciudad satélite.* ☐ USO En la acepción 2, tiene un matiz despectivo.

satelización s.f. **1** Conversión de algo en satélite de otra cosa: *La satelización de este partido ha conllevado la pérdida de muchos militantes.* **2** Puesta en órbita de un satélite: *Esta nueva satelización ha supuesto un gran avance en el campo de las telecomunicaciones.*

satén s.m. Tela brillante de seda o de algodón, parecida al raso, pero de menor calidad. ☐ ETIMOL. Del francés *satin.*

satinado, da ▮ adj. **1** Del satén o con alguna de sus características: *papel satinado.* ▮ s.m. **2** Tratamiento que se da, mediante presión, a un papel o a una tela para dejarlos lisos y brillantes.

satinar v. Referido a un papel o a una tela, alisarlos y darles brillo por medio de la presión: *Para satinar el papel hay que someterlo a la acción de la calandria.* ☐ ETIMOL. Del francés *satiner*, y este de *satin* (satén).

sátira s.f. **1** Escrito, dicho o hecho cuyo objeto es censurar, criticar o ridiculizar de forma cruel o mordaz. **2** Composición poética que se emplea para censurar una conducta o poner en ridículo a alguien o algo. ☐ ETIMOL. Del latín *satyra.*

satírico, ca ▮ adj. **1** De la sátira o relacionado con ella: *un comentario satírico.* ▮ adj./s. **2** Referido a una persona, que cultiva la sátira.

satirizar v. Censurar o criticar de forma cruel o mordaz: *En su última película satiriza el mundo del periodismo.* □ ORTOGR. La *z* se cambia en *c* delante de *e* →CAZAR.

sátiro s.m. **1** En la mitología grecolatina, divinidad lasciva o dominada por el deseo sexual que habitaba en los campos y que tenía figura de hombre con barba, patas y orejas de macho cabrío y cola de cabra o de caballo. **2** Hombre lascivo o dominado por el deseo sexual. □ ETIMOL. Del latín *satyrus*.

satisfacción s.f. **1** Gusto o placer que se siente por algo: *Tengo la satisfacción de presentarte a este chico.* **2** Cumplimiento del deseo, del gusto o de una necesidad: *Toda persona debería tener lo suficiente para la satisfacción de sus necesidades.* **3** Premio que se da por una acción meritoria: *Este chico se merece una satisfacción por su buen comportamiento.* **4** Razón, hecho o modo con los que se contesta y responde a una queja, a una ofensa, a un sentimiento o a algo en contra: *Me debes una satisfacción por lo que dijiste ayer de mi padre.*

satisfacer v. **1** Referido a una deuda, pagarla por completo: *Ha satisfecho su deuda y ya no nos debe nada.* **2** Referido esp. a una sensación o a un sentimiento, saciarlos o hacer que cesen: *Con tanta comida ya he satisfecho mi hambre.* **3** Referido a una duda o a una dificultad, darles solución o resolverlas: *Dime qué parte de la explicación no ha quedado clara y satisfaré tu pregunta.* **4** Referido esp. a un deseo, conseguirlo o realizarlo: *Con este viaje he satisfecho mi deseo de visitar Nueva York.* **5** Referido a un requisito o a una exigencia, cubrirlos o llenarlos: *Tu perfil satisface todos los requisitos necesarios para este puesto de trabajo.* **6** Referido a un agravio o a una ofensa, deshacerlos o hacer algo para compensarlos: *Debes pedirle disculpas para satisfacer la ofensa que le has hecho.* **7** Referido a una acción meritoria, premiarla enteramente: *Tengo que satisfacerte por el favor que me hiciste el otro día.* **8** Gustar, agradar o complacer: *Me satisface ver que habéis hecho las paces y que ahora os lleváis tan bien.* □ ETIMOL. Del latín *satisfacere*, y este de *satis* (suficientemente) y *facere* (hacer). □ MORF. Irreg.: 1. Su participio es *satisfecho*. 2. →HACER, excepto en el imperativo: *{satisfaz / satisface}*.

satisfactorio, ria adj. **1** Que puede satisfacer: *una cantidad satisfactoria.* **2** Grato, favorable o propicio: *una operación satisfactoria.*

satisfecho, cha ▮ **1** part. irreg. de **satisfacer**. ▮ adj. **2** Contento, complacido o conforme. □ MORF. En la acepción 1, incorr. **satisfacido*.

sátrapa ▮ s.m. **1** Persona que gobernaba una de las provincias de Persia (antiguo reino del sudoeste asiático). ▮ s.com. **2** *col.* Persona que gobierna o que manda abusando de su autoridad o poder. **3** *col.* Persona que vive con mucho lujo. □ ETIMOL. Del latín *satrapa*, y este del griego *satrápes*.

satrapía s.f. **1** Gobierno que abusa de su autoridad o poder. **2** Territorio persa gobernado por un sátrapa. □ ETIMOL. Del latín *satrapia*.

satsuma s.f. Variedad de mandarina, de piel muy fina, que no suele tener pepitas.

saturación s.f. **1** Hartazgo o satisfacción que se producen por haber saciado por completo algo. **2** Ocupación de algo por completo o del todo: *saturación de trabajo.* **3** En química, estado de equilibrio de una disolución que ya no admite más cantidad de la sustancia que se disuelve.

saturado, da adj. **1** Colmado o lleno por completo. **2** Referido a un compuesto químico orgánico, que tiene los enlaces covalentes de tipo sencillo: *Una dieta baja en grasas saturadas es la primera medida utilizada en el tratamiento de la hipercolesterolemia.*

saturar v. **1** Hartar, saciar o satisfacer por completo: *Estas navidades he terminado saturado de turrón.* **2** Colmar, llenar completamente u ocupar del todo: *Cada día hay más fábricas de electrodomésticos y así el mercado se satura.* **3** En química, referido a una disolución, añadir una sustancia de forma que no admita más cantidad de esta: *En el laboratorio del colegio, para obtener cristales de sal, tuvimos que saturar una disolución salina y dejarla en reposo.* □ ETIMOL. Del latín *saturare* (hartar).

saturnal ▮ adj.inv. **1** De Saturno (dios romano de la abundancia y de las cosechas, y planeta que lleva su nombre) o relacionado con él. ▮ s.f. **2** En la antigua Roma, fiesta que se celebraba en honor de este dios. **3** Orgía desenfrenada o fiesta en la que se cometen todo tipo de excesos. □ MORF. En la acepción 2, se usa más en plural.

saturnismo s.m. Enfermedad crónica producida por intoxicación con plomo.

sauce s.m. **1** Árbol de tronco grueso y derecho, con abundantes ramas y ramillas colgantes y hojas alternas lanceoladas, verdes por el haz y blancas por el envés. □ SINÓN. *salce, salguera, salguero.* **2** ‖ **sauce llorón;** el que tiene las ramas muy largas, flexibles y colgantes y suele plantarse como árbol ornamental. □ ETIMOL. Del latín *salix*.

sauceda s.f. Terreno poblado de sauces. □ SINÓN. *saucedal*.

saucedal s.m. →**sauceda.**

saúco s.m. Arbusto de tronco de corteza parda y rugosa, con muchas ramas, hojas compuestas de color verde oscuro y olor desagradable, flores blancas y fruto negruzco en forma de baya. □ ETIMOL. Del latín *sabucus*.

saudade s.f. *poét.* Nostalgia, añoranza o sentimiento de soledad. □ ETIMOL. Del portugués *saudade*.

saudí (pl. *saudíes, saudís*) adj.inv./s.com. De Arabia Saudí o relacionado con este país asiático. □ SINÓN. *saudita*.

saudita adj.inv./s.com. →**saudí.**

sauna s.f. **1** Baño de vapor a altas temperaturas que hace sudar abundantemente y que se suele tomar con fines higiénicos y terapéuticos. **2** Establecimiento en el que se toman estos baños. □ ETIMOL. Del finlandés *sauna*. □ MORF. En zonas del español meridional se usa como masculino: *un baño sauna.*

☐ SEM. En la acepción 1, dist. de *baño turco* (a partir de calor húmedo).

saurio ▮ adj./s.m. **1** Referido a un reptil, que tiene el cuerpo y la cola alargados, la piel escamosa, generalmente cuatro extremidades cortas y mandíbula provista de dientes: *El cocodrilo es un saurio.* ▮ s.m.pl. **2** En zoología, grupo de estos reptiles: *Dentro de los saurios hay especies tan pequeñas como las lagartijas.* ☐ ETIMOL. Del griego *sâuros* (lagarto).

sauvignon (fr.) ▮ s.f. **1** Uva blanca de color amarillo verdoso, dulce y muy aromática: *La sauvignon se adapta muy fácilmente a los climas fríos.* ▮ s.m. **2** Vino elaborado con esta uva: *una botella de sauvignon.* ☐ PRON. [soviñón]. ☐ SINT. Se usa mucho en aposición, pospuesto a un sustantivo: *uva sauvignon.*

savia s.f. **1** En algunas plantas, sustancia líquida que circula por sus vasos conductores y de la que se nutren sus células. **2** Lo que da vitalidad o energía: *Los jóvenes son la savia que la sociedad necesita para renovarse.* ☐ ETIMOL. Del latín *sapa* (vino cocido, mosto), porque se consideraba que era el zumo de los árboles. ☐ ORTOGR. Dist. de *sabia* (f. de *sabio*).

savoir faire (fr.) s.m. || Saber hacer o tener desenvoltura y destreza para realizar algo: *Las negociaciones llegaron a buen término gracias al savoir faire de ambos ministros.* ☐ PRON. [savuár fer]. ☐ USO Su uso es innecesario y puede sustituirse por *saber hacer.*

saxo s.m. **1** →**saxofón.** **2** →**saxofonista.**

saxofón s.m. Instrumento musical de viento, formado por un tubo metálico y cónico en forma de 'J', provisto de llaves y con embocadura de madera. ☐ ETIMOL. Del inglés *saxophone*, y este de *Sax* (nombre del inventor del instrumento) y el griego *phoné* (sonido). ☐ MORF. En la lengua coloquial, se usa mucho la forma abreviada *saxo.*

saxofonista s.com. Músico que toca el saxofón. ☐ MORF. En la lengua coloquial se usa mucho la forma abreviada *saxo.*

saxófono s.m. →**saxofón.**

saya s.f. Falda o enagua. ☐ ETIMOL. Del latín **sagia*, y este de *sagum* (especie de manto).

sayagués s.m. En el teatro y la poesía españolas de los siglos XVI y XVII, lengua de carácter literario, que intentaba imitar el habla rural de Sayago (comarca zamorana), y que se usaba para caracterizar a los personajes rústicos y villanos: *En muchas comedias de los Siglos de Oro, los villanos se expresan en sayagués.*

sayal s.m. **1** Tela muy basta hecha de lana. **2** Prenda de vestir hecha con esta tela.

sayo s.m. Prenda de vestir amplia, larga y sin botones, que cubre el cuerpo desde el cuello hasta más abajo de la rodilla. ☐ ETIMOL. Del latín *sagum.*

sayón s.m. **1** En una procesión de Semana Santa, cofrade o persona que desfila vestido con una túnica larga. **2** Antiguamente, verdugo que ejecutaba los castigos a los que eran condenados los reos. ☐ ETIMOL. Del gótico latinizado *sagio.*

sazón s.f. **1** Punto, madurez o estado de perfección: *Me gusta la fruta cuando está en sazón, ni verde ni pasada.* **2** || **a la sazón;** en aquel tiempo u ocasión: *Entonces llegó mi hermano, a la sazón, director del gabinete de prensa.* ☐ ETIMOL. Del latín *satio* (tiempo de sembrar).

sazonar v. Referido a una comida, darle gusto y sabor, generalmente con los condimentos adecuados: *Sazona el guiso con sal, pimienta y perejil.*

scad (ing.) s.m. →**scad diving.** ☐ PRON. [escád].

scad diving (ing.) (tb. *scad*) s.m. || Actividad que consiste en lanzarse al vacío desde gran altura para caer en una red suspendida a varios metros del suelo. ☐ PRON. [escád dívin].

scalextric (ing.) s.m. →**escaléxtric.** ☐ PRON. [escaléxtric].

scan (ing.) adj./s.m. Que sirve para registrar o señalar determinado tipo de datos. ☐ PRON. [escán].

scanner (ing.) s.m. →**escáner.** ☐ PRON. [escáner].

scherzo (it.) (pl. *scherzi*) s.m. Pieza musical de forma libre y ritmo muy vivo y alegre. ☐ PRON. [eskértso].

schnauzer (al.) adj.inv./s. Referido a un perro, de la raza que se caracteriza por tener el pelo áspero de color negro o blanco y negro mezclados, y la barba y las cejas hirsutas. ☐ PRON. [esnáucer].

schop s.m. En zonas del español meridional, cerveza de barril que se sirve en jarra. ☐ PRON. [chop].

schopería s.f. En zonas del español meridional, cervecería. ☐ PRON. [chopería].

-sco, -sca **1** Sufijo que indica relación o pertenencia: *dieciochesco, morisca.* **2** Sufijo que indica cualidad o semejanza: *pardusco, verdusca.*

scooter (ing.) s.m. →**escúter.** ☐ PRON. [escúter].

-scopia Elemento compositivo sufijo que significa 'exploración' o 'examen': *radioscopia, rectoscopia.* ☐ ETIMOL. Del griego *skopiá* (hecho de ver).

-scopio Elemento compositivo sufijo que significa 'instrumento para ver': *microscopio, telescopio.* ☐ ETIMOL. Del griego *skop-* (ver).

score (ing.) s.m. Resultado de un encuentro deportivo. ☐ PRON. [escór]. ☐ USO Su uso es innecesario.

scotch (ing.) s.m. Whisky escocés. ☐ PRON. [escóch]. ☐ USO Su uso es innecesario.

scout (ing.) ▮ adj.inv. **1** Del escultismo o relacionado con este movimiento juvenil. ▮ adj.inv./s.com. **2** Que es miembro de este movimiento. ☐ PRON. [escáut].

scratch (ing.) (tb. *scratching*) s.m. Técnica empleada por algunos pinchadiscos, que consiste en girar el plato hacia delante y hacia atrás con la mano. ☐ PRON. [escrách].

scratching (ing.) s.m. →**scratch.** ☐ PRON. [escráchin].

screener (ing.) s.m. **1** Película que se distribuye con fines promocionales: *A los miembros del jurado se les acaba de enviar un screener para que puedan valorar la película.* **2** Copia ilegal de una película, que se cuelga en internet: *No tiene ni punto de comparación ver una película original y ver un screener bajado de internet.* **3** || **en screener;** referido a una película, grabada de forma ilegal durante su proyección en una sala de cine. □ PRON. [escríner].

screening (ing.) s.m. **1** En medicina, examen riguroso de un grupo de individuos para diagnosticar enfermedades, anomalías o factores de riesgo. **2** Proyección cinematográfica o emisión televisiva que se realizan como prueba o para hacer estudios de mercado. □ PRON. [escrínin]. □ USO En la acepción 1 su uso es innecesario y puede sustituirse por *cribaje*. En la acepción 2, su uso es innecesario y puede sustituirse por *pase o emisión de prueba*.

script (ing.) s. En un rodaje cinematográfico, persona que trabaja como ayudante del director anotando los detalles y pormenores de las escenas filmadas. □ PRON. [escríp]. □ USO Su uso es innecesario y puede sustituirse por *secretario de rodaje*, *supervisor de guión* o *anotador*.

scroll (ing.) s.m. En informática, barra, botón o mecanismo que permite desplazar el texto o las imágenes, en sentido horizontal o vertical, cuando ocupan un espacio mayor al de la pantalla del ordenador. □ PRON. [escról]. □ USO Su uso es innecesario y puede sustituirse por *barra de desplazamiento*, *botón de desplazamiento* o expresiones semejantes.

scud s.m. Cierto tipo de misil. □ PRON. [skud].

se pron.pers. **1** Forma de la tercera persona que corresponde al complemento sin preposición: *Se ducha todos los días. Se abrazaron emocionados.* **2** Forma de la tercera persona que corresponde al complemento indirecto *le* y *les* cuando este va acompañado de las formas pronominales de complemento directo *lo*, *la*, *los*, *las*: *En 'No se lo dije', 'se' es el complemento indirecto.* □ ETIMOL. La acepción 1, del latín *se*. La acepción 2, del latín *illi* (ellos). □ ORTOGR. Dist. de *sé* (del verbo *saber*). □ MORF. No tiene diferenciación de género ni de número. □ SINT. Se usa para construir oraciones impersonales y de pasiva: *Se supone que yo no lo sé. Se venden pisos.*

seat only (ing.) ‖ Modalidad de viaje que consiste en contratar solo el desplazamiento. □ PRON. [sit ónli].

sebáceo, a adj. De sebo o que tiene semejanza o relación con él: *las glándulas sebáceas.*

sebiche s.m. Comida americana que se prepara con pescado o marisco crudos en pequeños trozos, adobados con zumo de limón y condimentos picantes.

sebo s.m. Grasa sólida que se saca de los animales. □ ETIMOL. Del latín *sebum*.

seborrea s.f. Aumento anormal de la secreción de las glándulas sebáceas de la piel. □ ETIMOL. Del latín *sebum* (sebo) y *-rrea* (expulsión).

seborreico, ca adj. De la seborrea o relacionado con este aumento de secreción sebácea.

seboso, sa adj. Que tiene sebo o grasa, esp. si es en cantidad.

secada s.f. En zonas del español meridional, secado.

secadero s.m. **1** Lugar preparado para secar, de forma natural o artificial, frutos u otros productos. **2** En zonas del español meridional, tendedero.

secado s.m. Eliminación del líquido o de la humedad.

secador, -a ▮ adj. **1** Que seca. ▮ s.m. **2** Electrodoméstico que sirve para secar, esp. el pelo. ▮ s.f. **3** Aparato o máquina, generalmente eléctrico, que sirve para secar, esp. la ropa.

secadora s.f. Véase **secador, -a.**

secamanos (pl. *secamanos*) s.m. Aparato eléctrico que sirve para secar las manos mediante un chorro de aire.

secano s.m. Tierra de cultivo que no se riega y que solo recibe agua cuando llueve. □ ETIMOL. Del latín *siccanus*.

secante ▮ adj.inv./s.f. **1** En geometría, referido a una línea o a una superficie, que cortan a otras líneas o superficies: *La secante de una circunferencia es la recta que tiene con ella dos puntos de intersección.* ▮ s.m. **2** Sustancia que se añade a la pintura para hacer que esta seque pronto. □ ETIMOL. La acepción 1, del latín *secans*, y este de *secare* (cortar). La acepción 2, de *secar*.

secar ▮ v. **1** Dejar sin agua, sin líquido, sin jugo o sin humedad: *Seca tus manos en la toalla. Tiende la colada para que se seque.* **2** Referido a una planta, quitarle su verdor o causar su muerte: *Tanto calor secará los rosales. En otoño se secan las hojas de los árboles y caen al suelo.* **3** Referido esp. al corazón o al entendimiento, embotarlos o disminuir su fuerza o su afectividad: *Se le secó la imaginación y no volvió a escribir.* **4** Referido esp. a una herida, cerrarla o cicatrizarla: *Si se te abre la herida, déjala descubierta para que se seque.* ▮ prnl. **5** Adelgazar excesivamente, por lo general a causa de la enfermedad o de la vejez: *El pobre anciano se iba secando y estaba ya en los huesos.* □ ETIMOL. Del latín *siccare*. □ ORTOGR. La *c* se cambia en *qu* delante de *e* →SACAR.

secarral s.m. Terreno muy seco.

sección s.f. **1** En un todo, parte o grupo en que se divide o se considera dividido: *Cada una de las cien secciones de un metro es un centímetro. La sección de ropa de caballero está en otra planta.* **2** Figura o dibujo de una superficie o de un cuerpo al ser cortados por un plano, generalmente vertical, con objeto de mostrar su estructura o su disposición interior. **3** En geometría, figura que resulta de la intersección de una superficie o de un cuerpo con otra superficie: *La sección de una esfera cortada por un plano es una circunferencia.* **4** En el ejército, unidad homogénea que forma parte de una compañía, de un escuadrón o de una batería y que suele estar mandada por un teniente o por un alférez. **5** Separación o corte que se hacen en un cuerpo sólido con un instrumento cortante: *La cirujana tomó el bisturí para proceder a la sección del tejido canceroso.* □ ETIMOL. Del latín *sectio* (cortadura).

seccionar v. Cortar separando, fraccionar o dividir en secciones: *Seccioné un tablero para hacer varios estantes.*

secesión s.f. Separación de parte del pueblo y del territorio de una nación, generalmente para independizarse o para unirse a otra. ☐ ETIMOL. Del latín *secessio*, y este de *secedere* (separarse).

secesionismo s.m. Tendencia u opinión favorables a la secesión política.

secesionista ▌adj.inv. **1** De la secesión, del secesionismo o relacionado con ellos. ▌adj.inv./s.com. **2** Partidario o defensor de la secesión o del secesionismo.

seco, ca adj. **1** Sin agua, sin líquido, sin jugo o sin humedad. **2** Referido esp. a un lugar o a su tiempo atmosférico, que se caracteriza por la escasez de lluvias: *una región seca.* **3** Referido esp. a una planta, que ha perdido su verdor y vigor o que está muerta: *las hojas secas.* **4** Referido a la piel o al pelo, con menos grasa o menos hidratación de lo normal. **5** Referido a un sonido, que es ronco, áspero o cortado. **6** Referido a un golpe, que se produce con fuerza, rapidez y sin resonar: *La juez dio un puñetazo seco en la mesa y todos enmudecieron.* **7** Referido a una bebida alcohólica, de sabor poco dulce: *un vino seco.* **8** Referido a una persona o a su trato, que son bruscos, poco afectuosos o poco expresivos. **9** Flaco o con poca carne: *un cuerpo seco.* **10** *col.* Muerto en el acto: *Le metió un balazo que lo dejó seco.* **11** *col.* Con mucha sed. **12** *col.* Muy sorprendido o impresionado: *Me dio una respuesta tan inesperada que me dejó seca.* **13** ‖ **a secas;** sin añadir nada: *La carta no llegó porque en la dirección figuraba un nombre a secas.* ‖ **en seco;** bruscamente o de repente: *Tuvo que dar un frenazo en seco para no atropellar al niño.* ☐ ETIMOL. Del latín *siccus*. ☐ SINT. La acepción 10 se usa más en las expresiones *dejar seco a alguien* o *quedarse seco*.

secoya s.f. →**secuoya.**

secreción s.f. **1** Producción y expulsión de una sustancia por una glándula. **2** Sustancia que se segrega. ☐ ETIMOL. Del latín *secretio* (separación).

secreta adj./s.f. →**policía secreta.**

secretar v. Referido a una sustancia del organismo, segregarla o producirla y expulsarla una glándula: *Las glándulas endocrinas secretan hormonas.* ☐ ETIMOL. Del latín *secretum*, y este de *secernere* (segregar).

secretaría s.f. **1** Cargo de secretario: *Consiguió una secretaría en un organismo público.* ☐ SINÓN. *secretariado.* **2** Oficina de un secretario. ☐ SINÓN. *secretariado.* **3** En una organización, sección que se ocupa de las tareas administrativas: *Las solicitudes de matrícula deberán presentarse dentro del plazo señalado en la secretaría del instituto.*

secretariado s.m. **1** Conjunto de estudios formativos para ejercer un cargo de secretario. **2** →**secretaría.**

secretario, ria s. **1** En una oficina, en una organización o en una reunión, persona encargada de escribir la correspondencia, archivar documentos, extender actas, dar fe de acuerdos y realizar otras tareas semejantes. **2** Persona que trabaja al servicio de otra como asistente para tareas administrativas o de organización. ☐ ETIMOL. Del latín *secretarius*.

secretear v. *col.* Hablar en secreto con alguien: *Dejad de secretear entre vosotros y hablad en voz alta para que nos enteremos todos.*

secreteo s.m. *col.* Conversación en secreto con alguien.

secreter s.m. Mueble con un tablero para escribir y con cajones para guardar papeles. ☐ ETIMOL. Del francés *secrétaire*.

secretismo s.m. Tendencia a actuar en secreto u ocultándose.

secreto, ta ▌adj. **1** Oculto, ignorado o reservado para muy pocos y apartado de la vista o del conocimiento de los demás: *una puerta secreta.* ▌s.m. **2** Lo que se tiene reservado y oculto: *Una persona discreta no cuenta los secretos que otra le confía.* **3** Lo que resulta un misterio por la reserva con que se guarda o por la imposibilidad de conocerlo o de comprenderlo: *El universo esconde aún muchos secretos para el ser humano.* ▌s.f. **4** →**policía secreta.** **5** ‖ **secreto a voces;** *col.* El que en la práctica ha dejado de serlo por haber sido confiado o comunicado a muchos. ☐ ETIMOL. Del latín *secretus* (separado, aislado).

secretor, -a adj. Referido a un órgano o a una glándula, que tienen la misión o la facultad de secretar. ☐ SINÓN. *secretorio.*

secretorio, ria adj. →**secretor.**

secta s.f. **1** Grupo reducido que se separa de una iglesia o de una tendencia ideológica. **2** Conjunto de los seguidores de una doctrina, ideología o religión consideradas falsas. ☐ ETIMOL. Del latín *secta* (partido, escuela filosófica, línea de conducta a seguir).

sectario, ria ▌adj. **1** Seguidor fanático e intransigente de un partido o de una idea. ▌adj./s. **2** Que sigue una secta.

sectarismo s.m. Actitud propia de una persona sectaria, generalmente por su fanatismo o intransigencia.

sector s.m. **1** En un todo, esp. en una colectividad, parte, sección o grupo diferenciados o con caracteres peculiares: *Vive en un barrio del sector norte de la ciudad.* **2** En economía, parte o área diferenciadas dentro de la actividad productiva y económica: *En una economía equilibrada, el sector público y el sector privado deben complementarse.* **3** En geometría, parte del círculo comprendida entre dos radios y el arco que delimitan: *La profesora comparó la imagen de un círculo dividido en sectores con la de una tarta dividida en raciones.* **4** Conjunto de empresas o negocios que pertenecen a la misma área económica de un país: *el sector público; el sector del calzado.* **5** ‖ **sector cuaternario;** el que engloba las actividades destinadas a satisfacer las necesidades y demandas relacionadas con el ocio. ‖ **sector primario;** el que engloba las actividades productivas en las que apenas se realizan transformaciones sobre las materias primas y productos originarios: *Al sector primario pertenecen actividades como la agricultura y la ganadería.* || **sector secundario;** el que engloba las actividades productivas en las que las materias primas y productos originarios son sometidos a transformaciones industriales para obtener los productos de consumo. || **sector terciario;** el que engloba las actividades relacionadas con los servicios que se ofrecen a los ciudadanos: *El transporte, el comercio y la administración están incluidos en el sector terciario de la economía.* □ ETIMOL. Del latín *sector* (cortador, el que corta).

sectorial adj.inv. Del sector o relacionado con él.

sectorización s.f. Organización en sectores.

secuaz s.com. Seguidor del bando o de las ideas y posiciones de otro. □ ETIMOL. Del latín *sequax* (dócil, que sigue fácilmente).

secuela s.f. Consecuencia o huella, generalmente negativas, de algo. □ ETIMOL. Del latín *sequela* (séquito, consecuencia).

secuencia s.f. **1** En cine, vídeo o televisión, sucesión ininterrumpida de planos o de escenas que tienen una unidad de conjunto dentro de la película. **2** Serie o sucesión de elementos encadenados o relacionados entre sí: *Su relato reproducía la secuencia de los hechos sin alterarla.* **3** En matemáticas, conjunto de cantidades o de operaciones ordenadas de tal modo que cada una determina la siguiente: *En la secuencia '2, 4, 8, 16...', di qué número sigue al último de la serie.* □ ETIMOL. Del latín *sequentia* (serie). □ SEM. Dist. de *escena* (parte de una secuencia).

secuenciación s.f. División en secuencias o segmentos.

secuencial adj.inv. De la secuencia o relacionado con ella: *un orden secuencial.*

secuenciar v. Establecer una sucesión o una serie de cosas relacionadas entre sí: *Tenemos que secuenciar los contenidos de nuestro programa docente, para graduar bien los niveles.*

secuestrador, -a adj./s. Que comete un secuestro.

secuestrar v. **1** Referido a una persona, retenerla, generalmente por la fuerza y con intención de exigir un rescate a cambio de su puesta en libertad: *Unos encapuchados secuestraron al hijo de un acaudalado industrial.* **2** Referido a un medio de transporte, tomar su mando por las armas, reteniendo a la tripulación y a los pasajeros para exigir un rescate o la concesión de determinadas peticiones: *El grupo extremista secuestró un avión para exigir la liberación de varios presos.* **3** Referido a una publicación, censurarla impidiendo su distribución: *Los alumnos protestaron porque el rector de la universidad secuestró la revista que habían realizado.* □ ETIMOL. Del latín *sequestrare* (depositar judicialmente en poder de un mediador). □ SEM. En la acepción 1, dist. de *raptar* (sacar a una persona de su casa por la fuerza o con engaño).

secuestro s.m. **1** Retención de una persona, generalmente por la fuerza y con intención de exigir un rescate a cambio de su puesta en libertad. **2** Apropiación del mando de un vehículo y retención de su tripulación y de sus pasajeros por medio de las armas para exigir un rescate o la concesión de determinadas peticiones a cambio de su puesta en libertad. **3** Censura de una publicación impidiendo su distribución. □ ETIMOL. Del latín *sequestrum*.

secular adj.inv. **1** Referido al clero o a un sacerdote, que no viven sujetos a una regla religiosa. **2** Del mundo o de la vida y sociedad civiles y no religiosas: *Los tribunales seculares juzgan por igual a civiles y religiosos.* □ SINÓN. *seglar.* **3** Que dura un siglo o desde hace siglos: *una tradición secular.* □ ETIMOL. Del latín *saecularis*, y este de *saeculum* (siglo).

secularización s.f. **1** Transformación en secular de algo eclesiástico, esp. de un bien. **2** Autorización que se da a un religioso para que pueda vivir fuera de la disciplina de su orden o como laico. **3** Concesión o adquisición de un carácter secular, abandonando comportamientos y valores religiosos: *la secularización de la sociedad.*

secularizar v. **1** Referido a algo eclesiástico, esp. a un bien, hacerlo secular: *Durante la desamortización de Mendizábal se secularizaron muchas tierras y propiedades de la iglesia.* **2** Referido a un religioso, autorizarlo para que pueda vivir fuera de la disciplina de su orden o como laico: *Se secularizó y contrajo matrimonio.* **3** Dar o adquirir carácter secular abandonando comportamientos y valores religiosos: *La vida moderna ha ido secularizándose a pasos agigantados.* □ ORTOGR. La *z* se cambia en *c* delante de *e* →CAZAR.

sécula seculórum || Por los siglos de los siglos o para siempre: *Pretendemos que esta estatua permanezca aquí sécula seculórum.* □ ETIMOL. Del latín *saecula saeculorum.*

secundar v. Referido a una persona o a sus propósitos, apoyarlos o cooperar con ella para la realización de estos: *No salió el proyecto porque nadie me secundó. Nadie secundará unos planes tan descabellados.* □ ETIMOL. Del latín *secundare* (ser favorable).

secundaria adj./s.f. →**educación secundaria obligatoria.**

secundario, ria ▌adj. **1** Segundo en orden o en importancia y no principal: *Ocúpate de lo fundamental y deja para luego las cuestiones secundarias.* **2** En geología, de la era mesozoica, tercera de la historia de la Tierra, o relacionado con ella: *En los terrenos secundarios se han encontrado fósiles de reptiles gigantes.* □ SINÓN. *mesozoico.* ▌s.f. **3** →**educación secundaria obligatoria.** □ ETIMOL. Del latín *secundarius* (que va en segundo lugar).

secundinas s.f.pl. Conjunto de la placenta y de las membranas que envuelven el feto. □ ETIMOL. Del latín *secundina.*

secuoya (tb. *secoya*) s.f. Árbol conífero de grandes dimensiones y larga vida, de tronco muy leñoso, copa estrecha y hojas persistentes. □ ETIMOL. Del inglés *sequoia.*

sed s.f. **1** Sensación producida por la necesidad de beber. **2** Deseo muy intenso o necesidad que se siente de satisfacerlo: *Tu sed de éxito te lleva muchas veces a precipitarte.* □ ETIMOL. Del latín *sitis*.

seda s.f. **1** Sustancia viscosa que segregan algunos insectos y que se solidifica en contacto con el aire y forma hebras muy finas y flexibles. **2** Hilo fino, flexible y brillante formado por las hebras de esta sustancia producidas por determinado gusano. **3** Tejido que se confecciona con este hilo. **4** || **como {una/la} seda;** *col.* Muy bien o que funciona o marcha sin tropiezos ni dificultades. □ ETIMOL. De origen incierto.

sedación s.f. Apaciguamiento, calma o desaparición de la excitación nerviosa, esp. si se lleva a cabo con calmantes.

sedal s.m. Hilo fino y resistente de una caña de pescar, al extremo del cual se coloca el anzuelo. □ ETIMOL. De *seda*.

sedán s.m. Automóvil de carrocería cerrada, con al menos cuatro plazas y con un maletero espacioso. □ ETIMOL. Del inglés *sedan*.

sedante adj.inv./s.m. Que disminuye la excitación nerviosa o produce sueño.

sedar v. Calmar, tranquilizar, apaciguar o hacer desaparecer la excitación nerviosa, esp. si esto se lleva a cabo con calmantes: *Han sedado al enfermo y duerme tranquilo.* □ ETIMOL. Del latín *sedare* (posar o hacer sentar).

sedativo, va adj. Que calma o disminuye el dolor o la excitación nerviosa. □ ETIMOL. Del latín *sedatum*.

sede s.f. **1** Lugar en el que está situado o tiene su domicilio una empresa, un organismo o una entidad, o en el que se desarrolla algún acontecimiento o actividad importante. **2** Diócesis o territorio bajo la jurisdicción de un prelado. □ ETIMOL. Del latín *sedes* (residencia).

sedentario, ria adj. **1** Referido esp. a una actividad o a un tipo de vida, que requiere o tiene poco movimiento o poca agitación. **2** Referido a una comunidad humana o a una especie animal, que está formada por individuos establecidos o asentados en un lugar y que viven en él de forma permanente. □ ETIMOL. Del latín *sedentarius*, y este de *sedere* (estar sentado).

sedente adj.inv. Referido esp. a una imagen escultórica o pictórica, que está sentada. □ ETIMOL. Del latín *sedens* (que está sentado).

sedeño, ña adj. De la seda o con sus características: *una suavidad sedeña.*

sedería s.f. **1** Establecimiento comercial en el que se venden tejidos de seda. **2** Industria o actividad relacionada con la seda. **3** Conjunto de géneros o mercancías de seda.

sedero, ra adj. De la seda o relacionado con ella.

sedicente adj.inv. Que se atribuye algún nombre, título, tratamiento o condición de los que realmente carece: *un marqués sedicente.* □ ETIMOL. Traducción del francés *soi-disant*. □ ORTOGR. Incorr. **sediciente*. □ USO Tiene un matiz irónico.

sedición s.f. Levantamiento o alzamiento colectivo y violento contra la autoridad, el orden público o la disciplina militar sin llegar a la gravedad de la rebeldía. □ ETIMOL. Del latín *seditio* (discordia, rebelión).

sedicioso, sa ▌adj. **1** Que induce a la sedición. ▌adj./s. **2** Referido a una persona, que promueve una sedición o toma parte en ella.

sediento, ta ▌adj. **1** Que desea o necesita algo con intensidad: *sediento de poder.* ▌adj./s. **2** Que tiene sed.

sedimentación s.f. Depósito de partículas en suspensión o formación de sedimentos.

sedimentar ▌v. **1** Referido a un líquido, depositarse sus sedimentos: *Deja que sedimente el agua turbia del charco y verás cómo se hace transparente.* ▌prnl. **2** Referido a una sustancia en suspensión, quedarse en el fondo del lugar en el que está el líquido que la contiene: *Al sedimentarse el polvo fino transportado por el viento se forma el loess.* **3** Referido esp. a conocimientos o a sentimientos, afianzarse o consolidarse: *Los conocimientos que se aprenden en el colegio se sedimentan con la lectura.*

sedimentario, ria adj. Del sedimento, formado por sedimentos o relacionado con él: *una roca sedimentaria.*

sedimento s.m. Materia que, habiendo estado en suspensión en un líquido o en el aire, se deposita en un lugar: *sedimentos marinos.* □ ETIMOL. Del latín *sedimentum*.

sedoso, sa adj. Con características de la seda, esp. con su suavidad: *un cabello sedoso.*

seducción s.f. Fascinación o atracción que provoca afecto, admiración o deseo.

seducir v. **1** Atraer, cautivar o despertar una atracción que provoca afecto, admiración o deseo: *No me seduce la idea de ir de acampada.* **2** Convencer con habilidad o con promesas, halagos o mentiras, esp. si es para tener relaciones sexuales: *Un buen vendedor sabe seducir a los clientes para que compren los productos que vende. Me sedujo y ahora no quiere saber nada de mí.* □ ETIMOL. Del latín *seducere*. □ MORF. Irreg. →CONDUCIR.

seductor, -a adj./s. Que seduce: *una mirada seductora.*

sefardí (pl. *sefardíes, sefardís*) ▌adj.inv./s.com. **1** Referido a un judío, que procede de España (país europeo), que sigue las prácticas religiosas de los judíos españoles sin tener sus orígenes en este país, o que está relacionado con ellos. □ SINÓN. *sefardita.* ▌s.m. **2** Dialecto romance de este pueblo. □ ETIMOL. Del hebreo *sefardi*, y este de *Sefarad* (España).

sefardita adj.inv./s.com. →**sefardí.**

segador, -a ▌s. **1** Persona que siega los campos. ▌s.f. **2** Máquina que sirve para segar.

segadora s.f. Véase **segador, -a**.

segar v. **1** Referido a la hierba o al cereal, cortarlos con la hoz, la guadaña o una máquina a propósito: *Ya casi nadie siega con la hoz o la guadaña.* **2** Referido esp. a algo que sobresale, cortarlo: *La sierra me-*

cánica segó el dedo pulgar del leñador. **3** Interrumpir de manera violenta y brusca: *Esa grave enfermedad segó muchas de sus ilusiones juveniles.* ☐ ETIMOL. Del latín *secare* (cortar). ☐ ORTOGR. Aparece una *u* después de la *g* cuando le sigue *e*. ☐ MORF. Irreg. →REGAR.

seglar ▌adj.inv. **1** Del mundo o de la vida y sociedad civiles y no religiosas. ☐ SINÓN. *secular.* ▌adj.inv./s.com. **2** Que no ha recibido órdenes religiosas o que no tiene estado religioso. ☐ SINÓN. *laico.* ☐ ETIMOL. Del latín *saecularis*, y este de *saeculum* (siglo).

segmentación s.f. División en segmentos: *la segmentación del óvulo fecundado.*

segmentado, da adj. Referido esp. al cuerpo de algunos animales, que consta de partes o segmentos dispuestos en línea: *La langosta, el ciempiés y la lombriz de tierra tienen el cuerpo segmentado.*

segmentar v. Cortar o dividir en segmentos: *Al señalar tres puntos sobre una recta la he segmentado en dos partes. Debemos segmentar bien el mercado, a fin de poder establecer distintas acciones comerciales para cada producto.*

segmento s.m. **1** Parte que se corta, se divide o se separa de un todo: *Un segmento circular es la parte de círculo limitada por un arco y una línea recta que une dos puntos de su circunferencia.* **2** En geometría, parte de una recta comprendida entre dos puntos: *Los segmentos rectilíneos se pueden sumar, restar y multiplicar.* **3** En el cuerpo de algunos animales o en algunos órganos, cada una de las partes dispuestas en línea que lo forman: *La columna vertebral humana se divide en treinta y tres segmentos.* **4** ‖ **segmento de mercado;** en economía, cada uno de los grupos homogéneos en que se divide un mercado a fin de que cada grupo pueda diferenciarse a efectos de la política comercial de la empresa: *Este nuevo producto está dirigido a un segmento de mercado definido por su gran capacidad adquisitiva.* ☐ ETIMOL. Del latín *segmentum*, y este de *secare* (cortar).

segoviano, na adj./s. De Segovia o relacionado con esta provincia española o con su capital: *El cochinillo asado es un plato típico segoviano.*

segregación s.f. **1** Separación de la convivencia común a causa de alguna diferencia, esp. si implica marginación: *La segregación racial es un fenómeno que resurge en épocas de crisis.* **2** Producción y expulsión de una sustancia por un órgano o una glándula: *la segregación de sudor.*

segregacionismo s.m. Movimiento político y social que defiende y practica la segregación racial.

segregacionista ▌adj.inv. **1** Del segregacionismo o relacionado con este movimiento: *una política segregacionista.* ▌adj.inv./s.com. **2** Partidario de este movimiento.

segregar v. **1** Referido esp. a una persona, apartarla de la convivencia común a causa de sus diferencias, esp. si implica marginación: *Algunos colectivos se segregan de la sociedad para conservar puras sus costumbres.* **2** Referido a una sustancia, producirla y expulsarla un órgano o una glándula: *El hígado segrega bilis.* ☐ ETIMOL. Del latín *segregare* (separar de un rebaño). ☐ ORTOGR. La *g* se cambia en *gu* delante de *e* →PAGAR.

segueta s.f. Sierra pequeña y de hoja muy fina que se usa para cortar maderas poco gruesas. ☐ ETIMOL. Quizá del italiano *seghetta.*

seguidilla s.f. **1** En métrica, estrofa formada por cuatro versos de arte menor, de los cuales el primero y el tercero son heptasílabos y sin rima, y el segundo y el cuarto, pentasílabos y con rima asonante, y cuyo esquema es *abcb*: *La copla 'Arenal de Sevilla / torre del Oro, / donde las sevillanas / bailan al corro' es una seguidilla.* **2** Música popular española, de aire generalmente vivo y con distintas variantes según las regiones. **3** Baile que se ejecuta al compás de este cante. ☐ ETIMOL. De *seguida.* ☐ ORTOGR. Dist. de *seguiriya.*

seguidismo s.m. Tendencia a seguir las ideas de otros.

seguido, da adj. **1** Continuo, sucesivo, sin interrupción: *Estudió cuatro horas seguidas.* **2** Que está en línea recta: *Esta carretera toda seguida comunica con ese pueblo.* **3** ‖ **en seguida;** →**enseguida.**

seguidor, -a adj./s. Que sigue algo o que lo apoya o defiende. ☐ USO Es innecesario el uso del anglicismo *fan.*

seguimiento s.m. **1** Persecución o acoso para dar alcance. **2** Observación exhaustiva o estrecha vigilancia de la evolución, el desarrollo o el movimiento de algo.

seguir ▌v. **1** Ir detrás en el espacio o suceder en el tiempo por orden, turno o número: *El perro sigue a su amo. El martes sigue al domingo.* **2** Ir por un determinado camino sin apartarse de él: *Sigue por esta calle y llegarás a la plaza.*. **3** Actuar conforme a determinadas pautas: *Si sigues mis indicaciones nada te ocurrirá.* **4** Proseguir o continuar en lo empezado: *Sigo trabajando en el bar.* **5** Permanecer, mantenerse en el tiempo o extenderse en el espacio: *Muchas tradiciones siguen vivas en el pueblo. El camino sigue hasta el bosque.* **6** Imitar o actuar tomando como modelo: *Los bailarines seguían los movimientos de su profesor de baile.* **7** Perseguir o acosar para dar alcance: *La policía sigue a los atracadores.* **8** *col.* Comprender o mantener un razonamiento: *Intenté seguir la explicación, pero no entendí nada.* **9** Referido a una actividad, ejercerla, realizarla o dedicarse a ella: *Sigue un curso de mecanografía en esta academia.* **10** Referido a algo en desarrollo o en movimiento, observarlo o estar atento a su evolución: *Seguí con los prismáticos el vuelo de los buitres.* ▌prnl. **11** Deducirse o derivarse como consecuencia, efecto o resultado: *Dijo que no participaría, de donde se sigue que no está de acuerdo con el plan.* ☐ ETIMOL. Del latín *sequi.* ☐ ORTOGR. La *gu* se cambia en *g* delante de *a, o.* ☐ MORF. Irreg. →SEGUIR.

seguiriya (tb. *siguiriya*) s.f. Cante flamenco de tono solemne y lastimero, con copla de cuatro versos y cuya música es de compás muy libre. □ ORTOGR. Dist. de *seguidilla*.

según ▮ prep. **1** Indica conformidad o punto de vista: *Según la ley, esto es delito.* ▮ adv. **2** Con conformidad a, o del mismo modo que: *Se te premiará según lo que hagas.* **3** Dependiendo de que: *Me enfadaré o no, según me lo diga con educación o sin ella.* **4** Indica progresión simultánea entre dos acciones: *Según vayas avanzando, te irán surgiendo más problemas.* □ ETIMOL. Del latín *secundum* (según).

segunda s.f. Véase **segundo, da**.

segundero s.m. En un reloj, manecilla que señala los segundos o lugar donde aparecen señalados.

segundo, da ▮ numer. **1** En una serie, que ocupa el lugar número dos: *Mi segunda hija nació el día uno de mayo.* ▮ s.m. **2** Respecto de una persona, otra que la sigue inmediatamente en jerarquía: *Como el capitán del buque está enfermo, el segundo de a bordo dirige las maniobras.* **3** En el Sistema Internacional, unidad básica de tiempo: *Un minuto equivale a sesenta segundos.* ▮ s.f. **4** En el motor de algunos vehículos, marcha que tiene mayor velocidad que la primera y mayor potencia que la tercera. ▮ s.f.pl. **5** Dobles intenciones o propósitos ocultos y generalmente malévolos: *Lo dijo con segundas, pero yo preferí no darme por enterado.* □ ETIMOL. Del latín *secundus* (el siguiente). □ ORTOGR. En la acepción 3, su símbolo es *s* (incorr **sg*), por tanto, se escribe sin punto. □ SEM. En la acepción 3, se usa mucho para designar un breve período de tiempo: *Espérame aquí, que solo tardo un segundo en volver.*

segundón, -a ▮ s. **1** *col. desp.* Persona que ocupa el siguiente puesto al más importante o al de mayor categoría, esp. referido al que no consigue ascender: *Es un segundón y nunca conseguirá ser director de la empresa.* ▮ s.m. **2** Segundo hijo de una familia, esp. en aquellas en que existe mayorazgo o título nobiliario: *El segundón no hereda el título nobiliario de sus padres, a no ser que el primogénito muera sin descendencia.* **3** Cualquier hijo no primogénito de una familia: *Antiguamente los segundones hacían la carrera militar o eclesiástica.*

segur s.f. Tipo de hacha grande. □ ETIMOL. Del latín *securis*, y este de *secare* (cortar).

seguramente adv. De manera bastante probable: *Seguramente vendrá mañana, porque tiene el día libre.* □ SINÓN. *seguro*.

segurata s.com. *col.* →**vigilante**.

seguridad s.f. **1** Ausencia de peligro, de daño o de riesgo: *La seguridad en el trabajo es un derecho del trabajador.* **2** Firmeza, estabilidad, constancia o imposibilidad de que algo falle: *Hemos hecho pruebas para comprobar la seguridad de este sistema de frenos.* **3** Certeza o ausencia de duda. **4** || **seguridad social;** conjunto de organismos y medios de la Administración pública cuyo fin es prevenir y remediar ciertas necesidades sociales de los ciudadanos. □ USO *Seguridad Social* se usa más como nombre propio.

seguro adv. **1** Sin duda: *Lo sé seguro, así que no me lo discutas.* **2** De manera bastante probable: *Seguro que viene a verme.* □ SINÓN. *seguramente*. □ SEM. Se usa también como adverbio de afirmación: *-¿Estarás en tu casa? -Seguro.*

seguro, ra ▮ adj. **1** Libre de peligro, daño o riesgo: *un lugar seguro.* **2** Firme, estable, constante o sin peligro de que falle: *Tiene un trabajo fijo y un sueldo seguro.* **3** Cierto o que no ofrece duda: *Las fuentes son fiables y las informaciones, seguras.* **4** Que no tiene duda: *Estoy seguro de que te has equivocado.* ▮ s.m. **5** Contrato por el cual una persona o entidad aseguradora se compromete, a cambio de una cuota estipulada, a pagar determinada cantidad de dinero al asegurado en caso de daño o de pérdida: *Es conveniente que un coche nuevo tenga un seguro a todo riesgo.* **6** Dispositivo para impedir que algo se ponga en funcionamiento o para aumentar la firmeza de un cierre: *El seguro de las armas de fuego impide que se disparen accidentalmente.* **7** *col.* Seguridad Social u otra asociación médica a la que alguien se ha asociado. **8** || **a buen seguro** o **de seguro;** con certeza: *De seguro que no cuenta con nosotros.* || **seguro a terceros;** el que cubre los daños que el asegurado causa a otra persona: *El seguro a terceros es más barato que el seguro a todo riesgo.* || **sobre seguro;** sin correr ningún riesgo: *Para no cometer errores hay que actuar sobre seguro.* □ ETIMOL. Del latín *securus* (tranquilo, sin cuidado, sin peligro).

segurón, -a adj./s. *col. desp.* Referido a una persona, que no se arriesga, por temor a perder.

segway s.m. Especie de patinete con motor, cuyas ruedas están colocadas a los lados de la plataforma. □ ETIMOL. Extensión del nombre de una marca comercial. □ PRON. [següéi].

seis ▮ numer. **1** Número 6: *Media docena de huevos son seis huevos. Me lo regaló el seis de enero.* ▮ s.m. **2** Signo que representa este número: *Los romanos escribían el seis como 'VI'.* □ ETIMOL. Del latín *sex*. □ MORF. 1. Como numeral es invariable en género y en número. 2. En la acepción 2, su plural es *seises*.

seisavo, va numer. Referido a una parte, que constituye un todo junto con otras cinco iguales a ella: *Como son seis herederos, a cada uno le corresponde un seisavo de la fortuna.* □ SINÓN. *sexto*.

seiscientos, tas ▮ numer. **1** Número 600: *Seis por cien son seiscientos. De los folios que me pediste solo he conseguido estos seiscientos.* ▮ s.m. **2** Signo que representa este número: *Los romanos escribían el seiscientos como 'DC'.* □ ETIMOL. Del latín *sexcentos*. □ MORF. 1. Como numeral es invariable en número. 2. Incorr. *página {*seiscientos > seiscientas}*.

seise s.m. Cada uno de los niños que, generalmente en número de seis, bailan y cantan vestidos con un traje peculiar en algunas catedrales durante determinadas festividades. □ ETIMOL. De *seis*.

seísmo (tb. *sismo*) s.m. Terremoto o temblor que se produce en la corteza terrestre por causas internas. ☐ ETIMOL. Del griego *seismós* (sacudida).

seláceo, a adj./s.m. →**selacio.**

selacio, cia ▮ adj./s.m. **1** Referido a un pez marino, que tiene esqueleto cartilaginoso, cuerpo aplastado o en forma de huso, piel muy áspera, boca casi semicircular, con numerosos dientes triangulares y de bordes cortantes o aserrados, mandíbula inferior móvil y varias hendiduras branquiales: *El tiburón es un pez selacio.* ▮ s.m.pl. **2** En zoología, subclase de estos peces: *Las rayas pertenecen a los selacios.* ☐ ETIMOL. Del griego *selákios*, y este de *sélakhos* (pez de piel cartilaginosa). ☐ ORTOGR. Se usa también *seláceo*.

selección s.f. **1** Elección de lo que se considera mejor o más adecuado para un fin de entre un conjunto o grupo. **2** Equipo que se forma con deportistas de distintos lugares seleccionados para participar en una competición o torneo, esp. si es de carácter internacional: *la selección nacional de fútbol.* **3** ‖ **selección natural;** proceso biológico según el cual los individuos más fuertes perpetúan su propia especie. ☐ ETIMOL. Del latín *selectio*.

seleccionador, -a ▮ adj. **1** Que selecciona. ▮ s. **2** Persona que selecciona a los deportistas que han de formar un equipo.

seleccionar v. Referido a algo que se considera mejor o adecuado, escogerlo de entre un conjunto o un grupo: *He seleccionado los libros que me parecían más interesantes.*

selectividad s.f. Conjunto de pruebas o exámenes que se realizan para poder acceder a la universidad.

selectivo, va adj. Que selecciona o que implica selección.

selecto, ta adj. Que es o se considera lo mejor en relación con algo de la misma especie o clase: *un queso selecto.* ☐ SINÓN. *escogido.* ☐ ETIMOL. Del latín *selectus*, y este de *seligere* (seleccionar).

selector, -a adj./s.m. Que selecciona o escoge.

selénico, ca adj. De la Luna (satélite de la Tierra) o relacionado con ella.

selenio s.m. Elemento químico, no metálico y sólido, de número atómico 34, con características semejantes al azufre y semiconductor: *El selenio se emplea en industrias de vidrio y cerámica y en cinematografía y televisión.* ☐ ETIMOL. Del griego *selénion* (resplandor de la luna). ☐ ORTOGR. Su símbolo químico es *Se*.

selenita s.com. **1** Supuesto habitante de la Luna (satélite terrestre). **2** Yeso cristalizado en láminas brillantes. ☐ SINÓN. *espejuelo.* ☐ ETIMOL. Del griego *selenítes* (perteneciente a la luna).

selenografía s.f. Parte de la astronomía que estudia la descripción de la Luna. ☐ ETIMOL. Del griego *Seléne* (la Luna) y *-grafía* (descripción).

selenosis (pl. *selenosis*) s.f. Mancha pequeña de color blanco que aparece a veces en las uñas: *La selenosis puede indicar falta de calcio.* ☐ SINÓN. *mentira.* ☐ ETIMOL. Del griego *Seléne* (Luna), por el color blanco de estas manchas, y *-osis* (enfermedad).

seléucida adj.inv./s.com. De una dinastía helenística establecida en Siria (antiguo reino asiático) que gobernó desde el año 312 a. C. hasta el 64 a. C., o relacionado con ella: *El fundador de la dinastía seléucida fue Seleuco, uno de los herederos de Alejandro Magno.*

self-control (ing.) s.m. →**autocontrol.** ☐ PRON. [sélf-contról].

self-made-man (ing.) s.m. Persona que ha alcanzado un estatus elevado gracias a su propio esfuerzo. ☐ PRON. [self méid man].

self-service (ing.) s.m. →**autoservicio.** ☐ PRON. [sélf-sérvis].

sellado s.m. **1** Estampación o impresión hechos con un sello. **2** Cerramiento o taponamiento de algo para que resulte más difícil abrirlo: *el sellado de los contenedores.*

sellador, -a adj./s.m. Que sirve para sellar.

sellante adj.inv./s.m. Que sirve para sellar.

sellar v. **1** Marcar o imprimir con un sello: *Este documento sin sellar no tiene validez.* **2** Cerrar de modo que resulte más difícil de abrir: *Sellaron las ventanas con silicona.* **3** Concluir o dar por terminado: *Sellaron la alianza con un apretón de manos.*

sello s.m. **1** Trozo pequeño de papel con un dibujo impreso que se pega en los envíos por correo o en algunos documentos oficiales. **2** Utensilio, generalmente provisto de mango, que sirve para estampar o imprimir lo que está grabado en él. **3** Lo que queda estampado o impreso con este utensilio: *el sello de la biblioteca.* **4** Anillo ancho que lleva grabado en su parte superior algo, las iniciales de una persona o el escudo de su apellido. **5** Carácter peculiar de algo que lo hace diferente a lo demás: *Esta película lleva el sello de su directora.* **6** En zonas del español meridional, cruz o reverso de una moneda. **7** Marca o nombre que un fabricante da a un producto para diferenciarlo de otros similares: *un sello editorial.* ☐ ETIMOL. Del latín *sigillum* (signo, marca).

seltz s.m. →**agua de Seltz.**

selva s.f. **1** Bosque ecuatorial y tropical que se caracteriza por una abundante y variada vegetación. **2** *col.* Confusión o desorden. ☐ ETIMOL. Del latín *silva* (bosque).

selvático, ca adj. De la selva, con sus características o relacionado con ella.

selyúcida ▮ adj.inv. **1** De una dinastía turca musulmana que dominó en el Próximo Oriente y Asia Menor entre los siglos XI y XIII, o relacionado con ella. ▮ s.com. **2** Miembro de esta dinastía.

sema s.m. En lingüística, cada uno de los rasgos que componen el significado de una palabra: *'Iglú', 'palafito', 'choza' y 'palacio' tienen el sema común de vivienda.* ☐ ETIMOL. Del griego *sêma* (signo).

semáforo s.m. Aparato eléctrico que emite señales luminosas y se usa para regular la circulación. ☐ SINÓN. *disco.* ☐ ETIMOL. Del griego *sêma* (signo) y *phéro* (yo llevo).

semana s.f. **1** Período de tiempo de siete días consecutivos: *Una semana empieza en lunes y acaba en domingo.* **2** || **entre semana;** cualquier día de ella, excepto sábado y domingo. || **semana blanca;** la de vacaciones que generalmente se disfrutaba en colegios e institutos en el mes de febrero: *Siempre aprovechaba la semana blanca para irme a esquiar.* || **semana santa;** la última de la cuaresma, que va desde el domingo de Ramos (entrada y aclamación de Jesucristo en Jerusalén) hasta el domingo de Resurrección (subida de Jesucristo a los cielos). ☐ ETIMOL. Del latín *septimana.* ☐ ORTOGR. *Semana Santa* se usa más como nombre propio.

semanal adj.inv. **1** Que sucede o se repite cada semana: *una publicación semanal.* **2** Que dura cada semana o se corresponde con ella: *un abono semanal.*

semanario s.m. Publicación que aparece cada semana. ☐ SINÓN. *hebdomadario.*

semaneo s.m. En bolsa, recuperación, en un plazo de pocos días, del dinero que se ha invertido.

semantema s.m. En lingüística, denominación que en algunas escuelas recibe el lexema o unidad léxica provista de significación: *El semantema de la palabra 'niños' es 'niñ-'.*

semántica s.f. Véase **semántico, ca.**

semántico, ca ▮ adj. **1** Del significado de las palabras o relacionado con él: *No alteres el valor semántico de las palabras: te he llamado 'vago', no 'tonto'.* ▮ s.f. **2** Parte de la lingüística que estudia el significado de las palabras: *Los sinónimos y los antónimos se estudian en semántica.* ☐ ETIMOL. La acepción 2, del francés *sémantique*, y este del griego *semantikós* (significativo). ☐ SEM. No debe usarse con el significado de 'significado' o 'interpretación': *Desconozco {*la semántica > el significado} de esta palabra.*

semantista s.com. Lingüista especializado en semántica.

semasiología s.f. En lingüística, parte de la semántica que, a partir de un signo lingüístico, llega a la determinación del concepto: *La semasiología se ocupa de la descripción del desarrollo histórico del contenido de una palabra.* ☐ ETIMOL. Del griego *semasía* (significación) y *-logía* (estudio, ciencia).

semasiológico, ca adj. De la semasiología o relacionado con esta parte de la semántica: *un diccionario semasiológico.*

semblante s.m. Expresión del rostro. ☐ SINÓN. *cara.* ☐ ETIMOL. Del catalán *semblant.*

semblanza s.f. Explicación breve, general y vaga de la vida de una persona. ☐ ETIMOL. Del catalán *semblança* (parecido).

sembradío, a adj./s.m. Referido a un terreno, destinado a la siembra.

sembrado s.m. **1** Tierra sembrada. **2** || **estar sembrado;** *col.* Estar gracioso o ingenioso: *Has estado sembrada en tu comentario.*

sembrador, -a ▮ adj./s. **1** Que siembra. ▮ s.f. **2** Máquina para sembrar.

sembradora s.f. Véase **sembrador, -a.**

sembrar v. **1** Referido a una semilla, arrojarla, esparcirla o colocarla en la tierra para que crezca: *He sembrado margaritas en un tiesto.* **2** Llenar esparciendo o desparramando: *El día del Corpus sembraron de pétalos de flores la puerta de la iglesia.* **3** Dar motivo o causar: *La noticia sembró el pánico entre la población.* ☐ ETIMOL. Del latín *seminare*, y este de *semen* (semilla). ☐ MORF. Irreg. →PENSAR. ☐ SINT. Constr. de la acepción 2: *sembrar* DE *algo.*

semejante ▮ adj.inv. **1** Que es casi igual o se parece mucho: *Estos dos pintores tienen un estilo semejante.* ▮ s.m. **2** Respecto de una persona, otra cualquiera: *Debes respetar y ayudar a tus semejantes.* ☐ USO 1. En la acepción 1, se usa mucho con valor intensificador: *Nunca pensé cosa semejante.* 2. En la acepción 1, puede funcionar como determinante con el significado de 'tal': *No tengo tiempo de leer semejante cantidad de libros.*

semejanza s.f. Conjunto de características que hacen que una cosa se parezca a otra. ☐ SINÓN. *parecido.*

semejar v. Referido a una cosa, parecerse a otra o guardar semejanza con ella: *El edificio de esta maqueta semeja un castillo del siglo* XVI. *Mis hijos se semejan mucho a mí en el carácter.* ☐ ETIMOL. Del latín **similiare*, y este de *similis* (semejante). ☐ ORTOGR. Conserva la *j* en toda la conjugación. ☐ SINT. Constr. como pronominal: *semejarse* A *algo.*

semema s.m. En lingüística, denominación que en algunas escuelas tiene la significación de un morfema en una lengua determinada: *Un semema está compuesto por una serie de rasgos semánticos denominados 'semas'.*

semen s.m. Líquido que contiene los espermatozoides que se producen en el aparato genital masculino de los animales y del hombre. ☐ SINÓN. *esperma.* ☐ ETIMOL. Del latín *semen* (semilla).

semental adj.inv./s.m. Referido a un animal macho, que se destina a la reproducción. ☐ ETIMOL. Del latín *sementis* (simiente).

sementera s.f. **1** Siembra o colocación de una semilla en la tierra para que crezca. **2** Tiempo apropiado para la siembra. **3** Lo que se siembra: *Las heladas son desastrosas cuando empieza a nacer la sementera.* **4** Terreno sembrado.

semestral adj.inv. **1** Que tiene lugar cada seis meses. **2** Que dura un semestre.

semestre s.m. Período de tiempo de seis meses. ☐ ETIMOL. Del latín *semestris.*

semi- Elemento compositivo prefijo que significa 'medio': *semirrecta, semicircular, semiconserva, semisótano, semidormido, semipermeable.* ☐ ETIMOL. Del latín *semi-.*

semiabierto, ta adj. Que está medio abierto o medio cerrado.

semiadaptado, da adj. Parcialmente adaptado.

semicilíndrico, ca adj. Con forma de semicilindro o semejante a él.

semicilindro s.m. Cada una de las dos partes de un cilindro al ser cortado por un plano que pasa por su eje.

semicircular adj.inv. Con forma de semicírculo.

semicírculo s.m. En geometría, cada una de las dos mitades del círculo separadas por un diámetro. ☐ SINÓN. *hemiciclo.* ☐ ETIMOL. Del latín *semicirculus.*

semicircunferencia s.f. En geometría, cada una de las dos mitades de la circunferencia.

semiconductor, -a adj./s. En electricidad, referido a un material, que conduce la corriente eléctrica con menor eficiencia que un metal, y cuya capacidad de conducción puede controlarse: *Los semiconductores tienen muchas aplicaciones en la fabricación de ordenadores y en comunicación.* ☐ ETIMOL. De *semi-* (medio) y *conductor.*

semicónico, ca adj. Con forma de medio cono.

semiconserva s.f. Alimento de origen animal o vegetal envasado sin esterilizar en un recipiente cerrado: *Las semiconservas caducan antes que las conservas.* ☐ ETIMOL. De *semi-* (medio) y *conserva.*

semiconsonante adj.inv./s.f. En fonética y fonología, referido a las vocales 'i' o 'u', que son el primer elemento de un diptongo o de un triptongo, o que tienen una pronunciación cercana a la de una consonante: *La 'u' de 'hueso' es semiconsonante.* ☐ ETIMOL. De *semi-* (medio) y *consonante.*

semiconsonántico, ca adj. De las semiconsonantes o relacionado con ellas.

semicorchea s.f. En música, nota que dura la mitad de una corchea y que se representa con un círculo relleno, una barrita vertical pegada a uno de sus lados y dos pequeños ganchos en el extremo de esta.

semicórner s.m. En fútbol, falta cometida muy cerca del córner.

semicultismo s.m. Palabra influida por el latín o por una lengua culta, y que no ha completado su evolución fonética normal: *'Siglo' es un semicultismo y si hubiera evolucionado totalmente diríamos '*sejo'.* ☐ ETIMOL. De *semi-* (medio) y *cultismo.*

semicurado, da adj. Referido a un alimento, que ha sido parcialmente curado: *un queso semicurado.*

semidescremado, da v. Referido esp. a la leche, que ha sido parcialmente descremado.

semidesértico, ca adj. Que casi es un desierto.

semidesnatado, da adj. Referido esp. un producto lácteo, que está libre de una parte de su grasa, pero no de toda.

semidiós, -a s. En mitología, héroe que por sus hazañas ha pasado a estar entre los dioses: *Hércules era un semidiós, hijo de un dios, Júpiter, y una mujer, Alcmena.* ☐ ETIMOL. De *semi-* (medio) y *dios.*

semidivino, na adj. Que tiene características divinas y humanas.

semidormido, da adj. Medio dormido o casi dormido.

semielaborado, da adj. Que está parcialmente elaborado.

semienterrado, da adj. Medio enterrado.

semiesfera s.f. Cada una de las dos mitades de una esfera dividida por un plano que pasa por su centro. ☐ SINÓN. *hemisferio.*

semiesférico, ca adj. Con forma de media esfera.

semiesquina adv. Próximo a la esquina de una calle: *Vivo en la calle Finisterre, semiesquina a Monforte de Lemos.*

semifinal s.f. En una competición o un concurso, cada uno de los dos penúltimos encuentros o pruebas que se ganan por eliminación del contrario y no por puntos. ☐ ETIMOL. De *semi-* (medio) y *final.*

semifinalista adj.inv./s.com. Que juega o que compite en una semifinal.

semifusa s.f. En música, nota que dura la mitad de una fusa y que se representa con un círculo relleno, una barrita vertical pegada a uno de sus lados y cuatro pequeños ganchos en el extremo de esta. ☐ ETIMOL. De *semi-* (medio) y *fusa.*

semilíquido, da adj. Que no es del todo líquido pero tiene alguna de sus características.

semilla s.f. **1** Parte del fruto de los vegetales que contiene el embrión de una futura planta: *Las pepitas del interior de la manzana son su semilla.* ☐ SINÓN. *simiente.* **2** Lo que es la causa o el origen de algo: *La envidia es la semilla de la discordia.* ☐ SINÓN. *simiente.* ☐ ETIMOL. De origen incierto.

semillero s.m. **1** Lugar en el que se siembran semillas para trasplantar las plantas cuando nazcan. ☐ SINÓN. *almáciga, plantario.* **2** Origen y principio de donde nacen o se propagan algunas cosas: *Estos enfrentamientos son semillero de enemistades.*

semilunar s.m. →**hueso semilunar.**

semimaterial adj.inv. Que no es totalmente material.

semimetálico, ca adj. Referido a un elemento químico, que tiene propiedades intermedias entre un metal y un no metal: *El aluminio es un elemento semimetálico.*

seminal adj.inv. **1** Del semen o relacionado con él: *líquido seminal.* **2** De la semilla o relacionado con ella.

seminario s.m. **1** Centro de enseñanza en el que estudian y se forman los que van a ser sacerdotes. **2** Conjunto de actividades desarrolladas en común por el profesor y los alumnos y que se encaminan a adiestrar a estos en la investigación o en la práctica de alguna disciplina: *un seminario de lexicografía.* **3** Clase o lugar donde se llevan a cabo estas actividades: *El seminario de matemáticas está en la segunda planta.* **4** En un centro de enseñanza secundaria, despacho en el que trabajan y se reúnen los profesores de una misma materia: *La revisión de examen será en el seminario de latín.* **5** Equipo formado por estos profesores: *El seminario de lengua ha decidido convocar un examen extraordinario sobre ortografía.* ☐ ETIMOL. Del latín *seminarius* (semillero).

seminarista s.com. Alumno de un seminario religioso.

seminívoro, ra adj./s. Que se alimenta de semillas. ☐ ETIMOL. Del latín *semen* (semilla) y *-voro* (que come).

seminola adj.inv./s.com. De un antiguo pueblo amerindio que vivió en la península de Florida (región de Estados Unidos) o relacionado con él.

seminómada adj.inv. Que vive permanentemente en un lugar, pero solo durante algunos períodos del año.

seminternado s.m. **1** Media pensión o régimen de un centro educativo que incluye la enseñanza y la comida del mediodía. **2** Centro de enseñanza con este régimen.

seminuevo, va adj. Que está prácticamente sin usar o muy poco usado.

semiología s.f. **1** Ciencia que estudia los signos en la vida social: *El término de semiología fue propuesto por Ferdinand de Saussure.* ☐ SINÓN. *semiótica.* **2** Parte de la medicina que estudia los signos o síntomas de las enfermedades desde el punto de vista del diagnóstico y del pronóstico. ☐ ETIMOL. Del griego *semêion* (signo) y *-logía* (estudio, ciencia).

semiológico, ca adj. De la semiología o relacionado con esta ciencia de los signos.

semiólogo, ga s. Persona que se dedica al estudio de la semiología.

semiótica s.f. Véase **semiótico, ca.**

semiótico, ca ▮ adj. **1** De la semiótica o relacionado con esta ciencia: *El lenguaje humano es un sistema semiótico.* ▮ s.f. **2** Ciencia que estudia los signos en la vida social: *La semiótica estudia bajo qué condiciones es aplicable un signo a un objeto o a una situación.* ☐ SINÓN. *semiología.* ☐ ETIMOL. Del griego *semeiotiké*, y este de *semêion* (signo).

semipermeable adj.inv. Referido a una superficie o a una membrana, que permite el paso de unos elementos, pero no de otros. ☐ ETIMOL. De *semi-* (medio) y *permeable*.

semiplano s.m. En geometría, cada una de las dos partes del plano dividido por una recta.

semiprecioso, sa adj. Que no tiene tanto valor como algo precioso, pero tiene alguna de sus características.

semirrecta s.f. En geometría, cada una de las dos regiones en las que queda dividida una recta por cualquiera de sus puntos.

semisintético, ca adj. Que se obtiene por medio de una síntesis química, pero a partir de sustancias naturales.

semisótano s.m. Local situado en parte por debajo del nivel de la calle: *Desde las ventanas del semisótano solo se ven las piernas de los transeúntes.* ☐ ETIMOL. De *semi-* (medio) y *sótano*.

semita ▮ adj.inv. **1** De los semitas o relacionado con los pueblos descendientes de Sem (patriarca bíblico). ▮ adj.inv./s.com. **2** Descendiente de Sem (personaje bíblico, primogénito del patriarca Noé).

semítico, ca adj. **1** De los semitas o relacionado con estos pueblos: *Los árabes son un pueblo semítico.* **2** Referido a una lengua, que pertenece al grupo de lenguas que hablan estos pueblos: *El hebreo, el arameo y el árabe son lenguas semíticas.*

semitismo s.m. **1** Conjunto de las doctrinas y costumbres de los pueblos semitas. **2** En lingüística, palabra, significado o construcción sintáctica propios de las lenguas semíticas empleados en otra lengua.

semitista s.com. Persona especializada en el estudio de la lengua y la cultura semitas.

semitono s.m. En música, cada una de las dos partes en que se divide el intervalo de un tono: *Entre 'mi' y 'fa' hay un semitono.* ☐ ETIMOL. De *semi-* (medio) y *tono*.

semitransparente adj.inv. Casi transparente.

semivocal adj.inv./s.f. **1** En fonética y fonología, referido a las vocales 'i' o 'u', que son el último elemento de un diptongo: *La 'u' de 'causa' es semivocal.* **2** En fonética y fonología, referido a una consonante, que puede pronunciarse sin que se perciba directamente el sonido de una vocal: *Las consonantes fricativas como la 'f' son semivocales.* ☐ ETIMOL. De *semi-* (medio) y *vocal*.

semivocálico, ca adj. De las semivocales o relacionado con ellas: *En la palabra 'baile', la 'i' es un sonido semivocálico.*

sémola s.f. Pasta alimenticia en forma de pequeños granos hecha con harina de trigo, arroz u otro cereal. ☐ ETIMOL. Del italiano *semola*, y este del latín *simila* (flor de la harina).

semovientes s.m.pl. →**bienes semovientes.** ☐ ETIMOL. Del latín *se moventis* (que se mueve a sí mismo).

sempiterno, na adj. *poét.* Que es eterno o que dura siempre, porque teniendo principio no tendrá fin. ☐ ETIMOL. Del latín *sempiternus*.

senado s.m. **1** En países con poder legislativo bicameral, cámara de representación territorial: *El senado confirma, modifica o rechaza los proyectos de ley aprobados por el congreso de los diputados.* **2** Edificio en el que se celebran las sesiones de esta cámara: *En el senado hay un buen centro de documentación.* **3** En la antigua Roma, asamblea de patricios que formaba el consejo supremo. ☐ ETIMOL. Del latín *senatus* (Consejo de los Ancianos).

senadoconsulto s.m. Decreto o decisión del antiguo senado romano. ☐ ETIMOL. Del latín *senatusconsultum* (decreto del Senado).

senador, -a s. Miembro del senado. ☐ ETIMOL. Del latín *senator*.

senatorial adj.inv. Del senado, de los senadores o relacionado con ellos: *la cámara senatorial.*

sencillez s.f. **1** Ausencia de ostentación y adornos. **2** Ausencia de dificultad o de complicación.

sencillo, lla ▮ adj. **1** Que no está compuesto por varias cosas o que tiene una sola parte: *Cose con un hilo doble porque uno sencillo se rompería.* **2** Sin ostentación ni adornos. **3** Sin dificultad ni complicación. **4** Claro y natural: *un lenguaje sencillo; una persona sencilla.* ▮ s.m. **5** →**disco sencillo. 6** En zonas del español meridional, calderilla o dinero suelto. ☐ ETIMOL. Del latín **singellus*, y este de *singulus* (uno, único). ☐ USO En la acepción 5, es innecesario el uso del anglicismo *single*.

senda s.f. **1** Camino estrecho, esp. el abierto por el paso de personas o animales. □ SINÓN. *sendero.* **2** Procedimiento o medio para hacer o para conseguir algo: *Piensa seguir la senda marcada por su padre.* □ SINÓN. *sendero.* **3** En zonas del español meridional, carril de una carretera. □ ETIMOL. Del latín *semita.*

senderismo s.m. Actividad deportiva consistente en recorrer a pie zonas campestres o de montaña. □ USO Es innecesario el uso del anglicismo *trekking.*

senderista s.com. Persona que practica el senderismo.

sendero s.m. →**senda.** □ ETIMOL. Del latín *caminus seminatorius* (camino de senda).

sendos, das adj.pl. Respecto de dos o más, uno para cada uno: *Los tres niños iban en sendas bicicletas.* □ ETIMOL. Del latín *singulos* (uno cada uno). □ SINT. Siempre precede al nombre. □ SEM. Dist. de *ambos* (los dos).

séneca s.m. Hombre de mucha sabiduría. □ ETIMOL. Por alusión a Séneca, filósofo latino de Córdoba.

senectud s.f. Último período del ciclo vital de una persona. □ ETIMOL. Del latín *senectus* (vejez).

senegalés, -a adj./s. De Senegal o relacionado con este país africano.

senequismo s.m. **1** Doctrina filosófica y ética de Séneca (filósofo latino, cercano al estoicismo). **2** Norma de vida ajustada a esta doctrina.

senequista ▮ adj.inv. **1** Del senequismo o relacionado con esta doctrina ética. ▮ adj.inv./s.com. **2** Que defiende o sigue el senequismo.

senescal s.m. Oficial de la corte del rey o mayordomo de palacio, esp. el que, en algunas épocas y países, dirigió campañas guerreras o administró los bienes de la corona. □ ETIMOL. Del germánico *siniskalk* (criado de más edad).

senescencia s.f. Naturaleza o carácter de lo que empieza a envejecer. □ ETIMOL. Del latín *senescere* (envejecer). □ USO Su uso es característico del lenguaje culto.

senescente adj.inv. Que empieza a envejecer. □ USO Su uso es característico del lenguaje culto.

senil adj.inv. De la vejez o relacionado con ella: *demencia senil.* □ ETIMOL. Del latín *senilis*, y este de *senex* (viejo).

senilidad s.f. Carácter o estado de la persona que, por su avanzada edad, presenta decadencia física.

sénior ▮ adj.inv. **1** Referido a una persona, que es mayor que otra de su familia que tiene el mismo nombre. **2** Referido a una persona, que tiene experiencia en su oficio. ▮ adj.inv./s.com. **3** Referido a un deportista, que, por edad, pertenece a la categoría superior, posterior a la de junior. □ ETIMOL. Del latín *senior* (anciano).

seno s.m. **1** Hueco o concavidad de una superficie con respecto del que las mira: *El fregadero de la cocina tiene dos senos.* **2** Pecho o mama de una mujer. **3** Matriz de las hembras de los mamíferos, esp. la de una mujer: *Lleva un niño en su seno y pronto dará a luz.* **4** Parte interna de algunas cosas: *La Tierra guarda en su seno grandes riquezas.* **5** En trigonometría, razón entre el cateto opuesto de un ángulo y la hipotenusa. **6** En medicina, cavidad de algunos huesos: *En la sinusitis hay una acumulación de líquidos en los senos frontales o en los senos maxilares.* □ ETIMOL. Del latín *sinus* (sinuosidad, concavidad).

sensación s.f. **1** Impresión sentida por medio de los sentidos: *Al tocar el hielo se experimenta una sensación de frío.* **2** Efecto sorprendente que produce algo: *Ese vestido tan llamativo causará sensación.* **3** Presentimiento o corazonada de que algo va a ocurrir de una determinada manera: *Tengo la sensación de que no vamos a llegar a ningún acuerdo.* □ ETIMOL. Del latín *sensatio.*

sensacional adj.inv. **1** Que llama fuertemente la atención o que causa sensación: *una noticia sensacional.* **2** Estupendo, muy bueno o maravilloso: *Te he traído un libro sensacional que te gustará.* □ SINT. *Sensacional* se usa también como adverbio de modo con el significado de 'muy bien': *La excursión resultó sensacional.*

sensacionalismo s.m. Tendencia a presentar los aspectos más llamativos de algo para producir una sensación o una emoción grandes: *sensacionalismo de un periódico.*

sensacionalista adj.inv./s.com. Que tiende a presentar los aspectos más llamativos de algo: *la prensa sensacionalista.*

sensatez s.f. Prudencia, buen juicio o inclinación a reflexionar antes de actuar.

sensato, ta adj. Prudente, de buen juicio o que reflexiona antes de actuar: *una persona sensata.* □ ETIMOL. Del latín *sensatus*, y este de *sensa* (pensamientos).

sensibilidad s.f. **1** Facultad de sentir algo: *Está paralítico y no tiene sensibilidad en las piernas. Ese pintor tiene gran sensibilidad estética.* **2** Inclinación a dejarse llevar por los sentimientos de compasión, humanidad y ternura: *Los sindicatos piden al Gobierno mayor sensibilidad ante el problema del paro.* **3** Capacidad de respuesta a pequeñas excitaciones o estímulos: *El termómetro tiene gran sensibilidad y registra los más mínimos cambios de temperatura.* □ ETIMOL. Del latín *sensibilitas.*

sensibilización s.f. Dotación de sensibilidad.

sensibilizado, da adj. Que ha sido sometido a sensibilización y reacciona de forma positiva.

sensibilizar v. **1** Dotar de sensibilidad: *Las campañas sanitarias sensibilizaron a la opinión pública sobre los peligros del tabaco.* **2** En fotografía, hacer sensible a la luz: *Este líquido sensibiliza las placas fotográficas.* □ ORTOGR. La *z* se cambia en *c* delante de *e* →CAZAR.

sensible adj.inv. **1** Que tiene capacidad de sentir: *Se abriga mucho porque es muy sensible al frío.* **2** Referido a una persona, que se impresiona o emociona con facilidad: *Díselo con tacto porque es muy sensible y se siente herido fácilmente.* **3** Que puede ser conocido a través de los sentidos: *El mundo sensible* *está formado por todo lo que nos rodea.* **4** Evidente, claro o manifiesto: *Se anunció una sensible mejoría del tiempo atmosférico.* **5** Referido esp. a un instrumento, que reacciona fácilmente o de forma precisa a la acción de un fenómeno o de un agente natural: *La alarma es muy sensible y salta con cualquier pequeño golpe.* □ ETIMOL. Del latín *sensibilis*.

sensiblería s.f. *desp.* Sentimentalismo exagerado o fingido.

sensiblero, ra adj. *desp.* Con un sentimentalismo exagerado.

sensismo s.m. →**sensualismo.**

sensitivo, va adj. **1** De las sensaciones producidas en los sentidos, esp. en la piel: *Me he quemado el dedo y su capacidad sensitiva ha disminuido mucho.* **2** Capaz de recibir sensaciones, impresiones o emociones: *Es un chico muy sensitivo para la belleza.* **3** Que excita o estimula la sensibilidad: *Llega muy bien al público porque su música es muy sensitiva.*

sensor s.m. Dispositivo que capta determinados fenómenos o alteraciones y los transmite de forma adecuada. □ ETIMOL. Del inglés *sensor*.

sensorial adj.inv. De la sensibilidad o relacionado con ella.

sensual adj.inv. **1** Que incita o satisface el placer de los sentidos. **2** Referido a una persona, inclinada a los placeres de los sentidos. □ ETIMOL. Del latín *sensualis*. □ ORTOGR. Dist. de *sexual*.

sensualidad s.f. **1** Capacidad de incitar o satisfacer el placer de los sentidos. **2** Inclinación excesiva a los placeres de los sentidos. □ ORTOGR. Dist. de *sexualidad*.

sensualismo s.m. **1** Inclinación a los placeres de los sentidos. **2** Doctrina filosófica que defiende que el origen de las ideas está exclusivamente en los sentidos. □ SINÓN. *sensismo*. □ ETIMOL. De *sensual*.

sensualista adj.inv./s.com. Que defiende o sigue el sensualismo.

sensu contrario (lat.) ‖ Por el contrario, por contra o por otro lado: *Asegurar, sensu contrario, que aquel político se aprovechó de su posición en el partido tampoco sería hacerle justicia.*

sensu stricto (lat.) ‖ En sentido estricto: *Aunque la interpretación sensu stricto sea esa, elegiremos otra más abierta.*

sentada s.f. Véase **sentado, da.**

sentadilla s.f. Ejercicio que consiste en flexionar las piernas manteniendo recta la espalda.

sentado, da ▮ adj. **1** Que es juicioso y prudente o que actúa con reflexión y sensatez. **2** En biología, sin pedúnculo: *una flor sentada.* ▮ s.f. **3** Tiempo durante el cual alguien permanece sentado: *Cuando estudio, mis sentadas suelen ser de tres horas.* **4** Establecimiento o permanencia de un grupo de personas sentadas en el suelo durante un período de tiempo, para manifestar una protesta o para apoyar una petición: *Los obreros sancionados por la dirección realizaron una sentada a las puertas de la dirección.* **5** ‖ **de una sentada;** *col.* De una vez o sin levantarse: *Hice el dibujo de una sentada.* □ ORTOGR. En la acepción 1, se admite también *asentado*.

sentar v. **1** Referido a una persona, colocarla de manera que quede apoyada y descansando sobre las nalgas: *Sentó al niño en su sillita. Me senté con las piernas cruzadas.* **2** Producir un efecto o resultar del modo que se expresa: *Te sentará bien un vaso de leche. Ese corte de pelo te sienta muy mal. Me sienta fatal tener que salir ahora.* **3** Referido esp. a lo que sirve de apoyo, establecerlo, fundamentarlo o ponerlo: *La reunión sentó las bases de nuestra futura colaboración.* □ ETIMOL. Del latín **sedentare*. □ MORF. Irreg. →PENSAR.

sentencia s.f. **1** Resolución de un juez o de un tribunal que pone fin a un juicio o proceso: *La sentencia del tribunal condena al acusado a tres años de prisión.* **2** Decisión que da alguien acerca de algo que debe juzgar o componer: *Con la sentencia que dio la profesora sobre el asunto terminó la discusión de los alumnos.* **3** Dicho breve que encierra una enseñanza, generalmente de carácter moral: *La madre solía decir muchas sentencias populares para aconsejar a sus hijos.* □ ETIMOL. Del latín *sententia* (opinión, consejo, voto).

sentenciar v. **1** Dar o pronunciar una sentencia: *El tribunal sentenciará mañana el pleito.* **2** Condenar o culpar: *La juez lo sentenció a tres años de prisión.* **3** Resolver o decidir: *Con el quinto gol, el equipo rojiblanco sentenció el encuentro.* **4** Afirmar o asegurar: *-No sabes lo que dices-, sentenció con tono solemne.* □ ORTOGR. La *i* nunca lleva tilde.

sentencioso, sa adj. **1** Que encierra una enseñanza, esp. si es de carácter moral, expresada con gravedad y agudeza. **2** Referido al tono o al modo de hablar, que tiene una afectada gravedad, como si pronunciara continuamente sentencias.

sentido, da ▮ adj. **1** Que contiene o que expresa un sentimiento: *unos sentidos versos.* **2** Referido a una persona, que se molesta o se ofende con mucha facilidad. ▮ s.m. **3** Capacidad para percibir, mediante determinados órganos corporales, impresiones externas: *El oído, el gusto, el tacto, la vista y el olfato son los cinco sentidos.* **4** Capacidad que se tiene para realizar algo: *No sabes cantar porque no tienes sentido musical.* **5** Entendimiento o capacidad de razonar: *El golpe lo dejó sin sentido. Espero que cuando sea mayor tenga más sentido.* **6** Lógica, finalidad o razón de ser: *Este texto absurdo carece de sentido.* **7** Modo particular de entender algo: *Tu sentido de la vida no es el mío.* **8** Significado de una palabra o de un conjunto de palabras: *Los diccionarios recogen los sentidos reales y los figurados de las palabras. Siempre hablas con doble sentido, y aunque dices una cosa, quieres que entienda otra distinta.* **9** Cada una de las dos orientaciones que tiene una misma dirección: *Esta calle es de doble sentido porque los coches pueden circular hacia los dos lados.* **10** ‖ **sentido común;** capacidad para juzgar razonablemente. ‖ **sexto sentido;** cualidad especial para apreciar lo que a otros les pasa inadvertido. □ SEM. En la acepción 9, dist. de *dirección*.

sentimental ▮ adj.inv. **1** Que expresa o produce sentimientos, generalmente de amor, ternura o pena: *una carta muy sentimental.* **2** Relacionado con los sentimientos, esp. con el amoroso: *Mantiene una relación sentimental con una antigua amiga.* ▮ adj.inv./s.com. **3** Que se deja llevar por los sentimientos o que muestra sensibilidad de un modo ridículo o exagerado: *una persona sentimental.*

sentimentalismo s.m. Conjunto de características relacionadas con los sentimientos.

sentimentaloide adj.inv./s.com. *col.* Sentimental. ☐ USO Tiene un matiz humorístico o despectivo.

sentimiento s.m. **1** Impresión que producen las cosas o los hechos en el ánimo: *El amor, el odio y el miedo son sentimientos muy fuertes.* **2** Estado de ánimo: *La noticia me produjo un sentimiento de indignación.* **3** Parte afectiva y emocional de una persona: *Eres cruel y no tienes sentimientos.*

sentina s.f. **1** En un barco, cavidad inferior, situada en la parte más baja del buque, en la que se reúnen las aguas que se filtran por los costados y la cubierta, y desde la cual se expulsan por medio de bombas. **2** Lugar lleno de suciedad y mal olor. **3** Lugar en el que abundan los vicios o desde el que se propagan. ☐ ETIMOL. Del latín *sentina.*

sentir ▮ s.m. **1** Opinión, juicio o sentimiento sobre algo: *El sentir popular se manifiesta en las elecciones.* ▮ v. **2** Percibir a través de los sentidos: *Sentí frío al salir a la calle. Sentí tus pasos.* **3** Referido esp. a una sensación o a un sentimiento, experimentarlos o notarlos: *Siento miedo cuando estoy sola. Sentí mucha alegría al verte.* **4** Referido a algo que no ha ocurrido, presentirlo o tener la impresión de que va a ocurrir: *Siento que este asunto acabará mal.* **5** Lamentar o considerar doloroso y malo: *Siento que no hayas podido venir.* ▮ prnl. **6** Referido a un estado o una situación, encontrarse o estar en ellos: *Se siente triste y solo. Hoy me siento mejor.* ☐ ETIMOL. La acepción 1, del verbo *sentir.* Las acepciones 2-6, del latín *sentire* (percibir por los sentidos, darse cuenta, pensar, opinar). ☐ MORF. Irreg. →SENTIR.

seny (cat.) s.m. Sentido común, buen juicio o prudencia. ☐ PRON. [señ].

senyera (cat.) s.f. Bandera o estandarte, esp. si sirven como insignia de una corporación. ☐ PRON. [señéra].

seña ▮ s.f. **1** Nota o detalle que permite reconocer y distinguir algo: *Por las señas que me dio creo que se refería a ti.* **2** Gesto con el que se da a entender algo: *Me hizo una seña para que me callara.* ☐ SINÓN. *señal.* **3** Signo o medio utilizado para recordar algo: *Hizo una seña en la hoja para recordar que faltaba la anterior.* **4** En zonas del español meridional, señal o anticipo. ▮ pl. **5** Datos que constituyen una dirección, esp. la de una persona: *Si quieres que te escriba dame tus señas.* ☐ ETIMOL. Del latín *signa* (señales, marcas). ☐ MORF. En la acepción 1, se usa más en plural.

señal s.f. **1** Marca que se hace para reconocer o distinguir algo: *Haz una señal en los paquetes que son urgentes.* **2** Huella o impresión que queda de algo: *Si te pellizcas los granos te quedarán señales en la cara.* **3** Indicio o muestra de algo: *Los nubarrones son señal de próximas lluvias.* **4** Lo que representa, sustituye o evoca un objeto, un fenómeno o una acción: *Las señales de tráfico representan convencionalmente una serie de normas.* ☐ SINÓN. *signo.* **5** Gesto con el que se da a entender algo: *Hizo una señal de asentimiento con la cabeza.* ☐ SINÓN. *seña.* **6** Indicación que se da para que alguien realice algo: *Los corredores empezarán la carrera cuando se dé la señal de salida.* **7** Cantidad de dinero que se paga como anticipo del precio total de algo: *Si ahora no quiero el televisor perderé la señal que di.* **8** Sonido que producen algunos aparatos, esp. el teléfono, para avisar o informar de algo: *Si al descolgar el teléfono no hay señal, es que no hay línea.* **9** ‖ **en señal;** en prueba o en muestra de algo: *Recibe este obsequio en señal de mi amistad.* ‖ **señal de la cruz;** cruz dibujada con dos dedos de la mano o con el movimiento de esta y que representa la cruz en la que murió Jesucristo. ☐ ETIMOL. Del latín *signalis*, y este de *signum* (marca).

señalado, da adj. Importante, insigne o que goza de fama: *una fiesta señalada.*

señalamiento s.m. **1** Indicación o muestra, esp. si es por medio de una señal. **2** En derecho, designación de un día para un juicio oral o una vista, y asunto que ha de tratarse ese día.

señalar ▮ v. **1** Referido esp. a un objeto, ponerle una señal para conocerlo o para distinguirlo: *Señala la respuesta verdadera con una cruz. Señalé en rojo las faltas de ortografía.* **2** Apuntar, mostrar o indicar: *Señalar con el dedo es de mala educación. Hay que señalar la importancia de este trabajo.* **3** Referido esp. a una superficie, dejarle una marca o señal: *La viruela le señaló la cara.* **4** Fijar o decidir: *Tengo señalada esta botella de vino para el día de mi cumpleaños.* ▮ prnl. **5** Distinguirse o destacarse: *En esta temporada te has señalado como un gran deportista.*

señalización s.f. Indicación por medio de señales, esp. de las de tráfico. ☐ SEM. No debe usarse con el significado de *señalamiento*: {**La señalización* > *El señalamiento*} *de la falta por parte del árbitro.*

señalizar v. Indicar con señales, esp. con las de tráfico: *La carretera estaba mal señalizada y el conductor no vio el desnivel.* ☐ ORTOGR. La *z* se cambia en *c* delante de *e* →CAZAR. ☐ SEM. No debe usarse con el significado de *señalar*: *El árbitro* {**señalizó* > *señaló*} *falta.*

señero, ra adj. **1** Solitario o separado: *Un montículo señero destacaba en la llanura.* **2** Único o destacado: *Esta novelista es una figura señera de nuestra literatura.* ☐ ETIMOL. Del latín *singularius* (solitario, único).

señor, -a ▮ adj. **1** *col.* Seguido de algunos sustantivos, intensifica o da fuerza al significado de estos: *Vive en una señora casa. Tienes un señor problema y no puedo ayudarte.* ▮ adj./s. **2** Dueño de algo o que tiene dominio sobre ello. ▮ s. **3** *col.* Persona adulta.

4 Persona respetable y de cierta edad. **5** Respecto de un criado, amo o persona para la que trabaja. **6** Tratamiento de respeto que se da a una persona adulta. **7** Persona que tiene un título nobiliario, generalmente de origen feudal. ▌s.m. **8** Poseedor de estados y lugares, esp. si tiene sobre ellos dominio y jurisdicción: *un señor feudal.* ▌s.f. **9** Mujer casada o esposa. ☐ ETIMOL. Las acepciones 1-8, del latín *senior* (más viejo). La acepción 9, de *señor.* ☐ USO 1. Se usa antepuesto al apellido de un hombre o de una mujer, o al cargo que una persona desempeña: *El señor García lo recibirá en un momento.* 2. En la lengua coloquial se usa mucho antepuesto al nombre de pila: *Señora María.*

señora s.f. Véase **señor, -a**.

señorear v. **1** Dominar o mandar como dueño: *En aquella novela, los hijos de aquel terrateniente señorean las fincas del padre.* **2** Sobresalir o estar en una situación superior o de mayor altura: *La torre de la catedral señoreaba toda la ciudad.* **3** Referido esp. a una pasión, contenerla mediante la razón para mandar sobre las propias acciones: *Para desenvolverte en esa sociedad has de aprender a señorear tus impulsos.*

señoría s.f. Tratamiento que se da a las personas que poseen cierta dignidad: *A los jueces y parlamentarios se les suele tratar de señoría.*

señorial adj.inv. **1** Del señorío o relacionado con él: *tierra señorial.* **2** Noble o majestuoso. ☐ ETIMOL. De *señorío.*

señorío s.m. **1** Dominio o mando sobre algo: *Ejerce personalmente el señorío de sus fincas.* **2** Territorio sobre el que antiguamente un señor ejercía su autoridad: *En la época medieval, estas tierras fueron señorío de un conde.* **3** Gravedad, moderación y prudencia en el aspecto o al actuar: *Torea con mucho señorío.*

señorita s.f. Véase **señorito, ta**.

señoritingo, ga s. *col. desp.* Señorito.

señoritismo s.m. *desp.* Actitud social y comportamiento de señorito ocioso y presumido.

señorito, ta ▌s. **1** Hijo de un señor o de una persona distinguida. **2** *col.* Respecto de un criado, amo, esp. si es joven. **3** *col.* Persona joven, de buena posición económica y social y que generalmente no trabaja. ▌s.f. **4** Tratamiento que se da a la mujer soltera. **5** Tratamiento que se da a las mujeres que desempeñan ciertos trabajos, esp. a las maestras: *La señorita nos ha puesto muchos deberes. Una señorita atiende el teléfono de la oficina.*

señorón, -a adj./s. Referido a una persona, que es muy rica o importante.

señuelo s.m. **1** Lo que se utiliza para atraer a las aves: *caza con señuelo.* **2** Lo que sirve para atraer a alguien o convencerlo de algo con engaño. ☐ ETIMOL. De *seña.*

seo s.f. En algunas regiones, catedral. ☐ ETIMOL. Del catalán *seu*, y este del latín *sedes* (residencia).

sépalo s.m. En una flor, cada una de las partes que forman el cáliz. ☐ ETIMOL. Del latín *separ* (separado) y la terminación de *pétalo.*

separable adj.inv. Que se puede separar. ☐ ETIMOL. Del latín *separabilis.*

separación s.f. **1** Hecho de separar o separarse dos o más elementos: *Las diferencias de opiniones no deben dar lugar a la separación de padres e hijos. Este biombo permite la separación de las dos camas.* **2** Distancia o espacio que existe entre dos elementos separados: *Deja una separación conveniente entre las sillas y la pared.* **3** Interrupción de la vida en común de dos cónyuges por conformidad o por resolución judicial sin que se produzca la ruptura del vínculo matrimonial. **4** || **separación de bienes;** régimen matrimonial que permite que cada uno de los cónyuges conserve sus bienes propios administrándolos sin intervención del otro. ☐ SEM. En la acepción 3, dist. de *divorcio* (ruptura del vínculo matrimonial).

separado, da adj./s. Referido a una persona, que ha interrumpido la vida en común con su cónyuge sin que se haya producido la ruptura del vínculo matrimonial. ☐ SEM. Dist. de *divorciado* (con disolución del vínculo matrimonial).

separador, -a adj./s. Que sirve para separar. ☐ ETIMOL. Del latín *separator.*

separar ▌v. **1** Referido a un elemento, alejarlo o hacer que deje de estar cerca de otro: *Separa las sillas de la mesa. Sepárate del televisor.* **2** Considerar de forma aislada: *Para analizar este tema hay que separar el aspecto social y el económico.* ▌prnl. **3** Referido a dos cónyuges, interrumpir su vida en común por conformidad o por resolución judicial sin que se produzca la ruptura del vínculo matrimonial: *Se separaron hace dos años y ahora les han concedido el divorcio.* **4** Referido a una comunidad política, hacerse autónoma respecto a otra a la que pertenecía: *Las naciones que componían la antigua URSS se separaron entre 1991 y 1992.* **5** Renunciar a la asociación o relación que se mantenía con algo: *Los socios se separaron y dividieron el capital de la empresa.* ☐ ETIMOL. Del latín *separare.*

separata s.f. Artículo o capítulo de una revista o libro que se publica por separado.

separatismo s.m. Doctrina política que defiende la separación de un territorio para alcanzar su independencia o para anexionarse a otro país.

separatista ▌adj.inv. **1** Del separatismo o relacionado con esta doctrina política. ▌adj.inv./s.com. **2** Partidario o seguidor del separatismo.

sepelio s.m. Enterramiento de un cadáver con las correspondientes ceremonias, esp. si estas son religiosas. ☐ ETIMOL. Del latín *sepelire* (enterrar).

sepia ▌adj.inv./s.m. **1** De color rosa anaranjado. ▌s.f. **2** Molusco cefalópodo marino, de cuerpo oval y con diez tentáculos, parecido al calamar. ☐ SINÓN. *jibia.* ☐ ETIMOL. Del latín *sepia.* ☐ MORF. En la acepción 2, es un sustantivo epiceno: *la sepia {macho/hembra}.*

sepiolita s.f. Mineral de color blanco amarillento, blando, ligero y suave al tacto y que se usa en trabajos de artesanía y como material refractario: *La* *sepiolita es un silicato de magnesia hidratado, que se usa mucho en la fabricación de pipas de fumar.*

sepsis (pl. *sepsis*) s.f. Proceso infeccioso grave producido por el paso de gérmenes patógenos a la sangre y su multiplicación en ella. ☐ SINÓN. *septicemia.* ☐ ETIMOL. Del griego *sépsis* (putrefacción).

septembrino, na adj. Del mes de septiembre o relacionado con él.

septenario, ria ▌adj. **1** Que consta de siete partes o elementos. ▌s.m. **2** Conjunto de siete días, esp. los que se dedican a alguna práctica religiosa. ☐ ETIMOL. Del latín *septenarius.* ☐ ORTOGR. En la acepción 2, se admite también *setenario.*

septenio s.m. Período de tiempo de siete años. ☐ ETIMOL. Del latín *septennium.*

septeno, na numer. **1** En una serie, que ocupa el lugar número siete: *Hemos votado por el septeno candidato.* ☐ SINÓN. *séptimo.* **2** Referido a una parte, que constituye un todo junto con otras seis iguales a ella: *La septena parte del sueldo la destina a gastos imprevistos.* ☐ SINÓN. *séptimo.*

septentrión s.m. Norte: *La brújula marca el Septentrión. Un fuerte septentrión nos desvió de nuestro rumbo.* ☐ ETIMOL. Del latín *septentriones* (las siete estrellas de la Osa Menor). ☐ SINT. Se usa mucho en aposición pospuesto a un sustantivo: *El barco se vio sacudido por un inesperado viento septentrión.* ☐ USO Referido al punto cardinal, se usa más como nombre propio.

septentrional adj.inv. En astronomía y geografía, del septentrión o del norte. ☐ SINÓN. *boreal.* ☐ SEM. Dist. de *meridional* (del sur).

septeto s.m. **1** Composición musical escrita para siete instrumentos o para siete voces. **2** Conjunto formado por siete instrumentos o por siete voces. ☐ ETIMOL. Del latín *septem* (siete).

septicemia s.f. Proceso infeccioso grave producido por el paso de gérmenes patógenos a la sangre y su multiplicación en ella. ☐ SINÓN. *sepsis.* ☐ ETIMOL. Del griego *septikós* (que corrompe) y *-emia* (sangre).

séptico, ca adj. **1** Que produce putrefacción o que es causado por ella. **2** Que contiene gérmenes patógenos: *una herida séptica.* ☐ ETIMOL. Del griego *septós* (podrido).

septiembre (tb. *setiembre*) s.m. Noveno mes del año, entre agosto y octubre: *Septiembre tiene treinta días.* ☐ ETIMOL. Del latín *september*, y este de *septem* (siete), porque era el séptimo mes del calendario romano antes de la introducción de julio y agosto.

septillizo, za adj./s. Que ha nacido de un parto séptuplo: *No es habitual tener septillizos.*

séptima s.f. Véase **séptimo, ma.**

séptimo, ma (tb. *sétimo, ma*) ▌numer. **1** En una serie, que ocupa el lugar número siete: *Vive en el séptimo piso. Llegué el séptimo a la meta.* ☐ SINÓN. *septeno.* **2** Referido a una parte, que constituye un todo junto con otras seis iguales a ella: *La séptima parte de 28 es 4. A cada guerrero le correspondió un séptimo del botín.* ☐ SINÓN. *septeno.* ▌s.f. **3** En música, intervalo existente entre una nota y la séptima nota anterior o posterior a ella en la escala, ambas inclusive: *De 'do' a 'si', hay una séptima ascendente.* ☐ ETIMOL. Del latín *septimus.*

septingentésimo, ma numer. **1** En una serie, que ocupa el lugar número setecientos: *Quedé la septingentésima en la oposición, y por eso no conseguí plaza.* **2** Referido a una parte, que constituye un todo junto con otras seiscientas noventa y nueve iguales a ella: *La septingentésima parte de 1 400 es 2.* ☐ ETIMOL. Del latín *septingentesimus.*

septuagenario, ria adj./s. Que tiene más de setenta años y aún no ha cumplido los ochenta.

septuagésimo, ma numer. **1** En una serie, que ocupa el lugar número setenta: *Es septuagésimo en la clasificación general. Ahora intervendrá el septuagésimo candidato.* **2** Referido a una parte, que constituye un todo junto con otras sesenta y nueve iguales a ella: *La septuagésima parte de 70 es 1. Solo llevo leído un septuagésimo del libro.* ☐ ETIMOL. Del latín *septuagesimus.* ☐ MORF. *Septuagésima primera* (incorr. **septuagésimo primera*), etc.

septuplicar v. Multiplicar por siete o hacer siete veces mayor: *En un solo año he septuplicado mis ahorros.* ☐ ETIMOL. Del latín *septem* (siete) y *plicare* (doblar). ☐ ORTOGR. La *c* se cambia en *qu* delante de *e* →SACAR.

séptuplo, pla numer. Referido a una cantidad, que es siete veces mayor: *Gané una cantidad séptupla de lo que había invertido. El séptuplo de 7 es 49.* ☐ ETIMOL. Del latín *septuplus.*

sepulcral adj.inv. Del sepulcro, con alguna de sus características o relacionado con él: *un silencio sepulcral.*

sepulcro s.m. **1** Construcción generalmente de piedra y levantada sobre el suelo en la que se da sepultura a uno o a varios cadáveres. ☐ SINÓN. *enterramiento.* **2** En un altar, hueco en el que se depositan las reliquias y que luego se cubre y se sella. ☐ ETIMOL. Del latín *sepulcrum.* ☐ SEM. Dist. de *cenotafio* (monumento funerario que no contiene el cadáver).

sepultar v. **1** Referido al cuerpo de un difunto, enterrarlo o ponerlo en la sepultura: *Lo han sepultado en el cementerio de su pueblo.* **2** Ocultar, esconder o cubrir totalmente: *El barro arrastrado por la riada sepultó calles y aceras.*

sepultura s.f. **1** Enterramiento del cuerpo de un difunto: *Recibió cristiana sepultura.* **2** Lugar en el que se entierra un cadáver. ☐ SINÓN. *enterramiento.* **3** Concavidad que se hace en la tierra para enterrar un cadáver: *Cavaron la sepultura al lado de un ciprés.* ☐ SINÓN. *hoya, hoyo, huesa.* ☐ ETIMOL. Del latín *sepultura.*

sepulturero, ra s. Persona que se dedica profesionalmente a abrir sepulturas y a enterrar cadáveres. ☐ SINÓN. *enterrador.*

sequedad s.f. **1** Ausencia de líquido o de humedad: *Esta crema evita la sequedad de la piel.* **2** Falta de cariño o de amabilidad: *Me recibió con sequedad, como si estuviera molesto.*

sequía s.f. Período prolongado de tiempo seco o sin lluvias: *La sequía hace prolongar la cosecha de este año.*

séquito s.m. Conjunto de personas que acompañan y siguen a alguien importante o famoso. □ ETIMOL. Del italiano *seguito*, y este de *seguitare* (seguir).

ser ▮ s.m. **1** Cualquier cosa creada, esp. si está dotada de vida: *El agua es necesaria para la mayoría de los seres vivos.* **2** Persona: *¡Menudo ser te has buscado como socio...!* **3** Esencia o naturaleza: *La fiereza es parte del ser de muchos animales salvajes.* **4** Vida o existencia: *Agradéceles a tus padres el haberte dado el ser.* ▮ v. **5** Seguido de una expresión que indica cualidad o condición, poseerla, esp. si es de forma inherente, permanente o duradera: *Yo soy morena y tú eres rubio. La cuchara es para comer sopa. Soy zamorana.* **6** Seguido de una expresión que describe una acción, consistir en ella: *Su encanto es saber reírse de sí misma.* **7** Seguido de la preposición 'de' y de algunos infinitivos, resultar previsible la acción expresada por estos: *Era de suponer que llegarías tarde.* **8** Referido a un acontecimiento, suceder, ocurrir o producirse: *¿Sabes cómo fue el incendio?* **9** Haber o existir: *Érase un país donde solo había niños.* **10** Valer o costar: *¿A cómo es el cordero?* **11** Corresponder o tocar: *No he hecho esas tareas porque no eran mías.* **12** Indica hora o fecha: *Hoy es lunes.* **13** Indica el resultado de una operación aritmética: *Dos y dos son cuatro.* **14** ‖ **ser** alguien **muy suyo;** ser muy independiente o tener muchas rarezas: *Siempre fuiste muy tuya y tomaste las decisiones por tu cuenta. Le gusta coger las vacaciones en invierno porque es muy suyo.* □ ETIMOL. Las acepciones 1-4, del verbo *ser*. Las acepciones 5-14, del latín *sedere* (estar sentado). □ MORF. Irreg.: 1. Su participio es *sido*. 2. →SER. 3. En las acepciones 9 y 12, es verbo unipersonal. □ SINT. 1. En la perífrasis *ser + participio*, se usa como auxiliar para formar la voz pasiva: *fue asesinado, ha sido atropellado, serás premiada.* □ USO En tercera persona del singular: 1. Se usa para afirmar o negar lo dicho: *'Así es', contestó cuando le pregunté si seguía trabajando. Tú dirás lo que quieras, pero eso no es así.* 2. En la lengua coloquial, puede preceder a oraciones independientes: *Es que no he llegado a ese capítulo todavía. ¿Cómo es que te vas?*

sera s.f. Cesta grande de esparto, de palma o de otra materia, generalmente sin asas.

seráfico, ca adj. De los serafines o relacionado con estos ángeles.

serafín s.m. Ángel que está ante el trono de Dios. □ ETIMOL. Del latín *seraphim* (serafines).

serba s.f. Fruto del serbal, comestible después de madurar, pequeño, con forma de pera y de color encarnado. □ ETIMOL. Del latín *sorba*.

serbal s.m. Árbol de tronco recto y liso, con hojas compuestas y dentadas, flores blancas y pequeñas, y cuyo fruto es la serba. □ ORTOGR. Dist. de *serval*.

serbio, bia (tb. *servio, via*) ▮ adj./s. **1** De Serbia (república de Serbia y Montenegro), o relacionado con ella. ▮ s.m. **2** Lengua eslava de esta república: *El serbio es una variedad del serbocroata.* □ MORF. Cuando se antepone a una palabra para formar compuestos adopta la forma *serbo-*.

serbobosnio, nia adj./s. De los serbios de Bosnia-Herzegovina (país europeo) o relacionado con ellos.

serbocroata ▮ adj.inv./s.com. **1** De Serbia (república de Serbia y Montenegro) y de Croacia (país europeo) o relacionado con ellos. ▮ s.m. **2** Lengua eslava de estos y otros territorios: *El serbocroata es escrito por los serbios con el alfabeto cirílico y por los croatas con el alfabeto latino.*

serbomontenegrino, na adj./s. De Serbia y Montenegro o relacionado con este país europeo.

serenar v. **1** Apaciguar, sosegar o calmar la agitación: *Con aquel discurso intentaba serenar a la población. El mar se serenó cuando cesó el viento.* **2** En zonas del español meridional, enfriar agua al sereno o al fresco: *En algunos pueblos todavía se acostumbra a serenar el agua.* □ ETIMOL. Del latín *rerenare*.

serenata s.f. **1** Música en la calle o al aire libre y durante la noche en honor de una persona. **2** *col.* Lo que se repite con una insistencia que molesta: *¡Vaya serenata dio el niño, llorando toda la noche!* □ ETIMOL. Del italiano *serenata*.

serendipia s.f. Casualidad que posibilita la realización de un descubrimiento gracias a la perspicacia del descubridor: *Uno de los casos de serendipia más conocidos es el descubrimiento de la penicilina.* □ SINÓN. *serendipidad.* □ ETIMOL. Del inglés *serendipity*, y este de *Serendib* (denominación medieval de Ceilán), porque en un cuento anónimo titulado *Los tres príncipes de Serendib* se cuenta que estos personajes tenían el don del descubrimiento fortuito y encontraban, sin buscarla, la respuesta a problemas que no se habían planteado.

serendípico, ca adj. Referido esp. a un descubrimiento, que se realiza gracias a la casualidad y a la perspicacia de su descubridor: *La radioactividad fue un descubrimiento serendípico que partió de un planteamiento erróneo.*

serendipidad s.f. →**serendipia.**

serenidad s.f. Tranquilidad o calma. □ ETIMOL. Del latín *serenitas*.

serenísimo, ma adj. Tratamiento honorífico que en España (país europeo) correspondía a los príncipes hijos de los reyes.

sereno, na ▮ adj. **1** Claro, despejado o sin nubes ni nieblas: *Hace una mañana serena, perfecta para pasear.* **2** Apacible o sosegado: *Cuando te calmes y estés sereno verás que solo ha sido un susto.* **3** Que no está borracho: *Si no estás sereno, no conduzcas.* ▮ s.m. **4** Persona que vigilaba las calles durante la noche y abría las puertas de los portales cuando uno de los propietarios quería entrar. **5** En zonas del español meridional, relente o ambiente húmedo nocturno. **6** ‖ **al sereno;** a la intemperie durante la noche. □ SINÓN. *al fresco.* □ ETIMOL. Las acepciones 1 y 2, del latín *serenus* (sereno, sin nubes, apacible). Las acepciones 4-6, del latín *serenum*, y este de *serum* (la tarde, la noche).

serial s.m. Obra que se emite en capítulos por radio o por televisión, esp. la que tiene un carácter muy emotivo y pretende conmover y hacer llorar: *un serial radiofónico.*

seriar v. Poner en serie o formar series: *En el test nos daban unos datos que debíamos seriar en el menor tiempo posible.* □ ORTOGR. La *i* nunca lleva tilde.

sericicultor, -a s. →**sericultor.**

sericicultura s.f. →**sericultura.** □ ETIMOL. Del latín *sericus* (de seda) y *-cultura* (cultivo).

sericultor, -a s. Persona que se dedica a la sericultura. □ SINÓN. *sericicultor.*

sericultura s.f. Arte y técnica de la producción de la seda: *Los chinos eran expertos en sericultura.* □ SINÓN. *sericicultura.*

serie s.f. **1** Conjunto de cosas relacionadas entre sí que se suceden unas a otras: *Una semana es una serie de siete días.* **2** Conjunto de personas o cosas que tienen algo en común: *Hay una serie de alumnos que no está conforme con las notas.* **3** Obra que se emite por capítulos en radio o en televisión. **4** Conjunto de sellos, billetes o billetes de lotería que forman parte de una misma emisión. **5** En algunas competiciones deportivas, cada una de las pruebas eliminatorias para seleccionar a los mejores, que se enfrentarán en la final. **6** || **en serie;** referido a una forma de fabricación, que produce muchos objetos iguales, según un mismo patrón: *La fabricación en serie permite una producción rápida.* || **fuera de serie;** muy bueno, mucho mejor de lo que se considera normal: *Es una estudiante fuera de serie y obtiene unas notas extraordinarias.* □ ETIMOL. Del latín *series*, y este de *serere* (entretejer, encadenar).

seriedad s.f. **1** Responsabilidad, rigor y cuidado con que se hace algo. **2** Severidad o falta de humor o de alegría.

serigrafía s.f. Procedimiento de impresión en el que la imagen se graba tamizando la tinta con una pieza de seda. □ ETIMOL. Del latín *sericus* (de seda) y *-grafía* (representación gráfica).

serigrafiar v. Reproducir por medio de la serigrafía: *En este curso he aprendido a serigrafiar todo tipo de objetos.* □ ORTOGR. La *i* lleva tilde en los presentes, excepto en las personas *nosotros* y *vosotros* →GUIAR.

serio, ria adj. **1** Riguroso o responsable en la forma de actuar. **2** De aspecto severo o que impone respeto. **3** Importante o de consideración. **4** Riguroso o eficaz: *un equipo serio.* **5** || **en serio;** sin engaño o burla: *Te lo digo en serio, así que hazme caso.* □ ETIMOL. Del latín *serius.*

sermón s.m. **1** Discurso u oración de carácter didáctico que predica el sacerdote ante los fieles. **2** *col. desp.* Amonestación, reprensión o consejos, esp. cuando resultan largos y pesados. □ ETIMOL. Del latín *sermo* (conversación, diálogo, lengua, estilo).

sermonear v. *desp.* Echar sermones: *Cuando suspendo, mis padres me sermonean para que estudie más.*

serna s.f. Porción de terreno dedicado al cultivo. □ ETIMOL. Del celta **senara* (campo que se labra aparte) y este de **ar-* (arar) y **sen-* (prefijo que indica separación).

serodiagnóstico s.m. Diagnóstico de enfermedades por medio de las reacciones producidas en el suero o por el suero sanguíneo de los enfermos. □ ETIMOL. Del latín *serum* (suero) y *diagnóstico.*

seroja s.f. **1** Hojarasca seca que cae de los árboles. □ SINÓN. *serojo.* **2** Residuo o desperdicio que queda de la leña. □ SINÓN. *serojo.* □ ETIMOL. Del latín **seruculus*, de *serus* (tardío).

serojo s.m. →**seroja.**

serología s.f. Parte de la medicina que estudia los sueros y sus propiedades, esp. las inmunológicas. □ ETIMOL. Del latín *serum* (suero) y *-logía* (estudio, ciencia).

serológico, ca adj. Del suero sanguíneo o linfático o relacionado con él: *diagnóstico serológico; muestra serológica.*

serón s.m. Cesta grande, generalmente sin asas y más larga que ancha, que se usa para transportar cosas en un animal de carga.

seronegativo, va adj./s. Referido esp. a una persona, que ha dado negativo en un serodiagnóstico, esp. en el que se hace para detectar el sida. □ ETIMOL. Del inicio de *serodiagnóstico* y *negativo.*

seropositivo, va adj./s. Referido esp. a una persona, que ha dado positivo en un serodiagnóstico, esp. en el que se hace para detectar el sida. □ ETIMOL. Del inicio de *serodiagnóstico* y *positivo.*

serosa adj./s.f. →**membrana serosa.**

serosidad s.f. **1** Líquido segregado por las membranas serosas del cuerpo. **2** Líquido que se acumula en las ampollas que salen en la piel. □ ETIMOL. Del latín *serum* (suero).

seroso, sa ▌adj. **1** Del suero o de la serosidad, con sus características o relacionado con ellos. **2** Que produce serosidad. ▌s.f. **3** →**membrana serosa.**

seroterapia s.f. →**sueroterapia.**

serotonina s.f. Compuesto químico presente en la sangre, en el cerebro y en la mucosa gástrica, que actúa como vasoconstrictor y neurotransmisor: *La serotonina tiene un papel importante en el padecimiento de ciertas depresiones.*

serpear v. Andar o moverse haciendo eses como las serpientes: *El arroyo serpeaba por la pradera.* □ ETIMOL. Del latín *serpere* (arrastrarse).

serpentear v. Moverse o extenderse dando vueltas o haciendo eses como las serpientes: *El sendero serpentea y sube hasta la cima de la montaña.*

serpenteo s.m. Movimiento o dibujo que forma eses, como el de las serpientes al desplazarse.

serpentín s.m. Tubo largo enrollado en espiral que generalmente se usa para enfriar líquidos y vapores. □ ETIMOL. De *serpiente.*

serpentina s.f. Tira de papel enrollada que se usa en las fiestas, lanzándola sujeta por uno de los extremos.

serpiente s.f. **1** Reptil de cuerpo cilíndrico, escamoso y muy alargado, que no tiene patas y que vive en la tierra o en el agua. □ SINÓN. *culebra.* **2** || **serpiente de cascabel;** la venenosa que tiene en el extremo de la cola unos anillos con los que emite un ruido particular al moverse. □ SINÓN. *crótalo.* || **serpiente de coral;** la venenosa que tiene el cuerpo cubierto de escamas de color rojo, amarillo y negro y que se alimenta de otras serpientes. || **(serpiente) pitón;** la de gran tamaño que tiene la cabeza parcialmente cubierta de escamas pequeñas y que es propia de los continentes asiático y africano. □ ETIMOL. Del latín *serpens*, y este de *serpere* (arrastrarse). □ MORF. Es un sustantivo epiceno: *la serpiente {macho / hembra}.*

serrado, da adj. Con dientes semejantes a los de una sierra: *Dame el cuchillo que tiene el filo serrado.*

serrador, -a ▌adj./s. **1** →**aserrador.** ▌s.f. **2** →**aserradora.**

serradora s.f. →**aserradora.**

serraduras s.f.pl. Partículas que se desprenden de la madera al serrarla.

serraje s.m. Piel gruesa de algunos animales, preparada y curtida: *unas botas de serraje.*

serrallo s.m. En las viviendas musulmanas, parte destinada a las mujeres. □ SINÓN. *harem, harén.* □ ETIMOL. Del italiano *serraglio*, y este del persa *saray* (palacio).

serranía s.f. Terreno formado por montañas y sierras.

serranilla s.f. Composición poética, generalmente en versos de arte menor, que narra el encuentro en la sierra entre un caminante y una serrana, entre los que se suele entablar un diálogo de contenido erótico: *Son famosas las serranillas del Marqués de Santillana.*

serrano, na ▌adj. **1** *col.* Lozano o hermoso: *un cuerpo serrano.* ▌adj./s. **2** De una sierra, de una serranía o relacionado con ellas.

serrar (tb. *aserrar*) v. Cortar o dividir con una sierra: *Ese tronco tan grande no cabe en la chimenea y tendrás que serrarlo.* □ ETIMOL. Del latín *serrare.* □ MORF. Irreg. →PENSAR.

serrería s.f. Taller en el que se sierra madera: *Después de talar los árboles, llevan los troncos a la serrería.*

serreta s.f. **1** Ave palmípeda de figura esbelta, que tiene el cuello largo, una cresta en la cabeza y el pico aserrado, y que se alimenta de peces. **2** Sierra pequeña. □ MORF. En la acepción 1, es un sustantivo epiceno: *la serreta {macho / hembra}.*

serrín (tb. *aserrín*) s.m. Conjunto de partículas de madera que se desprenden al serrar. □ ETIMOL. Del latín *serrago.*

serrote s.m. En zonas del español meridional, serrucho.

serruchar v. En zonas del español meridional, aserrar: *Serruché las tablas en un momento.*

serrucho s.m. Sierra de hoja ancha que generalmente solo tiene una empuñadura.

serual s.m. Prenda de vestir femenina, que consiste en un velo que cubre el cuerpo de la cabeza a los pies y deja al descubierto uno de los ojos, dependiendo de si la mujer es soltera o casada: *Cuando visité Argelia, algunas mujeres llevaban serual.*

serum s.m. →**suero.** □ PRON. [sérum].

serval s.m. Mamífero carnívoro de cuerpo esbelto y patas largas, que tiene el pelaje amarillento con manchas oscuras y que vive en la sabana africana. □ ORTOGR. Dist. de *serbal.* □ MORF. Es un sustantivo epiceno: *el serval {macho / hembra}.*

serventesio s.m. **1** En métrica, estrofa formada por cuatro versos de arte mayor, de rima consonante, y cuyo esquema es *ABAB*: *El serventesio es una variante del cuarteto y se diferencia de este en la distribución de la rima.* **2** Composición poética provenzal, generalmente de tema moral o político y de tendencia satírica: *La lírica gallegoportuguesa tiene influencias del serventesio provenzal.* □ SINÓN. *sirventés.* □ ETIMOL. Del provenzal *sirventes.*

servicial adj.inv. Referido a una persona, que sirve con cuidado y que acude con prontitud a complacer y a servir.

servicio s.m. **1** Utilidad de algo para un fin o para el desempeño de una tarea o función: *No tires el paraguas porque todavía me hace un buen servicio.* **2** Beneficio o favor que se hacen a otra persona: *Menudo servicio me has hecho contándole eso a tu padre.* **3** Reparto o suministro de algo: *Una avería ha dejado sin servicio de electricidad a la población.* **4** En algunos deportes, esp. en el tenis, saque o puesta en juego de la pelota desde el campo propio. **5** Conjunto de objetos que se utilizan para algo: *un servicio de té.* **6** Organización y personal destinados a satisfacer las necesidades de una entidad o de los ciudadanos: *En el pueblo hay un buen servicio médico.* **7** En economía, prestación que satisface necesidades que no consisten en la producción de bienes materiales: *Los servicios se han convertido en el principal sector de la economía nacional.* **8** *euf.* Retrete. **9** || **al servicio** de alguien; expresión de cortesía que se usa como ofrecimiento para algo: *Mi coche está a tu servicio, así que cuando lo necesites no tienes más que cogerlo.* || **de servicio;** desempeñando un cargo o una función durante un turno de trabajo: *El policía rechazó la copa de vino porque estaba de servicio.* || **(servicio de) inteligencia;** organización secreta de un país para dirigir y organizar el espionaje. || **servicio (doméstico);** persona o conjunto de personas que se dedican profesionalmente a las tareas del hogar. || **servicio (militar);** el que presta un ciudadano a su país actuando como soldado en el ejército durante un período de tiempo determinado. □ SINÓN. *mili, milicia.* || **servicio social sustitutorio;** el que prestan los objetores, en sustitución del servicio militar. || **servicios mínimos;** los que se mantienen en una huelga: *El transporte público está en huelga, pero los servicios mínimos funcionan con normalidad.* □ ETIMOL. Del latín *servitium.* □ SINT. *De servicio* se usa más con los verbos *entrar*, *estar*, *salir* o equivalentes.

servidor, -a ▌s. **1** *col.* Expresión que usa la persona que habla para referirse a sí misma: *Un servidor se va a dormir.* ▌s.m. **2** En un sistema informático, dispositivo que se encarga de almacenar datos y dar servicio de los mismos a los clientes. **3** || **servidor público;** en zonas del español meridional, funcionario. □ ETIMOL. Del latín *servitor.* □ MORF. En la acepción 1, se usa con el verbo en tercera persona del singular. □ SINT. En la acepción 1, suele usarse precedido del artículo indeterminado. □ USO En la acepción 1, se usaba como expresión de cortesía para contestar cuando se era llamado: *Cuando decían en clase mi nombre, yo contestaba con un 'servidora'.*

servidumbre s.f. **1** Conjunto de criados que sirven en un tiempo o en una casa. **2** Estado o condición de siervo: *La colonia se independizó de la metrópoli y se liberó de la servidumbre.* **3** Obligación o carga inexcusables: *Su madre le impuso la servidumbre de cuidar del negocio familiar.* □ ETIMOL. Del latín *servitudo.*

servil adj.inv. Que indica o manifiesta servilismo. □ ETIMOL. Del latín *servilis.*

servilismo s.m. Sometimiento o ciega adhesión a la autoridad.

servilleta s.f. Pieza de tela o de papel que sirve para limpiarse las manos o los labios durante las comidas. □ ETIMOL. Del francés *serviette.*

servilletero s.m. Utensilio que sirve para meter las servilletas.

servio, via adj. →**serbio.**

servir ▌v. **1** Valer o ser de utilidad para un fin determinado: *Estos datos servirán para mi estudio.* **2** Estar al servicio de otro o hacer algo en su beneficio o en su favor: *Se dedica a servir en una casa de las afueras. El espía se justificó diciendo que servía a su patria.* **3** Referido a una persona, estar sujeto a ella, haciendo lo que esta quiere o dispone: *Los escuderos servían a los caballeros.* **4** Ser soldado en activo: *Sirve en un regimiento de caballería.* **5** Atender una mesa, trayendo o repartiendo los alimentos o las bebidas: *En este restaurante sirven cuatro camareros. Llevamos media hora esperando a que nos sirvan.* **6** En algunos deportes, esp. en el tenis, poner la pelota en juego desde el propio campo: *Esta tenista sirve con mucha potencia.* **7** Repartir o suministrar mercancías: *El repartidor sólo sirve los lunes.* **8** Referido a comida o a bebida, ponerlas en el plato o en el vaso: *¿Me sirves un poco más de arroz, por favor?* **9** Referido a Dios o a los santos, adorarlos o dedicarse a glorificarlos y venerarlos: *Las monjas se dedican a servir a Dios.* ▌prnl. **10** Referido a una acción, querer hacerla o acceder a ello: *Sírvase venir cuando tenga un momento.* **11** Utilizar para el uso propio: *Se sirvió de unas amistades para obtener la información.* □ ETIMOL. Del latín *servire* (ser esclavo, hacer de esclavo). □ MORF. Irreg. →PEDIR. □ SINT. Constr. de la acepción 11: *servirse* DE *algo.*

servo- Elemento compositivo prefijo que significa 'mecanismo o sistema auxiliar': *servodirección, servofreno, servomotor.* □ ETIMOL. Del latín *servus* (siervo).

servodirección s.f. En un vehículo, mecanismo adicional que facilita el movimiento del volante. □ ETIMOL. De *servo-* (mecanismo auxiliar) y *dirección.*

servofreno s.m. En un vehículo, freno cuya acción es amplificada por medio de un dispositivo eléctrico o mecánico. □ ETIMOL. De *servo-* (mecanismo auxiliar) y *freno.*

servomotor s.m. Motor auxiliar que aumenta la potencia del motor principal cuando este lo necesita. □ ETIMOL. De *servo-* (mecanismo auxiliar) y *motor.*

sesada s.f. **1** Conjunto de sesos de un animal. **2** Comida que se hace con sesos fritos.

sésamo s.m. **1** Planta herbácea con flores acampanadas cuyo fruto contiene numerosas semillas amarillentas, muy usadas como alimento y para la obtención de aceite. □ SINÓN. *ajonjolí.* **2** Semilla de esta planta: *pan de sésamo.* □ SINÓN. *ajonjolí.* □ ETIMOL. Del latín *sesamum.*

sesbania s.f. Arbusto de flores rojizas y semilla venenosa, que crece en las orillas de los ríos.

sesear v. Pronunciar la *z* o la *c* ante *e*, *i* como la *s*: *Si al leer 'zona' pronuncias [sóna], estás seseando.* □ SEM. Dist. de *cecear* (pronunciar la *s* como la *z* o como la *c* ante *e*, *i*).

sesenta ▌numer. **1** Número 60: *Quiere jubilarse a los sesenta años. Sesenta es el resultado de multiplicar diez por seis.* ▌s.m. **2** Signo que representa este número: *Los romanos escribían el sesenta como 'LX'.* □ ETIMOL. Del latín *sexaginta.* □ MORF. Como numeral es invariable en género y en número.

sesentavo, va numer. Referido a una parte, que constituye un todo junto con otras cincuenta y nueve iguales a ella: *Como éramos sesenta, a cada uno pagó una sesentava parte del regalo. Eran sesenta los herederos y a cada uno le tocó un sesentavo de la herencia.* □ SEM. Su uso como numeral ordinal es incorrecto: *Llegué en {*sesentava > sexagésima} posición.*

sesentón, -a adj./s. *col.* Referido a una persona, que tiene más de sesenta años y aún no ha cumplido los setenta.

seseo s.m. Pronunciación de la *z* o de la *c* ante *e*, *i* como la *s*: *En casi todas las zonas del español meridional se da el seseo y, así, muchos andaluces, los canarios y los hispanoamericanos pronuncian [sapáto] en lugar de [zapáto].* □ SEM. Dist. de *ceceo* (pronunciación de la *s* como la *z* o como la *c* ante *e*, *i*).

sesera s.f. **1** *col.* Juicio o inteligencia. **2** *col.* Cabeza humana.

sesereque adj.inv. En zonas del español meridional, borracho.

sesgado, da adj. Que manifiesta parcialidad o que obedece a determinados intereses: *una información sesgada.*

sesgar v. **1** Cortar o partir al sesgo u oblicuamente: *En lugar de cortar en la dirección indicada has sesgado la tela.* **2** Torcer o disponer de forma inclinada: *Sesgó el gesto cuando le dieron la mala noticia.* ☐ ETIMOL. De origen incierto. ☐ PRON. En zonas del español meridional no debe confundirse con *cejar.* ☐ ORTOGR. La *g* se cambia en *gu* delante de *e* →PAGAR.

sesgo s.m. Dirección o rumbo que toma un asunto, esp. si es desfavorable. ☐ ETIMOL. De *sesgar* (torcer a un lado).

sesión s.f. **1** Reunión o junta: *A esta sesión del Congreso han asistido casi todos los diputados.* **2** En un teatro o en un cine, cada una de las representaciones o de los pases que se celebran a distintas horas en un mismo día. **3** Espacio de tiempo durante el que se desarrolla una actividad: *El masajista me aseguró que notaría una mejoría a partir de la quinta sesión.* **4** || **levantar la sesión;** concluirla o darla por terminada: *La presidenta levantó la sesión en cuanto estuvieron resueltos todos los puntos del orden del día.* || **sesión golfa;** la que ofrecen los cines después de medianoche. ☐ ETIMOL. Del latín *sessio.*

seso s.m. **1** Masa de tejido nervioso contenida en el cráneo. **2** Madurez, juicio o prudencia: *Esta decisión indica que tienes poco seso.* **3** || **devanarse los sesos;** *col.* Pensar mucho en algo: *No te devanes los sesos porque no conseguirás resolver el acertijo.* || **sorberle el seso** a alguien; ejercer sobre él una gran influencia: *Tus amigos te tienen sorbido el seso y haces lo que ellos te digan.* ☐ ETIMOL. Del latín *sensus* (acción de percibir, inteligencia). ☐ ORTOGR. Dist. de *sexo.*

sesqui- **1** Elemento compositivo prefijo que significa 'unidad y media': *sesquicentenario.* **2** Elemento compositivo prefijo que indica la unidad más la fracción enunciada por el ordinal con el que va: *sesquitercio.* ☐ ETIMOL. Del latín *sesqui-.*

sesquicentenario, ria ▮ adj. **1** Relacionado con lo que tiene una centena y media: *El pedido incluye una cantidad sesquicentenaria.* ▮ s.m. **2** Fecha en la que se cumple un siglo y medio de un acontecimiento: *Este año se celebra el sesquicentenario del nacimiento de esa novelista.*

sesquitercio s.m. Parte formada por una unidad y un tercio.

sesshin (jap.) s.m. Período temporal dedicado a la práctica budista del zazen. ☐ PRON. [sesín].

sesteadero s.m. Lugar donde sestea el ganado. ☐ SINÓN. *sesteo.*

sestear v. **1** Dormir la siesta o descansar después de la comida: *Por las tardes suele sestear una media hora.* **2** Agruparse el ganado en un lugar con sombra para descansar: *En aquella pradera el ganado sesteaba bajo la sombra de algunos árboles.* ☐ ETIMOL. De *siesta.*

sesteo s.m. **1** Descanso durante el que se duerme la siesta. **2** Lugar donde sestea el ganado. ☐ SINÓN. *sesteadero.*

sestercio s.m. Antigua moneda romana de plata. ☐ ETIMOL. Del latín *sestertius.*

sesudo, da adj. **1** Que tiene prudencia, buen juicio o sentido común. **2** *col.* Inteligente o muy listo.

set s.m. **1** En algunos deportes, cada una de las partes en que se divide un partido: *set de tenis.* **2** Conjunto formado por una serie de elementos que sirven para el mismo fin o tienen una función común: *un set de limpieza.* **3** Plató cinematográfico o televisivo: *un set de televisión.* ☐ PRON. Del inglés *set.* ☐ USO Su uso es innecesario y puede sustituirse, en la acepción 1, por *manga,* en la acepción 2, por *juego* o *conjunto* y en la acepción 3, por *plató* o *estudio.*

seta ▮ adj.inv./s.com. **1** *col.* Referido a una persona, que no tiene gracia o que es muy soso. ▮ s.f. **2** Parte visible de algunos hongos que forma el aparato reproductor y que suele tener forma de sombrilla. ☐ ETIMOL. De origen incierto.

setecientos, tas ▮ numer. **1** Número 700: *Había setecientas personas en la conferencia. Quería muchas fotos de su boda y encargó setecientas.* ▮ s.m. **2** Signo que representa este número: *Los romanos escribían el setecientos como 'DCC'.* ☐ MORF. 1. Como numeral es invariable en número. 2. Incorr. *página {*setecientos > setecientas}.*

setenario s.m. →**septenario.**

setenta ▮ numer. **1** Número 70: *He escrito un artículo de setenta páginas para esa revista literaria. Setenta es siete veces diez.* ▮ s.m. **2** Signo que representa este número: *Los romanos escribían el setenta como 'LXX'.* ☐ ETIMOL. Del latín *septuaginta.* ☐ MORF. Como numeral es invariable en género y en número.

setentavo, va numer. Referido a una parte, que constituye un todo junto con otras sesenta y nueve iguales a ella: *Un centímetro es la setentava parte de una regla de setenta centímetros. Solo me ha pagado un setentavo de todo lo que me debe.* ☐ SEM. Su uso como numeral ordinal es incorrecto: *Llegué en {*setentava > septuagésima} posición.*

setentón, -a adj./s. *col.* Referido a una persona, que tiene más de setenta años y aún no ha cumplido los ochenta.

setiembre s.m. →**septiembre.**

sétimo, ma numer. →**séptimo.**

seto s.m. Cercado o valla hechos con palos o con ramas entretejidas o con plantas muy juntas: *Un seto rodea el jardín.* ☐ ETIMOL. Del latín *saeptum* (barrera, recinto).

setter (ing.) adj.inv./s.m. Referido a un perro, de la raza que se caracteriza por tener pelo largo, sedoso y ondulado, cabeza alargada y orejas caídas. ☐ PRON. [séter].

seudo- Elemento compositivo prefijo que significa 'falso': *seudópodo, seudoprofeta, seudovacaciones.* ☐ ETIMOL. Del griego *pseudo-,* y este de *pseudés* (mentiroso, falso). ☐ MORF. Puede adoptar la forma *pseudo-*. ☐ USO Se usa mucho en la lengua coloquial.

seudomona (tb. *pseudomona*) s.f. Bacilo con forma de bastón, muy resistente y que puede ocasionar diversas enfermedades, esp. de tipo óptico. ☐ ORTOGR. Se usa también *pseudomona*.

seudónimo s.m. Nombre falso utilizado por un autor para encubrir su nombre verdadero. ☐ ETIMOL. Del griego *pseudónymos*, y este de *pseudés* (falso) y *ónoma* (nombre). ☐ SEM. Dist. de *heterónimo* (nombre con que un autor firma parte de su obra cuando adopta una personalidad fingida).

seudópodo s.m. Prolongación transitoria de algunas células que les permite el movimiento y la nutrición. ☐ ETIMOL. De *seudo-* (falso) y *-podo* (pie). ☐ MORF. En círculos especializados se usa más *pseudópodo*.

severidad s.f. **1** Rigor, dureza o falta de tolerancia o de comprensión. **2** Exactitud y rigidez en el cumplimiento de una ley, una norma o una regla.

severo, ra adj. **1** Riguroso, áspero o duro en el comportamiento o falto de tolerancia y comprensión. **2** Exacto y rígido en el cumplimiento de una ley, una norma o una regla: *un juez severo.* ☐ ETIMOL. Del latín *severus*. ☐ SEM. No debe emplearse con el significado de *grave* (anglicismo): *Le han diagnosticado una {*severa > grave} enfermedad.*

seviche s.m. Comida americana que se prepara con pescado o marisco crudos en pequeños trozos, adobados con zumo de limón y condimentos picantes.

sevicia s.f. Crueldad excesiva. ☐ ETIMOL. Del latín *saevitia* (violencia, crueldad). ☐ USO Su uso es propio de la lengua culta.

sevillano, na ▌adj./s. **1** De Sevilla o relacionado con esta provincia española o con su capital: *En la capital sevillana se celebró una exposición universal en el año 1992.* ▌s.f.pl. **2** Música de origen andaluz y con la cual se cantan seguidillas: *Tócanos unas sevillanas, que tenemos ganas de bailar.* **3** Baile de pareja o individual que se ejecuta al compás de esta música: *En la feria de Sevilla, por todas partes se ve gente bailando sevillanas.*

sevillismo s.m. Afición por el Sevilla Fútbol Club (club deportivo andaluz).

sevillista adj.inv./s.com. Del Sevilla Fútbol Club (club deportivo andaluz) o relacionado con él.

sexador, -a s. Persona que se dedica profesionalmente a determinar el sexo de los animales.

sexagenario, ria adj./s. Que tiene más de sesenta años y aún no ha cumplido los setenta. ☐ ETIMOL. Del latín *sexagenarius*, y este de *sexageni* (de sesenta en sesenta).

sexagesimal adj.inv. Referido a un sistema de numeración o de medida, que tiene como base el número sesenta: *El sistema sexagesimal divide los grados de una circunferencia en sesenta minutos y estos, en sesenta segundos.*

sexagésimo, ma numer. **1** En una serie, que ocupa el lugar número sesenta: *La asociación cultural a la que pertenezco ha convocado su sexagésimo premio de poesía. Esta poesía es la sexagésima dentro del cómputo total de sus poemas.* **2** Referido a una parte, que constituye un todo junto con otras cincuenta y nueve iguales a ella: *Un minuto es la sexagésima parte de una hora. Un sexagésimo de los entrevistados no contestó a esta pregunta.* ☐ ETIMOL. Del latín *sexagesimus*, y este de *sexaginta* (sesenta). ☐ MORF. *Sexagésima primera* (incorr. **sexagésimo primera*), etc.

sex-appeal (ing.) s.m. Atractivo físico o sexual de una persona. ☐ PRON. [sexapíl].

sex center (ing.) s.m. ‖ Establecimiento que ofrece actividades relacionadas con el erotismo o con la excitación sexual. ☐ PRON. [sex cénter].

sexcentésimo, ma numer. **1** En una serie, que ocupa el lugar número seiscientos: *Ese año se conmemoró el sexcentésimo aniversario del nacimiento de un gran poeta español.* **2** Referido a una parte, que constituye un todo junto con otras quinientas noventa y nueve iguales a ella: *La sexcentésima parte de 600 es 1.* ☐ ETIMOL. Del latín *sexcentesimus*. ☐ MORF. *Sexcentésima primera* (incorr. **sexcentésimo primera*).

sexenio s.m. Período de tiempo de seis años. ☐ ETIMOL. Del latín *sexennium*, y este de *sex* (seis) y *annus* (año).

sexi adj.inv. →**sexy.**

sexismo s.m. Discriminación o valoración de las personas según su sexo.

sexista adj.inv./s.com. Que discrimina o valora a las personas según su sexo.

sexo s.m. **1** Condición orgánica de los seres vivos por la que se distingue el macho de la hembra: *En algunas especies animales es difícil distinguir el sexo de sus individuos.* **2** Conjunto de individuos de una especie que tienen esta condición orgánica igual: *Las mujeres y las niñas forman parte del sexo femenino.* **3** Órganos sexuales externos: *Las fotos en las que se le veía el sexo fueron censuradas.* **4** Lo que está relacionado con la reproducción o con el placer sexual: *una escena de sexo en una película.* **5** ‖ **sexo débil;** *euf.* Conjunto de las mujeres: *Tradicionalmente se ha utilizado mucho el tópico sexo débil para designar a las mujeres.* ‖ **sexo fuerte;** *euf.* Conjunto de los hombres: *Habría mucho que discutir sobre si el tradicionalmente considerado sexo fuerte lo es realmente.* ☐ ETIMOL. Del latín *sexus*. ☐ ORTOGR. Dist. de *seso*. ☐ SEM. Dist. de *género* (alude a la diferenciación gramatical entre masculino, femenino y neutro).

sexología s.f. Estudio del comportamiento sexual humano y de lo relacionado con él. ☐ ETIMOL. De *sexo* y *-logía* (estudio, ciencia).

sexólogo, ga s. Especialista en sexología.

sexoturismo s.m. Turismo que se hace con fines sexuales: *Sexoturismo y prostitución infantil suelen ir unidos y son un grave problema social contra el que hay que luchar internacionalmente.*

sexoturista s.com. Persona que hace turismo con fines sexuales: *Según la estadística publicada por ese organismo internacional, los sexoturistas proce-*

den mayoritariamente de países económicamente ricos y los países que ofrecen sexoturismo suelen ser económicamente pobres, lo que permite interpretar el sexoturismo como una forma de opresión económica que se debería erradicar.

sex-shop (ing.) s.m. Tienda en la que se venden artículos eróticos o que ofrece servicios relacionados con el erotismo o con la excitación sexual. □ PRON. [sexchóp], con *ch* suave.

sex-symbol (ing.) s.com. Persona que es considerada como representante del atractivo sexual. □ PRON. [sexímbol].

sexta s.f. Véase **sexto, ta**.

sextante s.m. Instrumento astronómico para las observaciones marítimas que está formado por un sector de círculo dividido en sesenta grados y un juego de lentes y espejos. □ ETIMOL. Del latín *sextans* (sexta parte).

sexteto s.m. **1** Composición musical escrita para seis instrumentos o para seis voces: *Son famosos los quintetos y sextetos para cuerda de Brahms.* **2** Conjunto formado por este número de instrumentos o de voces: *El grupo de cámara que actúa hoy es un sexteto.* **3** En métrica, estrofa formada por seis versos de arte mayor, generalmente endecasílabos: *Fray Luis de León utilizó el sexteto en sus versos.* □ ETIMOL. Del latín *sextum* (sexto).

sextilla s.f. En métrica, estrofa formada por seis versos de arte menor: *La copla de pie quebrado es un tipo de sextilla.*

sextillizo, za adj./s. Que ha nacido de un parto séxtuplo.

sextina s.f. **1** Composición poética de origen provenzal, que consta de seis estrofas con seis versos endecasílabos y una última estrofa con tres, y en las cuales las palabras finales van formando una serie que se repite con distinto orden en cada estrofa: *La sextina fue cultivada, entre otros, por el italiano Petrarca y por el español Herrera.* **2** En métrica, estrofa de seis versos endecasílabos que forma parte de esta composición: *Las palabras finales de los seis versos de cada sextina deben ser distintas y sin rima entre sí.* **3** En métrica, estrofa de origen italiano, formada por seis versos endecasílabos, y cuyo esquema originario es ABABCC: *El esquema típico de la sextina barroca sufrió modificaciones en el Romanticismo.* □ SINÓN. *sexta rima.* □ ETIMOL. De *sexta*.

sexto, ta ▌ numer. **1** En una serie, que ocupa el lugar número seis: *Vivo en el sexto piso. Soy el sexto de mis hermanos.* **2** Referido a una parte, que constituye un todo junto con otras cinco iguales a ella: *Se ha llenado solo la sexta parte del teatro. Divide la tarta en seis partes y coge un sexto para ti.* □ SINÓN. *seisavo.* ▌ s.f. **3** En la iglesia católica, quinta de las horas canónicas: *La sexta se reza después de la tercia.* □ ETIMOL. Del latín *sextus*.

sextuplicación s.f. Multiplicación por seis o conversión de algo en seis veces mayor.

sextuplicar v. Multiplicar por seis o hacer seis veces mayor: *Empecé en el negocio con dos millones y ahora he sextuplicado mi fortuna.* □ ETIMOL. Del latín *sextus* (sexto) y *plicare* (doblar). □ ORTOGR. La *c* se cambia en *qu* delante de *e* →SACAR.

séxtuplo, pla numer. Referido a una cantidad, que es seis veces mayor: *Respecto a lo que empecé ganando, ahora gano una cantidad séxtupla. Treinta y seis es el séxtuplo de seis.* □ ETIMOL. Del latín *sextuplus*.

sexuado, da adj. Referido a un ser vivo, que tiene órganos sexuales bien desarrollados y aptos para la fecundación: *Las personas somos seres sexuados.*

sexual adj.inv. Del sexo, de la sexualidad o relacionado con ellos. □ ETIMOL. Del latín *sexualis* (femenino). □ ORTOGR. Dist. de *sensual*.

sexualidad s.f. **1** Conjunto de características anatómicas, fisiológicas y psicológicas propias de cada sexo o de cada persona en lo relacionado con el sexo: *La sexualidad masculina es diferente de la femenina.* **2** Deseo sexual o tendencia a disfrutar del placer sexual: *Ese actor ha sido tan censurado y adorado porque desprende sexualidad en cada movimiento.* □ ORTOGR. Dist. de *sensualidad*.

sexualista adj.inv./s.com. Que defiende la libertad sexual o que está a favor de ella.

sexy (ing.) (pl. *sexys*) adj.inv. Que tiene atractivo sexual o que lo resalta. □ PRON. [séxi]. □ ORTOGR. Se usa también *sexi*.

seyal s.m. Árbol de ramas espinosas y flores amarillas, solitarias o en grupos: *De la corteza del seyal se obtienen taninos.*

seychelense adj.inv./s.com. →**seychellense.**

seychellense (tb. *seychelense*) adj.inv./s.com. De Seychelles o relacionado con este país del océano Índico.

sfumato (it.) s.m. Técnica pictórica que consiste en dar a las figuras contornos difusos, difuminados o borrosos para crear un juego de sombras suaves. □ PRON. [esfumáto].

sha (ing.) s.m. →**sah.** □ PRON. [cha], con *ch* suave.

shabu shabu (jap.) s.m. ‖ Comida de origen japonés, que se hace con pequeños trozos de carne que el comensal cuece a su gusto en un caldo de verduras en el momento de comerla. □ PRON. [chábu chábu], con *ch* suave.

shantung (ing.) (tb. *chantoung*) s.m. Tela de seda originaria de china. □ ETIMOL. Por alusión a Shantung, antiguo nombre de Shandong, provincia de donde procedía esta tela. □ PRON. [chantún], con *ch* suave.

share (ing.) s.m. Porcentaje de audiencia de un programa de radio o de televisión. □ PRON. [cher], con *ch* suave. □ USO Su uso es innecesario y puede sustituirse por *porcentaje de audiencia*.

shareware (ing.) s.m. Programa informático que se descarga libremente desde internet y que puede utilizarse gratuitamente durante un período de prueba. □ PRON. [chérgüer], con *ch* suave.

sharia (ár.) (tb. *charia*) s.f. Ley islámica cuya fuente principal es el Corán (libro sagrado del islamismo). □ PRON. [chária], con *ch* suave.

sharoni s.m. Fruta comestible de origen asiático, que es una variedad del caqui. ☐ ETIMOL. Extensión del nombre de una marca comercial. ☐ PRON. [saróni].

sharp (ing.) adj.inv./s.com. Referido a una persona, que es violento, antirracista y lleva la cabeza rapada. ☐ ETIMOL. Es el acrónimo del inglés *Skin Heads Against Racial Prejudice* (cabezas rapadas contra los prejuicios raciales). ☐ PRON. [charp], con *ch* suave.

shar pei s.m. || Perro de origen chino, con la piel arrugada, el hocico romo y el pelo corto. ☐ PRON. [char péi], con *ch* suave.

shatoosh s.m. Chal elaborado con el pelo de la barba de los machos cabríos himalayos. ☐ PRON. [chatús], con *ch* suave.

shequel (pl. *shequels, sheqalim*) s.m. Unidad monetaria israelí.

sheriff (ing.) s.m. En algunos países, esp. en Estados Unidos, persona encargada de mantener la ley y el orden en algunas circunscripciones. ☐ PRON. [chérif], con *ch* suave.

sherpa (nep.) adj.inv./s.com. **1** Del pueblo nepalí que habita en la zona del Himalaya (cadena montañosa asiática), o relacionado con él. **2** Guía o porteador perteneciente a este pueblo. ☐ PRON. [chérpa], con *ch* suave.

sherry (ing.) s.m. →**jerez.** ☐ PRON. [chérri], con *ch* suave.

shetland (ing.) s.m. **1** Tejido suave fabricado con lana escocesa. **2** Prenda de vestir, esp. si es un jersey, hecha con este tejido: *Tengo un shetland que me trajeron de Escocia.* ☐ ETIMOL. Por alusión a Shetland, región de Escocia de la que procede este tejido. ☐ PRON. [chétland], con *ch* y *d* suaves. ☐ SINT. Se usa mucho en aposición, pospuesto a un sustantivo: *una chaqueta shetland.*

shiatsu s.m. Técnica curativa de origen oriental que consiste en presionar con los dedos en determinados puntos del cuerpo humano para curar ciertas enfermedades. ☐ ETIMOL. Del japonés *shi* (dedos) y *atsu* (presión). ☐ PRON. [siátsu].

shih tzu (tb. *shih-tzu*) s.m. || Perro de origen asiático y de largo pelaje. ☐ PRON. [chítsu], con *ch* suave.

shií (pl. *shiíes, shiís*) adj.inv./s.com. →**chiita.** ☐ PRON. [chií], con *ch* suave.

shiso (jap.) s.m. Planta herbácea de origen asiático, muy aromática, que es uno de los ingredientes del sushi: *Hay dos variedades de shiso: una, de hojas verdes, y otra, de hojas rojas.* ☐ PRON. [chíso], con *ch* suave.

shock (ing.) s.m. →**choque.**

shogun (jap.) s.m. →**sogún.** ☐ PRON. [chogún], con *ch* suave.

shopping (ing.) s.m. *col.* Compra de objetos: *ir de shopping.* ☐ PRON. [chópin], con *ch* suave. ☐ USO Su uso es innecesario.

shopping centre (ing.) s.m. || Centro comercial que agrupa a diversas tiendas de distintos tipos. ☐ PRON. [chópin sénter], con *ch* suave. ☐ USO Su uso es innecesario.

short (ing.) s.m. **1** Pantalón corto que llega como mucho a la mitad del muslo. **2** || **short (de baño);** en zonas del español meridional, bañador de hombre. ☐ PRON. [chort], con *ch* y *t* suaves.

show (ing.) (pl. *shows*) s.m. **1** Espectáculo o número de variedades. **2** Situación o acción en las que se llama la atención de la gente: *Como vuelvas a montar un show así delante de todos, no vuelvo a salir contigo.* ☐ PRON. [chóu], con *ch* suave. ☐ USO La acepción 2 se usa más en la expresión *montar un show.*

show-business (ing.) s.m. Negocio del mundo del espectáculo. ☐ PRON. [chóu bísnes], con *ch* suave.

showgirl (ing.) s.f. Mujer que se dedica profesionalmente a desnudarse delante del público. ☐ PRON. [chóuguerl], con *ch* suave.

showman (ing.) s.m. Presentador o artista famoso que interviene en un espectáculo. ☐ PRON. [chóuman], con *ch* suave. ☐ MORF. Como femenino se usa *showoman.*

showview (ing.) (tb. *show view*) s.m. Sistema de grabación de algunos vídeos mediante un código de barras. ☐ PRON. [chóuviu], con *ch* suave.

shunt (ing.) s.m. Resistencia que se monta en derivación para limitar la corriente que pasa por un circuito. ☐ PRON. [chunt], con *ch* suave.

shura (ár.) s.f. Órgano consultivo o junta de consejo de algunos países árabes. ☐ PRON. [chúra], con *ch* suave.

si ▌s.m. **1** En música, séptima nota de la escala de do mayor. ▌conj. **2** Enlace gramatical subordinante con valor condicional que expresa condición o suposición: *Saldré si no llueve.* **3** Enlace gramatical subordinante que introduce oraciones interrogativas indirectas, a veces con matiz de duda: *No sé si va a venir.* **4** Precedida del adverbio 'como' o de la conjunción 'que', indica comparación: *Grita como si lo estuvieran matando.* **5** Enfatiza expresiones de duda o afirmación: *Fíjate si es tonto que cree que las vacas vuelan.* **6** Introduce oraciones desiderativas: *Si pudieras ayudarme...* **7** Enlace gramatical con valor distributivo y que, repetido, se usa para coordinar: *Si voy te quejas, si no voy también.* **8** Enlace gramatical coordinante con valor adversativo: *Si aprobé las matemáticas, suspendí la física.* **9** Seguido del adverbio de negación 'no', forma expresiones elípticas que equivalen a *en caso contrario* o *de otra forma*: *Limpia los zapatos, si no, te quedas aquí.* **10** || **si bien;** enlace gramatical coordinante con valor adversativo: *Si bien yo no puedo, buscaré a alguien que lo haga.* ☐ SINÓN. *aunque.* ☐ ETIMOL. La acepción 1, de las iniciales de las palabras *Sancte Ioannes*, que aparecen en el himno de San Juan Bautista, de donde se sacó el nombre de todas las notas musicales. Las acepciones 2-10, del latín *si.* ☐ ORTOGR. 1. Dist. de *sí.* 2. En la acepción 9, dist. de *sino.* ☐ MORF. En la acepción 1, su plural es *sis.*

sí ▌pron.pers. **1** Forma reflexiva de la tercera persona que corresponde a la función de complemento precedido de preposición: *Volvió en sí después de estar un minuto inconsciente.* ▌s.m. **2** Permiso o consentimiento: *Esperó el sí con ansiedad.* ▌adv. **3** Expresa afirmación, esp. en respuesta a una pregunta: *Sí, quiero verte.* **4** Expresa un énfasis especial: *Tu casa sí que es bonita.* **5** ‖ **de por sí;** sin tener en cuenta otras cosas o aparte de lo demás: *Si el chico ya es de por sí travieso, cuando se junta con otros es un vándalo.* ‖ **porque sí;** *col.* Sin causa justificada y solo por propia voluntad: *Vendrás conmigo porque sí.* □ ETIMOL. La acepción 1, del latín *sibi* (dativo de *sui*, suyo). Las acepciones 2-4, del latín *sic* (así). □ ORTOGR. Dist. de *si.* □ MORF. 1. Como pronombre, no tiene diferenciación de género ni de número. 2. En la acepción 2, su plural es *noes.*

sial s.m. En geología, capa exterior de la corteza terrestre, que está compuesta principalmente por sílice y aluminio. □ ETIMOL. Del inicio de *silicio* y del inicio de *aluminio.*

sialismo s.m. Secreción excesiva de saliva. □ SINÓN. *sialorrea.* □ ETIMOL. Del griego *siálon* (saliva).

sialorrea s.m. →**sialismo.**

siamés, -a ▌adj./s. **1** Referido a un gato, de la raza que se caracteriza por ser de color pardo o grisáceo, con las orejas, las patas, el hocico y la cola más oscuros. ▌s.m.pl. **2** →**hermanos siameses.** □ ETIMOL. De Siam (antiguo nombre de Tailandia).

sibarita adj.inv./s.com. Aficionado al lujo y a los placeres refinados. □ ETIMOL. Del latín *sybarita*, y este del griego *sybarítes* (habitante de Síbaris, ciudad italiana), porque tenían fama de ser dados al lujo.

sibaritismo s.m. Gusto por el lujo y los placeres muy refinados.

siberiano, na adj./s. De Siberia o relacionado con esta región asiática.

sibila s.f. Mujer a la que los antiguos griegos y romanos atribuían el poder de predecir el futuro. □ ETIMOL. Del latín *sibylla*, y este del griego *síbylla* (profetisa).

sibilancia s.f. Sonido que se oye en el pecho, mediante la auscultación, cuando hay un broncoespasmo: *Las sibilancias suelen estar acompañadas de tos.*

sibilante ▌adj.inv. **1** Referido a un sonido, que se articula haciendo pasar el aire por un estrecho canal formado por la lengua y los alveolos superiores: *Para pedir silencio se hace un sonido sibilante.* □ SINÓN. *silbante.* ▌s.f. **2** Letra que representa este sonido: *La 's' es una sibilante.* □ ETIMOL. Del latín *sibilans*, y este de *sibilare* (silbar).

sibilino, na adj. Oscuro, misterioso o que encubre varios significados.

siboney (pl. *sibonéis*) adj.inv./s.com. De un antiguo pueblo que en la época de la conquista española habitaba en Cuba (país americano), o relacionado con él.

sic (lat.) adv. Así, de este modo o tal y como se reproduce: *En un cartel de propaganda había escrito 'Tenga las mejores bacaciones (sic) de su vida'.* □ USO Se usa en textos escritos, generalmente entre paréntesis, para dar a entender que una palabra que pudiera parecer un error es textual.

sicalipsis (pl. *sicalipsis*) s.f. Picardía o malicia en el terreno sexual.

sicalíptico, ca adj. Pícaro o malicioso en el terreno sexual. □ ETIMOL. Del griego *sŷkon* (vulva) y *aleiptikós* (lo que sirve para frotar o excitar), palabra creada para anunciar una obra pornográfica.

sicario, ria s. **1** Persona que asesina a cambio de dinero. **2** Persona que coopera servilmente con otra más poderosa y la ayuda en sus acciones y planes. □ ETIMOL. Del latín *sicarius*, y este de *sica* (puñal).

siciliano, na ▌adj./s. **1** De Sicilia (isla mediterránea italiana), o relacionado con ella. ▌s.m. **2** Dialecto del italiano que se habla en esta isla.

sico- →**psico-.**

sicoanálisis (pl. *sicoanálisis*) s.m. →**psicoanálisis.**

sicodelia s.f. →**psicodelia.**

sicodélico, ca adj. →**psicodélico.**

sicofanta s.m. Persona que calumnia o que resulta ser una impostora. □ SINÓN. *sicofante.* □ ETIMOL. Del griego *sykophántes* (delator, calumniador), y este de *sŷkon* (higo) y *pháino* (yo descubro), porque originalmente era el que denunciaba a los exportadores de higos.

sicofante s.m. →**sicofanta.**

sicofísica s.f. →**psicofísica.**

sicología s.f. →**psicología.**

sicológico, ca adj. →**psicológico.**

sicólogo, ga s. →**psicólogo.**

sicomoro (tb. *sicómoro*) s.m. Árbol de tronco amarillento y madera muy resistente, que tiene las hojas ásperas y el fruto pequeño y comestible en forma de higo. □ ETIMOL. Del latín *sicomorus*, y este del griego *sŷkon* (higo) y *móros* (moral).

sicono s.m. Fruto carnoso formado por numerosas semillas que se encuentran en el interior de un receptáculo carnoso con forma de saco cónico. □ ETIMOL. Del latín *siconus*, y este del griego *sŷkon* (higo).

sicópata s.com. →**psicópata.**

sicopatía s.f. →**psicopatía.**

sicosis (pl. *sicosis*) s.f. →**psicosis.**

sicosomático, ca adj. →**psicosomático.**

sicotécnico, ca adj. →**psicotécnico.**

sicoterapia s.f. →**psicoterapia.**

sicrómetro s.m. →**psicrómetro.**

sida s.m. Enfermedad infecciosa producida por un virus, que se transmite sexualmente o a través de la sangre y que destruye los mecanismos de defensa del cuerpo humano. □ ETIMOL. Es el acrónimo de *síndrome de inmunodeficiencia adquirida.*

sidafobia s.f. Temor anormal y obsesivo al contagio de sida. □ ETIMOL. De *sida* y *-fobia* (aversión).

sidático, ca adj./s. *col.* Referido a una persona, que padece sida.

sidecar s.m. Especie de cochecito con una rueda lateral que se acopla al costado de una motocicleta para transportar a una o dos personas. □ ETIMOL. Del inglés *side* (lado) y *car* (coche).

sideral adj.inv. **1** De los astros, de las estrellas o relacionado con ellos: *el espacio sideral.* ☐ SINÓN. *sidéreo.* **2** *col.* Referido esp. a una cantidad o a una distancia, que se considera desmesuradamente grande: *En el partido quedó de manifiesto la distancia sideral que hay entre los dos equipos.* ☐ ETIMOL. Del latín *sideralis*, y este de *sidus* (constelación, estrella).

sidéreo, a adj. →**sideral.**

siderita s.f. Mineral de color amarillento, marrón o negro, translúcido y de brillo vítreo, que es pesado, frágil y quebradizo: *La siderita es una importante mena del hierro.* ☐ ETIMOL. Del griego *siderítes*, y este de *síderos* (hierro).

siderolito s.m. Meteorito constituido fundamentalmente por material rocoso y metales. ☐ ETIMOL. Del latín *sidus* (estrella) y el griego *líthos* (piedra).

siderometalúrgico, ca adj. De la siderurgia y la metalurgia conjuntamente, o relacionado con ellas.

siderurgia s.f. Técnica de extraer y de elaborar industrialmente el hierro. ☐ ETIMOL. Del griego *síderos* (hierro) y *érgon* (obra).

siderúrgico, ca adj. De la siderurgia o relacionado con ella.

sídico, ca adj. Del sida o relacionado con esta enfermedad: *el virus sídico.*

sidoso, sa adj./s. *col. desp.* Referido a una persona, que padece sida. ☐ SINÓN. *sidático.*

sidra s.f. Bebida alcohólica obtenida por la fermentación de zumo de manzanas. ☐ ETIMOL. Del latín *sicera* (bebida embriagante de los hebreos).

sidrería s.f. Establecimiento en el que se vende sidra o se sirve como especialidad.

sidrero, ra ▌adj. **1** De la sidra o relacionado con ella. ▌adj./s. **2** Referido a una persona, que tiene especial gusto por la sidra. ▌s. **3** Persona que se dedica a la elaboración o venta de sidra.

siega s.f. **1** Corte o recolección del cereal maduro o de la hierba. **2** Tiempo en que se siega. **3** Conjunto de cereal segado.

siembra s.f. **1** Colocación o esparcimiento de las semillas sobre la tierra para que germinen. **2** Tiempo en que se siembra.

siemens s.m. En el Sistema Internacional, unidad de conductancia. ☐ ETIMOL. Por alusión a C. W. Siemens, ingeniero alemán. ☐ ORTOGR. Su símbolo es *S*, por tanto, se escribe sin punto.

siempre adv. **1** En todo momento o durante toda la vida: *Siempre dices que no. Te querré siempre.* **2** En todo caso o por lo menos: *Aunque no puedo acompañarte, siempre tienes la posibilidad de llamar a alguien.* **3** ‖ **hasta siempre;** expresión que se usa como despedida y que encierra un sentimiento positivo muy profundo: *No os olvidaré, ¡hasta siempre!* ‖ **siempre {que/y cuando};** enlace gramatical subordinante con valor condicional: *Saldrás a jugar siempre que hayas hecho los deberes.* ☐ ETIMOL. Del latín *semper*. ☐ SEM. La acepción 1, en la expresión *siempre jamás*, tiene un matiz intensivo.

siempretieso s.m. Juguete que lleva un contrapeso en la base y que, movido en cualquier dirección, vuelve siempre a quedar vertical. ☐ SINÓN. *tentempié, tentetieso.*

siempreverde s.f. Arbusto con hojas de color verde brillante, flores blancas, solitarias o en grupos y fruto purpúreo: *La siempreverde se suele utilizar para formar setos.* ☐ SINÓN. *mioporo.*

siempreviva s.f. **1** Planta herbácea que tiene flores que duran sin alterarse mucho tiempo después de ser cortadas. **2** Flor de esta planta.

sien s.f. Cada una de las dos partes laterales de la cabeza comprendidas entre la frente, la oreja y la mejilla. ☐ ETIMOL. De origen incierto.

siena adj.inv./s.m. De color castaño más o menos oscuro. ☐ ETIMOL. Del italiano *terra di Siena* (tierra de Siena).

sienita s.f. Roca parecida al granito, de color grisáceo o pardo, pero más pobre en cuarzo. ☐ ETIMOL. Por alusión a Siena, antiguo nombre de la ciudad egipcia de Asuán, donde había canteras de esta roca.

sierpe s.f. **1** Serpiente o culebra, esp. las de gran tamaño. **2** Persona antipática o que está muy enfadada: *Cuando aquella sierpe entró en el despacho con esa cara, todos nos pusimos a temblar.* **3** Lo que se mueve de forma ondulante como una serpiente: *una sierpe de hormigas.* ☐ ETIMOL. Del latín *serpens* (serpiente).

sierra s.f. **1** Herramienta formada por una hoja de acero dentada provista de una empuñadura, que sirve para cortar madera u otros objetos duros. **2** Cordillera montañosa de poca extensión o con montes y peñascos cortados. ☐ ETIMOL. Del latín *serra.*

sierraleonés, -a adj./s. De Sierra Leona o relacionado con este país africano.

siervo, va s. **1** En el sistema feudal, campesino sometido personalmente al poder del señor: *Los siervos debían obediencia absoluta a su señor, que los protegía.* **2** Persona totalmente entregada al servicio de otra: *Ese es el siervo fiel del director general.* ☐ ETIMOL. Del latín *servus* (esclavo).

sieso, sa ▌adj./s. **1** *col.* Referido esp. a una persona o a su carácter, que es antipático, seco o poco amable. ▌s.m. **2** Parte del cuerpo humano que comprende el ano y la parte inferior del intestino recto.

siesta s.f. Sueño breve que se echa después de comer. ☐ ETIMOL. Del latín *hora sexta* (la sexta hora del día, que correspondía a las doce).

siete ▌numer. **1** Número 7: *Mi sobrino tiene siete años. Siete es un número primo.* ▌s.m. **2** Signo que representa este número: *Los romanos escribían el siete como 'VII'.* **3** *col.* Roto en forma de ángulo que se hace en un vestido o en una tela: *Me enganché con la mesa y se me hizo un siete en la falda.* **4** ‖ **(las) siete y media;** juego de cartas en el que gana el jugador que hace 7,5 puntos exactos o el que se acerque más a ellos sin sobrepasarlos: *Para jugar a las siete y media, es mejor plantarse con pocos puntos que pasarse.* ☐ ETIMOL. Del latín *septem.* □ MORF. Como numeral es invariable en género y en número.

sietemesino, na adj./s. Que nace a los siete meses de gestación en vez de a los nueve normales.

sievert s.m. En el Sistema Internacional, unidad de dosis de radiación que equivale a un julio por kilogramo. □ ETIMOL. Por alusión a R. Sievert, físico sueco. □ ORTOGR. Su símbolo es *Sv*, por tanto, se escribe sin punto.

sifilazo s.m. *col.* Infección de sífilis.

sífilis (pl. *sífilis*) s.f. Enfermedad infecciosa de transmisión sexual que puede ser tratada en sus primeras fases con penicilina y que ha ocasionado una gran mortandad en tiempos pasados. □ ETIMOL. Del latín *Syphilis* (título de un poema cuyo protagonista contrae este mal).

sifilítico, ca ▮ adj. **1** De la sífilis o relacionado con ella. ▮ adj./s. **2** Que padece sífilis.

sifón s.m. **1** Botella cerrada herméticamente que contiene agua con gas carbónico y que tiene en la boca un mecanismo que, al ser presionado, deja salir el agua empujada por la presión del gas. **2** Agua carbónica que contiene esta botella: *un vino con sifón.* **3** Tubo doblemente acodado que retiene el agua y que impide así la salida de los gases de las cañerías al exterior. □ ETIMOL. Del latín *sipho*, y este del griego *síphon* (tubo, cañería).

sigilo s.m. Secreto con el que se hace algo: *Trataron el tema con sigilo para que no se enterara nadie.* □ ETIMOL. Del latín *sigilum* (signo, marca, sello), porque un asunto llevado con sigilo es como si estuviera guardado bajo sello.

sigilografía s.f. Estudio de los sellos empleados para autorizar documentos, cerrar pliegos u otros usos oficiales. □ ETIMOL. Del antiguo *sigilo* (sello) y *-grafía* (descripción, tratado).

sigiloso, sa adj. Con sigilo.

sigla s.f. **1** Término formado con las iniciales de otras palabras que forman un enunciado: *'DNI' es la sigla de 'Documento Nacional de Identidad'.* **2** Cada una de las letras iniciales de las palabras que forman parte de una denominación y que, juntas, constituyen uno de estos términos: *La palabra 'ONG' está formada por las siglas 'O', 'N', 'G'.* □ ETIMOL. Del latín *sigla* (cifras, abreviaturas). □ PRON. Las siglas que no son acrónimos, se deletrean: *ONG* se pronuncia [oenegé], no *[ong]. □ ORTOGR. 1. Se escriben sin separación por blancos ni por puntos, salvo que formen parte de un texto en mayúsculas: *PRODUCTO LIBRE DE C.F.C. 2. Las siglas que no son acrónimos, se escriben normalmente con todas las letras mayúsculas y sin tilde. 3. Nunca deben dividirse con guión de final de línea, salvo que la sigla sea un acrónimo incorporado al léxico común.* □ MORF. No tienen forma escrita de plural (*unas ONG*; incorr. **ONG'S*, **ONGs*), salvo que la sigla sea un acrónimo incorporado al léxico común (*radares*).

siglario s.m. Catálogo de siglas con explicación de cada una de ellas.

siglo s.m. Período de tiempo de cien años. □ SINÓN. *centuria.* □ ETIMOL. Del latín *saeculum* (generación, época). □ USO El siglo XX acaba el 31 de diciembre del año 2000 (y no el 31 de diciembre de 1999).

sigma s.f. En el alfabeto griego clásico, nombre de la decimoctava letra: *La grafía de la sigma minúscula en final de palabra es similar a nuestra 's' y en los demás casos es 'σ'.*

signar v. **1** Hacer, poner o imprimir un signo o sello: *El aduanero signa las maletas revisadas con una cruz blanca.* **2** Poner la firma: *El contrato deberán signarlo el comprador, el vendedor y el notario.* **3** Hacer la señal de la cruz sobre algo: *Al dar el sacramento de la confirmación, el sacerdote signa la frente con óleo.* □ ETIMOL. Del latín *signare*.

signatario, ria adj./s. Que firma.

signatura s.f. Marca o nota que se pone sobre algo para distinguirlo, esp. la formada por números y letras que se pone a un libro o a un documento para indicar su colocación en una biblioteca o en un archivo. □ ETIMOL. Del latín *signatura*. □ ORTOGR. Dist. de *asignatura*.

significación s.f. **1** Sentido o significado de algo, esp. de una palabra o frase: *Los diccionarios explican la significación de las palabras.* **2** Importancia o valor de algo: *Analizaremos los hechos de mayor significación en la vida del país.*

significado, da ▮ adj. **1** Conocido, importante o que goza de estimación: *Esas declaraciones proceden de un significado miembro del partido.* ▮ s.m. **2** Significación o sentido de algo: *¿Puedes decirme cuál es el significado de tu actitud?* **3** En lingüística, concepto o idea que se une al significante para formar el signo lingüístico: *El significado aporta el contenido semántico al signo lingüístico.*

significante ▮ adj.inv. **1** Que significa. ▮ s.m. **2** En lingüística, fonema o secuencia de fonemas o letras que se asocian al significado para constituir el signo lingüístico: *El sonido de una palabra al pronunciarla, o su grafía al escribirla, es su significante.*

significar ▮ v. **1** Expresar, comunicar o querer decir: *La luz roja significa 'peligro'. ¿Sabes qué significa 'otero'?* **2** Representar, valer o tener importancia: *Tu opinión significa mucho para mí.* ▮ prnl. **3** Hacerse notar o distinguirse por una determinada cualidad o circunstancia: *Se ha significado en la clase por su gran inteligencia.* □ ETIMOL. Del latín *significare*, y este de *signum* (señal) y *facere* (hacer). □ ORTOGR. La *c* se cambia en *qu* delante de *e* →SACAR.

significativo, va adj. **1** Que da a entender o a conocer algo: *El monema es la mínima unidad significativa de una palabra.* **2** Que tiene importancia por significar o representar algún valor: *Los datos son significativos porque muestran que la campaña ha sido un éxito.*

signo s.m. **1** Lo que representa, sustituye o evoca en el entendimiento un objeto, un fenómeno o una acción: *Las letras son los signos gráficos de los so-*

nidos de la lengua hablada. □ SINÓN. *señal.* **2** Indicio o señal de algo: *Una casa grande y lujosa es un signo de riqueza.* **3** Gesto con el que se indica algo: *Para bendecir, el sacerdote hace con la mano el signo de la cruz.* **4** En astronomía, cada una de las doce partes iguales en que se considera dividido el Zodíaco (zona celeste que comprende las doce constelaciones que aparentemente recorre el Sol en un año). **5** || **signo lingüístico;** el formado por la unión de un conjunto de sonidos, llamado 'significante', y por un concepto o idea, llamado 'significado': *'Mesa' es un signo lingüístico en el que los sonidos 'm-e-s-a' son el significante, y la idea de mesa que aparece en nuestra mente al oírlos, el significado.* □ ETIMOL. Del latín *signum* (señal).

siguiente adj.inv. Posterior o que va inmediatamente después: *El dibujo está en la página siguiente.* □ ETIMOL. Del latín *sequens.*

siguiriya s.f. →**seguiriya.**

sij adj.inv./s.com. De una religión nacida de una mezcla de hinduismo e islamismo o relacionado con ella.

sílaba s.f. **1** Sonido o conjunto de sonidos articulados que se pronuncian de una vez entre dos depresiones sucesivas de la emisión de voz: *Si separamos las sílabas de la palabra 'palacio' obtenemos 'pa-la-cio'.* **2** || **sílaba {abierta/libre};** la que termina en vocal. || **sílaba {cerrada/trabada};** la que termina en consonante. □ ETIMOL. Del latín *syllaba.*

silabación s.f. División en sílabas, tanto en la pronunciación como en la escritura.

silabario s.m. Libro o cartel con sílabas sueltas y palabras divididas en sílabas, que se utiliza para enseñar a leer.

silabear v. Referido a una palabra, pronunciar separadamente sus sílabas: *El niño silabea las palabras. Está aprendiendo a leer y todavía silabea.*

silabeo s.m. Pronunciación separada de las sílabas de una palabra.

silábico, ca adj. De la sílaba o relacionado con ella: *El núcleo silábico en español es siempre una vocal. En la escritura silábica, cada signo representa una sílaba completa.*

silba s.f. Manifestación de desagrado o de desaprobación mediante silbidos o con otras demostraciones ruidosas. □ ORTOGR. Dist. de *silva.*

silbante adj.inv. →**sibilante.**

silbar v. Dar o producir silbidos o sonidos semejantes: *Oye cómo silba el viento en la noche. Silbaba la música de una canción.* □ ETIMOL. Del latín *sibilare.*

silbato s.m. Instrumento pequeño y hueco que produce un sonido agudo cuando se sopla por él: *Los guardias de la circulación emplean un silbato.* □ SINÓN. *pito, chiflato.*

silbido s.m. **1** Sonido agudo que se produce al hacer salir el aire por la boca a través de los labios fruncidos o teniendo los dedos colocados en ella de una determinada manera: *El público recibió al cantante con silbidos.* **2** Sonido agudo: *En las noches de invierno se oye el silbido del viento.*

silbo s.m. Silbido. □ ETIMOL. Del latín *sibilus.*

silbotear v. *col. desp.* Silbar de un modo que resulta desagradable: *No silbotees así, que me levantas dolor de cabeza.*

silenciador s.m. En algunos mecanismos, dispositivo que se acopla para amortiguar el sonido: *una pistola con silenciador.*

silenciar v. **1** Callar u omitir: *Un periodista no debe silenciar hechos que interesen a la opinión pública.* **2** Hacer callar o volver al silencio: *Los aplausos silenciaron las protestas que se levantaban contra el alcalde.* □ ORTOGR. La *i* nunca lleva tilde.

silencio s.m. **1** Ausencia de palabras habladas: *La profesora impuso silencio en la clase.* **2** Ausencia de ruido: *Un disparo rompió el silencio de la noche.* **3** || **silencio administrativo;** omisión de respuesta o de resolución por parte de la Administración a las peticiones o escritos presentados en el plazo establecido. □ ETIMOL. Del latín *silentium,* y este de *silere* (callar, estar callado). □ USO Se usa para mandar callar: *¡Silencio!, no quiero oír ni una voz.*

silenciosamente adv. Con secreto o disimulo: *Llevaron toda la negociación silenciosamente para que no trascendiera a la prensa.*

silencioso, sa adj. **1** Que calla o que tiene el hábito de callar: *una persona silenciosa.* **2** Sin ruidos: *un lugar silencioso.* **3** Que hace poco ruido o ninguno: *un motor silencioso.*

silente adj.inv. *poét.* Silencioso, tranquilo o que muestra sosiego.

silepsis (pl. *silepsis*) s.f. **1** Figura retórica consistente en un quebrantamiento de las leyes de la concordancia gramatical en el género o en el número de las palabras: *En la frase 'La mayor parte están de acuerdo', se produce una silepsis, ya que el sujeto está en singular y el verbo en plural.* **2** Figura retórica consistente en el empleo de una palabra en un sentido propio y en otro figurado a la vez: *La frase 'Su padre le hace ir más recto que una vela' es un ejemplo de silepsis.* □ ETIMOL. Del griego *sýllepsis* (comprensión).

sílex (pl. *sílex*) s.m. Variedad de cuarzo formada principalmente por sílice, muy dura y de color gris amarillento, rojo o negro, que se caracteriza porque su fractura origina bordes cortantes: *Los pueblos primitivos utilizaban el sílex para la fabricación de herramientas y armas.* □ SINÓN. *pedernal.* □ ETIMOL. Del latín *silex* (sílice).

sílfide s.f. Mujer bella y esbelta. □ ETIMOL. De *silfo* (espíritu elemental del aire), por alusión a las ninfas mitológicas del aire.

silicato s.m. **1** Sal compuesta de ácido silícico y una base: *El talco es un silicato.* **2** Cada una de las especies de un grupo de compuestos sólidos cristalinos que incluye minerales y productos de síntesis y que están constituidos principalmente por silicio y oxígeno: *Los silicatos son constituyentes comunes de todas las rocas.* □ ETIMOL. Del latín *silex* (guijarro).

sílice s.f. Compuesto de silicio y oxígeno: *La sílice forma parte de la composición de minerales como el sílex o el cuarzo.* ☐ ETIMOL. Del latín *silex* (guijarro).

silíceo, a adj. De sílice o semejante a este compuesto: *El sílex es una piedra silícea.*

silícico, ca adj. De la sílice, del silicio o relacionado con ellos: *La rocas silícicas tienen mucha sílice. El ácido silícico se compone de silicio, oxígeno e hidrógeno.*

silicio s.m. Elemento químico, semimetálico y sólido, de número atómico 14, con color amarillento y de gran dureza: *El silicio es muy abundante en la corteza terrestre.* ☐ ORTOGR. Su símbolo químico es *Si.*

silicona s.f. Sustancia sintética formada por silicio y oxígeno, que resiste la oxidación y las altas temperaturas y que repele el agua: *Rellena con silicona los huecos de la ventana para que no penetre agua.* ☐ ETIMOL. Del inglés *silicone.*

silicosis (pl. *silicosis*) s.f. Enfermedad crónica producida por la infiltración de polvo de sílice en el aparato respiratorio: *La silicosis es una enfermedad muy extendida entre los mineros del carbón.* ☐ ETIMOL. De *silicio* y *-osis* (enfermedad).

silicótico, ca adj./s. De la silicosis o relacionado con esta enfermedad crónica.

silicua s.f. Fruto seco con dos valvas y cuyas semillas se hallan adheridas a ellas: *El fruto de la mostaza y del alhelí es una silicua.* ☐ ETIMOL. Del latín *siliqua* (vaina de legumbre, legumbre).

silla s.f. **1** Asiento para una sola persona, con respaldo y generalmente cuatro patas: *Coge una silla y siéntate a la mesa para comer.* **2** Vehículo pequeño con ruedas, empujado por una persona, que sirve para transportar a un bebé sentado. **3** || **silla (de montar);** aparejo sobre el que se sienta el jinete para montar a caballo y que está formado por un armazón de madera cubierto generalmente de cuero y relleno de crin. || **silla de ruedas;** la que dispone de dos ruedas laterales grandes y permite que se desplace una persona que no puede andar. || **silla eléctrica;** la que está preparada para ejecutar a los condenados a muerte mediante una descarga eléctrica. ☐ ETIMOL. Del latín *sella.* ☐ MORF. En la acepción 2, se usa mucho el diminutivo *sillita.*

sillar s.m. Piedra labrada, generalmente con forma de paralelepípedo rectangular, que forma parte de una construcción, esp. de los muros. ☐ ETIMOL. De *silla,* porque con el sillar se forma la base sobre la que se asienta un edificio.

sillería s.f. **1** Conjunto de sillas y sillones de una misma clase. **2** Taller o tienda en los que se hacen o se venden sillas. **3** Construcción hecha con sillares o piedras labradas: *una obra de sillería.*

silletazo s.m. Golpe dado con una silla.

sillín s.m. **1** En algunos vehículos, esp. en una bicicleta, asiento sobre el que se monta una persona. **2** Silla de montar más ligera y sencilla que la común.

sillón s.m. **1** Asiento grande para una persona, con respaldo y con brazos y generalmente recubierto con un material mullido. **2** || **sillón ball;** *col.* →**sillón-ball.** ☐ PRON. *Sillón ball* se pronuncia [sillón bol].

sillón-ball (tb. *sillón ball*) s.m. *col.* Actividad que consiste en ver deportes en televisión tumbado o sentado: *Los sábados por la tarde me dedico a hacer sillón-ball.* ☐ SINÓN. *sillonbol.* ☐ PRON. [sillón-bol]. ☐ USO Tiene un matiz humorístico.

sillonbol s.m. *col.* →**sillón-ball.** ☐ USO Tiene un matiz humorístico.

silo s.m. Lugar en el que se almacenan forrajes o semillas, esp. el trigo. ☐ ETIMOL. De origen prerromano.

silogismo s.m. En lógica, argumento que consta de tres proposiciones, la última de las cuales se deduce de las otras dos: *Un silogismo se compone de dos premisas y una conclusión.* ☐ ETIMOL. Del griego *syllogismós* (razonamiento).

silogizar v. Hacer silogismos o utilizarlos para disputar o para probar algo: *Cuando empieza a silogizar es muy difícil discutir con él porque afina mucho los argumentos lógicos.* ☐ ORTOGR. La *z* se cambia en *c* delante de *e* →CAZAR.

silueta s.f. **1** Contorno de una figura, representado por las líneas que determinan su forma: *Como es alto y delgado, tiene una silueta esbelta.* ☐ SINÓN. *perfil.* **2** Forma que presenta un objeto más oscuro que el fondo sobre el que está: *Como tenías un foco detrás, solo vi tu silueta y no te reconocí.* ☐ ETIMOL. Del francés *silhouette,* y este de *portrait à la Silhouette* (dibujo que tomó el nombre de su inventor E. de Silhouette).

siluetear v. Referido a un objeto, dibujarlo o recorrerlo siguiendo su silueta: *Puse mi mano en un papel y la silueteé.*

siluriano, na adj./s.m. →**silúrico.**

silúrico, ca ▮ adj. **1** En geología, del tercer período de la era primaria o paleozoica o de los terrenos que se formaron en él: *terrenos silúricos.* ☐ SINÓN. *siluriano.* ▮ adj./s.m. **2** En geología, referido a un período, que es el tercero de la era primaria o paleozoica. ☐ SINÓN. *siluriano.* ☐ ETIMOL. Del inglés *Silurian,* y este del latín *Silures* (pueblo que habitaba parte del país de Gales en la época romana).

siluro s.m. Pez de agua dulce, parecido a la anguila. ☐ ETIMOL. Del latín *silurus.*

silva s.f. **1** Combinación métrica formada por una serie ilimitada de versos endecasílabos y heptasílabos con rima consonante, aunque pueden quedar algunos sueltos, y distribuidos al gusto del poeta: *Algunos de los poemas de las 'Soledades' de Góngora están escritos en silvas.* **2** *poét.* Selva. ☐ ETIMOL. Del latín *silva* (bosque). ☐ ORTOGR. Dist. de *silba.*

silvestre adj.inv. **1** Referido a un árbol o a una planta, que se cría sin cultivo en la selva o en el campo. ☐ SINÓN. *bravío.* **2** Sin cultivar o agreste: *campo silvestre.* ☐ ETIMOL. Del latín *silvestris.*

silvicultor, -a s. Persona que se dedica profesionalmente al cultivo de los bosques o de los montes, o que está especializada en silvicultura.

silvicultura s.f. **1** Cultivo de los bosques o de los montes. **2** Ciencia que trata de este cultivo. ☐ ETIMOL. Del latín *silva* (bosque) y *-cultura* (cultivo, cuidado).

sima ▮ s.m. **1** En geología, capa interna de la corteza terrestre, que está compuesta principalmente por sílice y magnesio: *En la estructura de la corteza terrestre, el sima está situado bajo el sial.* ▮ s.f. **2** Cavidad grande y muy profunda en la tierra: *Los espeleólogos descendieron por una sima.* ☐ ETIMOL. La acepción 1, del inicio de *silicio* y del inicio de *magnesio*. La acepción 2, de origen incierto. ☐ ORTOGR. Dist. de *cima*.

simbionte adj.inv./s.m. Referido a un ser vivo, que está asociado a otro en simbiosis: *un vegetal simbionte.*

simbiosis (pl. *simbiosis*) s.f. En biología, asociación entre dos individuos u organismos de distinta especie con mutuo beneficio para la supervivencia de ambos. ☐ ETIMOL. Del griego *syn-* (junto con) y *bíos* (vida).

simbiótico, ca adj. De la simbiosis o relacionado con ella.

simbólico, ca adj. **1** Del símbolo, relacionado con él o expresado por medio de él: *La paloma es la representación simbólica de la justicia.* **2** Que tiene un valor simplemente representativo: *El presidente entregó una cantidad simbólica al que donó la biblioteca.*

simbolismo s.m. **1** Sistema de símbolos que se utiliza para representar algo: *La cruz forma parte del simbolismo de la religión cristiana.* **2** Significado simbólico de algo: *Hoy vamos a analizar el simbolismo de la palabra 'tarde' en la poesía de Machado.* **3** Movimiento artístico, esp. poético y pictórico, que surge en Francia (país europeo) a finales del siglo XIX y que se caracteriza por su rechazo a nombrar directamente los objetos, prefiriendo sugerirlos o evocarlos mediante símbolos e imágenes: *Baudelaire y Verlaine están entre los máximos representantes del simbolismo poético.*

simbolista ▮ adj.inv. **1** Del simbolismo o relacionado con este movimiento artístico. ▮ adj.inv./s.com. **2** Que sigue o que practica el simbolismo. **3** Que utiliza símbolos: *un dibujo simbolista.*

simbolizar v. Referido a un objeto, servir como símbolo de otro, representarlo y explicarlo por alguna relación o semejanza: *En muchas culturas, el toro simboliza la fuerza.* ☐ ORTOGR. La *z* se cambia en *c* delante de *e* →CAZAR.

símbolo s.m. **1** Objeto material que representa otra realidad inmaterial mediante una serie de rasgos que se asocian por una convención socialmente aceptada: *La balanza es el símbolo de la justicia.* **2** En una ciencia, letra o conjunto de letras con las que se designa por convención un concepto o un elemento: *El símbolo químico del hidrógeno es 'H'.* ☐ ETIMOL. Del latín *symbolum*, este del griego *sýmbolon*, y este de *symbállo* (yo junto, hago coincidir).

simbología s.f. Conjunto o sistema de símbolos. ☐ ETIMOL. De *símbolo* y *-logía* (estudio, ciencia).

simetría s.f. Regularidad en la disposición de las partes de un cuerpo de modo que se corresponden en posición, forma y dimensiones a uno y otro lado de un punto, de un eje o de un plano: *El esqueleto humano guarda simetría lateral a uno y otro lado de la columna vertebral.* ☐ ETIMOL. Del griego *symmetría*, y este de *syn-* (conjuntamente) y *métron* (medida).

simétrico, ca adj. De la simetría, con simetría o relacionado con ella.

simetrizar v. Hacer simétrico: *He simetrizado ese punto al otro lado del eje.* ☐ ORTOGR. La *z* se cambia en *c* delante de *e* →CAZAR.

simiente s.f. **1** Parte del fruto de los vegetales que contiene el embrión de una futura planta: *Las pepitas del melón son su simiente.* ☐ SINÓN. *semilla.* **2** Lo que es la causa o el origen de donde procede algo: *En esas antiguas desavenencias hay que buscar la simiente del actual conflicto.* ☐ SINÓN. *semilla.* ☐ ETIMOL. Del latín *sementis* (siembra).

simiesco, ca adj. Que se parece al simio o que tiene alguna de sus características.

símil s.m. **1** Figura retórica consistente en establecer una semejanza entre dos términos mediante vínculos gramaticales expresos: *La expresión 'manos blancas cual la nieve' es un símil.* ☐ SINÓN. *comparación.* **2** Comparación o semejanza entre dos elementos: *Es absurdo establecer un símil entre tú y yo porque somos muy diferentes.* ☐ ETIMOL. Del latín *similis* (semejante).

similar adj.inv. Que tiene semejanza o analogía con algo.

similicadencia s.f. Figura retórica consistente en el empleo de palabras en el mismo accidente gramatical o con sonidos semejantes al final de dos o más oraciones o de dos o más miembros de un período: *La frase 'Sin nada nació, con poco vivió, con menos murió' es un ejemplo de similicadencia, ya que los tres períodos terminan con verbos que tienen la misma forma verbal.* ☐ ETIMOL. Del latín *similis* (semejante) y *cadencia*.

similitud s.f. Semejanza o parecido: *La similitud entre ambos casos hace que pueda juzgarlos de la misma manera.* ☐ ETIMOL. Del latín *similitudo*.

simio, mia ▮ s. **1** Mamífero muy ágil que tiene la cara desprovista de pelo, cuatro extremidades con manos y pies prensiles y los dedos pulgares opuestos al resto, y que es capaz de andar a cuatro patas o erguido: *En el zoo vimos muchos simios.* ☐ SINÓN. *mono.* ▮ s.m.pl. **2** En zoología, grupo de estos mamíferos: *Existen muchas especies distintas de simios.* ☐ ETIMOL. Del latín *simius* (mono).

simón s.m. Coche de caballos de alquiler destinado al servicio público y que tiene un punto fijo de parada en una plaza o calle. ☐ ETIMOL. De *Simón*, que era una persona que alquilaba coches en Madrid.

simonía s.f. Compra o venta deliberada de cosas espirituales o religiosas, esp. de los sacramentos o de los cargos religiosos, o propósito de realizar estas acciones: *La compra de cargos eclesiásticos es un pecado de simonía.* □ ETIMOL. Del latín *simonia*, y este del nombre de *Simón el Mago*, porque este ofreció dinero a los Apóstoles para que le diesen el don de conferir el Espíritu Santo.

simoniaco, ca (tb. *simoníaco, ca*) ▮ adj. **1** De la simonía o relacionado con ella. ▮ adj./s. **2** Que comete simonía.

simpa s.m. *col.* Abandono de un establecimiento sin pagar lo que se ha consumido en él: *hacer un simpa.*

simpatía s.f. **1** Inclinación afectiva y positiva entre personas o hacia algo: *Le tengo mucha simpatía porque me parece una buena persona.* **2** Modo de ser o de actuar de una persona que la hacen atractiva y agradable a los demás: *Su simpatía le hace estar siempre rodeado de gente.* **3** Relación de actividad fisiológica y patológica de algunos órganos que no tienen entre sí conexión directa: *Aunque la dolencia está localizada en este órgano, te duele también ese otro por simpatía.* □ ETIMOL. Del griego *sympátheia* (acto de sentir igual que otro).

simpático, ca ▮ adj./s. **1** Que tiene o que inspira simpatía: *una persona simpática.* ▮ adj./s.m. **2** Referido a una parte del sistema nervioso vegetativo, que se opone a las acciones del sistema parasimpático y cuya función más importante es la regulación del funcionamiento visceral.

simpaticón, -a adj./s. Que provoca fácilmente simpatía.

simpatizante adj.inv./s.com. Que siente inclinación por un partido, ideología o movimiento sin pertenecer a ellos.

simpatizar v. Sentir simpatía: *Simpatizaron pronto porque tienen muchas aficiones comunes.* □ ORTOGR. La *z* se cambia en *c* delante de *e* →CAZAR.

simple ▮ adj.inv. **1** Que no tiene composición o que está formado por un solo elemento: *El hidrógeno es un elemento simple.* **2** Que no tiene complicación ni dificultades: *Me pusieron un problema muy simple y lo supe resolver.* **3** Referido a un tiempo verbal, que se conjuga sin la ayuda de ningún verbo auxiliar: *El pretérito imperfecto 'amaba' es un tiempo simple.* ▮ adj.inv./s.com. **4** Sin malicia, sin mucho entendimiento y fácil de engañar: *Es tan simple que cae en todas nuestras bromas.* □ ETIMOL. Del latín *simplus.* □ MORF. Su superlativo culto es *simplicísimo.* □ USO Antepuesto a un sustantivo y precedido de la preposición *con*, se usa mucho para indicar que lo expresado es suficiente para algo: *Con un simple guiño de ojos me lo dijo todo.*

simpleza s.f. **1** Lo que tiene poco valor o poca importancia: *No me gusta perder el tiempo con simplezas.* **2** Escasez de juicio o de entendimiento: *Es un chico de gran simpleza y todo se lo cree.* □ SEM. Dist. de *simplicidad* (sencillez o falta de adorno).

simplicidad s.f. **1** Sencillez o ingenuidad. **2** Falta de composición o de adorno. □ SEM. Dist. de *simpleza* (poca importancia o poco entendimiento).

simplicísimo, ma superlat. irreg. de **simple**. □ SEM. Es sinónimo de *simplísimo*, más coloquial.

simplificación s.f. **1** Transformación en algo más sencillo o más fácil: *La simplificación de las tareas del hogar ha sido posible gracias a los electrodomésticos.* **2** En matemáticas, reducción de una cantidad, una expresión o una ecuación a su forma más breve.

simplificar v. **1** Hacer más sencillo o más fácil: *La mecanización ha simplificado el trabajo. Se han simplificado los trámites para la obtención del pasaporte.* **2** En matemáticas, referido a una cantidad, una expresión o una ecuación, reducirlas a su forma más breve o más sencilla: *Esta fracción se puede simplificar dividiendo el numerador y el denominador entre 2.* □ ETIMOL. Del latín *simplex* (simple) y *facere* (hacer). □ ORTOGR. La *c* se cambia en *qu* delante de *e* →SACAR.

simplismo s.m. Exceso de simplificación o sencillez.

simplista adj.inv./s.com. Que simplifica o que tiende a simplificar.

simplón, -a adj./s. Que es sencillo o ingenuo, o que actúa de forma inocente.

simposio s.m. Reunión o conferencia de carácter científico en la que se debate o discute sobre un tema con la asistencia de especialistas. □ ETIMOL. Del griego *sympósion* (festín). □ ORTOGR. Incorr. **symposium*.

simulación s.f. Presentación de algo imaginado o inexistente como si fuera cierto o real.

simulacro s.m. Lo que siendo falso se presenta como si fuera verdadero. □ ETIMOL. Del latín *simulacrum*.

simulado, da adj./s. *desp.* Referido a una persona, que es falsa y encubre la verdad para parecer lo que no es.

simulador, -a ▮ adj./s. **1** Que simula o encubre la verdad. ▮ s.m. **2** Aparato o sistema que simula o reproduce el funcionamiento de otro: *simulador de vuelo.*

simular v. Presentar como cierto o como real: *El decorado simula la sala de un castillo medieval.* □ ETIMOL. Del latín *simulare.* □ SEM. Dist. de *disimular* (ocultar algo o fingir indiferencia).

simultanear v. Referido a dos o más actividades, hacerlas al mismo tiempo: *Estuvo todo el año simultaneando el estudio con el trabajo.*

simultaneidad s.f. Coincidencia en el tiempo de dos actividades o de dos operaciones: *La erosión es producto de la simultaneidad de agentes como el agua, el viento y las temperaturas.*

simultáneo, a adj. Referido a una actividad o a una operación, que se hace al mismo tiempo que otra: *una traducción simultánea.* □ ETIMOL. Del latín *simultas* (competencia, rivalidad), con influencia de *simul* (juntamente).

sin prep. **1** Indica falta o carencia: *No puedo comprarlo porque estoy sin dinero.* **2** Seguido de un infinitivo, actúa como negación: *Pasé toda la noche sin dormir.* **3** Fuera de o aparte de: *El coche nos salió por dos millones, sin el seguro.* **4** ‖ **sin embargo;** enlace gramatical coordinante con valor adversativo: *No nos conocíamos, sin embargo nos hicimos amigos enseguida.* □ ETIMOL. Del latín *sine.*

sinagoga s.f. Edificio destinado al culto judío. □ SINÓN. *aljama.* □ ETIMOL. Del latín *synagoga*, y este del griego *synagogé* (reunión, lugar de reunión).

sinalefa s.f. En métrica y en fonética, unión o pronunciación en una misma sílaba de la vocal final de una palabra y de la inicial de la palabra siguiente: *Si, al leer 'la alameda', dices [lalaméda], estás haciendo una sinalefa.* □ ETIMOL. Del latín *synaloepha*, este del griego *synaloiphé*, y este de *synaléipho* (confundo, mezclo). □ SEM. Dist. de *hiato* (pronunciación separada de la vocal final de una palabra y de la inicial de la palabra siguiente).

sinalgia s.f. Dolor en una zona alejada de donde se tiene la lesión o la causa que lo provoca. □ ETIMOL. Del griego *syn* (con) y *-algia* (dolor).

sinapismo s.m. **1** Medicamento que se aplica sobre la piel y que está hecho con polvo de mostaza. **2** *col.* Persona o cosa que molesta o exaspera: *Esa mujer es un auténtico sinapismo, y agota a cualquiera.* □ ETIMOL. Del latín *sinapismo*, este del griego *sinapismós*, y este de *sínapi* (mostaza).

sinapsis (pl. *sinapsis*) s.f. Relación funcional de contacto entre las terminaciones de las células nerviosas. □ ETIMOL. Del griego *synápsis* (unión, enlace).

sináptico, ca adj. De la sinapsis o relacionado con ella.

sinarquía s.f. Influencia de un magnate o de un grupo empresarial en los asuntos políticos y económicos de un país. □ ETIMOL. Del griego *synarkhía.*

sinárquico, ca adj. De la sinarquía o relacionado con ella.

sinartrosis (pl. *sinartrosis*) s.f. En anatomía, articulación que no es móvil: *La profesora nos habló de la sinartrosis de los huesos del cráneo.* □ ETIMOL. Del griego *synárthrosis*, y este de *syn* (junto con) y *árthron* (articulación).

sinceración s.f. Hecho de sincerarse o de contar algo con sinceridad.

sincerarse v.prnl. Referido a una persona, contarle a otra algo con sinceridad, esp. si lo hace para justificar algo o para aliviar su conciencia: *Sincérate conmigo y cuéntame lo que piensas sin tapujos.* □ ETIMOL. Del latín *sincerare* (purificar). □ SINT. Constr. *Sincerarse {ANTE/CON} alguien.*

sinceridad s.f. Veracidad, sencillez o falta de fingimiento.

sincero, ra adj. Que actúa o habla con sinceridad. □ ETIMOL. Del latín *sincerus* (intacto, natural, no corrompido).

sincisio s.m. →**sincitio.**

sincitio s.m. Agrupamiento anormal de células con las membranas unidas, formando grandes conglomerados. □ SINÓN. *sincisio.*

sinclinal adj.inv./s.m. Referido a un plegamiento del terreno, que tiene forma cóncava. □ ETIMOL. Del griego *sýn* (junto con) y *klinéo* (yo pliego). □ SEM. Dist. de *anticlinal* (que tiene forma convexa) y de *monoclinal* (con estratos paralelos).

síncopa s.f. **1** Supresión de uno o de más sonidos en el interior de una palabra: *Cuando dices [alredór] por 'alrededor', estás haciendo una síncopa.* **2** En música, desplazamiento del acento del tiempo fuerte de un compás a un tiempo débil: *Este compositor utiliza muchas síncopas.* □ ETIMOL. Del latín *syncopa*, y este del griego *synkópe* (acortamiento).

sincopado, da adj. En música, referido a una nota o a un ritmo, que tienen síncopa.

sincopar v. **1** Abreviar o hacer más corto: *Sincopó su discurso porque vio que el público se estaba aburriendo.* **2** Hacer sincopada una palabra o una nota musical: *Si pronuncio deprisa la palabra 'experimentar' sincopo la 'e' y digo [esprimentár].*

síncope s.m. En medicina, detención momentánea de la actividad del corazón o de los pulmones que produce una pérdida repentina del conocimiento y de la sensibilidad. □ ETIMOL. Del latín *syncope*, y este del griego *synkópe* (colisión, desvanecimiento).

sincrético, ca adj. En lingüística, que reúne dos o más funciones gramaticales: *La desinencia '-mos' es un morfema sincrético que concentra los valores de primera persona y de plural.*

sincretismo s.m. **1** Conciliación de doctrinas diferentes. **2** En lingüística, concentración de dos o más funciones gramaticales en una sola forma: *En la desinencia '-o' de la forma 'canto' hay sincretismo de las categorías de persona, número, tiempo, aspecto y modo.* □ ETIMOL. Del griego *sycretismós* (coalición de dos adversarios contra un tercero).

sincretización s.f. Hecho de sincretizar dos doctrinas.

sincretizar v. Conciliar dos o más doctrinas diferentes: *Ese autor sincretiza el budismo y el taoísmo en su último ensayo.* □ ORTOGR. La *z* se cambia en *c* delante de *e* →CAZAR.

sincronía s.f. **1** Coincidencia en el tiempo de hechos o de fenómenos: *Hay una perfecta sincronía en los movimientos de los miembros del ballet.* **2** En lingüística, consideración de la lengua o de un fenómeno lingüístico en un momento dado de su existencia histórica: *Debes analizar este fenómeno lingüístico desde el punto de vista de la sincronía, sin tener en cuenta la evolución histórica.* □ ETIMOL. Del griego *sýn* (con) y *khrónos* (tiempo). □ SEM. En la acepción 2, dist. de *diacronía* (evolución de una lengua a través del tiempo).

sincrónico, ca adj. De la sincronía o relacionado con ella.

sincronismo s.m. Coincidencia en el tiempo entre las diferentes partes de un proceso.

sincronización s.f. Realización al mismo tiempo de dos o más movimientos o fenómenos.

sincronizador, -a adj. Que sincroniza o hace coincidir dos fenómenos en el tiempo.

sincronizar v. Referido esp. a dos o más movimientos o fenómenos, hacer que coincidan en el tiempo: *El coreógrafo insistió en que sincronizáramos los movimientos de piernas y manos.* □ ORTOGR. La *z* se cambia en *c* delante de *e* →CAZAR.

síncrono, na adj. Referido a un hecho, que sucede en ese momento o al mismo tiempo que otros.

sincrotrón s.m. Aparato que se utiliza para acelerar partículas subatómicas, generalmente en una trayectoria circular.

sindéresis (pl. *sindéresis*) s.f. Discreción, buen juicio o capacidad natural para juzgar acertadamente. □ ETIMOL. Del griego *syntéresis*, y este de *synteréo* (yo observo, estoy atento). □ USO Su uso es característico del lenguaje culto.

sindicación s.f. **1** Organización en un sindicato de un grupo de personas con la misma profesión o con los mismos intereses. **2** Afiliación de una persona a un sindicato.

sindical adj.inv. Del sindicato, de sus afiliados o relacionado con ellos: *un líder sindical.*

sindicalismo s.m. Sistema de organización social por medio de sindicatos que se ocupa de defender los intereses económicos y sociales de los trabajadores, esp. de los obreros.

sindicalista ▮ adj.inv. **1** Del sindicalismo o relacionado con este sistema de organización social. ▮ s.com. **2** Partidario o defensor del sindicalismo.

sindicar v. **1** Referido esp. a una persona, organizarla con otras en un sindicato: *Se inició una campaña informativa para sindicar a las empleadas domésticas. Me sindiqué para que estén bien defendidos mis intereses profesionales.* **2** Acusar o denunciar: *La prensa ha sindicado un nuevo caso de corrupción.* □ ETIMOL. De *síndico* (representante). □ ORTOGR. La *c* se cambia en *qu* delante de *e* →SACAR.

sindicato s.m. Asociación formada para la defensa de los intereses económicos o sociales de los asociados, esp. referido a la de trabajadores.

síndic de greuges s.com. ‖ Defensor del pueblo en Cataluña o en la Comunidad Valenciana (comunidades autónomas). □ PRON. [síndic de gréuyes].

síndico s.m. **1** En una comunidad o una corporación, persona elegida como representante para la defensa de los intereses comunes. **2** En un juicio por deudas o en una quiebra, persona encargada de liquidar el activo y el pasivo del deudor. □ ETIMOL. Del latín *syndicus* (abogado y representante de una ciudad).

sindiós s.m. *col.* Caos o desorden: *Esta situación tan descontrolada es un sindiós.*

síndrome s.m. **1** Conjunto de síntomas característicos de una enfermedad o un trastorno físico o mental: *el síndrome gripal.* **2** Conjunto de fenómenos que caracterizan una situación determinada: *El síndrome de crisis tiene preocupada a la población.* **3** ‖ **síndrome de abstinencia;** el que presenta una persona adicta a las drogas cuando deja de tomarlas. ‖ **síndrome de {burnout/desgaste profesional};** estado de agotamiento mental y emocional provocado por el trabajo. ‖ **síndrome de Diógenes;** conducta anómala que se caracteriza por una ruptura de las relaciones sociales, falta de higiene y rechazo de ayuda, y que se da esp. en ancianos. ‖ **síndrome de Down;** malformación congénita producida al triplicarse total o parcialmente un cromosoma, que origina retraso mental y del crecimiento y ciertas anomalías físicas. □ SINÓN. *mongolismo.* ‖ **síndrome de Estocolmo;** aceptación y progresiva adopción, por parte de una persona secuestrada, de las ideas o las conductas de su secuestrador. ‖ **síndrome de inmunodeficiencia adquirida;** →**sida.** ‖ **síndrome de (la) clase turista;** el que se produce por la acumulación de trombos que llegan a los pulmones o al corazón, esp. en vuelos de larga duración. ‖ **síndrome del Norte;** trastornos psicológicos originados por una situación de tensión prolongada, esp. la causada por el terrorismo: *La expresión 'síndrome del Norte' se ha ido acuñando en la prensa con relación al problema del terrorismo en el País Vasco.* ‖ **síndrome tóxico;** intoxicación causada por el aceite de colza para uso industrial o por otro agente desconocido. □ ETIMOL. Del griego *syndromé* (acción de juntarse). □ PRON. *Síndrome de Down* se pronuncia [síndrome de dáun].

sinécdoque s.f. Figura retórica consistente en designar una cosa con el nombre de otra, ampliando, restringiendo o alterando así el significado de esta: *Si dices 'la protesta del país' por 'la protesta de los ciudadanos del país' estás usando una sinécdoque.* □ ETIMOL. Del latín *synecdoche*, este del griego *synekdókke*, y este de *synekdékhomai* (yo abarco conjuntamente).

sinecura s.f. Empleo o cargo retribuido que ocasiona muy poco trabajo. □ ETIMOL. Del latín *sine cura* (sin cuidados).

sine díe ‖ Sin fecha o sin plazo fijos: *Las negociaciones se aplazaron sine díe.* □ ETIMOL. Del latín *sine die.*

sine qua non (lat.) ‖ Necesario de modo absoluto para que algo pueda realizarse o cumplirse: *Para presentarse a esta oposición es condición sine qua non tener el título de licenciado.* □ PRON. [sinekuanón]; incorr. *[sinekuánon].

sinéresis (pl. *sinéresis*) s.f. En métrica y en fonética, reducción a una sola sílaba de vocales de una misma palabra que normalmente se pronuncian en sílabas distintas: *Si, al leer 'ahogar', pronuncias [ao-gár] en vez de [a-o-gár], estás haciendo una sinéresis.* □ ETIMOL. Del griego *synáiresis* (contracción).

sinergético, ca adj. →**sinérgico.**

sinergia s.f. **1** Acción de dos o más causas que producen un efecto superior a la suma de los efectos individuales: *La sinergia que se produce entre esos dos medicamentos hace que sean más efectivos juntos que por separado. La sinergia que existe en* *mi empresa entre los recursos económicos y una tecnología avanzada hace posible un crecimiento acelerado.* **2** Colaboración de varios órganos para realizar una función: *En la digestión hay sinergia entre la función del hígado y la del páncreas.* □ ETIMOL. Del griego *synergía* (cooperación).

sinérgico, ca adj. De la sinergia, relacionado con ella o que la produce. □ SINÓN. *sinergético.*

sinestesia s.f. Figura retórica consistente en unir dos imágenes o dos sensaciones que proceden de distintos campos sensoriales: *El sintagma 'soledad sonora' es un ejemplo de sinestesia.* □ ETIMOL. Del griego *sýn* (con) y *aísthesis* (sensación).

sinfín s.m. Infinidad, gran cantidad o sinnúmero.

sinfonía s.f. **1** Composición musical para orquesta. **2** Combinación armónica de varios elementos: *Sus cuadros son una sinfonía de colores.* □ ETIMOL. Del griego *symphonía* (armonía, concierto).

sinfónico, ca adj. **1** De la sinfonía o relacionado con ella. **2** Referido esp. a una orquesta, que está formada por las tres grandes familias de instrumentos musicales y que suele interpretar composiciones de gran categoría.

sinfonier s.m. *col.* →**chifonier.** □ ETIMOL. Del francés *chiffonnier.*

singalés, -a adj./s. →**cingalés.**

singapurense adj.inv./s.com. De Singapur o relacionado con este país asiático.

singladura s.f. **1** Distancia recorrida por una nave en veinticuatro horas. **2** Rumbo, dirección o recorrido. □ SEM. En la acepción 1, no debe usarse para períodos de tiempo más largos; incorr. *una {*singladura > travesía} de varias semanas.*

singlar v. *poét.* Navegar: *Ulises singlaba en su navío por el mar Mediterráneo.* □ ETIMOL. Del francés *cingler.*

single ▌adj.inv./s.com. **1** Referido a una persona, que no vive en pareja: *un portal para gente single.* ▌s.m. **2** →**disco sencillo.** □ ETIMOL. Del inglés *single.* □ PRON. [sínguel].

singular ▌adj.inv. **1** Extraordinario, excelente o fuera de lo común. □ SINÓN. *único.* ▌adj.inv./s.m. **2** En lingüística, referido a la categoría gramatical del número, que hace referencia a una sola persona o cosa: *El singular de la palabra 'casas' es 'casa'.* □ ETIMOL. Del latín *singularis.*

singularia tántum s.m. ‖ En gramática, vocablo usado únicamente en singular: *Las palabras 'sed' o 'cariz' son dos ejemplos de singularia tántum.* □ ETIMOL. Del latín *singularia tantum.*

singularidad s.f. Característica de lo que es singular.

singularizar v. Referido a algo, diferenciarlo mediante una señal o una peculiaridad: *La secta singulariza a sus miembros rapándoles la cabeza. En el grupo, él se singulariza por un agudo sentido del humor.* □ ORTOGR. La *z* se cambia en *c* delante de *e* →CAZAR.

singularmente adv. De forma destacada: *El diario del general es singularmente valioso porque es un documento de guerra.*

sinhueso (tb. *sin hueso*) s.f. *col.* Lengua: *No paras de darle a la sinhueso y ya me duele la cabeza de oírte.*

sínico, ca adj. De China o relacionado con este país asiático: *la mitología sínica.*

siniestra s.f. Véase **siniestro, tra.**

siniestrado, da adj./s. Que ha padecido un siniestro o daño importante.

siniestralidad s.f. Frecuencia o índice de siniestros.

siniestro, tra ▌adj. **1** Malo o con mala intención: *un hombre siniestro.* **2** Desgraciado o de suerte contraria a lo que se desea: *un día siniestro.* ▌adj./s. **3** Referido a una persona, que es seguidora de un movimiento juvenil y urbano caracterizado por vestir ropa oscura y tener un aspecto cadavérico. ▌s.m. **4** Daño o destrucción importantes sufridos por una persona o por una propiedad, esp. los que pueden ser indemnizados por una compañía de seguros: *Ese incendio fue el siniestro de más alcance en los últimos diez años.* ▌s.f. **5** Mano izquierda. □ ETIMOL. Del latín *sinister* (izquierdo), porque encontrarse un ave a la izquierda del camino se consideraba de mal agüero.

sinnúmero s.m. Número o cantidad muy grandes o incalculables.

sino ▌s.m. **1** Destino o fuerza desconocida que actúa sobre las personas y determina el desarrollo de los acontecimientos. ▌conj. **2** Enlace gramatical coordinante con valor adversativo que se usa para contraponer un concepto a otro: *No estoy comiendo carne, sino pescado.* **3** Solamente o tan sólo: *No espero sino que me creas.* **4** Precedida de 'no sólo', se usa para añadir algo a lo ya expresado: *No solo es una persona culta, sino simpática y bien educada.* □ ETIMOL. La acepción 1, del latín *signum.* La acepción 2, de *si* (conjunción) y *no* (negación). □ ORTOGR. Dist. de *si no.* □ SINT. En la acepción 3, se usa siempre pospuesto a una negación. □ SEM. Como conjunción se usa también para indicar excepción: *Nadie vendrá sino tú.*

sinodal adj.inv. Del sínodo o relacionado con las decisiones que allí se toman.

sínodo s.m. **1** Concilio o junta de obispos. **2** En algunas iglesias protestantes, junta de ministros o pastores encargados de decidir sobre asuntos eclesiásticos. □ ETIMOL. Del griego *sýnodos* (reunión).

sinología s.f. Estudio de la lengua y de la cultura chinas. □ ETIMOL. Del griego *Sína* (China) y *-logía* (estudio, ciencia). □ ORTOGR. Incorr. **chinología.*

sinológico, ca adj. De la sinología o relacionado con este estudio de la lengua y la cultura chinas.

sinólogo, ga s. Persona especializada en el estudio de la lengua y la cultura chinas. □ ORTOGR. Incorr. **chinólogo.*

sinonimia s.f. En lingüística, coincidencia de significado entre varias palabras: *Entre 'jofaina' y 'palangana' hay sinonimia porque son palabras distintas que aluden a la misma realidad.* □ SEM. Dist. de *homonimia* (identidad ortográfica o de pronunciación entre palabras con distinto significado y distinto origen) y de *polisemia* (pluralidad de significados en una misma palabra).

sinonímico, ca adj. De la sinonimia o relacionado con ella.

sinónimo, ma adj./s.m. Referido a una palabra o a una expresión, que tienen el mismo significado o muy parecido que otra: *'Burro', 'borrico' y 'pollino' son tres sinónimos de 'asno'.* □ ETIMOL. Del griego *synóhymos*, y este de *sýn-* (con) y *ónoma* (nombre).

sinopsis (pl. *sinopsis*) s.f. Esquema, resumen o exposición general de algo que se presenta en sus líneas esenciales. □ ETIMOL. Del griego *sýnopsis* (resumen que se abarca de una ojeada).

sinóptico, ca adj. Con la forma o las características de una sinopsis: *un cuadro sinóptico.*

sinoptóforo s.m. En medicina, instrumento que se utiliza para la exploración del movimiento de los ojos: *El sinoptóforo se puede usar para el tratamiento del estrabismo.*

sinovia s.f. Líquido que actúa como lubricante en las articulaciones de los huesos. □ ETIMOL. Del latín *synovia.*

sinovial adj.inv. **1** De la sinovia o relacionado con este líquido: *líquido sinovial.* **2** Referido esp. a una membrana, que segrega sinovia o la contiene.

sinovitis (pl. *sinovitis*) s.f. Inflamación de la membrana sinovial de las grandes articulaciones. □ ETIMOL. De *sinovia* e *-itis* (inflamación).

sinrazón s.f. Acción hecha contra la razón o contra la ley.

sinsabor s.m. Pesar, disgusto o sensación anímica de intranquilidad. □ MORF. Se usa más en plural.

sinsemilla s.f. En zonas del español meridional, variedad de marihuana.

sinsentido s.m. Lo que resulta absurdo y no tiene lógica.

sinsonte s.m. Pájaro de plumaje gris oscuro en el dorso y blanco en el vientre, de cuerpo esbelto, cola larga y pico curvado, y que tiene un canto muy melodioso. □ MORF. Es un sustantivo epiceno: *el sinsonte {macho/hembra}.*

sintáctico, ca adj. De la sintaxis o relacionado con ella: *Hicimos el análisis sintáctico de una oración buscando el sujeto y el predicado.*

sintagma s.m. En una oración gramatical, elemento o conjunto de elementos que funcionan como unidad: *El sintagma nominal tiene como núcleo un nombre, y el sintagma verbal, un verbo.* □ ETIMOL. Del griego *sýntagma* (unidad).

sintagmático, ca adj. Del sintagma o relacionado con él: *Los elementos sintagmáticos se organizan en torno a un núcleo.*

sintasol s.m. Material plástico muy utilizado para recubrir suelos. □ ETIMOL. Extensión del nombre de una marca comercial.

sintaxis (pl. *sintaxis*) s.f. **1** En lingüística, parte de la gramática que estudia la coordinación y unión de palabras para formar oraciones y expresar conceptos: *En sintaxis nos explicaron los distintos tipos de oraciones.* **2** En informática, conjunto de principios que regulan la estructura de un lenguaje de programación: *El programa no funcionaba porque tenía un error de sintaxis.* **3** Ordenación y conexión de las palabras o las expresiones: *La sintaxis de este autor es muy complicada porque utiliza frases largas y complejas.* □ ETIMOL. Del griego *sýntaxis* (acción de disponer algo junto).

síntesis (pl. *síntesis*) s.f. **1** Composición de un todo por la unión de sus partes: *España es la síntesis de distintas comunidades autónomas.* **2** Resumen o compendio breve. **3** En química, proceso por el que se obtiene una sustancia partiendo de sus componentes. **4** En biología, proceso por el que se producen conjuntos y materias más complejas a partir de moléculas simples. □ ETIMOL. Del griego *sýnthesis.*

sintético, ca adj. **1** De la síntesis o relacionado con ella. **2** Referido a un producto, que se obtiene por procedimientos químicos o industriales y que reproduce la composición o las propiedades de algún cuerpo natural: *cuero sintético.*

sintetizador, -a ▌adj./s. **1** Que sintetiza. ▌s.m. **2** Instrumento electrónico capaz de producir sonidos de cualquier frecuencia e intensidad, combinarlos y mezclarlos, de manera que se imiten los sonidos de cualquier instrumento conocido o que se obtengan efectos sonoros especiales.

sintetizar v. **1** Hacer una síntesis: *Esta antología sintetiza lo mejor de su obra. Sintetizó los tres temas en un folio.* **2** Referido a una sustancia, obtenerla a partir de sus componentes: *Se pueden sintetizar proteínas partiendo de aminoácidos.* □ ORTOGR. La *z* se cambia en *c* delante de *e* →CAZAR.

sintoísmo s.m. Religión tradicional de los japoneses, que da culto a los antepasados y a las fuerzas de la naturaleza. □ ETIMOL. Del japonés *shinto* (camino de dioses).

sintoísta ▌adj.inv. **1** Del sintoísmo o relacionado con esta religión. ▌adj.inv./s.com. **2** Que tiene como religión el sintoísmo.

síntoma s.m. **1** Fenómeno o alteración causados por una enfermedad: *La diarrea, los vómitos y los dolores abdominales son síntomas del cólera.* **2** Señal de algo que está sucediendo o va a suceder: *Que discutáis siempre es síntoma de que vuestra relación va mal.* □ ETIMOL. Del latín *symptoma*, y este del griego *sýmptoma* (coincidencia).

sintomático, ca adj. Del síntoma o relacionado con él.

sintomatología s.f. Conjunto de síntomas que caracterizan una enfermedad o que se presentan en un enfermo. □ ETIMOL. Del griego *sýmptoma* (síntoma) y *-logía* (estudio).

sintonía s.f. **1** Adecuación de un circuito eléctrico a la misma frecuencia de vibración que otro, consiguiendo la resonancia entre ambos: *No conseguí dar con la sintonía de la emisora.* **2** En radio y televisión, señal sonora o melodía que anuncian el comienzo de un programa. **3** Buen entendimiento entre dos o más personas o entre una persona y un medio: *estar en sintonía.* □ ETIMOL. Del griego *sýn-* (con) y *tónos* (tono).

sintonización s.f. **1** Ajuste de la frecuencia de resonancia de un circuito a una frecuencia determinada: *Esta radio tiene sintonización automática y busca ella sola las emisoras.* **2** Coincidencia de dos o más personas en sentimientos o en pensamientos.

sintonizador s.m. Sistema que permite sintonizar algo.

sintonizar v. **1** Ajustar la frecuencia de resonancia de un circuito a una frecuencia determinada: *He sintonizado el televisor para captar esa nueva cadena.* **2** Coincidir dos o más personas en sentimientos o en pensamientos: *Sintonizo con él porque tenemos la misma profesión y las mismas aficiones.* ☐ ORTOGR. La *z* se cambia en *c* delante de *e* →CAZAR.

sinuosidad s.f. **1** Presencia de concavidades, ondulaciones o recodos: *La sinuosidad del terreno hace difícil la búsqueda de los supervivientes.* **2** Concavidad o hueco, esp. el formado por algo curvo: *Los astronautas filmaron las sinuosidades de la superficie lunar.* **3** Dificultad para conocer el propósito o la intención de algo: *La sinuosidad de sus palabras me hace pensar que está tramando algo.*

sinuoso, sa adj. **1** Que tiene concavidades, ondulaciones o recodos: *una carretera sinuosa.* **2** Referido esp. a una acción, que trata de ocultar su propósito o su intención: *Anda con cuidado en un asunto tan sinuoso y lleno de complicaciones.* ☐ ETIMOL. Del latín *sinuosus.*

sinusitis (pl. *sinusitis*) s.f. Inflamación de los senos del cráneo que comunican con la nariz. ☐ ETIMOL. Del latín *sinus* (sinuosidad, concavidad) e *-itis* (inflamación).

sinusoide s.f. En matemáticas, curva que representa gráficamente la función trigonométrica del seno de un ángulo. ☐ ETIMOL. Del latín *sinus* (seno) y *-oide* (relación, semejanza).

sinvergonzón, -a adj./s. *col.* Sinvergüenza o descarado. ☐ USO Tiene un matiz cariñoso.

sinvergonzonería s.f. Insolencia, atrevimiento o falta de vergüenza.

sinvergüenza adj.inv./s.com. **1** Referido a una persona, que es descarada y desvergonzada o que tiene habilidad para engañar y para no dejarse engañar. **2** Referido a una persona, que comete actos ilegales o inmorales. ☐ ORTOGR. Dist. de *sin vergüenza.*

sinvivir s.m. *col.* Estado de inquietud o angustia: *Tengo tantas preocupaciones que estoy en un sinvivir.*

sionismo s.m. Movimiento político judío que intenta recobrar Palestina (país histórico de Oriente Medio) como patria. ☐ ETIMOL. De Sión (ciudadela de Palestina que fue el núcleo de Jerusalén).

sionista ▮ adj.inv. **1** Del sionismo o relacionado con este movimiento. ▮ adj.inv./s.com. **2** Que defiende o sigue el sionismo.

sioux (fr.) adj.inv./s.com. De un conjunto de pueblos indígenas que vivían en las llanuras centrales de los actuales Estados Unidos de América (país americano), o relacionado con él. ☐ PRON. [síux].

siquiatra s.com. →**psiquiatra.**

siquiatría s.f. →**psiquiatría.**

síquico, ca adj. →**psíquico.**

siquiera ▮ adv. **1** Por lo menos o tan sólo: *Quédate siquiera un par de días.* ▮ conj. **2** Enlace gramatical coordinante con valor adversativo: *Empieza tú, siquiera sea por una vez.* ☐ ETIMOL. De *si* (conjunción) y *quiera* (del verbo *querer*).

sir (ing.) s.m. En algunos países, esp. en el Reino Unido, tratamiento honorífico que se da a los hombres que tienen el título de caballero. ☐ PRON. [sér].

sire s.m. *ant.* Tratamiento honorífico que se daba a los reyes de algunos países.

sirena s.f. **1** En la mitología grecolatina, ninfa o divinidad menor que vivía en el mar y que tenía cuerpo de mujer hasta la cintura y de pez o de ave hasta los pies. **2** Instrumento o aparato que produce un sonido potente que se oye a distancia y que se usa para avisar de algo. ☐ ETIMOL. Del latín *sirena.*

sirénido adj./s.m. →**sirenio.**

sirenio ▮ adj./s.m. **1** Referido a un mamífero, que tiene forma de pez, está adaptado a la vida acuática y se caracteriza por tener un labio superior muy desarrollado y dirigido hacia abajo y por sus extremidades anteriores transformadas en aletas: *El manatí y la vaca marina son mamíferos sirenios.* ☐ SINÓN. *sirénido.* ▮ s.m.pl. **2** En zoología, orden de estos mamíferos: *Los animales que pertenecen a los sirenios son herbívoros.* ☐ SINÓN. *sirénido.* ☐ ETIMOL. De *sirena.*

sirga s.f. Cuerda gruesa que se usa generalmente en la navegación fluvial para tirar las redes o para remolcar las embarcaciones desde tierra. ☐ ETIMOL. De origen incierto.

sirgar v. Referido a una embarcación, remolcarla desde tierra por medio de sirgas o cuerdas: *En el canal de Castilla, las mulas sirgaban de las barcazas de cereales.*

siriaco, ca (tb. *siríaco, ca*) adj./s. →**sirio.**

sirimiri s.m. →**chirimiri.**

siringa s.f. Instrumento musical formado por un juego de flautas simples de diferentes longitudes, sujetas unas junto a otras. ☐ ETIMOL. Del latín *syringa*, y este del griego *sŷrinx* (flauta).

siringe s.f. En un ave, órgano de la voz, que está situado en el lugar en el que la tráquea se divide para formar los bronquios. ☐ ETIMOL. Del griego *sŷrinx* (caña, flauta, tubo).

sirio, ria adj./s. De Siria o relacionado con este país asiático. ☐ SINÓN. *siriaco, siríaco.*

sirla s.f. *arg.* Navaja.

sirlar v. *arg.* Atracar o robar, esp. con una navaja: *Me sirlaron hace dos días en el portal de mi casa.*

sirle s.m. Excremento del ganado lanar y cabrío. ☐ ETIMOL. De origen prerromano.

sirlero, ra s. *arg.* Navajero.

siroco s.m. Viento cálido y seco del sudeste procedente del continente africano que sopla en la zona mediterránea. ☐ ETIMOL. De origen incierto.

sirope s.m. Líquido espeso de naturaleza azucarada que se usa en la industria alimentaria. □ ETIMOL. Del francés *sirop*.

sirtaki (gr.) s.m. Baile popular de origen griego que se ejecuta deslizando los pies sobre el suelo mientras se dan pasos cortos.

sirte s.f. Bajo o elevación arenosa del fondo marino. □ ETIMOL. Del latín *syrtis*, y este del griego *sýrtis* (bajo de arena).

sirventés s.m. Composición poética provenzal, generalmente de tema moral o político y de tendencia satírica: *El sirventés provenzal influyó sobre las llamadas 'cantigas de escarnio y maldecir' de la lírica gallegoportuguesa.* □ SINÓN. *serventesio.* □ ETIMOL. Del provenzal *sirventes*, y este de *servus* (esclavo), porque el sirventés solía escribirlo un trovador a sueldo de un príncipe.

sirvienta s.f. Véase **sirviente, ta**.

sirviente, ta ▌ s. **1** Persona que sirve a otra. ▌ s.f. **2** Empleada del servicio doméstico. □ SINÓN. *chacha, muchacha.* □ USO Tiene un matiz despectivo.

-sis Elemento compositivo sufijo que significa 'enfermedad' o 'estado irregular': *tuberculosis, neurosis, miosis.* □ ETIMOL. Del griego *-sis*.

sisa s.f. En una prenda de vestir, corte curvo que corresponde a la parte de la axila. □ ETIMOL. Del francés antiguo *assise* (impuesto), que en castellano se especializó en *impuesto sobre géneros comestibles acortando las medidas*.

sisal s.m. Fibra flexible y resistente que se obtiene de la pita: *El sisal es una fibra originaria del sureste de México y de algunas zonas de América Central.*

sisar v. **1** Referido a pequeñas cantidades de dinero, hurtarlas, generalmente de la compra diaria: *Cuando me dio la vuelta vi que me había sisado un euro.* **2** Hacer una sisa en una prenda de vestir: *Cuando llegues a la altura del sobaco tienes que empezar a sisar.*

sisear v. Emitir de forma repetida un sonido parecido al de la 's' o al de la 'ch', generalmente en señal de desacuerdo o de desaprobación: *La conferenciante siseó para pedir silencio.* □ SINÓN. *chichear.* □ ETIMOL. De origen onomatopéyico.

siseo s.m. Emisión de un sonido semejante al de la 's' o al de la 'ch' de forma repetida, generalmente en señal de desagrado o de desaprobación. □ SINÓN. *chicheo.*

sísmico, ca adj. De un terremoto o relacionado con él. □ ETIMOL. Del griego *seismós* (temblor de tierra).

sismo s.m. →**seísmo.**

sismógrafo s.m. Instrumento que señala la amplitud y la dirección de los temblores terrestres durante un terremoto. □ ETIMOL. Del griego *seismós* (sacudida) y *-grafo* (que escribe).

sismología s.f. Parte de la geología que estudia los seísmos o terremotos. □ ETIMOL. Del griego *seismós* (sacudida, conmoción) y *-logía* (estudio, ciencia).

sismólogo, ga s. Persona que se dedica profesionalmente al estudio de los seísmos o que está especializada en sismología.

sismómetro s.m. Instrumento que sirve para medir la fuerza de las oscilaciones y de los sacudimientos de un terremoto. □ ETIMOL. Del griego *seismós* (agitación) y *-metro* (medidor).

sisón s.m. Ave zancuda de cabeza pequeña, pico y patas amarillentos, y plumaje pardo con rayas negras en el dorso y en la cabeza, y blanco en el vientre, que se alimenta de insectos. □ ETIMOL. Quizá del catalán *sisó* (pieza de moneda de seis dineros), porque el sisón se vendía a este precio. □ MORF. Es un sustantivo epiceno: *el sisón {macho/hembra}.*

sistema s.m. **1** Método, ordenación o estructura sobre una materia o conjunto de reglas relacionadas entre sí: *El kilo es la unidad de masa del sistema internacional.* **2** Conjunto de elementos relacionados entre sí y que constituyen una unidad: *El Sol es el centro de nuestro sistema planetario.* **3** En biología, conjunto de órganos que intervienen en alguna de las funciones vegetativas: *El sistema nervioso central está formado por el encéfalo y la médula espinal.* **4** En lingüística, estructura de una lengua, entendida como un conjunto organizado de elementos, todos ellos relacionados entre sí: *El sistema fonológico español impide la combinación de los sonidos [prkj].* **5** ‖ **por sistema;** referido a la forma de hacer algo, por costumbre o sin justificación: *Diga lo que diga, me llevas la contraria por sistema.* ‖ **sistema cegesimal;** el que tiene por unidades de longitud, de masa y de tiempo el centímetro, el gramo y el segundo, respectivamente. ‖ **sistema experto;** en informática, programa que usa procedimientos deductivos para resolver situaciones complejas que requerirían la intervención de un experto humano. ‖ **sistema métrico (decimal);** el que tiene por unidades de longitud, de masa y de tiempo el metro, el kilogramo y el segundo, respectivamente. ‖ **sistema operativo;** en informática, programa o conjunto de programas que realizan las funciones básicas y permiten el desarrollo de otros programas secundarios. ‖ **sistema periódico;** en física, el de los elementos químicos ordenados en una tabla según su número atómico. □ ETIMOL. Del griego *sýstema* (conjunto). □ USO La expresión *sistema cegesimal* se usa mucho como nombre propio.

sistematicidad s.f. **1** Capacidad para ajustarse a un sistema. **2** Exhaustividad o minuciosidad.

sistemático, ca adj. **1** Que sigue o que se ajusta a un sistema: *Tienes que ordenar los puntos de la conferencia de forma sistemática para que sea lógica.* **2** Referido a una persona, que actúa de forma metódica.

sistematización s.f. Organización u ordenación de acuerdo con un sistema.

sistematizar v. Organizar u ordenar de acuerdo con un sistema. □ ORTOGR. La *z* se cambia en *c* delante de *e* →CAZAR.

sistémico, ca adj. De la totalidad de un sistema o relacionado con esta: *Las enfermedades sistémicas son las que afectan al organismo en su conjunto.*

sístole s.f. Movimiento de contracción del corazón y de las arterias que sirve para expeler e impulsar la sangre contenida en ellos. □ ETIMOL. Del griego *systolé* (contracción). □ SEM. Dist. de *diástole* (movimiento de dilatación).

sistólico, ca adj. De la sístole o relacionado con este movimiento del corazón: *una contracción sistólica.*

sistro s.m. Antiguamente, instrumento musical metálico con forma de aro o de herradura y que estaba atravesado por varillas. □ ETIMOL. Del latín *sistrum.*

sitácida adj./s.f. →**psitácida.**

sitacismo s.m. →**psitacismo.**

sitacosis (pl. *sitacosis*) s.f. →**psitacosis.**

sitar (hind.) s.m. Instrumento musical de cuerda, de origen persa, parecido al laúd pero con el mástil más largo, con trastes y generalmente con siete cuerdas metálicas que se tocan con una púa sujeta al pulgar derecho. □ PRON. [sitár].

sitcom (ing.) s.f. →**comedia de situación.** □ PRON. [sítcom]. □ USO Su uso es innecesario.

site (ing.) s.m. →**sitio (de) web.** □ PRON. [sáit]. □ USO Su uso es innecesario.

sitiador, -a adj./s. Que sitia una plaza o una fortaleza.

sitial s.m. Asiento de ceremonia en el que se sientan algunas personas importantes.

sitiar v. Referido a una plaza o a una fortaleza, cercarlas para combatirlas y apoderarse de ellas: *Cuando los habitantes de la ciudad vieron que los habían sitiado se apresuraron a organizar la defensa.* □ ETIMOL. De *sitio.* □ ORTOGR. La *i* nunca lleva tilde.

sitio s.m. **1** Espacio ocupado o que puede ser ocupado: *No había sitio en el coche y tuve que ir en autobús.* □ SINÓN. *lugar.* **2** Espacio a propósito para algo: *Paseando por el campo encontramos un sitio muy bonito para merendar.* **3** Puesto que corresponde a una persona en un determinado momento: *Nunca os dejaré porque mi sitio está a vuestro lado.* **4** Cerco que se pone a una plaza o a una fortaleza para combatirlas y apoderarse de ellas: *El castillo resistió más de un mes el sitio al que fue sometido por los enemigos.* **5** ‖ **{dejar/quedarse} en el sitio;** *col.* Dejar o quedarse muerto en el acto: *Le dio un ataque al corazón y se quedó en el sitio.* ‖ **sitio (de) web;** dirección de internet donde se ofrecen uno o varios de los servicios de esta red, y que está formado por un grupo de archivos o páginas web unidos entre sí por enlaces de hipertexto. □ SINÓN. *web.* □ ETIMOL. Las acepciones 1-3 y 5, de origen incierto. □ USO Es innecesario el uso del anglicismo *site* en lugar de *sitio de web.*

sito, ta adj. Situado o localizado. □ ETIMOL. Del latín *situs*, y este de *sinere* (dejar).

situación s.f. **1** Posición o colocación en un lugar o en un tiempo determinados: *Si me dices tu situación, puedo ir a buscarte.* **2** Estado o condición: *No estás en situación de exigir nada.*

situacional adj.inv. De una determinada situación o relacionado con ella.

situar ▮ v. **1** Poner en un determinado lugar o en un tiempo: *Los arqueólogos sitúan estas ruinas en el siglo III a. C. Se ha situado en un buen lugar para ver la entrega de las medallas.* ▮ prnl. **2** Lograr una buena posición social, económica o política: *Estoy orgulloso de ti porque has sido capaz de situarte en la vida.* □ ETIMOL. Del latín *situare.* □ ORTOGR. La *u* lleva tilde en los presentes, excepto en las personas *nosotros* y *vosotros* →ACTUAR.

siútico, ca adj. *col.* En zonas del español meridional, cursi o repipi.

ska (ing.) s.m. Estilo musical surgido en la década de 1960 que mezcla elementos del blues y de músicas caribeñas. □ PRON. [escá].

skate (ing.) (tb. *skateboard*) s.m. →**monopatín.** □ PRON. [eskéit].

skateboard (ing.) (tb. *skate*) s.m. →**monopatín.** □ PRON. [eskéitbor], con *r* suave.

skater (ing.) s. Persona entusiasta del uso del monopatín. □ PRON. [eskéiter].

skay s.m. →**escay.** □ ETIMOL. Extensión del nombre de una marca comercial. □ PRON. [escái].

sketch (ing.) s.m. **1** En una representación o en una película, escena corta, generalmente de tono humorístico. **2** →**bosquejo.** □ PRON. [eskéch].

ski (fr.) s.m. →**esquí.** □ PRON. [eskí].

skin (ing.) (tb. *skinhead*) s. →**cabeza rapada.** □ PRON. [eskín].

skinhead (ing.) (tb. *skin, skin head*) s. →**cabeza rapada.** □ PRON. [eskínhed], con *h* aspirada.

sky-line (ing.) s.m. Silueta de una ciudad, esp. de Nueva York (ciudad del noreste de Estados Unidos). □ PRON. [eskailáin].

slalom (nor.) s.m. →**eslalon.** □ PRON. [eslálon].

slam (ing.) s.m. →**grand slam.** □ PRON. [eslám].

slang (ing.) s.m. →**argot.** □ PRON. [eslán].

sleep (ing.) s.m. Temporizador de un aparato para apagarse a una hora predeterminada. □ PRON. [eslíp]. □ SINT. Se usa en aposición, pospuesto a un sustantivo: *Este despertador tiene función sleep.*

slip (fr.) s.m. Calzoncillo ajustado que solo llega hasta las ingles. □ PRON. [eslíp]. □ ORTOGR. Se usa mucho la forma castellanizada *eslip.*

slogan (ing.) s.m. →**eslogan.** □ PRON. [eslógan].

slot (ing.) s.m. **1** Permiso de vuelo para que un avión despegue o aterrice en un aeropuerto. **2** Juego de coches en miniatura que se controlan con un mando a distancia y se hacen correr por unas pistas de plástico con curvas, puentes y pendientes. □ SINÓN. *escaléxtric, scalextric.* □ PRON. [eslót].

smash (ing.) s.m. →**mate.** □ PRON. [esmach], con *ch* suave.

smog (ing.) s.m. Niebla producida por la contaminación atmosférica. □ PRON. [esmóg].

smoking (ing.) s.m. →**esmoquin.**

SMS (ing.) s.m. Mensaje escrito y breve de telefonía móvil. □ ETIMOL. Es la sigla del inglés *Short*

Message Service (servicio de mensajes cortos). □ SINT. Se usa mucho en aposición, pospuesto a un sustantivo: *mensajes SMS*.

snack (ing.) s.m. Comida que se sirve de aperitivo. □ PRON. [esnác]. □ USO Su uso es innecesario y puede sustituirse por *aperitivo*.

snipe (ing.) s.m. Barco de vela deportivo, de tamaño pequeño y que se emplea en regatas. □ PRON. [esnáip].

snob (ing.) adj.inv./s.com. →**esnob.** □ PRON. [esnób].

snooze (ing.) s.m. Alarma que se activa automáticamente una vez transcurrido un tiempo predeterminado. □ PRON. [esnús]. □ SINT. Se usa en aposición, pospuesto a un sustantivo: *función snooze*.

snorkel (ing.) s.m. En zonas del español meridional, tubo de respirar en buceo. □ PRON. [esnórkel].

snow (ing.) s.m. →**snowboard.** □ PRON. [esnóu].

snowboard (ing.) s.m. Deporte que consiste en descender por la nieve sobre una tabla. □ PRON. [esnóubord]. □ USO Se usa mucho la forma abreviada *snow*.

snowboarder (ing.) s. Persona que practica el deporte del snowboard. □ PRON. [esnoubórder].

snuff movie (ing.) s.amb. || Película, generalmente pornográfica, en la que suele filmarse el asesinato real de uno de los personajes. □ PRON. [esnáf múvi].

so ▌adv. **1** Mucho o en gran cantidad: *¡So bruto, deja eso, que lo vas a romper!* ▌prep. **2** *ant.* Bajo o debajo de: *No me dejan entrar, so pretexto de que es una fiesta privada.* ▌interj. **3** Expresión que se usa para hacer parar a un animal de carga, esp. a una caballería: *Gritó: «¡So!», y el caballo se detuvo.* □ ETIMOL. La acepción 2, del latín *sub*. La acepción 3, de origen expresivo.

soba s.f. *col.* Paliza.

sobaco s.m. Concavidad que forma el arranque del brazo con el cuerpo. □ SINÓN. *axila.* □ ETIMOL. De origen incierto.

sobado, da ▌adj. **1** Muy usado o muy tratado: *un tema sobado.* ▌s.m. **2** Bollo que tiene manteca o aceite. □ SINÓN. *sobao.*

sobajar v. *poét.* Sobar o manosear: *El muchacho sobajaba toda la comida.* □ ORTOGR. Conserva la *j* en toda la conjugación.

sobao s.m. →**sobado.**

sobaquera s.f. En algunas prendas de vestir, abertura que se deja en la zona de la axila, en la unión de la manga con el cuerpo.

sobaquillo || **de sobaquillo; 1** En tauromaquia, referido al modo de poner las banderillas, dejando pasar la cabeza del toro y clavándolas hacia atrás. **2** Referido a la forma de lanzar piedras, por debajo del brazo, apartando el cuerpo.

sobaquina s.f. Sudor de los sobacos, que se caracteriza por su mal olor.

sobar v. **1** Manosear o tocar repetidamente: *El frutero no permite que los clientes soben la fruta.* **2** *col.* Dormir: *Este fin de semana no pienso hacer otra cosa que sobar.* □ ETIMOL. De origen incierto.

sobe s.m. *col.* Manoseo o toqueteo.

soberanía s.f. **1** Autoridad suprema del poder público: *En las democracias, la soberanía reside en el pueblo.* **2** Excelencia no superada: *El poeta hablaba de la soberanía del Sol sobre los demás astros.*

soberanismo s.m. Defensa de la independencia de una zona respecto del Estado en el que está integrada.

soberanista adj.inv./s.com. Que defiende el soberanismo o que está a su favor.

soberano, na ▌adj. **1** Grande, excelente o difícil de superar: *una soberana paliza.* ▌adj./s. **2** Que ejerce o que posee autoridad suprema o independiente: *En las democracias, el pueblo soberano elige libremente a sus gobernantes.* □ ETIMOL. Del latín **superianus*, y este de *superius* (más arriba). □ SEM. No debe usarse en plural con el significado de 'el rey y la reina'.

soberbia s.f. Véase **soberbio, bia.**

soberbio, bia ▌adj. **1** Que muestra una actitud de arrogancia. **2** Grandioso, magnífico o estupendo. ▌s.f. **3** Satisfacción y arrogancia en la contemplación de las cualidades propias, con menosprecio de las de los demás. □ ETIMOL. Las acepciones 1 y 2, del latín *superbus*, por influencia de *soberbia*. La acepción 3, del latín *superbia*.

sobetear v. *col.* Sobar repetidamente: *Deja de sobetear el libro, que lo vas a romper.*

sobo s.m. *col.* Toqueteo que se hace de algo repetidamente.

sobón, -a adj./s. *desp.* Referido a una persona, que soba mucho.

sobornar v. Referido a una persona, darle dinero u otro tipo de recompensa para conseguir un favor, esp. si es ilícito o injusto: *Para escaparse sobornó al policía que lo vigilaba.* □ SINÓN. *comprar.* □ ETIMOL. Del latín *subornare*.

soborno s.m. **1** Entrega de dinero o de otro tipo de recompensa a cambio de un favor, esp. si es ilícito o injusto. **2** Lo que se entrega con este fin.

sobra ▌s.f. **1** Abundancia o exceso, esp. en el peso o en el valor de algo: *El médico le dijo que debía adelgazar porque tenía sobra de peso.* ▌pl. **2** Lo que sobra o queda de algo, esp. al recoger la mesa después de la comida. **3** || **de sobra; 1** En abundancia o suficiente: *Con este dinero tienes de sobra para comprarte la bici.* **2** Sin necesidad o inútilmente: *Te puedes ir porque aquí estás de sobra.*

sobradamente adv. En abundancia o suficiente: *Lo conozco sobradamente y sé que miente.*

sobradillo s.m. Tejadillo que se coloca sobre una ventana o sobre un balcón. □ ETIMOL. De *sobrado*.

sobrado, da ▌adj. **1** Que sobra: *En nuestro grupo tenemos inteligencia y ganas sobradas.* **2** Referido esp. a una cualidad, tenerla en abundancia: *No estoy muy sobrado de fuerzas.* ▌s.m. **3** En una casa, parte más alta, inmediatamente bajo el tejado, que suele usarse para guardar objetos viejos o que ya no se usan. □ SINÓN. *desván.* ▌s.m.pl. **4** En zonas del español meridional, sobras de una comida. □ ETIMOL. Quizá del latín *superadditum* (añadido encima), y este de *super* (sobre) y *addere* (añadir). ☐ SINT. Constr. de la acepción 2: *sobrado* DE *algo.*

sobrante adj.inv./s.m. Que sobra: *Congelaré la comida sobrante para comerla otro día.*

sobrar ▮ v. **1** Haber más cantidad de la que se necesita: *Sobra comida para que quedemos todos hartos.* **2** Quedar como excedente o como resto: *Todos comimos y aún sobró media olla.* **3** Estar de sobra o ser inútil: *Con sus palabras me dieron a entender que yo sobraba.* ▮ prnl. **4** *col.* Pasarse de la raya: *Se sobró con ellos, y le cayó una bronca de cuidado.* ☐ ETIMOL. Del latín *superare* (ser superior, abundar).

sobrasada (tb. *sobreasada*) s.f. Embutido de carne de cerdo muy picada y sazonada con sal y pimentón. ☐ ETIMOL. Del catalán *sobrassada.*

sobre ▮ s.m. **1** Cubierta, generalmente de papel, en la que se mete una carta, un documento u otro escrito para enviarlos por correo. **2** Envase con esta forma: *Esta medicina se presenta en grageas o en sobres.* **3** *col.* Cama. ▮ prep. **4** Encima de: *No pongas los pies sobre la mesa.* **5** Acerca de: *¿Qué piensas tú sobre ese asunto?* **6** Indica aproximación en una cantidad o en un número: *Llegaré a casa sobre las diez.* **7** Cerca de algo, con más altura que ello y dominándolo: *Su casa de la playa tiene varias ventanas sobre el mar.* **8** Indica dominio y superioridad: *El rey mandaba sobre sus siervos con autoridad.* ☐ ETIMOL. Las acepciones 4-8, del latín *super.* ☐ SINT. Incorr. *cometer falta {*sobre > contra} el delantero.* ☐ SEM. Precedido y seguido de un mismo sustantivo, indica reiteración o acumulación: *Como no cambies de actitud, seguirás teniendo castigo sobre castigo.*

sobre- **1** Elemento compositivo prefijo que significa 'encima de': *sobrearco, sobrecuello, sobrecama, sobrefalda.* **2** Elemento compositivo prefijo que significa 'con exceso': *sobrealimentación, sobreañadir, sobrecarga, sobreexcitar, sobrestimar, sobrepeso.* ☐ ETIMOL. Del latín *super-.*

sobreabundancia s.f. Abundancia excesiva.

sobreabundar v. Abundar mucho: *En esta región sobreabundan las palmeras.*

sobrealiento s.m. Respiración difícil y fatigosa.

sobrealimentación s.f. Consumo que hace un individuo de más alimento del que normalmente necesita para su manutención.

sobrealimentar v. Referido a un individuo, darle más alimento del que normalmente necesita para su manutención: *No sobrealimentes al niño porque lo puedes convertir en un niño obeso.*

sobreañadir v. Añadir con exceso o con repetición: *Pon los ingredientes justos, no sobreañadas nada, por favor.*

sobrearco s.m. Arco construido sobre un dintel para descargar el peso que recaería sobre este.

sobreasada s.f. →**sobrasada.**

sobrecama s.f. Cobertura de la cama que sirve de adorno y de abrigo. ☐ SINÓN. *cubrecama.*

sobrecamisa s.f. Camisa que se lleva encima de otras prendas, y que es generalmente de tela gruesa.

sobrecarga s.f. Exceso de carga o de peso.

sobrecargar v. **1** Cargar en exceso: *Han sobrecargado el camión con doscientos kilos más respecto a su peso máximo autorizado.* **2** Referido a una costura, coserla por segunda vez redoblando un borde sobre el otro para que quede bien rematada: *Como la tela se deshilachaba mucho, sobrecargó todas las costuras de la blusas.* ☐ ORTOGR. La *g* se cambia en *gu* delante de *e* →PAGAR.

sobrecargo s.com. **1** En un buque mercante o de pasajeros, persona que se ocupa del cargamento o del pasaje. **2** En un avión, miembro de la tripulación que se ocupa del pasaje y de ciertas funciones auxiliares.

sobreceja s.f. Parte de la frente inmediata a las cejas.

sobrecogedor, -a adj. Que sobrecoge: *una imagen sobrecogedora.*

sobrecoger v. Asustar, sorprender, impresionar o intimidar: *La noticia del accidente sobrecogió a toda la población. Se sobrecogieron cuando oyeron aquel estallido que parecía una bomba.* ☐ ORTOGR. La *g* se cambia en *j* delante de *a, o* →COGER.

sobrecogimiento s.m. Susto, impresión o intimidación.

sobrecontratación s.f. Contratación de un número de plazas mayor de las disponibles, esp. en hoteles y medios de transporte. ☐ SINÓN. *overbooking, sobreocupación, sobreventa.*

sobrecubierta s.f. Segunda cubierta que se pone a algo para protegerlo mejor.

sobrecuello s.m. Tira suelta de tela endurecida o de material rígido, que se ciñe al cuello y que es propia del traje de los eclesiásticos. ☐ SINÓN. *alzacuello.*

sobredicho, cha adj. Que ha sido dicho o nombrado con anterioridad. ☐ SINÓN. *antedicho.*

sobredimensionado, da s.m. Que tiene más importancia de la que le corresponde.

sobredimensionar v. Dar demasiada importancia: *La crisis ha sido sobredimensionada, y en realidad la situación está mejor de lo que parece.*

sobredorar v. Referido a un metal, esp. a la plata, dorarlo o cubrirlo de oro: *Llevé la medalla a la joyería para que la sobredoraran.*

sobredosificación s.f. Aumento de la dosis adecuada.

sobredosis (pl. *sobredosis*) s.f. Dosis excesiva de una droga o de alguna sustancia medicamentosa que puede llegar a producir alteraciones en el funcionamiento normal del organismo que la sufre.

sobreentender v. →**sobrentender.**

sobreentendido s.m. →**sobrentendido.**

sobreesdrújulo, la adj. →**sobresdrújulo.**

sobreexceder v. →**sobrexceder.**

sobreexcitación (tb. *sobrexcitación*) s.f. Excitación mayor de lo normal.

sobreexcitar (tb. *sobrexcitar*) v. Excitar mucho o más de lo normal: *Esas películas de miedo sobreexcitan a los niños.*

sobreexplotación s.f. Utilización abusiva de un recurso natural que pone en peligro la fuente de dicho recurso.

sobrefalda s.f. Falda corta que se coloca como adorno sobre otra.

sobrehilado s.m. Puntadas que se dan en el borde de una tela cortada para que no se deshilache.

sobrehilar v. Referido a una tela cortada, dar puntadas en sus bordes para que no se deshilache: *La blusa está casi acabada, solo me falta sobrehilarla y rematarla. Su nueva máquina de coser sobrehíla y borda.* □ ORTOGR. La *i* lleva tilde en los presentes, excepto en las personas *nosotros* y *vosotros* →GUIAR.

sobrehumano, na adj. Que excede o supera lo que se considera propio de un ser humano: *un esfuerzo sobrehumano.*

sobrellevar v. Referido esp. a una carga o a un mal, soportarlos, llevarlos sobre sí o sufrirlos: *Tengo que aprender a sobrellevar los disgustos con dignidad.*

sobremanera (tb. *sobre manera*) adv. Mucho o en alto grado: *Es muy aficionada al cine y le gustan sobremanera las películas del Oeste.*

sobremesa (tb. *sobre mesa*) s.f. **1** Tiempo que se está a la mesa después de haber comido. **2** ‖ **(de) sobremesa;** referido a un objeto, destinado a ser colocado sobre una mesa u otro mueble parecido: *una lámpara de sobremesa.*

sobrenadar v. Flotar en un líquido: *No me tomé la leche porque sobrenadaban trocitos de nata, y no me gusta.* □ SINÓN. *nadar.*

sobrenatural adj.inv. Que excede los límites y las leyes de la naturaleza: *un poder sobrenatural.* □ ETIMOL. Del latín *supernaturalis.*

sobrenombre s.m. Nombre calificativo con el que se distingue de una forma especial a una persona.

sobrentender (tb. *sobreentender*) v. Referido a algo que no está expresado, entenderlo o comprenderlo, esp. porque se puede deducir o suponer de lo antes dicho o de la materia de la que se trata: *No necesitas invitación para venir a casa porque se sobrentiende que estás invitado siempre.* □ MORF. Irreg. →PERDER.

sobrentendido (tb. *sobreentendido*) s.m. Lo que no está expresado, esp. lo que se da por supuesto.

sobreocupación s.f. Contratación de un número de plazas mayor de las disponibles, esp. en hoteles. □ SINÓN. *overbooking, sobrecontratación, sobreventa.*

sobrepasar v. Referido esp. a un límite o a un punto, pasarlo o rebasarlo: *Las temperaturas sobrepasarán los treinta grados.* □ ETIMOL. Traducción del francés *surpasser.*

sobrepastorear v. En zonas del español meridional, explotar excesivamente un terreno por la actividad del pastoreo: *Estas tierras están deterioradas porque hace tiempo las sobrepastorearon.*

sobrepastoreo s.m. En zonas del español meridional, explotación excesiva de un terreno por la actividad del pastoreo.

sobrepelliz s.f. Vestidura blanca de tela fina, con mangas abiertas o muy anchas, que llega desde el hombro hasta la cintura aproximadamente y que llevan los sacerdotes sobre la sotana y algunas personas que ayudan en algunas funciones de la Iglesia. □ ETIMOL. Del latín *superpellicium*, y este de *super* (sobre) y *pellicium* (vestimenta de piel).

sobrepeso s.m. Exceso de peso.

sobreponer ▌v. **1** Añadir o poner por encima: *Si sobrepones ese tul al vestido, quedará precioso.* □ SINÓN. *superponer.* ▌prnl. **2** Referido esp. a un impulso o a una adversidad, dominarlos o vencerlos: *Es una mujer muy fuerte, capaz de sobreponerse a las desgracias.* □ ETIMOL. Del latín *superponere.* □ MORF. Irreg.: 1. Su participio es *sobrepuesto.* 2. →PONER. □ SINT. Constr. de la acepción 2: *sobreponerse* A *algo.*

sobreproducción s.f. Exceso de producción o producción en cantidad superior a la que es posible vender con beneficios. □ SINÓN. *superproducción.*

sobrepuesto, ta part. irreg. de **sobreponer**. □ MORF. Incorr. **sobreponido.*

sobrepujar v. Exceder o superar a otro en algo: *El trabajo de este alumno sobrepuja a los del resto de la clase en calidad y en claridad.* □ ETIMOL. Del catalán *sobrepujar.* □ ORTOGR. Conserva la *j* en toda la conjugación.

sobrero s.m. En tauromaquia, toro que se tiene de más por si alguno de los que se destinan a una corrida no resulta apto para la lidia.

sobresaliente ▌adj.inv. **1** Que sobresale. ▌s.m. **2** Calificación académica que indica que se ha superado brillantemente el nivel exigido.

sobresalir v. **1** Destacar en altura o en anchura: *El balcón sobresale de la fachada de la casa.* □ SINÓN. *descollar.* **2** Distinguirse entre los demás: *Sobresale entre sus compañeros de clase por su inteligencia.* □ SINÓN. *descollar.* □ MORF. Irreg. →SALIR.

sobresaltar v. Asustar, producir angustia o hacer perder la tranquilidad y la calma repentinamente: *El teléfono sonó a las tres de la mañana y nos sobresaltó. Me sobresalté al oír el trueno.*

sobresalto s.m. Sensación producida por un acontecimiento repentino e imprevisto.

sobresdrújulo, la (tb. *sobreesdrújulo, la*) adj. Referido a una palabra, que lleva el acento en la sílaba anterior a la antepenúltima: *'Llámamelo' se escribe con tilde, como todas las palabras sobresdrújulas.*

sobreseer v. Referido a una instrucción de un sumario o a un proceso criminal, suspenderlos o dejarlos sin curso: *La juez ha sobreseído el caso por considerar que no existen pruebas suficientes para sostener la acusación.* □ ETIMOL. Del latín *supersedere* (sentarse ante algo, abstenerse de algo). □ ORTOGR. En las formas cuya desinencia contiene un diptongo *ie, io*, esta *i* se cambia en *y* →LEER.

sobreseimiento s.m. Suspensión de una instrucción sumarial o de un proceso criminal.

sobrestimar v. Referido a algo, estimarlo por encima de su valor: *Sobrestimé tu amistad, pero ahora que me has fallado, veo que me equivoqué.* □ ORTOGR. Incorr. **sobreestimar*.

sobresueldo s.m. Retribución o cantidad de dinero que se añade al sueldo fijo.

sobretodo s.m. **1** Prenda de vestir ancha, larga y con mangas, que se lleva generalmente encima del traje normal. **2** En zonas del español meridional, abrigo de caballero.

sobrevalorar v. Referido a algo, otorgarle mayor valor del que realmente tiene: *Cuando te conocí me impresionaste y te sobrevaloré.* □ SINÓN. *supervalorar.*

sobrevenida s.f. Venida repentina, imprevista e inesperada.

sobrevenir v. Venir de improviso o de forma repentina o inesperada: *Estábamos empezando a comer junto al río cuando sobrevino una tormenta que nos hizo volver a casa.* □ ETIMOL. Del latín *supervenire.* □ MORF. Irreg. →VENIR.

sobreventa s.f. Contratación de un número de plazas mayor de las disponibles, esp. en hoteles y medios de transporte. □ SINÓN. *overbooking, sobrecontratación, sobreocupación.*

sobreviviente adj.inv./s.com. →**superviviente.**

sobrevivir v. **1** Vivir después de la muerte de alguien o después de determinado suceso o plazo: *Aunque era el mayor de los hermanos, sobrevivió a todos.* **2** Vivir con estrechez o con lo mínimo necesario: *Con lo que gano en este trabajo solo tengo para poder sobrevivir.* □ ETIMOL. Del latín *supervivere.*

sobrevolar v. Referido esp. a un lugar, volar por encima de él: *El piloto nos anunció que estábamos sobrevolando Valladolid.* □ MORF. Irreg. →CONTAR.

sobrexceder (tb. *sobreexceder*) v. Exceder, sobrepasar o superar: *Tiene un trabajo tan bueno que sobrexcede todo lo que había imaginado.*

sobrexcitación s.f. →**sobreexcitación.**

sobrexcitar v. →**sobreexcitar.**

sobriedad s.f. **1** Moderación y templanza en el modo de actuar: *Tiene sobriedad en el comer y nunca se da atracones.* **2** Carencia de adornos superfluos: *Esta novelista escribe con sobriedad y de forma directa y llana.*

sobrino, na s. Respecto de una persona, otra que es hijo o hija de su hermano o de su hermana: *Tiene cuatro sobrinos, dos son hijos de su hermano y los otros dos, de su hermana.* □ ETIMOL. Del latín *sobrinus.*

sobrio, bria adj. **1** Moderado o templado en la forma de actuar: *una persona sobria.* **2** Que carece de adornos superfluos. **3** Que no está borracho. □ ETIMOL. Del latín *sobrius.*

socaire s.m. Abrigo o defensa que ofrece algo, en el lado opuesto al que sopla el viento: *Nos pusimos al socaire de la montaña, hasta que pasó la tempestad.* □ ETIMOL. De origen incierto.

socaliña s.f. Truco o engaño que se hacen para obtener algo de una persona que no está obligada a darlo. □ ETIMOL. De *sacaliña* (ardid).

socarrar v. Quemar o tostar superficialmente: *Hay que socarrar las alas de pollo antes de cocinarlas. Se socarró de estar tanto tiempo al sol.* □ ETIMOL. De origen prerromano.

socarrat (cat.) s.m. Arroz que queda pegado en el fondo de la paella. □ PRON. [socarrát].

socarrón, -a adj./s. Que manifiesta socarronería. □ ETIMOL. De *socarrar* (mofarse).

socarronería s.f. Actitud burlesca, irónica y disimulada.

socavación s.f. Debilitamiento o pérdida de la base o del apoyo.

socavar v. **1** Excavar por debajo, dejando huecos: *Las riadas han socavado los cimientos de la casa.* **2** Debilitar física o moralmente: *Tantos desastres han socavado su moral.* □ ETIMOL. De *so* (debajo) y *cavar.*

socavón s.m. Hundimiento en el suelo producido generalmente por una pérdida subterránea de terreno.

soccer (ing.) s.m. →**fútbol.** □ PRON. [sóker].

sochantre s.m. Director del coro en los oficios divinos. □ ETIMOL. De *so* (debajo) y *chantre* (el que gobernaba el canto en el coro).

sociabilidad s.f. Facilidad para el trato y la relación con las personas.

sociabilizar v. Hacer sociable o acostumbrar a vivir en sociedad: *Esa pedagoga afirma que la asistencia a la guardería ayuda a sociabilizar a los niños.* □ ORTOGR. La *z* se cambia en *c* delante de *e* →CAZAR.

sociable adj.inv. Que siente inclinación por el trato y la relación con las personas o que tiene facilidad para ello. □ ETIMOL. Del latín *sociabilis.*

social adj.inv. **1** De una sociedad o relacionado con esta agrupación de individuos: *una injusticia social.* **2** De una compañía o sociedad, de los miembros que las forman o relacionado con ellos: *Es el socio mayoritario ya que posee más de la mitad del capital social.* **3** Que beneficia a los sectores más pobres de la sociedad: *El Gobierno presentará un programa de medidas sociales.* **4** Referido a algunas especies de insectos, que se organizan en sociedades: *Las abejas y las hormigas son insectos sociales.* □ ETIMOL. Del latín *socialis* (sociable, aliado).

socialdemocracia s.f. Corriente política socialista que admite la democracia y el pluralismo político.

socialdemócrata ▮ adj.inv. **1** De la socialdemocracia o relacionado con esta corriente política. ▮ adj.inv./s.com. **2** Que sigue o que defiende la socialdemocracia.

socialismo s.m. **1** Movimiento político y sistema de organización social y económico basados en la propiedad, administración y distribución colectiva o estatal de los bienes de producción. **2** ‖ **socialismo utópico;** el caracterizado por basar muchos de sus argumentos en conceptos morales y religiosos.

socialista ▌ adj.inv. **1** Del socialismo o relacionado con él. ▌ adj.inv./s.com. **2** Que sigue o que defiende el socialismo.

socialistoide adj.inv./s.com. *col. desp.* →**socialista.**

socialización s.f. Transferencia de propiedades o instituciones privadas al Estado.

socializar v. **1** Referido esp. a propiedades o a instituciones privadas, transferirlas al Estado o a otro órgano colectivo: *El marxismo soviético socializó los medios de producción, que pasaron a manos del Estado.* **2** Generalizar o hacer público y accesible un uso o una costumbre: *El uso de la informática se ha socializado de un tiempo a esta parte.* □ ORTOGR. La *z* se cambia en *c* delante de *e* →CAZAR.

sociata s.com. *col. desp.* →**socialista.**

sociedad s.f. **1** Conjunto de todos los seres humanos: *No le eches la culpa de todos tus males a la sociedad.* **2** Agrupación de individuos con una característica común: *Con la encuesta se buscaba conocer la opinión de la sociedad española sobre ciertos temas.* **3** Agrupación de individuos que cooperan para lograr un fin común: *Es la presidenta de una sociedad cultural de su pueblo.* **4** Agrupación de comerciantes, de hombres de negocios o de accionistas de una compañía: *Hemos formado una sociedad mercantil y tenemos que firmar los estatutos.* **5** ‖ **alta sociedad;** grupo formado por las personas económica y culturalmente más favorecidas. ‖ **sociedad anónima;** aquella en la que el capital está dividido en acciones e integrada por los socios o accionistas. ‖ **sociedad civil;** conjunto de los individuos de un país. ‖ **(sociedad) cooperativa;** la formada por productores, vendedores o consumidores para la utilidad común de los socios. ‖ **sociedad de consumo;** aquella en la que se estimula la necesidad de adquirir productos, aunque no sean necesarios. ‖ **sociedad (de responsabilidad) limitada;** aquella sociedad mercantil que tiene un capital mínimo de constitución y que se divide en participaciones sociales que se reparten entre los socios. ‖ **sociedad instrumental;** la constituida por el capital de una empresa mayor para el desarrollo específico de un proyecto determinado. □ ETIMOL. Del latín *societas* (compañía).

societario, ria adj. De una asociación, esp. obrera, o relacionado con ella.

socio, cia s. **1** Persona que está asociada con otra o forma parte de una asociación. **2** *col.* Amigo o compañero. □ ETIMOL. Del latín *socius* (compañero).

socio- 1 Elemento compositivo prefijo que significa 'social': *sociocultural, socioeconómico, sociopolítico.* **2** Elemento compositivo prefijo que significa 'sociedad': *sociología, sociolingüística, sociológico.*

sociobiología s.f. Método de análisis de la sociología que estudia los aspectos biológicos del comportamiento social.

sociocultural adj.inv. De la cultura y de la sociedad a la vez o relacionado con ellas.

socioeconómico, ca adj. Que tiene relación con la economía y con la sociedad a la vez.

sociolaboral adj.inv. De la seguridad social, del empleo en una sociedad, o relacionado con ellos.

sociolingüística s.f. Véase **sociolingüístico, ca.**

sociolingüístico, ca ▌ adj. **1** De la sociolingüística o relacionado con ella. ▌ s.f. **2** Parte de la lingüística que estudia la influencia de la sociedad en el lenguaje: *Las variedades lingüísticas según la edad, el sexo o la clase social son algunos de los temas que trata la sociolingüística.*

sociología s.f. Ciencia que estudia las condiciones de existencia y de desarrollo de las sociedades humanas. □ ETIMOL. Del latín *socius* (compañero) y *-logía* (ciencia, estudio).

sociológico, ca adj. De la sociología o relacionado con esta ciencia.

sociólogo, ga s. Persona que se dedica profesionalmente al estudio de las sociedades humanas o que está especializado en sociología.

sociometría s.f. Estudio por medio de métodos estadísticos de las formas o tipos de relación que se establecen en un grupo de personas: *La sociometría proporciona datos muy interesantes para la pedagogía.*

sociopático, ca adj. Relacionado con los trastornos patológicos que afectan a un individuo en su relación social: *La violencia injustificada es una conducta sociopática incomprensible en la mayoría de los casos.*

sociopatología s.f. Estudio sistemático de las interacciones patológicas entre un individuo o un grupo y su medio social.

sociopolítico, ca adj. De la sociedad y la política conjuntamente, o relacionado con ellas.

socioterapia s.f. Conjunto de técnicas terapéuticas que se centran en la reinserción social y la readaptación de las personas. □ ETIMOL. Del latín *socius* (compañero) y el griego *therapaía* (tratamiento, curación).

socorrer v. Prestar ayuda o auxilio en un peligro o en una necesidad: *El automovilista se detuvo para socorrer al herido.* □ ETIMOL. Del latín *succurrere.*

socorrido, da adj. Referido a un recurso, que frecuentemente y de forma fácil sirve para solucionar algo.

socorrismo s.m. Conjunto de conocimientos y de técnicas destinadas a poder prestar socorro inmediato en caso de accidente.

socorrista s.com. Persona que trabaja prestando socorro en caso de accidente.

socorro s.m. Ayuda o auxilio que se prestan en caso de necesidad o de peligro. □ SEM. Se usa para solicitar ayuda urgente.

socoyote, ta s. *col.* En zonas del español meridional, en una familia, hijo menor. □ ETIMOL. Del náhuatl *xocoyote* (hijo menor o benjamín).

socrático, ca ▌ adj. **1** De Sócrates (filósofo griego de los siglos V y IV a. C.) o relacionado con él. ▌ adj./s. **2** Que sigue o que defiende la filosofía de Sócrates.

socucho s.m. En zonas del español meridional, vivienda de escasas dimensiones, hecha con materiales de desecho o de muy baja calidad, con las condiciones mínimas para ser habitada.

soda s.f. Bebida gaseosa elaborada con agua y ácido carbónico. □ ETIMOL. Del italiano *soda*.

sódico, ca adj. Del sodio o relacionado con este elemento químico: *La sal común es un compuesto sódico.*

sodio s.m. Elemento químico metálico y sólido, de número atómico 11, blando, ligero y de color y brillo plateados, que se oxida rápidamente en contacto con el aire: *La sal común es cloruro de sodio.* □ ETIMOL. De *soda* (sosa). □ ORTOGR. Su símbolo químico es *Na*.

sodomía s.f. Coito anal. □ ETIMOL. Por alusión a Sodoma, antigua ciudad de Palestina.

sodomita adj.inv./s.com. Referido a una persona, que practica la sodomía.

sodomizar v. Someter a sodomía: *El líder de la secta fue acusado de sodomizar a algunos miembros del grupo.* □ ORTOGR. La *z* se cambia en *c* delante de *e* →CAZAR.

soez adj.inv. Que se considera bajo, grosero o de mal gusto. □ ETIMOL. De origen incierto.

sofá (pl. *sofás*) s.m. **1** Asiento cómodo para dos o más personas, con respaldo y con brazos. **2** ‖ **sofá cama;** el que puede transformarse en cama. □ ETIMOL. Del francés *sofa*. □ MORF. Incorr. el pl. **sofases*.

sófbol s.m. Modalidad del béisbol que se juega en un campo más pequeño. □ USO Es innecesario el uso del anglicismo *softball*.

sofisma s.m. Razonamiento o argumento aparente con que se pretende defender algo falso o convencer de ello. □ ETIMOL. Del latín *sophisma*, y este del griego *sophísma* (habilidad).

sofista ▮ adj.inv./s.com. **1** Que se vale de sofismas o argumentos aparentes. ▮ s.m. **2** En la antigua Grecia, persona que se dedicaba a la enseñanza de la filosofía, esp. referido a los que la enseñaron como método para convencer por medio del arte de la palabra y de la argumentación a partir del siglo V a. C..

sofisticación s.f. **1** Concesión o adquisición de un refinamiento afectado o falto de naturalidad. **2** Concesión o adquisición de un carácter complicado, esp. en un aparato o en una técnica.

sofisticado, da adj. **1** Falto de naturalidad o con un refinamiento afectado. **2** Referido esp. a un aparato o a una técnica, que son complicados y completos.

sofisticar v. Dar o adquirir carácter sofisticado: *Los adelantos científicos han sofisticado la forma de vida. Los instrumentos de laboratorio se han sofisticado mucho.* □ ETIMOL. De *sofístico* (aparente). □ ORTOGR. La *c* se cambia en *qu* delante de *e* →SACAR.

sofístico, ca adj. Del sofisma o con la apariencia o el fingimiento propios de él.

sofito s.m. **1** En arquitectura, parte inferior de una cornisa o de un voladizo. **2** Lámpara que tiene forma de tubo de vidrio y un filamento de tungsteno. □ ETIMOL. Del italiano *soffitto*.

soflama s.f. Discurso o perorata, esp. los que se pronuncian con apasionamiento para intentar encender el ánimo de los oyentes o impulsarles a hacer algo. □ ETIMOL. De *so* (bajo, debajo) y *flama*.

soflamar v. **1** Requemar o tostar demasiado: *Estas tostadas se soflamaron en la sartén.* **2** Engañar o embaucar: *Con tantos halagos te ha soflamado para que hagas lo que quiere.*

sofocación s.f. **1** Ahogamiento o incorrecta oxigenación. **2** Extinción o apagamiento de algo, esp. de un fuego o de una sublevación, impidiendo su propagación o su continuación. **3** Irritación o producción de nerviosismo o de sonrojo en una persona.

sofocante adj.inv. Que sofoca: *un calor sofocante.*

sofocar v. **1** Ahogar o impedir la correcta oxigenación: *El ejercicio te sofoca porque no estás en forma. Los asmáticos se sofocan fácilmente.* **2** Referido esp. a un fuego o a una sublevación, apagarlos, extinguirlos o dominarlos impidiendo su propagación o su continuación: *Los bomberos consiguieron sofocar las llamas.* **3** Referido a una persona, irritarla, molestarla mucho o ponerla nerviosa, generalmente mediante el acoso: *¡Me sofocas con tanta pregunta! No merece la pena que te sofoques por tan poca cosa.* **4** Avergonzar, sonrojar o hacer sentir bochorno: *Es tan tímido que, con un piropo que le digas, lo sofocas. En cuanto lo insultan se sofoca.* □ ETIMOL. Del latín *suffocare*. □ ORTOGR. La *c* se cambia en *qu* delante de *e* →SACAR.

sofoco s.m. **1** Ahogo o imposibilidad de respirar. **2** Sonrojo o bochorno producidos en una persona. **3** Irritación o disgusto grandes. **4** *col.* En una mujer, sensación de calor que suele presentarse durante la menopausia.

sofocón s.m. *col.* Desazón o disgusto muy grandes.

sofoquina s.f. *col.* Sofoco, generalmente intenso.

sófora s.f. Árbol de tronco recto y grueso, copa ancha, ramas retorcidas, y flores pequeñas y amarillas, en panojas colgantes: *La sófora es frecuente en jardines y calles.* □ ETIMOL. Del latín científico *sophora*, y este quizá del árabe *sufayra'* (amarillita) por alusión al color amarillo de sus flores.

sofreír v. Freír ligeramente: *Aunque el tomate de lata ya viene frito, me gusta sofreírlo un poco antes de servirlo.* □ ETIMOL. Del latín *subfrigere*. □ MORF. Irreg.: 1. Tiene un participio regular (*sofreído*), que se usa más en la conjugación, y otro irregular (*sofrito*), que se usa más como adjetivo o sustantivo. 2. →REÍR.

sofrenar v. **1** Referido a un caballo, contenerlo o dominarlo tirando con fuerza de las riendas: *El jinete sofrenó su caballo para no caerse.* □ SINÓN. *refrenar*. **2** Contener, dominar o hacer menos violento: *sofrenar una obsesión.* □ SINÓN. *refrenar*. □ ETIMOL. Del latín *suffrenare*.

sofrito, ta ▮ **1** part. irreg. de **sofreír**. ▮ s.m. **2** Salsa o condimento que se añaden a un guiso y que se hacen con diversos ingredientes fritos en aceite, esp. cebolla o ajo. ☐ MORF. En la acepción 1, se usa más como adjetivo, frente al participio regular *sofreído*, que se usa más en la conjugación.

sofrología s.f. Técnica terapéutica de relajación que utiliza la hipnosis y el yoga.

sofrólogo, ga s. Psicoterapeuta especialista en sofrología.

softball (ing.) s.m. →**sófbol.** ☐ PRON. [sófbol].

sóftbol s.m. En zonas del español meridional, sófbol.

software (ing.) s.m. Conjunto de programas, instrucciones y elementos no físicos que constituyen un equipo informático. ☐ PRON. [sóftgüer], con la *e* muy abierta. ☐ USO Su uso es innecesario y puede sustituirse por *programas*, *aplicaciones* o *soporte lógico*.

soga s.f. Cuerda gruesa de esparto o de cáñamo. ☐ ETIMOL. Del latín *soca*.

sogatira s.m. Juego que se practica entre dos equipos que tienen que tirar de una soga para obligar a los contrincantes a cruzar una línea trazada en el suelo. ☐ ETIMOL. Del vasco *sokatira*. ☐ USO Es innecesario el uso del término euskera *sokatira*.

sogún s.m. En la época feudal japonesa, jefe militar que se constituía en señor feudal o que gobernaba en representación del emperador por designación de este. ☐ ORTOGR. Se usa también *shogun*.

soirée (fr.) s.f. Acto social o espectáculo público, generalmente de cine o de teatro, que tiene lugar por la noche. ☐ PRON. [suaré]. ☐ USO Su uso es innecesario.

soja s.f. **1** Planta herbácea de tallo recto, hojas compuestas, flores blancas o violetas en racimo y fruto en vaina que contiene unas semillas de las que se extrae aceite y harina. **2** Fruto de esta planta.

sojuzgar v. Someter o dominar con violencia: *El Imperio Romano consiguió sojuzgar gran parte de Europa.* ☐ ETIMOL. Del latín *subiugare*. ☐ ORTOGR. La *g* se cambia en *gu* delante de *e* →PAGAR.

sokatira (eusk.) s.m. →**sogatira.**

sol s.m. **1** Estrella que es centro de un sistema planetario: *En una galaxia puede haber multitud de soles.* **2** Luz, calor o influjo del Sol sobre la Tierra: *Está tan morena porque toma mucho el sol.* **3** *col.* Lo que se considera muy bueno o encantador: *¡Qué sol de niño, tan sonriente y cariñoso!* **4** En música, quinta nota de la escala de do mayor. **5** Unidad monetaria peruana. **6** ‖ **de sol a sol;** desde que sale el Sol hasta que se pone: *Antes la gente trabajaba de sol a sol y no paraba ni para comer.* ‖ **no dejar** a alguien **(ni) a sol ni a sombra;** *col.* Seguirlo sin descanso o acompañarlo en todo momento y lugar: *Va con un guardaespaldas que no lo deja a sol ni a sombra.* ‖ **sol de justicia;** el que calienta mucho: *Atravesaron el desierto casi desmayados bajo un sol de justicia.* ‖ **sol y sombra;** combinado de anís y coñac: *Para la señora un cubalibre y para mí, un sol y sombra, por favor.* ☐ ETIMOL. Las acepciones 1-3, del latín *sol*. La acepción 4, de la primera sílaba de la palabra *solve*, que aparece en el himno de San Juan Bautista, de donde se sacó el nombre de todas las notas musicales. ☐ MORF. En la acepción 4, su plural también es *soles*. ☐ USO En la acepción 1, referido a la estrella del sistema al que pertenece la Tierra, es nombre propio.

solado s.m. **1** Revestimiento de un suelo con losas, con ladrillos o con un material semejante. **2** Colocación de suelas a un calzado.

solador, -a s. Persona que se dedica profesionalmente al revestimiento de suelos con ladrillos, losas o materiales semejantes. ☐ SINÓN. *enladrillador*.

solana s.f. **1** Lugar en el que da el sol de lleno. **2** En una casa, corredor para tomar el sol. ☐ ETIMOL. Del latín *solana*.

solanáceo, a ▮ adj./s.f. **1** Referido a una planta, que es herbácea, arbustiva o arbórea, con hojas simples y alternas, flores acampanadas y fruto carnoso en forma de cápsula o de baya: *La tomatera, el pimiento y el tabaco son plantas solanáceas.* ▮ s.f.pl. **2** En botánica, familia de estas plantas, perteneciente a la clase de las dicotiledóneas: *Las especies que se engloban dentro de las solanáceas suelen crecer en zonas cálidas.* ☐ ETIMOL. De latín *solanum* (hierba mora).

solanera s.f. **1** Exceso de sol: *Mi padre vino con una fuerte solanera por haber estado trabajando todo el día al sol.* **2** Lugar en el que da el sol de lleno: *Aquel descampado es una solanera.* **3** En una casa, corredor o galería para tomar el sol: *Hemos estado tumbados en la solanera.*

solano s.m. Viento que sopla del Este. ☐ ETIMOL. Del latín *solanus*.

solapa s.f. **1** En una prenda de vestir, parte correspondiente al pecho, que suele ir doblada hacia fuera sobre la misma prenda: *El novio llevaba una flor en el ojal de la solapa.* **2** En la sobrecubierta de un libro, prolongación lateral que se dobla hacia dentro: *En la solapa del libro, viene una foto de la autora y algunos datos biográficos.* **3** Parte o prolongación del borde de algo, que se dobla para cubrir su interior o para cerrarlo: *El remite venía escrito en la solapa del sobre.* ☐ ETIMOL. De *so* (bajo, debajo de) y el latín *lapis* (losa).

solapado, da adj. Referido a una persona, que suele ocultar maliciosamente sus pensamientos o sus intenciones.

solapar v. Referido esp. a la verdad de algo o a una intención, ocultarlas o encubrirlas maliciosamente: *Solapa su envidia con fingidas alabanzas.* ☐ ETIMOL. De *lapa* (cueva, roca que sobresale cubriendo un lugar).

solar ▮ adj.inv. **1** Del Sol o relacionado con esta estrella: *el sistema solar.* ▮ s.m. **2** Terreno de edificación. ▮ v. **3** Revestir el suelo con losas, ladrillos u otro material: *Para terminar la casa, solo nos queda solar la cocina.* ☐ ETIMOL. La acepción 1, del latín *solaris*. Las acepciones 2 y 3, del latín *solum* (suelo). ☐ MORF. Es verbo irreg. →CONTAR.

solariego, ga adj. Antiguo y noble: *un palacio solariego.*

solario s.m. →**solárium.**

solárium s.m. **1** Lugar reservado para tomar el sol: *En el balneario había un solárium.* ☐ SINÓN. *solario.* **2** Lugar en el que se toman rayos ultravioletas: *Ocho minutos en el solárium me han costado tres euros.* ☐ ETIMOL. Del latín *solarium.*

solaz s.m. Placer, distracción o alivio de los trabajos o penalidades. ☐ ETIMOL. Del provenzal antiguo *solatz.*

solazar v. Dar solaz: *Se entrega a la lectura para solazar el espíritu. Los abuelos se solazan con los nietos.* ☐ ORTOGR. La *z* se cambia en *c* delante de *e* →CAZAR.

solazo s.m. *col.* Sol muy fuerte y que calienta mucho.

soldada s.f. Salario o sueldo, esp. referido al de un soldado. ☐ ETIMOL. De *sueldo.*

soldadesco, ca adj. De los soldados o relacionado con ellos.

soldado s.com. Militar o persona que sirve en el ejército, esp. referido al que no tiene graduación. ☐ ETIMOL. Del italiano *soldato*, y este de *soldare* (pagar el sueldo).

soldador, -a ▮ s. **1** Persona que se dedica profesionalmente a soldar. ▮ s.m. **2** Aparato que sirve para soldar.

soldadura s.f. Pegado y unión sólida de dos cosas o de dos partes de una misma cosa que se hace generalmente por medio del mismo material de las piezas.

soldar v. Referido a dos cosas o a dos partes de la misma cosa, pegarlas y unirlas una con otra con mucha solidez, generalmente por medio del mismo material de las piezas: *Utiliza un soplete para soldar los tubos de la cañería.* ☐ ETIMOL. Del latín *solidare* (consolidar, endurecer). ☐ MORF. Irreg. →CONTAR.

soleá (pl. *soleares*) s.f. **1** Cante flamenco de carácter melancólico cuya copla es una estrofa de tres o de cuatro versos octosílabos. **2** Baile que se ejecuta al compás de este cante. ☐ ETIMOL. De *soledad.*

soleado, da adj. **1** Referido al tiempo atmosférico, con sol y sin nubes. **2** Referido a un lugar, expuesto al sol.

solear v. →**asolear.**

solecismo s.m. En gramática, incorrección consistente en el mal uso de una construcción o en una falta de sintaxis: *Si dices 'hubieron fiestas' en vez de hubo fiestas, cometes un solecismo.* ☐ ETIMOL. Del latín *soloecismus*, este del griego *soloikismós* (falta contra las reglas del idioma), y este de *Sóloi* (nombre de una colonia ateniense en Cilicia, donde se hablaba un griego corrompido). ☐ SEM. Dist. de *barbarismo* (alteración de la forma escrita o hablada de un vocablo o uso de vocablos impropios).

soledad s.f. **1** Falta de compañía. **2** Ausencia de ocupantes o de habitantes. ☐ ETIMOL. Del latín *solitas.*

solemne adj.inv. **1** De gran importancia o significación: *un acto solemne.* **2** Majestuoso, imponente o con aire de gravedad: *un tono solemne.* **3** Referido esp. a un compromiso, que es formal y firme, esp. si va acompañado de las circunstancias o requisitos necesarios: *una promesa solemne.* ☐ ETIMOL. Del latín *sollemnis* (consagrado, que se celebra en fechas fijas). ☐ SEM. Con algunos sustantivos, enfatiza despectivamente el significado de estos: *No te hago caso porque lo que estás diciendo es una solemne tontería.*

solemnidad s.f. **1** Importancia o significación. **2** Majestuosidad o gravedad. **3** Formalidad y firmeza de un compromiso, esp. si va acompañado de las circunstancias o de los requisitos necesarios. **4** ‖ **de solemnidad;** muy o mucho: *La película fue aburrida de solemnidad.*

solemnizar v. Dar carácter solemne: *Organizaron una gran ceremonia para solemnizar el momento.* ☐ ORTOGR. La *z* se cambia en *c* delante de *e* →CAZAR.

solenoide s.m. Hilo conductor enrollado en espiral, en cuyo interior se crea un campo magnético uniforme por la acción de la corriente eléctrica. ☐ ETIMOL. Del griego *solén* (tubo, conducto) y *-oide* (forma).

sóleo s.m. En anatomía, músculo de la pantorrilla unido a los gemelos por su parte inferior para formar el tendón de Aquiles. ☐ ETIMOL. Del latín *solea* (suela).

soler v. **1** Acostumbrar o tener por hábito: *Suelo levantarme temprano por las mañanas.* **2** Ser frecuente u ocurrir habitualmente: *Aquí en invierno suele llover mucho.* ☐ ETIMOL. Del latín *solere* (acostumbrar, tener costumbre). ☐ MORF. 1. Irreg. →MOVER. 2. Verbo defectivo: no suele usarse en las formas que expresan la acción acabada. ☐ SINT. Se usa siempre seguido de infinitivo.

solera s.f. **1** Carácter tradicional o arraigado por el uso o la costumbre. **2** Vejez o carácter añejo de un vino. **3** Superficie inferior del interior de un horno. ☐ ETIMOL. Del latín *solaria*, y este de *solum* (suelo).

soletilla s.f. →**bizcocho de soletilla.**

solfa s.f. **1** Arte o técnica de leer y entonar la música marcando el compás y pronunciando los nombres de las notas que se cantan. ☐ SINÓN. *solfeo.* **2** *col.* Paliza: *una solfa de palos.* **3** ‖ **poner** algo **en solfa;** *col.* Ridiculizarlo o burlarse de ello: *Estoy harta de que pongas en solfa todo lo que digo.* ☐ ETIMOL. De *sol* y *fa* (notas musicales).

solfatara s.f. Abertura o grieta en un terreno volcánico, por las que salen emisiones de vapores sulfurosos. ☐ ETIMOL. Del italiano *solfatara.*

solfear v. Cantar o entonar marcando el compás y pronunciando los nombres de las notas: *Para aprender a cantar conviene saber solfear.*

solfeo s.m. **1** Entonación que se hace marcando el compás y pronunciando los nombres de las notas que se cantan. **2** →**solfa.** ☐ ETIMOL. Del italiano *solfeggio.*

solicitación s.f. **1** Petición que se hace de un modo respetuoso o siguiendo los trámites o los procedimientos debidos. **2** Pretensión o intento de conseguir los servicios o el amor de una persona.

solicitante adj.inv./s.com. Que solicita.

solicitar v. **1** Pedir con respeto o siguiendo los trámites o procedimientos debidos: *Si me siento incapaz de hacerlo sola, solicitaré tu ayuda.* **2** Referido a una persona, pretenderla o intentar conseguir su amor o sus servicios: *La abuela cuenta que de joven la solicitaban muchos pretendientes.* □ ETIMOL. Del latín *sollicitare*, y este de *sollus* (entero) y *citus* (movido).

solícito, ta adj. Que actúa con prontitud o diligencia. □ ETIMOL. Del latín *sollicitus*, de *sollus* (entero) y *citus* (movido).

solicitud s.f. **1** Escrito o documento en los que se solicita algo. **2** Prontitud o diligencia en la forma de actuar.

solidaridad s.f. Adhesión o apoyo a una causa ajena, esp. los que se prestan en una situación difícil.

solidario, ria adj. Que presta o muestra adhesión o apoyo a una causa ajena, esp. en situaciones difíciles. □ ETIMOL. De *sólido*.

solidarizar v. Referido a una persona, hacerla solidaria con otra, esp. en una situación difícil: *La opresión solidariza a los pueblos. Me solidarizo contigo en tus reivindicaciones.* □ ORTOGR. La *z* se cambia en *c* delante de *e* →CAZAR.

solideo s.m. Gorro de seda o de otra tela ligera en forma de casquete, que usan algunos eclesiásticos y que cubre la coronilla. □ ETIMOL. Del latín *soli Deo* (a Dios sólo), porque se lo quitan solamente ante el sagrario.

solidez s.f. Firmeza, fuerza o seguridad.

solidificación s.f. Conversión de un fluido en sólido.

solidificar v. Referido a un fluido, hacerlo sólido: *Para solidificar un líquido hay que someterlo a bajas temperaturas. Cuando una sustancia se solidifica, se hace más consistente.* □ ETIMOL. Del latín *solidus* (sólido) y *facere* (hacer). □ ORTOGR. La *c* se cambia en *qu* delante de *e* →SACAR. □ SEM. Dist. de *consolidar* (afianzar o dar firmeza).

sólido, da ▮ adj. **1** Firme, seguro y fuerte: *El edificio se asienta sobre estructuras sólidas.* ▮ adj./s.m. **2** Referido esp. a una sustancia, que se caracteriza porque sus moléculas presentan una fuerte cohesión entre sí: *Los sólidos son más resistentes a la deformación que los líquidos.* □ ETIMOL. Del latín *solidus*.

soliloquiar v. *col.* Monologar o hablar solo: *El abuelo va soliloquiando por la calle.* □ ORTOGR. La *i* nunca lleva tilde.

soliloquio s.m. Discurso o reflexión en voz alta que hace una persona que habla a solas o consigo misma, esp. los de un personaje dramático. □ SINÓN. *monólogo.* □ ETIMOL. Del latín *soliloquium*, y este de *solus* (solo) y *loqui* (hablar).

solio s.m. Trono cubierto con un dosel o techo ornamental. □ ETIMOL. Del latín *solium* (trono).

solípedo, da adj./s.m. Referido a un animal cuadrúpedo, que tiene las patas terminadas en un solo dedo o pezuña, con una uña engrosada y convertida en funda protectora o casco. □ ETIMOL. Del latín *solipes*, y este de *solidus* (sólido) y *pes* (pie).

solipsismo s.m. Tesis filosófica que defiende que lo único que existe o lo único cuya existencia se puede probar es el propio yo. □ ETIMOL. Del latín *solus ipse* (yo solo).

solista s.com. **1** Persona que canta o interpreta un solo en una composición musical. **2** En un conjunto musical, cantante principal.

solitaria s.f. Véase **solitario, ria**.

solitario, ria ▮ adj. **1** Desierto, abandonado o sin gente. ▮ adj./s. **2** Solo, aislado o sin compañía. ▮ s.m. **3** Juego para una sola persona, esp. el de cartas. **4** Brillante grueso engarzado como única piedra preciosa en una joya, esp. en un anillo. ▮ s.f. **5** Tenia en fase adulta que vive como parásito en el intestino de las personas. □ ETIMOL. Las acepciones 1-4, del latín *solitarius*. La acepción 5, del latín *solitaria*.

sólito, ta adj. Que se suele hacer de forma acostumbrada. □ ETIMOL. Del latín *solitus*.

soliviantar v. **1** Referido esp. a un grupo, inducirlo a adoptar una actitud de rebeldía o de hostilidad: *Los jefes golpistas soliviantaron a la tropa contra el Gobierno. Las nuevas medidas represivas conseguirán que las masas se soliviante n.* **2** Referido a una persona, inquietarla, irritarla o alterar su ánimo: *Me solivianta tu desinterés. Te soliviantas enseguida porque no tienes paciencia.* □ ETIMOL. Del antiguo *solevar* (sublevar).

soljoz (rus.) s.m. →**sovjós.** □ PRON. [soljóz].

solla s.f. Pez marino comestible, de forma aplanada, color gris oscuro con manchas amarillentas, y que generalmente tiene ambos ojos en el lado derecho. □ ETIMOL. Del gallego *solla*. □ MORF. Es un sustantivo epiceno: *la solla {macho / hembra}*.

sollado s.m. En un barco, piso o cubierta inferior, en los que se suelen instalar los alojamientos y los compartimentos que sirven de almacén. □ ETIMOL. Del portugués *solhado* (piso, suelo).

sollozante adj.inv. Que solloza.

sollozar v. Producir, generalmente al llorar y por un movimiento convulsivo, varias inspiraciones bruscas y entrecortadas, seguidas de una espiración: *El niño sollozaba porque no encontraba a sus padres.* □ ORTOGR. La *z* se cambia en *c* delante de *e* →CAZAR.

sollozo s.m. Producción, por un movimiento convulsivo, de varias inspiraciones bruscas y entrecortadas, seguidas de una espiración. □ ETIMOL. Del latín *suggluttium*.

solo (tb. *sólo*) adv. Únicamente o solamente: *Solo tengo un día de permiso.* □ ORTOGR. Se debe escribir con tilde cuando se puede producir ambigüedad con el adjetivo: *Hoy estudio matemáticas sólo (solamente matemáticas). Hoy estudio matemáticas solo (yo solo, sin compañía).*

solo, la ▮ adj. **1** Único y sin otros de su especie: *De ese libro nos queda un solo ejemplar.* **2** Sin otra cosa, sin añadidos o considerado por separado: *Camarero, por favor, un café solo.* **3** Referido esp. a una persona, sin compañía o sin nadie que le dé protección, ayuda o consuelo: *Desde que se independizó,* *vive sola.* ▮ s.m. **4** Composición o pasaje musicales que interpreta una única persona: *El segundo movimiento del concierto empezaba con un solo de violín.* **5** ‖ **a solas;** sin la compañía ni la ayuda de otro: *Se vieron a solas para poner en claro su situación.* □ ETIMOL. Del latín *solus*.

solomillo s.m. En una res que se despieza para el consumo, masa muscular que se extiende a ambos lados de la columna vertebral, en la zona en la que hay costillas. □ ETIMOL. De *solomo* (solomillo).

solsticio s.m. Época del año en la que el Sol, en su trayectoria aparente, se halla sobre uno de los dos trópicos y da lugar a la máxima desigualdad entre el día y la noche: *El solsticio de verano se produce entre el 21 y el 22 de junio.* □ ETIMOL. Del latín *solstitium*, y este de *sol* (sol) y *stare* (estar detenido).

soltar ▮ v. **1** Desatar o desceñir: *Soltó los cabellos y peinó su larga melena. Los cordeles que atan el paquete se han soltado.* **2** Referido a una persona o a un animal, dejarlos ir o darles libertad: *Han soltado al preso porque ya ha cumplido su condena.* **3** Referido a algo que está sujeto, dejar de sostenerlo o de sujetarse: *Solté el libro y cayó al suelo.* **4** Referido a algo que estaba detenido, darle salida: *Para soltar el agua abre la llave de paso.* **5** Referido al vientre, hacerlo evacuar con frecuencia: *Estas hierbas son buenas para soltar el vientre. Si comes tanta fruta se te soltará el vientre.* **6** Referido a algo que se tenía contenido o que debería callarse, decirlo con violencia o franqueza: *Si me vuelve a decir algo le soltaré cuatro verdades.* **7** Despedir o desprender: *La carne suelta jugo al asarse.* ▮ prnl. **8** Adquirir agilidad o desenvoltura en la realización de algo: *El nuevo botones ya se ha soltado y trabaja con rapidez.* □ MORF. 1. Tiene un participio regular (*soltado*), que se usa en la conjugación, y otro irregular (*suelto*), que se usa como adjetivo. 2. Irreg. →CONTAR.

soltería s.f. Estado de la persona que no ha contraído matrimonio.

soltero, ra adj./s. Que no está casado. □ ETIMOL. Del latín *solitarius*.

solterón, -a adj./s. Que tiene edad para estar casado y no lo está.

soltura s.f. Facilidad, desenvoltura o agilidad para hacer algo: *Ya conduce el coche con mucha soltura.*

solubilidad s.f. Capacidad para poderse disolver o desleír.

soluble adj.inv. **1** Que se puede disolver o desleír: *una sustancia soluble.* **2** Que se puede resolver: *Éste sería un problema soluble si dispusiéramos de dinero.* □ ETIMOL. Del latín *solubilis* (que se puede soltar).

solución s.f. **1** Resolución de una duda o de una dificultad: *Esperamos que la solución a este caso sea rápida.* **2** En matemáticas, resultado de una operación aritmética o de un problema. **3** Desunión o separación en un líquido de las partículas de un cuerpo sólido, líquido o gaseoso, de forma que queden incorporadas a él: *Para preparar este jarabe hay que realizar la solución de los polvos en agua.* **4** Mezcla o sustancia que se forma al realizar esta desunión de partículas en un líquido: *El champú es una solución jabonosa.* **5** ‖ **solución de continuidad;** interrupción o falta de continuidad: *Pasamos de un tema a otro sin solución de continuidad.* □ ETIMOL. Del latín *solutio* (disolución de una dificultad).

solucionar v. Referido a un asunto, resolverlo o hallar su solución: *Este dinero solucionará mis problemas económicos.*

solucionario s.m. Libro o parte de un libro en el que se resuelven los problemas y ejercicios previamente expuestos.

soluto s.m. En una disolución, componente que se encuentra en menor proporción.

solutrense adj.inv./s.m. Referido a una cultura prehistórica, que se desarrolló durante el paleolítico superior, es anterior al magdaleniense y posterior al auriñaciense, y que se caracteriza por la aparición del arco de caza.

solvencia s.f. Carencia de deudas o capacidad para satisfacerlas.

solventar v. **1** Referido a una dificultad o a un asunto, darles solución: *La directora tendrá que solventar el tema de los despidos antes de fin de mes.* **2** Referido a una deuda, pagarla o liquidarla: *Ya he solventado mis deudas con la empresa financiera.* □ ETIMOL. De *solvente*.

solvente ▮ adj.inv. **1** Que tiene recursos suficientes para hacer frente a las deudas o que goza de buena situación económica: *una empresa solvente.* **2** Que merece crédito: *Sus estudios sobre el feudalismo son muy solventes.* ▮ adj.inv./s.m. **3** Referido a una sustancia, que es capaz de disolver otra: *El agua es un líquido solvente de muchas sustancias.* □ ETIMOL. Del latín *solvens*.

som s.m. Unidad monetaria kirguís.

soma s.m. En biología, conjunto de las células de un organismo vivo, con excepción de las reproductoras. □ ETIMOL. Del griego *sôma* (cuerpo).

somalí (pl. *somalíes, somalís*) ▮ adj.inv./s.com. **1** De Somalia o relacionado con este país africano. ▮ s.m. **2** Lengua africana de este y de otros países: *El somalí se habla también en Etiopía y en Kenia.*

somanta s.f. *col.* Zurra o paliza. □ ETIMOL. De *so* (debajo) y *manta*, porque *somanta* probablemente significó *zurra dada por debajo de las mantas de la cama* o *cubrir de azotes*.

somatén s.m. Grupo de gente armada que no pertenecía al ejército y que se movilizaba en caso de emergencia. □ ETIMOL. Del catalán *sometent*.

somático, ca adj. Perteneciente a la parte material o corpórea de un ser animado, o relacionado con ella: *En una persona se pueden distinguir la actividad somática y la actividad psíquica.* □ ETIMOL. Del griego *somatikós* (corporal).

somatizar v. Referido a un problema psíquico, convertirlo de forma inconsciente en una dolencia física: *Este paciente somatiza los estados de ansiedad en vómitos y en alteraciones del sistema digestivo.* □ ORTOGR. La *z* se cambia en *c* delante de *e* →CAZAR.

somatología s.f. Estudio de la anatomía y la fisiología de los seres vivos. ☐ ETIMOL. Del griego *sóma* (cuerpo) y *-logía*.

sombra s.f. **1** Imagen oscura que proyecta sobre una superficie un cuerpo opaco situado entre un foco de luz y dicha superficie: *Me senté a la sombra de un árbol. Tu sombra se proyecta en la pared.* **2** Falta o ausencia de luz: *Las sombras de la noche nos envolvían.* **3** En pintura o en dibujo, color oscuro con el que se representa la falta de luz: *En este cuadro destaca la acertada combinación de luces y sombras.* **4** En telecomunicación, lugar al que no llegan las imágenes, sonidos o señales transmitidos por un aparato o por una estación emisora: *Aquí no se capta ese canal de televisión porque es una zona de sombra.* **5** Espectro o aparición de la imagen de una persona ausente o difunta: *Las sombras de los muertos recorrían la mansión.* **6** Apariencia o semejanza de algo: *En sus ojos hay una sombra de tristeza.* **7** *col.* Suerte o fortuna: *Siempre se queja de que tiene mala sombra y todo le sale mal.* **8** *col.* Clandestinidad o encubrimiento de algo: *Esa organización terrorista trabaja en la sombra.* **9** || **a la sombra;** *col.* En la cárcel: *A consecuencia de aquel robo estuvo muchos años a la sombra.* || **hacer sombra** a alguien; impedirle otra persona que prospere o destaque por su superioridad o mayor mérito: *Aunque ella es inteligente, apenas destaca porque su hermana lo es bastante más y le hace sombra.* || **mala sombra;** *col.* Mala intención: *Tiene muy mala sombra y hace esas críticas para hacer daño.* || **sombra (de ojos);** producto cosmético que se utiliza para maquillar o dar color a los párpados. || **sombras chinescas;** espectáculo que consiste en proyectar sobre una superficie las sombras de títeres o de figuras hechas con las manos. ☐ ETIMOL. Del latín *umbra.* ☐ MORF. En la acepción 2, se usa más en plural.

sombrajo s.m. Resguardo hecho con ramas, mimbres u otros materiales similares para hacer sombra. ☐ ETIMOL. Del latín *umbraculum.*

sombreado s.m. Aplicación de sombras a una pintura o a un dibujo.

sombrear v. Referido a una pintura o a un dibujo, ponerle sombras: *Sombreó el dibujo para darle mayor relieve.*

sombrerazo s.m. *col.* Saludo exagerado que se hace quitándose el sombrero.

sombrerera s.f. Véase **sombrerero, ra.**

sombrerería s.f. Taller o tienda en los que se hacen o se venden sombreros.

sombrerero, ra ▮ s. **1** Persona que hace o que vende sombreros. ▮ s.f. **2** Caja que sirve para guardar el sombrero.

sombrerillo s.m. En una seta, parte superior, abombada y más o menos redondeada que está sujeta a un pie cilíndrico. ☐ SINÓN. *sombrero.*

sombrero s.m. **1** Prenda de vestir que cubre la cabeza y que generalmente está compuesta de copa y ala. **2** Lo que tiene la forma de esta prenda de vestir: *Sobre los tejados de las casas se veían las chimeneas con sus sombreros.* **3** En una seta, parte superior, abombada y más o menos redondeada que está sujeta a un pie cilíndrico. ☐ SINÓN. *sombrerillo.* **4** *col.* En fútbol, pase del balón por encima del adversario de forma que es recogido por el mismo jugador que lo ha lanzado. **5** || **quitarse** alguien **el sombrero;** demostrar admiración por algo: *Ante su última novela hay que quitarse el sombrero.* || **(sombrero) calañés;** el que tiene el ala vuelta hacia arriba y la copa baja en forma de cono truncado. || **(sombrero) castoreño;** el fabricado con pelo de castor o con algo parecido, como el fieltro. || **sombrero cordobés;** el de fieltro, de ala ancha y plana y con la copa baja y de forma cilíndrica. || **sombrero de copa;** el de ala estrecha y copa alta, casi cilíndrica y plana por arriba, generalmente forrado de felpa de seda negra. ☐ SINÓN. *chistera.* || **(sombrero de) teja;** el que tiene las dos mitades laterales del ala levantadas y abarquilladas en forma de teja. || **sombrero de tres picos;** el que tiene el ala levantada y abarquillada por partes de modo que su base forma un triángulo. || **(sombrero) hongo;** sombrero de ala estrecha y copa baja, rígida y redondeada, hecho generalmente de fieltro. ☐ SINÓN. *bombín.* ☐ ETIMOL. De *sombra.*

sombrilla s.f. Especie de paraguas que se utiliza para protegerse del sol. ☐ SINÓN. *parasol, quitasol.* ☐ ETIMOL. Traducción del francés *ombrelle.*

sombrío, a adj. **1** Referido a un lugar, que tiene poca luz y que suele tener sombras. **2** Triste, demasiado serio o melancólico.

somero, ra adj. Ligero, superficial o hecho con poca profundidad. ☐ ETIMOL. Del antiguo *somo*, y este del latín *summus* (el más alto).

someter v. **1** Imponer por la fuerza o por la violencia el dominio y la autoridad sobre alguien: *Los romanos sometieron a muchos pueblos para agrandar su imperio.* **2** Sujetar o subordinar al interés, opinión o decisión de alguien: *En un acto de generosidad sometió sus intereses a los de la colectividad. El pueblo se sometió al invasor.* **3** Referido a algo, hacer que reciba o soporte una determinada acción: *Sometieron al animal a una cruel tortura. Se sometió a una operación quirúrgica.* ☐ ETIMOL. Del latín *submittere.*

sometimiento s.m. **1** Imposición del dominio y de la autoridad o sujeción a ellos: *El sometimiento de los pueblos se suele realizar mediante sangrientas guerras.* **2** Exposición de algo a una determinada acción: *El sometimiento prolongado de un cuerpo a los rayos solares produce quemaduras.*

somier (pl. *somieres*) s.m. Soporte sobre el que se coloca el colchón. ☐ ETIMOL. Del francés *someier.*

sommelier (fr.) s.m. →**sumiller.** ☐ PRON. [somelié].

somnífero, ra adj./s.m. Referido esp. a un medicamento, que produce sueño. ☐ ETIMOL. Del latín *somnifer.*

somnolencia s.f. Pesadez y torpeza producidos por el sueño. ☐ SINÓN. *soñolencia.*

somnoliento, ta adj. Que tiene o que produce sueño. □ SINÓN. *soñoliento.* □ ETIMOL. Del latín *somnolentus*.

somoni s.m. Unidad monetaria tayika.

somontano, na adj./s. Referido a un terreno o a una región, que están situados al pie de una montaña. □ ETIMOL. De *somonte*.

somonte s.m. Terreno situado en la falda de una montaña. □ ETIMOL. De *so* (bajo, debajo de) y *monte*.

somormujo s.m. Ave acuática que tiene el pico recto y puntiagudo, las alas cortas, vuela poco y se puede mantener mucho tiempo debajo del agua. □ MORF. Es un sustantivo epiceno: *el somormujo {macho/hembra}*.

son s.m. **1** Sonido agradable, esp. si es musical: *el son de una guitarra.* **2** Modo o manera de hacer algo: *Cada uno tiene su son para hacer las cosas.* **3** Música popular cubana: *Compay Segundo es uno de los grandes músicos del son.* **4** || **en son de;** del modo y manera que se expresa: *Hoy ha venido en son de guerra y nos ha echado la bronca a todos.* || **sin (ton ni) son;** *col.* Sin razón o sin fundamento: *Comenzó a insultarme sin ton ni son.* □ ETIMOL. Del latín *sonus*.

sonado, da adj. **1** Célebre o que goza de fama: *una fiesta sonada.* **2** *col.* Loco o con el juicio trastornado. □ SINÓN. *chiflado.*

sonaja ▮ s.f. **1** Par de chapas metálicas atravesadas por un alambre y colocadas en un soporte que las hace sonar al ser agitado. ▮ pl. **2** Instrumento musical formado por un aro de madera con una serie de ranuras en las que van colocados pares de chapas como estos. □ ETIMOL. Del latín **sonaculum*, y este de *sonare* (sonar).

sonajero s.m. Juguete para bebés que produce ruido cuando se agita.

sonambulismo s.m. Trastorno del sueño que se caracteriza por la realización por parte de una persona dormida de diversos actos que luego no recuerda al despertar. □ SEM. Dist. de *noctambulismo* (inclinación a hacer vida nocturna).

sonámbulo, la adj./s. Referido a una persona, que padece un trastorno del sueño caracterizado por la realización de actos mientras está dormida. □ ETIMOL. Del latín *somnus* (sueño) y *ambulare* (andar). □ SEM. Dist. de *noctámbulo* (que hace vida nocturna).

sonante adj.inv. →**sonoro.**

sonar v. **1** Producir ruido o sonido: *Ha sonado el timbre del teléfono. He afinado la guitarra y ahora suena muy bien.* **2** *col.* Producir un recuerdo vago de algo por haber tenido un conocimiento anterior de ello: *Ese nombre me suena, pero no sé de qué.* **3** Mencionarse o citarse: *Su nombre suena en los círculos intelectuales del país.* **4** Referido a la nariz, limpiarla de mocos expulsándolos con una espiración violenta: *Suena la nariz al niño. Se le ha puesto la nariz roja de tanto sonarse.* □ ETIMOL. Del latín *sonare*. □ ORTOGR. Dist. de *sónar*. □ MORF. Irreg. →CONTAR.

sónar (pl. *sónar*) s.m. En náutica, aparato que sirve para detectar la presencia y la situación de objetos u obstáculos sumergidos, mediante la emisión de vibraciones de alta frecuencia: *Los barcos de guerra utilizan el sónar para detectar submarinos y minas.* □ ETIMOL. Es el acrónimo del inglés *Sound Navigation Ranging* (navegación por el alcance del sonido). □ ORTOGR. Dist. de *sonar*.

sonata s.f. Composición musical de carácter instrumental y que consta generalmente de tres o de cuatro movimientos de distinto carácter. □ ETIMOL. Del italiano *sonata*.

sonatina s.f. Sonata relativamente corta y de fácil ejecución, escrita generalmente para piano.

sonda s.f. **1** En medicina, instrumento más o menos largo, delgado y con forma de cilindro hueco, que se utiliza generalmente para explorar o dilatar cavidades y conductos naturales, introducir sustancias en el organismo o extraerlas de él. **2** Cuerda con un peso de plomo que sirve para medir la profundidad de las aguas y explorar el fondo. **3** Instrumento o aparato que se utiliza para explorar y examinar zonas de difícil acceso. □ ETIMOL. Del francés *sonde*.

sondar v. **1** En medicina, referido a una persona o a una parte de su cuerpo, introducir en ella algún instrumento que permita combatir estrecheces, destruir obstáculos, realizar una exploración, o introducir o extraer sustancias: *Han sondado al enfermo para que expulse la orina.* **2** Medir o explorar con una sonda: *Han sondado el río y han comprobado que en esta zona alcanza los cuatro metros de profundidad.* □ SINÓN. *sondear.*

sondear v. **1** Medir o explorar con una sonda: *Han sondeado la laguna para saber su profundidad.* □ SINÓN. *sondar.* **2** Referido a una persona, hacerle preguntas para intentar averiguar algo: *Para conocer la aceptación de las reformas políticas podemos sondear a la opinión pública.*

sondeo s.m. **1** Medición o exploración de algo mediante una sonda: *Los sondeos del terreno han permitido detectar una bolsa de gas.* **2** Realización de averiguaciones sobre algo: *Según los sondeos de opinión, nuestro partido saldrá vencedor en las elecciones.*

sonetillo s.m. Composición poética que responde al esquema del soneto, pero que está compuesta por versos de arte menor, generalmente octosílabos.

sonetista s.com. Persona que se dedica a la composición de sonetos.

soneto s.m. Composición poética de origen italiano formada por catorce versos generalmente endecasílabos, de rima consonante, distribuidos en dos cuartetos y dos tercetos y cuyo esquema clásico es *ABBA ABBA CDC DCD.* □ ETIMOL. Del italiano *sonetto*, y este de *suono* (sonido, música que se pone a una canción).

sonido s.m. **1** Sensación producida en el oído por el movimiento vibratorio de los cuerpos que se transmite por medio de ondas: *Por el sonido del motor del coche sabes cuándo debes cambiar de* *marcha.* **2** En fonética, conjunto de rasgos que caracterizan el valor y la pronunciación de una letra: *La 'e' tiene un sonido más abierto que la 'u'.* **3** Conjunto de aparatos y sistemas que sirven para emitir, grabar, reproducir o modificar el ruido, la voz y la música: *En los estudios de grabación disponen de buenos equipos de sonido.* ☐ ETIMOL. Del latín *sonitus* (ruido, estruendo).

soniquete s.m. **1** Ruido o sonido poco intensos, pero continuados y generalmente molestos. ☐ SINÓN. *sonsonete.* **2** Tono particular de la voz que tiene determinado matiz, esp. uno monótono. ☐ SINÓN. *sonsonete.*

sonómetro s.m. Instrumento que sirve para medir el sonido. ☐ ETIMOL. Del latín *sonus* (sonido) y *-metro.*

sonora s.f. Véase **sonoro, ra.**

sonoridad s.f. **1** Resonancia que produce la vibración de las cuerdas vocales: *La sonoridad de 'd' es el rasgo que la distingue de 't'.* **2** Conjunto de las características sonoras de un lugar cerrado. **3** Capacidad para producir un sonido agradable o intenso: *la sonoridad de sus versos.*

sonorización s.f. **1** Incorporación de sonido a una cinta cinematográfica. **2** Instalación de los equipos necesarios para conseguir una buena audición en un lugar. **3** En fonética y fonología, conversión de una consonante sorda en sonora: *La 'b' de cabeza procede de la sonorización de la 'p' latina de 'capitia'.*

sonorizar v. **1** Referido a una cinta cinematográfica, incorporarle sonido: *Los técnicos han sonorizado algunas películas antiguas de cine mudo.* **2** Referido a un lugar, instalar en él los equipos necesarios para conseguir una buena audición: *Van a sonorizar la sala de conferencias.* ☐ ORTOGR. La *z* se cambia en *c* delante de *e* →CAZAR.

sonoro, ra ▌adj. **1** Que suena o va acompañado de sonido: *el cine sonoro.* ☐ SINÓN. *sonante.* **2** Que produce un sonido agradable, esp. si es intenso: *Los sonoros versos del poeta inundaron toda la sala.* ☐ SINÓN. *sonante.* **3** Que transmite y difunde bien el sonido: *Sus pasos resonaban en el sonoro pasillo.* ☐ SINÓN. *sonante.* **4** En fonética, referido a un sonido, que se articula con vibración de las cuerdas vocales: *Todas las vocales españolas son sonoras. La 'b' es una consonante sonora.* ☐ SINÓN. *sonante.* ▌s.f. **5** En zonas del español meridional, orquesta. ☐ ETIMOL. Del latín *sonorus.*

sonotone s.m. *col.* Audífono. ☐ ETIMOL. Extensión del nombre de una marca comercial.

sonreír v. **1** Reír suavemente, curvando los labios y sin producir ningún sonido: *Estaba triste y solo sonreía ante mis gracias. Cuando se me cayeron todos los libros se sonrió burlonamente.* **2** Mostrarse favorable o prometedor: *La vida le sonríe porque es joven y rico.* ☐ ETIMOL. Del latín *subridere.* ☐ MORF. Irreg. →REÍR.

sonriente adj.inv./s.com. Que sonríe.

sonrisa s.f. **1** Curvatura suave de los labios, producida generalmente por algo gracioso o agradable y que no va acompañada de ninguna manifestación sonora. **2** || **sonrisa {colgate/profidén};** *col.* La que resulta tan radiante que parece propia de un anuncio de dentífrico.

sonrojar v. Poner el rostro de color rojo, esp. si es por un sentimiento de vergüenza: *Con tantas alabanzas y elogios me vas a sonrojar. Es muy tímido y se sonroja con facilidad.* ☐ SINÓN. *enrojecer, ruborizarse.* ☐ ETIMOL. Del latín *sub* (bajo, debajo) y *rojo.* ☐ ORTOGR. Conserva la *j* en toda la conjugación.

sonrojo s.m. Enrojecimiento de la cara originado generalmente por la vergüenza sentida.

sonrosar v. Dar, poner o causar color rosado: *El aire fresco ha sonrosado las mejillas del bebé.* ☐ ETIMOL. Del latín *sub* (bajo, debajo) y *rosa.*

sonsacar v. Referido esp. a una información, conseguir con habilidad y astucia que alguien la diga: *Lo invité a comer y le sonsaqué los nombres de los ganadores.* ☐ ETIMOL. Del latín *sub* (bajo, debajo) y *sacar.* ☐ ORTOGR. La *c* se cambia en *qu* delante de *e* →SACAR.

sonsera s.f. *col.* En zonas del español meridional, tontería o disparate.

sonso, sa adj./s. →**zonzo.**

sonsonete s.m. **1** Ruido o sonido poco intensos, pero continuados y generalmente molestos. ☐ SINÓN. *soniquete.* **2** Tono particular de la voz que tiene determinado matiz, esp. uno monótono. ☐ SINÓN. *soniquete.*

soñador, -a adj./s. Que sueña mucho o que considera real o cierto lo que no lo es.

soñar v. **1** Referido esp. a un suceso o una imagen, representarlas en la mente mientras se duerme: *Anoche soñé que era un soldado en una guerra medieval. Cuando sueñas hablas en alto.* **2** Referido a algo que no se tiene, desearlo permanentemente: *Siempre he soñado que viviría junto al mar.* **3** Referido a algo muy difícil o que no es cierto, considerarlos como reales: *Me gusta soñar que soy rica y famosa.* **4** || **ni soñarlo** o **ni lo sueñes;** *col.* Expresión que se usa para indicar que algo es totalmente imposible: *No podemos acabarlo mañana, ni lo sueñes.* || **soñar despierto;** considerar como real o cierto lo que no lo es: *Si crees que te voy a dejar ir, sueñas despierto.* ☐ ETIMOL. Del latín *somniare.* ☐ MORF. Irreg. →CONTAR.

soñarrera s.f. *col.* Somnolencia.

soñera s.f. *col.* Sopor.

soñolencia s.f. →**somnolencia.**

soñoliento, ta adj. →**somnoliento.**

sopa s.f. **1** Caldo o líquido alimenticio al que se añade pasta, pan, verduras u otros alimentos, generalmente cocidos en él: *la sopa de marisco.* **2** Trozo de pan mojado en una salsa u otro líquido alimenticio: *Me gusta mojar las sopas en el caldo.* **3** Pasta, verdura u otro alimento que se echa en el caldo para hacer este tipo de comida: *Se ha acabado la sopa de fideos porque he tirado el paquete vacío.* **4** *col.* Gasolina: *Déjame quince euros que tengo que echar sopa.* **5** || **dar sopas con honda** a alguien; *col.* Demostrar gran superioridad: *En cuestiones de economía te doy sopas con honda, porque sé mucho.* || **{estar/quedarse} sopa;** *col.* Estar o quedarse dormido: *Me quedé sopa viendo la televisión.* || **hasta en la sopa;** *col.* En todas partes: *Me encuentro a ese chico hasta en la sopa.* || **{hecho/como} una sopa;** *col.* Muy mojado: *Está lloviendo a cántaros y vengo hecho una sopa.* || **ser un sopas;** *col.* Ser aburrido o soso. || **sopa (boba);** comida que se da a los pobres en algunos conventos, generalmente consistente en algún tipo de caldo. || **sopa de letras;** pasatiempo que consiste en encontrar algunas palabras en un rectángulo que contiene letras ordenadas horizontal y verticalmente. || **sopa juliana;** la que se hace con diversos tipos de verduras cortadas en tiras finas. □ ETIMOL. Del germánico *suppa* (trozo de pan empapado en un líquido).

sopapa s.f. En zonas del español meridional, desatascador.

sopapina s.f. *col.* Zurra de sopapos.

sopapo s.m. Golpe dado con la mano en la cara, esp. en la papada. □ ETIMOL. De *so* (debajo) y *papo.*

sopar v. →**sopear.**

sopear v. Mojar trozos de pan en una salsa o en otro alimento más o menos líquido: *Me encanta sopear en la salsa del guiso.* □ SINÓN. *sopar.*

sopera s.f. Véase **sopero, ra.**

sopero, ra ▮ adj. **1** Que se utiliza para la sopa: *un plato sopero.* **2** Referido a una persona, que es muy aficionada a comer sopa. ▮ s.f. **3** Recipiente hondo que se usa para servir la sopa en la mesa.

sopesar v. **1** Referido esp. a un objeto, calcular aproximadamente su peso levantándolo o cogiéndolo en la mano: *Cogió la cadena de oro para sopesarla antes de ponerla en la balanza.* **2** Referido esp. a un asunto, examinar con atención los pros y los contras que tiene: *Sopesó las ventajas e inconvenientes de la propuesta antes de decidirse.* □ ETIMOL. De *so* (debajo) y *pesar.*

sopetear v. Mojar repetidamente el pan en el caldo de un guiso o de otro alimento más o menos líquido: *Deja de sopetear mientras hago la comida, que luego no comes nada.*

sopetón || **de sopetón;** brusca e inesperadamente: *Al torcer la esquina me encontré de sopetón con tu tío.* □ ETIMOL. Del latín *subitus* (súbito).

sopicaldo s.m. Sopa o caldo con pocas cosas sólidas.

sopla interj. Expresión que se usa para indicar sorpresa o admiración.

soplado s.m. Operación que consiste en soplar con fuerza o en inyectar aire en la pasta de vidrio fundido para moldearla.

soplador, -a ▮ adj. **1** Que sopla. ▮ s. **2** Persona que se dedica profesionalmente al soplado del vidrio.

soplagaitas (pl. *soplagaitas*) s.com. *col.* Persona tonta o estúpida. □ USO Se usa como insulto.

soplamocos (pl. *soplamocos*) s.m. *col.* Golpe dado en la cara, esp. si se hace tocando las narices.

soplapollas (pl. *soplapollas*) s.com. *vulg.malson.* →**soplagaitas.**

soplar ▮ v. **1** Expulsar aire por la boca, alargando un poco los labios y dejando una pequeña abertura: *¿Te soplo despacito en la herida para que no te escueza?* **2** Referido al viento, correr de forma que se note: *La brisa que sopla desde el mar refresca el ambiente.* **3** *col.* Beber mucho, esp. bebidas alcohólicas: *Con lo que has soplado no te atrevas a conducir. Se sopló más de cuatro botellines de cerveza.* **4** *col.* Referido a una información, decírsela a alguien disimuladamente: *El que sople suspende automáticamente. Le sopló a la policía el nombre de los contrabandistas.* **5** *col.* Quitar con disimulo o a escondidas: *Dejé un momento el bolso en la silla y cuando volví, me habían soplado la cartera.* **6** Referido esp. a una cosa o a un sitio, echarles aire con la boca: *No soples la sopa y si te quema espera un poco.* **7** En las damas u otros juegos, referido a una pieza, eliminarla por no comer cuando debía hacerlo: *No olvides que en las damas es obligatorio comer, y si no lo haces te soplo la ficha.* ▮ prnl. **8** *col.* En zonas del español meridional, aguantarse o tragarse: *Como no me podía salir, me tuve que soplar todo el discurso.* □ ETIMOL. Del latín *sufflare.*

soplete s.m. Instrumento que se usa para fundir o soldar metales, que lanza un gas o una mezcla gaseosa inflamada. □ ETIMOL. Traducción del francés *souffet.*

soplido s.m. Cantidad de aire que se expulsa de una vez por la boca o con algún instrumento. □ SINÓN. *soplo.*

soplillo s.m. Utensilio de forma redondeada, generalmente con mango, que se usa para avivar el fuego.

soplo s.m. **1** Cantidad de aire que se expulsa de una vez por la boca o con algún instrumento. □ SINÓN. *soplido.* **2** Movimiento perceptible de viento: *Le llevó el periódico un soplo de viento.* **3** Información que se da en secreto y con cautela: *Pillaron a los contrabandistas porque dieron el soplo a la policía.* **4** Espacio muy breve de tiempo: *No te vayas, que estoy listo en un soplo.* **5** Sonido peculiar de algunos órganos del cuerpo que puede ser normal o no.

soplón, -a adj./s. *col.* Referido a una persona, que pasa información a otra en secreto, esp. si es una acusación. □ ETIMOL. De *soplar* (sugerir).

soponcio s.m. *col.* Desmayo, indisposición pasajera, angustia o susto grandes. □ ETIMOL. De origen incierto.

sopor s.m. Adormecimiento o somnolencia muy grandes. □ ETIMOL. Del latín *sopor* (sueño profundo).

soporífero, ra adj. Aburrido hasta el punto de producir sueño. □ ETIMOL. Del latín *soporifer,* y este de *sopor* (sueño profundo) y *ferre* (llevar). □ ORTOGR. Dist. de *saporífero.*

soportable adj.inv. Que se puede soportar.

soportal s.m. En un edificio, una manzana de casas o una plaza, espacio cubierto que precede a sus entradas principales. ☐ ETIMOL. De *so* (debajo) y *portal*.

soportar v. **1** Referido a una carga o a un peso, sostenerlos o llevarlos sobre sí: *Las vigas y las columnas soportan el peso del techo.* **2** Tolerar o aguantar con paciencia: *No soporto que se hable mal de los que no están presentes.* **3** Referido a un sistema informático, reunir las características necesarias para su funcionamiento: *Este ordenador soporta cualquier entorno de red.* ☐ ETIMOL. Del latín *supportare* (llevar de abajo arriba, soportar).

soporte s.m. **1** Lo que sirve de apoyo o de sostén: *Las patas son los soportes de la silla.* **2** Medio material sobre el que puede fijarse algo: *La diapositiva es uno de los soportes fotográficos.* **3** Dispositivo o material capaz de registrar información: *un soporte informático.*

soprano s.com. En música, persona cuyo registro de voz es el más agudo de los de las voces humanas. ☐ ETIMOL. Del italiano *soprano*.

soquete s.m. En zonas del español meridional, calcetín corto. ☐ ETIMOL. Del francés *socquette*.

sor s.f. Mujer que vive en una comunidad religiosa o que pertenece a ella sin tener ninguna de las órdenes clericales. ☐ SINÓN. *hermana*. ☐ ETIMOL. Del catalán antiguo *sor* (hermana carnal).

sorber v. **1** Beber aspirando: *Sorbía el refresco por una pajita.* **2** Referido a la mucosidad nasal, retenerla en la nariz respirando con fuerza hacia dentro: *No sorbas los mocos y suénate en el pañuelo. Cuando está acatarrado no deja de sorber.* ☐ ETIMOL. Del latín *sorbere*.

sorbete s.m. Refresco helado de consistencia pastosa, compuesto generalmente por zumo de frutas, agua y azúcar. ☐ ETIMOL. Del italiano *sorbetto*.

sorbitol s.m. Sustancia que se obtiene mediante la hidrogenación de la dextrosa de maíz y que se emplea como edulcorante: *El sorbitol tiene efectos laxantes.*

sorbo s.m. **1** Trago que se da aspirando: *No tomes la sopa a sorbos.* **2** Cantidad pequeña de un líquido: *un sorbo de licor.*

sorche s.m. *col.* Soldado o recluta. ☐ SINÓN. *sorchi*.

sorchi s.m. *col.* →**sorche.**

sordera s.f. Privación o disminución de la capacidad de oír.

sordez s.f. En fonética, ausencia de vibración en las cuerdas vocales al articular un sonido: *La 'p', la 't' y la 'k' se caracterizan por la sordez.*

sordidez s.f. **1** Pobreza, miseria y suciedad grandes. **2** Inmoralidad, escándalo o indecencia.

sórdido, da adj. **1** Pobre, mísero y sucio. **2** Lo que se considera impuro, indecente o escandaloso. ☐ ETIMOL. Del latín *sordidus* (ínfimo, despreciable, innoble).

sordina s.f. En música, pieza que tienen algunos instrumentos o que se ajusta a ellos para disminuir la intensidad y variar el timbre de su sonido. ☐ ETIMOL. Quizá del italiano *sordina*.

sordo, da ▌adj. **1** Con poco ruido o que se oye poco: *Desde el parque se oía el sordo murmullo de los coches de la ciudad.* **2** De sonido grave o apagado: *Se oyó un ruido sordo, como el de algo pesado que cae sobre la tierra.* **3** Insensible o que no hace caso: *Ese desalmado permanece sordo a mis ruegos.* **4** En fonética, referido a un sonido, que se articula sin vibración de las cuerdas vocales: *Los sonidos sordos en español son [ch], [p], [z], [t], [k], [s], [f] y [j].* ▌adj./s. **5** Que no oye nada o que no oye bien: *No grites, que no soy sordo.* ☐ ETIMOL. Del latín *surdus*.

sordomudez s.f. Incapacidad para hablar por tener sordera de nacimiento.

sordomudo, da adj./s. Referido a una persona, que carece de habla por tener sordera de nacimiento.

sorgo s.m. **1** Cereal con tallos de hasta cuatro metros de altura, que tiene hojas planas y largas con flores en racimo colgante. **2** Grano de este cereal: *pan de sorgo.* ☐ ETIMOL. Del italiano *sorgo*.

soriano, na adj./s. De Soria o relacionado con esta provincia española o con su capital: *Antonio Machado cantó a las tierras sorianas en muchas de sus poesías.*

soriasis (pl. *soriasis*) s.f. →**psoriasis.**

sorna s.f. Tono de burla o irónico al hablar o decir algo. ☐ ETIMOL. De origen incierto.

soro s.m. En un helecho, conjunto de esporangios u órganos productores de esporas que se encuentran en el envés de sus hojas. ☐ ETIMOL. Del griego *sorós* (montón).

soroche s.m. En zonas del español meridional, mal de montaña.

soropete adj.inv. *col.* En zonas del español meridional, borracho.

sorpàsso (it.) s.m. En política, fenómeno por el que, en unas elecciones, un grupo político supera sobradamente a otro. ☐ PRON. [sorpáso].

sorprendente adj.inv. Que sorprende o que admira.

sorprender v. **1** Coger desprevenido: *La tormenta me sorprendió en la calle.* **2** Referido esp. a algo imprevisto, raro o incomprensible, producir o causar sorpresa: *Me sorprende que no lo hayan traído porque lo encargué hace un mes.* **3** Referido esp. a algo que estaba oculto o disimulado, descubrirlo o encontrarlo: *La policía sorprendió la guarida de los ladrones.* ☐ ETIMOL. Del francés *surprendre*.

sorpresa s.f. **1** Impresión de conmoción, de emoción o de maravilla que produce lo inesperado, lo raro o lo incomprensible: *¿A qué viene tanta sorpresa, si te había avisado?* **2** Lo que produce esta impresión: *Tengo una sorpresa para ti.* **3** ‖ **por sorpresa;** sin que se espere: *En las guerras, los ataques por sorpresa han dado muchas victorias.*

sorpresivo, va adj. Que ocurre o que se produce por sorpresa o de modo inesperado.

sortear v. **1** Referido a algo que se quiere dar o repartir, asignarlo de forma que la suerte decida cómo hacerlo y empleando diversos medios fortuitos: *Después de comer sortearemos quién friega los platos.*

2 Referido esp. a un obstáculo, un riesgo o una dificultad, evitarlos o eludirlos con habilidad o astucia: *En la vida hay que sortear muchos peligros.* □ ETIMOL. Del latín *sors* (suerte).

sorteo s.m. Asignación de algo que se decide por medio de la suerte o del azar.

sortija s.f. Anillo que se lleva en los dedos, esp. si es como adorno. □ ETIMOL. Del latín *sorticula* (objeto empleado para echar la suerte).

sortilegio s.m. **1** Encantamiento, hechizo o embrujo. **2** Adivinación por medio de la magia. □ ETIMOL. Del latín *sortilegus* (adivino), y este de *sor* (suerte) y *legere* (leer).

SOS (ing.) s.m. Expresión para solicitar auxilio en una situación límite: *El barco emitió un SOS por radio antes de hundirse.* □ ETIMOL. Es la sigla del inglés *Save Our Souls* (salvad nuestras almas).

sosa s.f. Véase **soso, sa.**

sosaina adj.inv./s.com. *col.* Referido esp. a una persona, muy sosa o sin nada de gracia. □ SINÓN. *soseras.*

sosedad s.f. →**sosería.**

sosegado, da adj. Quieto o tranquilo: *una conversación sosegada.*

sosegar v. Aquietar, calmar o hacer desaparecer la agitación o el movimiento: *Sosegó mi ánimo con palabras cariñosas. Tras la tormenta, las aguas se han sosegado.* □ ETIMOL. Del latín **sesicare* (asentar, hacer descansar). □ ORTOGR. Aparece una *u* después de *g* cuando le sigue *e*. □ MORF. Irreg. →REGAR.

soseras (pl. *soseras*) adj.inv./s.com. *col.* Referido esp. a una persona, muy sosa o sin nada de gracia. □ SINÓN. *sosaina.*

sosería s.f. **1** Insulsez o falta de gracia y de viveza. □ SINÓN. *sosedad.* **2** Dicho o hecho insulso y sin gracia. □ SINÓN. *sosedad.* □ ETIMOL. De *soso* (sin gracia).

sosia s.m. →**sosias.**

sosias s.m. Persona muy parecida a otra en el físico. □ SINÓN. *sosia.* □ ETIMOL. Por alusión a Sosias, personaje idéntico a otro en una comedia de Plauto.

sosiego s.m. Tranquilidad, quietud o serenidad.

soslayar v. Esquivar o pasar por alto para evitar una dificultad: *Supo soslayar las preguntas cuyas respuestas podían comprometerlo.*

soslayo || **de soslayo; 1** De lado o de forma oblicua: *Tuve que pasar entre los coches de soslayo porque estaban muy juntos.* **2** De largo, de pasada o por encima para evitar una dificultad: *Trató el tema de soslayo porque no era entendido en él.* □ ETIMOL. Del francés antiguo *d'eslais* (impetuosamente, a gran velocidad).

soso, sa ▌adj. **1** Con poca sal o sin ella. **2** Con poco sabor o sin él. ▌adj./s. **3** Sin gracia ni viveza. **4** || **sosa (cáustica);** sustancia blanca, compuesta por hidróxido de sodio, que quema los tejidos orgánicos y se usa en la elaboración de detergentes y para neutralizar ácidos. □ ETIMOL. Las acepciones 1-3, del latín *insulsus*. La acepción 4, del catalán *sosa*.

sospecha s.f. Creencia o suposición de algo a partir de señales o de indicios reales o verdaderos.

sospechar v. **1** Referido a algo que no se sabe con certeza, creerlo o imaginarlo a partir de señales o indicios reales o verdaderos: *La policía sospecha que el cajero ha sido el autor del desfalco.* **2** Referido a una persona, desconfiar de ella o creer que ha sido ella la autora de determinada acción: *Nunca he sospechado de ti porque sé que no me mentirías.* □ ETIMOL. Del latín *suspectare*. □ SINT. Constr. de la acepción 2: *sospechar* DE *alguien.*

sospechoso, sa ▌adj. **1** Que da motivos para sospechar o para desconfiar: *Un hombre con aspecto sospechoso merodea por aquí.* ▌adj./s. **2** Referido a una persona, que puede haber cometido determinada acción porque hay indicios que así lo indican: *Una de las mujeres sospechosas ha salido de la ciudad.*

sostén s.m. **1** Lo que sirve para sostener, apoyar o mantener algo: *Los pilares son el sostén del puente.* **2** Prenda interior femenina que sirve para ceñir y sujetar el pecho. □ SINÓN. *sujetador.*

sostener v. **1** Mantener firme evitando que caiga o se tuerza: *Las vigas sostienen el techo. El niño ya se sostiene solo.* **2** Referido esp. a una idea o a una teoría, defenderlas: *Según sus investigaciones, sostiene que hay vida en otros planetas.* **3** Proseguir, mantener o hacer que continúe: *Sostuvimos una larga conversación sobre ti.* **4** Referido esp. a una persona, satisfacer sus necesidades de manutención: *Es la madre la que sostiene a la familia.* □ ETIMOL. Del latín *sustinere*. □ MORF. Irreg. →TENER.

sostenibilidad s.f. Capacidad para sostener algo durante largo tiempo.

sostenible adj.inv. Que puede ser sostenido: *El mundo debe tener un desarrollo sostenible, porque el progreso indiscriminado está causando graves desastres ecológicos.*

sostenido, da adj. En música, referido a una nota, que está alterada en un semitono por encima de su sonido natural.

sostenimiento s.m. **1** Mantenimiento de algo de forma que no se caiga o que no se tuerza. **2** Sustento o provisión de alimentos. **3** Defensa de una idea o de una teoría.

sota s.f. En la baraja española, carta que representa a un paje o infante. □ ETIMOL. Del latín *subtus* (debajo).

sotabanco s.m. Piso habitable situado por encima de la cornisa de la casa. □ ETIMOL. Del antiguo *sota* (debajo de) y *banco.*

sotabarba s.f. **1** Abultamiento carnoso que se forma debajo de la barbilla. □ SINÓN. *papada.* **2** Barba que se deja crecer debajo de la barbilla. □ ETIMOL. Del antiguo *sota* (debajo de) y *barba.*

sotana s.f. Vestidura que llega hasta los tobillos y se abrocha con botones desde el cuello hasta los pies, esp. la que usan algunos sacerdotes católicos. □ ETIMOL. Del italiano *sottana.*

sótano s.m. En un edificio, piso o parte situados a un nivel más bajo que el de la calle. □ ETIMOL. Del latín **subtulum*, y este de *subtus* (debajo).

sotavento s.m. En una embarcación, lado o dirección opuestos al lado por donde viene el viento. □ ETIMOL. Del latín *subtus* (debajo) y *ventus* (viento). □ SEM. Dist. de *barlovento* (dirección por donde viene el viento).

soterrado, da adj. **1** Oculto o escondido. **2** Que está bajo tierra.

soterramiento s.m. **1** Ocultación de algo para que no se vea. **2** Ocultación bajo tierra de algo: *el soterramiento de las vías del tren.*

soterrar v. **1** Ocultar, esconder o guardar de forma que no se vea: *Soterró sus sentimientos para sentirse más seguro.* **2** Poner bajo tierra: *Van a soterrar las vías del tren que pasan por zonas urbanas.* □ SINÓN. *enterrar.* □ ETIMOL. De *so* (debajo) y el latín *terra* (tierra). □ MORF. Irreg. →PENSAR.

soto s.m. Lugar poblado de árboles y arbustos, y a veces también de maleza y matas. □ ETIMOL. Del latín *saltus* (pastizales, desfiladero).

sotobosque s.m. Vegetación formada por matas y arbustos que crecen bajo los árboles de un bosque. □ ETIMOL. Del antiguo *sota* (debajo de) y *bosque*.

sotol s.m. **1** Planta liliácea, parecida al maguey, de hojas largas y angostas con espinas y terminación en púa. **2** Bebida alcohólica que se obtiene de esta planta. □ ETIMOL. Del náhuatl *zotolin*.

sotto voce (it.) ‖ **1** En música, referido a la forma de interpretar un pasaje, de modo suave y a media voz. **2** En voz baja. □ PRON. [sóto vóche].

soufflé (fr.) s.m. Comida que se prepara con claras de huevo batidas a punto de nieve y cocidas al horno. □ SINÓN. *suflé.* □ PRON. [suflé].

soul (ing.) ▌adj.inv. **1** Del soul o relacionado con este estilo musical. ▌s.m. **2** Música popular estadounidense de expresión sentimental e intimista.

soundtrack (ing.) s.f. →**banda {de sonido/sonora}.** □ PRON. [sáuntrac].

soutien (fr.) s.m. En zonas del español meridional, sujetador. □ PRON. [sutién].

souvenir (fr.) s.m. Lo que se compra como recuerdo de un lugar. □ PRON. [suvenír].

sóviet (pl. *sóviets*) s.m. En la antigua Unión Soviética (país euroasiático), consejo de obreros y soldados revolucionarios. □ ETIMOL. Del ruso *sovét*.

soviético, ca adj./s. De la antigua Unión de Repúblicas Socialistas Soviéticas (antiguo país euroasiático), o relacionado con ella.

sovjós (rus.) (tb. *soljoz*) s.m. En el régimen socialista soviético, explotación agraria en la que los medios de producción y la cosecha pertenecen al Estado y en la que el agricultor es un asalariado. □ SEM. Dist. de *koljós* (explotación de carácter cooperativo).

soya s.f. En zonas del español meridional, soja.

spa (ing.) s.m. →**balneario.** □ PRON. [espá].

spaghetti (it.) s.m. →**espagueti.** □ PRON. [espaguéti].

spaghetti western (it.) s.m. ‖ Película ambientada en el Oeste americano pero realizada esp. por italianos. □ PRON. [espaguéti guéster].

spam (ing.) s.m. Correo electrónico enviado masivamente, generalmente de contenido publicitario. □ PRON. [espám].

spammer (ing.) s.com. Persona o entidad que se dedica a recopilar direcciones de correo electrónico y a hacer envíos masivos de mensajes. □ PRON. [espámer].

spamming (ing.) s.m. Envío masivo de correos electrónicos con información publicitaria. □ PRON. [espámin].

spanglish (tb. *espanglish*) s.m. Modalidad lingüística que mezcla español e inglés y que hablan algunos hispanos de los Estados Unidos (país americano). □ PRON. [espánglis].

spanglizar v. Dar o adquirir características de una modalidad lingüística que mezcla español e inglés: *En México se han spanglizado muchas palabras.* □ PRON. [espanglizár]. □ ORTOGR. La *z* se cambia en *c* delante de *e* →CAZAR.

sparring (ing.) (tb. *esparrin*) s.m. Persona que pelea con un boxeador para que este se entrene. □ PRON. [espárrin].

speaker (fr.) s.m. →**locutor.** □ ETIMOL. Del francés *speaker*, y este del inglés. □ PRON. [espíker].

speech (ing.) s.m. →**discurso.** □ PRON. [espích].

speed (ing.) s.m. Tipo de droga sintética que actúa como estimulante del sistema nervioso central. □ PRON. [espíd].

spider (ing.) s.m. Tipo de coche deportivo. □ PRON. [espáider].

spinning (ing.) s.m. Tipo de gimnasia que se practica sobre una bicicleta estática y que consiste en alternar la intensidad de la pedalada en sucesivas secuencias de tiempo. □ PRON. [espínin].

spirulina s.f. Alga de color verde y azul de alto poder nutritivo. □ PRON. [espirulína].

spleen (ing.) s.m. →**esplín.** □ PRON. [esplín].

spoiler (ing.) s.m. Alerón que se coloca en la parte trasera de algunos automóviles, esp. si son deportivos. □ PRON. [espóiler].

sponsor (ing.) (tb. *espónsor*) s.com. →**patrocinador.** □ PRON. [espónsor].

sponsorización (tb. *esponsorización*) s.f. →**patrocinio.** □ ETIMOL. Del inglés *sponsor* (patrocinador). □ PRON. [esponsorización].

sponsorizar (tb. *esponsorizar*) v. →**patrocinar.** □ ETIMOL. Del inglés *sponsor* (patrocinador). □ PRON. [esponsorizár].

spontex (tb. *espóntex*) s.f. Especie de bayeta de material plástico o sintético que se usa para absorber los líquidos. □ ETIMOL. Extensión del nombre de una marca comercial. □ PRON. [espóntex].

sport (ing.) ‖ **(de) sport;** referido al vestido, que es cómodo, informal y de aire deportivo. □ PRON. [espór].

sportinguista adj.inv./s.com. Del Sporting de Gijón (club de fútbol asturiano) o relacionado con él.

spot (ing.) ▮ adj.inv. **1** Al contado: *Nuestra cadena de supermercados se caracteriza por sus precios spot con descuentos muy interesantes.* ▮ s.m. **2** Anuncio publicitario en televisión. ☐ PRON. [espót]. ☐ ORTOGR. En la acepción 2, se usa mucho la forma castellanizada *espot.*

spray (ing.) s.m. →**aerosol.** ☐ PRON. [esprái].

spread (ing.) s.m. →**diferencial.** ☐ PRON. [espréd].

sprint (ing.) s.m. **1** En una carrera deportiva, esfuerzo momentáneo que hace un deportista, esp. al final, para conseguir la mayor velocidad. **2** Esfuerzo final que permite conseguir o lograr algo. ☐ PRON. [esprín]. ☐ ORTOGR. Se usan mucho las formas castellanizadas *esprín* o *esprint.*

sprinter (ing.) s.com. →**esprínter.** ☐ PRON. [esprínter].

spyware (ing.) s.m. Programa informático que recopila información del ordenador de una persona y la distribuye por internet sin su conocimiento ni su consentimiento. ☐ PRON. [espáigüer].

squash (ing.) s.m. Deporte que se practica en un espacio cerrado y que consiste en lanzar una pelota de goma contra la pared, golpeándola con una raqueta. ☐ PRON. [escuás].

squatter (ing.) s. →**okupa.** ☐ PRON. [escuáter].

srilanqués, -a adj./s. →**esrilanqués.**

stablishment (ing.) s.m. Conjunto de personas dirigentes. ☐ PRON. [estáblismen]. ☐ USO Su uso es innecesario.

staccato (it.) s.m. **1** En música, modo de ejecutar un pasaje disminuyendo la duración normal de las notas y haciendo pequeñas pausas entre ellas. **2** En una composición musical, pasaje que se ejecuta de este modo. ☐ PRON. [estacáto].

staff (ing.) s.m. En una empresa u organización, conjunto de personas que, dependiendo directamente de la dirección, desempeñan tareas de asesoramiento y coordinación, a diferencia del personal adscrito a la línea de producción. ☐ PRON. [estáf]. ☐ USO Su uso es innecesario.

stage (ing.) s.m. **1** Período de prácticas o de aprendizaje. **2** Realización de cursos breves de formación para aprender una actividad. ☐ PRON. [estách], con *ch* suave. ☐ USO Su uso es innecesario.

stand (ing.) s.m. Caseta, puesto o instalación provisionales y desmontables en los que se expone o se vende un producto en una exposición o en una feria. ☐ PRON. [están]. ☐ SEM. Dist. de *pabellón* (edificio que forma parte de un conjunto mayor).

standard (ing.) s.m. →**estándar.** ☐ PRON. [estándar].

stand by (ing.) ‖ 1 En economía, créditos abiertos por los bancos y empresas de un país en otros países: *Los stand by son créditos de apoyo de disposición inmediata, generalmente aportados por los países industrializados.* 2 Dispuesto, a disposición: *La disposición de un actor o de una actriz durante el rodaje debe ser de stand by.* ☐ PRON. [están bái]. ☐ USO Su uso es innecesario.

standing (ing.) s.m. Categoría, nivel o rango, esp. si es social: *un ejecutivo de alto standing.* ☐ PRON. [estándin]. ☐ USO Su uso es innecesario.

star (ing.) s. Estrella de cine. ☐ PRON. [estár]. ☐ USO Su uso es innecesario.

starlet (ing.) s.f. →**starlette.** ☐ PRON. [estárlet].

starlette (fr.) (tb. *starlet*) s.f. Joven actriz que aspira a convertirse en estrella cinematográfica. ☐ PRON. [estarlét].

star system (ing.) s.m. ‖ Grupo social y económico que se dedica a la industria cinematográfica: *El star system se ha reunido para la entrega de los oscar.* ☐ PRON. [estár sístem].

starter (ing.) s.m. →**estárter.** ☐ PRON. [estárter].

start-up (ing.) (pl. *start-ups*) s.f. Empresa recién creada. ☐ PRON. [estárt-ap].

-stático, -stática **1** Elemento compositivo sufijo que significa 'equilibrio': *electrostático, aerostática.* **2** Elemento compositivo sufijo que significa 'que detiene': *hemostático.* ☐ ETIMOL. Del griego *statikós* (estabilizador).

statu quo (lat.) (pl. *statu quo*) s.m. ‖ Estado de cosas en un determinado momento: *Es partidario de mantener el statu quo de la situación política actual.* ☐ PRON. [estátu cuó]. ☐ ORTOGR. Incorr. **status quo.*

status (lat.) (pl. *status*) s.m. →**estatus.** ☐ PRON. [estátus].

steadycam (ing.) s.m. Sistema que permite la filmación de imágenes de forma estable aunque la cámara se mueva, mediante una serie de muelles que absorben todas las vibraciones que produce el movimiento. ☐ PRON. [estédicam].

step (ing.) s.m. Tipo de gimnasia que se practica con acompañamiento de música y que consiste en subir y bajar repetidamente una especie de escalón. ☐ PRON. [estép].

stereo (ing.) adj.inv. →**estéreo.**

sterilet (fr.) s.m. Dispositivo anticonceptivo que se coloca en el interior del útero de una mujer para evitar el embarazo. ☐ SINÓN. *DIU, dispositivo intrauterino.* ☐ PRON. [esterilét].

stick (ing.) s.m. Palo de hockey. ☐ PRON. [estíc].

stock (ing.) s.m. Conjunto de mercancías o productos que almacena generalmente una empresa o un establecimiento para su uso o para su venta. ☐ PRON. [estóc]. ☐ ORTOGR. Se usa mucho la forma castellanizada *estock.*

stock option (ing.) s.f. ‖ En economía, acción bursátil que una empresa ofrece a sus empleados como incentivo. ☐ PRON. [estóc ópsion].

stop (ing.) s.m. **1** Señal de tráfico que obliga a detenerse en un cruce y a ceder el paso. **2** En un aparato eléctrico, tecla o posición que indica parada. **3** En un telegrama, señal que indica punto. ☐ PRON. [estóp].

store (fr.) s.m. →**estor.** ☐ PRON. [estór].

story board (ing.) s.m. ‖ Conjunto de viñetas o composiciones gráficas que tratan de representar la estructura y la secuencia que podría tener un anuncio publicitario o una película antes de su realización. □ PRON. [estóri bord].

stradivarius (it.) s.m. Violín u otro instrumento musical de cuerda fabricados por la familia Stradivari (prestigiosos violeros italianos del siglo XVIII). □ PRON. [estradivárius].

streaking (ing.) (tb. *estriquin*) s.m. Forma de protesta que consiste en desnudarse en lugares públicos o ante mucha gente. □ PRON. [estríkin].

stress (ing.) s.m. →**estrés.**

stretching (ing.) s.m. Ejercicio físico que consiste en estirar los músculos del cuerpo lentamente. □ PRON. [estréchin].

stricto sensu (lat.) ‖ En sentido estricto o riguroso: *Una parábola no puede ser tomada stricto sensu, sino que hay que saber interpretarla para poder comprenderla.* □ ORTOGR. Incorr. **strictu sensu* y **stricto senso.*

strike (ing.) s.m. En béisbol, lanzamiento correcto de la pelota al bateador, pero que este no puede devolver o lo hace de forma incorrecta. □ PRON. [estráik].

stripper (ing.) s.com. Persona que se dedica profesionalmente a desnudarse delante de un público. □ PRON. [estríper].

striptease (ing.) s.m. Espectáculo en el que una persona se va quitando poco a poco la ropa de forma sexualmente excitante. □ PRON. [estríptis]. □ ORTOGR. Se usan mucho las formas castellanizadas *estriptís* y *estriptis*.

strogonof (rus.) s.m. Comida de origen ruso que se prepara con carne guisada con cebolla, champiñones, pepinillos, nata líquida y otros ingredientes: *strogonof de pato.* □ PRON. [estrogonóf]. □ SINT. Se usa mucho en aposición, pospuesto a un sustantivo: *solomillo strogonof*.

stupa s.f. Monumento religioso que alberga las reliquias de Buda (reformador religioso indio del siglo VI a. C.). □ PRON. [estúpa].

su poses. →**suyo.** □ MORF. 1. Invariable en género. 2. Es apócope de *suyo* y de *suya* cuando precede a un sustantivo determinándolo: *su sombrero, sus buenas intenciones*. □ SEM. Se usa mucho para dar un carácter indeterminado al sustantivo al que acompaña: *Tendrá sus buenos setenta años*.

suahili s.m. →**suajili.** □ PRON. [suajíli].

suajili s.m. Lengua bantú de Tanzania, Kenia (países africanos) y otros lugares: *El suajili es la lengua más importante de África oriental.* □ ORTOGR. Se usa también *suahili*.

suasorio, ria adj. Que sirve para persuadir o convencer: *un argumento suasorio.* □ ETIMOL. Del latín *suasorius*.

suave adj.inv. **1** Liso, blando y agradable al tacto: *Da gusto secarse con esta toalla tan suave.* **2** Agradable a los sentidos porque no es fuerte o porque no tiene contrastes: *Quiero música suave. La decoración es de colores suaves. Esta salsa es muy suave. Me gustan los aromas suaves.* **3** Dócil, manso, apacible o manejable: *Tu reprimenda lo dejó muy suave y ahora se porta bien.* **4** Sin brusquedad, sin oponer resistencia o que no requiere mucho esfuerzo: *Las marchas entran muy suaves desde que arreglaste el coche.* □ ETIMOL. Del latín *suavis* (dulce).

suavidad s.f. **1** Lisura y blandura de algo que resulta agradable al tacto: *Esta crema hidratante ayuda a la piel a recuperar su suavidad.* **2** Docilidad, mansedumbre o dulzura: *Trata a los niños con suavidad y por eso la quieren tanto.* **3** Moderación, benignidad o placidez: *La suavidad de este clima me vendrá bien.* □ ETIMOL. Del latín *suavitas*.

suavización s.f. Moderación del rigor o de la dureza de algo.

suavizante adj.inv./s.m. Que suaviza, esp. la ropa o el pelo.

suavizar v. Hacer suave: *Este detergente quita la grasa de los platos y suaviza las manos. El calor se suavizará al atardecer.* □ ORTOGR. La *z* se cambia en *c* delante de *e* →CAZAR.

suazi adj.inv./s.com. De Suazilandia o relacionado con este país africano. □ SINÓN. *suazilandés*.

suazilandés, -a adj./s. De Suazilandia o relacionado con este país africano. □ SINÓN. *suazi*.

sub adj.inv./s.com. Seguido de un número y referido esp. a un deportista, que tiene una edad igual o inferior a la indicada por dicho número: *la selección sub 21. Los sub 16 ganaron el partido.* □ ORTOGR. Se usa también sin espacio (*sub20*) o con guion (*sub-18*).

sub- 1 Prefijo que significa 'bajo' o 'debajo de': *submarino, subterráneo, subsuelo, subrayar.* **2** Prefijo que significa 'de menor categoría o importancia': *subjefe, subdirector, subafluente, subcultura.* **3** Prefijo que significa 'con escasez': *subdesarrollo, subalimentar.* □ ETIMOL. Del latín *sub-*. □ USO En deporte, se usa mucho antepuesto a un número para indicar que se tiene una edad igual o inferior a la que indica el número.

subacuático, ca adj. Que existe o que se realiza bajo del agua.

subafluente s.m. Río o arroyo que desemboca en un afluente.

subalimentación s.f. Alimentación insuficiente.

subalimentar v. Alimentar mal o de forma insuficiente: *Los niños que se subalimentan pueden tener problemas de crecimiento.*

subalterno, na ▌s. **1** Empleado de categoría inferior. ▌s.m. **2** Torero que forma parte de la cuadrilla de un matador. □ ETIMOL. Del latín *subalternus*.

subarrendar v. Referido a algo arrendado, volver a arrendarlo a un tercero: *He alquilado un piso muy amplio y subarriendo habitaciones a estudiantes.* □ MORF. Irreg. →PENSAR.

subarriendo s.m. Arriendo a un tercero de algo ya arrendado.

subártico, ca adj. Que está por debajo de la región ártica.

subasta s.f. **1** Venta pública en la que se adjudica lo que se vende al mejor postor o a quien ofrece más dinero: *una subasta de arte.* **2** Adjudicación que se hace de un contrato de obra o de la prestación de un servicio siguiendo este sistema de venta: *La empresa constructora ha conseguido por subasta la construcción de un museo.* □ SINT. Se usa más en la expresión *pública subasta.*

subastador, -a s. Persona que trabaja en una subasta de bienes.

subastar v. Vender u ofrecer en pública subasta: *Esta galería de arte subasta cuadros el primer martes de cada mes.* □ ETIMOL. Del latín *subhastare*, y este de *sub hasta vendere*, porque cuando se subastaban los bienes de un deudor del fisco, se colocaba un asta en el lugar de la venta.

subastero, ra s. Persona que se dedica a pujar con algunas ventajas en subastas, esp. si son inmobiliarias.

subatómico, ca adj. Referido esp. a una partícula, que forma parte del átomo: *Protones y neutrones son partículas subatómicas.*

subcampeón, -a adj./s. Que consigue el segundo puesto en un campeonato.

subcarpeta s.f. Carpeta de cartón, sin solapa ni cierre, y que se utiliza para guardar papeles o documentos.

subcelular adj.inv. Con una estructura más elemental que la de la célula.

subclase s.f. En biología, en la clasificación de los seres vivos, categoría superior a la de orden e inferior a la de clase.

subclavia adj./s.f. →**vena subclavia.**

subclavio, via ▌adj. **1** En anatomía, que está debajo de la clavícula. ▌s.f. **2** →**vena subclavia.**

subcomandante s.m. En algunos ejércitos, cargo militar inferior al de comandante.

subcomisión s.f. En una comisión, grupo de individuos que tiene un cometido determinado.

sub conditione (lat.) || Bajo la condición: *El comprador de una vivienda tiene el derecho a adquirir su plena propiedad sub conditione a que pague la totalidad del precio.*

subconjunto s.m. En matemáticas, conjunto cuyos elementos pertenecen a otro conjunto mayor.

subconsciente ▌adj.inv. **1** Que está por debajo de la conciencia psicológica de forma que el sujeto no es consciente de ello: *Cuando vemos la televisión, hay mensajes que captamos de manera subconsciente.* ▌s.m. **2** Conjunto de contenidos psíquicos que escapan de la conciencia del individuo: *No quería hablarte del regalo, pero me traicionó el subconsciente y se me escapó la sorpresa.* □ PRON. Incorr. *[subsconsciénte].

subcontrata s.f. Contrato que hace una empresa a otra para que realice servicios que la primera no puede llevar a cabo.

subcontratación s.f. Contratación que hace una empresa a otra para que realice servicios que la primera ha contratado directamente.

subcontratar v. Referido esp. a una empresa, contratarla otra para que realice servicios que esta no puede realizar: *La empresa que construye el colegio ha subcontratado a otra constructora para que construya el tejado.*

subcontratista adj.inv./s.com. Referido esp. a una empresa, que es subcontratada por otra empresa para realizar los servicios que esta no puede llevar a cabo.

subcultura s.f. Cultura minoritaria o que se considera de menor categoría o importancia.

subcutáneo, a adj. **1** Que está inmediatamente debajo de la piel: *el tejido celular subcutáneo.* **2** Que se pone debajo de la piel: *una inyección subcutánea.* □ ETIMOL. Del latín *subcutaneus.*

subdelegación s.f. **1** Traslado o cesión que hace un delegado de su potestad o jurisdicción a otra persona: *Es el único responsable de la empresa, pero ha realizado una subdelegación de funciones en varios colaboradores.* **2** Distrito u oficina de un subdelegado: *subdelegación de Hacienda.*

subdelegado, da adj./s. Referido a una persona, que ocupa el cargo inmediatamente inferior al de delegado o que sustituye a este en sus funciones.

subdelegar v. Referido a una potestad o a una jurisdicción, trasladarlas o darlas el delegado que las posee a otra persona: *Subdelegaron en mí la decisión acerca de la firma del contrato.* □ ETIMOL. Del latín *subdelegare*, y este de *sub* (bajo) y *delegare* (delegar). □ ORTOGR. La *g* se cambia en *gu* delante de *e* →PAGAR.

subdesarrollado, da adj. Referido esp. a una comunidad humana, que se encuentra en una situación en la que no alcanza determinados niveles económicos, sociales, culturales o políticos.

subdesarrollo s.m. Referido esp. a una comunidad humana, atraso o situación que no alcanza determinados niveles económicos, sociales, políticos o culturales.

subdiácono s.m. *ant.* Un tipo de clérigo. □ ETIMOL. Del latín *subdiaconus.*

subdirección s.f. **1** Cargo de subdirector. **2** Lugar de trabajo del subdirector.

subdirector, -a s. Persona que ocupa el cargo inmediatamente inferior al de director o que sustituye a este en sus funciones.

subdistinguir v. Distinguir en lo ya distinguido o establecer una distinción dentro de otra: *Dentro de las semillas subdistinguimos las semillas con un solo cotiledón y las semillas con dos cotiledones.* □ ETIMOL. Del latín *subdistinguere.* □ ORTOGR. La *gu* se cambia en *g* delante de *a, o* →DISTINGUIR.

súbdito, ta ▌adj./s. **1** Referido a una persona, que está sujeta a la autoridad de un superior y que tiene la obligación de obedecerle: *los súbditos del rey.* ▌s. **2** Ciudadano de un país que está sujeto a las autoridades políticas de este: *los súbditos de una nación.* □ ETIMOL. Del latín *subditus*, y este de *subdere* (someter, sujetar).

subdividir v. Referido a algo que ha sido dividido, volverlo a dividir: *Subdivide en puntos diferentes cada apartado de tu artículo para que sea más claro. La ciudad se divide en distritos y estos se subdividen en barrios.* □ ETIMOL. Del latín *subdividere.*

subdivisión s.f. Nueva división que se hace en algo ya dividido.

subducción s.f. Proceso en el cual una plaza tectónica se desplaza por debajo del borde de otra: *Esa fosa oceánica se creó por una subducción.* ☐ ETIMOL. Del latín *subductionis*.

subeibaja s.m. Columpio formado por una barra larga sujeta al suelo por un eje central, con asientos en cada extremo, y que sube y baja alternativamente. ☐ SINÓN. *balancín.*

subempleo s.m. Situación en la que los trabajadores ocupan puestos de trabajo inferiores a aquellos para los que están preparados, o en la que trabajan menos tiempo del debido.

suberificación s.f. Transformación en corcho de la parte externa de la corteza de un árbol.

suberificarse v.prnl. Referido a la parte externa de la corteza de un árbol, convertirse en corcho: *La corteza del alcornoque se suberifica formando capas de varios centímetros de espesor.* ☐ ETIMOL. Del latín *suber* (corcho) y *facere* (hacer). ☐ ORTOGR. La *c* se cambia en *qu* delante de *e* →CAZAR.

suberina s.f. Sustancia orgánica que procede de la transformación de la celulosa y que forma la membrana de las células componentes del corcho. ☐ ETIMOL. Del latín *suber* (corcho).

suberoso, sa adj. Con características del corcho: *El tejido suberoso está compuesto por células muertas.* ☐ ETIMOL. Del latín *suber* (corcho).

subespecialidad s.f. Especialidad englobada dentro de otra mayor.

subestimar v. Referido a algo, estimarlo por debajo de su valor: *Perdieron porque subestimaron a sus rivales y se confiaron.*

subfamilia s.f. En biología, en la clasificación de los seres vivos, categoría superior a la de género e inferior a la de familia.

subfusil s.m. Arma de fuego automática, individual y portátil, de cañón más corto que el fusil y de gran velocidad de disparo.

subgénero s.m. Cada uno de los grupos particulares en los que se divide un género.

subgobernador, -a s. Persona que ocupa el cargo inmediatamente inferior al de gobernador y que sustituye a este en sus funciones.

subgrupo s.m. Cada una de las partes en que se divide un grupo.

subida s.f. Véase **subido, da.**

subido, da ▌adj. **1** Referido esp. a un color, que es muy fuerte. ▌s.f. **2** Paso a un lugar, a un punto o a un grado superiores o más altos: *La subida del último trecho de la montaña fue agotadora.* ☐ SINÓN. *ascenso.* **3** Aumento de algo en su intensidad, su cantidad o su valor: *la subida de los impuestos.* **4** Terreno inclinado, cuando se ve desde abajo: *Esta subida es demasiado pronunciada para ir en bicicleta.*

subilla s.f. Herramienta formada por un hierro terminado en punta afilada, generalmente con un mango, que utilizan esp. los zapateros para agujerear, coser y pespuntear. ☐ SINÓN. *lezna.* ☐ ETIMOL. Del latín **subella*.

subíndice s.m. Letra o número que se añade a un símbolo para distinguirlo de otros semejantes.

subinspección s.f. **1** Cargo de subinspector. **2** Lugar de trabajo del subinspector.

subinspector, -a s. Persona que ocupa el cargo inmediatamente inferior al de inspector.

subintendencia s.f. **1** Cargo de subintendente. **2** Lugar de trabajo del subintendente.

subintendente s.com. Persona que ocupa el cargo inmediatamente inferior al de intendente o que sustituye a este en sus funciones.

subir ▌v. **1** Ir a un lugar o a una posición superiores o más altos: *Subimos la montaña más rápido de lo que habíamos calculado. Se subió al árbol y luego no sabía cómo bajar.* **2** Poner en un lugar o en una posición superiores: *Sube la figura al estante de arriba para que no la rompa el niño. Súbete los calcetines, que los llevas enrollados en el tobillo.* **3** Aumentar en intensidad, cantidad o valor: *Sube el volumen porque esta canción me encanta.* **4** Entrar en un medio de transporte: *Se despidió y subió al tren. Se subió al autobús cuando arrancaba.* **5** Cabalgar o montar: *Subimos en camellos para visitar el Teide. Nunca me he subido a un caballo y me da un poco de miedo.* **6** En música, ascender de un tono grave a uno más agudo: *Esa cantante puede subir hasta tonos muy agudos sin esfuerzo.* **7** En informática, poner una información o un contenido en internet: *He subido algunas de mis fotografías a tu página web.* ☐ SINÓN. *colgar, cargar.* ▌prnl. **8** Referido esp. a una bebida alcohólica, ocasionar aturdimiento o empezar a hacer efecto: *Se me ha subido la cerveza y estoy algo mareada.* ☐ ETIMOL. Del latín *subire* (ponerse o venir debajo de algo). ☐ SEM. **Subir arriba* es una expresión redundante e incorrecta, aunque está muy extendida.

súbito, ta adj. **1** Imprevisto, inesperado o repentino: *un golpe súbito.* **2** ‖ **de súbito;** de repente, de forma inesperada o sin preparación: *Estaba contenta, pero rompió a llorar de súbito y yo no sabía qué le pasaba.* ☐ ETIMOL. Del latín *subitus*.

subjefe, fa s. Persona que hace las funciones de jefe y está bajo sus órdenes.

subjetivar v. →**subjetivizar.**

subjetividad s.f. Parcialidad en la forma de considerar una idea o un sentimiento, siguiendo criterios o intereses personales y analizando la realidad como algo interior al sujeto.

subjetivismo s.m. Predominio de lo subjetivo o de todo lo relacionado con el sujeto.

subjetivizar v. Dar criterios personales o estar muy determinado por el propio modo de pensar: *Ese artista subjetiviza la realidad en sus obras.* ☐ SINÓN. *subjetivar.* ☐ ORTOGR. La *z* se cambia en *c* delante de *e* →CAZAR.

subjetivo, va adj. **1** Del sujeto o relacionado con él: *El mundo subjetivo está en oposición al mundo externo u objetivo.* **2** Que sigue criterios o intereses personales o que está marcado por el modo de pensar o de sentir de uno mismo: *No puedo evitar ser subjetivo en mi comentario porque estamos hablando de mi hija.* □ ETIMOL. Del latín *subiectivus*.

sub júdice ‖ En derecho, referido a una cuestión, que está pendiente de una resolución: *Mientras el caso esté sub júdice, la abogada no hará declaraciones públicas.* □ ETIMOL. Del latín *sub iudice* (bajo el juez). □ PRON. [sub yúdice].

subjuntivo s.m. →**modo subjuntivo.** □ ETIMOL. Del latín *subiunctivus* (relativo a la subordinación).

sublevación s.f. Rebelión o movimiento de protesta contra una autoridad establecida. □ SINÓN. *sublevamiento*.

sublevamiento s.m. →**sublevación.**

sublevar v. **1** Alzar en motín o provocar un estado de revolución: *La insostenible situación de desorden y engaño sublevó al pueblo contra los gobernantes. Varias unidades militares se sublevaron dispuestas a acabar con la injusticia.* **2** Indignar, enfadar o enojar mucho: *Me subleva pensar que todo lo que estoy haciendo no valdrá para nada.* □ ETIMOL. Del latín *sublevare* (levantar).

sublimación s.f. **1** Engrandecimiento o exaltación: *La vejez había conseguido la sublimación de sus recuerdos.* **2** En química, paso directo de un cuerpo en estado sólido a estado gaseoso.

sublimar v. Engrandecer, exaltar o alabar mucho: *La historia se encargó de sublimar la hazaña de ese guerrero.* □ SINÓN. *sublimizar*.

sublime adj.inv. Admirable, extremadamente bueno o extraordinario. □ ETIMOL. Del latín *sublimis* (muy alto).

subliminal adj.inv. Referido a una percepción, que es captada por la mente sin que el sujeto tenga conciencia de ello. □ ETIMOL. De *sub-* (bajo, debajo de) y el latín *limen* (umbral). □ PRON. [sub·liminál].

sublimizar v. →**sublimar.** □ ORTOGR. La *z* se cambia en *c* delante de *e* →CAZAR.

sublingual adj.inv. De la región inferior de la lengua o que está situado debajo de ella. □ PRON. [sub·linguál].

sublunar adj.inv. Que está debajo de la luna, esp. referido a todo lo que ocurre en la Tierra. □ ETIMOL. Del latín *sublunaris*. □ PRON. [sub·lunár].

submarinismo s.m. Conjunto de las actividades que se realizan bajo la superficie del mar por medio del buceo.

submarinista ▮ adj.inv. **1** Del submarinismo o relacionado con este conjunto de actividades. ▮ adj.inv./s.com. **2** Que practica el submarinismo.

submarino, na ▮ adj. **1** De la zona que está bajo la superficie marina o relacionado con ella: *la pesca submarina.* ▮ adj./s. **2** Referido esp. a una persona, que se ha infiltrado en una organización: *Descubrieron un submarino del partido contrario.* ▮ s.m. **3** Buque que puede sumergirse y navegar bajo la superficie del mar. **4** Bocadillo hecho con una barra de pan larga y generalmente estrecha. □ ETIMOL. De *sub-* (bajo, debajo de) y *marino*.

submaxilar adj.inv. Que está situado debajo del maxilar inferior.

submúltiplo, pla adj./s. En matemáticas, referido a un número, que está contenido exactamente dos o más veces en otro: *5 es un número submúltiplo de 25.* □ SINÓN. *divisor, factor.* □ ETIMOL. Del latín *submultiplus*.

submundo s.m. Ambiente marginal: *el submundo de la droga.*

subnormal adj.inv./s.com. *col. desp.* Referido a una persona, que sufre una deficiencia mental de carácter patológico.

subnormalidad s.f. Deficiencia mental de carácter patológico. □ USO Es despectivo.

suboficial s.com. En el ejército, persona cuya categoría militar es inferior a la de oficial y superior a las clases de tropa.

suborden s.m. En biología, en la clasificación de los seres vivos, categoría superior a la de familia e inferior a la de orden.

subordinación s.f. **1** Sujeción o sometimiento: *Cuando firmó el contrato, aceptó la subordinación a las normas vigentes en este trabajo.* **2** Relación gramatical que se establece entre dos oraciones cuando una depende de la otra y esta funciona como principal: *En la oración compuesta 'Sabe que tienes razón', hay subordinación.* □ SINÓN. *hipotaxis*.

subordinada s.f. Véase **subordinado, da.**

subordinado, da ▮ adj./s. **1** Referido a una persona, que depende de otra: *La directora tuvo una reunión con sus subordinados para explicarles los nuevos proyectos.* ▮ adj./s.f. **2** En lingüística, referido esp. a una oración, que depende de otra: *En la frase 'Quiero que vengas', 'que vengas' es una oración subordinada completiva.*

subordinante adj.inv. Que subordina: *las conjunciones subordinantes.*

subordinar v. **1** Hacer depender o colocar bajo la dependencia de algo: *Los trabajadores de este sector están subordinados al jefe del departamento de exportación.* **2** En gramática, referido a un elemento, depender de otro de diferente nivel o función que lo rige: *En la oración 'Espero que llueva', el verbo principal 'espero' subordina a la oración 'que llueva'.* □ ETIMOL. De *sub-* (bajo, debajo de) y el latín *ordinare* (ordenar).

subproducto s.m. **1** Producto secundario que se obtiene en el proceso de fabricación de otro producto diferente y que generalmente tiene menos valor que este. **2** *desp.* Producto de mala calidad o de valor muy bajo.

subproletariado s.m. Sector del proletariado con mayor grado de pobreza y explotación.

subrayar v. **1** Referido esp. a algo escrito, señalarlo con una raya por debajo: *En el texto siguiente, subraya las palabras que empiecen por 'b'.* **2** Pronunciar o expresar poniendo especial énfasis: *La profesora subrayó la importancia de la lectura para adquirir una buena formación.* □ SINÓN. *acentuar, recalcar.* □ PRON. [sub·rayár].

subrepticio, cia adj. Que se hace ocultamente o a escondidas. ☐ ETIMOL. Del latín *subrepticius*, y este de *subripere* (sustraer).

subrogación s.f. En derecho, sustitución de una persona o de una cosa por otra: *Como murió su padre, su madre realizó una subrogación del contrato de alquiler de su piso.* ☐ PRON. [sub·rogación].

subrogar v. En derecho, referido a una persona o a una cosa, sustituirlas o ponerlas en el lugar de otras: *Al comprar la casa se subrogó la hipoteca del vendedor en favor del comprador.* ☐ ETIMOL. Del latín *subrogare* (elegir a uno en reemplazo de otro). ☐ PRON. [sub·rogár]. ☐ ORTOGR. La *g* se cambia en *gu* delante de *e* →PAGAR.

subsanar v. Referido esp. a un defecto o a un daño, repararlos, remediarlos o resarcirlos: *Ha consultado el diccionario para subsanar las faltas de ortografía de su redacción.*

subscribir v. →**suscribir.** ☐ MORF. Su participio es *subscrito*.

subscripción s.f. →**suscripción.**

subscriptor, -a s. →**suscriptor.**

subscrito, ta (tb. *suscrito, ta*) part. irreg. de **subscribir**.

subsecretaría s.f. **1** Cargo de subsecretario. **2** Lugar de trabajo del subsecretario.

subsecretario, ria s. **1** Persona que ocupa el cargo inmediatamente inferior al de secretario o que lo sustituye en sus funciones. **2** En la Administración española, persona cuyo cargo es inmediatamente inferior al de secretario de Estado o, en caso de que este no exista, al de ministro.

subsecuente adj.inv. Respecto de lo expresado o sobrentendido, que lo sigue inmediatamente: *Cuando le dije que me iba, la respuesta subsecuente fue que se venía conmigo.* ☐ SINÓN. *subsiguiente.* ☐ ETIMOL. Del latín *subsequens*.

subseguir v. Referido a una cosa, seguirla a otra: *A un rayo subsigue un trueno.* ☐ ORTOGR. La *gu* se cambia en *g* delante de *a*, *o*. ☐ MORF. Irreg. →SEGUIR.

subsidiar v. Dar ayuda económica de carácter extraordinario: *El Gobierno subsidiará a las clases más desfavorecidas.* ☐ ORTOGR. La *i* nunca lleva tilde.

subsidiario, ria adj. **1** Que se da o se manda en socorro o en subsidio de alguien: *una asignación subsidiaria.* **2** Referido esp. a una acción o a una responsabilidad, que sustituyen o que fortalecen a otras principales: *Si no devuelves el crédito, la responsabilidad subsidiaria recaerá sobre la persona que te ha avalado.* **3** Referido esp. a una empresa, que es delegada en el extranjero de una empresa multinacional.

subsidio s.m. Ayuda o auxilio económico de carácter extraordinario: *el subsidio de desempleo.* ☐ ETIMOL. Del latín *subsidium* (reserva de tropas, refuerzo).

subsiguiente adj.inv. Respecto de lo expresado o sobrentendido, que lo sigue inmediatamente: *Me dijo que tuviera cuidado con la nieve y me dio las siguientes recomendaciones para que no pasara frío.* ☐ SINÓN. *subsecuente.*

subsistencia s.f. Vida o mantenimiento de la vida.

subsistir v. **1** Permanecer, mantenerse, durar o conservarse: *En esta región subsisten viejas costumbres que ya han desaparecido en las ciudades.* **2** Mantener la vida o seguir viviendo: *Los refugiados subsisten gracias a la ayuda que reciben de los organismos de paz internacionales.* ☐ ETIMOL. Del latín *subsistere*.

substancia s.f. →**sustancia.**

substancial adj.inv. →**sustancial.**

substanciar v. →**sustanciar.** ☐ ORTOGR. La *i* nunca lleva tilde.

substancioso, sa adj. →**sustancioso.**

substantivación s.f. →**sustantivación.**

substantivar v. →**sustantivar.**

substantivo, va adj./s.m. →**sustantivo.**

substitución s.f. →**sustitución.**

substituir v. →**sustituir.** ☐ MORF. Irreg. →HUIR.

substitutivo, va adj. →**sustitutivo.**

substituto, ta s. →**sustituto.**

substracción s.f. →**sustracción.**

substraendo s.m. →**sustraendo.**

substraer v. →**sustraer.** ☐ MORF. Irreg. →TRAER.

substrato s.m. →**sustrato.**

subsuelo s.m. Capa del terreno que está debajo de una capa de la superficie terrestre.

subsumir v. **1** Incluir como componente en una síntesis o clasificación que abarcan más: *Esa clasificación prehistórica subsume las diversas culturas paleolíticas en solo tres grandes divisiones del Paleolítico.* **2** Considerar como parte de un conjunto más amplio o como caso particular sometido a un principio o norma general: *La sentencia 'Yo soy mortal' es un juicio subsumido en la sentencia 'Todo ser humano es mortal'.* ☐ ETIMOL. Del latín *sub* (bajo) y *sumere* (tomar).

subsunción s.f. Consideración de algo como parte de un conjunto más amplio o como caso particular sometido a un principio o norma general.

subte s.m. *col.* En zonas del español meridional, metro. ☐ MORF. Es la forma abreviada de *subterráneo*.

subteniente s.com. En el ejército, persona cuyo empleo militar es superior al de brigada e inferior al de alférez.

subterfugio s.m. Escapatoria, pretexto o recurso que se utiliza para sortear o evitar una dificultad o un compromiso. ☐ ETIMOL. Del latín *subterfugium*.

subterráneo, a ▌adj. **1** Que está bajo tierra: *un paso subterráneo.* ▌s.m. **2** Lugar o espacio que está bajo tierra: *El Ayuntamiento ha comenzado las obras de un subterráneo en el cruce de esas cuatro calles.* **3** En zonas del español meridional, metro. ☐ ETIMOL. Del latín *subterraneus*. ☐ MORF. En la acepción 3, se usa mucho la forma abreviada *subte*.

subtipo s.m. Cada uno de los grupos taxonómicos en que se dividen los tipos de animales y de plantas.

subtitular v. **1** Referido esp. a una película, incorporarle subtítulos: *Vi una película francesa que había sido subtitulada en español.* **2** Escribir subtítulos: *Ha titulado su novela 'Lucha bajo el sol' y la ha subtitulado 'Historia de un odio'.*

subtítulo s.m. **1** En una película cinematográfica, letrero que aparece en la parte inferior de su imagen, generalmente con la traducción del texto hablado: *Vimos la película en su versión original inglesa y con subtítulos en español.* **2** Título secundario que se pone a veces después del título principal.

subtropical adj.inv. De las regiones que están entre el trópico y las zonas de clima templado adyacentes o relacionado con ellas.

suburbano, na ▮ adj. **1** Referido esp. a un lugar, próximo a la ciudad. **2** De un suburbio o relacionado con él. ☐ SINÓN. *suburbial.* ▮ s.m. **3** Ferrocarril que comunica el centro de una gran ciudad con sus núcleos de las afueras. ☐ ETIMOL. Del latín *suburbanus.*

suburbial adj.inv. De un suburbio o relacionado con él. ☐ SINÓN. *suburbano.*

suburbio s.m. Barrio cercano a una ciudad o que está dentro de su jurisdicción, esp. el habitado por una población de bajo nivel económico. ☐ ETIMOL. Del latín *suburbium.*

subvalorar v. →**infravalorar.**

subvención s.f. Ayuda económica con la que se contribuye al sostenimiento o al logro de algo. ☐ ETIMOL. Del latín *subventio.*

subvencionar v. Favorecer con una subvención o ayuda económica: *El Ministerio de Cultura subvenciona películas y obras de creación literaria.*

subvenir v. **1** Venir en auxilio o ayudar en las necesidades: *El Estado debe subvenir a los necesitados.* **2** Costear, sufragar o pagar un gasto: *Los padres han de subvenir a la educación de los hijos.* ☐ ETIMOL. Del latín *subvenire.* ☐ MORF. Irreg. →VENIR. ☐ SINT. Constr. *subvenir* A *algo.*

subversión s.f. Trastorno, cambio violento o destrucción.

subversivo, va adj. Que intenta desestabilizar el orden público o que protesta contra lo establecido. ☐ ETIMOL. Del latín *suversum,* y este de *subvertere* (destruir, revolver).

subvertir v. Trastornar, invertir, revolver o destruir: *Esa filósofa opina que si se subvierten los conceptos del bien y del mal, reinará la confusión.* ☐ ETIMOL. Del latín *subvertere* (volver cabeza abajo). ☐ MORF. Irreg. →SENTIR.

subwoofer (ing.) s.m. Altavoz compacto que acentúa los sonidos graves. ☐ PRON. [subgúfer].

subyacente adj.inv. Que subyace.

subyacer v. Estar oculto detrás de algo: *En toda su obra subyace un sentimiento de melancolía.* ☐ ETIMOL. Del latín *subiacere.* ☐ MORF. Irreg. →YACER.

subyugación s.f. **1** Sometimiento o dominación por la fuerza o de forma violenta. **2** Agrado, placer o gusto que se sienten por algo.

subyugar v. **1** Someter o dominar poderosa o violentamente: *Los soldados subyugaron a los habitantes de la tierra conquistada.* **2** Agradar o gustar mucho: *Me subyuga la música de este compositor barroco.* ☐ ETIMOL. Del latín *subiugare,* y este de *sub* (bajo) y *iugun* (yugo). ☐ ORTOGR. La *g* se cambia en *gu* delante de *e* →PAGAR.

succión s.f. **1** Extracción de algo chupando con los labios: *La succión de la leche materna por parte del bebé es su forma natural de alimentarse.* **2** Absorción, aspiración o atracción hacia el interior: *Las aspiradoras funcionan por un mecanismo de succión.* ☐ ETIMOL. Del latín *suctio,* y este de *sugere* (chupar).

succionar v. **1** Chupar o extraer con los labios: *El bebé succionaba el biberón con ímpetu.* **2** Absorber, aspirar o atraer hacia el interior: *Las plantas succionan el agua del suelo.*

sucedáneo, a ▮ adj./s.m. **1** Referido esp. a una sustancia, que puede reemplazar a otra por tener propiedades parecidas: *La sacarina se usa como un sucedáneo del azúcar.* ▮ s.m. **2** Lo que, por su mala calidad, se considera una imitación mal conseguida. ☐ ETIMOL. Del latín *succedaneus* (que reemplaza).

suceder v. **1** Referido a un hecho, producirse, realizarse u ocurrir: *Eso sucedió hace mucho. No sé qué te sucede, porque estás muy raro.* ☐ SINÓN. *acaecer, acontecer.* **2** Seguir o ir detrás en orden, tiempo o número: *Noviembre sucede a octubre.* **3** Referido a una persona, sustituir a otra en el desempeño de un cargo o función: *El príncipe heredero sucederá al rey en la jefatura del Estado.* ☐ ETIMOL. Del latín *succedere* (venir después de alguien o de algo). ☐ MORF. En la acepción 1, es verbo unipersonal.

sucedido s.m. *col.* Suceso o hecho que ha ocurrido.

sucesión s.f. **1** Serie de elementos que se suceden en el espacio o en el tiempo: *Un año es la sucesión de doce meses.* **2** Sustitución en el desempeño de un cargo o de una función: *Disputaban por la sucesión del trono.* **3** Conjunto de descendientes de una persona. **4** En matemáticas, conjunto ordenado de términos que cumplen una ley determinada: *'1, 2, 3, 4...' es una sucesión de números naturales.* ☐ ETIMOL. Del latín *successio.*

sucesivo, va adj. **1** Que sucede o sigue a algo: *Daremos más información en días sucesivos.* **2** ‖ **en lo sucesivo;** en adelante o a partir de este momento: *En lo sucesivo, no quiero que me dirijas la palabra.*

suceso s.m. Lo que sucede u ocurre, esp. si es un hecho de importancia. ☐ ETIMOL. Del latín *successus* (secuencia, sucesión, éxito).

sucesor, -a adj./s. Referido a una persona, que sucede a otra, esp. si es en el desempeño de un cargo o de una función. ☐ ETIMOL. Del latín *successor.*

sucesorio, ria adj. De la sucesión o relacionado con ella: *el derecho sucesorio.*

suciedad s.f. **1** Presencia o existencia de manchas, impurezas o imperfecciones. **2** Falta de ética o de respeto a las reglas: *El árbitro castigó la suciedad de la acción.*

sucinto, ta adj. Breve, preciso o con las palabras justas. ☐ ETIMOL. Del latín *succinctus* (apretado, achaparrado). ☐ PRON. Incorr. *[suscínto]. ☐ SEM. No debe emplearse con el significado de 'detallado' o 'pormenorizado': *Presenté un amplio y {*sucinto > detallado} informe.*

sucio adv. Referido a una forma de actuar, sin seguir las normas ni respetar las leyes: *Ganó la partida de cartas porque jugó sucio haciendo trampas.*

sucio, cia adj. **1** Con manchas, impurezas o imperfecciones: *Tienes las manos sucias por jugar con barro.* **2** Que se ensucia con facilidad: *El blanco es un color muy sucio para un jersey.* **3** Referido a una persona, que no cuida su higiene ni su aspecto. **4** Que produce suciedad: *Los patos y las palomas son unos animales muy sucios.* **5** Deshonesto o sin ética en la forma de actuar: *Debe su fortuna a negocios sucios relacionados con el tráfico de drogas.* ☐ ETIMOL. Del latín *sucidus* (húmedo, jugoso); se aplicaba esp. a la lana recién cortada, que solía estar sin limpiar, llena de sudor y, por tanto, húmeda.

sucre s.m. Unidad monetaria ecuatoriana. ☐ ETIMOL. Por alusión a A. J. de Sucre, general venezolano.

súcubo s.m. Demonio o espíritu con aspecto de mujer que mantiene relaciones sexuales con un hombre. ☐ ETIMOL. Del latín **succubus* (el que se acuesta debajo).

suculento, ta adj. Sabroso, jugoso o nutritivo. ☐ ETIMOL. Del latín *suculentus*, y este de *sucus* (jugo).

sucumbir v. **1** Ceder, dejar de oponerse, rendirse o someterse: *Sucumbí a la tentación de comer bombones.* **2** Morir, perecer, dejar de existir o desaparecer: *El Imperio Romano sucumbió en el siglo V con las invasiones de los bárbaros.* ☐ ETIMOL. Del latín *succumbere* (desplomarse, sucumbir).

sucursal adj.inv./s.f. Referido esp. a un establecimiento, que depende de otro principal y que desempeña sus mismas funciones. ☐ ETIMOL. Del francés *succursale* (suplente).

sudaca s.com. *col. desp.* Suramericano: *No debes llamar sudaca a un suramericano, porque es una falta grave de respeto.*

sudación s.f. Expulsión de sudor, esp. si es abundante. ☐ SINÓN. *sudoración.*

sudadera s.f. Prenda de vestir deportiva que cubre desde el cuello hasta la cintura y tiene manga larga.

sudafricano, na adj./s. **1** De la zona sur del continente africano o relacionado con ella. ☐ SINÓN. *surafricano.* **2** De la República de Sudáfrica o relacionado con este país africano. ☐ SINÓN. *surafricano.*

sudamericano, na adj./s. →**suramericano.**

sudanés, -a adj./s. De Sudán o relacionado con este país africano.

sudar v. **1** Expulsar el sudor a través de los poros de la piel: *Al sudar se eliminan toxinas.* **2** *col.* Trabajar o esforzarse mucho: *Los jugadores tuvieron que sudar para ganar el partido.* **3** Empapar con sudor: *Hacía tanto calor que he sudado la blusa.* ☐ ETIMOL. Del latín *sudare.*

sudario s.m. **1** Tela que se pone sobre el rostro de un difunto o con la que se envuelve el cadáver. **2** ‖ **santo sudario;** →**sábana santa.** ☐ ETIMOL. Del latín *sudarium* (pañuelo).

sudeste (tb. *sureste*) s.m. **1** Punto medio o lugar entre el Sur y el Este. **2** Viento que sopla o viene de este punto. ☐ ORTOGR. En la acepción 1, su símbolo es *SE*, por tanto, se escribe sin punto. ☐ SINT. Se usa mucho en aposición pospuesto a un sustantivo: *Navegamos con rumbo sudeste.*

sudista adj.inv./s.com. En la guerra de Secesión estadounidense, partidario de los Estados del sur. ☐ SINÓN. *confederado.*

sudoeste (tb. *suroeste*) s.m. **1** Punto medio o lugar entre el Sur y el Oeste. **2** Viento que sopla o viene de este punto. ☐ ORTOGR. En la acepción 1, su símbolo es *SO* (o *SW* en el Sistema Internacional), por tanto, se escribe sin punto. ☐ SINT. Se usa mucho en aposición pospuesto a un sustantivo: *Volamos en dirección sudoeste.*

sudoku (jap.) s.m. Pasatiempo de lógica que consiste en completar con números las casillas de una cuadrícula respetando determinadas reglas.

sudor s.m. **1** Líquido transparente que segregan las glándulas sudoríparas de la piel de los mamíferos. **2** *col.* Trabajo o esfuerzo grande. ☐ ETIMOL. Del latín *sudor.*

sudoración s.f. Expulsión de sudor, esp. si es abundante. ☐ SINÓN. *sudación.*

sudoriento, ta adj. Sudado o humedecido con el sudor.

sudorífero, ra adj./s.m. →**sudorífico.** ☐ ETIMOL. Del latín *sudorifer*, y este de *sudor* (sudor) y *ferre* (llevar, producir).

sudorífico, ca adj./s.m. Referido esp. a un medicamento, que produce la secreción de sudor. ☐ SINÓN. *sudorífero.* ☐ ETIMOL. Del latín *sudor* (sudor) y *facere* (hacer).

sudoríparo, ra adj. Referido esp. a una glándula, que produce o segrega sudor: *las glándulas sudoríparas.* ☐ ETIMOL. Del latín *sudor* y *parere* (producir).

sudoroso, sa adj. Lleno de sudor.

sudsudeste s.m. **1** Punto medio o lugar entre el Sur y el Sudeste. **2** Viento que sopla o viene de este punto. ☐ ORTOGR. Se usa también *sursureste.* ☐ SINT. Se usa mucho en aposición, pospuesto a un sustantivo: *La expedición avanzaba en dirección sudsudeste.* ☐ USO En la acepción 1, se usa más como nombre propio.

sudsudoeste s.m. **1** Punto medio o lugar entre el Sur y el Sudoeste. **2** Viento que sopla o viene de este punto. ☐ ORTOGR. Se usa también *sursuroeste.* ☐ SINT. Se usa mucho en aposición, pospuesto a un sustantivo: *Variamos el rumbo en dirección sudsudoeste.* ☐ USO En la acepción 1, se usa más como nombre propio.

sueco, ca ▌ adj./s. **1** De Suecia o relacionado con este país del europeo. ▌ s.m. **2** Lengua germánica de este país: *El sueco es una lengua nórdica.* **3** || **hacerse** alguien **el sueco;** *col.* Desentenderse de algo o fingir que no se oye, ve o entiende: *Como no me apetecía verte, cuando me llamaste me hice el sueco.*

suegro, gra s. Respecto de una persona, padre o madre de su cónyuge. □ ETIMOL. *Suegra*, del latín *socra*. *Suegro*, del latín *socrus*.

suela s.f. **1** Parte del calzado que está en contacto con el suelo: *la suela de las botas.* **2** Cuero curtido: *unos zapatos de suela.* **3** Superficie triangular y lisa que tienen las planchas en la parte inferior: *la suela antiadherente de la plancha.* □ ETIMOL. Del latín **sola*.

sueldo s.m. **1** Cantidad de dinero que recibe regularmente una persona por el desempeño de un cargo o de un servicio profesional. **2** || **a sueldo;** a cambio de dinero: *un matón a sueldo.* □ ETIMOL. Del latín *solidus* (moneda sólida, consolidada).

suelo s.m. **1** Superficie de la tierra: *Hicieron un estudio de la composición del suelo de esta zona.* **2** Terreno en que viven o pueden vivir las plantas: *Si cultivaras otros productos, le sacarías más rendimiento a este suelo.* **3** Superficie sobre la que se pisa: *No salgas de tu habitación porque acabo de fregar el suelo.* □ ETIMOL. Del latín *solum* (base, fondo, tierra en que se vive).

suelto, ta ▌ adj. **1** Disgregado, poco compacto o no pegado: *Para que la pasta quede suelta tienes que echarle agua fría después de cocerla.* **2** Libre o sin sujeción: *el pelo suelto.* **3** Que no forma parte de un conjunto o que se ha separado de él: *Este modelo de botas es tan barato porque solo quedan pares sueltos.* **4** Que padece diarrea. **5** Referido a un producto, que no está envasado o empaquetado: *Compro las pipas sueltas al peso.* ▌ adj./s.m. **6** Referido a dinero, en monedas fraccionarias: *Cambié 5 euros porque no tenía suelto para pagar el autobús.* ▌ s.m. **7** En un periódico, escrito de corta extensión que expone un tema concreto: *Me enteré de la noticia por un suelto del periódico.*

sueño s.m. **1** Estado de reposo mientras se duerme: *No hagas ruido para no perturbar el sueño del niño.* **2** Representación de sucesos y de imágenes en la mente mientras se duerme: *Nunca recuerdo mis sueños.* **3** Ganas de dormir: *Tenía tanto sueño que, cuando se sentó, se quedó dormido.* **4** Lo que carece de realidad o fundamento y que no tiene probabilidad de realizarse: *Baja de las nubes, que no se vive de sueños.* **5** || **conciliar el sueño;** conseguir dormirse: *Estaba tan nervioso que me tuve que tomar una infusión para conciliar el sueño.* || **{descabezar/echar} un sueño;** *col.* Dormir durante un tiempo muy breve, esp. cuando no se está acostado en la cama: *Después de comer siempre echo un sueñecito en el sofá.* || **quitar el sueño;** *col.* Preocupar mucho: *El porvenir de sus hijos le quita el sueño.* □ ETIMOL. Del latín *somnus* (acto de dormir).

suero s.m. **1** Parte de la sangre o de la linfa que permanece líquida después de que estas se coagulen. **2** Parte líquida que se separa al coagularse la leche. **3** Disolución salina o de otras sustancias que se inyecta en el organismo con distintos fines medicinales, esp. como alimentación. □ ETIMOL. Del latín **sorum*. □ USO Se usa también *serum*.

sueroterapia (tb. *seroterapia*) s.f. Tratamiento de determinadas enfermedades por medio de sueros medicinales. □ ETIMOL. De *suero* y *terapia*.

suerte s.f. **1** Destino, casualidad o fuerza desconocida que determina el desarrollo de los acontecimientos: *La suerte ha querido que te conociera.* **2** Circunstancia de que lo que ocurre resulte favorable o adverso: *¡Qué mala suerte he tenido con este trabajo tan cansado!* □ SINÓN. *ventura.* **3** Circunstancia favorable: *Es una suerte que me puedas acompañar.* **4** Lo que puede ocurrir en un futuro: *Nadie sabe cuál será su suerte.* **5** Tipo, clase, género o especie: *Hubo toda suerte de comentarios al respecto.* **6** En tauromaquia, cada uno de los lances de la lidia. □ ETIMOL. Del latín *sors*.

suertudo, da adj./s. *col.* Referido a una persona, que tiene muy buena suerte.

sueste s.m. Sombrero impermeable cuya ala, estrecha y levantada por delante, es muy ancha y caída por detrás.

suéter (pl. *suéteres*) s.m. Prenda de vestir, generalmente de punto y con manga larga, que cubre el cuerpo desde el cuello hasta más abajo de la cintura. □ SINÓN. *jersey.* □ ETIMOL. Del inglés *sweater*, y este de *sweat* (sudar).

suevo, va adj./s. De un conjunto de antiguos pueblos germánicos originarios del norte europeo que, en el siglo V, invadieron el territorio galo y la península Ibérica, o relacionado con ellos.

sufí (pl. *sufíes, sufís*) adj.inv./s.com. Que defiende o sigue la doctrina del sufismo.

suficiencia s.f. **1** Capacidad o aptitud adecuadas para lo que se necesita. **2** Presunción o pedantería que hacen creer que se es más apto que los demás.

suficiente ▌ adj.inv. **1** Bastante o adecuado para lo que se necesita. ▌ s.m. **2** Calificación académica mínima que indica que se ha superado el nivel exigido. □ SINÓN. *aprobado.* □ ETIMOL. Del latín *sufficiens*, y este de *sufficere* (bastar). □ USO Se usa mucho como adverbio de cantidad: *¿Has comido suficiente o quieres más?*

sufijación s.f. Formación de nuevas palabras por medio de sufijos: *'Torero' es una palabra que se forma por sufijación al unir el sufijo '-ero' al sustantivo 'toro'.*

sufijar v. En lingüística, referido a una palabra, añadirle un sufijo: *La palabra 'casita' es el resultado de sufijar 'casa'.* □ ORTOGR. Conserva la *j* en toda la conjugación.

sufijo, ja adj./s.m. En lingüística, referido a un morfema, que se une por detrás a una palabra o a su raíz para formar derivados o palabras compuestas: *La partícula sufija '-ito' forma derivados como 'librito' o 'cachorrito'.* □ ETIMOL. Del latín *suffixus*, y este de *suffigere* (clavar por debajo). □ SEM. Dist. de *infijo* (que se introduce en el interior de la palabra) y de *prefijo* (que se une por delante).

sufismo s.m. Doctrina mística que deriva del islamismo, y que nació entre los siglos VIII y IX como reacción a las formas mundanas que había. □ ETIMOL. De *sufí*.

suflé s.m. →**soufflé.**

sufragar v. Costear, satisfacer o pagar los gastos: *Su tío sufraga sus estudios universitarios.* □ ETIMOL. Del latín *suffragari* (votar por alguien, apoyarlo, favorecerlo). □ ORTOGR. La *g* se cambia en *gu* delante de *e* →PAGAR.

sufragio s.m. **1** Sistema electoral por el que se elige, mediante una votación, a la persona que ocupará un cargo. **2** Voto de quien tiene el derecho de elegir. **3** Ayuda o socorro, esp. a una colectividad y con medios económicos. □ ETIMOL. Del latín *suffragium* (voto que se da a alguien, derecho de elección).

sufragismo s.m. Movimiento surgido en la segunda mitad del siglo XIX que luchaba por la concesión del derecho al voto de la mujer.

sufragista adj.inv./s.com. Partidario o defensor del sufragismo.

sufrible adj.inv. Que se puede sufrir o soportar.

sufrido, da adj. **1** Que sufre con resignación. **2** Que disimula la suciedad: *Los colores oscuros son más sufridos que los claros.*

sufrimiento s.m. Padecimiento, dolor o pena que se padecen.

sufrir v. **1** Referido a un daño moral o físico, experimentarlos, sentirlos o vivirlos con intensidad: *Sufre continuos dolores de cabeza.* **2** Referido a un daño moral o físico, recibirlos con resignación o aceptarlos sin quejas: *Sufría en silencio aquellos desplantes.* **3** Soportar, tolerar, aguantar o consentir: *No sufro que me chillen.* **4** Referido esp. a un peso, sostenerlo o resistirlo: *Los cimientos sufren el peso del edificio.* □ ETIMOL. Del latín *sufferre* (soportar, tolerar, aguantar).

sugerencia s.f. Insinuación o proposición sutil. □ SEM. Dist. de *sugestión* (influencia en la forma de pensar).

sugerente adj.inv. Que sugiere.

sugerir v. Referido esp. a una idea, proponerla o inspirarla de forma sutil: *Le sugerí que se cambiara de vestido para ir a la cena. ¿Qué te sugiere esa música?* □ ETIMOL. Del latín *suggerere* (llevar por debajo). □ MORF. Irreg. →SENTIR.

sugestión s.f. Influencia en la forma de pensar o de enjuiciar las cosas, generalmente mediante el ofuscamiento de la razón. □ ETIMOL. Del latín *suggestio*. □ SEM. Dist. de *sugerencia* (insinuación).

sugestionar v. Influir en la forma de pensar o de enjuiciar las cosas, generalmente ofuscando la razón: *Con su discurso, el orador intentaba sugestionar al público para que pensara como él. Intento sugestionarme para no tener frío, pero estoy helada.*

sugestivo, va adj. **1** Que sugiere: *un tema muy sugestivo.* **2** Que provoca emoción o que resulta atrayente: *Estas posibles vacaciones resultan muy sugestivas.*

suicida ▮ adj.inv. **1** Del suicidio o relacionado con él: *unas intenciones suicidas.* **2** Referido a una acción o a una conducta, que daña o que destruye al que la realiza: *Me da miedo ir en su coche porque conduce de una forma suicida.* ▮ adj.inv./s.com. **3** Referido a una persona, que intenta o que consigue suicidarse.

suicidarse v.prnl. Quitarse la vida voluntariamente: *Se suicidó ingiriendo una sobredosis de barbitúricos.*

suicidio s.m. Privación voluntaria de la vida. □ ETIMOL. Del latín *sui* (de sí mismo) y la terminación de *homicidio*.

suido ▮ adj./s.m. **1** Referido a un mamífero, que tiene el cuerpo rechoncho, con la piel dura y gruesa, y generalmente cubierta de cerdas, el morro prominente y unos colmillos largos y fuertes que le sobresalen de la boca: *El jabalí es un suido.* ▮ s.m.pl. **2** En zoología, familia de estos mamíferos: *Los animales que pertenecen a los suidos son omnívoros.* □ ETIMOL. Del latín *sus* (cerdo).

sui géneris ‖ De un género o de una especie singulares: *Tu temperamento es tan sui géneris que nunca sé cómo dirigirme a ti.* □ ETIMOL. Del latín *sui generis*.

suite s.f. **1** En música, selección de fragmentos de ballets, de óperas o de otras composiciones extensas, generalmente para su interpretación en concierto. **2** En un hotel, conjunto de varias habitaciones intercomunicadas que forman una unidad. □ ETIMOL. 1. En la acepción 1, es un galicismo. 2. En la acepción 2, es un anglicismo. □ PRON. [suít].

suizo, za ▮ adj./s. **1** De Suiza o relacionado con este país europeo. □ SINÓN. *helvecio, helvético.* ▮ s.m. **2** En pastelería, bollo de forma ovalada, elaborado con harina, huevos y azúcar.

sujeción s.f. **1** Contención o fijación mediante la fuerza: *La sujeción del caballo encabritado nos costó muchos esfuerzos.* **2** Lo que sirve para sujetar o para inmovilizar: *Estas puntadas de hilo no son una sujeción suficientemente fuerte para resistir la tensión de la tela.* □ ETIMOL. Del latín *subiectio*. □ PRON. Incorr. *[sujección].

sujetador, -a ▮ adj./s. **1** Que sujeta. ▮ s.m. **2** Prenda interior femenina que sirve para ceñir o sostener el pecho. □ SINÓN. *sostén.*

sujetalibros (pl. *sujetalibros*) s.m. Pieza sólida y, generalmente pesada, que se utiliza para mantener libros en posición vertical.

sujetapapeles (pl. *sujetapapeles*) s.m. Pinza u objeto sólido que se utiliza para tener sujetas hojas de papel o para evitar que se vuelen.

sujetar v. **1** Contener o asegurar para evitar el movimiento o la caída: *Dos ayudantes sujetaban al enfermo mientras el médico lo exploraba. Sujeta la tabla con dos clavos.* **2** En zonas del español meridional, someter: *Los aztecas lograron sujetar a todos los pueblos vecinos.* □ ETIMOL. Del latín *subiectare*. □ MORF. Tiene un participio regular (*sujetado*), que se usa en la conjugación, y otro irregular (*sujeto*), que se usa como adjetivo o sustantivo. □ SINT. Constr. de la acepción 1: *sujetarse A algo.*

sujeto, ta ❙ adj. **1** Propenso o expuesto a aquello que se expresa: *El proyecto no es definitivo porque aún está sujeto a revisión.* ❙ s.m. **2** Persona cuya identidad se ignora o no se quiere decir: *Delante de la joyería había dos sujetos sospechosos.* □ SINÓN. *individuo, tipo.* **3** En lingüística, función oracional, generalmente desempeñada en español por un sintagma nominal que concuerda en número y persona con el núcleo del predicado: *En 'Me gustan tus cuadros', 'tus cuadros' funciona como sujeto porque concuerda con el verbo 'gustar'.* **4** En lingüística, constituyente que desempeña esta función: *En español, el sujeto suele ser un sintagma nominal.* **5** ‖ **sujeto agente;** el de una oración con el verbo en voz activa: *El sujeto agente suele realizar la acción expresada por el verbo.* ‖ **sujeto paciente;** el de una oración con el verbo en voz pasiva: *El sujeto paciente suele recibir la acción expresada por el verbo.* ‖ **sujeto pasivo;** el contribuyente del impuesto sobre la renta: *El sujeto pasivo está obligado a presentar la declaración de la renta.* □ ETIMOL. Del latín *subiectus* (sometido, sujeto).

sulfamida s.f. Sustancia química que se usa en el tratamiento de algunas enfermedades infecciosas producidas por bacterias: *Las bacterias desarrollan rápidamente resistencias frente a las sulfamidas.*

sulfatación s.f. →**sulfatado.**

sulfatado s.m. **1** Impregnación o baño con sulfato: *Ayer realizamos el sulfatado de las viñas.* □ SINÓN. *sulfatación.* **2** Acumulación de sulfato en un pila o en una batería. □ SINÓN. *sulfatación.*

sulfatar ❙ v. **1** Impregnar o bañar con sulfato: *Las vides se sulfatan para prevenir algunas enfermedades.* ❙ prnl. **2** Referido esp. a una pila o a una batería, acumularse sulfato por una reacción química interna: *Las baterías se sulfataron porque estaban gastadas.*

sulfato s.m. En química, sal derivada del ácido sulfúrico. □ ETIMOL. Del latín *sulphur* (azufre).

sulfhídrico adj. Referido a un ácido, que está compuesto de azufre e hidrógeno, y forma un gas incoloro e inflamable que desprende un olor desagradable, y que se origina en la putrefacción y en la descomposición de proteínas.

sulfito s.m. En química, sal derivada del ácido sulfuroso. □ ETIMOL. Del latín *sulphur* (azufre).

sulfurar v. **1** Referido a un compuesto, combinarlo químicamente con el azufre: *Al sulfurar un compuesto químico, se transforma en corrosivo.* **2** Irritar, encolerizar o enfadar mucho: *Tu perfeccionismo sulfura a cualquiera. No le contradigas si no quieres que se sulfure.* □ ETIMOL. Del latín *sulphur* (azufre).

sulfúreo, a adj. Del azufre, que lo contiene o relacionado con él. □ SINÓN. *sulfuroso.*

sulfúrico adj. Referido a un ácido, que es un compuesto de azufre, oxígeno e hidrógeno, y es un líquido de consistencia oleosa, incoloro, venenoso y muy cáustico.

sulfuro s.m. En química, sal derivada del ácido sulfhídrico. □ ETIMOL. Del latín *sulphur* (azufre).

sulfuroso, sa adj. Del azufre, que lo contiene o relacionado con él. □ SINÓN. *sulfúreo.*

sultán, -a ❙ s.m. **1** Antiguamente, emperador turco. **2** En algunos países musulmanes, príncipe o gobernador. ❙ s.f. **3** Mujer del sultán o la que goza de esta consideración. **4** Embarcación que utilizaban los turcos en la guerra. □ ETIMOL. Del árabe *sultan* (soberano).

sultana s.f. Véase **sultán, -a.**

sultanato s.m. **1** Cargo o dignidad del sultán. **2** Tiempo durante el que un sultán ejerce su cargo o dignidad. **3** →**sultanía.**

sultanía s.f. Territorio gobernado por un sultán. □ SINÓN. *sultanato.*

sum s.m. Unidad monetaria uzbeka.

suma s.f. Véase **sumo, ma.**

sumamente adv. Muy o en sumo grado: *Le estoy sumamente agradecido.*

sumando s.m. En una suma, cada una de las cantidades parciales que se suma o se añade para calcular el total: *En 2 + 3 = 5, 2 y 3 son los sumandos.* □ ETIMOL. Del latín *summandus.*

sumar v. **1** En matemáticas, realizar la operación aritmética de la suma: *Es muy pequeño y todavía no sabe sumar.* **2** Referido a un total, formarlo a partir de dos o más cantidades: *Dos y dos suman cuatro.* **3** Añadir o incorporar: *Si a mi cansancio sumas el hambre que tengo, comprenderás por qué tengo ganas de irme. Varios vecinos se sumaron a mi protesta.* □ ETIMOL. Del latín *summare.*

sumarial adj.inv. De un sumario o relacionado con estas actuaciones preparatorias de un juicio: *secreto sumarial.*

sumario, ria ❙ adj. **1** Breve, conciso o resumido. **2** Referido esp. a un juicio, que se hace con rapidez y sin las formalidades habituales. ❙ s.m. **3** En derecho, conjunto de actuaciones preparatorias de un juicio en las que se aportan pruebas, datos y testimonios que posibilitan el fallo del tribunal. **4** Resumen, compendio o recopilación. □ ETIMOL. Del latín *summarius.*

sumarísimo adj. Referido esp. a un juicio, que se realiza con rapidez debido a la gravedad de los hechos.

sumativo, va adj. Acumulativo, o que es el resultado de un proceso o de una suma.

sumergible s.m. Embarcación que puede navegar debajo del agua.

sumergimiento s.m. Introducción total en un líquido, esp. en agua. □ SINÓN. *sumersión.*

sumergir v. **1** Introducir totalmente en un líquido, esp. en agua: *Sumerge la blusa en agua y déjala un ratito. Los submarinos se sumergen en el mar.* **2** Hundir o meter de lleno: *La novela nos sumerge en la vida de la sociedad medieval. Se sumergió en un profundo sueño.* □ ETIMOL. Del latín *submergere.* □ ORTOGR. La *g* se cambia en *j* delante de *a, o* →DIRIGIR.

sumerio, ria ▌ adj./s. **1** De Sumeria (antiguo país), o relacionado con ella: *La civilización sumeria floreció durante los siglos* IV *y* III *a. C.* ▌ s.m. **2** Antigua lengua de esta zona: *El sumerio se escribió en la escritura alfabética más antigua que se conoce.*

sumersión s.f. Introducción total en un líquido, esp. en agua. ☐ SINÓN. *sumergimiento.*

sumidero s.m. **1** Abertura o conducto que sirve de desagüe. **2** Túnel o grieta que se abre en una roca calcárea por la acción del agua.

sumiller s.m. En algunos hoteles y restaurantes, persona encargada del servicio de los vinos y de los licores. ☐ ETIMOL. Del francés *sommelier.* ☐ USO Es innecesario el uso del galicismo *sommelier.*

suministración s.f. →**suministro.**

suministrador, -a adj./s. Que suministra.

suministrar v. Referido a algo que se necesita, darlo o proporcionarlo: *Una ayudante me suministró los datos para que yo pudiera hacer el estudio. El repartidor suministra el género a esta tienda.* ☐ ETIMOL. Del latín *subministrare.*

suministro s.m. **1** Abastecimiento o provisión de algo que resulta necesario: *Una asociación benéfica es la encargada del suministro de alimentos a los necesitados.* ☐ SINÓN. *suministración.* **2** Lo que se suministra: *En la ciudad sitiada sufrían hambre porque empezaban a escasear los suministros.*

sumir v. **1** Referido a una persona, sumergirla o hacerla caer en determinado estado: *La noticia los sumió en un mar de preocupaciones. Se sumió en la desesperación y no quería ver a nadie.* **2** Hundir o meter debajo del agua o de la tierra: *El temporal sumió el barco en las aguas.* ☐ ETIMOL. Del latín *sumere* (tomar).

sumisión s.f. Sometimiento de una persona a otra.

sumiso, sa adj. Que obedece dócilmente. ☐ ETIMOL. Del latín *submissus*, y este de *submittere* (someter).

súmmum ‖ **el súmmum;** el colmo o lo máximo: *Eres el súmmum de la elegancia.* ☐ ETIMOL. Del latín *summum.*

sumo, ma ▌ adj. **1** Supremo, altísimo o que no tiene superior: *El sumo representante de la iglesia católica es el Papa.* **2** Muy grande o enorme: *Pintaré la barandilla con sumo cuidado para no manchar nada.* ▌ s.m. **3** Modalidad de lucha japonesa en la que los participantes combaten en el interior de un círculo trazado en el suelo y en la que el ganador es el que consigue derribar al contrario o sacarlo fuera de dicho círculo. ▌ s.f. **4** En matemáticas, operación mediante la cual se reúnen en una sola varias cantidades homogéneas llamadas *sumandos*: *El signo de la suma es una cruz.* ☐ SINÓN. *adición.* **5** Realización de esta operación: *Ha tardado un cuarto de hora con la suma de estos números.* **6** Lo que resulta al efectuar esta operación: *Cinco es la suma de dos y tres.* **7** Conjunto de varios elementos, esp. de dinero: *Con este negocio ha conseguido amasar una gran suma de dinero.* **8** ‖ **a lo sumo; 1** Como mucho o al nivel máximo al que se puede llegar: *A lo sumo tendrá unos veinte años.* **2** Si acaso: *No me apetece salir, así que, a lo sumo, iré contigo a tomar un café.* ‖ **en suma;** en resumen o recapitulando: *Y te digo, en suma, que tengas mucho cuidado.* ☐ ETIMOL. Las acepciones 1 y 2, del latín *summus* (el más alto). Las acepciones 4-7, del latín *summa* (lo más alto, el total). ☐ USO En la acepción 3, es un término del japonés.

suní (tb. *sunní*) (pl. *suníes, sunís*) adj.inv./s.com. →**sunita.**

sunita (tb. *sunnita*) ▌ adj.inv. **1** De la rama mayoritaria u ortodoxa de la religión islámica o relacionado con ella. ☐ SINÓN. *suní, sunní.* ▌ adj.inv./s.com. **2** Partidario o seguidor de esta rama religiosa. ☐ SINÓN. *suní, sunní.*

sunna (ár.) s.f. Conjunto de los actos y de las palabras de Mahoma que son parte de la tradición islámica aunque no sean coránicos. ☐ PRON. [súna].

sunní (tb. *suní*) (pl. *sunníes, sunnís*) adj.inv./s.com. →**sunita.**

sunnita adj.inv./s.com. →**sunita.**

suntuario, ria adj. Del lujo o relacionado con él: *unos objetos suntuarios.* ☐ ETIMOL. Del latín *sumptuarius.*

suntuosidad s.f. Grandeza o lujo.

suntuoso, sa adj. Grande, lujoso y costoso: *una suntuosa mansión.* ☐ ETIMOL. Del latín *sumptuosus*, y este de *sumptus* (gasto).

supeditación s.f. **1** Subordinación o dependencia: *Al anciano le molestaba su supeditación a la familia.* **2** Condicionamiento de una cosa al cumplimiento de otra: *En el contrato constaba la supeditación del ascenso a los méritos adquiridos.*

supeditar v. **1** Referido a una cosa, subordinarla o hacerla depender de otra: *Es muy juicioso y supedita la diversión al estudio. Si quieres que te aceptemos en el grupo, tienes que supeditarte a nuestras normas.* **2** Referido a una cosa, condicionarla al cumplimiento de otra: *Su jefa ha supeditado el aumento de sueldo de los empleados a sus rendimientos.* ☐ ETIMOL. Del latín *suppeditare.*

super- 1 Elemento compositivo prefijo que significa 'encima de': *superponer, superestrato.* **2** Elemento compositivo prefijo que significa 'con exceso': *superabundancia, superproducción, superpoblación.* **3** Elemento compositivo prefijo que indica grado máximo: *superdotado, superconductividad, superfino, superligero.* **4** *col.* Elemento compositivo prefijo que significa 'muy': *superfeliz, supermoderno, supercerca, superbién.* ☐ ETIMOL. Del latín *super-.*

súper (pl. *súper*) ▌ adj.inv. **1** *col.* Muy bueno, muy grande, superior, excelente o magnífico: *Me ha regalado una pluma que es súper y de una marca muy buena. Compré una camiseta de talla súper.* ▌ s.m. **2** *col.* →**supermercado.** ▌ s.f. **3** Gasolina de calidad superior. ☐ SINT. Se usa también como adverbio de modo con el significado de 'muy bien': *Estuvimos viendo una película en su casa y lo pasamos súper.*

superabundancia s.f. Abundancia muy grande. ☐ ETIMOL. Del latín *superabundare.*

superabundar v. Abundar en exceso: *Este verano superabundan las hormigas.*

superación s.f. **1** Hecho de rebasar un límite o una marca: *El deportista se entrenaba para conseguir la superación de su marca personal.* **2** Vencimiento de un obstáculo o de una dificultad: *La empleada se reincorporó al trabajo tras la superación de su enfermedad.* **3** Perfeccionamiento o mejora de una persona: *Estudia para conseguir su propia superación.*

superagente s.com. Agente secreto o espía con mucha formación y experiencia.

superar ▌v. **1** Ser superior o mejor: *Este modelo de coche supera en velocidad al anterior.* **2** Referido a un obstáculo o a una dificultad, vencerlos o pasarlos: *He superado con éxito los exámenes.* **3** Referido esp. a una marca o a un límite, sobrepasarlos o pasar más allá: *Las temperaturas no superarán los diez grados.* ▌prnl. **4** Hacer algo mejor que en otras ocasiones: *Intenta superarse en todo lo que hace.* □ ETIMOL. Del latín *superare*.

superávit s.m. **1** En economía, diferencia que hay entre los ingresos y los gastos cuando los segundos son menores que los primeros. **2** Abundancia o exceso de algo que se considera necesario: *Le dijeron que donara sangre porque tenía un superávit de glóbulos rojos.* □ ETIMOL. Del latín *superavit* (ha sobrado). □ SEM. Dist. de *déficit* (diferencia entre ingresos y gastos cuando aquellos son menores; falta o escasez de algo). □ USO Se usan los plurales *superávits* y *superávit*.

superbombardero s.m. Avión de bombardeo que tiene gran capacidad de carga y que es capaz de recorrer grandes distancias.

superchería s.f. **1** Engaño o fraude que se hacen para conseguir algo. **2** Superstición o creencias falsas. □ ETIMOL. Del italiano *superchieria* (abuso de fuerza).

superciliar adj.inv. Que está en el hueso frontal, en la zona que corresponde a la sobreceja. □ ETIMOL. Del latín *supercilium* (sobreceja).

superclase s.f. En biología, en la clasificación de los seres vivos, categoría superior a la de clase e inferior a la de tipo.

superconductividad s.f. Propiedad de algunos metales de perder su resistencia a muy bajas temperaturas y convertirse así en conductores eléctricos perfectos.

superconductor, -a adj./s.m. Referido a un material o a un compuesto, que pierde su resistencia al paso de la electricidad por debajo de su temperatura crítica. □ ETIMOL. De *super-* (grado máximo, con exceso) y *conductor*.

superdotado, da adj./s. Referido a una persona, que posee cualidades y aptitudes que exceden de lo normal, esp. si estas son intelectuales.

superego s.m. En psicoanálisis, ideal del yo. □ SINÓN. *superyó*. □ ETIMOL. De *super-* (grado máximo) y *ego* (yo).

superestrato s.m. En lingüística, influencia de la lengua de un invasor sobre la lengua propia del país invadido: *El superestrato árabe se manifiesta en español en el léxico.*

superferolítico, ca adj. *col.* Muy delicado, primoroso o exageradamente llamativo. □ ETIMOL. De *superfirulístico*, y este de *firulístico* (de pronunciación rebuscada), porque se aplicó primero al habla presuntuosa y luego a todo lo excesivamente delicado.

superficial adj.inv. **1** De la superficie o relacionado con ella. **2** Que está o que se queda en la superficie: *una herida superficial.* **3** Frívolo, sin fundamento o que se basa en las apariencias: *una persona superficial.*

superficialidad s.f. Falta de profundidad o de fundamento.

superficie s.f. **1** Límite de un cuerpo que lo separa o lo distingue del exterior: *Al quemarse solo la superficie del pastel, la parte interior se puede comer.* **2** Extensión de tierra: *Su nueva finca ocupa una gran superficie.* **3** Extensión plana en la que solo se consideran la anchura y la altura: *La superficie de un cuadrado se halla elevando al cuadrado su lado.* **4** Aspecto externo de algo: *No puedo opinar porque solo conozco el tema en su superficie.* **5** ‖ **grandes superficies;** establecimientos o centros comerciales de grandes dimensiones. ‖ **superficie de venta;** en el lenguaje comercial, aquella parte del establecimiento en que los compradores pueden moverse libremente para observar o tomar los productos que deseen adquirir: *La superficie de venta comprende los escaparates, las vitrinas, las estanterías y los pasillos de circulación dentro del establecimiento.* □ ETIMOL. Del latín *superficies*, y este de *super-* (encima de) y *facies* (forma, aspecto).

superfino, na adj. Muy fino.

superfluo, flua adj. Que es innecesario o que está de más. □ ETIMOL. Del latín *superfluus*, y este de *superfluere* (desbordarse).

superfosfato s.m. Sustancia química que se utiliza como abono, compuesta principalmente por fósforo: *El superfosfato de cal es un fertilizante.*

supergigante s.m. Competición de esquí alpino.

superhéroe s.m. Personaje que tiene superpoderes. □ MORF. Su femenino es *superheroína*.

superheroína s.f. de **superhéroe**.

superhombre s.m. Hombre que es considerado superior a los demás. □ ETIMOL. Traducción del alemán *Übermensch*.

superintendencia s.f. **1** Empleo o cargo de superintendente. **2** Oficina del superintendente.

superintendente s.com. Persona que está a cargo de la dirección y del cuidado de algo, y que es su máximo responsable. □ ETIMOL. De *super-* (grado máximo) e *intendente*.

superior ▌adj.inv. **1** comp. de superioridad de **alto**. **2** Que es mayor en calidad o en cantidad: *El número de participantes en la carrera ha sido superior al del año pasado.* **3** Referido a un ser vivo, que tiene una organización compleja y que se supone evolucionado: *Los mamíferos son animales superiores.* **4** Excelente o muy bueno: *Esta tarta está* *superior*. ▌adj.inv./s.m. **5** Referido a una persona, que tiene otras a su cargo: *Mis superiores me han aconsejado que haga un curso de reciclaje.* □ ETIMOL. Del latín *superior* (más alto). □ SINT. 1. Incorr. {**más superior* > *superior*}. 2. Constr. *superior* A *algo*. 3. Se usa también como adverbio de modo con el significado de 'muy bien': *En la fiesta lo pasamos superior.*

superior, -a s. Persona que manda o gobierna una congregación o una comunidad, esp. si son religiosas.

superioridad s.f. Estado o situación de lo que es superior en cantidad o en calidad.

superlativo, va ▌adj. **1** Muy grande o muy bueno en su línea: *Tiene una inteligencia superlativa y lo sabe todo.* **2** Que expresa superioridad: *El adjetivo puede tener grado comparativo o grado superlativo.* ▌s.m. **3** Grado del adjetivo o del adverbio que expresa el significado de estos en su mayor intensidad: *'Muy alto' es el superlativo de 'alto', y 'lejísimos', de 'lejos'.* **4** ‖ **superlativo absoluto;** el que denota el más alto grado de cualidad que con él se expresa: *'Pésimo' es el superlativo absoluto de 'malo'.* ‖ **superlativo relativo;** el que denota el grado máximo o mínimo de cualidad en relación con un grupo: *En la frase 'El más pobre de la ciudad', hay un superlativo relativo.* □ ETIMOL. Del latín *superlativus*, y este de *superferre* (levantar por encima).

superligero, ra adj. Muy ligero.

supermán, -a adj./s. *col.* Persona superior a las demás. □ ETIMOL. Del inglés *Superman*, personaje de cómic que tenía poderes extraordinarios y sobrehumanos.

supermercado s.m. Establecimiento, generalmente de productos alimenticios, en el que el cliente se sirve a sí mismo y paga a la salida. □ MORF. En la lengua coloquial, se usa mucho la forma abreviada *súper*.

supermodelo s.com. Persona que trabaja como modelo y que está muy solicitada y bien cotizada: *En el desfile han participado varios supermodelos de nuestro país.*

supermujer s.f. Mujer que es considerada superior a las demás.

supernova s.f. En astronomía, estrella en explosión que libera una inmensa cantidad de energía y que se manifiesta a través de un gran aumento de brillo en una estrella que ya era visible, o por su aparición en un punto del espacio que aparentemente estaba vacío. □ ETIMOL. De *super-* (con exceso) y *nova*.

súpero, ra adj. En botánica, referido al ovario de las plantas fanerógamas, que se desarrolla por encima del cáliz. □ ETIMOL. Del latín *superus* (superior).

superoferta s.f. **1** Anuncio de un producto para su venta a un precio muy rebajado. **2** Producto que se vende a un precio muy rebajado.

superpoblación s.f. Exceso de población.

superpoblado, da adj. Referido esp. a un territorio, poblado en exceso.

superpoblar v. Poblar en exceso: *Cada día nuevos inmigrantes superpueblan las grandes ciudades.* □ MORF. Irreg. →CONTAR.

superpoder s.m. Poder o capacidad sobrehumanos.

superponer v. **1** Añadir o poner por encima: *Si superpones un cristal rojo sobre uno amarillo, obtendrás el color naranja.* □ SINÓN. *sobreponer.* **2** Anteponer o considerar más importante o más valioso: *Estaría bien que por una vez superpusieras los deseos de tus padres a los tuyos propios.* □ ETIMOL. Del latín *superponere*. □ MORF. Irreg.: 1. Su participio es *superpuesto*. 2. →PONER.

superposición s.f. Colocación de una cosa sobre otra.

superpotencia s.f. Nación con gran poder económico y militar.

superproducción s.f. **1** Exceso de producción o producción en cantidad superior a la que es posible vender con beneficios. □ SINÓN. *sobreproducción.* **2** Obra cinematográfica o teatral que se presenta como excepcional y que supone un gran costo.

superpuesto, ta part. irreg. de **superponer.** □ MORF. Incorr. **superponido*.

superrealismo s.m. →**surrealismo.**

superrealista adj.inv./s.com. →**surrealista.**

supersónico, ca adj. Referido a una velocidad o a una aeronave, que puede superar la velocidad del sonido.

superstar (ing.) s.com. Persona que es muy famosa en el ámbito del espectáculo, esp. en el cine. □ PRON. [superestár].

superstición s.f. Creencia extraña a la fe religiosa y contraria a la razón o al entendimiento. □ ETIMOL. Del latín *superstitio* (supervivencia).

supersticioso, sa ▌adj. **1** De la superstición o relacionado con esta creencia. ▌adj./s. **2** Referido a una persona, que cree en supersticiones.

supervalorar v. →**sobrevalorar.**

superventas (pl. *superventas*) s.m. Libro, disco o algo semejante que ha tenido un gran éxito de ventas.

supervisar v. Referido a una actividad, inspeccionarla un superior: *El aparejador y la arquitecta supervisan las obras del edificio.*

supervisión s.f. Inspección que lleva a cabo un superior sobre una actividad realizada por otra persona.

supervisor, -a adj./s. Que supervisa una actividad realizada por otra persona. □ ETIMOL. Del inglés *supervisor*.

supervivencia s.f. **1** Conservación de la vida: *Durante las maniobras, los soldados aprendieron tácticas de supervivencia.* **2** Continuación de la existencia de algo: *La supervivencia de esas costumbres se debe al aislamiento de la zona.*

superviviente adj.inv./s.com. Que sobrevive. □ SINÓN. *sobreviviente.* □ ETIMOL. Del latín *supervivens* (que sobrevive).

superwoman (ing.) s.f. *col.* Mujer superior a las demás. □ PRON. [superguóman].

superyó s.m. →**superego.** □ ETIMOL. De *super-* (grado máximo) y *yo.*

supino, na adj. **1** Que está tendido sobre la espalda: *Para empezar el ejercicio hay que ponerse en posición supina.* **2** Referido a una cualidad negativa, que es enorme o extraordinaria: *Si no contestas a esta pregunta tan fácil, me demostrarás tu ignorancia supina.* □ ETIMOL. Del latín *supinus* (tendido sobre el dorso).

suplantación s.f. Sustitución ilegal de una persona por otra para aprovecharse de algún beneficio.

suplantar v. Referido a una persona, ocupar otra su lugar de forma ilegal para aprovecharse de algún beneficio: *Le abrieron un expediente en la facultad porque suplantó a un amigo en un examen.* □ ETIMOL. Del latín *supplantare* (reemplazar subrepticiamente).

suplementar v. Añadir como suplemento: *Tengo que suplementar mi alimentación con cereales.*

suplementario, ria adj. Que sirve para suplir algo que falta o para completarlo.

suplemento s.m. **1** Lo que suple, completa o amplía algo: *Para poder bañarnos en la piscina del hotel hay que pagar un suplemento.* **2** Hoja o publicación independientes que se venden junto con un periódico o una revista. **3** En algunas escuelas lingüísticas, complemento preposicional exigido por el verbo: *En 'Acordarse de los amigos', 'de los amigos' es el suplemento.* **4** En geometría, ángulo que falta a otro para sumar ciento ochenta grados: *El suplemento de un ángulo de 60º es uno de 120º.* □ SINÓN. *ángulo suplementario.* □ ETIMOL. Del latín *supplementum.*

suplencia s.f. Sustitución de una persona por otra en una tarea.

suplente adj.inv./s.com. Que suple o sustituye a otra persona en una tarea.

supletorio, ria ▮ adj. **1** Que suple una falta o una deficiencia: *Como en esta mesa no cabemos todos, colocaremos una mesa supletoria.* ▮ adj./s.m. **2** Referido a un aparato telefónico, que está conectado a uno principal. □ ETIMOL. Del latín *suppletorium.*

súplica s.f. Petición de algo con humildad y sumisión.

suplicante adj.inv./s.com. Que suplica.

suplicar v. Pedir con humildad y sumisión: *Me suplicó que le prestara dinero para el alquiler.* □ ETIMOL. Del latín *supplicare,* y este de *supplex* (el que se arrodilla ante alguien). □ ORTOGR. La *c* se cambia en *qu* delante de *e* →SACAR.

suplicatorio s.m. **1** En derecho, instancia que un juez o un tribunal dirigen a un cuerpo legislativo pidiendo permiso para proceder contra un miembro de ese cuerpo. **2** En derecho, documento que dirige un tribunal o juez a otro superior.

suplicio s.m. Grave sufrimiento o dolor físico o moral. □ ETIMOL. Del latín *supplicium* (sacrificio).

suplir v. **1** Referido a una carencia, remediarla: *Suple la falta de presupuesto con una gran imaginación.* **2** Referido a una persona o a una cosa, reemplazarla o sustituirla en una tarea por otra: *Mi hermana suple en el trabajo a una de las secretarias.* □ ETIMOL. Del latín *supplere.* □ SINT. 1. Constr. de la acepción 1: *suplir* CON *algo.* 2. Constr. de la acepción 2: *suplir* A *alguien* EN *algo.*

suponer v. **1** Considerar como cierto o como posible: *Dada la hora que es, supongo que está en su casa.* **2** Traer consigo, significar o costar: *Una casa supone muchos gastos.* **3** Tener valor o importancia: *Cervantes supone mucho en la historia de la literatura.* □ ETIMOL. Del latín *supponere* (poner debajo). □ MORF. Irreg.: 1. Su participio es *supuesto.* 2. →PONER. □ SINT. En la acepción 1, es incorrecto su uso como pronominal: **me supongo que irás* > *supongo que irás.*

suposición s.f. Consideración de algo como cierto o como posible. □ ETIMOL. Del latín *suppositio.*

supositorio s.m. Medicamento de forma cilíndrica, fino y terminado en punta que se introduce en el recto. □ ETIMOL. Del latín *suppositorium.*

supporter (ing.) s. Hincha de un equipo de fútbol. □ PRON. [supórter]. □ USO Su uso es innecesario y puede sustituirse por *hincha.*

supra- Elemento compositivo prefijo que significa 'sobre' o 'situado por encima': *supraclavicular, supranacional.* □ ETIMOL. Del latín *supra.*

supraclavicular adj.inv. Que está situado sobre las clavículas.

supranacional adj.inv. Referido a un organismo o a una institución, que afecta a más de una nación o que tiene un poder que está por encima del gobierno de una nación.

supranacionalidad s.f. Organismo o institución que afecta a más de una nación o que tiene un poder que está por encima del gobierno de una nación.

suprarrenal adj.inv. Que está situado encima de los riñones.

suprasensible adj.inv. Que no puede ser percibido por los sentidos.

supremacía s.f. **1** Estado o situación de lo que tiene el grado supremo o más alto: *Discutieron la supremacía de la ética con respecto a la razón.* **2** Superioridad jerárquica: *El general Franco ejerció la supremacía de los ejércitos.* □ ETIMOL. Del inglés *supremacy.*

supremo, ma adj. Con el grado más alto: *calidad suprema.* □ ETIMOL. Del latín *supremus.*

supresión s.f. Eliminación, suspensión o desaparición de algo.

supresor, -a adj./s. Que elimina, suspende o hace desaparecer.

suprimir v. Eliminar, suspender o hacer desaparecer: *Los problemas económicos la obligaron a suprimir ciertos lujos.* □ ETIMOL. Del latín *supprimere* (hundir, ahogar).

supuesto, ta ▮ **1** part. irreg. de **suponer.** ▮ adj. **2** Hipotético, posible, simulado o no verdadero. ▮ s.m. **3** Hipótesis, suposición o afirmación no demostrada. **4** ‖ **por supuesto;** ciertamente o sin duda: *Por supuesto que iré a tu fiesta de cumpleaños.* □ MORF. En la acepción 1, incorr. **suponido.*

supuración s.f. Formación o expulsión de pus, esp. en una herida.

supurar v. Formar o expulsar pus, referido esp. a una herida: *Déjate la gasa hasta que la herida deje de supurar.* □ ETIMOL. Del latín *suppurare*.

suquet (cat.) s.m. Guiso hecho con distintos tipos de pescado: *El suquet es un plato tradicional de la cocina valenciana, balear y catalana.* □ ETIMOL. Del catalán *suquejar* (soltar jugo).

sur s.m. **1** Punto cardinal que cae hacia el polo antártico y detrás de un observador a cuya derecha esté el Este. □ SINÓN. *mediodía.* **2** Respecto de un lugar, otro que cae hacia este punto: *Al sur de aquí hay grandes extensiones de cultivo.* **3** Viento que sopla o viene de dicho punto. □ ETIMOL. Del inglés antiguo *sûth.* □ ORTOGR. En la acepción 1, su símbolo es *S*, por tanto, se escribe sin punto. □ MORF. Cuando se antepone a otra palabra para formar compuestos, puede adoptar la forma *sud-*. □ SINT. Se usa mucho en aposición pospuesto a un sustantivo: *El piloto giró en dirección sur.* □ USO En la acepción 1, se usa más como nombre propio.

sura s.f. Capítulo del Corán (libro sagrado del islamismo). □ ETIMOL. Del árabe *sura*.

surafricano, na adj./s. →**sudafricano.**

suramericano, na (tb. *sudamericano, na*) adj./s. De América del Sur (conjunto de países del sur del continente americano), o relacionado con ella.

surcar v. **1** Referido esp. al agua o al espacio, atravesarlos o navegar por ellos: *El barco surcaba los mares.* **2** Formar surcos o hendiduras: *Era muy anciano y las arrugas surcaban su rostro.* □ ETIMOL. Del latín *sulcare*. □ ORTOGR. La *c* se cambia en *qu* delante de *e* →SACAR.

surco s.m. **1** Señal o hendidura, esp. las que se hacen en la tierra con el arado. **2** Arruga en la cara o en otra parte del cuerpo. **3** En un disco fonográfico, ranura por donde se desliza la aguja del aparato que reproduce el sonido. □ ETIMOL. Del latín *sulcus*.

surcoreano, na adj./s. De Corea del Sur o relacionado con este país asiático.

sureño, ña ▮ adj. **1** Del Sur o relacionado con él: *un viento sureño.* ▮ adj./s. **2** Que está situado o que procede del sur de un territorio.

sureste s.m. →**sudeste.**

surf s.m. Deporte náutico que se practica deslizándose sobre las olas en una tabla o patín. □ ETIMOL. Del inglés *surf*. □ PRON. [surf], con *f* suave. □ USO Se usa también *surfing*.

surfear v. **1** Practicar surf: *Hemos surfeado durante toda la mañana porque había muy buenas olas.* **2** Navegar por internet sin buscar nada concreto: *Cada vez que surfeo en internet me encuentro cosas más raras.*

surfer (ing.) s. →**surfista.** □ PRON. [súrfer].

surfing (ing.) s.m. →**surf.** □ PRON. [súrfin].

surfista s.com. Deportista que practica surf. □ USO Es innecesario el uso del anglicismo *surfer*.

surgimiento s.m. Aparición, manifestación o muestra de algo.

surgir v. **1** Aparecer, manifestarse, mostrarse o dejarse ver: *Esperemos que no surjan nuevas dificultades.* **2** Referido al agua, brotar hacia arriba: *Un géiser es una fuente natural de agua caliente que surge de la tierra.* □ ETIMOL. Del latín *surgere*. □ ORTOGR. La *g* se cambia en *j* delante de *a, o* →DIRIGIR.

suricata s.f. Mamífero africano de pequeño tamaño y pelaje gris con rayas oscuras en el lomo. □ MORF. 1. Se usa también como sustantivo masculino. 2. Es un sustantivo epiceno: *la suricata {macho/hembra}*.

surimi s.m. Sucedáneo de la carne de cangrejo.

surinamés, -a adj./s. De Surinam o relacionado con este país americano.

suripanta s.f. Mujer que lleva una vida que se considera inmoral. □ USO Tiene un matiz despectivo o humorístico.

surmenage (fr.) s.m. Agotamiento por exceso de trabajo intelectual. □ PRON. [surmenách], con *ch* suave. □ USO Su uso es innecesario.

suroeste s.m. →**sudoeste.**

surrealismo s.m. **1** Movimiento artístico de origen europeo que se inició en la segunda década del siglo XX, y que se caracteriza por el intento de sobrepasar la realidad impulsando lo imaginario y lo irracional: *El surrealismo intenta plasmar el mundo de los sueños o las alucinaciones.* □ SINÓN. *superrealismo.* **2** Forma de expresión con rasgos propios de este movimiento: *Por el surrealismo de lo que dices parece que estás borracho.* □ SINÓN. *superrealismo.* □ ETIMOL. Del francés *surréalisme*.

surrealista ▮ adj.inv. **1** Del surrealismo o con rasgos propios de este movimiento artístico. □ SINÓN. *superrealista.* ▮ adj.inv./s.com. **2** Que defiende o sigue el surrealismo. □ SINÓN. *superrealista.*

surround (ing.) s.m. Sistema de sonido envolvente. □ PRON. [surráun].

sursuncorda s.m. *col.* Personaje imaginario y anónimo al que se atribuye mucha importancia o gran autoridad. □ ETIMOL. Del latín *sursum corda* (arriba los corazones).

sursureste s.m. →**sudsudeste.**

sursuroeste s.m. →**sudsudoeste.**

surtido, da adj./s.m. Que está compuesto por cosas distintas pero de la misma clase.

surtidor, -a ▮ adj./s. **1** Que surte o provee. ▮ s.m. **2** En una gasolinera, bomba que extrae la gasolina de un depósito subterráneo y permite abastecer a los vehículos. **3** Chorro de un líquido, esp. el que brota hacia arriba, o fuente que lo tiene.

surtir v. Referido esp. a algo que se necesita, proporcionarlo, suministrarlo o abastecer de ello: *En la pescadería me surten de congelados.* □ ETIMOL. De origen incierto. □ SINT. Constr. *surtir* DE *algo.*

susceptibilidad s.f. **1** Característica de la persona susceptible: *Si no se lo contamos claramente fue por miedo a su susceptibilidad.* **2** Enfado que se produce por un malentendido: *Vamos a hablar* *mucho de todo esto, porque no quiero que después haya susceptibilidades en este asunto.*

susceptible adj.inv. **1** Referido a una persona, que se ofende o se enfada con facilidad. **2** Capaz de sufrir el efecto que se indica: *El programa es susceptible de cambios.* □ ETIMOL. Del latín *susceptibilis.* □ SINT. Constr. de la acepción 2: *susceptible* DE *algo.*

suscitar v. Levantar, promover o provocar: *La fuente de los datos que has utilizado suscita dudas sobre su veracidad.* □ ETIMOL. Del latín *suscitare* (hacer levantar, despertar). □ SEM. Dist. de *concitar* (instigar a uno contra otro).

suscribir (tb. *subscribir*) ▌v. **1** Referido a un escrito, firmar al pie o al final de él: *El que suscribe esta instancia es el interesado. La reclamación estaba suscrita por veinte personas.* **2** Referido a una opinión o una propuesta, estar de acuerdo con ellas: *Tiene un punto de vista muy sensato y suscribo sus opiniones.* ▌prnl. **3** Referido esp. a una publicación, abonarse a ella para recibirla periódicamente: *Se suscribió a una revista y la recibe en su casa cada mes.* □ ETIMOL. Del latín *subscribere.* □ MORF. Su participio es *suscrito.*

suscripción (tb. *subscripción*) s.f. Abono a una publicación periódica.

suscriptor, -a (tb. *subscriptor, -a*) s. Persona que realiza una suscripción.

suscrito, ta (tb. *subscrito, ta*) part. irreg. de **suscribir**. □ MORF. Incorr. **suscribido.*

sushi (jap.) s.m. Comida de origen japonés, que se hace con arroz y trozos de pescado crudo envueltos en algas. □ PRON. [súchi], con *ch* suave.

susodicho, cha adj./s. Dicho arriba o mencionado con anterioridad. □ ETIMOL. Del antiguo *suso* (arriba) y *dicho.*

suspender v. **1** Referido a una cosa, colgarla en alto o en el aire sosteniéndola por un punto: *Suspendió la lámpara de un gancho colocado en el techo. Me suspendí de una rama y después me dejé caer.* **2** Referido a una acción, detenerla, interrumpirla por algún tiempo o dejarla sin efecto: *El campo estaba encharcado y el árbitro suspendió el partido.* **3** Referido esp. a un examen, no llegar al nivel mínimo exigido: *Suspendí por poner faltas de ortografía. La profesora me suspendió.* □ ETIMOL. Del latín *suspendere.* □ MORF. Tiene un participio regular (*suspendido*), que se usa en la conjugación, y otro irregular (*suspenso*), que se usa como adjetivo.

suspense s.m. Emoción o misterio de una situación causada por el desconocimiento de lo que puede suceder. □ ETIMOL. Del inglés *suspense.*

suspensión s.f. **1** Detención o interrupción por un tiempo de una acción: *suspensión de pagos.* **2** En un vehículo, conjunto de piezas y mecanismos que hacen más suave o más elástico el apoyo de la carrocería sobre el eje de las ruedas: *La suspensión de un coche está formada por amortiguadores y ballestas.* **3** Compuesto que resulta de mezclar determinadas sustancias en un fluido, de forma que estas parecen disueltas por la extremada pequeñez de sus partículas: *Esta suspensión reconstituida solo dura dos semanas.* **4** ‖ **en suspensión;** referido esp. a una sustancia o a sus partículas, suspendidas o flotando en un fluido: *Los ríos llevan muchos materiales en suspensión.* □ ETIMOL. Del latín *suspensio.*

suspenso, sa ▌adj. **1** Que ha suspendido un examen. ▌s.m. **2** Calificación académica que indica que no se ha superado un examen o una asignatura. **3** En zonas del español meridional, suspense. **4** ‖ **en suspenso;** interrumpido o sin conocer su final o su desenlace: *La reunión quedó en suspenso porque no se tomó ningún acuerdo.*

suspensores s.m.pl. **1** En zonas del español meridional, tirantes. **2** En zonas del español meridional, suspensorio: *Algunos deportistas usan suspensores.*

suspensorio, ria ▌adj. **1** Que sirve para suspender en alto o en el aire: *El techo estaba lleno de ganchos suspensorios para colgar jamones.* ▌s.m. **2** Bolsa o especie de vendaje que se usa para sostener un órgano o una parte del cuerpo, esp. el que se usa para sostener el escroto: *Los bailarines llevan suspensorios bajo las mallas.*

suspicacia s.f. Tendencia a tener sospechas o desconfianza.

suspicaz adj.inv./s.com. Que sospecha, desconfía o piensa mal de todo y con frecuencia. □ ETIMOL. Del latín *suspicax.*

suspirado, da adj. Deseado con impaciencia: *Por fin llegó el suspirado momento de las vacaciones.*

suspirar v. **1** Dar suspiros: *Últimamente está muy triste y suspira profundamente.* **2** ‖ **suspirar por** algo; desearlo o quererlo mucho: *Suspira por unas vacaciones en la montaña.* □ ETIMOL. Del latín *suspirare* (respirar hondo).

suspiro s.m. **1** Respiración profunda y prolongada que suele expresar alivio, pena, deseo o dolor. **2** *col.* Espacio muy breve de tiempo: *Los días de vacaciones se pasan en un suspiro.*

sustancia (tb. *substancia*) s.f. **1** Cualquier materia en cualquier estado: *El agua es una sustancia líquida. Se manchó las manos con una sustancia pegajosa.* **2** Conjunto de elementos nutritivos de los alimentos o jugo que se extrae de ellos: *Está anémico y debe comer alimentos con sustancia.* **3** Contenido importante o fundamental de algo: *He dejado el libro a medias porque era una novela sin sustancia.* □ ETIMOL. Del latín *substantia*, y este de *substare* (estar debajo).

sustancial (tb. *substancial*) adj.inv. **1** De la sustancia o relacionado con ella: *Las características sustanciales del ser humano no cambian de una persona a otra.* **2** Fundamental, principal o muy importante: *El aire es sustancial para nuestra vida.*

sustanciar (tb. *substanciar*) v. **1** Compendiar, extractar o resumir: *No te extiendas tanto en tus explicaciones, y sustáncialas un poco.* **2** En derecho, referido a un asunto o a un juicio, conducirlo por la vía procesal adecuada hasta ponerlo en estado de sentencia: *Este pleito se sustanciará por los trámites del juicio de menor cuantía.* □ ORTOGR. La *i* nunca lleva tilde.

sustancioso, sa (tb. *substancioso, sa*) adj. **1** De gran valor nutritivo: *una sustanciosa comida.* **2** De importante valor o estimación: *una cantidad de dinero sustanciosa.*

sustantivación (tb. *substantivación*) s.f. En lingüística, concesión del valor o de la función del sustantivo a otra parte de la oración: *En 'los andares', hay una clara sustantivación del infinitivo 'andar'.*

sustantivar (tb. *substantivar*) v. En lingüística, referido a una parte de la oración, darle valor o función de sustantivo: *Para sustantivar un adjetivo basta con anteponerle un determinante: 'el bueno', 'mi pequeño'.*

sustantivo, va (tb. *substantivo, va*) ▌adj. **1** Importante, fundamental o esencial: *No me recibe porque dice que sólo se ocupa de problemas sustantivos.* **2** En gramática, que funciona como un sustantivo: *En la frase 'Me alegra que te guste', 'que te guste' es una oración subordinada sustantiva que funciona como sujeto.* ▌s.m. **3** En gramática, parte de la oración con morfemas de género y número que funciona como núcleo del sintagma nominal y puede desempeñar, entre otras, la función de sujeto de la oración: *'Mano', 'amor' y 'caballo' son sustantivos.* ☐ ETIMOL. Del latín *substantivus* (sustancial).

sustentación s.f. **1** Mantenimiento en una determinada posición: *Los cimientos y la estructura permiten la sustentación de la casa.* **2** Lo que sirve de apoyo o de sostén: *Si quitas la sustentación, el muro se vendrá abajo.* ☐ SINÓN. *sustentáculo.* **3** Aprovisionamiento de alimentos o de lo necesario: *Con su sueldo conseguía la sustentación de toda la familia.* **4** Mantenimiento, defensa o apoyo de algo, esp. de una opinión o de una teoría: *La sustentación de ideas renovadoras le causó muchos problemas.*

sustentáculo s.m. →**sustentación.**

sustentar v. **1** Proveer de alimento o de lo necesario: *La hermana mayor sustenta a toda su familia. Ese pobre se sustenta de lo que encuentra en los cubos de basura.* **2** Sostener o mantener firme o en una determinada posición: *Los análisis favorables sustentan mis esperanzas de recuperación. El cobertizo se sustenta sobre cuatro pilares.* **3** Referido a una opinión, defenderla o sostenerla: *Nadie se atrevía a decirle que las ideas que sustentaba eran erróneas.* **4** Basar o apoyar: *Sus experimentos le han servido para sustentar sus teorías. Sus razonamientos no se sustentan en ideas lógicas.* ☐ ETIMOL. Del latín *sustentare* (soportar, sostener).

sustento s.m. **1** Manutención o alimento. **2** Sostén o apoyo.

sustitución (tb. *substitución*) s.f. Cambio por algo que pueda ejercer la misma función.

sustituible adj.inv. Que se puede sustituir.

sustituir (tb. *substituir*) v. Poner o ponerse en lugar de otro: *Sustituye las casillas en blanco por letras y obtendrás la solución. El portero reserva sustituyó al titular lesionado.* ☐ ETIMOL. Del latín *substituere* (poner a una persona en el lugar de otra). ☐ MORF. Irreg. →HUIR.

sustitutivo, va (tb. *substitutivo, va*) adj./s.m. Que se puede usar para reemplazar algo: *La sacarina es un sustitutivo del azúcar.* ☐ SINÓN. *sustitutorio.*

sustituto, ta (tb. *substituto, ta*) adj./s. Referido a una persona, que hace las veces de otra o que desempeña las mismas funciones.

sustitutorio, ria adj. →**sustitutivo.**

susto s.m. Impresión, generalmente repentina, causada por la sorpresa, el miedo o el temor. ☐ ETIMOL. De origen incierto.

sustracción (tb. *substracción*) s.f. **1** Hurto o robo de bienes ajenos. **2** En matemáticas, operación mediante la cual se calcula la diferencia entre dos cantidades: *El signo de la sustracción es una raya horizontal.* ☐ SINÓN. *resta.*

sustraendo (tb. *substraendo*) s.m. En una resta matemática, cantidad que debe restarse de otra llamada *minuendo* para obtener la diferencia: *En la resta 8 - 2 = 6, el sustraendo es 2.*

sustraer (tb. *substraer*) ▌v. **1** Referido a bienes ajenos, hurtarlos o robarlos: *Le sustrajeron el monedero sin que se diera cuenta.* **2** En matemáticas, realizar la operación aritmética de la resta o sustracción: *Si le sustraes 10 a 22, el resultado será 12.* ☐ SINÓN. *restar.* ▌prnl. **3** Referido esp. a una obligación, a un problema o a un proyecto, separarse o apartarse de ellos: *Se sustrajo del compromiso con sus socios y abandonó la empresa para crear la suya propia.* ☐ ETIMOL. Del latín *substrahere.* ☐ MORF. Irreg. →TRAER. ☐ SEM. En la acepción 3, dist. de *abstraerse* (apartar la atención).

sustrato (tb. *substrato*) s.m. **1** Respecto de un terreno, otro que está situado debajo de él. **2** En lingüística, influencia que deja una lengua que ha desaparecido al haber sido sustituida por otra: *El sustrato céltico se manifiesta en algunas palabras del inglés.* ☐ ETIMOL. Del latín *substratus* (acción de extender por debajo de algo).

susurrar v. **1** Hablar en voz muy baja: *Un colaborador le susurró algo al oído.* **2** Hacer un ruido muy suave, esp. referido al agua o al viento: *La corriente del río susurraba en la noche.* ☐ SINÓN. *runrunear.* ☐ ETIMOL. Del latín *susurrare* (zumbar, murmurar).

susurro s.m. Ruido suave, esp. el producido al hablar en voz muy baja.

sutil adj.inv. **1** Delicado y suave: *una tela sutil.* **2** Agudo, ingenioso o muy penetrante: *una respuesta sutil.* ☐ SINÓN. *alambicado.* ☐ ETIMOL. Del latín *subtilis* (fino, delgado, penetrante).

sutileza s.f. **1** Agudeza, ingenio o habilidad para hacer algo. ☐ SINÓN. *sutilidad.* **2** Dicho ingenioso pero que carece de exactitud o de profundidad. ☐ SINÓN. *sutilidad.*

sutilidad s.f. →**sutileza.**

sutilizar v. Atenuar o disminuir en intensidad: *El tema de esa música está sutilizado para que sea imperceptible.* ☐ ORTOGR. La *z* se cambia en *c* delante de *e* →CAZAR.

sutura s.f. **1** Cosido quirúrgico que se hace para cerrar una herida. **2** Hilo con que se hace este cosido. □ ETIMOL. Del latín *sutura* (costura).

suturar v. Referido a una herida, coserla: *La cirujana le suturó la herida del brazo con ocho puntos.*

suyo, ya poses. **1** Indica pertenencia a la tercera persona: *Me contó que dejarlo todo así fue decisión suya. Cuenta en la elección con el voto de los suyos.* **2** ‖ **la suya;** *col.* Expresión con que se indica que ha llegado la ocasión favorable para la persona de la que se habla: *Si no la desaprovecha, esta es la suya y podrá conseguir de ellos la ayuda que necesita.* ‖ **tener lo suyo;** *col.* Resultar más difícil o complejo de lo que parece: *El encargo que te ha hecho la jefa tiene lo suyo, porque no es nada fácil encontrar esos datos.* □ ETIMOL. Del latín *suus.* □ MORF. Se usa la forma apocopada *su* cuando precede a un sustantivo determinándolo.

swástica s.f. →**esvástica.**

swing (ing.) s.m. **1** Estilo musical de jazz que se popularizó en la década de 1930, de ritmo vivo y bailable, con melodías interpretadas por bandas y generalmente orquestadas de manera cuidada y sin improvisación. **2** Tensión emocional en la interpretación de una música o una canción y que se considera característica de la música negra. **3** En golf, movimiento del jugador para golpear la pelota. □ PRON. [suin].

switch (ing.) s.m. **1** Conmutador eléctrico. **2** En un elemento informático, pieza con dos o más posiciones, que se encuentra en el mecanismo interno. □ PRON. [suích]. □ USO En la acepción 1, su uso es innecesario.

switchear v. En informática, referido a un switch, ponerlo en la posición adecuada: *En este manual te indican cómo tienes que switchear el ordenador.* □ PRON. [suicheár].

T t

t s.f. Vigésima primera letra del abecedario. ☐ PRON. Representa el sonido consonántico dental oclusivo sordo.

taba s.f. **1** Hueso de la primera fila del tarso, que está articulado con la tibia y el peroné. ☐ SINÓN. *astrágalo.* **2** Juego que se realiza con huesos de este tipo o con objetos similares. ☐ ETIMOL. De origen incierto.

tabacal s.m. Terreno plantado de tabaco.

tabacalero, ra ▮ adj. **1** Del tabaco, de su industria o relacionado con ellos: *la industria tabacalera.* ☐ SINÓN. *tabaquero.* ▮ adj./s. **2** Que cultiva, fabrica o vende tabaco. ☐ SINÓN. *tabaquero.*

tabaco s.m. **1** Planta con tallo velloso, flores en racimo generalmente rojizas y hojas grandes y lanceoladas que contienen nicotina y desprenden un fuerte olor: *El tabaco es una planta originaria de América.* **2** Producto obtenido a partir de las hojas secas de esta planta: *El tabaco es perjudicial para la salud.* ☐ ETIMOL. De origen incierto. ☐ ORTOGR. Dist. de *tabasco.*

tabaiba s.f. Árbol de madera ligera y poco porosa, originario de las islas Canarias: *La madera de tabaiba se usa para hacer tapones de cubas y de barriles.*

tabal s.m. Barril que sirve para conservar pescado, esp. arenques y anchoas.

tabalear v. **1** Mover o balancear de un lado a otro: *Tabaleó el cerezo para que cayeran las cerezas maduras.* **2** Dar golpes ligeros y repetidos con los dedos sobre una superficie imitando el ruido del tambor: *Mientras esperaba su turno para entrar en el despacho, tabaleaba sobre el brazo del sillón.* ☐ SINÓN. *tamborilear, tamborear.* ☐ ETIMOL. Del antiguo *tabal* (tamboril).

tabanco s.m. Tienda o puesto para la venta de comestibles, que se coloca en la calle o en el mercado.

tábano s.m. Insecto parecido a la mosca pero de mayor tamaño, con aparato bucal chupador muy desarrollado, y que suele picar a las caballerías para alimentarse de su sangre. ☐ SINÓN. *tabarro, tábarro.* ☐ ETIMOL. Del latín *tabanus.* ☐ MORF. Es un sustantivo epiceno: *el tábano {macho / hembra}.*

tabanque s.m. En un torno, rueda de madera que lo hace girar y que mueve el alfarero con el pie: *La alfarera pisaba enérgicamente el tabanque para hacer mover el torno con rapidez.*

tabaquera s.f. Véase **tabaquero, ra.**

tabaquería s.f. En zonas del español meridional, estanco.

tabaquero, ra ▮ adj. **1** Del tabaco, de su industria, o relacionado con ellos: *una plantación tabaquera.* ☐ SINÓN. *tabacalero.* ▮ s. **2** Persona que fabrica tabaco o comercia con él. ☐ SINÓN. *tabacalero.* ▮ s.f. **3** Recipiente para guardar o llevar el tabaco.

tabaquismo s.m. Intoxicación crónica producida por el abuso del tabaco.

tabaquista s.com. Persona que entiende sobre la calidad del tabaco.

tabardillo s.m. *col.* Malestar o trastorno producidos por una prolongada exposición a los rayos solares: *Como te tumbes al sol toda la mañana, acabarás con tabardillo.* ☐ SINÓN. *insolación.*

tabardo s.m. Prenda de abrigo ancha y larga, hecha de paño grueso: *El campesino se puso un tabardo para salir a arar la tierra.* ☐ ETIMOL. De origen incierto.

tabarra s.f. **1** *col.* Lo que resulta molesto, fastidioso o importuno: *Tener que levantarse temprano es una tabarra.* ☐ SINÓN. *incordio.* **2** ‖ **dar la tabarra;** molestar, fastidiar o importunar: *Llevas toda la tarde dando la tabarra con que quieres ir al cine.* ☐ ETIMOL. De *tabarro* (tábano), porque el ruido que hacen estos insectos es muy molesto.

tabarro (tb. *tábarro*) s.m. Insecto parecido a la mosca pero de mayor tamaño, con aparato bucal chupador muy desarrollado, y que suele picar a las caballerías para alimentarse de su sangre. ☐ SINÓN. *tábano.* ☐ MORF. Es un sustantivo epiceno: *el tabarro {macho / hembra}.*

tabasco s.m. Salsa roja muy picante que se usa como condimento. ☐ ETIMOL. Extensión del nombre de una marca comercial. ☐ ORTOGR. Dist. de *tabaco.*

taberna s.f. Establecimiento, generalmente modesto, en el que se sirven comidas y bebidas: *Las tabernas suelen ser menos lujosas que los bares y las cafeterías.* ☐ SINÓN. *tasca.* ☐ ETIMOL. Del latín *taberna* (tienda, almacén de venta al público).

tabernáculo s.m. **1** Lugar en el que los hebreos tenían colocada el arca de la alianza: *En el tabernáculo se guardaban las Tablas de la Ley que Dios entregó a Moisés.* **2** Sagrario en el que se guardan el copón y las sagradas formas: *El sacerdote abrió el tabernáculo para sacar las hostias consagradas.* **3** Tienda que habitaban los antiguos hebreos: *Antes de entrar en la tierra de Canaán, los hebreos habitaron en el desierto bajo tabernáculos.* ☐ ETIMOL. Del latín *tabernaculum* (tienda de campaña).

tabernario, ria adj. **1** De la taberna o de las personas que la frecuentan. **2** *desp.* Bajo, grosero o despreciable: *lenguaje tabernario.*

tabernero, ra s. Propietario o encargado de una taberna.

tabica s.f. **1** Tablilla con la que se cubre un hueco. **2** En un peldaño o escalón, plano vertical o altura. ☐ SINÓN. *contrahuella.* ☐ ETIMOL. Del árabe *tabiqa* (adaptada, ajustada).

tabicar v. **1** Referido esp. a una puerta o a una ventana, cerrarlas con un tabique: *Esta casa tenía dos puertas, pero tabicamos la de la parte posterior.* **2** Referido a algo que debería estar abierto, cerrarlo u obstruirlo: *La porquería terminó por tabicar la tubería* *hasta atascarla.* □ ORTOGR. La *c* se cambia en *qu* delante de *e* →SACAR.

tabique s.m. **1** Pared delgada construida para separar espacios interiores. **2** División plana y delgada que separa dos huecos: *el tabique nasal.* **3** En zonas del español meridional, ladrillo. □ ETIMOL. Del árabe *tasbik* (pared de ladrillo).

tabla ▮ s.f. **1** Pieza de madera plana, poco gruesa y cuyas dos caras son paralelas entre sí: *Con un par de tablas y unos hierros hice una estantería.* **2** Pieza plana y de poco grosor de cualquier otra materia rígida: *El surf se practica sobre una tabla especial.* **3** Pintura hecha sobre esta pieza de madera: *En la iglesia se conserva una hermosa tabla medieval pintada con pan de oro.* **4** Lista de cosas puestas en orden o que mantienen alguna relación: *La tabla periódica de los elementos reúne todos los elementos químicos.* **5** En una tela, pliegue ancho y plano que se hace como adorno: *una falda de tablas.* ▮ pl. **6** Situación final en la que se produce empate o no hay ganador ni vencedor: *La partida de ajedrez quedó en tablas y hubo que repetirla.* **7** Escenario de un teatro: *Subió a las tablas cuando tenía cinco años para representar un papel infantil.* **8** Soltura o experiencia para realizar una actividad: *Ya no se pone nervioso al dar las conferencias porque tiene muchas tablas.* **9** En una plaza de toros, tercio o parte del ruedo inmediato a esta valla: *El toro murió en las tablas.* **10** ‖ **a raja tabla;** →**rajatabla.** ‖ **hacer tabla rasa de algo;** prescindir o no hacer caso de ello: *Haremos tabla rasa de las críticas negativas.* ‖ **tablas de la ley;** piedras que, según la Biblia, Dios entregó a Moisés con los mandamientos de la ley divina. ‖ **tabla de salvación;** lo que ayuda en una situación comprometida. □ ETIMOL. Del latín *tabula* (tabla, tablero de juego, tableta de escribir).

tablado s.m. Suelo de tablas elevado sobre el suelo por un armazón. □ ETIMOL. Del latín *tabulatum.*

tablajería s.f. *ant.* →**carnicería.**

tablajero s.m. *ant.* →**carnicero.**

tablao s.m. **1** Escenario destinado para espectáculos de cante y baile flamencos. **2** Local dedicado a este tipo de espectáculos.

tablazón s.f. Conjunto de tablas unidas, esp. el de las cubiertas de las embarcaciones o el de sus costados.

tableado, da ▮ adj. **1** Referido esp. a una prenda de vestir, que tiene tablas o pliegues rectos: *Mi uniforme escolar tiene una falda tableada.* ▮ s.m. **2** Conjunto de tablas que se hacen en una tela: *Si le haces un tableado a esta falda te hará más gorda.*

tablear v. **1** Referido a una tela, hacer tablas en ella: *Voy a tablear esta tela para después hacerme una falda con ella.* **2** Referido a un madero, dividirlo en tablas: *El carpintero tableaba unos troncos con la sierra.*

tablero s.m. **1** Tabla grande y más o menos rígida: *La parte posterior del armario va cubierta por un tablero de madera.* **2** En una mesa, superficie horizontal. **3** Superficie dibujada y coloreada de forma conveniente para jugar a determinados juegos: *Sacó el tablero y las fichas del parchís y empezamos a jugar.* **4** Superficie preparada para exponer alguna información: *En el tablero del estadio aparece el resultado del partido.*

tableta s.f. **1** Pastilla o pieza de chocolate o de turrón. **2** Porción pequeña y sólida de un medicamento.

tabletear v. **1** Chocar tablas produciendo ruido: *Las maderas que iban en el camión tableteaban con los baches.* **2** Producir un ruido semejante: *Se oía tabletear el granizo sobre el tejado.*

tableteo s.m. **1** Choque de tablas que produce ruido. **2** Producción de un ruido semejante a este: *el tableteo de unos disparos.*

tablex s.m. Lámina de madera prensada, formada generalmente por capas de partículas unidas con resinas mediante un proceso de alta temperatura: *En la exposición de pintura había varios óleos sobre tablex.* □ ETIMOL. Extensión del nombre de una marca comercial. □ ORTOGR. [táblex].

tablilla s.f. **1** Tabla pequeña barnizada o encerada, en la que se escribía con un punzón. **2** En zonas del español meridional, chocolatina.

tabloide adj.inv./s.m. Referido a un periódico o a su formato, que es de dimensiones menores que el habitual y que tiene un estilo sensacionalista con tendencia a presentar los aspectos más llamativos de una noticia. □ ETIMOL. Del inglés *tabloid.*

tablón s.m. **1** Tabla gruesa. **2** *col.* Borrachera. **3** ‖ **tablón (de anuncios);** tabla o tablero en los que se fijan informaciones.

tabor s.m. En el antiguo protectorado español en Marruecos (país norteafricano), unidad de tropa regular marroquí integrada en el Ejército español. □ ETIMOL. Del turco *tabur* (batallón, escuadrón).

tabú (pl. *tabúes, tabús*) s.m. Lo que no se puede nombrar, tratar, tocar o hacer, a causa de determinados prejuicios o convenciones sociales. □ ETIMOL. Del inglés *taboo*, y este de una lengua polinesia. □ SINT. Se usa mucho en aposición, pospuesto a un sustantivo: *un tema tabú.*

tabuco s.m. Habitación pequeña o estrecha. □ SINÓN. *chiscón.* □ ETIMOL. Quizá del árabe *tabaq* (cuarto oscuro, prisión subterránea).

tabulación s.f. **1** Sangrado de un texto por medio del tabulador de la máquina de escribir o del ordenador: *La tabulación de las primeras líneas de los párrafos da mayor claridad al conjunto del texto.* **2** Establecimiento de los topes del tabulador. **3** Expresión de valores, magnitudes u otros datos por medio de tablas: *La tabulación de las cifras permitirá realizar las estadísticas.*

tabulador, -a ▮ adj. **1** Que tabula. ▮ s.m. **2** En una máquina de escribir o en el teclado de un ordenador, mecanismo que permite colocar los márgenes en el lugar deseado.

tabular v. **1** Referido esp. a un texto, sangrarlo o establecer su márgenes accionando el tabulador de la máquina de escribir o del ordenador: *Tienes que tabular dos veces para centrar el título.* **2** Referido a valores, magnitudes u otros datos, expresarlos por medio de tablas: *Para poder utilizar estos datos numéricos, hay que tabularlos primero.*

taburete s.m. Asiento para una persona, sin brazos y sin respaldo. ☐ ETIMOL. Del francés *tabouret*, y este del francés antiguo *tabour* (tambor), porque el taburete tiene forma de tambor.

tac s.m. Conjunto de imágenes seriadas de secciones de un órgano o tejido, obtenidas a lo largo de un eje mediante distintas técnicas y tratadas por ordenador. ☐ ETIMOL. Es el acrónimo de *tomografía axial computerizada*.

tacada s.f. **1** Golpe dado con el taco a la bola de billar. **2** ‖ **de una tacada;** *col.* De una sola vez o de un tirón: *Me gustaba tanto el libro que lo leí de una tacada.*

tacañear v. *col.* Actuar con tacañería o intentando gastar lo menos posible: *No tacañees tanto y convídanos a una ronda para celebrar tu ascenso.*

tacañería s.f. **1** Cualidad del que es tacaño. **2** Hecho propio de un tacaño.

tacaño, ña adj./s. Que intenta gastar lo menos posible, hasta resultar miserable y mezquino. ☐ SINÓN. *agarrado.* ☐ ETIMOL. De origen incierto.

tacatá s.m. Armazón formado por un asiento y por patas provistas de ruedas que se utiliza para que los niños aprendan a andar sin caerse. ☐ SINÓN. *tacataca.*

tacataca s.m. →**tacatá.**

tacha s.f. **1** Falta o defecto que hace imperfecto algo: *No me cabe duda de su honestidad, porque es un hombre sin tacha.* **2** Clavo pequeño, mayor que una tachuela. ☐ ETIMOL. Del francés *tache* (mancha).

tachadura s.f. **1** Raya o conjunto de rayas hechas sobre algo escrito para taparlo o para indicar que no vale. ☐ SINÓN. *tachón.* **2** Realización de estas rayas.

tachar v. **1** Referido a algo escrito, taparlo haciendo rayas o trazos encima, para indicar que no vale: *Si escribes con lapicero, podrás borrar cuando te equivoques sin necesidad de tachar.* **2** Referido esp. a un defecto, atribuírselo a alguien: *Lo tachan de irresponsable, aunque no sé los motivos.* ☐ SINT. Constr. de la acepción 2: *tachar* DE *algo.*

tachín s.m. *col.* Pie.

tacho ‖ **tacho de (la) basura;** En zonas del español meridional, cubo de la basura. ☐ ETIMOL. Quizá del portugués *tacho.*

tachón s.m. Raya o conjunto de rayas hechas sobre algo escrito para taparlo o para indicar que no vale. ☐ SINÓN. *tachadura.*

tachonar v. **1** Referido a un objeto, adornarlo clavándole tachuelas: *Aquel artesano tachonó el baúl con clavos de oro y plata.* **2** Referido a una superficie, estar cubierta casi por completo: *El cielo está tachonado de estrellas.*

tachuela s.f. Clavo corto y de cabeza gruesa.

tácito, ta adj. Que no se expresa o no se dice formalmente, pero se supone o se sabe: *Entre los dos existe el acuerdo tácito de telefonear una vez cada uno.* ☐ ETIMOL. Del latín *tacitus*, y este de *tacere* (callar). ☐ SEM. Dist. de *taciturno* (callado).

taciturno, na adj. Referido a una persona, callada, silenciosa y melancólica. ☐ ETIMOL. Del latín *taciturnus.* ☐ SEM. Dist. de *tácito* (que no se dice pero se supone).

taco ▮ s.m. **1** Pieza corta y más o menos gruesa que se encaja en un hueco: *Pon unos tacos de madera para que la mesa no cojee.* **2** En billar, vara cilíndrica y larga, más gruesa por un extremo que por otro, que se utiliza para golpear las bolas. **3** *col.* Palabra ofensiva, grosera o malsonante: *Está tan mal educado que solo sabe hablar soltando tacos.* **4** *col.* Trozo pequeño y grueso que se corta de un alimento, esp. del queso o del jamón. **5** *col.* Confusión, lío o barullo: *Me hice un taco con la pregunta y no supe responder.* **6** Conjunto de hojas superpuestas, esp. si están pegadas o sujetas por uno de sus lados de modo que puedan desprenderse fácilmente. **7** *col.* Conjunto de cosas puestas unas sobre otras, generalmente sin orden: *Te han dejado un taco de libros en recepción.* ☐ SINÓN. *montón.* **8** *col.* En el calzado deportivo, pieza cónica o puntiaguda de la suela: *Las botas de los futbolistas llevan tacos para no resbalar con el césped.* **9** En zonas del español meridional, tacón. **10** Tortilla de maíz o de harina que se enrolla y rellena con carne y algún otro ingrediente. **11** En zonas del español meridional, comida ligera o poco abundante. ▮ pl. **12** *col.* Años de edad de una persona. ☐ SINÓN. *castaña.* ☐ ETIMOL. De origen incierto.

tacógrafo s.m. Tacómetro que registra las mediciones: *El tacógrafo registra la velocidad a la que va un vehículo, y se suele consultar en caso de accidente.*

tacómetro (tb. *taquímetro*) s.m. Instrumento que sirve para medir el número de revoluciones de un eje o la velocidad de revolución de un mecanismo: *El cuentarrevoluciones del motor del coche es un tacómetro.* ☐ ETIMOL. Del griego *táchos* (rapidez) y *-metro* (medidor).

tacón s.m. En un zapato o en una bota, pieza que se une exteriormente a la suela por la parte correspondiente al talón. ☐ ETIMOL. De *taco.*

taconazo s.m. Golpe dado con el tacón.

taconear v. Pisar con fuerza y repetidamente para hacer ruido, generalmente con el tacón: *Los bailaores de flamenco taconean al ritmo de la música.*

taconeo s.m. Pisada repetida y rítmica, que se hace generalmente con el tacón, para hacer ruido.

tacoyal s.m. En zonas del español meridional, trapo enrollado que se ponen las mujeres sobre la cabeza para transportar objetos en ella.

táctica s.f. Véase **táctico, ca.**

táctico, ca ▮ adj. **1** De la táctica o relacionado con ella: *un esquema táctico.* ▮ adj./s. **2** Experto en táctica. ▮ s.f. **3** Plan o sistema para realizar o para conseguir algo: *El entrenador tuvo que cambiar de táctica para conseguir el triunfo del equipo.* **4** En el ejército, conjunto de reglas a las que se ajustan las operaciones militares. ☐ ETIMOL. Las acepciones 3 y 4, del griego *taktiké* (arte de disponer y manejar las tropas). Las acepciones 1 y 2, del griego *taktikós* (relativo a la disposición de cualquier cosa).

táctil adj.inv. Del sentido del tacto o relacionado con él: *capacidad táctil.* ☐ ETIMOL. Del latín *tactilis.* ☐ ORTOGR. Incorr. **tactil.*

tactismo s.m. En biología, movimiento de aproximación o de huida de un organismo ante un estímulo.

tacto s.m. **1** Sentido corporal que permite apreciar las cosas mediante el contacto: *Los ciegos pueden reconocer los objetos mediante el tacto.* **2** Cualidad de un objeto que se percibe mediante el contacto: *Esta tela tiene un tacto muy suave.* **3** Hecho de tocar o palpar: *Por el tacto y sin llegar a abrir los ojos supo que lo que le dieron era una naranja.* **4** Habilidad para tratar con una persona o para actuar con acierto en asuntos delicados: *Díselo con tacto, que se puede enfadar.* ☐ SINÓN. *tiento.* ☐ ETIMOL. Del latín *tactus.*

tacuarín s.m. En zonas del español meridional, rosca pequeña de harina de maíz, con anís y azúcar.

tacuche s.m. *col.* En zonas del español meridional, traje de hombre.

TAE s.f. Coste de un crédito financiero que se indica en un porcentaje anual: *La financiación de mi coche tiene una TAE del nueve por ciento.* ☐ ETIMOL. Es el acrónimo de *tasa anual equivalente.*

taekwondo s.m. Deporte de origen coreano que utiliza un modo de lucha semejante al kárate pero con un mayor desarrollo de las técnicas de salto. ☐ ETIMOL. Del coreano *tae kwon do.* ☐ PRON. [taecuóndo].

tafetán s.m. Tela de seda, delgada, muy tupida y de brillo apagado. ☐ ETIMOL. Del persa *tafté* (variedad de tejido de seda).

tafilete s.m. Piel de cabra curtida y pulida, muy fina y flexible, que se usa esp. para fabricar zapatos finos y encuadernaciones de lujo. ☐ ETIMOL. Por alusión a Tafilete, región al sudeste de Marruecos donde se preparaban estos cueros.

tag (ing.) s.m. Pintada callejera muy escueta.

tagalo, la ▌adj./s. **1** Del principal grupo indígena de Filipinas (país del sudeste asiático), o relacionado con él: *El pueblo tagalo se adaptó a la cultura aportada por los colonizadores españoles sin perder ni sus tradiciones ni su lengua.* ▌s.m. **2** Lengua malayo-polinesia hablada por este grupo: *El tagalo es, junto con el inglés, la lengua oficial de Filipinas.*

tagarnia s.f. *col.* En zonas del español meridional, borrachera.

tagarnina s.f. **1** Planta herbácea, de flores amarillentas y hojas rizadas y espinosas, cuya penca se come cocida cuando está tierna: *Este potaje se puede hacer con tagarninas o con tallos de acelga.* ☐ SINÓN. *cardillo.* **2** *col.* Puro de mala calidad. ☐ ETIMOL. Del árabe hispánico *taqarnína*, este del bereber **taqarnina*, este del mozárabe **karlína*, y este del latín *cardus.*

tahalí (pl. *tahalíes, tahalís*) s.m. **1** Correa de cuero o de otro material, que cruza desde el hombro derecho por el lado izquierdo hasta la cintura, donde se unen sus dos extremos, y que servía para colgar la espada o el machete. **2** Bolsa de cuero pequeña en la que los soldados solían llevar reliquias u otros objetos religiosos. ☐ ETIMOL. Del árabe *tahlil* (estuche colgado de una banda en el que se guardaban oraciones a modo de amuleto).

taheño, ña adj. Referido al pelo, de color rojizo. ☐ ETIMOL. Quizá del árabe *tahannu'* (teñirse con alheña).

tahona s.f. Establecimiento donde se cuece y se vende el pan. ☐ SINÓN. *horno, panificadora.* ☐ ETIMOL. Del árabe *tahuna* (molino de cereales).

tahúr s.m. Persona aficionada a los juegos de azar o muy hábil en ellos o que hace trampas. ☐ ETIMOL. De origen incierto.

taichi s.m. Tipo de ejercicio físico basado en movimientos lentos y generalmente circulares para los que son esenciales la respiración y la concentración. ☐ ETIMOL. Del chino *tàijí* y este de *tài* (extremo) y *jí* (límite). ☐ ORTOGR. Se usa también *taichí.*

taifa s.f. Cada uno de los pequeños reinos en los que se dividió el territorio español de dominación musulmana al disolverse el califato cordobés. ☐ ETIMOL. Del árabe *ta'ifa* (grupo, facción).

taiga s.f. Selva de subsuelo helado y formada en su mayor parte por coníferas, que es propia del norte de Rusia y de Siberia (territorios de clima continental situados en el hemisferio Norte). ☐ ETIMOL. De origen ruso.

tailandés, -a adj./s. De Tailandia o relacionado con este país asiático.

tailleur (fr.) s.m. Traje de mujer en el que la chaqueta y la falda están confeccionadas con la misma tela. ☐ PRON. [tallér]. ☐ USO Su uso es innecesario.

taimado, da adj. Astuto, disimulado y hábil para engañar y no ser engañado. ☐ ETIMOL. Del portugués *taimado.*

taíno, na ▌adj./s. **1** De un conjunto de pueblos indígenas que se asentaba en las Antillas y las Bahamas (grupos de islas caribeñas), o relacionado con él: *Los taínos se dedicaban principalmente a la agricultura y a la pesca.* ▌s.m. **2** Lengua de estos pueblos: *Algunas palabras castellanas proceden del taíno.*

taita s.m. En zonas del español meridional, padre. ☐ ETIMOL. Del latín *tata* (padre).

taiwanés, -a adj./s. De Taiwán o relacionado con este territorio de China (país asiático).

tajada s.f. **1** Trozo cortado de algo, esp. de carne. **2** *col.* Ventaja o provecho, esp. en algo que se distribuye entre varios: *El robo lo hicieron entre todos, pero el jefe se llevó la mejor tajada.* **3** *col.* Borrachera.

tajadera s.f. Cincel que se utiliza para cortar el hierro frío. ☐ SINÓN. *cortafrío.*

tajamar s.m. **1** En una embarcación, tablón de forma curva que sirve, al navegar, para cortar la superficie del agua. **2** En un puente, construcción curva o en forma de ángulo que se añade a los pilares de cara a la corriente de agua para cortarla y disminuir su empuje. □ SINÓN. *espolón.* □ ETIMOL. De *tajar* (cortar) y *mar*.

tajante adj.inv. Que no admite réplica, discusión o términos medios.

tajar ▌ v. **1** Dividir en dos o más partes con un instrumento cortante: *El leñador tajó el tronco con un hacha.* ▌ prnl. **2** *col.* Emborracharse: *Si te tajas todos los viernes por la noche terminarás siendo un alcohólico.* □ ETIMOL. Del latín *taleare* (cortar). □ ORTOGR. Conserva la *j* en toda la conjugación.

tajín s.m. Guiso de origen norteafricano que está hecho con trozos de carne y verduras.

tajo s.m. **1** Corte profundo hecho con un instrumento cortante. **2** En un terreno, corte casi vertical. **3** *col.* Tarea o trabajo: *No puedo seguir de charla porque tengo mucho tajo.*

taka s.f. Unidad monetaria bangladeshí.

tal ▌ adj.inv. **1** Igual, semejante o de la misma forma: *Es tal como me lo habíais descrito.* **2** Tan grande o muy grande: *Me dio un susto tal que casi me caigo de la silla.* ▌ adj.inv./s. **3** Se usa para determinar o señalar lo que no está especificado, o lo ya mencionado o sobrentendido: *¿A quién se le ha ocurrido tal cosa? No esperaba tal de ti.* **4** Designa una persona, un animal o una cosa no determinados: *No te dejes llevar por lo que pueda pensar tal persona y haz lo que debas.* ▌ adv. **5** *ant.* →**así.** **6** Expresa comparación: *Así como te lo han dado a ti, tal deben dárselo a los demás.* **7** ‖ **con tal de;** seguido de un infinitivo o de una oración encabezada por 'que', expresa la condición expresada por estos: *Te lo presto con tal de que me lo devuelvas el lunes.* ‖ **tal para cual;** Referido a dos personas, que son parecidas o iguales en su forma de ser o de comportarse: *Mi hermana y mi madre son tal para cual.* ‖ **tal cual;** así, de esta forma o de esta manera: *Se lo dije tal cual, como me lo habías contado.* □ ETIMOL. Del latín *talis.* □ SINT. 1. En las acepciones 3 y 4, suele usarse precedido del artículo determinado. 2. La omisión de la preposición *de* en la expresión *con tal de* es incorrecta aunque está muy extendida: *con tal {*que > de que} vengas.*

tala s.f. **1** Corte de los árboles por la parte baja del tronco. **2** Unidad monetaria samoana.

talabarte s.m. Cinturón o correa, generalmente de cuero, del que cuelgan la espada o el sable. □ ETIMOL. Del provenzal antiguo *talabart.*

talabartería s.f. Establecimiento donde se fabrican o se venden todo tipo de objetos de cuero.

talabartero, ra s. Persona que se dedica a fabricar talabartes y otros objetos de cuero.

talador, -a adj./s. Que tala.

taladradora s.f. Aparato formado por un taladro o una barrena y que se utiliza para hacer agujeros.

taladrar v. **1** Referido a una superficie, agujerearla o perforarla con un instrumento agudo o cortante: *Para colocar esas escarpias hay que taladrar la pared en dos sitios.* **2** Referido al oído, molestarlo muchísimo o herirlo un sonido continuo: *Ese martilleo me taladra los oídos.*

taladro s.m. **1** Instrumento agudo o cortante que sirve para perforar algo. **2** Agujero hecho con este instrumento. □ ETIMOL. Del latín *taratrum.*

tálamo s.m. **1** *poét.* Lecho conyugal o cama de los casados. **2** En los hemisferios cerebrales, cada uno de los dos núcleos de tejido nervioso situados a ambos lados de la línea media, por encima del hipotálamo. □ ETIMOL. Del latín *thalamus*, y este del griego *thálamos* (lecho nupcial, boda).

talanquera s.f. Valla, pared o cualquier cosa que sirva de defensa o de protección. □ ETIMOL. Del antiguo *taranquera* variante de *tranquera* (empalizada de trancas).

talante s.m. Humor o disposición de ánimo que tiene una persona: *Hoy no le pidas nada porque está de mal talante.* □ ETIMOL. Del latín *talentum*, y este del griego *tálanton* (plato de la balanza, peso).

talar ▌ adj.inv. **1** Referido a una vestidura, que llega hasta los talones. ▌ v. **2** Referido a un árbol, cortarlo por la parte baja de su tronco: *Usaron sierras mecánicas para talar los robles.* □ ETIMOL. La acepción 1, del latín *talaris*, y este de *talus* (talón). La acepción 2, del germánico **talon* (arrancar).

talasemia s.f. Anemia hereditaria que se debe a un trastorno en la producción de hemoglobina. □ ETIMOL. Del griego *thálassa* (mar) y *-emia* (sangre).

talasocracia s.f. **1** Dominio político y económico de los mares y de la navegación. **2** Sistema político o territorio cuya potencia reside en este dominio. □ ETIMOL. Del griego *thálassa* (mar) y *-cracia* (poder).

talasoterapia s.f. Uso terapéutico de los baños con agua de mar o del aire marino. □ ETIMOL. Del griego *thálassa* (mar) y *-terapia* (curación).

talayot s.m. →**talayote.**

talayote s.m. Monumento megalítico prehistórico, propio del archipiélago balear y semejante a una torre de poca altura. □ ETIMOL. Del mallorquín *talayot.* □ ORTOGR. En círculos especializados se usa también *talayot.*

talco s.m. **1** Mineral de silicato de magnesio, suave al tacto, muy blando, brillante y de color verdoso: *Para la fabricación de pinturas y cerámica se usa el talco.* **2** Polvo extraído de este mineral, que se utiliza en higiene y en cosmética: *Le puso talco al bebé para suavizar su piel.* □ ETIMOL. Del árabe *talq* (amianto, yeso).

talde (eusk.) s.m. Grupo terrorista de apoyo. □ PRON. [tálde].

taled s.m. Chal de lana con que los judíos se cubren la cabeza y el cuello en sus ceremonias religiosas. □ ETIMOL. Del hebreo *tal-let* (cubrir). □ USO Es innecesario el uso del término hebreo *talit.*

talega s.f. Saco o bolsa ancha y corta, de lienzo basto o de otra tela. □ SINÓN. *talego.* □ ETIMOL. Del árabe *ta'liga* (saco o bolsa colgada).

talegazo s.m. **1** *col.* Golpe dado con un talego. **2** *col.* Golpe fuerte dado al caer de espaldas o de costado. □ SINÓN. *costalada, costalazo.*

talego s.m. **1** →**talega.** **2** *arg.* Cárcel. **3** *arg.* Billete de mil pesetas. **4** En zonas del español meridional, bolsa. **5** ‖ **talego de dormir;** en zonas del español meridional, saco de dormir.

taleguilla s.f. Pantalón del traje de torero.

talento s.m. **1** Capacidad artística o intelectual: *Llegará lejos porque es una mujer de talento.* **2** Persona inteligente o que tiene esta capacidad: *Este joven es un talento de la astronomía.* **3** Moneda de los griegos y de los romanos. □ ETIMOL. Del latín *talentum*, y este del griego *tálanton* (plato de la balanza, peso).

talentoso, sa adj. *col.* Con talento. □ SINÓN. *talentudo.*

talentudo, da adj. *col.* →**talentoso.**

talgo s.m. Tren articulado y ligero, que alcanza mucha velocidad. □ ETIMOL. Es el acrónimo de *tren articulado ligero Goicoechea Oriol.*

talibán (pl. *talibanes*) adj.inv./s.com. De un determinado grupo integrista musulmán o relacionado con él: *Los talibanes estudian detalladamente el Corán.*

talidomida s.f. Fármaco que se usa como sedante y como hipnótico.

talidomídico, ca adj./s. Referido a una persona, que presenta grandes malformaciones corporales producidas por la talidomida tomada por su madre durante el embarazo.

talio s.m. Elemento químico, metálico y sólido, de número atómico 81, parecido al plomo y que se oxida en presencia de aire húmedo: *Los compuestos del talio son tóxicos y se usan para fabricar insecticidas.* □ ETIMOL. Del griego *thallós* (rama verde), por el color verde que tiene la solución de sales de talio en alcohol. □ ORTOGR. Su símbolo químico es *Tl.*

talión s.m. Pena que consiste en hacer sufrir al delincuente un daño igual al que causó: *la ley del talión.* □ ETIMOL. Del latín *talio.*

talipot s.m. Palmera que tiene las hojas con pequeños dientes a lo largo de los márgenes: *El talipot tarda en florecer de cuarenta a setenta años y después de dar fruto, muere poco a poco.*

talismán s.m. Objeto al que se atribuyen virtudes o poderes sobrenaturales: *Lleva un talismán que lo protege del mal de ojo.* □ ETIMOL. Del francés *talisman.*

talit (hebr.) s.m. →**taled.**

talla s.f. **1** Obra de escultura, esp. la que está realizada en madera: *Esa virgen es una talla del siglo* XV. **2** Estatura o altura de las personas: *En baloncesto se necesitan personas de mucha talla.* **3** Medida de las prendas de vestir: *Mi talla de pantalón es la cuarenta y dos.* **4** Importancia o valor, esp. moral o intelectual: *Es una filósofa de gran talla intelectual.* **5** →**tallado. 6** ‖ **dar la talla;** ser apto para algo: *Lo llamaron pero no dio la talla para desempeñar el puesto.*

tallado s.m. Trabajo de un material para darle forma. □ SINÓN. *talla.*

tallar v. **1** Referido esp. a la madera o las piedras preciosas, trabajarlos: *Talló un trozo de madera con el cuchillo e hizo un muñeco.* **2** Referido a una persona, medir su estatura: *Tallan a los mozos antes de ir al servicio militar.* **3** En zonas del español meridional, frotar: *Por más que tallé el overol, no le pude quitar todas las manchas.* □ ETIMOL. Quizá del italiano *tagliare.*

tallarín s.m. Pasta alimenticia elaborada con harina de trigo y cortada en tiras muy estrechas y largas. □ ETIMOL. Del italiano *taglierino.* □ MORF. Se usa más en plural.

talle s.m. **1** En el cuerpo humano, cintura o parte más estrecha encima de las caderas: *Bailaba con ella cogiéndola por el talle.* **2** En una prenda de vestir, parte que se corresponde con esta zona del cuerpo: *Como has adelgazado tengo que estrecharte el talle de la falda.* **3** Medida que se toma para un vestido o un traje que comprende desde el cuello hasta la cintura: *El sastre me midió mal el talle y la chaqueta le quedó larga.* **4** En zonas del español meridional, talla. **5** ‖ **talle de avispa;** el muy delgado y fino. □ ETIMOL. Del francés *taille.*

taller s.m. **1** Lugar en el que se realizan obras y trabajos manuales: *Esta pintora tiene su taller en un ático.* **2** Escuela o seminario de ciencias o de artes: *un taller de arte dramático.* **3** Lugar en el que se hacen reparaciones: *Tengo que llevar el coche al taller, porque hace un ruido raro.* □ ETIMOL. Del francés *atelier.* □ USO Es innecesario el uso del galicismo *atelier.*

tallista s.com. Persona que se dedica a la talla, esp. a la de la madera o las piedras preciosas.

tallo s.m. En una planta, parte que crece y se prolonga en sentido contrario al de la raíz y que sirve de sostén a las ramas. □ ETIMOL. Del latín *thallus* (tallo con hojas).

talludo, da adj. Referido a una persona, que ya no es joven. □ MORF. Se usa mucho el diminutivo *talludito.*

talmúdico, ca adj. Del Talmud (libro sagrado del judaísmo) o relacionado con él.

talmudista s.m. Persona especializada en el estudio del Talmud (libro sagrado del judaísmo) o que sigue sus directrices.

talo s.m. **1** En botánica, cuerpo vegetativo que equivale al conjunto de la raíz, el tallo y las hojas de las plantas metafitas. **2** Torta hecha con una masa de agua y harina que se suele rellenar con otros alimentos, esp. chorizo. □ ETIMOL. Del griego *thálos* (retoño, rama joven).

talofito, ta ▮ adj./s.f. **1** Referido a una planta, que carece de tejidos vasculares y que no posee raíz, tallo y hojas verdaderos: *Los líquenes son talofitas.* ▮ s.f.pl. **2** En botánica, grupo de estas plantas: *Las algas pertenecen a las talofitas.* □ ETIMOL. Del griego *thálos* (retoño, rama joven) y *phytón* (vegetal).

talón s.m. **1** En el pie humano, parte posterior, de forma redondeada. **2** Parte del calzado, la media o el calcetín que cubre esta zona del pie. **3** Hoja que se corta de un cuadernillo en el que queda una parte como resguardo: *Me extendió un talón por la cantidad de dinero que le pedí.* **4** ‖ **pisar los talones** a alguien; seguirlo de cerca o estar a punto de alcanzarlo: *El pelotón ya pisa los talones al ciclista escapado.* || **talón de Aquiles;** punto débil o vulnerable. □ ETIMOL. Del latín *talo*. La expresión *talón de Aquiles*, por alusión a la leyenda de Aquiles, héroe mitológico griego que solo podía morir si era herido en un talón.

talonar v. Calcular la distancia que se recorre en cada paso o el número de pasos necesarios para recorrer una distancia: *En aquel partido de rugby, el jugador falló varios tiros porque no había talonado bien.*

talonario s.m. Cuadernillo de talones, esp. si son cheques.

talquita s.f. Roca pizarrosa compuesta principalmente por talco.

talud s.m. Inclinación de un terreno o de un muro. □ ETIMOL. Del francés *talus*.

tamagotchi (jap.) s.m. Juego electrónico en el que se representa una mascota virtual que el usuario tiene que cuidar como se cuidaría a un ser vivo. □ ETIMOL. Extensión del nombre de una marca comercial. □ PRON. [tamagóchi].

tamal s.m. **1** Comida que se hace con una masa de harina de maíz y manteca, que se rellena con distintos ingredientes y se envuelve en hojas de plátano o de mazorca de maíz, y que se cocina al vapor o en el horno. **2** || **tamal de cazuela;** guiso que se prepara con carne y salsa de tomate.

tamalada s.f. Fiesta o reunión en la que se comen tamales.

tamalayota s.f. *col.* En zonas del español meridional, calabaza grande y alargada.

tamalero, ra s. Persona que hace o vende tamales.

tamaño, ña ▌adj. **1** Semejante o tan grande: *Nunca vi tamaño descaro hablándole a un anciano.* ▌s.m. **2** Volumen, dimensión o conjunto de medidas de algo: *Necesito un tornillo de un tamaño igual a esta tuerca.* □ ETIMOL. Del latín *tam magnus* (tan grande). □ USO Como adjetivo, se usa más antepuesto al nombre.

tamarindo s.m. **1** Árbol de tronco grueso, elevado y de corteza parda, con la copa extensa, hojas compuestas y flores amarillentas en espiga. **2** Fruto de este árbol. □ ETIMOL. Del árabe *tamr hindí*.

tamarisco s.m. **1** Arbusto de corteza rojiza, hojas pequeñas y apiñadas y flores rosadas agrupadas en racimos de espigas: *El tamarisco suele crecer en las orillas de los ríos.* □ SINÓN. *taray, taraje, tamariz.* **2** Fruto de este arbusto. □ SINÓN. *taray.* □ ETIMOL. Del latín *tamariscus*.

tamariz s.m. Arbusto de corteza rojiza, hojas pequeñas y apiñadas y flores rosadas agrupadas en racimos de espigas. □ SINÓN. *tamarisco, taray, taraje.* □ ETIMOL. Del latín *tamarice*.

tamarugo s.m. Árbol americano muy resistente a la sequía, que tiene las ramas con espinas: *El tamarugo se utiliza como planta forrajera.*

tambaleante adj.inv. Que se tambalea.

tambalearse v.prnl. **1** Menearse de un lado a otro: *El borracho caminaba tambaleándose y tropezando.* **2** Estar a punto de perder toda fuerza moral o física o todo poder: *No podía entender la muerte de su hijo y esto hizo que su fe se tambaleara.* □ ETIMOL. De origen incierto.

tambaleo s.m. **1** Meneo o movimiento de un lado a otro: *El tambaleo de las tablas que había para cruzar el río me hizo caer al agua.* **2** Manifestación de la posible pérdida de toda fuerza moral o física: *Aquella traición supuso el tambaleo de todo aquello en lo que siempre había creído.*

tambarria s.f. *col.* En zonas del español meridional, juerga.

también adv. Indica igualdad, semejanza, conformidad o relación de una cosa con otra: *Este instrumento sirve para marcar y también para cortar.* □ ETIMOL. De *tan* y *bien*.

tambo s.m. **1** En zonas del español meridional, vaquería. **2** En zonas del español meridional, posada.

tambocha s.f. Hormiga americana venenosa que tiene la cabeza roja.

tambor s.m. **1** Instrumento musical de percusión, de forma cilíndrica, hueco, cubierto por sus bases con una piel tensa, y que se toca con dos palillos. □ SINÓN. *caja.* **2** Lo que por su forma hueca y cilíndrica y por sus proporciones recuerda a este instrumento: *el tambor de la lavadora.* **3** En un revólver, cilindro giratorio de hierro en el que van las balas. **4** En zonas del español meridional, somier. □ ETIMOL. Del árabe *tambur*.

tambora s.f. **1** En zonas del español meridional, bombo. **2** En zonas del español meridional, conjunto musical formado por este y otros instrumentos.

tamborear v. Dar golpes ligeros y repetidos con los dedos sobre una superficie imitando el ruido del tambor: *Está nervioso y no deja de tamborear sobre la mesa.* □ SINÓN. *tamborilear, tabalear.*

tamborero, ra adj./s. En zonas del español meridional, tamborilero.

tamboril s.m. Tambor pequeño que se toca llevándolo colgado del brazo y golpeándolo con un solo palillo o baqueta.

tamborilear v. **1** Tocar el tamboril: *Está aprendiendo a tamborilear para salir con la banda en las fiestas de su pueblo.* **2** Dar golpes ligeros y repetidos con los dedos sobre una superficie imitando el ruido del tambor: *Cuando está nervioso tamborilea sobre la mesa.* □ SINÓN. *tabalear, tamborear.*

tamborileo s.m. **1** Toque de tamboril. **2** Conjunto de golpes ligeros dados con los dedos sobre una superficie imitando el ruido del tambor: *Me pone nervioso escuchar el tamborileo de tus dedos en la mesa mientras estoy estudiando.*

tamborilero, ra s. Músico que toca el tamboril o el tambor.

tamborrada s.f. Fiesta popular en la que se desfila tocando tambores.

tamil ▌adj.inv./s.com. **1** De un pueblo que habita el sudeste de la India (país asiático) y parte de Sri Lanka (país insular asiático, antes llamado Ceilán), o relacionado con él: *Los tamiles son, junto con los cingaleses, las dos etnias predominantes de Sri*

Lanka. ▮ s.m. **2** Lengua asiática de Sri Lanka y de otros países: *El tamil tiene un alfabeto propio.* ☐ ETIMOL. Del inglés *tamil*.

tamiz s.m. **1** Cedazo o utensilio formado por un aro ancho cubierto por uno de sus lados con una rejilla o un tejido semejante, generalmente muy tupidos, que se utiliza para separar sustancias de distinto grosor. **2** Examen, selección o elección de lo que más interesa. ☐ ETIMOL. Del francés *tamis* (cedazo).

tamizar v. Pasar por el tamiz: *Para espolvorear la tarta, tamiza un poco de azúcar.* ☐ ORTOGR. La *z* se cambia en *c* delante de *e* →CAZAR.

tamo s.m. Pelusa que se forma debajo de la cama o debajo de los muebles por falta de limpieza. ☐ ETIMOL. De origen incierto.

tamojo s.m. →**matojo.** ☐ ETIMOL. Es una metátesis de *matojo*.

támpax (pl. *támpax*) s.m. Tampón higiénico que utilizan las mujeres para absorber el flujo menstrual. ☐ ETIMOL. Extensión del nombre de una marca comercial.

tampoco adv. Indica negación después de haberse negado otra cosa: *No ha venido y tampoco ha llamado por teléfono.* ☐ ETIMOL. De *tan* y *poco*.

tampón s.m. **1** Cajita con una sustancia blanda impregnada en tinta en la que se mojan los sellos antes de estamparlos. **2** Rollo de celulosa que se introduce en la vagina para que absorba el flujo menstrual de la mujer. ☐ ETIMOL. Del francés *tampon*.

tamtan s.m. Tambor africano de gran tamaño que se toca con las manos. ☐ ETIMOL. De origen onomatopéyico. ☐ PRON. [támtam] o [tamtám].

tamujo s.m. Mata de ramas delgadas y puntiagudas, muy abundante y que crece generalmente en las márgenes de los arroyos y en los sitios sombríos. ☐ ETIMOL. De *tamojo*.

tan adv. **1** Indica aumento o intensificación: *¿Para qué quieres una casa tan grande?* **2** En correlación con 'como', expresa comparación de igualdad: *Ya estás tan alta como tu padre.* **3** En correlación con 'que', expresa consecuencia: *Es tan caro que no puedo comprármelo.* **4** ‖ **tan es así;** enlace gramatical subordinante con valor consecutivo: *Estoy muy sorprendida; tan es así, que no puedo dejar de pensar en ese asunto.* ‖ **(tan) siquiera;** por lo menos o al menos: *Ayúdame tan siquiera a subir los bultos más pesados.* ☐ ETIMOL. De *tanto*.

tanagra s.f. Estatuilla de barro cocido de características semejantes a las encontradas en Tanagra (ciudad de la antigua Grecia).

tanato- Elemento compositivo prefijo que significa 'muerte': *tanatología, tanatopraxia.* ☐ ETIMOL. Del griego *thánatos*.

tanatofobia s.f. Temor anormal y obsesivo a la muerte o a los cuerpos muertos. ☐ SINÓN. *necrofobia.* ☐ ETIMOL. Del griego *thánatos* (muerte) y *-fobia* (aversión).

tanatografía s.f. Respecto de una persona, relato o historia de su muerte. ☐ ETIMOL. De *tanato-* (muerte) y *-grafía* (descripción).

tanatología s.f. Conjunto de conocimientos médicos relacionados con la muerte. ☐ ETIMOL. De *tanato-* (muerte) y *-logía* (estudio, ciencia).

tanatólogo, ga adj./s. Especialista que trabaja con las personas cuya muerte esta próxima, y con sus familias, para intentar que la vida restante tenga calidad y para aceptar con dignidad la muerte: *La tanatóloga les ayudó a superar el duelo cuando se les murió el hijo.*

tanatopráctico, ca s. Persona especialista en tanatopraxia o técnica para conservar los cadáveres.

tanatopraxia s.f. Técnica para conservar temporalmente a los cadáveres.

tanatorio s.m. Edificio acondicionado para poder velar un cadáver y realizar otros servicios relacionados con ello. ☐ ETIMOL. Del griego *thánatos* (muerte).

tánatos (pl. *tánatos*) s.m. Conjunto de impulsos y tendencias de la personalidad humana hacia la muerte. ☐ ETIMOL. Del griego *thánatos* (muerte).

tanatosala s.f. Recinto con baja temperatura y generalmente acristalado, en el que se coloca un cadáver durante el velatorio. ☐ ETIMOL. De *tánato-* (muerte) y *sala*.

tancredismo s.m. Acción o comportamiento intrépidos: *Ese partido político intentó conseguir más votos mediante la estrategia del tancredismo.* ☐ ETIMOL. Por alusión a Don Tancredo, nombre de un torero.

tanda s.f. **1** Número indeterminado de cosas de un mismo género: *Tengo una tanda enorme de ropa para planchar.* **2** Turno, vez u orden según el cual se sucede algo: *Somos tantos que tenemos que comer en dos tandas.* ☐ ETIMOL. De origen incierto.

tándem s.m. **1** Bicicleta para dos o más personas, en la que se sienta una detrás de otra, y que tiene pedales para cada una de ellas. **2** Unión o grupo de dos personas que desarrollan una actividad común o que colaboran en algo: *un tándem ganador.* ☐ ETIMOL. Del inglés *tándem*, y este del latín *tandem* (a lo largo de). ☐ USO Se usan los plurales *tándems, tándemes* y *tándem*.

tanga s.amb. Traje de baño o prenda de ropa interior muy pequeños, que solo cubren los genitales. ☐ ETIMOL. Del portugués *tanga*.

tángana (tb. *tangana*) s.f. Jaleo, escándalo o pelea.

tangar v. *col.* Engañar o timar: *No me tangues, que te estoy viendo.* ☐ ORTOGR. La *g* se cambia en *gu* delante de *e* →PAGAR.

tángara s.f. Pájaro de cuerpo rechoncho, de unos quince centímetros de longitud y de diversos colores, todos ellos muy vivos y vistosos.

tangelo s.f. Variedad de mandarina, que es híbrido de tangerina y pomelo. ☐ ETIMOL. De *tangerina* (variedad de mandarina) y *pomelo*.

tangencial adj.inv. **1** De la tangente o relacionado con ella. **2** Referido esp. a un asunto o a una idea, que se refieren a algo de forma parcial, accesoria o superficial: *Solo toca los aspectos tangenciales del problema y olvida los principales.*

tangente ▌ adj.inv./s.f. **1** En geometría, referido a una línea o a una superficie, que tocan otras líneas o superficies o que tienen puntos en común con ellas sin cortarse: *La tangente de una circunferencia es la recta que la toca en un punto.* ▌ s.f. **2** En trigonometría, razón entre el cateto opuesto de un ángulo y el contiguo: *La tangente de un ángulo se obtiene dividiendo el seno por el coseno de dicho ángulo.* **3** ‖ **{irse/salir} por la tangente;** *col.* Utilizar evasivas o valerse de ellas para salir hábilmente de una situación apurada: *Cada vez que te pregunto cuánto ganas, te vas por la tangente.*

tangerina s.f. Variedad de mandarina de sabor ácido, que es un híbrido de mandarina y naranja. □ ETIMOL. Del inglés *tangerine.*

tangible adj.inv. **1** Que se puede tocar: *Las imágenes y seres de nuestros sueños no son tangibles.* **2** Que se puede percibir de una manera precisa: *No son vanas esperanzas, sino proyectos con resultados tangibles.* □ ETIMOL. Del latín *tangens*, y este de *tangere* (tocar).

tango s.m. **1** Composición musical de origen argentino, de ritmo lento y en compás de dos por cuatro. **2** Baile de pareja enlazada que se ejecuta al compás de esta música. □ ETIMOL. Quizá de origen onomatopéyico.

tangram s.m. Rompecabezas de origen chino que consiste en construir figuras geométricas a partir de siete piezas (cinco triángulos, un cuadrado y un rombo). □ PRON. [tángram].

tanguear v. Bailar el tango argentino: *Mi profesor de baile tanguea muy bien porque ha nacido en Buenos Aires.*

tanguería s.f. Local donde se baila tango.

tanguillo s.m. Variedad de cante y baile flamencos alegre y de ritmo vivo.

tanguista ▌ s.com. **1** Cantante de tangos. ▌ s.f. **2** Mujer contratada en ciertos locales públicos para bailar con los clientes.

tanino s.m. Sustancia astringente, inalterable por el aire y que se encuentra contenida en la corteza de algunos árboles o en algunos frutos o frutas: *El vino tinto tiene muchos taninos.* □ ETIMOL. Del francés *tanin.*

tanque s.m. **1** Automóvil de guerra, blindado y articulado, que se mueve sobre dos llantas flexibles o cadenas sin fin que le permiten andar por terrenos irregulares y escabrosos. **2** Depósito o recipiente grande, generalmente cerrados, que se utilizan para contener líquidos o gases: *un tanque de gasolina.* **3** Vaso grande de una bebida, generalmente de cerveza: *Se bebió un tanque de cerveza.* □ ETIMOL. Del inglés *tank.*

tanqueta s.f. Vehículo parecido al tanque, pero de mayor movilidad y velocidad.

tantalio s.m. Elemento químico, metálico y sólido, de número atómico 73, gris brillante, muy duro, deformable e inflamable: *El tantalio es poco común y difícil de separar de sus combinaciones.* □ SINÓN. *tántalo.* □ ETIMOL. Por alusión a *Tántalo*, que es un personaje mítico condenado a estar sumergido en el agua hasta la barba, pero sin poder beber de ella, porque el tántalo es un metal que no absorbe con facilidad los ácidos. □ ORTOGR. Su símbolo químico es *Ta.*

tántalo s.m. →**tantalio.**

tanteador, -a ▌ adj./s. **1** Que tantea. ▌ s.m. **2** En deporte, tablero en el que se anotan los tantos obtenidos por un jugador o un equipo. □ SINÓN. *marcador.*

tantear v. **1** Intentar averiguar disimuladamente o con cuidado la intención de una persona o el interés de algo: *Tengo que tantear a mis padres para ver si me dejan ir contigo.* **2** Calcular a ojo o aproximadamente: *Tanteó los gastos que supondría ese viaje para ver si podía permitírselo.* **3** En tauromaquia, referido a un toro, probarlo con distintas suertes antes de empezar la faena para conocer su estado, su bravura o sus intenciones: *El torero tanteó al toro con varios pases.* □ ETIMOL. De *tanto.*

tanteo s.m. **1** Intento disimulado de averiguación de la intención de una persona o del interés de algo: *Haz un tanteo para ver qué quiere de regalo por su cumpleaños.* **2** Cálculo aproximado o a ojo de algo: *He hecho un tanteo para ver lo que costarán las vacaciones.* **3** Número de tantos que se obtienen en una competición deportiva o en un juego. **4** En tauromaquia, realización de distintas suertes al toro para probar antes de la faena su estado, su bravura o sus intenciones: *unos pases de tanteo.*

tanto adv. **1** De tal manera, de tal grado o hasta tal punto: *Has estudiado tanto que seguro que apruebas.* **2** Expresa larga duración: *Duró tanto la conferencia que llegué a casa muy tarde.* **3** En correlación con 'cuanto' y 'como', expresa idea de equivalencia o de igualdad: *Puedes hablar tanto como yo de este asunto.* **4** ‖ **{en/entre} tanto;** →**entretanto.** ‖ **por (lo) tanto;** enlace gramatical subordinante con valor consecutivo: *Estudiando tan poco no conseguirás aprobar, por tanto debes estudiar más.*

tanto, ta ▌ adj./s. **1** Expresa idea de calificación o de ponderación: *Hace tanto calor que no tengo ganas de hacer nada. A tanto lo arrastró la codicia...* ▌ s.m. **2** Cantidad o número determinado de algo: *No lo conozco mucho, pero me parece un muchacho un tanto raro.* **3** En algunos juegos, unidad de cuenta o de calificación: *Nuestro equipo ganó por tres tantos a uno.* ▌ s.m.pl. **4** Pospuesto a una cantidad, indica que es algo más de lo que expresa: *La casa es de mil novecientos cincuenta y tantos.* **5** ‖ **al tanto de** algo; al corriente o enterado de ello: *Ya me han puesto al tanto de cómo va el asunto.* ‖ **las tantas;** *col.* Expresión con la que se indica una hora muy avanzada del día o de la noche: *Fuimos a cenar a su casa y nos quedamos allí hasta las tantas.* ‖ **otro tanto;** lo mismo o cosa igual: *Lo que les he dicho a ellos, otro tanto te digo a ti.* ‖ **tanto por ciento;** cantidad que representa proporcionalmente una parte de un total de cien: *Estoy dentro del tanto por ciento de alumnos que ha aprobado ese examen.* □ SINÓN. *porcentaje.* □ ETIMOL. Del latín *tantus* (tan grande). □ SINT. *Al tanto de* se usa más con los verbos *estar*, *quedar*, *poner* o equivalentes.

tantra s.m. Colección de textos hindúes que tratan de las ceremonias de culto, de las prácticas rituales y de otros temas diversos. □ ETIMOL. Del sánscrito.

tantrismo s.m. Doctrina religiosa derivada del hinduismo.

tanzano, na adj./s. De Tanzania o relacionado con este país africano.

tañedor, -a s. Que tañe.

tañer v. Referido a un instrumento musical de cuerda o de percusión, tocarlos o hacerlos sonar: *Me gusta despertarme oyendo tañer las campanas.* □ ETIMOL. Del latín *tangere* (tocar). □ ORTOGR. Dist. de *atañer*. □ MORF. Irreg. →TAÑER.

tañido s.m. Toque o sonido de un instrumento musical de cuerda o de percusión.

tao s.m. En el taoísmo, curso de las cosas: *El tao se caracteriza por el equilibrio de los dos principios del yin y el yang.*

taoísmo s.m. Corriente filosófica y religiosa china que concibe el universo como un todo en el que cada ser y cada cosa forma parte de una corriente infinita que transcurre inexorablemente y donde se equilibran fuerzas contrarias.

taoísta ▮ adj.inv. **1** Del taoísmo o relacionado con esta corriente filosófica y religiosa. ▮ s.com. **2** Persona que tiene como religión el taoísmo.

tapa s.f. **1** Pieza que cubre o cierra por su parte superior algo que se puede abrir: *Levantamos la tapa de la caja para ver su contenido.* **2** En un zapato, capa de suela que se pone en la parte inferior del tacón. **3** En un libro u otro objeto encuadernado, cada una de las dos cubiertas. **4** Porción de alimento que se toma de aperitivo, como acompañamiento de la bebida: *Tomamos unas cañas y unas tapas de boquerones.* **5** ‖ **{levantar/saltar/volar} la tapa de los sesos;** *col.* Disparar a alguien a la cabeza. □ ETIMOL. Quizá de origen germánico.

tapaboca s.m. **1** Golpe dado en la boca con la mano abierta. **2** Prenda de vestir que cubre el cuello y a veces también la boca. □ ORTOGR. En la acepción 2, se admite también *tapabocas*.

tapabocas (pl. *tapabocas*) s.m. →**tapaboca.**

tapacubos (pl. *tapacubos*) s.m. En una rueda de un vehículo, pieza metálica o plástica que tapa la parte exterior de la llanta.

tapaculo s.m. **1** →**escaramujo. 2** Pájaro americano de pequeño tamaño, de color terroso con una gran mancha blanca en el pecho, y que anida en cuevas abandonadas por algunos roedores. **3** Pez de cuerpo casi plano y parecido al lenguado. □ MORF. En las acepciones 2 y 3, es un sustantivo epiceno: *el tapaculo {macho/hembra}*.

tapadera s.f. **1** Tapa que se ajusta a la boca de un recipiente para cubrirlo: *Se ha perdido la tapadera del cubo de basura.* **2** Lo que sirve para encubrir o disimular algo: *Ese restaurante es una tapadera para el tráfico de drogas.*

tapadillo ‖ **de tapadillo;** a escondidas o de manera oculta.

tapado s.m. **1** Persona que goza de la confianza de otra para ocupar un cargo público: *Este político nombró a un tapado para que ocupara un puesto en su gabinete.* **2** En zonas del español meridional, abrigo de mujer o de niño.

tapajuntas (pl. *tapajuntas*) s.m. Listón o moldura que sirve para tapar las juntas de unión de materiales de construcción, esp. la unión del cerco de una puerta o de una ventana con la pared.

tápalo s.m. **1** En zonas del español meridional, chal. **2** En zonas del español meridional, mantón. □ ETIMOL. De *tapar*.

tapanco s.m. En zonas del español meridional, buhardilla. □ ETIMOL. Del náhuatl *tlapantli* (azotea o techo) y *co* (en).

tapar v. **1** Referido a algo abierto o descubierto, cerrarlo o cubrirlo, esp. con una tapa o con una cobertura: *Cuando hayas acabado con la mermelada, tapa el tarro.* **2** Referido a una abertura o a una hendidura, rellenarlas o ponerles algo de modo que queden cubiertas: *Me tapé los oídos con unos algodones para que no me entrase agua.* **3** Cubrir o encubrir de modo que se impida la visión: *El cuadro tapa el desconchón de la pared. En las películas de miedo se tapa los ojos cuando entra el malo.* **4** Cubrir para proteger de algo exterior, esp. del frío: *Tápate bien, que hace frío.* **5** En zonas del español meridional, atascar: *El desagüe del fregadero se tapó con los trozos de comida que quedaban en los platos.* □ ETIMOL. De tapa.

taparrabo s.m. →**taparrabos.**

taparrabos (tb. *taparrabo*) (pl. *taparrabos*) s.m. Trozo pequeño de tela o de otra materia con el que los miembros de algunos pueblos o tribus se cubren los genitales.

tapear v. Tomar tapas: *Antes de ir a comer, tapeamos algo en el bar de la esquina.*

tapeo s.m. Hecho de tomar tapas: *En lugar de ir a comer, estuvimos de tapeo por la zona antigua de la ciudad.*

táper s.m. Recipiente de plástico con cierre hermético y que se usa para llevar comida. □ SINÓN. *hermético*. □ ETIMOL. Del nombre de la marca comercial *tupper ware*. □ USO Se usa también *tupper*.

tapera s.f. En zonas del español meridional, conjunto de las ruinas de un pueblo.

tapesco s.m. En zonas del español meridional, tejido de varas, cañas, mimbres o juncos que sirve de cama o, colocado en alto, de estantería. □ ETIMOL. Del náhuatl *tlapechtli*.

tapete s.m. **1** Cubierta o pieza de cualquier material que se colocan sobre una mesa u otros muebles como protección o adorno. **2** En zonas del español meridional, alfombra pequeña. **3** ‖ **sobre el tapete;** de forma descubierta para que todos lo sepan: *Ninguno quería poner sobre el tapete aquel asunto tan escabroso.* □ ETIMOL. Del latín *tapete*.

tapia s.f. **1** Muro o pared que separa o aísla un terreno. **2** ‖ **estar (sordo) como una tapia;** estar muy sordo. □ ETIMOL. De origen incierto.

tapiado s.m. **1** Levantamiento de tapias o aislamiento con ellas. **2** Cierre u obstrucción de un hueco con un muro o con un tabique.

tapiar v. **1** Rodear con tapias: *Ha tapiado la huerta para que no entre nadie.* **2** Referido a un hueco, cerrarlo u obstruirlo con un muro o tabique: *Tapiaron la ventana con un muro de ladrillos.* ☐ ORTOGR. La *i* nunca lleva tilde.

tapicería s.f. **1** Lugar de trabajo o taller de un tapicero. **2** Tela o conjunto de tejidos que se utilizan para hacer cortinas, para tapizar o para hacer otra obra de decoración. **3** Arte o técnica de hacer tapices o de tapizar.

tapicero, ra s. Persona que se dedica profesionalmente al tapizado de muebles y muros, y a la colocación de alfombras, cortinajes y otros elementos decorativos.

tapioca s.f. Harina fina que se extrae de la mandioca. ☐ SINÓN. *mandioca.*

tapir s.m. Mamífero herbívoro, de tamaño semejante al jabalí, con la nariz prolongada en una pequeña trompa, que tiene las patas anteriores con cuatro dedos y las posteriores con tres, de los cuales el central está más desarrollado: *El tapir tiene las patas terminadas en pezuñas.* ☐ MORF. Es un sustantivo epiceno: *el tapir {macho/hembra}.*

tapiz s.m. Paño, generalmente de gran tamaño, tejido con lana, seda u otras materias en el que se reproduce un dibujo y que se usa para cubrir paredes o como adorno. ☐ ETIMOL. Del francés *tapis.*

tapizado s.m. **1** Colocación de tela u otro material a modo de cubierta: *Han tardado dos meses en la restauración y tapizado de este sofá.* **2** Material que se usa para tapizar: *Me gusta el tapizado azul de las sillas.*

tapizar v. **1** Referido esp. a un mueble o a una pared, forrarlos con tela u otro material: *He mandado tapizar el sillón con tela oscura.* **2** Cubrir o revestir totalmente: *Miles de flores tapizaban los campos.* ☐ ORTOGR. La *z* se cambia en *c* delante de *e* →CAZAR.

tapón s.m. **1** Pieza que se introduce en un orificio para taparlo e impedir la salida de un líquido. **2** Lo que impide o dificulta el paso: *La suciedad ha formado un tapón en el desagüe y no corre el agua.* **3** Masa de algodón u otra materia con la que se obstruye una herida o una cavidad del cuerpo. **4** En el oído, acumulación de cera que puede dificultar la audición y producir otros trastornos. **5** En baloncesto, obstrucción de la trayectoria del balón lanzado por el contrario a la canasta. **6** *col.* Atasco de tráfico. **7** *col.* Persona baja, esp. si también es gruesa. ☐ ETIMOL. Quizá del francés *tapon.*

taponamiento s.m. Obstrucción o atasco que impide el paso de algo.

taponar v. **1** Referido a un orificio, cerrarlo con un tapón: *Le han taponado la nariz con gasa para cortar la hemorragia.* **2** Obstruir, atascar o dificultar el paso: *Ese coche parado en medio de la calle tapona la circulación.*

taponazo s.m. Golpe dado con el tapón al destapar una botella de un líquido espumoso.

tapujo s.m. Reserva, disimulo o rodeo con que se oculta u oscurece una verdad: *No se avergüenza de nada y actúa sin tapujos.*

taqué s.m. En un motor de explosión, cada uno de los vástagos o varillas metálicas que transmiten la acción de las levas a sus válvulas de admisión y de escape. ☐ ETIMOL. Del francés *taquet.*

taquería s.f. Establecimiento donde se venden tacos.

taquete s.m. En zonas del español meridional, taco de madera o plástico.

taquicardia s.f. En medicina, frecuencia del ritmo de los latidos o de las contracciones cardíacas superior a la normal. ☐ ETIMOL. Del griego *takhýs* (rápido) y *-cardia* (corazón).

taquicárdico, ca adj. De la taquicardia o relacionado con la frecuencia del ritmo del corazón.

taquigrafía s.f. Método de escritura en el que se utilizan signos y abreviaturas especiales y que permite escribir a la velocidad con que se habla. ☐ SINÓN. *estenografía.* ☐ ETIMOL. Del griego *tarkhýs* (rápido) y *-grafía* (escritura).

taquigrafiar v. Escribir por medio de taquigrafía: *En las Cortes, hay personas que taquigrafían las intervenciones de los diputados.* ☐ ORTOGR. La *i* lleva tilde en los presentes, excepto en las personas *nosotros* y *vosotros* →GUIAR.

taquigráfico, ca adj. De la taquigrafía o con características de este método de escritura.

taquígrafo, fa s. Persona que se dedica profesionalmente a la escritura en taquigrafía. ☐ SINÓN. *estenógrafo.*

taquilla s.f. **1** Ventanilla, mostrador o despacho donde se venden entradas o billetes de transporte: *la taquilla de un teatro.* **2** Armario o compartimento individual para guardar la ropa y otros efectos personales. **3** Recaudación que se obtiene en cada función de un espectáculo: *Con esta película se está batiendo un récord de taquilla.* ☐ ETIMOL. De *taca* (alacena pequeña).

taquillero, ra ▌adj. **1** Referido esp. a un espectáculo, que atrae a mucho público y que proporciona grandes recaudaciones. ▌s. **2** Persona que se dedica profesionalmente a la venta de entradas o billetes de transporte en una taquilla.

taquillón s.m. Mueble de poca altura que suele colocarse en la entrada o recibidor de una casa.

taquimecanografía s.f. Conjunto de conocimientos del que sabe mecanografía y taquigrafía. ☐ ETIMOL. Del griego *takhýs* (rápido) y *mecanografía.*

taquimecanógrafo, fa s. Persona que se dedica profesionalmente a escribir a máquina y mediante signos taquigráficos.

taquímetro s.m. **1** Instrumento topográfico que sirve para medir distancias y ángulos horizontales y verticales. **2** →**tacómetro.** ☐ ETIMOL. Del griego *takhýs* (rápido) y *-metro* (medidor).

taquipnea s.f. Respiración acelerada y poco profunda.

tara s.f. **1** Defecto físico o psíquico graves que tiene una persona. **2** Defecto que disminuye el valor de algo. **3** Peso de un recipiente o de un vehículo independientemente del peso de su contenido. ☐ ETIMOL. Del árabe *tarha* (lo que se quita, el peso en los embalajes).

tarabilla s.com. *col.* Persona que habla mucho, muy deprisa y desordenadamente. ☐ ETIMOL. De origen incierto.

taracea s.f. Incrustación en madera de piezas pequeñas de otras maderas, concha, nácar y otras materias. ☐ ETIMOL. Del árabe *tarsi* (incrustación).

taracear v. Adornar con taraceas: *Un artesano me va a taracear la tapa del baúl.*

tarado, da adj./s. Que tiene alguna tara física o psíquica. ☐ USO Se usa como insulto.

tarahumara ▌adj.inv./s.com. **1** De un pueblo amerindio que habita en la zona de Chihuahua (Estado mexicano), o relacionado con él. ☐ SINÓN. *rarámuri.* ▌s.m. **2** Lengua hablada por este pueblo. ☐ SINÓN. *rarámuri.*

taraje s.m. Arbusto de corteza rojiza, hojas pequeñas y apiñadas y flores rosadas agrupadas en racimos de espigas: *El taraje suele crecer en lugares húmedos, cerca de los cursos de agua.* ☐ SINÓN. *tamarisco, taray, tamariz.* ☐ ETIMOL. Del antiguo *tarahe*, este del árabe hispánico *taráfa*, y este del árabe clásico *tarfah*.

tarambana adj.inv./s.com. *col.* Referido a una persona, alocada y de poco juicio. ☐ SINÓN. *balarrasa.* ☐ ETIMOL. De origen incierto.

tarantela s.f. **1** Composición musical de origen napolitano, de movimiento muy vivo y en compás de seis por ocho. **2** Baile de parejas que se ejecuta al compás de esta música. ☐ ETIMOL. Del italiano *tarantella.*

tarántula s.f. Araña grande de abdomen casi redondo y patas fuertes, color negro por encima y rojizo por debajo y con el tórax velloso. ☐ ETIMOL. Del italiano *tarantola*, y este de *Taranto* (Tarento), porque las tarántulas abundan en los alrededores de esta ciudad. ☐ MORF. Es un sustantivo epiceno: *la tarántula {macho/hembra}.*

tarar v. Referido a un recipiente o a un vehículo, determinar su tara o peso independientemente del peso de su contenido: *Han tarado este camión y pesa dos mil kilos.*

tarara adj.inv./s.com. *col.* Loco o de poco juicio. ☐ ETIMOL. De origen onomatopéyico.

tarará interj. →**tararí.**

tararear (tb. *tatarear*) v. Cantar sin pronunciar palabras, aunque generalmente repitiendo alguna sílaba: *Mientras se ducha, siempre tararea alguna canción de moda.* ☐ ETIMOL. De *ta ra ra*, sílabas que suelen formar la letra del tarareo.

tarareo s.m. Canto sin pronunciar palabras, aunque generalmente repitiendo algunas sílabas.

tararí interj. *col.* Expresión que se usa para indicar burla, negación rotunda o falta de conformidad con algo. ☐ SINÓN. *tarará, tararira.*

tararira interj. *col.* →**tararí.**

tarasca s.f. **1** Figura de serpiente monstruosa, de boca muy grande, que se saca en algunos lugares en la procesión del Corpus (fiesta católica en que se celebra la institución de la eucaristía). **2** *col. desp.* Mujer muy fea, desvergonzada o temible por su carácter. ☐ ETIMOL. De origen incierto.

tarascada s.f. Golpe fuerte, mordisco o arañazo rápidos. ☐ ETIMOL. De *tarascar* (morder).

taray s.m. **1** Arbusto de corteza rojiza, hojas pequeñas y apiñadas y flores rosadas agrupadas en racimos de espigas: *El taray suele crecer en lugares húmedos, cerca de los cursos de agua.* ☐ SINÓN. *tamarisco, taraje, tamariz.* **2** Fruto de este arbusto. ☐ SINÓN. *tamarisco.* ☐ ETIMOL. Del antiguo *tarahe*, este del árabe hispánico *taráfa*, y este del árabe clásico *tarfah*.

tardanza s.f. Retraso o empleo de mucho tiempo en la realización de una acción.

tardar v. **1** Referido a una cantidad de tiempo, emplearla en realizar una acción: *Tardaré dos días en terminar el trabajo.* **2** Emplear mucho tiempo o más del habitual en realizar una acción: *No sé si le habrá pasado algo, porque tarda en llegar.* **3** ‖ **a más tardar;** como plazo máximo en el que ha de suceder algo: *El encargo llegará a más tardar mañana.* ☐ ETIMOL. Del latín *tardare* (retrasar, entretener, tardar).

tarde ▌s.f. **1** Período de tiempo comprendido entre el mediodía y el anochecer, esp. el que transcurre antes del anochecer: *Por las mañanas trabajo y por las tardes estudio.* ▌adv. **2** A una hora avanzada del día o de la noche: *Ayer estuve cenando con unos amigos y llegué tarde a casa.* **3** Con retraso o después de lo previsto o de lo oportuno: *Últimamente llega todos los días tarde al trabajo.* **4** ‖ **buenas tardes;** expresión que se usa como saludo después del mediodía y antes de la noche. ‖ **de tarde en tarde;** de manera poco frecuente o dejando pasar largo tiempo entre una y otra vez: *Viene a vernos de tarde en tarde, así que no sé cómo está estos días.* ☐ ETIMOL. Del latín *tarde* (tardíamente, fuera de tiempo).

tardío, a adj. **1** Que sucede después de lo previsto o de lo habitual, o al final de una trayectoria: *Está muy consentido porque fue un hijo tardío, ya que sus padres eran mayores y ya no pensaban tenerlo.* **2** Referido esp. a un fruto, que tarda en madurar algún tiempo más del habitual, o que madura más tarde que otros: *Este año los melones son tardíos porque apenas ha llovido.*

tardo, da adj. Que emplea mucho tiempo o más del habitual en realizar una acción: *una persona tarda de reflejos.* ☐ ETIMOL. Del latín *tardus* (lento).

tardo- Elemento compositivo prefijo que significa 'tardío' o 'final': *tardofranquismo.* ☐ ETIMOL. Del latín *tardus*.

tardofranquismo s.m. Influencia tardía del franquismo.

tardón, -a adj./s. Referido a una persona, que suele retrasarse o que hace las cosas con mucha calma y tranquilidad.

tarea s.f. **1** Cualquier trabajo, esp. el que debe hacerse en un tiempo determinado: *Limpiar la casa es tarea de todos los miembros de la familia.* **2** En zonas del español meridional, deberes escolares. □ ETIMOL. Del árabe *tariha* (encargo de alguna obra en cierto tiempo).

target (ing.) s.m. Objetivo que se debe cumplir. □ PRON. [tárguet]. □ USO Su uso es innecesario y puede sustituirse por *objetivo*.

tarifa s.f. **1** Precio fijo que hay que pagar por recibir algún servicio, esp. si está establecido oficialmente: *la tarifa de la luz.* **2** Tabla de precios, derechos o impuestos. **3** ‖ **(tarifa) apex;** un tipo de tarifa reducida de vuelo, que incluye la condición de pasar un fin de semana en el lugar de destino. ‖ **tarifa plana;** tipo de tarifa telefónica fija que no varía por el horario en que se efectúe la llamada, ni por el tiempo que dure: *En el último acuerdo se estableció una nueva modalidad de tarifa plana para internet.* □ ETIMOL. Del árabe *tarifa* (definición, determinación).

tarifar v. **1** Aplicar una tarifa o determinarla: *Los sindicatos piden que se tarifen de nuevo los servicios comunitarios.* □ SINÓN. *tarificar.* **2** *col.* Reñir, enfadarse o pelearse: *Cada vez que hablo con ella de política salimos tarifando, porque no nos entendemos.*

tarifario, ria adj. De la tarifa o relacionado con ella.

tarificar v. Aplicar una tarifa o determinarla: *La nueva operadora de telecomunicaciones tarificará por segundos.* □ SINÓN. *tarifar.* □ ORTOGR. La *c* se cambia en *qu* delante de *e* →SACAR.

tarima s.f. **1** Plataforma hecha a poca altura del suelo. **2** Suelo de madera que se hace ensamblando y uniendo tablas más alargadas y gruesas que las del parqué. □ ETIMOL. Del árabe *tarima* (estrado de madera).

tarjeta s.f. **1** Pieza de pequeño tamaño de cartulina u otro material, generalmente de forma rectangular, que lleva algo impreso o escrito. **2** En fútbol y en otros deportes, cartulina de un determinado color con la que un árbitro advierte o castiga a un jugador por una falta. □ SINÓN. *cartulina.* **3** En informática, placa con circuito integrado, que se pincha en la placa base de un ordenador para dar una nueva funcionalidad al equipo: *Hay tarjetas de red, vídeo y sonido, y algunos módem también van conectados con tarjeta.* **4** ‖ **tarjeta (de crédito);** la que facilita una entidad bancaria y permite pagar a crédito y sin dinero en efectivo. ‖ **tarjeta de débito;** la que facilita una entidad bancaria y permite pagar sin dinero en efectivo o sacar dinero de un cajero automático. ‖ **tarjeta (de visita);** la que lleva el nombre, la dirección y el cargo o profesión de una o más personas. ‖ **tarjeta monedero;** la de crédito que permite pagar pequeñas cantidades de dinero. ‖ **(tarjeta) postal;** la que se envía por correo y tiene una ilustración por un lado, y por el otro, un espacio en blanco para escribir. □ ETIMOL. Del francés antiguo *targette* (escudo pequeño que estaba adornado con las armas o los símbolos familiares).

tarjetero, ra ■ adj. **1** *col.* Referido a un árbitro, que enseña tarjeta a los jugadores con mucha frecuencia. ■ s.m. **2** Cartera o pequeña caja que se usan para guardar tarjetas, esp. las de visita.

tarlatana s.f. Tejido fino de algodón. □ ETIMOL. Del francés *tarlatane*.

taro s.f. **1** Planta tropical de hojas grandes y acorazonadas, tallo muy corto y tubérculos comestibles, que se cultiva en terrenos bajos y húmedos: *El cultivo del taro es muy abundante en muchas zonas tropicales del Pacífico.* □ SINÓN. *malanga.* **2** Tubérculo de esta planta. □ SINÓN. *malanga.*

tarot s.m. **1** Baraja formada por setenta y ocho cartas que llevan dibujadas diversas figuras y que se usa como medio de adivinación. **2** Práctica adivinatoria que se hace con esta baraja. □ ETIMOL. Del francés *tarot*.

tarquín s.m. Barro que se forma en el fondo de las aguas estancadas o el que depositan las riadas en los campos. □ ETIMOL. De origen incierto.

tarra s.com. *col. desp.* Persona que ya no es joven.

tarraconense adj.inv./s.com. **1** De Tarragona o relacionado con esta provincia española o con su capital: *El litoral tarraconense es la zona más rica de la provincia.* **2** De la antigua Tarraco (provincia y ciudad romanas), o relacionado con ella: *La provincia tarraconense romana comprendía la actual Tarragona.*

tarrina s.f. Recipiente pequeño, con tapa y que generalmente se usa como envase de algunos alimentos: *una tarrina de mantequilla.*

tarrito s.m. Alimento preparado para niños pequeños, en forma de puré, que generalmente se vende envasado en tarros de cristal herméticamente cerrados.

tarro s.m. **1** Recipiente de vidrio, barro o porcelana, generalmente cilíndrico y más alto que ancho: *un tarro de miel.* **2** *col.* Cabeza o mente. **3** ‖ **comer el tarro** a alguien; *col.* Hacer que piense de determinada manera: *Sus amigos le han comido el tarro y ahora hace cosas que antes censuraba.* ‖ **comerse** alguien **el tarro;** *col.* Darle muchas vueltas a algo o pensar mucho en ello: *No arreglas nada con comerte el tarro.* □ ETIMOL. De origen incierto.

tarso s.m. **1** En un mamífero, en un anfibio o en algunos reptiles, conjunto de los huesos cortos que forman parte del esqueleto de sus extremidades posteriores o inferiores, situado entre los huesos de la pierna y el metatarso: *El tarso de las personas está formado por siete huesos localizados en la parte posterior del pie.* **2** En un ave, parte más delgada de sus patas, que une los dedos con la tibia: *El tarso de las aves suele estar desprovisto de plumaje.* □ ETIMOL. Del griego *tarsós* (huesos de los dedos del pie).

tarta s.f. Pastel grande, generalmente de forma redondeada y muy decorado. □ ETIMOL. Del francés *tarte*.

tartaja adj.inv./s.com. *col. desp.* Tartamudo. □ SINÓN. *tartajoso.*

tartajear v. *col.* Hablar con pronunciación entrecortada y repitiendo las sílabas: *Tiene una lesión en el cerebro que le impide hablar sin tartajear.* □ SINÓN. *tartamudear.* □ ETIMOL. De origen onomatopéyico. □ USO Tiene un matiz despectivo.

tartajeo s.m. *col.* Emisión de palabras con pronunciación entrecortada y repitiendo las sílabas. □ SINÓN. *tartamudeo.* □ USO Tiene un matiz despectivo.

tartajoso, sa adj./s. *col.* Que tartajea. □ SINÓN. *tartaja, tartamudo.* □ USO Tiene un matiz despectivo.

tartaleta s.f. Pastelillo formado por una base de hojaldre cocido en forma de cazoleta y relleno con diversos ingredientes. □ ETIMOL. Del francés *tartelette.*

tartamudear v. Hablar con una pronunciación entrecortada y repitiendo las sílabas: *Se puso tan nervioso que empezó a tartamudear y casi no lo entendíamos.* □ SINÓN. *tartajear.*

tartamudeo s.m. Emisión de palabras con pronunciación entrecortada y repitiendo las sílabas. □ SINÓN. *tartajeo.*

tartamudez s.f. Trastorno o defecto del habla, que consiste en pronunciar las palabras entrecortadamente y repitiendo las sílabas.

tartamudo, da adj./s. Que tartamudea. □ SINÓN. *tartajoso.* □ ETIMOL. De origen onomatopéyico.

tartán ▌s.m. **1** Tejido escocés de lana con un estampado de cuadros de diferentes colores. ▌s.m. **2** Material formado por una mezcla de amianto, caucho y plástico, muy empleado como superficie de pistas de atletismo por sus condiciones de resistencia e inalterabilidad al agua: *Ya están todos los corredores sobre el tartán y preparados para tomar la salida.* □ ETIMOL. La acepción 1 del francés *tartan*, y este del inglés *tartan*. La acepción 2 es extensión del nombre de una marca comercial.

tartana s.f. **1** Carro con un toldo en forma de bóveda, provisto de asientos laterales y generalmente con dos ruedas y dos varas para engancharlo a los caballos o animales de tiro. **2** *col.* Cosa vieja y en mal estado, esp. referido a un automóvil. □ ETIMOL. Del provenzal *tartano* (embarcación).

tartar s.m. Plato, generalmente de carne o de pescado, que se sirve crudo y adobado o aderezado con diversas especias e ingredientes: *un tartar de carne; un tartar de salmón.*

tártara s.f. Véase **tártaro, ra**.

tartárico adj. Referido a un ácido, que es un compuesto orgánico que forma cristales incoloros o blancos de sabor ácido y es soluble en agua.

tártaro, ra ▌adj./s. **1** De un antiguo pueblo de origen turco y mongol que a partir del siglo XIII se estableció en el extremo oriental europeo, o relacionado con él. ▌adj./s.f. **2** Referido esp. a una salsa, que se hace con yemas de huevo, aceite, vinagre o limón y diversos condimentos. ▌s.m. **3** *poét.* Infierno. **4** ‖ **a la tártara;** referido esp. a un plato de carne, que está preparado en crudo y adobado o aderezado con diversas especias e ingredientes. □ ETIMOL. La acepción 2, del latín *Tartarus*, y este del griego *Tártaros*.

tartera s.f. Recipiente que se cierra herméticamente y que sirve para llevar o para conservar comida. □ ETIMOL. De *tarta*.

tartesio, sia adj./s. De un antiguo pueblo hispánico prerromano que habitó la Tartéside (región occidental del actual territorio andaluz), o relacionado con él.

tartrectomía s.f. En medicina, limpieza de boca o eliminación del sarro de los dientes y de las encías.

tartufo s.m. *desp.* Persona hipócrita y falsa. □ ETIMOL. Por alusión a Tartufo, protagonista hipócrita de la comedia del mismo nombre del dramaturgo francés Molière.

tarugo s.m. **1** Trozo de madera, generalmente corto y grueso. **2** *col. desp.* Persona poco inteligente. □ ETIMOL. De origen incierto.

tarumba adj.inv. *col.* Atontado, confundido o con el juicio trastornado.

tas s.m. Yunque pequeño y cuadrado que usan los plateros y hojalateros. □ ETIMOL. Del francés *tas*.

tasa s.f. **1** Tributo o pago que se exige por el uso o disfrute de un servicio: *las tasas de matrícula.* **2** Relación entre dos magnitudes, expresada normalmente en términos de porcentaje: *La tasa de natalidad disminuye en los países desarrollados en relación con los subdesarrollados.* **3** Fijación oficial del precio máximo o mínimo de una mercancía: *Algunos productos cuyo precio tiene gran incidencia en los demás del mercado están sujetos a tasa gubernativa.* **4** Restricción o limitación: *Cuando sale con los amigos, bebe sin tasa y se emborracha.*

tasación s.f. Determinación del precio o del valor de un objeto o de un trabajo.

tasador, -a ▌adj./s. **1** Que tasa. ▌s. **2** Persona habilitada o autorizada para tasar el precio o el valor de algo.

tasajo s.m. Trozo de carne seco y salado para que se conserve. □ ETIMOL. De origen incierto.

tasar v. **1** Referido a un objeto o a un trabajo, determinar su precio o su valor: *Un joyero me tasó el collar en una millonada.* **2** Referido a una mercancía, fijar oficialmente su precio máximo o mínimo: *En tiempos de racionamiento, las autoridades suelen tasar los productos de primera necesidad.* **3** Referido al uso de algo, limitarlo, racionarlo o restringirlo. □ ETIMOL. Del latín *taxare* (estimar, evaluar).

tasca s.f. Establecimiento, generalmente modesto, en el que se sirven comidas y bebidas. □ SINÓN. *taberna.* □ ETIMOL. De *tascar*.

tascar v. Referido a la hierba, cortarla haciendo ruido un animal cuando pasta: *En la pradera solo se oía a los caballos tascando hierba.* □ ETIMOL. De origen incierto. □ ORTOGR. La *c* se cambia en *qu* delante de *e* →SACAR.

tasquear v. *col.* Frecuentar tascas o tabernas: *Me gusta salir con los amigos a tasquear y tomar unos vinitos.*

tasqueo s.m. *col.* Frecuentación de tascas y tabernas para tomar vinos y tapas.

tata s.f. *col.* Véase **tato, ta**.

tatami s.m. Tapiz acolchado sobre el que se practica judo, kárate u otros deportes. ☐ ETIMOL. Del japonés *tatami*.

tatarabuelo, la s. Respecto de una persona, padre o madre de su bisabuelo o de su bisabuela. ☐ ETIMOL. De *tataranieto* y *abuelo*.

tataranieto, ta s. Respecto de una persona, hijo o hija de su bisnieto o de su bisnieta. ☐ ETIMOL. Del antiguo *trasnieto* (biznieto).

tatarear v. →**tararear.**

tate interj. *col.* Expresión que se usa para indicar sorpresa o que se acaba de entender algo o de caer en la cuenta de ello. ☐ ETIMOL. De origen expresivo.

tatemar v. En zonas del español meridional, referido a carnes, raíces o frutas, asarlas ligeramente: *Siempre pongo a tatemar los elotes en la lumbre después de cocerlos.*

tato, ta ▌s. **1** *col.* Hermano. ▌s.f. **2** *col.* Niñera o mujer empleada en el servicio doméstico. ☐ ETIMOL. Del latín *tata* (padre). ☐ USO Tiene un matiz cariñoso.

tattoo (ing.) s.m. **1** →**tatuaje. 2** →**calcomanía.** ☐ PRON. [tatú].

tatuaje s.m. Dibujo que se hace en la piel introduciendo materias colorantes bajo la epidermis para que no se borre con el tiempo. ☐ ETIMOL. Del francés *tatouage*. ☐ USO Es innecesario el uso del anglicismo *tattoo*.

tatuar v. Referido a un dibujo, grabarlo en la piel, introduciendo materias colorantes bajo la epidermis para que no se borre con el tiempo: *El pirata se tatuó la figura de una mujer en el pecho.* ☐ ETIMOL. Del inglés *to tattoo*. ☐ ORTOGR. La *u* lleva tilde en los presentes, excepto en las personas *nosotros* y *vosotros* →ACTUAR.

tau s.f. **1** En el alfabeto griego clásico, nombre de la decimonovena letra: *La grafía de la tau es* τ. **2** En física, partícula subatómica elemental, con la misma carga que un electrón, pero con una masa que es unas cuatro mil veces mayor.

taula s.f. Monumento megalítico prehistórico, propio del archipiélago balear y formado por una piedra clavada verticalmente en el suelo y por otra plana que se apoya horizontalmente sobre esta, con la que forma una 'T'. ☐ ETIMOL. Del catalán *taula* (mesa).

taumaturgia s.f. Facultad de realizar milagros o actos extraordinarios.

taumatúrgico, ca adj. De la taumaturgia o relacionado con esta facultad.

taumaturgo, ga s. Mago o persona que hace milagros o actos extraordinarios. ☐ ETIMOL. Del griego *thaumaturgós* (que realiza prodigios), y este de *tháuma* (maravilla) y *érgon* (obra).

taurina s.f. Véase **taurino, na**.

taurino, na ▌adj. **1** Del toro, de las corridas de toros, o relacionado con ellos. ▌s.f. **2** Aminoácido que se encuentra de forma natural en el cuerpo humano y en la comida, esp. en las proteínas de origen animal. ☐ ETIMOL. La acepción 1, del latín *taurinus*.

tauro adj.inv./s.com. Referido a una persona, que ha nacido entre el 20 de abril y el 21 de mayo aproximadamente. ☐ ETIMOL. Del latín *taurus* (toro).

taurómaco, ca adj./s. Entendido en tauromaquia.

tauromaquia s.f. **1** Arte o técnica de lidiar toros. **2** Libro que trata de este arte y en el que se exponen sus reglas. ☐ ETIMOL. Del griego *tâuros* (toro) y *mákhomai* (yo peleo).

tauromáquico, ca adj. De la tauromaquia o relacionado con este arte.

tautología s.f. Repetición de un mismo pensamiento expresado de distintas maneras: *La frase 'Tú eres lo que me sostiene, lo que me mantiene en pie' encierra una tautología.* ☐ ETIMOL. Del griego *tò autó* (lo mismo) y *-lógos* (discurso).

tautológico, ca adj. De la tautología o relacionado con este tipo de repetición: *un escrito tautológico.*

tav s.m. Tren de alta velocidad. ☐ ETIMOL. Es el acrónimo de *tren de alta velocidad*.

taxativo, va adj. Que no admite discusión: *una orden taxativa.* ☐ ETIMOL. Del latín *taxatum*, y este de *taxare* (estimar, evaluar).

taxi s.m. Automóvil de alquiler con conductor, que recoge pasajeros y los traslada al lugar deseado generalmente dentro de una ciudad. ☐ ETIMOL. Por acortamiento de *taxímetro*. ☐ PRON. Incorr. *[táxis].

taxidermia s.f. Arte o técnica de disecar animales para conservarlos con apariencia de vivos. ☐ ETIMOL. Del griego *táxis* (arreglo, ordenación) y *dérma* (piel).

taxidermista s.com. Persona que se dedica a la disecación de animales, esp. si esta es su profesión.

taxímetro s.m. En un taxi, aparato que marca automáticamente en cada momento el importe por el trayecto recorrido. ☐ ETIMOL. Del francés *taximètre*.

taxista s.com. Persona que se dedica profesionalmente a conducir un taxi.

taxón (tb. *taxon*) s.m. En biología, cada una de las subdivisiones de la clasificación de los seres vivos. ☐ ETIMOL. De *taxonomía*.

taxonomía s.f. **1** Ciencia o disciplina que trata de los principios, métodos y fines de la clasificación: *La taxonomía es una ciencia auxiliar, de la que se valen otras muchas ciencias para sistematizar sus conocimientos.* **2** Clasificación hecha de acuerdo con esta ciencia, esp. referido a la que en biología ordena de manera sistemática los grupos de animales y vegetales: *La taxonomía biológica clasifica a los seres vivos en reinos, tipos, clases, órdenes, familias y otras categorías.* ☐ ETIMOL. Del griego *táxis* (arreglo, colocación) y *-nomía* (ley).

taxonómico, ca adj. De la taxonomía o relacionado con ella.

taxonomista s.com. Persona especializada en taxonomía y en sus procedimientos de clasificación. ☐ SINÓN. *taxónomo*.

taxónomo, ma s. →**taxonomista.**

tayiko, ka adj./s. De Tayikistán o relacionado con este país asiático.

taylorismo s.m. Sistema de organización del trabajo, que intenta disminuir al máximo los tiempos muertos, cronometra los tiempos de producción y estudia el sistema de primas para aumentar la productividad, que está basado en las teorías de Winslow Taylor (ingeniero estadounidense del siglo XIX).

taylorista adj.inv. Del taylorismo o relacionado con este sistema de organización del trabajo.

taza s.f. **1** Recipiente pequeño, más ancho que alto y provisto de un asa, que suele usarse para tomar líquidos. **2** En un retrete, receptáculo en el que se evacuan los excrementos. **3** En zonas del español meridional, tazón. ☐ ETIMOL. Del árabe *tassa* (escudilla).

tazar v. Referido a la ropa, estropearla con el uso, esp. por el roce o los dobleces: *Estos pantalones están viejos y los bajos se han tazado mucho.* ☐ ORTOGR. La *z* se cambia en *c* delante de *e* →CAZAR.

tazo s.m. Cromo redondo hecho de plástico o de otro material duro. ☐ ETIMOL. Extensión del nombre de una marca comercial.

tazón s.m. Recipiente con forma de taza grande casi semiesférica y sin asas. ☐ SINÓN. *bol.*

TDT s.f. Sistema de difusión de señales televisivas por medio de tecnología digital. ☐ ETIMOL. Es la sigla de *televisión digital terrestre*.

te ▌ pron.pers. **1** Forma de la segunda persona del singular que corresponde a la función de complemento sin preposición: *Te he dicho que vengas.* **▌** s.f. **2** Nombre de la letra *t*. ☐ ETIMOL. La acepción 1, del latín *te*. ☐ ORTOGR. Dist. de *té*. ☐ MORF. Como pronombre, no tiene diferenciación de género.

té s.m. **1** Arbusto originario de zonas orientales de hojas perennes, alternas y en forma de lanza, flores blancas y fruto en cápsula. **2** Hoja de este arbusto, seca y ligeramente tostada. **3** Infusión que se prepara con estas hojas, que tiene propiedades estimulantes y digestivas. ☐ ETIMOL. Del chino *tscha*, que en algunas zonas se pronuncia [te]. ☐ ORTOGR. Dist. de *te*.

tea s.f. Trozo de leño o palo impregnados con resina y que, encendidos, sirven para alumbrar. ☐ ETIMOL. Del latín *taeda*.

teatral adj.inv. **1** Del teatro o relacionado con él. **2** Afectado o exagerado en la forma de actuar. ☐ SINÓN. *teatrero.* ☐ ETIMOL. Del latín *theatralis*.

teatralidad s.f. **1** Carácter de lo que es teatral o constituye un hecho teatral: *Unos críticos defienden el carácter novelesco de 'La Celestina' y otros su teatralidad.* **2** Afectación o exageración en la forma de actuar: *Sus palabras y movimientos, envueltos en tanta teatralidad, eran el centro de todas las miradas.*

teatralización s.f. Transformación de algo de manera que pueda ser representado de forma teatral.

teatralizar v. **1** Referido esp. a un tema o a un texto, darles forma teatral o representable: *En su última comedia, la autora teatraliza un conocido cuento popular.* **2** Referido esp. a una actitud o a una expresión, hacerlas espectaculares, exageradas o llamativas: *Siempre fue enemigo de esos funerales ceremoniosos en los que se teatraliza el dolor.* ☐ ORTOGR. La *z* se cambia en *c* delante de *e* →CAZAR.

teatrero, ra adj./s. **1** *col.* Muy aficionado al teatro. **2** *col.* Afectado o exagerado en la forma de actuar: *En mi vida he visto persona más falsa y teatrera.* ☐ SINÓN. *teatral.*

teatro s.m. **1** Literatura o género literario dramáticos, al que pertenecen las obras destinadas a ser representadas en un escenario. **2** Conjunto de las obras dramáticas de este género con alguna característica común: *el teatro de posguerra.* **3** Lugar destinado a la representación de obras dramáticas o de otros espectáculos de carácter escénico. **4** *col.* Afectación, exageración o fingimiento en la forma de actuar: *¡Déjate de teatro, que no puede ser tan grave esa heridita!* ☐ ETIMOL. Del latín *theathrum*, este del griego *théatron*, y este de *theáomai* (yo miro, contemplo). ☐ SINT. La acepción 4 se usa más con los verbos *echar*, *hacer* y *tener*.

tebano, na adj./s. De Tebas (antigua ciudad griega), o relacionado con ella.

tebeo s.m. **1** Revista infantil de historietas cuyo asunto se desarrolla en series de dibujos. **2** ‖ **estar más visto que el tebeo;** *col.* Ser muy conocido. ☐ ETIMOL. Extensión del nombre de una revista española.

teca s.f. **1** Árbol originario de zonas asiáticas orientales y tropicales, muy corpulento, de grandes hojas casi redondas, flores blanquecinas, fruto en drupa o carnoso, y cuya madera es muy apreciada por su elasticidad y dureza. **2** En la antera de una flor, cavidad en la que se forman los granos de polen. ☐ ETIMOL. La acepción 1, del tagalo *ticla*. La acepción 2, del griego *théke* (estuche, vaina).

-teca Elemento compositivo sufijo que significa 'lugar en que se guarda algo': *biblioteca, videoteca.* ☐ ETIMOL. Del griego *théka* (depósito).

techado s.m.→**techo.**

techar v. Referido a una construcción, cubrirla con un techo: *Primero levantaremos los muros, luego techaremos la casa y después haremos las divisiones interiores.*

techno (ing.) adj.inv./s.m. →**tecno.** ☐ PRON. [técno].

techno-pop (ing.) s.m. Tipo de música pop que está realizada con instrumentos tecnológicamente avanzados. ☐ PRON. [tecnopóp].

techo s.m. **1** En una construcción, parte superior que la cubre y la cierra. ☐ SINÓN. *techado.* **2** Cara interior de esta parte de la construcción, que constituye la superficie que cierra por arriba una habitación o un recinto. **3** Casa o lugar en el que cobijarse: *Si no tienes dónde pasar la noche, te ofrezco comida y techo.* **4** Altura o límite máximo que se puede alcanzar o que resultan insuperables: *Este avión, en óptimas condiciones de vuelo, tiene un techo de diez mil pies.* **5** Parte superior que cubre o cierra algo: *el techo de un coche.* **6** ‖ **sin techo;**

persona que vive en la calle y suele mantenerse de la mendicidad. || **techo solar;** en un vehículo, mampara transparente que se coloca en el techo y que puede abrirse como si fuera una ventana más. || **tocar techo;** llegar al nivel máximo. □ ETIMOL. Del latín *tectum*, y este de *tegere* (cubrir, ocultar, proteger). □ USO Es innecesario el uso del anglicismo *homeless* en lugar de la expresión *sin techo*.

techumbre s.f. Conjunto formado por la estructura y los elementos de cierre de un techo.

teckel (al.) adj.inv./s.m. Referido a un perro, de la raza que se caracteriza por tener cuerpo alargado y patas muy cortas. □ PRON. [tékel].

tecla s.f. **1** En algunos instrumentos musicales, pieza que, al ser pulsada, hace que se produzca un sonido. **2** En una máquina de escribir o en un aparato semejante, pieza móvil que se pulsa para que se imprima una letra u otro signo. **3** Pieza que se pulsa para accionar o poner en funcionamiento un mecanismo. **4** || **tocar** una **tecla; 1** referirse a un determinado tema o asunto: *No toques esa tecla, porque lo tiene muy reciente.* **2** utilizar un recurso para lograr algo: *Debes aprender a tocar varias teclas para conseguir tus objetivos.*

teclado s.m. Conjunto de teclas de un instrumento musical o de una máquina.

tecleado s.m. →**tecleo.**

teclear v. **1** Mover o pulsar las teclas, esp. las de un instrumento musical o las de una máquina: *teclear un piano.* **2** Escribir mediante un teclado: *Introduzca su tarjeta y teclee su número secreto.*

tecleo s.m. Movimiento o pulsación de las teclas, esp. de las de un instrumento musical o las de una máquina. □ SINÓN. *tecleado.*

teclista s.com. **1** Músico que toca un instrumento de teclado. **2** Persona que se dedica a escribir textos en el ordenador.

tecnecio s.m. Elemento químico, metálico y artificial, de número atómico 43, gris, pesado e inestable: *El tecnecio se utiliza en ocasiones como anticorrosivo en los aceros.* □ ETIMOL. Del griego *tekhnetós* (artificial). □ ORTOGR. Su símbolo químico es *Tc*.

técnica s.f. Véase **técnico, ca.**

tecnicismo s.m. Palabra propia y característica del lenguaje especializado de una ciencia, de un arte o de una profesión: *'Implemento' y 'sintagma' son tecnicismos lingüísticos.*

técnico, ca ▌adj. **1** De la técnica o relacionado con esta aplicación práctica de las ciencias o de las artes: *Las ingenierías son carreras técnicas.* **2** Que domina la técnica o los procedimientos y recursos de una ciencia, de un arte o de una actividad: *Un actor excesivamente técnico resulta antinatural.* **3** Referido esp. a una palabra, que es propia y característica del lenguaje especializado de una ciencia, de un arte o de una profesión: *'Cefalea' es un término técnico de medicina para aludir al dolor de cabeza.* ▌s. **4** Persona que domina los conocimientos específicos de una ciencia, de un arte o de una actividad: *El técnico ya ha reparado el televisor.* **5** Entrenador de un equipo deportivo. ▌s.f. **6** Procedimiento o recurso de los que se sirve una ciencia, un arte o una actividad: *una técnica pictórica.* **7** Aplicación práctica de los métodos y conocimientos científicos o artísticos: *Gracias a la técnica, las ciencias pueden aplicarse. Ese músico tiene una técnica muy particular.* □ ETIMOL. Del latín *technicus*, y este del griego *tekhnikós* (relativo a un arte, técnico).

tecnicolor s.m. Procedimiento cinematográfico que permite reproducir los colores de los objetos en la pantalla. □ ETIMOL. Extensión del nombre de una marca comercial.

tecnificación s.f. Dotación de procedimientos técnicos, o mejora desde el punto de vista tecnológico.

tecnificar v. **1** Referido a una rama o a un sector de producción, dotarlos de procedimientos técnicos modernos con los que no contaban: *El Estado concederá ayudas para tecnificar el sector agrario y hacerlo más competitivo.* **2** Mejorar o hacer más eficiente desde el punto de vista tecnológico: *Los avances informáticos han ayudado a tecnificar mucho las tareas de gestión.* □ ORTOGR. La *c* se cambia en *qu* delante de *e* →SACAR.

tecno (tb. *techno*) ▌adj.inv. **1** Del tecno o relacionado con este estilo musical. ▌s.m. **2** Estilo de música que se caracteriza por la utilización de sintetizadores u otros aparatos electrónicos y los ritmos repetitivos. **3** || **tecno progresivo;** el que mantiene un mismo ritmo durante mucho tiempo. □ USO Es innecesario el uso del anglicismo *progressive techno* en lugar de *tecno progresivo.*

tecnocracia s.f. **1** Sistema político que trata de resolver los problemas económicos con medidas técnicas, por encima de otras consideraciones ideológicas o políticas. **2** Conjunto de técnicos y especialistas en economía y administración. □ ETIMOL. Del griego *tékhne* (técnica) y *-cracia* (dominio, poder).

tecnócrata ▌adj.inv./s.com. **1** Referido esp. a una persona, que es partidaria de la tecnocracia. ▌s.com. **2** Técnico o persona especializada en economía y administración, que ejerce un cargo público y que tiene tendencia a buscar soluciones eficaces a través de medidas técnicas.

tecnocrático, ca adj. De la tecnocracia o relacionado con ella.

tecnología s.f. **1** Conjunto de medios técnicos, instrumentos y procedimientos industriales de un sector o campo: *Para que mejore la industria hay que mejorar la tecnología.* **2** Conjunto de conocimientos propios y específicos de un oficio mecánico o de un arte industrial: *Está estudiando tecnología industrial.* □ ETIMOL. Del griego *thekhnología*, y este de *tekhné* (industria, arte) y *lógos* (tratado).

tecnológico, ca adj. De la tecnología o relacionado con ella.

tecnólogo, ga s. Persona que se dedica al estudio de la tecnología, esp. si esta es su profesión.

teco s.m. *col.* →**tecolote.**

tecolote s.m. **1** En zonas del español meridional, lechuza. **2** *col.* Miembro del cuerpo mexicano de policía. ◻ MORF. 1. En la acepción 1, es un sustantivo epiceno: *el tecolote {macho/hembra}*. 2. En la acepción 2, en la lengua coloquial se usa mucho la forma abreviada *teco*.

tecomate s.m. **1** En zonas del español meridional, vasija de boca grande hecha de barro o con la corteza de algunos frutos, como la calabaza. **2** Planta americana, rastrera, de tallos largos y delgados, que tiene hojas compuestas y flores llamativas. **3** Fruto de cáscara dura de esta planta. ◻ ETIMOL. Del náhuatl *tecomatl*.

tectónica s.f. Véase **tectónico, ca**.

tectónico, ca ▮ adj. **1** En geología, de la estructura de la corteza terrestre o relacionado con ella. ▮ s.f. **2** Parte de la geología que estudia esta estructura y los fenómenos relacionados con ella. ◻ ETIMOL. Del griego *tektonikós* (perteneciente a la estructura).

teddy-boy (ing.) s.m. Joven que vestía con pantalones muy anchos en las caderas y estrechos en los tobillos y que era muy aficionado al rock. ◻ PRON. [tédiboi].

tedeum s.m. En la iglesia católica, cántico que comienza por las palabras latinas 'Te Deum', y que se entona para dar gracias a Dios. ◻ ETIMOL. De *Te Deum* (a ti Dios), primeras palabras de un himno medieval. ◻ ETIMOL. Se usan los plurales *tedeums* y *tedeum*.

tedio s.m. Aburrimiento extremado o estado de ánimo producidos cuando se soporta algo que no interesa. ◻ ETIMOL. Del latín *taedium* (fastidio, aversión).

tedioso, sa adj. Que produce tedio o que aburre.

teenager (ing.) adj.inv./s.com. →**adolescente**. ◻ PRON. [tinéiyer].

teflón s.m. Material aislante, muy resistente al calor y a la corrosión y muy empleado en la industria para revestimientos. ◻ ETIMOL. Extensión del nombre de una marca comercial.

tegumentario, ria adj. Del tegumento o relacionado con él.

tegumento s.m. **1** En zoología, membrana que cubre el cuerpo de un animal o alguno de sus órganos internos: *El interior de la cavidad nasal está recubierto por un tegumento llamado 'mucosa'*. **2** En una planta, tejido que cubre algunas de sus partes, esp. los óvulos y las semillas: *En algunas semillas, como en la del algodón, el tegumento está cubierto de pelos*. ◻ ETIMOL. Del latín *tegumentum* (lo que cubre o envuelve).

teína s.f. Sustancia o principio activo del té, que tiene propiedades estimulantes.

teísmo s.m. Doctrina filosófica que afirma la existencia de un dios personal y creador, y su acción en el mundo. ◻ ETIMOL. Del griego *Theós* (Dios).

teísta adj.inv./s.com. Que tiene como creencia el teísmo.

teja ▮ s.f. **1** Pieza de barro cocido que se usa para cubrir los tejados y dejar escurrir el agua de lluvia. **2** →**sombrero de teja**. ▮ s.m. **3** Color marrón rojizo, como el del barro cocido. **4** ‖ **a toca teja;** *col.* →**tocateja**. ◻ ETIMOL. Del latín *tegula*. ◻ SINT. En la acepción 3, se usa más en aposición, pospuesto a un sustantivo: *color teja*.

tejadillo s.m. Tejado de una sola vertiente adosado a una pared.

tejado s.m. Cubierta o parte superior de un edificio, generalmente recubiertos de tejas.

tejano, na ▮ adj. **1** Referido esp. a una prenda de vestir, que está confeccionada con una tela resistente de color azul más o menos oscuro y con un diseño que recuerda la ropa de los ganaderos del oeste estadounidense: *una falda tejana*. ▮ s.m.pl. **2** →**pantalón tejano**. ◻ SEM. Es sinónimo de *vaquero*.

tejar v. Cubrir de tejas: *Cuando terminen de tejar su casa empezará a vivir en ella*. ◻ ORTOGR. Conserva la *j* en toda la conjugación.

tejedor, -a ▮ adj. **1** Que teje. ▮ s. **2** Persona que se dedica profesionalmente a tejer. ▮ s.m. **3** Insecto de cuerpo negro, ovalado y alargado con las dos patas delanteras y cortas y las cuatro posteriores muy largas y delgadas, que tiene movimientos muy rápidos sobre la superficie del agua. ◻ SINÓN. *zapatero*. ▮ s.f. **4** Máquina para hacer tejido de punto. ◻ SINÓN. *tricotosa*. ◻ MORF. En la acepción 3, es un sustantivo epiceno: *el tejedor {macho/hembra}*.

tejedora s.f. Véase **tejedor, -a**.

tejedura s.f. **1** Realización de un tejido entrelazando hilos. **2** Disposición de los hilos de una tela.

tejemaneje s.m. **1** *col.* Actividad o movimiento intensos y continuos. **2** *col.* Enredo poco claro para conseguir algo. ◻ ETIMOL. De *tejer* y *manejar*.

tejer v. **1** Referido esp. a un tejido, realizarlo entrelazando hilos u otra materia flexible: *La araña teje su tela en las esquinas*. **2** Referido a un hilo u otro material flexible, entrelazarlo para hacer diversos tipos de tejidos: *¿Puedo tejer estas cintas para hacer un adorno?* **3** Hacer punto: *Estoy tejiendo un jersey para el bebé*. ◻ SINÓN. *tricotar*. **4** Referido esp. a una idea o a un plan, discurrirlos o idearlos: *Durante la noche, tejió un complicado plan para hacerse con el poder*. ◻ ETIMOL. Del latín *texere*. ◻ ORTOGR. Mantiene la *j* en toda la conjugación.

tejeringo s.m. En algunas regiones, churro. ◻ ETIMOL. De *te* (pronombre posesivo) y *jeringo*, porque el instrumento con el que se echa la masa del churro en la sartén es parecido a una jeringa.

tejero, ra s. Persona que se dedica profesionalmente a la fabricación de tejas y ladrillos.

tejido s.m. **1** Material que resulta de entrelazar hilos u otro material flexible. **2** En biología, asociación de células semejantes entre sí por su origen, estructura o funciones: *el tejido muscular*. **3** ‖ **tejido {conectivo/conjuntivo};** el formado por células que están inmersas en una sustancia intercelular homogénea, semilíquida y con haces de fibras de colágeno, y cuya función principal es unir, envolver y reforzar los demás tejidos. ‖ **tejido linfático;** el formado por una trama en parte celular y en parte fibrosa y numerosas células, principalmente linfocitos.

tejo s.m. **1** Árbol de tronco grueso y poco elevado, ramas casi horizontales y copa ancha, hojas perennes, planas, aguzadas y de color verde oscuro, flores poco visibles y semilla con una envoltura carnosa de color rojo. **2** Trozo pequeño de teja, piedra, metal u otro material, que se usa para jugar a juegos como la rayuela o el truque. **3** Juego infantil que consiste en darle pequeños golpes con el pie a uno de estos trozos pequeños para que recorra un dibujo pintado en el suelo. **4** ‖ **tirar los tejos** a alguien; *col.* Insinuarle el interés que se tiene por él, esp. en el sentido amoroso. □ ETIMOL. La acepción 1, del latín *taxus*.

tejocote s.m. **1** Árbol frutal americano, de tronco leñoso y liso, ramas espinosas, hojas ásperas y flores blancas. **2** Fruto de este árbol, del tamaño de una ciruela, cáscara áspera y de color amarillo o anaranjado. □ ETIMOL. Del náhuatl *tetl* (piedra) y *xocotl* (fruta ácida).

tejolote s.m. En zonas del español meridional, mano o mazo del mortero.

tejón s.m. Mamífero carnívoro de piel dura, pelaje largo y espeso de color negro, blanco y pardo, que habita en madrigueras profundas y se alimenta por la noche de pequeños animales y frutos. □ ETIMOL. Del latín *taxo*. □ MORF. Es un sustantivo epiceno: *el tejón {macho/hembra}*.

tejuelo s.m. En un libro, trozo de papel, de cuero o de otro material similar que se pega en el lomo para poner el título, la signatura u otro tipo de información. □ ETIMOL. De *tejo*.

tela ▮ s.f. **1** Tejido hecho de muchos hilos que, cruzados entre sí alternativa y regularmente en toda su longitud, forman una especie de hoja o lámina: *Este traje es de una tela muy suave y fresca.* **2** Membrana o tejido de forma laminar y de consistencia blanda: *El cerebro está recubierto por una fina tela.* **3** Tejido fuerte que está preparado para pintar sobre él. □ SINÓN. *lienzo.* **4** Pintura hecha sobre este tejido. □ SINÓN. *lienzo.* **5** *col.* Dinero. **6** *col.* Asunto, materia o quehacer: *En ese accidente hay mucha tela que investigar.* ▮ adv. **7** *col.* Mucho: *Esa chica me gusta tela.* **8** ‖ **{poner/quedar} en tela de juicio;** poner o quedar en duda: *Todo lo que digas lo pongo en tela de juicio porque eres un fantasioso.* ‖ **tela {adhesiva/emplástica};** en zonas del español meridional, esparadrapo. ‖ **tela asfáltica;** material delgado e impregnado de asfalto que se usa como aislante de humedad. ‖ **tela de araña;** →**telaraña.** ‖ **tela metálica;** tejido hecho con alambre: *Ha rodeado su jardín con una valla de tela metálica.* □ ETIMOL. Del latín *tela*. □ USO En las acepciones 5 y 6, se usa mucho la expresión intensificadora *tela marinera*.

telamón s.m. Estatua con figura de hombre que se usa como columna y sostiene sobre su cabeza o sus hombros la parte baja de las cornisas. □ SINÓN. *atlante.* □ ETIMOL. Del latín *telamones*, y este del griego *telamón*. □ SEM. Dist. de *cariátide* (con figura de mujer).

telar s.m. **1** Máquina para tejer por medio de un entramado de hilos. **2** Fábrica de tejidos. **3** En un teatro, parte superior del escenario de donde bajan los telones, las bambalinas y otros elementos móviles del decorado. □ ETIMOL. De *tela*. □ MORF. En la acepción 2, se usa más en plural.

telaraña (tb. *tela de araña*) s.f. **1** Tela en forma de red que forma la araña con los hilos que segrega. **2** ‖ **mirar las telarañas;** *col.* Estar completamente distraído.

tele s.f. *col.* →**televisión.**

tele- **1** Elemento compositivo prefijo que significa 'a distancia': *telecomunicación, telecontrol, teledirigido, telescopio.* **2** Elemento compositivo prefijo que significa 'de televisión': *telefilme, teleteatro, telenovela, teleadicto.* □ ETIMOL. Del griego *têle* (lejos).

teleadicto, ta adj./s. Que es muy aficionado a ver la televisión.

telebanca s.f. Servicio de banco que no requiere de la presencia física del cliente en la sucursal.

telebasura s.f. *col.* Conjunto de programas de televisión de baja calidad.

telecabina s.f. Teleférico de cable único para la tracción y la suspensión, provisto de cabinas. □ USO Se usan los plurales *teleclubs* y *teleclubes*.

teleclub s.m. Lugar de reunión para ver la televisión. □ USO Se usan los plurales *teleclubs* y *teleclubes*.

telecomedia s.f. Comedia que se emite por televisión en forma de serie.

telecompra s.f. Compra que se realiza sin que sea necesaria la presencia física del comprador en el establecimiento.

telecomunicación s.f. Sistema de comunicación a distancia: *El telégrafo, el teléfono y la televisión forman parte de la telecomunicación.*

telecontrol s.m. Control a distancia de un aparato o de una máquina.

teledetección s.f. Detección a distancia de información sobre la superficie de la Tierra y sobre otros astros solares.

telediario s.m. Programa informativo de noticias de actualidad emitido diariamente por una cadena de televisión. □ ETIMOL. Extensión del nombre de una marca comercial.

teledirigido, da adj. Que está dirigido por medio de un mando a distancia: *coches teledirigidos.*

teledirigir v. Dirigir o controlar a distancia: *El niño teledirige su coche de juguete con el mando a distancia.* □ ORTOGR. La *g* se cambia en *j* delante de *a, o* →DIRIGIR.

teleeducación s.f. Enseñanza que se realiza a través de internet.

telefax s.m. →**fax.** □ USO Se usan los plurales *telefaxes* y *telefax*.

teleférico s.m. Sistema de transporte en el que los vehículos van suspendidos de un cable de tracción. □ ETIMOL. Del francés *telephérique*.

telefilme s.m. Película rodada para ser emitida por televisión.

telefonazo s.m. *col.* Llamada telefónica.

telefonear v. **1** Llamar por teléfono: *Me ha telefoneado para invitarme a su fiesta de cumpleaños.* **2** Referido esp. a un mensaje, transmitirlo por teléfono: *Cuando lo sepa te telefonearé el resultado del análisis.*

telefonía s.f. Sistema de transmisión a distancia de sonidos por medios eléctricos o electromagnéticos: *El teléfono es un aparato de telefonía.*

telefónico, ca adj. De la telefonía, que se realiza por medio de la telefonía o relacionado con este sistema de comunicación.

telefonillo s.m. Mecanismo para la comunicación oral dentro de un edificio, esp. el que está conectado al portero electrónico.

telefonista s.com. Persona que se dedica profesionalmente al servicio de teléfonos, esp. si es la encargada de recibir llamadas.

teléfono s.m. **1** Sistema eléctrico de comunicación a distancia que permite la transmisión de la palabra o de cualquier tipo de sonido a través de hilos conductores. **2** Aparato para emitir y recibir comunicaciones sonoras a distancia. **3** Número o clave que se marca en uno de estos aparatos para establecer una comunicación. **4** || **teléfono {celular/móvil/portátil};** el que no tiene cables y se puede llevar de un sitio a otro. □ ETIMOL. De *tele-* (lejos) y *-fono* (voz).

telegenia s.f. Condición para salir favorecido en la televisión.

telegénico, ca adj. Que tiene buenas condiciones para aparecer en la televisión o para salir favorecido en las imágenes televisivas. □ ETIMOL. De *televisión* y *fotogénico.*

telegestión s.f. Gestión que se realiza a distancia por medios técnicos.

telegrafía s.f. Sistema de transmisión a distancia de mensajes escritos utilizando un código preestablecido que se transmite por cable mediante impulsos eléctricos: *La telegrafía suele utilizar el código morse para transmitir mensajes.* □ ETIMOL. De *tele-* (lejos) y *-grafía* (descripción, tratado).

telegrafiar v. Comunicar por medio del telégrafo: *Los mensajes que se telegrafían deben ser lo más breves posible.* □ ORTOGR. La *i* lleva tilde en los presentes, excepto en las personas *nosotros* y *vosotros* →GUIAR.

telegráfico, ca adj. **1** Del telégrafo, de la telegrafía o relacionado con ellos. **2** Referido esp. al estilo del lenguaje, muy conciso, con frases cortas y con la menor cantidad de palabras posible: *respuestas telegráficas.*

telegrafista s.com. Persona que se dedica profesionalmente al servicio del telégrafo.

telégrafo ▌s.m. **1** Sistema de comunicación a distancia que permite la transmisión de mensajes escritos por medio de impulsos eléctricos. **2** Aparato para recibir y transmitir este tipo de mensajes escritos. ▌pl. **3** Administración encargada de este sistema de comunicación.

telegrama s.m. Comunicación o mensaje transmitido por telégrafo. □ ETIMOL. De *tele-* (lejos) y *-grama* (escrito).

telekinesia s.f. →**telequinesia.**

telekinesis (tb. *telequinesis*) (pl. *telekinesis*) s.f. →**telequinesia.**

telele s.m. *col.* Desmayo, ataque de nervios o impresión muy grande.

telemando s.m. Sistema para el control a distancia del funcionamiento de un aparato.

telemarketing s.m. Servicio de venta por teléfono que prestan algunas empresas especializadas en este campo.

telemática s.f. Conjunto de técnicas y servicios que combinan la telecomunicación y la informática. □ ETIMOL. De *telecomunicación* e *informática.*

telemedicina s.f. Medicina que emplea el uso de las autopistas de la información para su organización y funcionamiento. □ ETIMOL. De *telemática* y *medicina.*

telemetría s.f. **1** Medición de distancias entre objetos lejanos mediante el telémetro. **2** Sistema de medidas de magnitudes físicas en lugares de difícil acceso y que permite transmitir el resultado de la medición a un observador lejano. □ ETIMOL. De *tele-* (a distancia) y *-metría* (medición).

telémetro s.m. Sistema óptico que permite apreciar desde un punto de mira la distancia a la que está un objeto lejano. □ ETIMOL. De *tele-* (a distancia) y *-metro* (medidor).

telencéfalo s.m. Parte del encéfalo más alejada de la médula espinal. □ ETIMOL. Del griego *télos* (fin) y *encéfalo.*

telenovela s.f. Historia filmada y televisada en emisiones sucesivas, esp. si tiene un argumento sentimental.

teleobjetivo s.m. En un instrumento óptico, objetivo que permite fotografiar objetos muy lejanos. □ ETIMOL. De *tele-* (lejos) y *objetivo.*

teleología s.f. Modo de explicación basado en las causas finales. □ ETIMOL. Del griego *télos* (fin) y *-logía* (ciencia, estudio). □ ORTOGR. Dist. de *teología.*

teleológico, ca adj. De la teleología o relacionado con ella. □ ORTOGR. Dist. de *teológico.*

teleoperador, -a s. Persona que trabaja en telemarketing.

teleósteo ▌adj./s.m. **1** Referido a un pez, que se caracteriza por tener el esqueleto completamente osificado: *El atún y la trucha son teleósteos.* ▌s.m.pl. **2** En zoología, orden de estos peces: *La mayoría de los peces actuales pertenece a los teleósteos.* □ ETIMOL. Del griego *téleios* (completo) y *ostéon* (hueso).

telepatía s.f. Transmisión de contenidos psíquicos entre personas sin intervención de medios físicos aparentes. □ ETIMOL. De *tele-* (lejos) y *-patía* (sentimiento).

telepático, ca adj. De la telepatía o relacionado con ella.

telepedido s.m. Pedido o encargo de un producto a través de un sistema de comunicación a distancia, esp. por medio de una red informática.

teleproducto s.m. Producto que se vende a través de la televisión.

telequinesia (tb. *telekinesia*) s.f. Desplazamiento de objetos sin causa física aparente, utilizando el poder mental. □ SINÓN. *telequinesis, telekinesis.* □ ETIMOL. De *tele-* (a distancia) y el griego *kínesis* (movimiento).

telequinésico, ca adj. De la telequinesia o relacionado con ella.

telequinesis (pl. *telequinesis*) s.f. →**telequinesia.** □ ORTOGR. Se usa también *telekinesis*.

telera s.f. En zonas del español meridional, tipo de bollo de pan casi redondo.

telerrealidad s.f. Tipo de programas televisivos, esp. concursos, que muestran la vida cotidiana, generalmente bajo estrictas condiciones, y cuyos participantes no son actores, sino personas que no interpretan ningún papel.

telerruta s.f. Servicio oficial que informa del estado de las carreteras.

telescópico, ca adj. **1** Del telescopio o relacionado con él: *una lente telescópica.* **2** Que solo puede verse con un telescopio. **3** Que está formado por piezas longitudinalmente sucesivas que pueden recogerse encajando cada una en la anterior: *La antena de mi transistor es telescópica.*

telescopio s.m. Instrumento óptico formado básicamente por un tubo con un juego de lentes de aumento en su interior que se utiliza para observar ampliados objetos sumamente lejanos, esp. cuerpos celestes. □ ETIMOL. De *tele-* (lejos) y *-scopio* (aparato para ver).

teleserie s.f. Serie que se emite por televisión.

telesilla s.m. Sistema de transporte de personas a un lugar elevado, esp. a la cumbre de una montaña, formado por una serie de sillas o asientos suspendidos de un cable de tracción.

telespectador, -a s. Persona que ve la televisión. □ SINÓN. *televidente.*

telesquí (pl. *telesquíes, telesquís*) s.m. Sistema que permite transportar a los esquiadores sobre sus esquís hasta las pistas, formado por una serie de enganches suspendidos de un cable de tracción. □ ETIMOL. De *tele-* (lejos) y *esquí*.

teleteatro s.m. Teatro transmitido por televisión.

teletexto s.m. Servicio informativo que consiste en la transmisión televisiva de textos escritos. □ ETIMOL. Del inglés *Teletext*. Extensión del nombre de una marca comercial.

teletienda s.f. Servicio de venta de productos a través de la televisión.

teletipo s.m. **1** Sistema telegráfico de transmisión de textos mediante un teclado que permite emitir y recibir mensajes e imprimirlos. **2** Mensaje transmitido por este sistema. **3** Aparato semejante al teclado de una máquina de escribir que permite emitir, recibir e imprimir ese tipo de textos. □ ETIMOL. Extensión del nombre de una marca comercial.

teletrabajador, -a s. Persona que está conectada a la empresa para la que trabaja, generalmente desde su casa, a través de un sistema de telecomunicación y no necesita trasladarse.

teletrabajo s.m. Trabajo que se puede realizar a través de un sistema de telecomunicación.

televendedor, -a s. Persona que se dedica profesionalmente a la venta de productos por vía telefónica.

televidente s.com. Persona que ve la televisión. □ SINÓN. *telespectador.*

televisar v. Transmitir por televisión: *Esta tarde televisan un partido muy importante.*

televisión s.f. **1** Sistema de transmisión a distancia de imágenes y sonidos por medio de ondas hertzianas. **2** Empresa dedicada a hacer este tipo de transmisiones. **3** Aparato receptor y reproductor de estas imágenes y sonidos. □ SINÓN. *televisor.* **4** || **(televisión por) cable;** sistema de televisión en el que la imagen no es captada por una antena, sino que es transmitida por un cable. □ ETIMOL. De *tele-* (lejos) y *visión.* □ MORF. En la lengua coloquial se usa mucho la forma abreviada *tele*.

televisivo, va adj. **1** De la televisión o relacionado con ella. □ SINÓN. *televisual.* **2** Que tiene buenas condiciones para ser televisado.

televisor s.m. Aparato receptor y reproductor de imágenes y sonidos transmitidos a distancia por medio de ondas hertzianas. □ SINÓN. *televisión.* □ USO En la lengua coloquial se usa mucho la forma abreviada *tele*.

televisual adj.inv. De la televisión o relacionado con ella. □ SINÓN. *televisivo.*

télex (pl. *télex*) s.m. **1** Sistema telegráfico internacional por el que se comunican sus usuarios, mediante el teletipo. **2** Mensaje transmitido por este sistema. □ ETIMOL. Del inglés *telex*. Es extensión del nombre de una marca comercial.

telilla s.f. Tela o membrana muy delgadas.

tell s.m. Colina artificial que se ha formado por la superposición de ruinas de distintas épocas.

telofase s.f. En la división celular por mitosis o por meiosis, fase final en la que los cromosomas reorganizan el núcleo. □ ETIMOL. Del griego *télos* (fin) y *fase*. □ SEM. Dist. de *profase* (primera fase), de *metafase* (segunda fase) y de *anafase* (tercera fase).

telón s.m. **1** Cortina de grandes dimensiones con que se cierra el escenario de un teatro o se cubre la pantalla de un cine. **2** || **telón de fondo;** asunto que subyace en otro más concreto. □ ETIMOL. De *tela*.

telonear v. Referido a un artista, actuar como telonero: *Un joven grupo de rock ha sido el encargado de telonear el concierto.*

telonero, ra adj./s. Referido esp. a un artista o a un orador, que interviene antes de la actuación principal.

telson s.m. En un crustáceo, segmento final de su cuerpo, que suele ser laminar y está situado a continuación del pleon: *El telson de las gambas es la parte final de la cola y tiene forma de abanico.* □ ETIMOL. Del griego *télson* (extremo).

telúrico, ca adj. **1** De la Tierra como planeta o relacionado con ella: *Los seísmos y terremotos son fenómenos telúricos.* **2** Del telurismo o relacionado con esta influencia del suelo o del terreno en los seres vivos: *Sus poemas tienen un lirismo telúrico muy unido a la naturaleza.* □ ETIMOL. Del latín *Tellus* (Tierra, globo terráqueo).

telurio s.m. Elemento químico, semimetálico y sólido, de número atómico 52, que es quebradizo y fácilmente fusible: *El telurio es un metaloide muy escaso.* □ SINÓN. *teluro.* □ ETIMOL. Del latín *Tellus* (Tierra, globo terráqueo). □ ORTOGR. Su símbolo químico es *Te*.

telurismo s.m. Influencia del suelo o del terreno en los seres vivos.

teluro s.m. →**telurio.**

tema s.m. **1** Idea, asunto o materia de que trata algo: *Las vacaciones fueron el tema de nuestra conversación.* **2** Cada una de las unidades de estudio en que se divide una asignatura, una oposición o algo semejante. **3** En una composición musical, parte o melodía fundamentales y en función de las cuales se desarrolla el resto de la obra: *El tema suele aparecer varias veces a lo largo de una composición extensa.* **4** En lingüística, forma que presenta un radical para recibir los morfemas de flexión: *El verbo 'caber' tiene tres temas, que son 'cab-', 'quep-' y 'cup-'.* **5** Canción o composición musical. □ ETIMOL. Del griego *théma*. □ USO El uso abusivo de la acepción 1 en lugar de *problema* o *cuestión* indica pobreza de lenguaje.

temario s.m. Conjunto de temas de una asignatura, de un estudio, de una conferencia o de algo semejante.

temática s.f. Véase **temático, ca.**

temático, ca ▮ adj. **1** Del tema o relacionado con él. **2** En gramática, referido a un elemento, que se añade a la raíz de un vocablo para unir a ella la terminación: *La vocal temática permite clasificar a los verbos españoles en tres conjugaciones.* ▮ s.f. **3** Conjunto de los temas contenidos en un asunto general: *La temática de su obra es muy amplia.*

tematizar v. Referido a un asunto, convertirlo en tema central: *El guionista tematizó la vida del cantante para la película de cine.* □ ORTOGR. La *z* se cambia en *c* delante de *e* →CAZAR.

tembladera s.f. *col.* Temblor o agitación con sacudidas breves, rápidas y frecuentes, esp. si es intenso.

temblar v. **1** Agitarse o vibrar con sacudidas breves, rápidas y frecuentes: *Lo encontré sin abrigo y temblando de frío. Cuando me pongo nervioso me tiembla la voz.* **2** Tener mucho miedo, mucho nerviosismo o mucho recelo: *El examen de conducir me hace temblar.* **3** ‖ **temblando;** *col.* Próximo a arruinarse o a acabarse: *Viene del trabajo tan hambriento que deja la nevera temblando.* □ ETIMOL. Del latín *tremulare*, y este de *tremulus* (tembloroso). □ SINT. *Temblando* se usa más con los verbos *dejar*, *estar*, *quedar* o equivalentes.

tembleque s.m. Temblor continuado del cuerpo.

temblequear v. Temblar intensamente, con frecuencia o de forma continuada: *Llegué a casa temblequeando porque un perro me asustó con sus ladridos.*

temblón, -a adj. Que tiembla mucho.

temblor s.m. **1** Vibración o agitación con sacudidas breves, rápidas y frecuentes. **2** ‖ **temblor de tierra;** agitación violenta o sacudida del terreno, ocasionada por fuerzas que actúan en el interior del globo terrestre. □ SINÓN. *terremoto.*

tembloroso, sa adj. Que tiembla o vibra.

temer v. **1** Referido esp. a una persona, a un animal o a una cosa, tenerles miedo, temor o sentir recelo por ellos: *Temo mucho a los ladrones.* **2** Referido esp. a algo que se considera negativo o inconveniente, pensar con algún fundamento que va a suceder: *Temo que venga y no estemos en casa. Me temo que va a llover.* **3** Sentir temor o preocupación: *Temo por tu salud porque fumas demasiado.* □ ETIMOL. Del latín *timere*.

temerario, ria adj. **1** Que se dice, se hace o se piensa sin fundamento, sin razón o sin motivo: *un juicio temerario.* **2** Excesivamente imprudente al enfrentarse a un peligro: *una conducción temeraria.* □ ETIMOL. Del latín *temerarius* (irreflexivo, que se hace a la ligera). □ SEM. Dist. de *temeroso* (que tiene temor).

temeridad s.f. **1** Imprudencia excesiva al exponerse a algún peligro o riesgo. **2** Hecho o dicho temerarios o excesivamente imprudentes. □ ETIMOL. Del latín *temeritas*.

temerosidad s.f. Propensión a tener temor.

temeroso, sa adj. Que tiene temor o recelo. □ SEM. Dist. de *temerario* (excesivamente imprudente).

temible adj.inv. Capaz o digno de ser temido.

temor s.m. **1** Sentimiento de inquietud y desprotección que impide, al que lo padece, acercarse a lo que considera dañino, arriesgado o peligroso: *temor a la oscuridad.* **2** Sospecha o recelo de un daño futuro: *Siento temor de que le haya pasado algo.* **3** ‖ **temor de Dios;** en el catolicismo, el respetuoso que se debe tener a Dios. □ ETIMOL. Del latín *timor*.

témpano s.m. Trozo plano y extendido de una materia dura, esp. de hielo. □ ETIMOL. Del latín *tympanum* (pandero).

témpera s.f. Pintura o color que se obtienen con líquidos pegajosos y calientes. □ SINÓN. *temple.*

temperamental adj.inv. **1** Del temperamento o relacionado con él. **2** Referido a una persona, que tiene el genio vivo y que cambia de humor con frecuencia.

temperamento s.m. **1** Carácter o forma de ser o de reaccionar de una persona. **2** Tenacidad, energía o firmeza de una persona. □ ETIMOL. Del latín *temperamentum*.

temperancia s.f. Moderación o templanza en el comportamiento. □ ETIMOL. Del latín *temperantia*.

temperar v. Moderar, calmar o hacer más tibio: *La edad ha temperado su genio.* □ SINÓN. *atemperar.* □ ETIMOL. Del latín *temperare.*

temperatura s.f. Grado de calor de un cuerpo o del ambiente. □ ETIMOL. Del latín *temperatura caeli* (composición del cielo).

tempero s.m. Madurez o estado de perfección. □ ETIMOL. De *temperar.*

tempestad s.f. Perturbación atmosférica que se caracteriza fundamentalmente por fuertes vientos, lluvias y truenos. □ SINÓN. *temporal, tormenta.* □ ETIMOL. Del latín *tempestas* (clase de tiempo que hace, especialmente el malo).

tempestuoso, sa adj. Que causa una tempestad o que la constituye.

templado, da adj. **1** Que no es ni frío ni caliente. **2** Referido a un material, resistente y sin brillo: *vidrio templado.* **3** *col.* Sereno, tranquilo o valiente.

templador, -a ▌adj./s. **1** Que templa. ▌s.m. **2** Llave o martillo que sirven para afinar algunos instrumentos musicales de cuerda. □ SINÓN. *afinador.*

templanza s.f. Moderación o sobriedad, esp. en los apetitos o en los sentimientos. □ ETIMOL. Del latín *temperantia.*

templar v. **1** Quitar el frío por medio del calor: *He puesto la leche al fuego para templarla.* **2** Referido a algo fuerte o intenso, moderar o suavizar su fuerza y su intensidad: *Templa tu ira y no insultes a nadie.* **3** Referido a un material, enfriarlo bruscamente en un líquido para mejorar algunas de sus propiedades: *Para hacer las espadas hay que templar el hierro cuando está al rojo.* **4** Referido a un instrumento musical, afinarlo o prepararlo para que pueda producir con exactitud los sonidos que le son propios: *La guitarrista templó la guitarra antes de comenzar su actuación.* □ ETIMOL. Del latín *temperare* (moderar, templar).

templario, ria adj./s. De la orden del Temple (orden militar fundada en el siglo XII), o relacionado con ella.

temple s.m. **1** Fortaleza o valentía serenas para afrontar las dificultades: *Tiene mucho temple y no se asusta fácilmente.* **2** Preparación de un instrumento musical para que emita con exactitud los sonidos que le son propios. **3** Pintura o color que se obtienen con líquidos pegajosos y calientes. □ SINÓN. *témpera.* **4** ‖ **al temple;** con estas pinturas. □ ETIMOL. De *templar.*

templén s.m. Pieza del telar que regula la anchura de la tela que se está tejiendo. □ ETIMOL. Del latín *templum* (especie de viga).

templete s.m. Construcción que consta de una cúpula sostenida por columnas.

templo s.m. **1** Lugar o edificio públicos destinados al culto. **2** Lugar en el que se cultiva o se practica una actividad noble. **3** ‖ **como un templo;** *col.* muy grande: *Eso es una verdad como un templo.* □ ETIMOL. Del latín *templum.*

tempo s.m. Ritmo o velocidad con que se hace algo. □ ETIMOL. Del italiano *tempo.*

témpora s.f. Tiempo de ayuno en el comienzo de cada una de las estaciones del año. □ ETIMOL. Del latín *tempora* (tiempos). □ MORF. Se usa más en plural.

temporada s.f. **1** Período de tiempo que se considera como un conjunto. **2** ‖ **de temporada;** que existe o que se usa solo durante un cierto período de tiempo. □ ETIMOL. Del latín *tempus* (tiempo).

temporal ▌adj.inv. **1** Del tiempo o relacionado con él: *Una semana es un período temporal.* **2** Que solo dura por un tiempo: *Mañana deja de trabajar en la empresa porque se le ha acabado el contrato temporal.* **3** Que pasa con el tiempo o que no es eterno: *La belleza externa es algo temporal.* **4** Que expresa o que manifiesta temporalidad o tiempo: *'Cuando' es un adverbio que puede introducir oraciones temporales.* **5** Profano, secular o de este mundo: *El Papa tiene poder espiritual, pero carece de poder temporal.* **6** De la sien o relacionado con esta zona de la cabeza: *Los músculos temporales intervienen en la masticación y sirven para abrir y cerrar la boca.* ▌s.m. **7** →**hueso temporal. 8** perturbación atmosférica que se caracteriza fundamentalmente por fuertes vientos, lluvias y truenos: *Un temporal de nieve nos dejó aislados en medio del monte.* □ SINÓN. *tempestad, tormenta.* **9** ‖ **capear el temporal;** *col.* Eludir con mañas un compromiso o un trabajo desagradable: *El director cree que logrará capear el temporal, gracias a los beneficios de este año.* □ ETIMOL. Las acepciones 1-5 y 8, del latín *temporalis* (relativo al tiempo). La acepción 6 y 7, del latín *temporalis* (relativo a las sienes), y este de *tempus* (sien).

temporalidad s.f. **1** Transitoriedad en la duración de algo: *Cuando me contrataron me avisaron de la temporalidad del empleo.* **2** Pertenencia al mundo secular o profano: *El poder judicial se caracteriza por su temporalidad.*

temporalizar v. Referido a algo eterno o espiritual, convertirlo en temporal o tratarlo como tal: *La publicidad y el afán consumista han temporalizado las fiestas navideñas.* □ ORTOGR. La *z* se cambia en *c* delante de *e* →CAZAR.

temporario, ria adj. En zonas del español meridional, temporal o provisional.

temporero, ra adj./s. Referido a una persona, que ejerce un trabajo temporalmente, esp. relacionado con la agricultura.

temporizador s.m. Mecanismo de control que sirve para abrir o para cerrar un circuito y que, conectado a un dispositivo, lo pone en funcionamiento.

temporizar v. →**contemporizar.** □ ORTOGR. La *z* se cambia en *c* delante de *e* →CAZAR.

tempranero, ra ▌adj. **1** Adelantado o que ocurre antes de lo normal. □ SINÓN. *temprano.* ▌adj./s. **2** Que tiene costumbre de madrugar. □ SINÓN. *madrugador.*

tempranillo ▌s.f. **1** Uva negra de gran finura y muy aromática: *La tempranillo es una variedad muy cultivada en España.* ▌s.m. **2** Vino elaborado con esta uva: *Te llevaré a una bodega que elabora un exquisito tempranillo.* ☐ SINT. Se usa mucho en aposición, pospuesto a un sustantivo: *uva tempranillo.*

temprano adv. **1** En las primeras horas del día o de la noche, o al principio de un período de tiempo: *Hoy me acostaré temprano porque mañana madrugo.* **2** Muy pronto o antes de lo previsto: *He llegado tan temprano porque nos han dejado salir dos horas antes.*

temprano, na adj. Adelantado o que ocurre antes de lo normal. ☐ SINÓN. *tempranero.* ☐ ETIMOL. Del latín *temporanus* (que se hace a tiempo).

tempura (jap.) s.amb. **1** Masa líquida hecha con harina, levadura y agua, que se utiliza para rebozar alimentos: *La tempura es típica de la cocina japonesa.* **2** Plato preparado con alimentos rebozados con esta masa: *una tempura de gambas.*

tempus fugit (lat.) s.m. ‖ Tópico literario que recuerda la rapidez con la que pasa el tiempo y la brevedad de la vida: *Jorge Manrique desarrolla el tópico del tempus fugit en algunas de sus obras.* ☐ ETIMOL. De *Fugit irreparabile tempus* (el tiempo huye irreparablemente) que es una frase del poeta latino Virgilio. ☐ PRON. [témpus fúguit].

ten ‖ **ten con ten;** *col.* Expresión que indica tacto o moderación al tratar algo: *Es necesario tener un ten con ten para llevar este delicado asunto.* ☐ ETIMOL. De *tener.*

tenacidad s.f. Firmeza y constancia para conseguir un propósito.

tenacillas s.f.pl. Utensilio de peluquería que sirve para rizar el pelo.

tenate s.m. En zonas del español meridional, canasta, hecha generalmente de palma. ☐ ETIMOL. Del náhuatl *tanatli.*

tenaz adj.inv. **1** Firme y decidido a conseguir un propósito. **2** Que resulta difícil de quitar o de separar: *Este detergente elimina hasta las manchas más tenaces.* ☐ ETIMOL. Del latín *tenax.*

tenaza s.f. **1** Herramienta de metal, compuesta de dos brazos unidos por un eje que permiten abrirla y cerrarla y sirve para coger, arrancar o cortar determinadas cosas. **2** Pinzas de las patas de algunos artrópodos. ☐ ETIMOL. De *tenaz.* ☐ MORF. En plural tiene el mismo significado que en singular.

tenca s.f. Pez de agua dulce, de color verdoso, que suele vivir en aguas poco profundas y cenagosas. ☐ ETIMOL. Del latín *tinca.* ☐ MORF. Es un sustantivo epiceno: *la tenca {macho/hembra}.*

tendal s.m. **1** En algunas regiones, tendedero. **2** Conjunto de cosas tendidas para que se sequen.

tendedero s.m. Lugar o sitio donde se tiende algo.

tendencia s.f. **1** Propensión o inclinación hacia determinado fin. **2** Idea o movimiento, esp. políticos, artísticos o religiosos, que se orientan en una dirección determinada. ☐ ETIMOL. De *tender* (tener inclinación hacia algo).

tendencioso, sa adj. Que presenta o que manifiesta parcialidad, obedeciendo a una tendencia o a una idea.

tendente adj.inv. Que tiende a algo.

tender v. **1** Referido a la ropa mojada, extenderla al aire, al sol o al fuego para que se seque: *Cuando se pare la lavadora, tenderé la colada.* **2** Referido a una cosa, alargarla aproximándola a otra: *Me tendió la mano en señal de saludo.* **3** Referido a un engaño o a una trampa, prepararlos para hacer caer a alguien en ellos: *Es demasiado listo como para caer en la trampa que le han tendido.* **4** Tumbar o extender en una superficie: *Los enfermeros tendieron al enfermo en la cama. El perro estaba agotado y se tendió en el suelo.* **5** Colocar, construir o suspender, apoyando dos puntos: *Han tendido un puente para comunicar los dos lados del barranco.* **6** Mostrar tendencia, inclinación o propensión a alcanzar un estado o cualidad: *Estas medidas tienden a mejorar la salud pública.* **7** En matemáticas, referido a una variable o a una función, aproximarse progresivamente a un valor determinado, sin llegar nunca a alcanzarlo: *Haced este límite, cuando la variable tiende a infinito.* ☐ ETIMOL. Del latín *tendere* (tender, desplegar). ☐ MORF. Irreg. →PERDER. ☐ SINT. Constr. de las acepciones 6 y 7: *tender* A *algo.*

ténder s.m. Vagón auxiliar que se engancha a una locomotora, y que lleva el agua y el combustible necesarios para abastecerla durante el viaje. ☐ ETIMOL. Del inglés *tender.*

tenderete s.m. Puesto de venta al aire libre. ☐ ETIMOL. De *tender.*

tendero, ra s. Propietario o encargado de una tienda, esp. de comestibles.

tendido s.m. **1** Conjunto de cables que constituyen la conducción eléctrica. **2** Colocación de algo colgándolo de dos puntos: *Los técnicos han terminado el tendido de la línea telefónica.* **3** En una plaza de toros, graderío descubierto y próximo a la barrera.

tendinitis (pl. *tendinitis*) s.f. Inflamación de un tendón.

tendinoso, sa adj. **1** De los tendones o relacionado con ellos. **2** Que tiene tendones o que está compuesto de ellos.

tendón s.m. Estructura formada por haces fibrosos dispuestos paralelamente, que une los músculos a los huesos. ☐ ETIMOL. Del latín *tendo.*

tenebrario s.m. Candelabro de forma triangular y de quince velas que se encendían en algunos oficios de Semana Santa (celebración de la pasión de Jesucristo). ☐ ETIMOL. Del latín *tenebrarius,* y este de *tenebrae* (tinieblas).

tenebrismo s.m. Tendencia pictórica del Barroco que se caracteriza por el contraste de luces y sombras, que hace que los objetos iluminados destaquen violentamente. ☐ ETIMOL. Del latín *tenebrae* (tinieblas).

tenebrista ▮ adj.inv. **1** Del tenebrismo o relacionado con esta tendencia pictórica. ▮ adj.inv./s.com. **2** Referido esp. a un pintor, que practica el tenebrismo.

tenebrosidad s.f. Oscuridad o negrura que pueden producir miedo.

tenebroso, sa adj. **1** Oscuro o cubierto de tinieblas: *un paraje tenebroso.* **2** Sombrío, tétrico y perverso: *una voz tenebrosa.* □ ETIMOL. Del latín *tenebrosus.*

tenedor, -a ▌s. **1** Persona que posee algo, esp. una letra de cambio. ▌s.m. **2** Cubierto formado por un mango y por una serie de dientes, que sirve para llevarse a la boca alimentos sólidos o de cierta consistencia. **3** En un restaurante, signo convencional que indica su categoría, en graduación de uno a cinco. **4** || **tenedor de libros;** persona encargada de llevar los libros de contabilidad.

teneduría s.f. **1** Cargo de tenedor de libros. **2** Oficina de un tenedor de libros.

tenencia s.f. Posesión actual de algo: *Lo acusaron de tenencia ilícita de armas.*

tener v. **1** Poseer o disfrutar: *En verano tenemos vacaciones.* **2** Asir o sujetar con las manos: *Tenme el libro mientras me abrocho el zapato, por favor.* **3** Contener o incluir en sí: *Esta casa tiene tres habitaciones.* **4** Mantener o sostener firme o derecho: *Estoy tan cansada que casi no me tengo en pie.* **5** Referido a una ocupación, deber hacerla: *Esta tarde tengo una reunión.* **6** Referido a una edad, haberla alcanzado: *Tengo treinta años.* **7** Referido esp. a una sensación, sentirla, vivirla o padecerla: *Tengo miedo a los monstruos.* **8** Referido a una enfermedad, sufrirla o padecerla: *No puede salir porque tiene gripe.* **9** || **no tenerlas** alguien **todas consigo;** *col.* Sentir recelo o temor: *Aunque parece que todo va bien, no las tengo todas conmigo y creo que va a pasar algo.* || **tener a bien** algo; estimar que es justo o conveniente, o dignarse a hacerlo: *Cuando acabe con lo que está haciendo, tenga a bien escribirme estas cartas, por favor.* || **tener** algo **en;** seguido de una expresión que indica cantidad, valorarlo como se expresa: *Tiene en mucho mis consejos y siempre los sigue.* || **tener** algo **por;** creerlo o considerarlo: *Me tiene por tonta, pero yo me entero de todo.* || **tener que ver;** haber relación o conexión: *El político aseguró que él no tenía nada que ver con la malversación de fondos.* □ ETIMOL. Del latín *tenere* (tener agarrado u ocupado, mantener, retener). □ MORF. Irreg. →TENER. □ SINT. 1. La perífrasis *tener + que + infinitivo* indica obligación o necesidad: *Tengo que estudiar más si quiero aprobar.* 2. Como verbo auxiliar puede funcionar sustituyendo a *haber*: *Te tengo dicho las novelas que me gustan.* □ SEM. Se usa mucho para atribuir una cualidad, un estado o una circunstancia al sujeto o al complemento: *Esto tiene fácil arreglo. Me tiene frita.*

tenería s.f. Lugar en el que se curten y se trabajan las pieles. □ SINÓN. *curtiduría.* □ ETIMOL. Del francés *tannerie,* y este de *tan* (corteza de roble y otros árboles empleada para curtir).

tenesmo s.m. Deseo continuo o frecuente de defecar o de orinar, que se acompaña de dolores y de imposibilidad o gran dificultad para lograrlo. □ SINÓN. *pujo.* □ ETIMOL. Del griego *tenesmós* (sensación dolorosa en los intestinos).

tenge s.m. Unidad monetaria kazaka.

tenia s.f. Gusano plano o en forma de cinta, blanquecino y formado por numerosos segmentos iguales, que es parásito de las personas y de los animales. □ ETIMOL. Del griego *tainía* (cinta).

teniasis (pl. *teniasis*) s.f. Enfermedad producida por una tenia.

tenida s.f. En zonas del español meridional, traje.

tenienta s.f. de **teniente**.

teniente ▌adj.inv. **1** *col.* Sordo. ▌s.com. **2** En el ejército, persona cuyo empleo es superior al de alférez e inferior al de capitán. **3** Persona que ejerce el cargo de otra, y que es su sustituta. **4** || **teniente coronel;** en el ejército, persona cuyo empleo es superior al de comandante e inferior al de coronel. || **teniente de navío;** en la Armada, persona cuyo empleo es superior al de alférez de navío e inferior al de capitán de corbeta. || **teniente general;** en los Ejércitos de Tierra y del Aire, persona cuyo empleo es superior al de general de división e inferior al de capitán general. □ ETIMOL. De la terminación de *lugarteniente.* □ MORF. En la acepción 2, se admite también la forma de femenino *tenienta.* □ SEM. *Teniente de navío* es dist. de *capitán* (en los Ejércitos de Tierra y del Aire).

tenis (pl. *tenis*) ▌s.m. **1** Deporte que se juega con una pelota forrada de tela y una raqueta, en un campo rectangular y dividido en dos mitades por una red. ▌pl. **2** Calzado de tipo deportivo. **3** || **tenis de mesa;** deporte que se juega sobre una mesa rectangular, con una pelota pequeña y lisa, y con palas de madera. □ SINÓN. *pimpón, ping-pong.* || **colgar los tenis;** *col.* En zonas del español meridional, morirse. □ ETIMOL. Del inglés *tennis.*

tenista s.com. Deportista que juega al tenis.

tenístico, ca adj. Del tenis o relacionado con él.

tenor s.m. **1** En música, persona que tiene una voz de registro intermedio entre la de contralto y la de barítono. **2** || **a tenor de;** según o teniendo en cuenta: *A tenor de lo que dices, no creo que venga.* □ ETIMOL. La acepción 1, del italiano *tenore.* La acepción 2, del latín *tenor,* y este de *tenere* (tener).

tenora s.f. Instrumento musical de viento, de la familia de los metales, parecido al oboe pero de mayor tamaño y de sonido mucho más potente. □ ETIMOL. De *tenor.*

tenorio s.m. Hombre seductor de mujeres e inclinado a meterse en riñas. □ ETIMOL. Por alusión a don Juan Tenorio, personaje literario que enamoraba a las mujeres que quería y las abandonaba después.

tensar v. Poner tenso: *Los marineros tiraban de la cuerda para tensarla.* □ SINÓN. *tensionar.* □ MORF. Tiene un participio regular (*tensado*), que se usa en la conjugación, y otro irregular (*tenso*), que se usa como adjetivo.

tensiómetro s.m. Aparato que sirve para medir la presión arterial. □ ETIMOL. De *tensión* y *-metro* (medidor).

tensión s.f. **1** Estado en el que se encuentra un cuerpo estirado por la acción de las fuerzas opuestas que soporta. **2** Situación de oposición o de hostilidad no manifiesta abiertamente entre personas o entre grupos humanos: *La tensión existente entre las dos naciones terminó por desencadenar una guerra.* **3** Estado emocional caracterizado por la excitación, la impaciencia o la exaltación: *Lleva unos días en tensión porque tiene un encargo de gran responsabilidad.* **4** En electrónica, voltaje con que se realiza una transmisión de energía eléctrica: *La alta tensión está por encima de los mil voltios.* **5** || **tensión arterial;** la que ejerce la sangre sobre la pared de las arterias. □ SINÓN. *presión arterial.* □ ETIMOL. Del latín *tensio.*

tensionar v. →**tensar.** □ USO Su uso es innecesario.

tenso, sa adj. **1** Referido a un cuerpo, que está estirado por la acción de las fuerzas opuestas que soporta. □ SINÓN. *tirante.* **2** En estado de tensión emocional. **3** En una situación de oposición y hostilidad. □ ETIMOL. Del latín *tensus,* y este de *tendere* (tender).

tensó s.f. →**tensón.**

tensón s.f. Composición poética provenzal, que consiste en una controversia o disputa entre dos o más poetas sobre un tema determinado, generalmente amoroso. □ ETIMOL. Del francés antiguo *tençon,* y este de *tencier* (disputar). □ USO En círculos especializados se usa también *tensó.*

tensor, -a ▮ adj./s.m. **1** Referido esp. a un músculo, que tensa o que produce tensión. ▮ s.m. **2** Mecanismo que se utiliza para tensar algo.

tentación s.f. Estímulo o impulso que induce a la realización de algo, esp. si es algo censurable o perjudicial.

tentacular adj.inv. Del tentáculo o relacionado con él.

tentáculo s.m. En algunos animales invertebrados, apéndice móvil y blando que desempeña distintas funciones, esp. la del tacto y la del desplazamiento. □ ETIMOL. Del latín *tentaculum,* y este de *tentare* (palpar).

tentadero s.m. Corral o lugar en el que se hace la tienta de becerros para apreciar su bravura.

tentador, -a adj./s. Que hace caer en la tentación o que resulta muy apetecible o muy estimulante: *una idea tentadora.*

tentar v. **1** Examinar y reconocer por medio del tacto: *Me tenté el bolsillo de la chaqueta para ver si llevaba la cartera.* **2** Estimular o inducir a la realización de algo, esp. si es censurable o perjudicial: *Me han hecho una oferta de trabajo que me tienta mucho, pero tendría que irme del país.* **3** Referido a un becerro, probarlo con la garrocha para apreciar su bravura: *Tentaron a los becerros para elegir los que iban a ser lidiados.* □ ETIMOL. Del latín *temptare* (palpar, intentar, causar tentación). □ MORF. Irreg. →PENSAR.

tentativa s.f. Acción con la que se intenta, se prueba o se tantea algo. □ ETIMOL. Del latín *temptatus* (tentado).

tentempié s.m. **1** *col.* Comida ligera que se toma para recuperar fuerzas. □ SINÓN. *refrigerio.* **2** Juguete que lleva un contrapeso en la base y que, movido en cualquier dirección, vuelve siempre a quedar vertical. □ SINÓN. *tentetieso, siempretieso.*

tentetieso s.m. Juguete que lleva un contrapeso en la base y que, movido en cualquier dirección, vuelve siempre a quedar vertical. □ SINÓN. *siempretieso, tentempié.*

tentón ▮ adj./s.m. **1** En tauromaquia, referido a un caballo, que se utiliza en la tienta. ▮ s.m. **2** *col.* Acción de tentar de forma rápida y brusca.

tenue adj.inv. Delgado, débil o delicado: *un color tenue.* □ ETIMOL. Del latín *tenuis* (delgado, fino, menguado).

tenuidad s.f. Propiedad de lo que es tenue.

teñido, da ▮ adj. **1** Que tiene aplicado algún tinte: *Es un chico de pelo rubio teñido. La madera teñida me gusta más que la natural.* ▮ s.m. **2** Aplicación sobre algo de un color distinto del que antes tenía. □ SINÓN. *tinción, tinte, tintura.*

teñir v. **1** Referido esp. a una tela, aplicarle un nuevo color distinto del que tenía: *Voy a teñir de azul esta falda blanca. Es morena, pero se tiñe de rubio.* □ SINÓN. *tintar.* **2** Referido esp. a las palabras o a los sentimientos, aportarles un carácter o una apariencia que no es el suyo propio: *Mi amigo tiñó sus palabras de amargura cuando nos contó su última relación sentimental.* □ ETIMOL. Del latín *tingere* (mojar, empapar). □ MORF. 1. Irreg. →CEÑIR. 2. Tiene un participio regular (*teñido*), que se usa en la conjugación, y otro irregular (*tinto*), que se usa como adjetivo. □ SINT. Constr. *teñir algo* DE *algo.*

teo- Elemento compositivo prefijo que significa 'dios': *teológico, teogonía, teología.* □ ETIMOL. Del griego *théos.*

teocali s.m. Templo de los antiguos aztecas. □ ETIMOL. Del náhuatl *teocalli.*

teocintle s.m. Planta americana parecida al maíz, de granos largos y pequeños, que se utiliza como forraje. □ ETIMOL. Del náhuatl *teotl* (dios) y *centli* (maíz).

teocracia s.f. **1** Concepción del Estado según la cual el poder temporal depende del poder espiritual. **2** Sociedad en la que la autoridad política se considera emanada de Dios y se ejerce a través de sus ministros. □ ETIMOL. Del griego *theokratía,* y este de *theós* (dios) y *krátos* (dominio).

teocrático, ca adj. De la teocracia o relacionado con ella.

teodicea s.f. Parte de la filosofía que trata de Dios y de sus atributos a la luz de los principios de la razón, independientemente de las verdades reveladas. □ SINÓN. *teología natural.* □ ETIMOL. De *teo-* (dios) y *díke* (justicia).

teodolito s.m. Instrumento óptico de precisión formado por un círculo horizontal y un semicírculo vertical graduados y provistos de anteojos, que sirve para medir ángulos en sus planos respectivos.

teofanía s.f. Manifestación de la divinidad a las personas.

teogonía s.f. Relato de la generación y linaje de los dioses de las religiones politeístas. □ ETIMOL.

Del griego *theogonía*, y este de *théos* (dios) y *gígnomai* (soy engendrado).

teologal adj.inv. De la teología o relacionado con esta ciencia. □ SINÓN. *teológico.*

teología s.f. **1** Ciencia que trata de Dios y de sus atributos y perfecciones. **2** ‖ **teología de la liberación;** movimiento teológico cristiano, surgido en países suramericanos, que propone una nueva lectura del Evangelio en la que se funden el proyecto divino y la lucha contra la opresión y la explotación del ser humano. ‖ **teología natural;** la que trata de Dios y de sus atributos a la luz de los principios de la razón, independientemente de las verdades reveladas. □ SINÓN. *teodicea.* □ ETIMOL. Del griego *theología*, y este de *théos* (dios) y *lógos* (tratado). □ ORTOGR. Dist. de *teleología.*

teológico, ca adj. De la teología o relacionado con esta ciencia. □ SINÓN. *teologal.* □ ORTOGR. Dist. de *teleológico.*

teologizar v. Discutir sobre principios o razones teológicas: *En el concilio Vaticano I, los obispos teologizaron sobre la infalibilidad del Papa.* □ ORTOGR. La *z* se cambia en *c* delante de *e* →CAZAR.

teólogo, ga s. Persona que se dedica profesionalmente al estudio de la teología o que tiene especiales conocimientos en esta ciencia.

teomanía s.f. Trastorno mental que padece la persona que se cree un dios. □ ETIMOL. De *teo-* (dios) y *-manía* (locura).

teorema s.m. Proposición demostrable a través de la lógica mediante reglas de deducción aceptadas: *el teorema de Pitágoras.* □ ETIMOL. Del griego *theórema* (investigación, tratado).

teorético, ca adj. De la teoría o relacionado con ella. □ SINÓN. *teórico.*

teoría s.f. **1** Conocimiento que se tiene a base de suposiciones lógicas y que se considera independientemente de su aplicación práctica: *A veces la teoría se separa de la realidad.* **2** Conjunto de las leyes o principios que sirven para explicar determinados fenómenos o para relacionarlos en un orden: *Las teorías se deducen a partir de la observación de los fenómenos.* **3** Hipótesis cuyas consecuencias se aplican a toda una ciencia o a una parte muy importante de la misma: *Esa teoría parece lógica, pero ya veremos cuando la pongamos en práctica.* **4** ‖ **en teoría;** sin haberlo comprobado con la práctica: *En teoría salimos a las cinco, pero en la práctica suele ser a las seis menos cuarto.* □ ETIMOL. Del griego *theoría* (contemplación, meditación).

teórico, ca ▮ adj. **1** De la teoría o relacionado con ella. □ SINÓN. *teorético.* ▮ adj./s. **2** Que conoce o considera las cosas mediante la meditación o la reflexión, pero no por la práctica.

teorizar v. Referido a un asunto, tratarlo de forma teórica: *Tú teorizas sobre las causas de la actual crisis económica, pero no das soluciones.* □ ORTOGR. La *z* se cambia en *c* delante de *e* →CAZAR.

teosofía s.f. Conjunto de doctrinas que pretenden alcanzar un conocimiento de la divinidad a partir de procedimientos filosóficos y de experiencias místicas y religiosas, mezclados a veces con elementos ocultistas. □ ETIMOL. Del griego *theosophía*, y este de *theós* (dios) y *sophós* (sabio).

teosófico, ca adj. De la teosofía o relacionado con este conjunto de doctrinas.

teósofo, fa s. Persona que sigue la teosofía o que se dedica a su estudio.

tepache s.m. Bebida mexicana hecha con el jugo fermentado de la piña o de otras frutas, agua y azúcar. □ ETIMOL. Del náhuatl *tepachoa* (aprensar con una piedra).

tepalcate s.m. **1** En zonas del español meridional, fragmento de un recipiente o de un utensilio de barro. **2** En zonas del español meridional, utensilio de barro viejo o deteriorado.

tépalo s.m. En algunas flores, cada uno de los sépalos u hojas del cáliz coloreados de la misma forma que los pétalos. □ ETIMOL. Por analogía con *sépalo.*

tepanyaki (jap.) (tb. *teppan-yaki*) s.m. Comida de origen japonés, que se prepara con finas lonchas de carne de buey y con verduras asadas a la plancha.

tepe s.m. Pedazo de tierra cubierto de césped y muy trabado por las raíces de esta hierba. □ ETIMOL. De origen onomatopéyico.

tepeguaje s.m. **1** Planta mimosácea, de origen americano, cuya madera se utiliza esp. en la elaboración de muebles y ornamentos. **2** Madera de esta planta. □ ETIMOL. Del náhuatl *tepetl* (monte, cerro) y *huaxin* (guaje).

tepeixtate s.m. En zonas del español meridional, recipiente de madera en forma de canoa con la base aplanada, que se usa para desgranar el maíz o amasar las tortillas. □ PRON. [tepeistáte].

tepetate s.m. Piedra porosa y de color amarillento que se utiliza en la construcción: *Cuando visitamos México vimos edificios construidos con tepetate.* □ ETIMOL. Del náhuatl *tetl* (piedra) y *petatl* (petate).

tepezcuintle s.m. Mamífero roedor suramericano, de pelaje rojizo, extremidades y cola cortas, que se alimenta de vegetales y cuya carne es muy apreciada. □ ETIMOL. Del náhuatl *tepetl* (cerro) e *izcuintli* (perro). □ MORF. Es un sustantivo epiceno: *el tepezcuintle {macho/hembra}.*

teponaztle s.m. Instrumento musical de percusión, de madera, de forma cilíndrica y alargada, hueco, con dos aperturas largas y paralelas, que se toca con dos palillos. □ ETIMOL. Del náhuatl *teponaztli.*

teporingo s.m. Mamífero roedor, muy parecido al conejo, pero de menor tamaño, de pelaje corto y espeso, orejas largas y cola corta. □ MORF. Es un sustantivo epiceno: *el teporingo {macho/hembra}.*

teporocho, cha adj./s. *col. desp.* En zonas del español meridional, referido a una persona, que vive la mayor parte del tiempo borracha y en la calle.

tepozán s.m. Árbol americano pequeño, de ramas cuadrangulares, hojas blanquecinas y muy olorosas.

teppan-yaki (jap.) s.m. →**tepanyaki.**

tequesquite s.m. En zonas del español meridional, sal de origen lacustre. ☐ ETIMOL. Del náhuatl *tequízquitl*.

tequi s.m. *col.* Taxi.

tequila s.m. Bebida mexicana de alta graduación alcohólica y de color transparente, originaria de Tequila (municipio de México).

tera- Elemento compositivo prefijo que significa 'un billón': *teragramo*. ☐ ETIMOL. Del griego *téras* (prodigio, monstruo). ☐ ORTOGR. Su símbolo es *T-*, y no se usa nunca aislado: *TB* (terabyte).

terabyte s.m. En informática, unidad de almacenamiento de información que equivale a un trillón de bytes. ☐ PRON. [terabáit].

teragramo s.m. Unidad de medida que equivale a un billón de gramos. ☐ ETIMOL. De *tera-* (un billón) y *gramo*. ☐ ORTOGR. Su símbolo es *Tg*, por tanto, se escribe sin punto.

terapeuta s.com. Persona que se dedica profesionalmente a la terapéutica o a la curación de las enfermedades. ☐ ETIMOL. Del griego *therapeutés* (servidor).

terapéutica s.f. Véase **terapéutico, ca**.

terapéutico, ca ▌ adj. **1** De la terapéutica o relacionado con esta parte de la medicina. ▌ s.f. **2** Parte de la medicina que se ocupa del tratamiento de las enfermedades. ☐ SINÓN. *terapia*. ☐ ETIMOL. La acepción 2, del latín *therapeutica* (tratados de medicina).

terapia s.f. **1** Parte de la medicina que se ocupa del tratamiento de las enfermedades. ☐ SINÓN. *terapéutica*. **2** Tratamiento que se aplica para la curación de una enfermedad: *una terapia de grupo*. ☐ ETIMOL. Del griego *therapeía* (cuidado).

-terapia Elemento compositivo sufijo que significa 'método curativo' o 'tratamiento': *quimioterapia, psicoterapia*. ☐ ETIMOL. Del griego *therapeía* (cuidado).

teratogénico, ca adj. Que causa malformaciones congénitas.

teratógeno, na adj./s. Que causa malformaciones congénitas. ☐ ETIMOL. Del griego *téras* (prodigio, monstruo) y *-geno* (que produce).

teratología s.f. Estudio de las malformaciones del organismo animal o vegetal, esp. las de origen embrionario. ☐ ETIMOL. Del griego *téras* (prodigio, monstruo) y *-logía* (estudio).

terbio s.m. Elemento químico, metálico y sólido, de número atómico 65, color plateado, muy activo y que pertenece al grupo de los lantánidos: *El terbio se usa como fuente del láser*. ☐ ETIMOL. De *Ytterby* (pueblo de Suecia). ☐ ORTOGR. 1. Su símbolo químico es *Tb*. 2. Dist. de *iterbio*.

tercer adj. →**tercero.** ☐ MORF. Apócope de *tercero* ante sustantivo masculino.

tercera s.f. Véase **tercero, ra**.

tercería s.f. **1** Mediación entre dos o más personas: *Tu tercería ha sido definitiva para solucionar las desavenencias entre los directivos de la empresa*. **2** Actividad propia de un alcahuete: *Calisto consiguió el amor de Melibea gracias a la tercería de Celestina*. ☐ SINÓN. *alcahuetería*. ☐ ETIMOL. De *tercero*.

tercerilla s.f. En métrica, estrofa formada por tres versos de arte menor, dos de los cuales tienen rima consonante, y cuyo esquema más frecuente es *aba*. ☐ ETIMOL. De *tercera*.

tercermundismo s.m. Conjunto de características propias del tercer mundo, como la pobreza y la falta de desarrollo.

tercermundista adj.inv. **1** Del tercer mundo o relacionado con este conjunto de países menos desarrollados. **2** *desp.* Propio del tercer mundo o característico de este conjunto de países menos desarrollados: *Los consumidores se quejan de recibir servicios públicos tercermundistas*.

tercero, ra ▌ numer. **1** En una serie, que ocupa el lugar número tres: *Eres la tercera persona que me felicita hoy*. **2** Referido a una parte, que constituye un todo junto con otras dos iguales a ella: *La tercera parte de una hora son veinte minutos*. ▌ adj./s. **3** Que media entre dos o más personas: *Siempre le toca actuar como tercero en los enfrentamientos entre la presidenta y el secretario*. ▌ s. **4** Persona que busca para otra alguien con quien mantener una relación amorosa o sexual, o que actúa como intermediario en una de estas relaciones: *Para atraerse el amor de esa mujer se buscó un tercero que le hablara bien de él*. ☐ SINÓN. *alcahuete, celestino*. ▌ s.m. **5** Persona que no es ninguna de quienes se trata o de quienes intervienen en un asunto: *En los problemas familiares no deben intervenir terceros*. ▌ s.f. **6** En el motor de algunos vehículos, marcha que tiene mayor velocidad y menor potencia que la segunda y menor velocidad y mayor potencia que la cuarta: *Iba con el motor en cuarta y, antes de entrar en la curva, reduje a tercera*. **7** En música, intervalo existente entre una nota y la tercera nota anterior o posterior a ella en la escala, ambas inclusive: *De 'do' a 'mi' hay una tercera ascendente*. ☐ ETIMOL. Las acepciones 1-5, del latín *tertiarius*. Las acepciones 6 y 7, del latín *tertiaria*. ☐ MORF. En la acepción 5, se usa más en plural.

tercerola s.f. Arma de fuego que es un tercio más corta que la carabina. ☐ ETIMOL. Del italiano *terzaruola*.

terceto s.m. **1** En métrica, estrofa formada por tres versos de arte mayor, cuyo esquema más frecuente es *ABA*: *Un soneto clásico se compone de dos cuartetos y dos tercetos de versos endecasílabos*. **2** Conjunto musical formado por tres instrumentos o por tres voces. ☐ SINÓN. *trío*. ☐ ETIMOL. Del italiano *terzetto*.

tercia s.f. Véase **tercio, cia**.

terciado, da adj. Mediano o de tamaño intermedio: *unos melocotones terciados*.

terciador, -a adj./s. Que tercia.

terciana s.f. Fiebre intermitente que se repite cada tres días. ☐ ETIMOL. Del latín *tertiana*. ☐ MORF. Se usa más en plural.

terciar ▌ v. **1** Interponerse o mediar para terminar con una discusión o para tomar partido por alguno de los que disputan: *Mi madre tuvo que terciar en la riña para que no terminaran pegándose.* **2** Tomar parte en la acción que estaban realizando otros: *Yo también tercié en la conversación para matizar algunos puntos.* **3** Dividir en tres partes: *El padre decidió terciar la herencia para repartirla entre sus tres hijos.* ▮ prnl. **4** Suceder de forma inesperada o presentarse casualmente la oportunidad de realizar algo: *Quedaré contigo y, si se tercia, iremos al cine.* ☐ ETIMOL. Del latín *tertiare.* ☐ ORTOGR. La *i* nunca lleva tilde. ☐ MORF. En la acepción 4, es unipersonal.

terciario, ria ▮ adj. **1** Tercero en orden, en grado o en importancia. **2** En geología, de la era cenozoica, cuarta de la historia de la Tierra, o relacionado con ella. ☐ SINÓN. *cenozoico.* ▮ s.m. **3** →**era terciaria.** ☐ ETIMOL. Del latín *tertiarius.*

tercio, cia ▮ numer. **1** Parte que constituye un todo junto con otras dos iguales a ella: *Solo un tercio de la clase ha aprobado el examen.* ▮ s.m. **2** En el ejército español de los siglos XVI y XVII, regimiento de infantería. **3** En el ejército español, cuerpo o batallón de infantería. **4** En tauromaquia, cada una de las tres partes en que se divide la lidia de un toro. **5** En una plaza de toros, cada una de las tres partes concéntricas en que se considera dividido el ruedo, esp. referido a la comprendida entre las tablas y los medios. **6** Botella de cerveza que contiene la tercera parte de un litro. ▮ s.f. **7** En la iglesia católica, cuarta de las horas canónicas: *La tercia se reza después de la prima.* ☐ ETIMOL. Del latín *tertius* (tercero).

terciopelo s.m. Tela muy tupida, generalmente de seda, que está formada por dos urdimbres y una trama, y cuyos hilos se cortan una vez tejidos para dejar una superficie suave y con pelo. ☐ ETIMOL. De *tercio* (tercero) y *pelo*, porque es un tejido con dos urdimbres y una trama.

terciopersonal adj.inv. En gramática, referido a un verbo, que solo se conjuga en la tercera persona, esp. la del singular, de todos los tiempos y modos: *Los verbos que designan fenómenos atmosféricos, como 'llover' o 'nevar', son terciopersonales.*

terco, ca adj./s. Firme, perseverante o excesivamente tenaz en un propósito. ☐ ETIMOL. De origen incierto.

terebinto s.m. Árbol que alcanza los seis metros de altura, que tiene el tronco ramoso, flores en espiga, fruto en drupa o carnoso, y madera dura y olorosa. ☐ SINÓN. *cornicabra.* ☐ ETIMOL. Del latín *terebinthus*, y este del griego *terébinthos.*

terebrante adj.inv. Referido a un dolor, que produce una sensación semejante a la que produciría taladrar la parte dolorida. ☐ ETIMOL. Del latín *terebrans* (que taladra).

teresiana s.f. Véase **teresiano, na.**

teresiano, na ▮ adj. **1** De santa Teresa de Jesús (religiosa y escritora española del siglo XVI), o relacionado con ella: *la reforma teresiana.* **2** Referido a un instituto religioso, que está afiliado a la tercera orden carmelita y que tiene por patrona a santa Teresa: *un colegio teresiano.* ▮ adj./s.f. **3** Referido a una religiosa, que tiene votos simples y pertenece a uno de estos institutos religiosos.

tergal s.m. Tejido de fibra sintética muy resistente. ☐ ETIMOL. Extensión del nombre de una marca comercial.

tergiversación s.f. Interpretación forzada o errónea de una palabra o de un acontecimiento.

tergiversar v. Interpretar de forma forzada o errónea: *El periodista tergiversó mis palabras y publicó afirmaciones que yo no había hecho.* ☐ ETIMOL. Del latín *tergiversari* (desentenderse de algo, buscar escapatorias).

teridofito, ta adj. →**pteridofito.**

teriyaki (jap.) s.m. Comida de origen japonés, que se prepara con verduras, pollo o pescado asado a la parrilla, y que se sirve con una mezcla de salsas.

termal adj.inv. De las termas o relacionado con estos baños de aguas minerales.

termas s.f.pl. **1** Baños de aguas minerales calientes. ☐ SINÓN. *caldas.* **2** En la antigua Roma, baños públicos. ☐ ETIMOL. Del latín *thermae.*

termes (pl. *termes*) s.m. Insecto roedor, propio de zonas tropicales o cálidas, de coloración pálida, que vive en colonias organizadas por castas y se alimenta comúnmente de madera. ☐ SINÓN. *comején, termita, térmite.* ☐ ETIMOL. Del latín *termes* (insecto que mastica madera). ☐ MORF. Es un sustantivo epiceno: *el termes {macho/hembra}.*

térmico, ca adj. **1** Del calor, de la temperatura o relacionado con ellos: *una central térmica.* **2** Que conserva la temperatura: *un recipiente térmico.* ☐ ETIMOL. Del griego *thérme* (calor).

terminación s.f. **1** Fin, conclusión, remate o final: *Para el mes que viene está prevista la terminación de las obras del edificio.* **2** Parte final de algo: *En la piel se encuentran las terminaciones nerviosas sensitivas del sentido del tacto.* **3** En gramática, letra o conjunto de letras que siguen al radical de un vocablo: *El sufijo '-ito', '-ita' es una de las terminaciones del diminutivo en español.*

terminal ▮ adj.inv. **1** Que acaba o pone término a algo: *Cuando un enfermo está en fase terminal hay pocas esperanzas de que sane.* **2** Que está en el extremo de alguna parte de una planta: *Los girasoles tienen flores terminales.* **3** Referido a un enfermo, que se encuentra en la última fase de una enfermedad incurable: *un enfermo terminal de cáncer.* ▮ s.amb. **4** En informática, máquina con teclado y pantalla conectados a una computadora a la que se le facilitan datos o de la que se obtiene información. ▮ s.f. **5** Cada uno de los extremos de una línea de transporte público: *una terminal de autobuses; la terminal de un aeropuerto.*

terminante adj.inv. Categórico, concluyente o que no se puede rebatir o discutir.

terminar v. **1** Referido a algo, concluirlo o ponerle término: *Termina de una vez la comida, que tengo que fregar.* **2** Rematar con esmero: *Tienes que terminar mejor las costuras para poder entregar el encargo.* ☐ SINÓN. *acabar.* **3** Acabar o llegar al fin: *Os vais a la cama en cuanto termine la película.*

Cuando se terminen los exámenes, vamos al cine. □ SINÓN. *cesar.* **4** || **terminar con** alguien; dejar de tratarse con él: *Terminé con ella cuando se portó tan mal conmigo y me demostró que no era mi amiga.* □ ETIMOL. Del latín *terminare* (limitar, acabar).

término ▌s.m. **1** Fin, remate o conclusión: *Habló con él para poner término a sus amenazas.* **2** Último punto de un lugar: *La plaza está al término de esta calle.* **3** Último punto en un espacio temporal: *Al término de nuestro programa les ofreceremos un resumen de lo más destacado del día.* **4** Línea divisoria de un territorio: *los términos de la provincia.* **5** Sonido o conjunto de sonidos articulados que expresan una idea: *Si estás leyendo y no conoces el significado de algún término, búscalo en el diccionario.* □ SINÓN. *palabra, vocablo.* **6** Objetivo, meta o intento al que se dirige una acción: *Ser una gran cirujana es el término de sus aspiraciones.* **7** Estado o situación en los que se halla alguien: *Hemos llegado a un término en el que debemos decidir si continuamos juntos o no.* **8** En gramática, cada uno de los elementos necesarios en una relación gramatical: *En la expresión preposicional 'con mi madre', 'mi madre' es el término de la preposición 'con'.* **9** En matemáticas, numerador o denominador de un quebrado: *En 1/3, 1 y 3 son los términos de la fracción.* **10** En una expresión matemática, cada una de las partes unidas entre sí por el signo de sumar o de restar: *En la ecuación 3x + 2y = 0, el primer término es 3x.* **11** Plano en el que se considera dividida una escena: *El protagonista aparece en primer término, contemplado desde atrás por su madre.* **12** Lugar, puesto u orden: *He puesto esa excursión en el primer término de la lista de cosas que tengo que hacer en vacaciones.* ▌pl. **13** Condiciones con las que se plantea un asunto o que se establecen en un contrato: *Ambas partes se comprometieron a cumplir los términos del contrato.* **14** || **en último término**; como última solución, caso o recurso: *Este verano iremos a la playa aunque en último término siempre podemos quedarnos en el pueblo.* || **término medio**; cantidad igual o más próxima a la media aritmética de un conjunto de varias unidades: *Está calculando cuánto puede ahorrar a la semana como término medio. Tardo en llegar aquí un término medio de unos veinte minutos.* □ SINÓN. *promedio.* || **término (municipal)**; territorio que comprende la división administrativa menor que está a cargo de un solo organismo: *El término municipal de este Ayuntamiento está formado por estos dos pueblos.* □ SINÓN. *municipio.* □ ETIMOL. Del latín *terminus* (mojón, linde).

terminología s.f. **1** Conjunto de términos o palabras propios de una profesión, de una ciencia o de una materia determinadas. **2** Parte de la lingüística que se dedica al estudio teórico de la aplicación de los términos propios de una profesión, de una ciencia o de una materia determinadas.

terminológico, ca adj. De un término, de una terminología, de su empleo o relacionado con ellos.

terminólogo, ga s. Persona que se dedica al estudio de la terminología.

termita s.f. Insecto roedor, propio de zonas tropicales o cálidas, de coloración pálida, que vive en colonias organizadas por castas y se alimenta comúnmente de madera. □ SINÓN. *comején, termes, térmite.* □ ETIMOL. Del francés *termite.* □ MORF. Es un sustantivo epiceno: *la termita {macho/hembra}.*

térmite s.f. Insecto roedor, propio de zonas tropicales o cálidas, de coloración pálida, que vive en colonias organizadas por castas y se alimenta comúnmente de madera. □ SINÓN. *comején, termita, termes.* □ ETIMOL. Del latín *termitis.*

termitera s.f. →**termitero.**

termitero s.m. Nido de termitas. □ SINÓN. *termitera.*

termo s.m. **1** Vasija de paredes dobles y con cierre hermético, que se utiliza para que las sustancias en ella introducidas conserven su temperatura sin que influya la del ambiente. **2** *col.* →**termosifón.** □ ETIMOL. La acepción 1 es extensión del nombre de una marca comercial.

termo- 1 Elemento compositivo prefijo que significa 'calor': *termodinámica, termoelectricidad, termoterapia.* **2** Elemento compositivo prefijo que significa 'temperatura': *termología, termómetro, termostato.* □ ETIMOL. Del griego *thermós.*

termodinámica s.f. Véase **termodinámico, ca.**

termodinámico, ca ▌adj. **1** De la termodinámica o relacionado con esta parte de la física. ▌s.f. **2** Parte de la física que estudia las relaciones entre el calor y las restantes formas de energía. □ ETIMOL. La acepción 2, de *termo-* (calor) y *dinámica.*

termoelectricidad s.f. Energía eléctrica producida por el calor.

termoeléctrico, ca adj. Que desarrolla electricidad por la acción del calor.

termoestable adj.inv. Que no se altera fácilmente por la acción del calor.

termofón s.m. En zonas del español meridional, termosifón o calentador.

termografía s.f. Técnica para registrar las temperaturas.

termolábil adj.inv. Que se altera fácilmente por la acción del calor.

termolipolisis (pl. *termolipolisis*) s.f. Técnica para disolver la grasa a través del calor.

termología s.f. Parte de la física que trata de los fenómenos en que intervienen el calor o la temperatura.

termomecánico, ca adj. Que produce cambios físicos debido a la modificación de la temperatura.

termometría s.f. Parte de la física que trata de la medición de la temperatura.

termométrico, ca adj. Del termómetro o relacionado con él.

termómetro s.m. Instrumento que sirve para medir la temperatura. □ ETIMOL. De *termo-* (calor) y *-metro* (medidor).

termonuclear adj.inv. De la fusión de núcleos ligeros a muy altas temperaturas con liberación de energía o relacionado con ella. □ ETIMOL. De *termo-* (calor) y *nuclear*.

termoquímico, ca adj. Que produce cambios químicos debido a la modificación de la temperatura.

termorregulación s.f. Regulación y mantenimiento automáticos de la temperatura corporal, independientemente de la temperatura del ambiente. □ ETIMOL. De *termo-* (temperatura) y *regulación*.

termosfera s.f. En la atmósfera terrestre, capa que se encuentra por encima de los ochenta kilómetros y en la que la temperatura aumenta con la altura.

termosifón s.m. Aparato que sirve para calentar agua y para distribuirla por medio de tuberías a los lavabos, baños y pilas de una casa. □ ETIMOL. De *termo-* (calor) y el latín *sipho*, y este del griego *síphon* (tubo, cañería). □ MORF. En la lengua coloquial se usa mucho la forma abreviada *termo*.

termostato s.m. Aparato que se conecta a una fuente de calor y que, por medio de un dispositivo automático, impide que la temperatura suba o baje del grado conveniente. □ ETIMOL. De *termo-* (calor) y el griego *statós* (estable).

termoterapia s.f. Tratamiento de las enfermedades o de las dolencias mediante la aplicación del calor. □ ETIMOL. De *termo-* (calor) y *-terapia* (curación).

termovisión s.f. Sistema para captar imágenes en la oscuridad por medio de rayos infrarrojos.

terna s.f. Conjunto de tres personas o de tres cosas: *La terna de esta corrida la forman tres toreros de renombre.* □ ETIMOL. Del latín *terna* (triple).

ternario, ria adj. Que se compone de tres partes o elementos: *un compás ternario.* □ ETIMOL. Del latín *ternarius*.

ternasco s.m. Cordero lechal o que aún no ha pastado. □ ETIMOL. De *tierno*.

terne adj.inv. **1** *col.* Que presume de valiente o de guapo. **2** *col.* Perseverante, obstinado o que se mantiene firme y constante en algo. **3** *col.* Fuerte y robusto de salud. □ ETIMOL. Del gitano *terno* (joven).

ternera s.f. Véase **ternero, ra**.

ternero, ra ▌s. **1** Cría de la vaca. □ SINÓN. *choto, jato.* ▌s.f. **2** Carne de este animal. □ ETIMOL. De *tierno*.

terneza s.f. **1** Expresión tierna con la que se halaga o se piropea. **2** Cariño, amabilidad o sentimiento de amor o afecto. □ SINÓN. *ternura*.

ternilla s.f. Cartílago o pieza formada por un tejido duro y flexible, con propiedades intermedias entre el óseo y el conjuntivo. □ ETIMOL. De *tierna*.

ternilloso, sa adj. Que tiene muchas ternillas.

terno s.m. Conjunto de pantalón, chaleco y chaqueta, u otra prenda similar, hechos de una misma tela. □ ETIMOL. Del latín *ternus*.

ternura s.f. Cariño, amabilidad o sentimiento de amor o afecto. □ SINÓN. *terneza*.

terquear v. *col.* Mostrarse terco, firme y perseverante en un propósito: *Deja ya de terquear y admite de una vez que estabas equivocado.*

terquedad s.f. Firmeza, perseverancia o tenacidad excesivas.

terracota s.f. **1** Arcilla modelada y endurecida al calor del horno. **2** Escultura de pequeño tamaño hecha de esta arcilla. □ ETIMOL. Del italiano *terra* (tierra) y *cotta* (cocida).

terrado s.m. Terraza que se encuentra en la parte alta de un edificio y sirve de cubierta.

terraja s.f. Herramienta que sirve para hacer la rosca de los tornillos y que está formada por una barra de acero con una caja rectangular en el medio, en la cual se ajustan las piezas que se han de labrar. □ ETIMOL. De origen incierto.

terral s.m. En zonas del español meridional, polvareda.

terramicina s.f. Sustancia antibiótica que se extrae de los cultivos de un hongo: *El médico le recetó una pomada con terramicina para eliminar la infección.* □ ETIMOL. Extensión del nombre de una marca comercial.

terranova s.m. →**perro de Terranova.**

terraplén s.m. **1** Desnivel del terreno con una cierta pendiente. **2** Montón de tierra con el que se rellena un hueco o que se levanta para hacer una defensa, un camino u otra obra semejante. □ ETIMOL. Del francés *terre-plein*.

terráqueo, a adj. De la Tierra: *el globo terráqueo.* □ ETIMOL. Del latín *terra* (tierra) y *aqua* (agua). □ USO Se usa solo en las expresiones *esfera terráquea* y *globo terráqueo*.

terrario s.m. Instalación adecuada para mantener vivos y en las mejores condiciones a determinados animales, esp. reptiles y anfibios. □ ETIMOL. Del latín *terra* (tierra) y la terminación de *acuario*.

terrateniente s.com. Persona que posee tierras, esp. si son grandes extensiones agrícolas. □ ETIMOL. Del latín *terra* (tierra) y *tenens* (que tiene).

terraza s.f. **1** En una casa, parte abierta o semiabierta al exterior, por encima del nivel del suelo: *Mi casa tiene dos terrazas.* **2** Terreno situado delante de un establecimiento de comidas o de bebidas en el que los clientes se pueden sentar al aire libre: *Nos sentamos en una mesa de la terraza del bar a tomar unos refrescos.* **3** En la ladera de una montaña, espacio de terreno llano dispuesto en forma de escalón: *En esta zona tan montañosa, el cultivo se hace en terrazas que aprovechan el terreno y el agua.* □ SINÓN. *poyato.* **4** En un edificio, cubierta plana y utilizable, que está provista de barandas y muros: *Este hotel tiene la piscina arriba, en la terraza.* □ ETIMOL. De *terrazo*.

terrazo s.m. Pavimento formado por una capa de cemento con piedras o trozos de mármol, cuya superficie se pulimenta después. □ ETIMOL. Del latín *terraceus* (de tierra).

terremoto s.m. Agitación violenta o sacudida del terreno, ocasionada por fuerzas que actúan en el interior del globo terrestre. □ SINÓN. *temblor de tie-*

rra. □ ETIMOL. Del italiano *terremoto*, y este del latín *terrae motus* (movimiento de la tierra).

terrenal adj.inv. De la tierra o relacionado con ella, en contraposición a lo que pertenece al cielo: *la vida terrenal.* □ SINÓN. *terreno.*

terreno, na ▮ adj. **1** De la tierra o relacionado con ella, en contraposición a lo que pertenece al cielo: *El dinero y las riquezas son bienes terrenos.* □ SINÓN. *terrenal.* ▮ s.m. **2** Sitio o espacio de tierra: *un terreno cultivable.* **3** Campo o esfera de acción en los que mejor se pueden mostrar la índole, la naturaleza o las cualidades de algo: *Déjame actuar porque estoy en mi terreno y sé lo que hago.* □ SINÓN. *área, territorio.* **4** Orden o serie de materias o de ideas de las que se trata: *El terreno de la literatura es muy amplio y tendrás que acotarlo para realizar tu investigación.* □ SINÓN. *área.* **5** En geología, conjunto de sustancias minerales que tienen un origen común o que se han formado en la misma época: *En esta zona son frecuentes los terrenos calizos.* **6** En tauromaquia, parte del ruedo en la que es más eficaz la acción ofensiva del toro o la del torero: *En el terreno de las tablas el toro es muy peligroso.* **7** ‖ **{allanar/preparar} el terreno** a alguien; *col.* Conseguirle un ambiente o una situación favorables: *Yo le hablo a tu padre si tú me preparas el terreno.* ‖ **{ganar/perder} terreno;** conseguir o perder ventaja en algo. ‖ **saber** alguien **el terreno que pisa;** conocer muy bien el asunto que tiene entre manos o las personas con las que se trata. ‖ **sobre el terreno; 1** En el lugar donde se desenvuelve o se ha de resolver lo que se trata: *Antes de tomar la decisión tendremos que estudiar el asunto sobre el terreno.* **2** De forma improvisada y sin preparación: *Haremos los cambios sobre el terreno, según se desarrolle el partido.* ‖ **terreno abonado;** situación o circunstancia en la que se dan las condiciones óptimas para que algo suceda o se produzca: *Los jóvenes son terreno abonado para aceptar ideas utópicas.* ‖ **terreno (de juego);** el acondicionado para la práctica de algún deporte. □ ETIMOL. Del latín *terrenus* (terrenal).

térreo, a adj. De la tierra o que tiene semejanza con ella: *una textura térrea.* □ ETIMOL. Del latín *terreus.*

terrero, ra adj. Referido a un recipiente, que se utiliza para llevar tierra: *una cesta terrera.* □ ETIMOL. Del latín *terrarius.*

terrestre adj.inv. **1** De la Tierra como planeta o relacionado con ella: *la atmósfera terrestre.* **2** De la tierra o relacionado con ella, en contraposición al aire y al mar: *un animal terrestre.* □ ETIMOL. Del latín *terrestris.*

terrible adj.inv. **1** Que causa terror: *una historia terrible.* **2** Difícil de tolerar o de sufrir: *La muerte de un ser querido es algo terrible.* **3** Muy grande o desmesurado: *una prisa terrible.* □ ETIMOL. Del latín *terribilis.*

terrícola adj.inv./s.com. Que habita en la Tierra. □ ETIMOL. Del latín *terricola*, y este de *terra* (tierra) y *colere* (habitar).

terrier (fr.) adj.inv./s. **1** Referido a un grupo de razas de perros, que se caracteriza por ser de origen inglés, por tener tamaño mediano o pequeño, y pelo de longitud variable. **2** ‖ **(terrier de) yorkshire;** referido a un perro, que es pequeño, con el pelo largo, oscuro y brillante en el lomo, y marrón en la cabeza y en las patas. □ PRON. [terriér] y [terriér de yórkser].

terrífico, ca adj. →**terrorífico.**

terrina s.f. Recipiente de barro cocido o de otros materiales, con forma de cono truncado invertido que se utiliza para conservar o vender algunos alimentos. □ ETIMOL. Del francés *terrine.*

territorial adj.inv. De un territorio o relacionado con él.

territorialidad s.f. **1** Característica de la ley según la cual esta se aplica a todos los que están dentro del territorio de un Estado. **2** Ficción jurídica por la que los buques y los domicilios de los representantes diplomáticos se consideran parte del territorio de la nación a la que representan, aunque se encuentren en otro territorio.

territorio s.m. **1** Parte de la superficie terrestre que corresponde a una división establecida: *Los indios luchaban contra los blancos para no ser expulsados de su territorio.* **2** Campo o esfera de acción en los que mejor se pueden mostrar la índole, la naturaleza o las calidades de algo: *Cuando se habla de historia interviene en la conversación y se siente a gusto porque es su territorio.* □ SINÓN. *área, terreno.* □ ETIMOL. Del latín *territorium.*

terrizo, za adj. De tierra o que tiene semejanza o relación con ella. □ SINÓN. *terroso.*

terrón s.m. **1** Masa pequeña y suelta de tierra compacta. □ SINÓN. *tormo.* **2** Masa pequeña y compacta de alguna sustancia: *un terrón de azúcar.*

terror s.m. **1** Miedo muy intenso o muy fuerte: *una película de terror.* **2** ‖ **el terror;** lo más temible: *La policía consiguió atrapar al violador que se había convertido en el terror de la provincia.* □ ETIMOL. Del latín *terror*, y este de *terrere* (espantar, aterrar).

terrorífico, ca adj. **1** Que infunde o produce terror. □ SINÓN. *terrífico.* **2** Muy intenso, muy fuerte o muy grande.

terrorismo s.m. Método de lucha que pretende lograr sus objetivos políticos por medio de la violencia y el asesinato.

terrorista ▮ adj.inv. **1** Del terrorismo o relacionado con él: *un atentado terrorista.* ▮ adj.inv./s.com. **2** Que practica o que defiende el terrorismo.

terroso, sa adj. De tierra o que tiene semejanza o relación con ella. □ SINÓN. *terrizo.*

terruño s.m. **1** *col.* Terreno de pequeñas dimensiones: *Se ha comprado un terruño para hacerse una casa y una pequeña huerta.* **2** Comarca o tierra, esp. el lugar en el que se ha nacido: *Lleva treinta años viviendo en Madrid, pero sigue añorando su terruño.*

tersar v. Poner terso: *Se sometió a una operación de cirugía estética para tersar la piel de su cara y eliminar arrugas.*

terso, sa adj. **1** Liso y sin arrugas: *una piel tersa.* **2** Limpio, claro, brillante o resplandeciente: *Los árboles se reflejaban en la superficie tersa del río.* □ ETIMOL. Del latín *tersus* (frotado, limpio).

tersura s.f. **1** Lisura y ausencia de arrugas. **2** Limpieza, claridad, brillo o resplandor.

tertulia s.f. **1** Reunión de personas que se juntan para conversar. **2** || **estar de tertulia;** *col.* Conversar o hablar. □ ETIMOL. De origen incierto.

tertuliano, na adj./s. Referido a una persona, que participa en una tertulia. □ SINÓN. *contertulio.*

tesalonicense adj.inv./s.com. De Tesalónica (ciudad de la antigua Grecia) o relacionado con ella. □ SINÓN. *tesalónico.*

tesalónico, ca adj./s. →**tesalonicense.**

tesauro s.m. **1** Diccionario, catálogo o antología de datos. **2** En documentación, repertorio o lista ordenada de palabras clave o representativas de un artículo. □ ETIMOL. Del latín *thesauros.*

tesela s.f. Pieza de pequeño tamaño que se utiliza en la elaboración de mosaicos. □ ETIMOL. Del latín *tessella.*

tesina s.f. Trabajo de investigación escrito, exigido para la obtención de algunos grados inferiores al de doctor.

tesis (pl. *tesis*) s.f. **1** Conclusión o idea que se mantiene con razonamientos. **2** Disertación o trabajo de investigación escritos que se presentan a la universidad para la obtención del título de doctor: *una tesis doctoral.* □ ETIMOL. Del latín *thesis*, y este del griego *thésis* (acción de poner).

tesitura s.f. **1** En música, altura propia de cada voz o de cada instrumento, determinada por el conjunto de notas que pueden abarcar, desde las más graves a las más agudas. **2** Coyuntura, situación o estado: *No deseo que te veas en la tesitura en que me encuentro porque resulta difícil de soportar.* □ ETIMOL. Del italiano *tessitura* (tejedura). □ ORTOGR. Dist. de *textura.*

tesla s.m. En el Sistema Internacional, unidad de inducción magnética, que equivale a un weber por metro cuadrado. □ ETIMOL. Por alusión al físico yugoslavo N. Tesla. □ ORTOGR. Su símbolo es *T*, por tanto, se escribe sin punto.

teso s.m. Colina baja que tiene en su cima alguna extensión llana. □ ETIMOL. Del latín *tensus* (tendido).

tesón s.m. Firmeza, decisión o constancia para hacer o conseguir algo. □ ETIMOL. Del latín *tensio.*

tesonero, ra adj. Que tiene tesón, firmeza o voluntad.

tesorería s.f. Oficina o despacho del tesorero.

tesorero, ra s. Persona que se encarga de guardar y administrar el dinero de una empresa o de una colectividad.

tesoro s.m. **1** Dinero, joyas u objetos de valor reunidos, esp. si están o han estado guardados. **2** Erario, hacienda pública o conjunto de bienes, rentas o impuestos que tiene o que recauda el Estado para satisfacer las necesidades de la nación: *El tesoro se incrementa con los fondos procedentes de la recaudación de impuestos.* **3** Lo que se considera de gran valor o muy digno de estimación: *Tu hijo es un tesoro y no me ha dado guerra.* **4** Diccionario, catálogo o colección de palabras, esp. los que pretenden ser un inventario total y absoluto de todas las voces posibles de una lengua: *El 'Tesoro de la lengua castellana o española' publicado en 1611 por Sebastián de Covarrubias es el primer gran diccionario del español.* **5** || **tesoro (público);** órgano de la administración del Estado que dirige la política monetaria de un país. □ ETIMOL. Del latín *thesaurus.* □ USO 1. *Tesoro público* se usa más como nombre propio. 2. Se usa como apelativo: *Tesoro, ¿qué es lo que quieres tú?*

test (pl. *test*) s.m. **1** Examen o prueba. **2** Prueba psicológica para estudiar la capacidad psíquica o las funciones mentales. □ PRON. [tés].

testa s.f. *poét.* Cabeza o frente. □ ETIMOL. Del italiano *testa* (cabeza).

testáceo, a adj./s.m. Referido a un animal, que tiene concha interna o externa. □ ETIMOL. Del latín *testaceus.*

testado, da adj. **1** En derecho, referido a una persona, que ha muerto habiendo hecho testamento. **2** Controlado o comprobado mediante un test.

testador, -a s. Persona que hace testamento.

testaferro s.m. En derecho, persona que presta su nombre en un contrato, una petición o un negocio que en realidad es de otro. □ ETIMOL. Del italiano *testa de ferro* (cabeza de hierro).

testamentaría s.f. **1** Ejecución de lo dispuesto en un testamento. **2** Conjunto de documentos y papeles que atañen al cumplimiento de la voluntad del testador. **3** Juicio para inventariar, conservar, liquidar y partir la herencia del testador: *interponer testamentaría.*

testamentario, ria adj. Del testamento o relacionado con él.

testamento s.m. **1** Declaración voluntaria que hace una persona, en la que dispone cómo se deben distribuir sus bienes o solucionar sus asuntos después de su fallecimiento. **2** Escrito exageradamente largo. **3** || **testamento vital;** documento en el que una persona declara voluntariamente las instrucciones que se deben tener en cuenta en caso de que no pueda expresar su voluntad, esp. a causa de una enfermedad. □ ETIMOL. Del latín *testamentum.*

testar v. **1** Hacer testamento: *Testó a favor de su hijastro.* **2** Controlar o comprobar mediante un test: *Se ha testado este medicamento y su eficacia ha quedado comprobada.* □ SINÓN. *testear.* □ ETIMOL. La acepción 1, del latín *testari* (atestiguar, confiscar, tachar, borrar). La acepción 2, del inglés *test.*

testarada s.f. →**testarazo.**

testarazo s.m. Golpe dado con la testa o cabeza. □ SINÓN. *testarada.*

testarudez s.f. Terquedad, obstinación o inflexibilidad.

testarudo, da adj./s. Terco, obstinado o difícil de convencer aun con razones claras. ☐ ETIMOL. De *testa*.

testear v. →**testar.**

tester (ing.) s.m. →**electrómetro.** ☐ PRON. [téster].

testera s.f. Fachada principal. ☐ ETIMOL. De *testa*.

testicular adj.inv. De los testículos o relacionado con ellos.

testículo s.m. En el aparato reproductor masculino, cada una de las dos glándulas sexuales de forma redondeada que producen los espermatozoides. ☐ SINÓN. *turma.* ☐ ETIMOL. Del latín *testiculus* (testigo de la virilidad).

testificación s.f. **1** Declaración como testigo en un acto judicial. **2** Prueba o demostración de algo.

testifical adj.inv. De los testigos o relacionado con ellos.

testificar v. **1** En un acto judicial, declarar como testigo: *Esta tarde testificarán los que vieron el accidente.* ☐ SINÓN. *atestiguar.* **2** Referido a una cosa, afirmarla o probarla teniendo en cuenta testigos o documentos auténticos: *La abogada defensora testificó una nueva versión de los hechos y dijo que el acusado era inocente.* **3** Ser prueba o demostración de algo: *Las afirmaciones del forense testifican la verdad de lo expuesto.* ☐ ETIMOL. Del latín *testificare*, y este de *testis* (testigo) y *facere* (hacer). ☐ ORTOGR. La *c* se cambia en *qu* delante de *e* →SACAR.

testificativo, va adj. Que testifica algo, lo declara o lo prueba.

testigo ▮ s.com. **1** Persona que da testimonio de algo o que lo atestigua: *La juez llamó al testigo para que contara lo que sabía.* **2** Persona que está presente mientras ocurre algo: *un testigo presencial.* ▮ s.m. **3** Lo que prueba o atestigua la verdad de algo: *Estas huellas son el testigo de tu presencia en el lugar de los hechos.* **4** Lo que se deja como señal o marca de algo: *El bibliotecario dejó un testigo en el lugar de donde había sacado el libro.* **5** En algunas carreras de relevos, especie de palo que se intercambian los corredores de un mismo equipo, para demostrar que la sustitución ha sido realizada de forma correcta. **6** ‖ **testigo de cargo;** el que declara en contra de un procesado ante una audiencia judicial. ‖ **testigo de Jehová;** persona que practica una religión cristiana surgida a finales del siglo XIX en Estados Unidos (país americano) y caracterizada por la interpretación literal de los textos bíblicos. ☐ ETIMOL. Del antiguo *testiguar* (atestiguar).

testimonial adj.inv. Que da testimonio de algo: *una prueba testimonial; un documento testimonial.*

testimoniar v. Atestiguar o servir como testigo: *Estos monumentos megalíticos testimonian la existencia de una civilización prehistórica en la región.* ☐ ORTOGR. La *i* nunca lleva tilde.

testimonio s.m. **1** Declaración o explicación de alguien que asegura algo. **2** Prueba o demostración de la verdad de algo. ☐ ETIMOL. Del latín *testimonium*.

testosterona s.f. Hormona sexual masculina que colabora en el desarrollo de los órganos sexuales y en la manifestación de los caracteres sexuales primarios y secundarios. ☐ ETIMOL. Del latín *testis* (testículo).

testuz s.f. **1** En algunos animales, esp. en el caballo, frente o parte superior de la cara. **2** En algunos animales, esp. el toro o la vaca, nuca o parte correspondiente a la unión de la columna vertebral con la cabeza.

teta s.f. **1** *col.* Órgano glandular de los mamíferos que en las hembras segrega la leche que sirve para alimentar a las crías. ☐ SINÓN. *mama.* **2** ‖ **de teta;** en período de lactancia: *un niño de teta.* **3** ‖ **pasarlo teta;** *col.* Disfrutar mucho de algo. ☐ ETIMOL. De origen expresivo. ☐ MORF. Cuando se antepone a una palabra para formar compuestos, adopta la forma *teti-*: *teticoja.*

tetamen s.m. *vulg.* Pechos de una mujer.

tetania s.f. Enfermedad producida por un grave descenso del calcio sanguíneo y que se caracteriza fundamentalmente por la presencia de espasmos musculares. ☐ ETIMOL. De *tétanos*.

tetánico, ca adj. Del tétanos o relacionado con esta enfermedad.

tétano s.m. →**tétanos.**

tétanos (tb. *tétano*) (pl. *tétanos*) s.m. Enfermedad infecciosa grave producida por una bacteria que penetra generalmente por las heridas y que ataca el sistema nervioso. ☐ ETIMOL. Del griego *tétanos* (tensión, rigidez).

tête à tête (fr.) ‖ A solas los dos, frente a frente. ☐ PRON. [tét·a·tét]. ☐ USO Su uso es innecesario y puede sustituirse por *frente a frente* o *cara a cara.*

tetera s.f. Recipiente parecido a una jarra, pero con tapadera, asa y un pico más o menos largo, que se usa para preparar y servir el té.

teticoja adj. Referido esp. a una cabra, que solo tiene una ubre.

tetilla s.f. Teta de un mamífero macho.

tetina s.f. Boquilla o pezón de goma con un pequeño agujero que se ajusta al biberón para que el bebé succione. ☐ ETIMOL. Del francés *tetine*.

tetona adj. *vulg.* Referido a una mujer, que tiene tetas grandes: *No suele ponerse jerséis ajustados porque es muy tetona.*

tetra- Elemento compositivo prefijo que significa 'cuatro': *tetrasílabo, tetrápodo, tetravalente.* ☐ ETIMOL. Del griego *tetra-*.

tetra brik (tb. *tetra-brik, tetrabrik*) s.m. ‖ Recipiente de cartón, generalmente de forma rectangular, que se usa para envasar líquidos. ☐ ETIMOL. Procede del nombre de la marca comercial *Tetra Brik®*. ☐ MORF. En la lengua coloquial se usa mucho la forma abreviada *brik*. ☐ USO Se usa mucho el plural *tetra briks*.

tetraciclina s.f. Familia de antibióticos que se usa generalmente para tratar infecciones en las vías respiratorias.

tetraedro s.m. Cuerpo geométrico limitado por cuatro polígonos o caras. □ ETIMOL. Del griego *tetráedron*, y este de *tetra-* (cuatro) y *hédra* (asiento, base).

tetragonal adj.inv. Con forma de tetrágono.

tetrágono s.m. En geometría, polígono que tiene cuatro lados y cuatro ángulos. □ ETIMOL. Del latín *tetragonum*, este del griego *tetrágonon*, y este de *tetra-* (cuatro) y *gonía* (ángulo).

tetralogía s.f. Conjunto de cuatro obras generalmente literarias, que tienen entre sí un enlace histórico o una unidad temática o de pensamiento. □ ETIMOL. De *tetra-* (cuatro) y *-logía* (estudio).

tetramorfo adj. En la cultura oriental, referido a un ser, que tiene cabeza de hombre, alas de águila, pies delanteros de león y pies traseros de toro. □ ETIMOL. De *tetra-* (cuatro) y *-morfo* (forma).

tetramorfos s.m. Símbolo conjunto de los cuatro evangelistas. □ ETIMOL. De *tetra-* (cuatro) y *-morfo* (forma).

tetraplejia (tb. *tetraplejía*) s.f. Parálisis de las cuatro extremidades del cuerpo, generalmente producida por una lesión en el encéfalo o en la médula espinal.

tetrapléjico, ca ▮ adj. **1** De la tetraplejia o con características de este tipo de parálisis. ▮ adj./s. **2** Referido a una persona, que padece tetraplejia.

tetrápodo, da ▮ adj./s.m. **1** Referido a un animal vertebrado, que tiene cuatro extremidades con cinco dedos más o menos desarrollados en cada una de ellas: *Las personas son mamíferos tetrápodos.* ▮ s.m.pl. **2** En zoología, superclase de estos animales, perteneciente al tipo de los cordados: *Los animales que pertenecen a los tetrápodos pueden ser reptiles, anfibios, aves o mamíferos.* □ ETIMOL. De *tetra-* (cuatro) y *-podo* (pie).

tetrasílabo, ba adj. De cuatro sílabas, esp. referido a un verso: *'Territorio' es una palabra tetrasílaba. Los tetrasílabos no son frecuentes en la poesía castellana.*

tetrástrofo, fa adj. **1** Referido a una composición poética, que consta de cuatro estrofas: *Un soneto es un poema tetrástrofo.* **2** ‖ **tetrástrofo monorrimo;** en métrica, estrofa formada por cuatro versos de catorce sílabas, con una sola rima común a todos, y cuyo esquema es *AAAA*: *Los grandes poemas del Mester de Clerecía están escritos en tetrástrofos monorrimos.* □ SINÓN. *cuaderna vía.* □ ETIMOL. Del latín *tetrastrophus*, y este del griego *tétra* (cuatro) y *strophé* (estrofa).

tetravalente adj.inv. En química, que funciona con cuatro valencias. □ ETIMOL. De *tetra-* (cuatro) y *valente*.

tétrico, ca adj. Triste, sombrío o relacionado con la muerte. □ ETIMOL. Del latín *taetricus*.

tetris (pl. *tetris*) s.m. Juego de ordenador que es un tipo de puzle y que consiste en ir encajando piezas geométricas que caen de la parte superior de la pantalla.

tetuda adj. *vulg.* Referido a una mujer, que tiene las tetas muy grandes.

teúrgia s.f. En la antigüedad, magia mediante la cual se pretendía entrar en contacto con los dioses para que hicieran prodigios. □ ETIMOL. Del latín *theurgia*, este del griego *theurgía*, y este de *Theós* (Dios) y *érgon* (obra).

teutón, -a adj./s. **1** De un antiguo pueblo germano asentado en las costas del mar Báltico (situado al norte de Europa) cerca de la desembocadura del río Elba, o relacionado con él. **2** *col.* Alemán.

teutónico, ca adj. De los teutones o relacionado con ellos.

tex s.m. En la industria textil, unidad de grosor de una fibra, que corresponde a la masa de un kilómetro de la misma materia cuando pese un gramo. □ ORTOGR. Su símbolo es *tex*, por tanto, se escribe sin punto.

tex-mex (ing.) (tb. *tex mex*) adj.inv./s.m. Que mezcla estilos mexicanos y de Tejas (Estado estadounidense): *la comida tex-mex; la música tex-mex; la moda tex-mex.*

textil adj.inv. **1** De la tela y de los tejidos o relacionado con ellos: *industria textil.* **2** Referido a una materia, que sirve para la fabricación de telas y tejidos: *fibras textiles.* □ ETIMOL. Del latín *textilis*.

texto s.m. **1** Conjunto de palabras que forman un documento escrito. **2** →**libro de texto.** □ ETIMOL. Del latín *textum* (tejido).

textual adj.inv. **1** Del texto o relacionado con él. **2** Exacto o preciso: *'No quiero saber nada del tema' fueron sus palabras textuales.*

textura s.f. Estructura, disposición de un material o sensación que produce al tacto: *La seda es de textura suave.* □ ETIMOL. Del latín *textura*. □ ORTOGR. Dist. de *tesitura*.

tez s.f. Superficie o aspecto externo del rostro humano: *un chico de tez morena.* □ ETIMOL. Quizá del antiguo *aptez* (perfección), y este del latín *aptus* (apropiado, robusto, sano).

tezontle s.m. Piedra volcánica y porosa de color rojizo: *En México se utiliza el tezontle para la construcción.* □ ETIMOL. Del náhuatl *tetzontli*.

TFT (ing.) s.m. Sistema de algunas pantallas planas para mostrar información visual, que se basa en la utilización de un tipo especial de transistores: *una cámara digital con pantalla de TFT.* □ ETIMOL. Es la sigla del inglés *Thin Film Transistor* (transistor de película fina). □ SINT. Se usa mucho en aposición, pospuesto a un sustantivo: *un monitor TFT.*

theta s.f. →**zeta.**

thrash (ing.) s.m. Música y baile de ritmo muy acelerado. □ PRON. [trach], con *ch* suave.

thriller (ing.) s.m. Película de suspense, en la que generalmente hay algún asesinato. □ PRON. [zríler]. □ SEM. Dist. de *tráiler* (remolque de un camión; avance de una película).

ti pron.pers. Forma de la segunda persona del singular que corresponde a la función de complemento precedido de preposición: *Aprobar esta asignatura solo depende de ti.* □ ETIMOL. Del latín *tibi*. □ ORTOGR. Incorr. **tí.* □ MORF. No tiene diferenciación de género.

tialina s.f. Fermento que forma parte de la saliva y del jugo pancreático, y que actúa sobre el almidón de los alimentos. □ ETIMOL. Del griego *ptýalon* (saliva). □ ORTOGR. Se usa también *ptialina*.

tialismo s.m. En medicina, secreción excesiva y permanente de saliva. □ ORTOGR. Se usa también *ptialismo*.

tiamina s.f. Vitamina cuya carencia puede afectar al sistema nervioso, el sistema digestivo o el corazón y que se encuentra principalmente en los cereales, las legumbres y algunos tipos de carne: *La tiamina se conoce como vitamina B1.*

tianguis (pl. *tianguis*) s.m. En zonas del español meridional, mercadillo semanal.

tiara s.f. **1** Gorro alto, usado por el Papa, formado por tres coronas y rematado en una cruz sobre un globo. **2** Sombrero alto que usaban los persas y otros pueblos antiguos. **3** Corona sencilla y redonda que se usa como adorno o como símbolo honorífico o de autoridad. □ SINÓN. *diadema*. □ ETIMOL. Del latín *tiara*.

tiarrón, -a s. *col.* Persona alta y fuerte.

tiberio s.m. *col.* Jaleo, confusión o alboroto. □ ETIMOL. De origen incierto.

tibetano, na ▌adj./s. **1** Del Tíbet o relacionado con esta región asiática. ▌s.m. **2** Lengua de esta región.

tibia s.f. Véase **tibio, bia.**

tibiarse v.prnl. *col.* En zonas del español meridional, enfadarse.

tibieza s.f. Estado intermedio entre el frío y el calor.

tibio, bia ▌adj. **1** Templado o que no está ni caliente ni frío. **2** Indiferente, poco afectuoso o con poco entusiasmo: *Los tibios ataques de nuestros delanteros eran desbaratados por los defensas rivales.* ▌s.f. **3** En una pierna, hueso principal y anterior, que se articula con el fémur, el peroné y el astrágalo. **4** || **poner tibio** a alguien; *col.* Hablar mal de él. || **ponerse tibio de** algo; *col.* Hartarse de ello, esp. de comida. □ ETIMOL. Del latín *tepidus*.

tibor s.m. Vasija grande de barro o porcelana, esmaltada y decorada exteriormente, que generalmente tiene forma de tinaja y es típica de China y de Japón (países asiáticos). □ ETIMOL. De origen incierto.

tiburón s.m. **1** Pez marino con hendiduras branquiales laterales y una gran boca arqueada en forma de media luna que está provista de varias filas de dientes cortantes y situada en la parte inferior de la cabeza. **2** Persona muy ambiciosa que busca el triunfo o el éxito a toda costa. □ ETIMOL. De origen incierto. □ MORF. En la acepción 1, es un sustantivo epiceno: *el tiburón {macho/hembra}*.

tiburoneo s.m. Adquisición, de forma solapada, de un gran número de acciones de un banco o de una sociedad mercantil para lograr cierto control sobre ellos.

tic s.m. Movimiento inconsciente, que se repite con frecuencia y que está producido por la contracción involuntaria de uno o varios músculos. □ ETIMOL. Del francés *tic*. □ USO Se usan los plurales *tics* y *tic*.

TIC s.f.pl. Tecnologías utilizadas en educación para facilitar el aprendizaje de alguna materia o destreza: *Una posible aplicación de las TIC es la utilización de internet en el aula.* □ ETIMOL. Es el acrónimo de *tecnologías de la información y de la comunicación*.

ticket (ing.) s.m. →**tique.**

tico, ca adj./s. *col.* En zonas del español meridional, costarricense.

-tico, -tica Sufijo que indica relación o pertenencia: *mediático, idéntica*. □ ETIMOL. Del latín *-ticus*.

tictac s.m. Ruido acompasado que produce un reloj. □ ETIMOL. De origen onomatopéyico. □ USO Se usan los plurales *tictacs* y *tictac*.

tie-break (ing.) s.m. →**muerte súbita.** □ PRON. [tái-bréik].

tiempo s.m. **1** Duración de las cosas sujetas a cambio: *El segundo es la unidad de medida del tiempo en el Sistema Internacional.* **2** Período concreto de esta duración: *Tardaremos poco tiempo en llegar.* **3** Este período, si es largo: *Hace tiempo que no viene a casa.* **4** Época durante la que vive una persona o sucede algo, o período caracterizado por ciertas condiciones: *Es difícil vivir en tiempos de guerra.* **5** Oportunidad, ocasión o momento apropiado para algo: *No hay que hacer las cosas antes de tiempo.* **6** Período o intervalo que se dispone para hacer algo: *No tengo tiempo para ir a verte.* **7** Cada una de las fases sucesivas y diferenciadas en que se divide la ejecución de algo: *Mi equipo jugó mejor en el primer tiempo.* **8** Estación o época del año: *En este tiempo florecen los árboles.* **9** Estado atmosférico de un período concreto, generalmente no muy largo: *Hizo mal tiempo el día que fuimos de excursión.* **10** Edad de una persona, o antigüedad de una cosa: *Estos dos niños tienen el mismo tiempo.* **11** En lingüística, categoría gramatical que distingue, en el verbo, los diferentes momentos en que transcurre la acción: *En español, los tiempos verbales son presente, pasado y futuro.* **12** En música, cada una de las partes de igual duración en que se divide un compás. **13** || **a tiempo;** en el momento oportuno o cuando aún no es tarde: *Iba con retraso, pero pude llegar a tiempo.* || **a tiempo completo;** referido a un contrato de trabajo, que ocupa toda la jornada laboral y excluye otros posibles trabajos. || **a tiempo parcial;** referido a un contrato de trabajo, que ocupa parte de la jornada laboral y permite la compatibilidad con otros trabajos. || **al mismo tiempo** o **a un tiempo;** de manera simultánea o a la vez: *Hablaban al mismo tiempo y no se entendía lo que decían.* || **con tiempo;** *col.* Anticipadamente, con adelanto: *Me gusta salir con tiempo para no llegar tarde si pasa algo.* || **dar tiempo al tiempo;** *col.* Esperar la oportunidad o el momento apropiado para hacer algo: *No seas tan impaciente y dale tiempo al tiempo.* || **de un tiempo a esta parte;** expresión que indica el tiempo presente o el tiempo de que se trata, con relación a un tiempo pasado:

Creo que está enfadado, porque de un tiempo a esta parte ya no me saluda. || **del tiempo;** referido a una bebida, a la temperatura ambiente. || **faltar tiempo** a alguien **para** algo; hacerlo inmediatamente: *Eres un cotilla y en cuanto supiste la noticia te faltó tiempo para difundirla.* || **hacer tiempo** alguien; entretenerse hasta que llegue el momento oportuno para algo: *Hizo tiempo hojeando el periódico hasta que vinieron a buscarlo.* || **tiempo compuesto;** forma verbal formada por el verbo auxiliar 'haber' y por el participio pasivo del verbo que se conjuga: *'He comido' es un tiempo compuesto.* || **tiempo muerto;** en algunos deportes, suspensión momentánea del juego que solicita el entrenador de uno de los equipos. || **tiempo real;** en informática, operación que ha sido ordenada desde una terminal y que se realiza rápidamente. || **tiempo simple;** forma verbal que se conjuga sin verbo auxiliar: *El presente es un tiempo simple.* || **y si no, al tiempo;** *col.* Expresión que se usa para manifestar la convicción de que los sucesos futuros demostrarán la verdad de lo que se anuncia: *Yo te digo que conseguiré lo que pido, y si no, al tiempo.* □ ETIMOL. Del latín *tempus.* □ MORF. En la acepción 4, en plural tiene el mismo significado que en singular. □ USO Es innecesario el uso del anglicismo *full time* en lugar de *a tiempo completo.*

tienda s.f. **1** Establecimiento comercial o puesto en el que se venden artículos, esp. al por menor. **2** Armazón de tubos metálicos o de palos, de los cuales algunos se hincan en tierra, y que se cubre con una lona, tela o pieles y que sirve de alojamiento al aire libre: *Las tiendas de los indios tenían forma de cono.* **3** || **tienda (de campaña);** la de lona o tela impermeable que se monta en el campo como alojamiento transitorio. □ ETIMOL. Del latín *tenda,* y este de *tendere* (tender, desplegar).

tienta s.f. **1** En tauromaquia, prueba que se hace con la garrocha y desde un caballo, para apreciar la bravura de los becerros. **2** || **a tientas;** tocando para reconocer algo en la oscuridad o por falta de vista: *Entré a tientas en la habitación para no despertarte al encender la luz.* □ ETIMOL. De *tentar.*

tiento s.m. **1** Habilidad para tratar con una persona sensible o de la que se pretende conseguir algo, o para hablar o actuar con acierto en asuntos delicados. □ SINÓN. *tacto.* **2** || **dar un tiento** a algo; *col.* beber o comer de ello: *Le dimos un tiento al queso que trajo de su pueblo.*

tierno, na adj. **1** Que se deforma fácilmente por la presión y que es fácil de romper o de partir. **2** Que manifiesta o que produce un sentimiento afectuoso, cariñoso, dulce o amable. **3** Referido a la edad infantil, que es dócil o delicada: *A la tierna edad de seis años fue enviado por sus padres como interno a un colegio.* □ ETIMOL. Del latín *tener.*

tierra s.f. **1** Superficie del planeta en el que vivimos no ocupada por el agua: *Los marineros estaban deseando llegar a tierra.* **2** Materia inorgánica desmenuzable que compone principalmente el suelo natural: *Se me cayó el caramelo y se llenó de tierra.* **3** Terreno dedicado al cultivo o adecuado para ello: *Mis hijos heredarán todas mis tierras cuando me muera.* **4** Nación, región o territorio de una división territorial: *Dentro de un momento estaremos en tierras leonesas.* **5** Lugar en el que se ha nacido: *Cuando se jubiló volvió a su tierra.* **6** || **dar tierra** a alguien; *col.* Enterrarlo: *Ayer dieron tierra a sus restos mortales.* || **de la tierra;** referido a un fruto o a un producto, del país o comarca en que se da: *Los pimientos de la tierra son muy buenos.* || **echar por tierra** algo; *col.* Derribarlo, acabar con ello o hacerlo caer: *El escándalo ha echado por tierra su carrera política.* || **echar tierra {a/sobre} algo;** ocultar algo o procurar que se olvide: *Se suele echar tierra sobre los casos de corrupción que afectan a personas importantes.* || **poner** alguien **tierra {en/por} medio;** alejarse o desaparecer de un lugar: *Cuando se descubrió el desfalco, el culpable ya había puesto tierra por medio.* || **quedarse** alguien **en tierra;** *col.* No conseguir subirse a un medio de transporte, o no hacer un viaje que se había planeado: *Me quedé en tierra porque llegué tarde a la estación y el tren ya había salido.* || **tierra adentro;** en un lugar interior y alejado de las costas: *El pueblo que buscas no es costero sino que está tierra adentro.* || **tierra de nadie;** lugar o territorio que no pertenece a nadie. || **tierra de promisión; 1** En la Biblia, tierra que Dios prometió al pueblo de Israel para instalarse en ella: *Según la Biblia, Moisés condujo al pueblo de Israel desde Egipto a la Tierra de promisión.* **2** Tierra donde alguien va a instalarse, esp. cuando es muy fértil y rica: *El Oeste estadounidense fue para muchos colonos y ganaderos tierra de promisión en el siglo XIX.* || **tierra firme;** la de los continentes, en contraposición al agua: *Colón en su primer viaje no llegó a tierra firme.* || **tierra quemada;** táctica de guerra que consiste en arrasar el terreno para que el enemigo no pueda aprovecharse de este: *La táctica de tierra quemada se utiliza para evitar que el enemigo se pueda asentar en un territorio, o pueda avanzar por este.* || **tierra rara;** elemento químico que tiene un número atómico comprendido entre el 57 y el 71 o entre el 89 y el 103, ambos inclusive: *Las tierras raras están formadas por el grupo de los lantánidos y de los actínidos.* || **tomar tierra; 1** Referido a una embarcación o a sus ocupantes, desembarcar o llegar a puerto: *El barco tomó tierra después de un mes en alta mar.* **2** Referido a una aeronave o a sus ocupantes, aterrizar o descender sobre la superficie terrestre: *Debido a la niebla, el avión tomó tierra en otro aeropuerto.* || **trágame tierra;** *col.* Expresión que se usa para indicar la gran vergüenza que se siente y el deseo de desaparecer de la vista: *No pudo reprimir un ¡trágame tierra!* || **venirse a tierra** algo; fracasar o destruirse: *Nuestros planes se vinieron a tierra con tu enfermedad.* □ ETIMOL. Del latín *terra.* □ SEM. Como nombre propio designa el planeta en que habitamos. □ USO *Tierra de promisión* se usa más como nombre propio.

tierral s.m. En zonas del español meridional, polvareda.

tieso, sa adj. **1** Duro, firme o rígido: *Me pongo gomina para que me quede el flequillo tieso.* **2** Tenso, tirante o estirado: *Los perros me dan miedo y en cuanto veo uno me pongo tieso.* **3** Referido a una persona, que es muy seria y se muestra orgullosa o superior en su trato con los demás: *Eres tan tieso que parece que te molesta que te saluden.* **4** *col.* Con mucho frío: *Me he quedado tiesa en la parada.* **5** *col.* Muerto en el acto: *Lo dejó tieso de un tiro.* **6** *col.* Que no tiene dinero: *Estoy tieso después de las compras de navidad.* **7** || **{dejar/quedar} tieso;** causar o recibir una gran impresión: *Me quedé tieso cuando me dijo que se casaba con ese individuo.* □ ETIMOL. Del latín *tensus* (tendido, estirado).

tiesto s.m. **1** Recipiente, generalmente de barro cocido y más ancho por la boca que por el fondo, que sirve para cultivar plantas. □ SINÓN. *maceta.* **2** Conjunto formado por este recipiente, la tierra y la planta que contiene. □ SINÓN. *maceta.* **3** || **mear fuera del tiesto;** *col.* actuar de forma inadecuada o ilógica. || **salirse** alguien **del tiesto;** *col.* Referido esp. a una persona comedida, atreverse a hablar o a hacer cosas que no se esperaban de ella: *En los últimos meses, estos chicos se han salido del tiesto.* □ ETIMOL. Del latín *testu* (tapadera de barro, vasija de barro).

tiesura s.f. Dureza, firmeza o rigidez.

tifáceo, a ▮ adj./s.f. **1** Referido a una planta, que es acuática y perenne, y que tiene los tallos cilíndricos, las hojas reunidas en la base de cada tallo, las flores en espiga y el fruto carnoso: *La espadaña es una tifácea.* ▮ s.f.pl. **2** En botánica, familia de estas plantas, perteneciente a la clase de las monocotiledóneas: *La plantas que pertenecen a las tifáceas crecen en lugares húmedos.* □ ETIMOL. Del latín *typhe*, y este del griego *týphe* (espadaña).

TIFF (ing.) s.m. En informática, formato de almacenamiento de imágenes. □ ETIMOL. Es el acrónimo del inglés *Tagged Image File Format* (Formato de Fichero de Imagen con Etiquetas).

tífico, ca ▮ adj. **1** Del tifus o relacionado con esta enfermedad. ▮ adj./s. **2** Que padece esta enfermedad.

tiflología s.f. Parte de la medicina que estudia la ceguera y los medios de curarla. □ ETIMOL. Del griego *typhlós* (ciego) y *-logía* (ciencia).

tiflológico, ca adj. De la ceguera o relacionado con ella.

tifoidea adj./s.f. →**fiebre tifoidea.**

tifoideo, a ▮ adj. **1** Del tifus o con sus características. ▮ s.f. **2** →**fiebre tifoidea.** □ ETIMOL. Del griego *tŷphos* (humor, estupor) y *-oideo* (semejante).

tifón s.m. Huracán tropical propio del mar de la China (país asiático). □ ETIMOL. Del griego *typhôn* (torbellino).

tifosi (it.) s.m.pl. Hinchas de fútbol italiano. □ PRON. [tifósi]. □ MORF. Es un plural italiano, y su singular es *tifoso*: incorr. **un tifosi.*

tifus (pl. *tifus*) s.m. Enfermedad infecciosa grave que se caracteriza por fiebres muy altas y estados de delirio o inconsciencia. □ ETIMOL. Del griego *tŷphos* (estupor, humo).

tigre s.m. **1** Mamífero felino y carnicero de pelaje rojizo o amarillento con rayas negras en el lomo y en la cola, y de color blanco en el vientre. **2** *col.* Retrete o servicio, esp. si es en un establecimiento público. **3** En zonas del español meridional, jaguar. **4** || **oler a tigre;** *col.* Oler muy mal. □ ETIMOL. Del latín *tigris.* □ MORF. En las acepciones 1 y 3, es un sustantivo epiceno: *el tigre {macho/hembra}*, pero en la acepción 1 se admite también la forma de femenino *tigresa.*

tigresa s.f. **1** Hembra del tigre. **2** *col.* Mujer provocadora, atractiva y activa en las relaciones amorosas.

tigrillo s.m. En zonas del español meridional, ocelote. □ MORF. Es un sustantivo epiceno: *el tigrillo {macho/hembra}.*

tija s.f. Pieza que sirve para sujetar una lámpara del techo.

tijera s.f. **1** Utensilio que sirve para cortar y está formado por dos hojas de acero de un solo filo, unidas a modo de aspas por un eje para que se puedan abrir y cerrar. **2** || **de tijera;** referido a un objeto, que tiene dos piezas que se mueven y se articulan de modo semejante a este utensilio: *una silla de tijera.* || **meter la tijera;** cortar, censurar o suprimir sin dudar: *El censor metió la tijera en la película y faltan muchas escenas importantes.* □ ETIMOL. Del latín *forfices tonsorias* (tijeras de esquilar). □ MORF. En plural tiene el mismo significado que en singular.

tijereta s.f. Insecto de cuerpo estrecho y largo, de color negro, cabeza rojiza, boca masticadora y abdomen terminado en dos piezas córneas a modo de alicates. □ MORF. En la acepción 1, es un sustantivo epiceno: *la tijereta {macho/hembra}.*

tijeretada s.f. →**tijeretazo.**

tijeretazo s.m. Corte hecho de modo brusco y rápido con una tijera. □ SINÓN. *tijeretada.*

tijeretear v. Dar cortes con las tijeras sin cuidado: *Dile al niño que pare de tijeretear el periódico.*

tila s.f. **1** Árbol de gran altura, tronco recto y grueso, copa amplia, hojas acorazonadas, puntiagudas y con los bordes dentados, y flores blanquecinas y olorosas que se usan con fines medicinales. □ SINÓN. *tilo.* **2** Flor de este árbol. **3** Infusión que se hace con estas flores y que tiene propiedades sedantes. □ ETIMOL. De *tilo.*

tílburi s.m. Carruaje de dos ruedas, sin cubierta y para dos personas, y tirado generalmente por una sola caballería. □ ETIMOL. Del inglés *tilbury*, y este por alusión al nombre de su inventor.

tildar v. Referido a una persona, atribuirle o achacarle un defecto o algo negativo: *Me tildaron de sinvergüenza y caradura, pero no me lo merezco.* □ SINT. Constr. *tildar* DE *algo.*

tilde s.f. Acento gráfico, rasgo de la 'ñ' o cualquier señal que aparece sobre algunas abreviaturas: *La tilde distingue el sustantivo 'té' y el pronombre per-*

sonal 'te'. □ ETIMOL. Del latín *titulus* (inscripción, anuncio).

tiliche s.m. *col.* En zonas del español meridional, cachivache o trasto.

tilín ‖ **hacer tilín;** *col.* Gustar o caer en gracia: *Es lógico que la defienda de tus críticas, porque le hace tilín.* □ ETIMOL. De origen onomatopéyico.

tilingo, ga adj./s. *col.* En zonas del español meridional, que tiene poca inteligencia o poco entendimiento.

tilo s.m. Árbol de tronco recto y grueso, copa amplia, hojas acorazonadas, puntiagudas y con los bordes dentados, y flores blanquecinas y olorosas que se usan con fines medicinales. □ SINÓN. *tila.* □ ETIMOL. Del francés antiguo *til.*

timador, -a s. Persona que tima.

tímalo s.m. Pez de agua dulce de unos cincuenta centímetros de longitud y color rojizo muy parecido al salmón. □ ETIMOL. Del latín *thymallus.* □ MORF. Es un sustantivo epiceno: *el tímalo {macho/hembra}.*

timar v. **1** Quitar o robar con engaño: *No se han equivocado al hacer la cuenta, sino que me han timado diez euros.* **2** Engañar, esp. en una venta o en un trato, al no cumplir las condiciones o promesas que se han asegurado: *Me timaron con la parcela, porque no tiene alcantarillado y ni llega el tendido eléctrico.* □ ETIMOL. De origen incierto.

timba s.f. *col.* Partida de un juego de azar.

timbal s.m. Instrumento musical de percusión, parecido al tambor pero con la caja de resonancia metálica y semiesférica. □ SINÓN. *atabal.* □ ETIMOL. Del latín *timpanum.*

timbalero, ra s. Músico que toca los timbales.

timbo s.m. En zonas del español meridional, armadillo.

timbó s.m. Árbol americano, muy frondoso, cuya madera, de color gris, se utiliza para hacer canoas: *Las semillas del timbó son de color negro.* □ ETIMOL. De origen guaraní.

timbrado, da adj. Referido a un sonido, que tiene un timbre agradable o adecuado. □ USO Se usa más la expresión *bien timbrado.*

timbrar v. **1** Estampar un timbre, sello o membrete: *Para enviar los sobres por correo hay que timbrarlos.* **2** En zonas del español meridional, tocar el timbre: *Timbré repetidas veces pero nadie me abrió.*

timbrazo s.m. Toque fuerte de un timbre.

timbre s.m. **1** Dispositivo, generalmente eléctrico, que emite un sonido que sirve de llamada o de aviso: *Ve a abrir la puerta, que están llamando al timbre.* **2** Cualidad del sonido de un instrumento musical o de la voz de una persona, que lo hacen propio y característico, y permite diferenciarlo de otros sonidos de igual tono e intensidad. **3** Sello que se pone sobre un documento y en el que se indica la cantidad de dinero que se paga como impuesto o en concepto de derechos por recibir un servicio. □ ETIMOL. Del francés *timbre* (señal del correo).

timidez s.f. Falta de seguridad en uno mismo y dificultad para entablar una conversación, actuar en público o relacionarse con los desconocidos.

tímido, da ▌adj. **1** De poca intensidad o que no se percibe claramente. ▌adj./s. **2** Referido a una persona, que tiene dificultades para entablar una conversación, para actuar en público o para relacionarse con personas desconocidas. □ ETIMOL. Del latín *timidus* (temeroso).

timina s.f. Base nitrogenada que forma parte del ácido ribonucleico: *La adenina, la guanina, la citosina, la timina y el uracilo son las cinco bases nitrogenadas que forman los ácidos nucleicos.*

timing (ing.) s.m. Programación de fechas o de plazos. □ PRON. [táimin]. □ USO Su uso es innecesario.

timo s.m. **1** *col.* Robo o engaño, esp. en una venta o en un trato, al no cumplir las condiciones o promesas que se habían asegurado. **2** En los animales vertebrados, glándula de secreción interna situada en el tórax, detrás del esternón, que participa de la función inmunitaria del organismo. **3** ‖ **timo de la estampita;** el que consiste en mostrar, con aparente inocencia, un taco de billetes para venderlos como si fueran estampas de poco valor y, cuando se decide la compra, cambiarlos por un taco de papeles sin valor sin que el timado se dé cuenta. □ ETIMOL. La acepción 2, del latín *thymus.*

timón s.m. **1** En una embarcación o en un avión, pieza situada en la parte trasera y articulada sobre goznes que sirve para modificar la dirección. **2** Rueda o palanca que se mueve para transmitir el movimiento a la pieza o a las piezas que sirven para dirigir la dirección. **3** Dirección o gobierno de algo: *El padre lleva el timón de los negocios familiares.* **4** En zonas del español meridional, volante de un automóvil. □ ETIMOL. Del latín *temo* (timón de carro o de arado).

timonear v. **1** Gobernar el timón: *El capitán timoneó hasta llegar al puerto.* **2** Referido esp. a un negocio, manejarlo o dirigirlo: *Mi abuelo timoneó aquella vieja imprenta hasta su muerte.*

timonel s.m. Persona que maneja el timón de un barco.

timonera s.f. Véase **timonero, ra.**

timonero, ra ▌adj. **1** Del timón o relacionado con él. ▌adj./s.f. **2** Referido a una pluma, que es grande, está situada en la cola del ave y, en el vuelo, le sirve para dar dirección al cuerpo.

timorato, ta adj. **1** Tímido, indeciso o que se avergüenza fácilmente. **2** Que se escandaliza con facilidad por lo que no está conforme con la moral tradicional. □ ETIMOL. Del latín *timoratus.*

timorense adj.inv./s.com. De Timor Oriental o relacionado con este país asiático.

tímpano s.m. **1** En anatomía, membrana extendida y tensa que limita exteriormente el oído medio y que lo separa del oído externo. **2** En arquitectura, espacio triangular que queda entre las dos cornisas inclinadas de un frontón y la horizontal de su base. **3** En arquitectura, en la portada de una iglesia, superficie delimitada por el dintel de la puerta y las arquivoltas. **4** Instrumento musical de percusión, compuesto por varias tiras desiguales de vidrio colocadas de mayor a menor sobre dos cuerdas o cintas, y que se toca con una especie de mazo pequeño de corcho o forrado de badana. ☐ ETIMOL. Del latín *tympanum* (pandero).

timple s.m. Guitarra pequeña de voces muy agudas. ☐ SINÓN. *tiple.*

tina s.f. **1** Vasija grande de barro, más ancha por el medio que por la base y la boca, que se utiliza generalmente para guardar líquidos. ☐ SINÓN. *tinaja.* **2** Vasija de madera con forma de media cuba. **3** Pila que sirve para bañarse. **4** En zonas del español meridional, bañera. ☐ ETIMOL. Del latín *tina* (especie de botella de vino que tiene el cuello largo y una tapadera).

tinaco s.m. En zonas del español meridional, depósito grande de agua.

tinaja s.f. Vasija grande de barro, más ancha por el medio que por la base y la boca, que se utiliza generalmente para guardar líquidos. ☐ SINÓN. *tina.* ☐ ETIMOL. Del latín **tinacula*, y este de *tina*.

tincar v. En zonas del español meridional, presentir: *Me tinca que hoy vamos a tener un mal día.* ☐ ORTOGR. La *c* se cambia en *qu* delante de *e* →SACAR.

tinción s.f. Aplicación sobre algo de un color distinto del que antes tenía. ☐ SINÓN. *teñido, tinte, tintura.* ☐ ETIMOL. Del latín *tinctio*.

tinerfeñista adj.inv./s.com. Del Club Deportivo Tenerife (club de fútbol tinerfeño) o relacionado con él.

tinerfeño, ña adj./s. De Tenerife (isla canaria), o relacionado con ella.

tinglado s.m. **1** Trama de algo de forma oculta, generalmente con el fin de perjudicar: *No me gusta este negocio porque es un tinglado de dudosa moralidad.* **2** Situación confusa, agitada o embarazosa, esp. si va acompañada de gran alboroto y tumulto: *Empezaron a discutir y montaron un buen tinglado en medio de la calle.* ☐ SINÓN. *lío.* **3** Conjunto desordenado, revuelto y enredado: *Sobre su mesa siempre tiene un tinglado de libros y papeles.* ☐ SINÓN. *lío.* ☐ ETIMOL. Del francés antiguo *tingler* (tapar con piezas de madera los huecos de una estructura del mismo material).

tiniebla ▌s.f. **1** Falta de luz: *Si se va la luz nos quedaremos en tinieblas.* ▌pl. **2** Gran ignorancia y confusión por falta de conocimientos: *Acerca de esta enfermedad la ciencia permanece en las tinieblas.* ☐ ETIMOL. Del latín *tenebrae.* ☐ MORF. En la acepción 1, se usa más en plural.

tino s.m. **1** Habilidad o destreza para acertar: *tener buen tino.* **2** Prudencia o sentido común: *obrar con mucho tino.* ☐ ETIMOL. De origen incierto.

tinta s.f. Véase **tinto, ta.**

tintar v. Referido esp. a una tela, aplicarle un nuevo color distinto del que tenía: *Quiero tintar el abrigo de marrón.* ☐ SINÓN. *teñir.*

tinte s.m. **1** Sustancia o color que se utiliza para teñir. **2** Aplicación sobre algo de un color distinto del que antes tenía. ☐ SINÓN. *teñido, tinción, tintura.* **3** *col.* →**tintorería.** **4** Artificio o apariencia con que se da un determinado carácter o aspecto: *Le dio unos tintes de optimismo a sus palabras para hacernos creer que todo iba bien.* ☐ ETIMOL. De *tintar*.

tintero s.m. **1** Recipiente que contiene la tinta de escribir. **2** ‖ **dejar(se)** algo **en el tintero;** *col.* Olvidarlo u omitirlo: *Ha hecho un estudio muy completo y no se ha dejado ningún dato en el tintero.*

tintinar v. →**tintinear.**

tintinear v. **1** Referido esp. a una campanilla, producir su sonido característico: *La campanilla tintineó cuando la agitó el monaguillo.* ☐ SINÓN. *tintinar.* **2** Referido a algunos objetos, producir un sonido semejante a este: *Las copas tintinearon al chocar.* ☐ SINÓN. *tintinar.* ☐ ETIMOL. De origen onomatopéyico.

tintineo s.m. Sonido característico de la campanilla y de otros objetos similares.

tinto, ta ▌adj. **1** *poét.* Teñido. ▌s.m. **2** →**vino tinto.** **3** En zonas del español meridional, café solo. ▌s.f. **4** Sustancia líquida y coloreada que se utiliza para escribir, dibujar o imprimir. **5** Líquido de color oscuro que lanzan los moluscos cefalópodos para su defensa. **6** ‖ **{cargar/recargar} las tintas;** *col.* Exagerar: *No recargues las tintas porque el problema no es tan grave.* ‖ **correr ríos de tinta sobre** algo; provocar gran interés y dar lugar a muchos escritos: *Correrán ríos de tinta sobre esas declaraciones del ministro.* ‖ **medias tintas;** *col.* Palabras o hechos imprecisos o indefinidos que revelan precaución y recelo: *Déjate de medias tintas y dime claramente si me apoyas o no.* ‖ **saber** algo **de buena tinta;** *col.* Estar informado de ello por una fuente fiable: *Sé de buena tinta que bajarán los impuestos.* ‖ **sudar tinta;** *col.* Realizar un gran esfuerzo: *Para aprobar el curso he sudado tinta.* ‖ **tinta china;** la que se hace con el humo de algunas materias resinosas y que se usa sobre todo para dibujar. ☐ ETIMOL. Las acepciones 1-3, del latín *tinctus*. Las acepciones 4 y 5, del latín *tincta*, y este de *tingere* (teñir).

tintorera s.f. Véase **tintorero, ra.**

tintorería s.f. Establecimiento en el que se tiñe o se limpian tejidos, esp. prendas de vestir. ☐ MORF. En la lengua coloquial se usa mucho la forma abreviada *tinte*.

tintorero, ra ▌s. **1** Persona que se dedica profesionalmente a teñir tejidos o limpiarlos. ▌s.f. **2** Tiburón de color azulado, que alcanza los cuatro metros de longitud, tiene dientes triangulares y cortantes y habita en los mares templados. ☐ ETIMOL. La acepción 1, de **tinturero*, y este de *tintura*. La acepción 2, del antiguo *tinturar* (teñir). ☐ MORF. En la acepción 2, es un sustantivo epiceno: *la tintorera {macho/hembra}*.

tintorro s.m. *col.* Vino tinto, esp. si es de mala calidad.

tintura s.f. **1** Sustancia con que se tiñe. **2** Aplicación sobre algo de un color diferente del que antes tenía. ☐ SINÓN. *teñido, tinción, tinte.* ☐ ETIMOL. Del latín *tinctura*.

tiña s.f. Enfermedad contagiosa de la piel producida por hongos parásitos, que aparece principalmente sobre el cuero cabelludo, y que puede producir costras, úlceras o caída del cabello. □ ETIMOL. Del latín *tinea* (polilla).

tiñoso, sa adj./s. **1** Que padece tiña. **2** Escaso, miserable o que manifiesta ruindad.

tío, a s. **1** Respecto de una persona, otra que es el hermano o el primo de su padre o de su madre. **2** *col.* Persona cuya identidad se ignora o no se quiere decir: *He visto a un tío merodeando alrededor de tu coche.* □ SINÓN. *individuo.* **3** || **no hay tu tía;** *col.* Expresión que se usa para indicar la dificultad o la imposibilidad de realizar algo o de evitarlo: *Mira que le insisto, pero no hay tu tía, está empeñado en irse de aquí.* || **tío bueno;** persona que tiene un cuerpo físicamente atractivo. || **tío Sam;** *col.* Gobierno y administración estadounidenses en su conjunto. □ ETIMOL. Del latín *thius.* □ ORTOGR. La expresión *no hay tu tía* se admite también con la forma *no hay tutía.* □ SEM. Seguido de un insulto, se usa para enfatizar este: *¡Tío guarro, deja de mirar por la cerradura!* □ USO 1. Se usa como apelativo: *Le dijo a su amigo: 'Mira, tío, déjame en paz'.* 2. En algunas zonas rurales se usa como fórmula de tratamiento: *El tío Benito me ha regalado una gallina.*

tiorra s.f. *col. desp.* Véase **tiorro, rra**.

tiorro, rra ▌s. **1** *desp.* Persona grande y desgarbada. ▌s.f. **2** *col. desp.* Lesbiana.

tiovivo s.m. Atracción de feria formada por una plataforma giratoria sobre la que hay reproducciones a pequeña escala de animales y vehículos, en los que los niños se pueden montar. □ SINÓN. *caballitos, carrusel.*

tipa s.f. **1** Árbol americano de tronco grueso, copa grande, flores amarillas y fruto con semillas negras, cuya madera es dura y amarillenta: *La madera de tipa se usa en carpintería y ebanistería.* □ SINÓN. *tipuana.* **2** *col. desp.* Mujer. □ ETIMOL. La acepción 1, de origen quechua.

tiparraco, ca s. *desp.* Persona ridícula, despreciable o poco importante. □ SINÓN. *tipejo.*

tipazo s.m. **1** *col.* Cuerpo muy atractivo. **2** *col.* Persona muy atractiva.

tipejo, ja s. *desp.* Persona ridícula, despreciable o poco importante. □ SINÓN. *tiparraco.*

típex s.m. →**tippex.**

tipi s.m. Tienda de piel, con forma cónica, sostenida por una armadura de madera, que utilizan los indios de las grandes llanuras norteamericanas.

tipicidad s.f. Propiedad de lo que es típico.

típico, ca adj. Característico o representativo de algo. □ ETIMOL. Del latín *tipicus.*

tipificación s.f. **1** Adaptación de varias cosas semejantes a un tipo, a un modelo o a una norma comunes. □ SINÓN. *estandarización, normalización.* **2** Representación del modelo de la especie o de la clase a la que una persona o un objeto pertenecen.

tipificar v. **1** Referido a varias cosas semejantes, adaptarlas a un tipo, a un modelo o a una norma comunes: *Delitos como ese están tipificados en el código penal.* □ SINÓN. *estandarizar, normalizar.* **2** Referido a una persona o a un objeto, representar el modelo de la especie o de la clase a la que pertenecen: *Este chico tipifica muy bien a la juventud del momento.* □ ORTOGR. La *c* se cambia en *qu* delante de *e* →SACAR.

tipismo s.m. Conjunto de caracteres o de rasgos típicos.

tiple ▌s.com. **1** En música, persona cuyo registro de voz es el más agudo de los de las voces humanas, esp. referido a cantantes de revista con voz de soprano. ▌s.m. **2** Instrumento musical de viento, parecido al oboe soprano, que suelen emplear los conjuntos musicales que interpretan sardanas. **3** Guitarra pequeña de voces muy agudas. □ SINÓN. *timple.* □ ETIMOL. De origen incierto.

tipo s.m. **1** *desp.* Persona cuya identidad se ignora o no se quiere decir: *En mi trabajo hay un tipo que dice que te conoce.* □ SINÓN. *individuo, sujeto.* **2** Modelo o ejemplo característico de una especie o de un género que reúne las peculiaridades de ella: *un tipo de coche.* **3** Clase, modalidad o naturaleza de algo: *un tipo de queso.* **4** Figura o talle de una persona. **5** En imprenta, pieza con un signo en relieve para que pueda estamparse. □ SINÓN. *letra.* **6** En biología, en la clasificación de los seres vivos, categoría superior a la de superclase e inferior a la de reino: *Los insectos pertenecen al tipo de los artrópodos.* **7** || **jugarse el tipo;** *col.* Exponer la integridad corporal o la vida a un peligro: *Cada vez que cruzamos esta carretera nos jugamos el tipo.* || **mantener el tipo;** *col.* Mantener la calma o la tranquilidad ante una situación difícil o peligrosa: *Pese al pánico de la multitud ante el incendio, supo mantener el tipo.* || **tipo de interés;** porcentaje que se aplica en el cobro de la ganancia que produce un capital. □ ETIMOL. Del latín *typus*, y este del griego *týpos* (tipo, modelo). □ MORF. En la acepción 1, se usa mucho el femenino coloquial *tipa.*

tipografía s.f. Arte o técnica de reproducir textos o ilustraciones por medio de presión mecánica u otro procedimiento. □ SINÓN. *imprenta.* □ ETIMOL. De *tipo* y *-grafía* (escritura).

tipográfico, ca adj. De la tipografía o relacionado con ella.

tipógrafo, fa s. Persona que se dedica profesionalmente a la impresión de textos o de ilustraciones, o que tiene conocimientos en tipografía.

tipología s.f. Estudio, clasificación o conjunto de los diferentes tipos de algo: *La tipología lingüística agrupa las lenguas en tipos que se correspondan con las estructuras mentales de los diversos pueblos.* □ ETIMOL. De *tipo* y *-logía* (estudio, ciencia).

tipómetro s.m. Instrumento que se utiliza en imprenta para medir los puntos tipográficos. □ ETIMOL. De *tipo* y *-metro* (medidor).

tippex (tb. *típex*) s.m. Líquido blanco que se utiliza para tapar los errores en el papel. □ ETIMOL. Extensión del nombre de una marca comercial. □ PRON. [típex].

tipuana s.f. Árbol americano de tronco grueso, copa grande, flores amarillas y fruto con semillas negras, cuya madera es dura y amarillenta: *La tipuana es un buen árbol de sombra.* □ SINÓN. *tipa.*

tique s.m. **1** Resguardo en el que aparecen anotados una serie de datos, esp. los correspondientes a un pago: *un tique de compra.* **2** Tarjeta o entrada que da derecho a utilizar un servicio durante un número limitado de veces: *En el trabajo nos dan unos tiques para el comedor.* □ ETIMOL. Del inglés *ticket.* □ USO Es innecesario el uso del anglicismo *ticket.*

tiquete s.m. En zonas del español meridional, billete o tique.

tiquismiquis (tb. *tiquis miquis*) (pl. *tiquismiquis*) ▮ adj.inv./s.com. **1** Referido a una persona, que es muy escrupulosa o que muestra una delicadeza exagerada. ▮ s.m.pl. **2** Escrúpulos o reparos de poca importancia. □ ETIMOL. Del latín *tichi michi* (para ti, para mí).

tira s.f. **1** Trozo largo y estrecho de un material delgado y flexible. □ SINÓN. *lista.* **2** Serie de dibujos o de viñetas que narran una historia o parte de ella: *una tira cómica.* **3** ‖ **la tira;** *col.* Muchísimo o muchísimos. ‖ **tira emplástica;** en zonas del español meridional, esparadrapo.

tirabuzón s.m. Rizo de cabello, largo y que cuelga en espiral. □ ETIMOL. Del francés *tire-bouchon.*

tirachinas (pl. *tirachinas*) s.m. Horquilla que tiene unas gomas sujetas a sus dos extremos y que sirve para lanzar piedrecillas u otros objetos. □ SINÓN. *tirador, tiragomas.*

tirada s.f. Véase **tirado, da.**

tirado, da ▮ adj. **1** Muy barato. **2** Muy fácil. **3** Sin medios o sin ayuda. **4** *col.* En zonas del español meridional, sucio o desordenado: *Este cuarto está todo tirado.* ▮ s.f. **5** Distancia, generalmente larga, que hay de un lugar o de un tiempo a otros: *Entre tu casa y la mía hay una buena tirada.* **6** Serie de cosas que se dicen o se escriben de un tirón o de una vez: *En un cantar de gesta, cada serie de versos ligados por la rima constituye una tirada.* **7** En algunos juegos, utilización de los dados o de otros instrumentos con que se juegan para realizar una jugada. **8** En imprenta, reproducción de un texto o de una ilustración aplicando los procedimientos de la imprenta u otros similares. □ SINÓN. *impresión, tiraje.* **9** En imprenta, número de ejemplares de que consta una edición. **10** ‖ **{de/en} una tirada;** referido a la forma de hacer algo, de un golpe o de una vez: *Nos recorrimos la ciudad de una tirada.*

tirador, -a ▮ s. **1** Persona que tira o dispara, esp. si lo hace con destreza y habilidad. **2** Persona que practica esgrima. ▮ s.m. **3** Asa o agarrador con el que se tira de algo. **4** Cordón o cadena del que se tira para hacer sonar una campanilla o un timbre. **5** Horquilla que tiene unas gomas sujetas a sus dos extremos y que sirve para lanzar piedrecillas u otros objetos. □ SINÓN. *tirachinas, tiragomas.* **6** En zonas del español meridional, tirante. □ MORF. En la acepción 6, se usa más en plural.

tirafondo s.m. **1** Tornillo para asegurar piezas metálicas a la madera. **2** En cirugía, instrumento que sirve para extraer del fondo de las heridas los cuerpos extraños. □ ETIMOL. Del francés *tire-fond.*

tiragomas (pl. *tiragomas*) s.m. Horquilla que tiene unas gomas sujetas a sus dos extremos y que sirve para lanzar piedrecillas u otros objetos. □ SINÓN. *tirador, tirachinas.*

tiraje s.m. **1** Reproducción de un texto o de una ilustración aplicando los procedimientos de la imprenta u otros similares. □ SINÓN. *impresión, tirada.* **2** Número de ejemplares de que consta una edición. □ SINÓN. *tirada.* □ ETIMOL. Del francés *tirage.*

tiralevitas (pl. *tiralevitas*) s.com. *desp.* Que adula para conseguir un trato favorable. □ SINÓN. *pelotillero.*

tiralíneas (pl. *tiralíneas*) s.m. Instrumento con la punta metálica y con forma de pinza, cuya abertura se gradúa mediante un tornillo y que sirve para trazar líneas con tinta. □ ETIMOL. De *tirar* y *línea.*

tiramillas (pl. *tiramillas*) s.com. Persona que anda mucho y recorre grandes distancias tanto a pie como en cualquier vehículo.

tiramisú (pl. *tiramisúes, tiramisús*) s.m. Postre elaborado con bizcocho empapado en café con licor, y claras de huevo a punto de nieve mezcladas con un queso muy suave. □ ETIMOL. Del italiano *tiramisú* (anímame).

tiranía s.f. **1** Forma de gobierno caracterizada por la concentración ilegítima del poder en una persona, esp. si lo ejerce sin justicia y según su voluntad. **2** Dominio excesivo o abuso de autoridad. □ ETIMOL. Del griego *tyrannía.*

tiranicida s.com. Que mata a un tirano.

tiranicidio s.m. Muerte dada a un tirano. □ ETIMOL. Del latín *tyrannicidium,* y este de *tyrannus* (tirano) y *caedere* (matar).

tiránico, ca adj. De la tiranía, con tiranía o relacionado con ella.

tiranización s.f. **1** Gobierno ejercido por un tirano sobre un Estado. **2** Dominio tiránico sobre algo.

tiranizar v. **1** Referido a un Estado, gobernarlo un tirano: *Aquel país fue tiranizado por un dictador durante muchos años.* **2** Dominar de forma tiránica: *La droga tiraniza la voluntad de los que la consumen.* □ ORTOGR. La *z* se cambia en *c* delante de *e* →CAZAR.

tirano, na adj./s. **1** Que obtiene el gobierno de un Estado de forma ilegítima y generalmente lo ejerce sin justicia y según su voluntad. **2** Que abusa de su fuerza, poder o superioridad. □ ETIMOL. Del latín *tyrannus,* y este del griego *týrannos* (reyezuelo, soberano local).

tiranosaurio s.m. Reptil del grupo de los dinosaurios que existió en la era secundaria, carnívoro, con una potente mandíbula y unos dientes muy desarrollados, que se desplazaba por medio de las extremidades posteriores.

tiranta s.f. En zonas del español meridional, tirante. □ MORF. Se usa más en plural.

tirante ▮ adj.inv. **1** Referido a un cuerpo, que está estirado por la acción de las fuerzas opuestas que soporta. □ SINÓN. *tenso.* **2** Referido a una situación, que es violenta o embarazosa. ▮ s.m. **3** Cinta o tira de tela con que se sujeta de los hombros una prenda de vestir. **4** Pieza generalmente de hierro o de acero, destinada a soportar una fuerza o tensión. □ ETIMOL. De *tirar*. □ MORF. En la acepción 3, se usa más en plural.

tirantez s.f. **1** Conjunto de características de lo que está tirante. **2** Situación caracterizada por la tensión o la hostilidad.

tirantillo s.m. En una maleta, tira de tela o de cuero que mantiene su tapa en posición vertical cuando está abierta.

tirar ▌ v. **1** Lanzar o despedir de la mano, esp. si se hace en una dirección determinada: *Tírame la pelota y yo te la tiro a ti.* **2** Derribar o echar abajo: *Van a tirar el edificio en ruinas para evitar peligros.* **3** Desechar o dejar por inservible: *Lo que no te sirva, tíralo y no lo guardes.* **4** Disparar con una cámara fotográfica: *El que tiró la foto no enfocó bien y ha salido borrosa.* **5** Disparar con un arma de fuego: *Tiraron un cañonazo que agujereó el casco del barco.* **6** Referido a un artificio explosivo, lanzarlo o hacerlo explotar: *Tiraron cohetes para anunciar el comienzo de las fiestas.* **7** *col.* Referido a una persona, suspenderla o eliminarla en un examen o en una prueba: *Los estudios se me dan bien, pero en gimnasia siempre me tiran.* **8** Referido esp. al dinero o a los bienes que se poseen, malgastarlos, despilfarrarlos o malvenderlos: *No tires el dinero comprando tonterías.* **9** Referido esp. a una publicación periódica, imprimirla, publicarla o editarla: *Si esta edición se vende bien, es probable que tiren otra.* **10** En algunos juegos, referido esp. a los dados, hacer uso de ellos para realizar una jugada: *Ahora tiras tú y, si empatas mi jugada, ganas.* **11** Atraer ganando el afecto o la inclinación: *Su padre quería que hiciese una carrera, pero a él no le tiran los libros.* **12** Atraer de manera natural: *La fuerza de la gravedad tira de los cuerpos hacia la tierra.* **13** Hacer fuerza para traer hacia sí o para arrastrar tras de sí: *Dos hombres tiraban de una cuerda intentando arrastrar un camión.* **14** Actuar como motor o como impulsador: *En estos tiempos de crisis, el sector público es el que está tirando de la economía del país.* **15** Durar, mantenerse o seguir adelante: *Tiraré con el mismo coche hasta que ahorre para otro.* **16** Torcer o dirigirse en la dirección que se indica: *Siga recto por esta calle y luego tire por la primera a la izquierda.* **17** Referido esp. a un color, parecerse o tener semejanza: *Era un rojo muy oscuro que tiraba a granate.* **18** Referido esp. a un mecanismo, funcionar, rendir o desarrollar su actividad: *Mi coche es viejo y no tira en las cuestas.* **19** Prender bien o mantenerse encendido: *Un cigarrillo con el papel un poco roto no tira bien.* **20** Referido esp. a una prenda de vestir, apretar o ser demasiado estrecha o corta: *No me pongo esa blusa porque desde que engordé me tira mucho.* ▌ prnl. **21** Arrojarse, abalanzarse o dejarse caer: *Dos policías se tiraron sobre el ladrón y lo inmovilizaron.* **22** *col.* Permanecer o estar: *Vino para unos días y se tiró aquí un año.* **23** *vulg.* Referido a una persona, tener una relación sexual con ella: *Me parece una inmadurez que tu máxima preocupación sea tirarte a alguien cada fin de semana.* **24** ‖ **tira y afloja;** *col.* Expresión que indica tacto o moderación en la alternancia entre el rigor y la suavidad en una negociación: *Tras un largo tira y afloja entre la patronal y los sindicatos, se llegó a un acuerdo entre ambas partes.* ‖ **tirarle a algo;** en zonas del español meridional, intentar o desear convertirse en ello: *Se queda horas extras porque le tira a jefe de oficina.* □ ETIMOL. De origen incierto. □ SINT. 1. Constr. de las acepciones 12, 13 y 14: *tirar* DE *algo*. 2. Constr. de la acepción 17: *tirar* A *algo*.

tirilla s.f. En una camisa, tira de tela que une el cuello al escote o que remata este si no tiene cuello.

tirillas (pl. *tirillas*) s.m. *col.* Persona muy delgada y de constitución física débil.

tirio, ria adj./s. **1** De Tiro (antigua ciudad fenicia y actual ciudad libanesa), o relacionado con ella. **2** ‖ **tirios y troyanos;** partidarios o defensores de posturas, opiniones o intereses opuestos.

tirita s.f. Pequeña tira de esparadrapo o de otro material adhesivo, que tiene en su centro una gasa con sustancias desinfectantes y que se usa para cubrir y proteger pequeñas heridas en la piel. □ ETIMOL. Extensión del nombre de una marca comercial.

tiritar v. **1** Temblar o estremecerse de frío o por causas como la fiebre o el miedo: *Con este frío, no puedo evitar tiritar y que me castañeteen los dientes.* **2** ‖ **tiritando;** *col.* Próximo a arruinarse o a acabarse: *Con los últimos pagos, se me ha quedado la cuenta del banco tiritando.* □ ETIMOL. De origen onomatopéyico. □ ORTOGR. En la acepción 1, se admite también *titiritar*. □ SINT. *Tiritando* se usa más con los verbos *dejar*, *estar*, *quedar* o equivalentes.

tiritera s.f. →**tiritona.**

tiritón s.m. Cada uno de los estremecimientos que se sienten al tiritar.

tiritona s.f. *col.* Temblor corporal producido por el frío o por la fiebre. □ SINÓN. *tiritera*.

tiro s.m. **1** Lanzamiento en una dirección determinada: *El tiro del delantero se estrelló en el larguero.* **2** Disparo con un arma de fuego. **3** En deporte, conjunto de especialidades olímpicas en las que el objetivo es acertar o derribar una serie de blancos por medio de armas de fuego o arrojadizas. **4** Arrastre de algo usando la fuerza: *Los bueyes son especialmente adecuados para el tiro de cargas pesadas.* **5** Conjunto de caballerías que tiran de un carro. **6** En una chimenea, hueco o tubo por los que pasa la corriente de aire que aviva el fuego y que arrastra al exterior los gases y humos de la combustión. **7** Cuerda o correa que se ata a las guarniciones de las caballerías y sirve para tirar de un carruaje. **8** *arg.* En el lenguaje de la droga, dosis de droga esnifada. **9** ‖ **a tiro;** al alcance: *Tiene ese puesto a tiro y no creo que deje pasar la oportunidad.* ‖ **a tiro de;** seguido del nombre de un proyectil, se usa para indicar una distancia aproximada a la que alcanzan estos: *Su casa no estará a más de un tiro de piedra* *de aquí.* || **a tiro hecho;** con un propósito intencionado y bien definido: *Cuando hago la compra siempre voy a tiro hecho.* || **{caer/sentar} algo como un tiro;** *col.* Caer o sentar muy mal: *No sé qué tendría esa comida, pero me ha caído como un tiro.* || **de tiros largos;** *col.* Referido esp. a la forma de ir vestido, de gala o con mucho lujo. || **ni a tiros;** *col.* De ningún modo: *Por más que le insista, no obedece ni a tiros.* || **por ahí {van/iban} los tiros;** *col.* Expresión que se usa para dar a entender lo acertado de una suposición o de una conjetura: *Crees que esa chica es mi novia, pero no van por ahí los tiros.* || **salir el tiro por la culata;** *col.* Producirse un resultado contrario a lo pretendido o deseado: *Esperaba beneficiarse con esa maniobra, pero le ha salido el tiro por la culata.* || **tiro al blanco;** deporte o ejercicio consistentes en disparar con un arma a un blanco. || **tiro al plato;** deporte o ejercicio consistentes en disparar con una escopeta a un plato especial que se lanza al vuelo. || **tiro de gracia;** el que se da a alguien que está gravemente herido para rematarlo o para asegurarse de su muerte. || **tiro de pichón;** deporte o ejercicio consistentes en disparar con una escopeta a un pichón al vuelo. || **tiro libre;** en baloncesto, el que se lanza desde un punto determinado y directamente a la canasta, como sanción para castigar faltas personales o técnicas cometidas por el equipo contrario.

tiroideo, a adj. Del tiroides o relacionado con él.

tiroides (pl. *tiroides*) s.amb. →**glándula tiroides.** ☐ ETIMOL. Del griego *thyroeidés* (semejante a una puerta), y este de *thýra* (puerta) y *êidos* (forma).

tirolés, -a adj./s. Del Tirol (región alpina comprendida entre el este suizo y el norte italiano), o relacionado con él.

tirolina s.f. Actividad que consiste en desplazarse de un lugar a otro, deslizándose por un cable colocado a gran altura.

tirón s.m. **1** Movimiento brusco, violento o hecho de golpe al tirar: *Di un tirón para sacar el cajón, porque se atascaba.* **2** Acelerón brusco, esp. el que se da para conseguir una ventaja respecto de otros: *Una de las corredoras dio un tirón y llegó a la meta en solitario.* **3** Atractivo o capacidad para conseguir seguidores: *Ese cantante tiene más tirón entre los jóvenes que entre la gente mayor.* **4** *col.* Contracción muscular: *Si no haces un buen calentamiento antes del ejercicio, es fácil que te dé algún tirón.* **5** Robo que se hace de un bolso o de otro objeto por el procedimiento de tirar de él violentamente y darse a la fuga: *Unos gamberros que pasaban con una moto le han dado el tirón.* **6** En economía, gran movimiento de las cotizaciones: *La bolsa dio ayer un tirón a la baja.* **7** || **de un tirón;** referido a la forma de hacer algo, de golpe o de una vez: *El libro era tan interesante que lo leí de un tirón.*

tironero, ra adj./s. Persona que roba por el método del tirón.

tiroriro s.m. *col.* Sonido producido por los instrumentos musicales que se tocan con la boca. ☐ ETIMOL. De origen onomatopéyico.

tirotear v. Disparar repetidamente con armas de fuego: *En su huida, los atracadores tirotearon a sus perseguidores e hirieron a dos de ellos.*

tiroteo s.m. Serie de disparos repetidos hechos con arma de fuego.

tiroxina s.f. Hormona segregada por la glándula tiroides.

tirreno, na ▮ adj. **1** Del mar Tirreno (parte del mar Mediterráneo entre la península Itálica y las islas de Sicilia, Córcega y Cerdeña), o relacionado con él. ▮ adj./s. **2** De la antigua Etruria (territorio del noroeste de la península Itálica), o relacionado con ella. ☐ SINÓN. *etrusco.*

tirria s.f. Manía, odio o antipatía que se sienten hacia algo o hacia alguien. ☐ ETIMOL. De origen onomatopéyico.

tirso s.m. **1** En botánica, panoja o conjunto de espigas que nacen de un eje común y cuya agrupación tiene forma de huevo. **2** En la antigua Roma, vara con ramas enrolladas que suele llevar la figura de Baco (dios del vino y de la sensualidad) y que es símbolo de su condición y autoridad. ☐ ETIMOL. Del latín *thyrsus*, y este del griego *thýrsos* (tallo de las plantas).

tisana s.f. Bebida medicinal que se prepara cociendo en agua hierbas y otros ingredientes. ☐ ETIMOL. Del griego *ptisáne* (bebida de cebada machacada).

tísico, ca ▮ adj. **1** De la tisis. ▮ adj./s. **2** Que padece tisis. ☐ SINÓN. *hético.*

tisis (pl. *tisis*) s.f. Tuberculosis que afecta a los pulmones. ☐ ETIMOL. Del griego *phthísis* (extensión, decadencia).

tissue (ing.) s.m. Pañuelo de papel. ☐ PRON. [tisú]. ☐ USO Su uso es innecesario.

tisú (pl. *tisúes, tisús*) s.m. Tela de seda entretejida con hilos de oro o de plata que pasan desde el haz al envés. ☐ ETIMOL. Del francés *tissu* (tejido).

tisular adj.inv. En biología, de los tejidos orgánicos o relacionado con ellos.

titadine s.m. Material explosivo que contiene nitroglicerina. ☐ ETIMOL. Extensión del nombre de una marca comercial.

titán s.m. **1** Persona que destaca por su fuerza excepcional o por sus cualidades en una actividad. **2** En la mitología griega, cada uno de los doce gigantes que se enfrentaron a los dioses olímpicos y fueron finalmente vencidos y expulsados a los infiernos por estos. ☐ ETIMOL. Del latín *Titan*, y este del griego *Titán.*

titánico, ca adj. Desmedido, enorme o excesivo: *una fuerza titánica.* ☐ ETIMOL. Por alusión a Titán, que es un gigante mitológico que se distinguió por su fuerza.

titanio s.m. Elemento químico, metálico y sólido, de número atómico 22, de color gris y de gran dureza: *El titanio se emplea en la fabricación de aceros especiales por su gran dureza.* ☐ ETIMOL. Del latín *Titanium*, nombre dado por su descubridor, ya que los Titanes eran hijos de Urano, y el uranio fue el primer elemento que descubrió. ☐ ORTOGR. Su símbolo químico es *Ti.*

titear v. Referido a una perdiz, cantar llamando a los pollos: *En el campo se oía perfectamente cómo titeaban las perdices.*

títere s.m. **1** Muñeco o figurilla vestida que se mueve mediante hilos o introduciendo una mano en su interior: *teatro con títeres.* **2** Persona de escasa voluntad, que se deja dominar fácilmente o que actúa obedeciendo la voluntad o los mandatos de otros. **3** *col.* Persona de aspecto ridículo, muy presumida y engreída. **4** || **no {dejar/quedar} títere con cabeza;** *col.* Dejar o quedar todo destrozado o deshecho: *Después de la pelea, en el salón no quedó títere con cabeza.* ☐ ETIMOL. De origen incierto.

titi s.f. *col.* Mujer. ☐ ORTOGR. Dist. de *tití.* ☐ USO En la lengua coloquial, se usa como apelativo para ambos sexos: *¡Qué pasa, titi, cuánto tiempo sin verte!*

tití (pl. *tities, titís*) s.m. Mono de color ceniciento, con rayas oscuras transversales sobre el lomo y anilladas por la cola, cara blanca y pelada con una mancha negruzca sobre la nariz y la boca, y mechones blancos alrededor de las orejas. ☐ ETIMOL. De origen onomatopéyico. ☐ ORTOGR. Dist. de *titi.* ☐ MORF. Es un sustantivo epiceno: *el tití {macho / hembra}.*

titilante adj.inv. Que centellea o despide rayos de luz con un ligero temblor.

titilar v. Referido a un cuerpo luminoso, centellear o despedir rayos de luz con un ligero temblor: *Las estrellas titilan en el cielo.* ☐ ETIMOL. De origen incierto.

titileo s.m. Centelleo con un ligero temblor de un cuerpo luminoso.

titipuchal s.m. *col.* En zonas del español meridional, gran cantidad o abundancia.

titiritaina s.f. **1** *col.* Ruido confuso de flautas u otros instrumentos. **2** *col.* Bulla o ruido confusos y alegres o festivos. ☐ ETIMOL. De origen onomatopéyico.

titiritar v. Temblar o estremecerse de frío o por causas como la fiebre o el miedo: *Hasta que no estuvimos un rato junto al brasero, no dejamos de titiritar.*

titiritero, ra s. **1** Persona que maneja títeres o hace representaciones teatrales con ellos. **2** Persona que hace ejercicios acrobáticos andando o saltando por el aire sobre una cuerda o alambre, esp. si esta es su profesión. ☐ SINÓN. *volatinero.*

tito, ta ▮ s. **1** *col.* Tío. ▮ s.m. **2** En algunas regiones, hueso o pepita de la fruta. **3** Planta herbácea con el tallo ramoso, hojas en forma de punta de lanza, flores moradas y blancas, y cuyo fruto es una legumbre. ☐ SINÓN. *almorta, guija, muela.* **4** Fruto y semilla de esta planta. ☐ SINÓN. *almorta, guija, muela.* ☐ MORF. En la acepción 1, es diminutivo irregular de *tío.* ☐ USO En la acepción 1, tiene un matiz cariñoso.

titubeante adj.inv. Que titubea.

titubear v. **1** Sentir perplejidad o duda sobre lo que se debe hacer en un punto o en un asunto: *Si se lo propones, a lo mejor titubea al principio, pero seguro que acaba aceptando.* **2** Vacilar o tropezar al hablar en la pronunciación o en la elección de las palabras: *El testigo estaba tan nervioso que titubeaba constantemente.* ☐ ETIMOL. Del latín *titubare* (oscilar, trastabillar).

titubeo s.m. **1** Sentimiento de perplejidad o de duda sobre lo que se debe hacer en un punto o en un asunto: *Deja a un lado tus titubeos y decídete de una vez.* **2** Vacilación o tropiezo al hablar, en la pronunciación o en la elección de las palabras: *Me contestó con tantos titubeos que dudo de que fuera sincero.*

titulación s.f. Obtención de un título académico.

titulado, da adj./s. Referido a una persona, que ha obtenido un título académico. ☐ SINT. Constr. *titulado* EN *algo.*

titular ▮ adj.inv./s.com. **1** Referido a una persona, que ocupa un cargo o ejerce su profesión teniendo el título o el nombramiento correspondientes: *En ausencia del titular, se hizo cargo del caso la juez suplente. Soy profesora titular en la universidad.* **2** Referido esp. a una persona o a una entidad, que dan su nombre para que figure como título de algo o para que conste que son sus propietarios o los sujetos de un derecho: *Todos los socios titulares de acciones tienen derecho a voto.* ▮ s.m. **3** En una publicación periódica, título que encabeza una noticia o un texto y que aparece impreso en tipos de letra de mayor tamaño: *Leyendo solo los titulares del periódico te puedes hacer una idea de lo que es noticia en el mundo.* ▮ v. **4** Referido esp. a una obra de creación, ponerle título, nombre o inscripción: *Cuando escribe una novela, no la titula hasta que no la termina. No me acuerdo cómo se titula la película que vi ayer.* ▮ prnl. **5** Referido a una persona, obtener un título académico: *Después de licenciarse en economía en su país, siguió cursos de doctorado y se tituló como doctora en el extranjero.* ☐ ETIMOL. Las acepciones 4 y 5, del latín *titulare.* ☐ MORF. En la acepción 3, se usa más en plural.

titularidad s.f. **1** Condición que se adquiere por poseer el título o el nombramiento correspondientes para ocupar un cargo o para ejercer una profesión: *Obtuvo la titularidad como profesora universitaria después de presentarse dos veces a la oposición.* **2** En deporte, condición del deportista que juega u ocupa su puesto dentro de su equipo de forma habitual. **3** Condición de la persona o de la entidad que dan su nombre para que figure como título de algo o para que conste que son sus propietarios: *Comparto con mi marido la titularidad de la cuenta bancaria.*

titulatura s.f. Conjunto de títulos que posee una persona o una entidad. ☐ SEM. No debe emplearse con el significado de 'titulación' o de 'título': *La {*titulatura > titulación} en derecho se obtiene después de cursar y aprobar cinco cursos.*

titulitis (pl. *titulitis*) s.f. *col. desp.* Valoración excesiva de los títulos académicos o de los certificados como garantía de una buena preparación profesional.

título s.m. **1** Palabra o conjunto de palabras que se asignan a una obra o a una de sus partes como nombre o como anuncio de su contenido. **2** Renombre o distinción con que se conoce a una persona por sus cualidades o por sus actos: *Está en juego el título de campeón de liga.* **3** Documentación que acredita la capacitación para ejercer una profesión o un cargo o el haber realizado y superado determinados estudios y sus correspondientes exámenes. **4** Dignidad o categoría nobiliarias: *título de duque.* **5** Documento jurídico en el que se otorga un derecho o se establece una obligación: *título de propiedad de una casa.* **6** En una ley, en un reglamento o en otro texto jurídico, apartado o división mayores y que suelen estar a su vez subdivididos. **7** || **a título (de)** algo; con ese pretexto o actuando en calidad de ello: *Te hablo por tu bien y a título de colaborador y consejero tuyo.* || **títulos de crédito;** lista de actores y técnicos que han participado en una película, un documental o un programa. ☐ ETIMOL. Del latín *titulus* (inscripción, título de un libro, rótulo, anuncio).

tiza s.f. Arcilla blanca o de colores, en forma de barrita, que se usa para escribir en pizarras y encerados.

tiznado, da adj. En zonas del español meridional, borracho.

tiznajo s.m. →**tiznón.**

tiznar v. Manchar con tizne, con hollín o con otra materia semejante: *El humo ha tiznado el trozo de pared que está junto a la chimenea. Los soldados se tiznaron la cara con unos polvos negros para no ser descubiertos en la oscuridad.* ☐ ETIMOL. De *tizón.*

tizne s.amb. Humo que se pega a los cacharros que se ponen al fuego o a las superficies que están cerca de él. ☐ MORF. Se usa más como sustantivo masculino.

tiznón s.m. Mancha hecha con tizne, con tizón o con otras cosas semejantes. ☐ SINÓN. *tiznajo.*

tizo s.m. Trozo de leña que despide humo mientras arde. ☐ ETIMOL. De *tizón.*

tizón s.m. Palo a medio quemar. ☐ ETIMOL. Del latín *titio.*

tizona s.f. Espada. ☐ ETIMOL. Por alusión a Tizona, nombre de la espada del héroe medieval castellano conocido como 'el Cid'.

tlachique s.m. En zonas del español meridional, bebida americana que se extrae del maguey.

tlaconete ▮ s.com. **1** *col.* En zonas del español meridional, persona, esp. si es un niño, que es de baja estatura. ▮ s.m. **2** En zonas del español meridional, babosa. ☐ ETIMOL. Del náhuatl *tlalli* (tierra) y *conetl* (hijo). ☐ MORF. En la acepción 2, es un sustantivo epiceno: *el tlaconete {macho / hembra}.*

tlacos s.m.pl. En zonas del español meridional, dinero. ☐ ETIMOL. Del náhuatl *tlaco* (mitad).

tlacuache s.m. En zonas del español meridional, zarigüeya. ☐ ETIMOL. Del náhuatl *tlacua* (comer), quizá por la voracidad que caracteriza a estos animales. ☐ MORF. Es un sustantivo epiceno: *el tlacuache {macho / hembra}.*

tlalcoyote s.m. En zonas del español meridional, tejón. ☐ ETIMOL. Del náhuatl *tlalli* (tierra) y *coyotl* (coyote). ☐ MORF. Es un sustantivo epiceno: *el tlalcoyote {macho / hembra}.*

tlapalería s.f. En zonas del español meridional, ferretería.

TNT (pl. *TNT*) s.m. Producto sólido de color amarillento, tóxico e inflamable, que se utiliza principalmente como explosivo. ☐ SINÓN. *trinitrotolueno, trilita.* ☐ ETIMOL. Es el acrónimo de *trinitrotolueno.*

toalla s.f. **1** Pieza de felpa, de algodón o de otro tejido absorbente, que se usa para secarse el cuerpo. **2** || **{arrojar/tirar} la toalla;** *col.* Abandonar, desistir o darse por vencido en un empeño: *No tires la toalla tan pronto e inténtalo una vez más.* || **toalla sanitaria;** en zonas del español meridional, compresa. ☐ ETIMOL. Del germánico *thwahljo.*

toallero s.m. Mueble, soporte o utensilio que sirve para colgar toallas.

toallita s.f. Pieza de tela humedecida con algún producto, que se usa una sola vez y después se tira: *una toallita desmaquilladora; una toallita de bebé.*

toast (ing.) s.m. Pan de molde en rebanadas y tostado. ☐ PRON. [tóust]. ☐ USO Su uso es innecesario y puede sustituirse por *pan tostado.*

toba s.f. **1** *col.* Golpe que se da haciendo resbalar los dedos índice o corazón sobre el pulgar. **2** Roca sedimentaria formada por la cal de las aguas de ciertos manantiales.

tobera s.f. **1** En un horno, en una fragua o en otra instalación semejante, abertura en forma de tubo por la que se introduce el aire. **2** En un motor o en otro mecanismo, dispositivo en forma de tubo que regula o permite la salida de gases y fluidos.

tobillera s.f. Véase **tobillero, ra.**

tobillero, ra ▮ adj. **1** Que se pone en el tobillo: *unos zapatos con cinta tobillera.* **2** Referido a una prenda de vestir, que llega hasta los tobillos: *un pantalón tobillero.* ▮ s.f. **3** Tira o venda, generalmente elásticas, que se colocan ciñendo el tobillo para sujetarlo o para protegerlo. **4** Pulsera que se lleva en el tobillo.

tobillo s.m. Parte del cuerpo humano por la que se articula la pierna con el pie y en cuyos lados sobresalen dos abultamientos formados respectivamente por la tibia y por el peroné: *Me torcí el tobillo porque pisé mal.* ☐ ETIMOL. Del latín **tubellum,* y este de *tuber* (bulto, nudo).

tobogán s.m. Construcción en forma de rampa por la que las personas se dejan resbalar sentadas o tendidas. ☐ ETIMOL. Del inglés *toboggan.*

toca s.f. Prenda de tela que se ciñe al rostro y que usan las monjas para cubrirse la cabeza. ☐ ETIMOL. De origen incierto.

tocable adj.inv. Que se puede tocar.

tocacintas (pl. *tocacintas*) s.m. En zonas del español meridional, grabadora o casete.

tocadiscos (pl. *tocadiscos*) s.m. Aparato, generalmente electrónico, capaz de reproducir el sonido grabado en un disco. □ USO 1. En la lengua coloquial se usa mucho la forma *tocata*. 2. Es innecesario el uso del anglicismo *pick-up*.

tocado, da ▌adj. **1** Con la razón un poco perturbada o ligeramente loco. **2** Afectado por alguna enfermedad, por alguna lesión o por algún problema: *Estoy un poco tocado del tobillo.* **3** Referido esp. a la fruta, que ha empezado a estropearse. ▌s.m. **4** Peinado, adorno que se lleva sobre la cabeza o prenda con que se cubre: *un tocado de flores.*

tocador, -a ▌adj./s. **1** Que toca un instrumento musical. ▌s.m. **2** Mueble, generalmente en forma de mesa, con espejo y otros utensilios, que se utiliza para el peinado y aseo personales. **3** Habitación o dependencia destinadas a este fin y en la que suele haber uno de estos muebles. □ ETIMOL. De *tocarse* (cubrirse la cabeza con un tocado). □ USO En la acepción 2, es innecesario el uso del galicismo *boudoir*.

tocamiento s.m. Acercamiento de dos cosas de forma que entren en contacto: *Los tocamientos sexuales a menores están penados por la ley.*

tocante adj.inv. **1** Que toca. **2** || **tocante a** algo; referente a ello, relacionado con ello o en lo que le afecta: *En lo tocante a tu problema, yo no puedo hacer nada.*

tocar ▌v. **1** Referido a un objeto o a una superficie, acercar la mano u otra parte del cuerpo a ellos de forma que entren en contacto: *No toques la plancha, que quema.* **2** Referido esp. a un objeto, entrar o ponerlo en contacto con otro: *Separa esa silla porque está tocando la pared.* **3** Referido a un instrumento musical, hacerlo sonar según unas reglas artísticas: *¿Sabes tocar la trompeta?* **4** Referido a un objeto, hacerlo sonar: *Toca el timbre para que te abran.* **5** Referido a una pieza musical, interpretarla con un instrumento: *Ahora vamos a tocar un pasodoble.* **6** Cambiar, modificar o alterar: *No toques más el dibujo porque terminarás estropeándolo.* **7** Referido esp. a un tema o a un asunto, tratarlos o hablar de ellos de forma superficial: *La conferenciante tocó muchos temas, pero no se detuvo en ninguno.* **8** Referido a una acción, llegar el momento oportuno de hacerla: *Esta tarde toca ir a la compra.* **9** Afectar, concernir o ser obligación o responsabilidad de alguien: *La protección de la naturaleza nos toca a todos.* **10** Corresponder como premio o en suerte: *Le ha tocado un buen premio de la lotería.* **11** Referido a una parte de un todo que se reparte, corresponderle o pertenecerle a alguien: *Tocamos a ocho caramelos cada uno.* **12** Estar muy próximo o muy cerca: *Sus contestaciones tocan ya la mala educación.* **13** Referido a una persona, tener parentesco con otra: *Ese señor, aunque tiene mi mismo apellido, no me toca nada.* ▌prnl. **14** Cubrirse la cabeza con un gorro, un sombrero, un pañuelo o algo semejante: *La madrina se tocó con una mantilla de encaje.* **15** || **tocar fondo;** llegar a una situación crítica e irreversible: *La droga irá acabando contigo hasta que llegue un momento en que toques fondo y ya no puedas hacer nada.* □ ETIMOL. Las acepciones 1-13, de origen onomatopéyico. La acepción 14, de *toca*. □ ORTOGR. La *c* se cambia en *qu* delante de *e* →SACAR. □ USO La acepción 6 se usa más en expresiones interrogativas y negativas.

tocata ▌s.m. **1** *col.* →**tocadiscos.** ▌s.f. **2** Composición musical de carácter instrumental y estilo libre, generalmente destinada a instrumentos de teclado y compuesta en un solo movimiento. □ ETIMOL. La acepción 2, del italiano *toccata*.

tocateja || **a tocateja;** *col.* Referido a la forma de pagar, dando todo el dinero a la vez, en mano y al contado. □ ORTOGR. Se admite también *a toca teja*.

tocayo, ya s. Referido a una persona, que tiene el mismo nombre que otra. □ ETIMOL. De origen incierto.

tocha s.f. *col.* Véase **tocho, cha.**

tocho, cha ▌adj./s. **1** *col.* De gran tamaño: *Este trabajo es un tocho de 500 páginas.* ▌s.f. **2** *col.* Nariz.

tocinería s.f. Establecimiento donde se vende tocino.

tocineta s.f. En zonas del español meridional, beicon.

tocino s.m. **1** Capa de tejido adiposo de algunos mamíferos, esp. el del cerdo. **2** || **tocino de cielo;** dulce elaborado con yema de huevo y almíbar, que se cuecen hasta que se cuajan: *Los tocinos de cielo parecen flanes cuadrados.* || **tocino entreverado;** el que tiene hebras de carne. □ ETIMOL. Del latín *tuccetum* (carne de cerdo conservada en salmuera).

tocoginecología s.f. Parte de la medicina que se ocupa del estudio de los órganos sexuales y reproductores femeninos, el tratamiento y prevención de sus enfermedades y de la gestación y el parto. □ ETIMOL. Del griego *tókos* (parto) y *ginecología*.

tocoginecólogo, ga s. Médico especialista en tocoginecología.

tocología s.f. Parte de la medicina que se ocupa de las mujeres durante la gestación, el parto y el período de tiempo que sigue a este. □ SINÓN. *obstetricia*. □ ETIMOL. Del griego *tókos* (parto) y *-logía* (estudio, ciencia).

tocólogo, ga s. Médico especialista en tocología. □ SINÓN. *obstetra*.

tocomocho s.m. *col.* Timo que consiste en vender un billete de lotería falso, supuestamente premiado, por un valor inferior al del premio.

tocón, -a ▌adj./s. **1** *col.* Referido a una persona, que disfruta toqueteando las cosas: *No le gusta salir con ese chico porque es un tocón.* ▌s.m. **2** En un árbol talado, parte del tronco que queda unido a la raíz y que sobresale de la tierra. □ ETIMOL. La acepción 2, de origen incierto.

tocuyo s.m. En zonas del español meridional, tela basta de algodón. □ ETIMOL. Quizá de *Tocuyo*, ciudad y puerto de Venezuela, donde se fabricaban paños.

todavía adv. **1** Hasta un momento determinado: *Cuando me fui de su casa todavía no había llegado.* □ SINÓN. *aún*. **2** Expresa encarecimiento o ponderación: *Esta falda es todavía más cara que la otra.* **3** Sin embargo o a pesar de algo: *Es muy rica, pero todavía quiere tener más dinero.* **4** Enlace gramatical con valor concesivo: *Si no tuvieras dinero, todavía entendería que no gastaras, pero teniendo tanto, no tiene justificación.* □ ETIMOL. De *toda* y *vía*, porque se pasó de la idea de *por todos los caminos o vías* a en *todo tiempo*.

todo adv. **1** Enteramente o completamente: *Esa ciudad es todo contaminación y ruido.* **2** || **así y todo;** a pesar de eso: *Me engañó una vez pero, así y todo, sigo confiando en él.* || **con todo;** enlace gramatical coordinante con valor adversativo: *Ya me han dado de alta pero, con todo, no me atrevo todavía a salir a la calle.* || **del todo;** sin excepción o sin limitación, totalmente: *Estás del todo equivocado.* || **sobre todo;** en primer lugar en importancia: *Sé prudente y, sobre todo, si bebes no conduzcas.* || **todo lo más;** como máximo: *El informe nos ocupará ocho páginas todo lo más.* || **y todo;** expresión que se usa para encarecer o ponderar lo que se ha expresado antes: *Vinieron los abuelos y todo.*

todo, da ▮ indef. **1** Antepuesto a un adjetivo o a un sustantivo, intensifica lo que expresan: *Su cara es toda nariz.* ▮ adj./s. **2** Indica que algo se toma o se considera por entero o en su conjunto: *Ha estado lloviendo todo el día. Te daré todo lo que me pidas.* ▮ s.m. **3** Cosa íntegra o considerada como la suma de sus elementos o partes: *Un equipo de fútbol es un todo formado por once jugadores.* **4** || **de todas todas;** con total y absoluta seguridad o certeza: *Sé de todas todas que tú tienes la culpa.* || **jugarse el todo por el todo;** arriesgarse de forma extrema para conseguir algo: *Se dejó llevar por una corazonada y se jugó el todo por el todo en aquel negocio.* || **ser todo uno;** ser consecuencia inmediata e inevitable: *Llorar un gemelo y empezar a berrear el otro es todo uno.* □ ETIMOL. Del latín *totus* (todo entero). □ MORF. Seguido de un sustantivo en singular y sin artículo, se usa con valor de plural: *Todo hombre es mortal.* □ SEM. Su uso en plural equivale a 'cada': *Voy al cine todos los domingos.*

todopoderoso, sa adj. Que lo puede todo o que es muy poderoso.

todoterreno ▮ adj.inv./s.m. **1** Referido a un vehículo, que es resistente y se adapta a todo tipo de terrenos. ▮ s.com. **2** Persona que sirve para todo: *Es una todoterreno y lo mismo puede llevar la contabilidad que trabajar en el taller.* □ USO En la acepción 1, es innecesario el uso de los anglicismos *jeep* y *land rover*.

toffee (ing.) s.m. Caramelo blando, generalmente de café con leche o de chocolate.

toga s.f. **1** Traje exterior de ceremonia amplio, largo y generalmente negro, que usan determinadas personas encima del habitual. **2** En la antigua Roma, prenda principal exterior que se ponía sobre la túnica. □ ETIMOL. Del latín *toga*.

togado, da adj./s. Que viste toga, referido esp. a algunos magistrados y jueces.

togolés, -a adj./s. De Togo o relacionado con este país africano.

toilet (ing.) s.m. En zonas del español meridional, aseo o servicio públicos. □ PRON. Se usa la pronunciación galicista [tualét].

toilette (fr.) s.f. Cuarto de baño o aseo, esp. los que están en establecimientos públicos. □ PRON. [tualét]. □ MORF. En zonas del español meridional se usa como masculino.

toisón s.m. **1** Orden de caballería fundada en el siglo XV por Felipe el Bueno (duque de Borgoña). **2** Insignia de esta orden. □ ETIMOL. Del francés *toison* (vellón cortado de un animal), que era la insignia de esta orden de caballería en recuerdo del vellocino rescatado por el personaje mitológico Jasón.

tojo s.m. Planta que tiene las hojas verdes convertidas en espinas, flores amarillas y fruto en vaina aplastada. □ ETIMOL. De origen incierto.

tólar s.m. Unidad monetaria eslovena.

toldilla s.f. Cubierta parcial que tienen algunas embarcaciones en la popa o parte trasera, a la altura de la borda. □ ETIMOL. Del antiguo *tolda* (alcázar de un buque).

toldo s.m. Cubierta de tela gruesa que se tiende para dar sombra o para proteger de las inclemencias del tiempo. □ ETIMOL. De origen incierto.

toledano, na adj./s. De Toledo o relacionado con esta provincia española o con su capital: *Garcilaso de la Vega era toledano.*

tolerabilidad s.f. Capacidad para resistir, aguantar o soportar algo: *la tolerabilidad a un medicamento.*

tolerable adj.inv. Que se puede tolerar.

tolerado, da adj. Referido esp. a una película, que se considera adecuada para niños, por no tener un contenido que pueda herir su sensibilidad.

tolerancia s.f. **1** Respeto o consideración hacia las opiniones o actitudes ajenas. **2** Resistencia o aguante a determinadas sustancias.

tolerante adj.inv. Que tolera.

tolerar v. **1** Sufrir o llevar con paciencia: *Me costó acostumbrarme, pero ya voy tolerando madrugar.* **2** Referido a algo que se considera ilícito, permitirlo sin aprobarlo expresamente: *Hoy he tolerado que llegues tarde, pero mañana ya no.* **3** Resistir o soportar: *Me han cambiado el medicamento porque el anterior no lo toleraba.* □ ETIMOL. Del latín *tolerare* (soportar, aguantar).

tolla s.f. En zonas del español meridional, bebedero para los animales.

tollina s.f. *col.* Paliza o zurra.

tolmo s.m. Peñasco elevado que sobresale aislado. □ ETIMOL. De origen incierto.

tololoche s.m. Contrabajo que tocan los mariachis. □ ETIMOL. Del náhuatl *tololontic* (redondeado).

tolondro, dra adj./s. →**tolondrón.**

tolondrón, -a adj./s. Atolondrado o desatinado. □ SINÓN. *tolondro.*

tolteca adj.inv./s.com. De un antiguo pueblo indígena que dominó cultural y económicamente en el actual territorio mexicano entre los siglos IX y XI.

tolueno s.m. Hidrocarburo líquido, semejante al benceno, que se usa como disolvente y en la fabricación de explosivos.

tolva s.f. Recipiente en forma de pirámide o de cono invertidos, con una abertura en la parte inferior, en los que se echa el material que se quiere triturar para que vaya cayendo poco a poco sobre el mecanismo triturador: *Metió el café en la tolva para molerlo.* □ ETIMOL. Del latín *tubula* (tubo).

tolvanera s.f. Remolino de polvo levantado por el viento. □ ETIMOL. Del latín *turbo* (torbellino).

toma s.f. **1** Conquista u ocupación de un lugar por las armas o por la fuerza: *la toma de esta ciudad.* **2** Parte de algo, esp. de un medicamento, que se come o se bebe de una vez: *Cada sobrecito de jarabe es una toma.* **3** Operación por la que se bebe o se come algo: *Los niños pequeños realizan las tomas de leche cada cuatro horas.* **4** Abertura para desviar o dar salida a una cantidad de agua: *Introduce la manguera en la toma de agua y comienza a regar.* **5** Lugar por donde se deriva una corriente de fluido o de electricidad: *la toma del teléfono.* **6** Filmación o fotografiado: *La película comienza con una toma aérea de la ciudad.* **7** Aceptación o adquisición de algo: *Televisarán el acto en el que se efectuará la toma de posesión de los ministros. Cada vez es mayor la toma de conciencia de la sociedad en todo lo referente a la conservación del medio ambiente.* **8** ‖ **toma de tierra;** conductor o dispositivo que une parte de una instalación o de un aparato eléctricos a tierra como medida de seguridad.

tomado, da ▌adj. **1** Referido a la voz, que está baja y sin sonoridad debido a una afección de garganta. ▌adj./s. **2** *col.* En zonas del español meridional, borracho.

tomador, -a ▌adj./s. **1** Que toma. ▌s. **2** En economía, persona o entidad a favor de la cual se gira una letra de cambio, una póliza de seguro o un documento semejante.

tomadura ‖ **tomadura de pelo;** *col.* Engaño o burla.

tomahawk s.m. Hacha de guerra de algunas tribus indias norteamericanas. □ PRON. [tomajók].

tomar v. **1** Asir o agarrar: *Tomó la figurita con las dos manos.* **2** Coger o adquirir: *Me paré para tomar aliento. No tomé bien sus datos y ahora no puedo localizarlo.* **3** Comer o beber: *Tómate la leche sin protestar.* **4** Adoptar o emplear: *Hay que tomar medidas para que esto no vuelva a suceder.* **5** Entender, juzgar o interpretar del modo que se expresa: *Debes tomar en serio sus amenazas.* **6** Fotografiar, filmar o recoger con una cámara: *¿Nos has tomado bien con la cámara de vídeo?* **7** Referido a algo que se ofrece, recibirlo o aceptarlo: *Tomé a los niños bajo mi protección.* **8** Referido a un lugar, ocuparlo o conquistarlo, esp. si es por la fuerza: *El ejército enemigo tomó la fortaleza.* **9** Referido a un medio de transporte, subir en él: *Tomo el autobús todas las mañanas para ir a trabajar.* **10** Referido a algo, recibir sus efectos: *Tienes la piel muy blanca y no es aconsejable que tomes mucho sol.* **11** Referido a una dirección o a un camino, empezar a seguirlos o encaminarse por ellos: *Cuando llegues al cruce, toma la primera a la derecha.* **12** Seguido de algunos sustantivos, realizar la acción expresada por estos: *Hace poco que lo conozco, pero ya le he tomado cariño.* **13** En zonas del español meridional, beber alcohol: *Empezó a tomar cuando era muy joven.* **14** ‖ **toma y daca;** *col.* Intercambio entre dos o más personas: *Entre los jóvenes y los veteranos de mi empresa hay un continuo toma y daca, y así todos aprendemos de todos.* ‖ **tomar** algo **por;** creerlo o considerarlo equivocadamente: *No me gusta que me tomes por tonta.* ‖ **tomarla con** alguien**;** *col.* Tenerle manía y molestarlo continuamente: *La profesora la ha tomado conmigo y siempre me pregunta.* □ ETIMOL. De origen incierto.

tomatada s.f. Comida en la que el elemento principal es el tomate.

tomatal s.m. Terreno plantado de tomates.

tomatazo s.m. Golpe dado con un tomate.

tomate s.m. **1** Planta herbácea que tiene los tallos vellosos y endebles, las hojas dentadas, las flores amarillas, y cuyo fruto es carnoso, redondeado, rojizo y jugoso. □ SINÓN. *tomatera.* **2** Fruto de esta planta: *una ensalada de tomate.* **3** *col.* Roto o agujero en una prenda de punto, esp. en unos calcetines. **4** *col.* Situación confusa, agitada o embarazosa, esp. si va acompañada de gran alboroto y tumulto: *Vaya tomate se armó cuando la pillaron robando.* □ SINÓN. *lío.* **5** ‖ **como un tomate;** *col.* Rojo de vergüenza: *ponerse como un tomate.* ‖ **tomate cherry;** el que tiene un tamaño muy pequeño y un sabor afrutado. ‖ **tomate de milpa;** en zonas del español meridional, el que tiene menor tamaño y más sabor. □ ETIMOL. 1. Del náhuatl *tomatl.* 2. La expresión *tomate cherry*, del inglés *cherry* (cereza), porque tiene un tamaño similar al de la cereza.

tomatera s.f. Planta herbácea que tiene los tallos vellosos y endebles, las hojas dentadas, las flores amarillas, y cuyo fruto es carnoso, redondeado, rojizo y jugoso. □ SINÓN. *tomate.*

tomavistas (pl. *tomavistas*) s.m. Cámara para filmar en cine, pero de pequeño tamaño y muy manejable. □ ETIMOL. De *tomar* y *vista.*

tómbola s.f. **1** Rifa pública de objetos, cuyos beneficios se destinan generalmente a fines benéficos. **2** Lugar en el que se realiza esta rifa. □ ETIMOL. Del italiano *tombola.*

tómbolo s.m. Franja de tierra que une una antigua isla con la costa. □ ETIMOL. Del italiano *tombolo.*

tomento s.m. Capa de pelos que cubre la superficie de los órganos de algunas plantas. □ ETIMOL. Del latín *tomentum.*

tomentoso, sa adj. Con tomento o capa de pelos que cubre la superficie de los órganos de algunas plantas.

-tomía Elemento compositivo sufijo que significa 'corte' o 'incisión': *traqueotomía, ovariotomía.* □ ETIMOL. Del griego *tomía.*

tomillar s.m. Terreno poblado de tomillos.

tomillo s.m. Planta olorosa de tallos leñosos, hojas perennes y pequeñas, y flores blancas o rosáceas, que se usa en perfumería, como condimento o en la elaboración de infusiones. ☐ ETIMOL. Del latín *thymum*.

tomismo s.m. Sistema filosófico creado por Tomás de Aquino (filósofo del siglo XIII), que intenta conciliar la filosofía aristotélica con la teología cristiana. ☐ ETIMOL. De *Tomás* (santo Tomás de Aquino). ☐ ORTOGR. Dist. de *atomismo*.

tomista ▌adj.inv. **1** Del tomismo o relacionado con este sistema filosófico. ▌adj.inv./s.com. **2** Que defiende o sigue el tomismo.

tomo s.m. **1** Cada una de las partes en que se divide una obra impresa o manuscrita y que se encuadernan separadamente para facilitar su manejo. **2** ‖ **de tomo y lomo;** *col.* De consideración o de importancia: *Cuídate, porque tienes un resfriado de tomo y lomo.* ☐ ETIMOL. Del latín *tomus*, y este del griego *tómos* (sección).

tomografía s.f. Técnica que se utiliza para el registro de imágenes corporales correspondientes a un plano o a una sección determinados. ☐ ETIMOL. Del griego *tómos* (pedazo, sección) y *-grafía* (representación gráfica).

ton ‖ **sin ton ni son;** *col.* Sin razón o sin motivo: *Dices las cosas sin ton ni son porque no sabes realmente lo que pasó.* ☐ ETIMOL. Por acortamiento de *tono*.

tonada s.f. **1** Composición métrica compuesta para ser cantada. **2** Música de esta composición. ☐ ETIMOL. De *tono*.

tonadilla s.f. Canción alegre y ligera, esp. si es de carácter folclórico.

tonadillero, ra s. Persona que compone o que canta tonadillas.

tonal adj.inv. En música, del tono, de la tonalidad o relacionado con ellos: *La curva tonal es distinta en frases interrogativas y en frases enunciativas.*

tonalidad s.f. **1** En lingüística, secuencia sonora de los tonos con que se emite el discurso oral, y que puede contribuir al significado de este: *Las oraciones enunciativas tienen una tonalidad descendente.* ☐ SINÓN. *entonación.* **2** Sistema o gradación de tonos: *El agua del mar tiene tonalidades verdosas. La tonalidad es la base de la música occidental clásica.*

tonante adj.inv. *poét.* Que truena: *el dios Júpiter tonante.* ☐ ETIMOL. Del latín *tonantis*.

tondo s.m. **1** En arquitectura, adorno circular. **2** En arte, pintura o escultura de forma circular: *El tondo fue muy cultivado durante el Renacimiento.* ☐ ETIMOL. Del italiano *tondo*, por acortamiento de *rotondo*.

tonel s.m. **1** Recipiente de gran tamaño, generalmente de madera, formado por tablas curvas unidas por aros metálicos, y cerrado por bases circulares. **2** *col.* Persona muy gruesa. ☐ ETIMOL. Del francés antiguo *tonel*.

tonelada s.f. En el Sistema Internacional, unidad de masa que equivale a mil kilogramos. ☐ SINÓN. *tonelada métrica.* ☐ ETIMOL. De *tonel*. ☐ ORTOGR. Su símbolo es *t*, por tanto, se escribe sin punto.

tonelaje s.m. Capacidad de carga de un barco u otro vehículo. ☐ ETIMOL. De *tonel*.

tonelero, ra ▌adj. **1** Del tonel o relacionado con este recipiente. ▌s. **2** Persona que hace toneles.

tonelete s.m. Antiguo faldón de tela usado por los soldados, que cubría desde la cintura hasta encima de las rodillas. ☐ SINÓN. *brial*.

tonema s.m. En fonética, inflexión que recibe la entonación de una frase enunciativa a partir de la última sílaba: *Las frases de terminación descendente como 'El niño es guapo' tienen un tonema de cadencia.*

tóner (pl. *tóneres*) s.m. En una impresora láser o en una fotocopiadora, polvo muy fino, que puede estar disuelto en un líquido, que se usa para pigmentar el papel y producir una imagen. ☐ ETIMOL. Del inglés *toner*.

tonga s.f. →**tongada.**

tongada s.f. Capa superpuesta a algo. ☐ MORF. Se usa mucho la forma abreviada *tonga*.

tongano, na adj./s. De Tonga o relacionado con este país de Oceanía (uno de los cinco continentes).

tongo s.m. En una competición, trampa o engaño por el que uno de los participantes se deja ganar.

tónica s.f. Véase **tónico, ca.**

tonicidad s.f. **1** Grado de tensión de los tejidos orgánicos: *tonicidad muscular.* **2** Cualidad de las vocales, las sílabas o las palabras que se pronuncian con acento de intensidad. ☐ ETIMOL. De *tónico*.

tónico, ca ▌adj. **1** Referido a una vocal, a una sílaba o a una palabra, que se pronuncian con acento de intensidad: *La 'a' de 'ático' es una vocal tónica.* ▌adj./s.m. **2** Que entona, vigoriza o reconstituye: *Le aplicaron un tónico cardíaco para intentar que el corazón volviera a latir.* ▌s.m. **3** Loción que se usa para limpiar el cutis o para vigorizar el cabello. ▌s.f. **4** →**agua tónica. 5** Característica o tono general: *La tónica general del congreso fue de apatía.* **6** En música, primera nota de una escala diatónica: *La tónica es la nota principal de un acorde.* ☐ ETIMOL. Del griego *tonikós*, y este de *tónos* (tensión).

tonificación s.f. Fortalecimiento o tensión que se da al cuerpo o al organismo.

tonificar v. Referido esp. al organismo, darle tensión o vigor: *Dame un masaje para tonificar los músculos.* ☐ SINÓN. *entonar.* ☐ ORTOGR. La *c* se cambia en *qu* delante de *e* →SACAR.

tonillo s.m. Tono particular de la voz o del habla que tiene determinado matiz.

tono s.m. **1** Cualidad de los sonidos que depende de su frecuencia o número de vibraciones por segundo y que permite ordenarlos de graves a agudos: *En los tonos agudos se producen más vibraciones por segundo que en los graves.* ☐ SINÓN. *altura.* **2** Inflexión de la voz y forma peculiar de hablar según la intención o el estado de ánimo: *Para dormir al niño le canta nanas en un tono suave.* **3** Carácter o modo particular de la expresión y del estilo de una obra literaria o un discurso, según el asunto que trata: *La comedia tiene tono burlesco.* **4** Fuerza o intensidad de un sonido: *Baja el tono de la voz que hay gente durmiendo.* **5** Matiz intelectual, moral o político que se refleja en una conversación, una actividad, un escrito o algo semejante: *La reunión se celebró en un tono festivo.* **6** Grado de color o de intensidad: *La habitación de los niños está decorada en tonos suaves.* **7** En música, intervalo o distancia que media entre una nota y su inmediata en la escala, excepto entre mi y fa, y entre si y do: *De 'do' a 'mi', hay dos tonos enteros.* **8** Aptitud, vigor, energía o fuerza que el organismo o sus partes tienen para ejercer las funciones que les corresponden: *Te daré un masaje para que recuperes el tono muscular.* **9** Señal sonora que tiene diversos significados: *Descuelga el teléfono y cuando oigas el tono, marca el número.* **10** ‖ **a tono;** en armonía: *Lleva una corbata a tono con la camisa.* ‖ **darse tono;** *col.* Darse importancia. ‖ **de {buen/mal} tono;** propio de gente elegante o de gente sin elegancia: *Se considera de mal tono no contestar a una invitación.* ‖ **fuera de tono;** fuera de lugar o inoportuno. ‖ **subido de tono;** ligeramente grosero u obsceno: *un chiste subido de tono.* ‖ **subir de tono;** aumentar la arrogancia o la violencia: *La discusión subió de tono y se convirtió en una riña.* □ ETIMOL. Del latín *tonus*, y este del griego *tónos* (tono, acento).

tonsura s.f. **1** En la iglesia católica, grado preparatorio para recibir las órdenes menores. **2** Corte de pelo redondeado en la coronilla que simboliza este grado eclesiástico. □ ETIMOL. Del latín *tonsura*, y este de *tonsus* (esquilado).

tonsurar v. Referido a una persona o a un animal, cortarles el pelo o la lana: *El pastor tonsuraba a las ovejas y carneros.*

tontada s.f. Hecho o dicho sin fundamento o sin base lógica. □ SINÓN. *tontería.*

tontaina adj.inv./s.com. *col.* Que es tonto y sin gracia.

tontarrón, -a adj./s. →**tontorrón.**

tontear v. **1** Hacer o decir tonterías o bobadas: *En las vacaciones pasa bastante tiempo tonteando.* **2** *col.* Coquetear o jugar con fines eróticos de forma frívola o sin buscar ningún compromiso: *A su madre no le gusta que sus hijas ya empiecen a tontear con los chicos.*

tonteo s.m. **1** *col.* Hecho de hacer o decir tonterías o bobadas. **2** *col.* Coqueteo o juego hecho con fines eróticos sin buscar ningún compromiso.

tontera s.f. *col.* Tontería, simpleza o falta de inteligencia.

tontería s.f. **1** Falta o escasez de inteligencia o de lógica. **2** Hecho o dicho sin fundamento o sin base lógica. **3** Lo que se considera sin importancia o de poco valor. □ SINÓN. *bobada, tontada, fruslería, memez, menudencia.*

tontiloco, ca adj./s. *col.* Tonto y alocado.

tonto, ta ▌adj. **1** Sin fundamento o sin base lógica: *No me hagas preguntas tontas.* **2** Que ocurre sin un motivo o sin una causa aparentemente importantes: *Cuando estoy nerviosa me entra una risa tonta muy ridícula.* **3** Inútil o sin sentido: *Toda la mañana dando paseos tontos para no conseguir nada.* **4** Pesado, excesivamente cariñoso o molesto: *Cuando nació el bebé, su hermana estuvo un poco tontita durante unos meses.* ▌adj./s. **5** Que tiene poca inteligencia o poco entendimiento: *Repito esto para los tontos que no han entendido.* □ SINÓN. *bobo.* **6** *col. desp.* Que tiene alguna deficiencia mental: *Lo timó haciéndose pasar por un niño tonto.* **7** ‖ **a tontas y a locas;** sin orden ni finalidad: *Te salen mal las cosas porque las haces a tontas y a locas.* ‖ **hacer el tonto;** *col.* Perder el tiempo sin hacer nada de provecho o juguetear sin un fin determinado: *Deja de hacer el tonto y ponte a hacer algo serio.* ‖ **hacerse el tonto;** *col.* Aparentar no advertir cosas que no interesan: *Te lo estoy diciendo a ti, no te hagas el tonto.* ‖ **tonto {de capirote/del bote};** *col.* El que lo es rematadamente. □ ETIMOL. De origen expresivo.

tontorrón, -a adj./s. Muy tonto. □ ORTOGR. Se usa también *tontarrón.* □ USO Tiene un matiz cariñoso.

tontuna s.f. Hecho o dicho sin fundamento o sin base lógica. □ SINÓN. *tontería.*

toña s.f. **1** *col.* Golpe. **2** *col.* Borrachera.

top s.m. Prenda de vestir femenina, muy ajustada al cuerpo y que cubre el pecho como mucho hasta la cintura. □ ETIMOL. Del inglés *top.*

topacio s.m. Piedra fina, muy dura y de color amarillo transparente. □ ETIMOL. Del griego *topázion.*

topadora s.f. En zonas del español meridional, bulldozer.

topar v. **1** Encontrar o encontrarse casualmente o de forma inesperada: *Me topé con tu padre en el parque.* **2** Referido a una cosa, chocar con otra, esp. si es de forma suave: *Deja caer suavemente el coche hasta que topes con el de atrás.* □ ETIMOL. De origen onomatopéyico.

tope s.m. **1** Límite o punto máximos: *No insistas, porque vas a llegar al tope de mi paciencia.* **2** Parte por donde una cosa puede topar con otra: *El golpe ha dado en el tope del coche y no ha pasado nada.* **3** Pieza que sirve para detener un movimiento o para impedir que se pase al otro lado: *Pon un tope a la puerta para que no golpee la pared.* **4** ‖ **a tope;** *col.* Hasta el límite: *La sala estaba a tope de gente y no pude entrar.*

topera s.f. Madriguera del topo.

topetada s.f. →**topetazo.**

topetazo s.m. Encuentro o golpe de una cosa con otra. □ SINÓN. *topetón, topetada.*

topetón s.m. →**topetazo.**

tópico, ca ▌adj. **1** Referido esp. a una idea o a un dicho, que resultan triviales, vulgares y sin originalidad porque se dicen o utilizan con mucha frecuencia: *Sobre el matrimonio solo tienes las ideas tópicas de la pérdida de la libertad y el aburrimiento.* **2** Referido a la aplicación de un medicamento, que se realiza sobre la piel: *Las pomadas son medicamentos de uso tópico.* ▌s.m. **3** Expresión trivial, vulgar y sin originalidad porque se dice o se utiliza con mucha frecuencia: *El tópico de la chica guapa y tonta ya está pasado de moda.* ☐ ETIMOL. Del griego *Topiká* (tratado de Aristóteles sobre los *tópoi* o lugares comunes).

topillo s.m. Roedor de pelaje grisáceo y orejas velludas, que vive en zonas montañosas o en terrenos cultivados, y que se alimenta fundamentalmente de semillas, raíces y cortezas. ☐ MORF. Es un sustantivo epiceno: *el topillo {macho / hembra}*.

topiquero, ra adj. *col. desp.* Con muchos tópicos.

topless (ing.) (tb. *top-less*) s.m. **1** Desnudez de una mujer de cintura para arriba. **2** Bar o local de espectáculos en los que las camareras están desnudas de cintura para arriba. ☐ PRON. [tóp·les].

top manta s.m. || Puesto ambulante en el que se venden copias ilegales de discos compactos, generalmente de música y a precios mucho más baratos que los del disco original: *No es legal comprar discos en un top manta.*

top-model (ing.) s. Persona que trabaja como modelo y que está muy solicitada y bien cotizada: *Algunos modelos españoles son top-model en otros países.* ☐ PRON. [top módel]. ☐ USO Su uso es innecesario y puede sustituirse por *supermodelo*.

topo s.m. **1** Mamífero insectívoro del tamaño de un ratón, de pelaje negruzco, suave y tupido, hocico afilado, ojos pequeños y manos con cinco dedos provistos de fuertes uñas que le sirven para abrir las galerías subterráneas donde vive. **2** *col.* Persona que ve mal. **3** *col.* Persona que se infiltra en una organización para actuar al servicio de otros. **4** En una tela, dibujo de forma redondeada y de pequeño tamaño. ☐ ETIMOL. Del latín *talpa*. ☐ MORF. En la acepción 1, es un sustantivo epiceno: *el topo {macho / hembra}*.

topografía s.f. **1** Técnica de describir y representar detalladamente la superficie de un terreno. **2** Conjunto de características que presenta un terreno en su superficie. ☐ ETIMOL. Del griego *tópos* (lugar) y *-grafía* (descripción).

topográfico, ca adj. De la topografía o relacionado con ella.

topógrafo, fa s. Persona que se dedica profesionalmente al estudio de la superficie de un terreno o que está especializada en topografía.

topolino (it.) s.m. Coche de pequeño tamaño fabricado por una empresa italiana y propio de las décadas de 1930 y 1940.

topología s.f. Parte de las matemáticas que estudia las propiedades de las figuras que permanecen invariantes ante ciertas transformaciones. ☐ ETIMOL. Del griego *tópos* (lugar) y *-logía* (ciencia, estudio).

toponimia s.f. **1** Estudio de los nombres propios de lugar. **2** Conjunto de los nombres propios de lugar de un territorio. ☐ ETIMOL. Del griego *tópos* (lugar) y *ónoma* (nombre).

toponímico, ca adj. De la toponimia, de los topónimos o relacionado con ellos.

topónimo s.m. Nombre propio de lugar: *'Duero', 'Palencia', 'Navacerrada' y 'Mediterráneo' son algunos topónimos.* ☐ USO Los topónimos deben usarse en su forma española siempre que esta exista: *Vive en {*München > Múnich}.*

top secret (ing.) || Muy secreto: *No te contaré nada porque para ti, mis cosas son top secret.* ☐ PRON. [top sécret]. ☐ USO Su uso es innecesario y puede sustituirse por *altamente secreto* o *de alto secreto*.

toque s.m. **1** Golpe o roce suaves: *Cuando me vaya daré dos toques en la puerta.* **2** Sonido producido por algún instrumento: *toque de trompeta.* **3** Llamamiento, indicación o advertencia: *Dale un toque a tu primo para que me devuelva el libro que le presté hace seis meses.* **4** Detalle, matiz o característica: *Sus trajes siempre tienen un toque de distinción.* **5** Operación que se hace para concluir o comenzar una obra: *Para acabar el cuadro faltan algunos toques.* **6** En fútbol, estilo de juego que consiste en pasarse muchas veces el balón a la espera de que se produzca un hueco en la defensa contraria. **7** || **toque de queda;** prohibición de circular o permanecer en la calle durante determinadas horas, que impone un Gobierno en circunstancias excepcionales: *El toque de queda suele adoptarse en períodos de guerra.*

toquetear v. **1** Tocar repetida e insistentemente: *Deja de toquetear la fruta.* **2** Tocar un instrumento musical de manera descuidada: *De pequeño toqueteaba la guitarra, pero nunca llegué a aprender mucho.* **3** *vulg.* Sobar o manosear con intención sexual.

toqueteo s.m. Toque repetitivo e insistente: *Con tanto toqueteo vas a ensuciar la tela.*

toquilla s.f. Pañuelo más o menos grande, generalmente triangular, con que se cubren los hombros o la espalda: *Envolvió al bebé en una toquilla blanca.* ☐ ETIMOL. De *toca*.

torácico, ca adj. Del tórax o relacionado con él.

torada s.f. Manada de toros.

tórax (pl. *tórax*) s.m. **1** En algunos animales, esp. en el ser humano, parte del cuerpo comprendida entre el cuello y el abdomen, en cuyo interior se encuentran el corazón y los pulmones. **2** En un artrópodo, segmento del cuerpo situado entre la cabeza y el abdomen. ☐ ETIMOL. Del latín *thorax*.

torbellino s.m. **1** Remolino de viento. **2** Gran cantidad de cosas que ocurren o se producen al mismo tiempo: *En su cabeza hay un torbellino de ideas.* **3** *col.* Persona muy inquieta o muy apasionada. ☐ ETIMOL. De *torbenino*, y este del latín *turbo*.

torca s.f. Depresión u hondonada circular en un terreno y con bordes escarpados. ☐ ETIMOL. De origen incierto.

torcaz s.f. →**paloma torcaz.** ☐ ETIMOL. Del latín *torques* (collar).

torcecuello s.m. Ave trepadora que anida en los huecos de los árboles, y que se alimenta fundamentalmente de hormigas. ☐ ETIMOL. De *torcer* y *cuello*, porque cuando este animal detecta un peligro tuerce el cuello hacia atrás y lo extiende después rápidamente. ☐ ORTOGR. Se usa también *torcecue-*

llos. □ MORF. Es un sustantivo epiceno: *el torcecuello {macho/hembra}.*

torcecuellos (pl. *torcecuellos*) s.m. →**torcecuello.** □ MORF. Es un sustantivo epiceno: *el torcecuellos {macho/hembra}.*

torcedor, -a ▮ adj./s. **1** Que tuerce. ▮ s.m. **2** Huso para retorcer los hilos.

torcedura s.f. **1** Hecho de doblar o curvar lo que estaba recto: *El peso de los libros producirá la torcedura de los estantes.* □ SINÓN. *torcimiento.* **2** Movimiento brusco o forzado de una articulación del cuerpo: *No puedo mover el pie por culpa de una torcedura de tobillo.* □ SINÓN. *torcimiento.* **3** Cambio o desviación de una dirección: *Para evitar inundaciones fue necesaria la torcedura del cauce del río.* □ SINÓN. *torcimiento.*

torcer ▮ v. **1** Referido a algo que está recto, doblarlo o encorvarlo: *Se me ha torcido la aguja y ya no sirve para coser.* **2** Desviar o inclinar: *Te llevaré al oculista porque tuerces la vista.* **3** Referido esp. al gesto o al morro, ponerlos de forma que indiquen desagrado, enojo u hostilidad: *Haz lo que te digo y no tuerzas el morro.* **4** Referido esp. a un miembro del cuerpo, doblarlo o moverlo bruscamente o de forma forzada: *Me torcí el tobillo y se me ha hinchado.* **5** Referido esp. a las palabras o los significados, interpretarlos de forma errónea: *No tuerzas mis palabras, que no quiero que haya un malentendido.* **6** Cambiar de dirección: *Al llegar a la plaza debes torcer por la calle de la derecha.* ▮ prnl. **7** Referido esp. a un asunto o negocio, ir mal y fracasar: *A última hora mis planes se torcieron y no los concluí.* □ ETIMOL. Del latín *torquere.* □ MORF. Irreg. →COCER.

torcido, da adj. Que no es recto o no está recto.

torcimiento s.m. →**torcedura.**

tórculo s.m. Prensa, esp. la que se usa para estampar grabados en cobre, acero u otros metales. □ ETIMOL. Del latín *torculum* (prensa).

tordo, da ▮ adj. **1** *desp.* Torpe, tonto o poco hábil. ▮ adj./s. **2** Referido a una caballería, que tiene el pelaje blanco mezclado con pelo negro. ▮ s.m. **3** Pájaro de cuerpo grueso, plumaje grisáceo en la parte superior y amarillento con manchas pardas en el vientre y pico delgado y negro. □ ETIMOL. La acepción 1, del latín *torpidus.* Las acepciones 2 y 3, del latín *turdus.* □ MORF. En la acepción 3, es un sustantivo epiceno: *el tordo {macho/hembra}.*

torear v. **1** Lidiar los toros en la plaza: *En una corrida suelen torearse seis toros.* **2** Referido a algo molesto o desagradable, evitarlos de forma habilidosa: *Torea muy bien problemas y dificultades.* **3** Referido a una persona, burlarse de ella o mantener sus esperanzas engañándola: *Si no tienes el dinero, dímelo, pero no me torees diciendo que me lo pagarás mañana.*

toreo s.m. **1** Arte y técnica de torear toros. **2** Conjunto de acciones que se realizan para esquivar al toro según este arte: *Llegué tarde a la plaza, cuando ya había comenzado el toreo del primer novillo.* **3** || **toreo de salón;** el que se hace sin toro, generalmente para aprender.

torera s.f. Véase **torero, ra.**

torería s.f. Conjunto de toreros o de personas relacionadas con el mundo de los toros.

torero, ra ▮ adj. **1** *col.* Del toreo, con las características que se atribuyen a los toreros o relacionado con ellos. ▮ s. **2** Persona que se dedica profesionalmente al toreo. ▮ s.f. **3** Chaqueta ceñida al cuerpo, generalmente sin botones, y que no llega a la cintura. **4** || **saltarse** algo **a la torera;** *col.* Evitarlo de forma audaz o sin escrúpulos: *Se salta a la torera las normas de seguridad y algún día tendrá problemas.* □ ETIMOL. Del latín *taurarius* (gladiador que lidiaba toros). □ USO En la lengua coloquial se usa como elogio: *El público aclamaba al cantante gritándole: '¡Torero! ¡Torero!'.*

toril s.m. En una plaza de toros, lugar donde están encerrados los toros antes de ser lidiados.

torio s.m. Elemento químico, metálico y sólido, de número atómico 90, que pertenece al grupo de las tierras raras y es más pesado que el hierro: *El torio es radiactivo.* □ ETIMOL. De *Thor* (dios de la mitología escandinava). □ ORTOGR. Su símbolo químico es *Th.*

-torio Sufijo que indica lugar: *sanatorio, dormitorio, consultorio.*

-torio, -toria Sufijo que indica relación con una acción: *probatorio, reivindicatorio, invocatorio.* □ ETIMOL. Del latín *-torius.*

torista adj.inv. Que concede más importancia al toro que al torero.

tormenta s.f. **1** Perturbación atmosférica que se caracteriza fundamentalmente por fuertes vientos, lluvias y truenos. □ SINÓN. *tempestad, temporal.* **2** Manifestación violenta de un estado de ánimo excitado: *Una serie de miradas coquetas produjeron en él una tormenta de celos.* **3** Aparición brusca y violenta de algo: *Las declaraciones de la ministra levantaron una tormenta de protestas.* **4** Desgracia, infelicidad o situación difícil: *Le hablaré cuando pase la tormenta y deje de estar enfadado.* □ ETIMOL. Del latín *tormenta* (tormentos).

tormento s.m. **1** Sufrimiento o dolor físico muy intensos que se causan a alguien para obligarlo a confesar algo: *Antiguamente a los acusados se les daba tormento para obligarlos a declararse culpables.* **2** Angustia, aflicción o preocupación muy intensas: *Es un tormento esperar hora tras hora sin saber dónde estás.* **3** Lo que causa gran dolor físico o moral: *La droga empieza siendo una diversión y acaba siendo un horrible tormento.* □ ETIMOL. Del latín *tormentum.*

tormentoso, sa adj. **1** Referido esp. al tiempo atmosférico, con tormenta, que amenaza tormenta o que la ocasiona. **2** Referido esp. a una situación, que es conflictiva o abundante en problemas y tensiones.

tormo s.m. Masa pequeña y suelta de tierra compacta. □ SINÓN. *terrón.* □ ETIMOL. De origen incierto.

torna s.f. **1** Vuelta o regreso a un lugar o a una situación: *Casi todos los emigrantes suspiran por la* *torna a su tierra.* **2** || **{cambiar/volverse} las tornas;** cambiar en sentido opuesto el transcurso de una situación o de la suerte de una persona.

tornaboda s.f. **1** Día o días después de la boda. **2** Celebración de estos días.

tornadizo, za adj./s. Que cambia o que varía con mucha facilidad.

tornado s.m. Huracán o viento giratorio e impetuoso, esp. el de América del Norte y África. ☐ ETIMOL. Del inglés *tornado*, y este del español *tronada* (tormenta).

tornamesa s.f. En zonas del español meridional, tocadiscos.

tornar v. **1** Cambiar o transformar la naturaleza, el estado o el carácter: *Eras muy alegre, pero tantas desgracias juntas te han tornado triste. El día se tornó nublado y gris.* **2** Referido a un lugar o a una situación, volver a ellos: *Los emigrantes esperaban poder tornar a su tierra natal.* **3** Seguido de 'a' y de un infinitivo, volver a hacer lo que este expresa: *Cada vez que recuerdo el accidente torno a llorar.* ☐ ETIMOL. Del latín *tornare* (tornear, labrar al torno).

tornasol s.m. Reflejo, cambio de color o de tonalidad que produce la luz en una tela o en una superficie tersa. ☐ ETIMOL. Quizá del italiano *tornasole*.

tornasolado, da (tb. *atornasolado, da*) adj. Que tiene o hace tornasoles: *cristales tornasolados.*

torneado, da ▌adj. **1** Referido esp. a una parte del cuerpo, de suaves curvas o bien formada. ▌s.m. **2** Trabajo que se hace dando forma con un torno.

tornear v. **1** Dar forma con un torno: *Mi padre es carpintero y me ha enseñado a tornear la madera.* **2** Referido esp. al cuerpo, suavizar sus curvas: *Deberías hacer gimnasia para tornear tu figura.* **3** Combatir en un torneo: *Los caballeros acudieron a la ciudad dispuestos a tornear.*

torneo s.m. **1** Combate a caballo que se celebraba entre varios caballeros de bandos opuestos. **2** Serie de competiciones o de juegos en los que compiten entre sí varias personas o equipos que se van eliminando unos a otros progresivamente.

tornera s.f. Véase **tornero, ra.**

tornero, ra ▌s. **1** Persona que se dedica profesionalmente a la realización de trabajos con el torno. ▌s.f. **2** En un convento de clausura, monja que se encarga de atender el torno.

tornillería s.f. **1** Conjunto de tornillos. **2** Lugar donde se venden tornillos.

tornillo s.m. **1** Pieza cilíndrica parecida a un clavo, con una parte en forma de hélice y que entra en un agujero a rosca. **2** || **apretarle** a alguien **los tornillos;** *col.* Obligarlo o presionarlo para que actúe de determinada manera o para que haga algo. || **faltarle** a alguien **un tornillo;** *col.* Estar loco o tener poco sentido común: *Si has dejado pasar esa oportunidad es que te falta un tornillo.* ☐ ETIMOL. De *torno*.

torniquete s.m. **1** Medio que se usa para detener una hemorragia en las extremidades mediante presión. **2** Mecanismo en forma de cruz, que gira horizontalmente sobre un eje y que se coloca en una entrada para que pase la gente de uno en uno. ☐ ETIMOL. Del francés *tourniquet*.

torniscón s.m. **1** Golpe dado en la cara o en la cabeza de alguien. **2** Pellizco que retuerce muy fuertemente la carne. ☐ ETIMOL. De *tornar*.

torno s.m. **1** Máquina en la que se hace que un objeto gire sobre sí mismo, generalmente para poder modelarlo. **2** Máquina formada por un cilindro que se hace girar alrededor de su eje para que se vaya enrollando en él una cuerda y así arrastrar la carga colocada en su extremo. **3** Máquina para labrar en redondo algunos objetos: *Los tornillos se fabrican en un torno automático.* **4** Instrumento eléctrico formado por una barra con una pieza giratoria en su punta que usan los dentistas generalmente para limpiar o limar los dientes. **5** Armazón giratorio que se acopla al hueco de una pared y que se usa para pasar objetos de un lado a otro sin que entren en contacto o se vean las personas que los dan o que los reciben. **6** || **en torno a;** acerca de: *No hay nada más que decir en torno a este tema.* || **en torno;** alrededor de: *Daba vueltas en torno a la mesa.* ☐ ETIMOL. Del latín *tornus*, y este del griego *tórnos*.

toro ▌s.m. **1** Mamífero rumiante adulto, de cabeza gruesa provista de dos cuernos curvos y puntiagudos, pelaje corto y cola larga. **2** Hombre fuerte y robusto. **3** En arquitectura, moldura convexa y lisa de sección semicircular. ☐ SINÓN. *bocel.* ▌pl. **4** Fiesta o corrida en la que se lidian reses bravas: *En la tertulia, unos estaban en contra de los toros y otros a favor.* **5** || **coger el toro por los cuernos;** *col.* Enfrentarse con decisión a una dificultad. || **{mirar/ver} los toros desde la barrera;** *col.* Presenciar u opinar sobre algo sin participar directamente para evitar riesgos o contratiempos: *No puedes seguir viendo los toros desde la barrera porque el problema te afecta directamente.* || **estar {hecho/como} un toro;** *col.* tener muy buena salud: *A pesar de su edad está hecho un toro.* || **pillar el toro;** *col.* Echarse el tiempo encima, esp. si ello impide la realización o la terminación de algo: *Date prisa, que siempre te pilla el toro y llegamos tarde.* || **toro de lidia;** el bravo que se destina a torearlo en las corridas. ☐ ETIMOL. Las acepciones 1, 2 y 4, del latín *taurus*. La acepción 3, del latín *torus*. ☐ MORF. 1. En la acepción 1, la hembra se designa con el femenino *vaca*. 2. Cuando se antepone a otra palabra para formar compuestos, adopta la forma *tauro-*.

toroidal adj.inv. Con forma de anillo.

toronja s.f. Fruto redondeado, parecido a una naranja pero un poco más aplanado y de color amarillo. ☐ SINÓN. *pomelo.* ☐ ETIMOL. Del árabe *turunŷa* (cidra).

toronjil s.m. Planta herbácea de hojas en forma de corazón y con flores blancas o rosadas, que se utiliza en farmacia por sus efectos sedantes: *El toronjil abunda en España.* ☐ SINÓN. *melisa, toronjina.* ☐ ETIMOL. Del árabe *turunŷin* (un tipo de hierba).

toronjina s.f. →**toronjil.**

toronjo s.m. Árbol frutal de copa redondeada y flores blancas, cuyo fruto es redondeado, parecido a una naranja pero un poco más aplanado y de color amarillo.

torpe adj.inv. **1** Falto de habilidad, agilidad o destreza. **2** Falto de inteligencia o lento en comprender. **3** Inconveniente, inoportuno o falto de pudor o decoro: *un torpe comentario.* ☐ ETIMOL. Del latín *turpis* (feo, innoble).

torpedear v. **1** Atacar con torpedos: *El submarino torpedeó al destructor y lo hundió.* **2** Referido a un asunto, hacerlo fracasar: *Parece que tiene algo en contra mía porque siempre torpedea mis proyectos.*

torpedero s.m. Barco de guerra preparado para el lanzamiento de torpedos.

torpedo s.m. **1** Proyectil cilíndrico de gran tamaño provisto de una carga de gran potencia explosiva y que se lanza bajo el agua. **2** Pez marino de piel lisa, con el cuerpo aplanado y en forma de disco, dos aletas a los lados y dos órganos musculosos en la cabeza que producen descargas eléctricas que utilizan como defensa o para atrapar a sus presas. ☐ ETIMOL. Del latín *torpedo*, y este de *torpedere* (sufrir parálisis). ☐ MORF. En la acepción 2, es un sustantivo epiceno: *el torpedo {macho/hembra}.*

torpeza s.f. **1** Falta de habilidad, de agilidad o de destreza. **2** Falta de inteligencia o lentitud en comprender. **3** Falta de conveniencia, oportunidad, pudor o decoro: *la torpeza de un comentario.*

tórpido, da adj. En biología, falto de agilidad o destreza. ☐ ETIMOL. Del latín *torpidus.*

torrado s.m. Garbanzo tostado.

torrar v. Tostar mucho: *Si pasas tantas horas al sol, te vas a torrar.* ☐ ETIMOL. Del latín *torrere* (tostar).

torre s.f. **1** Construcción o edificio más alto que ancho y con distintas funciones: *Las torres que hay en las murallas servían de vigilancia y defensa.* **2** Edificio de mucha más altura que superficie: *Están construyendo una torre de oficinas con la fachada de cristal.* **3** En el juego del ajedrez, pieza que representa esta construcción y que se mueve en línea recta en todas las direcciones, excepto en diagonal. ☐ SINÓN. *roque.* **4** Estructura metálica de gran altura: *Las torres del tendido eléctrico afean el paisaje.* **5** ‖ **torre de Babel;** lugar en el que existe gran desorden y confusión, esp. si es porque muchas personas hablan a la vez. ☐ SINÓN. *babel.* ‖ **torre de control;** en un aeropuerto, construcción con altura suficiente para observar todas las pistas y desde la que se regula la entrada y salida de aviones. ☐ ETIMOL. Del latín *turris.* La expresión *torre de Babel*, por alusión a la confusión de lenguas que se produjo cuando, según la Biblia, los hombres quisieron construir una torre en Babel para ver a Dios y este los castigó.

torrefacción s.f. Tostadura que consiste en poner algo al fuego hasta que tome un color dorado, sin que llegue a quemarse. ☐ ETIMOL. Del latín *torrefactum*, y este de *torrefacere* (tostar).

torrefacto, ta adj. **1** Tostado al fuego hasta que ha tomado un color dorado, sin llegar a quemarse. **2** Referido al café, que ha sido tostado con azúcar.

torreja s.f. En zonas del español meridional, torrija.

torrencial adj.inv. Con características del torrente: *una lluvia torrencial.*

torrente s.m. **1** Corriente de agua rápida y veloz que se forma en tiempo de muchas lluvias o de deshielos rápidos. **2** Abundancia de cosas que se producen a un mismo tiempo: *un torrente de preguntas.* **3** ‖ **torrente de voz;** voz muy fuerte y sonora. ☐ ETIMOL. Del latín *torrens*, y este de *torrere* (secarse).

torrentera s.f. Cauce de un torrente o lugar por donde corren sus aguas.

torreón s.m. Torre grande para la defensa de una fortificación o de un castillo.

torrero, ra s. Persona que cuida de una atalaya o de un faro.

torreta s.f. Torre o estructura metálica, esp. la que está acorazada y sirve para sostener piezas de artillería.

torrezno s.m. Trozo de tocino frito o para freír. ☐ ETIMOL. De *torrar.*

tórrido, da adj. Muy caliente o muy caluroso. ☐ ETIMOL. Del latín *torridus.*

torrija s.f. **1** Rebanada de pan empapada en vino o leche, rebozada en huevo, frita y endulzada con azúcar o miel. **2** *col.* Borrachera. ☐ ETIMOL. De *torrar.*

torsión s.f. Vuelta o giro de un objeto sobre sí mismo: *La torsión de esa figura escultórica resulta algo forzada.* ☐ ETIMOL. Del latín *torsio.*

torso s.m. **1** En el cuerpo de una persona, tronco o parte de él sin tener en cuenta la cabeza ni las extremidades. **2** Estatua a la que le faltan la cabeza, los brazos y las piernas. ☐ ETIMOL. Del italiano *torso.*

torta s.f. **1** Masa de harina y otros ingredientes, de forma redonda y aplanada, que se cuece a fuego lento o se fríe: *una torta de aceite.* **2** Cualquier masa con esta forma. **3** *col.* Golpe dado con la palma de la mano, esp. en la cara. **4** *col.* Golpe fuerte, caída o accidente: *Me pegué una torta con el coche, pero no me ha pasado nada.* **5** En zonas del español meridional, tarta. **6** En zonas del español meridional, bocadillo. **7** ‖ **ni torta;** *col.* Nada: *De ese tema, no entiendo ni torta.* ‖ **no tener ni media torta;** *col.* Ser muy débil o no tener fuerza física. ☐ ETIMOL. De origen incierto.

tortazo s.m. **1** *col.* Golpe dado en la cara con la mano abierta. ☐ SINÓN. *bofetada.* **2** *col.* Golpe fuerte o violento al caerse o al chocar contra algo. **3** ‖ **{darse/pegarse} un tortazo;** sufrir un accidente.

tortel s.m. Bollo, generalmente de hojaldre, en forma de rosco.

torticero, ra adj. Injusto o que no sigue lo razonable. ☐ ETIMOL. Del latín *tortus.*

tortícolis (tb. *torticolis*) (pl. *tortícolis, torticolis*) s.f. Contracción involuntaria y dolorosa de los músculos del cuello, que obliga a tener este inmovilizado o torcido. □ ETIMOL. Del francés *torticolis*, y este quizá del italiano *torti colli* (cuellos torcidos). □ PRON. Incorr. *[tortículis].

tortilla s.f. **1** Comida que se hace con huevos batidos, a veces con otros ingredientes, y que se fríe en una sartén con aceite. **2** Alimento de forma circular y plana, que se hace con harina de maíz o de trigo. **3** || **tortilla española;** la que se hace añadiendo al huevo trozos de patatas, fritas previamente. || **tortilla francesa;** la que se hace solo con huevos. || **tortilla paisana;** la que se hace con huevo, patata, verduras y chorizo. || **volverse la tortilla;** *col.* Cambiar la suerte o la situación: *Mi equipo empezó ganando de forma espectacular, pero al final se volvió la tortilla y perdimos.* □ ETIMOL. De *torta.*

tortillera adj./s.f. *col. desp.* Lesbiana.

tortillería s.f. Establecimiento comercial en el que se hacen y se venden tortillas.

tortita s.f. **1** Torta hecha con una masa de agua y harina que se suele rellenar o acompañar con otros alimentos: *tortitas con nata.* **2** En zonas del español meridional, tortilla. □ MORF. En la acepción 2, se usa más en plural.

tortolito, ta adj./s. Atolondrado o sin experiencia: *un joven tortolito.*

tórtolo, la s. **1** Ave migratoria parecida a la paloma, de plumaje rojizo en la parte superior y rosado en la garganta y en el pecho, cola negra con los bordes blancos, y que tiene un vuelo rápido. **2** *col.* Persona muy enamorada y que da abundantes muestras de cariño. □ ETIMOL. *Tórtola*, del latín *turtur*. *Tórtolo*, de *tórtola*. □ MORF. 1. En la acepción 1, el femenino es el término genérico, y sirve para designar indistintamente al macho y a la hembra. 2. En la acepción 2, se usa mucho el diminutivo *tortolito*.

tortuga s.f. **1** Reptil marino o terrestre con el cuerpo cubierto con un caparazón óseo del que sobresalen las extremidades, que se alimentan generalmente de vegetales. **2** *col.* Lo que se mueve muy lentamente: *Este viejo autobús es una tortuga.* □ ETIMOL. Quizá del latín *tartaruchus* (demonio), porque se consideraba que la tortuga, que habitaba en el lodo, era la representación del mal. □ MORF. En la acepción 1, es un sustantivo epiceno: *la tortuga {macho/hembra}.*

tortuosidad s.f. **1** Carácter de lo que tiene muchas vueltas y rodeos. **2** Malicia y disimulo en la consecución de algo.

tortuoso, sa adj. **1** Con muchas vueltas o rodeos: *un sendero muy tortuoso.* **2** Malicioso, indirecto y poco claro: *un plan tortuoso.* □ ETIMOL. Del latín *tortuoso.*

tortura s.f. **1** Dolor físico o moral muy intenso que se causa a una persona como castigo o para obtener su confesión. **2** Lo que causa gran sufrimiento, malestar o disgusto: *El dolor de muelas es una tortura insoportable.* □ ETIMOL. Del latín *tortura.*

torturar v. Atormentar o causar tortura: *Estaban torturando al prisionero en el potro y se oían sus gritos. Lo torturaban unos horribles celos. Se torturaba pensando en lo que le esperaba.*

torunda s.f. Pelota de algodón, generalmente envuelta en gasa, que se usa en curas y operaciones quirúrgicas. □ ETIMOL. Del latín *turunda* (bola).

torva s.f. Véase **torvo, va**.

torvisco s.m. Arbusto de hojas lanceoladas y persistentes, con flores blancas en racimos terminales, y cuyo fruto es una baya roja. □ ETIMOL. Del latín *turbiscus.*

torvo, va ▌adj. **1** Fiero, temible o que causa miedo o espanto, esp. referido a la mirada. ▌s.f. **2** Remolino de lluvia o de nieve. □ ETIMOL. La acepción 1, del latín *torvus*. La acepción 2, del latín *turba* (confusión, tumulto).

tory (ing.) (pl. *tories*) adj.inv./s.com. Del partido conservador británico o relacionado con él. □ PRON. [tóri].

torzal s.m. Cordón de seda muy fino con varias hebras muy retorcidas.

tos s.f. **1** Expulsión brusca y ruidosa del aire de los pulmones después de una inspiración profunda. **2** || **tos ferina;** enfermedad infecciosa que afecta a las vías respiratorias y que se caracteriza por causar una tos muy violenta e intensa. || **tos perruna;** *col.* la áspera, seca y desagradable. □ ETIMOL. Del latín *tussis*. □ ORTOGR. La expresión *tos ferina* se usa mucho con la forma *tosferina.*

toscano, na ▌adj. **1** En arte, del orden toscano. ▌s.m. **2** →**orden toscano.**

tosco, ca adj. **1** Basto, sin pulimento o de escasa calidad o valor. **2** Sin delicadeza o sin educación ni cultura. □ ETIMOL. Del latín *tuscus* (disoluto, vil).

toser v. **1** Tener tos o provocarla voluntariamente: *Cuando tosas pon la mano delante de la boca.* **2** || **toser a** alguien; *col.* Replicarle o enfrentarse a él: *En tu especialidad eres la mejor y no hay quien te tosa.* □ ETIMOL. Del latín *tussire.*

tosferina s.f. →**tos ferina.**

tósigo s.m. Veneno o sustancia venenosa. □ ETIMOL. Del latín *toxicum* (veneno).

tosquedad s.f. **1** Falta de refinamiento, de delicadeza, de educación o de cultura: *La tosquedad del joven se fue puliendo con los años.* **2** Falta de pulimento, calidad o valor: *La tosquedad de la fachada contrasta con el refinamiento del interior.*

tostada s.f. Véase **tostado, da**.

tostadero s.m. **1** Lugar o instalación en los que se tuesta: *un tostadero de café.* **2** Lugar en el que hace excesivo calor.

tostado, da ▌adj. **1** Referido a un color, que es oscuro. ▌s.m. **2** Sometimiento de algo a la acción del fuego, realizado lentamente hasta que toma un color dorado sin llegar a quemarse. □ SINÓN. *tostadura, tueste.* ▌s.f. **3** Rebanada de pan tostada. **4** Tortilla mexicana frita. **5** Comida que se prepara con estas tortillas fritas y otros alimentos encima de ellas. **6** || **olerse la tostada;** *col.* Adivinar o recelar de algo.

tostador, -a ▌adj./s. **1** Que tuesta. ▌s.m. **2** Aparato que sirve para tostar. ▌s.f. **3** *col.* Grabadora de CD o DVD. □ MORF. En la acepción 2, se usa también como femenino.

tostadora s.f. Véase **tostador, -a.**

tostadura s.f. Sometimiento de algo a la acción del fuego, realizado lentamente hasta que toma un color dorado sin llegar a quemarse. □ SINÓN. *tostado, tueste.*

tostar v. **1** Referido esp. a un alimento, ponerlo al fuego lentamente hasta que tome un color dorado sin llegar a quemarse: *Tostó el pan en una sartén y luego le untó mantequilla.* **2** Referido a la piel, curtirla o ponerla morena el sol y el viento: *El sol tuesta el cuerpo de los bañistas. Si te pones al sol se te tostará la cara.* **3** *col.* Hacer una copia de un CD o de un DVD. □ ETIMOL. Del latín *tostare.* □ MORF. Irreg. →CONTAR.

tostón s.m. **1** *col.* Lo que resulta molesto, fastidioso o importuno. □ SINÓN. *incordio.* **2** Trozo pequeño de pan frito que se añade a algunos alimentos. **3** En zonas del español meridional, medio peso mexicano. □ ETIMOL. Las acepciones 1 y 2, de *tostar.* La acepción 3, del portugués *tostão.* □ MORF. En la acepción 2, se usa más en plural.

total ▮ adj.inv. **1** General, completo o que afecta a todos los elementos: *La nueva directora quiere hacer una renovación total en la empresa.* ▮ s.m. **2** Resultado de una suma. **3** Conjunto de todos los elementos que forman un grupo. □ SINÓN. *totalidad.* ▮ adv. **4** En resumen o en conclusión: *Total, que nos hemos quedado sin vacaciones.* **5** En realidad o en el fondo: *Haz lo que quieras, total, yo ya no soy responsable de ti.* □ ETIMOL. Del latín *totalis.* □ MORF. Como adjetivo no admite grados: incorr. **más total.*

totalidad s.f. Conjunto de todos los elementos que forman un grupo. □ SINÓN. *total.* □ USO Incorr. **la práctica totalidad* > *{casi/prácticamente/...} la totalidad.*

totalitario, ria adj. **1** Que incluye la totalidad de las partes o elementos que integran algo: *un estudio totalitario.* **2** Del totalitarismo o relacionado con este régimen político: *un sistema totalitario.*

totalitarismo s.m. Régimen político caracterizado por la concentración de los poderes estatales en un grupo o partido que no permite la actuación de otros y que ejerce una fuerte intervención en todos los órdenes de la vida nacional.

totalitarista adj.inv./s.com. Partidario del totalitarismo.

totalizar v. Sumar o determinar el total de distintas cantidades: *Ese futbolista ha totalizado treinta goles en toda la temporada.* □ ORTOGR. La *z* se cambia en *c* delante de *e* →CAZAR.

tótem s.m. Objeto de la naturaleza o representación que se toma como símbolo protector de una tribu o de un individuo. □ ETIMOL. Del inglés *totem.*

totémico, ca adj. Del tótem o relacionado con él: *una religión totémica.*

totemismo s.m. Sistema de creencias y de organización de una sociedad basado en un tótem.

totochil s.m. Pájaro americano que tiene en el lado posterior de las patas dos surcos laterales. □ ETIMOL. Del náhuatl *tototl* (pájaro).

totol s.m. En zonas del español meridional, pavo. □ ETIMOL. Del náhuatl *tototl* (pájaro). □ MORF. Es un sustantivo epiceno: *el totol {macho/hembra}.*

totora s.f. Tipo de junco americano.

totovía (tb. *cotovía*) s.f. Ave paseriforme con la parte dorsal del cuerpo de color pardo y la parte inferior blanca, las alas bordeadas con manchas blancas y negras, que se alimenta de insectos y semillas. □ ETIMOL. De origen onomatopéyico. □ MORF. Es un sustantivo epiceno: *la totovía {macho/hembra}.*

totuma s.f. **1** Calabaza americana de corteza dura, que es el fruto del totumo. **2** Vasija hecha con esta calabaza. □ ORTOGR. Se usa también *tutuma.*

totumo s.m. Árbol tropical americano que tiene el tronco torcido y las flores blanquecinas y de mal olor.

tótum revolútum s.m. ‖ Conjunto de cosas desordenadas. □ ETIMOL. Del latín *totum revolutum* (todo revuelto).

tour (fr.) s.m. **1** Excursión o viaje. **2** ‖ **tour de force;** demostración de fuerza o esfuerzo muy grande: *Terminar el trabajo en tan poco tiempo ha sido un auténtico tour de force.* ‖ **tour operador;** persona o empresa que se dedica a la organización de viajes colectivos: *En la agencia de viajes me recomendaron una excursión que organiza este tour operador.* □ PRON. [tur], [tur de fors] y [tur operadór]. □ ORTOGR. *Tour operador* se escribe también *touroperador*, *tour-operador* y *turoperador.* □ USO En la acepción 1, su uso es innecesario y puede sustituirse por *viaje* o *gira.*

tournedos (fr.) s.m. →**turnedó.** □ PRON. [turnedó].

tournée (fr.) s.f. Gira artística. □ PRON. [turné]. □ ORTOGR. Se usa también *turné.* □ USO Su uso es innecesario y puede sustituirse por *gira.*

township (ing.) s.m. Zona o área urbana de la República Sudafricana (país africano) habitada únicamente por personas de color: *Los township son producto de la segregación racial de Sudáfrica.* □ PRON. [taunchíps], con *ch* suave.

toxemia s.f. Presencia generalizada de sustancias tóxicas en la sangre. □ ETIMOL. De la raíz de *tóxico* y *-emia* (sangre).

toxicidad s.f. Capacidad de ser tóxico o venenoso.

tóxico, ca adj./s.m. Referido a una sustancia, que es venenosa. □ ETIMOL. Del latín *toxicum* (veneno).

toxicología s.f. Parte de la medicina que trata de los venenos. □ ETIMOL. Del griego *toxikón* (veneno) y *-logía* (estudio, ciencia).

toxicológico, ca adj. De la toxicología o relacionado con esta parte de la medicina.

toxicólogo, ga s. Médico especialista en toxicología.

toxicomanía s.f. Hábito de consumir drogas, calmantes u otro tipo de sustancias que pueden ser tóxicas. □ ETIMOL. Del griego *toxikón* (veneno) y *-manía* (afición desmedida).

toxicómano, na adj./s. Que padece toxicomanía.

toxina s.f. Sustancia elaborada por los seres vivos que actúa como veneno: *En el sudor se eliminan toxinas.* □ ETIMOL. Del griego *toxikón* (veneno).

toxoplasmosis (pl. *toxoplasmosis*) s.f. Enfermedad producida por un tipo de protozoos y que, si se contrae durante la gestación, puede ocasionar anomalías fetales.

toyotismo s.m. Sistema de organización del trabajo, en el cual el trabajador toma partido en la productividad de la empresa sugiriendo ideas o mejorando la calidad de la producción.

tozudez s.f. Persistencia en una idea fija, y negativa a dejarse convencer o dominar.

tozudo, da adj. **1** Que mantiene una idea fija y no se deja convencer. **2** Referido a un animal, que no se deja dominar con facilidad. □ ETIMOL. De *tozo* (cabeza).

traba s.f. **1** Lo que estorba o impide la realización o el logro de algo: *En el banco me han puesto muchas trabas para concederme el crédito.* **2** || **traba (de corbata);** en zonas del español meridional, alfiler de corbata. □ ETIMOL. Del latín *trabs* (madero).

trabacuenta s.f. En una cuenta o en una narración, error o equivocación que las enreda o dificulta: *En el prólogo de ese libro, la autora pide perdón por las posibles pifias, trabacuentas y necedades que pueda incluir su relato.*

trabadura s.f. →**trabamiento.**

trabajado, da adj. Realizado con esmero y gran cuidado: *No retoques más el cuadro porque ya está muy trabajado.*

trabajador, -a ▌adj. **1** Que trabaja. **2** Que trabaja mucho. ▌s. **3** Persona que trabaja a cambio de un salario, esp. si realiza un trabajo manual.

trabajar v. **1** Realizar una actividad, esp. si requiere un esfuerzo físico o intelectual: *Se quedó estudiando, pero no sé si habrá trabajado mucho.* **2** Ejercer un oficio o profesión: *Trabaja como mecánico en una fábrica de coches.* **3** Funcionar o desarrollar adecuadamente una actividad: *La máquina solo puede trabajar cuatro horas al día.* **4** Mantener relaciones comerciales con una determinada empresa o entidad: *Ya no trabajamos con esa empresa porque hemos conseguido un distribuidor más barato.* **5** Referido a la tierra, cultivarla: *Para que la tierra dé frutos hay que trabajarla.* **6** Referido a una materia o a una sustancia, manipularlas para darles forma: *Este escultor solo trabaja el mármol.* □ ETIMOL. Del latín **tripaliare* (torturar). □ ORTOGR. Conserva la *j* en toda la conjugación.

trabajo s.m. **1** Realización de una actividad o de un oficio: *Este diccionario es fruto del trabajo de un equipo.* **2** Ocupación u oficio por el que se recibe una cantidad de dinero: *Encontró un trabajo relacionado con sus estudios.* **3** Lugar en el que se ejerce esta ocupación: *Voy al trabajo en autobús.* **4** Producción del entendimiento en ciencias, letras o artes, esp. si es de alguna importancia: *Una tesis es un trabajo de investigación.* □ SINÓN. *obra.* **5** Estudio, ejercicio o ensayo de algo: *Ese paso de baile necesita mucho trabajo hasta que sale bien.* **6** Cultivo de la tierra: *El trabajo de la tierra exige un gran esfuerzo físico.* **7** Actividad o esfuerzo: *Me costó mucho trabajo encontrar tu casa.* **8** || **trabajo de campo;** el de investigación práctica, a partir del cual se elabora una teoría: *Ya he terminado el trabajo de campo para mi tesis, y ahora solo me queda redactarla.* || **trabajos {forzados/forzosos};** trabajos físicos que debe realizar un preso como parte de la pena que se le impone.

trabajoso, sa adj. Que se realiza con mucho trabajo o esfuerzo.

trabalenguas (pl. *trabalenguas*) s.m. Palabra o expresión difíciles de pronunciar, esp. las que se usan como juego.

trabamiento s.m. **1** Unión de un objeto con otro directamente o mediante un tercer elemento: *Este pestillo permite el trabamiento de la ventana en su marco.* □ SINÓN. *trabadura.* **2** Enlace o conexión de elementos, esp. de las palabras o de las ideas: *Una buena redacción exige el correcto trabamiento de las ideas.* □ SINÓN. *trabadura.* **3** Impedimento del desarrollo, del funcionamiento o de la realización de algo: *El trabamiento de la persiana lo produce está lámina desencajada.* □ SINÓN. *trabadura.* **4** Espesamiento de un líquido o de una masa. □ SINÓN. *trabadura.*

trabar ▌v. **1** Agarrar, prender, juntar o coger con fuerza: *El defensa trabó con sus piernas las del delantero y lo hizo caer.* **2** Referido esp. a las palabras o a las ideas, enlazarlas o unirlas: *En un razonamiento hay que trabar unas ideas con otras.* **3** Referido esp. a un desarrollo, impedirlos o dificultarlos: *Debes educar a tu hijo de forma que no trabes ninguna de sus aptitudes.* **4** Referido a un líquido o a una masa, espesarlo o darle mayor consistencia: *Para trabar la salsa tendrás que ponerle más aceite.* **5** Emprender o comenzar, esp. referido a una conversación o una amistad: *En estas vacaciones he trabado muchas amistades.* ▌prnl. **6** Tartamudear o hablar con dificultad: *Cuando se pone nervioso se traba y parece tartamudo.* □ ETIMOL. De *traba.* □ ORTOGR. Dist. de *tramar.*

trabazón s.f. **1** Unión o enlace de dos o más elementos. **2** Conexión de varios elementos o dependencia que tienen entre sí. □ ETIMOL. De *trabar.*

trabe s.f. Viga larga y gruesa de madera, que sirve para techar y sostener edificios. □ ETIMOL. Del latín *trabs* (madero).

trabilla s.f. En una prenda de vestir, tira de tela o de otro material cosida solo por sus dos extremos: *Tienes que meter el cinturón por todas las trabillas del pantalón.* □ ETIMOL. De *traba.*

trabucar v. Referido esp. a letras, sílabas o palabras, pronunciarlas o escribirlas equivocadamente sustituyendo unas por otras: *Trabuqué 'tío' por 'lío' y el texto no tenía sentido. Se trabucó y escribió 'persona' en lugar de 'persona'.* □ ETIMOL. Del catalán o del provenzal *trabucar* (volver lo de arriba abajo, caer, tropezar). ☐ ORTOGR. La *c* se cambia en *qu* delante de *e* →SACAR.

trabucazo s.m. **1** Disparo de trabuco. **2** Herida o daño producidos por este disparo.

trabuco s.m. Arma de fuego más corta y de mayor calibre que la escopeta normal, y con el cañón ensanchado por la boca. ☐ ETIMOL. Del catalán *trabuc*.

traca s.f. **1** Artificio de pólvora que consiste en una serie de petardos colocados a lo largo de una cuerda y que estallan sucesivamente. **2** || **ser de traca;** *col.* Ser sorprendente o impresionante: *Tu hermana es de traca.* ☐ ETIMOL. De origen onomatopéyico.

tracción s.f. Arrastre o empuje que se hace por medio de la fuerza: *Los carros son vehículos de tracción animal.* ☐ ETIMOL. Del latín *tractio*.

tracería s.f. Decoración arquitectónica formada por combinaciones de figuras geométricas. ☐ ETIMOL. De *trazo*.

tracio, cia adj./s. De la antigua Tracia (antigua región del sureste europeo) o relacionado con ella.

tracoma s.m. Conjuntivitis infecciosa y muy contagiosa que puede causar ceguera. ☐ ETIMOL. Del griego *trakhýs* (áspero) y *-oma* (tumor).

tracto s.m. Estructura anatómica con forma alargada que realiza una función de conducción entre dos lugares del organismo. ☐ ETIMOL. Del latín *tractus*.

tractomula s.f. En zonas del español meridional, tráiler.

tractor, -a ▮ adj. **1** Que produce tracción o arrastre de algo: *las ruedas tractoras.* ▮ s.m. **2** Vehículo de motor con cuatro ruedas, las dos posteriores muy grandes y preparadas para adherirse al terreno, que se emplea para realizar determinadas tareas agrícolas y para arrastrar máquinas u otros vehículos. ☐ ETIMOL. Del latín *tractus*, y este de *trahere* (arrastrar).

tractorar v. →**tractorear.**

tractorear v. Referido a la tierra, labrarla con tractor: *El agricultor tractoreó la tierra antes de sembrarla.* ☐ SINÓN. *tractorar.*

tractorista s.com. Persona que conduce un tractor.

trade mark (ing.) s.m. || Marca registrada o distintivo legal que un fabricante pone a sus productos: *Estos productos están protegidos de imitaciones porque tienen el trade mark correspondiente.* ☐ PRON. [tréid marc]. ☐ USO Su uso es innecesario.

trader (ing.) s.com. En economía, persona que se dedica profesionalmente a hacer de intermediario entre los productores y las industrias. ☐ PRON. [tréider]. ☐ USO Su uso es innecesario y puede sustituirse por *agente comercial*.

tradición s.f. **1** Transmisión de costumbres, creencias o elementos culturales hecha de generación en generación: *La tradición ha permitido que lleguen hasta nosotros canciones populares muy antiguas.* **2** Lo que se ha transmitido de este modo: *En mi casa es una tradición comer lombarda en Nochebuena.* **3** Desarrollo a lo largo del tiempo de un determinado arte o ciencia o conocimiento: *Esta región cuenta con una larga tradición artesanal.* ☐ ETIMOL. Del latín *traditio* (entrega, transmisión).

tradicional adj.inv. **1** De la tradición o relacionado con ella. **2** Que sigue las normas o costumbres del pasado o de un tiempo anterior.

tradicionalismo s.m. Actitud de defensa o de apego a las tradiciones del pasado.

tradicionalista adj.inv./s.com. Que defiende las tradiciones del pasado o está muy apegado a ellas.

trading (ing.) s.m. En economía, comercio: *Mi empresa está llevando a la práctica fórmulas revolucionarias de trading para abrirse paso en el mercado anglosajón.* ☐ PRON. [tréidin]. ☐ USO Su uso es innecesario.

traducción s.f. **1** Expresión en una lengua de lo que está escrito o expresado en otra distinta. **2** Explicación o interpretación, esp. la que se da a un texto: *Necesito que alguien me haga la traducción de todas estas expresiones matemáticas.* **3** || **traducción directa;** la que se hace de un idioma extranjero al idioma del traductor. || **traducción inversa;** la que se hace del idioma del traductor a un idioma extranjero. ☐ ETIMOL. Del latín *traductio*.

traducibilidad s.f. Posibilidad de que algo sea traducido.

traducible adj.inv. Que se puede traducir: *Los chistes basados en el doble sentido de las palabras no son fácilmente traducibles.*

traducir v. **1** Referido a algo que está en determinada lengua, expresarlo en otra: *La propia autora tradujo su novela del francés al español.* **2** Explicar o interpretar: *Tradúceme lo que dijo el médico porque no me he enterado de nada.* **3** Convertir o transformar en otra cosa: *La revisión del examen tradujo el suspenso en un aprobado. La avería de la caldera se tradujo en una semana sin calefacción.* ☐ ETIMOL. Del latín *traducere* (hacer pasar de un lugar a otro). ☐ MORF. Irreg. →CONDUCIR.

traductor, -a ▮ adj. **1** Que traduce: *Actualmente existen programas informáticos traductores de varios idiomas.* ▮ s. **2** Persona que se dedica a la traducción, esp. si esta es su profesión. ▮ s.f. **3** Máquina electrónica que sirve para traducir.

traductora s.f. Véase **traductor, -a.**

traer v. **1** Conducir o trasladar hasta el lugar del que se habla o en el que se encuentra el hablante: *Tráeme un vaso de agua, por favor.* **2** Causar o provocar: *La sequía ha traído la ruina a muchas familias de agricultores.* **3** Vestir o lucir: *Traía un traje muy bonito.* **4** Referido a una persona, tenerla en el estado que se expresa: *Las manías de este muchacho me traen loca.* **5** Referido a una publicación, contener lo que se expresa: *Este libro trae muchas fotografías.* **6** Referido a una sensación, tenerla o experimentarla: *Hoy traigo mucha hambre.* **7** || **traérselas** algo; *col.* Ser muy difícil o muy malo: *Este asunto se las trae y no es tan fácil como parecía.* ☐ ETIMOL. Del latín *trahere* (arrastrar). ☐ MORF. Irreg. →TRAER.

trafagar v. Trajinar o andar de un sitio a otro continuamente: *En toda la mañana no he parado de trafagar por el almacén.* □ ETIMOL. De origen incierto. □ ORTOGR. La *g* se cambia en *gu* delante de *e* →PAGAR.

tráfago s.m. Ajetreo o actividad intensa. □ ETIMOL. De *trafagar* (traficar).

traficante adj.inv./s.com. Que trafica con dinero o con alguna mercancía, esp. si lo hace de forma ilícita.

traficar v. Comerciar o negociar con dinero o con mercancías, esp. si se hace de forma ilícita: *Lo detuvieron por traficar con armas.* □ ETIMOL. Del italiano *trafficare.* □ ORTOGR. La *c* se cambia en *qu* delante de *e* →SACAR. □ SINT. Constr. *traficar {CON/EN} algo.*

tráfico s.m. **1** Comercio o negocio con dinero o con mercancías, esp. si se hace de forma ilegal: *El tráfico de armas está penado por la ley.* **2** Circulación de vehículos: *En esta carretera siempre hay mucho tráfico. El tráfico aéreo aumenta siempre en los períodos de vacaciones.* **3** ‖ **tráfico de influencias;** utilización ilegal de la influencia o del poder de alguien para conseguir algo. □ ETIMOL. Del italiano *traffico.*

tragabolas (pl. *tragabolas*) s.m. Juguete que consiste en un muñeco con la boca muy grande por la que se deben introducir unas bolas que se lanzan desde cierta distancia.

tragacanto s.m. **1** Arbusto con ramas abundantes, hojas compuestas, flores blancas en espiga, fruto pequeño en vaina, y del que se obtiene una goma blanquecina. **2** Goma que se obtiene del tronco y de las ramas de este arbusto. □ ETIMOL. Del griego *tragákantha* (espina del macho cabrío), porque este arbusto es espinoso.

tragaderas s.f.pl. **1** *col.* Facilidad para creer cualquier cosa: *Se creerá lo que le cuentes porque tiene muy buenas tragaderas.* **2** *col.* Falta de escrúpulos o facilidad para admitir o tolerar algo inconveniente o de dudosa moralidad: *Aceptará cualquier soborno porque tiene tragaderas para ello.*

tragadero s.m. Agujero o conducto por el que se introduce algo, esp. un líquido.

trágala s.m. **1** Canción con la que los liberales españoles se burlaban de los partidarios del gobierno absoluto durante el primer tercio del siglo XIX. **2** Hecho por el cual se obliga a alguien a aceptar o soportar algo: *Nos cantó el trágala de que teníamos que ir a aquella reunión de compromiso.* □ ETIMOL. De *Trágala, tú, servilón*, palabras con las que empezaba el estribillo de la canción.

tragaldabas (pl. *tragaldabas*) s.com. *col.* Persona que traga o come mucho.

tragaleguas (pl. *tragaleguas*) s.com. *col.* Persona que anda mucho y muy deprisa.

tragaluz s.m. Ventana abierta en el techo o en la parte superior de una pared.

tragamillas (pl. *tragamillas*) s.com. *col.* Persona que recorre grandes distancias.

tragantona s.f. *col.* Comilona.

tragaperras (pl. *tragaperras*) s.f. →**máquina tragaperras.**

tragar ▌v. **1** Referido esp. a un alimento, hacerlo pasar de la boca al aparato digestivo: *Tragarás mejor la pastilla si bebes un sorbo de agua. Traga más despacio porque te vas a atragantar.* **2** Dejar pasar al interior o a la parte más profunda de algo: *Este lavabo está atascado y no traga el agua. La aspiradora se ha tragado una moneda.* **3** Referido a algo que se cuenta, creerlo fácilmente: *Me inventé una excusa para no acompañar a tu primo y se la tragó.* **4** Aguantar, soportar o tolerar: *Me tragué el rollo de la conferencia porque me daba vergüenza salir a la mitad.* **5** Acceder o aceptar: *Si sigues insistiendo, terminará por tragar.* ▌prnl. **6** *col.* Referido esp. a un obstáculo, no verlo y chocar con él: *Iba mirando para atrás y me tragué una farola.* **7** ‖ **no tragar algo;** *col.* Sentir antipatía hacia ello: *Desde que me hiciste aquella jugarreta no te trago.* □ ETIMOL. De origen incierto. □ ORTOGR. La *g* se cambia en *gu* delante de *e* →PAGAR.

tragasables (pl. *tragasables*) s.com. Artista de circo que realiza números espectaculares tragándose objetos que pueden dañar su cuerpo, esp. armas blancas.

tragavirotes (pl. *tragavirotes*) s.m. *col.* Hombre demasiado serio y estirado: *Mi vecino es un tragavirotes y nunca me saluda.*

tragedia s.f. **1** Obra dramática cuya acción presenta conflictos de apariencia fatal, que incitan a la compasión y al espanto y que terminan en un final funesto: *'Antígona' es una tragedia griega escrita por Sófocles.* **2** Obra literaria o artística en la que predominan los sucesos desgraciados: *Esa película es una tragedia que termina con la muerte del protagonista.* **3** Género al que pertenecen este tipo de obras: *Prefiero la comedia a la tragedia.* **4** Situación o suceso que resultan trágicos: *Ese accidente de autobús fue una tragedia en la que murieron cincuenta personas.* □ ETIMOL. Del latín *tragoedia*, y este del griego *tragoidía* (canto o drama heroico).

trágico, ca ▌adj. **1** De la tragedia o relacionado con ella. **2** Desgraciado y hondamente conmovedor. **3** Referido a un actor, que representa tragedias o papeles que mueven a la compasión. ▌adj./s. **4** Referido a un escritor, que escribe tragedias.

tragicomedia s.f. Obra dramática con rasgos de comedia y de tragedia.

tragicómico, ca adj. **1** De la tragicomedia o relacionado con ella: *un escritor tragicómico.* **2** Que participa de las cualidades de lo trágico y de lo cómico: *una situación tragicómica.*

trago s.m. **1** Parte de un líquido que se traga de una vez: *Se tomó el licor de un trago.* **2** Bebida alcohólica: *No bebo alcohol normalmente, pero de vez en cuando tomo un trago.* **3** *col.* Disgusto, contratiempo o situación difícil que se sufre con dificultad: *Su muerte fue un duro trago para todos nosotros.*

tragón, -a adj./s. *col.* Que traga o que come mucho.

tragonería s.f. *col.* Vicio o costumbre del que es tragón.

traición s.f. **1** Acción o comportamiento que quebranta o rompe la lealtad que se debía tener. **2** || **a traición;** faltando a la confianza o con engaño.☐ ETIMOL. Del latín *traditio* (entrega, transmisión).

traicionar v. **1** Romper la confianza o la lealtad debida: *Traicionó a su mejor amigo. Traicionó a su mujer liándose con otra.* **2** No resultar como se esperaba porque no ha podido ser controlado: *Me traicionaron los nervios y fallé el tiro.*

traicionero, ra adj./s. →**traidor.**

traída s.f. Traslado o conducción de algo de un lugar a otro, esp. si es de uno lejano a uno próximo: *traída de aguas.*

traidor, -a ▮ adj. **1** Que implica traición o falsedad: *Tu acción traidora es indigna de un amigo.* ☐ SINÓN. *traicionero.* **2** Referido a un animal, astuto y falso: *Un caballo traidor tiró al jinete.* ☐ SINÓN. *traicionero.* **3** *col.* Que produce daño o perjuicio aunque parece inofensivo: *Abrígate porque, aunque parece que no hace frío, este airecillo es muy traidor.* ☐ SINÓN. *traicionero.* ▮ adj./s. **4** Que comete traición: *Ese traidor trabajó como espía durante la guerra.* ☐ SINÓN. *traicionero.* ☐ ETIMOL. Del latín *traditor* (entregador, traidor).

trail (ing.) s.m. Modalidad deportiva de motociclismo, que se practica por caminos y veredas agrestes. ☐ PRON. [tréil].

tráiler s.m. **1** Remolque de un camión. **2** Avance de una película. ☐ ETIMOL. Del inglés *trailer.* ☐ SEM. En la acepción 2, dist. de *thriller* (película de suspense).

traílla s.f. **1** Cuerda o correa para sujetar a un perro en las cacerías. **2** Pareja de perros atados con una de estas cuerdas. ☐ ETIMOL. Del latín **tragella.*

trainera s.f. **1** Embarcación que se usa para pescar con redes de arrastre: *La trainera lleva catorce remeros y un timonel.* **2** Embarcación impulsada mediante remos que se usa en competiciones deportivas: *En el País Vasco son muy aficionados a las regatas de traineras.*

training (ing.) s.m. **1** →**entrenamiento. 2** Curso de formación o período de prácticas. ☐ PRON. [tréinin]. ☐ USO Su uso es innecesario.

traíña s.f. Red de pesca con forma de gran bolsa, muy usada en la pesca de la sardina: *La traíña es utilizada en la pesca de arrastre.* ☐ ETIMOL. Del gallego *traíña.*

traje s.m. **1** Vestido exterior completo de una persona. **2** Vestido de hombre que consta de chaqueta, pantalón y a veces chaleco, hechos del mismo color y de la misma tela: *Para asistir a la ceremonia se puso traje y corbata.* **3** || **traje de luces;** el que se pone un torero para torear: *El traje de luces es de seda y tiene lentejuelas y bordados de oro o plata.* || **traje de noche;** el femenino que se usa para fiestas de etiqueta: *La mujer del presidente llevaba un traje de noche hasta los pies.* || **traje regional;** el tradicional de un lugar: *El grupo de danzas viste el traje regional.* || **traje (sastre);** el de mujer que imita al masculino: *Me he hecho un traje sastre con falda corta.* ☐ ETIMOL. Del portugués *traje.*

trajeado, da adj. **1** Que va vestido con traje. **2** Arreglado en la forma de vestir.

trajear v. Vestir con traje: *Se empeñó en trajearme para la cena.*

trajín s.m. Gran actividad o movimiento continuo e intenso.

trajinar v. Tener gran actividad o andar de un sitio a otro continuamente: *En el comercio no dejamos de trajinar porque tenemos muchos clientes.* ☐ ETIMOL. Del latín **traginare* (arrastrar).

tralla s.f. **1** Látigo provisto de una trencilla en su extremo para que haga ruido al sacudirlo. **2** || **dar tralla;** *col.* Golpear o criticar con dureza: *Los críticos dieron mucha tralla a mi última novela.* ☐ ETIMOL. Del latín *tragula.*

trallazo s.m. **1** Golpe violento: *El trallazo del delantero entró por la escuadra.* **2** Golpe dado con una tralla.

trama s.f. **1** En una tela, conjunto de los hilos que, colocados horizontalmente, se cruzan con los de la urdimbre para formarla: *En el panamá se distingue muy bien la trama, hilos horizontales, y la urdimbre, hilos verticales.* **2** Confabulación o astucia para llevar a cabo un engaño o una traición: *Asegura que no formó parte de ninguna trama golpista.* **3** Argumento de una obra dramática o narrativa: *La trama era muy entretenida y captó nuestra atención desde el primer momento.* **4** En televisión, conjunto de líneas que forman la imagen: *La trama de nuestra televisión es de 625 líneas.* **5** En biología, conjunto de células y fibras que constituyen la estructura de un tejido: *En las glándulas, las células funcionales se encuentran rodeadas por una trama de tejido conjuntivo.* **6** En artes gráficas, conjunto de puntos en los que se descompone una imagen cuando se reproduce en fotomecánica, y cuyo tamaño, forma y número dependen de la intensidad del tono que representan: *La trama del dibujo solo se puede apreciar con lupa.* **7** Papel con puntos, líneas o pequeños dibujos, transparente y adhesivo, que se utiliza en ilustración o en diseño gráfico: *Compramos tramas de puntos de distintos tamaños.* ☐ ETIMOL. Del latín *trama* (artificio, hilos que cruzados con la urdimbre forman la tela).

tramar v. **1** Referido a un engaño o una traición, organizarlo con astucia o mediante una confabulación: *Fueron detenidos los militares que tramaban el golpe de Estado.* **2** Referido a algo complicado o difícil, disponerlo con habilidad: *La propia ministra tramó la organización del departamento.* ☐ ORTOGR. Dist. de *trabar.*

tramilla s.f. Cordel delgado y resistente hecho de cáñamo. ☐ SINÓN. *bramante.* ☐ ETIMOL. De *trama.*

tramitación s.f. Realización de los trámites necesarios para que un asunto o un negocio puedan ser resueltos.

tramitar v. Referido a un asunto o un negocio, hacerlo pasar por los trámites necesarios para que pueda ser resuelto: *Ha terminado el plazo para tramitar el cobro de la indemnización.*

trámite s.m. Cada una de las gestiones o pasos que hay que hacer en un negocio o en un asunto para resolverlos. □ ETIMOL. Del latín *trames* (senda).

tramo s.m. **1** Cada una de las partes en que se divide una superficie más o menos lineal. **2** Parte de una escalera situada entre dos rellanos o descansillos. **3** Cada una de las partes en que se divide un contenido o algo que dura un tiempo: *El curso se divide en dos tramos que se pueden hacer de forma independiente.* □ ETIMOL. Quizá del latín *trames* (sendero, camino).

tramontana s.f. Véase **tramontano, na**.

tramontano, na ▌adj. **1** Del otro lado de los montes. ▌s.f. **2** Viento que sopla o viene del norte. □ ETIMOL. Del latín *transmontanus*.

tramoya s.f. **1** En un teatro, máquina o conjunto de máquinas que se usan para cambiar los decorados y para producir los efectos escénicos. **2** Enredo, intriga o trampa que se disponen de forma ingeniosa o disimulada.

tramoyista s.com. Persona que se dedica profesionalmente a diseñar, construir, montar o manejar las tramoyas de un teatro.

tramp (ing.) s.m. Barco de carga que navega sin ruta regular determinada y toma carga allí donde la encuentra. □ PRON. [tramp].

trampa s.f. **1** Dispositivo o mecanismo para cazar, en el que la presa cae por descuido o por engaño. **2** Engaño o treta para burlar o perjudicar a alguien. **3** Incumplimiento disimulado de una ley o una regla, pensando en el propio beneficio. **4** ‖ **sin trampa ni cartón;** *col.* Sin engaño o truco. □ ETIMOL. De origen onomatopéyico.

trampantojo s.m. En arte, trampa con que se engaña la vista haciendo que vea lo que no es. □ ETIMOL. De *trampa ante ojo*. □ USO Es innecesario el uso del galicismo *trompe-l'oeil*.

trampear v. **1** Pedir prestado o fiado con trampas y engaños: *El negocio sigue abierto porque trampea todo lo que puede.* **2** Vivir soportando y superando las dificultades: *Va trampeando, unas veces con salud y otras sin ella.*

trampero, ra s. Persona que pone trampas para cazar.

trampilla s.f. Puerta o ventana pequeñas que se abren hacia arriba y que están situadas en el techo o en el suelo. □ SINÓN. *ventanillo*. □ ETIMOL. De *trampa*.

trampolín s.m. **1** Mecanismo o estructura que sirve para lanzar o impulsar un cuerpo. **2** Lo que alguien utiliza para mejorar su posición o su situación: *Esa canción tan pegadiza fue el trampolín que te llevó a la fama.* □ ETIMOL. Del italiano *trampolino*.

tramposo, sa adj./s. Que hace trampas.

tran ‖ **al tran tran;** 1 *col.* De cualquier manera y sin cuidado. 2 *col.* Despacito y con buena letra.

tranca s.f. **1** Palo grueso y fuerte, esp. el que se pone como puntal o se atraviesa detrás de una puerta para asegurarla. **2** *col.* Borrachera. **3** ‖ **a trancas y barrancas;** *col.* Con dificultades, superando muchos obstáculos o de forma intermitente. □ ETIMOL. De origen incierto.

trancada s.f. Paso largo o salto que se da abriendo mucho las piernas. □ SINÓN. *tranco*.

trancar v. Cerrar con una tranca o un cerrojo: *El último que entre que tranque la puerta.* □ ORTOGR. La *c* se cambia en *qu* delante de *e* →SACAR.

trancazo s.m. **1** *col.* Gripe o resfriado: *Me he quedado en cama porque tengo un fuerte trancazo.* **2** Golpe fuerte. **3** *col.* En zonas del español meridional, puñetazo.

trance s.m. **1** Momento difícil, crítico y decisivo por el que pasa alguien. **2** Estado en el que un médium manifiesta fenómenos paranormales. **3** Música electrónica cuya monotonía hace que las facultades anímicas queden en suspenso. **4** ‖ **a todo trance;** de manera decidida, sin reparar en riesgos: *A pesar de las dificultades, se empeñó en hacerlo a todo trance.* □ ETIMOL. Las acepciones 1 y 2, quizá del francés *transe*. La acepción 3, del inglés *trance*. □ PRON. En la acepción 3, se usa mucho la pronunciación anglicista [trans]. □ SINT. En la acepción 3, se usa en aposición, pospuesto a un sustantivo: *la música trance*.

tranco s.m. **1** Paso largo o salto que se da abriendo mucho las piernas. □ SINÓN. *trancada*. **2** Umbral de la puerta.

tranquera s.f. En zonas del español meridional, puerta rústica.

tranquilidad s.f. **1** Sosiego, quietud o falta de agitación. **2** Mansedumbre, falta de nerviosismo o de excitación.

tranquilización s.f. Disminución de la agitación.

tranquilizador, -a adj. Que tranquiliza.

tranquilizante adj.inv./s.m. Referido a una sustancia, esp. a un medicamento, que tiene efecto tranquilizador o sedante.

tranquilizar v. Poner tranquilo: *Tranquiliza a tu madre, que está muy nerviosa. Cuando te tranquilices hablaremos mejor.* □ ORTOGR. La *z* se cambia en *c* delante de *e* →CAZAR.

tranquillo s.m. Habilidad que se adquiere con la práctica: *Después de tres meses, le estoy cogiendo el tranquillo a este trabajo.* □ USO Se usa mucho en la expresión *coger el tranquillo*.

tranquilo, la adj. **1** Sosegado, quieto o sin agitación: *El mar está hoy tranquilo.* □ SINÓN. *calmado*. **2** Pacífico, sin nerviosismo o sin excitación: *A pesar del accidente, estoy tranquila.* □ SINÓN. *calmado*. □ ETIMOL. Del latín *tranquillus*.

trans- Prefijo que significa 'al otro lado' o 'a través de': *transalpino, transcontinental, transmediterráneo, transiberiano.* □ ETIMOL. Del latín *trans*. □ MORF. Puede adoptar la forma *tras-*: *trasalpino, trasmediterráneo*.

transacción s.f. Trato, convenio o negocio. □ ETIMOL. Del latín *transatio*.

transalpino, na (tb. *trasalpino, na*) adj. **1** Referido a una región, que está situada en el lado norte de la cordillera alpina. **2** De esta región o relacionado con ella. □ ETIMOL. Del latín *transalpinus*.

transaminasa s.f. Enzima producida por el hígado, que realiza el transporte de un grupo amino de una molécula a otra: *Los niveles de transaminasas permiten conocer las condiciones de funcionamiento del hígado.*

transandino, na (tb. *trasandino, na*) adj. Que atraviesa la cordillera andina. □ ETIMOL. De *trans-* (a través de) y *andino*.

transar v. *col.* En zonas del español meridional, transigir para llegar a un acuerdo. □ SINT. Constr. *transar* EN *algo*.

transatlántico, ca (tb. *trasatlántico, ca*) ▌adj. **1** Referido esp. al comercio o a un medio de locomoción, que atraviesa el Atlántico (océano situado entre las costas europeas, africanas y americanas). ▌s.m. **2** Embarcación de grandes dimensiones destinada al transporte de pasajeros. □ ETIMOL. De *trans-* (a través de) y *atlántico*.

transbordador, -a ▌adj. **1** Que transborda. ▌s.m. **2** Embarcación que hace el recorrido entre dos puntos, navegando en los dos sentidos, y que se utiliza para transportar viajeros y vehículos. **3** Aeronave espacial que se usa para transportar una carga al espacio y que despega verticalmente como un cohete y aterriza como un avión. □ USO En la acepción 1, es innecesario el uso de los anglicismos *ferry* o *ferry-boat*.

transbordar (tb. *trasbordar*) v. En un viaje en ferrocarril o en metro, cambiar de línea o de vehículo: *Cuando lleguemos a la próxima estación tenemos que transbordar para coger el tren que nos interesa.* □ ETIMOL. De *trans-* (al otro lado) y *bordo*.

transbordo (tb. *trasbordo*) s.m. En un viaje, cambio de línea, de ferrocarril o de metro.

transcendencia s.f. →**trascendencia.**

transcendental adj.inv. →**trascendental.**

transcendente adj.inv. →**trascendente.**

transcender v. →**trascender.** □ MORF. Irreg. →PERDER.

transcontinental adj.inv. Que atraviesa un continente.

transcribir (tb. *trascribir*) v. **1** Referido a algo que está escrito en un sistema de caracteres, escribirlo en otro sistema: *Una experta en paleografía transcribía los textos antiguos al lenguaje actual.* □ SINÓN. *transliterar*. **2** Referido a algo que está escrito en una parte, copiarlo o escribirlo en otra: *Tienes que transcribir palabra por palabra el texto del libro.* □ ETIMOL. Del latín *transcribere*. □ MORF. Su participio es *transcrito*.

transcripción (tb. *trascripción*) s.f. **1** Representación de un escrito mediante un sistema de caracteres distinto al original. □ SINÓN. *transliteración*. **2** Representación de elementos lingüísticos mediante un determinado sistema de escritura: *'[kása]' es la transcripción fonética de 'casa'.* **3** Copia de un escrito. □ ETIMOL. Del latín *transcriptio*.

transcriptor, -a adj./s. Que transcribe o que hace transcripciones.

transcrito, ta (tb. *trascrito, ta*) part. irreg. de **transcribir.** □ MORF. Incorr. **transcribido*.

transculturación s.f. Recepción por parte de un grupo de formas de cultura de otro, que se adaptan de una forma más o menos completa. □ SINÓN. *transculturización*.

transculturización s.f. →**transculturación.**

transcurrir (tb. *trascurrir*) v. Referido esp. al tiempo, desarrollarse o pasar de ser presente a pasado: *Los meses transcurrieron sin incidentes.* □ ETIMOL. Del latín *transcurrere*.

transcurso (tb. *trascurso*) s.m. Paso o desarrollo de un período de tiempo. □ ETIMOL. Del latín *transcursus*.

transeúnte adj.inv./s.com. **1** Que transita o que pasa por un lugar. **2** Que está de paso o que reside transitoriamente en un lugar: *la población transeúnte.* □ ETIMOL. Del latín *transiens*, y este de *transire* (pasar más allá, traspasar).

transexual adj.inv./s.com. Referido a una persona, que adquiere los caracteres sexuales del sexo opuesto mediante un tratamiento hormonal y quirúrgico. □ ETIMOL. De *trans-* (al otro lado) y *sexual*.

transexualidad s.f. Condición de la persona que ha cambiado de sexo mediante un tratamiento hormonal y quirúrgico. □ SINÓN. *transexualismo*.

transexualismo s.m. →**transexualidad.**

transfer (ing.) s.m. **1** En fútbol, traspaso de un jugador de un equipo a otro. **2** →**calcomanía.** □ PRON. [tránsfer]. □ USO Su uso es innecesario.

transferencia (tb. *trasferencia*) s.f. **1** Paso de un lugar a otro: *Los dos presidentes han llegado a un acuerdo para la transferencia del jugador.* **2** Remisión de una cantidad de dinero de una cuenta bancaria a otra. **3** Cesión de un derecho, un dominio o una atribución a otra persona: *Su avanzada edad le hace pensar en la transferencia del negocio a alguno de sus hijos.*

transferir (tb. *trasferir*) v. **1** Pasar de un lugar a otro: *Me han transferido a la sección de ropa infantil porque faltaba personal.* **2** Referido a fondos bancarios, remitirlos de una cuenta a otra: *He transferido los seiscientos euros que te debía a tu cuenta.* **3** Ceder a otra persona: *Ha transferido la presidencia de la empresa a su hijo.* □ ETIMOL. Del latín *transferre*. □ MORF. Irreg. →SENTIR.

transfiguración (tb. *trasfiguración*) s.f. Transformación o cambio de la figura o del aspecto externo.

transfigurar (tb. *trasfigurar*) v. Cambiar la figura o el aspecto exterior: *Creyó ver un fantasma y se le transfiguró la cara.* □ ETIMOL. Del latín *transfigurare*.

transformable adj.inv. Que puede transformarse.

transformación (tb. *trasformación*) s.f. **1** Cambio de aspecto o de costumbres. **2** Conversión de una cosa en otra. **3** En rugby, introducción del balón entre los dos palos verticales y por encima del horizontal de la portería, impulsándolo con el pie, después de un ensayo.

transformacional adj.inv. En lingüística, de la transformación de unos esquemas oracionales en otros por la aplicación de determinadas reglas: *La gramática generativa tiene un componente transformacional.*

transformador, -a (tb. *trasformador, -a*) ▮ adj./s. **1** Que transforma. ▮ s.m. **2** Aparato que sirve para transformar una corriente eléctrica de un voltaje a otro.

transformar (tb. *trasformar*) v. **1** Cambiar las costumbres o el aspecto: *La felicidad ha transformado tu cara.* **2** Referido a una cosa, convertirla en otra: *El frío intenso transformó el agua en hielo.* **3** En rugby, introducir el balón entre los palos verticales, por encima del horizontal de la portería, impulsándolo con el pie, después de un ensayo: *El equipo logró transformar y ahora tiene dos puntos más.* **4** En fútbol, referido a una falta, marcar gol al ejecutarla: *Herrero transformó un penalti en el minuto veinte de la primera parte.* ☐ ETIMOL. Del latín *transformare.*

transformativo, va (tb. *trasformativo, va*) adj. Que puede transformar: *la industria transformativa.*

transformismo s.m. Arte o técnica de cambiar con mucha rapidez de trajes y de personajes para interpretar.

transformista s.com. Actor o payaso que cambia rapidísimamente de trajes y de personajes para interpretar.

transfronterizo, za adj. Que traspasa las fronteras nacionales: *turismo transfronterizo; comercio transfronterizo.*

tránsfuga (tb. *trásfuga*) s.com. **1** Persona que huye de un lugar a otro. **2** Persona que pasa de un partido político a otro. ☐ ETIMOL. Del latín *transfuga.* ☐ MORF. Se admite también el masculino *tránsfugo.*

transfuguismo s.m. Paso de una persona de un partido político a otro.

transfundir (tb. *trasfundir*) v. **1** Pasar un líquido poco a poco de un recipiente a otro. **2** Hacer una transfusión: *Transfundieron un litro de sangre al accidentado.* ☐ ETIMOL. Del latín *transfundere.*

transfusión (tb. *trasfusión*) s.f. Introducción de sangre o de plasma sanguíneo procedentes de una persona en el sistema circulatorio de otra. ☐ ETIMOL. Del latín *transfusio.*

transgénico, ca adj./s.m. **1** Referido esp. a un organismo vivo, que ha sido modificado genéticamente de forma artificial: *un tomate transgénico.* **2** Referido a un producto, que ha sido elaborado a partir de uno de estos organismos: *el aceite transgénico.* **3** Referido esp. a una tecnología, que utiliza ingeniería genética para desarrollar sus productos: *técnicas transgénicas.*

transgredir (tb. *trasgredir*) v. Referido esp. a una ley, quebrantarla o violarla: *Los delincuentes son detenidos por transgredir las normas.* ☐ ETIMOL. Del latín *transgredi* (pasar a través). ☐ MORF. Verbo defectivo: solo se usan las formas que presentan *i* en su desinencia. →ABOLIR.

transgresión (tb. *trasgresión*) s.f. Violación de un precepto, de una ley o de un estatuto. ☐ ETIMOL. Del latín *transgressio.*

transgresivo, va adj. Que implica transgresión.

transgresor, -a (tb. *trasgresor, -a*) adj./s. Que comete una trasgresión.

transiberiano, na ▮ adj. **1** Referido esp. al comercio o a un medio de locomoción, que atraviesan la región siberiana. ▮ s.m. **2** Tren que hace este recorrido.

transición s.f. Paso de una situación o de una forma de ser a otra distinta. ☐ ETIMOL. Del latín *transitio* (acción de pasar más allá).

transicional adj.inv. Que pasa de un estado a otro.

transido, da adj. Fatigado o consumido por una angustia o una necesidad: *transido de dolor.* ☐ ETIMOL. Del antiguo *transir* (morir). ☐ SINT. Constr. *transido DE algo.*

transigencia s.f. Tolerancia o aceptación de lo que no se considera justo, razonable o verdadero, para no discutir.

transigente adj.inv. Que transige.

transigir v. Referido a algo que no se cree justo, razonable o verdadero, aceptarlo o consentirlo para poner fin a una discusión: *Con la mentira no transijo de ninguna manera.* ☐ ETIMOL. Del latín *transigere* (hacer pasar a través, concluir un negocio). ☐ ORTOGR. La *g* se cambia en *j* delante de *a, o* →DIRIGIR. ☐ SINT. Constr. *transigir EN algo.*

transistor s.m. **1** Dispositivo electrónico de pequeño tamaño que sirve para rectificar y amplificar los impulsos eléctricos. **2** Aparato de radio provisto de estos dispositivos. ☐ ETIMOL. Del inglés *transistor,* y este de *transfer resistor.*

transitable adj.inv. Referido a un lugar, que permite que se transite por él.

transitado, da adj. Referido esp. a un lugar, que se visita frecuentemente: *Los pueblos costeros suelen ser lugares muy transitados.*

transitar v. Ir de un punto a otro por la vía pública: *Está prohibido que los coches transiten por las calles peatonales.* ☐ ETIMOL. De *tránsito.* ☐ SINT. Su uso como transitivo es incorrecto, aunque está muy extendido: *mucha gente transita [*ese camino > por ese camino].*

transitividad s.f. En lingüística, exigencia de complemento directo: *El verbo 'dar' se caracteriza por su transitividad.*

transitivo, va adj. En lingüística, referido esp. a un verbo o a una oración, que se construyen con complemento directo: *'Tomar' es un verbo transitivo. 'Como pan' es una oración transitiva.* ☐ ETIMOL. Del latín *transitivus.*

tránsito s.m. **1** Paso de un punto a otro por una vía pública. **2** Actividad o movimiento de personas y de vehículos. **3** Paso o estancia: *Durante mi tránsito por esta empresa hice muchos amigos.* **4** En zonas del español meridional, tráfico. ☐ ETIMOL. Del latín *transitus.*

transitoriedad s.f. Duración limitada de algo que no es definitivo.

transitorio, ria adj. Pasajero, temporal o que no es definitivo. ☐ ETIMOL. Del latín *transitorio*.

translación s.f. →**traslación.**

translaticio, cia adj. →**traslaticio.**

transliteración s.f. Representación de un escrito mediante un sistema de caracteres distinto al original. ☐ SINÓN. *transcripción*.

transliterar v. Referido a algo que está escrito en un sistema de caracteres, escribirlo en otro sistema: *La voz griega* ανατομία *se translitera como 'anatomía'.* ☐ SINÓN. *transcribir, trascribir.* ☐ ETIMOL. De *trans-* (al otro lado) y el latín *littera* (letra).

translúcido, da (tb. *traslúcido, da*) adj. Referido a un cuerpo, que permite el paso de la luz sin dejar que se vean nítidamente los objetos. ☐ ETIMOL. Del latín *translucidus*. ☐ SEM. Dist. de *transparente* (que permite el paso de la luz y de las imágenes a través de él).

translucir v. →**traslucir.** ☐ MORF. Irreg. →LUCIR.

transmediterráneo, a (tb. *trasmediterráneo, a*) adj. Referido esp. al comercio o a un medio de locomoción, que atraviesan el Mediterráneo (mar situado entre las costas europeas, africanas y asiáticas). ☐ ETIMOL. De *trans-* (a través de) y *mediterráneo*.

transmigración (tb. *trasmigración*) s.f. Paso del alma de un cuerpo a otro tras la muerte.

transmigrar (tb. *trasmigrar*) v. Referido al alma, pasar de un cuerpo a otro tras la muerte: *Las personas que creen en la reencarnación aseguran que al morir, el alma transmigra a otro cuerpo.* ☐ ETIMOL. Del latín *transmigrare*.

transmigratorio, ria adj. De la transmigración o relacionado con ella.

transmisible (tb. *trasmisible*) adj.inv. Que se puede transmitir.

transmisión (tb. *trasmisión*) s.f. **1** Traslado o transferencia de algo de un lugar a otro: *Los engranajes permiten la transmisión del movimiento.* **2** Emisión o difusión de un programa de radio o de televisión: *la transmisión del partido de fútbol.* **3** Comunicación de una noticia o de un mensaje a otra persona: *El teléfono permite la transmisión de mensajes a larga distancia.* **4** Contagio de una enfermedad o de un estado de ánimo: *La higiene es muy importante para evitar la transmisión de enfermedades.*

transmisor, -a ▮ adj./s. **1** Que transmite o que puede transmitir. ▮ s.m. **2** Aparato telefónico o telegráfico que transmite vibraciones o señales que son recogidas por el receptor.

transmitir (tb. *trasmitir*) v. **1** Trasladar, transferir o llevar de un lugar a otro: *Los ascendientes transmiten a sus descendientes los caracteres hereditarios.* **2** Referido a un programa, difundirlo o emitirlo a larga distancia: *Esta tarde transmiten por la televisión un concierto de música clásica.* **3** Referido a un mensaje o a una noticia, hacerlos llegar a alguien: *Si ves a tu hermano, transmítele mis saludos.* **4** Referido a una enfermedad o a un estado de ánimo, comunicarlos o pasarlos a otras personas: *El payaso transmitía su alegría a los niños. La gripe se transmite por el aire.* ☐ ETIMOL. Del latín *transmittere*. ☐ SEM. Está muy extendido su uso como intransitivo con el significado de 'comunicar emoción': *El torero no transmitía y el público se aburrió.*

transmutable (tb. *trasmutable*) adj.inv. Que se puede transmutar.

transmutación (tb. *trasmutación*) s.f. Cambio o conversión de una cosa en otra distinta.

transmutar (tb. *trasmutar*) v. Referido a una cosa, cambiarla o convertirla en otra: *Jesucristo realizó el milagro de transmutar el agua en vino.* ☐ ETIMOL. Del latín *transmutare*.

transnacional adj.inv./s.f. Referido esp. a una empresa o a una sociedad mercantil, que tiene sus intereses y actividades repartidos en varios países. ☐ SINÓN. *multinacional*.

transoceánico, ca adj. Que atraviesa un océano. ☐ ETIMOL. De *trans-* (a través de) y *oceánico*.

transparencia (tb. *trasparencia*) s.f. **1** Capacidad de un cuerpo para dejar pasar la luz y las imágenes a través de él. **2** Claridad o evidencia: *transparencia informativa.* **3** Lámina transparente de acetato sobre la que aparece un texto o una imagen impresos o manuscritos, y que se proyecta sobre una superficie. **4** En el cine, fondo que se proyecta sobre una pantalla, y que se usa para llevar a un estudio imágenes del exterior: *Gracias a la transparencia parecía que el actor cabalgaba por el monte, cuando en realidad se había grabado en un estudio.* **5** En zonas del español meridional, diapositiva.

transparentar (tb. *trasparentar*) v. **1** Referido a un cuerpo, permitir que se vea o se perciba algo a través de él: *Estas cortinas tan delgadas transparentan la luz.* **2** Dejar ver o mostrar: *Tus palabras transparentan el terror que sientes.*

transparente (tb. *trasparente*) adj.inv. **1** Referido a un cuerpo, que permite el paso de la luz y de las imágenes a través de él. **2** Claro, evidente o que se entiende sin dar lugar a dudas: *Sus intenciones son tan transparentes que no puede negarlas.* ☐ ETIMOL. De *trans-* (a través) y *parens* (que aparece). ☐ SEM. Dist. de *translúcido* (que permite el paso de la luz sin dejar que se vean los objetos).

transpiración (tb. *traspiración*) s.f. Salida del líquido contenido en un cuerpo a través de sus poros.

transpirar (tb. *traspirar*) v. Referido a un cuerpo, pasar el líquido de su interior al exterior a través de su tegumento o de su piel: *Cuando hace mucho calor las personas transpiran.* ☐ ETIMOL. De *trans-* (a través) y *spirare* (exhalar, brotar).

transpirenaico, ca (tb. *traspirenaico, ca*) adj. Que atraviesa la cordillera pirenaica. ☐ ETIMOL. De *trans-* (al otro lado) y *pirenaico*.

transponedor, -a ▮ adj./s. **1** Que transpone. ▮ s.m. **2** Elemento de un satélite que actúa como repetidor o canal de recepción y transmisión amplificada de señales electromagnéticas.

transponer (tb. *trasponer*) ▮ v. **1** Cruzar al otro lado, de forma que quede oculto a la vista: *El Sol* *transpuso las montañas y la oscuridad comenzó a extenderse.* **2** Referido a una persona o a una cosa, ponerlas más allá, en un lugar distinto del que estaban: *Transpón el mueble hacia la pared, para que quede más espaciosa la sala.* ▮ prnl. **3** Dormirse ligeramente: *Me senté en el sillón y me transpuse.* ☐ ETIMOL. Del latín *transponere.* ☐ MORF. Irreg.: 1. Su participio es *transpuesto.* 2. →PONER. ☐ USO En la acepción 3 se usa mucho la expresión *quedarse transpuesto.*

transportador, -a (tb. *trasportador, -a*) ▮ adj./s. **1** Que transporta. ▮ s.m. **2** Círculo o semicírculo graduados que sirven para medir o trazar los ángulos de un dibujo geométrico: *Mi transportador está graduado de 0 a 180 grados.*

transportar (tb. *trasportar*) v. **1** Llevar de un lugar a otro: *Las mulas transportaban el equipaje de los exploradores.* **2** Enajenar el sentido, esp. por la pasión o por el éxtasis: *Esta maravillosa música me transporta.* ☐ ETIMOL. Del latín *transportare.*

transporte (tb. *trasporte*) s.m. **1** Traslado de algo de un lugar a otro. **2** Medio de locomoción que se utiliza para el traslado de un lugar a otro.

transportista adj.inv./s.com. Que se dedica a hacer transportes por un precio convenido.

transposición (tb. *trasposición*) s.f. Movimiento de una cosa al cruzar algo, hasta que queda oculta.

transpuesto, ta (tb. *traspuesto, ta*) ▮ **1** part. irreg. de **transponer.** ▮ adj. **2** Medio dormido. ☐ MORF. Incorr. **transponido.*

transubstanciación s.f. →**transustanciación.**

transustanciación (tb. *transubstanciación*) s.f. En la misa, conversión de las sustancias del pan y del vino, durante la eucaristía, en el cuerpo y en la sangre de Jesucristo. ☐ ETIMOL. Del latín *transubstantiatio.*

transvasar (tb. *trasvasar*) v. Referido a un líquido, pasarlo de un recipiente a otro: *Para transvasar el vino de las garrafas a las botellas uso un embudo.* ☐ ETIMOL. De *trans-* (a través) y *vaso.*

transvase (tb. *trasvase*) s.m. Paso de un líquido de un sitio a otro.

transversal (tb. *trasversal*) adj.inv. **1** Que se halla o se extiende atravesado de un lado a otro. **2** Que se aparta o se desvía de la dirección principal o recta. **3** En educación, referido esp. a un contenido, que alude a áreas de conocimiento relacionadas con los valores sociales y de convivencia: *La educación ambiental es un tema transversal.*

transverso, sa (tb. *trasverso, sa*) adj. Que está colocado o dirigido de forma atravesada. ☐ ETIMOL. Del latín *transversus.*

tranvía s.m. Vehículo para el transporte urbano de viajeros, que se mueve por electricidad, circula por carriles y obtiene la energía de un tendido de cables. ☐ ETIMOL. Del inglés *tramway* (línea de carriles para tranvía).

tranviario, ria ▮ adj. **1** Del tranvía o relacionado con él. ▮ s. **2** Persona que trabaja en una compañía de tranvías.

trapa s.amb. *col.* Ruido de pies o de voces: *Los vecinos están celebrando una fiesta y se oye el trapa trapa en el piso de arriba.* ☐ ETIMOL. De origen onomatopéyico. ☐ USO Se usa más repetido: *trapa trapa.*

trapacear v. Hacer trapacerías o engaños: *Trapacea en los negocios todo lo que puede.*

trapacería s.f. Engaño o trampa que alguien usa para perjudicar y defraudar a otro, en una compra, una venta o un cambio. ☐ ETIMOL. De *trapacero.*

trapacero, ra adj./s. Que intenta engañar con astucia y por medio de mentiras. ☐ ETIMOL. De *trapaza.*

trapajoso, sa adj. **1** Roto, sucio o hecho pedazos. **2** Referido a la forma de hablar, con una pronunciación confusa o deficiente. ☐ SINÓN. *estropajoso.* ☐ ETIMOL. De *trapo.*

trápala s.f. Ruido considerable producido por una o más personas. ☐ ETIMOL. De origen onomatopéyico.

trapalear v. **1** Hacer ruido al andar de un lado a otro: *En el silencio de la noche se oyó trapalear a un caballo.* **2** *col.* Hacer o decir embustes o cosas sin importancia: *Deja de trapalear y habla sinceramente.*

trapatiesta s.f. →**zapatiesta.**

trapaza s.f. Fraude o engaño. ☐ ETIMOL. Del portugués *trapaça.*

trapeador s.m. En zonas del español meridional, fregona.

trapear v. En zonas del español meridional, fregar: *Hoy no quiero trapear mi cuarto.*

trapecio s.m. **1** Barra horizontal colgada de dos cuerdas por sus extremos, que se usa para ejercicios gimnásticos o circenses. **2** En geometría, polígono de cuatro lados que solo tiene paralelos dos de ellos. **3** →**hueso trapecio. 4** En anatomía, cada uno de los dos músculos situados en la parte dorsal del cuello, que permite mover el hombro y girar e inclinar la cabeza. ☐ ETIMOL. Del griego *trapézion,* y este de *trápeza* (mesa de cuatro pies).

trapecista s.com. Artista de circo que realiza ejercicios y acrobacias en el trapecio.

trapense ▮ adj.inv. **1** De la Trapa (congregación religiosa perteneciente a la orden del Císter). ▮ adj.inv./s.m. **2** Referido a un religioso, que pertenece a esta congregación.

trapería s.f. **1** Establecimiento comercial en el que se venden trapos. **2** Conjunto de trapos.

trapero, ra s. Persona que se dedica a recoger, comprar o vender trapos de desecho y otros objetos usados.

trapezoidal adj.inv. Con forma de trapecio o de trapezoide.

trapezoide s.m. **1** En geometría, polígono de cuatro lados que no tiene ningún lado paralelo a otro. **2** →**hueso trapezoide.** ☐ ETIMOL. Del griego *trapezoidés,* y este de *trápeza* (mesa de cuatro pies) y *êidos* (forma).

trapi s.m. *col.* →**trapicheo.**

trapiche s.m. Molino para exprimir la caña de azúcar u otros frutos. ☐ ETIMOL. Del latín *trapetes* (piedra del molino de aceite).

trapichear v. Negociar comprando o vendiendo mercancías al por menor, esp. si es de forma ilegal: *Si trapicheas con objetos robados te puedes meter en un lío.* ☐ ETIMOL. De *trapiche.*

trapicheo s.m. *col.* Venta o compra de mercancías al por menor, esp. si es de forma ilegal. ☐ USO Se usa mucho la forma abreviada *trapi.*

trapillo || **de trapillo;** *col.* Con vestido sencillo, habitual o de andar por casa. ☐ ETIMOL. De *trapo* (trozo de tela inútil).

trapío s.m. *col.* Gallardía y buena planta de un toro de lidia: *Esa ganadería tiene toros de mucho trapío.*

trapisonda s.f. *col.* Riña o alboroto. ☐ ETIMOL. Por alusión a Trapisonda, ciudad de Asia Menor, muy nombrada en los libros de caballerías y en el Quijote.

trapisondear v. *col.* Armar alboroto, riña o enredo: *No lograban ponerse de acuerdo y acabaron todos trapisondeando.*

trapisondista s.com. *col.* Persona que arma trapisondas o que se mete en ellas.

trapo s.m. **1** Trozo de tela viejo, roto o inútil: *Cuando las toallas están muy usadas las dejo como trapos.* **2** Paño o tela, esp. el que se usa para limpiar: *Seca los cuchillos y los tenedores con el trapo de cocina.* **3** *col.* Pieza de tela con vuelo, de color vivo, que se utiliza para torear: *El toro embistió bien al trapo.* ☐ SINÓN. *capa, capote de brega.* **4** *col.* Prenda de vestir: *Mira qué trapos me he comprado.* **5** || **a todo trapo; 1** *col.* Muy deprisa: *Comí a todo trapo porque me esperaban.* **2** *col.* Con mucho lujo: *Mi prima vive a todo trapo.* || **como un trapo; 1** *col.* Humillado o avergonzado: *Cuando se enteró de lo ocurrido, lo puso como un trapo.* **2** *col.* Muy cansado o agotado: *Después de un día de tanto trabajo, estoy como un trapo.* || **entrar al trapo;** lanzarse con ímpetu y sin preámbulos ante una insinuación o una provocación: *Es mejor que no lo provoques porque es una persona que entra al trapo enseguida.* || **sacar los trapos sucios;** *col.* Echar en cara las faltas y hacerlas públicas: *Contigo no quiero discutir porque enseguida sacas los trapos sucios.* ☐ ETIMOL. Del latín *drappus.*

traque s.m. Estallido de un cohete. ☐ ETIMOL. De origen onomatopéyico.

tráquea s.f. **1** En el sistema respiratorio de algunos vertebrados, parte de las vías respiratorias que va desde la laringe a los bronquios. **2** En los insectos y otros artrópodos, órgano respiratorio formado por conductos aéreos ramificados. ☐ ETIMOL. Del griego *trakhêia artería* (conducto áspero).

traqueal adj.inv. **1** De la tráquea, o relacionado con esta parte de las vías respiratorias de algunos vertebrados. **2** Referido a un insecto o otro artrópodo, que respira por medio de tráqueas.

traqueotomía s.f. En medicina, operación quirúrgica que consiste en hacer una abertura en la tráquea para comunicarla con el exterior y facilitar la respiración. ☐ ETIMOL. Del griego *trakhêia* (tráquea) y *-tomía* (incisión).

traquetear v. Moverse o agitarse repetidamente o de una parte a otra, produciendo un sonido característico: *El tren traqueteaba a lo lejos.* ☐ ETIMOL. De *traque.*

traqueteo s.m. Movimiento repetitivo o de una parte a otra que produce un sonido característico.

trarilonco s.m. →**trarilongo.**

trarilongo (tb. *trarilonco*) s.m. Cinta con que los mapuches se ciñen la cabeza y el pelo.

traripel s.m. Collar con cuentas de plata y de varias vueltas.

tras prep. Indica posterioridad en el espacio o en el tiempo: *Tras el invierno viene la primavera.* ☐ ETIMOL. Del latín *trans* (al otro lado de, más allá de).

tras- 1 →**trans-. 2** Prefijo que significa 'detrás de': *trastienda, trascoro, trascocina, trascorral.*

trasalpino, na adj. →**transalpino.**

trasandino, na adj. →**transandino.**

trasatlántico, ca adj./s.m. →**transatlántico.**

trasbordar v. →**transbordar.**

trasbordo s.m. →**transbordo.**

trascacho s.m. Lugar resguardado del viento: *Me puse al trascacho porque hacía mucho frío.*

trascendencia (tb. *transcendencia*) s.f. Gravedad o importancia.

trascendental (tb. *transcendental*) adj.inv. De gran importancia y gravedad, esp. por sus consecuencias.

trascendente adj.inv. Muy importante por sus consecuencias. ☐ ORTOGR. Se usa también *transcendente.*

trascender (tb. *transcender*) v. **1** Referido a algo que estaba oculto, empezar a ser conocido o sabido: *No querían que el escándalo trascendiera y no informaron a la prensa.* **2** Comunicar o extender un efecto, produciendo consecuencias: *La huelga ha trascendido del ámbito laboral al político.* **3** Sobrepasar o superar: *Algunos filósofos defienden que el conocimiento puede trascender el ámbito de la experiencia empírica y afirman la existencia de un ser superior y distinto al mundo.* ☐ ETIMOL. Del latín *transcendere* (rebasar). ☐ MORF. Irreg. →PERDER.

trascocina s.f. Habitación que está detrás de la cocina y que se comunica con ella. ☐ ETIMOL. De *tras-* (detrás) y *cocina.*

trascoro s.m. En una iglesia, zona que está situada detrás del coro. ☐ ETIMOL. De *tras-* (detrás) y *coro.*

trascorral s.m. Lugar cerrado y descubierto que hay después del corral. ☐ ETIMOL. De *tras-* (detrás) y *corral.*

trascribir v. →**transcribir.** ☐ MORF. Su participio es *trascrito.*

trascripción s.f. →**transcripción.**

trascrito, ta (tb. *transcrito, ta*) part. irreg. de **trascribir.** ☐ MORF. Incorr. **trascribido.*

trascurrir v. →**transcurrir.**

trascurso s.m. →**transcurso.**

trasdós s.m. En un arco o en una bóveda, superficie que queda a la vista por su parte exterior. ☐ ETIMOL. Del francés *extrados*.

trasegar v. **1** Cambiar de un lugar a otro, esp. líquidos de un recipiente a otro: *Trasegaremos este vino de la garrafa a las botellas.* **2** Referido a una bebida alcohólica, beberla en gran cantidad: *Terminará alcohólica de tanto trasegar licores. Se trasegó una botella de vino él solo.* ☐ ETIMOL. De origen incierto. ☐ ORTOGR. Aparece una *u* después de la *g* cuando le sigue *e*. ☐ MORF. Irreg. →REGAR.

trasero, ra ▌adj. **1** Que está o queda detrás, o que viene de atrás. ▌s.m. **2** *col.* Culo. ☐ ETIMOL. De *tras* (detrás de).

trasferencia s.f. →**transferencia.**

trasferir v. →**transferir.** ☐ MORF. Irreg. →SENTIR.

trasfiguración s.f. →**transfiguración.**

trasfigurar v. →**transfigurar.**

trasfondo s.m. Lo que está o aparece detrás del fondo visible de algo, esp. de una acción humana.

trasformación s.f. →**transformación.**

trasformador adj./s.m. →**transformador.**

trasformar v. →**transformar.**

trasformativo, va adj. →**transformativo.**

trásfuga s.com. →**tránsfuga.** ☐ MORF. Se admite también el masculino *trásfugo*.

trasfundir v. →**transfundir.**

trasfusión s.f. →**transfusión.**

trasgo s.m. Espíritu fantástico y travieso, que suele representarse con figura de viejo o de niño, y del que se dice que habita en algunas casas y lugares, causando en ellos alteraciones y desórdenes. ☐ SINÓN. *duende*. ☐ ETIMOL. De origen incierto.

trasgredir v. →**transgredir.** ☐ MORF. Verbo defectivo: solo se usan las formas que presentan *i* en su desinencia →ABOLIR.

trasgresión s.f. →**transgresión.**

trasgresor, -a adj./s. →**transgresor.**

trashumancia s.f. Pastoreo estacional en el que el ganado se traslada desde las zonas de pastos de invierno a las de verano y viceversa. ☐ ETIMOL. Del latín *trans* (de la otra parte) y *humus* (tierra).

trashumante adj.inv. Referido al ganado, que realiza la trashumancia.

trasiego s.m. **1** Cambio de lugar de una cosa, esp. un líquido de un recipiente a otro. **2** Ajetreo, jaleo o movimiento continuo de mucha gente.

traslación (tb. *translación*) s.f. Movimiento de los astros a lo largo de su órbita: *El movimiento de traslación de la Tierra tiene lugar alrededor del Sol.*

trasladar v. **1** Llevar o cambiar de un lugar a otro: *Le ayudé a trasladar la mesa a la otra habitación.* **2** Traducir o pasar de una lengua a otra: *Este gran traductor se encargará de trasladar el libro del español al alemán.* **3** Referido a un escrito, copiarlo o reproducirlo: *Al trasladar el texto del libro a los folios han cometido varios errores.* **4** Referido a una persona, cambiarla de un puesto o de un cargo a otros de la misma categoría: *Me han trasladado a la sección de deportes porque lo he pedido.* **5** Referido esp. a una reunión o a una cita, retrasar o anticipar su celebración: *He trasladado la cita del médico porque hoy no podía ir.*

traslado s.m. **1** Cambio de algo de un lugar a otro. **2** Cambio de un puesto de trabajo a otro de la misma categoría. ☐ ETIMOL. Del latín *translatus* (acción de transportar).

traslaticio, cia (tb. *translaticio, cia*) adj. Referido al sentido de una palabra, que se utiliza para que signifique algo distinto de lo que expresaba originalmente o en su acepción más corriente: *Originariamente, 'álgido' significaba muy frío, pero su sentido traslaticio es 'crítico o culminante en el desarrollo de un proceso'.*

traslúcido, da adj. →**translúcido.**

traslucir (tb. *translucir*) v. Manifestar o dejar ver: *Tu cara deja traslucir la tristeza. De lo que me cuentas se trasluce que tu vecino no te cae bien.* ☐ ETIMOL. Del latín *translucere*. ☐ MORF. Irreg. →LUCIR.

trasluz ‖ **al trasluz;** referido a la forma de mirar un objeto, colocándolo entre el ojo y la luz. ☐ ETIMOL. De *tras-*, *trans-* (a través de) y *luz*.

trasmallo s.m. Red de pesca formada por tres redes superpuestas, de las cuales la central es la más tupida. ☐ ETIMOL. Del latín **trimaculum* (tres mallas).

trasmano ‖ **a trasmano; 1** Fuera del alcance de la mano: *Acércame esa silla, que a mí me queda a trasmano.* **2** En un lugar apartado o fuera de la ruta que se sigue. ☐ ETIMOL. De *tras-* (al otro lado de) y *mano*.

trasmediterráneo, a adj. →**transmediterráneo.**

trasmigración s.f. →**transmigración.**

trasmigrar v. →**transmigrar.**

trasmisible adj.inv. →**transmisible.**

trasmisión s.f. →**transmisión.**

trasmitir v. →**transmitir.**

trasmundo s.m. Mundo fantástico o imaginario: *Los sueños forman parte de un trasmundo que no comprendemos bien.*

trasmutable adj.inv. →**transmutable.**

trasmutación s.f. →**transmutación.**

trasmutar v. →**transmutar.**

trasnochado, da adj. Pasado de moda o sin novedad ni originalidad.

trasnochador, -a adj./s. Que trasnocha.

trasnochar v. Pasar la noche o parte de ella sin dormir: *Los sábados trasnocho porque salgo de juerga.* ☐ ETIMOL. De *tras-*, *trans-* (a través de) y *noche*.

traspapelar v. Referido esp. a un documento, confundirlo o perderlo de vista entre otros o respecto al lugar en el que se encontraba: *He traspapelado la factura y no la encuentro.* ☐ ETIMOL. De *tras-* (al otro lado de) y *papel*.

trasparencia s.f. →**transparencia.**

trasparentar v. →**transparentar.**

trasparente adj.inv. →**transparente.**

traspasar v. **1** Pasar o llevar de un sitio a otro: *Ha traspasado los muebles a la otra habitación* *para poder pintar sin mancharlos.* **2** Cruzar o pasar a la otra parte: *La tinta del rotulador ha traspasado el papel.* **3** Referido a un cuerpo, pasarlo o atravesarlo con un arma o con un instrumento: *La bala le traspasó el corazón.* **4** Referido al derecho o al dominio que se tiene sobre algo, cederlos en favor de otra persona: *Traspasó sus bienes a su hijo.* **5** Referido esp. a una norma, transgredirla o quebrantarla: *Lo multaron por traspasar la velocidad permitida en esa carretera.* **6** Referido esp. a un dolor, llenar totalmente o hacerse sentir profundamente: *La pena me traspasó el corazón.* □ ETIMOL. De *tras-*, *trans-* (a través de) y *pasar*.

traspaso s.m. **1** Traslado de algo de un lugar a otro. **2** Cesión del dominio o del derecho que se tienen sobre algo en favor de otra persona.

traspié s.m. **1** Resbalón o tropezón. **2** Error, equivocación o fallo. □ ETIMOL. De *tras-*, *trans-* (a través de) y *pie*.

traspiración s.f. →**transpiración.**

traspirar v. →**transpirar.**

traspirenaico, ca adj. →**transpirenaico.**

trasplantar v. **1** Referido a una planta, trasladarla del lugar en el que estaba plantada a otro lugar: *Tengo que trasplantar estas margaritas a un tiesto mayor.* **2** En medicina, referido a un órgano, introducirlo en el cuerpo de un individuo para sustituir al equivalente enfermo: *Le trasplantaron el riñón de una persona muerta en un accidente.* **3** Referido esp. a ideas o movimientos culturales, introducirlos en un lugar diferente al de origen: *Los españoles que fueron a América trasplantaron allí muchas costumbres europeas.* □ ETIMOL. De *tras-*, *trans-* (de una parte a otra) y *plantar*.

trasplante s.m. **1** Traslado de una planta del lugar en el que estaba plantada a otro distinto. **2** En medicina, introducción de un órgano sano en un individuo para sustituir otro equivalente enfermo: *un trasplante de corazón.*

trasponer v. →**transponer.** □ MORF. Irreg.: 1. Su participio es *traspuesto*. 2. →PONER.

trasportador, -a adj./s. →**transportador.**

trasportar v. →**transportar.**

trasporte s.m. →**transporte.**

trasposición s.f. →**transposición.**

traspuesto, ta (tb. *transpuesto, ta*) ▮ **1** part. irreg. de **trasponer.** ▮ adj. **2** Medio dormido. □ MORF. Incorr. **trasponido*.

traspunte s.com. En teatro, persona que indica a los actores cuándo deben salir a escena. □ ETIMOL. De *tras-* (detrás de) y *apunte*.

trasquiladura s.f. **1** Corte desigual de pelo. □ SINÓN. *trasquilón*. **2** Corte del pelo o de lana a un animal.

trasquilar v. **1** Cortar el pelo de forma desigual: *No vuelvo a esa peluquería porque me han trasquilado.* **2** Referido a un animal, esp. a una oveja, cortarle el pelo o la lana: *En verano, el pastor trasquila a las ovejas y vende la lana.* □ SINÓN. *esquilar*. □ ETIMOL. De *tras-* (cambio) y *esquilar*.

trasquilón s.m. Corte desigual de pelo. □ SINÓN. *trasquiladura*.

trastabillante adj.inv. Que trastabilla o tropieza.

trastabillar v. **1** Dar traspiés o tropezar: *No se cayó de milagro, porque trastabilló al bajar la escalera.* **2** Tambalearse o vacilar: *Dio un golpe en la mesa y el jarrón se quedó trastabillando.* □ ETIMOL. De *trastrabillar*, y este de *tras* y *traba*.

trastada s.f. *col.* Travesura o acción mala de poca importancia.

trastazo s.m. Golpe o porrazo más o menos fuertes. □ ETIMOL. De *trasto*.

traste s.m. **1** En una guitarra o en otros instrumentos semejantes, cada uno de los salientes de metal, hueso u otro material, colocados horizontalmente a lo largo del mástil, y que sirven para facilitar al ejecutante el pisado de las cuerdas. **2** →**trasto.** **3** *col.* En zonas del español meridional, trasero o culo. **4** ‖ **dar al traste con** algo; echarlo a perder: *La lluvia dio al traste con la excursión.* ‖ **irse** algo **al traste;** fracasar totalmente: *Mis planes y proyectos se fueron al traste cuando caíste enfermo.* □ ETIMOL. Las acepciones 1, 2 y 4, del latín *trastum* (banco de remeros), porque los trastes del mástil de la guitarra se compararon con la serie de bancos de una galera.

trasteado s.m. Conjunto de los trastes de un instrumento musical.

trastear v. **1** Referido a las cuerdas de un instrumento musical con trastes, pisarlas u oprimirlas con los dedos: *Las cuerdas de la guitarra se trastean con los dedos de la mano izquierda.* **2** Referido a un toro, darle el torero pases de muleta: *El torero trasteó al toro para entrarle a matar.* **3** *col.* Revolver, cambiar o mover trastos de un sitio a otro: *Me he pasado la mañana trasteando en mi habitación.* **4** *col.* Hacer travesuras: *¿Dónde estará trasteando el niño?*

trastero, ra ▮ adj./s. **1** Referido a una habitación o a un cuarto, que están destinados para guardar trastos u objetos de poco uso. ▮ s.m. **2** En zonas del español meridional, escurridor. **3** En zonas del español meridional, alacena.

trastienda s.f. **1** Habitación o cuarto situados detrás de una tienda. **2** Cautela excesiva o falta de sinceridad en el modo de actuar: *No te fíes de él, porque tiene mucha trastienda.* □ ETIMOL. De *tras-* (detrás) y *tienda*.

trasto ▮ s.m. **1** Mueble, aparato o utensilio, esp. si son viejos, inútiles o no se usan: *El desván está lleno de trastos.* □ SINÓN. *traste*. **2** Lo que resulta demasiado grande o estorba mucho: *¿Pero dónde quieres meter ese trasto si no te cabe en la habitación?* □ SINÓN. *traste*. **3** Persona muy inquieta, traviesa o inútil: *Esta niña es un trasto.* □ SINÓN. *traste*. ▮ pl. **4** Utensilios o herramientas de una actividad: *Libros, papel y bolígrafos son los trastos del estudiante.* **5** En zonas del español meridional, platos y utensilios de cocina: *¿A quién le toca lavar los trastos hoy?* **6** ‖ **tirarse los trastos a la cabeza;**

col. Discutir violentamente. □ ETIMOL. Del latín *transtrum* (banco de remeros).

trastocar v. **1** Referido a algo con un orden o un desarrollo determinados, trastornarlo, cambiarlo o alterar su orden: *Este incidente trastoca mis planes.* **2** Referido a una persona, trastornar o perturbar su razón: *El accidente lo trastocó y ha perdido la razón. Se trastocó a raíz de una enfermedad nerviosa.* □ ETIMOL. De *trastrocar* (cambiar). □ ORTOGR. 1. La *c* se cambia en *qu* delante de *e* →SACAR. 2. Dist. de *trastrocar.*

trastornar v. **1** Referido a algo con un orden o un desarrollo determinados, cambiarlo o alterar su orden: *La huelga de tren trastorna mis planes.* **2** Referido a una persona, causarle grandes molestias: *Si no te trastorna mucho, recógeme a la salida.* **3** Referido a una persona, alterar o perturbar su sentido, su conciencia, su conducta o su razón: *El amor te ha trastornado. Se trastornó cuando perdió a su hijo.* □ ETIMOL. De *tras-, trans-* (de una parte a otra) y *tornar.*

trastorno s.m. **1** Cambio o alteración del orden o del desarrollo de algo: *Una de las causas de los trastornos climatológicos es el enfriamiento de la Tierra.* **2** Molestia o perturbación grandes porque generalmente suponen la alteración de un plan: *Me supone un gran trastorno llevar a los niños a tu casa.* **3** Alteración leve de la salud: *El exceso de trabajo produce trastornos nerviosos.*

trastrocar v. Referido a algo que es de determinada manera, cambiar su ser o su estado por otro diferente: *El sentido etimológico de 'enervar' se ha trastrocado.* □ ETIMOL. De *tras-* (cambio) y *trocar.* □ ORTOGR. 1. La *c* se cambia en *qu* ante *e.* 2. Dist. de *trastocar.* □ MORF. Irreg. →TROCAR.

trastrueque s.m. **1** Cambio o alteración del orden de algo. **2** Trastorno o perturbación de la razón.

trasudado s.m. En biología, líquido no inflamatorio contenido en una cavidad serosa.

trasudar v. En biología, referido a un líquido no inflamatorio, segregarlo una membrana serosa: *El peritoneo trasuda el líquido peritoneal.* □ ETIMOL. De *tras-* (detrás) y *sudar.*

trasudor s.m. Sudor leve o moderado.

trasunto s.m. Imitación exacta, imagen o representación de algo. □ ETIMOL. Del latín *transsumptus* (copia).

trasvasar v. →**transvasar.**

trasvase s.m. →**transvase.**

trasversal adj.inv. →**transversal.**

trasverso, sa adj. →**transverso.**

trata s.f. **1** Tráfico o comercio de personas. **2** || **trata de blancas;** la que se realiza con mujeres.

tratable adj.inv. Que se puede o se deja tratar fácilmente.

tratadista s.com. Persona que escribe tratados u obras sobre determinada materia.

tratado s.m. **1** Obra que trata sobre una materia determinada. **2** Acuerdo sobre un asunto, esp. el que atañe a dos o más Estados. □ ETIMOL. Del latín *tractatus* (cultivo, estudio).

tratamiento s.m. **1** Comportamiento o manera de portarse, de proceder o de hablar con una persona o un animal: *Todos merecemos un tratamiento respetuoso.* □ SINÓN. *trato.* **2** Fórmula de cortesía o manera de dirigirse a alguien según su categoría social, su sexo, su edad u otras características: *'Majestad', 'señora', 'caballero' son distintos tratamientos.* **3** Modo de trabajar una materia para su transformación: *El tratamiento de las aguas residuales permite aprovecharlas para el riego.* **4** Sistema curativo que se aplica para eliminar una enfermedad: *El enfermo responde al tratamiento y mejora.* **5** || **apear el tratamiento;** cambiar la fórmula de tratamiento que se le da a una persona: *Apéame el tratamiento y háblame de tú.* || **tratamiento de choque;** actuación rápida y enérgica ante una situación delicada. || **tratamiento de textos;** en informática, programa informático que permite la edición y modificación de un texto.

tratante ▮ adj.inv. **1** Que trata. ▮ s.com. **2** Persona que se dedica profesionalmente a la compra de género o de animales para su venta posterior.

tratar v. **1** Referido a una persona o a un animal, portarse o proceder con ellos de la manera que se expresa: *Te trataré como si fueras mi hijo. Trátame con cariño.* **2** Referido a un objeto, utilizarlo o manejarlo de la manera que se expresa: *Te dejo la cámara de vídeo, pero trátala bien.* **3** Referido a una persona, hablar y tener relación con ella: *Por su negocio trata a muchas personas. No me trato con nadie porque nadie me aguanta.* **4** Referido a una persona, darle el tratamiento que se indica: *No me trates de tú.* **5** Referido a un asunto, analizarlo, discutirlo o estudiarlo: *En la reunión trataremos el asunto del aparcamiento.* **6** Referido esp. a un asunto o una idea, hablar sobre ellos o tenerlos como tema: *El libro trata sobre el hambre mundial.* **7** Referido a una sustancia, someterla a la acción de otra: *El agua de las piscinas se trata con cloro.* **8** Referido esp. a algo que se desea o se debe hacer, intentar conseguirlo o intentar lograrlo: *Trato de estar a gusto en cualquier lugar.* **9** Administrar o aplicar un tratamiento curativo: *Quiero que me trate el mejor médico.* **10** Comerciar o comprar y vender: *Esa librera trata en libros y documentos antiguos.* □ ETIMOL. Del latín *tractare* (tocar, manejar, administrar). □ SINT. 1. Constr. de la acepción 3: *tratar(se)* CON *alguien.* 2. Constr. de la acepción 6: *tratar {*ACERCA DE/DE/SOBRE*} algo.* 3. Constr. de la acepción 8: *tratar* DE *hacer algo.* 4. Constr. de la acepción 10: *tratar* EN *algo.*

trato s.m. **1** Comportamiento o forma de portarse, de proceder o de hablar con una persona o un animal: *No le des al perro un trato tan cruel.* □ SINÓN. *tratamiento.* **2** Manera de usar o manejar algo: *Los coches le duran mucho porque les da muy buen trato.* **3** Relación o comunicación con una persona: *Ya no tengo trato con él.* **4** Tratado o acuerdo sobre un asunto entre dos o más personas: *Hicimos un trato, pero tú no has cumplido tu parte.* **5** || **malos tratos;** daños físicos y psíquicos que una persona produce a otra: *Sufrió todo tipo de malos tratos y amenazas, hasta que por fin se atrevió a enfrentarse a ellos y los denunció en una comisaría.* || **trato carnal;** relación sexual: *Sus padres no aceptan el trato carnal fuera del matrimonio.*

trattoria (it.) s.f. Restaurante italiano. □ PRON. [tratoría].

trauma s.m. **1** Choque emocional o sentimiento muy fuerte que deja una impresión negativa y duradera en el subconsciente: *un trauma infantil.* **2** *col.* Impresión fuerte, duradera y negativa: *Tengo un trauma enorme porque soy el culpable de tu fracaso.* □ ETIMOL. Del griego *trâuma* (herida).

traumar v. *col.* →**traumatizar.**

traumático, ca adj. **1** Del traumatismo o relacionado con él. **2** Que produce un trauma.

traumatismo s.m. Lesión de los tejidos causada por agente mecánico, esp. por un golpe: *El accidentado sufrió traumatismo craneal, pero no fue grave.* □ ETIMOL. Del griego *traumatismós* (acción de herir).

traumatizar v. Producir un trauma: *La muerte de sus padres cuando él era niño lo traumatizó. No te traumatices por el accidente y trata de superarlo.* □ ORTOGR. La *z* se cambia en *c* delante de *e* →CAZAR. □ USO En la lengua coloquial se usa mucho la forma *traumar.*

traumatología s.f. Parte de la medicina que estudia y trata los traumatismos y sus efectos: *Es una doctora especializada en traumatología.* □ ETIMOL. Del griego *trâuma* (herida) y *-logía* (ciencia, estudio).

traumatológico, ca adj. De la traumatología o relacionado con ella.

traumatólogo, ga s. Médico especializado en traumatología.

travelín s.m. **1** En cine, vídeo y televisión, desplazamiento horizontal que la cámara realiza sobre una plataforma para filmar en movimiento. **2** Plano rodado por medio de este desplazamiento. □ ETIMOL. Del inglés *travelling.* □ ORTOGR. Se usan también *trávelin* y *travelling* [trávelin]. □ SEM. Dist. de *barrido* (recorrido que realiza la cámara enfocando desde un punto fijo).

travelling (ing.) s.m. →**travelín.** □ PRON. [trávelin].

travelo s.m. *col.* Travesti.

través || **a través de** algo; **1** De un lado a otro de ello: *La luz pasa a través de la cortina.* **2** Por entre ello: *El sol se filtraba a través de las ramas de los árboles.* **3** Por medio o por intermedio de ello: *Algunas enfermedades se transmiten a través de la sangre.* || **de través;** en dirección transversal: *Los travesaños de una escalera son piezas de madera colocadas de través.* □ ETIMOL. Del latín *transversus.*

travesaño s.m. **1** Pieza de madera o de hierro que atraviesa de una parte a otra: *Dos travesaños unen las patas de la mesa.* **2** En una portería deportiva, palo superior y horizontal que une los dos postes: *El tiro del delantero dio en el travesaño y luego salió fuera del campo.* □ SINÓN. *larguero.* □ ETIMOL. Del antiguo *travesar* (atravesar).

travesero, ra adj. Que se pone de través.

travesía s.f. **1** Calle estrecha que atraviesa entre dos calles principales. **2** Viaje por mar o por aire. **3** Parte de una carretera que queda dentro del casco de una población. □ ETIMOL. De *través.*

travesti (tb. *travestí*) (pl. *travestis, travestíes, travestís*) s.m. Persona que viste con ropas propias del sexo contrario. □ SINÓN. *travestido.*

travestido, da adj./s. Referido a una persona, que viste con ropas propias del sexo contrario. □ SINÓN. *travesti, travestí.* □ ETIMOL. Del italiano *travestito.*

travestismo s.m. Hecho de vestirse una persona con ropas propias del sexo contrario.

travesura s.f. Hecho o dicho propios de una persona traviesa.

traviesa s.f. Véase **travieso, sa.**

travieso, sa ▌ adj. **1** Referido esp. a un niño, revoltoso, que no se está quieto o que enreda mucho. **▌** s.f. **2** Cada una de las piezas que se atraviesan en una vía férrea para asentar sobre ellas los raíles. □ ETIMOL. La acepción 1, del latín *transversus* (transversal). La acepción 2, del latín *transversa.*

trayecto s.m. **1** Espacio que se recorre o que puede recorrerse de un punto a otro. **2** Recorrido o desplazamiento que se hacen por este espacio. □ ETIMOL. Del francés *trajet.*

trayectoria s.f. **1** Línea descrita en el espacio por un punto que se mueve: *Me quedé mirando la trayectoria de un águila que volaba.* **2** Evolución o desarrollo de algo en cierta actividad y a lo largo del tiempo: *En estas cinco películas se puede comprobar la trayectoria de ese actor.* □ ETIMOL. Del francés *trajectoire.*

traza s.f. **1** Apariencia, aspecto, modo o figura: *Este libro tiene trazas de ser bueno.* **2** Huella, vestigio o señal. □ ETIMOL. De *trazar.* □ USO Se usa más en plural.

trazado s.m. **1** Diseño que se hace para la construcción de un edificio o de otra obra: *Los ingenieros están realizando el trazado de la nueva autopista.* **2** Recorrido o dirección de una vía de comunicación sobre el terreno: *Esa carretera es peligrosa porque tiene un trazado muy irregular y con muchas curvas.* **3** Delineación o dibujo de trazos: *El niño ya domina el trazado de las letras.*

trazar v. **1** Referido esp. a líneas o figuras geométricas, dibujarlas: *Traza un triángulo y señala su hipotenusa.* **2** Referido esp. a un plan, discurrirlo y disponerlo para conseguir algo: *He trazado un plan de viaje muy variado para el fin de semana.* □ ETIMOL. Del latín **tractiare* (tirar una línea). □ ORTOGR. La *c* se cambia en *z* delante de *e* →CAZAR.

trazo s.m. Línea o raya que se escribe o dibuja.

trébedes s.f.pl. Aro o triángulo de hierro con tres pies que sirve para poner un recipiente al fuego. □ ETIMOL. Del latín *tripedis,* y este de *tripes* (de tres pies).

trebejo s.m. Utensilio o instrumento empleados para un trabajo o para una actividad. ☐ ETIMOL. De origen incierto. ☐ MORF. Se usa más en plural.

trébol ▮ s.m. **1** Planta herbácea anual, de hojas compuestas por tres hojuelas casi redondeadas y con flores blancas o moradas en cabezuelas apretadas. **2** En zonas del español meridional, conjunto de cruces y puentes en una autopista. ▮ pl. **3** En la baraja francesa, palo que se representa con una o varias hojas de esta planta. ☐ ETIMOL. Del catalán *trèvol*.

trece ▮ numer. **1** Número 13: *No lo pude comprar porque me faltaban trece céntimos. Para los supersticiosos, el trece da mala suerte.* ▮ s.m. **2** Signo que representa este número: *Los romanos escribían el trece como 'XIII'.* **3** || **{mantenerse/seguir} en sus trece;** persistir o mantener a toda costa una opinión o idea: *Aunque le digas que no se hace así, él sigue en sus trece y lo hará como él dice.* ☐ ETIMOL. Del latín *tredecim*. ☐ MORF. Como numeral es invariable en género y en número.

treceavo, va numer. Referido a una parte, que constituye un todo junto con otras doce iguales a ella: *De todo lo que entra para el examen me sabré una treceava parte. Si somos trece tocaremos a un treceavo de tarta cada uno.* ☐ SINÓN. *trezavo*. ☐ SEM. Su uso como numeral ordinal es incorrecto: *Llegué en {*treceava > decimotercera} posición.*

trecho s.m. Espacio o distancia de lugar o de tiempo. ☐ ETIMOL. Del latín *tractus* (acción de tirar).

trefilado s.m. Transformación de un metal en alambre o hilo.

trefilar v. Referido a un metal, reducirlo a alambre o hilo haciéndolo pasar por la hilera: *Los alambres de hierro se fabrican trefilando el hierro.*

tregua s.f. **1** Suspensión temporal de hostilidades entre los enemigos que están en guerra: *Los contendientes han firmado una tregua de dos semanas.* **2** Descanso o interrupción temporal de una acción: *Necesitamos una tregua para reponer fuerzas y despejarnos antes de continuar con la reunión.* ☐ ETIMOL. Del gótico *triggwa* (tratado). ☐ SEM. Dist. de *armisticio* (suspensión definitiva).

treinta ▮ numer. **1** Número 30: *Tiene treinta días para presentar la reclamación. El treinta es mi número favorito.* ▮ s.m. **2** Signo que representa este número: *Los romanos escribían el treinta como 'XXX'.* ☐ ETIMOL. Del latín *triginta*. ☐ MORF. Como numeral es invariable en género y en número.

treintañero, ra adj./s. *col.* Referido a una persona, que tiene más de treinta años y menos de cuarenta.

treintavo, va numer. Referido a una parte, que constituye un todo junto a otras veintinueve iguales a ella: *Solo ha aprobado una treintava parte de los alumnos matriculados. Ha calculado que un treintavo de lo que gana se lo gasta en tabaco.* ☐ SEM. Su uso como numeral ordinal es incorrecto: *Llegué en {*treintava > trigésima} posición.*

treintena s.f. Conjunto de treinta unidades.

trekking (ing.) s.m. Actividad deportiva que consiste en recorrer a pie zonas agrestes o de difícil tránsito. ☐ PRON. [trékin]. ☐ USO Su uso es innecesario y puede sustituirse por *senderismo*.

tremebundo, da adj. Horrendo, que espanta o que hace temblar. ☐ ETIMOL. Del latín *tremebundus*.

tremedal s.m. Terreno pantanoso, cubierto de césped y que se mueve o retiembla al andar sobre él. ☐ ETIMOL. Del latín *tremere* (temblar).

tremendismo s.m. **1** Corriente estética desarrollada en la literatura y en las artes españolas en el siglo XX, y que se caracteriza por exagerar la expresión de los aspectos más crudos de la vida real. **2** Tendencia a exagerar de manera alarmante.

tremendista ▮ adj.inv. **1** Del tremendismo o relacionado con esta corriente estética. ▮ adj.inv./s.com. **2** Partidario o seguidor del tremendismo. **3** Inclinado a contar noticias exageradas y alarmantes.

tremendo, da adj. **1** Terrible o digno de ser temido: *Ten cuidado de no molestarme porque cuando me enfado soy tremendo.* **2** Muy grande, excesivo o extraordinario: *Me llevé un susto tremendo cuando entré en la habitación y no vi al bebé en la cuna.* **3** || **tomarse** algo **a la tremenda;** darle demasiada importancia: *No te tomes ese fallo a la tremenda porque no es tan grave.* ☐ ETIMOL. Del latín *tremendus* (a quien se debe temer).

trementina s.f. Jugo casi líquido, pegajoso, de buen olor y sabor picante, que se obtiene de árboles como el pino, el abeto y el alerce. ☐ ETIMOL. Del latín *terebinthina* (de terebinto).

tremolar v. Referido esp. a una bandera o a un estandarte, enarbolarlos o levantarlos en alto, batiéndolos o moviéndolos en el aire: *Las banderas tremolaban colgadas en los mástiles del balcón del ayuntamiento.* ☐ ETIMOL. Del italiano *tremolare*.

tremolina s.f. **1** Movimiento ruidoso del aire: *La tremolina nos hizo recoger todo y volver a casa antes de que empezara la tormenta.* **2** *col.* Situación confusa, agitada o embarazosa, esp. si va acompañada de gran alboroto y tumulto: *Un señor intentó quitarle el sitio a otro para aparcar el coche y se armó tal tremolina que tuvo que intervenir la policía.* ☐ SINÓN. *lío*. ☐ ETIMOL. De *tremolar*.

trémolo s.m. En música, sucesión rápida de muchas notas de igual duración: *El trémolo es un efecto especial propio de los instrumentos de cuerda.* ☐ ETIMOL. Del italiano *tremolo* (tembloroso).

trémulo, la adj. **1** Tembloroso o que tiembla: *Me dijo con voz trémula que la dejara sola para descansar.* **2** Que tiene un movimiento o una agitación semejantes al temblor: *Las caras adquirían siniestros rasgos a la trémula luz de la vela.* ☐ ETIMOL. Del latín *tremulus* (tembloroso).

tren s.m. **1** Medio de transporte que circula sobre raíles, formado por varios vagones arrastrados por una locomotora: *Los primeros trenes llevaban locomotoras de vapor.* ☐ SINÓN. *ferrocarril*. **2** Conjunto de instrumentos, de máquinas y de útiles que se emplean para realizar una misma operación o servicio: *Llevé el coche a lavar al tren de lavado de esa* *estación de servicio.* **3** Ostentación, pompa, grandeza y lujo con los que se vive: *Ahora no trabajo y no puedo llevar el tren de vida que tenía antes.* **4** || **a todo tren; 1** Sin reparar en gastos o con mucho lujo y ostentación: *Decidimos hacer un viaje y lo hicimos a todo tren, en los mejores hoteles y con los mejores medios.* **2** A gran velocidad: *Para que el producto pueda venderse la próxima temporada tenemos que trabajar a todo tren para acabarlo.* || **estar como un tren;** *col.* Referido a una persona, ser muy atractiva: *La mayoría de los actores están como un tren.* || **para parar un tren;** *col.* En gran abundancia: *En la celebración había comida para parar un tren.* || **tren cremallera;** el que circula por lugares de montaña de difícil acceso: *En el valle de Nuria, en el Pirineo Catalán, hay un tren cremallera que te lleva hasta el santuario.* || **tren de alta velocidad;** el que puede superar los doscientos kilómetros por hora y que tiene un ancho de vía más estrecho que el normal: *En un tren de alta velocidad se viaja como si se fuera en avión.* || **tren de largo recorrido;** el que efectúa viajes de larga duración: *En el panel de la estación estaban los horarios de llegada de los trenes de largo recorrido.* || **tren mixto;** el que es de pasajeros y mercancías: *Hemos cogido el tren mixto y ha ido parando en todos los pueblos.* || **(tren) rápido;** el que lleva mayor velocidad que el expreso: *Cogí el tren rápido para ir a Zaragoza.* || **(tren) {exprés/expreso};** el de viajeros que solo se detiene en las estaciones principales del trayecto y que circula a gran velocidad: *Cuando fui a París tomé el tren expreso Madrid-Hendaya.* □ ETIMOL. Del francés *train.*

trena s.f. *arg.* Cárcel: *Estuvo dos años en la trena por robo.* □ ETIMOL. Del latín *trina* (triple), porque las cadenas que se llevaban en la cárcel tenían forma de trenza.

trenca s.f. Prenda de abrigo con capucha y con unos botones en forma de cilindros alargados que se abrochan en una serie de presillas: *Prefiere llevar trenca a llevar abrigo para ponerse la capucha si llueve.* □ ETIMOL. De origen incierto.

trencilla s.f. Galón trenzado de seda, de algodón o de lana, que se usa generalmente como adorno de una tela: *La chaqueta es roja con una trencilla de seda negra en los bordes.*

trendy (ing.) adj.inv. Que está dentro de las últimas tendencias o estilos de la moda: *Te llevaré a un restaurante de lo más trendy.* □ PRON. [tréndi]. □ USO Su uso es innecesario y puede sustituirse por *muy moderno.*

treno s.m. Canto fúnebre o lamentación por una calamidad o desgracia: *Los antiguos griegos entonaban trenos en circunstancias de muerte y de desolación.* □ ETIMOL. Del latín *threnus*, y este del griego *thrênos* (lamento).

trenza s.f. **1** Conjunto de tres o más mechones que se entretejen cruzándolos alternativamente: *Mi madre me ha hecho una trenza para que no lleve el pelo suelto.* □ SINÓN. *trenzado.* **2** Bollo que tiene la forma de este tejido y que suele estar recubierto de azúcar: *Tomaremos dos cafés con leche, una trenza y un suizo.*

trenzado s.m. **1** →**trenza. 2** En danza, salto ligero en el que los pies baten rápidamente uno contra otro, cruzándose: *La agilidad del bailarín se puso de manifiesto en la elevación de sus saltos y trenzados.*

trenzar v. Hacer trenzas: *Mamá, trénzame el pelo, que ya me voy al colegio.* □ ETIMOL. Del latín **trinitiare*, y este de *trini* (de tres). □ ORTOGR. La *z* se cambia en *c* delante de *e* →CAZAR.

trepa s.com. *col. desp.* →**trepador.**

trepador, -a ▌adj. **1** Que trepa. **2** Referido a una planta, que trepa o sube agarrándose a un árbol o a otra superficie por medio de algún órgano: *He plantado una hiedra trepadora junto a un muro del jardín.* ▌adj./s. **3** Referido a un ave, que tiene el pico débil y recto, y los dedos adaptados para trepar con facilidad: *El cuclillo es un pájaro trepador.* **4** *col.* Referido a una persona, que aspira a conseguir una posición social más elevada sin tener en cuenta si los medios empleados para ello son éticos o no: *Es un compañero muy trepador que consiguió el puesto que te iban a dar a ti.* □ SINÓN. *arribista.* □ MORF. En la lengua coloquial se usa mucho la forma abreviada *trepa.*

trepanación s.f. Perforación del cráneo con fines curativos o de diagnóstico: *Se han encontrado muestras de que algunas civilizaciones antiguas realizaban trepanaciones.*

trepanar v. Referido esp. al cráneo, perforarlo o hacerle un orificio con fin curativo o para realizar un diagnóstico: *Los antiguos trepanaban los cráneos de los enfermos para intentar curarlos.* □ ETIMOL. De *trépano* (instrumento para trepanar).

trépano s.m. **1** Instrumento de cirugía que se usa para trepanar. **2** En una taladradora, pieza que sustituye a la broca para realizar agujeros de mayor diámetro. **3** Máquina utilizada en perforaciones y excavaciones del suelo para romper las rocas. □ ETIMOL. Del griego *trýpanon* (instrumento para trepanar, taladro).

trepar v. **1** Referido a un lugar alto o poco accesible, subir a él valiéndose o ayudándose de los pies y de las manos: *De niño trepaba a los árboles.* **2** Referido a una planta, crecer y subir agarrándose a un árbol o a otra superficie por medio de algún órgano: *Plantó madreselva para que trepara por las paredes exteriores de su casa.* **3** *col.* Conseguir un puesto más importante o una posición social más elevada con ambición y sin escrúpulos: *No tienes escrúpulos y solo te interesa mi amistad mientras te sirva para trepar en el trabajo.* □ ETIMOL. De origen onomatopéyico.

trepe s.m. *col.* Reprimenda. □ USO Se usa más en la expresión *echar un trepe.*

trepidante adj.inv. Rápido, vivo o fuerte.

trepidar v. Temblar o vibrar con fuerza: *Si subes tanto el volumen, trepida la tela de los altavoces.* □ ETIMOL. Del latín *trepidare* (agitarse, temblar).

treponema s.m. Bacteria que posee filamentos terminales y que puede producir enfermedades en las personas. □ ETIMOL. Del griego *trópos* (vuelta) y *nêma* (hilo).

tres ▮ numer. **1** Número 3: *He pasado tres días en el campo. Solo iremos tres, porque los demás no tienen vacaciones.* ▮ s.m. **2** Signo que representa este número: *Los romanos escribían el tres como 'III'.* **3** || **de tres al cuarto;** *col.* De muy poco valor: *Se ha metido en un negocio de tres al cuarto, y no va a salir de pobre.* || **ni a la de tres;** *col.* De ningún modo: *No soy capaz de resolver este problema ni a la de tres.* □ ETIMOL. Del latín *tres.* □ MORF. 1. Como numeral es invariable en género y en número. 2. En la acepción 2, su plural es *treses.*

tresbolillo || **al tresbolillo;** referido a la forma de colocar plantas, en filas paralelas, pero con las plantas alternas, de manera que las de cada fila correspondan al medio de los huecos de la fila inmediata: *Hemos puesto en el jardín tres filas de azucenas al tresbolillo.*

trescientos, tas ▮ numer. **1** Número 300: *Hemos mandado trescientas invitaciones. De quinientos exámenes ya he corregido unos trescientos.* ▮ s.m. **2** Signo que representa este número: *Los romanos escribían el trescientos como 'CCC'.* □ ETIMOL. Del latín *trecenti.* □ MORF. 1. Como numeral es invariable en número. 2. Incorr. *página {*trescientos > trescientas}.*

tresillo s.m. Sofá de tres plazas o conjunto de un sofá y dos butacas que hacen juego. □ ETIMOL. De *tres.*

treta s.f. Lo que se hace con habilidad y astucia para conseguir algo, esp. para engañar a alguien. □ SINÓN. *ardid, artimaña, astucia.* □ ETIMOL. Del francés *traite* (tirada).

trezavo numer. →**treceavo.**

tri- Elemento compositivo prefijo que significa 'tres': *tricentenario, tricolor, trilateral, trilingüe, trimotor, tricéfalo.* □ ETIMOL. Del latín *tri-.*

triaca s.f. Preparado farmacéutico compuesto principalmente por opio y que se usaba como antídoto para las mordeduras de algunos animales venenosos. □ ETIMOL. Del latín *theriaca*, y este del griego *theriaké* (remedio contra el veneno de los animales).

tríada s.f. Conjunto de tres seres o de tres unidades, estrecha o esp. vinculados entre sí. □ SINÓN. *tríade.* □ ETIMOL. Del latín *trias*, y este del griego *triás* (trío, número tres).

tríade s.f. →**tríada.**

trial s.m. Prueba de motociclismo de habilidad, en la que los participantes corren por terrenos accidentados, montañosos o con obstáculos preparados para dificultar más el recorrido. □ ETIMOL. Del inglés *trial.*

triangular ▮ adj.inv. **1** De forma de triángulo o que tiene semejanza con él. ▮ v. **2** Disponer o mover de modo que forme triángulo: *El base triangula el balón con los aleros para que el pívot pueda cruzar la zona.* **3** En topografía, fijar tres o más puntos en el terreno para que sirvan de referencia al trazar un plano o mapa: *Para realizar los planos topográficos de España, primero se trianguló la superficie del país, estableciendo los vértices que determinan su forma.*

triángulo s.m. **1** Figura geométrica formada por tres líneas o lados que se cortan mutuamente formando tres ángulos. **2** Instrumento musical de percusión, formado por una varilla metálica doblada en forma triangular y con un extremo abierto, que se toca suspendiéndolo en el aire y golpeándolo con una varilla. **3** || **triángulo acutángulo;** el que tiene los tres ángulos agudos. || **triángulo amoroso;** relación amorosa en la que participan tres personas. || **triángulo obtusángulo;** el que tiene uno de sus ángulos obtuso. □ ETIMOL. Del latín *triangulus.*

trianual adj.inv. Que sucede tres veces al año. □ ETIMOL. De *tri-* (tres) y *anual.* □ SEM. Dist. de *trienal* (que sucede cada tres años o que dura tres años).

triásico, ca ▮ adj. **1** En geología, del primer período de la era secundaria o mesozoica o de los terrenos que se formaron en él. ▮ adj./s.m. **2** En geología, referido a un período, que es el primero de la era secundaria o mesozoica: *Al principio del triásico el clima era cálido, pero a medida que avanzaba se transformó en fresco y húmedo.* □ ETIMOL. Del griego *triás* (conjunto de tres), porque las rocas de este período son de tres órdenes.

triatleta s.com. Deportista que practica triatlón. □ MORF. Incorr. **triatlista.*

triatlón s.m. Competición deportiva de atletismo que consta de tres carreras, una de natación, una ciclista y otra a pie. □ ETIMOL. De *tri-* (tres) y del griego *âthlon* (premio de una lucha, lucha).

tribal adj.inv. De una tribu o relacionado con ella.

tribalismo s.m. Organización social basada en la tribu.

triboluminiscencia s.f. Luminiscencia que se produce por el frotamiento entre dos cuerpos. □ ETIMOL. Del griego *tríbo* (yo froto) y *luminiscencia.*

tribu s.f. **1** Organización social, política y económica que unifica a un grupo de personas, generalmente con un mismo origen, que tienen un mismo jefe y que comparten creencias y costumbres. **2** *col.* Grupo numeroso de personas con alguna característica común: *las tribus urbanas.* □ ETIMOL. Del latín *tribus* (cada una de las divisiones tradicionales del pueblo romano).

tribulación (tb. *atribulación*) s.f. **1** Dificultad o situación adversa o desfavorable. **2** Preocupación, disgusto, pena o sufrimiento moral. □ ETIMOL. Del latín *tribulatio.*

tribuna s.f. **1** Plataforma elevada, generalmente con una barandilla, para hablar o poder ver desde ella. **2** Medio de comunicación desde el que se expresa una opinión. **3** En un campo de deporte, localidad preferente. □ ETIMOL. Del latín *tribuna* (púlpito del tribuno).

tribunal s.m. **1** Persona o conjunto de personas legalmente autorizadas para administrar justicia y dictar sentencias. **2** Edificio o lugar donde este grupo de personas ejercen o administran justicia y dictan sentencias. **3** Conjunto de personas autorizadas para valorar algo y emitir un juicio sobre ello. □ ETIMOL. Del latín *tribunal*.

tribuno s.m. En la antigua Roma, magistrado elegido por el pueblo que tenía la facultad de poner veto a las resoluciones del senado. □ ETIMOL. Del latín *tribunus* (magistrado de la tribu).

tributación s.f. **1** Pago de un tributo. **2** Ofrecimiento o manifestación de reconocimiento como una prueba de respeto, de admiración o de agradecimiento.

tributar v. **1** Pagar un tributo: *Todos los ciudadanos tributamos al pagar los impuestos.* **2** Referido a una muestra de reconocimiento, ofrecerla o manifestarla como prueba de respeto, de agradecimiento o de admiración: *Te admiro y te tributo el mayor de los respetos.*

tributario, ria ▮ adj. **1** Del tributo o relacionado con él. ▮ adj./s. **2** Que paga tributo o está obligado a pagarlo.

tributo s.m. **1** Lo que ha de pagar un ciudadano al Estado o a otro organismo para sostener los gastos públicos. **2** En el feudalismo, lo que el vasallo debía entregar a su señor como reconocimiento de su señorío. **3** Manifestación de reconocimiento como muestra de respeto, de admiración o de agradecimiento. **4** Carga u obligación que impone el uso o el disfrute de algo. □ ETIMOL. Del latín *tributum* (impuesto atribuido a cada tribu).

tricéfalo, la adj. Con tres cabezas. □ SINÓN. *tricípite.* □ ETIMOL. De *tri-* (tres) y el griego *kephalé* (cabeza).

tricenal adj.inv. **1** Que dura treinta años. **2** Que tiene lugar cada treinta años. □ ETIMOL. Del latín *tricennalis.* □ ORTOGR. Dist. de *trienal.*

tricentenario s.m. **1** Espacio de tiempo de trescientos años: *Tres siglos forman un tricentenario.* **2** Tercer centenario: *En 1927 se cumplió el tricentenario de la muerte del escritor Góngora, que ocurrió en 1627.*

tricentésimo, ma numer. **1** En una serie, que ocupa el lugar número trescientos: *Este año se celebra el tricentésimo aniversario de la fundación de esta ciudad.* **2** Referido a una parte, que constituye un todo junto con otras doscientas noventa y nueve iguales a ella: *Cedió un tricentésimo de su finca al ayuntamiento.* □ ETIMOL. Del latín *tricentesimus.*

tríceps (pl. *tríceps*) adj.inv./s.m. →**músculo tríceps.** □ ETIMOL. Del latín *triceps*, y este de *tri-* (triple) y *caput* (cabeza). □ ORTOGR. Aunque es palabra llana terminada en *s*, debe llevar tilde.

triceratops (pl. *triceratops*) s.m. Reptil herbívoro del grupo de los dinosaurios que existió en la era secundaria y tenía dos cuernos sobre los ojos y otro sobre el morro. □ PRON. [tricerátops].

triciclo s.m. Vehículo de tres ruedas, dos traseras y una delantera, esp. el que se mueve mediante dos pedales. □ ETIMOL. De *tri-* (tres) y el griego *kýklos* (círculo, rueda).

tricípite adj.inv. Con tres cabezas. □ SINÓN. *tricéfalo.* □ ETIMOL. Del latín *triceps*, y este de *tres* (tres) y *caput* (cabeza).

triclinio s.m. En las antiguas Grecia y Roma, diván en el que se reclinaban las personas para comer. □ ETIMOL. Del latín *triclinium*, este del griego *triklínion*, y este de *trêis* (tres) y *klíne* (lecho).

tricolor adj.inv. De tres colores. □ ETIMOL. De *tri-* (tres) y *color.*

tricorne adj.inv. *poét.* De tres cuernos. □ ETIMOL Del latín *tricornis.*

tricornio s.m. **1** Sombrero de ala doblada de modo que forma tres picos: *La guardia civil española lleva tricornio.* **2** *col.* Miembro de la guardia civil: *Una pareja de tricornios vigilaba la casa.* □ ETIMOL. Del francés *tricorne.*

tricot (fr.) s.m. Tejido de punto, esp. de lana. □ PRON. [tricó]. □ USO Su uso es innecesario y puede sustituirse por *punto* o *punto de lana.*

tricota s.f. En zonas del español meridional, jersey.

tricotadora s.f. →**tricotosa.**

tricotar v. Hacer punto: *A mi madre le gusta tricotar mientras ve la televisión.* □ SINÓN. *tejer.* □ ETIMOL. Del francés *tricoter.*

tricotomía s.f. **1** En botánica, división de un tallo o de una rama en otros tres. **2** Clasificación en que las divisiones o subdivisiones constan de tres partes. □ ETIMOL. Del griego *tríkha* (en tres) y *-tomía* (corte).

tricotosa s.f. Máquina para hacer tejido de punto. □ SINÓN. *tejedora, tricotadora.* □ ETIMOL. Del francés *tricoteuse.*

tricromía s.f. En imprenta, impresión o grabado en tres colores. □ ETIMOL. De *tri-* (tres) y el griego *chrôma* (color).

tricúspide s.f. →**válvula tricúspide.** □ ETIMOL. De *tri-* (tres) y *cúspide.*

tridente s.m. Especie de arpón de tres dientes. □ ETIMOL. Del latín *tridens* (que tiene tres dientes).

tridimensional adj.inv. Con las tres dimensiones espaciales de altura, anchura y largura. □ ETIMOL. De *tri-* (tres) y *dimensional.*

triduo s.m. Conjunto de ejercicios religiosos que se celebran durante tres días. □ ETIMOL. Del latín *triduum* (espacio de tres días).

trienal adj.inv. **1** Que dura tres años: *Un trienio es un período trienal.* **2** Que tiene lugar cada tres años: *Saldaremos nuestras deudas con pagas trienales.* □ ORTOGR. Dist. de *tricenal.* □ SEM. Dist. de *trianual* (que sucede tres veces al año).

trienio s.m. **1** Período de tiempo de tres años: *En el reinado de Fernando VII hubo un trienio, entre 1820 y 1823, durante el que se aplicó la constitución de Cádiz.* **2** Incremento económico que se obtiene sobre el sueldo o sobre el salario por cada tres años trabajados: *Lleva treinta años en la empresa y cobra ya diez trienios.* □ ETIMOL. Del latín *triennium.*

trifásico, ca adj. Referido a un sistema eléctrico, que tiene tres corrientes eléctricas alternas iguales, procedentes del mismo generador, y cuyas fases se distancian entre sí un tercio de ciclo.

trifauce adj.inv. *poét.* Que tiene tres fauces o gargantas. ☐ ETIMOL. Del latín *trifaux*.

trifoliado, da adj. Referido esp. a una planta, que tiene hojas compuestas de tres hojuelas.

trifolio s.m. Elemento decorativo formado por tres arcos o lóbulos dispuestos en forma radial que se cortan entre sí, generalmente inscritos en un círculo. ☐ ETIMOL. Del latín *trifolium*. ☐ ORTOGR. Dist. de *triforio*.

triforio s.m. En algunas iglesias, galería construida sobre los arcos de las naves, y que suele tener ventanas de tres huecos. ☐ ETIMOL. Del latín *tres* (tres) y *fores* (puerta exterior). ☐ ORTOGR. Dist. de *trifolio*.

triforme adj.inv. De tres formas o figuras: *La 's' griega es una letra triforme porque tiene una forma mayúscula (Σ), una inicial o medial (σ) y otra final (s).* ☐ ETIMOL. Del latín *triformis*.

trifulca s.f. *col.* Riña o pelea entre dos o más personas, esp. si se hace con mucho alboroto. ☐ ETIMOL. De origen incierto.

trifurcación s.f. **1** División en tres ramales o brazos separados. **2** Punto donde se produce esta división.

trifurcarse v.prnl. Dividirse en tres ramales o brazos separados: *Al llegar a la desembocadura, el río se trifurca y llega al mar por tres lugares diferentes.* ☐ ORTOGR. La *c* se cambia en *qu* delante de *e* →SACAR.

trigal s.m. Campo sembrado de trigo.

trigémino s.m. Nervio craneal que sensibiliza la mayor parte de la cara y actúa sobre los músculos masticadores. ☐ ETIMOL. Del latín *trigeminus* (tres veces gemelo).

trigésimo, ma numer. **1** En una serie, que ocupa el lugar número treinta: *Fui la trigésima alumna en apuntarme a ese curso. Soy el trigésimo de los nietos de mis abuelos.* **2** Referido a una parte, que constituye un todo junto con otras veintinueve iguales a ella: *Ahora mismo solo podría pagar una trigésima parte de lo que cuesta ese piso. Se calcula que un trigésimo de la población ha acudido ya a votar.* ☐ ETIMOL. Del latín *trigesimus*. ☐ MORF. *Trigésima primera* (incorr. **trigésimo primera*), etc.

triglicérido s.m. Compuesto químico que es un éster de la glicerina o de los ácidos grasos, y que está presente en la naturaleza: *Debo controlar mi nivel de triglicéridos, porque en el último análisis de sangre lo tenía muy alto.*

triglifo (tb. *tríglifo*) s.m. En un friso dórico, elemento ornamental con forma de rectángulo saliente con tres pequeños canales o estrías verticales. ☐ ETIMOL. Del latín *triglyphus*, este del griego *tríglyphos*, y este de *trêis* (tres) y *glýpho* (yo esculpo o grabo).

trigo s.m. **1** Cereal de tallo hueco y espigas terminales compuestas de cuatro o más hileras de granos, de los que se obtiene la harina. **2** Grano de este cereal. **3** || **no ser trigo limpio;** *col.* No ser tan claro u honesto como parece: *Esos chicos no son trigo limpio y no me gusta que vayas con ellos.* || **(trigo) candeal;** el que tiene aristas, espiga cuadrada, recta y granos ovales. ☐ ETIMOL. Del latín *triticum*.

trigonometría s.f. Parte de las matemáticas que estudia las relaciones existentes entre los lados y los ángulos de un triángulo. ☐ ETIMOL. Del griego *trígonos* (triángulo) y *métron* (medida).

trigonométrico, ca adj. De la trigonometría o relacionado con ella.

trigueño, ña adj. De color moreno dorado parecido al trigo maduro.

triguero, ra adj. **1** Del trigo o relacionado con él. **2** Que se cría o vive entre el trigo: *espárragos trigueros.*

trikilitari s.m. Conjunto formado por dos músicos que interpretan música tradicional vasca.

trilateral adj.inv. Realizado con la intervención de tres partes: *un tratado trilateral.* ☐ ETIMOL. De *tri-* (tres) y el latín *latus* (lado). ☐ ORTOGR. Dist. de *trilátero*.

trilátero, ra adj. De tres lados. ☐ ORTOGR. Dist. de *trilateral*.

trilero, ra s. *col.* Persona que dirige el juego de apuestas de los triles, generalmente con la intención de quedarse con el dinero del que juega.

triles s.m.pl. *col.* Juego de apuestas que consiste en adivinar en qué lugar de los tres posibles está el objeto que previamente ha sido mostrado.

trilingüe adj.inv. **1** Referido a un hablante o a una comunidad de hablantes, que usa indistintamente tres lenguas diferentes. **2** Referido a un texto, que está escrito en tres lenguas: *un diccionario trilingüe.* ☐ ETIMOL. Del latín *trilinguis*.

trilita s.f. Producto sólido de color amarillento, tóxico e inflamable, que se utiliza principalmente como explosivo. ☐ SINÓN. *TNT, trinitrotolueno.* ☐ ORTOGR. Dist. de *trilito*.

trilítero, ra adj. De tres letras: *'Mar' es una palabra trilítera.* ☐ ETIMOL. De *tri-* (tres) y el latín *littera* (letra).

trilito s.m. Dolmen formado por dos grandes piedras verticales que sostienen otra horizontal. ☐ ETIMOL. De *tri-* (tres) y *-lito* (piedra). ☐ ORTOGR. Dist. de *trilita*.

trilla s.f. **1** Hecho de triturar y desmenuzar un cereal, esp. el trigo, para separar el grano de la paja. **2** Tiempo en que se realiza esta faena.

trilladora s.f. Máquina para trillar cereales, esp. el trigo.

trillar v. **1** Referido a un cereal, esp. al trigo, triturarlo para separar el grano de la paja: *Antes se trillaba con los trillos el trigo extendido en la era.* **2** *col.* Estar muy utilizado o ser muy común y muy conocido: *Quiero hacer un estudio de un tema que no haya sido muy trillado por otros especialistas.* ☐ ETIMOL. Del latín *tribulare*.

trillizo, za adj./s. Que ha nacido de un parto triple. ☐ ETIMOL. De *tri-* (tres) y la terminación de *mellizo*.

trillo s.m. Instrumento utilizado para trillar cereales formado por un tablón con trozos cortantes incrustados en la parte que está en contacto con el suelo, y sobre el que iba una persona dirigiendo al animal que tiraba de él. ☐ ETIMOL. Del latín *tribulum*.

trillón ▮ pron.numer. **1** Número 1 000 000 000 000 000 000: *Un trillón es un millón de billones.* ▮ s.m. **2** Signo que representa este número: *Un trillón es un uno seguido de dieciocho ceros.* ☐ ETIMOL. De *tri-* (tres) y la terminación de *millón*. ☐ SINT. Va seguido de *de* cuando le sigue el nombre de aquello que se numera (*un trillón de euros*), pero no cuando le siguen uno o más numerales (*un trillón cien mil euros*).

trillonésimo, ma numer. **1** En una serie, que ocupa el lugar número un trillón: *En mi orden de prioridades, ese problema está el trillonésimo.* **2** Referido a una parte, que constituye un todo junto con otras 999 999 999 999 999 999 iguales a ella: *Un attosegundo es la trillonésima parte de un segundo.*

trilobites (pl. *trilobites*) s.m. Artrópodo marino fósil de cuerpo ovalado y aplanado, dividido en tres regiones y recorrido a lo largo por dos surcos. ☐ ETIMOL. Del griego *trílobos* (trilobulado).

trilobulado, da adj. De tres lóbulos.

trilogía s.f. Conjunto de tres obras diferentes de un mismo autor que constituyen una unidad. ☐ ETIMOL. Del griego *trilogía*, y este de *tri-* (tres) y *lógos* (tratado).

trimarán s.m. Embarcación con tres cascos unidos por un armazón rígido.

trimembre adj.inv. De tres miembros o partes. ☐ ETIMOL. Del latín *trimembris*.

trimensual adj.inv. Que sucede tres veces al mes. ☐ SEM. Dist. de *trimestral* (que sucede cada tres meses o que dura tres meses).

trimestral adj.inv. **1** Que tiene lugar cada tres meses. **2** Que dura tres meses. ☐ SEM. Dist. de *trimensual* (que sucede tres veces al mes).

trimestre s.m. **1** Período de tiempo de tres meses. **2** Conjunto de números de una publicación, publicados durante tres meses. ☐ ETIMOL. Del latín *trimestris* (trimestral).

trimotor s.m. Avión provisto de tres motores.

trinar v. **1** Referido a un pájaro o a una persona, hacer quiebros o cambios de voz con la garganta: *Se oía trinar a los jilgueros en el jardín.* ☐ SINÓN. *gorjear.* **2** Referido a una persona, manifestar o sentir gran enfado o impaciencia: *Está que trina por el golpe que le han dado en el coche.* ☐ ETIMOL. Quizá de origen onomatopéyico.

trinca s.f. *col.* Pequeño grupo de amigos.

trincar v. **1** *col.* Referido a una persona, cogerla, detenerla o atraparla: *Lo trincó la policía cuando estaba a punto de escapar.* **2** *col.* Robar: *Trincó un par de libros de la biblioteca y al salir sonó la alarma.* **3** *col.* Referido a una bebida, tomarla: *Trincó él solo toda la jarra de sangría. Se trincó de un trago la botella de agua.* **4** *vulg.malson.* En zonas del español meridional, copular. ☐ ETIMOL. De origen incierto. ☐ ORTOGR. La *c* se cambia en *qu* delante de *e* →SACAR.

trincha s.f. Ajustador con hebilla o botón situado generalmente en la parte posterior de algunos chalecos y pantalones, y que sirve para ceñirlos. ☐ ETIMOL. De *trinchar*, porque parece que la trincha parte el cuerpo en dos.

trinchar v. Referido a la comida, partirla en trozos para servirla: *Trincha el asado y sírvelo con la salsa.* ☐ ETIMOL. Del francés antiguo *trenchier*.

trinchera s.f. **1** Zanja defensiva, más o menos larga, que permite disparar a cubierto del enemigo. **2** Gabardina de aspecto militar. ☐ ETIMOL. Del antiguo *trinchea* (trinchera).

trinchero s.m. Mueble bajo de comedor que se utiliza principalmente para trinchar sobre él los alimentos y para guardar los utensilios de servicio de la mesa.

trinchete s.m. Cuchilla que usan los zapateros para cortar la suela. ☐ SINÓN. *chaira.*

trineo s.m. Vehículo provisto de patines o esquís en lugar de ruedas, para deslizarse sobre la nieve o el hielo. ☐ ETIMOL. Del francés *traîneau*.

trinidad s.f. Asociación de tres personas o grupos en algún negocio o asunto. ☐ ETIMOL. Del latín *trinitas*. ☐ USO Tiene un matiz despectivo.

trinitaria s.f. Véase **trinitario, ria**.

trinitario, ria ▮ adj./s. **1** Referido a un monje o a una monja, que pertenece a la Trinidad (orden religiosa aprobada y confirmada a finales del siglo XII), o relacionado con ella. ▮ s.f. **2** Planta herbácea de jardín, con flores de cinco pétalos redondeados y de tres colores. ☐ SINÓN. *pensamiento.* **3** Flor de esta planta. ☐ SINÓN. *pensamiento.* ☐ ETIMOL. La acepción 1, del latín *Trinitas* (trinidad). Las acepciones 2 y 3, del latín *trinitas* (conjunto de tres), por los tres colores de la flor.

trinitense adj.inv./s.com. De Trinidad y Tobago o relacionado con estas islas caribeñas.

trinitrotolueno s.m. Producto sólido de color amarillento, tóxico e inflamable, que se utiliza principalmente como explosivo. ☐ SINÓN. *TNT, trilita.*

trino s.m. Canto o voz de algunos pájaros. ☐ SINÓN. *gorjeo.* ☐ ETIMOL. De origen onomatopéyico.

trinomio s.m. Expresión matemática compuesta de tres términos algebraicos unidos por el signo de la suma o por el de la resta: *'6x + 2y - 4z' es un trinomio.* ☐ ETIMOL. De *tri-* (tres) y la terminación de *binomio*.

trinquete s.m. **1** En una embarcación de vela, palo más cercano a la proa. **2** Vela que se cuelga de este palo. ☐ ETIMOL. De origen incierto.

trinquetero, ra adj./s. En zonas del español meridional, que soborna o estafa.

trío s.m. **1** Conjunto formado por tres elementos: *un trío de hermanos.* **2** Composición musical escrita para tres instrumentos o para tres voces. **3** Conjunto formado por este número de instrumentos o de voces. ☐ SINÓN. *terceto.* ☐ ETIMOL. Del italiano *trio*.

trip (ing.) s.m. →**tripi.**

tripa ▮ s.f. **1** *col.* En el cuerpo humano o en el de otros mamíferos, parte comprendida entre el tórax y la pelvis, en la que se sitúa la mayor parte de los aparatos digestivo y reproductor. ☐ SINÓN. *abdomen,* *vientre, barriga.* **2** *col.* Intestino. **3** *col.* En una persona, abultamiento que se forma en esa parte del cuerpo, esp. si es por acumulación de grasa. □ SINÓN. *barriga.* ▌pl. **4** Lo interior de algunas cosas: *Tiró el reloj al suelo y se le salieron las tripas.* **5** ‖ **hacer de tripas corazón;** esforzarse por soportar algo: *Si no te gustan los garbanzos, haz de tripas corazón y cómelos.* ‖ **qué tripa se le ha roto** a alguien; *col.* Expresión que se usa para indicar extrañeza o desagrado por algo inoportuno o urgente: *Me ha vuelto a llamar, ¿qué tripa se le habrá roto ahora?* ‖ **revolver** algo o alguien **las tripas;** producir disgusto o repugnancia. □ ETIMOL. De origen incierto.

tripada s.f. *col.* Hartazgo o atracón: *Nos dimos ese día una buena tripada de marisco.*

tripanosoma s.m. Microorganismo flagelado y parásito que es productor de enfermedades infecciosas. □ ETIMOL. Del griego *trýpanon* (trépano) y *sôma* (cuerpo).

tripartición s.f. División en tres partes.

tripartir v. Referido a un todo, dividirlo en tres partes: *Tripartiré mi hacienda en partes iguales entre mis tres hijos.*

tripartito, ta adj. Dividido en tres partes, órdenes o clases, o formado por ellos: *una reunión tripartita.* □ ETIMOL. Del latín *tripartitus.*

tripazo s.m. *col.* Golpe dado con la tripa.

tripe s.m. Tejido de lana o de esparto, de aspecto semejante al del terciopelo. □ ETIMOL. Del francés *tripe.*

tripear v. *col.* Comer con glotonería: *¡Deja ya de tripear, que te vas a poner como una vaca!*

tripero, ra adj./s. *col.* Referido a una persona, que come mucho o con glotonería.

trip-hop s.m. Estilo musical que mezcla el hip-hop con el tecno.

tripi s.m. *col.* En el lenguaje de la droga, dosis de ácido alucinógeno. □ ETIMOL. Del inglés *trip* (viaje). □ USO Es innecesario el uso del anglicismo *trip.*

tripié s.m. En zonas del español meridional, trípode.

tripis (pl. *tripis*) s.m. *col.* →**tripi.**

triplano s.m. Aeroplano cuyas alas están formadas por tres planos rígidos superpuestos. □ ETIMOL. De *tri-* (tres) y la terminación de *aeroplano.*

triple ▌numer. **1** Que consta de tres o que es adecuado para tres: *La trapecista hizo un triple salto mortal con red.* ▌adj.inv./s.m. **2** Referido a una cantidad, que es tres veces mayor: *Se consiguió una recaudación triple de la prevista.* ▌s.m. **3** En baloncesto, enceste que se realiza desde una distancia superior a un límite fijado y que vale tres puntos: *En el baloncesto español, los triples se lanzan desde una distancia de 6,25 metros o más.* □ ETIMOL. Del latín *triplus.* □ MORF. Como numeral es invariable en género.

triplete s.m. Serie de tres victorias o éxitos consecutivos, esp. en deporte: *Este año mi equipo hará triplete.*

tríplex (pl. *tríplex*) s.m. Vivienda constituida por la unión de tres pisos o apartamentos superpuestos y comunicados entre sí por una escalera interior.

triplicación s.f. **1** Multiplicación por tres o aumento de algo en tres veces. **2** Reproducción de algo en dos copias.

triplicado ‖ **por triplicado;** en tres ejemplares.

triplicar v. Multiplicar por tres o hacer tres veces mayor: *Si le sale bien el negocio, triplicará las ganancias del año pasado.* □ ETIMOL. Del latín *triplicare.* □ ORTOGR. La *c* se cambia en *qu* delante de *e* →SACAR.

triplista s.com. **1** En baloncesto, jugador especialista en triples o canastas de tres puntos. **2** Atleta que practica el triple salto.

trípode s.m. Armazón de tres pies que se utiliza como soporte. □ ETIMOL. Del latín *tripus*, este del griego *trípus*, y este de *trêis* (tres) y *pús* (pie).

trípol s.m. →**trípoli.**

trípoli s.m. Roca silícea que se usa para pulir vidrio, metales o piedras duras, y que suele mezclarse con nitroglicerina para fabricar dinamita. □ SINÓN. *trípol.* □ ETIMOL. De *Trípoli* (ciudad del Líbano).

tripón, -a adj./s. *col.* →**tripudo.**

tríptico s.m. **1** Pintura, grabado o relieve distribuidos en tres hojas, unidas de modo que las dos laterales puedan doblarse sobre la central. **2** Libro o tratado que consta de tres partes. **3** Impreso o folleto de propaganda que tiene tres dobleces. □ ETIMOL. Del griego *tríptykhos* (triple).

triptófano s.m. Aminoácido proteico esencial a las personas.

triptongación s.f. Pronunciación de tres vocales en una sola sílaba formando triptongo.

triptongar v. Referido a tres vocales, pronunciarlas en una sola sílaba formando triptongo: *En poesía es posible, como licencia métrica, triptongar vocales que en la lengua normal no forman triptongo.* □ ORTOGR. La *g* se cambia en *gu* delante de *e* →PAGAR.

triptongo s.m. Conjunto de tres vocales que se pronuncian en una misma sílaba: *En la última sílaba de 'cambiéis' hay un triptongo.* □ ETIMOL. De *tri-* (tres) y el griego *phthóngos* (sonido).

tripudo, da adj./s. Que tiene mucha tripa. □ SINÓN. *tripón.*

tripulación s.f. Conjunto de personas encargadas de conducir una embarcación o un vehículo aéreo, o de prestar servicio en ellos.

tripulante s.com. Miembro de una tripulación.

tripular v. Referido a una embarcación o a un vehículo aéreo, conducirlos o prestar servicio en ellos: *El piloto que tripula el avión es experimentado y con muchas horas de vuelo.* □ ETIMOL. Del latín *interpolare* (hacer reformas, alterar).

triquina s.f. Gusano parásito, cuya larva se enquista en los músculos de algunos mamíferos y puede producir la triquinosis en las personas. □ ETIMOL. Del griego *tríkhinos*, y este de *thríx* (pelo), porque este parásito es semejante a un pelo.

triquinosis (pl. *triquinosis*) s.f. Enfermedad producida por la invasión de larvas de triquina que penetran en las fibras musculares, y que se manifiesta con fiebre alta, desarreglos intestinales y dolores muy agudos.

triquiñuela s.f. *col.* Rodeo, recurso o artimaña de los que se sirve alguien para salvar una dificultad o para conseguir un fin. ☐ ETIMOL. De origen onomatopéyico.

triquitraque s.m. Serie de golpes que producen ruido: *Cuando acunas al bebé, me adormece el triquitraque que hace la cuna.* ☐ ETIMOL. De origen onomatopéyico.

trirreme s.m. Antigua embarcación con tres filas de remos a cada lado. ☐ ETIMOL. Del latín *triremis.* ☐ MORF. Se usa también como femenino.

tris ‖ **en un tris de;** *col.* A punto de: *Me enfadé tanto que estuve en un tris de mandarlo todo a la porra.* ‖ **un tris;** *col.* Muy poco o casi nada: *Faltó un tris para que metieras la pata.* ☐ ETIMOL. De origen onomatopéyico.

triscar v. Retozar o dar saltos de un lugar a otro de manera alegre o juguetona: *Cerca del rebaño, un par de corderos triscaban alegres por el monte.* ☐ ETIMOL. Del gótico *thriskan* (trillar), que luego significó *patear, brincar.* ☐ ORTOGR. La *c* se cambia en *qu* delante de *e* →SACAR.

trisemanal adj.inv. **1** Que sucede o se repite tres veces por semana. **2** Que sucede o se repite cada tres semanas.

trisilábico, ca adj. Que tiene tres sílabas.

trisílabo, ba adj./s.m. De tres sílabas, esp. referido a un verso: *Un trisílabo acentuado en su primera sílaba es una palabra esdrújula.* ☐ ETIMOL. Del latín *trisillabus.*

trismo s.m. En medicina, contracción espasmódica de los músculos maseteros o encargados de elevar el maxilar inferior, y que causa la imposibilidad de abrir la boca. ☐ ETIMOL. Del griego *trismós* (chillido). ☐ ORTOGR. Se usa también *trismus.*

trismus (pl. *trismus*) s.m. →**trismo.**

triste adj.inv. **1** Con pena, melancolía o tristeza: *Estoy triste porque no me habéis esperado.* **2** Que produce pena, melancolía o tristeza: *Es una película muy triste que me hizo llorar.* **3** Infeliz, funesto o desgraciado: *Ese actor pereció en un triste accidente.* **4** Doloroso o difícil de soportar: *Un mendigo me dijo que era triste pedir, pero que peor era robar.* **5** Insignificante, insuficiente o escaso: *No sé cómo puede mantenerse con un sueldo tan triste.* **6** Que debiera producir alegría, pero no la produce: *Las tiendas de campaña son un triste cobijo para los refugiados que no tienen vivienda.* **7** Referido a una persona, de carácter melancólico: *Eres un hombre triste y jamás te he visto sonreír.* ☐ ETIMOL. Del latín *tristis.*

tristeza s.f. **1** Sentimiento o estado melancólico en el que no se tiene ni ilusiones ni ánimo para vivir o hacer cosas y en el que generalmente se tiende al silencio o al llanto: *Me habló de su pasado con tristeza y amargura.* **2** Conjunto de características de lo que produce este sentimiento: *La tristeza de sus palabras me deprimió.* ☐ ETIMOL. Del latín *tristitia.*

tristón, -a adj. Con un poco de tristeza.

tristura s.f. *ant.* →**tristeza.**

tritón s.m. **1** Anfibio parecido a la lagartija, pero más grande, de piel granulosa y de color pardo con manchas negruzcas en el lomo y rojizas en el vientre. **2** Ser mitológico marino con cuerpo de hombre de cintura para arriba y de pez de cintura para abajo. ☐ ETIMOL. Por alusión a Tritón, hijo de Neptuno. ☐ MORF. En la acepción 1, es un sustantivo epiceno: *el tritón {macho/hembra}.*

trituración s.f. Desmenuzamiento de algo partiéndolo en trozos pequeños, pero sin convertirlo en polvo.

triturador, -a ▌adj./s. **1** Que tritura. ▌s.f. **2** Máquina que sirve para triturar.

trituradora s.f. Véase **triturador, -a.**

triturar v. **1** Referido a algo sólido, desmenuzarlo o partirlo en trozos pequeños, pero sin convertirlo en polvo: *Con las muelas trituramos los alimentos.* **2** Referido a algo que se examina o se considera, rebatirlo y censurarlo minuciosamente y de forma inequívoca: *Trituró sus argumentos uno a uno.* **3** *col.* Vencer o derrotar por completo: *Nuestro equipo ha triturado al vuestro por una diferencia de seis goles.* ☐ ETIMOL. Del latín *triturare* (trillar las mieses).

triunfador, -a adj./s. Que triunfa.

triunfal adj.inv. Del triunfo: *el símbolo triunfal.* ☐ ETIMOL. Del latín *triumphalis.*

triunfalismo s.m. Actitud de seguridad en uno mismo y de superioridad sobre los demás basada en una confianza excesiva en la propia valía.

triunfalista adj.inv./s.com. Que tiene o manifiesta una excesiva seguridad y confianza en sí mismo.

triunfar v. **1** Quedar victorioso: *Nuestros atletas han triunfado en numerosas pruebas.* **2** Tener éxito: *Eres muy inteligente y triunfarás.* **3** En algunos juegos de cartas, ser el triunfo: *¿Qué triunfa? Triunfan oros.* ☐ ETIMOL. Del latín *triumphare.*

triunfo s.m. **1** Victoria sobre un contrario o rival: *Obtendremos el triunfo en la final porque somos los mejores.* **2** Éxito o resultado perfecto en algo: *Considero a la familia como un triunfo en la vida.* **3** En algunos juegos de naipes, palo de la baraja o carta de este palo, que tiene más valor que los otros. **4** Lo que sirve de trofeo y acredita una victoria o el éxito: *Tiene sus triunfos ordenados en una vitrina.* **5** ‖ **costar** algo **un triunfo;** costar un gran esfuerzo: *Me ha costado un triunfo conseguir un aumento de sueldo.* ☐ ETIMOL. Del latín *triumphus.*

triunvirato s.m. **1** En la antigua Roma, gobierno ejercido por tres personas. **2** Junta o grupo de tres personas. ☐ ETIMOL. Del latín *triumviratus.*

trivalente adj.inv. **1** Que tiene un triple valor: *una vacuna trivalente.* **2** Referido a un elemento, que funciona con tres valencias.

trivial adj.inv. Que carece de importancia o de interés, esp. por ser algo ordinario o común. ☐ ETIMOL. Del latín *trivialis* (que se halla por las encrucijadas), porque las encrucijadas se consideran lugares comunes o de paso habitual.

trivialidad s.f. **1** Falta de interés o de importancia de algo, por su carácter ordinario y común: *Los temas de las comedias musicales suelen caracterizarse por su trivialidad.* **2** Lo que es trivial o carece de importancia: *Desde que has llegado no has dicho más que trivialidades.*

trivialización s.f. Eliminación de la importancia o el interés de un asunto.

trivializar v. Referido esp. a un asunto, quitarle importancia o no dársela: *No debes trivializar los temas relacionados con la pobreza mundial.* □ ORTOGR. La *z* se cambia en *c* delante de *e* →CAZAR.

trivio (tb. *trívium*) s.m. En la Edad Media, conjunto de las tres artes relativas a la elocuencia que, junto con el cuadrivio, formaban parte de la enseñanza universitaria: *La gramática, la retórica y la dialéctica componían el trivio.* □ ETIMOL. Del latín *trivium*.

trívium s.m. →**trivio.** □ ETIMOL. Del latín *trivium*.

triza s.f. **1** Trozo pequeño de algo. **2** || **hacer(se) trizas; 1** Destruir completamente o romper en pedazos menudos: *El plato cayó al suelo y se hizo trizas.* **2** Referido esp. a una persona, herirla o lastimarla gravemente: *Sus continuos reproches me hacen trizas.* □ ETIMOL. De *trizar* (romper en trozos).

trocaico, ca adj. Del troqueo, con troqueos o relacionado con este tipo de pie métrico.

trocamiento s.m. **1** Modificación, alteración o conversión en algo distinto, opuesto o contrario. □ SINÓN. *trueque, cambio.* **2** Intercambio o entrega de una cosa por otra. □ SINÓN. *cambio.*

trocánter s.m. **1** En anatomía, en un hueso largo, abultamiento que aparece en su extremidad. **2** En un insecto, segunda de las cinco partes de que constan sus patas. □ ETIMOL. Del griego *trokhantér* (adecuado para correr).

trocar v. **1** Modificar, alterar o convertir en algo distinto: *El premio que me dieron consiguió trocar mi tristeza en alegría. Mi mala suerte se trocó en buena y ahora lo tengo todo.* **2** Intercambiar o cambiar: *En las sociedades primitivas trocaban productos agrícolas por objetos artesanos. Me troqué en el autocar con el señor de al lado porque me gusta ir junto a la ventanilla.* □ ETIMOL. De origen incierto. □ ORTOGR. La *c* se cambia en *qu* delante de *e*. □ MORF. Irreg. →TROCAR.

trocear v. Referido a un todo, dividirlo en trozos: *Si quieres que la tortilla llegue para todos, tendrás que trocearla mucho.*

troceo s.m. División de un todo en trozos.

trocha s.f. **1** Sendero o camino estrecho y menos conocido, o que sirve de atajo. **2** Camino abierto en la maleza. □ ETIMOL. De origen incierto.

troche || **a troche y moche;** *col.* De forma disparatada, sin consideración, o sin orden ni medida: *Se puso a dar golpes a troche y moche.* □ ETIMOL. De *trocear* y *mochar* (cortar). □ ORTOGR. Se admite también *a trochemoche*.

trochemoche || **a trochemoche;** *col.* →**a troche y moche.**

trocisco s.m. **1** Porción de la masa hecha con varias sustancias medicinales, para formar después las píldoras. **2** Porción pequeña y de forma variable, compuesta de sustancias medicinales pulverizadas. **3** Pastilla o trozo pequeño de medicamento destinados a disolverse en la boca. □ ETIMOL. Del latín *trochiscus*.

trofeo s.m. **1** Objeto que se da como recuerdo o como premio de una victoria o de un triunfo. **2** Monumento, insignia u objeto que recuerda un triunfo o una victoria: *un trofeo de caza.* □ ETIMOL. Del latín *trophaeum*, y este del griego *trópaion* (monumento que recordaba la derrota del enemigo).

trófico, ca adj. De la nutrición o relacionado con ella. □ ETIMOL. Del griego *trophós* (alimenticio).

troglodita adj.inv./s.com. Que habita en cavernas. □ ETIMOL. Del griego *troglodýtes* (que vive en una cueva).

troica (tb. *troika*) s.f. **1** Carruaje grande montado sobre patines y tirado por tres caballos delanteros. **2** En la antigua Unión Soviética, equipo dirigente soviético formado por el presidente de la república, el jefe de gobierno y el secretario general del partido comunista. **3** *col.* Grupo o reunión de tres políticos de alto nivel. □ ETIMOL. Del ruso *troika*.

troika s.f. →**troica.** □ ETIMOL. Del ruso *troika*.

troj s.f. Espacio limitado por tabiques que se utiliza para guardar frutos, esp. cereales. □ SINÓN. *troje.* □ ETIMOL. De origen incierto.

troje s.f. →**troj.**

trola s.f. *col.* Mentira. □ ETIMOL. Del francés *drôle* (bribonzuelo).

trole s.m. **1** En un vehículo de tracción eléctrica, pértiga de hierro que le transmite la corriente del cable conductor tomándola mediante una polea o un arco que lleva en su extremo. **2** →**trolebús.** □ ETIMOL. La acepción 1, del inglés *trolley*.

trolebús s.m. Vehículo de tracción eléctrica con gran capacidad que se utiliza para el transporte de personas, que circula sin carriles, y que toma la corriente de un cable aéreo. □ MORF. En la lengua coloquial se usa mucho la forma abreviada *trole*.

trolelote s.m. *col.* En zonas del español meridional, grano de maíz tostado o cocido.

trolero, ra adj./s. *col.* Mentiroso. □ SINÓN. *bolero.*

troll s. En la mitología escandinava, ser tonto y feo que vive en bosques o cavernas.

trolley (ing.) s.m. Mochila o maleta con un asa y con ruedas que hacen más fácil su manejo. □ PRON. [trólei].

tromba s.f. **1** Columna de agua que se eleva desde el mar con movimiento giratorio por efecto de un torbellino atmosférico. **2** Gran cantidad de algo que se produce en poco tiempo: *una tromba de palos.* **3** || **en tromba;** de golpe y con fuerza: *Todos los jugadores se lanzaron en tromba tras el balón.* || **tromba (de agua);** chubasco intenso, repentino y muy violento: *Una tromba de agua inundó varios* *sótanos de la ciudad.* ☐ ETIMOL. Del italiano *tromba*.

trombo s.m. Coágulo de sangre en el interior de un vaso sanguíneo. ☐ ETIMOL. Del griego *thrómbos* (grumo, coágulo).

trombocito s.m. Célula de la sangre de los vertebrados, de pequeño tamaño y sin núcleo, que interviene en la coagulación sanguínea. ☐ SINÓN. *plaqueta.* ☐ ETIMOL. Del griego *thrómbos* (gramo) y *-cito* (célula).

trombocitopenia s.f. En medicina, disminución del número de plaquetas en la sangre.

tromboflebitis (pl. *tromboflebitis*) s.f. Inflamación de las venas con formación de trombos. ☐ ETIMOL. De *trombo* y *flebitis*.

trombón s.m. **1** Instrumento musical de viento, de la familia de los metales, parecido a una trompeta grande, y que está formado por un doble tubo cilíndrico en forma de 'U' que termina en un pabellón acampanado. **2** || **trombón de varas;** el que posee un tubo móvil que se desliza dentro del otro, alargando o acortando la columna de aire que vibra y modificando así la altura del sonido. ☐ ETIMOL. Del italiano *trombone*.

trombonista s.com. Músico que toca el trombón.

trombosis (pl. *trombosis*) s.f. Formación de un trombo en el interior de un vaso sanguíneo. ☐ ETIMOL. Del griego *thrómbosis* (coagulación).

trompa s.f. **1** Instrumento musical de viento, de la familia de los metales, formado por un tubo enroscado circularmente y que va ensanchándose desde la boquilla al pabellón. **2** En algunos animales, prolongación muscular, gruesa y elástica de su nariz. **3** Lo que tiene aproximadamente esta forma: *la trompa de Eustaquio.* **4** En algunos insectos, aparato chupador dilatable y contráctil. **5** *col.* Borrachera. **6** En arquitectura, bóveda pequeña semicónica que sirve de transición entre una base cuadrada y una cúpula circular u octogonal. **7** || **trompa de Eustaquio;** en anatomía, conducto de muchos vertebrados, que comunica el oído medio con la faringe. || **trompa de Falopio;** En el aparato reproductor de las hembras de los mamíferos, oviducto o conducto por el que los óvulos salen del ovario para ser fecundados. ☐ ETIMOL. De origen onomatopéyico.

trompada s.f. →**trompazo.**

trompazo s.m. Porrazo o golpe fuerte. ☐ SINÓN. *trompada.*

trompear v. *col.* En zonas del español meridional, pelear: *Se trompeaba con todo el mundo.*

trompe-l'oeil (fr.) s.m. →**trampantojo.** ☐ PRON. [trámplei].

trompeta s.f. Instrumento musical de viento, de la familia de los metales, formado por un tubo largo de metal que va ensanchándose desde la boquilla al pabellón. ☐ ETIMOL. Quizá del francés *trompette*.

trompetazo s.m. Sonido excesivamente fuerte o destemplado emitido con una trompeta o con un instrumento semejante.

trompetilla s.f. **1** Instrumento en forma de pequeña trompeta que se aplicaba al oído y servía para que los sordos oyeran mejor. **2** *col.* En zonas del español meridional, pedorreta.

trompetista s.com. Músico que toca la trompeta.

trompicar v. Dar tumbos o pasos tambaleantes: *Fui trompicando unos metros y al final conseguí no caerme.* ☐ ETIMOL. De origen incierto. ☐ ORTOGR. La *c* se cambia en *qu* delante de *e* →SACAR.

trompicón s.m. **1** Tropezón o paso tambaleante. **2** || **a trompicones;** de forma discontinua o con dificultades.

trompo s.m. **1** Peonza. **2** Giro que da un vehículo sobre sí mismo, generalmente a consecuencia de un derrape: *hacer un trompo.* ☐ ETIMOL. De origen onomatopéyico.

trona s.f. Silla con las patas muy altas, para que los bebés puedan sentarse y queden a la altura de una mesa normal.

tronado, da adj. *col.* Loco. ☐ ETIMOL. De *tronar*.

tronador, -a adj. Que truena.

tronar v. **1** Sonar truenos: *El cielo se encapotó y comenzó a tronar.* **2** Causar un estampido o un sonido fuerte: *En medio de la batalla se oyó tronar a los cañones.* **3** *col.* Hablar de forma violenta: *El orador tronaba desde el púlpito contra la pérdida de las tradiciones.* **4** *col.* En zonas del español meridional, suspender: *Me volvieron a tronar en matemáticas.* ☐ ETIMOL. Del latín *tonare*. ☐ MORF. 1. Irreg. →CONTAR. 2. En la acepción 1, es unipersonal.

troncal adj.inv. Referido a una asignatura, obligatoria o común en un ciclo de estudios para todos los centros educativos.

tronchante adj.inv. *col.* Que resulta gracioso.

tronchar ▮ v. **1** Referido esp. a un tallo o a una rama, partirlos o romperlos sin usar herramientas: *El viento tronchó una rama del árbol.* ▮ prnl. **2** *col.* Reírse mucho: *Esa película es divertidísima y me tronché con ella.* ☐ ETIMOL. De *troncho*.

troncho s.m. Tallo de las hortalizas. ☐ ETIMOL. Del latín *trunculus* (trozo de tronco).

tronco s.m. **1** Tallo leñoso de los árboles y de los arbustos. **2** Parte del cuerpo de una persona o de un animal de la que parten el cuello y las extremidades: *El tronco de una persona está formado por el tórax y por el abdomen.* **3** Elemento central o principal del que salen o al que llegan otros secundarios: *En el aparato respiratorio la tráquea es el tronco del que parten los dos bronquios.* **4** Ascendiente común de dos o más familias, ramas o líneas: *Las lenguas romances proceden del tronco indoeuropeo a través del latín.* **5** *col.* Amigo o compañero: *Te voy a presentar a un tronco muy majillo.* **6** || **como un tronco;** *col.* Profundamente dormido: *Se tumbó en el sofá y se quedó como un tronco.* ☐ ETIMOL. Del latín *truncus* (talado, sin ramas). ☐ USO En la acepción 5, en la lengua coloquial, se usa como apelativo: *¿Qué pasa, tronco?*

troncocónico, ca adj. En forma de cono truncado.

tronera s.f. **1** En una buque o en una muralla, abertura que sirve para asomar las armas de fuego y disparar. **2** Ventana pequeña por la que entra poca luz. **3** En una mesa de billar, agujero o abertura para meter las bolas. ☐ ETIMOL. De *trueno*.

tronío s.m. **1** *col.* Ostentación y riqueza: *Tu familia siempre ha vivido con mucho tronío.* **2** *col.* Importancia, valor o mérito: *Es una cantante de mucho tronío.*

trono s.m. **1** Asiento con escalones y dosel, en el que se sientan las personas de alta dignidad, esp. los reyes, en las ceremonias y en otros actos importantes. **2** Cargo o dignidad de rey o de monarca: *Subió al trono a los veinte años de edad.* ☐ ETIMOL. Del latín *thronus*.

tronzadera s.f. →**tronzador.**

tronzador s.m. Sierra grande con un mango en cada uno de sus extremos, que se utiliza generalmente para cortar piezas enteras. ☐ SINÓN. *tronzadera.*

tronzar v. **1** Cortar o dividir en trozos: *Tronzaron los troncos con la sierra mecánica.* **2** Agotar o cansar mucho: *El entrenamiento de ayer tronzó a los jugadores.* ☐ ETIMOL. Del latín **trunciare*. ☐ ORTOGR. La *z* se cambia en *c* delante de *e* →CAZAR.

tropa ▮ s.f. **1** Muchedumbre, multitud o gran cantidad de personas: *una tropa de chiquillos.* **2** En los Ejércitos de Tierra y del Aire y en la infantería de marina, categoría militar inferior a la de suboficial. ▮ pl. **3** Conjunto de cuerpos que componen un ejército, una división, una guarnición u otra unidad similar. ☐ ETIMOL. Del francés *troupe* (grupo).

tropear v. En zonas del español meridional, referido al ganado, conducirlo: *Tropeaban el ganado hasta los pastos de invierno.*

tropecientos, tas numer. *col.* Muchos o en gran cantidad: *Tengo tropecientos libros.* ☐ ETIMOL. De *tropel*. ☐ USO Tiene un matiz humorístico.

tropel s.m. **1** Muchedumbre o multitud que se mueve de forma desordenada: *un tropel de gente.* **2** Conjunto de cosas mal ordenadas o mal colocadas: *Tenía un tropel de libros y de papeles sobre su mesa y no pude encontrar el recibo que buscaba.* **3** ‖ **en tropel;** en gran número o de forma desordenada o confusa. ☐ ETIMOL. Del francés antiguo *tropel*.

tropelía s.f. Atropello o acto violento cometidos generalmente por alguien que abusa de su poder o de su autoridad. ☐ ETIMOL. De *tropel*.

tropero s.m. En zonas del español meridional, arriero.

tropezar v. **1** Dar con los pies en un obstáculo al ir andando, lo cual puede hacer caer: *No vi el escalón y tropecé con él.* **2** Encontrar un obstáculo o una dificultad que detienen o impiden el desarrollo normal o la continuación de algo: *Quería ser físico, pero tropezó con las matemáticas y estudió derecho.* **3** *col.* Encontrarse por casualidad con una persona: *Me tropecé con tu prima a la salida del metro y me dio recuerdos para ti.* ☐ ETIMOL. Del latín **interpediare*. ☐ ORTOGR. La *z* se cambia en *c* delante de *e* →CAZAR. ☐ SINT. Constr. *tropezar CON algo.*

tropezón s.m. **1** Choque o tropiezo que se dan contra un obstáculo al ir andando y que pueden hacer caer. **2** *col.* Trozo pequeño de jamón o de otro alimento que se mezcla con la sopa o con las legumbres. **3** ‖ **a tropezones;** *col.* Con muchas dificultades o con impedimentos: *Hice los deberes a tropezones y gracias a que me ayudó tu padre.* ☐ MORF. En la acepción 2, se usa más en plural.

tropical adj.inv. Del trópico o relacionado con él.

trópico s.m. **1** Cada uno de los dos círculos menores en los que se considera dividida la Tierra, que son paralelos al Ecuador: *trópico de Cáncer; trópico de Capricornio.* **2** Región comprendida entre estos dos círculos. ☐ ETIMOL. Del griego *tropikós* (que da vueltas).

tropiezo s.m. **1** Golpe que se da en un obstáculo al ir andando, que puede hacer caer: *Dio un tropiezo en el bordillo de la acera y casi se cae.* **2** Desacierto, fallo o indiscreción involuntaria, esp. en cuanto a las relaciones sexuales: *Cuando uno es joven hay que tener mucho cuidado con los tropiezos.* ☐ SINÓN. *desliz.* **3** Obstáculo, dificultad, contratiempo o impedimento: *Consiguió sacar adelante el negocio una vez que superó los primeros tropiezos.* **4** Riña, discusión o contienda: *Como vuelvas a tener un tropiezo con otro cliente te despedirán.*

tropismo s.m. Respuesta de un organismo ante un estímulo exterior: *El tropismo de una planta puede ser hacia el agua, hacia la luz o por la fuerza de gravedad.* ☐ ETIMOL. Del griego *trópos* (vuelta).

tropo s.m. Figura retórica en la que se hace un empleo de las palabras con un significado distinto al que les es propio, pero con el que guardan alguna conexión, correspondencia o semejanza: *Los tropos principales son la metáfora, la metonimia y la sinécdoque.* ☐ ETIMOL. Del latín *tropus*, y este del griego *trópos* (vuelta, manera, melodía).

tropología s.f. Lenguaje figurado o sentido alegórico de las palabras. ☐ ETIMOL. Del latín *tropologia*, este del griego *tropología*, y este de *trópos* (tropo) y *lógos* (tratado).

troposfera s.f. En la atmósfera terrestre, zona que se extiende desde el suelo hasta diez kilómetros de altura aproximadamente. ☐ ETIMOL. Del griego *trópos* (vuelta) y *sphâira* (esfera).

troquel s.m. Molde que sirve para acuñar monedas, medallas y otras cosas semejantes. ☐ ETIMOL. De origen incierto.

troquelar v. Referido esp. a una moneda o a una medalla, estamparles los relieves por medio de troqueles o cuños: *La profesora de numismática nos enseñó cómo troquelaban monedas los romanos.* ☐ SINÓN. *acuñar.*

troqueo s.m. **1** En métrica grecolatina, pie formado por una sílaba larga seguida de otra breve: *La estructura métrica de un troqueo es la inversa de la de un yambo.* **2** En métrica española, pie formado por una sílaba tónica seguida de otra átona: *En el verso de Bécquer 'Por una mirada un mundo', la expresión 'un mundo' constituye un troqueo.* ☐ ETIMOL. Del latín *trochaeus*, y este del griego *trokhâios* (que corre), por la idea de aceleración que sugiere la sílaba breve siguiendo a la larga.

trotacalles (pl. *trotacalles*) s.com. *col.* Persona a la que le gusta mucho callejear o estar en la calle.

trotaconventos (pl. *trotaconventos*) s.f. *col.* Alcahueta, celestina o persona que media para que otra consiga una relación amorosa o sexual. □ ETIMOL. Por alusión a Trotaconventos, personaje del 'Libro de Buen Amor', del Arcipreste de Hita, que desempeña funciones de casamentera.

trotador, -a adj. Referido esp. a un caballo, que trota mucho.

trotamundos (pl. *trotamundos*) s.com. *col.* Persona que siente afición o gusto por viajar y por recorrer países.

trotar v. **1** Ir al trote o con paso acelerado: *El potro trotaba detrás de la yegua.* **2** *col.* Referido a una persona, andar mucho o con gran rapidez: *Estoy agotada de tanto trotar por el campo.* □ ETIMOL. Del alemán *trotten* (correr).

trote s.m. **1** Modo de caminar acelerado de una caballería, que consiste en avanzar saltando y apoyando alternativamente cada conjunto de mano y pie contrapuestos. **2** Trabajo o faena con prisas, fatigosos o que producen cansancio: *Fuimos de excursión a la montaña sin mi padre porque dice que él ya no está para esos trotes.* **3** ‖ **ser de mucho trote;** *col.* De gran aguante o resistencia. ‖ **no estar para {esos/estos} trotes;** *col.* No tener preparación para realizar ciertas actividades: *El abuelo no puede subir a la montaña, porque ya no está para esos trotes.*

trotón, -a adj. Referido esp. a un caballo, que tiene el trote como paso ordinario.

trotskismo s.m. Teoría y práctica políticas propugnadas por Leon Trotsky (político y revolucionario soviético de los siglos XIX y XX), y que se caracterizaba principalmente por la preconización de la revolución internacional.

trotskista ❚ adj.inv. **1** Del trotskismo o relacionado con esta teoría y práctica políticas. ❚ adj.inv./s.com. **2** Partidario del trotskismo.

troupe (fr.) s.f. Agrupación de actores y profesionales formada para representar conjuntamente, y que viaja por diferentes sitios. □ PRON. [trup]. □ USO Su uso es innecesario y puede sustituirse por *compañía*.

trova s.f. **1** Composición métrica compuesta generalmente para ser cantada. **2** Canción amorosa compuesta o cantada por los trovadores. □ ETIMOL. De *trovar*.

trovador, -a ❚ adj./s. **1** Que trova. ❚ s.m. **2** En la época medieval, poeta culto que componía versos en lengua romance.

trovadoresco, ca adj. De los trovadores o relacionado con ellos.

trovar v. Hacer o componer versos: *En la Edad Media se escribieron diversos tratados que contenían reglas sobre el arte de trovar.* □ ETIMOL. Del provenzal antiguo *trobar* (hallar).

trovero, ra s. Persona que improvisa o que canta trovos. □ ETIMOL. Del francés *trouvère*.

trovo s.m. Composición métrica popular, generalmente de tema amoroso. □ ETIMOL. De *trova*.

troyano, na ❚ adj./s. **1** De Troya (antigua ciudad asiática), o relacionado con ella. □ SINÓN. *dárdano*. ❚ s.m. **2** En informática, programa que permite introducirse en el sistema operativo de un ordenador para espiar o manipular los datos almacenados. □ MORF. Como sustantivo se refiere a las personas de Troya.

trozo s.m. Parte de algo separado del resto o que se considera por separado: *un trozo de pan.* □ ETIMOL. Quizá del catalán o del provenzal *tròs* (pedazo).

trucaje s.m. Serie de cambios o de trucos realizados en algo para que produzcan el efecto deseado. □ ETIMOL. Del francés *trucage*.

trucar v. Disponer cambios o realizar determinados trucos para que produzcan el efecto deseado: *Llevó la moto al taller para que le trucaran el motor y fuera más potente.* □ ETIMOL. De origen incierto. □ ORTOGR. La *c* se cambia en *qu* delante de *e* →SACAR.

trucha s.f. Pez de agua dulce, con cuerpo en forma de huso, de color pardo y con pintas rojizas o negras, de cabeza pequeña y de carne blanca o rosada. □ ETIMOL. Del latín *tructa*. □ MORF. Es un sustantivo epiceno: *la trucha {macho/hembra}*.

truchero, ra adj. Referido esp. a un río, que tiene abundancia de truchas.

truchimán, -a s. *col.* Persona astuta, sagaz y hábil, que actúa de forma poco escrupulosa o poco honrada. □ ETIMOL. Del árabe *turyuman* (intérprete).

truco s.m. **1** Lo que se hace para conseguir un efecto que parezca real aunque no lo es en realidad: *Me hizo un truco con una moneda que desaparecía y volvía a aparecer detrás de mi oreja.* **2** Trampa que se utiliza para lograr un fin: *Inventa mil trucos para no pagarme lo que me debe.* **3** Habilidad que se adquiere por la experiencia en un arte, en un oficio o en una profesión: *Lleva veinte años trabajando en lo mismo y se sabe todos los trucos de la profesión.* **4** *col.* Golpe o puñetazo: *¡Le dio tal truco que lo tumbó!*

truculencia s.f. Horror, crueldad o dramatismo exagerados y que sobrecogen.

truculento, ta adj. Que sobrecoge o asusta por su exagerado horror, crueldad o dramatismo: *un crimen truculento.* □ ETIMOL. Del latín *truculentus* (fiero, amenazador).

trueno s.m. **1** Estruendo o gran ruido asociado a un rayo, que se produce en las nubes por la expansión del aire que sigue a la descarga eléctrica. **2** Ruido o estampido muy fuertes: *A lo lejos se escuchaban los truenos de los cañonazos.* □ ETIMOL. De *tronar*.

trueque s.m. **1** Intercambio o entrega de una cosa por otra, esp. el intercambio de productos sin que medie dinero. **2** Modificación, alteración o conversión en algo distinto, opuesto o contrario. □ SINÓN. *cambio, trocamiento*.

trufa s.f. **1** Hongo comestible que crece bajo tierra, es redondeado, muy aromático, sabroso y negruzco por fuera y blanquecino o rojizo por dentro. **2** Pasta de chocolate sin refinar y con mantequilla. **3** Dulce, generalmente de forma redondeada, hecho con esta pasta y rebozado en cacao en polvo o en varillas de chocolate. ☐ ETIMOL. Del provenzal antiguo *trufa*.

trufar v. **1** Referido esp. a un ave, aderezarla o rellenarla con trufas: *Compré trufas en el supermercado para trufar el pavo.* **2** *col.* Mezclar o confundir: *¿No te das cuenta de que estás trufando argumentos que nada tienen que ver entre sí?*

truhán, -a s. **1** Persona que no tiene vergüenza y que vive de engaños y de estafas. **2** Persona que con sus gracias, gestos o historias hace reír o procura divertir. ☐ ETIMOL. Del francés *truand* (bribón). ☐ ORTOGR. Se escribe con tilde si se pronuncia como bisílabo: *tru-hán*. Se escribe sin tilde si se pronuncia como monosílabo: *truhan*.

truhanada s.f. →**truhanería.**

truhanería s.f. Hecho o dicho propios de un truhán. ☐ SINÓN. *truhanada.*

trujamán, -a s. **1** Intérprete o traductor. **2** Persona que aconseja o que hace de mediador en compras y ventas. ☐ ETIMOL. Del árabe *turyman* (intérprete).

trullo s.m. *arg.* Cárcel.

truncamiento s.m. **1** Corte de una parte de algo, esp. de un extremo. **2** Interrupción de algo dejándolo incompleto.

truncar v. **1** Cortar una parte, esp. un extremo: *Si truncas un triángulo equilátero te quedará un trapecio.* **2** Interrumpir dejando incompleto: *La guerra truncó mi vida porque me tuve que ir al frente. Mis esperanzas de independencia se truncaron con el fracaso del proyecto.* ☐ ETIMOL. Del latín *truncare.* ☐ ORTOGR. La *c* se cambia en *qu* delante de *e* →SACAR.

truque s.m. Juego infantil que consiste en ir dando pequeños golpes a una piedra plana para que pase por un recorrido pintado en el suelo. ☐ ETIMOL. Del catalán *truc.*

trusa s.f. En zonas del español meridional, faja de mujer.

trust s.m. Unión de empresas de un mismo campo que se reúnen de una forma estable para reducir la competencia y para controlar los precios del mercado en su propio beneficio. ☐ ETIMOL. Del inglés *trust.*

tsé-tsé adj./s.f. →**mosca tsé-tsé.**

tsunami (jap.) s.m. Ola de enormes dimensiones causada por un terremoto o por una erupción volcánica en el fondo del mar.

tu poses. →**tuyo.** ☐ ORTOGR. Dist. de *tú*. ☐ MORF. 1. Invariable en género. 2. Es apócope de *tuyo* y de *tuya* cuando preceden a un sustantivo determinándolo: *tu chaqueta, tus buenos amigos.*

tú pron.pers. Forma de la segunda persona del singular que corresponde a la función de sujeto o de predicado nominal: *Si tú vas a verla hoy, yo iré mañana por la mañana.* ☐ ETIMOL. Del latín *tu.* ☐ ORTOGR. Dist. de *tu.* ☐ MORF. No tiene diferenciación de género.

tuareg adj.inv./s.com. De un pueblo bereber nómada de las regiones desérticas del norte africano, o relacionado con él.

tuba s.f. Instrumento musical de viento, de la familia de los metales, formado por un largo y amplio tubo cónico que se arrolla en espiral y está provisto de pistones. ☐ ETIMOL. Del latín *tuba* (trompeta).

tuberculina s.f. Preparado con gérmenes de la tuberculosis que se utiliza en el tratamiento y en el diagnóstico de las enfermedades tuberculosas.

tubérculo s.m. Parte de un tallo subterráneo que se engrosa considerablemente: *Las patatas que comemos son tubérculos.* ☐ ETIMOL. Del latín *tuberculum,* y este de *tuber* (tumor).

tuberculosis (pl. *tuberculosis*) s.f. Enfermedad infecciosa producida por una bacteria, que puede afectar a diferentes órganos, esp. a los pulmones, y que se caracteriza por la formación de nódulos. ☐ ETIMOL. De *tubérculo* (producto morboso redondeado) y *-osis* (enfermedad).

tuberculoso, sa ▮ adj. **1** De la tuberculosis o relacionado con esta enfermedad. ▮ adj./s. **2** Que padece tuberculosis.

tubería s.f. Conducto con forma de tubo, a través del cual se distribuye un líquido o un gas.

tuberosidad s.f. **1** En medicina, abultamiento en el extremo de algunos huesos. **2** En botánica, abultamiento en la raíz o en un tallo subterráneo.

tuberoso, sa adj. Que tiene abultamientos. ☐ ETIMOL. Del latín *tuberosus* (lleno de tumores).

tubo s.m. **1** Pieza hueca, de forma generalmente cilíndrica, que suele estar abierta por los dos extremos. **2** Recipiente de forma generalmente cilíndrica, que suele tener uno de sus extremos cerrado y el otro abierto con un tapón, y que sirve para contener sustancias blandas o líquidas: *Aprieta el tubo para que salga la pasta de dientes.* **3** Vaso de forma cilíndrica que se usa para beber: *Me gusta la cerveza en tubo.* **4** Líquido que cabe en este vaso, esp. si es alcohólico: *No quiero más, gracias, ya me he tomado dos tubos.* **5** *col.* Metro: *Todos los días me paso dos horas en el tubo, una para ir a clase y otra para volver.* **6** En zonas del español meridional, auricular del teléfono. **7** En zonas del español meridional, rulo. **8** ‖ **por un tubo;** *col.* Muchísimo: *Tiene dinero por un tubo y vive como un rey.* ‖ **tubo de ensayo;** el de cristal que está abierto por uno de sus extremos y que se utiliza en los análisis químicos. ☐ ETIMOL. Del latín *tubus* (caño, conducto). La acepción 5, del inglés *tube* (metro).

tubulado, da adj. Con forma más o menos similar a la del tubo.

tubular adj.inv. Del tubo, con tubos o relacionado con ellos. ☐ ETIMOL. Del latín *tubulus* (tubito).

tucán s.m. Ave trepadora de pico arqueado, muy grueso y casi tan largo como el cuerpo, y que tiene cabeza pequeña, alas cortas y cola larga, y el plumaje negro con manchas de colores vivos. ☐ MORF.

Es un sustantivo epiceno: *el tucán {macho/hembra}.*

tuco, ca adj. En zonas del español meridional, manco. ☐ ETIMOL. De origen onomatopéyico.

-tud Sufijo que indica cualidad: *amplitud, juventud.*

tudesco, ca adj./s. De Alemania o relacionado con este país europeo. ☐ SINÓN. *alemán, germano, germánico.*

tueco s.m. **1** Tocón de un árbol o parte de su tronco que queda en la tierra unido a la raíz después de haberlo talado por el pie. **2** En una madera, hueco producido por la carcoma.

tuerca s.f. **1** Pieza con un hueco cilíndrico cuya superficie está labrada en espiral y en la que encaja un tornillo. **2** ‖ **apretar las tuercas** a alguien; *col.* Forzarlo para que haga algo: *En el interrogatorio le apretaron las tuercas al detenido y acabó confesando.* ☐ ETIMOL. De origen incierto.

tuercebotas (pl. *tuercebotas*) s.com. *col. desp.* Persona mediocre e insignificante, a la que no se reconoce ningún valor. ☐ SINÓN. *pelagatos, pelafustán.*

tuerto, ta adj./s. Falto de la vista en un ojo. ☐ ETIMOL. De *torcer.* ☐ SEM. Dist. de *bisojo*, de *bizco* y de *ojituerto* (que desvía los ojos de su posición normal).

tueste s.m. Sometimiento de algo a la acción del fuego, realizado lentamente hasta que toma un color dorado sin llegar a quemarse. ☐ SINÓN. *tostado, tostadura.*

tuétano s.m. **1** Sustancia que ocupa la cavidad interna de algunos huesos. ☐ SINÓN. *médula.* **2** Parte interior de la raíz y del tallo de algunas plantas. ☐ SINÓN. *médula.* **3** ‖ **hasta los tuétanos;** *col.* Hasta lo más interno, interior o profundo de una persona: *Estás enamorada de él hasta los tuétanos.* ☐ ETIMOL. De origen onomatopéyico.

tufarada s.f. Olor fuerte y desagradable. ☐ ETIMOL. De *tufo.*

tufo s.m. **1** Emanación gaseosa que se desprende de las fermentaciones o de las combustiones imperfectas. **2** *col.* Hedor u olor desagradable y penetrante. **3** Sospecha de algún acontecimiento o de algún engaño o trampa: *Eso me da el tufo de una estafa.* ☐ ETIMOL. Del latín *typhus*, y este del griego *týphos* (humo, vapor).

tugrik s.m. Unidad monetaria mongola.

tugurio s.m. Lugar pequeño y sucio o que tiene mala reputación. ☐ ETIMOL. Del latín *tugurium* (choza).

tul s.m. Tejido fino y transparente de seda, algodón o hilo, con forma de malla. ☐ ETIMOL. Del francés *tulle*, y este de *Tulle*, ciudad donde se fabricó este tejido por primera vez.

tular s.m. Terreno poblado de tules.

tule s.m. Planta herbácea americana, de hojas largas y delgadas, que crece en las orillas de los lagos o en sitios muy húmedos y cuyas hojas sirven para hacer esteras. ☐ ETIMOL. Del náhuatl *tollin.*

tulio s.m. Elemento químico, metálico y sólido, de número atómico 69, que pertenece al grupo de las tierras raras y cuyas sales son de color verde grisáceo: *El tulio es bastante denso.* ☐ ETIMOL. Del latín *thule* (región europea próxima al polo Norte). ☐ ORTOGR. Su símbolo químico es *Tm.*

tulipa s.f. Pantalla de una lámpara con forma parecida a un tulipán y que es normalmente de vidrio. ☐ ETIMOL. Del francés *tulipe.*

tulipán s.m. **1** Planta herbácea, con raíz en forma de bulbo y tallo liso, hojas enteras y lanceoladas, y una única flor grande, globosa y de seis pétalos. **2** Flor de esta planta. ☐ ETIMOL. Del turco *tulipant* (turbante), porque esta flor tiene una forma parecida a la del turbante.

tullido, da adj./s. Referido a una persona o un miembro de su cuerpo, que están privados de movimiento. ☐ SINÓN. *imposibilitado.* ☐ ETIMOL. Del antiguo *tollido.* ☐ USO Tiene un matiz despectivo.

tullir v. Referido a una persona o a un miembro de su cuerpo, dejarles privados de movimiento: *En el accidente se le tulleron las piernas y, desde entonces, va en silla de ruedas.* ☐ MORF. Irreg. →PLAÑIR.

tumba s.f. **1** Lugar bajo tierra o construcción en que se entierra un cadáver. **2** ‖ **a tumba abierta;** con decisión y determinación: *El pelotón ciclista bajaba el puerto a tumba abierta.* ‖ **ser** alguien **una tumba;** *col.* Guardar muy bien un secreto. ☐ ETIMOL. Del latín *tumba*, y este del griego *týmbos* (túmulo, montón de tierra).

tumbado, da ▮ adj. **1** Referido a algo cuya posición habitual es vertical, que está en posición horizontal: *La botellas de vino es mejor almacenarlas tumbadas.* **2** En tipografía, que no está bien encuadrado: *La caja de este libro está un poco tumbada.* ▮ s.m. **3** En zonas del español meridional, forma de andar: *Lo vi cruzar la calle con ese tumbado tan suyo.*

tumbador s.m. Instrumento musical de percusión que consiste en un tubo de madera cubierto en su parte superior por una piel de cabra y descubierto en su parte inferior, y que se toca con los dedos o con las palmas de las manos. ☐ SINÓN. *bongó.* ☐ MORF. Se usa más en plural.

tumbaga s.f. **1** Aleación de cobre y de oro que se emplea en joyería. **2** Sortija fabricada con esta aleación. ☐ ETIMOL. Del malayo *tambâga* (cofre).

tumbar v. **1** Derribar o hacer caer: *El boxeador tumbó a su rival de un fuerte puñetazo.* **2** Poner en posición horizontal: *Tumbamos al herido en una camilla. Si estás cansado, túmbate un rato en la cama.* **3** Suspender o eliminar en una prueba o en un ejercicio: *Me tumbaron en el primer examen.* **4** *col.* Matar: *En la cacería tumbó un par de corzos.* ☐ ETIMOL. De origen onomatopéyico.

tumbo s.m. **1** Balanceo, sacudida o vaivén violentos: *Bebí demasiado e iba dando tumbos por la calle.* **2** ‖ **dar tumbos;** *col.* Tener dificultades y tropiezos: *He dado más tumbos para encontrar este trabajo...* ☐ ETIMOL. De *tumbar.*

tumbona s.f. Silla de respaldo largo que se puede inclinar a voluntad y que permite estar tumbado sobre ella.

tumefacción s.f. Aumento de volumen de una parte del cuerpo, esp. el que se produce por efecto de una herida, de un golpe o de una acumulación de líquido. □ SINÓN. *hinchazón, intumescencia, tumescencia.* □ ETIMOL. Del latín *tumefactum*, y este de *tumefacere* (hinchar).

tumefacto, ta adj. Referido esp. a una parte del cuerpo, hinchada o con aumento de su volumen.

tumescencia s.f. →**tumefacción.**

túmido, da adj. **1** *poét.* Tumefacto o hinchado: *El aciago día en que aprendí a montar a caballo, no podía posar mis túmidas nalgas en ningún sitio.* **2** *poét.* Ampuloso, hinchado o afectado: *Sus palabras túmidas y rebuscadas dejaron atónitos a los asistentes.* □ ETIMOL. Del latín *tumidus*.

tumor s.m. **1** Alteración patológica de un órgano o de una parte de él, producida por la proliferación anormal de las células que los componen. **2** || **tumor benigno;** el que está localizado y no se extiende por el organismo. || **tumor maligno;** el que se extiende por el organismo y puede llegar a causar la muerte de una persona. □ ETIMOL. Del latín *tumor* (hinchazón). □ SEM. Dist. de *cáncer* (tumor maligno).

tumoración s.f. **1** Bulto, tumefacción o aumento de volumen de una parte del cuerpo debido a una herida, golpe o acumulación de líquido. **2** Hinchazón o bulto que se forma anormalmente en alguna parte del cuerpo.

tumoral adj.inv. De los tumores o relacionado con ellos.

túmulo s.m. **1** Sepulcro levantado sobre la tierra. **2** Montículo artificial, generalmente de arena o de piedras, con el que algunos pueblos antiguos cubrían una sepultura. **3** Armazón sobre el que se coloca el ataúd en la celebración de las honras fúnebres del difunto. □ ETIMOL. Del latín *tumulus* (colina, tumba).

tumulto s.m. Disturbio, confusión o alboroto producidos por una multitud de personas. □ ETIMOL. Del latín *tumultus*.

tumultuoso, sa adj. Que causa o tiene desorden y ruido.

tuna s.f. Véase **tuno, na**.

tunante, ta adj./s. Referido a persona, que tiene astucia para engañar o para no cumplir una obligación. □ ETIMOL. De *tuno*.

tunda s.f. *col.* Paliza: *Menuda tunda le han dado a nuestro equipo.* □ ETIMOL. De *tundir* (golpear).

tundir v. **1** Referido a pieles y telas, cortarlas o igualarles el pelo con una tijera o una máquina especial: *Mi madre es peletera y lo que más le gusta es tundir las pieles.* **2** Dar golpes o palos a alguien: *Me han tundido bien las espaldas a garrotazos.* □ ETIMOL. La acepción 1, del latín *tondere* (trasquilar, rapar, cortar). La acepción 2, del latín *tundere* (fregar, machacar).

tundra s.f. **1** Terreno abierto y llano que tiene el subsuelo helado y se caracteriza por la ausencia de vegetación arbórea y la abundancia de líquenes y musgos. **2** Formación vegetal característica de este terreno. □ ETIMOL. De origen finlandés.

tunear v. Referido esp. a un vehículo añadirle o cambiarle accesorios para que tenga una apariencia más personal.

tunecino, na adj./s. De Túnez o relacionado con este país africano.

túnel s.m. **1** Paso subterráneo abierto artificialmente para establecer comunicación entre dos lugares. **2** Situación muy agobiante. □ ETIMOL. Del inglés *tunnel*.

tunelador, -a ▌adj./s. **1** Que hace túneles. ▌s.f. **2** Máquina que sirve para excavar túneles de grandes dimensiones.

tuneladora s.f. Véase **tunelador, -a**.

tunero, ra ▌adj. **1** *col.* Del tuning o relacionado con esta técnica de personalizar vehículos. ▌adj./s. **2** *col.* Referido esp. a una persona, que es aficionada al tuning.

tungsteno s.m. Elemento químico, metálico y sólido, de número atómico 74, de color blanco, que se utiliza en la fabricación de lámparas de incandescencia y en otros usos: *El tungsteno es atacado por el flúor y por el cloro.* □ SINÓN. *volframio, wólfram, wolframio.* □ ETIMOL. Del sueco *tungsten* (piedra pesada). □ ORTOGR. Su símbolo químico es *W*.

túnica s.f. **1** Vestidura amplia y larga. **2** Membrana fina que cubre o protege algo: *Las arterias están recubiertas interiormente por una túnica.* □ ETIMOL. Del latín *tunica* (vestido interior de los romanos).

túnidos s.m.pl. Familia de peces con las aletas espinosas, y que no tienen escamas en la parte posterior del cuerpo.

tuning (ing.) s.m. Transformación de un vehículo, o de otro objeto, que se realiza al añadir o cambiar accesorios para que tenga una apariencia más personal. □ PRON. [túnin].

tuno, na ▌adj./s. **1** Referido a una persona, que es astuta, traviesa o sinvergüenza. ▌s. **2** Miembro de una tuna de estudiantes. ▌s.f. **3** Grupo de estudiantes que forman un conjunto musical y van vestidos de época: *una tuna universitaria.* **4** En zonas del español meridional, higo chumbo. □ ETIMOL. Las acepciones 1-3, del antiguo argot francés *tune* (hospicio de los mendigos, limosna). La acepción 4, del taíno de Haití. □ MORF. En la acepción 4, se usa mucho el masculino *tuno* con el mismo significado.

tuntún || **al (buen) tuntún;** *col.* Sin reflexión o sin conocimiento: *Las cosas hay que pensarlas y no hacerlas al tuntún.* □ ETIMOL. De origen expresivo.

tupé s.m. Mechón de pelo que se lleva levantado sobre la frente. □ ETIMOL. Del francés *toupet*.

tupi s.m. Establecimiento pequeño donde se degusta café.

tupí (pl. *tupíes, tupís*) ▌adj.inv./s.com. **1** De un pueblo amerindio que dominaba las costas brasileñas antes de la llegada de los portugueses, o relacionado con él: *El pueblo tupí huyó hacia la cordillera andina y el norte del Amazonas para escapar de los colonizadores.* ▌s.m. **2** Lengua indígena de este pueblo: *El tupí forma parte de la familia lingüística tupí-guaraní.* □ SINÓN. *tupí-guaraní.*

tupido, da adj. Formado por elementos que están muy juntos y apretados. □ ETIMOL. De *tupir.*

tupí-guaraní s.m. →**tupí.**

tupir v. Referido esp. a un tejido, apretarlo mucho, cerrando sus poros o sus intersticios: *No laves el jersey de lana con agua caliente porque se puede tupir.* □ ETIMOL. De origen onomatopéyico.

tupper s.m. →**táper.** □ ETIMOL. Extensión del nombre de la marca comercial *tupper ware.*

turba s.f. **1** Gran cantidad de gente que se mueve de forma desordenada o confusa: *Era el primer día de rebajas y en cuanto se abrieron las puertas entró una turba de gente.* **2** Combustible fósil procedente de la descomposición de materias vegetales al quedar enterradas bajo el agua y bajo sedimentos de tierra: *La turba pesa poco, tiene aspecto terroso y al arder produce mucho humo.* □ ETIMOL. La acepción 1, del latín *turba* (muchedumbre confusa, populacho). La acepción 2, del francés *tourbe.*

turbación s.f. **1** Alteración o interrupción del estado o del curso natural de una cosa. **2** Aturdimiento de una persona de forma que no pueda hablar ni reaccionar.

turbamulta s.f. Multitud confusa y desordenada. □ ETIMOL. Del latín *turba* (turba) y *multa* (mucha).

turbante s.m. Prenda de vestir propia de países orientales que consiste en una banda de tela que se enrolla alrededor de la cabeza. □ ETIMOL. Del italiano *turbante.*

turbar v. **1** Referido al estado o al curso natural de una cosa, alterarlo o interrumpirlo: *Tus risas turban la paz de esta casa a la hora de la siesta. El silencio se turbó con una explosión.* **2** Referido a una persona, sorprenderla o aturdirla de forma que no pueda hablar o reaccionar: *Esa mirada tan seductora me turbó. Te turbaste ante mi acusación porque eres culpable.* □ ETIMOL. Del latín *turbare* (perturbar).

turbera s.f. Lugar donde hay turba.

túrbido, da adj. *poét.* Turbio. □ ETIMOL. Del latín *turbidus.*

turbiedad s.f. **1** Falta de claridad natural o de transparencia. **2** Falta de honradez o de legalidad. **3** Confusión o falta de claridad.

turbina s.f. Máquina que transforma la fuerza o la presión de un fluido en un movimiento giratorio por medio de una rueda con una serie de paletas que giran. □ ETIMOL. Del francés *turbine.*

turbinto s.m. Árbol americano de tronco recto y corteza resquebrajada, flores blanquecinas, y fruto en bayas rojas con olor a pimienta: *El turbinto produce una buena trementina.*

turbio, bia adj. **1** Alterado por algo que quita la claridad natural o la transparencia: *Las aguas del río bajan turbias por el vertido de residuos.* **2** Deshonesto o de dudosa legalidad: *Sospecho que anda metido en turbios negocios.* **3** Confuso o poco claro: *Cuando bebo más de la cuenta lo veo todo turbio.* □ ETIMOL. Del latín *turbidus* (confuso, agitado, perturbado).

turbión s.m. Lluvia repentina, abundante y de poca duración, acompañada de fuerte viento. □ SINÓN. *manga de agua.* □ ETIMOL. Del latín *turbo* (torbellino).

turbo adj.inv. Referido esp. a un vehículo, que está provisto de un motor con turbina, que aumenta su potencia.

turbo- Elemento compositivo prefijo que se usa para formar nombres de máquinas en las que el motor es una turbina: *turbocompresor, turbogenerador, turbohélice.* □ ETIMOL. Del latín *turbo* (remolino).

turbocompresor s.m. Compresor movido por una turbina. □ ETIMOL. De *turbo-* (turbina) y *compresor.*

turbodiésel adj.inv./s.m. **1** Referido esp. a un motor, que es diésel y tiene un turbocompresor o compresor movido por una turbina. **2** Referido esp. a un coche, que tiene este motor.

turbogenerador s.m. Generador eléctrico movido por una turbina de gas, de vapor o hidráulica. □ ETIMOL. De *turbo-* (turbina) y *generador.*

turbohélice s.m. →**turbopropulsor.** □ ETIMOL. De *turbo-* (turbina) y *hélice.*

turbopropulsor s.m. Motor de un avión en el que la hélice se mueve mediante una turbina. □ SINÓN. *turbohélice.* □ ETIMOL. De *turbo-* (turbina) y *propulsor.*

turborreactor s.m. Motor de reacción que está provisto de una turbina de gas. □ ETIMOL. De *turbo-* (turbina) y *reactor.*

turbulencia s.f. Remolino o agitación de un líquido o del aire.

turbulento, ta ▮ adj. **1** Referido esp. a un líquido, que está agitado, esp. si está turbio. **2** Referido esp. a una acción o a una situación, que resultan agitadas o desordenadas. ▮ adj./s. **3** Referido a una persona, que promueve disturbios o discusiones. □ ETIMOL. Del latín *turbulentus.*

turco, ca ▮ adj./s. **1** De un antiguo pueblo que, procedente del Turquestán (región asiática), se estableció en la zona oriental europea: *Cervantes luchó contra los turcos en la batalla de Lepanto.* **2** De Turquía o relacionado con este país europeo y asiático. □ SINÓN. *otomano.* ▮ s.m. **3** Lengua de este y de otros países: *El turco se escribe en una versión modificada del alfabeto latino.*

turcomano, na ▮ adj./s. **1** De Turkmenistán o relacionado con este país asiático. ▮ s.m. **2** Lengua de este país.

turdetano, na adj./s. De la antigua Turdetania (zona que se correspondía aproximadamente con el occidente de la actual comunidad andaluza), o relacionado con ella.

turf (ing.) s.m. Pista de entrenamiento de un hipódromo. □ USO Su uso es innecesario.

turgencia s.f. Abultamiento o hinchazón.

turgente adj.inv. Abultado, hinchado o elevado. □ ETIMOL. Del latín *turgens*, y este de *turgere* (estar hinchado).

túrgido, da adj. *poét.* Turgente. ☐ ETIMOL. Del latín *turgidus.*

turíbulo s.m. Recipiente hondo, circular y con tapa, que cuelga de cadenas y que se usa para quemar incienso y esparcir su aroma, esp. en ceremonias religiosas. ☐ SINÓN. *incensario.* ☐ ETIMOL. Del latín *turibulum*, y este de *tus* (incienso).

turiferario, ria s. Persona que lleva el incensario. ☐ ETIMOL. Del latín *turiferarius*, y este de *tus* (incienso) y *ferre* (llevar).

turismo s.m. **1** Viaje por placer. **2** Conjunto de personas que hace este tipo de viajes: *el turismo extranjero.* **3** Vehículo de cuatro o cinco plazas destinado al uso particular. ☐ ETIMOL. Del inglés *tourism.*

turista s.com. Persona que hace turismo.

turístico, ca adj. Del turismo o relacionado con él.

turma s.f. En el aparato reproductor masculino, cada una de las dos glándulas sexuales de forma redondeada que producen los espermatozoides. ☐ SINÓN. *testículo.* ☐ ETIMOL. Del latín *turma.*

turmalina s.f. Mineral de distintos colores que cristaliza en cristales alargados y con estrías y que se usa en la industria de precisión y en joyería: *La turmalina es un silicato.* ☐ ETIMOL. Del francés *tourmaline.*

túrmix s.f. Batidora eléctrica. ☐ ETIMOL. Extensión del nombre de una marca comercial.

turnarse v.prnl. Referido esp. a un servicio o a una obligación, alternarlos con una persona o con varias, guardando el orden sucesivo entre todas: *Nos turnaremos en el cuidado del enfermo entre los tres.* ☐ ETIMOL. Del francés *tourner.*

turné s.f. →**tournée.** ☐ ETIMOL. Del francés *tournée.*

turnedó s.m. Filete de solomillo de buey. ☐ USO Es innecesario el uso del galicismo *tournedos.*

turno s.m. **1** Orden según el cual se alternan varias personas en el desempeño de una actividad o de una función: *Para jugar al parchís hay que seguir un riguroso turno.* **2** Momento u ocasión de hacer algo por orden: *Cuando por fin le llegó su turno, no recordaba lo que quería decir.* ☐ SINÓN. *vez, vuelta.* **3** Grupo de personas que se turnan en algo: *He ido a ver las listas y este año estoy en el turno de mañana.* **4** || **de turno; 1** Correspondiente según el orden previamente establecido: *Fui a urgencias y el médico de turno recomendó que me ingresaran.* **2** Muy conocido, habitual o sabido por todos: *Con lo enfadada que estaba, tuvo que venir el gracioso de turno a hacer la gracia.*

turolense adj.inv./s.com. De Teruel o relacionado con esta provincia española o con su capital: *La sierra de Albarracín se halla en tierras turolenses.*

turón s.m. Mamífero carnicero de cuerpo largo y flexible, cabeza pequeña, orejas redondeadas, patas cortas y pelaje pardo oscuro con las orejas y la boca blancas. ☐ ETIMOL. Quizá de *toro*, por la furia característica de este mamífero. ☐ MORF. Es un sustantivo epiceno: *el turón {macho/hembra}.*

turoperador, -a s. →**tour operador.**

turquesa ▮ adj.inv./s.m. **1** De color azul verdoso. ▮ s.f. **2** Mineral muy duro de este color, muy utilizado en joyería. ☐ ETIMOL. De *turqués* (turco), porque las turquesas proceden de Asia.

turrón s.m. **1** Dulce elaborado principalmente con frutos secos y miel. **2** || **turrón de Alicante;** el elaborado con almendra sin moler y con miel. || **turrón de Jijona;** el elaborado con almendra molida y con miel. ☐ ETIMOL. De origen incierto.

turronero, ra ▮ adj. **1** Del turrón o relacionado con él. ▮ s. **2** Persona que se dedica a la fabricación o a la venta de turrón.

turulato, ta adj. *col.* Alelado, pasmado o sin saber qué decir ni cómo reaccionar. ☐ ETIMOL. De origen expresivo.

tururú interj. *col.* Expresión que se usa para indicar negación, rechazo o burla: *Si pretendes que yo dé la cara por ti, ¡tururú!*

turuta adj.inv. *col.* Loco.

tusco, ca adj./s. De la antigua Etruria (territorio del noroeste de la península Itálica), o relacionado con ella. ☐ SINÓN. *etrusco, tirreno.* ☐ ETIMOL. Del latín *Tuscus.*

tusígeno, na adj. En medicina, que produce tos.

tute s.m. **1** Juego de cartas con la baraja española en el que tener una caballo y un rey del mismo palo puede valer veinte o cuarenta puntos. **2** En este juego, reunión de los cuatro reyes o los cuatro caballos. **3** *col.* Esfuerzo o trabajo muy intenso o excesivo: *Vamos a empezar ya porque nos espera un buen tute.* ☐ ETIMOL. Del italiano *tutti* (todos), porque gana el juego quien reúne todos los reyes o caballos.

tutear v. Referido a una persona, tratarla de 'tú' y no de 'usted': *Solo tuteo a los clientes con los que tengo mucha confianza.* ☐ ETIMOL. Traducción del francés *tutoyer.*

tutela s.f. **1** Autoridad legal que se concede a una persona adulta para que cuide de un menor o de una persona legalmente incapacitada. ☐ SINÓN. *guarda.* **2** Protección o defensa de algo: *Estas cuestiones quedan bajo la tutela del ministro.* ☐ ETIMOL. Del latín *tutela* (protección).

tutelar ▮ adj.inv. **1** Que guía, ampara o defiende. ▮ v. **2** Referido esp. a una persona, ejercer la tutela sobre ella: *Cada profesor tutor tutela a veinte alumnos.*

tuteo s.m. Tratamiento de 'tú' y no de 'usted'.

tutía s.f. **1** Ungüento medicinal hecho con óxido de cinc y otras sustancias. **2** || **no hay tutía;** *col.* Expresión que se usa para indicar la dificultad o la imposibilidad de realizar algo o de evitarlo: *He intentando por todos los medios que nos acompañe, pero no hay tutía.* ☐ ETIMOL. Del árabe hispánico *attutíyya*, este del árabe clásico *tutiya*, y este del sánscrito *tuttha.* La expresión *no hay tutía* se usa para indicar que algo no tiene remedio, porque la tutía posee propiedades curativas. ☐ ORTOGR. Se admite también *no hay tu tía.*

tutiplén || **a tutiplén;** *col.* En abundancia o sin medida: *Comimos a tutiplén y nos salió muy barato.* ☐ ETIMOL. Del latín *totus* (todo) y *plenus* (lleno).

tutor, -a s. **1** Persona que ejerce la tutela legal o que protege y dirige algo. **2** En un centro de enseñanza, persona encargada de orientar a los estudiantes, esp. referido a un profesor. ☐ ETIMOL. Del latín *tutor* (protector).

tutoría s.f. Autoridad o cargo de tutor.

tutorial ▮ adj.inv. **1** De la tutoría o relacionado con ella. ▮ s.m. **2** Manual de instrucciones interactivo para aprender a utilizar un programa informático. ☐ USO En la acepción 2, es un anglicismo innecesario y puede sustituirse por *manual de instrucciones*.

tutsi adj.inv./s.com. De un grupo étnico que habita en Ruanda y Burundi (países africanos) o relacionado con él.

tutti-frutti (it.) s.m. Frutas mezcladas o variadas. ☐ PRON. [tutifrúti].

tutú (pl. *tutús, tutúes*) s.m. Falda usada por las bailarinas de danza clásica, de tejido ligero y vaporoso y generalmente transparente. ☐ ETIMOL. Del francés *tutu*.

tutuma (tb. *totuma*) s.f. **1** Calabaza americana de corteza dura, que es el fruto del totumo. **2** Vasija hecha con esta calabaza.

tuvaluano, na adj./s. De Tuvalu o relacionado con este país de Oceanía (uno de los cinco continente).

tuya s.f. Véase **tuyo, ya**.

tuyo, ya ▮ poses. **1** Indica pertenencia a la segunda persona del singular: *Seguro que lo de hacer un viaje en canoa ha sido idea tuya. Casi no conozco a tu familia y me gustaría saber algo más de los tuyos.* ▮ s.f. **2** Árbol americano de madera muy resistente, con hojas siempre verdes y fruto en piñas pequeñas y lisas. ☐ SINÓN. *biota.* **3** || **la tuya;** *col.* Expresión con que se indica que ha llegado la ocasión favorable para la persona a la que se habla: *Aprovecha para decírselo ahora que está solo, que es la tuya.* ☐ ETIMOL. La acepción 1, del latín *tuus*. La acepción 2, del griego *thyía*. ☐ MORF. Como adjetivo se usa la forma apocopada *tu* cuando precede a un sustantivo determinándolo.

tweed (ing.) s.m. Tejido áspero de lana con hilos de diferentes colores. ☐ PRON. [tuid].

tweeter (ing.) s.m. Altavoz que acentúa los sonidos agudos. ☐ PRON. [tuíter].

twinset (ing.) s.m. **1** Prenda de vestir femenina compuesta por un conjunto de jersey y chaqueta que se llevan juntos. **2** Conjunto de panty y braga. ☐ PRON. [tuinsét].

twist (ing.) s.m. Baile individual muy movido que se caracteriza por el balanceo rítmico de hombros y caderas. ☐ PRON. [tuís].

txikito (eusk.) s.m. Vaso pequeño de vino. ☐ SINÓN. *chiquito.* ☐ PRON. [chikíto]. ☐ USO Su uso es innecesario.

txistulari (eusk.) s.m. →**chistulari.** ☐ PRON. [chistulári].

txoco (eusk.) s.m. Sociedad gastronómica masculina. ☐ PRON. [chóco].

U u

u ▮ s.f. **1** Vigésima segunda letra del abecedario. ▮ conj. **2** →**o.** □ PRON. 1. En la acepción 1, representa el sonido vocálico posterior o velar y de abertura mínima. 2. En las grafías *gue, gui*, la *u* no se pronuncia: *guerra*. 3. En las grafías con diéresis, *güe, güi*, la *u* sí se pronuncia: *cigüeña, pingüino*. □ MORF. En la acepción 1, su plural es *úes*. □ USO Como conjunción se usa ante palabra que comienza por *o-* o por *ho-*.

ubérrimo, ma adj. Muy abundante y fértil: *tierras ubérrimas*. □ ETIMOL. Del latín *uberrimus*, y este de *uber* (fecundidad). □ USO Su uso es característico del lenguaje culto.

ubicación s.f. Situación en un determinado espacio o lugar: *Se desconoce la ubicación exacta del yacimiento*. □ SEM. Dist. de *ubicuidad* (omnipresencia).

ubicar ▮ v. **1** Colocar, localizar o situar: *No acaban de ubicarme en ningún departamento*. ▮ prnl. **2** Estar situado en un determinado espacio o lugar: *El estadio se ubica en las afueras del pueblo*. **3** En zonas del español meridional, orientarse: *Sin un plano soy incapaz de ubicarme en esta ciudad*. □ ETIMOL. Del latín *ubi* (en donde). □ ORTOGR. La *c* se cambia en *qu* delante de *e* →SACAR.

ubicuidad s.f. Capacidad de estar en todas partes a la vez: *La ubicuidad de Dios es un dogma de fe en muchas religiones*. □ SINÓN. *omnipresencia*. □ SEM. Dist. de *ubicación* (situación en un lugar).

ubicuo, cua adj. Presente en todas partes al mismo tiempo: *La religión cristiana afirma que Dios es ubicuo*. □ SINÓN. *omnipresente*. □ ETIMOL. Del latín *ubique* (en todas partes).

ubre s.f. Órgano glandular de las hembras de los mamíferos que segrega la leche con que se alimentan las crías: *Las ovejas y las yeguas tienen dos ubres, las vacas, cuatro, y las cerdas, de doce a dieciséis*. □ ETIMOL. Del latín *uber* (teta).

ucase s.m. Orden injusta dada por un superior o por una autoridad. □ ETIMOL. Del ruso *ukaz* (decreto).

-ucho, -ucha Sufijo con valor despectivo: *malucho, casucha*.

uci s.f. →**unidad de cuidados intensivos.** □ ETIMOL. Es el acrónimo de *unidad de cuidados intensivos*.

-uco, -uca **1** Sufijo que indica menor tamaño: *ventanuco, casuca*. **2** Sufijo con valor despectivo: *feúco, mujeruca*.

ucraniano, na ▮ adj./s. **1** De Ucrania o relacionado con este país europeo. □ SINÓN. *ucranio*. ▮ s.m. **2** Lengua eslava de este país: *El ucraniano es una lengua indoeuropea*. □ SINÓN. *ucranio*.

ucranio, nia adj./s. **1** De Ucrania o relacionado con este país europeo. □ SINÓN. *ucraniano*. **2** Lengua eslava de este país. □ SINÓN. *ucraniano*.

ucronía s.f. Reconstrucción lógica de la historia, basada en acontecimientos hipotéticos o ficticios, que habrían podido suceder: *Un buen historiador debe ser riguroso y no caer nunca en la ucronía*.

ucrónico, ca adj. De la ucronía o relacionado con esta reconstrucción hipotética de la historia.

-udo, -uda Sufijo que indica abundancia: *cachazudo, lanuda*. □ ETIMOL. Del latín *-utus*.

udómetro s.m. Instrumento que sirve para medir la lluvia que cae en un lugar y en un tiempo determinados. □ SINÓN. *pluviómetro*. □ ETIMOL. Del lat. *udor* (lluvia) y *-metro*.

-uelo, -uela **1** Sufijo que indica menor tamaño: *riachuelo, plazuela*. **2** Sufijo con valor afectivo: *muchachuelo, locuela*. □ ETIMOL. Del latín *-olus*.

uf interj. Expresión que se usa para indicar cansancio, fastidio, hartura o alivio. □ ETIMOL. De origen onomatopéyico.

ufanarse v.prnl. Referido a algo que se posee o se disfruta, jactarse o presumir excesivamente de ello: *No me gusta la gente que se ufana de sus riquezas*. □ SINT. Constr. *ufanarse* {CON/DE} *algo*.

ufanía s.f. **1** Arrogancia, decisión o desenvoltura en la forma de actuar. **2** Satisfacción, alegría o contento.

ufano, na adj. **1** Que actúa con decisión, desenvoltura o arrogancia: *Exigió muy ufano sus derechos*. **2** Satisfecho, alegre o contento: *Iba todo ufano del brazo de su novia*. □ ETIMOL. De origen incierto.

ufo (ing.) s.m. →**ovni.** □ ETIMOL. Es el acrónimo del inglés *Unidentified Flying Object* (objeto volador no identificado). □ PRON. [úfo].

ufología s.f. Disciplina que estudia los objetos voladores no identificados: *Es muy aficionado a la ufología y al estudio de todo tipo de fenómenos paranormales*. □ ETIMOL. Del inglés *ufology*, y este de *UFO*, sigla de *Unidentified Flying Object* (objeto volador no identificado).

ufológico, ca adj. De la ufología o relacionado con esta: *He asistido a una conferencia sobre ovnis en un centro de estudios ufológicos*.

ufólogo, ga s. Persona que se dedica al estudio de los ovnis: *Los ufólogos afirman que los ovnis existen*.

ugandés, -a adj./s. De Uganda o relacionado con este país africano.

ugetista ▮ adj.inv. **1** Del sindicato UGT (Unión General de Trabajadores) o relacionado con él. ▮ adj.inv./s.com. **2** Que es miembro de este sindicato.

uguiya s.m. →**ouguiya.**

uh interj. Expresión que se usa para indicar desilusión, desdén, cansancio o desprecio.

ujier (tb. *hujier*) s.m. **1** Portero de un palacio o de un tribunal: *Los ujieres llevan un uniforme muy vistoso y característico*. **2** En un tribunal de justicia o en un organismo público, persona que se encarga de funciones que no necesitan aptitudes técnicas: *Los ujieres de las Cortes están al servicio de los diputados y los senadores.* □ ETIMOL. Del francés *huissier*.

-ujo, -uja 1 Sufijo que indica menor tamaño: *blandujo, pequeñuja.* **2** Sufijo con valor despectivo: *pelujo.*

ukelele s.m. Instrumento musical de cuerda, parecido a la guitarra pero de menor tamaño y con cuatro cuerdas: *El ukelele es típico de las islas Hawai.*

ulano s.m. En los antiguos ejércitos alemán, austriaco y ruso, soldado de caballería que iba armado con lanza: *Los ulanos eran grandes jinetes.* □ ETIMOL. Del alemán *Uhlan*.

úlcera s.f. Herida abierta o sin cicatrizar en el cuerpo de una persona o de un animal: *úlcera de estómago.* □ SINÓN. *llaga.* □ ETIMOL. Del latín *ulcera* (llagas).

ulceración s.f. Producción de úlceras: *Hay que evitar la ulceración de la piel en los enfermos encamados.*

ulcerar v. Producir úlceras: *La exposición masiva a radiaciones puede ulcerar la piel.*

ulcerativo, va adj. Que produce o puede producir una úlcera: *un proceso ulcerativo.* □ SINÓN. *ulcerogénico.*

ulcerogénico, ca adj. Que produce o puede producir una úlcera: *Las personas con tendencia a padecer úlcera de estómago no deben tomar fármacos ulcerogénicos.* □ SINÓN. *ulcerativo.*

ulceroso, sa adj. Con úlceras o con características suyas: *herida ulcerosa.*

ulema s.m. Maestro de la ley islámica y gran conocedor de las tradiciones coránicas: *Consultó a un ulema para averiguar si aquella nueva costumbre transgredía la ley coránica.* □ ETIMOL. Del árabe *'ulama'*, y este de *'alim* (sabio en materias teológicas y jurídicas).

-ulento, -ulenta Sufijo que indica abundancia: *purulento, corpulenta.*

ulmáceo, a ▮ adj./s.f. **1** Referido a una planta, que es generalmente un árbol o un arbusto, que tiene las ramas alternas, las hojas aserradas y el fruto seco con una sola semilla: *El olmo es un árbol ulmáceo.* **▮** s.f.pl. **2** En botánica, familia de estas plantas, perteneciente a la clase de las dicotiledóneas: *Las plantas que pertenecen a las ulmáceas son de hoja caduca.* □ ETIMOL. Del latín *ulmus* (olmo).

ulterior adj.inv. **1** Que está más allá de un lugar determinado. **2** Que sucede o se ejecuta después de algo: *En declaraciones ulteriores afirmó que lamentaba mucho haber causado tal revuelo con sus comentarios.* □ ETIMOL. Del latín *ulterior*.

ultimación s.f. Terminación, conclusión o finalización de algo.

últimamente adv. En el pasado más reciente o desde hace poco tiempo: *Últimamente no coincido con él en ningún sitio.*

ultimar v. **1** Terminar, acabar, concluir o dar fin: *Enseguida acabo, solo me queda ultimar unos detalles.* **2** En zonas del español meridional, matar o asesinar: *Se difundió la noticia de cómo el asesino ultimó a su víctima con un puñal.* □ ETIMOL. Del latín *ultimare*, y este de *ultimus* (último). □ USO El uso de la acepción 2 es característico del lenguaje periodístico.

ultimátum s.m. **1** En una negociación, propuesta o conjunto de condiciones terminantes y definitivas que realiza una de las partes para solucionar el conflicto: *La guerra del Golfo estalló al no aceptar Irak el ultimátum de los aliados.* **2** *col.* Propuesta última y definitiva, generalmente acompañada de una amenaza: *El ultimátum del jefe al empleado fue claro: o cumplía su labor, o lo despedía.* □ ETIMOL. Del latín *ultimatum*. □ USO Se usan los plurales *ultimátums*, *ultimatos* y *ultimátum*.

último, ma ▮ adj. **1** Más reciente en el tiempo: *Las últimas noticias sobre su salud son optimistas.* **2** Más alejado o más escondido: *Ese periódico llega hasta el último rincón del país.* **3** Que resulta extremado o que no presenta alternativa posible: *En último caso, podemos prescindir de él.* **4** Definitivo o que no admite ningún cambio: *Es mi última propuesta.* **5** Referido a un objetivo, que es el centro al que se dirigen todas las acciones: *Mi fin último es ser la mejor abogada de la ciudad.* **▮** adj./s. **6** En una serie, que no tiene otro de la misma especie o clase detrás de sí: *Diciembre es el último mes del año. Fue la última en llamarme por teléfono.* **7** En un grupo, que es el peor o de menos importancia: *En mi casa soy el último mono y nunca me piden mi opinión. Es el último de la clase porque saca muy malas notas.* **8** ‖ **a la última;** *col.* Con la moda más actual: *Siempre viste a la última.* ‖ **a últimos** de un período de tiempo; hacia su final: *A últimos de mes me iré de vacaciones.* ‖ **estar en las últimas;** *col.* Estar a punto de acabarse, morir o desaparecer. ‖ **por último;** finalmente: *Por último, extraeré unas conclusiones de lo dicho.* ‖ **ser** algo **lo último;** *col.* Ser indignante, inaceptable, intolerable o sorprendente. □ ETIMOL. Del latín *ultimus*.

ultra adj.inv./s.com. Que defiende el extremismo y radicaliza la ideología o la forma de actuar. □ ETIMOL. Del latín *ultra* (más allá).

ultra- 1 Elemento compositivo prefijo que significa 'más allá de' o 'al otro lado de': *ultramar, ultrasonido, ultravioleta, ultramontano.* **2** *col.* Elemento compositivo prefijo que significa 'muy': *ultrarrápido, ultrafamoso, ultramoderno.* □ ETIMOL. Del latín *ultra*.

ultracorrección s.f. Fenómeno lingüístico que consiste en la deformación de una palabra o de una construcción correctas por considerarlas erróneamente incorrectas: *Decir 'carnecería' y 'Bilbado' en lugar de 'carnicería' y 'Bilbao' es un ejemplo de ultracorrección.*

ultraderecha s.f. Conjunto de personas o de organizaciones políticas que defienden ideas extremas de derechas, esp. si intentan imponerlas de forma violenta.

ultraderechista ▮ adj.inv./s.com. **1** De la ultraderecha o relacionado con estas ideas políticas. ▮ s.com. **2** Partidario o seguidor de las ideas políticas de la ultraderecha.

ultraísmo s.m. Movimiento poético español e hispanoamericano, surgido alrededor de 1919, y que se caracterizó por su intento de refundir todas las vanguardias: *El principal promotor del ultraísmo fue Guillermo de Torre.* ☐ ETIMOL. Del latín *ultra* (más allá).

ultraísta ▮ adj.inv. **1** Del ultraísmo o relacionado con este movimiento poético: *Los poemas ultraístas carecen frecuentemente de puntuación y de rima.* ▮ adj.inv./s.com. **2** Que defiende o sigue este movimiento poético: *Borges, en sus comienzos, fue un ultraísta.*

ultraizquierda s.f. Conjunto de personas o de organizaciones políticas que defienden ideas extremas de izquierdas, esp. si intentan imponerlas.

ultraizquierdista ▮ adj.inv./s.com. **1** De la ultraizquierda o relacionado con estas ideas políticas. ▮ s.com. **2** Partidario o seguidor de las ideas políticas de la ultraizquierda.

ultrajante adj.inv. Que ultraja.

ultrajar v. Ofender gravemente con palabras o acciones: *La gente que ahora te alaba antaño te ultrajó.* ☐ ORTOGR. Conserva la *j* en toda la conjugación.

ultraje s.m. Ofensa grave hecha con palabras o acciones. ☐ ETIMOL. Quizá del francés antiguo *outrage*.

ultraligero, ra adj./s.m. Referido a una aeronave, que tiene un fuselaje muy simple y de poco peso: *Los ultraligeros vuelan a baja altura y llevan un motor de poca potencia.*

ultramar s.m. Lugar o zona al otro lado del mar: *las colonias de ultramar.*

ultramarinos (pl. *ultramarinos*) ▮ s.m. **1** Establecimiento comercial en el que se venden comestibles: *Siempre compro en el ultramarinos de la esquina.* **2** En zonas del español meridional, productos que llegan de la otra parte del mar: *En esa tienda venden ultramarinos como latas de paté y de ostiones.* ▮ pl. **3** Comestibles que se conservan fácilmente porque no son perecederos: *una tienda de ultramarinos.*

ultramicroscópico, ca adj. Que tiene unas dimensiones tan reducidas que no puede verse con el microscopio óptico: *partículas ultramicroscópicas.*

ultramontano, na ▮ adj. **1** Que está más allá de los montes o viene de allí: *El viento ultramontano era muy seco y frío.* **2** De la doctrina y opiniones de los que defendían el pleno poder de la autoridad papal frente a la corona, o relacionado con ellas: *Las ideas ultramontanas promueven un más amplio poder del papado.* ▮ adj./s. **3** Partidario o defensor de esta doctrina: *Los ultramontanos eran generalmente muy conservadores.* ☐ ETIMOL. De *ultra-* (más allá) y el latín *montanus* (del monte).

ultranza ‖ **a ultranza;** de manera resuelta, sin reparar en obstáculos, o con pleno y total convencimiento: *Es un defensor a ultranza de la monarquía.* ☐ ETIMOL. Del francés *à outrance*.

ultraprotector, -a adj. Que protege en grado máximo.

ultrarrojo, ja adj./s.m. Referido a una radiación, que se encuentra más allá del rojo visible y se caracteriza por tener efectos caloríficos pero no luminosos ni químicos. ☐ SINÓN. *infrarrojo.* ☐ ETIMOL. De *ultra-* (más allá de) y *rojo* (color del espectro luminoso).

ultrasónico, ca adj. Del ultrasonido o relacionado con este: *ondas ultrasónicas.*

ultrasonido s.m. Onda sonora cuya frecuencia de vibración es superior al límite perceptible por el oído humano: *En las comunicaciones submarinas se utiliza el ultrasonido.*

ultrasur (pl. *ultrasur*) s.com. Miembro de un grupo de hinchas radicales del Real Madrid Club de Fútbol (club deportivo madrileño).

ultratumba s.f. Ámbito más allá de la muerte: *Todas las religiones defienden la existencia de la vida de ultratumba.* ☐ ETIMOL. Del francés *outretombe*.

ultravacío s.m. En física, espacio donde hay un vacío extremado de la materia: *En el ultravacío, la presión es del orden de una billonésima de la presión atmosférica.*

ultravioleta adj.inv./s.m. Referido a una radiación, que se encuentra más allá del violeta visible y cuya existencia se revela por acciones químicas: *rayos ultravioletas.* ☐ ETIMOL. De *ultra-* (más allá de) y *violeta*.

úlula s.f. Ave rapaz nocturna, parecida a la lechuza, pero algo mayor, de color pardo rojizo con manchas blancas. ☐ ETIMOL. Del latín *ulula*.

ulular v. **1** Referido al viento, producir sonido: *El viento ululaba al colarse por las rendijas.* **2** Dar gritos o alaridos: *De noche se oía ulular a los búhos.* ☐ ETIMOL. Del latín *ululare*.

umbela s.f. En botánica, inflorescencia formada por un conjunto de flores cuyos pedúnculos, aproximadamente de la misma longitud, nacen en un mismo punto: *El apio, el perejil y la zanahoria tienen las flores en umbela.* ☐ ETIMOL. Del latín *umbela* (quitasol).

umbelífero, ra ▮ adj./s.f. **1** Referido a una planta herbácea, que tiene hojas generalmente alternas y simples, flores blancas o amarillas en umbela, y fruto dividido en dos partes, cada una de las cuales tiene una sola semilla: *La zanahoria, el perejil y el comino son plantas umbelíferas.* ▮ s.f.pl. **2** En botánica, familia de estas plantas, perteneciente a la clase de las dicotiledóneas: *Algunas plantas que pertenecen a las umbelíferas, como la cicuta, son tóxicas.* ☐ ETIMOL. De *umbela* y el latín *ferre* (llevar).

umbilical adj.inv. Del ombligo o relacionado con esta cicatriz situada en el centro del vientre: *una hernia umbilical.* ☐ ETIMOL. Del latín *umbilicaris*.

umbráculo s.m. Lugar cubierto de ramas u otros materiales para dar sombra, esp. a las plantas. ☐ ETIMOL. Del latín *umbraculum*.

umbral s.m. **1** En una puerta o en la entrada de una casa, parte inferior o escalón, generalmente de piedra: *el umbral de una casa.* **2** Entrada o principio de un proceso: *el umbral de una nueva época.* ☐ ETIMOL. Del antiguo *lumbral,* y este del latín *liminaris,* de *limen* (umbral). ☐ SEM. En la acepción 1, dist. de *dintel* (parte superior horizontal de la puerta).

umbralado s.m. En zonas del español meridional, umbral de una puerta.

umbrátil adj.inv. Que está en sombra o que la produce. ☐ SINÓN. *umbroso.* ☐ ETIMOL. Del latín *umbratilis.*

-umbre 1 Sufijo que indica conjunto o abundancia: *muchedumbre, servidumbre.* **2** Sufijo que indica cualidad: *pesadumbre, mansedumbre.*

umbrela s.f. En una medusa, masa gelatinosa y transparente que forma la parte superior y redondeada de su cuerpo.

umbría s.f. Véase **umbrío, a.**

umbrío, a ▮ adj. **1** Referido a un lugar, con poco sol. ▮ s.f. **2** Lugar en el que no da el sol. ☐ ETIMOL. Del latín *umbra* (sombra).

umbroso, sa adj. Que está en sombra o que la produce. ☐ SINÓN. *umbrátil.* ☐ ETIMOL. Del latín *umbrosus.*

umma (ár.) s.f. Comunidad musulmana. ☐ PRON. [úmma].

un, -a ▮ art.indeterm. **1** Se usa antepuesto a un nombre para indicar que el objeto al que este se refiere no es conocido ni por el hablante ni por el oyente: *¿No has oído un ruido? Vino un señor preguntando por ti, pero no era el del otro día. Necesito una secretaria que sepa inglés y francés.* ▮ indef. adj.m. **2** →**uno.** ☐ MORF. 1. El plural del artículo *un* es *unos.* 2. Se usa ante sustantivo femenino que empieza por *a* o *ha* tónicas o acentuadas. 3. En la acepción 2, es apócope de *uno* ante sustantivo masculino singular.

unamuniano, na adj. De Unamuno (escritor español de finales del siglo XIX y principios del XX) o con características de sus obras: *'Niebla' es una de las grandes novelas unamunianas.*

unánime adj.inv. Referido esp. a una decisión, que es común a un grupo de personas: *Si no hay acuerdo unánime, no se aceptará la propuesta.* ☐ ETIMOL. Del latín *unanimis,* y este de *unus* (uno) y *animus* (ánimo).

unanimidad s.f. Acuerdo común a un grupo de personas, esp. si toman la misma decisión: *Los presupuestos se aprobaron por unanimidad.*

unción s.f. **1** →**extremaunción. 2** Devoción, recogimiento o dedicación intensos en la forma de actuar: *rezar con unción.* **3** Aplicación de un líquido graso, generalmente aceite o perfume, extendiéndolo sobre una superficie: *La administración de algunos sacramentos de la iglesia católica requiere la unción de la persona con los santos óleos.*

uncir v. Referido a un animal de tiro, atarlo o sujetarlo al yugo: *Uncieron los bueyes para que tiraran del carro.* ☐ ETIMOL. Del latín *iungere* (juntar, unir). ☐ ORTOGR. 1. Dist. de *ungir.* 2. La *c* se cambia en *z* delante de *a, o* →ZURCIR.

undécimo, ma numer. **1** En una serie, que ocupa el lugar número once: *Es la undécima vez que me examino para conseguir el carné de conducir. Mi casa tiene quince pisos y yo vivo en el undécimo.* ☐ SINÓN. *onceno.* **2** Referido a una parte, que constituye un todo junto con otras diez iguales a ella: *Solo puedo pagar una undécima parte del precio total. Yo puedo contribuir a la compra de su regalo con un undécimo de todo lo que cuesta.* ☐ SINÓN. *onceavo, onzavo, onceno.* ☐ ETIMOL. Del latín *undecimus.* ☐ MORF. Incorr. **decimoprimero.*

undécuplo, pla numer. Referido a una cantidad, que es once veces mayor: *La finca de sus abuelos era undécupla de lo que es ahora.* ☐ ETIMOL. Del latín *undecuplus.*

underground (ing.) adj.inv. Referido esp. a una manifestación artística o a sus creadores, que se apartan de los modelos y circuitos establecidos y habituales, generalmente por su carácter contestatario o experimental: *Es famoso el movimiento underground que surgió en Nueva York en la década de 1960.* ☐ PRON. [andergráun].

-undo, -unda Sufijo que indica tendencia o estado: *iracundo, moribundo, meditabunda.*

ungir v. **1** Referido a una superficie, aplicarle un líquido graso, generalmente aceite o perfume, extendiéndolo: *Ungió sus pies con un bálsamo de olor agradable.* **2** Referido a una persona, hacerle una señal con aceite sagrado para administrarle un sacramento o para indicar el carácter de su dignidad: *El enfermo fue ungido con los santos óleos al recibir la extremaunción.* ☐ ETIMOL. Del latín *ungere.* ☐ ORTOGR. 1. Dist. de *uncir.* 2. La *g* se cambia en *j* delante de *a, o* →DIRIGIR.

ungüento s.m. Sustancia líquida o pastosa que se usa para untar o ungir, esp. si tiene fines curativos o si se emplea como perfume. ☐ ETIMOL. Del latín *unguentum.*

unguiculado, da adj./s. Referido a un animal, que tiene los dedos terminados en uñas: *Los monos son animales unguiculados.* ☐ ETIMOL. Del latín *unguicula* (uña pequeña).

ungulado, da ▮ adj./s. **1** Referido a un mamífero, que tiene casco o pezuña: *La vaca y el caballo son dos ungulados.* ▮ s.m.pl. **2** En zoología, grupo de estos animales: *Los ungulados abarcan a los perisodáctilos y los artiodáctilos.* ☐ ETIMOL. Del latín *ungulatus.*

ungular adj.inv. De la uña de los dedos o relacionado con ella.

uni- Elemento compositivo prefijo que significa 'uno': *unicornio, unifamiliar, unigénito, unilateral, unipersonal, unisexual, univalvo.* ☐ ETIMOL. Del latín *unus.*

uniata adj.inv./s.com. Referido a una iglesia cristiana oriental o a sus fieles, que reconocen la autoridad papal, pero mantienen algunas de sus tradiciones, esp. las litúrgicas: *En algunas iglesias uniatas los* *clérigos pueden casarse.* □ ETIMOL. Del ruso *uniyata* (unido).

unicameral adj.inv. En un sistema democrático, referido al poder legislativo, que está formado por una sola cámara de representantes: *Actualmente, el poder legislativo español no es unicameral porque hay dos cámaras: el Congreso y el Senado.* □ SINÓN. *monocameral.*

unicejo, ja adj. *col.* Cejijunto.

unicelular adj.inv. Referido a un organismo, que tiene el cuerpo formado por una sola célula: *Hay bacterias, algas y hongos que son unicelulares.* □ SINÓN. *monocelular.*

unicidad s.f. Carácter o índole de lo que es único: *El debate versó sobre la unicidad de Dios.*

único, ca ▌adj. **1** Extraordinario, excelente o fuera de lo común: *Es una mujer única y de una gran generosidad.* □ SINÓN. *singular.* ▌adj./s. **2** Solo y sin otro de su especie: *Es hijo único porque no tiene ningún hermano. Fue la única que me felicitó porque los demás no se acordaron.* □ ETIMOL. Del latín *unicus.*

unicornio s.m. Animal fabuloso con forma de caballo y un cuerno recto en mitad de la frente: *El unicornio es símbolo de la pureza y de lo imposible.* □ ETIMOL. Del latín *unicornis*, y este de *unus* (uno) y *cornu* (cuerno).

unidad s.f. **1** Propiedad de lo que no puede dividirse sin que su esencia se destruya o se altere: *La Constitución proclama la unidad del Estado.* **2** Cosa completa y diferenciada de otras: *No necesito tantas unidades, con dos me basta.* **3** Propiedad de lo que está unido o de lo que no está dividido: *En este grupo no hay unidad de criterio.* **4** Cantidad que se toma como medida o término de comparación de las demás de su especie: *El kilogramo es la unidad de masa.* **5** En una organización, fracción o grupo de personas que realizan una función de forma más o menos independiente y generalmente al servicio de un jefe: *La división, la brigada, el regimiento y el batallón son algunas de las unidades del ejército.* **6** *col.* Número 1: *La unidad seguida de dos ceros es el número 100.* **7** ‖ **unidad de cuidados intensivos** o **unidad de vigilancia intensiva;** en un hospital, sección con los medios técnicos y humanos necesarios para controlar rigurosamente la evolución de los enfermos muy graves. □ SINÓN. *uci, uvi.* □ ETIMOL. Del latín *unitas.*

unidimensional adj.inv. Que tiene una sola dimensión: *Una recta es unidimensional porque sólo tiene longitud.*

unidireccional adj.inv. Que va en una sola dirección: *Se trata de un enfrentamiento unidireccional, porque no hay respuesta de la otra parte.*

unifamiliar adj.inv. De una sola familia: *casa unifamiliar.* □ ETIMOL. De *uni-* (uno) y *familiar.*

unificación s.f. Unión de dos o más cosas para formar un todo.

unificador, -a adj./s. Que unifica o reúne en un todo: *Bismarck fue el unificador de Alemania.*

unificar v. Referido a dos o más cosas, hacer de ellas una sola o un todo: *Unificando nuestras fuerzas seremos más poderosos. España se unificó bajo el reinado de los Reyes Católicos.* □ SINÓN. *aunar.* □ ETIMOL. De *uni-* (uno) y el latín *facere* (hacer). □ ORTOGR. La *c* se cambia en *qu* delante de *e* →SACAR.

uniformar v. **1** Referido a dos o más cosas, hacerlas uniformes, iguales o semejantes: *Si no uniformamos criterios, nunca llegaremos a un acuerdo.* **2** Referido a una persona, hacer que vista uniforme: *El director uniformó a los bedeles del instituto.*

uniforme ▌adj.inv. **1** Referido a los miembros de un conjunto, con la misma forma o con las mismas características: *Según esta encuesta, los alumnos de esa clase son uniformes en edad pero muy distintos en forma de pensar.* **2** Que no cambia en sus características: *La velocidad que llevo no aumenta ni disminuye porque es un movimiento uniforme.* ▌s.m. **3** Traje distintivo y con una forma particular que es igual para todos los que pertenecen a una determinada actividad o categoría: *Los militares llevan uniforme.* □ ETIMOL. Del latín *uniformis.*

uniformidad s.f. **1** Igualdad o semejanza en las características de los miembros de un conjunto: *En una clase de tantos alumnos es imposible que exista uniformidad de caracteres.* **2** Constancia, continuidad o falta de cambio: *La uniformidad de su tono de voz hace muy aburridas sus conferencias.*

uniformización s.f. Formación de un conjunto uniforme: *La tendencia a la globalización y a la uniformización cultural ha despertado mucha polémica.*

uniformizar v. Hacer formar un conjunto uniforme: *En su afán por uniformizarnos a todos, nos están haciendo perder nuestra propia personalidad.* □ ORTOGR. La *z* se cambia en *c* delante de *e* →CAZAR.

unigénito, ta adj./s. Referido a una persona, que es hijo único. □ ETIMOL. Del latín *unigenitus*, y este de *unus* (uno) y *genitus* (engendrado).

unilateral adj.inv. Que se limita a un lado, una parte o un aspecto de algo: *una decisión unilateral.* □ ETIMOL. De *uni-* (uno) y *lateral.*

unilateralismo s.m. En política, mantenimiento de una relación desigual entre dos países, de manera que solo uno de ellos posee obligaciones con el otro: *Se ha criticado mucho el unilateralismo de la política exterior de ese país en sus relaciones con las naciones más desfavorecidas.*

unión s.f. **1** Enlace de elementos distintos para formar un todo o un conjunto: *El cemento es resultado de la unión de varios materiales de construcción.* **2** Relación o comunicación: *Me siento feliz por la unión que hay en mi familia.* **3** Alianza o asociación entre personas o colectividades para ayudarse mutuamente en la consecución de un fin: *La unión de los partidos permitió obtener la mayoría absoluta.* □ ETIMOL. Del latín *unio.*

unionismo s.m. Doctrina que defiende la unión o asociación entre naciones, partidos u otro tipo de organizaciones: *A finales del siglo* XIX*, el político* *británico Chamberlain fue partidario del unionismo en el caso de Irlanda y Gran Bretaña.*

unionista adj.inv./s.com. Que defiende o sigue un ideal de unión.

uníparo, ra adj. Referido a un animal o a una especie, que tiene una cría en cada parto: *Las ballenas son uníparas.* ☐ ETIMOL. De *uni-* (uno) y *-paro* (que pare). ☐ SEM. Dist. de *bíparo* (que tiene dos crías en un solo parto) y de *multíparo* (que tiene varias crías en cada parto).

unipersonal adj.inv. Que consta de una sola persona o que corresponde solo a una persona: *Los verbos que indican fenómenos atmosféricos, como 'llover' o 'granizar', son unipersonales porque se usan solo en tercera persona del singular.* ☐ ETIMOL. De *uni-* (uno) y *personal.*

unir ▮ v. **1** Referido a elementos distintos, juntarlos formando un todo o un conjunto: *Los rompecabezas se hacen uniendo todas las piezas. Se unieron en matrimonio hace ya muchos años.* **2** Atar, relacionar o comunicar: *Nos une una gran amistad. El problema de la sequía suele ir unido al del hambre.* **3** Acercar o aproximar, esp. para formar un conjunto o para cumplir un objetivo común: *La desgracia unió aún más al matrimonio.* ▮ prnl. **4** Referido a dos o más personas, aliarse o asociarse para ayudarse mutuamente en la consecución de un fin: *Me propusieron unirme a ellos en el negocio.* **5** Referido a una persona, juntarse o agregarse a la compañía de otra: *Únete a nosotros y participa en nuestra fiesta.*☐ ETIMOL. Del latín *unire.*

unirradicular adj.inv. Que afecta a una sola raíz: *endodoncia unirradicular.*

unisex (pl. *unisex*) adj.inv. Que es adecuado o apropiado tanto para hombre como para mujer: *ropa unisex; peluquería unisex.*

unisexuado, da adj. Que tiene un solo sexo: *Casi todos los animales superiores son unisexuados.*

unisexual adj.inv. Que tiene solo órganos reproductores femeninos o masculinos: *Las flores unisexuales tienen pistilo si son femeninas, y estambres si son masculinas.*

unisonancia s.f. **1** Coincidencia de dos o más voces o instrumentos en un mismo tono de música. **2** Persistencia de la persona que habla en un mismo tono de voz: *La unisonancia de la conferenciante hizo que la charla resultara monótona y aburrida.*

unísono, na adj. **1** Que tiene el mismo tono o sonido que otra cosa: *Varias voces unísonas acompañaban a coro al solista.* **2** ‖ **al unísono;** sin discrepancia, con unanimidad o de manera uniforme: *Si queremos que se nos escuche, debemos actuar al unísono y unificar nuestras fuerzas.* ☐ ETIMOL. Del latín *unisonus.* ☐ SEM. No debe usarse *al unísono* con el significado de 'a la vez'.

unitario, ria adj. **1** De la unidad o relacionado con ella: *El paquete de lápices cuesta un euro, pero el precio unitario de cada lápiz es de 20 céntimos.* **2** Que está formado por una sola unidad: *En las escuelas unitarias, todos los niños se agrupan en una sola clase.* **3** Que tiende a la unidad o desea conservarla: *La actuación unitaria de los sindicatos ha beneficiado a los trabajadores.* ☐ ETIMOL. Del latín *unitas* (unidad).

unitarismo s.m. **1** Doctrina o corriente política partidaria de la centralización de un Estado o de una comunidad internacional, y contraria a la autonomía de las unidades políticas menores. **2** Doctrina protestante que no reconoce en Dios más que una sola persona: *El unitarismo rechaza el dogma de la Santísima Trinidad.*

unitivo, va adj. Que une o sirve para unir.

univalvo, va ▮ adj. **1** Referido a una concha, que está formada por una sola valva o pieza: *La concha del caracol es univalva.* **2** Referido a un fruto, que tiene la cáscara o envoltura con una sola sutura: *El fruto de la peonía es univalvo.* ▮ adj./s.m. **3** Referido a un molusco, que tiene la concha formada por una sola valva o pieza: *Muchos univalvos son comestibles.* ☐ ETIMOL. De *uni-* (uno) y *valva.*

universal adj.inv. **1** Del universo o relacionado con él: *La gravitación universal es la fuerza de atracción que todos los cuerpos del universo ejercen entre sí.* **2** Que se extiende a todo el mundo, a todos los países o a todos los tiempos: *Esta investigadora goza de un prestigio universal.* **3** Que existe o que es conocido en todas partes: *'El Quijote' es una novela universal.* **4** Que comprende o es común a todo el ámbito que se expresa: *El sufragio universal permite votar a todos los ciudadanos mayores de edad.* ☐ ETIMOL. Del latín *universalis.*

universalidad s.f. Propiedad de lo que es universal: *Cervantes es un autor que se caracteriza por su universalidad.* ☐ SINÓN. *universalismo.*

universalismo s.m. **1** Propiedad de lo que es universal. ☐ SINÓN. *universalidad.* **2** Doctrina política partidaria de la unificación de los Estados y de la creación de un Estado universal.

universalista ▮ adj.inv. **1** Del universalismo o relacionado con esta doctrina política. ▮ adj.inv./s.com. **2** Partidario o seguidor del universalismo.

universalización s.f. Generalización de algo o transformación en universal: *La universalización de algunas vacunas ha permitido salvar muchas vidas en todo el mundo.*

universalizar v. Hacer universal o generalizar mucho: *A través de los medios de comunicación las modas se universalizan en poco tiempo.* ☐ ORTOGR. La *z* se cambia en *c* delante de *e* →CAZAR.

universiada s.f. Competición de distintos juegos deportivos, que se celebra periódicamente y en la que solo participan universitarios: *La universiada es la olimpiada del deporte universitario.*

universidad s.f. **1** Institución dedicada a la enseñanza superior, que comprende diversas facultades y escuelas para los distintos campos del saber y que tiene autoridad para conceder los títulos académicos correspondientes: *La rectora de la universidad declaró abierto el nuevo curso.* **2** Conjunto de edificios en los que está instalada esta institución: *Las pruebas de acceso tendrán lugar en la misma* *universidad.* **3** Conjunto de las personas que forman esta institución: *La universidad en pleno manifestó su desacuerdo con el proyecto de reforma universitaria.* □ ETIMOL. Del latín *universitas* (totalidad, compañía de gente).

universitario, ria ▌ adj. **1** De la universidad o relacionado con ella: *título universitario.* **▌** adj./s. **2** Que estudia en la universidad o que ha obtenido un título en esta institución de enseñanza: *estudiante universitario.*

universo s.m. **1** Conjunto de todo lo creado o existente: *La Tierra, el Sol, la Luna y los demás astros forman parte del universo.* □ SINÓN. *cosmos, creación, mundo, orbe.* **2** Ámbito o conjunto de elementos pertenecientes a un determinado medio o actividad: *El paso del tiempo es esencial en el universo literario del poeta.* **3** Conjunto de personas o de elementos de los que se toman algunas características que se someten a un estudio estadístico: *El universo de la encuesta está formado por 6 000 personas comprendidas entre 20 y 35 años.* □ ETIMOL. Del latín *universum* (conjunto de todas las cosas).

univitelino, na adj. Referido a dos hermanos gemelos, que provienen de un solo óvulo: *Los gemelos univitelinos son genéticamente idénticos.* □ ETIMOL. De *uni-* (uno) y *vitelino.*

univocidad s.f. Propiedad de lo que es unívoco: *La univocidad de los términos científicos es necesaria para evitar las ambigüedades.*

unívoco, ca adj. **1** Con un único sentido o interpretación posibles: *En el lenguaje científico deben predominar los términos precisos y de significado unívoco.* **2** Referido esp. a una correspondencia matemática, que asocia cada uno de los elementos de un conjunto con uno, y solo uno, de los elementos del otro conjunto: *En una calle, la relación entre los números de los portales y los portales es unívoca, ya que a cada número le corresponde un solo portal y viceversa.* □ ETIMOL. Del latín *univocus*, y este de *unus* (uno) y *vox* (voz).

uno, na ▌ numer. **1** Número 1: *He comprado un libro. Deme una barra de pan. Tengo que irme a casa porque ya es la una. Id pasando de uno en uno, no todos a la vez.* **▌** indef. **2** Indica una persona o cosa indeterminadas, que no se precisan ni se señalan: *Cada uno debe elegir por sí mismo lo que desea hacer. Estuve en la fiesta con unos que te conocían del colegio.* **▌** s.m. **3** Signo que representa el número 1: *Los romanos escribían el uno como 'I'.* **4** ‖ **a una;** a un tiempo, o a la vez: *Cuando cuente tres, tiramos de la cuerda todos a una.* ‖ **no dar una;** *col.* Estar poco acertado: *Hoy estoy que no doy una y lo estoy haciendo todo al revés.* ‖ **ser todo uno;** suceder casi simultáneamente: *Decir yo que sí y tú que no es todo uno.* ‖ **una de** algo; *col.* Una gran cantidad de ello: *¡Qué suerte, porque tienes una de amigos...!* ‖ **unos cuantos;** cantidad indeterminada: *Aún me quedan unos cuantos exámenes por corregir.* □ ETIMOL. Del latín *unus* (uno, único). □ ORTOGR. Dist. de *huno.* □ MORF. 1. En la acepción 1, ante sustantivo masculino singular se usa la apócope *un.* 2. Cuando se antepone a una palabra para formar compuestos, adopta la forma *uni-.* □ SEM. *Más de uno* equivale a 'muchos': *Más de uno quisiera estar en tu puesto.*

-uno, -una Sufijo que indica relación o semejanza: *montuno, gatuna.*

unplugged (ing.) adj.inv./s.m. →**básico.** □ PRON. [ampláǵ].

untable adj.inv. Que se puede untar.

untadura s.f. **1** Aplicación y extensión de una sustancia, esp. si es grasa, sobre la superficie de algo. □ SINÓN. *untamiento, untura.* **2** Corrupción o soborno de una persona con dones o con dinero. □ SINÓN. *untamiento, untura.* **3** Sustancia con la que se unta. □ SINÓN. *untura.*

untamiento s.m. →**untadura.**

untar v. **1** Referido esp. a una sustancia grasa, aplicarla y extenderla sobre la superficie de algo: *Unta manteca a la carne para que esté más sabrosa.* **2** Referido a una superficie, aplicar y extender sobre ella una sustancia, esp. si es grasa: *Unté la tostada con mantequilla y mermelada.* **3** *col.* Referido a una persona, corromperla o sobornarla con dinero: *Untó al arquitecto municipal para que acelerara los trámites de su permiso de obras.* **4** *col.* Pegar o golpear: *A ese chico lo untaron el otro día por un ajuste de cuentas.* □ ETIMOL. Del latín *unctare*, y este de *ungere* (untar, ungir).

unte s.m. *col.* →**unto.**

unto s.m. **1** Sustancia grasa apropiada para untar: *Necesito un poco de unto para el asado.* **2** En un animal, grasa o gordura del interior de su cuerpo: *En el pueblo usamos el unto del cerdo y del cordero para cocinar.* **3** *col.* Lo que se usa para sobornar: *¡Le habrá dado buen unto para que le coloque al chico!* □ ETIMOL. Del latín *unctum*, y este de *ungere* (untar). □ ORTOGR. En la acepción 3, se usa también *unte.*

untoso, sa adj. →**untuoso.**

untuosidad s.f. **1** Carácter pegajoso o pringoso de una sustancia grasa: *La untuosidad de esta crema hace muy fácil su aplicación.* **2** Carácter empalagoso de una persona: *La excesiva untuosidad de sus modales me pone nerviosa.*

untuoso, sa (tb. *untoso, sa*) adj. **1** Graso o pegajoso: *una crema untuosa.* **2** Referido a una persona, que es empalagosa o excesivamente atenta o amable: *una forma de hablar untuosa.* □ ETIMOL. Del latín *unctum* (unto).

untura s.f. **1** Aplicación y extensión de una sustancia, esp. si es grasa, sobre la superficie de algo. □ SINÓN. *untamiento, untadura.* **2** Corrupción o soborno de una persona con dones o con dinero. □ SINÓN. *untamiento, untadura.* **3** Sustancia con la que se unta. □ SINÓN. *untadura.*

uña s.f. **1** En algunos animales y en las personas, parte dura y de naturaleza córnea que nace y crece en las extremidades de los dedos: *Tengo que cortarme las uñas porque las tengo muy largas.* **2** Lo que tiene una forma curvada semejante: *El alacrán pica con la uña que remata su cola.* **3** Muesca, corte o agujero que se hace en una pieza, esp. si es de madera o metálica, para moverla impulsándola con el dedo: *La tapa del plumier dispone de una uña para abrirla y cerrarla con facilidad.* **4** En zonas del español meridional, púa que se utiliza para tocar un instrumento de cuerda: *Uno de los guitarristas tocaba con uña.* **5** || **con uñas y dientes;** *col.* Referido a la forma de hacer algo, con toda la intensidad o la fuerza posibles: *Defenderé a mis hijos con uñas y dientes.* || **de uñas;** *col.* Enfadado o enemistado: *Está de uñas con nosotros porque no lo hemos llamado.* || **{enseñar/mostrar/sacar} las uñas** a alguien; *col.* Amenazarlo o mostrarse agresivo con él: *Tuve que sacarle las uñas para que me dejara en paz.* || **ser uña y carne;** *col.* Referido a dos o más personas, estar muy compenetradas: *Nunca nos hemos enfadado porque somos uña y carne.* □ ETIMOL. Del latín *ungula.* □ SINT. La expresión *de uñas* se usa más con los verbos *estar* y *ponerse.*

uñada s.f. **1** Huella o señal que se hace apretando sobre una superficie con el filo de la uña. **2** Arañazo hecho con la uña.

uñero s.m. **1** Inflamación en la base de la uña, en la unión de esta con la piel: *De tanto morderme las uñas me han salido uñeros.* **2** Herida que produce la uña cuando, al crecer demasiado y doblarse, se clava en la carne: *Tengo que ir al callista porque esta uña al crecer me produce un uñero.*

upa interj. **1** Expresión que usan los niños pequeños para que los cojan en brazos. **2** || **a upa;** en brazos: *¡Papá, cógeme a upa!* □ ETIMOL. De origen expresivo.

upar v. →**aupar.**

uperisación s.f. →**uperización.**

uperisar v. →**uperizar.**

uperización (tb. *uperisación*) s.f. Procedimiento de esterilización de la leche mediante la inyección de vapor a presión hasta que alcanza una temperatura de 150 °C durante menos de un segundo: *Mediante la uperización la leche conserva sus propiedades más tiempo que mediante la pasterización.*

uperizar (tb. *uperisar*) v. Referido a un líquido, esp. a la leche, esterilizarlo mediante la inyección de vapor a presión hasta que alcanza una temperatura de 150 °C en un tiempo inferior a un segundo: *Las centrales lecheras uperizan la leche antes de envasarla para eliminar todo tipo de gérmenes.* □ ETIMOL. De **ultrapasteurizar.** □ ORTOGR. La *z* se cambia en *c* delante de *e* →CAZAR.

upusantiar s.m. Veneno muy potente que se extrae de la savia de un árbol malayo: *El upusantiar es uno de los venenos más antiguos del mundo.*

-ura Sufijo que indica cualidad: *frescura, dulzura.* □ ETIMOL. Del latín *-ura.*

uracilo s.m. Base nitrogenada que forma parte del ácido ribonucleico: *La adenina, la guanina, la citosina, la timina y el uracilo son las cinco bases nitrogenadas que forman los ácidos nucleicos.*

uralita s.f. Material hecho de cemento y amianto, de color grisáceo, que se usa en construcción y con el que se fabrican tubos y placas para cubiertas y otros usos: *un techo de uralita.* □ ETIMOL. Extensión del nombre de una marca comercial.

uranio s.m. Elemento químico, metálico y sólido, de número atómico 92, grisáceo, muy pesado, fácilmente deformable y muy radiactivo: *El uranio se emplea en la producción de energía nuclear.* □ ETIMOL. De *Urano* (uno de los planetas del sistema solar). □ ORTOGR. Su símbolo químico es *U.*

uranografía s.f. Astronomía descriptiva. □ ETIMOL. Del griego *ouranografía.*

urbanícola adj.inv./s.com. *col.* Referido a una persona, que vive en una ciudad, esp. si está a gusto en ella. □ SINÓN. *urbanita.*

urbanidad s.f. Corrección, educación y buenos modos en el comportamiento y en el trato con los demás: *normas de urbanidad.* □ ETIMOL. Del latín *urbanitas.*

urbanismo s.m. Conjunto de conocimientos y de actividades sobre la planificación, desarrollo y reforma de los núcleos de población, encaminados a satisfacer las necesidades de sus habitantes y a mejorar sus condiciones de vida: *El gran reto del urbanismo moderno es hacer más cómodas y humanas las grandes ciudades.*

urbanista ▮ adj.inv. **1** Del urbanismo o relacionado con él: *Se ha presentado un proyecto urbanista para dotar la zona de espacios verdes.* □ SINÓN. *urbanístico.* ▮ s.com. **2** Persona especializada en urbanismo: *Además de arquitecta, es una prestigiosa urbanista.*

urbanístico, ca adj. Del urbanismo o relacionado con él: *La nueva barriada se creará de acuerdo con los criterios urbanísticos fijados por el Ayuntamiento.* □ SINÓN. *urbanista.*

urbanita adj.inv./s.com. *col.* Referido a una persona, que vive en una ciudad, esp. si está a gusto en ella. □ SINÓN. *urbanícola.*

urbanización s.f. **1** Conversión de un terreno en un núcleo de población abriendo calles y dotándolo de las instalaciones y servicios necesarios: *Ya ha comenzado la urbanización de esta zona.* **2** Núcleo residencial de población, generalmente situado en las afueras de una ciudad, formado por construcciones de características semejantes y dotado de servicios propios: *una urbanización de chalés.*

urbanizar v. Referido a un terreno, convertirlo en un núcleo de población o prepararlo para ello, abriendo calles y dotándolo de las instalaciones y servicios necesarios: *Para terminar de urbanizar la zona, faltan algunas labores de alcantarillado y alumbrado.* □ ORTOGR. La *z* se cambia en *c* delante de *e* →CAZAR.

urbano, na adj. De la ciudad o relacionado con ella: *En esta zona, la población urbana creció debido a la inmigración del campo.* □ ETIMOL. Del latín *urbanus*, y este de *urbs* (ciudad).

urbe s.f. Ciudad, esp. la grande e importante: *Los habitantes de las grandes urbes soportan un índice de contaminación peligroso.* □ ETIMOL. Del latín *urbs* (ciudad).

urbi et orbi (lat.) ‖ **1** Referido esp. a la forma de contar algo, dirigiéndose a todo el mundo o de modo que todo el mundo se entere: *Hablé urbi et orbi porque no tenía nada que ocultar.* **2** Referido a una bendición papal, que se dirige a la ciudad de Roma y al resto del mundo: *El Papa dio la bendición urbi et orbi desde el balcón de la plaza de San Pedro.* ☐ ORTOGR. Incorr. **urbi et orbe, *urbe et orbi.*

urce s.m. Arbusto con abundantes ramas de color blanquecino, raíces gruesas, hojas estrechas y flores blancas o rosadas en racimo con la corola acampanada y el cáliz persistente: *El urce es típico de zonas de montaña.* ☐ SINÓN. *brezo.* ☐ ETIMOL. Del latín *ulex.*

urchilla s.f. **1** Liquen que vive en las rocas marinas: *La urchilla vive en rocas bañadas por el agua del mar.* **2** Tinte que se obtiene de esta planta: *La urchilla es de color violeta.*

urdidera s.f. Instrumento que sirve para devanar y para preparar los hilos que formarán la urdimbre en un telar: *La urdidera es una especie de devanadera.*

urdimbre s.f. **1** En una tela, conjunto de los hilos que se colocan paralelos y longitudinales y por los que pasa horizontalmente la trama: *La urdimbre y la trama de un tejido se cruzan entre sí como las líneas de una cuadrícula.* **2** Preparación de un plan, generalmente de manera cautelosa y con intención de perjudicar: *Obra a las claras y déjate de oscuras urdimbres.*

urdir v. Referido esp. a un plan, maquinarlo o prepararlo cautelosamente con intención de perjudicar a alguien: *Urdió un plan para hundir a su rival.* ☐ ETIMOL. Del latín *ordiri.*

urdu s.m. Lengua indoeuropea de Pakistán (país asiático): *El urdu es una variedad del hindi que, a diferencia de este, se escribe en alfabeto árabe.* ☐ ORTOGR. Se usa también *urdú.*

urea s.f. Sustancia orgánica que resulta de la degradación metabólica de las proteínas en algunos organismos animales y que se elimina en la orina y el sudor: *Los enfermos con un nivel alto de urea en la sangre pueden presentar trastornos en las articulaciones.* ☐ ETIMOL. Del griego *ûron* (orina).

uremia s.f. Enfermedad producida por una acumulación anormal de urea en la sangre: *La uremia se manifiesta con trastornos articulares, circulatorios, respiratorios y digestivos, y se trata con dieta y diálisis.* ☐ ETIMOL. Del griego *ûron* (orina) y *-emia* (sangre).

urente adj.inv. Que produce mucho calor o una gran sensación de ardor o de escozor. ☐ ETIMOL. Del latín *urentis.*

uréter s.m. En el sistema urinario de muchos vertebrados, conducto por el que desciende la orina desde el riñón a la vejiga o al exterior: *Los riñones expulsan la orina por sus respectivos uréteres.* ☐ ETIMOL. Del griego *uréter.*

uretra s.f. En el aparato urinario de los mamíferos, conducto por el que se expulsa la orina desde la vejiga al exterior: *La uretra es un órgano impar.* ☐ ETIMOL. Del latín *urethra*, este del griego *uréthra*, y este de *uréo* (orinar).

uretritis (pl. *uretritis*) s.f. Inflamación de la membrana mucosa de la uretra. ☐ ETIMOL. De *uretra* e *-itis* (inflamación).

urgencia ▮ s.f. **1** Necesidad de que algo se ejecute o se solucione rápidamente: *La urgencia del viaje me obligó a posponer otros asuntos.* **2** Necesidad o falta apremiante de algo necesario: *Con la ayuda internacional cubrieron algunas urgencias alimentarias y sanitarias.* **3** Lo que requiere ser atendido o solucionado rápidamente: *El médico de guardia se ocupó de varias urgencias.* ▮ pl. **4** En un hospital, sección en la que se atiende a los enfermos y heridos que necesitan cuidados médicos inmediatos: *Cuando lo atropellaron, unos desconocidos lo llevaron a urgencias.* ☐ ETIMOL. Del latín *urgentia.*

urgente adj.inv. **1** Que urge o requiere una rápida ejecución o solución: *un problema urgente.* **2** Referido a un envío de correos o a un telegrama, que reciben un trato preferente respecto de los ordinarios para hacerlos llegar a su destinatario en un plazo mínimo: *una carta urgente.*

urgir v. **1** Referido esp. a una acción, correr prisa, apremiar o ser muy necesaria su rápida ejecución: *Urge recoger la basura acumulada si se quieren evitar infecciones. Envíamelos pronto, porque me urgen.* **2** Referido a una ley o a un precepto, obligar actualmente: *La ley urge al Gobierno a facilitar vivienda digna a todos los ciudadanos.* ☐ ETIMOL. Del latín *urgere* (apretar, apurar, instar). ☐ ORTOGR. La *g* se cambia en *j* delante de *a, o* →DIRIGIR. ☐ SINT. Su uso con sujeto personal es incorrecto, aunque está muy extendido: *El colectivo {*urge > reclama} soluciones inmediatas.*

úrico, ca adj. **1** De la orina o relacionado con esta: *secreción úrica.* **2** Referido a un ácido, que es un cuerpo sólido compuesto de carbono, nitrógeno, hidrógeno y oxígeno, que en condiciones normales en los mamíferos existe en escasa cantidad y se elimina por la orina: *ácido úrico.*

urinario, ria ▮ adj. **1** De la orina o relacionado con ella: *Los riñones, los uréteres, la vejiga y la uretra forman parte del aparato urinario.* ▮ s.m. **2** Lugar destinado para orinar, esp. el de uso público: *Han puesto urinarios públicos en el parque.* ☐ SINÓN. *mingitorio.* ☐ ETIMOL. Del latín *urina* (orina).

URL (ing.) s.m. Sistema unificado internacional que se emplea en la identificación de los servidores conectados a internet. ☐ ETIMOL. Es la sigla del inglés *Uniform Resource Locator* (localizador uniforme de recursos).

urna s.f. **1** Arca pequeña con una ranura en su parte superior, que se usa en votaciones secretas para depositar en ella las papeletas: *Al terminar la jornada electoral, se abren las urnas y se cuentan los votos.* **2** Caja o recipiente, generalmente de metal o de piedra, que se usa para guardar algo de valor: *Tras la incineración, entregaron a la familia una urna con las cenizas del difunto.* **3** Caja de cristal o de otro material transparente que se usa para tener dentro objetos delicados o valiosos de forma que queden protegidos y visibles al mismo tiempo: *Las joyas estaban expuestas en urnas de cristal blindado.* **4** En zonas del español meridional, caja transparente que gira y que se emplea para sorteos: *Llené el cupón para el sorteo y lo metí en la urna.* □ ETIMOL. Del latín *urna* (cubo de pozo, medida de capacidad).

uro s.m. Animal bóvido salvaje, semejante al actual toro pero de mayor tamaño, que abundó en los territorios centroeuropeos hasta su extinción en el siglo XVII: *Los uros parecen ser los antecesores de los toros actuales.* □ ETIMOL. Del latín *urus.* □ MORF. Es un sustantivo epiceno: *el uro {macho/hembra}.*

urodelo ▌adj./s. **1** Referido a un anfibio, que se caracteriza por mantener durante toda su vida la cola larga, tener generalmente cuatro patas y la piel ceñida al cuerpo: *La salamandra y el tritón son anfibios urodelos.* ▌s.m.pl. **2** En zoología, orden de estos anfibios: *La mayoría de los animales que pertenecen a los urodelos son ovíparos.* □ ETIMOL. Del griego *urá* (cola) y *dêlos* (visible).

urogallo s.m. Ave gallinácea silvestre de plumaje oscuro, patas y pico negros, cola en forma de abanico, y que en época de celo emite unos gritos semejantes al mugido de un toro: *El urogallo es una especie en peligro de extinción en nuestros bosques.* □ ETIMOL. De *uro* y *gallo.* □ MORF. Es un sustantivo epiceno: *el urogallo {macho/hembra}.*

urogenital adj.inv. De las vías y órganos genitales y urinarios, o relacionado con ellos: *Las infecciones urogenitales suelen ser muy dolorosas.* □ SINÓN. *genitourinario.*

urografía s.f. Exploración de las vías urinarias: *La urografía se puede realizar para conocer el estado de los uréteres.* □ ETIMOL. Del griego *ûron* (orina) y *-grafía* (descripción).

urología s.f. Parte de la medicina que estudia el aparato urinario y sus enfermedades: *La especialista en urología me diagnosticó una cistitis.* □ ETIMOL. Del griego *ûron* (orina) y *-logia* (estudio, ciencia).

urólogo, ga s. Médico especialista en urología.

uromancia (tb. *uromancía*) s.f. Adivinación a través de la interpretación de las características de la orina: *Algunos pueblos primitivos practicaban la uromancia.* □ ETIMOL. Del griego *ûron* (orina) y *-mancia* o *mancía* (adivinación).

urraca (tb. *hurraca*) s.f. Ave de plumaje blanco en el vientre y negro con reflejos metálicos en el resto del cuerpo, de cola larga y pico robusto, que emite fuertes gritos y es fácil de domesticar: *Una leyenda presenta a las urracas como aves ladronas.* □ SINÓN. *picaza.* □ ETIMOL. De origen incierto. □ MORF. Es un sustantivo epiceno: *la urraca {macho/hembra}.*

úrsido ▌adj./s.m. **1** Referido a un mamífero, que es de gran tamaño, y tiene el cuerpo cubierto por un espeso pelaje, las patas potentes y terminadas en garras, cola corta, y es capaz de andar apoyado únicamente sobre las patas posteriores: *El oso polar es un mamífero úrsido.* ▌s.m.pl. **2** En zoología, familia de estos mamíferos: *Los animales que pertenecen a los úrsidos viven en el hemisferio norte.* □ ETIMOL. Del latín *ursus* (oso).

ursulina adj./s.f. Referido a una religiosa, que pertenece a alguna de las congregaciones que tienen como advocación y patrona a santa Úrsula (mártir del siglo III), esp. a la fundada por santa Ángela de Merici (religiosa italiana del siglo XVI): *Las ursulinas suelen dedicarse a la educación de niñas y al cuidado de enfermos.*

urticáceo, a ▌adj./s.f. **1** Referido a una planta, que es herbácea o arbustiva, de flores pequeñas y agrupadas, y hojas sencillas, opuestas o alternas, cubiertas de un vello que, al tocarlo, produce picor o escozor: *La ortiga es una planta urticácea.* ▌s.f.pl. **2** En botánica, familia de estas plantas, perteneciente a la clase de las dicotiledóneas: *Las plantas que se agrupan entre las urticáceas suelen presentar flores unisexuales.* □ ETIMOL. Del latín *urtica* (ortiga).

urticante adj.inv. Que produce un picor o escozor semejantes a los que produce el roce de una ortiga.

urticaria s.f. Enfermedad de la piel, caracterizada por la aparición de pequeños granos o de manchas rojizas y por un picor o escozor muy intenso y semejante al que produce el roce de una ortiga: *El consumo de alimentos en mal estado puede producir urticaria.* □ ETIMOL. Del latín *urtica* (ortiga).

urticariforme adj.inv. Con urticaria: *erupción urticariforme; reacción urticariforme.*

uruguayismo s.m. En lingüística, americanismo propio de Uruguay (país americano): *Ese diccionario de americanismos incluye muchos uruguayismos.*

uruguayo, ya adj./s. De Uruguay o relacionado con este país americano.

usado, da adj. **1** Gastado, estropeado o envejecido por el uso: *No te pongas esa blusa, que está ya muy usada.* **2** Que ya ha sido utilizado alguna vez, pero sigue en buen estado: *Aquí venden ropa usada.*

usanza s.f. Uso, costumbre o moda: *Prepararon el guiso a la antigua usanza.* □ SINT. Se usa mucho en la expresión *a la antigua usanza* (del modo antiguo).

usar ▌v. **1** Hacer servir como instrumento para un fin: *Usa la cuchara para comer la sopa. La palabra 'vesania' se usa en el lenguaje culto.* □ SINÓN. *emplear.* **2** Referido esp. a un producto, gastarlo o consumirlo: *Mi coche usa gasolina sin plomo.* **3** Referido esp. a una prenda de vestir, llevarla o ponérsela habitualmente: *En los países nórdicos, casi todo el mundo usa sombrero.* **4** Tener por costumbre: *El que usa decir mentiras, tarde o temprano resulta cazado.* ▌prnl. **5** Estar de moda: *Ya no se usa tratar a los padres de usted.* □ ETIMOL. De *uso.* □ SINT. En la acepción 1, se usa también en la construcción *usar DE algo: Usó de todas sus artimañas para salirse con la suya.*

USB (ing.) s.m. En informática, conexión que permite una comunicación rápida entre el ordenador y los periféricos. □ ETIMOL. Es la sigla del inglés *Uni-*

versal Serial Bus (conexión de serie universal). ☐ SINT. Se usa mucho en aposición, pospuesto a un sustantivo: *puerto USB; dispositivo USB.*

usía s.com. Tratamiento que se usa para dirigirse a determinados cargos: *La respuesta del presidente a la diputada empezaba: «Me concederá usía que...».* ☐ ETIMOL. De *vuestra señoría.* ☐ MORF. Se usa con el verbo en tercera persona.

usina || **usina (eléctrica);** en zonas del español meridional, central eléctrica: *Visitamos una usina eléctrica de gran potencia.* ☐ ETIMOL. Del francés *usine.*

uso s.m. **1** Utilización de algo como instrumento para un fin: *Aprendí a manejar la máquina leyendo el manual de uso. El plástico tiene muchos usos.* **2** Consumo, gasto o empleo continuado y habitual: *Cada vez se hacen más coches preparados para el uso de combustibles poco contaminantes.* **3** Costumbre, hábito o tradición consolidados: *En Hispanoamérica se conservan muchos antiguos usos españoles.* **4** || **al uso;** según costumbre: *Por aquel entonces, los trajes al uso eran oscuros y muy cerrados.* || **en {buen/mal} uso;** Referido a una cosa usada, que está en buen o mal estado. || **uso de razón;** capacidad de diferenciar y de juzgar que adquiere normalmente una persona cuando pasa la primera niñez: *Desde que tengo uso de razón recuerdo a mi padre contando esa historia.* ☐ ETIMOL. Del latín *usus.*

usted pron.pers. s. Forma de la segunda persona que corresponde a la función de sujeto, de predicado nominal o de complemento precedido de preposición: *Usted nos dijo que viniéramos.* ☐ ETIMOL. De *vuestra merced,* que se inventó para sustituir a *vos,* desgastado como pronombre de respeto. ☐ MORF. 1. No tiene diferenciación de género. 2. Se usa con el verbo y con los posesivos correspondientes en tercera persona. 3. En zonas del español meridional, *ustedes* es el plural de *tú* y de *usted.* ☐ USO Se usa como tratamiento de respeto.

usual adj.inv. Que se usa o se practica común o frecuentemente: *Cuando hables con un extranjero, debes emplear palabras usuales.* ☐ ETIMOL. Del latín *usualis.*

usuario, ria adj./s. Que usa ordinariamente algo o que tiene derecho a hacer uso de ello: *Los usuarios de un servicio público tienen derecho a exigir su buen funcionamiento.*

usucapión s.f. Adquisición de un derecho mediante su ejercicio en las condiciones y durante el tiempo previstos por la ley: *Si alguien vive en una casa abandonada durante treinta años, pasa a ser suya por usucapión.* ☐ ETIMOL. Del latín *usucapio.*

usufructo s.m. **1** Derecho a usar de un bien ajeno y a obtener los beneficios que este produzca, con la obligación de conservarlo, o de acuerdo con lo que la ley establezca y sin realizar ningún pago ni contraprestación al dueño: *La viuda tiene el piso en usufructo, y así los hijos no podrán venderlo hasta que ella también muera.* **2** Provecho o beneficio que se consigue de una cosa: *Espero sacar usufructo de esta situación.* ☐ ETIMOL. Del latín *usus fructus* (uso del fruto). ☐ USO El uso de la acepción 1 es característico del lenguaje jurídico.

usufructuar v. En derecho, referido a un bien ajeno, tener su usufructo: *El viudo usufructuó hasta su muerte los bienes de su esposa.* ☐ ORTOGR. La última *u* lleva tilde en los presentes, excepto en las personas *nosotros* y *vosotros* →ACTUAR.

usufructuario, ria adj./s. **1** En derecho, referido a una persona, que tiene usufructo sobre un bien ajeno: *El usufructuario está obligado a cuidar y hacer buen uso del bien que disfruta.* **2** Que posee y usa algo, obteniendo usufructo o provecho de ello: *Toda la comunidad de vecinos es usufructuaria de los servicios colectivos del edificio.*

usura s.f. Préstamo en el que se cobra un interés excesivo o abusivo. ☐ ETIMOL. Del latín *usura* (disfrute de un capital o de otra cosa).

usurero, ra s. **1** Persona que presta con usura o interés excesivo. **2** Persona que obtiene ganancias o beneficios desproporcionados en un negocio o en un contrato.

usurpación s.f. **1** Apropiación violenta de una propiedad o de un derecho que legítimamente pertenecen a otro: *usurpación de poder.* **2** Atribución y uso que se hace de un cargo o un título ajenos como si fueran propios: *usurpación de identidad.*

usurpar v. **1** Referido a una propiedad o a un derecho que legítimamente pertenecen a otro, apoderarse de ellos, generalmente con violencia: *Los invasores usurparon las posesiones de cuantos caían bajo su dominio.* **2** Referido esp. a un cargo o a un título ajenos, atribuírselos y usarlos como si fueran propios: *El hermano gemelo del heredero usurpó la identidad de este y reinó en su lugar.* ☐ ETIMOL. Del latín *usurpare.*

utensilio s.m. **1** Lo que sirve para un uso manual y frecuente: *Un cuchillo es un utensilio que sirve para cortar.* **2** Instrumento o herramienta de un oficio o de un arte: *Entre los utensilios de pesca no pueden faltar el sedal y la caña.* ☐ ETIMOL. Del latín *utensilia* (utensilios).

uterino, na adj. Del útero o relacionado con este órgano: *La arteria uterina irriga el útero.*

útero s.m. En una mujer o en un animal hembra, órgano interno hueco que forma parte de su aparato reproductor y que se comunica con el exterior a través de la vagina: *En el útero de un ave se forma la cáscara del huevo, y en el de un mamífero, el feto.* ☐ ETIMOL. Del latín *uterus.*

útil ▮ adj.inv. **1** Que puede servir o ser aprovechado: *Un paraguas es lo más útil para protegerse de la lluvia.* **2** Que produce provecho o beneficio: *Tu experiencia te hace especialmente útil para la empresa.* ▮ s.m. **3** Utensilio o herramienta de trabajo: *Sobre la mesa del arquitecto había reglas y demás útiles de trabajo.* ☐ ETIMOL. Las acepciones 1 y 2, del latín *utilis.* La acepción 3, del francés *outil* (herramienta), y este del latín *utensilia* (utensilios). ☐ MORF. Como sustantivo se usa más en plural.

utilería s.f. **1** Conjunto de útiles o de instrumentos que se emplean en un oficio o en un arte. **2** En cine o en teatro, conjunto de objetos o de elementos que se emplean para la escenografía: *Consiguieron sorprendentes efectos especiales gracias a una compleja utilería.* ☐ SINÓN. *atrezo.* ☐ PRON. Incorr. *[utillería].

utilero, ra s. Persona encargada de la utilería, esp. en un teatro. ☐ PRON. Incorr. *[utilléro].

utilidad s.f. **1** Capacidad de servir, de ser aprovechado o de producir provecho o beneficio: *Por más que insistas, no le veo la utilidad a ese trasto.* **2** Provecho, conveniencia o fruto que se saca de algo: *Sabe sacar la máxima utilidad de lo poco que tiene.* **3** →**herramienta.** ☐ ETIMOL. Del latín *utilitas.*

utilitario, ria ▌adj. **1** Que antepone la utilidad a todo: *El diseño de los muebles de oficina debe responder a criterios utilitarios.* ▌s.m. **2** →**coche utilitario.**

utilitarismo s.m. Tendencia a considerar la utilidad como valor máximo o a anteponerla a todo: *El utilitarismo exagerado puede llevar a despreciar todo lo que no sea práctico o útil a corto plazo.*

utilitarista adj.inv./s.com. Que tiende a considerar la utilidad como el valor máximo que se debe anteponer a todo.

utilizable adj.inv. Que se puede utilizar.

utilización s.f. Uso, empleo o aprovechamiento que se hace de algo.

utilizar v. Referido a algo, emplearlo, usarlo o aprovecharse de ello: *Puedes utilizar mis cosas si te hacen falta. No me parece ético que utilices así a los demás.* ☐ ORTOGR. La *z* se cambia en *c* delante de *e* →CAZAR.

utillaje s.m. Conjunto de útiles o de herramientas necesarios para un trabajo. ☐ ETIMOL. Del francés *outillage.*

utopía (tb. *utopia*) s.f. Plan, idea o concepción que se muestra como irrealizable en el momento de ser concebido o formulado: *Hoy por hoy, mi idea de tener casa propia es sólo una utopía.* ☐ ETIMOL. Del griego *u* (no) y *tópos* (lugar), porque *Utopía* es el título de un libro de Tomás Moro, con el que designa un lugar que no existe.

utópico, ca adj./s. De la utopía, con utopía o relacionado con ella.

utopista adj.inv./s.com. Que concibe utopías o que se inclina a ellas.

uva ▌s.f. **1** Fruto de la vid, de forma esférica u ovalada, carnoso, muy jugoso y que crece agrupado con otros en racimos: *El vino se obtiene del zumo fermentado de las uvas.* ▌s.m.pl. **2** →**rayos UVA.** **3** || **mala uva;** *col.* Mal carácter, mal humor o mala intención: *Déjame en paz, que estoy de mala uva.* ☐ ETIMOL. La acepción 1 y 3, del latín *uva* (uva, racimo). La acepción 2, procede del acrónimo de *ultravioleta.*

UVA s.f. Conjunto de viviendas promocionadas por una institución pública, que se destinan a personas de pocos recursos económicos. ☐ ETIMOL. Es el acrónimo de *unidad vecinal de absorción.*

uve s.f. **1** Nombre de la letra *v.* ☐ SINÓN. *ve.* **2** || **uve doble;** nombre de la letra *w.*

uvi s.f. →**unidad de vigilancia intensiva.** ☐ ETIMOL. Es el acrónimo de *unidad de vigilancia intensiva.*

úvula s.f. En anatomía, pequeña masa carnosa y muscular que cuelga en la parte media posterior del velo del paladar, a la entrada de la garganta: *La úvula permite cerrar la comunicación entre la boca y las fosas nasales al tragar.* ☐ SINÓN. *campanilla.* ☐ ETIMOL. Del latín *uvula* (uvita).

uvular adj.inv. **1** De la úvula o relacionado con esta carnosidad del paladar. **2** En lingüística, referido a un sonido, que es pronunciado con la intervención de la úvula como órgano pasivo: *La 'j' ante 'u' es un ejemplo de sonido 'uvular'.* ☐ ORTOGR. Dist. de *ovular.*

uxoricida adj.inv./s.m. Referido a un hombre, que mata a su esposa. ☐ ETIMOL. Del latín *uxor* (mujer, esposa) y *-cida* (que mata).

uxoricidio s.m. Muerte dada a una mujer por su esposo.

uzbeco, ca adj./s. →**uzbeko.**

uzbeko, ka adj./s. **1** Del Uzbekistán o relacionado con este país asiático. **2** Del grupo étnico mayoritario en este país, o relacionado con él. ☐ ORTOGR. Se usa también *uzbeco.*

-uzco, -uzca Sufijo que indica cualidad o semejanza: *blancuzco, negruzca.*

V v

v s.f. Vigésima tercera letra del abecedario. □ PRON. 1. Representa el sonido consonántico bilabial sonoro. 2. Pronunciarla como labiodental para distinguirla de la *b* es una incorrección.

vaca s.f. **1** Hembra del toro. **2** Carne de este animal: *un filete de vaca.* **3** || **vaca loca;** *col.* La que está afectada por una enfermedad degenerativa del sistema nervioso central. || **vaca marina;** mamífero herbívoro acuático, de unos cinco metros de largo, con cuerpo grueso y piel grisácea de gran espesor, labio superior muy desarrollado, extremidades anteriores transformadas en dos aletas y las posteriores unidas en una sola, y cuya carne y grasa son muy estimadas. □ SINÓN. *buey marino, manatí.* || **vacas flacas;** *col.* Época de dificultades y de escasez. || **vacas gordas;** *col.* Época de prosperidad económica. □ ETIMOL. Del latín *vacca.* □ ORTOGR. Dist. de *baca.* □ MORF. *Vaca marina* es epiceno: *la vaca marina {macho/hembra}.*

vacaburra adj.inv./s.com. *col. desp.* Grosero y muy maleducado: *No seas vacaburra y deja de dar portazos.* □ USO Se usa como insulto.

vacación s.f. Período de tiempo en el que una persona interrumpe su actividad habitual, generalmente el trabajo o los estudios: *Nos iremos a la sierra a pasar las vacaciones.* □ ETIMOL. Del latín *vacatio.* □ MORF. Se usa más en plural.

vacacional adj.inv. De las vacaciones o relacionado con este tiempo de descanso.

vacada s.f. Manada de ganado vacuno.

vacante adj.inv./s.f. Referido esp. a un cargo, que está libre y en disposición de ser ocupado: *un puesto vacante.* □ ETIMOL. Del latín *vacans.* □ SEM. Dist. de *bacante.*

vacceo, a adj./s. De un antiguo pueblo hispánico prerromano que habitó en el territorio del curso medio del río Duero: *Los vacceos tuvieron una de sus capitales en la actual Palencia.*

vaciabolsillos (pl. *vaciabolsillos*) s.m. Bandeja pequeña que se utiliza para dejar los objetos contenidos en los bolsillos de una prenda de ropa.

vaciado s.m. **1** Formación de un objeto echando metal derretido u otra materia blanda en un molde hueco: *Esa escultora se dedica al vaciado en bronce.* **2** Figura que se hace mediante este procedimiento: *Este vaciado representa al dios Apolo.*

vaciamiento s.m. Expulsión, salida o vertido de lo que había en un recipiente.

vaciar ▮ v. **1** Referido esp. a un recipiente, dejarlo vacío: *Vacié el vaso antes de fregarlo.* **2** Referido al contenido de un recipiente, sacarlo, verterlo o arrojarlo: *Vaciamos el vino de la garrafa para meterlo en botellas. El agua de la botella se vació en el fregadero.* **3** Referido a un objeto, formarlo echando en un molde hueco metal derretido u otra materia blanda: *En ese taller vacían estatuas en bronce.* **4** Referido a un cuerpo compacto, dejarlo hueco: *Vaciaron el muro para hacer una hornacina.* ▮ prnl. **5** *col.* Descubrir por completo la propia intimidad: *Necesitaba vaciarme y se lo conté todo.* **6** *col.* Esforzarse mucho: *Los jugadores se vaciaron en el partido.* □ ORTOGR. La *i* lleva tilde en los presentes, excepto en las personas *nosotros* y *vosotros* →GUIAR. □ SINT. Constr. de la acepción 3: *vaciar EN una sustancia.*

vaciedad s.f. **1** Propiedad o característica de lo que está vacío: *La vaciedad de mi vida me llena de profunda tristeza.* **2** Necedad, simpleza o falta de contenido: *Me marché porque no soportaba la vaciedad de su discurso.*

vacilación s.f. **1** Movimiento inseguro o poco definido: *La vacilación del abuelo al andar nos hizo temer que se cayese.* **2** Falta de firmeza o falta de resolución: *Lo hizo sin vacilación y sin dudar lo más mínimo.*

vacilada s.f. *col.* Hecho o dicho propios de una persona vacilona.

vacilante ▮ adj.inv. **1** Que vacila. ▮ s.f. **2** Corriente que se forma cuando desciende la marea.

vacilar v. **1** Moverse de forma poco definida: *El borracho vacilaba al andar.* **2** Estar poco firme: *La escalera de mano vacila y corre el riesgo de caerse.* **3** Titubear, oscilar o mostrarse indeciso: *El guardia me multó sin vacilar.* **4** *col.* Burlarse o decir en tono serio cosas graciosas o absurdas: *No vaciles conmigo, que ya sé de qué vas.* □ ETIMOL. Del latín *vacillare* (bambolear, oscilar). □ ORTOGR. Dist. de *bacilar.*

vacile s.m. *col.* Hecho o dicho propios de una persona vacilona: *No se puede hablar con él en serio porque siempre está de vacile.*

vacilón, -a adj./s. *col.* Que se burla o que dice en tono serio cosas graciosas o absurdas.

vacío, a ▮ adj. **1** Falto de contenido: *La caja está vacía porque no tiene nada dentro.* **2** Que no está ocupado o que no tiene la ocupación que pudiera tener: *Allí hay dos sillas vacías.* **3** Hueco o sin la solidez correspondiente: *La ardilla se escondió en un tronco vacío.* **4** Referido a un lugar, que tiene menos habitantes o visitantes de los que suele tener: *Los lunes, el pueblo se queda vacío.* ▮ s.m. **5** Abismo o precipicio: *Cayó al vacío desde el puente.* **6** Falta, carencia o ausencia de algo: *Desde que se marchó, siento un vacío en mi vida. Cuando asesinaron al presidente, hubo en el país un vacío de poder.* **7** En física, espacio que no contiene aire ni otra materia perceptible: *El sonido no se propaga en el vacío.* **8** →**ijar.** **9** || **al vacío;** referido esp. a la forma de envasar, sin aire. || **caer al vacío;** no tener acogida, efecto o no ser atendido: *Mi sugerencia de ir al cine ha caído al vacío.* || **hacer el vacío** a alguien; referido esp. a una persona, aislarla o despreciarla, rehuyéndola. □ ETIMOL. Del latín *vacivus.*

vacuidad s.f. Vaciedad o falta de contenido: *La vacuidad de su vida lo hundió en una terrible depresión.* □ USO Su uso es característico del lenguaje culto.

vacuna s.f. Véase **vacuno, na.**

vacunación s.f. Administración de una vacuna: *La campaña de vacunación contra la difteria durará dos meses.*

vacunar v. Administrar una vacuna: *El ganadero vacunó a sus caballos contra la peste equina. Todos los otoños me vacuno contra la gripe.* □ SINT. Constr. *vacunar* CONTRA *algo.*

vacuno, na ▮ adj./s.m. **1** Del ganado bovino o relacionado con él: *reses vacunas.* ▮ s.f. **2** Medicamento que se introduce en un organismo para preservarlo de una enfermedad o de una afección. **3** *col.* En informática, antivirus o programa que permite detectar y anular un virus informático.

vacuo, cua adj. Vacío o falto de contenido. □ ETIMOL. Del latín *vacuus* (vacío). □ USO Su uso es característico del lenguaje culto.

vacuola s.f. En una célula, cada una de las cavidades de la masa del citoplasma delimitadas por membranas, que contiene aire, algún líquido u otras sustancias y tiene diversas funciones, fundamentalmente de almacenamiento y de transporte: *En las células vegetales hay una gran vacuola que ocupa casi todo el citoplasma.* □ ETIMOL. Del latín *vacuus* (vacío, hueco).

vade s.m. Carpeta que se coloca sobre la mesa para guardar papeles y escribir sobre ella. □ ETIMOL. Del latín *vade* (ve, marcha, camina).

vadear v. Referido a un río o a una corriente de agua, cruzarlos por un vado o por otro sitio por donde se pueda pasar a pie: *La caballería perdió mucho tiempo porque tuvo que vadear el río.*

vademécum s.m. Libro en el que se encuentran con facilidad datos de uso frecuente en una determinada materia: *El médico consultó su vademécum para ver la composición de aquel medicamento.* □ ETIMOL. Del latín *vade mecum* (anda conmigo).

vade retro (lat.) ‖ Expresión que se usa para rechazar algo u oponerse a ello: *En la película, cuando aparecían los espíritus, el protagonista gritaba: «¡Vade retro, Satanás!».*

vado s.m. **1** En un río, lugar con fondo firme, llano y poco profundo, por donde se puede pasar a pie, a caballo o en otro vehículo. **2** En una acera, parte rebajada, situada delante de una entrada, que facilita el acceso de los vehículos: *Me pusieron una multa por aparcar en un vado.* □ ETIMOL. Del latín *vadum.*

vagabundear (tb. *vagamundear*) v. **1** Llevar la forma de vida propia de un vagabundo: *El día que sientes la cabeza y dejes de vagabundear seré feliz.* **2** Andar sin dirección ni destino fijos: *Cuando voy de vacaciones me gusta vagabundear por la ciudad.*

vagabundeo s.m. **1** Actividad propia de un vagabundo. **2** Hecho de andar sin dirección ni destino fijos.

vagabundo, da (tb. *vagamundo, da*) adj./s. Que va de un lugar a otro sin tener un domicilio fijo o un medio regular de vida. □ ETIMOL. Del latín *vagabundus.*

vagamundear v. →**vagabundear.**

vagamundo, da adj./s. →**vagabundo.**

vagancia s.f. Pereza o falta de ganas de hacer algo. □ ETIMOL. Del latín *vacantia.*

vagar v. **1** Andar sin rumbo fijo: *Me gusta vagar por la noche cuando las calles están vacías.* **2** Andar libre y suelto, o sin seguir el orden o la disposición habitual: *Dejé vagar mi imaginación y soñé que estaba en la playa.* □ ETIMOL. Del latín *vagari.* □ ORTOGR. La *g* se cambia en *gu* delante de *e* →PAGAR.

vagaroso, sa adj. *poét.* Que se mueve continuamente de un lugar a otro. □ ORTOGR. Incorr. **vagoroso.*

vagido s.m. Voz o llanto característicos del recién nacido. □ ETIMOL. Del latín *vagitus*, y este de *vagire* (gritar, lanzar un vagido). □ ORTOGR. Dist. de *vahído.*

vagina s.f. En las hembras de los mamíferos, conducto de paredes membranosas que se extiende desde la vulva hasta el útero. □ ETIMOL. Del latín *vagina* (vaina).

vaginal adj.inv. De la vagina o relacionado con ella.

vaginitis (pl. *vaginitis*) s.f. Inflamación de la vagina. □ ETIMOL. De *vagina* e *-itis* (inflamación).

vago, ga ▮ adj. **1** Impreciso, indeterminado o poco definido: *una vaga respuesta; una vaga idea.* **2** Referido esp. a un ojo, que le cuesta desarrollar su actividad. ▮ adj./s. **3** Que no le gusta trabajar, hacer esfuerzos ni otra actividad. **4** En zonas del español meridional, que está siempre en la calle. □ ETIMOL. Del latín *vagus* (vagabundo, inconstante, indefinido).

vagón s.m. En un ferrocarril, vehículo destinado al transporte de mercancías o de pasajeros. □ ETIMOL. Del francés *wagon* (vagón), y este del inglés *waggon* (carro).

vagoneta s.f. Vagón pequeño y descubierto que se usa para el transporte de una mercancía: *El carbón extraído se saca de la mina en vagonetas.*

vaguada s.f. En un valle, línea o lugar que marca la parte más honda. □ ETIMOL. De origen incierto.

vaguear v. Estar voluntariamente sin hacer nada y eludir cualquier actividad: *Te aburres porque te pasas el día vagueando.* □ SINÓN. *holgazanear.*

vaguedad s.f. Falta de precisión, de exactitud o de claridad: *Fue un discurso muy impreciso y lleno de vaguedad.*

vaguería s.f. *col.* Vagancia.

vaharada s.f. **1** Expulsión del vaho o del aliento: *Sus vaharadas tenían un insoportable olor a ajo.* **2** Ráfaga de vaho o de olor: *De la olla salían vaharadas de vapor.*

vahído s.m. Mareo o desvanecimiento breve: *Al ver la sangre me dio un vahído.* □ ETIMOL. Quizá de *vago* (vacío). □ ORTOGR. Dist. de *vagido.*

vaho s.m. Vapor que despide un cuerpo en determinadas circunstancias: *Limpia el vaho de los cristales para ver mejor.* □ ETIMOL. De origen onomatopéyico. □ ORTOGR. Dist. de *bao*.

vaina s.f. **1** Funda de un arma blanca u otro instrumento cortante. **2** Cáscara tierna y larga que contiene las semillas de algunas plantas. **3** *col.* Lo que carece de importancia pero molesta o supone una contrariedad: *Déjate de vainas y vamos al tema importante.* **4** *col.* En zonas del español meridional, cosa o hecho cualquiera: *La vaina es así, no me admitieron.* **5** || **ser un vaina;** *col.* Ser una persona que fastidia a otras por gusto propio: *Este chico es un vaina, siempre está pintando en las mesas.* □ ETIMOL. Del latín *vagina*.

vainica s.f. Labor de costura que se hace sacando hilos de la tela para dejar un pequeño calado. □ ETIMOL. De *vaina*.

vainilla s.f. **1** Planta de tallos muy largos, verdes, nudosos y trepadores, hojas enteras, flores grandes y fruto en forma de judía, que contiene pequeñas semillas: *La vainilla es originaria de México.* **2** Fruto de esta planta: *La vainilla tiene un olor muy agradable y se usa mucho en pastelería.* □ ETIMOL. De *vaina* (cáscara).

vaivén s.m. **1** Balanceo o movimiento alternativo de un cuerpo hacia un lado y hacia otro sucesivamente: *el vaivén de un péndulo.* **2** Inconstancia o inestabilidad de las cosas en su duración o en su logro: *La vida tiene muchos vaivenes y nadie sabe lo que nos espera.* □ ETIMOL. De *ir* y *venir*.

vajilla s.f. Conjunto de platos, fuentes, tazas y otros recipientes para el servicio de mesa. □ ETIMOL. Del latín *vascella*.

valdense adj.inv./s.com. De una secta cristiana que surgió en el siglo XII según la cual la persona se asegura la salvación por sus propias obras, y por tanto los sacramentos se consideran superfluos: *Los valdenses rechazaban el culto a los santos y atacaban a la Iglesia como institución.* □ ETIMOL. Por alusión a Pedro Valdès, predicador francés a partir de cuyos sermones surgió la secta.

valdepeñas (pl. *valdepeñas*) s.m. Vino tinto originario de Valdepeñas (municipio de la provincia ciudadrealeña): *Con la comida tomamos un valdepeñas muy bueno.*

vale ▮ s.m. **1** Documento que se puede cambiar por un objeto, por una cantidad de dinero o por un servicio: *Puedes canjear el vale por una camiseta.* **2** Nota firmada o sellada que se da al que tiene que entregar algo para que después acredite su entrega. ▮ interj. **3** *col.* Expresión que se usa para indicar conformidad o acuerdo. □ ETIMOL. De *valer*.

valedero, ra adj. Que debe valer o que es válido: *El partido es valedero para el campeonato de liga.*

valedor, -a s. Persona que defiende o ampara a otra: *Si hay conflicto, yo seré tu valedora.*

valedor do pobo galego (gall.) s.com. || Defensor del pueblo en Galicia (comunidad autónoma): *El valedor do pobo galego defiende los derechos y libertades fundamentales de los ciudadanos.*

valencia s.f. En química, número de enlaces con los que puede combinarse un átomo o radical: *El hidrógeno tiene una valencia.* □ ETIMOL. De *valer*.

valenciana s.f. Véase **valenciano, na**.

valencianidad s.f. Conjunto de características propias de lo valenciano: *La valencianidad del novelista Blasco Ibáñez está presente en toda su obra.*

valencianismo s.m. **1** En lingüística, palabra, significado o construcción sintáctica característicos del valenciano: *En las obras de Blasco Ibáñez hay muchos valencianismos.* **2** Movimiento que defiende los valores históricos y culturales valencianos y generalmente es partidario de la autonomía política valenciana: *El discurso de ese político estuvo impregnado de valencianismo.* **3** Afición por el Valencia Club de Fútbol (club deportivo valenciano).

valencianista adj.inv./s.com. **1** Partidario o seguidor del valencianismo como movimiento. **2** Del Valencia Club de Fútbol (club deportivo valenciano) o relacionado con él.

valenciano, na ▮ adj./s. **1** De la Comunidad Valenciana (comunidad autónoma), de Valencia (ciudad y provincia de esta comunidad), o relacionado con ellas: *Las Fallas es la fiesta más importante de los valencianos.* ▮ s.m. **2** Variedad lingüística del catalán, que se habla y se escribe en la Comunidad Valenciana: *El valenciano, junto con el castellano, es la lengua oficial en la Comunidad Valenciana.* ▮ s.f. **3** Magdalena rectangular.

valentía s.f. Valor, decisión o atrevimiento: *Demostró su valentía enfrentándose solo a los tres atracadores.*

valentísimo, ma superlat. irreg. de **valiente**. □ MORF. Incorr. **valientísimo*.

valentón, -a adj./s. Que es arrogante o que presume de guapo o valiente, generalmente sin serlo.

valentonada s.f. Hecho o dicho propios de un valentón.

valer ▮ s.m. **1** Valor o valía: *Mi jefe es una persona de gran valer.* ▮ v. **2** Ser de gran valor o tener cualidades que merecen aprecio y estimación: *Esta mujer vale mucho porque es inteligente, agradable y buena persona.* **3** Tener vigencia o validez, o ser adecuado: *Esta entrada solo vale para hoy.* **4** Ser útil o resultar adecuado para determinada función: *Yo no valgo para actor porque soy muy vergonzoso.* **5** Tener determinado precio o valor: *Este coche vale más de dos millones.* **6** Producir, ocasionar o tener como consecuencia: *Mi torpeza me valió una bronca.* **7** Ser igual en cantidad o equivaler en número, significación o aprecio: *Un ángulo recto vale 90°.* **8** Amparar, defender o dar protección: *¡Los cielos me valgan en tan difícil momento!* ▮ prnl. **9** Utilizar en beneficio o en provecho propios: *Se valió de sucias artimañas para conspirar contra mí.* **10** Cuidarse por sí mismo: *Mi bisabuelo todavía se vale muy bien.* **11** *col.* En zonas del español meridional, estar permitido: *No se vale hacer más de tres intentos.* □ ETIMOL. La acepción 1, del verbo *valer*. Las acepciones 2-11, del latín *valere* (ser fuerte, vigoroso, potente). ☐ MORF. Irreg. →VALER. ☐ SINT. Constr. como pronominal: *valerse* DE *algo*.

valeriana s.f. Planta herbácea, de tallo recto, erguido y hueco, hojas partidas en hojuelas puntiagudas, flores blancas o rojizas y raíz olorosa, que se usa en medicina como tranquilizante y relajante muscular: *una infusión de valeriana.*

valerosidad s.f. Característica o cualidad del que es valeroso o tiene valentía: *Los soldados defendieron la fortaleza con gran valerosidad.*

valeroso, sa adj. Que tiene valentía.

valet (fr.) s.m. **1** Sirviente o criado, esp. el ayuda de cámara: *El duque se vestía ayudado por su valet.* **2** En la baraja francesa, carta que representa a un sirviente de armas: *El valet equivale a la sota de la baraja española.* ☐ PRON. [valé]. ☐ ORTOGR. Dist. de *ballet*.

valetudinario, ria adj. Enfermizo, delicado o de mala salud, esp. referido a quienes sufren los achaques propios de edades avanzadas. ☐ ETIMOL. Del latín *valetudinarius*.

válgame interj. Expresión que se usa para manifestar sorpresa, admiración o disgusto: *¡Válgame, cómo has crecido!* ☐ USO Se usa mucho en la expresión *¡válgame Dios!*

valí (pl. *valíes, valís*) s.m. En algunos países musulmanes, gobernador de una provincia o de una parte de su territorio. ☐ ETIMOL. Del árabe *wali* (gobernador).

valía s.f. **1** Valor o precio: *En la exposición hay piezas de gran valía.* **2** Cualidad de la persona que vale y que merece aprecio: *Es una mujer inteligente y de mucha valía.*

validación s.f. Concesión de validez o de firmeza: *La árbitra confirmó la validación del gol tras consultar con el juez de línea.*

validar v. Hacer válido o firme: *No creeré tus afirmaciones si no las validas con datos.*

validez s.f. **1** Corrección, valor o legalidad de lo que es válido: *Nadie pone en duda la validez de sus ideas.* **2** Capacidad o utilidad para hacer algo: *Su validez para el desempeño de ese puesto es indudable.*

valido s.m. Persona que tiene el primer lugar en la confianza de un rey, un príncipe o una persona poderosa, esp. si ejerce gran influencia en sus decisiones: *El valido gobernaba en nombre del rey.* ☐ ETIMOL. De *valer*. ☐ ORTOGR. Dist. de *balido* y de *válido*.

válido, da adj. **1** Que vale porque es firme, correcto, apropiado o legal. **2** Referido a una persona, que puede valerse por sí misma: *En esta residencia, se acoge a ancianos válidos que no necesitan ayuda para moverse, asearse y vestirse por sí solos.* ☐ ETIMOL. Del latín *validus* (fuerte, vigoroso). ☐ ORTOGR. Dist. de *valido*.

valiente adj.inv./s.com. Que actúa con valor, con ánimo y con decisión. ☐ SINÓN. *bizarro, gallardo.* ☐ ETIMOL. Del latín *valens*. ☐ MORF. Su superlativo es *valentísimo*. ☐ SEM. En frases exclamativas tiene un sentido irónico o intensificador: *¡Valiente deportista estás hecho!*

valija s.f. **1** Especie de caja, con cerradura y con una o varias asas, que se usa para llevar ropa y objetos personales en los viajes. ☐ SINÓN. *maleta.* **2** Saco, generalmente de cuero y cerrado con llave, que se emplea para llevar la correspondencia: *Los carteros meten en la valija las cartas que recogen de los buzones.* **3** Correspondencia contenida en este tipo de saco: *En navidades, la mayor parte de las valijas son tarjetas de felicitación.* **4** En zonas del español meridional, maletero o portaequipajes. **5** ‖ **valija diplomática;** cartera cerrada y precintada que contiene la correspondencia oficial entre un Gobierno y sus agentes diplomáticos en el extranjero. ☐ ETIMOL. Del italiano *valigia*.

valimiento s.m. Ayuda o protección que alguien recibe: *Siempre contó con el valimiento de sus padres.*

valioso, sa adj. Que vale mucho o que tiene mucha estimación o valor.

valkiria s.f. →**valquiria.**

valla s.f. **1** Conjunto de estacas, de tablas o de otra cosa, puestas en línea alrededor de un lugar para cerrarlo, protegerlo o señalarlo: *Pinté de blanco la valla del jardín.* **2** Armazón en el que se fijan carteles o anuncios publicitarios: *una valla publicitaria.* **3** En algunas carreras deportivas, obstáculo que debe ser saltado por los participantes. ☐ ETIMOL. Del latín *valla* (empalizadas). ☐ ORTOGR. Dist. de *baya* y *vaya*.

valladar s.m. **1** Cerco hecho con estacas, con tierra apisonada o con otro material, que se usa para defender un lugar e impedir la entrada en él. ☐ SINÓN. *vallado.* **2** Obstáculo que impide la realización de algo: *Tu miedo al fracaso es un valladar que te impide conseguir tus metas.*

vallado s.m. Cerco hecho con estacas, con tierra apisonada o con otro material, que se usa para defender un lugar e impedir la entrada en él. ☐ SINÓN. *valladar.* ☐ ETIMOL. Del latín *vallatus* (cercado con empalizada).

vallar v. Referido a un lugar, cercarlo o cerrarlo con un vallado: *Han vallado la finca con una alambrada.*

valle s.m. **1** Llanura de tierra entre montañas. **2** Cuenca de un río. **3** Parte más baja de algo, esp. de una ola o de una onda: *Las ondas sonoras tienen crestas y valles.* **4** En un horario, hora de menor demanda y precio más barato: *Las tarifas valle del tren son más baratas porque hay menos demanda.* ☐ ETIMOL. Del latín *vallis*.

vallenato s.m. **1** Música de origen colombiano que generalmente se acompaña de acordeón y otros instrumentos. **2** Baile que se ejecuta al compás de esta música. ☐ ORTOGR. Dist. de *ballenato*.

vallisoletano, na adj./s. De Valladolid o relacionado con esta provincia española o con su capital: *Medina del Campo es una ciudad vallisoletana.*

valón, -a ▮ adj./s. **1** De Valonia (territorio que ocupa aproximadamente el sur belga), o relacionado con él. ▮ s.m. **2** Lengua hablada por los habitantes de este territorio: *El valón es una variedad lingüística del francés.* ☐ ORTOGR. Dist. de *balón*.

valor ▮ s.m. **1** Utilidad o conjunto de cualidades apreciables de una cosa: *Este collar tiene gran valor sentimental para mí.* **2** Precio de algo: *Los expertos fijaron el valor del terreno en treinta mil euros.* **3** Validez que algo tiene: *Este bono solo tiene valor hasta finales de mes.* **4** Significado o importancia de algo, esp. de una acción o de una palabra: *Más tarde comprendí el valor de su frase.* **5** Capacidad de actuar con resolución y de enfrentarse a los peligros: *Hace falta mucho valor para enfrentarse a una enfermedad.* **6** Desvergüenza o falta de consideración: *¿Cómo tienes el valor de acusarme de un delito que tú has cometido?* **7** Equivalencia de una cosa con otra, esp. de una moneda respecto a otra que se ha tomado como patrón: *El valor del euro respecto al dólar ha bajado en los últimos meses.* **8** En matemáticas, cantidad que se atribuye a una variable: *En la ecuación 'x - 5 = 5', el valor de 'x' es '10'.* **9** En música, duración del sonido de una nota: *El valor de una negra equivale al de dos corcheas.* ▮ pl. **10** Principios morales, ideológicos o de otro tipo que guían el comportamiento personal: *Los valores tradicionales han perdido importancia.* **11** En economía, títulos que representan las cantidades prestadas a las sociedades o la participación en el capital de dichas sociedades: *En estos momentos de incertidumbre es mejor invertir en valores de renta fija.* **12** ‖ **armarse de valor;** reunir fuerza y ánimo para realizar o afrontar algo. ‖ **valor añadido;** **1** En economía, el que una unidad económica añade a la producción de un bien o servicio mediante la utilización de diversos factores productivos: *El IVA es el impuesto sobre el valor añadido.* **2** El que resulta extraordinario y complementario: *Este libro, ya de una calidad insuperable, tiene además un valor añadido, que es el completísimo índice temático del final.* ‖ **valor venal;** el del precio de un objeto en el mercado, según la ley de la oferta y de la demanda. ☐ ETIMOL. Del latín *valor*. ☐ USO En la acepción 11, es innecesario el uso del anglicismo *security*.

valoración s.f. **1** Determinación del precio de algo: *Un perito tendrá que hacer la valoración de los daños del incendio.* ☐ SINÓN. *valorización*. **2** Reconocimiento o apreciación del valor o del mérito de algo: *Estoy satisfecho con la valoración que se ha hecho de mi trabajo.* ☐ SINÓN. *valorización*. **3** Aumento del valor de algo: *Llevar el agua hasta la finca ha supuesto una gran valoración del terreno.* ☐ SINÓN. *revalorización, valorización*.

valorar v. **1** Referido a algo material, señalar su precio: *Han valorado la finca en treinta mil euros.* ☐ SINÓN. *valuar, valorizar*. **2** Referido esp. a algo realizado, reconocer o apreciar su valor o su mérito: *En esta empresa saben valorar mi trabajo.* ☐ SINÓN. *valorizar*. **3** Referido a algo, aumentar su valor: *La construcción del supermercado valorará el barrio.* ☐ SINÓN. *revalorizar, valorizar*. ☐ SEM. 1. No debe emplearse con el significado de 'evaluar': *Después de las inundaciones se deben {*valorar > evaluar} los daños*. 2. **Valorar positivamente* es una expresión redundante e incorrecta, aunque está muy extendida.

valorativo, va adj. Que valora: *un cálculo valorativo.*

valorización s.f. →**valoración.**

valorizar v. →**valorar.** ☐ ORTOGR. La *z* se cambia en *c* delante de *e* →CAZAR. ☐ SEM. Es sinónimo de *valuar*.

valquiria (tb. *valkiria*) s.f. En la mitología escandinava, cada una de las divinidades femeninas que en los combates designaban a los héroes que debían morir, a los cuales conducían después hasta el cielo, donde les servían escanciándoles las bebidas: *Las valquirias eran hijas del dios Odín.* ☐ ETIMOL. Del escandinavo antiguo *valkyrja*, de *val* (selección) y *kør* (acción de escoger). ☐ ORTOGR. Se usa también *walkiria*.

vals (pl. *valses*) s.m. **1** Composición musical, de ritmo ternario y aire vivo, cuyas frases constan generalmente de dieciséis compases: *El compositor austríaco Johann Strauss compuso en el siglo XIX célebres valses.* **2** Baile de pareja que se ejecuta al compás de esta música, con desplazamientos de giro: *Estoy aprendiendo a bailar el vals y otros bailes de salón.* ☐ ETIMOL. Del alemán *walz*, y este de *walzen* (hacer rodar).

valsar v. Bailar el vals.

valseo s.m. Hecho de bailar un vals.

valuación s.f. Tasación del precio de algo material. ☐ ORTOGR. Dist. de *evaluación*.

valuar (tb. *avaluar*) v. Referido a algo material, señalar su precio: *Hay que valuar los daños y los desperfectos causados por el vendaval.* ☐ SINÓN. *valorar, valorizar*. ☐ ORTOGR. 1. La *u* lleva tilde en los presentes, excepto en las personas *nosotros* y *vosotros* →ACTUAR. 2. Dist. de *evaluar*.

valva s.f. **1** En zoología, cada una de las piezas duras y móviles que constituyen la concha de algunos moluscos e invertebrados: *La concha de los mejillones y de las almejas está formada por dos valvas.* **2** En botánica, cada una de las partes que forman la cáscara de algunos frutos y que, unidas por una o más suturas, encierran las semillas: *Las vainas de los guisantes tienen dos valvas.* ☐ ETIMOL. Del latín *valva* (hoja de la puerta).

válvula s.f. **1** En una máquina o en un instrumento, pieza que está colocada en una abertura y que sirve para abrir o cerrar el paso a través de un conducto: *Las válvulas de muchos aparatos se abren o se cierran según la presión ejercida sobre ellas.* **2** En anatomía, pliegue membranoso, situado en el corazón o en un conducto, que permite el paso de los líquidos, esp. de la sangre, en una sola dirección impidiendo el retroceso: *La obstrucción de una válvula del corazón puede producir la muerte.* **3** ‖ **(válvula) {bicúspide/mitral};** en el corazón de los mamíferos, la que está entre la aurícula y el ventrículo izquierdos: *La válvula mitral tiene forma de mitra.*

|| **(válvula) tricúspide;** en el corazón de los mamíferos, la que está entre la aurícula y el ventrículo derechos: *La válvula tricúspide termina en tres puntas o cúspides.* ☐ ETIMOL. Del latín *valvula* (puerta pequeña).

valvular adj.inv. De las válvulas o relacionado con ellas.

valvulina s.f. Aceite lubricante empleado en algunas piezas y mecanismos, esp. en la caja de cambios de los coches: *La valvulina es un aceite muy viscoso derivado del petróleo.*

vamos interj. Expresión que se usa para indicar una orden o para dar ánimos. ☐ ETIMOL. Del verbo *ir*.

vampira s.f. *col.* →**vampiro.**

vampiresa s.f. *col.* Mujer muy atractiva que suele aprovecharse de los hombres a los que seduce.

vampírico, ca adj. **1** De los vampiros o relacionado con ellos. **2** Referido a una persona, que carece de escrúpulos y vive a costa de los demás.

vampirismo s.m. **1** Creencia en la existencia de vampiros: *El vampirismo se popularizó desde que este tema se llevó al cine.* **2** *col.* Actitud de la persona carente de escrúpulos y que se enriquece a costa de los demás: *Esa amistad tan absorbente está degenerando en puro vampirismo.*

vampirización s.f. Privación de la personalidad de alguien para conseguir su dependencia con respecto de algo: *Una relación tan absorbente suele tener como resultado la vampirización de uno de los miembros de la pareja por parte del otro.*

vampirizar v. Referido esp. a una persona, privarla de su personalidad y conseguir su dependencia total con respecto de algo: *En aquel periódico se hablaba de que aquella secta vampirizaba a todos sus seguidores.* ☐ ORTOGR. La *z* se cambia en *c* delante de *e* →CAZAR.

vampiro s.m. **1** Ser fantástico que vive por las noches y se alimenta con la sangre que chupa a sus víctimas humanas. **2** Murciélago del tamaño de un ratón, con dos incisivos muy afilados, que se alimenta de la sangre de animales domésticos. **3** *col.* Persona carente de escrúpulos y que vive a costa de los demás. **4** *col.* Médico o analista que extrae sangre a los deportistas para realizar controles antidopaje que no están programados. ☐ ETIMOL. Del francés *vampire.* ☐ MORF. 1. En la acepción 1, se usa el femenino coloquial *vampira.* 2. En la acepción 2, es un sustantivo epiceno: *el vampiro {macho/hembra}.*

vanadio s.m. Elemento químico, metálico y sólido, de número atómico 23, fácilmente deformable, de color blanco plateado, y que se usa para aumentar la resistencia del acero: *El vanadio se utiliza para fabricar vidrios transparentes.* ☐ ETIMOL. Del latín *vanadium,* y este de *Vanadis* (diosa de la mitología escandinava). ☐ ORTOGR. Su símbolo químico es *V.*

vanagloria s.f. Presunción o alabanza excesivas de las propias cualidades o de las propias acciones: *Habla con vanagloria de sus muchas riquezas.* ☐ ETIMOL. De *vana* (arrogante) y *gloria.*

vanagloriarse v.prnl. Referido a las propias acciones o cualidades, presumir de ellas excesivamente: *Se vanagloria de ser muy inteligente.* ☐ ORTOGR. La *i* nunca lleva tilde. ☐ SINT. Constr. *vanagloriarse* DE *algo.*

vanaglorioso, sa adj./s. Que presume o alaba con exceso sus propias acciones o cualidades.

vandálico, ca adj. De los vándalos, del vandalismo o relacionado con ellos.

vandalismo s.m. **1** Inclinación a destruir y a destrozar todo sin tener respeto ni consideración por nada. **2** Destrucción y devastación indiscriminadas: *un acto de vandalismo.* ☐ ETIMOL. Del francés *vandalisme* (destrucción de tesoros religiosos), porque el pueblo germánico de los vándalos saqueó Roma y asoló España y otros países del Imperio Romano.

vándalo, la ▌adj./s. **1** De un antiguo pueblo bárbaro de origen germánico oriental que participó en la invasión del Imperio Romano, o relacionado con él: *Los vándalos entraron en el siglo* V *en la península Ibérica.* ▌s. **2** Gamberro agresivo y violento que comete acciones propias de gente salvaje.

vanguardia s.f. **1** Movimiento artístico o ideológico más avanzado respecto a las ideas o gustos de su tiempo: *Las vanguardias artísticas tuvieron un gran desarrollo en el período de entreguerras.* **2** Parte de un ejército o de una fuerza armada que va delante del cuerpo principal: *La vanguardia iba abriendo camino.* ☐ ETIMOL. Del antiguo *avanguardia.* ☐ USO En la acepción 1, es innecesario el uso del galicismo *avant-garde.*

vanguardismo s.m. Escuela o tendencia literaria o artística surgida en el siglo XX con intención renovadora y de exploración de nuevas técnicas: *El cubismo es uno de los vanguardismos más famosos.*

vanguardista ▌adj.inv. **1** Del vanguardismo o relacionado con esta escuela o tendencia artística. ▌adj.inv./s.com. **2** Partidario o seguidor del vanguardismo. **3** Novedoso o innovador.

vanidad s.f. Deseo excesivo de mostrar las propias cualidades y de que sean reconocidas y alabadas. ☐ ETIMOL. Del latín *vanitas.*

vanidoso, sa adj./s. Que tiene vanidad y la manifiesta.

vano, na ▌adj. **1** Sin utilidad: *Después de vanos intentos, decidió abandonar el proyecto.* **2** Sin fundamento, prueba o razón sólidas: *No mantengas vanas esperanzas.* **3** Vacío o falto de contenido: *No dijo más que palabras vanas sin ningún sentido.* **4** Presumido y que se satisface solo en su propia complacencia. **5** Referido a un fruto con cáscara, que está vacío en su interior o que tiene la semilla seca o podrida. ▌s.m. **6** Hueco abierto en un muro o en una pared: *Las ventanas y las puertas son tipos de vanos.* **7** || **en vano;** inútilmente o sin efecto: *Me esforcé en vano, porque no conseguí resolver el problema.* ☐ ETIMOL. Del latín *vanus* (vacío, hueco).

vanuatense adj.inv./s.com. De Vanuatu o relacionado con este país de Oceanía (uno de los cinco continentes).

vao s.m. En una carretera, carril por el que solo pueden circular autobuses o vehículos ocupados por un mínimo de dos personas. □ SINÓN. *bus vao.* □ ETIMOL. Es el acrónimo de *vehículo de alta ocupación.* □ SINT. Se usa normalmente como aposición de *carril.*

vapor s.m. **1** Gas en que se transforma un líquido por la acción del calor: *Cuando el agua hierve, se transforma en vapor.* **2** Barco que navega movido por una o varias máquinas de vapor: *Atravesaron el río en un vapor.* **3** ‖ **al vapor;** referido a un alimento, cocido por el vapor, sin estar en contacto con el agua. □ ETIMOL. Del latín *vapor.*

vapora s.f. *col.* Lancha movida por una máquina de vapor.

vaporario s.m. Aparato para producir vapor y utilizarlo con fines terapéuticos. □ ETIMOL. Del latín *vaporarium.*

vaporeta s.f. Electrodoméstico que sirve para limpiar mediante un sistema de vapor a gran presión. □ ETIMOL. Extensión del nombre de una marca comercial.

vaporetto (it.) s.m. Barco típico veneciano, que funciona con motor y se usa como transporte público: *Cogimos un vaporetto para llegar a la plaza de San Marcos desde la estación.* □ PRON. [vaporéto].

vaporium s.m. Lugar donde se realizan tratamientos terapéuticos mediante vapor.

vaporización s.f. **1** En química, paso de un cuerpo líquido a estado gaseoso por la acción del calor. □ SINÓN. *evaporización.* **2** Esparcimiento de un líquido en forma de pequeñas gotas: *Los aerosoles permiten la vaporización de los líquidos.* □ SINÓN. *evaporización.* **3** Uso medicinal de vapores, esp. los procedentes de aguas termales o de hierbas medicinales cocidas.

vaporizador s.m. **1** Utensilio que sirve para esparcir un líquido en forma de partículas muy pequeñas: *El envase del desodorante lleva incorporado un vaporizador.* □ SINÓN. *pulverizador, rociador.* **2** Aparato que sirve para convertir en vapor un cuerpo líquido: *No sale vapor de la plancha porque se han obstruido los conductos del vaporizador.*

vaporizar v. **1** Referido a un líquido, convertirlo en vapor por la acción del calor: *En el laboratorio vaporizan muchas sustancias líquidas para analizar los efectos de sus vapores. El agua se vaporiza a 100 °C.* □ SINÓN. *evaporizar.* **2** Referido a un líquido, esparcirlo en forma de pequeñas gotas: *Estos envases permiten vaporizar la colonia.* □ SINÓN. *evaporizar.* □ ORTOGR. La *z* se cambia en *c* delante de *e* →CAZAR.

vaporoso, sa adj. Fino, ligero o transparente, esp. referido a una tela: *La gasa es una tela vaporosa.* □ ETIMOL. Del latín *vaporosus.*

vapulear v. **1** Golpear o dar una paliza: *Dos gamberros lo vapulearon y lo dejaron medio muerto.* **2** Zarandear o mover de un lado a otro repetidamente y con violencia: *Me agarró por un brazo y me vapuleó para que le contara lo ocurrido.* □ ETIMOL. Del latín *vapulare* (recibir golpes, ser azotado).

vapuleo s.m. **1** Paliza o conjunto de golpes. **2** Zarandeo o movimiento de un lado a otro repetidamente y con violencia: *Ayúdame con el vapuleo de la alfombra para sacudirle el polvo.*

vaquería s.f. Lugar en el que se tienen y se crían las vacas, y se vende su leche.

vaqueriza s.f. Véase **vaquerizo, za.**

vaquerizo, za ▮ adj. **1** Del ganado bovino o relacionado con él. ▮ s. **2** →**vaquero.** ▮ s.f. **3** Lugar en el que se recoge el ganado vacuno durante el invierno.

vaquero, ra ▮ adj. **1** Referido a un tejido, que es resistente, más o menos grueso y de color generalmente azul: *tela vaquera.* **2** Referido esp. a una prenda de vestir, que está confeccionada con esta tela y con un diseño que recuerda la ropa de los ganaderos del Oeste norteamericano: *una cazadora vaquera.* □ SINÓN. *tejano.* ▮ s. **3** Pastor de reses vacunas. □ SINÓN. *vaquerizo.* ▮ s.m. **4** →**pantalón vaquero.** □ MORF. En la acepción 4, se usa más en plural. □ SEM. En la acepción 4, es sinónimo de *tejano.*

vaqueta s.f. Cuero o piel de ternera curtidos y preparados para su uso. □ ORTOGR. Dist. de *baqueta.*

vaquilla s.f. Ternero o cría de la vaca que tiene entre año y medio y dos años.

vara s.f. **1** Palo o rama delgados, lisos y largos. **2** Bastón que se utiliza como símbolo de autoridad. **3** Unidad de longitud que equivale aproximadamente a 83,6 centímetros. **4** En algunas plantas, tallo largo y con flores. **5** ‖ **dar la vara;** *col.* Molestar o importunar. ‖ **vara alta;** influencia o autoridad: *Ayer cené con un juez que tiene vara alta en este asunto.* ‖ **varita mágica;** aquella a la que se atribuyen poderes extraordinarios y que usan hadas, magos y otras personas para hacer prodigios. □ ETIMOL. Del latín *vara* (travesaño en forma de puente). □ USO En la acepción 3, es una medida tradicional española.

varada s.f. **1** Encalladura o tropiezo de una embarcación con un obstáculo, esp. rocas, arena, o la misma costa, que la hacen detenerse: *Unas rocas sumergidas produjeron la varada del barco.* □ SINÓN. *varamiento, varadura.* **2** Operación que consiste en sacar una embarcación a la playa y ponerla en seco para resguardarla, limpiarla o repararla: *Una rotura en el casco del pesquero hizo necesaria la varada del mismo.* □ SINÓN. *varadura.*

varadero s.m. Lugar en el que se varan o se ponen en seco las embarcaciones para resguardarlas, limpiarlas o repararlas.

varadura s.f. →**varada.**

varal s.m. **1** Vara gruesa y muy larga: *Los chorizos cuelgan de un varal de la cocina.* **2** En un carro, cada uno de los dos palos redondos en los que encajan las estacas que forman los costados o laterales: *En algunos carros las estacas van sujetas al varal por unos hierros.* **3** *col.* Persona muy alta.

varamiento s.m. →**varada.**

varano s.m. Reptil saurio de gran tamaño. ☐ MORF. Es un sustantivo epiceno: *el varano {macho/hembra}.*

varapalo s.m. **1** *col.* Daño, perjuicio o reprimenda que alguien recibe. **2** Golpe dado con un palo o con una vara. **3** Palo largo semejante a una vara.

varar ▮ v. **1** Referido a una embarcación, sacarla a la playa y ponerla en seco para resguardarla, limpiarla o repararla: *Varamos la barca en la playa para reparar las tablas.* **2** Referido a una embarcación, encallar en un obstáculo que la hace detenerse: *El pesquero varó en un banco de arena.* ☐ SINÓN. *abarrancar.* ▮ prnl. **3** En zonas del español meridional, referido a un vehículo, averiarse: *El carro se varó en la carretera.* ☐ ETIMOL. De *vara.*

varazo s.m. Golpe dado con una vara.

várdulo, la adj./s. De un antiguo pueblo hispánico prerromano de origen celta que habitaba el territorio que corresponde a la actual provincia de Guipúzcoa y a parte de las de Vizcaya y Álava, o relacionado con ellos: *El pueblo várdulo opuso gran resistencia a las legiones romanas.*

varea (tb. *vareo*) s.f. Movimiento de un árbol con una vara para que al golpearlo caigan sus frutos: *Después de la varea del olivo, todos empezamos a recoger las aceitunas.*

varear v. **1** Referido a un árbol, golpearlo y moverlo con una vara para que caigan sus frutos: *Hay que varear los olivos para que las aceitunas caigan al suelo.* **2** Golpear con una vara o palo largo y delgado: *La lana de los colchones se varea para que quede suelta.*

vareo s.m. →**varea.**

varetazo s.m. Golpe de lado que da el toro con el cuerno.

vargueño s.m. →**bargueño.**

variabilidad s.f. **1** Capacidad de variar: *La variabilidad de los temas de la conferencia está en función de las opciones de los ponentes.* **2** Inestabilidad o inconstancia: *La variabilidad de tus opiniones hace que no pueda confiar plenamente en ti.*

variable ▮ adj.inv. **1** Que varía o que puede variar: *El número de horas para cada asignatura es variable en función de las necesidades de los alumnos.* **2** Inestable, inconstante o que varía con facilidad: *Como tiene un carácter tan variable, no sé cuánto le va a durar la alegría.* ▮ s.f. **3** En matemáticas, magnitud que puede tener distintos valores de los comprendidos en un conjunto. ☐ ETIMOL. Del latín *variabilis.*

variación s.f. **1** Transformación o cambio: *Mantiene sus opiniones de siempre sin ninguna variación.* **2** Diversidad o diferenciación: *No hay variación en tus diversiones y a mí me aburren.* ☐ SINÓN. *variedad.* **3** En música, imitación o recreación de un tema, introduciendo modificaciones melódicas, armónicas, rítmicas o de todo tipo. ☐ MORF. En la acepción 3, se usa más en plural.

variado, da adj. Diverso o heterogéneo.

variante ▮ adj.inv. **1** Que varía. ▮ s.m. **2** Fruto que se encurte en vinagre para conservarlo: *una tienda de variantes.* ▮ s.f. **3** Cada una de las formas distintas con que puede aparecer una misma cosa: *He recopilado tres variantes de un mismo romance.* **4** Diferencia que existe entre diversas clases de una misma cosa: *Algunas tradiciones son iguales en muchos pueblos pero con alguna variante.* **5** En las quinielas de fútbol, signo que indica un resultado de empate o de triunfo del equipo visitante: *X y 2 son las variantes de la quiniela.* **6** Desviación de un tramo de carretera o de un camino: *Han hecho una variante en esta carretera para no atravesar el pueblo.* ☐ MORF. En la acepción 2, se usa más en plural.

variar v. **1** Hacer diferente o distinto de como era antes: *He variado mi forma de vestir porque ha cambiado mi forma de pensar.* **2** Dar variedad o diversidad: *Debes variar tus comidas para tener una dieta equilibrada.* **3** Cambiar de características, de propiedad o de estado: *En las zonas costeras, las temperaturas varían menos que en el interior.* ☐ ETIMOL. Del latín *variare.* ☐ ORTOGR. La *i* lleva tilde en los presentes, excepto en las personas *nosotros* y *vosotros* →GUIAR.

varice (tb. *várice*) s.f. →**variz.**

varicela s.f. Enfermedad contagiosa causada por un virus y que se manifiesta por una erupción cutánea, precedida de debilidad, fiebre y náuseas: *La varicela suele ser una enfermedad infantil y poco peligrosa.* ☐ ETIMOL. Del latín *varicella* (variz pequeña), diminutivo de *variola* (viruela).

varicoso, sa adj. De las varices, con varices o relacionado con ellas. ☐ ETIMOL. Del latín *varicosus.*

variedad ▮ s.f. **1** Diversidad o diferenciación: *Las múltiples y diferentes actuaciones le dan gran variedad al espectáculo del circo.* ☐ SINÓN. *variación.* **2** Conjunto de elementos diversos dentro de una misma clase o unidad: *En este comercio tienen una gran variedad de camisas.* **3** Cada uno de los grupos en que se dividen algunas especies de plantas y animales y que se distinguen por la existencia de unas características comunes: *La reineta es una variedad de manzana.* ▮ pl. **4** Espectáculo alegre y ligero en el que alternan diferentes números. ☐ ETIMOL. Las acepciones 1-3, del latín *varietas.* La acepción 4, del francés *variétés.* ☐ USO En la acepción 4, es innecesario el uso del galicismo *varietés.*

varietal adj.inv. Referido a un vino, que procede de una sola variedad de uva.

varietés s.f.pl. →**variedades.** ☐ ETIMOL. Del francés *varieté.*

varilarguero s.m. Picador de toros.

varilla s.f. **1** En un paraguas, en un abanico o en otro utensilio semejante, barra o pieza larga y delgada que forma parte de su armazón: *Los paraguas plegables tienen las varillas articuladas.* **2** En un corsé o en una prenda de vestir semejante, tira de un material duro y flexible que forma parte de su armazón: *Esos antiguos corsés de varillas que oprimían tanto tenían que ser asfixiantes.* **3** Barra de hierro larga y redonda, con poco diámetro.

varillaje s.m. En un paraguas, en un abanico o en otro utensilio semejante, conjunto de las varillas que forman su armazón.

vario, ria ▌adj. **1** Diferente, diverso o no igual: *Tengo discos y libros varios, y espero que alguno te guste.* **2** Que tiene variedad o que está compuesto por una diversidad: *El país cuenta con una agricultura rica y varia.* **3** Cambiante o inconstante: *En primavera suele hacer un tiempo vario e imprevisible.* ▌adj.pl. **4** Algunos o unos cuantos: *Dispongo de varios días para acabar el trabajo.* □ ETIMOL. Del latín *varius* (de colores variados, diverso, inconstante). □ ORTOGR. Dist. de *bario.* □ USO *Varios* se usa mucho como epígrafe de secciones o de apartados en los que se engloba una diversidad de elementos: *En la librería había una sección para novela, otra para poesía y otra con el rótulo de 'varios'.*

variólico, ca adj. →**varioloso.**

varioloso, sa adj. De la viruela o relacionado con esta enfermedad. □ SINÓN. *variólico.*

variopinto, ta adj. Mezclado, variado, de múltiples formas o con elementos distintos. □ ETIMOL. Del italiano *variopinto.*

variz s.f. Dilatación o abultamiento anormales de una vena, producidos por una acumulación de sangre. □ SINÓN. *varice, várice.* □ ETIMOL. Del latín *varix.*

varón s.m. Persona de sexo masculino: *Como ya tiene dos hijas, le gustaría que el próximo fuese varón.* □ SINÓN. *hombre.* □ ETIMOL. Del latín *varo* (fuerte, esforzado). □ ORTOGR. Dist. de *barón.*

varonil adj.inv. **1** Del varón o relacionado con él: *una voz varonil.* □ SINÓN. *viril.* **2** Que tiene fuerza, valor, firmeza u otras características tradicionalmente consideradas propias de un varón. □ SINÓN. *viril.*

vasallaje s.m. **1** En la sociedad europea medieval y del Antiguo Régimen, vínculo o relación de dependencia y de fidelidad contraídos por una persona con un señor. **2** Tributo que el vasallo estaba obligado a pagar a su señor por razón de este vínculo. **3** Sumisión, subordinación o reconocimiento de dependencia a otro: *Defiende tus derechos y acaba con el vasallaje que mantienes con tus jefes.*

vasallo, lla ▌adj./s. **1** En el feudalismo, referido esp. a una persona, que estaba sujeta a un señor mediante el vínculo de vasallaje: *Los vasallos podían serlo del rey, de la Iglesia o de un señor.* ▌s. **2** *col.* Persona sumisa que reconoce su dependencia e inferioridad: *Más que colaboradores, quiere tener vasallos que le obedezcan sin rechistar.* **3** Súbdito de un soberano o de un Gobierno independiente: *El rey francés proclamó su satisfacción por ser el soberano de todos los vasallos de Francia.* □ ETIMOL. Del céltico **vasallos* (semejante a un criado).

vasar s.m. Estantería o repisa que sobresale de la pared y que sirve para poner vasos, platos y otras cosas. □ ETIMOL. De *vaso.*

vasco, ca ▌adj./s. **1** Del País Vasco (comunidad autónoma), o relacionado con él: *Los donostiarras son ciudadanos vascos.* □ SINÓN. *vascongado.* **2** Del País Vasco francés (región del sudoeste francés), o relacionado con él: *En Francia, la comunidad vasca se concentra en la zona sudoeste del país.* □ SINÓN. *vascofrancés.* ▌s.m. **3** Lengua del País Vasco y de Navarra (comunidades autónomas) y del territorio vascofrancés. □ SINÓN. *euskera, eusquera, vascuence.*

vascofrancés, -a adj./s. Del País Vasco francés (región del sudoeste francés), o relacionado con él. □ SINÓN. *vasco.*

vascohablante adj.inv./s.com. Que habla euskera sin dificultad, esp. si esta es su lengua materna.

vascón, -a adj./s. De la Vasconia (región hispana prerromana que se extendía por el actual territorio navarro y parte del vasco, del aragonés y del riojano), o relacionado con ella: *Los vascones opusieron gran resistencia al dominio romano.*

vascongado, da adj./s. Del País Vasco (comunidad autónoma), o relacionado con él. □ SINÓN. *vasco.*

vascuence adj.inv./s.m. Referido a una lengua, que es la del País Vasco y Navarra (comunidades autónomas) y la del territorio vascofrancés. □ SINÓN. *euskera, eusquera, vasco.*

vascular adj.inv. De los vasos o tejidos presentes en los seres vivos y que sirven para transportar líquidos o fluidos: *Las venas y las arterias son conductos vasculares.* □ ETIMOL. Del latín *vascularis.* □ ORTOGR. Dist. de *bascular.*

vascularización s.f. **1** En un animal o en una persona, conjunto de los vasos sanguíneos más pequeños del organismo. **2** En una planta, sistema de los vasos o tejidos que transportan líquidos en una planta.

vasectomía s.f. **1** Operación quirúrgica que tiene como objetivo la esterilización de una persona. **2** Operación quirúrgica que se practica a un hombre para esterilizarlo y que consiste en seccionar algunos de los conductos del órgano reproductor masculino. □ ETIMOL. Del latín *vasum* (vaso) y el griego *ektomé* (corte, extirpación).

vasectomizar v. Referido a un hombre, realizarle una vasectomía: *El protagonista de la telecomedia había sido vasectomizado y no podía tener hijos.* □ ORTOGR. La *z* se cambia en *c* delante de *e* →CAZAR.

vaselina s.f. **1** Sustancia grasa, blanquecina o transparente, que se obtiene de la parafina y aceites densos del petróleo, y que se usa mucho como lubricante y para la fabricación de pomadas y otros productos farmacéuticos: *Cuando se me cortan los labios, me doy vaselina o cacao.* **2** En fútbol o en otros deportes, lanzamiento del balón suavemente y describiendo una parábola por encima del portero: *Cuando vio que el portero se adelantaba, hizo una vaselina y marcó gol.* □ ETIMOL. Del inglés *vaseline.* Extensión del nombre de una marca comercial.

vasija s.f. Recipiente hondo, generalmente pequeño, que se usa para contener líquidos o alimentos. □ ETIMOL. Del latín *vasilia.*

vaso s.m. **1** Recipiente generalmente de vidrio y de forma cilíndrica que se usa para beber: *un vaso de* *agua.* **2** Recipiente o pieza de forma cóncava, capaces de contener algo: *En el laboratorio hay vasos graduados de distintos tamaños.* **3** En un organismo animal, conducto por el que circulan la sangre o la linfa. **4** En una planta, conducto por el que circula la savia o el látex. **5** En una embarcación, casco. **6** || **vasos comunicantes;** los que se comunican por tubos situados en su parte inferior. ☐ ETIMOL. Del latín *vas* (vasija).

vasoconstricción s.f. En medicina, reducción del diámetro de los vasos sanguíneos, producida por contracción de su capa muscular, y que conlleva un aumento de la tensión vascular: *Al aplicar adrenalina en una herida pequeña, ésta deja de sangrar porque la vasoconstricción que se produce dificulta la salida de la sangre.*

vasoconstrictor, -a adj./s.m. Referido esp. a un medicamento, que produce vasoconstricción: *Una sustancia vasoconstrictora puede producir una subida de la tensión arterial.*

vasodilatación s.f. En medicina, aumento del diámetro de los vasos sanguíneos, producido por relajación de las fibras musculares de sus paredes, y que conlleva una disminución de la tensión vascular: *La vasodilatación de los vasos de la piel producida por el calor hace que la piel se vea roja.* ☐ ETIMOL. De *vaso* y *dilatación.*

vasodilatador, -a adj./s.m. Referido esp. a un medicamento, que produce vasodilatación: *Inicialmente, el alcohol es vasodilatador, pero al cabo de un tiempo de su consumo, es vasoconstrictor.*

vasomotor, -a adj. **1** En medicina, del movimiento de regulación del diámetro de los vasos sanguíneos o relacionado con él: *La vasoconstricción y la vasodilatación son fenómenos vasomotores.* **2** Referido a un nervio o a un agente, que actúa sobre este movimiento: *Los procesos de vasodilatación y vasoconstricción son ejecutados a través de nervios vasomotores.*

vasquismo s.m. **1** En lingüística, palabra, significado o construcción sintáctica del euskera empleados en otra lengua: *La palabra 'ikurriña' es un vasquismo en castellano.* **2** Admiración o simpatía por todo lo vasco.

vástago s.m. **1** En una planta, rama tierna que brota de ella: *Con la primavera comienzan a salir los vástagos de plantas y árboles.* **2** Respecto de una persona, hijo o descendiente suyos: *Se casó hace un año y ya tiene un vástago.* **3** Pieza en forma de varilla metálica que sirve para articular o sostener otras piezas: *Las dos hojas del biombo están unidas por unos vástagos que permiten plegar una sobre la otra.* ☐ ETIMOL. Quizá del latín *bastum* (palo).

vastedad s.f. Amplitud, gran extensión o grandeza. ☐ ORTOGR. Dist. de *bastedad.*

vasto, ta adj. Amplio, muy extenso o muy grande. ☐ ETIMOL. Del latín *vastus* (devastado, vacío, desierto). ☐ ORTOGR. Dist. de *basto.*

vate s.m. Poeta, esp. referido al ya consagrado o ilustre. ☐ ETIMOL. Del latín *vates* (poeta inspirado por una divinidad). ☐ ORTOGR. Dist. de *bate.* ☐ USO Su uso es característico del lenguaje culto.

váter s.m. **1** Recipiente conectado con una tubería y provisto de una cisterna con agua, que sirve para evacuar los excrementos: *Después de usar el váter, tira de la cadena.* ☐ SINÓN. *inodoro, retrete.* **2** *col.* Cuarto de baño: *Cuando se encierra en el váter para arreglarse, tarda horas en salir.* ☐ ETIMOL. Del inglés *water.* ☐ USO Es innecesario el uso de los anglicismos *water* y *water-closet.*

vaticanista ▌ adj.inv. **1** De la política vaticana o relacionado con ella. ▌ adj.inv./s.com. **2** Partidario o defensor de esta política.

vaticano, na adj. **1** Del Vaticano (ciudad estado situada en la península italiana, en la que se encuentra la sede papal), o relacionado con él. **2** Del Papa, de la corte pontificia o relacionado con ellos.

vaticanólogo, ga s. Persona especializada en temas vaticanos.

vaticinar v. Referido a un suceso futuro, pronosticarlo, profetizarlo o anunciarlo: *Si no estudias, te vaticino un futuro poco agradable.*

vaticinio s.m. Pronóstico, adivinación o predicción de un suceso futuro. ☐ ETIMOL. Del latín *vaticinium*, y este de *vates* (adivino, profeta) y *canere* (cantar).

vatímetro s.m. Instrumento que sirve para medir los vatios de una corriente eléctrica: *Si la aguja del vatímetro no se mueve, es que no hay corriente.* ☐ ETIMOL. De *vatio* y *-metro* (medidor).

vatio s.m. En el Sistema Internacional, unidad básica de potencia que equivale a la potencia que da lugar a una producción de energía igual a un julio por segundo: *Un vatio es equivalente al producto de un voltio por un amperio.* ☐ SINÓN. *watt.* ☐ ETIMOL. Por alusión al ingeniero escocés J. Watt. ☐ ORTOGR. Su símbolo es *W*, por tanto, se escribe sin punto.

vatu (pl. *vatu*) s.m. Unidad monetaria de Vanuatu (país del sur del océano Pacífico).

vaya interj. Expresión que se usa para indicar sorpresa, satisfacción, contrariedad o disgusto. ☐ ETIMOL. De *ir.* ☐ ORTOGR. Dist. de *baya* y *valla.* ☐ SEM. En frases exclamativas, antepuesto a un sustantivo, tiene un sentido intensificador: *¡Vaya cochazo!*

ve s.f. **1** →**uve.** **2** || **doble ve;** en zonas del español meridional, nombre de la letra *w.* || **ve corta;** en zonas del español meridional, nombre de la letra *v.*

vecinal adj.inv. De los vecinos, de su municipio o relacionado con ellos: *una asociación vecinal.*

vecindad s.f. **1** Condición de la persona que vive en una misma población, barriada o casa que otros, teniendo vivienda independiente: *Hace años que viven en el mismo edificio, pero no les une más que la relación de vecindad.* **2** Conjunto de las personas que comparten esta condición: *Crece el descontento entre la vecindad por el aumento de la delincuencia.* **3** Cercanía, proximidad o inmediatez entre dos cosas: *La situación estratégica de la península Ibérica viene determinada, entre otros factores, por su ve-*

cindad con el continente africano. ☐ ETIMOL. Del latín *vicinitas*.

vecindario s.m. Conjunto de los vecinos de una población, de una barriada o de una casa.

vecino, na ▮ adj. **1** Cercano, próximo o inmediato: *Nos conviene mantener buenas relaciones con los países vecinos.* **2** Semejante, parecido o que coincide: *Todas las grandes ciudades sufren situaciones y problemas vecinos.* ▮ adj./s. **3** Referido a una persona, que vive en la misma población, barriada o casa que otros, teniendo vivienda independiente. ☐ ETIMOL. Del latín *vicinus*, y este de *vicus* (barrio, pueblo).

vector s.m. En física, magnitud o propiedad que puede ser medida y en la que hay que considerar, además de la cuantía, la dirección, el sentido y el punto de aplicación: *La velocidad y la fuerza son vectores.* ☐ ETIMOL. Del latín *vector* (el que lleva a cuestas o conduce).

vectorial adj.inv. De los vectores o relacionado con ellos.

veda s.f. **1** Prohibición hecha por ley o por mandato: *Las autoridades han dictado veda de cazar en parques naturales y zonas protegidas.* **2** Tiempo durante el que está legalmente prohibido cazar o pescar: *La veda de la trucha termina este mes.*

vedado s.m. Lugar acotado o cerrado por mandato de la ley o de alguna ordenanza: *La zona fue declarada vedado de caza para proteger su fauna.* ☐ SINÓN. *acotado.*

vedar v. **1** Prohibir por ley o por mandato: *La ley veda la estancia prolongada en el país a los extranjeros que no tienen permiso de residencia.* **2** Impedir, dificultar u obstaculizar: *Una valla veda el paso a la finca privada.* ☐ ETIMOL. Del latín *vetare* (prohibir, vetar). ☐ ORTOGR. Dist. de *vetar*.

vedeja s.f. Melena o cabellera larga. ☐ ORTOGR. Dist. de *vedija*.

vedetismo (tb. *vedettismo*) s.m. *col. desp.* Comportamiento de la persona que se considera la mejor desempeñando una actividad concreta.

vedette (fr.) s.f. Mujer que actúa como artista principal en un espectáculo de variedades. ☐ PRON. Se usa mucho la pronunciación galicista [vedét].

vedettismo s.m. *col. desp.* →**vedetismo.**

védico, ca adj. De los Vedas (libros sagrados hindúes) o relacionado con ellos: *Los textos védicos están escritos en sánscrito antiguo.*

vedija s.f. **1** Mechón de lana o de pelo enredado de un animal. **2** Mata de pelo enredada y ensortijada. ☐ ETIMOL. Del latín *viticula* (tallo de una planta), porque luego pasó a significar el zarcillo de una vid, y de ahí, el pelo o vello rizados. ☐ ORTOGR. Dist. de *vedeja*.

vedismo s.m. Religión hindú cuyos dogmas y preceptos están contenidos en los textos sagrados llamados Vedas: *El vedismo es la manifestación más antigua del hinduismo.*

veedor s.m. Antiguamente, en las ciudades y villas, persona encargada de comprobar si las obras de un gremio o de un establecimiento se ajustaban a la ley o a las ordenanzas: *Los veedores cumplían una función semejante a la de algunos inspectores actuales.* ☐ ETIMOL. Del antiguo *veer* (ver).

vega s.f. Terreno bajo, llano, fértil y generalmente regado por un río: *Las vegas suelen ser terrenos idóneos para los cultivos de regadío.* ☐ ETIMOL. Quizá de origen prerromano.

vegano, na adj./s. Referido a una persona vegetariana, que no toma huevos, leche o productos derivados de ellos.

vegetación ▮ s.f. **1** Conjunto de vegetales propios de una zona o de un clima: *La vegetación de las selvas tropicales es muy exuberante.* ▮ pl. **2** Desarrollo excesivo de las amígdalas faríngea y nasal y, sobre todo, de las partes posteriores de las fosas nasales: *Las vegetaciones suelen presentarse en niños pequeños y hay que operarlas porque dificultan la respiración.*

vegetal ▮ adj.inv. **1** De las plantas o relacionado con ellas: *un champú de extractos vegetales.* **2** Que vegeta o lleva una vida propia de una planta. ▮ s.m. **3** Ser orgánico que crece y vive sin capacidad para cambiar de lugar por impulso voluntario: *Los árboles, las verduras y las hierbas son distintos tipos de vegetales.* ☐ SINÓN. *planta.*

vegetar v. **1** Referido a una planta, germinar, nutrirse, crecer y desarrollarse: *Las plantas necesitan agua y sustancias minerales para vegetar.* **2** Referido a una persona, vivir de manera maquinal o sin desarrollar otra actividad que la puramente orgánica, como hacen las plantas: *La enfermedad había mermado tanto sus facultades físicas y mentales que solo vegetaba.* **3** *col.* Referido a una persona, disfrutar voluntariamente de una vida tranquila, sin trabajo ni preocupaciones: *En vacaciones, me olvido de todo y me limito a vegetar.* ☐ ETIMOL. Del latín *vegetare* (animar, vivificar).

vegetarianismo s.m. Régimen alimenticio basado principalmente en el consumo exclusivo de productos vegetales: *Los que siguen un vegetarianismo estricto no consumen productos animales ni sus derivados.*

vegetariano, na ▮ adj. **1** Del vegetarianismo o relacionado con este régimen alimenticio. ▮ adj./s. **2** Partidario o practicante del vegetarianismo. ☐ ETIMOL. Del francés *végétarien*.

vegetativo, va adj. **1** Que vegeta o tiene vigor para desarrollarse y multiplicarse: *Las plantas son organismos vegetativos.* **2** En biología, relacionado con la nutrición, el desarrollo y la reproducción, sin intervención de la voluntad: *La digestión es una función vegetativa. El paciente que sufrió aquella lesión cerebral está en coma y solo tiene vida vegetativa.*

veguer s.m. **1** En Andorra (país europeo), delegado de cada uno de los dos gobernantes que comparten la soberanía política del país: *Los dos vegueres ejercen su autoridad en nombre del copríncipe francés y del copríncipe español respectivamente.* **2** Antiguamente, en los territorios aragonés, catalán y mallorquín, magistrado nombrado por el rey para ejercer funciones de alcalde y de juez en un municipio: *Los vegueres del reino de Aragón tenían competencias similares a las de los corregidores del reino de Castilla.* □ ETIMOL. Del latín *vicarius* (lugarteniente).

vehemencia s.f. Apasionamiento o precipitación e irreflexión en la forma de actuar.

vehemente adj.inv. **1** Apasionado o lleno de ardor. **2** Referido a una persona, que obra de forma irreflexiva y dejándose llevar por los impulsos. □ ETIMOL. Del latín *vehemens* (impulsivo, impetuoso).

vehicular ▌adj.inv. **1** Del vehículo o relacionado con él: *estacionamiento vehicular.* **2** Referido a una lengua, que sirve de comunicación entre personas que tienen distinta lengua materna: *El inglés es una lengua vehicular en el mundo occidental y el suajili, en casi toda África central.* **3** Que sirve como vehículo para comunicar o para transmitir algo: *El aceite de almendra dulce es un aceite vehicular que se emplea para poder aplicar otras sustancias en masajes.* ▌v. **4** Transmitir, organizar, comunicar o servir de vehículo: *La asociación de mi barrio se encarga de vehicular las protestas de todos los vecinos para que lleguen al Ayuntamiento.*

vehiculizar v. Poner los medios necesarios para conducir o transmitir algo con facilidad: *El Ayuntamiento de mi pueblo ha puesto en marcha un servicio de atención personalizada para vehiculizar las protestas y quejas de los vecinos.* □ ORTOGR. La *z* se cambia en *c* delante de *e* →CAZAR.

vehículo s.m. **1** Medio de transporte, esp. el automóvil: *Los coches, los carros, los trenes y los aviones son distintos tipos de vehículos.* **2** Lo que sirve para conducir o para transmitir algo fácilmente: *El aire actúa como vehículo de las ondas sonoras.* **3** || **vehículo industrial;** el que sirve para transportar mercancía pesada. □ ETIMOL. Del latín *vehiculum*, y este de *vehere* (llevar a cuestas, llevar en carro, transportar).

veintavo, va numer. →**veinteavo.**

veinte ▌numer. **1** Número 20: *Tenemos que traer veinte sillas para poder sentarnos. Si somos veinte, necesitamos cuatro más para completar dos docenas.* ▌s.m. **2** Signo que representa este número: *Los romanos escribían el veinte como 'XX'.* □ ETIMOL. Del latín *viginti.* □ MORF. Como numeral es invariable en género y en número.

veinteañero, ra adj./s. *col.* Referido a una persona, que tiene más de veinte años y menos de treinta.

veinteavo, va (tb. *veintavo, va*) numer. Referido a una parte, que constituye un todo junto con otras diecinueve iguales a ella: *La veinteava parte de 20 es 1. El premio es grande, pero el veinteavo que corresponde a cada uno de los veinte que jugábamos no es mucho.* □ SINÓN. *vigésimo.* □ SEM. Su uso como numeral ordinal es incorrecto: *Llegué en {*veinteava > vigésima} posición.*

veintena s.f. Conjunto de veinte unidades.

veinticinco ▌numer. **1** Número 25: *Tengo veinticinco años. Mi número de póliza empieza por veinticinco.* ▌s.m. **2** Signo que representa este número: *Los romanos escribían el veinticinco como 'XXV'.* □ PRON. Incorr. *[venticínco]. □ MORF. Como numeral es invariable en género y en número.

veinticuatro ▌numer. **1** Número 24: *El día tiene veinticuatro horas. El número premiado de hoy acaba en veinticuatro.* ▌s.m. **2** Signo que representa este número: *Los romanos escribían el veinticuatro como 'XXIV'.* □ PRON. Incorr. *[venticuátro]. □ MORF. Como numeral es invariable en género y en número.

veintidós ▌numer. **1** Número 22: *Lleva veintidós años en la misma empresa. De todos los que se presentaron al examen, solo han aprobado veintidós.* ▌s.m. **2** Signo que representa este número: *Los romanos escribían el veintidós como 'XXII'.* □ PRON. Incorr. *[ventidós]. □ MORF. Como numeral es invariable en género y en número.

veintinueve ▌numer. **1** Número 29: *En los años bisiestos, febrero tiene veintinueve días. De los cien libros de esta colección, solo he leído veintinueve.* ▌s.m. **2** Signo que representa este número: *Los romanos escribían el veintinueve como 'XXIX'.* □ PRON. Incorr. *[ventinuéve]. □ MORF. Como numeral es invariable en género y en número.

veintiocho ▌numer. **1** Número 28: *En la carrera participan veintiocho corredores. ¿Tienen zapatos del veintiocho?* ▌s.m. **2** Signo que representa este número: *Los romanos escribían el veintiocho como 'XXVIII'.* □ PRON. Incorr. *[ventiócho]. □ MORF. Como numeral es invariable en género y en número.

veintiséis ▌numer. **1** Número 26: *He escrito un trabajo de historia de veintiséis folios. Trece por dos son veintiséis.* ▌s.m. **2** Signo que representa este número: *Los romanos escribían el veintiséis como 'XXVI'.* □ PRON. Incorr. *[ventiséis]. □ MORF. Como numeral es invariable en género y en número.

veintisiete ▌numer. **1** Número 27: *Quedan veintisiete días para las vacaciones. Quince más doce son veintisiete.* ▌s.m. **2** Signo que representa este número: *Los romanos escribían el veintisiete como 'XXVII'.* □ PRON. Incorr. *[ventisiéte]. □ MORF. Como numeral es invariable en género y en número.

veintitantos, tas (pl. *veintitantos, tas*) numer. *col.* Veinte y alguno más, sin llegar a treinta. □ PRON. Incorr. *[ventitántos].

veintitrés ▌numer. **1** Número 23: *Madrid está a veintitrés kilómetros de aquí. De cien alumnos, han suspendido veintitrés.* ▌s.m. **2** Signo que representa este número: *Los romanos escribían el veintitrés como 'XXIII'.* □ PRON. Incorr. *[ventitrés]. □ MORF. Como numeral es invariable en género y en número.

veintiún numer. →**veintiuno.** □ PRON. Incorr. *[ventiún]. □ MORF. Apócope de *veintiuno* ante sustantivo masculino y ante sustantivo femenino que empieza por *a* tónica o acentuada.

veintiuno, na ▌numer. **1** Número 21: *Hace veintiún días que no tengo noticias suyas. Dividía la clase en dos grupos de veintiuno.* ▌s.m. **2** Signo que representa este número: *Los romanos escribían* *el veintiuno como 'XXI'.* **3** || **(las) veintiuna;** juego de cartas o de dados en el que gana el jugador que hace veintiún puntos exactos o el que se acerca más a ellos sin sobrepasarlos: *Jugando a las veintiuna, es mejor plantarse, aunque no llegues a veintiún puntos, que pasarse.* □ PRON. Incorr. *[ventiúno]. □ MORF. 1. Como numeral es invariable en número. 2. Ante sustantivo masculino o ante femenino que empieza por *a* tónica o acentuada, se usa la apócope *veintiún.* □ USO En la acepción 3, es innecesario el uso del anglicismo *blackjack.*

vejación s.f. Maltrato, padecimiento o molestia causados a una persona, generalmente mediante humillaciones: *No aguantaré ninguna vejación y haré valer mis derechos.* □ SINÓN. *vejamen.*

vejamen s.m. →**vejación.**

vejar v. Referido a una persona, maltratarla, molestarla o hacerla padecer, generalmente mediante humillaciones: *Hazte respetar y no consientas que te vejen insultándote en público.* □ ETIMOL. Del latín *vexare* (sacudir violentamente, maltratar). □ ORTOGR. Conserva la *j* en toda la conjugación.

vejatorio, ria adj. Que veja o humilla: *Tu autoridad no te da derecho a someter a tus subordinados a un trato vejatorio.*

vejestorio s.m. *col. desp.* Persona muy vieja.

vejez s.f. **1** Estado o condición de la persona o del animal que tiene muchos años: *Las canas suelen ser señal de vejez.* **2** Condición de lo que no es nuevo ni reciente o está gastado por el uso: *Salta a la vista la vejez de esos cortinajes renegridos.* **3** Último período del ciclo vital de una persona o de un animal: *Llegó a la vejez en plenas facultades físicas y mentales.*

vejiga s.f. **1** En el sistema excretor de muchos vertebrados, órgano muscular y membranoso, parecido a una bolsa, en el que se va depositando la orina procedente de los riñones y que es expulsada desde aquí al exterior a través de la uretra. **2** En la piel, levantamiento de la epidermis que forma una especie de bolsa llena de un líquido acuoso. □ SINÓN. *ampolla.* **3** || **vejiga natatoria;** En algunos peces, saco membranoso lleno de aire que permite al animal flotar. □ ETIMOL. Del latín *vesica.*

vela ▌s.f. **1** Cilindro de cera o de otra materia grasa, con un cordón que lo atraviesa por su centro y que, al encenderlo, produce luz. □ SINÓN. *candela.* **2** Pieza de lona o de otro tejido resistente que se amarra a los palos de un barco para recibir el viento e impulsar de esta manera la nave. **3** Deporte de competición que se practica con este tipo de barcos. **4** Permanencia sin dormir durante el tiempo que normalmente se dedica al sueño: *Los buenos estudiantes programan su estudio y no necesitan hacer vela la víspera de un examen.* **5** Embutido similar al chorizo, normalmente de menor grosor: *una longaniza de vela ibérica.* ▌pl. **6** *col.* Mocos que cuelgan de la nariz. **7** || **a dos velas; 1** *col.* Con poco o ningún dinero: *estar a dos velas.* **2** *col.* Sin entender o enterarse de nada: *Me ha dado una explicación tan extraña que me ha dejado a dos velas.* || **a toda vela;** Con mucho interés o a toda velocidad: *En cuanto nos dejaron, emprendimos el proyecto a toda vela.* || **en vela;** sin dormir: *Pasó la noche en vela por culpa de las preocupaciones.* || **hacerse a la vela;** en zonas del español meridional, hacerse a la mar. || **recoger velas;** *col.* Retroceder de repente antes de actuar: *Íbamos decididos al restaurante pero recogimos velas y no entramos en cuanto vimos los precios de la carta.* || **vela cuadra;** la que tiene forma cuadrangular. || **vela latina;** la que tiene forma triangular. □ ETIMOL. Las acepciones 1 y 4, de *velar* (estar sin dormir). Las acepciones 2 y 3, del latín *vela* (velos, cortinas). □ SINT. *A dos velas* se usa más con los verbos *estar, quedarse* o equivalentes.

velada s.f. **1** Reunión nocturna de varias personas para entretenerse: *Los viernes nos reunimos en su casa y tenemos unas veladas muy agradables.* **2** Fiesta musical, literaria o deportiva que se celebra por la noche: *Se celebró una velada literaria en la que varios poetas recitaron sus versos.* □ ETIMOL. De *velar* (estar sin dormir).

velador, -a ▌adj./s. **1** Que vela o vigila. ▌s.m. **2** Mesa pequeña de un solo pie y generalmente redonda: *Tiene un velador con una lámpara encima al final del pasillo.* **3** En zonas del español meridional, mesilla de noche: *Dejó el vaso de agua en el velador.* **4** En zonas del español meridional, sereno: *Cada dos horas el velador hace ronda por todo el edificio.* **5** En zonas del español meridional, vela gruesa que suele estar dentro de un vaso: *La señora de la fonda tiene un rincón lleno de veladores que prende en la noche.*

velaje s.m.→**velamen.**

velamen s.m. Conjunto de velas de una embarcación. □ SINÓN. *velaje.*

velar ▌adj.inv. **1** En lingüística, referido a un sonido, que se articula con el dorso de la lengua próximo al velo del paladar o en contacto con él: *Las vocales 'o' y 'u' son velares.* ▌s.f. **2** Letra que representa este sonido: *La 'q' es una velar.* ▌v. **3** Estar sin dormir el tiempo que normalmente se dedica al sueño: *He velado toda la noche esperando tu llegada.* **4** Cuidar solícitamente o con esmero: *La policía vela por la seguridad de los ciudadanos.* **5** Vigilar, atender o cuidar durante la noche: *Veló a su padre enfermo por si necesitaba algo.* **6** Referido a un difunto, acompañarlo durante la noche o pasarla cuidándolo: *Velaron al difunto en una sala del tanatorio.* **7** Hacer guardia durante la noche: *Los centinelas velaban el castillo por orden de su señor.* **8** Cubrir con un velo: *El mareo hizo que se me velara la vista y ya no recuerdo más.* **9** Cubrir, ocultar a medias, atenuar o disimular: *Ese hipócrita veló sus verdaderas intenciones y me tuvo engañada mucho tiempo.* ▌prnl. **10** Referido a un carrete fotográfico o a una fotografía, borrarse total o parcialmente sus imágenes por la acción indebida de la luz: *Se le veló el carrete porque abrió la máquina cuando aún le quedaban fotos por disparar.* □ ETIMOL. Las acepciones 1, 2, 8-10, del latín *velum* (velo). Las acepciones 3-7, del latín *vigilare* (estar atento, vigilar).

velatorio s.m. **1** Acto de acompañar o cuidar a un difunto durante la noche: *El párroco y la familia rezaron en el velatorio por el alma del difunto.* **2** Lugar en el que se vela a un difunto, esp. en un hospital o en un tanatorio: *Los padres del accidentado pasaron la noche en el velatorio del tanatorio.*

velazqueño, ña adj. De Velázquez (pintor barroco español del siglo XVII) o con características de sus obras: *'Las Meninas' es una de las grandes obras velazqueñas.*

velcro s.m. Sistema de cierre o de sujeción que está formado por dos tiras de tejidos diferentes que, al ponerse en contacto, se enganchan y pueden desengancharse una y otra vez: *Estas zapatillas que se cierran con velcro podrá ponérselas la niña sola, sin tu ayuda.* □ ETIMOL. Extensión del nombre de una marca comercial.

veleidad s.f. Inconstancia, ligereza o cambio frecuente: *Hoy eres muy famoso, pero la veleidad de la fortuna puede hacer que mañana seas un desconocido.* □ ETIMOL. Del latín *veleitas*.

veleidoso, sa adj. Inconstante o mudable en la forma de actuar, de pensar o de sentir.

velero s.m. **1** Barco de vela o que aprovecha la fuerza del viento. **2** Tipo de planeador con unas características de vuelo muy buenas.

veleta ▌s.com. **1** Persona inconstante, mudable y voluble. ▌s.f. **2** Pieza de metal, generalmente en forma de flecha, que gira alrededor de un eje y que sirve para señalar la dirección en la que sopla el viento. **3** Aparejo de pesca, esp. una pluma, que se pone sobre un corcho y que indica cuándo pica un pez. □ ETIMOL. Del italiano *veletta*.

velis nolis (lat.) ‖ Quieras o no quieras, de grado o por fuerza: *Lo harás porque hay que hacerlo, velis nolis.*

vello s.m. **1** En una persona, pelo más corto y suave que el de la cabeza y que sale en algunas zonas del cuerpo: *el vello de las piernas.* **2** En una fruta o en una planta, pelo suave y corto que las recubre y les da un aspecto aterciopelado: *el vello de los melocotones.* □ ETIMOL. Del latín *villus* (pelo de los animales o de los paños). □ ORTOGR. Dist. de *bello*.

vellocino s.m. **1** Conjunto de la lana de un carnero o de una oveja que se han esquilado. □ SINÓN. *vellón*. **2** Cuero de oveja o de carnero, curtido de forma que conserve la lana, que sirve para preservar de la humedad y del frío. □ SINÓN. *vellón*. □ ETIMOL. Del latín **velluscinum*, y este de *vellus* (montón de la lana de una res recién esquilada).

vellón s.m. **1** Conjunto de la lana de un carnero o de una oveja que se han esquilado: *El pastor vendió los vellones de su rebaño a una fábrica de mantas.* □ SINÓN. *vellocino*. **2** Cuero de oveja o de carnero, curtido de forma que conserva la lana y que sirve para preservar de la humedad y del frío: *La pastora llevaba un chaleco de vellón que la protegía del frío.* □ SINÓN. *vellocino*. **3** Mechón o guedeja de lana: *Este colchón está relleno de vellones.* **4** Aleación de plata y de cobre con la que se hicieron monedas antiguamente: *La moneda de vellón circuló en España especialmente durante el siglo XVII.* **5** Moneda de cobre que se usó en lugar de la fabricada con esta aleación: *El caballero perdió varios vellones en el juego.* □ ETIMOL. Las acepciones 1-3, del latín *vellus* (lana de una res esquilada). Las acepciones 4 y 5, del francés *billon* (lingote).

vellosidad s.f. Abundancia de pelo.

velloso, sa adj. Que tiene vello: *Las hojas de las ortigas son vellosas.*

velludo, da adj. Que tiene mucho vello.

velo s.m. **1** Tela de tul, de gasa o de otro tipo que es fina o transparente, con la que se cubre algo. **2** Lo que encubre más o menos la vista clara de algo: *Un velo de duda invadió mis pensamientos cuando vi que no me llamaban.* **3** ‖ **{correr/echar} un (tupido) velo sobre** algo; *col.* Callarlo o dejarlo para que se olvide, porque no conviene mencionarlo o recordarlo. ‖ **velo del paladar;** membrana muscular que separa la cavidad bucal de la faringe. □ ETIMOL. Del latín *velum* (velo, cortina, tela).

velocidad s.f. **1** Ligereza o rapidez en el movimiento o en la acción: *Hablas a tal velocidad que no te entiendo nada.* **2** Relación entre el espacio recorrido y el tiempo que se tarda en recorrerlo: *La velocidad de la luz es aproximadamente de trescientos mil kilómetros por segundo.* **3** En un vehículo, cada una de las posiciones de la caja de cambios. **4** En informática, frecuencia o rapidez con la que trabaja el microprocesador principal de un ordenador. **5** ‖ **velocidad de crucero;** la más rápida que puede desarrollar un vehículo, esp. un avión o un barco, consumiendo la menor cantidad de combustible. ‖ **velocidad de sedimentación;** rapidez con la que se sedimenta la sangre. ‖ **velocidad punta;** la máxima que puede alcanzar un vehículo. □ ETIMOL. Del latín *velocitas*.

velocímetro s.m. En un vehículo, aparato que indica la velocidad que lleva en su desplazamiento. □ ETIMOL. Del latín *velox* (veloz) y *-metro* (medidor).

velocípedo s.m. Vehículo formado por un asiento y dos o tres ruedas, que se mueve por medio de pedales: *El velocípedo es el antecedente de la bicicleta.* □ ETIMOL. Del latín *velox* (veloz) y *pes* (pie).

velocista s.com. Deportista que participa en carreras en las que la velocidad es lo más importante.

velocístico, ca adj. De la velocidad o relacionado con ella.

velódromo s.m. Lugar destinado a la celebración de carreras en bicicleta. □ ETIMOL. Del francés *vélodrome*, y este de *vélo* (velocípedo) y la terminación de *hippodrome*.

velomotor s.m. Vehículo de dos ruedas, semejante a una bicicleta, provisto de pedales y de un motor de pequeña cilindrada capaz de desarrollar poca velocidad. □ SINÓN. *ciclomotor*. □ ETIMOL. Del latín *velox* (veloz) y *motor*. □ SEM. Dist. de *motocicleta* (sin pedales y con motor de mayor cilindrada).

velón s.m. Lámpara metálica de aceite, formada por un depósito con uno o varios mecheros y por un eje terminado en un asa por arriba y en un pie por abajo, generalmente en forma de platillo.

velorio s.m. Velatorio, esp. el que se hace para velar a un niño difunto.

veloz adj.inv. Ligero, ágil o que se mueve, se ejecuta o discurre con gran rapidez. ☐ ETIMOL. Del latín *velox* (veloz, rápido). ☐ SINT. Se usa también como adverbio de modo: *El tiempo pasa veloz.*

velux (pl. *velux*) s.m. Ventana giratoria colocada en el tejado de una casa o de un edificio, esp. para iluminar buhardillas y trasteros. ☐ ETIMOL. Extensión del nombre de una marca comercial. ☐ PRON. [vélux].

vena s.f. **1** En el sistema circulatorio, cada uno de los vasos o conductos por los que la sangre vuelve al corazón. **2** Inspiración o facilidad para determinada actividad: *Todos en su familia tienen vena de músicos.* **3** Lista o faja que se distingue del resto, generalmente por su calidad o por su color: *Este terreno tiene una vena de granito.* ☐ SINÓN. *veta.* **4** Filón de metal: *Se han encontrado restos de una vena de plata en esa mina abandonada.* ☐ SINÓN. *veta.* **5** Conducto natural por el que circula el agua en el interior de la tierra. **6** || **darle la vena** a alguien; *col.* Ocurrírsele de repente una idea que le hace llevar a cabo una resolución impensada. || **estar en vena;** *col.* Estar inspirado o tener grandes ideas. || **(vena) cava;** cada una de las dos mayores del cuerpo que se unen para entrar en la aurícula derecha del corazón. || **(vena) porta;** la que conduce la sangre del intestino y del bazo al hígado. || **(vena) safena;** cada una de las dos principales que van a lo largo de la pierna, una por la parte interior y otra por la parte exterior de la tibia. || **(vena) subclavia;** cada una de las dos más cercanas a la principal del brazo o de la extremidad anterior. || **(vena) yugular;** cada una de las dos que hay a uno y a otro lado del cuello. ☐ ETIMOL. Del latín *vena*.

venablo s.m. Dardo o lanza corta y arrojadiza: *Los soldados se defendían del enemigo lanzando sus venablos.* ☐ ETIMOL. Del latín *venabulum*, y este de *venari* (cazar).

venada s.f. Véase **venado, da.**

venado, da ▌ adj. **1** *col.* Ligeramente loco o con el juicio un poco trastornado. ▌ s.m. **2** Mamífero rumiante, de color pardo rojizo o gris, cuerpo esbelto, patas largas y hocico agudo, que vive generalmente en estado salvaje y cuyo macho, de mayor tamaño que la hembra, presenta grandes cuernos ramificados que renueva cada año. ☐ SINÓN. *ciervo.* ▌ s.f. **3** Ataque de locura: *De repente le dio una venada y empezó a gritar como un loco.* ☐ ETIMOL. Del latín *venatus* (caza, producto de la caza). ☐ MORF. En la acepción 2, es un sustantivo epiceno: *el venado {macho/hembra}.*

venal adj.inv. **1** Que puede ser vendido o que se destina a la venta: *Este libro es un ejemplar de una edición no venal y lo dan como regalo los libreros.* **2** Que se deja sobornar: *El secretario afirmó que los políticos venales serían expulsados del partido.* ☐ ETIMOL. Del latín *venalis* (que se puede vender).

venalidad s.f. **1** Posibilidad que tiene algo de ser vendido o de ser destinado a la venta: *Muchas ediciones dedicadas a la difusión de la cultura se caracterizan por su no venalidad.* **2** Consentimiento que da una persona para ser sobornada: *La venalidad es un delito cometido por funcionarios que ponen precio a lo que es su deber.*

venático, ca adj./s. *col.* Referido a una persona, que tiene actitudes de loco o costumbres extravagantes.

venatorio, ria adj. De la montería o relacionado con ella. ☐ ETIMOL. Del latín *venatorius*.

vencedor, -a adj./s. Que vence.

vencejo s.m. Pájaro insectívoro, de pico pequeño y algo encorvado en la punta, con alas largas y puntiagudas, plumaje blanco en la garganta y negro en el resto del cuerpo y cola muy larga con forma de horquilla: *El vencejo anida en los aleros de los tejados.* ☐ ETIMOL. Del antiguo *oncejo*. ☐ MORF. Es un sustantivo epiceno: *el vencejo {macho/hembra}.*

vencer v. **1** Referido a un enemigo, sujetarlo, someterlo o derrotarlo: *Julio César venció a los galos.* **2** Referido a una persona, rendirla, fatigarla o poderla: *Me voy a la cama porque me vence el sueño.* **3** En una competición o en una comparación, aventajar, superar, exceder o resultar preferido: *El equipo español vence por cuatro puntos al final de la primera parte.* **4** Referido esp. a una pasión o a un sentimiento, sujetarlos o rendirlos a la razón: *Debes vencer la pereza y ponerte a estudiar enseguida.* **5** Referido a una dificultad o a un obstáculo, superarlos obrando contra ellos: *Debes vencer la falta de medios y presentar el trabajo como sea.* **6** Ladear, torcer o inclinar: *Siéntate bien, porque vas a vencer la silla. Se ha vencido la repisa por el excesivo peso de los libros.* **7** Referido a un plazo o a un término de tiempo, cumplirse o pasar: *El plazo de matrícula vence el próximo día 15.* ☐ ETIMOL. Del latín *vincere*. ☐ ORTOGR. La *c* se cambia en *z* delante de *a, o* →VENCER.

vencido, da adj./s. Que ha sido derrotado: *Al final de una guerra, los vencedores deberían respetar a los vencidos.*

vencimiento s.m. **1** Inclinación o torcimiento de algo material: *El vencimiento del estante se produjo porque la madera no podía soportar tanto peso.* **2** Cumplimiento del plazo de una deuda, de una obligación o de un contrato: *La fecha de vencimiento de esa letra de cambio es el día 20 de octubre.*

venda s.f. Tira de tela, de gasa o de un tejido similar, que se enrolla alrededor de una parte del cuerpo para protegerla o inmovilizarla. ☐ ETIMOL. Del germánico *binda*.

vendaje s.m. **1** Colocación de una venda alrededor de una parte del cuerpo para protegerla o inmovilizarla: *La traumatóloga le dijo que mantuviera el pie en ángulo recto mientras realizaba el vendaje del tobillo.* **2** Venda o conjunto de vendas colocadas de esta manera: *Hay que cambiar el vendaje cada cierto tiempo para que no se infecte la herida.*

vendar v. Referido esp. a una parte del cuerpo, cubrirla con una venda o tira de tela: *Después de quitarle la escayola, le vendaron la pierna otra semana más.*

vendaval s.m. Viento muy fuerte. □ ETIMOL. Del francés *vent d'aval* (viento de abajo).

vendedor, -a adj./s. Que vende.

vendepatrias adj.inv./s.com. *des.* Referido esp. a una persona, que es tan egoísta y despreciable que sería capaz de traicionar a la nación a cambio de una recompensa personal.

vender ▌v. **1** Referido a algo propio, cederlo u ofrecerlo a cambio de un precio convenido: *Vendí mi piso porque me compré una casa mayor.* **2** Referido a una persona, traicionarla o aprovechar su confianza, su fe y su amistad para el beneficio propio: *Creía que podía contar contigo, pero me vendiste al decirles dónde podían encontrarme.* **3** Referido a una idea, intentar que alguien se la crea: *Me intentaron vender que aquel fracaso había sido una artimaña comercial y que todo había sido planeado de aquella manera.* ▌prnl. **4** Dejarse sobornar o prestar servicios, generalmente fraudulentos, a cambio de dinero o de algo valioso: *El equipo perdedor cree que el árbitro se ha vendido.* □ ETIMOL. Del latín *vendere.*

vendetta (it.) s.f. Venganza entre clanes rivales. □ PRON. [vendéta]. □ SEM. En el lenguaje del deporte, está muy extendido su uso con el significado de 'revancha' o 'desquite'.

vendible adj.inv. Que se puede vender o que se destina a la venta.

vendimia s.f. **1** Recolección y cosecha de la uva. **2** Tiempo en que se recoge la uva. □ ETIMOL. Del latín *vindemia*, y este de *vinum* (vino) y *demere* (quitar).

vendimiador, -a s. Persona que vendimia o recoge la cosecha de la uva, esp. si esta es su profesión.

vendimiar v. Recoger la uva de las viñas: *En algunos lugares vendimian a finales de septiembre.* □ ORTOGR. La *i* nunca lleva tilde.

vending (ing.) s.m. Sistema de venta al público que se efectúa por medio de una máquina expendedora: *una máquina de vending.* □ PRON. [véndin].

veneciana adj./s.f. →**persiana veneciana.**

veneciano, na ▌adj./s. **1** De Venecia (ciudad de Italia) o relacionado con ella. ▌s.f. **2** →**persiana veneciana.**

veneno s.m. **1** Sustancia que ocasiona la muerte o trastornos graves: *El cianuro, el arsénico y la cicuta son venenos.* **2** Lo que resulta nocivo o perjudicial para la salud: *El tabaco es veneno.* **3** Lo que puede causar un daño moral: *Te odia, y cuando habla de ti sus palabras son veneno.* □ ETIMOL. Del latín *venenum* (droga en general).

venenoso, sa adj. **1** Que incluye o contiene veneno: *setas venenosas.* **2** *col.* Que tiene mala intención: *No me interesan tus comentarios venenosos.*

venera s.f. Concha semicircular formada por dos valvas, una plana y la otra muy convexa, de color rojizo por fuera y blanco por dentro, y con catorce estrías radiales: *La venera es el símbolo de los peregrinos que van a Santiago de Compostela.* □ SINÓN. *vieira.* □ ETIMOL. Del latín *veneria* (concha), y este de *Venus* (diosa mitológica del amor), porque se representó a esta diosa saliendo de las aguas sobre una concha.

venerable ▌adj.inv. **1** Digno de veneración o de respeto. **2** Referido a una persona, que es de conocida virtud. ▌adj.inv./s.com. **3** En la iglesia católica, referido a una persona, que ha muerto con fama de santidad.

veneración s.f. **1** Respeto y devoción grandes que se sienten por alguien a causa de su santidad, dignidad o virtud: *Habla de su maestra y profesora con veneración.* **2** Culto que se da o se rinde a Dios, a los santos o a algo sagrado: *La imagen del santo estaba expuesta para la veneración de sus devotos.*

venerando, da adj. *poét.* Venerable.

venerar v. **1** Referido a algo que se considera positivo, respetarlo absolutamente por su santidad, su virtud, su dignidad o su significado: *Venera a sus ancianos padres.* **2** Referido a Dios, a un santo o a algo sagrado, darles o rendirles culto: *Venera a Dios con el trabajo y el sacrificio diarios.* □ ETIMOL. Del latín *venerari.*

venéreo, a adj. **1** Referido a una enfermedad, que se contrae por contacto sexual. **2** Del deleite sexual o relacionado con él. □ ETIMOL. Del latín *venerius* (relativo a Venus).

venereología s.f. Parte de la medicina que estudia las enfermedades venéreas y su tratamiento. □ ETIMOL. Del *venéreo* y *-logía* (ciencia, estudio).

venereólogo, ga s. Médico especializado en venereología.

venero s.m. **1** Manantial de agua. **2** Lo que origina algo o le da principio: *La portentosa imaginación de esa escritora es venero de futuras novelas.* □ ETIMOL. De *vena.*

venezolanismo s.m. En lingüística, americanismo propio de Venezuela (país americano): *Compré un diccionario de venezolanismos en una librería de Caracas.*

venezolano, na adj./s. De Venezuela o relacionado con este país americano.

venga interj. **1** *col.* Expresión que se usa para indicar incredulidad o rechazo. **2** *col.* Expresión que se usa para animar a alguien o para meterle prisa.

vengador, -a adj./s. Que venga o se venga.

venganza s.f. Pago o devolución de la ofensa o del daño recibidos: *No olvidaré esta canallada, y mi venganza será terrible.*

vengar v. Referido a una ofensa o a un daño, responder a ellos con otra ofensa o con otro daño: *Vengó la muerte de su padre matando al hijo de su enemigo. Cuando consiguió el éxito, se vengó de aquellos que no creyeron en ella.* □ SINÓN. *vindicar.* □ ETIMOL. Del latín *vindicare* (reivindicar, reclamar, librar). □ ORTOGR. La *g* se cambia en *gu* delante de *e* →PAGAR. □ SINT. Constr. como pronominal: *vengarse* DE *algo.*

vengativo, va adj./s. Inclinado o decidido a vengarse de cualquier ofensa o daño.

venia s.f. Licencia o permiso para hacer algo concedidos por una autoridad: *Con la venia de Su Señoría, expondré los motivos por los que solicito la absolución del acusado.* ☐ ETIMOL. Del latín *venia* (favor, gracia, perdón).

venial adj.inv. Que se opone levemente a una ley o precepto y por ello es de fácil remisión o perdón: *una falta venial.* ☐ ETIMOL. Del latín *venialis*.

venialidad s.f. Levedad de un pecado o de una falta contra la ley.

venida s.f. **1** Ida o traslado al lugar en que está la persona que habla: *La venida a este barrio desde el centro lleva bastante tiempo.* **2** Llegada, aparición o comienzo: *Con la venida de la primavera, llegan muchas especies de aves.* **3** Vuelta al lugar del que se partió: *La ida no fue tan pesada como la venida.* ☐ SINÓN. *regreso.*

venidero, ra adj. Que está por venir o suceder: *generaciones venideras.*

venir v. **1** Caminar o moverse en dirección a la persona que habla: *Me asomé a la terraza para ver si venían ya.* **2** Llegar al lugar en que está la persona que habla: *¿Va a venir tu amiga?* **3** Producirse, ocurrir o llegar: *Dicen que las desgracias nunca vienen solas.* **4** Manifestarse o iniciarse: *De vez en cuando me viene un extraño mareo.* **5** Proceder, derivar o tener origen: *Esa chica viene de una familia adinerada.* **6** Figurar, aparecer o estar incluido: *En el periódico no viene nada del accidente.* **7** Surgir o aparecer en la imaginación o en la memoria: *Ya me viene a la memoria aquella tarde.* **8** Ser apropiado u oportuno: *Me viene bien quedar contigo esta tarde.* **9** Referido a una posesión, pasar su dominio de unos a otros: *La casa me vino por herencia.* **10** Referido esp. a una prenda de vestir, quedar o sentar como se indica: *Este pantalón me viene estrecho.* **11** Referido esp. a una sensación o a una enfermedad, empezar a dejarse sentir: *Tengo un poco de fiebre y creo que me va a venir una gripe.* **12** Seguido de gerundio, persistir en la acción que este indica: *Este problema viene sucediendo desde hace tiempo.* **13** Seguido de la preposición 'a' y de algunos infinitivos, denota equivalencia aproximada: *Eso viene a costar dos euros.* **14** Seguido de la preposición 'con', decir o manifestar: *No me vengas con tonterías.* **15** ‖ **venir a menos;** deteriorarse, empeorar o caer del estado que se tenía: *Esa familia era muy rica en otros tiempos, pero ahora ha venido a menos.* ‖ **venirse abajo** alguien; hundirse moralmente: *Cuando perdió el trabajo se vino abajo, y ahora va al psiquiatra.* ☐ ETIMOL. Del latín *venire* (ir, venir). ☐ MORF. Irreg. →VENIR.

venopunción s.f. Introducción de una aguja en una vena para extraer sangre o inyectar un líquido.

venosidad s.f. Vena fina que se ve a través de la piel.

venoso, sa adj. **1** De las venas o relacionado con ellas: *La sangre venosa contiene muy poco oxígeno y es más oscura que la arterial.* **2** Que tiene venas o que las tiene muy perceptibles: *unas manos muy venosas.*

venta s.f. **1** Cesión de algo a cambio de dinero o de otra forma de pago: *Las tiendas de confección se dedican a la venta de prendas de ropa.* **2** Cantidad de cosas vendidas: *La campaña contra el tabaco ha hecho disminuir las ventas de este producto.* **3** Establecimiento situado en caminos y despoblados en el que antiguamente se daba hospedaje a los viajeros. **4** Establecimiento situado cerca de una carretera en el que se sirve comida y bebida. **5** ‖ **venta ambulante;** la que se realiza en espacios al aire libre, en zonas verdes o en la vía pública, en fechas determinadas. ‖ **venta puerta a puerta;** la que se efectúa en el domicilio de los compradores. ☐ ETIMOL. Del latín *vendita*.

ventaja s.f. **1** Superioridad de una persona o cosa sobre otra: *La ganadora me sacó una ventaja de dos metros.* **2** Condición, cualidad o circunstancia favorables: *Ese trabajo tiene más inconvenientes que ventajas.* **3** Ganancia que un competidor concede de antemano a otro al que considera inferior: *Dame ventaja, porque tú eres mayor que yo.* ☐ ETIMOL. Del francés *avantage*, y este de *avant* (delante).

ventajismo s.m. Actitud y comportamiento de la persona que no tiene escrúpulos para intentar obtener un beneficio.

ventajista adj.inv./s.com. Referido a una persona, que no tiene escrúpulos para intentar obtener alguna ventaja.

ventajoso, sa adj. **1** Que tiene o que proporciona ventajas, utilidad, provecho o beneficio: *Ese negocio me ha sido muy ventajoso, porque he ganado mucho dinero.* **2** En zonas del español meridional, aprovechado.

ventana s.f. **1** En un muro, esp. si es de un edificio, abertura elevada sobre el suelo para que entre la luz y el aire: *Mi habitación tiene dos ventanas.* **2** Marco con una o más hojas, generalmente con cristales, con que se cubre esta abertura: *Se dio en la cabeza con la ventana y se hizo una herida.* **3** En la nariz, cada uno de sus dos orificios exteriores. **4** En el monitor de un ordenador, pequeño recuadro que aparece en la pantalla y que muestra las distintas posibilidades de operar o las distintas opciones. **5** ‖ **{echar/tirar}** algo **por la ventana;** desperdiciarlo o malgastarlo: *Las oportunidades hay que aprovecharlas y no tirarlas por la ventana.* ☐ ETIMOL. Del latín *ventus* (viento).

ventanaje s.m. Conjunto de ventanas de un edificio.

ventanal s.m. Ventana grande.

ventanazo s.m. Golpe fuerte que da una ventana al cerrarse.

ventanear v. *col.* Asomarse a la ventana con frecuencia: *De tanto ventanear, te sabes al dedillo la vida de tus vecinos.*

ventanilla s.f. **1** En un banco o en una oficina, abertura pequeña que hay en un tabique a través de la cual se atiende al público: *Esos documentos tiene que entregarlos en la ventanilla de al lado.* **2** En un vehículo, ventana pequeña lateral. **3** En algunos sobres, abertura tapada con un material transparente para poder leer lo que está en el interior: *Los bancos suelen mandar la correspondencia a sus usuarios en sobres con ventanilla.*

ventanillo s.m. **1** En una puerta o ventana, postigo pequeño. **2** Abertura pequeña de una puerta que sirve para observar a la persona que llama. **3** →**trampilla.**

ventano s.m. Ventana pequeña.

ventanuco s.m. Ventana pequeña.

ventarrón s.m. Viento que sopla con mucha fuerza.

ventear v. **1** Soplar el viento con fuerza: *No me gusta salir a la calle cuando ventea y llueve.* **2** Referido al aire, olfatearlo un animal: *Los perros venteaban el aire buscando la pieza herida por el cazador.* **3** Poner al viento para limpiar o secar: *Venteé la manta antes de guardarla.* □ MORF. En la acepción 1, es unipersonal.

ventero, ra s. Propietario o encargado de una venta para hospedar viajeros: *El ventero que aparece en el Quijote se llama Juan Palomeque 'el Zurdo'.*

ventilación s.f. **1** Entrada de aire en un lugar o renovación del que hay: *La ventilación del trastero se efectúa a través de esa rejilla.* **2** Abertura o instalación que sirve para ventilar un lugar: *La única ventilación de mi habitación es una ventanilla sobre la puerta.* □ ETIMOL. Del latín *ventilatio.*

ventilador s.m. Aparato formado por un aspa giratoria, que se usa para ventilar o refrigerar un lugar al mover el aire.

ventilar ▮ v. **1** Referido a un lugar, hacer que entre aire en él o que se renueve el que hay: *Abrimos las ventanas para ventilar la habitación. Abre puertas y ventanas para que se ventile la casa.* **2** Exponer al viento: *Ventila la colcha para que se le vaya el olor a humo.* **3** Resolver, solucionar o concluir: *No tardé nada en ventilar el problema.* **4** Dar a conocer o divulgar públicamente: *Este asunto es mejor no ventilarlo porque es privado.* ▮ prnl. **5** *col.* Referido a una persona, acabar con ella: *Se ventilaron al soplón en cuanto salió a la calle.* **6** *col.* Terminar o acabar rápidamente: *Se ventiló él solo la botella de vino.* **7** *col. desp.* Referido a una persona, tener relaciones sexuales con ella. □ ETIMOL. Del latín *ventilare.*

ventisca s.f. **1** Tormenta de viento, o de viento y nieve, frecuente en los puertos y las gargantas de montaña. **2** Ventarrón o viento fuerte.

ventiscar v. Nevar con viento fuerte: *En invierno suele ventiscar en los desfiladeros montañosos.* □ SINÓN. *ventisquear.* □ ORTOGR. La *c* se cambia en *qu* delante de *e* →SACAR. □ MORF. Es unipersonal.

ventisquear v. →**ventiscar.** □ MORF. Es unipersonal.

ventisquero s.m. **1** En una montaña, lugar expuesto a las ventiscas. **2** En una montaña, lugar alto en el que se conserva la nieve y el hielo.

ventolera s.f. **1** Golpe de viento fuerte y breve. **2** *col.* Decisión o determinación inesperada y repentina, esp. si es extravagante: *Me dio la ventolera y me matriculé en un curso de esperanto por correspondencia.*

ventolina s.f. En náutica, viento leve y variable.

ventosa s.f. **1** Pieza cóncava de un material elástico que, al ser oprimida contra una superficie lisa, produce el vacío en su interior y queda adherida. **2** En algunos animales, órgano parecido a esta pieza cóncava que les sirve para succionar o para sujetarse. □ ETIMOL. Del latín *ventosa.*

ventosear v. Expulsar los gases intestinales por el ano: *Es de mala educación ventosear en público. Alguien se ha ventoseado, porque huele fatal.* □ SINÓN. *peerse.* □ ETIMOL. De *ventoso.*

ventosidad s.f. Gas intestinal encerrado o comprimido en el cuerpo, esp. cuando se expulsa.

ventoso, sa adj. Con fuertes vientos. □ ETIMOL. Del latín *ventosus.*

ventral adj.inv. Del vientre o relacionado con esta parte del cuerpo.

ventrecha s.f. →**ventresca.** □ ETIMOL. Del francés antiguo *ventresche.*

ventresca s.f. Vientre de los pescados. □ SINÓN. *ventrecha.* □ ETIMOL. Del catalán *ventresca.*

ventricular adj.inv. De los ventrículos del corazón o del encéfalo, o relacionado con ellos.

ventrículo s.m. **1** En un corazón, cavidad que recibe la sangre de las aurículas: *El ventrículo izquierdo del corazón humano envía la sangre oxigenada a todo el organismo.* **2** En el encéfalo de un mamífero, cada una de sus cuatro cavidades: *En el encéfalo están el ventrículo medio, los dos ventrículos laterales y el cuarto ventrículo.* □ ETIMOL. Del latín *ventriculus.* □ ORTOGR. Dist. de *ventrílocuo.*

ventrílocuo, cua adj./s. Referido a una persona, que habla sin mover los labios para que no se note, e imita diferentes voces. □ ETIMOL. Del latín *ventriloquus,* y este de *venter* (vientre) y *loqui* (hablar). □ ORTOGR. Dist. de *ventrículo.*

ventriloquia s.f. Arte o técnica de hablar sin mover los labios para que no parezca que se habla. □ ORTOGR. Se usa también *ventriloquía.*

ventrudo, da adj. Que tiene abultado el vientre: *un muñeco ventrudo.*

ventura s.f. **1** Estado de ánimo del que se encuentra contento y satisfecho con las circunstancias de la vida: *Fueron años de ventura en los que fuimos muy felices.* □ SINÓN. *felicidad, dicha.* **2** Suerte favorable: *Pasó con ventura los exámenes.* □ SINÓN. *dicha.* **3** Circunstancia de que lo que ocurre resulte favorable o adverso: *Por mi mala ventura estoy hundido en la miseria.* □ SINÓN. *suerte.* **4** ‖ **a la (buena) ventura;** sin un objeto determinado o a lo que la suerte depare: *Se fue de excursión a la buena ventura y casi se perdió.* ‖ **buena ventura;** →**buenaventura.** ‖ **por ventura; 1** Quizá o acaso: *¿Por ventura crees que pude ser yo?* **2** Afortunadamente: *Por ventura ha dejado de nevar y podremos regresar a casa.* □ ETIMOL. Del latín *ventura* (lo que está por venir).

venturoso, sa adj. Que tiene o implica felicidad.

venus (pl. *venus*) s.f. **1** Mujer muy hermosa. **2** Estatuilla prehistórica de figura femenina. □ ETIMOL. Por alusión a Venus, diosa romana de la belleza y del amor.

venusiano, na ▌ adj. **1** De Venus (planeta del sistema solar) o relacionado con él. ▌ s. **2** Habitante de este planeta. □ SEM. Dist. de *venusino* (de la diosa Venus).

venusino, na adj. De Venus (diosa de la belleza y del amor en la mitología romana), o relacionado con ella. □ SEM. Dist. de *venusiano* (del planeta Venus).

ver ▌ s.m. **1** Apariencia o aspecto exterior: *Es un hombre maduro pero todavía de buen ver.* ▌ v. **2** Referido a algo material, percibirlo por los ojos mediante la acción de la luz: *Enciende la luz, que no veo.* **3** Percibir con cualquier sentido o con la inteligencia: *No veo claro lo que quieres decirme.* **4** Observar o contemplar: *Se quedó viendo un hormiguero.* **5** Reconocer con cuidado y atención: *Voy al médico para que me vea el estómago.* **6** Comprender o darse cuenta: *¿Ves lo que ha pasado por tu culpa?* **7** Considerar, analizar o reflexionar: *Mañana veremos ese problema.* **8** Conocer o juzgar: *No veo nada malo en ello.* **9** Examinar, averiguar o buscar: *Si ahí no están las llaves, ve a ver en el cajón.* **10** Referido a algo que aún no ha ocurrido, preverlo, presentirlo o sospecharlo: *Estaba viendo que te ibas a caer.* **11** Referido a una persona, visitarla o estar con ella: *¿Te vienes a ver a mi hermana?* **12** Referido a una imagen, imaginarla o representarla de forma material o inmaterial: *Cuando sueño, veo en mi cabeza personas que no conozco.* **13** Referido a un lugar, ser escenario de un suceso o un acontecimiento: *Estos parques han visto muchos juegos infantiles.* ▌ prnl. **14** Referido a una persona, encontrarse o estar en el estado, situación o lugar que se expresa: *Si te ves en la necesidad de pedir dinero, pídemelo a mí.* **15** ‖ **a ver; 1** *col.* Expresión que se usa para pedir algo o para indicar expectación o curiosidad: *A ver, ¿qué es lo que no entiendes?* **2** *col.* Expresión que se usa para expresar acuerdo: *Esperaré hasta que llegue, a ver qué hago si no.* ‖ **hasta más ver;** expresión que se usa como despedida de alguien a quien se espera volver a ver: *Hoy ya me tengo que ir, ¡hasta más ver!* □ SINÓN. *hasta la vista.* ‖ **hay que ver;** expresión que se usa para intensificar algo o para indicar sorpresa, indignación o incredulidad: *¡Hay que ver qué guapo estás!* ‖ **no veas;** *col.* Expresión que se usa para indicar ponderación: *¡No veas cómo se puso de nervioso cuando le pregunté!* ‖ **vérselas con** alguien; *col.* Tener un enfrentamiento: *Si sigue molestando, se las verá conmigo.* □ ETIMOL. La acepción 1, del verbo *ver*. Las acepciones 2-15, del latín *videre.* □ MORF. Irreg.: 1. Su participio es *visto.* 2. →VER.

vera s.f. **1** Orilla, esp. la de un río o un camino. **2** ‖ **a la vera** de algo; a su lado: *Ven a mi vera y dame la mano.* □ ETIMOL. De origen incierto.

veracidad s.f. Conformidad con la verdad o ausencia de mentira: *No pongo en duda la veracidad de tus afirmaciones, pero me resultan difíciles de creer.* □ ETIMOL. Del latín *veracitas.* □ SINT. Incorr. *dar {*veracidad > crédito} a algo.*

veranda s.f. Porche o espacio cubierto en la fachada de un edificio.

veraneante adj.inv./s.com. Que veranea.

veranear v. Pasar las vacaciones de verano en un lugar diferente del de la residencia habitual: *Yo veraneo en la costa.*

veraneo s.m. Vacaciones de verano cuando transcurren en un lugar diferente del de la residencia habitual.

veraniego, ga adj. Del verano o relacionado con esta estación del año.

veranillo s.m. Tiempo corto del otoño en el que suele hacer calor de verano: *El veranillo de San Martín son unos días soleados alrededor del 11 de noviembre.*

verano s.m. Estación del año entre la primavera y el otoño, y que en el hemisferio norte transcurre aproximadamente entre el 21 de junio y el 21 de septiembre. □ SINÓN. *estío.* □ ETIMOL. Del latín *veranum tempus* (tiempo primaveral). □ SEM. En el hemisferio sur, transcurre entre el 21 de diciembre y el 21 de marzo.

veras s.f.pl. **1** Lo que resulta cierto o verdadero: *Entre veras y bromas, acabaron insultándose.* **2** ‖ **de veras;** de manera cierta, segura o firme: *De veras, no sé qué hacer con ese chico.* □ SINÓN. *de verdad.* □ ETIMOL. Del latín *veras*, y este de *verus* (verdadero).

veraz adj.inv. Que dice siempre la verdad o que actúa según la verdad: *una información veraz.* □ ETIMOL. Del latín *verax.* □ ORTOGR. Dist. de *feraz.*

verba s.f. Facilidad de palabra o tendencia a hablar mucho. □ ETIMOL. Del francés *verve.*

verbal adj.inv. **1** Relacionado con la palabra o que se sirve de ella: *El lenguaje verbal es el único lenguaje posible.* **2** Hablado y no por escrito: *En mi familia, los acuerdos son verbales y a veces ocasionan problemas.* **3** En gramática, del verbo o relacionado con esta parte de la oración: *La flexión verbal permite distinguir las personas y el tiempo del verbo.* □ ETIMOL. Del latín *verbalis.*

verbalismo s.m. **1** Tendencia a basar los razonamientos en las palabras más que en los conceptos: *El verbalismo se caracteriza por la utilización de numerosas palabras para expresar pocas ideas.* **2** Procedimiento de enseñanza en el que se desarrolla principalmente la memoria verbal.

verbalista adj.inv./s.com. Del verbalismo o relacionado con esta tendencia.

verbalizar v. Pronunciar o expresar con palabras: *Verbalizar los sentimientos me resulta a veces muy difícil.* □ ORTOGR. La *z* se cambia en *c* delante de *e* →CAZAR.

verbena s.f. **1** Fiesta popular nocturna que se celebra generalmente al aire libre la víspera de algunas festividades. **2** Planta herbácea de tallo con abundantes ramas en la parte superior, hojas ásperas y flores de varios colores en largas espigas:

La infusión de hojas de verbena tiene propiedades astringentes. □ ETIMOL. Del latín *verbena* (ramo de verbena, laurel, olivo o mirto), porque los sacerdotes paganos llevaban estos ramos en sus sacrificios.

verbenero, ra ▌adj. **1** De las verbenas populares o relacionado con ellas: *Me encanta participar en las atracciones verbeneras.* **2** Con características que se consideran propias de las verbenas populares, como la alegría, el bullicio y el colorido: *Los ambientes verbeneros me ponen de buen humor.* ▌adj./s. **3** Referido a una persona, que es aficionada a las verbenas populares: *Siempre que puede va a las verbenas porque es muy verbenero.* ▌s. **4** Persona que se dedica profesionalmente al cuidado o a la atención de las atracciones de las verbenas: *Mi tía es una de las verbeneras del tiovivo.*

verbigracia ▌s.m. **1** *col.* Ejemplo: *Como veo que no lo entiendes, te pondré un verbigracia, a ver si te enteras de una vez.* ▌adv. **2** Por ejemplo: *El uso del tabaco puede causar muchas enfermedades, verbigracia, el cáncer de pulmón.* □ ETIMOL. Del latín *verbi gratia.*

verbo s.m. **1** En gramática, parte de la oración que tiene los morfemas gramaticales de persona, número, tiempo y modo: *'Leer' y 'cantar' son verbos transitivos, y 'yacer' es intransitivo.* **2** *poét.* Palabra: *Los modernistas se caracterizan por buscar el verbo más sonoro y sugerente para la expresión de cada pensamiento.* **3** ‖ **(verbo) auxiliar;** el que en una perífrasis verbal aporta los morfemas gramaticales de persona, número, tiempo, modo o aspecto: *La voz pasiva se forma con el verbo auxiliar 'ser' y el participio del verbo que se conjuga.* ‖ **verbo deponente;** en latín, el que tiene forma pasiva y significación activa: *'Loquor' es un verbo deponente porque tiene un significado activo ('hablar') y se conjuga en pasiva.* □ ETIMOL. Del latín *verbum* (palabra, verbo).

verborrea s.f. Tendencia a hablar demasiado o a utilizar un gran número de palabras para expresarse. □ ETIMOL. Del latín *verbum* (palabra) y *-rrea* (flujo). □ USO Tiene un matiz despectivo.

verborreico, ca adj. *col. desp.* Que habla demasiado.

verbosidad s.f. Tendencia a utilizar un gran número de palabras para expresarse. □ ETIMOL. Del latín *verbositas.*

verboso, sa adj. Abundante en palabras.

verdad s.f. **1** Correspondencia entre lo que se manifiesta y lo que se sabe, se cree o se piensa: *No me mientas, porque quiero saber la verdad.* **2** Afirmación o principio que no se pueden negar racionalmente o que son aceptados en general por una colectividad: *Que dos y dos son cuatro es una verdad matemática.* **3** Existencia verdadera y efectiva: *No sé si lo del accidente es verdad o lo he soñado.* □ SINÓN. *realidad.* **4** Expresión clara y directa con que se corrige o se reprende a alguien: *Le voy a decir cuatro verdades para que se ande con más cuidado.* **5** ‖ **bien es verdad** o **verdad es que;** expresión que se usa para contraponer dos expresiones o enunciados: *La cena salió barata; bien es verdad que algunos solo tomamos un plato.* ‖ **de verdad; 1** Expresión que se usa para asegurar la certeza de lo que se afirma: *De verdad que no te entiendo.* **2** De manera cierta, segura o firme: *Si de verdad confías en mí, déjame actuar a mi manera.* □ SINÓN. *de veras.* ‖ **verdades como puños;** *col.* Las muy evidentes: *Lo que te estoy diciendo son verdades como puños.* □ ETIMOL. Del latín *veritas*, y este de *verus* (verdadero). □ MORF. En la acepción 4, se usa más en plural. □ SEM. En contextos interrogativos, se usa cuando se espera una respuesta afirmativa o cuando se pide el consentimiento o la conformidad de alguien: *¿Verdad que me llevarás al cine? Estás de acuerdo, ¿verdad?*

verdadero, ra adj. **1** Que es verdad o que la contiene. **2** Real y efectivo: *Le tiene verdadero cariño a su profesor.*

verdal adj.inv. **1** Referido a una fruta, que conserva el color verde aun después de haber madurado: *ciruelas verdales.* **2** Referido a un árbol o a una planta, que produce este tipo de fruta.

verde ▌adj.inv. **1** Referido a una planta o a un árbol, que no están secos: *Arranca los rosales que no estén verdes.* **2** Referido a la leña, que está húmeda y recién cortada de un árbol vivo. **3** Referido a una legumbre, que se come fresca. **4** Referido esp. a un fruto, que no está maduro. **5** Referido esp. a un plan o a un proyecto, que está todavía en sus principios y sin terminar de perfeccionar: *Tu propuesta es buena, pero está verde y habrá que meditarla.* **6** Referido esp. a una zona o a un espacio, que están destinados a ser parques o jardines y en ellos no se puede edificar: *En este barrio hay muchas zonas verdes.* **7** Referido a una persona, inexperta y poco preparada: *Llevamos poco tiempo en este trabajo y aún estamos verdes.* **8** Referido a una persona, que tiene una inclinación por el sexo impropia de su edad o de su situación: *un viejo verde.* **9** Indecente, obsceno o que resulta ofensivo al pudor: *un chiste verde.* **10** Referido a una salsa, que se hace con perejil, y se suele usar para acompañar pescados. ▌adj.inv./s.com. **11** Ecologista o que defiende la necesidad de la protección del medio ambiente y unas relaciones más armónicas entre las personas y su entorno: *Los verdes se oponen a la construcción de centrales nucleares.* ▌adj.inv./s.m. **12** Del color de la hierba fresca. ▌s.m. **13** Hierba o césped. **14** Conjunto de ramas y hojas de los árboles y otras plantas, esp. si es abundante. □ SINÓN. *follaje.* **15** *col.* Billete de mil pesetas. **16** ‖ **poner verde** a alguien; *col.* Hablar mal de él: *Cuando no estás delante, te pone verde.* □ ETIMOL. Del latín *viridis* (verde, vigoroso, joven). □ MORF. Cuando se antepone a otra palabra para formar compuestos, adopta la forma *verdi-.*

verdear v. **1** Referido al campo, empezar a brotar plantas en él: *Con las primeras lluvias primaverales, los campos verdean.* **2** Referido a un árbol, cubrirse de hojas verdes: *El año pasado, a finales de marzo, los árboles ya verdeaban.* **3** Referido a un objeto, ir tomando color verde, o mostrar el color verde que tiene en sí: *Algunas fachadas de piedra verdean con la humedad.* **4** Referido esp. a un color, tener tonos verdes: *Me gusta el azul de tus ojos porque verdea con la luz del sol.*

verdecer v. Referido a la tierra o a los árboles, cubrirse de verde o reverdecer: *En primavera los campos de trigo verdecen.* ☐ MORF. Irreg. →PARECER.

verdecillo s.m. Pájaro que tiene el cuerpo rechoncho, pico corto y ancho, y plumaje grisáceo con listas de color amarillo verdoso: *El verdecillo vive en campos, bosques y jardines de Europa.* ☐ MORF. Es un sustantivo epiceno: *el verdecillo {macho/hembra}.*

verdegal s.m. Sitio en el que el campo está verde.

verdegay adj.inv./s.m. De color verde claro. ☐ ETIMOL. Del francés *vert gai* (verde alegre).

verdeja s.f. Véase **verdejo, ja**.

verdejo, ja adj./s.f. Referido a la uva, de la variedad que se caracteriza por tener un color muy verde.

verdemar adj.inv./s.m. De color verdoso semejante al que suele tomar el mar.

verdeo s.m. Recogida de las aceitunas antes de que maduren. ☐ ETIMOL. De *verde*.

verderol s.m. →**verderón.** ☐ MORF. Es un sustantivo epiceno: *el verderol {macho/hembra}.*

verderón (tb. *verderol*) s.m. Pájaro cantor parecido al gorrión, que tiene el plumaje gris con manchas verdosas en las alas y en la base de la cola: *El canto del verderón es muy agradable.* ☐ MORF. Es un sustantivo epiceno: *el verderón {macho/hembra}.*

verdial ▌adj.inv. **1** Referido a una aceituna, que es alargada y conserva su color verde después de haber madurado: *Las aceitunas verdiales son típicas de Andalucía.* ▌s.m.pl. **2** Tipo de fandango, de movimiento vivo y apasionado, que se interpreta con acompañamiento de guitarra: *Los verdiales son propios de Málaga.*

verdiblanco, ca adj./s. *col.* De cualquier equipo deportivo cuya camiseta tenga los colores blanco y verde. ☐ SINÓN. *blanquiverde.*

verdigón s.m. Molusco marino que vive encerrado en una concha de color verdoso.

verdín s.m. Capa verde, formada por algas y otras plantas sin flores, que se cría en la superficie del agua estancada, en paredes y lugares húmedos y en la corteza de algunos frutos cuando se pudren: *La humedad ha cubierto las paredes de verdín.*

verdinegro, gra adj./s.m. De color verde oscuro.

verdó s.m. Conjunto formado por una botella y un vaso. ☐ ETIMOL. Del francés *verre d'eau*.

verdolaga s.f. Planta herbácea con tallos gruesos, hojas carnosas casi redondas y comestibles, flores amarillas, rojas o blancas y fruto en forma de cápsula con semillas pequeñas y negras: *La verdolaga es originaria de América.* ☐ ETIMOL. Del mozárabe **berdolaca*.

verdor s.m. Color verde, esp. el intenso de las plantas.

verdoso, sa adj. Semejante al verde o con tonalidades verdes.

verdugo s.m. **1** Persona encargada de ejecutar las penas de muerte u otros castigos corporales. ☐ SINÓN. *ejecutor.* **2** Gorro de lana que cubre la cabeza y el cuello y solo deja al descubierto los ojos, la nariz y la boca. ☐ ETIMOL. Quizá del latín *virgultum* (retoño), porque verdugo significó vara o rama de un árbol, de donde derivó al azote que se daba con este verdugo y, finalmente, persona que azotaba.

verdugón s.m. Señal enrojecida que produce el golpe dado con un látigo o con otro instrumento semejante. ☐ ETIMOL. De *verdugo*.

verduguillo s.m. Estoque delgado, esp. el que se emplea para descabellar al toro.

verdulería s.f. Establecimiento donde se venden verduras.

verdulero, ra ▌s. **1** Persona que vende verduras. **2** *col. desp.* Persona que tiene modales ordinarios, vulgares y desvergonzados. ▌s.m. **3** Mueble que se utiliza para guardar verduras.

verdura s.f. **1** Hortaliza o planta comestible que se cultiva en una huerta, esp. las que tienen hojas verdes. **2** Verdor o color verde, esp. el intenso de las plantas.

verdusco, ca (tb. *verduzco, ca*) adj. Que tiene tonalidades de color verde oscuro.

verecundia s.f. *poét.* Vergüenza. ☐ ETIMOL. Del latín *verecundia* (reserva, pudor, respeto).

verecundo, da adj. *poét.* Que se avergüenza.

vereda s.f. **1** Camino estrecho que generalmente se ha formado por el paso de las personas y del ganado. **2** En zonas del español meridional, acera. **3** ‖ **meter en vereda** a alguien; *col.* Obligarle a cumplir con sus deberes o a seguir un modo de vida que se considera ordenado y regular: *Al ver que no estudiaba, su padre rápidamente lo metió en vereda y lo puso a trabajar.* ☐ ETIMOL. Del latín *vereda* (camino, vía).

veredicto s.m. **1** Fallo o sentencia definitiva pronunciados por un jurado. **2** Opinión o juicio emitidos por una persona especializada o autorizada en la materia: *La comedia recibió el veredicto positivo de la crítica.* ☐ ETIMOL. Del inglés *verdict*.

verga s.f. **1** En un mamífero macho, órgano genital. **2** En un barco, palo que se coloca horizontalmente en el mástil y en el que se sujeta la vela. ☐ ETIMOL. Del latín *virga* (vara, rama).

vergajazo s.m. Golpe dado con un vergajo o látigo corto y flexible.

vergajo s.m. **1** Látigo fabricado con una verga de toro después de cortada, seca y retorcida. **2** Látigo corto hecho con cualquier material flexible.

vergel s.m. Huerto con gran variedad de flores y árboles frutales. ☐ ETIMOL. Del provenzal antiguo *vergier*.

verglás s.m. Capa muy fina de hielo que cubre el suelo o una superficie sólida: *Es muy peligroso circular sobre una carretera con verglás.* ☐ ETIMOL. Del francés *verglas*.

vergonzante adj.inv. Que tiene vergüenza, esp. referido a la persona que pide limosna de manera encubierta. □ SEM. Dist. de *vergonzoso* (que causa vergüenza, o que se avergüenza con facilidad).

vergonzoso, sa ▌adj. **1** Que causa vergüenza: *un comportamiento vergonzoso.* ▌adj./s. **2** Que se avergüenza con facilidad: *un niño vergonzoso.* □ SEM. Dist. de *vergonzante* (que tiene vergüenza).

vergüenza ▌s.f. **1** Sentimiento de turbación producido por alguna falta cometida o por alguna acción que se considera deshonrosa, humillante o ridícula: *Me puse rojo de vergüenza cuando el profesor me pilló copiando en el examen.* **2** Sentimiento de dignidad personal o estimación de la propia honra: *Si es que tiene vergüenza, reconocerá su error.* **3** Acción que atenta contra la dignidad o contra la honradez y deja en mala opinión al que la ejecuta: *Es una vergüenza que los niños mueran de hambre.* **4** Deshonor o deshonra: *Eres la vergüenza de la familia.* ▌pl. **5** *col.* En una persona, órganos sexuales externos: *Los nativos de la película cubrían sus vergüenzas con un taparrabos.* **6** ‖ **vergüenza ajena;** la que se siente por faltas o acciones cometidas por otros: *Si vas vestido como un mamarracho, yo no voy contigo, porque me da vergüenza ajena.* □ ETIMOL. Del latín *verecundia* (reserva, pudor, respeto).

vericueto ▌s.m. **1** Lugar estrecho y escarpado por el que se anda con dificultad: *Solo se puede llegar al castillo subiendo por unos vericuetos que hay entre las montañas.* ▌pl. **2** Aspectos difíciles o poco claros de un asunto: *Es un trabajo sencillo, sin vericuetos.* □ ETIMOL. De *pericueto* (cerro escarpado). □ ORTOGR. Dist. de *verigüeto.*

verídico, ca adj. Que dice o que contiene verdad: *un hecho verídico.* □ ETIMOL. Del latín *veriducus*, y este de *verus* (verdadero) y *dicere* (decir).

verificabilidad s.f. Posibilidad de verificar.

verificación s.f. **1** Comprobación o examen de la verdad de algo: *Necesito más datos para realizar la verificación de sus declaraciones.* **2** Realización de algo que se había pronosticado: *El accidente supuso la verificación de las predicciones de la médium.*

verificador, -a adj./s. Que verifica.

verificar v. **1** Referido a algo de lo que se duda, probar o comprobar que es verdadero: *La doctora verificó su diagnóstico al ver los análisis.* **2** Realizar, efectuar o llevar a cabo: *La policía verificó un registro en el domicilio del acusado. Los pronósticos se verificaron tres meses después.* □ ETIMOL. Del latín *verificare* (presentar como verdad). □ ORTOGR. La *c* se cambia en *qu* delante de *e* →SACAR.

verificativo, va adj. Que sirve para verificar.

verigüeto s.m. Molusco bivalvo que tiene la concha de color amarillo grisáceo y es comestible: *Los verigüetos viven en las costas de la península Ibérica.* □ ORTOGR. Dist. de *vericueto.*

verilear v. En náutica, navegar cerca de la costa.

verismo s.m. Realismo llevado al extremo, esp. en las obras de arte.

verista adj.inv. Que manifiesta un realismo llevado al extremo.

verja s.f. Enrejado o reja que se utiliza como puerta, ventana o cerca. □ ETIMOL. Del francés *verge.*

verme s.m. Gusano, esp. la lombriz intestinal: *Los vermes viven como parásitos en el intestino humano.* □ ETIMOL. Del latín *vermis* (gusano, lombriz).

vermicida adj.inv./s.m. Referido a una sustancia o a un medicamento, que mata o expulsa las lombrices intestinales. □ SINÓN. *vermífugo.* □ ETIMOL. Del latín *vermis* (gusano, lombriz) y *-cida* (que mata).

vermicular adj. **1** Que tiene forma o aspecto de gusano. **2** Que tiene gusanos o los cría.

vermiforme adj.inv. Con forma de gusano: *El intestino ciego termina en un apéndice vermiforme.* □ ETIMOL. Del latín *vermis* (gusano) y *-forme* (forma).

vermífugo, ga adj./s.m. Referido esp. a una sustancia o a un medicamento, que mata o expulsa las lombrices intestinales. □ SINÓN. *vermicida.* □ ETIMOL. Del latín *vermis* (gusano) y *-fugo* (que expulsa).

vermouth (fr.) s.m. →**vermú.** □ PRON. [vermút].

vermú (tb. *vermut*) (pl. *vermús, vermúes*) s.m. **1** Licor compuesto de vino blanco o rosado y otras sustancias amargas y tónicas. **2** Aperitivo que se toma antes de comer. □ ETIMOL. Del alemán *wermuth* (ajenjo). □ USO Es innecesario el uso del galicismo *vermouth.*

vermut (pl. *vermuts*) s.m. →**vermú.**

vernáculo, la adj. Referido esp. a una lengua, que es propia de un país o lugar: *En la alta Edad Media, además de textos en latín, empiezan a aparecer los primeros escritos en lenguas vernáculas.* □ ETIMOL. Del latín *vernaculus* (indígena, nacional).

vernissage (fr.) s.m. Inauguración restringida de una exposición de arte, antes de que se abra al público en general: *Tengo una invitación para el vernissage de la exposición de tres artistas de gran prestigio.* □ PRON. [vernisách], con *ch* suave.

verode (tb. *berode*) s.m. Planta de origen canario, arbustiva y perenne, con hojas lanceoladas y flores blancas perfumadas: *En Canarias, el verode crece en los troncos de las palmeras e incluso sobre los tejados de las casas.*

veronal s.m. Sustancia química derivada del ácido barbitúrico, que se usa como somnífero y tranquilizante: *Una dosis excesiva de veronal puede producir la muerte.* □ ETIMOL. Extensión del nombre de una marca comercial.

verónica s.f. En tauromaquia, lance en el que el torero espera de frente la acometida del toro con la capa extendida o abierta con ambas manos. □ ETIMOL. Por alusión a Verónica, mujer que en el Evangelio sostenía en las manos el lienzo con la faz de Cristo.

verosímil adj.inv. Que tiene apariencia de ser verdadero y resulta creíble. □ ETIMOL. Del latín *verisimilis*, y este de *veris* (verdadero) y *similis* (semejante).

verosimilitud s.f. Apariencia de ser verdadero y posibilidad de ser creído: *La verosimilitud de la coartada del acusado hizo dudar a la juez.*

verraco s.m. Cerdo que se utiliza como semental. □ ETIMOL. Del latín *verres.*

verraquear v. *col.* Referido a un niño, llorar con rabia: *Dale el chupete al niño para que deje de verraquear.*

verriondo, da adj. Referido esp. a un puerco, que está en celo.

verruga s.f. Abultamiento en la piel, generalmente rugoso y con forma redonda. □ ETIMOL. Del latín *verruca.*

verrugoso, sa adj. Que tiene muchas verrugas.

versado, da adj. Experto o instruido en una determinada materia: *Este político está muy versado en temas históricos.* □ SINT. Constr. *versado EN algo.*

versal s.f. →**letra versal.** □ ETIMOL. De *verso*, por emplearse esta clase de letra en principio de verso.

versalita s.f. →**letra versalita.**

versallesco, ca adj. **1** De Versalles (ciudad francesa) o relacionado con este sitio real en el que estuvo establecida la corte francesa durante el siglo XVIII. **2** *col.* Referido esp. al lenguaje o a los modales, que son afectadamente corteses o educados.

versar v. Referido esp. a un libro o a un discurso, tratar sobre la materia que se indica: *Su artículo versa sobre los temas mitológicos en el teatro del siglo XVII.* □ ETIMOL. Del latín *versari* (ocuparse en algo, encontrarse habitualmente en un lugar). □ SINT. Constr. *versar SOBRE algo.*

versátil adj.inv. **1** Que se adapta fácilmente y con rapidez a distintas funciones: *Se considera una artista muy versátil, ya que canta, escribe y se dedica a la pintura.* **2** Referido esp. al genio o al carácter, que es inconstante o que cambia fácilmente. □ ETIMOL. Del latín *versatilis.*

versatilidad s.f. Facilidad excesiva para el cambio, esp. en el genio o en el carácter.

versículo s.m. En algunos libros, esp. en la Biblia, cada una de las divisiones breves que se hacen en sus capítulos. □ ETIMOL. Del latín *versiculus*, y este de *versus* (verso).

versificación s.f. **1** Composición de versos. **2** Arte o técnica de hacer versos. **3** Puesta en verso de algo.

versificador, -a adj./s. Que hace o compone versos.

versificar v. **1** Componer versos: *No todos los que versifican pueden ser considerados poetas.* **2** Poner en verso: *Muchos romances son leyendas versificadas.* □ ETIMOL. Del latín *versificare*, y este de *versus* (verso) y *facere* (hacer). □ ORTOGR. La *c* se cambia en *qu* delante de *e* →SACAR.

versión s.f. Cada una de las formas que adopta la relación de un mismo suceso, la forma de una misma obra o la interpretación de un mismo tema: *Me gusta ver películas en versión original. Tu versión del asunto es distinta de la mía.* □ ETIMOL. Del latín *versum*, y este de *vertere* (tornar, volver).

versionar v. Referido esp. a una obra artística o musical, realizar una nueva versión: *Este grupo ha versionado alguno de los temas más conocidos de los Beatles.*

verso s.m. **1** Unidad métrica formada por una palabra o por un conjunto de palabras, generalmente sujetas a una medida y a un ritmo determinados: *Cada verso de un poema se escribe en una línea distinta.* **2** En contraposición a 'prosa', modalidad literaria a la que pertenecen este tipo de composiciones: *A lo largo de su carrera de escritora, cultivó tanto la prosa como el verso.* **3** || **(verso) alejandrino;** el que tiene catorce sílabas y está dividido en dos hemistiquios. || **verso blanco;** el que no está sujeto a rima. || **verso de arte mayor;** el que tiene más de ocho sílabas. || **verso de arte menor;** el que tiene ocho sílabas o menos. || **verso libre;** el que no está sujeto a rima ni a medida. □ ETIMOL. Del latín *versus* (hilera, línea de escritura).

versolari s.m. En el País Vasco y Aragón (comunidades autónomas), persona que compone versos de forma improvisada: *Los versolaris forman parte de la cultura tradicional vasca.* □ ETIMOL. Del euskera *bertsolari.* □ USO Es innecesario el uso del término euskera *bertsolari.*

versus (lat.) prep. Contra, frente a: *Esta noche se celebrará el encuentro Palencia versus Zaragoza.*

vértebra s.f. Cada uno de los huesos cortos y articulados entre sí que forman la columna vertebral de los vertebrados. □ ETIMOL. Del latín *vertebra* (articulación en torno a la cual gira un hueso).

vertebración s.f. Aportación de consistencia, cohesión, organización o estructura interna: *Eché en falta una mayor vertebración de sus ideas, que aparecían aisladas y sin cohesión.*

vertebrado, da ▮ adj. **1** Con consistencia y con estructura interna: *Nos presentó un proyecto muy bien vertebrado y con mucha coherencia.* ▮ adj./s.m. **2** Referido a un animal, que tiene un esqueleto con columna vertebral y cráneo, y un sistema nervioso central constituido por la médula espinal y el encéfalo: *Las personas son animales vertebrados.* ▮ s.m.pl. **3** En zoología, subtipo de estos animales, perteneciente al tipo de los cordados: *Los animales que pertenecen a los vertebrados son más evolucionados que los invertebrados.*

vertebral adj.inv. De las vértebras o relacionado con ellas.

vertebrar v. Dar consistencia, organización o estructura interna: *La idea de la libertad individual vertebra los pensamientos filosóficos de esta autora.*

vertedera s.f. En un arado, instrumento o pieza que sirven para voltear y extender la tierra levantada.

vertedero s.m. Lugar en el que se vierten basuras o escombros.

verter v. **1** Referido esp. a un líquido, derramarlo o hacer que salga de donde está y se esparza: *La empresa fue acusada de verter productos tóxicos en el río. Se me ha roto el paquete y se ha vertido el azúcar.* **2** Referido a un recipiente, inclinarlo o volverlo boca abajo para vaciar su contenido: *Vierte la jarra en la pila para rellenarla con agua fresca. Se me vertió la taza y el café me cayó encima.* **3** Traducir de una lengua a otra: *Ha vertido al italiano un par de novelas francesas.* **4** Referido a una corriente de agua, ir a parar a otra: *El río Sil vierte en el Miño, y este, en el océano Atlántico.* ☐ ETIMOL. Del latín *vertere* (girar, cambiar, derribar). ☐ MORF. 1. Incorr. **vertir*. 2. Irreg. →PERDER.

vertical ▌adj.inv. **1** Referido a una estructura, que está subordinada con intensidad al nivel superior más alto. ▌adj.inv./s.f. **2** Perpendicular al horizonte o a una línea o plano horizontal. ☐ ETIMOL. Del latín *verticalis*.

verticalidad s.f. Posición perpendicular a la línea del horizonte: *La plomada sirve para comprobar la verticalidad de un muro.*

verticalismo s.m. Organización vertical basada en las jerarquías y que está subordinada a una autoridad máxima: *La organización del ejército se caracteriza por su verticalismo.*

verticalización s.f. Organización vertical o jerarquizada del poder: *La multinacional que se ha instalado en ese país ha iniciado un sistema de verticalización de sus filiales según las distintas regiones.*

vértice s.m. **1** Punto en el que se unen dos o más líneas: *El triángulo tiene tres lados, tres ángulos y tres vértices.* **2** Punto en el que se unen tres o más planos: *Un cubo tiene ocho vértices.* **3** En un cono, punto en el que se unen todas sus líneas generatrices: *El vértice es el punto más alto del cono.* **4** En una pirámide, punto en el que se unen todos los triángulos que forman sus caras: *Consiguieron subir hasta el vértice de la pirámide.* **5** Parte más elevada de algo: *Los escaladores lograron alcanzar el vértice de la montaña.* ☐ ETIMOL. Del latín *vertex* (polo, cumbre). ☐ ORTOGR. Dist. de *vórtice*.

verticilado, da adj. Referido a una parte de una planta, que se agrupa en verticilo con otras tres o más: *La adelfa tiene hojas verticiladas.*

verticilo s.m. En botánica, conjunto de tres o más ramos, hojas, flores, pétalos u otros órganos que están en un mismo plano alrededor del tallo. ☐ ETIMOL. Del latín *verticillus*.

vertido s.m. **1** Lo que se vierte, esp. referido a los restos de procesos industriales que se echan a las aguas: *vertidos contaminantes.* **2** Derramamiento o salida de un líquido o de algo semejante: *El vertido del vino manchó toda la mesa.* ☐ MORF. En la acepción 1, se usa más en plural.

vertiente s.f. **1** Declive o inclinación, esp. por donde corre o puede correr el agua: *La casa tiene un tejado de dos vertientes. Escalaron por la vertiente sur de la montaña.* **2** Aspecto o punto de vista: *Lo pasa mal porque solo se fija en la vertiente negativa del asunto.*

vertiginosidad s.f. Característica de lo que es vertiginoso o muy rápido.

vertiginoso, sa adj. **1** Que causa vértigo o que produce esta sensación: *una altura vertiginosa.* **2** Rapidísimo o muy intenso: *un ritmo vertiginoso.*

vértigo s.m. **1** Sensación de inseguridad y miedo que se produce al acercarse al borde de una altura o al imaginarse en él: *Tengo mucho vértigo y me da pavor asomarme por un puente.* **2** Sensación intensa de mareo o pérdida del equilibrio: *Está de baja porque lleva varias semanas con vértigos.* ☐ ETIMOL. Del latín *vertigo* (movimiento de rotación).

vertimiento s.m. **1** Derramamiento de un líquido o de algo menudo: *La empresa fue juzgada por el vertimiento de los residuos en el río.* **2** Inclinación de un recipiente de forma que se vacíe de contenido: *Tú fuiste el culpable del vertimiento de la olla, porque me diste un susto y la tiré.*

vesania s.f. Locura furiosa. ☐ ETIMOL. Del latín *vesania*. ☐ USO Su uso es característico del lenguaje culto.

vesánico, ca ▌adj. **1** De la vesania o relacionado con esta locura furiosa. ▌adj./s. **2** Que sufre vesania. ☐ USO Su uso es característico del lenguaje culto.

vesical adj.inv. De la vejiga o relacionado con ella. ☐ ETIMOL. Del latín *vesicalis*. ☐ ORTOGR. Dist. de *vesicular*.

vesicante adj.inv./s.m. Referido a una sustancia, que produce irritación y puede causar vejigas o ampollas en la piel: *Las ortigas son vesicantes.* ☐ SINÓN. *vesicatorio*. ☐ ETIMOL. Del latín *vesicans* (que levanta ampollas).

vesicatorio, ria adj. →**vesicante.**

vesícula s.f. **1** Pequeño levantamiento de la piel que forma una especie de bolsa, generalmente llena de un líquido acuoso: *Un herpes es una enfermedad vírica que produce pequeñas vesículas cutáneas.* **2** ‖ **vesícula (biliar);** en el sistema digestivo, bolsita membranosa en la que se deposita la bilis producida por el hígado y que, durante la digestión, se vacía por la contracción de sus paredes: *La vesícula biliar está en la cara inferior del hígado.* ☐ ETIMOL. Del latín *vesicula* (vejiguita).

vesicular adj.inv. **1** Con forma de vesícula. **2** De la vesícula o relacionado con ella. ☐ ORTOGR. Dist. de *vesical*.

véspero s.m. *poét.* Anochecer. ☐ ETIMOL. Del latín *vesperus*.

vespertino, na adj. De la tarde o relacionado con ella. ☐ ETIMOL. Del latín *vespertinus*.

vespino s.m. Ciclomotor provisto de pedales y de un motor de pequeña cilindrada capaz de desarrollar poca velocidad. ☐ ETIMOL. Extensión del nombre de una marca comercial. ☐ MORF. Se usa también en femenino.

vesre s.m. En zonas del español meridional, lenguaje secreto, propio del habla coloquial, que consiste en invertir las sílabas de las palabras: *Vesre procede de la inversión silábica de la palabra 'revés'.*

vestal adj.inv./s.f. En la antigua Roma, referido esp. a una doncella, que se ha consagrado al culto de Vesta (diosa romana del hogar): *Las vestales debían mantener la castidad durante toda su vida.*

vestíbulo s.m. En una casa o en un edificio, patio, sala o portal situados a la entrada: *En el vestíbulo del hotel está el mostrador de información.* ☐ ETIMOL. Del latín *vestibulum*. ☐ USO Es innecesario el uso del anglicismo *hall*.

vestido s.m. **1** Prenda o conjunto de prendas exteriores con las que se cubre el cuerpo. ☐ SINÓN. *vestidura, vestimenta.* **2** Prenda exterior femenina de una sola pieza. ☐ ETIMOL. Del latín *vestitus.*

vestidor s.m. **1** Habitación para vestirse. **2** Mueble o soporte que se utiliza para vestir a un bebé. **3** En zonas del español meridional, vestuario.

vestidura s.f. **1** Prenda o conjunto de prendas exteriores con las que se cubre el cuerpo: *En el cuadro se ve a un príncipe con ricas vestiduras.* ☐ SINÓN. *vestido, vestimenta.* **2** Vestido para un acto solemne que se pone encima del habitual, esp. el que usan los sacerdotes para el culto: *En la sacristía se puso las vestiduras sacerdotales.* ☐ SINÓN. *vestimenta.* **3** || **rasgarse las vestiduras;** *col.* Escandalizarse por algo, generalmente de forma hipócrita: *Ahora no te rasgues las vestiduras, porque ya sabías que esto iba a pasar.* ☐ MORF. En la acepción 2, se usa más en plural.

vestigio s.m. Huella, señal, indicio o recuerdo que quedan de algo antiguo, pasado o destruido: *Las señales de balas en los edificios son vestigios de la pasada guerra.* ☐ ETIMOL. Del latín *vestigium* (planta del pie, suela, huella).

vestiglo s.m. Ser fantástico y monstruoso: *En sus pesadillas ve horribles vestiglos.* ☐ ETIMOL. Del latín *besticulum* (bestezuela).

vestimenta s.f. →**vestidura.**

vestir v. **1** Cubrir o adornar con ropa: *Por las mañanas, primero viste a su hijo y después se viste él.* **2** Referido a una persona, darle el dinero necesario para su vestuario: *Mi tía soltera me viste y me paga los estudios.* **3** Referido a una persona, hacer los vestidos para otra: *Este modisto viste a muchas mujeres de la alta sociedad.* **4** Cubrir, adornar o embellecer: *Vistió la casa con alegres cortinajes. En primavera, los árboles se visten de hojas.* **5** Resultar elegante o apropiado: *El color blanco viste mucho.* **6** || **de vestir;** *col.* Referido esp. a ropa, elegante o más elegante de lo habitual: *Se puso un traje de vestir porque tenía una cita importante.* ☐ ETIMOL. Del latín *vestire.* ☐ MORF. Irreg. →PEDIR.

vestuario s.m. **1** Conjunto de prendas de vestir: *Renovaré mi vestuario, porque hace dos años que no me compro ningún traje.* **2** Conjunto de prendas de vestir necesarias para un espectáculo o una representación: *En una película histórica, el vestuario es muy importante.* **3** Lugar para cambiarse de ropa: *¿Dónde están las duchas y los vestuarios de la piscina?* ☐ ETIMOL. Del latín *vestiarium.*

vestuarista s.com. En zonas del español meridional, persona que se dedica a diseñar ropa, esp. la que usan los actores de cine, teatro o televisión.

veta s.f. **1** Lista o faja que se distingue del resto, generalmente por su calidad o por su color: *Dentro del bizcocho hay una veta de chocolate.* ☐ SINÓN. *vena.* **2** Filón de metal: *Los mineros excavaron veinte metros hasta llegar a la veta de oro.* ☐ SINÓN. *vena.* ☐ ETIMOL. Del latín *vitta* (cinta). ☐ ORTOGR. Dist. de *beta.*

vetar v. Referido a una propuesta, un acuerdo o una medida, rechazarlos o ponerles veto: *La presidenta del club vetó la entrada de los periodistas al campo.* ☐ ORTOGR. Dist. de *vedar.*

veteado, da adj. Con vetas.

vetear v. Señalar o pintar vetas: *Esa empresa vetea el material plástico de los muebles para que parezcan de madera.*

veteranía s.f. Antigüedad y experiencia, esp. en una profesión o una actividad.

veterano, na adj./s. Antiguo y experimentado en una profesión o una actividad. ☐ ETIMOL. Del latín *veteranus.*

veterinaria s.f. Véase **veterinario, ria.**

veterinario, ria ▌adj. **1** De la veterinaria o relacionado con esta ciencia: *una clínica veterinaria.* ▌s. **2** Persona que se dedica a la veterinaria, esp. si esta es su profesión. ▌s.f. **3** Ciencia que trata de la prevención y curación de las enfermedades animales y del estudio de los productos alimenticios que estos generan. ☐ ETIMOL. Del latín *veterinarius,* y este de *veterinae* (bestias de carga).

veto s.m. Prohibición que ejerce una persona o una corporación: *Estados Unidos es uno de los países que tiene derecho a veto en el Consejo de Seguridad de las Naciones Unidas.* ☐ ETIMOL. Del latín *veto* (yo vedo o prohíbo).

vetón, -a adj./s. Del antiguo pueblo prerromano que habitó parte de las actuales provincias de Zamora, Salamanca, Ávila, Cáceres, Toledo y Badajoz: *Los vetones habitaron la antigua Lusitania.*

vetustez s.f. Característica de lo que está muy viejo o anticuado.

vetusto, ta adj. Muy viejo o anticuado. ☐ ETIMOL. Del latín *vetustus,* y este de *vetus* (viejo, antiguo).

vexilología s.f. Estudio de banderas, pendones y estandartes. ☐ ETIMOL. Del latín *vexillum* (estandarte) y *-logía* (ciencia, estudio).

vexilológico, ca adj. De la vexilología o relacionado con este estudio.

vez s.f. **1** Cada una de las ocasiones en que se realiza una acción o se repite un determinado hecho: *La primera vez que nos vimos fue en la playa.* **2** Momento u ocasión determinada en que se ejecuta una acción: *Nos veremos otra vez a las once.* **3** Momento u ocasión de hacer algo por orden: *Tengo derecho a irme porque me ha llegado la vez.* ☐ SINÓN. *turno, vuelta.* **4** Posición que corresponde a una persona cuando varias han de actuar por turno: *Cogí la vez en la pescadería para que nadie se colara.* **5** || **a la vez;** a un tiempo o simultáneamente: *Hablaban todos a la vez y no se entendía nada.* || **a veces;** en algunas ocasiones: *A veces me encuentro bien con él.* || **de una vez;** de manera definitiva: *Dime de una vez por qué estás enfadada conmigo.* || **de vez en cuando;** algunas veces o de tiempo en tiempo: *De vez en cuando vuelve por este barrio para ver a los antiguos amigos.* || **en vez de;** en sustitución de o en lugar de: *Tomaré carne en vez de pescado.* || **hacer las veces de;** ejercer la función de: *Su hermano mayor hizo las veces de padre* *cuando este murió.* || **tal vez;** posiblemente o quizá: *Tal vez llueva esta tarde, porque las nubes están muy negras.* □ ETIMOL. Del latín *vicis* (turno, función).

VHS (ing.) s.m. Sistema de grabación y reproducción de imágenes para vídeo doméstico que emplea cintas de un tamaño específico y diferente al del beta. □ ETIMOL. Es la sigla del inglés *Video Home System* (sistema de vídeo doméstico).

vi- →**vice-**.

vía ▮ s.f. **1** Lugar por donde se transita: *Las calles y las carreteras son vías públicas.* **2** Carril formado por dos raíles paralelos sobre los que se deslizan las ruedas de un vehículo, esp. de un tren. **3** En el cuerpo animal, conducto o canal que da paso o salida a algo: *las vías respiratorias.* **4** Medio que sirve para hacer algo: *Este asunto se resolvió por vía judicial.* ▮ prep. **5** A través de o pasando por: *Volé a Moscú, vía Amsterdam. Esta programación de televisión se recibe vía satélite.* **6** || **en vías de;** en curso o en trámite: *La empresa está en vías de conseguir el acuerdo definitivo para la construcción de la presa.* || **vía crucis;** 1 Conjunto de catorce cruces o cuadros que representan los catorce pasos de Jesucristo en el Calvario (monte en el que fue crucificado). 2 Oración que se reza recorriendo estos catorce pasos. || **vía de agua;** en una embarcación, rotura por donde entra agua. || **vía libre;** permiso o autorización que se concede para la realización de algo: *Ayer me comunicaron que mi proyecto tenía vía libre ya que se habían aprobado los presupuestos.* || **vía muerta;** 1 La que no tiene salida y sirve para apartar vagones o locomotoras. 2 Punto en el que un asunto no puede llevarse adelante: *Las negociaciones están en vía muerta.* □ ETIMOL. Del latín *via* (camino, calle, viaje). □ ORTOGR. La expresión *vía crucis* se usa mucho con la forma *viacrucis.*

viabilidad s.f. **1** Probabilidad de poder ser llevado a cabo: *Han desechado los planes porque carecen de viabilidad.* **2** Posibilidad de vivir o de existir.

viabilizar v. Hacer viable: *Me temo que es imposible viabilizar tu propuesta.* □ ORTOGR. La *z* se cambia en *c* delante de *e* →CAZAR.

viable adj.inv. **1** Que puede ser llevado a cabo: *Tus proyectos no son viables porque se necesitan cosas que no tenemos.* **2** Que puede vivir o existir: *El feto no era viable y la madre abortó a los cinco meses de gestación.* □ ETIMOL. Del francés *viable* (que tiene condiciones de vida).

viacrucis s.m. →**vía crucis.**

viaducto s.m. Especie de puente construido sobre una hondonada para facilitar el paso y salvar el desnivel. □ ETIMOL. Del inglés *viaduct.*

viajado, da adj. *col.* Referido a una persona, que ha hecho muchos viajes y ha estado en muchos lugares.

viajante ▮ adj.inv. **1** Que viaja. ▮ s.com. **2** Persona que se dedica profesionalmente a mostrar y vender productos viajando de un lugar a otro, y que generalmente representa a una o a varias casas comerciales.

viajar v. **1** Trasladarse de un lugar a otro, generalmente distantes entre sí, o recorrer una ruta: *Me gusta mucho viajar en tren.* **2** Referido a una mercancía, ser transportada: *La gasolina viaja en un camión cisterna.* **3** *arg.* En el lenguaje de la droga, encontrarse bajo los efectos de una droga alucinógena: *Cuando viaja, ve la realidad distorsionada y con colores luminosos.* □ ORTOGR. Conserva la *j* en toda la conjugación.

viaje s.m. **1** Traslado o desplazamiento de un lugar a otro: *El viaje durará solo una hora.* **2** Trayecto, itinerario o camino que se hace para ir de un lugar a otro: *Hemos preparado el viaje minuciosamente y con un mapa delante.* **3** *arg.* En el lenguaje de la droga, efecto de una droga alucinógena. **4** *col.* Ataque o agresión inesperados: *Me agarró de un brazo y menudo viaje me metió.* **5** || **viaje astral;** el que realiza el alma separado del cuerpo. || **viaje relámpago;** el que se realiza para estar en un lugar durante muy poco tiempo y generalmente para solucionar algo de forma rápida o urgente. □ ETIMOL. Las acepciones 1 y 2, del catalán *viatge*, y este del latín *viaticum* (provisiones para el viaje). La acepción 4, del catalán *biaix* (sesgo).

viajero, ra adj./s. Que viaja.

vial ▮ adj.inv. **1** De la vía o relacionado con este lugar por donde se transita: *El respeto de las normas de tráfico aumenta la seguridad vial.* ▮ s.m. **2** Recipiente pequeño que contiene un medicamento inyectable: *Del vial se van extrayendo las dosis necesarias.* □ ETIMOL. La acepción 1, del latín *vialis.* La acepción 2, del inglés *vial.*

vianda s.f. Comida para las personas, esp. referido a la que se sirve a la mesa. □ ETIMOL. Del francés *viande.* □ MORF. Se usa más en plural.

viandante s.com. Persona que va o se traslada a pie. □ SINÓN. *peatón.*

viaraza s.f. *col.* En zonas del español meridional, ocurrencia o acción repentina.

viario, ria adj. De los caminos y carreteras o relacionado con ellos: *la red viaria.* □ ETIMOL. Del latín *viarius.*

viático ▮ s.m. **1** En la iglesia católica, sacramento de la eucaristía, que se administra a los enfermos que están en peligro de muerte: *El sacerdote administró el viático al moribundo minutos antes de que expirase.* ▮ s.m.pl. **2** En zonas del español meridional, dietas o dinero que se paga a la persona encargada de realizar una determinada actividad. □ ETIMOL. Del latín *viaticum*, y este de *via* (camino).

víbora s.f. **1** Serpiente venenosa de cabeza triangular, con dos dientes huecos en la mandíbula superior por los que vierte el veneno, y que ataca a sus víctimas con un movimiento rápido de cabeza: *Algunos síntomas de la mordedura de la víbora son el pulso débil y la piel fría y húmeda.* **2** *col.* Persona con malas intenciones. □ ETIMOL. Del latín *vipera.* □ MORF. En la acepción 1, es un sustantivo epiceno: *la víbora {macho/hembra}.*

vibración ▮ s.f. **1** Movimiento vibratorio: *La guitarra suena por la vibración de sus cuerdas.* **2** Sonido tembloroso y entrecortado de la voz o de algo inmaterial: *Noté su disgusto en la vibración de la voz.* ▮ pl. **3** *col.* Sensación o sentimiento positivos o negativos que se intuyen: *Ese chico me cae mal porque me transmite malas vibraciones.*

vibrador, -a ▮ adj. **1** Que vibra. ▮ s.m. **2** Aparato que emite una vibración: *Mi teléfono móvil tiene un vibrador, porque a veces no oigo bien la señal de llamada.* **3** Aparato eléctrico con forma de pene, que vibra y se usa para la estimulación sexual.

vibráfono s.m. Instrumento musical de percusión, formado por láminas generalmente metálicas y de tamaños graduados, cada una de las cuales tiene debajo un tubo que resuena y vibra al golpearlas con una maza: *El vibráfono se inventó en la segunda década del siglo XX y fue utilizado por orquestas de baile.* □ ETIMOL. De *vibrar* y *-fono* (sonido).

vibrante ▮ adj.inv. **1** Que vibra o que hace vibrar: *En unas vibrantes declaraciones, el actor declaró que se retiraba.* **2** En lingüística, referido a un sonido, que se articula interrumpiendo una o varias veces la salida del aire: *El sonido [r] en español puede ser vibrante simple, como en 'pera', o vibrante múltiple, como en 'carro'.* ▮ s.f. **3** Letra que representa este sonido: *La 'r' es una vibrante.*

vibrar v. **1** Moverse con movimientos pequeños y rápidos de un lado a otro o de arriba abajo: *Los cristales de la estación vibran cuando pasa un tren.* **2** Referido a la voz o a algo inmaterial, sonar temblorosa o entrecortadamente: *Su voz vibraba por la emoción.* **3** Conmoverse por algo: *El cantante hizo vibrar a los asistentes.* □ ETIMOL. Del latín *vibrare* (sacudir, lanzar, vibrar).

vibrátil adj.inv. Que puede vibrar: *Algunos protozoos se mueven gracias a sus cilios o filamentos vibrátiles.*

vibratorio, ria adj. Que vibra o que puede vibrar: *un movimiento vibratorio.*

vibrión s.m. Bacteria provista de cilios y que tiene forma encorvada: *el vibrión del cólera.* □ ETIMOL. Del francés *vibrion.*

vibromasaje s.m. Masaje que se realiza con un aparato que transmite las vibraciones que produce un motor eléctrico.

vicaría s.f. **1** Cargo de vicario. **2** Oficina o despacho del vicario. **3** ‖ **pasar por la vicaría;** *col.* Casarse.

vicarial adj.inv. Que puede sustituir o representar algo: *En pedagogía se habla mucho de la función vicarial de los símbolos.*

vicario, ria ▮ adj./s. **1** Referido a una persona, que tiene el poder y las facultades de otra o que la sustituye: *El Papa es el vicario de Cristo en la Tierra.* ▮ s.m. **2** En la iglesia católica, juez eclesiástico nombrado y elegido por los prelados para que ejerza la jurisdicción ordinaria: *El vicario es nombrado por el obispo.* **3** En la iglesia católica, sacerdote que ayuda en su labor al párroco: *El vicario es un sacerdote colaborador del párroco.* □ ETIMOL. Del latín *vicarius* (el que hace las veces de otro).

vice- Elemento compositivo prefijo que significa 'en vez de' o 'inmediatamente inferior a': *vicerrector, vicepresidente.* □ ETIMOL. Del latín *vicis* (vez). □ MORF. Puede adoptar las formas *vi-* (*virrey*) o *viz-* (*vizconde*).

vicealmirante s.com. En la Armada, persona cuyo empleo militar es superior al de contraalmirante e inferior al de almirante: *El grado de vicealmirante equivale al de general de división de los Ejércitos de Tierra y del Aire.*

vicecónsul s.com. Funcionario diplomático de categoría inmediatamente inferior a la del cónsul.

vicedirector, -a s. Persona de categoría inmediatamente inferior a la de director y que está facultada para sustituirlo en ciertas ocasiones.

vicepresidencia s.f. Cargo de vicepresidente.

vicepresidente, ta s. En un Gobierno, en una colectividad o en un organismo, persona de categoría inmediatamente inferior a la de presidente y que está facultada para sustituirlo en ciertas ocasiones.

vicerrector, -a s. Persona de categoría inmediatamente inferior a la de rector y que está facultada para sustituirlo en ciertas ocasiones.

vicesecretaría s.f. Cargo de vicesecretario.

vicesecretario, ria s. En una oficina, en una organización o en una reunión, persona de categoría inmediatamente inferior a la del secretario y que está facultada para sustituirlo en ciertas ocasiones.

vicetiple s.f. *col.* En una zarzuela, en una opereta o en una revista, cantante femenina que interviene en los números de conjunto.

viceversa adv. De forma inversa, al contrario o cambiando las cosas recíprocamente: *Cuando su mujer trabaja, él atiende a los niños, y viceversa.* □ ETIMOL. Del latín *vice versa* (en alternativa inversa).

vichy (fr.) s.m. Tela resistente de algodón de rayas o de cuadros. □ PRON. [vichí].

vichyssoise (fr.) s.f. Sopa fría o caliente, hecha con puerros, cebolla, patata, mantequilla y crema de leche. □ PRON. [vichisuá], con *ch* suave.

viciado, da adj. Referido esp. al aire, que está empobrecido o no contiene sus elementos primordiales por falta de renovación.

viciar v. **1** Dañar, corromper o estropear: *El copista ha viciado un manuscrito con numerosas erratas. El aire de la habitación se ha viciado porque no hay ventilación.* **2** Adquirir o hacer adquirir vicios o hábitos y costumbres negativos o perjudiciales: *Has viciado tu forma de tocar la guitarra por no seguir un método. Se va a viciar con esa costumbre de salir todos los días de noche.* **3** Referido a un acto, anular o quitar su valor o su validez: *La intención de fraude vicia el contrato.* □ ORTOGR. La *i* nunca lleva tilde.

vicio s.m. **1** Costumbre, gusto o necesidad censurables, esp. en sentido moral: *Ese degenerado tiene vicios inconfesables.* **2** Afición o gusto excesivos por algo, que incitan a consumirlo frecuentemente: *Es una persona sin vicios, que ni bebe ni fuma.* **3** Lo que aficiona o gusta de forma excesiva: *Los bom-*

bones son mi vicio. **4** Mala costumbre que se repite con frecuencia: *Tiene algunos vicios de dicción, como el de no pronunciar las erres.* **5** Defecto o error: *El contrato no es válido porque tiene vicios de forma.* **6** ‖ **de vicio; 1** *col.* Muy bueno o muy bien: *En el parque de atracciones lo hemos pasado de vicio.* **2** Sin un motivo suficiente o sin necesidad: *Se queja de vicio, porque le ha salido todo a pedir de boca.* □ ETIMOL. Del latín *vitium* (defecto, falta, vicio).

vicioso, sa adj./s. Que tiene vicios y se entrega a ellos.

vicisitud s.f. Sucesión alterna de sucesos prósperos y adversos. □ ETIMOL. Del latín *vicissitudo.* □ PRON. Incorr. *[visicitúd]. □ USO Se usa más en plural.

víctima s.f. **1** Persona o animal que sufren algún daño, esp. si es por alguna causa ajena: *Todas las guerras causan muchas víctimas.* **2** Persona o animal destinados al sacrificio: *En la antigua Roma se sacrificaban víctimas a los dioses para que estos fueran favorables.* □ ETIMOL. Del latín *victima* (persona o animal destinados a un sacrificio religioso). □ SEM. En la acepción 1, no es sinónimo de *muerto*: *En el accidente hubo varias víctimas, pero afortunadamente todos resultaron heridos leves.*

victimario, ria s. →**homicida.** □ ETIMOL. Del latín *victimarius.*

victimismo s.m. Actitud de la persona que se considera siempre una víctima.

victimista ▮ adj.inv. **1** Del victimismo o relacionado con esta actitud humana. ▮ adj.inv./s.com. **2** Que actúa de acuerdo con el victimismo.

victoria s.f. **1** Éxito en un enfrentamiento, o superioridad demostrada al vencer a un rival. **2** ‖ **cantar victoria;** alegrarse o jactarse de un triunfo: *No cantes victoria antes de tiempo.* □ ETIMOL. Del latín *victoria*, y este de *victor* (vencedor).

victoriano, na adj. De la reina Victoria (reina británica del siglo XIX), de su época o relacionado con ellas: *El período victoriano es la época de apogeo del imperio británico.*

victorino s.m. Referido a un toro, que pertenece a la ganadería de Victorino Martín: *Los victorinos tienen fama de toros bravos.*

victorioso, sa adj. **1** Que ha conseguido una victoria: *un equipo victorioso.* **2** Que supone una victoria: *una batalla victoriosa.*

vicuña s.f. **1** Mamífero rumiante parecido a la llama pero con menos lana, que tiene las orejas puntiagudas, las patas largas y el pelaje muy fino y de color amarillento: *La vicuña vive salvaje y en manadas en la zona andina.* **2** Lana de este animal: *La vicuña admite muy bien cualquier tipo de tintes.* □ MORF. En la acepción 1, es un sustantivo epiceno: *la vicuña {macho/hembra}.*

vid s.f. Planta leñosa trepadora de tronco retorcido, ramas largas, flexibles y nudosas, hojas partidas en cinco lóbulos puntiagudos y cuyo fruto es la uva. □ ETIMOL. Del latín *vitis* (vid, varita).

vida s.f. **1** Fuerza o actividad individual por la que un ser que ha nacido crece, se reproduce y muere cuando esta cesa: *Las rocas no tienen vida.* **2** Existencia de seres con esta fuerza o actividad: *Algunos científicos opinan que puede haber vida en otros planetas.* **3** Según algunas creencias religiosas, unión del alma con el cuerpo: *Un amigo que cree en la reencarnación dice que ha tenido otras vidas.* **4** Período de tiempo que transcurre desde el nacimiento hasta la muerte: *Nunca en mi vida he visto nada igual.* **5** Duración de las cosas: *Esta batería tiene una vida aproximada de cinco años.* **6** Modo de vivir, o conjunto de características de la existencia de una persona: *La vida de un labrador es muy dura.* **7** Lo que es necesario para vivir o mantener la existencia: *El agua es la vida.* **8** Actividad o conjunto de actividades de un sector social: *La vida política del país se desarrolla con normalidad.* **9** Conjunto de hechos y de sucesos de una persona mientras vive: *Las biografías narran la vida de las personas.* **10** Lo que da valor, sentido o interés a la existencia: *¡Cuánto te quiero, vida mía!* **11** Según algunas creencias religiosas, estado del alma después de la muerte: *Aunque el cuerpo muere, el alma tiene vida más allá de la muerte.* **12** Expresión, viveza, animación o energía: *¡Cuánta vida hay en los ojos de un niño!* **13** ‖ **a vida o muerte;** referido al modo de hacer algo, con un gran riesgo de morir: *Lo operaron a vida o muerte, sin ninguna garantía de éxito.* ‖ **buscarse la vida;** *col.* Ingeniárselas para encontrar uno mismo la manera de salir adelante. ‖ **dar vida;** referido a un personaje escénico, representarlo. ‖ **de por vida;** para siempre o para el tiempo de vida que le queda a una persona. ‖ **de toda la vida;** *col.* Desde hace mucho tiempo o desde que se recuerda: *Somos vecinos y nos conocemos de toda la vida.* ‖ **esto es vida;** *col.* Expresión que se usa cuando se disfruta de algo estupendo o verdaderamente agradable. ‖ **ganarse la vida;** trabajar o conseguir el sustento: *Tengo que empezar a ganarme la vida para poder irme de casa.* ‖ **hacer la vida imposible** a alguien; *col.* Molestar o fastidiar continuamente. ‖ **la otra vida;** según algunas creencias religiosas, existencia después de la muerte. ‖ **pasar a mejor vida;** *col.* Morir. ‖ **perder la vida;** morir, esp. si es de forma violenta o accidental. ‖ **vida y milagros;** *col.* Conjunto de hechos, sucesos y anécdotas personales. □ ETIMOL. Del latín *vita.*

vide (lat.) Expresión que se escribe antes de la indicación del lugar o de la página que se ha de consultar para encontrar algo: *En las notas a pie de página suele haber un vide seguido de un título o de un número de página.* □ ORTOGR. Se usa mucho abreviado en las formas *vid.* o *v.*

videncia s.f. Capacidad para percibir o adivinar lo que no se ha visto o no ha sucedido todavía.

vidente adj.inv./s.com. **1** Que puede ver. **2** Profeta o persona que predice el futuro o conoce cosas ocultas. □ ETIMOL. Del latín *videns* (que ve). □ ORTOGR. Dist. de *bidente.*

video s.m. En zonas del español meridional, vídeo.

vídeo s.m. **1** Sistema que permite grabar y reproducir imágenes y sonidos en una cinta magnética: *Las películas grabadas en vídeo tienen menor calidad que las cinematográficas.* **2** Grabación hecha mediante este sistema: *Cuando quieras, vemos el vídeo que hicimos en vacaciones.* **3** Aparato capaz de grabar y reproducir imágenes y sonidos de la televisión en una cinta magnética: *Con el vídeo grabo los programas que no puedo ver y los veo más tarde.* □ SINÓN. *magnetoscopio.* **4** *col.* →**videocinta.** □ ETIMOL. Del inglés *video*, y este del latín *video* (yo veo). □ ORTOGR. En zonas del español meridional, se usa *video*, pronunciado [vidéo].

videoadicto, ta adj./s. Referido a una persona, que es muy aficionada a los videojuegos.

videoaficionado, da s. Persona que tiene la afición de hacer grabaciones en vídeo.

videocámara s.f. Cámara de filmación que permite grabar imágenes y sonidos en una cinta magnética.

videocasete s.m. →**videocinta.** □ MORF. En la lengua coloquial, se usa mucho la forma abreviada *vídeo.*

videocasetera s.f. En zonas del español meridional, aparato reproductor de vídeo.

videocinta s.f. Cinta magnética en la que se registran imágenes y sonidos. □ SINÓN. *videocasete.* □ MORF. En la lengua coloquial se usa mucho la forma abreviada *vídeo.*

videoclip s.m. Grabación de vídeo hecha para promocionar una canción. □ ETIMOL. Del inglés *video clip.*

videoclub s.m. Establecimiento comercial en el que pueden alquilarse cintas de vídeo. □ USO Se usan los plurales *videoclubs* y *videoclubes.*

videocomunicación s.f. Comunicación que se realiza a través del videoteléfono o mediante una videoconferencia.

videoconferencia s.f. Servicio que permite la celebración de una reunión de personas que se encuentran en lugares distantes, y que se basa en la transmisión y recepción instantánea de la imagen y el sonido: *La videoconferencia evita que la distancia geográfica sea un obstáculo para reunirse.*

videoconsola s.f. Aparato electrónico para videojuegos que se conecta a un monitor de televisión. □ MORF. Se usa mucho la forma abreviada *consola.*

videodisco s.m. Disco en el que se registran imágenes y sonidos, que se reproducen por medio de un rayo láser en un televisor.

videófono s.m. →**videoteléfono.**

videograbadora s.f. En zonas del español meridional, aparato de vídeo.

videográfico, ca adj. Del vídeo, grabado mediante esta técnica o relacionado con él.

videoimpresora s.f. Impresora que puede reproducir sobre papel imágenes grabadas en vídeo.

videoinformador, -a s. Periodista que trabaja en televisión utilizando el vídeo y que asume las características de un reportero y de un montador.

videojockey s.com. Persona que proyecta vídeos en una discoteca en función de la música que suena. □ PRON. [videoyókei].

videojuego s.m. Juego electrónico para un ordenador o para un aparato semejante.

videolibro s.m. Libro que solo contiene imágenes, o aquel en el que estas constituyen su parte más importante.

videomarcador s.m. Pantalla de gran tamaño que puede reproducir imágenes grabadas en vídeo y que, en los estadios deportivos, también hace las funciones de marcador.

videomensaje s.m. Mensaje que se envía grabado en una videocinta.

videopirata s.com. Persona que se dedica a hacer copias falsas de videojuegos.

videoplace (ing.) s.m. Efecto audiovisual que permite incrustar una imagen grabada en vídeo dentro de un entorno gráfico generado por ordenador. □ PRON. [videopléis].

videoportero s.m. Mecanismo que permite abrir el portal desde el interior de la vivienda y que está dotado de una cámara de vídeo para ver quién llama.

videoteca s.f. **1** Colección de cintas de vídeo con grabaciones. **2** Lugar que se utiliza para guardar cintas de vídeo. □ ETIMOL. Del latín *video* (yo veo) y el griego *théke* (caja para depositar algo).

videoteléfono s.m. Sistema de comunicación que combina el teléfono y la televisión y permite que los interlocutores puedan verse. □ SINÓN. *videófono.*

videotext (ing.) s.m. →**videotexto.**

videotexto s.m. Sistema que permite ver en una pantalla textos informativos por medio de una señal televisiva o telefónica. □ USO Es innecesario el uso de los anglicismos *ibertext* y *videotext.*

vidorra s.f. *col.* Vida muy satisfactoria o muy placentera.

vidriado s.m. Recubrimiento de objetos de loza o de barro con un barniz o con una pasta vítrea que, al fundirse en el horno, adquiere el brillo y la transparencia propios del vidrio.

vidriar ▌v. **1** Referido al barro, a la loza o a un objeto hecho con ellos, darles un barniz que, al fundirse en el horno, adquiere el brillo y la transparencia propias del vidrio: *Trabaja en un taller vidriando objetos de cerámica.* ▌prnl. **2** Referido esp. a los ojos, ponerse vidriosos como si fueran de cristal: *A los muertos se les vidrian los ojos.* □ ORTOGR. La *i* nunca lleva tilde.

vidriera s.f. Véase **vidriero, ra.**

vidriería s.f. Lugar en el que se trabaja el vidrio o en el que se venden objetos de vidrio.

vidrierista s.com. En zonas del español meridional, escaparatista: *Trabajo como vidrierista de unos grandes almacenes.*

vidriero, ra ▌s. **1** Persona que se dedica profesionalmente a la fabricación, a la colocación o a la venta de cristales: *Ha venido el vidriero para cambiar el cristal roto de la ventana.* □ SINÓN. *crista-*

lero. **2** Persona que se dedica profesionalmente a la fabricación y venta de objetos de vidrio: *Estuve en un taller donde los vidrieros soplaban el vidrio para hacer copas.* ▌s.f. **3** Marco o bastidor con cristales, esp. si son de colores y forman algún dibujo, con el que se cierra o se cubre el hueco de una puerta o de una ventana: *Las vidrieras de muchas iglesias y catedrales góticas son de gran belleza.* **4** En zonas del español meridional, escaparate: *Vi unos vestidos lindísimos en una vidriera cerca de tu casa.*

vidrio s.m. **1** Material de estructura cristalina, duro, frágil y generalmente transparente, que está formado por una mezcla de silicatos y óxidos preparados por fusión y enfriados rápidamente: *una botella de vidrio.* **2** Objeto que se hace con este material: *Ese es el contenedor en el que debes tirar los vidrios.* **3** En zonas del español meridional, cristal. ☐ ETIMOL. Del latín *vitreum* (objeto de vidrio).

vidrioso, sa adj. Referido esp. a los ojos, que están cubiertos por una capa líquida y como si fueran de cristal.

vieira s.f. **1** Molusco marino de carne comestible, de concha semicircular formada por dos valvas, una plana y la otra muy convexa, de color rojizo por fuera y blancuzco por dentro, y con catorce estrías radiales: *Las vieiras abundan en los mares gallegos.* **2** Concha de este molusco: *En mi casa tengo una vieira y la uso de jabonera.* ☐ SINÓN. *venera.* ☐ ETIMOL. Del gallego *vieira.*

viejales (pl. *viejales*) s.com. *col.* Persona vieja. ☐ USO Tiene un matiz humorístico.

viejo, ja ▌adj. **1** Que existe desde hace mucho tiempo: *Somos viejos amigos y nos conocemos bien.* **2** De un tiempo pasado: *Conservo viejas fotografías de mi juventud.* **3** Que no es reciente ni nuevo: *Estas patatas viejas tienen ya algunos brotes.* **4** Gastado o estropeado por el uso: *Ponte una camisa vieja si vas a pintar el techo.* ▌adj./s. **5** Que tiene ya mucha edad o muchos años y que está en la última etapa de su vida: *Estos viejos árboles dan mucha sombra.* ▌s. **6** *col.* Padre o madre. **7** || **de viejo;** referido a una tienda, que vende artículos de segunda mano: *En una librería de viejo encontré un libro que ya no se edita.* ☐ ETIMOL. Del latín *vetulus* (de cierta edad, algo viejo).

vienés, -a adj./s. De Viena (capital austriaca), o relacionado con ella.

viento s.m. **1** Aire o corriente de aire, esp. si está en movimiento: *Un golpe de viento apagó la vela.* **2** *col.* Corriente, estilo, ambiente o circunstancias: *Tras la dictadura, los vientos de libertad se llevaron el miedo a dar una opinión.* **3** Cuerda larga o alambre que se ata a una cosa para mantenerla firme o para moverla con seguridad hacia un lado: *Ya han colocado los vientos de la carpa del circo.* **4** En música, en una orquesta o en una banda, conjunto de los instrumentos que se tocan soplando y haciendo pasar una columna de aire a través de ellos: *En el concierto de ayer, el viento era francamente bueno.* **5** || **a los cuatro vientos;** en todas direcciones o por todas partes: *Ha divulgado la noticia a los cuatro vientos.* || **beber los vientos por** alguien; *col.* Estar muy enamorado de él. || **con viento fresco;** *col.* Expresión de enfado o de desprecio con que se despide o se rechaza a alguien: *¡Vete con viento fresco, anda, rico!* || **contra viento y marea;** a pesar de cualquier obstáculo, dificultad o inconveniente: *Conseguiré esto contra viento y marea, porque es lo único que me importa.* || **irse a tomar viento;** *col.* Fracasar: *El negocio se fue a tomar viento por culpa de la crisis económica.* || **llevarse el viento** algo; desaparecer por ser poco seguro: *Tus teorías idealistas se las llevó el viento en cuanto empezaste a ganar dinero.* || **mandar a tomar viento** algo; *col.* Rechazarlo o desentenderse de ello. || **viento en popa;** *col.* Con buena suerte, con prosperidad o sin dificultades: *Estoy feliz porque mi proyecto va viento en popa.* || **(vientos) alisios;** los que soplan con una intensidad constante durante todo el año desde los trópicos hacia la zona ecuatorial. || **(vientos) contraalisios;** los que soplan con una intensidad constante durante todo el año desde la zona ecuatorial hacia los trópicos. || **viento solar;** Flujo de partículas que emite la atmósfera del Sol y de otras estrellas. ☐ ETIMOL. Del latín *ventus.* ☐ SINT. *Con viento fresco* se usa más con los verbos *irse, marchar, largar, despedir* o equivalentes.

vientre s.m. **1** En el cuerpo humano o en el de otros mamíferos, parte comprendida entre el tórax y la pelvis, en la que se sitúa la mayor parte de los aparatos digestivo y reproductor. ☐ SINÓN. *tripa, barriga, abdomen.* **2** Conjunto de vísceras que está contenido en esta parte del cuerpo: *Necesito tomarme algo para los desarreglos del vientre.* ☐ SINÓN. *barriga, abdomen.* **3** Parte abultada de algunas cosas, esp. de una vasija. ☐ SINÓN. *panza, barriga.* **4** || **{evacuar/exonerar/mover} el vientre;** *euf.* Defecar o expulsar los excrementos por el ano. ☐ SINÓN. *barriga.* ☐ ETIMOL. Del latín *venter.*

viernes (pl. *viernes*) s.m. Quinto día de la semana, entre el jueves y el sábado: *Tengo ganas de que llegue el viernes, porque el sábado no trabajo.* ☐ ETIMOL. Del latín *dies Veneris* (día de Venus).

vierteaguas (pl. *vierteaguas*) s.m. Borde que forma una superficie inclinada para que escurra el agua de lluvia y resguarde de ella lo que está debajo: *El toldo hizo de vierteaguas y, aunque la ventana estaba abierta, el agua no entró en la casa.*

vietnamita adj.inv./s.com. De Vietnam o relacionado con este país asiático.

viewer (ing.) s.m. En informática, programa accesorio de un navegador de internet, que permite acceder a determinados archivos. ☐ PRON. [viúer].

viga s.f. **1** Elemento constructivo de mayor longitud que anchura y altura, de disposición horizontal o, a veces, inclinada, que forma parte de la estructura de una edificación. **2** || **viga maestra;** aquella sobre la que se apoyan otras. ☐ SINÓN. *jácena.* ☐ ETIMOL. De origen incierto.

vigencia s.f. Circunstancia de estar en vigor algo establecido, esp. una ley o una costumbre, o de tener fuerza para obligar a su cumplimiento o a su seguimiento: *Esta normativa dejará de tener vigencia cuando otra la sustituya.*

vigente adj.inv. Referido esp. a una ley o a una costumbre, que mantienen su vigor y que se cumplen o se siguen: *Muchos usos y modas vigentes en otros tiempos han quedado ya desfasados.* □ ETIMOL. Del latín *vigens*.

vigésimo, ma numer. **1** En una serie, que ocupa el lugar número veinte: *Terminó de pagar la hipoteca en el vigésimo año de empezar a pagarla. Pasarán a la siguiente fase los corredores que lleguen entre el primero y el vigésimo.* **2** Referido a una parte, que constituye un todo junto con otras diecinueve iguales a ella: *Tiene que pagar en impuestos la vigésima parte de lo que gana. Diez unidades son un vigésimo de un total de doscientas.* □ SINÓN. *veintavo, veinteavo.* □ ETIMOL. Del latín *vigesimus*. □ MORF. *Vigésima primera* (incorr. **vigésimo primera*), etc.

vigía s.com. Persona encargada de vigilar, generalmente desde un lugar elevado. □ ETIMOL. Del portugués *vigia*.

vigilancia s.f. **1** Cuidado y atención que alguien pone en lo que está a su cargo para que marche bien: *La policía extremará su vigilancia para intentar evitar posibles atentados.* **2** Servicio organizado y dispuesto para vigilar y llevar a cabo esta labor: *La vigilancia del edificio está formada por cuatro guardas y un circuito cerrado de televisión.*

vigilante ■ adj.inv. **1** Que vigila. ■ s.com. **2** Persona encargada de realizar funciones de vigilancia o de velar y cuidar algo.

vigilar v. Velar o cuidar poniendo la máxima atención: *Vigila la comida que está en el fuego, no se vaya a quemar.* □ ETIMOL. Del latín *vigilare* (estar atento, vigilar).

vigilia s.f. **1** Permanencia de una persona despierta o en vela. **2** Comida con abstinencia o renuncia a comer carne, esp. referido a la que se hace por mandato eclesiástico. **3** Víspera de una festividad religiosa. □ ETIMOL. Del latín *vigilia* (vela, vigilia).

vigor s.m. **1** Fuerza, vitalidad o actividad notables, esp. en los seres animados: *La niña está sana y llena de vigor.* **2** Viveza, energía o eficacia en lo que se hace: *Si quieres convencer, actúa con vigor y sin vacilar.* **3** Validez, actualidad o fuerza que tienen una ley o una costumbre para obligar a ser respetadas: *Lo clásico mantiene su vigor mientras nuevas modas se suceden y se olvidan sin dejar huella.* □ ETIMOL. Del latín *vigor*.

vigorexia s.f. En una persona, obsesión desmedida por desarrollar los músculos.

vigorizador, -a adj./s. Que vigoriza o da vigor.

vigorizar v. Fortalecer, revitalizar o dar vigor: *El ejercicio físico vigoriza los músculos. Los fertilizantes contribuyen a que las plantas se vigoricen.* □ ORTOGR. La *z* se cambia en *c* delante de *e* →CAZAR.

vigoroso, sa adj. Con vigor o fuerza.

vigueta s.f. Viga pequeña que se emplea en la construcción de suelos y techos.

VIH s.m. Virus que destruye los mecanismos de defensa del cuerpo humano: *Algunos portadores del VIH tardan varios años en desarrollar la enfermedad del sida.* □ ETIMOL. Es la sigla de *virus de inmunodeficiencia humana*.

vihuela s.f. Instrumento musical de cuerda, de forma parecida a la de la guitarra, que se toca pulsándolo con arco o con púa: *La vihuela se empleó mucho en la música culta española del siglo XVI.* □ ETIMOL. De origen incierto.

vihuelista s.com. Músico que toca la vihuela.

vikingo, ga adj./s. **1** De un pueblo escandinavo de navegantes que entre los siglos VIII y XI realizó incursiones por las costas atlánticas y por casi todo el territorio europeo occidental, o relacionado con él. **2** *col.* Aficionado del Real Madrid Club de Fútbol (club deportivo madrileño).

vil adj.inv. Muy malo, innoble o digno de desprecio. □ ETIMOL. Del latín *vilis* (barato, sin valor).

vilano s.m. En botánica, apéndice en forma de pelusa que corona el fruto de algunas plantas y les sirve como medio de transporte por el aire: *En verano se suelen ver vilanos que parecen algodoncillos flotando en el aire.* □ ETIMOL. De *milano*.

vileza s.f. **1** Maldad, condición despreciable o falta de dignidad: *Algún día te avergonzarás de la vileza de tus actos.* **2** Hecho o dicho malvados, infames o indignos: *Nunca te habría imaginado capaz de semejante vileza.*

vilipendiar v. Despreciar, ofender gravemente o tratar de manera denigrante y sin estima: *Nunca te perdonará que lo vilipendiaras de esa forma.* □ ETIMOL. Del latín *vilipendere*, y este de *vilis* (vil) y *pendere* (estimar). □ ORTOGR. La *i* nunca lleva tilde.

vilipendio s.m. Desprecio, ofensa grave o trato denigrante y sin estima.

villa s.f. **1** Población que tiene privilegios que la distinguen de otros lugares: *La ciudad de Madrid es villa y corte desde los tiempos de Felipe II.* **2** Casa de recreo situada aisladamente en el campo: *Cerca de Florencia se conservan suntuosas villas construidas por arquitectos renacentistas.* **3** ‖ **villa miseria;** en zonas del español meridional, barrio de chabolas: *Las villas miseria se levantan en las zonas más pobres de nuestras ciudades.* □ ETIMOL. Del latín *villa* (casa de campo, residencia a las afueras de Roma en la que se recibía a los embajadores). □ ORTOGR. Dist. de *billa*.

villadiego ‖ **{coger/tomar} las de Villadiego;** *col.* Marcharse o ausentarse inesperadamente, generalmente para huir de un riesgo o de un compromiso.

villanaje s.m. Conjunto de los villanos o personas del estado llano de un lugar o de una villa. □ SINÓN. *villanería.*

villancico s.m. **1** Canción popular, generalmente de asunto religioso, que se canta durante las fiestas navideñas: *Unos niños iban cantando villancicos* *con sus zambombas y pidiendo el aguinaldo.* **2** Cancioncilla popular breve, generalmente de dos a cuatro versos, que solía servir de estribillo en composiciones más largas: *En el Renacimiento abundan las composiciones cultas que son glosas de villancicos tradicionales.* **3** Composición poética de versos de arte menor que se inicia con una de estas cancioncillas, seguida de una o varias estrofas más largas llamadas *mudanzas*, y cada una de estas a su vez de un verso de enlace y otro de vuelta que rima con la cancioncilla inicial y que anuncia su repetición total o parcial en forma de estribillo: *Los versos de un villancico suelen ser octosílabos o hexasílabos, y las mudanzas, redondillas.* □ ETIMOL. De *copla de villancico* (copla de labriego).

villanería s.f. **1** →**villanía. 2** →**villanaje.**

villanesco, ca adj. De los villanos.

villanía s.f. **1** Hecho o dicho ruines, indignos o deshonestos. □ SINÓN. *villanería.* **2** Condición social baja: *Antiguamente, la villanía estaba ligada al trabajo, como la hidalguía a los privilegios.* □ SINÓN. *villanería.*

villano, na adj./s. **1** Ruin, indigno o deshonesto: *El muy villano raptó a la hija del alcalde.* **2** Rústico, grosero o falto de cortesía: *Nunca invitaría a un villano como tú.* **3** Antiguamente, vecino o habitante de una villa o aldea, perteneciente al estado llano. □ ETIMOL. Del latín **villanus* (labriego, no hidalgo, hombre de baja condición).

villorrio s.m. *desp.* Población pequeña y poco urbanizada.

vilo || **en vilo; 1** Suspendido, o sin apoyo ni estabilidad: *Mantén al niño en vilo mientras le seco los pies.* **2** Con inquietud o desasosiego: *Estuvimos en vilo hasta que la cirujana nos comunicó que todo había salido bien.*

vilorta s.f. Vara de madera flexible que se usa para hacer aros o ataduras. □ ETIMOL. De origen incierto.

vina s.f. Instrumento musical de cuerda, muy parecido a la cítara y que tiene cuatro cuerdas y dos calabazas como cajas de resonancia: *La vina es uno de los instrumentos más importantes de la India.* □ ORTOGR. Dist. de *bina.*

vinagre s.m. Líquido agrio, producido por la fermentación ácida del vino. □ ETIMOL. Quizá del catalán *vinagre.* □ MORF. Incorr. su uso como femenino: *{*la > el} vinagre.*

vinagrera ▌s.f. **1** Vasija o recipiente destinados a contener el vinagre para el uso diario. **2** Planta herbácea perenne, de sabor ácido, que se usa generalmente como condimento. □ SINÓN. *acedera.* ▌pl. **3** Pieza que se usa para el servicio de mesa y que consta de dos o más recipientes destinados a contener el aceite, el vinagre y a veces otros condimentos. □ SINÓN. *aceiteras.* □ ORTOGR. Dist. de *vinajera.*

vinagreta s.f. Salsa hecha con vinagre, aceite, cebolla y otros ingredientes y que se consume fría. □ ETIMOL. Del catalán *vinagreta.*

vinajera ▌s.f. **1** Jarro pequeño que se usa en la celebración de la misa para contener el agua o el vino. ▌pl. **2** Conjunto formado por estos dos jarros y la bandeja en la que se colocan. □ ETIMOL. Del francés antiguo *vinagière.* □ ORTOGR. Dist. de *vinagrera.*

vinatería s.f. Establecimiento en el que se vende vino.

vinatero, ra adj. Del vino o relacionado con él.

vinaza s.f. Vino de mala calidad que se saca al final del proceso de elaboración a partir de los posos y sedimentos. □ ETIMOL. Del latín *vinacea.*

vinazo s.m. Vino muy fuerte y espeso.

vinca s.f. →**vincapervinca.** □ ETIMOL. Del latín *vincire* (atar).

vincapervinca s.f. Planta herbácea, de unos sesenta centímetros de alto, hojas enteras y brillantes y flores azuladas: *La vincapervinca se cultiva en jardines como planta ornamental.* □ SINÓN. *vinca.* □ ETIMOL. Del latín *vinca pervinca*, y este de *vincire* (atar), porque los tallos de esta planta están enredados entre sí.

vincha s.f. **1** En zonas del español meridional, cinta. **2** En zonas del español meridional, diadema.

vinculación s.f. Unión, atadura o relación establecida mediante un vínculo.

vinculante adj.inv. Que vincula.

vincular v. **1** Unir, atar o relacionar mediante un vínculo: *Nos vincula una estrecha amistad.* **2** Hacer depender: *Los médicos vinculan el último brote de cólera al consumo de agua contaminada.* **3** Obligar o someter al cumplimiento debido: *El acuerdo firmado vincula por igual a ambas partes.* □ SINT. Constr. de la acepción 2: *vincular A algo.*

vínculo s.m. **1** Unión o atadura entre dos personas o dos cosas. **2** →**hipervínculo.** □ ETIMOL. Del latín *vinculum* (atadura).

vindicación s.f. **1** Defensa, generalmente hecha por escrito, de una persona calumniada o injustamente censurada: *Ese artículo trataba de lograr la vindicación del político atacado recordando sus méritos.* **2** Recuperación o reivindicación hechas por alguien de algo que le pertenece: *Recurrirá para lograr la vindicación de su parte de la herencia.* **3** Venganza o respuesta a una ofensa recibida con otra ofensa: *El sentimiento del honor herido los impulsó a planear su cruel vindicación.*

vindicar v. **1** Referido esp. a una persona calumniada o censurada, defenderla, generalmente por escrito: *Ese libro vindica la figura del conde-duque de Olivares como estadista de mérito.* **2** Referido a algo que pertenece a alguien, recuperarlo o reivindicarlo este: *Vindicará la propiedad de los terrenos por vía judicial.* **3** Referido a una ofensa o a un daño, responder a ellos con otra ofensa o con otro daño: *Ante el cuerpo de su padre, juró no descansar hasta vindicar aquel crimen.* □ SINÓN. *vengar.* □ ETIMOL. Del latín *vindicare* (reivindicar, reclamar). □ ORTOGR. La *c* se cambia en *qu* delante de *e* →SACAR. □ USO Su uso es característico del lenguaje culto.

vindicativo, va adj. **1** Que sirve para vindicar o defender a una persona calumniada o injustamente censurada: *El presidente pronunció unas palabras vindicativas respecto a la ministra acusada y manifestó su confianza en ella.* □ SINÓN. *vindicatorio.* **2** Vengativo o inclinado a tomar venganza: *Tu carácter vindicativo te impide perdonar una ofensa y te lleva a meterte en peleas.*

vindicatorio, ria adj. **1** Que sirve para vindicar o defender a una persona calumniada o injustamente censurada: *Algunos militantes presentaron ante la junta directiva un escrito vindicatorio del compañero cesado.* □ SINÓN. *vindicativo.* **2** Que sirve para que alguien recupere o reivindique algo que le pertenece: *Nuestra abogada iniciará acciones vindicatorias con objeto de que nos sean reconocidos nuestros derechos.* **3** Que sirve para tomar venganza por una ofensa o por un daño recibidos: *Aquella estafa fue su instrumento vindicatorio para corresponder al fraude del que había sido víctima.*

vínico, ca adj. Del vino o relacionado con él.

vinícola adj.inv. De la fabricación del vino o relacionado con este proceso: *La Rioja es zona de importantes industrias vinícolas.* □ ETIMOL. Del latín *vinum* (vino) y *colere* (cultivar).

vinicultor, -a s. Persona que se dedica a la vinicultura o elaboración de vinos, esp. si esta es su profesión.

vinicultura s.f. Técnica para la elaboración y crianza de vinos. □ ETIMOL. Del latín *vinum* (vino) y *-cultura* (cultivo).

vinificación s.f. Fermentación o transformación en vino del mosto o zumo de las uvas: *El proceso de vinificación se realiza en las bodegas con determinadas condiciones de temperatura y humedad ambiente.*

vinilo s.m. Radical químico derivado del etileno, del que se obtienen resinas duras que se pueden plastificar para formar sustancias semejantes al caucho o al cuero: *disco de vinilo.* □ ETIMOL. De *vino* e *-ilo* (radical químico).

vino s.m. **1** Bebida alcohólica que se obtiene de la fermentación del zumo de las uvas exprimidas. **2** || **(vino) blanco;** el de color dorado. || **(vino) clarete;** el tinto claro. || **vino generoso;** el que es más fuerte y añejo que el común. || **(vino) moscatel;** el de sabor muy dulce, que se obtiene de la uva moscatel. || **(vino) rosado;** el de color rosado. || **(vino) tinto;** el de color muy oscuro. □ ETIMOL. Del latín *vinum.*

vinoso, sa adj. Con la fuerza, el aspecto u otras características del vino: *un bebedizo vinoso.*

vintage (ing.) s.m. Tendencia estética que consiste en mezclar prendas de años anteriores y de gran calidad con elementos actuales. □ PRON. [vintéich], con *ch* suave. □ SINT. Se usa en aposición, pospuesto a un sustantivo: *moda vintage.*

viña s.f. Terreno plantado de vides. □ ETIMOL. Del latín *vinea.*

viñador, -a s. Persona que se dedica al cultivo de las viñas.

viñátigo s.m. Árbol con la corteza gris oscura, hojas aromáticas y flores de color amarillo verdoso: *El viñátigo se utiliza como árbol de sombra.*

viñedo s.m. Terreno plantado de vides, esp. si es muy extenso.

viñeta s.f. **1** En un cómic o en una historieta, recuadro con dibujo, y generalmente acompañado de texto, que forma parte de una sucesión que compone una historia: *Todas las viñetas de este tebeo las dibuja la misma persona.* **2** En una publicación impresa, dibujo o escena aislados, generalmente de carácter humorístico y acompañados a veces de un texto breve: *En la penúltima hoja del periódico suele venir una viñeta con algún chiste sobre la actualidad política.* **3** En zonas del español meridional, dibujo pequeño que se pone al principio o al final de los capítulos de un libro: *Las viñetas de este libro no son un mero adorno porque ilustran alguna parte del texto.* □ ETIMOL. Del francés *vignette* (adorno en figura de sarmientos que se pone en las primeras páginas de un libro).

viola s.f. Instrumento musical de cuerda y arco, de la familia de los violines, de mayor tamaño y de sonido más grave que el violín. □ ETIMOL. Del italiano *viola.*

violáceo, a adj./s.m. Del color de las flores de la violeta: *El violáceo es el séptimo color del arco iris.* □ SINÓN. *violado, violeta.*

violación s.f. **1** Desobediencia, incumplimiento o quebrantamiento de una ley o de una norma: *Le han retirado el carné de conducir por la violación reiterada de las normas de circulación.* **2** Realización del acto sexual con una persona en contra de su voluntad y generalmente por la fuerza, o cuando dicha persona es menor de doce años, está sin sentido o tiene algún trastorno mental: *La violación y los abusos deshonestos son delitos contra la libertad de las personas.* **3** Acción de no respetar algo: *Debemos denunciar la violación de los derechos humanos.*

violado, da adj./s.m. →**violáceo.**

violador, -a adj./s. **1** Que viola o infringe una ley. **2** Que obliga a otra persona a realizar el acto sexual: *Fue atacada por un violador que ya está cumpliendo pena por su delito.*

violar v. **1** Referido esp. a una ley o a una norma, desobedecerlas, incumplirlas o quebrantarlas: *Un sacerdote no debe nunca violar el secreto de confesión.* **2** Referido a una persona, obligarla a realizar el acto sexual por la fuerza, mediante engaño, o cuando es menor de doce años, está sin sentido o tiene algún trastorno mental: *Lo condenaron a prisión mayor por violar a una menor.* **3** No respetar: *Si abres una carta dirigida a otra persona, estás violando el carácter privado de la correspondencia.* **4** Referido a un lugar sagrado, profanarlo realizando en él actos irrespetuosos: *Unos gamberros violaron el sagrario y esparcieron las sagradas formas por el suelo.* □ ETIMOL. Del latín *violare.*

violencia s.f. **1** Precipitación o tendencia a dejarse llevar fácilmente por la ira o a hacer uso de la fuerza: *Esa violencia tuya podrá servirte para imponerte a los más débiles, pero no para convencerlos.* **2** Acción violenta producida por esta tendencia a hacer uso de la fuerza: *Se han adoptado medidas para evitar la violencia en los campos de fútbol.* **3** Ímpetu o fuerza extraordinarios con que algo se hace o se produce: *El fuego se extendía con una violencia sobrecogedora.* □ ETIMOL. Del latín *violentia.*

violentar v. **1** Referido a algo que ofrece resistencia, someterlo o vencerlo mediante la fuerza: *Los ladrones consiguieron entrar violentando la puerta.* **2** Referido a una persona, incomodarla o ponerla en una situación embarazosa: *Si me haces una cosa así en público, conseguirás violentarme. Se violentó mucho cuando le exigieron explicaciones por su actuación.*

violento, ta adj. **1** Referido a una persona, que es impetuosa, se deja llevar fácilmente por la ira o acostumbra a hacer uso de la fuerza. **2** Que actúa con ímpetu y fuerza extraordinarios: *Se está dejando consumir por unos violentísimos celos.* **3** Que se hace o se produce de manera brusca, impetuosa e intensa: *Evita hacer ejercicios violentos hasta que estés totalmente recuperado.* **4** Referido a una situación, que resulta incómoda, tensa y embarazosa. □ ETIMOL. Del latín *violentus*, y este de *vis* (fuerza, poder, violencia).

violero s.m. Persona que se dedica a la construcción de instrumentos musicales de cuerda: *Aún quedan violeros que construyen artesanalmente violines y violas.* □ USO Es innecesario el uso del galicismo *luthier.*

violeta ▌adj.inv./s.m. **1** Del color de las flores de la violeta: *El violeta es el séptimo color del arco iris.* □ SINÓN. *violáceo, violado.* ▌s.f. **2** Planta herbácea de tallos rastreros, hojas ásperas y acorazonadas, flores generalmente de color morado claro y olor agradable, y fruto en cápsula. **3** Flor de esta planta. □ ETIMOL. Del francés *violette.*

violetera s.f. Mujer que vende ramitos de violetas en lugares públicos.

violín s.m. Instrumento musical de cuerda y arco, de la familia a la que da nombre y en la que es el de menor tamaño y sonido más agudo: *El violín se toca apoyándolo entre el hombro y la barbilla.* □ ETIMOL. Del italiano *violino.*

violinista s.com. Músico que toca el violín.

violón s.m. *ant.* →**contrabajo.** □ ETIMOL. Del italiano *violone.*

violoncelista s.com. →**violonchelista.**

violoncelo s.m. →**violonchelo.**

violonchelista (tb. *violoncelista*) s.com. Músico que toca el violonchelo: *Pau Casals fue un gran violonchelista catalán.* □ MORF. En la lengua coloquial se usa mucho la forma abreviada *chelista.*

violonchelo (tb. *violoncelo*) s.m. Instrumento musical de cuerda y arco, de la familia de los violines, de tamaño y sonoridad intermedios entre los de la viola y los del contrabajo: *El violonchelo se suele tocar sentado, apoyándolo sobre el suelo y sujetándolo entre las rodillas.* □ ETIMOL. Del italiano *violoncello.* □ MORF. Se usa mucho la forma abreviada *chelo.* □ USO Es innecesario el uso del italianismo *cello.*

vip s.com. Persona que destaca mucho socialmente por su popularidad o por ocupar una posición influyente. □ ETIMOL. Es el acrónimo del inglés *Very Important Person* (persona muy importante). □ SINT. Se usa mucho en aposición, pospuesto a un sustantivo: *gente vip; sala vip.*

viperino, na adj. Que busca hacer daño con palabras. □ ETIMOL. Del latín *viperinus.*

virada s.f. En náutica, cambio del rumbo de una embarcación, de modo que el viento que le daba por un costado le dé por el opuesto.

virago s.f. *desp.* Mujer varonil o con características consideradas propias de un hombre. □ ETIMOL. Del latín *virago* (mujer robusta, guerrera).

viraje s.m. **1** Cambio de dirección en la marcha de un vehículo. **2** Cambio de orientación, esp. en la conducta o en las ideas.

viral adj.inv. De los virus o relacionado con estos microorganismos. □ SINÓN. *vírico.*

virar v. Cambiar de dirección o de rumbo: *El barco viró y se aproximó a la costa.* □ ETIMOL. Del francés o del portugués *virar.*

virazón s.f. **1** Viraje o cambio de orientación repentinos, esp. en la conducta o en las ideas. **2** Cambio repentino de viento. □ ETIMOL. Del portugués *viração.*

virelai s.m. Canción medieval francesa: *Ese virelai lo compuso el sacerdote Guillaume de Machaut en el siglo* XIV. □ ETIMOL. Del francés *virelai.*

viremia s.f. Presencia de virus en la sangre. □ ETIMOL. De *virus* y *-emia* (sangre).

virgen ▌adj.inv. **1** Que está intacto y no ha sido utilizado todavía: *una casete virgen.* **2** Que no ha sido sometido a procesos o manipulaciones artificiales en su elaboración: *La miel virgen es la que se recoge directamente de los panales.* **3** Referido a un terreno, que no ha sido arado o cultivado. ▌adj.inv./s.com. **4** Referido a una persona, que no ha tenido relaciones sexuales. ▌s.f. **5** En el cristianismo, la madre de Jesucristo. **6** ‖ **viva la Virgen;** *col.* →**vivalavirgen.** □ ETIMOL. Del latín *virgo* (muchacha, doncella, virgen). □ USO En la acepción 5, se usa más como nombre propio.

virgiliano, na adj. De Virgilio (poeta latino del siglo I a. C.) o con características de sus obras: *'La Eneida' es un poema virgiliano.*

virginal adj.inv. **1** De una persona virgen o relacionado con ella: *Esa forma tan platónica de concebir el amor se debe a la inocencia virginal de estos jóvenes.* **2** De la Virgen o relacionado con ella: *Las mujeres bordaban el manto virginal con hilos de oro.* **3** Puro, que no tiene mancha o que no ha sufrido daño ni deterioro: *El escritor siempre se detiene ante la blancura virginal del folio.* □ ETIMOL. Del latín *virginalis.*

virginidad s.f. Estado de la persona que no ha tenido relaciones sexuales.

virgo ▌adj.inv./s.com. **1** Referido a una persona, que ha nacido entre el 23 de agosto y el 22 de septiembre aproximadamente. ‖ s.m. **2** En una mujer o en las hembras de algunos animales, repliegue membranoso que cierra parcialmente el orificio externo de la vagina y que se desgarra en la primera relación sexual. ☐ SINÓN. *himen.* ☐ ETIMOL. Del latín *virgo* (virgen).

virguería s.f. **1** *col.* Lo que se hace con gran exactitud o perfección: *Esta cantante hace virguerías con la voz.* **2** Adorno o cosa superflua que se añade a algo: *No le pongas más virguerías al vestido, porque te va a quedar demasiado llamativo.* ☐ SINT. En la acepción 1 se usa más en la expresión *hacer virguerías.*

virguero, ra adj./s. *col.* Muy bueno o extraordinario, esp. referido a la persona que hace algo con gran exactitud o perfección.

vírgula s.f. →**virgulilla.** ☐ ETIMOL. Del latín *virgula* (varita).

virgulilla s.f. Raya o línea corta y muy delgada: *Los acentos, las comillas y la tilde de la 'ñ' son virgulillas.* ☐ SINÓN. *vírgula.* ☐ ETIMOL. Diminutivo de *vírgula.*

vírico, ca adj. De los virus o relacionado con estos microorganismos: *una enfermedad vírica.* ☐ SINÓN. *viral.*

viril adj.inv. **1** Del varón o relacionado con él: *La voz viril suele ser más grave que la femenina.* ☐ SINÓN. *varonil.* **2** Que tiene fuerza, valor, firmeza u otras características tradicionalmente consideradas propias de un varón. ☐ SINÓN. *varonil.* ☐ ETIMOL. Del latín *virilis* (masculino, vigoroso, propio del hombre adulto).

virilidad s.f. **1** Conjunto de características que tradicionalmente se han considerado propias de un varón, como la fuerza, el valor o la firmeza. **2** Edad en la que el hombre ha adquirido toda su fuerza y vigor.

virilismo s.m. En una mujer, desarrollo de caracteres sexuales externos propios del sexo masculino.

virilización s.f. Adquisición, por parte de una hembra, de caracteres sexuales externos propios del sexo masculino.

virilizarse v.prnl. Referido a una hembra, adquirir caracteres sexuales externos propios del sexo masculino: *Como consecuencia de un desarreglo hormonal, la muchacha se virilizó.* ☐ ORTOGR. La *z* se cambia en *c* delante de *e* →CAZAR.

virión s.m. Virus que acaba de ser reproducido dentro de una célula, pero que ya está fuera de ella, maduro y libre en el torrente sanguíneo.

viripausia s.f. Período de la vida de un varón en el que se produce una disminución de la capacidad sexual a causa de la edad. ☐ SINÓN. *andropausia.*

virola s.f. En algunos instrumentos, esp. en una navaja o en una espada, anillo metálico ancho que se coloca en su extremo para que sirva de remate, adorno o protección. ☐ ETIMOL. Del francés *virole.*

virología s.f. Parte de la microbiología que estudia los virus. ☐ ETIMOL. Del latín *virus* (ponzoña) y *-logía* (ciencia, estudio).

virólogo, ga s. Médico o biólogo especializado en virología.

virósico, ca adj. En zonas del español meridional, viral o vírico.

virosis (pl. *virosis*) s.f. Enfermedad cuyo origen se atribuye a un virus: *La viruela es una virosis.* ☐ ETIMOL. De *virus* y *-osis* (enfermedad).

virreina s.f. de **virrey.**

virreinal adj.inv. Del virrey, del virreino o relacionado con ellos.

virreinato s.m. **1** Cargo de virrey. ☐ SINÓN. *virreino.* **2** Tiempo durante el que gobierna un virrey. ☐ SINÓN. *virreino.* **3** Territorio gobernado por un virrey. ☐ SINÓN. *virreino.*

virreino s.m. →**virreinato.**

virrey (pl. *virreyes*) s.m. Persona que representaba al rey en uno de los territorios de la corona. ☐ ETIMOL. De *vi*, por influencia de *vice-*, y *rey.* ☐ MORF. Su femenino es *virreina.*

virtual adj.inv. **1** Que tiene posibilidad de producir un determinado efecto, aunque no lo haga en el presente: *Ya desde niña sus profesores veían en ella a una virtual atleta.* **2** Que tiene existencia aparente y no real: *memoria virtual; realidad virtual.* ☐ ETIMOL. Del latín *virtualis*, y este de *virtus* (fuerza, virtud).

virtualidad s.f. **1** Posibilidad o capacidad que algo tiene para producir un determinado efecto aunque no lo realice en el presente. **2** Existencia aparente y no real de algo.

virtualmente adv. Casi o prácticamente: *El año está virtualmente acabado, porque hoy es 31 de diciembre.*

virtud s.f. **1** Cualidad o característica que se considera buena o positiva: *La sinceridad es su mejor virtud.* **2** Capacidad o poder para producir un determinado efecto: *La raíz de esta planta tiene virtudes curativas.* **3** ‖ **en virtud de** algo; como resultado de ello: *En virtud de estos resultados, hay que afirmar que el proyecto no es rentable.* ☐ ETIMOL. Del latín *virtus* (fortaleza de carácter).

virtuosismo s.m. Dominio extraordinario de la técnica necesaria para realizar algo.

virtuoso, sa adj./s. **1** Referido a una persona o a sus acciones, que posee una o varias virtudes o actúa según ellas: *Ayudar a los necesitados es una acción virtuosa.* **2** Que domina de modo extraordinario una técnica: *Es una virtuosa del violín y lo toca maravillosamente.* ☐ ETIMOL. Del latín *virtuosus.*

viru s.f. *col.* →**viruta.**

viruela s.f. **1** Enfermedad contagiosa, producida por un virus, que se caracteriza por fiebre elevada y la aparición de ampollas llenas de pus sobre la piel: *La vacuna contra la viruela ha conseguido erradicar esta enfermedad.* **2** Ampolla llena de pus producida por esta enfermedad: *Las viruelas dejan cicatrices permanentes.* ☐ ETIMOL. del latín *variola.*

virulé ‖ **a la virulé**; *col.* Referido esp. a la forma de llevar algo, estropeado, torcido o en mal estado: *Le dieron un puñetazo en el ojo y se lo dejaron a la* *virulé.* □ ETIMOL. Del francés *bas roulé* (media enrollada en su parte superior).

virulencia s.f. **1** Intensidad o manifestación intensa de una enfermedad. **2** Ironía o intención cruel y malintencionada que algo tiene, esp. un texto o un discurso: *criticar con virulencia.* □ SEM. No debe emplearse con el significado de 'violencia': *En el partido de ayer, el equipo visitante mostró una gran {*virulencia > violencia} sobre el terreno de juego.*

virulento, ta adj. **1** Referido esp. a una enfermedad, que es producida por un virus o se manifiesta con gran intensidad. **2** Muy hiriente o irónico, o con intención cruel y malintencionada. □ ETIMOL. Del latín *virulentus.*

virus (pl. *virus*) s.m. **1** Microorganismo de estructura sencilla, capaz de reproducirse en el seno de células vivas específicas, que está compuesto fundamentalmente por ácido ribonucleico o ácido desoxirribonucleico y por proteínas, y que es el causante de muchas enfermedades: *La gripe y la hepatitis son enfermedades producidas por virus.* **2** || **virus (informático);** programa informático que causa daño a las unidades de memoria del ordenador y que se introduce y se transmite a través de disquetes o de la red telefónica. □ ETIMOL. Del latín *virus* (zumo, ponzoña).

viruta s.f. **1** Tira delgada, generalmente enrollada en espiral, que se saca de la madera o de los metales cuando se labran con un cepillo o con otra herramienta. **2** *col.* Dinero. □ ETIMOL. De origen incierto. □ USO En la acepción 2 se usa mucho la forma abreviada *viru.*

vis || **vis cómica;** facultad de hacer reír, o habilidad para ello. || **vis a vis; 1** Frente a frente, o en presencia de otro: *Me gustaría tratar vis a vis este asunto con él, y no por carta.* **2** Encuentro a solas de un preso con sus amistades particulares: *El preso mantuvo un vis a vis con su esposa.* □ ETIMOL. La expresión *vis cómica*, del latín *vis comica* (fuerza cómica). La expresión *vis a vis*, del francés *vis à vis.* □ ORTOGR. Dist. de *bis.*

visa s.f. En zonas del español meridional, visado.

visado s.m. **1** Aportación de validez a un documento, esp. a un pasaporte, por parte de la autoridad competente, para un determinado uso: *Para entrar en ese país necesitas visado.* **2** Sello o certificación que prueba esta validez: *En su pasaporte figuran los visados de las naciones que ha visitado.*

visaje s.m. Gesto o movimiento exagerado del rostro, esp. el que se hace por hábito o por enfermedad. □ ETIMOL. Del francés *visage* (rostro).

visajista s.com. Persona especialista en los cuidados de belleza del rostro.

visar v. **1** Referido a un documento, esp. a un pasaporte, darle la autoridad competente validez para un determinado uso: *La policía le visó el pasaporte al entrar en el país.* **2** Reconocer o examinar poniendo el visto bueno: *Un jefe de departamento debe visar todas las facturas.* □ ETIMOL. Del francés *viser.* □ ORTOGR. Dist. de *bisar.*

víscera s.f. Órgano contenido en una de las principales cavidades del cuerpo: *Los pulmones y el corazón son dos vísceras contenidas en la cavidad torácica.* □ SINÓN. *entraña.* □ ETIMOL. Del latín *viscera.*

visceral adj.inv. **1** De las vísceras o relacionado con ellas. **2** Referido a un sentimiento, que es muy intenso y profundo o que está muy arraigado: *un odio visceral.* **3** Que se deja llevar por este tipo de sentimientos o los manifiesta de forma exagerada.

viscosa s.f. Véase **viscoso, sa.**

viscosidad s.f. **1** Consistencia espesa y pegajosa de algo, esp. de un líquido. **2** Sustancia viscosa.

viscosilla s.f. Materia textil que procede de la mezcla de celulosa con algodón o con lana.

viscoso, sa ▮ adj. **1** Referido esp. a una sustancia líquida, que es pegajosa y de consistencia espesa: *La miel es un líquido viscoso.* ▮ s.f. **2** Producto que se obtiene mediante el tratamiento de la celulosa con productos químicos y que se emplea en la fabricación de fibras textiles: *El papel de celofán se hace con viscosa.* □ ETIMOL. Del latín *viscosus.*

visera s.f. **1** Pieza más o menos rígida de una gorra que sobresale por delante y que sirve para dar sombra a los ojos, o esta pieza sola: *La visera de esta gorra es de plástico.* **2** Gorra que tiene esta parte que sobresale: *Ponte la visera para que no te dé el sol en la cabeza.* **3** En un automóvil, pieza móvil, situada en la parte interior y superior del parabrisas, que sirve para proteger del sol al conductor y al acompañante: *La visera situada en el lado del acompañante suele tener un espejo.* **4** En un casco, parte generalmente móvil que cubre y protege el rostro: *La visera de una armadura se podía subir y bajar gracias a dos botones laterales.* □ ETIMOL. De *visar.*

visibilidad s.f. Posibilidad de ver o de ser visto: *Los colores claros tienen más visibilidad durante la noche que los oscuros.*

visibilizar v. Referido a algo que no se puede ver a simple vista, hacerlo visible de forma artificial: *Con los gemelos se pueden visibilizar los objetos lejanos.* □ SINÓN. *visualizar.* □ ORTOGR. La *z* se cambia en c delante de *e* →CAZAR.

visible adj.inv. **1** Que se puede ver: *Los virus y las bacterias no son visibles a simple vista.* **2** Que se manifiesta de una forma tan clara y evidente que no admite duda: *El enfado era visible en el tono de su voz.* □ ETIMOL. Del latín *visibilis.*

visigodo, da adj./s. De la parte del antiguo pueblo germánico de los godos que invadió el Imperio Romano y fundó un reino en la península Ibérica en el siglo V, o relacionado con ella: *La capital del reino visigodo estuvo en Toledo.*

visigótico, ca adj. De los visigodos o relacionado con este antiguo pueblo germánico: *El arco de herradura es propio de la arquitectura visigótica.*

visillo s.m. Cortina de tela muy fina que se coloca en la parte interior de los cristales. □ ETIMOL. De *viso.*

visión s.f. **1** Percepción por los ojos mediante la acción de la luz: *Un exceso de alcohol en la sangre produce una visión borrosa.* □ SINÓN. *vista.* **2** Percepción con cualquier sentido o con la inteligencia: *La visión de los errores de cada uno exige grandes dosis de humildad.* **3** Capacidad para prever o presentir algo que va a ocurrir: *Esta mujer triunfará porque tiene mucha visión de futuro.* **4** Opinión o punto de vista particular sobre algo: *Tu visión de los hechos difiere de la mía.* **5** Imagen sobrenatural o irreal de la fantasía o de la imaginación que se toma como verdadera: *Las pesadillas nos hacen tener visiones.* **6** Observación o contemplación de algo: *Se extasiaba con la visión de las puestas de sol.* □ SINÓN. *vista.* **7** Lo que se ve, esp. si es algo ridículo o espantoso: *Quítame esa visión de delante, porque me da miedo.* **8** || **ver visiones;** dejarse llevar en exceso por la imaginación y creer ver lo que no existe: *Tú ves visiones si crees que le caes bien.* □ ETIMOL. Del latín *visio.*

visionado s.m. Visión de imágenes cinematográficas o televisivas, esp. desde un punto de vista técnico o crítico: *El visionado completo del programa nos llevó más de una hora.*

visionar v. Referido a imágenes cinematográficas o televisivas, verlas, esp. desde un punto de vista técnico o crítico: *La entrenadora y las jugadoras visionan vídeos de sus partidos para corregir los posibles defectos.*

visionario, ria adj./s. Referido a una persona, que se cree con facilidad cosas fabulosas o irreales que ella misma imagina. □ ETIMOL. De *visión.*

visir s.m. Ministro de un soberano musulmán. □ ETIMOL. Del árabe *wazir* (ministro).

visita s.f. **1** Ida al lugar en que está una persona para verla, esp. a su casa: *Te devuelvo la visita que me hiciste el mes pasado.* **2** Persona que va a ver a alguien: *Debo ir pronto a casa porque quiero llegar antes que las visitas.* **3** Ida a un lugar para verlo: *De mi visita a China me traje muchos recuerdos.* **4** En internet, entrada en una página web: *Esta página web ha recibido más de mil visitas en el último mes.*

visitación s.f. Visita, esp. referido a la que hizo la Virgen María a su prima Santa Isabel. □ USO Se usa más como nombre propio.

visitador, -a ▮ adj./s. **1** Que realiza visitas con frecuencia: *Mi prima es una visitadora asidua de los museos.* ▮ s. **2** Persona que visita a los médicos para mostrarles los productos farmacéuticos y las novedades en el tratamiento de las enfermedades: *Los laboratorios cuentan con una serie de visitadores para dar a conocer sus productos.* **3** Persona que tiene a su cargo la realización de visitas de inspección o de reconocimiento: *En los siglos XVI y XVII, los visitadores reales inspeccionaban la labor de los virreyes en los virreinatos.*

visitante adj.inv./s. **1** Que visita. **2** Referido a un equipo deportivo, que juega en el campo del equipo rival.

visitar v. **1** Referido a una persona, ir a verla al lugar en que está: *Mientras estuvo en el hospital lo visité varias veces.* **2** Referido a un lugar, acudir a él para conocerlo: *Pasé por tu pueblo, pero no tuve tiempo de visitarlo.* **3** Referido a una persona o a un lugar, acudir a ellos con frecuencia y por un motivo determinado: *Como el niño está tan delicado, no hay mes que no tengamos que visitar al médico.* **4** En el lenguaje deportivo, ir a jugar al campo de un adversario. □ ETIMOL. Del latín *visitare* (ver con frecuencia, ir a ver).

visiteo s.m. *col. desp.* Desplazamiento frecuente al lugar en que está una persona para verla.

vislumbramiento s.m. **1** Apreciación de un objeto de forma tenue o confusa por la distancia o por la falta de luz. **2** →**vislumbre.**

vislumbrar v. **1** Referido a un objeto, verlo de forma tenue o confusa por la distancia o por la falta de luz: *A lo lejos vislumbro las montañas. En la oscuridad se vislumbró una figura humana.* □ SINÓN. *atisbar.* **2** Referido a algo inmaterial, conocerlo ligeramente o conjeturarlo por leves indicios: *Sus respuestas nos permiten vislumbrar una posible causa de su depresión.* □ SINÓN. *atisbar.* □ ETIMOL. Del latín *vix* (apenas) y *luminare* (alumbrar).

vislumbre s.amb. **1** Reflejo o resplandor débil de una luz cuyo foco está a una determinada distancia: *Desde el campamento solo se veían las vislumbres de las luces de la ciudad.* **2** Sospecha, indicio o conjetura que se forma a partir de estos: *Parece que hay vislumbres de estabilización en la situación política del país.* □ SINÓN. *atisbo, vislumbramiento.* **3** Apariencia o pequeña semejanza de una cosa con otra: *En el hijo hay vislumbres del genio de su madre.* **4** Conocimiento dudoso o escaso que se tiene de algo: *No sé exactamente lo que ha ocurrido, pero tengo alguna vislumbre.* □ SINÓN. *vislumbramiento.* □ MORF. En la acepción 2, se usa más en plural.

viso s.m. **1** Aspecto o apariencia de algo: *Ese negocio tiene visos de ser rentable.* **2** Brillo o resplandor que producen algunas cosas al darles la luz: *La tela es azul pero hace visos verdosos.* □ ETIMOL. Del latín *visus* (acción de ver, sentido de la vista, aspecto). □ MORF. Se usa más en plural.

visón s.m. **1** Mamífero de cuerpo alargado, patas cortas, cola larga, pelaje suave y de color pardo, que se alimenta de animales pequeños y habita en el norte del continente americano: *El visón es un animal carnívoro.* **2** Piel de este animal. **3** Prenda de vestir hecha con esta piel. □ ETIMOL. Del francés *vison.* □ MORF. En la acepción 1, es un sustantivo epiceno: *el visón {macho/hembra}.*

visor s.m. **1** En algunos aparatos fotográficos, prisma o sistema óptico que sirve para enfocarlos rápidamente: *El visor está formado con una serie de lentes y espejos.* **2** Instrumento óptico con lentes de aumento que permite ver una diapositiva o una película que se está montando: *El montador del programa utiliza un visor para ver los fotogramas de la película.* **3** En una cámara de filmación, parte a través de la cual se observa la imagen captada: *El* *operador pidió que rodaran otra vez la escena porque a través del visor se veían algunos fallos.* **4** En zonas del español meridional, gafas de buceo: *Con el visor, las aletas y el snorkel, me siento como un buzo de primera.*

víspera ▌ s.f. **1** Día inmediatamente anterior a otro determinado. ▌ pl. **2** En la iglesia católica, séptima de las horas canónicas: *Las vísperas se rezan después de la nona.* □ ETIMOL. Del latín *vespera* (la tarde y el anochecer).

vista s.f. Véase **visto, ta.**

vistazo s.m. Mirada superficial o ligera: *De vez en cuando le echaba un vistazo a la comida para que no se quemara.* □ SINT. Se usa más en la expresión *{dar/echar} un vistazo.*

vistillas s.f.pl. Lugar elevado desde el que se ve una zona: *Desde estas vistillas se ve gran parte de la ciudad.*

visto, ta ▌ **1** part. irreg. de **ver.** ▌ adj. **2** *col.* Muy conocido y poco original: *Ese modelo de coche está ya muy visto.* **3** En derecho, fórmula con que se da por terminada la vista pública de un asunto o se anuncia el pronunciamiento de un fallo: *La juez declaró que el pleito quedaba visto para sentencia.* ▌ s.f. **4** Sentido corporal que permite percibir algo por los ojos mediante la acción de la luz: *Perdió la vista de pequeño por una caída.* **5** Mirada o fijación de los ojos sobre algo: *Avergonzado, bajó la vista al suelo.* **6** Percepción por los ojos mediante la acción de la luz: *La vista de ese accidente me impresionó mucho.* □ SINÓN. *visión.* **7** Observación o contemplación de algo: *Para relajarse no hay nada mejor que la vista de verdes praderas y espacios amplios.* □ SINÓN. *visión.* **8** Apariencia o aspecto que se ve de algo: *Este guiso tiene una vista estupenda.* **9** Conocimiento claro de las cosas o capacidad para descubrir lo que los demás no ven: *Tienes mucha vista para los negocios.* **10** Extensión de terreno que se ve desde un lugar, o posibilidad de verlo: *Desde la cima de la montaña hay unas vistas preciosas.* **11** Representación de un lugar, esp. pictórica o fotográfica, tomada del natural: *Déjame la cámara de fotos, que quiero sacar unas vistas de la ciudad.* **12** En derecho, actuación en la que se desarrolla un juicio o incidente ante el tribunal, con presencia de ambas partes, y en la que se oye a los defensores o interesados que a ella acudan: *En la vista declaran los testigos y todos los implicados.* **13** ‖ **a la vista;** **1** De forma que puede ser visto o recordado: *Mientras monto el aparato, ponme a la vista las instrucciones.* **2** De forma evidente y clara: *Sus intenciones están a la vista.* **3** En perspectiva: *Tenemos varios negocios a la vista.* ‖ **a la vista de** algo; **1** En presencia o delante de ello: *Robaron el coche a la vista de todos los transeúntes.* **2** En consideración o en comparación: *A la vista de este trabajo, el tuyo es bastante mejor.* ‖ **a {primera/simple} vista;** en una primera impresión o reconocimiento ligero de algo: *a simple vista parece que el problema no sea difícil de solucionar.* ‖ **a vista de pájaro;** desde un punto elevado. ‖ **comerse** algo **con la vista;** *col.* Mirarlo con una pasión o con un deseo intensos. ‖ **con vistas a** algo; con ese propósito: *Estudió mucho con vistas a conseguir una beca.* ‖ **conocer de vista** a alguien; conocerlo por haberlo visto alguna vez pero sin haber hablado con él. ‖ **corto de vista; 1** Que tiene miopía. **2** Que es poco perspicaz: *No te enteras de nada porque eres corto de vista.* ‖ **echar la vista (encima)** a alguien; llegar a verlo o a tenerlo cerca: *El día que le eche la vista encima, le pondré las cosas claras.* ‖ **en vista de** algo; en consideración o en atención de ello: *En vista de tu estado de ánimo, dejaremos esta conversación para otro día.* ‖ **{estar bien/mal} visto;** referido esp. a un comportamiento o a una actitud, ser bien o mal considerado social o éticamente. ‖ **habráse visto;** expresión que se usa para indicar un reproche. ‖ **hacer la vista gorda;** *col.* Fingir con disimulo que no se ha visto algo. ‖ **hasta la vista;** expresión que se usa como despedida de alguien a quien se espera volver a ver. □ SINÓN. *hasta más ver.* ‖ **no perder de vista** algo; **1** Observarlo o vigilarlo sin apartarse de ello: *No pierdas de vista ese coche.* **2** Tenerlo en cuenta o pensar continuamente en ello: *Es importante no perder de vista los objetivos de cada uno.* ‖ **pasar la vista por** algo; mirarlo de forma superficial. ‖ **perder de vista** algo; dejar de verlo: *Estoy deseando irme de aquí para perder de vista a todos estos cretinos.* ‖ **por lo visto;** juzgando por lo que se ve: *Por lo visto, ha estado de viaje todo el fin de semana.* ‖ **vista cansada;** la de la persona que tiene un defecto en la visión por el que se proyecta la imagen detrás de la retina, haciendo que se vean de forma confusa los objetos próximos y nítidamente los lejanos. □ SINÓN. *presbicia.* ‖ **visto bueno;** fórmula que se pone al pie de un documento acompañada de la firma de una persona autorizada, para indicar su validez o aprobación: *El documento lleva el visto bueno del secretario.* ‖ **visto que;** enlace gramatical subordinante con valor causal: *Visto que nadie quería hacerlo, tuve que ordenar yo sola toda la biblioteca.* ‖ **visto y no visto;** *col.* Con gran rapidez. ‖ **volver la vista atrás;** recordar sucesos pasados o meditar sobre ellos: *Si volvieras la vista atrás, no repetirías los errores del pasado.* □ MORF. En la acepción 1, incorr. **veído.*

vistosidad s.f. Capacidad de algo para atraer la atención, esp. por la viveza de sus colores, su brillantez o su rica apariencia.

vistoso, sa adj. Que atrae la atención, esp. por la viveza de sus colores, su brillantez o su rica apariencia. □ ETIMOL. De *vista.*

visual ▌ adj.inv. **1** De la vista o relacionado ella. ▌ s.f. **2** Línea recta imaginaria que va desde el ojo de la persona que mira hasta el objeto observado. □ ETIMOL. Del latín *visualis.*

visual basic (ing.) ‖ Véase **basic.** □ PRON. [vísual béisic].

visualidad s.f. Efecto agradable que produce la visión de un conjunto de objetos vistosos o que atraen la atención.

visualización s.f. **1** Visión por medios artificiales de lo que no se podría ver a simple vista: *Los rayos X permiten la visualización del esqueleto.* **2** Representación, mediante imágenes, de un fenómeno que no puede ser apreciado por la vista: *Para la visualización de la evolución de las ventas hemos utilizado un gráfico.* **3** Representación mental de lo que no se tiene delante o de los conceptos abstractos: *La visualización de los conceptos se suele hacer por asociación con objetos reales.*

visualizar v. **1** Referido a algo que no se puede ver a simple vista, hacerlo visible de forma artificial: *Los prismáticos permiten visualizar los objetos lejanos.* □ SINÓN. *visibilizar.* **2** Referido a algo que no puede ser apreciado por la vista, representarlo mediante imágenes ópticas, como los gráficos: *Los meteorólogos visualizan en los mapas las tormentas y los vientos.* **3** Referido a un concepto abstracto, formar en la mente una imagen visual de él: *La filosofía me resulta difícil de comprender porque no puedo visualizar sus conceptos.* □ ORTOGR. La *z* se cambia en *c* delante de *e* →CAZAR.

vital adj.inv. **1** De la vida o relacionado con ella: *La respiración es una de las funciones vitales del organismo.* **2** Que tiene mucha importancia o trascendencia: *Solucionar ese problema es vital para nuestras relaciones.* **3** Referido esp. a una persona, que está dotada de mucha energía para actuar o para vivir: *Es una mujer muy vital y siempre está ocupada con múltiples actividades.* □ ETIMOL. Del latín *vitalis.*

vitalicio, cia adj. Referido esp. a un cargo o a una renta, que dura hasta el fin de la vida. □ ETIMOL. De *vital.*

vitalidad s.f. **1** Actividad o energía que permite mantenerse y desarrollarse. **2** Fuerza expresiva.

vitalismo s.m. Energía o impulso para actuar o para vivir.

vitalista adj.inv./s.com. Que posee gran energía o mucho impulso para actuar o para vivir.

vitalización s.f. Hecho de vitalizar.

vitalizar v. Dar fuerza o energía: *Estas medidas vitalizarán la economía.* □ ORTOGR. La *z* se cambia en *c* delante de *e* →CAZAR.

vitamina s.f. Sustancia orgánica que forma parte de los alimentos y que, en pequeñas cantidades, es necesaria para el desarrollo normal de los seres vivos: *Las frutas y verduras frescas tienen mucha vitamina C.* □ ETIMOL. Del latín *vita* (vida) y *amina* (compuesto derivado del amoniaco), porque se creyó que las vitaminas eran compuestos de amoniaco.

vitaminado, da adj. Referido a un alimento o a un medicamento, que tiene ciertas vitaminas porque se le han añadido: *leche vitaminada.*

vitaminar ▌v. **1** Referido a un alimento o a un medicamento, añadirles vitaminas: *Cada vez hay más productos alimenticios que han sido vitaminados.* ▌prnl. **2** Referido a una persona, tomar vitaminas, esp. si es como complemento: *Siempre me dices que debo vitaminarme para estar sano.*

vitamínico, ca adj. **1** De las vitaminas o relacionado con ellas. **2** Que contiene vitaminas.

vitando, da adj. **1** Que debe ser evitado: *El consumo de tabaco es un hábito vitando porque perjudica gravemente la salud.* **2** Odioso, condenable o absolutamente reprobable: *un crimen vitando.* □ ETIMOL. Del latín *vitandus* (que hay que evitar).

vitela s.f. Piel de ternero recién nacido, muy fina y curtida, que suele usarse para pintar o escribir sobre ella: *La vitela es de muy buena calidad y sólo se utilizaba para códices especialmente valiosos.* □ ETIMOL. Del italiano *vitella* (ternera).

vitelino, na adj. Del vitelo o relacionado con este conjunto de sustancias nutritivas del huevo: *El embrión se alimenta de la sustancia vitelina.*

vitelo s.m. Conjunto de sustancias nutritivas que hay en un huevo y que sirven para la nutrición del embrión: *La yema del huevo de gallina es el vitelo del que se alimenta el embrión.* □ ETIMOL. Del latín *vitellum* (yema de huevo).

vitícola ▌adj.inv. **1** De la viticultura o relacionado con el cultivo de la vid. ▌s.com. **2** Persona especializada en viticultura. □ ETIMOL. Del latín *vitis* (vid) y *colere* (cultivar).

viticultor, -a s. Persona que se dedica al cultivo de la vid, esp. si es especialista en viticultura.

viticultura s.f. Técnica del cultivo de la vid. □ ETIMOL. Del latín *vitis* (vid) y *-cultura* (cultivo).

vitíligo s.m. Enfermedad de la piel que se caracteriza por la presencia de áreas sin pigmentación.

vitivinícola ▌adj.inv. **1** De la vitivinicultura o relacionado con ella. ▌s.com. **2** →**vitivinicultor.**

vitivinicultor, -a s. Persona que se dedica a la vitivinicultura o al cultivo de la vid y la elaboración del vino. □ SINÓN. *vitivinícola.*

vitivinicultura s.f. Técnica de cultivar la vid y de elaborar el vino. □ ETIMOL. Del latín *vitis* (vid) y *vinicultura.*

vito s.m. **1** Composición musical andaluza, de ritmo muy vivo y alegre. **2** Baile popular andaluz que se ejecuta al compás de esta música. □ ETIMOL. De *baile de San Vito,* porque esta enfermedad producía convulsiones.

vitola s.f. Banda estrecha o anilla de papel que rodea a un cigarro puro. □ ETIMOL. De origen incierto.

vítor s.m. **1** Manifestación de alegría, de admiración y de aprobación: *El torero dio la vuelta al ruedo escuchando los vítores del público.* **2** Letrero escrito generalmente sobre una pared, en aplauso o admiración de una persona por alguna hazaña o acción gloriosa: *Los edificios del casco antiguo salmantino están llenos de vítores de estudiantes que aprueban los cursos.* □ ETIMOL. Del latín *victor* (vencedor). □ MORF. Se usa más en plural.

vitorear v. Aplaudir o aclamar con vítores: *Los aficionados vitorearon al torero cuando acabó la faena.*

vitoriano, na adj./s. De Vitoria o relacionado con esta ciudad alavesa.

vitral s.m. Vidriera de colores: *Los vitrales son característicos en las catedrales góticas.* ☐ ETIMOL. Del francés *vitrail.*

vítreo, a adj. **1** De vidrio o con sus propiedades: *Este jarrón es de un material vítreo muy resistente.* **2** Parecido al vidrio: *Los esmaltes tienen un brillo vítreo.* ☐ ETIMOL. Del latín *vitreus.*

vitrificación s.f. Operación mediante la cual un material o un objeto adquiere el aspecto del vidrio: *Después de haber pintado la jarra, procederemos a su vitrificación.*

vitrificar v. **1** Convertir en vidrio: *Los silicatos se vitrifican a altas temperaturas.* **2** Referido a un material o a un objeto, darles el aspecto del vidrio: *Este barniz es para vitrificar el barro cocido.* ☐ ETIMOL. Del latín *vitrum* (vidrio) y *facere* (hacer). ☐ ORTOGR. La *c* se cambia en *qu* delante de *e* →SACAR.

vitrina s.f. Escaparate, armario o caja con puertas o tapas de cristal para tener objetos expuestos a la vista sin que puedan tocarse. ☐ ETIMOL. Del francés *vitrine.*

vitriolo s.m. *ant.* →**sulfato.** ☐ ETIMOL. Del latín *vitriolum,* y este de *vitrum* (vidrio).

vitrocerámica s.f. Véase **vitrocerámico, ca.**

vitrocerámico, ca ▌adj. **1** Hecho con vitrocerámica: *placa vitrocerámica; material vitrocerámico.* ▌s.f. **2** Cerámica recubierta por un barniz especial que le da las propiedades del vidrio y que la hace muy resistente a las altas temperaturas y a los cambios bruscos. **3** Cocina o aparato para cocinar cuya placa superior está realizada con esta cerámica.

vitualla s.f. Conjunto de víveres o de alimentos necesarios para un grupo de personas, esp. en el ejército. ☐ ETIMOL. Del latín *victualia,* y este de *victus* (subsistencia, víveres). ☐ MORF. Se usa más en plural.

vituperable adj.inv. Que merece ser vituperado o criticado duramente.

vituperar v. Criticar y reprender con mucha dureza o censurar: *Si tienes algo que decirme, hazlo en privado y no me vituperes en público.* ☐ ETIMOL. Del latín *vituperare.*

vituperio s.m. Crítica dura, ofensiva o injuriosa.

viudedad s.f. **1** Pensión o paga que recibe una persona viuda mientras no se vuelva a casar: *La viudedad apenas le alcanza para llegar a fin de mes.* **2** →**viudez.**

viudez s.f. Estado o situación de la persona que está viuda: *Lleva ya seis años de viudez y no piensa volver a casarse.* ☐ SINÓN. *viudedad.*

viudo, da ▌adj. **1** Referido esp. a un guiso, que se sirve o se cocina solo o sin acompañamiento de carne: *Mi padre nos puso para comer unas lentejas viudas que pedían a gritos un poco de chorizo.* ▌adj./s. **2** Referido a una persona casada, que ya no tiene cónyuge porque ha muerto, y no se ha vuelto a casar: *Mi abuela es viuda desde hace tres años.* **3** ‖ **viuda negra;** araña de cuerpo pequeño y negro, que tiene un veneno muy peligroso que puede ocasionar la muerte: *Algunos indios suramericanos ponen el veneno de la viuda negra en la punta de sus flechas.* ☐ SINÓN. *capulina.* ☐ ETIMOL. Del latín *viduus.* ☐ MORF. *Viuda negra* es epiceno y la diferencia de sexo se señala mediante la oposición *la viuda negra {macho/hembra}.*

viura adj.inv./s.f. Referido a la uva o a su viñedo, de la variedad que se caracteriza por ser de color blanco o amarillo claro.

viva interj. Expresión que se usa para indicar alegría o entusiasmo: *¡Viva!, nos iremos de vacaciones.*

vivac s.m. **1** Campamento provisional o lugar para pasar la noche al raso, esp. las tropas del ejército. ☐ SINÓN. *vivaque.* **2** ‖ **hacer vivac;** vivaquear o dormir al raso.

vivace (it.) adv. Referido a la forma de ejecutar una composición musical, con un aire o con una velocidad vivos y muy rápidos: *El efecto de este pasaje se acrecienta si se ejecuta vivace.* ☐ PRON. [viváche].

vivacidad s.f. **1** Agudeza o rapidez de comprensión y de ingenio. **2** Expresión o manifestación de energía, vitalidad o alegría. ☐ ETIMOL. Del latín *vivacitas.*

vivalavirgen (tb. *viva la Virgen*) s.com. *col.* Persona despreocupada e irresponsable que no quiere adquirir compromisos de ningún tipo.

vivales (pl. *vivales*) s.com. *col.* Persona vividora y astuta, que sabe aprovecharse de todo.

vivaque s.m. →**vivac.**

vivaquear v. Referido esp. a un soldado o a un excursionista, dormir o pasar la noche al raso: *La compañía vivaqueó esa noche a la orilla de un arroyo.*

vivar ▌s.m. **1** Lugar donde se crían determinados animales, esp. conejos y peces. ▌v. **2** En zonas del español meridional, vitorear. ☐ ETIMOL. La acepción 1, del latín *vivarium.* La acepción 2, de *viva.*

vivaracho, cha adj. *col.* Alegre, muy vivo o con mucha vitalidad: *ojos vivarachos.*

vivario s.m. Instalación adecuada para mantener vivos a los animales en condiciones muy semejantes a las de su medio natural: *En los vivarios se reproduce lo más fielmente posible el hábitat de los animales.*

vivaz adj.inv. **1** Agudo o de rápida comprensión e ingenio: *Esta chica es muy vivaz y no tiene problemas de comprensión.* **2** Rápido o vigoroso en los movimientos o en las acciones: *Es una niña muy vivaz y le conviene hacer algún deporte.* **3** Que tiene energía, vitalidad o pasión: *Nos describió tu éxito con palabras vivaces y entusiastas.* **4** Que tiene brillantez, intensidad o fuerza, esp. referido a un color: *Los colores vivaces alegran la habitación.* **5** Referido a una planta, que vive más de dos años: *Los rosales y los jazmines son plantas vivaces.* ☐ ETIMOL. Del latín *vivax.*

vivencia s.f. Experiencia personal.

vivencial adj.inv. De la vivencia o relacionado con ella.

víveres s.m.pl. Comestibles o provisiones alimenticias para las personas. ☐ ETIMOL. Del francés *vivres* o del italiano *viveri.*

vivero s.m. **1** Terreno en el que se crían plantas para trasplantarlas a su lugar definitivo cuando crezcan un poco: *Iré a un vivero para comprar algunos árboles frutales.* **2** Lugar donde se crían y se mantienen vivos peces, moluscos, crustáceos y otros animales acuáticos: *Los viveros de peces se denominan piscifactorías.* ☐ ETIMOL. Del latín *vivarium.*

vivérridos s.m.pl. En zoología, familia de ciertos mamíferos carnívoros, que son ágiles, esbeltos y tienen la cola larga: *La civeta, la gineta o la mangosta son vivérridos.*

viveza s.f. **1** Rapidez en movimientos o acciones: *La viveza de tu carácter nos anima a los demás.* **2** Energía, exaltación o pasión: *Discuten con tanta viveza que parece que se van a pegar.* **3** Agudeza o perspicacia de ingenio: *Es un chico de gran viveza intelectual y le gusta mucho estudiar.* **4** Brillantez, intensidad o fuerza de algunas cosas, esp. de los colores. ☐ ETIMOL. De *vivo* (ágil).

vívido, da adj. Vivaz, expresivo, eficaz o vigoroso: *Lo recuerdo de forma tan vívida que parece que me sucedió ayer.* ☐ ETIMOL. Del latín *vividus.*

vividor, -a adj./s. Que disfruta al máximo de la vida sin tener en cuenta cuestiones trascendentes.

vivienda s.f. Construcción o lugar donde se habita o se vive. ☐ ETIMOL. Del latín *vivenda* (cosas de las que se ha de vivir).

viviente adj.inv./s.com. Que vive: *un ser viviente.*

vivificación s.f. Dotación o transmisión de vida, energía o ánimo.

vivificador, -a adj. →**vivificante.**

vivificante adj.inv. Que vivifica. ☐ SINÓN. *vivificador.*

vivificar v. Dar vida: *Hace tanto calor que una simple brisa me vivifica.* ☐ ETIMOL. Del latín *vivificare.* ☐ ORTOGR. La *c* se cambia en *qu* delante de *e* →SACAR.

vivíparo, ra adj./s. Referido a un animal, que se ha desarrollado dentro de la madre y nace en un parto: *Los mamíferos son vivíparos.* ☐ ETIMOL. Del latín *vivus* (vivo) y *-paro* (que pare). ☐ SEM. Dist. de *ovíparo* (que nace de un huevo que se rompe fuera de la madre) y de *ovovivíparo* (que nace de un huevo que se rompe dentro de la madre).

vivir v. **1** Tener vida: *De mis cuatro abuelos, ya solo vive una abuela.* **2** Referido a una persona, pasar la vida o alimentarse y tener lo suficiente para ello: *Ese trabajo no da para vivir.* **3** Ocupar un lugar y hacer vida en él: *En las selvas viven muchas especies animales.* **4** Desenvolverse o acomodarse a las circunstancias: *Solo con libros no se aprende a vivir.* **5** Actuar u obrar de una determinada manera: *Siempre ha vivido de mala manera.* **6** Permanecer, estar presente o mantenerse en la memoria: *Su recuerdo vive entre nosotros.* **7** Experimentar, sufrir o sentir: *Vivimos en esa ocasión momentos de angustia.* **8** *col.* Referido a una persona, convivir con otra con la que mantiene relaciones sexuales sin estar casada con ella: *Viven juntos desde hace veinte años, y son una pareja feliz.* ☐ SINÓN. *amancebarse.* **9** || **dejar vivir** a alguien; dejar de molestarlo o de fastidiarlo continuamente: *Deja vivir a tus hijos y no les preguntes todos los días qué es lo que han hecho.* || **no vivir** alguien; *col.* Estar siempre muy preocupado y angustiado: *Desde que se compró la moto, sus padres no viven.* ☐ ETIMOL. Del latín *vivere.*

vivisección s.f. Disección de un animal vivo para hacer algún estudio o investigación científicos: *La vivisección se realiza con fines científicos.* ☐ ETIMOL. Del latín *vivus* (vivo) y *sectio* (corte).

vivo, va ▮ adj. **1** Que tiene vida: *Las personas, los animales y las plantas son seres vivos. Mientras yo esté viva, no vuelvas a mi casa.* **2** Intenso o fuerte: *El rojo es un color vivo. Tiene un genio muy vivo y se enfada fácilmente.* **3** Que muestra inteligencia e ingenio: *Su vivo razonamiento es poco frecuente en niños de su edad.* **4** Que dura y permanece con toda su fuerza y vigor: *En esta región siguen vivas algunas costumbres medievales.* **5** Perdurable en la memoria: *Aunque desapareció hace tiempo, sigue vivo entre nosotros.* **6** Rápido o ágil: *Me gusta la música de ritmo muy vivo.* **7** Expresivo, persuasivo o con vivacidad: *Su estilo literario es muy vivo.* **8** *col.* En buen estado o sin daño: *¡Dejad de jugar con esas figuritas, que no vais a dejar una viva!* ▮ adj./s. **9** Que se da cuenta de las cosas con facilidad y sabe aprovecharse de ello: *Ese tipo es un vivo, y si te ofrece algo es porque obtendrá alguna ganancia.* ▮ s.m. **10** Cinta, trencilla o cordón con que se adorna el borde de una prenda de vestir: *Ha comprado un vivo negro para ponerlo al cuello de la chaqueta.* **11** || **en vivo; 1** En persona: *Hemos visto en vivo a un escritor muy famoso.* **2** En directo o transmitido a la vez que está ocurriendo: *Hoy retransmitirán un concierto de música en vivo.* || **vivo y coleando;** *col.* Sano y salvo: *Aunque parezca mentira, salió de aquel terrible accidente vivo y coleando.* ☐ ETIMOL. Del latín *vivus.* ☐ USO 1. La expresión *vivo y coleando* se usa más en diminutivo: *vivito y coleando.* 2. En la acepción 9, se usa mucho el diminutivo *vivillo.*

viz- →**vice-.**

vizcacha s.f. Mamífero roedor americano, parecido a la liebre en su tamaño y con una cola similar a la del gato: *La vizcacha es originaria de Bolivia, Perú, Chile y Argentina.* ☐ MORF. Es un sustantivo epiceno: *la vizcacha {macho/hembra}.*

vizcaíno, na adj./s. De Vizcaya o relacionado con esta provincia española: *La industria siderúrgica vizcaína se concentra a lo largo de la ría del Nervión.*

vizcaitarra adj.inv./s.com. Que es partidario de la independencia o de la autonomía de Vizcaya (provincia vasca). ☐ USO Es innecesario el uso del término euskera *bizkaitarra.*

vizcondado s.m. **1** Título nobiliario de vizconde. **2** Territorio sobre el que antiguamente un vizconde ejercía su autoridad.

vizconde s.m. Persona que tiene el título nobiliario entre el de conde y el de barón. ☐ ETIMOL. De *vice-* (inmediato, inferior) y *conde.* ☐ MORF. Su femenino es *vizcondesa.*

vizcondesa s.f. de **vizconde.**

voacé s.com. *ant.* →**usted.** ☐ ETIMOL. De *vosa merced* (vuestra merced).

vocablo s.m. **1** Sonido o conjunto de sonidos articulados que expresan una idea: *Para hablar un idioma hay que aprender una serie de vocablos básicos.* ☐ SINÓN. *término, palabra.* **2** Representación gráfica de este signo o conjunto de signos articulados: *'Marino' es un vocablo de tres sílabas.* ☐ SINÓN. *palabra.* ☐ ETIMOL. Del latín *vocabulum* (denominación, palabra).

vocabulario s.m. **1** Conjunto de palabras que componen una lengua o que pertenecen a una región, a una persona o a un campo determinados: *Mi vocabulario de inglés es todavía pobre.* ☐ SINÓN. *léxico.* **2** Libro o lista en que se contiene este conjunto de palabras explicadas de una forma más o menos breve: *Al final de la novela hay un vocabulario de palabras anticuadas.* ☐ ETIMOL. Del latín *vocabulum* (vocablo).

vocación s.f. **1** Inclinación que una persona siente hacia una profesión, una actividad o una forma de vida: *Tiene vocación de médico.* **2** Inspiración con que Dios llama a una persona para que tome un estado, esp. el religioso: *Se ha hecho misionero por vocación.* ☐ ETIMOL. Del latín *vocatio* (acción de llamar, vocación divina).

vocacionado, da adj. Referido a una persona, que siente vocación por algo.

vocacional adj.inv. De la vocación, que siente vocación o relacionado con esta inclinación: *Su dedicación a la enseñanza es vocacional.*

vocal ▮ adj.inv. **1** De la voz, que se expresa con la voz o relacionado con ella: *Las cuerdas vocales nos permiten hablar. Yo soy miembro de un conjunto de música vocal.* ▮ s.com. **2** Persona que tiene derecho de hablar en un consejo, una congregación o una junta y ha sido llamada por derecho, por elección o por nombramiento: *Este año seré vocal en una mesa electoral.* ▮ s.f. **3** Sonido del lenguaje humano producido al dejar salir el aire por la boca sin oponer ningún obstáculo en la cavidad bucal y faríngea: *Hay cinco vocales en español.* **4** Letra que representa este sonido: *La palabra 'diplodoco' tiene cuatro vocales.* **5** || **vocal abierta;** la que se pronuncia con la lengua a una distancia del paladar mayor que en la vocal cerrada: *La 'a' es una vocal abierta.* || **vocal cerrada;** la que se pronuncia con la lengua a una distancia del paladar menor que en la vocal abierta: *La 'i' y la 'u' son vocales cerradas.* ☐ ETIMOL. Del latín *vocalis* (hecho con vibración de las cuerdas vocales). ☐ ORTOGR. Dist. de *bocal.*

vocálico, ca adj. De la vocal o relacionado con ella: *Los sonidos vocálicos del español son [a], [e], [i], [o] y [u].*

vocalismo s.m. Conjunto o sistema de vocales de una lengua: *El vocalismo español está formado por cinco vocales y el inglés por doce.*

vocalista s.com. Cantante de una orquesta o de un conjunto musical. ☐ ETIMOL. Del inglés *vocalist.*

vocalización s.f. Pronunciación correcta y clara de las vocales y consonantes de las palabras.

vocalizar v. Pronunciar bien y claramente las vocales y consonantes de las palabras: *Los presentadores deben saber vocalizar.* ☐ ORTOGR. La *z* se cambia en *c* delante de *e* →CAZAR.

vocativo s.m. **1** En lingüística, función desempeñada por una expresión que se utiliza para hacer una llamada o una invocación: *En la frase '¡Niño!, ven aquí', 'niño' es un sintagma nominal que funciona como vocativo.* **2** En lingüística, constituyente que desempeña esta función: *En '¡Oh, mundo cruel, cómo me maltratas!', 'mundo cruel' es un vocativo.* **3** →**caso vocativo.** ☐ ETIMOL. Del latín *vocativus.*

voceador, -a ▮ adj./s. **1** Que da muchas voces. ▮ s. **2** Persona que vende cosas por la calle y las vocea.

vocear v. **1** Dar voces o gritos: *No vocees, que no soy sordo.* **2** Referido esp. a una noticia, manifestarla o anunciarla a voces: *Los vendedores vocean sus productos en el mercado.* **3** En zonas del español meridional, llamar a través de un altavoz o de un equipo de megafonía: *Le pedí a una empleada que voceara a mi hijo, porque se nos perdió en la tienda.*

voceras (tb. *boceras*) (pl. *voceras*) s.com. *col.* Persona que habla más de lo que debe y generalmente en voz alta, o que dice tonterías o fanfarronadas.

vocerío s.m. Conjunto de voces altas y desentonadas que producen mucho ruido. ☐ SINÓN. *griterío, gritería.*

vocero, ra s. En zonas del español meridional, portavoz: *El vocero ministerial informó sobre las conclusiones del consejo.*

vociferar v. **1** Hablar en voz muy alta o dar grandes voces: *Deja de vociferar, que vas a despertar al niño.* **2** Referido esp. a una noticia, manifestarla o darla a conocer de forma jactanciosa: *Lleva tres días vociferando su triunfo en la partida de mus.* ☐ ETIMOL. Del latín *vociferari,* y este de *vox* (voz) y *ferre* (llevar).

vocinglero, ra adj./s. **1** Que habla a voces o en voz muy alta. **2** Que habla mucho sin decir nada de interés.

vodca s.amb. →**vodka.** ☐ ETIMOL. De origen ruso.

vodevil s.m. Comedia frívola, intrascendente y picante, con un argumento de enredo, equívocos y temas amorosos. ☐ ETIMOL. Del francés *vaudeville.*

vodka (tb. *vodca*) s.amb. Aguardiente de origen ruso de alta graduación alcohólica: *El vodka es incoloro.* ☐ ETIMOL. Del ruso.

voile (fr.) s.m. Producto cosmético con textura de gel, crema o líquido, que se aplica sobre el cuerpo para obtener un ligero perfume permanente. ☐ PRON. [vuál].

voladito, ta adj. →**volado.**

voladizo, za adj./s.m. Referido esp. a elemento de construcción, que sobresale de la pared de un edificio.

volado, da adj. **1** En imprenta, referido a un signo, que está colocado en la parte superior del renglón y es de un tipo de menor tamaño que el resto de las letras: *En la abreviatura 'Mª', la 'ª' es una letra volada.* ☐ SINÓN. *voladito.* **2** ‖ **estar volado;** *col.* Estar inquieto, sobresaltado y muy preocupado.

volador, -a ▮ adj. **1** Que vuela. ▮ s.m. **2** Molusco marino comestible parecido al calamar, pero de mayor tamaño y con carne de menor calidad. **3** →**pez volador.** ☐ ETIMOL. Del latín *volator.* ☐ MORF. En las acepciones 2 y 3, es un sustantivo epiceno: *el volador {macho/hembra}.*

voladura s.f. Destrucción de algo por medio de explosivos, de forma que salte en pedazos por los aires. ☐ ETIMOL. Del latín *volatura.*

volandas ‖ **en volandas;** por el aire o sujetado de forma que no toque el suelo: *Cogieron en volandas al torero herido y lo llevaron a la enfermería.*

volandera s.f. Véase **volandero, ra.**

volandero, ra ▮ adj. **1** Que está colgado y puede ser movido fácilmente por el viento: *una veleta volandera.* ▮ adj./s. **2** Que no se detiene en ningún lugar: *una persona volandera.* ▮ s.f. **3** En un molino tradicional, rueda de piedra que gira sobre otra fija para moler lo que se pone entre ambas. ☐ SINÓN. *muela, piedra de molino.*

volantazo s.m. Giro rápido y brusco de un vehículo en movimiento que se hace al mover el volante rápida y bruscamente.

volante ▮ adj.inv. **1** Que va o se lleva de una parte a otra sin sitio o lugar fijo: *Esa casa de coches tiene talleres volantes que son furgonetas para auxiliar a los vehículos averiados en carretera.* ▮ s.m. **2** Tira, generalmente de tela, rizada, plegada o fruncida, que se coloca como adorno en prendas de vestir, de tapicería o de otro tipo: *un vestido de volantes.* **3** En un vehículo, pieza de forma circular que permite conducirlo y dirigirlo. **4** Hoja pequeña de papel en la que se manda, se recomienda, se pide o se apunta algo en términos precisos: *Necesito un volante firmado por el médico de cabecera para ir al especialista.* **5** En bádminton y otros deportes de raqueta, pelota semiesférica con plumas.

volantín s.m. **1** Cordel con uno o más anzuelos que sirve para pescar. **2** En zonas del español meridional, cometa. ☐ ORTOGR. Dist. de *volatín.*

volapié s.m. En tauromaquia, forma de matar al toro en la que el torero va hacia el animal cuando este está parado.

volar v. **1** Ir o moverse por el aire, generalmente sosteniéndose con las alas: *Una mariposa vuela alrededor de la bombilla.* **2** Viajar en un vehículo de aviación: *He volado varias veces para ir a las islas.* **3** *col.* Desaparecer rápida e inesperadamente: *Diez minutos después de abrir la caja, los bombones habían volado.* **4** Ir muy deprisa: *Ya puedes volar para llegar puntual.* **5** Conducir y dirigir un vehículo de aviación: *Quiere aprender a volar para ser piloto de aviación.* **6** Referido a un objeto, elevarse o moverse durante algún tiempo por el aire: *El viento hacía volar las hojas secas de los árboles. Se me voló el sombrero y no pude alcanzarlo.* **7** Referido a un objeto, moverse por el aire por haber sido arrojado con violencia: *Como no bajéis la tele, va a salir volando por la ventana.* **8** Referido a una acción, realizarla muy deprisa: *Me peino volando y bajo contigo.* **9** Referido esp. a una noticia, extenderse o propagarse con rapidez y entre muchos: *Veo que las noticias vuelan, porque te has enterado de mi nombramiento casi antes que yo.* **10** Referido al tiempo, pasar muy deprisa: *En vacaciones, el tiempo vuela.* **11** Hacer saltar en pedazos, esp. por medio de explosivos: *El enemigo voló varios puentes.* ☐ ETIMOL. Del latín *volare.* ☐ MORF. Irreg. →CONTAR. ☐ USO En la acepción 8, se usa más en gerundio.

volatería s.f. **1** Conjunto de aves de diferentes clases, esp. las destinadas al consumo alimenticio. **2** Caza de aves que se hace con ayuda de otras que han sido previamente amaestradas. ☐ ETIMOL. Quizá del catalán *volateria* (conjunto de las aves).

volátil adj.inv. **1** Referido a una sustancia, que pasa al estado de vapor con facilidad. **2** Inconstante o mudable: *un carácter volátil.* ☐ ETIMOL. Del latín *volatilis.*

volatilidad s.f. **1** En química, facilidad de una sustancia para pasar al estado gaseoso. **2** En economía, mutabilidad o variación de un índice con gran amplitud con respecto a la media.

volatilización s.f. **1** Transformación de una sustancia en vapor o en gas. **2** *col.* Desaparición rápida, inesperada y brusca: *Ese fracaso supuso la volatilización de todas mis esperanzas.*

volatilizar ▮ v. **1** Referido a una sustancia, transformarla en vapor o gas: *Para volatilizar un líquido debes llevarlo a su temperatura de ebullición. La gasolina se volatiliza en contacto con el aire.* ▮ prnl. **2** *col.* Desaparecer rápidamente: *Haz el favor de volatilizarte de aquí, que me tienes harta.* ☐ ORTOGR. La *z* se cambia en *c* delante de *e* →CAZAR.

volatín s.m. **1** Ejercicio de acrobacia realizado por un volatinero al andar o saltar por el aire sobre una cuerda o alambre tensados. **2** →**volatinero.** ☐ ETIMOL. Del antiguo *buratín* (acróbata), y este del italiano *burattino* (títere). ☐ ORTOGR. Dist. de *volantín.*

volatinero, ra s. Persona que hace ejercicios acrobáticos andando o saltando por el aire sobre una cuerda o alambre, esp. si esta es su profesión. ☐ SINÓN. *titiritero, volatín.*

vol-au-vent (fr.) s.m. →**volován.** ☐ PRON. [volován].

volcán s.m. **1** Abertura en la tierra, generalmente en la cima de una montaña, por la que pueden salir o han salido materias incandescentes procedentes del interior terrestre. **2** Lo que resulta apasionado o de sentimientos ardientes, agitados o violentos: *Mi alma es un volcán de sentimientos encontrados.* ☐ ETIMOL. Del latín *Vulcanus* (dios del fuego).

volcánico, ca adj. Del volcán o relacionado con él: *rocas volcánicas.*

volcanología s.f. →**vulcanología.**

volcanólogo, ga s. →**vulcanólogo.**

volcar ▮ v. **1** Referido a un objeto, torcerlo hacia un lado o totalmente, de forma que su contenido caiga o se vierta: *Volcó la ensaladera y toda la ensalada cayó al suelo.* **2** Referido a un objeto, inclinarse hasta dar la vuelta sobre sí mismo o hasta reposar sobre un lado diferente al que estaba: *El coche volcó al dar la curva.* **3** *col.* Robar: *El otro día me volcaron la cartera y no me di ni cuenta.* ▮ prnl. **4** Referido a una persona, hacer todo lo posible para conseguir algo o para agradar a alguien: *Es muy generosa y se vuelca con los demás.* ☐ ETIMOL. Quizá del latín **volvicare*. ☐ ORTOGR. La *c* se cambia en *qu* delante de *e* →SACAR. ☐ MORF. Irreg. →TROCAR.

volea s.f. Golpe dado en el aire a algo, esp. el que se da a una pelota antes de que toque el suelo.

volear v. **1** Golpear en el aire para dar impulso: *La tenista voleó la pelota hacia el campo contrario.* **2** Referido a una semilla, sembrarla arrojándola al aire a puñados: *El agricultor voleó las semillas con la mano.* ☐ ORTOGR. Dist. de *bolear*.

voleibol (tb. *vóleibol*) s.m. Deporte que se juega entre dos equipos de seis jugadores y en el que estos intentan lanzar con las manos un balón por encima de una red que divide el terreno de juego, evitando que toque el suelo del campo propio y procurando que caiga en el del contrario. ☐ SINÓN. *balonvolea*. ☐ ETIMOL. Del inglés *volleyball*.

voleiplaya s.m. →**voley playa.** ☐ ETIMOL. De *voleibol* y *playa*.

voleo || **a voleo;** *col.* Al azar, de forma arbitraria o sin criterio establecido: *Contestó el test a voleo y no acertó nada.*

voley playa (tb. *voley-playa, voleiplaya*) s.m. || Modalidad de voleibol que se juega en equipos de dos personas y sobre un terreno de arena. ☐ ETIMOL. Del inglés *beach volley* (voleibol de playa).

volframio s.m. →**wolframio.** ☐ ORTOGR. Su símbolo químico es *W*.

volición s.f. En filosofía, acto de la voluntad. ☐ ETIMOL. Del latín *volo* (quiero).

volitivo, va adj. De la voluntad, de la volición o relacionado con ellas: *Los actos volitivos son característicos de los seres racionales.*

volován s.m. Pequeño pastel de hojaldre, hueco y con forma redondeada, que se rellena con todo tipo de productos. ☐ ETIMOL. Del francés *vol-au-vent*. ☐ USO Es innecesario el uso del galicismo *vol-au-vent*.

volquete s.m. Camión provisto de un recipiente para llevar carga y de un dispositivo para poder volcarla. ☐ ETIMOL. Del catalán *bolquet*. ☐ USO Es innecesario el uso del anglicismo *dumper*.

volt s.m. →**voltio.** ☐ ORTOGR. Es la denominación internacional del *voltio*.

voltaje s.m. Diferencia de potencial eléctrico entre los extremos de un conductor: *Este secador funciona con un voltaje de 220 voltios.*

voltear ▮ v. **1** Dar la vuelta o poner abajo lo que estaba arriba: *Volteó la tortilla ayudándose de un plato. El campanero tiraba de la cuerda para voltear la campana.* **2** Referido esp. a un estado, cambiarlo, trastocarlo o alterar su orden: *Aquel accidente volteó su trayectoria profesional.* **3** En zonas del español meridional, volver: *Volteó rápidamente las hojas del diario. Volteó la cabeza y me miró fijamente.* **4** En zonas del español meridional, girar o torcer: *El carro volteó en la primera calle a la derecha.* ▮ prnl. **5** En zonas del español meridional, volverse o darse la vuelta: *Se volteó y me dio la espalda.*

volteo s.m. Cambio de posición de un objeto, dándose la vuelta o poniéndose abajo lo que estaba arriba.

voltereta s.f. Vuelta dada por una persona en el aire o sobre una superficie.

volterianismo s.m. Concepción filosófica basada en las ideas de Voltaire (escritor y filósofo francés del siglo XVIII), que cree en la razón como portadora del progreso y que utiliza la sátira y la burla como armas contra la superstición, el fanatismo, la tiranía y los prejuicios religiosos.

volteriano, na adj./s. De Voltaire (escritor y filósofo francés del siglo XVIII), del volterianismo o relacionado con ellos.

voltímetro s.m. Instrumento que sirve para medir potenciales eléctricos. ☐ ETIMOL. De *voltio* y *-metro* (medidor).

voltio s.m. **1** En el Sistema Internacional, unidad de tensión eléctrica que equivale a la diferencia de potencial que hay entre dos conductores cuando al transportar entre ellos un culombio se realiza un trabajo equivalente a un julio. ☐ SINÓN. *volt*. **2** *col.* Paseo: *dar un voltio.* ☐ ETIMOL. La acepción 1, de *Volta*, físico italiano. ☐ ORTOGR. En la acepción 1, su símbolo es *V*, por tanto, se escribe sin punto.

volubilidad s.f. Inconstancia o facilidad para el cambio, esp. referido al carácter de una persona.

voluble adj.inv. **1** Inconstante o que cambia con facilidad. ☐ SINÓN. *ligero*. **2** Referido a un tallo, que crece en espiral alrededor de un soporte. ☐ ETIMOL. Del latín *volubilis*.

volumen s.m. **1** Espacio ocupado por un cuerpo: *El metro cúbico es la unidad de volumen.* **2** Tamaño, dimensiones o conjunto de medidas de algo: *No quiero un armario de tanto volumen en una habitación tan pequeña.* **3** Importancia o cantidad: *El volumen del negocio ha aumentado en este último año.* **4** Intensidad de la voz o de un sonido: *Baja el volumen del televisor para no molestar a los vecinos.* **5** Obra escrita comprendida en una sola encuadernación: *Tengo una enciclopedia de veinte volúmenes.* ☐ ETIMOL. Del latín *volumen* (rollo de manuscrito).

volumetría s.f. En química, procedimiento de análisis cuantitativo, basado en la medición del volumen de reactivo que hay que gastar hasta que se produce determinado fenómeno en el líquido analizado. ☐ ETIMOL. De *volumen* y *-metría* (medición).

volumétrico, ca adj. De la volumetría o relacionado con este procedimiento químico: *un análisis volumétrico.*

voluminoso, sa adj. Que tiene mucho volumen o mucho tamaño.

voluntad s.f. **1** Facultad humana que mueve a hacer o no hacer algo: *Eres una persona sin voluntad y todos te manejan a su antojo.* **2** Capacidad para la realización de algo, esp. si conlleva un esfuerzo: *Hace siempre lo que se propone porque tiene una voluntad de hierro.* **3** Elección de algo siguiendo un criterio propio y sin tener en cuenta presiones externas: *Haré lo que debo, aunque vaya en contra de tu voluntad.* **4** Intención o resolución de hacer algo: *Lo hice sin voluntad de molestar.* **5** || **buena voluntad;** deseo de hacer bien algo: *Con un poco de buena voluntad nos llevaremos bien.* ☐ ETIMOL. Del latín *voluntas*.

voluntariado s.m. **1** Alistamiento como voluntario para realizar alguna actividad: *Dedico mi tiempo libre a labores de voluntariado para integrar a gente marginada.* **2** Conjunto de voluntarios.

voluntariedad s.f. **1** Disposición para realizar algo de forma voluntaria: *Los actos humanos libres se caracterizan por su voluntariedad.* **2** Determinación de la propia voluntad sin otra razón que el mero capricho: *El acto jurídico se caracteriza por la voluntariedad que se añade a los hechos.*

voluntario, ria ▌adj. **1** Por propia voluntad y no por fuerza, obligación o necesidad. ▌adj./s. **2** Referido a una persona, que participa en una actividad por su propia voluntad. ☐ ETIMOL. Del latín *voluntarius*.

voluntarioso, sa adj. Que pone buena voluntad y se esfuerza para cumplir lo que se le encarga.

voluntarismo s.m. **1** Actitud o comportamiento del que tiene mucha fuerza de voluntad. **2** Doctrina psicológica que considera superior la facultad de la voluntad a la del entendimiento. **3** En filosofía, tendencia que defiende la anterioridad y supremacía de la voluntad sobre la inteligencia.

voluntarista adj.inv./s.com. Que se caracteriza por su voluntarismo.

voluptuosidad s.f. Complacencia o satisfacción en el placer de los sentidos.

voluptuoso, sa ▌adj. **1** Que tiende al placer de los sentidos, o que lo produce: *un tejido voluptuoso.* ▌adj./s. **2** Referido a una persona, inclinada a los placeres de los sentidos. ☐ ETIMOL. Del latín *voluptuosus*, y este de *voluptas* (placer).

voluta s.f. **1** Adorno o elemento decorativo en forma de espiral o de caracol, característico de los capiteles jónicos y compuestos. **2** Lo que tiene esta forma: *El humo del cigarro formaba volutas en el aire.* ☐ ETIMOL. Del latín *voluta*.

volver v. **1** Ir de nuevo al punto de partida: *Volví a casa porque se me olvidó la cartera.* ☐ SINÓN. *regresar*. **2** Adquirir de nuevo el estado que antes se tenía: *Una vez recuperado de su enfermedad, volvió a su alegría de siempre.* **3** Torcer, dejar el camino o la línea recta, o cambiar de dirección: *Llega al final de la calle, vuelve a la izquierda y verás el museo.* **4** Referido a un objeto, darle la vuelta haciendo que se vea el lado que antes no se veía: *Volví la hoja para leer la otra cara.* **5** Referido a la cabeza o al cuerpo, girar sobre sí mismo: *No vuelvas la cabeza, porque nos está mirando. Vuélvete para ver cómo te queda la chaqueta.* **6** Restituir o devolver a una situación anterior: *Volvió el collar a su estuche.* **7** Transformar o cambiar de estado o de aspecto: *La lejía vuelve blanca la ropa de color. Se volvió loco.* **8** || **volver a nacer;** *col.* Salvarse de un gran peligro: *Al salir ileso del accidente, volvió a nacer.* || **volver** alguien **en sí;** recobrar el sentido o el conocimiento perdidos: *Se desmayó y, cuando volvió en sí, no sabía dónde estaba.* || **volverse atrás;** desdecirse o no cumplir una promesa dada: *Dijo que vendría, pero al final se volvió atrás y no vino.* ☐ ETIMOL. Del latín *volvere* (hacer rodar, enrollar, desarrollar). ☐ MORF. Irreg.: 1. Su participio es *vuelto*. 2. →VOLVER. ☐ SINT. La perífrasis *volver + a + infinitivo* indica repetición o reiteración de una acción: *Vuelve a leer ese párrafo. El volcán ha vuelto a entrar en erupción.*

vómer s.m. Hueso de pequeño tamaño que forma parte del tabique de las fosas nasales. ☐ ETIMOL. Del latín *vomer* (reja de arado), porque el vómer tiene forma de arado.

vomitar v. **1** Referido a algo que está en el estómago, expulsarlo violentamente por la boca: *Vomité todas las lentejas de la comida.* ☐ SINÓN. *arrojar, devolver*. **2** Referido a algo que se tiene dentro, arrojarlo fuera de sí violentamente: *El volcán vomitó lava, ceniza y otras materias incandescentes.* **3** Referido a palabras, proferirlas o pronunciarlas: *Vomitó encolerizado una sarta de injurias contra su socio.* ☐ ETIMOL. Del latín *vomitare*.

vomitivo, va ▌adj. **1** *col.* Que da asco, que es muy malo o que resulta muy desagradable. ▌adj./s.m. **2** Referido a una sustancia, que estimula el vómito. ☐ SINÓN. *emético, vomitorio*.

vómito s.m. **1** Expulsión por la boca de lo que estaba en el estómago: *tener vómitos.* **2** Lo que estaba en el estómago y se arroja por la boca. ☐ SINÓN. *devuelto*. ☐ ETIMOL. Del latín *vomitus*.

vomitona s.f. *col.* Vómito grande o repetido.

vomitorio, ria ▌adj./s.m. **1** →**vomitivo.** ▌s.m. **2** En algunos lugares públicos, puerta para entrar y salir de las gradas: *los vomitorios de un estadio.* ☐ SEM. En la acepción 1, es sinónimo de *emético*.

voracidad s.f. **1** Consumo de comida en gran cantidad, esp. si es de forma ansiosa. **2** Ansia o deseo desmedido al realizar una actividad.

vorágine s.f. **1** Aglomeración confusa de sucesos, de gentes o de cosas en movimiento: *No me gusta la vorágine de las grandes ciudades.* **2** Pasión desenfrenada o mezcla de sentimientos muy intensos: *Está dominado por una vorágine de pesimismo, desengaño y desilusión.* **3** En el mar, en un río o en un lago, remolino muy fuerte que se produce en un punto. ☐ ETIMOL. Del latín *vorago* (remolino impetuoso de agua).

voraginoso, sa adj. **1** Con enorme actividad o con desenfreno. **2** Referido a un lugar, con vorágines o remolinos fuertes.

voraz adj.inv. **1** Que come mucho, esp. si es con ansia. **2** Que consume o destruye con rapidez: *un* *incendio voraz.* **3** Ansioso o con un deseo desmedido: *Los amantes se besaron con una pasión voraz.* ☐ ETIMOL. Del latín *vorax*, y este de *vorare* (devorar).

-voro, -vora Elemento compositivo sufijo que significa 'que come': *carnívoro, herbívora.* ☐ ETIMOL. Del latín *-vorus*.

vórtice s.m. Centro de un ciclón. ☐ ETIMOL. Del latín *vortex*. ☐ ORTOGR. Dist. de *vértice*.

vorticela s.f. Protozoo en forma de campana, con muchos cilios en el borde y un largo pedúnculo de fijación que puede contraerse bruscamente como un muelle. ☐ ETIMOL. Del latín *vortex* (vórtice).

vos pron.pers.s. Forma de la segunda persona del singular que corresponde a la función de sujeto, de predicado nominal o de complemento precedido de preposición: *Vos venís con malas intenciones. El dueño de mi razón sois vos. Os corresponde a vos vengar el honor de vuestra hija.* ☐ ETIMOL. Del latín *vos* (vosotros). ☐ MORF. 1. No tiene diferenciación de género ni de número. 2. Se usa con el verbo en plural. ☐ USO 1. Se usaba como tratamiento de respeto, frente a *tú*, que se usaba con los iguales o inferiores. 2. Hoy es muy frecuente en algunas zonas del español meridional (*voseo*).

vosear v. Referido a una persona, tratarla de 'vos': *Como es argentino, me vosea en lugar de tutearme.*

voseo s.m. Uso de la forma pronominal *vos* en lugar de *tú*: *El voseo es una de las características del español de Argentina.*

vosotros, tras pron.pers.s. Forma de la segunda persona del plural que corresponde a la función de sujeto, de predicado nominal o de complemento precedido de preposición: *¿Sabéis vosotras cuándo empieza la película?* ☐ ETIMOL. De *vos* y *otros*.

votación s.f. **1** Emisión de un voto o una opinión por parte de una persona: *La votación transcurrió sin incidentes.* **2** Procedimiento o forma en que se realiza esta emisión de votos: *La votación será a mano alzada.* **3** Conjunto de votos emitidos: *La votación fue favorable a nuestro candidato.*

votante adj.inv./s.com. Que vota o emite su voto.

votar v. **1** Dar un voto o una opinión: *En las elecciones municipales, los ciudadanos votan para elegir a los concejales.* **2** Aprobar por votación: *Hemos votado que vengas con nosotros.* ☐ ORTOGR. Dist. de *botar*.

votivo, va adj. Que se ofrece por voto o como promesa: *ofrendas votivas.* ☐ ETIMOL. Del latín *votivus*.

voto s.m. **1** En una elección, opinión, parecer o dictamen emitidos por cada uno de los participantes: *Ganará quien tenga mayor número de votos.* **2** Papeleta o escrito en los que se indica esta opinión: *Una vez acabada la votación, abrieron las urnas para contar los votos.* **3** Derecho a votar: *En mi casa, para decidir el lugar de vacaciones, los menores de diez años tienen voz pero no voto.* **4** Promesa que deben hacer las personas que toman estado religioso: *Algunos de los votos que un monje puede hacer son el de pobreza, el de obediencia y el de castidad.* **5** Ruego con el que se pide a Dios una gracia: *Hice votos por su puesta en libertad.* ☐ ETIMOL. Del latín *votum* (promesa que se hace a los dioses, deseo, ruego ardiente). ☐ ORTOGR. Dist. de *boto*. ☐ MORF. En la acepción 5, se usa más en plural.

vox pópuli s.f. || Opinión aceptada y generalizada que se toma como verdadera: *Es vox pópuli que habrá cambios en la política económica.* ☐ ETIMOL. Del latín *vox populi*.

voyeur (fr.) s.m. Persona que espía o mira en secreto situaciones que le resultan excitantes eróticamente. ☐ PRON. [buayér].

voyeurismo s.m. Observación en secreto de situaciones que se consideran eróticamente excitantes. ☐ ETIMOL. Del francés *voyeurisme*. ☐ PRON. [boyeurísmo] o [buayerísmo].

voz s.f. **1** Sonido que produce el aire expulsado de los pulmones al salir de la laringe, haciendo que vibren las cuerdas vocales: *Los hombres suelen tener la voz más grave que las mujeres.* **2** Calidad, timbre o intensidad de este sonido: *Las tres voces típicas masculinas son las de tenor, barítono y bajo.* **3** Grito, generalmente fuerte: *Dale una voz a tu hermano para que venga.* **4** Cantante o músico que canta: *Es la voz masculina de un grupo de música pop.* **5** Palabra o vocablo: *'Hobby' es una voz inglesa que equivale en español a 'afición' o 'pasatiempo'.* **6** Derecho a opinar: *El secretario tiene voz en el consejo pero no voto.* **7** Opinión o rumor: *Me han llegado voces de que piensa dimitir.* **8** Expresión o manifestación de alguien o de algo: *Este periódico es la voz del Gobierno.* **9** En lingüística, categoría gramatical que expresa si el sujeto del verbo es agente o paciente: *La oración 'El niño vio al perro' está en voz activa, y 'El perro fue visto por el niño' está en voz pasiva.* **10** || **a media voz;** hablando más bajo de lo habitual: *Me dijo a media voz que tenía que contarme un secreto.* || **a voz en {cuello/grito};** hablando muy alto o gritando: *Me enfadé porque me pareció de mala educación que me llamara a voz en grito.* || **correr la voz;** divulgar o difundir una noticia: *Yo te diré a ti cuándo sale el anuncio, y tú corre la voz.* || **de viva voz;** de palabra o de forma oral: *La orden me la dio de viva voz, no por escrito.* || **llevar la voz cantante;** que se destaca o se impone a otros, esp. en una reunión: *Ese niño lleva la voz cantante en su pandilla.* || **voz en off;** la que está grabada y se emplea para acompañar una imagen determinada. ☐ ETIMOL. Del latín *vox*.

vozarrón s.m. Voz muy fuerte y potente.

VPO s.f. Vivienda planificada por una institución pública y cuya venta está dirigida a personas de pocos recursos económicos. ☐ ETIMOL. Es la sigla de *vivienda de protección oficial*.

VPT s.f. Vivienda subvencionada por una institución pública, que se vende a un precio fijo, y que exige al comprador cumplir ciertos requisitos. ☐ ETIMOL. Es la sigla de *vivienda de precio tasado*.

vudú (pl. *vudús, vudúes*) s.m. Creencia religiosa de origen africano que se caracteriza por las prácticas de brujería, los sacrificios rituales y el trance como medio de comunicación con los dioses: *Una práctica del vudú consiste en clavar alfileres en un muñeco para producir males a una persona.* ☐ SINÓN. *vuduismo.* ☐ ETIMOL. De origen africano.

vuduismo s.m. →**vudú.**

vuduista adj.inv. Del vudú o relacionado con esta creencia religiosa. ☐ ORTOGR. Dist. de *budista.*

vuecencia s.com. Tratamiento honorífico que corresponde a determinados cargos. ☐ ETIMOL. De *vuestra excelencia.* ☐ MORF. Se usa con el verbo en tercera persona.

vuelapluma || **a vuelapluma;** muy deprisa, de forma espontánea y sin pensar demasiado: *Estaba tan indignada que escribí una nota a vuelapluma y la envié como protesta.* ☐ ORTOGR. Se admite también *a vuela pluma.* ☐ SINT. Se usa más con los verbos *escribir, componer* o equivalentes.

vuelco s.m. **1** Cambio de posición de un objeto, de forma que quede apoyado en un lado diferente al que estaba: *El causante del vuelco del puchero, que limpie la cocina.* **2** Cambio o transformación brusca o total: *Entrar en una comunidad religiosa supuso un vuelco en su vida.* **3** || **dar** a alguien **un vuelco el corazón;** *col.* Sentir de pronto un sobresalto o una alteración interior: *Al verte sangrando me dio un vuelco el corazón.*

vuelo s.m. **1** Desplazamiento o movimiento por el aire, generalmente mediante las alas: *Al dar una palmada, los gorriones alzaron el vuelo.* **2** Viaje que se realiza en un vehículo aéreo: *Esta compañía tiene seis vuelos diarios a las islas.* **3** Trayecto que recorre un avión entre el punto de partida y el de destino: *Ese vuelo tiene tres escalas.* **4** Amplitud de una prenda de vestir en la parte no ajustada al cuerpo: *una falda con mucho vuelo.* **5** En un edificio, parte que sobresale del muro que lo sostiene. **6** || **al vuelo; 1** *col.* Con mucha rapidez: *Capté tu idea al vuelo.* **2** *col.* Mientras está en el aire: *Le tiró las llaves para que las cogiera al vuelo.* || **de altos vuelos;** *col.* De mucha importancia: *una empresa de altos vuelos.* || **vuelo sin motor;** el realizado por una persona con aparatos que la mantienen en el aire pero no la impulsan: *El ala delta y los planeadores son aparatos de vuelo sin motor.*

vuelta s.f. Véase **vuelto, ta.**

vuelto, ta ▮ **1** part. irreg. de **volver.** ▮ s.m. **2** En zonas del español meridional, vuelta o dinero que sobra de pagar algo: *Pedí el vuelto al mesero.* ▮ s.f. **3** Movimiento alrededor de un punto o sobre un eje, hasta invertir la posición primera o hasta recobrarla de nuevo: *La Tierra da vueltas alrededor de sí misma y alrededor del Sol. Dale la vuelta a las tostadas.* **4** Cada una de las circunvoluciones o rodeos de una cosa alrededor de otra: *Esta bufanda es tan larga que me da tres vueltas al cuello.* **5** Curva o punto en el que algo tuerce: *El buzón está a la vuelta de esta calle.* **6** Regreso al punto de partida: *Fuimos en autocar y la vuelta la hicimos en avión.* **7** Dinero que sobra de pagar algo: *Si la cuenta son 80 céntimos y te he dado 1 euro, la vuelta son 20 céntimos.* **8** Parte de algo opuesta a la que se tiene a la vista: *La tela es de flores por un lado y blanca por la vuelta.* **9** En ciclismo y en otros deportes, conjunto de carreras en etapas que hacen un recorrido: *Este ciclista ha corrido la vuelta a Andalucía y ahora quiere correr la vuelta a España.* **10** Momento u ocasión de hacer algo por orden: *Hay que esperar a la segunda vuelta de las elecciones para conocer al ganador.* ☐ SINÓN. *turno, vez.* **11** Tela sobrepuesta o doblada sobre sí que llevan algunas prendas de vestir: *Iba muy elegante con un pantalón gris con vueltas.* **12** Cada una de las series paralelas de puntos con las que se van tejiendo algunas prendas o labores: *Cuando hayas hecho dos vueltas más, empiezas a menguar para hacer la sisa.* **13** En un zéjel o en un villancico, verso aislado que rima con el estribillo y que sirve para introducir su repetición total o parcial después de una estrofa: *En el zéjel, la vuelta es el verso que aparece detrás de las mudanzas y delante de una nueva repetición del estribillo.* **14** || **a la vuelta de la esquina;** muy cerca: *Tu cumpleaños está ya a la vuelta de la esquina.* || **dar cien vueltas** a algo; *col.* Aventajarlo o ser superior a ello: *Yo soy más inteligente que tú y te doy cien vueltas en matemáticas.* || **dar una vuelta; 1** Pasear un rato: *¿Vienes a dar una vuelta por el campo?* **2** Ir por poco tiempo a un lugar: *Cuando tengas tiempo, date una vuelta por mi casa.* || **dar vueltas a** algo; discurrir o pensar repetidamente sobre ello: *Le estoy dando vueltas al asunto y creo que no me conviene.* || **dar vueltas;** andar buscando algo sin encontrarlo: *Llevo todo el día dando vueltas por la ciudad buscando esta pieza.* || **darle vueltas la cabeza** a alguien; *col.* Sentir sensación de mareo: *Al levantarme de golpe, me dio vueltas la cabeza y tuve que apoyarme en la pared para no caerme.* || **poner** a alguien **de vuelta y media;** *col.* Insultarlo o hablar mal de él: *Me quedé mudo cuando empezaron a ponerte de vuelta y media delante de mí, sabiendo que eres mi amigo.* || **vuelta de campana;** la que da algo volviendo a quedar en su posición inicial: *En el accidente, el coche dio dos vueltas de campana y sólo me rompí un brazo.* || **vuelta de rosca;** *col.* Intento por conseguir algo: *Yo creo que con otra vuelta de rosca lo habremos convencido.* ☐ MORF. En la acepción 1, incorr. **volvido.*

vueludo, da adj. Referido a una prenda de vestir, que tiene mucho vuelo.

vuestro, tra poses. **1** Indica pertenencia a la segunda persona del plural: *Dadme vuestra dirección y os escribiré.* **2** || **la vuestra;** *col.* Expresión con que se indica que ha llegado la ocasión favorable para la persona a la que se habla: *Aprovechad que es la vuestra y pasáoslo lo mejor que podáis.* ☐ ETIMOL. Del latín *voster.*

vulcanismo s.m. En geología, teoría que atribuye la formación de la corteza terrestre a la acción del fuego interior. ☐ SINÓN. *plutonismo.*

vulcanización s.f. Combinación del azufre con la goma elástica para que esta conserve su elasticidad en frío y en caliente.

vulcanizar v. Referido a la goma elástica, combinarla con azufre para que esta conserve su elasticidad en frío y en caliente: *El caucho se vulcaniza a temperaturas superiores a los 100 °C.* ☐ ETIMOL. Del latín *Vulcanus* (Vulcano), que es el dios mitológico del fuego. ☐ ORTOGR. La *z* se cambia en *c* delante de *e, i* →CAZAR.

vulcanología (tb. *volcanología*) s.f. Parte de la geología que estudia los volcanes y los fenómenos relacionados con estos. ☐ ETIMOL. Del latín *Vulcanus* (dios del fuego) y *-logía* (estudio, ciencia).

vulcanólogo, ga (tb. *volcanólogo, ga*) s. Persona que se dedica al estudio de los fenómenos volcánicos y está especializada en vulcanología.

vulgar adj.inv. **1** Común, corriente, que no destaca o que no es original: *Debo de tener una cara muy vulgar, porque siempre me confunden con alguien.* **2** Normal o general, porque no es específico ni técnico: *'Hemorroide' es el nombre técnico para el término vulgar 'almorrana'.* **3** Que se considera impropio de una persona culta o educada: *'Mamón' es un adjetivo vulgar para referirse a una persona despreciable o aprovechada.* ☐ ETIMOL. Del latín *vulgaris*.

vulgaridad s.f. Lo que se considera vulgar.

vulgarismo s.m. En lingüística, expresión o construcción que no se consideran propias de la norma culta: *La palabra '*indición' es un vulgarismo por 'inyección'.*

vulgarización s.f. **1** Generalización de algo o conversión en algo vulgar o común. **2** Adquisición de modales, costumbres y usos que se consideran impropios de una persona culta o educada.

vulgarizar v. **1** Hacer vulgar, común, general o corriente: *Con los avances en la industria del automóvil, se vulgarizó el uso de los coches.* **2** Hacer vulgar o impropio de una persona culta y educada: *Tu descuido y tu falta de interés por formarte te han vulgarizado.* ☐ ORTOGR. La *z* se cambia en *c* delante de *e* →CAZAR.

vulgo s.m. Conjunto de personas del pueblo, esp. las que no tienen mucha cultura, educación o una posición social destacada. ☐ ETIMOL. Del latín *vulgus* (la muchedumbre, el vulgo).

vulnerabilidad s.f. Posibilidad de ser dañado, perjudicado o deteriorado, material o moralmente.

vulnerable adj.inv. Que puede ser vulnerado física o moralmente.

vulneración s.f. **1** Transgresión o violación de una ley o de un precepto: *Este organismo se encarga de denunciar la vulneración de los derechos humanos.* **2** Daño o perjuicio materiales o morales: *Las bajas por lesión y el mal estado del terreno de juego condicionaron la vulneración del equipo.*

vulnerar v. **1** Referido esp. a una ley, una norma o un mandato, transgredirlos, no cumplirlos o violarlos: *Vulneró su promesa de guardar el secreto que le contaron.* **2** Dañar, perjudicar u ocasionar deterioro material o moral: *Denunció a la revista porque aquellas fotografías vulneraban su vida privada.* ☐ ETIMOL. Del latín *vulnerare* (herir).

vulneraria s.f. Planta herbácea de flores rojizas que se utiliza con fines terapéuticos.

vulpécula s.f. →**vulpeja.** ☐ ETIMOL. Del latín *vulpecula* (zorra pequeña), y este de *vulpes* (zorra).

vulpeja s.f. Zorra. ☐ SINÓN. *vulpécula.* ☐ ETIMOL. Del latín *vulpecula* (zorra pequeña), y este de *vulpes* (zorra).

vulpino, na adj. De la zorra, con sus características o relacionado con ella. ☐ ETIMOL. Del latín *vulpinus*.

vulturno s.m. En verano, aire muy caliente. ☐ SINÓN. *bochorno.* ☐ ETIMOL. Del latín *vulturnus*.

vulva s.f. En las hembras de los mamíferos, parte que rodea y constituye la abertura externa de la vagina: *La vulva es la parte externa del aparato genital femenino.* ☐ ETIMOL. Del latín *vulva* (matriz, vulva).

W w

w s.f. Vigésima cuarta letra del abecedario. ☐ PRON. 1. En palabras plenamente incorporadas al español, representa el sonido consonántico bilabial sonoro y se pronuncia como la *b*: *wólfram* [bólfram] o *wolframio* [bolfrámio]. 2. En otras palabras, se conserva la pronunciación que tiene en la lengua de la que proceden: *whisky* [uíski].

wagon-lit (fr.) s.m. →**coche cama.** ☐ PRON. [vagón lit].

wahabí (ár.) adj.inv./s.com. →**wahabita.** ☐ PRON. [guahabí], con *h* aspirada.

wahabita (ár.) adj.inv./s.com. De una secta musulmana muy conservadora que fue fundada en Arabia (país asiático) en el siglo XVIII, o relacionado con ella: *La doctrina wahabita es religión oficial en Arabia Saudí.* ☐ SINÓN. *wahabí.* ☐ PRON. [guahabíta], con *h* aspirada.

walhalla (al.) s.m. En la mitología nórdica, paraíso al que son llevadas las almas de los guerreros que mueren en el combate. ☐ PRON. [balhála], con *h* aspirada.

walkie-talkie (ing.) s.m. Aparato radiofónico portátil que permite a dos personas hablar y escucharse a una determinada distancia: *Hablé desde casa con mi hermano, que estaba en el jardín con un walkie-talkie. Cuando subieron a la montaña, llevaban un walkie-talkie para hablar con los que se habían quedado abajo.* ☐ PRON. [ualkitálki].

walking (ing.) s.m. Ejercicio físico que consiste en andar a paso ligero: *Mi médico me ha recomendado hacer una hora diaria de walking.* ☐ PRON. [uólkin]. ☐ USO Su uso es innecesario.

walkiria s.f. →**valquiria.**

walkman s.m. Casete o radiocasete pequeños y portátiles con cascos: *Es peligroso ir escuchando el walkman mientras se conduce un vehículo, porque no se oye nada del exterior.* ☐ ETIMOL. Extensión del nombre de la marca comercial *Walkman*®. ☐ PRON. [uólman].

wallaby s.m. Canguro herbívoro de pequeño tamaño, que habita en las zonas rocosas australianas: *El wallaby salta ágilmente por las rocas más escarpadas.* ☐ PRON. [ualábi]. ☐ MORF. Es un sustantivo epiceno: *el wallaby {macho/hembra}*.

WAP (ing.) s.m. Tecnología que permite el acceso a internet desde determinadas redes de telefonía móvil. ☐ ETIMOL. Es el acrónimo del inglés *Wireless Application Protocol* (protocolo de aplicaciones inalámbricas). ☐ SINT. Se usa mucho en aposición, pospuesto a un sustantivo: *teléfono WAP*.

warning (ing.) s.m. **1** Aviso o llamada de atención cuando se ha hecho algo que merece ser sancionado. **2** En un automóvil, sistema de luces intermitentes que sirven para avisar de una parada ocasional o de emergencia. ☐ PRON. [uárnin]. ☐ USO Su uso es innecesario y puede sustituirse por *aviso* o *advertencia* para la acepción 1 y *luces de emergencia* para la acepción 2.

warrant (ing.) s.m. En economía, bono de suscripción que da derecho a comprar acciones u obligaciones a un precio determinado durante un tiempo: *Algunas emisiones de obligaciones incluyen warrants para ser más atractivas.* ☐ PRON. [uárrant]. ☐ USO Su uso es innecesario y puede sustituirse por *bono de suscripción*.

wasp (ing.) s.com. Referido a una persona, que es de origen anglosajón y de religión protestante: *El wasp se considera descendiente de los primeros colonos europeos que se establecieron en Estados Unidos.* ☐ ETIMOL. Es el acrónimo del inglés *White Anglo-Saxon Protestant* (blanco anglosajón protestante). ☐ PRON. [uásp].

water (ing.) s.m. →**váter.** ☐ PRON. [báter].

water-closet (ing.) s.m. →**váter.** ☐ PRON. [báter clóset].

waterpolista s.com. Persona que practica el waterpolo: *En cada equipo de waterpolo hay siete waterpolistas.* ☐ PRON. [uaterpolísta].

waterpolo s.m. Deporte que se practica en una piscina entre dos equipos de siete nadadores y en el que estos intentan introducir una pelota en la portería del equipo contrario lanzándola con las manos: *Un partido de waterpolo dura veinte minutos, divididos en cuatro tiempos de cinco.* ☐ ETIMOL. Del inglés *water-polo* o *water polo*. ☐ PRON. [uaterpólo].

watt (pl. *watts*) s.m. →**vatio.** ☐ PRON. [bat]. ☐ ORTOGR. Es la denominación internacional del *vatio*.

wau s.amb. En lingüística, sonido 'u', de carácter semiconsonántico o semivocálico según el sonido al que se agrupe: *En 'menguar' aparece un wau semiconsonante. La 'u' del diptongo 'au' es un wau semivocal.*

WC (ing.) s.m. →**váter.** ☐ ETIMOL. Es la sigla del inglés *Water Closet* (cuarto de baño).

web ▮ s.amb. **1** Servicio de internet que permite obtener la información que ofrece esta red y que proporciona a sus usuarios una amplia gama de documentos conectados entre sí mediante enlaces de hipertexto: *Los documentos o páginas que forman el web están escritos en HTML que es un lenguaje específico para internet.* ▮ s.m. **2** →**sitio (de) web.** ▮ s.f. **3** →**página (de) web.** ☐ ETIMOL. Del inglés *web*. ☐ PRON. [uéb]. ☐ MORF. En la acepción 1, es la forma abreviada y usual de *world wide web*. ☐ SINT. Se usa en aposición, pospuesto a un sustantivo: *un sitio web; varias páginas web*. ☐ SEM. Dist. de *internet* (red mundial de ordenadores, uno de cuyos servicios es el *web*). □ USO 1. Se usan los plurales *webs* y *web*. 2. En la acepción 1, es innecesario el uso del anglicismo *net*.

webcam (ing.) s.f. Cámara de vídeo digital conectada a un ordenador y que se emplea para enviar imágenes en movimiento por internet. □ ETIMOL. Es el acrónimo del inglés *Web Camera*. □ PRON. [uébcam]. □ USO Su uso es innecesario y puede sustituirse por una expresión como *videocámara para internet*.

weber (ing.) s.m. En el Sistema Internacional, unidad de flujo de inducción magnética. □ SINÓN. *weberio*. □ ETIMOL. Por alusión al físico alemán G. E. Weber. □ PRON. [béber]. □ ORTOGR. Su símbolo es *Wb*, por tanto, se escribe sin punto.

weberio s.m. →**weber.** □ PRON. [bebério].

weblog (ing.) s.m. Página web en la que una o varias personas escriben sus opiniones sobre algún tema y que suele actualizarse frecuentemente: *Este pintor tiene un interesante weblog sobre ilustración y cada día propone un tema de debate.* □ SINÓN. *blog*. □ PRON. [uéb-blóg]. □ USO Su uso es innecesario y puede sustituirse por el término *bitácora*.

webmaster (ing.) s.com. Persona que se ocupa de la gestión técnica de un servidor web. □ PRON. [uebmáster].

website (ing.) s.m. →**sitio de web.** □ PRON. [guébsait].

week-end (ing.) s.m. →**fin de semana.** □ PRON. [uíkend].

welwitschia s.f. Planta con el tallo corto y hundido en el suelo, una raíz muy larga que absorbe el agua que se encuentra a mucha profundidad, y dos grandes hojas opuestas: *La welwitschia vive en el desierto del suroeste de África.* □ PRON. [velvítchia].

wengue s.m. **1** Árbol tropical de origen africano, cuya madera, de color amarillento, se oxida rápidamente tomando un tono marrón oscuro casi negro: *La madera del wengue se trabaja bien y es resistente a los golpes.* **2** Madera de este árbol: *una mesa de wengue.* □ PRON. [véngue].

western (ing.) s.m. **1** Película ambientada en el Oeste americano durante el período de conquista y de colonización de sus territorios: *Vimos un western en el que salían indios, pistoleros, vaqueros y soldados.* **2** Género cinematográfico al que pertenece esta clase de películas: *Cualquier pregunta sobre el western sabrá contestarla, porque le encanta este tipo de cine.* □ PRON. [uéstern].

whiskería (tb. *güisquería*) s.f. Bar en el que las camareras que sirven las bebidas suelen ir vestidas de forma provocativa, conversan con los clientes y a menudo establecen relaciones de prostitución con ellos: *Muchas whiskerías tienen una luz roja en la entrada.* □ PRON. [uiskería].

whisky (ing.) (tb. *güisqui*) s.m. Bebida alcohólica, de graduación muy elevada, que se obtiene por fermentación de diversos cereales, esp. avena y cebada. □ PRON. [uíski].

whopper s.m. Hamburguesa preparada con carne, tomate, lechuga, cebolla y salsa. □ ETIMOL. Extensión del nombre de una marca comercial. □ PRON. [uóper].

wi-fi (ing.) (tb. *wifi*) s.m. Tecnología de conexión inalámbrica que posibilita la comunicación entre ordenadores u otros dispositivos mediante ondas de radio: *La tecnología wi-fi permite el despliegue de redes sin cables.* □ ETIMOL. Es el acrónimo del inglés *wireless fidelity* (fidelidad inalámbrica). □ PRON. [güífi]. □ SINT. Se usa mucho en aposición, pospuesto a un sustantivo: *dispositivos wi-fi; red wi-fi.*

winchester s.m. Fusil de repetición. □ ETIMOL. Extensión del nombre de una marca comercial. □ PRON. [uínchester].

windsurf (ing.) (tb. *wind surf*) s.m. Deporte acuático individual que se practica sobre una tabla que lleva una vela: *Para hacer windsurf tienes que sujetar la vela y dejar que el viento la impulse para que mueva la tabla.* □ SINÓN. *windsurfing*. □ PRON. [uíndsurf].

windsurfing (ing.) (tb. *wind surfing*) s.m. →**windsurf.** □ PRON. [güindsúrfin].

windsurfista s.com. Persona que practica el deporte del windsurfing: *En esta playa siempre hay viento y vienen muchos windsurfistas.* □ PRON. [uinsurfísta].

wok (ch.) s.m. Recipiente de cocina de origen chino, de forma casi semiesférica y con asas, que se usa para cocinar alimentos generalmente al vapor o con muy poco aceite: *saltear las verduras en el wok.* □ PRON. [uók].

wólfram s.m. →**wolframio.** □ PRON. [bólfram].

wolframio (tb. *volframio*) s.m. Elemento químico, metálico y sólido, de número atómico 74, de color blanco, que se utiliza en la fabricación de lámparas de incandescencia y en otros usos: *Los imanes permanentes están fabricados con acero al wolframio.* □ SINÓN. *tungsteno, wólfram*. □ ETIMOL. Del alemán *Wolfram*. □ PRON. [bolfrámio]. □ ORTOGR. Su símbolo químico es *W*.

wolof ▮ adj.inv./s.com. **1** De una etnia que habita en la zona del oeste africano, o relacionado con ella. ▮ s.m. **2** Lengua hablada por esta etnia: *El wolof es una de las lenguas nacionales de Senegal.* □ PRON. [uólof].

won s.m. Unidad monetaria coreana.

wonderbra s.m. Sujetador con relleno, que da volumen al busto y lo realza. □ ETIMOL. Extensión del nombre de una marca comercial. □ PRON. [uonderbrá].

woofer (ing.) s.m. Altavoz que acentúa los sonidos graves. □ PRON. [gúfer].

workshop (ing.) s.m. Seminario, reunión o coloquio de especialistas en algo. □ PRON. [uórkchop], con *ch* suave. ☐ USO Su uso es innecesario y puede sustituirse por *seminario*.

worm (ing.) s.m. →**gusano.** ☐ PRON. [uórm].

wrap (ing.) s.m. Comida preparada con una torta de harina que se enrolla y se rellena con diferentes ingredientes. ☐ PRON. [grap].

wrestling (ing.) s.m. Deporte que consiste en la lucha entre dos personas que van desarmadas y que intentan derribar al oponente: *En wrestling se lucha con las manos pero sin dar puñetazos.* ☐ PRON. [réslin].

WWW (ing.) s.amb. Servicio de internet que permite obtener la información que ofrece esta red y que proporciona a sus usuarios una amplia gama de documentos conectados entre sí mediante enlaces de hipertexto. ☐ SINÓN. *web.* ☐ ETIMOL. Es la sigla del inglés *World Wide Web* (red informática mundial).

WYSIWYG (ing.) s.m. En informática, interfaz que permite ver en la pantalla una imagen o un documento con un formato muy parecido al de su diseño de impresión: *En la actualidad, la mayoría de los editores de texto son WYSIWYG.* ☐ ETIMOL. Es el acrónimo del inglés *What You See Is What You Get* (lo que ves es lo que obtienes). ☐ PRON. [guáisigüig]. ☐ SINT. Se usa mucho en aposición, pospuesto a un sustantivo: *editor WYSIWYG.*

x s.f. Vigésima quinta letra del abecedario. ☐ PRON. 1. En posición inicial de palabra o en final de sílaba, representa el sonido consonántico fricativo alveolar sordo, y se pronuncia como [s]: *xilófono* [silófono], *extraordinario* [estraordinário]. 2. Entre vocales o en final de palabra, representa el grupo consonántico [gs]: *examen* [egsámen], *tórax* [tórags].

xantorrea s.f. Planta australiana de tronco corto y ancho, y de hojas alargadas y rígidas: *La xantorrea sobrevive al fuego cuando arde la sabana arbolada.* ☐ PRON. [santorréa].

xenismo s.m. En lingüística, extranjerismo que mantiene su grafía original. ☐ ETIMOL. Del griego *xénos* (extranjero). ☐ PRON. [senísmo].

xeno- Prefijo que significa 'extranjero': *xenófilo, xenofobia.* ☐ ETIMOL. Del griego *xénos* (extranjero). ☐ PRON. [seno-].

xenofilia s.f. Afición, simpatía y afecto hacia los extranjeros. ☐ ETIMOL. Del griego *xénos* (extranjero) y *-filia* (afición). ☐ PRON. [senofília].

xenofobia s.f. Odio, hostilidad o antipatía hacia los extranjeros: *El paro en los países desarrollados es una de las causas de que estén aumentando la xenofobia y el racismo.* ☐ ETIMOL. Del griego *xénos* (extranjero) y *-fobia* (aversión). ☐ PRON. [senofóbia].

xenófobo, ba adj./s. Que siente o muestra odio, hostilidad o antipatía hacia los extranjeros: *Los xenófobos que desprecian a los inmigrantes de otros países no actuarían así si fuesen ellos los que tuvieran que emigrar.* ☐ PRON. [senófobo].

xenología s.f. **1** Estudio de fenómenos extraños. **2** Estudio de lo extranjero. ☐ ETIMOL. Del griego *xénos* (extranjero) y *-logia* (ciencia, estudio). ☐ PRON. [senología].

xenón s.m. Elemento químico, no metálico y gaseoso, de número atómico 54, inerte, incoloro, inodoro e insípido, que se encuentra en pequeñas proporciones en el aire: *El xenón se usa como contador de neutrones. El xenón es un gas noble.* ☐ ETIMOL. Del griego *xénos* (extraño). ☐ PRON. [senón]. ☐ ORTOGR. Su símbolo químico es *Xe*.

xenotrasplante s.m. Utilización de tejidos animales para hacer un trasplante a un ser humano. ☐ PRON. [senotrasplánte].

xerocopia s.f. Copia fotográfica obtenida por medio de la xerografía. ☐ PRON. [serocópia].

xerocopiar v. Reproducir en copia de xerografía: *En un curso de artes gráficas nos enseñaron a xerocopiar.* ☐ PRON. [serocopiár]. ☐ ORTOGR. La *i* nunca lleva tilde.

xerófilo, la adj. Referido a un organismo, que está adaptado a la vida en ambientes secos: *Los animales y las plantas que viven en los desiertos son xerófilos.* ☐ ETIMOL. Del griego *xerós* (seco) y *-filo* (amigo). ☐ PRON. [serófilo].

xerófito, ta adj. Referido a una planta, que está adaptada a la vida en zonas secas: *El cacto es una planta xerófita.* ☐ ETIMOL. Del griego *xerós* (seco) y *phytón* (planta). ☐ PRON. [serófito].

xeroftalmia (tb. *xeroftalmía*) s.f. Enfermedad ocular que se caracteriza por la sequedad de la conjuntiva y por la opacidad de la córnea: *La xeroftalmia puede deberse a una deficiencia de vitamina A.* ☐ ETIMOL. Del griego *xerós* (seco) y *ophthalmós* (ojo). ☐ PRON. [seroftálmia] o [seroftalmía].

xerografía s.f. **1** Técnica que permite reproducir textos o imágenes automáticamente por medio de procedimientos electrostáticos: *En la xerografía, la tinta es un polvo de resina cargado de electricidad positiva.* **2** Fotocopia obtenida mediante esta técnica. ☐ ETIMOL. Del griego *xerós* (seco) y *-grafía* (representación gráfica). ☐ PRON. [serografía].

xerografiar v. Reproducir por medio de la xerografía: *Se pueden xerografiar textos o imágenes.* ☐ PRON. [serografiár]. ☐ ORTOGR. La *i* lleva tilde en los presentes, excepto en las personas *nosotros* y *vosotros* →GUIAR.

xi s.f. En el alfabeto griego clásico, nombre de la decimocuarta letra: *La grafía de la xi es* ξ.

xifoides (pl. *xifoides*) s.m. →**apéndice xifoides.** ☐ ETIMOL. Del griego *xiphoeidés*, y este de *xiphos* (espada) y *êidos* (forma). ☐ PRON. [sifóides].

xilema s.m. En las plantas superiores, conjunto formado por los vasos leñosos y los tejidos que los acompañan: *El xilema está en contacto con la savia bruta.* ☐ ETIMOL. Del griego *xýlon* (madera). ☐ PRON. [siléma].

xilitol s.m. Sustancia que se obtiene de forma sintética a partir de la cáscara de frutos secos como nueces, almendras y avellanas, y se utiliza como edulcorante: *El xilitol se utiliza como sustituto del azúcar en alimentos para diabéticos.* ☐ PRON. [silitól].

xilófago, ga adj./s.m. Referido a un insecto, que roe la madera: *Los xilófagos, como las termitas, se alimentan de madera.* ☐ ETIMOL. Del griego *xýlon* (madera) y *fago* (que come). ☐ PRON. [silófago].

xilofonista s.com. Músico que toca el xilófono: *El xilofonista toca de pie.* ☐ PRON. [silofonísta].

xilófono s.m. Instrumento musical de percusión formado por listones de madera de tamaños graduados, que se toca golpeándolo con unos macillos: *Según su tamaño, cada listón del xilófono corresponde a una nota.* ☐ ETIMOL. Del griego *xýlon* (madera) y *-fono* (sonido). ☐ PRON. [silófono].

xilografía s.f. **1** Arte o técnica de grabar en madera. **2** Impresión tipográfica hecha con planchas de madera. ☐ ETIMOL. Del griego *xýlon* (madera) y *-grafía* (representación gráfica). ☐ PRON. [silografía].

xilográfico, ca adj. De la xilografía o relacionado con ella. ☐ PRON. [silográfico].

xiloprotector, -a adj./s.m. Referido esp. a un producto, que se emplea para proteger la madera. □ ETIMOL. Del griego *xýlon* (madera) y *protector*. □ PRON. [siloprotectór].

xilote s.m. Comida mexicana que consiste en una mazorca de maíz bañada en leche. □ ETIMOL. Del náhuatl *xilotl*. □ PRON. [jilóte].

xirgo, ga adj. En zonas del español meridional, erizado.

XML (ing.) s.m. En informática, lenguaje que sirve para definir otros lenguajes y que se utiliza esp. en la creación de páginas web. □ ETIMOL. Es la sigla del inglés *Extensible Markup Language* (lenguaje extensible de etiquetado).

xocoatole s.m. Atole agrio. □ PRON. [chocoatóle], con *ch* suave.

xoconochtle s.m. Higo chumbo agrio preparado con azúcar o en pasta aguada. □ PRON. [choconóchtle], con *ch* suave.

xocota adj.inv. En zonas del español meridional, referido a la fruta, agria o verde. □ PRON. [chocóta], con *ch* suave.

xocoyol s.com. Según una leyenda mexicana, niño con alas que aparece después de una tormenta. □ PRON. [chocoyól], con *ch* suave.

xoloescuintle s.m. Perro de origen mexicano, de pequeño tamaño, con la piel arrugada, manchas negras y poco pelo. □ ETIMOL. Del náhuatl *xolóchtic* (arrugado) y *itzcuintli* (perro). □ PRON. [choloescuíntle], con *ch* suave.

xoquiaque adj.inv./s.com. En zonas del español meridional, referido a un niño, que todavía es pequeño de edad. □ PRON. [chokiáke], con *ch* suave.

xorgo, ga adj. En zonas del español meridional, referido a una persona, que no cuida el arreglo o el aseo personal. □ PRON. [chórgo], con *ch* suave.

xouba (gall.) s.f. Sardina pequeña. □ PRON. [chóuba], con *ch* suave.

xumil s.m. Tipo de insecto americano comestible. □ PRON. [chumíl], con *ch* suave.

xuquiquis (pl. *xuquiquis*) s.com. *col.* En zonas del español meridional, sobón. □ PRON. [chuquíquis], con *ch* suave.

Y y

y ▌ s.f. **1** Vigésima sexta letra del abecedario. ▌ conj. **2** Enlace gramatical coordinante con valor copulativo y afirmativo, que se usa generalmente antes del último término de una enumeración: *Vino solo y se fue acompañado. He merendado pan y chocolate. Vimos pueblos, valles, ríos y montañas.* **3** En principio de oración, se usa para enfatizar lo que se dice: *¡Y pensar que yo no me lo creí...! Y si no viene, ¿qué diablos hacemos?* □ PRON. En la acepción 1: 1. En final de palabra o ante consonante, representa el sonido vocálico anterior o palatal, de abertura mínima: *buey, azul y rojo.* 2. Ante vocal, representa el sonido consonántico palatal sonoro y fricativo o africado: *yate, rojo y azul.* □ USO Como conjunción: 1. Ante palabra que comienza por *i-* o por *hi-* se usa la forma *e.* 2. Precedida y seguida de una misma palabra, denota idea de repetición indefinida: *Recorrí kilómetros y kilómetros.*

ya ▌ adv. **1** Indica tiempo pasado: *Esa película ya la he visto.* **2** En relación con el pasado, en el tiempo presente: *Ahora ya no lo quiero. Lo tuve, pero ya no lo tengo.* **3** En tiempo u ocasión futuros: *Ya hablaremos otro día. Mañana ya no lloverá.* **4** Ahora o inmediatamente: *Si me llama dile que ya voy. Ya veo venir a tus hijos. Corre, que ya llega tu padre. ¡Ah, ya me acuerdo de ti!* **5** Indica afirmación o apoyo de lo dicho: *Si ya te entiendo, así que no insistas más. Ya se ve que estás muy bien.* ▌ conj. **6** Enlace gramatical con valor distributivo que, repetido, se usa para relacionar dos posibilidades que se alternan: *Hoy el tiempo es inestable, ya con nubes, ya con sol.* ▌ interj. **7** *col.* Expresión que se usa para indicar que se recuerda algo: *¡Ah, ya!, fue aquel día que no paró de llover.* **8** *col.* Expresión que se usa para indicar incredulidad o negación: *¡Ya, y luego llegó una bruja volando y se lo llevó, ¿no? ¡Ya, como que voy a ir contigo...!* **9** ‖ **ya que;** 1 Enlace gramatical subordinante con valor causal: *No iré, ya que me duele la cabeza.* 2 Enlace gramatical subordinante con valor condicional: *Ya que piensas asistir a la fiesta, llega puntual al menos.* □ ETIMOL. Del latín *iam.*

yacaré s.m. Reptil anfibio y carnívoro parecido al cocodrilo pero mucho más pequeño, de color negruzco, hocico plano, tan largo como ancho y redondeado en la punta: *El yacaré habita en Suramérica, desde el Amazonas hasta el Río de la Plata.* □ MORF. Es un sustantivo epiceno: *el yacaré {macho / hembra}.*

yacente adj.inv. Que yace: *una estatua yacente.*

yacer v. **1** Referido a una persona, estar tendida o acostada: *El abuelo yace enfermo en la cama.* **2** Referido a una persona muerta, estar enterrada: *En ese panteón yacen mis padres.* **3** Referido a una persona, realizar el acto sexual: *Yacieron y el matrimonio se consumó.* □ SINÓN. *copular.* □ ETIMOL. Del latín *iacere* (estar echado). □ MORF. Irreg. →YACER.

yachting (ing.) s.m. Deporte de competición que se practica con embarcaciones de vela: *Tiene un catamarán y practica el yachting.* □ PRON. [yátin].

yacija s.f. **1** Lecho o cama pobre en los que alguien se acuesta. **2** Sepultura, hoyo o lugar en el que está enterrado un cadáver. □ ETIMOL. Del latín **iacilia,* y este de **iacile* (lecho).

yacimiento s.m. Lugar en el que de forma natural se encuentran minerales, fósiles, restos arqueológicos o algo semejante: *Esta región es rica en yacimientos de hierro. Han descubierto un yacimiento arqueológico a las afueras de la ciudad.*

yaguar s.m. →**jaguar.** □ MORF. Es un sustantivo epiceno: *el yaguar {macho / hembra}.*

yak (pl. *yaks*) s.m. Mamífero bóvido de gran tamaño, con el cuerpo y las patas cubiertos de pelo largo, generalmente de color oscuro o blanco y con dos cuernos en la frente ligeramente curvados: *El yak es un rumiante propio de las regiones tibetanas.* □ ETIMOL. Del inglés *yak.* □ MORF. Es un sustantivo epiceno: *el yak {macho / hembra}.*

yámbico, ca adj. Del yambo, con yambos o relacionado con este tipo de pie métrico: *El ritmo yámbico se usó mucho en las partes dialogadas de las tragedias griegas.*

yambo (tb. *jambo*) s.m. **1** En métrica grecolatina, pie formado por una sílaba breve seguida de otra larga. **2** En métrica española, pie o unidad formados por una sílaba átona seguida de otra tónica: *La palabra 'poder' responde al esquema de un yambo.* **3** Árbol de corteza grisácea y hojas de color verde oscuro brillante, cuyo fruto es la pomarrosa: *El yambo es muy abundante en las Antillas.* □ SINÓN. *jambolero, pomarrosa.* □ ETIMOL. Del latín *iambus,* y este del griego *íambos.*

yambú s.m. Rumba cubana de movimientos muy enérgicos.

yang s.m. En el taoísmo, principio universal activo y masculino que se complementa con su opuesto, el yin, y juntos constituyen el principio fundamental de la vida y el universo: *El yang representa la luz, el calor, el cielo, la actividad y lo positivo.*

yanomami s.com. De una tribu seminómada indígena de la selva amazónica: *Los yanomamis habitan en el sur de Venezuela y en Brasil.*

yanqui adj.inv./s.com. **1** *col.* Estadounidense: *El poder militar yanqui es muy grande.* **2** En la guerra de Secesión norteamericana, partidario de los estados del norte. □ ETIMOL. Del inglés *yankee.*

yantar ▌ s.m. **1** Comida o alimento: *En la posada tomaron los caballeros un buen yantar.* ▌ v. **2** Comer: *El labriego esperaba hambriento la hora de yantar.* □ ETIMOL. La acepción 1, del verbo *yantar*. La acepción 2, del latín *iantare* (almorzar). □ USO Su uso es característico del lenguaje literario.

yapa (tb. *ñapa*) s.f. *col.* Cosa añadida o pequeño obsequio que el comerciante regala a sus clientes, a modo de propina, por la compra efectuada: *En Hispanoamérica la yapa es una costumbre entre los comerciantes y vendedores.*

yarará s.f. Culebra americana de color pardo con manchas blanquecinas, muy venenosa, que puede llegar a alcanzar un metro de largo: *La yarará se encuentra en países como Argentina, Paraguay o Uruguay.* □ MORF. Es un sustantivo epiceno: *la yarará {macho/hembra}.*

yarda s.f. En el sistema anglosajón, unidad de longitud que equivale aproximadamente a 91,4 centímetros. □ ETIMOL. Del inglés *yard*. □ ORTOGR. Su símbolo es *yd*, por tanto, se escribe sin punto.

yarey s.m. **1** Palmera americana, con el tronco delgado y corto, de cuyas hojas se extraen fibras que se emplean para tejer sombreros. **2** Sombrero hecho con estas fibras.

yarmulke s.m. Bonete semiesférico que usan los judíos, esp. para las ceremonias religiosas: *Tengo un vecino judío que siempre lleva en la cabeza su yarmulke de ganchillo.* □ SINÓN. *kipá*. □ ETIMOL. Del yiddish.

yatagán s.m. Arma blanca, parecida al sable, propia de los países orientales. □ ETIMOL. Del francés *yatagan*.

yate s.m. Embarcación de recreo, generalmente lujosa. □ ETIMOL. Del inglés *yacht*.

yayo, ya s. *col.* Abuelo. □ USO Tiene un matiz cariñoso.

ye s.f. Nombre de la letra 'y': *La palabra 'yoyó' tiene dos yes.* □ SINÓN. *i griega*.

yearling (ing.) s.m. Caballo de un año. □ PRON. [yírlin].

yedra s.f. →**hiedra.**

yegua s.f. Hembra del caballo. □ SINÓN. *jaca*. □ ETIMOL. Del latín *equa*. □ SEM. Dist. de *caballa* (pez marino).

yeguada s.f. Conjunto de ganado caballar.

yeísmo s.m. Pronunciación de la *ll*, que es lateral, palatal y sonora, como la *y*, que es fricativa, palatal y sonora: *Pronunciar 'gallina' como [gayína] es un caso de yeísmo.*

yeísta ▌adj.inv. **1** Del yeísmo o relacionado con este fenómeno fonético: *La pronunciación yeísta es cada vez más frecuente entre los hablantes del español.* ▌adj.inv./s.com. **2** Que pronuncia la *ll* como la *y*: *Los yeístas no distinguen al pronunciar 'pollo' y 'poyo'.*

yelmo s.m. En una armadura antigua, parte que cubría y protegía la cabeza y la cara: *Los yelmos tenían una visera móvil con agujeros para los ojos.* □ ETIMOL. Del germánico *helm*.

yema s.f. **1** En los huevos de los vertebrados ovíparos, parte central en la que se desarrolla el embrión: *En los huevos de las gallinas, la yema es amarilla y está rodeada por la clara.* **2** Dulce que se elabora con esta yema del huevo de gallina y con azúcar: *La tarta de yema es muy dulce.* **3** En una planta, brote de aspecto escamoso, recién aparecido en el tallo y constituido por las hojas envueltas unas sobre otras, del cual nacerán las ramas, las hojas o las flores: *Al final del invierno, los árboles empiezan a tener las primeras yemas.* □ SINÓN. *botón*. **4** En un dedo, parte opuesta a la uña. □ ETIMOL. Del latín *gemma* (botón de vegetal, piedra preciosa).

yembe (tb. *djembe*) s.m. Instrumento musical de percusión de origen africano, parecido al tambor, que se toca con las manos.

yemení (pl. *yemeníes, yemenís*) adj.inv./s.com. De Yemen o relacionado con este país asiático.

yen s.m. Unidad monetaria japonesa.

yenka s.f. Baile muy movido, de moda hacia 1965.

yerba s.f. **1** →**hierba. 2** ‖ **yerba (mate); 1** Árbol de tronco recto, copa densa y hojas de color verde oscuro brillante. **2** Hojas secas de este árbol que se usan para preparar el mate.

yerbabuena s.f. →**hierbabuena.**

yerbajo s.m. →**hierbajo.**

yerbal s.m. Terreno plantado de yerba mate.

yerbaluisa s.f. →**hierbaluisa.**

yerbatero, ra ▌adj. **1** De la yerba mate o relacionado con ella: *El cultivo yerbatero es muy importante en Argentina y Uruguay.* ▌s. **2** Persona que se dedica al cultivo o la venta de yerba mate. ▌s.m. **3** En zonas del español meridional, curandero.

yerbera s.f. Véase **yerbero, ra.**

yerbero, ra ▌s. **1** En zonas del español meridional, persona que vende hierbas medicinales. **2** En zonas del español meridional, persona que utiliza hierbas para curar. ▌s.f. **3** Vasija para guardar las hojas del mate.

yermar v. Referido a un terreno, dejarlo yermo o sin cultivar: *La emigración masiva del campo a la ciudad ha yermado muchas tierras.*

yermo, ma adj./s.m. **1** Referido a un lugar, que está despoblado o sin habitar: *La construcción de pantanos ha dejado yermos muchos pueblos.* **2** Referido a un terreno, estéril o sin cultivo: *La falta de cuidados ha convertido estas tierras, antes fértiles, en yermos y pedregales.* □ ETIMOL. Del latín *eremus* (desierto).

yerno s.m. Respecto de una persona, marido de su hija: *De los tres yernos que tengo, el marido de mi hija mayor es el que más me gusta.* □ ETIMOL. Del latín *gener*. □ MORF. Su femenino es *nuera*.

yero (tb. *hiero*) s.m. **1** Planta herbácea leguminosa con fruto en vaina y las semillas en forma de pequeñas bolitas, que se utiliza como alimento para el ganado. **2** Semilla de esta planta: *Los yeros son una legumbre que se usa como alimento para el ga-*

nado. □ ETIMOL. Del latín *erum.* □ USO Se usa más en plural.

yerro s.m. **1** Equivocación cometida por descuido o ignorancia: *La falta de experiencia es causa de muchos yerros.* **2** Falta o delito cometidos contra leyes, preceptos o reglas: *Si enmiendas tus yerros, obtendrás el perdón.* □ ETIMOL. De *errar.* □ ORTOGR. Dist. de *hierro.*

yerto, ta adj. Rígido y tieso. □ ETIMOL. Del antiguo participio de *erguir.*

yesal s.m. →**yesar.**

yesar s.m. Cantera de yeso. □ SINÓN. *yesal, yesera.*

yesca s.f. **1** Materia muy seca y preparada para que pueda arder con una chispa: *Los mecheros antiguos tenían un dispositivo que producía chispas y prendía la yesca.* **2** Lo que está muy seco y arde con facilidad: *Este año no ha llovido nada y la hierba del campo es yesca.* **3** Lo que excita las pasiones: *Estaba tan nervioso que tu crítica fue la yesca que desató su ira.* □ ETIMOL. Del latín *esca* (alimento, alimento del fuego).

yesera s.f. →**yesar.**

yesería s.f. Lugar en el que se fabrica o se vende yeso.

yeso s.m. **1** Sulfato de calcio hidratado, compacto o terroso y generalmente blanco, con el que se elabora una pasta que se usa en la construcción y en la escultura: *El yeso es un material blando que se raya con la uña.* **2** Escultura hecha con esta materia: *Esta escultora expone sus yesos en esa galería de arte.* **3** *col.* Escayola: *Cuando me fracturé el pie, tuve el yeso durante dos meses.* □ ETIMOL. Del latín *gypsum.*

yesoso, sa adj. **1** De yeso o semejante a él. **2** Referido esp. a un terreno, que tiene mucho yeso.

yesquero s.m. En zonas del español meridional, mechero.

yeti s.m. Ser fantástico parecido a un hombre gigantesco y cubierto de pelo que se dice que habita en el Himalaya (cadena montañosa asiática). □ ETIMOL. Del tibetano *yeh-teh* (pequeño animal antropomorfo).

yeyé adj.inv./s.com. Del pop de la década de 1960 o seguidor de esta moda: *La música yeyé tiene un ritmo muy alegre.* □ ETIMOL. Del francés *ye-ye.*

yeyuno s.m. Parte del intestino delgado de los mamíferos situada entre el duodeno y el íleon: *En el yeyuno se realiza la absorción de sustancias nutrientes.* □ ETIMOL. Del latín *ieiunum* (intestino).

yibutiano, na adj./s. De Yibuti o relacionado con este país africano. □ SINÓN. *yibutiense.*

yibutiense adj.inv./s.com. De Yibuti o relacionado con este país africano. □ SINÓN. *yibutiano.*

yiddish (ing.) s.m. Lengua germánica hablada por los judíos, esp. en el período anterior a la Segunda Guerra Mundial: *El yiddish se escribe en alfabeto hebreo. Actualmente, el yiddish lo hablan judíos repartidos por la antigua Unión Soviética, Israel, Polonia y Estados Unidos.* □ PRON. [yídis].

yield (ing.) s.m. En economía, beneficio o rentabilidad de una actividad económica derivado de un producto o de un servicio concretos: *Con la bajada de precios, ha descendido considerablemente el yield por usuario.* □ PRON. [yild].

yiffie (ing.) s.com. Joven profesional de la década de 1990 con una posición económica elevada: *Un yiffie es un yuppie de la década de 1990.* □ PRON. [yífi].

yihad (ár.) s.f. Guerra santa de los musulmanes. □ PRON. [yihád], con *h* aspirada.

yihadista ▮ adj.inv. **1** De la yihad o relacionado con ella. ▮ s.com **2** Partidario o seguidor de la yihad.

yin s.m. En el taoísmo, principio universal pasivo y femenino que se complementa con su opuesto, el yang, y juntos constituyen el principio fundamental de la vida y el universo: *El yin representa la oscuridad, el frío, la tierra, la pasividad y lo negativo.*

yincana s.f. →**gymkhana.**

yo ▮ pron.pers. **1** Forma de la primera persona del singular que corresponde a la función de sujeto o de predicado nominal: *Yo prefiero el vaso azul. Ábreme la puerta, que soy yo.* ▮ s.m. **2** En psicología, parte consciente de la personalidad humana: *El yo es el mediador entre la persona y la realidad externa.* **3** En filosofía, sujeto humano en cuanto persona: *El yo surge en la conciencia del niño a partir de su relación con los demás.* **4** ‖ **yo que {tú/él/...};** *col.* Expresión que se usa para indicar una sugerencia: *Yo que tú, no iría, porque me parece que allí no eres bien recibido. Yo que ella, no me metería donde no me llaman.* □ ETIMOL. Del latín *ego.* □ MORF. Como pronombre no tiene diferenciación de género. □ SINT. Incorr. *yo {*de ti > que tú}.*

yod s.f. En lingüística, sonido 'i', de carácter palatal, semiconsonante o semivocal según el sonido al que se agrupe: *La influencia de la 'yod' sobre los sonidos contiguos es muy importante en la evolución del español. La 'i' del diptongo 'ie' es una yod semiconsonante.*

yodado, da adj. Que contiene yodo: *Algunos productos yodados se usan para desinfectar heridas. Cocinar con sal yodada es una forma de prevenir el bocio.*

yodo s.m. Elemento químico, no metálico y sólido, de número atómico 53, de estructura laminar y de color gris negruzco: *La falta de yodo en el organismo puede producir bocio. El yodo es un elemento químico del grupo de los halógenos.* □ SINÓN. *iodo.* □ ETIMOL. Del griego *iódes* (violado). □ ORTOGR. Su símbolo químico es *I.*

yodoformo s.m. Compuesto químico sólido y de color amarillo, que tiene un olor penetrante y que se usa en medicina para prevenir y combatir las infecciones, con aplicación externa: *Me aplicaron* *yodoformo en la herida para desinfectarla.* ☐ ETIMOL. De *yodo* y *formo* (abreviatura de fórmico).

yoga s.m. **1** Conjunto de disciplinas físicas y mentales hindúes destinadas a conseguir la perfección espiritual y la unión con lo absoluto. **2** Práctica derivada de esta disciplina y dirigida a conseguir el dominio del cuerpo y la concentración mental: *un cursillo de yoga.* ☐ ETIMOL. Del sánscrito *yoga* (unión, esfuerzo).

yoghourt (ingl.) s.m. →**yogur.**

yogui s.com. **1** Asceta hindú seguidor del sistema filosófico del yoga. **2** Persona que practica los ejercicios físicos y mentales del yoga.

yogur s.m. Producto alimenticio que se obtiene por fermentación de la leche. ☐ ETIMOL. Del turco *yoghurt.* ☐ USO Es innecesario el uso del anglicismo *yoghourt.*

yogurtera s.f. Electrodoméstico que sirve para elaborar yogures.

yola s.f. Embarcación muy ligera y estrecha, movida a remo y con vela: *La yola se usa en algunas competiciones de remo.* ☐ ETIMOL. Del francés *yole.*

yonco, ca s. *col.* →**yonqui.**

yonqui s.com. *col.* En el lenguaje de la droga, drogadicto. ☐ SINÓN. *yonco.* ☐ ETIMOL. Del inglés *junkie.*

yóquey (tb. *yoqui*) (pl. *yoqueis*) s.m. Jinete profesional de carreras de caballos. ☐ ETIMOL. Del inglés *jockey.* ☐ ORTOGR. Se usa también *jockey.* ☐ SEM. Dist. de *hockey* (un deporte).

yoqui (pl. *yoquis*) s.m. →**yóquey.**

yorkshire (ing.) adj.inv./s.m. →**terrier de yorkshire.** ☐ PRON. [yórkser].

yoruba ▌adj.inv./s.com. **1** De un pueblo establecido en una región del oeste africano o relacionado con él: *El pueblo yoruba habita fundamentalmente en Nigeria y Benin.* ▌s.m. **2** Lengua hablada por este pueblo.

yoya s.f. *arg.* Golpe o torta.

yoyo s.m. En zonas del español meridional, yoyó.

yoyó s.m. Juguete formado por dos discos unidos por un eje, que se hace subir y bajar mediante una cuerda enrollada a dicho eje: *El yoyó es de origen chino.* ☐ ETIMOL. Extensión del nombre de una marca comercial.

yoyoba s.f. →**jojoba.**

yuan s.m. Unidad monetaria china.

yubarta s.f. Ballena con una elevación en el dorso, antes de la aleta dorsal, semejante a una joroba. ☐ SINÓN. *ballena jorobada.* ☐ ETIMOL. Del francés *jubarte.* ☐ MORF. Es de género epiceno: *la yubarta {macho/hembra}.*

yuca s.f. Planta tropical americana, de tallo cilíndrico lleno de cicatrices, flores blancas y colgantes, hojas rígidas y raíz gruesa de la que se extrae harina para la alimentación: *En Europa, la yuca se usa como planta ornamental.*

yucateco s.m. Prenda sin mangas que utilizan las mujeres indígenas americanas y que cubre desde los hombros hasta más abajo de la cintura.

yudo s.m. →**judo.**

yudoca s.com. Deportista que practica el judo. ☐ ORTOGR. Se usa también *judoca.*

yugada s.f. Conjunto de dos animales de tiro: *una yugada de bueyes.*

yugo s.m. **1** Instrumento de madera que se coloca a los animales de tiro en el cuello o en la cabeza, y que va sujeto al carro o al arado. **2** Dominio superior que obliga a obedecer: *el yugo del tirano.* **3** Carga pesada o atadura: *No podía soportar el yugo de tantas obligaciones, y cayó en una profunda depresión.* **4** ‖ **sacudirse el yugo;** liberarse del dominio o de la opresión. ☐ ETIMOL. Del latín *iugum.*

yugoeslavo, va adj./s. →**yugoslavo.**

yugoslavo, va (tb. *yugoeslavo*) adj./s. De la antigua Yugoslavia o relacionado con este país europeo.

yuguero s.m. Persona que labra la tierra con una yunta. ☐ SINÓN. *yuntero.* ☐ ETIMOL. Del latín *iugarius.*

yugular ▌s.f. **1** →**vena yugular.** ▌v. **2** Referido a un proceso o a una actividad, detenerlos, ponerles fin o cortar su desarrollo bruscamente: *Se enviaron tropas para yugular la rebelión.*

yulan s.m. Árbol muy ramoso y con flores de color blanco marfil, muy olorosas, que aparecen antes que las hojas: *El yulan es originario de China.*

yuma s.com. *col. desp.* En zonas del español meridional, extranjero, esp. si es un turista.

yunque s.m. **1** Instrumento de hierro acerado, que sirve para trabajar los metales. **2** En anatomía, hueso del oído medio que se articula con el martillo y con el lenticular. ☐ ETIMOL. Del latín *incus.*

yunta ▌s.f. **1** Conjunto de dos animales de tiro o de labor: *una yunta de bueyes.* ▌pl. **2** En zonas del español meridional, gemelo: *Mi amigo venezolano siempre usa yuntas con las camisas.* ☐ ETIMOL. Del latín *iuncta* (junta).

yuntero s.m. Persona que labra la tierra con una yunta. ☐ SINÓN. *yuguero.*

yupi interj. Expresión que se usa para indicar alegría: *¡Yupi, vamos al cine!*

yuppie (ing.) s.com. Joven profesional que posee una carrera universitaria y una posición económica elevada. ☐ ETIMOL. Es el acrónimo del inglés *Young Urban and Proffesional People* (gente joven urbana y profesional). ☐ PRON. [yúpi].

yuppismo s.m. Estilo o modo de comportamiento propios de un yuppie: *El yuppismo es un fenómeno fundamentalmente urbano.*

yusivo, va adj. En lingüística, referido esp. al modo subjuntivo, que expresa una orden o un mandato: *La oración 'Que te calles' contiene un subjuntivo yusivo.* ☐ ETIMOL. Del latín *iussus*, y este de *iubere* (ordenar).

yute s.m. **1** Planta anual de flores amarillas y fruto en cápsula: *El yute es una planta asiática.* **2** Fibra textil que se extrae de la corteza interior de esta planta: *El yute se puede emplear para hacer cuer-*

das. **3** Tela confeccionada con esta fibra: *El yute es una tela basta, muy utilizada para hacer sacos.* □ ETIMOL. Del inglés *jute*, y este del bengalí *jhuto*.

yutero, ra adj. Del yute o relacionado con él: *industria yutera.*

yuxtaponer v. **1** Colocar en la posición inmediata, sin ningún nexo de unión: *Has suspendido porque en el examen te has limitado a yuxtaponer datos sin seguir una argumentación lógica.* **2** En gramática, referido a dos elementos, unirlos sin utilizar nexos o conjunciones: *El punto y coma es un signo de puntuación muy utilizado para yuxtaponer oraciones.* □ ETIMOL. Del latín *iuxta* (cerca de) y *ponere* (poner). □ MORF. Irreg.: 1. Su participio es *yuxtapuesto.* 2. →PONER.

yuxtaposición s.f. **1** Colocación de una cosa junto a otra inmediata a ella: *Este libro es una mera yuxtaposición de datos inconexos.* **2** En gramática, unión de varios elementos sin utilizar nexos o conjunciones: *El punto y coma es un signo de puntuación muy usado en casos de yuxtaposición.*

yuxtapuesto, ta part. irreg. de **yuxtaponer**. □ MORF. Incorr. **yuxtaponido.*

yuyal s.m. Lugar cubierto de yuyos.

yuyo s.m. **1** En zonas del español meridional, mala hierba o hierbajo. **2** En zonas del español meridional, hierba medicinal.

yuyu s.m. **1** *col.* Sensación de miedo: *No te acerques tanto al acantilado, que me da yuyu verte.* **2** *col.* Malestar o indisposición repentina y pasajera: *Hacía tantísimo calor que le bajó mucho la tensión y le dio un yuyu.* **3** Brujería o conjuro: *hacer yuyu.* □ SINT. La acepción 1 se usa más con los verbos *dar* o equivalentes.

Z z

z s.f. Vigésima séptima letra del abecedario. □ PRON. Ante *a, o, u* representa el sonido consonántico interdental fricativo sordo, aunque está muy extendida la pronunciación como [s]: *zarpazo* [sarpáso] →**seseo.**

zabila (tb. *zábila*) s.f. →**sábila.**

zabordar v. Referido a una embarcación, encallar en tierra: *El petrolero ha zabordado cerca de las costas gallegas.*

zacatal s.m. En zonas del español meridional, pastizal.

zacate s.m. **1** En zonas del español meridional, hierba, forraje. **2** En zonas del español meridional, estropajo.

zacatín s.m. Calle o plaza donde se vende ropa. □ ETIMOL. Del árabe hispánico *saqqattín*, plural de *saqqát*, y este del árabe clásico *saqqat* (ropavejero).

zafarrancho s.m. **1** Preparación de parte de una embarcación para dejarla dispuesta para una determinada faena: *Durante el zafarrancho de combate los soldados corrían a sus puestos.* **2** *col.* En el lenguaje militar, limpieza general: *En el cuartel hubo zafarrancho porque iba a visitarnos un general.* **3** *col.* Lío, riña o tumulto: *Cada vez que os juntáis armáis un zafarrancho tremendo.* □ ETIMOL. De *zafar* (desembarazar, quitar obstáculos) y *rancho* (espacio libre de la cubierta de un barco), porque se dejaba libre la cubierta antes de empezar un combate.

zafarse v.prnl. **1** Escaparse o esconderse para evitar un encuentro o un riesgo: *Conseguí zafarme antes de que llegaran.* **2** Referido a algo molesto, librarse de ello: *Se zafó de lavar los platos porque dijo que tenía prisa.* **3** En zonas del español meridional, soltarse: *Se zafó muy hábilmente de aquel hombre que lo tenía sujeto por la espalda.* □ SINT. Constr. *zafarse* DE *algo.*

zafiedad s.f. Falta de tacto y de elegancia en el comportamiento.

zafio, fia adj. Grosero, tosco o sin tacto en la forma de actuar. □ ETIMOL. Del árabe *yafi* (grosero, incivil).

zafir s.m. *poét.* Zafiro.

zafiro s.m. Mineral de color azul o verde, formado por óxido de aluminio cristalizado, y muy utilizado en joyería. □ ETIMOL. Del latín *sapphirus.*

zafra s.f. Cosecha o recolección de la caña de azúcar: *La zafra tradicional cubana se hace cortando la caña con machetes.* □ ETIMOL. Del portugués *safra* (cosecha de cualquier planta).

zaga s.f. **1** En algunos deportes, grupo de jugadores que forman la defensa: *El portero del equipo está muy bien protegido por la zaga.* **2** || **a la zaga;** atrás o detrás: *Llegó a la meta a la zaga del pelotón.* || **no irle a la zaga** a alguien; *col.* No ser inferior a él en algo: *Aunque esta alumna es muy lista, esta otra no le va a la zaga.* □ ETIMOL. Del árabe *saqa* (retaguardia).

zagal, -a s. **1** Pastor o pastora jóvenes. **2** Muchacho o muchacha adolescentes. □ ETIMOL. Del árabe *zagall* (joven animoso).

zagalón, -a s. Persona joven que ha crecido más de lo que es normal para su edad. □ ETIMOL. De *zagal.*

zagual s.m. Remo con la pala en forma de corazón. □ ETIMOL. De origen tagalo.

zaguán s.m. En una casa, espacio cubierto que sirve de entrada y que está contiguo a la puerta de la calle. □ ETIMOL. Del árabe *'ustuwan* (pórtico).

zaguero, ra ▌ s. **1** En algunos deportes de equipo, jugador que tiene la misión de obstaculizar la acción del contrario. □ SINÓN. *defensa.* ▌ s.m. **2** En el juego de pelota por parejas, jugador que se sitúa en la parte de atrás de la cancha y que lleva el peso del partido.

zagüía s.f. Ermita marroquí en la que está la tumba de algún santón.

zahareña s.f. Véase **zahareño, ña**.

zahareño, ña ▌ adj. **1** Arisco o desdeñoso. **2** Referido a un ave, que es difícil de domesticar. ▌ s.f. **3** Planta de color grisáceo que se cría en matorrales, y que se usa como desinfectante y cicatrizante: *La zahareña es frecuente en el litoral mediterráneo.* □ SINÓN. *rabo de gato.*

zaheridor, -a adj./s. Referido a una persona, que humilla con palabras o con obras.

zaherir v. Referido a una persona, humillarla o mortificarla con palabras o con obras: *Lo zahiere con burlas crueles.* □ ETIMOL. De *faz* (cara) y *herir.* □ MORF. Irreg. →SENTIR.

zahiriente adj.inv. Que zahiere, humilla o mortifica.

zahón (tb. *zajón*) s.m. Mandil, generalmente de cuero, que se ata a la cintura y a las piernas, y que se utiliza para resguardar la ropa cuando se trabaja en el campo. □ ETIMOL. Del árabe *saq* (pierna). □ MORF. En plural tiene el mismo significado que en singular.

zahorí (pl. *zahoríes, zahorís*) s.m. Persona que tiene la facultad de descubrir lo que está oculto, esp. lo que se encuentra bajo tierra: *Contrataron un zahorí para que les dijera el lugar en el que tenían que hacer el pozo.* □ ETIMOL. Del árabe *zuhari* (servidor del planeta Venus), porque zahoríes y astrólogos utilizaban los mismos procedimientos.

zahorra s.f. **1** Mezcla de arena y piedras de diversos tamaños que se suele usar para la pavimentación. **2** Lastre de una embarcación.

zahúrda s.f. Establo para los cerdos. □ SINÓN. *cochiquera, pocilga, gorrinera.* □ ETIMOL. De origen incierto.

zaino, na adj. **1** Referido a un toro, que tiene el pelaje de color negro y ningún pelo blanco. **2** Traicionero o desleal. □ ETIMOL. La acepción 1, de origen incierto. La acepción 2, del árabe *zahim* (pringoso). ☐ PRON. [záino] o [zaíno].

zairense adj.inv./s.com. →**zaireño.**

zaireño, ña adj./s. De Zaire o relacionado con este país africano, actualmente llamado *República Democrática del Congo.* ☐ SINÓN. *zairense.*

zajón s.m. →**zahón.** ☐ MORF. En plural tiene el mismo significado que en singular.

zakat (ár.) s.m. En la religión islámica, limosna o donación económica. ☐ PRON. [zakát].

zalagarda s.f. **1** Emboscada para sorprender al enemigo. **2** Engaño oculto entre zalamerías. **3** *col.* Alboroto o jaleo. ☐ ETIMOL. Del francés *eschargarde.*

zalamería s.f. Demostración de cariño exagerada y empalagosa. ☐ SINÓN. *zalema.*

zalamero, ra adj. Que hace zalamerías o que las manifiesta. ☐ ETIMOL. Del antiguo *zalama* (demostración de cariño afectada).

zalear v. **1** Mover o menear: *No debes zalear los platos porque vas a acabar rompiéndolos.* **2** Referido a un animal, espantarlo o hacerlo huir: *Zalearon a los perros para que salieran del huerto.* **3** Referido a un lobo, matar a una res: *Los lobos bajaron del monte y zalearon a media docena de ovejas.*

zalema s.f. **1** *col.* Reverencia humilde como muestra de sumisión. **2** Demostración de cariño afectada y empalagosa. ☐ SINÓN. *zalamería.* ☐ ETIMOL. Del árabe *salam* (salutación).

zamarra s.f. **1** Prenda de abrigo rústica, hecha de piel con su pelo o con su lana. ☐ SINÓN. *zamarro.* **2** Prenda de abrigo hecha o forrada de piel. ☐ SINÓN. *pelliza.* ☐ ETIMOL. Del euskera *zamarra.*

zamarrear v. **1** Referido a un animal, sacudir con fuerza y de un lado a otro la presa que tiene cogida con la boca: *El lobo zamarreaba a la liebre para terminar de matarla.* **2** Referido a una persona, zarandearla con violencia: *Un individuo tenía agarrado a un chico por los hombros y lo zamarreaba con fuerza.*

zamarro s.m. Prenda de abrigo rústica, hecha de piel con su pelo o con su lana. ☐ SINÓN. *zamarra.*

zambiano, na adj./s. De Zambia o relacionado con este país africano.

zambo, ba adj./s. **1** Referido a una persona o a un animal, que tiene las rodillas juntas y las piernas separadas hacia afuera. **2** Referido a una persona, que ha nacido de padres de grupos étnicos diferentes, esp. si uno es negro y otro es indio. ☐ ETIMOL. De origen incierto.

zambomba ▌s.f. **1** Instrumento musical popular en forma de cilindro hueco, abierto por uno de sus extremos y cerrado por el otro con una piel tirante, en cuyo centro tiene sujeto un palo que, al ser frotado con la mano humedecida, produce un sonido fuerte y ronco: *Cantábamos villancicos acompañados de panderetas y zambombas.* ▌interj. **2** *col.* Expresión que se usa para indicar extrañeza, sorpresa, admiración o disgusto. ☐ ETIMOL. De origen onomatopéyico.

zambombazo s.m. **1** Estampido o explosión muy ruidosos y fuertes. **2** En algunos deportes, disparo fuerte y potente. **3** Éxito grande.

zambombero, ra s. **1** Persona que hace o vende zambombas. **2** Persona que toca la zambomba.

zambombo s.m. Hombre tosco o rudo. ☐ ETIMOL. De *zambomba.*

zambra s.f. Fiesta bulliciosa de los gitanos en la que hay baile y jaleo: *Celebraron el bautizo del recién nacido con una zambra.* ☐ ETIMOL. Del árabe *samra* (fiesta nocturna, velada).

zambullida s.f. Introducción impetuosa y repentina en el agua.

zambullir ▌v. **1** Meter debajo del agua con ímpetu o de golpe: *Como vuelvas a zambullir al perrito en la piscina, te voy a castigar. Se zambulló saltando desde el trampolín.* ▌prnl. **2** Meterse de lleno en una actividad: *Para preparar el papel, el actor debe zambullirse en el personaje.* ☐ ETIMOL. Del latín *sepelire.* ☐ MORF. Irreg. →PLAÑIR. ☐ SINT. Constr. *zambullirse* EN *algo.*

zamburiña s.f. Marisco marino de carne comestible y concha semicircular formada por dos valvas.

zamorano, na adj./s. De Zamora o relacionado con esta provincia española o con su capital: *Santibáñez de Vidriales es un pueblo zamorano.*

zampa s.f. *col.* Comida.

zampabollos (pl. *zampabollos*) s.com. *col.* Persona que come con exceso y con ansia. ☐ SINÓN. *zampatortas.*

zampar v. *col.* Comer o beber rápidamente y con exceso: *Te pasas el día zampando y vas a engordar. Se zampó él solo toda la tarta.* ☐ ETIMOL. De origen incierto.

zampatortas (pl. *zampatortas*) s.com. *col.* Persona que come con exceso y con ansia. ☐ SINÓN. *zampabollos.*

zampón, -a adj./s. *col.* Referido a una persona, que come mucho.

zampoña s.f. Instrumento musical de carácter rústico, semejante a una flauta o compuesto por un conjunto de ellas: *La zampoña es un instrumento propio de los antiguos pastores.* ☐ ETIMOL. Del latín **sumponia.*

zampullín s.m. Ave palmípeda parecida al somormujo, pero de menor tamaño. ☐ MORF. Es un sustantivo epiceno: *el zampullín {macho/hembra}.*

zamuro s.m. Buitre americano de tamaño más pequeño que el buitre común y con el plumaje negro, incluida la cabeza: *El zamuro es originario de Venezuela.*

zanahoria s.f. **1** Planta herbácea de hojas muy divididas, de flores blancas, y de fruto seco y comprimido, que tiene una raíz comestible, carnosa y de color anaranjado: *Voy a ir a regar las zanahorias de la huerta.* **2** Raíz de esta planta: *A los conejos les gustan mucho las zanahorias.* **3** *col.* Estímulo o acicate engañosos: *No te creas que no me doy cuenta de que ese viaje es la zanahoria con que intentas engañarme.* ☐ ETIMOL. Del árabe *isfannariya.*

zanate s.m. Pájaro americano de plumaje negro que se alimenta de semillas: *La hembra del zanate es de color marrón.* ☐ ETIMOL. Del náhuatl *tzanatl.* ☐ MORF. Es un sustantivo epiceno: *el zanate {macho/hembra}.*

zanca s.f. **1** Pata larga de algunas aves: *Las cigüeñas y los flamencos tienen zancas.* **2** *col.* Pierna de una persona o pata de un animal cuando son largas y delgadas. ☐ ETIMOL. Del latín *zanca* (especie de calzado).

zancada s.f. Paso largo de una persona: *Caminaba a grandes zancadas.*

zancadilla s.f. **1** Cruce de una pierna por entre las de otra persona con la intención de hacerle perder el equilibrio: *poner la zancadilla.* **2** *col.* Lo que se hace para evitar que otra persona consiga lo que desea.

zancadillear v. Poner una zancadilla: *Me zancadilleó para que no llegara antes que él a la meta.*

zancajear v. Andar mucho y deprisa de un sitio a otro: *¿Qué te pasa hoy que no paras de zancajear?*

zancajo s.m. **1** Hueso del pie que forma el talón: *El zancajo se llama técnicamente hueso calcáneo.* **2** Talón del pie. ☐ ETIMOL. De *zanca.*

zanco s.m. Cada uno de los dos palos largos con soportes para colocar los pies que se usan para hacer juegos de equilibrios y danzas.

zancón, -a adj. *col.* Zancudo.

zancudo, da ▮ adj. **1** Referido a una raíz, que sale de las ramas de los mangles o árboles tropicales que crecen en zonas pantanosas: *Las raíces zancudas permiten que los árboles de zonas pantanosas tengan una mayor sujeción al suelo.* ▮ adj./s.f. **2** Referido a un ave, que se caracteriza por tener los tarsos muy largos y desprovistos de plumas: *La mayoría de las zancudas viven cerca de charcas, de ríos o del mar.* ▮ s.f.pl. **3** En zoología, grupo de estas aves: *En clasificaciones antiguas, las zancudas eran un orden.* ▮ s.m. **4** En zonas del español meridional, mosquito: *En verano la casa se llena de zancudos.*

zanfona s.f. →**zanfoña.**

zanfonía s.f. →**zanfoña.**

zanfoña (tb. *zanfona, zanfonía*) s.f. Instrumento musical de cuerda, que se toca haciendo girar una manivela que, a su vez, hace dar vueltas a un cilindro con púas: *Algunos juglares medievales tocaban la zanfoña.* ☐ ETIMOL. Del latín *symphonia* (instrumento musical).

zanganada s.f. *col.* Tontería o sandez.

zanganear v. *col.* Pasar el tiempo vagueando y sin trabajar: *Estuvo zanganeando toda la mañana sin hacer nada.*

zángano, na ▮ s. **1** *col.* Persona holgazana, que intenta trabajar lo menos posible. ▮ s.m. **2** Abeja macho: *Los zánganos carecen de aguijón y no elaboran miel.* ☐ ETIMOL. De origen onomatopéyico.

zangolotear v. *col.* Moverse de un lado para otro sin ningún fin: *Pasé la mañana sin hacer nada útil, zangoloteando por el centro.* ☐ ETIMOL. De origen onomatopéyico.

zangoloteo s.m. *col.* Movimiento violento y continuo.

zangolotino, na adj./s. *col.* Referido a un muchacho, que se hace pasar por un niño. ☐ ETIMOL. De *zangolotear.*

zanguango, ga adj./s. *col.* Perezoso o indolente.

zanja s.f. En un terreno, excavación larga y estrecha. ☐ ETIMOL. De origen incierto.

zanjar v. **1** Referido a un asunto, resolverlo o solucionarlo terminando con todas las dificultades o inconvenientes: *¡A ver si zanjáis vuestras diferencias de una vez!* **2** Abrir una zanja: *Están zanjando esta calle para renovar las tuberías.* ☐ ORTOGR. Conserva la *j* en toda la conjugación.

zanjeo s.m. Realización de una zanja.

zanjón s.m. **1** Cauce o zanja grandes y profundos por donde suele correr el agua. **2** En zonas del español meridional, despeñadero.

zanquear v. **1** Andar de prisa y con pasos largos: *Si vas a pasear zanqueando, yo no voy contigo.* **2** Torcer las piernas al andar: *Esa niña zanquea un poco porque tiene un problema en los pies.* ☐ ETIMOL. De *zanca.*

zanquilargo, ga adj./s. *col.* Que tiene las piernas largas.

zapa s.f. **1** Excavación de una galería subterránea o de una zanja descubierta: *Para abrir un túnel hay que hacer un trabajo de zapa.* **2** Maniobra oculta y disimulada, esp. la que intenta provocar un fracaso: *Tu labor de zapa no conseguirá hacer fracasar mis planes.* **3** *col.*→**zapatilla.** ☐ ETIMOL. Las acepciones 1 y 2, del italiano *zappa* (azada).

zapador s.m. Soldado perteneciente al arma de ingenieros: *Los zapadores abren trincheras y zanjas.*

zapallito s.m. En zonas del español meridional, calabacín.

zapallo s.m. En zonas del español meridional, calabaza.

zapapico s.m. Herramienta formada por un mango al que se sujeta una barra resistente y un poco curva con uno de sus extremos terminado en punta, y que se utiliza para cavar. ☐ SINÓN. *pico.* ☐ ETIMOL. De *zapa* (pala) y *pico* (herramienta).

zapar v. Referido esp. a un terreno, hacer una zanja o una galería subterránea en él.

zapata s.f. En un sistema de frenado, pieza que actúa contra las ruedas para moderar o impedir su movimiento: *Estas zapatas están ya muy gastadas y la bici no frena bien.*

zapatazo s.m. Golpe dado con un zapato, esp. si es muy sonoro.

zapateado s.m. **1** Modalidad del baile español basada en el golpeteo del suelo con los zapatos. **2** →**zapateo.**

zapatear v. Dar golpes en el suelo con los pies calzados, esp. si es al bailar flamenco: *Cuando la bailaora terminó de zapatear, el público aplaudió muchísimo.*

zapateo s.m. Golpeteo que se hace con los pies. ☐ SINÓN. *zapateado.*

zapatería s.f. **1** Establecimiento en el que se hace o se vende calzado. **2** Industria o actividad relacionada con el calzado: *La zapatería española tiene mucha fama.*

zapatero, ra ▮ adj. **1** Del calzado o relacionado con él: *industria zapatera.* **2** Referido a un alimento, que se pone correoso por haber sido cocinado hace bastante tiempo: *Habéis tardado tanto que las patatas fritas se han quedado zapateras.* ▮ s. **3** Persona que fabrica, arregla o vende calzado: *Un zapatero remendón es el que arregla el calzado.* ▮ s.m. **4** Mueble o parte de él destinado a guardar zapatos: *La parte baja de ese armario empotrado es el zapatero.* **5** Insecto de cuerpo negro ovalado y alargado con las dos patas delanteras cortas y las cuatro posteriores muy largas y delgadas, que tiene movimientos muy rápidos sobre la superficie del agua: *Los zapateros se alimentan de insectos que atrapan con las patas delanteras.* □ SINÓN. *tejedor.* **6** Pez con la cabeza puntiaguda y de color plateado, que habita en mares de clima tropical: *En los mares de la América tropical se ven zapateros.* □ MORF. En las acepciones 5 y 6, es un sustantivo epiceno: *el zapatero {macho/hembra}.*

zapateta s.f. Golpe o palmada que se da con el pie, saltando al mismo tiempo en señal de alegría.

zapatiesta s.f. Alboroto, jaleo o pelea ruidosos. □ SINÓN. *trapatiesta.*

zapatilla s.f. Zapato ligero y cómodo, generalmente de tela y con suela flexible: *zapatillas de ballet; zapatillas de deporte; zapatillas de estar en casa.* □ MORF. En la lengua coloquial se usa la forma abreviada *zapa.*

zapatillazo s.m. Golpe dado con una zapatilla.

zapatismo s.m. **1** Movimiento revolucionario mexicano de carácter agrario, liderado por Emiliano Zapata (dirigente y revolucionario mexicano) a principios del siglo XX. **2** Movimiento de insurrección campesina, originado en Chiapas (Estado mexicano) en 1994.

zapatista ▮ adj.inv. **1** Del zapatismo o relacionado con este movimiento revolucionario. ▮ adj.inv./s.com. **2** Partidario o seguidor del zapatismo.

zapato s.m. Calzado que cubre solamente el pie. □ ETIMOL. De origen incierto.

zape interj. *col.* Expresión que se usa para ahuyentar al gato. □ ETIMOL. De origen expresivo.

zapear v. Cambiar continuamente de canal de televisión utilizando el mando a distancia: *Me gusta zapear para buscar algún programa interesante en la televisión.* □ SEM. Se usa también *canalear.*

zapeo s.m. Cambio continuo de canal televisivo utilizando el mando a distancia: *hacer zapeo.* □ USO Es innecesario el uso del anglicismo *zapping.*

zapote s.m. **1** Árbol americano de tronco recto y liso, corteza oscura y madera blanca, hojas rojizas y fruto comestible parecido a la manzana: *La madera del zapote es poco resistente.* **2** Fruto de este árbol, que tiene la cáscara verde y la pulpa amarillenta oscura o casi negra: *El zapote es muy dulce.* □ ETIMOL. Del náhuatl *tzapotl* (fruto de sabor dulce).

zapoteca adj.inv./s.com. De un pueblo amerindio de la zona de Oaxaca (Estado mexicano), o relacionado con él.

zapping (ing.) s.m. →**zapeo.** □ PRON. [zápin].

zaquizamí (pl. *zaquizamíes, zaquizamís*) s.m. Desván o habitación pequeña y desarreglada que hay en lo alto de una casa. □ ETIMOL. Del árabe hispánico *sáqf fassamí* (techo quebradizo).

zar s.m. Antiguamente, emperador de Rusia (antiguo Estado euroasiático) o soberano de Bulgaria (país del este europeo). □ ETIMOL. Del ruso *tsar.* □ MORF. Su femenino es *zarina.*

zarabanda s.f. **1** Pieza musical de danza, de ritmo ternario, lento y de carácter solemne, que forma parte de la suite y de la sonata: *En una suite, la zarabanda es una danza optativa que puede ser reemplazada por otras piezas.* **2** Danza popular española de los siglos XVI y XVII: *La zarabanda fue prohibida por el Consejo de Castilla en el siglo XVI, debido a las censuras que recibía de los moralistas.* **3** Ruido fuerte, jaleo o alboroto: *No he podido dormir la siesta con la zarabanda que se formó en la calle.* □ ETIMOL. De origen incierto.

zaragata s.f. Gresca, tumulto o lío grandes. □ ETIMOL. Quizá del francés antiguo *eschargarde* (patrulla que monta la guardia, emboscada).

zaragocista adj.inv./s.com. Del Real Zaragoza (club deportivo zaragozano) o relacionado con él.

zaragozano, na adj./s. De Zaragoza o relacionado con esta provincia española o con su capital: *Calatayud es una ciudad zaragozana.*

zaragüelles s.m.pl. Especie de calzones anchos y muy fruncidos que se usaban antiguamente: *En los campos murcianos y valencianos se veían agricultores con zaragüelles.* □ ETIMOL. Del árabe *sarawil* (calzones, bragas).

zarajo s.m. Tripa de cordero trenzada o enrollada, que se come asada: *Los zarajos son típicos de Cuenca.*

zaranda s.f. Criba o tamiz. □ ETIMOL. Del árabe hispánico *sarand.*

zarandaja s.f. Lo que tiene poco valor o poca importancia: *Déjate de zarandajas y cuéntame algo más interesante.* □ ETIMOL. Del latín **serotinalia,* y este de *serotinus* (tardío). □ MORF. Se usa más en plural.

zarandear v. Mover o sacudir de un lado a otro, repetidamente y con cierta violencia: *El muy bruto me cogió por la solapa y me zarandeó.*

zarandeo s.m. Movimiento repetido y violento de un lado a otro.

zarandillo s.m. **1** *col.* Persona inquieta, que se mueve mucho y hace las cosas con mucha energía. **2** ‖ **traer** a alguien **como un zarandillo;** *col.* Hacerlo ir y venir con frecuencia de un sitio a otro: *Me traes como un zarandillo de la tienda a casa y de casa a la tienda.*

zarangollo s.m. Comida que se elabora con calabaza, cebolla y tomate fritos, a los que suelen añadirse otros ingredientes.

zarapito s.m. Ave zancuda de plumaje pardo por el dorso y blanco en el vientre, cuello largo y pico fino y curvo en la punta: *El zarapito anida entre los juncos y se alimenta de insectos, moluscos y gusanos.* ☐ MORF. Es un sustantivo epiceno: *el zarapito {macho/hembra}.*

zaratán s.m. Cáncer, esp. el de mama. ☐ ETIMOL. Del árabe hispánico *saratán*, y este del árabe clásico *saratan* (cangrejo).

zarceño, ña adj. De la zarza o relacionado con ella.

zarcillo s.m. **1** Pendiente, esp. el que tiene forma de aro. **2** En algunas plantas, órgano largo y delgado que les sirve para asirse a tallos u otros objetos próximos. ☐ ETIMOL. Del latín *circellus* (circulito).

zarco, ca adj. De color azul claro, esp. referido al agua o a los ojos. ☐ ETIMOL. Del árabe *zarqa* (mujer de ojos azules).

zarevich s.m. Hijo de un zar, esp. el primogénito del zar reinante. ☐ ETIMOL. Del ruso *tsarevich*. ☐ ORTOGR. Se usa también *zarévich*.

zarigüeya s.f. Mamífero marsupial de pequeño tamaño, parecido a la rata, con extremidades de cinco dedos, cola prensil, larga y desnuda, de costumbres nocturnas y alimentación omnívora, y que vive en los árboles: *La zarigüeya es un animal de origen americano.* ☐ MORF. Es un sustantivo epiceno: *la zarigüeya {macho/hembra}.*

zarina s.f. de **zar**. ☐ ETIMOL. Del alemán *Zarin*.

zarismo s.m. Forma de gobierno absoluto ejercido por un zar.

zarista adj.inv./s.com. Partidario o seguidor del zarismo.

zarpa s.f. **1** En algunos animales, mano cuyos dedos no se mueven con independencia unos de otros y que generalmente tienen potentes uñas. **2** *col.* En una persona, mano. **3** || **echar la zarpa;** agarrar o apoderarse de algo de forma violenta: *Echó las zarpas sobre el bolso para robarlo en cuanto tuvo la oportunidad.*

zarpada s.f. Golpe dado con la zarpa y herida que produce. ☐ SINÓN. *zarpazo*.

zarpar v. Referido esp. a una embarcación, salir del lugar donde estaba atracada o fondeada: *Zarparemos cuando el capitán lo crea conveniente.* ☐ ETIMOL. Quizá del italiano antiguo *sarpare*.

zarpazo s.m. Golpe dado con la zarpa y herida que produce. ☐ SINÓN. *zarpada*.

zarrapastroso, sa adj./s. *col.* Desaseado, andrajoso, sucio y roto.

zarza s.f. →**zarzamora.**

zarzal s.m. Matorral de zarzas o lugar poblado de ellas.

zarzamora s.f. **1** Arbusto de tallos largos y nudosos con agudas espinas, hojas divididas en cinco hojuelas ovaladas y aserradas, flores blancas o rosadas en racimos terminales, y fruto parecido a la mora pero más pequeño: *La zarzamora es un arbusto silvestre.* **2** Fruto de esta planta. ☐ MORF. En la acepción 1, se usa mucho la forma abreviada *zarza*.

zarzaparrilla s.f. **1** Arbusto de tallos delgados, largos y espinosos, hojas acorazonadas, ásperas y con muchos nervios, flores verdosas, fruto semejante al guisante y raíz fibrosa y casi cilíndrica: *La zarzaparrilla es un arbusto trepador muy común en España.* **2** Bebida refrescante elaborada con esta planta: *La zarzaparrilla es de color más claro que el coñac.*

zarzuela s.f. **1** Obra dramática y musical típicamente española, en la que alternan partes cantadas y habladas: *Una zarzuela muy conocida es 'La verbena de la Paloma'.* **2** Plato compuesto por una serie de mariscos o pescados diferentes aliñados con una salsa. ☐ ETIMOL. Por alusión al real sitio de la Zarzuela, en cuyas fiestas se empezaron a hacer representaciones con obras de este tipo.

zarzuelero, ra adj. **1** De la zarzuela o relacionado con este tipo de música. ☐ SINÓN. *zarzuelístico, zarzuelesco.* **2** Aficionado a ver u oír zarzuelas.

zarzuelesco, ca adj. →**zarzuelero.**

zarzuelista s.com. Compositor de zarzuelas, esp. referido al autor de la música: *El maestro Chapí es un importante zarzuelista.*

zarzuelístico, ca adj. →**zarzuelero.**

zas interj. *col.* Expresión que se usa para indicar que algo sucede de forma rápida o inesperada. ☐ ETIMOL. De origen onomatopéyico.

zascandil s.m. *col.* Persona inconstante, enredadora e inquieta. ☐ USO Aplicado a niños, tiene un matiz cariñoso.

zascandilear v. Ir de un lado a otro enredando y sin hacer nada útil: *Deja de zascandilear por la casa y siéntate a hacer los deberes.*

zascandileo s.m. Ida y venida continua de un lugar a otro, enredando o sin hacer nada útil.

zazen (jap.) s.m. Práctica de meditación budista que consiste en dejar la mente en blanco y concentrarse en la respiración. ☐ PRON. [zacén].

zebra s.f. *ant.* →**cebra.**

zeda s.f. →**zeta.**

zedilla s.f. →**cedilla.**

zéjel s.m. Composición poética de origen árabe, generalmente en octosílabos, que consta de un estribillo inicial y de un número variable de estrofas, cada una de las cuales presenta tres versos monorrimos que constituyen la *mudanza*, y un cuarto verso que rima con el estribillo y recibe el nombre de *vuelta*: *El zéjel procede de la lírica popular arábigo-española y aparece en la castellana en el siglo XIV.* ☐ ETIMOL. Del árabe *zayal*.

zelkova s.f. Árbol con la corteza escamosa y grisácea, y hojas grises por el envés: *Las zelkovas pueden alcanzar los treinta metros de altura.*

zelota s.com. →**zelote.** ☐ ETIMOL. Del latín *zelotes*.

zelote s.com. Miembro de un grupo del pueblo judío palestino, que se caracterizó por su fuerte y rígido integrismo religioso y por su oposición armada frente a los romanos: *Los zelotes organizaron vio-*

lentas revueltas contra el Imperio Romano. □ SINÓN. *zelota.* □ ETIMOL. Del latín *zelotes.*

zen s.m. Práctica del budismo que consiste en controlar el espíritu para detener el curso del pensamiento y alcanzar la esencia de la verdad: *El zen es una forma filosófica procedente de países orientales.* □ ETIMOL. Del japonés *zen.* □ SINT. Se usa mucho en aposición pospuesto a un sustantivo: *budismo zen; cultura zen.*

zenit (pl. *zenit*) s.m. →**cenit.**

zenzontle s.m. Pájaro de plumaje gris oscuro en el dorso y blanco en el vientre, de cuerpo esbelto, cola larga y pico curvado, y que tiene un canto muy melodioso. □ MORF. Es un sustantivo epiceno: *el zenzontle {macho/hembra}.*

zepelín s.m. →**globo dirigible.** □ ETIMOL. Del alemán *Zeppelin.*

zeta ▮ s.m. **1** Coche patrulla del Cuerpo Nacional de Policía. ▮ s.f. **2** Nombre de la letra *z.* **3** En el alfabeto griego clásico, octava letra: *La grafía de la zeta es* θ. □ ORTOGR. 1. En las acepciones 2 y 3, se admite también *zeda.* 2. En la acepción 3, se usa también *theta.*

zeugma s.m. Figura retórica consistente en hacer intervenir en varios enunciados un término que aparece expresado solo en uno de ellos y que debe sobrentenderse en los otros: *En la frase 'Yo soy rubia y tú morena' hay un zeugma.* □ ETIMOL. Del griego *zêugma* (enlace).

zidovudina s.f. Medicamento que se usa para retrasar la aparición de los síntomas del sida.

zigomorfo, fa adj. Referido esp. al verticilo de una flor, que tiene sus partes dispuestas simétricamente a un lado y a otro de un plano que divide la flor en dos mitades: *La flor de la retama tiene la corola zigomorfa.* □ ETIMOL. Del griego *zygós* (yugo) y *-morfo* (forma).

zigoto s.m. →**cigoto.**

zigurat (pl. *zigurats*) s.m. Edificación religiosa propia de la cultura sumeria y acadia, formada por una torre piramidal escalonada, de base cuadrada o rectangular, en cuya parte superior se halla el templo: *Desde el templo del zigurat los sacerdotes mesopotámicos observaban los astros.* □ ETIMOL. Del acadio *ziggurat* (torre).

zigzag s.m. Línea que en su desarrollo forma ángulos alternativos entrantes y salientes: *La esquiadora bajó la pendiente en zigzag.* □ ETIMOL. Del francés *zigzag.* □ USO Se usan los plurales *zigzags* y *zigzag.*

zigzagueante adj.inv. **1** Que zigzaguea: *un sendero zigzagueante.* **2** Que no tiene un desarrollo uniforme: *una trayectoria profesional zigzagueante.*

zigzaguear v. Estar o moverse en zigzag: *El arroyo zigzagueaba por el valle.*

zigzagueo s.m. Movimiento o desplazamiento en zigzag.

zimbabuense adj.inv./s.com. De Zimbabue o relacionado con este país africano.

zinc (pl. *zincs*) s.m. →**cinc.** □ PRON. [cink]. □ ORTOGR. Su símbolo químico es *Zn.* □ MORF. Incorr. el pl. **zinces*, **zincs.*

zíngaro, ra adj./s. →**cíngaro.**

zinnia (tb. *cinia*) s.f. Planta ornamental de tallos ramosos, hojas opuestas y flores grandes con muchos pétalos de diverso color o de colores mezclados: *Las zinnias necesitan mucha luz.* □ ETIMOL. Por alusión a Zinn, médico y naturalista alemán.

zip (ing.) s.m. Herramienta informática que permite comprimir ficheros para que ocupen menos espacio en la memoria del ordenador y sean más manejables.

zipear v. Comprimir varios ficheros informáticos en uno solo, para que ocupen menos espacio en la memoria del ordenador, sean más manejables, y su envío a través de internet sea más rápido.

zíper s.m. En zonas del español meridional, cremallera.

zipizape s.m. *col.* Alboroto o jaleo ruidosos. □ ETIMOL. De origen onomatopéyico.

zippi (ing.) adj.inv./s.com. Referido a una persona, que es seguidora de un movimiento cultural que aúna la ideología hippy con las nuevas tecnologías: *Los zippies proponen ideas zen por internet.* □ ETIMOL. Es el acrónimo del inglés *Zen Inspired Pagan Professionals* (profesionales paganos inspirados en el zen).

zircón s.m. →**circón.**

zirconio s.m. →**circonio.**

zirconita s.f.→**circonita.**

zloty (pol.) (tb. *esloti*) s.m. Unidad monetaria polaca. □ PRON. [eslóti].

zoantropía s.f. Trastorno mental que padecen las personas que creen estar transformadas en un animal: *La licantropía es un tipo de zoantropía.* □ ETIMOL. Del griego *zôion* (animal) y *ánthropos* (hombre, persona).

zocado, da adj. En zonas del español meridional, borracho.

zócalo s.m. **1** Banda o franja horizontal que suele instalarse o pintarse en la parte inferior de las paredes. □ SINÓN. *friso, rodapié.* **2** En zonas del español meridional, plaza principal. □ ETIMOL. Del italiano *zoccolo.*

zocato, ta adj./s. *col.* Zurdo.

zoclo s.m. Zueco o zanco. □ ETIMOL. Del latín *socculus.*

zoco s.m. **1** En algunos países musulmanes, plaza con muchas tiendas y puestos de venta: *Cuando estuve en Marruecos me perdí en un zoco.* **2** Centro comercial.

zodiac s.f. Embarcación de pequeño tamaño, hecha de caucho rígido y con motor fuera borda. □ ETIMOL. Extensión del nombre de una marca comercial. □ PRON. [zódiac].

zodiacal adj.inv. Del Zodíaco (zona celeste que comprende las doce constelaciones que aparentemente recorre el Sol en un año), o relacionado con él: *signo zodiacal.*

zodiaco (tb. *zodíaco*) s.m. Representación del Zodiaco (zona celeste que comprende las doce constelaciones que aparentemente recorre el Sol en un año) que consiste en un círculo dividido en doce sectores.

zombi ❚ adj.inv./s.com. **1** *col.* Atontado, alelado o sin capacidad de reacción: *He dormido poco y estoy zombi.* ❚ s.m. **2** Cuerpo inanimado que ha sido revivido por brujería: *¿Tú crees en los zombis?*

zompantle s.m. Edificio donde los aztecas colocaban, ensartadas en hilera, cabezas de personas a las que sacrificaban. ☐ ETIMOL. Del náhuatl *zompantli*.

zona s.f. **1** Superficie o espacio que forman parte de un todo: *zona lumbar; zona tropical.* **2** Extensión amplia de terreno, esp. si sus límites dependen de razones políticas o administrativas: *Éste es el único parque de la zona.* **3** Terreno o superficie incluidos dentro de ciertos límites: *Un jugador de baloncesto no puede estar más de tres segundos en la zona.* **4** ‖ **zona protegida;** parte de un territorio nacional declarada de importancia ecológica, social o cultural. ☐ SINÓN. *área protegida.* ☐ ETIMOL. Del latín *zona*, y este del griego *zóne* (cinturón).

zonal adj.inv. De una zona o relacionado con ella: *defensa zonal.*

zoncera s.f. *col.* En zonas del español meridional, tontería o disparate.

zonzo, za (tb. *sonso, sa*) adj./s. Soso, insulso o simple. ☐ ETIMOL. De origen expresivo.

zoo s.m. →**zoológico.**

zoo- Elemento compositivo prefijo que significa 'animal': *zoolatría, zoología, zoófago, zoomorfo.* ☐ ETIMOL. Del griego *zôion* (animal).

zoófago, ga adj./s. Que se alimenta de organismos animales. ☐ ETIMOL. De *zoo-* (animal) y *-fago* (que come).

zoofilia s.f. **1** Atracción sexual que experimenta una persona hacia los animales. ☐ SINÓN. *bestialismo.* **2** Cariño o respeto hacia a los animales. ☐ ETIMOL. De *zoo-* (animal) y *-filia* (afición, gusto, amor).

zoofílico, ca ❚ adj. **1** De la zoofilia o relacionado con esta atracción sexual: *un comportamiento zoofílico.* ☐ SINÓN. *zoófilo.* ❚ adj./s. **2** Que siente atracción sexual por los animales. ☐ SINÓN. *zoófilo.* **3** Que siente cariño por los animales. ☐ SINÓN. *zoófilo.*

zoófilo, la adj./s. →**zoofílico.**

zoofobia s.f. Odio o aversión a los animales.

zoofóbico, ca adj./s. Que siente odio o aversión hacia los animales. ☐ SINÓN. *zoófobo.*

zoófobo, ba adj./s. →**zoofóbico.**

zoogenética s.f. Véase **zoogenético, ca**.

zoogenético, ca ❚ adj. **1** De la zoogenética o relacionado con esta parte de la biología. ❚ s.f. **2** Parte de la biología que estudia los mecanismos de transmisión de los caracteres hereditarios en los organismos animales.

zoogeografía s.f. Ciencia que estudia la distribución de las especies animales en la Tierra.

zoografía s.f. Parte de la zoología que se dedica a la descripción de los animales.

zoográfico, ca adj. De la zoografía o relacionado con ella.

zoólatra adj.inv./s.com. Que adora o que rinde culto a los animales: *Los antiguos egipcios fueron un pueblo zoólatra.*

zoolatría s.f. Adoración o culto a los animales. ☐ ETIMOL. De *zoo-* (animal) y *-latría* (adoración).

zoología s.f. Ciencia que estudia los organismos animales. ☐ ETIMOL. De *zoo-* (animal) y *-logía* (estudio, ciencia).

zoológico, ca ❚ adj. **1** De la zoología o relacionado con esta ciencia: *Van a hacer un estudio zoológico de esta zona.* ❚ s.m. **2** Lugar de recreo en el que se guardan y se exhiben animales, esp. los no comunes o exóticos. ☐ MORF. En la acepción 2, se usa mucho la forma abreviada *zoo*.

zoólogo, ga s. Persona que se dedica al estudio de los organismos animales, esp. si es licenciado en biología: *Los ornitólogos son zoólogos especializados en el estudio de las aves.*

zoom (ing.) s.m. →**zum.** ☐ PRON. [zum].

zoomorfo, fa adj. Que tiene forma de animal. ☐ ETIMOL. De *zoo-* (animal) y *-morfo* (forma).

zoonosis (pl. *zoonosis*) s.f. Enfermedad propia de los animales y que se transmite a las personas: *La brucelosis y la hidatidosis son zoonosis.* ☐ ETIMOL. De *zoo-* (animal) y el griego *nósos* (enfermedad).

zooplancton s.m. Plancton marino formado por pequeños animales: *El zooplancton y el fitoplancton forman el plancton.*

zoosanitario, ria adj. De la sanidad animal o relacionado con ella.

zoospermo s.m. En los animales, célula sexual masculina que se forma en los testículos. ☐ SINÓN. *espermatozoide.* ☐ ETIMOL. De *zoo-* (animal) y el griego *spérma* (semilla).

zootecnia s.f. Arte y técnica de la producción, la cría y la mejora de los animales domésticos. ☐ ETIMOL. De *zoo-* (animal) y el griego *téchne* (técnica).

zopas (pl. *zopas*) s.com. *col. desp.* Persona que cecea mucho: *Mi hermanito es un zopas porque todavía no sabe pronunciar bien la 's'.*

zopenco, ca adj./s. *col.* Referido a una persona, que es tonta, bruta o torpe. ☐ ETIMOL. Quizá de *so penco.* ☐ USO Se usa como insulto.

zopilotada s.f. Conjunto de zopilotes.

zopilote s.m. Ave rapaz americana, sin plumas en la cabeza, parecida al buitre común pero de menor tamaño, y de color negro: *Los zopilotes comen carroña y basura.* ☐ MORF. Es un sustantivo epiceno: *el zopilote {macho/hembra}.*

zoquete ❚ adj.inv./s.com. **1** *col.* Referido a una persona, que tiene dificultad para entender las cosas. ❚ s.m. **2** En zonas del español meridional, trozo de madera corto y gordo. ☐ ETIMOL. Del árabe *suqat* (desecho, objeto sin valor). ☐ USO La acepción 1 se usa como insulto.

zorcico s.m. **1** Composición musical de carácter folclórico y propia del País Vasco (comunidad autónoma): *El zorcico se suele interpretar con acompañamiento de chistu y tamboril.* **2** Baile de ritmo vivo que se ejecuta al compás de esta música: *El zorcico es un baile exclusivamente masculino.* □ ETIMOL. Del euskera *zortzico* (octava), porque es una composición musical en compás de cinco por ocho.

zorimbo, ba adj. En zonas del español meridional, borracho.

zorongo s.m. En el traje regional masculino aragonés y navarro, pañuelo que se ata alrededor de la cabeza como una venda: *El zorongo suele ser a cuadros.* □ ETIMOL. De origen incierto.

zorra s.f. Véase **zorro, rra**.

zorrera s.f. Cueva o lugar donde vive el zorro: *Las zorreras suelen tener varias cavidades y en la más profunda están las crías.*

zorrería s.f. *col.* Astucia grande de alguien que es capaz de engañar a los demás en su propio beneficio.

zorrillo s.m. En zonas del español meridional, mofeta: *Los zorrillos para defenderse avientan un chisguete de olor muy fuerte y desagradable.*

zorro, rra ▌adj./s. **1** *col.* Referido a una persona, que es astuta y sabe ocultar sus intenciones: *Para prosperar en este negocio hay que ser muy zorro.* ▌s. **2** Mamífero de pelaje espeso y color pardo o rojizo, que tiene el morro muy alargado, las orejas puntiagudas y la cola larga y espesa con la punta blanca: *Entró un zorro en el corral y mató dos gallinas.* □ SINÓN. *raposo.* ▌s.m. **3** Piel curtida de este animal. ▌s.f. **4** *vulg. desp.* →**prostituta. 5** ‖ **hecho unos zorros;** *col.* En muy malas condiciones: *Llegó agotada y hecha unos zorros.* ‖ **no tener ni zorra;** *vulg.* No saber absolutamente nada. ‖ **zorro ártico;** el de pelo blanco en invierno y pardo en verano, que habita en zonas frías. □ SINÓN. *ísatis.* □ MORF. En la acepción 2, el femenino es el término genérico y sirve para designar indistintamente al macho y a la hembra. □ SEM. El femenino *zorra* es sinónimo de *vulpécula* y de *vulpeja.* □ USO La acepción 4 se usa como insulto.

zorrocloco s.m. En zonas del español meridional, demostración exagerada de cariño o afecto.

zorrón s.m. *vulg. desp.* Persona que se dedica a la prostitución. □ USO Se usa como insulto.

zorruno, na adj. Del zorro, con sus características o relacionado con este mamífero.

zorzal s.m. Pájaro de color pardo, con el pecho claro con pequeñas motas, que tiene las patas robustas y el pico fuerte, y que generalmente se alimenta de insectos: *El zorzal tiene un canto melodioso.* □ MORF. Es un sustantivo epiceno: *el zorzal {macho / hembra}.*

zóster s.m. →**herpes zóster.**

zotal s.m. Desinfectante o insecticida que generalmente se usa en establos y con el ganado: *El olor del zotal es muy fuerte.* □ ETIMOL. Extensión del nombre de una marca comercial.

zote adj.inv./s.com. *col.* Referido a una persona, torpe y de poca inteligencia. □ ETIMOL. De origen incierto. □ USO Se usa como insulto.

zotehuela s.f. En zonas del español meridional, terraza o patio interior de una casa.

zouk s.m. Música muy rítmica, de origen antillano. □ PRON. [suk].

zozobra s.f. **1** Hundimiento de una embarcación: *La vía de agua que se abrió en el casco causó la zozobra del barco.* **2** Fracaso de una empresa o de un plan: *Esta noticia supone la zozobra de nuestros planes.* **3** Inquietud debida a una amenaza o a un mal: *Mi zozobra duró hasta que supe que estabas a salvo.*

zozobrar v. **1** Referido a una embarcación, irse a pique o hundirse: *El barco zozobró y no hubo supervivientes.* **2** Referido esp. a un asunto, fracasar o frustrarse: *Los planes zozobraron por culpa de un chivatazo.* □ ETIMOL. Del latín *sub* (bajo) y *supra* (encima).

zueco s.m. **1** Calzado de madera de una sola pieza, que usaban los campesinos. □ SINÓN. *almadreña, madreña.* **2** Calzado de cuero o de tela, con la suela de corcho o de madera, que deja el talón al descubierto. □ ETIMOL. Del latín *soccus* (especie de pantufla que usaban las mujeres y los comediantes).

-zuelo, -zuela **1** Sufijo con valor diminutivo o afectivo: *huesezuelo, portezuela.* **2** Sufijo con valor despectivo: *jovenzuelo, mujerzuela.*

zulo (eusk.) s.m. Escondite pequeño y generalmente subterráneo: *Durante el registro, la policía encontró un zulo con armas.*

zulú (pl. *zulúes, zulús*) adj.inv./s.com. De una tribu sudafricana o relacionado con ella: *Los zulúes habitan en la República Sudafricana.*

zum (pl. *zums*) s.m. En una cámara, objetivo de distancia de enfoque variable, que permite el acercamiento o el alejamiento ópticos de la imagen. □ ETIMOL. Del inglés *zoom.* □ USO Se usa también *zoom.*

zumaque s.m. **1** Arbusto con tallos leñosos, hojas vellosas, flores rojas y fruto redondo y rojizo: *Los frutos del zumaque tienen muchos taninos.* **2** *col.* Vino. □ ETIMOL. Del árabe hispánico *summáq*, este del árabe clásico *summaq*, y este del arameo *summaq* (rojo), por el color de sus semillas.

zumaya s.f. →**autillo.** □ MORF. Es un sustantivo epiceno: *la zumaya {macho / hembra}.*

zumba s.f. **1** Broma o burla. **2** *col.* En zonas del español meridional, tunda.

zumbado, da adj./s. *col.* Loco o con las facultades mentales un poco trastornadas.

zumbador, -a ▌adj. **1** Que zumba. ▌s.m. **2** Dispositivo eléctrico que emite un zumbido: *Para levantarme pongo el zumbador en mi despertador, porque con la radio a veces no me despierto.*

zumbar v. **1** Producir un ruido o un sonido sordos y continuados, generalmente desagradables: *Los moscones zumbaban alrededor del pastel.* **2** *col.* Golpear: *Como no te estés quieto, te van a zumbar.* **3** ‖ **zumbando;** *col.* Muy deprisa: *Cuando te llame, quiero que vengas zumbando. La moto pasó zumbando.* □ ETIMOL. De origen onomatopéyico. □

SINT. *Zumbando* se usa más con los verbos *ir*, *marcharse*, *salir* y equivalentes.

zumbel s.m. Cuerda que se enrolla en la peonza para lanzarla y hacerla bailar.

zumbido s.m. **1** Ruido sordo y continuado que resulta desagradable. **2** Perturbación acústica producida por ondas de una frecuencia eléctrica de 50 hercios.

zumbón, -a adj./s. *col.* Referido a una persona, que tiene un carácter alegre y burlón.

zumo s.m. Líquido que se obtiene al exprimir frutas o verduras: *zumo de naranja.* □ ETIMOL. Del griego *zomós* (jugo).

zunchar v. Colocar zunchos como refuerzo o como sujeción: *El fontanero zunchó las dos cañerías para que no se separen.*

zuncho s.m. Abrazadera de un material resistente que sirve para reforzar o para sostener algo: *La goma que sale de la bombona de butano se sujeta a la tubería por medio de un zuncho.* □ ETIMOL. De origen incierto.

zupia s.f. Poso del vino.

zurcido s.m. Cosido con que se repara un agujero en una tela disimulándolo.

zurcir v. **1** Referido a un agujero en una tela, coserlo tapándolo con puntadas ordenadas para que quede disimulado: *Me hice un siete en el pantalón, pero ya lo he zurcido.* **2** || **que {me/te/...} zurzan;** *col.* Expresión que indica desprecio o desinterés: *Si no quieres venir, que te zurzan.* □ ETIMOL. Del latín *sarcire* (remendar). □ ORTOGR. La *c* se cambia en *z* delante de *a*, *o* →ZURCIR.

zurda s.f. Véase **zurdo, da.**

zurdazo s.m. Golpe dado con la mano o con el pie izquierdos.

zurdo, da ▮ adj./s. **1** Referido a una persona, que tiene más habilidad con la mano o con la pierna izquierdas. ▮ s.f. **2** Pierna o mano izquierdas. **3** || **no ser zurdo;** *col.* Ser hábil e inteligente: *Este chico no es zurdo cuando le toca organizar las cosas.* □ ETIMOL. Quizá de origen prerromano.

zurear v. Referido a las palomas, hacer arrullos: *Las palomas zureaban en la ventana.* □ ETIMOL. De origen onomatopéyico.

zureo s.m. Emisión de arrullos por las palomas.

zurito, ta ▮ adj. **1** →**zuro.** ▮ s.m. **2** Vaso pequeño de cerveza.

zuro, ra adj. Referido a una paloma o a un palomo, que es silvestre. □ SINÓN. *zurito.*

zurra s.f. *col.* Paliza o castigo de gran dureza.

zurracapote s.m. Bebida refrescante hecha con vino, azúcar, canela y limón.

zurrapa s.f. **1** Impureza de cualquier líquido que poco a poco se va depositando en el fondo del recipiente que lo contiene. **2** *col.* Mancha de excremento en la ropa interior. □ USO 1. Se usa más en plural. 2. Se usa también *zurraspa.*

zurrar ▮ v. **1** *col.* Golpear o castigar duramente: *¡No me levantes la voz, que te zurro!* ▮ prnl. **2** *col.* En zonas del español meridional, sentir deseos incontenibles de defecar: *¡Ya no aguanto, si no sales del baño me zurro aquí!* □ ETIMOL. De origen incierto.

zurraspa s.f. *col.* →**zurrapa.**

zurriagar v. Golpear con el zurriago, con un cinturón o con otra cosa similar: *El protagonista de la película fue zurriagado con crueldad.* □ ORTOGR. La *g* se cambia en *gu* delante de *e* →PAGAR.

zurriagazo s.m. Golpe dado con el zurriago.

zurriago s.m. Látigo que se usa para castigar. □ ETIMOL. De *zurriaga* (látigo).

zurriburri s.m. *col.* Situación confusa, de alboroto o de desorden: *Siempre tiene un zurriburri de papeles en su despacho.*

zurrón s.m. Bolsa grande que se lleva colgada para guardar la caza o las provisiones: *El pastor llevaba pan y queso en el zurrón.* □ ETIMOL. Quizá del euskera *zorro* (saco).

zutano, na s. Una persona cualquiera: *Allí estaban Fulano, Mengano, Zutano y toda la concurrencia.* □ USO Se usa más como nombre propio, y en la expresión *Fulano, Mengano, Zutano y Perengano.*

Apéndices

Índice

1.1. Reglas generales

- **Las reglas de acentuación**, pese a su carácter arbitrario, resultan necesarias para un correcto uso del idioma (la colocación de la tilde establece diferencias importantes entre, por ejemplo, *celebré*, *celebre* y *célebre*).

- **Según su acentuación, las palabras se clasifican en:**

  – Palabras **agudas**:
  Son aquellas en las que el acento recae sobre la última sílaba.
  Ejemplos: *valor, demás.*
  Llevan tilde las acabadas en *-n*, en *-s* o en vocal.
  Ejemplos: *balón, francés.*
  Excepción: Las palabras acabadas en *-n* o en *-s*, cuando estas van precedidas de otras consonantes.
  Ejemplos: *tictacs, zigzags.*

  – Palabras **llanas** (llamadas también **graves**):
  Son aquellas en las que el acento recae sobre la penúltima sílaba.
  Ejemplos: *pata, árbol.*
  Llevan tilde las acabadas en consonante distinta de *-n* y de *-s*.
  Ejemplos: *carácter, Túnez.*
  Excepción: Las palabras acabadas en *-n* o en *-s*, cuando estas van precedidas de otras consonantes.
  Ejemplos: *bíceps, fórceps.*

  – Palabras **esdrújulas**:
  Son aquellas en las que el acento recae sobre la antepenúltima sílaba.
  Ejemplos: *matemáticas, dámelo.*
  Siempre llevan tilde.

  – Palabras **sobresdrújulas**:
  Son aquellas en las que el acento recae sobre la sílaba anterior a la antepenúltima.
  Ejemplos: *preséntamelo, adviértaselo.*
  Siempre llevan tilde.

- **Advertencia importante**

  Las **mayúsculas** llevan tilde cuando corresponde según las reglas generales de acentuación, exactamente igual que las minúsculas.
  Ejemplos: *MARTÍN, LÓPEZ, Álvaro.*

1.2. Diptongos y triptongos

- **¿Qué es un diptongo?**

  Un **diptongo** es la unión de dos vocales pronunciadas en la misma sílaba. A efectos de colocación de la tilde, se considera que hay diptongo siempre que se da una de las combinaciones vocálicas siguientes:

  – Unión de **vocal abierta** (***a*** / ***e*** / ***o***) + **vocal cerrada** (***i*** / ***u***) o viceversa (siempre que la vocal cerrada no sea tónica).
  Ejemplos: *p**ei**-ne, c**au**-sa, cam-b**ia**r, f**ue**, sa-l**ió***.

  Si la vocal cerrada es tónica, es decir, si recibe la mayor intensidad en la pronunciación, nunca hay diptongo.
  Ejemplos: *sa-b**í-a**, va-r**í-a**s, he-ma-t**í-e***.

  – Unión de **dos vocales cerradas distintas** (***i*** / ***u***) (siempre que la primera no sea tónica).
  Ejemplos: *v**iu**-da, c**iu**-dad, je-s**ui**-ta*.

- **¿Qué es un triptongo?**

  Un **triptongo** es la unión de tres vocales pronunciadas en la misma sílaba. A efectos ortográficos, la estructura **vocal cerrada + vocal abierta + vocal cerrada** (si las vocales cerradas no son tónicas) siempre constituye un triptongo.
  Ejemplos: *g**uau**, a-ve-ri-g**üéi**s, en-su-c**iái**s*.

  Si una de las vocales cerradas es tónica, es decir, si recibe la mayor intensidad en la pronunciación, nunca hay triptongo.
  Ejemplos: *a-br**í-ai**s, te-me-r**í-ai**s*.

- **¿Cuándo llevan tilde los diptongos y los triptongos?**

  Los diptongos y los triptongos llevan tilde cuando lo piden las **reglas generales de acentuación**.
  Ejemplos: *can-c**ió**n* (lleva tilde porque es aguda acabada en *-n*)
  *c**ie**n-to* (no lleva tilde porque es llana acabada en vocal)
  *a-ve-ri-g**uái**s* (lleva tilde porque es aguda acabada en *-s*)

- **¿En qué vocal se pone la tilde?**

  – En los diptongos formados por una vocal abierta (***a*** / ***e*** / ***o***) y una cerrada (***i*** / ***u***), la tilde se coloca siempre sobre la vocal abierta.
  Ejemplos: *die-ci-s**éi**s, cl**áu**-su-la, far-ma-c**éu**-ti-co, c**áu**s-ti-co*.

  – En los diptongos formados por dos vocales cerradas (***i*** / ***u***), la tilde se coloca siempre sobre la segunda vocal.
  Ejemplos: *c**uí**-da-los, vein-t**iú**n*.

– En los triptongos, la tilde se coloca siempre sobre la vocal abierta (*a* / *e* / *o*). Ejemplos: *lim-piáis, co-lum-piáis.*

1.3. Hiatos

- **¿Qué es un hiato?**

Un hiato es una secuencia de dos vocales pronunciadas en distinta sílaba. A efectos de acentuación, se considera que hay hiato siempre que se da una de las combinaciones vocálicas siguientes:

– Unión de **dos vocales abiertas (*a* / *e* / *o*).**
Ejemplos: *ca-o-ba, lí-ne-a, es-pon-tá-ne-o.*

– Unión de **vocal abierta + vocal cerrada** (o viceversa), siempre que la vocal cerrada sea tónica.
Ejemplos: *o-ír, dí-a, ca-í-da.*

– Unión de **dos vocales cerradas (*i* / *u*) iguales.**
Ejemplos: *fri-í-si-mo, chi-i-ta.*

- **¿Cuándo se acentúan los hiatos?**

– Las palabras con hiato llevan tilde según las reglas generales de acentuación.
Ejemplos: *le-ón* (lleva tilde porque es aguda acaba en -n)
be-o-do (no lleva tilde porque es llana acabada en vocal)
ve-hí-cu-lo (lleva tilde porque es esdrújula)

– Excepción: los hiatos en que el acento recae sobre la vocal cerrada (***i*** / ***u***) siempre llevan tilde sobre esa vocal cerrada, aunque no lo pidan las reglas generales de acentuación.
Ejemplos: *re-ír* (lleva tilde, pese a ser aguda acabada en consonante distinta de *-n* y *-s*)
tí-a (lleva tilde, pese a ser llana acabada en vocal)

1.4. Hiatos y diptongos

- **Pronunciación de hiatos y diptongos**

– En la pronunciación de algunas palabras, la frontera entre el diptongo y el hiato no es clara.
Ejemplos: *in-clui-do* (pronunciado frecuentemente [in-clu-í-do])
a-cen-tuó (pronunciado frecuentemente [a-cen-tu-ó])
des-viar (pronunciado frecuentemente [des-vi-ár])

– En muchos casos, esta vacilación en la lengua oral no produce dificultades en la escritura, ya que, se considere diptongo o hiato, la palabra en cuestión no debe llevar tilde según las reglas generales de acentuación, o debe llevarla de todas formas.

Ejemplos: *acentuó* (pronunciada con diptongo [a-cen-tuó] o con hiato [a-cen-tu-ó], debe llevar tilde por ser una palabra aguda terminada en vocal)
desviar (pronunciada con diptongo [des-viar] o con hiato [des-vi-ar], no debe llevar tilde por ser palabra aguda terminada en consonante distinta de *-n* o *-s*)

– En otros casos, la vacilación de los hablantes en la pronunciación puede producir dificultades en la escritura.
La pronunciación de la secuencia *ui*, *iu* en sílabas distintas puede hacer que se coloque, erróneamente, una tilde sobre la segunda vocal.
Ejemplos: *in-clui-do*, no **incluído* (por la pronunciación [in-clu-í-do])
o-riun-do, no **oriúndo* (por la pronunciación [o-ri-ún-do])

La pronunciación del diptongo *uo* hace que a veces se ponga la tilde en palabras que no deben llevarla por ser llanas terminadas en vocal.
Ejemplos: *con-ti-nuo*, no **contínuo* (por la pronunciación [con-tí-nu-o])
in-ge-nuo, no **ingénuo* (por la pronunciación [in-gé-nu-o])

- **Algunos ejemplos**

– *con-ti-nú-o*. Es un ejemplo de hiato. Por ser un caso en el que el acento recae en la vocal cerrada, lleva tilde en dicha vocal, aunque no le corresponda por las reglas generales de acentuación (es llana acabada en vocal).

– *con-ti-nu-ó*. Es un ejemplo de hiato. Por ser un caso en el que el acento recae en la vocal abierta, sigue las reglas generales de acentuación (lleva tilde por ser aguda acabada en vocal).

– *con-ti-nuo*. Es un ejemplo de diptongo, y sigue las reglas generales de acentuación (no lleva tilde por ser llana acabada en vocal).

– *lí-ne-a*. Es un ejemplo de hiato (dos vocales abiertas siempre lo son). Se acentúa porque es una palabra esdrújula.

– *e-ne-a*. Es el mismo ejemplo de hiato. No se acentúa porque es llana acabada en vocal.

– *pie*. Es un ejemplo de diptongo. Por ser monosílabo, no se acentúa.

– *pí-e*. Es un ejemplo de hiato cuyo elemento tónico es la vocal cerrada. Por tanto, dicha vocal debe marcarse con tilde pese a no corresponderle por las reglas generales de acentuación (es llana acabada en vocal).

– *pi-é*. Es un ejemplo de hiato con la vocal abierta como elemento tónico. Lleva tilde, por tanto, según las reglas generales de acentuación (es aguda acabada en vocal).

1.5. Acentuación de monosílabos

- **En general, los monosílabos no llevan tilde.**

  Ejemplos: *fe, paz, mes, don, tez.*

- Sin embargo, cuando **dos monosílabos, uno tónico y uno átono**, coinciden en la forma escrita, se coloca tilde en el tónico para evitar su confusión. Es una tilde diacrítica, ya que se utiliza para distinguir palabras que tienen la misma forma pero distinto significado o distinta función gramatical.

  Ejemplos: *sé* (del verbo *ser* o del verbo *saber*)
  se (pronombre)

  Frente a estos casos, palabras como *sal* (del verbo *salir*) y *sal* (sustantivo) no se diferencian con la tilde porque ambas son formas tónicas.

- **Las parejas de monosílabos que pueden o no llevar tilde son:**

  de (preposición): *El perro es **de** Luis.*
  dé (verbo *dar*): *Dile a Juan que te **dé** pan.*

  el (artículo): ***El** libro es mío.*
  él (pronombre): ***Él** no vendrá hoy a la cena.*

  mas (conjunción): *Quería ir, **mas** no pude.*
  más (adverbio de cantidad): *No quiero **más** tarta.*

  mi (determinativo): ***Mi** madre se llama Rosa.*
  mí (pronombre): *¿Te refieres a **mí**?*

  se (pronombre): *María **se** ha hecho daño.*
  sé (verbo *ser* o verbo *saber*): ***Sé** tú mismo. No **sé** el motivo de su enfado.*

  si (interrogativo o condicional): *No sé **si** os conocéis. **Si** quieres, ven al concierto.*
  sí (afirmación): *Dile que **sí**, que allí nos veremos.*

  te (pronombre): *Yo **te** admiro mucho.*
  té (sustantivo): *Quiero tomar un **té**.*

  tu (determinativo): ***Tu** tía está aquí.*
  tú (pronombre): ***Tú** y yo somos buenas amigas.*

- Algunas palabras pueden considerarse **monosílabas** o **bisílabas**, en función de las zonas geográficas y de los registros de uso, según se pronuncien con **diptongo** o con **hiato**.

  Actualmente, se recoge esta doble pronunciación y se permiten dos grafías diferentes. Si se considera que hay un hiato debe ponerse tilde, y si se considera que hay un diptongo o un triptongo debe suprimirse la tilde.

  Ejemplos: *guión* [gui-ón] o *guion* [guion]
  huí [hu-í] o *hui* [hui]
  rió [ri-ó] o *rio* [rio]

1.6. Acentuación de palabras compuestas

- **Cuando dos o más palabras con tilde se unen para formar un compuesto**, solo la última conserva su tilde.

  Ejemplos: *decimo**séptimo*** (de *décimo* y *séptimo*)
  tiovivo (de *tío* y *vivo*)

- **Cuando dos palabras se unen por medio de guión** (-), ambas conservan su tilde.

  Ejemplos: *pol**í**tico-econ**ó**mico*, ***teó**rico-**prác**tico*.

- **Los adverbios formados sobre un adjetivo y acabados en *-mente*** llevan tilde solo si la lleva también dicho adjetivo.

  Ejemplos: ***fácil**mente* (lleva tilde porque *fácil* la lleva)
  ***tonta**mente* (aunque es palabra sobresdrújula, no lleva tilde porque el adjetivo *tonta* no la lleva)

- **Cuando una forma verbal lleva un pronombre pospuesto, es decir, un pronombre enclítico**, dicha forma verbal sigue las reglas generales de acentuación.

  Ejemplos: *salu**do**me* (no lleva tilde porque es una palabra llana acabada en vocal)
  ***dí**selo* (sí lleva tilde porque es una palabra esdrújula)
  ***cuén**tamelo* (sí lleva tilde porque es una palabra sobresdrújula)

  A menudo, por razones de expresividad, estas palabras se pronuncian como agudas, a pesar de ser esdrújulas. Y al plasmar en la escritura esa pronunciación errónea, se coloca tilde en la última sílaba. En las formas verbales con un pronombre pospuesto, nunca debe colocarse la tilde en la vocal del pronombre.

  Ejemplos: Incorr. **miralá* > ***mí**rala*
  Incorr. **callaté* > ***cá**llate*

1.7. Acentuación de demostrativos

- **Cuando los demostrativos van acompañando a un sustantivo**, nunca llevan tilde.
  Ejemplos: *Dame **ese** lápiz.*
  *Me gustan **aquellas** telas.*
- **Cuando sustituyen a un sustantivo (no lo acompañan)** pueden llevar tilde, aunque esta tilde es opcional.
  Ejemplo: *Dame **ésos** / **esos**.*

  La tilde pasa a ser obligatoria cuando no está claro si el demostrativo **acompaña a un sustantivo o lo sustituye. En este último caso, la tilde del demostrativo es obligatoria, para deshacer la posible ambigüedad.**

  Ejemplos: *Llamaron a **este** pequeñajo.* (Le dijeron que fuera.)
  *Llamaron a **éste** pequeñajo.* (Le dijeron que era pequeño.)
- ***Esto*, *eso* y *aquello***

  Las formas *esto, eso* y *aquello* son demostrativos neutros que siempre funcionan como los nombres; no pueden, por tanto, confundirse con determinativos y por ello nunca llevan tilde.

  Ejemplo: Incorr. **Dame* ***éso.*** > *Dame **eso**.*

1.8. Acentuación de *solo* y *sólo*

- **La palabra *solo* puede ser adverbio o adjetivo.**
  - **Adverbio:** Equivale a *solamente* y debe llevar tilde en algunos casos. Modifica a nombres, adjetivos, adverbios, verbos, numerales, etc.
    Ejemplos: ***Solo** tú lo entendiste.* (Solamente tú lo entendiste.)
    ***Solo** me he comprado un libro.* (Solamente me he comprado un libro.)
  - **Adjetivo masculino singular:** Acompaña a un sustantivo o a un pronombre, con los que debe concordar, y nunca lleva tilde. Existen también las formas *sola, solos, solas*.
    Ejemplos: *Yo solo no puedo ir.* (Nosotros solos no podemos ir.)
    Juan está muy solo. (Ana está muy sola.)
- **La palabra *solo* no debe llevar tilde:**
  - Cuando es **adjetivo**.
    Ejemplo: *Estudio **solo** / **sola** porque me concentro mejor.* (Estudio sin compañía.)
  - Cuando es **adverbio y no existe riesgo de ambigüedad**, es decir, no se puede confundir con un adjetivo.

Ejemplo: ***Solo** faltan dos días para las vacaciones*. (Solamente faltan dos días para las vacaciones.)

- **La palabra *solo* únicamente debe llevar tilde** cuando es **adverbio** y se puede producir **ambigüedad**:

  Ejemplos: *Hice **solo** dos ejercicios.* (Hice dos ejercicios sin ayuda.)
  *Hice **sólo** dos ejercicios.* (Hice solamente dos ejercicios.)

- **La palabra *solo* puede ser también un sustantivo**. En este caso nunca lleva tilde.

  Ejemplo: *Hacia la mitad de la obra, hay un **solo** de piano muy complicado.*

2.1. Uso del punto (.)

- **El punto sirve para** indicar la pausa que hacemos al final de enunciados con sentido completo.

- **Después de punto** se empieza a escribir siempre con mayúscula.

- **Hay tres tipos de puntos:**

  – El **punto y seguido**. Sirve para separar enunciados que pertenecen al mismo párrafo.

  – El **punto y aparte**. Sirve para separar un párrafo de otro. Su uso indica que hay un cambio de tema o de enfoque.

  – El **punto final**. Indica el final de un texto.

- **En los textos impresos,** el punto se escribe siempre unido a la palabra anterior sin ningún espacio, y se separa de la palabra siguiente con un espacio en blanco.

- **No se debe usar punto para separar los números de más de tres cifras.** Tradicionalmente, se separaban con punto los números de más de tres cifras, pero la normativa internacional señala que se debe prescindir de él. Para facilitar la lectura de los millares, millones, etc., se recomienda dejar un espacio cada tres cifras (empezando por el final).

  Ejemplos: *1 000 000*
  30 953 980

  Sin embargo, esta separación no debe utilizarse en otros casos, como en la escritura de los años o en los números de las páginas.

  Ejemplos: *El hombre llegó a la Luna en 1969.*
  Este libro tiene 1536 páginas.

- **No se pone punto final después de títulos de libros, artículos, capítulos, obras de arte, etc.**

  Ejemplos: *Las Meninas*
  Capítulo II: Abreviaturas y símbolos

2.2. Uso de la coma (,)

- **La coma indica** una pausa breve en el interior de la frase.

- **La coma se usa:**

  – Para separar los elementos que forman **una enumeración**. El último de estos elementos suele ir separado por una conjunción (*y, e, o*).
  Ejemplo: *Vinieron Pedro, Juan y María.*

– Para separar un **vocativo** del resto de su frase. Este vocativo irá:

- Entre comas, si está en medio de la frase.
  Ejemplo: *A vosotros, estudiantes, me dirijo.*
- Seguido de coma, si está al principio.
  Ejemplo: *Joven, venga conmigo.*
- Precedido de coma, si está al final.
  Ejemplo: *Hazme ese favor, Pedro.*

– Para **separar las proposiciones** de una oración.
Ejemplos: *El día era claro, corría brisa, todo estaba a punto...*

– Para delimitar **incisos**, una oración de relativo explicativa u otra explicación dentro de una frase.
Ejemplos: *Laura, mi prima, tiene trece años.*
La vida, como decía tu padre, es un camino azaroso.

– Para separar **una proposición subordinada que se antepone** a la principal.
Ejemplo: *Cuando ya nos íbamos, llegó él.*

– Para marcar la falta de **un verbo que se ha mencionado antes o que se sobrentiende**.
Ejemplo: *Ese es mi hermano, y esa, mi hermana.*

– Para separar del resto de la oración **conjunciones o expresiones** (*pues, por tanto, sin embargo, no obstante, es decir*).
Ejemplo: *Es la mujer de mi hermano, es decir, mi cuñada.*

- **En los textos impresos,** la coma se escribe siempre unida sin ningún espacio a la palabra anterior y se separa de la palabra siguiente con un espacio en blanco.

- **Un error frecuente**

  Hay oraciones causales que no expresan la causa de la oración principal, sino la causa por la que el hablante dice esa oración. En este caso, es necesario el uso de la coma antes de *porque*.

  Ejemplos: *Llueve porque hay borrasca.*
  Llueve, porque la calle está mojada.

2.3. Uso del punto y coma (;)

- **El punto y coma indica** una pausa mayor que la coma, sin llegar a marcar, como el punto y seguido, el fin de la oración.
  Ejemplo: *Mi padre es profesor; mi madre, economista.*

- **No se escribe mayúscula** después del punto y coma.

- **El punto y coma se usa:**
  - Para separar **oraciones que ya incluyen comas**.
    Ejemplo: *Hoy limpiaré y haré la compra; mañana, estudiaré.*
  - Para separar **oraciones coordinadas adversativas** de cierta extensión.
    Ejemplo: *Tiene salud, inteligencia y todo lo necesario para triunfar; pero le falta confianza en sí mismo.*
  - **Delante de** una oración que empieza por conjunción, pero que no tiene perfecto enlace con la anterior.
    Ejemplo: *Todos corrían y chillaban, todo era alboroto; y, en otros lugares, la vida seguiría igual.*
  - Para unir en un enunciado oraciones con una cierta relación semántica **sin necesidad de un enlace**.
    Ejemplo: *Hoy está en Valladolid; el jueves se va a León.*
- **En los textos impresos**, el punto y coma se escribe siempre unido sin ningún espacio a la palabra anterior y se separa de la palabra siguiente con un espacio en blanco.
- **Advertencia importante**
  A menudo es difícil elegir entre el *punto y coma* y el *punto y seguido*. La diferencia entre ambos no es tanto de entonación o de duración de la pausa como de una mayor o menor conexión semántica entre los elementos que se separan. No es extraño, pues, que la elección entre uno y otro signo de puntuación obedezca a razones subjetivas y dependa de las preferencias personales de cada usuario de la lengua.

2.4. Uso de los dos puntos (:)

- **Los dos puntos indican** que lo que sigue a continuación completa o aclara el sentido de la oración precedente, o responde a algo anunciado en ella.
- **Los dos puntos se usan:**
  - Para introducir **una cita textual**.
    Ejemplo: *Comienza un poema de Fray Luis: «Del monte, en la ladera [...]».*
  - Para anunciar o cerrar una **enumeración**.
    Ejemplo: *Los huesos del oído medio son tres: martillo, yunque y estribo.*
  - Para introducir **ejemplos**.
    Ejemplo: *Prefiero la comida casera: garbanzos, lentejas, judías...*

– **Para introducir** una **frase que explica** o detalla lo dicho anteriormente.
Ejemplo: *Me voy ya: van a cerrar la panadería.*

– **Después del saludo** de una carta o de otro escrito con que nos dirigimos a su destinatario.
Ejemplo: *Estimado Antonio: Me dirijo a usted para...*

- **En los textos impresos**, los dos puntos se escriben siempre unidos a la palabra anterior y se separan de la palabra siguiente con un espacio en blanco.

- **Después de los dos puntos** no se pone nunca mayúscula salvo para introducir una cita o detrás del saludo de una carta.

Ejemplos: *Mi canción preferida empieza: «Sueño con serpientes [...]».*
Querida Sara: Me alegro mucho de que...

- **Algunos errores frecuentes**

– Los dos puntos son siempre incompatibles con la conjunción subordinante *que* (excepto en algunas fórmulas escritas jurídicas y administrativas).
Ejemplo: Incorr. **Dijo: que el hombre es mortal.*
Dijo que el hombre es mortal.

– No se deben poner los dos puntos detrás de una preposición.
Ejemplo: Incorr. **Es experta en: filosofía, lingüística y sociología.*
Es experta en filosofía, lingüística y sociología.

2.5. Uso de los puntos suspensivos (...)

- **Los puntos suspensivos se usan:**

– Para indicar que una enumeración podría continuar.
Ejemplo: *En las piscifactorías se crían truchas, salmones, lucios...*

– Para indicar que un enunciado no está completo.
Ejemplo: *Si me hicieses más caso...*

– Para evitar expresar por completo algo que se sobrentiende o una frase conocida de todos.
Ejemplo: *No es una joya, pero a caballo regalado...*

– Para expresar una interrupción del hablante debida a una duda, a un temor o a otra razón.
Ejemplo: *Pero... ¿estás completamente seguro?*

– En una cita textual, para señalar que se ha suprimido alguna parte que se consideraba innecesaria. En este caso, los puntos suspensivos suelen ir entre corchetes.
Ejemplo: *«En un lugar de la Mancha [...], no ha mucho tiempo [...]».*

- **En los textos impresos**, los puntos suspensivos deben unirse a la palabra anterior sin ningún espacio y separarse de la palabra siguiente con un espacio en blanco.

- **Combinación de los puntos suspensivos con otros elementos del texto:**
  - Los puntos suspensivos nunca aparecen combinados con el **punto**, ya que pueden funcionar como tal. En estos casos, lo que aparece detrás de los puntos suspensivos debe ir escrito con mayúscula.
    Ejemplo: *Este año las cosechas... Es necesario que llueva más.*
  - Los puntos suspensivos no se pueden combinar con la expresión **etc.** porque ambos indican que una enumeración podría continuar. Poner ambas indicaciones es redundante.
    Ejemplo: *En la cafetería había franceses, italianos, alemanes, etc.*
  - Los puntos suspensivos pueden ir combinados con **la coma**, **el punto y coma** o **los dos puntos**.
    Ejemplo: *Me dijo..., no sé cómo explicarlo...: estoy muy nervioso.*

2.6. Uso de los signos de interrogación (¿?) y de exclamación (¡!)

- **Los signos de interrogación**
  - En español se utilizan dos signos de interrogación: el de apertura (¿), que indica dónde empieza la pregunta, y el de cierre (?), que indica dónde termina la pregunta.
    Ejemplo: *¿Vamos hoy al cine?*
  - Los signos de interrogación se usan:
    - En oraciones interrogativas directas.
      Ejemplos: *¿Qué hora es? ¿Es tarde?*
    - En palabras que por sí mismas indican preguntas.
      Ejemplos: *¿Qué? ¿Cómo? ¿Cuándo?*

- **Los signos de exclamación**
  - En español también se utilizan dos signos de exclamación: el de apertura (¡), que indica dónde empieza la exclamación, y el de cierre (!), que indica dónde termina la exclamación.
    Ejemplo: *¡Qué alegría verte!*
  - Los signos de exclamación se usan:
    - En oraciones exclamativas directas.
      Ejemplos: *¡Qué bien sabe esto! ¡Está riquísimo!*
    - En interjecciones o frases con valor de interjección.
      Ejemplos: *¡Eh! ¡Qué locura!*

- **Estos signos se colocan** justo donde empieza y termina la expresión interrogativa o exclamativa, aunque estas sean parte de una oración mayor.

  Ejemplos: *Después de tanto tiempo, ¿ahora me sales con esas?*
  Ya estoy harto, ¡demonios!

- **Los signos de cierre de interrogación (?) y de exclamación (!) aparecen, a veces, escritos entre paréntesis** para expresar, respectivamente, duda o asombro.

  Ejemplos: *Sé que estarás de acuerdo conmigo (?).*
  Se dejó insultar, sonrió y se despidió amablemente (!).

- **Algunos errores frecuentes**

  – Después de estos signos nunca se escribe punto porque el signo de cierre puede funcionar como tal. En cambio, sí se puede poner coma, punto y coma, dos puntos y puntos suspensivos.
  Ejemplos: *¿Qué quieres? Dímelo.*
  ¿Qué quieres?, dime.

  – Nunca se puede marcar una interrogación o una exclamación solo con el signo de cierre.
  Ejemplos: Incorr. **Vienes?* > *¿Vienes?*
  Incorr. **Bien!* > *¡Bien!*

2.7. Uso de las comillas (" ") (« ») (“ ”) (‘ ’)

- **Existen varios tipos de comillas**: las latinas (" ", « »), las inglesas (“ ”) y las simples (‘ ’).

  Lo más aconsejable es emplear siempre las comillas latinas, y reservar las otras para cuando haya que usar comillas dentro de un texto ya entrecomillado.
  Ejemplo: *Afirmó*: *«Sin duda, ‘Niebla’ es un libro estupendo».*

- **Las comillas se usan** en los siguientes casos:

  – Para enmarcar una **cita textual**.
  Ejemplo: *Empezó el discurso con un «Amigos todos».*
  Si la cita es extensa y tiene varios párrafos, se ponen comillas invertidas (») al comienzo del segundo párrafo y de los siguientes.

  – Para enmarcar un **sobrenombre**.
  Ejemplo: *Leopoldo Alas «Clarín» escribió* La Regenta.

  – Para indicar que una palabra o expresión está usada **con sentido irónico** o figurado.
  Ejemplo: *Si eres tan «puntual» como siempre, seguro que no llegamos a tiempo.*

– Para escribir cualquier palabra o expresión **no castellana** y, en general, los términos no recogidos en el Diccionario Académico.
Ejemplo: *¡Vaya «buga» que te has comprado!*

– Para citar **obras, títulos**, etc.
Ejemplo: *Mi novela preferida es «Cien años de soledad».*

- **En los textos impresos**, las **comillas de apertura** se separan con un espacio de la palabra o signo de puntuación que las precede y se unen sin espacio a la palabra o signo de puntuación siguiente. Las **comillas de cierre** se unen sin espacio a la palabra o signo de puntuación que las precede y se separan con un espacio de la palabra o signo de puntuación siguiente.

- **Combinación de las comillas con otros signos de puntuación**

– Los signos de puntuación que se refieren al texto que va incluido dentro de las comillas deben aparecer dentro de estas.
Ejemplos: *Para hacer el trabajo, conviene que leas el artículo «¿Cómo superar la crisis?».*
«Más vale tarde que nunca.»

– Los signos de puntuación que corresponden al texto en el que van insertadas las comillas deben escribirse fuera de las comillas.
Ejemplos: *¿Has visto «Lo que el viento se llevó»?*
Jaime me dijo: «Si lo sé, no vengo».

2.8. Uso del paréntesis ( ) y los corchetes [ ]

- **El paréntesis se usa:**

– Para enmarcar y separar del resto de la frase una **aclaración** o una **observación** al margen.
Ejemplo: *La casa donde vivo (una buhardilla) es de alquiler.*

– Para dar algún **dato** o hacer una **precisión**.
Ejemplos: *Después de acabar la carrera (1997) me fui un año a Londres.*
En Santa Eulalia (Ibiza) hay unas calas preciosas.
Elena estudia segundo de la ESO (Educación Secundaria Obligatoria).

– En las obras de teatro suele enmarcar las **acotaciones**.
Ejemplos: *PEDRO. (Asustado).–¿Quién anda ahí?*
JUAN.–¿No me conoces? (Se acerca.) ¡Soy Juan!

- **Los corchetes** equivalen a los paréntesis, pero solo se usan en casos especiales:

– Para introducir un nuevo paréntesis en una frase que ya va entre paréntesis.
Ejemplo: *El Siglo de las Luces (y de la Revolución Francesa [1789])...*

- Para enmarcar los puntos suspensivos que, en una cita, indican que se ha suprimido un fragmento del texto.
  Ejemplo: *Volverán las oscuras golondrinas [...]; / pero [...] aquellas que aprendieron nuestros nombres, / esas..., ¡no volverán!*

- Para introducir una aclaración o un añadido en una reproducción textual de un texto.
  Ejemplo: *Según su biógrafo, «nadie como aquella mujer [su madre] influyó tanto en el poeta».*

- **En los textos impresos, los paréntesis y los corchetes de apertura** se separan con un espacio de la palabra o signo de puntuación que los precede, y se unen sin espacio a la palabra o signo de puntuación siguiente. **Los paréntesis y los corchetes de cierre** se unen sin espacio a la palabra o signo de puntuación que los precede, y se separan con un espacio de la palabra o signo de puntuación siguiente.

- **Combinación de los paréntesis y los corchetes con otros signos de puntuación**
  - Los signos de puntuación que corresponden al texto que va dentro de los paréntesis o de los corchetes deben incluirse dentro de estos.
    Ejemplos: *Los de la excursión hemos quedado a las seis de la mañana (¡qué sueño!).*
    Los primeros en llegar (Luis, Álvaro, Rafa...) se sentaron en la primera fila.
  - Los signos de puntuación que corresponden al texto en el que van insertados los paréntesis o los corchetes deben escribirse fuera de estos.
    Ejemplos: *¿Viste qué bonita (la camisa)?*
    ¡Me parece increíble (tu intervención)!

2.9. Uso de la raya (–) y el guión (-)

- **Son muy frecuentes las confusiones** entre estos dos signos de puntuación. No hay que confundirlos: la raya (–) es una rayita horizontal mayor que el guión (-).

- **La raya se usa:**
  - Como paréntesis, para delimitar incisos o aclaraciones.
    Ejemplos: *¿Sabías que Luis –el marido de Ana– estudió conmigo?*
    Me lo contó –y eso que yo no pregunté nada– con todo lujo de detalles.
  - En los diálogos, especialmente en los de novelas, para indicar que se inicia la intervención de un nuevo interlocutor.

Ejemplo: *–¿Llevas mucho esperando?*
–Un rato.
–¿Y no ha venido nadie más?
–No, todavía no.

– En una narración, para separar las intervenciones del narrador de las de los personajes.
Ejemplo: *«¿Qué le contestaría?» –pensó Nacho por un momento.*

- **En los textos impresos,** la raya de apertura debe aparecer unida sin ningún espacio a la palabra que la sigue, así como la raya de cierre debe aparecer unida sin ningún espacio a la palabra anterior. Sin embargo, antes de la raya de apertura y después de la de cierre debe haber un espacio, a menos que tras la de cierre haya otro signo de puntuación.

- **El guión se usa:**
  – Para dividir una palabra al final de un renglón.
  Ejemplo: *Nadie quiso expli-*
  carme lo que pasaba.
  – Para separar los elementos de una palabra compuesta, cuando no están totalmente fusionados.
  Ejemplos: *cívico-militar, político-social.*
  – Para separar las cifras de las fechas o para indicar un intervalo numérico.
  Ejemplos: *Yo terminé los estudios en el curso 1984-1985.*
  Nací el 22-3-73.

- **En los textos impresos**, el guión se une generalmente sin ningún espacio a las palabras que aparecen antes y después del signo.

3 DIVISIÓN DE PALABRAS

3.1. Reglas para la división de palabras

Si una palabra no cabe completa en una línea, se divide por sílabas en dos partes. En la parte que queda al final de la línea se pone un guión.

Para separar palabras al final de renglón, hay que tener en cuenta las siguientes reglas:

- **No se pueden separar las letras de una misma sílaba.**

  Excepto en las palabras prefijadas o compuestas, que podrán dividirse atendiendo a las sílabas de la palabra o a su composición. Esta segunda opción solo es posible si el prefijo sigue funcionando como tal o si los componentes tienen existencia independiente.

  Ejemplos: *de-sabastecer* o *des-abastecer*.
  Incorr. **in-hibir.*

- **No se pueden separar dos o más vocales seguidas**, aunque constituyan hiato y formen parte de sílabas distintas.

  Ejemplo: Incorr. **Marí-a* > *Ma-ría*.
  Excepto en las palabras prefijadas o compuestas.
  Ejemplo: *contra-espionaje* o *con-traespionaje*.

- Cuando **el grupo -*cc*-** debe separarse al final de renglón, no pueden aparecer las dos consonantes ni al final ni al principio de la línea.

  Ejemplos: *ac-ción, direc-ción, calefac-ción*.

- **Los dígrafos *ch, ll, rr, gu*** y ***qu*** nunca pueden separarse con guión a final de línea.

  Ejemplos: *ra-**cha**, ca-**lle**, co-**rro**, re-**guero**, mar-**quesina***.

- **Los grupos consonánticos** formados por una consonante seguida de *r* o de *l* pertenecen, generalmente, a la misma sílaba y no pueden, por tanto, separarse al final de renglón.

  Ejemplos: *cu-**br**ir, ha-**bl**ar*.
  Sin embargo, debe tenerse en cuenta que en algunas palabras la *r* o la *l* no forma sílaba con las consonantes *b*, *d* o *t* que la preceden, especialmente en ciertas palabras prefijadas o compuestas.
  Ejemplo: *su**b**-rayar, su**b**-lunar, a**t**-las*.

- Si en una palabra existe **una *h* precedida de una consonante**, la *h* puede empezar renglón, pero no terminarlo (*des-**h**abitar*), aunque lo más recomendable es evitar este tipo de división silábica. Si se opta por la partición silábica de una palabra con prefijo, debe evitarse comenzar el renglón con una combinación consonántica extraña (*de**s**-**h**elar* y no **de-**sh**elar*).

- La *s* **que va precedida y seguida de consonante** forma sílaba siempre con la consonante anterior, no con la siguiente. Por tanto, puede aparecer al final de línea, pero no al principio.

  Ejemplos: *obs-táculo*, *ins-piración*.

- **La letra** ***x*** puede terminar o empezar renglón.

  Ejemplos: *ex-perto, fle-xo*.

- **Las palabras procedentes de otras lenguas** no deben separarse al final de renglón si no se conocen las reglas de los idiomas correspondientes.

3.2. Observaciones a las reglas

- Aunque los **hiatos** forman parte de sílabas diferentes, no pueden separarse al final de renglón.

  Ejemplos: *reac-tor*, ***reía***, ***caó****-tico*.

- Debe evitarse acabar un renglón con la **vocal inicial** de una palabra o empezarlo con la vocal final de otra palabra.

  Ejemplos: *ári-do*, *águi-la*.

- Las abreviaturas y las siglas no se deben dividir a final de línea.

- Si una palabra compuesta con guión tiene que partirse por dicho signo, el guión debe aparecer tanto al final de la línea como al principio de la siguiente.

  Ejemplo: *fonético-*
  -ortográfico

4 USO DE LAS MAYÚSCULAS

4.1. Las letras mayúsculas

- Las letras mayúsculas son las que se escriben con mayor tamaño y, a veces, con forma distinta a la de las minúsculas.

  Ejemplos: *A/a*, *B/b*, *C/c*.
- Las letras mayúsculas reciben también el nombre de **versales**.

4.2. Uso de las letras mayúsculas

Se escribe con mayúscula inicial:

- La primera palabra de un escrito y la primera después de punto.

  Ejemplo: *Tengo mucho frío. Me voy a poner el jersey.*
- La palabra que sigue a los signos de **interrogación** y de **exclamación**, a no ser que estos vayan seguidos de coma, punto y coma, o dos puntos.

  Ejemplo: *¡Qué bonito! ¿Quién te lo ha regalado?*
- La palabra que sigue a los **puntos suspensivos**, cuando hacen la función del punto, es decir, cuando cierran un enunciado.

  Ejemplo: *Me encantan la naranja, la pera, el plátano... Bueno, todas las frutas.*

- **Detrás de los dos puntos**, en los siguientes casos:
  - Cuando aparecen detrás del saludo en cartas y documentos oficiales (tanto si la palabra va en el mismo renglón como si va en renglón aparte).

    Ejemplo: *Querida Alba: Acabo de recibir tu carta...*
  - Cuando se reproducen literalmente las palabras de otra persona.

    Ejemplo: *Me miró muy contento y me dijo: «¿Por fin no te vas?»*

- Los **nombres de pila**, los **apellidos** y los **apodos**.

  Ejemplos: *José, Romero, Clarín, el Bosco.*

  Si el nombre propio es **compuesto**, todas sus palabras (excepto el artículo) empiezan con letra mayúscula inicial.

  Ejemplos: *José Tomás, Alfonso X el Sabio, Juana la Loca.*

  Si el apellido lleva ***de***, esta preposición se escribe con minúscula a no ser que no aparezca el nombre de pila delante.

  Ejemplos: *Me lo contó Juan de Pablos.*
  Me lo contó De Pablos.

- Los nombres de **dinastías** que derivan de apellidos o de palabras usadas como tales. En estos casos, se escriben con mayúscula inicial todas las palabras que forman parte del nombre propio (excepto artículos).
  Ejemplos: *los Borbones, los Austrias.*

  Cuando el nombre de la dinastía procede de un nombre y no de un apellido, se escribe con minúscula.
  Ejemplos: *los nazaríes, los omeyas.*

- Los **nombres propios de lugar**.
  Ejemplos: *Segovia, San Juan, Asia.*

- Los nombres de **instituciones**, **entidades**, **partidos políticos**, etc.
  Ejemplos: *Ministerio de Defensa, Biblioteca Nacional.*

- Los **tratamientos abreviados**.
  Ejemplos: *Vd.* (*usted*)
  Sra. (*señora*)
  Sr. D. (*señor don*)

- Los nombres que se refieren a las **divinidades**, a la **Virgen María** o a los **libros sagrados**.
  Ejemplos: *Alá, el Altísimo, la Virgen del Carmen, el Corán.*

- Los nombres de **obras escritas** (literarias o no). En estos casos, se escribe con mayúscula inicial solo la primera palabra, aunque esta sea un artículo.
  Ejemplos: *El amor en los tiempos del cólera*
  Gramática didáctica del español

  Cuando se nombra un título solo con la palabra más representativa de este, también suele escribirse con mayúscula.
  Ejemplo: *Esta* Gramática *es muy clara.*

- Los nombres de constelaciones, estrellas, planetas o astros.
  Ejemplos: *Júpiter, la Osa Mayor, Saturno*.

  El **Sol**, la **Luna** y la **Tierra**, cuando se usan para designar esos cuerpos celestes y no para hablar de su luz o de otros fenómenos similares.
  Ejemplos: *El Sol es una estrella.*
  Me gusta tomar el sol.

- Los **nombres de los puntos cardinales** cuando forman parte de nombres propios y cuando se habla de ellos explícitamente, pero no cuando indican la dirección de estos puntos.
  Ejemplos: *América del Sur.*
  Sopla viento del sur.

4.3. Acentuación de las letras mayúsculas

- Las letras mayúsculas llevan tilde si lo piden las reglas generales de acentuación.

  Ejemplos: *Écija, Álvaro.*
- La tilde debe conservarse en la vocal inicial de los nombres propios cuando estos aparecen abreviados.

  Ejemplo: *Á. González.*

4.4. Algunos errores frecuentes

- Cuando un nombre propio de lugar empieza por artículo, este también se escribe con mayúscula.

  Ejemplos: Incorr. **el Escorial* > *El Escorial.*
  Incorr. **el Cairo* > *El Cairo.*

- Cuando la palabra empieza por *ch,* por *ll* o por *qu*, solo se escribe con mayúscula la primera letra.

  Ejemplos: Incorr. **CHile* > *Chile.*
  Incorr. **LLeida* > *Lleida.*
  Incorr. **QUito* > *Quito.*
- Los meses del año y los días de la semana se escriben con minúscula:

  Ejemplo: Incorr. **19 de Enero* > *19 de enero.*

- En aquellos casos en que el uso de mayúscula inicial resulte dudoso, hay que tener en cuenta que la mayúscula convierte en nombre propio la palabra en cuestión, es decir, designa solo uno de los seres que pertenecen a una misma clase, diferenciándolo del resto:

  Ejemplos: *El Rey presidió el desfile* (nos referimos a un rey en particular).
  El rey debe lealtad a su bandera (nos estamos refiriendo a cualquier rey).

5.1. Lista de numerales

arábigos	romanos	cardinales	ordinales	fraccionarios	multiplicativos
0		cero			
1	I	uno	primero		
2	II	dos	segundo	medio	doble, duplo
3	III	tres	tercero, tercio	tercio	triple
4	IV	cuatro	cuarto	cuarto	cuádruple, cuádruplo
5	V	cinco	quinto	quinto	quíntuple, quíntuplo
6	VI	seis	sexto	sexto	séxtuplo
7	VII	siete	séptimo	séptimo	séptuplo
8	VIII	ocho	octavo	octavo	óctuple, óctuplo
9	IX	nueve	noveno, nono	noveno	
10	X	diez	décimo	décimo	décuplo
11	XI	once	undécimo	onceavo	
12	XII	doce	duodécimo	doceavo	
13	XIII	trece	decimotercero, decimotercio	treceavo	
14	XIV	catorce	decimocuarto	catorceavo	
15	XV	quince	decimoquinto	quinceavo	
16	XVI	dieciséis	decimosexto	dieciseisavo	
17	XVII	diecisiete	decimoséptimo	diecisieteavo	
18	XVIII	dieciocho	decimoctavo	dieciochoavo	
19	XIX	diecinueve	decimonoveno, decimonono	diecinueveavo	
20	XX	veinte	vigésimo	veinteavo, veintavo	
21	XXI	veintiuno, veintiún	vigésimo primero		
22	XXII	veintidós			
23	XXIII	veintitrés			
24	XXIV	veinticuatro			
25	XXV	veinticinco			
26	XXVI	veintiséis			
27	XXVII	veintisiete			
28	XXVIII	veintiocho			
29	XXIX	veintinueve			
30	XXX	treinta	trigésimo	treintavo	

arábigos	romanos	cardinales	ordinales	fraccionarios	multiplicativos
31	XXXI	treinta y uno			
40	XL	cuarenta	cuadragésimo	cuarentavo	
41	XLI	cuarenta y uno			
50	L	cincuenta	quincuagésimo	cincuentavo	
60	LX	sesenta	sexagésimo	sesentavo	
70	LXX	setenta	septuagésimo	setentavo	
80	LXXX	ochenta	octogésimo	ochentavo	
90	XC	noventa	nonagésimo	noventavo	
100	C	cien, ciento	centésimo	céntimo, centavo	céntuplo
101	CI	ciento uno	centésimo primero		
200	CC	doscientos	ducentésimo		
300	CCC	trescientos	tricentésimo		
400	CD	cuatrocientos	cuadringentésimo		
500	D	quinientos	quingentésimo		
600	DC	seiscientos	sexcentésimo		
700	DCC	setecientos	septingentésimo		
800	DCCC	ochocientos	octingentésimo		
900	CM	novecientos	noningentésimo		
1 000	M	mil	milésimo		
1 001	MI	mil uno			
2 000	MM	dos mil	dosmilésimo		
10 000	$\overline{X}$	diez mil	diezmilésimo		
11 000	$\overline{XI}$	once mil			
1 000 000		un millón	millonésimo		
1 000 000 000		un millardo			
1 000 000 000 000		un billón	billonésimo		

5.2. Los numerales cardinales

- Los numerales cardinales son aquellos que expresan la **cantidad concreta de elementos** de un conjunto. Se pueden escribir con letras o con cifras.

  Ejemplos: *Me he comprado tres libros.*

  Me he comprado 3 libros.

- ¿Cuándo se escriben **con letra** y cuándo **con cifra**?
  - Los números comprendidos entre el cero y el nueve tienden a escribirse con letra.
    Ejemplos: *cuatro, seis.*
  - Los números comprendidos entre el diez y el veinte pueden escribirse con cifra o con letra.
    Ejemplos: *doce* o *12, trece* o *13.*
  - A partir del veinte se aconseja escribir los números con cifra.
    Ejemplos: *34, 67.*
  - Los millones y billones se pueden escribir con letra (*doscientos millones*) o con cifra y letra (*200 millones*).
  - Estas indicaciones no son válidas para los escritos que pertenecen al lenguaje matemático.

- **Cuando se representan con letra**, los numerales cardinales se escriben en una sola palabra hasta el treinta. A partir del treinta, en tres o más (excepto los múltiplos de diez).

  Ejemplos: Incorr. **veinte y uno*> *veintiuno*
  Incorr. **treintaiuno*> *treinta y uno*
  un millón doscientos ocho

- **Las fechas** pueden escribirse con letra o con número, aunque es preferible escribir el día y el año con número, y el mes con letra.

  Ejemplos: *Nací el 20 de junio de 1962.*
  Me matriculé en septiembre de 2000.

- En las **fechas utilizadas en la lengua oral**, los hablantes suelen anteponer el artículo al año.

  Ejemplos: *Mi contrato dura hasta el 2004.*
  Nos darán la casa a mediados del 2007.

- Para la expresión de las **fechas en cartas y documentos** se debe emplear el año sin artículo.

  Ejemplos: *30 de noviembre de 1995*
  2 de enero de 2006

- **Las décadas se escriben siempre con letra.**

  Ejemplo: *Me gusta la música de los años sesenta.*

- **Se escriben siempre con número (nunca con letra):**
  - Los números decimales: *3,1416.*
  - Las temperaturas: *28 °C.*
  - Los horarios: *3.50 h.*
  - La numeración de las calles: *Barquillo, 45.*

5.3. Los numerales ordinales

- Los numerales ordinales son aquellos que expresan **orden** o **sucesión**. Los numerales ordinales se pueden escribir con cifras o con letras.

  Ejemplos: *Quedó la 3.ª en el campeonato de natación.*
  Quedó la tercera en el campeonato de natación.

- Los números ordinales hasta el vigésimo se escriben **en una sola palabra**.

  Ejemplos: *segundo, undécimo, decimonovena.*

- Las **abreviaturas** de los ordinales se escriben con una letra voladita.

  Ejemplos: 1.º (*primero*)
  2.ª (*segunda*)
  13.os (*decimoterceros*)

- **En la lengua coloquial** se usan mucho los numerales cardinales en sustitución de los ordinales.

  Ejemplos: *La treinta y cuatro edición.*
  El ciento cincuenta aniversario.

- **Los ordinales compuestos** conservan la concordancia en ambos términos.

  Ejemplo: Incorr. **Vigésimo primera edición* > *Vigésima primera edición*.

- Cuando **fraccionarios y ordinales** no coinciden en la forma, es incorrecto el uso de los primeros por los segundos.

  Ejemplo: Incorr. **Es el catorceavo presidente* > *Es el decimocuarto presidente.*

- Los ordinales 11.º y 12.º se leen ***undécimo*** y ***duodécimo*** y no **decimoprimero* y **decimosegundo*, respectivamente.

5.4. Los numerales fraccionarios o partitivos

- Los numerales fraccionarios o partitivos son aquellos que **expresan las partes en que se ha dividido una unidad y las que se han tomado de ella**. Los numerales fraccionarios se pueden escribir con cifras o con letras.

  Ejemplos: *Me correspondió 1/3 de la tarta.*
  Me correspondió un tercio de la tarta.

- Los numerales fraccionarios o partitivos que expresan la unidad dividida en dos o tres partes son, respectivamente, ***medio*** y ***tercio***.

  Ejemplos: *Me he comido medio sándwich.*
  Hemos acabado ya un tercio del trabajo.

- Los numerales fraccionarios o partitivos **comprendidos entre el cuarto y el décimo** (ambos incluidos) se escriben igual que los ordinales.

  Ejemplos: *Heredé un cuarto de su fortuna* (partitivo).
  El cuarto finalista era extranjero (ordinal).

- Los numerales fraccionarios o partitivos **a partir del onceavo** no se escriben igual que los ordinales y, por tanto, no deben utilizarse en su lugar.

  Ejemplos: *Me correspondió un onceavo del pastel* (partitivo).
  Llegué la undécima en el maratón (ordinal).

5.5. Los numerales multiplicativos

- Los numerales multiplicativos son aquellos que **contienen a otros un número exacto de veces**; es decir, que expresan multiplicación.

  Ejemplos: *El reloj nuevo me ha costado el doble que el anterior.*
  Hemos recaudado el triple de lo previsto.

- Algunos numerales multiplicativos tienen una **denominación determinada** (ver *Lista de los numerales*).

  Ejemplos: *doble, triple, séptuplo, décuplo.*

- Aquellos numerales multiplicativos que **carecen de denominación**, o es poco habitual, se expresan añadiendo al número la fórmula *veces* (*más, mejor, mayor*, etcétera).

  Ejemplo: *Este año los resultados han sido nueve veces mejores que el año pasado.*

- Los numerales multiplicativos que tienen una denominación determinada también se pueden expresar añadiendo **la fórmula *veces* (*más, mejor, mayor*, etc.)**.

  Ejemplo: *Mi equipo mejoró cinco veces su puntuación final.*

5.6. Los números romanos

- **Se escriben con números romanos:**
  - Los siglos.
    Ejemplo: *Nació a mediados del siglo XIX.*
  - El orden de los nombres de los papas y los reyes.
    Ejemplos: *el papa Pablo VI, la reina Isabel II.*

– Los congresos, ferias y simposios.
  Ejemplo: *II Jornadas de Conservación del Medio Ambiente.*
– Los capítulos de los libros.
  Ejemplo: *capítulo III.*

- En general, **los números romanos se leen:**
  – Como ordinales, si son inferiores a veintiuno.
    Ejemplo: *Alfonso X [Alfonso décimo].*
  – Como cardinales, si son superiores a veintiuno.
    Ejemplo: *Juan XXIII [Juan veintitrés].*

- **Cómo funciona el sistema de numeración romana**

– Para escribir números en el sistema romano se utilizan letras con el siguiente valor:

  I = 1 X = 10 C = 100
  V = 5 L = 50 D = 500 M = 1000

– Para poder formar cualquier número con los símbolos romanos se deben aplicar las siguientes reglas:
  - Una letra colocada a la derecha de otra de mayor valor suma sus valores.
    Ejemplo: *VI tiene valor 6.*
  - Una letra colocada a la izquierda de otra de mayor valor resta sus valores.
    Ejemplo: *IV tiene valor 4.*
  - Una letra solo puede repetirse un máximo de tres veces seguidas.
    Ejemplos: *XX tiene valor 20.*
    XXX tiene valor 30.
  - Una letra colocada entre dos de mayor valor resta siempre de la letra de la derecha.
    Ejemplo: *XIV tiene valor 14.*
  - Una raya sobre una letra multiplica el valor de esta por mil.
    Ejemplo: *$\bar{V}$ tiene valor 5 000.*

6.1. Formación de las abreviaturas

- Una **abreviatura** es la representación de una palabra en la escritura con una o varias de sus letras. Dichas letras conservan el mismo orden que en la palabra que se quiere abreviar. Una abreviatura se lee desarrollando toda la palabra abreviada.

  Para formar una abreviatura se puede:
  - Eliminar las letras o las sílabas finales de una palabra. En este caso, la abreviatura **no debe acabar en vocal**.
    Ejemplos: *ej.* (ejemplo)
    poét. (poético)
  - Dejar solo las letras o las sílabas más representativas. En este caso, la abreviatura puede acabar en **vocal**.
    Ejemplos: *atte*. (atentamente)
    avda. (avenida)
- Cuando una palabra se abrevia por **una sílaba que incluye más de una consonante** antes de la vocal, deben escribirse todas ellas.

  Ejemplo: *intr.* (intransitivo)
- Las abreviaturas se escriben siempre **con punto final**, excepto en los casos con letras voladitas (el punto entonces se pone delante de dicha voladita).

  Ejemplos: *n.º* (número)
  M.ª (María)

  A veces, el punto se sustituye por una barra.
  Ejemplos: *c/* (calle)
  p/o (por orden)
- En los casos de palabras **con tilde**, esta se conserva en la abreviatura.

  Ejemplos: *pág.* (página)
  admón. (administración)

6.2. Plural de las abreviaturas

- Si la abreviatura de una palabra es una sola letra, esta **se duplica**.

  Ejemplos: *s.* (siguiente)
  ss. (siguientes)
- Si la abreviatura no mantiene las últimas letras de la palabra abreviada, **se añade una -*s*.**

  Ejemplos: *ej.* (ejemplo)
  ejs. (ejemplos)

- Si la abreviatura mantiene las últimas letras de la palabra abreviada, el plural se formará siguiendo las **reglas generales de formación del plural**.
  - Se añade *-s* si acaba en vocal.
    Ejemplos: *depto.* (departamento)
    deptos. (departamentos)
  - Se añade *-es* si acaba en consonante.
    Ejemplo: *Sr.* (señor)
    Sres. (señores)
    Excepciones: *Vd.* (usted), *Vds.* (ustedes)
    Ud. (usted), *Uds.* (ustedes)

6.3. Femenino de las abreviaturas

- Generalmente, el femenino se forma **sustituyendo la *-o* final del masculino por una *-a*.**

  Ejemplos: *dcho.* (derecho)
  dcha. (derecha)
- Si el masculino termina en consonante **se añade una *-a***, volada o no.
  - Si la abreviatura se ha formado eliminando las letras o las sílabas finales de una palabra, el femenino se forma añadiendo una *a* volada.
    Ejemplos: *dir.* (director)
    dir.ª (directora)
  - Si la abreviatura se ha formado dejando las letras o sílabas más representativas, el femenino se forma añadiendo una *-a*, volada o no.
    Ejemplos: *Sr.* (señor)
    Sra. o *Sr.ª* (señora)
- Hay abreviaturas que sirven **tanto para el masculino como para el femenino.**

  Ejemplos: *Lic.* (licenciado o licenciada)
  izq. (izquierdo o izquierda)

6.4. Mayúscula de las abreviaturas

- Generalmente, las abreviaturas se escriben con mayúscula o minúscula **según corresponde a la palabra abreviada.**

  Ejemplos: *EE.UU.* (Estados Unidos)
  etc. (etcétera)

- Excepciones:
  - Las abreviaturas de **fórmulas de tratamiento** siempre se escriben con inicial mayúscula, aunque la palabra sin abreviar vaya con minúscula.
    Ejemplos: *S.M.* (Su Majestad)
    Ud. (usted)
    Sr. (señor)
    D. (don)
  - Las abreviaturas de algunos nombres comunes se escriben con inicial mayúscula **por tradición.**
    Ejemplo: *S.M.* (Su Majestad)
  - Las abreviaturas de algunos nombres pueden escribirse **indistintamente** con mayúscula o con minúscula.
    Ejemplo: *Q.D.G.* o *q.D.g.* (que Dios guarde)

6.5. Algunos ejemplos de abreviaturas de uso actual

AA. VV.	autores varios (también *VV. AA.*)
A.D.	*anno Dómini* (*año del Señor*)
a.C.	antes de Cristo (también *a. de C.*)
a. de C.	antes de Cristo (también *a.C.*)
admón.	administración
a.m.	*ante merídiem* (*antes del mediodía*)
apdo.	apartado
art., art.º	artículo
Arz., Arzbpo.	arzobispo
A.T.	Antiguo Testamento
atte.	atentamente
av., avd., avda.	avenida
bibl.	biblioteca
b.l.m.	besa la mano
c.	capítulo (también *cap.*); calle (también *c/*)
c/	cargo; cuenta; calle (también *c.*)
C.ª	compañía (también *Cía.*)
cap.	capítulo (también *c.*)
c/c	cuenta corriente
CC. AA.	Cajas de Ahorro; Comunidades Autónomas
CC. OO.	Comisiones Obreras
cént.	céntimo (plural *cts.*)
cf., cfr.	cónfer (*compárese*) (también *conf., confr.*)
Cía	compañía (también *C.º\ª*)

cód.	código
conf., confr.	cónfer (*compárese*) (también *cf.*, *cfr.*)
C.P.	código postal
cta.	cuenta
cts.	céntimos
c/u	cada uno
D.	don
D.ª	doña
d.C.	después de Cristo (también *d. de C.*)
dcho.; dcha.	derecho; derecha
d. de C.	después de Cristo (también *d.C.*)
D.E.P.	descanse en paz (también *R.I.P.*)
depto.	departamento (también *Dpt.º*)
D.F.	Distrito Federal
dir.; dir.ª	director; directora
D.m.	Dios mediante
D.P.	distrito postal
Dpt.º	departamento (también *depto.*)
Dr.; Dra.	doctor; doctora
dto.	descuento
dupdo.	duplicado
ed.	edición, editor
Ed.; Edit.	editorial
EE. UU.	Estados Unidos
ej.	ejemplo; ejemplar
Em.ª	Eminencia
Emmo.	Eminentísimo
entlo.	entresuelo
e.p.d.	en paz descanse
et al.	*et alii* (*y otros*)
etc.	etcétera
Exc.ª	Excelencia
Excmo.; Excma.	Excelentísimo; Excelentísima
f.; f.º, fol.	folio
F.C.	ferrocarril (plural *FF. CC.*); Fútbol Club
Fdo.	firmado
FF. AA.	Fuerzas Armadas
FF. CC.	ferrocarriles
FF. NN.	Fuerzas Navales
fig.	figurado o figura
Fr.	fray
g/	giro
g.p., g/p	giro postal
gral.	general

gta.	glorieta
H.	hermano(a) (de una orden religiosa)
hnos.; hnas.	hermanos; hermanas
hros.; hras.	herederos; herederas
ibíd., ib.	ibídem (*en el mismo lugar*)
íd.	ídem (*lo mismo*)
i.e.	id est (*esto es*)
Ilmo.; Ilma.	Ilustrísimo; Ilustrísima
imp.	imprenta
ít.	ítem (*también*)
izq.	izquierdo(a)
izqdo.; izqda.	izquierdo; izquierda
J.C.	Jesucristo
L/	letra de cambio
l.c.	loco citato (*en el lugar citado*) (también *loc. cit.*)
Lic.	licenciado(a)
loc. cit.	loco citato (en el *lugar citado*) (también *l.c.*)
Ltd.	*limited* (*limitado*[*a*])
Ltda.	limitada
M.^{e}	madre (en una orden religiosa)
máx.	máximo
mín.	mínimo
Mons.	Monseñor
ms., MS.	manuscrito
Mtro.	maestro
N.ª S.ª	Nuestra Señora
N.B.	nota bene (*obsérvese*)
N. del A.	nota del autor
N. del E.	nota del editor
N. del T.	nota del traductor
n.º	número (también *núm.*)
N.T.	Nuevo Testamento
ntro.; ntra.	nuestro; nuestra
núm.	número (también *n.º*)
o/	orden
Ob., Obpo.	obispo
ob. cit.	obra citada (también *op. cit.*)
O.M.	Orden Ministerial
op.	*opus* (*obra*, en música)
op. cit.	*ópere citato* (*en la obra citada*) (también *ob. cit.*)
p.	página (también *pág.*)
P.	padre (en una orden religiosa); papa (sumo pontífice)
p.ª	para
pág.	página (también *p.*)

párr.	párrafo
P.D.	posdata
Pdte.; Pdta.	presidente, presidenta
p.e., p.ej.	por ejemplo
pl.	plaza (también *P.^{za}*)
p.m.	*post merídiem* (*después de mediodía*)
P.M.	policía militar
p.º	paseo
p.o., p/o	por orden
ppal.	principal
Prof.; Prof.ª	profesor; profesora
pról.	prólogo
P.S.	*post scríptum* (*posdata*)
pta.	peseta (plural *pts.*)
pts.	pesetas
p.^{za}	plaza (también *pl.*)
q.b.s.m.	que besa su mano
q.b.s.p.	que besa sus pies
Q.D.G., q.D.g.	que Dios guarde
q.e.g.e.	que en gloria esté
q.e.p.d.	que en paz descanse
q.e.s.m.	que estrecha su mano
q.s.g.h.	que santa gloria haya
R.	reverendo(a) (también *Rdo., Rda., Rev., Revdo., Revda.*)
R.^{bí}	recibí
R.D.	Real Decreto (España)
Rdo.; Rda.	reverendo; reverenda (también *R., Rev., Revdo., Revda.*)
reg.	registro
rel.	relativo
Rep.	república
Rev.	reverendo(a) (también *R., Rdo., Rda., Revdo., Revda.*)
Revdo.; Revda.	reverendo (también *R., Rdo., Rev.*); reverenda (también *R., Rda., Rev.*)
R.I.P.	*requiescat in pace* (también *D.E.P.*)
Rmo.; Rma.	reverendísimo; reverendísima
R.O.	Real Orden
r.p.m.	revoluciones por minuto
RR. MM.	Reyes Magos
Rte.	remitente
s.	siglo; sustantivo; siguiente (también *sig.*)
S.	San; Santo(a) (también *Sto., Sta.*)
s.a., s/a	sin año (de impresión)
S.A.	Su Alteza; sociedad anónima
S.A.I.	Su Alteza Imperial

S.A.R.	Su Alteza Real
S.A.S.	Su Alteza Serenísima
sdad.	sociedad
S.D.M.	Su Divina Majestad
S.E.	Su Excelencia
s.e., s/e	sin (indicación de) editorial
secret.ª	secretaría
Sermo.; Serma.	Serenísimo, Serenísima
s.e.u.o.	salvo error u omisión
s.f.	sin fecha
sig.	siguiente (también *s.*)
s.l.	sin lugar (de edición)
s.L.	su letra (de cambio)
S.L.	sociedad limitada
S.M.	Su Majestad (plural *SS. MM.*)
Smo.	santísimo
s/n	sin número
s/o	su orden
S.P.	servicio público
Sr.; Sra.	señor; señora (también *Sr.ª*)
Sr.ª	señora (también *Sra.*)
S.R.C.	se ruega contestación
S.R.M.	Su Real Majestad
Srta.	señorita
s.s.	seguro servidor
S.S.	Su Señoría; Su Santidad
SS. MM.	Sus Majestades
SS.^{mo} P.	Santísimo Padre
s.s.s.	su seguro servidor
Sto.; Sta.	santo; santa (también *S.*)
s.v.	*sub voce* (*bajo la palabra*, en diccionarios y enciclopedias)
tel., teléf., tfno.	teléfono
tpo.	tiempo
trad.	traduccion
U., Ud.	usted (también *V., Vd.*)
v.	véase (también *V., vid.*); verso
v/	visto
V.	usted (también *U., Ud., Vd.*); véase (también *v., vid.*)
V.A.	Vuestra Alteza
V.A.R.	Vuestra Alteza Real
Vd.	usted (también *U., Ud., V.*)
Vda.	viuda
V.E.	Vuestra Excelencia, Vuecencia
v.g., v.gr.	verbigracia (*por ejemplo*)

vid.	*vide* (*véase*) (también *v.*, *V.*)
V.M.	Vuestra Majestad
V.°B.°	visto bueno
V.O.	versión original
vol.	volumen
V.P.	Vuestra Paternidad
V.R.	Vuestra Reverencia
vro., vra.	vuestro, vuestra
VV. AA.	varios autores (también *AA. VV.*)
Xto.	Jesucristo

6.6. Formación de los símbolos

- Un **símbolo** es la representación, con una o varias letras, o con signos no alfabetizables, de una palabra científica o técnica. Los símbolos son signos convencionales e invariables, y han sido creados, en general, por organismos internacionales.
  Ejemplos: *rpm* (revoluciones por minuto)
  l (litro)

- Algunos símbolos se escriben con mayúscula y otros con minúscula, pero siempre se ha de respetar la forma dada por los organismos que los han creado.
  Ejemplos: *N* (norte)
  kg (kilogramo)

- Los símbolos se escriben **sin punto**.
  Ejemplos: *Hz* (hercio)
  min (minuto)

- Los símbolos nunca llevan *-s* como marca de **plural**.
  Ejemplos: *t* (tonelada o toneladas)
  V (voltio o voltios)

- Los símbolos **nunca llevan tilde**.
  Ejemplos: *a* (área)
  mol (molécula)

- Cuando los símbolos van **acompañados de una cifra**, se separan de ella con un espacio.
  Ejemplo: *3 m* (tres metros)

Excepciones: Cuando el símbolo de grado (^{o}) o el de porcentaje (%) van acompañados de una cifra, no van separados por un espacio. Salvo que, en el caso de los grados, se especifique en qué escala se miden.

Ejemplos: *6º* (seis grados)
4% (cuatro por ciento)
20 ºC (veinte grados Celsius)

6.7. Algunos ejemplos de símbolos de uso actual

- **Puntos cardinales**

Ejemplos:

N Norte
S Sur
E Este
O Oeste

Estos símbolos, a su vez, pueden combinarse entre sí.

Ejemplos:

NE Nordeste
SE Sureste, Sudeste
NO Noroeste
SO Suroeste, Sudoeste

- **Elementos químicos**

Ejemplos:

Ag plata
C carbono
H hidrógeno
Ra radio
O oxígeno

Estos símbolos, a su vez, se pueden combinar entre sí.

Ejemplos:

H_2O agua
CO_2 anhídrido carbónico

- **Unidades de medida**
  - Unidades de medida del **Sistema Internacional**.

Ejemplos:

m	metro	Pa	pascal
kg	kilogramo	J	julio
s	segundo	W	vatio

A	amperio	C	culombio
K	kelvin	V	voltio
mol	molécula gramo	F	faradio
rad	radián	Ω	ohmio
Hz	hercio	u	unidad de masa atómica
N	newton		

– Unidades de medida de uso general incluidas en el Sistema Internacional.

Ejemplos:

min	minuto
h	hora
d	día
l	litro
t	tonelada
a	área
ha	hectárea
rpm	revoluciones por minuto

- **Múltiplos y submúltiplos.**

Ejemplos:

G	giga-	d	deci-
M	mega-	c	centi-
k	kilo-	m	mili-
h	hecto-	µ	micro-
da	deca-	n	nano-

– Las unidades de medida pueden **combinarse** entre sí.

Ejemplos:

mm	milímetro	kJ	kilojulio
km/s	kilómetro por segundo	ns	nanosegundo
dm	decímetro	MHz	megahercio

- **Símbolos matemáticos**

Ejemplos:

<	menor que	–	menos
≤	menor o igual que	×	multiplicado por
>	mayor que	÷	dividido por
≥	mayor o igual que	=	igual
√	raíz	≠	desigual
*	multiplicado por	∞	infinito
+	más	π	número pi (3,1416 aprox.)

- **Otros símbolos**

  Ejemplos:

§	párrafo
¶	información complementaria
../..	continúa en la siguiente página
@	arroba (en las direcciones de correo electrónico)
©	copyright (derechos de autor)
®	marca registrada
&	y
%	por ciento
‰	por mil
$	peso (moneda oficial de algunos países); dólar (moneda oficial de los Estados Unidos de América)
€	euro (moneda oficial de la Unión Europea)
£	libra esterlina (moneda oficial del Reino Unido)
¥	yen (moneda oficial de Japón)
º	grado
ºC	grado Celsius

7 SIGLAS Y ACRÓNIMOS

7.1. Definición de siglas y acrónimos

- **¿Qué es una sigla?**

  Una sigla es una palabra formada con las iniciales de otras palabras que forman un enunciado, título o denominación.

  Ejemplos: *ETT* (**E**mpresa de **T**rabajo **T**emporal)
  DGT (**D**irección **G**eneral de **T**ráfico)

- **¿Qué es un acrónimo?**

  – Es una sigla que tiene una pronunciación silábica.

  Ejemplos: *BOE* (**B**oletín **O**ficial del **E**stado)
  INI (**I**nstituto **N**acional de **I**ndustria)

  – Es una palabra formada por la unión de varias de las letras de otras palabras, que no sean solo las iniciales, y que forman un enunciado, título o denominación.

  Ejemplos: *Renfe* (**Re**d **N**acional de los **F**errocarriles **E**spañoles)
  ADENA (**A**sociación para la **De**fensa de la **Na**turaleza)

  Los **acrónimos** se leen siempre de forma **silábica**.

7.2. Uso de siglas y acrónimos

- Las **siglas** y los **acrónimos** se escriben, generalmente, con **mayúsculas**.

  Ejemplos: *FMI* (**F**ondo **M**onetario **I**nternacional)
  OTAN (**O**rganización del **T**ratado del **A**tlántico **N**orte)

- Se escriben **sin puntos** ni blancos de separación entre las letras, salvo que formen parte de un texto escrito íntegramente en mayúsculas.

  Ejemplos: *REUNIÓN DEL A.M.P.A. HOY A LAS 10.*

- **No** deben llevar **tilde**, aunque la pronunciación lo requiera según las reglas de acentuación del español.

  Ejemplo: *CIA* (**C**entral **I**ntelligence **A**gency)

- El **plural** escrito es **invariable** (aunque pueden pluralizarse en la pronunciación). La forma de indicar el plural será por medio de las palabras que las introducen.

  Ejemplo: *unas ONG* (unas **O**rganizaciones **N**o **G**ubernamentales)

- **No** debe formarse el **plural** añadiendo una *s* final (con o sin apóstrofo).

  Ejemplo: **PC's*

- **No** admiten **división** con guión al final de línea.

  Ejemplo: **EN- /DESA* (**E**mpresa **N**acional de **E**lectricidad **S**ociedad **A**nónima)

- Si los **dígrafos** *ch* o *ll* forman parte de una sigla, el segundo carácter se escribe con minúscula.

  Ejemplo: *PCCh* (**P**artido **C**omunista de **Ch**ina)
- Los **acrónimos que pasan al léxico común** se escriben con todas las letras en minúsculas.

  Ejemplo: *sida* (**S**índrome de **I**nmuno**d**eficiencia **A**dquirida)
  - Este tipo de acrónimos se escriben con **mayúscula inicial** si se trata de **nombres propios** y tienen más de cuatro letras.

    Ejemplo: *Inem* (**In**stituto **N**acional de **Em**pleo)
  - Deben llevar **tilde** según las reglas de acentuación del español.

    Ejemplo: *módem* (**Mo**dulator-**Dem**odulator)
  - Forman el **plural** según las reglas generales del español.

    Ejemplos: *ovnis* (**O**bjetos **V**oladores **N**o **I**dentificados)
    transistores (**Trans**fer Res**istor**)
  - Admiten **división con guión** al final de línea.

    Ejemplo: *ra- / dar* (**Ra**dio **D**etection **a**nd **R**anging)

7.3. Algunos ejemplos de siglas y acrónimos de uso actual

ABS	(*Anti-lock Braking System*) Sistema de Freno Antibloqueo
ACB	Asociación de Clubes de Baloncesto
ACNUR	Alta Comisaría de las Naciones Unidas para los Refugiados
ADA	Asociación de Ayuda del Automovilista
ADENA	Asociación para la Defensa de la Naturaleza
ADN	Ácido Desoxirribonucleico
ADSL	(*Asymmetric Digital Subscriber Line*) Línea Asimétrica Digital de Abonado
AEDENAT	Asociación Ecologista de Defensa de la Naturaleza
AENA	Aeropuertos Españoles y Navegación Aérea
Aenor	Asociación Española de Normalización y Certificación
Afanias	Asociación de Familias con Niños y Adultos Subnormales
AFE	Asociación de Futbolistas Españoles
AI	Amnistía Internacional
AM	(*Amplitude Modulation*) Modulación de Amplitud (también *OM*)
AMPA	Asociación de Madres y Padres de Alumnos
ANDE	Asociación Nacional del Deporte Especial
ANELE	Asociación Nacional de Editores de Libros y Material de Enseñanza
APA	Asociación de Padres de Alumnos
APD	(*Data Protection Agency*) Agencia de Protección de Datos

API (*Application Program Interface*) Interfaz para Programas de Aplicación
ARN Ácido Ribonucleico
ASCII (*American Standard Code for Information Interchange*) Código Estándar-Norteamericano para el Intercambio de Información
ATS Ayudante Técnico Sanitario
AVE Alta Velocidad Española
B2B (*Business to Business*) De Empresa a Empresa
B2C (*Business to Consumer*) De la Empresa al Consumidor
BBC (*British Broadcasting Corporation*) Cadena Británica de Radiodifusión
BIOS (*Basic Input Output System*) Sistema Básico de Entrada y Salida
BM Banco Mundial
BNG (*Bloque Nacionalista Galego*) Bloque Nacionalista Gallego
BOA Boletín Oficial de Aragón
BOC Boletín Oficial de Canarias / Boletín Oficial de Cantabria
BOCAM Boletín Oficial de la Ciudad de Melilla
BOCCE Boletín Oficial de la Ciudad de Ceuta
BOCM Boletín Oficial de la Comunidad de Madrid
BOCYL Boletín Oficial de Castilla y León
BOE Boletín Oficial del Estado
BOIB Butlletí Oficial de les Illes Balears
BOJA Boletín Oficial de la Junta de Andalucía
BON Boletín Oficial de Navarra
BOPA Boletín Oficial del Principado de Asturias
BOPV Boletín Oficial del País Vasco
BOR Boletín Oficial de La Rioja
BORM Boletín Oficial de la Región de Murcia
BUBA (*Bundesbank*) Banco Central de Alemania
BUP Bachillerato Unificado Polivalente
CAD (*Computer Aided Design*) Diseño Asistido por Ordenador
CASA Construcciones Aeronáuticas Sociedad Anónima
CBS (*Columbia Broadcasting System*) Cadena de radio-televisión norteamericana
CC Coalición Canaria
CD (*Compact Disc*) Disco Compacto / Club Deportivo / Cuerpo Diplomático
CDC (*Convergència Democràtica de Catalunya*) Convergencia Democrática de Cataluña
CDL Colegio de Doctores y Licenciados
CDN Convergencia de Demócratas de Navarra
CDR (*Compact Disc Recordable*) Disco Compacto Grabable
CD-ROM (*Compact Disc Read Only Memory*) Disco compacto solo de lectura

CDU	Clasificación Decimal Universal
CE	Comunidad Europea
CEBÉ	Certificado del Banco de España
CECA	Comunidad Económica del Carbón y del Acero / Confederación Española de Cajas de Ahorro
CECE	Confederación Española de Centros de Enseñanza
CDRW	(*Compact Disc Rewritable*) Disco Compacto Regrabable
CEE	Comunidad Económica Europea
CEI	Comunidad de Estados Independientes
CEOE	Confederación Española de Organizaciones Empresariales
CEPYME	Confederación Española de la Pequeña y Mediana Empresa
CES	Confederación Española de Sindicatos / Consejo Económico y Social
CESID	Centro Superior de Información de la Defensa (hoy *CNI*)
CETI	Centro de Estancia Temporal de Inmigrantes
CF	Club de Fútbol
CFC	Clorofluorocarbono
CGPJ	Consejo General del Poder Judicial
CIA	(*Central Intelligence Agency*) Agencia Central de Inteligencia
CIF	Código de Identificación Fiscal
CIR	Centro de Instrucción de Reclutas
CIS	Centro de Investigaciones Sociológicas
CiU	(*Convergència i Unió*) Convergencia y Unión
CNI	Centro Nacional de Inteligencia
CNT	Confederación Nacional del Trabajo
COE	Comité Olímpico Español
COI	Comité Olímpico Internacional
CONCAPA	Confederación Católica de Padres de Familia y Padres de Alumnos
Confer	Confederación Española de Religiosos
COU	Curso de Orientación Universitaria
CPU	(*Central Processing Unit*) Unidad Central de Proceso
CSC	(*Convergència Socialista de Catalunya*) Convergencia Socialista de Cataluña
CSIC	Consejo Superior de Investigaciones Científicas
DC	Democracia Cristiana
DDT	Diclorodifeniltricloroetano
DGT	Dirección General de Tráfico
DIU	Dispositivo Intrauterino
DNI	Documento Nacional de Identidad
DOCM	Diario Oficial de Castilla-La Mancha
DOE	Diario Oficial de Extremadura
DOG	Diario Oficial de Galicia
DOGC	Diari Oficial de la Generalitat de Catalunya

DOS (*Disk Operating System*) Sistema Operativo de Disco
DOGV Diari Oficial de la Generalitat Valenciana
DUE Diplomado Universitario en Enfermería
DVD (*Digital Versatil Disc*) Disco Digital Polivalente
EAU Emiratos Árabes Unidos
EC (*Esquerra de Catalunya*) Izquierda de Cataluña
EDC (*Esquerra Democràtica de Catalunya*) Izquierda Democrática de Cataluña
EE (*Euskadiko Ezkerra*) Izquierda del País Vasco
EEB Encefalopatía Espongiforme Bovina
EGB Educación General Básica
EH (*Euskal Herritarrok*) Nosotros los Vascos
ELE Español Lengua Extranjera
EMT Empresa Municipal de Transportes
EMV Empresa Municipal de la Vivienda
EPA Encuesta sobre la Población Activa
ERC (*Esquerra Republicana de Catalunya*) Izquierda Republicana de Cataluña
ESO Educación Secundaria Obligatoria
ETA (*Euskadi ta Askatasuna*) País Vasco y Libertad
ETS Escuela Técnica Superior
ETT Empresa de Trabajo Temporal
EU Escuela Universitaria
Euribor (*Euro Interbank Offered Rate*) Tipo de interés ofertado en el mercado interbancario de la eurozona
FAQ (*Frequently Asked Questions*) Preguntas Frecuentes
FBI (*Federal Bureau of Investigation*) Oficina Federal de Investigación
FC Fútbol Club
FED Fondo Europeo de Desarrollo
FEDER Fondo Europeo de Desarrollo Regional
Fenosa Fuerzas Eléctricas del Noroeste Sociedad Anónima
FERE Federación Española de Religiosos de la Enseñanza
FEVE Ferrocarriles Españoles de Vía Estrecha
FFAA Fuerzas Armadas
FIBA Federación Internacional de Baloncesto
FIFA (*Fédération Internationale de Football Association*) Asociación de la Federación Internacional de Fútbol
FM (*Frequency Modulation*) Frecuencia Modulada
FMI Fondo Monetario Internacional
FN Frente Nacional
FOB (*Free on Board*) Entregado a Bordo
Fortran (*Formula Translator*) Traductor de Fórmulas

FP	Formación Profesional
FSE	Fondo Social Europeo
FTP	(*File Transfer Protocol*) Protocolo de Transferencia de Ficheros
G8	Grupo de los Ocho
GAL	Grupo Antiterrorista de Liberación
GEO	Grupo Especial de Operaciones
Gestapo	(*Geheime Staatspolizei*) Policía secreta del Estado nazi
GIF	(*Graphics Interchange Format*) Formato Gráfico de Intercambio
GPS	(*Global Positioning System*) Sistema de Posicionamiento Global
GRAPO	Grupo de Resistencia Antifascista Primero de Octubre
GSM	(*Global System Mobile*) Sistema global de comunicaciones móviles
HB	(*Herri Batasuna*) Unidad popular
HDL	(*High Density Lipoprotein*) Lipoproteína de Alta Densidad
HTML	(*HyperText Markup Language*) Lenguaje de Marcado de Hipertexto
HTTP	(*HyperText Transfer Protocol*) Protocolo de Transferencias de Hipertexto
Hunosa	Hulleras del Norte Sociedad Anónima
IBM	(*International Business Machines Corporation*) Sociedad Internacional de Material Electrónico
ICE	Instituto de Ciencias de la Educación
ICEX	Instituto de Comercio Exterior
ICO	Instituto de Crédito Oficial
Icona	Instituto Nacional para la Conservación de la Naturaleza
I+D	Investigación y Desarrollo
IES	Instituto de Enseñanza Secundaria
IHS	(*Iesus Hominum Salvator*) Jesús Salvador de los Hombres
ILT	Incapacidad Laboral Transitoria
Imserso	Instituto Municipal de Migraciones y Servicios Sociales
INAEM	Instituto Nacional de las Artes Escénicas y de la Música
INE	Instituto Nacional de Estadística
INEF	Instituto Nacional de Educación Física
Inem	Instituto Nacional de Empleo
INI	Instituto Nacional de Industria
Insalud	Instituto Nacional de la Salud
Inserso	Instituto Nacional de Servicios Sociales
Interpol	(*International Police*) Organización Internacional de Policía Criminal
IP	(*Internet Protocol*) Protocolo de Internet
IPC	Índice de Precios al Consumo
IRA	(*Irish Republican Army*) Ejército Republicano Irlandés
IRPF	Impuesto sobre la Renta de las Personas Físicas
IRYDA	Instituto para la Reforma y el Desarrollo Agrario

ISBN (*International Standard Book Number*) Número Internacional Normalizado de Libros
ISO (*International Standard Organization*) Organización Internacional de Estandarización
ISP (*Internet Service Provider*) Proveedor de Acceso a Internet
ISSN (*International Standard Serial Number*) Número Internacional Normalizado para Publicaciones Seriadas
ITV Inspección Técnica de Vehículos
IU Izquierda Unida
IVA Impuesto sobre el Valor Añadido
IVE Interrupción Voluntaria del Embarazo
JOC Juventud Obrera Cristiana
KAS (*Koordinadora Abertzale Sozialista*) Coordinadora Patriota Socialista
KGB (*Komitet Gosudárstvennoy Bezopásnosti*) Comité de Seguridad del Estado
KIO (*Kuwait Investment Office*) Oficina Kuwaití de Inversión
KO (*Knock Out*) Fuera de Combate
LCD (*Liquid Cristal Display*) Representación Visual por Cristal Líquido
LDL (*Low Density Lipoprotein*) Lipoproteína de Baja Densidad
Libor (*London Interbanking Offered Rate*) Tipo de interés ofertado en el mercado interbancario de Londres
LODE Ley Orgánica Reguladora del Derecho a la Educación
LOGSE Ley de Ordenación General del Sistema Educativo
LRU Ley Orgánica de Reforma Universitaria
LSD (*Lysergyc* Acid Diethylamide) Dietilamida del Ácido Lisérgico
MAP Ministerio para las Administraciones Públicas
MBA (*Master in Business Administration*) Máster en Administración de Empresas
MEC Ministerio de Educación, Cultura y Deporte (también *MECD*)
MECD Ministerio de Educación, Cultura y Deporte (también *MEC*)
Mibor (*Madrid Interbaking Offered Rate*) Tipo de interés interbancario en el mercado bursátil madrileño
MIR Médico Interno Residente
MOPTMA Ministerio de Obras Públicas, Transporte, Urbanismo y Medio Ambiente
MS-DOS (*Microsoft Disk Operating System*) Sistema Operativo en Disco de Microsoft
Muface Mutualidad General de Funcionarios Civiles del Estado
NASA (*National Aeronautics and Space Administration*) Administración Nacional para la Aeronáutica y el Espacio
NBA (*National Basketball Association*) Asociación Nacional de Baloncesto Norteamericana

NBC (*National Broadcasting Company*) Cadena de radiotelevisión norteamericana
NIE Número de Identificación de Extranjeros
NIF Número de Identificación Fiscal
OCDE Organización para la Cooperación y el Desarrollo Económico
OCR (*Optical Character Recognition*) Reconocimiento Óptico de Caracteres
OCU Organización de Consumidores y Usuarios
OEA Organización de Estados Americanos
OLP Organización para la Liberación de Palestina
OM Onda Media (también *AM*) / Orden Ministerial
OMS Organización Mundial de la Salud
ONCE Organización Nacional de Ciegos Españoles
ONG Organización No Gubernamental
ONU Organización de las Naciones Unidas
OPA Oferta Pública de Adquisición
OPAEP Organización de Países Árabes Exportadores de Petróleo
OPEP Organización de Países Exportadores de Petróleo
OTAN Organización del Tratado del Atlántico Norte
OTI Organización de Televisiones Iberoamericanas
PA Partido Andalucista
PADRE Programa de Ayuda a la Declaración de la Renta
PAL (*Phase Alternation Line*) Línea de Fase Alternante
PAR Partido Aragonés
PC (*Personal Computer*) Ordenador Personal
PCE Partido Comunista de España
PDA (*Personal Digital Assistant*) Agente Personal Digital
PDNI Partido Democrático de Nueva Izquierda
PE Parlamento Europeo
PER Plan de Empleo Rural / (*Price Earning Ratio*) Relación cotización-beneficio por acción
PESC Política Exterior y de Seguridad Común
PET Politereftalato de Etileno
Ph Potencial de Hidrógeno
PIB Producto Interior Bruto
PIN (*Personal Identification Number*) Número de Identificación Personal
PM Policía Militar
PNB Producto Nacional Bruto
PNN Profesor No Numerario / Producto Nacional Neto
PNV Partido Nacionalista Vasco
Polisario Frente Popular para la Liberación del Sáhara y Río de Oro (Sáhara Occidental)
PP Partido Popular

PSC (*Partit dels Socialistes de Catalunya*) Partido de los Socialistas de Cataluña
PSG-EG (*Partido Socialista Galego-Esquerda Galega*) Partido Socialista Gallego-Izquierda Gallega
PSOE Partido Socialista Obrero Español
PSUC (*Partit Socialista Unificat de Catalunya*) Partido Socialista Unificado de Cataluña
PSV Plan Social de la Vivienda
PUK (*Personal Unblocking Key*) Número de Desbloqueo Personal
PVC (*Polyvinyl-chloride*) Cloruro de Polivinilo
PVP Precio de Venta al Público
PYME Pequeña y Mediana Empresa
QH Quiniela Hípica
RACE Real Automóvil Club de España
RAE Real Academia Española
RAI (*Radio Audizioni Italia*) Radiotelevisión Italiana
RAM (*Random Access Memory*) Memoria de Acceso Directo y de Carácter Efímero
RDSI Red Digital de Servicios Integrados
Renfe Red Nacional de los Ferrocarriles Españoles
Retevisión Red Técnica Española de Televisión
RNE Radio Nacional de España
ROM (*Read Only Memory*) Memoria Solo de Lectura
RTVE Radio Televisión Española
SEMAF Sindicato Español de Maquinistas y Ayudantes Ferroviarios
SEPLA Sindicato Español de Pilotos de Líneas Aéreas
SGAE Sociedad General de Autores y Editores
SIMO Salón Informativo de Material de Oficina (hoy *Feria de Muestras Monográfica Internacional del Equipo de Oficina y de la Informática*)
SME Sistema Monetario Europeo
SMI Sistema Monetario Internacional / Salario Mínimo Interprofesional
SMS (*Short Message Service*) Servicio de Mensajes Cortos
SOC Sindicato de Obreros del Campo / Sindicato Obrero Canario / (*Solidaritat d'Obrers de Catalunya*) Solidaridad de Obreros de Cataluña
SOS (*Save Our Souls*) Salvad Nuestras Almas
SP Servicio Público
SQL (Structured Query Lenguage) Lenguaje para Bases de Datos
SS (*Schuzstaeffel*) Policía política del régimen nazi / Seguridad Social
TAC Tomografía Axial Computerizada
TAE Tasa Anual Equivalente
TAV Tren de Alta Velocidad

TC	Tribunal Constitucional
TNT	Trinitrotolueno
TVE	Televisión Española
UCE	Unión de Consumidores de España
UCI	Unidad de Cuidados Intensivos
UJCE	Unión de Juventudes Comunistas de España
UD	Unión Deportiva
UE	Unión Europea
UEFA	(*Union of European Football Associations*) Unión de Asociaciones Europeas de Fútbol
UGT	Unión General de Trabajadroes
UHF	(*Ultra High Frecuency*) Frecuencia Ultra Alta
UK	(*United Kingdom*) Reino Unido
UMTS	(*Universal Mobile Telecommunications System*) Sistema Universal de Telecomunicaciones Móviles
UNED	Universidad Nacional de Educación a Distancia
UNESCO	(*United Nations Educational, Scientific and Cultural Organization*) Organización de las Naciones Unidas para la Educación, la Ciencia y la Cultura
UNICEF	(*United Nations International Children's Emergency Fund*) Fondo Internacional de las Naciones Unidas para la Ayuda a la Infancia
UPG	(*Unión do Pobo Galego*) Unión del Pueblo Gallego
URL	(*Uniform Resource Locator*) Localizador Uniforme de Recursos
USO	Unión Sindical Obrera
UV	(*Unió Valenciana*) Unión Valenciana
UVA	Unidad Vecinal de Absorción
UVI	Unidad de Vigilancia Intensiva
VAO	Vehículo de Alta Ocupación
VHF	(*Very High Frecuency*) Muy Alta Frecuencia
VHS	(*Video Home System*) Sistema de Vídeo Doméstico
VIH	Virus de Inmunodeficiencia Humana
VPO	Vivienda de Protección Oficial
VPT	Vivienda de Precio Tasado
WAP	(*Wireless Application Protocol*) Protocolo de Aplicaciones Inalámbricas
WWW	(*World Wide Web*) Red Informática Mundial
XML	(*Extensible Markup Language*) Lenguaje Extensible de Etiquetado

8 TOPÓNIMOS

8.1. La escritura de lugares geográficos

- La elección correcta de la grafía de los lugares geográficos es una de las mayores dificultades en la escritura, especialmente en los casos en los que hay más de una forma para designar un mismo lugar.

La elección del topónimo puede ocasionar dudas en los siguientes casos:

- Cuando se vacila entre la forma castellana y la forma original del topónimo.
  Ejemplos: *Nueva York* o *New York*
  Gerona o *Girona*
- Cuando un topónimo ha cambiado de denominación en un corto espacio de tiempo (generalmente por razones políticas).
  Ejemplos: *Sri Lanka* o *Ceilán*
  Myanmar o *Birmania*
- Cuando se vacila al transcribir al español los nombres geográficos procedentes de alfabetos no latinos.
  Ejemplos: *Beijing* o *Pekín*
  Botswana o *Botsuana*

- Algunos topónimos tienen un nombre plural. En estos caso se pueden plantear dificultades a la hora de establecer la concordancia dentro de una oración. En los topónimos que tienen forma plural se deben seguir las siguientes normas:
  - Cuando no va acompañado del artículo, su concordancia ha de ser en singular.
    Ejemplos: *Estados Unidos votó a favor.*
    Filipinas se opuso.
  - Cuando se emplea la forma acompañada del artículo, la concordancia ha de ser en plural.
    Ejemplos: *Los Estados Unidos votaron a favor.*
    Las Filipinas se opusieron.

- En general, las palabras *río, mar, península, monte*... que acompañan a los nombres propios de lugar deben escribirse con minúscula, a menos que formen parte del nombre propio.
  Ejemplos: *península de Yucatán*
  Sierra Morena

8.2. Topónimos extranjeros

- Los topónimos extranjeros que tienen una denominación tradicional en castellano deben designarse con el **nombre castellano**.

  Ejemplos: *Aviñón* (no *Avignon*) *Florencia* (no *Firenze*)
  Nueva York (no *New York*) *Pekín* (no *Beijing*)

- Los topónimos extranjeros que, teniendo correspondencia en castellano, aparecen con frecuencia con **la forma del país de origen**, deben designarse según esta forma, aunque recordando siempre su equivalente en castellano. No obstante, si la forma castellana está bastante arraigada, pueden designarse únicamente con la forma castellana.

  Ejemplos: *Ho Chi Minh (Saigón)*
  Malabo (Santa Isabel)

- Los topónimos extranjeros que originalmente están escritos en caracteres no latinos deben transcribirse adaptando al **alfabeto latino** los sonidos y las grafías extranjeros. Son, entre otros, los nombres griegos, chinos, árabes, rusos o rumanos.

  Ejemplos: *Abiyán* (no *Abidjan*)
  Ucrania (no *Ukrania*)

- Cuando la forma de escribir un nombre geográfico coincide en español y en la lengua original, debe pronunciarse según las normas del español y no con la **pronunciación** de la lengua del país correspondiente.

  Ejemplos: *Miami* [miámi] (no *[maiami])
  Georgia [geórgia] (no *[yorya])

8.3. Topónimos españoles

- **Recomendaciones de uso**
  - Cuando se escribe un texto en español y solo para un ámbito hispanohablante, se usan generalmente solo los topónimos castellanos.

    Ejemplos: *Alicante* (no *Alacant*)
    Azcoitia (no *Azkoitia*)
    Orense (no *Ourense*)
    Tárrega (no *Tàrrega*)
  - Si el texto es periodístico o de viajes, es recomendable utilizar el topónimo castellano y el topónimo en lengua vernácula, cuando ambos son oficiales.

    Ejemplos: *Arrasate o Mondragón.*
    Vera de Bidasoa o Bera.

– Los topónimos de accidentes geográficos locales se escriben generalmente en su lengua original.
Ejemplos: *Cabo de San Jordi* (no *Cabo de San Jorge*)
Serra de la Queixa (no *Sierra de la Queja*)

– No obstante, los nombres de accidentes que superen el ámbito de una comunidad (ríos, montañas...) se escriben siempre en castellano.
Ejemplos: *Ebro* (no *Ebre*)

8.4. Algunos topónimos de España

- Correspondencia de **topónimos oficiales** en castellano con los topónimos en lenguas autonómicas y sus nombres oficiales:

CATALUÑA / CATALUNYA		
CASTELLANO	CATALÁN	OFICIAL
Barcelona	Barcelona	Barcelona
Badalona	Badalona	Badalona
Castelldefels	Castelldefels	Castelldefels
Cornellá	Cornellà de Llobregat	Cornellà de Llobregat
Gavá	Gavà	Gavà
Granollers	Granollers	Granollers
Hospitalet	l'Hospitalet de Llobregat	Hospitalet de Llobregat
Igualada	Igualada	Igualada
Manresa	Manresa	Manresa
Mataró	Mataró	Mataró
Mollet	Mollet del Vallès	Mollet del Vallès
Prat de Llobregat	el Prat de Llobregat	el Prat de Llobregat
Rubí	Rubí	Rubí
Sabadell	Sabadell	Sabadell
San Adrián de Besós	Sant Adrià de Besòs	Sant Adrià de Besòs
San Cugat del Vallés	Sant Cugat del Vallès	Sant Cugat del Vallès
San Feliú de Llobregat	Sant Feliu de Llobregat	Sant Feliu de Llobregat
San Sadurní de Noya	Sant Sadurní d'Anoia	Sant Sadurní d'Anoia
Santa Coloma de Gramanet	Santa Coloma de Gramenet	Santa Coloma de Gramenet
Sitges	Sitges	Sitges
Tarrasa	Terrassa	Terrassa
Vich	Vic	Vic
Villafranca del Panadés	Vilafranca del Penedès	Vilafranca del Penedès
Villanueva y Geltrú	Vilanova i la Geltrú	Vilanova i la Geltrú

Gerona	Girona	Girona
Bañolas	Banyoles	Banyoles
Blanes	Blanes	Blanes
Figueras	Figueres	Figueres
Gerona	Girona	Girona
Lloret de Mar	Lloret de Mar	Lloret de Mar
Olot	Olot	Olot
Palafrugell	Palafrugell	Palafrugell
Palamós	Palamós	Palamós
Puigcerdá	Puigcerdà	Puigcerdà
Ripoll	Ripoll	Ripoll
Salt	Salt	Salt
San Feliú de Guixols	Sant Feliu de Guíxols	Sant Feliu de Guíxols
Lérida	**Lleida**	**Lleida**
Balaguer	Balaguer	Balaguer
Lérida	Lleida	Lleida
Mollerusa	Mollerussa	Mollerussa
Seo de Urgel	la Seu d'Urgell	la Seu d'Urgell
Tárrega	Tàrrega	Tàrrega
Tarragona	**Tarragona**	**Tarragona**
Amposta	Amposta	Amposta
Calafell	Calafell	Calafell
Cambrils	Cambrils	Cambrils
Reus	Reus	Reus
Salou	Salou	Salou
San Carlos de la Rápita	Sant Carles de la Ràpita	Sant Carles de la Ràpita
Tarragona	Tarragona	Tarragona
Tortosa	Tortosa	Tortosa
Valls	Valls	Valls
Vendrell	el Vendrell	el Vendrell

COMUNIDAD VALENCIANA / COMUNITAT VALENCIANA

CASTELLANO	VALENCIANO	OFICIAL
Alicante	**Alacant**	**Alicante / Alacant**
Alcoy	Alcoi	Alcoy / Alcoi
Alicante	Alacant	Alicante / Alacant
Almoradí	Almoradí	Almoradí
Altea	Altea	Altea
Aspe	Aspe	Aspe
Benidorm	Benidorm	Benidorm

Calpe	Calpe	Calpe
Callosa de Segura	Callosa de Segura	Callosa de Segura
Cocentaina	Cocentaina	Cocentaina
Crevillente	Crevillent	Crevillente
Denia	Denia	Denia
Elche	Elx	Elche / Elx
Elda	Elda	Elda
Ibi	Ibi	Ibi
Jávea	Xàbia	Jávea / Xàbia
Jijona	Xixona	Jijona / Xixona
Monóvar	Monóver	Monóvar
Novelda	Novelda	Novelda
Orihuela	Oriola	Orihuela
Petrel	Petrer	Petrer
San Juan de Alicante	Sant Joan d'Alacant	San Juan de Alicante
San Vicente de Raspeig	Sant Vicent del Raspeig	San Vicente de Raspeig
Santa Pola	Santa Pola	Santa Pola
Torrevieja	Torrevella	Torrevieja
Villajoyosa	la Vila Joiosa	Villajoyosa / la Vila Joiosa
Villena	Villena	Villena

Castellón de la Plana	Castelló de la Plana	Castellón de la Plana / Castelló de la Plana
Almazora	Almassora	Almazora / Almassora
Benicarló	Benicarló	Benicarló
Benicasim	Benicàssim	Benicasim / Benicàssim
Burriana	Borriana	Burriana
Castellón de la Plana	Castelló de la Plana	Castellón de la Plana / Castelló de la Plana
Morella	Morella	Morella
Nules	Nules	Nules
Segorbe	Sogorb	Segorbe
Vall de Uxó	la Vall d'Uixó	Vall de Uxó / la Vall d'Uixó
Villarreal	Vila-real	Villarreal / Vila-real
Vinaroz	Vinaròs	Vinaròs

Valencia	València	Valencia
Alacuás	Alaquàs	Alaquàs
Alboraya	Alboraia	Alboraya
Alcira	Alzira	Alzira
Aldaya	Aldaia	Aldaia
Alfafar	Alfafar	Alfafar

Algemesí	Algemesí	Algemesí
Almusafes	Almussafes	Almussafes
Burjasot	Burjassot	Burjassot
Canals	Canals	Canals
Carcagente	Carcaixent	Carcaixent
Carlet	Carlet	Carlet
Catarroja	Catarroja	Catarroja
Cullera	Cullera	Cullera
Gandía	Gandía	Gandía
Játiva	Xàtiva	Xàtiva
Liria	Llíria	Llíria
Manises	Manises	Manises
Masamagrell	Massamagrell	Massamagrell
Mislata	Mislata	Mislata
Moncada	Moncada	Moncada
Oliva	Oliva	Oliva
Onteniente	Ontinyent	Ontinyent
Paterna	Paterna	Paterna
Requena	Requena	Requena
Sagunto	Sagunt	Sagunto/Sagunt
Silla	Silla	Silla
Sueca	Sueca	Sueca
Tabernes de Valldigna	Tavernes de Valldigna	Tavernes de Valldigna
Torrente	Torrent	Torrent
Utiel	Utiel	Utiel

GALICIA / GALICIA

CASTELLANO	GALLEGO	OFICIAL
La Coruña	**A Coruña**	**A Coruña**
Arteijo	Arteixo	Arteixo
Betanzos	Betanzos	Betanzos
Boiro	Boiro	Boiro
Cambre	Cambre	Cambre
Carballo	Carballo	Carballo
Ferrol	Ferrol	Ferrol
La Coruña	A Coruña	A Coruña
Muros	Muros	Muros
Noya	Noia	Noia
Órdenes	Ordes	Ordes
Ortigueira	Ortigueira	Ortigueira
Outes	Outes	Outes
Padrón	Padrón	Padrón
Puentes de García	As Pontes de García-Rodríguez	As Pontes

Puerto del Son	Porto do Son	Porto do Son
Rianjo	Rianxo	Rianxo
Santa Comba	Santa Comba	Santa Comba
Santiago de Compostela	Santiago de Compostela	Santiago de Compostela
Lugo	**Lugo**	**Lugo**
Cervo	Cervo	Cervo
Chantada	Chantada	Chantada
Lugo	Lugo	Lugo
Monforte de Lemos	Monforte de Lemos	Monforte de Lemos
Ribadeo	Ribadeo	Ribadeo
Sarria	Sarria	Sarria
Villalba	Vilalba	Vilalba
Vivero	Viveiro	Viveiro
Orense	**Ourense**	**Ourense**
El Barco de Valdeorras	O Barco de Valdeorras	O Barco de Valdeorras
Carballino	O Carballiño	O Carballiño
Ginzo de Limia	Xinzo de Limia	Xinzo de Limia
Orense	Ourense	Ourense
Ribadavia	Ribadavia	Ribadavia
Verín	Verín	Verín
Viana del Bollo	Viana do Bolo	Viana do Bolo
Pontevedra	**Pontevedra**	**Pontevedra**
Bueu	Bueu	Bueu
Cambados	Cambados	Cambados
Cangas de Morrazo	Cangas de Morrazo	Cangas de Morrazo
El Grove	O Grove	O Grove
La Guardia	A Guarda	A Guarda
Lalín	Lalín	Lalín
Marín	Marín	Marín
Moaña	Moaña	Moaña
Nigrán	Nigrán	Nigrán
Pontevedra	Pontevedra	Pontevedra
Porriño	O Porriño	O Porriño
Puenteareas	Ponteareas	Ponteareas
Redondela	Redondela	Redondela
Sangenjo	Sanxenxo	Sanxenxo
Vigo	Vigo	Vigo
Villagarcía de Arosa	Vilagarcía de Arousa	Vilagarcía de Arousa

ISLAS BALEARES / ILLES BALEARS		
CASTELLANO	CATALÁN	OFICIAL
Alcudia	Alcúdia	Alcúdia
Calviá	Calvià	Calvià
Ciudadela de Menorca	Ciutadella de Menorca	Ciutadella de Menorca
Felanitx	Felanitx	Felanitx
Ibiza	Eivissa	Eivissa
Inca	Inca	Inca
La Puebla	sa Pobla	sa Pobla
Luchmayor	Lluchmajor	Llucmajor
Mahón	Maó	Maó
Manacor	Manacor	Manacor
Palma	Palma	Palma
Pollensa	Pollença	Pollença
Santa Eulalia del Río	Santa Eulària des Riu	Santa Eulària des Riu
Sóller	Sóller	Sóller
Valdemosa	Valldemossa	Valldemossa

NAVARRA / NAFARROA		
CASTELLANO	EUSKERA	OFICIAL
Alsasua	Altsasu	Alsasua / Altsasu
Burlada	Burlata	Burlada
Cintruénigo	Cintruénigo	Cintruénigo
Corella	Corella	Corella
Estella	Lizarra	Estella / Lizarra
Olite	Erriberri	Olite
Pamplona	Iruña	Pamplona / Iruña
Sangüesa	Zangora	Sangüesa
Tafalla	Tafalla	Tafalla
Tudela	Tutera	Tudela
Vera de Bidasoa	Bera	Vera de Bidasoa / Bera
Villava	Atarrabia	Villava / Atarrabia

PAÍS VASCO / EUSKADI		
CASTELLANO	EUSKERA	OFICIAL
Álava	Araba	Álava-Araba
Amurrio	Amurrio	Amurrio
Llodio	Laudio	Llodio
Salvatierra	Agurain	Salvatierra
Vitoria	Gasteiz	Vitoria-Gasteiz[1]
Guipúzcoa	Gipuzkoa	Gipuzkoa
Andoain	Andoain	Andoain
Azcoitia	Azkoitia	Azkoitia
Azpeitia	Azpeitia	Azpeitia
Beasain	Beasain	Beasain

Éibar	Eibar	Eibar
Elgoibar	Elgoibar	Elgoibar
Fuenterrabía	Hondarribia	Hondarribia
Hernani	Hernani	Hernani
Irún	Irun	Irun
Lasarte	Lasarte-Oria	Lasarte / Oria
Mondragón	Arrasate	Arrasate / Mondragón
Pasajes	Pasaia	Pasaia
Rentería	Errenteria	Errenteria
San Sebastián	Donostia	Donostia-San Sebastián[1]
Tolosa	Tolosa	Tolosa
Vergara	Bergara	Bergara
Zarauz	Zarautz	Zarautz
Zumárraga	Zumarraga	Zumarraga
Vizcaya	**Bizkaia**	**Bizkaia**
Baracaldo	Barakaldo	Barakaldo
Bilbao	Bilbo	Bilbao
Durango	Durango	Durango
Guecho	Getxo	Getxo
Guernica	Gernika-Lumo	Gernika-Lumo[1]
Lejona	Leioa	Leioa
Munguía	Mungia	Mungia
Ondárroa	Ondarroa	Ondarroa
Portugalete	Portugalete	Portugalete
Santurce	Santurtzi	Santurtzi
Sestao	Sestao	Sestao

PRINCIPADO DE ASTURIAS

CASTELLANO	BABLE	OFICIAL
Aller	Ayer	Aller
Cangas de Onís	Cangues d'Onís	Cangas de Onís
Gijón	Xixón	Gijón
Grado	Grau	Grado
Langreo	Llangréu	Langreo
Llanes	Llanes	Llanes
Luarca	Lluarca	Luarca
Mieres	Mieres	Mieres
Pravia	Pravia	Pravia
Ribadesella	Ribesella	Ribadesella
Tineo	Tinéu	Tineo
Villaviciosa	Villaviciosa	Villaviciosa

[1] El guión indica que el nombre oficial es todo ello.

9.1. Verbos regulares

1.ª conjugación: AMAR

Indicativo

presente	pretérito perfecto	
amo	he	amado
amas	has	amado
ama	ha	amado
amamos	hemos	amado
amáis	habéis	amado
aman	han	amado

pretérito imperfecto	pretérito pluscuamperfecto	
amaba	había	amado
amabas	habías	amado
amaba	había	amado
amábamos	habíamos	amado
amabais	habíais	amado
amaban	habían	amado

pretérito indefinido (1)	pretérito anterior	
amé	hube	amado
amaste	hubiste	amado
amó	hubo	amado
amamos	hubimos	amado
amasteis	hubisteis	amado
amaron	hubieron	amado

futuro imperfecto	futuro perfecto	
amaré	habré	amado
amarás	habrás	amado
amará	habrá	amado
amaremos	habremos	amado
amaréis	habréis	amado
amarán	habrán	amado

condicional simple	condicional compuesto	
amaría	habría	amado
amarías	habrías	amado
amaría	habría	amado
amaríamos	habríamos	amado
amaríais	habríais	amado
amarían	habrían	amado

Subjuntivo

presente	pretérito perfecto	
ame	haya	amado
ames	hayas	amado
ame	haya	amado
amemos	hayamos	amado
améis	hayáis	amado
amen	hayan	amado

pretérito imperfecto	pretérito pluscuamperfecto	
amara, -ase	hubiera, -ese	amado
amaras, -ases	hubieras, -eses	amado
amara, -ase	hubiera, -ese	amado
amáramos, -ásemos	hubiéramos, -ésemos	amado
amarais, -aseis	hubierais, -eseis	amado
amaran, -asen	hubieran, -esen	amado

futuro imperfecto	futuro perfecto	
amare	hubiere	amado
amares	hubieres	amado
amare	hubiere	amado
amáremos	hubiéremos	amado
amareis	hubiereis	amado
amaren	hubieren	amado

Imperativo

presente

ama	(tú)
ame	(usted)
amemos	(nosotros)
amad	(vosotros)
amen	(ustedes)

Formas no personales

infinitivo
amar

infinitivo compuesto
haber amado

gerundio
amando

gerundio compuesto
habiendo amado

participio
amado

(1) Se llama también **pretérito perfecto simple**.

2.ª conjugación: TEMER

Indicativo

presente	pretérito perfecto	
temo	he	temido
temes	has	temido
teme	ha	temido
tememos	hemos	temido
teméis	habéis	temido
temen	han	temido

pretérito imperfecto	pretérito pluscuamperfecto	
temía	había	temido
temías	habías	temido
temía	había	temido
temíamos	habíamos	temido
temíais	habíais	temido
temían	habían	temido

pretérito indefinido (1)	pretérito anterior	
temí	hube	temido
temiste	hubiste	temido
temió	hubo	temido
temimos	hubimos	temido
temisteis	hubisteis	temido
temieron	hubieron	temido

futuro imperfecto	futuro perfecto	
temeré	habré	temido
temerás	habrás	temido
temerá	habrá	temido
temeremos	habremos	temido
temeréis	habréis	temido
temerán	habrán	temido

condicional simple	condicional compuesto	
temería	habría	temido
temerías	habrías	temido
temería	habría	temido
temeríamos	habríamos	temido
temeríais	habríais	temido
temerían	habrían	temido

Subjuntivo

presente	pretérito perfecto	
tema	haya	temido
temas	hayas	temido
tema	haya	temido
temamos	hayamos	temido
temáis	hayáis	temido
teman	hayan	temido

pretérito imperfecto	pretérito pluscuamperfecto	
temiera, -ese	hubiera, -ese	temido
temieras, -eses	hubieras, -eses	temido
temiera, -ese	hubiera, -ese	temido
temiéramos, -ésemos	hubiéramos, -ésemos	temido
temierais, -eseis	hubierais, -eseis	temido
temieran, -esen	hubieran, -esen	temido

futuro imperfecto	futuro perfecto	
temiere	hubiere	temido
temieres	hubieres	temido
temiere	hubiere	temido
temiéremos	hubiéremos	temido
temiereis	hubiereis	temido
temieren	hubieren	temido

Imperativo

presente	
teme	(tú)
tema	(usted)
temamos	(nosotros)
temed	(vosotros)
teman	(ustedes)

Formas no personales

infinitivo	infinitivo compuesto
temer	haber temido

gerundio	gerundio compuesto
temiendo	habiendo temido

participio

temido

3.ª conjugación: PARTIR

Indicativo

presente

parto	
partes	
parte	
partimos	
partís	
parten	

pretérito perfecto

he	partido
has	partido
ha	partido
hemos	partido
habéis	partido
han	partido

pretérito imperfecto

partía
partías
partía
partíamos
partíais
partían

pretérito pluscuamperfecto

había	partido
habías	partido
había	partido
habíamos	partido
habíais	partido
habían	partido

pretérito indefinido (1)

partí
partiste
partió
partimos
partisteis
partieron

pretérito anterior

hube	partido
hubiste	partido
hubo	partido
hubimos	partido
hubisteis	partido
hubieron	partido

futuro imperfecto

partiré
partirás
partirá
partiremos
partiréis
partirán

futuro perfecto

habré	partido
habrás	partido
habrá	partido
habremos	partido
habréis	partido
habrán	partido

condicional simple

partiría
partirías
partiría
partiríamos
partiríais
partirían

condicional compuesto

habría	partido
habrías	partido
habría	partido
habríamos	partido
habríais	partido
habrían	partido

Subjuntivo

presente

parta
partas
parta
partamos
partáis
partan

pretérito perfecto

haya	partido
hayas	partido
haya	partido
hayamos	partido
hayáis	partido
hayan	partido

pretérito imperfecto

partiera, -ese
partieras, -eses
partiera, -ese
partiéramos, -ésemos
partierais, -eseis
partieran, -esen

pretérito pluscuamperfecto

hubiera, -ese	partido
hubieras, -eses	partido
hubiera, -ese	partido
hubiéramos, -ésemos	partido
hubierais, -eseis	partido
hubieran, -esen	partido

futuro imperfecto

partiere
partieres
partiere
partiéremos
partiereis
partieren

futuro perfecto

hubiere	partido
hubieres	partido
hubiere	partido
hubiéremos	partido
hubiereis	partido
hubieren	partido

Imperativo

presente

parte	(tú)
parta	(usted)
partamos	(nosotros)
partid	(vosotros)
partan	(ustedes)

Formas no personales

infinitivo

partir

infinitivo compuesto

haber partido

gerundio

partiendo

gerundio compuesto

habiendo partido

participio

partido

ABOLIR

Indicativo

presente
–
–
–
abolimos
abolís
–

pretérito imperfecto
abolía
abolías
abolía
abolíamos
abolíais
abolían

pretérito indefinido (1)
abolí
aboliste
abolió
abolimos
abolisteis
abolieron

futuro imperfecto
aboliré
abolirás
abolirá
aboliremos
aboliréis
abolirán

condicional simple
aboliría
abolirías
aboliría
aboliríamos
aboliríais
abolirían

Subjuntivo

presente
–
–
–
–
–
–

pretérito imperfecto
aboliera, -ese
abolieras, -eses
aboliera, -ese
aboliéramos, -ésemos
abolierais, -eseis
abolieran, -esen

futuro imperfecto
aboliere
abolieres
aboliere
aboliéremos
aboliereis
abolieren

Imperativo

presente
–
–
–
abolid (vosotros)
–

Formas no personales

infinitivo abolir
gerundio amando
participio aboliendo

ACTUAR

Indicativo

presente
actúo
actúas
actúa
actuamos
actuáis
actúan

pretérito imperfecto
actuaba
actuabas
actuaba
actuábamos
actuabais
actuaban

pretérito indefinido (1)
actué
actuaste
actuó
actuamos
actuasteis
actuaron

futuro imperfecto
actuaré
actuarás
actuará
actuaremos
actuaréis
actuarán

condicional simple
actuaría
actuarías
actuaría
actuaríamos
actuaríais
actuarían

Subjuntivo

presente
actúe
actúes
actúe
actuemos
actuéis
actúen

pretérito imperfecto
actuara, -ase
actuaras, -ases
actuara, -ase
actuáramos, -ásemos
actuarais, -aseis
actuaran, -asen

futuro imperfecto
actuare
actuares
actuare
actuáremos
actuareis
actuaren

Imperativo

presente
actúa (tú)
actúe (usted)
actuemos (nosotros)
actuad (vosotros)
actúen (ustedes)

Formas no personales

infinitivo actuar
gerundio actuando
participio actuado

ADQUIRIR

Indicativo

presente
adquiero
adquieres
adquiere
adquirimos
adquirís
adquieren

pretérito imperfecto
adquiría
adquirías
adquiría
adquiríamos
adquiríais
adquirían

pretérito indefinido (1)
adquirí
adquiriste
adquirió
adquirimos
adquiristeis
adquirieron

futuro imperfecto
adquiriré
adquirirás
adquirirá
adquiriremos
adquiriréis
adquirirán

condicional simple
adquiriría
adquirirías
adquiriría
adquiriríamos
adquiriríais
adquirirían

Subjuntivo

presente
adquiera
adquieras
adquiera
adquiramos
adquiráis
adquieran

pretérito imperfecto
adquiriera, -ese
adquirieras, -eses
adquiriera, -ese
adquiriéramos, -ésemos
adquirierais, -eseis
adquirieran, -esen

futuro imperfecto
adquiriere
adquirieres
adquiriere
adquiriéremos
adquiriereis
adquirieren

Imperativo

presente
adquiere (tú)
adquiera (usted)
adquiramos (nosotros)
adquirid (vosotros)
adquieran (ustedes)

Formas no personales

infinitivo adquirir
gerundio adquiriendo
participio adquirido

AGORAR

Indicativo

presente
agüero
agüeras
agüera
agoramos
agoráis
agüeran

pretérito imperfecto
agoraba
agorabas
agoraba
agorábamos
agorabais
agoraban

pretérito indefinido (1)
agoré
agoraste
agoró
agoramos
agorasteis
agoraron

futuro imperfecto
agoraré
agorarás
agorará
agoraremos
agoraréis
agorarán

condicional simple
agoraría
agorarías
agoraría
agoraríamos
agoraríais
agorarían

Subjuntivo

presente
agüere
agüeres
agüere
agoremos
agoréis
agüeren

pretérito imperfecto
agorara, -ase
agoraras, -ases
agorara, -ase
agoráramos, -ásemos
agorarais, -aseis
agoraran, -asen

futuro imperfecto
agorare
agorares
agorare
agoráremos
agorareis
agoraren

Imperativo

presente
agüera (tú)
agüere (usted)
agoremos (nosotros)
agorad (vosotros)
agüeren (ustedes)

Formas no personales

infinitivo agorar
gerundio agorando
participio agorado

ANDAR

Indicativo

presente
ando
andas
anda
andamos
andáis
andan

pretérito imperfecto
andaba
andabas
andaba
andábamos
andabais
andaban

pretérito indefinido (1)
anduve
anduviste
anduvo
anduvimos
anduvisteis
anduvieron

futuro imperfecto
andaré
andarás
andará
andaremos
andaréis
andarán

condicional simple
andaría
andarías
andaría
andaríamos
andaríais
andarían

Subjuntivo

presente
ande
andes
ande
andemos
andéis
anden

pretérito imperfecto
anduviera, -ese
anduvieras, -eses
anduviera, -ese
anduviéramos, -ésemos
anduvierais, -eseis
anduvieran, -esen

futuro imperfecto
anduviere
anduvieres
anduviere
anduviéremos
anduviereis
anduvieren

Imperativo

presente
anda (tú)
ande (usted)
andemos (nosotros)
andad (vosotros)
anden (ustedes)

Formas no personales

infinitivo andar
gerundio andando
participio andado

ARGÜIR

Indicativo

presente
arguyo
arguyes
arguye
argüimos
argüís
arguyen

pretérito imperfecto
argüía
argüías
argüía
argüíamos
argüíais
argüían

pretérito indefinido (1)
argüí
argüiste
arguyó
argüimos
argüisteis
arguyeron

futuro imperfecto
argüiré
argüirás
argüirá
argüiremos
argüiréis
argüirán

condicional simple
argüiría
argüirías
argüiría
argüiríamos
argüiríais
argüirían

Subjuntivo

presente
arguya
arguyas
arguya
arguyamos
arguyáis
arguyan

pretérito imperfecto
arguyera, -ese
arguyeras, -eses
arguyera, -ese
arguyéramos, -ésemos
arguyerais, -eseis
arguyeran, -esen

futuro imperfecto
arguyere
arguyeres
arguyere
arguyéremos
arguyereis
arguyeren

Imperativo

presente
arguye (tú)
arguya (usted)
arguyamos (nosotros)
argüid (vosotros)
arguyan (ustedes)

Formas no personales

infinitivo argüir
gerundio *arguyendo*
participio argüido

ASIR

Indicativo

presente
asgo
ases
ase
asimos
asís
asen

pretérito imperfecto
asía
asías
asía
asíamos
asíais
asían

pretérito indefinido (1)
así
asiste
asió
asimos
asisteis
asieron

futuro imperfecto
asiré
asirás
asirá
asiremos
asiréis
asirán

condicional simple
asiría
asirías
asiría
asiríamos
asiríais
asirían

Subjuntivo

presente
asga
asgas
asga
asgamos
asgáis
asgan

pretérito imperfecto
asiera, -ese
asieras, -eses
asiera, -ese
asiéramos, -ésemos
asierais, -eseis
asieran, -esen

futuro imperfecto
asiere
asieres
asiere
asiéremos
asiereis
asieren

Imperativo

presente
ase (tú)
asga (usted)
asgamos (nosotros)
asid (vosotros)
asgan (ustedes)

Formas no personales

infinitivo asir
gerundio asiendo
participio asido

AVERGONZAR

Indicativo

presente
avergüenzo
avergüenzas
avergüenza
avergonzamos
avergonzáis
avergüenzan

pretérito imperfecto
avergonzaba
avergonzabas
avergonzaba
avergonzábamos
avergonzabais
avergonzaban

pretérito indefinido (1)
avergoncé
avergonzaste
avergonzó
avergonzamos
avergonzasteis
avergonzaron

futuro imperfecto
avergonzaré
avergonzarás
avergonzará
avergonzaremos
avergonzaréis
avergonzarán

condicional simple
avergonzaría
avergonzarías
avergonzaría
avergonzaríamos
avergonzaríais
avergonzarían

Subjuntivo

presente
avergüence
avergüences
avergüence
avergoncemos
avergoncéis
avergüencen

pretérito imperfecto
avergonzara, -ase
avergonzaras, -ases
avergonzara, -ase
avergonzáramos, -ásemos
avergonzarais, -aseis
avergonzaran, -asen

futuro imperfecto
avergonzare
avergonzares
avergonzare
avergonzáremos
avergonzareis
avergonzaren

Imperativo

presente
avergüenza (tú)
avergüence (usted)
avergoncemos (nosotros)
avergonzad (vosotros)
avergüencen (ustedes)

Formas no personales

infinitivo avergonzar
gerundio avergonzando
participio avergonzado

AVERIGUAR

Indicativo

presente
averiguo
averiguas
averigua
averiguamos
averiguáis
averiguan

pretérito imperfecto
averiguaba
averiguabas
averiguaba
averiguábamos
averiguabais
averiguaban

pretérito indefinido (1)
averigüé
averiguaste
averiguó
averiguamos
averiguasteis
averiguaron

futuro imperfecto
averiguaré
averiguarás
averiguará
averiguaremos
averiguaréis
averiguarán

condicional simple
averiguaría
averiguarías
averiguaría
averiguaríamos
averiguaríais
averiguarían

Subjuntivo

presente
averigüe
averigües
averigüe
averigüemos
averigüéis
averigüen

pretérito imperfecto
averiguara, -ase
averiguaras, -ases
averiguara, -ase
averiguáramos, -ásemos
averiguarais, -aseis
averiguaran, -asen

futuro imperfecto
averiguare
averiguares
averiguare
averiguáremos
averiguareis
averiguaren

Imperativo

presente
averigua (tú)
averigüe (usted)
averigüemos (nosotros)
averiguad (vosotros)
averigüen (ustedes)

Formas no personales

infinitivo averiguar
gerundio averiguando
participio averiguado

BENDECIR

Indicativo

presente
bendigo
bendices
bendice
bendecimos
bendecís
bendicen

pretérito imperfecto
bendecía
bendecías
bendecía
bendecíamos
bendecíais
bendecían

pretérito indefinido (1)
bendije
bendijiste
bendijo
bendijimos
bendijisteis
bendijeron

futuro imperfecto
bendeciré
bendecirás
bendecirá
bendeciremos
bendeciréis
bendecirán

condicional simple
bendeciría
bendecirías
bendeciría
bendeciríamos
bendeciríais
bendecirían

Subjuntivo

presente
bendiga
bendigas
bendiga
bendigamos
bendigáis
bendigan

pretérito imperfecto
bendijera, -ese
bendijeras, -eses
bendijera, -ese
bendijéramos, -ésemos
bendijerais, -eseis
bendijeran, -esen

futuro imperfecto
bendijere
bendijeres
bendijere
bendijéremos
bendijereis
bendijeren

Imperativo

presente
bendice (tú)
bendiga (usted)
bendigamos (nosotros)
bendecid (vosotros)
bendigan (ustedes)

Formas no personales

infinitivo bendecir
gerundio *bendiciendo*
participio bendecido o *bendito*

CABER

Indicativo

presente
quepo
cabes
cabe
cabemos
cabéis
caben

pretérito imperfecto
cabía
cabías
cabía
cabíamos
cabíais
cabían

pretérito indefinido (1)
cupe
cupiste
cupo
cupimos
cupisteis
cupieron

futuro imperfecto
cabré
cabrás
cabrá
cabremos
cabréis
cabrán

condicional simple
cabría
cabrías
cabría
cabríamos
cabríais
cabrían

Subjuntivo

presente
quepa
quepas
quepa
quepamos
quepáis
quepan

pretérito imperfecto
cupiera, -ese
cupieras, -eses
cupiera, -ese
cupiéramos, -ésemos
cupierais, -eseis
cupieran, -esen

futuro imperfecto
cupiere
cupieres
cupiere
cupiéremos
cupiereis
cupieren

Imperativo

presente
cabe (tú)
quepa (usted)
quepamos (nosotros)
cabed (vosotros)
quepan (ustedes)

Formas no personales

infinitivo caber
gerundio cabiendo
participio cabido

CAER

Indicativo

presente
caigo
caes
cae
caemos
caéis
caen

pretérito imperfecto
caía
caías
caía
caíamos
caíais
caían

pretérito indefinido (1)
caí
caíste
cayó
caímos
caísteis
cayeron

futuro imperfecto
caeré
caerás
caerá
caeremos
caeréis
caerán

condicional simple
caería
caerías
caería
caeríamos
caeríais
caerían

Subjuntivo

presente
caiga
caigas
caiga
caigamos
caigáis
caigan

pretérito imperfecto
cayera, -ese
cayeras, -eses
cayera, -ese
cayéramos, -ésemos
cayerais, -eseis
cayeran, -esen

futuro imperfecto
cayere
cayeres
cayere
cayéremos
cayereis
cayeren

Imperativo

presente
cae (tú)
caiga (usted)
caigamos (nosotros)
caed (vosotros)
caigan (ustedes)

Formas no personales

infinitivo caer
gerundio *cayendo*
participio caído

CAZAR

Indicativo

presente
cazo
cazas
caza
cazamos
cazáis
cazan

pretérito imperfecto
cazaba
cazabas
cazaba
cazábamos
cazabais
cazaban

pretérito indefinido (1)
cacé
cazaste
cazó
cazamos
cazasteis
cazaron

futuro imperfecto
cazaré
cazarás
cazará
cazaremos
cazaréis
cazarán

condicional simple
cazaría
cazarías
cazaría
cazaríamos
cazaríais
cazarían

Subjuntivo

presente
cace
caces
cace
cacemos
cacéis
cacen

pretérito imperfecto
cazara, -ase
cazaras, -ases
cazara, -ase
cazáramos, -ásemos
cazarais, -aseis
cazaran, -asen

futuro imperfecto
cazare
cazares
cazare
cazáremos
cazareis
cazaren

Imperativo

presente

caza	(tú)
cace	(usted)
cacemos	(nosotros)
cazad	(vosotros)
cacen	(ustedes)

Formas no personales

infinitivo	**gerundio**
cazar	cazando
participio	
cazado	

CEÑIR

Indicativo

presente
ciño
ciñes
ciñe
ceñimos
ceñís
ciñen

pretérito imperfecto
ceñía
ceñías
ceñía
ceñíamos
ceñíais
ceñían

pretérito indefinido (1)
ceñí
ceñiste
ciñó
ceñimos
ceñisteis
ciñeron

futuro imperfecto
ceñiré
ceñirás
ceñirá
ceñiremos
ceñiréis
ceñirán

condicional simple
ceñiría
ceñirías
ceñiría
ceñiríamos
ceñiríais
ceñirían

Subjuntivo

presente
ciña
ciñas
ciña
ciñamos
ciñáis
ciñan

pretérito imperfecto
ciñera, -ese
ciñeras, -eses
ciñera, -ese
ciñéramos, -ésemos
ciñerais, -eseis
ciñeran, -esen

futuro imperfecto
ciñere
ciñeres
ciñere
ciñéremos
ciñereis
ciñeren

Imperativo

presente

ciñe	(tú)
ciña	(usted)
ciñamos	(nosotros)
ceñid	(vosotros)
ciñan	(ustedes)

Formas no personales

infinitivo	**gerundio**
ceñir	*ciñendo*
participio	
ceñido	

COCER

Indicativo

presente
cuezo
cueces
cuece
cocemos
cocéis
cuecen

pretérito imperfecto
cocía
cocías
cocía
cocíamos
cocíais
cocían

pretérito indefinido (1)
cocí
cociste
coció
cocimos
cocisteis
cocieron

futuro imperfecto
coceré
cocerás
cocerá
coceremos
coceréis
cocerán

condicional simple
cocería
cocerías
cocería
coceríamos
coceríais
cocerían

Subjuntivo

presente
cueza
cuezas
cueza
cozamos
cozáis
cuezan

pretérito imperfecto
cociera, -ese
cocieras, -eses
cociera, -ese
cociéramos, -ésemos
cocierais, -eseis
cocieran, -esen

futuro imperfecto
cociere
cocieres
cociere
cociéremos
cociereis
cocieren

Imperativo

presente

cuece	(tú)
cueza	(usted)
cozamos	(nosotros)
coced	(vosotros)
cuezan	(ustedes)

Formas no personales

infinitivo	**gerundio**
cocer	cociendo
participio	
cocido	

COGER

Indicativo

presente
cojo
coges
coge
cogemos
cogéis
cogen

pretérito imperfecto
cogía
cogías
cogía
cogíamos
cogíais
cogían

pretérito indefinido (1)
cogí
cogiste
cogió
cogimos
cogisteis
cogieron

futuro imperfecto
cogeré
cogerás
cogerá
cogeremos
cogeréis
cogerán

condicional simple
cogería
cogerías
cogería
cogeríamos
cogeríais
cogerían

Subjuntivo

presente
coja
cojas
coja
cojamos
cojáis
cojan

pretérito imperfecto
cogiera, -ese
cogieras, -eses
cogiera, -ese
cogiéramos, -ésemos
cogierais, -eseis
cogieran, -esen

futuro imperfecto
cogiere
cogieres
cogiere
cogiéremos
cogiereis
cogieren

Imperativo

presente

coge	(tú)
coja	(usted)
cojamos	(nosotros)
coged	(vosotros)
cojan	(ustedes)

Formas no personales

infinitivo	**gerundio**
coger	cogiendo
participio	
cogido	

COLGAR

Indicativo

presente
cuelgo
cuelgas
cuelga
colgamos
colgáis
cuelgan

pretérito imperfecto
colgaba
colgabas
colgaba
colgábamos
colgabais
colgaban

pretérito indefinido (1)
colgué
colgaste
colgó
colgamos
colgasteis
colgaron

futuro imperfecto
colgaré
colgarás
colgará
colgaremos
colgaréis
colgarán

condicional simple
colgaría
colgarías
colgaría
colgaríamos
colgaríais
colgarían

Subjuntivo

presente
cuelgue
cuelgues
cuelgue
colguemos
colguéis
cuelguen

pretérito imperfecto
colgara, -ase
colgaras, -ases
colgara, -ase
colgáramos, -ásemos
colgarais, -aseis
colgaran, -asen

futuro imperfecto
colgare
colgares
colgare
colgáremos
colgareis
colgaren

Imperativo

presente
cuelga (tú)
cuelgue (usted)
colguemos (nosotros)
colgad (vosotros)
cuelguen (ustedes)

Formas no personales

infinitivo colgar
gerundio colgando
participio colgado

CONDUCIR

Indicativo

presente
conduzco
conduces
conduce
conducimos
conducís
conducen

pretérito imperfecto
conducía
conducías
conducía
conducíamos
conducíais
conducían

pretérito indefinido (1)
conduje
condujiste
condujo
condujimos
condujisteis
condujeron

futuro imperfecto
conduciré
conducirás
conducirá
conduciremos
conduciréis
conducirán

condicional simple
conduciría
conducirías
conduciría
conduciríamos
conduciríais
conducirían

Subjuntivo

presente
conduzca
conduzcas
conduzca
conduzcamos
conduzcáis
conduzcan

pretérito imperfecto
condujera, -ese
condujeras, -eses
condujera, -ese
condujéramos, -ésemos
condujerais, -eseis
condujeran, -esen

futuro imperfecto
condujere
condujeres
condujere
condujéremos
condujereis
condujeren

Imperativo

presente
conduce (tú)
conduzca (usted)
conduzcamos (nosotros)
conducid (vosotros)
conduzcan (ustedes)

Formas no personales

infinitivo conducir
gerundio conduciendo
participio conducido

CONTAR

Indicativo

presente
cuento
cuentas
cuenta
contamos
contáis
cuentan

pretérito imperfecto
contaba
contabas
contaba
contábamos
contabais
contaban

pretérito indefinido (1)
conté
contaste
contó
contamos
contasteis
contaron

futuro imperfecto
contaré
contarás
contará
contaremos
contaréis
contarán

condicional simple
contaría
contarías
contaría
contaríamos
contaríais
contarían

Subjuntivo

presente
cuente
cuentes
cuente
contemos
contéis
cuenten

pretérito imperfecto
contara, -ase
contaras, -ases
contara, -ase
contáramos, -ásemos
contarais, -aseis
contaran, -asen

futuro imperfecto
contare
contares
contare
contáremos
contareis
contaren

Imperativo

presente
cuenta (tú)
cuente (usted)
contemos (nosotros)
contad (vosotros)
cuenten (ustedes)

Formas no personales

infinitivo contar
gerundio contando
participio contado

DAR

Indicativo

presente
doy
das
da
damos
dais
dan

pretérito imperfecto
daba
dabas
daba
dábamos
dabais
daban

pretérito indefinido (1)
di
diste
dio
dimos
disteis
dieron

futuro imperfecto
daré
darás
dará
daremos
daréis
darán

condicional simple
daría
darías
daría
daríamos
daríais
darían

Subjuntivo

presente
dé
des
dé
demos
deis
den

pretérito imperfecto
diera, -ese
dieras, -eses
diera, -ese
diéramos, -ésemos
dierais, -eseis
dieran, -esen

futuro imperfecto
diere
dieres
diere
diéremos
diereis
dieren

Imperativo

presente
da (tú)
dé (usted)
demos (nosotros)
dad (vosotros)
den (ustedes)

Formas no personales

infinitivo dar
gerundio dando
participio dado

DECIR

Indicativo

presente
digo
dices
dice
decimos
decís
dicen

pretérito imperfecto
decía
decías
decía
decíamos
decíais
decían

pretérito indefinido (1)
dije
dijiste
dijo
dijimos
dijisteis
dijeron

futuro imperfecto
diré
dirás
dirá
diremos
diréis
dirán

condicional simple
diría
dirías
diría
diríamos
diríais
dirían

Subjuntivo

presente
diga
digas
diga
digamos
digáis
digan

pretérito imperfecto
dijera, -ese
dijeras, -eses
dijera, -ese
dijéramos, -ésemos
dijerais, -eseis
dijeran, -esen

futuro imperfecto
dijere
dijeres
dijere
dijéremos
dijereis
dijeren

Imperativo

presente
di (tú)
diga (usted)
digamos (nosotros)
decid (vosotros)
digan (ustedes)

Formas no personales

infinitivo decir
gerundio *diciendo*
participio *dicho*

DELINQUIR

Indicativo

presente
delinco
delinques
delinque
delinquimos
delinquís
delinquen

pretérito imperfecto
delinquía
delinquías
delinquía
delinquíamos
delinquíais
delinquían

pretérito indefinido (1)
delinquí
delinquiste
delinquió
delinquimos
delinquisteis
delinquieron

futuro imperfecto
delinquiré
delinquirás
delinquirá
delinquiremos
delinquiréis
delinquirán

condicional simple
delinquiría
delinquirías
delinquiría
delinquiríamos
delinquiríais
delinquirían

Subjuntivo

presente
delinca
delincas
delinca
delincamos
delincáis
delincan

pretérito imperfecto
delinquiera, -ese
delinquieras, -eses
delinquiera, -ese
delinquiéramos, -ésemos
delinquierais, -eseis
delinquieran, -esen

futuro imperfecto
delinquiere
delinquieres
delinquiere
delinquiéremos
delinquiereis
delinquieren

Imperativo

presente
delinque (tú)
delinca (usted)
delincamos (nosotros)
delinquid (vosotros)
delincan (ustedes)

Formas no personales

infinitivo delinquir
gerundio delinquiendo
participio delinquido

DESOSAR

Indicativo

presente
deshueso
deshuesas
deshuesa
desosamos
desosáis
deshuesan

pretérito imperfecto
desosaba
desosabas
desosaba
desosábamos
desosabais
desosaban

pretérito indefinido (1)
desosé
desosaste
desosó
desosamos
desosasteis
desosaron

futuro imperfecto
desosaré
desosarás
desosará
desosaremos
desosaréis
desosarán

condicional simple
desosaría
desosarías
desosaría
desosaríamos
desosaríais
desosarían

Subjuntivo

presente
deshuese
deshueses
deshuese
desosemos
desoséis
deshuesen

pretérito imperfecto
desosara, -ase
desosaras, -ases
desosara, -ase
desosáramos, -ásemos
desosarais, -aseis
desosaran, -asen

futuro imperfecto
desosare
desosares
desosare
desosáremos
desosareis
desosaren

Imperativo

presente
deshuesa (tú)
deshuese (usted)
desosemos (nosotros)
desosad (vosotros)
deshuesen (ustedes)

Formas no personales

infinitivo desosar
gerundio desosando
participio desosado

DIRIGIR

Indicativo

presente
dirijo
diriges
dirige
dirigimos
dirigís
dirigen

pretérito imperfecto
dirigía
dirigías
dirigía
dirigíamos
dirigíais
dirigían

pretérito indefinido (1)
dirigí
dirigiste
dirigió
dirigimos
dirigisteis
dirigieron

futuro imperfecto
dirigiré
dirigirás
dirigirá
dirigiremos
dirigiréis
dirigirán

condicional simple
dirigiría
dirigirías
dirigiría
dirigiríamos
dirigiríais
dirigirían

Subjuntivo

presente
dirija
dirijas
dirija
dirijamos
dirijáis
dirijan

pretérito imperfecto
dirigiera, -ese
dirigieras, -eses
dirigiera, -ese
dirigiéramos, -ésemos
dirigierais, -eseis
dirigieran, -esen

futuro imperfecto
dirigiere
dirigieres
dirigiere
dirigiéremos
dirigiereis
dirigieren

Imperativo

presente
dirige (tú)
dirija (usted)
dirijamos (nosotros)
dirigid (vosotros)
dirijan (ustedes)

Formas no personales

infinitivo dirigir
gerundio dirigiendo
participio dirigido

DISCERNIR

Indicativo

presente
discierno
disciernes
discierne
discernimos
discernís
disciernen

pretérito imperfecto
discernía
discernías
discernía
discerníamos
discerníais
discernían

pretérito indefinido (1)
discerní
discerniste
discernió
discernimos
discernisteis
discernieron

futuro imperfecto
discerniré
discernirás
discernirá
discerniremos
discerniréis
discernirán

condicional simple
discerniría
discernirías
discerniría
discerniríamos
discerniríais
discernirían

Subjuntivo

presente
discierna
disciernas
discierna
discernamos
discernáis
disciernan

pretérito imperfecto
discerniera, -ese
discernieras, -eses
discerniera, -ese
discerniéramos, -ésemos
discernierais, -eseis
discernieran, -esen

futuro imperfecto
discerniere
discernieres
discerniere
discerniéremos
discerniereis
discernieren

Imperativo

presente
discierne (tú)
discierna (usted)
discernamos (nosotros)
discernid (vosotros)
disciernan (ustedes)

Formas no personales

infinitivo discernir
gerundio discerniendo
participio discernido

DISTINGUIR

Indicativo

presente
distingo
distingues
distingue
distinguimos
distinguís
distinguen

pretérito imperfecto
distinguía
distinguías
distinguía
distinguíamos
distinguíais
distinguían

pretérito indefinido (1)
distinguí
distinguiste
distinguió
distinguimos
distinguisteis
distinguieron

futuro imperfecto
distinguiré
distinguirás
distinguirá
distinguiremos
distinguiréis
distinguirán

condicional simple
distinguiría
distinguirías
distinguiría
distinguiríamos
distinguiríais
distinguirían

Subjuntivo

presente
distinga
distingas
distinga
distingamos
distingáis
distingan

pretérito imperfecto
distinguiera, -ese
distinguieras, -eses
distinguiera, -ese
distinguiéramos, -ésemos
distinguierais, -eseis
distinguieran, -esen

futuro imperfecto
distinguiere
distinguieres
distinguiere
distinguiéremos
distinguiereis
distinguieren

Imperativo

presente
distingue (tú)
distinga (usted)
distingamos (nosotros)
distinguid (vosotros)
distingan (ustedes)

Formas no personales

infinitivo distinguir
gerundio distinguiendo
participio distinguido

DORMIR

Indicativo

presente
duermo
duermes
duerme
dormimos
dormís
duermen

pretérito imperfecto
dormía
dormías
dormía
dormíamos
dormíais
dormían

pretérito indefinido (1)
dormí
dormiste
durmió
dormimos
dormisteis
durmieron

futuro imperfecto
dormiré
dormirás
dormirá
dormiremos
dormiréis
dormirán

condicional simple
dormiría
dormirías
dormiría
dormiríamos
dormiríais
dormirían

Subjuntivo

presente
duerma
duermas
duerma
durmamos
durmáis
duerman

pretérito imperfecto
durmiera, -ese
durmieras, -eses
durmiera, -ese
durmiéramos, -ésemos
durmierais, -eseis
durmieran, -esen

futuro imperfecto
durmiere
durmieres
durmiere
durmiéremos
durmiereis
durmieren

Imperativo

presente
duerme (tú)
duerma (usted)
durmamos (nosotros)
dormid (vosotros)
duerman (ustedes)

Formas no personales

infinitivo dormir
gerundio *durmiendo*
participio dormido

ELEGIR

Indicativo

presente
elijo
eliges
elige
elegimos
elegís
eligen

pretérito imperfecto
elegía
elegías
elegía
elegíamos
elegíais
elegían

pretérito indefinido (1)
elegí
elegiste
eligió
elegimos
elegisteis
eligieron

futuro imperfecto
elegiré
elegirás
elegirá
elegiremos
elegiréis
elegirán

condicional simple
elegiría
elegirías
elegiría
elegiríamos
elegiríais
elegirían

Subjuntivo

presente
elija
elijas
elija
elijamos
elijáis
elijan

pretérito imperfecto
eligiera, -ese
eligieras, -eses
eligiera, -ese
eligiéramos, -ésemos
eligierais, -eseis
eligieran, -esen

futuro imperfecto
eligiere
eligieres
eligiere
eligiéremos
eligiereis
eligieren

Imperativo

presente
elige (tú)
elija (usted)
elijamos (nosotros)
elegid (vosotros)
elijan (ustedes)

Formas no personales

infinitivo elegir
gerundio *eligiendo*
participio elegido

EMPEZAR

Indicativo

presente
empiezo
empiezas
empieza
empezamos
empezáis
empiezan

pretérito imperfecto
empezaba
empezabas
empezaba
empezábamos
empezabais
empezaban

pretérito indefinido (1)
empecé
empezaste
empezó
empezamos
empezasteis
empezaron

futuro imperfecto
empezaré
empezarás
empezará
empezaremos
empezaréis
empezarán

condicional simple
empezaría
empezarías
empezaría
empezaríamos
empezaríais
empezarían

Subjuntivo

presente
empiece
empieces
empiece
empecemos
empecéis
empiecen

pretérito imperfecto
empezara, -ase
empezaras, -ases
empezara, -ase
empezáramos, -ásemos
empezarais, -aseis
empezaran, -asen

futuro imperfecto
empezare
empezares
empezare
empezáremos
empezareis
empezaren

Imperativo

presente

empieza	(tú)
empiece	(usted)
empecemos	(nosotros)
empezad	(vosotros)
empiecen	(ustedes)

Formas no personales

infinitivo	**gerundio**
empezar	empezando

participio
empezado

ENRAIZAR

Indicativo

presente
enraízo
enraízas
enraíza
enraizamos
enraizáis
enraízan

pretérito imperfecto
enraizaba
enraizabas
enraizaba
enraizábamos
enraizabais
enraizaban

pretérito indefinido (1)
enraicé
enraizaste
enraizó
enraizamos
enraizasteis
enraizaron

futuro imperfecto
enraizaré
enraizarás
enraizará
enraizaremos
enraizaréis
enraizarán

condicional simple
enraizaría
enraizarías
enraizaría
enraizaríamos
enraizaríais
enraizarían

Subjuntivo

presente
enraíce
enraíces
enraíce
enraicemos
enraicéis
enraícen

pretérito imperfecto
enraizara, -ase
enraizaras, -ases
enraizara, -ase
enraizáramos, -ásemos
enraizarais, -aseis
enraizaran, -asen

futuro imperfecto
enraizare
enraizares
enraizare
enraizáremos
enraizareis
enraizaren

Imperativo

presente

enraíza	(tú)
enraíce	(usted)
enraicemos	(nosotros)
enraizad	(vosotros)
enraícen	(ustedes)

Formas no personales

infinitivo	**gerundio**
enraizar	enraizando

participio
enraizado

ERGUIR

Indicativo

presente
irgo o *yergo*
irgues o *yergues*
irgue o *yergue*
erguimos
erguís
irguen o *yerguen*

pretérito imperfecto
erguía
erguías
erguía
erguíamos
erguíais
erguían

pretérito indefinido (1)
erguí
erguiste
irguió
erguimos
erguisteis
irguieron

futuro imperfecto
erguiré
erguirás
erguirá
erguiremos
erguiréis
erguirán

condicional simple
erguiría
erguirías
erguiría
erguiríamos
erguiríais
erguirían

Subjuntivo

presente
irga o *yerga*
irgas o *yergas*
irga o *yerga*
irgamos o *yergamos*
irgáis o *yergáis*
irgan o *yergan*

pretérito imperfecto
irguiera, -ese
irguieras, -eses
irguiera, -ese
irguiéramos, -ésemos
irguierais, -eseis
irguieran, -esen

futuro imperfecto
irguiere
irguieres
irguiere
irguiéremos
irguiereis
irguieren

Imperativo

presente

irgue o *yergue*	(tú)
irga o *yerga*	(usted)
irgamos o *yergamos*	(nosotros)
erguid	(vosotros)
irgan o *yergan*	(ustedes)

Formas no personales

infinitivo	**gerundio**
erguir	*irguiendo*

participio
erguido

ERRAR

Indicativo

presente
yerro
yerras
yerra
erramos
erráis
yerran

pretérito imperfecto
erraba
errabas
erraba
errábamos
errabais
erraban

pretérito indefinido (1)
erré
erraste
erró
erramos
errasteis
erraron

futuro imperfecto
erraré
errarás
errará
erraremos
erraréis
errarán

condicional simple
erraría
errarías
erraría
erraríamos
erraríais
errarían

Subjuntivo

presente
yerre
yerres
yerre
erremos
erréis
yerren

pretérito imperfecto
errara, -ase
erraras, -ases
errara, -ase
erráramos, -ásemos
errarais, -aseis
erraran, -asen

futuro imperfecto
errare
errares
errare
erráremos
errareis
erraren

Imperativo

presente

yerra	(tú)
yerre	(usted)
erremos	(nosotros)
errad	(vosotros)
yerren	(ustedes)

Formas no personales

infinitivo	**gerundio**
errar	errando

participio
errado

ESTAR

Indicativo

presente
estoy
estás
está
estamos
estáis
están

pretérito imperfecto
estaba
estabas
estaba
estábamos
estabais
estaban

pretérito indefinido (1)
estuve
estuviste
estuvo
estuvimos
estuvisteis
estuvieron

futuro imperfecto
estaré
estarás
estará
estaremos
estaréis
estarán

condicional simple
estaría
estarías
estaría
estaríamos
estaríais
estarían

Subjuntivo

presente
esté
estés
esté
estemos
estéis
estén

pretérito imperfecto
estuviera, -ese
estuvieras, -eses
estuviera, -ese
estuviéramos, -ésemos
estuvierais, -eseis
estuvieran, -esen

futuro imperfecto
estuviere
estuvieres
estuviere
estuviéremos
estuviereis
estuvieren

Imperativo

presente
está (tú)
esté (usted)
estemos (nosotros)
estad (vosotros)
estén (ustedes)

Formas no personales

infinitivo estar — **gerundio** estando
participio estado

FORZAR

Indicativo

presente
fuerzo
fuerzas
fuerza
forzamos
forzáis
fuerzan

pretérito imperfecto
forzaba
forzabas
forzaba
forzábamos
forzabais
forzaban

pretérito indefinido (1)
forcé
forzaste
forzó
forzamos
forzasteis
forzaron

futuro imperfecto
forzaré
forzarás
forzará
forzaremos
forzaréis
forzarán

condicional simple
forzaría
forzarías
forzaría
forzaríamos
forzaríais
forzarían

Subjuntivo

presente
fuerce
fuerces
fuerce
forcemos
forcéis
fuercen

pretérito imperfecto
forzara, -ase
forzaras, -ases
forzara, -ase
forzáramos, -ásemos
forzarais, -aseis
forzaran, -asen

futuro imperfecto
forzare
forzares
forzare
forzáremos
forzareis
forzaren

Imperativo

presente
fuerza (tú)
fuerce (usted)
forcemos (nosotros)
forzad (vosotros)
fuercen (ustedes)

Formas no personales

infinitivo forzar — **gerundio** forzando
participio forzado

GUIAR

Indicativo

presente
guío
guías
guía
guiamos
guiáis
guían

pretérito imperfecto
guiaba
guiabas
guiaba
guiábamos
guiabais
guiaban

pretérito indefinido (1)
guié
guiaste
guió
guiamos
guiasteis
guiaron

futuro imperfecto
guiaré
guiarás
guiará
guiaremos
guiaréis
guiarán

condicional simple
guiaría
guiarías
guiaría
guiaríamos
guiaríais
guiarían

Subjuntivo

presente
guíe
guíes
guíe
guiemos
guiéis
guíen

pretérito imperfecto
guiara, -ase
guiaras, -ases
guiara, -ase
guiáramos, -ásemos
guiarais, -aseis
guiaran, -asen

futuro imperfecto
guiare
guiares
guiare
guiáremos
guiareis
guiaren

Imperativo

presente
guía (tú)
guíe (usted)
guiemos (nosotros)
guiad (vosotros)
guíen (ustedes)

Formas no personales

infinitivo guiar — **gerundio** guiando
participio guiado

HABER

Indicativo

presente
he
has
ha[1]
hemos
habéis
han

pretérito imperfecto
había
habías
había
habíamos
habíais
habían

pretérito indefinido (1)
hube
hubiste
hubo
hubimos
hubisteis
hubieron

futuro imperfecto
habré
habrás
habrá
habremos
habréis
habrán

condicional simple
habría
habrías
habría
habríamos
habríais
habrían

Subjuntivo

presente
haya
hayas
haya
hayamos
hayáis
hayan

pretérito imperfecto
hubiera, -ese
hubieras, -eses
hubiera, -ese
hubiéramos, -ésemos
hubierais, -eseis
hubieran, -esen

futuro imperfecto
hubiere
hubieres
hubiere
hubiéremos
hubiereis
hubieren

Imperativo

presente
he (tú)
haya (usted)
hayamos (nosotros)
habed (vosotros)
hayan (ustedes)

Formas no personales

infinitivo haber — **gerundio** habiendo
participio habido

[1] Cuando este verbo se usa como impersonal, la 3.ª persona del singular es *hay*.

HACER

Indicativo

presente
hago
haces
hace
hacemos
hacéis
hacen

pretérito imperfecto
hacía
hacías
hacía
hacíamos
hacíais
hacían

pretérito indefinido (1)
hice
hiciste
hizo
hicimos
hicisteis
hicieron

futuro imperfecto
haré
harás
hará
haremos
haréis
harán

condicional simple
haría
harías
haría
haríamos
haríais
harían

Subjuntivo

presente
haga
hagas
haga
hagamos
hagáis
hagan

pretérito imperfecto
hiciera, -ese
hicieras, -eses
hiciera, -ese
hiciéramos, -ésemos
hicierais, -eseis
hicieran, -esen

futuro imperfecto
hiciere
hicieres
hiciere
hiciéremos
hiciereis
hicieren

Imperativo

presente

haz	(tú)
haga	(usted)
hagamos	(nosotros)
haced	(vosotros)
hagan	(ustedes)

Formas no personales

infinitivo	**gerundio**
hacer	haciendo

participio
hecho

HUIR

Indicativo

presente
huyo
huyes
huye
huimos
huís
huyen

pretérito imperfecto
huía
huías
huía
huíamos
huíais
huían

pretérito indefinido (1)
huí
huiste
huyó
huimos
huisteis
huyeron

futuro imperfecto
huiré
huirás
huirá
huiremos
huiréis
huirán

condicional simple
huiría
huirías
huiría
huiríamos
huiríais
huirían

Subjuntivo

presente
huya
huyas
huya
huyamos
huyáis
huyan

pretérito imperfecto
huyera, -ese
huyeras, -eses
huyera, -ese
huyéramos, -ésemos
huyerais, -eseis
huyeran, -esen

futuro imperfecto
huyere
huyeres
huyere
huyéremos
huyereis
huyeren

Imperativo

presente

huye	(tú)
huya	(usted)
huyamos	(nosotros)
huid	(vosotros)
huyan	(ustedes)

Formas no personales

infinitivo	**gerundio**
huir	*huyendo*

participio
huido

IR

Indicativo

presente
voy
vas
va
vamos
vais
van

pretérito imperfecto
iba
ibas
iba
íbamos
ibais
iban

pretérito indefinido (1)
fui
fuiste
fue
fuimos
fuisteis
fueron

futuro imperfecto
iré
irás
irá
iremos
iréis
irán

condicional simple
iría
irías
iría
iríamos
iríais
irían

Subjuntivo

presente
vaya
vayas
vaya
vayamos
vayáis
vayan

pretérito imperfecto
fuera, -ese
fueras, -eses
fuera, -ese
fuéramos, -ésemos
fuerais, -eseis
fueran, -esen

futuro imperfecto
fuere
fueres
fuere
fuéremos
fuereis
fueren

Imperativo

presente

ve	(tú)
vaya	(usted)
vayamos	(nosotros)
id	(vosotros)
vayan	(ustedes)

Formas no personales

infinitivo	**gerundio**
ir	*yendo*

participio
ido

JUGAR

Indicativo

presente
juego
juegas
juega
jugamos
jugáis
juegan

pretérito imperfecto
jugaba
jugabas
jugaba
jugábamos
jugabais
jugaban

pretérito indefinido (1)
jugué
jugaste
jugó
jugamos
jugasteis
jugaron

futuro imperfecto
jugaré
jugarás
jugará
jugaremos
jugaréis
jugarán

condicional simple
jugaría
jugarías
jugaría
jugaríamos
jugaríais
jugarían

Subjuntivo

presente
juegue
juegues
juegue
juguemos
juguéis
jueguen

pretérito imperfecto
jugara, -ase
jugaras, -ases
jugara, -ase
jugáramos, -ásemos
jugarais, -aseis
jugaran, -asen

futuro imperfecto
jugare
jugares
jugare
jugáremos
jugareis
jugaren

Imperativo

presente

juega	(tú)
juegue	(usted)
juguemos	(nosotros)
jugad	(vosotros)
jueguen	(ustedes)

Formas no personales

infinitivo	**gerundio**
jugar	jugando

participio
jugado

LEER

Indicativo

presente
leo
lees
lee
leemos
leéis
leen

pretérito imperfecto
leía
leías
leía
leíamos
leíais
leían

pretérito indefinido (1)
leí
leíste
leyó
leímos
leísteis
leyeron

futuro imperfecto
leeré
leerás
leerá
leeremos
leeréis
leerán

condicional simple
leería
leerías
leería
leeríamos
leeríais
leerían

Subjuntivo

presente
lea
leas
lea
leamos
leáis
lean

pretérito imperfecto
leyera, -ese
leyeras, -eses
leyera, -ese
leyéramos, -ésemos
leyerais, -eseis
leyeran, -esen

futuro imperfecto
leyere
leyeres
leyere
leyéremos
leyereis
leyeren

Imperativo

presente

lee	(tú)
lea	(usted)
leamos	(nosotros)
leed	(vosotros)
lean	(ustedes)

Formas no personales

infinitivo	**gerundio**
leer	*leyendo*

participio
leído

LUCIR

Indicativo

presente
luzco
luces
luce
lucimos
lucís
lucen

pretérito imperfecto
lucía
lucías
lucía
lucíamos
lucíais
lucían

pretérito indefinido (1)
lucí
luciste
lució
lucimos
lucisteis
lucieron

futuro imperfecto
luciré
lucirás
lucirá
luciremos
luciréis
lucirán

condicional simple
luciría
lucirías
luciría
luciríamos
luciríais
lucirían

Subjuntivo

presente
luzca
luzcas
luzca
luzcamos
luzcáis
luzcan

pretérito imperfecto
luciera, -ese
lucieras, -eses
luciera, -ese
luciéramos, -ésemos
lucierais, -eseis
lucieran, -esen

futuro imperfecto
luciere
lucieres
luciere
luciéremos
luciereis
lucieren

Imperativo

presente

luce	(tú)
luzca	(usted)
luzcamos	(nosotros)
lucid	(vosotros)
luzcan	(ustedes)

Formas no personales

infinitivo	**gerundio**
lucir	luciendo

participio
lucido

MORIR

Indicativo

presente
muero
mueres
muere
morimos
morís
mueren

pretérito imperfecto
moría
morías
moría
moríamos
moríais
morían

pretérito indefinido (1)
morí
moriste
murió
morimos
moristeis
murieron

futuro imperfecto
moriré
morirás
morirá
moriremos
moriréis
morirán

condicional simple
moriría
morirías
moriría
moriríamos
moriríais
morirían

Subjuntivo

presente
muera
mueras
muera
muramos
muráis
mueran

pretérito imperfecto
muriera, -ese
murieras, -eses
muriera, -ese
muriéramos, -ésemos
murierais, -eseis
murieran, -esen

futuro imperfecto
muriere
murieres
muriere
muriéremos
muriereis
murieren

Imperativo

presente

muere	(tú)
muera	(usted)
muramos	(nosotros)
morid	(vosotros)
mueran	(ustedes)

Formas no personales

infinitivo	**gerundio**
morir	*muriendo*

participio
muerto

MOVER

Indicativo

presente
muevo
mueves
mueve
movemos
movéis
mueven

pretérito imperfecto
movía
movías
movía
movíamos
movíais
movían

pretérito indefinido (1)
moví
moviste
movió
movimos
movisteis
movieron

futuro imperfecto
moveré
moverás
moverá
moveremos
moveréis
moverán

condicional simple
movería
moverías
movería
moveríamos
moveríais
moverían

Subjuntivo

presente
mueva
muevas
mueva
movamos
mováis
muevan

pretérito imperfecto
moviera, -ese
movieras, -eses
moviera, -ese
moviéramos, -ésemos
movierais, -eseis
movieran, -esen

futuro imperfecto
moviere
movieres
moviere
moviéremos
moviereis
movieren

Imperativo

presente

mueve	(tú)
mueva	(usted)
movamos	(nosotros)
moved	(vosotros)
muevan	(ustedes)

Formas no personales

infinitivo	**gerundio**
mover	moviendo

participio
movido

OÍR

Indicativo

presente
oigo
oyes
oye
oímos
oís
oyen

pretérito imperfecto
oía
oías
oía
oíamos
oíais
oían

pretérito indefinido (1)
oí
oíste
oyó
oímos
oísteis
oyeron

futuro imperfecto
oiré
oirás
oirá
oiremos
oiréis
oirán

condicional simple
oiría
oirías
oiría
oiríamos
oiríais
oirían

Subjuntivo

presente
oiga
oigas
oiga
oigamos
oigáis
oigan

pretérito imperfecto
oyera, -ese
oyeras, -eses
oyera, -ese
oyéramos, -ésemos
oyerais, -eseis
oyeran, -esen

futuro imperfecto
oyere
oyeres
oyere
oyéremos
oyereis
oyeren

Imperativo

presente
oye (tú)
oiga (usted)
oigamos (nosotros)
oíd (vosotros)
oigan (ustedes)

Formas no personales

infinitivo oír
gerundio *oyendo*
participio oído

OLER

Indicativo

presente
huelo
hueles
huele
olemos
oléis
huelen

pretérito imperfecto
olía
olías
olía
olíamos
olíais
olían

pretérito indefinido (1)
olí
oliste
olió
olimos
olisteis
olieron

futuro imperfecto
oleré
olerás
olerá
oleremos
oleréis
olerán

condicional simple
olería
olerías
olería
oleríamos
oleríais
olerían

Subjuntivo

presente
huela
huelas
huela
olamos
oláis
huelan

pretérito imperfecto
oliera, -ese
olieras, -eses
oliera, -ese
oliéramos, -ésemos
olierais, -eseis
olieran, -esen

futuro imperfecto
oliere
olieres
oliere
oliéremos
oliereis
olieren

Imperativo

presente
huele (tú)
huela (usted)
olamos (nosotros)
oled (vosotros)
huelan (ustedes)

Formas no personales

infinitivo oler
gerundio oliendo
participio olido

PAGAR

Indicativo

presente
pago
pagas
paga
pagamos
pagáis
pagan

pretérito imperfecto
pagaba
pagabas
pagaba
pagábamos
pagabais
pagaban

pretérito indefinido (1)
pagué
pagaste
pagó
pagamos
pagasteis
pagaron

futuro imperfecto
pagaré
pagarás
pagará
pagaremos
pagaréis
pagarán

condicional simple
pagaría
pagarías
pagaría
pagaríamos
pagaríais
pagarían

Subjuntivo

presente
pague
pagues
pague
paguemos
paguéis
paguen

pretérito imperfecto
pagara, -ase
pagaras, -ases
pagara, -ase
pagáramos, -ásemos
pagarais, -aseis
pagaran, -asen

futuro imperfecto
pagare
pagares
pagare
pagáremos
pagareis
pagaren

Imperativo

presente
paga (tú)
pague (usted)
paguemos (nosotros)
pagad (vosotros)
paguen (ustedes)

Formas no personales

infinitivo pagar
gerundio pagando
participio pagado

PARECER

Indicativo

presente
parezco
pareces
parece
parecemos
parecéis
parecen

pretérito imperfecto
parecía
parecías
parecía
parecíamos
parecíais
parecían

pretérito indefinido (1)
parecí
pareciste
pareció
parecimos
parecisteis
parecieron

futuro imperfecto
pareceré
parecerás
parecerá
pareceremos
pareceréis
parecerán

condicional simple
parecería
parecerías
parecería
pareceríamos
pareceríais
parecerían

Subjuntivo

presente
parezca
parezcas
parezca
parezcamos
parezcáis
parezcan

pretérito imperfecto
pareciera, -ese
parecieras, -eses
pareciera, -ese
pareciéramos, -ésemos
parecierais, -eseis
parecieran, -esen

futuro imperfecto
pareciere
parecieres
pareciere
pareciéremos
pareciereis
parecieren

Imperativo

presente
parece (tú)
parezca (usted)
parezcamos (nosotros)
pareced (vosotros)
parezcan (ustedes)

Formas no personales

infinitivo parecer
gerundio pareciendo
participio parecido

PEDIR

Indicativo

presente
pido
pides
pide
pedimos
pedís
piden

pretérito imperfecto
pedía
pedías
pedía
pedíamos
pedíais
pedían

pretérito indefinido (1)
pedí
pediste
pidió
pedimos
pedisteis
pidieron

futuro imperfecto
pediré
pedirás
pedirá
pediremos
pediréis
pedirán

condicional simple
pediría
pedirías
pediría
pediríamos
pediríais
pedirían

Subjuntivo

presente
pida
pidas
pida
pidamos
pidáis
pidan

pretérito imperfecto
pidiera, -ese
pidieras, -eses
pidiera, -ese
pidiéramos, -ésemos
pidierais, -eseis
pidieran, -esen

futuro imperfecto
pidiere
pidieres
pidiere
pidiéremos
pidiereis
pidieren

Imperativo

presente

pide	(tú)
pida	(usted)
pidamos	(nosotros)
pedid	(vosotros)
pidan	(ustedes)

Formas no personales

infinitivo pedir
gerundio *pidiendo*
participio pedido

PENSAR

Indicativo

presente
pienso
piensas
piensa
pensamos
pensáis
piensan

pretérito imperfecto
pensaba
pensabas
pensaba
pensábamos
pensabais
pensaban

pretérito indefinido (1)
pensé
pensaste
pensó
pensamos
pensasteis
pensaron

futuro imperfecto
pensaré
pensarás
pensará
pensaremos
pensaréis
pensarán

condicional simple
pensaría
pensarías
pensaría
pensaríamos
pensaríais
pensarían

Subjuntivo

presente
piense
pienses
piense
pensemos
penséis
piensen

pretérito imperfecto
pensara, -ase
pensaras, -ases
pensara, -ase
pensáramos, -ásemos
pensarais, -aseis
pensaran, -asen

futuro imperfecto
pensare
pensares
pensare
pensáremos
pensareis
pensaren

Imperativo

presente

piensa	(tú)
piense	(usted)
pensemos	(nosotros)
pensad	(vosotros)
piensen	(ustedes)

Formas no personales

infinitivo pensar
gerundio pensando
participio pensado

PERDER

Indicativo

presente
pierdo
pierdes
pierde
perdemos
perdéis
pierden

pretérito imperfecto
perdía
perdías
perdía
perdíamos
perdíais
perdían

pretérito indefinido (1)
perdí
perdiste
perdió
perdimos
perdisteis
perdieron

futuro imperfecto
perderé
perderás
perderá
perderemos
perderéis
perderán

condicional simple
perdería
perderías
perdería
perderíamos
perderíais
perderían

Subjuntivo

presente
pierda
pierdas
pierda
perdamos
perdáis
pierdan

pretérito imperfecto
perdiera, -ese
perdieras, -eses
perdiera, -ese
perdiéramos, -ésemos
perdierais, -eseis
perdieran, -esen

futuro imperfecto
perdiere
perdieres
perdiere
perdiéremos
perdiereis
perdieren

Imperativo

presente

pierde	(tú)
pierda	(usted)
perdamos	(nosotros)
perded	(vosotros)
pierdan	(ustedes)

Formas no personales

infinitivo perder
gerundio perdiendo
participio perdido

PLACER

Indicativo

presente
plazco
places
place
placemos
placéis
placen

pretérito imperfecto
placía
placías
placía
placíamos
placíais
placían

pretérito indefinido (1)
plací
placiste
plació o *plugo*
placimos
placisteis
placieron

futuro imperfecto
placeré
placerás
placerá
placeremos
placeréis
placerán

condicional simple
placería
placerías
placería
placeríamos
placeríais
placerían

Subjuntivo

presente
plazca
plazcas
plazca
plazcamos
plazcáis
plazcan

pretérito imperfecto
placiera, -ese
placieras, -eses
placiera, -ese o *plugiera, -ese*
placiéramos, -ésemos
placierais, -eseis
placieran, -esen

futuro imperfecto
placiere
placieres
placiere o *pluguiere*
placiéremos
placiereis
placieren

Imperativo

presente

place	(tú)
plazca	(usted)
plazcamos	(nosotros)
placed	(vosotros)
plazcan	(ustedes)

Formas no personales

infinitivo placer
gerundio placiendo
participio placido

PLAÑIR

Indicativo

presente
plaño
plañes
plañe
plañimos
plañís
plañen

pretérito imperfecto
plañía
plañías
plañía
plañíamos
plañíais
plañían

pretérito indefinido (1)
plañí
plañiste
plañó
plañimos
plañisteis
plañeron

futuro imperfecto
plañiré
plañirás
plañirá
plañiremos
plañiréis
plañirán

condicional simple
plañiría
plañirías
plañiría
plañiríamos
plañiríais
plañirían

Subjuntivo

presente
plaña
plañas
plaña
plañamos
plañáis
plañan

pretérito imperfecto
plañera, -ese
plañeras, -eses
plañera, -ese
plañéramos, -ésemos
plañerais, -eseis
plañeran, -esen

futuro imperfecto
plañere
plañeres
plañere
plañéremos
plañereis
plañeren

Imperativo

presente
plañe (tú)
plaña (usted)
plañamos (nosotros)
plañid (vosotros)
plañan (ustedes)

Formas no personales

infinitivo
plañir

gerundio
plañendo

participio
plañido

PODER

Indicativo

presente
puedo
puedes
puede
podemos
podéis
pueden

pretérito imperfecto
podía
podías
podía
podíamos
podíais
podían

pretérito indefinido (1)
pude
pudiste
pudo
pudimos
pudisteis
pudieron

futuro imperfecto
podré
podrás
podrá
podremos
podréis
podrán

condicional simple
podría
podrías
podría
podríamos
podríais
podrían

Subjuntivo

presente
pueda
puedas
pueda
podamos
podáis
puedan

pretérito imperfecto
pudiera, -ese
pudieras, -eses
pudiera, -ese
pudiéramos, -ésemos
pudierais, -eseis
pudieran, -esen

futuro imperfecto
pudiere
pudieres
pudiere
pudiéremos
pudiereis
pudieren

Imperativo

presente
puede (tú)
pueda (usted)
podamos (nosotros)
poded (vosotros)
puedan (ustedes)

Formas no personales

infinitivo
poder

gerundio
pudiendo

participio
podido

PONER

Indicativo

presente
pongo
pones
pone
ponemos
ponéis
ponen

pretérito imperfecto
ponía
ponías
ponía
poníamos
poníais
ponían

pretérito indefinido (1)
puse
pusiste
puso
pusimos
pusisteis
pusieron

futuro imperfecto
pondré
pondrás
pondrá
pondremos
pondréis
pondrán

condicional simple
pondría
pondrías
pondría
pondríamos
pondríais
pondrían

Subjuntivo

presente
ponga
pongas
ponga
pongamos
pongáis
pongan

pretérito imperfecto
pusiera, -ese
pusieras, -eses
pusiera, -ese
pusiéramos, -ésemos
pusierais, -eseis
pusieran, -esen

futuro imperfecto
pusiere
pusieres
pusiere
pusiéremos
pusiereis
pusieren

Imperativo

presente
pon (tú)
ponga (usted)
pongamos (nosotros)
poned (vosotros)
pongan (ustedes)

Formas no personales

infinitivo
poner

gerundio
poniendo

participio
puesto

PREDECIR

Indicativo

presente
predigo
predices
predice
predecimos
predecís
predicen

pretérito imperfecto
predecía
predecías
predecía
predecíamos
predecíais
predecían

pretérito indefinido (1)
predije
predijiste
predijo
predijimos
predijisteis
predijeron

futuro imperfecto
prediré
predirás
predirá
prediremos
prediréis
predirán

condicional simple
prediría
predirías
prediría
prediríamos
prediríais
predirían

Subjuntivo

presente
prediga
predigas
prediga
predigamos
predigáis
predigan

pretérito imperfecto
predijera, -ese
predijeras, -eses
predijera, -ese
predijéramos, -ésemos
predijerais, -eseis
predijeran, -esen

futuro imperfecto
predijere
predijeres
predijere
predijéremos
predijereis
predijeren

Imperativo

presente
predice (tú)
prediga (usted)
predigamos (nosotros)
predecid (vosotros)
predigan (ustedes)

Formas no personales

infinitivo
predecir

gerundio
prediciendo

participio
predicho

PROHIBIR

Indicativo

presente
prohíbo
prohíbes
prohíbe
prohibimos
prohibís
prohíben

pretérito imperfecto
prohibía
prohibías
prohibía
prohibíamos
prohibíais
prohibían

pretérito indefinido (1)
prohibí
prohibiste
prohibió
prohibimos
prohibisteis
prohibieron

futuro imperfecto
prohibiré
prohibirás
prohibirá
prohibiremos
prohibiréis
prohibirán

condicional simple
prohibiría
prohibirías
prohibiría
prohibiríamos
prohibiríais
prohibirían

Subjuntivo

presente
prohíba
prohíbas
prohíba
prohibamos
prohibáis
prohíban

pretérito imperfecto
prohibiera, -ese
prohibieras, -eses
prohibiera, -ese
prohibiéramos, -ésemos
prohibierais, -eseis
prohibieran, -esen

futuro imperfecto
prohibiere
prohibieres
prohibiere
prohibiéremos
prohibiereis
prohibieren

Imperativo

presente
prohíbe (tú)
prohíba (usted)
prohibamos (nosotros)
prohibid (vosotros)
prohíban (ustedes)

Formas no personales

infinitivo prohibir
gerundio prohibiendo
participio prohibido

QUERER

Indicativo

presente
quiero
quieres
quiere
queremos
queréis
quieren

pretérito imperfecto
quería
querías
quería
queríamos
queríais
querían

pretérito indefinido (1)
quise
quisiste
quiso
quisimos
quisisteis
quisieron

futuro imperfecto
querré
querrás
querrá
querremos
querréis
querrán

condicional simple
querría
querrías
querría
querríamos
querríais
querrían

Subjuntivo

presente
quiera
quieras
quiera
queramos
queráis
quieran

pretérito imperfecto
quisiera, -ese
quisieras, -eses
quisiera, -ese
quisiéramos, -ésemos
quisierais, -eseis
quisieran, -esen

futuro imperfecto
quisiere
quisieres
quisiere
quisiéremos
quisiereis
quisieren

Imperativo

presente
quiere (tú)
quiera (usted)
queramos (nosotros)
quered (vosotros)
quieran (ustedes)

Formas no personales

infinitivo querer
gerundio queriendo
participio querido

RAER

Indicativo

presente
raigo o *rayo*
raes
rae
raemos
raéis
raen

pretérito imperfecto
raía
raías
raía
raíamos
raíais
raían

pretérito indefinido (1)
raí
raíste
rayó
raímos
raísteis
rayeron

futuro imperfecto
raeré
raerás
raerá
raeremos
raeréis
raerán

condicional simple
raería
raerías
raería
raeríamos
raeríais
raerían

Subjuntivo

presente
raiga o *raya*
raigas o *rayas*
raiga o *raya*
raigamos o *rayamos*
raigáis o *rayáis*
raigan o *rayan*

pretérito imperfecto
rayera, -ese
rayeras, -eses
rayera, -ese
rayéramos, -ésemos
rayerais, -eseis
rayeran, -esen

futuro imperfecto
rayere
rayeres
rayere
rayéremos
rayereis
rayeren

Imperativo

presente
rae (tú)
raiga o *raya* (usted)
raigamos o *rayamos* (nosotros)
raed (vosotros)
raigan o *rayan* (ustedes)

Formas no personales

infinitivo raer
gerundio *rayendo*
participio raído

REGAR

Indicativo

presente
riego
riegas
riega
regamos
regáis
riegan

pretérito imperfecto
regaba
regabas
regaba
regábamos
regabais
regaban

pretérito indefinido (1)
regué
regaste
regó
regamos
regasteis
regaron

futuro imperfecto
regaré
regarás
regará
regaremos
regaréis
regarán

condicional simple
regaría
regarías
regaría
regaríamos
regaríais
regarían

Subjuntivo

presente
riegue
riegues
riegue
reguemos
reguéis
rieguen

pretérito imperfecto
regara, -ase
regaras, -ases
regara, -ase
regáramos, -ásemos
regarais, -aseis
regaran, -asen

futuro imperfecto
regare
regares
regare
regáremos
regareis
regaren

Imperativo

presente
riega (tú)
riegue (usted)
reguemos (nosotros)
regad (vosotros)
rieguen (ustedes)

Formas no personales

infinitivo regar
gerundio regando
participio regado

REÍR

Indicativo

presente
río
ríes
ríe
reímos
reís
ríen

pretérito imperfecto
reía
reías
reía
reíamos
reíais
reían

pretérito indefinido (1)
reí
reíste
rió
reímos
reísteis
rieron

futuro imperfecto
reiré
reirás
reirá
reiremos
reiréis
reirán

condicional simple
reiría
reirías
reiría
reiríamos
reiríais
reirían

Subjuntivo

presente
ría
rías
ría
riamos
riáis
rían

pretérito imperfecto
riera, -ese
rieras, -eses
riera, -ese
riéramos, -ésemos
rierais, -eseis
rieran, -esen

futuro imperfecto
riere
rieres
riere
riéremos
riereis
rieren

Imperativo

presente
ríe (tú)
ría (usted)
riamos (nosotros)
reíd (vosotros)
rían (ustedes)

Formas no personales

infinitivo
reír

gerundio
riendo

participio
reído

RESPONDER

Indicativo

presente
respondo
respondes
responde
respondemos
respondéis
responden

pretérito imperfecto
respondía
respondías
respondía
respondíamos
respondíais
respondían

pretérito indefinido (1)
respondí o *repuse*
respondiste o *repusiste*
respondió o *repuso*
respondimos o *repusimos*
respondisteis o *repusisteis*
respondieron o *repusieron*

futuro imperfecto
responderé
responderás
responderá
responderemos
responderéis
responderán

condicional simple
respondería
responderías
respondería
responderíamos
responderíais
responderían

Subjuntivo

presente
responda
respondas
responda
respondamos
respondáis
respondan

pretérito imperfecto
respondiera, -ese
respondieras, -eses
respondiera, -ese
respondiéramos, -ésemos
respondierais, -eseis
respondieran, -esen

futuro imperfecto
respondiere
respondieres
respondiere
respondiéremos
respondiereis
respondieren

Imperativo

presente
responde (tú)
responda (usted)
respondamos (nosotros)
responded (vosotros)
respondan (ustedes)

Formas no personales

infinitivo
responder

gerundio
respondiendo

participio
respondido

REUNIR

Indicativo

presente
reúno
reúnes
reúne
reunimos
reunís
reúnen

pretérito imperfecto
reunía
reunías
reunía
reuníamos
reuníais
reunían

pretérito indefinido (1)
reuní
reuniste
reunió
reunimos
reunisteis
reunieron

futuro imperfecto
reuniré
reunirás
reunirá
reuniremos
reuniréis
reunirán

condicional simple
reuniría
reunirías
reuniría
reuniríamos
reuniríais
reunirían

Subjuntivo

presente
reúna
reúnas
reúna
reunamos
reunáis
reúnan

pretérito imperfecto
reuniera, -ese
reunieras, -eses
reuniera, -ese
reuniéramos, -ésemos
reunierais, -eseis
reunieran, -esen

futuro imperfecto
reuniere
reunieres
reuniere
reuniéremos
reuniereis
reunieren

Imperativo

presente
reúne (tú)
reúna (usted)
reunamos (nosotros)
reunid (vosotros)
reúnan (ustedes)

Formas no personales

infinitivo
reunir

gerundio
reuniendo

participio
reunido

ROER

Indicativo

presente
roo, *roigo* o *royo*
roes
roe
roemos
roéis
roen

pretérito imperfecto
roía
roías
roía
roíamos
roíais
roían

pretérito indefinido (1)
roí
roíste
royó
roímos
roísteis
royeron

futuro imperfecto
roeré
roerás
roerá
roeremos
roeréis
roerán

condicional simple
roería
roerías
roería
roeríamos
roeríais
roerían

Subjuntivo

presente
roa, *roiga o roya*
roas, *roigas o royas*
roa, *roiga o roya*
roamos, *roigamos o royamos*
roáis, *roigáis o royáis*
roan, *roigan o royan*

pretérito imperfecto
royera, -ese
royeras, -eses
royera, -ese
royéramos, -ésemos
royerais, -eseis
royeran, -esen

futuro imperfecto
royere
royeres
royere
royéremos
royereis
royeren

Imperativo

presente
roe (tú)
roa, *roiga* o *roya* (usted)
roamos, *roigamos* o *royamos* (nosotros)
roed (vosotros)
roan, *roigan* o *royan* (ustedes)

Formas no personales

infinitivo
roer

gerundio
royendo

participio
roído

SABER

Indicativo

presente
sé
sabes
sabe
sabemos
sabéis
saben

pretérito imperfecto
sabía
sabías
sabía
sabíamos
sabíais
sabían

pretérito indefinido (1)
supe
supiste
supo
supimos
supisteis
supieron

futuro imperfecto
sabré
sabrás
sabrá
sabremos
sabréis
sabrán

condicional simple
sabría
sabrías
sabría
sabríamos
sabríais
sabrían

Subjuntivo

presente
sepa
sepas
sepa
sepamos
sepáis
sepan

pretérito imperfecto
supiera, -ese
supieras, -eses
supiera, -ese
supiéramos, -ésemos
supierais, -eseis
supieran, -esen

futuro imperfecto
supiere
supieres
supiere
supiéremos
supiereis
supieren

Imperativo

presente
sabe (tú)
sepa (usted)
sepamos (nosotros)
sabed (vosotros)
sepan (ustedes)

Formas no personales

infinitivo	**gerundio**
saber	sabiendo

participio
sabido

SACAR

Indicativo

presente
saco
sacas
saca
sacamos
sacáis
sacan

pretérito imperfecto
sacaba
sacabas
sacaba
sacábamos
sacabais
sacaban

pretérito indefinido (1)
saqué
sacaste
sacó
sacamos
sacasteis
sacaron

futuro imperfecto
sacaré
sacarás
sacará
sacaremos
sacaréis
sacarán

condicional simple
sacaría
sacarías
sacaría
sacaríamos
sacaríais
sacarían

Subjuntivo

presente
saque
saques
saque
saquemos
saquéis
saquen

pretérito imperfecto
sacara, -ase
sacaras, -ases
sacara, -ase
sacáramos, -ásemos
sacarais, -aseis
sacaran, -asen

futuro imperfecto
sacare
sacares
sacare
sacáremos
sacareis
sacaren

Imperativo

presente
saca (tú)
saque (usted)
saquemos (nosotros)
sacad (vosotros)
saquen (ustedes)

Formas no personales

infinitivo	**gerundio**
sacar	sacando

participio
sacado

SALIR

Indicativo

presente
salgo
sales
sale
salimos
salís
salen

pretérito imperfecto
salía
salías
salía
salíamos
salíais
salían

pretérito indefinido (1)
salí
saliste
salió
salimos
salisteis
salieron

futuro imperfecto
saldré
saldrás
saldrá
saldremos
saldréis
saldrán

condicional simple
saldría
saldrías
saldría
saldríamos
saldríais
saldrían

Subjuntivo

presente
salga
salgas
salga
salgamos
salgáis
salgan

pretérito imperfecto
saliera, -ese
salieras, -eses
saliera, -ese
saliéramos, -ésemos
salierais, -eseis
salieran, -esen

futuro imperfecto
saliere
salieres
saliere
saliéremos
saliereis
salieren

Imperativo

presente
sal (tú)
salga (usted)
salgamos (nosotros)
salid (vosotros)
salgan (ustedes)

Formas no personales

infinitivo	**gerundio**
salir	saliendo

participio
salido

SEGUIR

Indicativo

presente
sigo
sigues
sigue
seguimos
seguís
siguen

pretérito imperfecto
seguía
seguías
seguía
seguíamos
seguíais
seguían

pretérito indefinido (1)
seguí
seguiste
siguió
seguimos
seguisteis
siguieron

futuro imperfecto
seguiré
seguirás
seguirá
seguiremos
seguiréis
seguirán

condicional simple
seguiría
seguirías
seguiría
seguiríamos
seguiríais
seguirían

Subjuntivo

presente
siga
sigas
siga
sigamos
sigáis
sigan

pretérito imperfecto
siguiera, -ese
siguieras, -eses
siguiera, -ese
siguiéramos, -ésemos
siguierais, -eseis
siguieran, -esen

futuro imperfecto
siguiere
siguieres
siguiere
siguiéremos
siguiereis
siguieren

Imperativo

presente
sigue (tú)
siga (usted)
sigamos (nosotros)
seguid (vosotros)
sigan (ustedes)

Formas no personales

infinitivo	**gerundio**
seguir	*siguiendo*

participio
seguido

SENTIR

Indicativo

presente
siento
sientes
siente
sentimos
sentís
sienten

pretérito imperfecto
sentía
sentías
sentía
sentíamos
sentíais
sentían

pretérito indefinido (1)
sentí
sentiste
sintió
sentimos
sentisteis
sintieron

futuro imperfecto
sentiré
sentirás
sentirá
sentiremos
sentiréis
sentirán

condicional simple
sentiría
sentirías
sentiría
sentiríamos
sentiríais
sentirían

Subjuntivo

presente
sienta
sientas
sienta
sintamos
sintáis
sientan

pretérito imperfecto
sintiera, -ese
sintieras, -eses
sintiera, -ese
sintiéramos, -ésemos
sintierais, -eseis
sintieran, -esen

futuro imperfecto
sintiere
sintieres
sintiere
sintiéremos
sintiereis
sintieren

Imperativo

presente
siente (tú)
sienta (usted)
sintamos (nosotros)
sentid (vosotros)
sientan (ustedes)

Formas no personales

infinitivo sentir
gerundio *sintiendo*
participio sentido

SER

Indicativo

presente
soy
eres
es
somos
sois
son

pretérito imperfecto
era
eras
era
éramos
erais
eran

pretérito indefinido (1)
fui
fuiste
fue
fuimos
fuisteis
fueron

futuro imperfecto
seré
serás
será
seremos
seréis
serán

condicional simple
sería
serías
sería
seríamos
seríais
serían

Subjuntivo

presente
sea
seas
sea
seamos
seáis
sean

pretérito imperfecto
fuera, -ese
fueras, -eses
fuera, -ese
fuéramos, -ésemos
fuerais, -eseis
fueran, -esen

futuro imperfecto
fuere
fueres
fuere
fuéremos
fuereis
fueren

Imperativo

presente
sé (tú)
sea (usted)
seamos (nosotros)
sed (vosotros)
sean (ustedes)

Formas no personales

infinitivo ser
gerundio siendo
participio sido

TAÑER

Indicativo

presente
taño
tañes
tañe
tañemos
tañéis
tañen

pretérito imperfecto
tañía
tañías
tañía
tañíamos
tañíais
tañían

pretérito indefinido (1)
tañí
tañiste
tañó
tañimos
tañisteis
tañeron

futuro imperfecto
tañeré
tañerás
tañerá
tañeremos
tañeréis
tañerán

condicional simple
tañería
tañerías
tañería
tañeríamos
tañeríais
tañerían

Subjuntivo

presente
taña
tañas
taña
tañamos
tañáis
tañan

pretérito imperfecto
tañera, -ese
tañeras, -eses
tañera, -ese
tañéramos, -ésemos
tañerais, -eseis
tañeran, -esen

futuro imperfecto
tañere
tañeres
tañere
tañéremos
tañereis
tañeren

Imperativo

presente
tañe (tú)
taña (usted)
tañamos (nosotros)
tañed (vosotros)
tañan (ustedes)

Formas no personales

infinitivo tañer
gerundio *tañendo*
participio tañido

TENER

Indicativo

presente
tengo
tienes
tiene
tenemos
tenéis
tienen

pretérito imperfecto
tenía
tenías
tenía
teníamos
teníais
tenían

pretérito indefinido (1)
tuve
tuviste
tuvo
tuvimos
tuvisteis
tuvieron

futuro imperfecto
tendré
tendrás
tendrá
tendremos
tendréis
tendrán

condicional simple
tendría
tendrías
tendría
tendríamos
tendríais
tendrían

Subjuntivo

presente
tenga
tengas
tenga
tengamos
tengáis
tengan

pretérito imperfecto
tuviera, -ese
tuvieras, -eses
tuviera, -ese
tuviéramos, -ésemos
tuvierais, -eseis
tuvieran, -esen

futuro imperfecto
tuviere
tuvieres
tuviere
tuviéremos
tuviereis
tuvieren

Imperativo

presente
ten (tú)
tenga (usted)
tengamos (nosotros)
tened (vosotros)
tengan (ustedes)

Formas no personales

infinitivo tener
gerundio teniendo
participio tenido

TRAER

Indicativo

presente
traigo
traes
trae
traemos
traéis
traen

pretérito imperfecto
traía
traías
traía
traíamos
traíais
traían

pretérito indefinido (1)
traje
trajiste
trajo
trajimos
trajisteis
trajeron

futuro imperfecto
traeré
traerás
traerá
traeremos
traeréis
traerán

condicional simple
traería
traerías
traería
traeríamos
traeríais
traerían

Subjuntivo

presente
traiga
traigas
traiga
traigamos
traigáis
traigan

pretérito imperfecto
trajera, -ese
trajeras, -eses
trajera, -ese
trajéramos, -ésemos
trajerais, -eseis
trajeran, -esen

futuro imperfecto
trajere
trajeres
trajere
trajéremos
trajereis
trajeren

Imperativo

presente
trae (tú)
traiga (usted)
traigamos (nosotros)
traed (vosotros)
traigan (ustedes)

Formas no personales

infinitivo traer
gerundio *trayendo*
participio traído

TROCAR

Indicativo

presente
trueco
truecas
trueca
trocamos
trocáis
truecan

pretérito imperfecto
trocaba
trocabas
trocaba
trocábamos
trocabais
trocaban

pretérito indefinido (1)
troqué
trocaste
trocó
trocamos
trocasteis
trocaron

futuro imperfecto
trocaré
trocarás
trocará
trocaremos
trocaréis
trocarán

condicional simple
trocaría
trocarías
trocaría
trocaríamos
trocaríais
trocarían

Subjuntivo

presente
trueque
trueques
trueque
troquemos
troquéis
truequen

pretérito imperfecto
trocara, -ase
trocaras, -ases
trocara, -ase
trocáramos, -ásemos
trocarais, -aseis
trocaran, -asen

futuro imperfecto
trocare
trocares
trocare
trocáremos
trocareis
trocaren

Imperativo

presente
trueca (tú)
trueque (usted)
troquemos (nosotros)
trocad (vosotros)
truequen (ustedes)

Formas no personales

infinitivo trocar
gerundio trocando
participio trocado

VALER

Indicativo

presente
valgo
vales
vale
valemos
valéis
valen

pretérito imperfecto
valía
valías
valía
valíamos
valíais
valían

pretérito indefinido (1)
valí
valiste
valió
valimos
valisteis
valieron

futuro imperfecto
valdré
valdrás
valdrá
valdremos
valdréis
valdrán

condicional simple
valdría
valdrías
valdría
valdríamos
valdríais
valdrían

Subjuntivo

presente
valga
valgas
valga
valgamos
valgáis
valgan

pretérito imperfecto
valiera, -ese
valieras, -eses
valiera, -ese
valiéramos, -ésemos
valierais, -eseis
valieran, -esen

futuro imperfecto
valiere
valieres
valiere
valiéremos
valiereis
valieren

Imperativo

presente
vale (tú)
valga (usted)
valgamos (nosotros)
valed (vosotros)
valgan (ustedes)

Formas no personales

infinitivo valer
gerundio valiendo
participio valido

VENCER

Indicativo

presente
venzo
vences
vence
vencemos
vencéis
vencen

pretérito imperfecto
vencía
vencías
vencía
vencíamos
vencíais
vencían

pretérito indefinido (1)
vencí
venciste
venció
vencimos
vencisteis
vencieron

futuro imperfecto
venceré
vencerás
vencerá
venceremos
venceréis
vencerán

condicional simple
vencería
vencerías
vencería
venceríamos
venceríais
vencerían

Subjuntivo

presente
venza
venzas
venza
venzamos
venzáis
venzan

pretérito imperfecto
venciera, -ese
vencieras, -eses
venciera, -ese
venciéramos, -ésemos
vencierais, -eseis
vencieran, -esen

futuro imperfecto
venciere
vencieres
venciere
venciéremos
venciereis
vencieren

Imperativo

presente
vence (tú)
venza (usted)
venzamos (nosotros)
venced (vosotros)
venzan (ustedes)

Formas no personales

infinitivo vencer
gerundio venciendo
participio vencido

VENIR

Indicativo

presente
vengo
vienes
viene
venimos
venís
vienen

pretérito imperfecto
venía
venías
venía
veníamos
veníais
venían

pretérito indefinido (1)
vine
viniste
vino
vinimos
vinisteis
vinieron

futuro imperfecto
vendré
vendrás
vendrá
vendremos
vendréis
vendrán

condicional simple
vendría
vendrías
vendría
vendríamos
vendríais
vendrían

Subjuntivo

presente
venga
vengas
venga
vengamos
vengáis
vengan

pretérito imperfecto
viniera, -ese
vinieras, -eses
viniera, -ese
viniéramos, -ésemos
vinierais, -eseis
vinieran, -esen

futuro imperfecto
viniere
vinieres
viniere
viniéremos
viniereis
vinieren

Imperativo

presente
ven (tú)
venga (usted)
vengamos (nosotros)
venid (vosotros)
vengan (ustedes)

Formas no personales

infinitivo
venir

gerundio
viniendo

participio
venido

VER

Indicativo

presente
veo
ves
ve
vemos
veis
ven

pretérito imperfecto
veía
veías
veía
veíamos
veíais
veían

pretérito indefinido (1)
vi
viste
vio
vimos
visteis
vieron

futuro imperfecto
veré
verás
verá
veremos
veréis
verán

condicional simple
vería
verías
vería
veríamos
veríais
verían

Subjuntivo

presente
vea
veas
vea
veamos
veáis
vean

pretérito imperfecto
viera, -ese
vieras, -eses
viera, -ese
viéramos, -ésemos
vierais, -eseis
vieran, -esen

futuro imperfecto
viere
vieres
viere
viéremos
viereis
vieren

Imperativo

presente
ve (tú)
vea (usted)
veamos (nosotros)
ved (vosotros)
vean (ustedes)

Formas no personales

infinitivo
ver

gerundio
viendo

participio
visto

VOLVER

Indicativo

presente
vuelvo
vuelves
vuelve
volvemos
volvéis
vuelven

pretérito imperfecto
volvía
volvías
volvía
volvíamos
volvíais
volvían

pretérito indefinido (1)
volví
volviste
volvió
volvimos
volvisteis
volvieron

futuro imperfecto
volveré
volverás
volverá
volveremos
volveréis
volverán

condicional simple
volvería
volverías
volvería
volveríamos
volveríais
volverían

Subjuntivo

presente
vuelva
vuelvas
vuelva
volvamos
volváis
vuelvan

pretérito imperfecto
volviera, -ese
volvieras, -eses
volviera, -ese
volviéramos, -ésemos
volvierais, -eseis
volvieran, -esen

futuro imperfecto
volviere
volvieres
volviere
volviéremos
volviereis
volvieren

Imperativo

presente
vuelve (tú)
vuelva (usted)
volvamos (nosotros)
volved (vosotros)
vuelvan (ustedes)

Formas no personales

infinitivo
volver

gerundio
volviendo

participio
vuelto

YACER

Indicativo

presente
yazco, yazgo o *yago*
yaces
yace
yacemos
yacéis
yacen

pretérito imperfecto
yacía
yacías
yacía
yacíamos
yacíais
yacían

pretérito indefinido (1)
yací
yaciste
yació
yacimos
yacisteis
yacieron

futuro imperfecto
yaceré
yacerás
yacerá
yaceremos
yaceréis
yacerán

condicional simple
yacería
yacerías
yacería
yaceríamos
yaceríais
yacerían

Subjuntivo

presente
yazca, yazga o *yaga*
yazcas, yazgas o *yagas*
yazca, yazga o *yaga*
yazcamos, yazgamos o *yagamos*
yazcáis, yazgáis o *yagáis*
yazcan, yazgan o *yagan*

pretérito imperfecto
yaciera, -ese
yacieras, -eses
yaciera, -ese
yaciéramos, -ésemos
yacierais, -eseis
yacieran, -esen

futuro imperfecto
yaciere
yacieres
yaciere
yaciéremos
yaciereis
yacieren

Imperativo

presente
yace o *yaz* (tú)
yazca, yazga o *yaga* (usted)
yazcamos, yazgamos o *yagamos* (nosotros)
yaced (vosotros)
yazcan, yazgan o *yagan* (ustedes)

Formas no personales

infinitivo
yacer

gerundio
yaciendo

participio
yacido

ZURCIR

Indicativo

presente
zurzo
zurces
zurce
zurcimos
zurcís
zurcen

pretérito imperfecto
zurcía
zurcías
zurcía
zurcíamos
zurcíais
zurcían

pretérito indefinido (1)
zurcí
zurciste
zurció
zurcimos
zurcisteis
zurcieron

futuro imperfecto
zurciré
zurcirás
zurcirá
zurciremos
zurciréis
zurcirán

condicional simple
zurciría
zurcirías
zurciría
zurciríamos
zurciríais
zurcirían

Subjuntivo

presente
zurza
zurzas
zurza
zurzamos
zurzáis
zurzan

pretérito imperfecto
zurciera, -ese
zurcieras, -eses
zurciera, -ese
zurciéramos, -ésemos
zurcierais, -eseis
zurcieran, -esen

futuro imperfecto
zurciere
zurcieres
zurciere
zurciéremos
zurciereis
zurcieren

Imperativo

presente

zurce	(tú)
zurza	(usted)
zurzamos	(nosotros)
zurcid	(vosotros)
zurzan	(ustedes)

Formas no personales

infinitivo	**gerundio**
zurcir	zurciendo
participio	
zurcido	

sm
DICCIONARIOS